LAFFONT – BOMPIANI

LE NOUVEAU DICTIONNAIRE DES ŒUVRES

DE TOUS LES TEMPS ET DE TOUS LES PAYS

III

Fa – Le

ROBERT LAFFONT

Première édition 1980
Réimpression 1981, 1983, 1984, 1986, 1987, 1989, 1990
Nouvelle édition actualisée 1994

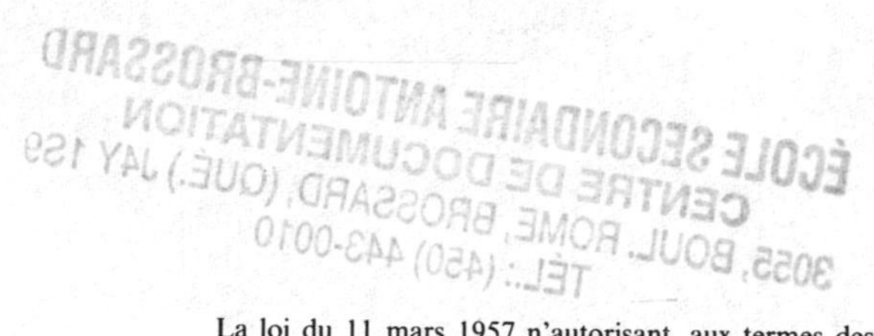

ISBN : 2-221-07711-3 (tome 3)
ISBN : 2-221-06887-4 (édition complète)

AVERTISSEMENT

En quarante ans d'âge, le *Dictionnaire des œuvres* a pris place parmi les ouvrages de référence les plus appréciés du public. Fruit d'une collaboration franco-italienne à l'origine, l'idée en revient au grand éditeur italien Valentino Bompiani (1898-1992), qui sut s'entourer d'une équipe de brillants collaborateurs. En grande partie originale, la version française publiée à partir de 1953 appelait, du fait des variations de l'optique littéraire et de l'apport de la recherche érudite, une profonde révision.

Grâce à la collaboration de plus de cinq cents spécialistes appartenant aux disciplines les plus diverses, c'est cette édition nouvelle que nous présentons au lecteur.

On comprendra mieux la portée de l'effort quand on saura que l'objet du *Nouveau Dictionnaire des œuvres* est, en somme, de mettre aujourd'hui sous la main du lecteur, en six tomes et un index, la substance de près de vingt et un mille œuvres – contre seize mille quatre cents dans l'édition précédente. Le dictionnaire s'enrichit de l'analyse de quatre mille six cents œuvres nouvelles (un article sur quatre). Tous les articles de l'ancienne édition ont été relus, nombre d'entre eux profondément modifiés, près de six cents entièrement refaits.

Le champ embrassé par *Le Nouveau Dictionnaire des œuvres* est vaste : roman, poésie, théâtre, philosophie, droit, sciences, sciences humaines, histoire, histoire de l'art et musique, des textes les plus anciens de l'Égypte et de la Chine jusqu'aux chefs-d'œuvre de notre temps. Étant donné l'ampleur même de la matière traitée, ce dictionnaire repose nécessairement sur un choix qui peut être discuté mais qu'on s'est efforcé de faire aussi équitable et aussi étendu que possible. Précisons qu'y figurent les œuvres des auteurs morts à la date d'achèvement de la rédaction (1994), ainsi que celles des auteurs vivants nés avant 1951. (Il fallait être né avant 1911 pour figurer dans l'édition précédente.)

À chaque œuvre retenue correspond donc un article – dates biographiques se rapportant à l'auteur, analyse de l'œuvre, jugement critique la replaçant dans son temps et situant son importance dans l'histoire de la culture, mention des traductions pour les œuvres étrangères. On voit que l'intention a été de conserver aux articles le caractère vivant d'essais, allié à la plus grande exactitude.

Mais il fallait tenir compte également des parentés complexes qui peuvent unir certains grands sujets. Pour la commodité de l'information ont été groupées sous un titre unique les œuvres relevant d'un même thème traditionnel tant classique que moderne (Iphigénie, Don Juan, Faust, etc.). Ainsi est-il possible de suivre le développement de certains thèmes fondamentaux à travers les époques et les littératures. De nombreux renvois d'article à article, de thème à thème, viennent compléter cet ensemble.

Bref, premier de ce genre, *Le Nouveau Dictionnaire des œuvres* devrait être dans sa version actualisée le complément toujours plus nécessaire des autres grandes encyclopédies.

Il va sans dire qu'il n'a ni la prétention ni le pouvoir de suppléer à la connaissance directe des œuvres elles-mêmes. Tout comme il serait présomptueux de notre part d'affirmer qu'il ne contient aucune omission. Mais ceux qui ont participé à son élaboration pensent avoir été plus généreux qu'avares, et n'ont eu pour souci que de se référer aux meilleures sources.

USAGE DU DICTIONNAIRE

Quant à l'usage du *Dictionnaire,* nous préciserons à l'intention du lecteur quelques règles.

ORDRE DE CLASSEMENT

Les articles du *Dictionnaire* se suivent dans l'ordre alphabétique des titres d'œuvres. L'ordre alphabétique s'applique non seulement au premier, mais à tous les termes d'un titre.

Ex. : **AMOU(RS J)AUNES.**
AMOU(R SO)RCIER.
AMOU(RS P)ASTORALES DE DAPHNIS ET CHLOÉ.
AMOU(R SU)PRÊME.

Conformément aux règles en usage, l'article défini ou indéfini est toujours rejeté après le titre.

Ex. : chercher **ÉDUCATION SENTIMENTALE (L'),**
et non **L'ÉDUCATION SENTIMENTALE.**

Cependant, les prépositions restent à leur place :

À LA RECHERCHE DU TEMPS PERDU,
DE LA TERRE À LA LUNE,

sauf pour les titres de traités ou d'essais :

SAGESSE (De la),
et non **DE LA SAGESSE.**

Dans les cas de titres génériques (Canzoniere, Épîtres, Élégies, etc.), pour faciliter la recherche, on a adjoint immédiatement les noms d'auteurs.

Ex. : **CANZONIERE de Pétrarque.**
CANZONIERE de Saba.
POÉSIES... de Mallarmé.
POÉSIES... de Rimbaud.

ŒUVRES ÉTRANGÈRES

Pour les œuvres étrangères traduites dans notre langue, nous avons adopté le titre français. Ex. : **LA BARRACA,** de Blasco Ibanez, a sa place à **TERRES MAUDITES**. Le titre original suit toujours, entre crochets (pour le chinois figurent successivement la transcription de l'E.F.E.O., rationalisée sur quelques points, et la transcription en pinyin). En fin d'article, nous avons indiqué le nom de l'éditeur et la date de traduction.

Lorsqu'il y a choix entre deux ou plusieurs titres français, nous avons opté pour le plus usité : de **HAUTS DE HURLE-VENT** et de **HAUTE-PLAINTE,** nous avons retenu le premier.

Pour les œuvres étrangères non encore traduites, nous nous sommes astreints à une traduction la plus exacte possible du titre.

Pour les littératures orientales et extrême-orientales, on trouvera parfois les titres français consacrés par l'usage **(LIVRE DES ROIS, MILLE ET UNE NUITS),** parfois les titres sous leur forme originale, généralement adoptée **(TAO TEU TSING).**

Autre exception : pour les journaux et revues de notoriété mondiale **(LE SPECTATOR),** comme pour les recueils de poèmes portant des titres génériques difficilement traduisibles **(CANZONIERE, CANCIONEROS, DAINOS),** le titre original est aussi conservé, suivi au besoin entre crochets de l'approximation française.

À l'intérieur d'un texte, les renvois sont indiqués par un astérisque entre parenthèses (*), placé à côté du titre de l'œuvre à consulter.

INDEX

Les œuvres y sont reclassées par noms d'auteurs, ce qui permet de retrouver aisément ceux-ci et d'avoir sous les yeux toutes les œuvres d'un même auteur figurant dans ce *Dictionnaire*. On y trouve également la mention de la page où l'œuvre est traitée, celle-ci pouvant se trouver dans un article d'ensemble (c'est ainsi que *Le Burlador de Séville* de Tirso de Molina prend place dans l'article *Don Juan*).

F

FAUX PAS. Recueil d'essais de l'écrivain français Maurice Blanchot (né en 1907), publié en 1943. Pour la commodité de l'exposé, nous avons regroupé ici quatre livres de critiques, échelonnés sur vingt ans, qui – si l'on excepte son ouvrage *Lautréamont et Sade* (*), consacré, le titre l'indique, à des auteurs bien définis, et sa plaquette *La Bête de Lascaux* (1959), hommage presque confidentiel à René Char auquel depuis longtemps Maurice Blanchot voue une admiration particulière – constituent l'essentiel de son œuvre critique durant cette période. Il s'agit de *Faux pas, La Part du feu* (1949), *L'Espace littéraire* (1955), *Le Livre à venir* (1959).

Tous quatre, comme plus tard *L'Entretien infini* (*), sont des recueils d'articles, parus pour la plus grande part dans *La Nouvelle Revue française*, plus ou moins modifiés, agencés selon une visée originale et significative. Pourtant, la différence est grande entre ces livres, entre les deux premiers surtout et les deux qui font suite. On sent dans *Faux pas* l'article de circonstance remarquablement précis, dont la pensée est rigoureuse ; on pressent ce qui unit ces textes épars, dont une belle introduction, « De l'angoisse au langage », donne le ton fondamental. Mais Blanchot demeure un critique de la tradition, le plus intelligent et le plus pénétrant sans doute, empreint d'une vision classique de la littérature, prisonnier d'un style sous lequel perce une inquiétude neuve dont on le sent préoccupé sans qu'il puisse vraiment la dire d'une façon qui lui soit personnelle.

La Part du feu permet le saut à partir duquel Blanchot ne ressemblera plus qu'à lui-même. Les articles pourtant se font suite sans même être classés comme dans son premier recueil – où l'ordre, à vrai dire, reste un peu contingent. Mais la voix s'assure, la phrase critique trouve son équilibre, un commencement de véritable liberté. Les textes semblent échapper à l'événement, précis ou imprécis, qui les a suscités, ils poursuivent chacun, sans que le ton baisse jamais, leur très libre aventure, jusqu'aux pages finales où dans un bref essai théorique, « La Littérature et le droit à la mort », Blanchot, pour la première fois, affronte résolument l'écrivain à son risque essentiel, « la part du feu » qu'il ravit, qui le consume à tout moment, par quoi il est porté dans le royaume imaginaire et si réel de la littérature. Rien d'étonnant que ce livre, qui s'intitule justement *La Part du feu*, soit théorique absolument, malgré son découpage extrêmement habile qui permet de considérer ici tel auteur, là tel autre, de paraître dans l'exemple et l'intimité d'une pensée alors que déjà on ne s'affronte qu'à ce qui la dépasse, même si elle seule le permet. Sept parties : « La Solitude essentielle », « Approches de l'espace littéraire », « L'Espace et l'exigence de l'œuvre », « L'Œuvre et l'espace de la mort », « L'Inspiration », « L'Œuvre et la communication », « La Littérature et l'expérience originelle ». C'est tenter de comprendre, on le voit, la totalité de ce à quoi l'homme se trouve confronté du seul fait que la littérature existe. La réflexion tourne autour des auteurs qui lui sont indissolublement liés, dont l'œuvre pour Blanchot recouvre en son fondement même la possibilité de l'écriture : Kafka, Rilke, Hölderin, Mallarmé surtout, qui dès l'origine le hante, sur qui à chaque fois il découvre un peu plus en de grands cercles concentriques.

L'Espace littéraire est un parcours exact de la pensée critique qui prend appui sur ses démons les plus intimes et les plus familiers. On oublie toute idée d'article, pour ne plus considérer que la rigueur de l'œuvre théorique dont l'auteur, dans un avertissement, nous indique le centre, le nœud le plus secret : un bref chapitre, « Le Regard d'Orphée », où magnifiquement Blanchot lie l'inspiration de l'écrivain au désir, tout à la fois impatience et insouciance. Ce qu'il conquiert dans ce livre, c'est la décision de la pensée réelle sur ce qui trop souvent reste l'objet d'un commentaire ; et sa critique alors, d'un seul mouvement, conjugue la rigueur théorique et la beauté de l'écriture. Aussi, désormais, sûr de son langage, sûr d'une relation surtout infiniment osée de son langage à la pensée, il se risque à ce qu'il nomme lui-même des « Recherches », s'ouvrant comme en son premier recueil à la diversité de la culture, sans plus risquer jamais de paraître partiel ou mal à l'aise : c'est *Le Livre à venir*. Œuvre de haute lecture ou chaque étude singulière renvoie toujours à la totalité du livre, tant on sent l'auteur jouer avec une émouvante gravité de ce que la littérature offre de plus secret, de plus changeant.

Le Livre à venir réussit ce miracle, que la critique offre bien rarement, d'être à la fois une œuvre théorique et libre, qui commence par un texte énigmatique et d'un si grand poids de langage, « Le Chant des sirènes », et se termine par une méditation simple et presque familière sur le destin, aujourd'hui, de l'homme qui se veut écrivain.

Mais que Blanchot cherche-t-il au juste à dire en ces quatre livres au terme desquels il parvient à une telle maîtrise, dans une écriture difficile, exigeante, rare, un peu troublante, qui fait de lui un « écrivain » au sens qu'il donne lui-même à ce mot ? Cela, précisément : dire ce qu'est un écrivain, ce qu'est l'exigence d'écrire, et cerner l'espace si totalement singulier de la littérature. À propos de chaque auteur, devant toute œuvre qui l'occupe, Blanchot s'étonne : il cherche à retrouver de toutes les façons d'où part et comment s'organise la décision originale qui pousse un homme à s'enfouir, pour mieux se reconnaître, dans la rumination des mots. Décision toujours passée en un sens, puisque la littérature est avant tout culture ; mais toujours à venir, car elle ouvre sur un abîme que rien ne peut combler, et le vertige toujours accompagne le saut. Ce que Blanchot décèle à tout moment, c'est la façon dont l'écriture fait problème pour qui s'y abandonne ; et à vrai dire, au moins depuis deux siècles, depuis Hölderlin et Rousseau, avec qui la véritable inquiétude commence, celui qui ne laisse pas dans son œuvre cette question plus ou moins manifeste n'est pas un écrivain. Blanchot met en valeur, au risque de paraître parfois obscur et parfois évident, toutes les contradictions qu'écrire introduit dans la conscience que l'homme a de lui-même : la contestation de l'écriture qui s'opère en chaque œuvre véritable, alors que le langage est sa première condition ; à cause, précise bien Blanchot, de cette même condition. Car le langage est ce qui échappe, le mirage par où l'idée du continu se crée sous la forme, malgré tout, du discontinu ; il est le silence vers lequel à tout instant il tend dans son désir violent de naître à la parole, jouant toujours de l'idée d'un recueillement impossible et sans lequel pourtant toute parole serait inconcevable. Les paradoxes de l'écrivain, de ce tisseur de mots, qui aspire à trouver en lui, et au-delà de tout langage, un secret que le seul langage pourtant parvient à désigner, de cet homme qui s'acharne en même temps à brouiller toute chose et à la mettre au jour, ces paradoxes, Blanchot les établit et les précise, terriblement divers, en chaque œuvre qui lui paraît les révéler dans toute leur richesse. C'est pourquoi il a su mieux que personne déceler en l'écrivain les formes du détour, de la fuite, du masque, et comprendre comment, d'une certaine façon, l'écrivain n'était même que cela. Il écrit par exemple : « Tout se passe comme si l'écrivain – ou l'artiste – ne pouvait poursuivre l'accomplissement de son œuvre sans se donner pour objet et pour alibi la poursuite d'autre chose (c'est pourquoi sans doute il n'y a pas d'art pur). Pour exercer son art, il lui faut un biais par où échapper à l'art, un biais par lequel il se dissimule ce qu'il est et ce qu'il fait – et la littérature est cette dissimulation. » Ainsi assiste-t-on à tout moment à un dévoilement du sens qui apprend beaucoup sur la réalité de toute œuvre, puisqu'il s'articule là où l'œuvre elle-même trouve son origine, sa forme et sa raison interne. Blanchot, à son admirable façon, retrouve de toute écriture la modulation inquiète et la rigueur de son commencement. Ainsi *Jean Santeuil* (*) abandonné ouvre-t-il sur ce qui constitue, dans *À la recherche du temps perdu* (*), le temps secret de Proust, et le « Livre » jamais fini ou même commencé de Mallarmé est-il ce qui donne à sa moindre parole, à chacun de ses vers sa décisive orientation.

L'œuvre critique de Maurice Blanchot fait aujourd'hui problème à toute entreprise critique. Sa volonté de dire ce qu'est l'être de la littérature, il l'a maintenue jusque dans le moindre détail de façon exemplaire : dans la perspective où il se place, on ne peut dire plus. Et la perspective est large, car son interrogation est loin d'être déliée de tout rapport avec la politique ou l'histoire. Blanchot a fondé dans sa recherche incessamment reprise une critique des œuvres qui en ce sens paraît parfaitement indépassable. Son œuvre personnelle est difficile, son langage l'est comme la question qu'il se pose sans cesse, et si elle est encore trop mal connue, on la répète, et peu d'auteurs ont été imités avec autant d'impuissance et de satisfaction. La critique littéraire moderne manque de savoir au juste où elle en est avec Blanchot pour inventer vraiment et trouver une nouvelle liberté.

Il semble aujourd'hui que deux principaux systèmes d'approche de la littérature peuvent seuls, tenant compte de l'œuvre de Blanchot, l'enrichir et cesser de s'en trouver captif. Il est question évidemment, en ce cas, de critique inventive, car Blanchot sans aucune hésitation se place au plus haut niveau. On peut penser à une critique systématique des œuvres qui, ordonnant tous les faits de langage, non plus au nom de l'idée maîtresse au sein du langage, mais selon la série des lois de relation qu'on y peut découvrir, permet de mettre en lumière ce qu'on a si souvent laissé au compte de l'implicite. On peut penser également à une critique d'interprétation, qui, référant l'œuvre à un savoir particulier – psychanalyse, histoire, etc. – l'éclaire d'un autre point de vue que celui de la seule littérature auquel Blanchot se place. Cette double orientation de la critique, qui commence à s'affirmer aujourd'hui, est seule susceptible de modifier ou d'étoffer plutôt l'idée toujours reprise de la littérature comme motivation d'elle-même par quoi Blanchot renvoie toujours des œuvres singulières à l'essence qui les dépasse toutes, et cela avec un art et une intelligence inégalés. Ce serait faire de la littérature comme idée autonome d'elle-même une idée accolée à d'autres idées, pour mieux situer la réalité de la littérature dans l'histoire passée et présente des hommes. Mais, quoi qu'il en soit, la question que Blanchot pose à la critique actuelle, et l'obligation qu'il lui fait de se chercher de nouveaux modes d'approche pour pouvoir entreprendre une recherche vraiment neuve, confirme absolument la place unique qu'il occupe dans la pensée critique de la seconde moitié de ce siècle, une des toutes premières, et en un sens la plus rigoureuse, malgré l'apparente imprécision de son vocabulaire et l'allure souvent énigmatique de sa phrase qui, selon la logique d'un propos sévère, sont la possibilité même qu'il a de désigner ce à quoi il se heurte sans cesse : l'essence de la littérature.

FAUX-PASSEPORTS. Œuvre de l'écrivain belge d'expression française Charles Plisnier (1896-1952), publiée en 1934 puis, en 1937, en édition augmentée. Dans cette suite de nouvelles, toutes relatives à la vie et aux drames intérieurs du mouvement communiste, l'auteur a usé largement de ses souvenirs : Plisnier, en effet, ancien membre du parti, ancien président du Secours rouge international, fut un jour convaincu de trotskisme et exclu lors du Congrès d'Anvers. *Faux-passeports,* avec les ouvrages de Victor Serge (par exemple, *S'il est minuit dans le siècle*), est un essai d'explication par un ancien communiste, incapable néanmoins d'injustice à l'égard de ses anciens camarades, de la crise que connut le parti communiste aux alentours de 1928. Dans ces histoires vécues, l'homme et le parti s'affrontent ; le parti ne cesse d'exiger de l'homme, et ce dernier, s'il est fort, se sacrifiera toujours au parti comme s'il trouvait dans cette abnégation son suprême accomplissement. C'est ce trait qui réunit des personnages aussi différents que Ditka, la terroriste serbe « qui, pour trésor, avait des cicatrices rouges à la place de ses seins », arrachés par la police, et qui finit, pendue, à Sofia ; ou Carlotta, amazone farouche, qui joue le rôle d'accusateur public et sacrifie son amour à la justice du parti, lorsqu'elle a découvert que l'homme qu'elle aimait a trahi la cause ; et d'autres encore. Dans *Faux-Passeports,* Plisnier restait fidèle à l'idéologie marxiste : « Maurer », la deuxième nouvelle, est la transcription romanesque d'un lieu commun du communisme, la détermination radicale du psychologique par l'économique. Pilar Guilhen y Ariaga, fille de grande noblesse espagnole, est devenue étudiante communiste : le narrateur la prend d'abord pour une pure intellectuelle qui ne combat que parce qu'elle sait, dit-elle, que « sa classe est condamnée par l'Histoire » et qui hâte une révolution que refusent pourtant ses goûts intimes, son esthétisme, sa satisfaction du luxe. En fait, le sentiment se mêle étroitement chez Pilar aux considérations « scientifiques » : elle est la maîtresse, la « compagne » d'un révolutionnaire espagnol, Santiago Maurer. Elle suit ce dernier dans une vie de dangers, mais aussi de noire misère. Et c'est la misère que la jeune aristocrate qu'est demeurée Pilar ne peut supporter. Elle retournera chez son père, alors que Maurer est tué par la police. Dans la dernière nouvelle, « Iegor », Plisnier évoque les fameux procès de Moscou, où disparurent les vieux bolcheviks. Les divergences qui opposent Plisnier aux nouveaux chefs du communisme ne sont pas d'ordre doctrinal, mais sentimental et moral. Pour Iegor, doué d'une logique implacable, il y a d'une part les velléités individuelles et de l'autre le parti, « contre qui on ne pouvait avoir raison », Iégor ira jusqu'au bout de sa fidélité : lorsque lui-même aura mis en question l'unité du parti, il se soumettra, et, reconnaissant des crimes imaginaires, sacrifiera son honneur à la Révolution. *Faux-Passeports,* qui obtint le prix Goncourt en 1937, est un riche et vivant tableau des mœurs communistes. Nulle part, on ne sent la rancœur ; on dirait même que l'auteur, au fond de lui-même, donne raison à ces héros qui le contredisent. L'apparition de certains personnages authentiques, l'intrusion, dans le récit, de grands événements historiques et l'abondance des détails donnent à l'ouvrage un accent de vérité envoûtante. Au point de vue de l'histoire de la littérature, on doit enfin souligner l'importance de cette entrée de la politique comme thème essentiel d'un ouvrage romanesque : Barrès avait déjà fait cet essai, mais Plisnier annonçait les romanciers d'aujourd'hui.

FAVORI (Le) [*A Kegyeuc*]. Drame en trois actes de l'écrivain hongrois Gyula Illyés (1902-1983), publié en 1963. Dans sa première pièce, une comédie intitulée *Le Psychanalyste* [*A lélerbrivái*], représentée en 1947, Illyés exploite les effets comiques de l'apparition d'un psychanalyste parmi les paysans. Son premier drame, *L'Exemple d'Ozora* [*Ozorai példa*, représenté en 1951], occupe une place importante dans la littérature dramatique hongroise. Comme *Le Flambeau* [*Fáklyaláng*], drame écrit et représenté un peu plus tard, en 1952, il évoque la guerre d'indépendance de 1848. En 1956, Illyés avait écrit la tragédie de

Dózsa, chef de la jacquerie hongroise de 1514. *Le Favori*, qui évoque un épisode de l'histoire de l'Empire romain, répond en réalité à une question d'actualité brûlante, celle de la tyrannie qu'aucune nécessité historique ne justifie. Le drame est une mise en accusation de tous ceux qui ont contribué d'une manière quelconque à la naissance ou au maintien d'un régime tyrannique. *L'Extravagant* [*A Különc*, 1963], autre drame où Illyés présente la vie de László Teleki, homme politique et écrivain hongrois du XIXe siècle, foncièrement honnête, qui se tourne contre le régime tyrannique instauré en Hongrie après l'échec de la révolution hongroise de 1848, a fourni le matériau du *Favori*. — Trad. *Le Favori*, Gallimard, 1965.

FAVORITE (La). Opéra en quatre actes du compositeur italien Gaetano Donizetti (1797-1848), sur un livret français d'Alphonse Royer et Gustave Woëz, tiré du drame de Baculard d'Arnaud : *Le Comte de Comminges* (1790). Créé à Paris en 1840, à Milan en 1843 ; également exécuté sous les titres de *Daila, Léonore de Guzman, Richard et Mathilde.* Alphonse XI, roi de Castille, a répudié la fille de Balthasar et a pris pour maîtresse Léonore de Guzman. Mais le fils de Balthasar, Fernand, sans savoir qu'elle est la favorite du roi, s'éprend de Léonore qui répond à son amour. S'étant confié à son père, qui déplore amèrement les sentiments du jeune homme sans, pour autant, lui apprendre la vérité, Fernand se rend à la demeure de sa mystérieuse amante qui lui remet un brevet royal le nommant capitaine ; il part pour la guerre, heureux. Il revient couvert de gloire et, autorisé à réclamer la récompense de son choix, il demande la main de Léonore. Le roi, bien que profondément épris de sa favorite, la lui cède, le comble d'honneurs et fait célébrer le mariage. Léonore, ayant écrit la vérité à Fernand dans un message qui ne lui est pas parvenu, le croit au courant et l'épouse en bénissant sa générosité. Cependant, les seigneurs de la Cour révèlent son déshonneur à Fernand, qui affronte le roi et lui rend ordres et titres, brise son épée et se retire au couvent dont son père est le supérieur. Léonore, également accablée de douleur, abandonne le monde et s'enferme dans un cloître. Sur le point de mourir, elle retrouve Fernand ; elle lui explique les circonstances de leur mariage, se fait pardonner et expire entre ses bras. La sottise du livret a trouvé son remède dans la musique de Donizetti. La qualité de l'inspiration est extrêmement facile et toute de sentiment. Au contraire, les idées mélodiques, tant principales que secondaires, sont enrichies de développements, de variations, de modulations, de conclusions continuellement variées. Chaque « morceau » est riche, fourni, solide et bien fait : l'artiste en pleine maturité sait tirer des effets maximaux d'une matière rebattue. Les trois premiers actes font certes trop de concessions au banal et au conventionnel, mais le quatrième demeure une des pages les plus inspirées de la musique lyrique du XIXe siècle italien.

FÉDÉRALISME, SOCIALISME ET ANTITHÉOLOGISME. Dans cet ouvrage, le mieux composé de tous ceux qu'il a écrits, le sociologue russe Mikhaïl Bakounine (1814-1876) a condensé toute sa pensée philosophique et politique. L'auteur écrivit ce livre, en français, en 1871 pour le Comité central de la « Ligue pour la paix et la liberté », dans le dessein de consolider la plate-forme idéologique de cette organisation. Partisan de la liberté la plus totale, Bakounine considère toute forme du pouvoir comme un obstacle au développement des peuples et des individus. La centralisation politique, qui caractérise aussi bien les régimes monarchiques que républicains, est la source de l'omnipotence de l'État et doit être combattue comme telle. Au lieu de détruire la centralisation établie par la monarchie, la Révolution française l'a renforcée en annihilant tout mouvement régionaliste et toute velléité de fédéralisme. Les Jacobins centralisateurs vainquirent les Girondins fédéralistes, le Comité de salut public prit la place de la monarchie et ses membres remplacèrent les ministres de cette dernière. Toutefois l'appareil de l'État nécessitait un conducteur, qui fut trouvé en la personne de Napoléon Ier. Mais un tel appareil mis en marche ne peut que provoquer la guerre de conquête. Il en résulte que la paix et la liberté ne peuvent coexister avec un État centralisateur. « Là où est l'État, il n'y a pas de liberté ; là où est la liberté, il n'y a pas d'État. » Aussi la décentralisation politique et administrative, accompagnée d'un processus naturel d'association spontanée des peuples, constitue-t-elle la seule méthode apte à garantir la paix et la liberté aux peuples et aux individus. Le fédéralisme est fondé sur la reconnaissance du développement autonome des peuples et admet que la région au sein de la nation, la nation au sein du monde doivent se développer quelles que soient leurs ressources, et tendre vers le progrès auquel la centralisation, au contraire, fait obstacle. La région et la nation sont d'ailleurs composées d'individus qui ne vivent pas sur un plan d'égalité, mais de subordination. L'injuste répartition des biens matériels provoque la division de la société en classes sociales dont chacune joue un rôle qui lui est propre. Les possédants dominent et ne travaillent pas, ceux qui ne possèdent rien travaillent pour produire les biens nécessaires à la classe dominante. Ainsi apparaît la question sociale, qui ne pourra être résolue que par la traduction, dans les faits, des notions de liberté et d'égalité proclamées par la Révolution française sur un mode uniquement formel. Aujourd'hui le problème de l'application des principes de liberté et d'égalité, c'est-à-dire le socialisme, se pose dans l'immédiat, car la grande industrie en provoquant la formation d'unités économiques, nationales d'abord, internationales ensuite et, partant, la concentration des masses, a créé les conditions objectives et subjectives de sa réalisation. L'homme ne peut être véritablement libre tant qu'il ne s'est pas soustrait au triple accroissement politique, économique et théologique : c'est l'homme qui a créé Dieu et non pas Dieu qui a créé l'homme.

La philosophie doit donc être rationnelle et non métaphysique. Bakounine se réfère non à l'idéalisme hégélien, mais au positivisme comtien, et oppose au déterminisme fataliste son volontarisme révolutionnaire. Selon lui, ce sont les hommes qui font l'Histoire, celle-ci embrassant toutes les activités humaines et toutes les manifestations de la nature ; Bakounine a donc de l'Histoire une conception moniste, et si l'on peut considérer une histoire humaine et une histoire naturelle, ce n'est que pour de simples raisons d'exposition. La religion, issue de l'instinct de conservation, est devenue un commode instrument de gouvernement ; grâce à elle les classes dirigeantes assujettissent les consciences et justifient leur action criminelle et nuisible pour les individus, sous le prétexte fallacieux de la machiavélique « raison d'État ». – Trad. L'Âge d'Homme, 1971.

FÉDÉRALISTE (Le) [*The Federalist*]. Série de quatre-vingt-cinq articles ou « Essays », composés en grande partie (cinquante et un) par Alexander Hamilton (1757-1804). Celui-ci, natif des Antilles britanniques, juriste et homme d'État américain célèbre, vécut à partir de 1772 dans les colonies d'Amérique dont il contribua grandement à la constitution en fédération. Vingt-six articles sont de James Madison (1751-1836), quatrième président des États-Unis, qui collabora avec Hamilton à la rédaction de trois autres. Cinq sont de John Jay (1745-1829).

Ces « essais » furent publiés entre l'automne de 1787 et le printemps de 1788 dans les journaux de New York, afin d'inciter la population de cet État à ratifier la Constitution de Philadelphie (1787), qui avait concrétisé les propositions, formulées en premier lieu par Hamilton, en faveur d'un solide gouvernement fédéral permanent des treize États. Toutefois, la Constitution de 1787 n'avait pas reproduit totalement le projet déposé par Hamilton et Madison qui, opposés au principe d'une représentation égale des États au Sénat, étaient partisans, en revanche, de la limitation de la compétence législative des États grâce au veto présidentiel, et de l'élection à vie des gouverneurs, du président et des sénateurs. Les deux hommes d'État préconisent, en somme, une imitation légèrement modifiée de la Constitution anglaise et le renforcement de l'autorité fédérale aux dépens de celle des gouvernements des États. Pourtant, les deux principaux auteurs du *Fédéraliste* défendirent en bloc, dans leurs articles, le compromis représenté par la Constitution sans manifester leur opposition ; à leurs yeux, ce texte était infiniment supérieur aux Articles de Confédération de 1777, qui s'étaient révélés aussi incapables de fonctionner que de subir des modifications. *Le Fédéraliste* constitue le premier et, jusqu'ici, le plus important traité relatif au gouvernement fédéral ; il est aussi le plus original, parce que ce type de Constitution était privé de précédent ainsi que le démontrent les trois articles (XVIII-XIX-XX) composés par Hamilton et Madison à l'aide de l'ouvrage, publié par ce dernier, et connu sous le titre de *Confédérations antiques et modernes.*

Après une introduction de Jay qui comprend quatre articles, Hamilton expose dans les douze suivants que l'Union trouve sa valeur dans la sauvegarde qu'elle constitue contre les périls intérieurs et extérieurs, et démontre la nécessité d'un gouvernement central fort, tant pour protéger cette union que pour limiter le pouvoir législatif, organiser l'armée et permettre la perception des taxes et des impôts. Les douze articles de Madison sont relatifs à la forme idéale de gouvernement, aux pouvoirs conférés par la Constitution, aux restrictions que doit subir l'autorité des différents États et aux rapports de ceux-ci avec le pouvoir fédéral. À Madison et à Hamilton, il convient d'attribuer les articles suivants qui traitent des élections et de la structure de la Chambre des représentants. Les articles LIX-LXI sur les compétences du Congrès sont de Hamilton seul, tandis que les deux suivants, relatifs aux pouvoirs du Sénat, sont dus, soit à cet auteur, soit à Madison. L'article LXIV qui traite également cette matière fondamentale est de Jay. Tous ces articles mettent en relief l'inconvénient qu'il y aurait à confier à une seule assemblée les plus importantes prérogatives du pouvoir, car celle-ci tendrait à l'oligarchie, c'est-à-dire « la plus exécrable forme de gouvernement que la sottise humaine ait jamais conçue ». Enfin Hamilton a rédigé les derniers articles (LXV-LXXXV), dans lesquels sont examinés les problèmes du pouvoir exécutif et judiciaire en réponse à diverses objections soulevées contre la Constitution. Dans sa péroraison, l'auteur demande aux citoyens de l'État de New York de ne pas espérer une Constitution parfaite, ce qui est une utopie, mais d'approuver celle-ci parce qu'elle est la meilleure possible dans les circonstances présentes. « *Le Fédéraliste*, a écrit Beard, est la meilleure étude qui ait jamais été écrite sur l'interprétation économique de la politique... » « La Constitution, à la vérité, ne fonctionna pas tant que les mesures économiques qu'elle impliquait [...] ne furent pas exécutées. » Hamilton avait bien vu, après Hume, que « toute institution ne croît et ne prospère qu'en fonction de l'extension des moyens mis en œuvre pour la promouvoir et la maintenir ».

FÉE AUX MIETTES (La). Conte de l'écrivain français Charles Nodier (1780-1844) publié en 1832. Ce conte, qui met à contribution autant le merveilleux que le fantastique, a les dimensions d'un petit roman. Le premier narrateur, dans lequel il faut voir Nodier lui-même, entend de la bouche d'un « monomane », Michel le charpentier, pensionnaire d'un « lunatic asylum » de Glasgow, une étrange histoire. Michel rappelle ses premières années. Natif de Granville, il n'a pas connu sa mère, et son père fort tôt est parti aux Indes d'où il n'est pas revenu. Michel a donc été élevé par son oncle. Intrigué comme tous les écoliers de Granville par la « Fée aux miettes », une vieille petite mendiante, toute proprette, mais porteuse de grandes dents, comme la mère-grand du Chaperon rouge, il s'est pris d'affection pour elle — et c'est avec complaisance qu'il l'a entendue dire qu'elle n'était autre que la radieuse Belkiss, la reine de Saba aimée du roi Salomon. Ainsi, peu à peu s'est imposé à lui un curieux délire ; en conteur tout à la fois habile et naïf, Michel retrace pour Nodier les phases de sa douce folie. Derrière son récit, qui est celui de son apprentissage, de ses relations avec les gens de métier, des différends qui l'ont opposé à un homme-chien (assailli par lui dans un cauchemar, il est allé jusqu'à tuer ce gêneur ; accusé, puis condamné à mort, il a été sauvé in extremis par la fée !), de son voyage en Angleterre enfin, au port de Greenock où la vieille femme l'a accueilli dans son minuscule domaine et chaque nuit se transforme en son admirable double, on devine les éléments d'un drame personnel qui remonte à l'enfance et qui a conduit Michel à interpréter le réel, en l'anamorphosant par ses fantasmes. Placée sous le signe de la folie, *La Fée aux miettes* relève, en fait, d'un fantastique qui correspond à l'extériorisation d'une fiction intime. L'importance qu'y prend le récit de Michel est telle que l'on oublie vite son caractère délirant pour en partager tout à loisir les étrangetés. Le travail des signifiants y est particulièrement remarquable et lié de façon intime au réel de l'inconscient. Ainsi le prénom de Michel trouve un écho dans un des lieux de l'action, le Mont-Saint-Michel, comme dans la date de la fête du saint, qui scande la temporalité du récit. On pressent de même que l'ancien métier du héros se rattache à la pure tradition maçonnique et à la construction du temple de Jérusalem ordonnée par le roi Salomon, amant, selon la tradition, de la fameuse Belkiss. À ce titre, nous aurions également affaire à un récit de compagnonnage et d'initiation. Tout au long de ce texte hors normes, Nodier pactise avec la folie au point d'en admettre les plus belles errances et de laisser planer un doute sur l'aliénation vraie du narrateur. À ce titre, l'histoire se cantonne dans le fantastique, sans jamais promouvoir trop nettement la solution qui permettrait d'en réduire les incongruités souvent charmantes, parfois terrifiantes. Héritière assurément des contes d'Hoffmann — v. *Le Vase d'or* (*) — ou d'Arnim, *La Fée aux miettes* demeure énigmatique. Toute explication qu'on en peut faire doit céder, à un moment ou à un autre, à l'incertitude qu'elle répand. J.-L. St.

FÉE CARABINE (La). Roman de l'écrivain français Daniel Pennac (né en 1944), *La Fée Carabine* (1987) constitue le deuxième volet d'une véritable « saga », celle de Benjamin Malaussène, commencée avec *Au bonheur des ogres* (1985) et continuée par *La Petite Marchande de prose* (1989).

Malaussène est un individu singulier et attachant, humoriste à ses heures qui sont rarement celles des autres, surtout quand ceux-ci appartiennent aux autorités légales et aux pouvoirs constitués. Il vit à Belleville, dans une atmosphère encore conviviale et villageoise, malgré les sombres menées des promoteurs immobiliers. Une bien curieuse famille l'entoure : une mère rêveuse, fougueuse, tranquillement prolifique ; ses sœurs, Louisa, l'infirmière ; Clara, jeune photographe prodige ; Thérèse, voyante et cartomancienne. Il faut compter aussi Le Petit qui, derrière ses lunettes cerclées de rose, voit un monde où le réel se mêle au féerique, et Jeremy, écolier ingénieux qui, pour aider à résoudre un problème criminel, met le feu à son collège. Julius, le chien épileptique, et un bébé au bizarre prénom, la petite Verdun, complètent cette originale tribu. S'adjoint tout un monde pittoresque de marginaux : pépés « junkies », révolutionnaire slave, commerçants arabes dans une ville polluée par le racisme. Benjamin exerce, pour mal vivre, la profession peu usuelle de « bouc émissaire » : c'est lui qui, dans un grand magasin, reçoit les clients mécontents et les fait passer, tant il a l'air malheureux, de la fureur à la compassion. Dans une maison d'édition, il accomplit la même tâche face à des auteurs toujours frustrés du sort qui leur est fait. Ce triste rôle déborde sur sa vie privée et, par un singulier concours de circonstances, il devra constamment porter sur ses épaules l'ensemble des malheurs et des péchés du monde.

Qu'une série de bombes explosent dans divers lieux publics, Malaussène est à chaque fois sur place et constitue donc le suspect, voire le coupable, idéal : *Au bonheur des ogres*. Une grand-mère abat un policier dans un quartier où se multiplient les assassinats de vieillards : c'est sur Benjamin, bien innocent on s'en doute, que converge l'attention des enquêteurs : *La Fée Carabine*. Victime expiatoire jusqu'au bout, il devient le prête-nom d'un mystérieux et sulfureux auteur de best-sellers. Objet d'un attentat, il vivra l'essentiel du troisième roman dans le coma, certes, mais comme un personnage à part entière.

Les intrigues qui, dans la trilogie, s'impliquent et s'intriquent sont toujours captivantes, et leurs dénouements ne laissent pas d'étonner le lecteur, ce qui est, somme toute, la règle d'or du roman policier. Cependant l'œuvre de Pennac est de celles que l'on relit, car, au-delà de l'énigme criminelle, elle est avant tout une galerie de portraits grouillante de vie. Campés avec vigueur et tendresse, les membres de la tribu deviennent vite les familiers du lecteur. Les personnages qui gravitent autour de Malaussène révèlent des personnalités complexes et attachantes. On n'oublie pas le taoïste inspecteur Thian qui mène ses enquêtes travesti en vieille Vietnamienne ; ni la « reine Zabo », génial et tyrannique éditeur. Sur tous, Pennac, par l'intermédiaire de son héros, jette un regard plein de compassion qui allie une tendre ironie à un certain humour noir. Cette œuvre vivante, parfois cocasse, au ton réellement novateur, pose un regard aigu sur la France des années 80, et au-delà, sur la vie.

A. Q.

FÉERIE POUR UNE AUTRE FOIS. Premier tome (publié en 1952) d'un roman de l'écrivain français Louis-Ferdinand Céline (pseud. de Louis-Ferdinand Destouches, 1894-1961). Le second tome porte un titre particulier : *Normance* (*). On sait que l'auteur, auquel on reprochait d'avoir proclamé à voix très haute sa sympathie pour le nazisme, fut, en 1945, mis en prison à Copenhague, où il s'était réfugié. *Féerie* évoque ce séjour dans les geôles danoises. Décousu, fiévreux, haletant, ce livre ne s'arrête jamais au détail d'une vie quotidienne végétative et routinière. Bien que l'immobilité du plus lugubre des décors y soit, comme il était naturel qu'elle le fût, signalée et soulignée, l'auteur ne cherche pas à tisser une atmosphère oppressante où le lecteur, avec délices, s'engluerait. Il a voulu rendre compte de son expérience, d'une façon plus globale, plus hautaine, plus rigoureusement poétique. Cet orgueil, ce besoin d'absolu, ce dégoût de toute facilité, de toute complaisance classent ce roman un peu à part dans l'œuvre en général si humaine, si simple et même si anecdotique de Céline. Prostré dans l'univers inflexiblement limité de son cachot, collé à sa chaise par des plaies tenaces et purulentes, Ferdinand le vadrouilleur a subi une étonnante métamorphose : il est devenu le cousin des personnages de Beckett. Le voilà qui nous livre, lui aussi, un monologue fermé sur son propre délire. Fantômes, rêveries et hantises jaillissent, disparaissent, resurgissent et s'entrecroisent avec une obsédante et musicale insistance. Chaque page témoigne de la souffrance de l'auteur, la montre qui le force à grincer des dents. Plus il se raidit pour la dissimuler, plus il la masque de grimaces, l'étourdit de chimères puériles et radoteuses, la berce en chantant, infatigablement, la même chanson, plus elle est manifeste et poignante. Sur la fin, le livre, soudain, bifurque. Remontant le temps, on revient à Paris en 1944. Une chronique commence. Oubliant sa prison, l'auteur ressuscite un nommé Julot, sculpteur et cul-de-jatte, qui était son voisin à Montmartre. On retrouve le Céline familier, haut en couleur et fort en gueule, celui qui va écrire *Normance* (*). *D'un château l'autre* (*) et *Nord* (*).

FÉES (Les). Conte de Charles Perrault (1628-1703) – v. *Histoires et contes du temps passé* (*) – qui sera repris sous le titre de *Frau Holle* par les frères Jacob (1785-1863) et Wilhelm (1786-1859) Grimm. Chez Perrault, le conte se résume au seul épisode de la Fée qui, après avoir rencontré deux petites filles auprès de la fontaine, donne à celle qui est gentille le pouvoir d'émettre une pierre précieuse à chaque mot prononcé, condamnant celle qui est méchante à cracher serpents et crapauds. Chez les frères Grimm, la fable se complique et tout un monde enchanté s'en dégage : la bonne petite fille, chassée de la maison pour avoir laissé tomber son fuseau dans la fontaine, se rend dans un pays merveilleux, cueillant les pommes avant qu'elles ne pourrissent, battant le matelas de la Fée des neiges (et chaque plume qui s'en échappe se change en flocon de neige). Néanmoins, en dépit d'une plus grande richesse de détail et d'une peinture plus poussée des paysages, sur le fond, cette version ne diffère pas de la première.

FÉES (Les) [*Die Feen*]. Opéra en trois actes du compositeur allemand Richard Wagner (1813-1883), composé entre 1833 et 1834, représenté à Munich après la mort de l'auteur, en 1888. Cette œuvre de jeunesse, inspirée de *La Femme serpent* de Carlo Gozzi, appartient à la période d'évolution liée au goût littéraire du romantisme pour un certain monde fantastique qui, depuis *La Flûte enchantée* (*) de Mozart, à travers Weber, Lortzing et Marschner, domine les premières décades du XIXe siècle allemand. Arindal, depuis huit ans, heureux époux de la fée Ada, ne devra jamais, s'il veut la garder définitivement, lui demander qui elle est ni d'où elle vient. Mais quand, poussé par une volonté inéluctable, il réussit à apprendre d'Ada elle-même sa véritable identité, il voit disparaître par enchantement son épouse, ses enfants et le palais où il vit. Ainsi est-il amené à subir de dures épreuves pour reconquérir la félicité perdue. Mais sa volonté est faible et son amour ne résiste pas aux conditions que la fée lui impose ; par sa faute, Ada est donc transformée en pierre et restera telle pendant cent ans, si Arindal ne réussit pas, avant ce délai, à la libérer par son courage. Il se reprend alors tout à coup ; avec son épée et son bouclier enchantés, il affronte les obstacles qui le séparent du sanctuaire des fées, en est victorieux et, de son chant, libère son épouse du sortilège. Cependant, comme Ada ne peut devenir une simple femme, Arindal, par la vertu de l'amour, s'élève lui-même à l'immortalité et partage avec sa bien-aimée les joies ineffables du royaume des fées. L'atmosphère littéraire de l'opéra est nettement apparentée au ton des œuvres de Weber ; mais cette histoire compliquée se développe au long d'une interminable série de scènes construites avec une certaine prolixité musicale qui est le défaut des œuvres de jeunesse de Wagner, jusqu'à *Tannhäuser* (*). Il a déclaré lui-même que Beethoven et Weber lui avaient servi de modèle dans la composition des *Fées ;* Weber surtout, ne serait-ce que dans l'ouverture, en mi majeur, caractéristique par l'écriture et les combinaisons instrumentales. Toutefois, en cette page symphonique, comme en d'autres passages de l'opéra – par exemple, un duo comique où l'on pressent le futur auteur des *Maîtres chanteurs* (*) –, la personnalité de Wagner, bien que faiblement, se laisse déjà entrevoir.

FÉLICIA ou Mes fredaines. Roman libertin de l'écrivain français Robert Andréa de Nerciat, publié à « Londres » en 1775. D'abord crue orpheline, recueillie par des artistes, « éduquée » par un jeune roué, le chevalier d'Aiglemont, et un évêque, homme du meilleur ton, intelligente, belle et « folle », experte en amour, fidèle en amitié, sensuelle et sensible, suffisamment riche grâce à la générosité d'un lord anglais, totalement dépourvue de préjugés et sûre, d'après La Mettrie et Helvétius, que la « machine » l'emporte toujours sur les niaiseries de la sentimentalité, Félicia écrit ses Mémoires afin de glorifier par son exemple le plaisir de tous les sens et la liberté en amour. Goûtant comme tous ses amis les raffinements des beaux-arts, fine musicienne, elle se définit ainsi, en termes qui témoignent de l'esprit et du style de Nerciat : « Je ne suis pas un de ces instruments bornés sur lesquels on peut moduler sans changer l'accord. Je suis montée à la convenance de tous les tons et formée précisément pour les transitions. Mais je ne me laisse toucher que par d'habiles maîtres. » Et, à la fin de son histoire : « Pensant comme un homme doué d'une assez bonne tête et sentant comme une femme très fragile, je consacre mes jours aux études agréables, aux plaisirs d'une société choisie, et mes nuits, aux délices de la volupté dont je me suis fait un art que j'ai poussé plus loin qu'aucune femme. » Un tel personnage est bien fait pour révolter les prudes et enchanter les autres. Peignant des scènes fort vives, des situations érotiques, où se mêlent parfois le comique et la cruauté, le langage de Nerciat demeure toujours à belle distance de l'obscénité. Si Félicia se trouve, par le fait de coïncidences qui sont des poncifs du genre romanesque, avoir couché avec son père et son frère, avant qu'un médaillon lui ait permis de les reconnaître, qu'importe ? Toute cette gracieuse famille ne s'aime-t-elle pas tendrement ? « Mon bonheur me venge du blâme et du mépris des rigoristes » : le roman tout entier en fait suffisamment la preuve.
C. B.

FÉLICITÉ [*Bliss*]. Recueil de nouvelles de l'écrivain néo-zélandais Katherine Mansfield (Kathleen Beauchamp, 1888-1923), publié en 1920. C'est dans ce livre que se révèle le mieux, peut-être, la personnalité de l'auteur par les sujets (jeunes filles rêveuses et inquiètes, vieilles filles, univers ludique des enfants, incompréhension, solitude, pauvreté...) et par l'expression d'une apparente impossibilité où frise l'ironie face au tragique de la vie. Elle représente bien la société meurtrie d'après-guerre (son frère Leslie fut tué à la guerre). La nouvelle qui fournit le titre du recueil décrit la journée d'une jeune femme, la joie que lui procure l'atmosphère enivrante du printemps, sa belle demeure, le repas exquis qu'elle vient de servir, le groupe d'amis réunis à sa table ; brusquement elle sent qu'elle est vraiment passionnément amoureuse de son mari. Sa « béatitude » est éphémère car, dans un miroir, elle le voit soudain embrasser sa meilleure amie. Dans la longue nouvelle intitulée « Prélude », Mansfield décrit la vie d'une famille, les Burnell, au cours de deux journées ; les faits et gestes de chacun sont minutieusement étudiés, le lecteur pénètre dans l'intimité des personnages, voit leurs affinités et pressent les futurs motifs de discorde. Dans : « Je ne parle pas français », « Psychologie », « Un homme sans tempérament », l'auteur analyse le drame de ceux qui ne savent pas s'abandonner à la douceur des sentiments. Le héros de « Sun and Moon » est un de ces enfants trop sensibles (si chers à Mansfield) qui est réprimandé par son père à l'instant même où il vient d'éprouver la plus cruelle désillusion de son jeune âge. Ce recueil révèle une psychologie très fine ; l'auteur choisit des instants de l'existence quotidienne, même les plus imprévus, et la justesse de son analyse fait ressentir ce qu'ils ont de secrètement beau ou le malaise qu'ils recouvrent. – Trad. Stock, 1932.

FÉLIX ou le Livre des merveilles du monde [*Felix, de les maravelles del mon*]. Ouvrage du philosophe et encyclopédiste catalan Raimond Lulle (Ramón Lull, 1235-1315), écrit en 1286, pendant son séjour à Paris. Éditions : Barcelone, 1880 ; et dans les *Obras* de R. Lull, édition Romello, Palma, 1903. C'est une encyclopédie comme le Moyen Âge aima à en composer, mais écrite sous la forme d'un roman fantastique : la théologie, la philosophie, une cosmologie sommaire, la physique, la morale, la météorologie, la géologie s'y mêlent, dans un effort de vulgarisation qui explique la forme particulière adoptée par l'auteur. L'ouvrage est divisé en dix parties : Dieu, Les Anges, Les Éléments, Les Cieux, Les Plantes, Les Métaux, Les Bêtes, L'Homme, Le Paradis, L'Enfer. Il ne s'agit pourtant ni d'un traité organisé des connaissances ni d'une abstraite nomenclature. Raimond Lulle présente d'abord l'auteur fictif, vieillard qui se lamente parce que peu nombreux sont ceux qui aiment et prient Dieu. Il a un fils, Félix et, pour qu'il ne ressemble pas à ces impies, il décide de l'envoyer à travers le monde afin qu'il en découvre les merveilles : « Et il s'émerveillait des merveilles du monde, interrogeait l'ignorant, enseignait le savant et se partageait en travaux et en pèlerinages pour que soient rendus à Dieu révérence et honneur. » Le voyage commence à travers un monde qui, pour Félix, ne sera point celui du savant, mais un miroir où il pourra contempler et bénir la divinité, selon la leçon de cet autre franciscain, saint Bonaventure. Après avoir entendu les leçons d'un ermite sur la nature divine, l'unité de Dieu, la Trinité, la Création, Félix chemine avec une femme en grande tristesse qui va chercher un secours spirituel auprès de Blanquerne, fort saint homme qui conseille et console avec la Parole de Dieu ; auprès de lui, Félix complétera sa théologie par des leçons sur l'Incarnation, la Passion, le Péché originel, la Vierge, les prophètes et les apôtres. Après avoir quitté Blanquerne, Félix reprend son voyage, mais il rencontre un autre ermite, qui est en train de lire un livre de Raimond Lulle lui-même, *Le Livre des anges*. (On voit que notre franciscain, et il le fera à plusieurs reprises dans son livre, n'hésite pas à faire lui-même de la publicité pour ses propres ouvrages !) Après avoir discuté avec l'ermite de la nature angélique, Félix repart et rencontre un philosophe de profession qui lui explique les quatre éléments, puis fait l'inventaire des connaissances pratiques du Moyen Âge sur la lumière, le tonnerre, les nuages, la pluie, les vents — d'après les propres ouvrages de Lulle, *Le Livre du chaos*, *Le Livre des articles* et *Le Livre du Gentil*. Après avoir encore cheminé, le voyageur avise un écuyer que son maître a chargé d'apprendre la vie des plantes, pour contempler Dieu à partir d'elles : la nature est regardée ici moins comme objet d'études physiques que comme « miroir moral ». Le septième livre, « Livre des bêtes », est le plus connu et forme un petit roman à part dans le grand. Il s'agit de fables qui s'inscrivent dans le cycle du *Roman de Renart* (*), et où Raimond Lulle montre une grande richesse d'imagination, bien qu'il ait été soutenu que le « Livre des bêtes » n'était que le démarrage du livre arabe *Kalila et Dimna* — v. *Fables* (*) de Bidpay.

Le huitième livre — de loin le plus long puisqu'il ne comporte pas moins de soixante-douze chapitres — traite de l'homme. Félix médite sur la nature contradictoire d'un être qui peut faire et tant de bien et tant de mal. Les questions se pressent, qui passionnaient le Moyen Âge : pourquoi l'homme existe-t-il ? Quand vint-il sur la terre ?, etc. Puis le voyageur passe en revue les plaisirs de la mémoire, ceux de l'intellect, de la volonté, les plaisirs des cinq sens, la nature et la hiérarchie du bien et du mal. Il y a, comme dans presque tout ouvrage de ce genre au Moyen Âge, le chapitre sur la vie active et la vie contemplative. Puis des instructions sur les vertus et leurs contraires ; enfin, des homélies sur l'abstinence, la confession, la pénitence, la prière, la tentation, etc. On peut dire que le voyage de Félix est oublié : Raimond Lulle ne lui donne pas de nouvelles aventures. L'ermite discourt sur le Paradis, la gloire des anges, le corps, l'âme humaine. Mais, dans le dernier livre, qui traite de l'Enfer, le style se ragaillardit ; les anecdotes, si abondantes au début du livre, reparaissent. Félix, enfin, se considère bien instruit, se retire dans un monastère, mais rend l'âme alors qu'il allait prendre l'habit. Tout l'ouvrage est dominé par le thème éminemment franciscain, que Bonaventure a exprimé avec une maîtrise qu'il faut se garder de chercher chez Lulle, du perfectionnement intérieur par la contemplation des merveilles du monde. Du point de vue doctrinal, l'apport de Lulle est ici fort restreint. Tout l'intérêt du livre tient dans l'expression dont la hardiesse est bien conforme aux nouvelles formes d'apostolat des ordres mendiants. — A. Llinarès a édité une version française du XVᵉ siècle du *Livres des bêtes*, éd. Klincksieck, 1964 ; voir aussi éd. Chiendent, 1985.

FÉLIX ou l'Enfant trouvé. Comédie en trois actes de l'auteur dramatique français Michel Jean Sedaine (1719-1797), mêlée d'ariettes de Pierre Alexandre Monsigny (1729-1817) et représentée sur la scène de l'Hôtel de Bourgogne (Comédie-Italienne) le 24 novembre 1777. Le sujet, très simple, se rapproche de la comédie larmoyante telle que la concevaient Nivelle de La Chaussée et Diderot. Félix est un enfant trouvé, tendrement chéri par son père adoptif. Mais celui-ci a un fils qui a voué à Félix une haine farouche. En vain Félix cherche-t-il à gagner son amitié et sa confiance. À la suite d'incidents divers, il sauve la vie à un noble seigneur en qui, grâce aux signes de reconnaissance usuels dans ce genre d'ouvrage, il retrouve son véritable père. Le fils haineux est enfin apaisé et Félix, richement doté par son véritable père, peut épouser la belle Thérèse, fille de son père adoptif. L'ouvrage eut un immense succès, surtout grâce à la scène capitale, bien faite pour les cœurs sensibles, où Félix retrouve son père. Bien que son éducation musicale fût assez incomplète, Monsigny avait le sens du théâtre. Son orchestre, avec des moyens réduits, s'accorde adroitement aux péripéties dramatiques, et le sens de la mélodie lui permet d'approprier son langage musical à chaque personnage.

FÉLIX HOLT [*Felix Holt, the Radical*]. Roman de l'écrivain anglais George Eliot (Mary Ann Evans, 1819-1880), publié en 1866. Le jeune réformiste Felix Holt, plein d'abnégation et de nobles sentiments, a choisi l'humble métier d'artisan pour persuader ses compagnons de travail qu'ils n'amélioreront leur condition que par l'étude et la pensée personnelle et non par un quelconque programme législatif. À Felix s'oppose le personnage du traditionnel réformiste, Harold Transome, brave homme, mais prêt à transiger pour être élu au Parlement. L'héroïne, Esther, que l'on croit être la fille du pasteur Rufus Lyon, doit choisir entre les deux personnages. Après une longue lutte intérieure, elle choisira Félix et la pauvreté. Sur ce thème central vient se greffer une intrigue mélodramatique : en réalité, les terres de Transome appartiennent à Esther ; Harold, qui déteste le vieil homme de confiance de sa mère, l'avocat Jermyn, découvre que ce dernier est son père ; Esther au contraire adore le vieux pasteur dissident et apprend qu'il n'est pas son père. Le roman souffre de ce double expédient mécanique et passablement grotesque. Rufus Lyon et lady Transome dissimulent à leurs enfants le nom de leurs pères respectifs. Mais, tandis que le secret du pauvre pasteur cache toute une histoire d'abnégation et d'amour vertueux, derrière la dissimulation de la noble dame on ne trouve que la faute et le remords. Lorsque la vérité sera dévoilée, Rufus recevra la récompense de sa vertu, et lady Transome perdra ce qu'elle avait de plus cher au monde. Félix, qui n'a jamais transigé avec sa conscience, triomphe des difficultés de sa jeunesse et reçoit enfin la récompense d'une existence ennoblie par le travail et embellie par l'amour.

FÉLIX ORMUSSON. Roman de l'écrivain estonien Friedebert Tuglas (pseud. de Friedebert Mihkelson, 1886-1971), publié en 1915. En exil en Finlande, Tuglas achève en un mois et demi ce court roman. « Roman d'un été » selon ses propres mots, *Félix Ormusson* comporte certainement quelques traits autobiographiques. Félix Ormusson, un écrivain, passe un été dans la maison de campagne de son ami Johannes en Estonie du Sud, avec Hélène, la femme de Johannes, et la sœur cadette de celle-ci, Marion. Les relations entre les trois personnages s'agencent selon le principe du croisement : Félix est tour à tour attiré par Hélène puis par Marion, alors que les deux femmes s'éprennent de lui dans l'ordre inverse. Tout cela est présenté par le journal de Félix : Tuglas peut ainsi, grâce à une méthode de composition moderne et maîtrisée, bâtir une œuvre complexe en dépit de la simplicité de l'intrigue. Du point de vue psychologique, le prisme du narrateur permet une lecture totalement subjective et en même temps distanciée : le lecteur saisit des choses qui échappent au narrateur ou dont celui-ci ne veut pas prendre conscience. Ainsi la figure de Johannes, l'ami absent, prend-elle des coloris divers suivant l'état d'âme de Félix, tout en se précisant pour le lecteur.

Les entreprises de Félix échouent ; il doit quitter la maison et rêve de le faire dans une chevauchée ridicule sous les quolibets des deux femmes. Il est incapable d'aimer, ne percevant la vie que sous l'angle esthétique : les deux femmes sont pour lui le reflet de références picturales. Il se révèle incapable d'accepter leur réalité indépendamment de l'image qu'il s'est forgée d'elles : leurs relations ne sont donc guère viables. Tout au long de ce « diarium spirituale », le lecteur peut suivre l'évolution du narrateur, qui prend de plus en plus conscience de l'inadéquation de sa vision du monde : si au début il veut construire sa vie « à la manière d'une œuvre d'art », il doit finir par reconnaître qu'elle « n'est ni un phénomène esthétique ni un phénomène éthique. Elle est seulement comique ». En effet, sur une parodie risible, s'achève l'été de Félix Ormusson. L'esthétisme est vaincu : « À quoi sert l'art, si on n'est pas heureux ? » Tuglas dira lui-même de son roman qu'il est « parodie de l'art ».

L'écriture de Félix Ormusson, très atomisée, représente dans la littérature estonienne le plus bel exemple d'impressionnisme. Elle est imprégnée de « correspondances » des perceptions, d'impressions fugitives, de couleurs changeantes, d'envoûtante musicalité. E. T.

FEMME (La). Œuvre de l'écrivain français Jules Michelet (1798-1874), publiée en 1859. Ce livre étrange, tout à la fois mystique et scientifique, où la grandiloquence alterne avec la niaiserie, est le complément de *L'Amour*, paru peu auparavant. C'est un hymne en l'honneur de la femme, plein de cette phraséologie propre à un certain romantisme. Pour Michelet, la femme s'identifie à l'épouse ; la louer, c'est louer le mariage. L'auteur s'effraye du sort que la société moderne réserve le plus souvent à la femme : l'époux et l'épouse vivent dans deux mondes qui ne se rencontrent plus. Le foyer n'existe plus. Et la femme, qui n'est rien hors de son foyer, se détruit. Il évoque la disgrâce des solitaires : l'ouvrière, livrée aux travaux pénibles, mal payée, rendue plus misérable encore par le machinisme naissant ; la femme lettrée, qui n'a guère plus de ressources et connaît en plus les périls de l'imagination ; la campagnarde, dont le labeur est aussi rude que celui de son mari. Michelet aime la femme, mais il n'est pas féministe : la femme à la maison ! c'est ce que répète chaque page de son livre. Aussi, avec éloquence et grandiloquence, prêche-t-il en faveur du mariage, admoneste-t-il les célibataires, tout en marquant que leur état est lié à tout un complexe social : facilité des filles pauvres, pauvreté des jeunes gens qui travaillent, préjugés de l'éducation qui rendent d'abord difficile les filles à marier, enfin les goûts de liberté de la jeune fille moderne. Problème social, donc, mais surtout problème d'éducation : aussi Michelet se met-il à écrire un *Émile* à l'usage des jeunes filles. Il suit tous les efforts du premier âge, s'épanche lyriquement sur la beauté des cerveaux d'enfant, recommande une éducation champêtre. En effet, remarque-t-il très justement, si l'histoire est bonne pour former un jeune homme, les filles sont mieux disposées à contempler la nature et à se laisser instruire par elle. On les laissera naturellement lire : l'*Odyssée* (*), les poètes grecs, de préférence à *La Bible* (*), trop pessimiste et passionnée. Mais Michelet, qui ne veut rien omettre, prétend aussi traiter de la vie physique de la femme : il se glorifie d'avoir fait tomber « la sotte barrière qui séparait la littérature de la liberté des sciences ». Cette tentative est assez mal venue : c'est un débordement de termes anatomiques, de physiologie mêlée à l'exaltation religieuse, que les contemporains de Michelet trouvèrent scandaleux ! La *Femme* est certes remplie de belles et nobles idées ; mais son style, le vocabulaire panthéiste, l'accent religieux lui nuisent quelque peu. Bien plus touchante assurément que cette fièvre sans retenue est la généreuse attention de Michelet pour le sort des travailleuses, le sentiment présent ici que la femme à l'usine constitue un des maux les plus graves de l'ère industrielle.

FEMME ABANDONNÉE (La). Récit de l'écrivain français Honoré de Balzac (1799-1850), publié en 1832. Dans le petit monde fermé de l'aristocratie de Bayeux, en Basse-Normandie, le jeune baron Gaston de Nueil est venu passer quelque temps à la campagne chez une de ses parentes. Là, il s'éprend, avec toute l'ardeur de ses vingt ans, de la vicomtesse Claire de Bauséant. C'est une mystérieuse figure de femme. Jeune encore et assombrie par une tragique expérience amoureuse, elle vit dans ses terres, en recluse, après s'être séparée de son mari. Claire ne peut résister longtemps à l'insistance passionnée du jeune homme. Après de dramatiques hésitations, les deux amants se réfugient en Suisse pour jouir de leur bonheur. Douze ans plus tard, nous les retrouvons en France. Claire a acheté un château près des terres du baron. Elle a passé la quarantaine, et son amant, plus jeune, commence à se lasser d'elle. Influencé par ses parents et irrité de l'orgueilleuse clairvoyance de sa maîtresse, il se décide à rompre pour faire un mariage de raison. Mais cette nouvelle expérience ne lui apporte que déceptions ; en proie au remords, il tente de renouer avec Claire. Repoussé par elle, il se tue. Ce long récit qui se tient d'abord dans les limites du réalisme minutieux, tout à fait dans la manière du meilleur Balzac, est gâché sur la fin de fâcheux excès romantiques.

FEMME À L'ÉVENTAIL (La) [*The Woman with the Fan*]. Roman de l'écrivain anglais Robert Hichens (1864-1950), publié en 1904. Une femme trop belle peut-elle être aimée pour elle-même ou l'amour qu'elle inspire ne s'adresse-t-il qu'à son enveloppe charnelle ? Sa beauté n'est-elle pas un masque redoutable, comme l'éventail qui rend équivoque cette statuette de danseuse au corps pourtant chaste et pur, et les hommes pris au piège de ce visage ne méconnaîtront-ils pas toujours l'âme fière qu'il dissimule ? La très belle lady Holme ne compte que sur sa beauté pour garder le cœur de son mari et elle rit quand Robin Pierce lui assure qu'il aime son âme et non sa beauté, cette âme qui se révèle quand elle chante avec un immense talent. Ne sera-t-elle pas plus convaincue encore que seule compte l'apparence extérieure lorsque son mari, amoureux et fidèle jusque-là, se prend aux pièges d'une jeune actrice américaine, Pimprenel Schley, qui offre avec lady Holme une ressemblance frappante ? Vite la coqueluche du « Tout-Londres », Pimprenel, offensée par la froideur de l'accueil que lui fait lady Holme, se venge en profitant de leur ressemblance pour faire de la jeune femme une perpétuelle imitation, grâce à son talent de mime. Lord Holme est le seul à ne pas voir que Pimprenel se moque de sa femme, mais attiré par ce reflet sans âme de l'aimée, il se laissera attacher au char de l'actrice. N'est-ce pas la preuve que la valeur humaine n'appelle pas l'amour, mais seulement la forme la plus superficielle ? Et si cette forme vient à disparaître, à se transformer, l'amour ne disparaîtra-t-il pas aussi ? Lady Holme reconquiert son mari lorsqu'il comprend à quel point Pimprenel la bafoue ; mais le jour où il fait cette découverte, au cours d'un concert de charité où l'actrice fait une « charge » plus offensante que jamais de sa victime, lady Holme est défigurée pour la vie dans un accident d'auto. Perdue la beauté, perdu l'amour, et la jeune femme qui se croit morte au monde va s'enfermer solitaire dans une villa en Italie. Un homme pourtant réussira à la convaincre que, pour les êtres de valeur, la personnalité profonde est plus « aimable » que la beauté physique ; un ancien soupirant jadis jeté à la porte de leur maison par lord Holme, qui saura la retrouver et la convaincre qu'elle a encore le droit et la possibilité d'être heureuse.

FEMME ASSISE (La). Roman de l'écrivain français Guillaume Apollinaire (1880-1918), publié après sa mort en trois versions successives et différentes, en 1920, 1948 et 1977. C'est la dernière que l'on analyse ici. Sont parallèlement narrées les aventures sentimentales d'Elvire et de Corail. La guerre a mis fin à une « vie adorable et légère » de bals et de ballets russes ; Elvire Goulot, peintre de talent, vit à Montparnasse avec un peintre russe, Nicolas Varinoff, qui s'engage dans une ambulance. Elvire, en son absence, a une liaison avec le peintre Pablo Canouris, revient à Nicolas, le quitte, lui revient, et finalement prend cinq autres amants sans préjudice de ses amours féminines ; à la voir assise devant son chevalet, Nicolas pense qu'elle ressemble à toutes les femmes : « Ainsi que la femme assise de l'écu suisse de cinq francs, elles sont fausses et ne passent pas. » Corail, jolie rousse, a trompé avec un « embusqué » son amant, brancardier sur le front, qui a ensuite été tué ; elle se lie avec Anatole de Saintariste, poète, officier blessé en convalescence, et le quitte « pour Elvire qui a un harem des deux sexes » ; Anatole est tué dans une rixe avec un ami qu'à la suite d'un malentendu il a pris pour un espion. Entre-temps, on a raconté à Elvire l'histoire de sa grand-mère, Paméla, qui émigra dans l'Utah et fut mormone ; ce récit occupe un bon tiers du roman.

Apollinaire a fondu en un seul ouvrage deux projets littéraires, l'histoire de la mormone et la chronique de Montparnasse ; le roman devait être sous-titré « Chronique de France et d'Amérique. » Dans ce récit à clefs, il exprime une hostilité singulière à l'égard de certains de ses amis et révèle la persistance du syndrome du mal-aimé. L'importance de l'épisode mormon manifeste l'intérêt de l'auteur de *L'Hérésiarque et Cie* (*) pour les courants religieux hétérodoxes ; il reflète aussi le souci de la repopulation, qui lui inspire au même moment *Les Mamelles de Tirésias* (*) ; Salt Lake City est le paradis de la « chair satisfaite », de la jouissance sans amour et sans jalousie ; on s'en évade, comme de tout paradis. Elvire est la femme telle que l'a faite la guerre, financièrement indépendante, toute-puissante sur les hommes et affranchie des contraintes de la fécondité. Quant à Anatole de Saintariste, il songe à fonder une « religion de l'honneur » sans dogmes et sans prêtres, sans rémunération en ce monde ou en l'autre, dont « le rite le plus marquant » serait le suicide : Apollinaire venait de découvrir *Servitude et grandeur militaires* (*) de Vigny. Des poèmes en vers ou en prose jalonnent le récit : l'un oppose à la vieille Europe l'Amérique, « l'avenir sans souvenirs » ; un autre, l'épopée des « neuf de la Renommée », élargit aux dimensions du mythe la mort d'un soldat en 1916 ; un autre encore, le discours d'adieu de Saintariste à Corail, rappelle par ses images et sa thématique les poèmes d'*Alcools* (*). Dans ce roman imparfait que la mort ne lui a pas permis d'achever vraiment, Apollinaire a mis, volontairement ou non, beaucoup de lui-même. M. B.

FEMME AU PETIT RENARD (La). Œuvre de l'écrivain français Violette Leduc (1907-1972), publiée en 1965. C'est le poignant soliloque d'une vieille fille dévorée de solitude, au comble du dénuement physique et moral, qui s'efforce de tromper sa faim, au sens originel du terme, et son élémentaire et primordial besoin d'autrui, avec tous les moyens que peuvent offrir la mémoire et l'imagination. Au travers du jour, de la nuit, sa sensibilité exacerbée crée ainsi des diversions à sa misère, défie en quelque sorte le mauvais sort. Pourtant ses promenades ambulatoires dans les rues, aux abords du métro, la conduisent au faîte du vertige. Et on est pris d'angoisse devant une pauvreté si absolue qu'elle contraint l'être qui la subit, sevré de pain et d'affection, à se défaire de l'unique réceptacle de sa tendresse humaine, et partant de sa vie : la fourrure râpée du renard trouvée dans une poubelle avant l'aube où les chiffonniers font leur ronde. Le récit se termine sur la « déchéance », au regard des critères bourgeois, de l'héroïne dont l'enfance et la jeunesse se sont déroulées dans un monde protégé et heureux. Elle se poste sur un trottoir, et, sans l'avoir prémédité, tend la main. À son grand étonnement, les aumônes pleuvent. Mais la salive, sur la nourriture convoitée, rêvée au long des jours, ne sera qu'amère. Avec des moyens dépouillés, des phrases laconiques parfaitement adaptées à ce sujet où la pudeur est primordiale, Violette Leduc nous plonge au cœur du tragique.

FEMME AUX CHEVEUX COUPÉS (La) [Περικειρομένη]. Comédie du poète grec Ménandre (342-290 ? av. J.-C.), de date inconnue. Polémon, un officier, croit surprendre l'infidélité de sa concubine Glykéra et, dans un accès de fureur, lui tond les cheveux. Profondément humiliée, celle-ci se réfugie chez sa voisine, qui est aussi la mère de Moschion que soupçonnait précisément Polémon. Celui-ci, toujours amoureux, quitte la maison et va chez son ami Pataikos. À travers toutes sortes de péripéties, Pataikos découvre que Glykéra et Moschion sont ses enfants qu'il avait exposés parce que sa femme était morte en couches et qu'il venait de perdre sa fortune dans un naufrage. Glykéra, désormais citoyenne, pardonne à Polémon et peut enfin l'épouser. — Trad. anglaise Penguin, 1987. I. L.

FEMME AU XVIIIe SIÈCLE (La) — La société, l'amour et le mariage. Œuvre des écrivains français Edmond (1822-1896) et Jules (1830-1870) de Goncourt, publiée en 1862. Le XVIIIe siècle est certainement une époque, où la recherche des documents caractéristiques devait offrir aux deux écrivains une riche moisson de renseignements et de réflexions, car c'est ce siècle-là qui a porté et formé leur temps. Ce sont ses conceptions et ses tendances qui agitent encore le XIXe siècle ; c'est lui qui a donné l'époque moderne. Et de ce siècle « français par excellence » et jusqu'alors négligé par les historiens et souvent mal compris dans ses valeurs spirituelles, les Goncourt ont dégagé avec aisance quelques-unes des constantes de l'époque moderne avec une précision scientifique, une sensibilité d'artistes et une exactitude propre à l'érudit et au sociologue. Ces différents chapitres consacrés à la femme constituent des sections unies entre elles par le même intérêt ; la femme y est étudiée depuis sa naissance, au couvent et dans le mariage. La société, les salons, les confidences amoureuses, les hypocrisies, les liaisons, l'amour et la volupté : tout est peint en un vaste tableau qui va de l'aristocrate et de la bourgeoise à la femme du peuple, et même à la fille de joie ; enfin l'influence des femmes sur la pensée et les mœurs est analysée avec une grande perspicacité. Document significatif d'une époque, où la femme incarne la valeur d'un siècle en même temps que la crise de la nouvelle société en formation : *Les Liaisons dangereuses* (*) ont le même rapport avec la morale amoureuse de la France au XVIIIe siècle que *Le Prince* (*) avec la morale politique de l'Italie de la Renaissance. Ce sujet est directement repris dans les ouvrages sur les *Actrices au XVIIIe siècle*, dans *Sophie Arnould*, ainsi que dans les articles qu'Edmond de Goncourt a consacrés à Mme de Saint-Huberty, à Mlle Clairon et à la Guimard ; articles riches en anecdotes et qui sont de vivants tableaux des mœurs de la société du temps.

FEMME CHANGÉE EN RENARD (La) [*Lady into Fox*]. L'écrivain anglais David Garnett (1892-1981) publia ce livre en 1922. Comment le définir ? Un conte fantastique ? Fantastique évoque une autre tonalité. Une allégorie ? L'auteur ne démontre rien (peut-être a-t-il des intentions secrètes, mais alors elles n'affleurent pas). Une illustration du « non-sens » anglais ? Non plus, puisque le « propos » de l'auteur est un faire-accroire. *La Femme changée en renard* n'entre dans aucun genre reconnu. À défaut de classer ce récit, mieux vaudra le décrire, au moins dans son intention. Très peu de mots suffiront : dans les premiers jours de l'année 1880, une certaine Mrs. Tebrick fut changée en renarde. Ce fait est établi sans contestation par une douzaine de témoins, tous gens d'honneur et qui ne se sont pas consultés entre eux. Puis le conte se fait, délicat et sûr de soi, touche par touche, convaincant. La gratuité gagne la partie. Sauf à être charmé, c'est dès l'abord tout ce qu'on en peut dire. À réfléchir, on remarquera, cependant, une belle étrangeté : combien rarissimes sont à travers les lettres ces entreprises qu'on pourrait déclarer littérairement pures. Une histoire, rien qu'une histoire, pourvu qu'elle trace son chemin hors des sentiers connus. Ainsi David Garnett s'est construit de ses mains une hutte de poète. D'autres divertissements confirment et amplifient, sans le dire, un don exceptionnel, que la vie, somme toute, recoupe. Une vision et des charmes traversent la suite des jours vécus par un homme qui fut mêlé à l'édition, fut l'intime de T. E. Lawrence (dont, en 1952, il publia les lettres choisies), écrivit son autobiographie (le dernier volume, publié en 1953, finit à la déclaration de guerre de 1914), fut pacifiste, apprit seul à piloter un avion et vécut en fermier. Du même registre que *La Femme changée en renard* sont *Un homme au zoo* [*A Man in the Zoo,* 1924] et *Le Retour du marin* [*The Sailor's Return,* 1925]. Le dernier divertissement écrit par David Garnett est une fable sur l'arche de Noé, qui vaut surtout par l'exactitude sensorielle. Il est clair que les contes de cet auteur s'effondreraient si l'eau n'y était pas fluide, si le bois n'y était pas dur, ni les nuages bien montrés comme des peintures courant dans le ciel. D'autre part, David Garnett est l'auteur de deux romans. Le meilleur est *No Love* (*). – Trad. Grasset, 1924, 1983. *Un homme au zoo,* Grasset, 1924 ; 10-18, 1984. *Le Retour du marin,* Charlot, 1947 ; 10-18, 1984.

FEMME COMME MOI (Une) [*Donna come me*]. Récits de l'écrivain italien Curzio Malaparte (pseud. de Kurt-Erich Suckert, 1898-1957), publiés en 1940. Il s'agit d'une suite de préludes, motifs et études, de quelques pages chacun. Ces morceaux, où le rythme et le sentiment sont mystérieusement et puissamment conjugués, témoignent d'une maîtrise étonnante. « À l'orée d'un crime » fait penser, à cause du paysage napolitain vu à la lumière « supernaturaliste » d'un cauchemar feutré, à une sorte d'hypnose éveillée. Des récits comme « La Mer blessée », « Une ville comme moi », « Un jour comme moi », et surtout « L'Arbre vivant » relèvent du poème en prose. « Assis sur la rive, là où finit l'ombre de cet arbre noir, chercher dans les rougeurs du couchant la première étoile sur la mer. Et écouter le vent du soir, qui réveille une à une les feuilles : elles murmurent toutes ensemble, doucement, le murmure s'éloigne peu à peu. C'est l'heure de notre mort quotidienne, l'instant où chaque homme aperçoit son destin comme une loi étrangère à sa vie, un élément séparé de lui, sans aucun pouvoir sur sa conscience ni sur son sort. Chaque jour, à cette heure, nous commençons à mourir. Cette mort du temps et de la nature, ce coucher universel, n'advient pas en dehors de nous, mais au plus profond de notre esprit. La lumière s'éteint lentement. Comme si le monde perdait conscience de soi-même. Et l'homme oublie les heureuses tristesses, les mauvaises fortunes, le jeu cruel des jours et des saisons. » Tout, même dans ces textes, n'est pas d'égale qualité, et l'emphase n'est pas absente. Mais lorsqu'elle est dense, comme elle sait l'être sous la plume de Malaparte, avec ses thèmes du Sang et de la Terre, est-ce encore de l'emphase ? On est tenté d'y voir plutôt un débordement verbal, assez naturel chez un esprit abandonné aux forces de la création, et qui ne choisit pas parmi elles. – Trad. Éditions du Rocher, 1982.

FEMME CRIMINELLE ET LA PROSTITUÉE (La) [*La donna deliquente, la prostituta e la donna normale*]. Œuvre du criminologiste italien Cesare Lombroso (1835-1909), écrite en collaboration avec l'historien Guglielmo Ferrero (1871-1942) et publiée à Turin en 1893. Elle fait suite à l'œuvre fameuse de Lombroso : *L'Homme criminel* (*). L'analyse y est conduite selon les mêmes critères et l'œuvre est animée du même esprit positiviste : le comportement humain y est expliqué comme résultant de la convergence de facteurs biologiques et physiques, et de l'influence du milieu. De là provient la classification des femmes criminelles selon ses critères, classification à laquelle correspondent certains types anthropologiques (criminelles et prostituées-nées, d'occasion, passionnelles, délinquantes, épileptiques, etc.), mais qui ne sont que des dérivations plus ou moins notables du type de la femme normale. La première partie de l'ouvrage concerne cette dernière, son anatomie, sa physiologie, sa sensibilité, son intelligence, sa moralité, etc. Vient ensuite l'étude des criminelles et des prostituées, fondée sur des observations, anthropométriques, cliniques, médico-légales, statistiques, etc., des constatations personnelles des auteurs ainsi que de celles d'autres chercheurs. Les anomalies anatomiques, biologiques, etc. de la femme délinquante révèlent un déplacement du type féminin vers le masculin ; quant à la prostitution, elle est la manifestation de la structure criminelle chez la femme et tient une place analogue à celle que remplit le besoin de tuer chez l'homme. Il est intéressant de noter par ailleurs que la criminalité féminine s'affirme en général dans des délits qui ne sont pas sanguinaires (par exemple, le vol), ce qui est en relation avec la nature physiologique différente de la femme en général, celle-ci étant dominée dans toute sa structure physique et psychique par le facteur de la maternité. Dans des éditions plus récentes de l'œuvre, parues après la mort de l'auteur, a été ajoutée une partie, écrite d'après les notes de Lombroso, relative à la thérapeutique de la femme criminelle (thérapeutique qui doit être confiée à des éducateurs, à des réformateurs), ainsi qu'au divorce, à la nécessité de lois plus souples pour l'avortement, à l'infanticide, etc. ; enfin une étude sur les meurtrières systématiques, les empoisonneuses, les femmes escrocs, etc., et un appendice sur la femme et la religion. L'œuvre, traduite dès sa parution en plusieurs langues, est importante comme recherche anthropologique, mais n'échappe pas aux critiques des écoles antipositivistes. – Trad. Alcan, 1896.

FEMME D'ANDROS (La) [*The Woman of Andros*]. Roman de l'écrivain américain Thornton Wilder (1897-1975), publié en 1930. L'intrigue s'inspire de l'*Andrienne* (*) de Térence, mais sans emprunter autre chose à cette comédie qu'une situation et les noms des personnages. Originaire d'Andros, Chrysis est venue s'installer à Brinos, petite île grecque sans histoire, où elle exerce le métier de courtisane, distrayant les jeunes gens, leur récitant des vers, les guidant. Elle scandalise, non par ses mœurs, mais par sa « race », quelque chose d'étranger dans le geste et le regard, le pouvoir de sa présence. L'un des chefs de l'île, Simon, a pour fils Pamphile, et ce dernier ressemble à Chrysis, qui d'ailleurs l'aime en secret et n'a d'autre souffle de vie en elle que cet amour. Mais un jour, en se promenant, Pamphile rencontre Glycère, une jeune fille de quinze ans. Ils s'aiment. Chrysis l'apprend, car Glycère est sa sœur, et « les fils de son destin se rassemblent » dans une acceptation sereine qui lui ouvre les portes de la mort. Pamphile, malgré la différence de leur rang, pourrait épouser Glycère, son père ayant compris quels liens se sont tissés entre eux et n'étant plus prisonnier des traditions, mais Glycère meurt en mettant au monde un enfant qui meurt également. Pamphile ne verse pas dans la douleur, mais vit ce drame comme une initiation au bout de laquelle il découvre l'acceptation, l'apaisement, la légèreté intérieure. La simplicité de la phrase donne à ce roman une sorte de transparence, où les mots « signifient » de par leur seul énoncé. Le message qu'ils transmettent est celui des vertus chrétiennes auxquelles le monde méditerranéen antique se préparait inconsciemment quand furent mortes la sagesse égyptienne et l'harmonie grecque, et ce sont ces vertus qui rendent « étranges » les personnages les ayant pressenties par avance. À mi-chemin de la culture et de la méditation, Wilder trouve ici un rare équilibre entre ces deux démarches – qui partagent d'ailleurs son œuvre romanesque –, et son talent en tire une étonnante aisance. – Trad. Albin Michel, 1932.

FEMME DE CLAUDE (La). Drame en trois actes de l'auteur dramatique français Alexandre Dumas fils (1824-1895), publié à Paris en 1873. Césarine est une femme douée de toutes les séductions mais profondément corrompue. Claude Ruper, son mari, après avoir tenté en vain de la sauver, l'abandonne sans pourtant exiger une séparation qui entacherait l'honneur de son nom. Il s'adonne alors à des recherches scientifiques, qui lui permettent de mettre au point un nouveau modèle de canon. Une bande d'espions, ayant eu vent de cette découverte, essaie de mettre à profit la dépravation de Césarine pour s'emparer des brevets de son mari. Dans ce but, un certain Cantagnac a été chargé d'obtenir la complicité de la jeune femme. Il parvient à s'introduire dans la retraite de Claude. Comme il peut donner la preuve de la dernière incartade de Césarine, il menace de tout dire à son mari si elle refuse de lui remettre les précieux documents. Elle accepte le marché, sûre de parvenir à ses fins grâce à l'attrait qu'elle exerce sur Antonin, disciple et ami de Claude. Mais une femme de chambre, qui d'abord avait promis son appui, révèle le complot à Claude. Celui-ci tue Césarine au moment où il la surprend en flagrant délit de vol. Ce drame dont l'intrigue est habilement nouée suscita en son temps de violentes polémiques. La figure de Césarine, énigmatique à souhait et inconsciente de sa corruption, reste l'une des meilleures créations de l'auteur. Bien que les autres personnages ne soient guère que des abstractions, ce drame témoigne d'une belle maîtrise, et l'on ne saurait trop en louer le naturel et la puissance.

FEMME DES SABLES (La) [*Suna no onna*]. Roman de l'écrivain japonais Kôbô Abe (1924-1993), publié en 1962. L'œuvre la plus célèbre d'Abe valut à son auteur le prix Yomiuri (1962) dans son pays et le prix du meilleur livre étranger en France (1967). L'adaptation cinématographique, par Hiroshi Teshigahara, remporta par ailleurs le prix spécial du jury à Cannes (1964). Un homme disparaît en plein mois d'août. Sa femme, interrogée, est incapable de répondre à la police. L'enquête ne donnant aucun résultat, le disparu est déclaré mort. C'est ainsi, débarrassé de son identité, qu'apparaît le héros, qui n'a qu'une marotte, comme plus tard celui de *L'Arche en toc* (*) : la recherche d'insectes. « Ce à quoi visent les maniaques de ce genre, ce n'est pas à orner de brillante manière leur boîte de spécimens ; pas davantage ne cherchent-ils à classer pour classer ; et moins encore, il va sans dire, à trouver tels éléments susceptibles d'entrer dans la composition des remèdes de la médecine chinoise. Non. À rechercher les insectes, il y a, au vrai, plaisir plus ingénu et plus direct : et cela s'appelle l'intuition d'être celui qui a découvert une espèce. » L'homme s'installe dans un village qui s'enfonce inéluctablement dans le sable. Mesure du temps, image du flux irrépressible, plus mobile que l'air, plus fluide que l'eau, il s'infiltre dans les choses et les êtres, et devient rapidement le sujet monstrueux de ce roman symbolique. Le chasseur d'insectes s'établit chez une femme qui lutte contre l'invasion du sable et se retrouve prisonnier, victime d'une conjuration des villageois. « On enlève le sable, hein ? » lui dit-il ironiquement. « Et votre besogne, c'était donc ça ! Mais ma pauvre, vous y travailleriez votre vie durant, que jamais vous n'en viendriez à bout ! » Rejoignant, consciemment ou non, le théâtre de l'absurde de Ionesco ou la tragédie métaphorique de Samuel Beckett, Abe fait de ses personnages des représentants de la vanité de l'effort humain. Comme la vieille femme de *Oh les beaux jours !* (*), le chasseur d'insectes s'enfonce dans le sable, le buste seul à l'air libre. Mais, comme dans tous les romans d'Abe, les rapports psychologiques, la réflexion métaphysique ne sont présents que de manière détournée. L'auteur ne s'appesantit pas sur ses effets : il s'en tient toujours à des faits, qu'il décrit objectivement. Il rapporte des propos strictement techniques et les digressions à caractère onirique sont rares. Son but est de rendre crédible, matériellement vraisemblable sa métaphore. En cela fidèle au principe du surréalisme cinématographique du Buñuel de *L'Âge d'or*, il met en scène des personnages symboliques dans une situation absolument poétique (un homme prisonnier du sable, sous la surveillance d'une femme qui pourrait être une ogresse, mais qui a tous les traits d'une villageoise ordinaire), mais dans un style réaliste. Influencé par le fantastique des contes et légendes traditionnels, Abe les traduit en termes modernes. Il refuse toute rêverie poétique, toute mièvrerie, pour transposer prosaïquement une situation onirique. La lecture de journaux où se mêlent indifféremment les faits divers et les événements politiques internationaux suscite le retour au réel, mais c'est surtout pour accroître la vraisemblance d'une intrigue délibérément invraisemblable. L'auteur a ici recours aux procédés habituels de sa narration : fiches signalétiques, arrêtés de jugement, coupures de presse. Le nom du héros, Jumpei Niki, n'apparaît du reste que dans ces documents administratifs, comme si son identité était un élément extérieur au roman et que l'auteur se situait dans cette mystérieuse zone intermédiaire entre la pensée subjective et le regard impersonnel d'une bureaucratie pour laquelle un être humain n'existe que par sa classification. L'originalité d'Abe vient sans doute de son désir de rendre réaliste la mythologie : ce qui pouvait n'être qu'une représentation poétique de ses fantasmes est curieusement soumis aux lois de la narration romanesque traditionnelle. Le succès international de cette œuvre s'explique incontestablement par la rigueur implacable d'un récit qui aurait pu s'égarer dans les sinuosités de l'inconscient. — Trad. Stock, 1967. R. de C. et R. N.

FEMME DE TRENTE ANS (La). Roman de l'écrivain français Honoré de Balzac (1799-1850), publié pour la première fois en 1831, plusieurs fois remanié et publié à nouveau en 1834. C'est l'une des premières manifestations importantes du génie romanesque du grand écrivain. Une série de tableaux détachés nous montre différents moments de la vie d'une femme. Julie, l'héroïne, nous apparaît tout d'abord en 1813 ; elle s'est éprise d'un bel officier, Victor, comte d'Aiglemont. Le père de la jeune fille, vieux gentilhomme malade, connaît toute la délicatesse d'âme de sa fille et la vulgarité profonde de Victor ; aussi cherche-t-il vainement à s'opposer à cet amour. Quelques mois plus tard les jeunes gens sont mariés : l'incompatibilité de leurs caractères, ajoutée à l'aversion physique qu'elle éprouve maintenant pour son mari, tourmente cruellement Julie et met en péril sa vie même. La situation s'aggrave lorsque la jeune femme se prend d'amour platonique pour un jeune noble anglais. Elle résiste à cet amour de toutes ses forces mais, à la suite d'une série d'événements très romanesques, son amour provoque la mort du garçon. Après cette jeunesse orageuse, nous retrouvons Julie à trente ans, dans le plein épanouissement de sa beauté. Elle est désormais résignée aux infidélités de son époux ; elle est donc prête à le traiter en camarade et à se faire son allié dans la fortune croissante que semblent lui promettre ses ambitions politiques. Elle tombe alors amoureuse de Charles de Vandenesse, dont elle aura bientôt un fils. Après cette première partie, digne du meilleur Balzac, nous n'avons plus qu'une série d'épisodes plus extravagants les uns que les autres. D'affreux malheurs fondent sur Julie, en châtiment de son crime qui est d'avoir espéré atteindre le bonheur en violant les lois divines et humaines. C'est d'abord la noyade tragique de l'enfant, fruit de la faute. Puis, dix ans plus tard, le départ de la fille aînée de Julie avec un bandit hébergé par hasard par Victor. Ce dernier tombe bientôt dans la misère et s'en va en Amérique tenter de refaire sa fortune. Là, il retrouvera sa fille mariée à un corsaire. Julie, restée avec sa dernière fille, à qui elle a tout sacrifié, finit par mourir de chagrin en s'apercevant que celle-ci est corrompue et ingrate. Dans son abondance excessive, ce roman nous donne un exemple typique de la puissance de Balzac au début de sa fulgurante carrière ; il met en évidence les qualités et les défauts du romancier. Toutes les notions et toutes les formes de son art s'y affirment avec une vigueur inouïe, en un pittoresque désordre.

FEMME DE ZANTE (La) [**Ἡ Γυναίκα τῆς Ζάκυνθου**]. Poème narratif, demeuré inachevé, de l'écrivain grec Dionysios Solomós (1798-1857), publié pour la première fois en 1927. Ce manuscrit, rédigé en grec mais comportant de nombreuses annotations en italien, décrit la vision prophétique d'un moine (à qui l'auteur a donné son propre nom), telle que celui-ci l'a consignée dans un rouleau trouvé dans sa cellule après sa mort. La femme de Zante, en qui l'on a vu une parente de Solomós, un symbole de la Grande-Bretagne qui régnait alors sur les îles Ioniennes ou une allégorie de la Discorde ou d'Éris, fille de la Nuit, y est dépeinte sous les traits d'une affreuse vieille femme à l'âme mauvaise, aux « seins pendant comme des blagues à tabac vides » et qui ne rêve que de « gibets, de potences et de Grecs égorgés ». Cette vision annonce, plus d'un siècle à l'avance, le siège de Missolonghi, qui fera débarquer à Zante — d'où l'on aperçoit par temps clair la future ville martyre — les femmes et les enfants, loqueteux et affamés, des combattants de la liberté. La femme de Zante leur refusera l'aumône en les renvoyant ignominieusement, pour avoir osé s'attaquer à « ces pauvres gars de Turcs ». Le moine voit ensuite se succéder la chute de Missolonghi et de terrifiantes apparitions — jusqu'au châtiment final de la femme de Zante, en train de se balancer au bout d'une corde — avant de s'éveiller parmi des éclairs et une odeur de soufre, et de reprendre sa route, « dans la consolation des parfums de la campagne ». Ce poème visionnaire, énigmatique, saisissant par sa violence et ses descriptions, a suscité depuis sa publication maints commentaires et analyses, qui ont contribué à renouveler la connaissance que l'on avait de l'auteur de « L'Hymne à la liberté » — v. *Poésies* (*) de Solomós. — Trad. Les Belles Lettres, 1987. G. O.

FEMME DU BOULANGER (La). Comédie de l'écrivain français Jean Giono (1895-1970), publiée en 1943 et représentée en 1944. Elle est tirée de son roman autobiographique *Jean le Bleu* (*) et avait été utilisée par Marcel Pagnol en 1939 pour son film déjà intitulé « La Femme du boulanger ». La femme du boulanger s'enfuit avec un berger. Désespéré, le mari se met à boire. Or il est le seul boulanger d'un village isolé. Sans lui, il faut aller chercher le pain très loin, ou s'en priver. Les villageois organisent une battue pour retrouver l'infidèle et la ramener au logis. Avec ce sujet de conte, Giono a écrit une pièce parfois un peu longue, mais malicieuse. Elle tourne autour du boulanger, dont la personnalité puissante la domine. Au début, sa naïveté amuse. L'amour qu'il porte à sa femme paraît passablement ridicule. Quand on lui apprend qu'elle s'est enfuie, son incrédulité, puis son ébahissement sont d'un parfait nigaud. Mais il ne faut pas le juger trop vite. S'il est ingénu, c'est parce qu'il est simple, mais ce qui semble faire sa faiblesse en réalité fait sa force. L'auteur, à qui cette idée est chère, l'a illustrée avec une bonhomie souriante. Sans doute le pouvoir du boulanger vient-il de sa situation privilégiée (on a besoin de lui), mais ce pouvoir ne lui servirait à rien si, trop complexe, il était déchiré entre des désirs contradictoires. On se met en quatre pour le satisfaire, encore faut-il qu'il sache exactement ce qu'il veut. Autour de lui s'agitent diverses femmes dotées d'appétits fort concrets et d'un solide sens pratique. Rien de tel que la perspective de manquer de pain pour les mobiliser. Rien de tel qu'une battue au clair de lune pour allumer leurs yeux. Quant aux hommes, raisonner est leur péché mignon. Avec un partenaire comme le boulanger, les notables du village y prennent bien du plaisir. Cela ne les empêche pas de participer à la chasse, soit en dilettante (le baron), soit ensemble et au premier rang (l'instituteur et le curé). Cette comédie allègre et savoureuse est l'une des cinq pièces qui composent l'œuvre théâtrale de Giono. Les autres sont *Le Bout de la route* (écrite en 1931, publiée en 1937), *Lanceurs de graines* (1932), *Le Voyage en calèche* (*) et *Domitien* (1959), plus une pièce inachevée, *Le Cheval fou*, tirée du *Chant du Monde* (*).

FEMME DU CABOTIN (La) [*Mummer's Wife*]. Roman de l'écrivain irlandais George Moore (1852-1933), publié en 1885. L'action se passe dans une région industrielle de l'Angleterre, à Hanlay, petite ville sordide. C'est là que Kate, l'héroïne de ce roman, a été élevée. Elle n'a pour horizon que des cheminées d'usine et des hauts fourneaux, paysage d'où toute joie est exclue. Bien qu'ayant rêvé d'un monde différent et aussi d'amours romanesques, elle a fini par épouser Mr. Ede, un asthmatique irritable. Elle partage son temps entre les soins à donner à ce dernier, les querelles avec sa belle-mère et son métier de couturière. Aussi, un jour est-elle sensible au charme de Dick Lennox, un acteur de passage dans la ville et qui prend pension chez elle. Ce Dick, séduit lui-même par la beauté de Kate et par sa nature passionnée, lui demande de partager sa vie errante. C'est ainsi que pour Kate commence une autre vie : elle devient comédienne, car elle chante à merveille. Elle s'adapte assez vite à la vie de la troupe, ses scrupules religieux, ses principes et ses remords n'ayant duré qu'un temps. La petite provinciale se transforme en une brillante comédienne. Un seul sentiment restera toujours à la base de sa conduite : son amour pour Dick. Amour exclusif qui causera son malheur, car sa propre jalousie provoquera des scènes violentes, et Dick est loin d'être la patience en personne. Après des années de succès, la misère s'installe ; la troupe est dissoute. Dans une misérable chambre meublée à Manchester, Kate donne le jour à un enfant. Mais, toujours poussée par la jalousie, elle s'adonne à la boisson et les orages se succèdent : son enfant étant mort, les scènes de jalousie de plus en plus fréquentes provoquent le départ de Dick. Renonçant enfin à l'alcool, mais trop tard, Kate part à la recherche de son mari. Dick ayant refusé de la revoir, elle ne peut supporter sa solitude et se laisse mourir.

À sa parution, cet ouvrage souleva un tollé. On reprochait à l'auteur des scènes et un vocabulaire trop réalistes. Comme Zola, Moore voulait décrire fidèlement la vie et les hommes dans toutes les circonstances. En épigraphe à son livre, Moore avait choisi une phrase de Victor Duruy : « Changez le milieu d'un homme et, dans deux ou trois générations, vous aurez changé sa constitution physique, sa façon de vivre et un bon nombre de ses idées. » — Trad. Charpentier, 1888.

FEMME ET LA BÊTE (La) [*St. Mawr*]. Longue nouvelle de l'écrivain anglais David Herbert Lawrence (1885-1930), publiée en 1925. Écrite en 1924 au Nouveau-Mexique, elle reflète la fascination de l'artiste pour le primitivisme et ses doutes quant à la possibilité pour l'homme ou la femme moderne de retrouver les racines perdues de sa conscience. Une Américaine et un Australien de vingt-quatre ans, Lou Witt et Rico Carrington, se sont connus à Rome, aimés à Capri, mariés à Paris et installés à Londres. Toute l'histoire est construite sur le mode d'une errance d'est en ouest, vers un nouveau monde porteur d'espoir.

Rico est un peintre à la mode. Le couple fréquente la bonne société londonienne. Néanmoins, les deux jeunes gens ne sont pas heureux. Leur relation est vite devenue platonique. Mrs. Witt, la mère de Lou, qui n'a aucune estime pour son gendre peu viril, est le témoin sardonique de cet échec. Elle est arrivée des États-Unis avec deux chevaux et un écuyer à demi indien surnommé Phénix. Lou l'accompagne dans ses sorties équestres. Elle se prend bientôt de passion pour un superbe étalon nommé St. Mawr, en qui elle voit le maître d'un autre monde, puissant, noble et non humain. Elle l'achète et l'offre à Rico qui est incapable de le maîtriser. Ce cheval est pour la jeune femme un sujet inépuisable de réflexion sur la beauté de la vie instinctive. Elle considère que l'homme cesse de penser dès que meurt en lui la dernière parcelle d'instinct animal, alors que sa mère dit n'apprécier rien tant chez un homme qu'un bel esprit. Femme castratrice s'il en fut, Mrs. Witt prend un plaisir sadique à couper les cheveux de Lewes, le palefrenier de St. Mawr. Lors d'une excursion aux confins du sauvage pays de Galles, dans un scène apocalyptique où il devient le symbole d'une humanité malmenée par un mauvais cavalier, l'étalon démonte Rico et le laisse estropié. Rico décide alors de revendre l'animal à des amis qui projettent de le faire castrer. Mrs. Witt, soudain convaincue qu'il faut préserver la virilité de ce cheval, veut l'emmener en Amérique. Complètement transformée, elle propose le mariage à Lewes qui refuse très dignement d'être un pur objet sexuel pour elle. Les deux femmes, St. Mawr et les deux palefreniers, passent donc en Amérique. Là, dans un ranch texan, St. Mawr perd son aura magique pour redevenir un vulgaire étalon subjugué par les juments. Lou, déçue, l'abandonne. En route vers Santa Fé, elle sent que Phénix éprouve de l'attrait pour elle mais refuse d'envisager une union fondée sur le seul désir physique. Ceci la mène à définir l'objet de sa quête : le « nouvel homme mystique ». C'est dans un ranch abandonné des Rocheuses, dans un environnement hostile, qu'elle ira l'attendre, affirmant ainsi sa foi en le grand dieu Pan. Les dernières railleries de sa mère désabusée laissent entendre que Lou semble se vouer à la recherche d'un impossible bonheur.

Ce récit allègre en forme de diptyque, où se mêlent satire sociale et politique, philosophie et poésie illustre la thèse essentielle de Lawrence ; pas de conscience sans conscience du corps, pas de sexualité sans spiritualité. La profondeur de ses thèmes et la complexité de son écriture en font une des meilleures œuvres courtes de l'auteur. – Trad. Nouvelles éditions latines, 1947 ; sous le titre *Femmes en exil*, Minerve, 1988 ; sous le titre *L'Étalon*, Intertextes, 1991.

G. Roy.

FEMME ET LE PANTIN (La). Roman de l'écrivain français Pierre Louÿs (1870-1925), publié à Paris en 1898. Le jeune Français André Stévenol a rencontré à Séville une très belle jeune fille, Conchita Pérez, qui lui a souri de sa voiture. Stévenol a obtenu un rendez-vous, mais son ami don Matéo Diaz lui déconseille très vivement de s'y rendre ; et, pour éclairer le jeune homme plein d'illusions sur cette femme, il se décide à lui raconter sa propre histoire. Matéo avait fait la connaissance de Conchita et en était tombé amoureux ; mais il s'est tout de suite heurté à l'inébranlable résistance de la jeune fille qui, tout en disant l'aimer, lui refusait ses faveurs. À force de jouer avec Matéo amoureux un jeu savant où alternaient la tendresse et le refus, elle le prit toujours mieux dans les filets d'un esclavage désespéré et passionné. En proie à une sorte de psychose obsessionnelle, Matéo poursuivit la jeune femme jusque dans la taverne équivoque où Conchita s'exhibait dans des danses d'un caractère très spécial. Aux reproches de Matéo, accablé et suppliant, elle répondit en l'assurant qu'elle l'aimait et que, en dépit des apparences, elle lui était fidèle. Ayant obtenu en cadeau une maison et une dot, Conchita invita Matéo à passer la nuit chez elle. Mais à peine avait-il franchi le seuil qu'elle l'arrêta et lui déclara qu'elle n'éprouvait pour lui que de la haine. Elle le fit même assister à une scène des plus intimes où elle eut pour partenaire un jeune homme de sa connaissance. À la réaction brutale de Matéo qui, pour la première fois, la frappait, Conchita finit par céder. Mais elle ne perdit pas pour autant son caractère insaisissable. Elle continua à torturer l'homme qui était pourtant résolu à la quitter. À son ami qui déplore sa vie brisée, Stévenol ne répond rien, mais le lendemain il part pour Paris avec Conchita. Le thème de l'amour sensuel, qui se retrouve dans toute l'œuvre de Pierre Louÿs, atteint, dans *La Femme et le Pantin,* un grand accent dramatique. Quant au style d'ordinaire trop orné de l'écrivain, il gagne ici en rapidité et en mordant. Dans l'atmosphère de cette mascarade, les passions se développent avec toute l'incohérence de la vie elle-même ; elles semblent entraîner le cœur humain dans un pitoyable jeu de marionnettes. En bref, un roman qui sort tout à fait du cadre de la littérature décadente, atteint à l'universel et offre un des plus beaux exemples de la littérature amoureuse de la fin du XIXe siècle.

FEMME ET LE SOCIALISME (La) [*Die Frau und der Sozialismus*]. Ce livre de l'homme politique allemand August Bebel (1840-1913), un des chefs de la social-démocratie allemande, parut pour la première fois en 1883 et connut immédiatement un succès considérable. De son vivant, Bebel en publia encore plusieurs éditions remaniées, ainsi que des éditions populaires abrégées. Cette étude, une des premières manifestations importantes du féminisme naissant, est composée de trois parties. Dans la première, Bebel retrace l'histoire de la condition de la femme depuis la préhistoire jusqu'à nos jours, en s'inspirant d'Engels – v. *Origines de la famille, de la propriété privée et de l'État* (*) – et surtout des travaux sociologiques de Morgan. La deuxième est consacrée à un examen de la condition actuelle de la femme, et c'est également dans cette partie que Bebel expose les réformes et les changements que le socialisme, une fois réalisé, apportera à cette situation. La troisième, enfin, dépasse quelque peu le sujet que l'auteur s'était proposé ; Bebel, en effet, le déborde complètement pour nous donner un résumé brillant de toutes les thèses majeures du marxisme. Cette troisième partie, qui rompt apparemment l'unité du livre, en était cependant le complément indispensable aux yeux de Bebel. Pour lui, la solution du problème féminin ne pouvait intervenir qu'après la révolution, car notre état social actuel est essentiellement fondé sur l'exploitation, dont celle de la femme est une partie intégrante. – Trad. sous le titre *La Femme dans le passé, le présent, l'avenir*, Sletkine, 1979 (réimpr. de l'éd. de Paris, 1891).

FEMME ET MONDE [*Weib und Welt*]. Recueil de poèmes du poète allemand Richard Dehmel (1863-1920), publié en 1896. Composé en partie à l'époque où Dehmel connut « Frau Isi » qu'il épousa plus tard en secondes noces, ce recueil reflète les inquiétudes d'un homme qui aspire et cherche à se libérer d'un lien amoureux devenu désormais une chaîne. Répondant à l'état d'âme romantique et changeant de l'auteur, ces poèmes sont d'une grande variété de forme et d'inspiration, mais n'en conservent pas moins une réelle unité, grâce au style et à cette conviction profonde que l'homme ne peut pénétrer et comprendre l'univers qu'à travers son amour pour la femme. Tel est le thème fondamental de la poésie de Dehmel. À une époque où le naturalisme triomphait, la « nudité de l'amour » – prônée par l'auteur sur un ton frisant parfois la polémique – ne manqua pas de donner à son œuvre poétique une résonance plus profonde, le souci de la forme conférant en outre à ces poèmes une sorte de distinction. Son ambition de devenir le « prophète » du renouvellement de la conscience humaine à travers l'exaltation de l'érotisme ne parvient pas à dissiper cette équivoque que, pour être poète, il suffise de posséder et d'exprimer, fût-ce avec originalité, une espèce particulière de sensibilité. Il convient en outre de remarquer — en faisant abstraction de certains passages où l'ardeur des sens s'exalte dans un langage somptueusement coloré et musical — que les poèmes demeurés les plus valables le doivent à leur sobriété de ton, à leur émouvante simplicité, tels ce « Chant du travailleur », justement célèbre, ou la poésie « Nous avons un lit, nous avons un enfant » [Wir haben ein Bett, wir haben ein Kind], ou encore certains poèmes, également érotiques d'inspiration, mais d'un ton calme et contemplatif, où la volupté et la douleur se fondent musicalement en un sentiment assez vague et diffus du mystère de la vie : « Quelques nuits » [Manche Nacht], « Du sein frémissant » [Aus banger Brust], « Une fois » [Einst], « Nuit après nuit » [Nacht für Nacht], et surtout « La Ville silencieuse » [Die stille Stadt].

FEMME ET SA DESTINÉE (La) [*Frauenbildung und Frauenberufung*]. Essai pédagogique et philosophique de l'écrivain allemand Edith Stein (1891-1942), carmélite sous le nom de sœur Teresia Benedicta a Cruce, publié en 1950. Dans cette étude divisée en six chapitres, l'auteur, ancienne assistante de Husserl et professeur au collège des dominicaines de Spire, ayant tout d'abord posé cette question : y a-t-il une nature féminine ?, passe en revue les données de la science, de la philosophie et de la théologie relatives à la connaissance des fondements de toute éducation féminine, et aboutit à la conclusion suivante : « Ces sciences n'atteignent pas la forme intérieure des choses : c'est à l'endroit même où les sciences positives se trouvent arrêtées que commence le rôle de la philosophie sous sa forme essentiellement problématique. » Edith Stein, se proposant de définir l'« espèce-femme », non sans faire intervenir la philosophie thomiste, observe notamment que « les êtres que nous avons devant nous ne sont pas condamnés sans espoir au type qu'ils incarnent à un moment donné ». Sont déterminés ensuite les buts de toute instruction, qu'il s'agisse de l'ordre éternel ou des exigences temporelles. C'est alors la condamnation de certains aspects de la doctrine nazie qui consistait à « envisager l'humanité et les rapports entre les sexes d'une façon purement biologique qui méconnaîtrait la supériorité du spirituel sur le temporel et qui, plus encore, ignorerait toute orientation surnaturelle ». L'éthique des professions féminines (position naturelle de la femme et de sa mission surnaturelle) est l'objet d'une étude approfondie. L'éducatrice estime, par exemple, que « même les professions qui, de par leurs exigences purement concrètes, ne coïncident pas avec le caractère féminin, et que l'on devrait plutôt considérer comme masculines, peuvent cependant être exercées par les femmes ». Après un chapitre consacré à la « conduite de la vie dans l'esprit de sainte Élisabeth de Hongrie », Edith Stein, traitant de l'« intégration de la femme dans le corps mystique du Christ », se demande comment il importerait de conduire la jeunesse vers l'Église, appelle de ses vœux une « race de mères dont les enfants auraient de nouveau un foyer et qu'on ne serait pas obligé d'élever comme des orphelins ». Au dernier chapitre, intitulé « Vocation de l'homme et de la femme dans l'ordre de la nature et dans l'ordre de la grâce », est émise l'opinion que l'activité professionnelle de la femme en dehors du foyer n'est pas nécessairement contraire à l'ordre établi par la nature et par la grâce. — Trad. Amiot-Dumont, 1956.

FEMME GAUCHÈRE (La) [*Die linkshändige Frau*]. Récit de l'écrivain autrichien Peter Handke (né en 1942), publié en 1976. Sans raison précise (ou simplement dicible), une femme dont l'existence semble « confortable » demande à son mari de la laisser seule avec son fils de huit ans : telle est ici la seule matière narrative. Fidèle à ses principes d'écriture, Peter Handke substitue la simple description des gestes et de l'environnement quotidiens (dans une vision dite de l'extérieur) à l'élucidation psychologique explicite. Un pavillon de banlieue d'une grande ville (Francfort, Paris dans le film tourné par Handke lui-même, en 1977), à tous les autres pareil, avec une terrasse bordée par le « mur aveugle » de la maison voisine, une fin d'après-midi d'hiver où la neige fond sur les trottoirs sales ; Bruno, le mari, chef des ventes d'une « grande firme de porcelaine », qui revient d'un voyage d'affaires de plusieurs semaines à l'étranger et aspire à retrouver le cocon de la vie familiale (« il mit la main sur l'épaule de sa femme comme s'il lui fallait, à l'instant même, se reposer dans la fourrure de son manteau ») : c'est avec tous ces signes que Marianne, la femme « gauchère », choisit de rompre. Elle obéit, dit-elle, à une « illumination ». Mais il s'agit moins d'une émancipation euphorique que d'un apprentissage (un retour ?) de la solitude et du vide : « Rester assise dans la chambre et ne plus savoir que faire. » Elle entend assumer les conséquences matérielles de sa décision en reprenant son ancien métier de traductrice — elle endosse ainsi la situation de l'écrivain en butte aux tracasseries quotidiennes — et s'obstine dans cette besogne ingrate qui « donne ce regard doux et triste qu'ont tant de traducteurs ». Elle repousse les avances de son éditeur et récuse en même temps la complicité féminine-féministe de son amie Franziska. C'est avec son fils seulement qu'elle semble partager, à certains moments, une forme de connivence, dans la mesure où elle poursuit sans doute le même rêve que le sien, tel qu'il le formule naïvement dans une rédaction sur « la vie plus belle » : « Il ne ferait ni chaud ni froid. Il soufflerait un vent tiède, avec parfois une tempête dans laquelle on devrait s'accroupir [...] Les maisons seraient rouges [...] On habiterait dans des îles [...] On ne serait jamais fatigué... » La solitude, aussi, expose Marianne à la fureur : il lui arrive de serrer la gorge de l'enfant et de s'en aller droit devant elle, en plein jour, « dans un paysage gelé, plat, sans arbres ». La fin du récit – et en cela *La Femme gauchère* anticipe le cycle romanesque du « lent retour » – laisse entrevoir une réconciliation avec la communauté familiale et sociale : Marianne invite chez elle, pour une soirée, Bruno et ses amis, sans pour autant, dit-elle, avoir le sentiment « de se trahir ». On ignore si elle reprendra la vie commune avec son mari. Elle a en tout cas conquis une sorte d'équilibre, symbolisé par la dernière image : « En plein jour elle était assise sur la terrasse dans le fauteuil à bascule. Les pointes des sapins remuaient derrière elle dans la vitre qui reflétait. Elle commença à se balancer ; leva les bras. Elle était habillée légèrement, sans couverture sur les genoux. » – Trad. Gallimard, 1978.

J.-J. P.

FEMME LIBRE (Une). Pièce publiée en 1934 par l'écrivain français Armand Salacrou (1899-1989). Lucie Blondel, dactylo, est fiancée à M. Paul Miremont, directeur de la Trust Cy. Celui-ci l'amène chez lui, auprès de sa tante Adrienne et de son frère Jacques, mauvais sujet, raté, vaguement journaliste ou poète. À la jeune fille, intelligente et sensible, le mauvais garçon donne le vertige en lui montrant l'envers du décor, les apparences tangibles de sa vie désormais scellée. La fin du premier acte va de soi : Lucie Blondel s'enfuit, Jacques s'enfuit, et de leur fuite ils font une union qui nous permet, au deuxième acte, de les retrouver « après cent soixante-douze jours de bonheur », dans un petit appartement de Montparnasse. Lucie et Jacques, « heureux », s'embourgeoisent doucement. Ce contre quoi réagissent avec une venimeuse violence deux camarades de Jacques, Max et Cher Ami. Ils reprennent auprès de Lucie le rôle que tint Jacques le soir de ses fiançailles, mais en se partageant la besogne : Max fait à Lucie une cour éhontée et Cher Ami lui administre le vitriol de ses discours libertaires. Lucie s'enfuit. Au troisième acte, on retrouve Paul et Jacques réunis dans leur commun chagrin. La vieille Adrienne fait la morte, ce qui ne l'empêche pas de rappeler Lucie – devenue entre-temps une femme à la mode – au chevet d'un Jacques prétendu mourant. Entrevue douloureuse, explications qui n'expliquent rien. La réconciliation se révèle impossible et le rideau tombe sur le départ définitif de Lucie et la querelle qui se rallume, atroce, meurtrière entre les deux frères. C'est après un silence de trois années que Salacrou entreprit cette œuvre en forme de comédie d'allure fort classique. Créée en 1934, ce fut un très grand succès.

FEMME NUE (La). Comédie en quatre actes du poète et auteur dramatique français Henry Bataille (1872-1922), représentée à Paris en 1908. « La Femme nue » est le sujet d'un tableau dans lequel Pierre Bernier, artiste de talent, a peint Louise Cassagne, dite Loulou, modèle et maîtresse du peintre qui, pendant des années, a partagé sa vie de misère et d'efforts. Le tableau, exposé au Salon de Paris, est acheté par l'État et reçoit la médaille d'or. Pour Pierre, c'est la fin de la misère, le début de la gloire et de la richesse ; dans un élan de gratitude, il tient la promesse faite à Loulou et il l'épouse. Quelques années plus tard, Pierre est à l'apogée de sa carrière. Au milieu de sa nouvelle vie, Loulou est mal à l'aise ; ses manières trahissent son humble origine ; son mari est devenu l'amant de la princesse Paule de Chabran et n'aspire plus qu'à divorcer pour épouser cette dernière. Loulou, toujours amoureuse de Pierre, obtient une entrevue du prince de Chabran. Celui-ci, qui avait déjà vendu son titre à sa femme, est disposé à lui rendre sa liberté pour un bon prix. Il conseille donc à la jeune femme d'en faire autant vis-à-vis de son mari. Alors Loulou désespérée tente de se tuer. Devant tant de douleur, Pierre, pris de remords, promet de ne pas l'abandonner ; mais Loulou comprend qu'il n'est poussé que par la pitié et non par l'amour. Et elle s'éloigne, le laissant libre de suivre sa voie. Dans *La Femme nue*, Henry Bataille met en scène une fois de plus la passion d'une amoureuse déçue jusqu'au fond de l'âme. Sa comédie, construite avec une rigueur particulière, révèle néanmoins cette habileté tout extérieure qui caractérise son théâtre.

FEMME PAUVRE (La). Roman de l'écrivain français Léon Bloy (1846-1917), publié en 1897. C'est le chef-d'œuvre romanesque de l'auteur. Il contient une part importante d'autobiographie et une part également considérable de chronique contemporaine. Mais là n'est pas sa vraie valeur, et il doit suffire d'indiquer brièvement les principales interférences de l'histoire imaginaire avec des événements vécus ou des personnages pris dans la réalité. Dans la première partie du livre, les deux protagonistes sont Marchenoir et Clotilde. Les lecteurs du *Désespéré* (*) connaissaient bien Marchenoir, qui est Bloy lui-même, mais transposé dans la tonalité plus sombre du désespoir. Le portrait de Clotilde, dans les premiers chapitres, s'inspire étroitement de Berthe Dumont, la maîtresse de Bloy, qui mourut tragiquement du tétanos en 1885. Cependant, lorsque Bloy reprit l'œuvre en cours après une assez longue interruption, il commença par faire mourir Marchenoir, auquel il substitua le protagoniste tout différent qu'il appelle Léopold ; on reconnaît en lui des traits intérieurs appartenant à Bloy, mais un destin et des aventures empruntés à l'histoire d'un de ses amis, le mystérieux Camille Redondin. Quant à Clotilde, on la retrouve très transformée ; c'est que désormais Bloy songe à Jeanne Molbech, devenue sa femme vers le temps où il commençait son roman. Parmi les personnages plus épisodiques, on identifie sans peine, sous des noms d'emprunt, quelques littérateurs parisiens : Péladan, Rollinat, Huysmans, Villiers de l'Isle-Adam (appelé Bohémond de l'Ile-de-France) et le peintre Henry de Groux. Au-delà de ces « clés » connues depuis longtemps, un commentateur de Bloy, le Dr A. Fauquet, a prouvé très ingénieusement que certains comparses de *La Femme pauvre,* concierges et commères, figuraient, par une transposition plus secrète, certains ennemis personnels de l'auteur, qui se vengeait ainsi d'eux.

De tant de matière vécue, Bloy a tiré une œuvre valable en elle-même, et qui n'a aucunement besoin d'être référée à ces sources. *La Femme pauvre* est un admirable roman écrit par un homme qui n'était pas un romancier. Ses dons étaient plutôt ceux d'un visionnaire et d'un mystique. On ne s'en aperçoit pas seulement par les poèmes en prose ou les pages prophétiques qui, à intervalles irréguliers, interrompent le cours de la narration. C'est toute la composition de *La Femme pauvre* qui obéit à des lois plus poétiques que romanesques. Si les personnages sont très vivants, si le milieu et l'ambiance sont d'une très forte réalité, la structure profonde du livre est moins commandée par les événements que par quelques images dominantes, dont la signification symbolique se dégage peu à peu. L'image centrale est celle du feu, qui apparaît d'emblée, lorsque Clotilde s'éveille à la vie de l'esprit, et qui, revenue à travers toute la trame du roman comme un leitmotiv, s'épanouit aux dernières pages. Elle y prend une double valeur : au moment même où Léopold périt dans un incendie, Clotilde en extase devient une fournaise de flammes spirituelles. À cette image du feu, Bloy a toujours attaché la signification d'un symbole de l'amour. Il n'est donc pas surprenant de la retrouver dans un roman où il a tenté d'exprimer son idée mystique de la femme, en même temps que son sens profond de la pauvreté. On pourrait montrer comment le romantisme, les saint-simoniens, Baudelaire, sans doute aussi Balzac ont légué à Bloy une image de la femme qui est très particulière au XIXe siècle. C'est dans cette tradition que se plaçait Bloy lorsqu'il songeait d'abord à intituler son roman *La Prostituée.* Mais, chez lui, la glorification de la femme qui se donne s'enrichit de tout un rapport proprement religieux et chrétien. Par l'une de ces identifications surprenantes qu'il tirait des textes bibliques, il assimilait la femme d'une part au Paradis terrestre, de l'autre au Saint-Esprit. De là, la valeur inappréciable du don qu'elle fait de sa personne. De là aussi, le passage qui se fait naturellement chez Bloy du thème de la femme au thème de la pauvreté. Si Clotilde parvient finalement à la lumière, c'est lorsque, dépouillée de tout, elle est laissée à la totale solitude et à la misère absolue. Alors, enfin, elle peut dire, comme Bloy le fit lui-même dans ses pires détresses, que « tout ce qui arrive est adorable ». Alors aussi, elle ajoutera cette phrase qui est la dernière du livre et qui peut servir de clé à la vie comme à l'œuvre de Bloy : « Il n'y a qu'une tristesse, c'est de n'être pas des saints. »

FEMMES. Roman de l'écrivain français Philippe Sollers (né en 1936), publié en 1983. Trois monstres sacrés concourent à l'atmosphère de *Femmes.* a) Dostoïevski. On entend sa voix du début jusqu'à la fin. Le brave journaliste américain, omniprésent, superpuissant (surtout sexuellement), démoniaquement absent de ses actes, œil pur, presque saint et presque idiot qui, pour mettre en forme ses observations, s'adresse au savoir littéraire de M. Sollers, ce journaliste nous livre donc le monde dans la répétition d'un rite où les femmes ont la préséance. Voix grave, sûre, avec pourtant des chutes fréquentes dans l'hystérie, position indispensable pour donner au sujet (un roman sur les femmes) son actualité et sa réalité. b) Joyce. Faire parler le plus grand nombre possible de gens dans le plus petit intervalle de temps. Explosion vertigineuse du langage ; simultanéité terrifiante d'un discours multiple, d'une « communauté » planétaire qui, à chaque seconde, se brise en mille fragments de miroir. À l'opposé d'une architecture claire, pénétrer dans la forêt vierge où l'embryonnaire, le mûr et la pourriture se fondent continuellement dans une même matrice. c) Sade. Pour introduire l'antithèse et faire contrepoids à la banqueroute de la féminisation du monde. Se moquer ; provoquer. Mécanique sexuelle. Érotisme antilyrique. La couleur du sperme. Décrire minutieusement le gland, la partie de l'autre corps qui l'entoure, l'exacte disposition du corps, des corps. Changer les partenaires et recommencer la description dans des positions nouvelles. Insister sur les détails, sur le côté purement physique. « Oser nommer ». Surtout aujourd'hui, face au sexe idéalisé, iconique, face au coït cartepostalisé. Un triple plagiat ? Ce pourrait l'être si une quatrième figure ne supplantait ses confrères pour diriger l'ensemble dans une autre direction : François Rabelais. C'est la parodie rabelaisienne qui unifie ce roman dont les cibles sont très précises et concrètes. Les néosorbonnards structuralolinguistes dépriment la France et une grande partie de la terre. Le fanatisme religieux pousse les gens à régler leurs comptes sur le modèle spectaculaire de la Mafia (« Nous sommes à l'ère de la publicité et de la mystique »). Et les femmes, Cyd, Flora, Bernadette, Ysia, Deborah, Louise, Kate..., d'origine et de tempérament différents, rêvent « le monde radieux de demain [...] un monde où toutes les mères et toutes les filles du monde se donneraient la main dans une ronde fleurie au-dessus du cadavre du Moloch dragon patriarcal [...] phallocrate [...] judéo-chrétien ». En somme, un nouvel ordre du monde. Et c'est une grande joie d'y voir circuler ce Sollers-Panurge toujours en état d'alerte, toujours scandaleux. L. Pr.

FEMMES (Sur les). Essai de l'écrivain français Denis Diderot (1713-1784), qui parut en 1772 dans la *Correspondance* (*) de Melchior Grimm, et qui est resté fameux, à juste titre, pour l'intelligence de ses vues et l'extraordinaire vivacité du style. Donnant un compte rendu du livre de l'académicien A.-L. Thomas (*Essai sur les femmes*), Diderot en profite pour condenser en une quinzaine de pages, riches de substance et pleines d'esprit, les données nécessaires à la composition d'un véritable traité. Il s'aide tout d'abord de multiples allusions et réminiscences tirées de l'histoire, de l'art, de la littérature, de ses expériences personnelles ainsi que de la tradition, avant de passer en revue les caractères particuliers à la femme, parlant tout à la fois comme un physiologiste, un naturaliste, un moraliste sévère et un poète amoureux. Après quoi, il entreprend de décrire les conditions dans lesquelles vivent les femmes de son époque, et se fait l'écho des théories passionnément discutées par la société de son temps. Mais il y déploie une éloquence pleine de mesure, une rigueur judicieuse où se reconnaît ce qui fait le prix même de tout écrit signé Diderot. Qu'on en juge par ces quelques lignes : « Thomas ne dit pas un mot des avantages du commerce des femmes pour un homme de lettres ; et c'est ingrat. L'âme des femmes n'étant pas plus honnête que la nôtre, mais la décence ne leur permettant pas de s'expliquer avec notre franchise, elles se sont fait un ramage délicat, à l'aide duquel on dit honnêtement tout ce qu'on veut quand on a été sifflé dans leur volière. Ou les femmes se taisent, ou souvent elles ont l'air de n'oser dire ce qu'elles disent. »

FEMMES À LA FONTAINE [*Konerne vod vandposten*]. Ce roman de l'écrivain norvégien Knut Hamsun (pseud. de Knut Pedersen, 1859-1952) parut en 1920, tout de suite après la Première Guerre mondiale, et appartient à ce qu'on pourrait appeler l'œuvre sociologique de Hamsun. Il n'est plus ici question de personnages inspirés par les œuvres de Nietzsche ou de Dostoïevski, mais d'un infirme, l'ancien marin Oliver, qui, à la suite d'un accident en mer, a été amputé d'une jambe. Il sera l'épave autour de laquelle Hamsun groupera sa description d'une petite ville sur la côte, avec ses consuls, ses armateurs et la rivalité qui les oppose. Petra, la fiancée d'Oliver, qui avait rompu avec lui à son retour, lui revient. Ils se marient et elle lui donne plusieurs enfants. Oliver jouit de la protection du consul de l'endroit : grâce à lui, il a obtenu un emploi, et son fils aîné, né d'un premier mariage, poursuit ses études à l'aide d'une bourse offerte par le consul. Les « femmes à la fontaine » et leurs ragots rappellent les Parques, elles sont aussi immuables, aussi insignifiantes et aussi terribles qu'elles. Et, sous leurs regards impitoyables, une génération succède à l'autre. Le fils aîné d'Oliver, le studieux Frank, devient nécessairement un déclassé, mal à l'aise dans la vie, philologue vaniteux et borné, tandis que son frère Abel, qui a fui l'école pour les enivrantes aventures de l'enfance, deviendra un forgeron solidement planté sur ses jambes, heureux de son sort bien qu'il n'ait pu épouser celle qu'il avait aimée et qui croyait être parvenue à une classe sociale supérieure à la sienne. Le fils du consul, Scheldrup Johnsen, réussit aussi à sa manière : il revient de l'étranger sauver son père de la faillite et épouser une amie d'enfance, la fille d'Olsen, le marchand de grains, unissant ainsi la vieille et la nouvelle bourgeoisie ; il reprend en main la maison familiale, il est l'homme de demain. Moins heureux sont le directeur des postes, qui a reconnu son propre fils dans le voleur qui, un soir, déroba la caisse, ainsi que le vieux forgeron Carlsen, dont le fils a été complice du vol ; moins heureux encore est le docteur, aigri, seul, défendant avec les débris d'une science mal digérée et vite oubliée sa réputation d'esprit supérieur. Malheureux et légèrement comique enfin, l'avocat Fredriksen, député de la ville, qui échoue aussi bien en demandant la main de Fia, la fille du consul, qu'en sollicitant celle de la fille d'Olsen, le marchand de grain. Et la vie continue clopin-clopant comme l'infirme Oliver, qui, malgré son impuissance et son ridicule, sa veulerie et son parasitisme, a été bon père et ne s'en est pas tiré si mal, après tout. Sa silhouette, déambulant dans les rues de la petite ville, est en quelque sorte le symbole même de l'humanité, dans sa marche inexorable. — Trad. Calmann-Lévy, 1982.

FEMMES AMOUREUSES [*Women in Love*]. Roman de l'écrivain anglais David Herbert Lawrence (1885-1930), publié aux États-Unis en 1920 et à Londres en 1921. Ce devait être le deuxième volet d'une œuvre intitulée « Les Sœurs », le premier étant *L'Arc-en-ciel* (*). Les deux volumes sont finalement restés indépendants, même si l'on y retrouve le personnage d'Ursule. *Femmes amoureuses* est un roman très expérimental de par sa structure et son rejet d'une approche traditionnelle de la psychologie des personnages – personnages dont l'élaboration est fondée sur un système complexe d'oppositions signifiantes que Lawrence nomme « polarités ». C'est dans la nature que l'écrivain trouve cette nécessaire complémentarité de forces opposées. Le monde obscur et souterrain de la mine s'oppose à la lumière de la lune comme le subconscient à la conscience mentale et le masculin au féminin dans ce livre dont le thème central est la recherche d'un équilibre idéal par le mariage et l'amitié.

Les deux sœurs Brangwen, Ursule l'institutrice et Gudrun le sculpteur, discutent précisément des avantages et des inconvénients du mariage, le jour des noces de la fille de Thomas Crich, propriétaire de la mine locale. À cette cérémonie, ces jeunes femmes indépendantes entrevoient deux hommes qui vont bientôt entrer dans leur vie : l'inspecteur Rupert Birkin et le fils Crich, Gerald. Rupert Birkin vient un jour inspecter la classe d'Ursule. Sur ses talons arrive Hermione Roddice, sa maîtresse. Déjà séduit par le discret rayonnement d'Ursule, il rejette avec rudesse les prétentions intellectuelles d'Hermione et énonce sa croyance dans le monde obscur de la sensualité et de la connaissance non mentale. Birkin recherche aussi l'amitié de Gerald. Il espère le convaincre qu'il ne reste d'autre idéal possible en ce monde dominé par la machine qu'une union parfaite avec une femme. Gerald, ce « Napoléon de l'industrie », ne fera pas un très bon disciple. Doté d'une grande beauté physique, il ne connaîtra jamais une relation amoureuse tout à fait satisfaisante. Birkin, être plutôt malingre et peu soucieux de son apparence, mettra toute son énergie à trouver la vérité de son corps dans le mariage quasi mystique, qui doit restaurer sa relation avec le cosmos. Lors d'un voyage à Londres, les deux hommes se retrouvent au sein de la bohème londonienne. Gerald, désorienté, couche avec la maîtresse d'un de ses hôtes, tandis que Birkin, lui, médite, à propos des statues primitives qui ornent l'appartement, sur le déclin des civilisations et la dissociation du mental et du physique. De retour dans les Midlands, les deux hommes vont à plusieurs reprises rencontrer les sœurs Brangwen en des scènes où il y a moins d'action que de symbolisme. C'est dans un contexte de détérioration générale que Birkin et Ursule, Gerald et Gudrun deviennent amants : crise du capitalisme, bouleversements sociaux, asservissement de l'art et dépravation des milieux artistiques, futilité de l'intelligentsia, guerre des sexes, mort de la sœur et du père de Gerald, souvenir de la mort de son frère, maladie de Rupert. La relation qui prend forme entre les deux personnages ayant le moins de liberté intérieure, Gerald et Gudrun, apparaît comme nettement sadomasochiste, tandis que celle d'Ursule et de Birkin est régénératrice ; elle évolue vers l'« équilibre stellaire » où l'homme et la femme sont en conjonction sans jamais aliéner leur autonomie. Il est vrai qu'Ursule, jusqu'à la fin du livre, est capable de conserver son bon sens et un regard moqueur sur le grand sauveur du monde que prétend être Birkin. Mais celui-ci a aussi besoin d'une alliance étroite avec un homme. Il aime Gerald et le lui fait sentir dans une scène de lutte assez explicite. Gerald, très mal à l'aise, refuse la proposition de « fraternité du sang » [Blutbrüderschaft] qu'il lui fait. Birkin et Ursule se marient mais, peu conventionnels, décident de n'avoir ni foyer ni attaches professionnelles ou matérielles. Gerald propose un voyage à quatre pour Noël dans les montagnes du Tyrol. Là, Gudrun fait la connaissance de Loerke, un sculpteur juif allemand, être à la fois repoussant et fascinant qui met son art au service de l'industrie. Gudrun, ravie de pouvoir discuter de problèmes artistiques, a une attitude qui provoque la jalousie de Gerald. Celui-ci part seul dans la montagne et meurt dans la neige. Birkin et Ursule décident de partir vers Vérone, Gudrun vers l'Allemagne. Au grand étonnement d'Ursule, Birkin déclare qu'il avait besoin de l'amour d'un homme en même temps que celui d'une femme pour être parfaitement heureux.

Ce roman foisonnant et visionnaire est le premier d'une série d'œuvres plus idéologiques que traditionnellement romanesques. Le traumatisme de la Première Guerre mondiale mena Lawrence à croire que le salut de la société dépendait de la régénération de l'individu à l'intérieur d'un petit groupe humain et du couple, grâce à ce qu'il nomme la « conscience sanguine ». Pourtant, le livre est moins didactique qu'il n'y paraît. Il pose plus de questions sur la société industrialiste, l'art et l'amour qu'il n'en résout et reste une œuvre à dominante poétique. Exploitant un mode de narration discontinue inspiré de l'esthétique moderniste, il est fait de séries de scènes symboliques plus porteuses de sens que le discours des personnages. L'ambiguïté est partout et gomme en grande partie la hardiesse de cette voix qui s'élève pour célébrer une sexualité délivrée de tous les tabous, y compris celui de l'homosexualité. C'est une des œuvres où Lawrence a le mieux exprimé sa détresse devant la désintégration de notre civilisation occidentale et son espoir vacillant de voir quelques individus à la fois intuitifs et conscients y échapper. – Trad. Gallimard, 1932.

G. Roy.

FEMME SANS IMPORTANCE (Une) [*A Woman of no Importance*]. Comédie en quatre actes de l'écrivain irlandais Oscar Wilde (1854-1900), représentée à Londres en 1893. L'intrigue assez banale, où brillent les paradoxes de Wilde, est marquée par le savant équilibre des éléments comiques et dramatiques. Mme Arbuthnot s'est vouée à l'éducation de son fils, Gérald, né d'une union illégitime.

Par un étrange concours de circonstances, lord Illingworth, qui offre à Gérald l'occasion d'une belle carrière, est précisément l'homme qui avait abandonné vingt ans plus tôt la jeune Mme Arbuthnot avec son nouveau-né. Celle-ci se trouve alors placée devant un pénible dilemme : ou bien abandonner son fils à l'influence de son père, c'est-à-dire renoncer à lui, ou bien lui révéler le passé en risquant de perdre son estime et son affection en raison de la rectitude morale qu'elle lui a enseignée. Elle préfère affronter le second péril. Mais les sentiments affectueux de Gérald lui permettent de négliger les principes de sa rigide éducation et de résoudre le problème de la façon la plus humaine. Dans cette comédie, Wilde développe, plus clairement que dans ses autres œuvres, l'idée qui lui est familière, selon laquelle la vie serait plus facile si les hommes voulaient se soumettre à ses lois avec une âme libérée du joug des traditions et des préjugés. Celles-ci les dominent en fait à ce point que l'audacieux qui essaie de s'y soustraire paie sa tentative de mille souffrances. Ainsi, lord Illingworth, qui avait toujours vécu avec une sérénité dénuée de préjugés, perd la partie lorsque l'enjeu revêt sa plus grande importance. Ce thème tragique qui soutient l'action de la pièce est d'autant plus insistant qu'il se dissimule sous un dialogue apparemment frivole. En fait, l'auteur s'amuse à railler une société qu'il méprisait depuis toujours. – Trad. Stock, 1910 ; Ressouvenances, 1986.

FEMME SANS OMBRE (La) [*Die Frau ohne Schatten*]. Opéra en trois actes du musicien allemand Richard Strauss (1864-1949), livret de l'écrivain autrichien Hugo von Hofmannsthal (1874-1929), représenté pour la première fois à Vienne en 1919. L'Ombre est le symbole procréateur de vie, cause et fin de tout bonheur humain, et la femme qui en est dépourvue ne peut avoir de descendance. Tel est le sens allégorique du livret qui, de tous ceux qu'Hofmannsthal écrivit pour Strauss, est probablement le plus hermétique. L'abondance des signes atteint ici la prodigalité et, en comparaison, le symbolisme wagnérien semble une devinette pour enfants. Chaque personnage, chaque fait veut signifier quelque chose qui dépasse la nature de ce personnage ou de ce fait et échappe souvent à la compréhension du spectateur. De cette histoire si compliquée, on peut toutefois, çà et là, saisir le lien « humain » à travers ce que les protagonistes en révèlent ; parmi eux, le plus accessible est le teinturier Barak, mari malheureux d'une femme qui, bien qu'elle le puisse, ne veut pas lui donner d'enfant. Elle est poussée par une force magique à vendre son ombre à une reine qui en est privée, et qui, si elle ne réussit pas à s'en procurer une dans un temps limité, est condamnée, par la volonté de son père – souverain du royaume des esprits – à revenir au domaine paternel, après avoir abandonné son époux bien-aimé, tandis qu'il serait changé en pierre. Conseillée par sa nourrice, la reine descend sur terre et pousse la femme du teinturier à lui céder son ombre ; mais, émue par la douleur de Barak, inconsolable de ne pouvoir être père, elle renonce à son projet et, à ce prix, obtient la maternité en récompense. Barak aussi est favorisé : sa femme lui donne enfin l'enfant tant désiré. Tout s'achève donc de la plus heureuse façon en une apothéose édifiante. D'un épisode à l'autre, on passe par une série de complications magiques, d'enchantements allégoriques qui, au lieu de l'éclaircir, rendent le développement du conte plus obscur. Strauss, pourtant, en une partition d'orchestre très riche et sensible, a réussi à dessiner les deux aspects fondamentaux de l'aventure, le terrestre et le surnaturel, en constituant deux blocs sonores d'un grand relief, où le détail symbolique disparaît sans presque laisser de trace. La valeur de l'œuvre réside surtout dans le langage instrumental, auquel le chant est parfois étroitement incorporé à la manière wagnérienne : langage d'une extrême variété de timbres, d'une instable mobilité rythmique, comme ivre, avide et satisfait de lui-même, et où l'action se reflète, transfigurée. – Trad. Stock, 1930.

FEMMES D'AMIS (Les). Recueil de nouvelles de l'écrivain français Georges Courteline (1858-1929), publié en 1888. Le récit est assez inégal ; les qualités de l'écrivain s'y affirment déjà : dialogues brillants, langue savoureuse et colorée. Mais ces nouvelles ne sont pas sans rappeler, dans leur ensemble, la manière de Maupassant, l'atmosphère mondaine de certaines de ses œuvres qui ne comptent pas parmi les meilleures. Quelques figures de femmes sont esquissées rapidement, sans relief véritable, et leur cas relève plus de la pathologie que de l'art, comme celui d'Henriette qui est, somme toute, hystérique, irritable et revêche. De ce recueil, bien éloigné par l'esprit et la valeur artistique, de l'œuvre générale de Courteline, il faut surtout retenir *Le Fils.* Un jeune garçon de dix-huit ans se trouve aux prises avec les tourments d'une situation si paradoxale qu'il doit s'entremettre entre sa mère et l'amant de celle-ci, et supplier l'infidèle de revenir auprès de sa mère. Le récit est mené avec une sûreté digne en tout point de l'auteur de *Boubouroche* (*).

FEMMES DE MESSINE (Les) [*Le donne di Messina*]. Roman de l'écrivain italien Elio Vittorini (1908-1966). Les quinze premiers chapitres furent publiés par épisodes en 1947-48 dans *La Rassegna d'Italia* sous le titre *Lo zio Agrippa passa in treno ;* le roman sortit en volume en 1949. Une nouvelle édition, partiellement récrite, parut en 1964.

Ce récit est l'histoire d'un groupe d'hommes et de femmes de tout âge rassemblés au hasard de leurs pérégrinations, au lendemain de la Seconde Guerre mondiale, quand l'Italie retrouve son unité nationale et territoriale, et qu'à nouveau il devient possible de voyager, en quête de travail ou à la recherche d'un proche. Ce sont des personnages très divers par leurs origines sociales, géographiques, par leur vision du monde et même par les choix qui les ont précédemment amenés à être du côté des fascistes ou dans la Résistance. Ils constituent une communauté primitive qui tente d'effacer non seulement la douleur issue de la guerre mais le malheur du monde, la faim, la soif, et de se protéger de la violence, de la misère, de la peur ; le déminage des champs, thème récurrent symbolique de ce combat contre ce que Vittorini appelait, dans *Conversation en Sicile* (*), « le monde offensé », prend alors parfois une dimension lyrique. Ces hommes et ces femmes construisent au milieu des ruines, inventent, dans cet après-guerre, de nouveaux rapports, dans le travail et dans la vie quotidienne, entre eux, entre sexes, entre générations, entre provenances sociales et géographiques diverses, entre options politiques ennemies.

Le groupe tient un « registre », une sorte de journal qui joue le rôle d'une des sources du roman ; ailleurs, des protagonistes, des témoins, interviennent, soit en des dialogues, soit par des récits à la première personne, comme s'il s'agissait des actes d'une enquête ou d'un procès. Ces diverses écritures visent à donner au texte la dimension d'une œuvre populaire, chorale, comme se veut collective la reconstruction entreprise par les personnages.

Dans cette atmosphère, qui traduit, tant par la fable que par l'écriture, les aspirations à une vie plus solidaire, caractéristiques d'une large partie du peuple et des intellectuels italiens de l'après-guerre, passe et repasse, sans comprendre, l'oncle Agrippa, figure a-historique d'une mythique pureté originelle. — Trad. Gallimard, 1967. P. La.

FEMMES JALOUSES (Les) [*Le donne gelose*]. Comédie en trois actes du dramaturge italien Carlo Goldoni (1707-1793), représentée en 1752. Le sujet de la comédie est l'esprit de commérage, sujet cher à Goldoni, mais qu'avive cette fois la jalousie. Giulia et Tonina sont jalouses de la veuve Lucrezia, femme astucieuse et pleine d'entrain, et voient en elle un danger pour leurs maris respectifs, Boldo et Todero. C'est le carnaval : le jeu et les mascarades font un peu perdre la tête à tout le monde ; Boldo demande un prêt d'argent à Todero et celui-ci à Lucrezia, en donnant à cette dernière les gages qu'il a reçus de Boldo. Malentendus, soupçons, jalousies s'ensuivent tandis que, sur le fond de la scène, passent les masques du carnaval. Finalement, c'est autour d'une table bien dressée que s'apaiseront toutes les rancœurs. En cherchant à donner une juste place à chacun de ses personnages, Goldoni cède à une sorte de réalisme insolite dans son théâtre. Ce monde populaire est avide et ladre ; le carnaval réveille chez lui de la cupidité plutôt que de la gaieté, de sorte que la comédie, faite pour se terminer comme un jeu, passe de l'âpreté au rire sans jamais effleurer le sourire.

FEMMES PLIANTES (Les). Drame comique de l'écrivain français Pierre Albert-Birot (1876-1967), publié en 1923. Après l'expérience de la revue *Sic* (*), Albert-Birot fonda dans l'arrière-salle d'un café-concert, rue Saint-Dominique, un groupe de recherches dramatiques baptisé « Le Plateau », qui devait durer trois mois. Lui-même entreprit d'écrire des pièces, dont la forme entièrement libre aurait pu contribuer à un renouvellement du théâtre, si elles n'étaient restées injustement méconnues : *Larountala* (1919), « polydrame » qui nécessite une scène tournante entourant les spectateurs ; *Matoum et Tévibar* (1919), drame pour marionnettes ; *L'Homme coupé en morceaux* (1921), drame comique ; *Le Bondieu* (1922) ; *Les Femmes pliantes* (1923), et *Image* (1924), « premier drame tragique ». Dans *Les Femmes pliantes,* pièce particulièrement représentative de la manière d'Albert-Birot, ce dernier imagine que, la race des femmes étant éteinte, des ingénieurs en fabriquent sur commande, et telles qu'il est facile de les plier pour les emporter sous le bras. Pièce enlevée sur un rythme vif et allègre, cette œuvre témoigne des qualités d'invention de l'auteur et d'un parti pris de liberté totale (le même que, par exemple, dans ses *Poèmes à crier et à danser,* qui firent la joie des dadaïstes). Une imagination débordante qui se répand en mille saillies, une verve gaillarde et dure, une langue à la fois souple et précise ; le goût du détail saugrenu, des rapprochements baroques, une démarche à bâtons rompus dont on s'irrite d'abord pour la trouver naturelle ensuite ; des personnages vus comme dans un miroir convexe, et toutefois singulièrement vivants ; tout ceci grouillant, étincelant, pétaradant, faisant des pieds de nez et des culbutes, mêlant l'anecdote graveleuse à la méditation métaphysique, telles sont les qualités du théâtre de Pierre Albert-Birot, tout comme de son épopée de *Grabinoulor* (*). Tout, ici, a l'aspect d'événements réels se passant dans un monde libéré des lois naturelles, hors de la double ornière de l'espace et du temps. Et Albert-Birot recommande aux futurs acteurs de ses pièces de ne pas être plus esclave de son texte qu'il ne l'a été de la nature, d'inventer d'après lui comme il a lui-même inventé d'après la nature.

FEMMES POINTILLEUSES (Les) [*Le femmine puntigliose*]. Comédie en trois actes du dramaturge italien Carlo Goldoni (1707-1793), représentée en 1750. C'est la deuxième des seize comédies nouvelles de Goldoni.

L'auteur soulève, imprudemment peut-être, un coin du voile de la société mondaine du XVIIIe siècle. L'intrigue, pour ainsi dire, ne compte pas : Rosaura ambitionne d'être reçue dans la haute société de Palerme. Elle cherche à s'attirer, par divers cadeaux, l'appui du comte Lélio et de la comtesse Béatrice. Deux grandes dames, Leonora et Clarice, se moquent de cette provinciale et de son mari Florinde. Après plusieurs disputes, où se manifeste sa nature ombrageuse, Rosaura dégoûtée de cette société, regagne sa province avec son mari. Les personnages débordent de vie : Rosaura, la riche marchande, est prête à tout pour être reçue dans une société qui n'est pas la sienne – tableau de la petite noblesse avide et prétentieuse ; chœur des dames de la haute société, où chacune veut bien accueillir Rosaura dans le privé, mais nullement en public.

FEMMES REMARQUABLES (Des) [*Excellent Women*]. Roman de la romancière anglaise Barbara Pym (1913-1980), publié en 1952. L'histoire est racontée par Mildred Lathbury, fille de pasteur, qui, la trentaine dépassée et toujours célibataire, partage son temps entre son travail dans une institution charitable et sa paroisse de St. Mary dont le pasteur Julian Malory et sa sœur Winifred sont devenus ses amis. Existence paisible si n'arrivaient dans l'immeuble où habite Mildred de nouveaux locataires, les Napier, qui vont rapidement devenir des voisins encombrants. Rockingham Napier, officier de marine et fort bel homme, est auréolé d'une réputation de séducteur et Mildred ne reste pas insensible à son charme. Sa femme Helena est anthropologue et ne cache pas son attirance pour un de ses collègues, Everard Bone, avec qui elle passe une grande partie de son temps. Mildred, pourtant soucieuse de préserver son indépendance et de garder ses distances, se trouve bientôt mêlée à leurs difficultés conjugales et amenée contre son gré à jouer entre eux le rôle de confidente et d'intermédiaire.

À ce premier groupe de personnes est opposé en contrepoint un autre trio : le pasteur, sa sœur et la sémillante Mrs. Allegra Gray. Devenue locataire d'un appartement disponible dans le presbytère, cette jeune veuve fait la conquête de Julian Malory qui annonce bientôt leur intention de se marier, au grand dam de toutes ces « femmes remarquables » qui se dévouent pour lui. Leurs fiançailles irritent d'autant plus Mildred qu'elle passe aux yeux de tous pour la rivale évincée et déçue. Heureusement, Allegra Gray se révélant être une femme intrigante et sans cœur, les fiançailles sont rompues et son départ permet au presbytère de retrouver son calme. De leur côté, les Napier, après une rupture et une séparation momentanées, se réconcilient et partent vivre ensemble à la campagne au soulagement évident de Mildred. À la fin du livre, nous la voyons continuer à assumer son rôle de « femme remarquable », cette fois-ci à l'égard d'Everard Bone qu'elle accepte d'aider à corriger les épreuves de son livre d'anthropologie, mais l'auteur laisse entrevoir la possibililité que leur collaboration évolue vers des relations plus intimes. (On les retrouvera effectivement mariés dans deux romans ultérieurs.)

Des femmes remarquables est un des rares romans de Barbara Pym racontés à la première personne, ce qui donne au personnage traditionnel de la célibataire confirmée, incarnée ici par Mildred Lathbury, une dimension particulière. Observateur clairvoyant et ironique du microcosme dans lequel elle évolue, elle se trouve également en tant qu'individu au cœur d'événements qu'elle subit malgré elle et face auxquels elle apparaît comme incroyablement naïve et vulnérable. Mais toujours prête à aider les autres, toujours sollicitée pour ce faire, cette « femme remarquable » est sauvée de l'amertume par son humour. Dotée de cette stature exceptionnelle, Mildred contribue pour beaucoup à la réussite de ce roman de Barbara Pym, considéré à juste titre comme le meilleur de sa première période. – Trad. Julliard, 1990.

M.-F. C.

FEMMES RUSSES [*Russkija ženščiny*]. Poème de l'écrivain russe Nikolaï Alekseïevitch Nekrassov (1821-1877), publié en 1871, c'est-à-dire à l'époque de sa maturité. Bien qu'il relève d'un certain nombre de poésies qui exaltent la femme russe, il mérite un intérêt particulier en raison de son caractère patriotique. Le poète y relate les aventures des femmes de deux princes, Troubetzkoï et Volkonski, condamnés à l'exil en Sibérie à la suite de l'insurrection de décembre 1825. De là le titre qui avait été donné à ce poème dans certaines rééditions : *Les Femmes des décembristes.* Les deux princesses qui, avec une exceptionnelle force d'âme, voulurent partager le martyre de leur mari, donnent au poète l'occasion d'exalter – outre les vertus de la femme russe – le mouvement révolutionnaire et l'esprit du peuple russe, mis sur la voie des réformes sociales. Sans doute sent-on dans ce poème l'influence de l'époque (1870) à laquelle il fut écrit, époque différente de celle qui vit naître la première révolution russe (1825). L'amour pour le peuple russe s'y exprime par la bouche de la princesse Volkonskaïa, qui, dans sa vieillesse, raconte à ses petits-fils ses aventures : « Si le sort t'a réservé de grandes douleurs, tu partages les douleurs des autres, et, là où mes larmes vont tomber, depuis longtemps déjà tu as versé les tiennes. Tu aimes les malheureux, ô peuple de Russie ! » C'est une anticipation du fameux mouvement « aller vers le peuple » [narodničestvo], dont Nekrassov fut un des précurseurs et auquel il participa dans les dernières années de sa vie.

FEMMES SAVANTES (Les). Cette comédie en cinq actes et en vers du dramaturge français Molière (Jean-Baptiste Poquelin, 1622-1673) fut représentée pour la première fois le 11 mars 1672, au Palais-Royal, avec un succès qui ne se démentit pas au cours des 215 représentations qu'elle connut sous le règne de Louis XIV. Malgré quelques ressemblances avec *Les Visionnaires* (*) de Desmarets, *La Comédie des Académistes* de Saint-Évremond, *Le Cercle des femmes* (*) de Chapuzeau, la pièce est originale. *Les Femmes savantes* sont, comme *Tartuffe* (*), le tableau d'une famille troublée par une lutte domestique entre deux partis bien opposés : d'une part le camp des fous aveuglés par une manie et de ceux qui les exploitent. D'autre part les gens de bon sens qui prisent avant tout le naturel. Comme toujours, le fou a le pouvoir et veut marier sa fille à celui qui flatte sa manie. Chrysale, bon bourgeois qui aime à vivre dans une douce quiétude, supporte difficilement les éclats de sa femme Philaminte, de Bélise, sa sœur, et d'Armande, sa fille, toutes trois occupées de poésie et de sciences et pleines de mépris pour les humbles travaux domestiques : ne prétendent-elles pas renvoyer leur servante Martine parce qu'elle offense les règles de la grammaire ? Bélise et Armande affectent de mépriser le mariage. Par contre Henriette, seconde fille de Chrysale, simple et sensée, espère épouser Clitandre. Celui-ci a d'abord aimé Armande, puis, lassé par sa préciosité, il s'est tourné vers sa jeune sœur, ce dont l'aînée ressent quelque dépit. Philaminte veut donner Henriette à un poète précieux, Trissotin, qui sait flatter les manies des trois savantes, leur récite des vers et écoute leurs discours sur la philosophie et la science. Il échange tout d'abord avec son collègue, le savant Vadius, qu'il a lui-même introduit, les compliments les plus excessifs. Puis l'un et l'autre finissent par se quereller et s'injurier comme des portefaix à la suite d'une critique que Vadius a risquée sur un sonnet, sans en connaître l'auteur, lequel est évidemment Trissotin. Pour consoler le grand homme de cette avanie, Philaminte lui accorde la main d'Henriette. Mais Henriette résiste, soutenue par son père, par le frère de Chrysale, Ariste, et par Martine, la servante. Armande, en principe opposée au mariage, s'accommoderait fort bien de Clitandre, qui n'a nul désir de renouer avec elle. Les noces sont près d'être célébrées, encore qu'Henriette ait déclaré à Trissotin qu'elle ne l'aimait pas, et le notaire se trouve en présence des deux factions : l'un des prétendants, Trissotin, est soutenu par la mère de la jeune fille ; l'autre, Clitandre, par son père. Ce dernier céderait peut-être à sa femme, avec cette faiblesse qui le caractérise, lorsque Ariste reçoit une nouvelle propre à bouleverser toute l'assistance : Chrysale est entièrement ruiné. Sans barguigner, Trissotin renonce à ses prétentions ; il se trahit, car c'était là une feinte destinée à assurer le bonheur des deux amoureux.

L'auteur reprend ici le thème des *Précieuses ridicules* (*), en transformant ses héroïnes, de sottes provinciales, en Parisiennes prétentieuses aux ambitions excessives : elles s'adonnent à l'érudition, à la métaphysique, à l'étude des sciences. S'il était un sujet difficile à traiter, c'est assurément celui que choisit Molière. L'avarice et l'hypocrisie peuvent engendrer des situations dramatiques. Mais la préciosité et le pédantisme sont des défauts littéraires qu'il est plus naturel de bafouer dans une satire que de porter à la scène. La manière dont Molière sut tirer parti de son sujet montre combien prodigieuse était sa maîtrise, combien sûrs étaient les effets qu'il tirait de l'observation continuelle de la société. Il y a dans *Les Femmes savantes* des portraits à peine déguisés. Personne ne douta que Trissotin fût l'abbé Cotin, et Vadius le poète Ménage, fameux par l'indélicatesse avec laquelle il pillait les auteurs anciens. Quant à l'ensemble des caractères, on peut les définir en disant qu'ils se font les uns aux autres contrepoids, comme il arrive assez souvent chez Molière. Chrysale, Henriette, Clitandre, Martine s'opposent avec la plus extrême vigueur au trio des « femmes savantes » et à leurs acolytes rimailleurs et pédants. Et au sein même de cette engeance prétentieuse les différences sont grandes : tandis que Bélise est une vieille sentimentale, mais sans venin, qui trompe le vide de son existence avec cette toquade, Armande est tout au contraire occupée de calculs assez peu reluisants. De son côté, Philaminte apparaît comme une maîtresse femme, qui possède le goût de l'outrance mais qui n'est pas dénuée d'esprit ni de générosité. D'aucuns voudraient faire de Chrysale le porte-parole de Molière et le champion de l'ignorance. En réalité, Molière ne veut atteindre que ceux qui accordent aux spéculations de l'esprit une importance excessive, risquant par là de tomber dans l'erreur et — pour peu que l'opiniâtreté s'en mêle — de faire le malheur de leurs proches (ainsi Philaminte avec sa fille Henriette). C'est pourquoi Molière, par réaction, entreprend de faire l'apologie de la femme d'intérieur et des vertus domestiques. La grâce d'Henriette, le bon sens de Chrysale, cependant assujetti aux caprices de sa femme, la sagacité de Martine remplissent la comédie de légèreté et de bonne humeur.

FEMMES SE DÉFIENT DES FEMMES (Les) [*Women beware Women*]. Tragédie du dramaturge anglais Thomas Middleton (1580-1627). C'est l'Italie qui sert de cadre à son intrigue : Bianca, une belle Vénitienne, a pris mari à Florence. Elle abandonne bientôt ce dernier pour le duc François de Médicis. Son mari est assassiné, et elle devient la femme du duc malgré l'opposition de la Cour. Le soir des noces, un drame terrible se déroule au palais ducal. Des courtisans ont décidé, en effet, d'empoisonner Bianca, mais c'est le duc qui boit la coupe qui lui est destinée. Bianca, cependant, vide la coupe pour rejoindre le duc dans la mort. En marge de ce thème, plus d'une intrigue se noue entre les divers personnages de la Cour. Selon l'esthétique élisabéthaine, le drame alterne avec la comédie et même la farce. Dans son ensemble, l'ouvrage est riche de poésie et plein de vigueur.

FEMME TUÉE PAR LA DOUCEUR (Une) [*A Woman killed with Kindness*]. Pièce en cinq actes du dramaturge anglais Thomas Heywood (1574 ?-1641 ?). Écrit en vers et en prose, ce drame, représenté en 1603, fut imprimé à Londres en 1607. Frankford, gentilhomme campagnard, est l'heureux mari d'une épouse sans défaut. Mais il accueille chez lui, avec générosité, un ami pauvre du nom de Wendoll, qui est bientôt saisi d'une fatale passion pour la femme de son hôte ; celle-ci, d'abord surprise et horrifiée, finit par céder aux instances de Wendoll. Prévenu par un serviteur fidèle, Frankford feint de partir en voyage, mais revient à l'improviste pour trouver sa femme dans les bras de son ami. Frankford décide de se venger sans utiliser la violence ; il chasse Wendoll et enferme sa femme dans un château isolé où elle ne manquera de rien, mais ne pourra jamais revoir ni son mari ni ses enfants. Torturée par le remords, elle se laisse mourir et, avant d'expirer, demande la présence de Frankford qui lui accorde son pardon. Le drame contient également une intrigue secondaire, d'ailleurs maladroitement reliée à la précédente, et dans laquelle est exposé le différend qui sépare deux gentilshommes ; l'un parvient à faire emprisonner l'autre, mais se réconcilie avec son rival par amour pour la sœur de celui-ci. Tout l'intérêt de la pièce repose sur l'intrigue principale ; la vigueur dramatique et le ton familier sur lequel sont décrits des sentiments délicats font de ce drame le chef-d'œuvre du trop fécond dramaturge que fut Heywood. *Une femme tuée par la douceur* constitue un bon exemple du drame domestique, dont la première manifestation dans le théâtre anglais fut *Arden de Fewersham* (*). Heywood évite les scènes violentes et imprègne sa pièce de noblesse morale où le pessimisme le dispute à une très belle humanité – Trad. Gallimard, 1924.

FEMME VINDICATIVE (La) [*La donna vendicativa*]. Comédie en trois actes du dramaturge italien Carlo Goldoni (1707-1793), représentée en 1753. Bien qu'oubliée et non tout à fait à tort, elle est parmi les plus intéressantes pour qui veut étudier l'art de Goldoni. Corallina, séduite par Florindo et abandonnée par sa patronne Rosaura, entend se venger en empêchant par tous les moyens le mariage de ces deux personnages. Elle exploite, à ces fins, le sénile amour qu'Ottavio, le père de Rosaura, nourrit pour elle, et cherche à le convaincre de donner sa fille en mariage à Lelio ; elle tente même de faire surprendre Lelio dans la chambre de Rosaura pour rendre le mariage obligatoire. Mais la nièce de Lelio, Béatrice, est sur ses gardes et s'arrange pour que ce soit Florindo que l'on surprenne avec Rosaura ; enfin, après maintes aventures romanesques durant lesquelles l'impétueuse servante n'hésite pas, pour se venger, à empoigner un pistolet, tandis que s'accumulent intrigues et querelles, Corallina doit se reconnaître vaincue et s'éloigne, désolée. Véritable commedia dell'arte, dans laquelle Co rallina, l'endiablée, se déchaîne, suscitant autour d'elle quiproquos et malentendus, duels et aventures nocturnes. Dans ce brillant imbroglio, qui rappelle parfois Regnard, se fait jour une unité d'inspiration tout à fait remarquable. La colère de Corallina fait déborder sa violence sur tous les événements : colérique est le sénile Ottavio, colérique Lelio, et la colère gouverne toute la comédie d'un bout à l'autre. La dureté avec laquelle Corallina traite l'amoureux Ottavio comme pour se venger sur lui de la trahison de Florindo, sa désolation quand, vaincue, elle se détache de tout ce à quoi, après l'amour, elle semblait tenir davantage, le ton équivoque de Béatrice protégeant les deux amants comme si elle participait obscurément à leurs amours nous révèlent un Goldoni psychologue, mais d'une psychologie parfaitement désinvolte et libre.

FENÊTRES DE MON CABINET DE TRAVAIL (Les) [*My Study Windows*]. Recueil d'essais du poète et critique américain James Russell Lowell (1819-1891), publié en 1871. Dans ce recueil ainsi que dans deux autres intitulés *Parmi mes livres* [*Among my Books*] et *Voyages au coin du feu* [*Fireside Travels*], l'auteur a réuni ses meilleurs essais parus précédemment dans l'*Atlantic Monthly*, la *North American Review* et d'autres revues. *My Study Windows* comprend treize essais, parmi lesquels sept sont consacrés à des sujets littéraires, deux évoquent la personnalité d'hommes politiques et trois trouvent leur source dans la vie quotidienne. Les deux premiers essais sont d'aimables considérations, pleines de fines observations sur les oiseaux occupés à édifier leur nid dans le jardin de l'auteur ainsi que dans les environs, et sur les charmes de l'hiver. Le troisième essai traite d'un sujet à propos duquel l'auteur exerce sa mordante ironie. Il montre son irritation au spectacle de l'incompréhension des étrangers, persuadés d'avoir saisi la réalité américaine et qui affectent des attitudes de supériorité et de condescendance envers cette nation de marchands grossiers et sans idéal. Lowell se sent profondément américain, et son patriotisme se fait vibrant dans l'essai consacré à Lincoln qu'il admire et défend chaleureusement contre les accusations d'incohérence politique dont on l'a chargé. Les morceaux de critique littéraire sont surtout intéressants pour ce qui concerne l'exposé scrupuleux et intelligent des œuvres d'écrivains dont la place dans la littérature de leur époque est définie avec finesse. Lowell est un représentant illustre de cette période durant laquelle la littérature américaine se libère lentement de la tradition anglaise et conquiert son indépendance. Loin d'être toujours bienveillants, ses jugements sont parfois d'une ironie cinglante (par exemple, lorsqu'il étudie l'œuvre historique de Carlyle). Lowell ne ménage pas non plus ses critiques à la partie de l'œuvre de Thoreau dans laquelle ce dernier se fait, avec un peu d'exagération, l'apôtre de la nature. Traitant de Swinburne, Lowell observe justement que l'esprit grec ne peut revivre grâce à une simple imitation formelle. Les longs essais consacrés à Chaucer, Dryden et Pope témoignent, avec évidence, de l'influence d'une culture traditionnelle. Toutefois les jugements de Lowell, toujours indépendants et sincères, constituent l'expression vivante de la gratitude d'un fils du Nouveau Monde envers le vieux continent auquel le rattachent, sans l'asservir, tant de liens linguistiques et culturels.

FENÊTRES ÉCLAIRÉES (Les) ou l'Humanisation du conseiller d'administration Julius Zihal [*Die erleuchteten Fenster oder Die Menschwerdung des Amterates Julius Zihal*]. Roman de l'écrivain autrichien Heimito von Doderer (1896-1966), publié en 1950. Le personnage principal, l'employé Julius Zihal, figurait déjà, mais au second plan, dans *L'Escalier du Strudlhof* (*). Après quarante ans de bons et loyaux services à l'Office-central-d'évaluation-des-taxes-et-redevances, Julius Zihal est mis à la retraite, et ce fonctionnaire irréprochable, en perdant le fil de ses habitudes, perd soudain le fil de sa vie. Il commence par changer de logement par mesure d'économie, puis, du quatrième étage où il s'est installé, découvre qu'il possède un excellent point de vue sur la vie du quartier. Avec un télescope, il entreprend donc d'observer l'intimité des autres à travers les « fenêtres éclairées », et trouve un nouveau fil à son existence. Peu à peu, l'ancien fonctionnaire ainsi s'humanise, devient plus sensible aux gestes, aux occupations, au quotidien, commence à rêver de présence féminine, tant et si bien que, dans un cabaret, il finira par succomber aux charmes d'une employée des postes, la voluptueuse Rosel Aplatek, et par l'épouser. Personnage typique de l'œuvre de Doderer, Julius Zihal est le symbole de l'administration K.u.K., c'est-à-dire impériale et royale, telle qu'elle existait vers 1910 dans l'empire d'Autriche et telle que l'avaient faite des siècles de fonctionnement : une administration qui avait tout codifié dans ce que l'écrivain appelle la « Dienstpragmatik », règlement de service aux innombrables paragraphes et renvois. C'est ainsi que Doderer fait dériver du nom de son personnage des termes tels que « zihalisme », « zihalitique », « zihaliforme » et surtout « zihaloïde » — un personnage zihaloïde étant le « fruit sans noyau d'une culture baroque », un être sans « décor intérieur », et dont « le centre est vide ». Doderer intercale dans le cours de son récit des citations de la « Dienstpragmatik », que Zihal lit ou relit pour chercher à s'orienter, et dont le style compliqué donne une note ironique particulière, pleine de saveur et d'humour. — Trad. Rivages, 1990.

FENÊTRES SUR LE TEMPS [*Jitsugetsu no mado*]. Roman de l'écrivain japonais Abe Tomoji (1903-1973), publié en 1959. Ce roman, long et touffu, riche de digressions de toutes sortes, de retours en arrière, d'épisodes incidents dont la nécessité n'apparaît souvent que bien plus tard, lorsque le puzzle savamment brouillé se reconstruit peu à peu, est en fait, le lecteur s'en rendra compte par degrés, l'histoire de trois générations d'une grande famille bourgeoise avant, pendant et après la guerre, vue par un témoin intéressé, mais qui se veut objectif, Takei, qui se considère lui-même comme un membre « marginal » de la tribu. Takei, professeur d'anglais dans une université, a épousé en effet la fille d'un ami de son père, le professeur Fukashino, historien qui fut dans les années 20 l'un des théo riciens les plus en vue de l'impérialisme japonais, et dont les deux fils ont épousé respectivement la fille et la nièce du magnat industriel Kando. La prospérité de ce dernier était fondée sur les commandes de l'armée, d'où sa collusion — prudente — avec le régime militariste, collusion personnifiée du reste par le mari de sa seconde nièce, le jeune et sémillant Ikezuki, colonel d'état-major influent et habile. Enfin, complétant la collection, la seconde fille de Fukashino a épousé Ani, gros propriétaire foncier du Nord. Les ambitions des deux camarades d'études qu'avaient été Kando et Fukashino se trouvaient donc pleinement réalisées par une judicieuse politique matrimoniale qui réunissait tout ce qui comptait dans le monde d'hier : industrie, armée, propriété et université. Takei, un jour de l'an 1955, peu après la mort du vieux Kando, feuillette l'album des photographies de la tribu, et le roman sera fait des réflexions que lui inspirent ces images anciennes ou récentes, des souvenirs qui remontent en lui à leur vue, souvenirs personnels ou anecdotes contées jadis ou naguère par tel ou tel. Et c'est ainsi qu'à travers ces « fenêtres sur le temps », par fragments, retouchés peu à peu par une mémoire qui se cherche, se reconstruira cette longue fresque dans laquelle le témoin lui-même trouvera sa place. Il en vient de la sorte à s'interroger sur son propre rôle dans cette histoire familiale, qui est aussi un raccourci de l'histoire nationale : a-t-il été réellement cet intellectuel libéral dont il avait complaisamment contemplé l'autoportrait, a-t-il été aussi innocent qu'il avait voulu le croire, dans le déroulement des événements dont tout ce beau monde avait tiré de si jolis profits ? D'autres souvenirs alors affluent : professeur à Shanghai, il s'était naïvement étonné de l'hostilité de ses élèves chinois, mais qu'était-il pour eux sinon l'occupant, l'ennemi exécré, et lorsqu'il se promenait, en « mission d'information », à Java, à Bali, ne se réclamait-il pas de sa parenté avec Ikezuki pour se défendre contre les soupçons des militaires, mieux, pour se concilier leurs faveurs ? L'image de Takashino, un camarade archéologue qui, lui, n'avait pas transigé, et qui est mort à la guerre, soldat de deuxième classe, lui apparaît alors comme un remords. Mais d'autres photographies le ramènent au destin de la tribu. La défaite entraîne une éclipse momentanée de la prospérité des Kando, mais la guerre de Corée les remettra en selle. Ikezuki lui-même refera surface bientôt, comme conseiller du gouvernement en matière d'armements, et sa compétence souriante séduit les Américains. Fukashino vit dans une retraite confortable, sans avoir rien renié de ses idées. Seuls n'ont pas su se reconvertir le propriétaire Ani, ruiné par la réforme agraire, et Takei, petit professeur minable et parent pauvre comme devant. Pis encore, c'est d'eux que viendra le « déshonneur » : Masao, le fils d'Ani, est arrêté lors de la grande manifestation du 1er mai 1952, et Takei l'assistera devant le tribunal en plaidant en qualité de « défenseur extraordinaire ». Le voici donc tenu pour suspect par son propre milieu, tandis que les jeunes amis de Masao le trouvent bien « tiède ». Cependant que Masao, ses études achevées, entre sagement dans les affaires de son oncle, qui a succédé au patriarche ; il éprouve certes un léger remords teinté de regrets, mais on sent que tôt ou tard il deviendra un bon bourgeois sagement opportuniste. Takei, écœuré, s'en va avec le jeune Takashino, archéologue comme son frère aîné, qui va rejoindre son terrain de fouilles.

De cette œuvre considérable, qui réveillait tant de souvenirs récents encore et souvent cruels, la critique allait évidemment chercher les « clés » ; l'auteur la devança en proclamant dans une postface qu'il ne fallait y voir aucune allusion à son expérience personnelle, que tous les personnages étaient imaginaires, et que Takei lui-même, malgré certaines ressemblances purement fortuites, n'avait rien à voir avec l'auteur, qui — preuve décisive — était d'ailleurs d'au moins cinq ans son aîné. La mise au point était nécessaire, car, si les relations familiales de son héros ne rappelaient en rien les siennes propres, l'homme en tout cas lui ressemblait furieusement : comme lui, Abe était professeur d'anglais, auteur de nombreuses traductions et d'études remarquées sur la littérature anglaise ; comme lui encore, il avait enseigné à Shanghai, après avoir été mobilisé dans les « services d'information » de l'armée en Indonésie ; et comme lui, surtout, il avait assuré la défense des accusés du 1er mai. Les coïncidences, on le voit, sont trop nombreuses pour que l'on puisse prendre ses dénégations au pied de la lettre, et l'on est bien obligé de considérer que son « expérience personnelle » a dû intervenir peu ou prou dans les réflexions qu'il prête à son héros, et c'est tant mieux, car il est certain que cette « expérience », qui du reste l'honore, n'a pas peu contribué à donner à son personnage ce ton de vérité et de sincérité qui le rend si attachant en dépit, ou à cause des faiblesses qu'il confesse sans emphase et sans fausse honte.

FERDYDURKE. Roman de l'écrivain polonais Witold Gombrowicz (1904-1969), publié en 1937. Ce roman apparemment absurde, loufoque et paradoxal est en réalité une analyse profonde et douloureuse de la condition humaine au XXe siècle. Le héros du livre, un homme de trente ans, se transforme, sous l'influence du professeur de lycée Pimko, en un adolescent de quinze ans. Et son extraordinaire aventure commence, au lycée d'abord, puis chez des particuliers où il loue une chambre, et enfin dans la propriété de sa tante, où il se rend en compagnie de son camarade Mientus. Sur cette trame, des récits comme « Philifor cousu d'enfant » et « Philimor cousu d'enfant » viennent se greffer et paraissent n'avoir aucun lien avec l'histoire principale, mais en vérité justifient et approfondissent les idées de l'auteur. C'est d'abord le refus d'accepter l'homme contemporain. Car cet homme est déformé, jamais sincère, incroyablement artificiel. Depuis son enfance il est enfermé dans des cadres schématiques, obligé d'adopter telle attitude, telle « grimace », d'être « typique ». Les enfants jouent aux idéalistes (Siphon) ou aux durs (Mientus), et les hommes adultes, en continuant ce jeu, retombent dans l'enfance. Lorsqu'un des collégiens, Kotecki, essaie d'avouer qu'il est incapable de se mettre au diapason des autres dans leur enthousiasme pour la poésie car il ne la comprend pas, les professeurs, épouvantés par cet aveu inadmissible et dangereux, n'ont de cesse qu'ils ne l'aient rendu conforme. La lutte sournoise du héros pour démasquer le point faible d'une lycéenne, image désolante de la jeunesse moderne, se termine par un échec. La recherche d'un homme vrai, non altéré par la civilisation, symbolisé par le « palefrenier », aboutit, elle aussi, à une défaite : le palefrenier est un pauvre bougre, déjà soumis et indolent, qui ne se réveille que pour esquisser un mouvement de défense, d'ailleurs, semble-t-il, inconscient. Enfin, les amours du héros avec Isabelle suivent également l'horrible pente de la banalité classique. Le roman de Gombrowicz, dont les développements inattendus, la satire mordante et l'humour impitoyable nous font rire, est en réalité très sombre. Tous les conflits entre le conformisme et une timide révolte, parfois réduite à un seul mot ou à une attitude à peine perceptible, se terminent par un déchaînement d'instincts, par une bagarre générale – preuve que les hommes sont aveuglément attachés à des cadres schématiques et veulent les défendre. Mais en même temps ce roman est optimiste puisqu'il suffit d'un geste infime pour ébranler l'ordre établi. Protestation poignante contre les déformations qu'apportent la civilisation, l'éducation, l'ordre social, les arts, la science moderne, ce roman démontre que pour sauver l'homme « infantilisé » il faut lui trouver une nouvelle forme d'expression : celle qui lui permettrait d'être sincère. Livre étrange, profond, ironique, cinglant, où l'auteur en attaquant les autres s'attaque soi-même, *Ferdydurke* a classé Gombrowicz parmi les plus grands écrivains contemporains. – Trad. Julliard, 1958.

FERME AFRICAINE (La) [*Den Afrikanske Farm*]. Souvenirs de l'écrivain danois Karen Blixen (Karen Dinesen, baronne Blixen-Finecke, 1885-1962), publiés en anglais en 1937. L'auteur, qui a vécu au Kenya de 1914 à 1931, raconte la vie dans sa ferme de culture de café à proximité de Nairobi. C'est une exploitation immense et féodale. La maîtresse, la « m'saba », règne sur elle comme un seigneur du Moyen Âge, qui aurait toute la largeur d'esprit d'une femme cultivée du XXe siècle. « J'ai possédé une ferme en Afrique au pied du Ngong. La ligne de l'Équateur passait dans les montagnes à vingt-cinq milles au nord ; mais nous étions à deux mille mètres. Au milieu de la journée, nous avions l'impression d'être tout près du soleil, alors que les après-midi et les soirées étaient fraîches et les nuits froides. » Tel est le début de ce livre, où intelligence et culture, originalité et fantaisie, récits et souvenirs s'efforcent de dégager un événement capital de la vie de l'auteur : la découverte de l'âme noire. « Les Noirs, en effet, sont en harmonie avec eux-mêmes et leur entourage, intégrés à la nature... Dès que j'ai connu les Noirs, je n'ai eu qu'une pensée, celle d'accorder à leur rythme celui de la routine quotidienne que l'on considère souvent comme le temps mort de la vie. » Aimant passionnément la population indigène, Karen Blixen décrit ses mœurs, ses lois, ses interdits, ses habitudes, la forme à la fois mythique et panthéiste de son esprit, et elle se livre à une critique indirecte de la civilisation européenne. « Le raisonnement des indigènes ne procède pas comme le nôtre. Les nègres ressemblent aux races disparues, qui trouvaient tout naturel qu'Odin sacrifiât un œil pour obtenir la perception complète de l'univers ou que le dieu de l'Amour fût représenté par un enfant ignorant de l'amour. Il est très possible que les Kikuyus aient vu dans mon ignorance de leurs lois la preuve de ma compétence à les appliquer. Le pouvoir mythique des indigènes les conduit à user de vous à votre insu, sans même que vous puissiez réagir. Nous devenons pour eux des symboles. Cette impression est curieuse pour celui qui en est l'objet ; je l'ai éprouvée, j'avais même trouvé un terme pour la désigner. J'appelais cela faire de moi "le serpent d'airain". » Le rôle de serpent d'airain était lourd, dépourvu d'agrément. Les indigènes utilisaient Karen Blixen et s'en remettaient à elle du soin d'apaiser les esprits quand un malheur survenait à la ferme. « Le propre de la magie, c'est de marquer à tout jamais celui qui en fut une fois l'instrument. » Peu d'Européens sont aptes à jouer les serpents d'airain, mais le rang et l'importance qui sont attribués aux Blancs dans le monde indigène sont toujours proportionnés aux dispositions qu'on leur reconnaît pour ce rôle. La vente de la ferme obligea l'auteur à quitter l'Afrique et à abandonner tout ce qu'elle possédait comme « la rançon de sa vie ». Il y a dans ce livre d'exceptionnelles descriptions de paysage et d'admirables pages sur la vie des animaux. – Trad. Gallimard, 1942.

FERME (ou NUIT) AFRICAINE (La) [*The Story of an African Farm*]. Roman en langue anglaise de la romancière sud-africaine Olive Schreiner (1855-1920), publié en 1883 sous le pseudonyme de Ralph Iron. Ce livre eut en son temps un très grand retentissement, aussi bien en Angleterre que dans les nouveaux territoires de l'Afrique australe. Il est vrai qu'il présente, dans un cadre renouvelé, la thématique propre à toute une littérature coloniale, qui dépeint la dure existence que mènent les fermiers isolés sur une terre récemment conquise. Les éléments communs à cette fiction d'un genre nouveau que l'on trouve au Canada, en Australie et au début de la littérature américaine sont tous présents : quelques bâtiments dans une étendue indifférente et une subsistance arrachée, avec des méthodes de culture et d'élevage importées d'Europe, à des terres prises à d'autres groupes humains. L'intrigue assez statique fait ressortir l'isolement du Blanc, qui contrôle avec un mélange de paternalisme et de dureté indifférente un personnel hétéroclite, lui aussi déplacé. Aucun dialogue réel, aucune confiance, aucune curiosité pour l'autre. Le grand mythe de civilisation ou même de christianisation a disparu de cette vie quotidienne, obstinée et pauvre. L'absence de repères de tous les partenaires est totale : entre la lumière crue du ciel africain, souvent dépeinte, et la terre sèche persistent les activités dérisoires d'une poignée d'hommes, coupés de leur histoire, sans projet, sans liens réels avec une nation, un peuple, ou même des voisins.

Mais le talent original d'Olive Schreiner n'en reste pas à la création de cet espace colonial anomique. Les personnages principaux sont deux jeunes femmes et deux jeunes hommes, frustrés par la stérilité spirituelle de ce milieu. Leur quête les rapproche de certains héros romanesques du XIXe siècle anglais, mais l'univers psychologique et poétique créé ici a une force singulièrement dérangeante, qui explique la fascination que cette œuvre continue d'exercer sur l'imaginaire sud-africain : *Au cœur de ce pays* (*) de J. M. Coetzee est à la fois un pastiche du livre et un hommage à l'intensité visionnaire de cet archétype. Tous les personnages ont des vies inaccomplies, comme stérilisées par l'arrachement initial qui les a réunis dans cette ferme. La famille n'en est pas une. Un Allemand, figure paternelle, est le seul homme vraiment bon du lieu, le seul à avoir gardé un lien avec une connaissance venue d'ailleurs et avec l'innocence du projet originel. Il meurt au début du livre, chassé par la propriétaire, Tant'Sannie, figure maternelle grasse et grotesque, qui gère avec un même réalisme borné l'accroissement de ses troupeaux et les mariages au sein de la communauté afrikaner. Dans l'optique boer, une femme n'est qu'un passage obligé pour la redistribution des moutons et des héritiers. Deux héroïnes de souche anglaise, Em et Lyndall acquièrent vite un regard lucide sur l'horizon qui va limiter leur vie. Le roman est surtout celui de leur dialogue, passionné et désabusé, et de celui qu'elles entretiennent avec Waldo et Gregory, eux aussi prisonniers sur la ferme et mutilés dans leurs aspirations. Em choisit d'accepter son destin et le mariage. Lyndall, avide de connaissance et d'autonomie, refuse de se laisser enchaîner par l'amour qu'elle porte à son amant, et meurt seule. Ces vies débouchent sur des impasses, tragédies dérisoires qui se jouent dans l'indifférence des groupes d'Africains divers, et de la nature tout entière.

Ce livre étrange n'est pas sans défaut, avec sa construction désordonnée, ses longues digressions explicites sur les théories féministes de l'auteur. Il a cependant un ton complètement nouveau. La plume sans complaisance de la romancière débusque les platitudes pieuses de cette société rurale, crée des personnages grotesques mémorables, comme l'imposteur Bonaparte Blenkins, et donne vie aux rapports complexes entre hommes et femmes, maîtres et serviteurs, dans des dialogues qui n'ont rien perdu de leur force corrosive. *La Nuit africaine* n'est pas seulement un document historique ou social, une curiosité coloniale, c'est un des textes fondateurs de la littérature d'Afrique australe, de son ton et de son imaginaire. – Trad. Phébus, 1989.

J. Ba.

FERME DES ANIMAUX (La) [*Animal Farm*]. Ouvrage de l'écrivain anglais George Orwell (1903-1950). « Mr. Jones, de la ferme du Manoir, avait bien songé à verrouiller les poulaillers pour la nuit, mais il était tellement gris qu'il avait oublié de fermer les chatières. » Profitant de la nuit, les animaux se réunissent autour de leur doyen mourant, un vieux verrat qui prêche la révolution des bêtes contre l'exploiteur humain ; deux jeunes porcs, Snowball et César, prennent la tête de la croisade, libèrent la ferme en chassant Mr. Jones, organisent un régiment communautaire du travail et du profit. Certes, la victoire est durement acquise ; mais César se distingue particulièrement par son courage dans la seule intervention que tenteront les hommes ; néanmoins, Snowball mène contre lui une sourde lutte d'influence jusqu'au moment où il peut l'expulser avec l'aide d'une portée de molosses secrètement élevés par lui ; on explique que César a toujours été un traître et un partisan des hommes. Comme l'exilé n'est pas sans amis, voilà instauré un régime de terreur qui oublie très vite les belles promesses des premiers jours et falsifie les grands principes. D'ailleurs les bêtes oublient peu à peu ce que César leur avait enseigné et ce qu'elles avaient appris autrefois ; bientôt même elles ne sauront plus lire, à peine pourront-elles ânonner les principes que le génie ambitieux et tatillon de Snowball invente pour assurer son pouvoir. Les grands et spectaculaires travaux du nouveau chef échouent lamentablement, mais ces échecs n'aboutissent qu'à un surcroît de terreur ; sans doute, de temps en temps, quelque protestataire crie-t-il à la révolution trahie ; les molosses ont tôt fait de le ramener à la raison. Et, peu à peu, la race des verrats remplace celle des hommes dans l'exploitation des autres bêtes. Jusqu'au jour où Snowball invente de commercer avec les fermes voisines et de vendre pour le profit des siens le travail des animaux « libérés ». Et c'est, pour finir, la visite des hommes aux verrats, aux verrats félicités pour l'« ordre » qui règne dans la ferme et l'obéissance des bêtes et qui, déguisés en hommes, s'essaient à marcher sur leurs pattes de derrière et le triomphe de Snowball. L'allusion de cet apologue est claire. Écrit entre 1943 et 1944, alors que G. Orwell travaillait à la B.B.C., cette satire, l'une des plus cruelles et des plus terribles, s'insère dans cette tradition anglaise qui cherche dans le royaume d'Utopie, depuis More et Swift, à se venger des désillusions du présent. – Trad. Pathé, 1946 ; Lebovici, 1981.

FERMENTS DE PENSÉE [*Fermenta cognitionis*]. Considérations philosophiques, se présentant pour la plupart sous forme d'aphorismes, du penseur allemand Franz von Baader (1765-1841), publiées en cinq volumes à Berlin et à Leipzig de 1822 à 1825. Baader, dont les écrits philosophiques de jeunesse sont intimement liés à la pensée de Schelling, semble annoncer ici la nouvelle orientation religieuse que préciseront les derniers ouvrages de ce philosophe. Les critiques qu'il adresse aux courants dominants de la pensée, en particulier au criticisme et à l'hégélianisme, ont toujours le même point de départ : l'erreur commise par ces systèmes qui remplacent l'expérience par la raison et appauvrissent cette dernière en l'abstrayant selon des schémas rationnels. Que ce soit le criticisme, qui conclut à l'incapacité pour la raison de résoudre son propre problème théorique, ou l'hégélianisme, qui prétend avoir trouvé, grâce à la dialectique de l'idée, semblable solution, ce qui échappe à la conscience spéculative, c'est toujours la réalité vivante, cette réalité qui se révèle dans l'expérience la plus intime de l'homme. Cette expérience trouve, selon Baader, son expression spéculative la plus évidente dans la dramatique conscience religieuse de Jakob Böhme, qu'il redécouvre à la pensée allemande. Le conflit intime de l'âme, qui se reflète dans le heurt des forces de la nature vivante et trouve sa justification dans la nature même de Dieu, constitue le motif central où l'existence et la vie peuvent trouver leur unité de signification. Dans ses aphorismes, Baader recourt sans cesse à ce motif existentialiste pour éclairer les différents champs d'expérience, du théorique au religieux, du moral à l'esthétique. Il attaque la conception kantienne relative à l'autonomie de la personne humaine dans la raison pratique, dans la volonté morale du devoir, et la conception hégélienne pour qui la liberté spirituelle de la personne est en elle-même l'actualisation de l'esprit absolu. Pour Baader, la réalité de la personne jaillit du contraste qui oppose les deux principes actifs, du drame de sa propre existence : la vie spirituelle est délivrance ; elle n'est pas pour autant un acte de la personne même, mais la présence d'une grâce, la vie divine, transcendante du fait qu'elle se communique et se libère aussi bien dans l'action que dans la pensée.

FERMINA MARQUEZ. Œuvre de l'écrivain français Valery Larbaud (1881-1957), publiée en 1911. Ce chef-d'œuvre de deux cents pages ouvrait la série, maintenant nombreuse, des romans d'adolescence. Mais où donc trouver l'aristocratique simplicité du style, dont se prévaut la peinture dont il est question ici ? Entendez la vie quotidienne des collégiens de Saint-Augustin. Ce trouble qu'apporte une jeune Péruvienne, Fermina Márquez, chez les élèves en question les bouleverse tout entiers. Il les initie à la pratique de la vie : Joanny Lienót, le fort en thème qui travaillait par ennui, pour oublier les murs du collège, sitôt que le préfet des études le charge de piloter la jeune voyageuse, le voici aussitôt jeté aux prises avec l'existence. Il croit ne pas manquer de secrets pour l'affronter. N'a-t-il pas lu tous les classiques psychologues de la passion amoureuse ? Ne s'est-il pas débarrassé du préjugé familial des « honnêtes » femmes ? Il n'y a pas d'« honnêtes » femmes, se dit Joanny ; cette croyance n'est propre qu'à entretenir la timidité des jeunes garçons. Cette Fermina Márquez sera donc à qui aura l'audace de la conquérir. Certes, Santos Iturria de Monterey, le bel Américain du Sud, fier de son sang castillan, déjà émancipé, qui tous les soirs fait le mur du collège pour aller passer ses nuits à Montmartre, aurait eu plus de chances que Joanny. Mais c'est Joanny, et non Santos condamné aux récréations communes après le réfectoire, qui accompagne Fermina dans ses promenades. Le bon élève part à l'assaut de l'adolescente comme César faisait pour une citadelle, et comme font les bons élèves pour les versions grecques. Quelle surprise ! Cette citadelle, cette version rébarbative, cette femme dont il faut emporter de vive force les faveurs, n'est qu'une gentille camarade, qui tend sa main avec tant de grâce, parle sans cesse de la douleur du Christ et des clous de la Croix, et prête à son compagnon, pour qu'il édifie son âme, la vie de sainte Rose de Lima. Les stratégies, en face d'elle, s'écroulent, les auteurs classiques laissent la timidité adolescente sans secours, et pourtant la joie de vivre pénètre l'âme : la place d'étude, qui n'était jusqu'alors pour Joanny que le lieu d'où il se levait, chaque fin de mois, pour s'entendre, avec quel embrasement orgueilleux de tout l'être ! proclamer premier de la classe, cette place n'est plus maintenant que le lieu où Fermina s'est assise, où elle a laissé un peu de son parfum, un jour que Joanny lui faisait visiter le collège ; et son lit, au dortoir, ce n'est plus celui où le bon élève repassait encore et encore ses leçons, c'est la place que Fermina a daigné un jour effleurer d'un coup d'œil. Mais que dire, quelle ruse ménager, quelle séduction développer avec une vierge angélique qui ne parle que des saints et de la « puanteur de ses péchés » ? Les propos d'idéal élevé s'imposent. Joanny révèle à Fermina son grand projet, dont tous se moquent, son rêve magnifique de restaurer un jour l'admirable empire universel de la Rome antique. Fermina a-t-elle compris, le génie en herbe a-t-il trouvé l'âme sœur ? Au retour des vacances de Pentecôte, Fermina ne parle plus des clous de la Croix ni de sainte Rose de Lima. Entre le futur restaurateur de l'empire d'Auguste et le beau Santos Iturria qui lui a rendu visite à Paris pendant les vacances, elle a choisi. Elle aussi découvre son cœur : elle peut, pour vaincre la tentation, décider de se mettre par terre, couchée une heure les bras en croix devant le crucifix (n'est-ce pas ainsi que font les saintes ?), elle suffoque au bout de dix minutes. Alors, elle ouvre ses fenêtres sur la nuit, elle se couche dans sa plus belle robe, elle boit de toutes les puissances de l'imagination l'adorable image de Santos. Joanny a compris. Il dira tout. Il dira à Fermina que celui qu'elle vient de prendre pour un bellâtre est un génie, qu'on le verra, qu'on le dira, qu'on le saura. Et il demandera aussitôt au père préfet de le décharger de sa charge de cicerone et de lui faire donner des leçons de dessin. Que deviendront-elles, les amours enfantines ? Le collège Saint-Augustin fermera, Santos épousera une superbe Allemande, Joanny n'aura pas le temps de montrer son génie : il mourra d'une épidémie à la caserne. Mais, l'espace d'un printemps, parce qu'une robe de jeune fille est apparue un jour dans la galerie du collège des pères jésuites, les murs du collège ont craqué, le beau temps des prix d'excellence, des versions et de la restauration de l'Empire romain, le beau temps de l'enfance aura pris fin : une sainte de moins sur la terre, un peu de joie, beaucoup de désespoir dans l'âme d'un bon élève.

FERNAND CORTEZ ou la Conquête du Mexique. Opéra en trois actes écrit, à la demande de Napoléon Ier, par le poète Esménard et le librettiste Étienne de Jouy (1764-1846) ; musique du compositeur italien Gaspare Spontini (1774-1851). Première représentation à Paris le 28 novembre 1809 et, après remaniement complet, le 8 mai 1817. Fernand Cortez, le conquérant espagnol, est, avec ses soldats, aux portes de la ville de Mexico. Le grand prêtre et Telasco appellent la malédiction divine sur Amazily, princesse mexicaine, sœur de Telasco, laquelle, par amour, a suivi Cortez, tandis que Montezuma, roi du Mexique, oscille entre le sentiment patriotique qui le pousserait à faire la guerre aux envahisseurs et la secrète conviction que Cortez est un héros généreux et qu'Amazily a vu juste en le considérant comme le vengeur d'une offense qu'elle avait reçue du grand prêtre. On envoie Telasco porter des présents à l'Espagnol et lui demander de s'éloigner du Mexique, en renvoyant Amazily aux siens ; Cortez le fait prisonnier, suscitant l'enthousiasme belliqueux de ses hommes. Faussement informé du retour de son frère Alvaro, que Montezuma avait fait prisonnier, il rend la liberté à Telasco, qui réveille l'agitation à Mexico et décide, d'accord avec le grand prêtre, que, si Amazily ne revient pas immédiatement, il exécutera Alvaro. Amazily voudrait se sacrifier, mais Cortez attaque le Mexique, donnant cependant de telles preuves de générosité que Montezuma renonce à l'idée de brûler la ville et accueille les Espagnols par de joyeuses solennités. Le drame se termine par le triomphe d'Amazily et de Cortez. Le sujet, que Napoléon, alors au lendemain de sa déclaration de guerre à l'Espagne, avait suggéré afin d'attirer, par une œuvre d'art, l'attention populaire sur sa nouvelle entreprise, suscita des conséquences politiques opposées à celles qu'il désirait ; car le public, pris par la musique de Spontini, se mit à admirer la résistance héroïque que les Espagnols opposaient à l'invasion des troupes françaises, et les représentations furent suspendues, par ordre supérieur, juste au moment du plus grand succès. Œuvre grandiose, tout imprégnée de ce que nous pourrions appeler le « style Empire » en musique, créé précisément par Spontini ; elle fut admirée par Meyerbeer et par Berlioz pour sa puissance expressive et pour la richesse de ses effets dramatiques.

FERN LE DANOIS [*Fern fra Danmark*]. Roman de l'écrivain danois Leif Panduro (1923-1977), publié en 1963. Premier roman de la *Trilogie de l'identité* dont les deux autres sont *L'Erreur* [*Fejltagelsen,* 1964] et *Le Mauvais Homme* [*Den Gale Mand,* 1965], *Fern le Danois* met en scène un homme frappé d'amnésie. Le roman commence par son réveil dans une chambre devant une feuille de papier blanc sur laquelle il écrit un nom, le sien, mais qui ne lui dit rien. Fern vit sa situation comme une libération ; les autres — les psychiatres, sa femme, sa maîtresse, sa sœur, ses amis — ne croient pas à son amnésie et l'accusent de simulation. Il les dérange car, pour eux, sa liberté est un scandale qui ne fait que renforcer leur propre frustration. Fern voudrait connaître les événements qui l'ont conduit à cet état. Il se heurte à leur refus. Ces événements sont pourtant assez dramatiques : lors d'une soirée trop bien arrosée, Fern s'est violemment expliqué avec sa famille et ses amis à qui il reprochait leur manque de passion. Ensuite, il a pris sa voiture pour terminer sa course-fuite contre un arbre. Depuis : le black-out total. Son comportement ressemble à celui d'un nouveau-né qui recherche la satisfaction immédiate de ses désirs (une infirmière caractérise ce comportement « d'animal »).

Fern reproche à son entourage son manque de passion ; sans elle, l'existence n'est plus que le reflet trompeur de signes extérieurs, véritables miroirs aux alouettes. Le « scandale Fern » est d'avoir brisé ces miroirs, et de vivre une passion : la recherche de son identité au sens propre.

Il s'enfuit du sanatorium parce que sa maladie n'est plus psychiatrique mais existentielle. Il a compris que sans la mémoire — et la passion — le présent se dissout en un tourbillon superficiel, raisonnable et froid : un univers stérile et fonctionnel, où l'amour se confond avec la lubricité et où seuls sont rois les don Juan et les cyniques ; cet univers fut le sien et est encore celui de son entourage. La passion appartient à un moi refoulé. Retrouver ce moi et, si possible, l'assumer, devient le but de la recherche de Fern. La maladie dont il souffre ressemble à celle diagnostiquée par Kierkegaard où le moi ne veut pas se reconnaître et, étranger à lui-même, récusant toute passion, oscille entre deux extrêmes esthétiques : une vie « animale » de satisfactions immédiates, et une vie sublimée de « surhomme », divinement au-delà des normes du bien et du mal imposées par la morale bourgeoise. Le processus d'individuation réintègre la passion. C'est devant son vieux père paralysé, et à moitié amnésique lui aussi, que Fern comprend que sa mémoire affaiblie n'est en effet qu'une mémoire détournée. C'est la première étape de la guérison de Fern. La même maison d'été, où eut lieu l'explication fatale, sera le théâtre de la deuxième étape : une tentative de suicide par la noyade. Mais encore faudra-t-il savoir si elle sera suivie d'une renaissance véritable. Le roman se termine sur l'image de Fern et de son épouse sous la véranda de la maison d'été et par cette question du psychiatre qui a enfin retrouvé son patient : « Est-ce vous, monsieur Fern ? – Que voulez-vous que je réponde ? » Plus qu'un roman sur un cas psychiatrique, *Fern le Danois* est le diagnostic pénétrant d'un état de la société. En privant Fern de sa mémoire, Panduro ne fait que radicaliser une situation générale ; le comportement « animal » de Fern juste après l'accident n'est qu'une version innocentée de celui du citoyen respectable qu'il était auparavant. Mais c'est la perte totale de la mémoire qui paradoxalement lui fait comprendre que quelque chose manque, qui ne peut exister sans elle : l'identité. – Trad. Gallimard, 1967. K. P.

FÉROCE CHASSEUR (Le) [*Der wilde Jäger*]. Ballade de l'écrivain allemand Gottfried August Bürger (1747-1794), publiée dans l'*Almanach des Muses* (*) en 1786. Le sujet est inspiré d'un thème parmi les plus anciens et les plus connus de la tradition germanique : celui de la *Chasse sauvage* [*Wilde Jagd*] ou de la *Furieuse armée* [*Wütendes Heer* ou *Wuotes Heer*], dont on retrouve d'innombrables variantes de l'Angleterre et la Normandie à la Carinthie, du Danemark à la Silésie, de la Norvège au Tyrol. Ce thème a dû, en des temps reculés, être associé au mythe d'Odin-Wotan : pendant les nuits de tempête, les âmes des morts qui n'ont pu trouver la paix passent en hurlant dans les ténèbres, emplissant l'espace de leur galop ; ceux qui sont sur leur passage doivent aussitôt se jeter à terre, sinon la horde sauvage les entraînera dans sa course folle jusqu'à la fin du monde. À la tête de la horde, dressé sur son cheval noir, le manteau flottant et la lance au poing, galope Odin-Wotan, seigneur du Walhalla, qui commande au royaume des morts. Plus tard, la légende se transformant, des motifs nouveaux apparurent : celui par exemple des « Douze nuits » consacrées à une divinité nocturne pendant les jours les plus courts de l'année, entre Noël et l'Épiphanie : dans diverses régions, d'autres divinités furent placées à la tête de la horde fantastique : Frau Holle, Frau Gode, Berchta, Harke, ou, plus simplement, le « Féroce chasseur ». La légende se perpétua sous de multiples formes durant des siècles et demeure encore vivace dans l'imagination populaire. La vision de cette chevauchée se retrouve aussi bien dans la poésie d'inspiration proprement populaire, comme *Les Treize Tilleuls* (*) de Weber, que dans les poèmes d'un ton plus relevé et même dans la poésie moderne, de Gustav Fröding à Agnès Miegel. Dans une célèbre ballade de Goethe, ce sera justement de cette horde nocturne que le « Fidèle Eckart » – v. *Ballades* (*) de Goethe – sauvera des enfants que leurs parents avaient envoyés acheter de la bière. On ne peut dire que Bürger ait réussi, comme dans *Lénore* (*), à saisir « le frisson de mystérieuse terreur cosmique » d'où naquit la légende. La lente élaboration de cette ballade – reprise plusieurs fois par l'auteur entre 1773 et 1779 – affaiblit la spontanéité de l'inspiration au profit d'un goût très XVIIIe siècle pour l'apologue et la morale : de nouveaux motifs vinrent en outre se greffer sur le thème principal. Deux chevaliers montés respectivement sur des chevaux couleur de feu et couleur d'argent escortent le comte du Rhin et sa meute dans leurs chasses dominicales, tandis qu'arrive de la cathédrale le tintement des cloches appelant les fidèles à la grand-messe. Le chevalier vêtu d'argent, bon et doux, essaie d'empêcher le comte de commettre une action impie pendant ce jour consacré. L'autre, au contraire, l'incite avec succès à se griser toujours davantage. Aussi le comte dévaste-t-il, en poursuivant un cerf, les moissons d'un pauvre paysan qui est à son tour entraîné dans la sauvage chevauchée. Rencontrant sur son chemin un troupeau de moutons, le comte lance ses chiens sur lui malgré les supplications du berger, qui sera assailli et déchiré par la meute. S'enfonçant à travers bois, il aperçoit la cabane d'un ermite et jette son cheval sur ce dernier : mais le voici soudain plongé dans les ténèbres et le silence, et tandis que les hordes infernales surgissent d'entre les flammes, une voix venue d'en haut, semblable « au grondement du tonnerre », proclame la terrible sentence : poursuivi sans fin, talonné sans répit, la tête tournée en arrière vers les meutes hurlantes, il continuera de chevaucher éternellement, jusqu'au jour du Jugement dernier. En certains endroits, la ballade nous semble aujourd'hui quelque peu naïve ; le thème de la chevauchée est néanmoins traité avec beaucoup de vigueur et une réelle maîtrise. Cette ballade fut traduite en anglais par Walter Scott, en français par Gérard de Nerval et suscita de vastes échos dans tout le romantisme européen. – Trad. par Gérard de Nerval (sous le pseudonyme de Gérard) dans *Poésies allemandes : Klopstock, Schiller, Bürger*, 1830.

★ La ballade de Bürger servit de thème au poème symphonique *Le Chasseur maudit* du compositeur français César Franck (1822-1890), écrit en 1882. L'œuvre comprend quatre parties, selon les divisions de la légende. Elle s'ouvre par une sorte de chœur religieux accompagné de sons de cloches et suggérant une atmosphère pieuse qui s'assombrit bientôt et devient menaçante, tandis qu'éclatent, de plus en plus nettement, les clameurs d'une chasse menée par un chevalier impie, le comte du Rhin, que ses vassaux supplient en vain de ne point profaner le jour du Seigneur. Mais, soudain, le cheval se cabre et une voix surnaturelle retentit, maudissant le comte sacrilège. Cet épisode est rendu par une phrase large et très suggestive ; toutefois, le thème suivant, qui se rapporte à la fuite du chevalier poursuivi par les démons, est trop peu différencié du motif de la chasse.

FERVAAL. Opéra en trois actes et un prologue, paroles et musique du compositeur français Vincent d'Indy (1851-1931), représenté à Bruxelles en 1897 et à Paris en 1898. L'action se passe dans les monts des Cévennes, au temps des druides, alors que les sarrasins menacent le pays. Pour sauver la montagne sacrée de Cravann (sorte de Walhalla celtique), Fervaal, instruit par le druide Arfagard, doit renoncer à l'amour profane ; il surmontera alors l'épreuve des armes. Mais il cède aux séductions de Guilhen la magicienne, et il est vaincu dans le combat. Il gît blessé, parmi les morts, tandis que Guilhen repentante va à sa recherche et, prise par le froid dans les neiges des Cévennes, meurt d'épuisement. Fervaal transporte son cadavre sur un sommet. Le livret comme la musique subissent fortement l'influence du wagnérisme. Le personnage d'Arfagard est un mélange du Kurvenal de *Tristan et Isolde* (*) et du Gurnemanz de *Parsifal* (*) ; celui de Fervaal, le pécheur, a des analogies avec celui d'Amfortas dans *Parsifal* et celui de *Tannhaüser ;* Guilhen elle-même est une Kundry celtique, une pécheresse et une tentatrice, dominée par une irrésistible puissance infernale. La musique, intéressante, est parsemée de pages qui l'apparentent à *Tristan,* ce qui ne signifie pas que l'auteur se soit livré à un plagiat ; il cherchait au contraire à aller au-delà du style wagnérien, à éviter le raidissement du système thématique. Si bien que se détache une personnalité musicale d'assez grande envergure, pleine de délicatesse, et munie d'un bagage technique considérable.

FESTIN DE BALTHAZAR (Le) [*Belshazzar's Feast*]. Oratorio du compositeur anglais William Walton (1902-1983). Cette œuvre, composée en 1931 sur des textes bibliques réunis par Osbert Sitwell, relate l'épisode célèbre extrait du livre de Daniel auquel se rattachent certains fragments du livre des Rois et des psaumes 137 et 81. Elle comprend trois parties : la première est une sorte de prologue faisant intervenir la prophétie d'Isaïe sur la captivité de Babylone et le psaume 137 (« Près des eaux de Babylone »). La deuxième partie retrace l'histoire proprement dite de Balthazar, roi de Babylone, assiégé par Cyrus, et qui, célébrant une nuit, avec les grands de sa Cour, la fête des Sacées, profane les vases sacrés enlevés autrefois du temple de Jérusalem : sitôt commis ce sacrilège apparaît une main qui trace sur la muraille de la salle du festin les trois mots « Mane, Thecel, Pharès ». « Mane » : Dieu a compté les jours de ton règne et il en a marqué la fin. « Thecel » : tu as été mis dans la balance et tu as été trouvé trop léger. « Pharès » : ton royaume sera partagé. L'explication de cette énigme est, dans la Bible, donnée par le prophète Daniel, mais son intervention n'est pas évoquée ici. À l'épisode de l'inscription sur la muraille succède en effet immédiatement le récit de l'assassinat du roi. L'œuvre s'achève sur le triomphe du peuple juif.

Le Festin de Balthazar est écrit pour baryton, chœurs et orchestre, et fait appel, du point de vue instrumental surtout, à des moyens assez inhabituels : double fanfare, saxophone alto, piano et percussion (xylophone, enclume, gong, castagnettes, bloc chinois). L'œuvre entière dégage une grande impression de puissance symphonique et chorale, et, dans sa réalisation comme dans sa structure rigoureusement charpentée, se situe dans l'esprit du grand oratorio haendélien (Haendel a d'ailleurs lui-même traité ce sujet dans l'un de ses oratorios). Les trois « actes » obéissent à un plan tripartite dont chaque volet engendre parfois un nouveau développement, comme dans la première partie par exemple, où la prophétie d'Isaïe et le psaume 137 se conjuguent en six fragments de caractère opposé, la violence chorale du texte des Rois et de certains passages du psaume formant contraste avec la suavité des deux séquences mélodiques correspondant à l'intervention du peuple juif. Dans la deuxième partie, la description du festin, confiée aux chœurs, se divise également en trois phases, la deuxième étant en forme de variations ; suit le récit du baryton solo évoquant l'épisode de l'inscription sur la muraille, puis les chœurs concluent sur l'évocation du destin tragique de Balthazar. La troisième partie décrit l'allégresse des Juifs et la ruine de Babylone. L'ouvrage est d'une grande cohésion, due à ce plan solide et clair dont on retrouve l'équivalent dans l'articulation harmonique des tonalités dominantes des différentes parties. Le jeu des réexpositions ou des interpénétrations des différents thèmes entraîne un mouvement dramatique souvent saisissant. *Le Festin de Balthazar* fut donné en première audition au festival de Leeds, en 1931, sous la direction de sir Malcom Sargent.

FESTIN DE L'ARAIGNÉE (Le). C'est vers la fin de 1912, à Bois-le-Roi, puis à Paris, que le compositeur français Albert Roussel (1869-1937), un des chefs de l'école musicale française, acheva la partition de ce ballet commandé par Jacques Rouché pour le Théâtre des Arts sur un argument de Gilbert de Voisin. Le Prélude évoque un jardin par un beau soir d'été. L'Araignée dans sa toile surveille les alentours : la flûte chante le motif qui crée l'atmosphère de l'œuvre. Des descentes chromatiques dépeignent l'araignée glissant sur son fil. Les Fourmis, qui semblent défiler sur les chanterelles des violons, se débandent pour chercher fortune. Elles découvrent un pétale de rose, le soulèvent et l'emportent. Le Papillon vient danser étourdiment près de la toile. Il se fait admirer. L'araignée le séduit et l'attire ; il s'approche encore, il touche la toile, il est pris. On assiste à l'éclosion de l'Éphémère qui se débarrasse lentement de ses bandelettes, danse longuement, s'arrête à bout de souffle et tombe à son tour dans la toile. À ce moment la vengeance s'organise. Des Mantes religieuses, qui avaient aussi été faites prisonnières, sont délivrées par une équipe de Bousiers. La sentence contre l'araignée est prononcée : c'est une Mante qui l'exécute. Puis les insectes célèbrent les funérailles de l'Éphémère, tandis que le cor anglais lance sa plainte. Le soir tombe sur le jardin solitaire et l'orchestre rappelle la phrase typique du début. La musique de Roussel appartient à la période impressionniste. Elle est tour à tour spirituelle et poétique, caustique et tendre. L'oreille se délecte aux timbres choisis qui dépeignent la tombée du jour. La flûte soupire, la clarinette la prolonge, le cor fait un écho lointain. Deux notes de célesta piquent l'orchestre de deux étoiles et la harpe égrène quelques gouttes de tendre lyrisme. Le succès fut considérable au Théâtre des Arts où l'ouvrage fut créé en 1913. Maxime Dethomas avait brossé les décors où s'allongeait sous la lune un arrosoir géant. Sahary-Djeli dansait l'Araignée. Le ballet est au répertoire de l'Opéra-Comique, entré en 1922. Du ballet, Roussel tira une suite d'orchestre qui a fait le tour du monde.

FESTIN DES SENS D'OVIDE (Le) [*Ovid's Banquet of Sense*]. Poème de l'écrivain anglais George Chapman (1559-1634), publié avec d'autres vers en 1595. Ovide s'étant épris de Julie, fille d'Octave Auguste, à laquelle il donnera par la suite le nom de Corinne, réussit à pénétrer dans un jardin, tandis que la jeune fille se baigne et chante en s'accompagnant d'une lyre. En entendant les accents de sa lyre, Ovide exprime le plaisir que lui procure le sens de l'ouïe. Les parfums qui émanent du bain de Corinne comblent son odorat. Toujours plus amoureux, Ovide cherche alors à surprendre Corinne au bain, et réussit ainsi à rassasier sa vue. Encore insatisfait, il lui dévoile sa présence et parvint à obtenir d'elle un baiser, qui charme son goût. Cependant, il est interrompu avant d'arriver à procurer une satisfaction au cinquième de ses sens : le toucher. Ce long poème, de cent dix-sept strophes de neuf vers chacune, avance lentement et avec bien des détours. Les allusions mythologiques y sont fréquentes, provenant habituellement de la *Mythologie* de Natali Conti (publiée en 1551, et répandue en Europe par les éditions de 1581). L'obscurité du poème, qui, dans beaucoup de passages, ressemble tout à fait à ce que sera la manière « métaphysique » de John Donne, est voulue. Chapman croyait que les vérités poétiques devaient être cachées au vulgaire « comme les minéraux précieux sont enfouis dans le sein de la terre ». « Toutes les belles choses sont difficiles », tel était un de ses axiomes préférés. Le symbolisme moral du poème lui donne un air de parenté avec les laborieuses allégories des peintres maniéristes. Malgré sa complexité et sa confusion, l'œuvre resplendit çà et là de vives et gracieuses images qui demeurent sensibles même aux lecteurs modernes. En plus du *Festin des sens,* l'auteur publia d'autres vers : *Une couronne pour la philosophie, sa maîtresse* [*A' Coronet for his Mistress Philosophy,* 1595], ensemble de dix sonnets à la louange de la philosophie, et *Le Zodiaque amoureux* [*The Amourous Zodiac,* 1595], inspiré par un ingénieux symbolisme amoureux et rempli de réminiscences mythologiques.

FESTIN DU COMMANDEUR (Le) [*A cena col Commendatore*]. Recueil de nouvelles de l'écrivain italien Mario Soldati (né en 1906), publié en 1950. Ce « commandeur » est un chef d'orchestre célèbre, et son titre lui vient d'un ordre italien. Autour de sa table se rassemblent quelques personnages qu'il « se met sous la dent », comme pour expérimenter « le plaisir de ne plus être soi, non seulement dans le domaine de l'esprit et des goûts, mais jusque dans le domaine des sens et des sens les plus intimes, comme le toucher et l'odorat ». Doué d'une curiosité passionnée, cet « amateur d'âmes » veut éprouver à la fois son corps et l'étrange plaisir de renaître en une nouvelle créature, sans cesser d'être soi-même. On trouve par ailleurs un épisode de la vie clandestine durant la guerre, et ses suites singulières, les états d'âme érotiques d'un personnage peu recommandable, l'aventure à Londres d'un vieil amour, animé par un Italien amèrement fantaisiste. Ces récits révèlent une science consommée de conteur, une grande pénétration psychologique, une finesse d'analyse et une ingéniosité dans la création des caractères qui leur donnent une unité parfaite. — Trad. Plon, 1951 ; Gallimard, 1982.

FESTIN DU ROI BALTHAZAR (Le) [*La cena del rey Baltasar*]. Pièce allégorique et religieuse de l'écrivain espagnol Pedro Calderón de la Barca (1600-1681), représentée pour la première fois en 1634. Calderón porte à la scène l'histoire bien connue du roi Balthazar dans l'intention d'exalter le sacrement eucharistique. Balthazar décide un jour d'épouser Idolâtrie. Scandalisé par de telles noces, le prophète Daniel vient le trouver, le sermonne, l'engage à quitter au plus tôt la voie du péché. Hélas, peine perdue ! La Mort survient pour punir l'idolâtre. Daniel toutefois demande à celle-ci de surseoir à son entreprise. Le drame se poursuit au milieu d'apparitions miraculeuses et symboliques où nous voyons Daniel en lutte avec la Mort. Il incarne quant à lui la miséricorde divine, le règne de la Grâce, tandis que la Mort représente le Dieu vengeur des Hébreux. Vient ensuite la scène du banquet sacrilège et l'apparition des trois paroles mystérieuses que Daniel seul est capable d'expliquer. Terrifié, Balthazar prend la fuite ; la Mort le poursuit tandis que la table du banquet se change en autel portant le calice et l'hostie. En fin de compte, l'Idolâtrie se convertit et s'approche de la sainte table. Cet « auto sacramental » (acte ou drame du Saint-Sacrement) est l'un des plus caractéristiques de tous ceux que nous connaissons. Il arrive au dénouement sans avoir recours aux artifices habituels ; il se garde, en outre, de sacrifier toute vraisemblance. Ce banquet sacrilège, qui se transforme en repas eucharistique, est une véritable trouvaille ; en dehors de sa valeur poétique, la scène produit un grand effet sur le spectateur. De tout point, la fin couronne l'œuvre. C'est dire qu'elle répond pleinement à son dessein religieux. — Trad. Klincksieck, 1957.

FESTIN NU (Le) [*The Naked Lunch*]. Roman de l'écrivain américain William Burroughs (né en 1914), publié en 1959. Le hasard, la récurrence, l'embrouillement systématique des rapports spatio-temporels, le mélange constant entre onirique, hallucinatoire et satirique, la prédominance de la mosaïque sur la continuité, la juxtaposition apparemment désordonnée de vingt-trois chapitres ou « sections », bref, un produit moderne de la tradition picaresque, ont longtemps fait du *Festin nu* un des livres réputés les plus difficiles et les plus ésotériques de l'époque. On y est aux prises avec un narrateur le plus souvent halluciné, la toxicomanie constituant le sujet fondamental de l'œuvre. L'auteur se livre cependant à une analyse dépourvue de toute complaisance de la « came » et de son fonctionnement : elle crée un assujettissement complet ; industrie gigantesque et internationale, le seul moyen de la détruire est d'en saper la base, c'est-à-dire le camé de la rue (traitement physiologique et non policier) ; le remède existe : il s'agit d'un produit nommé l'apomorphine, dont Burroughs prétend qu'elle l'a guéri à peu près complètement et définitivement.

Mais la drogue apparaît également comme un modèle valable pour tout et tous : « La came est le moule du monopole et de la "possession". » Et Burroughs de déployer sa vision de toutes les formes de cannibalisme, vampirisme et parasitisme qui font des individus des « possédés ». Tout le monde est assujetti à quelque chose, même à l'activité sexuelle. Bien sûr, c'est l'assujettissement au pouvoir qui est le plus grave — l'exemple extrême du « control addict » (intoxiqué au contrôle) étant le diabolique et caricatural Dr Benway. Car l'humour est une des composantes de base de ce livre, un humour très varié : humour noir, comique de vaudeville, imitation des parlers régionaux, jargons et argots américains ; on pense parfois aussi à Swift.

À partir de l'idée que nous sommes tous contrôlés par un besoin, quel qu'il soit, Burroughs élargit sa vision à la question du virus, lequel a besoin, lui aussi, de l'organisme où il s'installe. Burroughs voit une analogie entre virus et bureaucratie, laquelle « détourne le cours normal de l'évolution humaine — l'élargissement jusqu'à l'infini des virtualités de l'homme, la différenciation, le choix libre et spontané de l'action — au profit d'un parasitisme de virus ». L'être humain serait ainsi menacé de muter en un « patient-victime », stade terminal de l'espèce. Comme avec la drogue. Toutefois, Burroughs annonce qu'« on peut à présent isoler et soigner le virus humain ». Comment ? L'écrivain, à ce moment-là, ne le sait pas encore très clairement, sinon que le combat aura trait au langage. Et c'est Brion Gysin qui lui fournira l'arme attendue : le « cut-up » (technique des textes découpés, mélangés, puis récrits).

Servi en France par la remarquable traduction d'Eric Kahane, qui fit date, *Le Festin nu* restera une des œuvres les plus singulières du XXe siècle. — Trad. Gallimard, 1964.

Ph. Mi.

FÊTE (La). Roman de l'écrivain français Roger Vailland (1907-1965), publié en 1960. Duc et sa femme Léone, qui vivent à la campagne, reçoivent de jeunes amis, Jean-Marc et Lucie Lemarque. C'est dimanche. Ils partent pour une longue promenade, pendant laquelle Duc parle des plantes qu'il connaît et du roman qu'il est en train d'écrire. Ce roman ne plaît ni à Jean-Marc, qui reproche à son hôte d'inventer un scénario et des personnages, ni à Lucie, qui n'y croit pas. La semaine suivante, Duc se sent mal à l'aise. Peut-être à cause des critiques qu'on lui a faites, il n'arrive pas à avancer son œuvre. Jean-Marc et Lucie reviennent le vendredi. Soirée. Comme Lucie a une véritable passion pour le jazz, on écoute, en buvant, ses disques préférés. Duc égrène ses souvenirs d'Égypte (il y a été emprisonné huit jours en 1952). Le lendemain matin, il passe un moment en tête à tête avec Lucie et, sans chercher à l'embrasser ni prononcer un mot, lui laisse voir combien il la désire. Elle est troublée, mais humiliée parce que, se dit-elle, le désir n'est pas l'amour. Elle va trouver Léone mais celle-ci, sachant que son mari ne lui pardonnerait pas de se montrer jalouse, refuse d'intervenir. Jean-Marc se dérobe aussi. Elle est adulte, elle n'a pas à être protégée ou défendue, c'est à elle de choisir. Cependant, la journée s'achève tranquillement, sans nouvelle entreprise de Duc. Jean-Marc et lui commencent le dimanche par prendre, ainsi qu'ils se l'étaient proposé la veille, des photographies de Lucie. Mauvaise humeur de celle-ci, qui a l'impression d'être traitée comme un objet.

L'après-midi, ses réticences fondent. Duc et elle passent des heures à causer au jardin, oubliant tout ce qui n'est pas leur amour. Il songe à l'emmener tout de suite n'importe où, mais il a été prévu que le père de Léone, qui est un homme très séduisant, viendrait le lundi voir sa fille et son gendre. Ces rencontres sont rares. Ne voulant pas priver sa femme d'une joie qu'elle se promettait depuis longtemps, il laisse celle qu'il a séduite reprendre le chemin de Paris avec un Jean-Marc toujours fair-play mais inquiet et mécontent (« Duc, dit-il à Léone, a saccagé ma maison »). Lucie est passablement ulcérée de la désinvolture du romancier mais, quand il téléphone à son bureau, elle accepte le rendez-vous qu'il lui fixe pour le vendredi, à la gare de Mâcon. Ils consacrent leur week-end à apprendre à se connaître et à s'aimer, puis chacun rentre chez soi. Ce fut une fête, conclut Duc. De temps en temps, Lucie et lui se donneront d'autres fêtes semblables. Il se sent heureux et léger. Et – tout va de pair – il commence un roman où il racontera cette histoire, expliquera que Léone et lui, Jean-Marc et Lucie, tous les couples doivent se traiter « de souverain à souverain », chacun respectant sans restriction aucune la liberté de l'autre, dira qu'il faut savoir se ménager des fêtes de peur que la routine ne finisse par déprimer ou par endormir. Idées que Roger Vailland développe sans les laisser alourdir sa prose, qui est vive, ni son livre, qui est fluide. Le moraliste et le conteur forment chez lui un ménage modèle.

FÊTE À SOLHAUG (La) [*Gildet paa Solhaug*]. Ce drame en trois actes de l'écrivain norvégien Henrik Ibsen (1828-1906), écrit et publié en 1856, fait partie des œuvres de jeunesse d'Ibsen qui avait alors vingt-huit ans, et travaillait comme metteur en scène au théâtre de Bergen. Cette pièce, écrite en partie en vers, se rattache encore au romantisme national avec lequel il allait être le premier à rompre. On y retrouve l'écho d'Oehlenschlaeger, mais surtout de l'école de Heiberg, à tel point qu'Ibsen jugea lui-même nécessaire de munir son œuvre d'une préface reniant toute imitation de Hertz, le « second » de Heiberg et auteur du drame romantique *La Maison de Svend Dyring,* auquel on avait comparé *La Fête à Solhaug.* À Solhaug vivent Bengt Gautesön et sa femme Margit, ainsi que la jeune sœur de celle-ci, Signe. Le puissant Knut Gaesling demande la main de Signe, mais Margit refuse de la lui accorder et ne lui cache pas que c'est à cause de sa mauvaise réputation. Une seconde raison est qu'elle ne veut pas que sa sœur se marie, comme elle, sans amour. Knut Gaesling jure de se venger et de venir troubler la fête qui doit célébrer l'anniversaire du mariage de Bengt et de Margit. Survient Gudmund Alfsön, parent de Margit et de Signe. Autrefois puissant, il est maintenant tombé en disgrâce et est poursuivi par les hommes du roi. Margit décide de le recevoir, car il est non seulement son parent, mais aussi celui qu'elle avait aimé. Gudmund s'éprend pourtant de Signe, tandis que Margit fait une tentative pour empoisonner son mari, dans l'espoir de pouvoir fuir avec Gudmund. Mais elle ne parvient pas à lui faire boire le breuvage qu'elle a préparé. Appelé à défendre sa maison contre l'attaque inattendue de Knut Gaesling, Bengt laisse sa coupe et s'élance contre l'ennemi. Gudmund et Signe sont près de boire le poison, quand Gudmund se souvient que c'est avec cette coupe à la main que Margit lui avait dit autrefois au revoir, quand il partait tenter sa chance dans l'entourage du roi. Il renverse la coupe et Margit, qui survient à ce moment, croit que c'est lui et Signe qui ont bu le poison. Sa jalousie se transforme en remords. C'est alors que l'on vient lui annoncer que son mari est mort, mais que Knut Gaesling a été maîtrisé par les invités et les gens de la maison. Une nouvelle menace se précise : les hommes du roi, mais c'est pour annoncer que le chancelier, qui avait provoqué la chute de Gudmund, vient de tomber lui-même en disgrâce et que le roi rappelle celui-ci auprès de lui. Le personnage le plus intéressant de cette pièce est Margit la mal mariée, femme passionnée et dure, mais qui ne manque pas d'une certaine majesté. – Trad. Plon, 1932.

FÊTE AU NORD-OUEST [*Fiesta al noroeste*]. Œuvre de la romancière espagnole Ana María Matute (née en 1926), publiée en 1953. Par un pluvieux crépuscule de Carnaval, Dingo, le saltimbanque, revient à son village de la Artámila qu'il a quitté étant enfant pour suivre une troupe de gitans. Hélas ! sa roulotte renverse le fils d'un berger, ce qui entraîne l'intervention de la garde civile. Pour sa défense, Dingo fait appel au maître de la Artámila, Juan Medinao, compagnon de ces jours lointains. Et celui-ci, un homme sombre et grave, évoque alors son enfance de malade et son adolescence, la fuite de Dingo, la jeunesse rebelle de son frère bâtard Pablo, qui le fascinait, la sensualité de Salomé, la maîtresse de son père. Le roman multiplie avec une vérité transcendée par une plume poétique les tableaux de la vie rurale : la fête des moissons, l'enterrement de l'enfant tué par Dingo, la grève des péones, la foire, le parcours sauvage des poulains depuis la montagne. Toute la Castille avec ses hivers glacés et ses étés torrides, ses traditions et ses superstitions, vibre dans ces pages exaltées. – Trad. Gallimard, 1961.

C. C.

FÊTE A VENISE (La). Roman de l'écrivain français Philippe Sollers (né en 1936), publié en 1991. Ce livre est une sorte de réplique romanesque à un recueil de poèmes de Czeslaw Milosz, *Terre inépuisable* (1984). Dans chacun des deux livres, de longues citations entrecoupées de commentaires, de formes autonomes, de contrepoints. Chez Milosz : Goethe, Casanova, O.V. de Milosz, *La Bible,* Walt Whitman, Simone Weil, Paul Valéry (notamment). Chez Sollers, plus varié : Spinoza, Stendhal, Masaccio, Holbein, Proust, Artaud, Céline, Mozart, Watteau (dont le tableau donne son titre au roman), Warhol, Hemingway, Couperin (entre autres personnages). Les séries diffèrent, mais la démarche, à la manière de Montaigne, de ces deux variantes — poétique et romanesque — écrites dans les dernières années de notre siècle est identique. Passer à la clandestinité. Rassembler la confrérie de quelques citoyens indomptables. Lutter pour la survie. Voilà pourquoi cette rencontre existentialiste rend les deux œuvres aptes à échanger leurs noyaux. Milosz : « L'école, la télévision, les journaux se sont alliés pour tourner les esprits dans la direction souhaitée par l'intelligentsia libérale, et ainsi est venue la victoire : une vision du monde obligatoire pour tous, sous peine de recevoir un châtiment équivalant à ce que furent le pilori et le bûcher, le ridicule. » Et Sollers : « Pour que les esclaves modernes acceptent, et même revendiquent, leur condition, il faut les droguer d'images et de racontars en permanence, et qu'ils n'aient pas la plus petite distance, le moindre recul par rapport à leur propre situation. Sauf pour s'effrayer d'être à ce point gratuits et serviles, d'où soumission renouvelée et renforcée d'angoisse. » Le protagoniste du roman, Pierre Froissart, écrivain, est triplement clandestin. Par son métier banni ; par sa dextérité à glisser sournoisement sous le manteau de ses ancêtres (« Pourquoi le verbe être devrait-il être à ce point central ? Quel aveuglement oblige à penser qu'on ne peut pas être et avoir été ? ») ; par sa participation enfin à un réseau mondial de trafic des tableaux. C'est donc un des rares romans véritablement révolutionnaire, subversif : à la violence répondre par la violence, dérober les tableaux aux masses des iconophiles. Car le paradoxe de ce monde — le monde du spectacle, dirait Guy Debord — est qu'il a complètement perdu la vue. C'est seulement dans ce roman de Sollers que le tableau de Watteau *La Fête à Venise* acquiert un sens multiple, qu'il replonge dans sa nébuleuse de mystère, qu'il se clôt sur lui-même pour s'ouvrir à l'ambiguïté d'un personnage. Luz, jolie jeune femme de vingt-trois ans, étudiante en physique et en astronomie à Berkeley, accompagne Froissart. Elle s'intéresse aux trous noirs, ces régions de l'univers où la matière s'auto-engloutit. Métaphore centrale ; point de catharsis d'un monde bidimensionnel qui ne peut plus trouver ses repères qu'en s'incurvant aux abords du lieu de sa perdition.

L. Pr.

FÊTE CHEZ LE CORDONNIER [*The Shoemaker's Holiday or the Pleasant Comedy of the Gentle Craft*]. Comédie en vers et prose

de l'éc Trad.
1572-1(
le soir
la reine*festen*].
nous safsson
ancienn t dans
Lincoln *le mur*
neveu, société
du lord mène
pas de hologi-
homme ructure
à la tant que
s'arrang qu'une
cousin techno-
Rose. nation.
appris, repose
nier, il classe
Hans d comme
joyeux ancien
seur du l Lars
compag ccasion
Hodge natal, il
sympath toire et
en Fran de son
Simon et s condi-
épouse. est placé
supporte argée de
gery, va ogiques.
autre qu de cas
nouvelles allations
éloigné dans un
lui faire ches par
l'ayant n pressions
à courtise don des
de Ralph eut pas
de deveni de la
ou plutôt travaux
acheter à tériologi-
patron. e de se
shérif, p cule à la
commerce t l'écrase
n'est pas étouffée.
la guerre, g perd sa
pour l'em contre le
en cordon autorités
avec elle hir sur les
lord-maire isque son
pardon du coupable.
tion entre placé dans
Oateney et trise plus.
une fête o découvre
gnons de vie privée
prendre pa ouve. Le

La com es cercles
vivants, pla lui-même.
joyeuses a pour des
tableau trè suadé que
Renaissance ntre deux
aux expérie de loyauté
personnage Le voyage
qui a réel ns l'évolu-
philosophie cement lui
phrase : « révélation.
sou de dett ce roman
sommes jeu vérité à ce

récit engagé, incisif, animé d'une admirable dynamique cinématographique.

M.-B. L.

FÊTE DE LA PAIX (La) [*Das Friedensfest*]. Drame en trois actes de l'écrivain allemand Gerhart Hauptmann (1862-1946), représenté en 1890. Dans ce drame, l'auteur traite de nouveau le problème de l'hérédité, qu'il avait déjà abordé dans la pièce intitulée *Avant le lever du soleil* (*). L'influence d'Ibsen y est manifeste. Le fils d'une famille d'alcooliques, Guillaume Scholz, lutte vainement contre la malédiction qui pèse sur lui. Apparemment vigoureux de corps et d'esprit, il s'éprend d'Ida. Mais rentrant chez lui le soir de Noël, la fête de la paix, sa volonté s'effondre et l'angoisse l'envahit. Il semble sur le point de s'enfermer irrémédiablement dans une affreuse solitude, allant jusqu'à répudier la femme qu'il aime. Mais celle-ci veut, courageusement, lui demeurer fidèle, résolue à le sauver. Ensemble, ils iront vers un nouvel avenir, incertain peut-être, mais riche de cette incertitude même. Selon le style naturaliste, ce drame met en jeu les forces obscures qu'implique toute hérédité corrompue. En bref, l'atmosphère compte, ici, beaucoup plus que les person nages. Toutefois, le bien l'emporte finalement sur le mal. Cette pièce obtint un vif succès. Elle répondait aux exigences spirituelles de l'époque : une certaine morale y prévalait sur les tristes fatalités de ce monde.

FÊTE DE PAIX [*Friedensfeier*]. En février 1801, à l'annonce de la paix de Lunéville, à laquelle le poète allemand Friedrich Hölderlin (1770-1843) attachait les prémices d'une ère nouvelle, se rapportent différents fragments d'un long poème d'une telle richesse thématique que Hellingrath, l'un des premiers commentateurs de l'œuvre, n'hésitait pas à y voir les ébauches d'un grand hymne jamais écrit. Il ne se doutait pas que l'on découvrirait en juin 1954, à Londres, la version définitive des trois fragments précédents dans *Fête de paix.* Du *Conciliateur* à *Fête de paix,* une même question reste posée. Friedrich Beissner, qui le premier avait rassemblé le deuxième fragment sous le titre « Le Conciliateur », saluait dans l'avènement d'une paix générale la réconciliation de l'Allemagne et du Christ. C'est aussi la thèse développée par Meta Corssen (Hölderlin-Jahrbuch 1955/56), qui considère le fragment comme un appel à la lumière divine où Hölderlin célèbre, dans la Paix, la réconciliation du Christ et des dieux antiques. Un court fragment en prose forme transition vers *Fête de paix,* lorsque Hölderlin écrit : « Car vois ! c'est le couchant du Temps, l'heure où les voyageurs se dirigent vers le lieu de repos. Bientôt un dieu après l'autre entre, mais (afin) que leur préféré, à qui ils sont tous attachés, ne manque, et que tous soient un en toi, et tous les mortels que nous connaissons jusqu'ici. »

culturel en Tchécoslovaquie, qui aboutira, cinq ans plus tard, au « printemps de Prague ».

Premier acte : la famille Pludek attend la visite de Kabalis, haut fonctionnaire qui doit aider le jeune Hugo Pludek à trouver sa place dans la société. Dialogues « absurdes », clichés, idées reçues. Hugo joue une partie d'échecs contre lui-même, en passant après chaque coup de l'autre côté de l'échiquier. Petr, son frère, doit se cacher avant la venue de Kabalis pour ne pas heurter le bon goût avec sa « tête d'intellectuel bourgeois ». Arrive un télégramme : Kabalis est invité à la fête en plein air organisée par l'Office de la liquidation et ne pourra donc venir. Hugo décide d'aller le rejoindre, entamant ainsi son parcours d'initiation. Acte II : Kabalis est introuvable. À l'entrée du parc, Hugo écoute les propos des secrétaires et surtout les discours de l'inaugurateur Plzák : succession de truismes et de clichés, assemblage de citations incohérentes tirées de manuels de propagande, utilisation aberrante d'éléments de la langue tchèque. Dans une première phase, tout en reprenant la langue de bois de ses interlocuteurs, Hugo tente de faire valoir son sens de la logique sur le plan formel, mais il s'aperçoit très vite de son erreur et s'adapte à son entourage. Adoptant ensuite complètement les clichés et les synthétisant avec brio, il domine, par une absurdité plus grande encore, celle de ses interlocuteurs, et passe à leurs yeux pour un personnage important. Acte III : durant la rencontre entre Hugo et le directeur du Service de l'inauguration, chargé de la liquidation de l'Office de la liquidation, l'identité de Hugo se transforme : il passe dorénavant pour un inspecteur venu contrôler les opérations de liquidation. Acte IV : la famille Pludek reçoit un télégramme de félicitations de Kabalis : Hugo est nommé responsable de la liquidation de l'Office de la liquidation. Arrive Hugo avec sa nouvelle personnalité (et sa nouvelle identité) : il ne reconnaît pas ses parents, ils ne le reconnaissent pas. Deux autres télégrammes apprennent à la famille que Hugo a été chargé de liquider le Service de l'inauguration et de mettre sur pied une nouvelle institution, la Commission centrale de l'inauguration et de la liquidation. Hugo, présent tout au long de ces événements, ignore (ou feint d'ignorer) qu'il s'agit de lui : parlant de lui-même à la troisième personne, il perd (ou renie) définitivement son ancienne identité.

Cette première pièce de l'auteur contient tous les éléments caractéristiques de son œuvre : la crise de l'identité humaine, la lutte sans grand moyen de l'individu contre un langage dépourvu de tout sens, contre le pouvoir impersonnel des mécanismes bureaucratiques et sociaux. – Trad. Gallimard, 1969.

P. O.

FÊTE NOIRE (La) (ou *La Bête noire*). Comédie en trois actes publiée en 1949 par l'écrivain et poète français Jacques Audiberti (1899-1965). La pièce fut créée en 1948 par Georges Vitaly, au théâtre de la Huchette. Le point de départ de l'argument est l'histoire de la fameuse bête du Gévaudan, qui s'attaquait aux femmes et aux enfants. Audiberti développe à partir de là le thème de la solitude de l'être dans l'universel charnel. Le docteur Félicien est poursuivi par sa perpétuelle obsession. Combien de temps encore se laissera-t-il déchirer par « cette racaille au cœur nul » ? Mathilde veut se donner à lui, mais se refuse au dernier moment. Il la tue et mutile son corps, puis fait croire aux paysans que c'est la bête qui a fait le coup. Alice a compris que la bête est dans l'homme, pourtant elle ne le trahit pas. Monseigneur Morvellan vient exorciser les lieux, Félicien organise une battue, se félicite d'avoir tué la bête et devient une sorte de héros. Il vit somptueusement de la vente de prétendues dents du monstre, installé dans un cabinet où il se sent terriblement solitaire. On attend une nouvelle secrétaire. Celle qui devait venir est assassinée et Alice se présente en justicière : « Votre conscience est une forêt de morts qui crient justice. » Mais Alice à son tour se laisse émouvoir. L'amour, demande-t-elle, pourrait-il supprimer cette bête qui est en vous ? Non, répond Félicien, la bête toujours reparaîtrait ailleurs. Comme pour justifier ces paroles, Bellenature, le valet de Félicien, pousse un cri d'agonie. Alice, prise de panique, se jette contre Félicien. Lou Desterrat, venu venger la mort de Mathilde, clouera d'une seule balle leurs deux cœurs. On voit très clairement la signification symbolique de cette pièce : la lutte sans merci du mal et de l'amour. En 1950 Vitaly créera *Pucelle,* et Reybaz *L'Ampélour* en 1951. En 1953, ce seront *Les Naturels du Bordelais,* où le paradoxe de *La Fête noire* est poussé plus loin encore : la paix de l'âme n'est possible que lorsque le mal est consommé.

FÊTES (Les) de Rameau. Sous ce titre, on désigne plusieurs ouvrages du compositeur français Jean-Philippe Rameau (1683-1764), composés à divers moments de son existence et dans des intentions différentes ; cependant, il existe une attitude esthétique commune à ces œuvres, toutes destinées à être dansées et chantées, et dont l'écriture et la composition nous éclairent sur l'évolution de l'opéra-ballet depuis Lully et du spectacle lyrique en général. *Fêtes d'Hébé ou les Talents lyriques* : opéra-ballet en trois entrées avec prologue, paroles de Gaultier de Mondorge, représenté à l'Académie royale le 21 mai 1739. L'acte de Tyrtée met en valeur des qualités musicales d'une réelle puissance. – *Fêtes de Pamilie ou la Naissance d'Osiris* : églogue sur la naissance du duc de Bourgogne, paroles de Cahuzac, exécutée à Versailles en 1751 et à l'Académie royale en 1754. – *Fêtes de l'Hymen et de l'Amour ou les Dieux d'Égypte* : ballet héroïque en trois actes avec prologue, paroles de Cahuzac, représenté à Versailles le 15 mars 1747 et à l'Académie royale le 5 novembre 1748. Deux airs de cet ouvrage sont restés célèbres, l'air d'Osiris et celui d'Arnéris, dieu des Arts. – *Fêtes de Polymnie* : opéra-ballet en trois actes, paroles de Cahuzac, représenté en octobre 1745 et dans lequel est inclus le très bel air de soprano : « Hélas, est-ce assez ? » – *Fêtes lyriques* : ballet héroïque, en trois entrées, chacune de différents auteurs. La deuxième, *Anacréon*, est de Rameau et fut représentée en août 1766. On a beaucoup reproché à Rameau de manquer de spontanéité, d'être avant tout un théoricien de la musique, et de mal écrire pour les voix. À vrai dire, l'écriture vocale ne fut jamais son fort et, malgré le grand nombre de ses opéras (près de trente-six), on sent le musicien plus à l'aise dans les danses et la musique symphonique. D'ailleurs, Rameau n'avouait-il pas lui-même : « Je n'ai travaillé pour l'opéra qu'à 50 ans ; encore ne m'en croyais-je pas capable... » Certains airs sont cependant remarquables par leur grâce, leur harmonie et leur caractère. Quant à la spontanéité, elle n'était pas exclue de l'œuvre de Rameau ni de ses *Fêtes* en particulier, encore qu'elle ne réponde pas généralement à la notion que nous en avons de nos jours ; mais le musicien avait trop étudié et établi les grandes lignes de l'harmonie classique pour n'avoir point une conception rationaliste de son art. Les *Fêtes* reflètent très bien ces différents aspects du talent de Rameau et méritent qu'on les connaisse tant pour leurs propres qualités que pour leur donner la place qui leur revient dans l'histoire de la musique lyrique du XVIIIe siècle pour l'intérêt de leur conception.

FÊTES GALANTES. Recueil du poète français Paul Verlaine (1844-1896), publié en 1869. C'est assurément son chef-d'œuvre, si l'on s'en tient à la musicalité du vers ainsi qu'à la délicatesse des sentiments qui s'y expriment. Déjà, dans les *Poèmes saturniens* (*), s'était fait jour une sentimentalité légère qui trouve ici une nouvelle raison de s'affirmer : abandonnant, pour peu de temps il est vrai, Saturne, « fauve planète, chère aux nécromanciens », le poète choisit pour rêver à son aise le cadre d'une époque révolue : un monde à lui, entièrement fait de grâces et de songes, va lui permettre d'apaiser cette soif d'amour qui le tourmente. Le ton général est délicieusement Louis XV : dans son admiration pour la peinture de Watteau, Fragonard, Chardin, Boucher, suscitée par le livre alors récent des Goncourt sur l'*Art du XVIIIe siècle* (*) et par diverses visites au Louvre, le poète évoquera les galanteries surannées, la délicatesse souriante et perverse des sentiments, la douceur des paroles susurrées. Sous un ton badin qui cache les larmes derrière le masque de Pierrot et le beau geste de Colombine (« Pantomime », « Mandoline »), Verlaine chante l'extase devant un paysage (« Clair de lune », « Colloque sentimental ») et unit l'adoration pour la créature aimée à une vision attendrie des choses puisque, toutes, elles frémissent d'une même vie, s'ouvrent à la lumière et à la joie, comme à la tristesse, en un geste d'offrande. Colombine fuit Arlequin, Polichinelle complote, cependant que d'autres dansent la farandole. L'envie de mourir vous prend (« Les Indolents »), mais sait-on pourquoi (« En sourdine ») ? Cette poésie symboliste avant la lettre, et sortie tout armée du cerveau du poète, suggère, en de véritables tableaux décoratifs, les splendeurs et les illusions d'une société faite de précieuses, de figures sentimentales et de faunes railleurs s'ébattant dans un parc. Les habitudes d'un milieu galant et frivole sont observées avec une ironie attendrie (« Sur l'herbe », « À la promenade ») et décrites d'une touche légère : le poète unit les soupirs de l'amour à l'hommage rendu à la beauté de jadis. Ces courtes strophes, où la musique passe avant toute chose, ces claires peintures, qui évoquent, dans leur entrelacement de motifs sensuels et délicats, quelque nouvel « Embarquement pour Cythère », rendent possible pour un instant, grâce à la magie de l'art, ce retour à la félicité, sans cesse entrevue, sans cesse poursuivie. La feinte naïveté de l'expression, le laisser-aller savant de la prosodie, tout concourt à faire de ce recueil un livre exceptionnel.

FETHA NAGAST [*La Législation des rois*]. Code ecclésiastique et civil des Abyssins, le *Fetha Nagast* n'est pas originaire de l'Éthiopie mais de l'Égypte, et fut traduit de l'arabe en langue éthiopienne. Il s'agit d'une version du *Nomocanon* due au dignitaire de l'Église copte monophysite Ibn al-Assâl, de la moitié du XIIIe siècle environ. Le *Nomocanon* est un recueil de normes. Il concerne le droit ecclésiastique tout autant que cette partie du droit civil pour lequel les conquérants musulmans de l'Égypte avaient laissé aux coptes le droit de s'adresser aux chefs locaux de leurs communautés. Les sources relatives au droit ecclésiastique sont les sources canoniques communes à tous les chrétiens d'Orient ; pour le droit civil, Ibn al-Assâl utilisa le *Livre syrio-romain de droit,* quelques œuvres des Pères grecs de l'Église et aussi le droit musulman, semble-t-il, de l'école malékite. La traduction éthiopienne ne fut pas achevée avant le XVIIIe siècle et fut interprétée d'une façon très imparfaite ; on y trouve nombre de questions épineuses : des mots qui pouvaient être pris dans deux sens différents furent traduits des deux manières et les versions furent présentées l'une à côté de l'autre. Ceci eut pour résultat de rendre incompréhensibles certains passages. Quoi qu'il en soit, le *Fetha Nagast,* bien que le droit qu'il ratifie soit un droit étranger, est fort apprécié en Éthiopie, où on le considère comme un monument digne de vénération. Les « mamherân » ou docteurs doivent mettre en jeu toute leur subtilité pour en interpréter les règles. Les vingt-deux premiers articles traitent de matières ecclésiastiques, de l'Église et de tout ce qui la concerne : les livres divins, le baptême, les patriarches, la hiérarchie ecclésiastique dans ses différents degrés, les moines, les préceptes à l'usage des laïques, la messe et autres cérémonies religieuses, les prémices et les dîmes, les dimanches et autres jours importants, les martyrs, les confesseurs, les renégats, les malades et les morts. Les articles suivants (jusqu'à l'article LI) contiennent les règles relatives aux pro blèmes séculiers et à ceux de l'État. Un article en appendice traite de l'héritage, selon les dispositions données par un patriarche d'Alexandrie appelé Cyrille, par des évêques et des magistrats. La deuxième partie concerne notamment les contrats, les crimes, tout comme le mariage, le concubinage, la donation, la liberté, l'esclavage, la tutelle, la confession, les objets perdus et retrouvés, le testament, les juges et le roi. Une traduction enrichie d'un commentaire philologique a été publiée en italien par Guidi : le *Fetha Nagast* ou *La Législation des rois, code ecclésiastique et civil d'Abyssinie* (Rome, 1899).

FEU (Le) [*Il fuoco*]. Roman qui fut le premier et le seul des « romans de la grenade » de l'écrivain italien Gabriele D'Annunzio (1863-1938), publié en 1900. Le surtitre de ce roman évoque la royauté, l'abondance et la joie de vivre dont la grenade est le symbole. Quant au titre, il est trop net pour avoir besoin d'un commentaire : c'est le symbole du surhomme, tel que l'auteur l'a déjà présenté dans *Le Triomphe de la Mort* (*). Dès les premières pages du *Feu,* le héros, Stelio Effrena, condamne le regret « d'être né trop tard ou trop tôt », lequel regret est justement celui du héros des *Vierges aux rochers* (*). *Le Feu* est par excellence le roman du Dominateur : celui-là même qui entend ignorer toutes les limites et toutes les chaînes, y compris la douleur humaine. Sa devise : « Créer avec joie », puisque il s'agit d'un poète (en fait, D'Annunzio lui-même) et d'un musicien célèbre (qui n'est autre que le vieux Wagner). C'est Venise qui forme le cadre de l'intrigue, Venise ville luxurieuse et royale, surtout en automne. On retrouve le climat du *Songe d'un crépuscule d'automne.* Ici, la volupté se confond avec la gloire. La femme aimée, c'est la Foscarina, tragédienne fameuse entre toutes (en laquelle on peut reconnaître la Duse). Devenue la maîtresse du héros, elle souffre de l'admiration dont elle est l'objet, de son passé orageux et du déclin de sa jeunesse. C'est dire qu'elle saura s'effacer en beauté : plutôt se sacrifier que de devenir plus tard un poids pour l'homme qu'elle aime. Jamais D'Annunzio n'a abusé de l'analogie autant que dans ce roman. C'est justement là que réside le défaut essentiel de l'œuvre : sa perfection décevante, si proche de la vacuité. C'est dans les pages mélancoliques qu'il faut chercher la vraie réussite du *Feu :* surtout dans le personnage pathétique de la Foscarina : la jalousie qui la tourmente, le drame de l'âge, la pitié qu'elle ressent pour elle-même et pour son trop jeune amant — bref, cet instinct qui, à la fin, la poussera au renoncement. En un mot, tout exalte ici jusqu'à l'exhaustion cette volupté mortelle qui, à partir de *San Pantaleone,* sera le thème perpétuel de D'Annunzio. — Trad. Calmann-Lévy, 1901.

FEU (Le) [*Ogania*]. Recueil lyrique du poète bulgare Mladen Issaïev (né en 1907), publié en 1946. Ce recueil comprend différents cycles : « Camps de concentration » [Koutzentratzionen lager], « La Grande Marche » [Velikiat pokhod], « Le Feu », « Terre de jeunesse » [Zémia i mladost], etc. Dans « Aux poètes », l'auteur invective les poètes qu'il accuse de passivité devant l'ennemi, en se consacrant à une poésie « immatérielle », en chantant la lune et les yeux de la bien-aimée, au lieu d'écrire une poésie combattante. Dans le cycle : « Sofia sous les coups de la mort », Issaïev décrit l'ambiance de peur et de sang qui était le lot de la capitale bulgare pendant les bombardements. Les poèmes du « Feu » chantent la résistance bulgare, les combats contre les troupes nazies, la fraternité avec les Yougoslaves et les Russes, le goût de la liberté. Dans le cycle « Terre et Jeunesse », Issaïev évoque la terre de ses ancêtres, brûlée par le soleil, où la moisson est dorée et où les blés ondoient au gré du vent. Des visages de femmes passent, des scènes d'eau et de lumière, des images de forêt endormie, de sentiers et de sources, de neige et de nuit, mais c'est pour évoquer à la fin la ville « où bat le grand cœur de la vie ». Parmi les œuvres engagées d'Issaïev, on peut citer encore le *Poème sur ma carabine* [*Poema za vintovkata,* 1947], où chantant sa carabine russe, le poète en fait le symbole de la lutte contre toutes les dictatures, toutes les injustices.

FEU (Le). Journal d'une escouade. Paru en 1916, ce livre de l'écrivain français Henri Barbusse (1873-1935) s'imposa tout de suite comme le premier des livres sur la guerre qui soit franchement et cruellement « moderne ». Le prix Goncourt décerné, à cette occasion, à l'auteur de *L'Enfer* (*) accrut encore sa popularité. *Le Feu* est pensé et écrit selon les plus rigoureux principes du naturalisme : il s'agit d'une œuvre dans laquelle la lutte désespérée qui ensanglantait déjà l'Europe depuis plus de deux ans est présentée sous une lumière particulièrement crue, sans une ombre de rhétorique. Le récit, sans artifice et composé à la première personne, est celui d'un simple fantassin, qui ne se présente toutefois pas comme le principal personnage : le vrai protagoniste est l'« escouade », dont il fait partie sous les ordres du caporal Bertrand. Journées monotones de tranchée, passées dans la boue et dans la saleté, sous la pluie. Nuits de peur sous le bombardement, stations oppressantes dans les abris, marches d'approche, reconnaissances angoissées dans l'obscurité, attaques effectuées dans la fièvre parmi la fumée qui recouvre une terre de cauchemar, bouleversée et retournée par les obus... Cette sinistre succession d'événements, à laquelle leur fréquence même fait perdre toute grandeur, est interrompue par de rares épisodes caractéristiques : les bottes enlevées aux cadavres, le rêve du combattant, les deux messes, célébrées simultanément dans les camps ennemis... tel est le sujet de ce livre. Dans cet enfer vit et souffre une humanité douloureuse et sacrifiée, qui en est réduite à de pitoyables manifestations de sentiments tout à fait primitifs. Tout cela est exprimé dans une langue pittoresque qui entend faire revivre l'argot des tranchées. Tour à tour brutal, ému, grossier ou tendre, *Le Feu* restera comme un document humain du plus grand intérêt et comme un modèle d'un genre littéraire qui connut un grand développement par la suite et devait atteindre à des limites extrêmes avec les chroniques désespérées d'un Remarque.

FEU À L'OPÉRA (Le) [*Der Brand im Opernhaus*]. Drame en quatre actes de l'écrivain allemand Georg Kaiser (1878-1945), publié en 1919, et appelé par l'auteur « comédie nocturne ». Avec *Jour d'octobre* et *Sacrifice de femme*, c'est une des rares tragédies de Kaiser où soit traité le thème de l'amour. L'action se déroule en 1763, la nuit où le théâtre de l'Opéra fut détruit par un incendie. Dans une demeure lui appartenant, un homme vit, depuis un certain temps, avec sa jeune femme, Sylvette, une enfant pure et douce qu'il a choisie dans un orphelinat et grâce à laquelle il a retrouvé, après des années de vie mondaine et dissolue, le bienfait d'une existence digne. Mais Sylvette, bien qu'elle l'aime, le trahit avec un chanteur de l'Opéra ; elle ne sait pas qu'elle est aimée par son mari ; pour elle, c'est un homme qui l'a cherchée par hasard, prêt à en épouser une autre à sa place, et elle a un si grand besoin d'amour, de vie ! Aussi fréquente-t-elle secrètement les bals nocturnes de l'Opéra ; elle s'élance chaque jour vers son amant, elle vit. Au premier acte, tandis que le théâtre est en flammes, elle-même, s'échappant, folle de terreur de l'incendie, et arrivant chez elle sous son costume chinois du bal masqué, apporte à son mari la preuve de son infortune conjugale. À partir de cet instant, il la sent morte pour lui et une idée insensée le prend : personnifier en un véritable cadavre la réalité de cette mort. Il s'en va au théâtre avec un domestique, se jette au milieu des flammes et en rapporte, enroulé dans un voile noir, le corps d'une inconnue, afin qu'elle soit pour lui, toujours, l'image de la chaste épouse perdue. « Les morts sont purs », dit-il ; et il repousse, voulant l'ignorer, comme si c'était une hallucination ou une ombre, la véritable Sylvette qui se désespère. Mais voici qu'on vient lui dire que le roi, ayant perdu dans l'incendie sa maîtresse, une danseuse dont le cadavre doit facilement se reconnaître à une bague obscène qu'elle avait coutume de porter, offre une récompense à celui qui la lui retrouvera. Alors Sylvette qui, seule, a deviné quelle était la morte qui gît dans sa maison prête à être ensevelie dans le jardin, retire furtivement l'anneau du doigt du cadavre et le montre à son mari, afin qu'il connaisse l'identité de cette femme et la rende au roi : tout ceci, dans l'espoir secret qu'il reviendra ensuite à elle. L'homme est anéanti. Il se décide enfin à lui parler, mais pour la supplier de s'en aller elle-même, de devenir la nouvelle maîtresse du roi, si elle veut, et de faire en sorte que, pour tous, pour lui et les autres, elle soit morte. Comprenant pour la première fois de quel amour son mari l'aimait, résignée, elle promet de l'aider et accepte de s'en aller. Mais Sylvette ne s'en va pas vers la vie ; silencieusement, elle court se jeter dans les flammes, d'où elle sera retirée, carbonisée et méconnaissable. La bague trouvée à son doigt fera croire qu'elle est la maîtresse du roi. L'homme comprend alors, mais trop tard : certes son rêve est sauf, mais Sylvette n'est plus.

Semblable à lui-même, Kaiser expose dans ce drame une situation plus psychologique que sentimentale : la tragique division, le manque d'harmonie entre l'existence intime et la vie extérieure du personnage ; si bien qu'un conflit jaillit non seulement entre les personnes, mais aussi à l'intérieur de chacune d'elles, entre la vérité de l'individu et la « réalité » qu'il doit nier et dépasser pour être libéré. Que le moment de la libération coïncide fatalement avec celui de la mort ne diminue pas, mais au contraire accroît la valeur de la revendication morale qui est à la base du drame. *Le Feu à l'Opéra* est un des ouvrages les plus suggestifs de Kaiser, en dépit du caractère assez artificiel de la trame ; la richesse des motifs fantastiques plonge l'action dans une atmosphère d'irréalité sombre et hallucinante, mais toujours profondément poétique.

FEU CENTRAL. C'est sous ce titre générique que l'écrivain et poète français Benjamin Péret (1899-1959) publia, en 1947, une anthologie de ses principaux recueils poétiques : *Immortelle maladie* (1924), *Dormir, dormir dans les pierres* (1927), *Je sublime* (1936) ; leur font suite « Un point c'est tout » et « À tâtons », inédits en volume. À ces cinq recueils, il faudrait, pour avoir une vue d'ensemble de l'œuvre poétique de Péret, ajouter *Le Passager du transatlantique*, sa première plaquette, publiée en 1921, et surtout

Le Grand Jeu, daté de 1928. Puis *De derrière les fagots* (1934), *Je ne mange pas de ce pain-là* (1936), *Dernier malheur, dernière chance* (1942), *Air mexicain* et *Toute une vie* (1949) et enfin *Des cris étouffés* (1957). L'originalité de Péret est de déjouer par avance tous les pièges de la critique. Cette irrévérence lui coûta fort cher. La lecture de ses poèmes nous incite à ne plus considérer les mots comme des mots, des signifiants, mais comme des sons ou des couleurs. Seule la façon dont ils naissent ou s'unissent, seule l'apparence peut justifier un commentaire objectif. Le poème devient un dessin, une arabesque, un geste à imiter, un moyen : il a cessé d'être une fin. Cette poésie complètement dénouée se signale aussitôt par une étonnante facilité, c'est-à-dire l'abandon total à la voix de l'inspiration, l'incroyable disponibilité de tous les instants au message de l'inconscient, l'authentique sincérité du poète, qui n'y est vraiment plus pour personne dès que la poésie est là. Nul autre fil conducteur, chez Péret, que la dictée de la voix surréelle à laquelle il s'en remet corps et âme. Retouches et corrections sont rares. D'où cette formidable sensation de jaillissement spontané qui s'empare du lecteur. Non seulement toute recherche est absente, mais le poème parvient à nous convaincre qu'elle serait absolument vaine dans cet univers de clarté. La remarquable simplicité du vocabulaire se fait persuasive et exclusive. Cette poésie ne suggère rien, elle crée ; aussi son vocabulaire est-il extrêmement concret. Breton a résumé cet apport : « Comme Hugo avait aboli la distinction entre les mots nobles et non nobles, Péret abolit la distinction entre les objets nobles et non nobles. » C'est ainsi que les objets les plus communs entrent dans sa poésie : la chaussette, le tube d'aspirine, le tire-bouchon, la cabine téléphonique ou le ventilateur. Les animaux qui peuplent ce milieu familier finissent par en être insolites : la sardine, le hanneton, la taupe. L'instrument idéal de cet attentat au bavardage habituel reste l'image. Et l'image, chez Péret, est ouverte, battante ; à peine un groupe de mots forme-t-il image qu'une autre image le relance en le niant. La phrase entière, longue et lyrique, est elle-même image de l'innombrable succession d'images rebondissantes dont elle est porteuse. La poésie de Péret ne s'arrête jamais, c'est le chant de l'incessante qualification, l'escalier qui monte vraiment « à l'assaut du ciel ». Enfin, l'humour occupe une place primordiale chez Péret. D'où son goût pour l'image familière, celle qui renvoie à une réalité connue, au quotidien désolant sur lequel l'humour exerce précisément sa dialectique avec le maximum d'efficacité. C'est par ces biais subtils que l'humour se fait corrosif : il procède avec une judicieuse ingénuité. On arrive ainsi au saugrenu total qui fleurit dans toute l'œuvre de Péret. Il suffit de lire *Toute une vie*, où d'un bout à l'autre règne l'humour le plus riche en images, qui atteint véritablement au lyrisme. L'élan poétique fait de l'humour non plus un but, mais une sorte de tremplin qui donne un filet d'air à l'ampleur de la phrase étouffante. De cela, les exemples les plus probants figurent précisément dans le grand recueil de poèmes d'amour *Je sublime*. Dans un remarquable article, Éluard a écrit : « Pour Péret, l'espoir, le bel espoir inattendu, est exaucé au moment même où il se révèle. » Le monde que nous offre Breton contient un miroir ; si, comme la jeune Alice, le lecteur accepte de passer de l'autre côté du miroir, il y trouvera l'univers de Péret. Outre l'extraordinaire complément que chaque œuvre apporte à l'autre, est-il un plus beau symbole de l'amitié que cette image de deux hommes que seule sépare l'eau d'un miroir ?

FEU DE BRAISE. Recueil de nouvelles de l'écrivain français André Pieyre de Mandiargues (1909-1991), publié en 1959. Est-ce vraiment à un bal brésilien que se rend la jeune femme qui, parée de ses plus beaux atours, gravit cet interminable escalier ? Elle le croit. Elle toise avec une fierté non déguisée les groupes de curieux qui, massés sur leurs seuils, jettent sur elle des regards pleins d'envie. Mais, arrivée, elle déchante. Pourquoi ces plafonds ridiculement bas ? Et cette pénurie d'hommes, pourquoi ? Et comme est singulière l'inconnue avec qui, maintenant, elle danse une curieuse danse où les ventres se touchent en mesure ! Ces impressions aiguës et en même temps confuses ne seraient-elles que fantasmagorie, cauchemar masquant une réalité plus horrible encore ? Cette atmosphère trouble, où l'érotisme, la violence et souvent la mort intimement se mêlent, on la retrouve tout au long de l'ouvrage. Parfois l'auteur présente et laisse parler un témoin, tel ce vagabond, démuni et désabusé qui, bâclé un piètre déjeuner, songe à une fille pour laquelle il eut de l'affection. Au temps où le narrateur la rencontra, cette fille, Rodogune Roux, menait sur une petite île de la Méditerranée une vie sauvage et solitaire. Sans doute très craintive, elle ne manifestait de tendresse qu'à un bélier. Les hommes de l'endroit s'en formalisèrent et, une nuit, pendant qu'elle dormait, égorgèrent l'animal. Elle se renferma encore plus. (L'amitié exclusive, farouche et tragique entre filles et bêtes semble être un des thèmes préférés de Mandiargues, il y est revenu souvent, dans divers volumes. Ici comme ailleurs, il traite ce sujet délicat avec un doigté admirable. Le soin extrême qu'il met à créer l'ambiance, et la pudeur qu'il montre dès qu'il s'agit d'évoquer des sentiments procurent une émotion d'une qualité rare.) Cette histoire-là pourrait fournir l'argument d'une nouvelle classique mais, d'une manière générale, le dessein de Mandiargues est plutôt de restituer le climat de certains cauchemars. De ce point de vue, le conte le plus significatif est peut-être « Le Nu parmi les cercueils ». Il s'élabore lentement à partir d'un tableau bizarre : l'image d'une femme jeune, belle et entièrement dévêtue qui, tel un automate, va et vient entre les cercueils rangés en quadruple file dans un espèce d'entrepôt. Cette vision est d'abord analysée, puis exploitée méthodiquement et avec rigueur. La personnalité de l'héroïne est floue, et floue aussi celle des comparses : l'amant qui soudain et sans qu'on sache pourquoi l'a dédaignée, l'entrepreneur de pompes funèbres qui l'a violée et la séquestre. Moralement paralysée, elle subit sans murmurer son malheur. Comme elle, la plupart des êtres qui peuplent ce livre ne sont que des ombres et témoignent d'une pareille impuissance. Celui-ci cherche partout sa bien-aimée et ne la trouve pas. Cet autre, qui fait l'amour, n'atteint pas la jouissance, mais continue indéfiniment son mouvement machinal. Le diamant qu'une orgueilleuse vierge inspectait se transforme en cage. L'aventure de chacun est amenée et relatée avec beaucoup de naturel, de sorte que l'ouvrage exerce une grande fascination sans jamais flatter le goût des sensations vulgaires. La magnificence et la fluidité tout à fait exceptionnelles de l'écriture augmentent encore, et considérablement, le plaisir raffiné qu'on prend à le lire.

FEU DE JOIE. Recueil de poèmes et premier livre de l'écrivain français Louis Aragon (1897-1982), publié en 1920. Les mots sont neufs et le jeune homme en joue ; plaisir d'associer, de majusculer, d'assonancer, avec au bout des doigts des sensations qui tombent à chaque mot. Pas d'autre thème au fond que jeunesse, découverte, inquiétude, nostalgie, et puis la peur du visage qu'on offre au tout venant du monde ou de l'amour (« Sur le bitume flambant de Mars, ô perce-neige ! tout le monde a compris mon cœur. / J'ai eu honte, j'ai eu honte, oh ! »). Tout se dit en ellipses, en exclamations, qui ont la fraîcheur des choses nées du matin. La trouvaille verbale est un tour naturel qui court de heurts cocasses de syllabes en calembours : « L'enfant fantôme fend de l'homme / Entre les piliers de pierre : / 2πR son tour de tête. » On pourrait dire des influences : la chanson triste d'Apollinaire, et surtout l'économie de Reverdy (absence de tout effet, emploi autoritaire du mot), mais ce ne sont là que carrefours déjà compris, et seulement utiles le long de la route personnelle toute pavée d'images saisies vives (« Le groom nègre sourit tout bas / Pour ne pas salir ses dents blanches ») et jalonnée de rythmes très savants, de charme, de charme encore, et puis aussi de révolte et de défi : « Casser cet univers sur le genou ployé / Bois sec dont on ferait des flammes singulières. » Il n'y a pas de ponctuation, mais blancs et majuscules y suppléent habilement ; il y a encore, cassés ou respectés, de jolis alexandrins, tour à tour insolents ou séduisants comme le livre entier : « Ma jeunesse Apéro qu'à peine ont aperçue / Les glaces d'un café lasses de tant de mouches / Jeunesse et je n'ai pas baisé toutes les bouches / Le premier arrivé au fond du corridor / 1 2 3 4 5 6 7 8 9 10 Mort / Une ombre au milieu du soleil dort c'est l'œil. »

FEU ET NUIT [*Uguns un Nakts*]. C'est le drame le plus populaire de l'écrivain letton Jānis Rainis (1865-1929). Écrit entre 1903 et 1904, publié en 1905, il s'inspire de la légende du héros national Lačplesis, laquelle avait déjà fait le fond du poème *L'Éventreur d'ours* (*) d'Andrejs Pumpurs. Comme ce dernier, Rainis place l'action de son drame à l'époque des luttes entre les rois lettons et l'ordre teutonique. *Feu et Nuit* est un drame symbolique plutôt qu'un drame historique. Lačplesis, symbole de la forme de la terre, aime profondément la blonde Laimdota, vertueuse et pure, qui personnifie la libre Lettonie. Inspirant à Lačplesis tous ses exploits, elle est d'abord pour lui le seul idéal auquel il faut tendre. Puis, dans le royaume reconquis, elle est la douce colombe qui se place aux pieds de son héros, l'invite au bonheur, à la paix et au bien-être. Lačplesis, lui ayant donné son cœur, se croit assez fort pour résister aux séductions de Spidola, femme violente qui symbolise la beauté, toujours changeante mais éternelle. Dans son château d'Aizkraukle, Spidola ne dédaigne pas de se mêler aux danses nocturnes des sorcières et de nouer des rapports amicaux avec tous les éléments obscurs qu'englobe le symbole de la Nuit. Elle s'enflamme, et aspire à cette puissance illimitée que lui donnerait son union avec le héros. Mais Lačplesis refuse. Depuis ce jour, Spidola entreprend contre lui un jeu diabolique dans lequel elle fait entrer toutes les forces de la Nuit, spécialement Kangars, symbole de la trahison et de la fraude. Lačplesis ressuscite le château de la lumière, résidence enchantée qui est submergée dans le lac de Burtnieki, et délivre ainsi le royaume de Laimdota, laquelle devrait devenir son épouse. Mais voici que grâce à un rapt, Spidola en fait son esclave. Spidola règne maintenant dans une nouvelle Riga en même temps que l'ordre teutonique. Survient Lačplesis qui se porte au secours de Laimdota ; celle-ci est en effet maintenue prisonnière sur l'île de la Mort, où elle est victime d'un sortilège. Lačplesis succombe à la séduction de Spidola qui sera désormais, auprès de lui, son inspiratrice. Si Lačplesis était invincible tant qu'il luttait, il a maintenant un adversaire plus fort que lui : le bonheur. Tandis que Laimdota l'invite à un doux repos, la voix de Spidola parle plus fort à l'âme du héros : « Comme la mort tu dois fuir le repos », lui dit-elle. Et Lačplesis se lance dans une lutte inégale avec le Chevalier noir, symbole de l'ordre teutonique ; enlacé par l'adversaire, il tombe avec lui dans les eaux de la Daugava où il continue à se battre. Spidola, qui a exhorté le héros à la lutte, suit dans le fleuve les deux combattants. *Feu et Nuit* a été mis en musique par Jānis Medins.

FEU FOLLET (Le). Récit de l'écrivain français Pierre Drieu la Rochelle (1893-1945), paru en 1931. À mi-chemin des deux durées de fiction qu'on trouve chez Drieu la Rochelle, le roman et la nouvelle, il semble qu'ici l'écrivain ait trouvé la bonne distance. *Le Feu follet* raconte les derniers jours d'Alain, un jeune homme de trente ans qui, après des débuts prometteurs et un mariage américain dont il sera le destructeur, s'enferme dans la drogue. Après avoir suivi, mais sans succès, des cures de désintoxication, il échoue finalement dans une maison de repos de Saint-Germain peuplée de neurasthéniques, dont Drieu fera une description à la fois drôle et impitoyable. Bien que jamais l'auteur du *Feu follet* n'ait eu recours à la drogue, contrairement à ce qu'a voulu affirmer Sartre pendant la guerre, on ne peut éviter ici un parallèle biographique, et particulièrement le suicide en 1929 d'un ami toxicomane très proche de Drieu, Jacques Rigaut, le héros de « La Valise vide » — nouvelle parue en 1925 à la *N.R.F.* (*) —, dont la disparition restera comme une plaie vive dans la mémoire de l'écrivain, et qu'il voudra exorciser dans l'*Adieu à Gonzague*, texte inédit du vivant de Drieu, qui reste comme le commentaire de *Feu follet*. Roman de la quête et d'un enfermement sur soi, symbolisés par cette chambre sans issue peuplée d'objets fétiches où a échoué le jeune homme, et les courses anxieuses dans Paris, *Le Feu follet* décrit l'attente d'Alain qui durant deux jours guette le signe de sa femme, décrypte et confronte avec froideur sa vie passée et à venir à la réalité du monde environnant, comme pour s'assurer une dernière fois de son désespoir d'exister et du pouvoir qu'il n'a plus sur les choses réelles, comme si le geste d'un ami, un coup de téléphone, une lettre ou le regard d'une femme pouvait venir empêcher la montée de la destruction. Les amis d'Alain, Dubourg (qui incarne Drieu face à Rigaut, et l'échec du sauvetage), Cyrille, Urcel et une cohorte de femmes cruelles, ou absentes, forment une galerie de portraits tout à la fois féroces et désabusés de la génération d'entre les deux guerres. On retrouve ainsi les personnages, les lieux et les thèmes propres à Drieu, la recherche de l'absolu, les femmes américaines, la rivalité entre les hommes et leur difficile amitié, l'admiration et la jalousie de l'intellectuel pour l'homme d'action, la trahison et la faiblesse des rapports humains, cette totale incapacité qu'ont les hommes de s'entraider, et le peu d'emprise qu'on a sur les femmes. En arrière-fond, Paris la nuit, les bars, la drogue, les appartements des amis, le téléphone, la chambre d'hôtel, les taxis enfin. Roman à clés peut-être, où l'on voudra retrouver Aragon, Malraux, Cocteau, ou leurs doubles, avec suffisamment de retenue pour qu'à aucun moment ce récit ne perde le ton juste. Avec cette gêne enfin que le suicide d'Alain dans cette maison de repos (qui rappellera la clinique du docteur Blanche ?) trouvera son écho quatorze ans plus tard dans le propre suicide de Drieu. « Un revolver, c'est solide, c'est en acier. C'est un objet. Se heurter enfin à l'objet » : c'est par cette certitude que s'achève *Le Feu follet*. L'adaptation cinématographique de Louis Malle (1963) a concouru à affirmer ce livre, peut-être l'un des meilleurs de Drieu la Rochelle, tout à la fois comme le symbole romantique d'un mal de vivre et le titre fétiche de l'écrivain. V. W.

FEU GEORGES APLEY [*The Late George Apley*]. Roman de l'écrivain américain John Phillips Marquand (1893-1960), publié en 1937, qui valut à son auteur le prix Pulitzer. Il s'agit d'une peinture ironique de l'existence pétrifiée d'une de ces familles bostoniennes de l'aristocratie « inoffensive et sans titres » qu'Oliver Wendell Holmes appelait les Brahmanes. Le récit, « roman en forme de mémoires », est fait par un biographe détaché et sévère qui, tout en décrivant les événements de la vie d'Apley, fait un commentaire ironique sur lui-même. George Apley est le descendant d'une famille riche et vénérable (le premier Apley a reçu son diplôme à Harvard University en 1662). Il s'éprend de Mary Monahan et, comme les siens jugent ce mariage impossible, il part en croisière autour du monde. À son retour, il fait ses études de droit et devient, dans la banque où il travaille, aussi rangé que ses parents. Il se marie, consacre ses loisirs à une collection de bronzes chinois et à des œuvres de bienfaisance, se montrant aussi incapable de comprendre la jeune génération qu'irrité devant le recul de sa caste, à laquelle les Irlandais arrachent peu à peu les postes importants de l'administration bostonienne. L'auteur est un observateur aigu et un narrateur brillant des manières de la haute bourgeoisie, et son roman rappelle *Le Dernier Puritain* (*) de George Santayana. George Apley est cependant jugé avec moins d'ironie que le glacial Oliver Alden, et les descriptions de Marquand le montrent très proche du monde de Back Bay et de Harvard. Marquand devait pousser encore plus loin son étude de la fossilisation sociale dans *La Pointe de Wickford* [*Wickford Point*, 1939] : peut-être peint-il certains membres de sa famille dans l'histoire de ce clan qui vit chichement d'une rente, tout en montrant une indolence et une arrogance qui en imposent à ses créanciers. Le même thème est en partie repris dans *Monsieur H. M. Pulham* [*H. M. Pulham, Esq.*, 1941]. La Première Guerre mondiale libère en partie le héros de ses inhibitions et de son éducation puritaine, mais il renonce, comme George Apley, à la jeune New-Yorkaise qu'il aime pour épouser une héritière de sa caste.

Marquand est un conteur de premier ordre qui a eu tendance à exploiter le genre dans lequel il remporta le plus de succès, peut-être parce que ses peintures de la haute société bostonienne s'appuyaient sur sa propre expérience et sur ses connaissances : le type de l'homme d'affaires américain que les pressions de son milieu et les mythes de son pays empêchent de trouver un bonheur simple selon son cœur. L'auteur collabora avec G. S. Kaufman pour écrire une transposition dramatique de *Feu George Apley*, qui connut un vif succès en 1946. – Trad. Robert Laffont, 1949.

FEUILLE D'ÉRABLE (Une) [*Javorový list*]. Recueil du poète slovaque Ján Kostra (1910-1975), publié en 1953. C'est un poème sur une visite à Iasnaïa-Poliana, sur les traces de Tolstoï, qui donne le titre à cet ensemble de poèmes de facture toute classique d'un auteur qui aime et traduit Villon et Baudelaire. Ces poèmes se partagent en deux parties : d'une part, des vers politiquement engagés exaltant le travailleur, les villes soviétiques, etc., de l'autre, de très beaux poèmes lyriques intimistes et naturistes chantant la maison natale, la femme, les arbres et les fleurs, l'automne, l'amour, l'enfance. Le lyrisme est d'ailleurs la qualité essentielle des autres recueils de Kostra, et notamment des *Nids* [*Hniezda*, 1937], *Mon pays natal* [*Moja rodná*, 1939] et *Églantiers et Tournesols* [*Šipky a slunečnice*, 1959].

FEUILLE ROUGE (La) [*La hoja roja*]. Roman de l'écrivain espagnol Miguel Delibes (né en 1920), publié en 1959. En Espagne, les carnets de papier à cigarettes contiennent une feuille rouge chargée de rappeler aux fumeurs qu'il ne leur reste plus que quelques feuilles. Pour le vieil Eloy Nuñez, employé municipal dans une petite ville de Castille, la feuille rouge est celle qui annonce l'heure de la mise à la retraite. Après le traditionnel dîner d'adieu au cours duquel des autorités distantes et des collègues serviles lui rendent un hommage ennuyé, l'ancien responsable du service de la voirie (« cinquante-trois ans de service ininterrompu ») se retrouve seul. Il est veuf, et son fils, Leoncito, est notaire à Madrid. Devenu « inutile », il va mener une morne existence de retraité, distraite seulement par quelques promenades, des visites aux amis et un voyage à Madrid, chez son fils, qui d'ailleurs le décevra. Il se sent « dans l'antichambre de la mort ». Sa meilleure compagne est sa servante, la Desi, une fille de vingt ans, naïve et dévouée, à laquelle il apprend à lire et qui prête une oreille attentive aux souvenirs qu'il évoque. Quand la Desi perd tout espoir de se marier avec un garçon de son village, le Picaza, qu'une stupide affaire d'honneur a transformé en assassin, le vieil Eloy propose à sa servante de l'épouser et elle accepte. Sur ce thème douloureux, Miguel Delibes a bâti un roman attachant où la tendresse se mêle souvent à un humour discret. Psychologiquement, le personnage de don Eloy est d'une grande vérité. La Desi a sans doute des traits plus conventionnels – elle est la « servante au grand cœur » – mais son langage possède un naturel incomparable. – Trad. Gallimard, 1963.

C. C.

FEUILLES DANS LA BOURRASQUE (Des) [*La hojarasca*]. Premier roman de l'écrivain colombien Gabriel García Márquez (né en 1928), publié en 1955, dans lequel apparaît le village mythique de Macondo. Un soir de septembre 1928, trois personnes sont réunies pour veiller un mort qui s'est pendu le matin même : le grand-père, sa fille Isabelle et le fils de celle-ci, un enfant de onze ans. Tous observent les préparatifs de l'enterrement, rendu difficile en l'absence du curé et parce que le maire se fait tirer l'oreille pour accorder le permis d'inhumer, car le village déteste celui qui vient de se suicider. En effet, c'est un médecin qui, une nuit d'élections maintenant lointaine, a refusé de soigner les blessés venus frapper à sa porte. Il est maudit, et les villageois, heureux de sa mort, surveillent avec haine et jubilation la suite des événements. Mais qui est vraiment cet homme, d'ailleurs sans nom ? Il est arrivé un jour chez le grand-père (un ancien colonel) où il s'est installé durant huit ans ; ayant séduit et engrossé Mémé, la domestique, il est reparti avec elle. A-t-il tué ensuite sa maîtresse, mystérieusement disparue ? Et pourquoi le grand-père brave-t-il à tout prix la colère du village afin de donner une sépulture à celui qui en fait a trahi sa confiance ? Quelle parole, quelle promesse unissaient les deux hommes ? On ne sait qu'une chose : le docteur a sauvé un jour le colonel et lui a demandé en échange de jeter à sa mort, sur sa tombe, quelques pelletées de terre. Autour de cet intrigant mystère, García Márquez a construit un livre envoûtant par son climat et sa douloureuse violence dramatique. Le titre espagnol, *La hojarasca* (les feuilles mortes, les fanes), fait allusion au sobriquet que l'on donnait, au temps de la prospérité bananière, aux gens d'ailleurs venus faire fortune à Macondo. – Trad. Grasset, 1983. C. C.

FEUILLES D'AUTOMNE (Les). Recueil de poèmes de l'écrivain français Victor Hugo (1802-1885), publié en 1831. Il précède *Les Chants du crépuscule* (*), *Les Voix intérieures* (*), *Les Rayons et les Ombres* (*). Le caractère de ce recueil semble défini par l'auteur lui-même dans sa Préface : « Des feuilles tombées, des feuilles mortes, comme toutes feuilles d'automne. Ce n'est point là de la poésie de tumulte et de bruit ; ce sont des vers sereins et paisibles, des vers comme tout le monde en fait ou en rêve, des vers de la famille, du foyer domestique, de la vie privée ;

des vers de l'intérieur de l'âme. C'est un regard mélancolique et résigné, jeté çà et là sur ce qui est, surtout sur ce qui a été. C'est l'écho de ces pensées, souvent inexprimables, qu'éveillent confusément dans notre esprit les mille objets de la création qui souffrent ou qui languissent autour de nous : une fleur qui s'en va, une étoile qui tombe, un soleil qui se couche, une église sans toit, une rue pleine d'herbe ; ou l'arrivée imprévue d'un ami de collège presque oublié, quoique toujours aimé dans un repli obscur du cœur ; ou la contemplation de ces hommes à volonté forte qui brisent le destin ou se font briser par lui ; ou le passage d'un de ces êtres faibles qui ignorent l'avenir, tantôt un enfant, tantôt un roi. Ce sont enfin la vanité des projets et des espérances, l'amour à vingt ans, l'amour à trente ans, ce qu'il y a de triste dans le bonheur, cette infinité de choses douloureuses dont se composent nos années. » Poésie sentimentale donc, qui suit de près les batailles des premières années du romantisme et qui compte parmi ses inspirateurs aussi bien Lamartine (à qui il dédie un de ces poèmes) que le Sainte-Beuve de *Vie, poésies et pensées de Joseph Delorme* (*). Jamais Victor Hugo n'a été plus heureux dans l'expression, plus tendre et plus vrai que lorsqu'il parle de son enfance. Les grâces, les jeux des enfants, les regrets, les affections familiales n'ont jamais été chantés par ce poète avec autant de pathétique : « Maintenant jeune encore et souvent éprouvé, / J'ai plus d'un souvenir profondément gravé, / Et l'on peut distinguer bien des choses passées / Dans ces plis de mon front que creusent mes pensées. » Ces vers sont de 1830 ; Victor Hugo avait donc 28 ans quand il les écrivait. Fallait-il qu'il eût déjà plongé au fond de toute chose pour en rapporter avant le temps ces fruits amers ! Aussi cette âme d'une trempe extraordinaire ne pouvait-elle se contenter, malgré les confidences de la préface, d'une poésie au caractère purement intimiste. Pouvait-elle, tout en prétendant demeurer insensible à ces « naissances des rois » et à « ces victoires qui font éclater à la fois / Cloches et canons en volées », demeurer insensible au passage du roi de Naples se rendant à un gala de la Cour ? Pouvait-elle ne pas rêver et s'empêcher de faire de la philosophie ? En un mot, ses extraordinaires talents de peintre, son besoin du grandiose, de l'épique ne peuvent se donner libre cours que s'il fait assumer aux moindres souvenirs et circonstances de sa vie un caractère héroïque, une signification exemplaire. Aussi, s'il rêve à son enfance, ne peut-il s'empêcher de comparer l'histoire de sa vie à l'histoire du siècle. Son chant s'ouvrira donc par cet hémistiche demeuré célèbre : « Ce siècle avait deux ans !... » Ce penchant pour l'épique l'entraîne à rappeler la vie de son père, général du premier Empire, et à revenir sans cesse sur l'épopée napoléonienne. C'est ainsi qu'à la voix moelleuse et tendre de Lamartine répond cette voix ardente et rauque : le légitimiste de 1820 s'apprête à devenir le chantre des grandes convulsions historiques, le poète de la tragédie des peuples. Si la nature continue à faire vibrer son « âme de cristal » mise par Dieu « au centre de tout comme un écho sonore », ce sont les hommes et les événements qui vont donner une nouvelle voix à Victor Hugo. Aussi ce « paisible » recueil s'achève-t-il sur une vision apocalyptique de l'Europe qui frémit encore sous la tyrannie et s'apprête à la révolte (« Et j'ajoute à ma lyre une corde d'airain ! »). Sainte-Beuve jugeait ainsi *Les Feuilles d'automne* : « Exquis pour les gens du métier, original et essentiel entre les autres productions de l'auteur, le recueil des *Feuilles d'automne* est aussi en parfaite harmonie avec ce siècle de rénovation confuse. » Le style, le rythme y ont pris toute leur perfection. Le poète s'est surpassé en aisance et en naturel. Parmi les poèmes devenus célèbres, il faut citer « Prière pour tous », prière qu'un enfant récite devant son père, ce qui permet à celui-ci d'évoquer, avec une immense pitié, les vivants et les morts et de communier avec l'humanité entière.

FEUILLES DE SAINTS. Recueil de poèmes de l'écrivain français Paul Claudel (1868-1955), écrits de 1915 à 1925, les uns (l'« Architecte », « Sainte Geneviève », « Saint Louis ») pendant la guerre et la mission à Rio de Janeiro, d'autres (« Saint Martin », l'« Ode jubilaire pour la mort de Dante ») pendant le court séjour du poète au Danemark après l'armistice, d'autres enfin (« La Route interrompue ») pendant l'ambassade au Japon. Mineures à côté des *Cinq grandes odes* (*), les œuvres rassemblées ici expriment cependant des thèmes essentiels de la pensée claudélienne : voici l'univers, figure et temple de Dieu. Voici l'homme, comme attendu par Dieu et par les choses pour rendre au monde son vrai sens et l'introduire dans l'éternel, l'homme co-créateur – et le saint, et le poète plus que n'importe quel homme, car, pour Claudel, le saint est poète, celui qui crée et ajoute au monde. Aussi l'« Architecte » et l'« Ode jubilaire pour la mort de Dante » surtout, les deux plus longs poèmes du recueil, élucident-ils la fonction du poète selon Claudel. Le thème de l'« Architecte » n'avait pas quitté l'écrivain depuis son mariage avec la fille de Sainte-Marie Perrin, l'architecte de Fourvière : c'est à sa mémoire que l'œuvre est dédiée. La créature est participante à l'acte divin dans la mesure où elle « est » : sur cette terre, par la connaissance tout d'abord, car les proportions, les harmonies, les rapports que découvre l'intelligence sont ceux-là mêmes de la science divine, dont l'ordre déficient du monde paraît se souvenir. Mais, selon la définition classique désormais de la « co-naissance », vérifier l'ordre et la vérité des choses, c'est déjà les produire. Tout se passe comme si Dieu, par une délicatesse souveraine, avait laissé un inachèvement dans son œuvre et comme si la création ne pouvait atteindre la perfection de son ordre que par la méditation humaine : « Que sommes-nous, sinon, entre la création et vous, ce principe d'ordre et d'activité ? » Créateur, l'homme cessera-t-il de l'être au Ciel ? Certes, il contemplera Dieu. Mais Claudel est trop terrien — et rigoureusement catholique — pour pouvoir imaginer l'élu de Dieu séparé de cette terre qui l'a nourri, l'a formé et fut sa médiatrice, alors même qu'il était son médiateur. Ici-bas, c'est en connaissant, en nommant, c'est-à-dire en créant avec Dieu, selon Dieu, les choses et lui-même dans leur vérité que l'homme s'est élevé vers l'immuable. Élu, uni à l'acte divin, il est encore celui qui co-naît, mais cette fois dans la gloire, les noms que Dieu donne aux êtres et qui sont l'être même : « Comme nous participons au Père, nous serons associés à sa volonté créatrice : / Nous saurons comment il s'y prend, l'ayant fait, pour maintenir ce vaste édifice. » Et, comme sur la terre celle des hommes en route, au ciel la connaissance des élus est convertible en une création qui, bien qu'infiniment plus vraie, est la même que celle du poète et de l'artiste : « N'est-il pas écrit que Dieu un jour fera non pas un ciel nouveau seulement, mais une terre nouvelle ?... »

Dans *Feuilles de saints,* la présence de la terre est particulièrement forte, que ce soit dans « Saint Louis », où la France se présente au saint comme une femme et une épouse, dans la « Route interrompue », où le poète, dans une langue à dessein liturgique et sacrée, célèbre le Temple cosmique, ou dans l'« Ode pour Dante » : ces œuvres furent écrites pendant la guerre ou juste à ses lendemains, et les liens terrestres menacés demandaient à être mieux affirmés, ce qui ne saurait signifier, pour Claudel, qu'à être mieux centrés dans l'éternel. Car telle est bien la question que suggère *Feuilles de saints* : où la poésie telle que l'entend Claudel pourrait-elle trouver son accomplissement, sinon dans la sainteté ?

FEUILLES D'HERBE [*Leaves of Grass*]. Recueil de poèmes de l'écrivain américain Walt Whitman (1819-1892), dont sept éditions successives parurent de 1855 à 1892. La première ne contenait que douze poèmes ; la dernière, qu'il publia à quelques jours de sa mort, en comptait 411. La croissance organique de l'œuvre a inspiré à la critique diverses métaphores végétales qui font écho à son titre. Il est clair en tout cas que si le livre représentait pour son auteur un tout, ou, pour utiliser l'un de ses termes favoris, un « ensemble », chacune des « feuilles » qui le constituent a évolué au fil des révisions.

L'édition de 1855 se présentait comme un mince quarto. Aucun des poèmes n'avait de titre, et le titre de l'œuvre n'était pas précédé du nom de l'auteur ; en revanche, le frontispice consistait en un daguerréotype d'un homme barbu, à la pose nonchalante, habillé comme un ouvrier ou un artisan. Ces bizarreries étaient peu de chose, comparées à la manière dont le premier poème — qui devait plus tard être intitulé « Walt Whitman », puis « Chant de moi-même » [Song of Myself] — imposait au lecteur une *persona* envahissante, bavarde, et l'invitait, dès le premier vers, à être témoin d'une inlassable autocélébration : « Je me célèbre et me chante moi-même. » C'est peu dire que cette poésie était narcissique : elle faisait du narcissisme un mode de percevoir et de penser, et les récritures du poème allaient amplifier les accents de ce grand orgue. Ainsi, la seconde section est une déclaration d'amour auto-érotique, fondée sur les rythmes biologiques de l'inspiration et de l'expiration, sur le battement du cœur et le son de la voix perçu par le locuteur même. Le narcissisme fonde également un contrat de lecture inédit. Il apparaît très vite, en effet, que ce Moi intarissable est aussi infiniment hospitalier, puisqu'il ne tire sa puissance visionnaire que de la communion quasi mystique posée dès les premiers vers. Comme Hugo, Whitman pourrait s'écrier : « Insensé, qui crois que je ne suis pas toi ! » C'est d'ailleurs ce qu'il écrit en substance à la section 47 (vers 1248-49) : « C'est toi qui parles tout autant que moi-même, je ne fais que te servir de langue, / Liée dans ta bouche, dans la mienne, elle commence à se délier. » Cette capacité de fusion — le mot de Whitman est « absorption » — conduit à un processus kaléidoscopique : témoin insatiable de la vie collective, ouïe infiniment réceptive aux bruits de la ville, œil sans cesse en alerte, la *persona* de « Chant de moi-même » se déplace en une suite de glissements aussi vertigineux que les travellings du film de Wim Wenders *Les Ailes du désir*. Ils débouchent à la section 15 sur un véritable tableau unanimiste, premier « catalogue » d'une œuvre qui en compte beaucoup, premier exemple également du fameux égalitarisme whitmanien, profondément subversif dans son refus de toute structuration : on y trouve côte à côte, entre la jeune mariée défroissant sa robe blanche et le président au Conseil des ministres, « l'opiomane étendu, tête rigide et lèvres entrouvertes » (vers 304) et la prostituée avançant sous les quolibets. Bientôt, la subversion deviendra explicite, lorsque le moi omniprésent fera écho aux « voix depuis longtemps muettes » — celles des prisonniers et des esclaves, des malades et des désespérés —, puis aux « voix interdites, / Voix des sexes et des appétits de la chair » qui sont soudain « clarifiées et transfigurées » par le poème. Vainqueur des censures, le Je triomphant connaîtra son assomption à la section 33 : libéré de tout « ballast » (vers 714), il échappera à l'espace et au temps (vers 710), et deviendra l'inépuisable incarnation de toutes les existences, de la plus modeste à la plus héroïque, prêtant son « oreille attentive » au moindre signe de vie : « Je prends part à tout cela, je vois et entends tout » (vers 862).

La deuxième édition, de 1856, contenait – outre les douze poèmes originaux, dont certains avaient été révisés – vingt nouveaux textes, dont le très beau « Sur le bac de Brooklyn » [Crossing Brooklyn Ferry], véritable méditation poétique sur le flux et la stase, dans leur dimension spatiale (le fleuve traversé par le bateau) et temporelle (puisque le présent du poème glisse peu à peu du temps de l'écriture au temps de la lecture, depuis « Marée montante qui passes sous moi ! je te vois face à face » [vers 1], jusqu'à « Tout ce que vous ressentez en regardant le fleuve et le ciel, je l'ai ressenti » [vers 22]). Les autres poèmes de 1856 traduisent une volonté « prophétique » de plus en plus affirmée. Le Whitman de 1856 est celui qui cite en quatrième de couverture la lettre d'Emerson le saluant « au commencement d'une grande carrière », et celui qui développe dans le « Chant de la terre qui tourne » [Song of the Rolling Earth] une version personnelle de la doctrine transcendantaliste, complétée dans le « Chant de la grand-route » [Song of the Open Road] par une mystique de la camaraderie et de l'errance.

Quatre ans plus tard paraissait une troisième édition de *Feuilles d'herbe*, composée après une période de crise. Si l'on y trouve encore quelques échos de la voix prophétique, omniprésente en 1856, par exemple dans « Parti de Paumanok » [Starting from Paumanok], qui sert d'exergue au nouveau recueil, le ton se fait confessionnel dans « Comme je refluais avec l'océan de la vie » [As I Ebb'd with the Ocean of Life] et « Venant du berceau perpétuellement bercé » [Out of the Cradle Endlessly Rocking], deux poèmes hantés par la mort et construits autour de l'image obsessionnelle de l'océan. D'autre part, la mystique de l'amour s'exprime ouvertement dans deux groupes de poèmes de tonalité très différente : « Enfans d'Adam » [sic], hymnes à la sexualité triomphante, et « Calamus », ensemble de textes beaucoup plus intimes, évoquant en demi-teinte « l'amour des camarades », autrement dit, l'homosexualité. Curieusement, l'indignation des moralistes devait se concentrer sur le premier groupe, comme si le second n'avait pas été lu, ou pas compris.

Après la guerre de Sécession, quatre éditions successives devaient voir le jour (1867, 1871-72, 1881-82, 1892), auxquelles fut intégré le volume de poèmes inspirés par la guerre, qu'il avait publié en 1865, *Roulements de tambour* [*Drum-Taps*]. Aux poèmes antérieurs, constamment révisés, rebaptisés et regroupés en nouvelles constellations, s'ajoutèrent bientôt de nouveaux groupes : « Ruisseaux d'automne » [Autumn Rivulets], « Chuchote la divine mort » [Whispers of Heavenly Death], etc.

Ainsi, l'édition définitive de *Feuilles d'herbe* est le fruit de ce processus complexe, fait de croissance, mais aussi de sédimentation. Chaque poème est un organisme autonome, dont on peut suivre la gestation et la maturation ; mais l'œuvre tout entière laisse également deviner la présence de strates successives, et impose parfois une démarche quasi archéologique. Le gros volume que nous pouvons lire est d'une densité très inégale : il y a aussi chez Whitman un poète-lauréat autoproclamé, thuriféraire d'une Amérique trop lisse, créateur d'images d'Épinal, qui a enchanté nos ancêtres, mais qui laisse froid le lecteur contemporain. En revanche, si le barde national a pâli, le chantre de l'amour et de la mort n'a cessé de s'imposer à la critique moderne. – Trad. Mercure de France, 1922 ; Aubier, 1972 ; Grasset, 1989. Y. C.

FEUILLES POUR L'ART [*Blätter für die Kunst*]. Cahiers périodiques, publiés par A. Klein, illustrés par Melchior Leichter et fondés par le poète allemand Stefan George (1868-1933). Ces fascicules de chroniques, d'articles et de vers sont à tel point imprégnés de l'esprit de George qu'on peut les considérer comme faisant partie de son œuvre. Publiés à partir de 1890 pour un cercle restreint d'initiés, presque tous collaborateurs des cahiers, ils continuèrent de paraître irrégulièrement jusqu'en 1914, atteignant à une audience de plus en plus large. Tous les six ans, à partir de 1898, l'éditeur Bondi en publia un choix. S'ils rappellent les fascicules de l'*Atheneaum* (*), des préromantiques, la ressemblance n'est qu'extérieure. Le mouvement de George est, lui aussi, dirigé contre les nouveaux « philistins » allemands, la masse plébéienne (« Pöbel »), contre la société bismarckienne, pesamment militariste, le second empire grisé de gloire et de matérialisme, le scepticisme naturaliste qui ne sait plus s'élever aux sphères cristallines de l'art et de la philosophie : toutefois, sans faire appel aux modèles de l'Antiquité, ces cahiers n'en adoptent pas moins un ton antiromantique, se refusant à admettre le sentiment pour but et l'art comme moyen, demandant à la sensation de « se dépouiller de sa spontanéité pour devenir éternelle », objective ; s'élevant enfin contre toutes les écoles et leurs formules trop relatives. Attitude essentiellement classique par la signification métaphysique conférée à la poésie et à la beauté. L'« Art spirituel » (« Geistige Kunst »), qui prend naissance dans ces *Feuilles*, dérive de l'« art pour l'art » des symbolistes français qui exercèrent sur la jeunesse de George une profonde influence lors de son séjour à Paris ; mais ici, la théorie, loin d'être formulée en une esthétique abstraite fondée sur la distinction entre laideur et beauté, est identifiée à l'artiste qui doit atteindre, dans sa vie, à ce degré d'élévation que « l'on appelle art », au poète qui renaît de siècle en siècle, ne puisant dans son époque que l'énergie nécessaire à la création, débarrassant la réalité brute de tout ce qui constitue un poids et une entrave à son essor, élaborant enfin ce qui reste de matière pour en faire le « langage intime et profond de son âme ». Le Poète n'est donc plus celui qui décrit, mais celui qui sait « ressusciter et évoquer à nouveau les choses grâce à la parole essentielle » ; celui qui incarne la poésie divine. Le mot acquiert ainsi une signification liturgique, à la fois magique et métaphysique, se dépouillant de son sens quotidien pour retrouver celui du Verbe : beauté devenue langage. Ainsi prend corps, à travers ces cahiers, une nouvelle forme de culture, issue « d'esprits supérieurs manifestant leur rythme vital », et qui recrée en quelque sorte, sur le plan littéraire, le « Kreis », autrement dit le cercle des disciples accompagnant le maître à l'image d'un chœur. Le sens choral est régi par une loi unique et commune, loi que formule l'Ange des « Préludes » du *Tapis de la vie* (*), règle quasi conventuelle qui se manifeste également dans l'orthographe, par l'absence de majuscules et une ponctuation très limitée.

C'est dans ces Cahiers que furent sacrés poètes et philosophes Hofmannsthal, qui y publia sa *Mort du Titien* (*) et ses poèmes les plus caractéristiques ; Max Dauthendey, Klages et d'autres, dont certains sont déjà tombés dans l'oubli, soit du fait d'une mort prématurée, soit par impuissance à s'élever au-dessus du chœur. On trouve aussi dans les *Feuilles pour l'Art* de nombreuses traductions de textes français, de poètes du passé, notamment de Mallarmé ou de Baudelaire. De grands esprits allemands y sont évoqués et exaltés à titre de précurseurs, tels Jean Paul, le maître aux « tendres nuances », le Novalis des *Hymnes à la nuit* (*) ; Hölderlin, qui connut la douleur du poète solitaire ; Nietzsche enfin, créateur du surhomme. On peut affirmer que la disparition de George marqua la fin du mouvement ; celui-ci se poursuivra durant quelques années encore sous l'impulsion du disciple préféré de George, Morwitz, mais on peut désormais le considérer comme dissous. Il n'en fut pas moins fertile, non seulement dans le domaine littéraire, mais dans celui de la critique (Ernst Gundolf), de la philologie (Wolters) et de l'histoire (Kantorowicz). La caractéristique essentielle de tous ces écrivains est constituée par la conception nietzschéenne de l'homme-génie gouvernant l'Histoire, conception qui conserve encore de nombreux adeptes.

FEUILLES TOMBÉES [*Opavšie list'jd*]. Recueil de « notes » de l'écrivain russe Vassili Vassiliévitch Rozanov (1856-1919), publié en 1913 (première partie) et 1915 (seconde partie). *Feuilles tombées* déploie une inspiration et un rythme d'écriture qui s'étaient d'abord imposés à Rozanov dans *Esseulement* (*), paru en 1912. Avant *Esseulement* et *Feuilles tombées,* Rozanov avait déjà publié de nombreux écrits — du traité philosophique à l'article de journal. Et pourtant, de tout cet affairement il est désormais tenté de tirer — au début de *Feuilles tombées* — un bilan sans indulgence : « J'ai cinquante-six ans : multiplié par mon travail annuel, cela donne zéro. » Le type d'écriture que Rozanov a amorcé avec *Esseulement,* et qu'il pratique ici avec tant de liberté, est difficilement définissable. S'agit-il d'un journal ? d'aphorismes ? Ces réflexions s'étendent parfois en de brefs essais, mais elles peuvent aussi prendre l'allure de poèmes en prose. Et puis Rozanov n'hésite pas à recopier des lettres qu'il a reçues et à les commenter... Étrange, cette écriture si souvent intime qui est faite pour s'exposer cruellement — jusqu'à la honte — au regard public. Il n'est pas de sujet que Rozanov n'aborde. Il parle politique, bien sûr, et songe encore aux événements de 1905. Il revient obstinément sur la religion, sur le christianisme, le judaïsme, et leurs rapports. Ses positions sont souvent surprenantes : Rozanov a tout fait pour n'être pas situable. Mais c'est à lui-même souvent qu'il semble désirer échapper. Ce qui, dans ses déclarations, touche à la société, au peuple, à la Russie, aux appartenances communautaires ou religieuses est souvent équivoque, et si facilement réversible. Parfois le mélange d'opinion et d'affect glisse à l'insupportable. Rozanov ne l'ignore pas : « Il y a dans mon style quelque chose de repoussant. Et la répulsion n'a jamais rien donné d'éternel. Autrement dit, je suis donc provisoire ? » Ce qui l'oriente, en général, c'est son amour de la vie, de la chaleur, de la fécondité. Il hait la mort. « La mort me fait peur, la mort me répugne, la mort m'horrifie. » Et encore : « Tous ceux qu'on voit passer dans la rue mourront-ils eux aussi ? Quelle horreur » (« En traversant la place devant le cirque Ciniselli, pris de panique »). De l'amour et de la sexualité, au contraire, il parle avec la passion la plus inventive : « Tout dans l'individu est tracé, défini, à l'exception des organes sexuels qui en regard du reste donnent une impression d'obscurité et semblent être des points de suspension [...] reliés à ceux d'un autre organisme. » Il lui arrive d'associer le froid, qu'il redoute comme la mort (« C'est terrible lorsque l'âme est prise de frissons... L'âme est transie. »), à la littérature : « Qu'est-ce qu'une âme littéraire ? / Hamlet. / Le froid et le vide » (« En allant me coucher »). Ou plutôt : « Ce n'est pas la littérature, écrit-il, mais l'esprit littéraire qui est horrible ; celui qui affecte l'âme, la vie. Le fait que chaque émotion se déverse en paroles vibrantes, enjouées, bientôt épuisées, vouées à mourir, à disparaître. » Est-ce donc pour s'abandonner à ce danger, ou pour s'en délivrer sans trêve, qu'il note, sur des feuilles qui à mesure tombent, des « exclamations inattendues » ? Évidente, et parfois bouleversante, la puissance de cette écriture qui tremble de froid ou qui brûle. Elle vit au rythme de l'existence quotidienne ; elle capte, au vol, le soleil ou la pluie, l'odeur de l'air ; elle prend le temps d'aimer un geste (« " J'arrive ! j'arrive !... " et avec son visage d'enfant heureux elle enfila sa jaquette, laissant tomber son bras malade dans la manche comme dans un sac... »). Cependant, elle tranche dans tous ces instants. Certes le moment de chaque fragment et les circonstances où il se forme sont très souvent notés – en particulier dans des parenthèses qui font un contrepoint à la note proprement dite : « En écrivant un article à l'occasion d'un congrès de pompiers », « En tuant les moustiques ». Mais Rozanov, en donnant ces précisions, n'écrase jamais le translucide surgissement de ce qui lui vient à dire. La provenance des pensées, mêlée à tous les hasards de l'existence, mais irréductible, c'est leur vie même. – Trad., introd. et notes de Jacques Michaut, L'Âge d'homme, 1984.

C. Mo.

FEU LA MÈRE DE MADAME. Comédie en un acte de l'auteur dramatique français Georges Feydeau (1862-1921), représentée pour la première fois en 1908 à la Comédie-Royale, publiée en 1924. Cette comédie, dont l'action est resserrée en une seule nuit, est assez divertissante : Lucien rentre chez lui à quatre heures du matin et, avant de pouvoir se coucher, doit affronter les fureurs de son épouse. Peintre, mais sans talent (« Tu n'as jamais bien peint qu'une chose, lui dit sa femme... ma baignoire, au Ripolin »), il s'est cru cependant obligé d'assister au bal des Quat'Zarts. Il rentre, heureux de sa soirée et bien émerveillé par un modèle nu qui, dans le spectacle, jouait Amphitrite. Yvonne, la femme de Lucien, ne sait pas très bien qui est Amphitrite, qu'elle prend pour une maladie intestinale, mais ce modèle nu ne lui dit rien de bon. Sa jalousie tourne à la crise de nerfs lorsque Lucien, excédé par la discussion, dit à sa femme qu'elle a une poitrine « en porte-manteau ». Mais tout à coup on sonne à la porte d'entrée : c'est Joseph, le nouveau valet de chambre de la mère de Madame. Il porte une triste nouvelle : la mère de Madame est morte. Madame, naturellement, s'évanouit. À peine ranimée, Yvonne, entre deux sanglots, profite de l'événement pour faire de nouveaux reproches à Lucien : cet homme sans cœur n'a-t-il pas traité de « chameau » la pauvre défunte ? Dans un grand désordre, le couple s'habille pour aller veiller la mère de Madame. Lucien court à un secrétaire pour écrire en hâte deux lettres qu'il confie à la bonne, dépêchée pour les porter immédiatement à la poste. On presse le valet de chambre de raconter les circonstances de la mort : et, comme il dit que la mère de Madame était couchée avec le père de Madame – lequel est mort voici nombre d'années –, on s'aperçoit qu'il y a une confusion. Joseph s'est trompé de porte, ce n'est pas la mère de Madame qui est morte, mais la mère de la voisine de palier ! Lucien est désespéré : il venait justement d'écrire à un créancier qu'il allait être payé – avec l'argent de l'héritage ! Le dialogue, assez leste, est très rapide. La pièce marque un tournant dans l'écriture de son auteur. Elle est en effet typique de la dernière manière de Feydeau, où ce dernier se plut à mettre en scène des ménages mal accordés, généralement un homme assez faible et stupide aux prises avec une impitoyable mégère.

FEU MATHIAS PASCAL [*Il fu Mattia Pascal*]. Le plus célèbre des romans de l'écrivain italien Luigi Pirandello (1867-1936), publié en 1904. Ce Mathias, garçon timoré, vit en province ; il abandonne le foyer conjugal, s'étant un jour pris de querelle avec sa femme et sa belle-mère. Il se rend à Monte-Carlo et gagne au jeu plusieurs dizaines de milliers de lires. En lisant les faits divers, il apprend qu'on le croit mort. (Il s'agit de la fausse identification du cadavre d'un désespéré, qui s'est jeté dans le puits de Mathias.) Cette étrange situation lui suggère de faire croire à sa mort véritable et de tenter de commencer une vie nouvelle. Feu Mathias Pascal prend alors le nom d'Adrien Meis. Il s'installe à Rome dans quelque pension de famille, tenue par Anselme Paleari et sa fille Adrienne, mais dirigée en fait par un dangereux individu, Térence Papiano, veuf d'une seconde fille de Paleari. Dans la maison vivent deux autres personnages : Scipion, le frère de Térence, à demi épileptique, et voleur, ainsi que Silvia Caporale, professeur de musique, victime de Papiano, mais que le maître de céans, fanatique de spiritisme, estime pour ses éminentes qualités de médium. Tels sont les personnages qui vont recréer autour de Mathias Pascal la vie de société qu'il avait pensé fuir à jamais. C'est dire que la vie quotidienne recommence, avec ses petits événements, ses aventures agréables ou désagréables, sans oublier l'humble amour dont la jeune Adrienne entoure le fugitif. Mathias est partagé entre la crainte de voir se découvrir sa situation équivoque et le besoin de se sentir vivre en se liant à ses semblables par un nouveau réseau d'intérêts et de sentiments. Il ne peut guère échapper à ce dilemme. C'est là le point culminant du roman, le plus authentiquement poétique. Dans bien des pages, Pirandello a su admirablement dépeindre la figure timide et désolée d'un Mathias perdu dans sa solitude sans écho et guidé seulement par son inutile « petite lanterne » (c'est ainsi que l'auteur désigne toutes les facultés de l'homme). Cette solitude trouve son cadre dans la petite bourgeoisie citadine, étouffée par la gêne, les préjugés et les habitudes. Ajoutons toutefois que la fin du roman est moins heureuse. Ici, l'imagination de Pirandello semble se tarir. On n'y voit plus qu'une sorte de jeu. Les dernières pages en sont arides : Mathias ne peut s'affranchir de la nouvelle réalité qui l'entoure que par un nouveau décès. Il décide donc de tuer Adrien Meis et de retrouver sa véritable identité : Mathias Pascal. Nous entrons alors dans le domaine de la farce, une farce ingénieuse certes, mais qui détruit le thème si douloureusement humain de l'aventure de Mathias. Il s'en retourne dans sa province et trouve sa femme remariée à un ancien prétendant et mère d'une fillette. Dès lors, il se voit contraint de demeurer feu Mathias Pascal. De temps à autre, il s'en ira visiter sa propre tombe, sujet de moquerie pour ses concitoyens.

En dépit de ses défauts, *Feu Mathias Pascal* peut être mis au nombre des chefs-d'œuvre de Pirandello. Il demeure indéniablement un des meilleurs romans italiens. Il fut, d'ailleurs, très vite traduit dans toutes les langues européennes. Il semble bien qu'il soit la source du *Cadavre vivant* (*) de Tolstoï. – Trad. Calmann-Lévy, 1982.

FEU PÂLE [*Pale Fire*]. C'est le titre que l'écrivain américain d'origine russe Vladimir Nabokov (1899-1977) donne à un ouvrage publié en 1963. Il est difficile de parler de roman, puisque le volume se compose d'un poème sans grand intérêt de neuf cent quatre-vingt-dix-neuf vers, qui parodie les platitudes de la diction de Pope, d'une introduction au poème, et surtout de commentaires six fois plus longs que le poème, réflexions érudites auxquelles ne manque même pas un index analytique. L'auteur du poème est l'Américain John Shade qui meurt, à la fin de l'ouvrage, d'une balle destinée à son commentateur, le professeur Charles Kinbote. L'identité de cet admirateur de Shade, venu passer un trimestre à Wordsmith College où il enseigne le zamblan, sa langue natale, est proprement insaisissable. Tantôt nous le prenons pour Charles Xavier Vreslav, le prince détrôné par une insurrection et poursuivi jusqu'en Amérique par les tueurs des « Ombres ». Tantôt c'est un réfugié fou qui se nomme Botkin et se prend pour le prince. Tantôt la distance entre Kinbote et Shade s'efface au point qu'ils sont tous deux homosexuels et professeurs dans le même collège. Tout ceci se dégage du commentaire : il contient la substance de l'ouvrage sous forme de notes, de références compliquées bourrées d'erreurs volontaires, d'anagrammes, d'allusions subtiles à des œuvres littéraires réelles ou imaginaires et qui reflètent ironiquement les mille et une habitudes exaspérantes de l'érudition. Au travers de cet appareil savant se dégage du jeu dialectique du poème et du commentaire cette fascinante et mystérieuse histoire. Il ne s'agit pas d'un récit policier, mais d'un dédale de fausses pistes d'où le lecteur tire des conclusions également fausses, d'un jeu intellectuel brillant qui s'apparente à cette participation à un puzzle que requiert la lecture de Robbe-Grillet. Salué par certains comme un chef-d'œuvre caractéristique de notre temps, *Feu pâle* représente une forme de la littérature moderne qui remplace les structures traditionnelles par une expression ouverte, inachevée, où le possible devient le réel mais reste en disponibilité perpétuelle. Ainsi, un « roman dans le roman » s'amorce après la mort de Shade, au départ de Kinbote qui va écrire une pièce sur « un fou qui tente d'assassiner un roi imaginaire, un autre fou qui s'imagine être lui-même ce roi, et un poète de talent qui périt dans le choc de ces deux fictions ». Nabokov joue ainsi sur trois plans : il maintient l'effet comique de la stupidité de Kinbote qui prend ses limites pour des qualités. Il retrace selon un schéma cohérent et intérieur les divagations d'un fou qui a l'air normal. Il fait sentir l'absurdité et la terreur qui naissent de la schizophrénie et des échecs répétés du commentateur. La satire des habitudes intellectuelles, utilisant d'une manière jamais égalée les ressources de la culture littéraire anglo-saxonne, se transforme en un refus de l'absurdité de la société moderne qui s'exprime par la folie. – Trad. Gallimard, 1965.

FEU SUR LA TERRE (Le) ou le Pays sans chemin. Pièce en quatre actes de l'écrivain français François Mauriac (1885-1970), publiée en 1949, représentée par le théâtre Hébertot à Lyon, le 12 octobre 1950, et à Paris, le 7 novembre de la même année, dans une mise en scène de Jean Vernier. Osmin et Marguerite de la Sesque, de petite noblesse provinciale, comptent sur un riche mariage de leur fils Maurice pour redresser une situation financière très compromise. Maurice est censé étudier le droit depuis dix ans, à Paris, et, à cet effet, a reçu régulièrement des subsides. Son retour au sein de la famille produit un coup de théâtre : il a passé ces dix dernières années, non à se familiariser avec les lois, mais à peindre ; de plus, il s'est marié secrètement avec Andrée, de qui il a eu un fils, Éric. Devant toutes ces révélations, la sœur aînée de Maurice, Laure de la Sesque, ne peut contenir une rage dictée par la jalousie. De tout temps, elle a dispensé une profonde tendresse à ce jeune frère. Peu à peu, ce sentiment a revêtu un côté trouble et incestueux. Par vengeance, Laure tente de briser l'entente régnant entre Andrée et Maurice, en interposant Caroline Lahure, jeune et jolie jeune fille de seize ans que les de la Sesque destinaient primitivement à leur fils. Finalement, l'amour de ce dernier sort vainqueur de l'épreuve. Soudain, Laure a disparu ; on craint son suicide. Elle surgit quelque temps plus tard et déclare à Andrée : « C'est parce que j'ai eu pitié de vous que je suis revenue. » Désormais, les deux femmes demeureront séparées par la haine. Venant après *Asmodée* (*) et *Les Mal-Aimés* (*), cette pièce est un échec. Avec *Les Mal-Aimés,* François Mauriac s'était hissé au niveau de la tragédie racinienne. Ici, Laure de la Sesque tient gratuitement le rôle d'un monstre, sans présenter le côté magique et humain qui constitue, habituellement, la caractéristique principale des personnages de l'auteur.

FEUX. Recueil de l'écrivain français Marguerite Yourcenar (pseud. de Marguerite de Crayencour, 1903-1987), paru en 1936. Ces nouvelles et pensées à caractère poétique sont autant de variations sur le thème de l'amour. Neuf histoires, dans lesquelles l'auteur se sert du support des mythes pour exprimer la souffrance, la violence et la volupté de la passion, s'y succèdent, alternant avec des réflexions en prose, issues d'un journal intime de l'auteur. Temps réel et temps mythique s'y superposent au point de rendre difficile une localisation historique précise. L'amour y est envisagé sous ses multiples aspects : amour de l'absolu dans « Phédon », inspiré d'une réflexion de Diogène Laërce sur l'adolescent, élève de Socrate, et qui nous vaut un émouvant portrait du maître ; amour de Dieu, dans « Marie-Madeleine », récit qui reprend une tradition de *La Légende dorée* (*) qui faisait de la sainte la fiancée de Jean ; amour tout court chez « Phèdre », dont le thème est emprunté à Racine ; amour de la justice, dans l'« Antigone » issue du mythe grec ; amour-abnégation de « Léna », qui se laisse torturer plutôt que d'avouer un secret qu'elle ne peut révéler ; amour de la mort chez « Sappho » l'acrobate. Les poèmes en prose qui rythment le passage d'une nouvelle à l'autre adoptent avec justesse le ton de la passion brûlante et désespérée cherchant toujours à renaître de ses cendres. Ici, et c'est la beauté de ces pages, la passion est présentée comme le chemin de la transcendance. Cette réflexion finale de « Marie-Madeleine » en témoigne : « Il ne m'a sauvée ni de la mort, ni des maux, ni du crime, car c'est par eux qu'on se sauve. Il m'a sauvée du bonheur. »

É. H.

FEUX (Les) [*Nobi*]. Roman de l'écrivain japonais Ôoka Shôhei (1909-1988), publié en 1951. *Nobi*, littéralement « Feux dans la plaine », reprend, sous une forme romancée, les souvenirs de guerre de l'auteur qui les avait une première fois livrés à l'état brut, dans un long récit qui lui valut une célébrité soudaine et méritée : *Le Journal d'un prisonnier* [*Furyoki*]. Mobilisé en 1944 et presque aussitôt envoyé aux Philippines, il avait été pris par les Américains vers la fin de l'année. Dans le *Journal*, il rapporte de façon détaillée les circonstances de sa capture et la vie dans un camp de prisonniers. C'est dans ce camp qu'il a entendu les récits de ses camarades, qui, amalgamés à ses propres souvenirs, puis décantés, fourniront la trame de ce qui est sans conteste le meilleur roman de guerre de la littérature japonaise, l'un des plus durs et des plus poignants qui aient jamais été écrits sur ce thème.

L'histoire est peu de chose : c'est l'odyssée d'un soldat de l'armée des Philippines qui, malade, quitte sa compagnie pour l'hôpital de campagne, dont le personnel, débordé, en pleine débâcle, le refoule parce qu'il tient encore debout. Il rebrousse donc chemin, erre dans les bois, trouve un village dont les seuls habitants sont des cadavres japonais dans l'église, tue une jeune femme par peur, erre de nouveau, poursuivi par le souvenir de ce meurtre inutile, talonné aussi par la faim lancinante. Un jour, il rencontre deux anciens camarades qui paraissent bien nourris — de singes, affirment-ils. Mais il comprendra bien vite ce que sont les « singes » qu'ils chassent... Enfin, blessé, prisonnier, puis rapatrié dès la fin de la guerre, nous le retrouvons dans un hôpital psychiatrique : le récit qu'il a fait de ses aventures, il l'a écrit sur le conseil d'un médecin qui espère qu'ainsi il retrouvera sa mémoire — les souvenirs qu'inconsciemment il refoule — et sa raison. Dans cette dernière précision, il faut évidemment voir l'explication et la justification du rôle assumé par l'auteur qui cherche, par sa confession personnelle d'abord, dans son *Journal*, puis par la confession exemplaire de son héros, à ranimer et à fixer dans la mémoire et la conscience collectives de tout un peuple des événements récents et cruels qu'il s'efforce d'oublier, mais dont l'oubli délibéré serait plus traumatisant que le souvenir. De ce point de vue, l'on peut tenir que *Les Feux* répondirent entièrement aux espoirs de l'auteur, car celui-ci avait écrit une œuvre inoubliable, atroce dans sa perfection, dont la lecture est par moments presque insoutenable (notons en passant que Ôoka, qui est un des meilleurs connaisseurs de la littérature française, estime — avec raison — que la version française de son roman a été édulcorée). On y cherchera en vain la moindre complaisance envers le « pittoresque » de la guerre, la moindre concession aux poncifs « héroïques » ; c'est la guerre, et la défaite, au niveau du soldat de deuxième classe, qui naguère s'en était allé à la conquête du monde, alors qu'apparaît la vanité de toutes les pompes militaires et que se décompose dans la forêt tropicale ce qui reste de l'orgueilleuse armée. — Trad. Éditions du Seuil, 1957.

F.F. OU LE CRITIQUE. Étude de l'écrivain français Jean Paulhan (1884-1968), publiée en 1945. L'auteur peint son idéal critique en cernant un homme aussi énigmatique que Félix Fénéon qui, de tous les critiques (littéraires et artistiques), fut le plus clairvoyant. Jean Paulhan approche cet homme unique à pas de loup : celui qui, en 1893, préfère Rimbaud à tous les poètes de son temps ; défend, dès 1884, Verlaine et Huysmans, Charles Cros et Moréas, Jarry, Laforgue et Mallarmé ; découvre un peu plus tard

Seurat, Gauguin, Van Gogh ; dirige *La Revue blanche* (de 1895 à 1903), où il publie Gide, Proust, Claudel, Apollinaire. Ainsi, le critique doit être un « inventeur », découvrir les talents et le sens de ces talents, le mécanisme secret de tout acte créateur. La vie de Félix Fénéon, son silence, ses attitudes contribuent au paradoxe qui nous divise et nourrit « notre exigence de réussir, tout en demeurant séparés de (notre) réussite, d'être écrivains et parfaits écrivains, comme Fénéon, sans hésiter pour autant à dire non à la littérature ; de bien parler en préférant le silence... Bref, de ne pas mener sans dédain une condition, qui, trop souvent, nous force à choisir une fois pour toutes ». Et le désir « de composer (et de lire) des romans et des comédies sans devenir pour autant des spécialistes du romanesque et du théâtral, et d'écrire sans devenir homme de lettres, peut contenir le secret de la critique ». Félix Fénéon refuse à tout instant de se changer en spécialiste : « Il n'arrête pas de redevenir un homme. » Il n'a pas de théorie. « Il ne rompt pas avec les bons peintres, mais certes avec la tradition de leurs défenseurs. Il ne cherche à convaincre personne. Il montre, il décrit. »

FIACRE ENCHANTÉ (Le) [*Zaczarowana dorożka*]. Recueil de poèmes de Konstanty Ildefons Gałczyński (1905-1953), paru en 1948. Une partie de ces poèmes fut écrite lors des séjours de l'écrivain à l'étranger dans l'immédiat après-guerre. Les doutes et les déchirements liés au désespoir de l'exilé cèdent progressivement la place à l'enthousiasme et à la joie du retour effectif au pays : « Retour chez Eurydice » [Powrót do Eurydyki], « Lyrique, lyrique, fade dynamique » [Liryka, liryka, ckliwa dynamika]. Dans un autre poème, les descriptions lyriques de Cracovie se mêlent aux visions imaginaires. Comme souvent chez lui, la frontière entre réalité et fiction tend à disparaître. L'idée que l'artiste se fait de son art, considéré comme un métier, une « chose artisanale » qui doit être commandée par un mécène et néanmoins plaire à l'auditoire le plus large, ainsi que sa conception de l'artiste mi-charlatan, mi-cynique, transparaissent dans ce recueil, à travers le rejet des déclarations de deux personnages : un idéologue moralisateur et un poète messie (« Lettre à la violette » [List z fiołkiem]). Le poète lance de violentes accusations contre l'intelligentsia polonaise qui s'obstine à préserver les vieux mythes et à prendre des poses de martyre, non sans un certain snobisme : « La Mort d'un intellectuel » [Śmierç inteligenta]. Le quotidien occupe une place importante. Pour le chantre des « petites choses de la vie », le bonheur se trouve à portée de main. Il rehausse le comique grotesque : « Pourquoi le concombre ne chante-t-il pas ? » [Dlaczego ogórek nie śpiewa] et le place au sommet de l'art dont l'harmonie est parfois menacée par les dissonances propres à l'opéra bouffe. Le lecteur est le témoin de la transformation magique de la réalité en fantaisie, au rythme tantôt cantabile, tantôt furioso. Représentatif de la poésie de Gałczyński, ce recueil confirma sa célébrité. L. Dy.

FIAMMETTA. Roman de l'écrivain italien Jean Boccace (1313-1375), écrit en 1343, et intitulé à l'origine *Elegia di Madonna Fiammetta*. L'héroïne est Madonna Fiammetta, c'est-à-dire Maria d'Aquino, fille, naturelle, semble-t-il, du roi Robert. Pendant son séjour à Naples, Boccace eut une liaison avec elle, liaison qui se termina par une amère désillusion. C'est pourquoi un critique a voulu voir dans cette fiction quelque rancune de Boccace : en effet les rôles sont inversés. Au vrai, c'est Fiammetta qui avait abandonné Boccace. Si le fond de ce roman est autobiographique, il n'est cependant pas facile de se rendre compte de ce qui se passa dans l'âme du poète, puisque le caractère passionné de l'héroïne est loin de correspondre à celui de Fiammetta et pas davantage à celui de Boccace. Ce roman n'est donc pas une pure autobiographie, mais une libre et savante transposition littéraire d'un épisode réel. Inspiré probablement par l'histoire de Phyllis et Démophonte des *Héroïdes* (*) d'Ovide. La trame est très simple : sur un ton passionnément nostalgique, l'héroïne raconte l'histoire de sa jeunesse, sa rencontre avec Pamphyle, les doux combats et les attentes languissantes, les joies ineffables tragiquement interrompues par le départ forcé de Pamphyle pour Florence. À partir d'ici, l'action s'alourdit : Fiammetta apprend un jour le mariage de Pamphyle, et elle est sur le point de s'en consoler raisonnablement, lorsqu'on vient lui rapporter que ce n'est pas Pamphyle, mais son père qui s'est marié. L'ingrat Pamphyle, cependant, oubliait sa Fiammetta entre les bras d'une très belle Florentine. Folle de jalousie et de douleur, Fiammetta veut se donner la mort, mais elle en est empêchée par sa vieille nourrice. Enfin, la nouvelle arrive : Pamphyle va revenir, et Fiammetta, heureuse d'avoir échappé à la mort, reprend goût à la vie, le cœur rempli d'amour pour son bien-aimé. Le roman est à la fois lyrique et narratif. L'étude psychologique de la passion amoureuse y est conduite avec bonheur. Seulement, elle est alourdie par un excès de réminiscences littéraires. D'où il suit que son efficacité se trouve gravement compromise. En réalité, pour l'auteur, la véritable substance de l'ouvrage se trouve être précisément ce pompeux apparat littéraire, qui fait de *Fiammetta*, plus qu'un roman psychologique, un des prototypes du roman humaniste. — Trad. Michaud, 1910.

FIANÇAILLES DE MONSIEUR HIRE (Les). Roman de l'écrivain belge d'expression française Georges Simenon (1903-1989), écrit à La Richardière (Marsilly) à l'automne 1932 et publié l'année suivante. Monsieur Hire, de son vrai nom Hirovitch, est le fils d'un tailleur juif immigré, originaire de Wilna, en Lituanie. Célibataire, sans profession stable, précédemment détenu pour une affaire de mœurs, isolé au point de n'entretenir de rapports sociaux qu'au club de bowling où il se rend tous les premiers dimanches du mois, ce petit homme laid et gras, « d'une chair si douce et si molle que ses mouvements en étaient équivoques », incarne le bouc émissaire idéal, lorsqu'une femme est découverte assassinée dans un terrain vague de Villejuif.

Poussée par l'angoisse collective et inquiète du comportement singulier de son locataire, la concierge informe la police qu'elle a entrevu, chez lui, une serviette ensanglantée. Les inspecteurs le prennent en filature, convaincus de suivre la bonne piste, alors que sa seule faute est d'être différent des autres. Le soir, de sa chambre d'homme seul, il guette le coucher de sa jeune voisine, Alice, et la suit, le dimanche, quand Émile, son fiancé, l'emmène au match de football. Intriguée autant que flattée, la jeune femme commence à l'aguicher, sans que Hire profite de la situation. Toutefois, il apprend qu'Émile est l'auteur du crime dont on le soupçonne. Naïvement, pour échapper aux tracasseries policières, Hire, amoureux comme un collégien, propose à sa « fiancée » de gagner la Suisse. Mais elle ne viendra jamais au rendez-vous et, après une nuit d'errance, complètement désemparé, il rentre à son domicile, ignorant qu'Alice a disposé les preuves du crime dans sa chambre et que la police lui a tendu une souricière. À son arrivée, une foule prétendument justicière s'en prend à lui, l'obligeant à fuir par les toits. Il glisse et reste suspendu dans le vide, accroché à la corniche, au-dessus de la foule en colère. Il meurt de saisissement dans les bras des pompiers venus le secourir, sous les yeux impassibles d'Alice et de son ami.

Présentée selon un point de vue externe, presque distancié, la tragédie de M. Hire montre combien, dans un contexte fragilisant de crise économique et de forte immigration, la société décrite par Simenon peut se montrer impitoyable envers les êtres qu'elle juge différents : dans ce cas, un étranger infériorisé par son physique repoussant, ses origines sociales et religieuses, son casier judiciaire, son état civil et sa mise à l'écart de l'essor économique. Excitée par toute une imagerie de faits divers sanglants, aveuglée par la rumeur, curieusement manipulée par un couple en voie de marginalisation, la foule devient, au cours d'un épisode final très cinématographique, un personnage d'une grande force. Ce thème de l'étranger victime de l'hostilité sociale se retrouve dans *Chez Krull* (1939), *Les Fantômes du chapelier* (1949), *Le Petit Homme d'Arkhangelsk* (1956). *Les Fiançailles de M. Hire* ont été adaptées au cinéma à deux reprises. En 1942, par Julien Duvivier sous le titre *Panique* et, en 1989, par Patrice Leconte sous le titre *Monsieur Hire*, avec dans le rôle principal, respectivement, Michel Simon et Michel Blanc. AL. B.

FIANCÉE DE CORINTHE (La) [*Die Braut von Corinth*]. Ballade de l'écrivain allemand Johann Wolfgang Goethe (1749-1832), composée en 1797. Le sujet est tiré d'un récit grec remontant au IIe siècle ap. J.-C. Goethe en prit probablement connaissance à travers la compilation de Giovanni Pretorio, publiée en 1668. Un jeune païen débarque de nuit à Corinthe, où il vient épouser la fille d'un chrétien ami de son père. Accueilli par la mère de la future épousée, la seule qui ait veillé, il est conduit dans la chambre d'hôte où, s'étant restauré, il s'apprête à jouir d'un repos mérité. Mais, sur le point de s'endormir, l'attention du jeune homme est attirée par un bruissement imperceptible, précédant la merveilleuse apparition d'une adolescente voilée, vêtue de blanc, le front ceint d'un bandeau d'or. Tandis que, non avertie de la présence de l'étranger, elle s'arrête, saisie d'étonnement, celui-ci la prend pour sa fiancée et manifeste sa joie. Mais l'enfant lui révèle que c'est sa sœur qui lui est destinée, alors qu'elle-même, vouée au nouveau Dieu de la religion chrétienne, sera bientôt enfermée dans un couvent et définitivement perdue pour l'amour. Ses membres deviennent de glace et son cœur ne bat plus ; mais le jeune amant saura la réchauffer de sa passion. Ils échangent les dons nuptiaux et s'embrassent. Cette scène, où l'ardeur sensuelle contraste avec la froideur et l'immobilité de la mort, est interrompue par l'arrivée inattendue de la mère. L'adolescente, se dressant lentement sur sa couche, reproche alors à sa mère de l'arracher à la tiédeur du lit pour la rejeter dans la terre froide de la tombe, révélant ainsi sa véritable nature : femme, fantôme, vampire. S'attachant aux lèvres du jeune homme, elle lui ôte cette vie qui lui fut déniée. Il meurt. Se tournant alors vers sa mère, la spectrale apparition lui ordonne de préparer un bûcher où les deux amants, réunis, s'en retourneront vers leurs anciens dieux. La ballade souleva de nombreuses polémiques : Herder la qualifia d'irréligieuse et d'immorale ; Schiller, prenant la défense de Goethe, affirma très maladroitement que l'auteur n'avait voulu que « plaisanter ». En réalité, ce poème renferme sa propre nécessité, pure expression de cet esprit goethéen, anxieux de vivre intensément toutes les vies. — Trad. dans *Ballades*, Aubier, 1944.

FIANCÉE DE LAMMERMOOR (La) [*The Bride of Lammermoor*]. Roman de l'écrivain écossais Walter Scott (1771-1832), publié en 1819, dans la troisième série des *Contes de mon hôte* (*). C'est une histoire d'amour et de mort, dont la fin est entrevue, dès le début, dans la prophétie de Thomas le Rimeur, d'après laquelle le dernier seigneur de Ravenswood sera prétendant à la main d'une morte. Les protagonistes sont deux jeunes gens appartenant à des familles rivales, l'ardent seigneur de Ravenswood, dont le père a perdu sa fortune par suite des chicanes de sir Guillaume Ashton, et la fille de celui-ci, Lucie Ashton. Ils se fiancent secrètement, mais la mère de Lucie, lady Ashton, femme autoritaire, éloigne dédaigneusement le jeune homme, avec qui sir Guillaume avait cherché à se réconcilier, les Ravenswood étant devenus puissants à la suite de changements politiques. Ravenswood part pour une mission à l'étranger après avoir renouvelé ses serments de fidélité à Lucie. Elle se voit alors contrainte par sa mère d'épouser le seigneur de Bucklaw et, cédant à la pression, consent, mais demande d'abord d'obtenir que Ravenswood la délie de sa promesse. La lettre portant cette requête est interceptée et Lucie, se croyant abandonnée par son fiancé, accepte, dans son désespoir, de fixer la date de ses noces. Immédiatement après la cérémonie apparaît Ravenswood, informé du fait ; il provoque en duel, pour le lendemain, le frère et l'époux de Lucie ; mais, dans la nuit, Lucie poignarde son mari, devient folle et meurt peu après. Ravenswood est englouti par les sables mouvants, le long du rivage, tandis qu'il galope furieusement pour rencontrer ses adversaires. Parmi les personnages de second plan se trouve le vieux majordome de Ravenswood, Caleb Balderstone, qui cherche à conserver le prestige de la famille déchue et, à cette fin, recourt aux expédients les plus absurdes, telle son amusante razzia dans la cuisine des Girder pour approvisionner le garde-manger de son maître. Le roman compte parmi les plus chargés d'atmosphère sinistre et de surnaturel qui aient été écrits à l'époque où les récits dits « gothiques » avaient la faveur du public. Traduit, il inspira plusieurs compositeurs italiens : le Napolitain Michele Carafa de Calabrano (1787-1872) : *Les Noces de Lammermoor* [*Le nozze di Lammermoor*, 1829] ; le Milanais Alberto Mazzucato : *La Fiancée de Lammermoor* [*La fidanzata di Lammermoor*] et enfin Donizetti avec son immortelle *Lucie de Lammermoor*. — Trad. Gosselin, 1827.

★ L'opéra *Lucia di Lammermoor* du compositeur italien Gaetano Donizetti (1797-1848) fut créé à Naples en 1835. Le livret de Salvatore Cammarano (1801-1852) suit fidèlement l'action du roman, variant seulement là où les lois de la représentation théâtrale le rendent nécessaire ; par exemple, Ravenswood (Edgardo), au lieu de finir dans les sables, se tue devant le cadavre de Lucie. Le morceau central est la grande scène de la folie (« Les encens brûlent ») du soprano, avec solo de flûte : ici, à la virtuosité transcendante de l'interprète correspond une expression enflammée de l'élément dramatique telle qu'on en rencontre rarement dans ce genre de pièces vocales, presque toujours uniquement destinées, dans l'opéra, à mettre en valeur l'habileté technique. Non moins célèbres sont les airs : « Tombes de mes aïeux », le duo « Sur la tombe qui renferme », avec la conclusion du premier acte, « Viendront à toi sur la brise » et le remarquable sextuor « Toi qui, vers Dieu, as déployé les ailes » par lequel se termine le dernier acte. C'est l'opéra le plus populaire de Donizetti. Il est considéré non seulement comme une grande œuvre, mais aussi comme une des créations les plus fortes et riches de la période romantique ayant précédé Verdi.

FIANCÉE DE MESSINE (La) [*Die Braut von Messina*]. Tragédie du poète et dramaturge allemand Johann Christoph Friedrich von Schiller (1759-1805), représentée en 1803. En voici le thème : don Emmanuel et don César sont deux frères qui se haïssent à mort. Cédant aux larmes de leur mère, la douce Isabelle, ils consentent à se réconcilier. Dans le feu de cette amitié toute neuve un des deux veut présenter à l'autre sa propre fiancée, Béatrice. Hélas ! celle-ci est justement l'amante de l'autre frère. Dès lors, l'ancienne haine se rallume tout entière et les deux frères s'entre-tuent. Cet ouvrage fut souvent imité dans les nombreuses « Tragédies du destin » qui se succédèrent pendant les premières années du XVIIIe siècle en Allemagne — par ex. *La Famille Schroffenstein* (*) de Kleist. Ce genre nouveau fit fureur et Platen le parodia dans sa satire littéraire *La Fourchette fatale*. On sait que Schiller eut toujours un sens singulier du destin. Il croit à l'astrologie, comme on le voit dans les monologues de plus d'un de ses héros. Il veut se rapprocher de la tragédie grecque, laquelle repose avant tout sur l'inexorable fatalité. Marier ainsi le fond secret de l'âme antique avec le sentiment moderne, arriver à la synthèse du classique et du romantique : telle était la grande aspiration de la révolution de 1800. Goethe fit la critique de ce point de vue dans *Faust* (*) (le mariage de Faust et d'Hélène) comme dans ses *Élégies romaines* (*) et dans sa *Fiancée de Corinthe* (*), ballade dont le thème est analogue à celui de la *Fiancée* de Schiller. Il est vrai que Schiller eut le génie de situer son intrigue en Sicile et de faire des deux frères des cavaliers normands ; cette Sicile qui est un centre culturel privilégié, puisqu'elle connut tour à tour les Arabes, les Normands et les gens de Frédéric II. Ainsi l'union des deux époques (classique et médiévale) est-elle plus naturelle ici que cette évocation de la Grèce qui sert de cadre à l'Hélène de Goethe. — Robert Schumann (1810-1856) a composé une ouverture pour la pièce en 1851.

FIANCÉE DU LOUP (La) [*Sudenmorsian*]. Court roman de l'écrivain finlandais d'expression finnoise Aino Kallas (1878-1956), publié en 1928. Dans la littérature finlandaise, Aino Kallas occupe une place originale : d'une part, elle était la fille du fondateur du folklore moderne en Finlande, par ailleurs poète ; d'autre part, ayant épousé un intellectuel estonien, elle aura deux patries et appartiendra aux deux littératures. C'est en effet l'Estonie — appelée par elle le « pays de ma destinée » — qui lui inspirera l'essentiel d'une œuvre de fiction dans laquelle c'est le genre court qui domine. *La Fiancée du loup* est le plus long et le plus célèbre de ses récits, et, à plus d'un titre, le plus représentatif.

L'histoire se déroule dans l'île d'Hiiumaa. Dans une époque troublée, un jeune garde forestier prend pour femme une jeune fille qu'il avait aperçue en train de laver des moutons et qui l'avait charmé par sa douceur. Le ménage est heureux et a une petite fille ; mais la jeune femme est prédestinée à un avenir tragique : elle cède à l'appel de l'Esprit de la forêt et rejoint les loups. Elle devient donc loup-garou et part toutes les nuits en chasse avec les autres loups. Découverte et chassée par son mari, elle rejoint ses nouveaux compagnons dans la forêt. Une fois cependant, prise de la nostalgie du monde des hommes, elle rejoint les siens et reste une nuit avec son mari. Neuf mois plus tard, sur le point d'accoucher, elle se présente à l'étuve et met au monde une petite fille. Mais les vieilles du village mettent le feu à l'étuve et les brûlent toutes deux. Son mari, pour assurer le repos de celle qui fut sa femme, la traque sous sa forme de loup et la tue, « réunissant ainsi les deux parties de son âme ».

Féministe à sa façon, Aino Kallas s'est employée dans ses œuvres à montrer le sort des femmes dans un monde où il ne leur est pas donné de vivre selon leur choix. Aalo, qui se met en marge du monde des humains par son choix de la forêt et du loup, devient l'ennemie à abattre, de même que Catharina, la femme adultère du *Pasteur de Reigi* , ou l'héroïne de *Barbara von Tisenhusen*, qui aime un roturier et en périra.

En même temps, sa narration est profondément inscrite dans un folklore estonien où le loup-garou est très présent — v. *Loup-Garou* (*), de Kitzberg — et qu'Aino Kallas étudie avec passion. Mais surtout, l'auteur traite cette thématique d'une manière très personnelle : dans un style à saveur de parchemin, elle donne vie à une chronique fictive, emploie un langage volontairement archaïsant, fait de ses personnages des archétypes sans psychologie. Dans cette chronique, elle illustre le choc puissant entre paganisme et christianisme, entre l'imaginaire du peuple et le carcan de la religion, illustré par le point de vue du chroniqueur. Cette distanciation confère à cette œuvre une puissance poétique particulièrement évocatrice. — Trad. Viviane Hamy, 1990. E.T.

FIANCÉE DU MINISTRE (La) [*The Minister's Wooing*]. Ouvrage de la romancière américaine Harriet Beecher Stowe (1811-1896), publié en livraisons dans l'*Atlantic Monthly* en 1858, puis en volume à New York et à Boston en 1859. L'action se passe à Newport, cité maritime de la Nouvelle-Angleterre vers la fin du XVIIIe siècle. Le célèbre auteur de *La Case de l'oncle Tom* (*) traite dans ce livre un sujet qu'elle connaît bien, à savoir la vie et l'atmosphère de la Nouvelle-Angleterre durant la génération précédant immédiatement la sienne. Aussi ce roman contient-il une authentique richesse d'observation des types et des milieux qui constituaient d'ailleurs un monde fort différent du nôtre. Le rigide puritanisme de la société, la passion de l'analyse ainsi que les dissertations morales et théologiques forment le fond de ce roman. Du reste, si l'auteur décrit ce monde avec tendresse et non sans plaisir, elle ne craint pas d'afficher parfois à son égard une position franchement critique. Sa thèse, plus suggérée qu'explicite et jamais démontrée, paraît être la suivante : toute vérité morale ou théologique perd sa valeur si elle n'est soutenue par une authentique charité humaine. L'intrigue du roman a peu d'importance, et son intérêt réside surtout dans la variété et l'exactitude des traits des personnages secondaires. Le théologien et pasteur Hopkins tombe amoureux presque inconsciemment de la jeune Mary Scudder ; le jeune homme auquel celle-ci a donné son cœur part pour un long voyage à travers les océans et doit être bientôt considéré comme mort. Mary se promet alors au pasteur dans un esprit de respect et de vénération. Pourtant le disparu revient, et Hopkins, apprenant le fait, se sacrifie en libérant Mary de sa promesse. Ce roman abonde en types bien tracés, qu'il s'agisse de nobles ou de négriers, de bourgeois ou de politiciens, d'ecclésiastiques, de serviteurs ou d'esclaves nègres. Le dialogue brillant, parfois familier, est le plus souvent écrit en dialecte. Les portraits de femmes sont les mieux venus. Le livre tout entier se ressent de la lutte que mena l'auteur contre la traite et l'esclavage des nègres. L'œuvre remporta un grand succès, sans atteindre toutefois au triomphe de *La Case de l'oncle Tom*. — Trad. Hachette, 1909.

FIANCÉE VENDUE (La) [*Prodaná nevěsta*]. Opéra-comique en trois actes du compositeur tchèque Bedřich Smetana (1824-1884), sur le livret du poète Karel Sabina (1813-1877). La première représentation eut lieu à Prague le 30 mai 1866. L'œuvre avait alors la forme d'une opérette en deux actes avec vingt-deux morceaux de musique et dialogue parlé. Pour les représentations suivantes, à Saint-Pétersbourg et à Paris, l'auteur ajouta des chœurs et quelques duos. On peut dire qu'aucun opéra n'a été constitué de manière fragmentaire comme celui-là, pourtant si splendidement homogène. Au premier acte, une fête a réuni les habitants d'un village sur la place pour des réjouissances. Seule, Mařenka est soucieuse, car elle doit décider si elle épouse Vašek, le simple d'esprit, renonçant à Jeník qu'elle aime. Vašek, fils de Micha, est un riche parti, et Jeník un jeune homme dont on ne sait rien, si ce n'est qu'étant enfant il a perdu sa mère et que sa marâtre l'a chassé de la maison. Arrive le courtier Kecal, avec les parents de la jeune fille, qui chante les louanges de Vašek. Le père favorise le projet du courtier, toutefois la mère est hésitante ; quant à Mařenka, non seulement elle refuse avec décision mais, sans se faire connaître, a un entretien avec Vašek au cours duquel elle lui décrit sa future épouse de manière si défavorable que Vašek y renonce. Pendant ce temps, Kecal offre à Jeník trois cents florins pour qu'il abandonne son projet au profit de Vašek, et Jeník accepte à condition que Mařenka devienne la femme « du fils de Micha ». Les témoins de cette scène, ignorant le passé de Jeník, le condamnent pour avoir vendu sa fiancée. Au troisième acte arrive une troupe de comédiens, invitant le public à assister à la représentation. Dans la foule se trouve Vašek, le simple d'esprit, qui rôde autour d'Esmeralda, l'étoile de la troupe, laquelle, ayant compris les intentions du jeune homme, le persuade d'accepter le rôle de l'ours en remplacement de l'acteur, empêché de jouer. Mařenka, d'autre part, sachant qu'elle a été vendue par Jeník, est pleine de colère contre lui ; mais Jeník déclare être Jan, le fils de Micha, revendiquant ainsi le droit d'épouser Mařenka.

La Fiancée vendue, comme opéra, est la plus haute création de Smetana ; elle consacre le début d'une véritable école musicale tchèque. L'accent folklorique de cette œuvre permet de la rapprocher des meilleures compositions du groupe russe des Cinq, dans le cadre des différents folklores européens.

FIANCÉS (Les) [*I promessi sposi*]. Roman de l'écrivain italien Alessandro Manzoni (1785-1873), publié en 1840-1842. Le sous-titre du roman, *Histoire milanaise du XVIIe siècle*, montre bien le parti pris de fidélité aux faits de ce roman. La genèse des *Fiancés* remonte à 1821. Déçu par l'échec des carbonari à Milan (leur soulèvement est rapidement écrasé par la police autrichienne, qui procède à de nombreuses arrestations), Manzoni se retire pour quelque temps à Brusuglio. Il s'adonne à la lecture des copieuses chroniques milanaises du XVIIe siècle, rédigées en latin par Giuseppe Ripamonti (1577-1643), étudie le traité que le même auteur consacre à la peste qui ravagea Milan en 1630, y puisant une documentation sur des personnages (la religieuse de Monza, le cardinal Borromeo, etc.) et des événements (les émeutes milanaises dues à la disette, la guerre, la peste) qui constituera le soubassement du roman. Manzoni compulse aussi d'autres livres : les traités économiques et politiques de Melchiorre Gioia, des ouvrages consacrés à la peste espagnole, aux procès iniques intentés, après 1630, à des innocents, désignés à la vindicte populaire comme des semeurs de peste, des recueils de lois et décrets. Le XVIIe siècle exerce sur Manzoni un mélange d'attraction, de par sa richesse foisonnante, et de répulsion, car un intellectuel pénétré de l'esprit des Lumières ne saurait que condamner une société fondée sur l'arbitraire, l'injustice, sur des rapports à bien des égards féodaux. À ce socle historique s'ajoute la lecture assidue de Walter Scott (Manzoni lit *Ivanhoé* (*) dans la traduction française) et une participation très active à la réflexion que les romantiques italiens et européens mènent sur les genres littéraires et le roman en particulier.

La rédaction commence le 24 avril 1821. Elle sera longue et difficile. Récritures et réélaborations se chevauchent, notamment à partir de 1823. Manzoni bénéficie, entre autres, des conseils de Fauriel et de Visconti. Le premier canevas *Fermo e Lucia* (Fermo Spolino et Lucia Zarella étaient les noms des deux protagonistes) évolue rapidement vers une rédaction plus ramassée, qui atténue les aspects les plus romanesques de l'histoire tout en renforçant la structure d'ensemble. Le deuxième titre, *Gli sposi promessi*, sera lui aussi sacrifié au profit du titre définitif. Après avoir obtenu le visa de la censure autrichienne, les trois tomes du roman paraissent chez Vincenzo Ferrario en 1825-1827. Le succès est tout à fait remarquable : plus de quarante éditions (la plupart étant des contrefaçons) se succèdent en quelques années. Manzoni soumet son roman à une sérieuse révision linguistique et stylistique. La reprise et la toscanisation du texte aboutissent à l'édition définitive, parue en 1840-1842 chez Guglielmini et Radaelli.

Les Fiancés comportent trente-huit chapitres, relatant les aventures de Lucia Mondella et de Renzo Tramaglino, deux jeunes paysans dont le mariage est empêché par l'intervention arbitraire d'un hobereau, don Rodrigo. Manzoni choisit comme cadre géographique et historique la Lombardie des années 1628-1630. La toile de fond est constituée par la guerre qui oppose les Impériaux et la maison de Savoie aux Français et leurs alliés pour la succession de Vincent II Gonzague, seigneur du Montferrat. En septembre 1629, une puissante armée impériale franchit les Alpes, répandant la désolation et la peste sur son passage. Le 18 juillet 1630, Mantoue est conquise par les lansquenets. L'année suivante, la paix de Cherasco met un terme au conflit. Les faits relatés dans le roman couvrent deux ans : de novembre 1628 à novembre 1630. Suivant un procédé assez classique, Manzoni présente son roman comme la mise en forme d'un manuscrit anonyme du XVIIe siècle. Entre le chroniqueur anonyme et l'auteur, qui ne ménage pas ses commentaires, s'établit un rapport dialectique des plus fécond. L'architecture du roman permet de dégager (A. Marchese) six séquences. La première (ch. I-VIII) noue l'intrigue, jusqu'au moment où les deux fiancés sont obligés de quitter leur village. La deuxième, plus brève (ch. IX-X) est consacrée au séjour de Lucia dans le couvent de Gertrude, la religieuse dévoyée qui la livrera à ses ennemis. La troisième (ch. XI-XVII) concerne la découverte de Milan par Renzo. La ville est le lieu diabolique du mensonge. Renzo, qui s'est naïvement mêlé aux émeutes de la foule réclamant du pain, est arrêté et ne doit son salut qu'à la fuite. La quatrième (ch. XIX-XXIV) ramène le lecteur aux mésaventures de Lucie, que L'Homme-sans-nom a fait enlever et enfermer dans son château. L'avant-dernière (ch. XXVII-XXXV) brosse un tableau de la guerre, de la famine et de la peste qui ravagent Milan et la Lombardie. Renzo revient à Milan, en quête de Lucie. La ville confirme son visage diabolique : Renzo sera pris pour un semeur de peste. La dernière séquence (ch. XXXVI-XXXVIII) marque les retrouvailles entre les deux fiancés, qui ont tous deux échappé à la peste. Ils pourront enfin se marier, Lucie ayant été relevée du vœu qu'elle avait prononcé quand elle se trouvait au château de L'Homme-sans-nom. La première et la dernière séquence sont une sorte de cadre, montrant l'évolution de l'histoire du désordre et de l'injustice à l'ordre rétabli. La deuxième et la quatrième mettent en lumière le rôle de Lucia : elle accroît les remords de Gertrude et provoque la conversion de L'Homme-sans-nom. Dans les deux cas, Lucia était enfermée dans un lieu dont la véritable nature s'oppose aux apparences : le couvent est une prison et un piège ; le château du seigneur pervers devient un refuge. La troisième et la cinquième séquence sont centrées sur le rapport traumatisant que Renzo entretient avec la foule et la ville.

Premier grand roman populaire de la littérature italienne, *Les Fiancés* avaient de quoi étonner et séduire le public. Manzoni choisit comme héros de son récit non pas les grands de ce monde, mais les laissés-pour-compte de l'Histoire : deux paysans. Ce choix illustre l'ambition de ce roman qu'on a pu qualifier de « roman de la Providence » ou d'« apologie du péché originel ». Manzoni se penche sur le mystère du mal dans un monde que la justice, individuelle et collective, a déserté. Fortement influencé par les philosophes et les moralistes français – Nicole et Pascal en particulier – Manzoni met à nu la tragédie de la liberté et de la responsabilité humaines. Renversant les affirmations de la culture des Lumières (qui a été longtemps la sienne), ce converti montre que le mal et l'injustice ne tiennent pas qu'aux institutions. Son *Histoire de la colonne infâme* (*) et son *Essai sur la Révolution française* le prouvent bien. C'est dans la perspective de la radicale égalité de tous les hommes devant un Dieu père et créateur que Manzoni plaide la cause de la justice. *Les Fiancés* sont avant tout le roman de la nuit, de l'angoisse, qu'atténuent l'ironie et l'humour du narrateur. Celui-ci excelle dans l'art des portraits (certains sont devenus légendaires : don Abbondio, don Ferrante, l'intellectuel perdu dans ses livres), des dialogues, dans les fresques historiques. Après la publication des *Fiancés*, Manzoni s'éloigne du roman, genre qu'il considère comme moins satisfaisant que l'essai dans la recherche de la vérité. *Les Fiancés* n'en demeurent pas moins le premier grand roman italien moderne. À ce titre, son rayonnement a été et continue d'être exceptionnel. – Trad. Éditeurs français réunis, 1967. F. Li.

★ Les rares œuvres musicales inspirées du roman de Manzoni sont de valeur médiocre. Dans sa jeunesse, Amilcare Ponchielli (1834-1886) composa un opéra sur un mauvais livret tiré des *Fiancés* qui fut joué à Cremone en 1856 ; son plus grand mérite est d'avoir procuré à Ponchielli la possibilité de s'affirmer à Milan, après bien des échecs. L'opéra *Les Fiancés* de Enrico Petrella (1813-1887) offre un certain intérêt. Composé sur un livret d'Antonio Ghislanzoni, il fut joué à Lecco, en 1869, en présence de Manzoni qui complimenta l'auteur. La musique comporte des qualités de clarté et de vigueur. En 1850, Luigi Bordese (1815-1886) fit représenter à Naples son premier opéra, *Les Fiancés*.

FICHIER (Le) [*Kartoteka*]. Œuvre dramatique de l'écrivain polonais Tadeusz Różewicz (né en 1921), écrite en 1958-1959, publiée en 1960. Le héros, un ancien maquisard, revoit en rêve toute son existence. Couché dans une pièce de passage qui devient tantôt rue, tantôt café, tantôt salle d'examen ou même bureau, selon les images – en fait le fichier des événements, des rencontres, des formulaires à remplir, des interrogatoires, etc. – qui lui reviennent, il incarne un homme perdu dans la masse, un M. Tout-le-Monde, homme sans visage, sans nom (il en porte plusieurs), sans âge (il en change à plusieurs reprises), sans profession (directeur d'une entreprise, chef d'orchestre d'une opérette). En réalité, il n'est personne. Il a perdu l'innocence de l'enfance, la foi en l'amour, le respect de la tradition. La guerre a détruit toutes les valeurs humaines, déterminant ainsi son vide intérieur et son sentiment d'impuissance. Le seul moyen de défense qui lui reste est de se tourner lui-même en dérision.

Les scènes, librement reliées, tantôt réalistes, tantôt surréalistes, suivent le flux de la conscience. Un chœur de vieillards commente cette construction avec ironie, témoignant ainsi de l'inadéquation des formes théâtrales pour exprimer la réalité. Prenant part également à l'action, il est tué par le héros, qui lui reproche son intrusion. Cette pièce a valeur de métaphore poétique représentant la situation morale de l'individu dans le monde moderne et les affres de la création artistique. Proche de Beckett par son ton incisif, Różewicz évoque par l'entremise du héros, héritier de la tradition polonaise des héros romantiques, le désarroi de toute sa génération après la tragédie de la Seconde Guerre mondiale. Cette première pièce de l'auteur contient les caractéristiques essentielles de ses œuvres futures. Elle fut considérée comme un règlement de comptes avec le théâtre des années 50.

L. Dy.

FICHIER PARISIEN. Ouvrage de l'écrivain français Henry de Montherlant (1896-1972), publié en 1952, avec photographies de Joublin. *Fichier parisien* se présente sous la forme d'une succession de textes courts, sortes d'essais, dont les titres demeurent évocateurs : « Auteuil l'été », « Rochechouart août 1944 », « Le Cimetière Saint-Vincent », « Pantin-Parisien ». L'auteur nous décrit certaines parties insolites, le plus souvent misérables, de Paris ou de la proche banlieue, tel ce « Pantin-Parisien » : « Tout cela est ponctué de forts, de prisons, d'abattoirs, de cimetières et d'asiles d'aliénés. » Avec une verve mordante, un sens aigu de l'observation, Henry de Montherlant nous entraîne dans les rues sordides du quartier Rochechouart, sous l'occupation allemande, ou dans le sinistre cimetière de Pantin. Deux textes, « La Visite » et « Le Goûter », lui ont été inspirés par son activité dans une œuvre d'assistance aux enfants français atteints par la guerre. En outre, dans « Jardin des Supplices » (le Jardin des Plantes), il dénonce la condition déplorable des animaux captifs : « Misérables bêtes, rivées dans cet enfer, et qui n'avez même pas la ressource de vous suicider ! » *Fichier parisien,* c'est aussi la description du pittoresque restaurant « Au rendez-vous des Marquises », où se retrouvent les aristocrates de cœur ; c'est le « Champ de courses d'Auteuil », le vélodrome, et c'est encore la douceur d'un après-midi de septembre passé à écrire dans le square des Invalides. Comptable d'instants et de lieux privilégiés, Montherlant nous entraîne dans un Paris tantôt pittoresque et rassurant, tantôt angoissant et insolite.

FICTIONS [*Ficciones*]. Œuvre de l'écrivain argentin Jorge Luis Borges (1899-1986). Il s'agit d'un recueil d'histoires courtes, publiées entre 1941 et 1944, que définit fort bien le titre de *Fictions :* Borges fait brièvement évoluer de singuliers personnages dans un monde de fantaisie, au milieu de circonstances ingénieusement combinées. Histoires courtes : Borges s'est fait une loi. Le développement d'une idée lui paraît « appauvrissant ». Chaque « Fiction » propose d'emblée une énigme ou un paradoxe, fait entrevoir un secret. Dans « Tlön », il évoque une fausse planète construite de toutes pièces par une sorte de société secrète dont l'œuvre se poursuit à travers les temps ; univers illusoire « avec ses architectures et ses querelles, avec la frayeur de ses mythologies et la rumeur de ses langues... ». À la fin intervient « l'intrusion du monde fantastique dans le monde réel ». « La Recherche du caché » est un conte oriental : un étudiant de Bombay se livre à la longue et progressive recherche d'un individu A, qui s'est reflété dans B, qui s'est reflété dans C, etc. jusqu'à cet être médiocre sur lequel il a saisi, imperceptible, une clarté venue d'ailleurs. Dans « La Bibliothèque de Babylone », un personnage qui dit « je » fait pénétrer le lecteur dans une bibliothèque vertigineuse qui est aussi l'univers ; vision à la fois métaphysique et satirique, riche de multiples résonances. Plusieurs essais se présentent comme des énigmes policières : ainsi « La Mort et la Boussole » ou « Le Jardin aux sentiers qui bifurquent ». Dans le premier, le détective Lonnrot se laisse prendre au piège de trois meurtres rituels ou qu'il croit tels, et fournit à Scharlach le moyen de le tuer de la manière la plus savante. Dans le second, la scène est en Angleterre en 1916 : un espion chinois, se sachant perdu, transmet à l'Allemagne son ultime renseignement en exécutant un certain Albert qui vient de lui révéler le secret de son ancêtre Ts'ui Pên, et pour lequel il éprouve de l'amitié. « Les Ruines circulaires » font surgir un « homme taciturne » qui veut imposer à ses rêves une sorte de puissance créatrice et dont on apprend à la fin qu'il n'est lui-même que le rêve d'un autre. Chaque fois, à partir de postulats saugrenus, Borges élabore les constructions les plus logiques et les plus irréfutables. Mais autour de la tige centrale foisonnent toutes sortes d'arabesques.

Le dosage toujours différent du réel et du fictif contribue d'ailleurs à cette insécurité délicieuse ; Borges présente ses fantaisies avec une telle richesse de détails qu'elles en tirent en quelque manière existence et authenticité ; il indique ses sources ou ses pseudo-sources, donne des dates, accumule les chiffres et références avec une précision humoristique pour confondre le lecteur. Il y a du reste, dans une certaine mesure, un « réalisme » dans *Fictions* : l'action est en général située, le cadre est volontiers indiqué — réalité quasi planétaire d'un écrivain voyageur, l'Orient, la Tchécoslovaquie, l'Argentine, l'Angleterre... Mais à vrai dire, Borges recrée librement son univers : c'est « un Buenos Aires de rêve » qui sert de décor à « La Mort et la Boussole », avec, en surimpression, tous ces personnages qui portent « des noms allemands ou scandinaves ». Ailleurs encore le caractère parfaitement arbitraire de ces constructions n'est nullement dissimulé : et c'est alors l'univers onirique. Tels sont ces jardins et ces labyrinthes qui hantent Borges, surgissant d'une manière inopinée et quasi gratuite. Constructions troublantes par leurs symétries et leurs secrètes « correspondances ». Un vertige saisit devant ces galeries, ces couloirs, ces statues au double front, ces miroirs (une des obsessions de Borges), ces échos muets, comme devant cette immense bibliothèque de Babylone qui « se compose d'un nombre indéfini, et peut être infini, de galeries hexagonales ». Le décor ici, on le sent, tourne au symbole, devient comme intérieur à la pensée. Les personnages entrent d'autant mieux dans ce jeu qu'ils n'ont pas de caractère vraiment individuel. Les jeux de miroirs s'appliquent du reste également à eux, si bien que, de façons diverses, le doute est jeté sur leur identité. « Cet homme apeuré me faisait honte comme si c'était moi le lâche... Ce que fait un homme, c'est comme si tous les hommes le faisaient. » « ... je suis les autres, n'importe quel homme est tous les hommes » (« La Forme de l'épée »). Et à la fin du même essai, les personnages sont intervertis soudain d'une manière dramatique et éblouissante. Dans « Trois versions de Judas », Dieu fut Judas, et non Jésus. Dans « Les Ruines circulaires », le rêveur est aussi le rêvé. Kilpatrick, le héros irlandais du « Thème du traître et du héros », est aussi le traître ; traître, il redevient héros dans une mort théâtrale qui l'escamote définitivement. En dehors du temps et des problèmes, ces exercices si déliés invitent le lecteur à s'émerveiller, non seulement devant ces acrobaties de l'intellect, mais encore devant les délices de l'instant, dans ce qu'il a d'unique et d'« irrécupérable ». L'une des langues de Tlön traduit cet impressionnisme. Funès a le pouvoir « accablant » de saisir la totalité du présent, « chaque fissure et chaque moulure des maisons précises qui l'entouraient ». Tel est également « Le Miracle secret » : pour le condamné à mort le temps s'est arrêté. Cette appréhension intense du fugace, ce pouvoir de métamorphoser le temporel en éternel, cela s'appelle après tout poésie.

Une langue castillane d'une exceptionnelle densité traduit cette sorte d'éblouissement devant la fraîche vivacité des impressions. Borges semble éprouver un vif plaisir à manier de façon audacieuse et imprévue les termes exacts, à rapprocher avec une brillante agilité les expressions les plus détonantes. Et l'on retrouve ici à la fois son goût du paradoxe, son sens de l'humour et une certaine idée d'un univers total aux secrètes analogies. Richesse multiforme, par conséquent, de ces essais si pleins, où s'expriment une intelligence aiguë et une sensibilité d'artiste. Le lecteur, qui a participé, comme on l'a vu, à la dialectique borgésienne, y trouve, plus qu'un stimulant, une sorte de délectation créatrice ; il « est aussi l'auteur ». C'est dire que ces *Fictions* vont au-delà d'un jeu. — Trad. Gallimard, 1951.

FIDÈLE ECKART ET TANNHÄUSER (Le) [*Der getreue Eckart und die Tannenhäuser*]. Ce conte de l'écrivain allemand Ludwig Tieck (1773-1853) comporte deux parties. Il fut publié dans les *Poèmes romantiques* et, au dire de l'auteur, il fut écrit en une nuit. C'est la vieille histoire du héros, Eckart qui, fidèle au duc de Bourgogne, sauva le royaume de ce dernier en sacrifiant un de ses fils. Étant néanmoins tombé en disgrâce, il vit ses deux autres fils décapités par son ancien maître — ce qui n'ébranla point son ancienne fidélité. En quelque autre occasion il secourut le vieux duc. Finalement, ce dernier fit amende honorable, voulut l'avoir à ses côtés jusqu'à sa mort et lui laissa la tutelle de ses jeunes fils. Eckart, modèle de fidélité, mourut en défendant les jeunes gens contre les charmes diaboliques de la montagne de Vénus. Quatre siècles plus tard, la légende revit dans l'imagination du chevalier de Tannhäuser, descendant d'un ancien écuyer du duc de Bourgogne. S'adonnant aux plaisirs, il parcourt le monde en racontant l'histoire de ses crimes imaginaires. Un jour, poussé par le démon, il tue une femme qu'il a autrefois aimée et entraîne avec lui, dans le gouffre que la montagne a ouvert à ses pieds, son ancien rival, devenu par la suite l'époux de cette femme. Bien que moins belle que *Le Blond Eckbert* (*), cette fable est pourtant très suggestive. Comme le dit Haym, c'est toute « la magique et terrible puissance avec laquelle l'infernal magicien de la montagne de Vénus agit sur la sensualité » qui est ici évoquée.

FIDÈLE SERVITEUR DE SON MAÎTRE (Un) [*Ein treuer Diener seines Herrn*]. Drame historique de l'écrivain autrichien Franz Grillparzer (1791-1872), représenté en 1828. La pièce reprend dans ses grandes lignes, mais dans un autre esprit, le sujet de *Bank Ban* (*), drame historique de l'écrivain hongrois József Katona (1792-1830). Avant de quitter son pays pour une expédition militaire, le roi Andreas place un de ses conseillers, le vieux Bancbanus (Bank Ban), auprès de la reine Gertrude à qui est confié le pouvoir. Femme orgueilleuse et superficielle, la reine adore aveuglément son frère — le prince Otto von Meran — dont elle couvre les faiblesses. Otto s'éprend d'Erny, la jeune et belle épouse de Bank Ban : repoussé, il demande un entretien. Gertrude, au courant des intentions de son frère mais incapable de s'y opposer, se prête à la machination. Otto tente d'enlever Erny de force : pour lui échapper, Erny se tue. Bank Ban lui-même protège alors Otto et la reine de la fureur des siens, et lorsque Gertrude trouvera la mort dans sa fuite, c'est lui qui sauvera son enfant, le petit Bela. Les familiers de Bank Ban, incitant le peuple à la rébellion, se lancent à la recherche du prince et de l'enfant cachés dans les bois. Le roi Andreas revient sur ces entrefaites : trouvant le pays en pleine révolte, il s'apprête à prendre la ville d'assaut ; c'est alors que paraît Bank Ban accompagné des chefs de la conjuration et implorant pour eux la clémence du souverain. La colère du roi s'apaise en retrouvant le petit Bela : les rebelles ne seront punis que de l'exil, tandis qu'Otto, avouant publiquement ses fautes, réhabilite la mémoire d'Erny. L'auteur fut accusé d'avoir fait l'apologie de la servilité dans une période de lutte ardente « contre les tyrans » ; mais ce reproche n'est pas fondé. En effet, l'honneur du héros tient dans le dévouement absolu qu'il professe à l'égard de l'État, en dehors de toute considération personnelle ; ainsi s'explique son apparente froideur sentimentale.

FIDELIO ou l'Amour conjugal [*Fidelio oder die eheliche Liebe*]. Opéra en deux actes, musique du compositeur allemand Ludwig van Beethoven (1770-1827). Cet opéra, qui contrairement à la tradition française comporte des dialogues parlés, a été exécuté pour la première fois le 20 novembre 1805 sous le titre de *Leonore*, sur un texte de J. N. Bouilly dont s'étaient déjà servis deux musiciens, le Français Gaveaux en 1798, l'Italien Paer en 1805. La *Leonore* (*) de Beethoven fut mal accueillie. L'ouvrage fut remanié à deux reprises avec des modifications du livret dues à Breuning puis à Treitschke avant de reparaître en 1814, cette fois sous son titre définitif de *Fidelio* et avec un plein succès. Pour *Leonore*, Beethoven avait écrit trois versions de l'ouverture. Pour *Fidelio*, il en écrivit une quatrième, moins brillante, sous forme de simple prélude. *Leonore* I devait accompagner une exécution à Prague en 1807, mais n'a jamais été utilisée ; elle a paru comme *Ouverture caractéristique posthume*, op. 138. *Leonore* II accompagnait la version de 1805. *Leonore* III, la plus belle et la plus connue, accompagnait le remaniement de l'année suivante pratiqué par Breuning, l'ami de Beethoven. Elle est en ut majeur comme la deuxième.

Le premier acte se passe dans la cour d'une prison d'État espagnole. Marceline, fille du geôlier Rocco, repousse le portier Jaquino, parce qu'elle aime le jeune commis Fidelio récemment engagé par son père. Dans un cachot croupit un prisonnier, Florestan, poursuivi par la haine du gouverneur Pizarro. Celui-ci enjoint à Rocco de tuer Florestan. Rocco refuse ; Pizarro décide de le tuer lui-même. Mais Fidelio, qui a tout entendu, n'est autre que la femme de Florestan, Léonore, dissimulée sous ce travesti pour essayer de le sauver. Dans une scène musicale remarquable par sa puissance et sa variété, Léonore exprime tour à tour son effroi, sa colère, sa confiance dans la protection divine, sa foi dans l'amour et sa résolution de sauver le captif. Les autres prisonniers viennent, un moment, respirer l'air dans la cour : c'est là qu'ils chantent ce splendide adieu à la liberté qui termine le premier acte. Un court prélude, sombre et tragique, annonce le deuxième acte, qui se passe dans le cachot de Florestan prêt à la mort. Rocco et Léonore surviennent pour creuser sa tombe et chantent un duo lugubrement accompagné par un orchestre descriptif utilisant déjà, très dramatiquement, quelques procédés (rappels de motifs, évocation poétique) dont Wagner fera plus tard un système. Léonore offre à Florestan un dernier morceau de pain : le duo tragique devient trio dramatique orienté vers une croissante sérénité. Pizarro surgit pour tuer lui-même son prisonnier. Léonore soudain s'interpose, révèle qui elle est, et menace Pizarro de son pistolet. Au même instant retentit une sonnerie de trompette, annonçant l'arrivée du ministre qui vient inspecter la prison. Pizarro et Rocco sortent pour le recevoir. Florestan et Léonore chantent en duo l'amour et la liberté. Ici, on a pris l'habitude de jouer, avant le dernier tableau, l'ouverture *Leonore* III. C'est un contresens dramatique qui rompt l'unité des deux derniers tableaux. On devrait, par contre, jouer la petite marche militaire que Beethoven a écrite comme prélude au dernier tableau où l'on voit, dans la cour de la prison, les captifs acclamer le ministre Fernando. Celui-ci s'étonne de trouver ici son ami Florestan qu'il croyait mort. Rocco lui raconte le subterfuge héroïque de Léonore. On entraîne Pizarro vers son châtiment, pendant que Léonore détache les chaînes de Florestan, page lente et de caractère religieux tirée d'une ancienne cantate que Beethoven avait écrite vers sa vingtième année. L'opéra s'achève sur un hymne à l'amour conjugal qui n'est pas sans préfigurer déjà l'*Hymne à la joie* qui conclura plus tard la *Symphonie n° 9* — v. *Symphonies* (*) de Beethoven. Les pages capitales de l'opéra sont celles où Beethoven traduit l'élévation de son idéalisme et sa foi dans le devoir humain. Quelques incertitudes (comme l'excès du caractère opéra-comique et sentimental au début du Ier acte) proviennent des remaniements, mais la puissance dramatique n'a pas échappé à Weber (pour son ouverture du *Freischütz*), non plus qu'à Liszt et à Wagner qui virent, à juste titre, dans *Fidelio* une des sources du drame lyrique moderne.

FIERABRAS. Chanson de geste française du XIIe siècle en laisses d'alexandrins aux rimes assonantes. Elle se rattache à un poème plus ancien, perdu, où l'on voit le roi sarrasin Balan et son fils Fierabras s'emparer de Rome et emporter de saintes reliques. Dans la chanson de *Fierabras*, Balan fuit en Espagne avec les reliques et Charlemagne prend les armes contre lui afin de reconquérir les objets sacrés. Fierabras est fait prisonnier mais, du côté des chrétiens, Olivier et quelques autres paladins tombent aux mains des sarrasins. Ils trouvent cependant du secours auprès de Floripas, fille de Balan, belle sarrasine qui est éprise de l'un d'eux, Guy de Bourgogne. Après une succession d'aventures et d'épisodes pittoresques, Charlemagne arrive au pays des païens : là il sort vainqueur d'un combat avec Balan, qu'il tue et dont il partage le royaume entre Fierabras, désormais converti, et Guy de Bourgogne qui épouse Floripas. Enfin il retourne en France, emportant avec lui les reliques de la Passion. Il s'agit donc, ici, d'une des chansons de geste en l'honneur des saintes reliques, comme *Le Pèlerinage de Charlemagne à Jérusalem* (*) : en effet la reconquête des reliques constitue le thème fondamental sur lequel se centre l'action qui se passe trois ans avant la défaite de Roncevaux, sujet de la *Chanson de Roland* (*). Aucun autre poème épique français ne rencontra peut-être autant que celui-ci la faveur des masses ; les nombreuses traductions, versions, allusions dans d'autres œuvres, pendant les siècles postérieurs, sont là pour en témoigner. Au XIIIe siècle, le poème fut traduit en provençal. En 1478, on en fit une version en prose française : *Le Roman de Fierabras le Géant ;* le même récit fut inséré, en 1588, dans le *Roman des conquêtes que fit le grand roi Charlemagne et des prouesses de Fierabras* également en français : Mary Lafon en fit une version en français moderne, *La Légende nationale de Fierabras.* En 1528, Nicola di Piamonte le traduisit en prose castillane dans l'*Historia del emperador Carlomagno y de los doce pars de Francia,* d'où il fut traduit en portugais aux XVIIIe et XIXe siècles. — *Fierabras* a été édité par A. Kroeber et G. Servois (Paris, « Anciens Poètes », 1860).

★ C'est dans la chanson de Fierabras que puisa Calderón de la Barca pour son drame *La Puente de Mantible ;* et le poète Juan-José Lopez en fit des « romances » épisodiques. En Italie, on eut au XVe siècle *El Cantare de Fierabraccia et Ulivieri,* et en Angleterre, entre la fin du XIVe siècle et le début du XVe siècle, *Sir Ferumbras,* qui est une libre version en vers de l'antique chanson de geste.

FIERS (Les) [*Los bravos*]. Roman de l'écrivain espagnol Jesús Fernández Santos (né en 1926), publié en 1954. La narration est écrite selon la technique de la caméra objective. Au cœur du vieux pays de León, un village sans nom, situé loin des grandes routes, se meurt lentement parmi les bourrasques de l'hiver et les chaleurs brutales de l'été. Trop pauvre pour reconstruire l'église détruite durant la guerre civile, il n'a plus de curé, mais il possède encore son auberge misérable, sa patache qui le relie à la ville, sa forge et sa poignée de maisonnettes poussiéreuses. Il a aussi son cacique, don Prudencio, un homme riche auquel on n'ose pas reprocher de vivre en concubinage avec sa servante, la belle et énigmatique Socorro. À ces ruines s'accrochent les « fiers », des hommes nostalgiques, un peu primitifs, dont un jeune médecin venu de Madrid tente de partager l'existence. Le médecin débute, il porte des vêtements noirs pour essayer de faire oublier son extrême jeunesse. Peu à peu, il pénètre dans la vie routinière des « fiers », surprenant leurs préoccupations, leurs préjugés, leurs complexes. Les rapports se gâtent quand, appelé au chevet de don Prudencio, le médecin découvre Socorro. Il la désire, parvient à la séduire et, finalement, profitant d'un voyage du cacique, l'enlève à celui-ci. Un second événement vient alourdir encore l'atmosphère le jour où un étranger se présente au village, envoyé, affirme-t-il, par une banque, pour proposer aux habitants de placer leurs économies contre une forte rente annuelle. La plupart, à l'exception de don Prudencio, acceptent. Il s'agit, bien entendu, d'un escroc, qui disparaît bientôt avec les sommes confiées. Un soir qu'il redescend de la montagne où il est allé soigner un berger, le médecin rencontre le faux courtier qu'un montagnard traîne ligoté sur un cheval. Il a été démasqué et roué de coups dans un autre village. Le médecin obtient qu'on lui confie l'escroc pour les premiers soins, mais en cours de route il se heurte aux « fiers », décidés à châtier l'homme qui les a dupés. Son devoir lui commande de protéger le blessé désormais sans défense, de l'emmener chez lui afin de le remettre, le lendemain, aux gendarmes. Les « fiers », déçus dans leur soif de vengeance, se détournent de lui et ne lui adressent même plus la parole. L'histoire, en fait, ne s'achève pas. Le médecin, se rendant compte qu'il ne peut vivre séparé des « fiers », n'accepte pas l'échec. Quand don Prudencio meurt, il achète sa maison et s'y installe avec Socorro malgré la réprobation secrète du village. Triomphera-t-il de l'hostilité ? Ou, au contraire, échouera-t-il ? Sur cette interrogation prend fin l'une des meilleures fictions inspirées par la réalité à la fois fruste et fascinante des hautes terres espagnoles, à une époque encore très proche. — Trad. Gallimard, 1958.

C. C.

FIFI BRINDACIER [*Pippi Långstrump*]. Roman de l'écrivain suédois Astrid Lindgren (née en 1907), publié en 1945. Premier volet d'une trilogie qui comprend également *Fifi s'embarque* [*Pippi Långstrump går ombord,* 1946] et *Fifi dans les mers du Sud* [*Pippi Långstrump i Söderhavet,* 1948], cette œuvre raconte l'histoire extraordinaire et cocasse d'une fillette de neuf ans qui habite seule une maison de bois au milieu d'un jardin sauvage dans une petite ville suédoise. Quasi orpheline, puisque sa mère est morte et que son père règne sur une lointaine île africaine, elle a pour étonnants compagnons un singe et un cheval. Pourtant Fifi ne souffre guère de cette solitude qu'elle compense par sa joie de vivre, une force prodigieuse et un solide humour. Tous ces atouts et un trésor de pièces d'or lui confèrent une merveilleuse liberté qu'elle entend bien sauvegarder. Ce personnage hors du commun, au comportement extravagant, éveille stupeur et admiration chez ses amis Tommy et Annika, deux enfants modèles du voisinage. Avec une joie mêlée de crainte, ceux-ci se laissent entraîner dans des aventures débridées, inlassablement imaginées par une Fifi toujours spontanée, débordante d'idées saugrenues et volontiers irrespectueuse.

Elle affiche une totale indépendance d'esprit et de comportement, et renverse les valeurs bourgeoises au grand dam des adultes. En plaçant l'enfant au centre de ses préoccupations, Astrid Lindgren se fait l'interprète d'une évolution sociale qui bouleverse les conceptions traditionnelles sur l'éducation. En s'insurgeant contre le discours moralisateur adressé aux enfants et les méthodes autoritaires d'apprentissage, elle fait œuvre de pionnière et révolutionne la littérature enfantine. Elle prend résolument le parti de l'enfance dont elle adopte la perspective avec un rare bonheur pour critiquer l'univers conformiste des grandes personnes. Le burlesque des situations où réel et imaginaire se confondent, le ton à la fois naturel et d'une drôlerie irrésistible renforcent encore la portée de ce pamphlet, véritable hymne à l'émancipation de l'enfant. – Trad. *Fifi Brindacier,* Hachette-Jeunesse, 1988 ; *Fifi princesse,* Hachette-Jeunesse, 1989.

M.-B. L.

FIFINE À LA FOIRE [*Fifine at the Fair*]. Poème de l'écrivain anglais Robert Browning (1812-1889), publié en 1872. Dédié à la fidélité conjugale, ce poème est supérieur à tous ceux qui suivirent *L'Anneau et le Livre* (*) par la vigueur de la pensée et la puissance de l'imagination qui l'animent. Le héros raconte comment il a rencontré à la foire Fifine, danseuse de corde, et comment il s'en est épris. Il loue ses mérites, discute de ses défauts, la compare aux grandes dames du temps passé ; il rassure cependant sa femme, Elvire, qu'il déclare supérieure à toutes les femmes. Néanmoins, il partira et rejoindra Fifine, mais il meurt, puni de son infidélité. Le poème se termine sur ces mots : « L'amour est tout, la mort n'est rien. » Le protagoniste, plus qu'un amant, est un chercheur de vérité et, en cela, il ressemble à Browning. Le poème est d'une lecture difficile ; certains le traitèrent de rébus plutôt que de poème. Il contient de nombreuses beautés, un peu voilées par des complications psychologiques et par ces célèbres divagations si caractéristiques de la manière de l'auteur. Browning lui-même devait définir son poème comme « le plus hardi » qu'il ait écrit après *Sordello* (*). Rappelons le jugement que porta Swinburne : tout en estimant que *Fifine à la foire* était « la meilleure composition de Browning », il fit remarquer combien le ton déclamatoire qui y régnait était peu propre à dissiper « cette confusion que l'on n'aurait jamais pu supposer être le fait d'un tel esprit ».

FIGURANTS (Les) [*Bipersonerne*]. Roman de l'écrivain danois Peter Seeberg (né en 1925), publié en 1956. Ce premier roman est un classique de la littérature danoise contemporaine. Unique dans son genre, une sorte d'impressionnisme extrême, il raconte à travers une centaine de situations, vues du dehors et relatées avec une précision et une économie narrative rigoureuses, la vie quotidienne de jeunes gens du Service du travail obligatoire (S.T.O.), pendant une semaine, à Berlin en 1943. Il sont employés, dans des studios cinématographiques à l'extérieur de la ville, à monter et démonter les décors d'un film de propagande qui ne sera jamais réalisé. Ce sont tous des travailleurs déportés, sauf un, le Danois Sim (subjonctif du verbe « être » en latin) qui, lui, est venu de son propre chef dans l'espoir de vivre des événements suffisamment forts pour l'arracher à la léthargie et au sentiment de non-existence qui sont les siens, mais que, d'une certaine façon, ils ont tous en commun. Figurants dans l'Histoire, figurants dans leur propre vie, ils fuient la réalité et sont incapables d'exister au sens transcendantal du terme. En face de Sim se dresse l'énigmatique personnage du Balte que la guerre a dépouillé de tout, jusqu'à son nom, jusqu'à l'usage de la parole, de la mémoire même, mais qui trouve néanmoins l'énergie nécessaire pour jouer le rôle du Bon Samaritain. Il y a aussi l'Italien Marino qui s'évade parce que le travail dans les studios nuit à son talent d'artiste peintre. Enfin les autres représentent les différents moyens d'adaptation allant de la « reconstruction » sentimentale du foyer à la résignation nihiliste plus ou moins violente. Sans pour autant en faire des héros, l'intérêt du roman se concentre sur Sim et le Balte, les sans-identité. La présence volontaire de Sim dans le camp est en effet le résultat d'une fuite. Il aurait pu trouver les événements forts, qu'il est venu chercher, chez lui en s'engageant dans la Résistance par exemple. Mais Sim est un orgueilleux qui exige que tout vienne à lui, s'impose de l'extérieur, jusqu'au sens de la vie même. Son rendez-vous avec le destin sera donc éternellement manqué car, comme dit l'un des autres travailleurs : « Il n'est pas du tout ici, il est caché quelque part dans un recoin de lui-même. » Éternel lésé de l'existence, sa quête précisément l'empêche de trouver ce qu'il cherche. Le Balte par contre, qui a tout perdu et qui, un jour, à la surprise générale, se met à parler, et ce avec une étrange autorité, parvient à faire de son propre état de vacuité la condition nécessaire pour renouer avec lui-même et les autres, dans un rapport authentique. Lui seul réussit à accepter l'absurdité comme point de départ ; lui seul ne s'attend à rien du dehors, comme Sim et les autres : « Ils ne savaient pas qu'ils vivaient, ne le sauraient jamais. Eux seuls à qui il arriverait de traverser une longue mort et d'envisager la solitude sans crainte... » Ainsi le roman livre-t-il sa réponse au problème de l'absurde : si l'homme exige un sens au monde, celui-ci ne peut venir que de l'homme. Mais il faut qu'il devienne comme le Balte, fasse table rase de son moi, de sa propre conscience ; qu'il comprenne que c'est son désir même d'exiger un sens au monde qui l'empêche de le trouver là où il est.

K. P.

FIGURE HUMAINE [*Il quinto stato*]. Roman de l'écrivain italien Ferdinando Camon (né en 1935), publié en 1970. Récit en forme de monologue, *Figure humaine* plonge le lecteur dans un monde vivant hors de l'histoire, en marge de la civilisation, celui des paysans de la basse plaine du Pô. Le narrateur, que l'on ne peut tout à fait confondre avec Camon lui-même, bien que la dimension autobiographique soit évidente, a été l'un de ces paysans, et raconte son enfance d'après guerre, se faisant le porte-parole de cette communauté sans âge et sans voix. Le livre s'ouvre sur la description du village – des maisons isolées, dont les habitants semblent à peine se connaître, des chemins creux qui ne mènent nulle part sinon aux brumes du fleuve, le cimetière, l'église, le bistrot. Le récit procède par associations d'idées, enchaînant en un flux ininterrompu, dans une langue totalement originale, « contamination » entre le dialecte et la langue littéraire, les anecdotes tragiques ou comiques, l'évocation des familles du village, des coutumes, des superstitions ; c'est le rituel de l'abattage du cochon ou de la « couture » des yeux des poules couveuses, celui des approches amoureuses et du repas de noces ; c'est la mort de Biscazzo, dont le diable, « perché sur les poutres », battant des ailes, attend l'âme, pour le plus grand dépit du prêtre, ou encore le procès en béatification de la Bojona, assommée « d'un coup de béquille sur le crâne par son fils infirme ». Mais c'est aussi l'intrusion de l'Histoire dans le temps immobile du village, avec le passage d'une patrouille allemande, ce dont personne ne s'étonne puisque la guerre est toujours présente à l'horizon des paysans depuis la descente d'Attila, l'homme-chien : comme lui, les Allemands aboient, comme lui, ils tuent et dévastent ; la fable et l'Histoire se rejoignent. Pour le narrateur, le temps se remet en mouvement avec l'arrivée de Patrizia, une fillette de la ville que sa famille hébergea quelques semaines. C'est un autre monde qu'elle lui fait découvrir et surtout une autre langue, « une langue étrangère » : or ce ne sont pas les mots seuls qui diffèrent, mais les choses elles-mêmes, « si bien que pour changer de mots et de prononciation il faut changer de milieu ». Dès lors, le narrateur, fasciné, comprend qu'aucune de ses pauvres richesses ne pourra convaincre Patrizia de rester avec lui. C'est donc lui qui devra fuir, rejoindre la ville, « merveilleuse vision » sur laquelle se clôt le récit. *Figure humaine,* premier roman de Ferdinando Camon, inaugure le *Cycle des derniers,* qui comprend deux autres romans, *La Vie éternelle* [*La vita eterna,* 1972] et *Apothéose* (*) (1978). Ce que décrit Camon, c'est le dernier échelon de la pyramide sociale, un sous-prolétariat agricole situé plus bas encore que le sous-prolétariat urbain. Vouée à une inéluctable disparition, la civilisation paysanne agonise silencieusement. Pourtant, le passage à la ville n'est qu'une pseudo-alternative, une libération fictive qui ne peut déboucher que sur l'aliénation. – Trad. Gallimard, 1976. M. M.-C.

FIGURE HUMAINE. Cantate pour double chœur mixte a cappella du compositeur français Francis Poulenc (1899-1963). Composée en 1943 sur des poèmes de Paul Éluard, extraits de recueils écrits durant la guerre – *Poésie et Liberté ; Au rendez-vous allemand* (*) –, l'œuvre évoque, à l'instar de la mélodie « C » (sur un poème d'Aragon), qui date de la même année, les souffrances du peuple de France sous l'Occupation allemande, sa révolte contre l'asservissement, sa foi en la libération finale. C'est précisément le poème « Liberté » qui forme la huitième et dernière partie de cette cantate, et en constitue la rayonnante et symbolique conclusion. Musicalement, la partition est certainement l'une des plus grandes réussites de Poulenc : ses dons innés pour l'art choral qui s'exprimaient déjà dans les *Sept chansons pour chœur a cappella* (*) de 1936 et la *Messe en sol majeur* (*) de 1937 éclatent ici avec une richesse expressive, une puissance, une souplesse polyphonique alliant la solidité à la clarté, en dépit de la complexité de l'écriture qui pose aux interprètes de redoutables problèmes techniques. Comme dans la *Messe* et les *Sept Chansons*, Poulenc ne s'écarte ici à aucun moment des tendances essentielles de son art si personnel : le lyrisme, la grandeur du texte, sa tendresse ou sa véhémence n'incitent jamais le compositeur à la grandiloquence, à une émotion abusivement soulignée. Cette épopée de la conscience française enchaînée trouve sa parfaite traduction musicale dans le cadre d'une esthétique toute française elle aussi, faite de force et de sensibilité maîtrisée, que ce soit dans les épisodes élégiaques, « Toi ma patiente » (quatrième partie), « Le jour m'étonne et la nuit me fait peur » (sixième partie), tourmentés (septième partie) ou lyriques (Liberté). La conclusion de l'œuvre en particulier, qui suit après un long silence la véhémence magnifiquement construite du tutti final de la septième partie, mériterait presque à elle seule de figurer parmi les plus grandes œuvres chorales écrites au XXe siècle. F. Poulenc a su tirer un parti admirable de la « rigidité » même du long poème strophique, aux quatrains de forme immuable, faisant alterner le premier et le second chœur sur les mots « j'écris ton nom » inlassablement répétés, cependant que le tempo suit une progression rigoureusement construite allant du calme initial à un mouvement très animé illustrant admirablement la volonté opiniâtre qui ressort du texte, jusqu'à l'ample magnificence du mot final : Liberté. *Figure humaine* fut exécutée en première audition en anglais, à Londres, en janvier 1945, par les chœurs de la B.B.C., et en France, au concert de la Pléiade en mai 1947.

FIGURES. Titre donné par le critique français Gérard Genette (né en 1930) à trois recueils d'essais publiés en 1966 *(Figures)*, 1969 *(Figures II)* et 1972 *(Figures III)*. Située au cœur des débats de la « nouvelle critique », qu'elle alimenta en son temps, cette suite dépasse de loin les limites étroites de l'« événement », pour s'identifier désormais, dans l'histoire de la critique, au renouvellement de la tradition rhétorique.

S'interrogeant sur la survie de cette tradition au sein de notre institution scolaire, dans *Figures II* (« Rhétorique et enseignement »), Gérard Genette décrit la transmutation d'une discipline avec laquelle il se propose de renouer. Son domaine d'investigation n'est donc pas tant celui des œuvres que le discours « sur » les œuvres, une « métalittérature » dont les antécédents vont d'Aristote à Valéry et Paulhan, en passant par Cicéron, La Harpe, Dumarsais et Fontanier.

Au discours rhétorique, il emprunte en effet quelques précieuses formules. Un titre, d'abord (« Figures ») explicité par l'un des dix-huit essais (lui-même intitulé... « Figures ») du premier volume, où l'auteur signe la mort de l'« ancienne rhétorique », non sans retenir d'elle l'« exemple », la « forme », l'« idée paradoxale de la littérature comme un ordre fondé sur l'ambiguïté des signes, sur l'espace exigu, mais vertigineux qui s'ouvre entre [...] deux langages du même langage ».

Héritage encore des rhétoriciens, ce souci des taxinomies, qui consiste chez Gérard Genette à fourbir les instruments conceptuels, à nommer les catégories et les processus qui rendent compte de la totalité des œuvres. Ainsi, « Discours du récit », qui occupe à lui seul presque tout *Figures III*, désigne, dans l'ordre narratif, les aspects du temps (les relations temporelles), du mode (la mise en perspective du récit) et de la voix (le statut du narrateur), et leur comportement sur le plan de l'« histoire » (le contenu narratif), du « récit » (le texte narratif lui-même) et de la « narration » (« l'acte narratif producteur »).

Mais ici apparaît le renouvellement théorique : l'analyse, loin d'opérer in abstracto, est conduite à partir d'une œuvre jugée exemplaire : *À la recherche du temps perdu* (*). Dans son avant-propos, Gérard Genette avoue ne pouvoir se résoudre à choisir entre le discours « critique » et la « théorie littéraire ». La « narratologie » se construit donc pour lui dans un mouvement qui va du particulier au général. « En cherchant du spécifique, écrit Gérard Genette, je trouve de l'universel », et « en voulant mettre la théorie au service de la critique, je mets malgré moi la critique au service de la théorie ». Assumer en somme l'étude des données transcendantes à l'œuvre, et dont la critique ne saurait se passer, tel est bien l'objet d'une « poétique », au sens où l'entendait déjà Valéry. Or, à la différence des rhétoriques classiques, celle-ci n'a pas pour but d'« ériger en norme la tradition et [de] canoniser l'acquis », mais d'explorer les « divers "possibles du discours" ». « L'objet de la théorie serait ici non le seul "réel", mais la totalité du "virtuel" littéraire. » C'est donc, on le comprend rétrospectivement, à ce vaste projet que répondaient déjà les études de *Figures*, alternant entre réflexion théorique (« Structuralisme et critique littéraire », « Espace et langage »...) et des textes plus spécifiquement critiques (« Silences de Flaubert »). Le dessein narratologique se précisait dans *Figures II* autour de *La Princesse de Clèves* (*), de Stendhal, de Saint-Amant et, déjà, de Proust (« Proust et le langage indirect »). Car c'est bien à Proust qu'il revient de faire éclater les formes classiques du récit, et ainsi d'offrir le champ le plus large possible à l'illustration d'une poétique du récit qu'énonce « Discours du récit », cet « essai de méthode "appliqué" à la *Recherche du temps perdu* ».

Le succès de l'ensemble tient sans doute au mouvement que dessine cet achèvement. Avec *Figures III*, la narratologie acquiert le statut reconnu d'une véritable discipline littéraire.

C. D.

FIGURES À L'HORIZON [*Demuyot meofeq*]. Œuvre de la poétesse israélienne d'origine russe Yocheved Bat-Myriam (1901-1980), publiée en 1962. De culture russe, Bat-Myriam a subi l'influence des poètes symbolistes, en particulier Blok et Akhmatova. Sa poésie est une poésie intimiste, pénétrée du souvenir d'événements autobiographiques et vibrant d'une sensibilité contenue. C'est une poésie de l'évasion et du rêve, où la réalité du monde extérieur n'est justifiée que par l'existence d'une vie intérieure et subjective.

FIGURES DE LA PASSION DU SEIGNEUR [*Figuras de la Pasión del Señor*]. Œuvre de maturité de l'écrivain espagnol Gabriel Miró (1879-1930), publiée en 1916-1917. Le livre présente une série d'estampes de Jérusalem aux jours de la crucifixion du Rédempteur : c'est une œuvre déliée, riche en symbolisme, lyrique et durement réaliste. La divinité du Seigneur émane du paysage lui-même. Ce sont des pages pleines de tumulte. L'art de Miró excelle dans la distribution de la matière. Le livre se divise en quinze chapitres qui constituent autant de tableaux véridiques, dédiés à une figure (Judas, Barabbas, Caïphe, Hérode, Pilate, la Samaritaine) ou à plusieurs figures, afin de faire ressortir plus librement l'opposition des caractères (Pilate et le Christ, les femmes de Jérusalem). Il se dégage de cette œuvre une émotion qui ne laisse pas d'aller jusqu'au fond de l'âme. L'auteur est si directement engagé dans la matière de son livre qu'il s'est dépassé lui-même. Il est probable que le résultat aurait été plus pur et plus brillant s'il avait davantage mis à profit, à côté du fonds spirituel, les richesses infinies de son art et la splendeur de sa langue.

FIGURES DU DISCOURS (Les). Traité du rhétoricien français Pierre Fontanier (fin XVIIIe-XIXe s.). Abordant la question des figures du discours, Fontanier ne pouvait guère éviter de se référer à son illustre prédécesseur Dumarsais, auteur d'un *Traité des tropes* (*) publié en 1730. L'ouvrage, issu des Lumières, continue à faire autorité au début du XIXe siècle, et c'est par précaution autant que par révérence que Fontanier, avant de faire connaître sa propre pensée, publie en 1818 un *Commentaire* des *tropes,* dont le succès décidera, dit-il, de la publication prochaine d'un traité général des figures. Ce n'est donc qu'en 1821 que paraît le *Manuel classique pour l'étude des tropes,* adopté par l'Université en vue de la classe de seconde et immédiatement couronné d'un immense succès. Le *Manuel* ne constitue cependant que la première partie d'un ensemble qui se propose de couvrir non seulement les figures de mots, mais aussi ce que Fontanier nomme les figures de construction, d'élocution, de style et de pensée. Le *Traité général des figures autres que tropes* sera publié en 1827. En 1968, sous le titre – projeté par l'auteur – *Les Figures du discours,* on a réuni les deux ouvrages.

Contrairement à ce qu'on pourrait penser, l'entreprise à laquelle s'attache Fontanier est pratiquement sans exemple avant et après lui. Depuis l'Antiquité (depuis Aristote en vérité), des traités s'étaient fixé comme objet la totalité du champ de la rhétorique, soit, selon la division traditionnelle, l'« inventio » (les arguments), la « dispositio » (la composition) et l'« elocutio » (le style). D'autres, comme Dumarsais, ne s'en prenaient qu'à un seul aspect de l'« elocutio », les figures, et parmi elles encore, seulement aux figures de signification. La première innovation de Fontanier consiste à avoir défini en extension la totalité du champ des « figures », et à s'y être intéressé spécifiquement. Son souci est en effet de définir aussi rigoureusement que possible ce concept par rapport à celui de « trope ». La figure, dit Fontanier, consiste en un écart non par rapport à l'usage (l'usage est en réalité saturé de figures), mais par rapport au « littéral ». D'où l'idée, contraire aux thèses de Dumarsais, et fructueuse dans sa précision, que tout trope (le mot désignant le changement de sens d'un mot) n'est pas figure, et que toute figure (fondée, elle, sur la substitution d'une expression à une autre) n'est pas trope.

L'autre nouveauté dont peut se réclamer le livre de Fontanier, c'est la classification remarquablement efficace qu'il propose des figures : sept « classes » en tout, quatre classes de figures non tropes, deux classes de figures-tropes (« figures de signification » et « figures d'expression »), à quoi s'ajoutent les « figures de diction ». Or Fontanier s'attache à montrer que cette division est à la fois exhaustive et irréductible : en quelques chapitres terminaux, il prend soin, par souci de perfection taxinomique, de justifier pleinement sa classification, ce qui, pour reprendre le mot de Gérard Genette, achève de conférer à Fontanier la stature d'un véritable « Linné de la rhétorique ». C. D.

FIGURES ET PARABOLES. Recueil de courts essais de l'écrivain français Paul Claudel (1868-1955), publié en 1936. De ces quelques méditations sur l'Écriture, on retiendra surtout « Mort de Judas » et « Le Point de vue de Ponce Pilate », où Claudel, un peu à la manière des antiques apocryphes, mais dans la droite ligne de l'orthodoxie, se livre à partir de l'*Évangile* (*) à une œuvre d'imagination éclairée par le dogme, essayant de retrouver le nœud du drame de Judas ou suivant, après le Calvaire, les épreuves de Ponce Pilate, marqué, malgré qu'il en ait, d'un signe mystérieux qui fait de lui un être séparé, désormais étranger, sans qu'il puisse en découvrir les raisons, aux cultes des Gentils : le « Marchand de colombes », où le poète éclaire magnifiquement la symbolique des sacrifices de l'Ancienne Loi tels que les prescrivait le *Lévitique* (*), avec les trois ordres d'hosties, quadrupèdes, oiseaux et farine pure de froment, chacun correspondant à un ordre de la société de telle manière que « plus l'offrant est pauvre... plus son sacrifice gagne en valeur significative ce qu'il perd en épaisseur et plus la forme s'en clarifie au détriment de la matière ». En chaque prescription liturgique, Claudel sait reconnaître la signification la plus spirituelle, par une symbolique qui n'est point plaquée de force sur le geste charnel, mais pénétrée au contraire au plus intime de ce geste pour lui faire livrer son sens. Le texte le plus important parmi ceux que rassemble ce volume est, sans conteste, « La Légende de Prâkriti », où Claudel, avec une vigueur étonnante, découvre un aspect chrétien de l'Évolution. Il reprend la théorie augustinienne des « raisons séminales » et montre tout l'univers comme une immense riposte à Dieu, qui cependant n'est point donnée d'un coup, mais approchée peu à peu, menée à sa perfection comme par une volonté mystérieuse, au prix d'innombrables essais, les uns continués et accomplis, les autres abandonnés comme si la nature s'était tout à coup aperçue qu'elle faisait fausse route. On dirait que la nature se souvient de l'empreinte de Dieu et qu'elle cherche, par un effort de conception et par un acte qui lui est propre, à affirmer le plus complètement dans les choses cette empreinte : « Prâkriti n'est pas une sorte de déesse immanente qui pourvoit comme dans un rêve à l'innombrable diversité des êtres... mais un artiste qui répond à la commande qui lui a été faite d'une pièce de circonstance par la construction d'un théâtre, par la mise en marche de toutes sortes d'ateliers et par la formation d'un pullulement d'acteurs, chacun dans sa petite capacité à sa place et à son moment. » Ainsi, il existe bien, comme le veulent les évolutionnistes, un effort et un progrès de la nature : mais cet effort obéit à un plan qui est de Dieu, ce progrès a un terme, qui est la perfection propre que le Créateur a accordée à son œuvre. C'est bien saint Augustin qui inspire ce texte : mais Claudel, avec cette étrange sympathie qu'il a pour tous les êtres, même les plus simples, sait restituer en une cinquantaine de pages tout un univers préhistorique avec ses monstres terribles, stupides ou ridicules, qu'il parvient pourtant à nous faire regarder avec moins de dédain ou d'horreur. Il nous fait songer que ce furent là les tentatives grandioses mais encore infantiles de la terre pour répondre à l'appel de Dieu qui voulait, au bout de ces tâtonnements, ce qui est encore, du moins pour le végétatif, le sensible, l'animal, le triomphe de Prâkriti, l'homme.

FIGURES POUR MON ABÉCÉDAIRE ou Des principes fondamentaux de ma pensée [*Figuren zu meinem ABC-Buch oder zu den Anfangsgründen meines Denkens*]. Recueil d'apologues, de fables et de contes moraux du pédagogue suisse d'expression allemande Heinrich Pestalozzi (1746-1827), publié à Bâle en 1797 et, dans une seconde édition, en 1803 : *Fables de H. P.* [*Fabeln von H. P.*] avec la seule variante du titre et d'une introduction. Ce volume constitue la suite logique de *Léonard et Gertrude* (*), que, dans son introduction à la troisième partie, l'auteur appelle « l'abécédaire de l'humanité ». Les fables de Pestalozzi visent à des buts politiques et sociaux, s'inspirant des idées qui précédèrent la Révolution française. Toute allusion personnelle en est exclue et l'auteur cherche surtout à mettre en évidence les bas instincts de l'homme, en opposition à la haute mission qui lui est assignée. Dans la préface à la première édition, l'auteur révèle l'idée centrale du recueil : « Tôt ou tard, la nature ne manque pas de se venger de toute action de l'homme dirigée contre elle. » Dans la préface à la seconde édition, il justifie la moralité ajoutée à chaque fable dans le but d'en éclairer la signification. Ces fables, composées entre 1780 et 1790, parurent irrégulièrement dans diverses publications. Elles connurent un grand succès auprès du public, mais furent mal vues des gouvernements européens encore absolutistes, qui les trouvaient dangereuses et trop hardies. Par ces additions, Pestalozzi entendait se poser en réformateur chrétien dans un pays démocratique et libre, et non comme un esprit révolutionnaire ; il déplora d'ailleurs les excès de la Révolution. La simplicité du ton, le tour savoureux du récit et la vigueur du style rappellent les *Fables* (*) de Lessing. — Trad. *Fables* (choix et trad. Jean Moser), Fribourg, 1946 ; Yverdon, 1983.

FIL DE L'ÉPÉE (Le). Essai du général et homme d'État français Charles de Gaulle (1890-1970), publié en 1932. Première partie du diptyque sur l'armée moderne, la seconde étant, deux années plus tard, *Vers l'armée de métier* (*), cet ouvrage esquisse le portrait idéal du chef qui rendrait son « fil à l'épée » et « sa vertu à l'armée ». Le chef s'appuie sur l'intuition, l'instinct, l'inspiration, la méditation (tous les grands hommes d'action furent des méditatifs), qui nourrissent son intelligence et lui donnent son allure originale et personnelle. Mais le chef, animé aussi de l'esprit d'entreprise, doit savoir donner des ordres avec décision et audace à des hommes qui font confiance à l'ampleur de son autorité. Il est vrai que le temps de paix « est peu propice à la formation et à la sélection des chefs militaires ». Il n'est que temps d'y mettre un terme. Dans un second chapitre, l'auteur définit le caractère du chef. Au moment des graves décisions, seules « la passion de vouloir » et « la volonté de décider » doivent le guider, même si « on redoute son audace, qui ne ménage pas les routines et les inquiétudes », même si « l'âpreté de son caractère », revers ordinaire des « puissantes natures », lui suscite des opposants farouches. Il est vrai qu'au moment des grands périls « une sorte de lame de fond pousse au premier plan l'homme de caractère », celui qui, grâce à des aptitudes naturelles pour commander, grâce « à sa manière de viser haut, de voir grand, de juger large », de mépriser les contingences, d'être mystérieux afin de « garder par-devers soi quelque secret de surprise qui risque à toute heure d'intervenir », sait imposer d'emblée à la patrie en danger le poids de son prestige. Cependant bien des embûches menacent le chef. « L'action de guerre doit revêtir un caractère empirique. » Or en France, on est doctrinaire, voire dogmatique. La pensée militaire française ne sait pas résister à l'attrait séculaire de l'a priori et de l'absolu. Ensuite l'opposition et même l'incompréhension qui définissent trop souvent les rapports entre le militaire et le politique, pourtant contraints de coopérer, entraînent une confusion des droits et des devoirs de chacun d'eux ; or il est évident que le salut de l'armée et par conséquent de la nation ne peut venir que de la coopération entre le militaire et le politique. Écrit peu de temps avant la Seconde Guerre mondiale, cet ouvrage, comme *Vers l'armée de métier*, constitue un avertissement implicite à l'état-major français, dont de Gaulle dénonçait l'inertie et la périlleuse facilité de doctrine, et une recommandation aux chefs militaires d'abandonner enfin la routine et le conformisme. On sait que le message fut peu ou mal reçu, en France en tout cas.

FIL DU RASOIR (Le) [*The Razor's Edge*] Roman de l'écrivain anglais William Somerset Maugham (1874-1965), publié en 1944. Laurence Darrel, Larry, le héros du roman, est un jeune homme pourvu de rentes modestes, dont il se satisfait : intellectuel par-dessus tout, affamé d'absolu, il cherche, avant de vivre, les réponses aux grandes questions, à l'origine, à la fin de la vie. Ses aspirations n'ont rien pour plaire à sa fiancée, Isabel, nièce d'Eliott Templeton, habile aventurier, courtier en tableaux. Isabel désire le luxe, songe à faire un beau mariage, se moque assez de la métaphysique et voudrait que son fiancé abandonne ses bibliothèques et ses musées pour un bon métier d'affaires : mais Larry refuse toutes les places qu'on lui propose. Il s'en va en France poursuivre des études à la Bibliothèque nationale. Isabel le rejoint après deux ans pour essayer de l'en arracher et soumet Larry au chantage de la rupture : à la stupéfaction de la jeune fille, Larry accepte la séparation. Contrainte par sa propre ruse, Isabel cède enfin aux instances de Gray Maturin, un millionnaire de Chicago, depuis longtemps épris d'elle. Le mariage est célébré. Larry, par hygiène cérébrale, se fait embaucher dans une mine de charbon. Avec un Polonais au tempérament mystique, rencontré à la mine, il voyage ensuite en Belgique, en Allemagne. À Bonn, Larry passe une année dans un couvent bénédictin. Puis, comme la religion n'a pas su mieux répondre que la métaphysique à l'inquiétude de son âme, il part pour l'Espagne, où il croit que l'art pourra lui entrouvrir une voie. Peu après, il entreprend un grand voyage aux Indes, en Birmanie, en Chine : auprès des brahmanes qui l'initient à l'art d'hypnotiser et de guérir, il trouve enfin une certaine paix intérieure. Rentré à Paris, dix années après le mariage d'Isabel, il retrouve celle-ci et son mari. Le millionnaire a été ruiné par le krach de 1929. Isabel aime son mari, sans doute, mais sa tendresse de jeune fille pour Larry ne s'est pas éteinte. Aussi, lorsque Larry retrouve Sophie, une de leurs anciennes camarades de Chicago, Isabel ne contient pas sa colère, d'autant plus qu'on parle de mariage entre Larry et Sophie. Celle-ci, après la mort dans un accident de voiture de son premier mari et de son enfant, s'était mise à boire et à se droguer. Larry l'avait soignée, guérie. La veille du mariage, Isabel, qui avait offert à Sophie sa robe de cérémonie, invite la jeune femme chez elle pour un dernier essayage. Avant l'arrivée de Sophie, Isabel s'en va, laissant en évidence sur la table une bouteille de vodka. Sophie boit, se soûle, s'enfuit pour toujours à Toulon, où elle tombera dans la débauche : on la retrouvera la gorge tranchée. Larry, dégoûté, sa fièvre intellectuelle maintenant apaisée sinon comblée, finit par distribuer son argent, s'engage dans l'équipage d'un bateau en partance pour l'Amérique où il espère trouver une place de chauffeur. Avant de partir, il a consigné ses recherches dans un livre dont il se soucie assez peu de savoir s'il sera vendu : il croit ne pouvoir désormais trouver la joie et le bonheur que dans l'existence la plus ordinaire, loin des riches et des snobs. Chacun est récompensé selon ses désirs : l'oncle Templeton est devenu une des célébrités du monde parisien. Le vieil aventurier meurt dans les bras de l'Église et laisse une fortune à sa nièce. Isabel redevient donc ce qu'elle a toujours souhaité être : riche. Vis-à-vis d'elle, Maugham ne se montre point sévère. On dirait qu'il s'est juré, en dépit du caractère souvent conventionnel de ses personnages, et malgré leurs erreurs, de les rendre également attachants au lecteur. Mais l'idée principale de l'auteur était sans doute d'écrire le « roman d'apprentissage » d'un jeune intellectuel moderne. — Trad. Plon, 1946.

FILIBUTH ou la Montre en or. Roman de l'écrivain français Max Jacob (1876-1944), publié en 1922. L'ouvrage relate les aventures d'une montre en or qui, par suite de vols ou de ventes, passe des mains d'une concierge, Mme Rose Lafleur (dont la loge est rue Gabrielle, où Max Jacob vécut au n° 17 à partir de janvier 1912, « dix ans de bagne », selon ce qu'il écrit à Jean Grenier) à celles d'un juge d'instruction, de Montmartre à un salon vénitien, avant de disparaître dans un caniveau : « La montre tomba ; l'auto passa... » L'histoire de la montre relie des milieux saugrenus par des aventures imprévisibles. Le roman de Max Jacob participe ainsi au renouveau du « roman d'aventures », alors important comme en témoignent les premiers récits d'Aragon ou de Ribemont-Dessaignes.

Le roman insère en lui une critique du roman. Tout en multipliant les effets d'illusion, il explique sa formation et sa genèse, révèle ce que déguise habituellement le roman réaliste. Par exemple, la construction par séries des personnages (l'hérédité sert ainsi à Zola pour rappeler les similitudes et faire valoir les différences). À Mme Lafleur, Max Jacob oppose M. Cygne-Dur, homme de lettres et de bien, comme les deux versants du même : « Nous sommes tous à la fois gibier du diable et ange de Dieu : tuons le gibier, l'ange vole. M. Dur, c'est l'ange de Mme Lafleur, Mme Lafleur, c'est la bête de M. Dur. » L'astrologie, à quoi Max Jacob prête une extrême attention, lui sert, en littérature, à construire des « séries humano-animales », à produire, par le biais de personnages dédoublés, des conflits verbaux arborescents, à assurer une correspondance du monde de la diversité à celui de l'unité.

Max Jacob prend plaisir à mimer des voix disparates, à inventer des passions, violentes dans leur expression et mesquines dans leur objet ; ce faisant, il décrit un petit enfer social, sachant que s'il est si attentif aux manifestations des péchés capitaux autour de lui, c'est qu'il les porte en lui : « C'en est trop et l'auteur n'en peut plus ! “Quelle boue !” s'écrit-il avec le juge Léonard. » Le romancier a le devoir de se confronter ainsi aux formes du mal et de descendre dans ses enfers terrestres ; il ne le fait pas sans une intention édifiante. De son roman en cours, Max Jacob écrit à la princesse Ghika qu'il veut faire une « œuvre à la fois morale et réaliste en soulignant le côté moral, ce qu'on ne fait jamais ».

Le roman illustre les deux postulations de Max Jacob, sous les espèces de Mme Lafleur et de M. Dur, dans les espaces contrastés de la rue Gabrielle à Montmartre et du presbytère de Saint-Benoît-sur-Loire, sous les aspects du conflit du péché et de la grâce. M. Dur aspire au salut ; Mme Lafleur laisse ses désirs l'appesantir. M. Cygne-Dur, d'esprit lettré et religieux, se fait le chroniqueur du monde montmartrois : l'explorant, il le transforme. « L'auteur est lui-même un converti – oh ! sans beaucoup de grandeur ! – et il a du mal à changer sa vie. »

Autoportrait de l'écrivain en pécheur repenti, le roman de *Filibuth* contribue à la transformation du récit au début de ce siècle : il intègre toutes les formes (lettres, journal intime, critique...), et admet les glissements d'un registre à l'autre ; l'auteur s'occupe de la régie et se mêle à la représentation : les personnages n'hésitent pas à interpeller leur auteur sur leur sort. Max Jacob transforme le genre du roman d'aventures : il lui prête une fonction morale, le réel étant le reflet du spirituel.

J. Rou.

FILLE DE BURGER (La) [*Burger's Daughter*]. Roman de la romancière sud-africaine d'expression anglaise Nadine Gordimer (née en 1923), publié en 1979. Cette œuvre de maturité est une des plus accomplies de la romancière. Après les romans précédents où elle explorait les rapports de plus en plus difficiles entre Blancs libéraux et Noirs, dans l'ère qui suivit les massacres de Sharpeville, elle place son intrigue presque entièrement dans un milieu blanc. La première partie débute comme un roman de croissance, dans une forme narrative indécise qui reflète les incertitudes de l'héroïne. Rosa voit son père, militant communiste, lutter contre l'apartheid avant d'être arrêté et jugé. Il mourra en prison. Prenant son indépendance par rapport à sa famille et à son éducation, elle jette un regard de plus en plus critique sur les groupes de militants blancs courageux et dérisoires qui ont perdu le contact avec les Noirs et les métis qu'ils défendent. Dans la deuxième partie du roman, elle a échappé à l'histoire de l'Afrique du Sud. Passant un été heureux sur la Côte d'Azur, où elle n'est plus la fille d'un héros, mais une femme qui découvre les plaisirs simples du quotidien en compagnie d'Anglais expatriés, elle envie les certitudes simples des Français, qui héritent d'une identité et d'une histoire claires en même temps que de leur maison. Elle découvre la passion amoureuse et complice avec un jeune Français. Mais la fin de l'été lui fait pressentir le vide de ce type de bonheur et d'un avenir que menacent l'âge et la solitude. De passage à Londres, elle rencontre des Noirs exilés et parmi eux, Baasie, son ami d'enfance qui l'insulte et l'humilie, lui reprochant de ne l'avoir jamais connu, d'avoir même ignoré son vrai nom.

La troisième partie, très brève, contraste avec le lyrisme sensuel de la partie française. Une narration un peu distante, comme détachée, nous montre Rosa revenue en Afrique du Sud, sans illusions. Ayant décidé d'être « la fille de Burger », elle travaille dans un hôpital, connaît la prison, se fabrique un avenir de bannissement et de harassement. La décision de renoncer au bonheur et à l'évasion n'est pas héroïque ; elle est la seule option possible.

Ce roman est par certains côtés une chronique : le personnage du père s'inspire de celui du militant communiste Bram Fisher, et certains textes de lois et événements réels donnent au récit un caractère historique. Il décrit le désarroi des Blancs libéraux lorsque apparut le mouvement de la Conscience noire, qui récusait l'efficacité de leur action, quels qu'en aient pu être les motifs altruistes. Rosa est un moment tentée de fuir quand elle comprend son impuissance face à la violence des lois. Nadine Gordimer, une fois de plus, détourne la trame romanesque conventionnelle : ce personnage féminin ordinaire, conçu pour une fin heureuse, naît à une véritable autonomie morale. La fin est élégiaque, non triomphaliste, exprimant avec sobriété la solitude, le courage ordinaire, la compassion pour les vies gâchées. Le récit garde une certaine distance par rapport à ce qui pourrait passer pour une histoire exemplaire : cinq voix narratives, proches de Rosa ou au contraire prenant le recul de l'historien, nous détachent du trajet singulier de la jeune femme pour le replacer dans un contexte beaucoup plus général sur lequel les choix individuels semblent avoir peu de prise. – Trad. Albin Michel, 1988.

J. B.

FILLE DE JORIO (La) [*La figlia di Jorio*]. Tragédie pastorale en trois actes de l'écrivain italien Gabriele D'Annunzio (1863-1938), fort bien traduite de l'italien par G. Hérelle et représentée à Paris pour la première fois en 1905. On sait que le poète l'a dédiée à cette terre des Abruzzes où il vit le jour, qu'il ne cessa de chérir et dont il sut mieux que personne évoquer l'âpre relief. La donnée de *La Fille de Jorio* est d'une admirable simplicité : or donc, au temps de la moisson, un garçon qui se nomme Aligi se trouve avoir l'occasion de sauver quelque créature des pires violences, en la laissant se réfugier dans la demeure qu'il occupe avec ses parents. Cette créature est une certaine Mila, plutôt belle au demeurant, mais fort mal vue dans le pays parce qu'elle est la fille du nommé Jorio qu'on soupçonne de sorcellerie. Aligi éprouve pour elle aussitôt un sentiment de ferveur. C'est, du reste, un garçon qui n'est pas comme les autres. Peu enclin aux travaux des champs, il se livre tout à ses songes, manie en secret l'ébauchoir et caresse quelquefois l'idée de fuir le toit familial. Mila sera donc l'instrument de cette aspiration. Il ne tarde pas à l'aller rejoindre au cœur même de la montagne. Là commence une vie nouvelle. Aligi voue à Mila un amour sans bornes. Un amour très chaste d'ailleurs, empreint de mysticité et que Mila ne laisse pas de lui rendre. Aligi croit n'avoir rien à craindre dans sa thébaïde. Il se trompe, car quelqu'un y fait irruption : Lazaro di Roio, son père, homme passablement brutal qui cache de fort mauvais désirs sous le masque de l'intégrité. S'il s'est donné la peine de monter jusque-là, c'est parce qu'il convoite Mila depuis longtemps. Il entend, vaille que vaille, s'assouvir sur-le-champ. Aligi tente de le calmer en l'amenant à faire un retour sur lui-même. Peine perdue. Ivre d'horreur, alors, et pour défendre son pur amour, Aligi se trouve dans le cas de tuer son père. Dans ce rude pays, la justice des hommes est terriblement expéditive. Aligi devra donc subir le châtiment qu'on réserve à tout parricide. Entouré de sa mère et de ses trois jeunes sœurs, il attend l'heure fatale avec résignation. Il lui sera donné, pourtant, de ne point périr. En effet, Mila, prenant tout sur elle, viendra s'accuser du meurtre, afin de lui sauver la vie. D'où il suit qu'elle sera brûlée vive. Que lui importe : elle s'offre en holocauste avec allégresse. De toutes les tragédies de Gabriele D'Annunzio, il n'en est pas qui porte mieux la marque de son génie que celle dont nous venons d'esquisser le thème. Sans doute ne saurait-on par là en donner une image fidèle ni en restituer l'accent. Mêlant la prose avec les vers, elle est façonnée de telle sorte que l'unité de son action demeure absolument intacte d'un bout à l'autre. On admire enfin le pouvoir d'évocation dont témoigne le poète quand il parle des Abruzzes. – Trad. Calmann-Lévy, 1905.

FILLE DE L'AIR (La) [*La hija del aire*]. Œuvre dramatique en six journées de l'écrivain espagnol Pedro Calderón de la Barca (1600-1681), publiée en 1653. La « fille de l'air » est protégée par les oiseaux sacrés de Vénus contre la furie de Diane qu'elle avait osé affronter. Le prêtre Tirésias l'appelle Sémiramis et la tient enfermée pour lui épargner le sort qu'on lui avait prédit. Mais celle-ci veut sortir de sa prison et risquer sa vie, car c'est « un lâche celui qui, pour vivre, meurt » chaque jour dans la peur. Elle suit Ménon, général de Nino, roi de Syrie. Ménon l'aime en toute sincérité, mais Sémiramis ne connaît que sa soif de puissance, « la grande pensée qui seule l'accompagne ». Lorsque Nino tombe amoureux d'elle et interdit à Ménon de l'épouser, elle, « quoique reconnaissante », abandonne son libérateur pour offrir son amour à Nino dont elle veut devenir épouse et reine. Ménon devient aveugle et, tout en mendiant son pain, il maudit l'ambitieuse qui a accédé au trône. Dans la deuxième partie, Sémiramis règne seule. Lidoro, roi de Lydie, veut l'abattre ; elle interrompt sa toilette, part en guerre, en sort victorieuse et retourne devant son miroir et ses cosmétiques, puis, s'adressant aux musiciens, leur dit : « Continuez ce que vous étiez en train de jouer, je me souviens que c'était divertissant. » Lidoro est attaché comme un chien à la porte du palais. Il est libéré par Ninias, fils de Sémiramis et héritier légitime de Nino, appelé au trône par la faveur populaire. Sémiramis, dédaignée par le peuple, n'accepte pas de partager le sceptre avec son fils. Elle fait fermer les portes et les fenêtres de son appartement, mais son cœur « à qui le monde semblait petit » ne peut pas supporter ce tombeau. Profitant de sa ressemblance avec son fils, elle se substitue à lui et s'en va rencontrer le fils de Lidoro qui venait libérer son père. La reine espère que le triomphe contre Lidoro se répétera, mais elle est vaincue et se meurt de désespoir. Ce n'est pas une œuvre des plus célèbres de Calderón, quoiqu'elle fût particulièrement admirée par Goethe, qui lui consacra une étude. Presque tous les personnages ont une vie héroïque. Sémiramis, qui n'avait jamais rien vu, demeure déçue devant les splendeurs de Ninive « parce que l'objet de son imagination était beaucoup plus magnifique ». Véritable incarnation de l'égotisme, Sémiramis vit puissamment à travers tout le drame.

FILLE DE MADAME ANGOT (La). Opérette du compositeur français Charles Lecocq (1832-1918) sur un texte de Clairville, Siraudin et Koning, représentée à Bruxelles en 1872. C'est avec *Le Petit Duc* (*) la plus populaire des opérettes écrites par le plus brillant successeur d'Offenbach. Après sa première représentation à Bruxelles, cette œuvre connut à Paris un succès considérable (Folies-Dramatiques, 1873) et parcourut ensuite l'Europe pendant plusieurs années. *La Fille de Madame Angot* fut également beaucoup jouée en Italie jusqu'à la période de l'après-guerre 1918-20. La fille de Mme Angot est Clairette, une gracieuse fleuriste, que quelques dames ont prise sous leur protection et veulent donner pour épouse au perruquier Pomponnet. La jeune fille est au contraire éprise du chansonnier Ange Pitou, un libertin ingrat qui, après s'être joué de Clairette, tombe dans les bras de Mlle Lange, actrice célèbre. La pauvre fleuriste est désespérée et va subir une série de malheurs, au point de se faire arrêter et jeter en prison pour avoir chanté une chanson satirique sévère à l'égard de son infidèle amant. Finalement, elle se console et accepte la main du brave et honnête Pomponnet. Le public goûta beaucoup, dans cette œuvre, la fraîcheur des thèmes et le brio du dialogue. En outre, Lecocq, le musicien le plus cultivé parmi les compositeurs d'opérettes de cette période, soigna la forme et l'orchestration avec beaucoup de sensibilité et de conscience. En peu de temps *La Fille de Madame Angot* atteignit, dans le seul Paris, plus de deux mille représentations. Les meilleurs passages de l'opérette sont l'air « Très jolie, peu polie » ; le chœur « Quand on conspire » ; la valse « Tournez, tournez », et aussi la scène finale du troisième acte.

FILLE DE SLAVA (La) [*Slávy dcera*]. Poème de l'écrivain tchèque Ján Kollár (1793-1852), publié en 1832. Il est composé d'une série de cent cinquante sonnets, divisée en trois parties et précédée d'un prologue en distiques. Dans le prologue, le poète déplore la ruine des Slaves septentrionaux et exprime le souhait qu'ils connaissent, grâce au travail, une renaissance. Dans la première partie, Slava se plaint auprès des dieux d'avoir été méprisée, et les dieux lui donnent une fille Mina. Elle apparaît au poète, qui s'en éprend. Mais il doit partir et se séparer d'elle. Après avoir accompli un long périple au cours duquel, suivant les lieux, il évoque les gloires et les défaites des Slaves, et après avoir fait à plusieurs reprises acte de patriotisme, il voit de nouveau Mina lui apparaître. Elle déclare être dans les cieux. Le poète lui demande alors de protéger les Slaves. Mina décrit le ciel des Slaves et promet de descendre aussi en enfer, pour pouvoir reconnaître ceux qui se sont mal conduits vis-à-vis de la communauté slave, et qui maintenant expient leurs fautes. Le poème dans son ensemble est manqué, et si quelques sonnets évoquant la créature terrestre à laquelle le poète a donné le nom de Mina possèdent une certaine flamme, les autres non seulement sentent l'effort, mais encore manquent d'une pensée directrice. Malgré sa faiblesse artistique, l'œuvre a tout de même une grande importance historique à cause de ces appels à l'unité des Slaves qu'elle contient.

FILLE D'ÈVE (Une). Récit de l'écrivain français Honoré de Balzac (1799-1850), publié pour la première fois en 1834, puis, avec quelques remaniements, en 1838. Les deux filles du comte de Granville ont été élevées par leur mère dans une austérité exagérée qui ne les a point préparées à la vie mondaine qu'elles doivent mener après leur mariage. L'une, Marie-Eugénie, a épousé le grand banquier Ferdinand du Tillet qui, sous des apparences débonnaires, cache une âme cruelle et tyrannique. Marie-Angélique a un mari beaucoup plus âgé qu'elle, Félix de Vandenesse. Celui-ci, après une carrière de don Juan, entoure sa femme d'une tendresse presque paternelle. Mais Marie-Angélique se laisse prendre aux galanteries et à la passion d'un journaliste à la mode, Raoul Nathan. Celui-ci, lié depuis des années à l'actrice Florine (Sophie Grignoult), s'est laissé entraîner par le banquier du Tillet et par son compère, le baron Nucingen, dans une dangereuse affaire de spéculation. La situation devient alors assez complexe : l'amour d'Angélique et de Nathan (c'est une passion essentiellement cérébrale) risque de déclencher un scandale. Fort heureusement, le mari peut intervenir à temps. Compréhensif et indulgent, il conjure le pire. Grâce à son affection et à sa sagesse, il reconquiert Angélique. Cet ouvrage évite l'écueil qui guette souvent Balzac : les intentions sociologiques et moralisatrices. Ce grand tableau, réduit aux proportions d'un jeu subtil et léger, rappelle, surtout dans ses dernières scènes, la comédie de mœurs. Ce récit constitue donc une des œuvres les plus parfaites de Balzac, sinon une des plus importantes.

FILLE D'HONNEUR (La) [*The Maid of Honour*]. Drame en cinq actes et en vers de l'auteur dramatique anglais Philip Massinger (1583-1640), publié en 1632. Bertoldo, frère naturel du roi de Sicile – qui ne l'aime guère – est envoyé avec ses troupes au secours du duc d'Urbino, en guerre avec la duchesse de Sienne. Avant de partir, il demande la main de Camiola. Bien qu'elle aime Bertoldo, elle refuse, car ils sont de condition trop différente et, de plus, Bertoldo, chevalier de Malte, a fait vœu de célibat. Il est fait prisonnier et sa rançon est fixée à un prix énorme ; le roi refuse de la payer et défend à quiconque de la verser à sa place. Alors Camiola vend tous ses biens et, par l'entremise d'un messager sûr, envoie l'argent au prisonnier ; pour qu'il accepte, elle y joint la promesse de l'épouser. Bertoldo, ayant accepté, est libre ; par malheur, la duchesse de Sienne entrevoit le prisonnier après sa libération et s'éprend de lui ; Bertoldo, oubliant son engagement, cède à son caprice. Les noces vont être célébrées lorsque survient Camiola ; tout le monde, y compris la duchesse, blâme l'ingratitude de Bertoldo dont le mariage est rompu. Camiola entre au couvent et Bertoldo, humilié, respectera son vœu de célibat. Camiola justifie le titre du drame : elle incarne l'amour, la vertu, l'honneur, mais à un tel degré qu'elle sort des possibilités humaines, ce qui donne au rôle une allure assez conventionnelle et froide. Dans les scènes où elle voit mourir ses illusions, elle trouve par contre des accents sincères qui émeuvent ; aussi sont-elles les plus vivantes de toute l'œuvre. Par sa sagesse, son sens de l'honneur, Camiola rappelle la Portia du *Marchand de Venise* (*), de Shakespeare. C'est incontestablement le meilleur type féminin créé par l'auteur ; il est d'ailleurs curieux de noter que Massinger avait une prédilection pour ce genre de caractère. – Trad. Les Belles Lettres, 1933.

FILLE DU CAPITAINE (La) [*Kapitanskaja dočka*]. Roman historique de l'écrivain russe Alexandre Sergueïevitch Pouchkine (1799-1837), publié dans le dernier fascicule de la revue *Le Contemporain* pour l'année 1836. Ce roman avait pris forme à l'occasion des travaux entrepris par le poète aux archives de l'État, à Saint-Pétersbourg. Pouchkine préparait alors, en effet, une *Histoire de la révolte de Pougatchev*, œuvre demeurée inachevée. C'est le règne de l'impératrice Catherine II (époque à laquelle eut lieu cette révolte) qui fournit le cadre historique du récit. Les aventures du jeune officier Grinev et de son domestique Savéllitch constituent l'aimable prétexte qui permet à Pouchkine de dérouler devant nous les splendeurs de sa prose concise et fastueuse. Nous assistons au départ du lieutenant et de son fidèle compagnon de la maison paternelle pour la forteresse lointaine de Bélogorsk, où Grinev doit faire son service. Puis, c'est la rencontre avec Maria Mironova, la fille du commandant de la forteresse ; le duel avec un rival (le futur traître Chvabrine), le siège et l'occupation de la forteresse par le rebelle Pougatchev. Ce dernier sauve la vie de Maria et du jeune Grinev, ayant reconnu en son prisonnier celui qui, un jour, lui avait fait don de sa pelisse. C'est ensuite l'arrestation de Grinev, accusé de haute trahison pour avoir eu, involontairement, contact avec les rebelles et, enfin, la grâce impériale, obtenue, en sa faveur, par Maria. Dans le cadre d'une lointaine province russe au XVIIIe siècle, l'action est évoquée par Grinev lui-même, ce qui donne au roman le caractère d'une chronique familiale, les événements historiques étant vus à travers le tempérament du narrateur supposé. La trame est tissée de main de maître, avec des éclairs d'une si puissante vitalité que le problème de la concordance avec la réalité historique ne se pose point, les figures de Catherine II et de Pougatchev étant désormais entrées dans la réalité magique que tout génie confère à son œuvre. Le succès du roman fut grand. Son influence fut certaine sur toutes les chroniques familiales écrites sous forme de roman, jusqu'à *La Guerre et la Paix* (*) de Léon Tolstoï. – Trad. Presses-Pocket, 1986 ; Le Livre de Poche, 1987.

FILLE DU PÊCHEUR (La) [*Fiskerjenten*]. Récit de l'écrivain norvégien Bjørnstjerne Bjørnson (1832-1910), publié en 1868. La première partie est constituée par le portrait de Gunlaug et celui de sa fille, Petra, qui n'est qu'une variante du premier. Gunlaug est la fille d'un pilote et pêcheur, elle vend le poisson et pêche elle-même, d'où son surnom de « fille du pêcheur ». Grande et robuste, nature forte, faite pour dominer, elle règne, quand elle est petite, sur une troupe d'enfants. Devenue femme, elle règne sur toute une contrée. Elle a protégé et aimé un homme faible, Peter Ohlsen, mais il était mesquin et indigne de Gunlaug qui s'est séparée de lui. Neuf ans après cette rupture, la fille du pêcheur revient avec un enfant d'environ huit ans et installe une taverne pour marins. Les commerçants et les capitaines vont chez elle pour trouver des gens et des marins pour leurs navires. Tout le pays y commande le poisson. Elle ne prend jamais un sou pour ce travail d'intermédiaire, mais use avec despotisme du pouvoir qui en dérive. Elle est sans aucun doute la personne la plus influente de la contrée... Le nom de « fille du pêcheur » passe ensuite à sa fille : tout comme sa mère, celle-ci est constamment dehors, à la tête des autres enfants du village. L'histoire de la jeune « fille du pêcheur », Petra, est plus longue et plus compliquée que celle de Gunlaug. Se préparant pour sa première communion sous la conduite de Hans Ödegaard, le fils du pasteur, lui-même une sorte de pasteur laïque qui se destine à l'éducation du peuple, Petra tombe amoureuse de son précepteur et celui-ci de son élève. Mais pendant l'absence d'Ödegaard, Petra se fiance à un marin pour ne pas se laisser surpasser par ses amies et, avec la même légèreté, elle prête l'oreille à un jeune et riche négociant, Yngve Vold. Il en résulte une rencontre violente entre Vold et Ödegaard, puis entre le marin Gunnar Ask et le négociant, qui se termine en bataille générale. Le pays se soulève contre les deux femmes. On chante une chanson au sujet de la jeune fille qui a pêché trois fiancés et qui les a perdus tous les trois. On dévaste l'auberge de Gunlaug. Petra part en secret. Peu après, Gunlaug ouvrira de nouveau son auberge, au grand soulagement et à la satisfaction de tous. Son pouvoir reste ensuite incontesté. Ceci est la partie la plus intéressante du récit. La nature simple et dominatrice de Gunlaug est décrite avec fermeté et relief. Le portrait de Petra, moins relevé, et celui de Peter Ohlsen, seulement esquissé, ainsi que la description de la vie de ce pays de pêcheurs sont très réussis. La deuxième partie est consacrée à la vocation théâtrale de Petra, depuis l'éblouissement qu'est pour elle la révélation du théâtre à Bergen jusqu'à ses débuts sur une scène de la capitale. Mais cette histoire est mêlée de descriptions de divers milieux norvégiens, qui rompent l'unité du récit. On y assiste au conflit qui oppose la rigidité piétiste, incarnée par un pasteur qui accueille Petra chez lui dans les montagnes, et le joyeux christianisme de Grundtvig. Cette opposition reflète le vif intérêt que l'on portait alors dans certains milieux norvégiens au problème de la vocation selon la conception luthérienne ; considérée de ce point de vue, la seconde partie du récit est une défense du théâtre et des comédiens contre les préjugés de l'Église. – Trad. Nilsson, 1882.

FILLE DU RÉGIMENT (La). Opéra-comique en deux actes, livret de Saint-Georges et Bayard, musique du compositeur italien Gaetano Donizetti (1797-1848). L'ouvrage a été créé à l'Opéra-Comique de Paris le 11 février 1840. Cinq ans plus tôt, Donizetti avait donné à Naples *Lucie de Lammermoor* — v. *La Fiancée de Lamermoor* (*) — son opéra le plus représentatif. Il s'agit ici d'un délassement sans prétention, mais assez réussi. Une ouverture, d'allure d'abord pastorale, se construit sur le motif qui caractérisera le régiment. Au premier acte, dans les montagnes, la marquise de Maggiorivoglio et son chambellan, Hortensio, sont en fuite devant une attaque ennemie. Mais l'ennemi est battu (Chœur triomphal) et voici paraître Marie la vivandière, jeune personne de dix-huit ans, adoptée depuis toujours par le régiment dont elle est la « fille ». Elle chante la « Chanson du régiment » avec le refrain « Rataplan ». Au vieux sergent Sulpice, elle avoue son amour pour un jeune Tyrolien, Tonio, qui lui a sauvé la vie. Mais Sulpice lui rappelle un serment qu'elle a fait de n'épouser qu'un grenadier. Or, on amène un espion en qui Marie reconnaît Tonio (Duetto d'amour). Tonio connaît maintenant le moyen de conquérir Marie : il s'enrôle comme grenadier. La marquise s'apprête à regagner son château tout proche. En entendant le nom de ce château, Sulpice se rappelle qu'il possède des papiers où ce nom est mentionné. Il les donne à la marquise qui y découvre que Marie est sa fille, une fille qu'elle a eue avant son mariage. Elle la fait passer pour sa nièce et la prend avec elle. Tonio s'est donc engagé en vain (Cavatine). Marie lui fait des adieux mélancoliques (Romance avec cor anglais). La tristesse générale est exprimée par un « fugato ». Le second acte se passe au château un an plus tard. La marquise a transformé Marie en fine comtesse et veut lui faire épouser un parent de la duchesse Craquitorpi. Marie consent par reconnaissance, mais elle aime toujours Tonio et se confie à Sulpice, devenu gardien du château. Le jour du contrat, arrive un régiment, musique en tête, sous la conduite de Tonio devenu officier. Il a découvert le secret de la naissance de Marie et le divulgue aux nobles invités. Ceux-ci, indignés, se retirent et Marie suivra Tonio avec le régiment qui a reconquis sa « fille ».

Les couplets fameux : « Salut à la France », ne manquent jamais leur effet. Leur succès le plus vif s'est manifesté à la reprise de l'ouvrage le 6 décembre 1914 sous les acclamations de salles combles. La musique de Donizetti vaut plus par son élan que par sa qualité : elle est souvent banale, mais les rythmes sont entraînants.

FILLE DU ROI DES ELFES (La) [*King of Elfland's Daughter*]. Roman de l'écrivain irlandais lord Edward Dunsany (1878-1957), publié en 1924. Envoyé par son père, le roi du pays des Aulnes, Alvéric, muni d'une épée magique, se rend au Royaume enchanté pour enlever Lirazel, la fille du roi des Elfes. Le temps n'ayant pas cours en ce royaume, lorsqu'il revient en son pays, les ans ont passé, son père est mort, et Alvéric lui succède sur le trône. Il épouse Lirazel ; un fils leur naît : Orion. Quelques années plus tard, le roi des Elfes fait porter à sa fille un message fantastique qui l'enjoint de regagner le Royaume enchanté. Au désespoir, Alvéric ceint son épée magique et part à la recherche de sa femme et du Royaume enchanté, dont le roi des Elfes (sensible à la magie dégagée par l'épée d'Alvéric) a fait refluer les frontières bien au-delà de la Terre des Hommes. Alvéric délaisse alors son royaume et entreprend une quête désespérée et absolue (qui évoque, toutes proportions gardées, celle du *Voyage en Orient* de Hermann Hesse). Entre-temps, son fils Orion, élevé par la sorcière Ziroonderel, grandit et succède à son père sur le trône du pays des Aulnes. Dans le Royaume enchanté, Lirazel se souvient d'Orion et d'Alvéric et languit après la Terre des Hommes. Son chagrin est tel qu'il trouble l'éternelle quiétude du Royaume enchanté. Pour soulager sa peine et ramener la paix, le roi des Elfes cède alors aux suppliques de sa fille et a recours au dernier grand sortilège qu'il possède encore : la frontière du royaume se met en mouvement et vient absorber le pays des Aulnes. Dans une aube radieuse et éternelle, Lirazel retrouve Orion et Alvéric, et le pays des Aulnes disparaît de la mémoire et de la Terre des Hommes. Dans ce roman, qui va au-delà de l'idée que l'on se fait généralement du conte de fées, lord Dunsany développe un récit, empreint d'une poésie simple et terrestre, où viennent s'intégrer, en récits complémentaires, les thèmes universels de l'imaginaire créatif : la quête du bonheur, l'amour et le temps. Son récit atteint, à travers les aspirations immémoriales de ses personnages, à une dimension mythologique quasi œcuménique. — Trad. Denoël, 1976.

X. P.

FILLE DU ROYAUME DES FÉES (La) ou le Paysan millionnaire [*Das Mädchen aus der Feenwelt oder Der Bauer als Millionär*]. Comédie de l'auteur comique autrichien Ferdinand Raimund (1790-1836), créée le 10 novembre 1826 au Théâtre de la Leopoldstadt de Vienne. Troisième comédie de Raimund, *La Fille du royaume des fées* est la première féerie « originale » de cet auteur, qui en a donc inventé lui-même la fable. Les personnages en sont, comme le veut la tradition du théâtre populaire viennois de cette époque, les représentants de deux univers, le monde des génies (fées, esprits) et le monde des humains, mondes entre lesquels cependant la séparation n'est nullement absolue. L'intrigue est aussi conçue à partir des schémas traditionnels, en particulier le schéma de la mise à l'épreuve du héros déclenchant au dernier moment la fin heureuse.

La fille de la fée Lakrimosa, élevée par le paysan Wurzel, est éprise du jeune pêcheur Karl. Une jalousie au sein du monde des génies pousse le génie de la haine à pervertir Wurzel en lui faisant découvrir un trésor. Devenu millionnaire, le paysan refuse d'accorder la main de sa fille au pauvre Karl : il devra donc d'abord, par des subterfuges magiques, être convaincu de la vanité des biens de ce monde. Quant à Karl, il lui faudra lui aussi subir les épreuves magiques pour gagner sa bien-aimée, et surtout renoncer à la bague enchantée qui lui promettait la fortune.

La comédie relève donc du genre de la « pièce de la résipiscence » caractéristique du théâtre populaire viennois de l'époque, véhiculant dans la fable comique la leçon de la vraie sagesse, celle de la modestie, de la mesure, du bonheur simple, acquise par la vertu du renoncement. Au comique du spectacle magique et au comique de langage habituels (jeux de mots, déformations, accents, anachronismes) s'ajoute cependant, dans cette comédie « originale », l'approfondissement psychologique du paysan parvenu annonçant les comédies de caractère à venir qui feront de Raimund l'un des auteurs classiques du théâtre populaire viennois.

FILLE DU TAMBOUR-MAJOR (La). Opérette en quatre actes de Chivot et Duru, musique du compositeur français d'origine allemande Jacques Offenbach (1819-1880). Représentée aux Folies-Dramatiques le 13 décembre 1879, cette opérette très gaie fut écrite par Offenbach, cloué sur son lit par la goutte et déjà marqué par la mort. Ce fut le dernier ouvrage joué de son vivant – *Les Contes d'Hoffmann* (*) sont posthumes – et c'était sa cent dixième opérette. L'action se passe en Italie vers 1800. Au premier acte, les soldats de Bonaparte arrivent dans une petite ville ; ils envahissent un couvent de femmes où ne se trouve plus que la plus brave d'entre elles, Stella, fille du duc de la Volta. Le détachement est commandé par le lieutenant Robert, escorté du tambour-major Monthabor, du tambour Griolet et de la cantinière Claudine. Une subite sympathie pousse l'un vers l'autre Robert et Stella que le duc vient chercher pour la marier au marquis Bambini. Au deuxième acte, à Novare, Stella refuse cet époux. Les Français arrivent. Mal reçu par le duc, Monthabor va se plaindre à la duchesse en qui il reconnaît – hasard d'opérette – sa propre femme qui l'a quitté, il y a dix-huit ans, en emmenant leur fille. Cette fille, c'est Stella, qui revêt aussitôt un costume de cantinière et s'enfuit avec les Français. Au troisième acte, les fugitifs sont poursuivis sur la route de Milan. Ils se retrouvent dans une auberge tenue par un parent de Claudine, l'autre cantinière. Ce parent les cache, mais voici le duc qui découvre Robert et Claudine. Il prend Claudine pour Stella et la fait arrêter avec Robert. Au dernier acte, à Milan, le duc ne relâchera Robert que si Stella épouse Bambini. Claudine, toujours prise pour Stella, se dévoue et le mariage va être célébré. Mais les Français victorieux entrent dans Milan. Stella est en tête du régiment aux côtés de son père, le tambour-major. Claudine dévoile sa ruse. Le duc change ses batteries et crie aux Français : « Je vous attendais. » Robert épousera Stella et Claudine aura Griolet. Malgré sa maladie, Offenbach a trouvé des mélodies vivantes. Au premier acte : la chanson du tailleur amoureux et les couplets de Stella : « Gentil Français. » Le finale du deuxième acte, traité à l'italienne, s'enroule autour de la célèbre chanson : « Je suis Mamzelle de Monthabor. » Le dernier acte est moins inspiré, mais il fait retentir, dans son finale militaire, le *Chant du départ*, et vibrer la corde patriotique avec un succès qui ne se dément jamais.

FILLE DU VENDREDI SAINT (La) [*Good Friday's Daughter*]. Roman de l'écrivain irlandais Francis Stuart (né en 1902), publié en 1952. Nous retrouvons, dans ce roman, les thèmes principaux des nombreuses œuvres de Stuart : la recherche d'un idéal de communion et d'amour à travers la lutte, le désordre et la violence ; la haine des préjugés et de la suffisance ; l'horreur du rationalisme et de la mécanisation ; le cadre pittoresque de l'Irlande et de la vie irlandaise, avec ses courses de chevaux et son goût pour le whisky. Les personnages qui peuplent cet univers tourmenté sont des proscrits, des fanatiques, des inadaptés. Dans ce roman, c'est au sein d'une famille provinciale, en apparence très unie, que sera semée la discorde, amour fraternel, amour maternel et amour conjugal allant être détruits, comme fatalement, par la présence de deux personnages exceptionnels : Mark Considine, jeune écrivain rentrant de Paris où il a mené la vie de bohème, et Antonia Fleming dont le souvenir obsède Léo, le frère de Mark, un homme paisible et naïf marié à Danièle. Antonia est en prison pour homicide, car elle a tué son mari qui la torturait. Constamment ensemble, Mark et Danièle s'éprennent d'une passion absolue qui les mènera jusqu'au suicide pour sauver l'honneur de Léo. Antonia reviendra sauver ce dernier de l'engourdissement dans lequel l'a plongé cette tragédie. Que ce soit dans la mort ou dans la vie, les personnages sont, comme malgré eux, obligés de se réaliser en dehors des bornes imposées par la société. L'intensité des sentiments et le poids de la fatalité font parfois penser à Dostoïevski, mais Stuart glisse souvent dans le mélodrame et dans un symbolisme trop naïf. – Trad. Le Seuil, 1953.

FILLE ÉLISA (La). Roman de l'écrivain français Edmond de Goncourt (1822-1896), publié en 1877. Il décrit la vie d'une prostituée qui, à la suite de douloureux événements, devient une criminelle. L'auteur traite ce sujet d'une plume très austère, chaste même, et s'élève contre ceux qui n'abordent de tels problèmes qu'à mots couverts et d'une manière ambiguë. Dans une préface virulente, il rappelle son précédent roman : *Germinie Lacerteux* (*). Fille d'une sage-femme qui vit de pratiques illicites et de combinaisons louches, la petite Élisa commence de bonne heure à connaître le vice et les salissures de la société. Révoltée contre la vie familiale, elle désire connaître une nouvelle existence. À peine pubère, elle se donne au premier venu et s'enfuit avec une prostituée. Elle entre ensuite dans une maison close. Dans la petite ville de province où elle vit, elle s'habitue à cette vie simple et, par certains côtés, agréable. Mais elle finit par s'ennuyer, et la lecture de nombreux romans l'incite à poursuivre d'autres espoirs et à rechercher d'autres ivresses. Peu à peu, elle s'attache à un commis voyageur qui professe des idées révolutionnaires. Elle le suit et « travaille » en diverses villes de France, tout en considérant ce commis voyageur comme son véritable ami. Lorsqu'elle apprend qu'il s'agit d'un policier de bas étage, elle l'abandonne avec dégoût. Lasse de vivre, elle échoue dans une « maison » de Paris. Là, elle se prend d'affection pour un pauvre soldat qui, pense-t-elle, pourrait l'aider à changer de vie. Au cours d'une promenade au bois de Boulogne, elle refuse de se soumettre aux exigences de son ami et, dans un mouvement de colère, elle le frappe d'un coup de couteau. Arrêtée, accusée d'avoir tué le soldat pour le voler, elle ne se défend pas. Condamnée à mort, elle est graciée, mais emprisonnée pour le restant de ses jours. Les années passent. Enfermée dans un silence douloureux et dans une haine profonde pour la société, elle revit sa propre tragédie, lisant, en cachette, une lettre d'amour que lui avait écrite le soldat, image de son rêve devenue son tourment. Plus tard, on s'apercevra qu'elle commence à devenir folle. Placée dans une autre section, la malheureuse passe son temps à se remémorer les années heureuses de son enfance. La mort achèvera ce drame. Le roman, qui débute par la condamnation de la meurtrière et se termine par sa mort, est un réquisitoire contre le système pénitentiaire, jugé comme inhumain et cruel. L'écrivain, par ses trop nombreuses interventions et ses discussions, détourne souvent notre attention de sa malheureuse héroïne.

FILLE NATURELLE (La) [*Die natürliche Tochter*]. Drame en vers en cinq actes de l'écrivain allemand Johann Wolfgang Goethe (1749-1832), représenté en 1792. Il fut accueilli froidement par le public, la critique et même par certains de ses amis, tel Herder ; à tel point que l'auteur, qui envisageait d'écrire une trilogie, abandonna son projet. Le drame, qui devait constituer le testament politique de Goethe pour l'Europe du XIXe siècle, se range parmi les œuvres qu'inspirèrent les extraordinaires bouleversements politiques et sociaux dont la France était alors le théâtre. À l'exception d'Eugénie, la seule figure vraiment vivante, tous les personnages ne sont guère que des symboles. L'action se déroule à la cour d'un roi pusillanime (Goethe semble avoir pris Louis XVI pour modèle). Un haut dignitaire du royaume, le Duc, obtient du roi qu'une de ses filles naturelles, Eugénie, jusqu'alors laissée dans l'ombre, soit enfin reconnue. Mais le fils du Duc, jeune homme dénué de scrupules, craignant pour son héritage, parvient à mener à bien une infernale machination. Il fait enlever Eugénie, laissant croire à son père qu'elle s'est tuée en tombant de cheval : puis, sous menace de la déporter dans quelque pays sauvage, il contraint Eugénie à épouser un magistrat de bas étage, simple bourgeois qui s'est épris d'Eugénie. Elle sombrera ainsi dans la masse anonyme de la bourgeoisie. Eugénie se résigne ; mais elle demande toutefois à son fiancé de se résigner, lui aussi, à contracter un mariage blanc. De la suite de la trilogie, nous ne connaissons que le canevas. La marche des événements déjoue les projets de l'ambitieux. Survient la Révolution française, qui porte la bourgeoisie au pouvoir et, avec elle, le mari d'Eugénie. Loin de disparaître, celle-ci assume alors une place prépondérante, servant de médiatrice entre la vieille société sur le déclin et la classe ascendante. Nous décelons par là l'objectif de Goethe : après avoir été, pendant quelque temps, l'ennemi de la Révolution, il finit par s'y rallier. Il ne souhaite plus du tout un simple retour à l'ancienne structure politique et sociale, mais une synthèse des deux régimes. La grande tâche de cette fusion, Goethe la confie à Eugénie, comme dans *Iphigénie* (*) il avait chargé cette dernière de réaliser un accord entre les Grecs et les Barbares. La figure d'Eugénie, dans sa sensibilité même, se trouve ainsi mise en relief, surtout dans les quatrième et cinquième actes, où, avec la grâce d'une suppliante, devant le navire qui doit l'emporter au loin, elle s'adresse aux représentants des diverses classes sociales (une abbesse, un moine, un gouverneur et un juge). Le Duc lui-même, assez terne dans l'ensemble, acquiert une profonde humanité dans la scène où son fils annonce la mort prétendue de sa fille. C'est la seule fois où l'on voit Goethe (en dehors de ses poèmes sur la mort de Schiller) nous révéler ses sentiments sur la mort ; ce passage renferme le plus beau et le plus douloureux des chants funèbres. – Trad. Gallimard, 1942 ; 1951.

FILLE PERDUE (La) [*The Lost Girl*]. Roman de l'écrivain anglais David Herbert Lawrence (1885-1930), publié après la mort de l'auteur, en 1932. La jeune Alvina Houghton vit dans un petit village de province entre une mère cardiaque, tout à ses soucis de malade, et un père lunatique dont les modestes spéculations semblent condamnées à un continuel échec. Sous des apparences froides et résignées, la jeune femme cache un instinct de révolte que trahit parfois la dureté ironique et malicieuse de ses regards et de son rire. Sa vie s'écoule dans cette grisaille jusqu'à trente ans, animée seulement par l'affection que la jeune fille porte à sa gouvernante, miss Frost. Cette dernière lui a donné une éducation pleine de réserve. Aussi les reflets mystérieux qu'il lui arrive de surprendre dans les yeux de son élève ne laissent-ils pas de l'inquiéter. Alvina, au fond, cherche l'homme dont l'amour pourrait réchauffer sa vie. Faute de le trouver, elle s'étiole. Sur le point de se fiancer, elle s'est toujours retranchée sur son éternelle réserve. C'est alors qu'elle fera la connaissance d'un jeune Italien, Francesco Marasca, lequel va changer sa vie de fond en comble. Acteur de music-hall, il appartient à une troupe engagée par le père d'Alvina. La jeune fille se sent attirée par le charme mystérieux et sensuel du jeune Italien. Il est beau et plein d'une exubérante vitalité physique qui semble étouffer en lui toutes les facultés de l'esprit. Son corps respire une énergie qui réchauffe l'âme froide et un peu ironique de la jeune Anglaise. D'entrée de jeu, Francesco s'éprend d'Alvina, triomphe de ses hésitations et l'emmène en Italie. Dans une petite ville des Abruzzes, Alvina trouve une vie simple, toujours en contact avec la nature et avec les hommes. Mais voilà que la guerre éclate ; Francesco est appelé sous les armes au moment même où Alvina lui apprend qu'elle va être mère. Il part, mais tous deux ont acquis maintenant la certitude qu'ils s'aiment d'un amour profond et réciproque. Cette œuvre est assez inégale : la première partie est prolixe à l'excès ; la dernière, par contre, qui se déroule en Italie, met efficacement en lumière un thème cher à Lawrence : l'exaltation d'une certaine sensibilité primitive, laquelle emporte tout et triomphe de ce rationalisme qui afflige la société moderne. – Trad. Nouvelles éditions latines, 1947.

FILLE SAUVAGE (La). Drame en cinq actes de l'auteur dramatique français François de Curel (1854-1928), publié à Paris en 1919. Ce drame, qui en 1901 comportait six actes et avait déconcerté le public parisien, fut mieux accueilli sous sa forme actuelle. Cette fille sauvage symbolise l'humanité. Le savant Paul Moncel a ramené d'Afrique une jeune fille qui a grandi au milieu des hommes et des animaux de la forêt. Seule l'éducation religieuse parvient à dominer la violence de ses instincts, mais Curel a formé le dessein de lui faire épouser un roi africain pour qu'avec son intelligence et son charme elle serve là-bas la cause de la civilisation et de la France. Il l'empêche donc de se faire religieuse et il extirpe de son âme cette foi même qui l'a élevée moralement. À la religion il substitue le culte de la Raison et lui montre la mission qui l'attend. La femme accepte par orgueil ; mais, devenue reine, elle s'abandonne à la plus complète anarchie morale. Le drame se termine par la scène suivante : devant Moncel qui regarde, épouvanté, quelle arme terrible peut devenir la science entre les mains d'un peuple barbare, la fille sauvage condamne à mort le dernier chrétien. Plus fait pour la lecture que pour la scène, ce drame constitue une étape importante dans le théâtre de Curel. L'auteur, au lieu de se contenter d'étudier un problème en soi ou d'atteindre à une grande intensité dramatique, tente, dans cette œuvre, de porter un jugement moral.

FILLES DE MONTHIVER (Les) [*Die Monthiver Mädchen*]. Roman de l'écrivain allemand Otto Flake (1880-1963), publié en 1952. Flake a composé une trentaine de romans de mœurs qui représentent une chronique de l'époque vue du côté de la bourgeoisie cultivée, et qui obéissent au mot d'ordre « clarté, tranquillité, sensualité et énergie ». L'ouvrage principal de sa jeunesse est le roman *Ruland* [*Ruland*, 1922], qui dépeint les idées et les transformations spirituelles du temps à travers l'évolution d'un homme de l'intelligentsia et de ses erreurs spirituelles et sexuelles. Le héros du roman *Les Filles de Monthiver* cherche à se créer une image personnelle du monde sans se baser sur des valeurs extérieures, seul comptant son sentiment du vrai. Anselm rentre à Karlsruhe, retour de France où il a assisté à la Révolution. Il demande Salomée de Monthiver, une amie de jeunesse, en mariage ; elle le prie de lui accorder un an de réflexion. Le caractère impatient d'Anselm est rapidement charmé par la belle Lili de Rellnitz ; mais, peu de temps après, il est nommé conseiller aulique du duc de Kraichheim, à Paris, et épouse Betty Lamour, une Canadienne anglaise. Salomée, de son côté, se marie avec le Suédois Axel Torsela, qu'elle a connu lors d'un voyage en compagnie du couple royal. Ce mariage ressemble à une ivresse, qui trouve une fin abrupte dans la mort d'Axel. Salomée devient plus tard la fiancée d'un diplomate autrichien, le baron Landis. Grâce à ses relations à Paris, Anselm travaille pour la maison d'éditions Cotta et divers magazines. Il a divorcé de Betty Lamour et s'éprend de Xénia, une duchesse russe, qui est une ancienne amie de Salomée. Un voyage à Karlsruhe lui donne un nouvel aperçu de la Cour et de la vie culturelle de cette ville, où vivaient alors Johann Peeter Hebel, Weinbrenner et d'autres hommes importants. La frêle sœur de Salomée, Verena, qui vient de sortir d'un monastère, soigne le père d'Anselm. Quand Anselm rencontre à Marbourg Savigny, Brentano, Bettina et Jacob Grimm, et qu'il s'enthousiasme pour les idées romantiques, il fait part de ses expériences à Verena dans de longues lettres. Après la mort de Betty, il épouse Verena et l'emmène à Paris. – Ce livre doit son charme à un style imagé, qui épouse toutes les nuances et les émotions des personnages, en même temps qu'il nous restitue l'atmosphère d'une époque bouillonnant d'idées.

FILLES DU COMMANDANT (Les) [*Kommandörens döttre*]. Roman de l'écrivain norvégien Jonas Lie (1833-1908), publié en 1886, alors que la discussion sur les coutumes et la morale sociale dominait la vie intellectuelle en Norvège. Avec *Les Filles du commandant,* Jonas Lie avait l'intention de défendre avec énergie la vie « vraie » contre la vie « fausse » de la société, prisonnière des conventions. Le cœur étouffe sous ces conventions, Lie en souffre et réagit. Mais son mérite en tant qu'artiste est de n'avoir pas donné un ton polémique à son récit. Il laisse la vie parler et mener elle-même la polémique. Marthe et Cécile, les filles du commandant Witt, qui les aime tendrement, sont les personnages principaux. Cécile est sérieuse et courageuse, mais elle n'arrive pas à être elle-même, à cause de l'esclavage où la tiennent les principes que lui a inculqués sa mère. Elle ne sait pas garder l'homme qu'elle aime. Marthe, libre, à l'esprit ouvert et franc, ne peut épouser son cousin Jean parce qu'il n'est pas assez distingué pour elle. Les deux amants finissent par s'aigrir l'un contre l'autre, jusqu'au moment où Jean coule avec son navire et où Marthe doit renoncer à élever son enfant, parce que les conventions le lui interdisent. Mais, quand elle est sur le point de mourir de douleur et de nostalgie, son fils vient chez elle. Sa sœur Cécile réussit à vaincre l'opposition de sa mère et garde auprès d'elle, comme une sorte de compensation pour sa vie détruite, le fils de sa sœur. Lie raconte l'histoire des deux malheureuses sœurs avec une précision psychologique pleine de pitié et de compréhension et réussit, sans jamais faire entrer sa pensée ni ses sentiments dans les faits qu'il raconte, à donner une noble leçon aux lecteurs de bonne volonté : la vie dépend de la volonté et des actes des hommes forts et indépendants qui ne doivent jamais oublier qu'une des sources essentielles de la vie est le rapport naturel qui doit exister entre homme et femme ainsi qu'entre mère et enfants. – Trad. Savine, 1895.

FILLES DU FEU (Les). Recueil de nouvelles publié en 1854 par l'écrivain français Gérard de Nerval (Gérard Labrunie, 1808-1855), suivi de douze sonnets réunis sous le titre : *Les Chimères* (*). Les nouvelles sont intitulées *Angélique, Sylvie, Jemmy, Octavie, Émilie.* On y a joint une comédie, *Corilla*, et une étude sur les mystères et les religions antiques, *Isis. – Jemmy,* récit imité de l'allemand, ayant pour cadre la région de Belle-Rivière aux États-Unis, est une pittoresque peinture des mœurs des colons d'Amérique au début du XIXe siècle. – *Octavie* n'est guère autre chose que la brève notation de quelques souvenirs plus ou moins galants de l'auteur, obsédé par le souvenir de l'actrice Jenny Colon, dont il s'était éloigné pour chercher l'oubli en Italie. – *Émilie* est l'histoire d'un jeune officier des armées de la République qui épouse, en Alsace, une jeune fille de famille allemande et apprend un jour qu'il a tué dans un combat le père de celle-ci. Il se jette volontairement au-devant de la mort dans une charge, sachant qu'il a perdu l'amour de sa jeune épouse qui ne peut lui pardonner son crime involontaire. Mais le recueil tire surtout sa valeur des deux premières nouvelles, dont la seconde peut même être considérée comme le chef-d'œuvre qui a le plus assuré la renommée de Gérard de Nerval.

Disons d'abord quelques mots d'*Angélique.* C'est presque un abus de donner le nom de nouvelle à ces pages tout à fait caractéristiques de la manière de Nerval. Celui-ci, dans une suite de douze lettres, nous raconte mille choses sous prétexte de nous faire connaître les recherches qu'il effectue dans diverses bibliothèques de Paris et de la province, pour trouver un certain ouvrage dont il a besoin. Ce lui est d'abord une occasion de nous parler de ses promenades, et de nous donner de charmantes descriptions de Senlis, du château de Chaalis, d'Ermenonville, etc., puis de nous initier au folklore de ces régions, de nous citer de vieilles chansons qu'il y a entendues. Mais, dans les bibliothèques, il consulte des archives d'où il tire pour nous toutes sortes d'histoires singulières ou fantastiques et notamment celle qu'il développe le plus longuement : les aventures de la belle Angélique de Longueville, fille d'un des plus grands seigneurs de Picardie, sous Louis XIII, laquelle se laisse enlever par un serviteur de son père, garçon de bonne mine mais simple fils de charcutier. Angélique, après avoir erré durant quelques années avec son ravisseur qu'elle n'a cessé d'aimer, reste veuve, et finit dans la misère.

Venons-en à *Sylvie,* dont le sujet traité avec un peu plus de suite que celui d'*Angélique,* bien qu'avec beaucoup de fantaisie encore, peut se résumer ainsi : Gérard est épris d'une actrice à qui il n'ose déclarer son amour et qu'il nomme Aurélie (nous savons qu'ici encore il s'agit de Jenny Colon). Il apprend un soir qu'un autre a ses faveurs. Et quelques mots qu'il lit, en parcourant mélancoliquement une gazette, le font songer à son enfance qui s'est écoulée dans la campagne du Valois. Le désir lui vient de revoir les « hameaux » d'autrefois. Il loue en pleine nuit une voiture et se fait conduire à Loisy. Durant tout le trajet, il évoque ses innocentes amours avec la brune Sylvie, jeune dentellière du village, brûle de la revoir et peut-être de l'épouser. Il se rappelle en même temps que son idylle était troublée par le souvenir de deux rencontres avec la blonde Adrienne, jeune châtelaine, depuis lors entrée en religion, et qui, à l'époque, dans ses rêves, s'opposait à Sylvie, comme la chimère à la réalité. Cette rêverie nocturne constitue la partie la plus importante de la nouvelle. Mais voici le petit jour et Gérard est arrivé à Loisy. Il y retrouve Sylvie. Hélas ! elle n'a plus la simplicité d'autrefois et lui paraît singulièrement raisonnable. Ils vont ensemble à Chaalis, là même où il avait jadis entrevu Adrienne, costumée en génie céleste, dans une sorte de mystère joué dans les salons du château. Et il ne peut se garder de demander à Sylvie ce qu'est devenue la « religieuse ». En même temps, il pense à Aurélie qui doit, à cet instant, se faire applaudir à Paris. Il voudrait que Sylvie l'arrachât à ces souvenirs. Mais elle ne paraît pas s'y prêter. Le soir même, il apprend qu'elle est fiancée au « Grand Frisé », pâtissier à Dammartin. Il repart aussitôt vers la décevante Aurélie. Et la nouvelle s'achève, plusieurs années plus tard, par le récit d'une des visites que Gérard, maintenant détaché, fait, de loin, à ses amis de Dammartin. Il y assiste au paisible bonheur du Grand Frisé et de Sylvie. C'est par elle qu'il apprend qu'Adrienne est morte au couvent. *Sylvie,* par la fraîcheur des sentiments, la poésie des descriptions et la délicatesse du réalisme, est une des œuvres les plus exquises de notre littérature. L'auteur y a ajouté quelques pages intitulées : *Chansons et légendes du Valois.* Quant aux sonnets, ils forment la part la plus illustre de l'œuvre poétique de Gérard de Nerval — v. *Les Chimères* (*) et *Poésies* (*) de Nerval.

FILLES DU PRÉFET (Les) [*Amtmandes dötre*]. Ce roman de la femme de lettres norvégienne Camilla Collett (1813-1895), publié en 1855, occupe une place importante dans l'histoire de la littérature norvégienne pour deux raisons. D'une part, c'est le premier roman psychologique norvégien : l'auteur y raconte avec beaucoup de détails comment l'adjoint Georg Kold s'éprend de Sophie, la fille du préfet Ramm, qui fut son élève et qui revient de Copenhague transformée en une jeune fille ravissante, intelligente et sensible. Il se passe beaucoup de temps avant que Sophie et Kold s'avouent leur amour, et leur entente est presque immédiatement brisée par l'intervention du mentor de Kold, Müller, qui prétend le sauver du mariage. Dès l'instant que Sophie a perdu confiance en Kold, ils s'éloignent de plus en plus l'un de l'autre et Sophie épousera un vieux pasteur, Rein. Kold a beau se jeter à ses pieds la veille du mariage et expliquer le malentendu qui a causé leur séparation, Sophie ne reviendra pas sur sa décision, car ce qui a une fois existé entre eux ne pourra plus jamais revivre. D'autre part, *Les Filles du préfet* sont le roman norvégien du féminisme par excellence. Camilla Collett y plaide, après George Sand, le droit de la femme à disposer d'elle-même et de ses sentiments.

FILLE SÉDUITE PAR GOMEZ ARIAS (La) [*La niña de Gómez Arías*]. Drame en trois journées de l'écrivain espagnol Pedro Calderón de la Barca (1600-1681), publié à Madrid en 1672. Calderón tire l'intrigue de sa pièce d'une chanson populaire où il est question d'une jeune fille abandonnée par Gómez Arías. Ce thème avait déjà été traité par Luis Vélez de Guevara. L'action se passe au temps où le royaume de Grenade venait d'être reconquis par les Rois Catholiques. Ce Gómez Arías est un soudard qui plaît aux femmes. Il a dû se réfugier à Cadix à cause d'un coup d'épée qu'il a donné, ailleurs, à un rival qui s'était permis de courtiser la belle Béatrix. Ce qui ne l'empêche pas, à présent, de conter fleurette à Dorotea. Pendant une révolte des Maures, Gómez Arías persuade cette dernière de fuir avec lui. Mais, vite lassé de cet amour, il l'abandonne dans les bois. Après nombre de coups de théâtre, il la retrouve, la vend cyniquement à un nègre et vole vers d'autres conquêtes. Par chance, l'armée des Rois Catholiques libère la malheureuse Dorotea. La reine Isabelle, qui se trouve à Grenade, met à prix la tête de Gómez Arías. Pris et conduit devant la reine, le fripon croit néanmoins échapper au châtiment en proposant d'épouser Dorotea. Mais la reine rétorque aussitôt que le mariage rachète seulement la faute privée. En bref, Gómez Arías finira sur l'échafaud. Ce sombre drame, dont certaines scènes sont riches d'une intense émotion, doit surtout son intérêt au héros lui-même. Il semble avoir été créé pour dépasser en cynisme et en immoralité celui de don Juan ; mais chez le « Burlador de Séville » — v. *Don Juan* (*) —, il y avait quelque chose d'authentique que seules la morale sociale ou la justice divine pouvaient condamner. Gómez Arías, par contre, est un vulgaire gibier de potence que la justice humaine, personnifiée par la reine Isabelle, punit à seule fin que la porte de la société ne reste pas ouverte à de semblables délits.

FILLES ET PORTS D'EUROPE. Roman de l'écrivain français Pierre Mac Orlan (1882-1970), d'abord publié en 1932 sous le titre *Filles, ports d'Europe et père Brabançon,* puis réédité en 1945, avec une préface de l'auteur, sous le titre qu'on a retenu pour cet article. Il s'agit d'un très étrange récit, de surface lisse à ne retenir que son argument ; en même temps d'une riche opacité, et presque obsessionnelle. Déchiffrons l'argument. En somme, il s'agit du capitaine Hartmann, personnage nordique, quoique de nationalité indécise, qu'une très attirante métisse a entraîné dans ses aventures d'espionne ; ce Hartmann travaillera pour les services allemands et contribuera en 1914-18 à faire que des sous-mariniers ennemis puissent entrer en contact avec les côtes bretonnes ; cependant la jolie métisse sera victime des services français, peut-être informés par Hartmann lui-même de son activité à Barcelone. Comme c'est Hartmann qui raconte ses souvenirs, on peut trouver qu'il y a des trous dans le récit fait par un personnage douteux. Voilà un excellent truc d'auteur, mais par lequel on voit dès l'abord que l'argument n'a en lui-même aucune importance. De fait, il est par exemple donné deux versions distinctes de la fin de Mlle Bambù, l'héroïne malheureuse. Tout ce que l'on demandera donc à l'enchaînement des épisodes, ce sera d'être prompt et insolite, bref, de « tenir en haleine ». Cet effet est magistralement obtenu, et l'est d'autant mieux que les lieux — les ports avec leurs filles et leurs marins et leurs soldats —, de si vive ou hallucinante façon qu'ils soient évoqués, ne sont que l'apparence ou l'antichambre d'un décor métaphysique.

La vraie substance du livre est en effet dans un jeu obsédé de masques et d'ombres, difficile à fixer, mais voici quelques données tout de même : il y a un narrateur. Ce narrateur est nommé M. Nicolas, plus que vraisemblablement par hommage ambigu à Restif de la Bretonne. C'est donc à M. Nicolas que Hartmann raconte sa vie. Ce même Hartmann, toutefois, se dédouble en père Brabançon, et leurs rapports sont l'objet de la seconde partie du livre, laquelle est en contraste marqué avec la précédente ; car on y quitte le récit pour entrer dans les substitutions d'identités, les combats assassins des ombres contre les hommes qui les projettent, et en vérité pour que se consume un enfer du souvenir. Dans ces pages allusives, subtiles et hallucinées se prolonge donc un récit qu'on aurait cru simple bien à tort : en vérité, bien peu d'écrivains français ont approché de si près les hautes lueurs du romantisme et de l'expressionnisme allemands.

Alors qu'au terme de la première partie on demeurait sur l'impression d'un ouvrage d'époque 1925, la seconde est comme une projection de fantômes dont l'auteur se délivrerait avec une opiniâtreté littéraire surprenante. Le lieu physique, toutefois lui-même physiquement aboli par ces combats d'ombres et tant d'évocations, est ici Montmartre. À la magie de ce mot, comme si un instant il avait oublié le sujet des pages qui précèdent, l'auteur fait revivre des bandes : celle de Villon, celles que lui-même côtoya aux temps de sa misère adolescente. Puis, et jusqu'à la fin, père Brabançon, seul, l'occupe. Cet homme, « un aventurier d'origine hollandaise que j'ai connu à Rouen vers 1901. On l'appelait Star ». Cet homme a très longtemps et profondément absorbé Mac Orlan, et déjà il était fort question de lui dans *Villes* (*), livre sous-titré « Mémoires ».

Ce livre très exceptionnel s'achève par l'étranglement burlesque d'un fantôme, d'un fantasme. Nous voici certes au carrefour de plusieurs centres d'intérêt. À demeurer dans le domaine convenu des catégories en littérature, le récit se présente peut-être d'abord comme l'ouvrage qui renouvela, et presque malgré son auteur, les données du roman d'aventures. *Filles et ports d'Europe* constitue aussi un témoignage précieux sur « l'après-guerre » des années 20 : c'est-à-dire, en premier lieu, sur l'image que les adultes de ce temps se faisaient d'eux-mêmes. Il n'est toutefois pas possible d'épuiser les significations secrètes d'un récit que l'auteur a balisé par les noms littéraires qu'au passage il écrit, ou presque ésotériquement suggère : Goethe, Marlowe, Quincey, Stevenson, Villon (et son biographe Marcel Schwob), Baudelaire, Restif de la Bretonne, Nerval, et très particulièrement *La Chute de la maison Usher* — v. *Contes du grotesque et de l'arabesque* (*). La force de Mac Orlan l'excentrique, c'est aussi de vivre la littérature comme très peu d'autres écrivains. Il y croit.

FILLE SOTTE (La) [*La dama boba*]. Comédie en trois actes et en vers de l'écrivain espagnol Lope Félix de Vega Carpio (1562-1635), publiée en 1617. Octavio, un riche citadin de Madrid, a deux filles à marier, Nise et Finea. La première est fort cultivée, tandis que l'autre est si sotte qu'à vingt ans elle ne sait pas encore son alphabet. Cette dernière a été promise en mariage à un provincial, Liseo ; mais, quand celui-ci se rend compte de la sottise de sa fiancée, il trouve que le sacrifice est trop grand et se met à courtiser Nise, l'orgueil de la famille. Lorencio, un jeune homme pauvre que Nise aime en secret, vient à apprendre que la jeune fille sotte a une dot supérieure à celle de sa sœur. Il décide de se substituer au fiancé trop difficile et fait des avances à la sotte Finea. Ce que n'ont su faire maîtres et parents n'est qu'un jeu pour le malin Cupidon. Finea se transforme vite à son avantage. En présence de ce miracle, Liseo songe à la dot et voudrait renouer ses fiançailles avec Finea ; mais celle-ci déjoue la manœuvre. Et la comédie s'achève par une série de mariages, car les domestiques ont trouvé le moyen de singer leurs maîtres dans leurs aventures amoureuses. Tous les personnages de la comédie manquent singulièrement de relief. Ils sont à peine ébauchés. La comédie repose tout entière sur la figure de Finea, amusante et originale, bien qu'elle soit fort artificielle. Il y a une scène qui mérite pourtant une mention particulière : celle dans laquelle la femme de chambre de Finea, qui, elle, est sotte en quelque sorte par mimétisme, décrit à ses jeunes maîtresses comment la chatte a mis bas. Lope a donné à ce récit la forme d'une ballade dont l'accent fortement épique est des plus drôle.

FILS DE GIBOYER (Le). Comédie en cinq actes de l'auteur dramatique français Émile Augier (1820-1889), représentée en 1862 et qui fait suite aux *Effrontés* (*). Cette comédie sociale donna lieu à de violentes polémiques parce qu'on la crut dirigée contre le parti clérical. Telle n'était pourtant pas l'intention de l'auteur, qui se contentait de signaler et de stigmatiser les tares de ses contemporains. Nous y retrouvons deux personnages des *Effrontés :* Giboyer et le marquis d'Auberive. Giboyer est maintenant père : son fils, Maximilien Gérard, élevé loin des laideurs au milieu desquelles il a lui-même toujours vécu, ignore à vrai dire qu'il est le fils de Giboyer. Il sert de secrétaire à un parvenu, Maréchal, qui cherche par tous les moyens à réussir dans la politique. Il s'appuie, pour cela, sur une certaine baronne Pfeffers, dont l'honorabilité est assez douteuse. L'occasion se présente de prononcer un discours pour défendre le parti clérical. La tâche est confiée à Maréchal, et c'est Giboyer qui écrit pour lui un discours magistral. Mais l'on change d'idée parce que la baronne désire amener une rupture entre Maréchal et le marquis d'Auberive, porte-drapeau du parti. Furieux, Maréchal charge Maximilien de lui écrire un discours anticlérical. Maréchal le prononce et remporte un tel succès qu'il va siéger à la Chambre. Giboyer père, effrayé de voir que son fils a hérité de sa verve de pamphlétaire, veut l'emmener avec lui en Amérique afin de le soustraire à la corruption des milieux parisiens. Maréchal s'y oppose : « Qui écrira mes discours ? », et, pour retenir Maximilien, il offre à ce dernier la main de sa fille. À l'abri du besoin, le jeune homme pourra désormais utiliser honnêtement ses talents. Giboyer part donc seul pour l'Amérique afin de se refaire une vie. Francisque Sarcey a affirmé que *Le Fils de Giboyer* était aussi important que *Le Mariage de Figaro* (*), de Beaumarchais. Aujourd'hui, cette pièce, qui ne dut son succès qu'au scandale qu'elle souleva, a un intérêt pour nous dans la mesure où elle nous présente un personnage nouveau : celui de l'homme qui s'est laissé entraîner par les événements et qui rêve d'honnêteté pour son fils. Certes, le thème lui-même n'est pas nouveau, mais l'angoisse paternelle est décrite avec beaucoup de pathétique, surtout dans les scènes où le père croit découvrir chez son fils ses propres tares. Cette angoisse même vient ennoblir ce personnage équivoque, bon à tout parce qu'il n'est propre à rien, qu'est le journaliste Giboyer.

FILS DE LA MEDINA (Les) [*Awlād ḥāratiną*]. Roman de l'écrivain égyptien Najīb Maḥfūẓ (né en 1911), paru en feuilleton en 1959 et édité à Beyrouth en 1965. Récit à clés, transposant dans la vieille ville du Caire la genèse du monothéisme et de la raison, cet ouvrage a provoqué des controverses telles que Maḥfūẓ a préféré le rayer de la liste de ses œuvres. L'intrigue mime les récits bibliques ou coraniques, posant les problèmes de l'existence de Dieu, du mal, de la corruption du pouvoir et de la transition entre la magie et la science : le patriarche énigmatique al-Jabalāwī, fondateur redouté d'un quartier, choisit Adham, son fils cadet et métis, pour administrer ses biens de mainmorte. L'aîné, Idrīs, conteste cette préférence, avant d'être chassé et d'incarner le Diable. Il réussit à entraîner Adham et sa femme dans sa chute, en les persuadant de lire leur avenir dans le testament secret du père : pris sur le fait, Adham est à son tour exclu d'un foyer devenu le paradis perdu. L'un de ses fils, Qadrī, tue son frère Hammām qu'al-Jabalāwī avait distingué : une malédiction impitoyable tombe sur ses enfants innocents, alors que l'ancêtre vit toujours, reclus et apparemment indifférent, derrière des portes closes. Commence alors un âge de fer pour tous : le travail, la misère et les souffrances apparaissent. La naissance de la tyrannie est décrite avec l'émergence des administrateurs de mainmorte monopolisant tous les revenus grâce à des fiers-à-bras qui terrorisent la descendance du patriarche. Pourtant, le charmeur de serpents Jabal se révolte et réussit à émouvoir al-Jabalāwī qui s'adresse à lui, comme Dieu à Moïse : il instaure une société plus juste. Une ère de prospérité débute, vite effacée par l'égoïsme et la faculté d'oubli des hommes. Tendre et altruiste comme le Christ, le charpentier Rifā'a délivre ensuite un message d'amour et tente d'exorciser les esprits avant d'être assassiné : sa chaste mémoire est préservée par ses compagnons. Prétendant être inspiré par un serviteur d'al-Jabalāwī, le berger Qāsim apparaît alors et restaure le droit, fondé sur un pouvoir temporel, semblable à l'islam : aucun de ses successeurs n'arrive à suivre son exemple. Le sorcier 'Arafa surgit enfin et essaie de percer le mystère d'al-Jabalāwī : il ne réussit qu'à provoquer sa mort et tombe entre les mains de l'administrateur, avide d'utiliser son savoir. Ḥanash s'enfuit après l'assassinat de son frère 'Arafa, suscitant l'illusion d'un retour et d'une revanche pour tous les opprimés. Attentat à la primauté de l'Islam et aux fondements éthiques du pouvoir, cet ouvrage a fait scandale, malgré des termes mesurés et une fin ambiguë. Influencé par Hésiode, Richard Simon, le siècle des Lumières, Auguste Comte et Alfred Loisy, il correspond à une période agnostique de la vie de Maḥfūẓ, mais, par-delà le doute, il nous transmet une sagesse subversive : le paradis et l'immortalité risquent de nous décevoir, car l'oisiveté transforme tout en enfer. Seuls l'effort et l'espoir peuvent durablement fonder le bonheur de l'humanité : la boîte de Pandore est préférable au jardin d'Eden. – Trad. Sindbad, 1991.

B. Mo.

FILS DE LA SERVANTE (Le) [*Tjenstegvinnans son*]. Récit autobiographique de l'écrivain suédois August Strindberg (1849-1912), publié en 1886-87, comprenant une série de souvenirs et d'esquisses décrivant l'atmosphère étroite et bornée dans laquelle Strindberg fut élevé à Stockholm, jusqu'à son inscription à l'université d'Uppsala en 1867. L'enfance et la jeunesse avaient été pour la plupart des romantiques l'âge idéal : Strindberg, écrivain viril et nullement romantique, considère au contraire cette période de la vie humaine comme une phase préparatoire et d'une moindre valeur. Ces souvenirs ne sont donc nullement idéalisés et on y retrouve, dans les limites imposées par la fidélité envers le passé, les qualités d'observation incisive et amère qui avaient constitué l'originalité de *La Chambre rouge* (*). Les premières années de la vie d'un homme se passent au sein de la famille et à l'école : les principaux sujets de ce livre seront donc la famille et l'école. L'enseignement donné à cette époque dans les écoles suédoises avait un caractère surtout formaliste, et la discipline y gardait toute son antique rigueur. De là provient l'opposition de l'élève sensible et précoce, incapable de souffrir les coups de bâton et plus porté vers l'étude des langues modernes et des sciences naturelles que vers celle du latin, dont il ne sut jamais apprécier la valeur. Il se plut donc davantage dans une école privée, où l'enseignement était plus compréhensif et plus moderne. Strindberg ne reconnaît pas avoir reçu à l'école d'impulsions décisives : il estime avoir appris davantage grâce à ses propres lectures et à ses études individuelles ; mais, par la vie en commun avec les camarades, l'école contribua à le former socialement plus que ne le fit sa famille. Strindberg nous trace un portrait aux contours précis mais froids de son père, un homme aux manières distinguées dont les affaires n'allaient pas toujours très bien et qui avait fait une mésalliance que la société jugeait sans indulgence. Il nous décrit également sa mère qui, pendant sa jeunesse, avait été servante dans une pension, une femme bonne et douce qui conserva toujours ses habitudes simples. Ces portraits se détachent sur le fond grisâtre de la vie que la petite famille mène dans un des faubourgs de la capitale : les fils nécessairement confiés aux servantes, les économies et leur mesquinerie, le manque de compréhension et de sympathie entre parents et enfants. Ce côté mesquin de la vie familiale ne constitue cependant pas, aux yeux de l'auteur, une exception regrettable. Il y voit au contraire le reflet de l'étroitesse de toute vie familiale et l'expression de l'insuffisance de la famille. Il note cruellement que la famille lui paraît être une « auberge où l'on mange et dort pour rien », et le souvenir de la fausse pédagogie qu'on y appliquait lui inspire parfois de violentes invectives. Ainsi lorsqu'il s'écrie : « Famille, tu es la maison de retraite des femmes qui aiment leurs aises, le bagne du père de famille et l'enfer des enfants ! » Ces souvenirs se trouvent à l'origine de sa polémique contre les institutions sociales. Ce récit autobiographique est le premier volume d'une trilogie qui comprend : *Fermentation* et *La Chambre rouge* (*). – Trad. Stock 1931-1949 in *Œuvre autobiographique,* t. I, Mercure de France, 1990.

FILS DE LA TERRE (Les) [*Maaemon lapsia*]. Roman de l'écrivain finnois Arvid Järnefelt (1861-1932), publié en 1905. Son thème est l'amour de l'homme pour la terre, ainsi que la douleur qu'il éprouve quand il est contraint de la quitter. C'est ce qui arrive au fermier Kinturi, père d'une pauvre et nombreuse famille, au moment du partage des terres en Finlande. C'est ce qui arrive également au riche baron, grand propriétaire, exilé pendant la domination russe. Comme dans toute l'œuvre de jeunesse d'Arvid Järnefelt, inspirée par Tolstoï, on retrouve ici la tendance à l'abolition des injustices sociales et à une révolution qui devrait trouver son accomplissement dans l'esprit des classes les plus riches. Mais la thèse ne diminue pas la valeur littéraire de ce court roman.

FILS DE LA « VALLÉE » (Les) [*Die Söhne des Tahls*]. Poème dramatique publié en 1803, de l'écrivain allemand Zacharias Werner (1768-1823), qui comprend deux drames, en six actes chacun. Une invocation à Dieu, faite sous une forme énigmatique et symbolique et placée au commencement de l'œuvre, introduit cette atmosphère mystique dont elle est tout entière baignée. Dans le premier drame qui a pour titre « Les Templiers à Chypre » [Die Templern auf Cypern] nous est présentée la vie des Templiers et la décadence progressive de l'Ordre. Parmi les responsables se trouve le jeune Robert, chevalier écossais, qui a une réputation de bravoure et de loyauté. À l'encontre des autres Templiers qui se sont abandonnés à la mollesse et à la vanité, il s'est laissé emporter par son ardeur et a mené à bien de périlleuses entreprises contre les Infidèles, sans attendre les ordres de ses supérieurs. Après quoi il s'est révolté, au lieu d'accepter humblement les réprimandes que lui a méritées sa conduite. Cette attitude devrait lui valoir la mort. Cependant, le grand Maître de l'Ordre, pressentant les hautes destinées qui attendent le jeune homme, et auxquelles une jeune fille, Astralis, envoyée par la « Vallée », dont l'ordre dépend, fait de temps à autre de mystérieuses allusions, se borne à l'éloigner de l'ordre. D'ailleurs l'ordre, par la volonté du « maître de la Vallée », va être prochainement dissous. Au dernier acte, on assiste au départ pour la France du grand maître Molay. Ce dernier, sous le prétexte d'une nouvelle croisade, a été appelé par le pape, qui trame avec le roi Philippe le Bel la ruine de l'ordre dont le prestige porte atteinte à son pouvoir. Dans le même temps, deux Templiers, retenus prisonniers à Chypre parce qu'on les jugeait indignes de soutenir l'honneur de l'ordre, s'échappent de l'île, tout disposés à tirer vengeance des mauvais procédés dont ils ont été victimes.

Le second drame s'intitule « Les Frères de la croix » [Die Kreuzesbrüder] et se déroule à Paris, huit ans plus tard, au moment du procès contre les Templiers. Après les fausses accusations d'impiété lancées par les deux Templiers fugitifs, l'ordre est traité avec la dernière rigueur ; de fausses confessions sont extorquées sous la torture et servent de chefs d'accusation. Toutes les données de l'immense procès sont entre les mains de l'archevêque de Sens, membre de la Vallée et président du tribunal de l'Inquisition. C'est lui qui se montre le plus implacable, même quand le pape et le roi n'auront plus le courage de tourmenter les derniers survivants. Mais le pape et le roi eux-mêmes ne sont que des instruments entre les mains du maître de la Vallée, et celui-ci a décidé que l'ordre disparaîtrait, afin qu'un ordre nouveau puisse voir le jour. C'est à ce renoncement que l'on voudrait voir se résoudre Molay et les anciens de l'ordre, qui depuis des années, et malgré les tortures et les tribulations de toutes sortes, ont protesté de leur innocence, accusant le pape et le roi d'agir sous le coup d'une décision arbitraire. Molay lui-même monte enfin sur le bûcher, d'où il exhorte à l'obéissance le peuple qui voudrait le libérer. Pendant ce temps, Robert, mystérieusement conduit dans la caverne où siège la Vallée, recueille des lèvres du « vieux carme », le plus ancien des membres de l'ordre, la révélation du « dernier évangile » ; il appartient maintenant à Robert ainsi qu'à un petit nombre de fidèles d'être les dépositaires de l'héritage de l'ordre, et de rendre les hommes dignes de connaître un jour cet évangile qui n'a été communiqué jusqu'alors qu'à un très petit nombre d'élus.

Ce long poème dramatique tire son importance historique non seulement du fait qu'il expose les idées religieuses de Werner, mais aussi de ce qu'il met en lumière les tendances de toute une époque, celle de la fin du XVIIIe siècle, qui aspirait à voir se réaliser une réforme sociale et religieuse, non seulement en Allemagne mais dans l'Europe entière. Le fond du drame est lié à l'activité de la franc-maçonnerie. C'est ce qui explique certaines obscurités de détail dont seuls les francs-maçons pouvaient avoir la clé, Werner s'adressant spécialement à eux. Du point de vue poétique, malgré le talent de l'auteur, ses dons d'éloquence et de lyrisme, l'œuvre dans son ensemble ne parvient pas à vivre et à convaincre ; entre la première et la seconde partie, il existe des différences de ton qui font douter que ce soit bien une œuvre d'un seul tenant. De là sa valeur toute documentaire. Mais elle est indispensable à connaître pour qui étudie les rapports entre la franc-maçonnerie mystique allemande de la fin du XVIIIe siècle et la pensée romantique.

FILS DE L'HOMME (Le). Essai de l'écrivain français François Mauriac (1885-1970), publié en 1958. Dans cet ouvrage, l'auteur met en scène le Christ lui-même. Il aborde en premier lieu « Le Mystère du Dieu-Enfant » : le Christ revit en chacun de nous dans la mesure où justement nous restons proches de l'enfance. La dualité de l'artiste s'exprime par son attirance pour les jouissances de ce monde et l'appel de Dieu qu'il ne peut pas ne pas entendre. Dans le deuxième chapitre, Mauriac décrit la vie cachée du Sauveur, cette vie simple et laborieuse d'artisan, d'ouvrier. Rien alors ne désignait le Fils de l'Homme. Ensuite « Le Mystère de la Croix » retrace le supplice subi par le Christ, fait ressortir l'éclatante beauté de sa mission, qui ne s'accomplira pleinement que lors de sa Résurrection. Dans le chapitre cinq, l'écrivain dénonce ceux qui imitent les bourreaux de Jésus et qui, le plus souvent, sont eux-mêmes chrétiens : conquêtes espagnoles, atrocités coloniales, supplices nazis, tortures en Algérie. Dans le chapitre six, il définit « La Présence du Fils de l'Homme dans le prêtre ». Le plus obscur officiant se trouve chargé de fluide divin et apporte le pardon des péchés. Il rappelle la vie exemplaire de l'abbé Huvelin, confesseur du père de Foucault. Dans son Épilogue, Mauriac appelle l'avènement du règne de Dieu : « Qui nous séparera de l'amour du Christ ? Sera-ce la tribulation ou l'angoisse, ou la persécution, ou la faim, ou la nudité, ou le péril, ou l'épée ? Mais, dans toutes ces épreuves, nous sommes plus que vainqueurs par celui qui nous a aimés. »

FILS DE PERSONNE ou Plus que le sang. Drame en quatre actes de l'écrivain français Henry de Montherlant (1896-1972), représenté pour la première fois en 1943 et publié en 1944. En octobre 1940, Gillou et sa mère, Marie Sandoval, fuyant les bombardements parisiens, viennent de s'installer dans une villa à Cannes. Gillou à quatorze ans, il est le fils non reconnu d'un avocat, Georges Carrion, qui a abandonné sa maîtresse en apprenant qu'elle était enceinte. Douze ans plus tard, il se trouve nez à nez avec Marie et Gillou à la station de métro Châtelet. Depuis, il a toujours fait passer l'intérêt de l'enfant et de sa mère avant le sien propre. Fait prisonnier, Georges s'est évadé et travaille à Marseille, d'où il vient à Cannes passer les fins de semaine. Georges aime Gillou malgré ses lacunes et ses travers. Il l'aimera jusqu'à ce que son écœurement soit trop fort et lui impose de prendre du recul pour abandonner à son sort un être qui refuse par nature tout ce qui est un peu élevé. Parce qu'il a démérité à ses yeux, Georges laisse Gillou partir pour Le Havre avec sa mère, impatiente d'y retrouver son amant, et constate : « Je l'ai sacrifié à l'idée que je me fais de l'homme. Elle l'a sacrifié au besoin qu'elle a de l'homme.

Chacun de nous parlait du sacrifice qu'il faisait. Et c'est lui seul qui était sacrifié. » Gillou est un adolescent charmant, tendre, amorphe, versatile et inconsistant. Sa mère « pourrait porter un masque de théâtre aux traits immuables... Elle ne voit pas clair et ne fait rien d'autre que répéter le vœu de son "vouloir vivre", elle est monocorde et monotrait ». Georges est lucide dans ce qu'il fait « tantôt avec exaltation, tantôt avec horreur ». Sa grande erreur est certainement d'avoir été l'amant d'une sotte et, puisque rien ne prouve que l'avenir de Gillou soit compromis par cette rupture, c'est tout d'abord lui-même que Georges sacrifie, c'est son amour de père qu'il exécute. Ce geste pourrait bien être une manière de représailles contre l'image de sa propre incapacité de vivre que lui offre son fils, ce fils qui reste sourd, imperméable à son amour, à son autorité, à sa morale. Parce qu'il lui parle peut-être trop bien de sa secrète faiblesse, ce miroir, il l'écarte. Ce thème de l'être qui rompt avec un autre être parce qu'il ne peut l'estimer, et qu'on trouve dans toute l'œuvre romanesque de Montherlant, est ici traité avec une sobriété, un pathétique et un resserrement dans le dialogue qui conviennent à une pièce n'existant que par son action intérieure.

FILS DE VIRGILE THIMÁR (Le) [*Timar Virgil fia*]. Roman de l'écrivain hongrois Mihály Babits (1883-1941), publié en 1922. Le héros, Virgile Thimár, est un savant cistercien qui vit coupé du monde au milieu de ses vieux livres. Or un de ses plus chers élèves vient un jour à perdre sa mère. Pour le coup, Thimár se sent tenu de prendre en charge le jeune garçon et de lui servir de père. Ce sentiment nouveau l'absorbe au point qu'il se désintéresse de tout : seul compte désormais son fils spirituel. Tout d'abord, ce dernier répond à son affection. Il révère son bienfaiteur plus que tout au monde. Mais, bientôt, il commence à supporter de moins en moins bien cette affection vigilante et exclusive et sent la révolte gronder en son cœur. C'est alors qu'apparaît son père véritable, une espèce de journaliste présomptueux et cynique qui, après avoir mené une vie de débauche, veut vivre une dernière expérience : celle de la paternité. Il vient donc reprendre son fils. C'est avec joie que le jeune garçon suivra cet homme qui, ayant la parole facile, offre tous les attraits d'une vive intelligence et lui promet de surcroît de l'introduire dans la haute société. Virgile Thimár, resté seul, se rend compte de son péché : avoir laissé dans son cœur prévaloir un amour terrestre, s'être détaché des voies tracées par le Seigneur. Maintenant, il retrouve enfin le seul amour pour lequel il est fait : celui de Dieu. Étude psychologique des plus émouvante, cette histoire est celle d'une âme. Elle dramatise avec vigueur l'antithèse qui existe entre l'amour de Dieu et l'amour humain. Deux hommes de culture et d'esprit différents s'opposent ici, le premier tourné vers une réalité intérieure et divine, l'autre enraciné dans un hédonisme intellectuel qui n'a que faire de toute véritable communion humaine. Alors que Virgile Thimár cherche à créer des liens authentiques avec le jeune garçon, le véritable père ne songe qu'à vivre une expérience personnelle. Pour accuser, en outre, le caractère religieux du drame en question, Babits l'a situé hors des limites ordinaires, où l'amour terrestre s'identifie à l'amour charnel. — Trad. Stock, 1930.

FILS DE VOLEUR [*Hijo de ladrón*]. Œuvre de l'écrivain chilien Manuel Rojas (1896-1973), publiée en 1951. Dans ce roman picaresque d'une éducation se reflètent les thèmes chers à l'auteur : la fatalité, la misère, l'abandon et les éléments autobiographiques alimentent souvent les aventures et mésaventures de son jeune protagoniste. Celui-ci, Aniceto, découvre un jour, parce qu'on l'arrête, que son père, un chef de famille apparemment calme et très respectable, est en fait un voleur international surnommé Ô Gallego et dont la spécialité est le vol de bijoux et d'argent. Ce spécialiste du cambriolage qui agit sans violence, en toute « tranquillité, sécurité, propreté, confort », abrite parfois chez lui de « drôles d'hommes », comme dit la mère d'Aniceto, qui fascinent l'enfant et ses frères : Pedro le mulâtre brésilien, receleur et fournisseur de pistes, grand raconteur d'histoires, ou Alfredo le malade, vivant entre la vie et la mort et fuyant sa femme qui le traque pour l'argent qu'il dérobe. Emprisonné en même temps que son père, Aniceto connaît l'ambiance trouble et violente du monde carcéral. Lorsqu'il est relâché, la mort de sa mère fait de lui un adolescent vagabond qui erre dans les bas-fonds des grandes villes, Valparaiso ou Buenos Aires ; par ses rencontres ou par les petits métiers qu'il exerce, il devient le témoin privilégié de la condition des déshérités ou des travailleurs du Chili et de l'Argentine. Sa présence involontaire à une émeute et à des pillages l'entraîne à nouveau entre les murs sordides d'une geôle. Une solitude sans issue et une lutte quotidienne pour une survie médiocre semblent être le destin de ce garçon de dix-sept ans, semblable à tant d'autres Chiliens de l'époque : « Je vivais parce que j'étais en vie et continuais plus par crainte de la souffrance que de la mort. Tous les gens que je fréquentais raisonnaient de même : manger, boire, rire, s'habiller, travailler pour cela, et rien d'autre... Pas très drôle ! S'il n'était pas facile de mourir, excepté en cas d'accident, il suffisait d'un petit effort, de manger un peu, de respirer un peu, pour vivre un peu... Qui n'en était pas capable ?... L'existence est bon marché et l'homme est dur ... parfois lamentablement dur. » Du seuil de la prison de Valparaiso, Aniceto remarque deux hommes qui, sur la plage d'El Membrillo, ramassent des débris abandonnés par l'océan. Ils s'appellent Cristian et Alfonso et lui font connaître don Pepe, un ancien ouvrier anarchiste espagnol, dit le Philosophe, qui rachète le métal ainsi récupéré. Avec eux, Aniceto partira pour de nouvelles aventures. On le retrouve d'ailleurs comme protagoniste du roman *Meilleur que le vin* [*Mejor que el vino*, 1958]. Comme le constate justement le critique uruguayen Emir Rodríguez Monegal, « *Fils de voleur* est une tentative pour montrer l'homme austral américain de l'intérieur, dans sa véritable dimension, tendre et solitaire, dans sa mansuétude et sa sobriété, dans son énorme réserve de passion et de souffrance, dans son stoïcisme devant la nature et l'oppression de la société ». — Trad. Robert Laffont, 1963. C. C.

FILS D'HOMME [*Hijo de hombre*]. Œuvre de l'écrivain paraguayen Augusto Roa Bastos (né en 1917), publiée en 1960. D'abord traduite en français sous le titre *Le Feu et la Lèpre* (1968), c'est l'une des fictions les plus représentatives du courant littéraire latino-américain appelé réalisme magique. Trois régions constituent le cadre de ce livre qui, plus qu'un roman, est une suite de récits liés par la présence du narrateur Miguel Vera. La première est celle des vallées bleues d'Iturbe où l'on voit « par les nuits lourdes d'orage, les papillons phosphorescents des feux follets voleter à ras de terre ». L'auteur y a passé son enfance. Dans ces bourgades primitives vivaient autrefois des hommes oubliés, superstitieux, toujours prêts à accorder aux avanies de leur existence une cause surnaturelle, comme dans les légendes rapportées ici. À Itapé, par exemple, Gaspar Mora, qui fabrique les meilleures guitares du village et fait pleurer les gens quand il joue, disparaît. Un soir, un bûcheron entend au plus profond de la forêt le son d'une guitare : il pense d'abord être abusé par des esprits, puis s'approchant, découvre dans une cabane le musicien qui, devenu lépreux, se laisse peu à peu « sculpter » par la mort. Quand il meurt, les paysans aperçoivent auprès de Gaspar Mora son double : un christ grandeur nature, qu'il a sculpté à son image. On transporte le christ au village, une folle en haillons lui donne à boire, et le miracle se produit : la pluie, tant désirée, s'abat comme un déluge. Le curé et les autorités refusant d'admettre le christ dans l'église et menaçant de le brûler, on reconstruit sur une colline qui ressemble à celle du Calvaire la cabane de Mora pour abriter le crucifié. Chaque année, le Vendredi saint, le christ est arraché à sa croix noire et emmené en procession jusqu'au parvis de l'église. Un jour, on trouve cloué à la place du christ lépreux le cadavre de Méliton Isasi, le chef politique embusqué, que deux villageois ont exécuté, après l'avoir châtré, car il avait violé leur sœur... Non loin de là, au village de Sapukai, un « étranger » fait lui aussi des miracles. Avec un couteau, il opère les nécessiteux ; avec des plantes, il guérit. Il construit même une léproserie. Pour le payer, on lui offre un poulet, des œufs, des légumes, un chien, une statuette de saint Ignace. Un soir, la fille du fossoyeur aperçoit le docteur à genoux, un flot de pièces d'or et d'argent entre les mains et près de lui, renversée, la statue de saint Ignace. Désormais le docteur ne soignera plus que ceux qui arrivent en apportant quelque statue ancienne. Quand il disparaît, on découvre chez lui une quantité de statues décapitées et le village, qui ne comprend pas la cause pourtant simple d'un tel carnage, le proclame « hérétique ». La seconde région évoquée par Roa Bastos est celle des grandes forêts du haut Parana, avec leurs marécages infestés de serpents et de fauves, et leurs pluies diluviennes qui inondent soudain bêtes et arbres. C'est la zone de l'herbe à maté, où des péones triment dans les plantations sous le fouet des contremaîtres. Liés aux trusts qui les exploitent par une dette qu'ils ne peuvent jamais rembourser, ils cherchent parfois à s'enfuir et meurent sous les crocs des dogues ou la balle du surveillant lancés à leur poursuite. Pour raconter l'« évasion » de Casiano Jara et de sa femme Nati, Roa Bastos retrouve le style cher aux grands romanciers réalistes hispano-américains. Ici, la violence, le sang et la mort mènent le jeu. L'œil du romancier a la précision d'une caméra. Il faut attendre le succès de l'évasion, l'arrivée des fugitifs à Sapukai pour que la magie reprenne le dessus. Installés en pleine gare dans un wagon désaffecté, Casiano et Nati réussiront à voler leur nouveau foyer en faisant rouler le wagon peu à peu vers une clairière de la forêt, sans que leurs compatriotes s'en aperçoivent. Il leur faudra des années pour réaliser cette entreprise titanesque. Quand le wagon a disparu, le village crie au mirage, à l'hallucination. Avec la guerre du Chaco, nous nous déplaçons vers le nord-ouest, dans une jungle où des soldats, à moitié fous de faim, de soif et de terreur, devaient se frayer un chemin à la machette. On sait que Roa Bastos, alors étudiant à Asunción, dut interrompre ses études pour participer à cette opération apocalyptique. Les pages qu'il nous livre — et qui occupent la moitié du roman — ont donc l'accent tragique du souvenir. Elles nous font songer souvent, par leur cruauté et leur horreur, au *Grand Troupeau* (*) de Jean Giono. Pourtant ici le courage des hommes et des femmes du Paraguay qui combattirent est exalté avec un lyrisme passionné, à travers un journal de guerre et l'aventure hallucinante d'une prostituée devenue héroïne par amour pour un combattant. Hélas ! de cette victoire finale il ne restera qu'un goût de cendres, et le roman s'achève sur l'échec d'un peuple « éternellement bafoué, martyrisé et immolé depuis l'origine du monde ». — Trad. Gallimard, 1968 ; Belfond, 1982. C. C.

FILS DU CIEL (Le). Œuvre posthume de l'écrivain français Victor Segalen (1878-1919), publiée en 1975. Ce livre conçu par Segalen un mois après son arrivée en Chine, en juin-août 1909, tient à la fois du roman historique et de l'épopée, un peu comme il avait envisagé d'écrire une épopée en prose sur Gauguin intitulée *Le Maître-du-jouir*. Les faits historiques sont strictement contemporains : l'empereur Kouang-Siu et Ts'eu-hi sont morts depuis un an, mais leur histoire est si mystérieuse qu'elle devient naturellement légendaire. Segalen prend d'ailleurs des libertés avec les faits vérifiables, condense dix-neuf ans de règne en quatre ou six ans, invente des noms de comparses, cherche beaucoup plus le plausible que le vrai et que même le vraisemblable. Le drame de Kouang-Siu, empereur poète, est d'avoir voulu fonder un nouveau temps en intitulant son règne le « grand recommencement », mais toutes ses tentatives de réforme échouent parce que toutes ont des précédents. Il ne peut échapper au poids de l'Histoire. Il aspire aussi à conquérir sa propre personnalité, mais tout se ligue pour l'en empêcher ; la femme qu'il aime disparaît dans un puits et, quoi qu'il fasse, il ne peut échapper à la longue lignée des ancêtres. Avec ce personnage, Segalen a créé une sorte de Hamlet chinois, mais aussi une allégorie du poète, intermédiaire entre la terre et le ciel, selon la conception du taoïsme. Avec son mélange de prose sacrée et de poèmes, ce livre est une somme des préoccupations de Segalen, la suggestion allégorique d'une vérité plus haute que le langage. H. B.

FILS DU PAUVRE (Le). Roman de l'écrivain algérien d'expression française Mouloud Feraoun (1913-1962), publié en 1950. Né à Tizi-Hibel, en Haute-Kabylie, Feraoun est le fils d'un fellah dur à la peine qui, souvent, fut obligé de quitter la terre avare pour aller travailler dans les villes industrielles de France. Destiné à devenir berger, Mouloud Feraoun a eu plus de chance que la plupart de ses camarades, nous dit-il. Il a pu étudier, conquérir un diplôme, arracher les siens à la gêne. C'est comme pour s'excuser de cette chance qu'il a écrit *Le Fils du pauvre*. Ce livre traite de l'un des plus grands thèmes de la littérature romanesque : la formation d'un homme, et il le renouvelle par le décor et le milieu où il l'a placé. L'enfance que Feraoun nous rapporte dans ce livre est la sienne. Pas un trait n'est imaginé. Bien entendu, chez eux, en Haute-Kabylie, les membres de la famille Menrad ne font pas « figure de pauvres ». Ils ne se rendent pas compte de leur misère. En fait, ils sont comme les autres : la Kabylie est peuplée de pauvres, voilà tout, et l'administration coloniale n'y est pas pour rien. Les Menrad naissent, grandissent, souffrent de la faim et de quelques autres maux, tout aussi difficiles semble-t-il à éviter, puis meurent. Ils pensent que cela doit se passer de la même façon pour tous, sur toute la terre. Rédigé dans une langue sobre, précise, *Le Fils du pauvre*, coloré par une ironie discrète et bienveillante, révèle un grand écrivain populaire.

FILS DU SÉNATEUR (Les) [*Die Söhne des Senators*]. Récit de l'écrivain allemand Theodor Storm (1817-1888), composé en 1879. L'auteur nous introduit dans une antique maison de la noblesse hanséatique et nous en évoque les fastueuses traditions. Après la mort de son père, sénateur austère, le jovial Christian Albert, époux d'une jeune femme aussi jolie qu'intelligente, a hérité de la maison de commerce maritime qui appartenait à ses parents. Frédéric, le second fils, qui ressemble en tout à son père, opiniâtre et rigoriste, a, de son côté, hérité de la maison voisine et de certaine entreprise vinicole. Il se trouve que le beau jardin séparant les deux maisons deviendra soudain un motif de brouille entre les frères. Frédéric affirme que dans un codicille du testament de son père, détruit par sa mère, le jardin lui a été attribué. Son entêtement le pousse à intenter un procès à Christian et à faire élever un mur entre les deux propriétés. C'est en vain que, durant un dîner de baptême, sa gentille belle-sœur lui fait signe de venir se joindre à eux ; en vain que le perroquet de la maison paternelle lui fait la même invitation ; en vain que Christian lui paie la moitié des dépenses du mur pour qu'il ait honte de sa conduite ; ce dernier apprendra bientôt que le tribunal a résolu le différend en faveur de Frédéric. Justement furieux, il fait élever le mur jusqu'à la hauteur des maisons. Pourtant, il reste attaché à son frère. Après une visite à la tombe de leurs parents, ses sentiments de famille reprennent le dessus. Lorsque Christian et sa femme rentrent de voyage, le mur a disparu, et une grande réception dans le jardin fête la réconciliation. Chaque personnage en particulier est magistralement décrit, même les figures secondaires, comme l'avocat au gilet brodé d'or, qui a la manie de faire traîner les procès en longueur ; le vieux et honnête comptable de la maison, la capricieuse gouvernante de Frédéric et le reste du personnel. Les sentiments de famille sont exprimés avec chaleur, ils étaient très vifs non seulement dans l'ancien patriciat hanséatique, mais aussi dans l'âme du poète lui-même.

FILS DU TITIEN (Le). Ce récit publié en 1838 figure dans les *Contes et Nouvelles* de l'écrivain français Alfred de Musset (1810-1857). Il s'agit d'un garçon de mine fort agréable, plein d'esprit autant qu'intrépide, mais que sa passion pour le jeu plonge dans un continuel désordre. On s'en afflige d'autant plus qu'il se trouve être richement doué pour la peinture, comme l'attestent de trop rares tableaux signés de son nom. Certaine veuve de haut lignage, qui se prénomme Béatrice, ambitionne de l'arracher à sa vie absurde. Étant, au vrai, belle comme le jour, elle se croit capable d'y réussir. Elle prie donc le jeune homme de faire son portrait. On devine que l'entreprise sera couronnée de succès : un chef-d'œuvre digne en tout point du fils de Titien. Une fois de plus, l'amour aura fait un miracle. Modèle de désinvolture, cet apologue manque un peu de conviction. Il n'est rien, toutefois, qui n'y porte la griffe de Musset, et cela suffit à en faire le charme.

FILS NATUREL (Le) ou les Épreuves de la vertu. Comédie en cinq actes et en prose de l'écrivain français Denis Diderot (1713-1784), imitée du *Véritable Ami* (*) de Goldoni. Imprimée en 1757, elle n'a été jouée qu'en 1771. L'intrigue est celle même de Goldoni : Dorval aime Rosalie ; Clairville, ami de Dorval, l'aime aussi. Pour ne point trahir leur amitié, Dorval veut s'éloigner. Clairville, qui ignore tout de ses sentiments, le prie d'intervenir en sa faveur auprès de la jeune fille. Sa délicatesse contraint Dorval à accepter cette mission, mais c'est pour entendre Rosalie lui avouer son amour pour lui. Il lui confesse le sien, mais prend cependant la résolution de s'éloigner et écrit à la jeune fille pour lui annoncer son départ. Cette lettre tombe entre les mains de Constance, sœur de Clairville. Constance croit Dorval amoureux d'elle. Clairville, ayant appris la vérité, va lutter de générosité avec son ami, jusqu'au moment où l'on découvre que Dorval est le fils naturel du père de Rosalie. Clairville pourra alors épouser celle qu'il aime et Dorval épousera Constance. Cette pièce, qui effleure la comédie larmoyante et même le drame avec la tentative de suicide de Clairville, n'est le plus souvent que l'illustration assez froide des théories de l'auteur sur le théâtre et, par suite, manque de véritable humanité. Ces théories, Diderot les a exposées dans les *Entretiens*, publiés en tête du *Fils naturel.* Il y raisonne, avec beaucoup de pertinence sur la nature du drame bourgeois ou comédie larmoyante écrite en prose. Il estime qu'entre la comédie qui fait rire et la tragédie qui fait pleurer il y a place pour un théâtre qui représenterait les hommes dans leur état ordinaire, ni aussi ridicules, ni aussi tragiques. Il réclame de la scène plus de vérité, plus de continuité dans l'action. Il demande également plus de naturel dans le mouvement scénique et la déclamation. Enfin, il ne veut plus de coups de théâtre, mais des tableaux reliés au besoin par des pantomimes ; plus de caractères, mais des conditions : on montrera donc non l'ambitieux, le dévot ou le joueur, mais le père – v. *Le Père de famille* (*) –, la mère, le juge, l'ouvrier. Diderot complétera l'exposé de ses idées dans le *Discours sur la poésie dramatique*, adressé à Grimm.

FIN (La) [*Das Ende*]. Récit de l'écrivain allemand Anna Seghers (pseud. de Netty Radvanyi, née Reiling 1900-1983), publié en 1948. Comme le roman *La Septième Croix* (*), c'est le récit d'une évasion : après l'armistice, un bourreau des camps de concentration cherche à se soustraire au châtiment de ses crimes. Il choisit la fuite, où il veut non seulement différer le jugement dont il est menacé, mais encore trouver le calme et la paix avec soi-même. Cependant, ni la fuite ni les changements de domicile ne suffisent à empêcher son arrestation, et l'ancien bourreau se suicide, non sans fierté. Si un dépouillement extrême communique au récit une sobriété touchant parfois à une espèce de facilité, du moins retrouvons-nous le jaillissement spontané de la vie authentique, même si quelques invraisemblances enlèvent au drame une partie de son acuité (l'allégresse que ressent le fils, lorsqu'il apprend la mort de son père). En effet, voulant tracer du bourreau un portrait aussi inhumain que possible, Anna Seghers lui enlève une partie de sa vraisemblance. – Trad. Verlag Kurt Weller (Édition bilingue), 1948.

FINALE. Œuvre du compositeur argentin Mauricio Kagel (né en 1931), créée lors de « Musik der Zeit » (Musique du temps) de Cologne, en 1981. Construite comme une gigantesque rhapsodie pour orchestre, cette pièce atonale, à l'allure répétitive mais discontinue, semble semer dans notre inconscient les souvenirs en clair-obscur de contes populaires aux leitmotive grinçants et suggestifs – le *Dies Irae* (*), les *Tableaux d'une exposition* (*) de Moussorgski. Une fois entré dans la rêverie incarnée par telle mélopée sentimentale du violon ou du trombone, l'auditeur se rend compte qu'il est dans un labyrinthe sonore à l'imaginaire sans issue. Entre les douces sinuosités du discours mystérieux, le choc stylistique de certains détours et les silences qui les balisent, des fondements graves se mettent systématiquement en branle, prémonition sonore des hoquets stridents du diable, cliché beethovénien cher à l'univers du compositeur, *La Trahison orale* de 1983 – d'après *Les Évangiles du diable* – en sera l'aboutissement. P.-A. C.

FINANCIER (Le) [*The Financier*]. Roman de l'écrivain américain Theodore Dreiser (1871-1945), publié en 1912 ; il constitue la première partie de la « Trilogie du désir ». Le livre retrace le début de la longue carrière de Frank Cowperwood dans le monde de la finance américaine, durant la seconde moitié du XIXe siècle. Fils d'un humble employé de banque de Philadelphie, le héros montre, dès l'enfance, peu de goût pour l'étude, mais une extrême sagacité dans le domaine des affaires financières : très vite, il amasse une respectable fortune tant par son habileté que par la corruption. Mais sa sensualité effrénée lui suscite des inimitiés dans le monde politique qui provoque sa chute. Avec son procès et sa condamnation à une peine de prison se termine sa carrière à Philadelphie. Dreiser fait de Cowperwood une sorte de Casanova. À l'instar de Victor Radnor, le personnage campé par Meredith dans son roman *Un de nos conquérants* (*), Cowperwood a épousé une femme passablement plus âgée que lui. Mais à la différence de l'écrivain anglais qui s'est borné à décrire le triomphe et la chute de son héros, Dreiser, adoptant la méthode de Dickens, entreprend de narrer chronologiquement la vie du sien dans ses moindres détails. Aussi son réalisme photographique n'échappe-t-il pas toujours à la banalité, ni à la platitude. Il semble que Dreiser ait pris comme modèle de son personnage un certain Charles T. Yerkes, magnat bien connu dans les milieux d'affaires de Philadelphie et de Chicago. Dans ce roman, Dreiser énonce sa théorie selon laquelle le destin de l'individu n'est pas lié essentiellement à ses défauts ni à ses faiblesses, mais déterminé à son insu par sa constitution organique qui le mène vers des buts qu'il ignore. « Nous souffrons, dit-il, d'un tempérament qui ne dépend pas de nous, ainsi que de faiblesses et de défauts auxquels notre volonté et notre activité n'ont point de part. » Deux autres romans sociaux font suite au *Financier* : *Le Titan* (*) et *Le Stoïque* (+).

FIN DE LA « KHAZA » (La) [*Konec Hazy*]. Roman de l'écrivain russe Veniamine Kavérine (1902-1989), publié en 1925. Le mot « khaza » désigne dans l'argot des voleurs de Petrograd une maison abandonnée et à demi détruite, qui sert de refuge à une bande de malfaiteurs. Serge Vésélago, échappé de prison pour courir à la recherche de Catherine Molostvova, finira par découvrir l'emplacement de la khaza où la jeune fille, en butte aux assiduités du chef de bande, a été séquestrée. Mais, lorsqu'il la retrouve, Catherine vient d'être poignardée. Serge, arrêté près du cadavre et interrogé par la police, provoque sans le vouloir la fin de la khaza. — Roman d'aventures plus que roman policier, l'œuvre vaut surtout par l'atmosphère qu'elle évoque : celle des bas-fonds de Petrograd juste après la guerre civile, à l'époque de la N.E.P. La langue en est savoureuse : l'auteur avait étudié avec tant de soin la langue verte du temps que la première édition de son roman comportait un glossaire. Les personnages sont hauts en couleur : il y a Chmerka, le « Tambour turc », un chef de bande qui pensait autrefois à se faire rabbin et qui parle la langue pompeuse des demi-savants, mêlée par surcroît d'argot et de yiddish ; Sachka « le Seigneur », ancien officier qui porte toujours ses bottes et sa tunique d'uniforme ; Souchka, la prostituée, qui aide Serge par bonté d'âme, bien qu'elle le prenne pour un indicateur de police. Nous assistons aux exploits des brigands, à leurs conseils de guerre, où les querelles se vident à coups de poing, voire à coups de couteau, et à de joyeuses beuveries accompagnées de chansons dans le café « le Renne », où tout autre qu'un truand se sentirait mal à l'aise. Cette société souterraine a ses rites et sa morale, comme elle a son langage. Mais la gaîté de leurs fêtes ne permet pas aux voleurs d'oublier le triste destin qui les attend. Un jour ou l'autre, il leur faudra allumer « la dernière cigarette ». Sachka « le Seigneur » nous enseigne par l'exemple le sens atroce de cette expression : lorsque la khaza est cernée par la police, il se tire un coup de carabine dans la bouche. Bien que racontée avec humour, l'œuvre n'est pas exempte d'une certaine puissance dramatique. Tout en peignant une époque déterminée, le livre s'inscrit dans une tradition : celle de la poésie du banditisme, si largement représentée dans le folklore russe.

FIN DE L'« ENTENTE DES PEUPLES » (La) [*Koniec « Zgody Narodów »*]. Roman de l'écrivain polonais Teodor Parnicki (1908-1988), paru en France en 1955, en Pologne en 1957. L'action se situe au IIe siècle avant Jésus-Christ, en Bactriane, État hellénistique d'Asie compris entre l'Inde et l'Empire séleucide. « L'Entente des peuples au cœur de l'Asie » est un bateau grec fantastique dont le nom exprime l'idée d'une dynastie faisant la synthèse des cultures et des religions dans un royaume supra-tribal. Une enquête conduit le chef de la sécurité, Héliodore, à interroger un jeune homme pour savoir s'il est bien Leptynes, le fils d'un sculpteur grec. Héliodore, à son tour, est interrogé par Ind Mankuras. Celui-ci procède en fait à la psychanalyse d'Héliodore. Au fil du roman, à travers des lettres, des flash-back, des allusions, et par le biais de l'action elle-même (enquête sur un assassinat politique), Héliodore voit de plus en plus clair en lui-même, mais Leptynes, lui, ne comprend pas que l'idée de grécité pure qu'il professe n'est qu'une compensation à l'humiliation d'être un sang-mêlé (son père est grec, sa mère est juive). En réalité, Héliodore est le porte-parole existentiel et émotionnel de Leptynes. Ce roman, dont le style a des accents joyciens et qui fait référence aux archétypes culturels jungiens, fut interprété surtout comme une critique du stalinisme, une analyse du système policier détruisant l'individu, mais il ne s'agit pas d'un roman à clés politique. Pour bâtir l'entente des peuples, il faut chercher dans chacun d'eux ce qu'il a de plus profond et de plus valable : tel est son message. — Éditions Noir sur Blanc, 1991.

L. Dy.

FIN DE NOTRE PETITE VILLE (La) [*Τό τέλος της μικρῆς μας πόλης*]. Recueil de nouvelles de l'écrivain grec Dimitris Hadzis (1913-1981), publié en 1953, puis sous une forme remaniée en 1963. Voici l'un des livres grecs les plus aimés des Grecs eux-mêmes. Le thème central en est le déclin d'une ville de province (Ioànnina, patrie de l'auteur) entre 1920 et 1950. La première des sept nouvelles, « Sioùlas le Tanneur », raconte la décadence des tanneurs locaux, véritable caste fermée sur ses traditions, refusant le progrès technique et peu à peu ruinée par la concurrence étrangère. Leur passe-temps favori est la chasse, mais ils s'interdisent de vendre leur gibier. Poussé par la misère, Sioùlas s'y décide enfin ; d'autres suivront. Dans « Le Tombeau », les héros sont les tenanciers de deux minables guinguettes ; l'un d'eux fait arrêter l'autre pour lui prendre son commerce au moment où la nouvelle route va leur amener du monde ; c'est alors qu'une troisième guinguette est construite, qui rafle tous les clients. La victime une fois libérée s'en va, refusant de se venger. « Sabethaï Kabilis » décrit la communauté juive de la ville. Kabilis, marchand d'étoffes, en est officieusement le chef. Son disciple préféré s'écarte de lui, professe des idées de gauche ; Kabilis, qui n'a cessé de l'aimer comme un père, le fait chasser de la ville et mate les autres contestataires. Il a si bien rassemblé les siens qu'à l'arrivée des Allemands bien peu songent à s'enfuir. Ils seront tous exterminés. « Notre tante Angheliki » est l'histoire d'une vieille femme pauvre et solitaire, mais aimée de tous. En 1940, l'hiver, en pleine famine, un riche marchand lui emprunte sa cave pour y cacher soi-disant la dot de sa fille ; en fait il la remplit de marchandises. Quand elle l'apprend – tout le monde le sait déjà et la croit complice – elle se terre chez elle et meurt bientôt de honte. Le héros du « Détective » est un jeune homme qui rêve de gloire ; il pense avoir brillamment résolu le mystère de la mort d'un marginal du coin – un crime, sûrement. Il restera correcteur d'imprimerie toute sa vie, et découvrira un jour qu'il n'avait rien compris au mystère : l'homme est mort de solitude. Dans « Le Testament du professeur », la mort d'un professeur du lycée, qui lègue une fortune – mais à qui ? –, déclenche la bataille entre le clan du maire et celui de l'évêque, un tourbillon de rumeurs, magouilles et coups fourrés orchestré par le capitaine Liaràtos, puissance occulte, qui passe son temps à recueillir et à répandre les bruits. Mais tous les grands de la ville seront déçus à l'ouverture du testament... Dans « Margarita Perdikàri » enfin, l'héroïne est une jeune institutrice, dernière-née d'une effrayante famille d'aristocrates ruinés. Orpheline, laide, soumise et désespérée, elle donne un sens à sa vie en imprimant des tracts pour la Résistance. Découverte par sa famille qui la livre (sans le vouloir) aux Allemands, elle est fusillée. Les Perdikàri meurent un à un peu de temps plus tard. Ce livre très proche de la chronique (certains de ses personnages ont réellement existé, sous le même nom) est en même temps un ouvrage de fiction longuement travaillé, admirablement composé, au sens le plus musical, plein de thèmes récurrents ; les sept nouvelles sont comme des variations autour d'un double thème : la fin d'un groupe social ou d'un ordre ancien ; la solitude. L'auteur y déploie au moins deux qualités très grecques : l'art du conteur (à son sommet dans l'énigme policière du « Détective »), et ce don qu'ont les grands écrivains grecs de donner à entendre une voix, de faire que l'écriture soit aussi une parole. Mais ce qui rend cette *Petite ville* si précieuse pour nous, c'est aussi qu'elle nous fait découvrir, sans marbres antiques, sans oliviers, sans soleil, une autre face de la Grèce. Une face très sombre, celle d'un pays alors en pleine misère matérielle et morale ; mais en même temps cette noirceur est illuminée par l'amour : celui des personnages entre eux (chacun des solitaires finira par trouver l'autre, ou les autres), et celui de l'auteur pour ses créatures, même celles qui sont loin de lui. Ce communiste (à vrai dire vite désabusé) évite remarquablement le sectarisme : son Kabilis, par exemple, à la fois bourreau et martyr, est bouleversant d'ambiguïté. Ce n'est pas le réalisme socialiste qu'on trouve ici, mais Dostoïevski. – Trad. t. 1, *Le Cahier du détective*, Complexe, 1990 ; t. 2, *Le Testament du professeur*, Aube, 1990. M. V.

FIN DE PARADE [*Parade's End*]. Tétralogie romanesque de l'écrivain anglais Ford Madox Ford (1873-1939), publiée de 1924 à 1928. Ces quatre romans : *Les uns oui, les autres non* [*Some Do Not*], *Plus de parades* [*No More Parades*], *Un homme se lève* [*A Man Could Stand Up*], *Dernier courrier* [*Last Post*], ont pour personnage central Christopher Tietjens, aristocrate britannique. Également connue sous le nom de « Tietjens Saga », cette tétralogie commence peu avant la Première Guerre mondiale et s'achève au début des années 20. Le contexte historique tient un rôle important dans cette histoire d'un homme torturé par les ruses de sa femme jalouse et menteuse, mais sauvé par l'amour d'une jeune fille.

Dans le premier volume, le lecteur découvre Tietjens alors que sa femme Sylvia vient de s'enfuir avec son amant. Christopher sauve la vie d'une jeune suffragette, Valentine Wannop, fille d'une romancière jadis protégée par le père de Tietjens. La guerre éclate. Le couple Tietjens a repris la vie commune, mais les tensions persistent. Christopher Tietjens revient momentanément du front, atteint de troubles de la mémoire. L'opinion publique le dit pacifiste, pro-allemand. Avant de regagner les combats, poussé à bout par les insinuations perfides de sa femme, il demande à Valentine Wannop de devenir sa maîtresse.

Dans le deuxième volume est présentée la vie quotidienne du capitaine Tietjens au front. L'inaction imposée entre les combats rend difficiles les relations entre tous ces hommes confinés. Sa femme vient le voir, alors qu'il se croyait séparé d'elle depuis les insultes qu'elle lui avait adressées avant son départ.

Sylvia est un personnage ambigu, qui aime son mari mais ne songe qu'à l'humilier, qui voudrait réussir à émouvoir ce bloc de respectabilité. Elle répand sur son compte des calomnies dans le seul but de lui rendre la vie impossible.

Le troisième volume se déroule le 11 novembre 1918. Dans l'euphorie de l'armistice, Christopher Tietjens et Valentine Wannop deviennent amants. Enfin dans *Last Post* apparaissent Valentine enceinte, Tietjens devenu restaurateur de meubles anciens, et Sylvia consentant à contrecœur au divorce.

Ford ne voulait voir dans ce cycle romanesque qu'une trilogie, car le dernier volume avait été ajouté après coup et lui semblait détruire l'unité de ton des trois premiers. Tietjens, idéaliste chevaleresque, figure profondément anglaise, incarne les valeurs traditionnelles auxquelles Ford croyait lui-même. L'austérité de ses mœurs puritaines l'oppose à son ami et protégé, le critique littéraire Vincent Macmaster, autre personnage central. Ford s'attache à dépeindre une société en décomposition, précipitée dans le XXᵉ siècle par la Première Guerre mondiale. Dans cette fresque aux nombreux personnages, principalement située dans la haute société et dans les milieux intellectuels, Ford tente de coller au plus près à la conscience des personnages, reproduisant le monologue intérieur dans tout ce qu'il a parfois d'incohérent. L. B.

FIN DE PARCOURS [*The End of the Road*]. Roman de l'écrivain américain John Barth (né en 1930), publié en 1958. Le livre s'ouvre sur les paroles du narrateur, « En un sens, je suis Jacob Horner », qui donnent la tonalité de ce livre que Barth présente plaisamment comme une « tragédie nihiliste ». Jacob Horner enseigne la grammaire normative à l'École normale d'État du Maryland à Wicomico. Un docteur noir, toujours appelé dans le livre « le Docteur », lui a prescrit ce travail pour soigner la grave maladie dont il est atteint. Il souffre en effet d'une « cosmopsis ou vision cosmique » qui le paralyse par moments et le laisse « figé comme un crapaud-buffle pris dans le faisceau lumineux de la torche de l'homme qui le poursuit. Seulement, avec la cosmopsis, pas de chasseur, personne pour exterminer l'animal... il n'existe que la lumière ». Ainsi Jacob, comme nombre de anti-héros barthiens, est incapable de choisir entre plusieurs alternatives car « il n'y a aucune raison de faire quoi que ce soit, même pas de fixer son regard sur quoi que ce soit ». Le Docteur, qui l'a rencontré un matin dans une gare alors qu'il se trouvait là, pétrifié d'indécision depuis la nuit précédente, a suggéré des solutions plus ou moins médicales à sa maladie. Il l'a emmené dans un Centre de remobilisation et lui a prescrit une « mythothérapie » qui doit l'obliger à changer de personnalité, à revêtir différents masques.

C'est donc un Jake « remobilisé » en professeur de grammaire que nous rencontrons au début du livre. L'arbitraire des règles de la matière qu'il enseigne saurait-il le guérir ? Sans doute pas plus que les différents rôles qui s'offrent à lui dans son nouveau milieu. Il devient l'amant d'une de ses collègues. Il se lie plus particulièrement avec un autre professeur, Joe Morgan, un bavard sentencieux et moraliste qui est « persuadé que l'intelligence résout tous les problèmes » alors que lui, Jake, se sent capable « avec la même indifférence de soutenir des opinions contradictoires sur tous les sujets ». Il est embarqué dans un triangle amoureux avec l'épouse de Joe, Rennie. Les deux hommes se disputeront l'affection et la domination intellectuelle de la jeune femme, qui se trouve partagée entre le puritanisme imbécile de son mari et le cynisme de Horner. Rennie, enceinte de l'un ou de l'autre, mourra au cours d'un avortement décidé par Horner. Horner, une fois de plus « immobilisé », repartira avec le Docteur lorsque celui-ci déménagera son Centre de remobilisation en Pennsylvanie.

On rencontre à nouveau dans ce roman un héros débordé par les possibilités de l'existence, incapable de fonder sa conduite sur quoi que ce soit. Cette constatation provoque chez Horner la paralysie et l'indifférence, ce qui n'est pas toujours le cas chez les héros barthiens. D'autres œuvres comiques et toujours relatives à la catatonie présentent une thématique semblable à travers des héros et des récits excessifs et exubérants, alors qu'elle est abordée ici, toujours sur un mode drolatique, certes, mais de manière plus serrée et contenue. – Trad. Balland, 1990. C. Gr.

FIN DE PARTIE. Représentée en 1957, au Studio des Champs-Élysées, dans une mise en scène de Roger Blin, cette pièce de l'écrivain irlandais d'expression française Samuel Beckett (1906-1989) va encore un peu plus loin que *En attendant Godot* (*) dans la peinture d'une vie tragiquement réduite à sa pauvreté essentielle. Elle a pour cadre un intérieur presque vide, baigné de lumière grisâtre, nullement égayé par de petites fenêtres haut perchées, derrière lesquelles ne s'étendent qu'un ciel de plomb et une mer immobile. Aveugle, cloué à son fauteuil, Hamm s'ennuie. Il essaie de se raconter des histoires, mais il lui est de plus en plus difficile d'imaginer et de croire à ce qu'il imagine. Il ne lui reste donc qu'une ressource : essayer de tyranniser Clov qui, lui, a encore l'usage de ses yeux et de ses jambes. Cent fois, mille, il lui réclame les mêmes objets, lui enjoint de déplacer son fauteuil ou de jeter un coup d'œil au-dehors. Dérisoire plaisir. Le valet ronchonne, s'empêtre, triche. L'habitude, ce lien aussi fort qu'idiot, le rive là, l'oblige à se prêter aux caprices de son maître. À quelques pas se dressent deux poubelles. Elles servent de niches aux parents de Hamm, Nagg et Nell, figures grimaçantes que seuls animent un instant le désir d'une bouillie ou, montée par hasard du tréfonds de leur conscience, une bouffée du passé. Cette pièce accablante serait insoutenable si Beckett ne maniait en maître un humour laconique, pince-sans-rire et grinçant, très semblable à celui qui a fait la fortune de certains dessinateurs. Dès le début, les arrangements méticuleux de Clov donnent le la. S'étant mis en tête de regarder par la fenêtre, il découvre qu'il lui faut un escabeau pour atteindre celle de gauche, puis qu'il le lui faut aussi pour celle de droite. Il va le chercher, tâtonne avec, l'oublie en route, retourne le chercher. Enfin, il voit. Que voit-il, on l'ignore encore. Il pousse un rire bref, sans joie. Puis il enlève les draps qui dissimulaient poubelles et fauteuils, et soulève, un instant, les couvercles des poubelles. Là encore on ignore ce qu'il voit, mais à chaque découverte, son étrange rire bref retentit, ponctuant cette étonnante et morne tournée d'inspection. Pas un mot n'a été dit et déjà on est plongé dans un univers lugubre, pitoyable et cocasse, où l'absurdité et la vanité du nôtre sont si éloquemment mises à nu qu'à la fin du spectacle on se sent comme exorcisé.

FIN DE SATAN (La). Premier volume de poèmes inédits des œuvres posthumes de l'écrivain français Victor Hugo (1802-1885), publié en 1886. Cette suite inachevée de poèmes tour à tour épiques et lyriques, dont le plan est assez difficile à reconstituer, est sans contexte une œuvre magistrale du grand poète français. Il est permis de penser qu'entre *Dieu* et *La Fin de Satan* l'on peut sans hérésie placer *Les Fleurs du mal* (*), et qu'avec ces « sommes poétiques » la France possède quelque chose d'équivalent à une *Divine Comédie* (*) moderne. Mais si *La Légende des siècles* (*) n'offre qu'une série disparate de « petites épopées », *La Fin de Satan* constitue d'abord une œuvre religieuse et même catholique, dont le premier morceau en date figurait déjà dans *La Légende* sous le titre : « Première rencontre du Christ avec le tombeau » (II, VIII) — alors que *Dieu* représente le pôle théologique et métaphysique d'un ensemble prévu par l'auteur dans sa préface à *La Légende*. Le plus ancien autographe de *La Fin de Satan* est daté du 16 février 1854, le plus récent du 15 avril 1860 (la composition de *Dieu* s'y intercale : 12 avril 1855-26 avril 1856) ; mais il va sans dire que l'ordonnance des diverses parties, telle qu'elle nous est parvenue selon l'agencement du manuscrit publié par Paul Meurice, ne correspond nullement aux âges respectifs de chaque fragment. Au demeurant, cette ordonnance, ou plutôt la simple succession des parties, chapitres ou livres, ne fournit même pas une idée claire du plan primitif de l'ouvrage — plan qui dut subir et qui eût subi, si le poète s'était décidé à le faire imprimer, de nombreuses modifications. En résumé, l'épopée présente trois divisions successives, ou plutôt trois aspects principaux : l'un biblique et prébiblique : « Le Glaive » ; le deuxième, évangélique : « Le Gibet » ; le dernier (en grande partie réduit à l'état de titres de chapitre), ésotérique et pseudo-prophétique. Mais un sous-titre dont le sens reste mystérieux, « Hors de la Terre », accompagne ces rubriques à quatre reprises. En réalité, c'est le premier meurtre de l'humanité, celui d'Abel, qui a procuré au poète son triple symbole : ce meurtre, il l'imagine avoir été exécuté par trois instruments : un clou, un bâton et une pierre, lesquels se sont transmués en glaive, arme de Nemrod le révolté ; en gibet, croix de Jésus la victime ; en prison, qui sera... la Bastille ! Tout cela est peu clair, du moins en ce qui touche la conclusion du poème, où Camille Desmoulins et sa sœur Lucile auraient, semble-t-il, joué un rôle de premier plan, juste avant que le Seigneur, sur l'intervention de l'ange Liberté, né d'une plume échappée à Satan pendant sa chute, pardonnât au Maudit et lui restituât son nom ainsi que ses titres et qualités primitifs (« Satan est mort. Renais, ô Lucifer céleste ! »). Peu nous importe, d'ailleurs, pareille incohérence, ni même de savoir si Victor Hugo fût ou non parvenu à les atténuer une fois l'œuvre construite suivant ses procédés habituels.

Mis à part les prodigieux épisodes, vraiment épiques, ceux-là, dans le sens le plus exact du terme, qui ont pour titres : « Et nox facta est » (la chute de Satan), « Nemrod » (qui finit sur l'ascension de l'Arche transformée en aéronef porté par des aigles) et « Satan dans la nuit » (qui implore la miséricorde divine), il convient d'isoler de cette fresque chaotique et fantastique le second et vaste panneau du « Gibet », composé de « La Judée », de « Jésus-Christ » et du « Crucifix » : car nous avons là la plus belle, la plus vraie, la plus pathétique paraphrase du Nouveau Testament que jamais poète ait réalisée. Tous les reproches que les théologiens ont pu adresser à Hugo, qui se montra, dans la seconde phase de sa carrière, farouchement anticlérical, s'évanouissent devant la splendeur, la suavité, la tendresse, l'extase très probablement sincère dont ces tableaux sont revêtus. Une simplicité évangélique baigne toutes ces visions, où la personne du Christ est l'objet d'un respect, d'une adoration, d'une pitié que seuls, peut-être, quelques grands maîtres, peintres et sculpteurs, avaient été capables d'exprimer. Mais c'est dans le « Cantique de Bethphagé », « Celui qui est venu », « Deux différentes manières d'aimer », ainsi que dans l'hallucinant cauchemar de « Ténèbres » et dans « Satyre », que se trouvent les plus beaux vers de Victor Hugo.

FIN DES HOMMES (La). Cycle romanesque de l'écrivain français Maurice Druon (né en 1918). Il se compose de trois volumes : *Les Grandes Familles* (1948, prix Goncourt), *La Chute des corps* (1950), *Rendez-vous aux enfers* (1951). C'est d'abord une chronique d'inspiration naturaliste de la grande bourgeoisie d'affaires d'entre les deux guerres, mais dans laquelle sont également fustigés l'armée, le Parlement, l'Académie, les médecins, l'aristocratie provinciale et la bourgeoisie parisienne. L'ombre de la guerre et les accords de Munich constituent une menace pour cette société en décomposition. Des portraits de personnages odieux mais plausibles sont tracés avec vigueur : le baron Schoudler, l'arriviste Lachaume, le dramaturge Édouard Wilner, le professeur Lartois... Les retournements, les morts brutales, les adultères et les tragédies jalonnent cette fresque : le krach boursier Schoudler, la chute du gouvernement, le suicide du fils Schoudler, etc. On sent que certains contemporains sont visés sous les traits de ses héros, bien que Druon déclare : « Il n'y a pas de clé dans *Les Grandes Familles*, il y a des trousseaux. » Ce mélange explosif d'imagination et de réalisme est caractéristique de l'art de Druon. L'écrivain est « fasciné par l'histoire en train de se faire ». « De là, dit Jean d'Ormesson, l'attention qu'il a prêtée aux puissants de la terre, aux conquérants, aux chefs de guerre, aux façonneurs d'États, à ceux qui ont deviné et incliné les destins du monde. »

C. de C.

FIN DE SIÈCLE À BUCAREST [*Sfîrsit de veac in Bucuresti*]. Roman de l'écrivain roumain Ion Marin Sadoveanu (1893-1964), publié en 1944 et dont l'action se poursuit dans un second roman, *Ion Sântu,* paru en 1957. Le héros, Ianou Urmatecu, est le prototype de l'arriviste de la fin du siècle dernier. Petit employé aux archives du tribunal de Bucarest, il réussit à se rendre utile au baron Barbu, grand propriétaire terrien et ministre de la Justice dans les gouvernements conservateurs. Il devient ainsi gérant des biens du baron et n'a plus qu'un désir : s'enrichir et monter les échelons de la hiérarchie sociale. Il sait s'imposer aux siens, et bien qu'il les méprise tous, il fait d'une jeune belle-sœur sa maîtresse, et d'un beau-frère le complice de ses affaires louches ; tant pis si la première, restée veuve et trompée à son tour, devient par la suite la maîtresse du fils du baron et essaiera de lui nuire, et si le second, rongé par les scrupules, se suicide. Urmatecu, quant à lui, est de plus en plus sûr de pouvoir réaliser son rêve : donner à sa fille, qui pourtant le dédaigne, les moyens de s'élever au-dessus de sa condition sociale. C'est ainsi que grâce au baron redevenu ministre, toute la famille d'Urmatecu assiste au bal donné pour le nouvel an, au palais royal, par les souverains. En apparence administrateur habile et qui sait se rendre indispensable, Urmatecu est en réalité un voleur, qui gruge le baron, persuadé malgré tout de son honnêteté. Le baron, à sa mort, lui léguera d'ailleurs l'un de ses domaines avec le titre de noblesse qui lui est attaché. Le fils du baron, qui avait vainement essayé de démasquer Urmatecu, sera lui-même obligé de l'accepter comme gérant et de supporter ses manœuvres perfides et son triomphe de pillard parvenu. Excellente étude sociale, ce roman est conduit avec habileté, dans un style vivant, vigoureux et précis. — Trad. Éditeurs en langues étrangères, Bucarest, s.d.

FIN DES NOTABLES (La). Œuvre de l'écrivain français Daniel Halévy (1872-1962), publiée en 1927 et formant avec *La République des comités* (1934) et *La République des ducs* (1937) une trilogie de grand intérêt sur les débuts encore assez mal connus de la IIIe République. On sait que celle-ci a été paradoxalement instituée par un parlement en majorité monarchiste. L'Assemblée nationale qui se réunit à Bordeaux en 1871 offrait, par sa composition, l'image d'une étonnante et imprévisible résurrection de la vieille France : véritable élite, telle, dit l'auteur, qu'on ne saurait la rencontrer que « dans un parlement élu par surprise », réunion de notables, mais complètement ignorants du peuple et bien décidés à l'ignorer. Daniel Halévy ne cache pas sa sympathie pour leurs qualités de mesure et de sagesse pratique, pour leur réel dévouement au pays, pour leur indifférence courageuse devant l'impopularité. Les grands commis abondaient, mais le chef faisait défaut : celui autour duquel ils cherchèrent naturellement à s'unir, le comte de Chambord, était moins le descendant d'Henri IV que l'élève romantique de Chateaubriand, et l'auteur met en un relief saisissant le caractère mystique du prétendant et sa rupture complète avec les traditions réalistes de la maison de Bourbon. Renonçant bien malgré eux à se grouper autour d'un tel symbole, les « notables » étaient condamnés à l'impuissance, face à la puissante personnalité d'un Gambetta dont le génie oratoire s'accordait spontanément aux aspirations des nouvelles couches sociales et face à la tactique habile d'un Thiers qui, par pur appétit du pouvoir, cherchait à faire contrepoids aux forces de droite en encourageant Gambetta, pour lequel il n'avait cependant aucune sympathie. Le talent de l'auteur ne se dément pas dans *La République des ducs*, qui souligne particulièrement les responsabilités cléricales dans le « coup » du 16 mai et telles influences occultes, comme celle de Mgr Dupanloup. Le ton se fait beaucoup plus passionné dans *La République des comités (1895-1934)*, sévère critique contre les méthodes gouvernementales du régime et contre le parti radical-socialiste. Daniel Halévy n'est sans doute pas un historien aux vastes perspectives, mais il possède tout ensemble les dons de la synthèse et du détail vivant. Sa trilogie fait mieux que de proposer une thèse originale et brillante : elle éclaire avec patience les zones d'ombre, elle opère de multiples rectifications, elle exhume un trésor de petits faits significatifs qui nous révèlent les puissantes forces sociales et politiques à l'œuvre dans toute leur vivante complexité.

FIN DES TEMPS MODERNES (La) [*Das Ende der Neuzeit*]. Ouvrage du philosophe et théologien allemand Romano Guardini (1885-1968), paru en 1950. Les « temps modernes », qui commencèrent avec la Réforme et la Renaissance, et touchent aujourd'hui à leur terme, sont définis par l'auteur comme l'ère de la « culture », c'est-à-dire de l'humanisme profane, où l'homme individuel, confiant dans ses seules forces et se prenant pour la mesure de toutes choses, prétend faire œuvre de créateur, sans référence au Créateur divin. Cette culture des temps modernes a donc été, en son fond, résolument antichrétienne, mais elle a néanmoins laissé subsister en son sein d'anciennes valeurs chrétiennes, héritées du Moyen Âge, qui, coupées de leur source religieuse authentique, ont pris peu à peu un caractère exclusivement profane. C'est ce compromis hypocrite qui est rompu par la crise de notre siècle : à l'individualisme subjectiviste des « temps modernes », se substitue aujourd'hui l'âge des masses, dans lequel l'homme, jeté soudain de l'optimisme prométhéen dans la terreur et le sentiment de l'absurde, se voit écrasé par les puissances irrationnelles du monde qu'il s'était flatté de soumettre. Dans cet âge de fer qui commence, pourra-t-il y avoir une place pour un vrai personnalisme chrétien, pour une culture nouvelle, dégagée des préjugés orgueilleux de la « culture » humaniste ? Un vide tragique se fait ; les anciennes valeurs chrétiennes, déracinées et détournées de leur sens, disparaissent elles-mêmes ; aucun compromis n'est plus possible et l'on peut déjà voir, sans voile, ce qu'est l'homme sans le Christ. Mais Guardini semble avoir moins peur de cet âge nouveau que des compromissions lâches et apaisantes de l'âge qui meurt ; il aperçoit déjà la vie religieuse des temps futurs, solidement appuyée sur les vertus de confiance et de force, assez proche, dans sa ferveur intransigeante, de celle de l'Israël d'après l'exil. Ce petit livre d'actualité est assez caractéristique de la pensée et du ton de Guardini ; il vibre d'un viril pessimisme chrétien, impitoyable pour notre temps et cependant nullement déprimant car il débouche sur des perspectives prophétiques. – Trad. Éditions du Seuil, 1952.

FIN DU JOUR (La) [*Hi no hate*]. Roman de l'écrivain japonais Umezaki Haruo (1915-1965), publié en 1947. Dans la génération littéraire qui se révéla dans l'immédiat après-guerre, Umezaki est une des figures les plus marquantes. Il avait d'emblée acquis la célébrité par deux récits de guerre de nature et de style très différents : *Sakura-jima* (1946) et *La Fin du jour. Sakura-jima* est fait des souvenirs personnels, à peine transposés, de l'auteur, mobilisé en 1944, comme le héros de l'histoire, le sergent Murakami, en qualité de sous-officier du chiffre et des transmissions, dans une base sacrifiée sur un îlot au large de Kyûshû. Pendant des mois la garnison attend l'attaque américaine et la mort inéluctable, dans un état de tension perpétuelle qui révèle la vérité du caractère de chacun. Entre deux alertes, la vie coule monotone jusqu'au jour de la capitulation. Murakami observe le chef du poste, l'adjudant Kira, un « vrai soldat » qui jurait que le détachement mourrait jusqu'au dernier homme : Kira dégaine son sabre, le contemple longuement et... le remet dans le fourreau. Le succès de *Sakura-jima* est dû certainement pour une large part aux souvenirs qu'il rappelait à plus d'un Japonais récemment démobilisé. Tout autre est *La Fin du jour*, œuvre d'imagination et qui, bien que ce soit également un « roman de guerre », et l'un des meilleurs, décrit minutieusement un drame individuel et purement intérieur, le drame d'un homme quelconque aux prises avec une fatalité qui le dépasse.

Nous sommes aux Philippines, vers la fin du conflit ; la puissance japonaise n'est plus qu'un souvenir, l'orgueilleuse armée impériale s'est désagrégée en petites unités qui poursuivent une lutte déjà perdue en s'accrochant désespérément à une discipline, à des règles qui n'ont plus de sens. Appliquant à la lettre un règlement impitoyable, le chef du lieutenant Uji ordonne à ce dernier d'aller « exécuter » le médecin-lieutenant Hanada, qui a déserté pour suivre dans son village une femme indigène. Uji se met en route avec un jeune sergent, et c'est un long monologue intérieur à l'issue duquel le lieutenant décide de déserter à son tour et de rejoindre son camarade. Mais celui-ci, dès qu'il l'aperçoit, tire sur lui et le manque ; Uji instinctivement tire à son tour et tue le médecin ; la femme s'empare de l'arme du mort et abat Uji qui, consciemment cette fois, a renoncé à se défendre. Telle est, dans sa simplicité linéaire, la trame de ce roman où la guerre elle-même est à peine évoquée ; tout cela dans un style dépouillé, sans nul artifice, sans le moindre pathétique verbal. D'autres ont condamné la guerre en termes plus explicites, avec un réalisme plus cruel, mais point nécessairement plus efficace : dans la série des chefs-d'œuvre inspirés par la catastrophe nationale vécue dans sa chair par toute une « génération sacrifiée », *La Fin du jour* vient tout naturellement compléter la fresque que constituent *Les Feux* (*) de Ooka, *Les Derniers Jours de Tenian* (*) de Nakayama ou *L'Idiote* (*) de Sakaguchi.

FIN DU MONDE FILMÉE PAR L'ANGE NOTRE-DAME (La). Roman-scénario publié en 1919 par l'écrivain français d'origine suisse Blaise Cendrars (pseud. de Frédéric-Louis Sauser, 1887-1961). C'est à La Pierre, dans la nuit du 1er septembre 1917 – pour ses trente ans –, « sa plus belle nuit d'écriture », que l'auteur compose *La Fin du monde filmée par l'ange Notre-Dame*, qui est un scénario de film, mais aussi un grand poème apocalyptique. En tant que scénario, *La Fin du monde* attend toujours son réalisateur, bien que ses audaces aient engendré une tardive et timide descendance : les séquences finales de *Belle de nuit*, tournées en 1952 par René Clair. Aux yeux de Cendrars, le cinéma n'est pas fait pour jeter de la matière à rêvasseries, à délectations ou à évasionnettes dans l'ennui sans fond des foules ; sa justification serait de débrouiller l'écheveau complexe d'un caractère « comme on tourne au ralenti la germination, la croissance, l'épanouissement, la floraison et la mort des plantes ». Il vise à la vivisection mentale. Dans *La Fin du monde*, on voit Dieu le Père en businessman à la tête de la Grigri's Communion Trust Co Ltd réaliser les prophéties de saint Jean et d'Ézéchiel : dissoudre le ciel, nouer la terre ; les formes de la vie s'effacent, renaissent ; les structures humaines s'abîment dans le chaos géologique, puis : « Un plomb saute. Un ressort se casse. Et le film se déroule vertigineusement à rebours. » Dieu revient de Mars à Interlaken. Le soleil s'éloigne. La banquise gèle. Ressuscite Paris où toutes les villes du monde avaient glissé comme dans le gouffre primordial : « Le geste de l'ange Notre-Dame qui ôte sa trompette de sa bouche. » Bien que la mise en œuvre de ce scénario n'ait jamais eu lieu, le cinéma avait conquis Cendrars ; il devait travailler pour lui dans les années qui suivirent, tant comme producteur que comme acteur, régisseur, accessoiriste, etc., principalement à la réalisation de *La Roue* d'Abel Gance, en 1920-21.

FIN DU PAGANISME (La). Œuvre de l'historien français Marie Louis Boissier (1823-1908), publiée en 1891. Ce n'est pas à proprement parler une histoire, mais une étude sur les rapports du christianisme avec l'art et les idées antiques, et sur leur survivance à travers la littérature chrétienne. Le grand événement du IVe siècle est la « Victoire du christianisme », à laquelle est consacré le premier livre, avec une analyse des motifs qui poussèrent Constantin à publier l'édit de Milan et Julien à sa tentative manquée de restauration païenne. Mais, en étudiant les rapports entre « Le christianisme et l'éducation romaine » (livre II), l'auteur fait remarquer que l'Église, même victorieuse, n'essaya pas de faire pénétrer dans les écoles ses idées et ses écrivains et que les jeunes gens continuèrent à être formés par l'étude des classiques latins. Il resta ainsi une porte ouverte par laquelle passa toute l'Antiquité païenne. Les « Conséquences de l'éducation païenne pour les auteurs chrétiens » (livre III) sont finement observées dans leurs manifestations littéraires, que Boissier étudie avec minutie : l'intransigeance de Tertullien ne l'empêche pas d'écrire une œuvre imprégnée de culture païenne ; l'influence de la littérature classique est bien visible dans Minutius Félix et dans saint Augustin ; saint Jérôme dans le désert mortifiait sa chair mais lisait encore Cicéron et Plaute et remplissait ses écrits d'érudition classique ; saint Ambroise, dans sa *Morale des ecclésiastiques,* prend modèle sur le *De officis.* C'est seulement Cassiodore qui pensa plus tard à une école chrétienne, mais son idée ne reçut pas une application immédiate. « La poésie latine chrétienne » (livre IV) mérite particulièrement d'être étudiée, car elle servit plus que la prose à gagner au christianisme les intellectuels. La matière en fut créée dans l'enthousiasme des deux premiers siècles (*Évangiles apocryphes, Chants sibyllins*), mais il fallut attendre plusieurs siècles avant que la forme arrivât à maturité. Juvencus, traducteur des *Évangiles* (*) en vers latins, saint Sulpice, chantre de saint Martin, Paulin de Nole, saint Ambroise, Prudence s'exprimèrent en vers lyriques, en hymnes et en poèmes conformément à la rhétorique classique. La « Société païenne à la fin du IVe siècle » (livre V), étudiée par Boissier dans les lettres de Quintus Aurelius Simmaque, ne différait pas beaucoup de celle des siècles précédents et n'était pas aussi corrompue qu'on le prétend. Le culte païen était encore fervent à Rome : s'il ne nous est pas parvenu d'écrits contre le christianisme, l'hostilité s'exprime généralement par un silence méprisant au sujet de la nouvelle religion dans les œuvres philosophiques (Macrobe, par exemple) et dans l'éloquence officielle elle-même. Les dernières résistances du paganisme se manifestèrent contre l'enlèvement de la statue de la Victoire qui se trouvait au Sénat, enlèvement qui suscita une bruyante polémique en faveur du culte antique qui avait fait la grandeur de Rome. L'opposition païenne se nourrissait de la conviction répandue que le christianisme était la cause des maux de l'empire. Saint Augustin, dans la première partie de *La Cité de Dieu* (*), réfute cette opinion en introduisant dans l'Histoire le concept d'un dessein de la Providence divine. Boissier, examinant les causes de la décadence romaine, nie que celles-ci soient imputables au christianisme et considère qu'elles sont toutes antérieures à lui ; quant à la culture elle-même, c'est grâce aux écrivains chrétiens qu'il y eut une renaissance littéraire après la décadence du IIIe siècle. Enfin, lorsque l'Église vit que l'empire était perdu, elle se sépara de lui, se sentant la force d'un organisme qui peut survivre par lui-même, mais elle sauva au moins ce qu'elle pouvait sauver de la civilisation romaine.

L'auteur ne s'est pas proposé de traiter tous les problèmes liés à l'écroulement du monde antique. Sa méthode, qui consiste à se faire le contemporain de l'époque qu'il dépeint, rend son étude vivante : il y apporte une grande acuité psychologique et un remarquable esprit d'analyse. Dans ses limites définies, l'œuvre est une reconstitution pénétrante de la vie spirituelle de l'empire.

FIN DU PREMIER MONDE (La) [*De ondergang der eerste Wareld*]. Avec cette épopée, l'écrivain hollandais Willem Bilderdijk (1756-1831) s'était proposé de créer une œuvre grandiose qui dépasserait celle de Milton ou de Vondel ; mais sur les seize ou vingt chants qu'il avait le dessein d'écrire, le poète n'en a achevé que quatre (1810) et un fragment du cinquième (en 1820). La matière en est fantastique et surprenante si l'on tient compte des sentiments calvinistes du poète. L'auteur suppose que les enfants d'Adam et d'Ève, nés avant Caïn et Abel, continuent à habiter l'Éden sous la forme d'« Esprits du paradis ». De leur union avec les filles de Caïn sont nés les Géants, qui persécutent les Hommes. Argostan, chef de l'armée des humains, est tué, et son frère consanguin Ségol est proclamé roi. Celui-ci jouera un rôle prépondérant dans l'épopée. Les esprits du paradis se lient avec les démons pour perdre les hommes, trouvant aussi une aide chez les géants. Un épisode du deuxième chant raconte l'histoire de la jeune fille Elpine et de son amant, esprit paradisiaque mystérieux, qui jure de ramener Elpine et son enfant au Paradis. Selon Da Costa, disciple et ami de Bilderdijk, le poème devait continuer à peu près comme suit : le fils d'Elpine, un géant, serait devenu le chef de la ligue des esprits du paradis, des démons, des géants et des fils de Caïn, résolus à assaillir le Paradis, tandis que le Ciel en aurait confié la défense à Ségol, converti sous l'influence de Noé. Ségol aurait succombé dans un combat héroïque, mais, au moment où le Paradis se serait trouvé à la merci des hommes, le Déluge serait survenu et aurait mis fin à ce « premier monde ».

FIN ET LA MANIÈRE (La). Ce recueil posthume de poèmes et de prose, paru en 1965, de Jean-Pierre Duprey (1930-1959), poète et sculpteur surréaliste français, marque un retour à la poésie, après un long silence de dix années, pendant lesquelles Jean-Pierre Duprey s'est exercé à la sculpture. Si c'est à partir du constat « Monsieur Dieu ne vit personne / L'idée du monde ayant grandi, elle l'avait dévoré » que s'est cristallisée l'expérience de *Derrière son double* (*), *La Fin et la Manière* nous mène jusqu'à ce jour où le poète ne se contente plus de saluer et de cerner de près la réalité de sa mort, mais rejoint la « belle » par le suicide, illustrant ainsi sa philosophie du désespoir, sa philosophie du néant du monde et de l'homme. « Je m'enfonce davantage », écrit-il, et il se mesure à « l'interdit d'entre les vies », et le mot est lancé : « Sésame, et pour ses âmes, ouvre-toi ! » Le voici donc ce passage entre les vies, ce stade de la réduction de tous les doubles, masques, miroirs interchangeables, innombrables, qui se partagent la chair et l'esprit du poète et participent à son enfoncement dans la dualité ! La mort est donc surtout le retour amorcé vers l'unité perdue et l'exploration de nouveaux possibles. Elle serait aussi l'amour même des deux vers d'un « Habit de roses blanches » : « La fenêtre rouge ouverte sur la belle / est-ce ainsi que je conçois l'amour ? » Titre énigmatique s'il en est, *La Fin et la Manière* ne veut proposer ni une fuite éperdue ni un refus catégorique. Bien mieux, le sentiment d'échec n'a pas cours dans cette œuvre en haleine, mais le désespoir est assumé jusqu'à l'authentification, par le don de la vie. Jean-Pierre Duprey est l'exemple remarquable d'un créateur qui s'est toujours tenu prêt à sacrifier son enveloppe pour une poésie fulgurante, non toutefois sans accepter l'expérience d'exister, jusqu'aux limites de ses possibilités. *La Fin et la Manière* est la dernière manifestation d'une voix que Jean-Pierre Duprey s'est efforcé de faire taire par la pratique de la sculpture seule, puisqu'elle seule survit, irréductible, à toute matière, après le congé donné au temps et à l'éternité par celui qui s'est pendu le 2 octobre 1959.

FIN ET LES MOYENS (La) [*Ends and Means*]. Recueil d'essais publié en 1937 par l'écrivain anglais Aldous Huxley (1894-1963). Huxley, même dans les meilleurs de ses romans, n'a jamais été ce que Philip Quarles appelle dans *Contrepoint* (*) un romancier « congénital », mais plutôt un essayiste brillant utilisant la forme romanesque pour animer ses thèses. *La Fin et les Moyens* constitue ainsi un livre d'essais, jumeau de *La Paix des profondeurs* (*) qui décrivait la liberté comme une discipline conduisant à une conscience plus étendue. Le contenu de l'ouvrage varie, portant sur la « nature de l'explication », la « structure de l'État moderne », ou des thèmes plus généraux — « éthiques, croyances, guerre » — sous lesquels le philosophe réunit des observations et des considérations diverses. Sans doute faut-il parler ici de « philosophe », mais sans oublier que le romancier n'a jamais été qu'un penseur assez nébuleux dans les théories positives qu'il soutient. Huxley s'attache surtout à la liberté individuelle, à une charité non chrétienne, aux valeurs de la non-violence pour faire la critique du totalitarisme. En ce qui concerne les solutions à apporter à l'automation et à une technique toujours plus envahissante, il envisage un retour à l'artisanat dans de petites sociétés coopératives, et pense que les loisirs abondants résultant de la mécanisation doivent permettre une reconversion des activités créatrices de l'individu. Il conclut : « J'ai tenté de montrer les rapports entre les problèmes de la politique intérieure et internationale, la guerre et l'économie, l'éducation, la religion et la morale et d'en construire une théorie de la nature ultime de la réalité », et, tout en déplorant le caractère incomplet de sa tentative, il déclare que « le schéma fragmentaire d'une synthèse vaut mieux qu'une absence de synthèse ». – Trad. Plon, 1939.

FINLANDIA. Cette œuvre porte le n° 7 de l'opus 26 du compositeur finlandais Jean Sibelius (1865-1957) ; c'est la conclusion des *Scènes historiques* composées en 1899. Il s'agit donc de musique destinée à l'accompagnement de tableaux vivants qui, à cette époque d'agitation nationaliste, devaient exalter le sentiment patriotique des Finnois par l'évocation de leur passé. En 1900 et 1912, les six premiers morceaux furent transformés par l'auteur en deux suites de concert, mais *Finlandia* demeura toujours indépendante. Le succès fut tel à sa création, grâce à sa grande puissance évocatrice, que son exécution fut interdite pendant plusieurs années ; pour la jouer au cours de ses tournées, Sibelius dut en changer le nom et Paris la connut sous le titre de *La Patrie.* L'œuvre revêt la forme d'un poème symphonique pour grand orchestre ; le premier thème semble figurer la marche sourde et irrépressible des masses opprimées, à laquelle succède une sorte d'hymne, suivi de la prière ardente de ceux que la fidélité à leur idéal rend sûrs de la victoire. L'élan est chaleureux qui anime ce poème, demeuré, à juste titre, au répertoire des grandes associations symphoniques.

FINNEGANS WAKE. Roman de l'écrivain irlandais James Joyce (1882-1941), publié en 1939 chez Faber & Faber, Londres. Le livre était connu par des publications partielles échelonnées sur les dix-sept années de sa composition (1922-1939), sous le titre provisoire de *Work in Progress.* Toute œuvre de Joyce est si étroitement liée aux précédentes que son mouvement propre trouve place dans le vaste rythme d'ensemble : *Portrait de l'artiste en jeune homme* (*) était déjà virtuellement dans *Dublinois* (*) et *Ulysse* (*) dans *Portrait de l'artiste ; Finnegans Wake* enfin dans *Ulysse. Ulysse* apparaissait comme une somme : état de veille à son extrême, communion du matin, pesanteur de midi, examen de conscience et chute du soir. Le livre s'arrêtait au seuil de la nuit, à l'instant où Mrs. Bloom, la femme, avant de s'effacer dans le sommeil, proteste une dernière fois, conscience de la veille au seuil du rêve : « J'ai dit Oui, je veux bien Oui » [I said Yes I will Yes]. Avec *Finnegans Wake*, nous franchissons le seuil. En ce sens, on peut dire que *Finnegans Wake* est un livre de complément et ferme le cycle, à condition de ne pas oublier qu'il est lui-même un cycle, le « cycle du sommeil », de la durée, puisant à même l'élément féminin de l'eau son symbole. Parallèlement au monologue intérieur de la femme, qui clôt *Ulysse*, Anna Livia (la rivière Liffey), défaillante, près de s'anéantir dans l'Océan son père, parle : « A way a lone a last a loved a long the... », et ses dernières paroles, bouclant la boucle, donnent la clé de cette fin de phrase par quoi s'ouvrait le livre : « Riverrum, past Eve and Adam's, from swerve of shore to bend of... » Tel est le temps de cette action : temps fini, durée close par sa récurrence. Quant au lieu, c'est Dublin, ou plutôt le faubourg de Chapelizod, ou bien le Phœnix Park, ou encore les bords de la Liffey. La ville elle-même se trouve réduite à l'état de mémoire, dotée d'une signification antérieure. Quant au titre, qu'on a pu traduire comme : « La Veillée de Finnegan », il est pris à une chanson populaire (« Tim Finnegan's wake ») et transformé en un sens qui trahit l'un des propos du livre : sonner le réveil de la terre natale par la légende et le mythe. L'apostrophe (Finne*gan's*) tombe : « Finne*gans* » est pluriel (les fils de Finn, demi-dieu légendaire d'Irlande), « wake » devient verbe, peut-être impératif.

L'action proprement dite ne régit pas les personnages, ni les personnages l'action. Intrigue et personnages restent sans cesse en position de création ; ils ne sont jamais que projections changeantes d'une réalité plus profonde et cachée, ils n'ont que valeur de symboles. Le maître de l'action, c'est le temps, monde prodigieux de la naissance et du retour. Les noms des personnages ne sont que de simples attributs, de simples reflets. Ainsi Humphrey (ou Harold) Chimpden Earwicker devient rapidement H. C. E., identité mobile pouvant tour à tour signifier : Here Comes Everybody, Haveth Childers Everywhere, Hotchkiss Culthur's Everready, Human Conger Eel, etc. Le livre se divise en trois parties et une sorte d'épilogue. Mieux, en cercles partagés en segments. Le premier cercle est une sorte de genèse, une exposition des formes, une litanie d'attributs. L'auteur y « chante » les thèmes de ses personnages. Il s'agit d'un vaste prélude où Joyce mêle, en d'infinies variations – un cycle couvrant l'autre –, les multiples échos de chacun de ses héros. Ces échos résonnent d'un bout à l'autre de l'énorme cave close du temps qu'est le livre entier. Histoire et mythologie étroitement confuses : tous les personnages sont autant de modalités de l'homme à travers sa mémoire. De la *Genèse* au *Zend*, en passant par *Tristan et Isolde* (le faubourg de Chapelizod, c'est Chapelle-Isolde où naquit Iseult) et en pénétrant au cœur de la cosmogonie nordique, l'homme parcourt en sa totalité l'immense parc où revit sa mémoire. Il devient à la fois meneur de jeu, protagoniste et spectateur. Par chacun de nous le temps s'exprime. En chacun de nous vit sourdement la réalité du mythe et de l'histoire. Humphrey Chimpden Earwicker, H. C. E., Here Comes Everybody (littéralement : « Voici venir tout le monde »), sir Perse O'Reilly, capitaine norvégien retraité (héros lointain et fatigué de la conquête de l'Irlande), c'est aussi bien le vieil Adam, ou « sir Tristam, violer d'amores », ou Noé, ou comiquement Haveth Childers Everywhere (littéralement : « A des enfants partout »), ou férocement Human Conger Eel (« Le congre humain »). C'est, en bref, tout attribut qui dort en nous et la nuit s'éveille quand la conscience se détend. H. C. E., c'est aussi et à la fois le dur principe mâle (rocher en ville), un tenancier de cabaret, un conquérant ravisseur de la frêle Anna Liffey, etc. La femme, double fidèle et pôle persistant, est tantôt rivière, tantôt petite fille (Izzy-Isolde) que pourchasse son père le vieux tailleur, tantôt Plurabelle ou Anna Livia, ravie, soumise, puis Liffey vieillie sous le harnois d'une double conquête, épouse lasse et rivière assouvie. Le premier cercle, si étroitement couvert en puissance par les autres, révélateur et révélé à la fois, nous fait parcourir tout le livre. Sur cette première partie pèse continûment le coup de tonnerre initial annonciateur des genèses, mais aussi écho de la chute originelle : « bababadalgharaghtakamminarronnkonnbronntonnerron - ntuonthunntrovarrhounawnskawntoohoohoo - rdenenthurnuk ! » Soirée orageuse sur Dublin ; climat mythologique par excellence : le plus grand poids du monde. La peur, climat moral du mythe, source de religion (Joyce lui-même, dans la vie, avait une terreur panique et sacrée du tonnerre). Il est environ huit heures du soir. Nuit proche (en fait, il fait nuit dès qu'on ouvre le livre). Le cercle se ferme sur le départ des lavandières qui, bras nus battant le linge dans les eaux de la Liffey (« oh, dites-moi tout ce que vous savez d'Anna Livia... »), ont raconté le rapt de la jeune rivière par le conquérant « Night now ! ».

Neuf heures. Le deuxième cercle s'ouvre. Nous entrons dans le plein de l'action. La virtuosité de Joyce est étourdissante. Quatre épisodes : Le mime de Mick, Nick et les Maggies (les enfants jouent), La chambre des enfants (ils font leurs devoirs du soir), Le bistro des parents. Fermeture : il est onze heures environ à l'horloge quand le cercle se ferme. Deux heures à peine de durée : près de deux cents pages. De ces éléments de vie quotidienne Joyce fait un remue-ménage de l'esprit. Les enfants jouent-ils ? Leurs jeux prennent aussitôt une tournure mythologique, métaphysique, théologique. La partie finit en mêlée : révolte des anges... Dans leur chambre les deux jumeaux (Mick et Nick, ou Shem et Shaun, ou Abel et Caïn selon les épisodes) et Izzy, leur sœur, finissent la soirée sur leurs devoirs. Géométrie, Thème : la construction du triangle équilatéral, le delta du fleuve. L'épisode se termine par une « lettre nocturne » des enfants aux parents, qui sert de transition à l'épisode du bistro. Cette scène se partage entre la conversation du patron (le capitaine norvégien) et du tailleur (père d'Anna Livia), qui se jettent des injures, soutenus par la basse grave des autres consommateurs. Dans le « snug » (coin privé, séparé du « zinc » par une cloison) devisent tranquillement quatre hommes (les quatre Évangélistes, les quatre provinces d'Irlande...). Ils passent tous quatre directement dans le sommeil d'un des jumeaux, Shaun. Nous sommes désormais au cœur de la nuit, si profondément que Shaun dort d'un double sommeil. Les Quatre vont interroger l'enfant et figurer les catégories principales de la conscience. Questionnaire serré ! Véritable examen de conscience ontologique ! Au centre de l'épisode se situe la fable « The Ondt and the Gracehoper » (thème original : « The Ant and the Grasshopper », « La Cigale et la Fourmi » : *ant* devenant *ondt* = l'être, *grasshopper* devenant *grace* (la grâce) *hoper* [celui qui espère]. Shaun sort victorieux de l'examen. Il a droit à la résurrection. Première étape de son entrée dans la nuit du Jugement.

Il est environ trois heures du matin. Nous sommes transportés dans la chambre des parents. Est-ce un cri ou un coup à la porte d'en bas ? La femme et l'homme se lèvent en sursaut. La femme prend la lampe à pétrole. Ils franchissent le seuil, mais ils n'iront pas loin. Ce cri venait d'ailleurs. Ils attendent. Ils sont poursuivis par deux voix. Double conscience, mâle et femelle ? Double principe du bien et du mal ? Mauvaise et bonne fées penchées sur le sommeil des enfants ? Ils écoutent. Bénédiction des voix sur Izzy. Bénédiction mâle sur le sommeil des jumeaux. Le calme retombe sur la maison. L'homme et la femme regagnent le lit et le sommeil. Un temps se passe. Un temps pour rien, lourd de vide. Et soudain retentit l'appel du jour – appel des origines (Joyce utilise directement le mot sanskrit, père philosophique). Dernier cercle : épilogue. En une trentaine de pages vertigineuses, tous les principaux thèmes sont repris. Les personnages et leurs attributs subissent une dernière métamorphose. Earwicker d'abord : c'est à lui que le chant d'éveil du jour s'adresse plus particulièrement. C'est lui qui, de son réveil pâteux de cabaretier, va peu à peu redevenir le rocher conquérant, le mâle debout tourné vers le « retour » (du temps et de ses forces originelles) ; tandis que la femme-rivière faiblit d'autant, à mesure qu'approche la fin de la nuit, son royaume, à mesure qu'approche l'embouchure. Elle s'humilie, elle défaille, elle se confond de plus en plus, elle retourne à son père. « Et tout cela est vieux et vieux et triste et vieux et triste et lasse j'en reviens à vous, mon père, et à votre froideur, à vos froides démences mon père à vos froides et folles terreurs. » C'est elle, Anna Liffey, qui a proposé à son mari cette ultime promenade à l'aube, ce retour au lieu qui vit le rapt et leur première union cependant que tout s'éclaire à l'entour, que, sur les vitraux de la petite chapelle de St. Kevin, à Chapelizod, le jour levant éclaire une dernière reprise des motifs : les légendes des deux saints jumeaux de l'Irlande, Kevin et Patrick. Un dernier cri, résurrection de Finn (Tim Finigan revenant à la vie) : « Finn, again ! » ; puis le cycle se clôt, le livre se ferme sur le mot le plus banal et le plus neutre de la langue anglaise, « the »... et se rouvre aussitôt sur la première phrase.

La langue de *Finnegans Wake* est liquide comme le fleuve qui en est le thème, mais en même temps si étroitement liée aux profondeurs du livre qu'elle en est aussi à la fois le roc, le sol nourricier et la sève. Non seulement elle exprime, mais elle est exprimée. Joyce y a puisé comme à une source de pensée. Pendant dix-sept années il a creusé, poussé ses racines en tous sens, se nourrissant de tout ce qui, lentement déposé par les siècles, constitue le terreau de l'esprit humain, se soumettant à la sémantique, pesant les formes, dissociant ou rejoignant les principes, couvrant l'aire des langues (du sanskrit au danois), environ soixante langues, et dialectes jetés au creuset de son imagination, fondus, amalgamés. Ce livre de Protée exigeait son propre langage et la métamorphose de la langue allait de pair avec celle des personnages. Le jeu se fait sur les racines inébranlables des mots, de même que le jeu des acteurs gravite autour du temps clos. Que Joyce ait dû choisir, pour exprimer cette gravitation, le processus du « jeu des mots » – processus le plus digne de Protée –, il n'en pouvait être autrement. Car non seulement il ne fallait pas que le livre fût terrain de savants, mais encore (et c'est là sans doute la seule et double ressemblance qu'il y ait entre Joyce et Rabelais) qu'il atteignît « immédiatement » l'homme dans le lecteur. – Trad. *Finnegans Wake* suivi d'*Anna Livia Plurabelle* (fragments), Gallimard, 1962 ; et (intégrale) 1982.

FIORENZA [*Fiorenza*]. Drame historique, en trois actes, de l'écrivain allemand Thomas Mann (1875-1955), publié en 1905. L'action se passe dans la villa des Careggi, près de Florence, l'après-midi du 8 avril 1492, et elle est couronnée par l'épisode fameux de la confession que Laurent le Magnifique aurait faite « in extremis » à Savonarole. Celui-ci aurait mis trois conditions à l'absolution : le repentir, la restitution des richesses mal acquises et la restitution à Florence de sa liberté. Laurent aurait accepté les deux premières, mais non la troisième, et aurait ainsi expiré sans l'absolution du grand dominicain, assuré qu'il était de l'importance politique et civilisatrice de son œuvre. L'anecdote, dont l'authenticité n'a pas d'intérêt ici, est élevée à une valeur de symbole : celui d'un conflit qui, selon les intentions de l'auteur, saisirait l'intime esprit de la Renaissance. Laurent représente la tendance paganisante, éprise d'art et d'harmonie, tendue vers une sage et noble jouissance de tous les biens de la vie terrestre ; Savonarole est l'ascète enthousiaste et passionné, repoussant tout compromis avec le monde, l'homme qui, poussé par sa vocation comme par une hantise, annonce avec une ferveur forcenée l'avènement du règne du Christ et court ainsi, tragique et quasi conscient, vers son inexorable destin. Entre les deux hommes se dresse Florence, la très belle courtisane aimée de Laurent, que Mann identifie (et l'on ne peut dire que l'invention soit du meilleur goût) avec la jeune Florentine que jadis Savonarole, selon quelques témoignages du temps, aurait aimée et demandée vainement en mariage avant que, repoussé, il sentît la vocation religieuse prendre en lui le dessus. Il s'agit de la fille naturelle de Robert Strozzi, lequel avait été banni de sa patrie pour avoir pris parti contre les Médicis. D'autre part Florence, plus qu'une figure, est un symbole et s'identifie avec la ville, la « nouvelle Babylone » – ainsi l'appelle le moine de Ferrare – que le semi-païen Laurent et le fanatique Savonarole se disputent.

Au point de vue artistique, ce drame, une des œuvres les moins heureuses du grand romancier, est peu consistant : dans le dessin des personnages, l'écrivain se complaît manifestement à ressusciter de grandes figures du passé, mais ce goût romantique ne se transforme pas en inspiration poétique et donc ne se concrétise pas en images vivantes et plastiques. L'action, de ce fait, bien que conduite avec habilité du point de vue théâtral, est peu animée dans l'ensemble et peu convaincante. La vérité est que l'auteur, n'étant pas inspiré vraiment par un thème qui lui fût propre, s'est borné à suivre de trop près ses sources : Goethe et Burckhardt, Stendhal et Gobineau – tirant de là une vision de Florence au XVe siècle par trop artificielle. – Trad. dans *Déception et autres nouvelles*, suivi de *Fiorenza*, Albin Michel, 1957.

FIORETTI DE SAINT FRANÇOIS (Les) [*Fioretti di san Francesco*]. Traduction en toscan vulgaire des *Actes du bienheureux François et de ses compagnons* (*). Le texte primitif en latin, du frère Ugolino da Montegiorgo, est perdu. Cette traduction est probablement celle d'un frère resté anonyme ; c'est l'œuvre la plus charmante qu'ait suscitée l'inspiration franciscaine. Les *Fioretti* sont une anthologie des actes et des miracles accomplis par saint François d'Assise, ainsi que par ses compagnons. L'écrivain aime montrer que saint François, « dans tous les actes de sa vie, fut semblable au Christ » et que ses compagnons, « professant la plus grande pauvreté », suivirent l'exemple des apôtres ; ils paraissaient et ils étaient réellement des crucifiés, tant par leur vêtement et l'austérité de leur vie que par leurs occupations et leurs actes. De cette œuvre émane une perpétuelle atmosphère de miracle, de sainteté empreinte des principales vertus franciscaines et évangéliques : la tolérance, l'humilité, l'allégresse (cette allégresse que célébrera plus tard Manzoni : « paisible d'apparence, marquée du signe céleste de la gloire à venir »), l'acceptation volontaire des tourments et des dérisions, la connaissance illimitée des domaines de la vie spirituelle. Cependant, ces hommes à l'âme céleste ne se retranchaient pas dans une vie ascétique, et ils secouraient tendrement et avec joie leurs frères restés dans le monde. On peut les imaginer réunis ou dispersés sur les routes d'Ombrie, ou encore dans la province de la marche d'Ancône : ces frères pleins d'une sereine simplicité, ces jongleurs mystiques, à la fois paisibles et héroïques, errent au milieu de paysages, d'animaux et d'objets qu'ils nomment avec une innocence émouvante qui rappelle le *Cantique du soleil* (*) : « la table en pierre, si belle », « la source si claire », « la belle pierre large », « les sœurs tourterelles », « frère loup ».

Ces frères ont des élans et des peines qui diffèrent fort peu les uns des autres, et pourtant chacun est animé d'une vie particulière grâce à la sobriété et à la vérité des touches qu'emploie l'écrivain pour les dépeindre : frère Masseo, « beau et grand », qui souvent, lorsqu'il prêchait, jubilait intérieurement « en faisant entendre une sorte de roucoulement étouffé de colombe » ; frère Simon, qui n'avait jamais appris de grammaire et qui n'en parlait pas moins de Dieu et de l'amour du Christ avec tant de grandeur et de profondeur que ses paroles avaient quelque chose de surnaturel ; frère Pacifique qui se rend à la tombe de frère Humble et qui « recueille ses ossements » ; il les lave dans du bon vin, les met dans une serviette blanche, puis les baise avec grande révérence et dévotion, en pleurant parce qu'il les croit saints, pour avoir vu l'âme du mort monter au ciel ; frère Giovanni de la Vernia qui, encore enfant, faisait déjà partie de l'ordre de saint François et qui s'embrasait d'amour divin sous l'empire d'une grâce si suave que, ne pouvant demeurer immobile et supporter tant de délices, il se levait et, en proie à de véritables transports, discourait tantôt dans le jardin, tantôt dans la forêt, parfois dans l'église, selon la puissance de l'Esprit qui le guidait. Et qui peut oublier frère Léon, agneau de Dieu, et sa « simplicité de colombe » ? Compagnon de saint François, c'est lui qui, au cours d'un rigoureux hiver ombrien, est le témoin silencieux du passage le plus beau et le plus significatif des *Fioretti,* celui qui a trait à la « félicité parfaite ». Nombreux sont les exemples, vivants et colorés, dans ce livre, qui n'est ni monotone ni dénué de sens dramatique. Ainsi la prédication aux oiseaux, le repos près de la belle source, le loup de Gubbio, le repas de sainte Claire et de saint François à Sainte-Marie-des-Anges, la silencieuse accolade de saint Louis et de frère Egidio, le petit frère innocent et pur qui voulait voir saint François pendant la nuit pour constater sa sainteté et qui s'évanouit lorsque apparut le Christ entouré des siens : « Alors, le saint le prend dans ses bras et le porte dans son lit, comme ferait le bon Pasteur avec une de ses brebis. »

Ces cinquante-trois *Fioretti* sont, rappelons-le, un livre de dévotion, et chaque épisode se termine par la formule rituelle : « À la gloire de Dieu / Amen. » Toute cette sagesse qui en constitue le fond est imprégnée de poésie, d'une poésie qui a, comme on l'a justement remarqué, le charme de la fable. Au point de vue historique, cet ouvrage n'est pas un document valable, mais il n'existe aucun témoignage aussi complet sur la naissance et l'essor miraculeux de l'ordre des Frères de saint François. — Trad. Denoël, 1952.

FISHBELLY [*The Long Dream*]. Roman de l'écrivain noir américain Richard Wright (1908-1960), publié en 1958. Cet ouvrage, comme *Black Boy* (*) et *Un enfant du pays* (*), a pour thème les rapports entre l'homme noir et l'homme blanc aux États-Unis. L'auteur montre la vie et les aventures d'un adolescent noir, Rex Tucker, dit Fishbelly, dans un des États du Sud sur lesquels les Blancs font peser leur domination étouffante. Né Américain, Fishbelly est agressif et timide, jeune et ignorant, mais il veut vivre dans son pays la vie d'un Américain, sans pour cela savoir comment y parvenir. Fils d'un riche commerçant noir du Mississippi, il est obligé, à cause de la couleur de sa peau, de se développer dans les conditions de vie anormales d'un monde corrompu et truqué dès le départ. Son père, rusé et impitoyable avec les Noirs, « se fait plat et imbécile » devant les Blancs. C'est à son école que le jeune garçon apprendra que l'argent et le sexe constituent les réalités essentielles du monde qui l'a vu naître. Il cherchera ces éléments dans un monde blanc, qui adopte à son égard une attitude arrogante ou une attitude paternaliste et condescendante, qui ne cache pas moins le mépris. Fishbelly sera contraint de rêver aux femmes blanches et de refouler ses rêves sous peine de mort. Or ce monde hostile le refuse et le condamne finalement à fuir s'il veut rester en vie. C'est en France qu'il choisira de vivre à sa sortie de prison.

Richard Wright explore dans cet ouvrage un sujet neuf : la sociologie et la psychologie de la bourgeoisie noire américaine. Ce sujet, aux vastes dimensions, permet à l'auteur de déployer ses dons de grand romancier dans une gamme qui va de l'humour le plus subtil à l'horreur la plus appuyée en passant par les nuances les plus diverses des états d'âme. Un ton direct, parfois violent et intense, met en évidence la vérité brutale de l'ouvrage au sein des situations les plus fantastiques. Bien que Noir, Richard Wright semble ne pas prendre parti. Il décrit objectivement une situation qu'il connaît bien : les Noirs ne sont pas flattés, et les Blancs ne sont pas accablés sans raison. Par cette attitude, il semble inviter les deux « mondes » à reconsidérer une situation douloureuse pour tous. — Trad. Julliard, col. « Les Lettres nouvelles », 1960.

FITZWILLIAM VIRGINAL BOOK [*Livre de virginal de la collection Fitzwilliam*]. Recueil de quatre cent seize pièces pour virginal constitué avant 1630, légué en 1816 par un collectionneur à l'université de Cambridge, et publié en 1899. Il rassemble des œuvres des compositeurs anglais ayant vécu sous le règne élisabéthain, tels Thomas Tallis, William Byrd, John Bull, Orlando Gibbons, John Dowland, Giles Farnaby, Thomas Morley, et porte témoignage, avec *Parthenia* (*), de ce que fut l'école des virginalistes anglais.

D. Ja.

FLAGRANT DÉLIT. Pamphlet de l'écrivain français André Breton (1896-1966), publié en 1949. Il s'agit d'une mise au point à propos d'un faux Rimbaud, réalisé par deux comédiens, qui reprenait le titre d'un manuscrit disparu de Rimbaud : *La Chasse spirituelle*. Breton rappelle tout d'abord l'une de ses idées essentielles sur la critique : toute analyse d'une œuvre est plus ou moins stérile, puisqu'elle est incapable de déterminer en quoi l'œuvre nous attire et nous charme ; la part de mystère est même indispensable à ce charme : « Il y a toujours un coin du voile qui demande expressément à ne pas être levé : quoi qu'en pensent les imbéciles, c'est la condition même de l'enchantement. » Rimbaud, personnage voilé et mystérieux, est l'un de ceux qui résistent le mieux à l'analyse. Cependant le faux en l'occurrence est grossier, et Breton règle leur compte aux critiques qui l'ont avalisé sans hésitation. Il met en cause les éditions du Mercure de France, et surtout les trois critiques P. Pia, M. Nadeau et M. Saillet qui n'ont pas su voir une supercherie évidente : il y a, dit Breton, « usurpation de fonctions » et « association de malfaiteurs ». Après avoir rappelé les conditions de publication des différents inédits de Rimbaud (notamment « Un cœur sous une soutane » et les « Stupra », édités par les surréalistes), il montre comment l'étude interne de *La Chasse spirituelle*, comme de certains sonnets apocryphes de Rimbaud, suffit à faire la preuve du faux. L'essai se termine par une étude rapide de la thèse de Bouillane de Lacoste, qui a prouvé que *Les Illuminations* (*) étaient postérieures à *Une saison en enfer* (*), ruinant par là l'interprétation romantique d'un Rimbaud s'enfonçant dans le satanisme littéraire. Breton s'élève cependant contre un usage de cette découverte pour une « critique bourgeoise de récupération » selon laquelle *Les Illuminations* marqueraient un « retour à la santé », après *Une saison* et la liaison avec Verlaine.

FLAMANDES (Les). Œuvre du poète belge d'expression française Émile Verhaeren (1855-1916), publiée en 1890. Ce recueil de poèmes – le premier que publia Verhaeren – parut au temps de la gloire de Zola, et il est tout empreint d'un réalisme qui touche souvent à l'excès. Verhaeren, d'un autre point de vue, s'y montre avant tout traditionaliste : c'est un hymne à la vieille Flandre, robuste, éclatante de santé brutale, parfois grossière, la Flandre de Bruegel le Vieux et de Rubens. Le poète paraît d'ailleurs tout influencé par les visions des vieux maîtres flamands. Le recueil s'ouvre sur une évocation de ces peintres anciens, qui, « trop vrais pour s'affadir dans les afféteries / Campaient gaillardement leurs chevalets flamands / Et faisaient des chefs-d'œuvre entre deux saouleries. » L'ambition de Verhaeren était sans doute de faire en poésie comme ses maîtres en peinture. Dans quelle mesure y réussit-il ? Même s'ils choquent par leur brutalité, par leur parti pris de réalisme exclusivement charnel, les poèmes des *Flamandes* ont beaucoup moins vieilli que d'autres œuvres, plus célèbres, de Verhaeren. On n'y trouve point l'emphase, parfois forcée, des *Forces tumultueuses* (*). La pleine santé de la vieille Flandre y est évoquée le plus simplement qu'il se peut : « Vos femmes suaient la santé / Rouge de sang, blanche de graisse ; / Elles menaient les ruts en laisse / Avec des airs de royauté. » Lorsqu'il peint des scènes champêtres, Verhaeren se montre serein et pur, comme dans l'« Abreuvoir ». Mais c'est le plus souvent une atmosphère à la fois trépidante et lourde de kermesse : paysans ivres qui font la ronde autour des tables salies de vin ; gars qui culbutent les filles ; paysannes aux poitrines monstrueuses... On peut malaisément lire ces pièces l'une après l'autre ; la fatigue, la monotonie viennent vite ; l'incessante répétition des mots : gras, graisse, énorme, charnu, monstrueux, etc. devient parfois intolérable. Ainsi se montre dans ce recueil l'outrance caractéristique du réalisme de Verhaeren. Le poète, cependant, n'arrive pas toujours à transposer son sujet dans un univers poétique : on sent en lui la discorde entre l'idéal naturaliste et les exigences propres de la poésie, assez incompatibles avec le premier.

FLAMBEAU DE LA VISION (Le) [*Candle of Vision*]. Essai du poète irlandais George William Russell, dit AE (1867-1935), publié en 1918. D'où proviennent les images de la vie psychique, les rêves diurnes ou nocturnes, monde ouvert au « voyant » sous ses aspects multiples, hiérarchisés, réfléchis par l'esprit à la recherche de sa forme ultime ? La « méditation rétrospective » où prend racine la pensée de AE révèle un âge d'or, présent sous le voile, dont l'imagination porte témoignage en des visions de surnature, dans lesquelles le moins émouvant n'est pas le sentiment intense de l'âme. Une paupière se soulève, puis retombe ; et dans l'instant, un monde plus profond s'est montré, qu'AE rapporte toujours à une notion de l'être divin. Les visions, pense-t-il, ne peuvent être le produit de l'intellect ni de la mémoire, dès lors qu'elle transmet des images plus vivantes que les plus belles constructions de l'art. Les rêves ne sauraient provenir du « moi » ; en leur point aveugle, ce qui paraît n'est pas l'inconscient (dont AE discute le concept chez Freud), mais le contact avec un Autre, dont la présence même ouvre sur un « océan de vie gigantesque » au-delà de la matière. En témoignent la communication psychique et la « mémoire de la terre » — présence rémanente d'événements anciens traversant la mémoire personnelle ; tel est le vrai lieu de l'imagination symbolique, sous les formes du monde terrestre, du monde intermédiaire et du monde céleste, que traverse l'« âme qui toujours veille ». Au point le plus haut est retrouvée la flamme originelle, l'Être divin, d'où procèdent les figures qui raniment l'aspiration à l'éternel. Elles parlent le mythe originel, destin de cet Être dont participe la conscience exilée. Le livre se ferme sur une belle analyse du mythe celtique, accordé à la présence terrestre de l'Irlande, théâtre archétypal du voyage de l'incréé à travers l'« illusion » jusqu'au pays de l'éternelle jeunesse, destin de la puissance originelle comme de la conscience en soi mystérieuse dont témoigne inlassablement AE. On peut ne pas entendre aussi favorablement que lui les voix d'un ésotérisme qui ne sait rien du cri de l'homme dans son destin de solitude ; on ne peut méconnaître la valeur d'une expérience qui va très loin dans l'exploration de ce qu'Henri Corbin a nommé le « monde imaginal ». — Trad. Cahiers du Sud, 1952.

FLAMME IMMORTELLE (La). Recueil de poèmes de l'écrivain belge Albert Mockel (1866-1945), publié à Bruxelles en 1924. Divers fragments de ce recueil avaient paru dès 1899 dans *Le Mercure de France* (*) sous le titre général de *La Tragédie de l'amour*. Dans ces poèmes, dont la plupart sont en forme de dialogues, la poésie lyrique tend à se fondre dans la poésie dramatique pour créer une sorte de théâtre intérieur dont l'amour est le thème unique. Des héros, qu'il désigne sous le nom de « Elle » et « Lui », symbolisent le couple en général. L'auteur tente, comme il le dit dans sa préface, de rejoindre par sa poésie les autres arts (danse, sculpture, musique), en mettant à vif les sentiments à travers une forme sans artifice. C'est une tragédie vraiment immobile. On ne tue pas, on ne meurt pas : tout se passe dans le secret de l'âme et de la chair. Ce livre s'achève sur une « Invocation à l'amante immortelle » qui domine les deux couples terrestres, celui qui souffre encore en sa flamme stérile et celui qui déjà s'enivre au cantique sacré de la joie. Mockel, qui a subi nettement l'influence du mouvement symboliste, a été l'un des premiers à employer le vers libre et il en fait un usage heureux dans ce recueil. Il évoque les figures idéales, qui semblent nées dans ce pays mosan où il passa toute son adolescence. Son art est plus suggestif que proprement descriptif. Ses vers sont fluides à souhait ; il les enrichit parfois d'un brin de chanson populaire. Comme tous les symbolistes, il répugne à la vulgarité ; n'empêche qu'il tombe parfois dans le défaut contraire et certaines de ses images nous restent obscures.

FLAMMES (Les) [*Płomienie*]. Roman de l'écrivain polonais Stanisław Brzozowski (1878-1911), publié en 1908. Cette œuvre romanesque, dont les faits et les noms de nombreux personnages sont authentiques, couvre les années 1863-1881. Le héros, Michał Kaniowski, fils d'aristocrates polonais, fait ses études à Saint-Pétersbourg. C'est pour lui l'occasion de côtoyer les milieux nihilistes russes qui préparent un attentat contre Alexandre II. Menacé d'être arrêté, il part en Suisse, puis en France où il participe à la Commune de Paris, et noue des contacts, entre autres avec Netchaïev. La deuxième partie du roman se passe en Russie et relate les activités de la célèbre organisation nihiliste Narodnaïa Vola, qui s'achèvent par l'assassinat du tsar. Kaniowski en est le témoin. Emprisonné, il tente de se suicider. Il est alors rendu à sa famille. La trame de l'œuvre est relativement mince, mais elle est étayée par les discussions de fond qu'échangent des personnages souvent réalistes et parfois fantastiques.

Ce roman, écrit dans un esprit moderniste « par un homme au cœur chaud et l'esprit très instruit », fut accusé d'être quelque peu chaotique, qualifié tantôt de « noble journalisme », tantôt de « journalisme idéologique ».

L. Dy.

FLAMMES FROIDES [*Kolde flammer*]. Roman de l'écrivain danois Knud Sønderby (1909-1966), publié en 1940. L'amour impossible semble être le domaine préféré de l'auteur. Après *Deux jeunes gens se rencontrent* (*) et un excellent roman sur l'amour maternel : *Une femme de trop* [*En kvinde er overflodig*, 1936], qu'il porta à la scène avec beaucoup de succès, Knud Sønderby décrit, dans *Flammes froides*, comment meurt un grand amour. Un homme et une femme se rencontrent à Copenhague. Elle est déjà mariée, mais seul ce nouvel amour compte dans sa vie : elle divorce et les deux amoureux se marient. Ils vont s'installer au Groenland. Déjà le voyage est pénible, mais avec l'installation dans ce pays sauvage et froid, l'amour de la femme diminue petit à petit pour disparaître complètement. L'auteur a quand même donné une fin heureuse à son histoire, mais elle n'est pas très vraisemblable.

FLÂNEUR DES DEUX RIVES (Le). Œuvre en prose de l'écrivain français Guillaume Apollinaire (1880-1918), publié en 1919. Ce petit livre découvre au lecteur un Paris familier, imprévu, avec le ton en apparence désinvolte de la chronique. Si les vieilles rues d'Auteuil, la librairie de M. Lehec, le Bouillon Michel Pons, le musée napoléonien de la rue de Poissy, la cave de M. Vollard et nombre de fraîches évocations le composent comme au hasard, il n'est pas loin, pourtant, dans un sens opposé à celui de *Calligrammes,* d'être un manifeste de « l'esprit nouveau » cher au poète. Cet esprit, Apollinaire lui assignait d'« explorer la vérité, la chercher, aussi bien dans le domaine ethnique... que dans celui de l'imagination... » ; on le peut définir surtout par l'effet de surprise, qui en est le ressort essentiel. *Calligrammes* explorant le domaine imaginaire, *Le Flâneur des deux rives* se réserve celui du quotidien. Mais la recherche ici transcende le fait divers : elle ouvre la voie à une poétique nouvelle, celle d'Aragon, par exemple dans *Le Paysan de Paris* (*). La banalité, mise en lumière jusqu'à l'absurde, devient source de rêve par le seul fait de cette insistance à l'éclairer. L'observation systématique est un des procédés dadaïstes et surréalistes qu'on trouve, entre autres, amorcé dans telle page du *Flâneur :* « Je ne sais s'il y eut en France et même dans le monde entier de plus curieuse gazette que le "Journal du Musée". Bi-mensuelle, 1er et le 15 de chaque mois. Direction : 14, rue de Poissy. Abonnement : 3 fr. par an. Imprimé en violet au polycopiste, il paraissait sur deux pages à trois colonnes... » Apollinaire, par sa volonté de renouveler la technique littéraire, marqua l'évolution de l'impressionnisme au cubisme. Le commerce qu'il eut avec des esprits aussi aventureux que Picasso et Max Jacob l'a magnifiquement fécondé. S'il y a quelque difficulté à saisir, malgré son apparente bonhomie, le sens profond de cet ouvrage, c'est qu'il revendique avant tout la liberté du discours. Le langage rejette toute subordination à l'objet ; la fantaisie, par sa continuelle intervention, introduit dans l'œuvre d'art le sens moderne de la « rupture ».

FLAQUES DE VERRE. Recueil de poèmes en prose du poète français Pierre Reverdy (1889-1960), publié en 1929. « On annonce la nuit. / Alors on aperçoit que les nuages sont enfermés. / Le globe est transparent. / Mais d'en bas on ne voit pas le verre. » Tout objet procède de la lumière ; tout poème, de la transparence. Vitrifié par la lumière, l'objet du poème s'éternise à l'intérieur de son propre cristal. Pourtant, ce qui semble disparu demeure en train de disparaître : choses et poèmes, parcourant l'absence, font éclater toute leur mobilité. Ils se simplifient, et devenant lignes, vertiges, taches, signes, fragments, trous, points, ils glissent, flottent, tremblent. Ils soulagent la nature, la remplacent et la transfigurent. Le jour apparaît de derrière le toit. La lampe désespère le soir. Tout instant est l'instant fabuleux et premier que tout poème de Reverdy tente de saisir : partout, dans les paysages défaits et refaits, dans les métamorphoses des figures et des lignes, les jeux du temps et de l'espace, des objets familiers qui se dispersent dans l'air et l'eau, Reverdy dénoue les liens des choses, et poursuivant leur transmutation, figure leur extrémité écumante. Le poème tout entier apparaît, alors, comme l'unique chose se comparant à l'univers : objet réciproque de l'attention de lui-même, il est la mesure du monde, dont les objets, dans leur éparpillement, leur passage et leur réseau mystérieux, ne présentent que le dehors de l'équation successive. Figé, le temps laisse flotter les plans de l'espace rendu immobile, et que complique et ordonne le mouvement du poème qui les inscrit dans un dessin géométrique : toit et fenêtre, lampe et tiroir, jour et nuit se repoussent si violemment qu'ils semblent simultanés. Un moment, l'objet et l'objet trouvent le moyen de coïncider, et le poème, dès lors, devient le nœud indissoluble de leurs différences, se change sans être changé luimême, transmuant ainsi ce qui constitue la nuit solide.

FLÈCHE D'OR (La) [*The Arrow of Gold*]. Roman de l'écrivain anglais Joseph Conrad (1857-1924), publié de décembre 1918 à février 1920, à Londres, dans le *Lloyd's Magazine*, et en 1919 chez Doubleday (New York) et Fisher Unwin (Londres). Rita de Lastaola, une Basquaise d'une rare beauté, a été recueillie par le célèbre peintre Henry Allègre, alors qu'elle n'était qu'une petite gardeuse de chèvres. Il a fait d'elle une jeune femme accomplie et lui lègue, en mourant, son immense fortune. Rita, à la suite d'une courte aventure avec don Carlos, prétendant au trône d'Espagne, consacre sa jeunesse et ses relations à sa cause. Mills, un Anglais qui livre des armes aux carlistes, et le capitaine Blunt, un Américain ruiné par la guerre de Sécession qui trafique de son épée, présentent à Rita le narrateur, officier de marine anglais, qui accepte de partir en mer pour livrer des armes aux insurgés, sous le nom de M. Georges. Il accepte cette périlleuse mission par amour pour Rita. Le capitaine Blunt aime également Rita. M. Georges est persuadé que Rita le fuit et l'aime sans espoir. Cependant arrive à Marseille un messager carliste, Ortega, cousin de Rita, qui est venu remettre d'importants documents au quartier général de don Carlos. Il a aimé Rita et, n'ayant pu l'épouser, la poursuit d'une haine implacable. M. Georges, sachant qu'Ortega a été conduit chez Rita, se réfugie avec elle dans une pièce pour la sauver d'Ortega qui veut l'assassiner ; celui-ci n'y parviendra pas et sera trouvé grièvement blessé d'un coup de couteau devant la porte qu'il essayait d'enfoncer. Au cours de cette scène tragique, M. Georges et Rita découvrent leur amour mutuel qu'ils iront vivre dans une petite maison de la côte méditerranéenne. Mais, après quelques mois de bonheur, M. Georges, ayant appris que le capitaine Blunt répand des calomnies à son sujet, le provoque en duel. D'une balle de pistolet il fracasse le bras de son adversaire, mais Blunt, qui n'accepte pas que le duel se termine ainsi, tire de la main gauche et blesse grièvement M. Georges. Rita fait transporter Georges à Marseille et appelle Mills à son chevet. Lorsque Georges, qui est demeuré plusieurs semaines entre la vie et la mort, reprend conscience, Mills lui apprend le départ de Rita qui a sacrifié son amour à la paix de Georges. Elle lui a laissé le bijou qu'elle portait dans les cheveux : une flèche d'or, que le narrateur perdra au cours d'un naufrage. *La Flèche d'or* est, selon Conrad lui-même, une « initiation à la vie passionnelle à travers une épreuve ». Les circonstances et les personnages qui y sont décrits ne sont nullement imaginaires. Déjà dans *Le Miroir de la mer,* Conrad rapporte les circonstances qui l'amenèrent à se livrer à la contrebande d'armes et de munitions au profit des carlistes à bord du « Tremolino ». Le traducteur de *La Flèche d'or,* J. G. Aubry, a retrouvé, aux archives de l'Inscription maritime de Marseille, le relevé complet de la carrière de « M. Georges ». Bien que l'auteur, dans une note préliminaire, se défende de « s'abaisser au subterfuge d'émotions exagérées », il éveille un écho profond chez le lecteur, que la magie de son style et la profondeur de sa psychologie enchantent comme dans tous ses autres romans. — Trad. Gallimard, 1928.

FLÈCHE NOIRE (La) [*The Black Arrow*]. Roman d'aventures de l'écrivain écossais Robert Louis Stevenson (1850-1894), publié en 1888. L'action de *La Flèche noire* est située pendant la guerre des Deux-Roses en Angleterre. Écrit dans une langue datée, le roman a gardé toute sa fraîcheur. Le héros, Richard Shelton, a été élevé par sir Daniel Brackley, qui est devenu son tuteur après avoir tué le père du garçon, pour profiter de ses biens. Sir Daniel en use de même avec beaucoup de familles qu'il ruine par le meurtre ou par le vol. Il est faux, traître, chicanier et parjure, et n'hésite pas à changer d'allégeance au cours de la guerre afin de profiter alternativement des malheurs des vaincus. Le jeune Richard est fidèle à sir Daniel au début du roman et ne rompt avec lui qu'après avoir compris la noirceur de ce seigneur. Dès les premières pages du livre, Richard est amené à fuir dans les bois en compagnie de John Matcham. John est un garçon qui se déclare persécuté par sir Daniel et qui demande à Richard de le conduire en lieu sûr. John, déguisé, est en fait Joanna Sedley, orpheline que sir Daniel, ennemi de lord Foxham, premier tuteur de la jeune fille, entendait marier à Richard pour tirer profit de l'alliance. Les deux jeunes gens comprennent le péril qu'ils courent, s'avouent leur amour, et vont rejoindre des hors-la-loi dans les bois. Ceux-ci ont pour chef Ellis Duckworth, tous ont souffert des méfaits du méchant sir Daniel et entendent se venger. Leur coutume est de se servir de flèches noires — à la fois intimidantes et symboliques — dans leurs embuscades et coups de force. Le parti de ces justiciers, les « hommes de la flèche noire », est celui de la maison d'York dans la guerre des Deux-Roses dont on voit des épisodes se dérouler en arrière-plan. Richard se bat partout avec bravoure, jusqu'au jour où il est confronté à sir Daniel, qui se saisit de lui, le retient prisonnier. Le jeune homme s'échappe mais craint de perdre Joanna, qu'il veut épouser. Néanmoins, sa bonne mine, ses malheurs, sa franchise et son courage lui valent des amitiés nombreuses. À la bataille de Shoreby, à laquelle le jeune homme prend part, le duc Richard de Gloucester fait le héros chevalier pour le récompenser de sa vaillance. Le roman se clôt sur la mort de sir Daniel, tué par Ellis Duckworth qui dissout alors sa troupe de la flèche noire, et sur le mariage de Richard et de Joanna. — Trad. Mercure de France, 1901 ; Delagrave, 1936 ; Nathan, 1947. S. S.

FLEUR (La) [*Il Fiore*]. Poème italien découvert dans un manuscrit du XVe siècle et publié pour la première fois en 1881, qui a vraisemblablement été composé entre 1280 et 1310. Bien qu'il soit communément attribué à Dante Alighieri (1265-1321), et placé sous son nom par son premier éditeur, cette opinion semble sujette à caution. *La Fleur* est une imitation et une réduction du *Roman de la Rose* (*) de Guillaume de Lorris et Jehan de Meun, mais on n'y trouve ni la structure, ni les références théologiques et scientifiques qui font tout le prix du modèle français. Le poème décrit en deux cent trente-deux sonnets les obstacles rencontrés et surmontés par l'amant, dans la conquête de sa Dame : la Fleur ; aventures où interviennent nombre d'allégories. Dans le poème, tout comme dans le modèle français, la satire sociale est particulièrement vive et brillante. Ainsi se crée dans le poème un courant de pensée alerte et dénué de préjugés ; la sensualité de l'auteur est toujours franche et raffinée, d'un cynisme joyeux qui la garde d'être jamais morbide ou lascive.

FLEUR À LA BOUCHE (La) [*L'uomo dal fiore in bocca*]. Dialogue en un acte de l'écrivain italien Luigi Pirandello (1867-1936), représenté en 1923 et tiré, à quelques variantes près, de la nouvelle intitulée « Ouvert la nuit » [Caffè Notturno]. Dans un café, la nuit, deux hommes : l'un est sous le coup d'un verdict de mort (il est atteint d'épithélioma, « la fleur à la bouche »), l'autre, ayant manqué son train, doit attendre l'aube assis devant un guéridon. En fait, ce dialogue n'est qu'un long monologue : celui de l'homme qui va mourir et analyse ses sensations. Il sait que ce sont les dernières et cette constatation le remplit d'épouvante : « Les maisons de Messine et d'Avezzano, si elles avaient pressenti le tremblement de terre qui devait bientôt les dévaster, auraient-elles pu demeurer tranquilles sous la lune, rangées en file le long des rues et des places ? Pardieu ! ces maisons de pierres et de poudre se seraient enfuies ! » L'impressionnisme de Pirandello se fait jour dans ce monologue ; la voix humaine sur le seuil du sensible est plus que jamais amère et expressive. L'homme à la fleur dans la bouche, si clairement lucide, mesure nettement tout le sens de sa fin prochaine : ni regret, ni remords, ni souvenir, mais l'immédiate présence des choses rendues plus chères encore par la certitude de les perdre. Aucune expérience morale ne peut prévaloir sur cette solitude de la jouissance, ni sur ce désarroi devant la mort installée dans la vie même. Cette méditation de Pirandello est un soliloque où le désespoir demeure lié à la vie des sens. La mort est une force mystérieuse, sensuelle, et, en somme, des plus naturelles en face de tous les artifices de la civilisation. L'intensité de la pièce tient justement au caractère immédiat de la sensation. – Trad. Gallimard, La Pléiade, t. II, 1985.

FLEUR DANS LE DÉSERT (Une) [*Sabaku no hana*]. Récit autobiographique de la romancière japonaise Hirabayashi Taiko (1905-1972), publié de 1955 à 1957. Hirabayashi Taiko, la plus forte personnalité, sans aucun doute, de la littérature féminine japonaise de cette époque, ne pouvait écrire meilleur « roman » ni plus convaincant que celui de sa vie. Rien n'est plus éloigné en effet de banales « mémoires d'une femme de lettres » que cette *Fleur dans le désert,* écrite avec la même alacrité et la même passion qu'elle avait mises à vivre une vie fertile en aventures de toutes sortes, professionnelles, politiques et sentimentales. On a pu dire qu'elle l'a écrite « avec son sang », mais ce n'est pas le sang d'une victime de la fatalité, elle-même nous le dit dans une formule qui est bien dans sa manière : « Lorsqu'on est le premier à frayer un chemin en des régions non défrichées [...] il est tout à fait naturel que l'on se déchire aux ronces ! » Cette robuste fille de paysans des montagnes, qui, nous dit-elle encore, découvrit la littérature en lisant à treize ans une traduction de *Germinal* (*), et qui, à seize ans, vint travailler à Tôkyô comme téléphoniste, s'était jetée aussitôt dans la lutte, ce qui lui avait valu d'être congédiée au bout de deux mois parce qu'elle fréquentait des socialistes. Ce qui ne pouvait que la confirmer dans ses intentions, car ce qu'elle voulait, c'était « écrire des romans », mais des romans vécus, « faits de son expérience et non de ses rêves ». Elle recherche donc délibérément les expériences les plus dangereuses, opérant un curieux dédoublement qui lui permet de s'observer froidement tout en se jetant à corps perdu dans l'aventure : militante politique ardente, elle ne s'en impose pas moins, « par curiosité professionnelle plus que par amour », une liaison avec un homme qu'elle domine et qu'elle juge ; avec lui elle ira en prison une première fois en 1923, puis elle le suivra en Corée, en Mandchourie. Après la rupture, ce seront d'autres « expériences », avec un jeune peintre, sympathique mais besogneux, qu'elle quittera lorsqu'il aura imaginé de la « céder » à un ami. Lassée des hommes, elle essayera de vivre seule une vie errante, se faisant héberger par des amis au hasard des rencontres. C'est l'occasion d'une galerie de portraits d'écrivains et d'artistes « prolétariens », enlevés d'une plume allègre, acerbes parfois, mais sans méchanceté : on retiendra en particulier celui de Hayashi Fumiko (1904-1951), autre femme de lettres haute en couleur de cette génération. Un groupe d'écrivains anarchistes décide d'aller vivre, en mettant leurs ressources en commun, dans une maison au bord de la mer, elle les suit d'enthousiasme et ce sera une nouvelle série d'aventures extravagantes, au terme desquelles elle se retrouve de nouveau « en puissance d'époux ». Mais le nouveau partenaire est, comme les précédents, un incapable qui ne cherche qu'à vivre à ses crochets. Cette fois, c'en est assez ; une dernière « expérience » lui manque : celle du « mariage sérieux », célébré dans les règles, celui qui fonde les assises d'un foyer. Tout ce qu'elle y gagnera, ce sera un homme qui estime que les revenus de sa femme – dont la littérature commence à se vendre – lui appartiennent de droit, et tout socialiste qu'il soit, lui aussi, n'en est pas moins imbu des idées les plus traditionnelles en ce qui concerne la supériorité du mari. Fatiguée des éternelles disputes, parfois ponctuées de coups, elle s'en va chercher la paix en allant vivre à l'hôtel. Mais bientôt éclate la guerre de Chine : ils seront les premiers arrêtés. Taiko tombe malade ; elle est libérée, car on la croit perdue. Mais sa volonté l'emporte au terme d'une lutte de deux ans avec une pleurésie tuberculeuse aggravée d'une péritonite : son œuvre n'est point achevée encore, elle n'a publié jusque-là que des nouvelles et des romans policiers alimentaires, et elle sait qu'elle doit écrire au moins un roman digne de ce nom, elle s'est juré de le faire. Et elle le fera, mais seulement après la guerre, lorsqu'elle aura repris des forces, retrempée dans l'air vif de ses montages où elle s'est réfugiée. Revenu à Tôkyô en 1946, elle déploie une activité prodigieuse, publie une série de romans sociaux (ceux notamment consacrés à la pègre des joueurs professionnels et des trafiquants de drogue, dont elle dénonce les liens avec le régime fasciste et la police politique), qui lui valut une place de choix parmi les écrivains de l'après-guerre. Elle s'est réconciliée avec son mari, qui l'a soignée avec dévouement, mais sans illusion, et c'est sans surprise qu'elle apprend qu'il la trompe. Mais lorsque, au retour d'un voyage en France où elle est allée assister à une rencontre internationale, celui-ci lui montre une photographie d'une enfant qu'il a eue de sa rivale, « tous les objets qui se trouvaient sur la table volèrent en direction de [son] mari qui battait en retraite ». Sur cette phrase, où la rude lutteuse laisse soudain, et comme par inadvertance, prendre le pas sur la femme offensée, se termine le récit.

FLEUR DE MAI [*Flor de mayo*]. Roman de l'écrivain espagnol Vicente Blasco Ibáñez (1867-1928), écrit en 1895. Cette œuvre, où l'on trouve de très belles évocations de paysages méditerranéens, de la vie des pêcheurs, fait partie de la série des romans « valenciens ». Bien que Pascual, le héros, soit finalement vaincu par des trahisons auxquelles son âme ne peut se résoudre à croire, il demeure un de ces êtres hardis, combatifs, chers au romancier. La « siña » Tona dont le mari, pêcheur, est mort en mer dans une tempête, réussit à s'évader de la misère en transformant en bar la vieille embarcation de son mari : elle parvient ainsi à élever ses deux fils, Pascual et Tonet. Pascual est un fort adolescent : son air de gros séminariste l'a fait surnommer le « Retor » (le Recteur). Il aide sa mère à servir les clients, mais cette existence sédentaire ne tarde pas à lui devenir insupportable. Il veut être marin, s'embarque comme mousse, devient rapidement un matelot éprouvé. Tonet est aussi veule que son frère est énergique : vagabonder, courir les filles, c'est là tout son souci. Pascual est bon matelot : mais combien de temps lui faudra-t-il avant d'être patron ? Pour hâter la fortune, il organise une expédition de contrebande qui rapportera des marchandises d'Alger. Il se procure un mauvais rafiot pourri, le répare, engage un équipage. L'aventure réussit ; mais, au retour, la douane maritime prend les contrebandiers en chasse. Le « Recteur », par son sang-froid, sauve l'expédition. Pascual est marié avec Dolorès, mais vite Tonet devient l'amant de sa belle-sœur. Pascual d'abord ne s'aperçoit de rien. Lorsqu'il apprend qu'il est trahi, il jette son frère à la mer et, un soir de tempête, périt lui-même, comme son père, avec Pascualet, qu'il croyait être son fils et qui est, en réalité, celui de Tonet. Le personnage de Pascual, garçon simple, mais travailleur, plein d'énergie et de décision, est très sympathique. Mais l'intérêt du livre tient sans doute moins au caractère des personnages qu'à l'art avec lequel Blasco Ibáñez sait peindre les scènes maritimes (ainsi le récit de l'expédition de contrebande à Alger). – Trad. Calmann-Lévy, 1905.

FLEUR DE NEIGE [*Sneguročka*]. Pièce de l'écrivain russe Alexandre Nikolaïevitch Ostrovski (1823-1886), représentée pour la première fois à Saint-Pétersbourg en 1872. Dans le théâtre d'Ostrovski, consacré principalement à la comédie de mœurs et aux sujets historiques, *Fleur de neige* occupe une place à part. La fantaisie poétique s'y donne libre cours ; l'on y trouve cependant quelques éléments folkloriques russes et certains emprunts aux fables de Gozzi et au *Songe d'une nuit d'été* (*) de Shakespeare. Fille du roi Hiver et de la fée Printemps, Fleur de neige [Sneguročka] a un cœur de glace ; aussi le soleil ne doit-il jamais la réchauffer. Élevée dans les bois, dont elle connaît chaque voix, elle entend un jour chanter le pâtre Lel, qui est une des incarnations de l'amour dans la mythologie païenne slave. Vaincue par cette voix qui lui parle de douceurs inconnues, Fleur de neige obtient de ses parents de la laisser vivre la vie des simples mortels. Mais, tandis que son élu, Lel, ne répond pas à son amour, un autre pâtre, Misguir, tombe amoureux d'elle. Il délaisse sa fiancée, Koupava, laquelle ne peut aimer, ayant également un cœur de glace. Koupava demande justice au tsar Bérendey, grand buveur de bière devant l'Éternel. Celui-ci s'étonne qu'une fille aussi belle soit sans cœur, et promet un somptueux cadeau à celui qui saura la rendre amoureuse avant le lever du jour. Quant à Fleur de neige, elle n'aime que Lel et, lorsqu'elle l'aperçoit en compagnie de Koupava – l'abandonnée, qui veut se venger d'une manière ou d'une autre –, elle appelle à l'aide sa mère, la fée Printemps. Celle-ci lui concède un don terrible : d'aimer celui qui l'aime. Aussi Fleur de neige accorde-t-elle son amour à Misguir, mais un rayon de soleil d'été la blesse et fait fondre son cœur de neige. La fille du royaume du rêve, qui voulut vivre dans la réalité, meurt dans les bras du pauvre Misguir, pendant qu'autour d'eux resplendit la fête païenne du solstice. *Fleur de neige* est considérée, à juste titre, comme une des plus belles œuvres poétiques russes ; c'est à travers cette œuvre que nous voyons les grandes qualités d'Ostrovski s'épanouir dans toute leur plénitude. Non seulement les personnages mythologiques sont admirablement dessinés, mais le langage que l'auteur leur prête est d'une rare beauté. Ces personnages incarnent les forces élémentaires de la nature, telles qu'elles sont représentées dans les chants populaires russes. Le poète va même, parfois, jusqu'à les recréer entièrement, dans leur forme primitive. Lors de la première mise en scène de cet opéra, la critique russe a déploré la longueur excessive des monologues. À vrai dire, cette longueur n'apparaît pas à la lecture ; on savoure, au contraire, des images d'une grande richesse, toujours reliées entre elles d'une manière parfaite, et qui ajoutent à la compréhension de l'œuvre. Le fait que deux grands musiciens tels que Tchaïkovski et Rimski-Korsakov aient pu mettre l'ouvrage entier en musique justifie en quelque sorte cette surabondance. Toutefois, en ce qui concerne l'opéra de Tchaïkovski, son caractère hybride – moitié drame moitié opéra, fort apprécié de nos jours – suscita la réprobation du public et de la critique de l'époque. L'influence indiscutable du *Songe d'une nuit d'été* démontre qu'Ostrovski avait eu l'intention de créer une œuvre susceptible de conserver toute sa vitalité, même sans l'apport d'un fond musical. Considérée du point de vue esthétique, *Fleur de neige* est une œuvre pure, parfaitement homogène. Ayant survécu aux polémiques d'une critique dénuée de finesse, cet ouvrage conserve pour nous tout son charme et toute sa fraîcheur poétique. – Trad. Plon, 1889.

★ Le musicien russe Piotr Ilitch Tchaïkovski (1840-1893) a écrit, en 1873, une musique de scène *Fleur de neige* [*Snegourotchka*] (op. 12). La partition ne dépasse pas les limites d'un commentaire savant et harmonieux, aux tendances nettement « spectaculaires », parfois trop appuyées. Aussi sa musique prend-elle difficilement corps et se réduit-elle souvent à de simples variations marginales.

★ Par contre, l'autre musicien russe Rimski-Korsakov (1844-1908) en a tiré une œuvre musicale parfaitement équilibrée : *Fleur de neige* [*Snegourotchka*], opéra en quatre actes et un prologue ; il fut exécuté au Théâtre impérial de Saint-Pétersbourg le 29 janvier 1882. C'est, sans aucun doute, une des plus heureuses créations de Rimski-Korsakov. Le fond mythologique et païen de cette œuvre était très conforme au génie propre de ce musicien, qui s'appliquait toujours à rester fidèle aux principes du chant populaire russe. Les suggestions mythologiques du texte créent dans cet opéra une atmosphère fabuleuse et panthéiste. L'impressionnisme y triomphe, en se manifestant dans les sonorités chromatiques du thème. Une ambiance de rêve entoure les personnages et les paysages, qui perdent toute consistance et se fondent en un pur dessin géométrique et mélodieux. Les chœurs champêtres, les chansons de Lel, l'incantation des abeilles sont d'une beauté extraordinaire.

FLEUR DE SAINTETÉ [*Flor de santidad*]. Œuvre de l'écrivain espagnol Ramón del Valle-Inclán (1866-1936), publiée en 1904. Caractéristique de sa première période, moderniste, elle est la fusion en un roman de fictions antérieures, notamment celle intitulée *Adega* (1899). Dans une auberge de Galice, sur le chemin de Saint-Jacques-de-Compostelle, vit une jeune orpheline recueillie par les tenanciers pour garder les brebis. Elle porte « un joli nom antique » : Adega ; elle a le front « doré comme le miel » et des yeux mystiques et ardents où « tremble une violette bleue » ; elle est « fort dévote, d'une dévotion sombre, montagnarde, archaïque ». Quand passe le pèlerin, qui arrive de Terre sainte, elle lui offre l'hospitalité que lui refusent ses patrons et l'accueille dans la grange ; elle lui ouvre même ingénument son corsage pour que le voyageur y accroche une pieuse médaille... et s'abandonne au désir de ce « saint homme » qui l'étreint « avec amour ! ». L'homme parti, Adega retourne à ses moutons et à ses visions. Hélas ! le pèlerin a jeté un sort sur le troupeau des aubergistes au cœur dur et l'une après l'autre les brebis crèvent, malgré les exorcismes, malgré les remèdes des sorciers guérisseurs. Un jour, le fils de l'aubergiste apprend par un montagnard de passage que pour conjurer le mauvais sort il suffit de jeter vivante dans un brasier la dernière brebis atteinte et d'offrir de l'argent à l'ensorceleur, qui apparaît alors. Ce qu'il fait, mais quand le pèlerin surgit, il l'assassine à coups de faux. Le crime auquel elle assiste, la mort de son tragique amant mystique rendent folle la bergère. Elle a, comme disent les gens, « la lune dans la tête » et prétend porter le futur fils de Dieu dans son ventre. Elle quitte l'auberge, s'enfuit dans la campagne où elle vaticine en vivant de charité. Recueillie une nouvelle fois par une châtelaine charitable, on la croit possédée du démon et on la conduit au pèlerinage de Santa Baya de Cristalmilde, où chaque année on expose toutes nues les démoniaques à la purification des vagues d'une mer déchaînée. Et c'est peut-être le valet de ferme qui accompagne Adega qui découvre le fin mot de l'histoire quand il déclare : « En vérité, je ne voudrais pas perdre mon âme pour une calomnie, mais il me semble qu'elle est enceinte... » Humour, érotisme, mysticisme, poésie, féerie se conjuguent ici pour ressusciter une Galice chère au souvenir de Valle-Inclán. – Trad. Gallimard, 1967. C. C.

FLEUR EN ENFER (Une) [*Jigoku no hana*]. Roman de l'écrivain japonais Nagai Kafû (1879-1959), publié en 1902. L'auteur débutait. Il imagina une histoire, comme on les aimait à l'âge d'or du roman, avec des sentiments violents et des scènes aussi pathétiques que conventionnelles. Sonoko est une jeune fille d'origine modeste, mais elle a fait de brillantes études et, fait exceptionnel pour son époque, elle exerce une profession : elle enseigne dans un collège de jeunes filles de la capitale. Elle accepte d'entrer comme préceptrice dans la famille Kurobuchi, fort riche, dont la fortune, murmure-t-on, aurait été acquise « par des voies criminelles ». Un jeune littérateur lui déclare une passion éternelle, l'avenir semble plein de promesses. Soudain, son amour est découvert ; la maîtresse de maison, qui autrefois avait fait du jeune homme son amant, humilie rageusement sa rivale ; cependant, son proviseur se trouve là, par hasard, en vacances, il lui demande sa main et, un soir d'orage, lui fait violence ; tandis que la presse lance une campagne déchaînée contre la famille, le vieux Kurobuchi tue son épouse infidèle et se suicide. Dans son testament, il confie son fils à Sonoko. Bouleversée par ces épreuves, elle sent naître en elle un courage nouveau. Dorénavant, elle décide de ne plus être l'esclave des conventions sociales.

Quand ce livre parut, il y avait quarante ans

à peine que le Japon s'était engagé dans la voie de la « modernisation », quinze ans que les écrivains avaient découvert les lettres occidentales, trois ans peut-être que les livres de Zola (en traduction anglaise) étaient arrivés à Tôkyô. Dans la société comme dans la littérature, ce n'étaient partout que changements violents. À la réalité, Kafû superpose la mythologie de l'époque, et cette histoire, avec ses naïvetés et son « fantastique social », rappelle les gravures populaires de Meiji. Kurobuchi avait été l'interprète d'un missionnaire anglais « d'origine noble » et « très fortuné » qui entretenait en secret une concubine ; après la mort (provoquée) de son maître, celle-ci s'était emparée de l'argent et avait épousé son complice. Il demeure que, pour la première fois, un romancier attaquait d'une manière systématique les valeurs établies et, plus précisément, les nouvelles puissances spirituelles qu'entourait le respect, tout au moins extérieur, dû aux choses « modernes » occidentales : les journaux, les milieux littéraires ou chrétiens, les pédagogues et les universitaires. L'exemple de Zola l'avait, sans nul doute, encouragé. En 1903, il devait publier des adaptations de *La Bête humaine* (*) et de *Nana* (*), et si le mot « zolaïsme » est entré dans le vocabulaire littéraire japonais, ce fut pour beaucoup grâce à Kafû. Dans la postface, restée célèbre, d'*Une fleur en enfer,* il affirmait vouloir décrire le côté obscur de la nature humaine, l'instinct qu'impose l'hérédité.

Il n'est pas de personnage qui ne se présente d'abord sous son meilleur jour ; puis l'apparence s'effondre. Cependant, aucun n'est absolument bon ou méchant, l'héroïne elle-même n'est pas une figure idyllique et, jusqu'à la fin, le narrateur exerce envers elle une ironie impitoyable : sa vertu ne lui est dictée que par la bonne conscience, mélange d'orgueil, d'ambition sociale et d'ignorance. Seule Tomiko, la fille aînée des Kurobuchi, trouve grâce à ses yeux. Elle a divorcé d'un mari indigne et vit retirée, en dehors de la ville. Sa conduite est un défi permanent aux lois de la société, qu'elle appelle l'« enfer ». L'institutrice décide de vivre à son exemple. Kafû exprime là sa propre détermination — en une scène au demeurant singulière : alors qu'elle est assaillie de toute part, l'héroïne retrouve son calme, par une soudaine intuition, en revêtant les vêtements blancs de deuil qu'elle avait portés pour l'enterrement des époux. La conquête de la liberté est liée au sentiment de la mort, à l'idée de la rupture. Tout à son premier enthousiasme pour Zola, le jeune romancier s'abandonne avec candeur aux formes conventionnelles. Il aime les larges descriptions, les coups de théâtre. Il utilise les décors dans le goût 1900 (les lis, la promenade dans le parc, la mer déchaînée), mais aussi les métaphores et les rythmes traditionnels (adolescent, il avait été le disciple d'un conteur public, puis s'était initié au kabuki). À la différence des autres grands auteurs de la fin de Meiji, Kafû n'a pas trouvé son style d'emblée. Mais, dès l'année suivante, il publia, dans la même veine « naturaliste », *La Femme du rêve* [*Yume no onna*], d'une ligne plus pure et plus incisive. Après Zola, il découvrit Maupassant, qui devait lui révéler la valeur de l'ellipse.

FLEUR EN FIOLE D'OR [*Tsin P'ing Mei — Jing Ping Mei*]. L'un des quatre plus célèbres romans classiques chinois qui est attribué à Li k'ai-sien (1502-1568). Ce livre, comparable au *Rêve dans le pavillon rouge* (*) qui constitue le tableau de la vie quotidienne d'une famille, offre une description aussi vivante que pénétrante du monde des femmes ; sous l'Empire, il fut mis à l'Index en raison des nombreuses scènes licencieuses qu'il contient. Son titre est formé de la combinaison des noms portés par les trois personnages féminins les plus importants : P'an Ts'in-lien, Li P'ing-eûl et Tch'ouen mei. Le thème principal de ce roman, chargé de nombreuses digressions, est tiré d'un passage de *Au bord de l'eau* (*) dans lequel sont racontées les amours illégitimes de Si-men K'ing et de P'an Ts'in-lien. Pour avoir empoisonné le mari de l'infidèle, tous deux sont tués par le frère de celui-ci. Le jeune Si-men Ts'ing, qui s'adonne à la débauche en compagnie de riches amis, rencontre par hasard la femme de Wou Ta-lang, P'an Ts'in-lien ; par l'intermédiaire de Wang P'o, la tenancière d'une maison de thé, il réussit à nouer des relations avec elle. La jeune femme, troublée par le charme et la richesse de son soupirant, empoisonne son mari afin de devenir sa maîtresse. Le frère de Wou Ta-lang, Wou Song, désireux de venger ce dernier, assassine par erreur un innocent et se voit bannir par les autorités dans une région lointaine. Ainsi libéré de toute crainte de vengeance, Si-men Ts'ing croit pouvoir se livrer en toute quiétude aux plaisirs de l'amour ; bien plus, il prend une autre concubine, en la personne de Li P'ing-eûl, la veuve d'un ami qui vient de mourir, et commet l'adultère avec Tch'ouen mei, une esclave. Mais le châtiment ne tarde pas. Le fils que Si-men Ts'ing a eu de Li P'ing-eûl meurt d'une terrible maladie, bientôt suivi par sa mère ; le héros lui-même succombe à la suite de ses excès, tandis que P'an Ts'in-lien est soumise à la vengeance meurtrière de Wou Song à son retour. Tch'ouen mei est enfin vendue à une autre famille. Lors de l'invasion des Tartares, l'épouse de Si-men Ts'ing s'enfuit à Tsi-nan avec son fils Siao Ko ; parvenue dans un temple bouddhiste, elle apprend au cours d'un rêve que son fils est la réincarnation de son misérable époux. Afin de lui procurer une vie meilleure, elle confie l'enfant aux bonzes pour qu'il devienne un des leurs.

Les cent chapitres qui composent ce roman sont narrés avec un art plein de vie, qui permet d'oublier sa longueur démesurée. Parmi les suites qui ont été données à cet ouvrage, on peut citer celle qui est due à Ting Yao-k'ang (1620 env. - 1691) ; les personnes revivent dans des familles différentes, et les conséquences fâcheuses d'une vie antérieure mal remplie sont généreusement exposées. Cette suite, qui fut également mise à l'Index en raison de certains passages jugés obscènes, contient une description émouvante des souffrances endurées par les Chinois durant l'invasion mandchoue. Ce roman, grâce à son atmosphère sensuelle et parce qu'il constitue un vivant document sur les mœurs chinoises, connaît un certain succès en Occident. – Trad. Gallimard, 1985.

FLEUR FOULÉE AUX PIEDS (La) [*The Flower beneath the Foot*]. Roman de l'écrivain anglais Ronald Firbank (1886-1926), écrit à Versailles, Montreux et Fiesole en 1921, publié en 1923. Cette courte « sotie », pour reprendre le titre d'André Gide, est un des textes les plus achevés de Firbank. Il s'est plu à s'y peindre lui-même sous les traits de l'héroïne, Laura Lita Carmen Étoile de Nazianzi, dite Rara, lectrice et dame de compagnie de la reine du royaume de Pisuerga. Déçue par le prince Yousef, qui se soumet à sa famille en épousant une princesse anglaise, Laura entre au couvent et mène une vie de sainteté. La solitude de Laura était celle même de Firbank, solitude de l'écrivain, du catholique et de l'amateur de jeunes garçons errant de palace en palace à travers l'Europe et l'Afrique du Nord pour échapper au puritanisme anglais. La Préface de l'édition américaine du roman indiquait que Firbank avait en tête une « Vienne imaginaire » quand il le composait, et il y a de l'opérette viennoise, revue et corrigée par Lewis Carroll, dans ces aventures de palais au rythme échevelé et au dialogue plein de « nonsense », qui mettent en scène des personnages nommés lady Quelquechose, sir Quelqu'un, Sa Lassitude ou Mme d'Eaufroide. – Trad. Éditions Rivages, 1987.

F. D. D.

FLEUR INVERSE (La), essai sur l'art formel des troubadours. Essai de l'écrivain français Jacques Roubaud (né en 1932), publié en 1986. Cet essai suit de cinq ans une *Anthologie bilingue des troubadours* (1981) qui était accompagnée d'une copieuse introduction. Jacques Roubaud, qui est d'origine provençale, est lecteur, et non locuteur, de la langue dans laquelle brillèrent les troubadours. Pour autant, comme il l'affirme lui-même, cette période de la poésie, le XIIe siècle en Provence, lui est une sorte d'âge d'or. Dans la nécessité exprimée par Roubaud de perpétuer l'activité de poésie « comme art, comme artisanat et comme passion, comme jeu, comme ironie, comme recherche, comme savoir, comme violence, comme activité autonome, comme forme de vie », l'exemple des troubadours occupe la place d'un archaïsme nécessaire : « L'archaïsme du trobar est le mien. »

Difficile, il est vrai, de lire Roubaud poète sans une connaissance approfondie de l'héritage des troubadours. Tout ce qui intéresse Roubaud dans la littérature est plus ou moins un maillon de la chaîne qui le sépare, chronologiquement, des troubadours : Dante, qui salue Arnaut Daniel dans le *Purgatoire ;* le cycle du Graal, « manifestation romanesque de l'amors » ; la naissance du sonnet en Italie (dans le sillage de la *canso* des troubadours) et ses avatars européens après Pétrarque ; Ezra Pound et sa marque sur la poésie américaine du XXe siècle ; Raymond Queneau et l'Oulipo...

Les troubadours constituaient une sorte de société poétique, et *La Fleur inverse* s'attache à en rapporter les principes, les concepts de référence et surtout les lois formelles.

L'auteur part de la question du néant (à propos d'un poème de Guillaume IX d'Aquitaine et d'un jeu parti, poème de dialogue), le néant, énigme initiale et finale, lieu de toutes les contradictions. Le poème ; le poème qui dit l'amour et l'amour de la langue ; l'amour lui-même, qui commande le poème... tous ces concepts sont affectés par ce « rien », sont en danger de disparition. Il s'ensuit la reconnaissance de ce que Roubaud nomme un « Éros mélancolique », dont témoigne la « Chanson de l'amour de loin » de Jaufré Rudel, longuement analysée. Il s'en dégage un véritable sens formel, la lecture de l'organisation des rimes confirmant, dans la forme, la contradiction essentielle du trobar : affirmation et néant de l'amour.

De la même façon, l'axiome de nouveauté et d'unicité que Roubaud trouve dans les conceptions formelles des troubadours correspond à l'exigence que « l'amour doit être nouveau ». C'est le sens de « trobar », trouver. Les troubadours sont des « trouveurs », d'où cette extraordinaire inventivité des formules de rimes, par exemple. Cette exigence autorise les troubadours à initier des formes aussi prometteuses que le sonnet (après transformation), ou que la sextine comme on nommera plus tard la « Canso d'ongle et d'oncle » d'Arnaut Daniel. « Désordre ordonné », la sextine opère une permutation de mots-rimes, qui épuise les possibilités sans les répéter, et dont la beauté est à la fois conceptuelle et sensible.

Cet âge d'or reconnu par Jacques Roubaud n'est pas reconnu par nostalgie, mais soustendu par l'expérience de la fécondité de cet archaïsme fondamentalement moderne. J. J.

FLEURS BLEUES (Les). Roman de l'écrivain français Raymond Queneau (1903-1976), publié en 1965.

Cidrolin, qui a dépassé la cinquantaine, coule des jours heureux sur sa péniche, amarrée contre une rive de la Seine, près du pont de Neuilly. Il est pourtant obligé, presque chaque jour, de repeindre le portillon qui donne accès à sa passerelle, et qu'une inscription injurieuse macule régulièrement. Outre cette activité picturale, le faux marinier regarde passer l'eau du fleuve, reçoit la visite de ses filles, boit de l'essence de fenouil et dort. Quand il dort, il rêve. Et quand il rêve, le duc d'Auge apparaît.

Le duc d'Auge coule des jours bien peu paisibles. Il s'agite même beaucoup : il résiste à l'autorité royale, bat sa femme et ses filles, houspille ses valets, puis entreprend, en franchissant les siècles, avec chevaux, bagages, famille et chapelain, un grand voyage à Paris. Quand il dort, il rêve. Et quand il rêve, Cidrolin réapparaît.

Ils finiront naturellement par se rencontrer, dans le Paris des années 60. On ne sait pas vraiment ce qui naîtra du croisement de leurs deux routes, la contemplative et la remuante : une sorte d'avenir, sans doute.

À première vue, *Les Fleurs bleues* semblent développer simplement le thème de l'empereur de Chine et du papillon : du duc d'Auge et de Cidrolin, lequel rêve de l'autre ? Dans *L'Incertitude qui vient des rêves,* à quoi Queneau se réfère presque explicitement, Roger Caillois répond nettement : celui qui se retrouve au réveil identique à ce qu'il était quand il s'est endormi. C'est donc Cidrolin l'immobile qui doit rêver du duc vagabond. Mais ce n'est pas tout.

En effet, peu de temps après la parution des *Fleurs bleues,* Raymond Queneau devait publier *Une histoire modèle*, essai sur le sens de l'histoire entrepris en 1942 et laissé inachevé. Dans l'introduction de ce dernier ouvrage, on peut lire : « Si je publie aujourd'hui ce texte [...] c'est parce qu'il me semble fournir un supplément d'information aux personnes qui ont bien voulu s'intéresser aux *Fleurs bleues.* » Certes. Sans entrer dans le détail, on notera que le roman illustre par exemple cette idée que « l'histoire est la science du malheur des hommes », ou encore la théorie des « cycles en histoire », que l'essai développe avec une brillante perplexité.

Ce n'est pas tout encore : comme c'est toujours le cas chez Raymond Queneau, personnages et situations ne fonctionnent pas seulement comme des signes — même si ces signes revêtent une importance fondamentale. Le romanesque prend toujours le dessus, avec ses héros, ses passions, ses dialogues adroits, ses malices, ses coups de théâtre et sa poésie. Et si l'auteur pose des questions au lecteur, c'est à sa façon discrète et généreuse, pour lui apporter non pas un « supplément d'informations », mais un plaisir de plus, celui de la réflexion sur la littérature et du retour sur soi.

J. B.

FLEURS DE CIMETIÈRE [*Kerkofblomen*]. Poèmes de l'écrivain belge d'expression flamande Guido Gezelle (1830-1899), écrits à des dates fort diverses, certains publiés en 1858, d'autres beaucoup plus tard. Le prêtre poète montre ici de lui-même un visage fort différent de celui qui apparaît dans son autre célèbre recueil *Guirlande du temps* (*). Certains de ces courts poèmes ont été écrits pour être imprimés au verso d'images mortuaires. Ils évoquent sans emphase, sans grandiloquence, l'existence simple des travailleurs. Pour ceux-ci, extrêmement pauvres, dont la vie n'est le plus souvent que travail, douleur et misère, la mort est vraiment une délivrance. On ne trouve point, chez Gezelle, ce terrible effroi devant la mort que la Flandre du XVIe siècle a ressenti d'une manière si aiguë. Gezelle sait s'accorder parfaitement avec la nature des choses : il sait que l'homme, pour renaître, doit mourir. Aussi, dans ces poèmes, la Croix a-t-elle une grande place ; c'est par elle, en effet, que l'homme passe à l'éternité. Mais c'est elle aussi qui permet à l'espérance chrétienne de garder toute la beauté humble de la douleur simplement humaine. Le prêtre qu'est Gezelle ne refuse, ne méprise point cette douleur. Pourtant, sa foi dépouille la mort de ce qu'elle a d'absurde. Parfois même, elle se présente comme une amie, par exemple dans le poème intitulé « L'Enfant de la mort » : « La mort est sa parente et son amie : il connaît sa main blanche ; il connaît son pas furtif, et sa voix et sa bêche et son pays. » Loin d'être un déchirement, cette mort apparente est le couronnement de tout l'être : « Il le savait bien et cherchait Dieu seul, dans son vaillant labeur ; travaillant ainsi, il a longtemps vécu ; mourant ainsi, il a reçu son salaire. » Comme on le voit, Gezelle sait marier toute l'effrayante grandeur de l'espérance chrétienne, avec le sens le plus simple des choses de la terre qui étaient les compagnes du mort. Dans ces *Fleurs de cimetière,* certaines courtes pièces ont la rusticité saine des vieilles épigrammes funéraires grecques. D'autres fois, cependant, par le jeu des répétitions, Gezelle donne au poème une gravité solennelle : « Qui conduisait, qui conduisait mes pas ? Où me conduisaient mes pas ? Je ne sais ; mais quelqu'un me conduisait et je marchais. » — Trad. partielle dans les *Poèmes choisis* de Guido Gezelle (1908).

FLEURS DE DON JUAN (Les) [*Las flores de don Juan*]. Comédie en trois actes et en vers de l'écrivain espagnol Lope Félix de Vega Carpio (1562-1635), publiée en 1619. Don Juan de Fox, cadet d'une honorable famille de Valence, vit dans la plus noire misère parce que son frère Alonso lui refuse toute assistance. Au cours d'une fête, il s'éprend de la belle et riche comtesse Hipólyta : cet amour sans espoir ne faisant qu'accroître ses embarras, don Juan décide d'entrer au service et de partir pour les Flandres, ce que justement son frère souhaite depuis longtemps. Pour rassembler l'argent nécessaire à son voyage, il recourt à un expédient pathétique et humiliant : tout jeune, il avait appris à confectionner des fleurs de soie ; de son jeu d'enfant, il fait un métier et charge son fidèle valet de vendre ces fleurs aux dames de la ville. Hipólyta reconnaît le serviteur de don Juan et finit par apprendre la vérité. Elle éprouvait déjà de la sympathie pour la manière si noble dont le jeune homme supportait sa misère ; cette sympathie se transforme en amour. Aussi, lorsque Alonso, conduit par le démon du jeu à la plus dégradante misère, en est réduit à demander la charité à ses compagnons de débauche, don Juan épouse la riche comtesse : il lui demande donc de racheter les biens de sa famille que son méchant frère avait vendus. Nous sommes bien loin ici de ce désordre lyrique dont Lope de Vega est coutumier ; les événements s'enchaînent avec simplicité ; les caractères des personnages sont délicatement nuancés, la préparation dramatique est fort minutieuse ; en bref, la comédie est pleine de pathétique, et toute baignée de romantisme. Ces *Fleurs de don Juan* font un peu songer au *Roman d'un jeune homme pauvre* (*) d'Octave Feuillet. La situation des personnages n'est pas tellement différente de celle des héros du populaire roman français ; la conclusion est rigoureusement la même, à savoir que l'argent n'est pas tout dans le monde et que la noblesse du caractère prévaudra toujours sur tout aux yeux de quiconque est digne de vivre.

FLEURS DE TARBES (Les) ou la Terreur dans les lettres. Œuvre de l'écrivain français Jean Paulhan (1884-1968), publiée en 1941. Paulhan, artiste amoureux de son art, artisan épris de son outil, eut le malheur de naître en des temps où la beauté est suspecte et où les mots font peur. De nos jours, l'honnête écrivain commence par tout attendre des lettres pour ne leur porter bientôt, vite déçu, que dégoût et mépris. On voit la critique, à l'instar de Sainte-Beuve, méconnaître les talents de son époque et tolérer que l'auteur nous échappe après l'œuvre et l'homme après l'auteur. Il y a pire, cette maladie des Lettres se révèle un mal chronique de l'expression : le contact semble perdu, la pensée compromise et l'homme réduit au silence.

L'abeille continue pourtant de faire son miel, mais « sans fleurs », comme, à Tarbes, « il est défendu d'entrer dans le jardin public avec des fleurs à la main ». Perfection nous est artifice et il nous faut refuser les « mots usés », les règles, le métier ; émigrer et se taire comme Rimbaud ou inventer des alibis. On recherchera « l'originalité » jusque dans l'expression ; mais l'écriture artiste ou l'alchimie du verbe n'offrent de réussite que provisoire. On cultivera « l'innocence », on s'effacera devant le document ou la tranche de rêve ; mais, journaliste ou médium, ce modeste n'est qu'un menteur. Plutôt que de tourner la défense, voyons-en les raisons. Gourmont, Albalat ou M. Schwob trouvent dans les fleurs un signe de facilité, dans le cliché une preuve de l'« emprise du langage sur la pensée ». Ce reproche de « verbalisme », s'il est clair et précis, devient une arme redoutable aux mains d'une critique historienne et psychologue : plutôt que l'œuvre, on jugera l'homme, et plus ce dernier sur la pureté de son âme que sur son brio. C'est la Terreur.

À partir de Sainte-Beuve, toute critique sera terroriste et, pour abattre ses victimes, empruntera son argument à la politique. Mieux, la Terreur trouve en Bergson son philosophe. Il n'est pas de doctrine plus hostile aux Lettres ; comme si l'on n'avait attendu qu'elle pourtant, elle semble « devenir » vraie et rendre mieux compte de Proust que de Balzac et d'Apollinaire que de Baudelaire. La Terreur croit au prestige des mots « hors de leur sens », à une matière opprimant l'esprit ; or, elle préfère l'idée au signe, l'esprit à la matière ; le langage sera donc dangereux pour la pensée et le terroriste, sur la méthode cartésienne, fondera sa « misologie ». Mais le linguiste lui donne tort ; le mot s'épuise avant l'idée et jamais n'agit selon un sens qu'il n'a pas. La Terreur néglige la preuve mais n'obtient pas d'aveu : il n'est pas une école qui n'ait cru se fonder contre tout verbalisme. Ce sont toujours les autres, nos adversaires, qui subissent le pouvoir-des-mots. Or, si l'on se porte du dehors au dedans, du lecteur à l'auteur, on voit que les mots clefs des écrivains — loin d'être simple astuce — sont au contraire leur pensée centrale, leur vérité. Si banal soit-il, un lieu commun peut toujours avoir été réinventé. Sinon, ce n'est qu'un mot dont on use comme de tout autre mot et jamais notre pensée n'est plus libre que là : riches de sens pour les amants sont les lettres d'amour. Usuel ou non, le cliché est lourd certes, mais de pensée. Et ce qui vaut pour lui vaut aussi pour les genres, les rimes et autres conventions : le pouvoir-des-mots est un mythe.

Il reste que l'esprit s'égare en se préoccupant des mots comme tels. Mais le coupable, c'est nous-même à l'instant ; non l'auteur, mais le lecteur de clichés. L'auteur épouse le sens, quand le lecteur hésitant interroge les mots. Illusion de projection, qui nous fait placer à l'origine un souci des mots qui se produit en réalité à la fin. Mais l'illusion joue régulièrement, alors que le sens commun rêve d'un langage fidèle jusqu'à la transparence. Prolongeant ce premier souci, la Terreur se rend donc utile. De plus, l'écrivain n'a pas pu ne pas se relire : utile, le mythe n'est pas aussi sans vraisemblance. Enfin, le cliché ne va pas, on l'a vu, sans une nuance « langagière » : juste est donc la Terreur si l'on veut un échange parfait. Comme le cinéma, d'une illusion elle tire un parti véridique. La Terreur est pourtant imparfaite. Comme une névrose, elle nous cachait l'évidence : le lieu commun, malgré son nom, est un monstre de sens ; mais il suffit, pour dissiper son ambiguïté et n'être pas sa dupe, de se faire son complice. Accomplir la Terreur dans cette maintenance, n'est-ce pas redécouvrir la vieille rhétorique ? Les genres fixes font surgir l'originalité : Phèdre distingue Racine de Pradon. Malgré règles et conventions, le classique est plus libre que le romantique, esclave d'une rhétorique inavouée. La Terreur était angélisme, mais l'esprit est plus sage en acceptant le risque d'avoir un corps : il est maintenant défendu, à Tarbes, d'entrer dans le jardin sans fleurs à la main.

Paulhan annonçait en 1941 une suite à son œuvre, où il eût appliqué la même méthode à la rhétorique. L'œuvre n'a pas paru, mais la Terreur, telle qu'il l'a définie, se porte bien et, avec Ionesco ou Robbe-Grillet, nous sommes toujours dans l'« ère du soupçon » et le mystère des lettres subsiste.

FLEURS DU MAL (Les). Recueil de poèmes du poète français Charles Baudelaire (1821-1867). Publié en 1857, il réunissait presque toute la production du poète depuis 1840. Le titre, primitivement choisi, aurait été *Les Limbes* ; il fut changé, paraît-il, sur le conseil d'un ami de Baudelaire. Après le procès qui lui fut intenté pour immoralité, Baudelaire en publia une deuxième édition en 1861, d'où il avait supprimé les six « Pièces condamnées ». Par contre, trente-cinq autres poèmes, presque tous de grande valeur, y étaient ajoutés. Dans l'édition appelée définitive (édition posthume de 1868), établie par Théophile Gautier, à qui le livre est dédié, et Asselineau, figurent vingt-cinq nouveaux poèmes (notamment ceux qui avaient été publiés clandestinement à Bruxelles, en 1866, par Poulet-Malassis sous le titre *Épaves*). L'ouvrage, tel qu'il se présente dans la seconde édition établie par l'auteur, se divise en six parties : « Spleen et Idéal », « Tableaux parisiens », « Le Vin », « Fleurs du mal », « Révolte », « La Mort ». Certains ont voulu voir, dans cette présentation, l'intention de donner au livre la rigoureuse construction d'un poème, d'illustrer l'histoire d'une âme dans les divers moments de son expérience intérieure. C'est ainsi que le spectacle décevant de la réalité et les expériences sans issue, qui fournissent les thèmes des deux premières parties, auraient conduit le poète, après avoir en vain cherché, pour oublier son angoisse, une consolation dans les « paradis artificiels », dans l'ivresse, à une réflexion sur le mal, sur ses attraits pervers et sur l'horrible désespoir qu'il engendre. C'est alors que le poète aurait lancé ce fameux cri de révolte contre l'ordre de la création, avant de trouver un refuge et un aboutissement dans la mort. Tout nous autorise à penser que, si ce dessein ne fut pas totalement étranger au poète, il va, ainsi exprimé, à l'encontre de l'idée même que Baudelaire se faisait de la poésie : si, selon lui, les préoccupations morales ne devaient pas en être absentes, en aucun cas elles ne pouvaient en commander l'ordonnance et la réalisation. Il s'agit plutôt d'une évocation, à proprement parler symbolique, de cette dualité fondamentale qui se partageait son âme et qui le poussait irrésistiblement tour à tour vers les sommets de l'extase et les abîmes du péché — dualité dont il a parfaitement conscience que, s'il fut le premier à la ressentir avec tant d'acuité, il ne la partage pas moins avec tout homme, en cela son « semblable » et son « frère », ainsi qu'il le proclame hautement dans son arrogante apostrophe « Au lecteur » qui ouvre le livre. C'est pour avoir préservé et cultivé cette dualité essentielle, pour l'avoir élevée à la hauteur d'une ascèse que Baudelaire fut revendiqué par les esprits les plus divers, les plus opposés, et que son œuvre est allée en s'imposant, carrefour d'idées et de sentiments, point d'aboutissement et point de départ.

L'expérience poétique de Baudelaire s'inscrit tout entière entre les premiers vers du « Voyage » et le vœu qui l'achève : « Plonger au fond du gouffre, Enfer ou Ciel, qu'importe ? / Au fond de l'inconnu, pour trouver du *nouveau* ! » S'il fallait donner à tout prix un sens à l'aventure intérieure du poète, c'est, sans nul doute, dans ce poème qu'il conviendrait de le chercher. Amour, gloire, bonheur, désir, tous les thèmes chers à Baudelaire s'y trouvent résumés, rassemblés, sans oublier « le spectacle ennuyeux de l'immortel péché », partout rencontré, « du haut jusques en bas de l'échelle fatale » ; sans oublier non plus la mort, « vieux capitaine », éternelle compagne. Certes, l'idée que Baudelaire se fait du destin du poète reprend les termes traditionnels du romantisme : le poète est venu sur terre pour interpréter la réalité à la lumière de son rêve ; il s'insurge contre les conventions, demeure en dépit de tout un inadapté, trouble la conscience et le cœur de ceux à qui il offre ses sublimes mirages (« Bénédiction », « L'Albatros », « Le Guignon ») ; mais, tout en reprenant à son compte ces revendications, il leur en adjoint de nouvelles, qui font de lui le premier des poètes modernes. C'est ainsi qu'à la question : « Tout commence donc à Baudelaire ? », on peut répondre avec Jean Cassou : « Tout, non ! mais quelque chose » ; en effet, « Baudelaire est devenu représentatif d'un certain nombre d'éléments qui manquaient au visage spirituel de la France et qui nous apparaissent devoir être désormais maintenus, affirmés et défendus, avec une vigueur combative, sans cesse renouvelée ».

C'est lui, Baudelaire, qui a formulé cette loi première à partir de laquelle s'organisera désormais consciemment toute poésie ; la loi de l'analogie universelle, sur laquelle il s'est expliqué en maints endroits et notamment dans son fameux sonnet des *Correspondances* (*). Si on les prive de cette perspective, des poèmes comme « La Chevelure », « L'Invitation au voyage », « La Vie antérieure » et tant d'autres deviennent de simples allégories littéraires, certes fort belles ou émouvantes, mais dénuées de cette vérité absolue en dehors de laquelle la poésie demeure un jeu ou un exercice. Or, les poèmes de Baudelaire sont « vrais », essentiellement vrais. Un vers comme : « Cheveux bleus, pavillon de ténèbres tendues », doit être éprouvé, ressenti comme un rapport absolu, inconditionnel, entre les « souvenirs dormant dans cette chevelure » et l'immensité du ciel, azur fait de ténèbres. Or, c'est bien de ce rapport absolu, et de lui seul, qu'est né ce vertige qui s'empare de nous ; et ce vertige, quel est-il ? Sinon la poésie elle-même, hors de laquelle ces cheveux ne sont plus qu'un objet quelconque de notre univers, émouvant sans doute, mais déchu. On ne peut d'autre part oublier que Baudelaire fut un de ces artistes qui rêvèrent de « découvrir les lois obscures en vertu desquelles ils ont produit, et de tirer de cette étude une série de préceptes dont le but divin est l'infaillibilité de la production poétique ». Poète moderne, Baudelaire le fut par l'effort volontaire que déploya sa merveilleuse intelligence critique pour s'assurer des pratiques nécessaires à la naissance de la poésie : n'est-ce pas lui encore, qui nous dit : « L'inspiration vient toujours quand l'homme le veut, mais elle ne s'en va pas toujours quand il le veut. / De la langue et de l'écriture prises comme opérations magiques, sorcellerie évocatoire. »

Assumant et transposant dans son rêve toutes les expériences de la vie et toutes les apparences du monde, il n'est pas une de ses évocations qui n'ait un caractère irréductiblement original, allant bien au-delà du simple réalisme. « Dans certains états de l'âme presque surnaturels, la profondeur de la vie se révèle tout entière dans le spectacle, si ordinaire qu'il soit, qu'on a sous les yeux. Il en devient le symbole. » Les poèmes abondent, qui révèlent, dans un symbolisme transparent, leur substrat intellectuel ou qui ne semblent être au contraire que grâce du langage, mystère et simplicité, et où chante seule la poésie : « Harmonie du soir » et, surtout, « Recueillement » peuvent être cités parmi les exemples les plus parfaits de tout le recueil. « L'Invitation au voyage » se résout, elle, en une musicalité pure qui transcende, en quelque sorte par anticipation, tous les développements possibles du poème dans un climat magique. Cependant le « Rêve parisien » atteint, avec l'aisance la plus naturelle, à certaines audaces dont Rimbaud ou les surréalistes se souviendront. Poète de la grande ville, aimant le bitume et le bruit de Paris, il en a chanté les rencontres bouleversantes (« À une passante » : « Ô toi que j'eusse aimée, ô toi qui le savais ! »), les déchets d'humanité qui la hantent : les ivrognes, les petites vieilles, les aveugles, les chiffonniers. Maître du paysage urbain, il a créé une seconde nature, où l'architecture remplace les arbres et la verdure, où les « petites vieilles » s'en retournent à la terre comme les feuilles d'automne. Pour orgueilleux et solitaire qu'ait été l'univers où il se situait d'emblée, dominant les hommes et les choses, le poète n'a point cessé d'être solidaire de cette triste humanité, dont il a revécu les douleurs, la souffrance, les erreurs, le péché et le mal. « Le poète jouit de cet incomparable privilège, qu'il peut être à la fois lui-même et autrui... et si de certaines places paraissent lui être fermées, c'est qu'à ses yeux elles ne valent pas la peine d'être visitées. » Ses chants d'amour, où il approfondit avec une fatale obstination les mouvements les plus secrets du cœur, depuis les rares instants de sérénité jusqu'aux troubles les moins avoués, refusent toute complaisance envers soi-même et rendent un son inimitable. Cela est vrai, soit qu'il reprenne dans « Le Balcon » le thème classique de l'inexorable fuite du temps, soit qu'il rêve avec une simplicité plus bouleversante encore (dans le « Chant d'automne »), de fraternels abandons de l'âme ; soit enfin qu'il élucide, avec un courage presque sacrilège et une complaisance tenace, les liens secrets de l'amour et de la haine, du désir et de la vengeance, de la volupté et du crime (voir les célèbres « Pièces condamnées », celles que lui inspirèrent Jeanne Duval, la « Vénus noire », et cet original ex-voto, « dans le goût espagnol » : « À une Madone »). Mais, jusque dans les rêveries les plus enchanteresses sur la grâce féminine, on retrouve, insistant et douloureux, l'appel de la misère humaine (« À celle qui est trop gaie » et surtout « Réversibilité » : « Ange plein de gaîté, connaissez-vous l'angoisse... ? »). Dans les plus suaves et mélancoliques images demeurent présents le sens d'un commun destin, la douloureuse vision d'un paradis perdu, que le poète saura évoquer dans des termes d'une simplicité antique et définitive (« Moesta et errabunda » ; « le vert paradis des amours enfantines »).

On en arrive ainsi aux trois poèmes qui composent « Révolte » et aux pièces qui portent en propre le titre de *Fleurs du mal* (et notamment les « Pièces condamnées »). C'est dans ces morceaux que s'affirment, bien plus important que tout satanisme, le sentiment de la fatalité du péché en même temps que celui du juste châtiment, inévitable et immanent à nous-mêmes. Cette conception fondamentalement baudelairienne, le poète l'exprime de la manière la plus concise, en recourant au mythe du Péché originel. « Désir, vieil arbre à qui le plaisir sert d'engrais, / Cependant que grossit et durcit ton écorce. / Tes branches veulent voir le soleil de plus près » : ces vers, tirés du « Voyage », expriment assez bien la nécessité et, par là, la quasi-légitimité du mal ; mais la fatalité du péché n'est pas autre chose, dans la vie morale, que la nécessité de la souffrance. Cette certitude se résout, dans les moments de la plus haute inspiration, en un sentiment de charité universelle, en une grande pitié pour soi et pour les autres. Baudelaire, cet esprit toujours en mouvement, qui ne renonça point au droit de se contredire et dont les attitudes variées ne peuvent être réduites à quelque doctrine traditionnelle, n'est jamais plus lui-même que dans les moments où il porte son jugement sur la vie humaine : en lui, un drame se déroule, qui dépasse toute complaisance personnelle, la douleur d'un homme — la sienne —, devenant, sans le secours de la moindre métaphysique, la douleur de chacun. Ce déchirement de tout un être trouve son expression la plus accomplie et la plus universelle, dans des pièces allant de la délicate et douloureuse fantaisie du « Cygne » jusqu'aux graves accents des deux confessions intitulées : « Je n'ai pas oublié, voisine de la ville » et « La servante au grand cœur dont vous étiez jalouse », en passant par les poèmes sur « Les Sept Vieillards », « Les Petites Vieilles », « Les Aveugles » (déjà cités), ainsi que « Crépuscule du matin », « Crépuscule du soir » et « La Mort des pauvres ». Telles sont les raisons qui ont fait dire que Baudelaire prolongea le romantisme jusqu'à ses extrêmes conséquences, le purifiant et le perfectionnant à un tel point que, tout comme un classique, il en vint à identifier son drame avec l'éternelle tragédie de tous les hommes. Cette position ressort clairement de son style, qui ne veut renoncer à aucune des subtilités qu'il a entrevues, ni à ce renouveau de classicisme le plus authentique. Mais ce qu'il chercha avant tout, ce fut de briser les cadres de la rhétorique et du discours où s'enlisait la poésie traditionnelle, en la libérant du carcan des expressions usuelles. Un dessein aussi ambitieux, et aussi nouveau ne pouvait se réaliser sans courir de nombreux dangers et sans quelque dispersion : incertitudes de style qui passent comme des ombres et masquent parfois certaines de ses miraculeuses illuminations, insistance peut-être excessive sur certains thèmes. Son existence si malheureuse, sa terrible clairvoyance se cristallisèrent dans un atroce pessimisme, dans ce triste jugement qu'il portait sur la destinée humaine, à jamais symbolisée à ses yeux par le mythe du péché originel : ainsi fut-il un analyste horrifié, mais fasciné, du vice et de la perversion. C'est cet aspect particulier de son œuvre qui fit tenir l'homme et sa poésie pour scandaleux, blasphématoires ou sataniques. Mais cette interprétation est manifestement incomplète, unilatérale : elle ne tient nul compte de cette autre moitié, de ce monde idéal d'où la première reçoit sa lumière et sa signification. Certes, il y a la « Vénus noire », Jeanne Duval, « bizarre déité brune comme les nuits » ; mais il y a aussi, son « analogue » sa « correspondance » dans le divin, « la très-belle, la très-bonne, la très-chère » : Mme Sabatier. Plus loin encore, les réunissant au-delà de leurs apparences, il y a cette « maîtresse des maîtresses » : la Mémoire, — cette mémoire qui fit de Baudelaire un de nos plus grands poètes.

FLEURS POLONAISES [*Kwiaty polskie*]. Poème de l'écrivain polonais Julian Tuwim (1894-1954), paru en 1949. Ce très long poème composé en iambes, écrit dans les années 1940-1944 lors du séjour du poète aux États-Unis où il avait émigré, jamais achevé, appartient à la lignée des « poèmes à digressions » romantiques, comme *Messire Thaddée* d'Adam Mickiewicz. L'histoire d'une orpheline dont le père est tué à Łódź pendant une manifestation ouvrière en 1905 n'est qu'un prétexte pour tisser la vraie matière du poème faite de souvenirs personnels de l'écrivain, d'évocations des paysages et des personnalités qui ont marqué sa jeunesse, ainsi que de réflexions teintées de nostalgie d'un exilé qui rêve d'une Pologne libre et démocratique. *Fleurs polonaises* retrace indéniablement le cheminement des convictions idéologiques de Tuwim qui soutint des organisations polonaises d'obédience communiste, comme l'Union des patriotes polonais, et perdit ses amis de la période avant-gardiste de l'entre-deux-guerres. Il rejeta violemment la « Sanacja », classe dirigeante qui gouvernait la Pologne avant la catastrophe de 1939, l'accusant de tous les maux, notamment de sa « trahison du peuple », laquelle avait conduit à la barbarie nazie. Sa vision idéaliste de la future Pologne le rapprocha des théories sociales communistes. Il serait cependant erroné de réduire ce poème à un texte idéologique. Manifeste d'une certaine attitude morale plutôt que d'un dogme, ce poème est aussi une étude de la psychologie des émigrés, une analyse des mécanismes de la mémoire et un programme artistique. Le style contraste, en effet, avec la grandiloquence, le pathos et les accents patriotiques dominants dans la littérature polonaise de la guerre. Il allie différentes formes épiques de la narration au style grotesque, satirique, humoristique, exploitant tous les bas-fonds de la langue. Ce syncrétisme des formes, l'incohérence et le manque de « discipline artistique » ont souvent été reprochés au poète. Les critiques ont relevé également la naïveté des conceptions politiques de Tuwim, son image trop simpliste des Allemands, l'invraisemblance psychologique des situations évoquées. Force est pourtant de reconnaître que *Fleurs polonaises,* même si ses faiblesses sont évidentes, n'a pas d'égal dans la littérature polonaise du XXe siècle et continue à enchanter les nouvelles générations. L. Dy.

FLEUR SUR L'OCÉAN DES PÉCHÉS [*Nie hai houa — Nie hai hua*]. Roman de l'écrivain chinois Tseng P'ou (Zeng Pu, 1872-1935), publié de 1904 à 1928. L'ambition de l'auteur était de décrire, à la façon de Balzac, la Chine de 1870 à 1900 à travers la vie d'un lettré reçu premier aux examens impériaux en 1868, qui devint ambassadeur en Allemagne et en Russie de 1887 à 1890, et qui, malgré son incapacité, devint haut fonctionnaire des Affaires étrangères à son retour et mourut trois ans plus tard fort critiqué. Tout aussi important que lui dans le livre est le personnage de sa concubine, qui le trahit souvent, notamment à l'étranger avec un officier allemand. Il s'agit d'un roman à clés avec de nombreux protagonistes, d'où son succès à l'époque : la vie du héros est basée sur celle de Hong Tsiun, le personnage de la concubine sur celui de Sai Tsin-houa (1879-1936) qui épousa Hong Tsiun, devint courtisane à la mort de celui-ci en 1893, et acquit la notoriété comme maîtresse du général Waldersee, commandant en chef des forces occidentales envoyées réprimer la révolte des Boxers (1900). Cet ouvrage est aussi le tableau d'une Chine en plein changement sous l'influence occidentale ; le pessimisme sur l'état du pays contraste avec le luxe et l'aveuglement des responsables, traités ici souvent sur le ton satirique ou ironique ; la chute finale de la carrière du héros est l'image de toute une société qui semble incapable d'échapper à des forces qui la dépassent ; et le thème bouddhique de la rétribution forme la pensée sous-jacente à tout le roman. – Trad. T.E.R., 1983.

J. P.

FLEUVE (Le). Second livre de poésie du poète français Charles Cros (1842-1888), publié en 1874 par la Librairie de l'Eau-forte (in-4° de trente-deux pages, illustré par Édouard Manet et tiré à cent exemplaires seulement). Repris en 1879 dans la seconde édition, remaniée et augmentée, du *Coffret de santal* (*), chez Tresse. Ce long poème, de beaucoup la plus considérable composition due à un homme de génie presque universel, occupe, avec *La Vision du grand canal royal des Deux-Mers* (éditée à part l'année de sa mort et recueillie dans *Le Collier de griffes* en 1908), une place privilégiée dans une œuvre lyrique encore aujourd'hui méconnue. Mathématicien, physicien, érudit (il lisait le sanscrit et l'hébreu), inventeur incontesté du phonographe et de la photographie en couleurs, Charles Cros ne fut longtemps considéré que comme un humoriste, auteur de « saynètes et monologues » ou de cocasseries dans le genre du célèbre « Hareng saur ». Mais la fortune plus récente, très relative d'ailleurs, du *Coffret de santal* ne semble pas avoir conféré l'importance qu'il mérite à l'étonnant poème du *Fleuve*, qui s'y trouve, si l'on peut dire, noyé en guise de clausule inattendue des « Chansons perpétuelles ». On ignore jusqu'à présent à quelle époque furent écrits ces cent quatre-vingt-dix-huit alexandrins, en exergue desquels ne se lit pas sans surprise une dédicace au vieil Ernest Legouvé, de trente-cinq ans plus âgé que Cros : il avait usé de son influence pour faire obtenir au *Fleuve* un prix de l'Académie française dont il était membre. L'ample déroulement de ces hexamètres, où, phénomène assez rare, l'usage de la rime plate n'entrave pas le mouvement lyrique, n'aurait pu manquer d'émouvoir, s'il l'avait connu, la cervelle du jeune Rimbaud, déjà farcie de romans d'aventures, de Fenimore Cooper à Jules Verne, et que hantait en même temps la houle despotique du « Voyage » de Baudelaire. La sagesse prosodique de ce vaste morceau n'est, du reste, que de surface ou de charpente, comme celle de Baudelaire, de Nerval, ou encore de Hugo dans *Dieu* (*) et dans *La Bouche d'ombre* : le récitatif n'y représente qu'une trame sous laquelle sinue une arabesque tumultueuse, bouillonne un étrange remous. Un passage comme celui-ci fait songer au *Bateau ivre* (*) : « Mais qu'importe la vie humaine à l'eau qui passe. / Les ordures, la foule immense et les bals gais ? / L'eau ne s'attarde pas à ces choses. Les gués / Sont rompus, maintenant, en aval de la ville. / L'homme a dragué le lit du Fleuve, plus docile / Depuis qu'il est si large et si profond. La mer / Aux bateaux goudronnés laisse un parfum amer / Qui parle des pays lointains où le vent mène. » On voit qu'il y avait en Cros l'étoffe d'un puissant poète : mais, isolé dans la génération précédente, comme l'avaient été Corbière et Rimbaud, rival souvent heureux de Verlaine, il mourut trop tôt pour assister à la renaissance, à l'émancipation dont il avait été l'un des inconscients, et pourtant, indiscutables promoteurs.

FLEUVE CACHÉ (Le). Recueil du poète français Jean Tardieu (né en 1903), publié en 1968, comprenant : *Accents* (1939), *Le Témoin invisible* (1943), *Jours pétrifiés* (1947), *Monsieur Monsieur* (1951), *Une voix sans personne* (1954), *Histoires obscures* (1961). « Toute ma vie est marquée par l'image de ces fleuves, cachés ou perdus au pied des montagnes. Comme eux, l'aspect des choses plonge et se joue entre la présence et l'absence. Tout ce que je touche a sa moitié de pierre et sa moitié d'écume. » Ainsi s'ouvre ce livre, par une méditation sur le monde intermédiaire que tente de capter le poème, l'entre-deux où vient se loger l'ambivalence de la réalité. Tout se déroule à partir de cette possibilité concurrente des contraires : la présence et l'absence, l'envers et l'endroit, la nuit et le jour, la transparence et l'opacité. Proche en cela de la pensée taoïste, Tardieu considère ces images furtives, évanescentes, qui viennent traverser l'espace polymorphe du poème. De toutes parts arrivent ces réalités contradictoires, ces formes latentes qui obligent l'être à épouser leurs contours capricieux et volatiles. Cette obsession d'une double vision des choses se construit à partir d'un pressentiment, celui qui postule l'existence d'un « témoin invisible », apparition innommable, nombreuse et réfractaire, par laquelle notre univers peut basculer d'un moment à l'autre. Cette « chose » s'anime, et alors tout éclate, les frontières disparaissent, et l'individu doit adopter cette plasticité qui l'empêche de sombrer tout à fait dans le gouffre. Ce « miteux théâtre de marionnettes », peuplé d'existences factices et dérisoires, accueille un hôte digne des plus grands sortilèges de la poésie : *Monsieur Monsieur*. Ce personnage-Protée est l'ambiguïté même ; il incarne la dualité du moi moderne, puisqu'il est à la fois tout le monde et personne, lui-même et son absence. Comme toujours chez Tardieu, tout cela n'est pas très sérieux, et l'on s'aperçoit que certains poèmes parodient ouvertement le discours philosophique, visent l'idéologie de l'absurde aussi bien que l'ontologie. Il faut partir de l'idée qu'une proposition parfaitement raisonnable et admise par tous peut s'effondrer comme un château de cartes dès lors qu'on s'avise d'en renverser les termes, et notre conception du monde s'écroule avec cette belle logique. Comment tirer en effet de ces « mille voix » désaccordées qui traversent chaque jour notre espace mental un son unanime et cohérent ? De cette vaste polyphonie, qui saurait extraire le fin mot ? « Ainsi roulait l'orage des mots pleins d'éclairs / l'énorme dialogue en débris, mais demande et réponse / étaient mêlées dans le profond chaos. » Ce thème revient dans un poème des *Histoires obscures,* « Mémoire morte », où Tardieu imagine comment l'archéologue des temps futurs se verra dans l'impossibilité de déchiffrer notre langage à partir de la « conque d'un téléphone rouillé », puisque toutes les conversations auront disparu. L'écoute est définitivement brouillée, et le « bourdonnement de nos paroles » a d'ores et déjà condamné la quête du sens. O. H.

FLEUVE DE FEU (Le). Roman de l'écrivain français François Mauriac (1885-1970), publié en 1923. Il retrace le combat sans cesse repris de l'âme et du corps. L'anathème lancé par Bossuet et cité en tête de l'ouvrage, situe le climat de celui-ci : « Ô Dieu, qui oserait parler de cette profonde et honteuse plaie de la nature, de cette concupiscence qui lie l'âme au corps par des liens si tendres et si violents ? » Trois personnages se partagent l'action : Daniel Trasis, jeune homme séduisant et tourmenté, la ravissante Gisèle de Plailly, et l'effacée mais tenace Lucile de Villeron, directeur de conscience de Gisèle. Le roman commence dans une pension de famille située dans les Pyrénées, où Daniel parvient à séduire Gisèle, malgré la surveillance de Lucile. Gisèle de Plailly, à la suite d'amours coupables avec un jeune officier mort depuis à la guerre, est devenue mère. L'enfant, la petite Marie, est élevée par Lucile de Villeron, ce qui explique en partie l'ascendant moral de celle-ci sur Gisèle. Pendant des années, elle s'est appliquée à la préserver du péché, mais tous ses efforts dans cette voie viennent d'être réduits à néant par Daniel. Les deux femmes rejoignent la région parisienne et Gisèle de Plailly, tant par ses efforts personnels que par la Grâce, se retient d'appeler Daniel. Celui-ci tente un dernier effort pour la rejoindre, la retrouve dans une église, mais, devant l'image de cette jeune femme absorbée en Dieu, il se retire sans être vu d'elle, et renonce à son amour.

FLEUVE DE L'ÉTERNITÉ (Le) [*To Your Scattered Bodies Go ; The Fabulous Roverboat*]. Cycle romanesque de l'écrivain américain Philip José Farmer (né en 1918), publié en 1971. Dans un avenir lointain, l'humanité ressuscite sur les rives d'un fleuve de seize millions de kilomètres. Auparavant, Richard Burton, l'aventurier britannique, s'est retrouvé après sa mort dans une salle immense où flottent des milliards de corps. Replongé dans l'inconscience, il se réveille pour de bon, ayant comme les autres récupéré le corps de ses vingt-cinq ans. Les trente-cinq milliards de Terriens sont distribués à peu près au hasard, quelles que soient leurs origines. Une nouvelle chance a été donnée à l'humanité. Elle en profite peu, reconstituant ses systèmes d'oppression et de guerres. Sur *Le Monde du fleuve,* tout mort se trouve ressuscité quelque part sur une rive. Le suicide devient un mode de voyage. Burton l'utilise pour échapper aux Éthiques – les organisateurs de la résurrection – dont il cherche à surprendre les secrets. Dans *Le Bateau fabuleux*, l'écrivain américain Samuel Clemens construit un navire à aubes afin de remonter le fleuve et d'atteindre la tour d'où le monde serait dirigé. Ce bateau lui est volé par le roi Jean Sans Terre. Dans *Le Noir Dessein* [*The Dark Design*, 1977], Clemens parvient à construire un autre vaisseau. Mais c'est un dirigeable qui atteint la tour. Dans *Le Labyrinthe magique* [*The Magic Labyrinth*, 1980], le projet des Éthiques est révélé : ils ont ressuscité les humains à partir d'enregistrements effectués durant leurs vies. Les résurrections successives sont le moyen de parvenir à un état de perfection suffisant pour passer vers un « autre côté » mystérieux. Dans le dernier volume de la série, *Les Dieux du fleuve* [*Gods of Riverworld*, 1983], les protagonistes héritent des pouvoirs des Éthiques et en font un usage discutable : on n'atteint pas la perfection en une vie ni même en plusieurs. La série du *Fleuve* vaut, outre l'énormité du thème, par la capacité de Farmer à entrecroiser les destins de personnages historiques qui n'ont eu aucune chance de se rencontrer dans notre histoire. Elle mêle avec succès science-fiction, roman biographique et roman d'aventures. – Trad. Robert Laffont, 1979, 1980, 1982, 1984. G. K.

FLEUVE DE PIERRE (Le) [*Il fiume di pietra*]. Roman de l'écrivain italien Giuseppe Bonaviri (né en 1924), publié en 1964 mais écrit entre 1961 et 1963. Ce roman est situé entre juillet et août 1943 lors de la conquête de la Sicile après le débarquement anglo-américain du 10 juillet 1943. Il pourrait appartenir à la catégorie des romans de la Libération, mais il n'en est rien car il retourne un stéréotype. En effet, aucun combat entre adultes ennemis, seulement deux groupes de garçons sur la frange de l'adolescence et qui observent de près, de loin, de haut les événements belliqueux de la Sicile, préludes d'un bouleversement social. Loin du tragique de la situation objective, nous sommes dans le ludique subjectif, car la guerre est une fête sans cesse renouvelée même si les jeunes voyeurs prennent bien garde de ne pas se faire voir des soldats fascistes en déroute. Les épisodes picaresques des héros de 13 ans se terminent invariablement par des repas pantagruéliques vrais ou fantasmés qui compensent la faim qui les tient au ventre depuis des années. La mort même qui conclut le roman ne réussit pas à appesantir le ton : Pelonero, déchiqueté par une bombe, aura l'enterrement d'un chat avant que les adultes n'entrent en scène : mais alors le roman s'achève. Ce récit est animé par une liberté qui évoque celle des transgressions permises des périodes de carnaval, d'autant plus que la langue, inventée, dialectale, onomatopéique, contribue fortement à cet arrachement à la norme. Pourtant rien de fantastique : un réalisme magique conduit sur le fil des légendes de Roland et de Renaud si présentes en Sicile. Cette œuvre, dans son originalité indéniable, nous apparaît comme le produit curieux des amours fictives de deux récits : *Les Ragazzi* de Pasolini (1955) et *La Tante d'Amérique* de Sciascia (1958). — Trad. Denoël, 1976. P. R.

FLEUVE SANS RIVAGES [*Fluss ohne Ufer*]. Trilogie romanesque de l'écrivain allemand Hans Henny Jahnn (1894-1959), composée pendant ses années d'exil dans l'île de Bornholm et comprenant *Le Navire de bois* [*Das Holzschiff*, achevé en 1936, publié en 1949], *Le Récit de Gustav Anias Horn* [*Die Niederschrift des Gustav Anias Horn*, tome I, 1949 ; tome II, 1950] et *Épilogue* [*Epilog*], texte établi sur le manuscrit par Walter Muschg et publié en 1961.

La « Laïs », le navire de bois, prend le large et emporte, outre l'équipage, le capitaine, sa fille Ellena, le subrécargue Dumenehould de Rochemont, l'armateur et un voyageur clandestin, fiancé d'Ellena, Gustav (son véritable nom Anias Horn, n'est révélé que dans la seconde partie). La destination est inconnue et la cargaison mystérieuse. L'équipage ignore la mission secrète confiée au voilier, et cette ignorance est cause d'inquiétantes rumeurs. Cependant, les récits fantastiques du menuisier, la peur des matelots, le souffle de l'inconnu fascinent le jeune Gustav à tel point qu'il en oublie presque Ellena, qui se lie d'amitié avec le subrécargue, l'agent impénétrable. La tension croît : un orage se lève, une voix inconnue (celle du jeune gabier, Alfred Tutein) répète « danger, danger », les récits du menuisier deviennent obsédants ; et, tandis que l'angoisse de l'équipage se transforme en hallucination collective, Ellena disparaît soudain. Gustav, aidé par les matelots tout près de se mutiner, entreprend des recherches fiévreuses, s'attaque aux cales scellées où la cargaison se révèle composée de caisses-cercueils toutes absolument vides. Dans sa fureur, Gustav fait défoncer les parois de la cale, et les eaux envahissent le bateau, qui sombre. L'équipage, recueilli par des canots, aperçoit une femme voluptueuse, sphinx des forces mystérieuses dont la « Laïs » fut la victime ; c'est la figure de proue se détachant sur la mer comme une vision : « Comme une image faite de marbre jaune. Une femme. Statue luisante de déesse à la peau rêche. Vénus anadyomène. Les bras, rejetés en arrière, s'enlisaient dans le bois brun enveloppé de vapeurs marines, les cuisses opulentes s'agrippaient au tronc imposant de la quille. Comme un chant, sortilège intense face à ces hommes. » Puis l'apparition s'évanouit. Toute cette première partie met en place la « structure fondée » de la trilogie, la mer, le navire de bois et sa mission mystérieuse, la force animale et les idées fantastiques des matelots étant autant d'images essentielles de la cosmogonie de Jahnn et de sa conception du mystère de l'homme — mystère qui s'ouvre comme un abîme devant le personnage du jeune Gustav, que sa fugue, afin de suivre la belle Ellena, arrache à jamais à la pureté originelle.

Le Récit de Gustav Anias Horn est le pivot de la trilogie. Jahnn nous fait faire un saut dans le temps de vingt-sept années. Gustav, âgé maintenant de quarante-neuf ans, écrit son journal dans sa chambre. C'est là qu'il garde une lourde caisse de teck poli contenant le corps de son ami Alfred Tutein. Devant ce sanctuaire horrible qui contient « la somme de sa vie » naît un manuscrit sans rivages où se développent les grands thèmes de Gustav (de Jahnn) : la jeunesse, l'amour, la nature, l'homme, les démons, le destin, la mort, Dieu, l'art et surtout la musique comme moyen de repousser l'angoisse et l'horreur de l'existence. La musique est le don des émotions dont le sarcophage est le monument. L'homme vieilli se souvient de son enfance et de celle de son ami, médite sur les événements extérieurs et surtout intérieurs de ces vingt-sept années et tente de les restituer par l'écriture. Cependant, les images du souvenir et celles du présent traversent à la fois son esprit, de telle sorte que le manuscrit est rédigé sur deux temps : celui de Gustav Anias Horn (treize mois) et le temps reconstitué (l'enfance et les vingt-sept ans depuis le naufrage). Peu à peu, le mystère de la « Laïs » est dévoilé (« Une histoire qui pourrait faire croire à Satan ») : un État cherche à détruire une tribu africaine en révolte, comptant vingt mille hommes, femmes et enfants. Cet État décide d'employer un gaz toxique. Un trust chimique étranger doit se charger du transport jusqu'au rivage africain ; l'agent du trust n'est autre que le subrécargue du navire de bois. Lors de la traversée, la rencontre de Gustav et de Tutein est décisive, et leur attrait réciproque. Horn apprend après le naufrage quand et comment Ellena a été tuée. Dans une confession complète, Tutein assume le meurtre de la fiancée de son ami. Il appartient à Gustav seul de pardonner. À la confession succède la délivrance. Tous deux parcourent les côtes de l'Amérique et de l'Afrique du Sud. Ils s'entraînent l'un l'autre dans toutes les aventures, dans tous les plaisirs, dans tous les dangers d'une liberté absolue. Ils partagent leurs amours pour des êtres très jeunes : ils connaissent le bonheur païen de l'existence. Et, vivant l'innocence première de la création, ils ne tardent pas à devenir les sujets d'histoires fabuleuses. Passant un certain temps à Halmberg, Gustav s'éprend de la jeune Gemma, et Tutein de l'adolescent Egil, tandis que le syndic de la ville, Faltin, partage aussi leur amitié. Ce milieu sera celui de l'*Épilogue*, le « retour au monde des hommes » (Gemma, Egil et leurs enfants, Faltin et les siens), milieu qui reprendra l'enseignement de Gustav et de Tutein, et qui conservera leur souvenir. Au terme d'une lente maturation, leur amitié profonde se transforme en amour. Horn et Tutein se fixent bientôt en Norvège. Le premier devient un compositeur génial, le second élève des chevaux. Ils sont arrivés au seuil d'une nouvelle jeunesse : Tutein scelle avec Horn un pacte que couronne une transfusion totale de leur sang, image de l'absolu, puisque le sang de l'un coule dans le corps de l'autre, image surtout d'un rêve qui va se survivre. Tous deux ont fait l'un pour l'autre ce qui revient seulement à Dieu : innocenter la vie, les fautes, les gestes. Mais au terme de vingt-quatre années de vie commune, Tutein meurt. Obéissant à sa volonté, Horn embaume le corps de son ami et le dépose dans une caisse en bois de teck. Ainsi, désormais solitaire, Horn entre dans le printemps de sa dernière année. Le monde lui est devenu comme un rêve : ses yeux privés d'illusion voient simultanément la vie et la mort. Cependant, peu après le décès de Tutein apparaît dans la vie de Horn un adolescent perfide qui ressemble à l'ami perdu. Ébloui, le solitaire succombe une dernière fois au charme de la jeunesse, se persuadant que Tutein est revenu vers lui rajeuni pour éterniser l'amour. Horn se laisse tyranniser par l'imposteur, qui l'oblige à jeter à la mer la caisse de teck contenant le corps de Tutein. Malade, désespéré, Horn erre à travers la ville. À son retour, il est cruellement mis à mort par le jeune adolescent. Selon ses dernières volontés, on l'ensevelit alors, avec sa jument et son chien, dans une fosse creusée dans le roc. *Le Récit de Gustav Anias Horn* porte en épigraphe le proverbe indien : « Petit est le nombre des vivants, grand est le nombre des morts », proverbe auquel répond, au bas de la dernière page rédigée par Gustav, le signe c.c., abréviation de « conclamatum est ».

Dans sa correspondance avec Werner Helwig, Jahnn révèle certains secrets de la structure de *Fleuve sans rivages*. Si le *Récit* est divisé en treize chapitres et une strophe, chapitres qui portent chacun, de novembre à novembre, le nom d'un mois et sont subdivisés en strophes, l'œuvre obéit à une loi plus souterraine, à une division temporelle « ternaire » qui est la manifestation de la cosmogonie de Jahnn. Cette division ternaire comprend : « le devenir du passé », « le passé comme lieu de représentation du destin » et « l'avenir dans le présent ». Le temps « est en vérité une dimension inconnue qui a pour fond le destin, l'écoulement. Et comme le destin est une constante, c'est-à-dire qu'il ne peut être modifié – le présent n'étant dans le vrai sens du mot qu'une chose inexistante, une intégrale du temps – il faut bien que ce temps même soit comparable à une figure mathématique immuable ainsi qu'un trait délimité, que nous sommes à même, du moins certains d'entre nous, d'appréhender, en de certaines conditions (privilégiées), dans toute son étendue ou en tout cas par ses deux extrémités, celle du passé et celle de l'avenir, dans l'inversion. Or, dans *Fleuve sans rivages*, le temps conçu comme inversion a été rendu tangible. Ainsi Gustav, mis dans la perspective de la mort (l'avenir dans le présent) a la vision de son ami mort, dans la troisième partie du *Récit*, de sorte que cette apparition, l'attitude, les gestes, l'expression de Tutein ne correspondent pas au reflet d'une image que Gustav a connue autrefois, mais plutôt à l'original. Cette perception du temps, qui se meut dans l'inversion, Gustav l'illustre de cette manière : « Nous avons tous appris que les étoiles célestes sont si distantes que la lumière qu'elles déversent (lumière qui nous est destinée aussi) requiert des années innombrables, voire des millénaires, afin d'achever son parcours et de nous atteindre ; que ce que nous croyons contempler chaque soir face au firmament comme le déroulement du temps présent n'est, sous un angle abstrait, que du temps consommé, rendu sensible par une matière frêle et lumineuse. » L'œuvre gigantesque de Jahnn (un peu plus de deux mille pages) est ordonnée par le mouvement même de la vie : mouvement du retour inlassable, alors que le temps semble une ligne fixe, et le destin, la logique qui commande les personnages, une constante. Jahnn écrit dans le *Récit :* « Je crois au hasard tout autant qu'à la gravitation. Le hasard c'est l'inéluctable. Le maître du destin... C'est lui qui assemble les couples. Et qui régit l'heure de la volupté, de la conception, de la souffrance, du meurtre, de l'homicide... l'heure précise, le visage précis des événements – non pas les événements mêmes – mais la netteté, la netteté très particulière dans laquelle nous reconnaissons en tout dernier lieu notre visage propre, notre image non falsifiée, l'unique, par-delà nos ancêtres et nos descendants, et même par-delà Dieu, dans la mesure où il existe. Et qu'est-ce qui fait la loi impitoyable, qui connaît d'emblée toute expérience, tout phénomène et événement, si ce n'est la netteté suprême, le goût, la tiédeur et le ton de l'heure qui est irremplaçable, unique, qui ne revient jamais, jamais ainsi qu'elle fut... » La quatrième dimension inconnue est le lieu de la polyphonie de toutes ces heures, et c'est cette polyphonie qu'essaic de recréer la musique de Horn lorsqu'il devient compositeur. Rêve d'une création meilleure qui ne contiendrait pas le meurtre, le désordre, l'humiliation de la créature, la musique de Horn tend à être l'harmonie cosmique, l'indestructible, peut-être le temps même, la mélodie de la terre, des étoiles, des pierres, des arbres, des animaux, du murmure de l'eau et de la première chute de neige : musique non pas passionnée ou prophétique, mais tragique, exprimant le deuil de la création. Ce jeu éternel de l'univers prend dans *Fleuve sans rivages* de nombreuses formes d'ordre musical. C'est ainsi par exemple que dans les premières pages du *Récit* apparaît le thème du paysage en novembre, qui est repris, un peu plus loin, modifié. Temps orageux et temps serein se répondent comme dans une œuvre musicale où, par l'alternance des instruments, un seul et même thème est répété sous un angle différent. Plus loin, le chapitre « 5 juillet » fait pendant au chapitre « avril ». Tous deux ont pour fond, tantôt la vie en commun, tantôt la vie solitaire. Comme dans *Perrudja* (*), les personnages servent avant tout à exprimer une conception de la condition humaine. « L'homme, tout comme la créature, est un point infime, prisonnier d'un cycle qu'il renie. L'homme n'est qu'un jeu, un vulgaire outil aux mains de la nature. Car il faut aux phénomènes naturels une scène, un lieu de représentation. La création doit, coûte que coûte, trouver l'expression de ses couleurs, de ses formes, de ses harmonies. La souffrance, l'angoisse ou la volupté, rien n'est à ses yeux profane ni sacré. Peu lui importe l'aspiration la plus élevée de l'homme ou de l'animal ; rien ne lui importe hormis de savoir que de l'alliage de l'acide et de la base résulte le sel. » Pour l'homme, nulle certitude, puisque questions et réponses sont autant « de pitoyables faux-fuyants, de boiteuses interprétations, la morale d'une histoire mal agencée... L'homme ne peut en rien altérer les desseins de la nature, tout au plus peut-il en diminuer ou augmenter l'intensité. Et la nature toujours s'accomplira, quand bien même la terre et le ciel ne seraient plus ». L'amour dans cette œuvre est l'un des grands thèmes. L'amour innocent correspond à l'amour de la créature. C'est par exemple Ilok, la jument du compositeur, qui lui inspire l'une de ses symphonies. Tutein voit dans l'amour l'annonce de la mort, mais aussi le moyen de la vaincre : « Je veux l'unité sans entraves, unité, qu'au dire des pieux, l'âme ne peut connaître qu'en Dieu. Si cela devait être, je mourrais sans crainte, afin d'abolir entre nous le moindre éloignement. Je veux le chemin qui nous mène sans détour au pacte du sang, je veux, multiplié à l'infini, le vrai pressentiment de la volupté des Cieux. » L'amitié particulière, l'union mystique, celle de Gustav et Tutein, celle de Perrudja et Hein est sans nul doute le moyen d'échapper à la décomposition de la chair, de s'élever au rang d'une « variante neuve de la nature, sans obligation et contrainte aucune, si ce n'est celle de marcher dans le commun chemin, comme des alliés, des frères véritables ». La langue de Jahnn, ici, n'a plus l'éclat dionysiaque de *Perrudja*. Proche de l'incantation, du cri, elle est coupante, objective, sobre, difficile comme les nœuds de toute destinée. Les phrases s'organisent non pas selon la grammaire, mais selon le sens. La mélancolie, qui résonne à travers *Fleuve sans rivages* comme un glas, semble être la seule forme possible de la croyance en la beauté éternelle du monde.

FLEUVES PROFONDS (Les) [*Los ríos profundos*]. Roman partiellement autobiographique de l'écrivain péruvien José María Arguedas (1911-1969), publié en 1958. L'une des meilleures approches par la fiction du monde indien, de sa psychologie, de ses rites et de ses problèmes. Un adolescent de quatorze ans, Ernesto, accompagne son père, un avocat pauvre et sans domicile fixe, qui se déplace dans les provinces du Sud péruvien pour y chercher des causes à défendre. Avant d'être repris par l'avocat, Ernesto a été élevé par des « étrangers » durs, mais au milieu des Indiens dont les mœurs et les croyances ont formé sa sensibilité. Il parle comme eux le quechua et évolue très à l'aise parmi les communautés indigènes qui offrent l'hospitalité à ces voyageurs errants. Au cours de cette existence nomade, il découvre les paysages sauvages des vallées de l'Apurimac et du Pachachaca, les pierres anciennes et suggestives du Cuzco, mais aussi la détresse physique des humbles et la sordidité des puissants, tel « le Vieux », un oncle latifundiste qui humilie son frère pour lui déchu au cours d'un bref séjour qu'ils font dans son ancien palais inca. Aux émerveillements quotidiens provoqués par un contact étroit avec la nature ou la magie des traditions populaires succède brusquement le désarroi lorsque son père laisse Ernesto dans un collège religieux d'une ville de province, Abancay. La brutalité de camarades métis se préparant à dominer abusivement comme leurs parents la vulnérabilité des moins favorisés, l'hypocrite appui religieux à une oligarchie aveugle habituée à régler les conflits sociaux par la force et la répression blessent en l'éclairant peu à peu la pureté naturelle d'Ernesto. Aux heures de liberté, pour oublier les défis haineux ou gratuits de ses condisciples et les abus sexuels auxquels ils se livrent sur Marcelina la folle, Ernesto s'échappe vers l'extérieur, tentant de retrouver une nature consolatrice. Hélas ! ces escapades ne font qu'ouvrir un peu plus ses yeux à la cruauté des hommes. Ainsi, lorsqu'il suit des femmes du peuple dans une bruyante et allègre expédition pour voler du sel au latifundiste et le répartir entre les plus déshérités, voit-il se développer une action militaire punitive inexorable et démesurée par rapport au délit. À la fin du roman, Ernesto, qui s'apprête à rejoindre son oncle sur l'ordre de son père, assiste au spectacle apocalyptique d'une épidémie de typhus décimant la population et semant la panique. Ses années d'école sont terminées, ne lui laissant sans doute qu'un souvenir amer. À travers les expériences qu'il prête à son protagoniste, Arguedas développe une idée qui lui est chère : l'éducation erronée et servile qui coupe trop souvent le Péruvien de son naturel magique est la source même du mal collectif de sa société. – Trad. Gallimard, 1966. C. C.

FLEUVE TRISTE [*Rio Triste*]. Roman de l'écrivain portugais Fernando Namora (1919-1989), publié en 1982. Un homme sans histoire sort de chez lui un matin pour aller travailler. Il ne reviendra jamais. D'emblée le lecteur est sensible à l'énigme autour de laquelle se construit le récit. Cependant l'enquête ne va pas – comme dans un roman policier ordinaire – éclaircir le mystère, mais bien au contraire l'épaissir. En fait, cette disparition qui, de chapitre en chapitre, se révèle de plus en plus étrange, permet à l'auteur d'illustrer l'ambiance oppressante qui régnait à Lisbonne en 1965. Impossible à résumer, ce roman décrit l'atmosphère d'une époque plutôt qu'il ne raconte une intrigue ou une série d'événements. Le salazarisme impose ses lois, entraînant le Portugal dans une interminable guerre coloniale en Afrique. L'émigration bat son plein. Le pays se vide de son peuple et s'engourdit comme le Tage quand il arrive à Lisbonne pour rencontrer la mer. Cette apathie engendre dans le pays même une mélancolie destructrice. Il n'y a aucune illusion chez le narrateur. Le « fleuve triste » est sans nul doute le Portugal sans avenir des années 60, mais il est aussi le fleuve de la vie. Les personnages de Namora ont, en effet, cette profonde mélancolie ancrée en eux, et la vaine recherche d'un homme disparu accentue encore leur désarroi.

Fernando Namora a écrit là un livre étrange, dans lequel se mêlent plusieurs genres littéraires : le roman policier, le roman d'amour, le journal intime, la correspondance, l'article et la chronique journalistiques. Pour mieux rendre compte de l'atmosphère de l'époque, il a d'ailleurs inclus dans sa narration des extraits de journaux de 1965. Il recrée aussi l'ambiance des cafés – essentiels dans la vie portugaise d'hier et d'aujourd'hui. En 1965, les cafés sont les lieux de rencontre et de discussions semi-clandestines, ils deviennent des espaces quasi rituels. Fernando Namora dit de *Fleuve triste* qu'il est un « livre-bilan qui met toutes ses expériences littéraires antérieures en question ». – Trad. La Différence, 1987. F. Be.

FLOIRE ET BLANCHEFLOR. Une des plus célèbres légendes médiévales ; transcrite dans toutes les langues littéraires de l'époque, elle a fourni le sujet de divers romans d'aventures. La première version en vers que nous en possédions est le petit poème de *Floire et Blancheflor*, composé par un trouvère français inconnu, vers 1160. Floire et Blancheflor sont nés le même jour, lui d'un roi sarrasin, elle d'une esclave chrétienne. Ils sont nés pour s'aimer et, dès lors, rien ne parviendra plus à les séparer. Il n'empêche que le père de Floire, prenant ombrage de cet amour, envoie son fils étudier au loin. Après quoi, il vend à des marchands la pauvre Blancheflor. Mais son fils, qui souffre du mal du pays, revient à la Cour et recherche en vain sa bien-aimée. On lui fait croire qu'elle est morte. Aussitôt, le jeune homme veut mourir à son tour ; sa mère, prise de pitié, lui révèle la vérité, et son père désarmé lui indique alors où se trouve Blancheflor, et comment il pourra la racheter. Guidé par l'amour, Floire arrive à Babylone ; c'est là, en effet, que la jeune fille, achetée par l'émir, se trouve enfermée dans une tour inaccessible. Floire parvient à y pénétrer, caché dans un panier de roses ; hélas, le bonheur des jeunes gens est de courte durée. Un beau matin, l'émir les surprend et les condamne au bûcher. Chacun d'eux s'accuse pour sauver l'autre. Un tel amour remplit de pitié l'émir et les juges. Finalement, libérés, ils pourront se marier. Floire se convertit au christianisme et retourne dans ses États, qu'il doit gouverner après la mort de son père. Cette légende semble être d'origine orientale. Elle est dominée par l'idée de la fatalité ; l'amour étant conçu comme l'attirance irrésistible que des âmes éprouvent l'une pour l'autre, laquelle les fait triompher de tous les obstacles. Sans doute fut-elle connue en France bien avant l'époque du poème qui nous l'a conservée, car on en trouve déjà des traces dans des compositions antérieures. Ce poème français est plein d'épisodes qui retardent le dénouement, mais offrent néanmoins de belles descriptions. Du XIIIe siècle aussi, mais postérieure à celle dont il vient d'être question, nous possédons une autre version française de tradition populaire. Ici, l'auteur a modifié le caractère des personnages ainsi que certains épisodes. Par ailleurs, on retrouve la même histoire, mais contée sur un autre ton et avec quelques variantes, dans la fable intitulée *Aucassin et Nicolette* (*).

★ De nombreuses versions en langues étrangères attestent l'extrême diffusion de la légende. Au XIIIe siècle, la version allemande, *Flore und Blanscheflur* (1230) de Konrad Fleck, raconte l'histoire de deux jeunes gens à peu près dans les mêmes termes que le texte français, mais avec de notables additions.

D'origine française aussi, la version flamande *Floris ende Blanceflore* de Diederic van Assenede. Mentionnons, en outre, une version en bas allemand, *Flos unde Blankflos* ; une version anglaise, *Floris and Blauncheflour*, laquelle est dénuée de valeur artistique. Aux XIIIe et XIVe siècles, on trouve des versions scandinaves et des traces de la légende dans toutes les autres littératures européennes. En Italie, la légende a donné une composition anonyme en octaves, *Il cantare di Fioro et Bianciflore*, dont on connaît trois rédactions et un remaniement qui porte le nom de *Légende de la reine Rosana et de sa fille Rosana* [*Legenda della reina Rosana e di Rosana sua figliuola*] et qui a été, à son tour, transformée en mystère. Boccace, pour écrire son *Philocope* (*), devait s'inspirer d'une des rédactions italiennes ou de la tradition orale, répandue à Naples comme le prouve le poème napolitain : *Histoire de Floire et de Blancheflor* [*Historia de Fioro e Biancofloro*], publiée par Antonio Altamura. Le texte italien n'a point ce parfum de chevalerie qui émane des versions françaises. Il est néanmoins riche en aventures : un descendant des Scipions, Lélio Africano, accomplit au sanctuaire de Saint-Jacques-de-Compostelle un dévot pèlerinage, pour remercier le ciel de la grossesse tant souhaitée de sa femme Giulia Topazia. Satan fait croire à Felice, roi de ce pays, que Lélio vient en ennemi. Felice tue son hôte et capture Giulia. Par l'effet de la volonté divine, il apprend que le démon l'a trompé. Il s'incline alors devant Giulia, la reçoit à la Cour et en fait une amie de la reine. Giulia met au monde une fille, Blancheflor, et la reine donne le jour à Floire. Les jeunes gens grandissent ensemble et s'aiment tendrement, mais le roi et la reine s'opposent à leur mariage. On éloigne Floire, tandis que Blancheflor est accusée d'avoir tenté d'empoisonner le roi. Elle est condamnée au bûcher. Floire, de retour, défie l'accusateur et sauve ainsi sa bien-aimée. Ce n'est pas tout : après d'autres aventures, Blancheflor tombe aux mains d'un marchand, lequel la conduit à Alexandrie où elle est emprisonnée dans une tour. Floire la sauve encore une fois et, enfin, l'épouse. La langue de ce poème est à la fois simple et riche, et passe fort aisément du ton narratif au pathétique. Dans l'ensemble, l'œuvre tente de mêler l'épique au romanesque. De continuelles allusions au monde médiéval, parfois même des anachronismes, révèlent le caractère ingénu de la composition.

★ Dès le XIIIe siècle, la légende fut connue en Espagne ; *La Grande Conquête d'Outremer* (*) y fait allusion et, au début du XVIe siècle, on trouve un roman en prose intitulé : *Flores y Blancaflor.* Enfin, en Orient, la légende donna naissance au poème byzantin *Florios et Plaziaflora*, composé de mille huit cent soixante-quatorze vers blancs de quinze syllabes. Datant probablement du XIVe siècle, le poème, dans la rédaction qui nous en est parvenue, semble un remaniement du roman français ; toutefois, sa structure est typiquement byzantine, et on y trouve un certain nombre de thèmes littéraires qui le rattachent à des compositions plus anciennes, telles que *Les Amours d'Hysminé et Hysminias* (*). Il n'est pas exclu que ce poème s'inspire de sources byzantines fort anciennes, ni même que le premier poème connu (le poème français) provienne également d'un ancien roman byzantin perdu, qui aurait été connu en France grâce aux croisades. Quelles que soient ses origines, l'histoire de Floire et Blancheflor est caractéristique de la littérature courtoise du Moyen Âge français et, en dehors du *Cycle breton* (*), c'est un des romans d'aventures qui connut un succès universel et servit de thème à toutes sortes d'œuvres dans tous les temps et dans toutes les langues. — *Floire et Blancheflor* a été édité, traduit et commenté par J.-L. Leclanche (Paris, Champion, 1980 et 1986, et Lille, 1980).

FLORA. Comédie en cinq actes et en vers de l'écrivain italien Luigi Alamanni (1495-1556), composée en 1548, représentée en 1555 et publiée en 1556. Alors que le théâtre comique de la première moitié du XVIe siècle s'engage dans diverses directions, l'auteur, dans cette comédie, s'en tient fidèlement à l'imitation des Anciens. Non seulement il emprunte son sujet aux comédies de Plaute ou de Térence, mais dans sa prosodie s'efforce de ressusciter l'ancienne métrique. Son intrigue est fondée tout entière sur le thème classique de la reconnaissance d'enfants : le jeune Hippolyte aime Flora, une fille enlevée par des pirates et qu'il a acquise à prix d'argent par l'entremise d'un certain Scarabon. D'autre part, sa sœur Virginia est aimée du jeune Attilio. On apprend que Flora est la fille d'un marchand florentin et Attilio, le fils d'une fille de ce même marchand. Après cette révélation, le père d'Hippolyte et de Virginia ne s'oppose plus au mariage de ses enfants. Cette comédie doit à l'imitation de l'antique un tour d'esprit remarquable.

FLORAISON [*Flowering Wilderness*]. Roman de l'écrivain anglais John Galsworthy (1867-1933), publié en 1932, et qui forme avec *Dinny* (*) et *Sur l'autre rive* (*) une sorte de trilogie. Le récit repose avant tout sur l'étude du caractère de Dinny Cherrell. Cette étrange et gracieuse jeune fille se préoccupe vivement du destin des êtres qui l'entourent, sans abandonner pour autant sa réserve naturelle. Il semblerait que sa froideur s'efface devant l'ardente passion que lui porte Wilfrid Desert ; mais les conventions sociales, les préjugés de la famille Cherrell et de toute la société à laquelle elle appartient s'opposent à cet amour. Pour échapper à la mort, ce jeune homme avait dû embrasser la foi islamique lorsqu'il était en Orient. Cette conversion a causé un grand scandale, et pas mal de complications ; elle est la raison véritable des affronts subis par le jeune homme. Pour ne pas compromettre la jeune fille, Wilfrid décide de se sacrifier et il repart pour l'Orient. Nous retrouvons dans ce roman les défauts qui se manifestaient déjà dans *La Servante.* L'auteur accumule des situations qui ne se justifient que pour démêler le caractère complexe de son héroïne et pour placer les personnages devant certains cas de conscience. Ces défauts rendent vaine la prétention de l'auteur à présenter une analyse pénétrante de la société anglaise contemporaine. Ce roman contient toutefois plusieurs chapitres fort réussis. Par ailleurs, le style en est admirable. Ce dernier point suffit sans doute à expliquer plus d'un succès de l'auteur. — Trad. Calmann-Lévy, 1947.

FLORENTIN (Le). Brève pièce satirique attribuée au poète français Jean de La Fontaine (1621-1695), éditée en 1686 dans les *Contes et Nouvelles en vers* (*), et insérée par la suite dans les « Œuvres diverses », en 1729. Elle vise Jean-Baptiste Lully, qui, après avoir engagé le poète à composer l'opéra de *Daphné,* refusa de le mettre en musique, préférant l'*Alceste* (*) de Quinault. Lully était florentin : de là le titre. Il avait en outre la réputation d'être passablement avide, intrigant et sans scrupules. Cette petite pièce, en vers, raconte comment La Fontaine, attiré par les belles paroles de Lully, accepta ses propositions et de quelle façon il fut par la suite bassement dupé par ce dernier. Le ton en est des plus légers, la verve même du discours rend Lully, dit le Florentin, ridicule autant qu'odieux : « Celui-ci me dit : "Veux-tu faire, / Presto, presto, quelque opéra / ... / Voici comment il nous faudra / Partager le gain de l'affaire / Nous en ferons deux lots, l'argent et les chansons ; / L'argent pour moi, pour toi les sons / Tu t'entendras chanter, je prendrai les testons." » Ainsi est écrit tout le morceau. Et même dans ses traits les plus cinglants, il s'exprime avec une recherche qui, par contraste, déchaîne le comique : « Le bougre avait juré de m'amuser six mois, / Il s'est trompé de deux, mes amis, de leur grâce / Me les ont épargnés, l'envoyant où je crois / Qu'il va bien sans eux et sans moi. »

FLORIAN GEYER. Drame en cinq actes et un prologue de l'écrivain allemand Gerhart Hauptmann (1862-1946), publié en 1895. Après avoir abordé avec succès dans *Les Tisserands* (*) le drame social, l'auteur pensa résoudre avec cette pièce, sans trop s'écarter du naturalisme, un problème du même ordre, auquel s'ajoutait l'attrait d'un thème historique et vaguement national. Florian Geyer est un aristocrate qui prend la tête d'une révolte de paysans, croyant faire œuvre de justice sociale en aidant les miséreux. Mais lorsqu'il découvre que ces derniers ne manifestent qu'avidité envers les richesses qu'il méprisait tant chez ses pairs, il sent qu'il ne pourra échapper à son sort et se prépare à mourir. Il pèche également par orgueil : bien que se sachant le seul à mener la lutte de façon désintéressée, dès qu'il sent naître autour de lui quelque méfiance alimentée par l'envie, il se laisse écarter, tout en étant persuadé que lui seul est en mesure de mener l'entreprise à bonne fin. Ce n'est qu'au moment où les événements se précipitent que ses anciens adversaires eux-mêmes reconnaissent sa pureté d'intentions, lui laissant volontiers le rôle du héros qui lutte jusqu'au bout et meurt pour sa cause. Comme tant de personnages d'Hauptmann, Florian est en définitive un faible qui agit sur le destin jusqu'à un certain point, pour se laisser ensuite entraîner avec un sentiment de fatalisme qui, chez un homme de tempérament héroïque, constitue une faille et une dissonance. Le cadre dans lequel Hauptmann a voulu placer l'intrigue est grandiose, trop peut-être ; les personnages sont plus de soixante-dix, sans compter les figurants ; et les scènes, bien qu'habilement agencées, ne parviennent pas à animer comme il le faudrait une masse aussi imposante. Aussi, le rythme de l'action s'en ressent et les représentations de la pièce exigent de nombreuses coupures. Ainsi condensé, le drame acquiert plus de souplesse, mais perd fatalement son équilibre interne. L'impression qu'il laisse à la lecture est plus heureuse ; deux années durant, l'auteur a étudié le langage de l'époque (XVIe siècle) et les divers dialectes qu'il met dans la bouche des gens du peuple ; à telle enseigne qu'en ce qui concerne le style, l'œuvre, admirablement ciselée, mérite encore notre considération. Il convient en outre de rappeler que Hauptmann reprenait dans *Florian Geyer*, sous une autre forme, le motif social, déjà développé dans *Les Tisserands*, de la révolte des classes déshéritées contre les inégalités sociales. Dans *Les Tisserands*, l'auteur avait mis en scène la classe ouvrière (les mineurs) ; ici, le drame prend pour sujet la classe des paysans. Option révolutionnaire, plus passionnelle que réfléchie, caractérisée surtout par un pessimisme foncier. Ce qui semble justifier l'opinion de Bertaux qui voyait dans l'œuvre théâtrale de Hauptmann « un incessant drame de la nostalgie ». — Trad. Charpentier et Fasquelle, 1893.

FLORILÈGE DES POÈTES (Le) [*Tadhkirat al-shu'arâ*]. Œuvre de l'anthologue persan Amir b. Bakhtichâh Dowlatchâh (XVe siècle). Composée en 1487, c'est l'une des anthologies les plus importantes de la période classique iranienne. Elle est connue très tôt en Europe par la traduction qu'en fait le savant allemand von Hammer à Vienne en 1818. E. G. Browne publie le texte persan à Londres en 1901, avec une préface en anglais.

L'œuvre est divisée en sept parties, ou « Générations » [tabaqât], chacune contenant des informations sur une vingtaine de poètes de la même époque, et sur les princes qui les protègent. L'introduction traite de l'art poétique ; quant à la conclusion, elle est consacrée à sept poètes contemporains de l'auteur, ainsi qu'aux exploits et aux vertus de son patron royal, Abol-Ghazi Sultan Hosseïn b. Mansour ben Bayqara, lui-même homme de lettres. Cette anthologie est formée de poésies bien choisies, surtout pour l'étude des poètes des XIVe et XVe siècles. Elle est malheureusement truffée d'erreurs sur les notices consacrées aux princes et aux poètes, ce qui induisit en erreur bon nombre d'orientalistes européens. En outre, beaucoup considérèrent à tort le poète soufi Djâmi comme le dernier grand poète classique persan, en se référant à Amir Dowlatchâh, son contemporain. Néanmoins, l'œuvre est divertissante, contient de nombreuses anecdotes intéressantes et de belles pièces en vers. Elle est écrite dans un bon style, qui n'est pas orné à l'excès, comme beaucoup d'ouvrages de la même époque.

Comme le fait remarquer Browne dans la préface à son édition, Dowlatchâh n'a pas songé à épargner à ses lecteurs le souci de trouver les sources où il a puisé ses informations. L'auteur mentionne cent quarante livres, mais beaucoup sont les œuvres poétiques qui font l'objet de son anthologie ; seuls quarante peuvent être considérés comme des sources. Parmi ces quarante ouvrages cités, beaucoup sont seulement mentionnés et, dans certains cas, il est fort probable que Dowlatchâh n'ait pas eu une connaissance directe de leur contenu.

Il se servit certainement de la biographie des poètes d'Abou Tahir al-Khatouni (XIe siècle), qui est l'œuvre de ce genre la plus ancienne, malheureusement perdue. Il ne mentionne nullement *L'Essence des esprits* (*) d'Owfi, composée en 1220 environ, qui est pourtant, à son époque, la plus connue des biographies des poètes. Comme Owfi deux cent soixante-quinze ans auparavant, Dowlatchâh prétend qu'il est le premier à composer une anthologie. Mais il est incontestable que celle de Dowlatchâh est la plus importante de la littérature persane, si utile pour ses successeurs comme pour les orientalistes contemporains. – Trad. allemande, Vienne, 1818. M.-H. P.

FLOT IVRE [*Trunkene Flut*]. Recueil de poèmes de l'écrivain allemand Gottfried Benn (1886-1956), publié en 1952. Ces poèmes, écrits déjà dans l'ombre de la mort, que Benn savait toute proche, résument ses thèmes, les épurent encore, les haussent à la valeur de signes. « Je suis fatigué du cerveau... Bonheur lointain : mourir vers le bleu salvateur de la mer. » Vivre, aussi, comme un dieu solitaire qui, seul, est capable de saisir la clarté de l'esprit et « le mélange avec la nuit », ces deux contraires dont s'emplit le regard de cet œil qui, « à l'horizon, ne connaît pas de vertical », car il « est attaché seulement au trop plat, trop bronzé, trop ensoleillé, uniquement au physique ». Pour Benn, la seule vérité réside dans la rencontre du « Toi », de l'autre, cependant que l'Illimité et tous ces anciens mythes qui donnaient un sens à la vie (Dieu, l'absolu, le Graal, l'Église) ne sont plus que décombres et rêves écroulés. De nos jours, la colombe de Noé reviendrait le bec vide, et il n'y a plus de paix. L'exercice de la pensée conduit à la solitude, et l'être qu'elle affame ne peut recevoir « ni pain, ni vin » de personne. Une seule issue possible : l'Hélène de Faust, la femme éternelle ; mais la distance entre l'homme et la femme est trop grande, leurs mains ne se rencontrent pas au-dessus de l'abîme infranchissable. Le grand amour salvateur vit en nous, mais il n'est pas vivable, car derrière toute rencontre se profile un monde muet et déchiré, les « ciels qui sont mortels » – la souffrance. Quiconque lutte et n'accepte aucune tranquillité, ni du côté de la religion ni du côté de l'amour, quiconque réincarne Faust « n'aura pas la place dans la création », mais devra chercher l'éternité à travers le dépassement. Cette attitude trahit l'influence de Nietzsche, pour qui le dépassement s'accomplit au prix de la solitude et du silence « qui seul perçoit les présences qui nous accompagnent ». Mais l'homme qui les accepte, « cet homme sera l'infini ». L'influence de Goethe est également sensible en profondeur ; c'est ainsi que pour Benn, le changement étant le principe de la durée, les dieux fléchissent, les chœurs de la tragédie grecque se taisent, et seul le destin lointain reste immuable. Ce destin n'accorde rien gratuitement ; tout ce que conquiert l'homme sur lui (ou avec lui) doit être gagné par une lutte menée dans la solitude, le seul bonheur que se permette le poète devenu vieux tenant dans cette injonction : « Reprends les bosquets d'oliviers, reprends pour toi les colonnes. » Cependant qu'il constate une fois encore : « Les choses que tu portes, tu les portes seul, scellées en toi [...] jamais tu ne les as livrées dans tes dialogues, jamais tu ne les as laissées transparaître dans une lettre ou dans un regard [...] tu ne peux les résoudre que dans la sphère à l'intérieur de laquelle tu meurs et ressuscites à la fin. » – Trad. partielle dans *Poèmes*, Gallimard, 1972.

FLUSH. Roman de l'écrivain anglais Virginia Woolf (1882-1941), publié en 1933. *Flush* est le nom donné par Elisabeth Barrett Browning à son chien, le célèbre « cocker spaniel » auquel elle fait allusion dans deux poèmes ainsi que dans de nombreuses lettres. Virginia Woolf raconte dans son livre, véritable biographie, la vie de l'animal depuis sa naissance, survenue en 1842, à Three Milles Cross dans les environs de Londres. Flush, qui était un chien de grande valeur, fut donné par sa première maîtresse, miss Mitfort, qui n'était guère fortunée, à la poétesse, Elisabeth Barrett, son amie. Entre cette dernière, sans cesse affligée par la maladie, et le chien naquit une sorte de complicité étrange : « Différents l'un de l'autre et pourtant semblant issus du même moule, chacun complétait en quelque sorte les virtualités de l'autre. » Flush élut alors domicile aux pieds de sa nouvelle maîtresse et devint son compagnon inséparable. Peu à peu, il perdit son caractère combatif pour adopter un comportement plus raffiné et cultiver des dons d'une valeur presque humaine ; de son côté, Elisabeth trouvait en lui une compensation à toutes les joies qui lui étaient refusées et n'hésitait pas parfois à confondre sa fine tête avec le visage de Pan. En 1845, un nouveau personnage entra dans la vie d'Elisabeth Barrett, le poète Robert Browning, qui lui fit découvrir un monde nouveau, très éloigné de celui de Flush. L'animal éprouva alors un profond sentiment d'isolement comme si, entre lui et sa maîtresse, avait surgi la « sombre immensité du désert ». Le chien conçut envers l'intrus une violente jalousie qui dégénéra en une haine mortelle ; à deux reprises, il se précipita sur Browning avec l'intention de le tuer. Lorsque Flush découvrit que c'était impossible, il se résolut, après un violent combat intérieur, à dominer sa haine pour la transformer en amour, faisant siens les espérances et les désirs des amoureux. À la suite d'un terrible épisode au cours duquel Flush fut volé, séquestré dans un bouge infâme et ne dut son salut qu'au courage de sa maîtresse qui osa s'aventurer dans le quartier mal famé de Whitechapel, les choses changèrent complètement. Elisabeth épousa Browning et partit pour l'Italie ; tandis qu'elle reprenait vie sous le ciel de Florence, loin des brumes londoniennes et de la tyrannie paternelle, Flush menait une existence nouvelle, parcourant à son gré les rues pittoresques de la cité italienne et les pièces spacieuses de la Casa Guidi. Libéré de ses préjugés aristocratiques, il reconnaissait en ses semblables des frères et obéit, sans se faire prier, aux impétueux appels de Vénus. Flush surmonta une nouvelle crise lorsque sa maîtresse donna naissance à un fils ; après avoir ressenti pour ce dernier une profonde répugnance, il devint en effet son meilleur ami. C'était désormais un vieux chien, plein de sagesse, qui passait ses journées à flâner dans les rues de Florence ; un jour, ayant fait un long somme à l'ombre d'un ciste, pris d'une mystérieuse terreur il courut ventre à terre à la maison, bondit sur le divan où se tenait sa maîtresse et rendit le dernier soupir, comme s'il avait éprouvé une dernière fois la profonde affinité qui le liait à elle depuis si longtemps.

La biographie de Flush n'est évidemment qu'un prétexte choisi par l'auteur pour raconter d'un point de vue original la vie d'Elisabeth Barrett Browning. Virginia Woolf révèle ses remarquables dons de psychologue et de narratrice dans ce parallèle qu'elle trace entre les expériences de la poétesse et de son chien, en faisant leur part aux mœurs et à l'atmosphère de l'époque et sans jamais tomber dans le ridicule qui menace un tel sujet. Plus limité, mais moins déconcertant que les autres œuvres de l'auteur, *Flush* constitue peut-être le roman le plus populaire et le plus charmant de tous ceux qu'ait écrits la romancière anglaise. – Trad. Stock, 1935.

FLÛTE DU ROI (La) [*Ἡ φλογέρα τοῦ Βασιλὸυ*]. Poème épique de l'écrivain grec Kostis Palamàs (1859-1943), publié en 1910, d'inspiration voisine de celle des *Douze paroles du tzigane* (*). Tandis que tout semble mort dans la grande patrie, les foyers déserts, les flambeaux du travail et de l'art éteints, le cœur des hommes glacé, le poète s'abandonne au chant épique (« Retentis, chant épique ! »). Car le chant épique, pour Palamàs, c'est le feu qui renaît sous les cendres : dans la résurrection du peuple, le rêve se fera réalité. Cette prophétie enthousiaste s'appuie sur la certitude d'un avenir meilleur (« Je sais que viendra... »). L'hymne héroïque, plein de fantaisie et de richesse, glorifie, pendant douze chants, l'empereur Basile II Bulgaroctone, dont la figure légendaire est toujours vivante tant dans l'épopée populaire que dans l'histoire. L'évocation épique s'enrichit d'épisodes, s'alourdit de descriptions somptueuses : apparitions d'ombres d'empereurs, d'impératrices, de dignitaires, d'exilés, de rebelles ; catastrophes militaires et massacres de Bulgares ; évocation, haute en couleur, des armées chrétiennes dont une foi commune forge la précieuse unité ; enfin, glorification de la terre hellène, parcourue en un itinéraire idéal d'Hélicon à Athènes. On y retrouve le thème du conflit religieux entre le paganisme à son déclin et la foi orthodoxe ; les images de l'idolâtrie de l'ancien et du nouvel hellénisme, telles qu'elles se révèlent dans les monuments de l'Antiquité (par exemple le Parthénon) et dans les nouvelles forces héroïques libérées par la foi. L'ensemble ne manque ni d'une certaine nostalgie envers le passé ni d'une attente mélancolique de l'avenir, ni d'éléments mythiques et « merveilleux ». Bien que Palamàs n'évite pas toujours la redondance, cette œuvre atteint cependant à de véritables sommets poétiques. La plénitude de son inspiration se manifeste en particulier dans l'évocation des merveilles artistiques et naturelles d'Athènes, qui est comme une prière à la vie, à la beauté limpide (par exemple, le passage où Pallas Athéna, chassée par la Vierge sans armes de son temple immortel, se réfugie chez ses derniers fidèles, prête à bondir dans un monde avide de sa beauté et de sa sagesse). On a comparé et rapproché *La Flûte du roi* des *Hymnes homériques* (*) et de *La Légende des siècles* (*) de Hugo. En même temps que *La Flûte du roi,* Palamàs publia une *Trilogie héroïque,* marquée au coin du même idéal.

Dans cette œuvre, on note une intense évocation de la tragédie eschylienne, dont la voix se faisait alors à nouveau entendre sur les scènes de Grèce ; une Grèce à laquelle Palamàs désirait voir reprendre sa place de reine des arts et des lettres. – Trad. Stock, 1924.

FLÛTE ENCHANTÉE (La) [*Die Zauberflöte*]. Opéra en deux actes du compositeur autrichien Wolfgang Amadeus Mozart (1756-1791) sur un livret de Schikaneder (1751-1812), créé à Vienne le 30 septembre 1791. Cette œuvre scénique, la dernière de Mozart, fut écrite non pour le Théâtre de la Cour, mais pour un théâtre populaire des faubourgs de Vienne, que dirigeait l'acteur et auteur dramatique Schikaneder. Elle appartient au genre de la féerie alors en vogue. L'argument fut tiré d'un recueil de contes orientaux, le *Djinnistan*, publié par Wieland en 1786. Comme les deux auteurs appartenaient à la franc-maçonnerie, ils saisirent l'occasion d'en faire, à l'aide de sous-entendus et de symboles, une apologie de la franc-maçonnerie menacée, en s'appuyant sur un roman maçonnique de l'abbé Terrasson, *Sethos*, publié en 1731. *La Flûte enchantée* n'a que deux actes, mais c'est une pièce à grand spectacle avec de nombreux tableaux. L'ouverture commence par de majestueux appels de cuivres, répétés trois fois à deux reprises : c'est, dès le début, un symbole, celui de la « triade » maçonnique. Plus tard, on verra trois fées et trois génies, chaque trio reparaissant trois fois : trois épreuves seront imposées à l'initiation du héros. Le reste de l'ouverture, qui contraste avec cette majesté initiale par son éblouissement instrumental, annonce le caractère de la pièce où vont s'opposer continuellement une solennité presque mystique et une fantaisie souvent comique.

Dans un site sauvage, le jeune prince Tamino, poursuivi par un serpent gigantesque, appelle à l'aide. Il est sauvé par trois Fées qui tuent le monstre. Elles chantent, en un délicat trio, leur admiration pour le jeune homme qui a perdu connaissance et vont conter l'aventure à leur souveraine, la Reine de la nuit. Tamino, revenu à lui, trouve à ses côtés un oiseleur portant une cage et jouant d'une flûte de Pan. C'est Papageno, qui personnifiera désormais la naïveté fraîche du peuple en face de Tamino, symbole d'une humanité supérieure. Tous les refrains de l'oiseleur auront une saveur populaire. Au cours de leur conversation (le dialogue est toujours parlé et ne comporte pas de récitatifs), Papageno veut se faire passer pour le vainqueur du serpent. Mais les Fées qui réapparaissent le punissent de son mensonge en lui fermant les lèvres avec un cadenas. Elles remettent à Tamino, qui s'enflamme aussitôt pour elle (sur une aria du plus tendre lyrisme), le portrait de Pamina, fille de la Reine de la nuit, qui vient d'être enlevée par un mauvais génie. La Reine surgit dans les nuages et, sur un air plaintif, puis impérieux, conjure Tamino de délivrer Pamina. Elle disparaît, laissant les trois Fées donner, en un délicieux quintette, une flûte magique à Tamino, des grelots à Papageno qu'elles délivrent de son cadenas. Ces deux instruments enchantés leur permettront de braver tous les périls. Le tableau suivant montre la chambre de Pamina dans le palais du génie Sarastro. Un nègre, Monostatos, veut la violenter, mais Papageno le chasse tandis que Tamino assure Pamina de son amour : leur duetto, ingénu et tendre, est à bon droit illustre. Puis c'est un bois sacré avec les trois temples de la Sagesse, de la Raison et de la Nature. Sur une déclamation musicale dont la nouveauté était alors complète, Tamino cherche à y pénétrer, mais sans succès. Aidé de Papageno, il repousse un retour offensif de Monostatos qu'avec leurs instruments magiques ils obligent à danser un rigaudon. Enfin Sarastro paraît, entouré de ses prêtres : loin d'être un mauvais génie, il est un saint homme qui incarne la sagesse et la bonté. Il décide de garder Pamina pour la soustraire à sa mère, qui est en fait la Reine du mal, et de soumettre Tamino aux rites de l'initiation à la sagesse.

Le second acte est précédé par une courte marche religieuse d'inspiration élevée. Sarastro chante, avec les répliques des chœurs, une sereine prière à Isis et Osiris. Puis ce sont les épreuves. D'abord celle du silence envers les femmes. Les trois Fées, en un spirituel quintette, essaient en vain de prendre Tamino et Papageno en faute. Voici maintenant un jardin où repose Pamina guettée par Monostatos. La Reine de la nuit surgit et remet à sa fille un poignard pour tuer Sarastro : c'est l'air fameux de haine et de vengeance, hérissé de difficultés vocales avec son abondance de notes suraiguës. Elle disparaît et Monostatos saisit le poignard pour en frapper Pamina. Mais Sarastro qui veille la chasse et rassure la jeune fille dans un air d'une ampleur et d'une plénitude qui font de cette page pour voix de basse une des plus belles de toute la littérature vocale. Au tableau suivant, trois petits génies célestes rendent à Tamino sa flûte dont il joue pour se désennuyer, se refusant toujours à adresser la parole à Pamina qui, se croyant dédaignée, exhale sa plainte en un air touchant. Soudain, un paysage égyptien, près des Pyramides : les prêtres de Sarastro chantent un hymne où passe l'écho de l'*Ave Verum* que Mozart écrivait à la même époque. Sarastro félicite Tamino de sa fermeté et le prépare aux dernières épreuves. Quant à Papageno, il déclare en couplets populaires, accompagnés de clochettes, qu'il se contentera de l'amour d'une gentille compagne, Papagena. Celle-ci survient sous l'aspect d'une vieille édentée qui se transforme bientôt en aimable fille. Cependant, Pamina désespérée songe à se tuer, mais les génies l'assurent de l'amour de Tamino. Ici commence le merveilleux finale. Après le souple quatuor des génies avec Pamina,

Tamino, accompagné par elle, traverse le feu, puis l'eau. Leurs voix s'unissent dans la certitude de la foi : scène émouvante, incomparable, où la flûte, claire et ferme sur une grondante batterie, symbolise la fragilité de l'homme et la puissance de son âme dans une nature hostile. Contraste : Papageno seul dans un jardin veut se poignarder, car il a perdu sa compagne, mais il agite ses grelots et Papagena reparaît pour un duetto très gai. Nouveau contraste : la Reine de la nuit avec ses trois Dames et Monostatos tentent un dernier effort contre Sarastro. Mais le tonnerre les engloutit et découvre le temple du soleil où Sarastro rayonne. Tamino et Pamino, revêtus d'ornements sacerdotaux, sont unis l'un à l'autre. En un récitatif plein de majesté, Sarastro proclame la victoire de la lumière sur la nuit et le chœur final, d'abord solennel, puis nettement joyeux, célèbre la beauté, la sagesse et la vertu.

Réfléchissant sur ce chef-d'œuvre, non de théâtre, mais de musique et de poésie, Goethe songea longtemps à écrire une suite de *La Flûte enchantée* dont il vantait les contrastes comme un principe de « grand effet dramatique ».

FLUX ET REFLUX [*Time and Tide by Weare and Tyne*]. John Ruskin (1819-1900), écrivain anglais, suppose qu'il adresse une série de lettres à l'ouvrier Thomas Dixon, représentant typique de l'artisan idéal. Son héros habite le Sunderland entre la Weare et la Tyne. Ces lettres, parues d'abord dans le *Leeds Mercury*, furent réunies en volume en 1872. Elles furent écrites pendant la période d'agitation ouvrière suscitée par la loi sur la « Réforme du Parlement ». Cette loi, présentée par Disraeli, devait ouvrir aux ouvriers la « terre promise » de la participation au gouvernement. Plus que jamais, l'auteur vise à la fondation d'une communauté idéale fondée sur des principes d'économie sociale qu'il avait exposés déjà dans ses écrits précédents. Comment procurer à l'ouvrier une vie aisée qui lui permette de cultiver son esprit ? En instituant un système de huit heures de travail au plus ; en fixant les salaires d'après les exigences de la justice et non d'après celles de la concurrence ; en obtenant des patrons qu'ils luttent contre l'obsession de l'enrichissement. Les travaux strictement matériels devraient être réduits au minimum, ce qui abolirait le luxe ; tandis que les plus dangereux serviraient de punition aux délinquants. La hiérarchie du travail comporte les propriétaires terriens, les commerçants et les praticiens. La première classe doit fournir au pays ses juristes, ses fonctionnaires et ses militaires. La terre appartiendra à qui sait la cultiver directement sans machines : il ne s'agit pas de socialisme, mais de libre coopération, avec intervention de l'État pour l'éducation, les pensions de vieillesse, les services et travaux publics, etc. Les grands commerçants pourront amasser une fortune, sans toutefois faire de spéculations et sans qu'il y ait de séparations tranchées entre riches et pauvres. L'État devra assurer pendant les sept premières années de mariage un salaire minimal à tous. Le commerce au détail sera confié à des fonctionnaires fournis par les syndicats, leur salaire sera fixe, et il sera interdit de créer des monopoles. Les artisans seront éduqués comme les artistes ; les évêques donneront leur assistance morale et sociale en tant que fonctionnaires publics. Quant au mode de gouvernement, seuls les sots s'en occupent ; les sages font d'eux-mêmes les lois les meilleures. « Les réformes nécessaires sont celles qu'il est au pouvoir de chaque homme de susciter et enfin d'obtenir par la patiente fermeté de sa conduite personnelle. » *Flux et Reflux* n'est pas un écrit dogmatique, mais un précieux recueil dont chaque lettre touche et effleure cent sujets ; d'ailleurs le titre des lettres est souvent symbolique et ne laisse en rien prévoir leur teneur. La pensée essentielle est contenue dans cette déclaration : « Le pays le plus riche est celui qui nourrit le plus grand nombre d'êtres nobles et heureux. »

FLUX ET REFLUX [*Makent'atsout'iun yev téghatvout'iun*]. Œuvre poétique de l'écrivain arménien Nigoghos Sarafian (1902-1972), publiée en 1939. Dans ses deux ouvrages précédents, *La Conquête d'un espace* [*Andjerpeti mə gravoumə*] (1927) et *14 poèmes* (1933), Sarafian enregistrait les leçons du surréalisme, et se faisait l'adepte d'une esthétique du mouvement aux thèmes parfois futuristes. *Flux et Reflux* est un long poème qui adopte la forme d'un voyage en train vers la Méditerranée. Les rythmes de la poésie arménienne traditionnelle y sont brisés et soumis à l'expérience personnelle. Le temps du flux est celui des images heureuses ou terrifiantes de l'enfance. Le temps du reflux est celui de l'âge d'homme, celui du doute (moteur de la pensée chez cet auteur), celui de la conquête d'un espace de langage en exil, celui qui interdit tout repos dans une certitude et dans un lieu donnés. Le poème se dirige vers l'horizon mouvant de la mer, cette mer incertaine qui relie l'exil et la patrie, le soi et l'étranger. Il se dirige aussi vers la lumière méditerranéenne, véritable objet de nostalgie de ce poète rigoureux et secret, une lumière qu'il avait peut-être apprise de Valéry. Ma. N.

F. L. VĚK. Ce roman historique en cinq volumes est l'œuvre de l'écrivain tchèque Alois Jirásek (1851-1930) ; il fut écrit à partir de 1888 et publié en 1906. De grands romans tchèques l'avaient précédé : tout d'abord ceux de l'époque hussite, comme *Entre les courants* (*), *Confraternité* (*) et *Contre tous* ; puis les romans de l'époque immédiatement postérieure à la défaite de 1620, qui marqua le triomphe des Habsbourg en Bohême, comme *Les Têtes de chiens* et *Les Roches*. Selon le mot du critique tchèque H. Jelínek, Jirásek, avec *F. L. Věk*, a élevé un monument aux obscurs ouvriers auxquels on doit le miracle de la renaissance tchèque à la fin du XVIIIe siècle et au début du XIXe. Ces héros anonymes réussirent à réveiller la conscience du pays, engourdie par des siècles d'oppression et de germanisation. Les péripéties abondent dans ce récit, mais la figure de Věk le héros, dont nous suivons les aventures dès sa naissance, sert de fil conducteur. C'est la vie de toute une époque présentée à travers une existence humaine ; celle d'un jeune étudiant d'abord, puis celle d'un homme fait qui entre en contact avec toutes les personnalités intellectuelles de Prague, entre 1790 et 1816. Les personnages sont presque tous empruntés à la vie réelle : parmi eux se trouvent les « illuministes » tchèques, Dobrovský, le père de la culture slave moderne, Puchmajer, Hněvkovský, Šedivý, etc. La figure de Mozart fait également de brèves apparitions. De grands événements comme les guerres de Napoléon, le passage des troupes russes par la Bohême servent de fond au récit. Mais, ce qui en constitue surtout l'arrière-plan, c'est le réveil progressif de la conscience nationale, sa lutte sourde contre la réaction. Cette résistance, se faisant de plus en plus manifeste, amena en 1816 l'introduction de la langue tchèque dans les lycées. Au cours du roman, l'habileté avec laquelle l'auteur, tout en racontant la vie de personnages historiques, reconstituée grâce à de minutieuses recherches, réussit à donner aux détails de cette vie un caractère romanesque, est remarquable. Toutes proportions gardées, l'ouvrage est comparable à *La Guerre et la Paix* (*) de Tolstoï par le caractère de grande chronique familiale qui leur est commun.

FOI (De la) [*De fide ad Gratianum Augustum*]. C'est l'un des rares écrits dogmatiques de saint Ambroise, évêque de Milan (né entre 333 et 340-mort en 395). Il se compose de cinq livres adressés à l'empereur Gratien (sur la demande de ce dernier). Les deux premiers ont été rédigés entre la fin de l'an 377 et le début de l'an 378, au moment même où Gratien se préparait à partir pour l'Orient afin d'aider Valens dans sa campagne contre les Goths ; les trois derniers, entre 379 et 380. L'œuvre est faite de tout point pour instruire ce jeune empereur, qui était le fils spirituel de l'auteur : dans les deux premiers livres, il défend d'après la doctrine orthodoxe la divinité du Fils de Dieu ; dans les trois derniers, il expose la doctrine orthodoxe sur le Saint-Esprit.

FOI (La) [*La fe*]. Roman de l'écrivain espagnol Armando Palacio Valdés (1853-1938), publié en 1892. C'est une satire véhémente de la bigoterie. Un pauvre orphelin qui se nomme Gil est pris en tutelle par de bonnes dames et envoyé au séminaire. Devenu curé dans son village natal, il se montre plein de zèle ; ce qui éveille l'admiration des fidèles et suscite l'envie parmi le clergé. Une jeune pénitente, Obdulia, fille du bossu Osuna, montre une dévotion toute spéciale envers le jeune prêtre qu'elle choisit pour confesseur. Animé par la charité, père Gil veut essayer la conversion de don Alvaro Montesinos, un vieux solitaire fort athée. Mais, après divers entretiens avec ce dernier, père Gil est pris par le doute : sa foi, au lieu de gagner l'athée aux vérités chrétiennes, fléchit. Entre-temps, Obdulia manifeste au confesseur son désir d'entrer au couvent. Gil y consent, mais non sans peine. Pendant le voyage, dans une chambre d'auberge, Obdulia simule quelque malaise et embrasse père Gil dont elle s'était éprise en secret. Du coup, le malheureux prêtre tombe tout de son long à la renverse. Soudain arrive Osuna, le père d'Obdulia. La scène qui s'offre à ses yeux ne laisse aucun doute. La jeune fille est ramenée à Peñascosa où la réputation du curé est désormais compromise. Obdulia, qui est tenue sous les verrous par son père, voulant voir père Gil, se rend un soir chez lui en secret. Celui-ci, sans même lui adresser un mot, la met à la porte. Humiliée et blessée dans son amour-propre, cette fille hystérique accuse alors le prêtre de l'avoir séduite. Osuna porte plainte et père Gil est arrêté. À partir de ce moment, une vie nouvelle commence pour lui : s'étant délivré à jamais du doute, il trouve la véritable béatitude de l'âme dans le fervent amour de Dieu. Ce roman se rattache au naturalisme de Zola par le goût des détails pathologiques. Les meilleures pages sont de ce violent réalisme dont l'Espagne fut toujours la terre d'élection.

FOI CHRÉTIENNE (La), selon les principes de l'Église évangélique [*Der christliche Glaube, nach den Grundsätzen der evangelischen Kirche im Zusammenhange dargestellt*]. Cet ouvrage du théologien et philosophe allemand Friedrich Schleiermacher (1768-1834), publié en 1821, est par certains côtés moins original et moins connu que les *Discours sur la religion* (*) et les *Monologues* (*) ; il constitue en revanche l'expression la plus pondérée et la plus mûre de son attitude envers le dogme chrétien. À ce titre, il eut dans l'évolution de la pensée religieuse du siècle dernier une influence comparable, dans un autre domaine, aux *Critiques* – v. *Critique de la raison pure* (*) et *Critique de la raison pratique* (*) kantiennes –, et fit justement considérer Schleiermacher, par ses disciples et ses adversaires, comme le père du protestantisme moderne. L'ouvrage relève d'une perspective idéaliste romantique, autrement dit de cette forme de spiritualité qui, s'opposant à l'orthodoxie et au rationalisme de la fin du XVIIIe siècle, s'efforça de retrouver le contenu essentiel du christianisme en le ramenant à l'intériorité du sentiment et de la volonté morale. L'auteur, qui avait démontré, dans ses *Discours sur la religion,* l'autonomie de la religiosité en tant que fonction de l'esprit, en lui donnant pour siège le sentiment, tente ici une réduction chrétienne, la libérant des éléments spéculatifs et culturels qui s'y étaient introduits à des époques où la pensée chrétienne coïncidait avec la somme du savoir humain, et qui étaient désormais ressentis comme une gêne à une époque de critique et de renouvellement scientifique. Pour l'auteur, la dogmatique suppose l'existence de la communauté croyante et elle a pour but limité d'exposer purement et simplement la foi de l'Église dans le temps présent, sans en exclure toutefois les développements ultérieurs. Ayant ainsi défini sa méthode, l'auteur se consacre à une analyse de la « conscience pieuse », telle qu'elle est contenue dans le christianisme et supposée par lui. Il s'agit là, essentiellement, d'un sentiment de dépendance absolue, qui, par le fait même, ne peut être confondu avec la dépendance de la causalité naturelle (à laquelle l'homme participe avec l'univers), et renferme en soi, comme donnée immédiate, la certitude de l'existence de Dieu. Les doctrines de la Création et de la Providence en sont l'expression, mais la deuxième seule en est une expression positive et adéquate, tandis que la théorie relative aux origines du monde, qui n'est pas une donnée immédiate de la conscience chrétienne, ne s'y rattache que dans la mesure où elle tend à exclure qu'une part quelconque du fini soit soustraite à la dépendance de la causalité infinie, ou que cette dernière soit placée entre les déterminations et les antithèses finies. Mais la conscience religieuse, dans sa réalité historique et individuelle, est déterminée par l'opposition entre le péché qui l'écrase et la grâce qui la revivifie, et la foi chrétienne est conscience de rédemption. La réduction des obstacles interdisant la communion avec Dieu advient sous l'influence de la conscience exceptionnelle de Jésus-Christ. Dans le Christ en effet, la conscience de Dieu est si parfaite qu'on peut la définir comme une « réelle et propre existence de Dieu en lui ». Pour l'auteur, le Christ représente l'homme idéal dont l'apparition introduit, dans la causalité naturelle et historique, un nouveau principe créateur. C'est pratiquement le seul miracle que laisse subsister, dans sa volonté de dépassement du surnaturalisme traditionnel, la pensée de Schleiermacher ; mais intentionnellement, car ce miracle est exigé par la conscience de la rédemption, qui est participation à une vie infinie. La communion vitale avec le Christ se réalise dans l'Église, qui constitue la communion des âmes renouvelées et associées par Lui dans une influence réciproque et pour une action commune dans la conscience d'un esprit commun : le Saint-Esprit, qui est l'union du divin et de l'humain dans une collectivité. L'ouvrage s'achève sur une brève étude du dogme de la Trinité, qui, dans sa forme spéculative, n'est pas considérée comme une expression immédiate de l'autoconscience chrétienne. — Trad. De Boccard, s.d.

FOIE DE PROMÉTHÉE (Le) [*Prométheova játra*]. Journal intime du poète et plasticien tchèque Jiří Kolář (né en 1914), imprimé en 1970, mais pilonné avant sa diffusion. Écrit en 1950, *Le Foie de Prométhée* est tout autre chose qu'un carnet de bord. Dans un avant-propos ajouté à la traduction française de 1985, l'auteur explique l'ouvrage comme une façon de relever le défi du monde moderne en « dégageant le livre du déluge de romans et de recueils de poésie, de façon à lui laisser libre champ et à lui donner la possibilité de répondre de lui-même ». Seule la partie centrale (« Le Cimetière jubilant ») est à proprement parler un journal, mélangeant poèmes, faits divers, saynètes, souvenirs, réflexions désabusées et « mythologies quotidiennes » qui saisissent, dans l'anonymat de la réalité brute, les commencements du stalinisme en Tchécoslovaquie. Elle est encadrée de deux cycles de poèmes, « Événement réel » et « La Comédie quotidienne », inspirés l'un et l'autre d'un personnage inhumain d'« Événement réel survenu en Postmortalie » de Ladislav Klíma et dont le premier intègre de plus, à la façon d'un collage, le texte d'une nouvelle de Zofia Nalkowska sur les atrocités de la dernière guerre. C'est une manière de rendre perméable la frontière entre le moi et l'autre qui permet à Kolář de remettre en question le rôle de l'écrivain et d'engager l'avatar de la vie qu'est le langage dans une voie qui le conduit de métamorphose en métamorphose, le dernier mot étant la solidarité qui unit l'homme au monde en totalité. — Trad. La Différence, 1985.

FOI ET AVENIR. Œuvre de l'écrivain italien Giuseppe Mazzini (1805-1872), publiée en français à Bienne en 1835. L'auteur y expose longuement son credo politique et religieux après l'effondrement du programme d'action du Parti, à la suite de l'expédition de Savoie (3 février 1834). Dans les premières pages, il dépeint la désastreuse condition de l'Italie, dominée par une tyrannie que protège une triple armée d'espions, de douaniers et de policiers. L'intelligence y dépérit et, faute de lumière, les meilleurs esprits y étouffent. Il faut à ce peuple l'insurrection et la guerre sainte. Dans les souffrances de l'esclavage, les peuples apprennent à adorer la liberté. En son nom, il faut prêcher, agir et combattre. Est-ce donc une espérance vaine que de vouloir soulever une population sans foi ? Hélas, les peuples ont bien cette foi individuelle qui fait les martyrs, mais il leur manque la foi sociale, génératrice de victoire, foi disparue depuis que les révolutions ont été trahies dans leur principe. L'auteur examine alors rapidement le patrimoine spirituel laissé par le XVIIIe siècle, et l'œuvre de la Révolution française qu'il considère comme la transposition politique de la Réforme. Dans l'ère nouvelle, au concept de droit succède celui de devoir. Le droit ne peut que détruire, le devoir, au contraire, édifie : il donne à la vie un sens religieux. Respectons donc nos pères, mais allons plus loin qu'ils ne sont allés. Fondons aujourd'hui la politique du XIXe siècle et, fidèles au courant de la philosophie, remontons à la foi. Il faut définir et organiser l'Union ; il faut proclamer l'Humanité. Mazzini déclare que son parti a essuyé un échec en tant que parti politique ; mais qu'il doit renaître en tant que parti religieux sous le signe du Christ. Nous croyons en un seul Dieu, comme nous croyons au Progrès, à l'Humanité, à l'Union et à la sainte Alliance des peuples. La poésie refleurira dans un monde rénové par ces croyances ; elle chantera la joie des martyrs, l'immortalité des vaincus, leurs souvenirs et leurs espérances ; elle enseignera aux jeunes la constance et la soumission, la solitude pure de tout désespoir, et le stoïcisme dans tous les domaines. La grande nouvelle de Jésus mort sur la croix a fait renaître le cadavre putréfié du monde romain. Dès ce jour, le christianisme s'est mis à fleurir. Notre monde, aujourd'hui incrédule et indifférent, s'agenouillera demain devant les soldats de ces saintes batailles, qu'il condamne sous le nom de révoltés. Une foi profonde et chaleureuse anime l'œuvre de Mazzini. L'intensité de son sens poétique et la ferveur mystique qui la parcourent en font un des meilleurs ouvrages de l'auteur.

FOI ET BEAUTÉ [*Fede e bellezza*]. Roman de l'écrivain et philologue italien Niccolo Tommaseo (1802-1874). La première édition date de 1840, la version définitive, fortement remaniée, parut en 1852. Les protagonistes, Maria et Giovanni, se rencontrent en France et se confient leur histoire faite d'une suite de désillusions amoureuses. Les deux récits se répondent symétriquement, Maria narrant sa vie et Giovanni lui lisant son journal. Dans la seconde partie, Maria et Giovanni, qui se sont épousés, retrouvent dans cette union les sentiments les plus purs et les plus sincères. Mais la santé de Maria décline et bientôt elle meurt. La technique narrative est celle de la juxtaposition (de confessions, dialogues, portraits, impressions, souvenirs). Le mouvement de l'action est sans cesse interrompu par des pauses. La composante autobiographique de ce texte marqué par le sens chrétien du péché et de la rédemption, par l'alternance de la faute et du repentir, est évidente. Écrit à la fin du séjour de l'auteur en France, il renvoie à la période trouble et inquiète vécue à Paris et évoquée par Tommaseo dans son *Journal intime*.

FOIRE (La) [*La feria*]. Œuvre du romancier mexicain Juan José Arreola (né en 1918), publiée en 1963. C'est l'histoire de Zapotlán, une petite ville mexicaine typique que l'auteur connaît bien puisqu'il y est né. Ses parents y étaient de modestes artisans, comme le sont plusieurs personnages du livre, et il est permis de penser que J. J. Arreola a prêté à deux ou trois de ses héros — un jeune ouvrier d'imprimerie, en particulier, tourmenté par l'éveil du sexe — quelques-unes de ses expériences d'adolescent. Comme la plupart des villes mexicaines de province, Zapotlán est une ville sans essor. « Nous sommes environ trente mille. Les uns disent plus, les autres moins. Nous sommes trente mille depuis toujours. Depuis que frère Jean de Padilla vint nous enseigner le catéchisme, quand don Alfonso de Avalos quitta en tremblant ces terres. Frère Jean était un brave homme et allait de-ci, de-là, en habit de franciscain tout dépenaillé, dressant croix et petites chapelles. Il vit que nous aimions beaucoup danser et chanter, et fit venir Juan Montes pour nous enseigner la musique. Il nous aimait beaucoup, nous les gens de Tlayolán. Mais les choses tournèrent mal pour lui et on dit que nous l'avons tué. » Avant la conquête espagnole, la ville était indienne et s'appelait Tlayolán, ce qui signifie « qui doit sa vie au maïs », la plante sacrée, l'aliment des Indiens. Elle eut son roi, dont « le double magique était le corbeau », ses légendes et ses traditions, ses guerres avec d'autres tribus. Au cours de l'une d'elles, elle fut dépossédée de la plante sacrée et devint Zapotlán, car ses habitants ne mangeaient plus du maïs mais « des sapotilles, des cachiments, des courges et des mezquites ». Et puis elle fut conquise, dans des circonstances peu brillantes, aussi peu brillantes que celles qui marqueront d'ailleurs toute son histoire, si l'on en croit l'historien qui a fouillé les archives de la province et qui atterre par ses révélations les malheureux sociétaires de l'Athénée local : « Depuis Mituolacoya, notre dernier roi, qui capitula pour s'allier à Alphonse de Avalos, jusqu'à nous-mêmes, Zapotlán n'avait été dans toute son histoire qu'une pépinière de lâches et de traîtres. Nous ne sûmes même pas nous montrer héroïques ou patriotes pendant la guerre d'Indépendance : nous fûmes selon lui (le conférencier) des royalistes irréductibles... Au lieu de lutter contre Maximilien, nous nous étions jetés dans les bras des Français... La lumière s'éteignit au moment même où nous apprenions qu'un complot local faillit ôter la vie à don Benito Juarez pendant la nuit que ce héros passa chez nous. » Après la conquête espagnole, les Indiens furent dépossédés de leurs terres, la foi fut prêchée et la ville placée sous la protection d'un patron, saint Joseph. La Révolution a rendu aux Indiens leurs droits de propriété sans leur rendre leurs terres, elle a permis à l'anticléricalisme et au libéralisme de s'installer sans ébrécher la toute-puissance du clergé ni ternir l'éclat de la fête patronale. Actuellement, Zapotlán est une « ville civilisée », avec ses bordels dans le quartier réservé, son poste de police et tout et tout. Provinciale, assoupie, mi-artisanale, mi-rurale, Zapotlán a ses lois et ses superstitions, sa fierté et son chauvinisme, ses humbles et ses clans, et surtout ses passions secrètes, ses impulsions tragiques ou ridicules, ses obsessions, son refoulement. La ville donc est la protagoniste du roman, et trois épisodes essentiels, la fête patronale, un tremblement de terre et l'interminable procès qui oppose Indiens et propriétaires terriens, mêlés à d'autres événements locaux mineurs, nous permettent d'en surprendre le vrai visage, ou plus exactement de saisir le double aspect de sa personnalité, en apparence si tranquille. En effet, si la fête religieuse offre aux éléments constituants — trente mille âmes, mais au fond une quarantaine de personnages clefs — la possibilité de colorer à outrance l'image qu'ils veulent donner d'eux-mêmes, le tremblement de terre, qui provoque une panique purificatrice, fait tomber les masques et met à nu les consciences. C'est en somme à cette « foire » aux masques et aux consciences que nous convie Arreola. Quant au procès, il est la tumeur cachée de la petite ville, une tumeur qui, non soignée, s'aggrave avec le temps et risque un peu plus chaque jour de l'emporter. Pour établir sa chronique, l'auteur a choisi de donner à son livre une structure qui est une trouvaille littéraire. Pareil à l'auteur d'un puzzle qui après avoir dessiné son image la brise en mille parcelles pour la joie des enfants qui doivent la reconstituer, Arreola, après avoir imaginé son roman, le fragmente en mille bribes éparses pour le plaisir du lecteur qui doit presque à chaque page et parfois plusieurs fois par page ressouder les bribes afin de reconstruire l'histoire passée et présente de Zapotlán. Et puis il y a, courant dans tout le livre, l'humour cher à Arreola, un humour tour à tour tendre et féroce, et que la structure du roman, dans certaines « séquences », rend explosif. C'est probablement cet humour qui fait que le lecteur, une fois le roman refermé, ne peut plus oublier ceux avec lesquels il a vécu quelques heures : le curé indien et ses bigotes ; don Faustino, le franc-maçon ; don Terencio, le rouge ; Celse, le pédéraste ; Odilon, le don Juan local ; dona Maria la Crécelle, la propriétaire des bordels ; ou encore Concha de Fierra, une bien étrange prostituée, puisque aucun homme, dans ce pays du *machismo,* n'a pu la dépuceler. Et pourtant que d'amateurs ! — Trad. Gallimard, 1968. C. C.

FOIRE AUX VANITÉS (La) [*Vanity Fair, a Novel without a Hero*]. Roman de l'écrivain anglais William Makepeace Thackeray (1811-1863), publié en fascicules de janvier 1847 à juillet 1848, et paru en volume en 1848. Deux intrigues différentes, à peine liées entre elles, se développent parallèlement. C'est d'abord la vie et les aventures d'une femme courageuse, d'une rare intelligence, mais peu scrupuleuse, Rebecca (Becky) Sharp. L'autre histoire est celle d'une amie d'école de Rebecca, Amélia Sedley. À sa sortie du collège, Becky vient passer quelques semaines chez les Sedley ; elle essaie de séduire Joe, le frère d'Amélia. Becky est pauvre, elle doit gagner sa vie elle-même ; cependant elle adore l'argent et les possibilités qu'il offre ; c'est pourquoi, bien que Joe soit un être méprisable, ivrogne et lâche, elle fait tout pour le conquérir ; elle y réussirait si le fiancé d'Amélia, George Sedley, marquis d'Osborne, n'intervenait pour empêcher Joe de se déclarer. Becky entre alors comme gouvernante chez sir Pitt Crawley où elle arrive à se faire aimer de tous, même de miss Crawley, la richissime sœur de sir Pitt. Le baron lui-même l'adore et, à la mort de lady Crawley, il lui propose de l'épouser. Malheureusement, elle a déjà épousé en secret Rawdon Crawley, fils cadet de sir Pitt et neveu préféré de miss Crawley. Cependant, à la nouvelle de ce mariage, la tante déshérite son neveu, et Becky recommence à lutter pour se procurer à tout prix de l'argent. Tous les moyens lui sont bons pour atteindre son but. Elle passe ainsi d'aventure en aventure, d'intrigue en intrigue, réussissant toujours à se tirer des plus mauvais pas. Amélia Sedley est l'opposée de Becky ; elle est sincère, simple, honnête, un peu sotte. Elle aime de tout son cœur son fiancé George, jeune homme égoïste et léger qui, lorsque le père d'Amélia perd toute sa fortune, est sur le point de rompre ses fiançailles. Un de ses collègues, le capitaine Dobbin, admirateur infortuné d'Amélia, l'empêche d'accomplir cette mauvaise action, et le mariage a lieu quand même, malgré l'opposition du vieil Osborne. Mais George est tué à Waterloo. Amélia, désespérée par sa mort, passe de longues années dans la misère la plus noire, repoussant les avances du dévoué Dobbin pour rester fidèle au souvenir de son mari. C'est seulement lorsque Becky lui apprend que George ne méritait pas ce dévouement passionné, qu'elle se décide enfin, après quinze ans de veuvage, à épouser son fidèle admirateur, devenu le colonel Dobbin.

En 1846, Thackeray avait atteint une certaine notoriété dans le monde littéraire par sa collaboration à des revues à grand tirage telles que le *Fraser's Magazine* et le *Punch.* Il aspirait cependant à une œuvre plus importante, d'une plus grande consistance : c'est ainsi que naquit *La Foire aux vanités* qui, malgré l'accueil assez froid que lui réserva le public, consacra la renommée de Thackeray. Le roman a un sous-titre, « Roman sans héros » [A Novel without a Hero]. On peut affirmer que la révolution que Thackeray a apportée dans le monde littéraire se résume en cette formule. Il ne s'agit plus, ici, du roman à thèse qui dominait dans la première période de l'époque victorienne, ce roman où le héros possédait soit toutes les vertus, soit tous les vices, où la bonté était récompensée et le mal puni. C'est la réalité de la vie, « le bons sens » de l'homme, son égoïsme et ses inconséquences qui sont, cette fois, évoqués. Il ne s'agit plus de mannequins, mais d'êtres vivants. C'est là en substance le message contenu dans cette œuvre où le génie de Thackeray s'affirme d'une manière décisive. Le récit, qui a l'ampleur d'une fresque, présente et illustre les hauts faits et gestes des classes sociales les plus diverses ; la critique froide et pénétrante des caractères, la vivacité et la variété des portraits suscitent l'admiration. La forte personnalité de Becky Sharp domine. Le réalisme de Thackeray atteint une force et une vérité que cet écrivain n'a pas dépassées par la suite. Autour de Becky, l'on trouve un groupe de figures inoubliables, toutes également vivantes. L'œuvre cependant présente certains défauts, propres à l'auteur : dans son ensemble, l'histoire manque de cohésion, elle est trop longue et trop compliquée. Quoi qu'il en soit, *La Foire aux vanités* est une œuvre capitale, représentative du roman anglais du XIXe siècle. – Trad. Gallimard, 1938.

FOIRE DE LA SAINT-BARTHÉLEMY (La) [*Bartholomew Fayre*]. Comédie en cinq actes et en prose du dramaturge anglais Ben Jonson (1572?-1637), représentée en 1614 et imprimée en 1631. La trame de l'intrigue est des plus mince et ne comporte aucun personnage central. La pièce trouve son unité grâce à la foire à l'occasion de laquelle se rencontrent les types les plus divers et se déchaînent les pires instincts. Il s'agit d'une juxtaposition d'épisodes savoureux, souvent fort libres, qui rappellent les « tableaux de genre » de l'école hollandaise. Un lourdeau nommé Barthélemy Cokes, dont le caractère est plus finement dessiné que celui des autres personnages de ce type créés par Ben Jonson, s'en vient à la foire et se fait voler sa bourse, son manteau, son épée, et même sa fiancée qu'il veut épouser contre son gré. Le serviteur de Cokes, un jeune présomptueux du nom de Wasp (la Guêpe), n'a pas un sort plus heureux ; on lui dérobe le contrat de mariage de son maître, et il se fait condamner au pilori pour une mauvaise querelle. Au pilori finissent aussi le puritain Zeal-of-the-land Busy (le Zélé-de-la-terre), un grotesque hypocrite, ainsi que le juge de paix Overdo (Trop-en-fait), venu à la foire sous un déguisement pour en surveiller les excès, mais qui est pris pour un coupeur de bourses. L'atmosphère populaire est évoquée avec un art consommé, qui a fait considérer cette pièce par certains comme la meilleure qu'ait écrite Ben Jonson. L'un des épisodes les plus réussis est celui de la visite effectuée par une famille puritaine dans ce lieu de débauche que constitue, pour elle, la foire de la Saint-Barthélemy.

FOIRE DE SOROTCHINZI (La) [*Soročinskaja Jàrmarka*]. Opéra russe en trois actes, paroles et musique du compositeur Modeste Petrovitch Moussorgski (1839-1881), sur un texte tiré de la nouvelle de même titre de Gogol. Deux actes, mis au point par César Cui, furent représentés en 1913 à Moscou ; l'opéra entier, terminé et orchestré par Nicolas Tcherepnine, fut joué pour la première fois à Monte-Carlo dans une traduction française de Louis Laloy, le 17 mars 1923. L'auteur, en 1875, avait eu l'idée de composer un opéra-comique sur la nouvelle de Gogol ; il se mit aussitôt au travail avec ardeur, utilisant des thèmes populaires petits-russiens et suivant de très près le texte original. Mais, vers 1878, son zèle se refroidit et *La Foire de Sorotchinzi* resta inachevée à sa mort. Tcherepnine a terminé les scènes incomplètes en prenant la musique dans l'opéra lui-même et en se bornant à la développer et à l'adapter selon la nécessité. Quand un complément, cependant, était absolument indispensable, il a fait appel à d'autres œuvres de Moussorgski, en tenant compte de la situation, des caractères et des sentiments. Pour l'orchestration, il s'est conformé au style en usage chez les maîtres de l'école nationale russe vers 1875.

À Sorotchinzi, un jour de foire. Parmi les éventaires les vendeurs et les marchandes, un bohémien raconte des histoires de diables qui apparaissent avec un groin de cochon. Pendant ce temps, le jeune Gritzco, qui fait la cour à Paracha, rencontre le père de la jeune fille, Tcherevik ; il amorce une demande en mariage et fait des plans d'avenir. Peu après, voici que Tcherevik sort de l'auberge, un peu gris, chantant « dou rou dou ». Mais il trouve son orgueilleuse épouse, Kivria, qui ne veut point entendre parler de ce gendre, trop pauvre à son gré. De son côté, Gritzco reçoit du bohémien la proposition suivante : que le jeune homme lui cède ses bœufs pour vingt roubles seulement, et il fera en sorte que Tcherevik accorde la main de Paracha, à coup sûr. Kivria, chez elle, attend Athanase Ivanic, le fils du pope, et ne trouve rien de mieux, pour se libérer du pauvre Tcherevik, que de se quereller avec lui et de l'envoyer coucher, dans la cour, pour toute la nuit. Puis elle se fait belle, prépare des mets fins et chante pour tromper le temps, jusqu'à ce qu'arrive celui qu'elle attend. Après s'être gavé, la bouche pleine, il passe déjà aux embrassements lorsqu'on entend frapper. À peine la femme a-t-elle eu le temps de cacher le fils du pope dans la mansarde qu'entrent Tcherevik et ses amis, tous un peu émus par les histoires de diables du bohémien. Ils se font aussitôt apporter une bouteille, et Tcherevik raconte l'histoire du « Vêtement rouge » : c'est celui d'un diable trop honnête qui, chassé de l'enfer pour avoir fait une bonne action, vient sur terre et boit tellement qu'il doit engager son vêtement chez un juif. Celui-ci le vend, mais, une nuit, il entend un grognement et voit apparaître à sa fenêtre des têtes de porc. L'historiette n'est pas sans produire un certain effet sur les auditeurs qui font les fanfarons mais au fond tremblent. À ce moment, le fils du pope dégringole de la mansarde et tente de se couvrir avec une robe rouge de Kivria. L'effroi est général. Mais le bohémien ne tarde pas à découvrir la véritable identité de ce diable. Kivria, ayant perdu son autorité, ne pourra s'opposer au mariage. Celui-ci fera l'objet du troisième acte : chansons et rumeurs joyeuses de la foire s'y déchaînent en toute liberté. Ces chansons, d'ailleurs, occupent une bonne moitié de la partition ; comme elles sont ce que Moussorgski a découvert de plus remarquable dans le patrimoine populaire de la Petite Russie, elles enchantent par leur fraîcheur et leur perfection. Quant au dialogue, il est lui-même tiré de motifs populaires ; il n'y a pas de vrai récitatif.

La Foire de Sorotchinzi devrait être, dans l'intention de l'auteur, un florilège de chansons populaires de la Petite Russie, développées et ordonnées selon un plan dramatique et réalisant ainsi l'idéal nationaliste des Cinq ; elle fut tout cela et, en plus, un florilège de ses propres œuvres, réalisé à partir de ses opéras et de ses admirables chants, au nombre d'une centaine.

FOIRE SAINT-GERMAIN (La). Comédie en trois actes et en prose de l'écrivain français Jean-François Regnard (1655-1709), faite en commun avec Charles Dufresny (1657-1724) et représentée à Paris en 1695. L'intrigue en est des plus mince : Angélique étant aimée de son tuteur, le Docteur, se voit étroitement surveillée par ce dernier, qui veut ainsi la soustraire aux assiduités d'Octave. Mais, pour déjouer ses plans, la jeune fille met à profit l'occasion qui lui est donnée par la Foire de Saint-Germain. Avec l'aide de Colombine et du subtil Arlequin, elle amène le Docteur à renoncer à ses prétentions. Toutefois, notre homme refuse d'accueillir Octave, car il craint d'avoir à lui rendre des comptes sur les biens dont il a fait mauvais usage. Il fait donc venir de province un certain Nigaudinet, à seule fin de lui faire épouser Angélique. Mais, entrepris par Arlequin et ses complices, le garçon, complètement mis à sec, se voit contraint de s'en retourner, tout penaud, sans même avoir vu sa promise. Tout est bien qui finit bien, puisque Angélique épouse Octave. Certaines scènes sont d'un comique fort allègre et le dialogue fourmille de fort jolies répliques.

FOLASTRIES de Ronsard (v. *Gayetez*).

FOLIA (La) [*La Follia*]. Thème de danse d'origine probablement espagnole, traité par le compositeur italien Arcangelo Corelli (1653-1713), sous forme de variations pour violon seul, dans son op. 5 (1700). Son importance historique vient du fait que, sur ce modèle, s'est développé le genre de la « série de variations » ; mais cette importance tient aussi à la beauté de l'œuvre, à la consistance que les variations, en se succédant, donnent à la forme, et aussi à leur incalculable valeur technique pour l'art du violon. En dehors de Corelli, de nombreux compositeurs ont utilisé le thème de *La Folia* comme base d'une série de variations : les plus anciens sont Girolamo Frescobaldi (1583-1643) dans des variations pour clavier (1630), Jean Henri d'Anglebert (1635-1691), variations pour clavecin (1689), Marin Marais (1656-1728), variations pour luth (1701) et Antonio Vivaldi (1678-1741), variations pour cordes (1737). On retrouve ce thème dans la *Cantate des paysans* (1742) de Jean Sébastien Bach (1685-1750), la *Rhapsodie espagnole* pour piano (1863) de Franz Liszt (1811-1886) et les *Variations sur un thème de Corelli* pour piano (1932) de Serge Rachmaninov (1873-1943).

FOLIE-ALMAYER (La) [*Almayer's Folly, a Story of an Eastern River*]. Roman de l'écrivain anglais Joseph Conrad (1857-1924), publié en 1895. Le fond du tableau est un quartier désolé de Bornéo, capitale de l'île du même nom. Là, au milieu d'une population de Malais et d'Arabes vit un seul Blanc, le Hollandais Almayer. Le sort l'a jeté sur ce rivage, où il s'entretient dans des rêves de prospérité future. Croyant assurer sa propre fortune, il a épousé une Malaise, fille adoptive d'un vieux et riche pirate, mais maintenant, cette femme le hait, et les biens du pirate s'en sont allés en fumée, lentement, dans des entreprises malheureuses. Almayer a une unique affection à laquelle il se raccroche, sa fille Nina. Il rêve de refaire sa vie avec elle en Europe, dans un avenir que ses illusions lui font espérer proche. Mais Nina ne désire pas s'éloigner de ce pays, qu'elle est portée à aimer, car l'instinct malais prédomine en elle ; elle le désire d'autant moins qu'elle a rencontré un bel indigène, le fils d'un rajah, Daïn Maroulla, dont elle s'est éprise. Almayer, qui ne soupçonne pas ce grand amour, voit un précieux ami en Daïn Maroulla : toujours absorbé par ses projets chimériques, il considère que cet homme est apte à commander une expédition dont il a trouvé les plans dans le carnet du vieux pirate, et qui promet une ample moisson de trésors. Daïn se lance dans l'aventure par amour pour Nina : mais, poursuivi par les Hollandais, car il se livre au commerce clandestin de la poudre, il est obligé de faire sauter le navire. Revenu en arrière, il dresse avec Nina un plan pour fuir ses poursuivants, il revêt les habits d'un de ses marins noyé dans le fleuve en crue et il se cache : Nina le rejoindra ensuite et ils partiront ensemble. Almayer, croyant mort l'homme en qui il avait mis tant d'espoirs, se sent un homme fini ; une petite esclave, jalouse de Daïn, lui révèle alors la vérité. Il rejoint les fugitifs et les supplie de ne pas l'abandonner ; mais sa fille n'est plus en son pouvoir. Doublement malheureux, Almayer se laisse désormais abattre et devient fou, jusqu'à ce qu'une mort pitoyable vienne le délivrer.

Des réminiscences de légendes antiques rompent de temps à autre l'atmosphère tendue du roman, dont l'histoire si simple dans sa structure tire un charme puissant du milieu dans lequel elle se déroule. Ambiance tour à tour sordide et perfide, mais pourtant splendide dans l'intensité de sa vie primitive. — Trad. Gallimard, 1937.

FOLIE BAKOUNINE (La) [*Il Diavolo al Pontelungo*]. Roman de l'écrivain italien Riccardo Bacchelli (1891-1985), publié en 1927. L'action se situe autour de 1874, dans le milieu des anarchistes révolutionnaires réfugiés en Suisse. Au premier plan se dresse la figure d'un Bakounine vieillissant, dont le livre va raconter la dernière tentative de soulèvement anarchiste à Bologne, en 1874. Réfugié à Locarno, avec sa maîtresse Antonia et ses enfants, Bakounine accepte la proposition de son ami l'anarchiste italien Cafiero : il s'agit d'acheter une propriété en ruine sur les bords du lac Majeur, « la Baronata », pour la remettre en état et en faire une sorte de centre clandestin des mouvements anarchistes en Europe. Bakounine et Cafiero s'installent à « la Baronata », ils sont bientôt rejoints par un petit groupe de révolutionnaires exilés qui vont constituer la colonie anarchiste du lac Majeur. La première partie du livre raconte la vie de Bakounine et de ses compagnons, d'origine et de condition très différentes. Bientôt des oppositions de tempérament et d'idées se dessinent : les anarchistes sont divisés à propos de l'Internationale (dont Karl Marx a fait exclure Bakounine), de la Commune (que Bakounine refuse), des modalités d'action et des buts de la Révolution sociale. En même temps Bakounine et Cafiero se sont pris au piège de la bourgeoisie : ils ont dilapidé, pour remettre en état la propriété, presque toute la fortune de Cafiero. L'amertume, le soupçon s'installent parmi les membres de la colonie. Cafiero, poussé par sa femme Olympia, en vient à accuser Bakounine d'escroquerie. Finalement Bakounine accepte de rejoindre en Italie les anarchistes de Andrea Costa, et la colonie se disperse. La deuxième partie du livre raconte le dernier échec de Bakounine, à Bologne, au début de l'été 1874. Andrea Costa et les socialistes de Romagne jugent le moment favorable à une prise de pouvoir par l'Internationale anarchiste. Bakounine est choisi comme chef du mouvement : déguisé en riche voyageur allemand, il s'installe dans une cave d'un quartier populaire de Bologne pour y fabriquer les bombes nécessaires à la Révolution. Costa et ses amis réunissent leurs hommes, on établit le plan de l'insurrection, on en fixe la date. Le mouvement devait partir d'Imola et gagner Bologne par la campagne, le premier objectif militaire étant le fort de San Luca. Le jour venu, Bakounine attend en vain les hommes qui doivent l'accompagner. Parti à leur recherche, il assiste à la débandade d'un groupe d'anarchistes devant une patrouille militaire. Au fort San Luca, les hommes s'enfuient sans même engager le combat. Andrea Costa a été fait prisonnier dans la nuit ; Bakounine, brisé, tente de se suicider, puis, la raison lui revenant, il prend conscience de la vanité des espérances anarchistes et quitte l'Italie. Il mourra en Suisse, deux ans plus tard. Dans ce long roman aux nombreux personnages, Bacchelli a voulu faire, selon ses propres termes, l'« histoire d'une erreur ». La révolution anarchiste apparaît à l'écrivain comme une utopie incohérente, vouée à l'échec dans son principe parce que coupée du peuple. Le personnage positif du livre est Andrea Costa parce qu'il saura tirer la leçon des échecs anarchistes pour tenter de promouvoir un socialisme vraiment populaire et démocratique. En 1882 il sera le premier socialiste italien à la Chambre. Au terme de sa vie, Bakounine prend lui aussi conscience que ses idées appartiennent à une époque révolue, comme la légende du Diable à Pontelungo. Le roman de Bacchelli est le premier « roman historique » de l'écrivain, il se rattache à la tradition morale et culturelle du roman historique italien du XIXe siècle, de Manzoni à Ippolito Nievo. Il ne faut y chercher aucune innovation narrative ou linguistique. Bacchelli cherche à s'adresser au public le plus vaste possible pour lui faire partager ses idées et l'instruire en même temps qu'il l'intéresse. Le livre vaut surtout par sa deuxième partie où Bacchelli s'attache à évoquer Bologne et la campagne bolonaise à la fin du siècle dernier, en même temps qu'il brosse une série de portraits des paysans, des artisans et des agitateurs anarchistes de Romagne et d'Émilie. C'est cette veine populaire qu'approfondiront les œuvres postérieures de Bacchelli, à commencer par son livre le plus célèbre *Les Moulins du Pô* (*). — Trad. Julliard, 1973.

FOLIE CÉLADON (La). Œuvre de l'écrivain français Marcel Brion (1895-1984), publiée en 1935. Écrit en 1930, ce roman poétique est l'histoire d'une recherche dans le passé. Sur la foi d'un vieux Baedeker, le narrateur décide, au cours d'un voyage en Autriche, de visiter un pavillon construit vers 1750 sur une île entre Vienne et Salzbourg. Pavillon célèbre pour sa décoration rococo, riche et pleine de fantaisie. La légende veut que Mozart enfant y soit demeuré une nuit et l'ait marqué du charme de son génie. Hélas ! quand le narrateur arrive à Mülheinheim, il apprend que la Folie Céladon a brûlé cinq ans plus tôt, en 1925, au cours d'une nuit tragique. Quelques personnes étaient réunies là pour une fête costumée, au milieu de la rivière en crue ; le vin, la musique, un aimable libertinage, semblaient être le seul but de cette réunion. Mais un feu d'artifice embrasa le léger édifice et rien ne subsista des boiseries dorées, des stucs, des laques, ni du mobilier précieux, ni des convives en brocarts du XVIIIe siècle. Sa curiosité étant éveillée par les récits d'un aubergiste bavard, le narrateur cherche à reconstituer le drame et le caractère de ceux qui périrent ensemble dans l'incendie. Aidé par les souvenirs d'un ami retrouvé, familier des victimes, par quelques lettres et documents, il découvre que tous ces êtres étaient, pour une raison ou une autre, des désespérés, des âmes malades, blessées par la vie, par l'amour, un souvenir ou leur orgueil. Que la tragique et belle Clairenore se soit défigurée en voulant se suicider pour un amant qui n'en valait pas la peine, que les von Ortgut aient été ruinés par la guerre, que le baron von Hunenberg ait gâché sa vie en acceptant le fardeau d'une mésalliance, que l'écrivain Bernhorst ait assisté à la mort de la jeune fille qu'il aimait, que le musicien Hellmann ait sacrifié son art en devenant un brillant parodiste, cette succession de découvertes permet au narrateur d'imaginer une folle nuit de confessions cruelles, une tristesse exaspérée, une descente dans l'enfer du renoncement. Mais rien n'est certain, le drame n'est que suggéré. C'est en contemplant les flammes dans la cheminée de sa chambre d'hôtel qu'il entrevoit la conclusion possible : dans ce pavillon d'un luxe trop raffiné, décadent, respirant le malheur, l'incendie n'a-t-il pas été provoqué, accepté comme une fin logique, par des êtres désespérés ? L'embrasement de la Folie Céladon a peut-être été le dernier moment de beauté d'un monde romantique, suranné, voué à la destruction.

FOLIE ET MORT DE PERSONNE [*Locura y muerte de nadie*]. Œuvre de l'écrivain espagnol Benjamín Jarnés (1888-1949), publiée en 1929, puis en édition augmentée dans *Les Meilleurs Romans contemporains,* collection dirigée par Joaquín de Entrambasaguas (1961). Dans cette fiction, Jarnés pose à sa façon le vieux problème de la personnalité. Son protagoniste, Juan Sánchez, ne caresse qu'un seul rêve : devenir un homme célèbre, un héros. Ses efforts désespérés pour y parvenir le plongent dans un drame chargé de tension pénible et de douloureuses désillusions car tout le monde le confond avec un certain Juan Martínez. Désespéré, il finit par se suicider en se jetant sous les roues d'un camion, alors que le destin, semble-t-il, le raille une dernière fois puisque le journal relatant sa mort dans un fait divers parle de lui comme d'un simple « piéton », sans même mentionner son nom. Le personnage est à rapprocher de l'insignifiant Augusto Pérez du roman *Brouillard* [*Niebla*] de Miguel de Unamuno (1864-1936), mais il est plus humanisé, plus vivant, mieux travaillé. Quelques années plus tôt, dans *Le Professeur inutile* [*Profesor inútil,* 1926], Jarnés avait précisé sa vision pessimiste de l'homme en présentant un don juan vieilli à qui les souvenirs qu'il égrène n'inspirent aucun comportement, aucune détermination réelle.

C. C.

FOLIE OU SAINTETÉ [*O locura o santidad*]. Drame en trois actes, représenté à Madrid en 1877, de l'écrivain espagnol José Echegaray (1832-1916), chef de l'école néoromantique. Le personnage principal, don Lorenzo de Avendano, est un type étrange de philosophe solitaire, toujours plongé dans la méditation. Il apprend un jour que Juana, sa vieille nourrice qui jadis avait fait de la prison pour avoir volé un médaillon appartenant à sa défunte mère, est en train d'agoniser dans un taudis et implore son pardon. Il se rend sur les lieux et la ramène chez lui. C'est alors que Juana lui révèle ce que contenait le médaillon : un document qui établit qu'elle est sa véritable mère. Cette révélation jette le philosophe dans un violent drame intérieur. La pensée qu'il porte indûment un nom qui n'est pas le sien, qu'il profite depuis longtemps du bien d'autrui, devient pour lui une obsession. Or, la marquise de Almonte vient lui demander la main de sa fille, Inès, pour son fils, Eduardo. Comment pourrait-il donner à la fille qu'il adore un nom et des richesses qui ne sont pas les siens ? Ce mariage est donc impossible. Terrible débat, en vérité : souhaiter le bonheur de sa fille, tout en étant bien résolu à restituer son nom et ses biens à leurs légitimes héritiers. Mais le fait que don Lorenzo s'appuie sur des concepts philosophiques, plutôt que sur l'acceptation d'une souffrance que lui impose le destin, donne à l'action un aspect par trop rigide. « Tu es une misérable machine à penser », lui dira sa femme Angela. Terminons : Juana, consciente du trouble qu'elle a apporté dans l'âme de son fils, détruit le document révélateur et, au moment de mourir, jure devant tous qu'elle n'est pas la mère de Lorenzo. Mais celui-ci est sûr de ce qu'elle a affirmé auparavant, aussi recherchera-t-il avec fièvre le document qui est la preuve de ses assertions. Comme il lui sera impossible de le retrouver, on pensera qu'il est réellement devenu fou. Le théâtre de Echegaray se fonde presque toujours sur des situations forcées ; aussi est-il trop souvent mélodramatique.

FOLIES AMOUREUSES (Les). Comédie en trois actes, en vers, de l'écrivain français Jean-François Regnard (1655-1709), représentée en 1704. Elle utilise le thème fort usé du tuteur qui veut épouser sa pupille, thème qui sera repris par Beaumarchais dans *Le Barbier de Séville* (*). Le vieil Albert, tuteur d'Agathe, courtise en vain la jeune fille. Celle-ci, en effet, aime Éraste. Malgré la surveillance d'Albert, Éraste et son valet, Crispin, s'introduisent dans la maison de la belle en se faisant passer pour des voyageurs dont la voiture a besoin de réparations. Agathe simule alors une crise de folie et exige d'Albert et d'Éraste qu'ils se mettent à chanter. Sous prétexte de leur passer les partitions, elle glisse un billet à Éraste et lui demande secours. Jouant toujours la folle, Agathe se montre sous divers costumes et ordonne à son tuteur de donner une assez forte somme à Éraste. Cette somme permettra aux jeunes gens de s'enfuir, pendant que le vieillard cherchera les médicaments indispensables pour soigner sa pupille. Cette comédie, qui tend surtout à mettre en relief les astuces de la soubrette, n'est qu'un divertissement — comme *La Servante amoureuse,* de Goldoni —, mais plein d'élégance et de brio. C'est de la « commedia dell'arte » raffinée et adroite. Elle ne tend qu'à faire rire un public cultivé et qui a applaudi Molière. Regnard lui donna plus tard un épilogue : *Le Mariage de la folie* (*).

FOLIES TRISTAN (Les). Sous ce titre, il existe deux petits poèmes français à peu près de la même époque (XIIe siècle), d'une inspiration analogue mais d'une valeur littéraire fort inégale. Ces deux poèmes ont été publiés par Joseph Bédier en 1907. Le plus développé et le mieux écrit est celui qui est conservé dans le manuscrit d'Oxford (Douce d. 6). Tristan, qui a dû quitter la cour de Marc, roi de Cornouailles, vit en Bretagne, loin d'Yseult, mais il ne peut plus supporter d'être séparé d'elle. Il s'embarque sur un navire qui fait voile vers la Cornouailles et arrive au château de Tintagel où Marc tient sa cour. Il s'est rendu méconnaissable en se déguisant en fou de cour. Devant le roi et la reine, il joue un rôle de bouffon ; mais il mêle à ses récits des allusions à ses amours, que seule Yseult peut saisir. La reine en est profondément troublée. Le roi part à la chasse et Yseult, dans son émoi, ne peut s'empêcher d'envoyer auprès du fou sa fidèle confidente, Brangien. Tristan, sans quitter son déguisement, fait des allusions de plus en plus précises et supplie Brangien de l'amener devant Yseult. Parvenu devant la reine, il lui fait part de secrets qu'elle seule et lui peuvent connaître, mais elle se défend encore ; elle ne peut reconnaître dans ce fou son amant. Ce n'est que lorsque Tristan aura été reconnu par son chien et qu'il lui aura montré l'anneau qu'elle lui a donné qu'elle n'aura plus de doute. Tristan reprend alors son aspect habituel et Yseult tombe dans ses bras. C'est, en un raccourci habile et suggestif, l'essentiel de la légende qui est évoqué ici. Le poète s'inspire certainement des poèmes antérieurs : *Tristan* de Béroul, et surtout *Tristan* [*Tristem*] du poète anglo-normand Thomas, qu'il suit de très près — v. *Tristan et Iseult* (*) ; mais il sait donner à ce thème une grande nouveauté, en inventant de toutes pièces cet épisode ; toute la force du poème est concentrée dans cette antithèse entre le héros Tristan et l'apparence sordide qu'il a prise, entre ses appels désespérés et l'espèce de chantage ignoble auquel, un moment, Yseult croit qu'il se livre. Ce poème est écrit en octosyllabes rimés dans une langue très riche et cependant très sobre. — *Les Folies Tristan* ont été éditées et traduites par Jean-Charles Payen (Paris, Garnier, 1980) et Ph. Walter (Paris, Le Livre de poche, 1989).

FOL INVALIDE DU FORT RATONNEAU (Le) [*Der tolle Invalide vom Fort Ratonneau*]. Nouvelle de l'écrivain allemand Ludwig Achim von Arnim (1781-1831), publiée en 1818. Pendant les guerres napoléoniennes, la garnison commandée par le vieux Darande compte au nombre de ses sous-officiers le sergent Francœur, invalide maniaque de pyrotechnie, qu'une vieille blessure à la tête pousse irrésistiblement vers la folie. Sa femme Rosalie, qui l'a épousé contre la volonté de sa mère, est désormais convaincue que la malédiction de ses parents est retombée sur son mari. Elle va demander assistance au capitaine Darande et celui-ci envoie le sergent garder le fort Ratonneau. Mais Francœur, apprenant l'entrevue secrète de sa femme avec le capitaine, croit déceler entre eux une intrigue amoureuse et, dans un accès de folie, déclare la guerre à Darande. Le canon tonne alors au fort Ratonneau qui resplendit de feux : nul n'osera s'approcher du forcené ; il ne se calmera qu'en voyant sa femme se sacrifier en venant vers lui. Ainsi de fantastiques constructions imaginaires traversées d'esprits et de démons se résorbent-elles dans un sain réalisme, comme toujours d'ailleurs chez Arnim, dont la nature, plus historique que romantique (dans le sens de Tieck et de Brentano), « ne croit pas », comme l'a écrit Gundolf, « aux démons et aux esprits, mais en la croyance aux démons et aux esprits ».

FOLLE DE CHAILLOT (La). Pièce en deux actes de l'écrivain français Jean Giraudoux (1882-1944), représentée le 19 décembre 1945, publiée en 1946. Giraudoux délaisse ici les héros mythologiques. Bien que *La Folle de Chaillot* ne soit pas une pièce sociale, elle ne s'en prend pas moins à notre société. Giraudoux l'attaque en poète, non en doctrinaire, et avec les armes d'un poète : une comtesse qui est folle, misérable et bariolée sur toutes les coutures, aux yeux cernés de suie épaisse, possède pour toute demeure une cave au flanc de la colline de Chaillot. C'est là même qu'au mépris des hideux représentants du monde des affaires s'est réfugiée la poésie, autrement dit la liberté de vivre. Il va sans dire qu'un tel sujet eût pu aisément tomber dans la farce la plus grossière ; grâce à Giraudoux, il en va tout autrement. Place de l'Alma, à la terrasse du café « Francis », le groupe des hommes d'affaires est réuni devant des portos : un président de conseils d'administration imaginaires, un baron homme de paille et aigrefin, un prospecteur fantaisiste, etc. L'assemblée cherche une raison sociale pour appâter les

« gogos » ; le prospecteur la trouve. La prospection est à la mode ? On prospectera donc le sous-sol de la colline de Chaillot. Pendant que se trament les projets de l'« Union bancaire du sous-sol parisien », mendiants, bouquetières, chiffonniers, sourds-muets, chassés impitoyablement par les affairistes en question, forment, derrière le groupe, la toile de fond symbolique de la misère. Alors que le prospecteur expose son plan, la Folle de Chaillot, Aurélie, la comtesse, paraît, habillée en grande dame 1890 dans une robe à traîne relevée avec une pince à linge de métal, et autres affûtiaux du même goût. Il est midi : le groupe des affairistes est au comble de l'impatience. Ils ont en effet envoyé pour cette heure un jeune homme — qu'ils font « chanter » pour une histoire de chèque sans provision — faire sauter la maison d'un ingénieur clairvoyant que les projets de l'« Union bancaire... » ont inquiété. Mais, au dernier moment, le gamin a préféré se jeter dans la Seine : le sauveteur du pont de l'Alma, tout fier (il vient d'être nommé et c'est son premier noyé !), ramène le garçon à la terrasse de chez « Francis ». La Folle de Chaillot entreprend de réconcilier le faux noyé avec la vie : pourquoi lit-il donc des journaux du jour « qui répandent le mensonge et le vulgaire » ? La comtesse, elle, ne lit qu'un journal, et toujours le même numéro : *Le Gaulois* du 7 octobre 1896 ! La vie ? elle la trouve fort agréable. D'ailleurs, elle n'a pas le temps de s'ennuyer : tous les matins, reprise des jupons avec du fil rouge, repassage des plumes d'autruche, la correspondance (toujours la même lettre, toujours en retard, à écrire à sa grand-mère) ; puis la toilette, qui dure une heure : pensez donc, sans femme de chambre ! Puis les bagues : « Ma topaze, si je vais à confesse. J'ai tort d'ailleurs. On ne peut imaginer les éclairs de la topaze dans le confessionnal ! » Oui, la comtesse est heureuse. Cependant, de sa cave, mal informée par *Le Gaulois* de 1896, elle ignore la vraie situation : la foule va la lui apprendre. C'est l'invasion : « Le monde est plein de mecs, dit le chiffonnier. Ils mènent tout. Ils gâtent tout. Voyez les commerçants. Ils ne vous sourient plus. Ils n'ont d'attention que pour eux. Le boucher dépend du mec du veau, le garagiste du mec de l'essence, le fruitier du mec des légumes. On ne peut imaginer jusqu'où va le vice. Le légume et le poisson sont en cartes. » La Folle de Chaillot n'aurait jamais cru cela ! Mais alors, il faut agir, et d'abord contre ces membres de l'« Union bancaire » qui veulent prospecter la colline de Chaillot. Sur-le-champ Aurélie dicte au sourd-muet des lettres aux présidents de l'« Union » pour qu'ils viennent le soir même, chez elle, se rendre compte de l'existence du pétrole à Chaillot. Elle convoque immédiatement son état-major : la Folle de Passy, la Folle de Saint-Sulpice, la Folle de la Concorde. Le deuxième acte s'ouvre (dans le sous-sol d'Aurélie : la pièce a été vidée par les huissiers qui n'ont laissé que le lit majestueux, royal, à baldaquin et à tentures) sur l'assemblée des Folles : Constance, la Folle de Passy, en robe blanche à volants, avec chapeau Marie-Antoinette, et qui parle sans arrêt avec un chien imaginaire, Dicky ; Gabrielle, la Folle de Saint-Sulpice, faussement simple avec sa toque et son manchon 1880. Aurélie met ses amies au courant de la situation. L'Assemblée n'hésite pas longtemps à prendre de graves décisions : elle s'érige en tribunal qui jugera les enrichis. Les accusés, bien entendu, sont absents. On les condamnera donc par contumace : le chiffonnier, d'ailleurs, s'offre à plaider pour eux. Malgré la violence et l'entrain de sa défense, les Folles s'en vont, laissant à Aurélie toute liberté pour le châtiment des « gros ». Ils veulent le sous-sol de Chaillot ? Ils l'auront, pour toujours. La cave d'Aurélie ouvre en effet sur un précipice, où seront précipités profiteurs et technocrates. Ou bien, plutôt, où leur avidité elle-même les précipitera. Les voilà tous qui arrivent, et envahissent la cave de la Folle, impatients de sentir le naphte : tous, « présidents de conseils d'administration », « prospecteurs des syndicats d'exploitation », « représentants du peuple affectés aux intérêts pétrolifères de la nation », « syndics de la presse publicitaire », femmes et maîtresses des uns et des autres, tous ils se disputent et se battent pour être les premiers à descendre dans le gouffre où la Folle va les enfermer. Tous se précipitent dans le trou comme les damnés dans l'Enfer. Ils ne reviendront plus. Le monde est délivré, sauvé par la Folle. Où sont les méchants ? « Évaporés, Irma ! Ils étaient méchants. Les méchants s'évaporent... Ils se croient éternels... Mais pas du tout ! L'orgueil, la cupidité, l'égoïsme les chauffent à un tel degré de rouge que, s'ils passent sur un point où la terre recèle la bonté ou la pitié, ils s'évaporent. »

L'accueil que fit la critique à *La Folle de Chaillot* fut en général assez réservé. Ce n'était pas du meilleur Giraudoux. Un divertissement sans doute, mais qui n'a pas la légèreté d'*Intermezzo* (*). Parfois, malgré l'extrême vivacité du dialogue, on éprouve l'impression d'entendre un prêche. Il reste cependant que le personnage d'Aurélie, la Folle de Chaillot, est une trouvaille théâtrale de premier ordre. C'est sans doute la pièce la plus pessimiste de Giraudoux : l'auteur paraît fort dégoûté de ses contemporains. Cependant, sa philosophie optimiste reprend le dessus au dénouement. L'accord avec la vie demeure toujours possible : la vie véritable, la liberté, la poésie, prospecteurs et technocrates, « mecs » de tout acabit ne les pourront étouffer, pas plus qu'ils n'ont pu transformer le visage de la colline de Chaillot.

FONCTION DE LA MÉMOIRE ET LE SOUVENIR AFFECTIF (La). Ouvrage du philosophe français Frédéric

Paulhan (1856-1931), publié à Paris en 1904. À la question de savoir s'il existe une mémoire affective, c'est-à-dire un réveil, une réminiscence, volontaire ou non, des sentiments et des émotions, Frédéric Paulhan répond par l'affirmative. Mais on ne peut se rappeler un fait affectif que pour autant qu'il est opposé, ou tout au moins extérieur, à l'ordre général de notre esprit : ainsi un père ne se souviendra point de ses sentiments affectueux à l'égard de son fils, car ces sentiments sont la forme même de sa vie mentale, l'être même de son esprit. Au contraire, il se souviendra fort bien de la honte qu'il eut lors de la première punition. La mémoire affective est cela. Paulhan s'attache ensuite à distinguer la mémoire affective de la mémoire intellectuelle : elles sont vraiment indépendantes l'une de l'autre, comme l'image l'est de l'émotion, et l'idée du sentiment. Différentes aussi de nature : la mémoire affective en effet ne saurait conserver exactement la réalité passée : elle la transforme toujours d'une certaine manière, l'intensité des souvenirs dépendant le plus souvent de caractères absolument extrinsèques à cette réalité. Si elle l'est moins que la mémoire intellectuelle, la mémoire affective est cependant utile ; peu, sans doute, dans la vie pratique, mais c'est d'elle que se nourrissent l'amant, l'historien, l'artiste : rien ne l'évoque mieux que le « leitmotiv » dans l'opéra de Wagner. La mémoire n'est pas parfaite, et il est heureux qu'elle ne le soit pas : vient toujours le moment où les faits psychologiques disparaissent de la mémoire, lorsqu'ils se systématisent. Ils servent alors à composer l'esprit, lui-même composé de tendances qui, pour être définies, ne sont pas définitives. Mais la mémoire n'en est pas moins nécessaire, l'esprit, dans son progrès, usant continuellement des souvenirs et sans cesse s'enrichissant du passé. Ainsi qu'un homme, arrivant au pouvoir, tire parti, pour le bien de l'État, de ses relations avec un ancien ami, qu'il négligeait depuis longtemps.

FONCTIONS MENTALES DANS LES SOCIÉTÉS INFÉRIEURES (Les). Ouvrage du philosophe français Lucien Lévy-Bruhl (1857-1939), publié en 1910. Ce livre repose sur un postulat fondamental : le refus de l'identité de l'esprit humain, reconnue comme une hypothèse arbitraire. Lévy-Bruhl s'oppose ainsi vivement à l'école des anthropologues anglais (Frazer, Taylor, Lang). La règle de l'objectivité est ici poussée à l'extrême : nous ne devons, étudiant la mentalité primitive, tenir aucun compte de nos propres expériences de conscience ; les types de mentalités varient en effet avec les sociétés, et le type mental qui correspond aux sociétés inférieures se présente à nous comme un inconnu total. Naturellement, des sociétés très différentes sont réunies sous le nom de « primitives », ce qui suppose par conséquent un grand nombre d'espèces de mentalités. Toutes pourront être pourtant caractérisées comme des mentalités « prélogiques », non conceptuelles, « mystiques » (au sens que prenait ce mot dans le vocabulaire sociologique) : dans les opérations de connaissance prédominent les forces occultes, les pouvoirs mystérieux ; êtres et choses ne sont pas représentés en fonction de ce qu'enseigne d'eux l'expérience sensible, mais en fonction de mythes collectifs, qui asservissent les consciences individuelles. Aussi ne faut-il point imaginer la mentalité des êtres de société inférieure comme analogue, par exemple, à celle de nos enfants : elle est, pour Lévy-Bruhl, absolument différente de toute mentalité civilisée. La logique, la manière de lier les idées, au contraire de la nôtre fondée sur l'expérience, est chez les primitifs dominée par la « loi de participation » : ainsi les objets peuvent-ils être à la fois eux-mêmes et autre chose qu'eux-mêmes. Le principe d'identité, de non-contradiction, est inconnu : au-delà de leur être physique, les choses ont un pouvoir magique, de telle manière qu'on peut dire que la pensée primitive est plus qu'objective : non seulement elle se représente un objet, mais, parce que sans cesse le même se change en autre, elle fait un avec l'objet ; autant qu'elle le possède, elle est possédée par lui et communie totalement avec son être. De là, le sentiment de symbiose qui se réalise entre les individus du groupe, ou entre un certain groupe humain et un groupe animal et végétal, et qu'expriment les institutions et les rites de la tribu. Lévy-Bruhl étudie ensuite longuement le langage, la numération, les institutions chez les êtres des sociétés inférieures. Il montre la langue des primitifs dominée par le besoin d'expression concrète, d'où la prolifération d'images et l'absence de concepts : un tel langage cherche moins à exprimer dans un « logos » qu'à peindre. Aussi l'impuissance logique accompagne-t-elle le grand développement du langage par gestes. La numération, d'une manière très paradoxale, s'accomplit sans nombres ! Certaines langues primitives n'ont pas de nombre supérieur à trois. La pluralité d'objets s'évalue, en effet, qualitativement et non quantitativement, sans différenciation numérique. Et, quand il y des nombres, ils ne sont point fixés dans l'abstrait, mais toujours rapportés à une catégorie d'objets et ils varient selon ces catégories. Quant aux institutions, Lévy-Bruhl essaie surtout de démontrer que la religion a des origines sociales. Si l'étude sur le langage, les institutions et la numération est très intéressante, on pourra reprocher à cet ouvrage, devenu classique, un trop grand raidissement de la thèse. Lévy-Bruhl oppose par trop systématiquement la mentalité moderne et la mentalité primitive : les grands courants du monde contemporain ont montré que le « civilisé » n'était nullement affranchi de toute mentalité « mystique » (au sens de Lévy-Bruhl) et que les grands mythes collectifs savent encore s'imposer à la mentalité individuelle. Ce livre provoqua un désaccord dans l'école sociologique : Durkheim lui-même, bien qu'il acceptât naturellement le postulat de la réductibilité de la mentalité à la forme de la société, ne manqua pas de reprocher à Lévy-Bruhl d'avoir trop séparé la mentalité primitive de la mentalité moderne.

FONDATION [*Foundation*]. Roman de l'écrivain américain Isaac Asimov (1920-1992), publié entre 1951 et 1953. Il s'agit en fait d'une trilogie comprenant *Fondation* (1951), *Fondation et Empire* [*Foundation and Empire*, 1952], *Seconde Fondation* [*Second Foundation*, 1953]. Entre l'an 47000 et l'an 47500, elle décrit la chute d'un Empire galactique s'étendant sur des milliers d'étoiles et gouverné à partir d'une planète-capitale, Trantor. Hari Seldon, psychohistorien génial, a prévu qu'après douze millénaires de prospérité la désagrégation de l'Empire entraînera trente mille ans de barbarie. Il propose de réduire l'interrègne à un seul millénaire grâce à une Fondation dont le but apparent est de préparer une encyclopédie monumentale qui préservera le savoir et facilitera la reconstruction. En réalité, cette Fondation est destinée à contrôler l'évolution politique de la Galaxie à partir des prévisions de Seldon. Celles-ci, d'abord avérées, sont partiellement mises en échec par l'intervention du Mulet, un mutant qui crée prématurément son propre Empire. Une Seconde Fondation assure néanmoins la liaison avec le Second Empire galactique. Cette œuvre, dont l'intérêt repose sur l'analyse et l'évolution de conflits, tire en partie son inspiration de l'*Histoire du déclin et de la chute de l'Empire romain* (*) d'Edward Gibbon. Elle s'inscrit dans le cadre plus vaste d'une histoire du futur esquissée dans les œuvres antérieures et ultérieures de l'auteur. — Trad. Gallimard, 1956 ; Opta, 1965. G. K.

FOND DU PROBLÈME (Le) [*The Heart of the Matter*]. Ce troisième roman de l'écrivain anglais Graham Greene (1904-1991) fut composé à l'issue de son séjour à Lagos comme attaché au Foreign Office et publié en 1948. C'est le récit des derniers mois du major Scobie, sous-directeur de la Sûreté à Freetown, Sierra Leone. Le bruit court qu'il a des aventures avec des négresses et qu'il est à la solde des Syriens qui se livrent impunément au trafic des diamants. Il n'aime plus son épouse, Louise, sorte d'intellectuelle férue de poésie moderne, mais il se sait indispensable à son bonheur. Elle supporte mal l'Afrique, son climat, ainsi que le manque d'ambition de son mari et la tiédeur de sa foi. Yusef, le boutiquier louche que la police n'a jamais pris sur le fait, éprouve pour Scobie dont il apprécie l'incorruptibilité une amitié sincère : il lui prêtera l'argent nécessaire au voyage de Louise en Angleterre. Ses démarches auprès de la banque ayant échoué, Scobie accepte, subit les pressions du trafiquant, devient l'objet d'un soupçon général de la colonie blanche, s'enlise dans le mensonge et sombre dans le désarroi. Auprès d'Hélène Holt, dont le mari vient de périr dans un naufrage, cette âme tourmentée retrouve une certaine pureté et la confiance en soi. Mais, incapable d'être courageusement infidèle à sa femme, Scobie joue au retour de celle-ci la comédie de la tendresse, sans pouvoir quitter Hélène, tout au long du lent calvaire de son propre suicide. Dans l'univers religieux de Greene, ce roman est la tragédie de la pitié, du sens de sa responsabilité envers autrui qui alourdissent jusqu'au naufrage le faible Scobie. Cette faiblesse le mène à l'agonie douloureuse d'un pécheur mais d'un pécheur exemplaire. Il vide la coupe de la pitié amère pour découvrir que la douleur de Dieu est insondable. En même temps un souci d'aller jusqu'au bout des passions les plus humaines donne au personnage une réelle grandeur. Dans un climat de moiteur exotique et de corruption généralisée, à travers des péripéties policières encore proches du *Rocher de Brighton* (*), le romancier progresse, avec *Le Fond du problème* dans la direction d'un art plus subtil, substituant au thème de l'homme traqué celui de l'homme devenu la proie de son propre destin. — Trad. Robert Laffont, 1948.

FONDEMENT DE LA MÉTAPHYSIQUE DES MŒURS [*Grundlegung zur Metaphysik der Sitten*]. Ouvrage du philosophe allemand Emmanuel Kant (1724-1804), publié en 1785, dans lequel est affirmée la nécessité d'une philosophie morale pure, « libérée de tout ce qui est empirique et qui appartient » à ce que l'on peut appeler l'anthropologie. En effet, l'éthique doit rechercher non ce qui advient, mais ce qui doit advenir. Le fondement de la philosophie morale pure, ou métaphysique des mœurs, consiste à rechercher et à déterminer le principe suprême de la morale. La *Métaphysique des mœurs* comprend une préface et trois parties. Dans la première, analysant la conscience morale commune, Kant y décèle les concepts de bien inconditionné (autrement dit, la bonne volonté), de devoir, de loi morale. Il ne s'agit en rien de concepts empiriques, puisqu'ils ne sont pas tirés de l'expérience, mais sont purs ou « a priori », car présents à toute conscience humaine. Toutefois, la conscience commune peut être facilement induite en erreur, n'étant pas armée contre les sophismes qu'on pourrait lui opposer. Une connaissance philosophique des éléments premiers de la morale est donc indispensable pour doter la conscience morale d'une certaine fermeté. Le passage à cette connaissance se trouve exposé dans la seconde partie. Seul un être raisonnable peut agir d'après la représentation de lois, autrement dit selon des principes ; il est donc doué de volonté. Or cette volonté n'est autre que la raison dans son usage pratique, la raison pratique. Mais, du fait que sa volonté, outre la représentation des lois, peut être déterminée par des impulsions de nature empirique, la rationalité se présente à l'homme sous forme de loi contraignante, ou d'impératif, dont l'objet, pour être moral, ne peut être que la forme même de la loi, en d'autres termes la rationalité et l'universalité de nos actions. Un impératif dépendant d'impulsions empiriques ne pourra qu'être hypothétique (« si tu veux atteindre ce but, tu dois faire cela »), et partant dénué de valeur morale. En revanche, l'impératif moral est catégorique et s'exprime en ces termes : « Agis selon une maxime, telle que tu puisses vouloir, en même temps, qu'elle devienne une loi universelle. » Et puisque la raison est une fin en elle-même et constitue ce qu'il y a en l'homme de proprement humain, l'impératif catégorique pourra également s'exprimer dans une seconde formule : « Agis de telle sorte que tu uses de l'humanité, en ta personne et dans celle d'autrui, toujours comme fin, et jamais simplement comme moyen. » Mais, étant donné en outre que la raison, dans son usage pratique, n'est autre que la volonté, cette dernière devient la législatrice suprême, et l'impératif de la moralité sera formulé en ces termes : « Agis de telle sorte que ta volonté puisse se considérer elle-même, dans ses maximes, comme législatrice universelle. » C'est là, selon Kant, le principe d'« autonomie », principe suprême de la moralité. En effet, grâce à lui, l'homme est à la fois souverain, parce que législateur dans un domaine de pure rationalité, et sujet, car obéissant aux lois qu'il se donne en tant que raison. Kant opère alors une classification de tous les principes possibles de la moralité, dérivés du concept fondamental d'« hétéronomie », opposé à l'« autonomie », pour passer, dans la troisième partie (de caractère déductif), à la critique de la raison pure pratique. En elle, Kant place l'idée de liberté entendue comme clé permettant l'explication de l'autonomie de la volonté, le concept de moralité rejoignant ainsi celui de liberté. Avec ce petit ouvrage, Kant jetait les bases de sa deuxième œuvre fondamentale, la *Critique de la raison pratique* (*) et, en même temps, de toutes les philosophies de la liberté qui se succédèrent au cours du XIXe siècle. — Trad. Gallimard, 1984 ; Delagrave, 1907 ; Bordas, 1988.

FONDEMENT DE L'INDUCTION (Du). Thèse de doctorat du philosophe français Jules Lachelier (1832-1918), soutenue en Sorbonne et publiée en 1871. Disciple de Ravaisson, Lachelier se trouve avoir une physionomie à part dans la philosophie française du XIXe siècle. Il fut, en France, le premier kantiste vivant et original, à une époque où Janet et Boutroux exposaient honnêtement la pensée de Kant, sans songer à en développer les germes idéalistes. Traversant le kantisme, Lachelier aboutit à un idéalisme dynamique et religieux, exprimé avec une rigueur qui fut son souci majeur, et dont l'influence sur la pensée française postérieure réside plus dans certaines de ses conclusions que dans sa méthode, logique à l'extrême, et dans l'indication d'une orientation de culture et de mentalité. Il aborde le problème de l'induction dans ses termes classiques : par quoi la pensée est-elle autorisée à passer d'une expérience limitée à une loi universelle ? Après avoir discuté et réfuté les explications de la causalité fournies par les écoles contemporaines du positivisme et de l'éclectisme, Lachelier en arrive à une exposition audacieuse dans son idéalisme, qui constitue surtout une confirmation des conclusions de la première Critique kantienne, dont il accepte la validité : la causalité entendue comme fonction a priori légitimant le déterminisme scientifique. Mais la cause efficiente est un fondement insuffisant de l'induction : si dans la nature tout doit s'expliquer mécaniquement, que deviennent alors la spontanéité de la vie et la liberté des actions humaines ? Ici intervient nécessairement l'idée de finalité, développée par Lachelier, indépendamment de la *Critique de la faculté de juger* (*) de Kant. Dans le domaine de la pensée comme dans celui de l'existence, la réalité demeure inexplicable, sinon en tant que production de composés, constituant de ce fait même la synthèse, la cause finale, des phénomènes composants. Il ne suffit donc pas de considérer l'idée de cause finale comme une fonction a priori, à la façon d'une catégorie, étant donné que la finalité est catégorie de la pensée en même temps que catégorie de l'être. Le finalisme est donc envisagé ici, non point en opposition au mécanisme, mais comme une exigence supérieure de ce dernier, ne le niant que pour l'intégrer, comme un moment dialectique inférieur. En conséquence, le vrai fondement de l'induction n'est pas l'idée de cause efficiente, mais celle de cause finale : la liberté.

Ce thème idéaliste sera repris et développé dans un essai ultérieur de Lachelier : *Psychologie et Métaphysique* (publié dans la *Revue philosophique* de 1885, et rattaché au précédent dans l'édition d'Alcan de 1896). Prenant également pour point de départ l'examen critique des négations positivistes et les affirmations insuffisantes de la doctrine éclectique sur l'apriorité de la raison, de la liberté et de l'esprit, Lachelier y détermine le champ d'une investigation psychologique de l'esprit ; cependant, l'esprit en soi, la vérité, l'être ne peuvent résulter d'une analyse, mais bien plutôt de l'élaboration synthétique (qui est le propre de la métaphysique) d'une réalité qui se pose et se construit d'elle-même, de façon permanente, infinie, et dont l'instant, la durée, la causalité mécanique sont les premiers symboles : création transcendantale qui atteint son apogée dans la liberté. Ces essais ne font aucune allusion au développement religieux, vers lequel, selon les témoignages recueillis par ses disciples et particulièrement G. Séailles, Lachelier orienta par la suite son idéalisme. L'importance de certaines des idées exposées dans les deux essais principaux fut telle qu'on les retrouva dans la critique du déterminisme scientifique au début du XXe siècle ; celle-ci devait s'affirmer dans des directions bien différentes et parvenir à son point culminant avec Blondel et Bergson, chez qui elle est pourtant justifiée par une métaphysique réaliste. « Je crains – écrivait justement Lachelier – que l'esprit de mes contemporains ne soit incurablement réaliste. »

FONDEMENTS DU DROIT NATUREL selon les principes de la doctrine de la science [*Grundlage des Naturrechts nach den Prinzipien der Wissenschaftslehre*]. Ouvrage du philosophe allemand Johann Gottlieb Fichte (1762-1814), publié en 1796 à Iéna. L'auteur y développe une conception idéaliste du droit, selon la méthode générale dont s'inspire le système fichtéen. Les *Fondements* se rattachent en effet à la *Doctrine de la science* (*), dont ils adoptent le principe qui veut que l'essence intime de l'esprit ne soit pas la pensée ou l'intelligence mais la liberté en tant qu'activité autonome. C'est précisément cette notion de liberté qui est ici déterminée par le principe fichtéen bien connu, selon lequel le sujet acquiert la conscience de soi au moyen de l'objet. Si, sur le plan de la connaissance, l'objet se présente en tant que nature, sur celui de la libre activité pratique il ne pourra consister que dans un autre sujet ; en ce sens que nous ne pouvons atteindre à la conscience de notre liberté qu'à travers la représentation de la liberté d'autrui. Si, au contraire, l'objet représenté était nécessaire et mécanique comme la nature physique, le processus serait contradictoire et absurde, alors que l'action exercée sur nous par un autre sujet, du fait qu'elle n'est pas « nécessitante », mais simplement « sollicitante », le rend possible. Si donc la conscience de notre faculté d'autodétermination exige une détermination (objet) primitive, celle-ci, conçue en tant qu'incitation et exemple, sera compatible avec notre autonomie. L'homme, en tant qu'être raisonnable et libre, ne peut devenir tel qu'au milieu de ses semblables. Le concept d'homme n'est pas celui, impensable, d'individu, mais celui de genre. S'il n'avait jamais connu des êtres libres, s'il n'avait eu pour toute représentation que celle d'un monde matériel et mécanique, l'homme n'aurait jamais dépassé l'état de pure nature. Ayant ainsi obtenu une pluralité d'êtres libres à partir de la notion même de liberté, il sera possible de définir le concept de « droit ». Du fait que la liberté de chacun exige, comme condition de son exercice, une sphère d'action déterminée et exclusive, une restriction volontaire de son propre champ d'action sera nécessaire de la part de chaque individu, de façon à ne pas envahir le domaine d'autrui. La coexistence d'une pluralité d'êtres libres n'est possible que par une limitation volontaire et réciproque de la liberté de chacun, fondée sur la reconnaissance mutuelle de cette même liberté. Le « droit » constitue justement ce rapport caractéristique entre des êtres libres.

Le droit n'est donc nullement une notion artificielle, puisqu'il se fonde sur la raison et la liberté, mais ce n'est pas non plus une branche de la morale. Le droit est antérieur à la morale, dont il est la condition, du fait qu'il rend possible cette communauté d'êtres libres que présuppose la loi morale. Cette antériorité du droit vis-à-vis de la morale ne résulte pas seulement du développement d'un système, mais trouve sa confirmation dans les faits. La loi morale est en effet un impératif catégorique, inconditionnellement valable, alors que le droit est une loi non impérative et limitée aux personnes se trouvant en communauté d'action. Il reste donc à préciser en quoi consiste la sphère d'action propre à chacun. Celle-ci ne peut être qu'une portion du monde spatial-temporel, condition immédiate de l'exercice de notre liberté ; et une telle portion, étroitement et exclusivement liée à l'individu, ne peut être que le « corps ». Cette « déduction » du corps humain à partir du concept de la liberté, en tant qu'expression et instrument de la liberté dans son actualisation, démontre qu'entre le corps et l'âme il n'existe pas cette naturelle opposition dualiste qui rendrait impossible l'application du principe moral, la réalisation de l'esprit, autrement dit de la liberté, dans le monde. Voir dans le corps un obstacle à la liberté signifie renoncer mystiquement à la vie terrestre ; or, Fichte condamne précisément semblable mysticisme comme étant la négation même de la moralité. En opposition radicale avec la morale chrétienne traditionnelle, le corps devient ainsi quelque chose de sacré. Toutefois, il ne suffit pas à assurer l'actualisation de la liberté dans le monde : il y faut également l'usage de certains objets exclusivement dépendants de la personne, car toute modification apportée à ces objets aurait pour effet de désorienter l'action et d'en fausser le résultat. De là le droit de « propriété », dont l'origine indique suffisamment le caractère d'inviolabilité, quelles que soient les spécifications dont il est susceptible lorsque la constitution de la société et l'État interviennent pour le régulariser. La nécessité de garantir les droits de la personne contre les arbitraires de la volonté individuelle permet ensuite de déduire le droit de « coercition », et l'exercice régulier de ce droit conduit nécessairement à l'idée d'État. En effet, quand une personne a violé les droits de la communauté, elle doit être soumise à une coercition, dont la durée dépend du comportement du coupable. Le maintien, ou l'abolition, des mesures de coercition à son égard suppose la connaissance de ses actions futures : or, on rend ainsi nécessaire la constitution d'une

fluence de Byron est évidente. L'action se déroule dans un harem, dépeint avec une richesse de couleurs tout orientale et sur le mode romantique, qui rappelle l'évocation byronienne du sérail dans la seconde partie de son *Don Juan* (*). Parmi les odalisques du sultan, la princesse polonaise Maria vit prisonnière. Pour elle, le sultan a quitté sa favorite, Zaréma. Au milieu de cette ambiance de sensualité musulmane, Maria réussit à créer dans sa petite chambre un havre de chasteté chrétienne, elle y passe ses journées en prière, envahie par la nostalgie de sa lointaine patrie. Le sultan n'ose profaner l'innocence de sa captive et se consume de mélancolie et d'espoir. Mais Zaréma ne peut tolérer l'abandon ; exaspérée par la jalousie, elle poignarde sa rivale. Sur l'ordre du sultan, les gardiens du harem noient Zaréma. En mémoire de la jeune morte, le souverain attristé fait construire une fontaine dite « des larmes », où l'on peut lire, gravée dans le marbre, la triste histoire de Maria. Le génie lumineux de Pouchkine évoque la résidence mélancolique des Khans tartares de la Crimée (îlot désormais mort et poussiéreux, enfoui dans un paysage méridional, terre de soleil et de silence) : le poète la transforme en un cadre rutilant où se déroule l'action simple, tendre et racinienne, d'une légende fondée (tout au moins en partie) sur la réalité historique. Dans son exil, Pouchkine rêvait de ses amours de Pétersbourg, et cherchait à les sublimer dans son poème. Durant cette période, ses iambes se perfectionnaient, son expression devenait plus nette et plus précise. Ce fut une époque de préparation et de transition. — Trad. *Œuvres poétiques*, t. 1, L'Âge d'Homme, 1981.

FONTAINE DE BLANDOUSIE (La) [*Fântâna Blanduziei*]. Poème dramatique roumain, en trois parties, de Vasile Alecsandri (1821-1890), représenté en 1884. Horace s'est retiré dans sa villa près de Tivoli, mécontent d'avoir égaré le manuscrit de son *Art poétique* (*) ; il s'éprend d'une jeune esclave, Getta, fille d'un noble Dace, et qu'il a rencontrée au bord de la fontaine de Blandousie. Mais il se trouve que Getta aime l'esclave celte Gallus. Elle apprend que Scaurus, leur maître, a promis à sa maîtresse Néera de libérer le premier esclave qu'elle rencontrerait en sortant d'une fête à laquelle Horace doit assister lui aussi. Getta pousse aussitôt ses compagnons à la révolte ; on enferme dans une cave Hebrus, le chef des esclaves qui voudrait profiter, lui aussi, de la promesse de Scaurus. Entre-temps Scaurus a donné Getta à Horace, ce dernier l'ayant gagnée dans un concours poétique. Mais lorsqu'il s'aperçoit qu'elle a fomenté la révolte des esclaves, il veut la racheter pour se venger d'elle. Pour ne pas tomber entre les mains de Scaurus, Getta tente alors de se donner la mort. Horace arrive à la sauver et lui révèle son amour. Getta lui déclare qu'elle en aime un autre et se voit chassée par Horace. Se rendant avec Gallus au bord de la fontaine de Blandousie, elle trouve dans l'herbe le manuscrit de l'*Art poétique*. Aussitôt les deux jeunes gens s'en retournent chez Horace. Celui-ci, jaloux, veut d'abord les tuer. Mais quand il voit dans leurs mains son manuscrit, il leur pardonne et leur rend la liberté. Ce drame a connu, en son temps, un succès exceptionnel. Il introduisait en effet dans le théâtre roumain une inspiration toute classique, qui rappelait aux Roumains leur origine latine.

FONTAINE DE FEU (La) [*Tüzkut*]. Recueil de poèmes du poète hongrois Sàndor Weöres (1913-1989), publié en 1964. *La Fontaine de feu* est une suite poétique d'inspiration très diverse, ponctuée par des poèmes au long souffle : les symphonies. On y retrouve les thèmes et les formes chers à Weöres : quatrains imitant le chant populaire, bagatelles où dominent les jeux de mots, odes à l'amour (amour-printemps, union des corps, paroles du Dieu Amour dans Fairy Spring), longs poèmes en prose, poésies imitatives (« Danse et Tambour »), rythme et musicalité de la langue, jeux typographiques (« Fable rongée par une souris », « Ombre et tapisserie », « Musique muette »). « La Chaise de jardin » illustre admirablement ce sentiment de la permanence au-delà de toute apparence de mouvement : « Galope la chaise dans le soleil / sur place, vite, sans bouger. »

Weöres fait appel à sa poésie imitative, dont le genre sera porté au sommet avec *Psyché* (*) (1972) en écrivant dans le hongrois archaïque de Pàl Anyos, de Csokonay ou de Kölcsey. Il laisse ainsi rejaillir le passé dans le présent et souligne tout ce qu'il y a de commun entre ses modèles (poètes chinois, Chevtchenko, Reverdy, Babits, Bartók...) : par le truchement des autres, il se donne. Car l'être est pluriel. Est-ce un hasard s'il met en tête les paroles de Tirésias à Narcisse : « Je sais, car je fus femme » à quoi font écho le début et la fin de *Xenia* : « Femme j'étais [...] je suis homme à présent. » Omniprésentes, la dualité (« Le Moi double »), et la totalité de l'être humain : « Que la femme en toi cachée, homme se lève ! Femme éveille l'homme que tu es ! » (« Signes ») ; ou encore : « Je suis las, toujours, infiniment / d'être enfermé dans ce corps mâle » (« Nocturnum »). Ce lien entre l'enfermement et l'infini est également l'un des thèmes récurrents de *La Fontaine de feu*. Ainsi en est-il dans « L'Infini intérieur » mais aussi dans « Graduale » : « Le crâne : une cellule / fermée au-dehors / au-dedans infinie », et dans « Signes » : « Sous ma paupière, il y a le monde entier. Dans ma tête et mon cœur il y a Dieu. C'est pourquoi je suis lourd. Et l'âne, qui me porte, est malheureux. » Mais être tout, c'est être seul : « L'œil : solitude. » D'où l'appel douloureux de la « Huitième symphonie » :

« Mais toi, quand viens-tu me chercher ? » Et le poète insiste : « Le soleil brille dans mon cœur / dans ma poitrine les étoiles / mon bonheur est certain ! Pourquoi me laisser être heureux seul ? » Même dans les poèmes les plus ludiques (« Zimzimzim ») émerge l'angoissante vérité : « Je ne pourrai jamais / aimer vraiment. » Et si dans l'acte d'amour « je suis toi et tu es moi », sa compagne n'en est pas moins « déesse dans l'éloignement infini ». La place de l'homme est la question centrale de ce recueil qui se termine sur : « L'homme du passé a conquis autrui / celui de l'avenir se conquerra soi-même » (« Heure difficile »).

E. T.

FONTAINES DE ROME (Les) [*Le fontane di Roma*]. Poème symphonique (1916) du compositeur italien Ottorino Respighi (1879-1936). Richard Strauss et Debussy se profilent derrière cette œuvre heureuse, le premier pour l'instrumentation surtout, le second pour certains aspects de l'harmonie et pour l'emploi de quelques timbres orchestraux (en particulier les sons plaintifs et fluides de la flûte, de la clarinette et du hautbois). Quant à la conception du poème symphonique, elle diffère notablement de celle de Strauss ; tandis que ce dernier subordonne le développement de la pièce musicale à une loi extérieure, le poème symphonique de Respighi est purement pictural et descriptif, et son programme n'est que l'énoncé des thèmes qui ont pu l'inspirer. La première partie, ou la « Fontaine de Valle Giulia », évoque un paysage pastoral. Une sonnerie soudaine de cors, forte et insistante, ouvre la seconde partie (la « Fontaine du Triton »). Mais, sur l'onde de l'orchestre, apparaît un thème solennel (la « Fontaine de Trevi à midi ») qui, passant des bois aux cuivres, prend un aspect triomphal ; on entend les fanfares se déchaîner. La quatrième partie (la « Fontaine de la Villa Médicis au coucher du soleil ») s'annonce par un thème triste s'élevant au-dessus d'un léger murmure. C'est l'heure nostalgique précédant le crépuscule. Puis tout s'apaise doucement dans le silence de la nuit. *Les Fontaines de Rome* ont le bonheur et la plénitude de vie des œuvres nées au moment historique voulu. Au seuil de la guerre mondiale, elles sont la dernière expression esthétique d'une société prospère et mûre, bourgeoise et riche, ennemie des soucis, satisfaite d'un art de décoration somptueuse et solennelle. L'orchestre est emphatique à la manière de Strauss, renforcé d'instruments aux timbres divers, même exceptionnels : harpes, célestas, carillons, cloches, clochettes. La poésie instrumentale de la « Fontaine de Valle Giulia » et de la « Fontaine de la Villa Médicis » est plus subtile et intime ; partout, la couleur orchestrale est répandue à pleines mains et savourée avec sensualité. Avec le Respighi de l'avant-guerre (dans le climat des années qui suivirent, il ne retrouva plus cet accord favorable avec son temps qui est le secret des *Fontaines de Rome*), c'est la jeune école symphonique italienne, sortie directement de la sévère discipline classique à laquelle l'avait entraînée Martucci, qui prenait connaissance des deux plus grandes nouveautés européennes, Strauss et Debussy, et donnait une création originale.

FONTAMARA. Roman de l'écrivain italien Ignazio Silone (pseud. de Secondo Tranquilli, 1900-1978), publié en 1930. C'est à Davos, dans l'exil et la maladie, que Silone écrivit ce documentaire âpre et pourtant poétique sur l'existence amère et l'exploitation des paysans. Fontamara est le nom d'un village sorti du fond des âges qu'habitent des paysans pauvres. Il n'est là que deux échelons à l'échelle sociale : celui des « cafoni » (journaliers, manœuvres, artisans pauvres) et celui des petits propriétaires. « Pendant des générations, les cafoni s'astreignent à des efforts, sacrifices et privations à seule fin de s'élever dans l'échelle sociale de cet infime échelon, mais ils y parviennent bien rarement. » Silone explique dans la Préface : « Le terme de cafone est, dans mon pays, aujourd'hui, tant à la campagne qu'à la ville, un terme d'offense et de mépris ; mais je l'emploie dans ce livre avec la certitude que, lorsque la douleur ne sera plus une honte dans mon pays, il deviendra un terme de respect, voire un terme honorifique. » Tout ce qui fait l'histoire de l'homme se déroule à Fontamara : naissances, morts, amours, haines, envies, luttes et désespoirs. La vie des hommes, des bêtes et de la terre semble s'inscrire dans un cercle immobile, enserrée dans l'étau des montagnes, prise dans le retour cyclique des saisons et la répétition sans fin des mêmes gestes. D'abord les semailles, puis le sulfatage, la moisson et les vendanges. Les jeunes deviennent vieux et les vieux meurent. Et si, dans la plaine, bien des choses changent, les Fontamarais assistent à ces transformations comme à un spectacle qui ne les concerne pas. C'est contre ce mur de résignation, d'ignorance, d'apathie que se heurtent les tentatives de rébellion (une rébellion encore imprécise et velléitaire, immature et anarchique) de Berardo Viola, lequel prend peu à peu conscience de ce que la situation de « cafone » a d'intolérable. Silone nous raconte aussi les vingt premières années de sa vie : « Vingt années durant, le même ciel encerclé par l'amphithéâtre des montagnes qui enserrent le Domaine comme une barrière sans porte ; vingt années durant, la même terre, les mêmes pluies, le même vent, la même neige, les mêmes fêtes, les mêmes angoisses, les mêmes peines, la même misère : la misère reçue des pères qui l'avaient héritée de leurs aïeux, lesquels la tenaient des ancêtres, et contre quoi le travail honnête, la vérité, n'a jamais servi de rien. »

Quant à l'injustice, elle est si ancienne qu'elle devient aussi naturelle que la neige ou le vent. Ce livre d'un réalisme violent et hautement expressif, plein de véhémence et de colère contre les abus du régime fasciste, ce livre qui dénonçait une oppression et contribuait à la formation d'une conscience sociale eut un succès retentissant. Silone y fait preuve d'un vigoureux talent de narrateur, et ses personnages apparaissent nets et vivants, sur un décor de misère. – Trad. Grasset, 1949 ; Del Duca, 1967.

FONT-AUX-CABRES [*Fuenteovejuna*]. Comédie dramatique en trois actes et en vers de l'écrivain espagnol Lope Félix de Vega Carpio (1562-1635). Elle fut écrite sans doute en 1618. *Font-aux-Cabres* est une sorte de drame collectif du village qui porte ce nom ; il se déroule à l'époque de la lutte des Rois Catholiques contre la prétendante au trône de Castille, Jeanne Beltraneja (XVe siècle). Fuenteovejuna (Font-aux-Cabres) est un « bénéfice » de l'ordre de Calatrava. Le commandeur de l'Ordre est un certain Fernán Gómez de Guzmán, qui fait peser sa tyrannie sur tout le pays. Il s'en prend surtout au beau sexe qu'il prétend soumettre à un arbitraire « jus primae noctis ». L'échec de ses tentatives auprès d'une belle paysanne, Laurencia, n'entame en rien son arrogance. Survenant au beau milieu de la fête donnée pour les noces de la jeune fille, il l'enlève et fait mettre en prison le marié, Frondoso. Mais Laurencia parvient à se soustraire à ses violences. De retour au village, elle exhorte la population à la révolte. Fernán Gómez, tombé aux mains du peuple en fureur, subit le juste châtiment de ses crimes et sa tête, placée au bout d'une pique, devient une sorte de bannière de la dignité reconquise de Font-aux-Cabres. Mais le grand maître de l'ordre de Calatrava demande justice aux Rois Catholiques, Ferdinand et Isabelle, de la mort de son vassal Fernán Gómez. Les Rois Catholiques envoient à Font-aux-Cabres un juge chargé d'instruire la cause du village. Et Lope a créé là la plus belle scène, peut-être, de tout son théâtre ! Trois cents habitants du village sont soumis à la torture ; du plus vieux au plus jeune. À la question de l'inquisiteur : « Qui a tué le Commandeur ? », tous répondront par ce seul mot : « Font-aux-Cabres ! » Lope traduit admirablement cet héroïque sentiment de fierté collective. En virtuose, il fait de ces mots une sorte de chœur qui finit par tout balayer sur son passage. Les souverains, informés de l'affaire, acquittent collectivement Font-aux-Cabres. À l'arbitraire individuel qui agit suivant les impulsions de l'instinct, sans respect pour autrui et sans scrupules, Lope oppose la loi immanente en tout être humain qui aspire naturellement à la vérité, à la justice et à l'amour ; et cette loi, ici, est l'expression d'une âme collective qui se révolte et fait échec à tout ce qui veut la contenir, tant il est vrai que le droit, qui émane du plus profond de l'être, finit toujours par triompher. – Trad. adaptée par Jean Cassou et J. Camp, Éditions sociales internationales, 1937 ; L'Arche, 1958.

FORÇAT INNOCENT (Le). Recueil de poèmes de l'écrivain français Jules Supervielle (1884-1960). Paru en 1930, il réunit des poèmes écrits à partir de 1925 ; certains avaient été publiés dans deux plaquettes (*Oloron Sainte-Marie,* 1927, et *Saisir,* 1928), mais ont été revus et parfois profondément remaniés. Le titre exprime les difficultés auxquelles aboutit l'effort d'intériorisation poursuivi par Supervielle depuis *Débarcadères* (*) : le poète se sent à présent prisonnier de son univers mental ; il a du mal à communiquer avec lui-même, avec les autres, et avec les morts.

« *Le Forçat* est le livre de l'angoisse du moi, des ruptures d'identité. » Dans la première section, qui donne son titre au recueil, le poète se plaint d'être séparé de son âme, de son cœur et de son corps : « Il ne sait pas mon nom / Ce cœur dont je suis l'hôte, / Il ne sait rien de moi. » Cette scission intime se révèle dans des expériences limites, notamment celles du rêve (« Intermittences de la terre »), de l'angoisse (« Peurs »), du mystère (« Derrière le silence »), du voyage (« Ruptures ») : « Moi de Montevideo / Ne me tourne pas le dos. » Pour échapper à ce vertige intérieur, le poète aimerait sortir de soi, rejoindre le monde extérieur et les autres : « Saisir, saisir le soir, la pomme et la statue, / Saisir l'ombre et le mur et le bout de la rue. / Saisir le pied, le cou de la femme couchée / Et puis ouvrir les mains » (« Saisir »). Mais, même dans la relation amoureuse, il rencontre un obstacle, qui le renvoie à sa solitude : « Vous avanciez vers lui, femme des grandes plaines, / Nœud sombre du désir, distances au soleil. / / Et vos lèvres soudain furent prises de givre / Quand son visage lent s'est approché de vous. » La supplique que le poète adresse aux morts dans les poèmes d'*Oloron Sainte-Marie* (inspirés par le pèlerinage effectué en 1926 au berceau de sa famille) reste également sans réponse. À la fin du recueil, Supervielle s'efforce d'ouvrir des perspectives moins sombres, en faisant appel à l'imaginaire (« Les Deux Amériques », « Mes Légendes ») et en célébrant la naissance de sa fille cadette Anne-Marie (« L'Enfant née depuis peu ») ; mais l'enfance elle-même semble livrée à l'angoisse et à la solitude face au monde des adultes : « Si sévères et si grandes / Ces personnes qui regardent / Et leurs figures dressées / Comme de hautes montagnes. »

Le Forçat innocent est un des recueils les plus tragiques de Supervielle, mais aussi l'un des plus beaux : il témoigne d'une maîtrise nouvelle, qui doit quelque chose aux conseils de Paulhan, auquel le livre est dédié, et qui a encouragé le poète à être plus exigeant et plus rigoureux. Supervielle atteint ici une densité et une unité supérieures, en recourant plus systématiquement à des mètres réguliers, souvent brefs, et en concentrant le poème autour d'une image centrale, développée de façon cohérente : par exemple celle de la prison, dans le poème liminaire. Mais cet effort de précision n'exclut pas le mystère, qui, contenu dans de plus fermes contours, « se réfugie dans les profondeurs ». M. C.

FORCE (La). Roman de l'écrivain français Paul Adam (1862-1920), publié en 1899 ; il est le premier d'une série de volumes intitulée *Le Temps et la Vie* – v. *L'Enfant d'Austerlitz* (*), *La Ruse* (*), *Au soleil de juillet* (*). Ce cycle est une évocation de l'histoire de la famille de l'auteur sous le premier Empire et la Restauration. Paul Adam y met en relief la force mystérieuse et incorruptible de l'instinct de la race. Ce roman se dégage de l'obscur symbolisme des œuvres précédentes de l'auteur, qui fait figure ici de rénovateur du roman historique en France, grâce à la puissance épique avec laquelle il tisse sur la trame des événements politiques et militaires les fils d'une profonde analyse psychologique. Bernard Héricourt, le héros, représente la vivante exaltation de la force virile sous tous ses aspects et dans toutes ses conquêtes : de la guerre à l'amour, de la lutte à la victoire, du plaisir à la douleur jusqu'à une mort glorieuse. Son père vieilli et déséquilibré, sa demi-sœur Aurélie, à laquelle le lient des sentiments troubles mais idéalisés, sa sœur Caroline, femme d'affaires avare, sa femme pour qui il éprouve une passion toute charnelle, ses beaux-frères lancés dans les intrigues politiques, ses familiers forment autour de lui comme un chœur qui souligne sa personnalité. Créature de la Révolution, défenseur du culte de la force, adversaire de l'Église aussi bien que de Napoléon, Héricourt consacre sa vie à la carrière militaire, dans laquelle il éprouve une succession de défaites et de succès. Son existence se déroule à travers les différentes phases des guerres de l'Empire, dans le fracas des canonnades, le piétinement des chevaux, les charges de dragons ou de cosaques. Cette vie de soldat est coupée de brefs intermèdes sentimentaux, des retours dans sa famille : c'est au cours d'un de ces retours, après la fameuse bataille, qu'il concevra l'« Enfant d'Austerlitz », lequel sera le héros du second roman du cycle.

FORCE DE L'AMOUR PATERNEL (La) [*La forza dell'amor paterno*]. Mélodrame en trois actes du compositeur italien Alessandro Stradella (1638-1682), représenté à Gênes en 1678. Cette œuvre est importante, car elle offre un des exemples les plus caractéristiques de la période de transition reliant le mélodrame des origines à l'opéra-concert du XVIIIe siècle, composé de morceaux séparés dont la construction intérieure est soumise uniquement à des lois musicales. Dans le mélodrame de Stradella, déjà se manifeste ouvertement la tendance au chant déployé, que le goût baroque du XVIIe siècle alourdit souvent de riches ornements ; mais l'expression dramatique y est recherchée pour elle-même et souvent obtenue de manière exemplaire ; il en est ainsi dans *La Force de l'amour paternel,* qui est sans doute la meilleure des œuvres théâtrales de Stradella. Le roi Séleucus s'apprête à convoler en secondes noces avec la princesse Stratonice ; il a un fils, Antiochus, qui aime cette femme, en silence, au point d'en tomber malade. Le roi a bien quelque soupçon de cet amour et serait prêt à se sacrifier en faveur de son fils, mais celui-ci, interrogé, persiste généreusement à cacher ses sentiments. Cependant, devant l'imminence de ce mariage, sa douleur devient si forte qu'il ne peut plus en dissimuler la cause ; alors son père, désormais sûr de la vérité, renonce à son projet et donne la jeune fille pour épouse à Antiochus. Comme en de nombreux mélodrames de cette époque, l'élément comique n'est pas absent : il est, ici, représenté par une dame dont l'âge mûr rend risibles les prétentions amoureuses. Les récitatifs, particulièrement expressifs, se développent sous une configuration mélodique variée, si bien que leur style ne diffère pas beaucoup de celui des airs, formés de périodes régulières, et dont beaucoup sont magnifiques par l'intensité du souffle lyrique. L'accompagnement instrumental est, pour la plus grande part, résumé dans la simple basse chiffrée ; mais, en quelques morceaux, il s'y ajoute des parties réelles, sans qu'il soit indiqué par quels instruments elles doivent être exécutées. Il y a une pièce instrumentale d'introduction, dont le thème est repris dans le texte musical de l'opéra lui-même ; dans ce procédé se voit clairement comment Alessandro Stradella annonce déjà les théories et la pratique des grands compositeurs d'opéra du siècle suivant.

FORCE DE TUER (La) [*Modet att döda*]. Drame de l'écrivain suédois Lars Norén (né en 1944), publié en 1980. Après s'être fait connaître comme poète, Lars Norén s'est lancé dans le théâtre et a obtenu un succès immédiat. Ses six premières pièces furent mises en scène en trois ans, de 1979 à 1981. Le choix des titres révèle les tourments de l'auteur qui fut dans sa jeunesse interné pour schizophrénie : *La Dépression* [*Depressionen*], *Oreste* [*Orestes*], *Acte sans merci* [*Akt utan nåd*], *Un horrible bonheur* [*En fruktansvärd lycka*], *La nuit est mère du jour* [*Natten är dagens mor*]. Une violence presque intolérable caractérise tous ces drames, où des protagonistes désespérés ne savent résoudre leurs difficultés existentielles qu'en recourant au crime ou au sadisme. La pièce *La Force de tuer* est représentative de la problématique principale qui obsède Lars Norén. À travers l'exposé d'un simple fait divers, il développe une analyse troublante des relations parents-enfants. Le respect de la règle des trois unités renforce l'efficacité du drame. L'action, dépouillée, se déroule sous nos yeux, en temps réel dans un espace clos. Dans l'appartement de son fils, un vieux serveur aigri a invité ce dernier et sa belle-fille à dîner. Après une soirée d'affrontement verbal, le fils tue le père. L'art de Lars Norén est de parvenir à convaincre le spectateur que ce meurtre était la seule issue possible pour le fils. Lars Norén utilise des procédés traditionnels, mais il renouvelle un thème classique et éternel grâce à son exceptionnelle connaissance de la psychologie. Il a en effet complété sa propre expérience par des études de psychanalyse, en particulier sous l'influence de Jacques Lacan. Il crée ainsi des personnages très réalistes qui dévoilent peu à peu leur caractère. Le père, présenté tout d'abord sous les traits d'un homme décrépit et pitoyable dans sa solitude et ses peurs, apparaît n'être qu'un vulgaire coureur de jupons, alcoolique et malhonnête. En revanche, derrière la nervosité, l'absence de courage et d'ambition du fils se cache une folie latente, incontrôlable. Par révélations et allusions successives, l'auteur démontre que, du fait de leur personnalité et de leur comportement, les parents portent la responsabilité des troubles dont souffre leur enfant. Paralysé par l'ambiguïté des sentiments de son père, le fils, tiraillé entre l'amour et la haine, ne parvient ni à l'admirer ni à le détester. Conscient d'être le double de celui-ci, il s'évertue à sauvegarder son autonomie. Cependant son père le harcèle sans cesse et finit même par séduire sa femme, acte qui déclenchera la tragédie finale. Apparemment indifférent, le fils subit un choc tel qu'il ne parvient plus à résister à ses pulsions. Terrorisé par une multitude de couteaux imaginaires et dans un état second, il poignarde finalement son père. Considéré comme le plus éminent dramaturge suédois depuis Strindberg, Lars Norén approfondit sa technique du dialogue au théâtre. Le manque de logique des répliques dans une conversation naturelle est ici plus systématique encore : les personnages mènent des discours parallèles, soit qu'ils suivent le fil de leurs pensées, soit pour changer brusquement de sujet. Ce souci du réalisme est en outre renforcé par le jeu des sous-entendus. Un schéma précis enfin régit les relations entre le père et le fils. À chaque question ou affirmation du fils, le père sape toute confiance en lui par ses questions insidieuses et par ses gestes, minutieusement décrits dans les indications scéniques. *La Force de tuer* est un drame bouleversant : l'intensité du dialogue, la langue précise et claire, la concision du texte accentuent le tragique de cette libération sur laquelle l'auteur porte un regard à la fois clinique et pathétique. – Trad. L'Arche, 1988.

M.-B. L.

FORCE DU DESTIN (La) [*Don Alvaro o la fuerza del sino*]. Drame espagnol en cinq actes, en vers et en prose, d'Angel de Saavedra, duc de Rivas (1791-1865) ; il fut représenté pour la première fois en 1835 et obtint un grand succès sur la scène espagnole romantique. Don Alvaro, un mystérieux personnage qui est suspecté d'être de basse origine, s'éprend de Leonor, fille de l'orgueilleux marquis de Calatrava. Au moment où il réussit à la persuader de s'enfuir avec lui, il tue involontairement son père. Leonor s'enfuit sous un déguisement masculin et se réfugie dans quelque ermitage ; don Alvaro, lui, cherche la mort en combattant en Italie. Mais, alors que notre homme, meurtrier malgré lui, est pratiquement invulnérable, il tue involontairement – et ceci est « la force du destin » – les deux frères de Leonor qui s'entêtent à vouloir venger la mort de leur père et l'honneur de leur sœur. Le premier, don Carlo, est tué en Italie ; le second, don Alfonso, près d'un monastère où don Alvaro s'était retiré, cherchant l'oubli et la sainteté. Avant de mourir, don Alfonso a encore la force de poignarder sa sœur ; don Alvaro se suicide pour échapper à la force implacable du destin. Avec les années, ce drame a perdu beaucoup de sa fraîcheur : il est en effet plus l'œuvre d'un néophyte enthousiaste que celle d'un artiste. Afin de rompre complètement avec le drame classique, l'auteur ne garde ni l'unité de temps ni l'unité d'action, et réduit cette dernière à une fatalité aveugle qui pèse lourdement sur les personnages et détermine les événements les plus imprévus. Cependant les passions et les idées, les types et les scènes sont tirés d'une observation attentive de l'âme espagnole dans ce qu'elle a de plus vivant et de plus vital ; enfin le style, coloré et riche, est d'un lyrisme de bon aloi.

★ Francesco Maria Piave (1810-1876) a tiré du drame espagnol le livret de l'opéra *La Force du destin* [*La forza del destino*] de Giuseppe Verdi (1813-1901), représenté à Saint-Pétersbourg en 1862, recréé d'après le livret de Ghislanzoni et représenté à la Scala en 1869. Classifié comme mélodrame, il consiste en une ouverture, en quatre actes et trente-quatre morceaux. De nombreux passages du livret furent directement traduits de l'espagnol. Don Alvaro, tandis qu'il s'apprête à enlever Leonora, est surpris par son père. En jetant à terre son pistolet, un coup part et tue le père. Leonora va s'enfermer dans un couvent. Don Alvaro part pour l'Italie, mais il se trouve qu'il est le compagnon d'armes de don Carlo, le frère de Leonora. Cependant, ils ont changé de nom. Don Carlo reconnaît Alvaro quand celui-ci le charge de détruire ses documents : c'est le séducteur de sa sœur, l'assassin de son père, et il jure de se venger. Dès lors, il se met à la poursuite de don Alvaro, qui, guéri, se cache sous le nom de fra Raffaele, dans un monastère – le même que celui où se trouve Leonora ; lorsque don Carlo l'a découvert, il l'oblige à se battre et se voit blessé à mort. C'est là que se place le fameux duo :

Leonora accourt auprès de son frère et est poignardée par lui. Quelques variations et abréviations ne réussirent pas à alléger la tragédie (cinq morts sur la scène) et déterminèrent même quelques passages obscurs dans l'intrigue. Beaucoup d'épisodes étrangers au thème central, peut-être introduits pour tenir le spectateur en haleine, concourent à la longueur et au déséquilibre de l'opéra, et prouvent une fois de plus que Verdi est grand dans les situations essentielles tandis qu'il dissimule mal son manque d'intérêt pour l'accessoire. En fait, quelques personnages, quelques passions, certains épisodes seulement ont bénéficié d'une expression profonde et forte : il y a là quelques morceaux qui sont parmi les plus beaux que Verdi ait écrits.

FORCE DU GOUVERNEMENT ACTUEL DE LA FRANCE ET DE LA NÉCESSITÉ DE S'Y RALLIER (De la). C'est le premier ouvrage politique de l'écrivain français d'origine suisse Benjamin Constant de Rebecque (1767-1830), publié en 1796. Le jeune auteur y montre comment le mouvement qui suit la Terreur est essentiel au développement de la Révolution : « L'ordre et la liberté sont d'un côté, l'anarchie et le despotisme de l'autre. » En oubliant haine et regret, il faut, avec décision, travailler pour la nouvelle histoire ; l'activité du gouvernement constitutionnel, respectueux de la loi, mais qui aspire à de nouvelles conquêtes, doit recevoir l'appui des citoyens épris du bien public. La modération et la circonspection sont les véritables guides d'un État ; les factions et les luttes intestines ruinent les bons principes. Le rapprochement même des hommes et des partis dans une collaboration effective ne peut que produire ses fruits, en évitant de nouvelles luttes et en apaisant les rivalités haineuses. De son côté, le gouvernement trouve dans la collaboration des meilleurs citoyens l'aide indispensable pour permettre des réalisations. Les erreurs de la Révolution (avec fougue, Constant rappelle ici les conséquences sanglantes de la politique de Robespierre) ne doivent pas remettre en honneur des idéaux désormais périmés : la féodalité avec ses privilèges n'a plus de raison d'être. L'action politique est rendue efficace par la persuasion, non par la violence. Seuls les mécontents et les factieux ont attaqué le gouvernement de la Convention. Constant défend le Directoire parce qu'il est constitutionnel, le désaccord sur les principes sera vaincu par la bonne volonté de tous. On verra comment, grâce aux avantages de la nouvelle politique, on pourra établir une République dans un grand État, et comment seule la centralisation pourra assurer la liberté, en combattant l'arbitraire et les abus du pouvoir. Cet essai est important dans l'œuvre du grand libéral, parce qu'il est l'expression d'une méditation passionnée sur les problèmes du temps et de la connaissance très lucide des facteurs qui déterminent les événements historiques. Il est intéressant de noter que cette œuvre de jeunesse révèle l'accord intime de la pensée de l'auteur avec les théories politiques de Montesquieu et la politique constitutionnelle anglaise.

FORCE ENNEMIE (La). Roman de l'écrivain français John-Antoine Nau (1860-1918), publié en 1903. C'est le très curieux récit d'un aliéné, remarquable en particulier par la manière de mêler les tumultes de la folie délirante avec des observations rigoureuses sur le milieu ambiant. Cet interné est en proie à une folie intermittente : pendant les crises, il sent la « force ennemie » le submerger — la force ennemie, c'est-à-dire le mauvais esprit, les puissances contraires qui gisent dans le cœur de chacun, mais que la plupart des hommes parviennent à contenir. Que cette force s'incarne pour l'auteur en un être fantastique, dans un climat de cauchemar, fait mieux ressortir la vérité vraiment scientifique, toujours amère, parfois férocement satirique, des types lamentables qui évoluent dans l'asile, autour du narrateur. *La Force ennemie* est une œuvre très naturaliste, ce qui lui valut sans doute de plaire à Lucien Descaves et d'obtenir le premier prix Goncourt, en 1903. Nau fut préféré à Charles-Louis Philippe, qui lui était bien supérieur : c'était la première bévue d'un jury qui, par la suite, dédaigna Colette, Apollinaire, Giraudoux, Valery Larbaud, Montherlant, etc. au bénéfice d'auteurs rentrés depuis dans la plus complète obscurité. La gloire de l'Académie est cependant d'avoir couronné Proust et Malraux.

FORCE ET MATIÈRE [*Kraft und Stoff*]. C'est l'ouvrage le plus connu du médecin et philosophe matérialiste allemand Ludwig Büchner (1824-1899). Publié en 1855, il suscita chez les uns un enthousiasme extraordinaire et chez les autres le plus profond scandale, entraînant la révocation de son auteur, alors chargé de cours et médecin assistant à Tübingen. Rempli d'une admiration quasi fanatique pour les progrès accomplis par l'humanité, il entend également réhabiliter l'expérience, seule source de vérité, et constitue une protestation véhémente contre la conception finaliste de la nature. « La nature — affirme Büchner — ne connaît ni intentions, ni fins, ni conditions spirituelles ou matérielles qui lui soient imposées du dehors ou d'en haut. » Matière et force sont à la fois inséparables et éternelles, comme le sont les lois et les

1950), publié en 1937. Récit à la première personne d'un séjour de plus de six années dans une forêt du Bihār dans l'est de l'Inde, ce livre est un véritable roman écologique bien avant que ce mot n'entrât dans le vocabulaire courant. Le narrateur est un jeune homme de Calcutta qui est sans travail au terme de ses études. Un ami, fils de famille riche, lui propose d'aller superviser le défrichage d'une immense forêt qu'il vient d'acquérir et l'installation de métayers. Les premiers mois sont difficiles : le narrateur est isolé au milieu d'une nature vierge, la ville la plus proche est à cinquante kilomètres ; les quelques habitants, pauvres parmi les pauvres et illettrés, parlent un dialecte de hindi qu'il ne connaît pas. Peu à peu, la beauté de la forêt l'enchante, et la misère digne de ceux qui y cherchent leur subsistance l'émeut. Le livre est fait du récit de promenades à cheval aux diverses saisons dans ce lieu qui n'a pas changé depuis les premiers âges de la Terre ainsi que des rencontres avec hommes et animaux. Il y noue des liens d'amitié avec le vieux roi tribal dont les ancêtres régnaient sur un immense territoire avant que les soldats britanniques et les usuriers hindous ne fissent de lui un pauvre. Le propriétaire de la forêt le pousse à accélérer le défrichage et l'installation des cultivateurs. La mort dans l'âme, il devient l'instrument de la destruction irréversible d'un milieu d'une valeur inestimable. De construction linéaire et d'une écriture dépouillée, ce roman de la forêt traite avec justesse un thème universel.

F. Bh.

FORÊT (La) [*The Forest*]. Drame en quatre actes de l'écrivain anglais John Galsworthy (1867-1933), représenté à Londres en 1924. L'auteur s'y préoccupe de l'impérialisme britannique que ses convictions humanitaires lui rendent insupportable. La forêt est le symbole de la jungle impériale dans laquelle les hommes perdent leur individualité et deviennent d'aveugles instruments. L'action qui se déroule à la fin du XIXe siècle, avant la guerre des Boers, repose sur deux grandes figures : Adrien Bastaple et John Strood. Habile financier, dénué de scrupules, Bastaple spécule sur les concessions sud-africaines dont les actions, qui sont en baisse, ne peuvent remonter que si la Compagnie réglemente elle-même le travail des « coolies ». Pour y parvenir, il envoie en Afrique une mission sous prétexte d'étudier le système esclavagiste. Il lui donne pour chef l'explorateur John Strood, lequel connaît bien les colonies et est prêt à servir, au besoin, d'agent provocateur. Mais voilà que l'affaire se gâte. Ayant, en effet, découvert un gisement de diamants dans une région désertique, John Strood s'y aventure et conduit à la mort tous ses compagnons. Pour éviter l'effondrement des actions de la Compagnie, Bastaple fait savoir que Strood est toujours vivant et qu'il a découvert une mine de diamants. Profitant de la hausse qu'entraîne cette nouvelle, il vend toutes ses actions et réalise un énorme bénéfice. Mais la guerre des Boers éclate et provoque la faillite de la société. Bastaple est loin d'agir seulement par intérêt personnel. Il songe aussi à accroître la puissance de sa patrie. Il en va de même de son homme de main : Strood est le symbole du pionnier intrépide qui n'hésite pas à affronter une nature hostile pour satisfaire aux visées les plus sordides de l'éternel impérialisme. Tels sont vraiment les caractères. En les portant à la scène, Galsworthy a fait preuve de courage.

FORÊT (La) [*Les*]. Comédie en cinq actes de l'écrivain russe Alexandre Nikolaïevitch Ostrovski (1823-1886), publiée et mise en scène en 1871. C'est la plus célèbre parmi les comédies de cet auteur ; elle se déroule dans un milieu d'artistes et exalte la noblesse d'âme et de cœur d'un acteur tragique, par opposition à la mesquinerie et à la rapacité de certains « gens de bien ». Ces derniers sont représentés sous les traits d'une vieille propriétaire, la veuve Gourmyjskaïa, qui cache, derrière un masque hypocrite de bonté, des intentions viles. Gourmyjskaïa vit dans sa propriété, située en pleine forêt, avec sa nièce Aksiouscha, jeune fille d'une vingtaine d'années, et un jeune homme, Boulanov, qu'elle fait passer pour un fiancé de sa nièce, mais sur lequel elle a des vues bien différentes. La propriété, que Gourmyjskaïa gaspille, devrait appartenir en réalité à Aksiouscha et au frère de celle-ci, qui, depuis des années déjà, est parti tenter sa chance avec une troupe de comédiens ambulants. Aksiouscha aime et est aimée de Pierre Vosmibratov, fils d'un marchand de bois des environs. Ce marchand a déjà réussi habilement à acheter une partie de la forêt appartenant au domaine de Gourmyjskaïa, et il aurait vu d'un bon œil un mariage entre son fils et Aksiouscha, si cette dernière pouvait apporter en dot quelques milliers de roubles. Mais voici qu'arrive notre comédien qui se fait appeler « Infortuné » en raison de ses échecs. Il vient se reposer auprès de sa tante et de sa sœur. Il n'a pas fait fortune, pas plus d'ailleurs qu'un autre acteur — qui avait pourtant pris le nom de « Fortuné » comme pseudonyme — qu'il rencontre à l'entrée de la propriété et qu'il présente à sa tante. L'arrivée du neveu semble contrarier les plans de la vieille Gourmyjskaïa, qui avait réussi à faire comprendre à Boulanov qu'elle voudrait l'avoir pour mari. Pourtant, « Infortuné » ne s'élève pas contre ce projet ; il est fasciné par les dons artistiques qu'il voit dans sa sœur et voudrait la convaincre de partir en tournée avec lui et avec Fortuné, après avoir soutiré de la Gourmyjskaïa mille roubles pour monter un spectacle. Mais Aksiouscha n'a pas le courage de quitter Pierre ; alors « Infortuné », ne pouvant réussir à obtenir de la tante la dot demandée, fait généreusement cadeau à la jeune fille de ses mille roubles et reprend sa vie d'acteur vagabond. En écrivant une comédie de mœurs consacrée à la noblesse terrienne de son époque, Ostrovski ne pensait pas faire de « Fortuné » et d'« Infortuné » les héros de sa pièce ; mais ces deux types d'acteurs de province ont été campés avec tant de véracité et d'art que c'est à eux que la comédie doit un succès qui ne s'est jamais démenti. – Trad. L'Arche, 1967.

FORÊT DES PENDUS (La) [*Pàdurea Spînzuratilor*]. Roman de l'écrivain roumain Liviu Rebreanu (1885-1944), publié en 1922. Après l'énorme succès de *Ion* (*) qui lui vaut une gloire méritée, Liviu Rebreanu écrit l'une des plus attachantes chroniques romanesques de la Première Guerre mondiale, dont les cicatrices sont à peine refermées. Pour les Roumains, ce conflit, qui n'a vraiment commencé qu'en 1916, a représenté, indissolublement, la fin longuement attendue d'une époque, celle de l'impossible unification de toutes les provinces habitées par des populations roumaines, et l'avènement d'une ère nouvelle et prometteuse, l'ère de la Grande Roumanie réunissant dans un même état national tous ceux qui se sentaient appartenir à un seul peuple. C'est ce passage de l'unc à l'autre que va vivre dans le déchirement Apostol Bologa, héros malgré lui d'une tragédie dont il est devenu, à travers la fiction romanesque, l'un des plus poignants symboles. Rien ne destinait le jeune homme un peu triste, sujet à des crises de mysticisme, à devenir un modèle de courage et de conscience patriotique. Tout, au contraire, semblait le vouer à une vie provinciale terne et bien rangée, conforme à son goût de la tranquillité et à une congénitale irrésolution. C'est donc à un anti-héros absolu que Liviu Rebreanu choisit d'imposer le dilemme, insoluble autrement que dans la mort, de l'appartenance à un peuple et à une langue et de l'obligation civique de lutter contre ses propres compatriotes. En effet, pour les Roumains de Transylvanie le drame de la guerre est double puisqu'ils se voient contraints, pour s'acquitter de leur devoir militaire dans le cadre de l'empire austro-hongrois, de se battre contre ceux qui, habitant le royaume, sont engagés dans le camp adverse. Loin de chercher à exploiter sur le mode tragico-pompeux les éléments cornéliens de la situation, le romancier roumain nous donne à vivre l'irrésistible dérive d'un être tout à fait moyen vers une fin qu'il sent inéluctable et qu'il tente inconsciemment d'éluder. Comme dans tous les grands romans de Liviu Rebreanu, l'utilisation des méthodes traditionnelles de la narration dite réaliste, conduite par un auteur en principe omniscient, n'empêche nullement la mise en œuvre d'une analyse remarquablement aiguë des pulsions fondamentales du psychisme humain. Apostol Bologa est, en cela, une des plus fines illustrations de ce que Jean-Paul Sartre devait décrire, un quart de siècle plus tard, au moyen du concept de mauvaise foi. En effet, au lieu d'affronter en toute lucidité un destin irrémédiablement tragique, le personnage de *La Forêt des pendus*, sans être totalement dupe de lui-même et sans être pleinement conscient de la situation, cherche à en différer l'échéance qu'il refuse d'admettre tout en la devinant imminente. C'est ainsi qu'il se réfugie tour à tour dans une conception stricte du devoir militaire qui le décharge de sa responsabilité personnelle, puis dans une foi brusquement retrouvée qui lui semble pouvoir l'exempter de la nécessité de choisir seul sa voie, donc de décider de son sort. Toute sa démarche est une démarche de fuite, dans la vie civile comme dans la vie militaire, et sa désertion, au moment où on veut l'obliger à juger des soldats roumains qui ont tenté de passer dans les lignes ennemies pour rejoindre leurs compatriotes, est le symbole même de son inadaptation à l'existence. Il sera, mort, le héros qu'il n'a pas été de son vivant.

J.-L. C.

FORÊT DE WINDSOR (La) [*Windsor Forest*]. Poème pastoral de l'écrivain anglais Alexander Pope (1688-1744), publié en 1713. Les descriptions de la campagne anglaise et de la vie des animaux y alternent avec des passages qui ont trait aux événements politiques contemporains. L'auteur renoue ainsi avec l'antique tradition virgilienne de la quatrième Églogue qui abonde en allusions et en prophéties patriotiques. Ces évocations de Pope font entendre plus d'un écho qui annonce déjà cet état de sensibilité propre au romantisme. – Trad. Devaux, 1796.

FORÊT ENSORCELÉE (La) et autres nouvelles [*Häxskogen och andra Noveller*]. Recueil de trois nouvelles de l'écrivain finlandais d'expression suédoise Runar Schildt (1888-1925), publié en 1920. La nouvelle qui donne son nom au recueil met en scène le jeune Jacob Casimir, alter ego de l'auteur, qui passe l'été dans la propriété de son oncle. Le jeune homme est écrivain et tente en vain de terminer un roman. Fruit d'une mésalliance et parent pauvre de la famille, il est l'archétype du faible, de celui qui, inapte à l'action, ne réclame pas son dû. Face à lui, et convoitant la même femme, il y a son cousin Fabian, héritier de la propriété familiale, dynamique et réaliste. La confrontation entre les deux hommes tourne au désavantage de Jacob Casimir, qui observe la famille, voire le monde, comme à travers une paroi de verre. Lorsque la femme aimée refuse de partir avec lui, sa déception, bien que réelle, est teintée de soulagement : la décision étant prise, la sérénité qui s'en dégage est propice à son travail. C'est ainsi que son inertie se dissipe, et, en exploitant éhontément son désarroi actuel, ses souvenirs, les confidences de ses amis, les soupirs et les gestes de femmes aimées, Jacob Casimir termine son chapitre la nuit même. Runar Schildt, qui n'écrit que dans la fébrilité de l'inspiration — ce qui détermine le format littéraire dans lequel il excelle —, connaît bien l'attente angoissante du retour de celle-ci. « Demi-sang » lui-même, selon l'expression de son fils, l'écrivain Göran Schildt, il se dépeint ainsi en exclu qui se complaît dans l'observation stérile d'autrui. Cette opposition entre le veule et le fort - d'ailleurs souvent une femme - est un thème récurrent dans l'œuvre de Runar Schildt, et s'il décrit le premier avec quelque indulgence, il n'est pas dénué d'admiration pour le second, celui qui trouve tout naturellement sa place dans la société. Le renoncement volontaire de celui qui refuse de lutter pour conquérir la femme qu'il aime est traité une nouvelle fois dans « Traces dans le sable » [Spår i sanden]. Le héros, l'architecte Robert Wiesel, resté seul un moment sur une île déserte avec la femme qu'il aime depuis l'enfance, l'abandonne avec une fierté ombrageuse à un rival plus jeune en invoquant les souvenirs qu'il gardera d'un bonheur parfait parce que jamais réalisé, alors que ceux qui l'auront vécu se demanderont avec amertume si le jeu en valait la chandelle. La troisième nouvelle, « Zoja », aborde le thème du suicide, omniprésent dans la vie et la production littéraire de Runar Schildt. Après la révolution d'Octobre, Zoja, une jeune Russe blanche, s'est réfugiée en Finlande avec sa famille. Ce sont tous des faibles, incapables de s'adapter à une autre vie que celle, aisée, qu'ils ont dû abandonner. La jeune femme voit ses conditions de vie se détériorer et rêve d'évasion, d'une vie de luxe sur le continent. Une victoire ponctuelle de la contre-révolution russe donne pendant quelques jours de faux espoirs à la famille et lorsque ceux-ci s'évanouissent, la jeune femme avale la drogue de son frère, devenu opiomane. K. D.

FORÊT PÉTRIFIÉE (La) [*Petrified Forest*]. Drame en deux actes de l'écrivain américain Robert Emmet Sherwood (1896-1955), joué à New York en 1935 et publié la même année. Décor : un restaurant près du désert de l'Arizona. Entre un voyageur qui projette de traverser le désert à pied et qui, ayant aperçu un exemplaire des œuvres de Villon entre les mains de Gaby, la serveuse, lui avoue que, écrivain sans succès, il a renoncé au confort que lui procurait sa femme, pour courir les routes. Gaby tombe amoureuse du voyageur et lui parle de son désir de retourner en France. Cependant, la région est terrorisée par Maple, un hors-la-loi, et sa bande ; ils assaillent justement le restaurant, et sous la menace de leurs armes les clients se mettent à confesser ce qu'ils taisent d'ordinaire : leurs rancunes, leurs colères, leurs rêves, en échangeant les vérités les plus désagréables. L'écrivain, qui a sur lui une police d'assurance sur la vie de cinq mille dollars, s'empresse de la mettre au nom de Gaby, puis brave le chef des bandits, qui l'abat. Il mourra dans les bras de Gaby, et celle-ci pourra réaliser son rêve. En dépit de cette trame romanesque et sentimentale, ce drame marque une date par l'extrême vivacité des dialogues et leur qualité dramatique. Archie Mayo réalisa, en 1936, une adaptation cinématographique de cette œuvre. — Trad. Robert Laffont, 1948.

FORÊT RUSSE (La) [*Russkij les*]. Roman de l'écrivain soviétique Leonid Leonov (né en 1899), publié en 1953. Cet énorme ouvrage constitue un vaste panorama du pays et des gens. Leonov connaît aussi bien la vieille Russie que la Russie soviétique. Ses personnages sont d'une grande diversité : le marchand Knychev, type digne de Gorki, les savants, représentant une intelligentsia aux visages multiples, la jeune génération — Pola, Serioja et d'autres —, les « hommes de demain ». Le sujet est complexe. Le thème central est celui de la Grande Guerre patriotique (la Seconde Guerre mondiale) qui, comme toujours chez Leonov, est étroitement lié au thème individuel, la destinée et la lutte de deux hommes, de deux conceptions de la vie. Le roman rappelle les premiers « skaz » (récits poétiques à signification philosophique) de Leonov. C'est autour de la forêt, source de l'eau, symbole de la vie, que se confrontent les deux principes de la vie et de la mort, incarnés dans les deux principaux personnages d'une part, et dans le peuple soviétique et l'envahisseur nazi d'autre part. Les deux principaux personnages sont deux professeurs, spécialistes des forêts, Ivan Vikhrov et Alexandre Gratsianski, deux anciens camarades d'études qui, brouillés parce qu'ils ne sont pas d'accord dans leurs travaux, sont devenus des adversaires irréconciliables. Ils sont différents en tout : Vikhrov, fils de gens simples, a poussé au cœur de la forêt natale à qui il a tout donné. Elle est pour lui un être vivant qui appartient au peuple russe tout entier, aussi voyait-il avec indignation le marchand Knychev déboiser impitoyablement la forêt. Il sait qu'elle peut suffire aux besoins de toute la Russie, mais qu'il faut pour cela mener une politique sévère de la forêt et lutter contre la cupidité de certains. C'est à cette tâche qu'il se consacre, et il restera fidèle à son idéal toute sa vie. Sa vie privée en souffre : sa femme, d'origine noble, a d'autres ambitions, et elle s'en va avec sa fille ; Vikhrov reste seul avec sa sœur, paysanne fruste mais désintéressée. Sa vie est simple, dépourvue du confort dans lequel vit son adversaire Gratsianski. L'« orthodoxe » Gratsianski est un égoïste, un misérable, qui dans sa jeunesse a trahi ses camarades, qui n'a jamais cru en l'homme, ne voyant partout que le mal. Il voudrait achever l'œuvre maléfique commencée par Knychev, déboiser toutes les forêts russes. Grâce au symbole de la forêt se dévoilent l'essence maléfique de Gratsianski et l'essence bénéfique de Vikhrov. Le premier, comme les nazis, veut anéantir la vie, il ne pense qu'à la mort et au suicide. Il vit dans un bonheur égoïste ; pendant les années de guerre, il reste insensible aux souffrances de son pays, enfermé dans son appartement moscovite où il ne manque de rien. Vikhrov est la force vitale ; pendant la guerre, il est aux côtés de son peuple. La lutte pour la forêt, c'est la lutte pour la vie, comme la lutte du peuple soviétique contre l'envahisseur nazi. La vie doit triompher de la mort. Mais c'est la jeunesse soviétique qui porte le coup fatal à Gratsianski. Elle ne se contente pas de le condamner moralement, elle voit en lui un ennemi de la patrie. Cela explique la réaction violente de Pola qui force le professeur à s'avouer vaincu. – La composition du roman est originale : le récit de l'action contemporaine (1942) est sans cesse brisé par l'intrusion d'événements appartenant au passé, si bien que, pour le lecteur comme pour l'auteur, les événements se confondent dans un présent intemporel. Ces procédés, qui par certains côtés rappellent James Joyce, sont servis par un sens étonnant du rythme et de la langue, si bien que Leonov est souvent considéré comme le plus grand prosateur russe contemporain. – Trad. tome I, Gallimard, 1966.

FORÊT VIERGE [*A selva*]. Roman de l'écrivain portugais Ferreira de Castro (1898-1974), publié en 1930. Cet extraordinaire documentaire lyrique sur l'Amazonie (quelque peu romancé, mais fait de détails vécus) rapporte la vie de ces gens primitifs, simples, misérables, perdus dans les forêts inondées et une jungle impénétrable, leur poésie, leurs danses, leurs traditions populaires et leur travail. Enclin à la vie sédentaire et contemplative, le paysan brésilien ignore les ambitions qui agitent les autres hommes. En Amazonie, la forêt vierge lui appartient, non par droit écrit, mais par le droit tacite et ancestral du premier occupant, et ce, depuis l'embouchure du grand fleuve et des rivières mystérieuses qui s'y jettent, jusqu'à la dernière extrémité des sources connues et inconnues de l'Amazone. Ce bassin, plus vaste qu'un continent, il ne le cultive pas, car le paysan n'a pas l'instinct de la propriété. Généreux dans son indigence, magnifique dans son humilité, l'Amazonien abandonne cette terre prodigue et féconde à la voracité des étrangers. Il supporte le cours du temps avec une indifférence superbe. L'univers de l'Amazonie est un univers insondable : c'est un fouillis, une mêlée exubérante, faite de troncs et de tiges collés les uns aux autres, autour de quoi serpentent, ondulent tout un monde de lianes et de plantes parasitaires, vertes, drues, vigoureuses et si serrées par endroits que cela forme des touffes, des bouquets noués de liens, un obstacle infranchissable. « ... Avec Ferreira de Castro, écrit Blaise Cendrars dans sa préface, je rencontrais enfin un écrivain qui savait évoquer comme personne les beautés et les horreurs de l'Amazonie, décrire la nature du tropique, noter les bizarreries, les caprices, les extravagances qui naissent sous ce climat d'eau et de feu, mais encore qui parlait aussi des hommes qui habitent cette terre, qui vivent, qui luttent, qui souffrent dans les clairières de la forêt vierge, les primitifs, les autochtones, les natifs, les "caboclos", les paysans libres, les ouvriers agricoles, les colons, les planteurs, les négociants, mais aussi les transplantés et les émigrants et, parmi ces derniers, un civilisé comme Ferreira de Castro lui-même, qui est allé en forêt, non pour écrire un livre ou par curiosité, mais, comme le plus humble des émigrants portugais, pour y gagner son pain et qui, des années plus tard, s'est vu contraint d'écrire son fameux roman sur l'Amazonie pour se libérer d'une hantise. » En effet, tout au long du récit, le lecteur sent que les détails qu'il rapporte, l'auteur ne les tient pas de seconde main, mais de son expérience personnelle, et le documentaire apparaît alors comme une transcription de la réalité. – Trad. de Blaise Cendrars, Bernard Grasset, 1938.

FORGE (La) [*La forja de un rebelde*]. Roman autobiographique de l'écrivain espagnol Arturo Barea (1897-1957), publié en 1938. *La Forge* est le premier volume d'une trilogie qui comprend encore *La Route* [*La ruta*, 1939] et *La Flamme* [*La llama*, 1944]. Né à Madrid dans une mansarde d'un quartier populaire, Barea prit, en 1931, une part active à la fondation du Syndicat des employés de Madrid. Quand éclate la guerre civile, inapte au service armé, il organise les milices populaires et devient responsable de la censure de la presse étrangère. En 1938 il quitte l'Espagne, séjourne en France et, après Munich, passe en Angleterre. Écrit pendant son séjour à Paris, *La Forge* conte l'enfance et l'adolescence de l'auteur jusqu'à 1914. « J'ai écrit *La Forge* en usant de la langue, des paroles et des images de mon enfance. » Un enfant regarde son entourage et décrit en toute innocence le monde du prolétariat et de la petite bourgeoisie madrilènes, dans lequel il évolue. Le style direct de Barea et le réalisme de ses tableaux font de *La Forge* une des œuvres marquantes de la littérature socialiste.

La Route est celle que suit l'auteur pendant la guerre du Maroc (qu'il fera pendant son service militaire) en 1921. Sans changer substantiellement, le style de Barea se colore ici d'intentions satiriques, tandis que les épisodes réalistes atteignent, par leur objectivité, leur plus grande éloquence. *La Flamme* est le récit de la guerre d'Espagne par un homme qui ne quitta Madrid qu'avec les derniers combattants. Cette trilogie constitue une œuvre puissante et sincère, qui retrace les étapes d'une existence laborieuse et intense, au sein du prolétariat espagnol. Le picaresque se mêle étroitement au tragique en un style qui correspond à la vision distincte du monde traversé par l'auteur pendant ses diverses expériences. – Trad. Gallimard, 1948.

FORMALISME DANS L'ÉTHIQUE ET L'ÉTHIQUE MATÉRIELLE DES VALEURS (Le). Tentative pour fonder un personnalisme éthique [*Der Formalismus in der Ethik und die materiale Wertethik. Versuch der Grundlegung eines ethischen Personalismus*]. C'est l'ouvrage le plus important du philosophe allemand Max Scheler (1874-1928), paru dans les deux premiers volumes (1916) des *Annales de philosophie et de recherche phénoménologique* d'Edmund Husserl. Le point de départ en est constitué par une critique du « formalisme », autrement dit du rationalisme, de l'éthique kantienne. Pour Kant, en effet, il n'existe pas de valeurs matérielles (objet d'une intuition immédiate), et l'éthique constitue même la victoire sur le monde des données immédiates de l'intuition, victoire remportée par la volonté en insérant un ordre rationnel dans les données intuitives. S'opposant à cette doctrine, Scheler affirme que les valeurs sont des « essences » matérielles, c'est-à-dire non formelles, « opaques », irrationnelles, contenues dans une intuition où elles se posent a priori. L'acte par lequel elles se fondent peut être caractérisé comme appréhension émotive, sentiment pur. Les valeurs saisies dans ces actes émotionnels ne sont pas formelles et même pas nécessairement universelles ; il existe des valeurs tout à fait particulières. Les valeurs cependant sont a priori ; en effet, elles ne sont pas la propriété des choses, ni des « buts » ou des « fins » ; le but est le contenu d'un acte intellectuel, de pensée ou de représentation ; la fin est le terme d'une aspiration de la volonté tendue vers la réalisation d'un but. Fins et buts sont donc fondés sur les valeurs. La vie morale n'est pas essentiellement volontaire : la volonté ne constitue même qu'un fait secondaire, tandis que l'acte fondamental demeure l'appréhension de la valeur. C'est dans cet anti-volontarisme que réside l'aspect le plus original et à la fois le plus problématique de la pensée de Max Scheler ; il nous conduit en effet à un renouvellement de certaines positions médiévales, que l'auteur identifie arbitrairement avec le catholicisme primitif, ainsi qu'à l'affirmation d'un ordre de valeurs « en soi », donné à l'esprit et non conçu par lui. Les valeurs offrent cette particularité qu'elles constituent une hiérarchie, de sorte qu'en les appréhendant on en saisit également l'ordre a-prioristique. Les valeurs proprement morales du bien et du mal sont situées en dehors de cette échelle hiérarchique ; elles résident principalement dans le respect de l'échelle des valeurs : l'acte moral est celui qui réalise une valeur positive quelconque, mais toujours en tenant compte des valeurs supérieures et en la subordonnant à celles-ci. Ainsi le formalisme, repoussé au début, se trouve-t-il reconstitué (la moralité se révélant comme forme de la vie axiologique ; pourquoi alors avoir rejeté la forme rationnelle de Kant ?), avec l'aggravation d'une attitude résolument anti-historique qui fait du monde des valeurs une parfaite abstraction, la moralité devenant un pur ensemble de valeurs, donné mais jamais respecté. On tombe ainsi, sans s'en rendre compte, dans un platonisme théologique dont la doctrine personnaliste, à laquelle aboutit l'œuvre de Scheler, constitue l'expression extrême. L'acte moral est toujours personnel. La personne est une « unité concrète de tous les actes, ou de leur seule possibilité, qui s'oppose à toute sphère d'objets ; un ordre de perceptions, aussi bien extérieures qu'intérieures, s'opposant à la sphère des choses. La personne consiste uniquement dans l'accomplissement de ses actes ». C'est une essence indépendante des rapports psychophysiques, mais non un moi pur dans le sens husserlien ou kantien. Elle est l'« expérience des expériences », qui n'existe et ne s'offre qu'au « moyen » d'actes et « dans » leur accomplissement, sans en être le produit, puisqu'elle en est le fondement, mais toutefois sans les précéder. Si on appelle « esprit » la sphère des actes intentionnels dans la richesse de leurs différentes manifestations, on peut dire que tout esprit est essentiellement personnel. La vie morale est tout entière « participation » à des actes de l'esprit, participation qui n'est autre que l'intégration en une personne supérieure : Dieu.

FORMATION DE L'ACTEUR (La) et **CONSTRUCTION DU PERSONNAGE (La).** Ouvrage théorique du metteur en scène russe Constantin Stanislavski (1863-1938), paru en russe en un seul volume intitulé *Le Travail de l'acteur sur lui-même* en 1938. « L'état de l'acteur, en scène, devant une rampe éclairée et des milliers de spectateurs, est un état contre nature. » Partant de ce constat, Stanislavski va tenter d'élaborer un « système » permettant aux acteurs d'« exprimer sous une forme artistique et esthétique » la vie des personnages qu'ils ont à jouer. Seul le premier volume de ce vaste système sera publié, traduit en français, en deux parties, sous les titres de *La Formation de l'acteur* et *La Construction du personnage*. Pour transformer l'« état scénique » en « état créateur », l'auteur va imaginer les travaux d'une école de théâtre, avec pour protagonistes principaux : Kostia, un comédien débutant (Stanislavski lui-même jeune ?) et Tortsov, le directeur (Stanislavski âgé et célèbre ?). Le principe qui y est appliqué est de faire affleurer le subconscient grâce à la psychotechnique, et surtout avec les « si ». Avec les « si », on peut répondre « sincèrement et avec précision », avec les « si », la porte est ouverte à l'imagination, à condition de se poser les questions : quand ? où ? pourquoi ? comment ? Pour cela, il faudra de la concentration, de la relaxation, et faire appel à la mémoire affective. Le directeur ajoute : « N'oubliez jamais que sur scène vous restez un acteur... l'acteur n'est pas l'un ou l'autre de ses personnages. » Le public est l'« acoustique spirituelle » du comédien. Pour que le public suive, il ne faut pas perdre de vue le « super-objectif » qui ne sera atteint qu'à travers la ligne d'action principale. Ce « super-objectif » sera touché si metteur en scène et comédiens trouvent le vrai thème principal de la pièce, ce qui ne va pas sans tâtonnements. D'où la deuxième idée développée par Tortsov : après les « si », les « je désire ». Même si l'ouvrage peut se lire comme un roman, il ne faut pas oublier que l'apprentissage décrit se déroule sur deux ans, et qu'une lecture rapide dans un but pédagogique ne peut que conduire à un essoufflement. D'autant que la deuxième partie, *La Construction du personnage*, est presque entièrement consacrée aux exercices proprements dits. Le premier tiers traite de la construction physique du personnage par le costume, le corps (avec la danse et l'acrobatie), la plastique, la diction et le chant. Les deux tiers restants abordent les lois du langage et du tempo-rythme. « Nous voyons d'abord le mot avec l'œil de l'esprit. » Mais encore faut-il que cet esprit soit formé au sens exact du mot. Il faudra s'aider du « sous-texte » qui ouvre l'imaginaire de l'acteur. Tout ce travail sera cependant perdu sans l'influence du tempo-rythme. Que de pièces, ayant retenu, à leurs débuts, l'attention des spectateurs, les enlisent dans l'ennui lorsque le tempo-rythme est fixé à une même vitesse. Pour prendre un exemple du livre : le chef d'orchestre n'est-il pas celui qui inspire à son ensemble le résultat final ? À chacun de trouver le tempo-rythme de son rôle et de le faire coïncider avec celui des autres comédiens. Tortsov-Stanislavski conclut par une notion d'éthique théâtrale : « Aimez l'art en vous-même et non pas vous-même dans l'art. » Que l'on ait un point de vue critique ou que l'on soit convaincu par ces deux ouvrages, leur présence paraît indispensable dans toute bibliothèque théâtrale, d'autant que Stanislavski n'envisageait lui-même la transcription de son « système » que comme un texte de référence. A. Le.

FORMATION DE L'EUROPE (La). Ouvrage de l'historien suisse d'expression française Gonzague de Reynold (1880-1970), publié en huit volumes de 1944 à 1956. Plutôt que d'écrire une nouvelle histoire de l'Europe, l'auteur a préféré poursuivre ici une longue méditation sur le contenu spirituel de la civilisation européenne, qu'il explore dans ses jaillissements successifs, dans les diverses sources qui lui ont donné peu à peu son ampleur et sa richesse. Reynold veut être philosophe avant tout, il affirme son intention d'apporter à ses contemporains une « expérience, pour ne pas dire une certitude » ; néanmoins sa philosophie de l'histoire n'a rien de rigide, de trop démonstratif, et elle refuse de céder à aucun déterminisme. Le premier volume, *Qu'est-ce que l'Europe ?* (1944), définit l'objet de la recherche, cette pensée européenne qui apparaît un peu comme le résumé de toute la pensée humaine, puisqu'elle a pris son essor grâce aux influences multiples venues des antiques civilisations de l'Égypte et de l'Asie antérieure. *Le Monde grec et sa pensée* (1944) nous présente cet amalgame dans son premier état historique avec l'apparition d'un élément nouveau et extrêmement important, l'élément nordique des conquérants aryens de la Grèce, au IIe millénaire. La pensée grecque va connaître une diffusion mondiale que décrit le troisième volume, *L'Hellénisme et le génie européen* (1944). On assiste à vrai dire à une double expansion : géographique d'abord, mais aussi historique, car l'hellénisme va se trouver désormais intimement mêlé aux grandes comme aux moindres pensées de l'Europe, à tel point qu'on en retrouvera la trace jusque dans les doctrines qui prétendent réagir contre son influence. Pourtant l'Europe n'aurait pas été elle-même sans *L'Empire romain* (1945), dont les évidentes survivances s'affirment toujours dans les langues issues du latin, dans l'idéal de la « paix romaine » et surtout dans le développement du droit européen. Il faudra cependant, pour que se constitue enfin la civilisation européenne, un troisième élément, trop longtemps négligé par les historiens : c'est *Le Monde barbare*, examiné dans les cinquième et sixième volumes (1953), consacrés aux Celtes et aux Germains. Selon Reynold, Rome ne pouvait, avec son seul héritage, accueillir pleinement le christianisme, car lui faisait défaut cette énergie sentimentale que l'Église devait précisément trouver dans le monde barbare, auquel l'Europe doit également son goût du particularisme. À l'égard du *Monde russe* (1950), l'auteur se montre en revanche beaucoup plus réservé et affirme la conviction que la destinée géographique de la Russie entraîne inéluctablement celle-ci du côté de l'Asie. *Le Toit chrétien*, enfin, nous montre dans le christianisme l'aboutissement des plus hautes pensées et des rêves les plus purs de l'Europe ; mais le christianisme a su laisser s'épanouir la diversité essentielle de l'Europe, il a confirmé cette diversité en ramenant tous ses éléments à un absolu vivant et personnel.

FORME ET DES PRINCIPES DU MONDE SENSIBLE ET DU MONDE INTELLIGIBLE (De la) [*De mundi sensibilis atque intelligibilis forma et principiis*]. Dissertation latine du philosophe allemand Emmanuel Kant (1724-1804), rédigée en 1770 à l'occasion de sa promotion à la chaire de logique et de métaphysique de l'université de Königsberg, où elle fut publiée dans le courant de la même année. Comme l'auteur lui-même le révèle dans une lettre à Lambert, cet ouvrage tend à faire l'essai d'une « Phænomenologia generalis », laquelle science doit précéder la métaphysique et permettre de « déterminer la valeur et les limites des principes de la sensibilité, afin de ne point confondre les jugements sur les objets de la raison pure, comme on l'a toujours fait jusqu'à ce jour ». Ainsi s'affirme déjà, de façon manifeste, ce qui constituera le thème de la *Critique de la raison pure* (*).

La première partie, « De la notion de monde en général », est consacrée à l'analyse du concept du « monde » en général. Bien que son argumentation ne sorte pas du cadre du dogmatisme de Leibniz et de Wolff, l'auteur, déjà, vise à réduire le problème par une nette distinction entre connaissance intuitive (de l'espace et du temps, qui sont des formes de l'intuition et non des concepts) et connaissance par concepts : confusion qui engendre, selon Kant, toutes les difficultés inhérentes à l'infini et au continu, s'opposant à l'exigence, pour le monde, d'être formé de parties résultantes (et, partant, perceptibles). La deuxième partie, « De la différence entre le sensible et l'intelligible en général », est peut-être la plus importante. Elle distingue deux sortes de connaissance : la connaissance « sensitive », soumise aux lois de la sensibilité, et la connaissance « intellective » ou rationnelle, soumise aux lois de l'intellect. La différence entre ces deux types de connaissance ne concerne nullement le contenu ou matière de la connaissance, ni le mode (psychologique) de percevoir l'objet, mais les lois dont relève la connaissance, autrement dit sa forme ; par la suite, Kant qualifiera cette différence de transcendantale. En effet, en plus de la matière que constitue la sensation, la sensibilité possède également une forme, « c'est-à-dire, ce qui apparaît », dans la mesure où les divers objets frappant les sens sont coordonnés selon une certaine loi naturelle de l'âme, c'est-à-dire dans le cadre de l'espace et du temps ; en outre, « elle n'est pas... une ébauche ou un schéma de l'objet, mais uniquement une loi, propre à l'esprit, visant à coordonner en soi les sensations qu'éveille la présence de l'objet ». Aussi doit-on qualifier les représentations de sensibles, même s'il ne s'agit que de la forme et en l'absence de toute sensation (l'espace pur de la géométrie), l'intellect ayant deux fonctions : l'une, « réelle », qui nous donne, de façon purement intelligible, aussi bien les concepts eux-mêmes que leurs relations ; l'autre, « logique », dont les données — quelle que soit leur origine — s'ordonnent selon des rapports de subordination logique et sont reliées entre elles en vertu du principe de non-contradiction. L'intellect est donc chargé en outre d'élaborer les connaissances sensibles, en subordonnant les phénomènes aux lois générales (qui sont également, par là même, des connaissances sensibles) ; en d'autres termes et selon la terminologie kantienne, il transforme l'« apparence » (donnée des sens) en « expérience » (donnée sensible élaborée et coordonnée par la réflexion selon la démarche logique de l'intellect). Le but de la connaissance intellective dans sa fonction réelle est de parvenir aux idées de la raison, en tant que modèles uniquement accessibles au pur intellect et critère commun à tous les autres ; toutefois, la connaissance de ces idées n'est pas intuitive, mais seulement symbolique, car : 1° le principe formel de toute connaissance intuitive (espace et temps) lui fait défaut ; 2° la substance entière de notre connaissance ne nous est fournie que par les sens — l'idée se trouve donc privée de toute donnée relevant de l'intuition humaine. Cette deuxième partie s'achève sur la célèbre théorie, développée par la suite dans les ouvrages critiques, de l'espace-temps entendu comme forme de l'intuition sensible et des mathématiques en tant que science de l'espace (géométrie) et du temps (mécanique) : science vraie, parfaite, mais néanmoins science du sensible. Ainsi se trouve complétée la critique du dogmatisme rationaliste.

Cette critique se révèle plus poussée dans la troisième partie : « Des principes formels du monde sensible ». Ces principes (renfermant la raison de la connexion universelle des choses en tant que phénomènes) sont constitués par l'espace et le temps. L'idée de temps ne relève pas des sens, mais en est déduite ; elle est d'autre part particulière (unique), les parties du temps (comme de l'espace) ne sont pas les espèces dont il serait le genre, mais les parties d'un même tout ; le temps est donc une « intuition pure ». De même, l'espace est une « intuition pure », forme fondamentale du sens extérieur ; l'évidence absolue de la géométrie est fondée sur lui. On retrouve presque intégralement cet exposé dans les ouvrages critiques. Il n'en va pas de même pour la quatrième partie, « Du principe formel du monde intelligible », et la cinquième, « De la méthode concernant les connaissances sensitives et intellectives en métaphysique », où Kant s'en tient encore au dogmatisme qu'il critiquera plus tard. L'auteur se demande pourquoi la métaphysique n'a pas progressé à l'instar des autres sciences. Il en voit la raison dans le fait que, dans l'usage pratique de l'intellect, l'établissement d'une méthodologie préliminaire (dont l'importance est capitale) a toujours fait défaut jusque-là ; dans cet exposé, il se borne à discerner les dangers qu'entraîne la confusion entre le domaine sensible et le domaine intellectuel. Le prédicat exprime les conditions de la possibilité de penser le sujet ; si le prédicat exprime des relations spatio-temporelles (ou toutes les relations impliquant l'intuition espace-temps), le jugement exprimera les conditions subjectives de l'intuition humaine et non les condi-

tions relatives à l'essence du sujet. Se prévalant de ce principe, l'auteur examine certains axiomes qu'il qualifie de « subreptices », largement répandus en métaphysique et constituant une source d'erreurs et de vaines discussions, comme, par exemple, la controverse relative à la localisation de l'âme dans le corps ; on ne peut admettre qu'ici une intuition soit donnée ; la question est donc vide de sens.

L'ouvrage de Kant s'achève d'une manière assez brusque, et les problèmes qu'il éveille dans l'esprit du lecteur ne sont ni examinés ni posés ; Kant se rend compte qu'il lui faudra encore de longues années de recherche. Ce ne sera, en effet, que onze années plus tard que la thèse de 1770 trouvera son complément dans la fameuse *Critique de la raison pure* (*), ouvrage qui marquera l'aube d'une ère nouvelle. — Trad. Ladrange, 1862 ; et, sous le titre *La Dissertation de 1770*, Vrin, 1967 ; Gallimard, 1980.

FORME ET L'INTELLIGIBLE (La). Recueil d'essais de l'historien d'art français d'origine hongroise Robert Klein (1918-1967), publié en 1970 et précédé d'une importante préface d'André Chastel. L'ouvrage s'articule en quatre parties qui correspondent aux quatre préoccupations majeures de l'historien d'art, venu comme Wind de la philosophie. Tous les essais attestent de la cohérence d'une œuvre et témoignent d'un double souci critique et positif, et à chaque fois ils ont fait date en leur domaine. Un premier ensemble d'essais, qui forme le gros de l'ouvrage, est réuni sous le titre « Pensée et symbole à la Renaissance » : à la manière de Wind, Robert Klein s'attache à définir l'univers intellectuel et imaginaire de la Renaissance à travers l'œuvre de Giordano Bruno mais surtout de Marsile Ficin, dont il s'applique à suivre, notamment, la conception de l'« enfer » et ses avatars dans l'origénisme, chez Léonard de Vinci et jusque chez les modernes, en invoquant la notion d'acte libre selon Heidegger pour mieux éclairer son propos. De même dans une analyse logique et épistémologique des « imprese », il cherche à en définir le statut d'œuvre d'art à partir de traités publiés entre 1555 et 1612. Enfin, après le texte éponyme du recueil, « La Forme et l'Intelligible » (1958), dans lequel on peut voir une définition de son programme iconographique, suivent des analyses critiques d'œuvres majeures de l'histoire de l'art : Burckhardt, Wind et surtout *Saturne et la mélancolie* (*) de Saxl, Klibansky et Panofsky. Le deuxième pan de l'œuvre, « Perspective et spéculations scientifiques à la Renaissance », est essentiellement consacré à Pomponius Gauricus et à l'exégèse de son chapitre sur la perspective : cette analyse rigoureuse reste le meilleur exposé du dilemme dans lequel se trouve le spectateur, intégré dans la perspective albertienne, mais aussi dans la solution de Vinci. Après un tour d'horizon des travaux consacrés à la perspective pendant la Renaissance et à la « renaissance de l'espace pictural » (White), Klein passe aux travaux pratiques et analyse l'« urbanisme utopique » de Filarete à Valentin Andreae et le destin de Vitruve à Florence. Le troisième volet de l'œuvre, sur le thème « Esthétique et méthode », rappelle qu'il ne saurait y avoir d'histoire de l'art sans esthétique : dans de lumineuses « Considérations sur les fondements de l'iconographie » (1963), Klein s'attache ainsi à souligner pourquoi la méthode de Panofsky est demeurée en deçà de ses résultats. De même « *Giudizio* et *Gusto* dans la théorie de l'art au cinquecento » (1961) établit que toute analyse du style et du contenu iconographique d'une œuvre présuppose une certaine conception de l'« individualité artistique », qui est une acquisition tardive pour les arts visuels. Malgré certaines réserves, d'ordre phénoménologique, Klein se déclare plus proche de la problématique psychologique définie par Gombrich dans *L'Art et l'Illusion* (*). L'œuvre s'achève sur une « Éthique », qu'inaugure un texte sur l'« ironie humaniste » et qui prend fin avec deux essais spéculatifs sur la sphère de l'ego (« Appropriation et Aliénation », 1961) et la notion de « morale transcendantale » et ses insuffisances (1965). « Même en le supposant achevé, le système de la morale transcendantale ne peut servir que comme l'échelle de Wittgenstein, qu'il faut gravir et tirer derrière soi. » Toutes ces excursions philosophiques attestent de la fidélité de Klein à la phénoménologie de Husserl contre Heidegger et laissent entrevoir, comme en filigrane, le tragique d'une destinée.

P.-E. D.

FORMES DIVERSES D'EXPÉRIENCE RELIGIEUSE (Les) [*The Varieties of Religious Experience : a Study in Human Nature*]. Dans cet ouvrage célèbre, publié en 1902, le philosophe américain William James (1842-1910), fondateur du pragmatisme, étudie, du point de vue de l'âme religieuse elle-même, les altérations de la personnalité que nous offre la vie religieuse. La pathologie a mis en lumière une étrange faculté de la conscience humaine : la possibilité pour certains sujets d'entrer en communication avec d'autres consciences. Semblable propriété constitue pour James la base psychique de la vie religieuse : la religion serait essentiellement une forme de vie de la conscience individuelle, où Dieu se trouverait profondément modifié, expérience qui varierait grandement d'individu à individu. Parmi les principaux aspects d'une telle expérience, James envisage tout à tour : la joie spirituelle, profonde et inaltérable ; la guérison des maladies morales et physiques ; le sentiment du péché ; le combat de l'âme qui sent s'opposer en elle-même deux personnalités ; la conversion qui, à une personnalité donnée, substitue une personnalité nouvelle et supérieure ; la sainteté ; la vie mystique spirituelle, dans laquelle l'homme a conscience de vivre la vie même de Dieu ; la prière, qui modifie le cours de nos sentiments et des choses mêmes. Dans ces divers phénomènes, l'individu a conscience d'entrer en contact avec des puissances incommensurablement supérieures à sa propre nature : la conscience religieuse n'est, au fond, que la conscience humaine se sentant en communion avec Dieu, à travers Dieu, avec les autres consciences humaines, qu'elle peut pénétrer par un miracle d'amour. Alors que l'expérience psychologique se borne au moi fini, l'expérience religieuse voit la personnalité s'amplifier à travers un rapport de pénétration et de communion qui s'établit entre elle et les personnalités supérieures. Mais l'expérience religieuse ne se sépare pas nettement de l'expérience psychologique : il existe, entre un individu et les autres, une région intermédiaire à laquelle on peut ramener les intuitions du génie et les postulats métaphysiques de notre expérience physique et psychologique. De même que le fait physiologique se réduit, pour le psychologue, à une part seulement de la conscience, de même le fait psychique pur et simple devient, du point de vue de la conscience religieuse, la manifestation d'un Moi capable d'entrer dans la vaste communion des personnes. Sous l'apparence des lois fixes de la matière se trouve le flux de la conscience ; sous les consciences, séparées entre elles, des individus se trouve l'interpénétration des consciences, coexistant avec leur individualité dans le domaine du spirituel et du divin. Ce livre, comme les autres ouvrages de James, est empreint d'un vif sentiment du courant vital ; sa courageuse acceptation du côté subconscient de la nature humaine est un aspect de la rébellion de l'Amérique de son époque contre les schémas fixes, le culte du fait et l'abstraite rigueur puritaine. — Trad. Alcan, 1906.

FORMES ÉLÉMENTAIRES DE LA VIE RELIGIEUSE (Les). Ouvrage du sociologue français Émile Durkheim (1858-1917), publié en 1912. C'est, avec *Le Suicide* (*), l'un des livres fondamentaux de Durkheim, dans sa recherche du fait social. Tout comme il avait profité, étudiant le suicide, d'un objet très délimité particulièrement propice à une étude de sociologie, Durkheim trouve dans l'analyse sociologique de la religion l'occasion de montrer la pertinence de sa méthode. La religion est en effet l'objet sociologique par excellence, puisque toutes les formes de pensée et d'action y sont en acte et s'y manifestent. Durkheim propose tout d'abord une définition du phénomène religieux : il n'est pas une illusion mais une représentation transfigurée de la société et une expression symbolique des relations sociales ; il est fait de croyances et de rites. Les croyances étant des schèmes d'action, elles sont générées par des forces collectives localisant une pluralité des forces individuelles. Et elles supposent une classification des choses que se représentent les hommes en deux classes, le profane et le sacré, termes corrélatifs, diadiques et asymétriques. Les rites, quant à eux, sont des modes d'action déterminés qui permettent de passer d'une classe à l'autre.

L'étude ethnographique se concentre sur le totémisme australien pour plusieurs raisons, notamment l'homogénéité des sociétés étudiées et l'abondance des documents les concernant. De plus, par la simplicité supposée de ces communautés, Durkheim désire faire advenir les éléments constitutifs de la vie religieuse. Il fait le postulat de la comparatibilité des religions tout en conservant un évolutionnisme ambigu dans la mesure où il pense trouver dans le totémisme la religion la plus rudimentaire, aux structures les plus élémentaires. Le totem est garant de l'unité sociale autour d'un emblème et d'un nom. L'existence du clan est conditionnée d'après Durkheim par l'existence du totem qui a un caractère collectif et dont dérivent les totems individuels. Il propose une conception globale du monde. Le totémisme est la religion d'une « force anonyme et impersonnelle » qui anime toutes les composantes de cette représentation globale du mode réel et imaginaire. Son efficacité réside dans sa force de représentation. Cette force collective est supérieure aux individus, physiquement et moralement, tout comme le sacré protège les interdits inhérents à la séparation, tandis que le profane les subit.

Ayant démontré le caractère social de la religion et son organisation autour de la notion de représentation, Durkheim peut, dans une perspective fonctionnelle, montrer qu'elle est une institution ayant des fonctions de communication des idées et de régulation des relations sociales. Le phénomène de représentation symbolique fonctionne à la fois comme un cadre a priori de la perception et comme la condition d'existence d'une vie sociale tel qu'il le démontre avec l'examen de l'ascétisme et des rites. Il permet enfin une circulation de l'énergie entre l'individuel et le collectif.

Durkheim peut dès lors tenter de généraliser les résultats obtenus, en définissant la religion comme éternelle, irréductible et évolutive, comme toutes les institutions historiques humaines, tout en laissant entendre que la science a pris la relève de la religion en ce qui concerne les fonctions cognitives et intellectuelles.

Les critiques faites à ce texte ont surtout porté sur ses généralisations hâtives concernant le totémisme et sur certaines divisions dichotomiques qui ne reposent pas sur une réalité empirique. Mais ses apports fondamentaux restent la détermination sociale du fait religieux, son identification comme une représentation exprimant les relations sociales.

H. T.

FORMICONE. Comédie en cinq actes du dramaturge italien Publio Filippo Mantovano (première moitié du XVIe siècle), représentée en 1503. C'est une des premières comédies italiennes qui, tout en reprenant les formules du théâtre classique, et particulièrement l'unité de lieu (l'action se déroule ici dans une rue), ainsi que les personnages traditionnels de la comédie latine, esclaves et parasites, les renouvellent en y ajoutant une vivacité qu'elles doivent à l'influence directe du théâtre populaire. Le sujet est tiré d'un épisode des *Métamorphoses* (*) d'Apulée. Barbaro, avant de partir en voyage, confie son épouse à l'esclave Formicone. Mais celui-ci, ayant besoin d'argent pour racheter sa belle à un marchand, n'hésite pas à vendre sa maîtresse au jeune Filetero, qu'il introduit dans la maison. Barbaro, dont le navire a dû revenir au port à cause de la tempête, survient à l'improviste et, s'il ne prend pas sur le fait Filetero, qui a eu le temps de se sauver, il découvre ses pantoufles au pied du lit. Formicone serait sévèrement puni si Filetero, qu'il rencontre alors qu'il est conduit au châtiment, ne l'accusait de lui avoir dérobé ses pantoufles. Formicone comprend la ruse et secourt Filetero en lui demandant pardon pour ce larcin ; Barbaro, ses soupçons ainsi dissipés, délivre son esclave.

FORS CLAVIGERA. Recueil de quatre-vingt-seize lettres, publiées entre 1871 et 1884 par l'écrivain anglais John Ruskin (1819-1900), à l'intention des « ouvriers et travailleurs d'Angleterre ». Le caractère de ce recueil, « moraine de pierres éparses et apparemment diverses », qui forme quatre gros volumes, ne peut être compris que si l'on tient compte de la carrière spirituelle de Ruskin. L'écrivain abandonna, en effet, la critique d'art proprement dite pour en venir à considérer l'art comme la représentation de la beauté et comme une source de joie. Pour le réaliser, il convient de « rendre » le monde beau et bon et, dans ce but, Ruskin fut contraint de se faire l'apôtre et l'ouvrier des réformes sociales. *Fors clavigera* (ou la « Fortune porteuse de clés ») définit cette mission : « Je ne peux plus peindre, ni lire, ni examiner un objet, ni faire quoi que ce soit de mon goût... car j'ai vu trop de misère... J'ai entrepris d'écrire *Fors clavigera* pour payer mon tribut. » L'œuvre constitue donc un essai utopique de reconstruction sociale en même temps qu'une « confession » et qu'une profession de foi ; elle est fortement marquée par l'influence de Carlyle et contient de vigoureuses critiques contre l'esprit des dernières décennies du XIXe siècle. Les formes de gouvernement, proclame l'auteur, importent moins que la réalité constituée par les gouvernants et les gouvernés. Il appartient aux premiers de pourvoir aux besoins spirituels et matériels ainsi que de fournir au peuple les moyens de travailler. Chacun doit travailler pour vivre, et les professions « mercenaires » qui consistent à prêcher, à légiférer et à combattre doivent disparaître. Les érudits, peintres, musiciens doivent être peu nombreux, tandis que le travail sera organisé par l'État qui satisfera les besoins des indigents. Le but final de l'éducation consiste à permettre à chacun d'accomplir une œuvre utile avec joie et souci de perfection, tandis que la formation intellectuelle conduira à admirer, à espérer et à aimer. La démarche de Ruskin ne prêche pas l'abstraction ; loin de partir des principes pour arriver aux applications, il adopte la méthode inverse en faisant alterner la tendresse avec l'ironie et le ton prophétique. L'autre aspect important de *Fors clavigera* est l'élément autobiographique qu'il contient. De manière caractéristique, Ruskin explique pourquoi il n'a pas donné lui-même l'exemple du renoncement aux avantages du capitalisme : « La structure de notre société, déclare-t-il, est tellement liée aux principes du capitalisme et de la guerre qu'il est impossible de l'en libérer par la violence. » Toutefois, cette attitude ne le satisfaisait guère et il accorda davantage ses idées et son genre de vie avant de mourir. D'autre part, sur le plan religieux, Ruskin proclame le caractère sacré de la nature en tant que révélation de Dieu, et celui de l'homme comme interprète du Dieu de la nature.

FORSE CHE SI, FORSE CHE NO. Roman de l'écrivain italien Gabriele D'Annunzio (1863-1938), publié en 1910. Deux sœurs, Isabella et Vana, la première veuve délurée, la seconde vierge, sont amoureuses de l'aviateur Paolo Tarsis. Ce dernier souffre de l'esclavage sexuel qui le lie à la première, mais ne peut s'en rendre libre. Vana aime éperdument, déchirée de jalousie et de rancune ; Isabella, mêlant à la volupté l'aiguillon de la douleur, se repaît de cette souffrance. Bien plus, elle devient l'incestueuse initiatrice à l'amour de son frère Aldo. En vain Vana la dénonce-t-elle à Paolo afin de la compromettre à jamais à ses yeux. C'est pourquoi elle finira par se suicider. Isabella, violemment frappée par son amant, en fait de nouveau son esclave, mais en fin de compte elle devient folle. Ce n'est qu'en surmontant ces horribles manèges que Paolo reconquiert une liberté qui lui permettra de se donner à sa tâche d'aviateur. Nous retrouvons en Paolo la notion du surhomme, chère à l'écrivain italien : l'homme ne peut s'élever à la hauteur du héros sans se libérer de la femme. Nous avons en outre le thème de la volupté : violente et poussée jusqu'à l'inceste chez Isabella ; destructrice chez Vana, jusqu'au suicide. Toutefois, ce livre mérite une mention spéciale dans l'œuvre de D'Annunzio. Ce qui nous semble neuf, ici, c'est l'ambiguïté foncière des situations et des personnages. Rien n'est dit, tout est suggéré : peut-être que oui, peut-être que non, comme

processus défensif : « Tout au long de ce livre, je soutiens que le facteur qui précipite l'enfant dans l'autisme est le désir de ses parents qu'il n'existe pas. » Ainsi la dynamique de l'autisme s'enracine dans des expériences provoquant un retrait qui affaiblit l'impulsion à agir et par là même débilite le moi. Quand la réalité entière apparaît trop destructrice, le sujet protège sa vie en ne faisant rien en rapport avec la réalité extérieure. Cette autoprotection est suicidaire, car le soi s'affaiblit, se désintègre par non-utilisation, se désagrège par l'arrêt de son développement. Ainsi, « la position autistique, suprême effort pour sauver son existence, détruit le soi ».

Avec les moyens thérapeutiques, psychologiques et psychanalytiques, le principal but est l'écoute, et le principal support le respect des enfants. Dans cette perspective, Bettelheim accorde de l'importance à l'« environnement positif », au respect du jeune patient, à son autonomie, à la non-violence, et à la « régression » conçue comme point de départ vers une reconstruction de la personnalité, mais c'est à l'enfant lui-même d'en choisir les conditions et le moment. Bettelheim critique par ailleurs le traitement de l'enfant dans son propre milieu. Pour lui, la restructuration de la personnalité autistique nécessite une écoute continuelle, une prise en charge institutionnelle globale, un thérapeute qui « s'offre en chair et en os en tant [...] qu'objet permanent, omniprésent, [...] afin que la personnalité de l'enfant [...] puisse s'unifier autour de cette image ».

Cet ouvrage nous présente un Bettelheim humaniste dont l'approche psychologique, existentielle, est avant tout centrée sur la souffrance et les besoins des patients. Bien qu'il ait été diversement apprécié, en France, dans le milieu des psychanalystes d'enfants, il reste un livre majeur pour ceux qui s'intéressent aux enfants autistiques, ou, plus encore, pour ceux qui s'occupent d'eux. – Trad. Gallimard, 1969.

G. Co.

FORT MAIS SOMBRE [*Stark men mörk*]. Recueil de poèmes de l'écrivain finlandais d'expression suédoise Elmer Diktonius (1896-1961), publié en 1930. Après Edith Södergran – v. *Le Pays qui n'existe pas* (*) – Elmer Diktonius est le représentant le plus typique du modernisme de la poésie suédoise en Finlande. Mais la nature de son art est bien différente de celle d'Edith Södergran, qui s'envolait parmi les astres et qui sortait dans son jardin cueillir des éclats d'étoiles. Elmer Diktonius se tient au plus près de la réalité. Comme l'indique le titre de ce recueil, son réalisme est teinté de pessimisme. Mais c'est le pessimisme d'un révolutionnaire. Tout en s'apitoyant sur le sort des malheureux de son époque, et notamment sur celui des enfants pauvres, il chante un avenir dont il est sûr qu'il sera meilleur. Quelques-uns de ses poèmes sur la nature sont des chefs-d'œuvre. Diktonius est très conscient des deux sources principales, et opposées, de sa poésie, comme l'indique le titre qu'il choisit, en 1936, pour l'anthologie où il réunit ses meilleurs poèmes : *D'herbe et de granit* [*Gräs och Granit*], où l'herbe symbolise son côté serein, le granit son côté révolutionnaire, tous deux avec une originalité profonde dans l'expression.

FORTUNAT. Drame écrit en 1815-16, dans lequel l'écrivain allemand Ludwig Tieck (1773-1853) illustre un thème tiré du vieux livre de contes populaires allemands, *Fortunat et ses fils* [*Fortunat und seine Söhne*]. Tieck s'inspire pour la troisième fois de cette source légendaire – v. *L'Empereur Octavien* (*) et *La Belle Mélusine* [*Die schöne Melusine*]. *Fortunat* est composé de deux drames, de cinq actes chacun, écrits avec une alternance de vers et de prose. Fortunat, jeune gentilhomme dénué de ressources, abandonne son île natale. Au cours de ses pérégrinations, il rencontre la Fortune ; elle lui fait présent d'une bourse qui a cette particularité de se remplir de dix écus d'or chaque fois que l'on y met la main. Cette bourse vaut à Fortunat toutes sortes d'aventures dramatiques, tant en Orient qu'en Occident ; Fortunat parvient cependant à revenir dans son pays natal, à Fagamouste, où sa richesse et ses prodigalités lui acquièrent la faveur de la population. Là, il se marie. Tel est l'exposé du premier drame. Le second nous montre Fortunat vieilli et près de mourir. Il tient alors à révéler à ses deux fils le secret de la bourse, et leur donne également un vieux chapeau qu'il a réussi à dérober au sultan d'Égypte, et qui permet à celui qui le porte de se rendre partout où il le désire, à l'instant même où est formulé le souhait. Fortunat recommande à ses fils de ne jamais se dessaisir de ces deux objets et d'en faire usage à tour de rôle, sans jamais se les partager. Les fils ne tiennent pas compte de ce dernier avis. L'un d'eux est paresseux, l'autre est négligent ; aussi les objets magiques, qui auraient dû leur assurer la puissance et la fortune, provoquent-ils leur perte, tandis que les objets eux-mêmes perdent leur pouvoir. Les deux parties du drame sont précédées d'un bref prologue, dans lequel nous assistons à un jugement ; la Fortune s'y défend contre ses accusateurs qui l'ont traînée jusqu'au tribunal. Cet ouvrage de Tieck montre avec une grande évidence – outre les tendances romantiques qu'il reflète et les élans d'une fantaisie débridée – à quel point Tieck était familier des œuvres des prédécesseurs de Shakespeare ; on y trouve un enchaînement des scènes qui rappelle les défilés de masques particulièrement en faveur dans les premiers temps du théâtre en Angleterre. Les personnages sont bien campés, que ce soit Ampédo, l'un des fils de Fortunat, ou Lietrich, un domestique qui redonne une vie nouvelle au personnage du bouffon tel qu'on le concevait au XVIe siècle.

FORTUNATA ET JACINTA [*Fortunata y Jacinta*]. Œuvre du romancier espagnol Benito Pérez Galdós, publiée en quatre tomes de 1886 à 1887. Ce long roman est considéré comme le chef-d'œuvre de Galdós. L'auteur y adopte la technique de la double intrigue, racontant l'histoire de deux femmes issues de milieux très différents. Juanito Santa Cruz, fils unique de riches commerçants madrilènes, séduit Fortunata, une jeune fille du peuple, ignorante mais sincère et passionnée. Après l'avoir abandonnée, il se marie avec Jacinta, issue du même milieu que lui. Peu après, apprenant que Fortunata s'est transformée à la suite de plusieurs liaisons, il désire intensément la « capturer » de nouveau. Lorsqu'il la retrouve, elle est mariée avec Maximiliano Rubín, un jeune pharmacien timide, laid et impuissant, pour lequel elle n'éprouve que dégoût. Fortunata, qui a dû faire un séjour dans un couvent pour effacer son passé orageux, a du mal à s'intégrer dans le milieu étriqué de la petite bourgeoisie madrilène magistralement décrit par Galdós. Juanito séduit à nouveau Fortunata dont il a un fils, alors que sa femme est stérile et cherche désespérément à adopter un enfant. À la fin du roman, Fortunata qui meurt des suites de son accouchement lui laisse le sien.

Galdós brosse dans ce roman un tableau complet de la société madrilène de son époque. La description du milieu social, pour documentée qu'elle soit, et malgré une extrême minutie dans le détail, n'exclut pas une certaine puissance. L'auteur évoque un monde complexe, grouillant de vie, où évoluent de multiples personnages souvent très pittoresques, comme Mauricia la Dura, Guillermina ou doña Lupe, la tante de Maxi. Au contraire des naturalistes français, il procède à des analyses psychologiques approfondies des personnages principaux, en s'inspirant de la médecine et de la psychologie de son temps. La vie consciente, mais aussi ce que Galdós commence à appeler la vie inconsciente, retient son attention. Les rêves, rêves éveillés, les délires, les hallucinations occupent une place de choix dans ce roman, ainsi que des épisodes incongrus, au premier abord insignifiants et peu dramatiques, très surprenants dans ce type d'œuvre. Le naturalisme galdosien évolue vers une prise en compte des phénomènes psychiques basée sur des connaissances scientifiques qui n'excluent jamais l'humour. — Trad. Rencontre, 1970. S. L.

FORTUNE [*Chance*]. Roman de l'écrivain anglais Joseph Conrad (1857-1924), publié en feuilleton dans le *New York Herald* du 21 janvier au 30 juin 1912, puis en volume à Londres, en 1918. Charles Powell, qui vient d'obtenir son brevet de lieutenant de la marine marchande britannique, est engagé par le capitaine Anthony, propriétaire du « Ferndale », à bord duquel il vit avec sa femme Flora. Le père de Flora, de Barral, financier de la Cité de Londres, a été autrefois condamné à sept ans de réclusion, à la suite d'un krach retentissant. Après ce scandale, Flora, qui était élevée par Mrs. Fyne, sœur du capitaine Anthony, s'était enfuie avec ce dernier quelques jours avant que son père ne sorte de prison. Le capitaine Anthony épousa Flora malgré l'opposition des Fyne, pour permettre au prisonnier libéré d'échapper, sur son bateau, à la curiosité publique. À bord du « Ferndale », Charles Powell s'aperçoit vite que les officiers de l'équipage n'ont pu s'habituer à la présence de Flora, non plus qu'à celle de Barral qui, sous le nom de Smith, les intrigue et les inquiète tous. Quant au capitaine Anthony, rongé par son amour pour Flora qu'il croit indifférente, il semble se désintéresser de tout, et craint de s'imposer à la jeune femme qui se consacre à son père. Celui-ci déteste son gendre, qu'il accuse de le séquestrer ; Flora, qui s'en aperçoit, est déchirée entre son amour filial et la reconnaissance qu'elle éprouve envers Anthony. Powell voit un jour de Barral verser un liquide dans un grog destiné à son gendre : aussitôt prévenu, celui-ci décide de débarquer de Barral et Flora ; mais Flora, au cours d'une scène pathétique où elle laisse enfin éclater son amour, l'ayant supplié de la garder à bord, de Barral sentant de son côté lui échapper sa fille et la fortune de son gendre avale le grog empoisonné et meurt. Après sa mort, Anthony et Flora vivront quelques années de bonheur sur le « Ferndale » avec Powell jusqu'au jour où, au cours d'une collision avec un autre navire, Anthony meurt. Flora, sauvée par Powell, se retire à la campagne et épousera sans doute un jour son sauveteur. Dans cet extraordinaire roman, le peintre de la mer devient le peintre de la fatalité, des forces du hasard et de l'illusion qui se jouent des hommes. La mer n'est qu'une toile de fond ; l'intérêt se concentre sur un homme en butte à la société, rejeté par elle, hanté d'irréalisables espérances. On a rapproché l'art de Conrad, dans *Fortune*, de celui de Henry James. La composition de cette œuvre est, selon Aubry, traducteur de Conrad, « des plus singulières et des plus fortes, l'une de celles qui ont le plus retenu les admirateurs de Conrad ». Le style est admirable : quais humides reflétant les coques et les mâts des silencieux navires, eau vitreuse des bassins, docks de Londres, la campagne anglaise et ses moutons blancs sont peints avec le génie habituel de cet incomparable écrivain. — Trad. Gallimard, 1949.

FORTUNE CARRÉE. Œuvre de Joseph Kessel, écrivain français d'origine russe (1898-1979). Paru en 1930, ce roman d'aventures en trois épisodes, en trois gestes, est un des meilleurs du genre. Premier épisode : un bâtard kirghiz, à côté duquel James Bond aurait l'air d'un enfant de chœur, doit s'enfuir de Sanaa, capitale du Yémen. Après diverses péripéties, il se mêle à une guerre intestine, commence par vaincre, puis est fait prisonnier, tue un guépard en combat singulier, s'évade et finit, in extremis, par s'embarquer sur la mer Rouge à bord d'un boutre où deux Français, clandestinement, transportent une cargaison d'armes, qu'ils cherchent à vendre. C'est le second épisode. Surpris par une tempête, le bateau manque de sombrer, et ses occupants se réfugient sur une île, où ils sont attaqués. Le troisième épisode, le plus attachant, a pour cadre l'Abyssinie. Le Kirghiz passe au second plan ; bientôt on ne s'intéresse plus qu'aux Français, héros plus humains. Tandis que dix ans de pauvreté et de solitude ont endurci Mordhom, le jeune Philippe, qui a tout juste quitté l'Europe et voyage par dilettantisme, est tendre mais ardent. Une amitié très profonde, bien qu'ils se connaissent depuis peu, unit l'aîné et le cadet. Grâce à Philippe, qui, à la tête d'une caravane de mulets, prouvera qu'il manque d'expérience mais non de valeur, Mordhom écoulera ses armes. Mais comme dira un Éthiopien, le jeune homme, dans de tels pays, était « trop blanc pour vivre ». Ces pays de la mer Rouge... Leur beauté aride, leur sauvage grandeur, façonneuses d'hommes tout d'une pièce, ont enchanté l'auteur et ce récit est, au fond, un hommage qu'il leur rend.

FORTUNE DE BÉCOT (La). Court roman de l'écrivain français Louis Codet (1876-1914), publié en 1921. Bécot est un jeune garçon de Perpignan qui fait la découverte du plaisir. Il aime une estivante du Vernet, lieu de villégiature des environs. Mais Mme Borelli, seul objet de ses désirs, ne l'aime pas. Il compense le refus de cette dame par les faveurs d'une actrice. Fort insouciant, il attire sur lui l'envie et la médisance. Le bruit court bientôt qu'il emprunte à un usurier des sommes considérables pour entretenir ses maîtresses. Mme Tixador, la mère de Bécot, est horrifiée, elle morigène son fils ; elle convoque un neveu, l'officier de dragons Hubert, qui a de l'influence sur Bécot et le persuade d'avoir à l'avenir plus de prudence. Le jeune amoureux part en vacances chez sa marraine, Mme Bouillon-Lamothe, qui habite à Saint-Elme, non loin du Vernet. Indulgente, sa marraine laisse Bécot s'amuser à sa guise. Il revoit sans cesse Mme Borelli, qui continue de se refuser à lui ; mais chacun est persuadé que Bécot vit à ses crochets, ce qui provoque de nouveaux scandales. Avertie par une lettre anonyme, Mme Tixador accourt au Vernet. Elle convoque à nouveau Hubert, lequel, devant se charger d'une communication à Mme Borelli, se laisse séduire par cette coquette et trahit son ami. Bécot s'étonne de n'en être pas ulcéré ; il avoue naïvement cette contradiction à un vieil ami de sa marraine, M. de Cahuzac, le faisant juge en même temps de ses peines et de ses aspirations. Le vieillard est enchanté de cette marque de confiance et promet à Bécot son aide. Le jeune homme part pour l'Espagne oublier les mesquineries de son entourage. Pendant son absence meurt M. de Cahuzac. Bécot apprend par télégramme qu'il hérite de la fortune du gentilhomme. Riche désormais, il est l'objet de toutes les flatteries ; Mme Borelli se donne enfin à lui, mais Bécot s'avise de son erreur : il n'aime pas cette femme. Il décide de partir au régiment.

FORTUNE DE SILAS LAPHAM (La) [*The Rise of Silas Lapham*]. Roman de l'écrivain américain William Dean Howells (1837-1920), publié en 1885. Le colonel Lapham, ainsi qu'il le déclare à un journaliste au cours d'une interview placée par l'auteur au début de son roman, est un riche industriel originaire du Vermont, devenu un des membres de la haute société de Boston. Il a conservé les vertus de son pays d'origine et s'est voué entièrement à son travail et à sa famille. Sa femme ayant fait connaissance de l'aristocratique famille Corey, le colonel se voit proposer par Tom Corey, qui aime sa fille aînée, de devenir son associé dans son entreprise et de représenter celle-ci au Mexique, sous sa propre responsabilité. Lapham découvre alors la nécessité de mener une vie plus en rapport avec sa position sociale et il entreprend de faire construire un hôtel dans un quartier aristocratique de Boston, Back Bay. Mais la fortune, qui s'était jusqu'ici montrée favorable, l'abandonne. Sa magnifique demeure qui symbolisait ses nouvelles ambitions est détruite dans un incendie. La manufacture de vernis qu'il dirigeait tombe en faillite, à cause de la concurrence de nouvelles firmes et parce que l'honnête Lapham se refuse à recourir aux expédients malhonnêtes qui lui sont proposés. Les amours de Tom Corey et de Pénélope Lapham sont contrariées : la famille de la jeune fille, croyant que les attentions du jeune homme allaient à Irène, la plus jeune, manifeste sa réprobation quand celui-ci formule sa demande en mariage. Le dénouement de cette situation embrouillée constitue la partie la plus originale du roman. Il s'agit, en quelque sorte, d'une parodie de ces romans sentimentaux à la mode comme *Tears, Idle Tears* dont la famille Corey discute un jour durant le repas, et dont le pasteur Sewel démontre le caractère immoral, parce qu'un tel livre exalte des sacrifices qui équivalent à de véritables suicides. Lorsque le colonel demande conseil au pasteur (qui rappelle le pasteur Waters de *L'Été de la Saint-Martin*), celui-ci lui montre que la seule issue consiste, comme l'estime également Mrs. Lapham, à sacrifier une seule personne plutôt que trois. Tom Corey peut donc épouser Pénélope, puisqu'elle n'a jamais cessé de l'aimer et ne lui a opposé de refus que par égard pour sa sœur. L'habile construction de l'intrigue, le sens du détail révélateur mis en relief ou simplement esquissé selon les exigences de celle-ci font de ce roman le chef-d'œuvre de Howells. Il convient de signaler l'adresse consommée avec laquelle sont utilisés certains artifices, comme celui qui consiste à laisser dans une obscurité voulue certains traits qui prendront leur pleine valeur au moment opportun : ainsi la mystérieuse identité de la dactylographe ou l'envoi du journal à Irène Lapham. Comme les autres romans de Howells, et particulièrement comme *Une connaissance de hasard*, mais avec plus d'insistance, *La Fortune de Silas Lapham* constitue une satire adroite des ambitions aristocratiques de la haute société bostonienne. – Trad. Hachette, 1890.

FORTUNE DES ROUGON (La). Premier roman du cycle des *Rougon-Macquart* (*), cette œuvre du romancier français Émile Zola (1840-1902) a été publiée en 1871. C'est le roman des origines. Origines de la famille, dont le berceau est Plassans, où se déroule l'intrigue. Origines du régime impérial : le récit se situe au moment du coup d'État du 2 décembre 1851 par lequel Louis-Napoléon Bonaparte s'est emparé du pouvoir. Origines du romancier : l'œuvre est nourrie des années qu'il a passées à Aix-en-Provence, modèle de Plassans, de ses rancœurs contre la petite ville bourgeoise et conservatrice, et de ses émois d'adolescent.

Aux origines de la famille, les débordements d'une femme, Adélaïde Fouque, chez laquelle Zola étudie les désordres de l'hystérie. Fille de riches maraîchers du faubourg, elle épouse, à la mort de ses parents, son garçon jardinier, un Rougon, paysan mal dégrossi dont elle a un fils, Pierre. Très vite veuve, elle prend pour amant en 1789, date symbolique, un braconnier, « ce gueux de Macquart », et donne naissance à deux bâtards : Antoine, né la même année, et Ursule née en 1791, autre date symbolique. Elle transmet à sa descendance une hérédité chargée : d'Antoine Macquart part une lignée de la violence et de l'alcoolisme, de sa sœur Ursule la lignée des Mouret, faite de mystiques et de rêveurs utopiques, de Pierre, celle des Rougon, à l'appétit effréné de pouvoir et de jouissance.

Le roman raconte comment le fils légitime s'empare des biens de sa mère en la dépouillant et en spoliant son demi-frère et sa demi-sœur, première étape de l'ascension des Rougon, image symbolique de la prise du pouvoir par une classe sociale au détriment d'une autre, du détournement des acquis de la Révolution. Pierre réussit à épouser la fille d'un petit marchand d'huile de la ville, Félicité Puech, aussi ambitieuse que lui. Ils ont cinq enfants, trois fils, Eugène, Aristide, qui deviendront célèbres à Paris – v. *Son Excellence Eugène Rougon* (*) et *La Curée* (*) –, Pascal, resté à Plassans, médecin et savant réputé – v. *Le Docteur Pascal* (*) –, Marthe – v. *La Conquête de Plassans* (*) – et Sidonie. Œuvre liminaire, *La Fortune des Rougon* met en place la famille et pose des jalons pour les romans futurs.

Malgré leurs efforts, les Rougon ne peuvent faire fortune. Le coup d'État du 2 décembre donne à cette « famille de bandits à l'affût, prêts à détrousser les événements », l'occasion attendue. Le roman, écrit en 1869, alors que Zola collaborait au journal républicain *La Tribune*, est animé d'une grande violence polémique. Mais, si la sympathie de l'écrivain est acquise à ceux qui se sont opposés au coup d'État, il reste globalement fidèle aux événements. À travers les Rougon et la bande de grotesques qui se réunissent dans leur salon jaune, c'est Napoléon III et sa « bande » qu'il vise.

En contrepoint à cette farce sinistre de la conquête de Plassans se développe une belle histoire d'amour et de mort, celle de Miette, la fille d'un contrebandier condamné aux galères, et de Silvère, le petit-fils des Rougon, délaissé par ses grands-parents et vivant auprès de son aïeule, la tante Dide, deux « grands enfants avides d'amour et de liberté », qui suivent avec enthousiasme les insurgés et périssent au cours des événements, Miette sous les balles des soldats, Silvère odieusement assassiné par un gendarme.

À la fois comédie burlesque et grinçante, tragédie, épopée, poème lyrique, récit fantastique, *La Fortune des Rougon*, qui frappe par l'habileté de sa construction, l'art de la formule incisive et de la caricature, est un des plus beaux *Rougon-Macquart*. C. Be.

FORTUNES. Recueil de poèmes de l'écrivain français Robert Desnos (1900-1945), publié en 1942. Ce choix d'œuvres écrites entre 1925 et 1937 renferme l'essentiel de la production de Robert Desnos. L'auteur regrette cependant de n'avoir pu y joindre la « Cantate pour l'Inauguration du musée de l'Homme », qui constituait, dit-il, une étape entre la « Complainte de Fantômas » et « L'Homme qui a perdu son ombre », dans son effort vers un « opéra » poétique. On trouve dans ce livre les deux grands poèmes : « Siramour », œuvre à clef où, dans un lyrisme abondant, parfois hermétique, Desnos chante l'union de la Sirène et de l'Hippocampe, de l'Homme et de la Femme ; « The night of loveless nights », la nuit des nuits sans amour, où l'érotisme alterne avec le désespoir et s'achève en révolte, dans l'affirmation de l'« amour absolu », que ne peut souiller nulle tache originelle, car « il n'y a pas de trahison corporelle ». L'art de Desnos est plus épuré dans les chansons : il ranime les lieux communs, évoquant des scènes familières, comme le tableau simple et triste de la rencontre des « Hommes de la terre », en les parant du mystère de la surprise. Ainsi la matière la plus banale lui permet-elle d'évoquer des domaines éloignés, d'un « autre monde », qui donnent l'impression de pénétrer dans les coulisses du théâtre. Desnos ne se prend jamais au sérieux, et l'angoisse, qui accompagne presque toujours son érotisme, n'en paraît que plus vraie. Dans une postface, l'auteur a voulu marquer lui-même la ligne de son évolution, de sa première négation de l'art, vers 1920 – v. *Corps et Biens* (*) –, à la restauration de la dignité du poème, l'acceptation d'une discipline, le rejet du rare, de l'étrange. Dans ses dernières pièces, Desnos accorde sa préférence autant à la simplicité du langage populaire qu'à celle des tableaux qu'il évoque. Par une sorte de pressentiment, Desnos laissait avec ce livre son testament poétique : « *Fortunes*... me donne l'impression d'enterrer ma vie de poète. »

FORTUNES ET AVERSITEZ (Les). C'est sous ce titre que parut, en 1526 à Paris, la première édition imprimée des œuvres du poète français Jehan Régnier (1393 ?-1465 ?), rééditées en 1923 par E. Droz (« Société des anciens textes français »), comprenant tout ce qui nous est parvenu de cet auteur, c'est-à-dire *Le Livre de la prison,* plus quelques ballades, complaintes et pièces diverses qui n'en faisaient pas partie. Régnier fut fait prisonnier en 1432, au cours d'une mission à Rouen auprès des Anglais, par des partisans qui se prétendaient gens du roi de France. Longtemps emprisonné à Beauvais, il ne fut libéré que moyennant le paiement d'une forte rançon. Cette captivité l'amena à se livrer à la poésie, pour se consoler, déplorer les heureux temps révolus, et se lamenter sur les malheurs de la France. L'analogie des situations, la ressemblance des thèmes suggèrent un rapprochement avec son contemporain Charles d'Orléans, mais Jehan Régnier est loin d'avoir sa délicatesse et son charme. Ses vers sont le plus souvent assez plats et sa langue n'a pas la vigueur de celle d'Alain Chartier par exemple. De ses ballades, retenons la « Ballade morale que le prisonnier fit », dont le thème est très proche de l'esprit d'un Charles d'Orléans, ou la « Ballade que le dessus nommé fit à la requeste de damoiselle Ysabeau Chrestienne, sa femme » (datée de 1460), où il évoque, avec passablement de charme et de naturel, la vie paisible des deux époux qui ont vieilli en bonne entente. Ce qui de Régnier est assurément le meilleur, ce sont ses prières en forme de « lais », où tantôt il évoque les bons temps passés (« Quant en France paix aviez, / Clergié, moult aise estiez », pièce d'une grande originalité de facture au charme naïf) ; tantôt il prie Dieu et ses saints pour la paix (« Pere sainct, excommuniez... / Qui a Paix yra du contraire ! »). Enfin, Régnier a écrit un « Testament du prisonnier », qui rappelle non seulement par son esprit, mais par sa composition même (c'est un poème suivi dans lequel sont enchâssées de courtes pièces, « lais », ballades et rondeaux) le *Testament* (*) de Villon. Ce poème vaut surtout par son pittoresque, les allusions aux mœurs et à la mentalité du temps.

FORTUNIO de Gautier. Roman de l'écrivain français Théophile Gautier (1811-1872), publié en 1838. Au cours d'un banquet offert par un jeune homme de la haute société, Georges, apparaît le mystérieux marquis Fortunio, fleur de l'élégance parisienne. Il arrive d'Orient. Sa beauté et son immense fortune lui donnent le prestige d'une vie pleine d'aventures. Musidora s'éprend de lui ; c'est une jeune courtisane, déjà marquée par la vie et qui a toujours vécu dans la volupté et le luxe ; mais pour la première fois elle éprouve une passion véritable. Personne ne sait où retrouver à Paris cet être étrange, raffiné et bizarre. C'est en vain que, pendant la fête de nuit chez Georges, Musidora avait dérobé en cachette le portefeuille du beau Fortunio : il ne contient qu'une épingle empoisonnée et une lettre écrite en caractères inconnus. Après des recherches désespérées, Musidora retrouve Fortunio, et elle est prise aussitôt par le charme de cette nature démoniaque, dans laquelle se mêlent étrangement la séduction et la mollesse. La froideur de Fortunio la jette dans le désespoir et elle est sur le point de se tuer, quand Fortunio lui envoie sa propre voiture, l'invitant dans un palais inconnu de tous. Au milieu d'un luxe éblouissant et extravagant, Musidora conquiert l'amour du jeune homme et apporte dans la passion son expérience de courtisane. Mais Fortunio ne tarde guère à se fatiguer d'elle, car sa façon d'aimer lui rappelle qu'elle a appartenu à d'autres hommes que lui ; il va jusqu'à mettre le feu à la maison de Musidora pour oublier son passé. Ayant rejoint une mystérieuse colonie de compatriotes qui se cache dans Paris même, Fortunio est repris par l'amour d'une très jeune Javanaise, et dans la candeur innocente de la jeune fille il cherche à oublier l'impureté de Musidora. Enfin il fait annoncer qu'il a été tué en duel et, pendant que Musidora se tue grâce à l'épingle empoisonnée, Fortunio, avec une cruelle indifférence, se prépare à retourner en Orient, fatigué de la civilisation européenne, corrompue et artificielle. Le sens esthétique de Gautier s'est exercé jusqu'aux dernières limites dans la représentation décorative de différentes scènes, des mots d'esprit, des passages imprévus du récit. Dans l'enchaînement des épisodes, la continuelle ironie avec laquelle l'auteur parle de ses personnages et entremêle ses réflexions à leurs aventures, ainsi que la recherche d'un exotisme séduisant et désinvolte sont caractéristiques d'une certaine forme du romantisme.

FORTUNIO de Messager. Comédie musicale en cinq actes, musique du compositeur français André Messager (1853-1929), sur un poème de Caillavet (1869-1915) et Flers (1872-1927). Créée à l'Opéra-Comique de Paris le 5 juin 1907, cette comédie musicale est une adaptation du *Chandelier* (*) de Musset. Jacqueline, femme du notaire, maître André, donne de coupables rendez-vous au beau capitaine Clavaroche. Maître André est fort jaloux, mais il est aussi facile à duper quant à l'objet de cette jalousie. Jacqueline s'arrange donc pour détourner les soupçons sur le petit clerc Fortunio qui ne tire pas à conséquence. Mais il se trouve qu'à l'usage Clavaroche n'est qu'un pleutre et le petit clerc un vrai héros. Le chandelier change de mains, au bénéfice de Fortunio qui l'a bien mérité. Messager, depuis *Véronique* (*), son grand succès de 1898, n'avait presque plus rien donné pour le théâtre. En 1905, il reparaissait aux Variétés avec *Les Dragons de l'impératrice*. C'était assez pour se faire la main en vue d'une œuvre digne de l'Opéra-Comique et, deux ans plus tard, il donnait *Fortunio*. L'ayant entendu, Gabriel Fauré pouvait écrire : « Il n'y a pas beaucoup d'exemples dans l'histoire de la musique d'un artiste d'une culture aussi complète, d'une science aussi approfondie, qui consente à appliquer ses qualités à des formes réputées on ne sait pourquoi secondaires. De combien de chefs-d'œuvre ce préjugé ne nous a-t-il pas privés ! Avoir osé n'être que tendre, exquis, spirituel, avoir osé sourire alors que chacun s'applique à pleurer, c'est là une audace bien curieuse pour ce temps. Et c'est surtout l'affirmation d'une conscience d'artiste. » Au reste, on se gardera de confondre ce *Fortunio* avec *La Chanson de Fortunio* (*), un acte d'Offenbach (1861) également inspiré du *Chandelier* de Musset.

FOSSE AUX CHIENS (La) [*The Inmates*]. Roman de l'écrivain anglais John Cowper Powys (1872-1963), publié en 1952. « Ce que j'ai tenté de faire, dans ce conte, c'est d'inventer un groupe de personnages vraiment fous, dotés de cet humour extravagant, fantastique et grotesque qui, après tout, est un élément de la vie. » À cette fin, continue Powys dans sa note liminaire, « j'ai découvert par instinct, chemin faisant, qu'il me fallait trois choses pour obtenir l'atmosphère requise : d'abord, une simplicité narrative qui puisse compenser la frivolité macabre du sujet, ensuite une exploitation éhontée de mes propres manies, enfin la volonté féroce d'éviter tous les clichés de la psychanalyse moderne... ». Cette déclaration d'intention n'est pas ce qu'il y a de moins intéressant dans ce livre, qui est un échec au même titre que *Morwyn* (*). La raison en est simple : pour faire adhérer le lecteur à cette vision très subjective, et même intime, de la vie dans un asile, il eût fallu à Powys une imagination en pleine force et un art consommé. Or certains chapitres sont illisibles à force de se dissoudre en fumeuses discussions mystico-philosophiques entre « pensionnaires » qui ne sont fous que dans la mesure où Powys lui-même l'était, c'est-à-dire qui sont en effet, littéralement, les projections de ses manies. En conséquence ils n'ont aucune vie propre, et la raison de leur présence dans la maison du Dr Echetus (en grec homérique, le briseur d'hommes) paraît bien mince au lecteur moderne, qui en a vu d'autres. Mais ce n'est rien à côté de ceux qui représentent en tout et pour tout une idée : il y a le prêtre catholique et le pasteur protestant, tous deux supplantés par un deus ex machina venu à point du Tibet (les nouvelles Galles celtiques !) pour résoudre les tensions en parlant de multivers au lieu d'univers. On pourrait croire à ces tensions « vitales », ou à cette pâle dramatisation des diverses attitudes envers la vie, si elles n'étaient si répétitives, presque caricaturales. Ainsi, comme dans le « Musée de l'Enfer » des *Sables de la mer* (*) et comme l'enfer lui-même dans *Morwyn*, l'asile est aussi un lieu de vivisection : c'est pour Powys, comme on le sait, la suprême manifestation du mal. Ce livre intéresse donc, plus que le lecteur « moyen », celui qui se consacre à l'étude de la personnalité de Powys. Or il y a quelque chose de pathétique dans ce vieil homme de quatre-vingts ans qui, une dernière fois, en une allégorie plus littérale que jamais, tente d'exorciser par l'écriture ses démons intérieurs. Son John Hush est donc un nouvel avatar du héros powysien, comme son (An) Tenna Sheer en est un de l'Ondine selon ses sens, un peu mystérieuse et parfois presque asexuée. Mais ce sont là les deux seuls personnages du livre qui présentent quelque épaisseur. Il est d'ailleurs significatif (peut-être de la vitalité de Powys) que tous deux s'échappent à la fin, pour se perdre aussitôt dans ce lieu très powysien qu'est un cirque ambulant. Car cette fois Powys est victime du processus de sa propre création : sans chair imaginative (l'asile, très anglais, n'a pas même l'intérêt de l'enfer de *Morwyn*), sans puissance scénique (les rencontres, parfois violentes, entre les personnages n'ont pas de réalité : comme si c'était un asile peuplé d'ombres), la création vire à la parodie et se retourne contre son auteur.

Cependant l'œuvre a une dimension de symbole « à usage interne ». On y voit Powys, dont l'*Autobiographie* (*) a révélé l'extraordinaire personnalité, donner celle-ci comme la raison profonde de toutes les démences, dénoncer son culte contemporain, et enfermer littéralement la sienne, c'est-à-dire toutes les « personae » du roman (le sadique, l'érotomane ambi-sexuel, la meurtrière du père, etc.) en un asile au demeurant fort agréable qui est comme le foyer de sa création. Le livre est un plaidoyer pro domo. C'est un Powys las du monde et des pérégrinations de son infatigable carrière de conférencier aux États-Unis qui vient ici, de lui-même, s'enfermer chez lui, c'est-à-dire en lui. Powys dans ses dix dernières années ne donnera plus que des essais ou des « fantaisies cosmiques » si diluées dans le mysticisme le plus vague et le celticisme le plus obscur qu'aucun lecteur contemporain ne peut sincèrement y trouver intérêt. En conséquence, on peut dire qu'avec *La Fosse aux chiens* Powys fait ses adieux à sa création. Alors le livre gagne en émotion cachée ce qu'il a perdu en force de persuasion. – Trad. Le Seuil, 1976.

M. Gr.

FOSSE AUX FILLES (La) [*Jama*]. Ce roman de l'écrivain russe Alexandre Kouprine (1870-1938) fut publié en 1912 ; c'est l'une des œuvres les mieux connues de cet auteur. Kouprine n'appartient à aucune école, et il est difficile de trouver dans l'ensemble de son œuvre la trace d'une influence quelconque. Toutefois, Kouprine est slave et, comme tel, il possède en lui cette simplicité et ce réalisme que l'on retrouve chez Tchekhov, la préférence marquée pour les miséreux, si chers à Gorki et à Dostoïesvki, ainsi que le sens de la fraternité humaine particulier à Tolstoï, le tout mis au service d'un art froid et objectif. Dans *La Fosse aux filles,* Kouprine aborde un sujet qui, à son époque surtout, fut considéré comme très scabreux : la prostitution. La « Fosse » est, en fait, le nom d'un quartier malfamé d'une grande ville de la Russie méridionale. Dans ce quartier on trouve, le soir venu, des représentants des classes sociales les plus diverses et des échantillons les plus étranges des bas-fonds. Dans la maison de tolérance décrite par l'auteur, on voit évoluer en effet de vieux pervertis, et aussi des lycéens qui ignorent encore tout de la femme et ne se rendent dans cette maison que par bravade et pour « se donner un genre ». Des pères de famille barbus côtoient de jeunes fiancés, des policiers se mêlent aux voleurs, et des pédagogues intransigeants pour la morale d'autrui prennent un verre à deux pas d'un forçat évadé ou d'un bourreau professionnel. Tous ces hommes cachent leurs instincts les plus bas pendant le jour et leur donnent libre cours sous couvert d'un anonymat propice. Là vivent, d'une vie étrange et irréelle, quatre cents femmes querelleuses, avares, stériles, inconscientes victimes du tempérament masculin, mais, en quelque sorte, gardiennes de l'honneur des familles. Elles sont méprisées, du moins pendant le jour, par les gens de bien et mises au rang des esclaves ; les tenanciers des maisons les maltraitent et les volent, mais elles ne peuvent s'en aller ; si, par hasard, elles le font, la société les repousse. Un jour ou l'autre, pourtant, ces femmes tombent amoureuses, bien qu'à leur manière, de quelque malheureux ou de quelque déclassé. L'auteur nous fait assister, à la fin du roman, à une série d'assassinats et de suicides dignes d'un « roman noir » moderne. Il rassure toutefois le lecteur : plus tard, ce quartier malfamé perdra sa mauvaise réputation par suite de l'extension de la ville. *La Fosse aux filles* nous révèle un romancier attentif et précis dans la description d'un aspect peu connu de la vie d'une grande ville. Dans ce roman, comme dans la plupart des autres œuvres de Kouprine, le réalisme de cet écrivain apparaît cruel et déconcertant. Mais, au fond de lui-même, il plaint intensément ses pauvres héroïnes qui représentent, à ses yeux, malgré tout, l'amour de la femme : sentiment qui lui apparaît comme le seul qui soit éternel et raisonnable. – Trad. Bossard, 1926.

FOSSE COMMUNE (La) [*Jama*]. Poème du poète croate Ivan Goran Kovačić (1913-1943), publié pour la première fois dans une édition composée à la main, avec une reliure en toile de parachute, en 1944. *La Fosse commune* décrit, à la première personne, le martyre d'un homme torturé, puis jeté dans une fosse commune. C'est une des œuvres les plus bouleversantes de la poésie universelle. Elle a été composée sur les champs de bataille de Yougoslavie pendant la dernière guerre mondiale, alors que son auteur combattait dans l'armée des partisans de Tito ; il devait mourir assassiné après un combat, en 1943, à l'âge de trente ans. Ce long et déchirant monologue, d'une forme parfaitement classique, décrit le cauchemar d'un homme auquel on a crevé les yeux et qui se traîne plus mort que vif au milieu d'un monceau de cadavres entassés dans une fosse. Jamais auparavant, semble-t-il, une œuvre de haute qualité n'avait atteint ce degré de minutie et d'épouvante dans l'évocation de la torture. Ivan Goran Kovačić connaissait bien la littérature française et anglaise. Il avait écrit et publié des nouvelles dans le recueil intitulé *Les Jours de colère* [*Dani gnjeva*, 1936] et d'autres poésies, dont certaines en dialecte croate kajkavien, que Miroslav Krleža avait rendu célèbre dans *Les Ballades de Petrica Kerempuh* (*) (1936), réunies dans le recueil intitulé *Les Feux et les Roses* [*Ognji i ruze*, 1945]. À ces écrits s'ajoutent des essais et des critiques littéraires. L'édition des œuvres complètes d'Ivan Goran Kovačić est due au poète croate Dragutin Tadijanović. L'édition française de *La Fosse commune*, publiée au lendemain de la guerre, s'ouvre sur un émouvant hommage de Paul Éluard à Ivan Goran Kovačić. – Trad. Seghers, 1949.

FOSSE DE BABEL (La). Roman publié en 1962 par l'écrivain français Raymond Abellio (pseud. de Georges Soulès, 1907-1986). Drameille, le héros de ce roman, cherche à former des surhommes capables de mener le monde à un destin supérieur. Pour recruter les membres du groupe de la « structure absolue », il essaiera de provoquer des conflits entre toutes les catégories d'hommes – fascistes, communistes, révisionnistes chrétiens, technocrates – et de les mettre en compétition de façon à sélectionner les élus en éliminant les insuffisants. Mais ces intrigues ne sont qu'une étape sur la voie de la connaissance du « communisme sacerdotal », qui dépassera à la fois les anciennes religions et les anciennes politiques. Pour se procurer les fonds nécessaires à son entreprise, Drameille monte l'affaire S.S. (sigles de von Saas, ancien officier S.S. et de Santafé, ancien révolutionnaire espagnol) aux U.S.A., en 1953, alors que le maccarthysme est en plein essor. Il présente à des industriels américains un homme d'action, von Saas, qui organisera la protection de leurs usines contre l'infiltration communiste. Et il charge en même temps Santafé de monter une organisation anarchiste qui commettra des attentats dans les mêmes usines. Le contrat de protection entre von Saas et Greenson, le plus important des patrons américains, est négocié par Julienne de Sixte, ancienne maîtresse de Drameille, prototype de la « femme virile ». L'écrivain français Dupastre nous conte cette aventure à la première personne. Il tombera amoureux de Françoise de Sixte, qui, au contraire de sa sœur Julienne, est une femme très féminine, et ensuite de Marie, la fille de Greenson, prototype de l'Américaine de vingt ans. Autour de Drameille gravitent notamment les abbés d'Aquila et Domenech, théoriciens de la nouvelle Rome ; Pirenne, le policier communiste qui sera la cheville ouvrière de la catastrophe finale ; Jansen, gangster fasciste ; le docteur Laforêt, biologiste, et le physicien Le Hourdel. La diversité des décors (Paris, Genève, Londres, l'Italie, New York, Detroit), le heurt des idées, l'abondance des thèmes, la place faite à l'amour font de ce livre une œuvre où l'aventure métaphysique et l'aventure tout court se mêlent étroitement pour exprimer une nouvelle vision du monde, aussi passionnante à la lecture qu'à la réflexion.

FOSSILES (Les). Drame en quatre actes de l'auteur dramatique français François de Curel (1854-1928), représenté pour la première fois à Paris en novembre 1892, et publié avec des variantes en 1900. Dans un vieux manoir des Ardennes vit, entouré de ses parents et de sa sœur Claire, Robert, le dernier des ducs de Chantemelle ; en ce lieu il languit, miné par la phtisie. Sachant sa mort prochaine, il fait une confession à sa mère : un fils est né de ses amours avec Hélène Vatrin, jeune fille élevée par charité dans sa propre maison aux côtés de sa sœur Claire et que celle-ci vient récemment d'éloigner. Claire n'a pas voulu dire les raisons de son hostilité envers sa compagne ; son orgueil et sa pureté l'en ont empêchée, mais elle possède les preuves de l'existence d'une liaison entre Hélène et son père. En réalité, Hélène, caractère faible, a appartenu aux deux hommes, bien que n'ayant jamais aimé que Robert ; et le père et le fils se croient tous deux le père de l'enfant d'Hélène. Quand le vieux duc apprend ce qui est arrivé, il entre dans une violente colère ; mais bientôt il s'apaise : que l'enfant soit de l'un ou de l'autre, il n'en est pas moins un Chantemelle. Il ne faut donc pas le renier, mais l'accueillir dans la famille et lui donner le nom qui lui revient. Il exige donc le mariage de Robert et d'Hélène. Claire se révolte d'abord puis s'incline devant les intérêts supérieurs mis en cause. Même Robert ne sera pas épargné : il aura la douleur d'apprendre le rôle exact qu'il a joué dans ce drame familial. C'est Claire et son père qui le lui apprennent, lorsqu'ils comprennent qu'Hélène exige de son mari mourant l'indépendance pour elle et pour son fils. Alors Robert, invoquant son propre sacrifice, impose à tous sa volonté avant de mourir : ses parents doivent s'éloigner tandis que Claire, victime volontaire, chargée du culte des ancêtres, restera auprès d'Hélène, liant ainsi sa vie à celle de cette femme qu'elle méprise, afin de pouvoir élever l'enfant dans les principes qu'exige son nom. C'est un drame aux lignes très nobles, riche en poésie et en éloquence. Comme le sont en général toutes les œuvres théâtrales de cet auteur, il est axé sur une idée centrale : partant d'un thème abstrait, il cherche à s'incarner et à vivre dans l'action. Et il vit vraiment dans les trois premiers actes, à travers les figures de Claire et de son père, dressées face à face, tantôt ennemis, tantôt complices, toujours poussés par la violence d'une même passion.

FOU (Le). Drame lyrique en trois actes du compositeur français Marcel Landowski (né en 1915) sur un livret dont il est lui-même l'auteur, créé à Nancy en 1956. L'argument retrace les angoisses d'un savant, Peter Bell, qui a découvert une arme absolue susceptible de sauver son pays. Mais en livrant cette découverte à l'humanité, ne va-t-il pas se comporter en monstre ? Le savant est tour à tour confronté au prince qui veut sauver son peuple, au chef de la police, brutal et dénué de tout scrupule, aux supplications de sa femme et au peuple qui implore avant de crier sa haine. Arrêté par le chef de la police, Peter Bell mourra sans avoir révélé son secret.

A. Pâ.

FOU de Se-ma Siang-jou (Les). Œuvres du poète chinois Se-ma Siang-jou (179-117 av. J.-C.), appartenant au genre littéraire dit « fou ». Tirant son origine des *Élégies de Tch'ou* (*) et inauguré par Song Yu (IIIe siècle av. J.-C.) et Tsia Yi (201-169 av. J.-C.), le « fou » fut d'abord considéré comme un genre poétique, puis il évolua à travers les siècles et devint une forme de la prose rythmée jusqu'à devenir enfin, sous les Song, synonyme de prose simple. Les opinions des critiques sur la définition qu'il convient de donner du

« fou » en tant que genre littéraire sont divergentes : celle qui prédomine donne le « fou » pour une forme de poésie libre dans laquelle le contenu poétique s'exprime au moyen d'un grand nombre de comparaisons et de symboles, ce qui constitue une des caractéristiques essentielles du genre. Se-ma Siang-jou est le plus célèbre auteur de « fou », et a mené à son apogée l'art du poème descriptif au vocabulaire et à la musicalité recherchés à l'extrême, riche d'allusions, d'allitérations et d'effets rythmiques rares. Les *Mémoires historiques* (*) réunissent deux titres sous celui des *Chasses du fils du ciel* : le premier fut composé en l'honneur du roi de Liang auprès de qui Se-ma Siang-jou passa quelques années de sa jeunesse ; le « Fou de maître Vide » décrit deux chasses royales, sujet caractéristique de la « poésie de Cour ». Appelé par la suite à la cour de l'empereur Wou des Han (régnant de 141 à 87 av. J.-C.), le poète continua avec le « Fou de Chang-lin », vantant le parc de chasse impérial. La description en fait ne se pique pas de réalisme, mais sert bien plutôt de prétexte à la fantaisie et à la beauté des discours que se tiennent plusieurs personnages dialoguant. Le « Fou du surhomme » retrouve l'inspiration chamanistique des *Élégies de Tch'ou* en racontant un voyage mystique, mais reste un éloge à l'empereur. Le « Fou de la belle femme » fait écho aux mêmes *Élégies*, par le style et la volupté des images. L'attribution du « Fou de la porte Tch'ang-men » à Se-ma Siang-jou a été mise en question, mais il est peut-être le plus célèbre des « fou » répertoriés traditionnellement sous son nom. Cela est sans doute dû au fait qu'il aurait été commandé par l'impératrice Tch'en. Celle-ci s'était vue abandonnée de l'empereur et contrainte de vivre, reléguée, dans le palais Tch'ang-men. On raconte que l'empereur fut à ce point touché, après avoir lu l'œuvre du poète, qu'il rendit son amour à sa femme. Le poème décrit en effet, avec une grande vivacité de coloris et une abondance de comparaisons et de symboles, la douleur et la solitude de l'impératrice Tch'en pendant ces longs jours et ces longues nuits d'isolement : son désir ardent, sa rêverie nocturne alors qu'elle espère voir paraître l'empereur, ses vains préparatifs pour le recevoir et finalement son désespoir quand le matin éveille la dame de son rêve. Un réalisme aigu rend très vivante cette description qui n'est dépourvue ni de nuances, ni d'accents d'une grande délicatesse ; le style en est noble et solennel. – Trad. *Les Deux Premiers Fou de Sseu-ma Siang-jou*, 1955 ; P.U.F., 1972.

FOU de Tsia Yi : le hibou [*Fou-niao-fou – Funiao fu*], **LAMENTATION SUR TS'IU YUAN** [*Tiao Ts'iu Yuan fou – Diao Qu Yuan fu*]. Œuvres du poète chinois Tsia Yi (201-169 av. J.-C.), considérées comme les premières pièces en genre « fou », en vogue à partir des Han antérieurs (206-23 av. J.-C.). Les « fou » sont des poèmes dits « récitatifs », composés d'une introduction en prose et d'un développement en prose poétique rythmée (et souvent rimée). En réalité, bien qu'ils en portent le nom et la césure caractéristique en « si » au milieu du vers, les « fou » de Tsia Yi sont plus proches des *Élégies de Tch'ou* (*) (dont le genre est issu) que du « fou » des Han. Celui-là aura le vocabulaire recherché d'une poésie de Cour, décrivant les capitales ou les chasses de l'empereur. La *Lamentation sur Ts'iu Yuan* et *Le Hibou* sont par le style et les thèmes plus intimes et plus lyriques à la fois. Le premier aurait été composé après que Tsia Yi, sur le chemin de son exil vers Tch'ang-cha, eut évoqué le souvenir du poète Ts'u Yuan (339 ?-278 ? av. J.-C.). Celui-ci fut exilé dans la même région, et se serait, selon la légende, noyé dans la rivière Mi-louo. Au bord de la rivière Siang, Tsia Yi se lamente sur le destin de son très illustre prédécesseur autant que sur son propre sort. *Le Hibou* est aussi empreint d'une certaine amertume et prévoit la mort prématurée de son auteur, mais ce dans un long discours sur la brièveté de la vie et la non-permanence des choses, refusant à la mort d'être fatale ou effrayante. Ce discours, que l'on a dit inspiré par la pensée taoïste, est l'interprétation par le poète du soupir et du battement d'ailes d'un hibou qui a pénétré dans sa chambre. – Trad. anglaise « Two Han Dynasty Fu on Ch'ü Yüan : Chia I's Tiao Ch'ü Yüan and Yang Hsiung's Fansao », in *Parerga* nº 1, 1968 ; « Twe Owl », in *The Columbia Book of Chinese Poetry*, Columbia University Press, 1984. V. L.

FOU de Yang Siong (Les). Ensemble de poèmes composés par l'écrivain et philosophe chinois Yang Siong (53 av. J.-C.-18 apr. J.-C.), et appartenant au genre du « fou » (récitatif, descriptif ou narratif, en prose poétique rythmée sinon rimée), particulièrement en vogue sous les Han (206 av. J.-C.-220 apr. J.-C.). Le traité bibliographique des *Annales* des Han antérieurs (206-23 av. J.-C.) recense douze « fou » de Yang Siong, mais certains sont perdus, fragmentaires ou d'attribution douteuse. Yang, quoi qu'il en soit, était un admirateur et un imitateur du style de Se-ma Siang-jou (179-117 av. J.-C.), le plus grand des auteurs de « fou ». Il honora les règles du genre qui sont une extrême richesse de vocabulaire et une grande ingéniosité rhétorique. Ayant fait office de « poète de cour » sous le règne de l'empereur Tch'eng (32-7 av. J.-C.), il décrivit les chasses impériales dans *La Plume*, *La Barricade* et le *Fou de Tch'ang-yang* ; les sacrifices au ciel et à la terre dans les « fou » *Heu-tong* et *La Source suave*. Présentés à l'empereur, ces poèmes se devaient d'être élogieux, mais l'auteur savait y glisser quelques pointes didactiques, des reproches subtils ou indirects visant les excès de la Cour. Le *Fou pour dissiper les railleries* est souvent mieux apprécié car le ton en est plus personnel. Dans la seconde partie de sa vie, alors qu'il se vouait à la philosophie, Yang Siong condamna le genre qu'il avait tout d'abord si bien représenté, et proposa pour le « fou » des principes de composition moins « futiles ». — Trad. anglaise par E. E. Kopetsky, *Two fu on Sacrifices by Yang Hsiung*, in *Journal of Oriental Studies* n° 10, 1972. *The Han Rhapsody, A Study of the Fu of Yang Hsiung*, 1976.

V. L.

FOU D'AMOUR de Song Yu. Ensemble de pièces attribuées au poète chinois Song Yu (298 ?-265 ? av. J.-C.), et qui relèvent du genre littéraire du « fou » — « récitatif » ou déclamation en prose rythmée sinon rimée. Ces *Fou d'amour* sont inclus dans *L'Anthologie* (*) de Siao T'ong (501-531 ap. J.-C.), grâce à laquelle de nombreux textes de la littérature chinoise ancienne nous ont été transmis. Ils pourraient en réalité être postérieurs à l'époque où vécut Song Yu, héritier de Ts'iu Yuan (340 ?-278 ? av. J.-C.) et auteur des *Neuf Discussions* — v. *Élégies de Tch'ou* (*) —, mais ils lui demeurent associés par la tradition et ce d'autant plus que le narrateur de ces « fou » porte le nom de Song Yu. Le *Fou de la terrasse Kao-t'ang* [*Kao-t'ang-fou*] et le *Fou de la déesse* [*Chen-nu-fou*] comptent parmi les plus célèbres des « fou » d'inspiration érotique, avec ceux de Se-ma Siang-jou et de Ts'ao Tche. Ils mettent en scène le poète face à la beauté surnaturelle d'une divinité dont il fait une description frémissante et sensuelle. L'image lui apparaît en rêve ou dans son souvenir et, bien que leur union ne puisse être parfaite, le récit se concentre sur les mille séductions et sur les plaisirs que procurent les charmes d'une belle femme. Le *Fou sur le désir des femmes de Teng T'ou-tse* [*Teng T'ou-tse hao-seu-fou*] fait un exposé didactique et surtout humoristique sur la concupiscence. Le prétexte en est l'accusation de débauche portée par Teng T'ou-tse contre Song Yu. Celui-ci se défend devant le roi en racontant comment depuis trois ans il résiste aux avances et à la beauté parfaite de sa jeune voisine. Il retourne ensuite l'accusation à son calomniateur, qui a largement prouvé sa concupiscence en ayant donné cinq enfants à sa propre femme, affublée de toutes les tares physiques et de tous les maux imaginables. — Trad. *Le « Fou » dans le Wen-siuan*, Geuthner, 1926.

V. L.

FOU D'ELSA (Le). Long poème de l'écrivain français Louis Aragon (1897-1982), publié en 1963. Le thème de cette œuvre, qui à certains égards tient de l'épopée, puisqu'il s'agit ici des dernières années du royaume maure de Grenade, de son dernier roi, Boabdil, et aussi du départ de Christophe Colomb, s'annonce déjà dans quelques vers du recueil précédent, *Elsa* (1959), où l'on trouve aussi des thèmes comme ceux de la jalousie, du désespoir de l'homme amoureux et de l'écrivain qui recevront plus ample développement dans le roman *La Mise à mort* (*). On lit dans *Elsa :* « Il m'arrive parfois d'Espagne / Une musique de jasmin... / Ah terre de la reconquête / Pays de pierre et de pain bis / Nous voilà faits comme vous êtes / de l'Afrique à Fontarabie. » L'Espagne dont il s'agit dans *Le Fou d'Elsa*, c'est d'abord et avant tout l'Espagne musulmane et juive du Moyen Âge, avec tout ce qui fleurit en son sein d'hétérodoxe, tant par rapport à l'islam qu'au judaïsme traditionnel. La chute du dernier bastion musulman dans ce pays est ici revécue et chantée du point de vue des vaincus, de ce qu'ils sont en tant qu'êtres humains, mais aussi de ce qu'ils représentent sur le plan de la culture. Cette redécouverte d'une culture qui a donné à l'Europe une nouvelle conception de l'amour — Aragon l'a rappelé déjà ailleurs —, lui a transmis la philosophie grecque et bien des idées et conceptions dont les hommes de la Renaissance feront leur profit, le poète en a éprouvé le besoin dans les années de la guerre d'Algérie. « C'est sans doute par les événements de l'Afrique du Nord que j'ai compris mes ignorances, un manque de culture qui ne m'était d'ailleurs pas propre », écrira-t-il à ce sujet dans ses *Entretiens avec Francis Crémieux* (1964). Le poème, où sont mêlés « la prose et le vers, et des formes hybrides du langage qui ne sont ni l'une ni l'autre de ces polarisations de la parole », qui comporte des chants, des poèmes rimés, d'autres en versets, d'autres que l'on pourrait dire libres, des morceaux de prose rythmée où généralement prend place l'élément récit historique, etc., ne se déroule pas tout droit. Comme déjà dans le roman *La Semaine sainte* (*), il arrive que le poète se retourne vers ce passé et y intervienne, mais il arrive aussi et plus souvent que son héros lise dans l'avenir. La trame repose à la fois sur le drame de Boabdil, entouré de notables déjà prêts à le trahir, hésitant à s'appuyer sur un peuple ballotté entre les factions (et en tout ceci le lecteur ne peut pas ne pas revoir la France de 1939-40), et sur la présence à Grenade, en ces temps troublés, d'un poète des rues, une sorte d'inspiré, Keis, que l'on appelle Medjnoun (par référence à un poème d'amour persan), et qui chante l'amour d'une femme qui n'existe pas encore, une certaine Elsa. Vouant un tel culte à une femme et non à Dieu, encore pis à une femme future, le Fou sera poursuivi et emprisonné pour idolâtrie. Et dans la prison chantent avec lui d'autres personnages plus ou moins hérétiques. Cependant, après avoir été roué de coups, le Fou sera libéré. Mais la défaite, l'occupation de Grenade par les rois catholiques l'obligent à fuir dans la montagne, où les gitans cachent et protègent le vieillard malade et délirant. C'est alors que, tout espoir perdu pour la Grenade maure, le Fou se met à lire et chanter les temps futurs : ceux de don Juan, venu à la suite de la Croix tourner l'amour en dérision, ceux de saint Jean de la Croix, la rencontre de Chateaubriand et de Nathalie de Noailles, l'assassinat de Federico García Lorca, les « temps d'Elsa enfin », Elsa qu'il tente d'évoquer par magie sans y parvenir. Il mourra chez les gitans, après que son fidèle Zaïd aura été arrêté et torturé à mort par l'Inquisition, entrée dans Grenade avec la reconquête, tandis que les navires de Christophe Colomb s'en iront vers l'Amérique. Et le poète de 1963 de dire en son nom : « [...] qui me reproche de tourner mes regards vers le passé ne sait pas ce qu'il dit et fait. Si vous voulez que je comprenne ce qui vient, et non pas seulement l'horreur de ce qui vient, laissez-moi jeter un œil sur ce qui fut. C'est la condition première d'un certain optimisme. » C'est là en effet un des fils directeurs de cette œuvre complexe, cette symphonie dont un autre leitmotiv est constitué par une certaine idée de la femme (« la femme est l'avenir de l'homme ») et de l'amour, par un retournement de l'élan mystique de Dieu (« Je peux te le dire en face enfin que tu n'existes pas », dit le Fou à l'heure de l'agonie) vers la femme et le bonheur terrestre. Mais c'est aussi une méditation lyrique sur le temps, ou plutôt les temps différents que vit l'homme, c'est encore la mélopée de la patrie trahie et vendue, c'est enfin le drame pathétique d'un homme, d'un roi, dont les historiens du pays vainqueur ont donné une image dérisoire, le Boabdil qui voudrait sauver Grenade et ne sait comment. (« J'imagine un Boabdil en proie à ces déchirements à nous qui sommes par la chair du temps en voie de disparaître et par l'esprit appartenons déjà aux étoiles. ») Ce poème lyrique, historique, et même psychologique est une somme philosophique.

FOUDRE PERPÉTUELLE (La) [*El rayo que no cesa*]. Recueil de poèmes de l'écrivain espagnol Miguel Hernández (1910-1942), publié en 1936. Berger, fils de paysan, Hernández est né à Orihuela, près de Murcie, sur une terre aride, même pour la poésie. Mais la terre natale, son amour pour Josefina, la pauvreté et l'amitié des paysans lui firent retrouver les sources de la littérature espagnole et son art l'imposa parmi les meilleurs écrivains de tradition castillane. Il vint à la poésie grâce à Ramón Sije, intellectuel brillant qui écrivait dans les revues madrilènes *Cruz y Raya* et *El Gallo Crisis.* C'est dans *El Gallo Crisis* que Sije fit publier les premiers poèmes de « l'apprenti rossignol », comme le surnommait Rafael Alberti. Installé à Madrid en 1935, Hernández y publie *La Foudre perpétuelle*. Dès sa sortie, le recueil, qui devait d'abord s'intituler *Le Souffle coupé* [*El silbo vulnerado*], connaît un accueil triomphal. Hernández est reçu à bras ouverts dans les cercles littéraires dominés par Pablo Neruda, Rafael Alberti, Delia del Carril, qui le prennent en tutelle. *La Foudre perpétuelle* contient en germe tout le destin du poète, dont l'art s'apparente à celui de Federico García Lorca. Comme celle du « rossignol andalou » sa poésie gravite autour des thèmes de l'amour, de la douleur et de la mort. « Je me vois précipité, et telle ruine / n'a d'autre disgrâce ni d'autre cause / que de t'aimer et seulement t'aimer. Mon cœur ne peut plus endurer la tristesse : / hanté par le spectre d'un noyé / il vole dans le sang et s'enlise sans appui. » « Un couteau carnivore / à l'aile douce et meurtrière / suspend son vol et son éclat / autour de ma vie. »

Moins d'un an plus tard, c'est la guerre. Un recueil, *Vent du peuple* (*), suivra *La Foudre perpétuelle.* Il ne fera que confirmer le génie de cet homme, qui, après avoir perdu un fils mort de faim, se verra condamné à mort, gracié, emprisonné au bagne d'Alicante où il succombera le 28 mars 1942.

FOU DU TSAR (Le) [*Keisri hull*]. Roman de l'écrivain estonien Jaan Kross (né en 1920), publié en 1978. L'œuvre est axée sur un personnage historique : Timothée von Bock. L'histoire de ce noble allemand de Livonie nous est présentée par le journal que tient un personnage fictif, son beau-frère, journal qui commence quand Timo revient après neuf ans de captivité dans les geôles d'Alexandre Ier. Son histoire est ainsi révélée au lecteur par bribes, dans une narration mêlant le passé et le présent, la vie des von Bock et celle du narrateur, au fil des découvertes que fait celui-ci sur son entourage.

Timothée von Bock est un personnage hors pair : fidèle à ses idéaux de justice et d'égalité dans sa vie privée (il a épousé une paysanne estonienne) comme dans sa vie publique, il est, au début du règne d'Alexandre Ier, l'un des proches du tsar à qui il jure de toujours dire la vérité. Quand la politique d'Alexandre change de cap, Timo se retire et, fidèle à son serment, lui adresse un mémoire. Celui-ci contient un violent réquisitoire contre le souverain et sa politique, ainsi qu'un projet de constitution pour la Russie. Accusé de folie, Timo est arrêté et emprisonné dans les cachots de Schlüsselburg. Malgré le traitement spécial que lui réserve le tsar (dont le roman brosse un portrait saisissant), il ne reniera pas ses convictions. Ce n'est qu'après la mort d'Alexandre qu'il sera libéré, sous prétexte d'une grave altération de sa santé mentale, et relégué dans son domaine. Il y restera, « clou de fer planté dans le corps de l'empire », résistant à la tentation d'émigrer, jusqu'à sa mort (meurtre ? suicide ? accident ?).

À ses côtés, son épouse, Eeva, cette paysanne estonienne affranchie, à qui Timo, avant de l'épouser, donne pendant quatre ans comme précepteur le principal intellectuel estonien de son temps. Eeva qui, en butte aux préjugés de la caste dans laquelle son mariage l'a introduite, ne cessera, en toutes circonstances, de seconder son mari avec courage et intelligence.

L'écriture choisie par Kross joue remarquablement du suspense : Jakob, son beau-frère, l'auteur du journal, n'est-il pas semblable à un détective que nous accompagnons de trouvaille en trouvaille : document découvert fortuitement, conversation surprise, questions posées directement à Timo, confidences de sa sœur ? De plus le procédé de narration – un journal, un narrateur – introduit entre ces « héros positifs » que sont Timo ou Eeva et le lecteur une distanciation qui donne au roman une profondeur de champ certaine. Ce narrateur, un peu mesquin, un peu timoré, un peu borné, socialement en porte à faux – auquel le lecteur ne pourra que très difficilement s'identifier –, ne comprend ni ne partage les convictions de son beau-frère. Ainsi un débat s'établit-il à l'intérieur même de l'ouvrage entre les idées promues par Timo et les lieux communs du plus grand nombre.

Illustrant cette problématique, une question traverse le journal de Jakob : Timo est-il fou ? Que signifie « fou » ? Son acte était-il un acte de folie ? S'opposer désespérément à l'oppression, est-ce vraiment de la folie ? C'est bien la question centrale du roman : le choix, l'exercice du libre arbitre jusqu'à la déraison. Parler ou ne pas parler ? Émigrer ou ne pas émigrer ?

En même temps, Kross profite de l'occasion pour brosser, par le petit bout de la lorgnette, un tableau de la Livonie : une Livonie qui pourrait donner naissance, avec son industrialisation naissante, à un tiers-état dans lequel Timo voit l'avenir de la Russie. Une Livonie où la domination arrogante des barons allemands se heurte à la timide émergence d'une première génération d'intellectuels estoniens issus d'un monde paysan naguère encore attaché à la glèbe.

Timo est originaire d'une région-carrefour ouverte sur trois familles de cultures (finno-ougrienne, russe et allemande). Il illustre lui-même cette ouverture : Allemand, il a eu un éminent Estonien pour professeur, il sait l'estonien. Il a rencontré Goethe, qui lui a dédié un poème. Il lit Heine, mais aussi Thomas More... Officier « russe », il est ami du poète Joukovski (auteur, comme on le voit dans le roman, d'une traduction russe de *La Pucelle d'Orléans* (*) de Schiller) et son mémoire montre combien il connaît la culture de la Russie. Son inspiration politique est nettement française, en prison il fait de *La Marseillaise* (*) son symbole...

Ce roman a eu une très grande répercussion, en U.R.S.S. ainsi que dans les pays où il a été traduit (traductions russe, hongroise, finnoise, allemande, française). Prix du meilleur livre étranger, Paris, 1990. – Trad. Robert Laffont, 1989. E. T.

FOU ET LA MORT (Le) [*Der Tor und der Tod*]. Drame lyrique de l'écrivain autrichien Hugo von Hofmannsthal (1874-1929), écrit en 1894, publié en 1899. Claude, observant le soleil à son déclin, songe à son passé. Esthète raffiné, il a voulu conquérir la vie à travers l'art, mais c'est l'art qui lui a voilé et caché la vraie vie : toutes les choses lui sont apparues comme de simples images de la réalité. En vain, il a tenté d'en pénétrer plus profondément l'intime signification jusqu'au moment où, conscient de son impuissance, il s'est absorbé dans la contemplation de son riche univers intérieur. Tandis que ces pensées l'assaillent, entre en scène, précédée d'un son de violon, la Mort. Claude comprend que son heure est venue, mais le désir de combler le vide des années passées affleure en lui avec puissance, et il demande qu'il lui soit accordé de rester encore sur la terre. La Mort répond, impassible, lui reprochant de n'avoir pas respecté la vie ; d'une note légère, elle évoque l'image de sa mère que Claude a fait souffrir, de la jeune fille qu'il a abandonnée, de l'ami qu'il n'a pas défendu. Maintenant, Claude se rend compte que la vie est soumission volontaire, continuité, responsabilité morale, mais aucun regret ne peut plus le sauver : il tombe inanimé aux pieds de la Mort, sourde à son appel désespéré. L'auteur reprend dans cette œuvre le thème déjà développé dans *Hier* (*) et dans *La Mort du Titien* (*) : la recherche anxieuse du véritable sens de la vie terrestre. Pour cela, il faut « reconquérir l'unité perdue de la vie avec un monde supérieur préexistant ». Et cette reconquête est seulement possible aux êtres qui conforment leurs actions à un idéal de solidarité cosmique, qui réussissent à créer un contact entre les choses et à établir une continuité entre les créatures vivantes. Voilà donc la condamnation de l'esthète qui n'est rien à personne, et pour qui personne n'est rien. Tel est le schéma de l'œuvre, d'où la thèse transparaît, mais voilée d'une merveilleuse richesse d'images, de rythmes, d'harmonies. Plutôt qu'un drame, cette œuvre peut être définie comme la méditation lyrique d'un artiste qui, dans sa sensibilité de qualité rare, a vécu et compris les oppositions et les tourments de l'âme contemporaine. – Trad. Gallimard, 1979.

FOUILLE (La) [*Kotlovan*]. Récit de l'écrivain russe Andreï Platonov (1889-1951). Écrite en 1929-30, cette œuvre ne fut pas publiée du vivant de l'auteur. (Publication à Londres en 1969, en 1987 en U.R.S.S.) *La Fouille* est l'un des textes les plus sombres jamais écrits sur la collectivisation. Il s'agit d'une nouvelle à caractère philosophique : omniprésente, la symbolique s'y unit à l'évocation minutieuse et obsédante d'une vie quotidienne désespérée. Au cœur du récit, nous trouvons Vochtchev, personnage platonovien par excellence. Sorte d'errant sans attaches professionnelles ni liens familiaux, il va de par le monde à la recherche du sens des choses et de la justice. Soucieux d'ancrer sa quête parmi les hommes, Vochtchev participe au grand chantier de l'avenir. Il s'agit de creuser la gigantesque excavation où s'enfonceront les fondations de la cité idéale du futur, immense immeuble destiné à recueillir tous les gueux, tous les exclus, tous les spoliés. Mais voilà que les forces humaines s'épuisent sans résultats dans ce travail harassant, absurde et sans fin, nouveau tonneau des Danaïdes. Entassés dans des baraques sordides, vidés de leur substance, les ouvriers voient s'éloigner le rêve de bonheur, au fur et à mesure que s'élargit l'excavation qui devient leur tombeau. Même sentiment de l'inanité de la tâche chez les ingénieurs autrefois enthousiastes.

La mort investit peu à peu tout le récit : liquidation des ennemis de classe, mort d'ouvriers épuisés, cercueils qui se transforment de façon significative en lits ou en jouets. Comme chez Dostoïevski, la souffrance des enfants sert de pierre de touche à l'éthique. La disparition de la petite Nastia morte de faim signe la faillite définitive de l'entreprise. Mais, dans le même temps, bureaucrates et démagogues prospèrent. Ils sont indifférents, dans leur matérialisme foncier, à la vie et au destin d'un peuple qu'ils vont jusqu'à priver de sa langue (qu'ils remplacent par une langue de bois). Dans ce récit, parfois insupportable dans sa sobriété, Platonov condamne sans appel les chimères d'un totalitarisme, qui prétend édifier le socialisme sur des « idées » dépourvues de toute substance et sur le travail des masses réduites à l'esclavage. — Trad. L'Âge d'Homme, 1974. M. G.

FOULES DE LOURDES (Les). Roman de l'écrivain français Joris-Karl Huysmans (1841-1907), publié en 1906. En réalité, c'est un reportage qui évoque la peinture flamande. Lourdes « craque, dans l'indéserrable ceinture de ses monts », sous la pression des foules qui l'envahissent depuis les apparitions de la Vierge à Bernadette Soubirous en 1858. Les aveugles aux « prunelles en blanc d'œuf », les vieillards aux goitres qui pendent « comme d'énormes poires », les marins aux « épidermes de buis », les jeunes filles aux crânes durs d'un pèlerinage du Finistère se rendent en procession jusqu'au saint Michel de bronze qui « valse sans grâce, sur le corps d'un notaire déguisé en démon ». On plonge les innombrables malades dans l'eau des piscines, et le miracle permanent de Lourdes, c'est qu'aucune infection ne se gagne dans ce « hideux bouillon ». Pareille immunité s'étend à l'hôpital Notre-Dame-des-Sept-Douleurs, où toutes les plus hideuses misères humaines : lèpres, lupus, tumeurs, tuberculeux aux yeux moirés, cancéreux au teint de paille, se côtoient en une véritable Cour des miracles ; cet « enfer corporel » est aussi un paradis d'âmes « par l'espoir et la charité qui y règnent ». Le bureau des Constatations ne reconnaît que les miracles dont on a pu vérifier qu'ils n'étaient pas d'origine nerveuse et il ne se prononce que quelques années après l'événement. Mais comment nier le miracle que constituent les cicatrisations spontanées d'atroces plaies (Zola — v. *Lourdes* dans *Trois villes* (*) — assista à la guérison d'un lupus le 20 août 1882) et les transformations soudaines d'organismes minés depuis de longues années ? Huysmans trouve à Lourdes une « hémorragie de mauvais goût », presque diabolique. La basilique « grelotte, maigre sous son chapeau de pierrot » ; le Rosaire est de style « hippodrome et casino ; les peintures, sans art, sont d'un sentimentalisme bête d'ouvrier catholique qui a bu un coup ». Pour l'auteur, le vieux serpent nargue, par toute cette laideur, celle qui lui écrase la tête.

Le narrateur suit, derrière le Saint-Sacrement, la procession qui traverse l'immense cirque de l'esplanade où s'entassent les alités, les infirmes, « récolte couchée sous l'averse des maux » ; les visages des malades « divaguent de détresse et d'espoir », leurs voix déjà mortes essaient de répéter le cri des invocations ; l'extrême des douleurs et l'extrême des joies, c'est tout Lourdes. Huysmans a vu guérir une jeune religieuse, atteinte de coxalgie tuberculeuse et baignant dans le pus. Dans de tels cas, impossible de parler de suggestion ni, pour Bernadette Soubirous, d'hystérie ou d'imagination exaltée : l'auteur prouve, par des textes irréfutables, qu'elle était « insignifiante » et possédait d'intelligence à peine la mesure commune ; quant aux vertus thérapeutiques de l'eau de Lourdes, l'analyse les fit reconnaître nulles. Comment expliquer les guérisons de ceux qui n'ont pas la foi, « si c'est, comme le veut Charcot, la foi qui guérit » ? Quant au « souffle guérisseur des foules » dont parle Zola, il manque dans de multiples cas de guérisons solitaires, loin de Lourdes même. L'auteur conclut que les malades ont raison d'aller à Lourdes, car la Vierge paie la fatigue du voyage par la grâce du réconfort ; quant aux autres, s'ils souffrent de la laideur de cet « immense hôpital Saint-Louis versé dans une gigantesque foire de Neuilly », ils auront en échange la vision de la beauté morale des âmes illuminées par la foi et la charité.

FOURBE (Le) [*The Double Dealer*]. Comédie en cinq actes de l'écrivain anglais William Congreve (1670-1729), représentée en 1694. Le jeune Mellefont est fiancé à Cynthia, fille unique et héritière de sir Paul Plyant. Tout est prêt pour les noces qui doivent être célébrées le lendemain, mais le jeune homme craint un esclandre de la part de lady Touchwood, femme de son oncle Touchwood et tante de Cynthia. Lady Touchwood s'est en effet éprise de lui et a juré de se venger de son indifférence. Pour prévenir ses agissements, Mellefont recourt à un certain Maskwell qui, amoureux de Cynthia, est devenu l'amant de lady Touchwood dans l'espoir de la faire agir à son avantage. Toute la comédie repose sur le double jeu du fourbe en question, qui fait mine d'être tour à tour dévoué à chacune des deux parties. Il suggère à lady Touchwood de faire croire à la belle-mère de Cynthia, lady Plyant, que Mellefont est épris d'elle et ne veut épouser Cynthia que pour se rapprocher d'elle ; sotte et présomptueuse, lady Plyant ajoute foi à cette accusation et oblige son mari à interdire le mariage. Mais un ami de Mellefont, Careless, fait la cour à lady Plyant et la fait revenir sur sa décision. Maskwell pousse alors lady Touchwood à faire croire à son mari que Mellefont, après l'avoir longuement courtisée en vain, a voulu attenter à son honneur. Il attire habilement le jeune homme dans la chambre de sa propre maîtresse. Lorsque Mellefont croit triompher en surprenant son ennemie entre les bras de Maskwell, ce dernier disparaît et le mari trouve le jeune homme dans la chambre de sa femme ; furieux, il le déshérite. Comme, par ailleurs, la jalousie de lady Touchwood est propre à tout compromettre, Maskwell décide d'en finir au plus tôt. Il conseille à Mellefont et à Cynthia de s'enfuir et de faire célébrer leur mariage par un chapelain. En réalité, il pense à se substituer au dernier moment à Mellefont et à épouser lui-même Cynthia. Mais la jeune fille évente son odieuse machination, et un heureux hasard lui permet de faire assister lord Touchwood à un rendez-vous de sa femme et du fourbe, qui ne laisse aucun doute sur leurs coupables relations et sur leurs projets diaboliques. Ainsi, le fourbe est démasqué et Mellefont peut enfin épouser Cynthia. Écrite un an seulement après *Le Vieux Garçon* (*), cette comédie marque un progrès considérable dans la peinture des caractères. Visant d'abord à la satire, l'auteur se plaît à évoquer ce mélange de distinction et de grossièreté, de fadeur et de cynisme qui caractérisait la société de la Restauration anglaise. — Trad. Ruanet, 1776.

FOURBERIES DE SCAPIN (Les). Comédie en trois actes et en prose du dramaturge français Molière (Jean-Baptiste Poquelin, 1622-1673), créée sur la scène du Palais-Royal à Paris le 24 mai 1671. Bien qu'elles appartiennent à la toute dernière période de sa carrière, *Les Fourberies de Scapin* sont un retour de Molière à la comédie à l'italienne où il fit ses débuts. Il reprend une petite farce de son répertoire : *Gorgibus dans le sac*, qui n'a pas été conservée. Pour en faire une comédie en trois actes, Molière y ajouta des éléments divers qu'il emprunta un peu partout : en particulier au *Phormion* (*), comédie de Térence ; quant à la fameuse scène du sac, elle est tirée du théâtre de Tabarin ; celle de la galère provient d'une comédie de Cyrano de Bergerac, *Le Pédant joué* (*) ; enfin, le dialogue qui ouvre la pièce est imité d'une scène analogue d'une comédie de Rotrou : *La Sœur*. Malgré tous ces emprunts, si habituels dans le théâtre de Molière, mais comme toujours admirablement fondus et mis en valeur, *Les Fourberies de Scapin* sont une pièce très originale, et l'intrigue, si invraisemblable et si conventionnelle, n'est qu'un prétexte à un jeu intarissable d'inventions bouffonnes et de scènes qui sont dignes de la grande comédie de caractère. *Les Fourberies* n'eurent pas grand succès du vivant de Molière : ses spectateurs étaient habitués de sa part à plus de délicatesse et s'étonnèrent de ce retour, qu'ils estimèrent fâcheux, à ses origines. Elles n'eurent que dix-sept représentations, de 1671 à 1673. Par contre, aussitôt après la mort de leur auteur la pièce connut un succès éclatant (cent quatre-vingt-dix-sept représentations de 1673 à 1715).

En l'absence de son père Argante, Octave a épousé une jeune fille pauvre et de naissance inconnue, Hyacinthe ; de son côté, son ami Léandre veut épouser une jeune Égyptienne, Zerbinette. Mais les deux pères reviennent : Argante, qui destinait à son fils Octave la fille de Géronte, veut faire casser son mariage avec Hyacinthe ; quant à Géronte, il est furieux des projets de Léandre, et il lui interdit d'épouser Zerbinette. Celle-ci, d'ailleurs, enlevée dans son enfance par des Égyptiens, ne peut être délivrée que contre une forte somme. Les deux jeunes gens n'ont plus qu'une ressource : s'en remettre à l'habileté du valet Scapin ; Scapin leur promet de les tirer d'affaire, à la condition qu'ils se prêtent à la comédie qu'il prépare pour duper les deux pères. Scapin, au cours de scènes truculentes, parvient à arracher aux deux vieillards l'argent nécessaire à l'exécution des projets de leurs fils, en faisant jouer à un autre valet, Silvestre, le rôle du frère d'Hyacinthe, soldat brutal, et en prétextant l'enlèvement de Léandre par un Turc qui, sous prétexte de lui faire visiter sa galère, le retient prisonnier et ne le délivrera que contre rançon. Géronte se lamente : « Que diable allait-il faire dans cette galère ? » et essaie de trouver des expédients pour ne pas payer la rançon ; il ne s'y décide que lorsque Scapin l'a convaincu que c'est ce qui lui reste à faire. Mais Scapin s'est promis de se venger de l'avarice de Géronte ; il le fait entrer dans un sac pour échapper à une attaque imaginaire d'une troupe de spadassins qui veulent le tuer. Il en profite pour lui assener une grêle de coups de bâton ; mais Géronte sort la tête et s'aperçoit de la supercherie ; Scapin s'enfuit. Heureusement, on découvre qu'Hyacinthe est la fille que Géronte cherchait et qu'il avait promise à Argante pour son fils, et que Zerbinette n'est autre que la fille d'Argante, volée dans son enfance par des Égyptiens. Scapin, qui feint d'être blessé et même sur le point de mourir, se fait porter sur la scène où les vieillards, plus embarrassés encore que furieux, lui pardonnent.

Cette comédie d'intrigue à l'italienne, dénuée d'intentions satiriques ou morales, paraît marquer ainsi la fidélité de Molière à lui-même comme aux procédés comiques de la farce française et de la farce italienne : elle se situe dans la lignée de *L'Étourdi* (*), sa première comédie (à l'italienne) en cinq actes, où tout reposait déjà sur les inventions incessantes d'un valet fourbe, aussi bien que dans la lignée de ses courtes farces où pleuvent les coups de bâton sur les personnages ridicules. De là les célèbres réserves de Boileau qui regrettait dans son *Art poétique* (*), publié un an après la mort de Molière (1674), que celui-ci se fût éloigné de la grande comédie de mœurs et de caractère qui faisait de lui le Térence du XVIIe siècle (« Dans ce sac ridicule où Scapin s'enveloppe, / Je ne reconnais plus l'auteur du *Misanthrope* »). Fidélité à soi, fidélité à la tradition comique, *Les Fourberies* possèdent en outre une dimension supplémentaire, qui rattache cette comédie aux grandes comédies-ballets de la fin de la carrière de Molière : *Monsieur de Pourceaugnac* (*), *Le Bourgeois gentilhomme* (*), *Le Malade imaginaire* (*). Cette dimension, qui s'exprime essentiellement à travers le rôle primordial du valet Scapin, véritable apologie du jeu théâtral, consiste en une sorte de théâtralité généralisée. Il suffit de réfléchir sur la nature des fourberies de Scapin, « forgeur d'inventions et de machines » (I, 2). Dans la définition qu'il donne de lui-même (« et je puis dire, sans vanité, qu'on n'a guère vu d'homme qui fût plus habile ouvrier de ressorts et d'intrigues »), on retrouve le même vocabulaire que dans la présentation des tours qu'un autre fourbe, Sbrigani, s'apprêtait à jouer au provincial ridicule de *Monsieur de Pourceaugnac* : les tours, stratagèmes et ressorts des fourbes ne sont rien d'autre que des « comédies ». Et c'est une véritable pièce de théâtre que Scapin joue à Géronte dans la fameuse scène du sac (III, 2), où, tandis que Géronte est caché dans et aveuglé par le sac, Scapin joue trois personnages : lui-même qui feint d'essuyer les coups de bâton dont il accable Géronte, et deux spadassins successifs, un Gascon et un Basque, dont il imite le langage et l'accent. De même, c'était une véritable pièce de théâtre qu'il avait jouée avec le valet Silvestre déguisé devant l'autre vieillard (II, 6). Auteur et acteur, Scapin est aussi directeur d'acteurs : dès la scène 3 du premier acte, il avait tenté en vain de faire répéter Octave en esquissant devant lui le personnage de son père, avant de préparer longuement Silvestre à son rôle (I, 5). Scapin héritier du valet fourbe de la comédie italienne ? On voit qu'il est aussi l'héritier du Molière jouant son propre personnage de directeur et d'acteur dans *L'Impromptu de Versailles* (*), petite comédie qui était, au sens propre du terme, une exhibition du théâtre sur le théâtre.

FOURGUE (Le) [*The Pusher*]. Roman policier de l'écrivain américain Ed Mc Bain (né en 1926), publié en 1957. C'est le troisième roman de la saga du 87e commissariat. La vedette en est le lieutenant Peter Byrnes, qui découvre que son fils se drogue et qu'il est mêlé à une affaire de meurtre par overdose dissimulé en suicide. L'inspecteur Carella se fait descendre par un jeunot de 20 ans (et il ne doit qu'aux pressions de l'éditeur d'échapper à la mort que lui avait réservée Mc Bain). Problèmes de société, problèmes humains et familiaux des flics du 87e, une grande famille qui comprend notamment : le lieutenant Peter Byrnes ; Meyer Meyer, un inspecteur juif doué de patience ; l'inspecteur Steve Carella qui a épousé une sourde-muette ; l'inspecteur Bert Kling qui n'a que 24 ans et qui va s'aguerrir au fil des romans ; Cotton Hawes, le rouquin don juan, fils de pasteur ; Arthur Brown, le seul flic noir du commissariat ; Dick Genero, l'abruti, et Roger Haviland, le sadique. — Trad. Gallimard, 1957.

D. B.d.M.

FOURNAISE OBSCURE. Recueil posthume du poète français Gérald Neveu (1921-1960), paru en 1967. L'œuvre poétique de Gérald Neveu acquiert une unité parfaite avec la publication de ses deux recueils posthumes, *Fournaise obscure* et *Une solitude essentielle* (1972). *Fournaise obscure* fut composé de 1945 à 1960, souvent remanié selon l'évolution intime de la vie du poète. Au début, l'influence du surréalisme est très nette (« Dans une autre pièce une fillette nue joue avec sa tête qu'elle roule au sol en brodant alternativement sa chevelure verte », écrit-il par exemple). Neveu adopte ensuite une plus grande simplicité de ton, pour exprimer franchement le tourment qui le taraude : « L'anxieux le dévoré / a sa tête crispée sur l'aube / La pluie pour le bercer / la mort pour le venger. » Il recherche alors auprès des femmes une compassion absolue : « Une femme / née d'un cri / se nouera emperlée / à la croisée des vents. » Il écrit aussi : « Elle étreint patiemment / en secret / la vie. » Mais, déçu, rendu à sa solitude irrémédiable, il trace un trait sur l'amour charnel. Cependant, de ce désespoir naîtra une véritable rédemption poétique, qui se situe au-delà du « désastre » : « Vers l'aube / la parole qui se disait la plus belle / est morte dans la dentelle. » Par la transparence de son alchimie poétique, Neveu transmue sa misère en une liberté nouvelle, inespérée, bien qu'elle se fonde sur la perception du vide : « Puis déchirer tranquillement / Le papier vide / Pour que l'air notre désir / Fleurisse. » *Fournaise obscure* s'achève dans un froid éclatant (« Une neige de fine race aiguise les minutes »). Neveu emploie un style « tranchant », précis et sobre ; chaque poème a son rythme rigoureux : « Je martèle un cruel écho / et j'avance / comme une lame / à la rencontre du sang. »

J.-E. M.

FOUS DE BASSAN (Les). Roman de l'écrivain canadien d'expression française Anne Hébert (née en 1916), publié en 1982. On y retrouve, en abîme d'une forme éclatée, les principaux thèmes qui n'ont cessé de hanter l'œuvre de l'écrivain. Ainsi du lieu de l'intrigue, microcosme fictif de l'espace hébertien : petit village du Québec isolé au bord de l'océan, Griffin Creek regroupe une communauté repliée sur ses croyances et ses coutumes depuis près de deux siècles. Tout le monde est plus ou moins parent dans cet univers clos où la famille, anglophone et protestante, est devenue le dernier avatar du « peuple élu ». Seules se détachent, traversées de pulsions souterraines, quelques silhouettes emblématiques : le pasteur Nicolas Jones, mystique en proie aux tentations de la chair ; Nora et Olivia Atkins, les deux cousines qui découvrent leur adolescence entre innocence et sensualité ; Perceval Brown, le simple d'esprit qui observe en silence le rite des passions retenues. Il faut l'arrivée d'un « étranger » (Stevens Brown, de retour au village natal qu'il avait quitté pour traverser l'Amérique) pour que les êtres se livrent et que la crise éclate : au terme de l'été 1936, les deux adolescentes disparaissent sans laisser de traces. Tel est le drame central autour duquel le livre s'articule, juxtaposant les discours comme pour tenter de circonscrire cette Absence qui entraînera la désagrégation de la communauté. Variations formelles (journal, lettres, mémoires...) autant que tonales (du constat narratif au poème en prose en passant par la parabole), les voix convoquées jouent avec le temps selon une dialectique de la présence et de la mémoire chère à Anne Hébert : au « Livre du révérend Nicolas Jones » daté de l'automne 1982 répondent les « Lettres de Stevens Brown à Michael Hotchkiss » (été 1936 ou automne 1982), le « Livre de Nora Atkins » et le « Livre de Perceval Brown et de quelques autres » (été 1936), ou encore le monologue sans date d'« Olivia de la Haute Mer », la jeune fille noyée. Ainsi le roman n'emprunte-t-il à l'intrigue policière (le mystère s'éclaire aux toutes dernières pages) que pour mieux accéder à la polyphonie des grandes œuvres rhapsodiques : Faulkner, bien sûr — la référence au *Bruit et la fureur* (*) est explicite —, mais aussi *La Bible* (*) qui prête au récit ses motifs et ses versets. « Le Verbe s'est fait chair », rappelle Nora pour aussitôt ajouter qu'en elle « le Verbe est réduit à un murmure secret dans les veines » ; l'être, au fond, n'est que le réceptacle de cette tension entre le souffle sacré et la montée du désir. Histoire de Paradis et de chute, en somme, où l'amour le dispute à la mort au cœur d'une nature imprégnant les personnages de sa violence omniprésente : la mer, le sable, le vent sont alors l'émanation de ces forces profondes qui travaillent, ici comme ailleurs, le texte hébertien. L. Ba.

FOUS DE VALENCE (Les) [*Los locos de Valencia*]. Comédie en trois actes et en vers, de l'écrivain espagnol Lope Félix de Vega Carpio (1562-1635), publiée en 1620. Croyant avoir tué le prince Reinero, le jeune Aragonais Floriano s'enfuit à Valence où, pour le sauver, un ami lui suggère de se faire passer pour fou. Comme tel, il le fait enfermer dans un hospice de la ville. Dans le même temps, une jeune personne qui s'appelle Erifila déserte sa maison pour vivre sa vie ailleurs. Dépouillée par son domestique, elle arrive à peine vêtue aux portes de l'asile des fous : prise pour une folle, elle est hospitalisée. Les deux jeunes gens tomberont amoureux l'un de l'autre. Erifila simule d'abord la folie, afin de se rendre plus agréable à Floriano. Ce dernier, toutefois, finira par lui révéler la vérité sur son propre cas. Mais les jeux de l'amour et de la folie ne s'arrêtent pas là. Des fous authentiques et les médecins eux-mêmes de l'asile s'éprennent d'Erifila, tandis que Fedra, la nièce du directeur, et sa soubrette Laida s'amourachent de Floriano. Toutes deux ne trouvent rien de mieux que de simuler la folie. Au moment où Floriano s'apprête à contracter un mariage pour rire avec Fedra, et qu'Erifila est enlevée par un de ses adorateurs, l'intrigue se dénoue heureusement : le prince Reinero, qui n'est pas mort, assiste pour se distraire au mariage fictif ; Erifila, folle de jalousie, trahit le secret de Floriano, mais cette révélation ne fait que désigner le prétendu meurtrier à la reconnaissance de la prétendue victime ; le prince, en laissant croire qu'il était mort, a fléchi le cœur d'une belle obstinée. Cette comédie, ou plutôt cette farce, donne en plein dans la satire et tend à montrer, avec bonheur, que ce qui sépare les fous des hommes sains d'esprit est bien fragile. Lope de Vega s'est amusé à se placer lui-même parmi les fous, sous le pseudonyme de Belardo, nom sous lequel il s'est aussi mis en scène dans d'autres comédies. Un des personnages, Pisano, lance contre lui cette épigramme : « Il se nomme Belardo et écrit des vers ; il est la risée du monde à cause de ses étranges aventures, encore que beaucoup de ceux qui s'étonnent mériteraient plus que lui d'être dans cet asile » (acte III, scène 8).

FOUS DU ROI (Les) [*All the King's Men*]. Roman de l'écrivain américain Robert Penn Warren (1905-1989), publié en 1946 et couronné par le prix Pulitzer. Ici comme dans tous ses romans, et quoiqu'il l'ait nié, Warren emprunte à l'histoire à la fois son personnage principal, Huey Long, gouverneur de la Louisiane, et les événements dans lesquels il s'insère. Orateur adoré des foules, dictateur sans scrupules qui se maintenait par la corruption et le chantage, défenseur du peuple, Huey Long comme Willie Stark, le héros de Warren, fut tué d'un coup de revolver sur les marches de son Capitole. Mais en fait cette vie de Huey Long n'est rien de plus qu'un prétexte à une œuvre romanesque entièrement originale. Empoignant la vie de toutes ses forces et par tous les moyens, Willie Stark veut que son idéal s'incarne dans les faits. À côté de lui, il y a Adam Stanton, le pur idéaliste, pour qui l'idée, le verbe, doit rester hors de tout contact avec les faits, et surtout il y a Jack Burden, témoin et narrateur, spectateur qui, à la fin du roman, après la mort de Willie Stark, sera lui aussi obligé de s'engager dans la fournaise de l'Histoire, de se mêler au monde et d'affronter le verdict inexorable du temps. Conflit entre le monde de la chair et celui des idées, comme *Aux portes du ciel* (*), *Les Fous du roi* sont un roman tout à la fois naturaliste par l'exactitude de l'observation et métaphysique par sa « démonstration » : c'est par le sang versé que le verbe s'incarne et que le héros accomplit sa rédemption. Cet arrière-plan philosophique, nourri aussi bien par la réflexion historique de l'auteur que par sa très vaste culture, donne à ce livre une grande richesse, que valorise encore un style à la fois brillant et simple, nerveux et tout peuplé d'images. – Trad. Stock, 1950.

FOU SUR LA LITTÉRATURE [*Wenfou – Wenfu*]. Essai en « prose rythmée » [fou] composé en 301-302 par le poète chinois Lou Tsi (261-303). Il compte parmi les plus importants textes de théorie de la littérature et de critique littéraire appartenant à la période où celles-ci naissaient en Chine, entre le IIIe et le VIe siècle. Le *Fou sur la littérature* contient une définition des genres, des perspectives sur l'histoire littéraire, sur l'évaluation des poètes, dénonce les défauts menaçant l'écrivain et donne des prescriptions. Il décrit magnifiquement et de manière imagée le « processus » de l'œuvre littéraire, qui mène de l'inspiration à la réception par le lecteur. Son originalité réside au moins dans la forme littéraire donnée à l'essai, qui raconte la quête de l'écrivain comme un voyage, dont le but est de mettre en accord sentiments intérieurs et monde extérieur, les mots et le sens – que les mots ne parviennent pas à épuiser. – Trad. in *Anthologie raisonnée de la littérature chinoise*, Payot, 1948.

V. L.

FOYER (Le). Comédie en trois actes de l'écrivain français Octave Mirbeau (1848-1917), cosignée par Thadée Natanson (1868-1951), créée au Théâtre-Français le 9 décembre 1908, au terme d'une longue bataille politico-judiciaire. Mirbeau y règle son compte à la charité- « business » et y dénonce de nouveau (cf. ses *Combats pour l'enfant*, 1990) ces micro-sociétés totalitaires que sont les « foyers » prétendument charitables, où l'on surexploite – y compris sexuellement – une main-d'œuvre adolescente corvéable à merci. Le baron Courtin, sénateur bonapartiste et académicien catholique, a dilapidé l'argent collecté pour assurer le fonctionnement du « Foyer » qu'il préside, et il est incapable de rembourser. Par ailleurs, la mort d'une fillette « oubliée » dans un placard, et les séances de flagellations offertes au voyeurisme de vieux messieurs respectables déclenchent un scandale qui pourrait lui valoir la prison. Mais, en échange de son abstention dans un débat sur l'enseignement, le gouvernement consent à étouffer l'affaire. Et l'ancien amant éconduit de la baronne Thérèse Courtin, le financier Biron, accepte d'investir dans le « Foyer » de quoi le renflouer, dans l'espoir d'y retrouver son compte, à condition que Thérèse l'accompagne en croisière sur son yacht, en compagnie de son mari et de son nouvel amant, le jeune d'Auberval... Comédie de mœurs au vitriol, inspirée de faits réels, *Le Foyer* a suscité un énorme scandale et a été interdit dans plusieurs villes. Pièce solide, qui fourmille de formules lumineuses, et qui présente trois caractères finement tracés et sans manichéisme (Courtin, Thérèse et Biron), *Le Foyer* n'a hélas ! rien perdu de son actualité.

Pi. Mi.

FRA DIAVOLO ou l'Hôtellerie de Terracino. Opéra-comique en trois actes, paroles des auteurs dramatiques français Eugène Scribe (1791-1861) et Casimir Delavigne (1793-1843), musique du compositeur français Daniel François Esprit Auber (1782-1871). Il fut représenté à Paris en 1830. Le livret s'inspire de la figure légendaire du fameux Michele Pezza, dit Fra Diavolo ; mais les auteurs du texte ont créé une figure de fantaisie, faisant du guerrier qui combattait contre les Français un voleur chevaleresque. À l'hôtel d'un village, près de Terracino, arrive un ménage de riches Anglais qui, lors de leur voyage, ont été victimes de la bande de Fra Diavolo. Peu après, un compagnon de route les rejoint, qui se fait passer pour le marquis de San Marco et continue, avec succès, sa cour à lady Pamela. Ce marquis – lequel n'est autre que Fra Diavolo – apprend de la bouche du brigadier Lorenzo que sa bande a été décimée et a abandonné le butin. Pour le récupérer, ledit marquis, avec deux de ses hommes, se cache, la nuit, dans la chambre de Zerlina, fille de l'hôtelier, contiguë à celle des Anglais. Découvert par le brigadier, il réussit à se sauver grâce à son astuce. Mais, le lendemain matin, les deux hommes qui s'étaient cachés avec lui dans la chambre la veille sont reconnus, et Lorenzo, se servant d'eux, capture Fra Diavolo au moyen d'un rusé stratagème. La musique est conforme au goût dominant du temps : vive, facile et superficielle, exempte de vulgarité cependant. Les trois actes se déroulent, aimables et brillants, sans que l'auteur se préoccupe de faire montre d'une grande originalité dans les thèmes ni de caractériser à fond, musicalement, les personnages. Les récitatifs sont pleins de naturel, les airs et les romances se gravent aisément dans la mémoire, tel le motif de la « Romance favorite ».

FRAGMENT DU CADASTRE. Premier recueil de poèmes, paru en 1960 (prix Fénéon), de l'écrivain français Michel Deguy (né en 1930). Terre, vie, temps et poésie – tels seront les fragments découpés, en vers et prose, d'une expérience qui cherche à se dire sur un mode encore lyrique, mais qu'une secrète déception commence à travailler. La poésie se fait chant pour dire et célébrer la terre, les choses « spectacles situations, paysage de la terre contre le visage ému, tremblement de la terre et bouleversement du cœur, mouvement et parole suscitée ». Si la parole cherche à dire les choses telles qu'elles sont en leur essence, c'est qu'elle est la seule mesure capable de leur assigner cadre et site. Les choses bougent, la terre tremble – il appartiendra au dire poétique, au plus près de ces mouvements, d'en indiquer le rythme. « La terre laisse au poète entrevoir les aspects par où il pourra informer l'indication du monde qui se cache en elle, du monde vers qui elle "peut", essentiellement, conduire. » Il s'agit encore de bien voir, mais ce qui est à voir exige le travail poétique. Tension entre théorie et pratique, voir et faire, figure et figuration. Si le monde est « cryptogramme » à déchiffrer, c'est que la présence n'est pas toute présence, qu'en elle travaille une absence en attente de nos dires. Travailler à cette absence ce sera déjà travailler au déchiffrement de l'acte poétique. Déjà, en ce premier recueil, il n'est plus possible de séparer poésie et réflexion sur la poésie : le poétique et la poétique conspirent, certes ici encore à voix basse, à se renouveler et se métamorphoser. Il y a une rhétorique à l'œuvre dans le monde : « La métaphore est un transport de l'être au langage. L'agencement des choses présentes est accueilli dans la manière d'être soi et disposé en soi-même du langage, dans la "syntaxe". » Le texte est premier, le sens est toujours déjà figuré : les mots disant la poésie (la poétique) et ceux en qui les choses viennent se dire (le poétique) sont ajointés par une même syntaxe. Il appartiendra aux livres suivants (*Poèmes de la presqu'île, Biefs, Ouï-Dire, Actes...*) d'aller plus avant dans ce mouvement, d'explorer en tous sens le « mystère du comme » (*Ouï-Dire*), de briser les jointures, fragiliser les assises, mêler « comparaison » et « comparution » (« Assonances guidant un sens vers le lit du poème »). Jamais cependant la « voix étonnée de sa dissemblance » ne fera chœur avec ceux qui en ont fini avec le surgir de la parole et du monde. F. W.

FRAGMENT INÉDIT [*Frammento inedito*]. Texte par lequel le philosophe italien Bertrando Spaventa (1817-1883) instaure définitivement les fondements politico-spéculatifs du débat philosophique développé au siècle suivant : Croce, Gentile, Gramsci, Togliati. Il s'agit de notes datant des années 1880-81 que Gentile publiera en 1913 comme appendice à son essai fondamental : *La Réforme de la dialectique hégélienne*. Le fragment reprend et conclut – en référence polémique à la *Logique de Hegel* d'Augusto Vera – la discussion entamée par *Les Premières Catégories de la logique de Hegel* en 1863-64. Spaventa y notait que l'être n'est pas opposé au penser, tout en en étant distinct : « Qu'est donc l'être sic ? Ce non-opposé au penser considéré comme réalité pensante ? Non-opposé et pourtant distinct ? » Extrêmement proche des « post-hégéliens » Kuno Fischer et Karl Werder, Spaventa déduisait alors que l'être et le penser se rassemblent dans l'acte même de penser : « Penser et être, ces deux opposés, dans le penser lui-même, dans l'acte même du penser, qui ne sont donc plus des opposés, l'un en dehors de l'autre, l'un ici et l'autre là, mais simplement des distincts ; les voilà tout à la fois deux et un. » Cet acte du penser, voilà le vrai commencement de la logique : « Cette distinction [...] est le penser comme tel, l'acte et la fonction du penser. » Mais le *Fragment* corrige cette première interprétation ou « réforme » de la dialectique hégélienne : « Auparavant il n'apparaissait pas très clairement que le penser est, pour ainsi dire, l'être même de l'être ; il apparaissait pratiquement comme une fonction purement subjective. » Les *Premières Catégories* fournissaient ainsi une interprétation trop subjectiviste du problème en s'en remettant encore à l'acte de l'abstraction. Spaventa ne montrait pas encore comment l'acte du penser constitue l'être même de l'être ; comment la négation (et l'identité) est intrinsèque à l'être. Pour montrer ce comment, et pour exprimer véritablement la « synthèse », il convenait de montrer que les conditions et les structures de l'étant sont les conditions et les structures mêmes de la pensée. « Désormais je dis : Je pense : et je pense l'étant ; je ne puis penser qu'ainsi ; si je ne pense pas l'étant je ne pense point [...] En d'autres termes, le spectateur est aussi acteur. Ou, comme le dit Hegel en général : la catégorie n'est pas seulement l'essence ou la simple unité de l'étant mais elle n'est cette unité qu'en tant qu'elle est actualité mentale. Et actualité signifie acte : l'être est essentiellement acte du penser. » Non seulement le néant, mais l'être lui-même, et toutes les catégories en général apparaissent enfin comme « actualité mentale », c'est-à-dire l'« acte même du penser », la « pensée ». On comprend alors comment ce *Fragment* fut présenté comme le document justifiant le schème de dérivation spéculative : Hegel-Spaventa-Gentile (et sa « philosophie de l'esprit comme acte pur »). – Trad. Gallimard, 1994. C. Al.

res : une sphère pour l'orbite de Vénus, et une sphère pour l'orbite de Mars. C'est au cours d'une sorte de congrès astronomique tenu à Athènes pour débattre la question d'Aristote que fut fixée, avec les sphères homocentriques d'Eudoxe, la cosmologie péripatéticienne.

FRAGMENTS d'Eupolis. D'Eupolis, poète comique grec (seconde moitié du ve siècle av. J.-C.), n'ont été conservés que des fragments. Les Alexandrins l'ont considéré comme l'un des trois principaux représentants de la comédie ancienne, à côté d'Aristophane, dont il était de peu le cadet, et de Cratinos, plus âgé. Ils l'admiraient avant tout pour son charme et son imagination. Il fut classé sept fois à la première place dans les concours dramatiques. On lui attribuait quatorze ou dix-sept comédies réparties sur une vingtaine d'années de carrière (il fit ses débuts à la scène très jeune, en 430/429 av. J.-C.). Grâce à la tradition indirecte (il s'agit surtout de citations d'Athénée, de Stobée dans son *Florilège*, de lexicographes et de grammairiens) et grâce aux trouvailles papyrologiques, nous connaissons aujourd'hui seize de ses titres et lisons quelques centaines de ses vers. En s'aidant d'informations antiques, nous pouvons nous faire une idée du contenu de ses comédies, d'autant plus que certains fragments d'Eupolis comportent plusieurs vers. Dans celle qui est probablement la plus ancienne de ses pièces, *Les Gens du dème Prospaltes* [Προσπάλτιοι], Périclès défend contre des critiques sa stratégie dans la guerre en cours (la guerre du Péloponnèse). Dans *Les Commandants* [Ταξίαρχοι], datables de 427, mais peut-être plus tardifs, le dieu du théâtre Dionysos est une recrue qui se distingue par sa lâcheté – on retrouve la même caractérisation du personnage dans *Les Grenouilles* (*) d'Aristophane. En 424, tandis qu'Aristophane présente ses *Cavaliers* (*) aux Lénéennes, Eupolis propose, aux Grandes Dionysies, son *Âge d'or* [Χρυσοῦν γένος], une satire du régime de Cléon, le démagogue protagoniste également des *Cavaliers*. À la même période appartiennent *Les Chèvres* [Αἶγες], sorte d'idylle campagnarde. *Les Cités* [Πόλεις] datent peut-être de 422. Les cités alliées d'Athènes en formaient le chœur ; c'est une critique de la politique impérialiste du gouvernement athénien (sujet proche des *Babyloniens* d'Aristophane). Dans le *Maricas* [Μαρικᾶς] de 421, joué aux Lénéennes, Eupolis représente le démagogue Hyperbolos, le successeur de Cléon, comme un esclave barbare, ce qui ne manque pas de rappeler *Les Cavaliers* d'Aristophane, comme le fait remarquer ce dernier dans la nouvelle parabase de ses *Nuées* (*), vers 554/553. Aux Grandes Dionysies de 421, *Les Flatteurs* [Κόλακες] d'Eupolis ont le dessus sur *La Paix* (*) d'Aristophane : les flatteurs de la pièce sont les sophistes, dont Protagoras, qui fréquentent la maison du riche et prodigue Callias, que le *Protagoras* (*) de Platon a rendu célèbre. Socrate y apparaît comme un mendiant bavard qui ne pense pas à son estomac. Le même Callias apparaît dans l'*Autolycos* [Αὐτόλυκος] de 420 : la pièce est intitulée d'après son mignon. Dans *Les Plongeurs* [Βάπται] de 416 ou 415, Eupolis persifle le bel Alcibiade en tant que sectateur efféminé de la déesse thrace Cotytto : le titre fait sans doute allusion à un rite de ce culte. Dans la même pièce, le poète se vante d'avoir gracieusement aidé en 424 « le Chauve » (Aristophane) à composer *Les Cavaliers*, ce qui ne semble pas tout à fait impossible. Enfin, les restes d'un papyrus publiés en 1911 ont permis de lire, en plus des fragments de la même comédie déjà connus, une bonne centaine de vers des *Dèmes* [Δῆμοι], peut-être la dernière et meilleure pièce du poète, datable de 412, dans laquelle une ambassade composée de quatre grands hommes du passé, Solon, Miltiade, Aristide et Périclès, accompagnés de Myronidès, un stratège qui venait de mourir, remonte de l'Hadès à Athènes. Les grands hommes trouvent une ville corrompue et affamée après le désastre de l'expédition de Sicile et doivent y exercer la fonction de juges. Aristide le Juste est aux prises avec un sycophante. Une partie de la parabase est conservée, où le chœur, composé des dèmes attiques de la campagne, se lamente, entre autres, sur la disette qui sévit et les profiteurs rassemblés dans la ville. A. L.

FRAGMENTS d'Héraclide de Tarente. Les rares fragments qui nous soient restés du grand médecin grec Héraclide de Tarente (Ier siècle av. J.-C.), qui appartenait à la secte empirique, permettent néanmoins de se faire une idée assez claire de ses positions théoriques et de son activité médicale : sans renier absolument certains dogmes hippocratiques comme le système humoral, Héraclide concentre toutefois sa réflexion sur les moyens thérapeutiques, considérés comme le fondement de la médecine. Il dédie ainsi l'essentiel de ses ouvrages à la thérapeutique, à la pharmacie, à la diététique, voire à quelques procédés chirurgicaux, ainsi qu'à une description des principes de la secte empirique.

V. B. et A.-F. M.

FRAGMENTS d'Hérophile. On peut attribuer au médecin grec Hérophile de Chalcédoine (330 ?-250 ? av. J.-C.) au moins six traités sur l'anatomie, les pulsations, la thérapeutique, l'obstétrique, la diététique, ainsi qu'un écrit polémique *Contre les opinions communes* [Πρὸς τὰς κοινὰς δόξας], dont nous ne possédons plus que des fragments. Ses contributions essentielles sont d'ordre anatomo-physiologique : grâce aux dissections humaines et animales, il met en évidence pour la première fois un grand nombre de structures nerveuses : ventricules cérébraux, anatomie de la boîte crânienne, détails des nerfs crâniens et rachidiens. Il décrit l'anatomie de l'œil (qu'il analyse en quatre tuniques), il précise la localisation des organes génitaux internes masculins et féminins. Sa physiologie est également très raffinée : il établit clairement la fonction motrice et sensitive des nerfs, approfondit la distinction entre veines et artères déjà élaborée par son maître Praxagoras. Ses réalisations sur le plan clinique ne sont pas négligeables non plus : c'est à lui que l'on doit la première systématisation de la théorie du pouls, si importante dans la médecine antique et médiévale. A.-F. M. et V. B.

FRAGMENTS de Novalis. On a coutume de désigner sous ce titre le recueil de méditations (religieuses, philosophiques, scientifiques), de fantaisies, de réflexions critiques et de pensées diverses que le poète allemand Novalis (1772-1801) jeta sur le papier entre 1795 et octobre 1800, sans avoir, certes, l'intention de les publier, mais seulement afin de voir clair en lui-même, sur des problèmes que son esprit lui proposait depuis longtemps. Rappelons néanmoins que le « fragment » fut aussi une des formes d'expression littéraire que le romantisme ne laissa pas de cultiver. Friedrich Schlegel, le premier, l'a défini comme une petite œuvre d'art, « détachée du reste du monde et fermée sur elle-même comme un hérisson ». De manière analogue, Novalis appelle ses fragments « les débris d'une conversation continue avec moi-même », des « textes pour la pensée », des « semailles de pensées » ou encore des « coups de sonde ». Aussi, quand Friedrich Schlegel lui en demanda « une gerbe » pour la revue *Athenaeum* (*) (1798), il n'eut qu'à recourir à ses notes. Il en fit un choix, les retoucha et les appela *Grains de pollen* [*Blittenstaub*]. Parues dans le premier fascicule, elles en furent le témoignage le plus intime, celui qui créa cette atmosphère de « ravissement poétique » où le premier romantisme trouva sa raison d'être, celui qui indiqua plus d'une route nouvelle par des mots énigmatiques, pleins de subtils enchantements : « Rentrer en soi signifie chez nous s'abstraire du monde extérieur [...] mais, toute descente en soi, tout regard vers l'intérieur est en même temps ascension, assomption, regard vers la véritable réalité extérieure... » « Nous sommes liés de plus près à l'invisible qu'au visible... » « La nature est l'idéal. Tout idéal véritable est à la fois possible, réel et nécessaire... » « Nous sommes tout près d'être éveillés, quand nous rêvons que nous rêvons... » « La vie est le commencement de la mort. La vie existe grâce à la mort. La mort est à la fois fin et commencement... » « Tout le visible adhère à de l'invisible, tout l'audible à de l'inaudible, tout le sensible à du non-sensible. Sans doute tout ce qui peut être pensé adhère-t-il de même à ce qui ne peut pas être pensé... » « Le sein est la poitrine élevée à l'état de mystère ; la poitrine moralisée. » Autres réflexions de cette sorte. Ainsi, par exemple, un homme mort est « un homme élevé à l'état de mystère absolu », etc.

La même année, Novalis communiqua à F. Schlegel un autre choix de pensées pour les « Annales de la monarchie prussienne » [Jahrbücher der preussischen Monarchie, 1798]. Ce choix s'intitule *Foi et Amour* [*Glaube und Liebe*] et réunit, autour de l'image « adorée » de la très belle reine Louise, symbole de la nation, toute une « harmonie de pensées politiques, sociales et religieuses » sur l'unité de l'État, sur l'idéal du prince, sur la royauté comme principe vital dans l'État et source de lumière (comparable à « ce qu'est le Soleil dans le système des planètes »), sur l'esprit d'amour, en vertu duquel l'État cesse d'être « un mécanisme ou une usine », pour devenir un corps mystique, animé d'une « vivante concorde d'aspirations et d'œuvres », au centre duquel est « la personnalité exemplaire du souverain » : « Le roi est un homme promu au rôle de destin sur la terre... » « Le roi est celui qui éduque les hommes à ces fins lointaines », etc. C'est l'interprétation romantique du principe monarchique, d'où partira Novalis, l'année suivante, dans son essai sur *La Chrétienté, ou l'Europe* [*Die Christenheit oder Europa*], pour évoquer, sous une lumière mystique, l'unité politique et religieuse du Moyen Âge. En cette même année 1798, Novalis mit la dernière main à un troisième choix de fragments pour un nouveau fascicule de l'*Athenaeum*, mais il ne put l'achever. Toutefois, le manuscrit tel quel nous en est parvenu ; il devait sans doute comprendre deux sections : *Fragments logologiques* [*Logologische Fragmente*] et *Poétismes* [*Poetizismen*]. On y trouve, en effet, des pensées de 1797 et surtout de 1798, l'année où la spéculation philosophique et esthétique fut la plus intense chez Novalis, parallèlement aux « expériences mystiques » qu'il connut après la mort de Sophie. C'est à cette époque en effet que certaines suggestions néo-platoniciennes et mystiques vinrent dans son esprit se mêler aux nouvelles affirmations de l'Idéalisme absolu dont il se nourrissait, suscitant ce rêve poétique, naïf et grandiose, d'un « idéalisme magique » dont il est l'initiateur. Tout comme on le remarquerait dans un « journal » écrit au jour le jour, les *Fragments* attestent cette évolution et ce gauchissement de sa pensée : « Chaque mot est une parole d'incantation. Tel esprit a été appelé, tel esprit apparaît... » « Tout ce qui est mystique est personnel, et par conséquent une variation élémentaire de l'univers... » « Chacun à sa manière accomplit des miracles... » « Autrefois, tout était une apparition d'esprits. Aujourd'hui, nous ne voyons plus rien qu'une répétition inanimée que nous ne comprenons plus. Le sens du hiéroglyphe nous manque... » « Il dépend seulement de la faiblesse de nos organes et de notre autocontact que nous nous apercevions dans un monde de fées. Tous les contes sont simplement des rêves de cet univers natal qui est partout et nulle part... » « L'amour est un produit réciproque de deux individus : il est donc mystique et universel, éducable à l'infini, comme l'est le principe individuel lui-même. » « Dans l'acte sexuel, l'âme et le corps se touchent. L'âme dévore le corps (et le digère) instantanément. Le corps reçoit l'âme (et l'enfante) instantanément... » « Le monde doit être romantisé. Ainsi retrouve-t-on son sens originel... » C'est à cette époque que Novalis donne de la poésie cette définition célèbre dont les échos devaient se prolonger jusqu'à nos jours : « La poésie est le réel absolu. Ceci est le noyau de ma philosophie. D'autant plus poétique, d'autant plus vrai. »

L'année 1798 et l'hiver 1799, que Novalis passe à Freiberg, en vue de poursuivre certaines études à l'Académie de minéralogie, marquèrent pour lui le passage de la réflexion abstraite et spéculative (sous l'influence de Fichte) à un intérêt prédominant pour la science et la philosophie de la nature (cette fois sous l'influence du géologue Werner, du physicien Ritter, de Baader et de Schelling). Déjà, en un grand nombre des *Fragments logologiques*, on pouvait déceler les nouvelles préoccupations de l'auteur, notamment dans les Fragments qui sont datés de l'hiver 1799 ; mais le principal témoignage de cette nouvelle orientation de sa pensée, on le trouvera dans la masse importante des notes qui ont été recueillies en partie dans certains cahiers ayant un classement par matière, en partie dans un manuscrit unique, appelé le « Mélange général » [Allgemeine Bouillon] et où Novalis, ainsi qu'il le dit lui-même, nota tout ce qui lui passait par la tête, de juin 1798 à l'été de 1799. Les sujets sont les plus disparates : à côté de notes sur la philosophie ou l'art poétique, prévalent celles sur la physique, la chimie, la minéralogie, la « cosmogogie », les mathématiques, la physiologie et la médecine. Des jugements récents d'hommes de science ont souligné combien ces notes sont le fruit d'une étude substantielle et sérieuse du point de vue scientifique. Novalis lui-même les considérait comme des travaux d'approche pour une « œuvre de caractère encyclopédique », qui aurait réalisé une synthèse de l'esprit scientifique, poétique et mystique. Mais celui qui les lit ne peut échapper à l'impression d'être transporté en un monde magique et singulier. L'objet de l'observation est bien saisi dans la réalité ou tiré des données de la science, mais immédiatement se produisent les associations d'idées les plus imprévues. Chaque fois qu'une analogie se présente, c'est une étincelle qui soudain illumine des « mondes réels irréels », totalement inexplorés. Tout phénomène extérieur de la nature apparaît comme l'équivalent de processus internes s'accomplissant dans notre esprit ; tout mouvement de l'âme trouve dans la nature sa correspondance et son symbole ; et dans le passage continu de l'un à l'autre des deux mondes qu'aucune frontière ne sépare plus, la vie entière, dans la réalité physique comme dans la réalité humaine, devient quelque chose d'incalculable. La « pensée magique » dont parlaient déjà les Fragments précédents est maintenant mise en œuvre. La pensée « ne traîne plus avec elle le poids » d'un raisonnement, mais elle est toute, et toujours, « une libre ivresse de coups d'ailes ». Entre les choses les plus opposées et les plus lointaines « sont jetés des ponts et des arcs-en-ciel ». Idées et expériences rebondissent d'une science à l'autre : ou du monde de la science en celui de la poésie et de l'art, ou encore du monde de la réalité en celui du suprasensible. D'où il résulte un continuel changement de perspectives, sitôt allumées sitôt éteintes et toujours prêtes à se rallumer. Témoin les notations suivantes : « Les mystères sont les condensateurs des capacités divinatoires », ou encore : « Partout est, à la base, une grammaire mystique » ; enfin : « Toute ligne est un axe du monde. » « L'individualisation se fait dans la nature par la régularité de la multiplicité. » « Le hasard n'est pas insondable, lui non plus. Il a ses lois. » Les formules de la science sont comparées à une flamme jaillissant entre le néant et « quelque chose » ; quant à l'extase, elle est définie comme un « phénomène lumineux intérieur », identique à l'intuition intellectuelle. C'était l'époque des grandes découvertes, spécialement dans le domaine des phénomènes électriques, magnétiques, biochimiques, nerveux. Au sein des forces les plus mystérieuses et obscures, la science réussissait à apporter sa lumière et, de tous côtés, en naissait une impression de vague attente, comme si des sphères plus hautes d'existence allaient s'ouvrir aux hommes. Les *Fragments* de Novalis datant de la période de ses études à Freiberg constituent peut-être, par leur ton intérieur et par leur amalgame de science et de poésie, l'expression la plus subtile de cet état d'âme romantique. « Certaines pensées — dit précisément un Fragment — touchent la ligne limite où le monde devient magique. Est-ce que, de ce fait, elles ne sont pas vraies ? »

D'un caractère analogue sont aussi les *Fragments* d'un dernier groupe, écrits par Novalis, à Weissenfels, entre l'été de 1799 et le mois d'octobre 1800, quand il eut ce crachement de sang dont il ne devait jamais se remettre. Seulement, on sent, à travers tout ce labeur (auquel s'ajoutait son travail de surintendant des mines), un retour graduel, de plus en plus insistant, aux problèmes de la poésie et de la religion d'où on était parti. On se rend compte aussi d'une chose : c'est qu'habitué à se considérer lui-même comme un sujet d'expérience, Novalis était parfaitement conscient des inexorables progrès de son mal ; à tel point qu'il écrit dans son *Journal* (*) : « Je n'arriverai jamais à m'accomplir. Je disparaîtrai alors que ma vie est en fleur », et que les réflexions qu'il fait sur les maladies en prennent un ton nouveau. Ce ne sont plus des notations objectives, « détachées », d'observateur qui met en évidence une donnée de fait ou présente une hypothèse ; elles ont dorénavant un voile de confession personnelle. Et l'on ne peut lire sans émotion de telles paroles : « L'idée avancée par Ritter pour expliquer l'apparition et la disparition de la matière n'est pas sans répandre une lumière également sur le problème de la mort. Qui sait où nous jaillissons, quand nous disparaissons d'ici ? » ; ou celles-ci : « Les maladies sont sans doute une chose très importante pour l'humanité, car elles sont innombrables, et tout homme a beaucoup à lutter contre elles. Nous ne connaissons que très imparfaitement encore l'art de les utiliser. Elles sont probablement la matière et le stimulant le plus intéressant de nos méditations et de notre activité. » Ou bien : « La mort n'est rien d'autre que l'interruption de l'alternance qui existait entre l'excitant intérieur et l'excitant extérieur, entre l'âme et le monde. »

Il est évident que, dans plus de deux mille cinq cents « confidences à soi-même », dont une faible part seulement a été revue par Novalis, tout ne peut être à la même hauteur. Déjà, Schelling avait parlé d'une certaine « frivolité à l'égard des sujets traités », et il est indéniable que l'on se trouve parfois devant un pur « feu d'artifice de l'intelligence ». Mais il s'agit seulement de « manifestations fébriles » dans une entreprise qui est, en sa substance, profondément sérieuse. Et ce sont précisément certaines des pensées qui, en un premier temps, avaient suscité le plus d'alarmes, qui se sont montrées par la suite de véritables « anticipations divinatoires », comme les fragments physico-mathématiques, où se laisse pressentir en plus d'un point la théorie de la relativité. Ailleurs, il sera question de ces « tendances communes à la volupté, à la religion et à la cruauté » en lesquelles s'entrevoit l'esthétique des poètes symbolistes et décadents ; ou encore de cette aspiration à une poésie dégagée de tout lien rationnel, « seulement faite d'associations d'images, comme les rêves » ; une poésie seulement sonore, faite de beaux mots sans liens, et avec effet d'ensemble, « indirecte, comme une musique », poésie qui contient déjà tous les termes de la future esthétique symboliste. Malgré ce qu'il peut y avoir d'éphémère dans des notations séparées, on comprend comment l'attrait de ces *Fragments* a grandi avec le temps : ils constituent le « paysage intérieur » d'une âme qui fut parmi les plus délicates et riches de mystère dans l'histoire de la spiritualité moderne ; le romantisme naissant s'y déverse avec la vivacité et la pureté d'une grande source intarissable. Et il n'est pas sans signification que le premier à recueillir une nouvelle moisson de pensées dans les manuscrits ait été précisément le grand « mystagogue » du romantisme, Friedrich Schlegel, qui, le jour où il apprit que l'état de santé de son ami avait empiré, accourut à Weissenfels et ne quitta plus son chevet jusqu'à sa mort. Un choix de notes fut aussitôt établi pour l'impression et parut l'année suivante dans la première édition des *Écrits,* dirigée par lui et par L. Tieck [*Novalis Schriften,* vol. II, 1802]. Un choix supplémentaire, pour la cinquième édition, suivit en 1846, dans le vol. III, revu par Ed. von Bülow. Il fallut ensuite l'essai de Maeterlinck (1896) et, plus tard, celui de Ricarda Huch — v. *Le Romantisme allemand* (*) —, pour que l'attention fût appelée de nouveau sur les *Fragments.* Une masse notable en fut alors puisée directement dans les manuscrits par E. Heilborn, pour sa nouvelle édition des *Œuvres* (Novalis, *Werke,* 1901). Deux volumes en furent classés peu après, avec une précieuse table finale, par J. Minor dans son édition critique des *Œuvres* (1907). Enfin, P. Kluckhohn, grâce aux recherches précédemment entreprises par E. Havenstein, put apporter, dans la confusion variée des manuscrits, un ordre chronologique convaincant (*Novalis, Œuvres,* vol. II-III, 1929). Par contre, c'est une classification par matières et sujets traités qu'a donnée F. Kamnitzer dans son édition de 1929. — Trad. Un certain nombre de *Fragments* ont été traduits par Maeterlinck (chez Lacomblez, Bruxelles, 1900) ; *Œuvres complètes* t. II, Gallimard, 1975.

FRAGMENTS de Praxagoras de Cos. Praxagoras, médecin grec (autour de 300 av. J.-C.), dans la lignée d'Hippocrate, mais également inspiré par Aristote, est l'auteur de traités sur l'anatomie — l'un des premiers du genre dans l'histoire de la médecine occidentale —, la thérapeutique, les causes et les signes des maladies. Il souscrit à la théorie humorale, dont il affine le système en distinguant jusqu'à onze humeurs dont l'équilibre détermine la santé. Il est le premier à distinguer entre artères et veines : les veines contiendraient le sang et les artères le pneuma. Il postule également l'existence de nerfs, sortes de filaments très fins prolongeant les extrémités artérielles et responsables des mouvements des mains. Comme Aristote, il place le centre de la pensée et de l'âme dans le cœur ; le cerveau par contre n'est selon lui qu'une excroissance de la moelle épinière. Toutes ces théories auront une influence considérable sur le développement de la médecine grecque.

A.-F. M. et V. B.

FRAGMENTS de Zénon de Citium. On peut grouper les œuvres du philosophe grec Zénon de Citium (336-264 env. av. J.-C.) en trois parties, d'après les matières dont elles traitent : logique (ou science préliminaire des conditions de la connaissance), physique (ou science de l'être), morale (ou science des mœurs). Dans sa « logique », Zénon simplifiait la doctrine d'Aristote par l'acceptation des prolepses, c'est-à-dire des anticipations empiriques : l'homme connaît le domaine de l'universel non par une connaissance innée, ni « a posteriori », mais parce que le critère humain s'adapte à la réalité au moyen de la « fantaisie catalectique ». Le subjectivisme empirique, par lequel Zénon résolvait le problème de la logique, devait vraisemblablement se retrouver dans d'autres écrits que l'on pourrait disposer autour d'une œuvre centrale : les *Préceptes généraux*, et qui tous convergeaient probablement vers le problème empirique du prolepse. Ces autres œuvres sont : *De la vue*, sur la valeur catalectique de ce sens, le plus développé de tous, et qui avait probablement suggéré l'expression de « fantaisie catalectique » ; les *Solutions*, c'est-à-dire les réponses à des questions laissées sans réponse par les philosophies antérieures, qui ne disposaient pas du critère stoïque ; les *Diatribes*, discussions de différentes questions soulevées par la littérature cynique. Les problèmes de la physique étaient abordés dans un autre groupe d'écrits dont le plus important traitait *De la nature*. Zénon s'y référait principalement à Démocrite et à Héraclite, c'est-à-dire aux doctrines de l'atomisme et du mouvement. Mais, sans atteindre au développement atomistique de la doctrine épicurienne, Zénon imagine que le monde avait été formé par une force créatrice à partir d'une matière brute préexistante. Ces deux éléments, également nécessaires et indispensables, sont fusionnés dans chaque corps que nous contemplons ; et c'est ainsi que nous percevons respectivement la qualité du premier et la substance du second. Teintée d'un certain panthéisme, la philosophie de Zénon divinisait toutes les forces de la nature et, se réclamant de l'antique théologie grecque, les personnifiait en leur prêtant les noms des dieux anciens. C'est ainsi que font partie des recherches de physique non seulement des écrits purement scientifiques, comme *De l'Univers*, mais aussi des écrits littéraires comme *Des sentiments de Pythagore*, *De la diction* et *De la lecture des poètes* ; en effet, la poésie la plus ancienne de la Grèce était imprégnée de théologie et Zénon interprétait la théologie à la lumière de ce rationalisme symbolique qui, par la suite, facilita les exégèses allégoriques des philologues de formation stoïque.

Mais beaucoup plus intéressante que la logique et la physique était la morale de Zénon ; l'écrit le plus important de cette série de ses œuvres était la *Vie selon la nature*. La règle générale, qui donne le titre à cette œuvre, est empruntée à la philosophie cynique, mais elle est développée d'une façon plus logique. Si la vertu consiste à suivre la nature, du moment que la nature de l'homme est rationnelle, la vertu consisterait à suivre la raison, c'est-à-dire la connaissance. Il en résulte que seul le sage peut être vertueux et, partant, rendu heureux par son propre mode de vie. Mais, pour être sage, il faut détruire les passions : aussi le traité des *Passions* forme-t-il un traité à part ; il faut aussi éviter les bas appétits, comme il est affirmé dans le traité *Sur la nature humaine*. Pour être vraiment heureux, il faut suivre le *Devoir*, qui peut être de différentes espèces : il y a des devoirs qui conduisent à la perfection et ceux qui, au contraire, sont indifférents. La *Loi* n'existe pour le stoïcien que dans la mesure où il la crée lui-même pour soi ; tout ce qui lui est indifférent, tout ce qui ne touche pas à son bien moral, il ne doit pas le juger ; c'est pour cela que la *République* ne peut et ne doit pas intéresser le stoïque. Un semblable agnosticisme se manifeste aussi à l'égard d'un autre problème : le problème pédagogique que Zénon traite dans l'*Éducation grecque*. Une position si rigide ne pouvait pas ne pas susciter dans le public un certain scandale par ses conclusions extrêmes. Ce groupe d'écrits inaugurait officiellement l'éthique stoïque et consacrait l'écroulement définitif de l'esprit grec classique.

FRAGMENTS DU COURS DE LITTÉRATURE. Les cours professés par l'écrivain français Marie-Joseph Chénier (1764-1811) à l'« Athénée » de Paris furent, en 1818, réunis en un volume sous le titre : *Fragments du Cours de littérature fait à l'Athénée de Paris en 1806 et 1807 par M.-J. de Chénier*. Ces cours contiennent la première partie d'un tableau historique de la littérature française ; l'auteur y trace l'histoire de la langue et des divers genres de poésie et de prose, depuis le XIe siècle jusqu'à l'avènement de François Ier. Le plan de l'ouvrage complet a été exposé dans une introduction, publiée en 1806 sous le titre : *Discours prononcé à l'Athénée de Paris le 15-XII 1806* ; selon ce plan, la deuxième et la troisième partie de l'ouvrage devaient être consacrées aux XVIe, XVIIe et XVIIIe siècles. La partie publiée contient — outre l'allocution mentionnée ci-dessus — un Discours sur les romans français depuis le règne de Philippe de Valois, jusqu'à la fin du règne de Louis XII ; enfin, un fragment consacré aux historiens français depuis le commencement de la monarchie jusqu'au règne de Louis XII. On doit regretter que Chénier n'ait pu ni le terminer, ni faire imprimer qu'une faible partie de ce qu'il en avait composé. Du même auteur, nous avons un *Tableau historique de l'état et du progrès de la littérature française depuis 1789 jusqu'à 1808*. Cet ouvrage, paru en 1818, est, d'après l'avis de L.-G. Michaud, ce que Chénier a fait de mieux en prose « et lui assure un rang distingué parmi les critiques, bien que l'esprit de parti s'y montre encore quelquefois. Ce *Tableau* présente, dans un style clair et concis, l'énumération, l'analyse et l'appréciation de tout ce que cette période de vingt ans a produit de remarquable dans toutes les parties auxquelles l'art d'écrire peut s'appliquer ». Le *Tableau*, qui est un véritable répertoire, porte sur plus de trois cents auteurs français (la table comporte trois cent vingt-huit noms), qui ont publié quelque chose pendant cette courte période ; c'est-à-dire que le lecteur y trouve la mention de certaines œuvres et d'auteurs dont la trace ne nous est parvenue que grâce à M.-J. de Chénier. Cet ouvrage fut rédigé par Chénier lorsque l'Institut fut invité par Napoléon Ier à lui fournir un rapport sur les progrès des sciences et des lettres depuis la Révolution. En désignant, pour remplir cette tâche, un écrivain connu surtout par ses écrits satiriques, l'Académie lui rendait indirectement un hommage, et Chénier y fut sensible ; il se surpassa et, dans la correcte circonspection de son langage et de ses jugements, nul ne pouvait reconnaître l'écrivain qui avait transporté dans les querelles littéraires les violences des guerres civiles. Il pèse religieusement les titres de ses adversaires : la « finesse polie » de Suard, les écrits « pleins de mérite » de Morellet. En même temps qu'il osait louer Mme de Staël proscrite, il en faisait autant pour son détracteur le plus implacable : La Harpe. Chateaubriand fut un des rares à ne pas trouver grâce à ses yeux.

FRAGMENTS DU JOURNAL D'UN BEDEAU DE CAMPAGNE [*Brudstykker af en Landsbydegns Dagbog*]. Nouvelle de l'écrivain danois Steen Steensen Blicher (1782-1848), publiée en 1824. L'action se déroule au début du XVIIIe siècle et s'inspire de la tragique aventure de *Marie Grubbe* (*), que J. P. Jacobsen devait reprendre plus tard. Le jeune Morten se destine à la carrière ecclésiastique et travaille avec plus de zèle que Jens, le fils de son professeur, le pasteur Soren. Jens court les bois plutôt que de s'adonner à l'étude. Mais le brave pasteur vient à mourir, ainsi que les parents de Morten. Du coup, Jens et Morten sont forcés d'entrer tous deux au service du seigneur. Mais Morten est bientôt amoureux de Mlle Sophie, et c'est avec un certain soulagement qu'il part avec son jeune maître pour Copenhague, où il croit l'oublier. Il revient plus vite qu'il ne le pensait : le jeune Kresten est mort au cours d'une épidémie et, au château, on s'apprête à marier Mlle Sophie. Elle tombe cependant malade et son prétendant repart : elle n'en semble d'ailleurs pas plus malheureuse. Morten en trouve bientôt l'explication : ayant changé sa chambre contre celle de Jens, le soir il est réveillé par Mlle Sophie, qui vient le rejoindre, croyant que c'est Jens : elle s'enfuit en s'apercevant de sa méprise. Il ne les trahit pas, mais la gouvernante les dénonce, Jens s'enfuit et Mlle Sophie est enfermée dans sa chambre. La nuit, Jens revient et enlève la belle. Le vieux seigneur meurt de chagrin et Morten s'en va à l'aventure. S'étant engagé dans les troupes danoises, il est fait prisonnier par les Suédois, enrôlé de force dans leurs troupes, puis est capturé par les Russes. Après de nombreuses péripéties, il revient au Danemark, où il retrouve Jens et Mlle Sophie dans la misère et la honte. Vieilli, accablé de douleur, il rentre au village natal, où il passera le reste de ses jours à méditer. Les nouvelles de Blicher comptent parmi les chefs-d'œuvre de la prose danoise. Celle-ci, qui retrace avec simplicité la vie humble et naïve d'une sorte de Candide danois, donne une assez bonne idée de l'art de Blicher.

FRAGMENTS D'UN DESSIN [*Brudstykker af et monster*]. Pièce de théâtre de l'écrivain danois Carl Erik Soya (1896-1983), représentée et publiée en 1940. Une jeune fille a été séduite ; ensuite, elle a dû s'adresser à une infirmière pour se faire avorter. Les activités clandestines de l'infirmière sont découvertes, et les femmes qui ont eu recours à elle risquent d'être poursuivies. La jeune femme veut alors se suicider avec le jeune homme qu'elle aime maintenant, mais un avocat illuminé les sauve de la justice. L'auteur s'efforce de montrer l'injustice d'une loi contre les avortements, qui ne frappe que celles n'ayant pas assez d'argent pour se faire avorter par un médecin. La pièce est bien menée, mais ne va pas sans rebondissements assez mélodramatiques.

FRAGMENTS D'UN ENSEIGNEMENT INCONNU [*In Search of the Miraculous*]. Ouvrage du physicien et philosophe russe Pierre Demianovitch Ouspenski (1878-1947). L'auteur s'était fait une place dans le monde scientifique en publiant divers ouvrages : *La Quatrième Dimension*, le *Tertium Organum* et *Un nouveau modèle d'univers*. Mais ces études ne retenaient son intérêt que dans la mesure où il espérait trouver par elles un commencement de solution au seul problème qui l'inquiétât : la raison d'être de l'homme, et sa place dans l'univers. Ouspenski en vint à considérer qu'une telle recherche ne pouvait se poursuivre par les voies ordinaires. Il se mit à voyager en Orient. C'est au cours de ce voyage qu'il fit la connaissance du philosophe Georges Gurdjiev qui est, si l'on peut dire, le héros des *Fragments d'un enseignement inconnu*. Cet essai, d'abord publié en anglais, ne se présente pas comme un manuel logique, mais comme une suite d'anecdotes, de détails de la vie quotidienne, de lambeaux de conversations, de calculs chimiques et théosophiques, de copies de documents recueillis au cours des huit années de travail passées par Ouspenski auprès de Gurdjiev. Tout cela forme un ensemble désordonné et savoureux où l'on ne dit pas tout, selon la meilleure tradition de l'ésotérisme. Georges Gurdjiev, désigné par G. dans le livre, fut effectivement un personnage extraordinaire. Né au Caucase en 1868, il avait reçu une éducation de prêtre et de médecin. Il avait fondé le groupe des « chercheurs de vérité », qui parcouraient le monde pour retrouver les traditions philosophiques oubliées. Gurdjiev avait été directeur des bibliothèques du Tibet. Puis il avait fondé, en 1912, une école à Moscou ; laquelle, après diverses aventures, par Tiflis et Constantinople, vint s'installer à Fontainebleau en 1922. Gurdjiev mourut à Paris en 1949.

Brièvement, il s'agit d'une méthode pratique de développement intérieur ; G. en avait trouvé les éléments en Asie et dans les plus vieux livres du monde, mais il l'avait adaptée au caractère occidental. G. enseignait l'état de non-existence de l'homme. Les hommes vivent en état de sommeil, ou d'hypnose, et la plupart n'en sortent pas. Pendant ce temps, ils croient faire par eux-mêmes des tas de choses, courir ici et là, discuter, œuvrer, alors qu'en réalité ils fonctionnent comme de simples machines, sans aucun mouvement indépendant. Les choses qu'ils croient faire se font, en réalité, ou devant eux ou à travers eux, selon les lois de la machinerie universelle. Ces choses « arrivent ». Et leur arrivée force sans cesse l'agitation de l'homme, en le provoquant sans cesse à d'autres idées, sentiments, gestes. Ce qui fait que sans cesse l'homme est une personne différente. Il ne possède pas de moi permanent. Ainsi exactement renseigné sur son état d'« idiot », initié à ses faiblesses, l'élève de G. voit apparaître en même temps ses possibles pouvoirs. Il peut alors, s'il le veut, ou plus exactement s'il s'en remet à un maître initié, s'éveiller par des exercices quotidiens et peu faciles, voire dangereux. L'étude des lois de la machinerie de la nature lui permet une activité contre nature menant au réveil. Il évite l'identification, erreur de l'homme qui se croit identique à ses désirs, ses pensées, ses émotions. Il lutte contre la considération, erreur de l'homme qui s'identifie à d'autres hommes et se met à les singer. Parallèlement à cette renonciation aux faiblesses habituelles, l'élève se met au travail sur sa propre voie. Cette voie n'est celle ni du yoghi, ni du fakir, ni du moine. Elle n'exige aucun renoncement au monde, aucune monstrueuse déformation psychique, aucune adhésion à une doctrine artificielle, aucune ascèse mutilatrice, mais un harmonieux et constant développement de toutes les facultés selon des gymnastiques et des études fixées par G. et gardées secrètes par son école et ses filiales. Le disciple de G. ne sacrifie que ses erreurs et ses douleurs. Il acquiert ainsi la concentration de soi, la possession de soi, ainsi qu'une vision de l'esprit humain bien différente de celle qu'enseigne la psychologie classique. C'est la voie de l'homme rusé, qui devient ce qu'il est, en état de progressive lucidité et de totale disponibilité.

On peut retrouver des traces de cet enseignement à travers les œuvres d'autres écrivains adeptes de Gurdjiev. Citons, entre autres, *La Grande Beuverie* (*) et *Le Mont Analogue* (*) de René Daumal, *Le Château du Dessous* de Louis Pauwels, *L'Apprentissage de la ville* de Luc Dietrich, et diverses œuvres d'Aldous Huxley, Denis Saurat, Georgette Leblanc et Katherine Mansfield. Enfin, Ouspenski a repris et résumé les *Fragments* dans un recueil de conférences, *L'Homme et son évolution possible*. Est-on en mesure de porter un jugement sur l'enseignement de Gurdjiev tel que les *Fragments* le font entrevoir ? À coup sûr, cet essai apporte une vive excitation psychique. Son succès près de nombre d'intellectuels semble être dû autant à ce qu'il révèle qu'à la faillite des autres disciplines philosophiques, politiques, religieuses et scientifiques — lesquelles, sous prétexte de progrès, d'histoire ou d'épreuve nécessaire, envisagent toutes, et tout naturellement, la totale destruction de l'homme par l'homme. Que des hommes de bonne volonté cherchent autre chose, rien de plus naturel. Gurdjiev et Ouspenski montrent un chemin, cependant on n'en peut dire que bien peu de chose avant d'y être passé. — Trad. Stock, 1949.

FRAGMENTS D'UN JOURNAL INTIME. Œuvre posthume de l'écrivain suisse d'expression française Henri Frédéric Amiel (1821-1881), publiée en 1883 en deux volumes par Scherer. Nombreuses réimpressions, en particulier celle de 1923. Édition complète entreprise en 1976 par B. Gagnebin et Ph. Monnier. Ce journal, que le philosophe tint pendant plus de trente ans (il commence en 1847, alors qu'Amiel, à 26 ans, était à l'université de Berlin), n'était pas rédigé en vue de la publication. C'est donc un miroir fidèle : Amiel s'y peint avec une entière sincérité, sans la moindre complaisance, notant plusieurs fois dans la même journée ses impressions si changeantes. Plus que les idées, c'est l'homme que le *Journal* fait connaître : d'ailleurs, chez Amiel, les idées sont inséparables de l'individu dans ce qu'il a de plus sensible, et les systèmes, différents, entre lesquels il ne cessa de balancer, semblent n'être que les miroirs philosophiques de son être intime. Mélancolique, découragé, Amiel dans son *Journal* réfléchit sur l'échec de sa vie publique. Il paraît souffrir d'une sorte d'hypertrophie des facultés contemplatives, si développées qu'elles l'empêchent d'agir et de se déterminer. Cet esprit éminemment sensible se laisse aller. Il subit la vie, les idées, éprouve tout sans avoir le courage, et peut-être l'envie, de rien dominer : « Paresse et contemplation ! Sommeil du vouloir, vacances de l'énergie, indolence de l'être, comme je vous connais ! Aimer, rêver, sentir, apprendre, comprendre, je puis tout, pourvu qu'on me dispense de vouloir. » Mais de cette impuissance, lucide, il ne se glorifie point. Une immense mélancolie informe aussi bien son caractère que ses idées : « Au fond de toutes choses, écrit-il, est la tristesse, comme au bout de tous les fleuves est l'Océan. » Sa vie publique ratée le tourmente. Il incrimine souvent le milieu où il a vécu : « Ma vraie nature a été contrariée, déviée, atrophiée par des circonstances et dans un milieu défavorables. J'ai laissé perdre le résultat de mes vastes travaux, de mes patientes méditations, de mes études variées. » Il en veut surtout à Genève : « En épousant Genève, j'ai épousé la mort, la mort de mon talent et de ma joie. » Dès sa jeunesse, il lit énormément, mais au début sans choisir, sans méthode, allant d'un ouvrage à l'autre : penchant qu'il note soigneusement alors qu'il est étudiant en Allemagne, et dont il se corrige. Philosophe, il est au courant de la littérature de son temps. Romantique jusqu'à la souffrance, il juge sans ménagement les romantiques français et montre des qualités d'excellent critique littéraire. Ainsi, sur Chateaubriand : « Âme tourmentée et triste vie, à tout prendre, sous son auréole de gloire, Chateaubriand a posé toute sa vie pour le colosse ennuyé, souriant de pitié devant un monde vain et affectant de ne rien vouloir de lui par dédain, tout en pouvant tout lui prendre par génie. » Pour Hugo il se montre aussi sévère : sa force, dit-il, « emprisonne sans captiver ».

Amiel est surtout influencé par la philosophie allemande. Il la retrouve dans la musique de Wagner, « musique dépersonnalisée, la musique néo-hégélienne, la musique foule au lieu de la musique individu ». S'il la juge si bien, c'est qu'il souffre du même mal. Il souffre en effet, car le panthéisme de Hegel et de Schelling, qui peut conduire à l'exaltation, entretient sa mélancolie naturelle, lui donne des justifications métaphysiques et cosmiques. L'apport philosophique propre d'Amiel est à peu près nul : il doit tout à l'Allemagne. Brunetière le notait déjà. Pendant ses années d'études (1843-1848), il avait fréquenté l'œuvre de Hegel, celle de Schelling. Toute sa vie, il resta fasciné, bien qu'il ait réagi contre elles. Mais comme son âme est accordée à cette philosophie ! Lui qui ne songe qu'à s'abandonner, à se dépersonnaliser, amant de la nature aux extases qui rappellent Rousseau, il devait naturellement accepter un panthéisme idéaliste, qui dissout toute notion du fini, toute réalité propre, spécifique des choses. Tout n'est qu'« état d'âme » : « La nature n'est que la parole, le déroulement discursif de chaque pensée contenue dans la pensée infinie. » Lorsqu'il s'abandonne à cette attitude, Amiel sent la profonde illusion qu'est toute vie individuelle. Il éprouve sa personnalité comme à peine distincte de la vie universelle : son extrême sensibilité trouve alors le terrain qui lui est propre. Il y a, dans le *Journal*, de nombreuses pages de lyrisme naturaliste et panthéiste qui montent parfois jusqu'à une sorte d'extase, union à la vie infinie qui se réalise grâce aux puissances du cœur, au « Gemüt » : « J'ai senti vivre en moi cette insondable pensée ; j'ai touché, éprouvé, savouré, embrassé mon néant et mon immensité, j'ai baisé le bord des vêtements de Dieu, et je lui ai rendu grâce d'être esprit et d'être vie. Ces moments sont les entrevues divines où l'on prend conscience de son immortalité... » Une immortalité tout impersonnelle naturellement. Si l'âme romantique se définit par cette capacité de n'être plus soi, toujours autre, « en dehors de son corps et de son individu », de s'unir à tout en des moments de grâce, l'âme d'Amiel est essentiellement romantique. Lui-même note ce pouvoir étrange de dépersonnalisation qui étonnait ses amis : « Dans ces états de sympathie universelle, j'ai même été animal et plante, tel animal donné, tel arbre présent. Cette faculté de métamorphose ascendante et descendante, de déplication et de réimplication a stupéfié parfois mes amis [...] Elle tient sans doute à mon extrême facilité d'objectivation impersonnelle. » Mais si Amiel a toujours été incapable de se libérer de la métaphysique allemande, il ne s'y abandonne pas tout entier, et s'efforce même de réagir. Une vérité est suspecte, qui flatte par trop l'instinct passif de notre âme : « Le dégoût de ma vie individuelle et l'engourdissement de ma volonté privée dans la conscience pure de l'activité universelle, c'est mon penchant, ma faiblesse, mon instinct [...] Je reconnais le vieil ennemi, le protéisme, l'ensorcellement de la Maïa multiforme des images, formes, êtres, qui dansent la ronde du sabbat dans ma pensée trop ouverte et trop hospitalière. » C'est bien là en effet le grand vice de l'esprit d'Amiel qui apparaît dans son *Journal*. Il tolère le chaos des doctrines en lui, il jouit des idées sans chercher à les dominer, à les régler, à les ordonner. Une seule idée ferme, à quoi il se raccroche pour résister à la « Maïa », une idée qui lui vient à la fois de Kant et de ses origines piétistes, l'idée de devoir. C'est elle qui lui rend le sens de la vie individuelle que le panthéisme avait obscurci. Il est d'ailleurs significatif, et bien dans la tradition kantienne, qu'Amiel n'essaie point de résister au pessimisme métaphysique par une réflexion intellectuelle, mais par l'affirmation a priori, comme transcendante, de l'idéal du devoir. De lui seul, il attend le retour à l'être, à la définition : « La philosophie du travail, du devoir, de l'effort, paraît supérieure à celle du phénomène, du jeu, de l'indifférence. Maïa, la fantasque, serait subordonnée à Brahma, l'éternelle pensée, et Brahma serait à son tour subordonné au Dieu Saint. » Qu'entend-il par là ? Il faut avouer qu'il ne s'explique guère : une aspiration souvent affirmée, mais vague vers l'absolu, la possession de Dieu. Mais quel Dieu ? Transcendant ou immanent ? La théologie d'Amiel est bien imprécise.

La valeur philosophique du *Journal* est donc très relative. Amiel, il l'avoue lui-même, a toujours balancé entre panthéisme et réalité du devoir, hindouisme et christianisme, sans jamais pouvoir se prononcer. Moins qu'un philosophe, il est l'écho sonore, douloureux, hypersensible de la grande philosophie idéaliste allemande du XIXe siècle, hégélien, certes, mais un Hegel descendu de sa chaire, sensibilisé, qui manque à la fois de la majestueuse sérénité de son maître et de la grâce qui eût donné plus de naturel à ses penchants lyriques. Certes, Amiel ne fait pas de soi un portrait d'une seule couleur. Il s'abandonne, mais il se juge aussi, avec autant de rigueur qu'il montrait, le moment avant, de faiblesse. Pourtant c'est assez justement que Gabriel Marcel a pu écrire : « Le sens cosmique, chez un être aussi dépourvu de dons proprement poétiques, ne va pas sans une assez exorbitante prétention de s'affronter journellement à l'univers. »

FRAGMENTS D'UN PARADIS. Roman de l'écrivain français Jean Giono (1895-1970), écrit (ou plutôt dicté) en 1944, publié en 1948 en tirage de luxe limité, et en édition courante seulement en 1974. C'est l'unique roman maritime de son auteur, qui n'avait, à l'époque de sa rédaction, jamais fait la moindre traversée, mais qui connaissait bien *Les Aventures d'Arthur Gordon Pym* (*) d'Edgar Poe, *Vingt mille lieues sous les mers* (*) de Jules Verne, et surtout *Moby Dick* (*) de Herman Melville, qu'il avait traduit (1941). L'action est située vers le début de la guerre de 1939. Deux navires partent en expédition dans le sud de l'Atlantique, en partie pour échapper à la folie de la guerre. Le but de l'expédition est inconnu. La seule terre qu'elle visitera est l'île Tristan da Cunha, où l'un des marins se livre à une exploration et trouve les traces d'occupants disparus. Les personnages sont très discrètement typés, et en général assez peu différenciés, en dehors du fait que les officiers sont des hommes cultivés et réfléchissent sur la nature profonde de ce qu'ils voient. Mais ils sont moins importants que ce qu'ils rencontrent dans ces mers mal connues : des êtres prodigieux, issus d'un univers fantastique, raies et calmars de cent à deux cents mètres d'envergure, nuages d'oiseaux couvrant des centaines de kilomètres carrés, animaux aux couleurs inconnues. Leur étrangeté est soulignée par une narration linéaire, positive, presque monocorde. Pourtant il s'agit d'une œuvre de mystère : Giono a écrit qu'il voulait faire un « roman policier cosmique » ; et surtout c'est au fond un poème ; les créatures des grands fonds sont des anges — anges de bien ou de mal —, mais qui n'entrent jamais en communication avec les humains. En même temps, Giono se conforme aux règles du roman maritime : il s'est documenté sur le gréement des navires, sur la navigation, et en a maîtrisé les termes techniques. Son roman remplit ainsi une gageure : nul n'en aurait cru capable un romancier aussi ancré dans la terre. On peut discuter si le roman est inachevé, ou si Giono a décidé qu'il était complet et se suffisait à lui-même en dépit d'une terminaison apparemment abrupte. Ce qui est certain, c'est que le titre, décidé dès le début de la rédaction, ne signifie pas que l'on n'a là que des fragments de texte, mais que le paradis sur terre, qui existe, n'est accessible à l'homme que par fragments.

FRAGMENTS POÉTIQUES de Günderode [*Poetische Fragmente*]. Deuxième recueil de vers et proses de la poétesse allemande Karoline von Günderode (1780-1806), paru en 1806 sous le pseudonyme de Tian. La célébrité de l'auteur relève moins de ses œuvres achevées que de sa brillante personnalité et de son tragique suicide — v. *Günderode* (*) de Bettina Brentano. Ces vingt et une pièces reflètent sa dépendance des modèles du premier romantisme allemand et de la philosophie religieuse de Schleiermacher. Les *Fragments* renferment entre autres le petit poème (inachevé) « Hildegonde » où est représenté le meurtre d'Attila par une Allemande captive, ainsi que le drame allégorique « Mahomet », également inachevé, où l'auteur exprime son aspiration à un christianisme purifié, et une humanité rendue meilleure par les tragiques épreuves des guerres religieuses. Ces écrits, comme beaucoup d'autres, demeurés inédits jusqu'à sa mort, furent par la suite rassemblés sous le titre de *Poésies* [*Dichtungen*] en 1857.

FRAGMENTS POSTHUMES de Nietzsche [*Nachgelassene Fragmente*]. Fragments et textes posthumes du philosophe allemand Friedrich Nietzsche (1844-1900), publiés une première fois en 1895, chez Naumann, puis de manière exhaustive de 1967 à 1980 dans l'édition Colli-Montinari (de Gruyter, Berlin) ; il y a eu quatre éditions partielles en langue allemande : Musarion en 1920, Kröner en 1930, Beck en 1933, Schlechta en 1956.

L'histoire de l'édition de ces fragments constitue à elle seule un chapitre particulier dans la réception et l'interprétation de Nietzsche : elle a permis de transformer la représentation générale qu'on avait de l'organisation de l'œuvre du philosophe, de modifier la pondération de chacune des œuvres dans son rapport aux autres, mais aussi de comprendre directement comment travaillait et écrivait cet esprit si singulier.

Historiquement, c'est l'édition de Karl Schlechta, en 1956, qui constitue un véritable tournant dans la réception de ces fragments : en effet, cet interprète de Nietzsche, éditeur au sens scientifique du terme, a le premier présenté les textes traditionnellement regroupés par les éditions précédentes sous le titre *La Volonté de puissance* (*) dans un ordre chronologique, respectant la disposition et la datation des manuscrits originaux. Cette édition, qui mettait fin à l'illusion que Nietzsche avait signé sous le titre de *La Volonté de puissance* son grand œuvre, a déclenché une controverse virulente qui a elle-même abouti au projet d'une édition exhaustive et strictement chronologique de tous les écrits de

Nietzsche : l'édition de Colli et Montinari, laquelle a utilisé le concours de graphologues et de chimistes afin de dater rigoureusement écritures, papiers et encres, ce qui permet de classer tous les textes manuscrits dans un ordre chronologique établi pour ainsi dire de manière scientifique.

La première conséquence, dans l'ordre d'importance, pour l'interprétation de la pensée du philosophe a été de montrer que *La Volonté de puissance* avait été, certes, un projet de livre auquel Nietzsche travailla de l'automne 1887 à l'automne 1888, mais qu'il abandonna sans lui donner une forme définitive quelconque. Il n'existe donc de cette œuvre prétendue qu'une suite de fragments mêlés à d'autres, qui concernent les derniers textes publiés par Nietzsche, *Le Cas Wagner* (*) et *Le Crépuscule des idoles* (*), notamment. La deuxième conséquence concerne la légende du *Zarathoustra* : contrairement à ce qui avait été complaisamment dit, par sa sœur notamment, Nietzsche n'écrivit pas *Ainsi parlait Zarathoustra* (*) en quelques semaines et sous la pression irrésistible d'une inspiration dionysiaque. Les fragments posthumes permettent de repérer tout le lent et laborieux travail de rodage des phrases, les multiples essais rhétoriques et poétiques auxquels procède l'auteur ; bref, ces fragments offrent au regard de l'interprète une vision directe sur la manière dont cette œuvre d'inspiration fut en réalité assemblée, verset par verset en quelque sorte. Une fois cet enchantement dissipé, le *Zarathoustra* cesse d'être la figure de proue ou un aboutissement prétendu comparable à celui qu'on pensait voir dans *La Volonté de puissance*.

Cet accès direct à la manière dont Nietzsche écrivait est la troisième conséquence de l'édition chronologique des fragments posthumes. Elle permet de comprendre comment le philosophe a composé la plupart de ses œuvres. Chez lui, c'est le fragment, sous la forme de la maxime, de l'aphorisme ou du paragraphe, qui constitue le rythme normal de l'écriture et de la pensée. Il s'agit là tout autant d'une imitation des moralistes français, qu'il admirait, qu'un héritage plus ou moins involontaire du romantisme allemand et de sa conception esthétique de l'ironie, en même temps que s'affirme ainsi une attitude philosophique décidée et tournée contre l'esprit de système. Mais il ne faut pas non plus imaginer que ce choix stylistique serait entièrement maîtrisé et voulu : Nietzsche était persuadé que la forme du discours était, elle aussi, réductible à une généalogie, de sorte que tout exposé systématique serait passible d'une critique formelle plus pertinente et plus acérée que l'analyse du contenu argumentatif. Nietzsche n'a cessé de traquer les présupposés implicites et inaperçus des discours philosophiques, il s'est donc efforcé de se situer lui-même dans une perspective où ses propres propos échapperaient à pareille lecture.

Si l'on met à part les écrits de jeunesse, les textes de la période estudiantine, ainsi que toutes les préparations des cours de philologie, les *Fragments posthumes* accompagnent l'œuvre de Nietzsche à partir de son premier livre publié, *La Naissance de la tragédie* (*) (1872). D'un point de vue quantitatif, ils constituent une masse de textes au moins deux fois plus importante que celle des textes publiés ou achevés en vue d'une probable publication (pour donner une approximation, sur les quatorze tomes de la traduction française de l'édition Colli-Montinari, qui représentent dix-huit volumes, les fragments posthumes occupent environ douze volumes). Il est certain que le principe de leur édition a déclenché quelques controverses qui tournent essentiellement autour du fait qu'on y trouve nombre de répétitions, de notes inachevées et partiellement dépourvues de sens, de formules rodées avant leur rédaction définitive qui, en elles-mêmes, n'ont pas grande signification ; or ces fragments qui accompagnent l'œuvre, qui sont le matériau où, littéralement, Nietzsche a puisé pour construire ses ouvrages comme on « monterait » un film, recèlent non seulement des variantes significatives à telle idée, mais aussi des anticipations, des développements inédits et des perspectives explorées puis abandonnées provisoirement. Bref, ils reflètent la vie même de la pensée nietzschéenne bien mieux que ne le ferait toute forme de journal intime. Leur datation rigoureuse et leur présentation chronologique permettent de reconstruire, voire de rétablir, une logique dans le développement de certains thèmes, tel celui de l'éternel retour ; la plongée dans ces coulisses de la pensée nietzschéenne offre surtout la possibilité de faire apparaître, en ayant sous les yeux le travail permanent d'une mémoire, certains axes constants de préoccupation, contrairement au préjugé largement répandu qui voulait que Nietzsche fût essentiellement un penseur confus et désordonné, ou, à l'inverse, que seuls les fragments dits de *La Volonté de puissance* seraient l'exacte expression de la « métaphysique » dont le philosophe resterait prisonnier. Plus encore, les fragments sont parfois les confidents d'une réflexion fondamentale qui sera, par la suite, constamment présupposée par Nietzsche sans que jamais il ne l'expose explicitement : c'est éminemment le cas des thèses de type atomiste du début des années 1870. – Trad. Gallimard, 1967.

M. de L.

FRAGMENTS SUR LA LITTÉRATURE ALLEMANDE MODERNE [*Über die neuere deutsche Litteratur. Sammlung von Fragmenten. Eine Beilage zu den Briefen die neueste Litteratur betreffend*]. C'est la première œuvre du philosophe et écrivain allemand Johann Gottfried Herder (1744-1803), publiée à Riga en 1767 ; elle représente, avec les *Sylves critiques* (*), ce qu'il a écrit de plus important pendant la période passée en cette ville. Dans son intention, ce devait être quatre recueils de fragments qui étudieraient les rapports de la littérature avec la langue, le goût, l'histoire et le savoir universel. Mais, comme presque toutes les œuvres de Herder, celle-ci resta inachevée ; l'écrivain s'arrêta au troisième recueil, après avoir seulement examiné le rapport littérature-langue, et publia l'ouvrage anonymement. Dans la première série, sur l'inspiration de Hamann, Herder développe le concept du langage comme organe de l'esprit et de la poésie d'un peuple (« le génie de la langue est aussi le génie de la littérature d'une nation ») ; il en examine l'origine, l'essence, la qualité propre et le devenir (dans sa vie, trois stades : jeunesse, maturité et vieillesse, correspondant respectivement aux trois aspects différents des œuvres littéraires : poésie, prose, philosophie), pour s'arrêter de manière plus étendue, en une polémique contre le purisme, sur le perfectionnement qui peut et doit s'opérer dans la langue allemande par une liberté plus grande dans l'usage et la disposition des mots afin d'opposer au langage cultivé et livresque une langue primitive et poétique. Le signe d'une littérature nationale est l'originalité ; il faut donc s'adresser non pas à l'antiquité classique, mais aux origines germaniques. Le problème, posé et résolu dans le premier recueil, en engendre un autre d'importance égale : celui des relations des littératures — en particulier de l'allemande — avec les autres littératures (sujet des deuxième et troisième recueils). Parmi les littératures étrangères, Herder s'arrête surtout sur les méridionales et les classiques, qui servent de modèle quand, dans la littérature allemande, une tradition manque. Bien plus, Herder arrive même à admettre que les modèles étrangers puissent devenir des originaux allemands, moyennant une complète « germanisation » (« Verdeutschung »), qui sera à la fois traduction et interprétation. Les *Fragments* contiennent déjà en raccourci nombre des idées de Herder. Le rapport entre la littérature et le goût, qui n'est pas examiné ici, sera traité de manière étendue dans les *Sylves critiques.*

FRAGOLETTA. Roman de l'écrivain français Hyacinthe, dit Henri, de Latouche (1785-1851), publié en 1829. C'est une œuvre intéressante qui laisse déjà apparaître quelques-uns des motifs les plus typiques de la littérature romantique. L'action se déroule en Campanie ; l'auteur évoque l'histoire de la République parthénopéenne et l'action des Français en Campanie, en 1799. Entre Naples et Sorrente, c'est une lutte acharnée et confuse entre révolutionnaires et « sanfédistes », entre brigands et religieux. Le capitaine français d'Hauteville a débarqué là avec ses troupes ; il se prend de sympathie pour une jeune fille hardie, Camille, dite Fragoletta ; elle a une sœur qui lui ressemble de façon incroyable et cette ressemblance fait naître de nombreuses complications, dans cette atmosphère de passions et de haine. Dans le récit apparaît ensuite la sombre figure d'un moine, Savérelli, qui poursuit de sa vengeance tous ceux qui cherchent à dévoiler son secret. D'Hauteville vient à l'apprendre, une religieuse avant de mourir lui ayant avoué qu'elle est la fille de ce moine. Au cours de la répression contre-révolutionnaire, la République tombe ; c'est le triomphe du cardinal Ruffo et de ses sbires, qui font battre en retraite le corps expéditionnaire français. Pour le capitaine d'Hauteville, le sort de sa patrie se confond, dans son esprit, avec l'opprobre de sa famille ; en effet, sa sœur Eugénie, après avoir été séduite par l'un des fils de Savérelli, Philippe Adriani, frère de Fragoletta, a été tuée par lui. Condamné à mort, rescapé d'une embuscade dans un couvent, d'Hauteville rencontre Philippe sur une plage déserte, au bord d'une mer soulevée par la tempête. Au cours du combat passionné qui s'engage entre eux, le capitaine français croit revoir un instant le visage de Fragoletta, mais dans un élan de haine, il frappe à mort celui qu'il sait être le séducteur et l'assassin de sa sœur. La mort dramatique de la femme aimée met fin à ce roman où les descriptions de couvents et de salons alternent avec le récit des combats et des amours ; atmosphère caractéristique de toute une littérature romanesque traditionnelle.

Elle est cependant illuminée par cet idéalisme et cette délicatesse que l'on retrouvera ensuite chez les autres romantiques proprement dits et, en particulier, chez Théophile Gautier.

FRANCE (La). Œuvre de l'historien français Pierre Chaunu (né en 1923), publiée en 1982. Le sous-titre en définit le contenu : « Histoire de la sensibilité des Français à la France ». Il s'agit pour l'auteur de comprendre cette « donnée majeure » que « constituent l'ancienneté, la durée, la constance du sentiment national ». La France, c'est d'abord quinze milliards de tombes « qui ont enrichi notre sol », le plus grand rapport morts/vivants au monde. C'est aussi, l'anthropologie le constate, une grande diversité humaine bien antérieure au « nœud qui a fait la France », et qui générera tant de fractures à venir. Contre Michelet et les instituteurs de la IIIe République, mais avec les historiens de son temps — Guilaine, Duby... —, Pierre Chaunu démystifie l'unité nationale gauloise, franque ou carolingienne : « nos ancêtres les Gaulois » sont une invention du XIXe siècle, le *Regnum Francorum* est longtemps sans contenu affectif, avant la charnière des XIe-XIIe siècles, et « Charlemagne n'est pas la propriété exclusive des Français : trop s'y retrouvent ». C'est au XIIIe siècle qu'émerge la France comme une « mémoire claire, identificatrice ». Y concourent la féodalité et ses « chaînes de fidélité comparables aux chaînes de sang », la paix de

Dieu – dont l'aspiration, venue du Sud, sert le projet du roi –, la poussée démographique liée à la christianisation du mariage... Deux événements, la croisade contre les Albigeois (1209-1229) et la bataille de Bouvines (27 juillet 1214) consacrent, le premier l'invention de la France, le second l'entrée de la France dans la sensibilité et l'imaginaire des Français. Après la croisade se constitue l'« axe nord-sud, jonction de deux espaces culturels différents » tandis que dans l'été de Bouvines « la première lueur s'est allumée en Europe d'une conscience nationale ». Dès lors trois siècles suffiront pour que se forme un « destin exemplaire », celui qui fait coïncider un État et une nation, ou plutôt, propose prudemment Chaunu, un État à une nation, « car la nation semble avoir une petite mesure d'avance ». Entre 1240 et 1480, l'État se constitue, le grand royaume territorial s'achève presque, et la guerre de Cent Ans montre qu'on peut mourir pour la France sans que cela soit le privilège des chevaliers... L'essentiel de l'ouvrage ayant été consacré à la construction de la France, l'examen des cinq siècles qui nous précèdent est rapide ; c'est le « survol des siècles » dont Pierre Chaunu retient quelques traits : l'amour du pré carré et l'indifférence à l'expansion coloniale, la fracture démographique : la peur de la vie, les fractures religieuses, la fracture intellectuelle cartésienne qui fait que « la France apparaît comme une tache sombre en Europe », la Révolution, à laquelle sont consacrées quelques pages qui annoncent *Le Grand Déclassement* (1989). Le dernier chapitre, « La France à l'étroit », écrit au lendemain de la victoire des gauches (1981), dénonce les illusions des Français et la décadence de la France. Mais un sursaut est toujours possible. C.-O. C.

FRANCE BYZANTINE (La) ou le Triomphe de la littérature pure. Essai publié en 1945 par l'écrivain français Julien Benda (1867-1956). Un auteur est caractéristique de son temps en fonction de son mode d'expression, de ses sujets et de l'accueil réservé à son œuvre, accueil qui représente pour une bonne part la sensibilité de son temps. Quelles sont donc les caractéristiques de la littérature actuelle ? Elle veut constituer une activité spécifique et tend à se libérer de l'intelligence ; elle proscrit l'idée nette et la définition, et procède, au nom du rêve, non par analyse mais par union mystique du sujet et de l'objet. Il s'ensuit que l'écrivain est persuadé que sa pensée ne doit ressortir qu'à soi-même et qu'il érige l'originalité en religion, ce qui l'amène à choisir les idées non dans la mesure où elles sont vraies, mais dans la mesure où elles sont personnelles. Il y a carence de l'œuvre construite et foisonnement du journal intime. La littérature tend ainsi à devenir une sorte d'activité mystique dont le mot d'ordre pourrait être : « Par la poésie vers l'extase. » Quant à l'importance accordée au langage, c'est justement une des caractéristiques principales du byzantinisme. Deuxième partie : *Essai d'une psychologie originelle du littérateur.* La littérature doit se définir en tant qu'œuvre d'un individu. Par essence, elle tend vers l'émotion et non vers l'idée, elle rejette l'idée générale au profit de la vérité personnelle, elle place la forme au-dessus du fond, elle a le désir de plaire bien plus que celui de respecter la vérité. La littérature contemporaine correspond donc à ce que l'homme, en principe, demande à cette activité ; cela tout particulièrement en France. Benda, naturellement, n'est pas d'accord avec cette conception de la littérature. En vrai descendant de Descartes, il préfère à tout la définition et l'idée claire. Si sa démonstration n'est pas toujours juste, elle est toujours incisive et merveilleusement agencée. Pour lui, « il y a pour l'esprit deux sortes de richesses : par étalage d'idées multiples dont aucune n'est poussée à fond, ou par approfondissement d'une seule. Montaigne ou Spinoza. Le bazar ou la cellule. Les hommes avides de sensations, voire de sensations intellectuelles, choisissent le bazar ». Nos contemporains ont choisi « le bazar », Benda préfère « la cellule ».

FRANCE JUIVE (La). Pamphlet du polémiste français Édouard Drumont (1844-1917), édité en deux volumes en 1886. Publiée à compte d'auteur, *La France juive* connaît un succès de librairie considérable : elle est en effet rééditée plus de cent quarante fois au cours des deux années qui suivent sa parution, et atteint en 1914 sa deux centième édition. Parallèlement, une version populaire (résumée en un volume), paraît en 1888 et connaît également plusieurs éditions successives. Outre cette énorme diffusion, un second fait explique l'importance de ce livre dans l'histoire de l'antisémitisme français. Les idées défendues par Drumont sont loin d'être novatrices, mais elles sont pour la première fois réunies au sein d'un même ouvrage. L'auteur canalise des thèmes jusque-là diffus et crée ainsi les assises de l'antisémitisme français de la fin du XIXe siècle. Il rassemble et confond un antisémitisme social, né au début du siècle, un antisémitisme religieux, devenu exacerbé dans ces années 1880, et bien sûr un antisémitisme racial. D'autres éléments aident, sinon à comprendre, du moins à analyser le succès d'un tel ouvrage : le sens de la formule de Drumont, son art de la généralisation (tout est dans tout), et son entêtement à revêtir ses idées d'une apparence scientifique et historique. Pourtant, un tel livre, si habile soit-il, doit trouver un contexte propice à son retentissement. Or, en 1886, les conditions sont réunies : crise morale d'une opinion mal remise de la défaite de 1870, malaise économique (libéralisation et ouverture croissante de l'économie, montée du chômage), crise religieuse enfin, avec les lois laïques votées par le parti républicain.

Une fois établi le portrait, l'« examen sérieux » du Juif, Drumont tente de réécrire l'histoire de France, devenue l'histoire d'une vaste conquête de tout un peuple par les Juifs : après des siècles de lutte vaine, les Juifs, libérés du ghetto, trouvent l'aboutissement de leurs efforts dans la Révolution française, et plus tard dans la République. Les plus grands agents et bénéficiaires de ce complot sont Gambetta et Crémieux : à chacun, une partie est consacrée. Drumont entreprend ensuite de décrire le « Paris juif », lieu de tous les vices, perversions et misères, fossoyeur de l'ancienne capitale, vertueuse, travailleuse et honnête. Ce thème lui fournit l'occasion de s'attarder sur le cas de la famille Rothschild et de se laisser aller à des propos toujours plus haineux. Enfin, l'auteur dénonce à nouveau, dans ses envolées finales, la « persécution », le « complot » judéo-maçonnique.

Trois thèmes dominent donc ces mille deux cents pages. L'antisémitisme racial d'abord : il se veut scientifique et s'appuie notamment sur l'opposition entre Aryens et Sémites énoncée par Renan – v. *Histoire générale et système comparé des langues sémitiques* (*). Drumont dresse alors un portrait du Juif qui n'a rien a envier aux films et écrits des pires heures de la propagande nazie. Sur ce fond constant de racisme primaire, s'impose ensuite le thème central de la démonstration : l'antisémitisme économique. Le Juif, c'est l'usurier, le financier, le capitaliste, celui qui s'enrichit gratuitement de la sueur et du labeur de l'honnête travailleur, celui dont la jouissance et le profit entraînent un peuple entier vers la décadence et la misère. Grâce à la Révolution française, à l'effondrement de l'Ancien Régime, Juifs et francs-maçons sont ainsi parvenus à détruire l'équilibre économique traditionnel, mais également l'Église et l'héritage catholique. Se dessine alors le troisième pilier de la pensée de Drumont : l'antisémitisme religieux. « Fondez des sociétés financières ! », telle est la première maxime politique du Juif. « Crucifiez de nouveau le Christ ! Persécutez ceux qui l'adorent ! », telle est la seconde maxime. On assiste donc à la rencontre surprenante, mais promise à un bel avenir, de deux traditions : une sensibilité « de gauche » qui dénonce l'essor du capitalisme et l'exploitation du petit peuple ; une sensibilité conservatrice et catholique avec l'attachement au traditionalisme moral et religieux. Drumont réalise donc, selon l'expression de Michel Winock, une « alliance contre nature », apte à canaliser les peurs et les haines d'une société vers un pôle unique.

L. Ha.

FRANCESCA DA RIMINI. La tragique aventure amoureuse de Francesca da Rimini et de Paolo Malatesta, immortalisée par Dante dans *La Divine Comédie* (*) (*Enfer*, chant V), a été l'un des thèmes favoris du romantisme, et nombreuses ont été les compositions poétiques, théâtrales, musicales et picturales, qui ont perpétué son succès jusqu'à nos jours.

La tragédie de l'écrivain italien Silvio Pellico (1789-1854), *Francesca da Rimini*, en cinq actes, en vers libres hendécasyllabes, représentée en 1815 et publiée en 1818, a été célèbre en Italie. Lorsque Pellico l'écrivit, il n'avait pas encore embrassé les idées du romantisme ; il subissait alors l'influence d'Alfieri et plus encore de Foscolo, avec lequel il était en rapport d'intimité. Toutefois, il était déjà sensible aux nouvelles théories romantiques qui commençaient à se répandre en Italie et le flottement entre deux courants littéraires se fait sentir dans la tragédie. La trame ne s'écarte pas sensiblement du récit dantesque, mais la grande préoccupation de Pellico est de trouver des circonstances atténuantes à tous les protagonistes, y compris à Lanciotto, représenté comme un malheureux qui assassine dans un moment d'aberration. Les personnages y paraissent incapables de vigueur dans leurs caractères comme dans leurs passions. C'est pourquoi Foscolo jugea la tragédie bonne à jeter au feu ; elle ne déplut pas, au contraire, à Byron qui la traduisit en anglais. Le public l'accueillit avec faveur. – Trad. Denut, 1857.

★ La tragédie en cinq actes en vers libres, *Francesca da Rimini*, de George Henry Boker (1823-1890), considérée comme l'une des meilleures œuvres théâtrales du XIXe siècle américain, fut représentée en 1855 à New York. Citons également la *Francesca da Rimini* de l'Américain Francis Marion Crawford (1854-1909), drame écrit en 1902.

★ Un grand nombre de musiciens, surtout dans la période romantique, s'inspirèrent du célèbre épisode de *La Divine Comédie ;* de multiples œuvres en naquirent, presque toutes tombées dans l'oubli. Citons cependant *Francesca da Rimini*, de Saverio Mercadante (1795-1870) ; l'œuvre du même nom de Pietro Generali (1782-1833), celle de Casimir Gide (1804-1868), d'Antonio Cagnoni (1828-1896), d'Hermann Götz (1840-1876) qui mourut sans avoir pu terminer son opéra, lequel fut revu et achevé ensuite par Johannès Brahms (1833-1897) et par Ernst Frank (1847-1889) et représenté à Mannheim en 1877. Ambroise Thomas (1811-1896) composa également une *Françoise de Rimini ;* ce fut une de ses dernières œuvres et elle fut très favorablement accueillie par le public à sa première représentation qui eut lieu à Paris en 1882. Suivent les opéras du même nom d'Éduard Naprawnick (1839-1915), Saint-Pétersbourg, 1903 ; de Serge Rachmaninov (1873-1943), Moscou, 1906 ; de Franco Leoni (1864-1949), Paris, 1914, etc.

★ La *Francesca da Rimini* de Riccardo Zandonai (1883-1946), sur un livret tiré par Tito Ricordi de la tragédie de l'écrivain italien Gabriele D'Annunzio (1863-1938), reste parmi les œuvres les plus connues sur ce sujet. Exécutée pour la première fois au Théâtre royal de Turin en 1914, l'œuvre fut accueillie avec une faveur qui ne s'est pas démentie et, par son équilibre orchestral où se retrouvent les mérites de la symphonie traditionnelle, elle restera sans doute l'œuvre maîtresse de Zandonai.

★ Parmi les évocations symphoniques, rappelons la fantaisie pour orchestre *Francesca da Rimini* de Piotr Tchaïkovski (1840-1893) ; la musique de scène, pour la tragédie de D'Annunzio, d'Antonio Scontrino (1850-1922) ; la musique de scène d'Arthur Foote (1853-1937) ; la cantate *Francesca da Rimini* de Paul Gilson (1865-1942) ; les pages musicales pour la tragédie de Crawford de Gabriel Pierné (1863-1937) ; le poème symphonique du même titre de Pierre Maurice (1868-1936) ; et le poème symphonique *Paolo et Francesca* de Paul August von Klenau (1883-1946), exécuté à Vienne en 1924.

★ *Paolo et Francesca* [*Paolo and Francesca*], tragédie en quatre actes, en vers, du poète anglais Stephen Phillips (1864-1915), publiée en 1900 et représentée pour la première fois au théâtre St. James de Londres en 1902, est également une composition théâtrale connue sur le même sujet. Phillips, acteur et poète de valeur, s'est, pour cette tragédie, inspiré de l'histoire, ou au moins des éléments historiques qui se trouvent dans l'immortel épisode de *La Divine Comédie*, et aussi de la légende, puisant quelques détails chez Yriarte [*Françoise de Rimini dans la légende et dans l'histoire*]. Francesca arrive avec une nombreuse suite au château des Malatesta à Rimini pour y célébrer ses noces avec Giovanni le Boiteux. Le frère de celui-ci, Paolo, est allé à la rencontre de Francesca à Ravenne et c'est justement durant ce voyage que les deux jeunes gens ont connu pour la première fois le « trouble désir ». Une vieille aveugle, servante des Malatesta, prédit à Giovanni que Francesca le trahira un jour, mais ne dit pas avec qui. Un amour inconscient naît fatalement dans le cœur de Francesca, conscient au contraire chez Paolo. Ce dernier veut même fuir la maison pour ne pas trahir son frère, lequel, après la prédiction de l'aveugle, est tourmenté par la jalousie. Giovanni s'adresse à une sorte de magicien et lui demande une drogue miraculeuse, qui ait le pouvoir de rendre Francesca amoureuse de lui. Mais voici que survient Paolo ; Giovanni se cache et, de sa cachette, entend Paolo demander un poison mortel afin de se soustraire au coupable amour qu'il nourrit pour sa belle-sœur. Il découvre ainsi qui est le rival dont lui a parlé l'aveugle ; il feint alors de partir pour la guerre, mais s'étant caché dans la chambre voisine de celle de Francesca, il surprend les amants, la nuit, et les tue tous deux. La dernière scène atteint au plus haut tragique et est d'un grand effet théâtral ; Giovanni embrasse les deux cadavres et, se retournant vers les courtisans présents à la scène, il s'écrie : « Ils s'aimèrent contre leur volonté, et contre ma volonté je les ai tués ! »

FRANCIADE (La). Épopée du poète français Pierre de Ronsard (1524-1585), publiée en 1572. Ronsard songea très tôt à composer une épopée en l'honneur de la dynastie des Valois et de la France. Pour les poètes de la Pléiade, l'épopée (ou, comme on l'appelait alors, le poème héroïque) était en effet l'œuvre par excellence, illustrée qu'elle était dans l'Antiquité par les noms prestigieux d'Homère et de Virgile. Dans sa *Deffence et illustration de la langue française* (*), Du Bellay avait exhorté les poètes de son groupe à écrire des épopées. Mais il avait souligné aussi que des œuvres de longue haleine comme celles-ci avaient besoin des encouragements et des faveurs du prince. Henri II, qui régna jusqu'en 1559, ne s'intéressa que médiocrement au projet du poète qui imaginait que Francus, l'un des fils d'Hector, échappant grâce à Jupiter au désastre de Troie, parvenait avec sa mère Andromaque jusqu'en Épire, et de là, devenu adulte, traversait l'Europe d'est en ouest pour gagner la Gaule où son peuple s'établissait. De Francus, premier roi des Français, descendait toute la lignée des rois de France.

Ronsard n'avait pas inventé cette histoire. Elle eut son heure de célébrité au Moyen Âge, et même encore au début du XVIe siècle. Véritable mythe nationaliste, elle donnait des lettres de noblesse à la nation française qui trouvait ses ancêtres non plus chez les Gallo-Romains, mais chez les Troyens, plus prestigieux que les Romains parce que plus anciens. Mais il y avait déjà longtemps que des historiens lucides avaient relégué cette histoire au magasin des mythes. Elle pouvait encore inspirer un poète — qui n'est pas comme l'historien astreint à la vérité — à condition qu'elle ait la faveur du public cultivé. Malheureusement pour Ronsard, la légende de Francus n'avait pas cette chance. Encouragé par Charles IX, beaucoup plus intéressé par la poésie qu'Henri II, Ronsard composa pourtant une partie de son épopée, dont il publia quatre livres en 1572. L'accueil fut assez froid. Le poète comprit qu'il s'était fourvoyé, et il ne semble pas qu'il ait vraiment songé, plus tard, à donner suite et fin à ce qui devait être son chef-d'œuvre.

Telle qu'elle est pourtant, cette épopée inachevée mérite mieux que ce que l'on en a dit. Le livre I raconte la vocation héroïque de Francus auquel les dieux reprochent une inertie coupable, favorisée par sa mère qui craint de le perdre, et par la puissance du souvenir. Les livres II et III sont consacrés d'abord (épisode obligé) à la tempête qui assaille les navires troyens, au naufrage du héros et à son arrivée en Crète où il est reçu avec humanité par le roi Dicée (le Juste). Cette île est en fait le berceau de sa race, si bien que Francus au lieu de voguer vers l'avenir, s'est embarqué, sans le savoir, vers son passé. Pour remercier son hôte, il combat un géant épouvantable qui retient en captivité le propre fils du roi. Sa victoire et sa jeunesse séduisent les deux filles du roi, Hyante et Clymène. Amours tragiques, puisque la première, tourmentée par la jalousie, perd finalement la raison, et que la seconde, qui est prophétesse, devine déjà que Francus ne la courtise que pour connaître son avenir. Au livre IV, largement imité du chant VI de l'*Énéide* (*), Hyante révèle à Francus les rois qui sortiront de son union avec une princesse allemande. C'est là que se trouve le fameux et fastidieux catalogue des rois mérovingiens, imposé au poète par Charles IX lui-même : « J'ay le faix de soixante et trois rois sur les bras », se plaint Ronsard dans la Préface. Mais quand il est libre de sa création, il montre que l'épopée est un genre où il peut réussir. Le récit de la tempête soutient la comparaison avec ceux de l'*Odyssée* (*) et de l'*Énéide*, celui du combat contre le géant n'a rien à envier aux passages les plus flamboyants de l'Arioste, imité d'ailleurs dans ces vers. Le choix même du décasyllabe aux dépens de l'alexandrin – choix qui fut imposé par la Cour et que la critique a souvent regretté – donne au style une vigueur et une densité que le vers de douze pieds ne lui aurait peut-être pas données. Le moment le plus original du poème se trouve peut-être au livre III lorsque Ronsard, s'inspirant cette fois-ci des *Héroïdes* (*) d'Ovide, décrit le tourment des deux jeunes filles qui aiment sans être aimées. L'épopée se rapproche alors (dangereusement ?) du roman, la frontière entre les deux genres n'étant d'ailleurs pas aussi nette pour les écrivains de la Renaissance qu'elle l'est pour nous. En somme, si Ronsard a échoué, c'est parce qu'il n'a pas composé un véritable poème romanesque comme l'Arioste avec son *Roland furieux* (*). Et l'absence d'un grand idéal collectif l'a empêché d'imaginer une épopée à la manière de *La Jérusalem délivrée* (*) du Tasse.

D. M.

FRANCILLON. Comédie de l'auteur dramatique français Alexandre Dumas fils (1824-1895), représentée pour la première fois à Paris en janvier 1887. Francine de Riverolles, dite Francillon, aime passionnément son mari, le comte Lucien de Riverolles qui, après la naissance de son premier fils, a commencé à la négliger. Au cours d'une soirée donnée chez les Riverolles, Francillon croit comprendre, d'après les propos de quelques amis de son mari, que Lucien a renoué une ancienne liaison amoureuse, et après le départ de ses hôtes, quand Lucien demande sa voiture pour aller au bal de l'Opéra, elle le prie de l'y conduire. Lucien refuse, et Francine, soupçonneuse et offensée, le suit à son insu. Le lendemain, elle déclare à son mari l'avoir vu à l'Opéra et l'avoir suivi à la « Maison d'or », rendez-vous connu des jouisseurs et des mondaines où, tandis que Lucien dînait en joyeuse compagnie, elle a dîné avec un inconnu rencontré au bal, auquel elle s'est donnée. Bouleversé par cette révélation inattendue, Lucien se décide à abandonner sa femme ; mais son père et une très digne confidente et amie de Francine, la baronne Smith, s'insurgent contre cette décision ; tous deux, malgré les renseignements que Lucien a fait prendre et qui confirment le récit de Francillon, se refusent à croire à sa culpabilité. L'arrivée chez les Riverolles d'un certain Pinguet, jeune clerc de notaire convoqué par Lucien pour des démarches concernant un héritage, complique les choses, car Francine reconnaît en lui l'homme avec lequel elle a passé la soirée. Le jeune homme, sommé de dire la vérité (bien qu'il n'ait pu reconnaître en Mme de Riverolles l'inconnue du bal, car elle était masquée), fait un récit très discret, qui laisse pourtant place aux soupçons. C'est seulement la finesse de la baronne Smith qui mettra en lumière la vérité : quand elle confie à son amie que Pinguet s'est vanté en termes vulgaires d'avoir été l'amant de sa compagne d'un soir, Francine s'écrie avec une indignation spontanée : « Il a menti ! » Francine n'a donc pas manqué à ses devoirs et, comme Lucien pendant ce temps s'est aperçu qu'il l'aimait beaucoup plus qu'il ne croyait, tout se termine par une réconciliation. La comédie est parmi les plus vivantes et les plus brillantes de l'œuvre de Dumas. Elle contient, même dans la prolixité et la lourdeur de ses personnages, qui ne sont que d'élégants raisonneurs, tout le climat de la seconde moitié de ce XIXe siècle parisien, passionné, corrompu, dirigé par une classe qui unissait l'imitation des mondanités galantes du XVIIIe siècle et l'aiguillon du cas de conscience. Même si l'intrigue peut rappeler la manière de Scribe, *Francillon* reste l'une des meilleures et des plus originales parmi les « comédies de mœurs ».

FRANÇOIS LE CHAMPI. Roman de l'écrivain français George Sand (Aurore Dupin, 1804-1876), publié en livraison dans le *Journal des débats*, en 1848, en volume l'année suivante ; il forme avec *La Petite Fadette* (*) et *La Mare au Diable* (*) cette trilogie de romans champêtres à laquelle est surtout liée la réputation de George Sand. François, un enfant trouvé, vit à la campagne avec la vieille Zabelle, pauvre femme qui l'a adopté pour la pension que lui vaut la garde de l'enfant, et aussi dans l'espoir que, plus tard, il travaillera pour elle. L'enfant grandit, beau et gentil, et il est protégé par Madeleine, la jeune meunière, qui concentre sur François toute son affection, tyrannisée qu'elle est chez elle par sa belle-mère et son vieux mari. Le meunier a une maîtresse, la méchante Sévère. À quelque temps de là, cette dernière fait vainement des avances à l'enfant trouvé qui est devenu un bel adolescent ; par vengeance, elle conseille au meunier de chasser le jeune homme, sous prétexte qu'il s'entend trop bien avec Madeleine. François apprend de la bouche de son amie les décisions et l'antipathie du meunier (Madeleine se garde pourtant de lui communiquer les indignes soupçons dont ils sont tous deux l'objet) ; il quitte alors le moulin et va travailler ailleurs. L'affection profonde qu'il garde pour Madeleine à qui il demeure fidèle donne un caractère de pureté presque religieux aux quelques années qu'il passe alors. Après la mort du meunier, il revient pourtant au vieux moulin, où il retrouve Madeleine. C'est alors que les calomnies qui se répandent à nouveau sur leurs relations finissent par révéler aux deux amis la véritable nature de leurs sentiments. François d'abord en a honte, et s'éloigne du moulin ; puis après y être retourné, il s'aperçoit que la même prise de conscience s'est accomplie chez Madeleine. Et l'histoire se termine par de joyeuses noces. Tout ce récit est écrit avec une charmante délicatesse : une sensibilité amoureuse enveloppe personnages et paysages, et se reflète dans les grâces d'un style limpide et vivant, fluide et lumineux, dans sa savante simplicité. Ici, comme dans les autres romans champêtres nommés plus haut, George Sand oublie certaines grâces maniérées du XVIIIe siècle. Entre la romantique effusion des sentiments qui encombre une si grande partie de son œuvre et une vision nettement réaliste des choses de la campagne, elle a su trouver une sorte d'équilibre qui lui a permis d'atteindre ses plus incontestables réussites.

FRANC-PARLER (Le) : Opinions sur les livres, les hommes et les choses [*The Plain-Speaker : Opinion on Books, Men and Things*]. Recueil d'essais de l'écrivain critique anglais William Hazlitt (1778-1830), publié sans nom d'auteur en 1826. Comme les autres recueils d'essais du même auteur, *Propos de table* [*Table-Talk*, 1821-1822], *L'Esprit de l'époque* [*The Spirit of the Age*, 1825] et *Winterslow* (1839), les trente-deux morceaux qui composent l'ouvrage en question n'ont pas de lien entre eux. Certains ont un caractère littéraire : « Du style prosaïque des poètes » [On the Prose-Style of Poets], « De la lecture des vieux livres » [On Reading old Books], « Sur la différence entre l'écriture et la parole » [On the Difference between Writing and Speaking], « Des anciens écrivains et orateurs anglais » [On the old English Writers and Speakers] et « Sir Walter Scott, Racine et Shakespeare ». D'autres ont un caractère anecdotique, comme « De la conversation des auteurs » [On the Conversation of Authors] et « De la vieillesse des artistes » [On the old Age of Artists]. D'autres concernent l'art, comme « Du portrait d'une dame anglaise par Van Dyck » ; la musique : « Madame Pasta ou mademoiselle Mars », ou l'histoire : « De l'Antiquité » [On the Antiquity] ; mais la plupart traitent de sujets variés ou de questions paradoxales comme « Les Rêves » [On Dreams], « Du fait de poser pour son propre portrait » [On Sitting for one's Picture] ; « Chaud et froid » [Hot and Cold], etc. Dans quelques-uns de ces essais, l'auteur s'en tient trop aux généralités, d'autres posent des problèmes qui sont parfois arbitraires, mais tous témoignent d'une grande personnalité. Comme toujours, le style est simple et familier.

FRANKENSTEIN ou le Prométhée moderne [*Frankenstein, or The Modern Prometheus*]. Roman de l'écrivain anglais Mary Wollstonecraft Shelley (1797-1851), publié en 1817. Récit d'épouvante, né de la lecture de romans allemands et des conversations que l'auteur eut sur ce sujet avec Byron, *Frankenstein* est l'histoire d'un savant de ce nom qui construisit un être humain sans âme à l'aide de parties de différents corps, provenant des cimetières et des chambres mortuaires. Le monstre est très fort, animé de passions animales, doué de vie active, mais il lui manque l'« étincelle divine ». Il ressent le besoin d'amour et de sympathie physiques, mais tous l'évitent. Il est puissant dans le mal, conscient de ses défauts et de ses difformités. Il essaie de faire tout le mal possible au jeune savant qui l'a créé : Frankenstein. Comme Mary Wollstonecraft n'a donné aucun nom à son monstre, les lecteurs finirent par l'appeler du nom de son créateur. Le monstre sent combien il diffère des êtres humains ; il se venge en tuant l'ami, le frère et la femme de Frankenstein. Il essaye même de tuer le savant, mais celui-ci parvient à se sauver. Le monstre se réfugie loin de toute présence humaine dans les régions désertes de l'Arctique. Frankenstein l'y cherche pour le tuer ; mais il sera tué par le monstre qui disparaît ensuite ; le livre se termine sur cette disparition. C'est le meilleur des nombreux romans anglais d'épouvante parus au début du siècle dernier. Dans son genre, c'est une œuvre haute en couleur ; l'habileté dans l'art de donner forme à des fantaisies macabres et terrifiantes y atteint un de ces points culminants. Un film célèbre a été tiré de ce roman par James Cohale, avec Boris Karloff dans le rôle du monstre (1931). — Trad. Éd. du Rocher, 1947.

FRANNY ET ZOOEY [*Franny and Zooey*]. Nouvelles de l'écrivain américain Jerome David Salinger (né en 1919), publiées en 1961. Il était une fois la famille Glass : les sept enfants, et leurs parents. Les sept enfants sont : Seymour, né en 1917 et qui se suicidera en 1948 ; Buddy, né (comme Salinger) en 1919 et qui (comme Salinger) vit reclus et loin de tout ; Boo Boo (née en 1921), épouse Tannenbaum et mère de trois enfants ; Walt, mort accidentellement, et son jumeau Waker, prêtre (nés en 1923) ; puis les deux cadets, Zachary, dit Zooey, né en 1930, et Frances, dite Franny, née en 1935. Les caractéristiques les plus remarquables de cette famille très bohème (les parents étaient artistes de music-hall, Buddy est écrivain et les deux derniers font du théâtre) sont, premièrement, que les sept enfants ont successivement participé, de 1927 à 1943, à un jeu radiophonique appelé « C'est un enfant avisé » dans lequel ils ont émerveillé l'Amérique, et, secondement, que les cinq enfants survivants vivent plus ou moins sous l'emprise posthume, relayée par Buddy, de l'aîné, Seymour, un génie qui étonnait autant par sa précocité intellectuelle que par des actes dénotant une certaine excentricité psychologique. Sur ce canevas, Salinger a écrit huit nouvelles : « Un jour rêvé pour le poisson-banane » qui raconte le suicide de Seymour, « Oncle déglingué au Connecticut » qui évoque Walt, mort au Japon en 1945, « En bas, sur le canot » qui décrit un bref épisode de la vie de Boo Boo — ces trois nouvelles figurant dans le premier recueil de Salinger, *Un jour rêvé pour le poisson-banane* [*Nine Stories,* 1953] —, « Franny », « Zooey », « Dressez haut la poutre maîtresse, charpentiers » et « Seymour, une introduction » (ces deux nouvelles étant narrées par et du point de vue de Buddy), enfin « Hapworth 16, 1924 » qui se présente sous la forme d'une lettre à sa famille écrite par Seymour, à l'âge de sept ans.

Les nouvelles « Franny » et « Zooey » constituent la partie la plus célèbre de ce cycle familial, sans doute la plus touchante aussi — et la plus réussie littérairement. « Franny », récit assez bref (une cinquantaine de pages), décrit simplement une rencontre entre Franny et son petit ami. Ils dînent ensemble, mais Franny se sent mal, ne supporte rien ni personne, va s'enfermer dans les toilettes pour pleurer, s'évanouit : elle « flippe », dirait-on aujourd'hui. Pour tenir le coup, elle psalmodie silencieusement la « Prière à Jésus » qu'elle a découverte dans un ouvrage de mystique russe. « Zooey », texte plus long (deux cents pages environ), complète ces données de départ et résout la crise exposée dans « Franny ». C'est aussi un texte plus ambitieux et plus recherché. Il contient un morceau de bravoure constitué par une seule scène de quatre-vingt-sept pages qui se passe dans une salle de bains, dont soixante sont consacrées à une longue conversation entre Zooey, qui prend son bain, et sa mère. Mais, plus important, une partie de cette conversation se déroule de chaque côté du rideau de douche. Ce thème du « filtre », de la surface interposée entre deux paroles, prendra un peu plus tard toute son importance.

En effet, cette scène est suivie par une autre longue scène entre Franny et Zooey. Franny est couchée et continue à « flipper ». Zooey va longuement, et vainement, tenter de raisonner sa jeune sœur. Mais, à toutes les admonestations de Zooey, Franny n'oppose qu'un effrayant « Je veux parler à Seymour », lequel est mort depuis sept ans. En désespoir de cause, Zooey quitte la pièce et, allant discrètement s'enfermer dans l'ancienne chambre de Seymour et Buddy (qui fait fonction, rappelons-le, de relais du frère aîné défunt et qui transmet la « sagesse » de celui-ci aux plus jeunes), il téléphone à Franny en faisant semblant d'être Buddy qui appelle de loin... Zooey déguise sa voix en plaçant un mouchoir sur l'embouchure du téléphone : voici l'autre « filtre » qui va permettre que la parole « passe » entre deux personnes. Le subterfuge fonctionne, même si Franny le perce à jour rapidement et comprend que c'est Zooey qui lui parle. Mais elle accepte à présent ce que Zooey lui dit comme s'il était Buddy, c'est-à-dire Seymour. « La membrane qui nous sépare est si mince ! », écrira Buddy/Salinger dans « Seymour, une introduction ». Le livre se termine sur une Franny apaisée et réconciliée, qui accepte dans la joie ce qu'elle est et ce qu'elle a toujours voulu devenir : une actrice de théâtre. « Tu ne peux plus laisser tomber, comme ça, d'un seul coup, le résultat de tes propres désirs. » Le masque, qui révèle le vrai, permet d'échapper à l'opacité (dans leur jeu radiophonique, les sept enfants se faisaient appeler Black, c'est-à-dire Noir) pour atteindre à une certaine transparence intérieure : leur nom, Glass, signifie « verre ». — Trad. Robert Laffont, 1962. Ph. Mi.

FRANZ KAFKA. Souvenirs et documents de l'écrivain tchèque d'expression allemande Max Brod (1884-1968), publiés en 1945. Kafka, dans cette étude de son ami le plus intime et le plus désintéressé, est toujours vu de l'intérieur. Il nous est restitué à travers les fragments de ses lettres, de son journal, de ses conversations. En vérité, grâce à ce témoin attentif et ardent de sa vie, nous avons une vision tout à fait différente de celle que nous tirons de son œuvre. Max Brod nous donne les clés de la vie de Kafka, et d'abord ses rapports douloureux avec son père. En effet, toute sa vie durant, il a été en proie à un complexe de culpabilité dû au sentiment d'infériorité que l'extrême vitalité de son père et son intransigeance autoritaire avaient développé en lui. De là ce désir pénible d'indépendance et de stabilité qu'il n'a jamais pu trouver. Du reste, son tempérament s'est plu à en faire une tragique impuissance à vivre. Tel fut en partie le drame de Kafka. Brod insiste sur le fait que l'écrivain ne coïncide pas avec l'être tourmenté et bizarre dont son œuvre pourrait nous donner l'image. Il l'évoque au contraire simple, adversaire de l'artifice, allant toujours à l'essentiel. Brod croit à l'influence néfaste de ses obligations professionnelles, qui ne lui ont pas permis de se donner totalement, alors que l'être intérieur recherchait une liberté complète. Né pour la solitude, il était cependant hanté par le désir d'appartenir à une communauté, et ces tendances l'ont partagé. Ce dilemme tragique que ni le mariage ni la vie religieuse n'ont pu résoudre demeure essentiellement l'expression de son être. Kafka a pu écrire ces deux phrases contradictoires : « La solitude n'apporte que des châtiments » et « Plus la solitude s'épanouit, plus j'étais content », et il était sincère dans les deux cas. Max Brod le décrit : « Le cœur triste, l'esprit gai. » Mais sa vie fut un échec, un échec conscient et volontaire : d'une part le désir de fonder un foyer, de participer à une communauté, d'autre part, le besoin de solitude. Tel est le Kafka que nous décrit Max Brod : simple, humain, accessible aux joies humaines. — Trad. Gallimard, 1945.

FRANZL. Comédie du critique, auteur dramatique et romancier autrichien Hermann Bahr (1863-1934), représentée en 1901. Si, dans ses autres pièces, Bahr avait surtout visé certains effets en recourant à un langage plaisant et à un ton d'une ironie retenue, il voulut en revanche donner ici à son œuvre une portée plus profonde. Avec ses deux autres comédies, *Sanna* et *La Voix, Franzl* demeura la pièce préférée de Bahr : « Ces trois pièces suffiront, écrivait-il, à me donner le petit espoir d'entrer un jour dans l'immortalité littéraire. » Bahr se consacra tout entier à la formation d'une culture autrichienne autonome, et *Franzl* constitue une reprise du traditionnel Volkstück viennois avec les coutumes, les mœurs, son dialecte et ses personnages populaires. C'est surtout l'humanité du personnage principal et l'aimable langage viennois qui séduisent et touchent le spectateur. Franzl n'est autre que le remarquable poète populaire autrichien Stelzheimer, célèbre dans l'Autriche entière pour ses chants en dialecte de la région de Linz. Bahr, qui le considérait comme l'un des talents poétiques les plus doués de son pays, a su évoquer sa personnalité avec un sens poétique plein de vie et de fraîcheur. La pièce, en cinq actes, restitue diverses époques de la vie de Stelzheimer. Nous le voyons d'abord au cours de ses pérégrinations de jeunesse, vagabond errant, misérable et solitaire, ne trouvant de réconfort que dans sa poésie, à la fois sereine et mélancolique, pleine de tendresse et de vigueur. C'est ensuite le retour au foyer où sa famille l'accueille avec la rude et simple affection des paysans. Mais c'est la dernière fois que Franzl jouira de cette vie paisible et sûre. Il reprend son existence vagabonde, et nous le retrouvons, beaucoup plus tard, dans les milieux aristocratiques de Vienne : à tort, le poète paysan a cru pouvoir s'y mêler afin de s'affirmer dans le monde littéraire de la capitale. S'apercevant à temps qu'il ne sera jamais adopté par un tel milieu où d'ailleurs il se sent mal à l'aise, il s'en retourne parmi les paysans chanter avec eux, et pour eux, le chant simple et pur qui naît de son inspiration la plus naturelle. La mort vient l'emporter au dernier acte, vieillard aimé de ceux qui l'ont approché, heureux d'achever sereinement, entouré de sa femme et de ses enfants, une vie remplie de souffrances certes, mais non pas vaine.

FRATERNITÉ [*Fraternity*]. Roman de l'écrivain anglais John Galsworthy (1867-1933), publié en 1909. Dans ce roman, l'auteur pose et essaie de résoudre un problème psychologique intéressant ; mais, ne trouvant pas de solution qui puisse au moins satisfaire ses héros, il les abandonne, et le roman se termine, pour le lecteur, par une série de points de suspension. Le couple autour duquel se noue toute l'intrigue — l'écrivain Hilary Dalisson et sa femme Bianca, artiste peintre — représente la fine fleur de la société cultivée de Londres. Dès leur mariage, ils ont tenu à conserver chacun leur personnalité, et vivent sans cette unité de pensée ou d'intérêts divers qui est le propre d'un couple. Bianca se rend bientôt compte que leur essai est voué à l'échec. Par orgueil, non seulement elle s'éloigne davantage d'Hilary, mais fait même en sorte qu'ils en arrivent à devenir des étrangers l'un pour l'autre. L'orgueil de Bianca rend les rapports entre elle et son mari tellement complexes que ce dernier n'est plus à même de comprendre réellement ce qui a gâché sa vie conjugale. Par pure bonté et sans aucune arrière-pensée, Hilary aide un ancien modèle de sa femme, la jeune Ivy, à trouver du travail chez son beau-père, Mr. Stone, et à se loger convenablement. Un jour, il va même jusqu'à l'habiller entièrement, ne pouvant plus supporter de la voir vêtue de vieilles hardes et chaussée de souliers éculés. La reconnaissance d'Ivy prend une forme d'adoration qui, dans son entourage, fait soupçonner des relations coupables entre elle et son bienfaiteur. La femme d'Hilary apprend les commérages qui circulent, ce qui creuse encore le fossé entre les deux époux et les amène à se séparer. La froide décision de Bianca fait plus nettement ressortir l'indécision de Hilary, qui souffre — suivant le diagnostic d'un des personnages du roman — « d'atrophie du nerf qui commande l'action » ; d'hésitation en hésitation, Hilary finit par rendre malheureux et sa femme et Ivy — à laquelle, pourtant, il ne voulait que du bien — et lui-même. L'action du roman se passe dans la classe aisée, mais sur une toile de fond des « bas quartiers » où habitent ces « ombres » que sont les « déchets de la combinaison chimique appelée société ». Galsworthy se sent partagé entre la pitié et le dégoût envers la « bonne société » ; ce dernier sentiment est surtout visible lorsque l'auteur fait dire à l'un de ses personnages que la Justice, incarnée par les classes dirigeantes, est comparable à un monstre qui aurait « un bandeau sur un œil et qui loucherait de l'autre ». Galsworthy ne se perd pas en digressions fastidieuses ; quelques touches rapides nous montrent ses idées, mieux que ne le ferait un long discours. Ainsi, en nous décrivant un des personnages, un ancien combattant qui ne rapporta de la guerre qu'une baïonnette et une blessure à la tête qui le rend sujet à des colères folles, nous dira-t-il qu'il est devenu éboueur, puisque c'est là

« l'une des seules carrières qui soient ouvertes à ceux qui ont servi le pays ». Ce roman de Galsworthy donne au lecteur l'impression que l'écrivain ne sait jamais d'avance ce que ses personnages vont penser ou faire ; on dirait presque que le romancier, en croquant ses personnages sur le vif, se contente d'enregistrer leurs gestes, sans se préoccuper que souvent leurs actions ne les mènent nulle part. Le seul personnage sympathique du roman, le vieux professeur retraité Stone, père de Bianca, est un pacifiste, végétarien, utopiste, un véritable illuminé, uniquement préoccupé de la « magnum opus » de toute sa vie : un traité sur la fraternité universelle. — Trad. Calmann-Lévy, 1924.

FRAU JENNY TREIBEL ou Comment se rencontrent deux cœurs [*Frau Jenny Treibel oder Wo sich Herz zum Herzen find't*]. C'est le plus populaire des romans de l'écrivain allemand Theodor Fontane (1819-1898), qui le publia en 1892. Il nous transporte dans l'atmosphère propre à la bourgeoisie de Berlin nouvellement enrichie, dont la prospérité se manifeste surtout entre 1880 et 1890 ; les ridicules de cette classe sociale sont particulièrement mis en valeur par un parallélisme continuel entre ses coutumes et la manière de vivre d'une famille simple et cultivée, la famille du professeur Schmidt. Le personnage principal du roman, Mme Jenny Treibel, femme d'un commandeur, est d'origine modeste ; elle tente de l'oublier et de la faire oublier. Sentimentale en apparence, c'est en réalité une femme ambitieuse qui aime l'argent, parfaitement vaine, mais énergique maîtresse de maison et mère de famille. Au cours de sa jeunesse, elle a éprouvé une romanesque attirance pour un jeune étudiant, maintenant devenu professeur de lycée, Willibald Schmidt ; mais elle lui a préféré les richesses du prosaïque Treibel. La belle Corinne, fille du professeur, qui aime de manière plus ou moins avouée son cousin Marcel, lui aussi professeur, se laisse séduire par les attraits du luxe et se fiance, à l'occasion d'un voyage, avec Léopold, le plus jeune fils des Treibel. Mais Mme Jenny, qui tient fort à la dot, s'y oppose, et Léopold est encore trop au pouvoir de sa mère pour passer outre. Corinne reconnaît tout à coup son erreur et se retourne vers son cousin Marcel, tandis que Mme Jenny arrange pour Léopold une alliance avec la sœur de sa belle-fille, sans grand enthousiasme à vrai dire, parce que ce mariage menace de compromettre gravement la paix domestique ; la sœur de sa belle-fille, qui appartient à la bourgeoisie de Hambourg, étant la seule personne qui ait l'audace de lui tenir tête. Mais une fois détourné le péril de voir s'introduire chez elle une jeune fille sans dot, Mme Jenny renoue avec la famille du professeur ; et aux noces de Corinne, elle occupe la place d'honneur, récitant, les larmes aux yeux, des vers que composa dans sa jeunesse son cher Willibald.

La critique a prononcé à propos de Theodor Fontane les mots de « réalisme auditif », et cette appréciation convient particulièrement à l'œuvre en question dans laquelle le dialogue reflète les charmes de la conversation et ses plaisirs sans fin, particularité qui semble le fond de l'art de Theodor Fontane, en dehors de sa prédilection pour les formes les plus diverses de l'humour. — Trad. Gallimard, 1942 ; Robert Laffont, 1981.

FRÉDÉRIC ET BERNERETTE. Récit de l'écrivain français Alfred de Musset (1810-1857), publié en 1838 et qui figure dans ses *Contes et Nouvelles*. Sa donnée, certes, est des plus romantiques : préparant à Paris sa thèse pour la licence, Frédéric, dont la famille habite Besançon, devient l'amant d'une grisette, découvre qu'ils sont faits l'un pour l'autre, et forme bientôt le projet de l'épouser. Il oublie qu'ils sont pourtant séparés par quelque chose : cette différence des conditions dont la prudence bourgeoise tiendra toujours compte. C'est dire que Frédéric se trouve bientôt en lutte ouverte avec son père. Prières, menaces, autant en emporte le vent. Il refuse obstinément de quitter Bernerette. Voilà donc un amour que rien ne saurait vaincre. Rien ? Un jour, Frédéric découvre qu'il est trahi par son idole. Sa stupeur est telle que d'abord il pense en mourir. Puis, le mépris prenant la place de l'amour, il obtient de partir pour la Suisse en qualité d'attaché d'ambassade. Il ne tarde pas à s'y marier. Or, le lendemain de ses noces, il reçoit un certain message par lequel Bernerette l'éclaire sur sa prétendue trahison : « Je ne me tue pas, je m'achève ; car c'est pour céder à ton père que je t'ai été infidèle. Puisses-tu être aimé comme t'aime ta pauvre Bernerette. » Ce récit passe à bon droit pour une des créations les plus émouvantes de l'auteur.

FREISCHÜTZ (Le). Opéra en trois actes du compositeur allemand Carl Maria von Weber (1786-1826), sur un livret de Friedrich Kind, représenté à Berlin le 10 juin 1821. Max a été vaincu au concours de tir. Il est l'objet de railleries de la part des chasseurs rivaux ; mais ce qui le tourmente surtout c'est que, si l'épreuve décisive du lendemain ne lui permet pas de regagner les points perdus, il n'aura pas la place du garde-chasse du prince et, par suite, ne pourra épouser la blonde Agathe, sa fiancée. Un louche individu, Caspar, profite de son état d'âme ; ce personnage a conclu un pacte sinistre avec une créature infernale (Samiel, le Chasseur Noir, qui s'identifie avec le démon) et maintenant, près de rendre les comptes, il doit lui livrer son âme, ou une autre âme en échange. Caspar conduit Max aux sauvages Gorges du Loup et, dans les sifflements de courants glacés, parmi d'étranges cris et d'effrayantes apparitions, il lui fait fondre des balles enchantées. Six de ces balles toucheront le but avec certitude, mais la septième ira où le diable voudra l'envoyer. Max s'exécute tandis que, dans une humble demeure, sa fiancée prie pour lui. Au tournoi, il arrive un fait que l'on comprend mal : Agathe est changée en colombe et la balle ensorcelée, sur le point de l'atteindre, va au contraire toucher Caspar, qui meurt en proférant des malédictions. Un moine apparaît alors pour absoudre Max qui a eu commerce avec l'enfer ; le prince pardonne et tout finit pour le mieux.

On ne fait pas l'histoire de l'opéra allemand au XIXe siècle sans commencer par *Le Freischütz*, dans lequel se réalisent, à la fois, le rêve exprimé dans le manifeste nationaliste de Klein au milieu du XVIIIe siècle, les vues romantiques de Klopstok et de ses disciples, ainsi que celles du groupe pseudo-romantique dont Kind était l'animateur. L'opéra futur de cette école y trouve son premier modèle. Weber connut le poète en janvier 1817 à Dresde, dans la Compagnie du « Liederkreis ». Le livret, écrit entre le 21 février et le 1er mars de cette même année 1817, trouve son fil conducteur dans un recueil de légendes fantastiques d'Apel et Laun, *Le Livre des fantômes* [*Das Gespensterbuch*], qui étaient inspirées, à leur tour, de celles d'un anonyme français daté de 1729 : *Les Entretiens du royaume des esprits* ; il eut d'abord pour titre : *Le Coup d'épreuve* [*Der Probeschuss*], puis *La Fiancée du chasseur* [*Die Jägersbraut*]. Bien que ce livret fût loin d'être cohérent et bien fait, il servit de modèle à une bonne douzaine d'autres qui furent écrits sur des sujets semblables, aux noms plus ou moins heureux. La forme primitive était celle du singspiel, c'est-à-dire qu'elle contenait des passages de pure diction alternant avec des passages musicaux. Ces parties de simple prose furent ensuite changées en récitatifs par Hector Berlioz. Déjà, la belle ouverture est différente de toutes les autres : à la rêveuse mélodie des cors, interrompue par la pulsation mystérieuse des contrebasses et par des accords sombres, succède la mélodie de la clarinette accompagnée d'un frémissement du quatuor, puis une phrase où éclate une joie impétueuse. Ces mélodies se trouvent dans l'opéra, dans le rôle d'Agathe (spécialement dans son très bel air) ; mais il ne faut pas croire que cela constitue une sorte de pot-pourri, de résumé initial. L'expression de Weber lui-même, qui disait que, dans l'ouverture, il y a tout l'opéra, doit être ainsi entendue ; non pas tout l'opéra dans son essence mélodique, mais dans les « couleurs » essentielles, l'imagination, le sens de la nature, la mélancolie, l'élan. On a dit que *Le Freischütz* est une mine admirable de mélodies populaires allemandes ; ce ne sont pas des mélodies telles qu'un « Liederbuch » pourrait en contenir, prises dans la réalité du folklore, mais elles sont de même nature que celles que fait le peuple lui-même quand il en crée. La « ronde des mariées » fait exception, et peut-être aussi la valse. On a dit encore que la musique, dans la scène des Gorges du Loup, était essentiellement descriptive ; en réalité, elle ne décrit pas, mais suggère au moyen des timbres. Des clarinettes dans leur registre grave et des bassons menaçants, d'étranges appels de cor, les voix du chœur sur le son « ou » (voyelle u) : autant de suggestions, et non de descriptions. Beethoven fut frappé de ces détails. À travers eux, il entrevoyait l'avenir de la musique symphonique.

FRÉNÉSIE PASTORALE [*Desire in the Dust*]. Roman policier de l'écrivain américain Harry Whittington (1916-1989). Publié aux États-Unis en 1956, il paraît en France en 1957. Après *La Route des cabanons* [*Shackroad*] et *Le Cabanon des forêts* [*Backwoods Shack*], c'est le troisième roman « sudiste » de l'auteur. On pense à Erskine Caldwell, qu'il avait lu dans son adolescence, mais les personnages du *Petit Arpent du bon Dieu* (*) viennent en Géorgie et ont toujours un aspect comique, alors que Whittington qualifie les siens de tragiques et d'assez sinistres. Ce roman met en scène deux familles : celle de pauvres métayers, les Wilson, avec Zuba, le père qui se décharge de tous les problèmes sur sa fille Maude ; Cara, la jeune sœur, révoltée, très belle, ne rêvant que de s'enfuir au bras d'un homme riche ; Clint, 19 ans, qui va mûrir au cours du roman, et Loonie, le fils aîné qui vient de passer six ans au bagne pour avoir écrasé une vieille femme en conduisant en état d'ivresse. L'autre famille est celle du riche colonel Arbister, qui possède la ferme exploitée par les Wilson. Il a une fille, Lilian, assez gentille, amoureuse de Loonie, et un fils, Peter, noceur sans scrupules. En fait, c'est lui qui tenait le volant le jour de l'accident et il ne voudra pas payer à Loonie l'argent qu'il lui avait promis pour se déclarer coupable à sa place. Peter déflorera Cara en lui promettant le mariage et il la laissera tomber pour une riche héritière. Loonie évoquera la « poisse » qui s'acharne contre lui comme sur tous les pauvres qui ne peuvent pas espérer s'en sortir ; il n'échappera pas à la mauvaise réputation qui lui colle à la peau et au shérif aux ordres du colonel. Camus disait de l'ouvrier du quartier de Belcourt qu'à 30 ans il avait joué toutes ses cartes et on croirait entendre Meursault quand Cara s'exclame : « Aller en ville le samedi, travailler toute la semaine, vieillir. Autant mourir tout de suite. » *Frénésie pastorale* donne au destin toute son importance et transforme un fait divers en tragédie. William Claxton fera en 1960 une adaptation cinématographique du roman que Whittington jugera très décevante. Il suffit de lire le scénario pour mesurer l'importance de la trahison et lui donner raison. — Trad. Gallimard, 1957.

D. B.d.M.

FRÉQUENTE COMMUNION (De la). Œuvre du théologien janséniste français

Antoine Arnauld (1612-1694), publiée en 1643. Elle fut rédigée à la demande de l'abbé de Saint-Cyran et des religieuses de Port-Royal, à propos d'un cas de conscience. Mme de Sablé avait reçu la défense d'aller danser après avoir communié le matin ; cette interdiction de son directeur de conscience correspondait aux principes rigoristes de Saint-Cyran. Elle consulta son confesseur, un jésuite, qui contredit ce point de vue, affirmant que s'être approchée le jour même des sacrements lui faisait éprouver les bénéfices de la grâce dans une circonstance (le bal) où la faiblesse humaine se trouve particulièrement exposée. Arnauld, dans son traité, s'en prend aux confesseurs trop indulgents qui accordent le pardon sans exiger de leurs pénitents un repentir assez ferme. Il déclare, selon la doctrine de Jansénius, que la grâce n'est accordée qu'à un très petit nombre, que l'âme doit sans cesse se renforcer par les sacrements, et que toute conduite légère en diminue l'efficacité et risque donc de compromettre le salut du pécheur. S'opposant aux concessions consenties par les jésuites, Arnauld s'appuie sur saint Charles Borromée, qui comprenait le sacrement de pénitence dans sa plus grande rigueur et avait contribué largement à souligner l'importance de la grâce. La thèse de saint Charles Borromée prévalut contre celle de saint François de Sales, évêque de Genève, qui prêchait la douceur et une charité évangélique, qui s'expriment dans son *Introduction à la vie dévote* (*). Le portrait qu'Arnauld en trace est sévère. En opposition, il fait comprendre, dans un style précis, les exigences de la foi et la nécessité pour les croyants d'une participation intime aux mystères de la religion. Cette œuvre valut vite à son auteur des accusations et des blâmes, mais devint aussi célèbre et au moins aussi répandue que celle de l'évêque de Genève, à cause de l'état d'esprit nouveau dont elle témoignait vis-à-vis du problème de la grâce.

FRÈRE BACON ET FRÈRE BUNGAY [*The Honrable History of Friar Bacon and Friar Bungay*]. Comédie en cinq actes en vers et en prose de l'écrivain anglais Robert Greene (1558-1592), représentée et publiée en 1594. Voici quelle en est l'intrigue : frère Bacon s'adonne à la magie. Aidé de frère Bungay, il façonne une tête de bronze et demande au diable de lui donner la parole. Le diable acquiesce à sa supplique, mais il ajoute qu'il ne sait guère quand le prodige s'accomplira, qu'en conséquence il faut attendre..., sinon tout sera perdu. Frère Bacon veille donc sans répit pendant trois semaines. De guerre lasse, il charge un de ses serviteurs de faire le guet : qu'on le réveille, dès que la tête parlera. Au bout de quelques instants, la tête commence à parler. Mais son propos est tellement insignifiant que le valet ne juge pas utile de réveiller frère Bacon. Sitôt qu'elle a dit son dernier mot, la tête tombe et se brise. Cette médiocre histoire, avec laquelle Greene pensait égaler le *Faust* (*) de Marlowe, s'inspire d'un petit livre en prose intitulé : *The Famous History of Friar Bacon*, lequel rassemble des légendes relatives au fameux philosophe franciscain Roger Bacon (1214 ?-1294) (ne pas confondre avec le philosophe Francis Bacon) qui, à ce que l'on croyait alors, pratiquait beaucoup la magie. L'auteur agrémente cette histoire de plusieurs intrigues assez confuses. Bornons-nous à retenir celle-ci : le prince Édouard (peut-être celui qui deviendra le roi Édouard Ier) s'éprend de la fille du garde-chasse de Freshingfield. Il charge Lacy, comte de Lincoln, de lui servir d'intermédiaire et de lui conquérir le cœur de la jeune Marguerite. Lacy s'éprend à son tour de la jeune fille et s'en fait aimer. Furieux, le prince veut tuer le traître, mais il pardonne et permet le mariage des deux jeunes gens. Lacy, cependant, veut mettre Marguerite à l'épreuve. Il lui fait croire que le roi l'oblige lui-même à épouser quelque dame espagnole ; Marguerite, désespérée, décide d'entrer au couvent. Mais Lacy jette le masque et l'épouse. Cette intrigue se ressent du goût de l'auteur pour la poésie pastorale et galante que l'on retrouve dans le *Ménaphon* (*). La jeune fille Marguerite est, par sa vérité humaine, sa pureté, sa délicatesse, un personnage sans analogue dans le théâtre anglais. Elle annonce déjà les suaves héroïnes des comédies de Shakespeare.

FRÈRE CADET (Le) [*Der jungere Bruder*]. Roman de l'écrivain allemand Hans Erich Nossack (1901-1977), publié en 1958. L'ingénieur Stéphane Schneider rentre du Brésil, où il a vécu dix ans, et le voici confronté avec un passé qui s'était anéanti de lui-même, et qu'il va lui falloir, malgré lui, reconstruire. Après avoir lu le dossier du « Cas Suzanne », c'est-à-dire les renseignements concernant la fin de sa femme, morte durant son absence, il comprend le « motif » de son retour, bien que la disparition de Suzanne lui demeure inexplicable tant les dépositions des témoins se recoupent mal. Du reste, nous le verrons, le thème, nécessairement banal, de la disparition n'est là, au fond, que pour détourner l'attention, car il s'agit de l'une des images clés du « camouflage » que Nossack prône comme une nécessité littéraire. Nous apprenons que, la nuit de la disparition, Suzanne Schneider rencontra un certain Carlos Heller, jeune homme qui peu à peu apparaît comme le véritable « motif » du retour du narrateur. Pour lui, en effet, ce jeune homme, doué d'une sorte de pouvoir de fascination sur tous ceux qui l'approchèrent, n'est autre que le « frère cadet ». Mais qui est-il ? Sa fascination est-elle projetée par la parole ou par la mort ? Est-il l'Autre, très antérieur au personnage, à son anéantissement qui a provoqué celui du langage, ou plus exactement qui a donné l'« autre langage » ? Nossack tente de définir cet autre langage, bien que fort maladroitement : « Depuis l'enfance, j'ai su qu'il existe deux sortes de langage, mais je croyais que c'était là une expérience toute personnelle. Deux langages intraduisibles de l'un à l'autre et ne relevant d'aucun dictionnaire. Car les deux langages ont le même vocabulaire, mais employé avec un sens tout différent. Il n'est pas question de traduire ce sens : on n'y parvient pas. Mais si l'on prend la peine d'employer le vocabulaire avec le sens de l'autre langage, tout s'arrange et se passe sans heurt. Et même, si l'on dépasse légèrement le sens du langage que parlent les autres, on acquiert à leurs yeux une personnalité supérieure, tandis qu'à l'inverse, si par inadvertance on emploie le vocabulaire dans son sens propre, il n'en résulte qu'incertitude. » Ainsi s'expliquent les quelques points de repère dont l'auteur se sert comme pour ne jamais perdre de vue la réalité. En somme, ces points de repère signalent le « vérifiable ». Ce sont les cravates à pois blancs que porte le beau-père de Stéphane Schneider, ce sont les meubles de style Louis-Philippe que toute chambre ou tout appartement contient, ce sont les trois couples de frères, c'est le rire contenu du narrateur, la répétition du mot « amusant ». Partant à la recherche d'un homme qu'il considère comme son frère cadet, Stéphane Schneider découvre ou re-découvre des lieux : le cabaret où sa femme a rencontré Carlos Heller, la ville d'Iéna ; des personnages : Max Restmann, Fritz Breckwaldt et surtout son frère Arno, le poète. Malgré les difficultés, la méfiance et les dissimulations, malgré le silence qu'il rencontre, il continue sa recherche, et peu à peu l'image de Carlos, dont il n'existe aucune photo, se fait plus nette, et parfois sa présence semble si évidente que le narrateur croit n'avoir plus besoin de poursuivre sa quête. Durant de longues heures, dans sa chambre, il se met à revivre la vie de tous ces gens, toujours pour tenter de se rapprocher de celui qu'il appelle « frère cadet ». Il se met surtout à la rédaction de ses pensées, de ses aventures, se privant de tout avantage en parlant à la troisième personne (et le narrateur s'empresse de se contredire en s'écriant : « J'ajouterai qu'une vérité exprimée à la troisième personne n'est plus une vérité : c'est un événement historique. ») Il écrit essentiellement pour se prouver qu'il prend au « sérieux » la recherche de Carlos, mais de nouveau le « motif » de la recherche s'efface au fil de la rédaction. Du reste : « Que voulais-je finalement de ce Carlos ? Même si je le trouvais et n'étais pas trop déçu, que se passerait-il ? Je pourrais lui donner de l'argent, lui procurer une situation ou encore le prendre chez moi, mais ensuite ? Je pourrais aussi l'emmener chez mes parents, à Iéna, et le présenter à ma mère ? Peut-être la verrais-je devenir pâle comme une morte et tomber raide, mais ensuite ? À quoi me serviraient la vengeance et le sentiment d'être le plus fort ? » L'« amusant », c'est que, les mémoires terminés ou presque, il se retrouve au point où il en était lorsqu'il avait seize ans. Au lieu de se suicider, il trouve alors la force de prendre la voie plus meurtrière du « camouflage », ce camouflage qui l'a aidé à faire le tour de son existence, cependant que tout se déroulait devant lui, avec lui, à l'envers. Il reste des journées entières assis sur une chaise devant sa table, à être tout entier avec lui-même, mais « pour qui ? et pour quoi ? Je ne puis m'en représenter la fin. Je ne puis me représenter ma propre fin. Ce doit être une fin à ce point dépourvue de sens qu'elle se dérobe à toute représentation ». Dans l'« Épilogue d'Arno Breckwaldt », celui-ci nous rapporte la « fin » de Stéphane Schneider. Dans la salle d'un cabaret, l'ingénieur et son ami Max Restann sont accablés. Soudain le nom de Carlos est prononcé. C'est alors que Schneider, se dressant d'un bond et s'appuyant contre la table, part d'un éclat de rire puis veut se rasseoir. Il tombe à la renverse et meurt, comme pour remettre à l'endroit, par la mort, et son existence et peut-être le mot obscur d'Aporée (nom du cabaret où sa femme avait rencontré Carlos, et titre d'un recueil d'Arno), ce mot qui n'est rien d'autre que l'anagramme du mot Europa. Ainsi, quiconque se laisse illusionner et brûle de toucher l'apparence de sa propre image ne saisit qu'un miroir froid et mort qui mène à la disparition. L'être est le descendant immédiat de lui-même, et les images qu'il a accumulées à l'intérieur, le langage les lui révèle, faisant ainsi dépendre le savoir du souvenir, subordonnant le simple instant à l'instant éternel. Malheureusement, le langage n'ouvre pas sur le souvenir, les images accumulées, mais sur une sorte de miroir dissimulant le vide, et c'est la descente intolérable dans les profondeurs de l'incertain, c'est aussi la disparition de la confiance, le langage échouant à traduire ce que le personnage fut, ce qu'il est, ce qu'il tend à devenir. Pour rendre ce drame et cette obsession, l'écriture de Nossack est à la fois proche et distante, fuyante et familière, « se comportant comme on l'exige », mais donnant toujours sur un univers de vertiges. – Trad. Gallimard, 1962.

FRÈRE-DE-LA-CÔTE (Le) [*The Rover*]. Roman de l'écrivain anglais Joseph Conrad (1857-1924), la dernière œuvre achevée de l'auteur, écrite en 1921-1922 et publiée en décembre 1923. Depuis très longtemps, Conrad souhaitait écrire un récit où il eût évoqué l'atmosphère du bassin méditerranéen à l'époque de Napoléon Ier. L'intrigue du *Frère-de-la-côte* se situe entre le siège de Toulon et la bataille de Trafalgar, moment aigu de la lutte franco-anglaise, ce qui permet à Conrad de témoigner son égale sympathie à la France et à l'Angleterre. Pour la première fois dans l'œuvre du romancier, nous voyons ici apparaître un type de marin vieilli, qui n'aspire qu'au repos et que son courage entraînera finalement dans une nouvelle aventure, où il laissera la vie. Jean Peyrol, vieil écumeur des mers, est venu prendre sa retraite dans un petit village, sur les hauteurs de la presqu'île de Giens, près de Hyères. Il s'est installé chez une vieille fille, Catherine, qui vit en compagnie d'une nièce étrange, jeune fille silencieuse et d'une rare beauté, Arlette. Pendant la tourmente de la Terreur, Arlette a été sauvée des massacres où ses parents ont péri par le citoyen Scévola Bron, surnommé le « buveur de sang » pour avoir fait guillotiner sans pitié nombre d'aristocrates. Peyrol est vite adopté au foyer de Catherine et il apprivoise peu à peu la taciturne Arlette. Mais celle-ci tombe amoureuse d'un officier français, le commandant Réal, qui a reçu pour mission de se faire prendre, muni de faux documents, par le capitaine du navire anglais l'« Amelia », qui croise au large. L'arrivée de Réal trouble les projets de Scévola, épris en secret d'Arlette, et qui espère l'épouser en dépit de la différence de leurs conditions sociales. Scévola machine un guet-apens contre Réal, mais il échoue. Quant à Peyrol, lorsqu'il aperçoit le pavillon anglais flotter sur l'« Amelia », ancien vaisseau français pris par l'ennemi, il sent ses résolutions de vie paisible l'abandonner. Il s'empare du paquet de faux renseignements, laisse Réal avec Arlette, force Scévola à monter avec lui dans une barque et, après de savantes manœuvres, remplit la mission qui avait été confiée à l'officier. Mais le sans-culotte et le corsaire ne reviendront jamais au rivage provençal et Arlette épousera le commandant Réal. Comme le fait remarquer le traducteur Aubry, Conrad a voulu surtout peindre ici la « fin d'une vie de marin et, parallèlement, la fin d'un petit navire : homme et navire qui ont connu l'un et l'autre des heures aventureuses et tragiques, mais qui n'aspirent plus qu'au repos ». Ainsi, en dépit de la lassitude et de la déception, s'affirme l'invincible jeunesse, énergique et aventureuse, des héros de Conrad, dont Peyrol est sans doute un des plus sympathiques. — Trad. Gallimard, 1928.

FRÈRE ET LA SŒUR (Le) [*Die Geschwister*]. Comédie en un acte de l'écrivain allemand Johann Wolfgang Goethe (1749-1832), parue en 1776. L'intrigue est simple : Marianne vit avec Guillaume, persuadée d'être sa sœur, alors qu'elle est en réalité sa pupille. Dans la florissante beauté de Marianne, Guillaume revit son ancien amour pour Charlotte, la mère de Marianne, un amour transfiguré et sublime, mais il n'ose lui dévoiler son secret. Son ami Fabrice, ignorant tout et persuadé lui aussi de se trouver entre frère et sœur, s'éprend de Marianne et demande sa main. Émue, interdite, celle-ci, en un premier temps, encourage la passion de Fabrice. Mais elle avouera bientôt à son frère présumé qu'elle ne peut concevoir de vie avec un homme autre que lui, manifestant ainsi, avec une délicieuse fraîcheur de sentiment, un amour encore inconscient. Guillaume la laisse aller jusqu'au bout de sa confession puis, en l'embrassant, lui révèle le secret qui va lui permettre de faire de Marianne son épouse. Ému, Fabrice assiste à la scène idyllique et se résigne, saisi d'admiration devant la pureté et la sérénité de ces sentiments : « Jouissez de ce que Dieu lui-même ne peut vous donner qu'une seule fois ! » La perfection du tableau intimiste que nous offre Goethe rappelle sa prédilection pour la minutie de la peinture hollandaise, qui l'incite aux descriptions les plus détaillées. De Marianne tricotant des chaussettes pour son frère à sa discussion sur les pigeons rôtis qui brûlent, chaque élément, précis et justement situé, concourt, dans ces quelques pages et dans ces répliques bien frappées, au dessin sans défaut des deux personnages de premier plan. L'intimité de la paisible vie domestique et du cœur tourmenté de Guillaume, retrouvant dans Marianne son équilibre et son harmonie, donne à l'œuvre sa couleur et son atmosphère : véritable tableau de genre, bien dans le goût de l'époque, avec son sujet innocemment scabreux, pimenté d'équivoque, mais toujours juste. Goethe a saisi dans *Le Frère et la Sœur* les éléments psychologiques constitutifs de l'« intimisme ». Dans la perspective de son œuvre, cette pièce, qui se situe dans la période d'apaisement de son orageux « Sturm und Drang » sous l'influence de Charlotte von Stein, représente une des premières tentatives pour atteindre à une vision humainement universelle dans le cadre de l'individu. — Trad. Gallimard, 1942.

FRÈRES (Les) [*Brat'ja*]. Roman de l'écrivain russe Constantin Fedine (1892-1977), publié en 1928. Comme dans son précédent roman, *Les Cités et les Années* (*), Fedine oppose ici les attitudes différentes de deux hommes devant la Révolution. Ces deux hommes sont des frères : Rostislav, communiste convaincu, qui mourra au cours de la guerre civile, et Nikita Karev, musicien, qui, comme André Startsov dans *Les Cités et les Années*, ou encore comme l'auteur lui-même, a été surpris par la Première Guerre mondiale alors qu'il poursuivait ses études en Allemagne. Revenu en U.R.S.S., il a le plus grand mal à s'adapter, et, en grande partie par crainte de ne pas rencontrer d'audience, ne se décide pas à terminer ses œuvres. Aussi reste-t-il enfermé entre quatre murs, cherchant une inspiration qui ne vient pas. Le salut serait peut-être dans une communion plus étroite avec les hommes. Mais son impuissance dans le domaine artistique s'accompagne de déceptions sur le plan sentimental, et il convient sans doute d'attribuer la même signification à ces deux types d'échec. En tout cas, il semble que Fedine ait voulu dans ce roman se séparer définitivement d'un type de héros velléitaire et désadapté qui lui ressemblait beaucoup. C'est ce que suggère nettement l'épigraphe empruntée à Byron : « Adieu, adieu et si c'est pour toujours, alors adieu pour toujours. » Nikita Karev n'est cependant pas le seul héros du roman, les personnages secondaires y étant plus nombreux et plus vivants que dans les œuvres précédentes de l'auteur.

FRÈRES ASHKÉNAZI (Les) [*Brider Ashkenazi*]. Roman de l'écrivain américain d'expression yiddish Israël Joshua Singer (1893-1944), publié en 1936. Cette fresque monumentale, commencée en Pologne et achevée en Amérique, désigne symboliquement, par son titre même, l'enracinement de ses personnages dans la culture juive polonaise. La forme de la saga permet à son auteur de suivre, à travers l'histoire d'une famille, le destin d'une collectivité, depuis l'installation des premiers tisserands juifs à Lodz, juste après les Allemands, à la fin des guerres napoléoniennes, jusqu'à l'indépendance de la Pologne, dans les années 20, avec un détour par les événements de Russie en 1905 et 1917. Cette vaste matière historique s'incarne à travers un schéma classique, qui emprunte son modèle aux *Buddenbrook* (*) de Thomas Mann : naissance, ascension et déclin, depuis l'enrichissement de la famille Ashkénazi dans l'industrie textile, jusqu'à sa ruine, après les désastres conjugués de la guerre et de l'antisémitisme, dans la Pologne renaissante de l'entre-deux-guerres. Alliant le respect de la tradition religieuse au sens des affaires, le père ne transmet à ses fils, des jumeaux, que l'ambition de réussir, quitte à y perdre leur âme. Rivaux en amour comme en affaires, les deux frères ennemis continuent à leur façon l'œuvre de leur père, assurant la fortune familiale, mais rompant avec la tradition et la piété ancestrales. Cette ascension trop rapide, sur fond de lutte acharnée entre les deux frères, tels les jumeaux bibliques, sera à son tour balayée par le vent de l'Histoire et les échecs personnels. Simkhe Meyer, le « roi de Lodz » déchu, voit mourir son frère dans un poste frontière, abattu par un gendarme polonais, et ses enfants, nés d'un mariage sans amour, quitter le monde juif ou s'enfermer dans une union incestueuse. Cette fresque splendide se clôt sur une vision digne de Job ou de l'*Ecclésiaste* : des vieillards prononçant le kaddish, la prière des morts, non seulement sur la famille Ashkénazi mais sur toute la collectivité juive de Pologne. Ce roman, remarquablement documenté au plan historique, met en avant une vision extrêmement pessimiste de l'assimilation et scande les étapes de ce rendez-vous manqué entre les cultures juive et non juive. Hanté par le spectre du pogrom et de l'antisémitisme, revenu de son enthousiasme de jeunesse pour la Révolution russe, impitoyablement critique à l'égard de la société juive, Singer conclut sur la vision du néant de l'existence humaine. — Trad. Stock, 1982. C. K.

FRÈRES BOUQUINQUANT (Les). Roman de l'écrivain français Jean Prévost (1901-1944), publié en 1930. Sur un ponton amarré aux quais de la Seine, près d'une grue de déchargement, nous suivons l'histoire de deux ouvriers, les frères Léon et Pierre Bouquinquant, et d'une paysanne berrichonne devenue femme de chambre, Julie, femme de Léon. Ce Léon est une brute, un ivrogne qui bat Julie et la rend très malheureuse. Pierre, en revanche, un peu mauvaise tête et communiste, est un remarquable conducteur d'autos et un excellent cœur : il n'en faut pas plus pour qu'il devienne l'appui et bientôt l'amant de la pauvre Julie. Un enfant survient ; mais Julie, retenue par ses traditions paysannes, plutôt que de divorcer, préfère l'attribuer à son mari. Un soir, Léon, complètement ivre, après avoir assommé sa femme, cherche querelle à Pierre, qui le fait basculer dans la Seine. Julie s'accuse alors du meurtre, est acquittée et épouse Pierre. Au service de ce banal fait divers, Jean Prévost a mis un talent certain de psychologue précis et minutieux, tout en restant très proche du genre populiste en vogue à cette époque.

FRÈRES ENNEMIS (Les) [Οι ἀδερφόφαδες]. Roman de l'écrivain grec Nikos Kazantzakis (1883-1957), écrit dans une première version en 1949, repris en 1954 et publié à Athènes en 1963. Il décrit, dans un village grec de l'Épire, Kastellos, les épisodes dramatiques de la guerre civile qui ensanglanta la Grèce de 1944 à 1947. Les Bérets rouges (partisans communistes retranchés dans la montagne) et les Bérets noirs (forces gouvernementales) se disputent le village de Kastellos. Occupé trois fois par les partisans, repris trois fois par les forces de l'ordre, Kastellos n'est plus que ruines, deuils et mort. Le pope du village, papa Yannaros, s'efforce de saisir la volonté de Dieu, à travers ces affrontements sans fin. Mais il n'y a pas de volonté de Dieu. L'homme est libre et c'est à lui, au contraire, de choisir sa voie, de prendre ses décisions et de contraindre Dieu à les suivre. L'homme, dit l'auteur, doit être « le poisson pilote de Dieu ». Déchiré entre son amour de la justice (qui le range aux côtés des partisans) et son amour du Christ (que les partisans renient), le pope Yannaros voit s'éloigner chaque jour davantage les chances d'une réconciliation. Son propre fils étant chef des maquisards, il va le retrouver une nuit et lui propose, pour sauver la paix, de livrer le village, s'il s'engage à ne pas employer la violence. Son fils promet mais s'empresse de violer son serment, une fois le village occupé. Il fait exécuter les villageois qui refusent de se rallier aux partisans et fait même exécuter son propre père au moment où le pope quitte ce village maudit. Écrit au lendemain de la guerre civile, ce livre terrible condamne sans appel la violence, le dogmatisme et l'aveuglement des hommes en proie à la haine. Un désespoir étouffant court dans ces pages, les plus denses et les plus enflammées qu'ait écrites Kazantzakis. Une issue pourtant se dessine, à travers ces massacres, ces dilemmes qui enserrent les êtres dans un étau impitoyable : conserver jusqu'au bout l'amour d'autrui, le sens de la fraternité et mourir pour ce combat-là. Voie difficile qui mène à la mort et au martyre, mais qui fut toujours celle des personnages héroïques de Nikos Kazantzakis. – Trad. Plon, 1965.

FRÈRES ENNEMIS DANS LA MAISON DE HABSBOURG (Les) [*Ein Bruderzwist im Hanse Habsburg*]. Tragédie en cinq actes de l'écrivain autrichien Franz Grillparzer (1791-1872), conçue dès 1824, achevée en 1855 et représentée à titre posthume en 1873. Avant d'écrire sa pièce, qui compte environ trois mille vers, Grillparzer se livra à des recherches historiques minutieuses que Schiller lui-même utilisa pour son *Wallenstein* (*). L'action se situe à Prague, au début de la guerre de Trente Ans : elle a pour décor la cour de Rodolphe II, ce Habsbourg excentrique, féru de beaux-arts, d'alchimie et d'astrologie, à la fois humble et coléreux, catholique, plein de ferveur et néanmoins fort indulgent pour les hérétiques, homme des plus veules mais conscient de sa dignité impériale. (Le propre tempérament de Grillparzer se reflète dans son amour de l'ordre et son horreur de toute révolution.) Son frère Matthias, ambitieux mais faible, entend profiter du mécontentement général soulevé par le gouvernement de Rodolphe pour accéder au trône. Conseillé par l'évêque Kloesel, ecclésiastique rusé, il se fait donner le commandement de l'armée participant à la guerre des Hongrois contre les Turcs. Vaincu, il traite une paix séparée avec la Turquie et complote avec les archiducs la destitution de son frère. Celui-ci, retiré dans son palais, à l'écart du monde, ne songe qu'à fonder un ordre des Chevaliers de la paix : le duc Henri Jules de Brunswick, prince impérial, parvient enfin à lui ouvrir les yeux sur les périls qui le menacent. Trop tard ; déjà Matthias, s'assurant par des promesses fallacieuses la complicité des Hussites, marche sur Prague à la tête de son armée. Léopold, frère préféré de Rodolphe, tentera en vain de l'arrêter. Désormais, l'empereur est prisonnier dans son château, tandis qu'à Vienne Matthias règne en maître, secondé par Kloesel. Mais les archiducs Max et Ferdinand se tournent contre ce dernier et Ferdinand parvient à s'emparer de Matthias. La mort de Rodolphe (que Grillparzer situe en 1618 au lieu de 1612, c'est-à-dire au début de la guerre de Trente Ans) donne cependant le pouvoir à Matthias, qui se révèle incapable d'assumer seul les obligations de sa charge. Mais les événements se précipitent et les armées de l'empereur doivent marcher sur Prague. L'apparition du colonel Wallenstein, au service de Ferdinand, marque symboliquement le début de la nouvelle guerre. Dans chacun de ses détails et de ses personnages, des archiducs admirablement campés au tout puissant majordome Rumpf, la tragédie respecte la tradition historique. En outre, le dialogue, vivant et sans lourdeur, est écrit dans une langue très châtiée.

FRÈRES ET SŒURS [*Brothers and Sisters*]. Ce roman de 1929 est le troisième de l'écrivain anglais Ivy Compton-Burnett (1892-1969). Il aborde le thème de l'inceste, qui paraît fasciner cette romancière et sur lequel elle reviendra dans d'autres livres. On voit ici Andrew Stace cacher à sa fille Sophia que son fils adoptif Christian est en réalité son vrai fils ; puis, quand les jeunes gens, devenus amoureux l'un de l'autre, envisagent leur mariage, le leur interdire sous peine d'être déshérités. Un point extrême est donc ici atteint dans l'exploration des mobiles et des comportements humains. L'intrigue — les intrigues étant fort importantes chez cette romancière toujours proche d'un théâtre de la fatalité — est malheureusement dispersée et détendue. – Trad. L'Âge d'Homme, 1984.

FRÈRES GONCOURT (Les). Étude de l'écrivain français André Billy (1882-1971), publiée en 1954. Dans cet ouvrage, André Billy a essayé principalement de faire comprendre, à travers une forme simple et une narration romancée, la méthode de travail des frères Goncourt. Cette méthode, intimement liée à la vie quotidienne de deux écrivains, est ici analysée et fouillée dans ses moindres conséquences. André Billy insiste sur la façon dont Jules (1830-1870) et Edmond (1822-1896) Goncourt travaillaient « d'après nature », en s'appuyant sur des documents extrêmement précis, et sur l'observation, à Paris ou en banlieue, de toutes les classes de la société. Il insiste aussi sur l'intérêt que portaient les Goncourt au cas exceptionnel ou pathologique, qui aura une place essentielle dans l'œuvre commune des deux écrivains : *Sœur Philomène* (*) et *Germinie Lacerteux* (*).

L'ouvrage se divise en deux parties : la première présente la jeunesse des deux écrivains, qui grandirent dans une étroite communion sentimentale et intellectuelle, et la parution des premières œuvres : *Charles Demailly* (*), *Renée Mauperin* (*) et *Madame Gervaisais* (*), jusqu'à la mort prématurée de Jules en 1870. La seconde partie montre Edmond continuant seul l'œuvre entreprise avec notamment *La Fille Élisa, Les Frères Zemganno,* et la première ébauche de l'académie Goncourt en 1885. Au travers de ces existences étroitement insérées dans leur époque, André Billy situe très exactement la vie littéraire à Paris pendant la seconde moitié du XIXe siècle.

Dans cet ouvrage, grâce à l'accumulation des documents, grâce surtout à un style alerte, vivant et extrêmement précis, l'auteur réussit parfaitement dans son projet, qui est de ressusciter la personnalité des Goncourt. Malheureusement, cette étude n'accorde que peu de place à l'originalité propre des Goncourt, à leur style, mais, réalisée à l'aide de tous les documents et archives concernant les Goncourt, elle reste essentielle par sa grande valeur documentaire.

FRÈRES KARAMAZOV (Les) [*Brat'ja Karamazovy*]. Roman de Fedor Mikhaïlovitch Dostoïevski (1821-1881), publié en 1879-1880. C'est l'œuvre capitale de ce grand écrivain russe, moins bien construite, peut-être, que *Crime et Châtiment* (*), mais d'une intensité de conception et d'analyse qui en fait une des œuvres les plus significatives de la littérature européenne de la seconde moitié du XIXe siècle. Dans l'esprit de l'auteur, cet ouvrage devait former la première partie d'une vaste biographie consacrée au cadet des frères Karamazov, Aliocha. Utilisant pour cadre de son récit l'adolescence de ce dernier, Dostoïevski aurait exposé la genèse des faits qui devaient marquer la vie d'adulte d'Aliocha. Mais *L'Histoire d'un grand pécheur*, dont Dostoïevski conserva certains plans et quelques notes, resta inachevée. Tel quel, le roman des *Frères Karamazov* nous apparaît sous la forme d'une chronique incomplète, narrant l'histoire de la violente inimitié qui oppose, dans le cadre d'une petite ville russe, un père et ses fils. La famille Karamazov est composée du vieux Fedor, de Mitia, Ivan et Aliocha, ses fils légitimes, et de Smerdiakov, son fils illégitime. Ce dernier, victime d'une lourde hérédité, est un cynique libertin qui vit en serviteur chez son père ; son exemple est néfaste au développement des autres fils. Aliocha est le seul qui semble être exempt des tares paternelles, bien qu'en lui apparaissent quelquefois des germes de la « folie sexuelle » des Karamazov ; il est élevé dans une atmosphère fort religieuse par le vieux moine Zosime. L'aîné, le lieutenant Mitia, est un impulsif, plein de sentiments excessifs et opposés : il est orgueilleux, cruel, sensuel, mais en même temps généreux, capable d'élans de bonté et de sacrifice. Ayant appris que son supérieur, le père de la belle Katia dont il est amoureux, a soustrait une grosse somme à la caisse du régiment, il fait savoir à Katia qu'il est prêt à sauver son père, mettant cet argent à sa disposition, à condition qu'elle vienne le chercher elle-même, cela dans le dessin de l'humilier. Toutefois, lorsque Katia se présente, il s'émeut et s'effraye de sa propre bassesse ; il lui remet alors la somme promise sans rien exiger d'elle. Plus tard, bien qu'ils se soient fiancés, Mitia n'est pas sans s'apercevoir que Katia ne l'aime que par pitié et par reconnaissance. Quant à lui, il est bientôt bouleversé par un nouvel amour, purement sensuel, pour la belle Groucha (Grouchincka), femme capricieuse, infidèle et volontaire, que le vieux Fedor aime également. Contrairement à son frère Mitia, Ivan est un être raffiné, qui a cultivé en lui-même le plus violent scepticisme, niant l'amour de Dieu et la charité envers le prochain, bien qu'étant au fond de lui-même animé par une foi latente. Il aime Katia, qui lui ressemble de par la même complexité de caractère ; mais il se refuse à admettre cet amour ; Katia, de son côté, sans s'en apercevoir d'ailleurs, est également attirée vers lui. Cette passion fait naître chez le jeune homme une haine secrète pour son frère Mitia, lequel abandonne un jour la jeune fille. Le taré Smerdiakov, épileptique, détestant son père — qui a fait de lui un domestique, — capable d'infamie par irresponsabilité totale, représente, en quelque sorte, l'aboutissement des cyniques théories de son demi-frère, Ivan.

Ces rapports complexes et inconciliables forment le pivot du roman. Toutefois, la haine pour leur vieux père établit un certain lien entre les trois frères. Le vieux Fedor est pour Mitia un rival, pour Ivan un être méprisable, pour Smerdiakov un patron sévère ; et pour tous les trois, il représente, avant tout, celui qui possède l'argent qui leur fait défaut. Le parricide, que Mitia, impulsif et violent quoique profondément sentimental, serait incapable d'accomplir, se dessine au plus profond de la conscience froide d'Ivan. Avec sa prescience de malade, Smerdiakov le perce à jour et exprime, de façon obscure en usant de sous-entendus, le vœu secret de son frère Ivan. Ce dernier fait semblant de ne point connaître dans les paroles de Smerdiakov l'écho de sa propre pensée, et pousse le malheureux à l'action. Toutefois, quand Smerdiakov aura assassiné son père, c'est Mitia qui sera accusé, toutes les apparences étant contre lui. Peu après le crime, Smerdiakov se tue. Au dernier moment, Ivan, sortant tout à coup d'une étrange torpeur spirituelle pour retomber dans un délire extravagant, cherche à sauver Mitia, mais celui-ci est condamné aux travaux forcés. Le roman s'interrompt brusquement, laissant en suspens le sort des principaux personnages. Aliocha, qui dans l'idée primitive de l'auteur devait être le héros principal, joue en réalité le rôle de spectateur. Adolescent affrontant la vie comme protégé par une foi lumineuse et une extrême bonne volonté, Aliocha reçoit les confessions successives de ses frères. Mais, bien que comprenant leurs drames, il ne réussit nullement à les aider. Quand, par la suite, il se consacre aux bonnes œuvres, cette initiative se révèle plus heureuse. C'est ainsi qu'il parvient à rassembler autour de lui un groupe de jeunes gens qui, par leur dévouement, réussissent à apporter un réel soulagement moral à un de leurs compagnons, mortellement malade. Par la suite, ils allègent également la douleur de cette famille douloureusement éprouvée. Et c'est sur un hymne de foi, chanté par ces enfants unis en une solidarité étroite, que se termine la narration de cet épisode.

Ce roman est représentatif de ce qui, vers le déclin du naturalisme, fut appelé le « roman d'idées » et qui servit de scène aux inquiétudes de l'esprit européen. Mieux qu'en aucune autre de ses œuvres, Dostoïevski y montre que la littérature doit servir à révéler les innombrables problèmes que l'homme porte en soi sans se les avouer, ni oser les affronter. Dans son ensemble, *Les Frères Karamazov* sont une vaste analyse de l'âme humaine considérée uniquement sous l'angle de la morale. Mitia formule ainsi cette opinion : « Le cœur des hommes n'est qu'un champ de bataille où luttent Dieu et le diable. » En réalité, un profond manichéisme plane sur tout le récit. D'un côté, nous voyons Aliocha, créature touchée par la grâce mais non exempte d'hérédité paternelle ; de l'autre, se tient Smerdiakov, parfaitement envahi par la gangrène et totalement privé du sens des responsabilités, mais pourtant capable de réaliser, au dernier moment, sa profonde nullité au point d'être amené à se suicider. Entre ces deux pôles se tiennent Mitia le passionné, et Ivan le tourmenté ; l'un, essentiellement passif, l'autre, un rêveur fou et implacable, mais tous les deux également inefficients. Leur drame finit par les dépasser. Mitia en arrive à être incapable de dominer les circonstances qui, après l'avoir fait souffrir désespérément, le contraignent à subir les conséquences d'un délit qu'il n'a pas commis. Ivan est dépassé par l'abstraction et la folie des idées à tel point qu'il ne peut plus trouver de moyen d'expression autrement qu'en lisant à Aliocha une de ses compositions qui se trouve intercalée dans le roman. Cette légende a pour nom « Le Grand Inquisiteur » : Ivan imagine que le Christ revient parmi les hommes et qu'un inquisiteur espagnol le juge et le condamne, sous le prétexte que les hommes sont trop faibles et trop mesquins pour vivre selon Ses commandements. Le Sauveur veut obtenir des hommes un amour librement consenti, mais pour le troupeau humain il n'y a pas de fardeau plus grand que celui de la liberté. Le Grand Inquisiteur a « corrigé » l'œuvre du Christ : à la foi dans la liberté et dans l'amour, il a substitué la puissance, le miracle et l'autorité, asservissant les pauvres rebelles, mais leur assurant, en compensation, une existence calme et exempte de privations. Si le Christ venait reprendre sa mission, le calme et la quiétude seraient rompus : c'est pourquoi Il sera condamné comme hérétique. Le Christ ne répond pas au discours terrible et lucide de l'inquisiteur, mais « s'approche en silence du vieillard et l'embrasse sur ses lèvres exsangues de nonagénaire ; celui-ci, atterré, lui ouvre la porte de la prison ».

Dans cette légende réside l'essence même des *Frères Karamazov* : la démonstration de l'amour qu'elle sous-entend, de cet amour qui remplit le cœur du vieux Zosime et celui de son disciple Aliocha, est une démonstration d'ordre essentiellement mystique. L'importance de cette légende est d'autant plus considérable qu'elle révèle les deux forces qui dominent dans l'âme de Dostoïevski : d'une part, la foi en la bonté cachée de la nature humaine, de cette bonté qui se révèle sous la forme chrétienne d'une solidarité humaine infinie ; d'autre part, la constatation d'une misère humaine, qui tend continuellement à pousser l'homme vers l'abîme. À cette attitude toute pascalienne vient se mêler plus d'une ombre assez maléfique. Ces deux influences sont si étroitement confondues qu'il est difficile de les distinguer l'une de l'autre. Dans ce jeu caché, où le bien et le mal s'interpénètrent, dans la mise en scène de ces éléments contradictoires tels que les reflètent la moindre pensée ou la moindre action des protagonistes, on peut reconnaître un des ressorts essentiels de la philosophie et de l'art de Dostoïevski. Le développement ultérieur de ce roman, qui aurait dû comporter le récit de la vie d'Aliocha retiré dans un monastère, avait pour but de prouver le triomphe de l'état mystique, marqué du signe de la fraternité universelle, sur la logique inhumaine d'Ivan et sur le dualisme inhérent à l'homme. C'est d'ailleurs à cette fraternité universelle au nom du Christ que Dostoïevski s'efforça toujours d'atteindre, sans jamais pouvoir le réaliser dans son œuvre artistique, contrairement à ce que nous voyons chez Tolstoï. — Trad. Gallimard, 1935.

Plusieurs adaptations ont été tirées de cette œuvre. Les plus célèbres sont : pour le théâtre, celle de Jacques Copeau en 1911, pour le cinéma, celles de Fedor Ozep en 1931, de Richard Brooks en 1957 et de Yvan Pyriev en 1970. Marcel Bluwal en a également donné une version télévisuelle en 1969.

FRÈRES ZEMGANNO (Les). Roman de l'écrivain français Edmond de Goncourt (1822-1896), publié en 1879. C'est l'histoire de deux frères acrobates, dont la tendre affection s'éprouve et se trempe dans le malheur. Une troupe de saltimbanques et d'artistes de music-hall parcourt la France, elle est dirigée par l'Italien Tommasso Bescapé, comédien ambulant qui a déjà voyagé en Orient et a épousé une jeune et belle bohémienne, Stepanida. Mais le vieil homme n'est pas aimé de sa femme, et la naissance de deux fils, Gianni et Nello, n'apporte pas un vrai bonheur dans sa vie. Sa femme mourra jeune, et Bescapé, après s'être fait un nom grâce à ses brillantes pantomimes, la suit dans la tombe, laissant à Gianni la direction de la troupe. Les choses vont de mal en pis, et la troupe passe à un organisateur plus heureux. Les deux frères vont en Angleterre, puis retournent en France, avec un cirque où ils se présentent dans un exercice difficile sous le nom des « Frères Zemganno ». Mais Nello, le plus jeune et le plus brillant, fait une chute en exécutant un saut périlleux. Il se brise les jambes et reste infirme : les « Frères Zemganno » en resteront là de leur carrière d'acrobates et, pour vivre, ils se feront tous deux racleurs de violon. Le récit est conduit avec un sentimentalisme exagéré, et les physionomies des personnages secondaires y sont assez pâles et conventionnelles. La première partie, la plus vivante et la plus colorée, est consacrée à la troupe du vieux Bescapé. L'auteur (qui a voulu faire penser à lui-même et à son frère Jules, en racontant la douloureuse histoire des deux jeunes gens) témoigne ainsi de son intérêt pour certains aspects curieux de la société, et cherche délibérément à contredire ceux qui affirmaient que le roman réaliste ne pouvait avoir pour sujet que les vices du monde contemporain.

FRESQUES DE PIERO DELLA FRANCESCA. Œuvre pour orchestre du compositeur tchèque Bohuslav Martinů (1890-1959). C'est au cours d'un voyage en Italie que Martinů entreprit de traduire musicalement l'impression qu'il avait ressentie devant les fresques de la légende de la Sainte Croix brossées par Piero della Francesca en l'église de Saint-François, à Arezzo. Cette composition n'est pas une évocation précise de l'œuvre du peintre de la Renaissance : elle s'efforce plutôt d'en traduire l'atmosphère et d'en cerner la résonance humaine. Elle comprend trois parties : Andante poco moderato, Adagio et Poco Allegro, et fait appel, en plus de l'orchestre classique, à un groupe de percussions important, riche de huit instruments. Du point de vue de l'écriture, cette partition se rattache au cycle des grandes œuvres d'esprit concertant très caractéristique du style classique de Martinů, dont elle utilise les éléments formels typiques : forme du concerto grosso, ou plus précisément du concerto pour orchestre sans soliste (le concerto grosso pour orchestre à cordes ou le concerto pour deux orchestres à cordes, piano et timbales du même auteur), où chaque composant se voit accorder une grande autonomie mélodique et rythmique et concourt avec une remarquable clarté à un ensemble subtilement équilibré dans sa grande diversité. Cet équilibre repose également sur une structure relativement simple : le premier volet du triptyque est bâti en trois parties axées sur un court motif mélodique et un élément rythmique obstiné engendrant une progression lyrique très expressive (première partie) suivie d'un court récitatif confié aux bois, qui précède une sorte de réexposition conclusive. La seconde et surtout la troisième partie sont caractérisées par un dynamisme jubilatoire, une énergie rythmique qui empruntent nombre de leurs éléments à la musique tchèque. Quelques autres influences sont sensibles dans le premier et le troisième mouvement, Ravel pour l'orchestration et parfois Stravinski ; l'un des thèmes principaux du troisième mouvement est très proche du motif initial de la musique pour cordes, célestat et percussion de Bartók. Cette fusion de styles hétérogènes, très révélatrice de la prodigieuse faculté d'assimilation de Martinů, génératrice d'une sorte de classicisme mesuré, est l'un des contrastes de l'art de ce compositeur.

FRIC-FRAC. Comédie en cinq actes de l'auteur dramatique français Édouard Bourdet (1887-1945), créée le 15 octobre 1936 au théâtre de la Michodière. L'histoire est singulière : Marcel, jeune homme sage et crédule à souhait, est employé en qualité de commis dans une bijouterie d'un modeste quartier de Paris. Il demeure indifférent à l'affection tendre de Renée, fille de son patron. Il a, en effet, un penchant irrésistible pour Loulou, belle blonde aux formes agréables et à l'allure équivoque dont il a fait la connaissance voici quelque temps déjà. Loulou a pour copain un homme extraordinaire, « Jo », qui est paresseux, buveur, joueur et volontiers couard, mais malgré tout très sympathique. Jo est affilié à une bande de mauvais garçons qui l'a surnommé — rendant ainsi hommage à sa paresse bien connue — « Jo-les-bras-coupés ». L'amour irraisonné et violent qu'il a pour Loulou conduit petit à petit Marcel l'innocent à entrer dans les agissements répréhensibles de la bande. C'est ainsi que Marcel finira par être le complice involontaire d'un « fric-frac » chez son propre patron, le bijoutier. Renée, survenant bien à propos, montrera au cours de cette tentative de vol des qualités certaines d'esprit et un à-propos empli d'astuce. Mais comme il s'agit d'une comédie, tout s'arrange à la fin. Lors de la création de cette pièce, quelques critiques s'étonnèrent qu'un auteur dramatique de la classe d'Édouard Bourdet ait pu s'attaquer à un tel sujet et lui consacrer cinq actes. Il ne s'agissait, en effet, rien de moins que de mettre en scène le monde des voleurs et des voyous ; le public ne devait pas s'y tromper et, tout de suite, il comprit que cette comédie, construite d'un bout à l'autre avec logique, possédait, outre un esprit d'observation clairvoyant, une fantaisie railleuse et amusante. Bourdet se plaît à nous montrer ces mauvais garnements qui sèment la terreur avec leurs manies, leurs travers, leur mesquines tâches quotidiennes, tâches qui découvrent, par moments, un côté « petit-bourgeois » que l'on ne soupçonnait pas. En écrivant sa comédie, Édouard Bourdet a voulu nous montrer aussi la saveur toute particulière de l'argot et la poésie de cette langue, sa puissance de suggestion et, pour tout dire, ses vertus singulières. Enfin, Bourdet a voulu tout simplement nous distraire et il y a réussi.

FROMAGE ET LES VERS (Le) [*Il formaggio e i vermi*]. Ouvrage de l'historien italien Carlo Ginzburg (né en 1939), publié en

1976. Ce livre est sans doute l'ouvrage le plus connu de Carlo Ginzburg, parce qu'il a tracé des voies radicalement nouvelles à l'étude de la culture populaire ; l'auteur refusait les deux perspectives qui guidaient jusque-là cette étude : tantôt on insistait sur l'aspect stéréotypé et pauvre de la culture des masses, dû à la réception passive d'une culture dominante (Mandrou, Bollême) ; tantôt, au nom d'un « irrationalisme esthétisant », on célébrait une étrangeté complète du peuple (Ginzburg visait surtout le travail collectif sur Pierre Rivière dirigé par Michel Foucault). Ginzburg, à partir d'un cas précis, propose de reconstruire une rationalité autonome, qui renvoie à un fond immémorial de croyances et d'aspirations, mais dont l'expression ne peut se cristalliser qu'au contact de la culture savante et écrite, sous l'effet catalyseur du contexte historique (en ce cas la Réforme et la crise sociale de la fin du XVIe siècle).

Ginzburg avait déjà pensé atteindre le fond oral de la culture populaire du Frioul de la Renaissance en travaillant sur les « bons sorciers » [benandanti] persécutés par l'Inquisition (*Les Batailles nocturnes*, 1966), mais leur expression n'apparaissait qu'au détour des interrogatoires. Peu après, il découvrit un document extraordinaire, provenant lui aussi des archives inquisitoriales d'Aquilée, mais qui présentait le cas individuel d'un homme qui n'hésitait pas à livrer directement toute sa conception du monde devant ses juges ou devant ses concitoyens. Il s'agissait de Domenico Scandella, dit Menocchio, né en 1532, meunier dans son village natal de Montereale, qui fut arrêté par l'Inquisition en février 1584, sur dénonciation de ses mauvais propos en matière de religion. Après six mois d'interrogatoires, il fut jugé, condamné à la prison à vie et au port de la croix des hérétiques. Gracié deux ans plus tard, en 1586, il continua à diffuser son système de pensée ; de nouveau arrêté, interrogé et jugé en 1599, il fut probablement exécuté en 1600. Sa cosmogonie, rendue fameuse par le titre de l'ouvrage, niait la création par un Dieu personnel et trinitaire : l'univers primordial était un chaos, comparé à un fromage d'où émanaient Dieu et les anges. Cette représentation s'accompagnait d'une critique radicale des institutions chrétiennes (sacrements, usage du latin, redevances, clergé, etc.). La très habile écriture du livre, construit en 63 longs paragraphes, sans chapitres, selon un mécanisme de spirale, revenant sur les sources à des niveaux différents d'analyse, permettait de franchir les opacités (variations de Menocchio) ou les fausses évidences (influences directes des sectes nouvelles, lectures du meunier) pour atteindre l'originalité troublante d'une culture à la fois individuelle et emblématique : ce « cas limite » a fait rêver les historiens à « cent, mille autres Menocchio ». — Trad. Flammarion, 1980. A. Bo.

FROMAGERIE DANS LE VEHFREUDE (La) [*Die Käserei in der Vehfreude*]. Roman de l'écrivain suisse d'expression allemande Jeremias Gotthelf (pseud. d'Albert Bitzius, 1797-1854), publié en 1850. C'est un long récit à travers lequel l'auteur, pasteur protestant dans l'Oberland bernois, décrit, dans un tour réaliste et avec beaucoup de vigueur, coutumes et habitudes d'un village suisse. L'intrigue se résume à peu de chose : à l'encontre des autorités provinciales, les habitants de Vehfreude décident de construire, en lieu et place d'une école, une grande ferme, où chacun porterait son lait, participant ainsi aux bénéfices retirés de la vente des fromages. La ferme est rapidement construite, mais les ennuis ne tardent pas à se manifester, les paysans ne se faisant aucun scrupule de baptiser leur lait, ne serait-ce que pour se vanter d'en avoir apporté une quantité supérieure à celle de leur voisin. Les rivalités et les querelles, qui sont le lot habituel d'un village, trouvent un nouvel aliment dans cette communauté d'intérêts : les femmes y trouvant l'objet à de nouvelles médisances, les hommes de nouveaux prétextes pour en venir aux mains. Entre-temps, se dessine une idylle entre Félix, le fils turbulent du maire, et Annelys, pauvre orpheline qui vit avec sa sœur Betty et son beau-frère Sepp. Mais Betty et Sepp, en dépit de toutes les médisances, ne se laissent pas troubler dans leur quiétude ; et la petite Annelys qui, tout en aimant Félix, conserve intacte sa pureté, ne s'aperçoit même pas qu'elle est épiée et calomniée. Enfin, Félix, gagnant l'admiration de tous par sa bonté et sa vertu, épouse l'orpheline. Au grand dépit d'Eisi, type parfait de mégère qui, non contente de tyranniser son mari et ses enfants, a semé la discorde dans le village, en envoyant des lettres anonymes : démasquée, elle se voit contrainte d'assister, contre son gré, au bonheur des deux jeunes époux. La matière de ce récit ne manque pas d'ingénuité et se trouve souvent alourdie par des considérations moralisatrices. Mais les personnages n'en offrent pas moins beaucoup de consistance et de vérité. Enfin, le plus grand mérite de l'auteur est d'avoir su mettre nettement en valeur l'atmosphère typiquement villageoise.

FROMONT JEUNE ET RISLER AÎNÉ. Roman de l'écrivain français Alphonse Daudet (1840-1897), publié en 1874. Sidonie Chèbe est une petite fille pauvre qui occupe ses journées à regarder, avec curiosité et envie, ce qui se passe dans le jardin de l'industriel Fromont, et peu à peu, en tenant tête opiniâtrement aux difficultés et aux humiliations, arrive à mêler sa vie à celle de cette maison. Elle est d'abord accueillie comme compagne de jeu par la fille de l'industriel, grâce à l'entremise de Risler, un bon Suisse naïf, employé puis associé des Fromont : plus tard elle s'imagine avoir conquis par sa beauté et sa coquetterie le jeune Georges Fromont. Le mariage de ce dernier avec sa cousine Claire la plonge dans le désespoir : mais, par des voies de traverse, elle réussit enfin à atteindre son rêve : elle épouse le bon Risler, qui, ébloui par une femme aussi jeune et aussi belle, l'adore les yeux fermés ; puis elle devient la maîtresse de Georges qu'elle ruine par ses folies. La faillite imminente ouvre les yeux à Risler, qui ne trouve la force de contenir sa douleur que pour se consacrer à sauver la maison de commerce dont il fait partie, et pour réparer les torts de sa femme envers la douce et vertueuse Claire qui lui inspire une véritable vénération. Il y parvient, mais il est désormais blessé profondément. Aussi accueille-t-il la mort comme une libératrice, après avoir enduré de nouvelles épreuves : il voit sa femme monter sur la scène des cafés-concerts, et une perfide manœuvre de Sidonie lui fait croire que même Frantz — son frère qu'il avait élevé comme un fils — l'avait trahi avec elle. Autour des personnages principaux et de leur drame, vit dans la promiscuité des grands immeubles populaires tout un monde de pauvres gens, de faillis comme le triste Delobelie, de fainéants, d'égoïstes entretenus par le travail des femmes, d'humbles victimes de leurs rêves comme la petite boitcuse Désirée qui meurt pour Frantz ; tous sont décrits avec cette finesse d'analyse, avec cet amour et cette compréhension des vies simples qui restèrent chez Daudet comme un héritage de sa jeunesse pauvre. Ce roman a été adapté au théâtre ; la première représentation en a été donnée au Théâtre du Vaudeville, le 16 septembre 1876.

FRONTIÈRE (La) [*Mutmassungen über Jakob*]. Roman de l'écrivain allemand Uwe Johnson (1934-1984), paru en 1959. Roman en forme d'intrigue policière : le cheminot Jakob Abs a été écrasé par un train en gare de Dresde. Accident ou suicide ? Uwe Johnson réunit, juxtapose, entremêle les témoignages partiels, quelquefois contradictoires, censés éclairer, sinon expliquer, une existence dont l'incipit donne le thème : « Mais Jakob a toujours traversé les voies. » Celui-ci prend un relief particulier dans le contexte politique des événements de 1956, avec le partage des Allemagnes par le Rideau de fer. Parce que sa mère et son amie Gesine, qui travaille aujourd'hui pour l'O.T.A.N., ont fui à l'Ouest, Jakob, l'employé taciturne et consciencieux qui, à force de persévérance, a été promu inspecteur, est désormais surveillé étroitement par le capitaine Rohlfs, des services de contre-espionnage de la R.D.A. Lorsque Gesine revient à Dresde et rend visite à son père en compagnie de Jakob, Rohlfs profite de l'occasion pour les gagner tous deux à la cause de la défense du socialisme. Il les laisse cependant libres de choisir. Tous deux repassent à l'Ouest mais Jakob, malgré son attachement à Gesine, rentre bientôt en R.D.A., « par embarras » : « Il n'avait sûrement oublié aucune des idées qu'il avait apprises dans cette Allemagne "en marche vers le socialisme"... Il vint à l'Ouest avec ces idées-là et ne comprit pas les gens parce qu'ils ignoraient tout ce qu'il avait appris. » C'est le jour de son retour, curieusement, qu'il trouve la mort. Autant Rohlfs se montre apparemment magnanime à l'endroit de Jakob, autant il demeure inflexible avec Jonas Blach, le jeune assistant à l'université lui aussi épris de Gesine : il le fait arrêter pour activités subversives quelques jours après la mort de Jakob.

Jakob Abs incarne l'individu qui aurait voulu, simplement, se montrer « loyal », mais qui se trouve, malgré lui, rattrapé, imbriqué, impliqué dans le politique. On ne peut pas simplement faire passer des trains sans se demander où ils vont, comme par exemple ce convoi militaire qui, sous ses yeux, transporte des troupes soviétiques vers la Hongrie, pour y écraser l'insurrection. L'écriture romanesque originale de *La Frontière*, comme au fond la dramaturgie brechtienne, tend à sortir le lecteur de sa passivité : c'est à lui-même qu'il appartient d'établir des rapprochements, des recoupements entre les bribes de discours qui lui sont livrées, de bâtir ainsi des « conjectures » (soit, littéralement, la traduction du titre allemand : « Conjectures sur Jakob ») en sachant qu'il n'y a jamais de vérité ultime sur quelqu'un. « Je ne connais personne qui puisse affirmer : les choses se sont passées ainsi, et pas autrement. » Uwe Johnson se défend de tout maniérisme : « Je suis certain qu'il y a des histoires que l'on peut raconter aussi simplement qu'elles se sont apparemment déroulées ; mais je n'en connais pas. » Ce premier roman a propulsé son auteur, du jour au lendemain, sur le devant de la scène littéraire. Il lui a valu de recevoir, entre autres, le prix Fontane (1960) et le prix international de Littérature (1962). — Trad. Gallimard, 1962.

J.-J. P.

FRONTIÈRE DE L'OMBRE (La) [*Hranice stínu*]. C'est le seul de ses livres auquel l'écrivain tchèque Jan Čep (1902-1974), qui le publia en 1935, ait donné le sous-titre de « roman ». Nombre de ses récits et nouvelles sont pourtant d'authentiques petits romans, notamment : *Pentecôte* [*Letnice*, 1932], *Le Manteau troué* [*Děravý plášť*, 1934], *Bleu et Or* [*Modrá a zlatá*, 1938], *Le Visage couvert d'une toile d'araignée* [*Tvář pod pavučinou*, 1941], etc. Continuateur de la lignée spirituelle tchèque (Mácha, Němcová, Zeyer, Durych), sa famille spirituelle française (qu'il a rejointe par son départ en exil en 1948) compte Pascal, Chateaubriand, Bloy, Alain-Fournier, Péguy, Ramuz, Du Bos, Claudel, et ses amis personnels Bernanos et Pourrat (qu'il a traduits). Ses multiples personnages, des paysans aux intellectuels, sont décrits au moment crucial où ils prennent plus ou moins conscience qu'outre leur patrie terrestre c'est l'autre, transcendante, la plus authentique, qui les appelle irrésistiblement ; ces renaissances spirituelles, parfois dramatiques et tragiques, s'opèrent souvent par le retour, réel ou imaginaire, au sol natal, aux racines de la famille. Rien, cependant, qui rappelle une thèse chez cet « amateur d'âmes » et poète en prose sans égal, tout en finesse, allusion, tendresse et mystère. Deux figures se dressent au centre de *La Frontière de l'ombre*, qui se déroule dans un village de la Moravie du Nord. Prokop Randa d'abord, un intellectuel déçu par Prague et qui sent la nécessité de revenir sur le sol de sa famille « charnelle et spirituelle » pour retrouver ses certitudes profondes. Il y parviendra grâce à son grand-père, le paysan nonagénaire Zavadil, qui saura le « relier » à la lignée de ses ancêtres, lui révéler sa vocation et le fixer sur place dans le rôle d'instituteur. L'autre, c'est Šimon, ancien étudiant, également désaxé, qui sombre dans une révolte passionnée et vaine ; pour lui, le médiateur sera le prêtre Stoklas, qui devine la vivacité de cette âme apparemment perdue ; « réveillé » au sens profond de la vie, il partira, au contraire, s'accomplir très loin. D'autres personnages peuplent ce roman, en particulier un valet de ferme, le ténébreux Slovaque Andrej, et une jeune femme sensuelle qui sème le mal, n'arrive pas à vaincre son sort et mourra sauvagement assassinée.

FRONTIÈRES (Les) [*Grenzen*]. Œuvre du géopoliticien allemand Karl Haushofer (1869-1946), publiée en 1927. La géopolitique, qui s'attache à mettre en valeur les déterminismes imposés par la géographie à la politique des grands États, n'est nullement une invention de Haushofer. Les inspirateurs directs de ce dernier furent le Suédois R. Kjellén (l'inventeur du terme) et l'Allemand Ratzel, et Haushofer joue un peu à leur égard le rôle de vulgarisateur : cet ancien général, en détournant le résultat de ses investigations scientifiques pour les faire servir aux buts de l'ambition pangermaniste, en mettant en œuvre son érudition incontestable, son vaste savoir souvent mal digéré, d'un étrange lyrisme patriotique, fit de la géopolitique un puissant instrument de propagande que les maîtres du IIIe Reich se gardèrent bien de dédaigner. Certains de leurs slogans, en particulier le fameux « espace vital » [Lebensraum], ont été formulés pour la première fois par l'école de Haushofer. *Les Frontières* ne sont certes pas le livre le plus original de Haushofer, mais c'est celui qui connut le plus grand succès et dans lequel se révèle le mieux son mysticisme nationaliste à prétentions scientifiques. Une frontière, y affirme l'auteur, est bien plus qu'une ligne de séparation géographique, c'est un lieu tragique, un champ de bataille entre de grandes forces historiques. Toute décadence vient de la négligence du souci dominant de l'héritage spatial. Mais, en ce qui concerne l'Allemagne, quelles sont, aux yeux de Haushofer, les limites « naturelles » de cet héritage ? Rien moins que toute la plaine centrale et nordique de l'Europe (y compris les régions scandinaves et les terres de l'Est). De même, dans un de ses premiers grands livres, *Géopolitique de l'océan Pacifique* [*Geopolitik des Pazifischen Ozeans*, 1924], Haushofer avait-il justifié à l'avance les convoitises japonaises sur la « Grande Asie orientale » et même prédit l'attaque surprise qui devait se produire près de vingt ans plus tard à Pearl Harbor. Parmi ses autres ouvrages fondamentaux, citons : *Fondements de la géopolitique* [*Bausteine zur Geopolitik*, 1928], *Politique mondiale d'aujourd'hui* [*Weltpolitik von heute*, 1934], et la réimpression fortement augmentée et détournée dans un sens pangermaniste du livre de Kjellén : *Grandes puissances contemporaines* [*Grossmächte der Gegenwart*, 1930 et ss.]. — Trad. *De la géopolitique*, Fayard, 1986.

FROU-FROU. Comédie en cinq actes des écrivains français Henri Meilhac (1831-1897) et Ludovic Halévy (1834-1908), représentée à Paris le 30 octobre 1869. Le riche bourgeois Brigard est père de deux filles : Louise et Gilberte. La première est sage, réservée, faite pour la maison et la famille ; la seconde, étourdie, expansive, aimant l'élégance et les fêtes : d'où son surnom de Frou-Frou. Le comte de Valréas et M. de Sartorys s'éprennent d'elle, ce sont tous deux d'excellents partis. Les qualités sérieuses et la droiture de Sartorys, la perspective d'une brillante carrière diplomatique inspirent plus de confiance que la réputation de coureur de femmes de Valréas, qui est par ailleurs un excellent garçon. Gilberte épouse donc Sartorys, mais sans enthousiasme ; elle n'en continuera pas moins de mener une vie mondaine. Pendant ce temps, Louise reste dans sa famille ; elle a aimé et aime encore en secret Sartorys. Dispensée de tout souci domestique, adorée par son mari, qui ne fait cependant rien pour que sa femme découvre les joies paisibles du foyer, Gilberte finit par répondre à l'amour de Valréas et fuit avec lui à Venise. Sartorys les rejoint. Il provoque l'amant et le tue en duel. Cette terrible expérience transforme Gilberte qui se consacre à des œuvres de bienfaisance ; mais sa santé chancelle, et elle rentre à Paris pour revoir son petit garçon avant de mourir. Elle meurt, entourée par les siens, consolée par le pardon de son mari, en se plaignant d'avoir été trop aimée, mais bien peu comprise. Cette comédie veut représenter un type de femme légère mais honnête, que l'amour et une intime, silencieuse et progressive révolte délivrent, à travers la douleur, d'une frivolité innée. La situation annonce celle de *La Maison de poupée* (*) d'Ibsen, mais la comparaison montre le manque de profondeur de l'œuvre française tout imprégnée d'un romantisme conventionnel ; cependant le souci des détails, la richesse des observations, la maîtrise dans le découpage des scènes et la grâce d'un style plein de dignité lui confèrent une vie certaine.

FRUITS DE L'INSTRUCTION (Les) [*Plody prosveščenija*]. Comédie en quatre actes de l'écrivain russe Lev Nikolaïevitch Tolstoï (1828-1910), écrite en 1889. C'est une satire divertissante, souvent mordante, de la grande bourgeoisie. Sverdintzev, amateur ingénu de spiritisme, organise des séances dans sa maison. Sa domestique Tania en profite pour lui faire signer un acte de vente de certaines terres au profit du père de Simon, son fiancé ; c'est là le nœud de la comédie. Un docte professeur prononce, avec une solennité comique, un discours avant la séance spirite dans laquelle Simon, habilement guidé par Tania, tient la place de médium. Par la suite, la supercherie est découverte, mais la jeune femme se trouve avoir atteint son but. L'aversion que Tolstoï ressent pour la classe « aisée » lui fait dépeindre les personnages de sa comédie comme des êtres vains et égoïstes. Seuls les humbles ont une âme droite ; ils sont sages dans leurs pensées comme dans leurs discours. Dans cette comédie, qui tient plus de la caricature que de la peinture de mœurs, ce sont, justement, ces dernières figures qui semblent les mieux réussies et les plus brillantes. — Trad. Stock (tome 28 des *Œuvres complètes*). Publiée aussi sous le titre : *Les Fruits de la science* ou encore *Les Spirites*.

FRUITS D'OR (Les). Roman de l'écrivain français d'origine russe Nathalie Sarraute (née en 1902), publié en 1963. Le héros de ce roman qui ne comporte ni personnages, ni péripéties, ni intrigue, est un roman : *Les Fruits d'or*. Le thème, peut-être devrait-on dire la modulation essentielle, le « lié » de ces pages, est constitué par les diverses réactions que le livre suscite chez ceux qui l'aiment ou qui le détestent : Ad-mi-rable ! *Les Fruits d'or*, une langue neuve, un chef-d'œuvre ! *Les Fruits d'or*, un navet... Et dans les toutes dernières pages : « Vous en êtes encore là... Aux *Fruits d'or*. » J'ai dit la modulation. En effet, il me semble que l'on peut comparer ces pages à des gammes, ascendantes et descendantes, soutenues par un rythme haché, exaspérant (une langue volontairement neutre) d'une précision de métronome. Ce que Nathalie Sarraute a peut-être cherché ici, c'est un impossible point de rupture. Récusant volontairement toute recherche de l'effet, elle enfile des gants de chirurgien et pratique une (atroce) autopsie du langage. Car c'est sur le plan du langage exclusivement que cette œuvre nous situe, sur le plan de l'écriture érigée en un en-soi qui ne renvoie plus qu'à lui-même : « Pure œuvre d'art — cet objet refermé sur lui-même, plein, lisse et rond. Pas une fissure, pas une éraflure par où un corps étranger pût s'infiltrer. Rien ne rompt l'unité des surfaces parfaitement polies dont toutes les parcelles scintillent, éclairées par les faisceaux lumineux de la beauté. » Une érosion jusqu'au roc. Une série de doubles, et de doubles de doubles (qui se dédoublent encore), fantômes parfois gluants qui ne communiquent entre eux que par le biais dérisoire de ces « Fruits d'or » sous l'écorce desquels se joue, à huis clos, toute la barbare comédie.

FRUITS DU CONGO (Les). Roman de l'écrivain français Alexandre Vialatte (1901-1971), publié en 1951. On sait que presque tout au long de sa vie Alexandre Vialatte a songé à la composition d'une somme romanesque dont il nous reste au moins le titre : *La Complainte des enfants frivoles*. Mais il n'est pas interdit de considérer que les étapes de son œuvre narrative, qui commence en 1928 avec *Battling le Ténébreux*, auront finalement donné consistance à ce grand projet. Et mieux peut-être : Vialatte l'aura pour une large part réalisé avec *Les Fruits du Congo*. On en peut déceler l'approche dans deux autres récits composés au cours de la Seconde Guerre mondiale et publiés longtemps après la disparition de l'écrivain : *La Maison du joueur de flûte* (1986) et *La Dame du Job* (1987). Cependant la plupart des thèmes étaient déjà présents dans *Battling le Ténébreux*. Ils reviendront ensuite, au point de donner à chacun des ouvrages l'allure d'une variation, et à l'ensemble de l'œuvre, qui échappe pourtant à la monotonie, une forte unité d'expression et de sensibilité. Si l'on accepte donc de considérer plusieurs de ces livres comme des préludes, possédant chacun son caractère et son achèvement, on n'hésitera guère à voir dans *Les Fruits du Congo* l'ample et complexe fugue où se rassemblent tous les éléments de la *Complainte* que nous ne connaîtrons jamais.

La scène des *Fruits du Congo* est une ville de province indéterminée (comme dans *Battling* et *La Dame du Job*) à une époque qui semble être de peu postérieure à la Première Guerre mondiale, autre fixation de l'auteur, et qui lui a permis d'évoquer non seulement cette période, mais — par-dessus la coupure irrémédiable du grand conflit — d'appréhender avec une tendresse à la fois amusée et nostalgique les dernières survivances de l'âge précédent. Comme presque toujours chez Vialatte, les acteurs principaux sont des adolescents partagés entre ce qui reste en eux de la naïveté de l'enfance, la pureté particulière aux premières exigences d'amour absolu, d'avenir fabuleux, et l'incompressible vitalité qui engendre, avec des foucades, leur réglementation dans un univers aux lois ou, du moins, aux rites de société secrète. Ainsi se réunit-on « Aux Plaisirs de Corée », grenier d'une épicerie qu'on a peuplé de fétiches burlesques auxquels il faut pourtant payer tribut ; où règnent les mots de passe et toute une liturgie d'initiés. Si le personnage central du roman est bien Frédéric Lamourette, dit Fred, neveu d'un médecin original et bonasse qui l'a recueilli et élevé, il convient de noter que le narrateur, lui-même membre de ce petit groupe, n'intervient pour ainsi dire jamais personnellement : l'un des plus proches de Lamourette, il n'est pourtant que celui qui voit, écoute, enquête, déduit, suppose, rapporte, sans faire entièrement abstraction de ses propres jugements, sentiments ou émotions, mais d'une manière extrêmement adroite (où peut-être se manifeste le journaliste que Vialatte fut aussi) dans la mesure où elle résout avec naturel — sans que le lecteur y prenne garde — la vieille question du « point de vue » qui s'est posée à tant de romanciers contemporains. Ainsi en présence de Dora, la « Reine des Îles », le narrateur s'effacera-t-il en faveur de Fred, amoureux de cette énigmatique, imaginative jeune fille entourée d'une sorte de cour d'enfants sortis des faubourgs, et dont le palais est un moulin abandonné de ces îles en friche qui, à proximité de la ville, enferment au milieu d'une rivière un territoire infini de rêveries, de possibles, d'instants heureux parfois vécus. Mais le merveilleux de l'adolescence encore candide, qui imprègne de son charme et de sa poésie sans mièvrerie ni clichés involontaires *Les Fruits du Congo*, des événements, dont la férocité exprime celle de vie soumise au temps qui passe, vont peu à peu le faire glisser vers les doutes, les malentendus, les révoltes, l'angoisse, l'horreur. Dora sera assassinée par un vieil avocat sans cause, Vingtrinier, un demi-fou qui terminera paisiblement ses jours dans un asile, tandis que Fred, autant par désespoir que par attrait de l'ailleurs, de l'inconnu (que symbolise, pour cet orphelin, la grande négresse maternelle et sensuelle d'une affiche vantant « les fruits du Congo »), mourra héroïquement dans les rangs de la « coloniale » où il s'est engagé.

De ce roman foisonnant c'est à peine un schéma qu'on vient de lire. Car la personnalité de Fred (un frère, presque un double du héros de *Battling* et du Fred de *La Dame du Job*) n'épuise pas, toute centrale et touchante qu'elle soit, la richesse d'une galerie de portraits où l'inquiétant le dispute au cocasse, l'absurde au plus humain. Vialatte excelle ici dans un réalisme psychologique de l'invraisemblable qui passe par la caricature mais débouche sur le type convaincant, pour conduire quelquefois à un renversement dramatique. Le plus remarquable exemple en est celui de Vingtrinier qui, de doux maniaque inoffensif et comique, presque attendrissant, va se transformer — on devine comment, sans qu'il soit besoin d'analyses abstraites — en monstre sanguinaire à demi victime du destin. À l'inverse, Dora, la véritable victime, le pôle opposé de Vingtrinier, mais dont l'angélisme est au fond moins spontané qu'il ne semble, n'est-elle pas en partie responsable de l'injustice de son sort ? Vialatte n'expose aucune philosophie, et il faudrait gauchir le sens qui émane de son œuvre pour en tirer une, quelconque, du comportement de ses personnages et de leurs rapports. Ce sens tient plutôt dans un sentiment toujours ambigu, fait de curiosité, d'affection, d'ironie, de tristesse, que lui inspire leur existence vouée comme toutes les autres à une dégradation et à la mort. La vie a beau renaître avec ses fastes quelquefois dérisoires, ses illusions, une pente fatale conduit chaque romantique et pur Fred vers sa forme de « coloniale », chaque ridicule Vingtrinier vers son couteau. Une des audaces et des réussites de Vialatte est d'avoir en quelque sorte donné une figure à ce principe. Partout, dans *Les Fruits du Congo*, circule et agit en retrait ou en sourdine un Monsieur Panado qui, de mot de passe chez les affiliés des « Plaisirs de Corée » (« Heureusement que nous avons vu Monsieur Panado — et que nous pouvons être tranquilles de ce côté-là »), devient lentement l'ombre de plus en plus consistante qui s'étend sur l'histoire, à peine perceptible à ses protagonistes puisque — c'est justement sa force — Monsieur Panado, d'une certaine manière, n'existe pas. Mais, de tous les portraits exécutés dans ce roman par Vialatte, sans doute est-ce un des plus détaillés, des plus concrets, et le seul auquel le peintre apporte, afin de le rehausser, de faire croire à son existence qui sournoisement se dérobe, toutes les touches possibles de colère, de vindicte et de dégoût. Si, toujours en métamorphose, une incarnation littéraire du mal s'est produite, c'est avec Monsieur Panado.

L'abondance des *Fruits du Congo* ne se manifeste pas seulement dans la variété de ses personnages et dans l'intrigue pleine de liaisons secrètes, de rebondissements, de scènes où s'exercent tour à tour une verve irrésistible, le goût élégiaque le plus délicat, la hantise incrédule du tragique, voire une fréquente incertitude entre réel et fantastique — un certain degré de fantastique restant en puissance dans le réel. À moins que le premier n'en prenne tout à coup à son aise, comme il arrive avec les deux garçons de l'affiche publicitaire du Saint-Raphaël, et leur étrange équipée dans la ville nocturne. (On le remarquera : « la dame du Job » est aussi une affiche, de même que la négresse des « fruits du Congo ». La représentation du réel en clichés, plate et immobile, mais si présente parfois, joue un rôle important dans le monde imaginaire de Vialatte, où elle possède, jusqu'à l'indépendance, une rare puissance de fascination, d'égarement, cependant comme bienveillante ou impartiale, sans rien de la perversité consciente de Panado.) L'abondance des *Fruits du Congo*, allait-on dire, tient encore dans la restitution d'un climat singulier qui fut celui de la ville de province moyenne entre les deux guerres, avec une justesse qui enchante ceux qui l'ont connu, et ne peut qu'en procurer l'effet aux autres. On ne saurait affirmer que c'est la nature de ce climat, avec son burlesque étriqué, son ennui sans recours, mais une douceur rêveuse, une proximité du ciel et de l'espace compensatrices, qui ont permis à cette épopée d'« enfants perdus » de s'épanouir. Cependant on ne l'imagine pas aussi accomplie dans un autre cadre. Car c'est bien aussi l'étouffement provincial qui, pesant sur les âmes, obtient d'elles parfois ces surcroîts d'élans qui les exaltent puis les perdront. C'est le cadre où, dans sa jeunesse, Vialatte a lui-même vécu. Il semble en avoir toujours gardé une empreinte profonde, faite de tendresse, de nostalgie, qui n'ont pourtant pas embué son regard aigu et parfois décapant. Tel le retrouve-t-on souvent dans ses innombrables chroniques : attentif, avec un sourire de regret et de malice, aux choses du passé. De ces contradictions ont pu naître *Les Fruits du Congo*, somme d'invention romanesque émouvante et drôle, un peu débordante çà et là, parce qu'elle offre la plénitude humaine et poétique d'un écrivain plus qu'attachant.

J. R.

FUGEN. Roman de l'écrivain japonais Ishikawa Jun (1899-1987), publié en 1936. L'auteur, âgé de trente-sept ans, débutait alors dans les lettres. À l'instant où commence ce qui est intitulé l'« histoire de Moichi » est évoqué le spectacle des gouttes d'eau qui se forment au fond d'une vasque, qui étincellent dans la lumière comme des perles de verre et qui, au moindre mouvement, disparaissent. Tel est bien ce récit qui laisse à la lecture une sensation physique d'éblouissement. À peine s'engage-t-on dans le premier chapitre qu'on est happé dans une suite d'événements déconcertants. Le narrateur dort en pleine matinée dans un appartement étranger ; arrive le porteur de journaux qui cherche depuis des mois le locataire, et il faut le chasser, au terme d'un dialogue fort drôle. C'est de Moichi qu'il s'agit, mais où est-il parti ? qui est-il ? On apprend seulement qu'il est doué pour la vie de parasite et qu'il a vécu jadis chez le narrateur. Celui-ci l'avait, par hasard, rencontré la veille à Shinjuku, un quartier de divertissements. Ils avaient échoué dans un bar, Moichi avait déclenché une bagarre, et le tout s'était terminé par une fuite éperdue. Le narrateur est enfin rentré chez lui ; il s'interrompt pour reprendre son travail : une biographie de Christine de Pisan. Moichi a longtemps vécu aux dépens d'un acteur. Il a maintenant trouvé d'autres occupations, mais qui restent mystérieuses. Tous les personnages sont des êtres bizarres, sortis des maquis de la société, aux activités changeantes et mal définies. Le narrateur vit d'expédients. Quand, avec son ami, il fréquentait l'université, ils se faisaient un devoir de ne jamais assister aux cours. Maintenant, l'ami loge à côté, toujours à dormir ou à s'enivrer. L'actuelle gérante de la maison est une personne laide, misérable, mais combative, venue d'on ne sait où. Son prédécesseur vit, avec sa femme morphinomane, en un lieu retiré et il y élève des oiseaux. Aucune silhouette ne se détache avec netteté. Délibérément, l'auteur laisse toujours une zone d'ombre. Ratés, apprentis écrivains, pauvres gens, parasites forment, souvent à leur insu, une petite société clandestine, ils se connaissent, se retrouvent les uns chez les autres. D'ailleurs, l'époque est troublée. Une jeune fille dont il sera maintes fois question, Yukari, appartient à un mouvement clandestin, semble-t-il ; la police exerce partout sa surveillance : le travail manque. C'est dans de pareilles circonstances que le narrateur veut entreprendre sa biographie de Christine de Pisan. Il vénère le courage, la perspicacité dont fit preuve cette femme dans le « tourbillon » de malheurs et de guerres qu'elle dut traverser. En elle, il admire le « sursaut de l'âme » et associe son nom à celui de Jeanne d'Arc. Il revoit en esprit le visage de Yukari, la sœur de son ami, mais il ne l'a plus rencontrée depuis des années et n'a jamais révélé son sentiment. À plusieurs reprises, il emploie, transcrit en caractères phonétiques, le mot « ataraxia ». Aux pires moments de désespoir, il invoque Fugen, dont le nom sert de titre au roman, le Bodhisattva rayonnant de la sagesse.

Ce récit n'est pas, comme il avait été annoncé d'abord, l'« histoire de Moichi » ; son unique objet, au fond, c'est la recherche de la sagesse. Mais, tandis qu'il est à la poursuite de son « âme », le narrateur est sans cesse interrompu, entraîné au-dehors. Ici, il découvre des secrets sans le vouloir, ailleurs il assiste à une crise d'hystérie ; il noue une liaison ; Yukari apparaît et disparaît ; le vieillard aux oiseaux va d'échec en échec, sa femme meurt ; l'ami est appréhendé par la police puis se suicide. Le récit continue, tourbillon tumultueux d'événements. Des ruptures dans la chronologie, des coïncidences, de soudaines rencontres contribuent à aviver encore ce sentiment chez le lecteur. Cette aventure se déroule à la lisière du fantastique. La biographie de Christine de Pisan n'avance pas d'une ligne. À mesure que progresse le récit, le narrateur est pris dans le tourbillon ; il s'éloigne de son idéal premier, seulement livresque, dont il sent peu à peu la vanité, et se trouve confronté à la vie et à la mort. Acculé, l'esprit se ressaisit et retrouve sa force ; la recherche de la sagesse est semblable à une course dans un flot tumultueux. Le mouvement caractérise ce style. Les dialogues abondent, vifs, rapides, souvent rédigés en argot. Cependant, il n'est fait aucune « description », les événements ne sont jamais rapportés pour eux-mêmes, mais intégrés dans de longues périodes, construites avec sûreté, dont le cours déconcerte et emporte. Pour son vocabulaire d'une richesse éclatante, l'écrivain puise tour à tour dans l'argot, dans les classiques japonais ou chinois et jusque dans les canons du bouddhisme. Il est peu de romanciers qui aient témoigné envers le langage d'une telle passion.

Ce faisant, et contre le naturalisme qui dominait alors les lettres japonaises, Ishikawa crée une littérature baroque et intellectuelle. À la « sincérité » volontiers sentimentale du naturalisme, il oppose l'imagination et la rigueur – v. *Le Faucon* (*) et *Vies d'originaux*.

FUGITIFS (Les) [*Pakolaiset*]. Roman de l'écrivain finlandais Johannes Linnankoski (1869-1913), publié en 1908. C'est l'histoire d'une humble famille qui doit quitter la ville où elle habite pour aller se réfugier ailleurs. La fille aînée en effet, mariée contre son gré à un veuf, honnête et riche, mais âgé, mettra au monde un fils illégitime. La révélation a un effet terrible sur le vieux mari, Juha Uutela. Celui-ci veut tout d'abord tuer la coupable, puis son beau-père, qui lui avait caché la véritable raison de leur fuite ; mais se relevant d'une maladie où il faillit mourir, il comprend qu'il est, lui aussi, responsable de ce malheur. Ce sujet n'est pas nouveau ; ce qui est original, c'est la manière avec laquelle Linnankoski a su le traiter, ainsi que la forme rigoureuse et concise de son analyse psychologique. – Trad. Rieder, 1926.

FUGITIVE (The). Revue littéraire américaine publiée d'avril 1922 à décembre 1925 (dix-neuf numéros) par un groupe d'écrivains liés à la Vanderbilt University (Nashville, Tennessee), et qui comprenait notamment : Allen Tate, John Crowe Ransom et Robert Penn Warren. À la fois conservateurs et adversaires de l'« américanisme », c'est-à-dire de l'industrialisation à outrance et du capitalisme des trusts, ces écrivains défendaient les traditions régionales du Sud et sa civilisation terrienne. Le Sud d'avant la guerre de Sécession leur fournissait ainsi les éléments d'une mythologie qu'ils exprimèrent à travers une poésie dont la forme s'inspirait des poètes métaphysiques anglais, d'Eliot et de Valéry avec une volonté de « littérature pure ». Cette revue, qui joua un grand rôle en soulignant l'originalité du Sud, d'où sont venus tant de grands écrivains de la littérature américaine contemporaine, obéissait, sur le plan de la critique, au souci de concentrer l'intérêt sur les œuvres davantage que sur la personnalité des auteurs ou sur les influences de l'époque. Ce formalisme (au meilleur sens du mot) devait servir de base au mouvement de la Nouvelle Critique [New Criticism] américaine. Le groupe des « Fugitifs » devait publier une sorte de manifeste pour une civilisation « agraire » sous le titre de *Je prends parti* [*I'll Take My Stand*, 1930] – formule extraite du refrain de l'hymne sudiste « Dixieland » : « I'll take my stand to live and die in Dixie. » On trouvera par ailleurs un écho de ses théories dans les *Essais réactionnaires sur la poésie et les idées* (*) de Tate et dans *Le Dieu sans tonnerre* (*) de Ransom.

FUGUE DU CHAT (La) [*Fuga del gatto*]. Composition pour clavecin du compositeur italien Domenico Scarlatti (1685-1757), publiée la première fois dans le recueil des *Sonates pour clavecin* (*) que l'auteur dédia, vers 1729, à la princesse des Asturies. Dans l'original, le morceau porte simplement l'indication moderato : le titre est né de la légende selon laquelle le thème principal aurait été suggéré à Scarlatti par la résonance des notes de son clavecin mues par un chat qui se promenait sur le clavier ; cette anecdote est due, probablement, à l'aspect bizarre du thème qui se meut par intervalles quelque peu insolites. Les voix qui entrent dans l'exposition de la fugue sont au nombre de quatre ; mais, par la suite, la polyphonie n'atteint plus cet ensemble qu'à titre épisodique. Il ne faut pas chercher ici, en effet, un style complexe et profond comme celui d'un Bach ; c'est néanmoins une polyphonie, adaptée au style de Scarlatti dans ses œuvres de clavecin, et qui tend à une expression concise et rapide. La hardiesse harmonique de cette fugue est particulièrement remarquable ; elle est due en partie à des modulations continuelles, bien que dans un cercle restreint de tonalités (la principale est sol mineur, mais avec un seul bémol à la clef, comme il était fréquemment d'usage alors). La technique de l'instrument (applicable au piano moderne) est assez redoutable, non pas tant à cause de ces sauts ou de ces notes répétées dont Scarlatti est coutumier, que par l'abondance de passages en doubles notes et par la rapidité incessante du jeu. Dans le développement de la fugue, le thème, d'apparence contournée, se déploie et se clarifie, créant un tout harmonique, animé du brio que l'on connaît à l'auteur.

FUITE À VENISE (La) [*Die Flucht nach Venedig*]. Cette pièce du dramaturge allemand Georg Kaiser (1878-1945) appartient à une série de pièces historiques. Elle est empruntée à l'histoire littéraire. Elle met en scène l'aventure fameuse de George Sand et de Musset. Celui-ci s'est réfugié à Venise pour se soustraire aux émotions amoureuses qui l'empêchent de travailler. La vérité historique est toute différente, George Sand et Musset ayant fait ensemble le voyage de Venise ; mais on reconnaît là un des thèmes familiers à Kaiser : la fuite de l'individu devant ce qui menace sa personnalité ; parfois aussi c'est la fuite de la personnalité devant elle-même, dans la mesure où elle paralyse l'artiste dans sa libre volonté de création. George Sand poursuit donc Musset et le rencontre à nouveau. Cette nouvelle rencontre et les nombreuses complications qui en résultent provoquent dans l'âme du poète un choc douloureux : il sortira de l'aventure avec une blessure saignante et profonde. George Sand au contraire y trouvera un aiguillon pour créer de nouveaux livres. Elle est présentée comme un « être inhumain qui n'a de sensibilité que dans la mesure où elle peut décrire ses sentiments ». Mais cet être inhumain est pour Kaiser le véritable artiste, tandis que Musset ne sera jamais qu'un homme. La dernière réplique de la pièce : « La parole tue la vie », dévoile la pensée du dramaturge. La thèse peut se défendre, mais l'exemple de Musset est mal choisi, car le meilleur de Musset artiste, le cycle des *Nuits* (*), n'est-il pas tout justement sorti de ses déceptions amoureuses ? Kaiser en prend d'ailleurs très à son aise avec la vérité historique. Ignorance ou désinvolture, il n'hésite pas à présenter Mallarmé comme un des amants de George Sand.

FUITE DE MONSIEUR MONDE (La). Roman de Georges Simenon, écrivain belge d'expression française (1903-1989), écrit en avril 1944 à Saint-Mesmin (Vendée) et publié en 1945. Écœuré par une existence monotone réglée dans ses moindres détails, déçu par l'homosexualité de son fils né d'un premier lit et privé d'une vie affective épanouissante par une épouse sèche et sans cœur, Norbert Monde décide, le jour de ses 48 ans, de tout quitter et de se fondre dans l'anonymat de la foule afin de se retrouver lui-même. Monde est un de ces nombreux déviants qui peuplent l'univers de Simenon tels que Jacques Dubois les a définis : « Un homme d'âge mûr qui, englué dans la vie routinière, décide de rompre avec son milieu ou, en tout cas, se laisse dévier par rapport à son milieu et qui s'engage dans une aventure singulière. »

Cette transgression des codes sociaux, omniprésente dans les « Maigret » ou dans des romans « durs » comme *L'Homme qui regardait passer les trains* (*) (1938), *L'Assassin* (1937), *Les Inconnus dans la maison* (1940), *Au bout du rouleau* (1947), *Lettre à mon juge* (*) (1947), *L'Enterrement de monsieur Bouvet* (1950), *Le Train* (1961)..., s'accompagne le plus souvent d'un dépouillement social. Monde, homme d'affaires florissant, délaisse ses apparences bourgeoises pour s'enfoncer dans une existence apparemment médiocre, qui est en fait un retour bienfaisant aux émotions et aux vérités élémentaires par la fréquentation de milieux interlopes. Ainsi, à Marseille, dans un hôtel borgne, Monde sauve du suicide Julie, une pauvre fille délaissée par son amant. Une liaison s'ébauche si bien que, quand Monde se trouve dépouillé de son argent, elle trouve naturel de le faire engager comme économe dans la boîte de nuit où elle est entraîneuse. Parmi ces gens simples mais vrais, dans cette atmosphère trouble mais fraternelle, Monde, qui se fait appeler Désiré Clouet, s'éveille aux bonheurs sans prétention, retrouve son humanité et redevient ce qu'il n'aurait jamais dû cesser d'être : une âme dépouillée des faux-semblants, réconciliée avec sa destinée et reconnue par ses proches pour les services qu'elle leur rend. Ainsi, le jour où le hasard lui fait retrouver sa première femme, morphinomane et détraquée, il n'hésitera pas à lui venir en aide. Rentré à Paris pour la faire soigner à ses frais, Monde retrouve la routine quotidienne sans donner d'explications à son entourage sur sa disparition de trois mois. Resté le même en apparence, il a pourtant changé dans son for intérieur. Au cours de son périple émancipateur, il a dressé un bilan de soi et a acquis une lucidité froide et sereine qui contraste singulièrement avec son malaise d'avant la fuite. Cette modification du regard qui confine à l'indicible apparaît à la fin du *Bourgmestre de Furnes* (1939) ou de *Bergelon* (1941). Mais *Lettre à mon juge* (1947) est le seul roman où Simenon tentera d'en expliciter la nature.

Al. B.

FUITE DE THÉODORIC (La) [*Dietrichs Flucht*]. Poème composé vers 1275 ou 1295/96 par Henri l'Oiseleur (Heinrich der Vogler), poète errant autrichien, en style courtois, maladroitement allié au genre épique populaire. Œuvre confuse, riche en répétitions, dont le thème est emprunté à la légende héroïque. Après une introduction, traitant des ancêtres de Dietrich et lui prêtant comme tels divers héros de la légende, suit le récit proprement dit. Ermrich (ou Ermenrich), l'empereur romain, a tué les fils de son frère Diether ; il cherche à se saisir de Dietrich de Bern (Théodoric de Vérone), fils de son frère Dietmar, mais est vaincu par lui. Plus tard, des gens de Dietrich sont capturés par Ermrich. Seul Dietleib de Styrie réussit à s'échapper et porte la nouvelle à Dietrich. Celui-ci, pour racheter ses vassaux, sacrifie son royaume et se rend au pays des Huns auprès du roi Etzel (Attila). Il en retourne avec une armée, défait son oncle devant Milan et le chasse. Il retourne chez Etzel et demande en mariage la belle-sœur de celui-ci, Herrat (Helche). Il perd ensuite de nouveau Raben (Ravenne), où Ermrich s'installe et règne par la cruauté. Dietrich marche une fois de plus contre lui, le défait à la bataille de Raben et entre en triomphateur à Milan.

FUITE DEVANT DIEU (La) [*Die Flucht vor Gott*]. Œuvre du philosophe suisse d'expression allemande Max Picard (1888-1965), publiée en 1934. Dans ce livre, Max Picard se livre à une impitoyable condamnation de la civilisation occidentale du XXe siècle, en prenant comme il le fait toujours des exemples précis. Les différents chapitres tentent de répondre à cette idée que la fuite de l'homme devant Dieu est la cause réelle de l'agitation et de la vacuité de notre temps. Mais ce qui fait l'intérêt de ce livre, c'est que Max Picard rayonne à partir du centre afin de mener par une multitude de voies convergentes son lecteur jusqu'à ce centre, selon sa manière personnelle qui consiste à aborder un même problème sous différentes angles de vision.

Pour Picard, le monde de la foi et celui de la fuite s'opposent absolument. Le premier repose sur la réalité de Dieu, il est un mode authentique. Le second se détourne du créateur, et apparaît comme une création monstrueuse de l'homme. À la certitude de l'existence de Dieu, l'homme ne peut opposer que des probabilités, des possibilités. « Ainsi, le monde de la fuite est le monde non pas de la nécessité, mais de la possibilité. » Entre Dieu et l'homme s'étend non pas le vide, mais la formation de la fuite. Ce livre, ainsi que *L'Homme du néant* (*) et *De la désintégration des formes dans l'art moderne* [*Die Atomisierung in der Modernen Kunst,* 1954], contient des pages parmi les plus pénétrantes et les plus dures qui aient jamais été écrites sur le monde moderne, et une leçon de philosophie restituant à ce mot son sens premier : leçon de sagesse. — Trad. *La Fuite devant Dieu,* Presses universitaires de France, 1956 ; *De la désintégration des formes dans l'art moderne,* Emmanuel Vitte, 1960.

FUITE DU CAPTIF (La) [*Echasis cujusdam captivi per tropologiam*]. Fable latine en hexamètres léonins, composée probablement dans le couvent de Saint-Èvre, par un moine lorrain, entre 930 et 940 environ. Un veau, qui a quitté son troupeau, arrive dans la tanière d'un loup. Ce dernier lui raconte la fable d'Ésope, où l'on voit un renard qui guérit un lion avec la peau d'un loup. Entre-temps, le chien et le reste du troupeau, qui se sont mis en quête du fuyard, arrivent à la tanière. Un taureau pend le loup à un arbre ; et le veau retourne à son troupeau. Cette fable est évidemment allégorique. Le veau représente l'auteur qui, parti du couvent par désir de vivre dans le monde, y retourne, guidé par ses frères vers le salut. Nous avons là le plus ancien exemple de fable d'animaux datant du Moyen Âge, d'où l'importance littéraire de ce petit poème.

FUITE DU CERF (La) [*Hjortens Flugt*]. Poème de l'écrivain danois Christian Winther (1796-1876), publié en 1855. Le récit se déroule librement sur un fond historique : les événements de 1420, alors que le roi Éric de Poméranie combattait encore au Danemark avant d'en être définitivement chassé ; en arrière-plan, un Moyen Âge de convention, revu et corrigé par un tempérament romantique. Trois couples d'amoureux et les difficultés qu'ils rencontrent se trouvent au centre du récit : le seigneur Strange et Ellen, le roi Éric et la reine, enfin Jörgen et la paysanne Anna. Tous se trouvent sous l'influence malfaisante d'une jeune fille, Rhitra, qui se venge du refus que Strange lui a opposé. Son pouvoir magique cependant s'atténue et Strange peut enfin s'unir à Ellen. Rhitra sépare également le roi et la reine, Jörgen et Anna, mais elle finit dans ces deux intrigues par perdre également la partie. Le poème se compose d'une suite d'épisodes divers, qui se mêlent et se séparent avec beaucoup de naturel. Un de ces épisodes, purement lyrique, est la fuite du cerf de Gurre à Fensmark, qui donne à l'ouvrage son titre.

FUITE EN AFRIQUE [*Flight to Africa*]. Recueil de poèmes de l'écrivain irlandais Austin Clarke (1896-1974), publié en 1963. Ami et collaborateur de William Butler Yeats, Austin Clarke est l'un des meilleurs poètes irlandais de cette génération. Longtemps professeur à University College de Dublin, cet universitaire et critique littéraire, président de l'Académie irlandaise des lettres et du P.E.N., est aussi un romancier, auteur de *Les Chanteurs de Cashel* [*The Singing Men at Cashel,* 1936] et *Le Soleil danse à Pâques* [*The Sun dances at Easter,* 1952]. Sa réputation de poète repose surtout sur trois recueils : *Poèmes* [*Poems,* 1936], *Nouveaux Poèmes* [*Later Poems,* 1961] et *Fuite en Afrique.* Sa poésie est fort personnelle et débouche généralement sur des considérations religieuses et métaphysiques. Cet universitaire nourri d'une tradition culturelle à la fois classique et folklorique souffre de la difficulté d'apporter au catholicisme moderne une adhésion réfléchie dans le cadre de la situation actuelle de l'Irlande. Avant tout poète de la nature, influencé par la poésie antique et médiévale et par les traditions orales locales, Clarke a suivi une évolution assez semblable à celle de son ami Yeats (et peut-être influencée par elle), au point de parcourir le même itinéraire spirituel et surtout artistique. Il va ainsi d'un romantisme imagé et diffus vers une concision et une clarté « métaphysique » qui donnent parfois à ses vers la dureté de l'épigramme.

FUITE VERS LE PUR [*Fahrt ins Staublose*]. Sous ce titre, l'écrivain allemand Nelly Sachs (1891-1970) a groupé en 1961 ses quatre grands recueils : *Dans les demeures de la mort* [*In den Wohnungen des Todes,* 1946], *L'Obscurcissement des étoiles* [*Sternverdunkelung,* 1949], *Et personne ne sait comment continuer* [*Und niemand weiss weiter,* 1957], *Fuite et Transformation* [*Flucht und Verwandlung,* 1959] et deux cycles inédits de poèmes, *Fuite vers le pur* [*Fahrt ins Staublose,* 1961] et *La mort exalte encore la vie* [*Noch feiert Tod das Leben,* 1961]. Issue d'une famille juive aisée, Nelly Sachs parvint, de 1933 à 1941, à se cacher à Berlin avec sa mère malade. Son mari, ses enfants, ses amis furent assassinés. Avec l'aide de Selma Lagerlöf, elle réussit à passer en Suède, où elle continue à vivre. Nelly Sachs dit d'elle-même : « Mesure humaine perdue ; je suis la solitude / Que vous, mes frères et mes sœurs, cherchez en ce monde / Ô Israël, de la souffrance de ta fuite / Je suis un écho qui crie au ciel. » Nelly Sachs ressuscite dans ses poèmes la tragédie du judaïsme, elle le fait verbe et elle en est la voix. Voix prophétique : « Ma vie est tellement un entrelacs de douleur que je plonge chaque fois dans le feu pour y chercher les mots. Je suis tout hésitante, puis vient la nuit, et j'ose. » Arrachant au souvenir des paroles des conjurations dont la puissance rappelle l'Ancien Testament, Nelly Sachs évoque les « inscriptions mortuaires écrites dans l'éther à la mémoire des frères et des sœurs morts ».

Dans son premier recueil, *Dans les demeures de la mort,* l'auteur évoque le massacre des victimes innocentes, le sable d'Israël et du mont Sinaï, car le destin individuel est toujours relié chez elle à celui du peuple errant qui attend son heure. La mort, l'exil, le souvenir, la langue monotone (litanie des souffrances à travers une histoire millénaire), l'éclipse de la vie, la nuit qui s'est abattue sur le monde et qui engloutit les blés, les évocations bibliques et chrétiennes, la nostalgie du pays perdu sont les principaux thèmes de cette œuvre sans patrie réelle, sinon celle de l'angoisse. Nelly Sachs confère à l'exil une puissance de régénération, de retour aux sources, de renaissance en attendant la fin de la guerre. Son œuvre ne réclame ni vengeance ni remède : elle veut être tout entière mémoire. « Mais qui a vidé le sable de vos chaussures / Lorsque vous deviez vous lever pour mourir ? / Le sable qu'Israël apportait de chez lui / Son sable mourant ?... Ô doigts / Qui avez vidé le sable des chaussures des morts / Demain déjà vous serez poussière / Dans les chaussures de ceux à venir ! » Mort et étoile, sable et éternité, nostalgie et mystère, tels sont les mots qui reviennent sans cesse. L'étoile, image de la nostalgie, des lointains, d'une consolation qui n'est plus de ce monde, brille inlassablement au-dessus des demeures de la mort et, secrètement, éclaire les poèmes de Nelly Sachs, hantée par le désir d'entrer dans le « chœur des errants ».

Le second recueil, *L'Obscurcissement des étoiles,* exprime la nostalgie de la langue, de la terre natale, de la lumière des proches — nostalgie qui se change parfois en une douleur assombrissant l'éclat des étoiles. Pleins de ténèbres, ces poèmes disent toute l'atrocité de la séparation : « Monde, ne demande pas à ceux qui ont échappé à la mort / De te dire où ils vont / Ils vont toujours vers leur tombe. » La plupart des strophes expriment la lutte contre le silence, contre la solitude. « Une épine a fermé leur bouche / Leurs yeux les ont privés de leur langue / Ils parlent comme une fontaine / Où repose le cadavre d'un noyé. » Peu à peu cependant, le poème arraché au désespoir du silence devient le lieu où la parole retrouve sa « terre » ancienne, encore que, derrière l'apparence des mots, la douleur, la « langue apprise dans les larmes » cache le vide, ou l'adieu : « Adieu / Mot saignant par deux blessures / Hier encore voile de la mer / Avec le navire qui sombre / Épée au milieu / Hier encore mot transpercé / Par la mort des étoiles filantes / Gosier des rossignols / que rafraîchit minuit. » Il nous faut, en effet, dire adieu, jusqu'à ce que la mort dise : « Tais-toi », dire « adieu » sans savoir même si nous partons, où nous allons.

Cette attitude explique le titre du troisième recueil, *Et personne ne sait comment continuer,* qui garde aussi vivace et douloureux le souvenir de la fuite, des demeures de la mort et de la nuit, où les étoiles se sont obscurcies. « Voici venue l'heure astrale des réfugiés / Voici venue la fuite éperdue des réfugiés / Dans le haut mal, dans la mort / Voici la chute des étoiles arrachées à un emprisonnement magique / Du seuil, du foyer, du pain. »

Le quatrième recueil, *Fuite et Transformation,* exprime la force de la nostalgie pénétrant jusqu'aux mystères de la « fuite » et de la « transformation ». Ici, les abîmes des mots protègent contre tout ce qui est fugitif et destructeur ; la langue est devenue un charme protecteur, qui préserve de la cécité le regard jeté dans les profondeurs du mystère, et qui pardonne à la vie la certitude de la mort. La nostalgie a inspiré à Nelly Sachs des poèmes d'une puissance rare. Si la couleur n'a pas disparu, la lumière élémentaire des profondeurs traverse ses poèmes. La langue apprise dans les larmes s'est transformée en une langue du souffle, en une image de l'élémentaire et en même temps du monde intérieur. Maintenant, « les fils de la nostalgie courent sur les trajectoires nocturnes des astres » et « du sable est née la lumière ». Tout est soumis au changement suscité par la langue de la nostalgie contre l'immobilité et le silence : « Ainsi ai-je couru hors du mot : / Fragment de la nuit / Les bras étendus / Seulement une balance / Pour peser la fuite / Cette heure astrale / Tombe en poussière / Avec les traces de pas. » Dans les derniers poèmes, la nuit est le temps du repos, durant lequel « l'amour délivré inscrit sa constellation dans la liberté ». L'amour peut de nouveau être présent dans la fuite et la transformation, dans la nostalgie aussi, sur « cette terre qui ne laisse partir nul être sans qu'il ait été aimé ».

Les deux derniers recueils, *Fuite vers le pur* et *La mort exalte encore la vie*, montrent les chemins d'un amour délivré, les voies possibles d'une réconciliation, et affirment dans la liberté retrouvée que la terre et l'homme contiennent le seuil de l'harmonie dans l'amour. « Entre / Tes sourcils / Est ton origine / Code / Issu de l'oubli du sable. »

FUMÉE [*Dym*]. Roman de l'écrivain russe Ivan Sergueïevitch Tourgueniev (1818-1883), publié en 1867 alors que la renommée de l'auteur commençait à diminuer, ou tout au moins ne suscitait plus qu'un intérêt mineur. *Fumée* est une œuvre typique de Tourgueniev, tant par le côté gracieux et frais des descriptions de la nature, que par la richesse du détail dans la peinture des milieux et des personnages, exception faite pour Potouguin, qui est en quelque sorte le porte-parole de l'auteur.

nise avec sa nature rationnelle, l'auteur dépeint le conflit des affections sensuelles, à travers l'allégorie d'une guerre, déplorant la folie et l'infortune de celui qui, se trouvant en guerre avec lui-même, s'attire les critiques, le ridicule et le mépris. Avec quelle impétuosité s'épanche ici la passion du divin et de l'éternel : l'amour envers un Dieu intellectuel, pour qui Bruno se montre prêt à donner sa vie. Tout l'esprit de l'ouvrage est en fait constitué par l'acceptation de la mort, en vue de défendre le divin et l'éternel, célébrés et chantés par Giordano Bruno, avec la profondeur de pensée d'un philosophe, le souffle d'un orateur et l'inspiration d'un artiste. L'ouvrage comprend deux parties, contenant chacune cinq dialogues. Dans la première partie, il est démontré comment la lumière divine nous est toujours présente, frappant à la porte de nos sens, pénétrant ainsi dans notre âme, qui la change en Dieu ; dans cette progression, une part importante revient à la volonté, en tant qu'il lui incombe d'ordonner, de commencer, d'exécuter et d'accomplir. La deuxième partie envisage les conditions et les façons d'être dans l'état de fureur héroïque, ainsi que les raisons qui gênent et empêchent la claire vision et la puissance préhensive du divin ; on y parle en outre des neuf sphères où sont révélés le nombre, l'ordre et la diversité de toutes choses subsistant en unité absolue, dans lesquelles et au-dessus desquelles s'ordonnent les intelligences, qui toutes dépendent de la Première et Unique. Elle se conclut par une contemplation de l'harmonie de toutes les sphères, des intelligences et, de chose en chose, de la Divinité. Les poésies insérées dans ces dialogues, lorsqu'elles ne sont pas dues à Tansillo (1510-1568), furent primitivement composées, dit-on, dans une intention érotique et adaptées par la suite aux principes philosophiques.

Avec les *Fureurs héroïques* et ses autres œuvres constructives, Bruno franchit les limites du naturalisme pour déployer sa pensée dans l'intuition du divin. La vie, pour lui, est une aspiration qui réalise le divin en soi, tout en le transcendant par une fureur héroïque dans les choses particulières. Il prescrit donc à l'homme l'obligation héroïque de refaire le processus ascensionnel qui atteint à l'unité et la totalité de l'univers ; de réaliser la connaissance parfaite de l'idée ; de conquérir, enfin, le plus haut degré d'élévation morale. Dans cet acte d'ascension réside l'indissolubilité et l'identité de la réalité morale (le Bien) avec la réalité gnoséologique (la Vérité) et la réalité existentielle philosophique (l'Être). Ainsi, le monde est parfait, car, dans toutes ses parties, il reçoit sa vie de Dieu. Tout vient du bien, pour le bien, et possède le bien. Cependant, à la différence du papillon attiré vers la lumière, l'héroïque sait que dans la lumière il trouvera douleur et danger ; et pourtant, il s'efforce de l'atteindre, car douleur et danger n'ont pour lui qu'une valeur empirique. Il est même nécessaire que toutes les plus hautes aspirations soient liées à l'amertume. Cette œuvre est imprégnée d'une exaltation enthousiaste et d'une prise de position passionnée pour la conception cosmologique de l'infini, les idées métaphysiques sur l'unité du monde et la liberté philosophique, auxquelles les théories coperniciennes avaient ouvert de nouveaux horizons ; on y relève également la plus haute affirmation de l'émancipation de la pensée et des droits de la nature. Dans la pensée, tout en éclairs éblouissants, de Giordano Bruno, se trouvent en quelque sorte implicites Spinoza et Leibniz, Schelling et Hegel : toute la pensée du XVIIe et du XVIIIe siècle, semble y exploser dans le présage d'une emphase délirante et d'un jeu d'allégories incessantes et colorées. – Trad. Les Belles Lettres, 1954.

FURIES (Les) [*Le furie*]. Roman de l'écrivain italien Guido Piovene (1907-1974), publié en 1963. Dans ce livre touffu, sorte de confession autobiographique où l'auteur s'efforce d'exorciser un passé qui l'obsède, on retrouve les thèmes de *La Novice* (*) et de *Pitié contre pitié* (*) : la mauvaise conscience des riches, le mensonge, le relativisme psychologique, l'opposition de la mère et de la fille, la tentative du velléitaire de se revaloriser à ses propres yeux en jouant au puritain, au fasciste, au sauveur de filles perdues, thèmes que viennent rompre de multiples digressions sur la philosophie, la mystique, la technique du roman. De tous les personnages féminins – Teresa, la mère neurasthénique qui ne voit partout que décomposition et pourriture ; Angela, sa fille, dont la vocation religieuse est bien suspecte ; Carla, la femme entretenue, au jugement dur et lucide, qui se refuse aux compromis, surtout dans le dramatique affrontement auquel donne lieu son mariage avec l'hypocrite Antonion, et qui sombre dans la folie –, c'est de cette dernière dont Piovene fait le portrait le plus saisissant. – Trad. Grasset, 1965.

FUSÉES. Journal intime du poète français Charles Baudelaire (1821-1867), écrit vers 1851. Il a pris place parmi les œuvres posthumes du poète. Les dons de psychologue, de polémiste et de styliste de Baudelaire éclatent à chaque page. Ce n'est pourtant qu'un recueil de notes écrites au fil de la plume et qui n'évitent pas les répétitions. Plus d'une ébauche déjà tel thème des *Fleurs du mal* (*) ou des poèmes en prose du *Spleen de Paris* (*) : par exemple, ces quelques lignes qui contiennent en elles-mêmes tout le poème de l'*Invitation au voyage :* « Ces beaux et grands navires, imperceptiblement balancés (dandinés) sur des eaux tranquilles, ces robustes navires, à l'air désœuvré et nostalgique, ne nous disent-ils pas dans une langue muette : Quand partons-nous pour le bonheur ? » On y trouve aussi des pages intimes, des préceptes d'hygiène, des exhortations morales. Ces dernières surtout nous permettent de saisir la forme d'esprit de Baudelaire, capable de transformer l'incident le plus minime et de placer toutes ses expériences psychologiques sur le plan philosophique et universel. C'est pourquoi ces confessions sont toujours accompagnées de maximes assez mordantes. La religion y tient une grande place : « Dieu est le seul être qui, pour régner, n'ait même pas besoin d'exister. » « Il y a dans la prière une opération magique. La prière est une des grandes forces de la dynamique intellectuelle. Il y a là comme une récurrence électrique. » « L'Espagne met dans sa religion la férocité naturelle de l'amour. » « Le stoïcisme, religion qui a un seul sacrement : le suicide ! » Quelques définitions de l'amour sont demeurées célèbres : « Il y a dans l'acte d'amour une grande ressemblance avec la torture ou avec une opération chirurgicale » ; « L'amour veut sortir de soi, se confondre avec sa victime comme le vainqueur avec le vaincu, et cependant conserver des privilèges de conquérant. » Très connue également sa romantique définition du beau : « C'est quelque chose d'ardent et de triste, quelque chose d'un peu vague, laissant carrière à la conjecture... Une tête séduisante et belle, une tête de femme, veux-je dire, c'est une tête qui fait rêver à la fois — mais d'une manière confuse — de volupté et de tristesse ; qui comporte une idée de mélancolie, de lassitude, même de satiété — soit une idée contraire, c'est-à-dire une ardeur, un désir de vivre, associé avec une amertume refluante, comme venant de privation ou de désespérance. Le mystère, le regret sont aussi des caractères du Beau. » Le moindre feuillet constitue donc un trésor de pensées profondes sur les sujets les plus divers. Ce court journal se termine par quelques pages d'une terrible violence contre le matérialisme qui s'enracine de plus en plus dans la société moderne, sur la prédominance des intérêts matériels, sur la tyrannie de l'argent. Elles doivent être mises en parallèle avec les idées de Baudelaire sur la civilisation et avec ses attaques contre la notion de progrès — v. *Mon cœur mis à nu* (*).

FUSIL DE CHASSE (Le) [*Ryôjû*]. Roman de l'écrivain japonais Inoue Yasushi (1907-1991), qui a obtenu en 1950 la plus haute récompense littéraire au Japon, le prix Akutagawa. C'est un des premiers romans de l'auteur, journaliste connu, poète et l'un des plus grands écrivains actuels du Japon. Ce court récit, extrêmement condensé, est très représentatif de la technique japonaise, où l'effet de surprise savamment ménagé change constamment le point de vue du lecteur sur les événements et les personnages. Mais la technique rejoint la métaphysique, car ces coups de théâtre dévoilent l'« illusion », qui est l'essence même de la vie des protagonistes du drame. Le roman se compose de trois lettres écrites à un homme, Josuke, par trois femmes différentes. La première est écrite par la fille de celle qui a été sa maîtresse, à l'insu de tous, depuis treize ans et qui vient de se suicider. La jeune fille décrit son bouleversement à la découverte de cet amour secret, qui détruit l'image de sa mère, Saïko, et lui fait ressentir le monde des adultes comme « un monde de solitude, de tristesse et d'horreur ». La deuxième lettre, de sa propre femme, Midori, lui apprend que non seulement celle-ci connaissait sa liaison dès le début de leur mariage, mais que c'est cet aveu à sa cousine Saïko qui vient de provoquer son suicide. La lettre de Midori se termine par un adieu, car elle a résolu de divorcer. Mais la plus cruelle est la dernière lettre, écrite par Saïko avant de mourir, qui lui révèle que leur long et profond amour était une illusion de plus. Ce n'était pas la véritable Saïko qui aimait Josuke. Une nouvelle, qu'elle vient d'apprendre, va brusquement lui ôter toute envie de vivre et lui faire perdre conscience de ce Moi tout-puissant qui a décidé sa mort. Son mari, dont elle était divorcée depuis plus de quinze ans, s'est remarié ! Cet autre Moi, que la jeune femme symbolise dans son ultime lettre par un serpent enroulé sur lui-même, est la chose effroyable et inconnue que nous portons au-dedans de nous, le « chagrin d'être en vie », le « karma », le « destin », l'« égoïsme », la « solitude », que nul bonheur, nul amour ne peut étouffer, et qui surgit au moment où l'on s'y attend le moins. Et ces trois lettres, qui dévoilent au héros le triple visage de la réalité, le plongent dans une irrémédiable solitude. Le poème qui inaugure le roman s'éclaire ainsi, quand il évoque l'image d'un promeneur solitaire un soir d'automne, sur le mont Amagi, son fusil de chasse à l'épaule, cet « étincelant fusil de chasse » qui, « pesant de tout son poids sur le corps solitaire, / sur l'âme solitaire d'un homme entre deux âges, / irradie une étrange et sévère beauté, / qu'il ne montra jamais, / quand il était pointé contre une créature ». Cette solitude, qui est le thème principal des romans d'Inoue, est une solitude fondamentale de l'être, négation même de la vie, malgré la compassion envers les créatures, et dont la seule consolation est la beauté de la nature qu'exprime le poème, synthèse pénétrante de l'âme japonaise. — Trad. Stock, 1963.

FUTILITÉ [*Futility*]. Ce roman de l'écrivain anglais William Gerhardie (1895-1977) fut publié en 1922. Si les parents de l'écrivain sont anglais, le lieu de sa naissance, sa parfaite connaissance du russe (ainsi que du français et de l'allemand), enfin le rôle qu'il joua à la fin de la Première Guerre mondiale expliquent l'œuvre. Gerhardie était attaché militaire à Petrograd (Leningrad) quand fut déclenchée la révolution. Il fut ensuite désigné pour faire partie de la mission militaire britannique en Sibérie. Ces expériences sont la matière première du roman, et pourtant celui-ci ne peut pas être dit autobiographique : à tout le moins, il n'est pas imprégné de justifications dolentes ou vengeresses. Certes, c'est bien un jeune officier britannique qui gagne Vladivostok à travers la Sibérie, et conçu à l'image de l'auteur, et bientôt il sera incorporé à l'état-major de l'armée d'intervention contre le bolchevisme. Toutefois ce n'est pas tant de lui qu'il s'agit que de la futilité de l'entreprise interventionniste, elle-même mieux vue dans le microcosme d'une famille de Russes blancs. De cette famille le jeune homme est le membre supplétif ou honoraire, et dès lors n'a plus, dirait-on, qu'à parader avec elle qui s'accroît en cours d'exode de parents, d'amis, de serviteurs ; toujours accréditant des rumeurs heureuses ; jamais ne doutant de son bon droit ; enfin se nourrissant d'illusions inouïes. Il s'agit d'une comédie de mœurs, en elle-même remarquable de vivacité cocasse, mais qui atteint à une résonance supérieure. Les nuances baroques de l'irréalisme des personnages russes sont captées de façon légère et poignante, entre farce et tragédie. *Futilité* est un beau livre sur la fin d'un monde ; un peu comme si l'auteur tirait le rideau sur des personnages d'Anton Tchekhov.

Le second roman de Gerhardie, *Les Polyglottes* [*The Polyglots*, 1927], peut s'entendre comme une libre suite au premier : le narrateur n'est cette fois qu'un autre avatar de l'écrivain dans ses fonctions militaires ; il est en poste. Et apparaît maintenant une famille belge de longue date fixée dans la Russie des tsars. Ces deux livres ont fraîcheur et lucidité. Ici, la liberté de ton et la sûreté de trait de Gerhardie ont rarement été égalées dans les fictions contemporaines.

L'œuvre de cet auteur est assez considérable, mais après avoir quitté la Russie et le sujet très exceptionnel qu'il y a rencontré sur son chemin, la grâce l'a, en partie, déserté. Le procédé dont il a usé dans ses deux premiers romans — celui du roman qui se fait sous les yeux du lecteur — est repris dans le troisième, audacieusement intitulé *Résurrection* [*Resurrection*]. Le héros anglais, plus jeune, habite Petrograd. La vie mondaine ici décrite touchera moins que l'exode qu'est *Futilité*, et les expériences sur la métaphysique dans le temps, que rapporte le romancier, manquent à convaincre autant qu'en toute honnêteté il l'aurait voulu. — Trad. G. Villeneuve, Granit, à paraître.

FUYARD CROISE SA TRACE (Un) [*En flyktning Krysser sitt spor*]. Roman de l'écrivain norvégien Aksel Sandemose (1899-1965), publié en 1933. Dans *Un matelot de Norvège* (*), le personnage principal, Espen Arnakke, tue le séducteur de la jeune femme qu'il aime. Dans ce nouveau roman, nous trouvons l'explication psychologique de ce meurtre. L'auteur retrace l'enfance et l'adolescence du meurtrier dans sa petite ville danoise, et il montre que le motif de son acte de violence doit être recherché, non dans le mouvement d'un instant, mais dans l'influence du milieu où le criminel a vécu. Rêves et souvenirs viennent s'insérer dans la trame complexe du récit pour nous faire sentir quelle épaisseur de temps et d'expérience pèse sur chacune de nos minutes, et c'est sa réussite que d'avoir su conjuguer, imbriquer passé et présent au long de ce qui aurait pu n'être qu'un roman à thèse et devient ainsi comme une coupe à travers la vie.

G

GABRIELA, GIROFLE ET CANNELLE [*Gabriela, Cravo e canela*]. Roman de l'écrivain brésilien Jorge Amado (né en 1912), publié en 1958. Cette « chronique d'une ville de l'État de Bahia » est avant tout une histoire d'amour. Gabriela inaugure la galerie des femmes-héros d'Amado telles que dona Flor, Tereza Batista ou Tieta d'Agreste. La mulâtresse sensuelle échappe au stéréotype sous la plume de l'écrivain bahianais, car toute la séduction de Gabriela provient d'une innocence à la fois angélique (comme pourrait l'indiquer son propre nom) et malicieuse. Elle n'est que sourires, et lorsque Nacib, le patron du bar « Le Vésuve », la voit pour la première fois, elle est en train de se baigner en chantant : « La vie était bonne, il suffisait de la vivre. » Cette jubilation rattache l'héroïne au mythe du bon sauvage et à la nostalgie du paradis perdu. Elle sort de son bain comme une Vénus du sertão, surgissant de la nature. Cette joyeuse pauvresse, que Nacib va engager comme cuisinière, se révélera une merveilleuse maîtresse, mais elle ne pourra supporter la respectabilité des liens du mariage auxquels elle s'est laissé attacher. Elle va se rebeller et exiger l'annulation de son mariage pour retrouver les joies d'une liaison librement consentie qui lui permet de braver le « machisme » de la société du Nordeste. Quand elle trahit Nacib, ce dernier la roue de coups. Mais elle voit moins dans cette brutalité une réaction possessive qu'une preuve d'attachement. Ce roman aux péripéties rocambolesques et aux personnages multiples et hauts en couleur est l'un des moments les plus accomplis de l'œuvre d'Amado, ce merveilleux conteur d'histoires régionales. L'intrigue permet à l'auteur d'initier le lecteur aux us et coutumes de Bahia, à sa cuisine, à ses rites et surtout à sa magie. Cette dimension pittoresque nourrie d'humour a conquis un public international charmé par une matière exotique si savoureusement rendue. En effet, la prose amadienne ne se contente pas de reprendre des expressions populaires, elle épouse le rythme incantatoire de la littérature de colportage et elle obéit à une impulsion intérieure qui emporte l'adhésion du lecteur. Ce roman ne dissocie pas l'histoire d'amour de la tendre exaltation de Bahia, la « bonne terre ». Le foisonnement pittoresque du récit atteint souvent les accents d'un poème. L'éminent critique littéraire Antonio Candido de Mello e Souza souligne les raisons du charme de l'œuvre d'Amado et singulièrement de *Gabriela* : « Grâce aux thèmes de l'eau, de la forêt, de la nuit et du vent, Amado inscrit son œuvre dans l'univers, en lui donnant un sens tellurique. Mais, dominant ces thèmes, il place le thème humain de l'amour, qui plane sur eux. L'amour charge les pages de ses romans d'une tension sourde dont la rumeur domine les autres passions. Dans la littérature brésilienne moderne, Jorge Amado est le plus grand romancier de l'amour, force de chair et de sang qui entraîne ses personnages dans un climat lyrique extraordinaire. L'amour des riches et celui des pauvres, l'amour des Noirs, des ouvriers, qui jusque-là n'avait été qu'édulcoré par la littérature bucolique ou bestialisé par les naturalistes. » — Trad. Stock, 1971.

M. C.

GABRIEL CONROY. Roman de l'écrivain américain Bret Harte (1836-1902), publié en 1876. Le héros, Gabriel Conroy, est un humble mineur que la fièvre de l'or a attiré en Californie, lors de la découverte des filons aurifères de cette région. Après avoir échappé aux terribles épreuves du voyage, durant lequel ses compagnons ont presque tous succombé au froid et aux privations, il s'établit à One Horse Gulch avec sa sœur Olympia, surnommée Olly, à laquelle il sert de père. Il épouse la veuve du savant docteur Devarges, qui est mort durant la tragique randonnée, et avec l'aide d'un de ses anciens compagnons de misère, le banquier Dumphy, il entreprend l'exploitation d'une mine d'argent. Celle-ci a été découverte par le docteur qui, au moment de mourir, en a fait don à sa femme Grace, alors que celle-ci se préparait à partir en compagnie d'Arthur Poinsett, « alias » Philipp Ashley, à la recherche de secours pour son mari mourant de faim et de froid. L'intrigue du roman, située dans le village de One Horse Gulch, se déplace en maintes circonstances à San Francisco et en d'autres lieux, afin de permettre à l'auteur de décrire la vie des protagonistes secondaires tels qu'Arthur Poinsett devenu avocat, le banquier Dumphy, Jack Hamlin, Maria Sépulvida ou la séduisante Dolorès Salvatierra. Les scènes de jalousie suivent les rendez-vous romantiques, les oppositions d'intérêts se résolvent par des falsifications de documents ou des tentatives de lynchage, des évasions et des poursuites et un procès pour homicide suivi de la reconnaissance finale ; tout cela produit une impression assez confuse lors de la lecture de l'ouvrage, qui s'apparente au roman d'aventures et même, par sa taille, au roman feuilleton. Le procédé qui consiste à passer sous silence certains faits, dans le but d'accroître l'intérêt, contribue à compliquer la trame romanesque qui devient souvent peu convaincante. Au procès par lequel s'achève le roman est mise en lumière l'abnégation du héros, qui tait son innocence afin de sauver sa femme, qu'il croit d'ailleurs coupable, sans que pour autant soient clarifiés de nombreux points, restés mystérieux, de l'intrigue.

GABRIÉLIADE (La) [*Gavriiliada*]. Poème de l'écrivain russe Alexandre Sergueïevitch Pouchkine (1799-1837), écrit en 1821, publié à Londres en 1861, à Moscou en 1919. Sur la paternité de cet ouvrage, les opinions sont restées longtemps partagées. Les dates tardives de publication s'expliquent par le caractère sacrilège du poème. Des raisons multiples ont suscité chez le jeune Pouchkine un esprit de dénigrement à l'égard de la religion. Cet esprit s'est donné carrière au printemps 1821. Déporté à Kichinev, pour quelques vers prétendument séditieux, Pouchkine y rongeait son frein. C'est dire qu'il était singulièrement porté à la révolte contre l'idéologie officielle. Une véritable bigoterie étant imposée par le Trône, lui, poète, se révolta en vrai poète. Il faut aussi tenir compte de l'influence du XVIIIe siècle français, de *La Pucelle* – v. *Jeanne d'Arc* (*) – de Voltaire et de *La Guerre des dieux anciens et modernes* (*), de Parny. La société s'amusait volontiers des œuvres dites sacrilèges, à la condition d'y trouver de l'esprit. Pouchkine en avait à revendre. D'ailleurs, ses sacrilèges à lui n'étaient pas méchants, c'était, au vrai, de l'espièglerie plus qu'autre chose. Justement, « l'espièglerie », telle est la définition donnée à *La Gabriéliade* par le prince Viazemski, écrivain connu et ami de Pouchkine. Par ailleurs, il ne faut pas oublier que l'esprit de parodie fut toujours familier à Pouchkine. Il y a, en outre, une grande différence entre les sacrilèges de *La Gabriéliade* et ceux des ouvrages de Parny. Ce dernier entrait en guerre contre la religion. Rien de semblable chez Pouchkine, mais un athéisme empreint de gaieté, d'insouciance et de joie de vivre. Le titre de l'ouvrage évoque le nom de l'archange Gabriel. Ce poème, d'une forme exquise, a comme sujet la triple aventure de la Sainte Vierge avec le Malin, avec l'archange Gabriel, et avec la colombe qui représente le Saint-Esprit. Pouchkine s'est inspiré de quelques versets des Évangiles apocryphes, en transposant les paroles en action. C'est ainsi que, dans l'*Évangile* de Jacques – v. *Apocryphes du Nouveau Testament* (*) –, saint Joseph se lamente, ignorant encore la vérité : « Comment vais-je me disculper devant Dieu ?... Le serpent... trouva Ève seule et la trompa. En vérité, il m'arrive la même chose... » Dans l'*Évangile* apocryphe selon saint Matthieu, les jeunes compagnes de Marie s'expliquent ainsi à saint Joseph : « L'ange de Dieu s'entretenait avec elle tous les jours... Si tu veux connaître nos pensées, personne ne pouvait la rendre enceinte, sinon l'ange de Dieu. » Ce poème contient un discours du Malin à Marie sur la signification du péché originel, qui est une merveille d'astuce – sans parler du combat entre l'archange Gabriel et Satan, lequel se termine à la honte du Malin. Il va de soi que tout cela ne pouvait échapper à la censure. Le poème circula longtemps sous le manteau, copié et recopié. Enfin, en 1828, Nicolas Ier fit faire une enquête. Ayant d'abord nié qu'il était l'auteur du poème, Pouchkine finit par jeter le masque. Sa lettre et la réponse du tsar ont été perdues, mais il nous reste la résolution définitive de Nicolas Ier : « Cette affaire m'est à présent connue à fond et donc elle est terminée. »

À l'apogée de son génie, Pouchkine, ayant depuis longtemps dépassé l'athéisme de ses jeunes années, regrettait amèrement cette œuvre de jeunesse. Le poème garde cependant son importance, car il permet de mieux comprendre une certaine étape de l'évolution de Pouchkine comme homme et comme poète. – Trad. *Œuvres poétiques*, t. 1, L'Âge d'Homme, 1981.

GAGNANTS (Les) [*Los premios*]. Œuvre de l'écrivain argentin Julio Cortázar (1914-1984), publiée en 1960. Le sujet est une croisière de vacances que fait un groupe de personnages de Buenos Aires, car ils ont tiré des numéros gagnants à une loterie. Il y a là un riche industriel, un correcteur d'épreuves, Persio, et une famille de la petite bourgeoisie. Le croiseur sur lequel ils prennent place est un mystérieux bateau et, à mesure que l'heure du départ approche, les activités à bord deviennent de plus en plus étranges. Pour une raison inconnue, l'arrière du navire a été fermé et un règlement rigoureux en interdit l'accès. Les passagers ne savent pas ce qui se passe à l'intérieur et, d'ailleurs, ils n'ont aucune communication avec l'équipage. On soupçonne une possible mutinerie. Ou quelque trafic illégal. On ne comprend rien à la situation, mais elle est grave, apparemment. Le groupe est un cercle infernal, dirigé par un maître invisible et diabolique. Au fil des jours, les passagers se divisent en deux camps : ceux qui acceptent le système et ceux qui veulent franchir les limites de l'interdit. Après l'assassinat de l'un des leurs, tous regagnent Buenos Aires où chacun reprend sans difficulté sa vie quotidienne. Dans ce roman, Cortázar semble développer sa conception du « groupe ». Selon lui, « à part notre sort individuel, nous faisons tous partie sans nous en douter de destins plus grands », collectifs, unis par des liens « qui défient toute explication rationnelle et qui n'ont rien à voir avec les liens humains ordinaires qui unissent les gens ». Persio, qui est le seul à avoir une vision totale et unificatrice des événements, incarne ici cette conception. — Trad. Fayard, 1961. C. C.

GAIETÉS DE L'ESCADRON (Les). Première œuvre de l'écrivain français Georges Courteline (1858-1929), publiée en 1886 et portée ensuite au théâtre. D'un bref séjour à la caserne, Courteline avait gardé un souvenir détestable et ce recueil de saynètes, d'esquisses, de contes dialogués forme une satire très vivante des travers de la vie militaire. On ne saurait cependant assimiler *Les Gaietés de l'escadron* à la littérature antimilitariste, qui commença de fleurir à l'époque, et Hurluret n'est pas Ramollot... Le comique de l'œuvre tient aux caractères plus qu'aux situations. Courteline a su créer des types : l'adjudant Flick, raté, haineux, le règlement fait homme et monstre, brute dans toute l'acception et toute l'infamie du mot, à tel point haï de la troupe qu'une nuit, pendant sa ronde, il est assailli par une bande de soldats conjurés. Car la hiérarchie militaire, chez Courteline, est vue exclusivement du point de vue du « deuxième classe ». Le sous-off en est le degré le plus haïssable, généralement dépourvu de toute humanité et Courteline ne craint pas d'en accroître encore la déformation professionnelle. L'officier présentera parfois un visage plus propice : tel est celui du célèbre capitaine Hurluret, sorti des rangs, ivrogne et bon enfant, qui a d'ailleurs réellement existé et qui fut l'ami de Courteline. À l'arrivé des « bleus », il adresse à ceux-ci des harangues cordiales et grandiloquentes les assurant que le régiment est une grande famille dont les officiers sont les pères et les hommes les rameaux. Le comique de Courteline excelle à dépeindre les absurdités d'une discipline qui, trop poussée, provoque l'injustice et l'anarchie. Lagrappe est le modèle du soldat obéissant. À cause d'un furoncle, le major l'exempte de cravate. Comme il veut quitter la caserne le col ouvert, l'adjudant lui fait remettre sa cravate. En ville, le major la lui fait ôter. Mais le colonel la lui fait remettre. Enfin, le pauvre Lagrappe rencontre en même temps le colonel et le major : les autorités vont-elles se déchirer ? Pas du tout : Lagrappe aura quinze jours de prison, de la part du major, pour avoir gardé sa cravate et quinze jours de la part du colonel pour l'avoir ôtée...

GAI SAVOIR (Le) [*Die fröliche Wissenschaft, « la gaya scienza »*]. Ouvrage philosophique en prose et en vers du philosophe allemand Friedrich Nietzsche (1844-1900), écrit entre 1881 et 1887 ; les éditions posthumes ajoutèrent au volume des poésies de la période 1871-1888 (*Werke*, par E. Förster-Nietzsche, Leipzig, 1896-1911). Le titre de l'ouvrage se réfère à la poésie des trouvères provençaux, appelée « gaya scienza », « gai saber », en tant que synthèse de chant, de chevalerie et de liberté d'esprit. Écrit entre deux crises de sa terrible maladie, cet ouvrage, « dans lequel profondeur et malice se tiennent tendrement par la main », est parcouru par le sentiment de la victoire spirituelle sur la tyrannie du mal, victoire remportée en acceptant la vie et sans même refuser la douleur. L'amour de la vie est ici compris comme une coïncidence de soi avec le destin (« egofatum »), comme un « amor fati » interdisant toute négation, ne permettant même pas de lutter contre la laideur et « d'accuser les accusateurs ». Le Prologue en vers comporte soixante-trois épigrammes symboliques, justifiant pour la plupart le titre de « Plaisanterie, Ruse et Vengeance », tandis que certaines, comme « Ecce Homo », sont empreintes d'un souffle plus ample. Viennent ensuite cinq livres d'aphorismes. Tout y relève de cette tonalité sentimentale que Nietzsche attribuait à Épicure, l'homme qui trouva le bonheur bien qu'il souffrît toute sa vie : le bonheur d'un regard qui a vu s'apaiser devant lui la mer de l'existence et ne se lasse plus de contempler « cette surface chatoyante, cet épiderme délicat et frissonnant ». Dans un tel sentiment, le drame lui-même de l'incompréhension entre amis atteint à une haute signification tout en étant dénué de douleur, car n'est-il pas inéluctable et sacré comme les trajectoires différentes de deux astres : voir, à ce propos, « Amitié stellaire », qui fait probablement allusion à son détachement de Wagner. Aux yeux de Nietzsche, l'idéal apparaît sous sa forme concrète dans la vie des peuples méditerranéens. La personnalité est, en substance, ce qui doit primer en toute chose, particulièrement en philosophie : le manque de personnalité signifie décadence de la pensée, car les grands problèmes exigent le « grand » amour (345). Ces affirmations révèlent une inspiration héroïque, exprimée dans les pen-

que dans la réflexion approfondie à laquelle Della Casa se livre au sujet de la notion même de « manières », et de la signification que les manières ont dans la vie sociale. Il entend nous enseigner en effet « ce qu'il convient de faire pour être bien éduqué, plaisant et de belles manières dans les échanges et les rapports entre les gens ». L'homme est un animal fait pour vivre en société, comme l'avait déjà dit Aristote, or la vie sociale n'est tolérable que si les heurts et les froissements qu'elle engendre inévitablement sont réduits au minimum, et si est évité tout « ce qui déplaît aux sens, à l'appétit, à l'entendement ». Loin d'être frivole, le sujet est donc d'une gravité extrême, puisqu'il met en jeu la liberté et le bonheur des hommes.

Les règles du comportement relèvent moins d'un code rationnel rigide que du tact, du « discernement ». Della Casa, comme Castiglione avant lui, étend au comportement dans son entier ce que la rhétorique classique avait dit du discours, à savoir qu'il doit obéir à l'exigence de la convenance et de l'accord, accord avec soi-même et avec les autres, en fonction des circonstances changeantes. Les manières acquièrent ainsi leur pertinence, et aussi leur « grâce », leur « élégance » : « Il ne faut pas se contenter seulement de faire les choses bonnes, mais il faut s'appliquer aussi à les faire avec élégance. » — Trad. Quai Voltaire, 1988 ; Livre de Poche, 1991.

A. Po.

GALEOTES (Les) [*Los Galeotes*]. Comédie espagnole en quatre actes et en prose des frères Serafín (1871-1938) et Joaquín (1873-1944) Alvarez Quintero. Elle fut représentée pour la première fois en 1900. Don Miguel, un libraire aisé, retrouve un jour un vieil ami, Morsés Galeote, lequel est tombé dans la misère la plus noire. Généreusement, don Miguel lui offre de venir habiter sous son toit avec son fils Mario et la jeune Carita, sa fille adoptive. Don Miguel croit qu'ils pourront ainsi se relever. Hélas ! les Galeotes sont encore plus avilis moralement que matériellement ; ils feront tout pour le décevoir. Mario Galeote, poussé par son père, se met à courtiser Gloria, la fille de don Miguel. Ce faisant, il n'a qu'un but : vivre aux crochets de don Miguel. Il se fait passer aux yeux de la jeune fille pour une sorte d'Ulysse, sur qui s'est acharnée la malchance, et y réussit à merveille, car elle est naïve et sentimentale. Carita sauvera partout la situation. Elle n'est guère, au fond, qu'une fleur du ruisseau, mais attachée à ses nouveaux protecteurs, qui se sont montrés meilleurs pour elle que ses parents adoptifs. Elle révèle, à temps, à don Miguel la louche intrigue en question. Ainsi, les Galeotes seront-ils définitivement démasqués et mis à la porte. Quant à Carita, elle trouvera, dans l'affection de sa nouvelle famille, une récompense à son dévouement. Cette pièce est l'une des rares comédies où les auteurs aient mis en scène des êtres foncièrement mauvais. C'est pourquoi *Les Galeotes* méritent une place à part dans leur théâtre. L'optimisme est, en général, la clef de voûte de l'œuvre dramatique des Quintero : il finit tout de même par se faire jour dans cette pièce, puisque, si le mal existe, il est en définitive impuissant contre le bien.

GALERIE DES MURMURES (La) [*The Whispering Gallery*]. Ce titre, emprunté à un poème de George Barker, est celui de l'autobiographie — tome I — de l'écrivain anglais John Lehmann (1907-1988). À ce premier volume, publié en 1955 (et contenant la vie de l'auteur jusqu'à la Seconde Guerre mondiale), une suite, *Je suis mon frère* [*I am my Brother*, 1960], parut cinq années plus tard (traitant de la guerre même). Un troisième volume, *La Grande Affaire* [*The Ample Proposition*], parut en 1966. L'intérêt des deux premiers volumes tient à la description d'un milieu et d'un arrière-plan familiaux ; à l'expérience spirituelle d'un auteur partagé entre la vocation de poète et celle de découvreur de talents littéraires ; mais surtout à une excellente connaissance d'un moment des lettres anglaises. John Lehmann était l'enfant dernier-né d'une famille connue. Son père, en partie d'origine allemande, collaborait à *Punch*. Sa sœur Beatrix était une actrice remarquable et sa sœur Rosamond une romancière douée. Sa propre enfance fut celle d'un garçon heureux que des gouvernantes élevaient. Plus tard, il fréquenta Eton. Là, il fit la connaissance, entre autres, de Cyril Connolly, Anthony Powell et Eric Blair (George Orwell). Puis, Cambridge. Parmi ses premiers amis : W. H. Auden, Christopher Isherwood, Stephen Spender, William Plomer... Pendant ses premières années de maturité, il voyagea à travers le continent européen, Russie soviétique incluse. À l'image de ses amis poètes – notamment le trio Auden, Isherwood, Spender –, il se déclara antifasciste au cours des années 30. À lire le récit de son aventure, on pense à la « rêveuse bourgeoisie » de Drieu la Rochelle, version anglaise. Quant à sa propre poésie (quatre recueils), le meilleur s'en dégage à travers le quiétisme heureux de différents moments évoqués sur l'arrière-plan de la guerre. Ailleurs, cet intimiste semble indécis, anémique presque : comme si la conquête de sa propre facilité (une épreuve très réelle) lui échappait en fin de compte. Ou peut-être les dons manifestés par ses sœurs ont-ils inhibé un talent naturel. John Lehmann est aussi l'auteur d'une étude sur Edith Sitwell, de quelques essais et d'un roman. Son autobiographie est à la fois labyrinthe privé et recueil de sources. Les réticences ombrageuses de l'auteur font quelquefois écran quand il parle de lui-même, quoique son honnêteté touche — par exemple quand il avoue les limites de ses dons de poète, ou en peu de pages évoque un amour. En ce qui concerne l'évolution littéraire en Grande-Bretagne pendant les années 30, ces pages sont captivantes, et les spécialistes ne les ignoreraient pas sans dommage.

Par ailleurs Lehmann servit de lien entre le groupe Auden-Isherwood-Spender et la firme artisanale Hogarth Press de Leonard et Virginia Woolf. Il fonda et dirigea la revue *New Writing* qui publia deux numéros par an de 1936 à 1940 puis prolongea cette entreprise dans le livre de poche (*Penguin New Writing* : une revue d'inédits de qualité, pendant la guerre même diffusée sur plusieurs continents). Enfin, de 1954 à 1961 il édita — concurremment à *Horizon*, que dirigeait Cyril Connolly — une autre revue, le *London Magazine*. John Lehmann fut aussi pendant une quinzaine d'années une manière d'ambassadeur des jeunes lettres anglaises auprès de poètes et romanciers du continent, et réciproquement il fit connaître dans son pays différents auteurs étrangers.

GALERIE DES PERSONNAGES ÉLOQUENTS [*Majma' al-fosaha*]. Anthologie de la poésie persane de l'érudit et littérateur persan Hidâyat (pseud. de Réza-Qouli Khân) (1800-1871). C'est le dernier, et très certainement le meilleur ouvrage de l'auteur, qui reste un livre essentiel pour qui veut avoir une solide connaissance des poètes persans.

L'introduction porte sur l'histoire générale de la poésie persane. L'anthologie en elle-même comporte les biographies et des morceaux choisis de tous les poètes, les princes-poètes formant la première section. Enfin, l'auteur termine son ouvrage par une autobiographie et une anthologie de ses propres poèmes, composés sous son nom de plume de Hidâyat.

Tout naturellement doit s'annexer à cette anthologie la biographie des poètes mystiques, *Le Parterre des initiés* [*Riyâd al-arifin*], que l'auteur a composée pour le souverain Mohammad Châh. M.-H. P.

GALERIE DU PALAIS (La) ou l'Amie rivale. Comédie en cinq actes et en vers de Pierre Corneille (1606-1684), auteur dramatique français, représentée pour la première fois durant la saison théâtrale 1632-1633. Avec cette troisième comédie, Corneille confirme sa volonté d'établir solidement dans le paysage théâtral de l'époque, dominé par le genre de la tragi-comédie, un nouveau type de comédie, qui tourne le dos à la traditionnelle comédie d'intrigue à l'italienne en empruntant à la pastorale son schéma de relations entre les jeunes amoureux, donnant ainsi la première place aux dialogues amoureux, aux trahisons du cœur et aux émotions sentimentales. Dans ces comédies, explique-t-il en 1660, « j'ai presque toujours établi deux amants en bonne intelligence, je les ai brouillés ensemble par quelque fourbe, et les ai réunis par l'éclaircissement de cette même fourbe qui les séparait ». La variation qu'apporte *La Galerie du palais* par rapport à *Mélite* (*) tient au fait que ce n'est pas une fourbe qui sépare Lysandre et Célidée, mais le caractère volage de celle-ci, tout à la fois fatiguée par la constance de son amant et désireuse d'éprouver son amour. Pour la reconquérir, Lysandre décide de feindre d'aimer Hippolyte, voisine de Célidée, dont son ami Dorimant vient de tomber amoureux. De là une série de malentendus et de peines de cœur : Hippolyte, amoureuse de Lysandre, se laisse prendre au jeu avant d'être repoussée ; Célidée, désespérée d'avoir poussé son amant dans les bras d'une autre, n'obtient même pas d'être consolée par Dorimant ; et les deux garçons en viennent au duel, interrompu in extremis par Célidée, qui venait d'être informée de la feinte de son amant. Subtilité des complications amoureuses, émois du cœur, délicatesse de l'expression, *La Galerie du palais* est sans doute la plus jolie des quatre comédies qui précèdent *La Place royale* (*). Elle possède en outre une importance historique considérable, comme l'indique son titre : Corneille, soucieux de mettre les jeux amoureux de la pastorale à l'épreuve de la vie urbaine, et donc de se détacher et du cadre et du langage conventionnels du genre pastoral, a voulu souligner le caractère « réaliste » de cette nouvelle forme de comédie qu'il était en train d'inventer. Il va donc plus loin que dans *Mélite* et *La Veuve* (*), où cette quête de réalisme n'était sensible que dans le style de la conversation et dans le vocabulaire, en enracinant sa comédie dans Paris. Ainsi l'action ne se déroule plus dans un carrefour abstrait : l'essentiel est situé précisément dans le quartier du Marais, et plusieurs scènes se déroulent dans la galerie du Palais de justice, qui abritait toutes sortes de boutiques ; d'où l'apparition d'un libraire, d'un mercier et d'une lingère devant leurs étals, qui conversent avec les héros. Après une longue période d'oubli, qu'elle a partagé avec les autres comédies de Corneille, *La Galerie du palais* a retrouvé à la fin du XXe siècle des lecteurs et des spectateurs, émerveillés de découvrir un autre Corneille, non seulement inventeur d'une forme spécifiquement française de comédie, mais aussi styliste tout en simplicité et en délicatesse. G. F.

GALERIE OUVERTE (La) [*Wyrabany chodnik*]. Roman de l'écrivain polonais Gustaw Morcinek (1891-1963), publié en 1932. Ce roman, devenu classique, est un hommage rendu aux sentiments patriotiques des mineurs de Haute-Silésie opprimés par les Allemands avant l'indépendance de la Pologne. Basé sur une documentation historique détaillée et sur les expériences personnelles de l'auteur, silésien lui-même, il est, en fait, une chronique des événements qui ont eu lieu avant, pendant et après la Première Guerre mondiale. Morcinek non seulement exalte le dévouement patriotique des mineurs, mais montre aussi combien la moindre manifestation du sentiment national était, à l'époque, dangereuse et lourde de conséquences. En effet, les conflits sociaux revêtaient là un aspect plus compliqué qu'ailleurs car les patrons étaient allemands, les ouvriers polonais. Il suffisait qu'un Polonais se déclare allemand pour que sa misère et ses souffrances s'atténuent. Mais, comme le dit Morcinek, rares étaient ceux qui se décidaient à profiter de cet avantage. Toutes les parties du livre qui concernent le fonctionnement de la mine, la vie quotidienne des mineurs, les dangers auxquels ils sont exposés (la mort héroïque de Karlik, l'incendie de la mine) sont remarquables. Mais il a su créer un personnage idéaliste et attachant avec son héros, Gustlik, qui, semble-t-il, personnifie les traits de caractère, les idées et les aspirations de l'auteur.

GALETTES (Les) [*Kołacze*]. Petit poème de Szymon Szymonowic (1558-1629), fameux poète polonais qui écrivait en polonais et en latin, connu par ses contemporains sous le nom de Simon Simonidès. L'ouvrage fait partie d'une série d'idylles champêtres [sielanki], publiée en 1614, et qui se rattache à la poésie du siècle d'or, dominée par la figure de Ján Kochanowski. Bourgeois de naissance et d'éducation, élevé à l'étranger (probablement en France), Simon Simonidès, diplômé de l'université de Padoue, fut nommé par le roi Sigismond III poète de la Cour. Par la suite, sous l'influence du grand chancelier Zamojski, son protecteur, il s'installe à la campagne loin de la vie mondaine de la Cour. Sa nature même l'avait prédestiné à devenir le créateur de la poésie idyllique polonaise ; ses poèmes sont formés de petits tableaux qui lui ont été inspirés par la vie des nobles et des paysans et qui ne manquent pas de notations réalistes. C'est précisément dans ce genre que se classe la poésie intitulée *Les Galettes.* Le titre lui en a été inspiré par une sorte de tourte de forme ronde, appelée en polonais « Kołacz », faite de farine de froment ou de seigle et de fromage. En Pologne orientale, dont le poète était originaire, cette tourte était le gâteau traditionnel des fêtes de mariage ; on l'offrait alors avec une particulière solennité. Le petit poème chante le cérémonial qui marque l'alliance de deux familles de la noblesse polonaise du temps. Il commence par un chœur de jeunes filles, qui décrit toute la fête où la pie « annonciatrice des hôtes » signale l'arrivée du fiancé, un jeune seigneur. Il est anxieusement attendu par la jeune fille, par ses parents et par les invités. Il vient sur son cheval blanc pour épouser sa fiancée ; le point culminant du poème est le don de la galette traditionnelle. Après le chœur des jeunes filles qui occupe la plus grande partie du poème, les danses commencent, et sept couples chantent successivement. Ils offrent leurs vœux et font, pour finir, une allusion à la pie porte-bonheur dont la voix s'est fait entendre au début du poème. L'œuvre est d'une étonnante fraîcheur poétique.

GALIGAÏ. Roman de l'écrivain français François Mauriac (1885-1970), publié en 1952. L'action se déroule à Dorthe, petite ville du Bordelais. Armand et Julia Dubernet, riches bourgeois, vivent en compagnie de leur fille Marie, dix-sept ans, et de Mme Agathe, son institutrice. Marie s'est éprise de Gilles Salone, fils du médecin le plus réputé de l'endroit. Gilles a pour ami intime Nicolas Plassac qui, bien involontairement, inspire un fort sentiment à Mme Agathe. Afin de revoir Marie, Gilles décide Nicolas à simuler une attirance pour l'institutrice. Mme Agathe, à qui les deux jeunes gens ont donné le surnom de Galigaï, est une créature frêle et maladive, au corps disgracieux, dominé par un esprit fort et une volonté tenace. Elle « veut » Nicolas, aussi se rend-elle complice des rendez-vous secrets de Gilles et de Marie. Cependant, Nicolas, être doux, rêveur et poète, a une âme droite. Il répugne à tromper Mme Agathe, veuve précisons-le, aussi se décide-t-il, non sans répugnance et dégoût, à lui promettre le mariage. Julia Dubernet tombe gravement malade. Bientôt, elle doit être hospitalisée à Bordeaux. Gilles et Marie profitent de ce temps de répit pour se revoir, et deviennent amants. Mme Dubernet meurt : plus aucun obstacle, maintenant, pour que les jeunes gens se marient. Il va leur falloir seulement attendre quelques mois. Dans le même temps, Galigaï pense avoir définitivement conquis Nicolas, mais celui-ci a un sursaut désespéré, et la repousse, au cours d'une pénible discussion. Finalement, l'institutrice épousera M. Dubernet. Quant à Nicolas, sa vie débouche sur une calme solitude, chemin le plus sûr pour aller jusqu'à Dieu. Dans une postface, Mauriac pose le problème du romancier chrétien. Celui-ci doit-il peindre les êtres tels qu'ils se présentent dans la vie, ou bien les habiller de sentiments factices ? Doit-il nécessairement axer sa création sur la connaissance de Dieu ? « Il faut que le chrétien, s'il est romancier, se résigne à n'avoir d'autre excuse que sa vocation. »

GALÍNDEZ. Roman de l'écrivain espagnol Manuel Vázquez Montalbán (né en 1939), publié en 1990. Homme politique nationaliste basque, Jesús de Galíndez s'expatrie à l'issue de la guerre civile, en 1939, à Saint-Domingue, où il devient, probablement à la demande de ses amis politiques, un proche du dictateur Rafael Trujillo. À partir de 1946, il s'installe à New York, en qualité de représentant du gouvernement basque en exil auprès du département d'État américain. Ses critiques envers Trujillo lui valent alors une hostilité qui atteint son sommet lorsqu'il soutient, à l'université de Columbia, une thèse de doctorat hostile au régime du « Bienfaiteur » dominicain. Le 12 mars 1956, l'homme est enlevé en pleine Cinquième Avenue par un commando américano-dominicain. On ne le reverra plus, même si l'on sait maintenant qu'il a été longuement torturé puis jeté depuis un avion aux requins de la mer des Caraïbes. L'histoire, bien sûr, est authentique, suffisamment explosive pour provoquer, après un reportage publié par la revue *Life*, les réactions en chaîne qui conduiront à l'assassinat de Trujillo en 1961. Elle était destinée malgré tout aux oubliettes de la mémoire officielle. Trente ans plus tard, elle est patiemment reconstituée par Muriel Colbert, rousse universitaire américaine, fille de pasteur mormon, passionnée et vulnérable, qui a choisi « L'Éthique de la résistance » comme sujet de thèse doctorale. La jeune femme épuise le montant de sa bourse de recherche sur les traces de Galíndez. En Espagne d'abord, où elle vit quelque temps avec un jeune yuppie socialiste à qui le dénouement offrira l'occasion de se racheter de sa légèreté, puis à Saint-Domingue, où l'étau de forces qui la dépassent – l'anticastrisme cubain, les services secrets américains – finira par la broyer. Tout ce que le texte nous livre du destin de Galíndez, il le fait au travers des reconstitutions effectuées par la protagoniste. Dans ce double parallélisme éclate la virtuosité du romancier. Car si la jeune femme est un avatar féminin d'un Manuel Vázquez Montalbán qui porte le roman en lui depuis les années 60 et a consacré cinq années à en rassembler les matériaux, c'est dans la superposition de deux trajectoires, celles de Galíndez et de Muriel, par quoi la fiction prend le relais de l'histoire, que réside la force du texte et sa signification. L'éthique qu'il affiche est bien celle de la résistance à toutes les formes d'oppression, à toutes les formes de pouvoir. « Sans des gens comme Muriel, nous ne serions tous que des misérables. » Eux seuls en effet ont assez de courage, alors que s'affirme le refus de l'histoire, pour revendiquer jusqu'au bout la connaissance historique comme conscience du présent. – Trad. Le Seuil, 1992. G. T.

GALIONS D'AVRIL [*April Galleons*]. Recueil de poèmes de l'écrivain américain John Ashbery (né en 1927), paru en 1987. Le volume contient une grande variété de textes déjà publiés dans les magazines littéraires ou la grande presse, comme *The New Yorker*, ou *The Times Literary Supplement*, ce qui permet de mesurer la notoriété de l'écrivain, qui est grande. John Ashbery poursuit ici sa quête d'une poésie quasi abstraite, dont la vertu métaphysique abrite une sensibilité secrète et presque insaisissable. Mais on peut y voir peut-être comme un esprit de modération esthétique, qui distingue ce volume de l'autre livre majeur de John Ashbery, *Autoportrait dans un miroir convexe* (*), publié en 1975 conjointement en Grande-Bretagne et aux États-Unis. Après plusieurs décennies employées à l'expérimentation, la poésie contemporaine n'a plus besoin de se constituer en antimodèle. Le temps a passé. Dès le premier texte, Ashbery nous dit qu'il en est conscient : « Les siècles ont passé, / Tandis que les fleurs récitaient leurs vers / Et que les brochets s'agitaient au fond de l'étang. » Cette pointe d'ironie à l'égard des ressources du langage, si intimement liées à la nature qu'elles la rendent ridicule (des fleurs qui disent des vers pour être plus séduisantes encore et perdent leur simplicité d'être), signale le désir de John Ashbery d'être présent au monde avec plus de naturel et de simplicité. La rhétorique et la poétique font obstacle à la saisie immédiate d'un monde vrai. John Ashbery revit à sa manière la tragédie de Parménide tentant par le verbe de s'emparer d'un réel éternellement fuyant parce que refusant de se soumettre à la moindre rhétorique. Le poème qui donne son titre au recueil est le dernier. Ashbery évoque ces galions par un travail de la mémoire qui est aussi un travail poétique, donc marqué par l'artifice d'une forme esthétique, d'où la nostalgie que l'on y trouve. Les galions récitent, note Ashbery, des contes retraçant des conquêtes. Ils épousent la légende, sont eux-mêmes occupés par le verbe, et ce faisant perdent de leur substance et de leur force immédiate. On le voit, la poésie de John Ashbery est une poésie qui médite sur la poésie. Elle rassemble hauteur d'esprit, assurance intellectuelle, et, par vertu d'équilibre, doute sur ses propres forces esthétiques. L'art de l'incertitude que l'on y trouve, qui s'interroge sur les finalités de la création artistique, est une tradition très ancienne de la Nouvelle-Angleterre, déjà largement illustrée par Wallace Stevens. A. S.

GALLIA CHRISTIANA. Cette œuvre historique collective eut plusieurs éditions successives depuis le XVIIe siècle, fort différentes les unes des autres. C'est une vaste histoire ecclésiastique de la France, divisée en histoires des évêchés et des monastères. Le premier recueil qui porta ce titre fut l'œuvre d'un érudit français du XVIIe siècle, Claude Robert. Peu de temps après, la collection, qui n'avait encore été qu'ébauchée par Claude Robert, fut confiée à une dynastie d'érudits, les Sainte-Marthe. Les premiers de cette famille, Gaucher III dit Scévole II de Sainte-Marthe, et son frère Louis, entreprirent une nouvelle édition déjà beaucoup plus complète que celle de Robert. Ils reçurent les encouragements de l'Assemblée du clergé de France, en 1645. La mort des deux frères interrompit les travaux en cours, qui furent repris par les deux fils de Scévole II, Pierre-Abel et Nicolas. Ils en publièrent le premier volume en 1656. Dans cette édition, l'histoire ecclésiastique était traitée par archevêchés, évêchés et abbayes, eux-mêmes classés par ordre alphabétique. En 1710, l'Assemblée du clergé chargeait leurs descendants de reprendre l'œuvre sur un plan nouveau. Abel Louis de Sainte-Marthe, supérieur de l'Oratoire, et Denis de Sainte-Marthe, qui devait devenir supérieur général de la fameuse congrégation des bénédictins de Saint-Maur, adoptèrent le classement par provinces. Le nouvel ouvrage commença à voir le jour en 1715. Denis en publia trois volumes de son vivant, de 1715 à 1725, puis les bénédictins de Saint-Maur en firent paraître dix volumes de 1725 à la Révolution. Enfin, Hauréau termina l'ouvrage sous le second Empire, de 1856 à 1865. Cette édition, dont le titre complet est *Gallia christiana in provincias distributa*, est couramment désignée sous le nom de *Gallia christiana nova*, par opposition à la première édition des Sainte-Marthe, connue sous le nom de *Gallia christiana vetera*.

En 1895, le chanoine Albanès entreprit une *Gallia christiana novissima*. À sa mort, le chanoine Ulysse Chevalier continua l'œuvre. Elle comporte cinq volumes publiés à Montbéliard de 1895 à 1920, et ne dépasse pas le cadre des provinces d'Aix (1899), de Marseille (1899), de Saint-Paul-Trois-Châteaux (1909), de Toulon (1911), d'Orange (1916), d'Avignon (1920). À la différence de la *Gallia christiana nova*, la *Gallia christiana novissima* n'est qu'un recueil de documents. La *Gallia christiana* est une œuvre historique d'une importance capitale. En nous donnant l'histoire complète des évêchés et des monastères, elle offre un vaste panorama de l'histoire de France, surtout pour les époques où la vie de la nation se confondait pratiquement avec la vie de l'Église. C'est un de ces ouvrages monumentaux de l'érudition bénédictine, à partir desquels fut rendue possible la naissance de la science historique.

GALLIADE (La). Poème encyclopédique de l'humaniste français Guy Le Fèvre de La Boderie (1545-1598), publié en 1578 à Paris chez Guillaume Chaudière (seconde édition augmentée en 1582). Cette œuvre, dédiée au duc d'Alençon, frère de Henri III et protecteur de Le Fèvre, a pour but de réunir la France divisée et de porter témoignage d'un engagement philosophique et religieux précis : la pensée néo-platonicienne (telle que l'expriment Ficin et Jean Pic de La Mirandole) et la kabbale chrétienne (dans le sillage de Postel). Long poème (8 384 vers) en alexandrins, divisé en cinq « cercles », *La Galliade* a pour sujet principal le retour des sciences en Orient. En effet, après le Déluge, les sciences transmises à l'humanité par Noé ont été possédées successivement par les Hébreux, les Égyptiens, les Grecs, les Latins, les Italiens : elles sont parvenues (sous le règne de François Ier) chez les Gaulois, c'est-à-dire aux limites du monde occidental. Elles ne peuvent donc que revenir à leur lieu d'origine, permettant ainsi l'établissement d'une monarchie universelle dirigée par le roi de France. Le premier cercle expose l'histoire ecclésiastique du peuplement du monde depuis Noé, le deuxième l'éminente dignité de l'architecture. Consacré aux pratiques politiques et aux croyances philosophiques des druides, le troisième cercle précise les fondements historiques sur lesquels doit s'appuyer la France dans sa prétention à l'hégémonie. En développant les théories néo-platoniciennes sur la musique, le quatrième cercle place l'ensemble du poème sous la figure de l'harmonie du monde, ce que vient compléter le dernier cercle, qui traite des vicissitudes de la poésie avant son épanouissement définitif en Gaule. Ce poème se distingue des autres épopées par la volonté d'exprimer non la vraisemblance mais les desseins de Dieu sur le monde. Recourant à toute une tradition chrétienne et kabbaliste pour renforcer la doctrine des Pères, *La Galliade* développe une visée politique, apologétique, théologique et mystique, puisqu'il s'agit de représenter l'unité enfin retrouvée. Ainsi, plus que comme un poème théologique, il convient de considérer *La Galliade* comme une théologie poétique : seule la poésie permet d'assurer une lecture anagogique du monde. F. Rou.

GALLOIS OBSTINÉ (Le) [*Obstinate Cymric*]. Recueil d'essais de l'écrivain anglais John Cowper Powys (1872-1963), paru en 1947. Dix essais d'inégale importance composent ce volume. Deux sont consacrés à des écrivains : « Finnegans Wake » est une très belle étude sur Joyce l'Irlandais par Powys, son demi-frère gallois, et « La Vision simple » résume les thèmes du poète gallois Huw Menai. Sept autres essais cernent le fait gallois : le passé, la culture, les traits psychologiques de ce peuple, ainsi que ses rapports culturels avec la civilisation chinoise et son influence spirituelle sur les États-Unis d'Amérique. Mais c'est le dernier texte, « Ma philosophie aujourd'hui, et sa dette galloise », qui est le véritable essai de synthèse.

Étant donné qu'il n'existe pas de dessein dans la vie, Powys dit avoir faites siennes ces deux propositions : vivre d'abord pour ses propres sensations agréables, ensuite pour les sensations agréables des autres. Étant donné un « multivers » éternellement plastique, il dit avoir toujours pratiqué la méthode qui consiste « à obtenir ce qu'on veut en l'imaginant intensément ». Imaginer son avenir avec constance et vivacité, c'est créer celui-ci. De la même façon, l'avenir de l'univers planétaire n'est en rien déterminé, mais totalement obscur et prêt à être occupé par toutes sortes de possibilités, belles ou terribles. Autrement dit, Powys agit sur le possible et circonvient l'ironie en jetant perpétuellement, opiniâtrement, un pont entre le désir et l'accomplissement. Dans cette méthode, l'imagination est le souverain levier.

S'armant ensuite de l'autorité vénérée des grands humanistes du passé : Homère, Aristophane, Rabelais, Goethe, Powys attaque. Il s'en prend d'abord à l'hypocrisie de la doctrine chrétienne moderne de l'amour. « Cet " amour " christianisé est si baigné de sexe spongieux, sublimé, sanglotant-suppurant, pour tout dire antiséminal, qu'il se prête avec une intensité morbide à la relation incestueuse et contre-nature du sexe avec les Églises. » Il vilipende ensuite le maudit « inconscient », dans lequel on veut nous faire croire, cet horrible Styx plein des mouvements abortifs de copulations innombrables. Face aux horreurs qui nous entourent, deux lignes d'action sont possibles. La première consiste à « plonger dans l'élément destructeur », à prendre, si l'on peut dire, l'horreur par surprise. Il y faut, dit-il, de bonnes dents. La seconde méthode est l'opposé de la première. Elle consiste à détaler, purement et simplement. « Toute ma vie, j'ai fui un certain nombre de choses, et surtout moi-même. Ici ma philosophie autothérapeutique se heurte à une névrose pour laquelle, dans la psychanalyse de ma confection, j'ai dû trouver un nom : antinarcissisme. » Cette dernière phrase décrit bien, en effet, l'une des constantes majeures de la personnalité si originale de Powys : une sorte de besoin d'autoprofanation sociale, mais aussi morale et psychologique, justifié par son désir de faire sombrer le moi au niveau minimal et divin des éléments. Ce en quoi le paysage gallois, redécouvert à soixante ans, lui fournissait l'appoint longuement recherché. Pour hâter cette fuite, Powys se perçoit comme partie intégrante du flux cosmique lui-même. Et de citer Héraclite : « Tout coule, rien ne demeure. » Quant au « problème des problèmes, la survie après la mort », il avoue que sa « simplicité bovine » l'y laisse relativement indifférent. Il n'y a pas moins de preuves pour considérer l'annihilation totale comme probable.

C'est la dignité ultime qu'il confère à l'humour qui fait de cet essai une étape capitale dans la pensée de Powys. Vingt ans plus tôt, en effet, il ne voyait dans l'humour qu'une « explosion prématurée du désir sadique de blesser et de tourmenter tout ce qui est étrange et a-normal ». Il attribuait au Christ la qualité majeure de manque d'humour. Désormais, au contraire, il voit dans l'humour ce moelleux dénominateur commun de la tolérance et du bon sens, qui rend la vie possible et même agréable sans besoin de recours à l'amour chrétien, cette supercherie qui n'a plus rien à voir avec le sens communautaire et primitif des premiers chrétiens. Il n'est pas étonnant que le maître à vivre le plus cité dans cet essai soit Rabelais. Il a toujours été au nombre des élus de Powys, mais il prend ici la place royale dans la galerie des grands humanistes auxquels Powys, malgré tout son « élémentalisme » antihumaniste, se rallie finalement.

M. Gr.

GAMBARA. Nouvelle de l'écrivain français Honoré de Balzac (1799-1850), datée de juin 1837, qui fait partie des « Études philosophiques » avec *L'Enfant maudit* (*) (1831-1836) et *Massimilla Doni* (*) (1838). Elle est dédiée au marquis de Belloy, qui aurait parlé du personnage de Gambara dans une conversation avec Balzac : « Vous avez créé Gambara, ajoute Balzac, je ne l'ai qu'habillé. » Le jeune comte milanais, Andrea Marcosini, banni de sa patrie, s'éprend d'une jeune femme rencontrée dans la rue. Il la retrouve dans un très modeste restaurant tenu par un Napolitain, qui se prend pour un des plus grands cuisiniers du temps. La jeune femme, Marianna, y est accompagnée par son mari, un musicien à demi fou, à demi génial, tourné en dérision par les clients de l'établissement, qui forment une compagnie pittoresque d'artistes ratés. Pour détacher cette femme de l'homme qu'elle admire et qu'elle aime encore, bien que celui-ci la néglige pour ses travaux, Andrea s'insinue dans leur vie en prenant le rôle d'un riche mécène. Il s'aperçoit alors que l'artiste que tentent de chimériques esthétiques, mais dont les œuvres ne sont qu'un assemblage de sons discordants, invente et construit des instruments dont les harmonies sont célestes et sur lesquels ses compositions deviennent admirables. Comme Gambara ne renonce à ses erreurs que lorsqu'il est en état d'ivresse, le jeune mécène, pour sauver cet authentique génie qui se perd, lui fait prendre goût aux meilleurs crus d'Italie. Lorsque l'artiste s'aperçoit enfin que ses excès de boisson répugnent à sa fidèle compagne, il renonce à boire. Mais il est trop tard et Marianna s'enfuit avec Andrea, qui est devenu son amant. Six ans plus tard, abandonnée, elle revient vieille et abêtie à Paris. Ce n'est plus qu'une ruine que recueille le vieil artiste : celui-ci, ayant dû vendre les instruments qu'il avait inventés, a été contraint de se faire musicien ambulant. Tous deux s'en vont mendier dans les rues, en chantant les airs des grands opéras créés par le musicien et qui ne verront jamais le jour. Le personnage de Gambara est un des plus pittoresques de la galerie de portraits fantastiques que constituent les « Études philosophiques » — v. *La Comédie humaine* (*). Comme le héros du *Chef-d'œuvre inconnu* (*), il poursuit dans la solitude des recherches qui mettent en cause l'art même et qui ne sont le plus souvent que de vaines élucubrations. Mais Gambara est un ivrogne invétéré, et son ivresse lui donne, seule, le bon sens qu'il a perdu ; il se trouve devant une effrayante alternative : ou renoncer à la boisson et, par là, à son génie, ou s'y adonner et se perdre. Il a une conception toute personnelle de son art et veut créer la musique de l'avenir, mais ces recherches théoriques le détournent de toute réalisation pratique. Balzac, en nous présentant les conversations de Gambara et d'Andrea, ne peut s'empêcher d'exposer ses propres idées sur la musique, et de porter des jugements sur Beethoven et Rossini. Enfin, son souci de réalisme va jusqu'à employer un vocabulaire technique fort compliqué et à émailler son récit de mots italiens. Cette nouvelle, volontairement bizarre – dans sa dédicace, Balzac dit de Gambara : « ce personnage digne d'Hoffmann » –, use des meilleures ressources de la technique naturaliste. Il constitue la plus belle réussite de ce « réalisme magique » dont Balzac demeure le maître incontesté.

GAMBIT DU CAVALIER (Le) [*Knight's Gambit*]. Recueil de cinq nouvelles et d'un bref roman de l'écrivain américain William Faulkner (1897-1962), publié à New York le 7 novembre 1949. Ce livre relativement court et facile, Faulkner l'a composé au cours de sa laborieuse rédaction de *Parabole* (*), dont c'était la première interruption avant *L'Intrus* (*), et bien sûr, avant *Requiem pour une nonne* (*). Il n'est donc pas étonnant qu'on y trouve sinon des échos, du moins un souci correspondant à celui du « magnum opus » en élaboration. Les cinq premières histoires, qui constituent à peine plus de la moitié du livre, avaient déjà paru, de 1932 (« Fumée », curieusement omis de la traduction française du livre) à 1946 (« Une erreur de chimie »), dans des magazines. Le seul inédit, par conséquent, était alors « Le Gambit du cavalier », dont Faulkner avait commencé par écrire une version beaucoup plus courte qui est restée manuscrite.

La structure du recueil, publié sans sous-titre, évoque celle de *L'Invaincu* (*) et de *Descends, Moïse* (*), dont Faulkner avait fait disparaître le sous-titre (« et autres histoires ») dès le second tirage, contrairement aux simples recueils de nouvelles qu'étaient *Treize histoires* (*) et *Le Docteur Martino et autres histoires* (*). Pourtant, les liens chronologiques, thématiques et symboliques y sont beaucoup moins forts que dans *Descends, Moïse*. C'est donc plutôt vers *L'Invaincu* qu'il faut se tourner pour comprendre l'organisation du *Gambit du cavalier*, d'autant qu'ici, comme là, c'est la dernière nouvelle – ou *Novella* – qui donne au livre et son titre et sa perspective.

Le Gambit n'est donc pas, comme on l'a dit trop souvent, et trop hâtivement, un recueil de textes dont l'unité est seulement policière. Faulkner est d'ailleurs venu à la formule utilisée avant lui par Edgar Poe et Conan Doyle pour des raisons qui ne sont pas extérieures, mais inhérentes à son œuvre : sa conception de l'homme, du temps et de la liberté l'y menait logiquement. « Ce ne sont pas les réalités ni les circonstances qui nous étonnent ; c'est le choc de ce que nous aurions dû savoir, si seulement nous n'avions pas été si occupés à croire ce que, plus tard, nous découvrons avoir pris pour la vérité parce qu'il se trouvait que nous le croyions à ce moment. » Il y a un aspect policier dans bien d'autres œuvres que celles-ci : dans *Sanctuaire* (*), dans *Lumière d'août* (*), dans *Absalon !* (*). Le mouvement même du roman faulknérien est policier, qui nous plonge d'emblée dans le fait accompli et dont tout l'effort consiste ensuite à récupérer le pan de passé qui, en basculant dans le présent, a provoqué l'accomplissement définitif de la destinée des protagonistes. Seulement, dans les grands romans (surtout dans *Absalon !*) l'enquête est aussi une quête. On ne peut pas en dire autant de ce livre : *Le Gambit du cavalier* est un Faulkner relativement simple, où l'expérience tragique de la vie semble avoir cédé le pas à une méditation sur l'expérience en général, provoquée seulement par des expériences particulières, et, ici, policières.

Les cinq premières nouvelles ont pour théâtre cette partie du comté de Yoknapatawpha qui est peuplée de pauvres Blancs à la mentalité fruste et souvent violente (en 1957, à l'université de Virginie, Faulkner déclarera que « la violence est une caractéristique des pauvres »). Chaque nouvelle comporte deux meurtres, sauf « Demain », qui ne compte qu'un homicide à peu près légitime, et qui est aussi la seule où la sexualité, ou plutôt l'amour, joue un rôle. Dans tous les cas, Gavin Stevens, le justicier local, ne sait ou ne peut empêcher les meurtres, malgré la passion, et souvent la clairvoyance avec lesquelles il se jette dans les enquêtes. Comme l'homme faulknérien dans le temps faulknérien, il arrive toujours trop tard. Dans « Le Gambit du cavalier », au contraire, il parvient à prévenir un accident mortel. Il a vieilli et, comme il le dit à la dernière page du livre, il a fait des progrès. C'est donc lui et son évolution qui forment le fil directeur du livre. Car l'ironie veut que ce soit moins son neveu, le jeune Chick Mallison (héros de *L'Intrus*) que l'oncle lui-même qui apprenne à vivre au cours de ces enquêtes. C'est un personnage sympathique malgré sa verbosité, dont l'original n'était pas loin de l'auteur : Phil Stone, homme de loi et fils d'homme de loi d'Oxford, Mississippi, avait été son mentor et son ami pendant les années de formation. Gavin Stevens, avec son neveu, restera l'un des personnages principaux des deux derniers romans. « Sa personnalité, dit Faulkner, est divisée : d'une part, l'homme de loi, le procureur du comté qui marchait, respirait et déplaçait de l'air ; de l'autre, la voix diserte et facile, si diserte et facile qu'elle semblait n'avoir aucun rapport avec la réalité et que bientôt, à l'entendre, on n'évoquait même pas la fiction, mais la littérature. » Tel est Gavin Stevens, archétype de l'intellectuel aux bonnes intentions, au nom ironique (sire Gauvain) qui trouve son écho dans le titre ambigu du livre : le gambit du cavalier, c'est une ouverture aux échecs dans laquelle un joueur risque délibérément une ou plusieurs pièces mineures pour acquérir un avantage. On sait que Gavin, tout au long du dernier texte, joue aux échecs avec son neveu, qu'il bat d'ailleurs sans difficulté. Mais le « Knight » du titre, c'est aussi Gavin le chevalier de justice, dont tout le problème est d'avoir des mains sans les salir. Or, il ne réussit que ce 6 décembre 1941 (la veille de Pearl Harbor), dans la 4e partie du « Gambit », alors qu'il a fait la première guerre comme ambulancier et que les cinq premières histoires le voient dans les premières années de l'exercice de sa profession « libérale ». L'un des thèmes de Faulkner dans le livre est d'ailleurs d'opposer les générations : le neveu apprend le droit comme la stratégie des échecs de la bouche de son oncle. Mais pour apprendre à vivre, son oncle n'est qu'un piètre exemple, sinon un piètre commentateur. À la fin de la 4e partie du « Gambit », quand celui-ci retrouve enfin la femme dont il a perdu la main vingt ans auparavant en lui envoyant d'Europe une lettre qui était destinée à une Russe de Paris, Chick leur dit à tous deux : « Que Dieu vous bénisse, mes enfants. » Puis il part à la guerre, comme tous les jeunes gens valeureux de l'univers faulknérien, comme Stevens un quart de siècle plus tôt : mais il emporte dans son paquetage une connaissance acquise comme en négatif auprès de son oncle.

La valeur qui émerge est donc, comme dans *L'Intrus*, comme dans *Parabole*, la « capacité de l'homme à aimer », que l'auteur oppose, dans « Une erreur de chimie », au « mépris suprême de l'humanité ». Car la capacité d'aimer ne se dissocie pas chez Faulkner de la capacité de souffrir. Ici, le message rejoint *Les Palmiers sauvages* (*) et, naturellement, la grande figure archétypale de Dilsey dans *Le Bruit et la Fureur* (*). Ce sont là « les vieilles vérités universelles du cœur » dont Faulkner fera, pour les jeunes écrivains, l'argument principal de son discours du Nobel, un an plus tard. On sera sensible, dans *Le Gambit du cavalier*, à la symbolique de l'étalon. Le capitaine Gualdres qui, comme le colonel Sartoris, ne fait qu'un avec son cheval et paraît diminué, sinon mutilé, sans lui, représente une virilité manifeste et même arrogante, que cherche précisément à atteindre celui qui deviendra son beau-frère en lui offrant un cheval si sauvage qu'il doit le tuer à coup sûr. *Le Gambit du cavalier* n'est pas un livre si mince qu'on doive lui refuser place dans le canon de l'œuvre faulknérien. En faisant évoluer son justicier de la simple détection du crime, si acrobatique soit-elle, à sa prévention et donc à la prise de responsabilité, Faulkner fait le récit d'une « éducation », comme dans *L'Invaincu*, comme dans *Descends, Moïse*, comme dans *L'Intrus*. — Trad. par André du Bouchet, Gallimard, 1951. M. Gr.

GANT (Le) [*Der Handschuh*]. Ballade du poète et dramaturge allemand Johann Christoph Friedrich von Schiller (1759-1805), composée en 1797, année que Goethe et Schiller eux-mêmes surnommaient « l'année des ballades » (« das Balladenjahr »). Celle-ci est tirée d'une vieille légende médiévale, dont s'inspire le sujet d'un roman espagnol, *Ese conde Don Manuel*, roman dont Lope de Vega s'inspira à son tour pour sa comédie : *Le Gant de Doña Blanca*. L'anecdote est rapportée également dans les *Vies des dames galantes* (*) de Brantôme, mais Schiller le découvrit dans le volume I de l'*Essay historique sur Paris* de Saint-Foix. Avec *L'Anneau de Polycrate* (*) et *Le Plongeur* (*), cette ballade complète la trilogie des « ballades de la témérité ». Ni les dieux, ni les hommes ne doivent outrepasser ce qu'il est permis de faire. Qui ne tiendra pas compte de cette interdiction devra subir les conséquences de ses actes. Ainsi dans *Le Plongeur*, le page amoureux de la fille du roi paie son audace de sa vie ; dans *L'Anneau de Polycrate*, le tyran de Samos est châtié de la même manière par les dieux à qui il a manqué de respect. Et dans *Le Gant*, la demoiselle téméraire voit sa folle requête suivie de l'abandon de celui qu'elle aime. Les rythmes de l'ïambe, de l'anapeste, du trochée et du dactyle alternent avec bonheur dans les huit strophes de la ballade. L'argument en est le suivant : le roi François Ier a invité toute sa cour à un tournoi d'un nouveau genre : un combat entre des bêtes sauvages. Pendant que le roi, les dames et les hauts dignitaires attendent avec impatience, on introduit dans une cage un lion, un tigre et deux léopards. Leurs rugissements furieux montent jusqu'au balcon, d'où une jeune fille laisse tomber son gant, invitant le chevalier Delorges à l'aller chercher au milieu des bêtes sauvages, et à lui donner par là la preuve de son amour. Le chevalier obéit sans hésitation, ramasse le gant qu'il jette à la belle Cunégonde et s'éloigne définitivement, indigné de ce que l'on ait pu ainsi jouer avec la vie d'un homme. Schiller, qui dans les autres ballades atteint à des effets vraiment dramatiques, sacrifie la conduite du récit à la partie purement descriptive. De ce dernier point de vue, la ballade est une œuvre parfaite. La beauté de la langue, du rythme et des couleurs concourt à former un ensemble d'une haute tenue poétique, digne de la plume d'un très grand maître. — Trad. *Ballades*, Aubier-Montaigne, 1965.

GARCÍA DEL CASTAÑAR. Comédie dramatique en trois actes, en vers, de l'écrivain espagnol Francisco Rojas Zorrilla (1607-1648), connue aussi sous les titres : *Hormis le roi, personne* [*Del rey abajo, ninguno*] et *Le Paysan le plus honoré* [*El labrador más honrado*]. L'aventure, qui se déroule dans l'Espagne du XIVe siècle, remet en scène la lutte entre le sentiment de l'honneur et celui de la fidélité à la monarchie : un sujet qui, de Lope de Vega à Tirso de Molina, a été souvent traité dans le théâtre du Siècle d'or. García del Castañar, un riche paysan — véritable gentilhomme qui s'est exilé volontairement à la suite de la rébellion de son père –, est marié à une très belle femme, Blanca ; celle-ci est loin d'être une paysanne : en ses veines coule un sang bleu, mais elle l'ignore. Le roi (Alphonse XI), avec une petite suite de courtisans, rend visite incognito à García qui lui a généreusement fourni de l'argent, des armes et des soldats pour une guerre contre les Maures. García est averti par un ami de la visite du roi qui, lui dit-on, portera un ruban rouge. Mais, en cours de route, le roi veut récompenser don Mendo de ses services et le décore de son ruban. García fait semblant de ne pas les connaître et invite ses hôtes à un repas, servi par Blanca. Don Mendo s'éprend de la jeune femme et, pendant la nuit, sachant que García est à la chasse, il retourne à la ferme. Mais García, ayant égaré l'affût, rentre à temps pour assister à l'entrée de don Mendo qu'il prend (à cause de son ruban rouge) pour le roi, et le laisse repartir sain et sauf. Convaincu que Blanca l'a trompé avec le roi, et ne pouvant, en sujet obéissant, se venger sur celui-ci, García décide de racheter son honneur en tuant son épouse. Mais Blanca réussit à s'enfuir et à trouver refuge à la Cour. García y vient la retrouver, décidé à laver son honneur dans le sang. Une rencontre avec le roi dissipe l'équivoque : García tue don Mendo, et la comédie se termine sur une dramatique révélation : García est un gentilhomme. Cette qualité le sauve des conséquences de son geste, et sa loyauté de bon sujet lui vaut, de la part du roi, le pardon des fautes paternelles. Le déroulement naturel de l'action, la précision du dialogue, des caractères bien campés, font de ce drame un des chefs-d'œuvre du théâtre espagnol.

GARÇON ! [*Čelovek iz restorana*]. Récit de l'écrivain russe Ivan Chmeliov (1873-1950), publié en 1911. Ce récit rendit son auteur célèbre et fut traduit dans une quinzaine de langues. Le héros (qui est aussi le narrateur) est serveur dans un grand restaurant de Moscou (le titre russe est *Le Garçon de restaurant*). Il partage sa vie entre son travail, qui lui fait découvrir la dépravation des riches, et sa famille, logée dans un misérable meublé. Sa femme mourra, sa fille est séduite puis abandonnée, son fils, devenu révolutionnaire (on est à la veille de 1905) est chassé de son lycée puis arrêté. Après avoir vainement essayé de le « ramener à la raison », le héros s'éveille lui-même à la conscience de l'injustice sociale, mais à la violence il préfère « la force qui vient du Seigneur » : « C'est Dieu entrevu derrière des piles d'assiettes » (H. Troyat). Tout est vu et dit par le serveur-narrateur, d'une manière un peu gauche et naïve, mais perspicace et sarcastique, dans une langue émaillée d'expressions populaires. Chmeliov est un maître du « skaz », ou récit oral, genre illustré par Gogol, Dostoïevski et Leskov, dont il est l'héritier. Le thème des « petites gens » – qui remonte au *Manteau* (*) de Gogol –, des « humiliés et offensés » de Dostoïevski, celui, tourguéniévien, des « pères » et des « fils », comme celui (tolstoïen) du « peuple » moralement supérieur à la « tribu instruite » rattachent ce récit à la tradition de la littérature russe humaniste et critique. – Trad. Actes Sud, 1989. M. N.

GARÇON (Le) [*Il ragazzo*]. Comédie en cinq actes de l'écrivain italien Ludovico Dolce (1508-1568), publiée en 1541. C'est la première pièce de l'auteur vénitien. Si, par la figure de ses personnages, elle se ressent de l'influence de l'Arétin, elle s'inspire surtout de Plaute. Cesare, un vieillard, est tombé amoureux de la jeune Livia, devenant ainsi le rival de son fils Flaminio. Quand il croit pouvoir saisir sa proie, il découvre que la jeune fille vient d'être remplacée par un garçon. Flaminio, par contre, arrive à ses fins, tandis que la fille de Cesare s'enfuit avec son amant, et Caterina, la servante, avec l'argenterie. Cesare est fou de désespoir. Mais tout s'arrange à la fin. Car on découvre que le garçon est le frère de Livia. Quant à Caterina, elle revient avec son butin, et le parasite, qui a tramé toutes ces intrigues, mangera les restes du festin. Dans cette œuvre, Dolce remanie des sujets anciens, remis à la mode, du reste, par le théâtre de la Renaissance – v. *Clizia* (*) de Machiavel. Mais, ce faisant, il ne laisse pas d'innover, en composant une comédie amoureuse pleine d'esprit et dans le style de l'Arétin. Il a évité les lieux communs : l'Espagnol qui est l'amant de la fille de Cesare n'est pas le fanfaron habituel, mais un amoureux véritable. Valerio, le domestique, est loin de manquer de style : au lieu de tromper ses maîtres, il se charge de leur faire la morale. Il n'est pas un seul personnage qui ne présente quelque trait original et bouffon.

★ Il existe une traduction libre en langue française de cette comédie de Dolce. Publiée en 1579, elle s'intitule *Le Laquais* et a pour auteur Pierre de Larivey (vers 1540-1619). On ignore si elle fut jamais représentée. Son importance réside notamment dans le fait qu'elle a fait connaître en France cette comédie italienne dont Molière se souvint, peut-être, quand il écrivit *L'Avare* (*).

GARÇON ET L'AVEUGLE (Le). C'est la farce la plus ancienne (XIIIe siècle) du théâtre français du Moyen Âge : elle est antérieure de deux siècles à *La Farce de maître Pathelin* (*). Elle nous montre pour la première fois la paire que forment un aveugle et son guide, ce duo qui connaîtra un si grand succès dans ce genre de composition, et qui, passé en Espagne avec le Lazarille de Tormès – v. *Les Aventures du Lazarille de Tormès* (*) –, étayera tout un genre de satire sociale. Cette farce très courte met en scène un aveugle qui se lamente parce qu'il n'a pas de serviteur et qui en trouve un finalement dans la personne d'un garçon misérable en quête de travail. Ils font un accord : accompagnant son nouveau maître, le garçon demandera l'aumône et l'autre chantera des chansons ; ils gagneront ainsi de quoi vivre. Certes, les recettes ne sont pas bien grosses, mais l'aveugle possède quelque épargne. Aussi fêtent-ils leur réconciliation après une première dispute. Bien que l'aveugle soit digne de pitié en raison de sa condition, le jeune garçon se moque souvent de lui et lui joue plus d'un tour. Pour grossières que soient ces brimades, elles ne manquent pas de drôlerie. Au vrai, l'aveugle n'est pas meilleur que son serviteur : cynique en actes et en paroles, ivrogne, avare, c'est le type même du mendiant dépravé qui a toutes sortes de ruses pour s'attirer la compassion des petites gens. Il suffit de se rappeler ces mots qu'il adresse à son compagnon : « Apprends que le garçon d'un aveugle doit en savoir plus long que le diable. » Et l'autre saura montrer qu'il a compris la leçon. — *Le Garçon et l'Aveugle* a été édité par M. Roques, traduit et commenté par Jean Dufournet (Paris, Champion, 1989).

GARÇONNE (La). Roman de l'écrivain français Victor Margueritte (1866-1942), publié en 1922. Monique, la veille de son mariage, surprend son fiancé avec une autre femme. En proie à une profonde révolte, dans la nuit même, elle se donne à un inconnu, puis croyant trouver compréhension et indulgence, elle se confesse à ses parents. La constatation amère que, dans leur égoïsme, ils sont seulement préoccupés de couvrir le scandale et de conclure à tout prix le mariage conduit la jeune fille à abandonner le toit paternel pour vivre de son propre travail, loin de la société fausse et bourgeoise dont, jusqu'alors, elle a fait partie. Dans sa nouvelle existence, Monique est à la recherche d'un équilibre qu'elle substituera aux illusions perdues de sa jeunesse ; elle passe à travers toutes sortes d'expériences qui lui permettent de connaître jusqu'au fond les misères de la vie parisienne. Le désir d'avoir un enfant paraît quelque temps prévaloir en elle, mais quand elle a la certitude de ne pas pouvoir le réaliser, sans retenue, elle se laisse entraîner par le milieu équivoque qui l'entoure. Dans un cercle de cocaïnomanes, elle fait la connaissance de l'écrivain Mortail, qui s'éprend d'elle, et réussit à lui donner confiance en elle-même et en la vie. Mais les reproches constants que lui fait cet homme, à propos de son passé, et la jalousie qu'il en ressent menacent de faire sombrer Monique une seconde fois ; après une scène plus violente que d'habitude, au cours de laquelle son amant tentera de la tuer, la jeune femme se sépare de lui. Elle retrouvera finalement le bonheur avec un autre homme qui, depuis longtemps, se tenait silencieusement à côté d'elle et qui saura l'aimer comme elle est, pour ses qualités et même pour ses faiblesses. C'est un roman d'un réalisme cru qui, par la puissante représentation qu'il donne des mœurs sexuelles de l'après-guerre, eut une importante résonance dans la littérature de l'époque. Ce roman fut adapté pour la scène et représenté pour la première fois au Théâtre de Paris le 9 juillet 1926.

GARÇONS (Les). Roman de l'écrivain français Henry de Montherlant (1896-1972). Ce roman fut écrit pendant cinquante ans ; l'ébauche remonte à 1914, la publication expurgée est de 1969, la version intégrale de 1973. *Les Garçons* sont le roman le plus important de Montherlant par sa longueur, par la multiplicité des personnages, qui sont tous des adolescents, sauf les prêtres enseignants du collège Notre-Dame-du-Parc et la mère d'Alban de Bricoule, dont le modèle est la mère de Montherlant. Montherlant adolescent a inspiré ce livre au Montherlant de plus de soixante-dix ans. L'écrivain a mis là toute une vie menée hors la loi dans le royaume des amitiés particulières découvert au collège et auquel Montherlant, jusque dans sa vieillesse, est resté mystérieusement accordé. Malgré les canailleries sexuelles qui sont à l'arrière-plan, tout dans *Les Garçons* se joue sur un fond d'amitiés, de pactes, de promesses, d'échange du sang. L'amour devient un rite de chevalerie. La règle, la pudeur, la réserve s'imposent jusque dans les promenades en fiacre où Alban, seize ans, et Serge, quatorze ans, cachent leur liaison, jusque sur le banc du fronton de pelote basque où ils éprouvent leur première jouissance.

Pour faire jaillir sa vie d'adolescent, Montherlant mêle le rêve et la logique des sentiments et fait partager au lecteur une « expérience exceptionnelle, dans un climat exceptionnel de gravité et d'ardeur ». Alban de Bricoule et Serge Souplier s'aiment réellement ; ils se le prouvent en des effusions intérieurement senties mais éloquentes et qui sont la quintessence de la poésie française, de Racine à Verlaine. Ces adolescents savent que leur union sera brisée par le renvoi d'Alban du collège, mais l'amour subsistera, il les portera très haut toujours, même sur leur lit de mort. Ils savent que nulle part et avec personne ils ne retrouveront la qualité, l'intensité, la générosité de leur attachement.

Si Alban de Bricoule est créé à l'image de Montherlant adolescent, l'abbé de Pradts c'est la vie que Montherlant a rêvé de mener : une vie de prêtre tout dévoué aux garçons des collèges ou des patronages, une vie faite de jeu, de travail sérieux, d'études qui détachent les enfants du convenu, de l'échelle de perroquet où les font trop souvent vivre leur famille et leur manuel scolaire, surtout une vie faite d'exaltation charnelle et spirituelle. Montherlant n'a pas la foi, mais il sait sentir en chrétien, c'est là son pouvoir d'ensorcellement : âme mortelle qui a trempé dans l'océan divin.

P. Si.

GARÇON SAVOYARD (Le). Roman de l'écrivain suisse d'expression française

motif de la tempête de neige court à travers tout le roman) ; à la faveur de situations paroxystiques, les uns et les autres se trouvent dans l'obligation d'effectuer des choix cruciaux. Cette vision s'exprime dans des représentations unanimistes : scènes de foules parcourues de voix anonymes, représentation épique des flots de banquiers et d'affairistes, de commerçants et de prostituées qui déferlent sur l'Ukraine, fuyant les bolcheviks. Face aux convulsions humaines — *Les Possédés* (*) de Dostoïevski sont plusieurs fois cités —, les étoiles et le ciel affirment la permanence du cosmos, l'existence d'un ordre supérieur et éternel du monde. La critique émit quelques réserves quant à la position politique de l'auteur de *La Garde blanche*, mais le débat sur le roman devait très vite être supplanté par les discussions passionnées que suscita sa pièce *Les Journées des Tourbine*, adaptation de *La Garde blanche* écrite en 1925 pour le Théâtre d'Art (la première eut lieu le 5 octobre 1926, la pièce ne fut publiée en U.R.S.S. qu'en 1955). Boulgakov y reprend dans l'ensemble la trame événementielle de *La Garde blanche*. Alexis Tourbine y devient un colonel. Il mourra d'une blessure. Quelques répliques de circonstance expriment la conviction des héros que le mouvement blanc est condamné. De fait, les Tourbine acceptent à la fin de la pièce l'idée de voir la Russie gouvernée par les bolcheviks, plus, il est vrai, par lassitude et souci de continuité nationale que par adhésion à leur idéologie. La critique ne voulut voir dans *Les Journées des Tourbine* qu'une pièce favorable aux Blancs. Reprise en 1932 après une interruption de cinq ans, elle devait rester l'un des plus grands succès du Théâtre d'Art. — Trad. *La Garde blanche*, Robert Laffont, 1968 ; *Les Journées des Tourbine*, in *Théâtre* de Boulgakov, tome 1, Robert Laffont, 1971. M. G.

GARDÉNINE (Les) [*Gardeniny, ih dvornja, priveržency i vragi*]. Roman, jadis très populaire, de l'écrivain russe Alexandre Ivanovitch Ertel (1855-1908), publié en 1889. C'est un vaste tableau de la vie provinciale russe des années 1870-1880. Ce roman est pénétré de l'esprit « populiste », qui a joué un si grand rôle dans la vie sociale russe. L'action se passe surtout dans le domaine des grands seigneurs Gardénine (la veuve, ses deux fils, Georges et Raphaël, et sa fille Élisabeth) et dans le village qui leur appartenait au temps du servage. Voici tout d'abord Martin Rakhmanny, gérant du domaine, qui continue de traiter les paysans d'une manière patriarcale, en leur venant en aide avec une bonhomie apparente, tout en les pressurant fortement ; ensuite Capiton Averianytch, le gérant du célèbre haras des Gardénine, qui adore ses chevaux et terrorise son personnel. La génération nouvelle est représentée par leurs fils : Nicolas Rakhmanny, sans instruction, mais d'une intelligence éveillée, prompt à réagir contre le mal et l'iniquité d'une manière pratique, selon son expérience personnelle. Quant à Éphrème, fils de Capiton, étudiant en droit, il est un théoricien passionné, un extrémiste. Tandis qu'Éphrème voudrait imposer à la vie ses dogmes préconçus, Nicolas tâchera de la changer sans la violer. Le sujet du roman, abondant en scènes dramatiques, concerne le destin de ces deux jeunes hommes et se déroule sur le vaste fond de la vie paysanne, avec de nombreux personnages épisodiques et des types originaux, croqués sur le vif. Nicolas est élu à la fin membre de l'Assemblée provinciale du Zemstvo et travaille au relèvement du niveau culturel et matériel du peuple. Quant à son bonheur personnel, il l'obtient non sans peine. Tombé amoureux de Tatiana, jeune femme d'un vieux menuisier, paisible et sage, il succombe à la tentation. Quelques années après, lorsqu'ils se rencontrent, le vieillard pardonne à Nicolas comme il a pardonné à sa femme, et s'en va pour suivre sa vocation spirituelle ; Nicolas, de son côté, épouse Tatiana. Quant à Martin Rakhmanny, le père de Nicolas, secrètement fier de son fils, il supporte mal leur différence profonde d'opinions. Aussi, quand Éphrème prend la défense d'un garçon d'écurie, une scène violente s'ensuit : la mère meurt de saisissement et le fils part pour toujours. Quelques mois après, il se marie avec Élisabeth Gardénina : un défi aux Gardénine et à tous les gens du passé. Elle se l'attache par son âme généreuse, qui ne peut supporter aucune injustice ou souffrance humaine. Ainsi, renonça-t-elle naguère à la vie brillante et facile. Ici, le fond du tableau change : Georges Gardénine, ayant décidé de recourir à de nouveaux procédés, remplace le vieux Rakhmanny par Péréverzev, représentant parfait de l'économie capitaliste enfin rationalisée. La manière patriarcale est passée de mode ; désormais des exigences formelles et implacables pèsent sur le village. Le roman se termine par une lueur d'espoir : l'entente amicale entre Nicolas et Raphaël Gardénine pour travailler ensemble dans le Zemstvo dans l'intérêt des paysans : accord quelque peu symbolique. Ce roman a mérité l'éloge de Tolstoï : « La qualité inimitable... de ce livre, c'est son langage populaire, lequel étonne par sa justesse, sa beauté, sa diversité. Un tel langage, on ne le trouve pas chez les anciens, non plus que chez les écrivains nouveaux. »

GARDEN-PARTY (La) [*The Garden Party and other Stories*]. Ce recueil de nouvelles de l'écrivain néo-zélandais Katherine Mansfield (Kathleen Beauchamp, 1888-1923), publié en 1923, était dédié au mari de l'auteur, John Middleton Murry. Certaines de ces nouvelles, qui comptent parmi les plus typiques de l'auteur, montrent parfaitement comment Katherine Mansfield parvient à éclairer les aspects les plus secrets de la vie intérieure de l'homme. En s'appuyant sur sa seule intuition, elle sait traduire toute la monotonie de l'existence quotidienne. Elle ne veut être alors qu'attentive à la vie secrète de la conscience. Le ton du récit n'en est que plus intime et plus poétique. L'auteur se penche sur la souffrance humaine : les pleurs de l'enfance, les troubles de l'adolescence, la solitude de l'âge mûr et la séparation des êtres. Cette souffrance conduit à ce plaisir des sens qui se satisfait de toutes les douceurs éphémères de l'existence : les herbes, les fleurs, et les oiseaux, le pain croustillant, et le reste. La première de ces nouvelles, qui donne son titre au recueil, nous introduit parallèlement dans quelque riche demeure où se donne une garden-party et dans un foyer misérable où vient de mourir un père de six enfants. L'écrivain étudie les réactions que provoque la nouvelle de cette mort sur les membres de la famille riche. Tout à la joie de la fête, l'héroïne (Laura) oublie ses voisins malheureux. Après le départ de la brillante compagnie, elle leur porte les restes du repas. En présence du mort, les sentiments confus accumulés dans son âme au cours de la journée s'expriment par des sanglots. Sans oublier cette exclamation puérile : « Excusez-moi si je garde mon chapeau », dit-elle au mort qu'elle voit si terriblement calme sur son grabat. Dans « À la baie » [At the Bay] et dans « La Jeune Fille » [The young Girl], l'auteur décrit l'anxiété de plusieurs jeunes filles devant l'amour. « Les Jeunes Filles de feu le colonel » [The Daughters of the late Colonel] sont désormais de vieilles filles. Les réactions qu'elles manifestent à la mort de leur vieux père, qui était égoïste et grognon, laissent deviner la médiocrité de leur vie passée et leurs frustrations. « La Leçon de chant » [The Singing Lesson] est une des nouvelles les plus savoureuses du recueil. L'auteur éprouve pour la vie médiocre des femmes une affectueuse compréhension. Chacune de ces nouvelles est faite de petits épisodes caractéristiques destinés à mettre en lumière, avec grâce et délicatesse, mais aussi avec une certaine cruauté, la vie secrète des personnages : et c'est tout l'art de Katherine Mansfield. — Trad. Stock, 1932.

GARDES (Les). Roman de l'écrivain français René de Solier (1914-1974), publié en 1952. À la fin du XIXe siècle, aux Gardes, vaste domaine des Causses, règne Herbin Valgaude, maître héréditaire de l'étrange compagnie des Parleurs. C'est là que sont initiés les apprentis colporteurs et que se réunissent, pour entendre les maîtres compagnons et refaire leur banne, les membres de deux compagnies rivales : celle des Miraillés — dont le chef est François le rebouteux, maître des migrations, des herbes et des paroles — et celle des Briguelles dirigée par le Hongrois Endre Torey, maître des serpents. En une langue exigeante mise au service d'une écriture quasi sensuelle tant elle a le goût du rare et le sens du relief, l'auteur recrée la magie d'un terroir dont les paysages et les coutumes, les superstitions et les fêtes donnent une aura de mystère à ces Compagnons de la parole qui, des siècles durant, répandirent une image de l'Histoire qui doit autant au merveilleux qu'à une érudition désinvolte. Mais cette parole, dernier vestige peut-être de cette littérature des prodiges qui faisait le bonheur des hommes du Moyen Âge, supposait un enseignement et une initiation au théâtre de la parole — à ses planches et à ses tréteaux —, à tout ce bois résonnant de la voix quand elle devient spectacle dans le feu d'artifice du boniment. Pour ce faire étaient conservés aux Gardes douze automates et leurs rouleaux, mémoire sonore d'une « vie antérieure, ou rêvée — celle des voyages que l'on espérait, que l'on entreprenait, quand la foule avait encore une race et des désirs ». Véritable somme de l'art du parleur, ils donnent à entendre la parade du langage quand il revêt l'habit d'arlequin de la tirade. Parole hybride mêlant les genres et les discours, le sexe et la duplicité, l'ironie et la séduction, pour aboutir à ce monstre d'enflure et d'éloquence qu'est la harangue — pure jubilation oratoire dont l'algèbre verbale de l'auteur rend toute la saveur et le génie. D'où l'étonnante singularité de ce roman nous entraînant dans le sillage de ces « savants de l'inexploré » — bisouarts vendeurs d'almanachs et de « simples » — qui, passés maîtres dans l'art de la prestidigitation verbale, offraient refuge à l'étrange et au rêve tout en voyant se défaire leur étal, contre argent comptant. R. Bl.

GARDEUR DE TROUPEAUX (Le) [*O Guardador de Rebanhos*]. Recueil poétique de l'écrivain portugais Fernando Pessoa (1888-1935). Ce fut en quelques heures et en état de transes — état qui lui permit de s'incarner en son hétéronyme Alberto Caeiro — que Fernando Pessoa composa *Le Gardeur de troupeaux*, le 8 mars 1914. Les « Poèmes désassemblés » et « Le Pasteur amoureux » complètent l'œuvre attribuée à Alberto Caeiro dont la disparition, en même temps que l'état second qui lui avait donné vie, fit pleurer Pessoa comme une mort réelle. Pessoa considérait Alberto Caeiro comme le maître et la synthèse de ses deux autres hétéronymes : Ricardo Reis et Alvaro de Campos ; mais, s'il partage leur amertume devant la fuite du temps et la fragilité de la vie, il n'a pas la puissance lyrique du second. Son domaine, on pourrait le définir comme « bucolique », encore que Caeiro ne partage la sensualité de ses modèles grecs devant la nature que pour nous restituer la permanence qui l'habite et non pas en faire le cadre d'évocations au charme agreste et primitif. Sous le masque de Caeiro, Pessoa tente d'atteindre et de chanter cet « ordre » au sein duquel les choses partagent une immuable et immémoriale vérité, vérité étrangère aux systèmes humains comme à toutes nos méthodes d'observation de la nature. « Les choses, dit Pessoa, sont l'unique sens occulte des choses », et le poète, au lieu de les interroger, se contente de leur être perméable afin que sa vie intérieure puisse devenir à leur image ou se prolonger parmi elles en partageant leur « solidité ». La leçon qu'il tire de cette ascèse, c'est d'apprendre à passer comme passent nuages ou oiseaux ; c'est surtout d'apprendre que, nulle question et nulle pensée ne pouvant agir sur les choses, il vaut mieux rendre l'esprit aphone, car « la rivière de mon village ne fait penser à rien. / Celui qui se trouve auprès d'elle est auprès d'elle, tout simplement ». Alors, le regard calme comme l'eau et transparent comme elle, le poète, conscience ouverte et vide, minérale et figée, « possède et la terre et le ciel ». — Trad. Unes, 1986 ; Gallimard, 1987 ; Bourgois in Œuvres, t. V, 1989 ; La Différence, in Œuvres complètes, t. IV, 1989.

GARDE-VOIE THIEL (Le) [*Bahnwärter Thiel*]. Longue nouvelle de l'écrivain allemand Gerhart Hauptmann (1862-1946), publiée en 1887. L'action, dont la progression est constante jusqu'à la fin, a pour point de départ une situation banale. Le garde-voie Thiel, se trouvant veuf et père d'un enfant de quelques jours, se voit contraint d'épouser rapidement une autre femme, présence exigée par la nécessité de veiller sur l'enfant et de s'occuper de la maison. Mais la femme choisie, robuste paysanne assez fruste, ne tarde pas à s'imposer à son mari qui se résigne à la supporter pour sauvegarder sa tranquillité. Détestant l'enfant, la marâtre en arrive bientôt à le maltraiter. Lorsqu'il s'en aperçoit, Thiel, qui adore son fils, sent croître en lui-même une sourde rancœur contre la femme, tandis que le souvenir de sa première épouse se fait de jour en jour plus obsédant, trouble son sommeil et lui procure même des moments d'hallucination. Le drame qui couvait éclate alors : l'enfant, livré à lui-même, est broyé par un train en traversant la voie. Thiel, frappé de douleur à l'annonce de l'effroyable nouvelle, est ramené chez lui sans connaissance. Le lendemain matin, on découvre les cadavres de sa femme, la tête fendue d'un coup de hache, et de son nouveau-né, la gorge tranchée. On trouvera Thiel assis sur la voie, à l'endroit même où son fils a été tué. Il faudra l'emmener de force et l'enfermer dans un asile. Ce récit de jeunesse renferme déjà les éléments fondamentaux de l'œuvre de Hauptmann, le naturalisme violent de certaines scènes ; le passage graduel de la tranquillité à l'inquiétude, de l'hallucination à la folie tragique, autant de traits qui témoignent de cette sensibilité, ouverte aux souffrances humaines, et font de Hauptmann l'un des auteurs les plus populaires d'Allemagne.

GARDIEN (Le) [*The Caretaker*]. Pièce de l'écrivain anglais Harold Pinter (né en 1930), créée le 27 avril 1960 à l'Arts Theatre Club de Londres dans une mise en scène de Donald McWhinnie, représentée à Paris en 1961 au Théâtre de Lutèce dans une mise en scène de Roger Blin, publiée à Londres en 1960. Alors que l'accueil réservé aux premières pièces de Pinter, et surtout à *L'Anniversaire* (1965), fut particulièrement glacial, *Le Gardien* connaît immédiatement un succès considérable, redoublé en France par l'interprétation mémorable qu'en donna Jacques Dufilho.

Bien que profondément éloigné du fameux *Jeune homme en colère* (*) d'Osborne, qui ouvrit en Grande-Bretagne l'ère du « New Drama », *Le Gardien* se caractérise apparemment par la même aspiration au réalisme. La pièce s'ouvre sur des objets : un évier (de là peut-être l'expression de « kitchen sink drama » attribuée par ses détracteurs au théâtre anglais des années 60), un escabeau, un seau à charbon, une tondeuse à gazon... Mick, seul en scène, observe un silence de trente secondes, et sort. Entrent Aston et Davies, un vieux semi-clochard à l'identité incertaine, à qui Aston vient de proposer un toit. Mick, de retour dans la pièce en l'absence d'Aston, surprend l'« intrus » qui prend ses aises, et lui fait violence. C'est le début d'une lutte pour l'espace que les deux frères se partagent en bonne intelligence : Mick propriétaire, Aston comme gérant et ouvrier. À l'acte II, l'un et l'autre s'accordent pour proposer à Davies de devenir le « gardien » du lieu. Chaque personnage semble révéler une part de son identité, mais les repères échappent sans cesse et les relations établies se chargent de sourde agressivité. Davies cherche alors à se faire un allié de Mick contre Aston, qui le tyrannise. Alors qu'il se croit sur le point de l'évincer du lieu, la solidarité fraternelle l'emporte : c'est le vieux Davies qui est exclu.

Le naturalisme, presque ironiquement exhibé à travers le bric-à-brac du décor, apparaît vite comme un prétexte. Certains objets ont pour seule fonction d'être des instruments dramatiques d'asservissement d'autrui : un aspirateur déclenché dans la nuit, une fenêtre ouverte au-dessus d'un lit, une paire de chaussures sans lacets, tout cela crée autour de Davies, et pour tous les spectateurs, un sentiment d'insécurité au sein même du quotidien. De même la langue, et en particulier un usage achevé de l'argot, inscrit un espace réaliste qui se voit aussitôt perturbé : les silences, les « non sequitur », les hésitations brisent le processus dramatique. Enfin, les personnages, malgré leurs propres tentatives d'explication — chacun racontant, peu ou prou, son histoire —, demeurent parfaitement insaisissables, et leurs sorts finalement irrésolus. La question de Mick à la fin du premier acte, « À quoi jouez-vous ? » [What's the game ?] est bien celle des spectateurs.

Et c'est précisément de ce climat d'insécurité

que naît l'inimitable comique : celui des micro-obsessions de Davies, ou plus généralement de l'absurde d'une situation qu'aucune invraisemblance notoire ne vient pourtant invalider. On a pu proposer de séduisantes lectures interprétatives du *Gardien*. Mais, Pinter y insiste, c'est une pièce « simple ». Elle met en scène, et c'est peut-être un paradoxe, des personnages parfaitement libres parce que mus, chacun pour soi, par le premier soin [care] de l'être humain : sauvegarder son territoire, ou, si l'on préfère, sauver sa peau. – Trad. Gallimard, 1967. A. Va.

GARDIEN DU PHARE (Le) [*Latarnik*]. C'est une des plus remarquables nouvelles, écrite en 1880 et publiée en 1883, de l'écrivain polonais Henryk Sienkiewicz (1846-1916). Le protagoniste Skawiński, exilé de Pologne, a erré à travers le monde entier en se battant comme un héros. Finalement, on lui a donné le poste de gardien de phare à Aspinwall. Du haut de son observatoire, Skawiński respire à pleins poumons la poésie infinie de la mer, qui « submergera l'humanité et le temps, qui appartient à l'éternité et révèle, par son mouvement continuel, la plainte de la terre ». Un jour, dans sa solitude, entre ciel et mer, profondément plongé dans la lecture du poète Mickiewicz, le gardien oublie d'allumer son phare. Il est chassé, mais ne perd pas courage, et, serrant contre lui son précieux volume, il se met en route, seul vers l'inconnu, sans s'inquiéter de son sort.

GARDIENS DE LA COURONNE (Les) [*Die Kronenwächter*]. Roman historique, le plus important des ouvrages d'imagination de l'écrivain romantique allemand Ludwig Achim von Arnim (1781-1831). Inachevé, il fut publié en deux parties : la première en 1817, la deuxième, à titre posthume, en 1834. L'idée impériale, autrement dit la défense de la couronne des Hohenstaufen, en constitue le thème dominant : l'action débute en 1512, sur la fin du règne de l'empereur Maximilien. Berthold et Anton, « gardiens de la couronne », sont respectivement les protagonistes des deux parties du roman. Défenseurs intransigeants des institutions traditionnelles, convaincus de l'impérissable puissance de la couronne impériale, les deux hommes veillent sur le dernier descendant de la race, qui vit à l'écart, ignoré de tous et ignorant lui-même la noblesse de ses origines. Diverses circonstances les amènent à entrer en contact avec l'élément bourgeois de la ville, et ce rapprochement révèle inévitablement un contraste profond entre les forces nouvelles de l'État et les deux « gardiens » personnifiant une noblesse rivée aux traditions et aux modes de vie d'une génération déclinante, qui se refuse aux réalités qui l'entourent. Berthold et Anton sont ainsi entraînés dans une succession d'aventures parfois comiques (comme celle du naïf Berthold berné par trois demoiselles de petite vertu), fabuleuses (comme l'épisode du tailleur Fingerling), mirobolantes (comme la transfusion du sang opérée par le docteur Faust) ou pathétiques (comme l'influence rédemptrice de Suzanne sur Anton). Une leçon commune s'en dégage : dans leur contact avec la réalité, les deux héros sont voués à l'échec ; se contentant de rêver un idéal, ils en arrivent même à devenir de haïssables oppresseurs du peuple et leur action, viciée à la base, ne pourra que retomber dans le néant. Se refusant (et ceci historiquement constitue leur culpabilité) à reconnaître les formes nouvelles qui surgissent de toutes parts, ils ne feront qu'user vainement leurs forces sans obtenir le moindre profit pour la couronne dont ils se veulent les défenseurs. Ce roman révèle chez Arnim une observation attentive de la réalité, attitude que laissaient déjà prévoir ses Contes – v. *Contes bizarres* (*) –, malgré un penchant marqué pour le fantastique et les aventures extraordinaires se déroulant dans un monde où règnent l'étrange et le merveilleux. Outre la verve et l'humour qui animent l'action et les divers épisodes du roman, il convient de noter la richesse d'imagination et l'ardente sensibilité religieuse qui font d'Arnim un des meilleurs représentants du romantisme allemand.

On ne saurait passer sous silence l'admirable Préface intitulée *Poésie et Histoire* (datée de 1817), qu'Achim von Arnim jugea nécessaire de placer en tête de son livre. C'est, sans aucun doute, en quelques pages, l'un des textes les plus lucides et les plus représentatifs de l'école romantique. L'auteur y résume, avec une liberté et une rigueur de pensée absolues, son expérience poétique. Reprenant en quelque sorte la question cruciale, qui est au centre de toute son œuvre : « Ce que nous créons, est-ce à nous ? », il pousse son interrogation jusqu'à mettre en doute la nécessité même de l'acte de penser. Dès les premiers mots, on saisit toute la gravité de l'interrogation, toute la sincérité dont elle est marquée : « Encore une journée passée dans la solitude de la poésie ! » Puis l'auteur enchaîne, en évoquant le travail du laboureur, qu'il aperçoit depuis sa fenêtre, et dont le trait essentiel est d'être en accord parfait avec la terre et le soleil. En regard, l'« activité qui se détourne de la terre et qui croit encore la comprendre », autrement dit le travail de l'esprit, n'engendre-t-elle pas la destruction ? N'est-il pas voué lui-même à la destruction ? « Parvenu au soir de sa longue journée, le laboureur des champs de l'esprit n'éprouve que sa propre fragilité. » À ce point extrême du doute, on pourrait croire que le poète va renoncer, et se taire. Mais, par un mouvement d'une rigueur dialectique absolue, « cette épreuve, la plus sévère de toutes, ouvre [au poète] la porte d'un univers nouveau ». Car n'est-il pas vrai qu'à l'instant même où l'esprit veut renoncer, l'homme éprouve qu'en dehors de l'esprit rien n'existe, tout se désincarne : « l'esprit aime ses œuvres périssables », témoignages certains de cette éternité vers laquelle précisément nous tendons. En effet, « si l'école de la terre était inutile à l'esprit, pourquoi s'y incarnerait-il ? ». Mais – nous fait aussitôt remarquer le poète, prenant ainsi la juste mesure de toutes choses –, mais si jamais le spirituel pouvait devenir entièrement terrestre, « qui donc quitterait la terre sans désespoir ? ». Ceci étant posé, comment définir la poésie ? À la différence de l'histoire, la poésie n'appartient pas entièrement à cette terre : que les hommes n'aillent pas élever au pinacle la réalité temporelle dans laquelle ils sont provisoirement à demeure. Certes, l'histoire doit être « clarté, pureté, absence de couleur », et quiconque va à l'encontre de ces qualités corrompt nécessairement « la poésie, qui en doit naître ». Mais seule la poésie est connaissance totale et le poète est un « voyant » (c'est le mot même qu'emploie Achim von Arnim). Ayant défini les délicats rapports qui doivent unir Histoire et Poésie, usant de mots qui ne sont pas sans rappeler l'idée que Paul Valéry se fit du poète, l'auteur conclut : « La passion permet simplement de percevoir [...] ce que l'on pourrait appeler le chant sauvage de l'humanité : et c'est pourquoi il n'y a jamais eu de poète sans passion. Mais ce n'est pas la passion qui fait le poète [...] Nul poète n'a jamais fait œuvre durable à l'instant où il était sous l'empire de la passion. » Et si, à notre tour, il faut conclure, nous rappellerons simplement que ce texte fondamental est daté de l'année 1817. – Une traduction a été donnée de cette préface, dans les *Cahiers du Sud*, numéro spécial consacré au « Romantisme allemand » (trad. d'Albert Béguin).

GARDIEN VIGILANT (Le) [*La guarda cuidadosa*]. L'un des *Huit intermèdes* – v. *Huit comédies et huit intermèdes* (*) – de l'écrivain espagnol Miguel Cervantès Saavédra (1547-1616), paru en 1611. Cristina est courtisée par un sacristain riche et par un soldat bravache et sans le sou. Ce dernier, par jalousie, se met à monter la garde à l'entrée de la maison des patrons de Cristina. Il en éloigne bon gré mal gré tous les visiteurs de sexe masculin et va jusqu'à barrer la porte au propre maître de la maison. Survient le sacristain accompagné d'un sien collègue et un combat terrible s'engage en l'honneur de la jeune fille. L'intervention de la belle comtesse arrange les choses et la farce prend fin sur une promesse de mariage échangée entre Cristina et le sacristain. Des huit intermèdes, c'est le plus théâtral et le plus riche en humour. L'intrigue se déroule ici sans entraves jusqu'à la fin. Le type du soldat est tracé avec une maîtrise étonnante.

GARE À TOI, BIENHEUREUX ! Roman de l'écrivain finlandais d'expression suédoise Christer Kihlman (né en 1930), publié en 1960. Digressions et actions secondaires à la manière de Faulkner abondent, mais l'intrigue se laisse néanmoins résumer en quelques mots : Karl Henrik Randgren, divorcé, la quarantaine affirmée et rédacteur en chef d'un quotidien bien-pensant dans une petite ville de province (Lexå), hypocrite et bornée, scrute son passé et finit par mettre publiquement en question le bien-fondé des opinions qu'on lui prête. Antihéros voué à l'échec et à la solitude, Randgren avance de compromis en révolte, de clairvoyance en illusion. La passion dévorante qu'il éprouve pour Annika, quatorze ans, et fille de son meilleur ami, Kimmo, l'empêche de voir la détresse de ce fils de seize ans que son ex-femme le force à accueillir après une longue séparation et qui finit par se suicider au moment où Randgren publie un éditorial incendiaire sur la responsabilité des parents dans les déboires des enfants. Ni Randgren ni avant lui sa femme n'ont su accepter, voire même reconnaître, la révolte de leur fils. Celui-ci en est mort, car, dit Kihlman, même imparfaite ou autodestructrice, la révolte est nécessaire. Comme le rappelle le titre du roman, le résultat en est pourtant précaire et doit être constamment consolidé, même – ou surtout – lorsqu'il est positif. Sur le plan politique, Kihlman dénonce la fossilisation de la morale bourgeoise en général, mais aussi plus spécifiquement les valeurs de la bourgeoisie suédophone, ses codes sociaux, sa retenue, son patriotisme, notamment dans la description des parents de Randgren, membres éminents de la génération qui a jeté les bases de la Finlande indépendante. Le porte-parole du socialisme, Kimmo, est finnois et d'origine modeste. Il représente un socialisme qui est plus méthode que doctrine, la définition d'une nouvelle morale tout autant qu'une attitude politique. Avec un humour frisant la parodie, Kihlman s'attaque aux institutions de la Finlande suédophone : aux associations féminines de bienfaisance dont les braves quinquagénaires de la petite bourgeoisie, soumises et éblouies, sont snobées par le propriétaire du manoir qu'elles visitent, hobereau qui n'adresse la parole qu'à la présidente d'origine noble ; à l'élection annuelle d'une jeune fille pour tenir le rôle de sainte Lucie, lors du marché aux bestiaux organisé par le journal local dont le rédacteur en chef désavouera le but humanitaire dans un éditorial, marquant ainsi le début de sa propre révolte ; au défilé et à la fête traditionnels qui s'ensuivent et dont l'idéalisme se transforme en burlesque ; au cercle de Lexå, lieu de réunions bien arrosées pour bourgeois aux idées courtes et convenues. L'acharnement d'une partie du public à la parution du roman – le plus vendu et le plus controversé de l'après-guerre finlandais – en dit long sur la justesse de la description d'une petite ville de la Finlande suédophone, mais l'analyse trouve sa justification dans sa portée universelle : il y a des Lexå partout dans le monde.

K. D.

GARE DE FINLANDE (La) [*To the Finland Station*]. L'écrivain américain Edmund Wilson (1895-1972) a décrit cet ouvrage, publié en 1940, comme « une étude de l'histoire écrite et vécue ». Il doit son titre à la scène du retour en Russie de Lénine, au mois d'avril 1917, au début de la révolution russe. Cet événement, dont les conséquences ont dominé le monde moderne, intéresse l'auteur parce qu'il fut le sommet et l'aboutissement de mouvements politiques et de doctrines intellectuelles multiples. Ce sont ces mouvements et ces doctrines qui constituent le sujet de l'ouvrage. Wilson étudie, à travers l'œuvre de Michelet, les conceptions de Vico (« le monde social est l'œuvre de l'homme »), l'attitude du XIXe siècle envers le Moyen Âge et la Révolution française et ses hésitations entre le nationalisme et le socialisme. Renan, Taine et Anatole France représentent pour lui le déclin de la tradition révolutionnaire. Il évoque ensuite les origines du socialisme chez Babeuf, Saint-Simon, Fourier, Owen, Enfantin et les utopistes américains. Toute la seconde partie est consacrée à Karl Marx, son association avec Engels et ses disciples Lassalle et Bakounine. Enfin la dernière section retrace la vie et la pensée de Lénine et de Trotski jusqu'à l'épisode de la gare de Finlande. Dans cet ouvrage magistral sur l'histoire de la pensée socialiste, le critique parvient à une appréciation riche et sensible des exigences foncièrement morales qui dictèrent à Marx sa vision apocalyptique. La formation de Wilson l'opposait au capitalisme, aux valeurs de l'argent et du matérialisme, tandis que la tradition de culture et de tradition humaniste de sa famille lui permettait de comprendre, mieux que tout autre Américain, les utopies du XIXe siècle européen. Il s'intéresse au socialisme moins d'un point de vue politique que moral, et celui-ci représente pour lui une possibilité d'ordre social et culturel nouveau. En même temps les penseurs l'intéressent visiblement en tant qu'individus plus que parce qu'ils sont les auteurs de telle ou telle doctrine : sa sympathie pour Michelet ou Marx les ressuscite, avec leurs erreurs et leurs enthousiasmes, faisant de cet ouvrage d'érudition un récit aussi agréable à lire que son grand essai littéraire : *Le Château d'Axel* (*). – Trad. Stock, 1965.

GARGANTUA, PANTAGRUEL, TIERS LIVRE, QUART LIVRE, CINQUIESME LIVRE DES FAICTS ET DICTS HEROIQUES DU BON PANTAGRUEL. Roman de l'écrivain français François Rabelais (1483 ?-1553), publié de 1532 à 1564. Les deux premiers tomes romanesques de Rabelais sont signés du pseudonyme d'Alcofribas Nasier. Vers 1532 paraît *Pantagruel. Les horribles et espoventables faicts et prouesses du tresrenomme Pantagruel Roy des Dipsodes / filz du grand geant Gargantua.* Rabelais inventait ainsi un fils au géant du livret populaire *Les grandes et inestimables Cronicques : du grant et enorme geant Gargantua : Contenant sa genealogie / la grandeur et force de son corps. Aussi les merveilleux faicts darmes quil fist pour le Roy Artus.* Rabelais fut vraisemblablement l'éditeur critique de cet ouvrage anonyme, qui recueille des légendes en rapport avec le cycle arthurien et qu'il a doté d'une table des matières de sa composition où il met en valeur des épisodes comme la jument de Gargantua ou les cloches de Notre-Dame, qu'il développe dans son second roman (paru vraisemblablement en 1535) dont la seconde édition est intitulée : *La vie inestimable du grand Gargantua, pere de Pantagruel, jadis composee par L'abstracteur de quintessence. Livre plein de pantagruelisme.*

En 1542, il réunit ses deux ouvrages en les présentant dans l'ordre chronologique de la fiction sous le titre de *Grandes Annales ou cronicques Tresveritables des Gestes merveilleux du grand Gargantua et Pantagruel son filz.* En 1546, il y ajoute un *Tiers Livre des faictz et dictz Heroïques du noble Pantagruel, composez par M. Franç. Rabelais docteur en Medicine, et Calloïer des Isles Hieres.* En 1552 paraissent le *Quart Livre des faicts et dicts Heroiques du bon Pantagruel* (dont quelques chapitres avaient été publiés en 1548) et une version du *Tiers Livre* « reveu, et corrigé par l'Autheur sus la censure antique ». À titre posthume se fait la publication, en 1562, de l'*Isle Sonante* et, en 1564, du *Cinquiesme et dernier livre des faicts et dicts Heroïques du bon Pantagruel.*

C'est donc sous le titre de *Faicts et dicts Heroïques* que Rabelais réunit sa geste pantagruéline. Les deux premiers livres tiennent plutôt de la chronique, des biographies d'hommes célèbres ou même de l'hagiographie, le troisième du dialogue philosophique, les deux derniers, du récit de voyage. Tous les ouvrages, dotés d'un prologue où sont apostrophés les lecteurs, sont divisés en courts chapitres avec titres : y alternent narrations, dialogues vifs et souvent facétieux, énumérations comiques ou didactiques, dans un incessant mélange de niveaux de style, avec des créations et des emprunts verbaux qui en font l'œuvre linguistiquement la plus riche de la littérature française.

Le *Gargantua*, premier dans la chronologie fictive, mais second en rédaction, conte les enfances du héros, fils de Grandgousier, ses hauts faits, et s'achève, comme dans les cycles des romans de chevalerie, par la création d'une abbaye. Un dizain préliminaire, qui invite le lecteur à se dépouiller de toute passion, rappelle la définition aristotélicienne du rire (« Mieux est de ris que de larmes escripre / Pource que rire est le propre de l'homme »). Ce rire, que l'on a pu qualifier de carnavalesque, qui se joue de tout, se complaît dans le bas corporel, se fonde sur des jeux de mots populaires et approximatifs, est une des grandes constantes de l'œuvre ; Rabelais dans le *Quart Livre* en souligne la vertu thérapeutique et les humanistes la vertu pédagogique.

Le prologue, avec son développement sur les Silènes d'Alcibiade, tiré d'un célèbre adage d'Érasme et sa métaphore de l'os à moelle, pose le problème central de la lecture allégorique, pierre d'achoppement de la critique rabelaisienne. À la suite de saint Paul et d'Érasme, Rabelais tient à l'occultation d'un message sélectif selon les individus, mais aussi à une juste moyenne à tenir entre lecture littérale et lecture allégorique, concevant de nombreux épisodes comme une propédeutique à cette bonne lecture.

Le récit débute par la découverte dans un tombeau de la généalogie de Gargantua et d'une pièce de vers énigmatiques, les *Fanfreluches antidotées*, à allusions mythologiques, religieuses et politiques. La naissance de Gargantua par l'oreille gauche de sa mère, l'imposition de son nom à l'imitation des Hébreux, son goût précoce pour le vin, son ingéniosité dans l'invention d'un torchecul sont remarquables. Des chapitres descriptifs sont consacrés à sa livrée, avec pour emblème l'Androgyne de Platon et en lettres grecques la devise de saint Paul : « La charité ne cherche pas son propre avantage » (inscription notable de l'ouvrage sous le double patronage platonicien et paulinien) et à une discussion sur la signification des couleurs blanc et bleu où sont condamnées certaines interprétations de rébus.

Confié, après une éducation désastreuse sous la férule des sophistes (appelés sorbonagres dans les premières éditions), à Ponocrates (« le travailleur » en grec), le héros part pour Paris dans un voyage qui fait renouer avec des épisodes des *Grandes Cronicques* : l'énorme jument qui abat les bois du pays que Gargantua appelle « beauce », le vol des cloches de Notre-Dame pour les mettre au cou de sa jument. Le programme éducatif du jeune héros est ensuite la matière de chapitres denses. Ponocrates, après avoir pris connaissance de ses vicieuses habitudes, l'institue de sorte qu'il ne perde heure du jour. Cet idéal d'éducation humaniste est fondé sur l'éveil et la diversité des disciplines et des expériences, toujours référées néanmoins à l'Antiquité.

La seconde partie du livre, véritable *Institution du prince*, est consacrée à la guerre picrocholine, née d'un conflit entre les fouaciers de Picrochole et les bergers et les métayers de Gargantua dans le Chinonais et derrière laquelle on a relevé le double écho d'une querelle entre le père de Rabelais et un voisin et du conflit entre François Ier et Charles Quint. Dans ces développements épiques apparaît frère Jean des Entommeures qui, avec le bâton de la croix, sauve le clos de son abbaye et, homme d'action, est le personnage central des affrontements. Face à l'impulsif Picrochole, portrait type de l'atrabilaire, Grandgousier se conduit en sage roi, prêt à toute conciliation, refusée par Picrochole « hors du sens et délaissé de Dieu » qui ne rêve que de conquête universelle. La guerre fournit maints épisodes comiques : Gymnaste pris pour un diable déguisé, Gargantua qui fait tomber en se peignant les boulets d'artillerie, les six pèlerins mangés en salade (épisode offrant, dans une perspective érasmienne, la condamnation des pèlerinages et du culte des saints qui, avec la condamnation de l'inutilité des moines, forme le fonds de la satire religieuse dans cet ouvrage). Gargantua, après un discours magnanime aux vaincus, récompense largement ses compagnons et acquiesce à la demande de frère Jean de fonder une abbaye à son devis, avec des règles diamétralement opposées aux règles habituelles. Les complaisantes descriptions de Thélème (« volonté » en grec) évoquent l'architecture renaissante et celles du *Songe de Poliphile* (*) de Colonna. L'inscription sur la porte n'y invite que les nobles chevaliers, prêcheurs évangéliques, dames de haut parage. La vie à Thélème est réglée selon le franc arbitre de chacun avec la devise « fay ce que vouldras ». Cette utopie se termine par une énigme trouvée au fondement de l'abbaye, vraisemblablement empruntée à Mellin de Saint-Gelais, et diversement interprétée par les héros : description du jeu de paume ou « decours et maintien de verité divine ».

Le *Pantagruel*, avec les enfances et les hauts faits du héros, apparaît comme le palimpseste du *Gargantua*. Le parti pris de style et de culture populaires a pu être lu comme le dessein d'écrire une anti-épopée chrétienne de la fraternité universelle. Le début de l'ouvrage est propre à frapper l'imagination du lecteur, conduit au temps de Caïn, quand l'ingestion de nèfles provoque des déformations diverses dont le gigantisme. La plaisante généalogie des ancêtres mythologiques, bibliques, médiévaux, folkloriques, de Pantagruel parodie la généalogie du Christ, préfigurant la figure christique de Pantagruel.

La naissance de Pantagruel, le futur dominateur des altérés, une année de grande sécheresse, est, dans un registre différent, tout aussi extraordinaire que celle de son père. La mort en couches de sa mère, Badebec, fille du roi des Amaurotes en Utopie (noms empruntés à l'*Utopie* (*) de Thomas More), laisse Gargantua dans une hésitation comique entre larmes et rire. L'enfance du héros est marquée par le gigantisme et la voracité. Les préoccupations linguistiques sont importantes dans cet ouvrage. Lors de son tour des universités françaises, avec son précepteur Epistémon (« le sage » en grec), Pantagruel s'emporte contre l'écolier limousin qui contrefaisait le français en francisant de nombreux termes latins. À Paris, le catalogue de la bibliothèque Saint-Victor, célèbre bibliothèque de théologie, est prétexte à dresser une liste comique de livres, aux titres souvent grotesquement latinisés. La célèbre lettre de Gargantua à son fils a été lue comme un manifeste de l'humanisme renaissant louant le rétablissement de toutes les disciplines et des langues avec des accents semblables à ceux de la lettre de 1521 de

Rabelais à l'humaniste Budé sur les ténèbres de l'époque précédente et la lumière actuelle. Gargantua, qui veut que son fils devienne un « abîme de science », lui dresse un programme de connaissances et une ligne de conduite morale.

La rencontre de Panurge (« le rusé »), un des héros principaux de la geste pantagruéline, est marquée par l'affection immédiate de Gargantua pour ce personnage polyglotte, grand rassembleur de langues face au corrupteur qu'est l'écolier limousin et incarnation du sophiste, peut-être. Ses relations avec Pantagruel, dont on a pu penser qu'il était le double, animent toute l'œuvre. Après la soutenance publique par Pantagruel de neuf mille sept cent soixante-quatre thèses et sa résolution du procès pendant entre Baysecul et Humevesne (critique des lenteurs de la justice et de l'incompétence des commentateurs), Panurge passe pour quelques chapitres au premier plan avec le récit de son évasion des mains des Turcs, ses suggestions obscènes sur la manière de bâtir les murailles de Paris. Ses mœurs longuement décrites montrent un joyeux drille et mauvais garçon. Il se substitue à son maître dans la dispute par signes avec Thaumaste, un savant anglais qui souhaitait disputer de philosophie, géomancie et cabale. La guerre, déclenchée par l'envahissement du pays des Amaurotes par les Dispodes, engendre des épisodes comiquement épiques : quatre compagnons, par leur ruse, défaisant six cent soixante cavaliers ; Pantagruel assoiffant et compissant les ennemis ou faisant de son ennemi Loup Garou une arme avec laquelle il abat les ennemis. La guérison miraculeuse par Panurge d'Epistémon qui avait eu la tête coupée et était descendu aux Enfers où les hommes célèbres occupent des contre-emplois est un jeu sur le monde à l'envers, tout comme la descente du narrateur dans la bouche de Pantagruel.

Le *Tiers Livre* est fort différent dans la forme du *Pantagruel ;* le petit diable facétieux des mystères du XVe siècle qui altère les buveurs en introduisant du sel dans leur bouche y devient l'« idée et exemplaire de toute joyeuse perfection ». L'érudition occupe une place importante dans cet ouvrage qui traite de l'éventualité du mariage de Panurge, en rapport avec les débats contemporains sur le mariage (où s'étaient illustrés ses amis légistes Tiraqueau et Bouchard, Érasme, Corneille Agrippa) et la querelle des femmes, d'actualité chez les poètes du milieu du siècle. En fait, dépassant la question du mariage, Rabelais s'intéresse au problème de la résolution des perplexités de l'homme par les conseils ou par la révélation, et à la validité des méthodes divinatoires ; Pantagruel y propose une ligne de conduite : « Chascun doibt estre arbitre de ses propres pensées et de soi mesme conseil prendre » et ne jamais se laisser abuser par la philautie (terme érasmien utilisé par Rabelais dès 1532 dans une lettre-dédicace à Tiraqueau pour désigner un attachement entêté à sa propre doctrine et dont le remède est la connaissance de soi et la folie aux yeux du monde selon l'enseignement de saint Paul). L'ouvrage est encadré de deux éloges paradoxaux : celui des dettes par Panurge et celui du pantagruélion, plante aux vertus extraordinaires, par le narrateur. Les consultations de Panurge occupent la quasi-totalité du livre, consultation de ses proches, recours aux sorts virgiliens, aux songes, à des personnages possédant traditionnellement le don de divination : la Sibylle de Panzoust, Nazdecabre le muet qui s'exprime par signes, le vieux poète Raminagrobis que l'approche de la mort rend prophétique, l'astrologue Her Trippa ; puis à des sages invités à un banquet ; un théologien, un médecin, un légiste, un philosophe ; enfin au fou Triboulet. Une des constantes de l'ouvrage, indépendamment de la satire du discours de certains de ces conseilleurs, est la diversité des interprétations que les personnages donnent aux signes, Panurge refusant toute interprétation défavorable. Pantagruel et Panurge se retrouvent dans leur décision commune d'aller consulter l'oracle de la Dive Bouteille.

Le *Quart Livre,* doté d'un prologue où Rabelais fait l'apologie de la « médiocrité » (recherche du juste milieu), se présente comme un récit de voyage, évoquant les découvertes contemporaines du Nouveau Monde, les épopées antiques et aussi un livret populaire, *Le Disciple de Panurge*, qui décrit les navigations de ce dernier. L'argument est celui, vite oublié, de la question du mariage de Panurge ; il s'agit en fait d'un voyage d'apprentissage du monde, à l'imitation de celui d'Apollonius de Tyane, où les héros sont mus par le « studieux desir de veoir, apprendre, congnoistre ». Alors que la première rédaction du *Quart Livre* de 1548 ne comprend que onze chapitres (épisode des moutons de Panurge, descente à l'île des Alliances, satire de pratiques de cour, à l'île de Chely, pays de Cocagne qui contraste avec l'épisode des Chicanoux, satire de la justice, long épisode de la tempête qui s'achève par l'arrivée au pays des Macréons), Rabelais, en 1552, intercale dans ce texte des anecdotes contemporaines ; il accuse la signification religieuse de l'épisode de la tempête et augmente le livre d'épisodes significatifs : description de l'île des Macréons, mémoire du monde, puis épisodes de satire religieuse avec Quaresmeprenant, l'île des Andouilles, l'île des Papefigues, hérétiques condamnés à la désolation, celle des Papimanes, mise en scène de la cour du pape Jules III et satire de la papauté pour servir la cause gallicane. La découverte des paroles gelées, réflexion sur la correspondance entre les mots et les choses, précède l'arrivée au manoir de messire Gaster, symbole de l'esprit ingénieux, mal servi néanmoins par les Gastrolatres et les Engastrimythes. L'ouvrage, après une scène scatologique, mais peut-être aussi initiatique, s'achève, comme l'*Éloge de la folie* (*) d'Érasme, par une invitation à boire. Tout au long du voyage, les héros pantagruéliques de la nef s'opposent aux allégories des insulaires souvent monstrueux, symboles de tous les immobilismes des institutions humaines. Dans cette quête de la connaissance, le *Quart Livre* propose un syncrétisme des cultures, utilisant largement, par exemple, les ouvrages de Plutarque sur les mythes égyptiens. Un glossaire en fin de livre montre la part importante réservée à l'hébraïsme et les préoccupations linguistiques de Rabelais.

Le *Cinquiesme Livre* (connu par trois états différents : l'*Isle Sonante,* l'édition de 1564 et un manuscrit non autographe), dont l'authenticité a donné matière à maintes controverses, n'est probablement qu'une supercherie d'éditeurs ayant voulu faire passer pour la fin de la navigation des brouillons de livres précédents et des notes de lecture. Le texte correspondant à l'*Isle Sonante* contient principalement l'épisode de l'île Sonante proprement dite, caricature, derrière les oiseaux, de la papauté et du clergé, et celui du pays des Chats fourrés, violente critique des magistrats. Ces textes pourraient être contemporains du *Quart Livre* de 1548 ; le chapitre des Apedeftes, satire de la Cour des comptes, seulement donné par l'*Isle Sonante,* semble apocryphe. Dans les deux autres états, plus longs, les cas de divergence de chapitres ne concernent que des emprunts à d'autres œuvres ou des traductions du *Songe de Poliphile.* L'ensemble comprend un prologue qui n'est autre que la première version de celui du *Tiers Livre* et une navigation française que Rabelais aurait projeté de faire faire à ses héros à la fin du *Tiers Livre,* les amenant de Saint-Malo par les côtes françaises en Poitou, pays des lanternes, et à la Dive Bouteille en Touraine. L'épisode de la Quintessence qui fait les héros abstracteurs atteste du caractère initiatique de ce voyage. Quelques étapes, moins développées, conduisent les héros dans l'île d'Odes, dans l'île des frères Fredons, dénonciation de la confession et du carême, au pays de Satin, île de merveilles et de faux témoignages connus par Ouï-dire. Une séance iniatique, dans le temple longuement décrit, permet d'avoir le mot de la Bouteille : « trinch », prélude à une séance de fureur poétique. Que Rabelais n'ait pas publié de son vivant cette quête de la Bouteille que l'on peut lire comme une alliance du monde celtique et grec, en quête d'une nouvelle Atlantide, semble significatif de son désir d'occultation du message et d'un ésotérisme que certains commentateurs n'hésitent pas à lire dans toute l'œuvre.

Du *Pantagruel* au *Quart Livre,* Rabelais n'a cessé d'affiner sa pensée dans tous les domaines. Il approfondit les leçons du pantagruélisme et de l'évangélisme, en varie les présentations. Il précise ses partis pris philologiques, élaborant un système orthographique complexe, en relation avec les codifications contemporaines et avec une réflexion à visée métaphysique sur la forme des choses. Il convie au festin du monde tous les mots et toutes les réalités en attente de la révélation finale.

M. H.

★ Il existe une célèbre reconstitution du premier livre de l'œuvre rabelaisienne, c'est le *Gargantua, Grandgousier et Pantagruel* [*Gargantua, Grandgusier und Pantagruel*] du polygraphe et humoriste allemand Johann Fischart (1546-1590), publié en 1575 sous le titre : *Écrit historique simiesque et impossible* [*Affenheurliche und Ungeheurliche Geschichtschrift vom Leben ratten und Thaten der for langer weilen vollenwohlbes chaiten Helder und Henn Grandgusier Gargantua und Pantagruel*] ; dans la seconde édition il se changea en *Écriture historique* [*Geschichtklitterung*], titre sous lequel il est plus connu. L'œuvre est considérée comme le chef-d'œuvre de Fischart, le plus grand auteur satirique du XVIe siècle allemand, et peut-être de toute la littérature allemande. La fable reste au fond celle de Rabelais, mais dans son développement, dans sa force expressive, dans son comique, dans sa nature hardie, dans la richesse et la vivacité de son exposition, Fischart se libère de son modèle, en groupant autour du noyau central de la fable une foule de figures qui lui permettent d'amuser les foules de son temps. L'œuvre de Fischart a un fond éducatif. « Si l'on ouvre ce petit livre, écrivit-il, on en considérera profondément la teneur, et l'on jugera que son contenu a une valeur supérieure à ce que promettait de l'extérieur le vase. » Toutefois on ne peut considérer Fischart comme un grand poète. En effet, bien qu'il soit maître de la langue qu'il emploie et qu'il dispose d'une énorme richesse de matière, au fond il est assez pauvre d'inventions et ne fait que reprendre l'œuvre d'un autre. Pourtant, de nos jours, l'œuvre de Fischart garde son importance, surtout au point de vue de l'histoire de la langue et de la culture ; elle désigne, sous le manteau de la satire, tout le monde de son temps : non seulement ses folies mais aussi tout ce qui est particulier à l'Allemagne d'alors, mœurs et langue, anecdotes et proverbes, écrits et chansons.

GARIN LE LOHERAIN. Chanson de geste du XIIIe siècle, écrite en laisses de vers décasyllabes et appartenant au cycle des Loherains (épopée formée de quatre chansons : *Hervis de Metz, Garin le Loherain, Gerbert de Metz, Anséis*). Le poème nous raconte le développement des longues rivalités féodales entre la maison de Lorraine, représentée par Garin et son frère Begon, et les Fromont, seigneurs de Soissons. Thierry, roi d'Arles, sur le point de mourir, offre en mariage à Garin, en présence du roi Pépin, sa propre fille Blanchefleur, unique héritière de ses États. L'événement suscite l'opposition des Fromont et l'on en arrive à une guerre pleine d'épisodes nombreux et variés. À la fin, on décide de s'en remettre au jugement du roi et la belle Blanchefleur, cause de tant de luttes, est conduite à la Cour ; Pépin, la voyant si jolie, s'éprend d'elle et l'épouse. Garin est prêt à s'élancer sur le roi lui-même, mais un évêque s'entremet. Peu après Garin et Begon épousent deux cousines du roi ; mais ceci est loin de terminer la lutte avec les Fromont, qui reprend avec plus d'acharnement : l'un après l'autre, presque tous les combattants succombent. Le poème est représentatif des mœurs du XIe siècle et des luttes féodales de cette époque ; on peut même y reconnaître les noms de quelques grandes familles de ce temps, et le ton tout entier de la narration est celui d'un récit historique plein de vraisemblance. – *Garin le Lorrain* a été édité par E. du Meril (Paris, 1846) et traduit par B. Guidot (Nancy, 1986) ; *Gerbert de Metz* a été édité par P. Taylor (Namur, 1952) et traduit par B. Guidot (Nancy, 1988).

GARS DU SHROPSHIRE (Un) [*A Shropshire Lad*]. Recueil du poète anglais Alfred Edward Housman (1859-1936), publié en 1896. Housman est loin de croire à l'immortalité de l'âme. Pur de toute illusion, il se refuse à donner dans le sentimentalisme : par là même, sa vision de la vie s'apparente à celle de Thomas Hardy. Comme ce dernier, il considère que l'homme est le jouet des dieux. Ce qu'il glorifie avant tout, c'est le courage avec lequel on supporte ses maux. Sa sympathie sera toujours tout acquise à la misère des humains. Il traite de ce qui, dans notre vie, est immuable et primitif. Pour être simple et directe, sa langue n'en est pas moins étonnamment châtiée. Chacune de ses inspirations trouve son rythme propre. Jamais la musique ne se montre inférieure à la parole. En bref, ce recueil est d'un art vraiment achevé.

GASPARD DE LA NUIT. Recueil de poèmes en prose de l'écrivain français Louis Jacques Napoléon Bertrand, dit Aloysius Bertrand (1807-1841), imprimé en 1842 par les soins des amis de l'auteur. Bien que vivement apprécié par quelques connaisseurs et honoré d'une préface de Sainte-Beuve, le livre demeura longtemps dans l'obscurité. Environ vingt ans après sa publication, Baudelaire, dans la préface à son *Spleen de Paris* (*), y faisait allusion comme à l'œuvre d'un précurseur de la poésie moderne. Depuis lors, la renommée et l'influence de ces pages n'ont fait que croître. C'est un recueil de brefs et pittoresques « petits poèmes en prose », nouveau genre littéraire dont Aloysius Bertrand peut être regardé comme l'initiateur. La longue introduction a pour épigraphe quatre vers des *Consolations* (*) de Sainte-Beuve et débute par une série de vers de cinq pieds qui célèbrent les fastes médiévaux de la ville de Dijon. Les voici d'ailleurs : « Gothique donjon / Et flèche gothique / Dans un ciel d'optique / Là-bas, c'est Dijon. / Ses joyeuses treilles / N'ont point leurs pareilles ; / Ses clochers jadis / Se comptaient par dix. / Là plus d'une pinte / Est sculptée ou peinte, / Là plus d'un portail / S'ouvre en éventail. / Dijon moult me tarde / Et mon luth camard / Chante ta moutarde / Et ton Jacquemart. » Certes, on ne saurait mieux faire une synthèse, ni être plus précis, en dépit des difficultés accumulées de la rime et du vers : cela témoigne d'une sûreté de main et d'une maîtrise qui ne trompent point. L'auteur rapporte ensuite la rencontre qu'il fit un jour d'un poète étrangement maniaque : celui-ci, après lui avoir longuement confié les expériences que lui valurent certaines recherches mystiques sur la nature de l'art, disparut en lui laissant entre les mains un manuscrit intitulé : « Gaspard de la nuit, fantaisies à la manière de Rembrandt et de Callot. » Suit une préface, signée du même Gaspard, où l'auteur se borne à expliquer l'étrange caractère de son œuvre, en rappelant le souvenir de nombreux peintres, spécialement de peintres flamands ; vient ensuite une « Dédicace » à Victor Hugo, dans laquelle le poète se déclare sur le point de dire adieu à la vie, laissant, comme unique témoignage de ses rêves, ce petit livre. On arrive enfin aux « Fantaisies de Gaspard de la nuit » : c'est une série de quelques morceaux en prose, divisée en six livres (« École flamande », « Le Vieux Paris », « La Nuit et ses prestiges », « Les Chroniques », « Espagne et Italie », « Silves »), avec un appendice comprenant une « Postface » dédiée à M. de Sainte-Beuve et des « Pièces détachées extraites du portefeuille de l'auteur ». L'arsenal romantique y trouve une place de choix comme on peut en juger dès l'abord par les titres des poèmes (« L'Alchimiste », « Départ pour le sabbat », « Les Gueux de nuit », « La Chambre gothique », etc.) : flèches, donjons, tourelles et clochers gothiques, sylphides, gnomes et fées, démons incubes et succubes, soldats, aventuriers, brigands, vagabonds, pendaisons et suicides foisonnent à travers ces pages et sont évoqués avec une indéniable puissance. L'auteur reconnaît évidemment pour ses maîtres Hugo, Gautier, Byron et Nodier ; mais en les imitant — et en cela il est semblable à Gérard de Nerval — il joint à la truculence colorée de l'école française les fantaisies mystiques du romantisme germanique.

Ce livre peut être considéré comme un abrégé du romantisme. Il a toutefois un caractère propre qui l'apparente aux œuvres les plus originales et fait de Bertrand le précurseur des audaces modernes de la poésie française, du symbolisme au surréalisme. Bertrand emploie habituellement les données archéologiques ou historiques avec une pleine liberté d'esprit : il revit ces pittoresques visions d'un passé librement reconstitué, de façon ironique et personnelle. S'il est capable de tableaux d'une étonnante sûreté, il rapporte tout à une vérité sentimentale intime : car c'est bien au plus profond de sa vie intérieure de poète qu'il puise tous les traits décisifs et les images d'une vérité absolue qui forment la matière de son œuvre, pour créer cette ambiance réellement magique qui lui appartient en propre. On ne saurait mieux situer cette œuvre étrange et féconde qu'en rappelant les phrases que Baudelaire lui a consacrées dans la dédicace de son *Spleen de Paris* : « J'ai une petite confession à vous faire. C'est en feuilletant, pour la vingtième fois au moins, le fameux *Gaspard de la nuit*, d'Aloysius Bertrand (un livre connu de vous, de moi et de quelques-uns de nos amis, n'a-t-il pas tous les droits à être appelé *fameux*), que l'idée m'est venue de tenter quelque chose d'analogue, et d'appliquer à la description de la vie moderne, ou plutôt d'*une* vie moderne et plus abstraite, le procédé qu'il avait appliqué à la peinture de la vie ancienne, si étrangement pittoresque. » Rappelons enfin qu'une œuvre comme *Le Cornet à dés* (*) de Max Jacob prolonge jusqu'à nous des échos de ce véritable chef-d'œuvre qu'est *Gaspard de la nuit.*

★ Trois ballades de *Gaspard de la nuit* devaient inspirer au compositeur français Maurice Ravel (1875-1937) trois partitions pour piano : « Ondine », « Le Gibet », « Scarbo », qui furent créées à Paris en 1909. « Ondine », c'est la goutte d'eau qui se forme par condensation sur la vitre d'une fenêtre, sur laquelle elle glisse ensuite capricieusement, en brillant à la lumière de la lune. « Le Gibet » est un tableau macabre où un pendu est éclairé par les rayons du soleil couchant ; le « Scarbo » est l'insecte diabolique qui tourne dans la chambre « comme le fuseau tombé de la quenouille d'une sorcière ». Ce sont là les thèmes de la composition ; mais Ravel, en écrivant ces trois pièces, se proposait surtout (comme cela apparaît dans une lettre écrite à Maurice Delage) de créer des « pages de piano d'une virtuosité transcendante, plus difficiles à exécuter qu'*Islamey* de Balakirev ». La solution d'un problème de « métier musical » peut donner, comme dans ce cas, une œuvre d'art ; en effet, dépassant les limites de la pure virtuosité, le musicien a donné vie à l'une de ses œuvres les plus expressives. Nous nous trouvons ici devant un Ravel qui a gardé les procédés techniques de l'impressionnisme, mais qui a l'esprit tourné vers le dehors et se laisse charmer par la magie du monde extérieur. En outre, Ravel est passé de la « tache » impressionniste à la rigueur du trait ; et dans la pratique, à des dessins musicaux, à des lignes de contrepoint bien définies. Le compositeur français Marius Constant en a réalisé une orchestration créée en 1990.

GASPARD DES MONTAGNES (Les Vaillances, farces et aventures de). Roman de l'écrivain français Henri Pourrat (1887-1959), en quatre parties réunies sous ce titre en 1960 : *Le Château des sept portes ou les Enfants de Gaspard* (1922), *L'Auberge de la belle bergère ou Quand Gaspard de guerre revint* (1925), *Le Pavillon des amourettes ou Gaspard et les bourgeois d'Ambert* (1930), *La Tour du Levant ou Quand Gaspard mit fin à l'histoire* (1931). Vingt-huit veillées découpent cette œuvre, et chacune d'elles comprend six pauses, au cours desquelles la narratrice a le temps de reprendre souffle pour mieux nouer les fils de son récit. Les unes, d'une intensité dramatique, bouleversante, les autres, mélancoliques, douces, toutes profondément liées dans l'unité de l'âme populaire, et dont l'alternance correspond moins à l'habileté qu'à la nécessité d'exprimer toutes les faces de la vie collective d'un groupe original. En effet, Henri Pourrat n'a jamais cessé de peindre les traits fondamentaux de l'Auvergne et de ses habitants qu'il organise en figures prestigieuses et colorées. Ces quatre volumes constituent à cet égard un univers animé à la façon de l'imagerie médiévale ; la franchise des tonalités, la netteté des lignes n'en atténuent jamais la vérité : elles y ajoutent simplement un degré de naïveté, une clarté qui sont celles des vieilles gestes nationales. Deux figures majeures, Gaspard et Anne-Marie, semblables à des portraits de vitrail, se font pendant, pour exprimer une série d'antithèses : la force virile et la douceur, la révolte généreuse et la soumission. Quoique primitif, ce procédé donne aux deux héros leur épaisseur et leur profondeur. « Gaspard n'avait encore que seize ans d'âge qu'il s'entendait à tout... » Quant à Anne-Marie, elle est dévouement, finesse, gratitude, dignité, retenue. « Elle tenait de son père une certaine roideur de caractère, de sa mère, elle avait la soumission qui fait accepter et même aimer ce qui ne saurait être autrement. » Ces premières visions des deux personnages prennent peu à peu des transparences qui les rattacheront à de lointaines traditions : celle, entre autres, de l'amour courtois, trouvant son épanouissement dans la réunion des cœurs. Gaspard et Anne-Marie se découvrent suffisamment de ressemblances dans leur comportement chevaleresque, fait d'idéal, de loyauté et de fidélité, pour réaliser toutes les conditions de l'amour pur, cependant que Gaspard lutte contre les ennemis de son pays, contre l'argent et tout ce que représente l'emprise de l'argent sur la liberté. Au-dessous des deux personnages, un monde pittoresque s'étage : d'une part, les pairs et les amis de Gaspard, les prêtres, les bourgeois enrichis, le petit peuple, les bouffons ; de l'autre, les puissances du mal : le Malin et sa cour, Robert (qui réussit à épouser Anne-Marie) et les Messieurs d'Ambert, ainsi que quelques ombres qui participent à leurs maléfiques pouvoirs, Gilbert, la Godeville, Guillaume de Montfanon, le Bossu. — Cette œuvre, touchante de noblesse, de fraîcheur, de naïveté, demeure l'une des plus représentatives de la littérature régionale contemporaine. Les histoires de Gaspard sont contées par un auteur aussi sûr des effets de l'ellipse que du pouvoir de sa langue, qui sait nous restituer toute la saveur d'un terroir et d'une tradition, qu'illustre par ailleurs *Le Trésor des contes* (*).

GASPAR RUIZ [*A Set of Six*]. Recueil de six nouvelles de l'écrivain anglais Joseph Conrad (1857-1924), paru à Londres en 1908. Le livre tire son titre de celui de la première nouvelle. Le général Santierra, un Sud-Américain, raconte à quelques amis l'un de ses souvenirs de la guerre d'Indépendance contre les Espagnols. Jeune lieutenant, il vit un jour arriver dans un port de Valparaíso, parmi les prisonniers royalistes, le républicain Gaspar Ruiz, une sorte d'Hercule qui, pour avoir été retrouvé les armes à la main dans les rangs ennemis, doit être fusillé comme déserteur. Gaspar, en réalité, a été fait prisonnier par les royalistes et contraint de prendre les armes contre les siens. Cependant il va mourir. À la première salve, Gaspar tombe ; mais deux de ses compagnons, en s'écroulant sur lui, le protègent des autres salves. La nuit venue, il se traîne jusqu'à la chaumière de la belle Erminia qui vit dans le dénuement le plus complet avec son père, ancien dignitaire du vice-roi, et sa mère. Erminia, farouche royaliste, cache Gaspar qui lui sauve la vie au cours d'un tremblement de terre pendant lequel la chaumière d'Erminia s'effondre sur ses parents. Gaspar, qui aime la jeune fille d'un amour profond et sans espoir, gagne, après une série d'exploits retentissants, la confiance des patriotes pour mieux les trahir ensuite. Après avoir tué le gouverneur, il se retranche dans les montagnes avec ses hommes et Erminia, devenue sa femme, par nécessité et apparemment sans amour. À la suite d'une trahison, Erminia et l'enfant qui lui est né sont faits prisonniers par les patriotes ; et c'est en essayant de les délivrer que Gaspar meurt écrasé sous le poids d'un canon auquel il servait d'affût, après avoir reçu enfin pour la première fois des lèvres de sa femme l'aveu de son amour. Et le général Santierra termine son histoire en présentant à ses hôtes la fille de Gaspar qu'il a adoptée. « L'Indicateur » : un collectionneur, *X.*, vient trouver un jour le narrateur pour voir ses bronzes et porcelaines de Chine. *X.* est un écrivain révolutionnaire, qui hante les sociétés secrètes et professe que l'on n'obtiendra jamais un progrès de l'humanité que par la terreur et la violence. *X.* raconte l'histoire suivante : la ravissante fille d'un haut fonctionnaire anglais, pour affirmer sa personnalité, offrit l'une de ses propriétés à un groupe d'anarchistes qui y installa une imprimerie et un laboratoire d'explosifs. Cependant toutes les tentatives du groupe anarchiste échouant toujours à la dernière minute, *X.* fut chargé d'enquêter discrètement sur les causes de ces échecs. Il fit donc la connaissance de la belle jeune fille et du groupe anarchiste auquel s'était joint Sevrin, « à la mine de prêtre fanatique », fort épris de la jeune fille. *X.* organisa une fausse descente de police, et Sevrin, pour sauver celle qu'il aimait, se démasqua en montrant son sauf-conduit signé de toutes les polices d'Europe. Les faux policiers s'étant à leur tour dévoilés, Sevrin l'indicateur s'empoisonna et la jeune fille n'eut plus qu'à se retirer dans un couvent. « La Brute » est l'odyssée d'un bateau qu'on eût dit hanté par l'esprit du mal. Incontrôlable, il cause une mort au moins par voyage, et sème la terreur dans les ports et sur mer. C'est le récit d'une de ces catastrophes que l'auteur nous rapporte, récit mêlé de sang et d'amour ; mais, tout a une fin : la « Brute » ira un jour se briser sur les rochers ; ainsi s'achèvera la longue série de malheurs qu'elle a provoqués. « Un anarchiste » : une importante fabrique d'extraits de viande, la Compagnie B.O.S. Limited, a installé dans une île, à l'embouchure d'un fleuve de l'Amérique du Sud, d'immenses parcs à bestiaux. Le chef de l'exploitation n'a jamais pu conserver de mécanicien pour faire marcher le canot à vapeur de l'exploitation jusqu'au jour où débarque un Français, forçat évadé de Cayenne, qu'il embauche sans le payer en racontant partout qu'il s'agit d'un dangereux anarchiste de Barcelone. Or il vient en réalité de Paris, où il fut arrêté un jour pour voies de fait et propagande anarchiste, alors qu'excellent ouvrier mécanicien il avait seulement crié « Vive l'anarchie » un soir d'ivresse. Miné par le climat, il refuse cependant de rentrer en Europe et préfère attendre la mort loin des hommes et de leur justice. « Le Duel » : à Strasbourg, sous le règne de Napoléon Ier, le lieutenant d'Hubert est chargé de prévenir le lieutenant Féraud qu'il doit prendre les arrêts de rigueur. Féraud provoque immédiatement en duel Hubert, qui trouve cette querelle ridicule mais est contraint de se battre. Il blesse Féraud qui ne le lui pardonnera jamais : chaque fois que les hasards des campagnes napoléoniennes amèneront dans une même ville les deux officiers, Féraud enverra ses témoins à Hubert et l'obligera à se battre sans que quiconque, pas même les intéressés, sachent encore pourquoi. Blessé pendant la campagne de France, Hubert ne peut reprendre de service pendant les Cent-Jours et Louis XVIII le confirme dans son grade de général, tandis que Féraud est sur la liste des vingt généraux qui doivent être exécutés. Hubert l'apprend et demande à Fouché la grâce de son irréductible adversaire : Féraud est envoyé en résidence forcée. Cependant Hubert doit épouser une jeune fille noble qu'il adore, mais dont il ignore les sentiments à son égard. Féraud, une semaine avant le mariage d'Hubert, le provoque et ils se battent au pistolet. Hubert laisse la vie sauve à Féraud et lui fait donner une rente pour le sauver de la misère, car il a compris, grâce à ce dernier duel, que sa fiancée l'aime vraiment. « Il Conte » : le « comte », tel est le surnom donné à un vieil habitué de la Riviera italienne, type achevé de l'homme du monde qui a horreur de tout ce qui est excessif. D'impérieuses raisons de santé le contraignent à vivre à Naples. Un soir, dans un parc public, il est attaqué par un jeune homme de mise soignée, qui l'oblige, sous la menace d'un poignard, à lui remettre son argent et sa montre. « Il conte », ayant retrouvé une pièce d'or, va souper ensuite dans un café célèbre. Son agresseur est à une table voisine et on explique au comte que c'est un jeune homme d'excellente famille, étudiant et chef de bande. « Il conte », considérant « sa dignité salie par un outrage odieux », quitte à jamais l'Italie, ce qui, vu son état de santé, équivaut à un suicide.

Joseph Conrad écrivait à son éditeur Methuen : « Chacun de ces contes est le récit d'incidents... et non pas un récit d'analyse. Ce ne sont pas des études : ces contes n'abordent aucun problème. Ce sont de simples récits où j'ai fait de mon mieux pour retenir simplement l'intérêt du lecteur. Je puis peut-être ajouter que dans ce recueil j'ai visé à une certaine virtuosité de style. » Virtuosité de style, intérêt des thèmes, étude pénétrante des êtres et des choses, humour ; ces six nouvelles sont écrites avec la maîtrise qui caractérise l'art de Conrad. — Trad. Gallimard, 1927.

GATOMACHIE (La) [*La gatomaquia*]. Poème burlesque en sept « silvas » (strophes polymétriques) et 2 500 vers, que l'écrivain espagnol Lope Félix de Vega Carpio (1562-1635) publia en 1634 sous le pseudonyme de Tomé de Burguillos. Ce poème est un lointain écho de la *Batrachomyomachie* (*) d'Homère. Mais Lope de Vega put trouver des modèles immédiats dans les poètes héroï-comiques italiens déjà connus en Espagne, comme Guttiere de Cetina (1520-1557 ?), auteur d'un poème sur *La Puce* [*La pulga*] ; Meretisso, auteur de la *Muerte, entierro y honras de Chrespina Marrauzmana, gata de Juan Chrespo* (1604), et même Villaviciosa, auteur de la *Mosquéïde*. La belle chatte Zapaquilda est aimée du valeureux Marramaquiz, mais elle préfère le très élégant Micifuz ; ce que voyant, Marramaquiz fait l'impossible pour reconquérir la belle infidèle. Soupirs, sérénades et duels ne servent à rien. Au comble du désespoir, Marramaquiz fait appel aux enchantements du chat sorcier Garfiñante. Sur ses conseils, et pour rendre Zapaquilda jalouse, il feint de courtiser Micilda. Peines perdues, l'ingrate se prépare à épouser Micifuz. Marramaquiz, furieux, arrive alors au milieu du festin et enlève la mariée. Micifuz et ses amis déclarent la guerre au ravisseur et l'assiègent dans son refuge. Les préparatifs de guerre émeuvent l'Olympe et les dieux prennent parti, qui pour l'un, qui pour l'autre. Finalement Marramaquiz, qui a dû sortir pour ravitailler sa belle prisonnière, reçoit par erreur un coup de fusil d'un chasseur. Ainsi s'achève la guerre. Zapaquilda peut donc sans crainte épouser son cher Micifuz. Qu'on le veuille ou non, *La Gatomachie* est un des chefs-d'œuvre de Lope de Vega. Sa saveur est unique dans les lettres espagnoles. À toutes les grâces de son inspiration, le poète joint, en effet, la couleur épique et populaire qu'on trouve dans tout romancero.

GATSBY LE MAGNIFIQUE [*The Great Gatsby*]. Roman de l'écrivain américain Francis Scott Fitzgerald (1896-1940), paru en 1925. Ce sont, avec des réminiscences personnelles, contées dans une prose nerveuse, les aventures, aujourd'hui classiques aux États-Unis, de Jay Gatsby — en réalité James Gatz —, jeune ambitieux sans culture et romantique, issu d'une famille pauvre du Middle West. Or Gatsby, « confident des garçons déréglés et inconnus », est un aventurier sympathique et, tout en jugeant ses actes méprisables, le narrateur — un certain Carraway — fait cet aveu : « Il y avait en cet homme quelque chose de magnifique, je ne sais quelle sensibilité exacerbée aux promesses de la vie, comme s'il s'apparentait à une de ces machines compliquées qui enregistrent les tremblements de terre à dix milles de distance. » Sorti major de la guerre de 1917-18, Gatsby devient un super-bootlegger à la personnalité mystérieuse (« Je crois, murmure une jeune fille, qu'il a tué un homme... ») et l'éclat de sa réussite n'aura d'égale que la soudaineté de sa chute. Dans sa luxueuse propriété de Long Island, Gatsby reçoit toute la haute société de New York pour qui rien ne compte que le dollar. Fitzgerald décrit les fêtes éblouissantes que donne l'aventurier romanesque à ses hôtes, dont plus d'un est « incurablement malhonnête ». Au zénith de son destin, Gatsby, cependant, demeure un garçon secrètement triste et pathétique. Sa fortune aura la durée d'un météore, il mourra assassiné par Tom Buchanan, un arrogant milliardaire dont il courtisait la femme, Daisy, et ne sera pleuré par personne. *Gatsby le Magnifique* est la satire mordante de l'égoïsme de certaine société américaine, fondée exclusivement sur l'argent, où les riches « laissent aux autres le soin de balayer ». On y reconnaît l'amertume de Fitzgerald qui avait essuyé leur mépris et fut, après la Première Guerre mondiale, le porte-parole de la « génération perdue », celle des « roaring twenties », les « rugissantes années 20 » — par lui baptisées l'âge du jazz. Les gens qui sont nés riches appartiennent à une autre espèce biologique : telle est la moralité de ce roman d'un écrivain typiquement américain par son outrance et sa liberté d'esprit. Ses propres déboires, du reste, prédisposaient Fitzgerald à conter les aventures du Trimalcion d'outre-Atlantique. Aventurier, bohème et passant pour un raté, l'écrivain avait connu, tant à l'université et dans l'armée que comme chômeur ou familier de Hollywood, les hauts et les bas d'une destinée hors du commun. — Trad. Éd. du Sagittaire, 1946.

GAUDEAMUS IGITUR. Ces mots latins qui signifient : « Réjouissons-nous donc », sont le début d'une chanson d'étudiants, populaire dans toutes les universités d'Allemagne. L'auteur de la musique est inconnu. La mélodie à trois temps, en mi bémol, rappelle par son rythme la danse tyrolienne qu'on nomme « laendler ». Elle paraît dater du XVIIIe siècle. Son titre officiel est *De brevitate vitæ,* mais on la désigne pratiquement par son premier vers. Elle a sept couplets. Le 1er proclame qu'il faut jouir de la vie tant qu'on est jeune, car la tombe nous attend [« Gaudeamus igitur juvenes dum sumus. Post jocundam juventutem, post molestam senectutem, nos habebit humus »]. 2e couplet : Où sont donc ceux qui nous précédèrent ? [« Ubi sunt qui ante nos in mundo fuere ? Vadite ad superos, vadite ad inferos, ubi jam fuere »]. 3e couplet : La vie est brève, la mort n'épargne personne [« Vita nostra brevis est, brevi finietur, venit mors velociter, rapit nos atrociter, nemini parcetur »]. 4e couplet : Vive l'Université, professeurs et étudiants [« Vivat Academia, vivant professores, vivat membrum quodlibet, vivant membra quælibet, semper sint in flore »]. 5e couplet : Vivent les belles filles et les femmes aimables [« Vivant omnes virgines faciles, formosæ, vivant et mulieres, teneræ, amabiles, bonæ, laboriosæ »]. 6e couplet : Vive l'État et son chef et vive notre cité [« Vivat et res publica et qui illam regit, vivat nostra civitas, mœcenatum caritas, quæ nos hic protegit »]. 7e couplet : Mort à la tristesse, au diable et à tous les ennemis des étudiants [« Pereat tristitia, pereant osores, pereat diabolus, quivis antiburschius atque irrisores »]. Sous le titre de *Gaudeamus igitur* est souvent publié le recueil des chansons d'étudiants qui forme ce que la langue estudiantine allemande appelle le *Kommersbuch.*

GAYANEH. Ballet en quatre actes du compositeur soviétique Aram Khatchaturian (1903-1978), sur un argument de Dedjavin, composé en 1942. L'ouvrage avait connu un état antérieur intitulé *Le Bonheur,* créé à Erevan en 1939. L'action retrace la vie d'un kolkhose arménien pendant la Seconde Guerre mondiale. La musique, brillante et colorée, est directement puisée aux sources du folklore arménien. Khatchaturian en a tiré trois suites d'orchestre qui ont fait carrière au concert. La troisième comporte la fameuse *Danse du sabre* qui a assuré la notoriété du compositeur dans le monde entier.

GAYETEZ. Poèmes du poète français Pierre de Ronsard (1524-1585) groupés sous ce nom dans l'édition collective de 1584 et celles qui ont suivi aux XVIe et XVIIe siècles. Cette section est l'avatar mutilé du *Livret de Folastries* paru en 1553. Il est préférable d'examiner ici ce dernier recueil, lequel comprend un poème introductif, huit « Folastries », les « Dithyrambes à la pompe du Bouc de Étienne Jodelle », la traduction de dix-sept épigrammes grecques et deux sonnets très libres. Le *Livret* représente pour l'auteur une véritable libération comme on le perçoit le mieux, peut-être, dans la 8e « Folastrie ». Le sujet en est le songe éveillé d'un ivrogne qui, regardant les nuages défiler dans le ciel, s'abandonne à ses fantasmagories : formes insolites, mouvements accélérés, personnages bizarres, comme ces singes qui vont à la chasse avec les dieux. Bacchus est le premier de ceux-ci et il gouverne le *Livret de Folastries,* en particulier les « Dithyrambes », véritable liturgie bachique qui rayonne sur tout le recueil. Accompagné de Cybèle, Bacchus est le dieu du van mystique, donc celui de l'abondance : la loi phallique s'impose aux amoureux qui, hommes ou bêtes, s'étreignent sans vergogne (« Folastries » 1, 3, 4, 5, 6, 8, deux sonnets finals). La fécondité est aussi celle des mots, comme le montre bien la richesse lexicale des « Dithyrambes ». Dieu de l'étrange (fureur poétique obscure), Bacchus est également le dieu de la maîtrise équilibrée des contraires : les « Dithyrambes » sont un poème solennel, apparemment destiné aux initiés de l'orphisme, ils sont aussi une caricature, une mystification joyeuse écrite pour célébrer non seulement le succès de l'écrivain dramatique Jodelle, mais encore les plaisirs d'étudiants débridés lors d'une partie de campagne. Cet aspect binaire se retrouve dans les sources d'inspiration de tout le recueil : 1) Ronsard revient à Marot et aux poètes de la tradition française que la Pléiade avait voulu mépriser pour mieux s'imposer : distanciation (le « je » est tantôt acteur lascif ou furieux, tantôt narrateur truculent), aventures amoureuses sensuelles plus que sentimentales, langue verte et style « bas » (sauf dans les « Dithyrambes »). 2) Ronsard ne délaisse pas l'imitation des Anciens, mais il s'inspire des élégiaques (Catulle, Tibulle [+ Marulle] sont des références explicites) et, s'il se souvient d'Homère, c'est plutôt de ses « divines bourdes ». La traduction des épigrammes grecques doit faire comprendre que le poète reste un humaniste, même s'il cultive les petits sujets alexandrins. — Le lecteur trouvera le *Livret de Folastries* au tome V de l'édition Laumonier (Société des textes français modernes) ou, dans celle de la Pléiade, partie dans les *Gayetez,* partie dans les *Pièces retranchées.* A. G.

GAZETTE (La). Feuille périodique, d'abord hebdomadaire, créée par Théophraste Renaudot (1586-1653), médecin de Louis XIII et « père du journalisme ». Il existait déjà, au XVe siècle, des feuilles d'information manuscrites qu'on appelait les « nouvelles à la main » ; certaines connurent, dès la fin du

XVIe siècle une certaine régularité, à Venise, en Allemagne, en Hollande, comme la *Relatio historica,* semestrielle d'Altzing (1583) ou la feuille hebdomadaire dirigée par les fameux banquiers Fugger. Déjà, le médecin Renaudot avait fait circuler de petites feuilles manuscrites d'information parmi sa clientèle. Il eut l'occasion, au cours d'un voyage à Venise, de connaître les feuilles imprimées qui y étaient publiées. De retour en France, il commença aussitôt à rédiger une feuille hebdomadaire, qui paraissait tous les samedis et qu'il appela *Gazette*, du nom de la menue monnaie dont on payait de semblables périodiques à Venise. La première *Gazette* parut le 30 mai 1631. Richelieu comprit immédiatement le parti que le gouvernement en pouvait tirer et *La Gazette* devint l'organe officiel du pouvoir. Richelieu lui-même y donnait les nouvelles diplomatiques et militaires et y rédigea d'importants articles. Louis XIII ne dédaigna pas d'y faire paraître le récit de ses opérations militaires de 1631 à 1642, rédigé de sa main. Mazarin, Le Tellier, de Lionne continuèrent d'assurer à Renaudot la protection que lui avait accordée Richelieu. Renaudot fit aussi appel à la collaboration d'écrivains tels que La Calprenède, Voiture ou Mézeray. À la mort de Théophraste Renaudot, *La Gazette* fut dirigée par son fils Isaac, premier médecin du Dauphin et, comme son père, historiographe du roi, jusqu'à sa mort (1679), puis par Eusèbe Renaudot jusqu'en 1729. Le 1er janvier 1762, *La Gazette*, qui n'avait pas cessé de paraître depuis plus d'un siècle, prit le nom de *Gazette de France* et devint bihebdomadaire. En 1787, le ministère en donna le privilège au célèbre libraire Panckoucke. Ce privilège lui fut retiré en 1792. Après le 10 août 1792, elle devint *La Gazette nationale de France* et fut publiée quotidiennement. Sous l'Empire, elle réussit à survivre, mais fut soumise à la servitude imposée à la presse. Avec la Restauration, elle redevint l'un des principaux organes royalistes. Résolument légitimiste, elle passa à l'opposition modérée sous le gouvernement de Louis-Philippe et fut dirigée par l'abbé de Genoude. Elle demeura l'organe légitimiste sous la IIe République, le second Empire, la IIIe République et ne s'éteignit qu'en 1914, après avoir paru près de trois cents ans.

GAZETTE NOIRE (La) [*La gazzetta nera*]. Roman de l'écrivain italien Guido Piovene (1907-1974), publié en 1943. Écrite durant la première année de la guerre, *La Gazette noire* porte la marque de cette époque tragique, sans qu'il y soit fait la moindre allusion aux événements contemporains, du fait de l'amère tristesse qui s'y exprime, jointe à la hantise de la mort. C'est là un roman noir, au double sens du mot : un livre dont le sujet est atroce et l'accent désespéré. Les personnages semblent à la recherche d'un geste, d'un acte, d'un instant capables de leur ouvrir l'éternité ; ne le trouvant pas, ils se nouent sur eux-mêmes. Ce désir d'absolu est très discrètement exprimé. Il a été éveillé, chez le héros de *La Gazette noire*, par ce sentiment qu'il existe quelque chose d'éternel, non tant dans un paysage que dans notre émotion devant un paysage : « Dès l'enfance, je me suis pris d'affection pour les beaux paysages. Il s'agissait d'une affection toute claire, presque trop dépouillée d'éléments sensuels ; les bois, les vignes, la plaine qui s'étendait sous cette ligne de hauteurs composaient un ensemble de délices, pur de toute discordance. » Mais Dorigo souffre que ce plaisir aigu, intellectuel et spirituel, qui apporte avec lui la sensation de l'absolu, ne soit pas déjà l'éternité. Il imagine l'éternité comme un lieu où nous retrouvons toutes les harmonies entrevues. Aussi souffre-t-il jusque devant ce paysage dont la douceur ressortit à l'absolu, mais ne le garantit pas. Chacun des chapitres forme un récit indépendant, mais se rapportant toujours au thème du crime ou de l'intention criminelle. Papini se plaisait à dire que, de tous les pays du monde, l'Italie était celui qui possédait la littérature la plus riche sur les délinquants. Elle s'enrichit avec ce livre d'un florilège de l'assassinat. Mais ce qui nous frappe dans *La Gazette noire*, c'est moins l'horreur de certaines scènes (quand, par exemple, une jeune fille annonce à sa tante paralysée et aphasique sa fin prochaine et inévitable) que la façon dont l'auteur dénonce comme un penchant abject de la nature humaine toute curiosité ouverte du côté du mystère, toute attirance vers l'au-delà, toute manifestation (diabolique ou divine) de folie ou de voyance nous donnant la prémonition d'un domaine situé au-delà du raisonnable. Seule, pour Piovene, la raison est « propre » dans les limites de son champ étroit, et seule elle est légitime ; l'homme se déshonore quand il renie sa raison, tout au moins avant d'en avoir épuisé les ressources. – Trad. Robert Laffont, 1949.

GÉANTS [*Giganten*]. Roman de l'écrivain allemand Alfred Döblin (1878-1957). Ce roman a pris deux formes : d'abord une version épique sous le titre *Montagnes, océans et géants,* écrite de 1921 à 1923 et publiée en 1924 ; la seconde, parue en 1931, sous le titre plus simple de *Géants :* livre d'aventures et roman d'anticipation. Döblin croit à la toute-puissance de la nature ; en même temps, il s'effraie des progrès inconsidérés de la technique qui posent des dilemmes nombreux : nature et esprit, esprit et technique, technique et humanité, humanité et nature. Il les étudie dans ce roman fantastique. La Machine a grandi monstrueusement dans la cage des anciens États ; elle la fait éclater, se délivre et crée une société nouvelle. D'étranges visions envahissent des villes réelles, Marseille, Milan, Londres, New York. C'est la jeunesse d'une humanité transformée par la machine. On abandonne l'agriculture. L'humanité occidentale forme des « civitades » [Stadtschaften] autour de la machine. Tous les moyens de subsistance deviennent artificiels. Les forêts redeviennent des jungles. Une ère d'inquiétude commence, où l'humanité a le sentiment d'un vide toujours plus profond. Une guerre en surgit : la guerre de l'Oural, déchaînant des engins nouveaux sur mer et dans les airs. Les Occidentaux ne peuvent repousser les Asiates : il leur manque l'âme. L'humanité sombre dans la barbarie. Mais l'idée de guerre reste vivace. On attaque les plaines glacées du Groenland pour donner de nouveaux territoires à l'humanité qui aveuglément prolifère. Les volcans d'Islande sont réveillés par des moyens mécaniques ; la terre dégèle, mais « quiconque n'a pas d'âme ne peut connaître qu'une victoire illusoire ». Le feu se déchaîne. Des animaux effrayants apparaissent : ce sont les Géants. Ils se ruent sur les dernières « civitades », qui sont détruites peu à peu. Mais du Groenland même surgissent de nouveaux êtres porteurs d'une volonté neuve : ils vont redresser l'humanité en commençant par la région de Toulouse. Désormais le monde obéira à une loi : la loi morale.

GÉANTS DE LA MONTAGNE (Les) [*I giganti della montagna*]. « Mythe » inachevé de l'écrivain italien Luigi Pirandello (1867-1936). Seules quelques indications qu'il nous a laissées nous permettent d'imaginer la fin de l'histoire. Les restes d'une troupe de comédiens dispersée, groupés autour de l'étoile de la compagnie, la comtesse Ilse, parviennent, après diverses aventures, dans une ferme en ruine perdue dans la montagne. Les occupants de la ferme, Cotrone et sa bande, tentent d'épouvanter les comédiens pour les éloigner ; mais ces derniers savent reconnaître dans leurs apparitions et leurs diableries de parfaits truquages de théâtre. Ils voyagent, disent-ils, pour représenter *La Fable du fils changé* (quatre actes de Pirandello, musique de Malipiero) : Ilse les entraîne, car elle veut faire revivre, en représentant cette pièce, la mémoire du jeune poète qui s'est suicidé lorsqu'elle a refusé son amour par fidélité pour son art. Cotrone invite les comédiens à rester, et il leur donne un aperçu de son monde magique, où l'imagination crée tout. Elle suffit à sa bande pour se forger la vie qui lui est chère, peuplée de fantômes, d'apparitions et de tempêtes. Mais un besoin, auquel elle ne peut se dérober, pousse Ilse à continuer son chemin. Cotrone s'offre alors à conduire les comédiens chez les géants de la montagne. Cette race violente ne pense qu'à son bien-être présent et accomplit des œuvres grandioses pour dominer la terre. Les géants (qu'on ne voit jamais en scène) permettent aux comédiens de donner une représentation. Mais ils ne peuvent y assister, à cause de leur travail. Ils laissent au menu peuple le spectacle de la poésie. Les paroles d'Ilse provoquent les hurlements et les coups de sifflet des spectateurs. Elle insulte le public, qui prend les acteurs à partie. Ilse est tuée, et avec elle, la Poésie : mais ainsi tous sont libérés d'un mauvais rêve. Dans ce dernier chapitre de l'accusation et de la mort de la Poésie reparaît le vieux duel de l'esprit et de la matière. L'esprit est vaincu, parce qu'il s'est détaché du corps qui est son complément naturel. Dans cette œuvre s'affirme nettement le désir d'une croyance. Jusqu'à présent, Pirandello avait refusé le témoignage des sens, considéré comme une source d'illusions. Il l'abandonne maintenant pour des raisons opposées : parce qu'il est incapable de construire l'illusion. Dans le même esprit, il renie aussi la raison, qui n'est qu'un produit de la sensibilité. Après avoir triomphé de l'angoisse, née d'un réalisme trop tendu, Pirandello semble être sur le point, avec *Les Géants de la montagne*, de recréer un monde purement imaginaire, situé au-delà des apparences superficielles du réel quotidien, et dans lequel le nouveau dualisme, qu'il propose, serait peut-être à même de résoudre toutes les questions. Ainsi, la dernière œuvre de Pirandello est une affirmation paradoxale de sa volonté de croire dans le monde. — Trad. Gallimard, La Pléiade, t. II, 1985.

GEERAERDT VAN VELZEN. Tragédie de l'historien et poète hollandais Pieter Cornelisz Hooft (1581-1647), écrite en 1613. Cette pièce est tirée d'un chant populaire historique. Machteld van Velzen, épouse de Geeraerdt van Velzen, a été violée par Floris V, comte de Hollande. Pour répondre à ses lamentations, la Discorde, la Violence et la Fraude mettent le feu à la nation, tandis qu'un chœur de vierges chante l'ingratitude des princes, dont le crime commis par Floris est une nouvelle preuve. Au second acte, Floris est fait prisonnier et conduit au château de Velzen, où les nobles se sont réunis en conseil pour venger l'outrage. Gijsbert Van Aemstel conseille la clémence, mais Velzen hésite ; l'écuyer, que l'on a dépêché auprès du mage Timon, ne rapporte qu'une réponse ambiguë. En prison, Floris rêve que Velzen lui prédit la mort ; épouvanté, il s'éveille, fait appeler ce dernier, implore son pardon et lui offre d'épouser sa fille naturelle pour réparer l'outrage. En vain ! Au drame intime qui se déroule dans l'âme des personnages s'ajoute la menace extérieure : l'ennemi avance de tous côtés. Le chœur chante la gloire de ceux qui combattent avec vaillance ; alors Velzen prend congé de sa femme. Bientôt un héraut annonce à Machteld l'issue de la lutte et la mort de Floris sur le champ de bataille ; un chœur de citoyens déplore sa perte et pleure le destin du pays, mais, en un long monologue, le fleuve Vecht prédit les gloires d'Amsterdam et de toute la Hollande. *Geeraerdt van Velzen* est une pièce supérieure aux autres tragédies de Hooft, aussi bien pour la vigueur de la langue que pour la vivacité du dialogue. La scène du mage, l'apparition du songe, les figures allégoriques rappellent le théâtre de Sénèque, en particulier l'entrée du fleuve Vecht, qui semble une réminiscence de l'Hercule ressuscité dans *Hercule sur l'Œta* — v. *Hercule* (*). L'emploi des allégories est propre au drame de la fin du XVIe siècle : notons cependant que certaines figures de caractère national se substituent aux allégories classiques.

GEERTJE. Roman de l'écrivain hollandais Johan de Meester (1860-1931), qui, dès sa parution, en 1905, fit date dans les lettres néerlandaises. Le naturalisme, pratiqué au début de ce siècle par la plupart des romanciers hollandais, y fait place à une vision plus souple de la réalité. *Geertje* — c'est le prénom de l'héroïne du roman —, considéré comme le chef-d'œuvre de Johan de Meester, nous conte l'histoire, combien banale, des amours d'une humble servante, orpheline depuis son enfance, séduite par son patron et abandonnée par celui-ci dès qu'elle lui annonce sa prochaine maternité. Au lieu de s'abîmer dans le désespoir ou de s'adonner à un acte inconsidéré, Geertje accepte son infortune comme une épreuve de Dieu (elle a été élevée religieusement), et c'est avec une réelle élévation d'âme qu'elle accepte son destin de fille-mère. Si son séducteur n'a agi que par concupiscence, Geertje, au contraire, s'était donnée avec toute la pureté de son cœur, puisant dans son amour une exaltation qui l'élèvera à jamais au-dessus des basses contingences de ce monde. Elle refuse ainsi la main d'un paysan aisé qui veut l'épouser en dépit de tout, pour la seule raison qu'elle entend rester fidèle aux secrètes injonctions de sa propre vie intérieure. « Tout ce que Dieu fait est bien fait », semble-t-elle dire, et c'est en souriant qu'elle affronte son misérable destin. Tous les personnages qui l'entourent : ses grands-parents, son oncle Jan Niekerk, son patron l'imprimeur Jan Heins, sa femme difforme et leur fille malade, le bossu Maandag qui recueille l'enfant de l'adultère, le riche paysan Willem Henkelsan qui veut épouser la fille-mère, tous agissent — que ce soit en bien ou en mal — sous l'impératif catégorique de la vie, cette grande inconnue qui veut que tout soit comme l'exige le Destin. Chacun joue son rôle, qu'il soit glorieux ou misérable, et l'on ne peut en rien modifier le cours des événements. Mais, au lieu d'être un roman purement fataliste, *Geertje* s'affirme plutôt comme une œuvre « unanimiste », avec un idéalisme plein de soumission à la toute-puissance de la vie et à tout ce que celle-ci peut receler de merveilleusement impénétrable.

GEL AU NEZ ROUGE (Le) [*Moroz, krasnyj nos*]. Ce petit poème de l'écrivain russe Nicolaï Alekseïevitch Nekrassov (1821-1877), publié en 1863, compte sans doute parmi les œuvres les plus originales et les plus réussies de l'auteur. Tout comme dans ses deux autres poèmes célèbres, *Pour qui fait-il bon vivre en Russie ?* (*) et *Femmes russes* (*), il y glorifie la femme russe, son rôle moral et social. Le thème de ce poème est l'histoire de Daria, jeune fille à l'esprit bien trempé, intrépide dans la lutte pour la vie, « ayant conscience que c'est le travail qui nous libère » ; Daria représente ce type de « femme slave, belle et puissante » (selon les paroles mêmes du poète) qui, par malheur, commence à disparaître dans le peuple. Elle a épousé Prokl, un paysan courageux, digne d'elle, et le bonheur leur semble promis. Mais, un jour, Prokl tombe malade. Rien ne réussit à le guérir : ni les prières, ni les remèdes, ni une image miraculeuse rapportée d'un monastère par Daria. Prokl meurt, laissant tout le fardeau du travail et la charge des enfants à la pauvre femme. Le jour même de l'enterrement, Daria va dans la forêt couper du bois, et là le mage Gel lui apparaît et l'ensorcelle par des paroles affectueuses. Peu à peu elle se sent prise d'une étrange faiblesse. Des visions joyeuses lui apparaissent : elle revoit son mari qui l'embrasse avec toute la passion de la jeunesse ; d'autres images de leur vie en commun, laborieuse mais heureuse, remontent à la surface du souvenir. Elle meurt enfin, glissant insensiblement du rêve dans le néant. Sans aucun doute, une grande part du charme de ce délicat poème est due à son atmosphère fantastique.

GELÉE DE POMMES SAUVAGES [*Crab Apple Jelly*]. Recueil de nouvelles de l'écrivain irlandais Frank O'Connor (pseud. de Michael Francis O'Donovan, 1903-1966), publié en 1944. Comme son contemporain Sean O'Faolain, l'auteur a une connaissance du gaélique qui manquait aux écrivains de la génération précédente. Né à Cork, éduqué par les frères des Écoles chrétiennes, ce bibliothécaire cultivé fut découvert par George William Russel (A. E.), rédacteur de l'*Irish Homestead* et de l'*Irish Statesman*, et l'une des figures les plus importantes de la renaissance littéraire irlandaise. Ce fut Russel qui publia les premières nouvelles d'O'Connor, qui, parues en plusieurs volumes de 1931 à 1947, ont établi sa réputation dans ce genre. L'absence de structure de classe bien établie dans l'Irlande moderne a empêché, a-t-on soutenu, les romanciers de dresser la toile de fond d'une société contre laquelle ils puissent camper des personnages. Cela explique-t-il la difficulté qu'éprouve maint auteur de nouvelles irlandais à écrire de longs romans structurés ? O'Connor a-t-il été incapable de trouver dans une religion dogmatique et tyrannique, et dans un sentiment nationaliste désormais dépouillé de sa raison d'être, les concepts unificateurs d'une véritable vision romanesque ? Toujours est-il que ses deux romans : *Le Saint et Mary Kate* [*The Saint and Mary Kate,* 1932] et *Intérieur hollandais* [*Dutch Interior,* 1937], sont d'une valeur artistique bien inférieure à celle de ses nouvelles. Dans *Gelée de pommes sauvages* ou *Pommes de discorde* [*Bones of Contention,* 1936], il montre un sens aigu de l'observation et sait tirer parti d'un incident, d'une scène de rue, d'une cérémonie familiale, d'un conflit amoureux, pour éclairer un milieu social. Son style nerveux, nourri de vocables du terroir, la concentration de sa structure dramatique, en font le meilleur auteur de nouvelles en Irlande. Ses nouvelles ont été réunies en un gros recueil en 1953.

GEMPEI SEISUIKI [*Grandeur et décadence des Minamoto et des Taira*]. Récit historique japonais, en quarante-huit volumes, des guerres civiles de la féodalité, époque de Kamakura (1192-1602). On hésite sur l'auteur ; certains attribuent cette œuvre au prêtre Genkei, qui aurait remanié et développé une partie du fameux *Heike Monogatari* (*) ; d'autres, à Doi Tsunehira, qui l'aurait écrite de 1248 à 1250. Quoi qu'il en soit, elle réunit une matière déjà traitée dans des textes plus anciens, dont quelques-uns nous sont parvenus, comme le *Kurokawa,* le *Matsui* et le *Naikaku Bunko.* Le *Gempei Seisuiki* raconte l'histoire de la famille Taira, en partant de Taira no Tadamori (1096-1153) qui en fut le premier membre admis à la Cour. Son fils Taira no Kiyomori (1118-1181), profitant de la confiance dont il jouissait auprès de l'empereur, monopolisa pour les siens les postes les plus importants du gouvernement. Mais la famille Fujiwara, très influente précédemment, devait tramer, d'accord avec les prêtres de Kyôto, une conspiration tendant à renverser la puissance des Taira. Kiyomori découvrit à temps leur dessein et, après avoir dispersé les chefs de la faction adverse, déposa l'empereur Takakura (1169-1180), mettant à sa place Antoku (1181-1183) et se faisant nommer Premier ministre. Pendant ce temps, sur le territoire d'Uji, une autre famille de feudataires, les Minamoto, se révolte contre les Taira, guidée par le fameux Yorimoto et par son frère Yoshitsune qui, ayant rassemblé de grandes forces dans la province d'Izu, avancent vers Kyôto. En même temps, une autre branche de la même famille, ayant à sa tête Yoshinaka, s'insurge contre la puissance des Taira, met leurs troupes en déroute et parvient jusqu'à Kyôto. Mais, abusant de sa victoire, elle perd la faveur de l'empereur ainsi que celle du peuple et, quand Yorimoto et Yoshitsune s'approchent de la capitale, Yoshinaka, vaincu, est tué. Les deux frères poursuivent les membres de la famille Taira et les acculent contre la côte où, plutôt que d'être faits prisonniers ou tués par leurs adversaires, ils se jettent à la mer. Mais, à ce point, surgissent entre les deux vainqueurs des désaccords qui ne tardent pas à dégénérer en inimitié ; le cadet, se sentant en danger, s'enfuit à Oshû (nord du Japon). Ici se termine le récit.

Le style est très orné et la narration fort minutieuse, mais son manque d'unité et ses défauts de construction la rendent, au point de vue littéraire, inférieure au *Heike Monogatari.* Toutefois, le *Gempei Seisuiki* eut une grande influence sur la littérature japonaise et on en tira la matière de diverses œuvres, telles que certaines parties du *Mai-no-hon* (livrets de ballets de caractère religieux), du théâtre (nô), du Kyôgen (théâtre comique classique) et du Jôruri (partie littéraire du théâtre classique), ainsi que de très nombreux romans et nouvelles classiques et modernes.

GENDARME EST SANS PITIÉ (Le) et autres pièces brèves, de Courteline. Pour l'écrivain français Georges Courteline (1858-1929), humoriste dont la verve s'exerce irrésistiblement contre tout ce qui, militaire ou fonctionnaire, est fortement organisé, le théâtre n'est pas une chaire, mais une image de la vie que ses caricatures puissantes ne déforment guère. Il puise son inspiration dans la vie militaire : *Lidoire, Les Gaietés de l'escadron, Le Train de 8 h 47* ; la vie judiciaire : *Un client sérieux, Le commissaire est bon enfant, Le gendarme est sans pitié, L'Article 330, Les Balances* ; la vie des petits-bourgeois : *Boubouroche* (*), *La Cruche, La Paix chez soi,* ou des fonctionnaires : *Messieurs les Ronds-de-cuir* (*). L'œuvre dramatique de Georges Courteline est une comédie humaine mise à la portée de tous. La philosophie qui s'en dégage est assez amère, comme celle de Molière : l'humanité est médiocre et il n'est aucun remède à ses maux. Comme l'explique le plaignant La Brige, dans *L'Article 330,* le raisonnement de la plupart des hommes est : « Si je ne te crains pas, je me fous de toi. » Alors à quoi bon se révolter ? Mieux vaut en rire. Mais, ce qui élève ses esquisses bien au-dessus de simples caricatures, c'est que l'écrivain croque toujours l'essentiel de ce que nous pouvons reconnaître en nous et autour de nous, atteignant ainsi à une vérité durable et classique.

Lidoire (1891) se passe le soir dans la chambrée d'un régiment de cavalerie. L'adjudant, puis le brigadier de semaine viennent distribuer des punitions et donner à Lidoire des ordres impossibles à exécuter, ce qui provoque chez lui d'amères réflexions sur le métier militaire, « où tout le monde commande sans qu'y ait seulement un lascar pour savoir de quoi qu'y retourne ». À peine endormi, il est réveillé par le trompette La Biscotte, qui rentre tellement soûl qu'il doit le déshabiller et le coucher. Sa bonté provoque les déclarations sentimentales et les remords de La Biscotte qui, trouvant qu'il « déshonore l'armée française », veut rendre sa trompette, non sans en avoir tiré des sons rauques qui

salon des La Brige est en plein désordre pour cause de déménagement ; le nouveau locataire va arriver, les déménageurs sont là, mais le propriétaire, M. Saumâtre, refuse de les laisser partir avant qu'ils n'aient payé leur loyer échu. Hortense La Brige, qui est enceinte de neuf mois, joint ses supplications à celles de son mari : impossible d'apitoyer l'inflexible Saumâtre. Alors La Brige ordonne à Hortense de se coucher, la loi lui accordant un délai de neuf jours pour mettre son enfant au monde. Le propriétaire affolé accepte aussitôt de laisser partir le couple sans aucun des dédommagements qu'il lui proposait précédemment. Et La Brige conclut : « Il suffit neuf fois sur dix à un honnête homme échoué dans les toiles d'araignée du Code de se conduire comme un malfaiteur pour être immédiatement dans la légalité. » — *Monsieur Badin* (1897) : M. Badin, expéditionnaire du troisième bureau au ministère, est convoqué par son directeur pour s'expliquer d'une absence de quinze jours, pendant laquelle on a répondu six fois au médecin du ministère qu'il était à la brasserie. M. Badin allègue qu'il a perdu son beau-frère, ce qui enflamme d'une juste colère le directeur, car Badin n'a « cessé de mettre en terre, à raison d'un au moins la semaine », tous ses parents ; « c'est devenu un vrai massacre ». M. Badin avoue au directeur qu'il a horreur du ministère, mais qu'il a maigri de vingt livres depuis qu'il n'y va plus, que cette lutte entre le devoir et l'ennui qu'il ressent au bureau le tue, et qu'il lui faut de l'augmentation, car « il ne peut pourtant pas se tuer pour deux cents francs par mois ! ».

On voit que la plupart des comédies de Courteline sont construites selon un rythme double : au début, un personnage, fort de sa connaissance de la loi, tyrannise son entourage, au mépris de la charité et du bon sens ; à la fin ce personnage sera confondu par un article du code (souvent le même), qui l'accablera à son tour.

GENDRE DE MONSIEUR POIRIER (Le). Comédie en cinq actes des dramaturges français Émile Augier (1820-1889) et Jules Sandeau (1811-1883), représentée pour la première fois en 1855 à Paris. Les auteurs ont mis en scène, une fois de plus, le vieux sujet de la rivalité entre la noblesse ruinée et la bourgeoisie enrichie, non sans toutefois rajeunir et renouveler ce motif avec beaucoup d'esprit et une ironie délicate qui ne va pas sans quelque attendrissement. Poirier, petit commerçant qui a fait fortune, ayant payé les dettes de son gendre Gaston de Presles, noble ruiné, le fait vivre richement, et se croit en droit de lui demander son aide pour sa candidature au Sénat. Gaston, héritier d'une tradition très ancienne, refuse son appui en se moquant de son beau-père, si bien que Poirier mettrait à la porte l'inutile et dépensier marquis sans l'intervention d'Antoinette, femme de Gaston, qui aime son mari mais n'en est pas aimée. Gaston pourtant n'a pas renoncé à sa vie de célibataire et encore moins à sa maîtresse qui est de noble extraction. Grâce à une lettre indûment ouverte par son père, Antoinette apprend que son mari la trahit et qu'il doit se battre en duel pour sa maîtresse ; exaspérée, elle met comme condition à son pardon que son mari renoncera à son duel ; Gaston hésite, puis comprend qu'il aime sa femme et se jette à ses pieds. À ce moment, la timide et insignifiante petite bourgeoise a un geste d'une noblesse magnifique : « Tout est réparé. Je n'ai plus rien à vous pardonner, je vous crois, je suis heureuse, je vous aime. Et maintenant, va te battre, va ! », dit-elle. Par bonheur, l'adversaire du marquis renonce au duel, envoie des excuses et tout s'arrange. M. Poirier pourtant est incorrigible et nous l'entendons murmurer : « Je serai député de l'arrondissement de Presles en 1847... et pair de France en 1848. » Ces paroles semblent résumer tout le climat de la comédie, qui nous donne un vivant tableau de la France en 1850, avec ses nouveaux riches et sa vieille noblesse.

GÉNÉALOGIE DE LA MORALE (La) [*Zur Genealogie der Moral*]. Ouvrage du philosophe allemand Friedrich Nietzsche (1844-1900), écrit et publié en 1887. Composé dans l'intention de renforcer la portée de *Par-delà le bien et le mal* (*), précédemment publié, il réunit trois « dissertations » intitulées : « Bien et mal — Bon et mauvais » ; « Faute — Mauvaise conscience — Et ce qui leur ressemble » ; « Quel est le sens de tout idéal ascétique ? » Dans la première, Nietzsche traite de l'essence et de l'origine du christianisme, engendré selon lui par l'esprit de ressentiment et non par l'« Esprit » ; en lui, il dénonce une réaction et une révolte contre la suprématie des valeurs aristocratiques. Dans la deuxième, la « conscience » est reconnue par Nietzsche non comme la voix de Dieu en l'homme, mais comme l'instinct de cruauté, qui se replie sur lui-même lorsqu'il n'a pu s'épancher extérieurement : d'où la thèse que la cruauté est un élément indissociable de la civilisation. Dans la troisième, l'auteur trouve l'explication de la puissance (qu'il tient pour maléfique) de l'idéal ascétique religieux, dans le fait que cette forme de discipline était, « jusqu'à Zarathoustra », la seule qui fut proposée aux hommes. Nietzsche considérait cet ouvrage comme une préparation à son œuvre, demeurée inachevée, de la *Transmutation de toutes les valeurs* (*), et comme une confirmation du précédent *Par-delà le bien et le mal*, auquel il se rattache par ses qualités formelles et sa valeur philosophique fondamentale. — Trad. Mercure de France, 1900 ; Gallimard, 1971.

GÉNÉALOGIE DES DIEUX (De la) [*De genealogiis deorum gentilium*]. Traité de mythologie, écrit en latin et comprenant quinze livres, de l'écrivain italien Jean Boccace (1313-1375). La première version en fut faite entre 1347 et 1360, à la demande d'Hugues IV de Lusignan, roi de Chypre et de Jérusalem, puis elle fut revue et augmentée par l'auteur après la mort d'Hugues, survenue en 1359. C'est un vaste répertoire dans lequel Boccace se propose d'illustrer, avec toute la rigueur philologique possible, les faits concernant la généalogie des Grecs et des Romains, de fixer avec exactitude le contenu des innombrables mythes classiques et d'en donner une interprétation critique. Il remonte aux textes classiques, compulse et confronte les répertoires médiévaux, appuie sa version de citations et de références aux sources. Par son interprétation du mythe, Boccace renoue avec la doctrine courante au Moyen Âge qui consiste à appliquer aux œuvres classiques les règles de l'exégèse biblique. Le mythe est une fable poétique derrière laquelle se cache une vérité spirituelle, morale ou religieuse. L'éclectisme de Boccace se manifeste par la façon dont il applique la théorie des trois sens : le sens littéral ou historique, le sens allégorique ou moral, le sens analogique ou chrétien. Il ne cherche pas à dégager avec une rigueur systématique les trois sens du mythe, mais seulement celui qui se prête le mieux à en expliquer le sujet et l'origine. Le livre XIV, écrit semble-t-il après 1366, s'efforce de justifier les poètes de l'accusation d'être de simples créateurs de fables sans signification : la fable est à la fois le voile et le symbole d'une vérité profonde. La *Généalogie* fut surtout appréciée pour l'esprit qui l'anime et pour les intentions de son auteur. Jugée au regard de son époque, elle apparaît non seulement comme une œuvre d'une exceptionnelle érudition, remarquable par sa méthode et ses buts, mais aussi comme une des premières manifestations de cette science philologique qui est parmi les grandes conquêtes de l'humanisme. — Trad. à Paris, 1531.

GÉNÉRAL DE L'ARMÉE MORTE (Le) [*Gjenerali i ushtrise se Vdekur*]. Roman de l'écrivain albanais Ismaïl Kadaré (né en 1936), paru d'abord sous forme de nouvelles en 1962, puis remanié et publié à Tirana en 1963. Vingt ans après la défaite des Italiens en Albanie pendant la Seconde Guerre mondiale, un général italien est chargé de récupérer les cadavres de ses compatriotes. Il arrive en compagnie d'un prêtre, muni des relevés exacts des tombes, et va se trouver confronté aux difficultés pratiques des exhumations, à l'hostilité ouverte des habitants, à la mémoire des événements tragiques, en même temps qu'à l'absurdité de cette « noble mission » qui consiste à remporter les corps des anciens vainqueurs. En effet, « peut-on concevoir de plus grande satisfaction pour un ancien combattant que de tirer ses anciens ennemis de leur tombe ? » demande Kadaré.

Lorsque le général italien rencontre un général allemand qui, lui aussi, cherche les ossements des soldats de son pays tombés en Albanie, on voit la personnalité des deux militaires se détraquer peu à peu, et sombrer dans le ridicule au fur et à mesure de leurs déboires, de quiproquos tragi-comiques, d'une sage solution décidée à l'issue d'une énorme beuverie. Le tragique finit par rejoindre le grotesque dans une réconciliation dérisoire, en conclusion à ce chemin de croix dérisoire des anciens belligérants.

Roman de guerre d'un genre tout à fait inhabituel, qui se refuse à exalter toute forme d'héroïsme ou d'esprit guerrier, *Le Général de l'armée morte,* qui révéla Ismaïl Kadaré en même temps que l'Albanie à l'Occident, lors de sa publication en France en 1970, est une exceptionnelle réussite à laquelle il convient d'associer le travail de son traducteur, Jusuf Vrioni, resté longtemps inconnu par la volonté des autorités de Tirana. Par le recul dans le temps qui lui permet une astucieuse distanciation, le romancier prend la liberté, dans un régime soumis à l'Union soviétique où toute littérature est soumise à une étroite censure, de créer une fiction à partir d'une Histoire encore douloureuse. Un humour qui mord et qui sape les règles établies tout en faisant découvrir les valeurs et les traditions d'un peuple à la fois fier et humilié, demeuré près de ses sources antiques. Un film réalisé par Luciano Tovoli, interprété par Anouk Aimée, Marcello Mastroianni, Michel Piccoli, a été tourné en Italie en 1983 d'après le roman. — Trad. Albin Michel, 1970. N. Z.

GÉNÉRAL DOURAKINE (Le). Roman pour la jeunesse de la comtesse de Ségur (1799-1874), écrivain français, publié en 1866. Ce livre fait suite à *L'Auberge de l'Ange gardien* (1863), dont on retrouvera ici tous les personnages principaux : le général Dourakine, qui cache un cœur d'or sous des dehors bourrus, héros de Sébastopol, un moment prisonnier en France et qui rentre en Russie avec sa suite : son intendant français, M. Dérigny, sa femme et leurs deux enfants, Paul et Jacques. Le général, fort riche, est un oncle à héritage. Sa nièce, Mme Popofski, le sait bien, qui vient s'installer au château de Gromiline aussitôt après l'arrivée du général. Cette femme méchante, qui parle sans cesse de faire fouetter ses serviteurs, a des enfants fort mal élevés : une nuée de diables qui font les moins aimables plaisanteries aux deux petits Français — heureusement protégés par le général Dourakine. Celui-ci, qui voit bien les desseins de Mme Popofski, appelle près de lui une autre nièce, Mme Dabrovine, qui, depuis la mort de son mari à Sébastopol, vit retirée, triste, presque dans la misère. Le caractère de Mme Dabrovine est tout à l'opposé de celui de Mme Popofski : un ange opposé à un démon. Naturellement, l'intrigante ne se satisfait point de l'arrivée de sa sœur au château et craint que l'héritage ne lui échappe. Aussi va-t-elle devenir de plus en plus acerbe : et, quand elle verra le général Dourakine donner systématiquement la préférence à Mme Dabrovine, Mme Popofski nourrira le projet de dénoncer le général et M. Dérigny et sa famille comme « polonais » et « catholiques ». Précisément, le général Dourakine vient de recueillir un forçat évadé, le prince polonais Pajarski, accusé d'avoir fomenté un soulèvement contre la Russie. On le fait passer pour un précepteur anglais, mais Mme Popofski ne tarde pas à percer le mystère. Il faut quitter au plus vite la Russie : le général vend toutes les terres qu'il possède dans l'Empire. Quant à Mme Popofski, il trouve le moyen de l'apaiser, en lui promettant de lui céder Gomiline, où elle régnera en seigneur, dès son départ. En fait, il a secrètement vendu le château : lorsqu'elle voit arriver le nouveau propriétaire, Mme Popofski s'effondre d'émotion et meurt. Quant au général, il retourne en France, et le livre s'achève par le mariage du prince Pajarski avec la fille de Mme Dabrovine... Ce récit, composé sous forme de dialogues, a fait la joie de nombreuses générations d'enfants. Les caractères y sont naturellement simplifiés à l'extrême, dans un monde où bons et mauvais sont tout de suite reconnaissables et où les bons réussissent aisément à se débarrasser des mauvais.

GÉNÉRAL DU DIABLE (Le) [*Des Teufels General*]. Pièce en trois actes de l'écrivain allemand Carl Zuckmayer (1896-1977), publiée en 1946. Ce drame est un bon exemple d'une littérature politique de valeur. L'action se déroule à Berlin en automne 1941, et nous introduit dans les milieux de la Luftwaffe et des constructions aéronautiques. Une organisation de sabotage suscite des accidents d'aviation pour provoquer, par la défaite de l'Allemagne, la chute du régime hitlérien. L'ingénieur à la production, qui livre un matériel défectueux, et le général du cadre navigant, qui perd ses meilleurs officiers, s'affrontent en un dialogue serré et dramatique. Le problème de la résistance est posé dans toute son ampleur et sous ses différents aspects. L'auteur précise que la pièce est la dramatisation d'événements réels ; elle est habilement construite, avec des dialogues serrés, rapides, très vivants. — Trad. La Table ronde, 1956.

GÉNÉRAL WILLIAM BOOTH ENTRE AU CIEL (Le) [*General William Booth Enters into Heaven*]. Poème de l'écrivain américain Vachel Lindsay (1879-1931), publié en 1913. Le poète y célèbre l'entrée au ciel et l'accueil fait au général de l'« Armée du Salut », William Booth (1829-1912). En quelques formules brèves, se trouve résumé le credo de Booth dont l'unique préoccupation était de secourir les pauvres. « Vous êtes-vous lavés dans le sang de l'Agneau ? » forme, en quelque sorte, le refrain de ce poème mis en musique et qui décrit de longues théories de pauvres, accourus au-devant de celui qui les aida sur terre. Lindsay mentionne les instruments qui doivent accompagner les différentes strophes (tambourins, flûtes, etc.). L'œuvre s'achève par un immense chœur.

GENERA PLANTARUM SECUNDUM ORDINES NATURALES DISPOSITA. Ouvrage du naturaliste français Antoine Laurent de Jussieu (1748-1836), publié en 1789, considéré comme la base de la botanique moderne. Jussieu, qui fut de longues années professeur de botanique à Paris, au Jardin des Plantes, déduit, de l'examen attentif des organes des végétaux, la conviction que si certains « caractères » varient assez peu d'une espèce à l'autre, il en est par contre dont les variations sont fort importantes. Il utilise alors ceux qui sont les plus stables, et qu'il considère comme fondamentaux, pour tracer des groupements systématiques plus amples (branches, « embranchements », etc.), et pour délimiter chacune des classes, des familles, etc. Il établissait de la sorte un principe systématique fondamental dans l'étude des sciences naturelles, dénommé « principe de la subordination des caractères », que Cuvier introduisit par la suite dans la classification des animaux. Les caractères primaires servant à distinguer les « embranchements » sont ceux des « Cotylédons », feuilles de l'embryon ; les groupements qui en dérivent sont au nombre de trois, soit : les Acotylédones (plantes privées de cotylédons), les Monocotylédones (n'ayant qu'un seul cotylédon), les Dicotylédones (munies de deux cotylédons). Les deux dernières branches se subdivisent en plusieurs classes, selon les caractères de la fleur. Les Monocotylédones se subdivisent en plantes ayant leurs étamines placées au-dessus, au-dessous ou au même niveau que la partie femelle de la fleur ; les Dicotylédones se subdivisent (d'après les pétales) en : apétales, monopétales, polypétales ; celles-ci sont à leur tour réparties en classes, selon la place qu'occupent la partie mâle et la partie femelle. On obtient de la sorte un tableau de quinze « classes », dont chacune comprend plusieurs « familles ». La valeur de cet ouvrage réside essentiellement dans la méthode morphologique qui lui sert de base (certains groupes ont été par la suite critiqués et écartés des classifications postérieures). On estime que l'idée fondamentale de recourir à l'examen de l'embryon pour fixer les caractères essentiels de la classification fut fournie à Jussieu par son oncle Bernard, botaniste lui aussi, et qui avait déjà imaginé une méthode pour les sciences naturelles, laquelle d'ailleurs ne fut pas publiée.

GÉNÉRATION DES ANIMAUX (De la) [Περὶ Ζώων γενέσεως]. Œuvre célèbre du philosophe grec Aristote (384-322 av. J.-C.), écrite après le *Traité sur les parties des animaux* (*) auquel elle fait suite; le sujet avait déjà été esquissé dans l'*Histoire des animaux*, mais ici il est développé plus complètement. Le traité se compose de cinq livres qui ne passent pas en revue de manière systématique tous les animaux, mais qui les examinent en partant du point de vue de la génération. C'est ainsi que sont considérées les phases extérieures de l'accouplement, puis les particularités anatomiques, enfin, le processus de la fécondation chez les différents types d'animaux. Après quoi, Aristote décrit la mise au monde chez les vivipares et les ovipares, le développement et la manière dont l'animal qui vient de naître est alimenté. Il parle de la nécessité du sommeil, de la formation de la voix et des dents. Nombreux sont les exemples qu'il cite et qu'il emprunte à toutes les espèces alors connues. On ne peut s'empêcher d'admirer l'exposition pour la multiplicité des faits qui y sont réunis, et pour la beauté du style parfaitement approprié au sujet. Un des passages les plus remarquables de l'œuvre concerne la génération spontanée des animaux placés au plus bas de l'échelle des êtres vivants. Tous les organismes qui se forment de cette manière, que ce soit dans la terre ou dans l'eau, semblent naître d'une sorte de corruption à laquelle a contribué l'eau de pluie... Mais rien ne se produit par corruption seule, il faut nécessairement de la chaleur. Les animaux et les plantes naissent spontanément dans la terre et dans l'humidité, parce qu'ils y trouvent de l'eau, de l'air et une certaine chaleur vitale. Cependant, tous les animaux ne peuvent naître par génération spontanée ; seuls quelques poissons et animaux marins, tels que l'anguille, les insectes et quelques plantes qui ne portent pas de fleurs, ont cette propriété. Les conceptions d'Aristote sur la génération spontanée semblent contredire ce qu'il affirme des ovipares et des vivipares. Là où l'observation ne parvient pas à mettre en évidence quelque chose de bien déterminé, Aristote fait intervenir des agents physiques tels que l'air et le souffle, et il donne des explications qui paraissent surtout faites pour satisfaire ses exigences psychologiques. Ces hypothèses continuèrent d'avoir cours jusqu'à la découverte des bactéries. – Trad. Les Belles Lettres, 1961.

GÉNÉRATION ET DE LA CORRUPTION (De la) [Περὶ γενέσεως καὶ φθορᾶς]. Traité en deux livres du philosophe grec Aristote (384-322 av. J.-C.) ; même s'il ne fait pas matériellement partie de son *Traité du ciel* (*), il doit en être considéré comme le complément, par sa connexion probable avec *Les Météorologiques* (*). Après avoir examiné et réfuté les théories antérieures, en particulier celles des atomistes et d'Empédocle, Aristote donne la définition des notions de génération et de mutation. La génération est un mouvement qui va de ce qui est à ce qui n'est pas : la mutation, en revanche, est un mouvement qui, dans un même sujet, fait varier la qualité et provoque les contraires. Il passe ensuite aux notions d'accroissement et de diminution, s'attachant surtout à la première, pour en arriver à la doctrine du contact, de l'action et de la passion. Il s'arrête enfin plus longuement sur l'immobilité du premier moteur et l'impassibilité du premier agent – v. *Physique* (*). Le premier livre s'achève sur l'exposé du concept de mélange, la réfutation de ses négateurs et la distinction entre mélange et juxtaposition. Pour qu'il y ait mélange, il est nécessaire que les choses soient homogènes et, en quelque sorte, proportionnelles entre elles. Le deuxième livre est consacré en entier, contre Empédocle, à la doctrine des quatre éléments constitutifs du cosmos (feu, air, eau, terre) et des quatre principes élémentaires (chaud, froid, humide, sec). Aristote y soutient la permutation réciproque des éléments contre ceux qui estiment que d'un unique élément de base dériveraient les autres éléments. Toutes les substances de la nature découlent de l'action réciproque de principes contraires. Les processus de génération et de corruption sont continus au même titre que le mouvement et dépendent du mouvement de translation circulaire de l'univers : génération et destruction se succèdent régulièrement, comme le démontre la durée périodique de tous les êtres de la création. Un ordre rigoureux régit l'univers et la succession des choses. Le livre se termine par la théorie de l'éternité des mouvements cosmiques, atteignant à l'ampleur et à la solennité des meilleurs passages de la *Physique* et de la *Métaphysique* (*). – Trad. Vrin, 1934.

GENÈSE (Livre de la) [en hébreu *Beréchith*]. La *Genèse* est le premier livre de l'Ancien Testament – v. *La Bible* (*) – dans lequel est racontée l'origine du monde (la préhistoire et l'histoire du peuple hébreu) jusqu'à la mort de Jacob (1 400 ans env. av. J.-C.). Comme les quatre livres qui lui font suite, il fut écrit par Moïse (XIIIe s. av. J.-C.). Deux récits parallèles parlent de la création du monde. Certains auteurs supposent que le premier récit est un morceau de poésie : après un prélude, nous avons une série de strophes que coupe une sorte de refrain : « Et ce fut le soir et ce fut le matin, le premier jour, le second jour, etc. ». Voici le sujet de ces strophes : 1) Création de la lumière ; 2) Création du firmament ; 3) Création de la mer et de la Terre ; 4) Création des astres ; 5) Création des oiseaux et des animaux aquatiques ; 6) Création des animaux terrestres et de l'homme ; les deux strophes finales racontent la création de l'homme, le repos divin et l'institution du jour du sabbat. De ce récit élémentaire découlent quelques vérités essentielles : 1) Le monothéisme : un seul et unique Dieu est présenté dans le récit biblique comme le créateur de l'univers ; 2) La création : avant Dieu, il n'y a rien. Il est éternel et « au commencement », avant toute créature, Il a créé de rien, par sa seule volonté toute-puissante, toute chose : le ciel, la terre, et tout ce qui s'y trouve ; les astres, les plantes, les animaux, et Il a réglé toute chose d'une façon infiniment sage ; 3) La dignité de l'homme : Dieu ayant créé l'homme « à son image », ce dernier est donc un être doué d'intelligence et de volonté ; 4) La finalité du destin de l'homme qui est la première des créatures terrestres : Dieu a créé l'homme et la femme pour la propagation du genre humain ; 5) L'unité du genre humain : Dieu crée l'homme et non pas les hommes, mais « Il crée l'homme et la femme ». Ces vérités sont exposées d'une façon symbolique. L'œuvre divine est divisée en six jours. Ces six jours doivent être entendus dans un sens large, conformément à la signification populaire qui leur était communément donnée au temps de l'auteur. Entre les périodes scientifiques et les jours-périodes de Moïse, il y a un point commun : c'est que la création va des êtres les plus simples aux êtres les plus perfectionnés en suivant une ligne ascendante.

Dans le second récit, que l'on peut considérer comme une seconde source recueillie par Moïse, apparaissent de nouveaux éléments : 1) La création de l'homme est décrite avec une plus grande richesse de détails : Dieu forma l'homme du limon de la terre et lui transmit un souffle de vie. Après les explications concernant la création d'Adam, unique père du genre humain, un passage concerne la localisation du Paradis terrestre [l'Éden, le jardin selon son étymologie sumérienne] ; 2) La création d'Ève sortie d'une côte d'Adam signifie que, par le mariage et la procréation, l'homme et la femme seront deux en une seule chair ; 3) L'ordre donné à nos premiers parents pour éprouver leur obéissance : vous pouvez manger des fruits de tous les arbres du jardin ; mais ne mangez pas des fruits de l'Arbre de la Science du bien et du mal, car, le jour où vous y aurez touché, vous mourrez. La désobéissance qui suivit eut des conséquences terribles pour le genre humain, mais la promesse du Messie-Rédempteur fut une compensation merveilleuse ; 4) La désobéissance de nos premiers parents promus d'abord à un rang surnaturel, puis condamnés à la perte de la grâce. Le texte biblique raconte longuement cette faute et les châtiments qui en découlent, soit pour le démon qui se cache sous les apparences d'un serpent, soit pour Ève, soit pour Adam ; 5) Nos premiers parents furent privés du bonheur, état dans lequel ils ignoraient la concupiscence, et ils furent condamnés à la mort corporelle. Leur faute fut transmise sous la forme du péché originel à tous leurs descendants ; 6) La promesse d'un Rédempteur futur : c'est là, au chapitre III de la *Genèse*, que l'on trouve pour la première fois cette promesse : « Et je mettrai une inimitié entre toi [le serpent, l'ennemi] et la femme, entre ta postérité et sa postérité ; celle-ci te meurtrira à la tête et tu la meurtriras au talon. » Les Pères de l'Église ont constamment vu dans ces paroles une annonce du Messie, et il est difficile, en effet, de les interpréter autrement.

Caïn hait son frère Abel, car les holocaustes offerts à Dieu par ce dernier lui sont plus agréables. Le drame des fils d'Adam précède l'histoire de sa descendance à travers la lignée de Seth (qui a remplacé Abel) et qui a reçu en dépôt le message messianique. Après et avant le Déluge, la *Genèse* retrace la vie des dix patriarches. Les êtres d'avant le déluge eurent une vie dix fois plus longue que celle de leurs successeurs. La généalogie des patriarches d'après le déluge leur donne une longévité bien moindre, qui va toujours en diminuant depuis Sem (qui vit six cents ans) jusqu'au père d'Abraham, Térah (qui vécut deux cent cinq ans selon le texte hébraïque, mais cent quarante-cinq selon le texte samaritain). On peut supposer aussi que l'hagiographe a omis certains noms intermédiaires entre les patriarches, ou qu'il a disposé la série de ses noms en attribuant à chacun un nombre d'années que nous ne connaissons pas exactement, car il y a une différence entre les nombres du texte massorétique des Soixante-dix et ceux du *Pentateuque* samaritain. Une énumération d'un caractère semblable concernant les dix monarques d'avant le déluge se rencontre dans la tradition babylonienne. Dans la tradition babylonienne et dans celle de beaucoup de peuples, on peut trouver traces du Déluge. Les Grecs parlèrent du déluge de Deucalion ; les multiples histoires de l'Amérique précolombienne, de l'Australie, de la Polynésie, de l'Inde, du Tibet et de la Lituanie encore vivantes aujourd'hui font allusion à une catastrophe de ce genre. La *Genèse* nous donne la raison de l'arrêt divin : détruire la méchanceté des hommes et la dépravation de leurs mœurs. Noé seul et sa famille – huit personnes en tout – et des animaux de toutes les races survécurent au grand cataclysme. Il semble que le Déluge se soit produit au début et à la fin de la période paléolithique, au temps où la Terre n'était que partiellement peuplée (déluge anthropologique universel).

Jusqu'au chapitre XII, la *Genèse* raconte l'histoire de l'humanité. Elle s'attache principalement, mais pas exclusivement, à retracer l'histoire du peuple élu, s'intéressant surtout à sa vocation de dépositaire des bénédictions célestes et des expériences messianiques. Le premier groupe d'Israël ne comporte qu'une seule famille, celle d'Abraham (*Gen.* XII-XXV). Le second, dont s'occupe à peine *La*

Bible parce qu'il n'intéresse pas l'histoire du salut, voit se multiplier le peuple de Dieu, de la mort de Jacob à Joseph (L, 26). Le patriarche Abraham est né à Ur, ville sumérienne d'où sortirent plusieurs dynasties, certainement avant l'an 2000 ; au milieu des idolâtres il garda toujours le culte du vrai Dieu. Dieu lui commanda de quitter son pays et de se rendre à la terre de Chanaan. Obéissant à l'ordre divin, il partit accompagné de sa femme Sarah et de Loth, son neveu, emmenant avec lui ses troupeaux et ses serviteurs. Dieu promit à Abraham, pour le récompenser du sacrifice qu'il lui demandait, de le rendre père d'une nombreuse descendance et de bénir, par son intermédiaire, toutes les nations de la terre. La descendance d'Abraham comprit même le Messie, Sauveur du monde. Survint une famine ; Abraham se rendit en Égypte où le Pharaon, dont il avait gagné les faveurs au moyen d'une dissimulation peu louable, le fit possesseur d'une grande richesse. Il revint en Palestine et se sépara de Loth pour éviter toute querelle. Abraham reçut de Dieu l'ordre de détruire Sodome et Gomorrhe à cause de l'impudicité de leurs habitants. En vain le patriarche intercéda auprès de Dieu en leur faveur ; ils furent jugés trop coupables et les deux villes durent disparaître. Abraham donna au Seigneur une preuve de foi et d'obéissance en s'apprêtant à sacrifier Isaac, mais Dieu retint son bras. Abraham mourut à cent soixante-quinze ans « dans sa bonne vieillesse, âgé et las de vivre ».

Après sa mort, Dieu bénit Isaac. Deux fils lui naquirent : Ésaü et Jacob. Certains avantages matériels et religieux étaient attachés au droit d'aînesse. Jacob réussit à acheter ce droit et à arracher à son père la bénédiction liée à ce privilège. Isaac mourut à cent quatre-vingts ans (suivant les chiffres incertains donnés par *La Bible*). Jacob est un croyant, mais sa foi est parfois inquiète et il doit lutter. Malgré ses passions et sa faiblesse, qui vont jusqu'à lui faire tolérer l'idolâtrie dans sa propre maison, Dieu s'en sert comme instrument de sa Providence et le bénit, en lui renouvelant la promesse déjà faite à Abraham et à Isaac (XXVIII, 10-15). Cette bénédiction et la prophétie faite par Jacob sur le « sceptre de Juda » furent toujours interprétées dans un sens messianique par les exégètes chrétiens. L'histoire de Joseph est vraiment parmi les plus belles que contienne toute la littérature humaine : sa finesse et sa puissance inspirèrent les poètes et les conteurs de tous les temps et de tous les pays. Fils que Jacob et Rachel avaient eu dans leur vieillesse, il est le benjamin, ce qui le fait haïr de ses frères qui, un jour, le jettent dans une citerne. Des marchands le recueillent et le vendent en Égypte. Là, il devient le favori de Putiphar, chef des gardes du Pharaon ; mais la femme de son maître s'éprend de lui ; comme il la repousse, elle l'accuse de l'avoir séduite. Cette aventure lui vaut d'être emprisonné ; deux ans après, il explique au Pharaon le songe des sept vaches grasses et des sept vaches maigres, des sept épis pleins et des sept épis vides : il y aura sept années de disette et sept années de famine. Le Pharaon peut prendre ses dispositions ; plein de gratitude, il fait de Joseph son Premier ministre. Les frères de Joseph arrivent alors en Égypte : ils ne le reconnaissent pas, mais lui les reconnaît et les soumet à une épreuve, en les traitant de voleurs. Puis il les accueille, se découvre, et fait venir en Égypte Jacob et tous les siens, obtenant pour eux la riche terre de Gessen. Mais la mort vint pour Joseph alors qu'il était dans sa cent dixième année ; « il fut embaumé et mis en bière en Égypte » (*Gen.* L, 26). Le peuple hébreu s'était avec lui glorieusement installé dans la civilisation des Pharaons. – Traduction œcuménique de *La Bible*, Éd. du Cerf, 1988.

GENÈSE (La) de l'Arétin [*Il Genesi*]. Œuvre religieuse de l'écrivain italien l'Arétin (pseud. de Pietro Bacci, 1492-1556), parue à Venise en 1539. Le titre précis est : *La Genèse avec la vision de Noé, dans laquelle il voit les mystères de l'Ancien et du Nouveau Testament* [*Il Genesi con la visione di Noè, nella quale vede i misteri del Testamento Vecchio et del Nuovo*]. L'ouvrage, divisé en trois livres, est dédié au frère de Charles Quint, Ferdinand, que l'auteur appelle « image sacrée... rédempteur des vertus ». Au fond, *La Genèse,* comme toutes les autres œuvres religieuses et ascétiques de l'Arétin, n'est qu'une paraphrase de *La Bible* (*), un morceau de bravoure farci de rhétorique. À cet égard, De Sanctis a pu écrire : « On dirait d'une cloche qui vous assourdit et vous crève le tympan. » Ces pages qui ennuient le lecteur d'aujourd'hui connurent, en leur temps, un grand succès. L'Arétin, homme intéressé, en espérait quelque grande récompense, peut-être même le chapeau de cardinal. Les meilleurs passages de l'œuvre sont la création du monde, de l'homme et de la femme (« Ève était plus déesse que femme. Quelle couleur, quelle blancheur, quelle beauté ont jamais pu rivaliser avec la couleur, la blancheur, la beauté de son corps ? », et la longue description du Déluge, où la plume de l'Arétin se charge de tons et de clairs-obscurs emphatiques. Dans la seconde moitié du XVIe siècle, les œuvres de l'Arétin furent interdites et ses livres religieux en particulier tombèrent dans l'oubli le plus profond. *La Genèse* fut réimprimée en 1628, sous le titre de *Miroir des œuvres de Dieu* [*Dello specchio delle opere di Dio*].

GENÈSE, COMMENTAIRE LITTÉRAL (De la) [*De Genesi ad litteram*]. Œuvre du théologien latin saint Augustin (354-430), écrite de 401 à 415. Cette exégèse, l'une des plus fameuses que fit naître le texte biblique, fut écrite après une interprétation plus allégorique donnée dans *Les Confessions* (*), et après un autre essai d'interprétation, écrit en 393-394, mais que l'auteur avait abandonné parce qu'il l'avait trouvé au-dessus de ses forces. Le but de saint Augustin est de montrer qu'il n'y a aucun désaccord entre le récit biblique et la science de son temps. Dans *La Bible*, rien n'est faux ou insensé, et si quelque passage semble inutile et déplacé, il doit être interprété dans un sens mystique et plus élevé. Il développe son idée en douze livres et examine mot par mot, selon une critique minutieuse, le récit depuis son début jusqu'au verset où Adam fut chassé du Paradis terrestre. Dans les *Rétractations* (*), il devra reconnaître qu'« il a soulevé plus de problèmes qu'il n'a trouvé de solutions ; que certaines sont peu solides et que les autres renvoient à d'autres problèmes ». Les digressions astronomiques sont très nombreuses : comment fut créée la lune, les étoiles ont-elles toutes le même éclat, quelle est la forme du ciel, etc. Un chapitre est destiné à réfuter la croyance aux horoscopes : mais saint Augustin fait néanmoins cette fine réserve en parlant des astrologues : « Quand ils prédisent la vérité, ils le font en vertu d'un instinct très obscur dont l'esprit humain est l'instrument inconscient. » Les questions soulevées par la création des animaux sont multiples et étranges ; au sujet de la lumière qui existait avant que le soleil et les étoiles ne fussent créés, il laisse entendre ici qu'il convient de donner un sens métaphorique aux fameux six jours de la Création. Il aborde ensuite le sujet du « repos » de Dieu au septième jour, alors qu'il semble que Dieu continue à travailler et à soutenir toute créature ; il traite de la « science des anges », etc. Les questions philosophiques se mêlent à l'exégèse : par exemple, comment les choses existent-elles par avance dans l'intelligence divine ; comment notre esprit perçoit-il Dieu, « en qui nous vivons, existons et agissons » plus facilement que les créatures qui sont éloignées de nos sens et que nous ne pouvons voir en Dieu ; parmi les choses « futures », quelles sont celles qui sont vraiment telles ? Il qualifie d'« excessivement puérile » l'idée que Dieu a, au sens propre, modelé l'homme avec du limon, comme si c'était en cela et non dans l'âme que se reconnaissait la marque divine.

Les livres VIII et X contiennent toute une psychologie : nature et origine de l'âme, son caractère immatériel, sa préexistence et ses origines ; la transmission du péché ; la question de savoir si la concupiscence a seulement son siège dans le corps ou aussi dans l'âme ; si l'âme a été créée de rien ou formée au contraire d'une autre créature spirituelle et rationnelle (il laisse la question sans réponse et la rejette tout comme celle concernant le baptême des enfants). Le livre IX traite du péché d'Adam ; et l'auteur de soulever certaines questions : pourquoi Dieu n'a-t-il pas créé l'homme parfait ? Pourquoi furent créés les hommes qui devaient être des pécheurs ? Pourquoi Dieu, le pouvant, ne change-t-il pas le mauvais vouloir en bonne volonté ? Enfin, il s'interroge sur l'épineuse question de l'existence du « diable ». Le livre XII et dernier est une étude sur l'extase de saint Paul et sur les visions surnaturelles. Dans cette œuvre, comme dans toutes celles de ce penseur très original et très pénétrant, on rencontre sans cesse des éclairs de divination et des vues très modernes. – Trad. dans *Œuvres*, Bibliothèque augustinienne, t. 48-49, 1972.

GENÈSE DES CONTINENTS ET DES OCÉANS (La) [*Die Entstehung der Kontinente und Ozeane*]. Œuvre du géographe allemand Alfred Lothar Wegener (1880-1930), publiée en 1915. Selon la théorie désormais classique exposée dans ce volume, les divers socles continentaux actuels n'auraient formé à l'origine qu'un seul bloc, les terres émergées n'étant séparées l'une de l'autre que par des mers peu profondes, telles que la mer du Nord actuelle. Au terme de cette époque géologique fort éloignée (le carbonifère peut-être), une faille gigantesque se serait produite, ne cessant depuis de s'élargir et séparant l'Asie, l'Afrique et l'Europe d'une part, l'Australie, l'Antarctique et les Amériques d'autre part. Cette révolution géologique, qui se poursuit encore, eut lieu par un mouvement de dérive de la couche continentale du « sial » sur la masse liquide et visqueuse du « sima ». Ce furent les correspondances entre les structures géologiques et les tracés littoraux actuels des divers continents (correspondances particulièrement nettes entre l'Afrique et l'Amérique du Sud, où l'on a trouvé des roches et des fossiles étroitement similaires) qui inclinèrent Wegener à formuler sa théorie et à réviser l'hypothèse jusqu'alors admise selon laquelle la région solide du « sial » couvrait à l'origine le globe tout entier. – Trad. Librairie scientifique Albert Blanchard, 1924.

GENÈSE DU DROIT PÉNAL [*Genesi del diritto penale*]. Œuvre d'histoire juridique de l'écrivain italien Gian Domenico Romagnosi (1761-1835), publiée en 1791. Le principal objet de cet ouvrage est la recherche du fondement du droit pénal. Selon Romagnosi, la genèse du droit pénal est intimement liée à la possibilité légitime d'exercer une punition quand le délit est consommé et que le danger qui en est issu n'existe plus. En dehors de ces conditions requises, il n'existe pas de droit pénal. Il examine l'état de nature, qui est celui de l'homme vivant à l'état sauvage : dans cette situation, affirme-t-il, s'opposant ainsi à la théorie du droit naturel, il existe exclusivement le droit de défendre sa vie et ses biens de l'agression directe – c'est ce que l'on appelle communément la légitime défense. Cet « état de nature », dans la pensée de Romagnosi, a la valeur d'une pure hypothèse destinée à servir de prémisse théorique aux considérations qui suivent. Dans la seconde partie, en effet, lorsqu'il en vient à traiter de l'homme en société, l'auteur considère cette condition comme la condition intrinsèque, naturelle, et par conséquent réelle de l'homme lui-même. En elle s'instaurent trois ordres de rapports : de l'individu avec la société, de la société avec l'individu, de l'individu avec les autres individus. Étant donné l'étroitesse, et davantage l'identité de ces liens, il s'ensuit que l'attentat d'un individu contre un autre lèse non seulement celui-ci, mais toute la société, laquelle acquiert ainsi le droit de se défendre elle-même en éliminant l'agresseur : il s'agit d'un droit qui lui est propre, distinct de celui de la personne offensée (le droit pénal moderne, édifié sur cette conception, dit que la société est titulaire d'un bien primaire, et la personne offensée d'un bien secondaire). Tandis que dans l'hypothétique « état de nature » l'offensé considère l'agression en tant qu'acte passé et présent, ne s'intéressant pas à un avenir sur lequel il n'a aucun titre, la société a le droit et le devoir de pourvoir à sa sécurité et à sa conservation. Cela posé, « l'impunité vis-à-vis de l'avenir étant radicalement destructrice du corps social, la société est dans la nécessité de se défendre et, par suite, en droit de supprimer l'impunité, bien qu'elle se considère comme extérieure (et postérieure) au délit ; autrement dit, la société a le droit de faire succéder la peine au délit comme un moyen nécessaire à la conservation des individus et de leur état d'agrégation par quoi elle existe ». Les conditions de la peine sont : qu'elle soit juste, modérée, véritable, minimale en degré et en espèce (c'est-à-dire suffisante « pour neutraliser la cause du délit »), appropriée et, surtout, efficace. On prévient les tentations et les dispositions aux délits dans la société, d'une part avec un gouvernement politiquement fort, qui protège les droits, assure l'éducation, promulgue des lois qui, en favorisant le bien-être et la moralité, créent un climat défavorable pour la criminalité, d'autre part, grâce à des sanctions secondaires, émanant des préceptes de la religion, des règles de la vie en société et du sentiment de l'honneur. Discutant du critère de la proportion et de la mesure des peines, l'auteur repousse les critères de l'entité du dommage, de l'entité de la fraude, tout autant que celui qui considère les deux, et il nous propose son critère, celui de l'« impulsion criminelle », c'est-à-dire des motifs psychologiques nés de la méchanceté, de la cupidité, etc., et alimentés par l'atmosphère morale et politique. En ce qui concerne la science pénale proprement dite, l'ouvrage marque le passage de la conception du droit naturel contractuel à la conception du droit public encore en honneur. C'est à lui qu'on doit la première affirmation du titre social au droit de punir, que Beccaria n'avait qu'entrevu et qui devait demeurer la clé de voûte de toute la science pénale.

GENÈSE D'UNE PENSÉE (LETTRES 1914-1915). Lettres du père Pierre Teilhard de Chardin (1881-1955), philosophe français, publiées en 1964. C'est le recueil des lettres (du 13 décembre 1914 au 17 septembre 1919) écrites par Pierre Teilhard à sa cousine Marguerite Teilhard-Chambon (1880-1959), en littérature Claude Aragonnès, pendant la Première Guerre mondiale et l'année qui suivit l'armistice. Ce recueil est précédé d'une étude sur Marguerite Teilhard-Chambon, et de la préface rédigée pour celle-ci deux mois avant sa mort accidentelle. Une carte permet de suivre les secteurs du front successivement occupés par le 4e mixte zouaves-tirailleurs, régiment de Pierre Teilhard. La publication des lettres conservées est quasi intégrale (celle du 30 septembre 1917 manque), le texte n'a pas subi d'altérations, les quelques coupures sont indiquées, les annotations restent sobres. L'intérêt de cette correspondance majeure est multiple. 1) C'est un document historique sur la Première Guerre mondiale, d'autant plus intéressant que le régiment a circulé tout le long du front. C'est exact et pittoresque, sans forfanterie, ni recherche de l'horrible. 2) C'est un document biographique et psychologique irremplaçable qui permet de reconstituer, à part les permissions et deux lacunes (du 15 avril au 10 juin 1917, du 16 octobre 1917 au 9 juillet 1918), l'emploi du temps exact du brancardier Teilhard, et où son âme, malgré une profonde pudeur naturelle, se révèle sans pose ni fard, car cet échange de lettres est d'une parfaite transparence. 3) C'est un document philosophique et religieux particulièrement prenant : la guerre a provoqué l'éveil du génie teilhardien : il perçoit la réalité et l'organicité des grandeurs collectives, il accède à la notion de planétarité humaine, il pressent l'existence et les contours de la noosphère, c'est-à-dire d'une terre pensante et unanimisée. On assiste aussi à la première émersion de la mystique panchristique. En face de la réalité quotidienne de la mort, c'est l'image du Corps mystique qui s'impose à Teilhard. Étonnante vocation de prêtre-soldat, engagé ardemment dans la guerre, mais dont l'unique passion est de s'unir à l'agir de Dieu. Le lecteur a donc le privilège de suivre l'élaboration de nombreux opuscules de guerre, depuis leur première conception jusqu'à leur achèvement, ce qui justifie le titre (factice) du recueil : *Genèse d'une pensée.* 4) Le plus important peut-être, c'est qu'on découvre un directeur de conscience singulièrement averti, qui a reçu la grâce du discernement des esprits. Il ne se contente pas d'échanges intellectuels avec sa cousine, il vise surtout à un dialogue spirituel où, avec tact, il dirige la vie intérieure de Marguerite, directrice de l'institut Notre-Dame-des-Champs, à Paris, la soutient au milieu de ses scrupules et de ses découragements, et l'aide dans son ascension vers le Christ, vers un complet abandon à la volonté de Dieu : bref, le jeune religieux essaie la force et la fécondité de son évangile – assumer le monde, mais en passant par la voie du détachement. 5) L'intérêt littéraire est loin d'être négligeable avec un style d'une jaillissante spontanéité, familier sans vulgarité, qui témoigne d'une distinction naturelle, d'un sens aigu de la vie intérieure et d'un goût de l'observation qui, loin de l'anecdotique, multiplie les paysages et les tableautins.

GENEVIÈVE ou la Confidence inachevée. Ouvrage de l'écrivain français André Gide (1869-1951). De l'aveu de l'auteur lui-même, qui en fait part au début du livre, ce court récit publié en 1936 doit être considéré comme « le troisième volet d'un triptyque », composé de *L'École des femmes* (*) et de *Robert* (*). La lettre qui sert de Prologue est datée du mois d'août 1931. Une jeune femme prie André Gide de bien vouloir couvrir de son nom le livre qu'elle lui envoie. Elle annonce son intention de faire usage d'une liberté dont la génération précédente, celle de sa mère, n'avait pas encore fait la conquête. Son intention n'est pas de se poser en exemple, mais simplement d'avertir. « En 1913, comme je venais d'avoir quinze ans, ma mère me fit entrer au lycée... » : tel est le début de ces confidences qui vont porter, un peu au hasard, sur trois années. Geneviève a une mère intelligente et fine, qui cherche à l'aider avec discrétion et cependant beaucoup de franchise, dans ce passage de l'enfance à l'adolescence. En classe, Geneviève s'est éprise d'une Juive d'une grande beauté, Sara, qui se destine au théâtre et dont le père est un peintre en renom. Par ailleurs, elle admire la meilleure élève de la classe, Gisèle, dont le charme tout différent est fait d'équilibre et de maîtrise. À elles trois, elles s'entendent pour former une association qui a pour but de protester contre toute entrave, et en particulier contre l'obligation du mariage. Puériles et fantasques, elles cachent assez mal leur inquiétude devant des problèmes dont elles ne parviennent pas à connaître réellement les données. La mère de Geneviève consent, mais avec beaucoup d'appréhension, à recevoir chez elle Sara et sa famille. Le contraste est trop évident entre ce milieu de petits-bourgeois, la mentalité étroite du père de Geneviève pour lequel celle-ci éprouve une véritable haine, et l'aspect troublant, exotique, les propos débridés des amis de Geneviève. Le scandale éclate lorsqu'on fait courir le bruit que Sara a posé pour un nu admirable qui fait courir tout Paris à une exposition. C'est alors que Geneviève est mise en demeure par son père de rompre cette amitié ; et qu'elle prend conscience du désir physique qu'elle éprouve pour Sara. Pendant quelque temps, ses efforts pour se détacher de Sara ne servent qu'à la lui rendre plus précieuse. La mère de Geneviève, qui a deviné la situation, vient en aide à sa fille avec beaucoup de tact. Geneviève quitte le lycée, et son instruction s'achève au moyen de causeries avec des amis de sa mère, Mme Parmentier et M. Marchant. Toujours en mal de découvertes, elle imagine de compromettre ce dernier et lui expose, avec une audace tremblante, ses résolutions saugrenues et désespérées : elle veut avoir un enfant ; lui-même n'en a pas eu de son mariage, encore qu'il aime tendrement sa femme. Rien n'empêche un homme et une jeune fille de tenter cette expérience. Ainsi espère-t-elle échapper au mariage, aux lois, aux conventions. M. Marchant se récuse, d'abord brutalement, puis avec douceur, mais reste visiblement troublé. Ce n'est que quelques mois plus tard qu'elle s'aperçoit que sa mère a aimé le docteur Marchant d'un amour toujours soigneusement dissimulé et qui ne l'a jamais fait manquer à ses devoirs. Cette confidence tourne court, comme le livre.

GENEVIÈVE DE BRABANT. C'est une ancienne légende populaire qui a connu plusieurs rédactions, certaines comportant des variantes dans le titre. La première version nous a été donnée par Jacques de Voragine (XIIIe siècle) dans sa *Légende dorée* (*). Fille du duc de Brabant, Geneviève épouse le comte palatin de Trêves, Siegfried. Celui-ci la quitte peu après son mariage, pour combattre les Sarrasins avec Charles Martel, et il la confie au majordome Golo. N'ayant pas réussi à séduire la malheureuse princesse, Golo l'accuse d'adultère et la fait condamner à mort par Siegfried. Les serviteurs qui devaient la tuer, pris de compassion, l'abandonnent dans une forêt avec son fils nouveau-né ; là, Geneviève vit de fruits sauvages, en faisant allaiter son enfant par une biche. Bien des années après, Siegfried, durant une chasse, poursuit cette biche et retrouve ainsi Geneviève, qui peut lui prouver son innocence : il la ramène avec lui dans son palais. Le traître Golo est écartelé ; mais la princesse, épuisée par les souffrances, ne peut survivre longtemps. Geneviève est donc une héroïne romantique avant la lettre, personnification de la vertu persécutée et reconnue trop tard, de la sainteté sans défense mais finalement victorieuse. Comme telle, elle devait nécessairement séduire le préromantisme larmoyant, et les romantiques eux-mêmes enclins aux sujets mystiques. Dès le Moyen Âge, l'histoire réapparaît sous différentes formes : mais sa renaissance est due surtout à l'auteur dramatique français Pierre Claude Nivelle de La Chaussée (1692-1754), qui est le créateur du « genre larmoyant » et en fit l'héroïne de l'un de ses drames.

★ La légende très répandue en Allemagne fournit l'argument d'une tragédie, en cinq actes en prose, avec des chansons en vers, *Golo et Geneviève* [*Golo und Genovefa*] de l'écrivain allemand Friedrich Müller (« le Peintre Müller », 1749-1825), composée entre 1775 et 1781, publiée en 1811 par Tieck. Le drame, qui se ressent de l'influence de Goethe, ne s'éloigne pas du récit traditionnel : seulement, l'ennemie de Geneviève, Mathilde de Rosenau, y pend un relief inhabituel. Mathilde est une femme perfide et ambitieuse, qui aspire à devenir duchesse de Brunswick et à s'emparer, au profit de Golo, des biens de Siegfried. Geneviève est le type parfait de la « femme forte », chère à l'imagination des poètes du « Sturm und Drang ». Même la figure de Golo, qui par passion en arrive jusqu'à la folie et au crime, en maintenant pourtant la pureté de son amour, est une créature du « Sturm und Drang », avec des rappels du *Goetz de Berlichingen* (*) de Goethe dans les scènes violentes et de *Werther* – v. *Les Souffrances du jeune Werther* (*) – dans les scènes sentimentales. L'imitation des drames de Goethe n'exclut pas l'influence shakespearienne, dont la tragédie est toute remplie ; celle-ci, malgré un ton trop tendu et déclamatoire, contient des passages de véritable poésie.

★ En 1811, Ludwig Tieck (1773-1853) écrivit un drame *Vie et mort de sainte Geneviève* [*Leben und Tod der heiligen Genoveva*], où la légende auréolée d'une vague religiosité vient se superposer à une conception romantique de la passion. Œuvre caractéristique du romantisme allemand, elle en réunit les éléments essentiels ; le mysticisme imprécis, le sens de la nature, le caractère capricieux de la passion, le symbolisme incertain. L'œuvre est plus représentative d'une époque que d'un poète. – Trad. Papiers/Actes Sud, 1988.

★ Ernst Ranpach (1784-1852) écrivit, en 1828, une légende intitulée : *Geneviève*.

★ L'œuvre du dramaturge allemand Friedrich Hebbel (1813-1863) : *Geneviève* [*Genoveva*], parue en 1799, présente certaines ressemblances avec celle de Tieck, mais en diffère par d'autres côtés. Cette tragédie, comme *Judith* (*) qui lui est antérieure, est une œuvre de jeunesse de l'auteur et reflète encore le déséquilibre orageux de sa période du « Sturm und Drang ». La légende de Geneviève reste dans le fond immuable, mais la figure qui intéressa le plus le jeune poète est Golo, à cause du conflit intérieur qui l'amènera au suicide. Hebbel se sent une parenté avec lui au moment où la femme qui l'avait aimé, Élise Lessing, semblable à la sainte patiente et sacrifiée, donne le jour à un fils et qu'il se sent éloigné d'elle par la bouleversante passion qu'il éprouve pour Emma Schröder. Le perfide Golo de la légende est représenté comme un jeune et noble cavalier, dévoué au comte palatin Siegfried ; mais une passion folle et imprévue pour la femme du comte s'empare de lui ; les refus de la comtesse et les maléfices d'une vieille sorcière le poussent à accuser d'adultère l'innocente Geneviève, malgré l'estime qu'il n'a pas cessé d'avoir pour elle. Sa fureur contre lui-même et son fol amour qu'excite la noblesse sublime de Geneviève l'entraînent de crime en crime. Geneviève, emprisonnée, souffrant de faim et de froid, met au monde un fils, et le comte à son retour, croyant à son infidélité, ordonne qu'elle soit tuée ainsi que son enfant. Mais par miracle, il n'est pas obéi ; Golo, torturé par le remords, au moment où le comte le nomme son héritier, s'aveugle lui-même et se fait tuer par un serviteur, tandis que Geneviève a disparu dans la forêt. La tragédie se termine sur cette note sombre. Comme dans *Judith*, le problème fondamental est celui du caractère fatal et tragique de la vie (ce qu'on a appelé le « pan-tragisme » hebbelien) : la « roue du monde » passe sur le jeune héros et l'écrase, donnant ainsi une solution romantique au tragique dualisme entre la volonté de l'individu et la volonté du monde. Plus sa passion entraîne Golo et le fait tomber bas, plus fort est son désir de se punir et de s'anéantir lui-même. En face de la souffrance agissante de Golo, celle de Geneviève, qui ne se traduit pas par des actes, reste le point faible du drame. Hebbel s'en aperçut et, en 1851, il écrivit un *Épilogue à Geneviève* [*Nachspiel zu Genoveva*], où Siegfried reconnaît l'innocence de sa femme et la retrouve avec son fils durant une chasse dans la forêt. La tragédie en pentamètres iambiques, malgré ses faiblesses et l'horreur presque repoussante suscitée par quelques-uns des personnages secondaires – reflets du milieu misérable dans lequel le poète passa sa jeunesse, – révèle pourtant son génie dramatique, et même si l'œuvre est peu adaptée à la représentation, elle contient des scènes très vivantes.

★ Des drames de Tieck et de Hebbel, Robert Schumann (1810-1856) tira un livret pour un opéra en quatre actes, *Genoveva*, représenté à Leipzig en 1850. Schumann transporte dans la légende les dispositions fantastiques et les sorcelleries du second romantisme. Geneviève de Brabant est mariée avec le margrave Siegfried ; celui-ci, partant en croisade contre les Maures, la confie à la garde de Golo qui, amoureux d'elle, l'embrasse furtivement tandis qu'elle est évanouie. Marguerite, la sorcière, surprend ce geste ; déjà expulsée de la Cour, elle pense se servir de ce secret pour se venger ; et tandis qu'elle propose à Golo de favoriser ses desseins amoureux, elle entreprend de susciter à la Cour une maligne hostilité contre Geneviève. Au second acte, Golo, qui est venu voir Geneviève pour lui annoncer le prochain retour de Siegfried, ne peut se retenir et se jette à ses pieds, lui dévoilant son amour. Elle le repousse avec colère ; Golo, mortellement offensé, jure de se venger. Drago, auquel Siegfried a confié la charge de l'État durant son absence, conspire avec Golo à la perte de Geneviève et se cache dans ses appartements, pour recueillir les preuves de la faute dont il l'accuse ; Geneviève, pendant ce temps, prie pour son époux absent. Drago est découvert par la foule et mis à mort : Marguerite en profite pour calomnier publiquement Geneviève. Siegfried, blessé à Strasbourg, est guéri par Marguerite qui, après l'avoir attiré dans son antre avec Golo, pour lui prouver l'infidélité de son épouse, lui montre dans un miroir magique l'image de Geneviève, qui tend les bras à Drago. Siegfried, désespéré et furieux, brise le miroir et s'enfuit. Mais des fragments du miroir surgit l'image de Drago qui contraint Marguerite à avouer sa tromperie, sous peine d'être dévorée par les flammes. Ainsi, tandis que Geneviève, conduite dans la forêt par les gens de Siegfried, est sur le point d'être mise à mort, les chasseurs font irruption sur la scène, ainsi que des guerriers et la foule ; ils sont suivis de Marguerite et de Siegfried qui se jette aux pieds de son épouse ; et tout finit dans la joie générale.

L'œuvre contient les éléments les plus typiques du romantisme dans une atmosphère un peu artificielle. Tandis que les scènes de magie et les scènes infernales sont à rapprocher des couleurs fantastiques des œuvres de Weber et de musiciens de second plan comme Lortzing et Marschner, l'évocation romantique de la chevalerie et de la féodalité est déjà toute proche de la première manière du drame musical de Wagner ; autrement dit, la musique s'adapte au sujet et l'idéalise. Mais la personnalité de Schumann, très différente de celle de Wagner, le pousse à ne pas utiliser systématiquement certains procédés qui donneront à l'œuvre de l'auteur de *Parsifal* (*) son caractère propre : par exemple, si Schumann utilise le « leitmotiv » — tel le thème du mal qui apparaît pour la première fois dans l'ouverture, puis dans le petit duo entre Geneviève et Golo, et encore ailleurs —, il ne l'emploie que comme un élément purement musical comparable à ces éléments « cycliques » qui paraissent dans ses *Symphonies* (*). Tout en étant imprégné par les tendances de son époque, Schumann les domine par son génie. Le genre de cette œuvre est nouveau pour lui, et il ne l'abordera plus par la suite ; il ne s'y trouve d'ailleurs pas aussi à l'aise que dans les autres genres musicaux où il s'est essayé ; l'accumulation excessive des scènes et des épisodes principaux et secondaires donne à l'ensemble du travail quelque chose de pesant et de monotone. Malgré toutes ces réserves, il faut dire qu'il se montre brillant dans plus d'un morceau, à commencer par la belle « ouverture », qui se déroule comme le premier mouvement d'une symphonie et renferme, dans une synthèse anticipée, les éléments fondamentaux du drame musical, bien que les thèmes de l'« ouverture », à l'exception de celui du mal, ne reparaissent pas dans le reste de l'œuvre. Il y a d'autres beaux passages : celui du réveil de Geneviève avec la mélodie en mi mineur ; le long duo entre Geneviève et Golo, qui pourtant n'est pas exempt de convention ; la scène dans la grotte de Marguerite, colorée par les interventions savamment graduées du chœur ; la prière de Geneviève à son époux tandis qu'on l'amène au supplice ; la scène finale éclatante de joie. Dans l'ensemble, la conception que Schumann se faisait du drame musical est à admirer ; elle vient prendre place, avec toutefois un certain caractère de transition, dans ce courant qui, en Allemagne, de Gluck à Mozart et de Weber à Wagner, a créé ces admirables modèles du drame musical, dans lesquels les lois de la musique pure triomphent des conventions théâtrales. Comme *Fidelio* (*) dans l'œuvre de Beethoven, *Genoveva* est, parmi les créations de Schumann, une exception, ou, en quelque sorte, un noble divertissement qui, sans l'amoindrir, s'intègre au reste de son œuvre.

★ Le compositeur français d'origine allemande Jacques Offenbach (1819-1880) composa un opéra-bouffe, *Geneviève de Brabant*, sur un livret de Crémieux et Tréfen. L'œuvre, comme toute la production de cet auteur, a un net caractère de parodie. Elle connut le succès à Paris, en 1859, et fut reprise en 1875, comme opéra-féerie, avec une nouvelle division scénique.

★ Rappelons, en outre, la cantate *Geneviève* [*Genovefl'e's vierter Theil*] de Franz Joseph Haydn (1732-1809) ; l'œuvre *Sainte Geneviève, fresque musicale en quatre parties* de Gervais Salvayre (1847-1916), créée à Monte-Carlo en 1919, et l'œuvre chorale *Geneviève de Brabant* de Charles Radoux (1877).

« **GÉNIE** » **(Le)** [*The « Genius »*]. Roman de l'écrivain américain Theodore Dreiser (1871-1945), publié en 1915. Eugène Witla, issu, comme presque tous les personnages de Dreiser, d'une famille pauvre d'une petite ville du Middle West, révèle dès sa plus tendre enfance des dons remarquables pour la peinture ; après une période d'apprentissage à Chicago, il s'établit à New York où il acquiert une grande réputation. Comme le Cowperwood du *Financier* (*) et du *Titan* (*), il épouse une femme plus âgée que lui dont il se lasse rapidement ; après de nombreuses intrigues amoureuses, il devient l'amant d'une jeune fille de dix-huit ans, qui ruine sa vie et sa carrière ; il tâte alors, non sans succès, de diverses autres professions, pour revenir ensuite à son art lorsque sa femme meurt durant un accouchement. Tandis que, sous les traits de Frank Cowperwood, Dreiser avait représenté l'aventurier égoïste et sûr de soi, l'homme d'action énergique et calculateur, Witla incarne au contraire, à ses yeux, le type de l'être faible et hésitant, d'une sensibilité aiguë ; Witla est un rêveur porté à l'introspection, incapable d'accepter la vie comme elle est et que son idéalisme conduit à concevoir la beauté sans avoir complètement les moyens de la créer. C'est cette limitation que suggère l'auteur lorsqu'il place entre guillemets le titre de son roman, voulant indiquer par là que son héros n'est pas véritablement un génie. Dans ses rapports avec les femmes, le héros est une sorte de don juan, sans cesse déçu par ses expériences amoureuses, mais sans cesse enclin à croire que la prochaine aventure satisfera son désir et correspondra à son idéal. Durant un certain temps, cette quête anxieuse de la perfection féminine devient pour lui une tâche plus exigeante que son art ; mais lorsqu'il découvre que ses ambitions érotiques ou artistiques ne peuvent être satisfaites, le sentiment de son échec prend la forme d'une catastrophe totale. Comme dans *Le Financier* et *Le Titan*, c'est à une espèce de banqueroute physiologique et morale d'un surhomme manqué que Dreiser nous fait assister. Dans cet énorme roman (plus de mille pages), l'auteur, sans aucune concession littéraire — le style en est lourd et compliqué —, met à l'épreuve sa méthode de psychologue social ou, comme il s'intitulait lui-même, de « biochimiste ».

GÉNIE DU CHRISTIANISME (Le). Œuvre de l'écrivain français François René de Chateaubriand (1768-1848), parue le 24 germinal an IX (14 avril 1802) sous le titre : *Le Génie du christianisme ou Beautés de la religion chrétienne,* un an presque jour pour jour après *Atala* (*) et quelques jours avant la proclamation officielle du Concordat à Notre-Dame de Paris, en présence du Premier consul. Chateaubriand avait commencé la rédaction de cet ouvrage en 1798, dans « les ruines des temples » comme il l'a écrit lui-même, c'est-à-dire dans une atmosphère d'irréligion, suite de la Révolution. Il y avait loin des idées qui inspirèrent cette œuvre à celles de l'*Essai sur les révolutions* (*). Revenu à la foi de son enfance, Chateaubriand voulut aussitôt en dépeindre les beautés. Dès 1799, il en avait terminé une première rédaction qu'il essaya de mettre en vente, mais sans succès. Il travailla de nouveau à son livre en 1801. L'ouvrage s'intitulait alors *Beautés morales et poétiques du christianisme* et était attendu du public avec une grande impatience, sa parution ayant été annoncée longtemps à l'avance. *Le Génie du christianisme* paraissait au moment même où son utilité était le plus manifeste : l'Église et l'État venaient de se réconcilier, et le christianisme semblait renaître après les épreuves qu'il venait de traverser. L'œuvre avait aussi un but politique : Chateaubriand y appuyait le programme du Premier consul, et manifestait le ralliement de son auteur, rayé de la liste des émigrés par Bonaparte. La seconde édition (1803) s'accompagnait même d'une épître dédicatoire au Premier consul, où l'auteur déclarait : « On ne peut s'empêcher de reconnaître dans vos destinées la main de cette Providence qui vous avait marqué de loin pour l'accomplissement de ses desseins prodigieux. » Il exprimait ainsi les espoirs du parti catholique, désormais conquis à Bonaparte : « Continuez à tendre une main secourable à trente millions de chrétiens qui prient pour vous au pied des autels que vous leur avez rendus. » Le Premier consul ne devait pas se montrer ingrat : Chateaubriand fut nommé secrétaire d'ambassade à Rome, puis ministre de France dans le Valais. Mais l'assassinat du duc d'Enghien vint interrompre cette carrière : Chateaubriand démissionna et rompit avec Bonaparte. À partir de ce moment, il fut farouchement antibonapartiste et, en 1814, il devait combattre avec âpreté Napoléon dans son pamphlet : *De Buonaparte et des Bourbons* (*).

Dans *Le Génie du christianisme,* il n'entend nullement prouver la vérité de la religion chrétienne, mais répondre aux sarcasmes des philosophes du XVIIIe siècle et en particulier à ceux de Voltaire. Ceux-ci avaient ridiculisé non seulement le clergé, mais la religion même ; ils avaient soulevé la haine et le dégoût contre l'Inquisition, contre les jésuites, contre l'immoralité et l'ignorance des moines. Chateaubriand entend montrer que la religion est belle, qu'elle sert la cause de la civilisation, qu'elle a inspiré les grandes œuvres des temps modernes, que la civilisation est chrétienne même si elle le nie, qu'enfin la religion accompagne et rend plus humaine la vie de chaque jour. Dans la première partie consacrée aux dogmes et doctrines, il étudie successivement : les mystères et les sacrements (livre I), les vertus et les lois morales (II), la vérité des Écritures et en particulier l'article du péché originel (III). Au livre V, il arrive à « L'Existence de Dieu prouvée par les merveilles de la nature ». Cette démonstration n'a pas de caractère théologique ou métaphysique, elle est exclusivement poétique : ce que Chateaubriand veut montrer, c'est seulement qu'il est beau de croire et que la beauté de l'Univers porte à la foi ; c'est un prétexte à des descriptions aimables ou solennelles, d'un style admirable, qui comptent parmi les plus belles pages de cet écrivain. La seconde partie est consacrée à la supériorité des œuvres inspirées par le christianisme sur les poèmes païens. Il y étudie les « Épopées chrétiennes » : *La Divine Comédie* (*), qu'il révéla à la France, *La Jérusalem délivrée* (*), *Les Lusiades* (*), *La Messiade* (*) de Klopstock, *Le Paradis perdu* (*) de Milton, dont il devait plus tard donner une traduction, enfin *La Henriade* (*). Au second livre, sa comparaison des caractères naturels et sociaux, dans les poèmes antiques et modernes, peut être considérée comme l'origine de la critique historique, qui étudie l'évolution d'un même caractère, par exemple celui d'Iphigénie, suivant l'époque, le pays, la religion des poètes qui cherchent à le peindre. Le troisième livre reprend le même thème envisagé sous un angle différent : celui du rapport des passions. *René* (*), publié à part en 1805, formait l'illustration de la thèse soutenue par l'auteur. Au livre IV, il s'efforce de démontrer la supériorité du merveilleux chrétien sur le merveilleux païen. La seconde partie se termine sur un parallèle entre *La Bible* (*) et Homère.

La troisième partie est consacrée aux arts et à la littérature. Le premier livre, qui traite de la musique, de la peinture et de la sculpture, est le plus faible de tout l'ouvrage : les connaissances de Chateaubriand dans ce domaine étaient trop insuffisantes pour lui permettre de parler de ces questions avec compétence. Cependant le chapitre célèbre qu'il consacre aux églises gothiques eut le mérite de réhabiliter cette architecture et fut à l'origine de l'engouement romantique pour cet art. Le second livre, qui a pour sujet la philosophie, demeure très superficiel ; néanmoins, les quelques pages qui se rapportent à Pascal sont classiques. Le troisième livre est consacré à l'influence du christianisme sur la manière d'écrire l'histoire, le quatrième à l'éloquence sacrée. Le cinquième traite des « Harmonies de la religion chrétienne » et plus particulièrement de la poésie des ruines. *Atala ou les Amours de deux sauvages dans le désert,* publié un an auparavant (1801), y prenait place. La quatrième partie a pour objet le culte : Chateaubriand y traite des églises, ornements, prières, cérémonies liturgiques, tombeaux. Il esquisse ensuite une « Vue générale du clergé », puis il passe aux missions, aux ordres militaires et à la chevalerie, enfin aux « Services rendus à la société par le clergé et la religion chrétienne en général ». Les pages sur les cloches, sur la fête des Rogations qui en font partie demeurent à juste titre parmi les plus fameuses du livre.

Le Génie du christianisme est, en fait, l'œuvre centrale de Chateaubriand. *Atala, René,* qui se rattachent tous deux à la vaste épopée indienne, *Les Natchez* (*), en sont extraits. *Les Martyrs* (*) furent écrits pour justifier les théories du IVe livre, et la plus grande partie de l'œuvre de Chateaubriand découle des idées qu'il exprime et des positions qu'il prend dans le *Génie.* Le succès de l'œuvre fut immense, elle venait à son heure. Il y eut bien des voix discordantes, c'étaient celles des voltairiens athées ; mais l'œuvre n'en donna pas moins à Chateaubriand une gloire immense du jour au lendemain, et elle devait connaître un regain de faveur lors de la Restauration. L'œuvre exerça une influence durable, non seulement sur la poésie où elle suscita un nouveau genre : la méditation philosophique et religieuse, que devaient illustrer plus tard Lamartine, Vigny et Hugo, mais aussi sur la critique littéraire, où Chateaubriand se montrait un novateur, sur l'histoire (car elle attira l'attention sur une période complètement négligée jusqu'alors : le Moyen Âge), sur l'art, en remettant à la mode l'art gothique, où les artistes trouvèrent une nouvelle source d'inspiration et même d'imitation ; enfin, elle créa un mouvement de renaissance religieuse ou du moins elle l'appuya. Si l'on ne demeure plus toujours sensible aux arguments employés par l'auteur et à son système de défense du christianisme, dont l'efficacité valait surtout à son époque, si *Le Génie du christianisme* nous paraît une juxtaposition d'impressions, de descriptions, voire de considérations sentimentales, qui voisinent avec des réquisitoires et des polémiques contre certains écrivains et leurs tendances, plutôt qu'un système cohérent comme les œuvres des deux grands penseurs contemporains : Joseph de Maistre et Bonald, le livre n'en demeure pas moins un monument littéraire, rempli de pages admirables que la noblesse et la splendeur de leur style rendent immortelles.

GÉNIE ET LA DÉESSE (Le) [*The Genius and the Goddess*]. Roman publié en 1955 par l'écrivain anglais Aldous Huxley (1894-1963). Par l'humour et la façon un peu superficielle de traiter la tragédie, ce roman « philosophique » ressemble aux premières œuvres de l'auteur. Sa thèse : la culture scientifique, sans l'humanisme, fait du savant un imbécile ou un pervers. Le savant est le génial Henry Maartens qui jongle avec les atomes dans la bonne ville de Saint-Louis, mais est dénué du sens commun le plus élémentaire. Il s'intéresse peu à la déesse, la belle Kathy qui est pourtant une épouse bienveillante et docile, goûtant sans complexes l'amour qu'elle réduit, comme les prêtres de *Temps futurs* (*), à ses seules proportions sensuelles. Moralité : c'est le narrateur John Rivers, ce fils de pasteur, auquel la religion a interdit si longtemps une vie sexuelle normale, qui connaîtra auprès de la déesse les délices des nourritures terrestres. Sous le ton plein de brio du badinage, l'auteur cache le drame : dans le fait qu'une légèreté érigée en règle de vie comme celle de Kathy est immorale ; dans l'exaspération de la passion qui conduit à la mort. Seule la discipline de vie qui donnait son unité à *La Paix des profondeurs* (*) pourrait sauver de la désintégration spirituelle les personnages du roman. Or ni le savant, ni la jolie femme, ni même le romancier ne découvrent cet équilibre. Les puissances qui habitent l'homme l'entraînent ainsi à sa perte. Avec *Le Génie et la Déesse,* l'auteur ne s'engage pas dans des recherches techniques nouvelles. La forme se rapproche plutôt de la conversation ; le romancier enregistre une « orgie de souvenirs », celle que lui livre l'assistant du « génie » racontant son admiration pour le savant et son amour pour son épouse. Mais il pousse le narrateur à commenter, à donner des explications quand il n'en suggère pas. Huxley, dont nous sentons toujours la présence intelligente, utilise ainsi la « réflexion sur le roman » chère à Conrad pour faire du roman une moralité. D'ailleurs les remarques sur les sujets les plus divers abondent. Elles ne sont pas sentencieuses parce que le ton est celui d'un jeu léger sur des sujets graves. Et pourtant, à travers le brillant perce une émotion qui frôle le désespoir. L'accusation implicite contre le roman lui reproche d'être le genre des époques heureuses ; en s'en moquant à demi dans *Le Génie et la Déesse,* Huxley révèle que les temps du malheur sont arrivés. – Trad. Plon, 1955.

GENITRIX. Roman publié en 1923 par l'écrivain français François Mauriac (1885-1970). Le sujet est d'une sévérité, d'une nudité extrêmes. Pas d'action, des faits antérieurs, autour d'un cas : l'excès auquel peut atteindre l'amour maternel entaché d'égoïsme. Pour mieux comprendre la situation et le caractère qui la détermine, il faut se souvenir de ce propos prêté à Félicité Cazenave dans *Le Baiser au lépreux* (*) : « Si mon fils se marie, ma bru mourra. » Mais elle compte bien que son fils, déjà quinquagénaire, persévérera dans le célibat. Or, contre toute attente, Fernand Cazenave s'est marié ; et c'est à l'agonie de sa jeune femme que sont consacrées les premières pages de *Genitrix*. Mourante des suites d'une fausse couche mal soignée, Mathilde gît, quasi abandonnée, dans une chambre reculée de la vaste demeure de Langon. Solitude poignante certes, dans une telle extrémité, mais que la jeune femme préfère à la présence de son mari indifférent, de sa belle-mère cruelle et hypocrite. Et cette mourante que nul n'assiste fait l'ultime bilan de sa vie : elle revoit son existence de subalterne qui la blessait profondément, comme l'avait blessée tout ce qu'elle avait connu du monde. Et la mort ferme à jamais la porte des souvenirs. Le reste de l'histoire lamentable sera livré, par bribes, au cours des réflexions du veuf, de ses entretiens avec sa mère. Il sera ainsi révélé que si Ferdinand sut imposer sa volonté pour le mariage, il ne fit rien pour défendre sa femme contre l'hostilité de Mme Cazenave. Sa bru ensevelie, Félicité triomphe, tout va redevenir comme autrefois et pour toujours. Mais il faudra déchanter, et tout de suite ! Mathilde disparue, Fernand manifeste des regrets inattendus, une tristesse qui afflige et désoriente sa mère. La morte se venge en occupant ce cœur sur lequel la vivante n'a pas su régner. Des propos violents et amers s'échangent, la tragédie est à son apogée. Tant de disputes, de feintes, de calculs, d'intentions empoisonnées emplissent le roman d'une sourde fièvre, d'une rancœur presque insoutenable. Si l'agonie solitaire de Mathilde ne fut que glissement consenti et sans heurt, la vie de ses bourreaux n'est que transes. Félicité finira par en mourir. Resté seul avec Marie, sa vieille servante, Fernand se révèle un maître sans grandeur, qui rétrécit tout autour de lui. Une à une se ferment les fenêtres, la maison entre en léthargie. La dernière partie du roman ressemble peu à ce qui précède. Au drame, chef-d'œuvre d'âpreté, se juxtaposent des pages d'une saveur paysanne authentique, d'un pittoresque évident, mais qui n'entrent pas dans le caractère de l'œuvre. L'auteur veut montrer à quel point la disparition de Félicité désorganise l'existence de son fils. Mais il n'a pas prévu que, justement, en vertu de l'autorité qu'il lui a conférée et de sa force prédominante, tout risquait de perdre vie aussi bien dans le roman que dans la maison, dès que cette grande figure aurait disparu. Avec *Genitrix*, c'est la célébrité, l'établissement du romancier à une place de choix : « Et cet artiste en moi, note Mauriac, que tout enrichit ; ce monstre qui de toute douleur s'engraisse. »

GENS À LA CROISÉE DES CHEMINS (Les) [*Lidé na Křižovatee*]. Première partie, publiée en 1937, d'une trilogie romanesque de l'écrivain tchèque Marie Pujmanová (1893-1958) comprenant par ailleurs *Le Jeu avec le feu* [*Hra s ohněm*, 1948] et *La Vie contre la mort* [*Život proti smrti*, 1952]. Bourgeoise, puis révoltée contre les préjugés de sa classe, libérale, socialisante, et enfin, après la guerre, communiste, Pujmanová subit l'influence de Svobodová, Benešová, Flaubert, Proust ; elle passa de la description impressionniste à l'analyse psychologique, des thèmes de la révolte familiale et sociale à une conception « réaliste-socialiste ». Son triptyque romanesque, écrit en vingt ans, se ressent de cette évolution. Il présente un vaste tableau de la vie tchèque, et même internationale, des années vingt à travers la prise de pouvoir par Hitler, Munich, l'occupation, jusqu'à la libération de 1945. Le roman suit parallèlement nombre de personnages dont certains sont les prototypes de leur classe : le fabricant Kazmar d'Úly (= Zlín, ville des usines « capitalistes » Baťa) et ses amis sont des bourgeois et des capitalistes qui ne manquent évidemment pas de collaborer avec l'occupant. L'avocat peu fortuné Gamza, dont le mariage est un échec, défend Dimitrov après l'incendie du Reichstag, il est arrêté par l'occupant, et meurt à Oranienburg ; sa fille, Nelly, médecin, visite la Russie soviétique, et meurt en communiste héroïque sur l'échafaud nazi. L'ouvrier Ondřej Urban, jeune Pragois, va travailler à Úly, mais, déçu et chômeur, il part en U.R.S.S. où il réussit ; à la fin, il revient à Prague pour retrouver sa Géorgienne. L'auteur évoque aussi les problèmes de la bohème artistique, mais montre surtout le peuple, qui souffre, subit les contrecoups de la crise économique, résiste à l'occupant nazi, et vainc glorieusement avec l'armée soviétique.

GENS DANS LE TEMPS (Des) [*Gente nel Tempo*]. Roman de l'écrivain italien Massimo Bontempelli (1878-1960), publié en 1937. À l'heure de sa mort, une aïeule tyrannique, la Grande Vieille, annonce que sa famille s'éteindra par le décès régulier, tous les cinq ans, d'un de ses membres. Cette famille est formée d'un couple, Sylvain, fils de la Grande Vieille, et son épouse Victoire, plus deux fillettes, Nora et Dircé. Un frère de Sylvain a disparu depuis longtemps sans laisser de traces. Les premières années passent. Sylvain est un bibliophile passionné. Victoire s'éprend d'un certain Maurice, et s'en va attendre à Venise cet amant pusillanime qui ne viendra pas. Cependant la prophétie de l'ancêtre s'accomplit. Sylvain, puis Victoire meurent à la date prévue. Restées seules, Nora et Dircé commencent par jouir d'un sursis, l'oncle inconnu décède à leur place. Nora se fait enlever par un artilleur. Il lui naît un enfant, ce qui semble marquer la fin de la malédiction pesant sur la famille. Mais l'enfant est emporté par la maladie. Les deux sœurs restent face à face. Aux soupçons, aux calculs haineux succèdent les réconciliations, les désespoirs. À la date fatidique, Nora se sacrifie, en se suicidant. Dircé devient folle. Bontempelli est un conteur-né ; il a le sens de l'ellipse et une sûreté d'écriture vraiment classique. Il lui suffit de déjeter à peine son intrigue vers l'irréel pour qu'aussitôt le banal apparaisse insolite et le normal anormal. C'est à juste titre qu'à propos de son œuvre on a pu parler de réalisme magique. Le fantastique *Des gens dans le temps* n'est rien d'autre que la révélation de notre condition d'êtres mortels, et il procède d'une méditation profonde sur l'homme. – Trad. Éditions del Duca, 1956.

GENS D'ÉGLISE [*Soborjane*]. Roman de l'écrivain russe Nikolaï Semenovitch Leskov (1831-1895), publié en 1872. L'auteur, une fois de plus, revient au thème principal de ses grandes compositions littéraires : les forces saines du pays — braves gens attachés à leur terre et à leurs rêves — suffiront-elles à rétablir l'équilibre de plus en plus menacé par les courants nihilistes ? Leskov l'espère encore. L'archiprêtre Saveli Touberozov, figure centrale du roman, incarne en quelque sorte les vertus séculaires du peuple. Il est simple, bon et autoritaire, d'une foi inébranlable ; le prêtre Zacharie Bénéfactor, doux et effacé, et le diacre Achille Desnitzyne, un géant hirsute, sont avec lui les principaux personnages. Le cadre de l'action est Stargorod, calme ville de province, avec sa société d'originaux, de fripouilles et d'esprits forts, et sa population d'agriculteurs et de petits commerçants. On voit apparaître le chef de la noblesse, Touganov, un voltairien ; le maître d'école Varnava Prépotensky, révolutionnaire athée et ridicule ; Mme Bizioukine, épouse du contrôleur, une coquette aux idées avancées ; à l'arrière-plan, l'imposante figure de Mme Plodomassov, riche propriétaire qui, dans un cadre XVIIIe siècle, achève sa vie en compagnie de ses serfs et de ses domestiques. Le « Journal » que tient l'archiprêtre Touberozov, de 1831 à 1864, nous montre les difficultés multiples auxquelles il se heurtait dans sa lutte contre les partisans du vieux rite, opposés à la réforme du patriarche Nicon au XVIIe siècle ; l'esprit bureaucratique du Saint-Synode et le formalisme des hauts fonctionnaires réduisent à néant ses initiatives. L'action dramatique gravite surtout autour du conflit suscité par Termossessov, envoyé de Saint-Pétersbourg par son patron le prince Bornovolokov aux fins de procéder à une mystérieuse enquête. Fripouille magnifique, Termossessov fait chanter le prince dont il connaît le passé révolutionnaire et qu'il contraint d'obéir à ses moindres exigences. Termossessov, pour se pousser dans les sphères administratives, provoque lors de son arrivée à Stargorod une sorte de soulèvement politique favorable à ses ambitions. Il s'en prend à l'archiprêtre, fait rédiger une dénonciation par un comparse et obtient de l'évêque métropolitain le rappel de Touberozov. Privé du droit d'officier pour avoir prononcé des sermons séditieux, l'archiprêtre mène une existence difficile. Ses paroissiens adressent une supplique aux autorités qui se montrent conciliantes ; mais Touberozov, n'ayant rien à se reprocher, refuse de faire amende honorable. Son épouse, l'humble Nathalie, qui est venue partager son exil, meurt de fatigue et de chagrin. L'archiprêtre finit par se plier au désir de ses ouailles ; il regagne Stargorod mais, pour avoir fait preuve d'obstination, ne peut reprendre son office. Ce n'est que le jour de sa mort qu'il est rétabli dans sa dignité. La dernière partie du roman est une glorification de la mort chrétienne, de cette paix profonde qui réconcilie les âmes en les purifiant. Le récit se termine sur les tribulations du diacre Achille, bouleversé par la disgrâce de l'archiprêtre ; ce cœur simple finit ses jours d'une façon héroïque et touchante. – Trad. Gallimard, 1967 (Bibliothèque de la Pléiade).

GENS DE HELLEMYR [*Hellemyrsfolket*]. Cycle de quatre romans de l'écrivain norvégien Amalie Skram (1847-1905), intitulés respectivement : *Sjur Gabriel*, publié en 1887 ; *Deux amis* [*To venner*], 1887 ; *S. G. Myre*, 1890 et *Les Descendants* [*Afkom*], 1898. C'est l'histoire de trois familles dégénérées, et héréditairement malheureuses. La misère, les maladies et l'ivrognerie en sont les thèmes dominants, tandis que la mort, conçue comme une expiation des péchés, revient sans cesse. La description de la ville de Bergen et de la vie à bord d'un navire est cependant faite avec une légèreté et une sérénité qui éclaircissent un peu l'atmosphère oppressante de l'œuvre. Dans *Les Descendants*, le meilleur roman d'Amalie Skram, les personnages principaux sont des jeunes gens et des jeunes filles, encore étudiants. C'est en eux que viennent aboutir les destinées des familles décrites dans les volumes précédents. Le personnage principal est Séverin, le fils d'un petit commerçant, malheureux et malhonnête, et d'une femme sévère et méchante, objet de crainte et de haine pour ses enfants. Il rencontre, en un camarade d'école, un ami bon et sincère et tombe amoureux de la sœur de celui-ci. Elle est belle et capricieuse, mais sans méchanceté. La sœur de Séverin, Sophie, cède aux flatteries d'un lieutenant qui, en réalité, ne recherche qu'une bonne dot. Quand le père, qui a falsifié une traite, se trouve sur le bord de la ruine, Sophie accepte d'épouser un homme qu'elle n'aime pas ; mais son sacrifice est inutile, car son riche mari refuse de donner le moindre secours à son beau-père. Tandis que le père se trouve en prison, Séverin travaille et lutte pour se libérer de la triste fatalité qui pèse sur sa famille. Un moment il pense émigrer en Amérique avec sa sœur cadette, mais ils n'ont pas d'argent pour payer le voyage. Ce désir de partir le pousse à voler son ami en lui dérobant, un jour qu'il le trouve endormi, une lettre qui contient la somme nécessaire au voyage. Quand son vol est découvert, Séverin se suicide pour échapper à la honte, en se jetant dans la cour de la misérable maison qu'il habite. Cette œuvre, en tout point supérieure à *Constance Ring*, est un des romans les plus typiques de la littérature naturaliste scandinave.

GENS DE HEMSÖ (Les) [*Hemsöborna*]. Roman de l'écrivain suédois August Strindberg (1849-1912), publié en 1887, porté à la scène la même année sous la forme d'une « comédie populaire en quatre actes ». Le sujet de ce récit est la vie des habitants d'une petite île de l'archipel de Stockholm, et le personnage principal en est le paysan entreprenant et malin, Carlsson, originaire du Vårmland. Arrivé dans cette île en qualité de garçon de ferme, il remet en état la propriété d'une veuve qui, bien qu'âgée, n'a pas encore renoncé aux plaisirs de la vie. Elle remarque le jeune homme et lui propose enfin de l'épouser. Carlsson se laisse faire et donne son consentement, mais se fait léguer par testament tous les biens de la veuve. C'est l'occasion d'une description savoureuse d'une noce campagnarde et d'une union en premier lieu des biens, puis de la chair. Mais les projets de Carlsson échouent. Se croyant désormais en sécurité, il pense pouvoir passer de l'amour conjugal et légitime à celui, plus attrayant, d'une jeune paysanne. Mais sa femme découvre l'intrigue et détruit le testament. Carlsson perd d'abord les biens, puis la vie, en accompagnant en barque le corps de sa femme jusqu'à l'église. Voilà les lignes générales du roman dans lequel s'expriment pleinement les qualités maîtresses de Strindberg : précision et, en même temps, adresse pour décrire la vie de tous les jours, observation exacte d'une humanité primitive, tout entière faite d'instincts et de désirs. C'est un roman plein de brio et de gauloiseries, mais fort loin d'être comique, bien que l'humour n'en soit pas absent. Le fond du récit est une vision radicalement pessimiste du monde. Les gens de Hemsö ne sont portés que par l'avarice ou le désir, ils ne vivent que de leurs appétits animaux : à un tel degré d'évolution, il ne peut être question ni de comique indulgent ni en fin de compte de bonté, de compassion humaine ou d'idéal. — Trad. éd. du Temps, 1962.

GENS DE JUVIK (Les) [*Juviksfolke*]. Ce cycle romanesque de l'écrivain norvégien Olav Duun (1876-1939), qui comprend six romans publiés entre 1918 et 1923, est, avec *Kristin Lavransdatter* (*) de Sigrid Undset, une des œuvres épiques les plus importantes de la littérature norvégienne contemporaine. Le style de ces récits est simple, d'une grandeur toute naturelle qui rappelle les sagas islandaises. C'est d'ailleurs tout à fait dans leur ton que Duun raconte l'origine de cette famille laborieuse qui, par son énergie sauvage, a fini par occuper le premier rang dans le canton. Au fond, les gens de Juvik sont demeurés païens et deux choses comptent pour eux : les traditions de la famille et leur propre grandeur. Ils sont guidés par une voix intérieure qui leur dicte la victoire à remporter, victoire sur eux-mêmes bien souvent, et parlent d'égal à égal avec Dieu ou le destin, dont ils voient autour d'eux les présages et les signes. Depuis la mort du vieux Per-Anders, la « grande lignée » semble s'être éteinte. Désormais il y aura dans chaque génération des individus faibles et même malfaisants. C'est ainsi qu'à côté de Per, fils de Per-Anders, qui porte avec difficulté la lourde charge de l'honneur de la famille, il y a son frère Jens, d'humeur instable et aventureuse, fainéant et hâbleur. Per ne veut plus rester à Juvik ; il achète une ferme de l'autre côté du fjord Haberg et laisse Juvik à son frère ; puis, comme Jens quitte la maison et abandonne les terres, il y installe leur sœur. Mais Per, qui n'a pas le courage et la puissante carrure de ses ancêtres, meurt, épuisé par tant de travaux. Dans la génération suivante, on observe la même dualité : Anders, le fils aîné, se fait vite respecter pour sa force, son calme, son esprit droit et juste. Son frère Petter est par contre menteur, intrigant et faux. Lorsque Anders renonce par fierté à celle qu'il aimait, Massi, il acquiert encore plus de considération. Il se croit assez fort pour épouser Solvi : ayant du sang lapon dans les veines, celle-ci est considérée comme étant de basse extraction. Bientôt la rumeur publique commence à attribuer à Solvi — sorcière, puisque laponne — les malheurs qui accablent Massi et sa maison. Anders est ébranlé, il chasse Solvi qui, en partant de chez lui, est enterrée par une avalanche. Terrifié, Anders ne reprendra courage que lentement, grâce à l'aide attentive du pasteur. Il épouse alors Massi, qui est devenue veuve. Son activité débordante fait bientôt de lui le chef du village. Mais Petter tente de lui nuire par ses médisances et en particulier lorsqu'il s'agit de ses enfants. Tout prend aussi une fin tragique : Anders devient aveugle ; son fils aîné meurt ; Jens, dont il voulait faire un commerçant, devient un ivrogne qui dilapide toute la fortune et s'en va en Amérique. Ola, qui a fait des études, n'a pas l'énergie qu'il faut pour continuer le travail à la ferme ; sa fille Beret devient folle et le fiancé de Gjartru se noie. Ce sera la fille cadette, Asel, et son mari, Kristen, qui continueront l'œuvre d'Anders.

Dans le troisième roman, *Le Grand Mariage* [*Storbryllope*], qui est celui des enfants d'Anders et de ses petits-enfants, on commence à voir les présages d'un temps nouveau. Gjartru, qui a épousé un ancien sous-officier, Arnesen, et Asel rivalisent d'ardeur pour occuper la première place dans le village. Malheureusement Arnesen n'est pas l'homme d'avenir que Gjartru a cru trouver en lui, et à Segelsund où ils vivent, malgré leurs idées « modernes » ils sont continuellement au bord de la faillite. Asel par contre veut maintenir les traditions de la famille et demeure la plus forte. Le grand mariage est celui de Mina, la fille de Gjartru, qui va épouser Arthur. La sœur d'Arthur, Andréa, aime Ola (le frère de Gjartru et d'Asel), mais celui-ci se complaît dans sa veulerie, son scepticisme et le mépris qu'il affecte d'avoir pour lui-même. Il ne s'engagera pas et c'est presque par dépit qu'Andréa épousera Peder, le fils d'Asel. Peder porte en lui un obscur sentiment d'accablement et de révolte devant un destin trop lourd pour lui : il annonce son intention de renoncer à la ferme. Peu de temps après son mariage avec Andréa, Peder meurt de tuberculose.

Les trois romans forment un tout qui se concentre principalement autour d'Odin, fils illégitime d'Elen, la fille d'Asel. Si Elen n'a pas épousé le père de l'enfant, Otte, c'est encore et toujours à cause de cette fierté, de cet entêtement qui préfère se taire que de quémander ou même d'expliquer. Lorsque Elen épouse Iver, elle confie son fils à deux vieux qui l'élèveront. Odin est gai, courageux mais volontiers hâbleur. Lorsque le vieux Bendek meurt, il revient chez sa mère et son beau-père auquel il finit par inspirer du respect. Après avoir fait sa première communion, il se rend chez son père, Otte, de retour d'Amérique. Il y reste quelque temps, puis, à la demande d'Asel, sa grand-mère, il vient travailler à Haberg. Il y rencontre Astri, la fille de Peder et d'Andréa, et bientôt ils tombent amoureux l'un de l'autre. Mais ils s'aperçoivent au même moment qu'Andréa et Otte s'aiment – et s'ils se marient, leurs parents ne pourront jamais se marier. Pour faire le bonheur de sa mère, Astri renonce à épouser Odin et se jette dans les bras d'un ancien prétendant, qui meurt peu après d'ailleurs. Entre-temps, Otte et Andréa se sont mariés. Astri revient au village ; mais Odin, qui est également de retour après avoir été marin quelque temps, refuse de faire le premier pas. C'est de nouveau la fierté et le silence entre ceux qui s'aiment, qui font qu'Astri épouse le camarade et capitaine d'Odin, Lauris, contre la volonté de sa grand-mère, Asel. Asel meurt peu de temps après ; Odin refuse de vendre sa part d'héritage à Lauris. Il veut créer un asile de vieillards, car il veut enfin se confondre avec le village, travailler pour les autres, reprendre le travail d'Anders. Il épouse une jeune fille du Nord, Ingri, et bientôt il devient, par son énergie, sa bonne humeur, ses initiatives heureuses, l'âme même du village. Mais Astri et Lauris le suivent avec envie et haine : Lauris lui suscite partout des difficultés. Il le calomnie auprès des paysans. Odin cependant se domine et joue franc-jeu. Enfin, quand Astri est malade et que les deux hommes qui sont allés ensemble chercher des médicaments font naufrage, Odin se laisse couler pour sauver Lauris. C'est sa dernière victoire.

GENS DE LÀ-BAS (Les) [*Ludzie stamtąd*]. Recueil de nouvelles de l'écrivain polonais Maria Dąbrowska (1889-1965), publié en 1926. Dąbrowska n'a pas seulement composé des œuvres à caractère épique, comme son immense roman *Les Nuits et les Jours* (*), elle est aussi l'un des maîtres de la nouvelle polonaise. Ce livre en comprend huit, chacune formant un tout, bien que certains personnages réapparaissent dans l'une ou l'autre, toutes ayant pour cadre la même région. « Là-bas », c'est la campagne polonaise, et « les gens de là-bas » sont des paysans. Dąbrowska, admirable peintre des hommes, nous donne ici une galerie de portraits merveilleusement dessinés. Dans « L'Herbe sauvage » [Dzikie ziele] nous faisons la connaissance de Marynka, travailleuse acharnée, chanteuse et danseuse infatigable, sensuelle et passionnée, qui oublie tout et tous pour ne penser qu'à son amour menacé. Voici ensuite Lucie, femme tragique, dont le mari fait la guerre au Japon et qui, restée seule, ne résiste pas à la tentation d'être consolée par d'autres. Au retour de l'époux, elle veut expier ses fautes, mais ce dernier, apprenant sa conduite, l'abandonne. Il y a aussi Jozefka dans « La Pendule au coucou » [Zegar z kukułką], dédaignée par son amant et qui, folle de désespoir, s'enhardit jusqu'à demander au vieux curé de l'argent pour s'acheter de belles robes qui lui permettraient peut-être d'éblouir et de ramener à elle l'infidèle. Dans « Consolation » [Pocieszenie], Dąbrowska nous présente le vieux berger Wityk. Ici, il n'est plus question de complications amoureuses, mais de l'attachement de l'homme aux bêtes. Wityk s'alarme et perd la tête pendant la tondaison de ses brebis. À la vue des bêtes soumises à ce supplice, il s'emporte, jure, s'agite comme un possédé, mû par une rude tendresse qu'il n'aurait pas sûrement pour ses semblables. Et Wityk meurt comme il a vécu : au milieu de son troupeau, avec son chien à côté de lui, tel un monarque entouré de sa cour. Dans une autre nouvelle, Dąbrowska raconte l'histoire touchante d'un déshérité, Nicodème, vraie loque humaine, atteint d'une maladie incurable, vivant à l'écart des hommes. Nicodème concentre toute son affection sur un chien et, quand celui-ci meurt, il devient fou. Mais le monde que décrit Dąbrowska n'est pas seulement tristesse et désolation. Le petit Denis, par exemple, infirme et bossu, retrouve, grâce au travail, non seulement la joie mais aussi la sympathie et le respect des hommes. Et ce monde, parfois sévère et violent, a dans le labeur comme dans les divertissements un entrain endiablé, une verve dont les hommes « d'ici », c'est-à-dire de la ville, sont loin d'être dotés. Le livre de Dąbrowska est grave dans sa beauté, lumineux dans sa chaleur humaine.

GENS DE L'ARCHIPEL (Les) [*Skärkarlsliv*]. Recueil de nouvelles de l'écrivain suédois August Strindberg (1849-1912), publié en 1888. Après une introduction, écrite de main de maître, décrivant l'archipel de Stockholm, on trouve le récit le plus important du recueil intitulé « Le Romantique Sacristain de Rånö ». C'est l'histoire d'un jeune homme pauvre, passionné de musique, qui devient instituteur et organiste dans une petite localité éloignée, dans l'archipel de Stockholm. Il y vit comme dans une douce folie, prisonnier de ses rêves. Parmi les autres nouvelles, on remarque le récit d'un crime où le mari est amené à tuer sa femme peu à peu, sans raison précise, mais poussé inconsciemment par le fait que sa femme est une criminelle (ce thème revient souvent chez Strindberg). Une autre nouvelle, « Superstition », reprend le thème de la femme respectée à tort en sa qualité de mère — v. *Mariés* (*). Une troisième, « L'Amour des jeunes filles », est consacrée à la vie sexuelle des jeunes paysannes — v. *Les Gens de Hemsö* (*). « Le Vœu dans l'orage » enfin raconte la vie d'un pêcheur qui, dans le péril, promet de faire un don en argent à l'église et qui s'en tire en lui remettant un présent en étain. À part « Le Romantique Sacristain de Rånö », toutes ces nouvelles sont des esquisses qui, par leur style, se rapprochent du roman *Les Gens de Hemsö* et du recueil *Au bord de la vaste mer* (*).

GENS DE MER. Roman de l'écrivain français Édouard Peisson (1896-1963), publié en 1934. Ce livre, c'est la poésie et le drame quotidien de la mer et de la vie des marins. Édouard Peisson connaît par expérience la mer, ses secrets et ses pièges. En 1914, par vocation, car rien dans ses études ne le prédisposait à la carrière de marin, il s'embarque comme pilotin et parcourt l'Atlantique Nord. Nul mieux que lui ne pouvait décrire ces héros de la mer, car il fut l'un d'eux et partagea durant de longues années leurs joies et leurs tourments, leur nostalgie et leurs luttes. Le jeune capitaine Nau, image même du marin idéal, accepte, non sans scrupule, de prendre le commandement fort convoité du « Pétrel ». La rivalité qui divise le capitaine Nau et son second, Balam, disparaît devant la grande solitude de l'océan, le vent plus âpre, plus froid, la lumière polaire, les aiguilles de glace. La mer peu à peu déroule ses abîmes et pousse le « Pétrel » vers la tourmente. Commence alors une lutte vaine mais grandiose : redresser le navire malgré les creux de houle, éviter la rude muraille de vagues soutenue par un souffle diabolique, deviner les icebergs à la dérive, continuer le travail sur le pont malgré le risque d'être enlevé par une lame, lancer des fusées. La tourmente est la plus forte. Des S.O.S. sont lancés. Des navires se mettent en route, mais le capitaine Nau doit donner l'ordre d'abattre les mâts ; gestes de désespoir. Il faut abandonner le « Pétrel ». La langue simple, haletante de Peisson s'identifie avec son objet. L'une des grandes qualités des romans de l'auteur est l'authenticité du témoignage et la notation scrupuleuse des événements, ce qui fait participer directement le lecteur aux aventures dont l'écrivain compose le récit.

GENS DE SELDWYLA (Les) [*Die Leute von Seldwyla*]. Recueil de nouvelles en deux volumes de l'écrivain suisse allemand Gottfried Keller (1819-1890). Le premier volume parut en 1856, après le roman *Henri le Vert* (*) ; le second vint, sept ans plus tard, en 1873. Chacune des nouvelles ou presque fut fréquemment publiée comme œuvre séparée et l'est encore. Elles sont le fruit de la maturité artistique du poète et répondent à son besoin de représenter « le temps vivant et réel ». En effet, miroir fidèle de la réalité, elles ont une plasticité d'un naturel admirable dans les figures, et leur contenu moral est allégé par une pointe d'humour et une grâce charmante ; qualités qui révèlent chez l'auteur une grande maîtrise dans l'art narratif, et qui ont donné à l'œuvre une véritable célébrité dépassant les frontières de la littérature helvétique. Seldwyla est une petite ville imaginaire de la Suisse, dont les habitants sont des gens allègres, brillants dans leur jeunesse, pauvres et en quête de travail dans leur vieillesse, parce qu'ils ont tout perdu en spéculations ou en divertissements ; toujours les premiers dans les fêtes et les agitations politiques, mais inaptes à la vie quotidienne et au travail régulier. Telle est l'atmosphère d'où naissent les personnages et qui relie les diverses nouvelles en un véritable cycle, tout en laissant à chacune son cachet particulier. Le fait d'avoir situé la ville fictive en Suisse donne au poète le moyen d'exprimer son amour pour son pays et de montrer, grâce à une satire sans méchanceté, les défauts de ses compatriotes.

Le premier volume comprend cinq nouvelles : « Pancrace le Renfrogné », « Mme Regel Amrain et son dernier-né », « Roméo et Juliette au village », « Les Trois Honnêtes Ouvriers peigniers », « Le Petit Chat Miroir ». Les deux premières se rattachent au roman autobiographique de Keller, *Henri le Vert*, en ce sens qu'elles retracent le caractère du poète lui-même ou les événements de sa vie. « Pancrace le Renfrogné » [Pankraz der Schmoller] présente l'éternel mécontent (Pancrace-Keller), qui rend la vie difficile aux siens, jusqu'au moment où il s'enfuit en Afrique, et qui, bien des années plus tard, revient comme officier français, aisé et cultivé. Il a oublié sa mauvaise humeur grâce à une femme dont il s'était épris, et qui s'est jouée de lui, et à un lion qu'il a réussi à dompter. « Mme Regel Amrain et son dernier-né » [Frau Regel Amrain und ihr Jüngster] est le portrait de l'excellente mère du poète et de toutes les bonnes et énergiques mères suisses. « Roméo et Juliette au village » [Romeo und Julia auf dem Dorfe] est une des plus belles nouvelles de la littérature allemande, de beaucoup supérieure aux contes dits rustiques alors en vogue. Roméo et Juliette (ici Sali et Brenni) sont les enfants de deux paysans aisés d'un village voisin de Seldwyla et dont les champs sont séparés seulement par un terrain en friche sans propriétaire. Ce lopin, grignoté par l'un et l'autre, est naturellement l'objet de mesquines querelles ; c'est aussi le lieu préféré par les deux adolescents amoureux pour leurs rendez-vous. Victimes des chicanes et d'un drame consécutif où Sali, surpris par le père de Brenni, l'a involontairement fait tomber sur la tête et rendu fou, les jeunes gens, contraints de se séparer, savourent encore une fois, lors d'une fête, la joie d'être ensemble ; puis, dans une barque, se laissent aller à la dérive et à la mort. « Les Trois Honnêtes Ouvriers peigniers » [Die drei gerechten Kammacher] est une brillante satire populaire, où il est montré qu'à Seldwyla peuvent vivre côte à côte beaucoup de gens injustes, mais pas trois honnêtes hommes. « Le Petit Chat Miroir » [Spiegel, das Kätzchen] est la délicieuse fable d'un petit chat intelligent et philosophe, qui sait mettre à profit les expériences de la vie, et d'un magicien avide et intéressé, qui veut lui acheter sa graisse et lui fait signer un contrat selon lequel, quand il l'aura bien nourri, il aura le droit de le tuer. Mais, ce moment arrivé, le chaton réussit, par un habile stratagème, à le berner.

Le second volume de nouvelles, composé après le retour de Keller de Berlin en Suisse, utilise, comme fond de tableau, un plus grand horizon, et tend surtout à stigmatiser la maladie du temps, l'avidité de gain. « L'Artisan de son bonheur » [Der Schmied seines Glücks] est une espèce d'aventurier qui, ayant circonvenu un vieux parent riche et s'étant fait adopter par lui pour jouir de son héritage, le trahit ensuite vulgairement avec sa femme, mais finit par tout perdre, car le vieillard le chasse. « Les Lettres d'amour mal employées » [Die missbrauchten Liebsbriefe] est une satire des salons littéraires berlinois. Une correspondance amoureuse artificiellement combinée entre deux époux conduit à la rupture de leur mariage et à la formation de nouveaux liens conjugaux. « L'habit fait le moine » [Kleider machen Leute] est une des nouvelles les plus populaires et amusantes. Wenzel, un pauvre tailleur, s'en revient de Pologne à Seldwyla où, jadis, il a travaillé. En chemin, il est gentiment invité par un cocher à prendre place dans la voiture de son maître : il se rend à Goldach, ville voisine. Là, son aspect distingué et mélancolique, son manteau garni de velours, son bonnet de fourrure le font prendre pour un comte polonais réfugié et, comme tel, il est reçu et fêté par toute la population. Engagé malgré lui dans l'étrange illusion dont il ne sait plus se libérer, il s'en fait le complice involontaire et se fiance avec Nettchen, la jolie fille d'une autorité de l'endroit. Mais les gens de la proche Seldwyla, qui l'ont reconnu, montent une sorte de mascarade grâce à laquelle se manifeste la vraie personnalité du tailleur. C'est cependant un si brave garçon qu'on lui pardonne l'involontaire fiction ; il épouse Nettchen et s'établit à Seldwyla, où sa boutique de tailleur est bientôt florissante. Dans cette nouvelle, la vie humoristique est si étincelante qu'elle rend la satire fort amusante. « Dietegen », conte de cachet médiéval, met en scène la lutte entre deux cités, ainsi que la superstition des sorcières dont la jeune fille qu'aime Dietegen est victime ; mais le jeune homme, qu'elle a jadis sauvé, la sauve à son tour en l'épousant sur le lieu même du gibet. Enfin, « Le Sourire perdu » [Das verlorene Lachen] se fait l'écho de certaines aberrations religieuses et politiques qui régnaient au temps de Keller dans sa patrie. Les considérations qui sont mises dans la bouche du protagoniste expriment la conception de la vie de Keller, sa philosophie et sa religion, fondées sur la doctrine de Feuerbach. — Trad. Stock, 1928 ; *Roméo et Juliette au village*, L'Âge d'Homme, 1983.

GENS DE TAIPEI [*Tai-pei-jen — Taibei ren*]. Recueil de nouvelles de l'écrivain taiwanais Pai Sien-yong (né en 1937), publié en plusieurs livraisons à la fin des années 60, puis partiellement sous les titres *Promenade dans le jardin* [*You-yuan*], *Au sortir d'un rêve* [*Tsing-meng*] en 1968, et enfin dans son intégralité en 1971. L'auteur y fait le portrait des personnages les plus divers de la société taiwanaise ; anciens domestiques, hommes d'affaires, chanteurs d'opéra, chauffeurs de taxi, prostituées et hommes politiques, généraux et dames de la haute société, intellectuels et danseurs. Émigrés du continent chinois vers 1950, ils se lamentent sur leur sort présent, consomment les plaisirs et se corrompent, partageant surtout une même nostalgie de leur gloire passée — qu'elle fût réelle ou imaginaire. Presque tous vivent les yeux tournés vers l'étranger, vers les États-Unis. — Trad. anglaise par l'auteur et Patia Yasin, *Wandering in the garden, Waking from a dream. Tales of Taipei Characters*, Indiana University Press, 1982.

V. L.

GÉOGRAPHIE d'Ératosthène [Γεωγραφικά]. Œuvre en trois volumes du mathématicien, astronome, philologue et poète grec Ératosthène de Cyrène (284?-202? av. J.-C.).

Comme de toutes les autres œuvres d'Ératosthène, il ne reste de celle-ci que des fragments recueillis par H. Berger et publiés sous le titre : *Eratostenis fragmenta geografica* (Leipzig, 1901). Dans son ouvrage, qui débute par un répertoire des connaissances géographiques de son temps, Ératosthène, examinant à nouveau le problème discuté de la forme de la Terre et de ses dimensions, entend démontrer que la Terre est ronde. Après avoir passé en revue les rapports des grands navigateurs, tels que Pythéas, Ammon, Patrocle, Néarque, et en s'appuyant sur la longueur de la circonférence terrestre qu'il évalue à deux cent cinquante-deux mille stades, Ératosthène démontre qu'entre les points extrêmes, atteints à l'Occident et à l'Orient par tous les navigateurs, il devait y avoir un espace immense qu'il a appelé, comme Aristote, « océan Atlantique ». Mais, après avoir évalué la longueur du parallèle passant par les Colonnes d'Hercule et Rhodes à deux cent vingt mille stades, dont soixante-dix-huit mille de terres habitables, il ne semblait pas possible qu'entre la Chine et les îles Fortunées il pût y avoir plus de cent quarante-deux mille stades d'Océan. Les pythagoriciens ayant déjà invoqué la loi de symétrie, le grand géographe en fait autant dans son œuvre, pour renforcer sa théorie de l'existence d'un continent aux antipodes. Cette idée sera reprise plus tard par Strabon et exercera une influence profonde sur les esprits au Moyen Âge, jusqu'à l'époque des grandes expéditions de circumnavigation. Dans cette œuvre, nous trouvons aussi une préfiguration géniale de certaines recherches de la géophysique moderne : ce qu'il a appelé « cycles du grand hiver et du grand été » peut être comparé à l'hiver glacial de la période péruviano-carbonifère, époque pendant laquelle, dans les régions froides de la Sibérie et des terres polaires, le mammouth était le représentant d'une faune désormais disparue.

GÉOGRAPHIE d'al-Idrīsī [*Nuzhat al-mushtāq ilā khtirāq al-āfāq*, soit *L'Agrément de celui qui désire visiter les horizons lointains*]. Traité du géographe arabe Abū 'Abdallah Muḥammad al-Idrīsī (1100 ?-1165 ?), l'un des principaux représentants de l'école géographique arabe ; particulièrement vivace, celle-ci fut tributaire des écoles hellénistique et indienne, qu'elle enrichit considérablement sans pour autant en modifier le modèle général. L'univers connu, entouré par la « mer Océane », est divisé, depuis l'Équateur jusqu'au pôle Nord, en sept « climats », décrits l'un après l'autre ; pour chacun, l'auteur énumère ses montagnes, ses mers avec leurs îles et leurs golfes, ses fleuves, mais aussi les peuplades qui l'habitent, avec un aperçu de leurs mœurs et de leur activité économique et commerciale.

J.-P. G.

GÉOGRAPHIE de Strabon [Γεωγραφικὰ ὑπομνήματα]. Traité de l'historien et géographe grec Strabon (64/63 ? av. J.-C.-23 ap. J.-C.) en dix-sept livres, le plus vaste et le plus précieux que l'Antiquité grecque nous ait laissé. L'auteur, Strabon, qui se proclame stoïcien, est né à Amasée dans le Pont, vers 64/63 av. J.-C., d'une noble famille d'origine crétoise, et a vécu longtemps à Rome. Il mourut après 23 apr. J.-C. Sa *Géographie* ou *Études géographiques* est la suite logique de ses *Études historiques* (non conservées). Les deux ouvrages faisaient partie d'un projet grandiose visant à une description d'ensemble, historique et géographique, des divers peuples et pays du monde alors connu, ce monde sur la majeure partie duquel Rome, du temps de Strabon, avait étendu et établi sa domination. Suivant l'exemple de Polybe, notre auteur déclare vouloir décrire l'état actuel de la terre habitée sans traiter de problèmes ayant un caractère excessivement technique, de façon à ce que son œuvre soit utile aux hommes politiques ; en outre, il voit dans la géographie un savoir important pour le philosophe également. Il vise un public autant romain que grec. Les deux premiers livres de sa *Géographie* constituent une introduction générale à l'œuvre et traitent de quelques questions de géométrie, de mathématique et d'astronomie, ainsi que d'histoire de la géographie. Il y discute et critique certaines conceptions et hypothèses avancées par ses prédécesseurs, Ératosthène de Cyrène, Posidonios d'Apamée et Polybe. Du troisième au dixième livre, l'auteur décrit l'Europe, et plus particulièrement l'Espagne, la Gaule, les îles Britanniques, l'Italie, la Germanie, la Scythie, la péninsule balkanique avec la Grèce et les îles de la mer Égée ; du onzième au seizième livre, il décrit l'Asie, c'est-à-dire le Caucase, le Turkestan, la Médie, l'Arménie, l'Asie Mineure, l'Inde, la Perse, l'Assyrie, la Babylonie, la Mésopotamie, la Syrie, la Phénicie, la Judée, l'Arabie ; le dix-septième livre est consacré à l'Afrique et décrit l'Égypte, l'Éthiopie et la Libye. Au cours de sa description, il aime faire de longues digressions de contenu ethnologique, mythologique ou historique. Dans sa majeure partie, l'œuvre fut sans doute terminée vers l'an 7 av. J.-C., mais elle contient des allusions à des faits postérieurs, qui indiquent que Strabon y a encore travaillé jusqu'à la fin de sa vie. Il est toutefois probable qu'il ne put la revoir complètement avant sa mort. L'ouvrage nous est parvenu intégralement, hormis la fin du septième livre. Strabon a puisé son information à des sources livresques, même pour ce qui concerne des régions qu'il a personnellement visitées (il ne se réfère avec assurance à son expérience que dans le cas de l'Égypte). Il a lu de très nombreux auteurs, qu'il cite souvent textuellement. Parmi ceux-ci : Polybe (surtout pour l'Espagne) et Posidonios d'Apamée ; pour la Grèce, Artémidore d'Éphèse (le géographe du Ier siècle av. J.-C.), Ératosthène de Cyrène et Apollodore d'Athènes ; Démétrios de Skepsis pour l'Asie Mineure, et

Mégasthène, Aristobule et Néarque pour l'Inde. Il indique avec soin ses sources, ce qui n'est pas fréquent chez les érudits de son époque, et, face à ses auteurs de référence, il garde toujours son indépendance de jugement. Comme il choisit d'utiliser plus particulièrement certains auteurs pour certaines régions, il en résulte des inégalités frappantes entre les diverses parties de son œuvre. Dans les livres VIII à XIII surtout, il accorde une large place aux questions de géographie homérique. Homère est pour lui une autorité en matière de géographie, ce qui est un trait typiquement stoïcien. Il défend le grand poète contre toutes les critiques, notamment contre celles d'Ératosthène. En revanche, il méprise Hérodote et les logographes. Son style est simple, mais sans tomber dans une tendance atticiste trop accentuée. Jusqu'à l'époque byzantine, Strabon n'a pas joui d'une grande renommée. Toutefois, au cours des siècles, son traité est devenu la source la plus riche qui soit pour la géographie antique. – Trad. Les Belles Lettres, 1966-1989 (en cours). A. L.

GÉOGRAPHIE HUMAINE (La). Œuvre du géographe français Jean Brunhes (1869-1930), publiée en 1910. C'est des rapports réciproques de la terre et de l'homme que l'auteur traite sous le nom de « géographie humaine ». Brunhes n'est sans doute pas le créateur de cette discipline ; il fut précédé en particulier par les travaux de Friedrich Ratzel, dans son *Anthropogéographie* (1882-91) ; mais jamais avant lui le sujet n'avait été abordé avec autant d'ampleur et de clarté à la fois. Brunhes a su se préserver des théories vagues où pouvait aisément incliner ce genre d'études. Se tenant toujours en contact intime avec les faits, il range ce qu'il appelle les « faits essentiels » en trois groupes : *a)* les faits d'occupation improductive du sol : maisons et chemins ; *b)* les faits de conquête végétale et animale : cultures et élevages ; *c)* les faits d'économie destructive : dévastations végétales et animales, exploitations minérales. Ses dons d'excellent observateur, aiguisés au cours de nombreux voyages, lui permirent de rassembler le trésor d'images caractéristiques qui emplissent les diverses monographies synthétiques de géographie humaine auxquelles est consacrée la seconde partie de son ouvrage. Il prend successivement pour exemples : les « îles » du désert, les oasis du Souf et du M'zab dans le Sahara sud-algérien ; les « îles » humaines de la haute montagne dans les Andes centrales, occasion d'une étude de la transhumance ; une « île » exceptionnelle de haute montagne alpine : le val d'Anniviers en Suisse ; un type de route en pays neuf : les routes ouvertes en 1923 de l'Annam au Laos, de la mer de Chine au Mékong. Un chapitre récapitulatif s'efforce enfin de définir l'« esprit géographique ». Le troisième volume de la quatrième édition est constitué par un ensemble de cartes, de tableaux et de photographies hors texte.

GÉOGRAPHIE III [*Geography III*]. Dernier recueil de la poétesse américaine Elizabeth Bishop (1911-1979), publié en 1976. Le titre même de ce mince volume de dix poèmes, en rappelant celui d'un vieux manuel de géographie scolaire, donne une clé pour comprendre cette poésie qui se veut d'abord simple et modeste observation des lieux. Par ailleurs, ces poèmes de la grande maturité semblent revenir à des scènes ou à des expériences déjà apparues dans son œuvre. Mais la description la plus minutieuse, la plus prosaïque en apparence, débouche presque toujours chez Bishop (délicatement amenée par les ressources d'une prosodie extrêmement subtile) sur des moments bouleversants qui ouvrent à une autre compréhension du monde. Ainsi « Dans la salle d'attente » où l'enfant qu'elle est alors – déjà fascinée par les images du *National Geographic* – découvre soudain le sentiment vertigineux de l'étrangeté de l'existence et de l'individuation. Et, dans « L'Original », où elle évoque un voyage en car en Nouvelle-Écosse, c'est l'apparition d'un petit animal qui déclenche la vision. Dans « Fin mars », la tranquille description d'une promenade sur la plage où le poète observe d'étranges traces de pas et découvre une corde abandonnée conduit peu à peu à l'image finale d'un soleil-lion : « Un soleil qui parcourant la plage à la dernière marée basse / et laissant ces grosses, majestueuses empreintes de pattes / avait peut-être rabattu du ciel un cerf-volant pour jouer. » Comme l'écrit Claude Mouchard : « La géographie ou la géoscopie de Bishop palpite de variations d'échelle. Pour le regard d'une enfant ou pour celui de Crusoé (un des poèmes s'intitule " Crusoé en Angleterre "), le monde se laisse inclure dans une image ou s'engouffre dans une syncope, choit en vertige... Inversement, la simple table de travail peut se dilater et prendre les dimensions d'une contrée offerte à la description minutieuse. » – Trad. Circé, 1991.

GÉOGRAPHIE UNIVERSELLE. Publiée de 1927 à 1948 sous l'inspiration du géographe français Paul Vidal de La Blache (1845-1918) et la direction de Lucien Gallois (1857-1941). Cette œuvre, en préparation avant la Première Guerre mondiale et dont le grand géographe Vidal de La Blache avait établi le plan et choisi les collaborateurs, était partiellement prête à paraître lorsque les événements internationaux obligèrent les éditeurs à procéder à une refonte des manuscrits. Telle qu'elle a été publiée depuis, la *Géographie universelle* est cependant restée fidèle aux trois grandes directives données par son inspirateur. Elle a voulu : *a)* enregistrer l'acquis des dernières découvertes modernes, que ce soit les explorations (telles que la conquête des pôles) ou les progrès des sciences : météorologie, océanographie, géologie, etc. ; *b)* mettre en valeur les grands ensembles, les liens étroits qui rendent indissociables les divers domaines de la géographie aussi bien que les différents pays d'un tout naturel ou humain ; *c)* enfin, la géographie restant essentiellement une « description » de la terre, donner une illustration géographique abondante (surtout pour l'époque où l'ouvrage a commencé de paraître). La *Géographie universelle* contient les volumes suivants : tome I : *Les Îles britanniques*, par Albert Demangeon (1872-1940), 1927 ; tome II : *Belgique, Pays-Bas, Luxembourg*, du même auteur, 1927 ; tome III : *États scandinaves. Régions polaires boréales*, par Maurice Zimmermann (1869-1950), 1933 ; tome IV : *Europe centrale* (1re partie : Généralités. Allemagne ; 2e partie : Suisse, Autriche, Hongrie, Tchécoslovaquie), par Emmanuel de Martonne (1873-1955), 1930-31 ; tome V : *États de la Baltique. Russie d'Europe et d'Asie*, par Pierre Camena d'Almeida (1865-1943), 1932 ; tome VI : *La France*, 1re partie : La France physique, par Emmanuel de Martonne, 1942 ; 2e partie : France économique, par Albert Demangeon, 1946-48 ; tome VII : *Méditerranée. Péninsules méditerranéennes*, 1re partie : Généralités, par Maximilien Sorre (1880-1962) et Jules Sion (1879-1940) et Espagne-Portugal, par Maximilien Sorre, 1934 ; 2e partie : Italie, par Jules Sion, Pays balkaniques, par Yves Chataigneau et Jules Sion, 1934 ; tome VIII : *Asie occidentale* par Raoul Blanchard (1877-1965) et *Haute-Asie* par Fernand Grenard, 1829 ; tome IX : *Asie des moussons*, 1re partie : Généralités. Chine, Japon, par Jules Sion, 1928 ; 2e partie : Indochine, Inde, Insulinde, par Jules Sion, 1929 ; tome X : *Océanie*, par Paul Privat-Deschanel et *Régions polaires australes*, par Maurice Zimmermann, 1930 ; tome XI, *Afrique septentrionale et occidentale*, par Augustin Bernard (1865-1947). 1re partie : Généralités. Afrique du Nord, 1937 ; 2e partie : Sahara. Afrique occidentale, 1939-42 ; tome XII : *Afrique équatoriale, orientale et australe*, par Fernand Maurette (1879-1937), 1938 ; tome XIII : *Amérique septentrionale*, par Henri Baulig (1877-1962). 1re partie : Généralités. Canada, 1935 ; 2e partie : les États-Unis, 1936 ; tome XIV : *Mexique. Amérique centrale*, par Maximilien Sorre, 1928 ; tome XV : *Amérique du Sud*, par P. Denis, deux parties, 1927.

GÉOGRAPHIE UNIVERSELLE de Frank. Récit de l'écrivain français Bernard Frank (né en 1929), publié en 1953. « Passer mes baccalauréats, qui ne fut pas une mince affaire puisque je n'avais guère travaillé pour qu'elle le fût, servit de paravent à des activités littéraires de moins en moins clandestines. Le problème était de rassurer des parents justement inquiets sur l'avenir de leur rejeton. Et de me rassurer. Je le fus, quand j'écrivis en septembre 1950 le résumé de la première version de *Géographie universelle* » (septembre 1988, in *Pense-bête*, qui clôt une réédition de l'ouvrage suivi d'*Israël*, 1989). Premier livre de l'auteur, c'est aussi le plus réussi. Paradoxalement, Bernard Frank fait ses débuts en littérature avec un genre ordinairement réservé aux grands anciens, l'autobiographie. C'est à l'illustre géographe Paul Vidal de La Blache, fondateur des *Annales de géographie* et de l'École française de géographie, que l'auteur doit son titre, mais il n'est question de géographie véritable que dans les seuls intitulé et table des matières. Le reste, c'est-à-dire l'essentiel, s'apparente aux impressions personnelles d'un jeune homme bavard et grouillant de promesses.

« J'ai gardé de mon enfance cet éternel besoin de faire du bruit, de la casse, puis de tirer à moi une grande personne par le pan de sa veste pour qu'elle aille voir ce que j'ai fait et qu'elle me gronde. » Décliné en sept chapitres qui portent chacun le nom d'un pays (dans l'ordre, Angleterre, Belgique, Pays-Bas, Norvège, Danemark, Luxembourg, Allemagne), l'ouvrage est une géographie mentale où la mythomanie de l'auteur ne manque pas d'allure ou, à défaut, d'humour : « Malraux ou moi. J'avais sa culture, plus de souplesse que lui, un sens de la comédie plus aigu, enfin la jeunesse qui commençait à lui faire défaut. Je saurais somptueusement dérouler mes géographies devant les yeux mi-clos de De Gaulle, capter cette lourde conscience d'obsédé historique. » Faux-monnayeur talentueux, Bernard Frank a le goût de la formule : « Malraux a été la royauté secrète de beaucoup d'intellectuels de gauche. » Il invoque des motifs, les fameux « pays », pour mieux les ignorer et pour s'en servir comme d'un prétexte. Il n'est jamais question ici que d'une géographie réduite à un moi explosif. Bernard Frank fait de l'univers une affaire personnelle. Autobiographie, souvenirs de guerre, premières lectures d'adolescent, inévitables conversations politiques, pied-de-nez enfin aux caciques d'une littérature pompeuse, ce livre a « du panache, de la moustache et de la fesse » (Bernard Frank à propos du *Hussard bleu* (*) de Roger Nimier dans « Grognards et Hussards », son fameux article des *Temps modernes* (*) publié en décembre 1952). « Devant un de mes trucs — c'était un de ses mots — qu'il avait trouvé pas mal, Sartre était resté en arrêt, perplexe : “Comment vous dire de travailler, puisque, au fond, vous écrivez pour ne pas travailler ?” » On ne pouvait mieux définir cette « verdeur première » que Jacques Lacan décèle chez l'auteur. Entre le voyage sentimental et l'autobiographie franche, son livre dresse une liste de curiosités psychologiques et s'attache surtout à recenser des émotions. Écrite comme on joue au bridge, caractérielle, la *Géographie universelle* de Bernard Frank est un livre d'humeurs. E. H.

GEÔLIER DE SOI-MÊME (Le). Comédie en cinq actes et en vers de l'auteur dramatique français Thomas Corneille (1625-1709), représentée sur la scène du théâtre du Marais en 1655, en concurrence avec la comédie de Scarron, *Le Gardien de soi-même,* jouée à l'Hôtel de Bourgogne. Entre les deux pièces, adaptées d'un même original, *El Alcayde de si mismo* de Calderón, le public n'a pas tardé à choisir celle de Thomas Corneille, infiniment plus brillante que celle de Scarron – pourtant inventeur du genre de la comédie burlesque – et servie par le plus célèbre « farceur » de son temps, Jodelet. Le hasard a conduit Jodelet sur les lieux où le prince de Sicile, Fédéric, a abandonné sa tenue de combat (il est en fuite après avoir tué dans un tournoi le prince héritier de Naples) ; il s'empare de ces « beaux habits » parce qu'il estime qu'ils conviennent à son mérite. Il ne prétendrait à rien de plus qu'à être considéré par ses amis comme le marquis de Jodelet, si des soldats lancés à la poursuite du prince de Sicile ne venaient l'arrêter parce que son signalement correspond à celui de l'homme qu'ils recherchent. Désormais, il passe aux yeux de tous, et notamment du roi de Naples, pour Fédéric, le prince de Sicile, et ses dénégations sont mises au compte d'un mouvement de lâcheté. Elles sont d'autant moins crédibles que l'écuyer de Fédéric, lui aussi capturé, estime qu'il assurera la sécurité de son maître en appuyant la méprise, et feint de le considérer comme son maître. Et Fédéric lui-même, devenu sous une autre identité le gouverneur du château dans lequel Jodelet a été conduit, feindra de considérer Jodelet comme « Fédéric » jusqu'à ce que les conditions lui paraissent favorables pour détromper son monde. L'essentiel de la pièce roule ainsi sur le contraste entre le langage et les manières princières de Fédéric qui se fait passer pour « un homme de peu » et se fait pourtant aimer de la grande dame qui possède le château, et le discours délirant et le comportement grossier de Jodelet vêtu en prince, considéré comme tel et qui finit par le croire lui-même. Avec *Dom Japhet d'Arménie, Jodelet ou le Maître-Valet, L'Héritier ridicule* – v. *Théâtre* de Scarron –, *Le Geôlier* peut être considéré comme l'un des meilleurs spécimens de la comédie burlesque ; signe qui ne trompe pas : elle est l'une des pièces que Molière a le plus souvent représentées avant de posséder son propre répertoire. G. F.

GÉOLOGIE. C'est avec cet important recueil de poèmes publié en 1958 que l'écrivain belge d'expression française Henry Bauchau (né en 1913) inaugure, à quarante-cinq ans, son entrée dans les lettres et signe la genèse de l'œuvre singulière qui est la sienne. Dans ce livre d'une facture toute classique mais porté par un vrai souffle épique, l'auteur tente de mettre au jour, palier par palier, strate après strate, ce qui fait la « géologie » intérieure, mémoire et imaginaire mêlés, d'un homme déchiré entre ses contradictions, le sentiment de ne pas être et le désir de devenir, l'angoisse de l'échec et la volonté de vaincre, le doute de soi et son affirmation dans l'écriture. Il s'agit avant tout pour lui de se comprendre, « d'aller vers le futur à travers l'évocation d'un passé très lointain », pour une grande part inventé, réinventé à partir de cette archéologie personnelle que Bauchau nommera plus tard sa « Chine intérieure ». Puisant, dans la foulée sauvage de Gengis Khan, aux forces mythiques de l'Histoire et de l'imaginaire ; convoquant à ses côtés la « caste des guerriers » et les « enfants éternels » qui errent sur tous les chemins du vent, le poète se lance à la conquête de lui-même, de sa propre voix afin d'« entrer dans la ville », au cœur du poème, au cœur de la vie, libre, débarrassé des chaînes du passé qui l'entravaient et confiant dans son destin comme l'archer en sa flèche : « Il sera d'archer d'ombre et la flèche d'azur / Qu'illumine en mourant le prophète solaire, rêve du jour futur / Qui s'élance exaucé dans la fête des sphères. » Ce que le poème peut avoir parfois de solennel et d'hermétique, tout en demeurant d'une musicalité exemplaire, dans les six premières parties du livre s'estompe et s'éclaire en même temps dans la section qui donne son titre à l'ensemble : « Géologie ». Ici, le poète parle à voix basse, épousant un alexandrin très souple, il établit une manière de bilan lucide et serein, ayant compris que la liberté n'est pas dans le vouloir mais dans le consentement au destin qui « épanouit l'énergie des contraires » ; que toute conquête est vaine, même celle de l'écriture, qui ne mène l'homme à « être sans fin contenu dans plus d'être ». Et la réponse finale à ses questions, il peut l'entendre enfin, la recevoir : « Il n'y a rien de nécessaire / sauf être là, à chaque instant, de plus en plus. » G. G.

GÉOMÉTRIE (La). Œuvre du philosophe et savant français René Descartes (1596-1650) qui constitue le quatrième des *Essais philosophiques*, qu'il publia en 1637 avec le *Discours de la méthode* (*), *La Dioptrique* (*) et *Les Météores* (*). Cet essai expose l'essentiel de l'apport de Descartes en matière de découvertes mathématiques, en particulier les fondements de la géométrie analytique, qui furent son invention scientifique majeure. Descartes s'y montre peu soucieux de souligner les liens de son ouvrage avec ceux de ses prédécesseurs, Cavalieri et Viète, sur le même sujet – v. *Géométrie des indivisibles* (*) de Cavalieri – et davantage d'en faire ressortir les côtés novateurs. Ceux-ci se manifestent en trois domaines. Le premier consiste à exposer une matière aussi ardue dans un propos qui la rend accessible à un public cultivé élargi au-delà des seuls savants (l'emploi qu'il fait du français et non du latin va en ce sens également). Le deuxième est la mise au point d'une codification des symboles mathématiques telle qu'on l'utilise depuis (pour son usage des exposants, des signes +, – et =, dont il a stabilisé le code). Le troisième réside dans les contenus mêmes des raisonnements mathématiques examinés. L'ouvrage se divise en trois sections. Descartes y étudie tout d'abord les problèmes solubles par la seule utilisation de la droite et du cercle. Ce faisant, il montre comment tout problème de géométrie peut être énoncé sous forme algébrique, de sorte que le raisonnement géométrique n'est plus désormais tributaire de la réalisation des figures correspondantes. De là, il expose la solution des équations du second degré par le moyen de la géométrie, montrant qu'ensuite les problèmes des divers degrés avec un nombre quelconque d'inconnues peuvent relever de la même démarche. Dans la deuxième section, il rappelle la distinction que faisaient les géomètres anciens entre les « lieux plans », les « lieux solides » (les volumes) et les « lieux linéaires », ces derniers étaient restés jusque-là sans nomenclature ; il établit celle-ci en montrant, à la suite de sa première partie, que les différentes lignes correspondent toujours à un énoncé d'équation. Dans la troisième section, il s'attaque à la question des « lieux solides », ct là aussi montre que l'approfondissement des ressources des équations permet de résoudre les problèmes auxquels les procédés géométriques traditionnels ne donnaient pas de solution. Bien que se refusant à « faire un gros livre », et préférant solliciter l'intelligence du lecteur, il offre ainsi un traité qui, dans sa brièveté même, présente une densité d'information remarquable, et des innovations de valeur. A. V.

GÉOMÉTRIE DES INDIVISIBLES

[*Geometria indivisibilibus continuorum nova quadam ratione promota*]. Traité de géométrie de l'Italien Bonaventura Cavalieri (1598-1647), publié en 1635 et, sous sa forme définitive, avec additions et modifications, en 1653. Écrit en latin, cet ouvrage est le plus important du célèbre mathématicien milanais et compte parmi les œuvres mathématiques les plus géniales du XVIIe siècle. C'est avec lui en effet que s'amorce l'étude du calcul différentiel et intégral qui trouvera plus tard, avec Leibniz et Newton, ses majeurs représentants. L'ouvrage se compose de sept livres : le premier traite de l'intersection des cônes et des cylindres ; le deuxième est consacré aux triangles et aux parallélogrammes, tandis que le troisième livre traite des cercles, des ellipses et des corps engendrés par leur rotation. Les trois livres suivants sont en revanche consacrés à l'hyperbole, la parabole et les solides engendrés par un mouvement rotatoire. Dans le septième, reprenant le problème de la quadrature de la spirale, déjà traité par Archimède dans la *Quadrature de la parabole* (*), Cavalieri ne se contente pas d'aboutir à la solution par une voie différente, mais apporte une contribution remarquable à la connaissance de la courbe, en résolvant certaines difficultés que le grand Syracusien avait laissées de côté. À titre de complément à sa théorie des indivisibles, Cavalieri écrivit les *Exercices géométriques* [*Exercitationes geometricae sex*], lesquels, sous certains points de vue, et aussi pour certains détails de développement théorique, doivent être considérés comme faisant partie intégrante de cet ouvrage. Une extrême concision dans les énoncés et les démonstrations, qui rend la lecture de l'ouvrage malaisée, dépend en partie de la difficulté rencontrée par Cavalieri pour donner une forme précise au problème qu'il s'efforçait de résoudre. Il en résulte une certaine obscurité de langage qui rend difficilement définissables le terme d'« indivisible » ainsi que de nombreux autres concepts, qui se heurtaient à la géométrie euclidienne ou à celle d'Archimède jusqu'alors inattaquables. Il fallut attendre Pascal, qui, découvrant l'importance de l'œuvre et lui accordant son entière adhésion, réfuta les critiques qu'on lui opposait. La géniale spéculation de Cavalieri tient tout entière dans le fait qu'il avait pensé, ainsi que l'a fait remarquer Pascal, à diviser les figures en un nombre infini de sections infiniment petites, afin de pouvoir ensuite les additionner selon les procédés propres au calcul intégral.

GÉOMÉTRIE ET L'EXPÉRIENCE (La)

[*Geometrie und Erfahrung*]. Cet opuscule est le texte d'un discours prononcé par le mathématicien américain Albert Einstein (1879-1955) à l'Académie des sciences de Berlin le 27 janvier 1921 et complété par la suite. En examinant un axiome simple de géométrie (par deux points de l'espace, on peut toujours tracer une droite), il distingue la géométrie pratique et la géométrie axiomatique. Pour cela, il montre la différence entre l'interprétation ancienne et l'interprétation moderne. Dans l'interprétation ancienne, l'axiome est « évident », car chacun sait ce que sont une droite et un point, que cette connaissance provienne de l'esprit humain ou de l'expérience, ou des deux (peu importe, l'origine de cette connaissance regarde le philosophe et non le mathématicien). Dans l'interprétation moderne, l'axiome est une création libre de l'esprit humain et les autres propositions géométriques sont des déductions logiques des axiomes. C'est la « géométrie axiomatique ». Avant de pouvoir appliquer la géométrie axiomatique à la réalité, il convient d'ajouter que « des corps solides se comportent, quant à leurs possibilités de position, comme des corps à trois dimensions de la géométrie euclidienne ; les propositions de cette dernière contiennent alors des énoncés sur le comportement des corps pratiquement rigides ». Cette géométrie, qui est une science dérivée de l'expérience, est la « géométrie pratique », et doit être distinguée de la géométrie axiomatique pure. Si l'on rejette le rapport entre le corps pratiquement rigide et la géométrie, on ne pourra pas s'affranchir facilement de la convention qu'il faut garder la géométrie euclidienne, parce qu'elle est la plus simple. Einstein montre ensuite qu'à l'aide de la théorie de la relativité nous pouvons construire une image intuitive de l'univers fini théorique ; autrement dit, il montre de quelle façon il faut que soit représenté le comportement des corps solides en ce qui concerne leur position mutuelle (contact) pour être conforme à la théorie de l'univers fini. Il utilise alors un exemple simple permettant de se faire une image intuitive de la géométrie sphérique, par référence au mode de pensée et de représentation en usage dans le domaine de la géométrie euclidienne. Einstein termine ainsi : « Ma tâche était de montrer seulement que la faculté intuitive humaine ne doit nullement capituler devant la géométrie euclidienne. » À lire cet opuscule, on mesure combien Einstein a toujours eu le souci de voir ses interprétations géniales mises à la portée de tous, donnant lui-même ici un exemple de vraie « vulgarisation ». — Trad. Gauthier-Villars, 1921.

GÉOMÉTRIE ORGANIQUE [*Geometria organica sive descriptio linearum curvarum universalis*]. Œuvre écrite en latin du mathématicien écossais Colin Maclaurin (1698-1746), publiée en 1720. Dans la première partie, Maclaurin considère tout d'abord les coniques et leurs propriétés, s'occupant successivement des cubiques et des quartiques, puis étudie les propriétés les plus générales des courbes. Maclaurin perfectionne le moyen imaginé par Newton pour la construction des coniques et autres courbes. Dans la deuxième partie, il démontre les nouveaux théorèmes qu'il a découverts, et qui représentent une généralisation des théorèmes déjà énoncés par Newton et relatifs aux diamètres et aux asymptotes conjugués. Maclaurin applique ensuite les théorèmes aux coniques et aux cubiques et fixe les propriétés harmoniques relatives aux figures planes inscrites dans les coniques. L'auteur s'occupe successivement de la description de courbes passant par des points donnés à l'avance. Des questions de mécanique sont également traitées dans cette œuvre, et en particulier des théorèmes relatifs à la force centripète.

GEORGE DANDIN. Comédie en trois actes et en prose que le dramaturge français Molière (Jean-Baptiste Poquelin, 1622-1673) écrivit pour être jouée à l'occasion des fêtes que Louis XIV donna, en 1666, pour célébrer la victoire de la France et le traité d'Aix-la-Chapelle. Molière eut l'idée de transformer une de ses farces de campagne que sa troupe donnait de temps à autre au Palais-Royal en une véritable comédie à la fois de mœurs et de caractère : *La Jalousie du barbouillé* (*) devint *George Dandin ou le Mari confondu*. La pièce fut très applaudie à Versailles. George Dandin, riche paysan, a tenté de s'élever au-dessus de sa condition en épousant la fille d'un gentilhomme, Angélique de Sottenville. Mais il s'aperçoit qu'il a fait la plus grande sottise du monde, et que c'est pour avoir son bien que la famille de sa femme a conclu cette alliance. La balourdise d'un valet au service de Clitandre, jeune galant qui rôde autour d'Angélique, lui apprend que cette dernière est toute disposée à se laisser faire la cour. Avertis par leur gendre, les beaux-parents demandent des explications à Angélique et à Clitandre. Mais les deux complices nient impudemment, et Monsieur de Sottenville, qui ne perd pas une occasion d'humilier son gendre et de lui rappeler la bassesse de ses origines, le contraint à présenter ses excuses au jeune homme. Peu après, Angélique reçoit Clitandre, et le hasard veut que George Dandin et ses beaux-parents les voient ensemble sortir de la maison. Cette fois, Dandin, qui a épié le couple, croit triompher tout de bon. Mais Angélique imagine aussitôt un subterfuge : elle feint, à très haute voix, de reprocher à Clitandre ses avances, et avec un bâton s'acharne sur son mari qui s'est malencontreusement approché. Son innocence ne fait plus aucun doute. Enfin, croyant son mari endormi, elle rejoint Clitandre qui lui a donné rendez-vous dans le jardin. George Dandin, malgré l'heure, envoie aussitôt quérir ses beaux-parents. Il ferme sa porte et laisse Angélique dehors. Revenue de son entretien nocturne, Angélique supplie son mari, demande pardon, menace de se tuer. Inquiet, Dandin s'aventure hors de la maison pour s'assurer qu'Angélique ne s'est pas vengée de cette manière sanglante. Pendant ce temps la coquine s'introduit dans la maison et s'y barricade. Quand arrivent les parents, c'est Angélique qui semble bien fondée de se plaindre, et George Dandin qui fait figure de coupable. Encore une fois, il doit demander pardon.

Les bastonnades, la méprise du valet accentuent le caractère de farce que prend la pièce, organisée autour d'une victime impuissante. Dandin est accablé de toutes parts : le mépris de ses beaux-parents, qui lui rappellent le grand honneur qu'ils lui ont fait en lui donnant leur fille, ne fait que rendre plus cuisante sa douleur d'être trahi. Comme dans *L'Étourdi ou les Contre-temps* (*), comme dans *Le Misanthrope* (*), Molière a eu recours au procédé de la répétition : trois fois la même situation provoque le même résultat : George Dandin surprend les projets ou les agissements de sa femme, il appelle ses beaux-parents pour confondre la coupable, et c'est lui qui est confondu. À la répétition, l'auteur a joint les effets d'une certaine progression ; la première fois Angélique reçoit un message, la seconde fois une visite et, la troisième fois, elle se rend elle-même à une galante invitation. Les dernières paroles du mari infortuné : « Lorsqu'on a comme moi épousé une méchante femme, le meilleur parti qu'on puisse prendre, c'est de s'aller jeter dans l'eau la tête la première » servent de conclusion, d'une manière presque tragique, à une pièce où l'on a ri aux dépens d'un malheureux, strictement dans son droit, mais dont le défaut principal, dont il ne sera jamais assez puni, est la présomption, l'aveuglement sur soi qui a fait croire au riche paysan que son argent lui suffirait à changer de condition.

GÉORGIQUES de Virgile [*Georgica*]. Poème sur l'agriculture, écrit par le poète latin Virgile (70-19 av. J.-C.) aux environs de 28, aussitôt après les *Bucoliques* (*) et avant l'*Énéide* (*). La victoire d'Actium (31 av. J.-C.) remportée par Octave sur Antoine, amenant un soudain éclaircissement de l'horizon politique, fut le signal d'une pacification universelle et du retour au vieil idéal des agriculteurs italiotes trop souvent arrachés à leurs champs pour prendre les armes et combattre sur les terres lointaines. Mécène, ami à la fois d'Auguste, de Virgile et d'Horace, avait inspiré et suggéré ce traité poétique en quatre livres. Le premier, traitant de la culture des céréales, s'ouvre sur la description du printemps qui apporte avec lui un souffle frais de vie renaissante. L'invocation rituelle aux divinités protectrices de l'agriculture n'a rien d'une liturgie froide et aride ; elle est emplie au contraire d'un sentiment religieux fervent, qui convient aux humbles hommes des champs. C'est à ceux-ci que le poète adresse ses conseils sur la meilleure façon de cultiver leurs terres et de les faire fructifier, en choisissant les régions les plus favorables et les meilleures saisons. Il leur rappelle que d'en haut le ciel règle le mouvement perpétuel des astres, lesquels influent non seulement sur les semailles, la croissance, la récolte des céréales, mais encore sur les vicissitudes historiques du genre humain : en témoignent les phénomènes célestes qui marquèrent les ides de mars en 44, par exemple, quand, dans l'horreur du meurtre de César, le soleil voila sa face d'une éclipse. Le second livre est consacré aux arbres : le dur travail qu'ils demandent, ensemencement, transplantation, greffe, empotage, est décrit dans les premiers vers. La vigne, les oliviers, arbres aussi poétiques qu'utiles, peuplent des contrées vues par des yeux de peintre. Le regard de Virgile s'arrête longuement sur les régions, les fleuves, les collines, les lacs de cette Italie qui, plus féconde que toute autre terre au monde, renferme toutes espèces de plantes. Non moins importants que les arbres sont les bestiaux dont la vie est décrite avec une tendresse infinie. Les bœufs placides, les poulains hennissants animent les scènes champêtres et ces animaux donnent à la nature végétale une note plus sensible. Leurs instincts et leurs mœurs sont décrits par le poète d'une manière presque émouvante ; l'humble animal y semble un frère de l'homme, partageant les mêmes peines dans le travail, les mêmes douleurs de la parturition, nécessaires à la reproduction, les mêmes plaisirs amoureux. La vie des animaux est, elle aussi, une alternance de bien et de mal : la reproduction et l'élevage, les luttes furieuses des mâles pour la possession des femelles et enfin la mort, inéluctable, qui fait des ravages par les terribles épizooties. Ce sont là autant d'occasions de chants et de descriptions, tantôt délicates, tantôt pleines de vivacité, mais plus souvent voilées de réflexions mélancoliques sur la terrible puissance de l'amour, sur l'inexorabilité de la mort. Un quatrième livre clôt le poème, il est consacré aux abeilles ; bien que soumises à la fatalité universelle de la mort, leur nature semble d'essence quasi divine ; en effet, n'est-il pas merveilleux que les abeilles puissent se reproduire spontanément, comme par miracle, de la chair pourrie d'un veau mort ? Ce mode nouveau de reproduction (une des fables auxquelles croyaient les Anciens, qui aimaient faire dériver de la mythologie leurs fantaisistes conceptions en histoire naturelle) avait été découvert par le pasteur Aristée : maudit par Orphée à cause de la mort d'Eurydice, Aristée était descendu dans les abîmes marins pour interroger Protée ; là, il avait pu calmer la fureur d'Orphée en le faisant assister à la miraculeuse naissance d'abeilles, dont des essaims entiers s'envolaient des cadavres des animaux qui avaient servi aux sacrifices. Le poème se termine par une allusion aux guerres d'Orient et à la calme atmosphère de Naples où Virgile vivait alors.

Les *Géorgiques,* délaissant le côté ennuyeux et froid de l'enseignement rural, sont, en quelque sorte, un hymne chanté à la gloire de l'humanité souffrante, tantôt courbée sur la charrue, tantôt frappée par des fléaux dont le pire est celui de la guerre civile. Si, dans les *Bucoliques,* le poète adroitement travesti en pasteur s'attardait encore à d'abstraits jeux poétiques, il fait preuve dans les *Géorgiques* de plus de conscience et de maturité, et tente également d'adapter ses sentiments au climat politique du moment, insérant dans son œuvre de larges digressions sur la mort de César, le gouvernement d'Octavien, les guerres en Orient, les louanges à l'Italie, y parlant même des mérites poétiques, guerriers et civiques de son ami Gallus, bien que, plus tard, celui-ci étant tombé en disgrâce, il dût supprimer son nom. Plus que les juvéniles *Bucoliques* et l'incomplète *Énéide,* ce poème de la nature et des champs fécondés par le labeur humain marque, selon les canons du style et de la tradition, l'apogée de la perfection poétique de Virgile. Envisagé au contraire du point de vue biographique et critique, il représente le nécessaire passage du juvénile alexandrinisme à la maturité romaine. — Trad. Les Belles Lettres, 1956, rééd. 1968 ; Gallimard, 1987.

GÉORGIQUES (Les). Roman de l'écrivain français Claude Simon (né en 1913), publié en 1981. C'est, avec *L'Acacia* (*), l'une des deux grandes sommes simoniennes. *Les Géorgiques* sont le « côté de la mère », à commencer par les étonnantes archives de son ancêtre conventionnel que le roman cite abondamment. Personnage historique dont la carrière, telle qu'elle est évoquée dans le récit, correspond exactement à la notice consacrée au général Jean-Pierre Lacombe Saint-Michel dans le *Dictionnaire biographique des généraux et amiraux de la Révolution et de l'Empire.* Figure étonnante d'un jeune officier noble passé à la Révolution, devenu Conventionnel (il vote la mort du roi) puis général, qui épouse en secondes noces une royaliste farouche et dont le drame secret est l'existence d'un frère cadet, resté fidèle à la royauté, qui sera passé par les armes au nom de la loi que son aîné a votée. La révélation progressive de ce secret de famille est le suspense dramatique du roman. « À quoi bon inventer quand la réalité dépasse à ce point la fiction ? », dit Claude Simon. Un des bonheurs du lecteur est de découvrir ici le dernier avatar — et la dernière réécriture — de personnages et d'événements dont il a pu lire précédemment la ou les versions fictives. Ainsi le cousin Reixach : réchappé de la guerre, il mourra de maladie vingt ans après la fin des hostilités. De même nous découvrons que l'ancêtre de *La Route des Flandres* (*), dont le portrait faisait rêver Georges, n'est pas notre Conventionnel, avec lequel il paraissait se confondre, mais un autre général qui se suicida en 1794 après une défaite. Et la rêverie érotique qui nourrissait ces deux figures a disparu, tout comme le personnage de Corinne.

Cependant, *Les Géorgiques* ne sont pas une biographie fondée sur des documents authentiques. Claude Simon organise savamment sa matière et son récit selon deux grands motifs : la guerre et la terre, et l'Histoire éprouvée comme une éternelle répétition. Le couple guerre/terre lui était fourni par son modèle. Passionné d'agriculture et d'élevage de chevaux, le général, tout au long de sa carrière, ne cesse d'ordonner, à coups de missives adressées à sa fidèle intendante, l'exploitation de son domaine, les plantations, les saillies. Le cycle des saisons rythme les travaux et les jours au château tout comme les campagnes du général ; il mesure le dernier séjour de l'ancêtre dans son château ; il détermine la succession des chapitres dont chacun a sa saison. Mais l'Histoire aussi est cyclique, avec ses guerres récurrentes, ses lieux obligés, comme si nature et culture obéissaient aux mêmes lois. Cette caractéristique de l'Histoire est l'élément essentiel de la structure des *Géorgiques ;* il est à la fois la cause et l'effet de son tissage. Au *il* du Conventionnel (les personnages ne sont jamais nommés) se mêle constamment un autre *il* qui est successivement un jeune garçon, un volontaire à Barcelone, un combattant de 39-40 et un vieil écrivain à sa table de travail — ce second *il* incarne donc plus ou moins fidèlement divers moments de la vie de l'auteur. Et si deux chapitres sont ordonnés en fonction d'une seule époque (le cavalier mobilisé durant l'hiver 39-40, chapitre II ; le combattant en Espagne, chapitre IV), les trois chapitres impairs (I, III, V) font vivre au lecteur une progressive identification des deux *il* qui, à près d'un siècle et demi de distance, font la guerre sur la même frontière, contemplent les mêmes paysages et compulsent les mêmes documents, l'un relisant ce que l'autre a écrit. Admirable réussite d'une fusion qui se fait à la fois dans le texte et par le texte ; grâce à des similitudes de situation et grâce au travail de l'écriture (à commencer par ce *il* qui permet toutes les confusions). Et si, dans les romans précédents, le narrateur ou le héros en étaient réduits à inventer ce qu'ils ignoraient, rendant ainsi le réel problématique, c'est ici le vécu du second *il* qui lui permet de reconstituer celui de l'ancêtre à partir de documents souvent fort laconiques. C'est le souvenir d'un opéra auquel il a assisté adolescent à proximité de deux jeunes spectatrices qui lui fait « voir » la soirée à l'Opéra de Besançon au cours de laquelle l'ancêtre a rencontré sa première épouse. C'est l'hiver rigoureux de 39-40 qui lui permet de se représenter telle campagne du général. C'est sa propre vieillesse qui donne forme et couleur à celle de l'ancêtre. Cependant que les tribulations humoristiques de son buste sculpté, tout comme le comportement de ses lointains descendants à moitié ruinés, rendent dérisoires l'ambition et les grands desseins minutieusement consignés dans ses archives.

Claude Simon transforme ainsi l'Histoire et le roman historique (traditionnellement asservis à la chronologie, à l'ordre du successif, et porteurs d'un sens et de valeurs convenus) en un nouvel espace, temporel et narratif, qui nous propose un autre rapport à l'Histoire et une autre façon de lire celle-ci. J.-L. S.

GÉORGIQUES CHRÉTIENNES. Poème lyrique de l'écrivain français Francis Jammes (1868-1938), publié en 1911. Il commence par une sorte d'art poétique dans lequel l'auteur expose ses buts idéologiques et ses idées sur le style ; puis vient une suite de tableaux d'une grande diversité évoquant la vie des champs. D'abord une vision biblique : une nuée d'anges survole une modeste demeure dans laquelle une famille est assise autour de la table. Chacun des personnages exprime, dans un langage simple, ses aspirations secrètes en révélant le monde intérieur qui lui appartient en propre. Puis la scène change : sous la canicule, durant la sieste, un agriculteur s'abandonne à des rêves de prospérité et de bien-être. Cependant arrive le soir : les travailleurs retournent à la modeste habitation où, à côté du foyer, tandis que le pain cuit, ils écoutent, pleins d'étonnement, le récit d'un marin qui a abandonné l'existence inquiète de la mer pour la vie humble et paisible des champs. Des fiançailles scellent le doux amour de deux jeunes gens, et plus tard, dans le haut ciel nocturne, les signes du zodiaque semblent veiller sur la respiration tranquille et heureuse des corps. Le poème se clôt sur quelques scènes colorées : la vendange, égayée, comme les vendanges païennes, par des chants célébrant non plus le dieu de l'ivresse fugitive, comme aux temps anciens, mais celui qui veille paternellement sur ses fils ; la vision d'un troupeau en transhumance, sous un ciel immobile, vers de nouveaux pâturages ; une procession de religieuses invoquant la Vierge de Lourdes ; le maître de la ferme interrompu dans sa méditation sur le destin de l'homme — ne doit-il pas, comme l'arbre, avoir de solides racines dans la terre, mais tendre sa cime vers le ciel ? — par l'arrivée de sa jeune fille qui lui demande de ne pas s'opposer à sa vocation religieuse ; la venue d'un mendiant, symbole du Christ, qui bénit la famille tandis qu'il montre, de son bras tendu, les champs éternels de l'homme. Voici sommairement les moments les plus saillants du poème dans lequel personnages, paysages, événements, sont conçus en vue de la glorification du Créateur et pour exalter sa perpétuelle présence dans la Création. Cependant, l'intention morale et apologétique arrête souvent l'élan spontané du chant, qui semble se figer dans l'énoncé parfois insistant de préceptes et dans la morne succession des alexandrins groupés deux par deux. Il ne manque pas de morceaux de vraie poésie, inspirés par une sensibilité exquise, mais l'ensemble est comme obscurci par la grandeur d'une tâche qui dépasse les possibilités du poète.

GERALD REÇOIT [*Gerald's Party*]. Roman de l'écrivain américain Robert Coover (né en 1932), publié en 1986. Ce roman, qui dure le temps d'une soirée et d'une nuit, qui a pour cadre la vaste maison de Gerald et de sa femme, respecte les unités de temps et de lieu de la tragédie classique. Gerald et sa femme reçoivent leurs amis, ainsi que les amis de leurs amis. Très vite, il y a un meurtre : Ros, actrice de théâtre et sorte d'idole érotique, est poignardée. Les invités s'affolent, on appelle la police, l'inspecteur Pardew enquête. Ce meurtre initial paraît mettre en branle une mécanique folle et implacable ; à mesure que les gens arrivent, que les personnages les plus improbables se multiplient, et que les bouteilles se vident, les langues se délient, les désirs prennent voix, d'autres meurtres ont lieu ; Gerald, le narrateur et maître de maison, n'est plus maître de grand-chose et surtout pas de ses sentiments : il séduit une jeune femme, mais est sans cesse dérangé par les allées et venues d'invités de moins en moins respectables, de plus en plus défaits. Par ailleurs, l'inspecteur Pardew, épaulé par deux policiers qui ressemblent singulièrement à Laurel et Hardy, a établi son quartier général dans le bureau de Gerald, où il convoque les invités un par un et en passe apparemment certains à tabac. Le spectacle et ses divers avatars sont partout : on prend des photos, on filme en vidéo, on discute peinture, cinéma ou théâtre, on organise des numéros de mime, de clown, et jusqu'à une pièce de théâtre, délirante veillée funèbre de Ros. Des histoires de corps de garde alternent avec des va-et-vient effrénés, des rondes burlesques, des confessions plus ou moins impudiques, des aveux tragiques par lesquels les couples se font ou se défont. Lorsque s'amorce le reflux des policiers perplexes et des invités ravis ou hébétés, Gerald et sa femme retrouvent leur appartement saccagé.

Comme toujours chez Robert Coover, la référence aux formes narratives connues saute aux yeux : il subvertit ici la structure classique du roman policier en faisant de Pardew un inspecteur porté aux confessions philosophico-érotiques, flanqué d'assistants burlesques, mais surtout en parasitant le récit policier avec une foule d'autres « messages » : contes pour enfants, blagues, bribes de dialogues échevelés, références théâtrales, chansons, etc.

La métaphorc idéale de l'énergie explosive et de l'absence de tout passé qui caractérisent *Gerald reçoit* est celle du big-bang, cette explosion initiale d'où notre univers serait né. En effet, dès leur entrée en scène, tous les personnages — réduits au seul « présent » de leur voix — jaillissent comme autant d'atomes selon leur trajectoire propre, entrant parfois en collision le temps d'une copulation, d'un meurtre, ou d'un simple dialogue. — Trad. Le Seuil, 1988. B. M.

GERMANIE (La) [*De origine et situ Germaniae*]. Monographie publiée en 95 ap. J.-C. par l'historien latin Tacite (55-57 ? - après 117). Tacite avait déjà formé le plan de sa grande œuvre historique - v. *Histoires* (*). Mais comme la guerre contre les populations germaniques tenait une grande place dans les événements dont il s'apprêtait à faire le récit, il voulut connaître par avance, dans cette œuvre ethnographique, quelques notions indispensables sur les Germains. Trajan renforçait, au même moment, la frontière du Rhin, et l'intérêt du public pour ces régions et ces peuplades mal connues s'en trouvait accru. Tacite tire essentiellement sa matière de sources écrites, comme César et Pline l'Ancien, mais il utilise aussi très largement des informations orales, qu'il demande à des militaires, à des commerçants, etc. Les recherches de la science moderne, qui se fondent sur l'étude des monuments, ont confirmé sa prudence de critique et le sérieux de ses affirmations. Ce bref ouvrage est l'unique en son genre, qui nous soit parvenu de l'Antiquité ; aussi sa valeur est-elle inestimable pour l'historien, l'économiste et le sociologue, non moins que pour le philosophe qui trouve, déjà formé dans *La Germanie*, le style si personnel des grandes œuvres de Tacite. L'auteur commence par déterminer géographiquement la Germanie : il s'occupe ensuite de l'origine de ses habitants, décrit dans leurs généralités leurs caractéristiques physiques et morales, leurs institutions politiques, militaires et religieuses, leurs occupations de tous les jours, leurs moyens d'existence, leurs costumes et leurs mœurs. Dans la seconde partie, au contraire, il énumère les peuplades particulières et fait leur histoire. Il expose les institutions et les mœurs propres à chaque peuple. La variété même des sujets qui attirent l'attention de l'auteur bannit, de cet ouvrage, toute monotonie et toute aridité. Les descriptions de pays, de forêts et de mers, qui étaient pour les Romains de fabuleuses visions, sont admirables par leur puissance d'évocation.

Tacite ne fait preuve d'aucune sympathie particulière pour les Germains ; cependant, il ne cache pas son admiration pour leur santé physique et morale, pour leur sincérité primitive et pour l'honnêteté de leur vie. Sans doute, il ne faudrait pas croire, comme d'aucuns l'ont fait, que le but précis du présent ouvrage ait été d'avertir les Romains du danger que pouvaient représenter pour eux ces populations si fortes. Non plus que l'auteur ait voulu exhorter les Romains à corriger leurs mœurs. Néanmoins, le parallèle avec la civilisation romaine, extérieurement supérieure à la civilisation des Germains, mais intimement faible et corrompue, est toujours sous-entendu. Parfois même, ce parallèle est expressément indiqué, surtout dans les formules sentencieuses que Tacite aime à placer à la fin de ses chapitres. L'exclamation qui échappe à l'auteur, à propos de la guerre contre les Bructères et les Tenctères, est particulièrement significative : « Puisse-t-elle durer, persister chez les nations, sinon la volonté de nous complaire, au moins la haine qu'elles se portent, puisque, aux destins de l'Empire, la fortune ne peut désormais faire un plus beau cadeau que la discorde entre ses ennemis » (ch. XXXIII). Ce destin, qui jette ici son ombre mauvaise, est le même sort vengeur qui plane sur toute l'œuvre de Tacite. Son évocation donne à la *Germanie* un sens occulte et prophétique. – Trad. Perret, Les Belles Lettres, 1949 (*La Germanie. L'origine et le pays des Germains*) ; Gallimard, 1990.

GERMINAL. Roman de l'écrivain français Émile Zola (1840-1902), publié en 1885. Ce treizième volume du cycle des *Rougon-Macquart* (*) est une des œuvres les plus célèbres de l'auteur. C'est l'histoire d'une grève, « le soulèvement des salariés, le coup d'épaule donné à la société qui craque un instant, en un mot la lutte du capital et du travail. C'est là qu'est l'importance du livre, je le veux prédisant l'avenir, posant la question qui sera la question la plus importante du XXe siècle », précise Zola dans son Dossier préparatoire. L'action se déroule dans le bassin houiller du nord de la France, que le romancier a visité, à Montsou, nom inventé, de mars 1866 à avril 1867. Étienne Lantier, un des fils de Gervaise Macquart — v. *L'Assommoir* (*) —, vient d'être renvoyé de l'atelier du chemin de fer de Lille où il travaillait comme machineur, pour avoir giflé son chef. Il se fait engager au puits du Voreux dans l'équipe de Maheu. Il va partager le travail et la vie extrêmement difficiles des mineurs « dévorés » par le capital, nouveau Minotaure dont le mythe structure le récit. Les mineurs sont résignés à cet esclavage depuis des générations. Étienne, venu d'ailleurs et de nature violente, se révolte. Il se met en contact avec un leader socialiste de Lille, lit brochures et livres, digère mal quelques théories et organise la lutte contre la Compagnie des mines. Il crée une caisse de secours. Mais la grève est provoquée par la Compagnie avant que les fonds recueillis soient suffisants pour permettre aux mineurs de tenir. Au bout de deux mois et demi de luttes et de souffrances, ils doivent reprendre le travail. Mais ils se sont comptés, ils ont compris que la lutte était possible. Les antagonismes sont devenus irréductibles, la troupe a tiré sur les grévistes et fait des morts. La victoire du capital n'est qu'apparente, comme le suggèrent les dernières pages de l'œuvre. Étienne part pour Paris un matin de printemps, aube symbolique de temps nouveaux. Il va mener de nouvelles luttes, tandis qu'à Montsou : « Des hommes poussaient, une armée noire, vengeresse, qui germait lentement dans les sillons, grandissant pour les récoltes du siècle futur, et dont la germination allait bientôt faire éclater la terre. » Ainsi se termine le roman.

C'est d'abord un documentaire sur le travail et la vie des mineurs que Zola décrit en détail à travers essentiellement une famille, celle des Maheu. Il est allé à Anzin, est descendu au fond d'un puits de mine, a pris cent feuillets de notes sur le terrain et restitue avec précision conditions de travail et de vie, maladies, mœurs, rituels, fêtes..., en un tableau suffisamment juste et honnête pour que, pour la première fois, les mineurs se reconnaissent dans un roman : une délégation des leurs assistera aux obsèques du romancier, au cri de « Germinal ! Germinal ! ». Le tableau qu'il présente des tensions opposant capital et travail ou petit et grand capital (dans le roman, la petite mine de Deneulin à la grande société anonyme dont l'exploitation de Montsou est dirigée par un directeur, Hennebeau) est historiquement juste. Zola, dans son désir de vérité, prend le contre-pied des discours paternalistes bourgeois ou de l'« humanitairerie » lénifiante de la « gauche », aussi trompeuse à ses yeux : à travers un réseau de métaphores animales et un système rigoureux de parallélismes et d'oppositions entre la vie des bourgeois (en particulier les Hennebeau et les Grégoire) et celle des mineurs, il rend sensible la dureté de la condition des seconds ravalés par le capital à une vie et un travail de bêtes dans l'enfer du fond. Il est, humainement, du côté des exploités. Mais la situation qu'il peint, une société travaillée en tous sens et à tous niveaux par les tensions les plus graves, menacée à tout moment d'explosion (un leitmotiv du roman est : « Il faut que ça pète ! »), lui fait peur. Zola pressent l'émergence des masses et leur force future. Il montre, en face, un capitalisme borné, avide, sûr de lui, inconscient de l'évolution historique. Aussi reprend-il le discours apocalyptique courant à son époque qui avait vu plusieurs révolutions, dont la Commune : le mythe du Grand Soir, l'idée que la lutte des classes ne peut aboutir qu'à la destruction de la civilisation et à la barbarie. Significativement, il forge le nom de Montsou sur celui de Montceau-les-Mines où venaient de se produire des grèves sanglantes et des actions anarchistes. Montsou, c'est aussi sous le mont, sous le terri, le feu qui couve et qui embrasera la société. Cette peur se lit également dans la présentation qu'il fait du mouvement ouvrier et de ses leaders dont il ne retient presque exclusivement que les querelles, les luttes (très réelles) entre tendances, auxquels il donne trop souvent un savoir mal digéré. Mais il se laisse entraîner avec eux, comme les mineurs, par le rêve d'une société de justice. Étienne, quoique chargé d'une lourde hérédité alcoolique et d'abord conçu comme un meurtrier par hérédité, devient un héros authentique, un militant révolutionnaire dont l'action est juste. Le roman bascule alors vers l'avenir. C. Be.

GERMINIE LACERTEUX. Roman des écrivains français Edmond (1822-1896) et Jules (1830-1870) de Goncourt, publié en 1865. À la recherche d'un art qui fut à la fois une vivante évocation de la réalité et un document émouvant sur les maux de la société moderne, les Goncourt illustrèrent par cette œuvre une nouvelle méthode littéraire. Les tristes aventures d'une servante y sont retracées avec une précision brutale qui, cependant, n'exclut pas la pitié. On suit pas à pas, dans ce roman, les différentes étapes de l'avilissement d'un être jusqu'à sa mort. Le mensonge, l'ivrognerie, les rêves d'amour, le vol : tout se mêle dans la vie de l'héroïne, Germinie. Un amour pour un être indigne, Jupillon, la conduit de ruine en ruine jusqu'à la prostitution et à la vie la plus abjecte. Et le livre, commencé par un premier récit de l'enfance de Germinie racontée par elle-même à sa vieille patronne, se termine par la vision d'un coin de cimetière où, anonyme parmi les autres tombes, se trouve celle qui contient les restes d'une malheureuse dévoyée. L'œuvre, remarquable en tant que peinture de la vie des classes humbles, entend aussi porter un jugement historique sur la société et les mœurs. À partir d'un cas réellement connu et étudié comme un document typique de l'époque contemporaine, les Goncourt peignent un tableau « vrai », dans lequel l'art et la science cherchent à se fondre en une création magistrale. Les principes de cette nouvelle formule littéraire, dans laquelle l'influence des idées de Flaubert et de Taine est évidente, seront ensuite appliqués par Zola et toute une école littéraire (le naturalisme). Mais tandis que les Goncourt poursuivaient la description des milieux et des passions avec un soin méticuleux de miniaturistes et un souci constant des nuances, Zola et les naturalistes peignirent généralement la vie sociale et ses maux à larges traits, et sous un aspect brutal ; cela dans des intentions nettement polémiques. *Germinie Lacerteux* fut portée au théâtre – en 1888, par Edmond de Goncourt – dans une œuvre haute en couleur, mais d'une faible intensité dramatique.

GÉRONIMO L'AVEUGLE ET SON FRÈRE [*Der blinde Geronimo und sein Bruder*]. Cette brève nouvelle, peut-être le chef-d'œuvre de l'écrivain autrichien Arthur Schnitzler (1862-1931), à cause de cette bonté rayonnante qui l'anime, a valu à son auteur une sympathie que furent loin de lui valoir ses autres œuvres empreintes d'un noir pessimisme telles que *Thérèse* (*) et *Mademoiselle Else* (*). Géronimo et Charles sont frères, fils d'un propriétaire de campagne. Un jour, alors que les deux jeunes gens jouaient à l'arc, Charles rendit son frère aveugle. À partir de ce moment, il ne vécut plus que pour l'infortuné Géronimo. Il lui enseigne le chant et à jouer de la guitare ; à la mort de leur père, il accompagne Géronimo dans les pays de la Valteline, où Géronimo chante et joue dans les auberges et les cafés. Ils vivent ainsi soutenus et unis par leur grande affection. Une plaisanterie cruelle qui lui est faite par un déséquilibré jette la défiance dans le cœur de l'aveugle, qui croit que son frère lui dérobe une partie de ses gains. Pour reconquérir la confiance de ce dernier, Charles détrousse deux étrangers afin de rendre à son frère la monnaie d'or qu'il avait. Lorsque Charles est arrêté, tout s'éclaire pour Géronimo ; l'amour fraternel les réunit de nouveau et ils retrouvent ainsi l'unique joie de leur vie. Finesse psychologique, développement heureux des caractères, brefs tableaux de la vie du petit hôtel de Stelvio, tout concourt à conférer à cette courte nouvelle une force et une vie impressionnantes. – Trad. Stock, 1932.

GERONTION. Ce poème est le plus important du troisième recueil que l'écrivain anglais Thomas Stearns Eliot (1888-1965) fit paraître en 1920 sous le titre *Poèmes* [*Poems*] – voir aussi *Ara vos prec* (*). Le « petit vieux » qui sert de porte-parole à l'auteur est sans doute un navigateur ou un homme d'affaires

« poussé par les alizés / vers un recoin assoupi ». Gerontion n'est pas la projection du poète et de ses problèmes, mais une création dramatique représentant la conscience contemporaine et permettant à Eliot l'impersonnalité. Il apparaît « Dans un mois de sécheresse / Écoutant la lecture d'un enfant, attendant la pluie ». Il n'a jamais participé à une guerre héroïque, à une action quelconque que vivifie le symbole de la pluie régénératrice. Il est passif, dominé par une culture croupissante et déracinée, sans foi, sans passions, et même sans fantômes. Il habite une sorte de « terre vaine » que l'échec sexuel et la corruption ont rendue stérile et hideuse. Pourtant, la cause profonde de sa décadence est le refus contemporain de la foi chrétienne. La superstition, la participation mécanique aux sacrements, l'évasion dans des cultes marginaux, esthétiques ou occultes, ont annihilé l'action fécondante du Verbe — « Christ le Tigre » — et favorisé le retour du paganisme. Cette pathologie de l'incroyance se manifeste par la terreur qui remplace passion et beauté. La section centrale du poème est ainsi une méditation difficile et tortueuse, qui apparaît comme l'excuse que le vieillard apporte à son impuissance à croire. Son esprit accepte les dogmes, mais son cœur demeure incapable d'éprouver la foi. Tente-t-il vainement de se libérer de l'intellectualisme, ou ses ratiocinations sont-elles seulement une tentative pour se disculper par la rhétorique ? Il voit ainsi dans l'Histoire le « tentateur de l'homme », mais finit par reconnaître implicitement le bien-fondé du retour terrible du Christ qui « nous dévore ». À la fin de son existence, Gerontion a fait sien le besoin de croire, et cette acceptation intérieurement vide est à l'origine du sentiment de culpabilité qu'il place dans le refus du christianisme : « Ni la peur ni le courage ne nous sauvent. Des vices dénaturés / Sont engendrés par notre héroïsme. » La situation de l'homme moderne se trouve analysée dans sa complexité et ses contradictions et organisée avec une sûreté étonnante qui annonce les œuvres de la maturité et l'harmonie des *Quatre quatuors* (*). Dans « La Chanson d'amour de J. Alfred Prufrock » — v. *Prufrock et autres observations* (*) —, le narrateur mêlait sensations et pensées, il refusait une conscience claire. Ici, dans une argumentation vibrante de précision, Gerontion tente de saisir l'insaisissable. L'effort de sa pensée s'apparente à une sensation physique : le jeu des sonorités, des métaphores et des idées, comparable à celui de *La Jeune Parque* (*) de Valéry, montre à quel point Eliot met en pratique son étude des dramaturges jacobéens. Non seulement son univers est, comme celui de Webster, une juxtaposition de fragments de systèmes, non seulement Gerontion a conscience d'une vie spirituelle inaccessible, mais encore le poète traduit tout cela au moyen de ce qu'il définit ailleurs comme « la qualité métaphysique de la poésie : une appréhension sensuelle directe de la pensée, ou une transposition du pensé et senti ». À la fin du poème, la pensée se dissout en une demi-rêverie où flotte la vision consolatrice d'une autre existence. En même temps le symbole final de la mouette qui lutte contre la tempête du cap Horn pour finir « plumes blanches dans la neige » suggère le désir profond d'oubli et d'anéantissement du vieillard que « réclame l'abîme », de notre civilisation que menace l'Histoire. — Trad. de Pierre Leyris in *Poésie,* Le Seuil, 1947.

GERTRUDE [*Gertrud*]. Roman de l'écrivain suisse d'origine allemande Hermann Hesse (1877-1962). Quand l'auteur, tempérament lyrique, mais avec un fond de romantisme inquiet, écrit *Gertrude* (1910), il paraît comblé par la vie : il a femme et enfants, habite une maison accueillante au bord du lac de Constance et mène une existence proche de la nature. Mais le souvenir de sa mère disparue le hante, et il va tout quitter pour un pèlerinage aux Indes, pays natal de sa mère. *Gertrude* est écrit juste avant ce départ. Hesse y exprime sa philosophie profonde, qui n'a pas varié depuis les premiers romans *Peter Camenzind* (*) et *Sous la roue* (+) : « La vie est une solitude. Nul être ne peut vraiment en connaître un autre. On est toujours seul ; et plus solitaire encore que les autres est l'artiste. » *Gertrude* est la confession d'un musicien, de même que *Rosshalde,* roman écrit après le retour de Indes (1914), est la confession d'un peintre, et les deux ouvrages se complètent l'un l'autre. Le musicien subit un échec douloureux : il renonce, pour ne pas briser une amitié, à celle qu'il aime. Le peintre au contraire réussit : il épouse celle qu'il a choisie, il a d'elle un enfant. Mais son bonheur n'est qu'apparent : il est tout aussi seul, et pour toujours, que l'amant malheureux de Gertrude. Car chaque jour, pense Hesse, nous rend plus étrangers à ce que nous aimons. L'image de la vie telle qu'il la ressent, il la décrit « musicalement » dans *Gertrude* et concrètement dans *Rosshalde,* où l'homme se penche sur une rêverie sans espoir, où la femme sans joie, au visage déçu, paraît attendre on ne sait quoi ; quant à l'enfant qui joue dans la nature sereine, il connaîtra la même solitude que ses parents, la même que celle du musicien malheureux de *Gertrude*. — Trad. Calmann-Lévy, s.d.

GERTRUDE [*Gertrud*]. Drame de l'écrivain suédois Hjalmar Söderberg (1869-1941), publié en 1906. Cette première pièce de Söderberg fut rendue célèbre par la brillante adaptation du cinéaste danois Carl Dreyer en 1964. Söderberg réussit d'emblée dans le genre théâtral qu'il connaît déjà bien pour avoir assisté à de nombreuses représentations en tant que critique. Puisant dans ses douloureuses expériences personnelles, l'auteur bâtit une œuvre-débat, empreinte de dépit et de résignation mais d'une rare finesse psychologique. Lorsqu'il écrit *Gertrude,* Söderberg est seul et désespéré ; il traverse une crise grave provoquée par son divorce et surtout par la rupture avec Maria von Platen, à qui il vouait un amour profond. Cette femme fière et indépendante, au cœur possessif et ravageur, lui a inspiré plusieurs portraits féminins. Sans elle, ni Helga du *Docteur Glas* (*), ni Gertrude, ni Lydia de *Jeu sérieux* n'auraient vu le jour. Maria von Platen est à l'origine des réflexions de Söderberg sur la nature de l'amour dans *Gertrude,* drame original par la constellation des protagonistes : une femme entourée de trois hommes, le mari, l'amant et l'ancien époux. Un triple conflit naît de la personnalité de Gertrude. Femme passionnée et sensuelle, elle s'offre sans réserve à l'amour. Pourtant par trois fois elle a été déçue et préfère, par intransigeance, renoncer à la vie de couple. Aucun des trois hommes n'a su répondre à ses attentes. Gertrude leur reproche leur égoïsme : ayant une conception différente de l'amour, ils ne lui réservent qu'une place secondaire. Ainsi, son mari Gustaf aspire-t-il à une glorieuse carrière politique, Erland, son amant, ne cherche qu'une aventure passagère, Gabriel, son ancien époux, a préféré la renommée comme dramaturge. Seul ce dernier sait reconnaître son erreur, mais il est trop tard. Gertrude s'isole, incarnant le credo désabusé que l'auteur a placé en exergue de sa pièce : « Je crois au plaisir de la chair et à la solitude irrémédiable de l'âme. » Söderberg analyse ici les conséquences dramatiques d'une telle attitude. À la fois tentative de catharsis personnelle et méditation universelle sur la difficulté d'aimer, cette œuvre tragique est marquée au coin de l'amertume, si caractéristique de Söderberg. M.-B. L.

GESTES ET OPINIONS DU DOCTEUR FAUSTROLL, PATAPHYSICIEN. Œuvre en prose poétique de l'écrivain français Alfred Jarry (1873-1907), écrite en 1897-98 et publiée en volume en 1911. L'auteur de l'immortel père Ubu – v. *Ubu roi* (*) – nous invite, avec *Le Docteur Faustroll,* à suivre ce personnage dans des aventures soumises aux lois de la pataphysique. Qu'est-ce que la pataphysique ? C'est la science des épiphénomènes. Et pour préciser : « La pataphysique est la science des solutions imaginaires, qui accorde symboliquement aux linéaments les propriétés des objets décrits par leur virtualité. Au lieu d'énoncer la loi de la chute des corps vers un centre, que ne préfère-t-on celle de l'ascension du vide vers une périphérie, le vide étant pour "unité de non-densité"... » C'est dire qu'on ne s'ennuiera pas en compagnie du docteur. Le suivent dans ses pérégrinations : Panmuphle, huissier près les tribunaux de la Seine, et le singe papion Bosse-de-Nage, « moins cyno-qu'hydrocéphale ». Les trois lascars, sur le bateau à jour en toile de cuivre roulant sur trois galets d'acier – merveilleuse invention du docteur –, visitent successivement, en plein Paris : l'île de Bran, où se trouvent les oiseaux dits « fouillemerde » ; puis le pays des dentelles, le bois d'amour, l'île Amorphe, dont l'un des rois est inventeur du tandem, « ce qui étend aux quadrupèdes les bénéfices de la pédale » ; puis l'île Fragantre, l'île de Ptyx, chère à Mallarmé, l'île de Her, l'île Cyril, « où les abat-jour errent à la manière de crabes glauques et roses »... Les chapitres se succèdent, dans le plus grand désordre, avec cet humour particulier, très proche souvent de l'« humour noir » des surréalistes. Le livre VI, particulièrement, qui est une suite de poèmes, nous en donne de beaux exemples : « Il y a dans ce lit, calme comme une eau verte, un flottement de bras étendus, ou plutôt ce ne sont pas les bras, mais les deux parties de la chevelure, végétant sur la mort. Et le centre de cette chevelure se recourbe selon un dôme et ondule selon la marche de la sangsue. Des faces, champignons boursouflés sur la pourriture, naissent complémentaires et rouges dans les vitres de l'agonie. » La navigation du docteur prend fin avec un naufrage. Le savant pataphysicien, du fond des limbes surréelles, écrit à lord Kelvin des lettres télépathiques où il vaticine sur l'éternité : « L'éternité m'apparaît sous la figure d'un éther immobile, et qui par suite n'est pas lumineux. J'appellerai *circulaire* mobile et périssable l'éther lumineux. Et je déduis d'Aristote (Traité du ciel) qu'il sied d'écrire éthernité. » Le livre se termine sur des fragments de pataphysique ancienne : dialogue d'Ibicrate le géomètre et de Sophrotatos l'Arménien, et démonstration de l'existence de Dieu dont la définition, en fin de longs exposés algébriques, est ainsi proposée : « Dieu est le plus court chemin de zéro à l'infini. »

GHANA : L'AUTOBIOGRAPHIE DE KWAME N'KRUMAH [*The Autobiography of Kwame N'Krumah*]. L'homme d'État ghanéen Kwame N'Krumah (1909-1972) publia cette « autobiographie » en 1957. En fait il s'agit tout autant de la naissance d'une nation que de la formation d'un homme. Celui qui, avec l'aide d'une poignée de fidèles, conduisit à l'indépendance l'ancienne colonie britannique de la Côte-de-l'Or [Gold Coast], naquit dans un petit village du nord du pays, Nkroful. Son récit montre ainsi comment un indigène, qui fit ses études supérieures en Angleterre et aux États-Unis, donc devint le produit d'universités blanches, put trouver la force d'arracher aux Anglais les rênes du pouvoir, et d'arracher son peuple à ses traditions religieuses afin d'éveiller en lui la conscience de son individualité. Cette histoire d'un développement personnel révèle sur beaucoup de points les différences d'attitude qui opposent Européens et Africains, en ce qui concerne par exemple l'argent, la loyauté filiale, la vie sexuelle, le travail, etc. Les chapitres traitant d'une enfance indigène analysent la multiplicité des influences culturelles dans une société tribale, où l'interpénétration des éléments européens et africains est une réalité complexe et indiscutable. Dans *Le Ghana* [*Ghana*, 1956], l'auteur avait retracé les origines du Parti du congrès du peuple et l'accession à l'indépendance tout en brossant un tableau géographique, historique et économique du nouvel État. Son autobiographie complète le récit de la naissance du régime nouveau : des quelques partisans qui avaient juré allégeance au Cercle secret, Kwame N'Krumah se retrouva seul au pouvoir après avoir plus ou moins écarté ses anciens compagnons. Il exprime les grands principes de son idéologie, développés plus amplement dans *Je parle de liberté* [*I Speak of Freedom*, 1961]. *Le Consciencisme* [*The Consciencism*, 1962] où il définit, comme dans *L'Afrique doit s'unir* [*Africa Must Unite*, 1963], les grandes lignes d'une libération idéologique et économique du continent africain, montre en lui l'un des partisans les plus convaincus du panafricanisme défini par son ami George Padmore.

GHAZELS [*Ghaselen*]. Recueil de poésies en métrique orientale du poète allemand August von Platen-Hallermünde (1796-1835), paru en 1821 ; un second du même genre, *Nouveaux Ghazels* [*Neue Ghaselen*], fut publié en 1823. Le premier exalte les concepts orientaux bien connus de la vie ; dans des méditations restant toujours entre les limites du gracieux sont chantés les souffrances et les plaisirs de l'amour, les louanges du vin, de l'hôte, de l'ami ; tout cela dans l'atmosphère de la vie familiale. Dans le second, par contre, le poète, qui est devenu maître de la forme orientale, retourne aux thèmes éternellement humains ; il exprime sa tristesse et sa joie, ses aspirations et ses craintes, et l'on sent qu'y résonne aussi l'écho de son temps. Platen s'inspire de Hafiz, selon les modèles donnés par Rückert — v. *Poésies* (*) de Rückert — et par Goethe — v. *Divan occidental-oriental* (*). Bien que l'acceptation trop large de pensées et d'expressions orientales détermine des images étrangères à la nature allemande, et que, dans le premier recueil en particulier, le juste équilibre entre les éléments orientaux et occidentaux ne soit pas encore trouvé, Platen a le mérite d'avoir enrichi la poésie allemande d'une nouvelle forme. Si, dans la première partie, la reproduction continuelle et nécessaire de la même rime est quelque peu monotone pour le goût occidental, dans la seconde, la pureté d'expression et la richesse de pensée en un cadre limpide élèvent l'œuvre à une valeur durable et justifient amplement le jugement favorable de Goethe. — Trad. Aubier, 1940.

GIACOMO L'IDÉALISTE [*Giacomo l'Idealista*]. Roman de l'écrivain italien Emilio De Marchi (1851-1901), publié en 1897. Giacomo Lanzavecchia est un jeune et modeste professeur, qui vit avec son père aux environs de Cernusco. Se contentant des maigres gains qu'il tire de l'enseignement, il se donne tout entier à la composition d'un essai sur l'« idéalisme de l'avenir », dirigé contre les petitesses de l'école positiviste. Son père est fabricant de briques ; gentilhomme de la vieille école, il est trop naïf pour faire de brillantes spéculations. Il fait faillite et meurt de douleur. Alors commence le drame de Giacomo l'Idéaliste, qui se termine par la défaite de l'homme inadapté aux luttes de la vie. La riche famille des comtes Magnenzio vient délicatement en aide à Giacomo. Don Lorenzo, qui est un brillant collectionneur d'inscriptions antiques, confie au jeune homme un travail d'érudition et lui avance une année de traitement. La jeune fiancée de Giacomo, Celestina, vit aussi chez les Magnenzio ; une nuit, le fils de don Lorenzo, Giacinto, la déshonore. Ainsi, pendant que Giacomo croit pouvoir réaliser enfin son rêve d'amour, Celestina est éloignée du pays pour éviter le scandale. L'argent que le jeune homme a accepté de don Lorenzo devient aux yeux de tous, et à ses propres yeux, le prix de son déshonneur. L'intervention de nouveaux personnages et les aventures de Celestina, mêlées aux luttes électorales de Crémone, viennent alors compliquer le récit. Après la mort de Celestina, Giacomo sent en lui le besoin de « tout recommencer ». Le souvenir des *Fiancés* (*) de Manzoni se fait sentir tout au long du roman. Cette œuvre, comme du reste les autres de De Marchi, est typique de l'école des romanciers lombards qui se réclament de Manzoni, tout en cherchant à appliquer à la tradition de l'auteur des *Fiancés* les principes et la technique de l'école naturaliste.

GIANNI SCHICCHI. Opéra-comique en un acte du compositeur italien Giacomo Puccini (1858-1924), qui fait partie du *Triptyque* [*Trittico*] ; le livret est de Giovacchino Forzano, et l'œuvre fut représentée à New York en 1918. Gianni Schicchi est ce personnage que Dante a placé en Enfer parmi les faussaires. Les parents de Buoso Donati l'ont fait venir pour corriger le testament par lequel celui-ci laissait tous ses biens aux moines. Schicchi a accepté la chose à condition, naturellement, d'y trouver aussi son profit. Mais au fond, s'il agit ainsi, c'est dans une bonne intention : c'est pour que sa fille Lauretta et le brave Rinuccio puissent s'épouser le 1er mai, car le jeune homme n'obtiendra pas l'autorisation de sa tante avare, si les moines viennent vraiment à s'emparer de l'héritage de Buoso. Personne ne sait que Buoso est mort. Après avoir bien rappelé à tous les parents que ceux qui falsifient un testament, ainsi que leurs complices, sont passibles d'une peine les privant d'une main et les condamnant à l'exil, Schicchi fait mettre le mort en lieu sûr, se déguise, se met dans le lit, et, prenant la voix de Buoso, dicte au notaire ses dernières volontés. D'abord, il annule le testament précédent. Et voilà pour les moines ! Après quelques petits legs, il laisse sa mule, sa maison, son moulin, la plus belle part de l'héritage en somme, à son cher ami Gianni Schicchi. Et silence ! À chaque tentative de protestation, la perspective du moignon calme les héritiers lésés. Le notaire parti, on accable le traître et l'on s'en prend à ses biens. Mais il chasse tout le monde à coups de bâton, et joue avec le plus grand sang-froid son personnage de propriétaire. Les deux amoureux pourront s'épouser et s'aimer dans la belle maison. Cette œuvre est des plus agréables et présente des caractères bien vivants, campés avec une grande économie de moyens. Enlevée de main de maître, comique et pourtant pleine de tendresse lorsqu'il s'agit des deux amoureux, cette pièce constitue sans aucun doute le plus beau des trois livrets qui composent le *Triptyque*. Quant à la musique dont l'a revêtue Puccini, elle est d'une richesse toute particulière, tant au point de vue du rythme que de l'harmonie et de la couleur.

GIAOUR (Le) [*The Giaour*]. Poème de l'écrivain anglais George Gordon (lord) Byron (1788-1824), publié en 1813. Son succès fut si grand et si immédiat qu'il connut huit éditions dans les sept derniers mois de cette même année, et que Byron l'allongea considérablement : il passa de 685 à 1 334 vers. Une esclave, Leïla, qui a été infidèle à son maître turc, Hassan, est liée et jetée à la mer. Son amant, le Giaour (terme péjoratif employé chez les Turcs, pour désigner les non-mahométans, spécialement les chrétiens), la venge en tuant Hassan. Le poème est divisé en plusieurs fragments ; d'abord, le récit de quelques épisodes de l'histoire par un pêcheur turc qui y a assisté, puis la confession du Giaour lui-même à un moine. Les vers qui contiennent la description physique du héros sont célèbres : pâle, le visage labouré par une douleur ancienne, un sourire réticent et satanique, les marques d'une vague noblesse. Ces caractéristiques physiques sont reprises par Byron du portrait du sinistre Schedoni dans *L'Italien* (*) d'Ann Radcliffe ; on les retrouve ensuite dans toute la littérature romantique. Dans l'ordre chronologique, le Giaour est le premier des héros byroniens. Delacroix (1798-1883) s'inspira de ce poème de Byron pour son tableau *Le Giaour et le Pacha*. – Trad. Imp. Barlatier Demonchy, 1860.

GIGANTOMACHIE (La) [*Gigantomachia*]. Poème mythologique inachevé en 128 hexamètres que l'écrivain latin Claudien (Claudius Claudianus, 370 ?- 404 ?) écrivit sur la lutte que les Géants livrèrent aux dieux de l'Olympe, lorsqu'ils eurent tenté l'escalade de cet Éden en entassant le mont Ossa sur le mont Pélion. – Trad. Garnier, 1933.

GIGI. Roman de l'écrivain français Colette (1873-1954), publié en 1944. Gilberte, fille d'Andrée – celle-ci présentement seconde chanteuse dans un théâtre subventionné – et petite-fille de Mme Alvarez, vient d'avoir quinze ans. Gilberte est charmante, quoique grande, maigre et quelque peu « héronnière » comme le sont parfois les jeunes filles. Elle est cocasse, espiègle et pure comme une enfant. Tante Alicia – qui jouit d'une grande influence dans la famille – et Mme Alvarez s'occupent, à défaut de la mère, de l'éducation de Gigi. Expertes et rusées, elles lui montrent la valeur esthétique d'une robe, le charme d'une coiffure, l'élégante simplicité d'un bijou... Ne destine-t-on pas, en effet, Gigi à embellir quelque jour prochain la vie d'un homme bien né, pourvu qu'il soit riche évidemment ? M. Gaston Lachaille, riche industriel sucrier – tonton Gaston pour Gigi – a du plaisir à venir se reposer et à bavarder chez Mme Alvarez. Il a vu grandir Gigi, à qui il apporte des douceurs, des cadeaux, mille petits riens qui font plaisir. Une intimité est née depuis longtemps entre « tonton Gaston » et la jeune fille. Comme bien des hommes riches, il a des liaisons et des ruptures tapageuses. M. Gaston Lachaille n'est pas au demeurant un mauvais bougre. Il connaît les grandes courtisanes : Émilienne d'Alençon, la belle Otéro ou Liane de Pougy... bref, son nom est chuchoté partout où il est chic d'être cité. Tante Alicia, le cerveau de la famille, voudrait que sa nièce devînt, un jour ou l'autre, aussi brillante que ces vedettes dans les colonnes du *Gil-Blas* ou encore dans celles de *Paris en amour*. Cependant, ni les sages conseils donnés par Mme Alvarez, ni les leçons de savante tactique de tante Alicia ne réussissent. Gigi ne cède pas à M. Lachaille. Elle a son mot à dire, elle, dans le marché qui a été conclu entre ses parents et M. Lachaille. Certes, elle est très jeune, et inhabile de surcroît, mais elle est femme et ne veut s'engager dans l'aventure que si l'on prend son cœur et qu'elle-même le donne tout entier. Tonton est abasourdi par un tel langage. Il ne reconnaît plus Gigi, il s'étonne, se fâche. Mais, après quelques claquements de porte, il revient. Il est épris de la jeune fille et conquis par une aussi touchante pureté. Il demande la main de Gigi qui, rouge de bonheur, pose son visage sur l'épaule de celui qui lui offre de partager sa vie.

Colette n'est pas seulement un grand écrivain par la sobre tenue du texte et par la richesse de l'analyse ; elle l'est encore parce qu'elle nous fait comprendre le rapport qui existe entre les êtres et la vie. La vie organique se mesure toujours en de singuliers combats avec la vie psychique. Là où nous trouvons des échelles de comparaison, là où nous trouvons certaines directions vers des « compréhensions » possibles, Colette, elle, nous montre l'unité essentielle de l'être avec sa personnalité profonde, avec ses tendances et ses sentiments, avec son mécanisme d'appréciations, ses ambitions secrètes, enfin avec sa volonté. Peintre de l'âme, elle sait montrer le mouvement délicat qui anime la femme-enfant dans ses premières expériences.

GIGOLETTE. Grand drame en cinq actes et huit tableaux de l'auteur dramatique français Pierre Decourcelle (1856-1926), écrit en 1894, et dont le succès fut retentissant. Vauquelin, un homme du peuple, aime éperdument une jeune fille de haute naissance et, désespérant de l'obtenir jamais, la viole dans un accès de folie. Il passe aux Assises, et l'avocat général, M. de Margemont, tombe lui aussi amoureux de cette femme. Il l'épouse. Mais une enfant est née du crime : la petite Marion, que Margemont confie à Zélie, fille légitime – mais peu sérieuse – de Vauquelin (elle mène, en effet, la vie de « gigolette ») sans toutefois que Marion perde rien de sa pureté. Les époux Margemont ont eu une fille, Geneviève, qui a péri en tombant dans un précipice, alors qu'elle était fiancée au docteur Bernay. Mme de Margemont devient folle. Or Marion est le vivant portrait de Geneviève, et le docteur d'assurer que, si on la présentait à la pauvre mère, cette dernière aurait des chances de recouvrer la raison. C'est ce qui a lieu, et Marion épousera celui qui avait été le fiancé de Geneviève.

GIGOT, SA VIE, SON ŒUVRE (Le). C'est sous ce titre générique que l'écrivain et poète français Benjamin Péret (1899-1959) regroupa en 1957 la plupart de ses contes parus en revues ou en plaquettes. En 1946 déjà, sous le titre *Main forte*, l'auteur avait réuni *Au 125 du boulevard Saint-Germain, Il était une boulangère, Et les seins mouraient, L'Amour des heures, La Haine du poivre, La Dernière Nuit d'un condamné à mort, Corps à corps, La Maladie nº 9*. À ceux-ci, Péret adjoignit en 1957 quelques contes oubliés comme *Les Malheurs d'un dollar,* quelques contes postérieurs comme *La Brebis galante* et *Mort aux vaches et au champ d'honneur*. C'est la même poésie qui s'offre tour à tour chez Péret sous le masque du conte ou sous celui du poème – v. *Feu central* (*). Mais son œuvre en prose n'appartient qu'à lui, à cause d'un pouvoir d'invention inimitable. Cependant tout n'est pas neuf dans ces récits, à commencer par le fait que ce sont des récits : l'auteur nous raconte les différentes aventures survenues à des héros de son choix. Aussi lâche soit-elle, la composition de ces contes n'en est pas moins classique : tous ont une introduction, et les digressions nombreuses – ne sont-elles pas inhérentes au genre ? – ne font pas oublier le propos central. Ainsi dans *Au 125 du boulevard Saint-Germain*, on recherche depuis le début « M. Séraphin, vous savez, le monsieur qui jette des baignoires par la fenêtre à onze heures et demie » ; et, au terme de multiples et étranges périples, nous sommes enfin, à la dernière page, face à cet insaisissable M. Séraphin qui s'écrie le plus naturellement du monde : « Permettez que je vous invite à partager mon modeste repas. » Le récit, dans sa progression, a tous les caractères extérieurs de la narration la plus sûre de ses effets. L'histoire est présentée de façon vivante, les événements ne traînent pas ; descriptions et conversations vont à un rythme accéléré qui fait bon marché des transitions. La structure cinématographique de la plupart des contes, dont certains furent d'ailleurs conçus comme des scénarii (« Pulchérie veut une auto », « Midi », et probablement la suite d'images numérotées, mouvantes et fixes, qui constituent le chapitre II de *Mort aux vaches et au champ d'honneur*), est à souligner. Jusqu'à cette savoureuse désinvolture de l'auteur vis-à-vis de ses personnages ou de la forme même qu'il adopte, qui témoignent d'une élégance suprêmement littéraire, propre au genre du conte. Il va de soi que chez Péret, comme chez les grands conteurs, le style épouse la vivacité de la narration. La phrase privilégiée est l'indépendante, et on ne retrouve qu'exceptionnellement (*La Brebis galante*) la grande phrase lyrique, ample et rebondissante, qui porte tous les poèmes. Mais, loin d'être une concession aux règles traditionnelles, ces survivances du conte ancien deviennent entre les mains de Péret une arme redoutable. Il n'est dans ce domaine piège plus perfide pour la raison que la limpidité du style. Avec une insoupçonnable ingénuité, Péret affirme invraisemblablement, et la raison se réveille toujours trop tard pour réfuter ses images. Aucune rébellion n'est possible. Tout est présenté sur le ton du constat d'évidences. Péret conserve une apparence accessible et comme une carcasse familière où vont spontanément s'organiser les étranges histoires d'un monde tout à fait différent de notre univers habituel. C'est ainsi qu'il coule les images et les éléments proprement oniriques dans le moule du conte, faisant du vieux genre un ensemble nouveau où récits de rêves, textes automatiques et narrations conscientes trouvent également leur part. Et ces contes ont bien la souveraine liberté du rêve. Toujours ouverts, ils se terminent parce qu'il faut bien mettre un point final à tout ce qu'on écrit, mais rien ne ressemble moins à une conclusion que la fin de ces « relations d'un autre monde ». Dans le conte, rien n'est incompréhensible cependant. Il y a donc toutes les chances pour que cet univers plus riche et plus plein l'emporte sur l'absurdité de nos jours ternes et logiques. La première contrainte dont il est nécessaire de s'affranchir est celle de la durée. Dans *Les Malheurs d'un dollar*, l'héroïne accouche d'un enfant qu'elle n'a porté que quatre jours. Du reste, le but à atteindre est la dévaluation pure et simple du temps. D'où le remarquable optimisme qui règne ici et anime les personnages et les anachronismes souriants de « La Fleur de Napoléon », où ce dernier rencontre le Cid qui se rend à la Compagnie générale transatlantique en méditant sur la reprise des relations avec les Soviets. De même, rappelant le passé de sa « Boulangère », qui n'est autre que la femme du général Boulanger, Péret note qu'elle s'appelait autrefois Joséphine de Beauharnais ; c'est qu'il y a pour tous possibilité d'avoir plusieurs existences. On ne meurt pas dans l'univers de Péret, ou bien l'on ressuscite plaisamment, comme dans « Pulchérie ». La complicité d'un temps qui se règle sur notre désir ne suffisant pas à la mutation totale, il est nécessaire de dominer la captivité de l'espace. Or les personnages de Péret ont la faculté de changer de lieu à tout moment, avec la plus grande rapidité. Ainsi ce héros de *Corps à corps* qui, enfermé dans une carafe à la suite de l'intrusion d'une borne kilométrique dans sa prison de verre, s'écrie : « C'est alors que j'eus la surprise de me trouver dans un champ de blé. » Soucieux de partager cette liberté, c'est parfois le paysage qui se déplace, comme dans *Il était une boulangère*, et les obstacles matériels qui cèdent d'eux-mêmes ; quand ce n'est pas la pesanteur qui se trouve abolie : « La pomme tombe sur le sol, rebondit, et reste suspendue en l'air. » À ces disparitions de l'étendue, du temps et de la mort, s'ajoute la faculté onirique et poétique de la métamorphose, de l'élémentaire et subite disparition poétique (*La Maladie nº 9*) jusqu'à la régénération totale sous une autre forme (*Et les seins mouraient*). Que deviennent les hommes qui évoluent dans cet « opéra fabuleux » ? Il apparaît aussitôt que cet univers nouveau ne semble bizarre qu'au lecteur. Pour le personnage du conte cette existence est tout à fait naturelle. Ou, quand l'étonnement existe, c'est toujours à contretemps. Ainsi la Boulangère qui, au fond du métro, découvre une rivière : « Une chose l'étonna, l'absence de poissons. » C'est que tous les personnages vivent poétiquement, entre eux, délicieusement seuls. Cependant, le dialogue n'est pas absent ; mais il s'agit encore d'un langage poétique neuf, épuré de cette gangue de tous les jours. On ne rencontre pas, chez Péret, la tragique impossibilité de la communication. Et si parfois le dialogue semble plutôt constitué de deux monologues, les acteurs poursuivant chacun pour soi leur récit merveilleux au sein d'une conversation de sourds, à la Ionesco, cette surdité n'est imputable qu'à celui qui n'entend pas, au-delà, un même chant unique et poétique. Ainsi l'admirable chapitre III de *Mort aux vaches* qui a toutes les apparences d'un compte rendu fidèle d'une séance à la Chambre des députés, et où, avec une fantaisie et un humour éblouissants, se succèdent et s'enchaînent des morceaux oratoires dont les mots prennent un malin plaisir à ridiculiser la trop belle ordonnance. C'est le mérite de Péret de ramener au jour ce qui sommeille au cœur de chacun.

GIL BLAS DE SANTILLANE de Lesage (v. *Histoire de Gil Blas de Santillane*).

GILLES. Roman de l'écrivain français Pierre Drieu la Rochelle (1893-1945), publié à Paris en 1939. Cet ouvrage dont l'accent est assez divers englobe quelque vingt années de la vie d'un Français : depuis le milieu de la guerre de 1914-1918 jusqu'aux approches de 1940. Il se compose de quatre parties, lesquelles portent les titres suivants : « La Permission », « L'Élysée », « L'Apocalypse », « Épilogue ». Un certain Gilles Gambier, en lequel on reconnaît l'auteur, est le héros de ce roman. Jeune bourgeois de Paris, il appartient à la génération qui, au sortir même du collège, se voit jetée dans la guerre sans espoir de retour. Dans ce Paris de 1917 qui forme le cadre de la première partie, Gilles arrive donc en congé de convalescence. Portant la fourragère d'un fameux bataillon de choc, il est résolu à se donner du bon temps. On le verra aux prises avec plusieurs femmes. Mais si chacune d'elles répond à l'un de ses vœux, elle est incapable de le combler, il s'en faut de beaucoup. Une seule saura le retenir pendant plus d'un an : c'est Myriam Falkenberg. Elle est riche, pure, intelligente. Mais à peine l'a-t-il épousée qu'il meurt d'envie de divorcer. Dès la fin de cette première partie, nous tenons le trait distinctif de la nature de Gilles : peu capable de se discipliner, il passe continuellement du courage à la veulerie, de l'intrigue au détachement et de l'érotisme à la continence. Après chaque aventure, Gilles se retrouve seul. Il semble que la solitude sera le lot de sa vie. Dramatique, vivante à souhait, cette première partie comporte un tableau de mœurs propre à piquer notre curiosité.

La guerre finie, que va faire Gilles ? Il se destine à la diplomatie. Ayant essuyé un échec à son examen d'entrée, il est gardé au service de la presse. Avec ses brillantes qualités, il n'en reste pas moins incapable de se faire prendre au sérieux. Il amuse, il déconcerte et passe pour un dilettante. Il faut dire que l'air du temps ne l'invite guère à se fixer. Il lui semble que tout s'effiloche : croyances, idées, habitudes. Cet état d'esprit trouve son expression la plus tapageuse dans un certain groupe dont l'activité oscille entre la littérature, la politique et l'onirocritie. Son chef, Caël, se comporte comme le grand inquisiteur. Il a mis naguère en accusation Barrès, Joffre et Anatole France. Maintenant, il est résolu de faire le procès de l'Élysée. Il dispose, d'ailleurs, d'un moyen exceptionnel : par l'entremise d'un de ses fidèles, il exerce un grand ascendant sur Paul Morel, le fils même du président de la République. Ce garçon a formé le dessein de tuer son père, car il voit en lui le symbole de tout ce qu'il déteste : l'argent, la police et l'armée, en un mot, la tyrannie. Caël et les siens n'auront donc qu'à jeter de l'huile sur le feu. Mais les choses se passeront tout autrement. Il se trouve, en effet, que Paul est un être faible, atteint de névrose. Quelque déception amoureuse étant venue ébranler ses nerfs, il se brouille avec Caël, répudie sa doctrine et finit par se suicider à l'Élysée. Il est vrai que le scandale causé par cette mort entraînera un peu plus tard la chute du président Morel. La cause ayant été portée devant le tribunal de Caël, Gilles Gambier ne laisse pas de saisir l'occasion de leur dire à tous leurs vérités. Ici, s'achève la deuxième partie. Pour être inférieure à la première, elle n'en est pas moins riche en aperçus de toute sorte sur la folle époque en question. Ce groupe de Caël, par exemple, ne saurait tromper personne : c'est la coterie surréaliste en ses plus beaux jours.

Troisième partie : c'est l'heure ou jamais de se ressaisir. Gilles quitte les Affaires étrangères. Comme il faut vivre et qu'il est sans argent, il se décide à fonder un journal qu'il rédigera seul en se faisant épauler par tous les gens riches de sa connaissance. Féru de sociologie, il est à même de répondre aux questions les plus brûlantes : patrie, classe, parti, machine, révolution. Ayant besoin de faire le point, il n'hésite pas à dénigrer avec violence la troisième République. Fasciste de la tête aux pieds, il se dit prêt à suivre aveuglément quiconque serait résolu à démolir le régime. En dépit des déceptions que lui a causées l'après-guerre, Gilles a toujours confiance dans les vertus de son pays. Peine perdue : l'affaire du 6 février viendra ruiner cet espoir. Gilles considère que son pays a perdu à jamais son âme. On voit que la politique est le principal objet de cette troisième partie. Sauf quelques pages assez aiguës, l'ensemble trahit un peu trop l'application de l'esprit.

Voici enfin l'épilogue, lequel nous transporte en Espagne, au fort de la guerre civile. Étant donné ses opinions, Gilles Gambier ne peut que défendre la cause de Franco. Désormais indifférent aux femmes, il retrouve ce goût de la mort qui, à vingt ans, le troublait comme celui de la volupté. Vaille que vaille, il soutiendra son idéal jusqu'à la dernière goutte de sang. Retranché derrière les décombres de quelque cité sans nom, il se met à faire le coup de feu, en attendant qu'une balle ennemie le débarrasse de lui-même. Tant par son atmosphère que par ses procédés, cet épilogue relève de l'art du feuilletoniste plutôt que de celui du romancier. Tel est ce livre dont on a dit fort justement qu'il était l'adieu de l'auteur à sa jeunesse. Sans doute englobe-t-il trop de choses dans son intrigue. De cette abondance résulte un certain déséquilibre qui compromet un peu l'unité de ton. Malgré son allure inégale, *Gilles* n'en forme pas moins un roman qui campe avec lucidité un personnage humain dans le vaste monde d'aujourd'hui.

GILLETTE DE NARBONNE. Opérette en trois actes, paroles d'Henri Chivot et Alfred Duru, musique du compositeur français Edmond Audran (1842-1901). Représentée pour la première fois sur le théâtre des Bouffes-Parisiens, le 11 novembre 1882, cette opérette d'Edmond Audran est la sixième de ce compositeur lyonnais, très doué pour la musique bouffe. Parmi ses ouvrages précédents, *Le Grand Mogol* (*) et surtout *La Mascotte* (*) avaient atteint à la grande célébrité, *Gillette de Narbonne* a moins de renom. Le sujet en est emprunté à un conte de Boccace, « La Vaillante Femme ». La scène se passe au temps du roi René vers 1440, en Languedoc et à Naples. Une noble fille, Gillette de Narbonne, aime le comte Roger de Lignolles, et le roi René approuve ce mariage. Mais le comte n'aime pas Gillette et, le soir même des noces, il la quitte sans exercer ses droits conjugaux. Il lui laisse un seul espoir de se voir vraiment traitée comme sa femme : ce sera le jour où elle pourra lui montrer un enfant qui sera authentiquement le leur. Comme rien ne s'est passé entre eux, il est sûr de la maintenir ainsi toujours à distance. Gillette ne se tient pas pour battue. Elle se déguise, rejoint son mari aux armées, parvient à se donner à lui sans qu'il la reconnaisse, et regagne son château du Languedoc. La guerre finie, Roger revient à son tour, le jour même où les cloches carillonnent au château un baptême. Après les explications nécessaires, Roger doit reconnaître pour sien le fils de Gillette, et tout est bien qui finit bien. La musique d'Audran a moins de verve originale que dans ses grandes opérettes. Elle se tient plus obstinément aussi dans la demi-teinte. Un chœur néanmoins est populaire : c'est celui du refrain en dialecte languedocien : « Digue, digue, vingue, mon bon. »

GIOCONDA (La). Mélodrame en quatre actes du compositeur italien Amilcare Ponchielli (1834-1886), livret de Tobia Gorrio (Arrigo Boito, 1842-1918), représenté à Milan en 1876. Le sujet est tiré du drame de Victor Hugo *Angelo, tyran de Padoue* (*), qui est ici très librement remanié. Le drame de Victor Hugo jouissait, ces années-là, d'une faveur particulière et figurait au répertoire des grands spectacles populaires. César Cui (1835-1918), quelques mois avant que *La Gioconda* vînt sur la scène à la Scala de Milan, en avait tiré un opéra sous le titre d'*Angelo* (Saint-Pétersbourg, février 1876). Accueillie avec le plus grand enthousiasme à son apparition et honorée jusqu'à nos jours de centaines de représentations, *La Gioconda* de Ponchielli montre aujourd'hui des rides qui proviennent, plus encore que de la musique considérée dans son ensemble, de l'esthétique de l'époque, de la médiocrité du livret, de l'attitude mélodramatique et du caractère conventionnel des personnages. La musique subit le contrecoup des caractères faux ; Verdi l'aurait corrigée, Ponchielli l'accentue. Même là où entrent en jeu les masses chorales (la régate, le chant des marins, la fête), même quand il pourrait, comme dans la fameuse « Danse des heures », prendre une absolue liberté d'écriture symphonique, il ne sait se soustraire à un certain académisme. La « Danse des heures » est une suite avec galop final, et non pas la pièce grandiose qu'elle eût pu être. La faveur du public de ce temps-là ne pouvait manquer à une telle œuvre, qui offre tous les charmes du « grand opéra ». On en voit maintenant, non sans mélancolie, le côté vieilli sans toutefois rester insensible à quelques pages fort touchantes de la partition.

GIOVANNI, MON AMI [*Giovanni's Room*]. Deuxième roman de l'écrivain américain James Baldwin (1924-1987), publié en 1956. C'est, selon une tradition fermement établie dans le roman américain comme dans le roman européen, un roman d'apprentissage à dominante largement sexuelle, dans lequel, le fait est à noter surtout lorsqu'on pense à l'importance prise plus tard par le problème dans son œuvre même, la question raciale ne joue aucun rôle — pas plus, d'ailleurs, que celle de savoir quelle est l'occupation professionnelle du protagoniste. La scène initiale nous le montre en train d'attendre l'autocar dans une petite ville du Midi où vient de le quitter définitivement Hella, la jeune Américaine qu'il était censé devoir épouser. Tout le roman ensuite n'est qu'un retour en arrière. La première partie, après un bref rappel de l'initiation homosexuelle à New York, résume la vie de l'Américain David à Paris et de sa rencontre, dans un bar à homosexuels, d'un jeune Italien très beau dont on va apprendre qu'il a mal tourné et que l'attend... la guillotine. La deuxième partie explique comment on est arrivé là — c'est-à-dire à la fois au début et à la fin, concomitants, de la première partie. Elle se situe là où David est venu vivre en l'absence de Hella — dans la chambre de Giovanni, laquelle symbolise un peu trop manifestement le piège sordide où il est tombé, lui qui ne sait pas encore de quel côté l'attire sa sexualité, en venant vivre avec quelqu'un qui ne le sait pas non plus, et qui a quitté une jeune femme dans le sud de l'Italie le jour où elle lui a donné un enfant mort. Lorsque Hella rentre d'Espagne, David retourne vivre avec elle, abandonnant Giovanni qui a été humilié et chassé, devant tous ses clients, par Guillaume, le patron de l'établissement où il était barman. Et c'est celui-ci que Giovanni est revenu assassiner — ce qui lui vaut la peine de mort. Le récit est bien mené, à coups de scènes généralement bien dialoguées, de façon économique et efficace. On peut ne pas se sentir terriblement impliqué dans le choix entre les voies qui s'offrent au protagoniste — pas seulement homme/femme, mais Europe/Amérique. Peut-être parce que, pour ce qui est du second au moins, on a l'impression d'un thème très familier depuis les romanciers de la génération perdue, voire depuis Henry James. Mais il faut reconnaître que Baldwin parvient à émouvoir non seulement par sa dramatisation habile du problème de l'identité du protagoniste, mais par les réflexions qu'il lui prête, ainsi qu'à ses amis, sur la conduite de la vie. Car, même si le motif le plus constant ici n'était pas le motif (très anglo-saxon ?) de la culpabilité, il ne ferait guère de doute qu'on a affaire à un romancier moraliste. On se prend seulement à souhaiter qu'il ait été plus nuancé dans les opinions qu'il prête à Hella sur la dépendance des femmes à l'égard des hommes. — Trad. La Table ronde, 1958. M. Gr.

GIRART DE ROUSSILLON. Chanson de geste du XIIe siècle, composée en laisses de décasyllabes assonants. Elle présente cette particularité d'être écrite dans le dialecte de la basse Bourgogne, intermédiaire entre la langue d'oïl et la langue d'oc, c'est-à-dire entre le français et le provençal. C'est le récit des longues luttes soutenues par le roi de France, Charles Martel, contre son vassal Girart qui possède d'immenses fiefs dans le sud de la France. La discorde qui règne entre eux tire son origine du fait que Charles Martel a voulu épouser la plus jeune fille de l'empereur de Constantinople, la très belle Elissent, déjà promise à Girart, tandis que celui-ci se voyait obligé d'épouser l'aînée, Berthe, qui était, au contraire, destinée à Charles. Un accord intervient grâce aux concessions faites par le roi à son vassal. Charles se repent très vite d'avoir ainsi accru la puissance de Girart ; jaloux de lui, il le provoque et vient mettre le siège devant son château. L'ennemi, introduit par un traître à l'intérieur des murs de la forteresse, contraint Girart à s'enfuir. Mais il rassemble ses vassaux, eux-mêmes possesseurs de nombreux fiefs, triomphe du roi et reprend son château. La guerre se poursuit par de sanglantes batailles jusqu'à ce que les adversaires se décident à traiter. Girart propose la paix à la condition que Charles éloigne du royaume son vieux conseiller, Thierry d'Assane, ennemi juré de sa famille, parce qu'autrefois le père et l'oncle de Girart l'ont vaincu, dépouillé de ses biens et contraint à l'exil. Charles refuse de céder et la guerre reprend. Girart, battu en plusieurs rencontres, perd ses fidèles, l'un après l'autre : devenu presque fou, il se livre à d'horribles massacres et commet maints sacrilèges. Enfin, accompagné de Berthe, sa femme, il se réfugie dans la forêt des Ardennes et va d'ermitage en ermitage, jusqu'à ce qu'un saint moine le ramène dans le droit chemin et lui impose pénitence. Pendant de longues années, Berthe et Girart vivent ignorés de tous ; lui, comme porteur de charbon, elle comme couturière. Mais un jour, Girart est repris par l'attrait de son ancienne vie. Il obtient d'Élissent, dont il a toujours conservé l'amour, bien qu'elle soit l'épouse de Charles, aide et pardon du roi. La haine du roi ne tarde pourtant pas à se manifester de nouveau ; une nouvelle guerre éclate qui ne prend fin que sur l'intervention du pape. Girart et Berthe, cette fois définitivement transformés par la grâce divine, abandonnent leurs fiefs et leurs richesses et se consacrent à des œuvres pieuses et fondent des monastères.

Girart est un personnage historique : gouverneur du Viennois — v. *Girart de Vienne* (*) —, il administra le royaume de Provence sous le règne de Charles le Chauve, au IXe siècle, et fonda vers 860, avec sa femme Berthe, le monastère de Vézelay. La légende a brodé autour de ce personnage et de ses luttes plus ou moins ouvertes contre Charles le Chauve, confondu dans la chanson avec Charles Martel. Un récit hagiographique en latin : *Vita nobilissimi comitis Girardi de Rossillon,* qui date de la fin du XIe ou du début du XIIe siècle, montre que l'histoire dérive d'une rédaction plus ancienne que la chanson qui est parvenue jusqu'à nous. Poème religieux et héroïque en même temps, *Girart de Roussillon* nous offre un tableau vivant et authentique de la féodalité du haut Moyen Âge. Cette œuvre occupe une place isolée dans l'épopée française, car elle ne peut être rattachée à aucun cycle ; ceci n'empêcha pas la chanson de jouir d'une grande popularité, comme en témoignent les nombreuses allusions faites par les troubadours provençaux, les poètes français et même une œuvre comme l'*Entrée en Espagne* (*). Il en existe quelques remaniements français en vers et en prose des XIVe et XVe siècles. — Pour ce texte, on utilisera l'édition et la traduction de M. Hackett, 3 vol., Paris, 1953-1955, et l'étude de R. Louis, *De l'histoire à la légende : Girart de Roussillon, comte de Vienne,* Auxerre, 1946-1947.

GIRART DE VIENNE. Chanson de geste de la fin du XIIe siècle ou des toutes premières années du XIIIe, appelée aussi *Girart de Viane. Girart de Vienne* est généralement attribué au poète français Bertrand de Bar-sur-Aube, à qui l'on doit aussi *Aimeri de Narbonne* (*) ; elle est composée en laisses de décasyllabes assonancés. Les quatre fils de Garin de Montglane, l'un des trois grands héros des cycles des chansons de geste françaises, avec Charlemagne et Doon de Mayence, ont été, pendant longtemps, les fidèles vassaux de Charlemagne ; mais un jour la femme de l'empereur a outragé l'un d'eux, Girart, qui possède en fief la ville de Vienne (Isère). C'est le même personnage qui s'appelle dans une autre chanson Girart de Roussillon. Pour se venger, Girart a lancé un défi à Charlemagne ; il est soutenu par son père et ses frères. Ils se trouvent tous enfermés dans la ville de Vienne et doivent y subir un siège de sept ans. Ce siège est jalonné de scènes de violence et de courtoisie, parmi lesquelles il faut citer le fameux duel entre Roland et Olivier, alors rivaux, qui se termine par leur réconciliation. La guerre continue contre l'empereur. C'est Aimeri de Narbonne, tout frais armé chevalier, qui combat avec le plus d'acharnement. Et, brusquement, Girart se rend à son adversaire ; il ne veut pas tuer le roi de France dont il se reconnaît le vassal. Suivi de ses frères et de ses compagnons, il s'agenouille devant Charles ; seul le jeune Aimeri demeure intransigeant ; il ne se plie qu'à la condition d'agir envers le roi comme celui-ci en aura agi avec lui. C'est une belle chanson de geste, pleine d'audace et de vaillance, animée par la figure d'Aimeri, personnage franc, orgueilleux, mais loyal, qui attirera tant de sympathie à l'œuvre qui lui est consacrée et qui porte son nom. C'est d'un épisode de la chanson de *Girart de Vienne* que Victor Hugo a tiré « Le Mariage de Roland », dans *La Légende des siècles* (*). — *Girart de Vienne* a été édité par W. von Emden (Paris, Société des anciens textes français, 1977).

GIROFLÉ-GIROFLA. Opéra bouffe en trois actes du compositeur français Charles Lecocq (1832-1918), livret de Vanloo et Terrier, créé à Bruxelles en 1874. Il reçut la consécration du succès le 11 novembre de la même année, au théâtre de la Renaissance à Paris. Écrit immédiatement après *La Fille de Madame Angot* (*), cet opéra bouffe contient quelques-unes des meilleures pages de Lecocq, documents de choix sur le goût et la mode qui prédominèrent à Paris et en Europe pendant un demi-siècle. Si l'action se déroule en Espagne, au temps des Croisades, vers 1250, le ton et la verve du dialogue sont empruntés au Paris de 1870. Don Bolero d'Alcarazas a deux filles jumelles, Giroflé et Girofla. La première est destinée à épouser le banquier Marasquin, la seconde le guerrier maure Mourzouk. Cependant, durant la cérémonie de mariage de Giroflé, des pirates surviennent qui enlèvent Girofla. Le père, épouvanté et craignant la colère féroce de Mourzouk, contraint Giroflé à remplacer provisoirement sa sœur, dans l'espoir que Matamore, l'amiral, réussira entre-temps à arracher son autre fille aux pirates. Tous se prêtent à cette supercherie, y compris le mari et la mère. La jeune fille se trouve ainsi avoir deux maris et deux nuits de noces, jusqu'au moment où Matamore revient victorieux, ramenant avec lui Girofla qui reprend la place de sa sœur. Cette bouffonnerie correspondait parfaitement au goût du public : chœurs, ballades, petits duos piquants, marches mauresques, galop, rondos concertants, et jusqu'à une « Chanson de la jarretière », se succèdent avec une vivacité croissante. On y trouve des pages qui semblent aujourd'hui médiocres ; mais d'autres, animées d'une grande fraîcheur, sont construites avec un réel sens de l'harmonie, comme le quintette « Matamore, grand amiral », qui est peut-être la meilleure partie de l'ouvrage, le chœur des pirates, le duo entre Giroflé et Marasquin, et le sextuor final du premier acte.

GIRON LE CHEVALERESQUE [*Girone il cortese*]. Poème chevaleresque en vingt-quatre livres, en octosyllabes, du poète florentin Luigi Alamanni (1495-1556), publié en 1548 et dédié à Henri II, roi de France. Giron gagne Maloalto, à la rencontre de son ami Danain le Rouge. Il résiste aux séductions de la femme de Danain et l'arrache aux pièges du roi Laco, qui avait pris part au tournoi du château des Deux-Sœurs, où Giron s'était couvert de gloire. Demeuré seul avec la dame, il va céder à la tentation, lorsqu'il est sauvé par l'inscription gravée sur son épée : « La loyauté nous donne l'honneur, la victoire et la gloire ; la fausseté procure à chacun la honte et la désolation. » Il reprend son voyage vers le château de son ami pour apprendre que Danain, à qui il avait confié de protéger une jeune fille, a abusé d'elle. Giron, furieux, part à la recherche de son ami, le trouve, le provoque en duel, mais lui laisse la vie sauve. Reprenant la route, dans un bois il tue un géant féroce. Il apprend que de nobles chevaliers ont été capturés en grand nombre par le roi Nabon le Noir, dans la plaine du Sauvage. Il part au secours des prisonniers. Pris lui-même, par traîtrise, pendant son sommeil, il est sauvé par Danain et se réconcilie avec lui. Ensemble, ils poursuivent la guerre contre Nabon, qui les surprend et les capture. En proie à un orgueil insensé, Nabon demande au roi Arthur de le reconnaître pour suzerain ; mais ce dernier marche contre lui avec l'élite de ses héros, l'écrase, libère les prisonniers et donne le fief de Nabon à Tristan, après que Giron l'eut refusé. À cette histoire, s'ajoutent de nombreux épisodes qui relatent les aventures d'autres héros : Galehaut, Hector le Brun, Abdalon, Estrangorre, etc. ou exaltent le lignage de Giron et ses exploits antérieurs. Dans ce poème, Alamanni a voulu réduire la matière complexe que lui fournissaient les romans de la Table ronde à une forme classique et à l'unité des poèmes épiques de l'Antiquité. L'œuvre, modelée sur l'*Odyssée* (*) et sur l'*Énéide* (*), exclut le merveilleux et nous présente des héros mus seulement par la courtoisie et la générosité. Alamanni n'a pu ainsi réaliser qu'une œuvre artificielle et anachronique qui n'a quelque importance que parce qu'elle tente de mettre en forme un des idéaux de la littérature humaniste de la Renaissance.

GISANTS SATISFAITS (Les). Récits de la poétesse française Joyce Mansour (1928-1986), publiés en 1958. Formé de trois contes – *Marie ou l'Honneur de servir, Les Spasmes du dimanche, Le Cancer* –, ce livre qu'André Breton qualifiait de « Jardin des délices » est digne de la plus fidèle officiante des messes noires du surréalisme. Dans un monde aux frontières mal définies (« Quand Dieu habitait un trou dans la terre et que son frère jumeau dormait au ciel ») et où l'Éros primitif ne faisait encore qu'un avec Thanatos, l'amour n'est qu'un gigantesque sabbat, subi, provoqué ou désiré par la femme. Dans un torrent d'images mêlant le sexe à la boue, le sperme au sang, la zoophilie à la folie, les plantations d'enfants à la nécrophagie, la chair devient abîme et le désir descente en enfer. Faisant table rase de toute morale, Marie s'épanouit tragiquement dans l'abandon total à l'assassin bien-aimé qui est là pour la sauver en la tuant. De visions en collages oniriques se succèdent des scènes frénétiques où l'hallucination se veut évidence et le blasphème innocence monstrueuse. Cet univers – où le sexe est pal et totem, objet d'une terreur sacrée et d'une noire adoration – parvient à exister grâce à une écriture dont la complicité éruptive et perverse n'exclut pas une étrange lucidité. Dans le dernier texte, Clara, qu'aime un petit garçon fasciné par sa bosse, mourra d'un cancer. Comme si l'humour noir qui hante toutes ces pages n'était que l'ombre oblique de la mort – celle du cancer du sein qui emportera l'auteur... R. Bl.

GISELLE. Ballet en deux actes, musique du compositeur français Adolphe Adam (1803-1856) : il a été représenté pour la première fois à l'Opéra de Paris le 21 juin 1841. On le considère comme le chef-d'œuvre du ballet romantique et, après plus d'un siècle, il n'a rien perdu de sa vertu. L'argument a été tiré par Théophile Gautier, assisté de Saint-Georges et Coraly, d'une légende rapportée par Henri Heine dans son livre *L'Allemagne* (*). C'est une tradition d'origine slave qui concerne les danseuses nocturnes surnommées Willis. Ce sont des fiancées mortes avant leurs noces. Elles ne peuvent dormir tranquilles dans leur tombeau. À minuit, elles se rassemblent pour danser, et malheur au jeune homme qui les rencontre, car elles l'enlacent et le font danser jusqu'à ce qu'il meure à son tour. Au Ier acte, le prince Albert, déguisé en pâtre, courtise une jeune paysanne, Giselle. C'est le jour de la vendange, à laquelle préside Bacchus, juché sur un tonneau. Le garde-chasse Hilarion trahit l'incognito du prince que Giselle accuse aussitôt de perfidie, car elle sait qu'il a promis sa main à Bathilde, jeune fille de la noblesse. Frappée au cœur, Giselle meurt de désespoir et Albert tombe inanimé près d'elle. Au IIe acte, on voit dans la forêt le tombeau de Giselle. Il est minuit. Les Willis apparaissent avec Giselle à leurs côtés. Le garde-chasse Hilarion qui vient à passer est entraîné dans leur danse et précipité dans le lac. Le prince Albert à son tour est happé par la ronde meurtrière. Giselle essaie de le sauver. La cruelle reine des Willis va lui faire subir le sort d'Hilarion, mais voici l'aube qui détruit le pouvoir des Willis. Bathilde, la noble fiancée, paraît avec un cortège de chasse. Albert se jette à ses pieds et implore son pardon. Il existe un autre dénouement, moins bourgeois et plus poétique. Bathilde n'apparaît pas. Giselle est portée par Albert sur un tertre fleuri où peu à peu s'ensevelit la jeune fille. Le jeune homme s'agenouille près du tertre, cueille quelques fleurs, les serre contre sa poitrine et s'éloigne. Les danseurs préfèrent le premier dénouement qui a plus d'éclat. Le rôle de Giselle fut créé par Carlotta Grisi (1819-1899). La musique d'Adam est supérieure à celle de ses autres ballets. Au Ier acte, il introduit une fugue : « Attention touchante, disait son collaborateur Théophile Gautier, pour les amateurs de musique difficile. » Le IIe acte cherche à résoudre le problème du fantastique gracieux et mélodique. La partition est souplement adaptée à la danse, avec une poésie et une ampleur de forme qu'on ne retrouve dans aucun des ouvrages dramatiques du compositeur.

GĪTAGOVINDA [*Govinda célébré par des chants*]. Œuvre poétique indienne composée par Jayadeva au XIIe siècle. Le sujet, tout à la fois érotique et religieux, a été commenté diversement par la critique occidentale. Tandis que, pour les Indiens, elle est tout simplement un « kāvya », c'est-à-dire une composition épique du type du *Rāmāyana* (*), en Europe elle fut considérée tantôt comme un drame lyrique, tantôt comme un poème lyrique, comme un mélodrame ou même une idylle. Govinda est un des noms de Krişņa, divinité pastorale, incarnation de Vişnu. Dans le *Gītagovinda,* on chante l'amour de ce dieu pour Rādhā, la jalousie de cette dernière et son abandon momentané : séparation toute pénétrée d'un sentiment nostalgique. Enfin la réconciliation a lieu et elle n'en sera que plus joyeuse. Dans la singulière structure de ce poème (divisé en « sarga » [chants] à la manière des « kāvya »), les vers parlés, qui dessinent l'action dramatique, alternent avec des strophes narratives, illustrant les différentes situations, tandis que le noyau principal de l'œuvre est constitué par des hymnes, qui doivent être chantés tour à tour sur des mélodies précises et accompagnés par des danses au rythme déterminé. Ces hymnes, au contenu tout à la fois érotique et religieux, sont supposés être chantés par Krişņa, par Rādhā ou par l'amie de cette dernière. Leur interprétation mystique, lors des fêtes religieuses hindoues, les a rendus populaires, et certains commentateurs ont tout particulièrement mis en relief le mysticisme du *Gītagovinda,* en découvrant sous l'apparence extérieure de ce « kāvya » l'amour dévoué de l'âme humaine (Rādhā) pour la divinité Krişņa. Le poème de Jayadeva (à cause de certaines affinités évidentes, tant idéales que formelles) fut justement appelé *Le Cantique des cantiques* indien. Le *Gītagovinda* eut dans ce pays bon nombre d'imitations. En Europe, il suscita l'admiration de Goethe, quoique ce dernier ne pût l'avoir lu que dans une mauvaise version allemande (de F. H. von Dalberg, 1802) faite d'après la version anglaise de W. Jones. – Trad. Asiathèque, 1977 ; Mazeran, 1988.

GIVRE ET SANG [*Ducdame*]. Roman de l'écrivain anglais John Cowper Powys (1872-1963), paru en 1925. Dix ans après *Bois et Pierre* (*), neuf ans après *Rodmoor* (*), c'est le troisième roman de Powys, séparé des deux premiers par des poèmes et des essais. Le titre en est emprunté à *Comme il vous plaira* (*) de Shakespeare : « Qu'est-ce que ce " ducdame " ? – C'est une invocation grecque destinée à appeler les fous à faire le cercle... »

Dans la structure de l'œuvre comme dans sa thématique, le pilier principal est représenté par les Ashover, famille de vieux propriétaires terriens qui sont les châtelains de la petite ville du Dorset, où se passe l'histoire. Comme les Andersen de *Bois et Pierre*, les deux frères Ashover sont de caractères opposés mais complémentaires. Lexie, le plus jeune, dont le profil évoque celui de l'empereur Claude, est atteint d'une maladie incurable. Au contraire, la « correspondance naturelle » de l'aîné est exprimée par son prénom, Rook, qui veut dire freux, corbeau : « Et les voix des freux devenaient celles de la nuit même, du grand créé primordial et ailé, sinistre et pourtant impassible, plein à la fois de lamentation et de consolation, en quoi le commencement avance vers la fin et la fin revient vers le commencement. »

Rook, dans son magnétisme mâle et ténébreux comme la nuit dont il participe, attire puissamment lady Ann, sa cousine, et Netta Page, jeune fille de la ville qui fait partie des héroïnes tendres et douces de Powys, tandis que la première est au contraire de la race dominante des Amazones. Cependant qu'au matin du dernier jour de l'année la mère de Rook, lasse des errements érotiques de son fils aîné, lui tient un langage où l'honneur du nom prend l'importance d'une bannière menaçante, William Hastings, pasteur solitaire, excentrique et demi-fou, exulte de sa découverte : le dynamisme de l'univers est bipolaire ; il existe une « immense énergie antivitale » qui tend aveuglément à détruire la vie. Or on le sent d'autant plus devenir la proie de cette idée que Rook, depuis peu, tourne autour de sa jeune femme, Nell.

À moins d'une demi-heure de la nouvelle année sont réunis Hastings et sa femme dont, depuis longtemps, est amoureux Lexie, frère de Rook ; celui-ci et son frère ; enfin, les deux femmes qui se disputent Rook : Ann et Netta. On vient d'annoncer la mort de Richard Ashover, le bâtard de la famille. Quelque temps après, Ann découvre à Rook qu'elle attend de lui un enfant, et Netta, en compagnie de Hastings, rencontre une vieille sorcière qui déclare que « ces Ashover sont de la tribu de Satan, tous autant qu'ils sont ». Là-dessus Netta décide de fuir, et Rook la poursuit en vain tandis que le train s'éloigne.

Lorsque l'aîné, les surprenant dans la forêt, constate que son cadet l'a supplanté dans le cœur de Nell qui, après Netta, l'avait désiré, c'est moins la jalousie de Nell qui le torture qu'un sentiment plus subtil, « la jalousie à l'égard de la sagacité de Lexie et peut-être même de ce mystérieux avantage que lui donnait en la matière sa maladie ». Désormais, la vie de Rook est vouée à l'échec, pour la même raison (une propension toute cérébrale à l'érotisme) que dans le cas de ses ancêtres. Il se laisse envahir par l'idée de la mort. Le dernier jour de septembre, il retrouve Netta, retour de Londres : toutefois, prêt à une réconciliation humiliante mais peut-être rédemptrice, il ne rencontre chez son ancienne maîtresse qu'absolue indifférence. Elle réprouve maintenant leur union. Elle reprend un masque alors qu'il allait enfin se séparer du sien et avouer son manque total d'amour pour Ann. C'est alors qu'il formule ce souhait profondément révélateur : « Que n'était-il possible d'avoir des relations amoureuses avec les arbres, avec les éléments, comme en ont les personnages de la mythologie ! »

C'est l'automne à nouveau, saison keatsienne dont l'« immense passivité » berce Ann fécondée, sereine, dans l'attente, devenue presque la sœur de Lena Grove de *Lumière d'août* (*) de Faulkner. Et c'est par une nuit de pluie torrentielle qui impose à la conscience de Rook l'image d'une noyade dans « ces vastes éléments inhumains », mystérieux et anarchiques, que les tensions devenues intolérables se résolvent enfin. Rook erre dans la forêt, noire de nuit : son élément naturel. Avant qu'il ait eu le temps « d'effectuer le déclic mental spasmodique avec lequel l'esprit passe d'un domaine de la réalité à un autre, Hastings fut sur lui. D'un seul coup terrible de cette arme fantastique [un rateau], le prêtre le frappa de plein fouet sur la tempe... ».

En novembre, l'enfant d'Ann a un mois, Lexie recouvre lentement son vieil humour et Netta se recueille sur la tombe de Rook. Mais Powys a choisi de clore ce sombre drame passionnel, placé tout entier sous le signe de la nuit, par la scène magistrale de l'arrivée d'un manège où se retrouvent Lexie et Nell : le thème des forains, accompagné de toutes ses résonances symboliques et contrapuntiques, traverse l'œuvre entière — par exemple le théâtre de marionnettes dans *Les Sables de la mer* (*).

Givre et Sang est sans doute le roman le plus sombre de Powys. En Rook Ashover, il a exorcisé tout un pan de son psychisme complexe et fascinant, tandis qu'en Ann, Netta et Nell il créait une véritable trinité féminine dont on retrouvera les données, de plus en plus développées, au fil de ses romans. C'est une œuvre mieux construite, plus liée que *Bois et Pierre*, plus personnelle aussi que *Rodmoor*. Avec *Givre et Sang*, on peut dire que Powys achevait magistralement sa formation de romancier. Il avait cinquante-trois ans, et n'était encore qu'au seuil d'une création à peu près unique en littérature, puisque successivement vont paraître ses très grandes œuvres : *Wolf Solent* (*), *Les Enchantements de Glastonbury* (*), *Les Sables de la mer*, et *Camp retranché* (*). Quant à *Porius*, que certains tiennent pour son chef-d'œuvre, il aura près de quatre-vingts ans quand il l'achèvera. — Trad. Le Seuil, 1982. M. Gr.

GLEMBAY (Les) [*Glembajevi*]. Cycle comprenant trois drames et onze nouvelles de l'écrivain croate Miroslav Krleža (1893-1981) et qui, composé entre 1928 et 1930, commence à paraître en 1928 avec le drame intitulé *Messieurs les Glembay* (*). Il représente, dans la vaste création littéraire de Miroslav Krleža, l'essentiel de son activité dramatique, le point culminant de son talent arrivé à maturité. C'est l'histoire du déclin d'une famille patricienne de Zagreb qui, dans un passé déjà lointain, et en recourant au meurtre, se fraie un chemin vers la prospérité et la richesse, et qui, à la fin de la Première Guerre mondiale (avec la désintégration de l'Autriche-Hongrie), déchue du rang social qu'elle avait tenu, commence à manifester tous les signes d'une dégénérescence biologique. *Messieurs les Glembay* dans le drame du même nom [*Gospoda Glembajevi*] tuent et se tuent ; quelque ténébreux impératif du sang, la force d'instincts non encore étudiés, les pousse aux déterminations fatales, les mène au crime, à des manœuvres obscures, dans le déploiement desquelles ils ne se ménagent pas réciproquement. Leurs dernières convulsions confèrent une force dramatique aux sombres côtés de leur nature. Cette œuvre d'une imagination vigoureuse comprend, à côté d'une vaste galerie de types où chaque individu vit avec la plus grande intensité, conformément à des particularités psychologiques et organiques, toute une suite de discours d'ordre intellectuel concernant certains problèmes historiques et généraux. Les deux drames qui suivent *À l'agonie* [*U agoniji*, 1931] et *Léda* [*Leda*, 1930] sont plus subtils ; le nombre des caractères a été sensiblement réduit, ainsi que celui des problèmes agités ; le destin individuel des représentants de la famille varie en fonction de la sensibilité avec laquelle ils vivent les événements de leur vie.

GLOIRE (La). Recueil de poèmes de l'écrivain français Jean Grosjean (né en 1912), publié en 1969. Trois ensembles parus antérieurement, *Apocalypse* (1962), *Hiver* (1964) et *Élégies* (1967), précèdent le poème *La Gloire*, un des grands textes mystiques de ce siècle. Le poème se compose de sept chants, dont chacun des protagonistes est un double du dieu en exil hors de soi, successivement : le langage (en référence au prologue de Jean), le messie, la vie, l'âme. Le premier chant décrit l'itinéraire de ce dieu qui sortant de soi « fabrique le néant pour avoir une limite à outrepasser d'où il revienne plus dieu qu'il n'est ». Grosjean se souvient ici de la cérémonie tragique : chaque chant est encadré d'un récitatif, prologue puis épilogue, qui commente à la manière du chœur antique le drame qui se déploie en dieu et hors de dieu. Chacun des autres chants, complainte des hypostases divines, se cristallise autour d'un moment de la Passion, de Gethsémani à la nuit du tombeau. Et le septième, elliptique par rapport à l'itinéraire divin tel qu'il était annoncé, n'apporte pas de terme à cette séparation qui est parole.

Le dieu de « la gloire » ne répond pas à l'attente d'un dieu éternel, immobile, impassible, voué à la contemplation de sa propre perfection. « Dieu n'est pas éternel, il est vivant », il se déchire et se perd hors de soi : il existe. De la Création à la Passion, cet exode du dieu est d'emblée un pâtir. En effet, Grosjean s'inscrit ici dans une tradition qui voit dans la mort du Christ en croix celle de Dieu même et non seulement de sa part humaine. Toutefois, l'accent est porté comme jamais auparavant sur la douleur du dieu. Il y a ici comme le contrepoint d'une tradition euphorisante, oubliant toute souffrance avec la liesse de la résurrection. On peut remarquer *La Gloire* comme le revers divin des paroles fameuses d'un Christ en croix en proie à la déréliction : « Atroce la mémoire d'un sourire qui n'est plus [...] Certes, je suis maintenant le maître et le dieu, mais à quel prix ! » Le moment de la mort du dieu en son double est celui de l'éloignement extrême du dieu d'avec soi.

« La vie aboutit à cette gloire où le dieu se reconnaît dans l'anéantissement. / Quel puissant dieu celui qui peut se réduire à rien. » *La Gloire* du dieu est de se faire corruptible jusqu'à la mort et de se maintenir dans son anéantissement même. « Il est notre catholicos avec son étole de sable et sa tiare de poussière. » Mais, comme si poète et lecteur ne pouvaient l'un et l'autre dépasser la Passion, terme de nos vies, on ne sait si le dieu endeuillé parvient, après l'avoir envoyée à la mort, à retrouver et à consoler son âme perdue. L'angoisse de la séparation et la violente nostalgie dont *La Gloire* est alors empreinte lui confèrent des accents nervaliens. Le mode subjonctif du souhait qui clôt les deux derniers chants évoque l'inachèvement du projet initial, le manque, le doute et l'équivoque constitutifs de toute existence. F. et D. B.

GLOIRE DE DON RAMIRE (La) [*La gloria de Don Ramiro*]. Roman de l'écrivain argentin Enríque Larreta (1875-1961), qui fut publié pour la première fois en 1908. Au début du XVIIe siècle, Guiomar est séduite par un soldat dont elle a un enfant ; ce soldat fait dire au père de la jeune fille, Iñigo de la Hoz, qu'il est mauresque et que son propre père a été tué par Iñigo de la Hoz au moment où fut réprimée la révolte des Alpujarras. Un vieux parent de Guiomar consent à couvrir la faute de la jeune fille en l'épousant ; il la laisse veuve peu après, et don Ramire grandit, destiné par sa mère et par son grand-père à l'état ecclésiastique. Mais avec la puberté s'éveillent chez don Ramire l'hérédité et les instincts de son père, qui l'éloignent toujours davantage de la vie à laquelle sa mère le destinait et qu'il avait acceptée : le sang africain qu'il porte en lui le pousse irrésistiblement à la lutte et à la luxure. Cependant don Ramire soupçonne que sa naissance est entourée de quelque mystère et, peu à peu, la méfiance s'empare de lui, bien qu'il réagisse violemment ; enfin un vieux musulman, son père, lui révèle la vérité. À partir de ce moment, le sentiment de son infériorité le poussera aux actes les plus contradictoires : il émigrera en Amérique, massacrera les Indiens, jusqu'au moment où, touché miraculeusement par la pureté de sainte Rose de Lima, il se rendra au Christ et se vouera à l'expiation et au sacrifice. Ce roman, pour lequel l'auteur se documenta avec le plus grand soin, connut à sa parution un succès considérable. Il fut traduit en français par Rémy de Gourmont. — Trad. Mercure de France, 1910.

GLOIRE DE L'EXISTENCE (La) [*Ruhm des Daseins*]. Roman du poète, romancier et essayiste allemand Wilhelm Lehmann (1882-1968), publié en 1953. Une communication profonde, une fusion avec la nature caractérisent ses premiers romans, *Briseur d'images* [*Der Bilderstürmer,* 1917], *La Poupée du papillon* [*Die Schmetterlingspuppe,* 1918] ou *Dieu du vin* [*Weingott,* 1921]. Dans *La Gloire de l'existence,* l'œuvre principale de sa vieillesse, Lehmann célèbre l'homme qui ne demande rien à la vie et qui peut, de ce fait, aider les autres. Lupinus est nommé directeur d'une petite école de campagne. Ses ambitions et son arrogance lui valent très vite l'hostilité des professeurs et des élèves. Seul Asbahr, un poète et un rêveur, trouve grâce auprès de Lupinus, qui interprète le silence de celui-ci comme un accord. Asbahr, estimé par les professeurs et les élèves, sert involontairement d'intermédiaire, vivant dans un monde idéal où il oscille entre la révolte et le repliement sur soi. Tandis que Felfer, professeur de géographie, par nature taciturne, arrive à gagner la confiance de ses élèves et même l'affection de Régine Tuméma, fille du maire du village, Asbahr, qui ne peut s'intégrer au monde que dans la mesure où il en présente une image poétique, voit dans la rencontre de Régine et de Felfer le symbole de l'« existence pure », entrée dans l'éternité. Un soir, Asbahr observe Felfer, qui semble trouver un inexplicable plaisir à tirer de l'eau une noyée et à la transporter jusqu'à la morgue. Ses élèves l'accompagnent et parmi eux se trouve Régine. La conduite de Felfer provoque un certain scandale qu'on réprime en sa présence ; Asbahr seul comprend qu'il s'agissait d'une révolte contre le présent ridicule. À l'occasion des examens du baccalauréat, la petite école doit recevoir une consécration officielle ; ce moment approche quand Régine se fiance, à la grande surprise de tous, avec un juriste, et croit bon de montrer son attachement pour Felfer qui se détourne d'elle. Felfer l'ayant défendu publiquement contre les autorités, Asbahr sent à quelle profondeur s'enracinent les raisons de vivre de « cet homme toujours équilibré », et ceci même dans les circonstances troubles qui le rapprochent de Régine, avant l'adieu et l'apaisement général.

GLOIRE ET LA CROIX (La) [*Herrlichkeit*]. Premier volet de la grande trilogie (qui ne porte pas de titre général) du théologien suisse d'expression allemande Hans Urs von Balthasar (1905-1988) et publiée de 1961 à 1987. Projetée en 1960 – achevée avec un *Épilogue* [*Epilog*] en 1987 –, cette suite monumentale, qui comporte quinze volumes dans sa version originale, a pour but de donner une présentation théologique générale de la Révélation fondée sur l'analogie entre l'être humain et l'être divin. Le titre complet de la première partie en dit le programme : *La Gloire et la Croix, aspects esthétiques de la Révélation* [*Herrlichkeit, Eine theologische Ästhetik*], six tomes en allemand, traduits dans un ordre différent en sept tomes en français. L'analogie paradoxale entre le divin et l'humain est manifestée par le crucifié, Dieu venu à la rencontre de l'homme, et dont le visage rayonne de gloire. La théologie conçue comme une phénoménologie de la réalité divine à travers ses manifestations dans l'histoire s'apparente à une esthétique du transcendant. Le deuxième volet de la trilogie, intitulé *La Dramatique divine* [*Theodramatik*], cinq tomes, situe les « personnes du drame » et conduit du beau au bien, de la Révélation à l'acte divino-humain et humano-divin. Logiquement, la troisième partie, intitulée *Théologie* [*Theologik*], trois tomes, est consacrée à la vérité du monde et à l'Esprit de vérité. Ambitieuse et neuve à la fois, la trilogie de von Balthasar est un des rares monuments achevés de la théologie catholique du XXe siècle. – Trad. en cours, Lethielleux, Desclée De Brouwer. J.-P. L.

GLORIA. Œuvre du romancier espagnol Benito Pérez Galdós (1843-1920), publiée en 1876-1877. Daniel Morton, juif anglais rejeté sur les côtes asturiennes lors d'un naufrage, tombe amoureux de Gloria de Lantigua, qui appartient à une famille catholique traditionaliste. La famille de la jeune fille ainsi que la mère de Morton s'opposant farouchement au mariage, les jeunes gens ont une liaison secrète et Gloria met au monde un enfant dans des conditions dramatiques. Elle meurt en couches.

Ce roman de la première période de Galdós dénonce le fanatisme religieux avec une vigueur qui a provoqué des réactions passionnées lors de sa publication. Galdós est apparu pour beaucoup comme un anticlérical acharné, désireux de ridiculiser la religion et les croyants. Écrit pendant la troisième guerre carliste, dans un contexte politique et religieux de lutte violente entre libéraux et conservateurs, le roman campe avec vigueur des personnages qui ne sont pas toujours très nuancés. La puissance créatrice de Galdós alliée à un sens aigu de l'observation, ainsi que d'indéniables qualités dramatiques ont rendu cette œuvre très populaire. S. L.

GLORIEUX (Le). Comédie en cinq actes de l'écrivain français Philippe Néricault dit Destouches (1680-1754), représentée en 1732. Lisimon, riche bourgeois (dont la grossièreté rappelle le personnage de Turcaret), a conçu le dessein de faire épouser sa fille unique par un noble, le comte de Tufière (le « glorieux »). Celui-ci, plein de morgue, accable tout le monde de son insolence, sauf Lisimon qui, fort de ses millions, est à même de lui tenir tête. La mère de la jeune fille protège un autre soupirant, timide et gauche celui-là, un bourgeois du nom de Philinte. Du côté du comte, il y a encore Lisette, soubrette d'Isabelle, courtisée par Lisimon lui-même et aimée sérieusement par Valère, fils de Lisimon. Lisette n'a pas de famille et elle sent pourtant en elle quelque chose qui lui dit qu'elle n'est pas née pour se mettre en service. Ce sentiment est encouragé par Lycandre, un vieux mendiant qui s'est toujours intéressé à elle et que l'on voit paraître et disparaître sans qu'il dévoile jamais son identité. En fait, le vieux Lycandre est le père de Lisette. Bien plus, il est aussi celui du comte. Il faisait naguère figure à la Cour ; mais, tombé en disgrâce, il s'est retiré dans l'ombre pour fuir les intrigues dont il fut victime. À l'ouï de ces nouvelles, le comte essaie d'abord d'éloigner son père ; mais sa bonne nature prendra le dessus : il renoncera à Isabelle pour s'occuper de sa famille retrouvée. Une telle décision lui ouvre le cœur d'Isabelle. Lisimon, comprenant qu'un gendre noble et pauvre serait sous sa dépendance, consent au mariage. De son côté, Lisette épousera Valère. L'intérêt de la comédie réside dans la lutte entre Lisimon et le comte : la noblesse qui s'attache aux gloires du passé, et la bourgeoisie qui, forte de son argent, sait qu'elle tient en main l'avenir. Ce dénouement moral, avec la palinodie du glorieux, est une concession faite au nouvel esprit du temps, qui aimait à démontrer l'excellence de la nature humaine.

GLOSSAIRE DES ÉCRIVAINS DE LA MOYENNE ET DE LA BASSE LATINITÉ [*Glossarium ad scriptores mediae et infimae latinitatis*]. Ce lexique du grand érudit Charles du Fresne, seigneur Du Cange (1610-1688), qui, d'abord avocat au parlement de Paris, devint général des finances à Amiens et consacra toute sa vie à ses recherches savantes, fut publié en 1678. Après quelques essais historiques et éditions de textes médiévaux en langue vulgaire, le « Varron français » utilisa dans sa nouvelle œuvre les énormes matériaux accumulés pendant près de quarante ans de travail et en fit un dictionnaire, qui mit pleinement en valeur la langue intermédiaire entre celle des Anciens et celle des nouvelles nations. Du Cange réunit ainsi, pour la première fois, dans un ouvrage méthodique les connaissances relatives à une vaste période négligée jusqu'alors ; une telle entreprise répondait particulièrement à l'épanouissement de l'esprit de la Renaissance et à la condamnation portée alors contre la pensée et la poésie religieuse allégorique des premiers siècles. La lecture de cinq mille auteurs et la composition méthodique d'un lexique de quatorze mille mots donnent une idée de l'importance de l'ouvrage ; mais c'est surtout l'esprit ayant présidé à ce travail qui lui confère clairement son caractère et son intérêt historique. Le *Glossaire* est un patrimoine appartenant à la civilisation que tous les peuples européens considèrent comme un élément fondamental pour la connaissance de leur propre histoire. L'ouvrage a été augmenté par les bénédictins de Saint-Maur (1733-1736) et plusieurs fois réimprimé avec des additions ainsi qu'avec une nouvelle disposition des matières en 1844 ; la dernière édition du *Glossaire* a été publiée par Favre en 1883-1888. Le *Glossaire* constitue mieux qu'un dépouillement méthodique de textes autrefois ignorés. Dans l'ouvrage suivant, le *Glossaire de la moyenne et de la basse époque grecque* [*Glossarium ad scriptores mediae et infimae graecitatis*, 1688], il développa encore sa vaste entreprise, en mettant pleinement en lumière la littérature byzantine, très négligée à son époque, et eut par là le mérite de redonner sa pleine valeur au Moyen Âge considéré comme un indispensable chaînon dans l'histoire des peuples modernes.

GLOSSAIRE J'Y SERRE MES GLOSES. Recueil poétique publié en 1939 par l'écrivain français Michel Leiris (1901-1990). Le plaisir et le soin qu'a toujours apportés l'auteur à formuler des jeux de mots annonçaient cette étonnante tentative de recréation du vocabulaire, à laquelle il se livra dès le troisième numéro de *La Révolution surréaliste* (*****). Au titre lui-même en forme de calembour, il fait succéder cette déclaration dont le surréalisme fera l'un de ses commandements : « Une monstrueuse aberration fait croire aux hommes que le langage est né pour faciliter leurs relations mutuelles. » Il définit la tâche qui va le requérir et qui, sans être l'une des tâches essentielles du surréalisme, demeurera une des tentations et préoccupations de ceux qui se sont évadés du groupe. « En disséquant les mots que nous aimons, nous découvrons leurs vertus les plus cachées et les ramifications secrètes qui se propagent à travers tout le langage. » Les ramifications secrètes, les associations de sons, de formes et d'idées, le langage devenant moyen de révélation de soi-même, des autres et du monde, toute l'œuvre de Leiris est fondée là-dessus. Le *Glossaire*, auquel il travailla pendant des mois, est un catalogue des mots déviés de leur sens commun ou étymologique et pourvus d'une charge poétique personnelle mais significative pour chacun de nous. Elle manifeste les rêveries et obsessions de celui qui forge aux mots de nouvelles définitions sans que ces définitions soient pour autant gratuites, fondées qu'elles sont, au contraire, sur la forme du mot, sa sonorité, son découpage syllabique, les sensations qu'il évoque et jusqu'à l'aura dont il se trouve pourvu, par l'emploi mécanique inconscient que nous en faisons dans le commerce ordinaire de la vie. Une rumeur, c'est bien cette « brume des bruits qui meurent au fond des rues », une hanche, « la hache des sens qui doucement tranche », tandis que simulacre, par exemple, répond parfaitement à ce « hurlant sur la cime âcre, je feins la lutte ». Par ce travail de dissection, de détection et de rajeunissement, le langage cesse d'être cet instrument d'utilité courante, cette algèbre morte qu'emploient des muets pour des sourds ; il est cet âge nouveau de la langue que chaque vrai poète découvre, en vérité le premier âge de la langue, sa création inspirée.

GNOSE (La) [*'Irfan*]. C'est l'œuvre la plus significative du poète persan de l'Inde Bîdil (1644/45-1721). Ce masnavi de onze mille distiques, qui mêle anecdotes, contes édifiants, notes historiques, sur le fond d'un traité de mystique soufi, exprime les conceptions sociales, éthiques et philosophiques de Bîdil, qui consacra à sa rédaction les vingt dernières années de sa vie. Du point de vue de la forme, *La Gnose* offre l'expression la plus achevée du style « indien » [sabk-é hindi] de la poésie persane, représenté en Iran même par Sâ'eb-é Tabrizi, et caractérisé par une rupture des schémas classiques de construction du langage poétique, par la pratique d'audacieuses synesthésies ; les métaphores sont empruntées à tous les aspects de la vie, tandis que le vocabulaire de la poésie est étendu à de nouveaux domaines, notamment la langue populaire. La nouveauté de Bîdil est cependant d'avoir introduit dans la poésie persane des thèmes et des concepts qui lui étaient restés étrangers, et donné une place nouvelle à la critique sociale.

La partie centrale du poème est composée des dix contes que font à leur vieux père ses fils, visités par le « soleil de la compréhension ». Dans chacun d'eux, Bîdil traite une question philosophique ou sociale (l'or et la richesse, la signification des sciences, la philosophie elle-même, le pouvoir des princes, l'alchimie, le néant...). La trame des contes – celui de la danseuse Kâmda et du musicien Mâdan, ou l'histoire du brahmane et de la lumière divine — est empruntée à la tradition indienne. Leur finalité didactique, dans l'esprit du soufisme, est d'offrir des voies menant au perfectionnement de soi. Toute la réflexion de Bîdil est sous-tendue par la conception d'une divinité immanente, et d'un univers où les mondes végétal et animal sont unis en une interraction permanente. Un certain nombre de dogmes islamiques sont ainsi malmenés, et Bîdil s'oppose aux clercs de l'islam, défenseurs d'une conception de l'univers immobiliste, et d'un ordre social féodal dont il ne cesse de dénoncer l'injustice. Profondément originale, l'œuvre de Bîdil dut affronter très tôt la critique des éléments les plus conservateurs de la société moghole, dont l'hostilité n'est peut-être pas étrangère à la tenace réputation d'obscurité qui précède encore *La Gnose*. Certes la poésie de Bîdil est datée par la place qu'y tient une langue vernaculaire aujourd'hui obsolète. En fait sa lecture suppose avant tout de nombreuses connaissances préliminaires, à commencer par celle des enseignements du soufisme et de la pensée brahmanique — où l'œuvre de Bîdil trouve précisément son universalité —, et appelle donc un travail critique qui n'a pas encore vu le jour.

S. A. D.

GOBSECK. C'est l'un des plus fameux récits de l'écrivain français Honoré de Balzac (1799-1850), publié en 1830. La vicomtesse de Grandlieu s'inquiète des sentiments que sa fille Camille semble éprouver pour l'un de ses soupirants, le jeune comte Ernest de Restaud ; c'est un jeune homme de valeur, mais pauvre, et dont la mère s'est perdue de réputation par ses désordres – la comtesse de Restaud est la fille du fameux *Père Goriot* (*). Maître Derville, fidèle ami de la famille, intervient dans cette affaire, en apportant des renseignements susceptibles d'intéresser la jeune fille éprise, ainsi que sa mère. Derville raconte qu'au temps où il n'était qu'un pauvre étudiant il était entré dans les bonnes grâces d'un de ses voisins, vieil original du nom de Gobseck, pratiquant l'usure et devenu par là fabuleusement riche. Gobseck lui confia un jour, en secret, ce qu'il savait de la comtesse de Restaud. Cette dame était dominée par un dangereux aventurier, Maxime de Trailles, et elle dilapidait son patrimoine et celui de son mari, honnête homme trop faible et naïf qui ne savait pas lui résister. La comtesse recourait souvent à Gobseck, et son mari aussi avait fini par faire la connaissance de l'usurier et même celle de Derville. Un jour, il vint à l'esprit du comte de faire cession de tous ses biens à Gobseck, en échange de quoi ce dernier devait s'engager par un document écrit à les conserver pour son fils, le jeune comte Ernest, et à les lui restituer à sa majorité. L'affaire fut conclue. Mais, le comte étant mort peu après, sa femme, persuadée qu'il avait voulu la déshériter, elle et ses enfants, se hâta de brûler tous les papiers de son mari, et parmi ceux-ci le précieux document : de sorte que Gobseck restait maître des biens de Restaud, sans aucune obligation légale de les restituer. Mais lorsqu'à son tour il fut sur le point de mourir, très vieux et immensément riche, l'usurier choisit comme exécuteur testamentaire maître Derville, le chargeant entre autres choses de restituer scrupuleusement, dès que le terme serait échu, tous les biens au jeune comte de Restaud, augmentés des intérêts qui s'étaient accumulés depuis qu'il les avait reçus en dépôt. L'avocat termine son récit en rappelant qu'Ernest Restaud va être majeur dans quelques jours...

Cette histoire romanesque tire son intérêt du formidable personnage de Gobseck qui la remplit toute : cet implacable vieillard, qui de l'usure a fait un art et qui en retire des plaisirs d'ordre purement intellectuel, respectant les règles de son propre jeu avec le plus grand scrupule, est l'une des plus puissantes créations de Balzac. Cette figure fameuse que nous trouvons au début de son œuvre romanesque fait le pendant d'un autre portrait d'avare, le plus connu peut-être, celui du père Grandet, dans *Eugénie Grandet* (*). Mais Gobseck est un personnage beaucoup plus riche en dessous et, par là même, plus profondément original — v. aussi *La Comédie humaine* (*).

GOCKEL, HINKEL ET GACKELEIA et autres contes [*Gockel, Hinkel und Gackeleia*]. Conte célèbre de l'écrivain romantique allemand Clemens Brentano (1778-1842), paru en 1816. Brentano écrivit un certain nombre de contes pour enfants, qui sont rassemblés dans deux recueils : *Contes pour enfants* [*Kindermärchen*], dont *Gockel, Hinkel et Gackeleia* fait partie, et *Contes rhénans* [*Rheinmärchen*]. C'est dans sa collection d'ouvrages anciens et rares, tels que l'*Alektromantia* de Johannes Pretorius, le *Livre des oiseaux* de Gessner, le *Chant quotidien* de saint Ambroise, que l'auteur puisa en majeure partie la matière de *Gockel, Hinkel et Gackeleia,* tirant de cette mosaïque de lectures érudites un petit chef-d'œuvre de vivacité et de fraîcheur. Descendants d'une ancienne et noble lignée, victimes de la guerre de Trente Ans qui détruisit le château de leurs ancêtres, Gockel, Hinkel et leur petite fille Gackeleia ne possèdent plus désormais qu'un poulailler avec une poule et un coq, Alektreyo, vivant symbole de leur blason, voix de la conscience et protecteur de la famille. Gockel, ancien chevalier, a conservé un cœur noble et vaillant, mais il lui faut borner ses exploits à tendre des collets aux lièvres et aux lapins, et à se faire le protecteur des souris sans défense. Grâce à une pierre merveilleuse trouvée dans le gésier d'Alektreyo (qui n'hésite pas à se sacrifier solennellement et se fait égorger pour la leur donner), Gockel, Hinkel et Gackeleia, qui s'étaient endormis dans le poulailler, s'éveillent un beau matin dans un splendide palais. Mais l'imprudence de Gackeleia, qui se laisse dérober la pierre merveilleuse en échange d'une poupée, malgré les sévères recommandations paternelles, les fait retomber dans la misère. Cependant la poupée, qui, elle aussi, avait une âme et n'était autre qu'une petite souris ensorcelée, sauvée un jour par Gockel, entend leur prouver sa reconnaissance et retrouve la pierre merveilleuse, assurant ainsi à l'honnête et noble famille un avenir de bonheur et de prospérité. En 1838, Brentano fit rééditer ce conte en un volume, illustré de sa main en collaboration avec Kaspar Braun.

Les *Contes pour enfants* [*Kindermärchen*] sont également connus sous le nom de « Contes italiens », l'auteur s'étant librement inspiré du *Conte des contes* (*) de Basile. Brentano composa le plan de ce recueil en 1805, se limitant au conte principal, qui sert de cadre à l'ensemble, et à huit autres contes intitulés dans l'ouvrage de Basile : « Demoiselle Myrtille » [Myrthenfräulein] ; « Le Page Witzenspitzel » [Witzenspitzel], « Le Petit Pétale de rose » [Rosenblättchen], « Le Baron de Hüpfenstich » [Baron von Hüpfenstich], « Le Fils Dilldapp ou Les enfants et les idiots ont le bonheur près de leurs oreilles » [Das Märchen von dem Dilldapp, das foder : Kinder und Toren haben Glück bei den Ohren], « La Sorcière Fanferlieschen » [Das Märchen von Fanferlieschen Schönefüsschen], « Les Cinq Fils du maître d'école Klopfstock » [Schulmeister Klopfstock und seinen fünf Söhnen]. Les cinq premiers furent écrits avant 1811, les derniers, nettement marqués par la conversion de Brentano au catholicisme, après 1812. « Demoiselle Myrtille » parut à l'insu de l'auteur dans la revue *Iris*, en 1826 ; les autres contes, dans l'édition posthume de Görres, de 1847 à 1849. En outre, ces contes sont différents de ceux de Grimm et de Tieck, par le choix des sujets n'ayant pas un caractère spécifiquement allemand, par une conception particulière du romantisme, par l'absence enfin d'éléments grotesques et terrifiants. Une simplicité voulue imprègne le récit ; tous les personnages ont une âme simple et candide, qu'ils soient lourdauds comme Dilldapp, astucieux comme Hüpfenstich, ou qu'ils soient parvenus à la sainteté comme l'Ursule de « Fanferlieschen », qui est une réplique de la célèbre figure de sainte Geneviève.

Brentano écrivit aussi un autre recueil, les *Contes rhénans* [*Rheinmärchen*], rédigés vers 1811 et publiés à titre posthume par Görres, en 1846-47, avec les *Contes pour enfants.* Brentano, qui s'était toujours refusé à les publier, les tenait pour des « péchés contre l'ennui » et les avait lui-même intitulés, non sans ironie, « Contes nés de l'oisiveté et laborieusement écrits par C. B. ». Ces histoires, dont le Rhin constitue, sous une forme poétique, le personnage principal, reprennent de nombreux thèmes communs à des contes et légendes populaires, que l'on retrouve en partie dans le *Cor enchanté de l'enfant* (*). Un récit plus vaste, qui leur sert de cadre, retrace les aventures du meunier Radlauf, qui s'éprend d'Ameleya, princesse de Mayence, et se livre, grâce à sa flûte enchantée, à mille facéties au détriment du roi de Trèves, dont le fils doit justement épouser la belle Ameleya. Un incident burlesque, qui met aux prises le chat et la souris respectivement choyés par la reine de Mayence et la reine de Trèves, provoque une guerre. Le roi, étant parvenu à s'emparer de la flûte, emmène les rats se noyer dans le Rhin. À son tour, le prince des rats, s'appropriant l'instrument de musique, attire tous les enfants de Mayence, y compris la belle Ameleya, et les fait entrer dans le fleuve qui se referme sur eux ; il appartiendra désormais à Radlauf de les délivrer. La deuxième partie de l'histoire est consacrée à la généalogie du prince de Starenberg, qui n'est autre que le meunier Radlauf, fils de Loreley, la conteuse. Ce cycle narratif comporte souvent des chants et des poèmes, dédiés plus particulièrement au Rhin ; allégories et tableaux sont reliés entre eux par une sorte de logique musicale ; pour finir, tous les personnages se retrouvent, dans une atmosphère féerique, autour du meunier Radlauf qui épouse Ameleya, et le couple vivra heureux, comme il se doit. — Trad. Gallimard, 1973, et Casterman, 1982.

GODWI ou la Statue de la mère [*Godwi oder das steinerne Bild der Mutter*]. Roman de l'écrivain allemand Clemens Brentano (1778-1842), publié à Brême en 1801 avec le sous-titre : « Roman désordonné de Maria. » Il se compose de trois parties, éclairant chacune le sens du titre et du sous-titre. Dans la première, un échange de lettres entre Römer et Godwi, Ottilia, Joduno et d'autres personnages secondaires, met en valeur la figure de Godwi. Ces lettres nous font participer aux complications psychologiques de personnages romantiques à l'extrême. Godwi, tempérament instable, toujours prêt à s'enflammer d'amour mais toujours infidèle, et Römer, le commerçant lettré, ne sont que le dédoublement de la propre personnalité de Brentano qui s'y reflète tour à tour, révélant le visage du poète, les traits du libertin ou les tourments d'un esprit profondément religieux. Quelques idylles s'ébauchent dans cette première partie. Joduno et Ottilia, jeunes orphelines mélancoliques, ne sont que des expériences pour Godwi le débauché, qui sort à peine des bras de Molly, figure de femme ardente et mystérieuse dans le pur style de l'« école romantique » comme les héroïnes de Tieck ou la *Lucinde* (*) de Friedrich Schlegel. Le milieu familial d'Ottilia, littéraire et artificiel, relève de réminiscences goethéennes ; Werdo Senno, son père, et Eusèbe rappellent le harpiste et Mignon dans *Les Années d'apprentissage de Wilhelm Meister* (*). L'intrigue se noue réellement avec la deuxième partie où chaque personnage est situé dans l'espace et le temps. Une statue de pierre représentant une femme tenant un enfant dans ses bras, et que Godwi crut voir s'animer un jour, devient le centre même du roman. Usant d'une fiction à la Jean-Paul, l'auteur fait intervenir un personnage extérieur au récit, un dénommé Marie, auquel sont attribuées la compilation de la première partie et la narration de la seconde. Celui-ci révèle que la statue est l'effigie de Maria, mère de Godwi, et conte son histoire. Dans sa jeunesse, Maria s'éprit d'un jeune homme, Joseph, qui disparut par la suite ; le croyant mort, elle se résigna à épouser le père de Godwi. Mais certain jour, Joseph réapparut et Maria, désespérée, alla se jeter à la mer avec son enfant. Joseph ne put que sauver l'enfant. L'amour entre Ottilia et Godwi ne peut donc aller au-delà d'une amitié fraternelle, du fait qu'ils sont tous deux les enfants de Joseph (ou Werdo Senno). Un nouveau personnage acquiert une place de premier plan dans la deuxième partie : Violette, dont le mausolée est veillé par Godwi au fond d'un jardin lourd de parfums et de mystère. En elle sont mêlées la pureté mélancolique d'Ottilia et la sensualité de Molly, expression idéale de la femme romantique telle que la concevait Brentano.

Dans la troisième partie, par un dernier artifice, c'est Godwi qui poursuit le récit, recueilli des lèvres du narrateur Marie expirant. En cet endroit, les personnages de premier et de second plan trouvent leur aboutissement : tout ce qui, dans la première partie, n'était que senti ou pressenti par images est en quelque sorte mis au jour et précisé dans les deux autres parties, essentiellement narratives. Mais, afin de conserver au récit son charme romantique, Brentano l'a serti de poèmes et de ballades d'un lyrisme raffiné, tirés pour la plupart, comme la célèbre *Lorelei* (*) du *Cor enchanté de l'enfant* (*). Dans ce roman qui se veut, selon les préceptes romantiques, « un petit chaos » et s'intitule d'ailleurs « roman désordonné », il est malaisé de démêler la trame où interviennent constamment le passé et des souvenirs biographiques. Toutes les sœurs de Brentano y figurent comme personnages d'arrière-plan : Brunetta (Sophie), Corvina (Bettina von Arnim) et Blondine (Cunégonde von Savigny) ; l'extravagante Molly est inspirée de la poétesse Sophie Mereau, première maîtresse de l'auteur, qu'elle épousa plus tard. — Trad. Gallimard, 1973.

GOETHE. Essai de l'écrivain italien Pietro Citati (né en 1930), publié en 1970, version complétée en 1990. *Goethe* est le premier grand essai biographique et critique de Pietro Citati : il précède ses ouvrages sur Alexandre le Grand, Tolstoï, Katherine Mansfield ou Kafka. Récit d'un geste et d'« une » geste héroïques, porté par un large souffle et tendant à la cosmogonie, ce livre est non seulement une des plus justes introductions à l'œuvre du maître de Weimar, mais un autoportrait imaginaire de son auteur : plus que dans aucun autre de ses textes, Citati est ici l'enquêteur dont parlait Calvino, et qui s'identifie à des personnages s'identifiant eux-mêmes à l'univers entier. La hantise de la totalité, de la perfection sphérique, mais aussi la crainte du grand œuvre sacrilège dominent cette traversée méticuleuse et lyrique des deux maîtres livres de la maturité et de la vieillesse de Goethe : *Les Années d'apprentissage de Wilhelm Meister* (*) et le *Second Faust* (*). Interprétant les moindres indices, mettant en lumière les structures cachées de ces chefs-d'œuvre, Citati invite son lecteur à se fondre dans le massif goethéen comme s'il assistait à sa naissance. La faculté d'empathie, d'intense écoute du critique est souveraine : en Goethe, chez qui alternent classicisme et expérimentation, pétrification et métamorphoses, il a trouvé un double idéal. Ce livre inclassable semble tout entier composé à partir d'une lettre de Schiller à Goethe le 2 juillet 1796 : « ... devant les choses suprêmes, il n'est d'autre liberté que l'amour. » — Trad. L'Arpenteur, 1992.

B. S.

GOETZ DE BERLICHINGEN [*Goetz von Berlichingen*]. Drame en prose en cinq actes de l'écrivain allemand Johann Wolfgang Goethe (1749-1832), publié en 1773. Le personnage de Goetz de Berlichingen, le chevalier à la main de fer, qui fut, dans la réalité historique, un des nombreux nobles mi-aventuriers, mi-brigands du XVIe siècle, devient ici une figure hautement poétique et chevaleresque. Goetz vit dans son château fort, toujours prêt à se battre, armé de pied en cap, ne connaissant pas de repos. Weislingen, personnage influent à la cour de l'évêque de Bamberg, est fait prisonnier par Goetz, qui le traite fort généreusement et se montre même disposé à le fiancer à sa sœur Marie, dont le cœur sensible de Weislingen s'est épris. Ce dernier demande et obtient la permission de retourner à la Cour, pour y régler certaines affaires et y faire ses adieux. Mais là, Weislingen, repris par les séductions du milieu et en particulier une courtisane rusée, la belle Adélaïde, trahit Goetz et Marie, allant jusqu'à conseiller à l'empereur d'en finir avec la bande de petits chevaliers turbulents. Goetz est mis au ban. Vaincu par des forces supérieures en nombre, il jure de ne plus troubler la paix de l'empire ; mais des paysans révoltés et en quête d'un chef le contraignent à prendre la tête de leur mouvement. Goetz accepte dans l'espoir de rendre plus pure une cause fondée sur tant de justes revendications. Toutefois, indigné par les crimes et la barbare cruauté dont les insurgés continuent à se rendre coupables, il voudrait se retirer ; mais c'est en vain qu'il cherche à se séparer d'eux, et bientôt, entraîné dans leur défaite, il tombe aux mains de ses adversaires et meurt en prison, entouré de sa femme et de ses derniers fidèles invoquant le jugement de l'histoire.

Goethe rapporte dans son autobiographie *Poésie et Vérité* (*) qu'en lisant les anciens *Mémoires* de Goetz (publiés en 1731), il éprouva le désir d'en faire un drame, sans rien y ajouter de plus : il rédigea en effet dans ce sens, entre 1771 et 1772, un premier manuscrit que l'on conserve encore : *Histoire de Goetz de Berlichingen* [*Geschichte Gottfriedens von Berlichingen*]. En revanche, dans la version définitive, remaniée sous l'influence directe de Herder, la fidélité historique n'est conservée que dans les grandes lignes ; dans le détail, l'imagination du poète se donne libre cours, et la peinture des caractères ainsi que le cadre entier de l'époque sont poétiquement rapprochés dans le temps. La cour de l'évêque de Bamberg, bien qu'italianisante et humaniste, offre plutôt l'image d'une des nombreuses cours allemandes du XVIIIe siècle. Cette ambiance a joué d'ailleurs un rôle important dans la littérature allemande de l'époque ; Goethe avait pu la trouver dans l'*Émilia Galotti* (*) de Lessing ; un peu plus tard, elle se manifestera encore dans *Intrigue et Amour* (*) de Schiller, se reflétant aussi chez Jean-Paul Richter ou chez Hoffmann. L'antithèse, qui constitue l'ossature du drame, réside dans le contraste entre cette cour du XVIIIe siècle, raffinée, débordante de calculs et de ruses, et la personnalité de Goetz et de son milieu, avec toute la simplicité, la rudesse, la franchise et l'honnêteté de la vieille Allemagne. C'est pourquoi la pièce fut aussitôt considérée en Allemagne comme un drame national. Et on comprend d'autre part que Frédéric le Grand ait pu au contraire traiter avec mépris ce genre de théâtre : même du point de vue de la forme, on ne peut rien imaginer de plus volontairement opposé à toutes les règles du classicisme français. Shakespeare est pris pour modèle, mais avec une liberté absolue. Le menu peuple n'y est pas comique, comme chez Shakespeare, et Goetz n'est nullement une de ces figures d'orgueilleuse noblesse que l'auteur anglais aimait à recréer, mais un grand homme populaire. En outre, les bonds à travers l'espace et le temps et les changements de lieu dans la succession des scènes n'ont pas lieu chez Shakespeare avec une aussi intense et fébrile rapidité : ses tragédies historiques ne donnent jamais l'impression d'une mouvante mosaïque. Goethe a fait le tableau d'une Allemagne divisée, formée de mille petits États, de classes superposées, ne trouvant leur unité que dans la grandiose, mais faible, figure de l'empereur. Et il a su atteindre admirablement son but : restituer l'Allemagne chaotique de ce temps. Du reste, la valeur de la pièce est moins dans la peinture des passions que dans la représentation d'une vie intense, riche et désordonnée. Goetz de Berlichingen est bien un drame typique du « Sturm und Drang ». — Trad. Gallimard, 1942 ; 1951.

GOG. Roman de l'écrivain italien Giovanni Papini (1881-1956), publié en 1931. Gog, le personnage central du livre, est un monstre, et par là « il reflète, en les exagérant, certaines tendances modernes ». Instructif et révélateur, son discours passe du paradoxe à la vulgarité, de l'exagération à la méditation. « Mais, dans ce demi-sauvage cynique, sadique, maniaque, hyperbolique, écrit l'auteur, j'ai vu une sorte de symbole de la civilisation cosmopolite, fausse et bestiale — selon moi — et je l'exhibe à mes lecteurs d'aujourd'hui, dans la même intention qui animait les Spartiates montrant à leur fils un ilote abominablement ivre. » Ce livre est censé avoir été composé par l'auteur avec les pages que Gog, rencontré dans un asile, lui aurait remises, mais le ton de l'essayiste l'emporte sur celui du romancier : les personnages demeurent statiques, l'action, tout à fait secondaire, n'est qu'un prétexte à des considérations sur les hommes. Avec ce livre, Papini revient en fait à son thème préféré : la critique de son siècle et de toutes les formes de la décadence. L'auteur critique aussi bien les artistes — des poètes à Picasso —, les hommes politiques, les foules, que les vedettes, les nouvelles idoles et toutes les creuses divinités d'un jour. *Gog* est ainsi un réquisitoire, une satire impitoyable, comme les chapitres « Le Miracle à domicile », « Le Cannibale repenti », « Le Trust des fantômes », « L'Égolâtrie », « L'Assurance contre la peur ». Dans « L'Industrie de la poésie », Gog, milliardaire ennuyé, décide d'industrialiser la production poétique. Pas de capitaux, une petite typographie, deux dactylos et deux ouvriers ; en plus cinq poètes, de différentes provenances, engagés pour « pondre » et diriger l'exploitation. Le poète français, un ex-dadaïste, propose et lit à Gog une poésie polyglotte de sa composition : « Gesang of perduto amour ». Le deuxième, un Allemand, prétend que la poésie doit tendre à la concentration et se servir de paroles magiques. Il présente le résultat de trente années de travail : son poème, initialement de cinquante mille six cents vers, a été réduit à un seul mot : « Entbindung » qui possède une infinité de sens, résumant la destinée humaine. Le troisième, un Uruguayen, écrit ses poèmes en fabriquant des vers avec des mots n'ayant aucun rapport logique entre eux. Le quatrième, un émigré russe, arrive avec son recueil et prétend que la poésie naît d'une collaboration entre l'auteur, qui suggère, et le lecteur, qui intègre. Aussi se borne-t-il à écrire des titres de poèmes, dont le premier est « Sieste du rossignol abandonné ». Après quoi, Gog refuse de voir le cinquième poète et abandonne son idée. Il ne faut d'ailleurs pas croire que la satire soit purement négative ; voici ce que Papini pense de la poésie et de ses rapports avec notre temps : « On ne fait pas de poésie sans une foi solide. Et l'homme, désormais, ne croit qu'en lui-même — mesure et loi de toutes les choses... L'homme, après avoir fui Dieu, se fuit lui-même ; il s'enfuit désespéré, se servant des machines qui lui donnent l'illusion d'annuler le temps et l'espace ; il s'enfuit dans l'abîme de la pensée pure qui lui donne l'illusion d'annuler le monde pratique et vivable ; il s'enfuit dans les hallucinations qu'il provoque ; celles-ci lui cachent pour quelques instants sa sordide indigence. Et le fuyard sait hurler, mais il ne chante pas. »

L'ouvrage *Le Livre noir* [*Il libro nero,* 1951] est la suite de *Gog,* mais cette série de brèves et souvent brillantes esquisses offre moins de mordant même si elle a plus d'humour. M. Gog, milliardaire, a continué de voyager à travers le monde, après comme avant la dernière guerre. Il a interviewé des hommes aussi divers que Molotov, García Lorca, Dalí, Valéry, Hitler, Huxley. Gog est-il fatigué de voyager ? Il ouvre sa collection d'autographes et nous livre de divertissants pastiches d'auteurs qui vont de Cervantès à Kafka, en passant par Stendhal, Browning, Leopardi, W. Blake. Il s'ensuit une série de tableaux satiriques, où Papini ne se contente pas de se moquer de son temps, mais s'interroge sur le rôle de la culture et de la pensée. C'est ainsi que dans « Conversation avec Paul Valéry » Papini fait dire au poète : « Tout homme qui sort du commun découvre que la plus haute opération possible est celle de la pensée désintéressée [...] Mais la pensée pure est un microscope qui brûle et consume ce qu'il devrait nous faire voir. À force d'analyses, d'approfondissements, de critique et de décomposition, la pensée la plus indépendante et la plus courageuse se ronge, se mine elle-même, s'aperçoit de sa propre fragilité et inutilité, dissout et détruit l'objet qu'elle se propose. Toute pensée qui ne connaît pas la peur finit toujours par se suicider. La seule activité qui vaille la peine d'être cultivée conduit donc au désespoir et au néant. » — Trad. *Gog,* Flammarion, 1932 ; *Le Livre noir,* Flammarion, 1953.

GOG ET MAGOG [*Gog und Magog*]. Roman de l'écrivain et philosophe israélien d'origine autrichienne Martin Buber (1878-1965), publié en 1943 à Jérusalem. C'est l'histoire d'un drame spirituel du mysticisme polonais provoqué par le retentissement des guerres napoléoniennes. À Lublin vivait, dans les toutes premières années du XIXe siècle, un célèbre rabbi, Yaakov Yitzhak, que l'on appelait le « voyant » ; son disciple préféré, tout en se réclamant de lui, finit par fonder à son tour une nouvelle école hassidique en réaction contre les Tzadiks du temps (c'est-à-dire les chefs spirituels hassidiques) et contre le « voyant » lui-même, qui accordait trop d'importance à la magie pour libérer le monde de l'empire du mal. Dans *Gog et Magog*, c'est Napoléon qui apparaît au « voyant » comme une réincarnation de Gog, le tyran légendaire de l'empire de Magog ; le rabbi voit donc en lui une préfiguration des maux qui doivent, dans la perspective messianique, précéder la venue du sauveur et il va jusqu'à nourrir l'ambition de l'envoûter. Mais son disciple a la profonde conviction que, seule, la conversion des hommes au Bien peut préparer la venue du Royaume de Dieu. Le disciple qui a pour surnom le « Juif » nourrit pour son maître une admiration telle qu'il sera conduit à mettre au compte des effets de l'enseignement du « voyant » sa propre découverte spirituelle. Le rayonnement du « Juif » devient alors si grand qu'il incite une communauté hassidique voisine à le choisir comme guide mystique. Mais l'antagonisme ne tarde pas à éclater entre la communauté de Lublin, qui défend le « voyant », et celle de la petite ville qui suit avec ferveur la voie du « Juif ». Mais ces débordements de haine de la part de leurs adeptes restent sans effets sur les rapports élevés que continuent à entretenir le « voyant » et son disciple ; et jusqu'au bout le « Juif » proclamera : « Nulle puissance terrestre ne saurait me séparer de lui ; la mort seule serait en pouvoir de le faire. » Telle est grossièrement schématisée la trame du récit ; mais l'intrigue chez Buber n'a jamais qu'une valeur de second plan, car tout l'art de l'auteur réside plus dans l'univers spirituel qu'il suggère que dans les apparences qu'il décrit. Par sa manière d'intégrer dans le corps de la narration des dialogues, des réflexions, des commentaires, Buber parvient à camper un tableau très suggestif du hassidisme polonais avec sa galerie de portraits des plus grandes figures du judaïsme du temps, comme le Maguid de Koznitz, ou rabbi David de Lélow. Buber fait preuve dans *Gog et Magog* d'une compréhension interne de l'essence du hassidisme. Buber s'est efforcé d'éviter d'écrire un roman historique et, comme il l'a dit lui-même, il s'agit d'une chronique dont les détails « ont été relatés, repris et amplifiés au cours des générations qui ont succédé à l'époque du "voyant", pour se charger ainsi, au passage d'une intense puissance de vie ». — Trad. Gallimard, 1958.

GOLEM (Le) [*Der Goïlem*]. Poème dramatique de l'écrivain yiddish H. Leivik (1888-1962), publié en 1921, au lendemain de la Grande Guerre et de la Révolution russe. Les diverses versions de la légende dont s'inspire le poète et la polysémie de sa propre écriture symbolique ont nourri de multiples interprétations. Le terme « golem » désigne un être humain produit par le recours à des pratiques magiques. La tradition cabbalistique s'appuie sur l'exégèse du *Livre de la Genèse* (*), sur l'idée de la force créatrice du verbe et des combinaisons de la valeur numérique des lettres hébraïques. Tout un corps de légendes se développe autour du golem dans le monde ashkénaze à partir du XIIe siècle. Selon Scholem, elles se structurent à partir de trois types d'éléments : l'idée de la résurrection des morts par des amulettes portant le Nom de Dieu ; les spéculations de cabbalistes et les théories ésotériques, comme celles de Paracelse ; l'image d'une créature au service exclusif d'un créateur, maître de lui insuffler ou de lui ôter la vie. Cette légende, attachée d'abord à Rabbi Elie de Chelm (1583), se fixa dans la seconde moitié du XVIIIe siècle sur la personne de Rabbi Judah Loew de Prague, dit le Maharal. C'est ce dernier avatar de la légende qui sert de trame au poème dramatique de Leivik écrit en vers libres et en prose et composé de huit tableaux. La pièce commence par « Glaise », scène de la création du Golem à des fins mystérieuses qui ne seront révélées qu'au septième tableau « dans la crypte », où il détruira les bouteilles de sang entreposées pour servir à l'accusation de meurtre rituel préparant un pogrom pour le jour de la Pâque juive. Entre ces deux moments, le Golem, devenu porteur d'eau et fendeur de bois entre les « murs » de la synagogue, découvrira l'amour et une lancinante aspiration à l'humain en lui, il fera l'expérience des « ténèbres » quand son créateur l'exile loin de lui, dans la cinquième tour où les « mendiants » et les estropiés forment le chœur d'une humanité souffrante. Il sera le seul à reconnaître parmi ces êtres en loques les « non-appelés », les deux figures du Messie chassé, et à connaître des « révélations » fulgurantes sur les autres et lui-même, avant d'accomplir, pour s'être affranchi par la violence du pouvoir de son créateur, sa « dernière mission » : accepter de retourner à la glaise. Pièce ambiguë et prémonitoire où la quête de l'humain, de l'amour, de la rédemption, du messianisme, de l'utopie sombre dans la violence et l'anéantissement. — Trad. in *H. Leivik, poète yiddish,* Gopa, 1967.

R. E.

GOLEM (Le) [*Der Golem*]. Ce roman de l'écrivain allemand Gustav Meyrink (1868-1932), paru en 1915, eut un immense succès. Il se rattache directement à la tradition d'Hoffmann et des contes fantastiques, comme la plupart des romans de l'auteur. Les Anglais sont captivés par les histoires de fantômes ; les Germaniques ne peuvent rester insensibles aux « histoires bizarres » dont le film, *Le Docteur Caligari*, a été vers 1924 une expression symbolique. Dans *Le Golem*, Meyrink évoque avec une remarquable puissance les mystères du ghetto de Prague. Le Golem est une figure d'argile qui parvient à s'animer par les artifices de la kabbale et provoque des catastrophes : on renoue ici directement avec les automates souvent maléfiques d'Hoffmann. Mais ce qui pourrait n'être qu'étrangeté gratuite, sans autre intérêt que celui d'un récit bien mené, devient symbolique et de signification profonde : l'automate d'argile personnifie les automates humains que crée la société moderne avec ses impitoyables exigences. Pas plus que le Golem, l'homme moderne ne choisit son action. Elle lui est imposée par la société. Il l'exécute comme malgré lui, avec une atroce rigueur. Ce pessimisme fondamental s'enrobe dans un mystère continu, une atmosphère de méprises tragiques, avec d'inquiétants kabbalistes juifs qui sont la réplique européenne des fakirs hindous, des occultistes arabes et égyptiens, des francs-maçons et des rose-croix. À cela s'ajoute une métaphysique assez courte, mais dramatique, qui tend à faire du divin une réalité agissante : « La bouche de tout homme devient la bouche de Dieu, si vous croyez qu'elle est la bouche de Dieu. » Cette capacité à créer une vision trouble, mais grandiose, est portée ici à son apogée. Déjà dans le roman suivant, *Le Visage vert* [*Das Grüne Gesicht*] qui n'est qu'une reprise de l'histoire du juif errant, elle sera plus verbale et verbeuse et, dans les derniers romans, ne retrouvera pas toute la puissance évocatrice du *Golem*. — Trad. Émile Paul, 1930 ; Stock, 1978.

GOLESTÂN (Le) [*Le Jardin des roses*]. Œuvre du poète persan Mosleh al-Dîn Saadi (1209 ?-1292). Poème achevé en 1258 et dédié à l'atabeg de Chiraz, Abou Bakr, ainsi qu'à son fils Saad et au vizir de l'Atabeg, Abou Bakr b. Alli Nasr, le *Golestân* est, plus encore que le *Boustân* (*), un ouvrage de moraliste. Dans sa Préface, Saadi nous apprend qu'il a voulu composer « un livre qui contienne les préceptes les plus utiles » pour la conduite de la vie, tout en y répandant « les fleurs d'une érudition agréable ». Cette œuvre comporte huit livres ; chacun des sept premiers est constitué par un récit plus ou moins long, dont voici les titres : 1) « Des rois » ; 2) « Des mœurs des derviches » ; 3) « De la tempérance » ; 4) « Des avantages du silence » ; 5) « De l'amour et de la jeunesse » ; 6) « De la vieillesse » ; 7) « De l'éducation ». Le VIIIe livre comporte quatre-vingt-deux « Maximes », d'une haute portée morale, pleines de cette psychologie intuitive qui fait le charme de Saadi et confère une valeur même aux sujets dépourvus d'originalité. « Apprendre aux autres les vérités et les devoirs de la morale sans les pratiquer, c'est amasser de grandes provisions, mais seulement pour y mettre le feu » (III), nous dit Saadi ; et encore : « Un savant sans bonnes œuvres est une abeille sans miel » (LVII). On comprend que les « mollah » et les « qadi » n'apprécièrent guère ces maximes et causèrent maintes difficultés au « prince des poètes ». Les riches et les puissants n'étaient pas non plus oubliés dans les maximes de Saadi : « Quiconque n'a pas pitié des petits mérite d'éprouver la tyrannie des grands » (maxime LXXVII). Dans cet art délicat et plein d'une philosophie paisible, on voit se refléter l'âme pieuse, spirituelle et baignée d'une morale élevée, de la Perse de son époque ; c'est cela, plus encore que sa valeur poétique, qui a valu à ce livre sa renommée exceptionnelle. En effet, *Le Golestân* fut la première œuvre persane connue en France et même en Europe, grâce à une traduction d'André de Ryer, parue à Paris en 1634 (chez Ant. de Sommaville) sous le titre : *Golestân ou l'Empire des roses.* — C. Défrénézy traduisit *Le Golestân* en 1858 (Paris). La traduction française la plus récente est celle parue « À l'enseigne du Pot Cassé », en 1930.

GOLFE DU SANG (Le) [*Golful sângelui*]. Recueil, publié en 1936, du poète roumain Radu Boureanu (né en 1906). L'auteur reprend ici certains poèmes de son recueil de début *Vol blanc* [*Sbor alb*], publié en 1932, en laissant toutefois de côté, entre autres, la légende lyrique inspirée de la tradition populaire qui fit d'un pêcheur un prince ayant régné en Moldavie au XVIe siècle, qui y figure. Par contre, il reprend son poème « Anna-Maria de Valdelièvre », en y ajoutant plusieurs compléments : son point de départ est l'inscription découverte dans un cimetière de village sur la pierre tombale de cette Française qui épousa un gouverneur de Transylvanie ; cette inscription fait naître dans l'âme du poète une passion coupable, secrètement avouée. Dans d'autres poèmes, Radu Boureanu, qui est également peintre, exprime son penchant pour les formes plastiques et pour les paysages d'un impressionnisme calme ou d'un expressionnisme violent. Maîtrisant toutefois sa palette de couleurs, il leur donne tantôt du relief, tantôt le velouté des pastels. Ce sont les mêmes recherches plastiques du lyrisme qui le guident dans certains poèmes de son dernier recueil, *Le Cœur dessiné* [*Inima desenată*], publié en 1964, où, dans le poème ayant donné le titre du volume, le poète est un de ces arbres sur lesquels un cœur dessiné naguère au canif « commence à battre sous l'écorce », à l'approche de la femme longuement attendue.

GOLO. Roman de l'écrivain français Pol Neveux (1865-1939), publié en 1898. Golo est un ouvrier, un simple, un cœur pur qui aime Cendrine, brave paysanne, solide et réaliste. Cendrine aime aussi Golo et s'est promise à lui. Mais Golo part au régiment : le temps de service était très long à cette époque. Golo est envoyé au Tonkin, où il se bat et tombe malade. Aux premiers jours de son service, il a écrit à Cendrine. Mais, bien qu'il lui reste toujours fidèle, sa correspondance devient de plus en plus irrégulière. Aussi, lorsqu'il est libéré et rentre au pays, il n'est pas trop surpris de voir Cendrine, qui se croyait oubliée, mariée avec un autre. Golo étant un homme simple, ses réactions sont lentes. Sans le savoir, il vient d'être touché jusqu'au fond de son âme, et chaque jour son mal empire. Pour finir, il ira se noyer. Ce roman est appelé « roman de campagne ». Mais l'élément rustique est, ici, bien moins important que l'opposition entre les âmes, également pures, de Golo et de Cendrine. Sous son aspect assez fruste, Golo est sensible à l'extrême : sa passion n'est pas compliquée, mais il en est possédé, il en souffre jusqu'à la mort. L'atmosphère qui l'entoure est triste : ce n'est point Cendrine qui est cause de son mal, mais la vie, qui lui refuse les joies les plus naturelles. Le personnage de Cendrine est également sympathique : elle n'a pas trompé la foi de Golo. Si elle en épouse un autre, c'est qu'elle se croit oubliée. Lorsque Golo revient, le bon sens en elle triomphe. Elle sera fidèle à sa nouvelle promesse.

GOLOVLEV (Les) [*Gospoda Golovlëvy*]. Roman de l'écrivain russe Mikhaïl Saltykov-Chtchédrine (1826-1889). Cette œuvre, publiée entre 1873 et 1874, est, sans aucun doute, l'une des plus sombres peintures de mœurs de la littérature mondiale ; elle atteint par moments une grandeur shakespearienne dans le domaine de l'horreur. La servitude de la glèbe sert de thème général à ce roman, elle est considérée sous l'angle des conséquences des réformes de 1861 (abolition du servage par le tsar Alexandre II). L'auteur se place au point de vue de la noblesse terrienne, pour laquelle ces réformes présentaient des inconvénients majeurs, allant, pour certains, jusqu'à la ruine. Le roman nous fait pénétrer dans l'intimité d'une famille de vieille noblesse qui, justement, par suite de l'abolition du servage qui la prive d'une main-d'œuvre gratuite, court vers la ruine. Les trois traits de caractère que les Golovlev se transmettent de génération en génération sont : l'oisiveté, l'incapacité notoire à tout travail et l'alcoolisme. Ici nous sommes loin de l'oisiveté idyllique d'un *Oblomov* (*) décrite par Gontcharov. Chez Porphyre, dernier rameau de la famille Golovlev, que ses frères eux-mêmes appellent « Ioudouschka », [petit Judas], ces traits caractéristiques atteignent les extrêmes limites du possible. De ses deux frères, l'un s'adonne à l'alcoolisme et en meurt ; l'autre sombre petit à petit dans la folie. La préoccupation principale de « petit Judas » est la mainmise totale sur le patrimoine familial. Il a deux fils, dont l'un a été déshérité par lui, après avoir fait un mariage d'amour, et s'est suicidé par la suite. Le deuxième, ayant perdu de grosses sommes au jeu, demanda à son père, mais en vain, de venir à son aide. Celui-ci ayant refusé tout appui, il a subi la dégradation et est mort au bagne. Ioudouschka a une maîtresse qui, bientôt, régente toute la maison ; ils ont un fils que son père a abandonné aux « enfants trouvés ». La famille Golovlev comporte deux autres personnages : deux nièces qui, n'arrivant pas à manger à leur faim, quittent la maison et se font actrices dans quelque trou de province. N'ayant pas réussi, l'une d'elles s'empoisonne et l'autre se réfugie chez son oncle, lequel lui propose bientôt de devenir sa maîtresse. Elle refuse et s'enfuit, mais, ne sachant plus où aller, elle tourne bride et accepte de devenir la compagne des orgies de son oncle. À cet endroit, le récit atteint son point culminant : la nièce parvient à faire naître chez son oncle d'abord le remords, puis un désir d'expiation tel qu'il finit par se suicider sur la tombe de sa mère. Ce dénouement tend, évidemment, à démontrer que, même chez un monstre, sommeille – suivant l'expression de l'auteur – une conscience « mise sous le boisseau et oubliée », reléguant jusqu'à un moment déterminé cette sensibilité agissante qui rappelle inévitablement à l'homme que la conscience existe. – Trad. Gallimard, 1949.

GONDOLAT [*Pensée*]. Revue littéraire et politique hongroise, parue en 1936-37. Née à la suite de l'union des forces démocratiques contre le fascisme, elle était sous l'influence du parti communiste clandestin. Son rédacteur en chef, le critique littéraire György Vértes, admettait dans la revue toute manifestation littéraire d'inspiration démocratique, aussi tous les écrivains hongrois de gauche de l'époque y ont-ils publié des articles. *Gondolat* s'intéressait particulièrement aux courants littéraires de la gauche européenne et surtout française, elle publia notamment le débat sur le « nouveau réalisme ». Les articles et essais étaient essentiellement dirigés contre le fascisme ; les études d'esthétique s'inspiraient des théories de Georges Lukács sur le réalisme. Au début de 1938, à cause de la montée triomphante du fascisme, la revue cessa de paraître.

GORBODUC ou Ferrex et Porrex [*Gorboduc or Ferrex and Porrex*]. Cette première tragédie régulière du théâtre anglais est le fruit de la collaboration des dramaturges Thomas Sackville (1536-1608) et Thomas Norton (1532-1584). Représentée pour la première fois en 1562, elle donnait le premier exemple de l'usage du vers blanc, que les dramaturges anglais considéreront désormais comme le mieux adapté à leurs besoins. Inspiré des anciennes annales de l'histoire bretonne, le sujet de *Gorboduc* n'est pas sans faire penser au *Roi Lear* (*) de Shakespeare. Le roi des Bretons, Gorboduc, décide de laisser le pouvoir à ses fils, Ferrex et Porrex, qui devront se remplacer chaque année sur le trône. Les deux frères se querellent et le cadet Porrex tue son aîné, que leur mère préférait. La reine Videna se venge en tuant Porrex. Le peuple n'est pas insensible à cette tragédie de famille. Il se révolte et tue Gorboduc et la reine. Les nobles prennent alors les armes, exterminent les rebelles et finissent par se battre entre eux. Sans légitime successeur au trône, le pays est en proie à la plus sombre anarchie et le rideau tombe sur le trouble et le sang. On a prétendu que la tragédie voulait mettre en garde la reine Élisabeth contre le péril qui menacerait l'Angleterre, si elle ne se décidait pas à se marier et à donner un héritier légitime à la couronne. Ce but moralisateur finit par nuire à l'effet tragique que les poètes recherchaient. Selon les préceptes de Sénèque, le spectateur n'assiste pas aux diverses scènes, mais le récit lui en est fait par des messagers de retour du champ de bataille ou par le chœur qui termine chacun des quatre actes. Cette première tragédie anglaise a donc subi fortement l'influence des Anciens. – Trad. Éd. de Cluny, 1944.

GORGIAS [Γοργίας]. Dialogue du philosophe grec Platon (428 ?-347 ? av. J.-C.). Il appartient au groupe des dialogues de jeunesse, et la physionomie de Socrate y prédomine encore, nimbée de l'auréole d'un martyr de la justice. En général, on ajoute à ce dialogue un sous-titre : *Sur la rhétorique* ; mais la réfutation de la rhétorique amène l'auteur à formuler les grands principes de son éthique, et c'est cet exposé qui forme le centre même de l'œuvre. Participent à la discussion : Gorgias, assisté de ses disciples Pôlos et Calliclès, et Socrate, soutenu par Chéréphon qui, à vrai dire, ne joue qu'un rôle de simple auditeur. Interrogé par Socrate, Gorgias définit la rhétorique comme étant l'art de persuader dans le domaine du juste et de l'injuste, autant sur le plan judiciaire que politique. Ce à quoi Socrate lui objecte que, si le rhéteur ne se contente pas des simples apparences et veut éviter à tout prix de défendre des causes injustes, il se doit de pénétrer l'essence du bien et du juste. Gorgias, ayant admis aisément que le rhéteur doit se servir de son art selon la justice, entend d'autre part soutenir que, s'il y a des rhéteurs qui tendent à se servir de la rhétorique pour faire triompher l'injustice, cela ne peut constituer une accusation valable contre cet art. Socrate relève, dans cette assertion du grand sophiste, une contradiction fondamentale : à savoir que, pour mettre hors de cause la rhétorique, il ne suffit pas de faire endosser la responsabilité de toutes les injustices dont elle est la cause aux individus qui l'exercent. En effet, la rhétorique n'a-t-elle pas précisément pour but d'enseigner aux rhéteurs un semblant de sagesse, grâce auquel, en dépit de leur incompétence, ils parviendront à triompher aux yeux du peuple des personnes compétentes. C'est alors que Polôs intervient dans la discussion : défendant la position de Gorgias, il élargit le problème en faisant observer que les rhéteurs, grâce à l'art de persuader, arrivent à la puissance tout comme les tyrans et que, par conséquent, les rhéteurs et les tyrans, ayant réuni la puissance dans leurs mains, n'ont plus à se préoccuper des critères du juste et de l'injuste : c'est ainsi qu'Archélaos, le nouveau roi de Macédoine, est heureux bien qu'injuste. Pôlos pose ainsi le problème des rapports entre le bien et le bonheur. En réponse, Socrate établit que l'injuste est le mal de l'âme et que celui qui commet des injustices est plus malheureux, surtout quand il n'est pas puni, que celui qui les subit ; donc, si le pouvoir fondé sur l'injustice est source de malheur, il ne représente pas un véritable bien pour celui qui le possède. Il en résulte, quant à la rhétorique, qu'elle devrait se mettre exclusivement au service du bien et dénoncer les injustices. C'est maintenant Calliclès qui prend la parole : après avoir établi une nette distinction entre les lois de la nature et les conventions humaines, il déclare que c'est une turpitude que de devoir subir les offenses : par nature, le plus fort a le droit de satisfaire ses passions, tandis que le faible est destiné à succomber ; donc, la sagesse de Socrate, en voulant niveler le fort et le faible, corrompt le premier. Ce raisonnement implique que le bien du plus fort est son propre plaisir, et c'est sur ce point que Socrate riposte à Calliclès, en montrant que le plaisir n'est pas toujours un bien. Calliclès est forcé de reconnaître que certains plaisirs conduisent au bien, tandis que d'autres provoquent le mal ; Socrate en conclut qu'il faut abandonner l'identification du bien et du plaisir, et que le plaisir doit être considéré non point comme un but en soi, mais comme un moyen pour parvenir au bien. Comme Calliclès se refuse à continuer la discussion, Socrate, en guise de conclusion, présente son idéal : l'âme vertueuse, pour connaître le bonheur, doit être ordonnée, c'est-à-dire dominer ses passions ; elle doit subir le châtiment si elle manque à son devoir ; le mal n'est pas de mourir, mais d'être injuste. Et il termine par le rappel du mythe de l'Hadès, où les âmes sont jugées par Minos, Éaque et Rhadamante : celles des justes vont à l'île des Bienheureux, celles des réprouvés, au Tartare pour y subir des peines plus ou moins dures. Quant à lui, Socrate, il veut être parmi les premiers à vivre et à mourir dans la justice. Il oppose ici aux théories immorales la sévère morale du juste qui a le regard tourné vers son but supraterrestre. Dans ce dialogue, il énonce déjà la pensée qui animera le *Phédon* (*), à savoir que le sage doit être comme mort à la vie, parce que pour lui la vie véritable commence au-delà de la mort. La ferveur de Socrate, empreinte d'inspiration religieuse, désarme ses adversaires, trop terre à terre pour pouvoir le suivre sur la voie difficile d'une foi qui conduit au sacrifice. — Trad. Les Belles Lettres, 1923 ; Gallimard, 1943 ; Garnier-Flammarion, 1987.

GORMOND ET ISEMBART. Chanson de geste française, composée de laisses octosyllabiques assonancées. De cette œuvre qui date du début du XIIe siècle, il ne nous est parvenu qu'un fragment. Le poème entier devait raconter la geste d'Isembart, neveu de Louis, roi de France. Outragé par ce dernier que les courtisans dressent contre lui, Isembart lui tient tête ; cependant il sera vaincu et contraint de s'exiler. S'étant réfugié chez Gormond, le roi sarrasin, il abjure sa propre foi, pour devenir désormais Isembart le renégat. Avec l'aide de Gormond, il continue la guerre contre Louis, mais vaincu, il meurt aux côtés du Sarrasin, alors que ce dernier succombe sous les coups du roi Louis. Tout au long du récit, Isembart est considéré avec sympathie et compassion : le poète tente visiblement de l'innocenter de son crime et de démontrer que les païens l'ont circonvenu et poussé à l'apostasie. Le fragment qui nous reste évoque la bataille finale, avec une force et une émotion qui laissent présumer que tout le récit devait se dérouler sur un plan éminemment épique. Gormond est un preux, et le roi de France, son digne adversaire, honore le courage du valeureux ennemi vaincu. Isembart lutte désespérément n'écoutant que son amour propre offensé ; il envahit la France et la dévaste, mais au fond du cœur il désire être vaincu. Détesté par les Français qui voient en lui un renégat, honni par les païens qui lui reprochent de les avoir conduits au désastre et l'accusent de trahison, il meurt sur le sol de sa patrie, entouré seulement par la pitié du poète, en invoquant dans son repentir le pardon de la Vierge. On a pu reconstituer la chanson de *Gormond et Isembart* à travers divers documents : le résumé que Philippe Mousket en a fait, au XIIIe siècle, dans sa *Chronique* rimée, ainsi qu'une rédaction en vers du XIVe siècle, perdue, mais que nous connaissons grâce à Marguerite de Joinville qui l'a insérée en 1415 dans son roman de *Lohier et Mallard,* dont nous ne possédons d'ailleurs qu'une traduction en prose allemande, intitulée *Lother und Maller,* du XVe siècle. Philippe Mousket ajoute aussi que Margot, fille de Gormond et épouse d'Isembart, se convertit au christianisme après la mort de ce dernier et entra dans un couvent. L'action de cette chanson de geste repose sur un fait historique : l'invasion normande de 800-881. Le poète a recueilli la tradition conservée dans le monastère de Saint-Riquier, près d'Amiens, où aujourd'hui encore on montre un tumulus qui serait la tombe d'Isembart. — *Gormond et Isembart* a été édité par A. Bayot (3e éd., Paris, Champion, 1931).

GOUFFRE (Le) [*Bezdna*]. Récit de l'écrivain russe Léonid Nikolaïevitch Andréev (1871-1919), publié en 1902. Dans cette œuvre, l'auteur a voulu montrer la vitalité terrible des instincts qui dorment au fond des âmes les plus pures. Un étudiant, Némétovsky, se promène un soir avec une jeune fille dans les faubourgs de la ville ; romantique, il s'entretient avec elle de la beauté et de l'immortalité de l'amour. Il fait nuit et, s'étant égarés, ils rencontrent trois vagabonds. Bien qu'étant sous l'empire de la boisson, ceux-ci ont encore la force de s'attaquer à l'étudiant ; ils l'assomment et le jettent dans un fossé, puis abusent de sa compagne. Peu après, Némétovsky revient à lui. Il trouve, dans les buissons, le corps nu et froid mais encore vivant, de son amie. Il la prend dans ses bras et la caresse, voulant la ranimer. Puis, soudain, « une sombre terreur étreignit son âme. Comme une torche elle éclaira un abîme horrible ouvert à ses pieds [...] et il se perdit dans son désir de folie ». Une grande partie de la critique s'insurgea contre l'immoralité du sujet, en accusant l'auteur d'une complaisance excessive dans sa description des scènes violentes. Toutefois, dans l'œuvre de l'écrivain, ce récit compte certainement parmi les meilleurs tant au point de vue de la forme qu'à celui de la netteté du dessin. — Trad. Perrin, 1904.

GOUPILLON (Le) [*O Hyssope*]. Ce poème héroï-comique en huit chants du poète portugais António Dinis da Cruz e Silva (1731-1799) a été publié après sa mort, en 1802 à Paris, mais daté de Londres, puis connut une réédition, de meilleure qualité, toujours à Paris, en 1817. Le « Genio tutelar das bagatellas » réunit sa cour composée de Flatterie, d'Excellence, de Seigneurie, du Don et de mille autres dignités. Il décide que de nouveaux honneurs seront rendus à l'évêque d'Elvas qui, dorénavant, sera reçu au seuil de la cathédrale par le doyen du chapitre avec les honneurs du goupillon. Seigneurie, qui est spécialement bien vue chez le doyen, fait observer qu'il y a d'autres façons d'honorer l'évêque, sans humilier le doyen ; sur ce, Excellence, outrée, s'indigne de ce qu'on veuille mettre à égalité un évêque et un doyen. L'« esprit des bagatelles » rappelle les querelleurs à l'ordre et impose sa volonté : par son ordre, Flatterie vole chez le doyen et lui inspire la vénération envers l'évêque. Celui-ci, chaque fois qu'il se rend à la cathédrale pour y remplir ses fonctions, trouve sur le seuil le doyen qui lui présente le goupillon. Alors Seigneurie réclame vengeance de cet affront : Discorde, à son tour, apparaît en songe au doyen et le pousse à la révolte contre l'évêque. Comme celui-ci s'acheminant vers la cathédrale, ne reçoit pas l'hommage habituel, il s'enflamme et, ayant invité tout le chapitre à dîner, obtient qu'on foudroie le doyen d'une sentence. Cette sentence a pour effet d'obliger le doyen à rendre les honneurs à l'évêque. Mais le doyen, aidé de Seigneurie, fait immédiatement appel. C'est une guerre à mort entre les deux hommes ; Excellence, Seigneurie, Discorde soufflent sur le feu, cependant que docteurs, théologiens et clercs prennent parti pour l'un ou pour l'autre. Alors l'« esprit des bagatelles » pèse les raisons du doyen et celles de l'évêque ; finalement ce sont ces dernières qui l'emportent. La servante du doyen, voyant qu'il ne mange plus ni ne boit, l'amène à recourir au savant Abracadabra, fameux enchanteur qui lui prédit une vengeance prochaine : en effet, dans le doyenné bientôt lui succédera un neveu qui, lui aussi, refusera de rendre l'hommage du goupillon ; renonçant à l'arbitrage des magistrats, il aura recours à la royauté et obtiendra que l'évêque désavoue son décret. C'est évidemment une imitation du *Lutrin* (*) de Boileau, dont l'auteur se réclame d'ailleurs dans son introduction. Mais Dinis a su se servir avec une telle liberté des situations de son modèle qu'en plus d'un passage, sa satire est chargée d'un sarcasme vraiment voltairien et atteint à une veine comique qui place le poème parmi les plus heureuses compositions de ce genre.

GOÛT DES ORTIES (Le) [*Tade kuu mushi*]. Roman de l'écrivain japonais Tanizaki Jun-ichirô (1886-1965), publié en 1928. Si l'auteur a choisi pour thème de ce roman, en partie autobiographique, celui du divorce, cet événement si banal prend une résonance inattendue dans l'atmosphère de ce Japon des années 20, qui cherchait un équilibre entre les traditions si fortes encore et les bouleversements entraînés par l'industrialisation forcée et la vague moderniste et pro-occidentale. Kaname et Misako ont tous deux reçu l'éducation d'une époque de transition et flottent ainsi entre deux mondes, rejetant la culture de l'un, n'ayant acquis que le vernis superficiel de l'autre. Leur histoire est celle d'un couple désuni par l'indifférence que Kaname manifeste à sa femme depuis dix ans de vie commune. La liaison de celle-ci avec un autre homme, Aso, impose une séparation à l'amiable, mais ils remettent sans cesse celle-ci, incapables de choisir entre le chagrin d'un moment et la douleur d'une vie entière. Ils trouvent toujours un nouveau prétexte : n'osant annoncer cette nouvelle à leur unique enfant, Hiroshi, pour le chagrin qu'elle lui causerait ; craignant également d'en informer le père de Misako, épris des vieilles traditions ; ou bien pensant que la saison n'est pas propice et qu'au printemps ou en été les séparations sont moins tristes. En fait, même sans amour, même s'ils ne forment pas un vrai couple, dix années de vie commune attachent deux êtres par mille liens subtils qu'il est toujours douloureux d'arracher. Kaname en arrive à envier l'intimité entre son beau-père et la maîtresse de celui-ci, O-hisa, de trente ans plus jeune que lui, qu'il fait éduquer selon les vieilles traditions. Et c'est en leur compagnie, au cours d'une séance de marionnettes, dont le vieillard est amateur, qu'il a, ce soir-là, pour la première fois dans ce théâtre Bunraku d'Ôsaka, la révélation de la beauté et de la finesse d'un art qu'il dédaignait auparavant. Cette révélation va entraîner une évolution de sa conception du monde, alors qu'il découvre dans la poupée Koharu, l'« éternel féminin » de la tradition nipponne, une ressemblance avec O-hisa qui devient à ses yeux le symbole de la femme japonaise. Dans l'île d'Awaji, berceau du théâtre de marionnettes, Kaname accède à une connaissance intime de l'essence de l'esthétique japonaise à travers ces manifestations rustiques que sont les représentations de marionnettes de Gennojo, dont la technique est plus primitive et l'atmosphère plus dramatique et plus fantastique que celles du Bunraku. La séance donne lieu à quelques scènes pittoresques parmi les spectateurs séparés en deux villages rivaux qui en viennent aux insultes, puis aux coups, perturbant ainsi la fin du spectacle. Peu à peu Kaname s'éloigne de ce compromis entre deux cultures, qui faisait le drame de sa vie. L'ostensible vénalité de Louise, une prostituée polonaise métissée qu'il fréquente assidûment, va détruire en lui le mythe troublant de la femme occidentale. D'autre part, la situation du couple évolue malgré Kaname et Misako, car un cousin de Shanghai, Takanatsu, venu passer quelques jours chez eux, raillant leur indécision, précipite les événements en annonçant à Hiroshi le divorce de ses parents. Kaname se voit ainsi dans l'obligation d'en avertir son beau-père. Le sort en est jeté, Kaname et Misako se sépareront et suivront des routes divergentes. À travers la tristesse déchirante et universelle de la séparation d'un couple, où l'on sent une note intime et vécue, l'auteur, tout en montrant les difficultés que soulève un tel problème dans son pays, fait une profession de foi qui marquera sa carrière littéraire. Car le divorce symbolise dans ce roman le rejet de la conception occidentale du monde et le retour de l'écrivain vers sa culture ancestrale qui imprégnera si fortement ses œuvres ultérieures. — Trad. Gallimard, 1959.

GOÛTER DES GÉNÉRAUX (Le). Cette farce de l'écrivain français Boris Vian (1920-1959), écrite en 1951, représentée en allemand en 1964 et en français en 1966, n'a que la prétention de divertir en tournant en dérision les généraux et en égratignant, au passage, les politiciens et l'Église. Plutôt que de proclamer son horreur de la guerre, l'auteur choisit de la ridiculiser en la présentant comme un enfantillage. Seuls de grands dadais puérils, poltrons et vaniteux, totalement dépourvus du sens et du goût des responsabilités, peuvent se consacrer à une entreprise aussi peu sérieuse. James Audubon Wilson de la Pétardière-Frenouillou en est le type accompli, d'où la position prééminente qu'il occupe parmi ses pairs. À cinquante-cinq ans, il est encore sous la coupe de sa mère qui noue, tous les matins, sa cravate et lui interdit de boire autre chose que du sirop d'orgeat. Comme tout marmot qui se respecte, il se fait un malin plaisir de désobéir. Le président du Conseil lui ayant expliqué, en termes fort plaisants parce qu'à la fois cyniques et gamins, que le pays souffre de surproduction et qu'une guerre est par conséquent nécessaire, il demande à Mme Mère la permission d'inviter à goûter ses petits camarades et adjoints, les généraux Juillet, Lenvers de Laveste et Dupont d'Isigny. Ils mettent au point divers détails et s'assurent tout particulièrement du soutien de l'Église, représentée par un archevêque. Il ne vient à l'idée de personne qu'il faut trouver un adversaire. Audubon s'en étant enfin avisé, le président du Conseil réunit les délégués militaires des U.S.A., de l'U.R.S.S. et de Chine devant quelques bonnes bouteilles de beaujolais. Tous trois se récusent. Grand embarras. Mais l'imagination du Chinois est fertile. Il suggère aux Français de s'attaquer à l'Algérie et au Maroc, auquel cas son pays enverra un petit corps expéditionnaire. « Nous aussi », crient ensemble le Russe et l'Américain. Adjugé, donc. Deux ans plus tard, un troisième goûter réunit tout ce beau monde. La crise de surproduction étant enrayée, la paix est redevenue souhaitable. Dupont d'Isigny est chargé de remporter une victoire, puis de céder la place aux diplomates. En attendant, on essaie de se divertir en se livrant à des jeux comme le « tirelarigot » et la roulette russe, et en se demandant quel sera le vainqueur du Tour de France... replié en Suède. C'est désopilant.

GOÛTS RÉUNIS (Les). Recueil de dix *Concerts royaux* du compositeur français François Couperin (1668-1733). François Couperin est à la France ce que Bach est à l'Allemagne ; organiste virtuose, il réforma par son génie la musique de son temps, en composant une œuvre considérable dont les audaces et l'invention nous surprennent encore aujourd'hui. Le recueil des *Goûts réunis* comprend dix *Concerts royaux* (nos 5 à 15). En les publiant « sous la même reliure », François Couperin voulait marquer, comme il le dit dans sa préface, « la diversité des caractères que ces pièces doivent aux goûts français et italiens réunis chez un même auteur ». Le premier concert de cette suite (no 5) comprend un prélude en fa majeur, gracieux et désinvolte, une allemande, une sarabande plus grave en forme de valse lente, une gavotte, une musette dans le goût du carillon avec ses trilles brefs. Le deuxième concert (no 6) débute par un prélude grave et solennel, puis viennent une allemande, une sarabande dans le style noble, l'air du diable très rapide, avec des traits fulgurants, à la manière des virtuoses italiens, une sicilienne tendre et une lourée avec de courtes phrases qui se font écho. Le troisième concert (no 7) se compose d'un prélude grave et gracieux d'une « étiquette » très française, d'une allemande, d'une sarabande, d'une fugue, véritable feu d'artifice engendré par un thème d'une extrême sobriété, d'une gavotte et d'une sicilienne. Le quatrième concert (n° 8) porte en exergue : « Concert dans le goût théâtral ». Il s'inspire de l'opéra français de Lully, par sa coupe, par son style, par sa rigueur. Une ouverture précède une grande ritournelle grave et lente, un air chanté noblement, un air tendre en forme de « rondo » agrémenté de nombreux ornements, un air léger à trois temps qui pourrait être celui d'une virtuose du chant avec ses sauts d'octave, une lourée pesante, un air animé et léger, une sarabande grave et tendre, un air léger, un air tendre très lent et enfin un air des Bacchantes qui, de toute évidence, accueille les personnages de cet opéra imaginaire à l'île de Cythère. C'est là une sorte de parodie sensible et admirative de l'opéra français. Le cinquième concert (n° 9) est sous-titré : « Il rittrato dell amore ». Couperin décrit à la mode italienne, mais tout en conservant un esprit spécifiquement français, les différents visages de l'amour : le charme, l'enjouement, les grâces, le je-ne-sais-quoi, la vivacité, la noble fierté, la douceur ; et il conclut : « Et cœtera. » Le sixième concert (n° 10), beaucoup plus bref, se divise en trois parties : prélude, air tendre mais vif, la tromba. Le septième concert (n° 11) est dans la forme des deux premiers avec un prélude, deux allemandes, deux courantes, une sarabande très grave et martelée, une Gigue et un Rondo galant. Ces sept concerts sont écrits pour un instrument quelconque avec accompagnement de clavecin. Le dernier requiert le même dispositif instrumental, mais le huitième et le neuvième sont écrits pour deux violes. Le huitième concert (n° 12) comporte un prélude très « coulé », un badinage faussement pathétique, un air paisible. Le neuvième concert (n° 13) pour les deux violes à l'unisson réunit un prélude, une sarabande, un air et une chaconne. Enfin le dixième concert (n° 14) se divise en prélude, allemande, sarabande et fugue.

GOUVERNANTE (La) [*Die Gouvernante*]. C'est la dernière comédie, en un acte en vers, composée – au début de 1813 – par le tout jeune poète allemand Theodor Körner (1791-1813) ; il était alors à la veille de partir pour la guerre, où il trouva une mort glorieuse. C'est aussi, en ce genre, une de ses œuvres les meilleures, jouée avec grand succès non seulement de son temps (cette année-là Körner, à peine âgé de 21 ans, était nommé poète du théâtre de la Cour à Vienne), mais aujourd'hui encore : gracieuse farce, étincelante de brio et de comique, écrite avec intelligence. Deux jeunes filles nobles de 18 ans, Françoise et Louise, sont élevées, dans un château, par une vieille institutrice, dont la sévérité prête à rire. Armées d'une lunette d'approche, elles épient, de la fenêtre, l'arrivée des deux envoyés de leurs amoureux, qui leur feront connaître la réponse du père de l'une et du tuteur de l'autre aux respectives demandes en mariage. Survient l'institutrice pour la leçon de géographie : distractions, réponses erronées, malentendus, exhortations, réprimandes. Et, tandis que le professeur fait appel, à titre d'avertissement, à la gouvernante très sévère qu'elle eut elle-même jadis, Mme Saint-Almé, maintenant grand-mère et vivant non loin de là, les deux élèves, excitées, découvrent derrière un nuage de poussière les messagers qui arrivent et, dans leur agitation, révèlent l'attente des lettres. Indignée, la gouvernante sort pour les séquestrer. Mais les deux petites recourent à l'astuce : elles cachent les lunettes de la demoiselle, qui a la vue très faible ; puis elles se déguisent. Françoise entre vêtue en garçon et réclame sa propre lettre qui, elle le sait, n'a pas été remise à la destinataire. Pendant que l'institutrice, qui, privée de lunettes, ne reconnaît pas son élève, se défend dans le plus grand embarras, Louise apparaît, travestie en vieille gouvernante : Mme Saint-Almé ! Celle-ci, au lieu de rendre le salut étonné et joyeux de son ex-élève, se scandalise de la trouver en compagnie d'un jeune homme. La pauvre femme, pour se justifier, doit remettre les lettres à son ancienne et rigide institutrice ; les jeunes filles les ouvrent précipitamment et lisent le consentement de leurs père et tuteur. Dans leur joie, elles oublient leur déguisement, et la vieille Mme Saint-Almé tombe dans les bras du jeune homme. La gouvernante, épouvantée, s'écrie : « Grand Dieu ! Le monde s'écroule ! »

GOUVERNEMENT DE LA CITÉ (Le) [*Al-siyāsa al-madaniyya*]. Traité du philosophe médiéval d'expression arabe al-Fārābī (872-950). En dépit de son titre, il s'agit plutôt d'une exposition générale du système de l'auteur, où la philosophie politique apparaît étroitement liée à l'ensemble. Dans ce domaine, al-Fārābī, par ailleurs étroitement attaché à la tradition aristotélicienne, s'inspire plus directement du Platon des *Lois* (*) et de *La République* (*), ou plus exactement de leur relecture par la tradition d'époque hellénistique et romaine. Cette interprétation, qui s'accordait avec la vision dominante de l'époque, repose sur la souveraineté de la philosophie, seule capable de fournir une vision rationnelle de l'action individuelle et collective ; idéalement, cette vision s'incarne dans la figure du « roi-philosophe », qu'al-Fārābī, qui était alors protégé par les émirs pro-shī'ites d'Alep, rapproche implicitement de celle de l'« imam impeccable » du shī'isme, détenteur du savoir ésotérique transmis par le Prophète à ses seuls descendants, et seul chef légitime de la communauté. Un tel rapprochement obéissait assurément à des considérations stratégiques, mais il n'en reste pas moins qu'il a existé une certaine convergence, sur de nombreux points, entre le courant philosophique et le courant shi'ite, également minoritaires et bien souvent condamnés à une existence quasi clandestine. J.-P. G.

GOUVERNEMENT DES PRINCES (Du) [*De regimine principum*]. Œuvre de l'écrivain latin Aegidius Romanus (Gilles de Rome, 1243-1316), ermite de l'ordre de saint Augustin, disciple de saint Thomas, qui appartenait semble-t-il, à la famille des Colonna. Écrite peu avant la mort de Philippe III, c'est-à-dire avant 1285, elle est mentionnée par Dante – v. *Le Banquet* (*) – et fut publiée à Augsbourg en 1473.. Aegidius Romanus dédie son ouvrage à son disciple d'alors, Philippe IV le Bel, le futur roi, qui n'en tira pas grand profit si l'on en juge par la conduite qu'il adopta plus tard envers Boniface VIII. L'œuvre se divise en trois livres : le premier traite de la conduite que doit tenir le roi vis-à-vis de lui-même (qualité de son propre bonheur, choix et acquisition des vertus, frein des passions, etc.). Dans le second sont données les règles de conduite envers la famille : femme, enfants et serviteurs. Dans le troisième sont envisagées les origines de l'État, sa nature, et la meilleure façon de gouverner en temps de paix comme en période de guerre. Le *De regimine principum* fit beaucoup de bruit et fut, pendant la longue période des luttes entre papes et empereurs, l'objet et le prétexte de polémiques et de discussions, à cause de la suprématie, affirmée par Aegidius, du pouvoir spirituel du pape sur le pouvoir temporel. – Trad. *Le Mirouer exemplaire et très fructueuse instruction selon la compilation de Gilles de Rome, très excellent docteur, du régime et gouvernement des roys, princes et grands seigneurs,* Eustace, 1517.

GOUVERNEMENT ROYAL (Du) [*De regimine principum*]. Traité philosophique et politique de saint Thomas d'Aquin (1225-1274), théologien d'origine italienne. Les deux premiers livres sont certainement authentiques, mais les livres III et IV qui définissent les rapports entre l'Église et l'État sont apocryphes et ne font que développer la thèse soutenue par saint Thomas dans les deux premiers. L'ouvrage est dédié « au roi de Chypre ». Saint Thomas part de l'argument d'Aristote : « L'homme est un animal politique », il est destiné à vivre en société. Mais il faut un principe directeur guidant les hommes en vue de l'accomplissement de leur fin dernière, car les hommes ne sauraient se conduire seuls. Comme il y a une faculté conductrice innée dans l'âme et le corps, il faut à la société un principe directeur (« aliquod regitivum »), un roi. Ce principe découle de l'idée même de monarchie : il est bon qu'un seul commande (« De ratione regis est quod sit unus qui praesit »). Saint Thomas construit l'idéal monarchique chrétien du Moyen Âge par analogie avec Dieu, roi de l'Univers. C'est un régime unitaire à l'image du gouvernement du monde par un Dieu unique. Il existe d'autres formes de gouvernement, mais de valeur moindre : le gouvernement collectif et l'« aristocratie », gouvernement confié à un petit nombre, qui sont, tous deux, de bons systèmes de gouvernement. Par contre, la « démocratie » et l'« oligarchie » sont de mauvais gouvernements. Le pire de tous est la tyrannie car, si le gouvernement d'un seul est le meilleur quand il est juste, il est détestable, par contre, quand il est injuste. Les fins de tout bon gouvernement doivent concourir au salut de la société : union, concorde et paix (« unitas quod vocatur pax »). Sans la paix, il est impossible d'accomplir les fins sociales, c'est-à-dire de vivre vertueusement. Le roi, dans son gouvernement, doit aspirer à la gloire et à l'honneur. Mais honneur et gloire ne seront donnés au roi, en récompense suprême, que par Dieu.

En fait, le roi n'est qu'un ministre de Dieu (selon la théorie de la théocratie médiévale). Saint Paul dit : « Tout pouvoir émane de Dieu. » La personne idéale d'un prince au Moyen Âge est ainsi définie : bon, pieux, paternel ; ce sera l'argument de toute une littérature politique. Les devoirs d'un roi lui assignent la fonction dévolue à l'âme dans le corps et à Dieu dans l'Univers. Le roi doit gouverner, ordonner et distinguer entre ses sujets tout comme Dieu règle l'ordre universel. Mais outre sa fin terrestre, la vertu, il est une fin surnaturelle à laquelle l'homme parviendra au moyen de la Grâce divine. Il existe donc un gouvernement qui transcende celui des hommes, ce règne est celui de Dieu, c'est-à-dire de Jésus qui consacra les hommes fils de Dieu. Le Christ est prêtre et roi ; c'est de lui qu'émane le pouvoir royal. La distinction est donc facile entre l'ordre temporel et l'ordre surnaturel confié aux prêtres « et de façon plus particulière au Prêtre suprême, successeur de Pierre, le vicaire du Christ, le pontife romain auquel tous les souverains de la chrétienté doivent être soumis comme au Christ lui-même ». En outre, le roi doit veiller à ce qu'il ne soit pas fait obstacle à la fonction sacerdotale ; le bonheur d'un peuple ne réside pas seulement dans quelques instants fugitifs, mais surtout dans l'éternité. Le livre II définit ce que doit être le pouvoir royal : ses fins étant terrestres, il importe qu'il possède en abondance toutes sortes de biens : richesses naturelles, monnaie, etc., qu'il ait de bons ministres, des armées puissantes et des forteresses solides, qu'il assure la liberté des communications, qu'il ait les moyens d'assister les indigents et les errants. Tout roi, tout prince doit enfin s'occuper du culte divin, non seulement comme homme, mais aussi comme roi, car « il est l'oint du Seigneur » et tient de Dieu son pouvoir temporel. – Trad. Librairie du Dauphin, 1931.

GOUVERNEURS DE LA ROSÉE. Roman de l'écrivain haïtien Jacques Roumain (1907-1944), écrit lors de son séjour à Mexico et publié après sa mort, en 1946. L'œuvre a connu un succès considérable : rééditions continuelles, traductions en une vingtaine de langues, plusieurs adaptations au théâtre ou à la télévision. Le héros, Manuel, fils de paysans haïtiens, a dû s'expatrier pour aller travailler à Cuba, dans les plantations de canne à sucre. Il en revient sans avoir fait fortune, mais avec au cœur la résolution de ne plus être une « pâte résignée » et de devenir le « boulanger de sa vie ». Or il retrouve son village de Fonds-Rouge ravagé par la misère et la sécheresse, divisé par d'anciennes haines familiales à propos du partage des terres. Manuel rêve de réconcilier le village et de lui redonner l'eau et la vie. Porté par son amour partagé pour la belle Annaïse (qui appartient au clan ennemi), il recherche et découvre une source : il faut alors organiser un « coumbite » (travail d'entraide collective des paysans, enraciné dans la tradition populaire haïtienne) pour creuser un canal faisant descendre l'eau au village. Par sa propre persuasion et grâce à l'emprise d'Annaïse sur les femmes du village, l'accord de réconciliation est obtenu. Mais Manuel le paie de sa vie. Il est abattu par un rival. Pour sauvegarder son œuvre, il demande sur son lit de mort que l'on oublie l'esprit de vengeance. Le village ne saura pas qu'il a été assassiné. Le roman s'achève sur une double promesse de vie : le tambour du « coumbite » annonce l'arrivée de l'eau et Annaïse révèle qu'elle attend un enfant de Manuel.

L'optimisme pédagogique du roman, qui pourrait sembler daté, est emporté par la puissance du lyrisme et surtout par le bonheur langagier de Jacques Roumain, qui forge une étonnante langue romanesque, jouant de différents niveaux stylistiques, du créole au français soutenu. À côté de citations proprement en créole, souvent soulignées par les caractères italiques (proverbes, chants de paysans), apparaissent des formulations superbement ambivalentes, habitées par des tournures ou des rythmes haïtiens. Vrai et beau travail d'écrivain, sachant plier le français au génie créole.

J.-L. J.

GOYESCAS. Pièces pour piano du compositeur espagnol Enrique Granados (1867-1916), écrites en 1911 et reprises dans un opéra de même nom, en trois tableaux, représenté à New York en 1916. Comme le titre l'indique, c'est de tableaux et de dessins de Francisco Goya que le musicien espagnol a tiré l'inspiration de ces pièces, qui sont les plus significatives de sa production. Le recueil pour clavier se compose de six morceaux divisés en deux séries ; la première comprend les plus connus : « Coloquio en la reja », tableau lyrique et passionné, de forme libre et de dimensions très développées ; « Fandango de candil », vivante traduction de mélodies et de rythmes populaires ; « Los Requiebros », page d'invention fraîche, écrite avec élégance ; « La Maja y el ruiseñor », nocturne imprégné d'un lyrisme sincère où une plus grande sobriété dans le développement est tout à l'avantage de la qualité expressive. La seconde série comprend : « El Amor y la Muerte », « Serenata de l'espectro » et « El Pelele ». Granados, qui attribuait une importance particulière à ce travail, où, comme il l'a dit lui-même, il s'était proposé de faire revivre, à travers la musique, la gamme des sentiments « amoureux et passionnels, dramatiques et tragiques, tels qu'ils apparaissent dans l'œuvre complexe de Goya », chercha, dans la transposition théâtrale, sur un canevas de Fernando Periquet, à donner à *Goyescas* un plus grand développement lyrique et dramatique.

L'action est divisée en trois tableaux : au premier, le « torero » Paquiro invite Rosario, dame d'une grande beauté courtisée par le capitaine Fernando, au bal « de candil » ; et, pendant que Fernando se fait promettre par Rosario de ne pas s'y rendre sans lui, Pepa, fiancée de Paquiro, médite de se venger. Au deuxième tableau, on assiste au bal, au cours duquel Fernando et Paquiro se provoquent en duel. Troisième tableau : dans le jardin de Rosario, a lieu le duel ; Fernando, blessé à mort, tombe aux pieds de Rosario. La version scénique de *Goyescas*, réalisée au Metropolitan de New York, eut un grand succès. Toutefois, on doit reconnaître que l'œuvre, plutôt qu'un point d'arrivée, représente une base sur laquelle le compositeur aurait pu édifier avec sûreté et perfectionner une manière personnelle, apportant ainsi une très large contribution à un art espagnol indépendant et vivant (tel qu'on le trouve réalisé, par exemple, chez de Falla) et non pas limité à l'expression de valeurs purement décoratives et pittoresques.

GRAAL FLIBUSTE. Roman de l'écrivain français d'origine suisse Robert Pinget (né en 1919), publié en 1956. Dans ce livre, le narrateur tente de conter les aventures d'un trio étrange composé d'un cocher bizarrement accoutré, Brindon, de son cheval, Clotho, qui parle et se métamorphose à ses heures, et de lui-même, errant dans un univers fantasque. Cet attelage, qui voyage sous le signe de Graal Flibuste, « protecteur des banques », « dieu des ferveurs imaginaires et maître du monde », et divinité tutélaire à la généalogie aussi précise que tortueuse, court d'une aventure à l'autre avec bonhomie et circonspection. Loin de la puanteur cadavérique de Chanchèze, vallée où l'on honore Graal Flibuste dans son temple, le trio visite les splendeurs orientales du sultan Coco, à la jeunesse orageuse et à la palmeraie peuplée de créatures incroyables, tels les oiseaux-tigres et les papillons-singes. Puis on séjourne dans le pays des arbres sans racines qui « se posent à la nuit tombante », et où le narrateur médite sur « cette marotte de partir... », et l'on repart, justement, à la rencontre de paysages, de villes, d'animaux, de gens et de situations propices à frapper l'imagination : c'est la découverte des fouinouses, des nagars, des lièvres de vases, du roi Gnar et du serpent, son conseiller, surnommé le Bœuf. Nos aventuriers assistent à un baptême diablement surréaliste et dénouent une intrigue moins policière que métaphysique. Le roman s'arrête sur une course à la mer interrompue par l'irruption, au milieu des blés mûrs, d'une porte himalayenne, bâtie en arc de triomphe ; ce monument offre au regard, parmi les ors, les stucs et les ornementations les plus baroques, la représentation d'une pieuvre-anémone de deux cents mètres de long, prisonnière d'un rectangle — « emblème des révolutions de l'âme étouffées par le devoir social... ». Ce livre, le quatrième de Pinget, occupe une place un peu à part dans l'œuvre de cet auteur. On y retrouve, bien sûr, les éléments constitutifs de l'univers si particulier de l'écrivain (et notamment l'irruption, ici et là, des personnages ou des lieux qui charpentent d'autres romans : le Chanchèze, Monsieur Songe, le roi Gnar, Crachon...) mais la singularité de ce livre tient à son aspect résolument picaresque : l'hommage ou la référence à *Don Quichotte* (*) n'est pas loin, et certains passages peuvent rappeler des romans d'aventures à la Jules Verne. N'empêche, la singularité de Pinget, son souci de ne pas raconter une histoire à l'intrigue et au développement linéaires, sa volonté de ne pas « aboutir » se vérifient également avec *Graal Flibuste,* qui est d'abord prétexte à laisser l'écriture seule maîtresse du récit — la volonté de l'auteur s'absentant pour ainsi dire. Si l'humour et la poésie traversent ces aventures très toniques — et très divertissantes —, l'angoisse native qui verrouille parfois les textes de la même époque est ici comme submergée par la célérité des événements accumulés et entrechoqués. Ça n'est pas là la moindre originalité de ce livre qui, s'il s'apparente bien au roman, tient aussi du mauvais rêve éveillé et du délire savamment maîtrisé.

F. B.

GRABINOULOR. Épopée de l'écrivain français Pierre Albert-Birot (1876-1967). Le premier livre de *Grabinoulor,* écrit entre 1918 et 1920, parut en 1921, le deuxième en 1933. Mais Albert-Birot ne cessa jamais de rêver les aventures de son personnage fabuleux et continua de leur ajouter de nouveaux chapitres. L'édition de 1965, qui est un peu la somme de *Grabinoulor,* nous propose ainsi un choix des chapitres de la première édition et des passages inédits. Max Jacob, entre autres, voyait dans *Grabinoulor* un chef-d'œuvre.

Grabinoulor est un poète doué d'une imagination et d'un verbe torrentiels. Qu'il fasse l'amour ou le temps, qu'il énumère ce qu'on découvre en quittant la couche de sainte Sérénité, qu'il dise que la vie se parcourt en tous sens plus vite qu'on ne noue une cravate, qu'il songe à la clé du paradis, qu'il aime le boudin ou la tarte, c'est toujours avec le même « jazzé » (le mot est de Céline). Grabinoulor marche admirablement sur la terre et sur l'eau, dessus et dessous, dans l'espace et dans le temps, lancé à la recherche de l'Empire des morts et du bondieu. Il rétablit la terre dans sa forme sphérique, redresse parallèles et perpendiculaires. Il lui arrive de méditer et de faire quelques conclusions : le temps qu'il a vu dans un garage n'est pas un vieillard avec une grande barbe, mais un tank. Rencontrant Roy Henry, il disserte sur Jonas et la baleine, et défend devant Louis XIV le nombril de Jésus. Bref, sa verve est énorme, inépuisable, et elle reflète tout ce qui peut traverser l'esprit des hommes en faisant la part égale à la bouffonnerie et au vertige métaphysique.

Albert-Birot écrit dans sa préface qu'il a supprimé la ponctuation pour essayer de fondre la « langue en barre » ; il ajoute qu'il se reconnaît vis-à-vis de la ponctuation les mêmes droits qu'à l'égard de la syntaxe et de l'orthographe. Composée donc de phrases sans fin, qui évoquent le mouvement d'un pendule, cette épopée est à l'image d'une pierre précieuse qu'on n'aurait pas tirée de sa gangue, encore que certains passages aient un éclat incomparable (il faut lire par exemple les pages érotiques du chapitre VIII — « Les Poèmes à la chair » — qui comptent parmi les plus belles). Un extraordinaire mélange de sagesse et d'extravagance fait de ce livre l'un des plus curieux de la littérature contemporaine, et l'un des rares à avoir été tenu en marge de son époque, méconnu ou incompris. Sa truculence mordante, son ironie optimiste, son exubérance font songer souvent à Rabelais, et s'y ajoute l'esprit même de Grabinoulor, paradoxal, n'ayant de cesse que de renouveler ses exercices d'acrobatie verbale. La langue est d'un bout à l'autre du livre fort belle, limpide, orale : elle a la souplesse commune à trois poètes qui ont aimé Albert-Birot : Max Jacob, Blaise Cendrars, Apollinaire.

GRÂCE CONTEMPLATIVE (De la) [*De gratja contemplationis*]. Traité sur la contemplation du théologien et mystique Richard de Saint-Victor (1110-1173), moine écossais de l'abbaye de Saint-Victor à Paris, disciple, puis successeur du prieur Hugues. Après le traité spéculatif sur la *Trinité* (*) — ouvrage cité par Dante (Épître X, 28) —, il constitue, avec son traité *De la préparation de l'âme à la contemplation* (*) du même auteur, la partie fondamentale de ses écrits, et la plus étudiée. Les cinq livres de ce traité ont un intérêt non seulement mystique, mais littéraire. Ils abondent en termes techniques, en comparaisons et en recherches de style ; on peut citer en exemple le parallélisme posé dans le premier livre (chapitre III) entre les trois formes fondamentales de connaissance, reconnues par les mystiques disciples de Saint-Victor et par d'autres mystiques contemporains : la réflexion (« cogitatio »), c'est-à-dire la connaissance des choses sensibles extérieures à nous ; la méditation (« meditatio ») ou connaissance des objets par le moyen de l'entendement ; la contemplation (« contemplatio ») par laquelle l'homme, au cours de rares moments de félicité, peut entrer directement en contact avec la réalité divine. « La réflexion, dit ici Richard de Saint-Victor, s'attarde, erre par des chemins de traverse, à pas lents, et ne se soucie pas d'arriver ; la méditation s'efforce, par une grande tension de l'âme, en parcourant souvent des voies âpres et ardues, d'atteindre au but proposé ; la contemplation déploie ses ailes avec une aisance et une liberté merveilleuses. La réflexion ne coûte pas de grands efforts, mais elle ne produit pas de fruits. La méditation est fatigante, mais fructueuse, la contemplation est fructueuse sans fatigue. La première fait errer, la deuxième chercher, la troisième s'émerveiller. La réflexion découle de l'imagination, la méditation de la raison, la contemplation de l'intelligence... »

Et le parallélisme se prolonge et se déroule avec symétrie, tout le long du chapitre : dans le premier livre sont citées toutes les formes de contemplation, avec leur description au point de vue mystique ; le second livre est consacré à la contemplation qu'inspire le spectacle admirable du monde visible, spectacle qui donne un pressentiment du monde invisible (c'est à ce point que commence la vie spirituelle). L'homme soupçonne alors les aspects et les divers degrés du divin qui se manifestent en lui et d'où découlent l'allégresse et le ravissement ; dans le troisième livre, il est question de contemplation des esprits angéliques et humains, accessibles seulement par l'intellect ; dans le quatrième livre, de la contemplation « des êtres supra-terrestres et supra-célestes », de spéculations sur l'essentiel et le divin et plus particulièrement sur la sainte Trinité. Une fois atteints ces sommets, cette solitude redoutable, « seule la componction est de quelque secours ; les soupirs valent plus que les preuves, les gémissements plus que les arguments » ; enfin, c'est la vision « face à face et non dans un miroir ou sous forme d'énigme », à laquelle aspire vainement l'homme s'il n'a pas la révélation divine. Toute l'atmosphère du traité est dantesque et s'apparente à l'esprit et aux états d'âme des personnages du « Paradis » — v. *La Divine Comédie* (*).

GRÂCE DE DIEU (Sur la) [*De providentia divina*]. Poème de 876 hexamètres, précédés de 48 distiques servant d'introduction, que la critique est à peu près unanime à attribuer à l'écrivain latin saint Prosper d'Aquitaine (390 ?-463 ?). Ainsi que le déclare son auteur, ce poème tend à réfuter l'argument de tous ceux qui nous font douter de la grâce divine. Dieu existe, il a créé le monde, et il le gouverne selon son gré : l'homme, doué de libre arbitre, peut choisir entre le bien et le mal. S'il réussit à vaincre les passions terrestres, il connaîtra le bonheur. Car l'être qui spontanément se détache des biens de ce monde peut atteindre ce bonheur. Dans la langue comme dans la forme, ce poème rappelle les autres ouvrages de Prosper, mais on a longtemps mis en doute son authenticité, car son contenu dogmatique est assez proche de la doctrine pélagienne que Prosper a violemment combattue dans ses autres œuvres. Cela peut aisément s'expliquer, si l'on note que le poème *Sur la grâce de Dieu* fut composé antérieurement aux années 415-416, donc avant la prise de position de l'auteur contre Pélage. Comme les autres ouvrages de Prosper, excepté la *Chronique* (*), le poème *Sur la grâce de Dieu* n'a guère été connu des écrivains du Moyen Âge, et n'a donc pu avoir d'influence sur eux. — Trad. Robinet, 1762.

GRÂCE DU ROI (La) [*Tsarska milost*]. Pièce en sept tableaux de l'écrivain bulgare Kamen Zidarov (1902-1987), publiée en 1949. À travers le drame de la famille Radionov, c'est le drame de tout un peuple. L'action se déroule au cours de la Première Guerre mondiale. L'armée bulgare est mobilisée, le roi Ferdinand Ier aspire à réaliser ce qu'il croit être les ambitions de tous les Bulgares, la « Grande Bulgarie ». Irina Radionova, dont le mari a été tué pendant la guerre balkanique, a sauvé la vie du roi en prévenant un attentat ; de ce fait, le monarque est devenu presque son ami. Irina ne croit pas que le chef de l'État puisse mentir, c'est pourtant ce qu'il fait, et du jour où Irina découvre cette faillibilité du monarque quelque chose se brise en elle. Pis, elle n'a plus confiance en la bonté des hommes. Ses deux enfants, Boyan, officier, et Vera, jeune fille ayant à peine terminé ses études secondaires, évoluent d'une manière différente. Boyan finira sa jeune vie devant le peloton d'exécution pour avoir pris la tête de ses soldats mutinés ; tandis que Vera n'aspirera qu'à vivre sa propre vie. Elle ne veut tenir compte ni de la guerre ni des destructions (ce n'est pas « sa » guerre, à elle !), et ne désire qu'une chose : partir pour Genève et de là gagner Paris, continuer ses études, avoir des plaisirs simples. Elle veut mordre à pleines dents dans la vie. Le roi Ferdinand a une personnalité forte, arrogante. Il méprise le peuple car le peuple l'a déçu profondément. Le beau-frère d'Irina, Doïtchine Radionov, est un vieux socialiste humaniste, il prévoit l'issue de la guerre : la révolution. Sur le front, c'est la débandade, les soldats se révoltent, ils sont affamés, ils demandent des comptes. Irina apprend la condamnation à mort de son fils. Elle demande sa grâce au roi. Après de longs marchandages, le roi consent à écrire au tribunal militaire, mais c'est seulement pour qu'on accorde à Irina la grâce de faire revenir le corps de son fils fusillé. L'auteur décrit avec vigueur des événements d'une exceptionnelle gravité, ses personnages sont forts, convaincants, dotés chacun d'un véritable caractère. Drame d'une mère, cette pièce est aussi le drame d'un peuple qui perdit une guerre qu'il n'avait pas voulue.

GRÂCES (Les) [*Le Grazie*]. Poème inachevé de l'écrivain italien Ugo Foscolo (1778-1827), publié par fragments du vivant de l'auteur. En 1848, Orlandini offrit un montage arbitraire de ces fragments et d'autres, inédits. Un montage moins artificiel fut proposé par Chiarini en 1884, et un meilleur encore, en 1904. Foscolo, donc, ne parvint pas à composer les divers fragments, en eux-mêmes achevés et harmonieux, en un tout parfait. Les diverses parties s'ordonnent autour du nom des Grâces, ces suaves divinités, qui, souvent citées par les Anciens, n'évoquent pourtant point une tradition mythique précise. Foscolo entend donc élaborer un mythe qui lui appartienne en propre, en réélaborant librement certaines suggestions de la poésie antique. Pour lui, les Grâces sont des « divinités intermédiaires entre le ciel et la terre » et qui « séjournent invisibles parmi les hommes ». Elles versent en toute âme les sentiments les plus doux et apaisent les instincts brutaux toujours prêts à renaître. Foscolo se plaît en même temps à évoquer des images où il sent davantage leur présence : images de pudique beauté féminine, d'une nature déjà composée par l'art, de la poésie de tous les temps par lui-même renouvelée. Ce monde était celui de l'harmonie à laquelle il aspirait. Les sentiments qui agitent notre vie n'y étaient pas ignorés, mais purifiés et tempérés. Et ce monde devenait refuge idéal pour le poète à la vie orageuse. Dès 1803, il pense traduire en vers quelques-unes de ses rêveries. Plus tard, il pense à des poèmes distincts ; enfin, il décide que toute cette matière fera l'objet d'un poème unique, sur les Grâces. Il le commence à Florence en 1812, y travaille pendant deux années encore et peut-être pendant son exil en Angleterre. Ce poème dédié à Canova, qui travaillait alors à sa sculpture intitulée *Les Grâces*, ne devait alors comprendre qu'un seul hymne. Par la suite, il en compta trois : l'un à Vénus, l'autre à Vesta, et le dernier à Pallas. Le poète a laissé des résumés de ces trois hymnes, mais aucun d'eux ne correspond exactement aux fragments qui nous sont parvenus.

Dans le premier hymne, Foscolo invite le sculpteur Canova à l'autel qu'il a dressé aux Grâces, sur la colline florentine de Bellosguardo. Il chante la naissance des Grâces, que leur mère Vénus a fait venir des profondeurs de la mer pour les conduire sur terre afin de consoler les mortels : les voici, d'ailleurs, sur la mer hellénique, entourées d'un chœur de nymphes. Foscolo chante alors l'émoi que cause leur apparition chez les hommes encore sauvages ; leur venue en Grèce, qui fit naître la première civilisation, le départ de leur mère qui retourne à l'Olympe et répand, en quittant la terre, la merveilleuse harmonie qui inspirera les beaux-arts. Dans le second hymne, le poète conduit à l'autel des Grâces trois belles dames en tous points dignes de devenir les prêtresses des divinités qu'il évoque. Ce sont trois femmes que le poète a aimées et courtisées : Eleonora Nencini, Cornelia Martinetti et Maddalena Bignami. Des jeunes gens et des jeunes filles d'Italie viennent les entourer. La première joue de la harpe et compose un hymne à l'harmonie secrète qui règle la marche du monde. Gardienne des abeilles, la seconde porte à l'autel un gâteau de miel, symbole de la parole qui ennoblit les âmes (devait s'insérer ici toute une histoire de la poésie, symbolisée par les immortelles abeilles de Vesta, passées de Grèce en Italie). Danseuse, la troisième apporte de Milan un cygne, offert par la vice-reine d'Italie. Elle révèle en dansant la grâce harmonieuse de son corps et de son âme. Avec le troisième hymne, le poète revient aux temps mythiques. Les Grâces pleurent la mort d'Orphée ; l'amour les trouble et compromet leur puissance. Heureusement, Pallas leur vient en aide. Elle les conduit dans une île inaccessible aux humains et à l'abri des fureurs de la guerre : « Il est une île au milieu de l'océan [...] où les danses sont chastes, les chants très purs et les fleurs sans hiver. Les prés y sont verts et dorés, les nuits toujours claires et limpides. » Pallas ordonne aux déesses qui sont sous ses ordres de tisser un voile merveilleux, orné de ce que la vie humaine a de plus précieux : la jeunesse, l'amour conjugal et maternel, la pitié, l'hospitalité, etc. Protégées par ce voile, les Grâces retourneront sur terre et l'Amour cessera de les menacer. L'hymne et le poème se terminent par la belle prière adressée aux Grâces afin qu'elles descendent consoler la plus malheureuse peut-être des femmes aimées par Foscolo, Maddalena Bignami : « Approchez-vous d'elle, ô Grâces, et qu'à vous voir ses grands yeux fixes retrouvent leur sourire. » Par la variété des rythmes, la richesse des images, la nuance délicate des effets, ce poème, chant de la « secrète harmonie universelle » qu'il pressent dans le monde par-delà tout ce qui trouble le cœur et l'esprit des hommes, nous semble le couronnement de la carrière poétique de Foscolo.

GRACIEUSE PRISONNIÈRE (La) [*Prisoner of Grace*]. Ce roman de l'écrivain anglais Joyce Cary (1888-1957) est le premier d'une trilogie centrée sur un homme politique, Chester Nimmo. Il fut publié en 1952. Suivirent : en 1953 *Excepté le Seigneur* [*Except the Lord*], et en 1955 *L'Honneur résilié* [*Not Honour More*]. Peut-être doit-on préciser dès l'abord que le titre français du premier livre s'écarte de l'original au point de méconnaître les intentions cardinales de l'auteur. Clairement, c'est « prisonnière de la grâce » que Cary a écrit et voulu écrire.

Cette trilogie est une variation sur le thème de l'œuvre entière de Cary : le puritanisme. L'auteur était nourri de la tradition protestante (ou « non conformiste ») qui fait à l'homme une obligation stricte de ses responsabilités, assumées devant Dieu sans les intermédiaires que d'autres religions proposent. Littérairement, la première pierre de cet édifice est posée en Angleterre dès *Le Voyage du pèlerin* (*) de Bunyan. À cette allégorie du salut, Cary se réfère explicitement dans *Le Grand Chemin* (*). On comprend donc que, en regard des fictions contemporaines, qui dans leur masse proposent une manière de désengagement moral, cet auteur apparaisse isolé dans son éloignement. On peut ignorer ses livres. Si on ne les ignore pas, ils s'imposent ; marginalement peut-être, mais comme des récits absolument donnés et tels quels. En d'autres temps, on aurait à leur sujet parlé de force de caractère. Leur force ne peut certainement pas être niée.

Dans le premier volet de la trilogie, Chester Nimmo est membre du cabinet britannique. En 1914, il se déclare favorable à l'intervention britannique aux côtés de la France. Pourtant il avait, jeune politicien pacifiste, milité contre la guerre des Boers. Sa politique est donc sujette à des renoncements, mais qu'il fasse volte-face ne lui apparaît pas, ni n'entame sa confiance en lui-même. Nimmo est un inspiré ; une manière de fou de Dieu. Ses intuitions religieuses servent sa carrière sans doute, mais lui-même se veut et se croit en état de grâce. Le triomphe de Cary est qu'on puisse accréditer ce personnage rival des vrais personnages de l'Histoire anglaise de l'époque (Lloyd George, Asquith, Churchill et les autres) ; et ne pas lui refuser la part de sympathie sans laquelle tout le récit s'effondrerait. Nina, son épouse, l'a épousé alors qu'elle attendait un enfant des œuvres de son cousin Jim Latter. Elle est prisonnière de son mari et de la grâce religieuse, qui chez lui altère les décisions politiques en décrets de la lumière intérieure. Et, quoiqu'elle aime encore son amant, elle est révélée en captive moins rebelle que magnétisée.

Excepté le Seigneur, le second livre, se présente comme un fragment antérieur à la rencontre de Nina, de l'autobiographie écrite bien plus tard par Chester Nimmo. On y apprend à connaître celui-ci selon ce que furent ses parents, et à travers les épisodes conservés dans la mémoire de son enfance et de son adolescence. Le père, après avoir été soldat, est montré en ouvrier agricole qui anime une petite communauté « non conformiste » : manœuvre attaché à la terre et pasteur d'une poignée de fidèles. Le récit est sobre (rien ici des scènes de comédie qui animent bien des romans du même auteur), et sous la surface anecdotique de l'histoire sociale, celle du comté de Devon vers la fin du XIXe siècle, c'est le compte rendu d'une expérience religieuse qui est écrit, d'encre ferme. On se demandera si, dans l'avenir, beaucoup d'auteurs sauront, comme celui-ci l'a su dans ces pages, rapporter et fixer les « vérités » protestantes.

La trilogie s'achève tragiquement dans le conflit entre Chester Nemmo et Jim Latter réapparu (et qui à la fin épousera Nina). Le contraste entre les deux hommes ne saurait être plus fortement articulé. Nemmo est né pauvre et farouche, Latter est une créature de la société. Le premier s'en remet à l'inspiration créatrice, le second à des valeurs codifiées, comme l'ordre ou le devoir, à des points de vue d'administrateur. Ce contraste est lui-même significatif de l'entreprise de Cary. Celui-ci apparaît parfois comme un prophète par créatures de roman interposées, et pourtant il est aussi le caméléon des lettres anglaises contemporaines : le romancier qui le plus souvent se tient à l'extérieur de sa création même. Ainsi on croit absolument en Nemmo, mais Latter n'est pas une enveloppe vide. Cary comme Latter a longtemps fait carrière d'administrateur (l'administration britannique en territoires africains), et quand il s'est retiré en 1920 pour entreprendre à neuf une seconde carrière, celle du romancier, il a pu méditer sur un passé d'homme actif, et, en même temps, animer cette méditation dans le souvenir transposé de beaucoup d'humains. C'est ce signe double qui donne à la trilogie de Chester Nimmo sa puissance un peu étrangement à contre-courant de l'époque. Il est néanmoins compréhensible que la plupart des lecteurs de Joyce Cary préfèrent à ces résurgences du puritanisme ceux de ses récits où rien de la vie n'est contraint. – Trad. Albin Michel, 1958.

GRACQUES (Les). Premier acte d'une pièce inachevée de l'écrivain français Jean Giraudoux (1882-1944), publié en 1958 dans un recueil intitulé *La Menteuse suivi de Les Gracques,* et qui a pour thème la guerre civile. Deux personnages principaux s'affrontent : Caïus Gracchus, tribun de Rome, et son frère aîné Tiberius, qui vient de se couvrir de gloire à Numance et dont, tout à l'heure, on célébrera le triomphe. On voit d'abord Caïus aux prises avec sa belle-sœur Attilia. Il lui reproche de donner au jeune Attilius, âgé de douze ans, frère des Gracques, une éducation empreinte de fausse grandeur et, notamment, de lui apprendre que la vertu est le « moteur de Rome ». Pour Caïus, en effet, mieux vaudrait ne point cacher à l'enfant la bassesse, l'égoïsme, la cupidité des Romains, et singulièrement du Sénat. Lavinia, femme de Caïus, abonde dans le sens de son mari, puis ils évoquent la figure du général vainqueur : « Mon frère et moi, répond-il, nous avons la même voix. » Un intense malaise plane cependant sur l'entretien des deux frères, tandis que trois conjurés, déguisés en dieux lares et à la solde de Caïus, ont fait leur apparition sur la scène pour enlever Tiberius. Caïus prend ombrage du laurier dont on a ceint la tête du général et, convaincu que « la lèpre est sur Rome », se demande anxieusement dans quelle mesure son aîné, dont la noblesse d'âme demeure intacte, est la dupe ou le complice des Romains. Soudain un consul fait irruption, accompagné de deux licteurs. Ils se saisissent du premier conjuré, qui, peu après, se tue sous les yeux des Gracques. Le drame essentiel réside dans cette énigme, ce mystère que sont, aux yeux de Caïus, les véritables sentiments de Tiberius concernant le gouvernement de Rome. En un mot, croit-il à Rome, ou au contraire, le verra-t-on prendre conscience de sa corruption ? Est-il, se demande le tribun, avec nous ou contre nous ? Or il apparaît bientôt que, loin de vouloir prêter son prestige à des gouvernants indignes, il réprouve au plus haut point leur conduite et en ressent profondément la honte. Les deux frères, dès lors réconciliés, vont ourdir de concert la conjuration. « Tel est, conclut Tiberius, le destin d'un empire : c'est celui du nénuphar roi, il n'y a plus autour de lui qu'une eau corrompue et la vase. Rome vit de la pourriture du monde. » On retrouve à un haut degré, dans ce fragment de pièce, le ton et le style de l'auteur de *La guerre de Troie n'aura pas lieu* (*), et des réflexions d'une portée générale telles que celle-ci : « Toutes les guerres avec les étrangers ne sont que de brillantes échappatoires aux guerres civiles. »

GRADIVA. Récit publié en 1903 par l'écrivain allemand Wilhelm Jensen (1837-1911) et rendu célèbre par l'étude que lui consacra Freud ainsi que par les surréalistes. Des gestes et des visages gisent au fond de nous comme les « reliefs » de villes mortes et seule une révélation subite peut leur rendre vie ; *Gradiva* est l'histoire d'une révélation de cette sorte. Norbert Hanold, jeune archéologue allemand, a délaissé la vie pour être tout entier à ses recherches, mais la jeune vierge romaine représentée sur un bas-relief dont il a acquis la reproduction l'obsède à cause de sa démarche extraordinaire. Pour la première fois, il se met à observer les femmes pour voir si une telle démarche existe véritablement et comme Gradiva – c'est le nom qu'il a donné à la jeune romaine – occupe maintenant jusqu'à ses rêves, il la voit une nuit dans Pompéi à l'époque de la destruction de la ville. Peu de temps après, Norbert part brusquement pour l'Italie et, les touristes encombrant le pays, il se réfugie à Pompéi dans l'espoir d'y trouver plus de solitude. Un jour, à l'heure où midi rend déserte la ville morte, il rencontre Gradiva en chair et en os. L'apparition s'adresse même à lui en allemand. Il retrouvera Gradiva les jours suivants et elle se révélera peu à peu à lui comme la compagne de ses jeux d'enfant. La démarche de Gradiva, le visage et la voix de Gradiva, c'étaient ceux de l'aimée ensevelie sous les cendres de l'érudition. L'asphodèle du royaume des morts cède la place à la rose rouge de la vie et sa découverte réenchante le corps. La démarche redevenue présente n'en demeure pas moins bouleversante, inscrite dans le regard de Norbert, elle est la clé du bonheur. – Trad. in S. Freud, *Délire et rêves dans la* Gradiva *de Jensen*, Gallimard, 1949.

GRADUS AD PARNASSUM [*Gradus ad Parnassum, or the Art of Playing on the Pianoforte*]. Recueil de cent études du compositeur italien Muzio Clementi (1752-1832), publiées simultanément à Londres, à Berlin et à Paris, entre 1817 et 1826. Aujourd'hui encore, elles constituent une base de l'enseignement pianistique ; elles ont, en effet, le mérite de résoudre en grande partie le problème de la technique et de la virtuosité, et d'être en même temps œuvre d'art : en effet elles sont d'autant plus propres à développer les qualités d'interprétation de l'exécutant qu'elles contiennent toujours une pensée mélodique, une ligne expressive, et qu'elles sont exemptes de toute aridité scolastique excessive. Dans les trois volumes du *Gradus ad Parnassum,* Clementi emploie toutes les formes musicales en usage de son temps, révélant une grande fécondité inventive ; ainsi, avec les véritables mouvements de sonates, alternent des formes plus brillantes et plus libres telles que rondos, menuets, scherzos et préludes, adagios à l'allure large et expressive, fugues, mouvements fugués et canons. « Extravagance » et « Bizarrerie » sont les titres des études 94 et 95, où la fantaisie se donne libre cours et où le rythme est le plus capricieux. Quelquefois, plusieurs études sont reliées en cycles ou « suites », sans pour cela contenir de mouvements de danse et sans que la tonalité soit nécessairement unique pour toute la suite. L'une des plus belles est celle qui contient les études allant du numéro 37 au 41 : le 38 est un des andantes les plus expressifs et où les qualités polyphoniques de Clementi sont mises le plus en évidence. En ce qui concerne la technique du piano, de nombreux problèmes sont soigneusement étudiés ; au moyen de gammes ascendantes et descendantes, d'arpèges variés, de successions de tierces et de quartes, et par la répétition d'enchaînements déterminés, il résout beaucoup de difficultés pour l'une et l'autre main, et arrive à assurer une force égale à tous les doigts. D'autre part, sa grande habileté en contrepoint et son emploi varié de tous les registres, de manière à reproduire sur un instrument unique toute la série des sonorités orchestrales, font de Clementi le promoteur d'une nouvelle conception des valeurs du clavier.

GRADUS AD PARNASSUM. Traité de composition du théoricien et compositeur autrichien Johann Joseph Fux (1660-1741), publié à Vienne en 1725. Une traduction française de ce traité, due à Denis, parut à Paris chez Nedermann en 1773. Cet ouvrage didactique fixe les règles strictes du contrepoint et de la composition suivant une nouvelle méthode d'approche pédagogique, sous forme de dialogue entre maître et élève. Dans son exposé, Fux, très traditionaliste, se réclame de l'enseignement de Palestrina. *Gradus ad Parnassum* eut une grande influence sur les compositeurs qui en firent l'étude, de J.-S. Bach à Haydn, Mozart et Schubert. D. Ja.

GRAIN SOUS LA NEIGE (Le) [*Il seme sotto la neve*]. Roman de l'écrivain italien Ignazio Silone (pseud. de Secondo Tranquilli, 1900-1978), publié en 1940. Tout en reprenant les thèmes de *Fontamara* (*), ce livre est la suite de *Le Pain et le Vin* (*) dont le lecteur retrouve les principaux personnages. Un jeune intellectuel italien, Pietro Spira, descendant d'une célèbre famille des Abruzzes, tente de s'opposer au fascisme. Il vit longtemps dans une cave, mais, traqué, il est obligé de revenir se cacher dans son village natal ; bientôt, menacé, il fuit à nouveau. Aidé par quelques êtres simples au cœur pur, et particulièrement par une jeune fille qui l'aime secrètement, il va d'un refuge à l'autre jusqu'à ce que les policiers le capturent. Sur ce fond tragique, Silone brosse un tableau admirable de la vie rurale italienne au temps du fascisme. Autour de Pietro Spira, toute la société d'une province italienne s'anime et s'agite. C'est avec force et humour que Silone peint les personnages, aussi bien les ambitieux et les traîtres que les lâches et les naïfs. — Trad. Grasset, 1950 ; Del Duca, 1969.

GRAMMAIRE de Denys de Thrace [Τεχνη γραμματική]. La première grammaire que posséda non seulement le peuple grec, mais toute la civilisation européenne, est celle du grammairien grec Denys (170-90 av. J.-C.), qui naquit à Alexandrie, mais d'une famille originaire de Thrace, et pour cette raison appelé le Thrace. Denys s'enfuit d'Alexandrie où il avait été le disciple d'Aristarque. Il enseigna ensuite à Rhodes, qui était alors un centre intellectuel de premier ordre. C'est dans cette île qu'il composa sa *Grammaire.* Dans cet ouvrage, Denys fond des éléments de nature alexandrine avec des éléments grecs.

Denys de Thrace fut le premier à distinguer huit parties dans le discours. Cette distinction est encore en usage après plus de deux millénaires. Il divise ensuite son traité grammatical et philologique en six parties : 1) lecture et prononciation juste ; 2) exégèse des textes dans les images poétiques ; 3) explication des mots les plus difficiles et des allusions historiques et mythologiques ; 4) étymologie ; 5) doctrine de l'analogie et paradigme de la flexion ; 6) jugement critique.

GRAMMAIRE ALLEMANDE de J. Grimm [*Deutsche Grammatik*]. Cette *Grammaire* est un des travaux linguistiques les plus importants de l'auteur allemand Jacob Grimm (1785-1863), frère de Wilhelm (1786-1859), avec qui il publia les célèbres *Contes* (*), et fondateur de la philologie germanique : pour la première fois, dans un tel travail, il introduit la méthode historique et découvre des lois. L'ouvrage comprend quatre parties dont la publication s'étendit sur dix-huit années : la première partie — la plus importante — parut en 1819 et fut complétée en 1822, la deuxième en 1826, la troisième en 1831, la quatrième en 1837. La première partie est dédiée à F. Ch. de Savigny, jurisconsulte allemand qui introduisait alors dans l'étude du droit la même méthode historique. Grimm expose son objet qui est « non de fixer des lois pour l'avenir, mais d'expliquer historiquement les formes du passé et du présent ». De l'étude comparée de toutes les langues germaniques, Grimm tire une loi qui porte en philologie son nom — loi de Grimm : elle rend compte de ce que les philologues allemands appellent « Lautverschiebung » et les français « mutation consonantique ». C'est ainsi qu'en gothique et en anglais les consonnes P T K du latin et du grec deviennent, sous certaines conditions, F TH H et celles-ci à leur tour B D G (Pater ; Father ; Vater-Tres ; Three ; Drei-Centum, Hundred, Hundert, etc.), ce que la théorie exprime en disant que la « tenuis » devient « aspirata » et que l'« aspirata » devient « media ». Une seconde mutation affecte au VIIe siècle l'allemand du Sud (Hochdeutsch) qui se distingue de l'allemand du Nord (Plattdeutsch) et de l'anglais : T devient S (Eat ; Essen), P devient PF (Pound ; Pfund), K devient CH (Make ; Machen). Grimm étudie aussi la loi de l'« Umlaut » ou modification de la voyelle radicale par la présence d'un i subséquent (Graf, Gräflich ; Hoch, Höchlich). Dans cette première partie sont étudiés également les verbes forts et leurs changements de voyelle (« Ablaut »). La seconde et la troisième partie traitent de la formation des mots et tiennent compte des dernières découvertes de l'époque touchant le sanskrit et certains documents gothiques comme la *Bible d'Ulfila* — v. *La Bible* (*). La dernière partie traite de la syntaxe.

De l'ensemble de cet ouvrage ressort l'idée que l'étude moderne du langage cherche à comprendre avant de codifier, idée que Grimm exprimait dès 1812, avant même la fondation par F. Bopp, en 1816, de la linguistique comparée : « Chaque fait individuel est sacré ; il est certain que le moindre dialecte, même le plus méprisé, a des particularités secrètes et qu'il doit être traité selon sa nature, sans qu'il lui soit fait violence. »

GRAMMAIRE DE L'ASSENTIMENT [*Grammar of Assent*]. Traité du théologien anglais John Henry Newman (1801-1890), publié en 1870. Il comprend deux parties : la première étudie l'assentiment et l'appréhension, la deuxième l'assentiment et la déduction. Le traité s'ouvre sur la distinction des propositions en interrogatives, conditionnelles et catégoriques, auxquelles correspondent trois actes mentaux distincts : doute, déduction, assentiment, c'est-à-dire l'acceptation absolue et inconditionnelle d'une proposition. Semblable acceptation suppose cependant l'appréhension, autrement dit l'interprétation des termes dont est formée la proposition, appréhension qui peut être à son tour : conceptuelle s'il s'agit d'abstraction, ou bien réelle s'il s'agit de choses. En matière de foi, l'assentiment « réel » à un dogme constitue un acte religieux ; le « conceptuel » un acte théologique. Il en découle que la théologie peut exister en tant que science, indépendamment de la vie religieuse, tandis que la religion ne peut conserver ses fondements sans la théologie : position nettement intellectualiste. La deuxième partie traite du rapport entre assentiment et déduction, relevant le caractère absolu du premier et celui, conditionnel, de la seconde, laquelle demeure toutefois le précédent nécessaire du premier. En outre, la déduction étant l'acceptation conditionnelle d'une proposition, les conclusions ne permettent jamais d'atteindre à la certitude. À ce processus déductif, qualifié par l'auteur de « formel », s'oppose un autre critère méthodologique, c'est-à-dire l'accumulation de probabilités indépendantes, dont la convergence détermine la certitude d'un fait. Le raisonnement déductif perd ainsi son caractère rigide, proche de l'opération arithmétique, et exige l'intervention d'un « instinct » particulier qualifié par Newman de « sens déductif ». Appliquant ce critère dans le domaine religieux, l'auteur examine alors les « probabilités » qui permettent d'atteindre à la certitude en matière de foi. Foi et raison se révèlent donc, dans la pensée de Newman, étroitement interdépendantes, et constituent même, nous dit-il, un même enseignement envisagé sous deux aspects différents. Se prévalant de *L'Analogie de la religion naturelle et révélée avec l'ordre et le cours de la nature* (*), de son précurseur et maître Joseph Butler, l'auteur, qui participa au mouvement d'Oxford et se convertit par la suite au catholicisme, tend à formuler une doctrine qui, tout en s'opposant au subjectivisme de l'idéalisme allemand, s'applique à replacer sur des bases rationnelles les vérités religieuses enseignées par l'Église, afin de donner au catholicisme et au christianisme en général une universalité et une autorité plus larges et plus solides que celles assurées par le seul sentiment individuel. — Trad. Bloud, 1907.

GRAMMAIRE GÉNÉRALE ET RAISONNÉE. Grammaire publiée en 1660, dite aussi « Grammaire de Port-Royal » parce que ses auteurs étaient des jansénistes célèbres et qu'elle était destinée à servir de base à l'enseignement dispensé dans les « Petites écoles » de Port-Royal. Elle fut rédigée par Claude Lancelot (1616-1695) en collaboration avec Antoine Arnauld (1612-1694) ; celui-ci donna la conception d'ensemble, Lancelot rassembla les documents et composa leurs commentaires. L'ouvrage se présente comme un traité sur les « fondements de l'art de parler, expliqués d'une façon claire et naturelle ». Le mérite d'Arnauld fut d'avoir compris que les formes de la grammaire étaient les véritables bases d'un art de penser, et d'avoir traité avec méthode un sujet qui par lui-même devient souvent vite confus. Lancelot était également auteur de grammaires latine, grecque, espagnole et italienne ; capable donc de raisonnements comparatifs. Dans la Préface, il fait observer qu'il a recherché l'origine des mots communs à plusieurs langues, recherche qui auparavant n'avait jamais été faite avec méthode et cohérence. L'intérêt de l'ouvrage vient des explications accompagnées de réflexions historiques et d'exemples sur la formation des mots, des constructions et des tournures, qui suivent chaque énoncé de règle. Les pages sur les usages, les traditions et les innovations introduites par les écrivains sont riches. L'œuvre, vite célèbre et très recherchée, devint rare à cause de la lutte soutenue contre les jansénistes par les jésuites et l'autorité royale, qui aboutit à la suppression de Port-Royal. Plus tard se fit sentir le besoin de réimprimer ce traité, et l'on y ajouta en supplément les *Réflexions sur les fondements de l'art de parler* de l'abbé Froment (1756) ainsi que des *Remarques* de Duclos.

GRAMMAIRE SANSCRITE [*Aṣṭādhyāyī*, ou « Les Huit Chapitres »]. C'est le texte le plus ancien et le plus important de grammaire sanscrite que nous possédons. Son auteur, Pāṇini, vécut vers le ve siècle av. J.-C., et son nom reste justement fameux dans l'histoire de la littérature indienne. En effet, l'*Aṣṭādhyāyī* est une claire manifestation de cet esprit scientifique avec lequel les Indiens surent analyser le langage. Par l'ampleur des matières, et la façon même avec laquelle ces matières furent traitées, cette œuvre laisse supposer un long développement préalable de la doctrine grammaticale et un grand nombre d'œuvres (perdues) relatives à cette doctrine. Il est probable, toutefois, que l'*Aṣṭādhyāyī* les a dépassées par ses mérites intrinsèques, ce qui expliquerait que cette grammaire soit la seule qui ait survécu. L'œuvre comprend la phonétique, la morphologie, la thématologie et la syntaxe ; c'est-à-dire toute la théorie grammaticale dans son ensemble, exposée dans un texte d'une grande concision. Voulant faciliter l'étude mnémonique de ses règles, conçues et exposées avec une exceptionnelle brièveté, Pāṇini a introduit l'usage de formules de type algébrique qui remplacent des mots et qu'on doit apprendre auparavant par cœur avec leur signification. On doit également apprendre par cœur la liste des radicaux des verbes (« dhātupātha ») d'où dérivent tous les mots de la langue, et une autre liste, très importante aussi, appelée « ganapātha » ou liste de groupes de mots qui, suivant des règles spéciales, se conforment aux mêmes changements, ce qui fait que, dans le cours de l'exposé, on ne cite que le premier mot de chaque groupe. En plus des règles en usage dans le sanskrit sont exposées dans l'*Aṣṭādhyāyī* certaines variations employées dans les dialectes dérivés. L'œuvre de Pāṇini est restée fondamentale en Inde, où elle a eu des commentateurs fameux. Son importance est considérable : avec elle, le sanskrit fut définitivement fixé ; ce qui allait permettre à cette langue de devenir l'instrument parfait de toute une civilisation. – Trad. Klincksieck, 1948-1951.

GRAMMAIRIENS ET RHÉTEURS (Des) [*De grammaticis et rhetoribus*]. C'est la seule partie des *Hommes illustres* (*) de l'historien latin Suétone (75 ?-150 ?) qui nous soit parvenue de manière presque complète. Elle contient une histoire de la philologie et de la rhétorique romaines à travers les biographies. La philologie que Suétone lui-même appelle, suivant la tradition de l'école d'Alexandrie, grammaire, se développa à Rome tardivement. Elle ne s'affirma qu'en 170 av. J.-C. et grâce à la venue de Cratès, ambassadeur de Pergame. Son école romaine prit pour objet d'étude les textes poétiques contemporains ou un peu antérieurs. Elle diffusa les commentaires qu'elle en faisait au moyen de lectures publiques, jusqu'au jour où cette école fut supplantée par celle de Rhodes, introduite à Rome par Élius Stilonus. Les études critiques des textes furent remplacées alors par des études plus typiquement linguistiques et lexicologiques, tandis que la pratique de la grammaire fut développée dans les écoles que fréquentaient les jeunes patriciens. L'aristocratie romaine tenait à ce que la jeunesse apprît la littérature, et subventionnait ces écoles sans que l'État eût à y contribuer. Vingt maîtres s'y succédèrent à Rome au cours de deux siècles : Nicanor, Opillus, Gnifon, Andronicus, Orbilius, Atéius, Caton, Épicadus, Érotus, Nicias, Senéus, Épirotus, Verrius, Crassitius, Scribonius, Hyginus, Melissus, Pomponius, Palémon, Probus. Suétone, au lieu d'exposer le développement des écoles et de leurs tendances littéraires, s'attarde à rapporter des anecdotes. De nombreuses lettres, des épigrammes piquantes, des mots d'esprit illustrent les courts chapitres consacrés aux biographies. Dans ces chapitres, la valeur historique du personnage devient secondaire. Suétone préfère le trait incisif qui situe un caractère aux faits biographiques proprement dits ; les personnages ne sont donc pas toujours éclairés par une lumière suffisante. On retrouve le même schéma dans la deuxième partie du livre, qui est consacrée à la rhétorique. À Rome, cette science ne s'était développée qu'assez tard et, plus encore que la philologie, elle eut à faire face à une opposition très violente de la part des autorités. Celles-ci voyaient dans l'école des rhéteurs grecs et latins un danger politique pour les institutions républicaines. Le livre ne fut pas terminé. Il nous reste seulement les cinq biographies de Plotius, Voltacilius, Épidus, Clodius et Albucius, développées elles aussi de façon à ne donner du relief qu'aux détails secondaires et à écarter les traits généraux de l'histoire. Les deux parties relatives à la philologie et à la rhétorique présentent un intérêt certain, surtout en ce qui concerne l'histoire des mœurs et de l'enseignement chez les Romains pendant la période qui s'écoula entre le dernier siècle de la République et le premier siècle de l'Empire.

GRAMMATOLOGIE (De la). Ouvrage du philosophe français Jacques Derrida (né en 1930), publié en 1967. Cet ouvrage, fondamental dans l'œuvre de son auteur, se compose de deux parties principales. L'une est consacrée à l'élaboration d'une matrice théorique critique ; la seconde se présente comme une « mise à l'épreuve » de cette matrice en proposant, à partir d'elle, deux lectures, l'une de Lévi-Strauss, l'autre de Rousseau.

La première partie est une analyse très rigoureuse du rapport qu'entretiennent la « parole » et l'« écriture » dans la tradition de pensée occidentale. Derrida montre, en trois temps forts, qui correspondent à trois grandes périodes de l'histoire de la philosophie (la pensée grecque, la pensée du signe au XVIIe siècle, et enfin la linguistique contemporaine fondée par Saussure) que l'écriture s'est toujours trouvée dévalorisée par rapport à la parole et subordonnée à elle. Citons Aristote : « Les sons émis par la voix sont les symboles des états de l'âme, et les mots écrits des symboles des mots émis par la voix » (*De l'Interprétation*). Citons également Rousseau : « Les langues sont faites pour être parlées, l'écriture ne sert que de supplément à la parole [...]. L'écriture n'est que la représentation de la parole, il est donc bizarre qu'on donne plus de soin à déterminer l'image que l'objet » (*Essai sur l'origine des langues*). L'écriture apparaît donc comme simple « représentation », image de la parole, comme reflet, trace de la voix, ou encore, pour employer des termes linguistiques, comme « signifiant du signifiant ». Elle se trouve donc secondarisée, dérivée. Loin de ne concerner que la seule philosophie du langage, la pensée traditionnelle du lien parole-écriture s'affirme en réalité comme « ontologie » et détermine toute l'histoire de la pensée de l'être (y compris aussi dans une certaine mesure celle de Heidegger), ce que Derrida va s'employer à montrer. Dans la tradition philosophique, l'être est déterminé comme présence, proximité absolue de soi à soi. La pensée elle-même est définie par Platon comme « dialogue silencieux de l'âme avec elle-même », discours qui n'a pas besoin d'être proféré dans le monde, « extériorisation » qui peut rester « intérieure ». La parole, si elle est passage au-dehors, reste cependant au plus près de la pensée. Lorsque je parle, je m'entends parler et dois être présent au moment où je parle. En revanche, l'écriture, comme le montre Platon dans *Phèdre* (*), est extériorité totale, pure trace, capable de circuler entre toutes les mains et de demeurer, seule, exposée au-dehors, sans le secours de son auteur. Elle mortifie la parole et dissémine ce qui se garde auprès de soi dans la voix vive. La linguistique de Saussure hérite de cette tradition de pensée. Le signe vaut pour une présence qui n'est pas elle-même un signe. Le signe phonique témoigne de cette présence comme « signifié ». Le signe graphique, lui, en serait la pure redondance. Toute cette tradition de pensée comme ontologie de la présence, Derrida la nomme, après Heidegger, métaphysique, mais surtout logocentrisme ou phonocentrisme. Le logocentrisme définit ainsi l'écriture : « signe signifiant un signifiant signifiant lui-même une vérité éternelle, éternellement pensée et dite dans la proximité d'un logos présent ».

La « grammatologie » (que le Littré définit comme « traité des lettres, de l'alphabet, de la syllabation, de la lecture et de l'écriture ») ne prétend pas s'opposer au logocentrisme, mais en « déconstruire » la logique en en exhibant les présupposés, en commençant non pas par réhabiliter l'écriture au sens courant comme simple technique de reproduction de la parole, mais en proposant un autre concept d'écriture. Derrida dit : « Nous voudrions suggérer que la prétendue dérivation de l'écriture, si réelle et si massive qu'elle soit, n'a été possible qu'à une condition : que le langage "originel", "naturel", etc. n'ait jamais existé, qu'il n'ait jamais été intact, intouché par l'écriture, qu'il ait toujours été lui-même une écriture. » Cette écriture, qui engloberait tout le champ du langage, « c'est-à-dire aussi la parole », Derrida la définit comme « archi-écriture », ou « archi-trace », toujours dissimulée par le désir d'une parole chassant son autre et son double en travaillant à réduire sa différence. Saussure lui-même a montré que la structure signifiante n'est qu'un jeu de différences ; parler, c'est articuler entre elles des unités sonores et signifiantes en faisant jouer leur différence. Ceci implique qu'on ne peut jamais rien dire ni signifier d'un seul coup, mais que tout énoncé « s'espace » et « se temporalise », et que cette différence de l'articulation, comme les silences dans la parole ou la ponctuation dans l'écriture, constitue la possibilité même du langage. Rien ne se dit qui ne morcelle, disloque, démembre la présence. Celle-ci se diffère nécessairement toujours et toujours déjà. D'où le concept derridien de « différance » qui dit à lui seul la mortification de l'origine pleine. L'écriture, au sens derridien est définie comme « temps mort dans le présent vivant ».

L'écriture comme archi-trace est ce que la tradition occidentale a toujours refoulé. Les lectures de Lévi-Strauss et de Rousseau qui constituent la seconde partie de l'ouvrage le montrent avec minutie et rigueur. Derrida va s'attaquer au concept de « sociétés sans écriture », si prégnant en ethnologie, pour montrer qu'il n'est pas pertinent puisque toute société se constitue à partir du mouvement même de la « différance ». Si l'écriture, comme le dit Rousseau, est un « supplément » à la parole, ce supplément apparaît, du point de vue grammatologique, comme originaire, c'est-à-dire élémentaire. Rien n'est ni n'existe qui ne se constitue dans le mouvement violent de son propre effacement. C'est là ce qu'affirme, en détruisant le concept traditionnel de signe et toute sa logique, l'ouvrage majeur de Jacques Derrida. C. Ma.

GRAND ART ou les Règles algébraiques [*Ars magna*]. Traité de mathématiques du savant italien Jérôme Cardan (Girolamo Cardano, 1501-1576), publié à Nuremberg en 1545. Cette œuvre, qui rendit le nom de son auteur immortel dans les sciences mathématiques, porte exactement le titre : *Artis magnae, sive de regulis algebraicis liber unus qui et totius operis de Arithmetica est in ordine decinus.* Cardan avait donc conçu le projet d'une grande œuvre en dix volumes sur l'« ars magna », mais il ne le réalisa jamais. Il était arrivé à retrouver la formule de résolution des équations cubiques, qui avait été trouvée par Scipione del Ferro de Bologne et était détenue par Niccolo Tartaglia, auquel Cardan réussit à arracher quelques vagues indications en vers, avec la promesse de garder le secret. Cardan refit la démonstration et se mit à l'étude du « casus irreductibilis », dans lequel les formules algébriques donnent un résultat imaginaire. Les multiplicités des racines découvertes, il les distinguera en vraies et fausses (positives et négatives). Bien qu'aujourd'hui, la résolution de l'équation du troisième degré se fasse sous une forme différente, puisqu'elle suppose l'addition d'une quantité imaginaire, le nom de Cardan reste toujours lié à la formule algébrique qui résout de semblables équations. On a recours aujourd'hui, pour la solution, à la méthode trigonométrique. Quoique Cardan ait rendu justice dans son œuvre à del Ferro et à Tartaglia, mais ce dernier ne lui pardonna pas son indiscrétion. Il en résulta une longue dispute, au cours de laquelle s'échangèrent maints traits venimeux, comme c'était alors l'usage et à laquelle participa Ludovico Ferrari auquel Cardan, qui fut son maître, attribue la formule de résolution des équations du quatrième degré, publiée également dans l'*Ars magna*.

GRAND BURUNDUN-BURUNDA EST MORT (Le) [*El Gran Burundún Burundá ha muerto*]. Œuvre de l'écrivain colombien Jorge Zalamea (1905-1969), publiée en 1952. Dans une dictature de l'Amérique latine, le premier dignitaire, le Grand Burundun-Burunda, vient de mourir, et l'on procède à ses funérailles, qu'il a lui-même préparées. L'homme était si puissant que la nature a tenu à s'unir au deuil : « Sur l'Avenue, la plus large et la plus longue du monde (trois cent quatre-vingts mètres de large et cent seize kilomètres de long pour être précis), une bruine dégoulinante ensevelissait toutes choses. » Ainsi, symboliquement, l'environnement témoigne-t-il de la réalité sordide du pays : « La prétentieuse puanteur urbaine et l'humiliation du ciel s'étaient donc entendues pour se transformer en une sorte de linceul malodorant et mou... » Mais déjà le cortège funèbre s'avance avec, à sa tête, les corps de l'État fondés par le défunt. Voici les Sapeurs, les « taupes » de Burundun le Grand Destructeur, chargées de creuser les galeries qui doivent les conduire au centre vital des villes assiégées et auxquelles Burundun le Grand Sorcier a donné le pouvoir d'émaner leur propre grisou et de faire peur à la roche elle-même. Et voici les Territoriaux, les soldats de Burundun le Grand Tueur, aux têtes identiques interchangeables dont, la nuit, les casques émettent de brèves étincelles qui trompent l'ennemi car elles imitent ingénieusement le clignotement des pacifiques vers luisants. Et, derrière eux, les Aviateurs, la « cristalline police du ciel », les « anges transparents de l'administration », pour lesquels Burundun l'Insigne Borborygmeur avait inventé une tenue invisible de répression en les enfermant dans un « grand préservatif couleur de ciel et camouflé de cirrus » qui « se confondait avec l'atmosphère sans qu'au-dedans le fœtus destructeur ratât le pointage exact de ses minuscules mitrailleuses ». Et, derrière encore, les pelotons serrés de la Police urbaine et rurale de Burundun le Grand Inquisiteur : chapeaux melons ou chapeaux mous, linge fané exhalant « des bouffées de moisissure et d'essence, de sueur et de sperme, de carie et de froides flatulences, de boulettes de mie de pain et de papier timbré ». Puis, sous un dais long de cent mètres et large de trente, brodé par les Saintes Femmes Unifiées, les vénérables hiérarchies des Églises unies, unifiées elles aussi par Burundun le Grand Schismatique « autour de deux objets très simples ; un râteau à prières et un plateau à quêtes ». Entre le dais du Grand Chapitre et le carrosse funèbre s'ouvre un vide immense, d'un kilomètre, avec une seule présence, brillante et noire, inquiétante, « terrifiante et comique à la fois », celle du cheval de guerre du Grand Conquérant, qui piaffe, dilate ses naseaux de bitume bleu et entrouvre sa bouche lippue sous un rire perçant tout comme un vilebrequin. Fermant la marche, le peuple du silence, les millions de vassaux muets et soumis du « Grand Charlatan qui avait commencé à faire le bonheur des peuples en décrétant l'abolition de la parole articulée ». À six heures du soir, le cortège passe sous l'arc qui donne accès à la place du cimetière et s'arrête pour rendre un dernier hommage au glorieux mort. Avec près de lui le meilleur compagnon du mort, le Cheval, le Chancelier ouvre le cercueil pour que tous contemplent une ultime fois le visage du grand disparu. Mais... « Comment exprimer, comment avec de simples mots, par l'unique moyen de quelques voyelles et le seul appui de pauvres consonnes, comment dire, comment répéter ce gémissement d'épouvante, ce hurlement de peur qui sortit des entrailles et monta jusqu'à la gorge du peuple muet, quand il vit, quand il se rendit compte que dans le cercueil ce n'était pas le cadavre du Grand Burundun-Burunda qui gisait... mais, irrespectueux, mystérieux, menaçant, / un grand Perroquet, / un énorme Perroquet, gonflé, fourré, bourré de papiers imprimés, de gazettes, de lettres d'outremer, de périodiques, de chroniques, d'annales, de pamphlets, d'almanachs et de journaux officiels !... » Pour tous, c'est la panique, la débandade, devant la nudité de la vérité. Le grossissement caricatural des exactions, des délires et des scléroses de la tyrannie dans une dictature latino-américaine, la force suggestive des images répulsives roulant leur flot dans un climat de violence et de stupidité donnent à cette satire poétique un relief saisissant. — Trad. Seghers, 1954.

En 1963, Jorge Zalamea a renouvelé son expérience en publiant *La Métamorphose de Son Excellence* [*La metamorfosis de Su Excelencia*]. « Dans ce poème qui évoque Bosch et Bruegel et veut être lu à haute voix, écrit Juan Liscano, Zalamea a médité les formes orales de la tradition poétique primitive et prétend poursuivre cette expérience dans son poème. C'est le premier essai de satire lyrique qui ait aussi son efficacité politique. » — Trad. dans Juan Liscano, *Les Vingt Meilleures Nouvelles de l'Amérique latine,* Seghers, 1958.

C. C.

GRAND CANON (Le) [Μεγας Κανών]. Chant liturgique de l'Église orthodoxe, chanté le jeudi qui précède le dimanche des Rameaux, composé par André, archevêque de Crète (660-740 env.). Celui-ci est connu pour être l'inventeur du « canon », genre de poésie sacrée qui se substitua aux « còntakia », hymnes naïves qui furent composées par des moines sans culture ; le canon a une plus grande prétention artistique ; en réalité, il ne se distingue de son aîné que par un peu plus de fioritures et aussi par une forme plus recherchée. Il s'agit là d'une forme complexe, résultant de ces odes courtes que furent à l'origine les « tropes » (brèves petites strophes en prose rythmée qui se chantaient après la récitation d'extraits tirés de *La Bible* (*) et choisis suivant les besoins de l'Église, et qui, par la suite, devinrent indépendantes et formèrent un groupe organique doté d'un ton musical propre). S'il est très probable que le canon est en réalité antérieur à André de Crète, son *Grand Canon* est, toutefois, le spécimen le plus admiré du genre. Son nom lui vient de sa longueur presque exagérée, puisqu'il est composé de quelque deux cent quatre-vingts strophes rythmées, dont chacune correspond à un épisode de l'Ancien Testament. La longueur de l'œuvre n'est d'ailleurs pas proportionnée à sa valeur poétique, car André de Crète n'est pas du tout un poète inspiré. On ne sent en lui qu'une intelligence médiocre, ce qui le fait s'exprimer avec prolixité dans un langage artificiel ; de plus la multitude de concepts dogmatiques introduits dans cette œuvre nuit évidemment à son expression lyrique. — Trad. Version paraphrasée par le Sieur Chevillier, Paris, Couterot, 1699.

GRAND CHEMIN (Le) [*To be a Pilgrim*]. Roman de l'écrivain anglais Joyce Cary (1888-1957), publié en 1942. C'est le second volume d'une trilogie romanesque dont les deux autres parties sont *Sara* (*) et *La Bouche du cheval* (*). Le narrateur et principal personnage du *Grand Chemin* est M. Wilcher, ce vieux garçon que nous avions vu dans *Sara* tel qu'il apparaissait aux yeux de sa gouvernante. Lorsqu'il commence à prendre des notes dans ses carnets, M. Wilcher est septuagénaire, il a le cœur malade et sait que sa vie touche à sa fin. De plus, il vient de perdre sa dernière chance de finir ses jours au sein d'un paisible bonheur, car sa famille est parvenue à le séparer de celle qu'il allait épouser. Ses plus proches parents, neveux et nièces, le prennent pour un demi-fou et convoitent son héritage. L'une de ses nièces, Ann, qui est doctoresse, a reçu pour mission de surveiller le vieil homme. Elle est parvenue à lui faire quitter Londres et s'est installée en sa compagnie à Tolbrook, dans le vieux domaine familial. Pour échapper à sa solitude morale, M. Wilcher écrit. Il note les petits incidents de la vie quotidienne, se préoccupe de l'amour qui unit Ann à son cousin Robert, s'étonne de l'incompréhension dont ils font preuve à son égard. Mais, de ce monde nouveau qu'il ne comprend plus et qui le dédaigne, M. Wilcher s'échappe sans cesse vers le passé. Car, à Tolbrook, chaque recoin de cheminée, chaque meuble, chaque arbre du parc fait se lever pour le vieil homme des fantômes d'une époque révolue. Peu à peu, sortant de l'ombre des vieux murs, les personnages se dessinent, nous livrent l'histoire de leur vie. C'est ainsi que nous faisons la connaissance du colonel Wilchert, vieux soldat de l'ère victorienne, de la douce et courageuse Mme Wilchert, et surtout des quatre enfants Wilchert : Edward, le politicien, brillant, raffiné, frivole ; Bill, le soldat, qui cache une âme étonnamment pure sous une apparence quelque peu bornée ; Lucy, la passionnée, aux colères redoutables, qui quitte sa famille pour suivre une secte religieuse errant à travers l'Angleterre ; Tom enfin, le narrateur, qui a sacrifié sa vie pour défendre la fortune chancelante de sa famille. Mais c'est surtout pour conserver le domaine de Tolbrook que Tom s'est battu tout au long de son existence : Tolbrook est pour lui une personne vivante, sur laquelle il se sent chargé de veiller. Et lorsque, à la fin du volume, son neveu Robert transforme la vénérable demeure en ferme, M. Wilcher finit par s'incliner devant cette déchéance, car il sent qu'ainsi la vie du domaine est à nouveau sauvée. Dans une composition fluide, presque musicale, *Le Grand Chemin* confond intimement l'histoire d'un homme et celle d'une époque. Au travers du journal intime, du récit ou de la méditation, c'est tout un univers romanesque, plein de sève et de vigueur, qu'il nous fait découvrir. — Trad. Albin Michel, 1949.

GRAND CŒUR [*Cuore*]. Œuvre de l'écrivain italien Edmondo De Amicis (1846-1908), publiée en 1886. C'est, après *Pinocchio* (*), le livre le plus célèbre à l'usage des enfants qui ait jamais été écrit en Italie et dont la notoriété soit universelle. Comme il est dit dans une courte préface, l'auteur imagine qu'un enfant a recueilli ses impressions d'écolier et noté tous les petits faits qui se sont produits au long de l'année scolaire, et que, quelques années plus tard, le même enfant, Enrico Bottini, a revu ces notes avec l'aide de son père, en respectant toutefois le plus possible le texte original. Le livre est divisé en onze parties qui correspondent à onze mois ; la narration est interrompue de temps à autre par une page due au père, à la mère ou à la sœur de l'enfant, et où les uns et les autres lui adressent des avertissements, des conseils, parfois des reproches. Par ailleurs, chaque mois, le maître dicte un récit, et c'est toujours l'histoire de quelque fait ou geste héroïque accompli par des enfants. L'amour filial, le dévouement, le patriotisme y tiennent toujours la place d'honneur. Citons quelques-uns des titres principaux : « La Petite Vedette lombarde », « Le Petit Copiste florentin », « Le Petit Tambour sarde », « Des Apennins aux Andes », « Naufrage ». Ces récits constituent la partie plus proprement littéraire du livre et assurèrent sa renommée.

Quant à l'histoire de l'année scolaire, elle est traitée dans un style concis, nerveux, incisif. Maîtres et maîtresses, pères et mères, condisciples d'Enrico Bottini y défilent à tour de rôle.

Chacun est doté d'un signe distinctif, d'une caractéristique morale ou physique que l'auteur remet en avant à toutes les entrées et sorties du personnage, comme un leitmotiv. Les caractères sont stylisés et représentent un peu trop exclusivement la bonté, ou la malignité, l'entêtement ou la jalousie. Ces défauts, bien visibles, et la sentimentalité excessive dont fait montre l'auteur ont suscité des critiques assez âpres et parfois injustes. L'immense popularité de l'œuvre fut telle, en Italie, qu'elle se diffusa aussitôt à des centaines de milliers d'exemplaires. On la traduisit dans toutes les langues. En bref, on ne peut dénier à ce livre des qualités certaines, dont les principales sont la vivacité du style, le sens du pittoresque, une grande élévation morale. — Trad. Delagrave, 1950 ; Nathan, 1985.

GRAND CYRUS (Artamène ou le). Roman de Madeleine de Scudéry (1607-1701), femme de lettres française, en dix volumes, publiés de 1649 à 1653 sous le titre exact d'*Artamène ou le Grand Cyrus.* La première édition fut publiée sous le nom de Georges de Scudéry, frère de l'auteur, qui y avait d'ailleurs probablement collaboré. C'est un ouvrage qui connut une vogue extraordinaire pendant toute la seconde moitié du XVIIe siècle, mais qui ne dut sa fortune qu'à son caractère romanesque et sentimental et aux identifications de ses héros avec les personnages considérables de ce temps. Mlle de Scudéry était une des plus illustres « précieuses » ; ses samedis étaient célèbres où elle recevait tous les beaux esprits de la Cour et de la ville. Elle entreprit, avec son frère Georges, une série de romans dont les sujets sont tirés de l'histoire : celle de la Turquie pour *Ibrahim ou l'Illustre Bassa* (1641), celle de la Rome des rois pour *Clélie* (*), où se trouve la fameuse « Carte du Tendre », enfin celle de la Perse antique pour *Le Grand Cyrus.* Dans l'ancienne Perse, la ville de Sinope, capitale de la Cappadoce, a commis le crime de lèse-majesté envers le roi Cyaxare. Ses habitants méritent un châtiment. Le valeureux Artamène accourt à la tête de ses troupes, mais son premier geste est de sauver de l'incendie qui réduit en cendres Sinope, son aimée, Mandane, fille du roi des Mèdes. Mandane avait été enlevée auparavant par le prince d'un État voisin, de passage à Sinope. Artamène apprend cette circonstance par un rival, mais le laisse libre de se mesurer avec le ravisseur. Cyaxare, prenant Artamène pour un traître, le fait emprisonner. Ses confidents lui révèlent alors la véritable identité du prisonnier qui n'est autre que Cyrus, le fils de Cambyse, roi des Perses, qui s'est enfui et se fait passer pour Artamène, à seule fin d'éviter d'être mis à mort par Astyax, roi des Mèdes. Artamène combat, plein d'angoisse, non pour se couvrir de gloire ou pour conquérir un empire, mais uniquement pour rejoindre Mandane qui le fuit sans cesse. C'est donc l'incarnation du héros galant, cher au XVIIe siècle. Ses soupirs ne l'empêchent pas d'être vaillant, plein d'énergie ; mais, entre les combats, il se livre au rêve et à la mélancolie.

Le Grand Cyrus est un roman à clés et Victor Cousin, qui s'est attaché à l'étude de la société française au début du XVIIe siècle, a retrouvé les principales identifications : le Grand Cyrus c'est le Grand Condé, Mandane est la duchesse de Longueville, Philonide, Julie d'Angennes, Mlle de Scudéry paraît elle-même sous le nom de Sapho. C'est ainsi qu'on trouve dans *Le Grand Cyrus* une description très exacte de la bataille de Rocroi. Les caractères sont bien tracés et les traits devaient en être à la fois exacts et très mesurés, puisque les originaux s'y reconnurent et furent fort satisfaits de leurs portraits. Les héros agissent, mais surtout ils parlent, interminablement : que ce soit à la guerre, ou en prison, ils ont des conversations pleines de délicatesse et d'esprit, sur la mort, l'éducation des femmes, la politesse, les lettres.

Lorsqu'il fut publié à part, ce recueil des fameuses conversations devint une manière de manuel de la bonne société. Les anachronismes de mœurs et de sentiments, qui semblent choquants, n'étaient qu'un attrait de plus, puisque l'auteur n'a jamais songé à peindre les mœurs des anciens Perses et que les contemporains y retrouvaient leurs habitudes de vie et leur mentalité. Plus que les invraisemblances, et même que la mièvrerie de certains passages, c'est la longueur de l'œuvre, sa monotonie qui la rendent difficilement lisible. Une invention inépuisable, et d'ailleurs très banale, traîne les héros d'aventure en aventure, d'histoire en histoire jusqu'au dixième tome. Nul plan d'ensemble d'ailleurs : *Le Grand Cyrus* a été écrit comme un roman-feuilleton dans lequel les épisodes se suivent à la fantaisie de l'auteur. Ses longueurs et son affectation expliquent le mépris des jansénistes et les sarcasmes de Boileau.

GRAND DICTIONNAIRE HISTORIQUE. Œuvre de l'érudit français Louis Moréri (1643-1680), publiée dans sa première édition en 1674 sous le titre de *Grand dictionnaire historique ou Mélange curieux de l'histoire profane et sacrée,* puis, après différents remaniements et additions, par Drouet, en dix volumes en 1759. Cette dernière édition est de loin la meilleure et celle à laquelle on se réfère habituellement. Le *Grand dictionnaire* tire surtout son importance du fait qu'il a été la première compilation de ce genre qui ait été entreprise. L'ouvrage n'est pas exempt d'erreurs et n'est pas toujours égal à lui-même ; mais, à l'époque où il parut commençait à se faire sentir la nécessité d'ouvrages de référence et de vulgarisation littéraire et scientifique. Quoique dépourvu de toute critique des sources et des textes — donc scientifiquement très contestable —, le *Dictionnaire* de Moréri ouvrit la voie à ces grands travaux où l'on inventoriait systématiquement les connaissances humaines et qui allèrent du *Dictionnaire historique et critique* (*) de Bayle à l'*Encyclopédie* (*). Le *Grand Dictionnaire* est un vaste répertoire de notices relatives à diverses branches du savoir et en particulier à l'histoire. Dans ce domaine, Moréri se réfère, indirectement, à une culture universelle propre à rapprocher les hommes dans un même désir de connaissance naturellement opposé à toute lutte morale ou politique. Si Moréri lui-même n'eut pas toujours conscience qu'il défendait ainsi la tolérance et la critique dépourvue de préjugés, son continuateur, Pierre Bayle, développera cette défense et passera à l'attaque.

Cependant, Moréri était beaucoup trop tourné vers les patientes investigations et les travaux de pure érudition pour se lancer dans la discussion de théories politiques et religieuses. Son *Dictionnaire* demeure encore utile aujourd'hui comme le premier répertoire de notices biographiques, spécialement en ce qui concerne l'histoire et la pensée du XVIIe siècle européen.

GRAND DICTIONNAIRE UNIVERSEL DU XIXe SIÈCLE de Pierre Larousse. Ouvrage monumental du lexicographe français Pierre Athanase Larousse (1817-1875), publié d'abord en quinze tomes de 1864 à 1876, et complété par deux suppléments (1878-1884). Il fut renouvelé et mis à jour par différents collaborateurs qui exposèrent les nouvelles découvertes scientifiques dans les numéros successifs du *Larousse mensuel illustré* (1907-1937) et dans le *Nouveau Larousse illustré* (1897-1904), formé de sept volumes et d'un supplément paru en 1907, publications dirigées par Claude Augé. Cette œuvre de grande valeur, qui a pris le nom de son infatigable auteur, est remarquable surtout pour le courage avec lequel elle remet en question la tradition culturelle et les problèmes de la vie politique, religieuse et morale, continuellement soumis à l'examen d'esprits indépendants et éclairés. Comme Pierre Larousse l'expose dans la vaste préface en tête du premier volume, ce travail veut être la nouvelle encyclopédie du XIXe siècle ; son auteur s'élève contre toutes les idées qu'il croit capables de conduire les hommes à la ruine et à la négation de la raison. Il se déclare prêt à accueillir tous les courants nouveaux, comme en témoigne l'hommage rendu au philosophe Proudhon dans les dernières pages de cette introduction, et à ne jamais refuser d'entrer en lutte dans quelque domaine que ce soit. Tout est profitable au rétablissement des valeurs spirituelles et aux conquêtes d'une nouvelle société. Cette attitude de liberté absolue, qui se retrouve dans tout l'ouvrage, porte l'auteur à s'attaquer à la mollesse des poètes précieux tout autant qu'aux injustices sociales du passé ; il combat volontiers toute forme réactionnaire de pensée et s'en prend aux aspects négatifs du capitalisme et du catholicisme. Ce *Larousse* est par conséquent une œuvre qui porte la marque d'une époque et d'une idéologie, tout en résumant les conquêtes de la science et en mettant au point des questions d'érudition : aussi se rapproche-t-il du *Dictionnaire historique et critique* (*) de Bayle qui a ce ton de polémique continuelle et discrète, et de *L'Encyclopédie* (*) de Diderot et de d'Alembert. Certaines publications ont tenté de conserver l'esprit de ce dictionnaire : ce sont le *Larousse pour tous,* sous une forme de plus large vulgarisation (1920-1922), et le *Larousse du XXe siècle,* publication dirigée par Paul Augé (1928-1933). Enfin, un *Grand Dictionnaire encyclopédique Larousse*, en dix volumes, a paru de 1982 à 1985. Il remplaçait le *Grand Larousse encylopédique* en dix volumes (1960-1964), plus deux suppléments.

GRAND DIEU PAN (Le) [*The Great God Pan*]. Roman de l'écrivain anglais Arthur Machen (1863-1947), paru en 1894. Persuadé que notre monde n'est qu'illusion, le docteur Raymond procède, en présence d'un témoin unique, Clarke, sur le cerveau d'une jeune femme volontaire, à une intervention chirurgicale destinée à modifier sa perception de l'univers et à lui faire accéder au monde véritable, à lui faire voir, selon son expression, le « grand dieu Pan ». L'opération réussit, malheureusement l'horreur de ce qu'elle perçoit la fait immédiatement sombrer dans la folie. Des années plus tard, amateur et collectionneur de faits bizarres (comme l'était Machen à une période de sa vie), Clarke rassemble divers témoignages relatifs à une vague de suicides étranges où la terreur joue un grand rôle. Le narrateur nous entraîne ainsi dans la bonne société londonienne et, peu à peu, des propos couverts de témoins indirects, s'échappe une odeur méphitique de corruption spirituelle qui donne au lecteur à penser que toutes ces victimes pourraient bien avoir « vu le grand dieu Pan ». Clarke ayant identifié, à force de recoupements, une femme nommée Helen Vaughan comme le foyer infectieux de cet épisode macabre de la vie londonienne, il lui rend visite avec un témoin et lui donne le choix entre le suicide et la police. Clarke et le témoin assistent alors à l'agonie d'Helen Vaughan : une scène cauchemardesque où son corps subit de multiples métamorphoses, montant et descendant l'échelle de l'évolution de l'humanité, avant que la mort ne survienne enfin. Ayant vaguement reconnu dans les traits d'Helen Vaughan ceux de la petite Mary opérée des années plus tôt par Raymond, Clarke raconte cette aventure à ce dernier qui, dans une lettre venant conclure le roman, lui relate à son tour les suites de l'opération de la jeune femme qui était décédée neuf mois plus tard en donnant naissance à une petite fille nommée... Helen Vaughan. Ce roman de Machen fut très mal accueilli par la critique

anglaise qui y vit un ouvrage de très mauvais goût. Il s'agit de l'un des chefs-d'œuvre de la littérature fantastique qui repose, comme beaucoup d'autres, sur l'art d'évoquer l'innommable – sans le nommer ! Tout en guidant l'imagination du lecteur dans une direction précise, la narration ne lui impose aucune vue particulière ; la langue d'Arthur Machen, prise dans un style plutôt fin de siècle, reste pure et subtile, presque anodine dans sa fluidité ; la multiplicité des narrateurs, réunis par un même rapporteur, donne au roman une structure kaléidoscopique qui vient contrebalancer la minceur de l'intrigue. Le sentiment de terreur recherché est évoqué à l'aune du bon sens et du matérialisme scientifique des témoins. Enfin, le rapport de Machen à la mythologie est affectif, émotionnel, très éloigné de celui purement culturel et intellectuel que nous y avons ; cet aspect contribue pour une grande part à la compréhension de son univers onirique. Son art subtil de la narration est aussi imprégné d'une âme, mi-chrétienne mi-païenne, qui s'exprime avec une force inégale à travers toute son œuvre, mais l'anime d'une vie inhabituelle. – Trad. par Paul-Jean Toulet, Éditions de la revue *La Plume*, 1901 ; Robert Laffont, 1986.
X. P.

GRANDE AIGUILLE (La) [*High Tor*]. Pièce de l'écrivain américain Maxwell Anderson (1888-1959), qui obtint le prix de la Critique américaine en 1938. Elle retrace le conflit entre un paysan attaché à la nature et des spéculateurs désireux de réduire en gravier l'aiguille rocheuse, High Tor, qui se dresse près de sa ferme. Van Dorn est le fils de pionniers de l'Hudson, tout plein des rêves de la grande « ruée vers l'Ouest » qui amenèrent là ses ancêtres. Sa fiancée Judith est si attachée à la flèche de roc qui se mire dans le fleuve qu'elle hésite à suivre Van Dorn en Californie. Le soir, il lui arrive en effet de voir s'amarrer au pied de l'aiguille un navire portant les membres de l'expédition d'Hendrik Hudson dans leurs costumes surannés. Un vieil Indien, le dernier de sa tribu, est revenu mourir dans sa patrie, et il aide le fermier, qui lui promet de l'y ensevelir, à déjouer les plans des hommes d'affaires. C'est lui qui persuadera Judith de partir vers l'Ouest avec son fiancé, après qu'elle aura découvert la sépulture des explorateurs et conjuré leurs fantômes. L'originalité du dramaturge consiste dans la création d'une atmosphère de légende folklorique et de féerie poétique. L'esprit de l'épopée américaine triomphe dans la pièce des ambitions du capitalisme conquérant. Les pionniers, les explorateurs, les premiers habitants de l'Amérique se trouvent exaltés par ce retour aux sources. L'évocation fantastique du passé, la présence des fantômes sur la scène et la terreur qui entoure ces apparitions ne sont pas déroutantes, parce qu'elles se mêlent au symbolisme du folklore traditionnel. – Maxwell Anderson, que le public connaît surtout à cause du succès cinématographique de *Key Largo,* dont il écrivit le scénario en 1939, a poursuivi le traitement de thèmes historiques dans *Jeanne de Lorraine* [*Joan of Lorraine*].

GRANDE AMITIÉ (Une). Correspondance Julien Green-Jacques Maritain. Publiée intégralement en 1982, cette correspondance entre l'écrivain américain d'expression française Julien Green (né en 1900) et le philosophe catholique Jacques Maritain (1882-1973) débute en 1926 et prend fin en 1972, quelques mois avant la mort du philosophe, le 28 avril 1973. Green rencontra Maritain en 1925, peu de temps après la publication du *Pamphlet contre les catholiques de France* (*), sa première œuvre. Séduit par le *Pamphlet*, Maritain voulut rencontrer le jeune inconnu et l'intégrer à son groupe d'amis, parmi lesquels se trouvaient déjà un certain nombre d'écrivains et d'artistes préoccupés par les questions religieuses. Comme il dirigeait à cette époque une collection littéraire, c'est aussi à lui que Julien Green doit la publication de ses premiers romans : *Mont-Cinère* (*), *Adrienne Mesurat* (*) et *Léviathan* (*). Dans les premières années, la correspondance entre l'écrivain et le philosophe portera essentiellement sur la littérature, en particulier sur l'œuvre de Julien Green à laquelle Jacques Maritain se montre très attentif. Par moments, Julien Green ne dissimule pas ses réticences face à un interlocuteur dont il semble craindre les intentions prosélytiques alors que, pour sa part, il cherche à s'éloigner de l'Église catholique. Mais ces premiers échanges, s'ils conservent quelque froideur, sont aussi les premiers témoignages d'une amitié entre deux esprits – et deux sensibilités – d'égale valeur. Les nombreuses remarques adressées à Julien Green par le philosophe au sujet de ses romans indiquent une compréhension profonde de l'univers de l'écrivain, rarement égalée depuis lors. Il semble que Jacques Maritain ait été le premier à reconnaître la dimension poétique et même surnaturelle de cet univers alors que, à la même époque, la critique rangeait volontiers l'auteur au nombre des écrivains de la tradition réaliste. Avant de devenir le compagnon spirituel de près d'un demi-siècle de vie, Jacques Maritain fut donc le guide de Julien Green dans les chemins de la création. Avec les années, une amitié intense, d'âme à âme, s'établira entre les deux auteurs qu'une même passion pour la vie contemplative avait su gagner l'un à l'autre. Jacques Maritain, que l'on retrouve à maintes reprises dans le *Journal* (*) de Julien Green, jouera un rôle essentiel dans le retour de ce dernier à l'Église catholique en 1939.
P. De.

GRANDE BARRIÈRE (La) [*The Great Divide*]. Drame en trois actes de l'écrivain américain William Vaughan Moody (1869-1910), représenté d'abord à Chicago, puis à New York en 1906. Accompagnée de son frère, Ruth Jordan a abandonné le vieux domaine familial, dans l'espoir de sauver les restes de son patrimoine en les investissant dans un « ranch » isolé de l'Arizona. Un soir, trois hommes ivres, venus de l'autre côté de la frontière, font irruption dans la maison où la jeune fille se trouve seule. Deux d'entre eux se proposent de la jouer aux dés. Terrorisée, elle conjure le troisième bandit, nommé Ghent, de la sauver, en lui promettant d'être à lui... Ghent donne de l'or à ses compagnons, puis comme il est le plus fort, il parvient à les chasser. Ruth le supplie alors en vain de la tenir quitte de sa promesse ; mais Ghent, avec une brutale franchise, lui offre son affection et lui demande de l'aider à se faire une nouvelle vie. Au second acte, Ruth et Ghent, maintenant mariés, habitent une maison située dans la Cordillère, non loin de la mine d'or qu'il a découverte. Ruth attend un enfant, mais au fond d'elle-même n'a jamais consenti à cette union. L'offensant souvenir d'avoir été achetée pour une poignée d'or par ce rustre aux manières brutales et grossières, si étranger à son monde puritain et bourgeois, l'empêche de répondre à l'amour de Ghent. Entre eux s'élève la « grande barrière » qui sépare le monde ancien, raffiné et conventionnel, auquel appartient la jeune femme, du monde simple et aventureux de son mari. À la fin du second acte, Ruth abandonne ce dernier et retourne chez elle. Au dernier acte, Ghent vient rejoindre sa femme sur les instances de la famille de celle-ci. Malgré la naissance de son enfant, elle n'est pas parvenue à surmonter ses préjugés, ni à briser la cuirasse de susceptibilité et de sensibilité offensées qui la sépare de son mari. Dans le monde décadent des Jordan, la figure de Ghent apparaît désormais comme celle d'un homme doué non seulement de force et de vie, mais encore de santé morale. C'est lui qui sauve la famille de la déchéance ; il finira par vaincre la rancœur de Ruth, en lui faisant découvrir que l'affection qui les unit est fondée sur l'aide mutuelle qu'ils se sont donnée puisque, grâce à elle, il a pu abandonner sa vie indigne et que, grâce à lui, elle découvre une existence plus saine. Fondé sur un épisode réel en ce qui concerne le premier acte, ce drame n'est pas dénué de sensibilité poétique, et s'il ne vise pas à démontrer une thèse particulière, il en illustre plusieurs. Le rachat de Ghent et ce qu'on peut nommer la conversion de Ruth sont traités avec une délicatesse pénétrante. Représentée d'abord à Chicago sous le titre de *La Sabine,* c'est seulement plus tard sous sa nouvelle appellation que la pièce remporta un plein succès. Elle marque une étape significative dans le développement du théâtre moderne américain, surtout si on la compare à *La Jeune Fille de l'Ouest,* pièce de David Belasco (1859-1931), dont le thème est voisin, et qui fut jouée à la même époque. Elle constitue la première tentative sérieuse d'interprétation dramatique des problèmes sociaux et psychologiques qui se posaient dans le Nouveau Monde.

GRANDE BEUVERIE (La). Ce petit livre de l'écrivain français René Daumal (1908-1944), publié en 1938, relate une expérience d'introspection conduite selon les principes de l'école philosophique de Gurdjieff que l'auteur avait suivi (*Fragments d'un enseignement inconnu*). Cette expérience est toutefois masquée, dans la première partie, par une cinquantaine de pages qui, tout en étant nécessaires à la compréhension de l'expérience relatée, sont écrites à la manière rabelaisienne (d'où le titre adopté par l'auteur pour son livre). Ne nous dit-il pas d'ailleurs : « Alors que la philosophie enseigne comment l'homme prétend penser, la beuverie montre comment il pense. » La lecture de ce livre est assez ardue ; en effet, suivant l'avertissement de l'écrivain lui-même, l'une des quatre conditions requises pour sa compréhension est l'existence – entre l'auteur et le lecteur – « d'une expérience commune de la chose dont il est parlé ». Sans cette expérience commune, « toutes nos paroles sont des chèques sans provision ». Cet essai d'introspection est présenté sous la forme d'une critique de la société en général (prise en tant qu'ensemble d'individus) et, d'analyse en analyse, de l'individu lui-même. Nos manies, nos petites habitudes ou nos automatismes, notre manque de connaissance de soi – tout est passé en revue et condamné sans appel. Deux chapitres d'une verve étonnante (les chap. 35 et 37 de la deuxième partie sont consacrés aux pseudo-occultistes, capables de trouver des sens cachés dans les phrases les plus simples et qui vont répétant : « *Moi,* je sais », « *Moi,* je suis initié ». C'est pourquoi, nous dit Daumal, « on leur a donné le nom générique de *Moijes, Moijiciens,* et à leur occupation celui de *Moijie ;* mots qu'eux-mêmes, sans les comprendre, ont repris à leur compte, les déformant un peu en *Mages, Magiciens* et *Magie* ». Mais cette critique virulente est-elle bien le résultat d'une introspection ? Certainement. Outre la troisième partie du livre, qui le prouve abondamment, nous ne voudrions comme preuve que cette phrase du héros de *La Grande Beuverie* qui, ayant reçu une réponse qui lui prouvait son incapacité à se voir sous son vrai jour, déclare : « Je l'aurais bien giflé. Mais c'est moi qui aurais reçu mes gifles. »

GRANDE BRETÈCHE (La). Nouvelle de l'écrivain français Honoré de Balzac (1799-1850), publiée en 1830 et placée ensuite par l'auteur dans les « Scènes de la vie privée », où elle forme, bien que séparée, la fin de *Autre Étude de femme. La Grande Bretèche* date des débuts du véritable Balzac, celui qui commence avec *Le Dernier Chouan* et *La Physiologie du* *mariage* (*) ; la même année que cette nouvelle, il avait donné un de ses chefs-d'œuvre, *Gobseck* (*). La scène se passe à la fin d'un souper mondain, et c'est le docteur Blanchon, personnage qui revient dans un grand nombre de volumes de *La Comédie humaine* (*), qui raconte que, séjournant à Vendôme, il avait découvert une étrange gentilhommière isolée et abandonnée, dont il fit un but de promenade. Il reçoit, un matin, la visite d'un notaire de la petite ville, M. Regnault, qui lui demande de bien vouloir cesser ses visites à la Grande Bretèche. Il lui explique qu'il est l'exécuteur testamentaire de la propriétaire de ce domaine, Mme de Merret, et que personne ne doit pénétrer dans la maison avant que ne soit écoulé un délai de cinquante ans à compter de la mort de Mme de Merret. Blanchon, qui n'a pu obtenir plus de détails du notaire, essaie de connaître la clef de ce mystère, et c'est la servante de l'hôtellerie qu'il habite, autrefois femme de chambre de Mme de Merret, qui le lui dévoile. M. de Merret, à la suite d'une maladie de sa femme, avait pris l'habitude de la laisser seule la nuit. Un soir, revenant du cercle beaucoup plus tard que d'ordinaire, il veut lui rendre visite. Au moment où il va ouvrir la porte de la chambre, il entend se fermer la porte du cabinet qui communique avec cette chambre. Sa femme lui paraît troublée. M. de Merret, assailli par le doute, veut ouvrir cette porte. Sa femme le conjure de n'en rien faire : tout sera fini entre eux s'il ne trouve personne. Puis elle jure sur le crucifix qu'il n'y a personne. M. de Merret fait venir un ouvrier qui mure, au milieu de la nuit, l'entrée du cabinet. Puis il s'en va. Aussitôt après son départ, Mme de Merret commence à démolir le mur qu'on vient d'édifier, et sa femme de chambre, qui l'aide, entrevoit alors les traits d'un jeune homme, un Espagnol prisonnier de guerre. Mais le départ du mari n'était qu'une feinte, il surprend sa femme et fait murer à nouveau la porte. Le cruel gentilhomme ne quitte plus sa femme pendant vingt jours. Lorsqu'elle l'implore pour l'inconnu qui meurt asphyxié à quelques pas d'eux, il répond : « Vous avez juré sur la croix qu'il n'y avait là personne. »

Dans ce court récit, Balzac veut donner un exemple frappant de drame de la jalousie. La découverte progressive du mystère est très habilement amenée et les coups de théâtre se succèdent, enfermant peu à peu cette femme coupable et victime dans les atroces conséquences de son faux serment. Mais *La Grande Bretèche* n'est encore qu'une nouvelle habilement construite ; si les dialogues ont déjà cette allure de vérité qu'on retrouve dans toute l'œuvre de Balzac, la psychologie des personnages reste sommaire, et *La Grande Bretèche* n'est qu'un complément dramatique de couleur très romantique à *Étude de femme* (*).

GRAND ÉCART (Le). Roman de l'écrivain français Jean Cocteau (1889-1963), publié en 1923. Jacques depuis l'enfance « ressentait le désir d'être ceux qu'il trouvait beaux et non de s'en faire aimer ». C'était se ménager bien des rencontres avec le vide et avec son image qu'il détestait. « La beauté, comme l'eau, passait près de lui, allait ailleurs. » Paraît Germaine et « l'eau stoppe, lui renvoie passionnément son reflet ». Jacques aimera ce miroir qui lui permet enfin de se contempler et de s'aimer. Pour s'y rejoindre, il se distendra à l'extrême. Autour de lui, dans la pension Berlin, rue de l'Estrapade, on ignore, on frôle, on bouscule ce pensionnaire qui se déplace avec les gestes d'un équilibriste. Un des élèves, Mahieddine Bachtarzi, fils d'un riche marchand d'Alger, entraîne Jacques dans la loge de sa maîtresse, Louise Champagne, danseuse « mieux placée dans le demi-monde que sur l'affiche ». Louise a une amie, Germaine, qui comme elle paye au théâtre sa taxe de femme entretenue. Jacques ne résiste pas à Germaine « dont la beauté penchait sur la laideur, mais comme l'acrobate sur la mort ». Le cœur de Jacques se « met en marche » avec « la maladresse, la fougue d'un début ». De son côté Germaine aime Jacques, « mais son petit cœur ne débutait pas » même si « elle aimait chaque fois pour la première fois ». En fait « elle flambait le plus haut et le plus vite possible ». Lorsque Germaine emmènera Jacques toute une journée en Normandie dans la ferme des Rateaux, père et mère, ce sera « le seul bonheur aéré qu'ils eurent ». La veille, venue chercher Jacques rue de l'Estrapade, Germaine a rencontré Peter Stopwel, champion de saut en longueur, redevable à Oxford « d'une immoralité multiforme sous l'uniforme sportif ». Bientôt Germaine mangera du porridge, lira le *Times.* Si elle exécute Jacques, c'est comme un dentiste qui opère, rapide et efficace. « Incorporé à cette femme qui se détache de lui sans transition, Jacques se voit diminué à mesure qu'elle s'éloigne. » Il veut mourir. S'y employer est déjà un remède à la souffrance. La mort répond à son appel, s'avance prudemment, trébuche, se retire. Un filou a vendu à Jacques un mélange de drogue inoffensif. De retour à Paris, après un mois de convalescence en Touraine, Jacques se demande « sous quel uniforme cacherai-je mon cœur trop gros ? Il paraîtra toujours ». Premier roman de Cocteau, *Le Grand Écart,* par son sujet, est dans la plus pure tradition romanesque. La singularité de ce roman, qui reste une réussite exemplaire, tient à la maîtrise d'une forme où l'invention se renouvelle à chaque page. Le style est racé, d'une souplesse et d'une fermeté qui justifient la liberté de mouvement, les audaces d'un verbe qui ne tombe jamais dans l'acrobatie. Rien n'est édifié, tout jaillit. Cependant, des miroirs captent notre regard, le propulsent hors des atteintes de notre raison, l'abandonnent face à un monde neuf, terrible dans sa simplicité. Au réveil « c'est en nous l'animal, la plante qui pensent. Pensée primitive, sans le moindre fard... jusqu'à ce que, de nouveau, l'intelligence nous encombre d'artifice ». Si un instant Cocteau nous déroute, c'est pour nous faire atteindre par une voie neuve et révélatrice ce que nous cherchions sans succès sur les chemins battus.

GRANDE CONQUÊTE D'OUTRE-MER (La) [*La gran conquista de Ultramar*]. Il s'agit d'une vaste compilation répartie en quatre livres, consacrée aux sept premières croisades. L'ouvrage remonte presque certainement au début du XIVe siècle ; il a été publié à Salamanque en 1503. C'est un mélange des plus hétérogènes de faits historiques et légendaires, où sont retracés les événements de chaque expédition et évoqués les personnages les plus importants. Le style est extrêmement simple et monotone, fait de périodes courtes et hachées, juxtaposées de façon continue. Il est dit explicitement dans le prologue, puis dans l'épilogue, que la compilation espagnole est la version directe d'un texte français ; celui-ci n'est pas arrivé jusqu'à nous, mais il devait probablement être à son tour une compilation faite d'après plusieurs textes, dont l'*Histoire des croisades* [*Historia rerum in partibus transmarinis gestarum*] de Guillaume de Tyr (mort en 1184), augmentée de récits romanesques comme la légende du « Chevalier au cygne » (*), de « Berte aus grans piés » (*), de la « Jeunesse de Charlemagne », de « Baudouin et le Serpent », etc. Une autre source est constituée par un poème en provençal sur la prise d'Antioche, dont il ne reste qu'un fragment, du reste suffisant pour prouver la filiation du texte en question.

GRANDE COSMOLOGIE [Μέγας διάκοσμος]. Cet ouvrage fut attribué au philosophe grec Démocrite d'Abdère (Ve-IVe siècle av. J.-C.) par le premier éditeur de ses œuvres, Thrasyllos, mais, selon le témoignage de Théophraste, rapporté par Diogène Laërce, cette *Grande Cosmologie* serait en réalité l'œuvre de Leucippe d'Abdère (Ve siècle av. J.-C.), maître de Démocrite. Aucun fragment de cet ouvrage n'est survenu jusqu'à nous.

GRANDE-DUCHESSE DE GEROLSTEIN (La). Opéra bouffe en quatre actes d'Henri Meilhac (1831-1897) et Ludovic Halévy (1834-1908), musique du compositeur français d'origine allemande Jacques Offenbach (1819-1880), créé à Paris en 1867. L'action a lieu vers 1720, dans une petite principauté allemande. La Grande-Duchesse, âgée de vingt ans, a pour fiancé le prince Paul ; mais elle est tenue quasiment sous tutelle par ses ministres. Pour la distraire et se maintenir au pouvoir, ils vont jusqu'à imaginer d'entreprendre une guerre qui l'amuserait, cela donne l'occasion à la Grande-Duchesse de se montrer parmi ses soldats à la veille des hostilités et de leur exprimer son affectueuse sympathie. Mais un de ces soldats frappe son imagination : c'est le fusilier Fritz, un gars sympathique prompt à se cabrer contre son chef, le général Boum. La Grande-Duchesse qui n'est guère éprise du prince Paul, et entend s'amuser aux dépens de ses tuteurs, se hâte d'élever le soldat Fritz au grade de général afin de l'opposer au général Boum. Elle lui offre le commandement de l'armée et un appartement dans le Palais même. Mais Fritz, fort amoureux d'une jeune paysanne, Wanda, ne tient pas à jouer son nouveau rôle de favori. D'ailleurs, une conjuration organisée par le prétendant l'expose à la bastonnade et achève de le discréditer aux yeux de la Grande-Duchesse. Celle-ci le casse de son grade et il redevient un simple soldat. Quant à elle, elle se décide enfin à épouser le prince Paul. L'évidente satire politique et militaire qui s'attaque à un milieu non pas allemand, mais parfaitement français, reflète la décadence du second Empire, prélude de la défaite de 1870. Cette folle aventure, animée par les rythmes et les mélodies brillantes et échevelées d'Offenbach, eut un vif et très long succès.

GRANDE EAU (La) [*Golemata Voda*]. Roman de l'écrivain macédonien Živko Čingo (1935-1987), publié en 1971. L'action se déroule au lendemain de la dernière guerre, pendant le « premier printemps de liberté », comme dit l'auteur. Dans cet « endroit maudit », un ancien asile d'aliénés qui paradoxalement se nomme « La Clarté », une poignée d'éducateurs conduits par un directeur qu'on appelle « petit père », comme Staline (dont le portrait orne son bureau), essaye d'éduquer une masse amorphe d'enfants, toujours en rang selon les règles de la nouvelle société. Živko Čingo évoque ici une période très sombre pour la Yougoslavie, comme pour beaucoup de pays de l'Est. Dans cet orphelinat qui est un véritable enfer, entouré d'un mur qui ne cesse de monter, se rencontrent Lem, un petit garçon (qui est aussi le narrateur) et son ami Isaac Keïten, l'oiseau « le plus moche de tous » mais un véritable magicien qui rit « comme un dieu ». Alors tout devient possible : le mur disparaît, l'appel de la Grande Eau se fait de plus en plus fort, le mont Senterlev où « naît le soleil » se fait de plus en plus proche. Le rêve est la seule échappatoire pour ces enfants livrés à la faim, aux poux et aux traitements inhumains des éducateurs. Ceux-ci ne voient en eux que des « petits saligauds méchants et noirs » qu'il faut faire revenir dans le droit chemin. La hantise d'avoir un « bon dossier » est omniprésente car, même à cet âge-là, il fallait alors mériter cette fameuse pièce administrative dont dépendait le misérable avenir. Lem et Keïten oublient la réalité sordide, se cachant la nuit dans le grenier d'où ils voient la Grande Eau, symbole de la liberté, mais aussi de la mère, de l'amour et de la tendresse qui leur manquent le plus. Un jour Isaac sera accusé d'avoir peinturluré le portrait de Staline. Il sera sauvagement battu et enfermé dans la cave, mais rien ne changera dans son cœur où règnent « l'amitié et l'amour, la camaraderie et le regard amical, et le rire, son rire, le désir et la foi en la Grande Eau, la vérité sur le mont Senterlev ». Aucune punition n'entame la jovialité de ce garçon courbé « comme un bâton de saule », fantaisiste et provocateur, qui sait rire « jusqu'à ce que la dernière goutte de son cœur tarisse ». Keïten sera dénoncé, puis accusé d'avoir volé un morceau de bois. Et, justement, ce morceau de bois dans lequel Isaac avait sculpté « une mère » amènera le directeur à « se punir lui-même de toutes les injustices de l'orphelinat... » — il se suicide. « Ce jour-là, tous les enfants, tous sans exception, vieillirent de plusieurs années, de plusieurs siècles... » — Trad. L'Âge d'Homme, 1980. M. B.

GRANDE ÉCOLE DES FEMMES (La) [*Onna Daigaku*]. Œuvre en un volume, attribuée au philosophe et moraliste japonais Kaibara Ekiken (1630-1714), bien que l'on incline maintenant à la considérer comme une œuvre postérieure, calquée sur le modèle des autres travaux de cet écrivain et imitant son style. Quoi qu'il en soit, l'*Onna Daigaku* est l'unique code de morale qui ait été à la base de l'éducation des petites filles japonaises, pendant la période qui précéda l'ère Meiji (1868). Comme tel, son importance est grande du fait qu'il nous éclaire sur la position que pouvaient occuper les femmes dans la société d'alors, position bien inférieure à celle des hommes. Au cours de l'ère Meiji (1868-1912), à la suite du bouleversement apporté par des coutumes occidentales, l'*Onna Daigaku* ne connut plus qu'une audience de plus en plus restreinte. C'est une œuvre assez brève, écrite dans un style extrêmement lent. — Elle a été traduite à plusieurs reprises, et particulièrement par M. Révon (*Anthologie de la littérature japonaise*, 1918).

GRANDE ÉPOQUE (La) [*The Great Days*]. Roman de l'écrivain américain John Dos Passos (1896-1970), publié en 1958. Roland Lancaster est un grand reporter qui a parcouru le monde et dont les journaux s'arrachaient les articles. Aujourd'hui, quand il débarque à Cuba, avec sa vieille valise en peau de porc, éraillée par vingt années de pérégrinations aux quatre coins de la terre, c'est avec l'intention de prendre un nouveau départ. La mort de sa femme l'a laissé très seul, ses articles n'ont plus le même succès, mais il est convaincu qu'il va trouver à Cuba les éléments d'un reportage sensationnel sur l'agitation dans les Caraïbes. Il espère aussi que ce voyage marquera pour lui un tournant dans sa vie sentimentale ; Elsa, la jolie fille rousse qu'il a rencontrée à Chicago, l'accompagne et va vivre avec lui cette aventure, et, qui sait ? devenir la seconde Mme Lancaster. À l'histoire de Roland Lancaster et d'Elsa pendant ces quelques jours à Cuba viennent se mêler les souvenirs de la grande époque du journaliste : le temps où il avait des amis au cabinet de Roosevelt, les jours fiévreux du New Deal, les reportages de correspondant de guerre sur les divers théâtres d'opérations du Pacifique, dans les rues de Berlin détruit, au procès de Nuremberg. En contrepoint de la grandeur des jours passés se précise peu à peu l'échec de la tentative de Roland. Le pathétique épilogue dans une gare routière est l'aboutissement logique d'une destinée qui s'est accomplie à travers des moments d'espoir et de déception. « Et voilà, se dit Roland en traversant la rue avec la foule, nous voilà les gens sans nom. » Il n'est pas interdit de voir en Roland Lancaster une image de l'auteur, une image partielle certes, et comme « détournée », mais n'oublions pas que Dos Passos fut correspondant de guerre de 1941 à 1945, et qu'il a collaboré lui aussi à l'expérience du président Roosevelt. Si l'existence de Roland se solde par un échec, c'est peut-être qu'au fond de lui-même l'écrivain n'est pas certain que sa vie à lui aussi ne soit un échec ; et il y a quelque chose de pathétique dans ce long regard jeté vers le passé, « la grande époque ». Notons encore que, dans cet ouvrage, John Dos Passos semble avoir abandonné la plupart des positions radicales de sa jeunesse et de ses premiers ouvrages, pour en adopter d'autres par comparaison bien teintées de conservatisme. — Trad. Gallimard, 1963.

GRANDE ET LA PETITE MANŒUVRE (La). Pièce en deux parties de l'écrivain français d'origine russe Arthur Adamov (1908-1970), représentée pour la première fois au Théâtre des Noctambules par la compagnie Jean-Marie Serreau le 11 novembre 1950 et publiée la même année avant d'être reprise dans *Théâtre I* (1953). Le premier tableau préfigure déjà le dénouement : entre deux policiers hilares, le Mutilé se débat ; dans les coulisses, on entend des coups sourds : c'est un homme qu'on frappe ; mais l'agitation du Mutilé est vaine : il est le premier à voir le corps du Militant que l'on vient de jeter sur la scène au milieu des rires. Le thème est le même que dans *Le Sens de la marche* : rien ne peut arracher l'homme à son destin de victime. Le Mutilé ne se fait d'ailleurs aucune illusion sur l'efficacité de la résistance aux pouvoirs établis ; on l'entend dire, en parlant du Militant : « Je sais, il se trompe ; il ne pourra rien changer à ce monde » ; quant à lui, il se soumet aux puissances d'en haut, dont les ordres, donnés par la voix anonyme des Moniteurs, retentissent à tout instant dans les coulisses. Un seul espoir pour lui : l'amour d'Erna, la belle rousse au charme trouble, dont les attentions maternelles semblent dissimuler les goûts sadiques, ou du moins le double jeu, car on la voit aussi en excellents termes avec un certain Neffer, chargé de la répression contre les militants. Le Mutilé, qui refuse de révéler son passé même à Erna, tant est grande sa crainte des puissances supérieures, se retrouve, privé non seulement de ses mains, mais aussi d'une jambe et soigné avec allégresse à l'hôpital par une Erna déguisée en infirmière ; mais le tableau suivant nous montre la même Erna arrachant ses béquilles au Mutilé et le jetant à terre. Quant au Militant qui, forcé de se cacher, avait disparu au début de la pièce, il reparaît à la fin triomphant, devenu le chef du gouvernement victorieux ; mais quand il se prépare à prononcer un discours décisif, son enfant meurt, et son discours, commenté par les manchots goguenards, est manqué ; pendant ce temps, le Mutilé, maintenant cul-de-jatte, reparaît chez Erna, qui réconforte Neffer affolé par le retournement de la situation politique ; une dernière fois, le malheureux, entendant la voix des Moniteurs, veut quitter Erna, et le rideau tombe sur un éclat de rire de la jeune femme. De ce mélange de grotesque et de cruauté naît une sensation de cauchemar, c'est la preuve que l'auteur a su donner la vie à des personnages symboliques ; si le drame de Militant nous touche assez peu, en revanche le Mutilé, broyé par le monde qui est notre monde, a une présence assez vivante pour nous rendre sensible tout le pitoyable de la condition humaine.

GRANDE FORÊT (La) [*Wilderness*]. Roman de l'écrivain américain Robert Penn Warren (1905-1989), publié en 1961. Ce roman gagne en densité et en intensité ce qu'il perd en volume par rapport aux autres ouvrages de Warren. C'est une tragédie menée de main de maître par ce grand magicien du verbe qu'est toujours Robert Penn Warren, qui y prend pour prétexte la guerre de Sécession, à laquelle son grand-père a participé et qui ne cesse d'être l'un des lieux de prédilection du roman américain. Son héros est un jeune Juif allemand dont le père a renié la révolution que d'abord il avait servie. Pour racheter son père autant que pour servir ses propres convictions, Adam Rosenzweig part pour l'Amérique, bien décidé à combattre pour la liberté des Noirs. Nombreuses sont les déceptions, les épreuves qu'il rencontrera en cours de route. À New York, le premier Noir qu'il voit est un pendu ; un ami de son père veut l'empêcher de s'engager dans l'armée. Dans cette armée, il ne rencontre guère que des soudards attirés par l'appât du gain, impitoyables les uns pour les autres. Ce n'est qu'aux limites de la résistance morale et physique qu'Adam se trouve justifié. On ne peut trahir une cause que l'on croit juste sans se trahir soi-même. Il n'y a pas de martyrs inutiles. Riche en événements imprévus et en rebondissements, ce roman, centré sur un seul personnage, d'une construction plus simple que ses autres livres, mais non moins envoûtant, montre clairement les intentions de Warren et la trajectoire de toute son œuvre : en dépit des obstacles, l'homme doit poursuivre son idéal et bâtir ainsi l'Histoire. Ce roman illustre par ailleurs cette épigraphe de Melville placée par Warren en tête de son essai intitulé *L'Héritage de la guerre de Sécession* [*The Legacy of Civil War*, 1962] : « Le vent de l'Histoire tourbillonne dans un sens contraire à celui où il souffle. » – Trad. Stock, 1962.

GRANDE GAÎTÉ (La). Recueil de poèmes de l'écrivain français Louis Aragon (1897-1982), publié en 1929. Titre par antiphrase, couverture de deuil, l'œuvre se développe dans trois directions : la dérision, le désespoir, la colère. Comme dans *Le Mouvement perpétuel* (*), les poèmes de dérision ont pour but de décevoir le lecteur pour lui signifier que la poésie, toujours à conquérir, n'est pas là. Petites ritournelles truquées, images d'un mauvais goût délibéré, tout s'organise alors pour écœurer le lecteur, le « bêtifier », et le poème rit du poème en même temps que de celui qui le lira : « Oh ma zizi / Oh ma zizi / Tes petits seins tes petits / Pieds / Pieds pieds pieds pieds / Tes petits pieds sur mes grands seins. » Ou encore : « La chronologie bras dessus bras dessous / Avec son petit homme / S'est envoyée pour quatre sous / De friture de pommes / De terre. » Mais bientôt, de la révolte contre le poème, Aragon passe au poème instrument de révolte ; c'est d'abord pour dire son désespoir et son désarroi devant un monde où, poète, il n'a pas de place, et qui a tout détruit, y compris l'amour – par exemple dans l'admirable « Poème à crier dans les ruines » : « Aima aima aima mais tu ne peux savoir combien aima est au passé / Aima aima aima aima aima / Ô violences. » Ensuite, pris de colère contre ce monde où l'ordre ne profite qu'à quelques-uns, Aragon redécouvre la violence des grands satiristes pour fustiger militaires et policiers, ministres et curés, tous les satisfaits de tous rangs : « Clique des têtes à claques », « Lettre au commissaire » (avec son apologie de la mort violente et dérisoire), « Ramo dei Morti » (« Mais il ne sera pas dit que j'aurai /À ma barbe / Laissé s'installer encore des statues sans piétiner le plâtre »). Insulte ou cocasseries, le langage cependant coule toujours de source, Aragon demeurant, quoi qu'il fasse, l'un des grands inventeurs de notre littérature, et qui sait parfaitement « jusqu'où il peut aller trop loin ».

GRANDE GLOSE d'Accurse [*Glossa*]. François Accurse (1182-1260) fut le plus grand juriste de l'école de Bologne, glorieuse expression de la civilisation italienne du Moyen Âge. Se rattachant à la tradition juridique romaine, il se livra avec passion à une œuvre de recherche et de reconstitution et donna sa forme au droit commun que fut le droit romain au Moyen Âge, dans lequel puisèrent par la suite les « juristes » du XIXe siècle pour fonder la science moderne du droit (*Le Précis des pandectes* de Windscheid). Les savants de cette école furent appelés glossateurs, du mot « glose », explication littérale des mots difficiles d'un texte et souvent aussi commentaire des passages controversés, d'après une étude comparative de ces passages, ou même d'après leur reconstitution originale. La *Glose* d'Accurse fut aussi appelée la *Grande glose,* car elle ne fut pas seulement la dernière vraiment importante, mais aussi la plus complète. Elle contenait une révision de toutes les gloses précédentes qui trouvaient en elle une critique exhaustive. Les gloses traitées par Accurse sont au nombre de 100 000 : 62 577 pour le Digeste, 21 933 pour le Code, 4 737 pour les Institutions, 7 013 pour l'Authenticum — pour tous ces mots, v. *Corpus de droit civil* (*) — et quelques centaines pour les livres du Droit féodal. L'œuvre d'Accurse fut si célèbre qu'elle donna naissance au fameux adage : « Quod non agnoscit Glossa non agnoscit Curia. »

GRANDE HISTOIRE DES FRANÇAIS SOUS L'OCCUPATION (La). Série de dix livres historiques de l'écrivain français Henri Amouroux (né en 1920), parue entre 1976 et 1991. Henri Amouroux n'a pas manqué de courage en s'attelant à ce travail considérable portant sur une période particulièrement sensible de l'histoire de France. S'appuyant sur une masse de documents et sur des témoignages inédits envoyés par ses lecteurs, il passe au crible les faits historiques et montre que tout n'a pas été aussi clair qu'on a voulu le faire croire dans l'immédiat après-guerre. Il estime ainsi que l'état d'esprit du peuple français a évolué entre 1940 et 1945, et ce sont ces transformations qu'Amouroux veut saisir en regardant à la loupe la société française au cours de ces années. Ce point est très important. Henri Amouroux ne fait pas que relater les grands événements historiques, mais il explique aussi la répercussion que chacun d'eux a eue sur les individus. Il ne raconte pas — ou pas seulement — l'Occupation, il raconte « les Français sous l'Occupation ». Par ailleurs, pour comprendre le présent, il faut se replonger dans la mémoire du passé : « C'est à tort, écrit-il, que l'on croit en avoir fini avec les années 40. Elles représentent l'une des grandes fractures du siècle, et nationalement, nous en portons toujours la marque. » D'où la nécessité de cette entreprise et son besoin d'objectivité.

Le Peuple du désastre (tome 1, « Août 1939-juin 1940 », 1976) analyse comment la défaite provoque chez les Français un profond désarroi. C'est dans ce contexte qu'il faut replacer le triomphe du maréchal Pétain et la période d'incertitude qui va suivre, couverte par les deux volumes : *Quarante millions de pétainistes* (tome 2, « Juin 1940-juin 1941 », 1977) et *Les Beaux Jours des collabos* (tome 3, « Juin 1941-juin 1942 », 1978). La première réaction des Français n'a certainement pas été de « résister ». L'Assemblée nationale donne les pleins pouvoirs à Pétain en juillet 1940. Et quand l'Allemagne attaque l'U.R.S.S. en juin 1941, l'expansionnisme nazi revêt la forme d'une croisade antibolchevique, à laquelle certains Français veulent participer, notamment ceux qui s'engageront dans la L.V.F. ; quant aux collaborationnistes à Paris, ils reprochent aux hommes de Vichy leur passivité.

Cependant, après cette première phase très sombre, Amouroux peut parler du « réveil d'un peuple » : *Le Peuple réveillé* (tome 4, « Juin 1941-avril 1942 », 1979) décrit la lente prise de conscience par le « peuple du désastre » qu'un sursaut est possible. Les premiers résistants furent rares, mais ils préfiguraient la renaissance d'une Nation, en attendant que le peuple se révolte dans ses profondeurs. *Les Passions et les Haines* (tome 5, « Avril-décembre 1942 », 1981) attestent cependant que le chemin est encore long. L'Allemagne, qui connaît des difficultés militaires, durcit son pouvoir. Un climat malsain s'établit (c'est le temps des lettres de dénonciation) qui débouche sur *L'Impitoyable Guerre civile* (tome 6, « Décembre 1942-décembre 1943 », 1983) : les Français s'entre-tuent pour des idées, mais aussi pour de la nourriture. La Milice s'acharne d'autant plus qu'elle sent le vent tourner.

Un printemps de mort et d'espoir (tome 7, « Novembre 1943-6 juin 1944 », 1985) marque enfin le retournement de situation. Les Allemands savent qu'ils ont désormais perdu. L'espoir se matérialise : de Gaulle est solidement implanté en Algérie et reconnu par les Alliés. Les maquis sont prêts. Le dénouement n'a plus qu'à se produire (*Joies et douleurs du peuple libéré*, tome 8, « 6 juin-1er septembre 1944 », 1988) avec le débarquement, la fin de Vichy et la déroute de l'Allemagne. Dans *Les Règlements de comptes* (tome 9, « Septembre 1944-janvier 1945 », 1991), Amouroux évoque l'épuration. Maintenant nous sommes « après » l'Occupation, mais, dans les mois qui suivent, de grands procès montreront que *La page n'est pas encore tournée,* comme l'indique le titre du dixième volume, couvrant la période février-octobre 1945. J.-É. M.

GRANDE ILLUSION (La) [*The Great Illusion*]. Essai de l'écrivain anglais Norman Angell (pseud. de Ralph Norman Angell Lane, 1874-1967), publié en 1910. L'auteur y démontre que, étant donné l'évolution économique, toute guerre ne saurait qu'également ruiner vainqueurs et vaincus, car l'équilibre du monde moderne repose sur le respect mutuel d'un certain nombre de contrats commerciaux qu'un conflit ruinerait pour toutes les parties. Il s'ensuit qu'un conquérant ne saurait toucher au commerce d'un adversaire sans que le sien propre n'en subisse le contrecoup et finalement les mêmes dommages. Ce livre, qui connut un grand succès et rendit célèbre Norman Angell, devait bientôt apparaître comme une véritable prophétie à la lumière des événements de la guerre de 1914. Il en fut plus tard de même pour son autre ouvrage important : *Les Assassins invisibles* (*). – Trad. Nelson, 1911.

GRAND ENSEMBLE (Le). Roman de l'écrivain français Gérard Boutelleau (1911-1962), publié en 1962. Ce roman illustre l'un des problèmes de la vie moderne : l'accroissement, l'empiétement de la ville sur les campagnes, et la construction d'immeubles préfabriqués où vont et viennent des milliers de gens. Le maire de la commune de Sauvas, Jacques Lambert, est l'artisan de la lutte sans merci contre les spéculateurs, les bâtisseurs, les promoteurs de ces immenses cités inhumaines. La partie s'avère difficile. Pour Lambert, l'échec de son action se double d'un échec sentimental : en effet, sa maîtresse le quitte pour Dalens, l'architecte de la cité nouvelle. En vérité, Jacques Lambert n'incarne pas le véritable héros de ce roman, il n'est que la figure principale d'un univers passionné où se confrontent une multitude d'êtres farouches et singuliers : Perrin, l'architecte des villes futures, Françoise Vespari, femme audacieuse et libre, Guérard, ancien militant communiste. Mais c'est le jeune Théo, recueilli par Françoise Vespari, qui apparaît comme le personnage le plus surprenant. Il décrit dans son journal Sauvas et ses habitants avec verdeur, lucidité, et parfois même avec cynisme. Inachevée, Sauvas demeurera le symbole d'une ville dont la population sera sans attaches à l'image des sociétés nouvelles. Gérard Boutelleau nous en restitue la peinture et la philosophie à travers une prose extrêmement belle à force de fluidité et d'élégance.

GRANDE PÂQUE RUSSE (La). Ouverture du compositeur russe Rimski-Korsakov (1844-1908) apparentée au poème symphonique. La formule du poème symphonique est une invention de l'école romantique. Elle permet aux compositeurs d'illustrer musicalement un texte littéraire, tout en gardant une totale liberté d'inspiration. Le poème ou l'argument choisi ne sert que de prétexte ; il est un simple fil conducteur que le musicien interprète à sa manière. Rimski-Korsakov a composé sept poèmes symphoniques : *Antar*, le *Capriccio espagnol* (*), *Conte féerique*, *La Légende de la cité invisible de Kitège* (*), *Sadko* (*), *Schéhérazade* (*) et *La Grande Pâque russe*. Il a lui-même établi le commentaire littéraire de sa partition, qui est musicalement étayée sur des thèmes liturgiques de l'Église orthodoxe : « L'assez longue et lente Introduction évoque la prophétie d'Isaïe sur la résurrection du Christ. Les sombres couleurs de l'Andante lugubre représentent le Saint-Sépulcre s'illuminant au moment de la résurrection, au passage de l'Allegro. Ce début de l'Allegro, "Ceux qui le haïssent fuiront de devant sa face", est en harmonie avec la joie qui caractérise la cérémonie ; la trompette solennelle de l'archange alterne avec le son joyeux et presque dansant des cloches, coupé tantôt par la lecture rapide du diacre, tantôt par le chant du prêtre lisant dans le livre saint la Bonne Nouvelle. Le thème "Christ est ressuscité" apparaît entre l'appel des trompettes et le son des cloches, et forme une coda solennelle. » Cette partition peut nous sembler d'un caractère essentiellement païen : les gâteaux de Pâques, les innombrables cierges allumés, les popes chantant, allegro vivo, la gloire de Dieu ; mais Rimski se rappelle avoir vu, à Moscou, sur la place Vladimir, un moujik à moitié ivre danser sur le rythme des carillons de Pâques, et c'est cette liesse un peu désordonnée qui demeure pour lui le symbole de Pâques dans la Sainte Russie. La description en est saisissante de couleur et de vie. La seule orchestration, avec notamment ses effets de cloche et sa virtuosité picturale, marque une date importante dans l'histoire de la musique.

GRANDE PATIENCE (La). Cycle romanesque de l'écrivain français Bernard Clavel (né en 1923), comportant quatre tomes. *La Maison des autres* (1962, prix populiste), *Celui qui voulait voir la mer* (1963), *Le Cœur des vivants* (1964), *Les Fruits de l'hiver* (1968, prix Goncourt). Le récit s'articule autour de trois personnages : les époux Dubois et leur fils Julien, en privilégiant la figure de ce dernier dans le premier et le troisième volume tandis que les parents occupent le devant de la scène dans le second et le quatrième roman. De nombreux épisodes ou détails empruntent à la biographie de Bernard Clavel, à commencer par le nom des personnages principaux, qui est celui de la mère du romancier, née Héloïse Dubois. Dans le roman comme dans la réalité, le père a été boulanger et gymnaste. Julien, né à Lons-le-Saunier comme l'auteur, est apprenti pâtissier à Dôle puis travaille dans une chocolaterie à Lyon ; après la défaite de 1940, engagé dans l'armée de l'armistice, il déserte après l'occupation de la zone sud par les Allemands ; il aime la boxe, qu'il pratique, se passionne pour les livres et surtout pour le dessin et la peinture dont il essaie de faire son métier... Mais au-delà de toutes les ressemblances que l'on pourrait trouver entre le romancier et son œuvre, *La Grande Patience* est un véritable roman parce que les destinées individuelles se fondent dans l'Histoire et sont emportées dans le grand mouvement du temps. Pris entre ses désirs, ses rêves de bonheur, ses certitudes et la réalité, le poids des choses et des événements, que peut l'homme ? Croit-il dominer et diriger le cours des faits ? Il est toujours « rattrapé » : par l'hérédité, la famille, la société, la politique sans oublier la solitude, la vieillesse et la mort. Pourquoi Julien s'oppose-t-il si fréquemment, voire si violemment à son père ? Parce qu'ils ont un fonds commun de caractère : ronchon et égoïste, le père Dubois ; mais quand le fils est en apprentissage, quand il fuit l'avance allemande, que plus tard il est installé à Lyon, il ne songe pas à donner de ses nouvelles ne serait-ce que pour rassurer ses parents. L'incompréhension entre le boulanger retraité et le jeune homme tient à l'époque, à l'évolution des mœurs, à une émancipation qui se fait jour et qu'accélère la guerre : pour le premier, un métier, c'est un travail sérieux comme ouvrier, artisan et surtout boulanger ou pâtissier ; c'est une fierté que l'on peut se transmettre de père en fils avec l'héritage ; pour Julien, un métier, c'est la liberté, voire le plaisir, l'aventure – comme dans la peinture. Et si la mère soutient son fils, c'est plus par amour que par conviction ; pour mieux garder un petit qui regarde ailleurs et part...

La Maison des autres est dans tout le sens de l'expression un roman d'apprentissage. D'abord l'apprentissage d'un métier, la pâtisserie, décrit avec une réalité minutieuse – on voit lever la pâte des croissants, on les sent tout chauds sortis du four ; ensuite l'apprentissage du monde : le mépris et l'injustice d'un patron exécrable, l'expérience syndicale encouragée par le Front populaire, les premiers émois amoureux avec leur naïveté pathétique, la découverte des grands auteurs, la chaleur de la camaraderie. *Celui qui voulait voir la mer,* c'est Julien. Il ne tient pas en place, il veut vivre et peindre. Tout à sa passion comme son père tout à son jardin, il voit peu ce qui se passe autour de lui. L'exode l'emporte et laisse ses parents seuls à se déchirer pour des riens, par habitude et, plus grave, parce que le père préfère Paul, le fils qu'il a eu d'un premier mariage, la mère n'ayant d'inclination que pour Julien. *Le Cœur des vivants* : titre polysémique. Le cœur, siège de l'amour : le roman est en partie celui de la passion de Julien pour Sylvie. Cœur signifie aussi courage : celui des premiers résistants, de ceux qui passent en Espagne pour rejoindre Londres ou gagnent le maquis. Sans oublier le cœur douloureux des (sur)vivants : les Dubois, en panne de nouvelles filiales. *Les Fruits de l'hiver* sont le roman de l'Occupation et de la violence, de la vieillesse triste et solitaire des Dubois. Vienne la Libération : Julien reviendra avec femme et (presque) enfant... Les temps nouveaux sont mûrs : le fils de Julien naît, les parents Dubois quittent un monde qui leur est devenu étranger. Bernard Clavel dresse une fresque des années 1937-1945 dont se détachent d'inoubliables personnages, y compris parmi les comparses ou les personnages épisodiques qui éclairent l'histoire de ceux qu'on appelle les « petites gens » sous prétexte qu'ils font les « gros travaux », selon le mot de Louis Guilloux.

Y. P.

GRANDE PEUR DANS LA MONTAGNE (La). Récit de l'écrivain suisse d'expression française Charles-Ferdinand Ramuz (1878-1947), publié en 1926. Cet ouvrage est une réponse à la question que l'auteur se posait à lui-même lorsqu'il scrutait la vie secrète de la nature et les croyances superstitieuses de ces hommes si simples qui vivent à son contact : y a-t-il une puissance ténébreuse susceptible de se dévoiler et de s'attaquer à la création entière et à l'homme ? Quelques bergers incrédules montent avec leurs troupeaux sur une montagne maudite. Voici d'abord qu'une inexorable maladie fauche le bétail. Bientôt le mauvais sort s'abat sur les hommes et sur le village. Cette force obscure devient de plus en plus pressante et de plus en plus manifeste. Les troupeaux meurent, ainsi que leurs bergers, et Victorine, la jeune fille qu'aime Joseph, le pâtre, succombe à son tour. Joseph alors finit par croire que son incrédulité est la cause de cette mort. Le tragique épilogue où dans le cimetière les hommes se battent à coups de croix, pendant que les cloches sonnent pour les obsèques de Victorine, traduit le débordement de cette angoisse qui engloutit tous les cœurs. « Mort », tel est le dernier mot de ce livre. C'est donc dans la perspective d'un naturalisme tragique que l'œuvre entière de Ramuz doit être considérée.

GRANDE PEUR DES BIEN-PENSANTS (La). Ouvrage de l'écrivain français Georges Bernanos (1888-1948), publié en 1931. Bernanos avait déjà écrit plusieurs romans : mais sans doute est-ce par cette biographie d'Édouard Drumont, ou plutôt ce pamphlet qui prend pour prétexte la vie de l'auteur de *La France juive* (*) (1886), qu'il s'imposa définitivement au public. Il ne faut pas lui demander d'être un biographe au pied de la lettre. Il fait de l'histoire comme Péguy, et cherche ses sources dans le cœur de son modèle plutôt que dans les textes. Trente ans d'histoire de France, de 1870 à 1900, forment la trame de *La Grande Peur,* mais il s'agit d'une histoire absolument transformée, recréée dans l'âme de Bernanos – et pour laquelle les hommes de fichier se montreront, à bon droit, si l'on accepte leur point de vue, sévères. Qui reconnaîtrait Drumont dans le portrait qu'en donne Bernanos ? Du polémiste de *La Libre Parole*, l'auteur de *La Grande Peur* a fait une sorte de géant mythique, un personnage d'un autre monde, Titan aux prises avec les républicains, les parlementaires, les juifs, bien sûr, mais presque autant les « bien-pensants », conservateurs timorés, prêtres ralliés, évêques diplomates qui ne songent qu'à se concilier les faveurs de ceux qui les briment – et finalement vaincu par eux. C'est le récit de ce que Bernanos considère comme l'agonie de la chrétienté. « La chrétienté sera morte », dit-il dans sa conclusion. « Peut-être n'est-elle déjà plus qu'un rêve... » Il faut avouer qu'il semble plaire assez à Bernanos de défendre les causes perdues. S'il se fait l'avocat de Drumont, c'est que sa cause est une cause perdue. Par la faute de qui ? Des bien-pensants. Ceux-là, Bernanos ne les ménage point. Il ne les hait pas : au contraire, c'est avec toute la force d'un amour pour ceux qu'il sait bien être, malgré leur lâcheté ou leur bêtise, la chair médiocre, blessée, souffrante de son Église, qu'il les dénonce. La querelle de Bernanos est celle d'un homme déçu, mais qui ne se résigne point. La « grande peur des bien-pensants », c'est elle, plus que les coups de la république anticléricale de Ferry et de Combes, qui a entraîné la mort de la chrétienté, l'abaissement de la France. C'est-à-dire que la République, pour Bernanos, n'eût rien pu contre l'Église si elle n'avait trouvé, dans l'Église même, la complicité de la lâcheté des conservateurs, des libéraux chrétiens, les calculs politiques ridicules des évêques qui, par toutes les concessions, s'efforçaient de gagner les faveurs d'un régime qui ne gagnait sa cohésion que par sa lutte anticléricale... Bernanos fait feu contre tous : contre les bourgeois affolés par la Commune et qui, soutenant la répression de Thiers, préparèrent la scission de l'Église et des ouvriers ; contre le maréchal de Mac-Mahon et les hommes du 16 mai, leurs secrètes complicités pour leurs adversaires, leurs hésitations devant un retour d'Henri V ; contre les hommes du Ralliement, et ici la colère de l'auteur n'épargne même point les plus hauts dignitaires de l'Église ; contre les catholiques ralliés qui, au moment de l'affaire Dreyfus, au lieu de soutenir Drumont et les ligues nationalistes, porteront leurs voix à l'« Action libérale » pour n'obtenir qu'un magistral désastre électoral.

Le Bernanos qui a écrit *La Grande Peur,* c'est encore le « camelot du Roy » d'avant la guerre de 1914, qui brûlait d'« agir », de renverser la République, de restaurer la monarchie, la chrétienté, l'Église, un Bernanos « activiste », qui fait, à propos d'une maxime politique de Bismarck, un éloge de la Force comme fondement du Droit, lequel n'est pas sans rappeler certains thèmes des pangermanistes de l'Allemagne impériale... Déjà cependant on voit se dessiner certaines des positions de Bernanos qui, plus tard, décideront de sa rupture avec Maurras : ce qu'il a d'abord reproché au maître de l'« Action française », c'est justement d'avoir, lui aussi, connu la grande peur des bien-pensants.

Où est Drumont dans tout cela ? Il apparaît par intermittence, puis, tout à coup, s'éclipse pour laisser place aux commentaires enflammés de l'auteur, qui se préoccupe beaucoup moins de l'époque de la « France juive » et de l'« Affaire Dreyfus » que de la sienne... Le Drumont populaire, le journaliste à succès, l'écrivain aux gros tirages, le chef de bandes antisémites, s'il l'exalte quelque temps, paraît beaucoup moins proche du cœur de Bernanos que le Drumont humilié, oublié, solitaire, vaincu, qui a essayé, en vain, de réveiller les énergies de la race et la foi militante des catholiques. Bernanos livre ici le testament de sa propre jeunesse, de ses enthousiasmes qu'il n'espère plus guère voir accomplis... Son livre est moins un pamphlet de combat politique qu'un souvenir et un témoignage. Livre de désespoir, qui en appelle à la chrétienté moins comme à un futur que comme à un rêve, *La Grande Peur des bien-pensants* serait plutôt un roman politique qu'une biographie.

GRANDE PITIÉ (La) [Tò *νούμερο* 31-328]. Récit de l'écrivain grec Ilias Vénézis (1904-1973), paru à Athènes en 1931. C'est le premier volet d'une trilogie consacrée à l'Asie Mineure dont le second est *Sérénité* (*) et le troisième *Terre éolienne* (*). Vénézis, originaire d'Aïvali, en Asie Mineure, fut emmené en 1922, à l'âge de dix-huit ans, à la veille du désastre de Smyrne, dans les camps de travail d'Anatolie. Des trois mille jeunes gens grecs qui partirent avec lui, vingt-trois seulement en réchappèrent. *La Grande Pitié* relate les quatorze mois passés par l'auteur dans les bagnes d'Anatolie : exécutions sommaires, tortures, pendaisons, lynchages, travail exténuant accompli dans la neige ou dans la chaleur de l'été, amitiés nouées et dénouées au hasard des rencontres emplissent ce livre émouvant, écrit dans une langue simple et directe, sans recherche d'effets. En dépit des horreurs et des brutalités perpétrées par les gardiens et les soldats turcs, la haine est absente de cette œuvre, qui se veut avant tout témoignage — un des premiers, notons-le, offert par la littérature occidentale sur la vie concentrationnaire. — Trad. Pavois, 1945.

GRANDE PITIÉ DES ÉGLISES DE FRANCE (La). Ouvrage de l'écrivain et homme politique français Maurice Barrès (1862-1923). Tout comme Lamartine et Victor Hugo, Barrès voulut être à la fois un pur artiste et un homme politique. Mais, pas plus qu'eux, il n'eut une carrière politique vraiment à la mesure de son œuvre d'écrivain. Il a joué néanmoins, au commencement du siècle, un rôle important dans le mouvement de réaction suscité par la dénonciation du Concordat et la loi de séparation de l'Église et de l'État. C'est ce qu'atteste son livre intitulé *La Grande Pitié des églises de France,* paru en 1914 et où le mot « églises » désigne non pas des groupements spirituels, mais les monuments réservés au culte. L'auteur y a rassemblé des articles, des discours, des comptes rendus de séances parlementaires et, çà et là, des souvenirs, des impressions personnelles ou des méditations. L'ensemble constitue comme l'histoire du combat qu'il a livré pour la conservation des édifices menacés par l'application de la loi nouvelle. Il y signale le danger que leur fait courir non seulement le manque d'entretien, mais même le vandalisme de municipalités malveillantes. Tout en attirant particulièrement l'attention sur l'intérêt artistique, archéologique et historique, que présente un grand nombre d'entre eux, il ne craint pas de pousser à fond l'examen du problème. Et, loin de s'en tenir au point de vue de l'artiste et de l'historien, il voit dans les églises non seulement des œuvres d'art, mais « le sentiment religieux rendu visible » et, plus précisément encore, « les seuls édifices idéologiques qu'ait le peuple, c'est-à-dire chargés uniquement d'idées qui ne représentent pas de la besogne ».

Le sentiment religieux dont il constate comme un fait l'existence dans l'humanité, il en est pénétré lui-même. Cependant, tout en se faisant le champion du catholicisme, il ne craint pas de parler aussi au nom de ceux qui ne sont pas de vrais croyants. Et il n'est pas douteux que les plus belles pages de ce livre ne sont pas celles où le député signale des situations regrettables, rapporte des faits scandaleux, propose des remèdes ou réclame des sanctions, mais bien celles où l'écrivain expose ses idées et consigne ses impressions. On trouve sans doute dans les premières maintes indications précieuses sur l'état des esprits durant la longue campagne anticléricale qui a précédé la guerre de 1914 : par exemple, le refus de certains conseils municipaux d'autoriser les travaux d'entretien que des groupements privés proposent d'effectuer à leurs frais ; ou encore l'histoire fameuse des « accroupis de Vendôme », qui avaient transformé un clocher en latrines. Mais l'ouvrage vaut surtout aujourd'hui pour la beauté philosophique et littéraire des passages où l'auteur s'élève au-dessus des incidents journaliers de la bataille. À l'avant-dernier chapitre intitulé « La Mobilisation du divin », évoquant les divinités dont le paganisme avait peuplé la nature, et sentant encore quelque chose de leur présence dans les sources et les forêts qui furent leur suprême refuge, il souhaite leur réconciliation « avec Celui qui préside notre civilisation ». Et ce disciple de Taine et de Renan termine son livre en déclarant que, pour vaincre la Bête, les églises de France ont besoin de saints. Ajoutons que partout le style de ces pages est d'une pureté, d'une harmonie et d'une noblesse qui suffiraient à les sauver de l'oubli.

GRANDE RESTAURATION DES SCIENCES (La) [*Instauratio magna*]. Ouvrage du philosophe anglais Francis Bacon (1561-1626), conçu selon un plan général de réforme des sciences, mais dont certaines parties seulement furent traitées : la première est constituée par son livre : *De la dignité et de l'accroissement des sciences* (*) ; la deuxième, par le *Novum organum* (*) ; quant à la troisième, il n'en demeure que des matériaux concernant la philosophie naturelle, publiés à titre posthume sous le titre de *Sylva sylvarum* (*). Insatisfait des conditions générales des sciences et du savoir de son époque, l'auteur affirme, dans sa préface à *La Grande Restauration*, que l'édifice de la raison humaine est bâti comme un monument magnifique qui s'élèverait « sine fundamento », et qu'il est grand temps de procéder à une restauration générale des sciences et des arts à partir de justes bases. Les hommes ont en effet créé des œuvres inféconds, dont ils se glorifient vainement, qui plaisent au vulgaire, mais n'en sont pas moins incertaines. En outre, tout en étendant leurs connaissances, les hommes n'ont pas suivi une méthode précise qui les eût guidés à travers l'accumulation énorme des faits et le mélange inextricable des propriétés naturelles. La recherche d'une méthode sera donc le but principal de l'ouvrage. Celui-ci avait été conçu en six parties : dans la première, consacrée à la classification des sciences, l'auteur se proposait d'examiner l'état actuel de la recherche scientifique, afin d'en indiquer les lacunes et, éventuellement, de les combler ; dans la deuxième il entendait donner le nouvel « organe » ou instrument, c'est-à-dire traiter de la nouvelle méthode qui pouvait nous mettre en mesure d'atteindre le but final de la science, lequel est, pour Bacon, l'interprétation de la nature à travers l'explication de ses phénomènes. La troisième devait être une histoire naturelle rassemblant les matériaux d'observation, auxquels aurait dû s'appliquer ensuite la méthode en vue de constituer la science ; la quatrième aurait été consacrée à la recherche des lois, grâce au processus accompli par l'intelligence dans son double usage inductif et déductif, pour s'élever ainsi du particulier au général et, de là, procéder à de nouvelles applications dans le particulier. La cinquième partie devait renfermer des vérités anticipées (découvertes nées de l'application d'une méthode commune) pour en arriver, avec la sixième partie, à la constitution de la science définitive : philosophie seconde (ainsi désignée pour la distinguer de la philosophie première contenant les vérités communes à toutes les sciences) ou science active, en ce sens qu'elle nous permettrait d'agir sur la nature, mais dont la constitution ne peut être l'œuvre d'un homme ni d'un jour.

L'importance de l'apport de Bacon, dans cet ouvrage, tient dans le fait qu'il s'est fait l'interprète de l'exigence, propre à la Renaissance, selon laquelle l'homme devait exercer à nouveau sa domination sur ce monde, domaine de son action, en trouvant de nouveaux moyens appropriés à de nouveaux buts. Il ne s'agissait pas de substituer simplement une science pratique à l'idéal de la science contemplative, mais bien plutôt d'appliquer la force de la raison au domaine de ce qui pouvait être considéré comme les forces de la nature ; car, nous dit-il, on ne commande à la nature qu'en lui obéissant. Ce recours à la raison permet à Bacon de s'élever à la conception d'une science qu'il ne faut pas confondre avec le caractère instrumental de la technique, contrairement à ce que pourrait faire croire la considération des buts assignés à la connaissance. Avec sa *Grande Restauration*, Bacon apparaît moins comme fondateur que comme héraut de cette science que nous qualifions de moderne, fondée sur l'efficacité des méthodes expérimentales. On peut dire que par son exposé général de la méthode expérimentale, son vaste panorama de la science et sa classification des connaissances, il a préparé l'*Encyclopédie* (*) et la synthèse d'Auguste Comte. — Trad. Charpentier, 1843.

GRANDES CHRONIQUES DE FRANCE ou Chroniques de Saint-Denis [*Historia Regum Francorum*]. Sous ce titre, on réunit de nombreuses chroniques médiévales, latines et françaises, qui parfois dépendent les unes des autres, et dont certaines constituent de précieuses sources historiques. Toutes ne nous sont pas parvenues dans leur intégralité ; de certaines, nous ne possédons que quelques fragments, tandis que d'autres ne sont que des résumés d'« Histoires », de « Vies » ou de « Chroniques » antérieures. De ces divers ouvrages, le plus important est incontestablement l'*Histoire générale des Francs* [*Historia Francorum*], divisée en quatre livres et rédigée au début du XIe siècle par un nommé Aimoin, moine bénédictin de l'abbaye de Fleury (de nos jours, Saint-Benoît-sur-Loire). L'auteur ne recherche pas l'originalité, mais se borne à recueillir et à classer des textes d'historiens qui l'ont précédé, parmi lesquels Grégoire de Tours — v. *Histoire des Francs* (*) — et Paul Diacre, qu'il continue jusqu'au règne de Clovis II. Plusieurs écrivains continuèrent son œuvre. Au XIIe siècle, un moine de Saint-Germain-des-Prés, continuant à utiliser les chroniqueurs contemporains, poursuit le récit jusqu'à la naissance de Philippe Auguste (1165). Jusqu'en 1205, les chroniques de l'histoire de France vont dormir dans les monastères ; à cette date, un écrivain anonyme, après une lecture attentive et critique des textes anciens, rédige un ouvrage qui, bien qu'incomplet et insuffisant, n'est pas sans brosser un tableau historique assez clair : c'est l'*Histoire des rois francs* [*Historia Regum Francorum*]. Cet ouvrage est alors utilisé dans la *Chronique* en langue française de l'*Anonyme de Béthune* (1225), puis traduit par un ménestrel d'Alphonse de Poitiers, frère de Saint Louis. Au cours de la seconde moitié du XIIIe siècle, à l'abbaye de Saint-Denis, qui avait déjà été gouvernée par un historien et ministre des rois de France, Suger — v. *Vie du roi Louis le Gros* (*) —, Mathieu de Vendôme, abbé de Saint-Denis, régent de France, puis ministre de Philippe III (mort en 1286), dirigea les travaux qui devaient amener la rédaction d'une ample histoire nationale. Cette œuvre, où sont traduites les anciennes annales et les chroniques latines, est connue sous le titre de *Grandes chroniques de France* ou *Chroniques de Saint-Denis*. Le moine qui la composa ne s'est désigné que sous le nom de Primat. À ses sources nombreuses et en général dignes de foi, il ajoute des observations personnelles, des réflexions et des informations qu'il emprunte à Paul Diacre ou à Orderic Vital. La compilation prend fin avec le règne de Saint Louis, à qui elle fut solennellement offerte. La traduction des textes latins ainsi que la composition générale de l'œuvre sont l'objet d'un soin particulier, encore que l'on sente nettement chez l'auteur le désir de mettre en relief tout ce qui pouvait être utile à l'abbaye de Saint-Denis. Tout au plus peut-on lui reprocher de n'avoir pas cité ses sources et d'avoir voulu faire croire que son abbaye conservait presque miraculeusement les archives de l'histoire de France. Cette immense entreprise historique fut continuée par Pierre d'Orgemont, Jean Jouvenel des Ursins, le héraut Berry, Jean Chartier. Les *Grandes chroniques* furent imprimées en 1476. C'était le premier livre qu'on imprimait en France. — Les *Grandes chroniques* ont été éditées par Paulin Paris (6 vol., 1836-1838), J. Viard (10 vol., 1920-1936), R. Delachenal (4 vol., 1910-1920).

GRAND ESCROC (Le) [*The Confidence Man, His Masquerade*]. Roman de l'écrivain américain Herman Melville (1819-1891), publié à Londres et à New York en 1857. L'action se déroule un 1er avril, à bord d'un bateau à vapeur, le « Fidèle », sur le Mississippi. Au lever de rideau, les passagers découvrent une affiche qui les met en garde contre un escroc « original » qui serait parmi eux. Un personnage muet vient s'interposer entre l'avis de recherche, qui incite à la méfiance, et les passagers, exhibant une ardoise sur lesquels figurent les versets de l'*Épître aux Corinthiens* (*) qui sont autant de variations sur le thème de la charité. Cette litanie préfigure la série des abus de confiance qui forment la trame du récit et qui ont tous pour point commun d'exploiter cette valeur capitale. Escrocs, charlatans, faux prophètes, bonimenteurs en tout genre vont se succéder comme autant de porte-parole de la charité. Mais comment distinguer les imposteurs des véritables philanthropes ? Comment en particulier identifier l'escroc qui circule parmi cette foule anonyme et cosmopolite ? Tous les indices sont douteux. Un mendiant, Guinée noire, est soupçonné d'être un imposteur grimé. Est-il un « faux jeton » ou faut-il prendre son nom pour argent comptant ? À défaut de documents officiels, il donne le signalement de passagers qui pourraient témoigner en sa faveur. Cette liste imprécise annonce toute la série des escrocs à venir qui ne sont peut-être, en définitive, que lui-même sous divers déguisements (un faux veuf en tenue de deuil, un médicastre, un soi-disant vétéran, d'autres filous du même acabit). Du reste, aucun témoignage ne peut fournir en soi la preuve de sa propre authenticité. La vérification est sans fin. Il en va de même pour les billets de banque qu'à la fin du roman un vieil homme consulte en compagnie du voyageur cosmopolite. Pour différencier un vrai billet d'un faux, il faut se référer à une revue spécialisée « Le Détecteur des faux » [Counterfeit Detector] dont le titre ambigu en anglais laisse entendre qu'elle pourrait elle-même être un faux. C'est en vain que l'on chercherait un gage d'authenticité, une garantie fiable. Et cependant tous les personnages du « Fidèle », qu'ils prêchent la confiance ou la méfiance, spéculent sur la foi, car toute transaction repose implicitement sur le crédit, la créance et la croyance. Or le texte qui fait autorité dans le domaine de la foi, *La Bible* (*), s'avère être une référence aussi suspecte que la revue du fiduciaire. Le Cosmopolite qui prône la confiance reste confondu par les propos du barbier qui se réclame de *La Bible* pour recommander la méfiance (ce qui ne l'empêche pas d'être lui-même escroqué par le Cosmopolite qui se fait raser gratis en vertu d'un contrat ambigu qu'ils ont conclu). Le barbier s'appuie effectivement sur certains textes apocryphes qui, obliquement, jettent le discrédit sur Dieu en tant que garant des valeurs. Or, pour ajouter au trouble, ces parties apocryphes se trouvent dans le même volume que le texte autorisé. *La Bible* transmet donc indissociablement la parole révélée et un faux. Dans ces conditions, comment permettrait-elle de distinguer les vrais des faux prophètes ? Le chapitre final confirme à quel point cette distinction est devenue indécise. Le Cosmopolite qui intervient au mitan de l'histoire comme une sorte de Sauveur apporte-t-il une révélation finale (apocalypse) ou de fausses prophéties ? Est-il un escroc supplémentaire, le Grand Escroc en personne ? L'ambivalence des signes est telle que, si l'*Évangile* est pris à la lettre, il se pourrait que le Christ revienne sur terre comme un voleur le 1er avril, en plein carnaval païen. Les cartes sont à ce point brouillées qu'il n'est pas exclu que Dieu, dont l'Amérique millénariste guette la venue à l'ouest du Mississippi, réapparaisse non seulement sous les traits d'une superbe crapule métaphysique comme le Cosmopolite, mais diffracté à travers toute la troupe exténuée des petits escrocs. Le roman s'achève de façon indécise vers minuit, dans les ténèbres et le doute. Dans ce monde masqué où l'identité est constamment travestie, le jeu des substitutions risque de se perpétuer sans fin : « Il se pourrait que cette mascarade eût quelque suite. » Dans ce récit iconoclaste, le discrédit des valeurs matérielles et religieuses s'étend aux signes linguistiques, ultime valeur refuge de l'écrivain. D'interminables dialogues pseudo-socratiques opposent des personnages de western qui ratiocinent à l'infini en jouant sur des mots dont le sens n'est jamais assuré. Les signes écrits ne sont que des étiquettes suspectes, et la voix de ces personnages ventriloques n'offre pas plus de garanties : Mark Winsome (une parodie d'Emerson) colporte une philosophie frelatée par la bouche de son disciple, Egbert. Les interventions du narrateur ne peuvent pas non plus être prises pour parole d'évangile : en effet, il ne cesse de se dédire comme les escrocs auquel il emprunte certaines tournures verbales. Il justifie l'incohérence et l'invraisemblance de son récit tantôt parce qu'il faut être fidèle au réel, tantôt parce qu'au contraire la création littéraire, comme le théâtre ou la religion, doit créer l'illusion d'un autre monde. Son autorité est aussi suspecte que celle de *La Bible* ou de la revue fiduciaire. Les escroqueries et la falsification débordent donc le cadre du récit pour englober la transaction entre le narrateur et le lecteur. Il n'est pas indifférent qu'Herman Melville ait choisi de faire publier ce roman un 1er avril, effaçant ainsi la frontière entre sa fiction et toute référence réelle. Pris dans une mise en abyme vertigineuse, les signes sont devenus monnaie de singe. — Trad. Éditions de Minuit, 1953, rééd. Le Seuil, 1990.

M. I.

GRANDES ÉPREUVES DE L'ESPRIT (Les). Ouvrage de l'écrivain français d'origine belge Henri Michaux (1899-1984), publié en 1966. Succédant à *Connaissance par les gouffres* (*), mais aussi aux autres livres « mescaliniens », celui-ci en reprend les thèmes, les manières, les méthodes et s'achève par un paragraphe d'une ligne fort significatif : « Évolution en cours... ». Et pourtant *Les Grandes Épreuves de l'esprit* se présentent comme une somme. Une somme en neuf parties distinctes, elles-mêmes subdivisées, les pages étant souvent complétées de notes, parfois fort longues, à caractère scientifique. L'auteur traite le sujet (l'expérience mescalinienne) sous tous ses aspects, abordant tous les domaines sur lesquels il peut déboucher, envisageant tous ses prolongements. S'il les traite un à un, il existe des motifs centraux, des constantes mescaliniennes, notamment la vitesse des hallucinations et pensées, l'impossibilité de les retenir, de les tenir, de les penser, d'où de nombreuses répétitions, qui accentuent la difficulté de la quête, d'autant plus ardue que nous ne sortons que deux ou trois fois du logis de l'auteur et que le monde extérieur n'est représenté ici que par un verre, un tube de colle, un magazine... Le but du livre, exposé dès l'abord et visé avec ténacité jusqu'à la fin, est le suivant : déterminer la différence entre le mental normal et le mental anormal (mescalinien ou psychopathologique), où s'opère cette soustraction, qui permet de saisir le véritable fonctionnement de l'esprit, sa vraie nature ; c'est ainsi que l'anatomie et la physiologie humaines ont progressé, grâce à l'étude des malades et des anormaux. Mais, opérant sur lui-même, Michaux risque de fausser ce fonctionnement, tombant sous le coup du principe d'incertitude d'Heisenberg. Michaux le sait, l'esprit ne peut se saisir lui-même, c'est là un de ses grands sujets de désespoir depuis longtemps, et la tentative présente, s'aliéner dans l'hallucination, en noter des débris, garder trace du document vivant que devient le patient pour interpréter tout cela ensuite, peut constituer une solution. Michaux, animé d'une double intention, d'une part scientifique, d'autre part métaphysique (atteindre l'Absolu), entame une lutte héroïque. Pris par la vitesse des représentations, que sa pensée ne peut suivre, il vit un montage, indéfaisable, inanalysable, de pensées (surgies au bout de la vitesse), qui se présentent par couples contradictoires, anéantissants : « La pensée montre une frappante et comme électrique discontinuité (...), ce n'est pas pour rien qu'elle est liée à des neurones qui se déchargent périodiquement. » Le retour à la normale, à la parole, sera une « chute », aliénation qui bientôt se renversera en son contraire, sera acceptée avec satisfaction. Qu'est-ce que la pensée consciente ? 1 % de mental contre 99 % d'inconscient que cet 1 % dirige, « oriente », maîtrise à longueur de journée, au risque de tuer la pensée profonde. Et pourtant il s'agit pour Michaux de dominer cette perte de la domination due à l'hallucinogène ; la pensée triviale, « socialisante », étant éliminée, il faut que la pensée, la pensée profonde retienne quelque chose des profondeurs où l'entraîne la drogue. Michaux tente vainement de trancrire la simple formulation d'une impression qui l'avait frappé. Tous ses efforts pour écrire, pour retenir, deviennent un jeu de miroirs qui renvoient de plus en plus vite cet effort et son interrogation sur cet effort. La répétition à laquelle il se livre pour se reprendre en main est, constate-t-il, celle des aliénés mentaux. Comme à eux, il lui est impossible de raisonner. Mais comme eux il jouit d'une réduction à l'essence. Il en a la révélation, « aucune pensée n'était quelconque », « j'étais tout mental ».

Aux aguets dans son appartement, il se livre à ses expériences avec des produits divers, pris à des doses diverses, et les apparitions varient au point que Michaux couvre tout le champ des effets de l'hallucinogène : méprises (imperméable sur une chaise pris pour une jeune fille), mise en mouvement de l'immobile, éloignement des objets, presque inaccessibles, le monde se dressant comme une toile, comme une falaise, ou « tombant à plat », désaccordé, ou encore se peuplant d'êtres lisibles mais indéchiffrables. Il fait alors deux remarques, capitales : 1° l'hallucination n'est bonne que pour le bon, car, malgré l'universalité de ses pouvoirs physiologiques, elle donne ce qu'on est, en soi et dans le moment ; ainsi celui qui souffre d'un sentiment de persécution va sentir croître mille menaces, absolument insoutenables, ici décrites avec une force saisissante ; 2° elle ne donne pas un spectacle, extérieur, mais « une façon d'être, une attitude », qui, entre autres activités, permet de voir. Quant à la pensée, elle ne débouche sur rien d'autre que sur elle-même et plus précisément sur le mental, que l'auteur une fois de plus reconnaît tel, c'est-à-dire inintelligible (sa conversion en intelligible est une erreur fondamentale) et porteur de sa propre noblesse, absolue. Mais cette révélation est le fait d'un moment, et Michaux, qui ne peut quitter le point de vue du normal, parle d'aliénation. Aussi pense-t-il à utiliser cette aliénation comme plate-forme vers l'aliénation mentale, vécue de l'intérieur par un être normal, situation de choix, ignorée des psychiatres, qui permet à Michaux d'écrire quelques-unes parmi les pages les plus intéressantes, les plus serrées, les plus neuves de cet ouvrage (notamment celles qui composent le chapitre sur le « maniérisme des malades mentaux »). Deux autres expériences peuvent être dites positives. La première, en partie ; la seconde, totalement. D'abord, voulant « contempler sous c.i. (substance à choc psychique anciennement connue) un horizon de montagne », il calcule mal son heure et le stupéfiant agit en pleine nuit, alors qu'il se trouve devant le ciel étoilé. Le voilà qui « entre en espace », et avec lui ses lecteurs dont il sait toucher, voire éveiller, le sentiment cosmique. À l'espace du dedans, fictif et personnel, fait place aujourd'hui un espace réel et universel, hugolien : « Je recevais le ciel et il me recevait. » Pourtant, une fois de plus, si cette révélation peut être notée en tant que révélation, la totalité du révélé tombe sous le coup de l'interdiction générale : « Tout ce que je reçus en espaces, ces heures-là ! Et ne pouvoir rien en dire ! » Et la révélation où l'Absolu, qui est tout spiritualité, côtoie l'illusion universelle, disparaît avec l'action du produit : « Loin, loin maintenant est l'Un, le sans-problèmes, loin l'état souverain de simplicité. » Le plus beau texte de cet ouvrage, mi-traité mi-poème, s'abîme, entre le traité et le poème, dans l'obsessionnel. Ensuite une astuce donne le seuil de l'accession véritable. Michaux remarque que les « brisements » peuvent se concentrer en l'Unité, parfaite, si le sujet est en érection, mais il doit refuser l'orgasme. Alors vient la « force » (qu'utilisent les primitifs dans leurs manifestations religieuses dont le caractère hystérique répugne à Michaux), puis le « cœur », ou courage, dont le siège est sur les reins, sur une vertèbre lombaire déterminable, puis l'Amour, puis l'Absolu qui est non-violence comme chez les Hindous, qui fascinèrent le *Barbare en Asie* (*). Mais, alors que les Hindous partent des données immédiates, leur corps, pour accéder, par sa compréhension, à une succession d'états de plus en plus libérés dont l'étage suprême est le nirvâna, absolue contemplation, Michaux part d'une équivalence artificielle du nirvâna, cette fois donnée immédiate, pour en faire la raison d'une quête. Revenu à l'ineffable, qui le torturait dans *Qui je fus* (*), il dépasse aujourd'hui l'écriture au profit d'une pratique, qui révèle le principe (érotique) du monde, du Bien et du Mal, de Dieu ; et il assigne à l'écriture, ce produit civilisé, sa place originelle : l'écriture est un véhicule, provisoire.

GRANDES ESPÉRANCES (De) [*Great Expectations*]. Roman de l'écrivain anglais Charles Dickens (1812-1870), paru en livraisons dans le journal *All the Year Round* en 1860-61, publié en volume en 1861. C'est l'histoire de Philip, un enfant du peuple, qui grâce à une circonstance exceptionnelle (petit, il a aidé un forçat évadé, Abel Magwitch, à se libérer de ses chaînes) se trouve élevé dans un milieu supérieur au sien. Philip Pirrip, connu sous le diminutif de Pip, garçon du village élevé par sa mégère de sœur, femme du doux et jovial forgeron Beppe (Joe) Gargery, fréquente la maison de miss Havisham, une demi-folle, qui a été abandonnée par son mari la nuit même de ses noces. Miss Havisham, pour se venger des hommes, enseigne à la jeune Estella à se servir de sa beauté comme d'un moyen pour torturer le sexe qu'elle hait. Pip s'éprend d'Estella et aspire à devenir un gentilhomme, car un mystérieux bienfaiteur fournit l'argent nécessaire à son éducation, et il doit un jour entrer en possession d'une grande fortune. Il se rend à Londres, méprisant le milieu modeste dans lequel il a vécu jusqu'à présent. Il fait alors la connaissance du bienfaiteur inconnu, qui n'est autre que le forçat évadé – cette figure de forçat évadé qui se change en bienfaiteur pourrait se comparer à un autre personnage célèbre, celui de Jean Valjean, le héros des *Misérables* (*) de Victor Hugo –, et voilà que les grandes espérances s'évanouissent. Estella épouse son ennemi, Bentley Drummle, qui la maltraite. Pip, instruit par l'adversité, se rend compte de la dignité de cette vie humble qu'il a méprisée et retourne chez son forgeron. Il rejoint finalement Estella, à laquelle également l'expérience a donné de salutaires leçons. Le roman ne devait pas avoir une fin aussi gaie : Estella, fille présumée de Magwitch, devait entraîner la ruine de Pip, mais Dickens se rendit au conseil de Edward Bulwer-Lytton (1803-1873) et en modifia la fin. Les épisodes intensément mélodramatiques abondent ; mais le roman ne pouvait commencer d'une façon plus heureuse et plus suggestive que par la scène effrayante de l'apparition du forçat évadé dans le cimetière désolé, où pleure et rêve l'orphelin Pip. *De grandes espérances* révèle la même fraîcheur, la même spontanéité que le roman autobiographique écrit une dizaine d'années auparavant, *David Copperfield* (*). Dickens traite en une étude approfondie du développement d'une personnalité unique. Son style est exempt ici de son habituelle négligence ; il fait preuve, au contraire, dans les passages narratifs et descriptifs comme dans les dialogues, d'une remarquable maîtrise. – Trad. Grasset, 1948 ; Gallimard, 1954 ; Laffont, 1981.

GRANDES LARGEURS (Les). Sous-titré *Balades parisiennes,* ce court récit de l'écrivain français Henri Calet (1904-1956), publié en 1951, est un petit chef-d'œuvre du genre. Il réunit, sous la plume nerveuse et nostalgique de l'auteur, deux de ses caractéristiques les plus sûres : son amour de Paris et son goût prononcé pour la déambulation. Répondant à l'irrésistible attraction que les quartiers riches ont toujours exercée sur lui, selon ses propres termes, le chantre incontesté du populaire XIVe arrondissement nous invite ici à le suivre dans sa « traversée de Paris en autobus, du XIVe au XVIIe, du sud à l'ouest ». Sur la plate-forme, de préférence. Au gré des rues, les souvenirs affluent, qui s'enchaînent les uns aux autres, s'entrelacent, ouvrant tantôt des parenthèses heureuses comme des oasis, tantôt des rideaux tristes sur des « paysages » désolés, des mondes disparus, engloutis. Chaque coin de rue, chaque enseigne pâlie, chaque petit commerce vendu ou à vendre lui est matière à revivre ses années d'enfance, à évoquer des figures aimées : Fargue, Giraudoux, Drieu la Rochelle, ses parents terribles, le saltimbanque de la rue des Acacias, une petite amie dont les traits effacés se ravivent à cause d'un parfum, d'un morceau de tapisserie. « Des souvenirs personnels, en poudre, en grains, des fragments d'histoire de France, des fraises des bois [...], voilà ce que l'on récolte en flânant à l'aventure dans Paris. » Il y récolte aussi la mélancolie et, dans les quartiers chics, le sentiment de dépaysement et la « dégaine » des personnes déplacées : « Je suis une fausse note, partout », conclut-il, amer, et puis : « Il ne fait pas bon revenir là où l'on a ramassé des mégots, là où on a mendigoté, plus ou moins inconsciemment, à deux ans. » À ce malaise, qui lui vient d'une éducation parentale contestable, s'ajoute le désarroi devant la transformation des quartiers qu'il a fréquentés autrefois, ces bars qui s'américanisent, ces métros qui changent de nom et surtout ce Luna-Park démoli et devenu terrain vague. Là, le passé lui remonte à la gorge, son cœur se serre et l'émotion le gagne. Nous gagne aussi, car la voix de Calet est unique, désarmante et terriblement humaine. Au terme de sa traversée de Paris, il écrit : « Si l'on fait attention vraiment, on perçoit à chaque pas la pulsation d'un grand cœur, sous sa semelle. » Nul doute que le lecteur n'y entende battre d'abord le cœur d'Henri Calet.

G. G.

GRANDES PROFONDEURS (Les) [*The Big Sea*]. Autobiographie du poète noir américain Langston Hughes (1902-1967), publiée en 1940. À la différence de celle d'un autre grand écrivain noir américain, Richard

Wright – v. *Black Boy* (*), l'enfance de Hughes a été troublée moins par la persécution raciale directe ou la misère aigrie que par l'existence agitée de ses parents, séparés et parfois se le disputant, tandis que sa mère, après avoir fait des études brillantes, était obligée de travailler comme domestique. L'enfant ne put d'emblée achever ses études supérieures, il fut très tôt obligé de travailler lui-même. Un jour, on le voit s'embarquer comme boy sur un cargo pourvu d'un équipage plutôt indiscipliné, et ce voyage lui permet de découvrir l'Afrique. Il écrit ses premiers poèmes, et quelques-uns sont publiés dans la revue fondée par W. E. B. Dubois : *Crisis.* Après d'autres expériences, il aura l'occasion, vers vingt et un ou vingt-deux ans, de venir en Europe, de connaître le Montparnasse de l'entre-deux-guerres, puis l'Italie, avant de rentrer aux États-Unis où des amis et amies l'aideront à achever ses études. Enfin, ce sera la publication de son roman, *Non sans rire* [*Not without Laughter*], venant après celle de deux recueils de poèmes. Mais ces premiers succès coïncideront avec la Crise et la grande dépression. L'autobiographie de Hughes, précieuse pour les vues qu'elle donne de milieux très divers, et notamment des milieux littéraires de Harlem et de New York dans les années 20, est aussi un témoignage significatif sur la naissance d'un écrivain. Dès son enfance, alors que sous l'influence de sa mère et sans doute de ses fréquentes solitudes Hughes attribuait plus d'importance aux livres qu'aux êtres, il a découvert Maupassant, dont il écrit ceci : « C'est Maupassant, je crois, qui m'a donné le désir de devenir écrivain et d'écrire des récits de la vie des nègres si vrais qu'ils fussent lus à l'étranger même après ma mort. » Le récit nous fait assister à la composition de quelques-uns des poèmes les plus célèbres de Hughes (tel le fameux « Un Noir parle de fleuves »), dont le caractère spontané est ici confirmé. Non moins significatif est le heurt entre Hughes et sa protectrice blanche, qui attend d'un écrivain noir qu'il chante « l'âme nègre », qu'il soit un primitif, et non qu'il s'attaque à des problèmes du monde moderne. Heurt aussi avec les critiques noirs dont le désir de voir les nègres présentés dans les romans uniquement « sous leur meilleur aspect » va à l'encontre du réalisme de Hughes. C'est donc là une œuvre importante pour la compréhension du mouvement littéraire noir aux U.S.A. – Trad. Seghers (avec le sous-titre erroné : roman), 1947.

GRANDE SULTANE (La) [*La gran sultana*]. Comédie en trois actes et en vers de l'écrivain espagnol Miguel de Cervantès Saavédra (1547-1616), publiée en 1615. L'intrigue est tirée d'un fait historique : la captivité de l'Andalouse Catalina de Oviedo. Enfermée dans le harem du Grand Turc, elle parvient, grâce à sa beauté, à conserver sa religion chrétienne et même à adoucir le sort de ses compagnons d'esclavage. Cervantès traite ladite histoire avec beaucoup de fantaisie et il prodigue tous ses dons pour peindre la vie du sérail. Mais comme toutes les comédies du grand écrivain espagnol, *La Grande Sultane* est plus riche d'invention que de perfection. On sent trop à la lecture les efforts faits par l'écrivain pour se tailler un chemin dans un domaine qui n'est pas le sien. Tous les personnages, à commencer par l'héroïne, sont conventionnels. Par ailleurs, l'action cherche à s'appuyer sur le comique. C'est pourquoi plus d'un critique considère *La Grande Sultane* comme une comédie burlesque.

GRAND ET DERNIER ART (Le) [*Ars magna : compendiosa inveniendi veritatem*]. Exposition et application d'une méthode de recherche et de démonstration de la vérité, du philosophe, théologien, mystique et poète catalan Raimond Lulle (Ramón Lull, 1235-1315). Antérieure à 1277, cette œuvre se proposait de résumer l'ensemble des préceptes exposés plus en détail dans d'autres ouvrages. Elle avait pour but de propager une méthode d'apologétique inventée par Lulle pour la conversion des infidèles. Elle appartient par là à ce vaste courant représenté par des œuvres comme la *Somme de la foi catholique contre les gentils* (*) de saint Thomas et l'*Opus majus* (*) de Roger Bacon. Il s'agit d'une solide construction, ou « mécanique logique », dans laquelle les sujets et les attributs des propositions communes à la philosophie et à la théologie sont disposés en cercles concentriques, en carrés, en triangles et autres figures géométriques, qui permettent de les combiner plus aisément et de faire comprendre la parfaite correspondance et l'harmonie des trois ordres qui embrassent l'universalité des êtres : Dieu, l'homme et le monde. Dieu se trouve au centre de ces cercles : il est désigné par la première lettre de l'alphabet ; de cette « idée impériale » rayonnent seize principes (dans les écrits postérieurs, neuf seulement), représentés par des lettres et désignant des attributs divins. Ils servent à former quatre figures principales et peuvent se combiner de cent vingt façons différentes, selon des procédés compliqués. En manœuvrant un levier ou en faisant tourner une roue, les propositions se disposent d'elles-mêmes positivement ou négativement. Cette espèce d'algèbre, de « mécanique logique » remplit de ses diagrammes plusieurs écrits de Lulle et en rend la lecture extrêmement ardue. Ces schémas graphiques, dont le but secondaire est d'aider la mémoire, ne sont que la représentation symbolique et populaire d'une philosophie, ou plus exactement d'une théosophie dont l'élément essentiel – caractéristique de la pensée de Lulle – est l'identification de la philosophie et de la théologie, nettement séparées l'une de l'autre par les philosophes arabes. Dépouillé de son symbolisme, *Le*

Grand et Dernier Art est une méthode unitaire et déductive pour fonder la science universelle. Lulle a donné un exposé complet de sa méthode pour réduire toutes les connaissances humaines à un petit nombre de principes et pour traduire tous les rapports d'idées au moyen de combinaisons de figures. « L'intelligence, dit Lulle, réclame impérieusement une science générale applicable à toutes les connaissances, comprenant des principes très généraux dans lesquels le principe des sciences particulières se trouve implicitement contenu, comme le particulier est compris dans l'universel. » Étant donné que les principes absolus (les attributs divins) ne sont connus que par les vestiges qu'on en retrouve dans les créatures, le point de départ du *Grand et Dernier Art* sont les données sensibles. Les « dignités (attributs) divines » une fois connues, l'intelligence retombe dans les contingences. C'est le principe de l'existence, c'est aussi celui de la pensée.

La méthode du *Grand et Dernier Art* coïncide avec la méthode analytico-synthétique de saint Augustin. Lulle est donc amené à amplifier la logique aristotélicienne et à admettre, en plus de la démonstration « propter quid » et « quia », celle de l'équivalence des actes des « dignités divines », grâce à laquelle toutes les dignités divines concourent également à l'activité immanente et à l'action extérieure de Dieu sur la création. Il semble que Lulle doive en partie à Richard de Saint-Victor (1110-1173) semblable extension de sa logique. Identifiant la philosophie et la théologie, la raison et la foi, par l'application de son *Grand et Dernier Art*, Lulle supprime la distinction entre le naturel et le surnaturel. Il tombe ainsi dans un rationalisme mystique, qui maintient toutefois la nécessité d'une irradiation de la foi dans l'âme, pour la rendre capable d'atteindre les plus hautes vérités, et même celle qu'« en Dieu il y a trois personnes ». D'autre part, la foi, pour ne pas demeurer aveugle, doit être aidée et guidée par la raison. Ce mysticisme rationalisé, très répandu en Espagne sous le nom de lullisme, fut condamné par Grégoire XI en 1376 et ensuite par Paul IV. – Trad. Boulanger, 1634.

GRANDE TRADITION (La) [*The Great Tradition*]. Ouvrage du critique littéraire anglais Frank Raymond Leavis (1895-1977), publié en 1948. Sous ce titre, l'auteur définit et étudie la tradition du roman anglais qui part de Jane Austen, passe par George Eliot, Henry James et Joseph Conrad pour aboutir à D. H. Lawrence. Cette tradition est selon lui devenue un « fait accepté par tous ». Le critère essentiel qu'il utilise pour la définir est l'attitude de l'écrivain envers la vie plus que son souci de faire une œuvre accomplie du point de vue artistique. Cette tradition, « on ne peut l'apprécier qu'en termes de préoccupations morales », et tous ces romans « se distinguent par une capacité vitale d'éprouver une expérience, une sorte de respect et d'ouverture de l'être devant la vie, une intensité morale marquée ». Une telle attitude conduit Leavis à juger une technique littéraire principalement du point de vue de la sensibilité de l'auteur, qu'elle exprime. Par l'attention qu'il porte à une lecture soigneuse et à un examen précis des textes, l'auteur révèle l'influence qu'a exercée sur lui I. A. Richards. Cependant, pour Leavis, l'analyse détaillée, la critique « pratique et textuelle » s'imposent surtout à cause de la nécessité d'établir l'importance d'un passage donné dans l'ensemble d'une œuvre, l'importance de cette œuvre dans notre conscience culturelle. Il voit dans la fonction du critique une mission sociale, suivant en cela l'exemple de Matthew Arnold dont il a défendu les conceptions. Ses critères, essentiellement moraux et sociaux, amènent parfois Leavis à négliger des écrivains qui, comme Henry James ou William Butler Yeats, se sont retirés dans une tour d'ivoire. Ou encore, son rationalisme le conduit à considérer tous les aspects « rituels » et religieux de la littérature avec une certaine méfiance.

Dans *Nouvelles directions de la poésie anglaise* [*New Bearings in English Poetry*, 1932], Leavis donne une appréciation exégétique très satisfaisante de la poésie anglaise moderne. Sa *Réévaluation* [*Revaluation*] a paru durant les années 30 dans le magazine *Scrutiny* (*), dont il fut le directeur de 1932 à la dernière parution. Il y entreprend de retrouver dans la poésie anglaise la tradition de l'« esprit des poètes métaphysiques », réhabilitant par exemple Pope, alors que T. S. Eliot avait fait la même tentative en donnant la préférence à Dryden.

Après *La Quête commune* [*The Common Pursuit*, 1952], Leavis a poursuivi ses recherches sur D. H. Lawrence et publié en 1955 une importante étude critique de ce romancier [*D. H. Lawrence, Novelist*]. Il y analyse particulièrement *L'Arc-en-ciel* (*) et *Femmes amoureuses* (*) dans lesquels il voit les œuvres les plus complexes et les plus « modernes » de Lawrence, montrant comment ce dernier mêle à la prose de la fiction romanesque le symbolisme et la thématique de la poésie. Leavis choisit les thèmes et les personnages qui lui permettent de découvrir le contenu et la signification sociale des romans, et se montre plein d'indulgence pour leur structure pourtant peu rigoureuse. C'est que le désir de « coïncider avec l'existence » l'emporte à ses yeux sur le souci d'une perfection artistique qui ne viserait qu'elle-même.

GRANDEUR DE L'ÂME (De la) [*De quantitate animae*]. Dialogue philosophique du théologien latin saint Augustin (354-430), composé à Rome au début de 388. Son ami Évode propose à Augustin six questions : l'origine de l'âme, sa qualité, sa quantité, son union avec le corps, sa modification dans cette union, sa transformation quand elle s'en sépare. Aux deux premières questions, Augustin répond brièvement qu'elle vient de Dieu et qu'elle est semblable à Dieu. Pour répondre à la troisième, il établit d'abord une distinction entre deux ordres de grandeur : l'une qui se définit par la masse et la place occupée dans l'espace, l'autre par la puissance et la vertu. La première est propre au corps ; la seconde, propre à l'âme, a sept degrés : l'âme vivifie l'organisme végétatif, lui prête la vertu sensitive, détient les facultés intellectuelles et rationnelles et les valeurs morales, dirige l'action, s'affermit dans la contemplation de la vérité. À travers un bref traité de logique géométrique, Augustin conduit son interlocuteur jusqu'aux conclusions suivantes : les trois grandeurs fondamentales corporelles, le point, la ligne et la surface, ne sont pas perçues par les organes des sens ; l'âme n'est pas corporelle, parce qu'elle conçoit séparément ces trois grandeurs, inséparables dans le corps. À l'objection que l'âme aussi grandit avec le corps, il répond que cet accroissement ne s'effectue pas d'une façon proportionnée au développement du corps, ni à la durée de la vie ; et qu'on ne peut parler que métaphoriquement d'accroissement ; car en réalité il s'agit seulement d'améliorations et d'embellissements de l'âme, et les forces croissantes du corps ne sont pas la raison de l'augmentation de celles de l'âme.

Au sujet de la coextension de l'âme et du corps, bien que l'âme se fasse sentir dans tout le corps, il nie qu'elle soit matériellement répandue dans toutes ses parties. Il examine ensuite quelle peut être une définition de l'homme, se posant la question de savoir si l'on doit attribuer une science et une raison aux bêtes (il reconnaît leur supériorité sur l'homme dans la connaissance sensible) ; le fait de la multiplication, vérifiée par lui, de certains animaux inférieurs par simple sectionnement conduit à se demander si, en divisant le corps, on divise aussi l'âme ; à ce problème Augustin répond que les parties ainsi divisées ne peuvent continuer à vivre que précisément parce qu'elles conservent en elles toute l'âme unique, laquelle n'était donc pas présente dans le corps d'une façon localisée ou partielle, mais bien entièrement. Il termine la discussion en concluant que « si l'âme n'est pas ce qu'est Dieu, il n'est aucune chose créée par Lui qui soit plus proche de Lui ». Quant au libre arbitre, s'il a été donné à l'âme, ce n'a pas été pour troubler capricieusement l'ordre divin, puisqu'il lui fut donné par Celui qui est le très sage et invincible Seigneur de toutes les créatures. *De la grandeur de l'âme* emprunte l'apparence d'un traité philosophique dont il a, sinon l'ordre, du moins le souci de rigueur et de précision. — Trad. *Œuvres*, Bibliothèque augustinienne, t. 5, 1939.

GRANDEUR ET DÉCADENCE [*Decline and Fall*]. Publié en 1928, ce roman de l'écrivain anglais Evelyn Waugh (1903-1966) est, avec *Une poignée de cendre* (*), le favori de son auteur. Il décrit les vanités de Mayfair durant l'entre-deux-guerres, en contant les aventures d'un jeune innocent pris dans les intrigues londoniennes. Le roman commence avec le déjeuner annuel du Bollinger Club de Sone College, à Oxford. Le malheureux Paul Pennyfeather, déculotté par ses camarades, se fait renvoyer pour indécence. Ce sera le début d'une suite d'aventures fantastiques d'autant plus désopilantes qu'elles sont relatées avec le plus grand sérieux. Professeur à Llanaba Castle, au pays de Galles, Paul se fiance à une aristocrate, Mrs. Margot Beste-Chetwynde qui, à son insu, dirige une compagnie de bordels en Amérique du Sud, et il se retrouve à la place de celle-ci dans le box des accusés, puis en prison où il découvre un autre monde. Au terme de cette randonnée « antipicaresque », l'étudiant en théologie s'inscrit à nouveau dans son collège en se faisant passer pour « un cousin éloigné » de Paul Pennyfeather et reprend sa vie de méditation. Le roman est une promenade dans une jungle de personnages mémorables : le docteur Fagan, le capitaine Grimes, homosexuel irrésistible, Philbrick, Mr. Prendergast qui meurt de la main d'un prisonnier dément. Paul n'est jamais à même de critiquer et de juger ceux qui l'entourent. Il appartient à une classe sociale inférieure et le reconnaît. Quand le fils de Margot lui dit, à la fin du roman : « Nous (les aristocrates) sommes différents, en quelque sorte », Paul répond : « Je vois ce que vous voulez dire. Vous êtes dynamiques, et moi statique. » Antihéros battu et content, il sait que les « grands » ne passent jamais en jugement. Le personnage principal a toute la sympathie du lecteur, mais ceux qui le martyrisent ne sont pas châtiés, si bien qu'il paraît inexact de parler de satire. *Grandeur et Décadence* est plus proche du divertissement que des attaques grinçantes d'*Un million tout rond* — v. *Romans* (*) de Nathanel West —, et Paul Pennyfeather n'a rien d'un Lemuel Pitkin. — Trad. Julliard, 1981.

GRANDEUR ET DÉCADENCE DE CÉSAR BIROTTEAU. L'un des plus célèbres romans de l'écrivain français Honoré de Balzac (1799-1850) qui fait partie des « Scènes de la vie parisienne » — v. *La Comédie humaine* (*) — et qui fut publié en 1837. La même année que *Le Curé de village* (*), *Le Cabinet des Antiques* (*) et une partie des *Contes drolatiques* (*). Ce titre, surtout si on le rapproche du prénom du héros, fait intentionnellement penser à l'œuvre de Montesquieu — v. *Considérations sur les causes de la grandeur des Romains et de leur décadence* (*), et, quand on sait avec quel soin Balzac choisissait le nom de ses personnages et ses titres, on ne peut pas ne pas y voir une allusion humoristique. Le titre complet de l'édition originale est d'ailleurs le suivant : *Histoire de la grandeur et de la décadence de César Birotteau, parfumeur, chevalier de la Légion d'honneur, adjoint au maire du IIe arrondissement de Paris.* César Birotteau, parfumeur, fait de bonnes affaires ; il accède aux honneurs et espère être décoré. Selon lui le train de vie doit se régler sur les changements de la situation sociale, aussi a-t-il décidé d'agrandir et d'embellir sa maison avant d'être nommé chevalier de la Légion d'honneur. Roguin, le notaire, lui propose une spéculation qu'il devrait réaliser avec des amis ; il s'agit d'acheter des terrains au quart de leur valeur réelle qu'ils reprendront sous peu. La femme de Birotteau, effrayée des risques de l'affaire, tente en vain de le détourner de cette opération. L'instigateur de cette spéculation est le jeune Du Tillet, ancien commis de Birotteau, qui s'est élevé jusqu'aux sommets de la haute finance. Du Tillet, qui avait autrefois essayé de séduire la femme de son patron, Constance, et qui, avant de partir, avait dérobé mille écus, n'a pas pardonné aux Birotteau de connaître cette faute de jeunesse. La fortune de Birotteau jette un dernier éclat lorsqu'il donne un grand dîner et un grand bal auxquels assistent des représentants de la science, de la politique et de la finance. Cependant, Birotteau a déjà passé le contrat pour les terrains et s'est endetté de trois cent mille francs. C'est le début de la ruine. De nombreux créanciers frappent à la porte, et il n'a aucune disponibilité. Puis, coup fatal : le notaire Roguin s'enfuit, après avoir dilapidé les sommes qui lui avaient été confiées pour l'affaire des terrains. Birotteau fait faillite et son affaire est mise en liquidation judiciaire. Gardant sa dignité, il accepte pour lui et pour les siens un emploi modeste que des amis fidèles lui procurent ; mais son idée fixe est d'obtenir à tout prix sa réhabilitation. Le pauvre homme aura cette dernière satisfaction, aidé par sa famille mais surtout par un de ses anciens employés, le bon et généreux Popinot, qui, après avoir travaillé dans la maison Birotteau, est devenu son associé, puis le fiancé de sa fille Césarine. C'est à son ex-patron qu'il doit la prospérité de l'affaire de parfums qu'il a montée à son compte et l'espérance de la fortune.

Le sujet de cette œuvre est emprunté à la réalité et même au fait divers. Le modèle de Balzac s'appelait Bully et était parfumeur. Il venait d'inventer le vinaigre de toilette qui porte son nom, quand sa boutique fut saccagée par le peuple en 1830. Ruiné, il mit plus de quinze ans à désintéresser ses créanciers et mourut à l'hôpital. Balzac a modifié sensiblement cette histoire, puisque la fin de César Birotteau n'est pas un désastre, elle est le couronnement logique et reposant d'une aventure agitée ; surtout il y a greffé cette affaire de spéculation si caractéristique de l'époque. Le résultat de toutes ces modifications, c'est qu'il a développé non seulement l'intérêt de l'histoire, mais sa portée, et qu'il a fait de César Birotteau l'incarnation de la petite bourgeoisie marchande de Paris. Grisée par le vertigineux bouillonnement financier des années 30, elle ambitionne de s'élever et se mêle au monde de la haute banque et des grandes affaires. La fortune ne lui suffit plus, il lui faut les honneurs. Ce besoin devient, chez Birotteau, une véritable obsession qui lui fait perdre tout ce bon sens auquel il a dû sa prospérité ; il se montre tour à tour plein d'énergie ou pusillanime et d'une faiblesse déplorable. La vanité lui donne une naïveté qui le destine à jouer le rôle de victime des intrigants. Le roman n'est pas tant l'histoire d'un ambitieux que celle d'un homme. César Birotteau est ridicule, mais il est émouvant. Ce roman est un de ceux où la préoccupation de réalisme de Balzac, qui va jusqu'à reproduire des bilans et à introduire son lecteur dans les mystères de la comptabilité, réussit le mieux à nous imposer une atmosphère et à créer une réalité romanesque aussi convaincante que celle même de la vie. – *César Birotteau* a été adapté à la scène par Émile Fabre en 1910.

GRANDEUR ET DÉCADENCE DE ROME [*Grandezza e decadenza di Roma*]. C'est l'œuvre la plus importante de l'historien italien Guglielmo Ferrero (1871-1942) ; elle fut publiée à Milan entre 1901 et 1907 en cinq volumes : I. *La Conquête de l'empire* (jusqu'à 58 av. J.-C.) ; II. *Jules César* (de 58 à 44 av. J.-C.) ; III. *De César à Auguste* (de 44 à 27 av. J.-C.) ; IV. *La République d'Auguste* ; V. *Le Grand Empire.* L'expansion impérialiste de Rome est due non pas tant à la vieille aristocratie terrienne qu'aux nouveaux éléments démagogiques et autres aidés par la haute finance. Peu à peu l'Italie change : d'une aristocratie agricole et guerrière, elle passe à une démocratie bourgeoise et marchande où la plupart des citoyens se désintéressent de la chose publique. C'est ainsi que les charges publiques deviennent la proie des politiciens et des démagogues. Le plus grand d'entre eux est César. Il conçoit d'abord la conquête de la Gaule comme une manœuvre électorale. Il entreprend la guerre civile à regret et la mène avec beaucoup de modération. Son adversaire, Pompée, est un homme d'esprit assez versatile, que n'habite aucune passion intense et dont l'activité se lasse vite. César, lui, ne change qu'après sa victoire : il devient coléreux et lunatique, aime les entreprises grandioses, et incline vers les formes monarchiques de l'Orient. La conjuration, qui s'oppose à lui, représente « la république latine et conservatrice des riches contre la monarchie asiatique et révolutionnaire des gueux ». Quant à Auguste, il n'est guère qu'en apparence le continuateur de César. De soi, il apparaît comme l'exécuteur des desseins de Cicéron et le restaurateur de la République. L'héritier véritable de César, ce serait plutôt Antoine, lequel maintient la tendance orientale, et succombe devant son adversaire à cause des contradictions de sa politique (romaine en apparence mais, au fond, égyptienne). Auguste, plus intelligent que volontaire, n'est pas un soldat : rien qu'un calculateur froid et pusillanime. La cause principale de son succès est la peur que lui inspirent les catastrophes de Pompée, de César et d'Antoine. Il préfère rester dans la pénombre et gouverner avec souplesse. La tendance restauratrice de son époque est profondément contradictoire : l'Italie comprend la nécessité où elle se trouve de tout sacrifier à l'ancienne soumission pour conserver son pouvoir ; mais elle veut conserver l'empire pour en tirer jouissance. La vie simple des anciens Romains dégénère en égoïsme ; on se désintéresse de la politique. Horace est le représentant de cette contradiction. Le gouvernement d'Auguste est, malgré sa faiblesse, un gouvernement bienfaisant : c'est avec lui que commence une prospérité matérielle générale, fondée sur le libre-échange et qui créera l'unité de l'Empire. Les aspects vitaux de sa politique sont doubles : la tendance républicaine qui garantit l'indivisibilité de l'Empire et la politique favorable aux Gaulois, qui fait de la Gaule le contrepoids de l'Orient et garde pendant trois siècles la souveraineté à l'Italie.

Disciple de Cesare Lombroso, l'auteur tend à diminuer l'importance des grandes personnalités, afin de mettre en relief les facteurs économiques. Bien qu'elle ait eu de nombreux adversaires (dont De Sanctis et Croce), l'œuvre de Ferrero devint très vite célèbre dans le monde entier.

GRANDEUR ET MISÈRE D'UNE VICTOIRE. Œuvre de l'homme politique français Georges Clemenceau (1841-1929), publiée en 1930. Plus qu'un volume de souvenirs, cet ouvrage est une œuvre de polémique dirigée par le « Tigre », dans ses dernières années, contre ceux qui collaborèrent avec lui à la victoire, et surtout contre le maréchal Foch, en réponse à ces fameuses conversations réunies et publiées par Raymond Recouly dans le volume *Le Mémorial de Foch.* Nous sommes en 1918 ; Clemenceau est chef du gouvernement français. La bataille fait rage au Chemin des Dames. Foch a été appelé, sur la proposition de Clemenceau, au gouvernement suprême des troupes alliées en France. Bien vite naît un dissentiment avec le commandement américain au sujet de l'emploi de ses contingents ; Clemenceau intervient en se plaignant que le commandant américain ne veuille pas obéir et que Foch ne sache pas commander. Puis vient la crise des effectifs britanniques, qui provoque de nouveaux désaccords entre Foch et Clemenceau. Nous sommes à la victoire, à l'armistice ; mais, même lors des négociations, les difficultés pour Clemenceau ne cessent pas. La Chambre l'attaque, parce qu'il n'est pas assez acharné contre les vaincus. Poincaré, président de la République, ne veut pas accorder aux Allemands la trêve demandée. Foch, de son côté, revient à la charge. Oui, le maréchal a été un grand soldat pendant la bataille. Mais est-ce assez ? demande Clemenceau, et il consacre tout un chapitre à l'« insubordination militaire » du maréchal, à son manque de foi dans la vertu du devoir le plus sacro-saint, l'« obéissance ». Nous voici à la conférence de la paix, et l'auteur nous présente, non sans ironie, les « plénipotentiaires du monde civilisé ». Puis il évoque le drame de la conférence, qui, en croyant assurer pour toujours la paix, donna au monde ce talisman qui fut appelé la S.D.N., sorte de « Parlement de super-parlementaires privés des instruments de l'autorité ». Dans le chapitre suivant, Clemenceau s'en prend non seulement à Foch, mais encore plus au président de la République, Poincaré, qui, « ne faisant rien, lance des accusations contre les hommes d'action ». Et le livre reprend le ton violent de la polémique : en soumettant à une minutieuse et âpre critique les mutilations qui furent faites par la suite au traité de Versailles, et qui font de la paix de Versailles une « paix à rebours » ; une paix « par laquelle le vainqueur abandonne au vaincu une part des avantages conquis sur le champ de bataille au prix de son propre sang ». Même le dernier chapitre, consacré au « Soldat inconnu », se termine par une violente diatribe contre le maréchal Foch. Tout le livre est donc dominé par la personnalité vigoureuse, passionnée, indomptable d'un homme qui, pendant de longues décennies, fut un homme de parti, et qui, ayant atteint l'âge des cheveux blancs et les sommets du pouvoir, n'a pu abandonner son caractère d'ardent polémiste. Même lorsqu'il évoque les époques et les événements les plus importants et les plus glorieux de sa longue vie, il est surtout enclin à lancer des accusations et des reproches, plus encore contre ses alliés et ses collaborateurs que contre ses ennemis : cette inlassable rancune est un des petits côtés d'un grand caractère.

GRANDEUR INCONNUE (La) [*Die unbekannte Grosse*]. Tous les travaux réunis par Ernst Schönwiese et Albert Kohn regroupent, à divers moments, la totalité des productions de l'écrivain autrichien Hermann Broch (1886-1951) qui n'avaient pas fait l'objet d'une publication antérieure. Ce volume, publié en 1961, complète donc l'œuvre littéraire du romancier en y ajoutant plus particulièrement les premiers travaux. Y sont inclus également des essais qui dépassent le « domaine littéraire », tel que le définissait Broch à la fin de sa vie. Écrits aux États-Unis, aux universités de Yale et de Princeton, ils concernent les idées politiques et la psychologie des masses, plus exactement le privilège de la connaissance sur la création (littéraire) dans des termes qui sont encore ceux de cet « écrivain malgré lui », comme se définissait Broch. Comme le remarque Ernst Schönwiese, il n'y a pas lieu de différencier les termes du débat. L'une et l'autre attitude répondent à un même besoin : cerner la connaissance du mystère de la connaissance, de la rencontre avec l'infini ici-bas, dans le monde fini, pour fonder l'unité qui est la coïncidence mystérieure avec l'absolu. Thème fondamental pour Broch, qui est au centre de tous les écrits que regroupe *La Grandeur inconnue* et qu'il est possible de déceler dans le premier sonnet connu de Broch lorsqu'il écrit à propos de l'identification du Moi et de la Forme où se détient toute vérité : « Mais les manifestations de la forme, toutes innombrées qu'elles soient, / Rien de l'unité ne peut les séparer. / Dans la plus profonde profondeur apparaît, imprégné de soleil, l'univers. » — Trad. Gallimard, 1968.

GRANDE VALLÉE (La) [*The Long Valley*]. Recueil de nouvelles de l'écrivain américain John Steinbeck (1902-1968), publié en 1938. Toutes ces nouvelles ont pour cadre la Californie centrale, pays natal de l'auteur. « La Rafle », qui ouvre le recueil, contient le portrait de deux militants ouvriers d'extrême gauche, un vétéran et son jeune camarade, qui tentent d'organiser une réunion clandestine, sont mis en piteux état par la police privée des patrons, puis livrés à la police officielle et incarcérés pour « incitation à l'émeute ». « Les Chrysanthèmes » et le « Harnais » nous font passer du domaine social à celui de la psychologie individuelle avec deux récits subtils et mesurés. Dans « La Caille blanche » et « Le Serpent », l'écrivain se laisse aller à ce goût quelque peu morbide des cas bizarres et quasi pathologiques dont le précédent recueil, *Les Pâturages du ciel* (*), montrait de trop fréquents exemples. « Johnny l'ours » conjugue heureusement insolite et réalisme. Dans un pauvre village entouré de tourbières, un bar rudimentaire « constitue l'ensemble des bâtiments publics » et, pour les hommes, qui s'y réunissent chaque soir, l'unique source de distraction. Un idiot, « Johnny l'ours », vient y mendier des verres de whisky. Pour obtenir la boisson, il fait des démonstrations de sa monstrueuse et stupide facilité à répéter avec une précision mécanique les conversations qu'il a pu surprendre. C'est ainsi qu'il rapportera, dans une atmosphère toujours plus tendue, des bribes du drame qui a éclaté dans la plus respectable maison du pays. L'une des plus belles nouvelles de *La Grande Vallée* a pour héros un garçon de dix-neuf ans indolent et dégingandé, Pépé. Étant un jour allé faire à la ville des commissions pour sa mère, Pépé tue un homme dans une rixe et doit s'enfuir dans la montagne, où il sera abattu après une farouche résistance : le garçon n'est devenu un homme que pour mourir. Mais le morceau le plus remarquable du recueil est constitué par la longue nouvelle intitulée « Le Poney rouge », qui est assurément l'une des œuvres les plus réussies de l'auteur. Le héros est un enfant, Jody, qui vit avec ses parents et le vacher Billy Buck dans un ranch proche des montagnes. Carl, le père, a offert à Jody un poney roux, que l'enfant, dirigé par Billy Buck, grand spécialiste des chevaux, entreprend de dresser. Mais, un jour, le poney prend froid et meurt malgré les soins de Jody et de Billy. Quelques mois plus tard, Carl propose à son fils de gagner par son travail dans le ranch un poulain de la jument Nellie. La vie de l'enfant est dès lors dominée par l'attente de la naissance du poulain et par les soins à donner à la jument. Son espoir se nuance d'ailleurs d'inquiétude, car sa croyance en l'infaillibilité de Billy Buck a été sérieusement ébranlée par la mort du poney. Pour ne pas décevoir Jody et sauver son poulain, Billy devra d'ailleurs sacrifier la jument lors de la mise bas. À travers les grands événements de la vie d'un enfant, c'est toute la vie d'un ranch que Steinbeck évoque ici avec une simplicité, une fraîcheur et un relief admirables. — Trad. Gallimard, 1946.

GRAND FILET (Le) [*Das Grosse Netz*]. Roman de l'écrivain allemand Hermann Kasack (1896-1966), publié en 1952. Ce livre rassemble tous les éléments qui faisaient la valeur de *La Ville au-delà du fleuve* (*). De nouveau, nous entrons dans un monde étrange, proche de la réalité quotidienne, mais déroutant. Nous retrouvons le même don de créer une atmosphère avec des moyens qui sont à l'opposé de ceux de Kafka. L'auteur ne craint pas le détail précis, le pittoresque descriptif, mais le dépaysement reste le même. L'action se situe dans une petite ville banale du sud de l'Allemagne. Ce n'est qu'une apparence. Le hasard, ou plutôt une volonté supérieure, a conduit le héros, M. Icks (ou M. X) dans une sorte de laboratoire, un Godenholm peuplé par une humanité moyenne. Le directeur qui se cache derrière les mystérieuses initiales I.F.E. apporte le trouble et finalement la destruction dans une région que la guerre avait épargnée. Le sens de l'entreprise est dévoilé à la fin du roman. Il s'agissait de tourner un film. I.F.E. n'a pas d'autre sens que Société internationale d'exportation cinématographique. La fiction est transparente. L'auteur se tourne vers la critique sociale. Il nous offre l'opinion de l'Allemand moyen sur les années d'après-guerre. Ici, les quelques traits portent, et l'ironie est davantage l'arme d'une indignation passionnée qu'un jeu intellectuel.

GRAND FOU LUTHÉRIEN (Du) [*Von dem grossen lutherischen Narren*]. C'est la principale œuvre de l'écrivain franciscain allemand Thomas Murner (1475-1537), le plus batailleur des polémistes catholiques contre Luther et la Réforme ; sa publication est de 1522. L'auteur se représente lui-même en robe de franciscain, avec une tête de chat (symbole de son nom), penché sur un fou gigantesque. Du corps de celui-ci, qui est tout gonflé et bouffi d'orgueil, s'échappent tous les petits fous (les diablotins du mal), qui personnifient ses vices : de la tête sort le fou de la présomption, qui tranche sentencieusement au sujet de chaque parole de Dieu ; de la poche, celui qui désire les biens de l'Église ; du ventre font irruption les quinze alliés qui représentent les conséquences de la Réforme, telles que l'abolition des vœux monastiques, de la messe, du purgatoire, etc. À ces quinze compères s'ajoute Veit, le représentant des lansquenets et des mercenaires, en compagnie de trois géants, tandis que le fourgon de cette armée diabolique est formé des mensonges décochés par la Réforme contre l'Église. Comme chef de cette armée, on élit Luther, qui distribue les étendards de combat : à l'infanterie l'Évangile, aux géants la Liberté, et au fourgon la Vérité. Advient alors la rencontre avec l'armée catholique : églises et couvents sont détruits, mais non la forteresse chrétienne elle-même. Luther passe maintenant des armes à la séduction et offre sa fille (l'Église protestante) à Murner pour épouse. Celui-ci accepte et célèbre le mariage, mais il s'aperçoit bien vite de la turpitude de sa femme et la répudie. Il meurt peu après et, avec un accompagnement musical de miaulements de chats, dirigé par Murner lui-même (le grand chat), est enseveli dans un désert. Une fois tous ces événements passés, le grand fou, de qui Murner avait exorcisé tous les petits fous, meurt épuisé, et Murner hérite de son bonnet à grelots. Cette œuvre est peut-être la satire la plus violente qui ait été écrite au XVIe siècle contre le luthéranisme ; elle créa un sentiment de malaise dans les rangs protestants, parce qu'elle venait d'un homme honnête, qui reconnaissait lui-même les défauts du clergé, mais mettait en lumière — bien que ce fût sous les traits d'un apologue puéril — le caractère parfois superficiel des accusations portées par Luther contre le catholicisme et leurs conséquences nocives.

GRAND GALEOTO (Le) [*El gran Galeoto*]. Drame en trois actes en vers de l'écrivain espagnol José Echegaray (1832-1916), représenté à Madrid en 1881, et à Paris en 1896. Le mot de « Galeoto » se trouve déjà chez Dante. On lit, en effet, dans l'épisode de Francesca di Rimini : « La bocca mi bacciò tutto tremante : / Galeotto fu il libro et chi to scrine. » Echegaray reprend le mot, et l'applique à la société : ce « monde trop bavard et faiseur d'histoires qui s'ingénie à voir le mal, même là où il n'existe pas. Trois personnages forment le fond de l'intrigue : le mari, Julian, la femme, Teodora, et leur fils adoptif, Ernesto, un jeune homme d'une vingtaine d'années. Teodora est fidèle à Julian. Ernesto a l'âme romantique et fervente d'un poète : il n'a pu manquer d'être séduit par la belle Teodora. Mais il sait aussi ce qu'il doit à Julian, et il maîtriserait facilement son amour si le monde, autrement dit le grand Galeoto avec son esprit de médisance, n'était là pour verser l'huile sur le feu. Le monde, ce sont les parents de Julian : Severo, le beau-frère ; Mercedes, la belle-sœur, et Pepito, le neveu. La présence d'Ernesto au foyer de Julian ne manque pas de les importuner : « Ce jeune homme qui... avec Teodora... quand Julian n'est pas là... » Ils s'empressent d'ouvrir les yeux de Julian sur ce qu'ils ont aussitôt nommé son « infortune ». Julian se moque d'abord de ces insinuations. Mais la calomnie ne se relâche point et, pour y mettre un terme, Julian décide de se séparer d'Ernesto. Le jeune homme obéit, mais, alors qu'il va partir, un impudent petit vicomte ayant mal parlé de Teodora, le bouillant Ernesto lui lance un soufflet. Aussitôt averti par les rumeurs du grand Galeoto, Julian prend l'injure à son compte et, pour venger l'honneur de sa femme, provoque le jeune vicomte à l'endroit précis où celui-ci devait rencontrer Ernesto. Teodora, prévenue elle aussi, court chez Ernesto : il ne faut pas qu'il se batte, pour que le « monde » ne croie pas qu'il existe entre eux deux des liens scandaleux. Au milieu de leur entretien, qui a lieu dans la chambre d'Ernesto, on entend soudain des pas. Ernesto va ouvrir. Teodora, pour n'être pas surprise, va se cacher dans l'alcôve. Ce sont les témoins du duel qui reviennent, ramenant Julian, qui vient d'être grièvement blessé. Ils vont le coucher sur le lit d'Ernesto. Celui-ci, à la stupéfaction des témoins, s'y oppose. Teodora sort alors de sa cachette. Les deux jeunes gens peuvent jurer leur innocence ; les apparences les condamnent, confirment la rumeur malfaisante du grand Galeoto, qui d'ailleurs se hâte d'interpréter les événements pour qu'ils démontrent le déshonneur de Julian. Celui-ci, avant de mourir, insulte Ernesto et maudit Teodora. Lorsque le beau-frère Severo les a chassés, le grand Galeoto réussit par son injustice à faire triompher l'amour d'Ernesto. Il partira avec Teodora : « Si quelqu'un vous demande, dit-il, quel a été le plus lâche médiateur de cette iniquité, répondez : Toi-même, sans que tu t'en doutes et, avec toi, le verbiage des sots. Viens, Teodora ; l'ombre de ma mère dépose un baiser sur ton front sans tache. Adieu ! Elle est à moi et qu'au jour venu le ciel nous juge, vous et moi ! »

Nombreux sont ceux qui voient dans *Le Grand Galeoto* le chef-d'œuvre d'Echegaray. Il est vrai que l'action ne s'y relâche jamais et que le sujet ne manque pas de vigueur. Si l'enseignement moral se dégage clairement du drame, on ne saurait pourtant dire que son déroulement soit la simple illustration de quelque thèse. Par contre, l'exagération pathétique, habituelle d'ailleurs à Echegaray, fait souvent perdre de leur vraisemblance aux caractères et aux situations. – Trad. Charles, 1896.

GRAND HIVER (Le) [*Dimri i madh*]. Roman de l'écrivain albanais Ismaïl Kadaré (né en 1936), publié en 1973, puis en 1977 dans une deuxième version, écrit et retravaillé entre 1971 et 1976. Hiver 1961. Le plus petit pays du camp socialiste, l'Albanie, entre en conflit avec la toute-puissante Union soviétique. Le romancier décrit de l'intérieur le monde communiste et ses fissures, pendant les derniers mois de l'amitié albano-soviétique, et le défi d'Enver Hoxha à Nikita Khrouchtchev dans cette vaste fresque qui mêle les légendes balkaniques à un présent aux allures shakespeariennes. Ce livre s'attira les foudres de la critique dans une campagne de dénigrement à laquelle Enver Hoxha lui-même mit fin, sans doute flatté par le portrait positif fait de lui. Dans *Le Crépuscule des dieux de la steppe* [*Murgu i perendive te stepes,* 1981], l'auteur reprendra, quelques années plus tard, alors que l'amitié avec la Chine a déjà fait long feu, l'histoire de la rupture de 1961 avec l'U.R.S.S., sous la forme d'un roman autobiographique, l'expérience vécue d'un étudiant albanais à Moscou considéré, du jour au lendemain, comme un ennemi. – Trad. Fayard, 1978.

N. Z.

GRAND HORLOGER (Le). Roman policier de l'écrivain américain Kenneth Fearing (1902-1961), paru en 1946. On perçoit les événements à travers le point de vue de sept narrateurs dont les récits s'entrecroisent ; technique américaine utilisée par Dos Passos et par Durrell dans *Le Quatuor d'Alexandrie* (*). Après trois chapitres d'exposition un peu lents, Fearing déclenche un somptueux mouvement d'horlogerie et crée un des plus beaux suspenses de la littérature policière. George Stroud est rédacteur en chef de *Voies du crime*, un des fleurons du magnat de la presse Earl Janoth. Marié à Georgette et père de la petite Georgina, il a une liaison coup de foudre avec Pauline Delos, la maîtresse de son patron. Il lui fait connaître le bar de Gil, qui se vante de posséder toutes les choses du monde dans son musée personnel, et un brocanteur chez qui il déniche « Judas », une œuvre de Louise Patterson, un peintre un peu oublié dont il possède déjà quatre toiles. En raccompagnant Pauline chez elle, George aperçoit Janoth, et il garde ses distances pour ne pas être reconnu. Le lendemain, il apprend que Pauline a été assassinée et il est chargé par Janoth de retrouver le mystérieux témoin qu'on a vu dans le bar de Gil et qui a acheté un tableau de Louise Patterson. On suit l'enquête à travers son propre récit et ceux de Janoth, de son associé, de Louise et de deux journalistes enquêteurs. La police elle-même est sur ses traces. Le piège semble se refermer sur George, qui tente de sauver son mariage et sa vie. Il y parvient car « la grande horloge, ses aiguilles, ses ressorts d'acier étaient tendus pour frapper un autre homme. Mais il sait qu'inévitablement, bientôt, il sera visé à nouveau ». *Le Grand Horloger,* qualifié de « tour de force » par Chandler, sera porté à l'écran par John Farrow en 1948 dans une adaptation de Latimer avec Ray Milland dans le rôle de George et Charles Laughton dans celui de Janoth. – Trad. Les Nourritures terrestres, 1947.

D.B.d.M.

GRAND HÔTEL [*Menschen im Hotel*]. « Roman-feuilleton avec arrière-plans » de la romancière autrichienne naturalisée américaine Vicki Baum (1888-1960), publié en 1929, où sont évoqués quelques-uns des différents drames secrets qui, en quelques heures, peuvent se dérouler dans un palace de Berlin. Comme deux ans plus tôt Eugène Dabit dans *Hôtel du Nord* (*), l'auteur fait défiler toute une série d'existences, de destins qui se croisent, ou séparés seulement par de minces cloisons. C'est Senf, le portier, inquiet parce que sa femme a dû être transportée dans une clinique, c'est « le chasseur n° 18 » qui, dans le salon d'hiver, vient de voler une tabatière en or. Ce sont M. le directeur général Preysing et l'appétissante Flammèche, sa secrétaire, le Dr Otternaschlag, mutilé de la face et morphinomane, ou encore un pauvre bougre de comptable dont la vie est menacée, mais qui a résolu de passer quelques semaines « comme un homme riche ». C'est surtout l'aventure, point trop vraisemblable mais excellemment contée, qui, en pleine nuit, se noue entre la Groupsinskaïa, célèbre danseuse à son déclin, et le baron Gaigern, gentilhomme cambrioleur qu'elle a surpris dans sa chambre, alors qu'après avoir escaladé le balcon il venait de lui dérober ses perles. Le palace, cette « grande boîte » dans laquelle, entre quatre murs, « chacun est seul avec son moi », « vit derrière des doubles portes et n'a pour compagnon que son image dans la psyché ou son ombre sur le mur », est, conclut l'auteur, assez comparable à la vie même. – Trad. Stock, 1931.

GRAND INCENDIE DE LONDRES (Le), récit, avec incises et bifurcations. Ouvrage de l'écrivain français Jacques Roubaud (né en 1932), publié en 1989. Ce « récit » à la fois autobiographique et théorique est un livre capital pour l'intelligence d'une œuvre certes complexe, mais aussi fondamentalement logique. À bien des égards, il permet d'en recentrer les manifestations qui pourraient sembler, à première vue, éparses.

Au commencement, il y a ce que Roubaud nomme le « Projet », en référence à une publication confidentielle datée de 1979, *Description du projet* (*Mezura,* n° 9, Cahiers de poétique comparée). Il s'agissait alors d'un « plan de vie et de travail », une sorte de bilan-programme de l'activité de poésie, théorique, érudite, artisanale... susceptible, effectivement, d'occuper une existence. Dix ans plus tard, après d'imposantes publications pourtant, son auteur en reconnaît l'ambition démesurée, d'autant que le projet de roman qui l'accompagnait alors (un roman intitulé *Le Grand Incendie de Londres* et qui devait représenter la manifestation romanesque du Projet, comme le *Lancelot en prose* était celle du trobar) n'a pas été écrit, et qu'il ne le sera jamais. Ce roman aurait été déduit d'un rêve initial et d'un faisceau de contraintes, selon la méthode axiomatique à l'œuvre dans la mathématique bourbakiste et, dans la lignée de Raymond Queneau, à l'Oulipo.

Roubaud dit en rabattre sur l'ambition du Projet, encore qu'il faille bien vite comprendre que cet ouvrage de quatre cents pages, achevé celui-là, n'est que la « branche un — Destruction » d'une œuvre qui en comprendra six, la destruction étant ici celle du *Grand Incendie de Londres* comme roman, et peut-être du *Projet* dans sa mégalomanie. Le livre s'est construit par accumulation et dépôt de prose, dépôt du matin, lignes du soir... prose de nature digressive, méditation préméditée, prose de la mémoire, autoportrait, autobiographie... Toutes sortes de proses, à l'exception de la prose de fiction puisque cela raconte justement le renoncement au projet de fiction.

Il y a là un Roubaud qui se laisse aller à une certaine nonchalance du propos. L'autoportrait tente d'analyser un goût (ou une fatalité) de l'archaïsme : archaïsme de l'activité de poésie, archaïsme de la lecture, du comptage (« Je pourrais dire : l'accumulation des nombres est ma vie »), de la mémoire qui s'exerce, de la marche à pied, de la nage en mer... La figure qui s'en dégage est celle d'un héros de la jubilation et de la virtuosité intellectuelles, dans un monde qui croit n'avoir cure de ces valeurs-là. La figure n'est pas pour autant nostalgique, encore moins désespérée, jamais, même si la question du néant, du néant de l'amour et du néant du poème, affleure en permanence.

Il ne faut pas s'y tromper, ce livre de Jacques Roubaud est sans conteste tout aussi construit que les précédents ou que les suivants. Le système d'incises et de bifurcations annoncées dans le titre permet de superposer des couches successives de réflexions. Il autorise aussi des parcours pluriels dans le texte, sans jamais que le lecteur soit en situation de négliger (c'est une constante dans toutes les œuvres de Roubaud) les indices essentiels de l'inachèvement. J. J.

GRAND JAMAIS (Le). Roman de l'écrivain français d'origine russe Elsa Triolet (1896-1970), publié en 1965. Avec ce roman, Elsa Triolet s'interroge sur des problèmes aussi vastes que la vérité historique, le temps, bien entendu l'amour et la mort. C'est le héros, Régis Lalande, qui, bien que mort, prend la parole tandis qu'on l'emporte au cimetière du Montparnasse. Son monologue introduit le deuxième personnage important du livre, Madeleine, sa très jeune femme. La gloire posthume qui tout à coup revêt d'éclat le nom de Régis Lalande permet à l'auteur une subtile démonstration de l'hypothèse soutenue de son vivant par Régis Lalande. Devenu célèbre donc, et n'ayant aucune prise sur sa gloire puisque absent, l'historien-romancier n'appartient plus qu'à ses lecteurs, à ses admirateurs, à ses exégètes : ils en font ce qu'ils veulent malgré le courage et l'entêtement de Madeleine, que l'on suspecte de n'avoir rien compris à son mari. Avait-il ou non la foi ? Avait-il ou non des maîtresses, des yeux bleus ou noirs ? Ses travaux historiques n'étaient-ils que des romans ? Enfin a-t-il aimé Madeleine, son dérisoire témoin, son défenseur impuissant ? Elle ne peut s'opposer au triomphe de la fausse image présentée par la théorie officielle. Régis Lalande est mort deux fois. L'auteur, tout entier pris par ce thème, débouche sur celui du temps. Mais qu'est-ce que le temps ?

GRAND JEU (Le). Revue littéraire française fondée en 1928 par René Daumal (1908-1944), Roger Gilbert-Lecomte (1907-1943), Roger Vailland (1907-1965) et Josef Sima (1891-1971). Trois numéros : été 1928, printemps 1929, automne 1930 ; principaux collaborateurs : Georges Ribemont-Dessaignes, Pierre Minet, André Rolland de Renéville et Maurice Henry. Le numéro un est axé sur une série d'essais intitulée « Nécessité de la révolte » ; le second s'ouvre sur deux inédits de Rimbaud (un long fragment de poème et une lettre) suivis d'essais « à propos » de Rimbaud ; le troisième tourne autour de l'« Univers des mythes ». On pourrait dire, à partir du titre d'un essai inédit de Daumal et Lecomte, que *Le Grand Jeu* se présente comme la « première révélation de la métaphysique expérimentale ». Historiquement, *Le Grand Jeu* est considéré comme un sous-groupe surréaliste. La parenté avec le mouvement surréaliste est évidente par la recherche de ce « point d'où la vie et la mort, le réel et l'imaginaire, le passé et le futur, le communicable et l'incommunicable cessent d'être perçus contradictoirement » (Breton), *Le Grand Jeu* s'y est toujours strictement tenu et a étudié aussi loin que c'était possible « tous les procédés de dépersonnalisation, de transposition de conscience, de voyance, de médiumnité », cela dans toutes les directions mentales possibles et sans craindre ni l'aliénation, ni l'intoxication, ni la drogue systématiquement employée. Mais les points de rencontre entre les deux mouvements peuvent être considérés comme indépendants, car *Le Grand Jeu* ne serait que la continuité des « techniques » mises au point par ses principaux membres à Reims, dès le lycée, et avant même de connaître l'existence des surréalistes. *Le Grand Jeu* ne pouvait qu'échouer historiquement, mais cet « échec » est la condition même qui nous le rend toujours vivant et exemplaire, et lui conserve sa fascinante pureté. L'esprit du *Grand Jeu* fut, à vrai dire, surtout incarné par Gilbert-Lecomte et Daumal : tous deux, par des voies bientôt différentes et même opposées, ont vécu cet esprit jusqu'à l'extrême limite de la mort. Le premier n'a laissé que les fragments d'une œuvre profondément significative malgré son échec à écrire un livre ; le second a conquis l'une des premières places dans la poésie contemporaine.

GRAND MEAULNES (Le). Roman de l'écrivain français Alain-Fournier (1886-1914), publié en 1913. C'est, avec la *Correspondance* (*), la seule œuvre importante de l'auteur. Elle suffit à le faire placer haut dans la hiérarchie des lettres françaises. Livre de maturité pour la correction du style, la progression du mystère, la rigueur extrême de la composition : rien, ici, n'est superflu ; mais aussi, livre plein des rêves de la jeunesse, de son désir impatient du bonheur absolu, de son besoin inlassable de mystique et d'irréalité. Dans l'univers le plus immobile, le plus calme, un petit village, une petite école du pays de Sologne, le rêve vient s'insérer tout à coup dans le quotidien. Augustin Meaulnes, le héros, est à la fois l'instrument et le possédé du merveilleux : son arrivée dans la petite école, son intimité avec le narrateur brisent autour de celui-ci le cercle des accoutumances : « Quelqu'un, écrit le narrateur, est venu qui m'a enlevé à tous ces plaisirs d'enfant paisible. Quelqu'un a soufflé la bougie qui éclairait pour moi le doux visage maternel [...] Quelqu'un a éteint la lampe autour de laquelle nous étions une famille heureuse, à la nuit, lorsque mon père avait accroché les volets de bois aux portes vitrées. Et celui-là, ce fut Augustin Meaulnes... » Mais le « grand Meaulnes », jeune paysan du Cher, est lui-même le prisonnier d'un monde mystérieux : c'est sans le vouloir, une nuit, au hasard d'un accident de route, qu'il a goûté à l'enivrante saveur du Pays perdu. Égaré dans le coin le plus désolé de la Sologne un soir d'escapade, il pénètre dans un château mi-réel, mi-féerique, royaume d'enfants, de forains, de comédiens, d'étranges paysannes en costumes de fête... Augustin Meaulnes, émerveillé, apprend qu'on va célébrer les noces du jeune châtelain et d'une mystérieuse jeune fille de Bourges, que personne n'a vue. Mais la jeune fiancée n'arrive pas. Elle ne viendra pas. Frantz de Galais, le fiancé, est désespéré. La noce s'achève avant de commencer. Il faut rentrer au village et à l'école : mais le grand Meaulnes est ravi par la vision d'une jeune dame magnifique, entrevue dans un salon, et qu'il a suivie dans une promenade en barque. Avant de la quitter, il lui dit son nom et elle, le sien : elle est Yvonne de Galais, la sœur de Frantz. Meaulnes retourne dans son village, mais il est désormais l'être d'un autre monde, qui apporte « autre chose », la fraîcheur, l'indéfinissable. Ses anciens camarades le sentent bien, qui s'éloignent maintenant de lui, excepté le narrateur, son confident de classe, qui brûle de l'accompagner un soir dans le château des rêves. Meaulnes ne vit que pour revoir la jeune fille ; mais, au retour comme à l'aller de son voyage, il s'est perdu et ne sait plus trouver la route. Un jour arrive à l'école un nouvel élève, bohémien étrange qui tente de ravir à Meaulnes le plan qu'il a commencé de dresser, d'après ses souvenirs, de la région mystérieuse. Mais le bohémien, ôtant plus tard le bandeau qui lui couvrait le front, se fait reconnaître pour le jeune Frantz de Galais : avant de disparaître, il confie à Meaulnes que sa sœur est à Paris, lui donne une adresse et lui fait jurer, ainsi qu'à son compagnon, de se tenir prêts à le secourir s'il les appelle un jour. Meaulnes part pour Paris, mais n'envoie au narrateur que des lettres désespérées. Son ancien compagnon, au hasard d'une promenade, retrouve le chemin du mystérieux château et cette demoiselle de Galais que Meaulnes alla un jour chercher à Paris. La jeune fille s'émeut au nom de Meaulnes. Les adolescents se marient. Mais, le soir des noces, on entend un cri que seuls connaissent Meaulnes et le narrateur ; c'est Frantz qui revient dire son désespoir et demander à Meaulnes de chercher avec lui à travers le monde la fiancée perdue jadis. Le lendemain, le grand Meaulnes a disparu et Yvonne, sa femme, meurt quelques mois après. Plus tard, le narrateur, devenu instituteur, découvre parmi de vieux cahiers d'élèves le journal intime du grand Meaulnes : arrivé à Paris, cherchant en vain Yvonne, celui-ci a rencontré la fiancée de Frantz. Ils se sont aimés et la jeune fille, comme signe de tendresse, lui a donné la dernière lettre qu'elle possédait du jeune noble. Meaulnes s'aperçoit avec horreur que son amour est impossible, et il rejette Valentine. Comment aurait-il pu, après cette aventure, consentir au bonheur alors qu'il avait entendu l'appel de Frantz ? Il devra d'abord réunir les deux fiancés. Quand il aura réussi et qu'il rentrera au pays, sa femme sera morte et il s'en ira, Dieu sait où, avec la petite fille qu'elle lui a laissée.

L'intrigue, assez compliquée, surtout vers la fin du livre, a un sens tout symbolique ; c'est l'art particulier d'Alain-Fournier que de savoir ainsi unir la richesse et la précision des détails à la féerie de l'atmosphère. On ne doit pas chercher ici une analyse de caractère : il s'agit moins d'ailleurs d'un roman que d'un long poème qui veut faire partager au lecteur un certain état d'âme. Le symbole est assez transparent : il existe un point de félicité qui, une fois atteint, ne le sera plus jamais. Le grand Meaulnes est poursuivi par le rêve d'un bonheur qui le rend désormais inapte à tous les autres. L'absolu de son désir fait de lui un séparé, incapable de trouver la paix et le contentement dans un être fini. Tout le livre est ainsi dans le continuel contraste entre cette rêverie infinie, dont les deux personnages principaux sont prisonniers, et l'affection, la simplicité, le réalisme avec lesquels Alain-Fournier peint les circonstances physiques et psychologiques autour d'eux. Les jeunes gens, les êtres ardents et déchirés d'un impossible désir, ne se lasseront jamais sans doute de lire et d'aimer *Le Grand Meaulnes.* L'influence que ce roman a exercée sur la littérature française contemporaine est considérable et nombreuses sont les œuvres, dont l'inquiète et douloureuse aventure de la jeunesse forme la trame même du récit, qui ont emprunté au *Grand Meaulnes* cette atmosphère de rêve ou s'en sont souvenues.

GRAND-MÈRE (La) [*Babička*]. Roman de l'écrivain tchèque Božena Němcová (1820-1862), publié en 1855 ; il porte en sous-titre : *Tableaux de la vie à la campagne.* La grand-mère de l'écrivain est la protagoniste du récit ; celui-ci se divise en deux parties : la vie dans la localité de Staré Bělidlo, et la vie à la campagne pendant le cycle d'une année. Dans la première partie de l'œuvre, l'auteur nous présente la famille Prošek et ses hôtes à demeure ou de passage : le garde forestier, le meunier, le boutiquier, le marchand de pommades, etc. Au cours d'une visite au moulin, nous faisons la connaissance de la famille du meunier ; puis nous sommes conduits à la maison du garde forestier, enfin nous assistons à la visite que la grand-mère fait à la princesse de l'endroit ; chaque fois, la grand-mère raconte quelque souvenir de sa vie. Dans la seconde partie, le cycle de l'année débute par la description de l'automne : travaux et divertissements de cette saison y sont évoqués ; les coutumes de la veille de Noël y font suite ; après le carnaval vient le printemps, avec la description de l'inondation dans la campagne ; enfin l'été. Chacune des saisons est l'occasion de digressions, faites surtout des souvenirs de la grand-mère ou des autres personnages de son entourage. Dans ce roman, Němcová excelle dans la peinture des mœurs, des situations et des personnages. Écrit à un des moments les plus pénibles de son existence, il traduit sa quête de l'harmonie au travers d'une conception très rousseauiste de la vie. Ce roman reste un chef-d'œuvre de la littérature tchèque.

GRAND-MÈRES (Les) [*The Grandmothers : A Family Portrait*]. Roman publié en 1927 par l'écrivain américain Glenway Wescott (1901-1987). Comme *Adieu Wisconsin* (*) et *Le Lit d'enfant* [*The Babe's Bed*, 1930], ce roman a pour cadre la vie du Middle West américain. Mais si l'enfance d'Alwyn Tower à Hope's Corner est le thème du premier chapitre, le récit devient, dès le chapitre suivant, la reconstruction imaginative du passé. Le jeune poète, qui rêve en Autriche, ou relit un essai de jeunesse dans un port méditerranéen, tisse entre le présent et le passé de sa famille un rapport qui l'amène non pas à la recherche du temps perdu, mais à une rétrospective de l'époque des pionniers. L'histoire devient mythe familial, s'ordonnant autour des grand-mères du narrateur. Des souvenirs d'enfance, les histoires racontées par ses parents, les documents et les daguerréotypes qu'il découvre aident ainsi Alwyn à reconstruire la vie malheureuse de ses ancêtres. Un fragment de journal de son grand-père Henry Tower relate ses expériences de pionnier, son service durant la guerre de Sécession, la mort de sa première femme, Serena Cannon, et de leur fils unique, Oliver. Il épouse alors Rose Hamilton, ancienne fiancée de son frère Leandre, et mène une vie de déception constante, dans son travail et sa famille. Un chapitre sur Rose la montre brisée par la désertion de Leandre et acceptant un douloureux compromis avec la routine. La grand-tante Mary Harris vit mourir son premier époux, le docteur Brandon, tué au Missouri dans les raids de frontière, divorça d'avec Cleaver et fit presque le tour du monde avant de mettre fin à son veuvage en épousant Harrison, le frère d'Henry. La grand-tante Nancy Tower, malheureuse avec le fermier Jessie Davis, a élevé son fils Timothy avec délicatesse. Alwyn évoque aussi ses ancêtres maternels : Ira Duff et sa femme Ursula, que leur union malheureuse conduit peu à peu à la folie. Il y a un chapitre émouvant sur les morts anonymes, un petit garçon à la beauté angélique et au nom oublié, un journalier qui mangeait de la civette... La génération de ses parents ne semble pas plus heureuse au jeune intellectuel : jeune fille, sa mère a repoussé la demande en mariage de Paul Fairchild avant de tomber malade et d'épouser Ralph Tower — autre mariage manqué. Oncle Jim, le prédicateur, marié à la riche Caroline Fielding, regrette la vie plus satisfaisante qu'il aurait menée auprès de la musicienne Irène Geiger, s'il avait désobéi à son père. Tante Flora, après avoir refusé deux prétendants, meurt à vingt-neuf ans. Oncle Evan, le déserteur de la guerre hispano-américaine qui se fait appeler John Craig, est un éleveur prospère dans le Nouveau-Mexique, heureusement marié à Suzanne Orfeo. Le dernier chapitre nous montre cependant Alwyn réconcilié avec le passé et avec le sens de ces existences parallèles à la sienne, qui les répétera. Les « grand-mères » du titre sont le symbole d'un « pont continuel entre le passé et l'avenir, au-dessus d'un abîme sombre », mais aussi d'une « certaine connaissance d'un des bords de l'abîme et de l'existence d'autres ponts ». Chef-d'œuvre négligé des années 20, le roman vibre au rythme d'un style rapide et gracieux, en harmonie avec le flux et le reflux de la sensation. Sur un autre registre, c'est une sorte de *Saga des Forsyte* (*), qui constitue une brève biographie de l'Amérique, une série « d'histoires, de questions ne demandant pas de réponse, de questions paisibles ».

GRAND-MESSE [*Högmässa*]. Recueil de poèmes de l'écrivain suédois Johannes Edfelt (né en 1904), publié en 1934. À l'instar de Villon et d'autres poètes, Johannes Edfelt réunit sous un titre religieux une série de poèmes d'un tout autre contenu. Mais on ne saurait affirmer que cette « grand-messe » est antireligieuse. Edfelt admire, et même vénère, le personnage du Christ, tout en prouvant combien son exemple est loin d'être suivi par les chrétiens. Jésus pardonna aux soldats qui « partagèrent au jeu » [Lottdragning] ses habits, mais nous, nous ne pardonnons pas. Le seul sentiment vraiment divin pour Edfelt semble être l'amour. Or, il s'agit de l'amour entre homme et femme, qui prend même la place des « Saints Sacrements » [Sakrament] dans son culte. Néanmoins le côté négatif prévaut dans ce recueil : la prostitution y figure dans une des « Chorales froides » [Kalla koraler], suivie d'un cruel pastiche de la prière pour enfants, « Personne ne pourrait être mieux protégé » [Tryggare kan ingen vara], et l'avant-dernier poème, « Heiliger Dankgesang », est un réquisitoire contre le destin sous forme d'un *Deo gratias* moqueur.

GRAND MIROIR (Le) [*Speculum majus*]. Encyclopédie scientifique compilée par le dominicain français d'expression latine Vincent de Beauvais (1184 ?-1264 ?) : un des documents les plus importants de la culture médiévale. Publiée en 1473-76, elle apparut bientôt comme le puissant auxiliaire d'une culture scolastique encore digne d'être suivie face aux courants humanistes prépondérants ; aussi, la Contre-Réforme catholique essaya-t-elle de la remettre en valeur, comme en témoigne l'édition monumentale de 1591. *Le Grand Miroir* réunit quatre traités, souvent cités séparément, qui sont autant d'ouvrages indépendants : le « Miroir naturel », « Doctrinal », « Moral » et « Historial ». Cette vaste encyclopédie latine rassemble, dans tous les domaines de la connaissance, tout ce qu'on pouvait savoir au Moyen Âge ; tout en sauvegardant la vérité de la foi, elle n'en est pas moins régie par une intention nettement rationaliste et culturelle : celle d'analyser le plus de faits possible, pour les harmoniser ensuite en une vision religieuse du monde. Le *Miroir naturel* [*Speculum naturale*], comprenant 32 livres, traite de la création du monde, de Dieu et des anges, du monde sensible, de la lumière et du ciel, ainsi que des éléments et des corps de la terre, entre autres les métaux et pierres précieuses (cette partie fut surtout appréciée au Moyen Âge par la science lapidaire) ; viennent ensuite les classifications des divers genres de plantes et d'animaux. L'âme humaine et l'homme, maître de la nature, achèvent ce traité. Le *Miroir doctrinal* [*Speculum doctrinale*], comportant 17 livres, est consacré aux définitions philosophiques, grammaticales, logiques, rhétoriques et poétiques. On y traite en particulier des sciences du droit, de l'économie et de la politique ; les diverses actions sont jugées selon la loi, avec mention des peines sanctionnant les fautes et les délits. La partie consacrée à l'artisanat, y compris l'agriculture, à la chasse et aux professions, entre autres la médecine tant théorique que pratique, avec ses prolongements dans les sciences mathématiques et physiques, offre un réel intérêt. La théologie trouve également dans la science humaine proprement dite la place qui lui est due. Le *Miroir moral* [*Speculum morale*], en 3 livres comportant diverses parties et divisions, traite des divers péchés et défauts de l'homme, examinant certains vices néfastes à la société aussi bien qu'à l'individu, comme la colère et l'avarice. La religion constitue avec ses principes le fondement d'une juste hiérarchie sociale. Le *Miroir historial* [*Speculum historiale*], en 31 livres, constitue un abondant recueil de faits historiques, partagé en plusieurs sections, de l'histoire ancienne à l'époque contemporaine de l'auteur. Énorme répertoire d'événements, il présente sous forme de récits l'histoire des origines du monde et des anges jusqu'à Babylone et Moïse, l'histoire grecque, orientale et latine, englobant dans ce tableau d'ensemble les poètes et leur biographie. Il convient de souligner la tentative de fondre l'histoire civile et l'histoire ecclésiastique depuis la chute de l'Empire romain jusqu'à Charlemagne et aux maisons de Saxe et de Franconie. On relève également d'importantes références aux légendes médiévales : le mythe de l'Antéchrist par exemple et de son prochain avènement dans l'histoire de l'humanité. L'ouvrage s'achève sur l'affirmation de la foi en Dieu et le souhait que tous les vivants puissent trouver dans la science une sûreté de jugement pour les mieux guider dans la vie. Admirable témoignage de la culture du Moyen Âge, *Le Grand Miroir* (appelé parfois *Miroir quadruple* [*Speculum quadruplex*]) doit être considéré comme l'œuvre la plus complète de la tradition encyclopédique de source française et même de la scolastique européenne avant saint Thomas d'Aquin. — L'on peut mesurer l'originalité et les emprunts de Vincent de Beauvais en comparant son œuvre aux autres encyclopédies grâce à *La Pensée encyclopédique au Moyen Âge* (la Baconnière, Neuchâtel, 1966).

GRAND MOGOL (Le). Opéra bouffe en quatre actes, paroles d'Henri Chivot et Alfred Duru, musique du compositeur français Edmond Audran (1842-1901). Ce compositeur d'origine lyonnaise, après de fortes études musicales à l'école Niedermeyer où il obtint un prix de composition, était devenu organiste à l'église Saint-Joseph de Marseille, quand il se tourna vers la musique bouffe où il allait connaître des réussites. Après *L'Ours et le Pacha* (1862) et *La Chercheuse d'esprit* (1864), créés à Marseille, il aborde la scène parisienne et son premier grand succès est, à la Gaîté, *Le Grand Mogol*, le 19 septembre 1876, succès qui ne s'est pas démenti depuis. Plus qu'une opérette ou qu'un opéra bouffe, c'est une pièce à grand spectacle avec décors et costumes somptueux et variés. Aussi importe-t-il peu que l'intrigue soit à la fois naïve et embrouillée. Une jeune saltimbanque parisienne, Irma, débarque aux Indes vers 1750 avec son camarade Jodelet. Elle finira par épouser le prince Mignapour, héritier des Grands Mongols de Delhi. Le collier que porte le prince joue un rôle de premier plan : si le prince reste chaste jusqu'à sa majorité, le collier garde sa blancheur ; au moindre faux pas, il deviendra noir. Grâce à des substitutions maléfiques, manigancées par une rivale jalouse, le collier devient noir. Mais c'était un faux collier ; le vrai est resté blanc et le prince peut apporter à Irma une candeur égale à la sienne. La musique d'Audran est gaie. Sans être bien originale, elle invente des mélodies plaisantes parmi lesquelles on retient surtout les couplets d'arrivée d'Irma, la légende du collier (« Si le prince, m'a-t-on conté »), la menace du collier noir (« Mignapour, si tu veux avoir »), les couplets du prince (« Voilà comment, ma chère, tout en nous promenant »), les couplets du serpent (« Allons, petit serpent ») et « Kirikiribi ».

GRAND NOUS (Le) [*Det store vi*]. Comédie de l'écrivain norvégien Helge Krog (1889-1962), représentée et publiée en 1919. Helge Krog était un critique de théâtre déjà connu, lorsqu'il conçut cette pièce sur le modèle d'une comédie du célèbre Gunnar Heiberg. Un journaliste écrit un article indigné sur les bas salaires des couturières et des vendeuses. Son article fait scandale, mais pas dans le sens qu'il avait cru. En effet, l'employeur d'un grand nombre de ces jeunes femmes si mal payées est le plus grand fournisseur d'annonces du journal en question, et pour éviter que son nom ne soit souillé, la direction du journal fait insérer sa version du scandale, où l'employeur raconte avoir surpris un jour le journaliste et une de ses employées au cours d'une tendre scène d'amour, ce qui revient à dire que le journaliste veut se venger du patron de sa petite amie. Tout cela est vrai, et naturellement l'histoire d'amour et de vengeance intéressera davantage les lecteurs que le fond de l'affaire : les bas salaires des employées. Certains journalistes se solidarisent avec leur camarade, mais, comme dans la vie, il en reste toujours un pour profiter de la disgrâce d'un collègue. La pièce est rapide, incisive, habilement construite.

GRAND PANORAMA DES SOUVERAINS DU JAPON [*Nihon-ô Dai Ichi-ran*]. Œuvre historique que l'écrivain japonais Hayashi Shunzai (1618-1680) compila, en 1652, pour le compte de Minamoto no Tadakatsu. Sous forme de récit, l'auteur retrace en sept volumes l'histoire de son pays, depuis le premier empereur Jinmu Tennô (c'est-à-dire, selon la chronologie officielle, de 660 av. J.-C.) jusqu'au 106e de ses successeurs, Ôgimachi Tennô (1558-1586). C'est une œuvre de peu de valeur, tant sur le plan littéraire que sur le plan scientifique. Mais elle tire toute son importance de ce qu'elle fut l'un des premiers ouvrages d'érudition grâce auquel l'Europe a pu découvrir le Japon ; une traduction en avait été donnée en 1779-1780, par Isaac Titsing (1740-1812), qui fut de 1781 à 1784 directeur de la factorerie hollandaise de Deshima (petite île artificielle dans le port de Nagasaki, où les Hollandais, seuls Européens, eurent le privilège de s'installer, maintenant le monopole commercial avec le Japon pendant que ce pays était isolé de tout contact avec l'extérieur). À la vérité, Titsing savait assez mal le japonais, mais il s'aida d'interprètes et mena à bien sa traduction qui, eu égard aux circonstances et à l'époque, est satisfaisante. Plus tard, en 1834, le travail de Titsing fut publié, revu et corrigé par J. Klaproth (*Nipon O Dai Itsi Ran,* ou *Annales des empereurs du Japon,* traduites par M. Isaac Titsing avec l'aide de plusieurs interprètes attachés au comptoir hollandais de Nagasaki. Ouvrage revu, complété et corrigé sur l'original japonais-chinois, accompagné de notes et précédé d'un aperçu de l'histoire mythologique du Japon, par M. J. Klaproth, Paris-Londres, 1834).

GRAND PARDON (Le). Ensemble de nouvelles publié en 1965 par l'écrivain français Marcel Arland (1899-1986). En 1963, l'auteur terminait l'un de ses essais intimes, *La Nuit et les Sources,* par la phrase : « Il serait bon de partir, tous ensemble, tous... chacun avec ses jeux et sa misère, avec ses lueurs d'espoir — en route vers le Grand Pardon. » Le volume de 1965 réalise cette procession vers un but incertain. Sa marche est suspendue par deux fois, faisant place, dans ces temps de repos, à une sorte de chronique où se mêlent des voix, des passants, des contes, des images ; et la voix même de l'auteur s'élève aussi, qui parle pour tous, fût-ce en parlant de lui-même. Après quoi le cortège reprend sa marche. Ce n'est donc pas un recueil de nouvelles ; mais, dans ses ruptures comme dans sa continuité, un ensemble. Ce livre s'est composé comme une figure ; chaque nouvelle ou récit (ou quelquefois le silence) en devenait l'un des traits. Il ne s'agit sans doute pas d'une technique préconçue, mais d'épouser une œuvre : de cet esprit découle toute forme. Ce sont les mêmes thèmes qui sont développés d'un bout à l'autre, à travers la diversité des personnages, des histoires et des accents : « La Porte de l'ombre », « Sainte Radegonde », « Je ne suis pas mort », « La Reine du bal », « La Jeune Fille et la Mort », « La Nuit des amants », « La Vie nouvelle », c'est au fond le même débat entre l'ombre et la lumière. Simplement, ces notions de lumière et d'ombre changent peu à peu de valeur, presque de sens, et tendent à se résoudre dans un accord : « Et guidez-nous à travers la nuit, jusqu'aux lieux où elle se confond enfin avec la lumière. »

GRAND PRINTEMPS (Le). Œuvre de l'écrivain suisse d'expression française Charles-Ferdinand Ramuz (1878-1947), publiée en 1917, à Lausanne, aux *Cahiers vaudois*. Ce livre est à la fois une sorte de traité d'esthétique qui renseigne parfaitement sur l'art de Ramuz et un effort pour comprendre les deux grands événements de l'époque où il fut écrit : la guerre et la Révolution russe. C'est d'abord la confession d'un poète : la connaissance artistique, comme la comprend Ramuz, est avant tout réaliste, du réalisme le plus naïf, spontané, qui cherche d'abord dans la chose l'élémentaire, le primitif. Il ne s'agit donc point d'un réalisme intellectualiste, comme celui des néo-classiques. Tout fonder sur l'objet, sur la réalité extérieure, dit Ramuz : mais cela exigera de s'arrêter au contact le plus immédiat, celui de la main par exemple. L'art, qui naît de l'émotion sensible, n'est parfait que dans la mesure où il la rejoint et s'épanouit en elle. Aussi l'authenticité de l'artiste se mesure-t-elle à sa proximité de la matière. « Retour à l'élémentaire, dit Ramuz, parce que retour à l'essentiel », qui aboutit à une sorte d'identification avec la réalité brute. Aussi les méditations sur la guerre et la Révolution russe paraissent comme le prolongement, l'application de cette confession lyrique qu'est *Le Grand Printemps* aux phénomènes de la vie des hommes. C'est en effet à ce qu'ils présentent de troubles, de crises, de mise en question radicale d'une civilisation que Ramuz est surtout sensible dans les grands drames modernes. La guerre propose une authenticité, un « seul-à-seul » avec l'être que le neutre n'est pas loin peut-être d'envier aux guerriers. Pareillement, la Révolution russe qui a fait surgir des profondeurs de l'histoire l'homme nu, primitif, « l'homme de tous les temps », dit Ramuz, alors que le civilisé est « l'homme de l'occasion ». Ainsi la révolution communiste apparaît-elle comme une tentative d'évasion hors de l'artificiel. Certes Ramuz n'est pas anarchiste ; autant que la fin d'un monde ancien et factice, c'est la naissance d'un monde nouveau qu'il saluait en 1917, regardant Moscou. Il fait confiance aux « bâtisseurs soviétiques » : il voit surtout en eux une gigantesque explosion de la vie. Que celle-ci doive détruire, c'est évident, mais rien ne paraît valoir en face de cette affirmation absolue de ce qui exige d'être : « Toutes les folles tentatives qu'on voudra, écrit Ramuz emporté par sa ferveur, le vote des femmes, l'art social, la morale laïque, encore une fois j'y consens. Il a à montrer qu'il peut tout se permettre. Il a uniquement à donner des preuves de vitalité... » *Le Grand Printemps* est important surtout parce qu'il livre la clef de l'art de Ramuz, art de peintre ou de sculpteur, soucieux d'obtenir la plus intime approche des choses, impatient de l'imitation intégrale de l'objet : c'est une quête ardente de la vie sous toutes ses formes.

GRAND RECUEIL (Le). Recueil poétique publié en 1962 par l'écrivain français Francis Ponge (1899-1988). Cet ouvrage, publié en trois volumes : *Lyres, Méthodes* et *Pièces*, regroupe de nombreux textes parus en édition de luxe, tirés à part, difficilement accessibles au grand public, comme *Le Verre d'eau* ; des textes sur l'art faisant suite à ceux réunis dans *Le Peintre à l'étude* (*) et qui sont autant de nouveaux *Proêmes* (*), de poèmes méthodologiques et manifestes indirects ; ou encore, des articles parus, d'une manière épisodique, dans différentes revues. C'est ainsi que dans *Lyres* nous retrouvons *Exposition Charbonnier* (1952), *Parade pour Jacques Hérold* (1954), *Paroles à propos des nus de Fautrier* (1956) et *Springer* (1959). Dans *Méthodes, My Creative Method* (1949), *Le Verre d'eau* (1949), *L'Homme à grands traits* (1951) et *Le Murmure* (1946). Dans *Pièces* enfin, *La Crevette dans tous ses états* (1948), *L'Atelier* (1949), *Ode inachevée à la boue* et *Le Lézard* (1953), *Le Soleil placé en abîme* (1954).

Parmi tous ces textes, l'un des plus importants, du point de vue de la connaissance de Ponge, est *My Creative Method,* dans lequel Ponge définit une nouvelle rhétorique : donner à jouir à l'esprit humain, mais définir l'homme encore inconnu de l'homme, énoncer clairement ce qui ne se conçoit pas bien : l'aspect le plus particulier du monde extérieur, dans une formule convaincante qui puisse le remplacer. En fait, cette rhétorique rejoint et confirme celle de *Proêmes* : une rhétorique dictant l'objet, le sujet articulant la forme. Ponge veut que le texte ait au moins autant d'existence dans le monde des textes que l'objet dans le monde des objets. Rien de moins mystique, sans doute, de moins propice à certaines attitudes de révolte ou de satisfaction. Rien de plus dynamique. Parlant de Braque, il écrit ceci, qui lui convient aussi bien : « Chez Braque, c'est tout notre monde qui se répare, qui se remet à fonctionner. Il frémit et quasi spontanément se remet en marche. Il résonne. La réconciliation a eu lieu. » Ponge ne se contente pas de cette crise nécessaire à *La Rage de l'expression* (*) qui, sans la volonté et la nécessité de conclure, eût fini par l'emprisonner. Passant d'une description plane à une verticalité totale, ralentissant la vitesse de sédimentation du texte par des esquisses innombrables, laissant décanter, composant peu à peu le bloc informe du poème, il va instaurer, malgré la multiplicité des points de vue parmi lesquels « aucun esprit honnête de notre époque ne saurait en définitive choisir », celui de l'« objeu ». C'est-à-dire, précise-t-il dans son introduction à l'extraordinaire *Soleil* : « Celui où, l'objet de notre émotion placé d'abord en abîme, l'épaisseur vertigineuse et l'absurdité du langage considérées seules sont manipulées de telle façon que soit créé ce fonctionnement qui seul peut rendre compte de la profondeur substantielle, de la variété, de la rigoureuse harmonie du monde. » En écrivant, Ponge va placer tous les mots successivement en italique dans la phrase, mettre chacun d'eux tour à tour au supplice et à la dimension de ses différents sens, par rapport à lui-même et par rapport au poème, pour le rétablir ensuite dans son ordre prévu ; ou bien, comme dans *L'Araignée,* il use d'une mise en pages spéciale qui doit donner l'impression même de l'objet. Ces préoccupations évoquent Mallarmé. Mais là où ce dernier voulait suggérer ce qui s'organise presque en dehors des mots, Ponge au contraire rassemble, veut solidifier une présence visible du texte égale à sa cause extérieure. Il veut, à la lettre, « faire ce qu'il dit ». Tentative inverse quoique aussi absolue. Si l'on compare un de ces textes à ceux de *Parti pris* (*), on voit bien le chemin parcouru : comme ils ressortent davantage, comme un halo les entoure qui les fait vibrer sur place avec une force d'évidence et un lyrisme incomparables. Lyrisme dûment contrôlé, et mesuré dans sa démesure même. Tout a joué pour donner enfin « L'Abricot », « La Chèvre » qui est aussi, comme « Les Hirondelles », « L'Araignée » ou « Le Lézard », une allégorie de la parole et de la création poétique. On pense à ce que dit Ponge de Chardin, le comparant à Watteau : « Le moindre détail, qui tend au proverbe, à l'oracle, nous donne tout le reste, et cette nature morte, mieux qu'aucune scène de genre, la nature vivante où elle a vécu. » Et voilà une leçon pour user de nous. Pour boire un verre d'eau, ou consommer un abricot en sachant ce qu'ils représentent : « La couleur abricot, qui d'abord nous contacte, après s'être massée en abondance heureuse et bouclée dans la forme du fruit, s'y trouve par miracle en tout point de la pulpe aussi fort que la saveur soutenue. »

GRANDS BOIS (Les) [*Big Woods*]. Recueil d'histoires de chasse du romancier américain William Faulkner (1897-1962), publié à New York le 14 octobre 1955, illustré par Edward Shenton. Cinq textes de longueur très variable et imprimés en italique précèdent, séparent et concluent les quatre histoires de chasse choisies (il y en a d'autres) par Faulkner pour ce recueil : « L'Ours » de *Descends, Moïse* (*), privé de sa quatrième partie ; « Les Anciens » (ou « Gens de jadis » dans la traduction française), tiré intégralement du même ouvrage ; « Chasse à l'ours », tiré (et revu) des *Nouvelles* (*) ; et enfin une version révisée de « Chasse matinale » qui avait paru en magazine le 5 mars 1955. Comme certains de ces textes de liaison datent de 1931, la composition des *Grands Bois* couvre un quart de siècle de création littéraire.

Le premier intermède est un passage révisé de « Feuilles rouges » — v. *Treize histoires* (*) — qui raconte la fuite rituelle de l'esclave noir du défunt chef indien Issetibbeha, lequel doit, selon la coutume, être enterré vivant avec son maître. Il suit « L'Ours » et précède « Les Anciens » qui, dans *Descends, Moïse,* précédait « L'Ours ».

Le deuxième intermède, avant la farce qu'est « Chasse à l'ours » (il n'y a plus d'ours), est tiré d'« Un juste », qui parut en 1931 et constituait avec « Feuilles rouges » l'amorce d'un cycle indien qui sera complété, dans *Nouvelles,* par « Prétendants » et « Pauvres indiens ».

Le troisième intermède, tiré du superbe texte intitulé « Mississippi », qui parut en 1954 et figure dans *Essais, discours et lettres ouvertes* (*), décrit le delta du Mississippi à l'heure de l'automobile et même du néon.

Le cinquième catalyseur, enfin, peut-être le plus beau, est tiré d'« Automne dans le delta », l'avant-dernier chapitre de *Descends, Moïse.*

Le titre de ce recueil, encore ignoré en France, figurait déjà dans le texte de *Descends, Moïse.* Il est, pour l'auteur, synonyme de « La Terre sauvage », qui est, dans *Nouvelles*, le titre de la section consacrée au cycle indien. C'est, dans le delta du Mississippi, cette brousse luxuriante et séculaire qui recule chaque année, depuis l'enfance d'Ike, devant le « progrès » matérialisé par le coton.

À la différence de *Descends, Moïse* (qui est aux *Grands Bois* ce qu'est un opéra à une cantate), où Faulkner avait orchestré toute l'histoire des Indiens, des Noirs et des Blancs dans le Sud, l'auteur se contente ici, en faisant appel à deux nouvelles étrangères à l'œuvre de 1942, de dramatiser en une sorte de fresque musicale l'histoire de cette brousse : sa grandeur au temps de l'ours, et son présent déclin ; dans « Chasse matinale », le descendant des « Anciens », les grands chasseurs d'autrefois, décharge volontairement son fusil pour épargner le vieux cerf qu'il a poursuivi toute la journée ; le célèbre et somptueux bestiaire faulknérien cède la place au grouillement contemporain, qui exige des cultures dont la riche terre alluviale foisonnera bientôt. *Les Grands Bois* illustre admirablement le travail de Faulkner sur ses matériaux. Il les manie comme des pans entiers pour construire et même (c'est le cas ici) reconstruire des œuvres qui prennent alors une signification différente, quoique évidemment connexe. Le thème de la chasse, bien sûr, est symbolique :

« Tu seras un chasseur », affirme le vieux Sam Fathers au jeune Ike dans « L'Ours » : « Tu seras un homme. » Mais l'initiation d'Ike à la vie au Sud et à la vie dans le Sud ne constitue pas le fil directeur des *Grands Bois*. C'est plutôt, comme le titre l'indique, le sort de la terre qui en est le sujet ; mais Ike y est si intimement associé, matériellement (il la possède) et spirituellement (elle le possède), qu'il en devient le porte-parole, la voix, le symbole, le « corrélatif objectif » : c'est pourquoi le livre ne pouvait avoir une fin plus pertinente et plus belle que celle que Faulkner lui donne. Le crépuscule des héros, des « hommes de haute taille » venus autrefois des montagnes d'Écosse, tombe sur la nuit d'un vieillard tandis que le dernier cerf réel, épargné, devient pour la conscience qui s'endort l'ultime et fabuleux symbole d'un monde disparu, cependant qu'ignorant la loi ses descendants massacrent des biches.

Ce monde, c'est la terre sauvage qui préexistait à toutes les races : terre du Sud, dira Faulkner, « pour qui Dieu a tant fait et les hommes si peu ». La terre sauvage participe à la fois de l'Éden et du chaos matriciel qui a donné naissance à la géographie comme à l'histoire, et c'est vers elle que doucement retourne l'ancêtre Ike, vieux Priam ou Job dépossédé, abrité sous sa tente comme en un ventre de mère, comme en son cercueil.

M. Gr.

GRANDS CHEMINS (Les). Publié en 1951, ce roman est l'un des plus attachants que l'écrivain français Jean Giono (1895-1970) ait écrits depuis la guerre. Il est relativement court et reprend un peu le thème du récit du romancier américain John Steinbeck, *Des souris et des hommes* (*). Le héros, qui est aussi le narrateur, en est un homme d'âge mûr qui a choisi de vivre un peu au hasard, sans famille ni domicile. Il accepte la pauvreté parce qu'elle lui garantit un maximum de liberté ; mais pour la même raison, pour ne pas avoir à dépendre des autres, il ne rechigne pas devant le travail. Le roman débute avec l'automne, un automne très doux que le vagabond s'applique à savourer sans en perdre une miette. Selon son habitude, il a commencé à se laisser pousser la barbe. Il la portera tout l'hiver et la coupera au printemps. En chemin, il rencontre un joueur de guitare, qu'il surnomme « l'artiste ». Cet homme a un mauvais regard et des façons très cavalières. Il possède à un degré extraordinaire l'art de tricher aux cartes. Ils deviennent amis et s'installent, chacun à sa façon, dans un village proche. La neige se met à tomber, interdisant les routes. Le vagabond a trouvé de l'embauche dans un moulin où on écrase les noix pour en tirer de l'huile. La saison des noix passée, c'est lui que le patron, un certain Edmond, choisit comme gardien. Il n'a plus qu'à s'installer au chaud et à se rouler des cigarettes. Il est bien, mais il s'ennuie. Ses seules distractions sont ce qu'il entend chez les Edmond : la radio et de mystérieuses disputes où il est question d'une jeune fille qu'il a, dans les premières semaines de son séjour, aidée à fuir de chez elle. À l'insu de sa femme, le patron lui demande parfois d'étranges petits services : porter deux cent mille francs à la famille de la demoiselle ; livrer en son absence cinq cents litres d'huile. Le vagabond les lui rend sans manifester de curiosité. Il est trop philosophe et trop paresseux pour cela. Il ne s'intéresse vraiment qu'à l'artiste. Lui qui se méfie des attachements, il n'a pas pu résister à son charme pervers. Pour le moment, ce dévoyé fait florès. Vêtu de beaux habits flambant neufs, il est constamment fourré avec les notables du coin. Il leur a appris à jouer aux cartes. Dans un village enseveli sous la neige, une telle distraction est pain bénit. Mais ses victimes finissent par flairer sa tricherie. Ils le rouent de coups, s'acharnant surtout contre ses mains. Son ami le ranime et le transporte dans la vallée où, grâce à sa diplomatie, il parvient à le faire soigner secrètement chez des bonnes sœurs. Mais l'artiste commet un crime insensé : peut-être pour se prouver qu'il peut encore se servir de ses mains, il tente d'étrangler une vieille femme, qui en meurt de saisissement. Plutôt que de le laisser arrêter par les gendarmes et pourrir en prison, le vagabond, dans un paroxysme d'amitié, le tue, puis repart sur les routes. Le roman, dense, vivant, écrit entièrement au présent, fait partie de la série des *Chroniques* entreprises par Giono en 1946.

GRANDS CIMETIÈRES SOUS LA LUNE (Les). Ouvrage de l'écrivain français Georges Bernanos (1888-1948), publié en 1938. Comment qualifier ce livre ? Ces apostrophes passionnées ; ces attaques souvent interminables où une violence verbale inouïe fait parfois place à une ironie, un humour plus corrosifs encore ; ces procès intentés de tous côtés, au général Franco, à Charles Maurras, à Henri Massis comme à Paul Claudel, à la cour de Rome, aux démocrates-chrétiens et aux nationaux chrétiens, aux prêtres républicains français aussi bien qu'aux prêtres phalangistes espagnols ; ce livre écrit avec autant de bonne foi, d'enthousiasme, que de parti pris, brûlant d'amour de la justice, alourdi de beaucoup d'injustices dans ses jugements : ne voilà-t-il point toutes les caractéristiques du pamphlet ? L'auteur pourtant refuse aussitôt le mot : « Loin de m'exciter, dit-il, je passe mon temps à essayer de comprendre... Je crois que je m'efforce d'aimer... » Et c'est comme le « témoignage d'un homme libre » que nous sont proposés *Les Grands Cimetières sous la lune*. Les « grands cimetières », ce sont aussi bien ceux de la guerre de 1914, oubliés par la nouvelle génération assoupie dans les habitudes, que ceux de la guerre d'Espagne. Celle-ci éclata en 1936 : Bernanos, qui se trouvait à Majorque, lui fut d'abord favorable. Son fils même combattit quelque temps dans les rangs des nationalistes : *Les Grands Cimetières* sont le premier des ouvrages de déception de Bernanos, il prélude à *Nous autres Français* (*), à *Scandale de la vérité,* où l'écrivain instaurera le procès « spirituel » de ses anciens amis politiques de l'école maurrassienne. Si les « tumultes » français ne cessent, au long de ces pages, de préoccuper Bernanos, c'est cependant la tragédie espagnole qui est le thème du livre. L'attitude que les uns et les autres prennent à l'égard de ce problème semble à Bernanos un point de repère infaillible. Pour lui, la position à choisir n'a point tardé à se montrer clairement : la guerre d'Espagne est un scandale, mais elle est le signe d'un scandale beaucoup plus vaste, plus ancien et sans doute, hélas ! plus durable que la seule équipée du général Franco et de ses compagnons. Scandale de l'Église ? Pas exactement : « S'il m'arrive de mettre en cause l'Église, écrit-il, ce n'est pas dans le ridicule dessein de contribuer à la réformer. Je ne crois pas l'Église capable de se réformer humainement, du moins dans le sens où l'entendaient Luther et Lamennais. Je ne la souhaite pas plus parfaite, elle est vivante. »

Le scandale est donc moins celui de l'Église que l'éternel scandale des « bien-pensants » de l'Église, déjà dénoncés dans *La Grande Peur des bien-pensants* (*). Dans son premier ouvrage politique, Bernanos paraissait « homme de droite », nationaliste, antisémite avec Drumont, et c'est aux hommes du ralliement, qui rêvaient de réconcilier l'Église et le monde moderne, qu'il s'en prenait surtout. Il semble donc, au premier abord, que *Les Grands Cimetières* marquent un renversement dans l'évolution de Bernanos. Il s'agit tout au contraire du prolongement d'un unique combat et d'un approfondissement ; l'écrivain le souligne : *Les Grands Cimetières* ne sont que « de nouveaux chapitres de *La Grande Peur.* Franco est un Galliffet de cauchemar » : Bernanos le rattache ainsi expressément à la répression de la Commune. Ce qu'il dénonce dans la collusion des catholiques et de l'aventure franquiste, c'est une nouvelle rupture entre l'Église de Dieu et les pauvres. Car la position politique se double ici d'une véritable imposture religieuse : ici et là, hier et aujourd'hui, les chrétiens témoignent du même oubli des moyens proprement spirituels et surnaturels, de la même confiance dans les seuls moyens temporels et politiques. Imposture de ceux qui se servent de la religion pour donner une bonne conscience à leur haine sociale, « Machiavels gâteux », « charmants petits mufles de la génération réaliste », qui ont mis « l'ouvrier syndiqué à la place du Boche ». Imposture des hommes d'Église qui raisonnent en politique sans tenir aucun compte de la grâce et de l'amour surnaturel, fascinés qu'ils sont par les gloires et l'appareil de l'ordre temporel. Et quel ordre ! « Une conception hideuse de l'ordre — l'ordre dans la rue », dit Bernanos. En effet, la conception du véritable ordre chrétien s'est perdue — et d'abord chez les chrétiens. Les séductions qu'exercent les tyrannies politiques ou les démagogues sur les gens d'Église les plus raisonnables témoignent d'une désincarnation de la foi, d'une habitude, désormais bien prise chez trop de chrétiens, de regarder le monde avec les yeux du monde — et non ceux de la grâce : « Si Dieu se retire du monde, c'est qu'il se retire de nous d'abord... »

Les Grands Cimetières sous la lune ont une atmosphère encore plus lourde que *La Grande Peur :* Bernanos n'est pas loin du désespoir. La mort de la chrétienté, qu'il envisageait dans son premier pamphlet comme un futur, lui apparaît maintenant comme un présent. Celui qui attaque Franco et les hommes de droite qui en France le soutiennent est loin d'être démocrate. Cet anarchiste est, au fond, un homme d'ordre déçu — qui se rend compte que tout l'« ordre » dont rêvent les modernes n'est qu'un mot, qu'il est radicalement étranger à l'âme de l'ordre : l'amour surnaturel... Des solutions ? On doit reconnaître que Bernanos n'en propose guère, si ce n'est un appel à un « esprit d'enfance », à vrai dire assez mal défini, et qui peut recouvrir aussi bien la plus sincère humilité et la simplicité chrétienne du cœur qu'une tentation trop humaine de démission de l'intelligence et des nécessaires servitudes de la politique. À certains, ce Bernanos pourra paraître plus vrai, plus humain que le polémiste : mais si ce dernier, surtout dans *Les Grands Cimetières,* paraît se contredire, c'est que seul l'homme concret l'occupe, que c'est lui le signe de contradiction qui peut écraser les systèmes et les politiques. C'est d'abord cette fidélité que Bernanos exalte ici jusqu'à l'exhaustion.

GRANDS COURANTS DE LA LITTÉRATURE EUROPÉENNE DU XIXᵉ SIÈCLE (Les) [*Hovedströmninger i det 19ᵉ Aarhundredes europoeiske Litteratur*]. Ouvrage d'histoire littéraire du grand critique danois Georg Brandès (1842-1927), publié de 1872 à 1890 en six volumes. Dans le premier, « Littérature d'émigrants », Brandès décrit la vie intellectuelle au début du romantisme, ce qui le conduit jusqu'à Mme de Staël. Dans « L'École romantique en Allemagne », il attaque vigoureusement, comme l'avait fait avant lui Heine, le romantisme de Schlegel, Tieck, Novalis et Hoffmann, surtout en fonction de la situation littéraire au Danemark : « J'ai attaqué les romantiques allemands du passé pour atteindre à travers eux les romantiques danois vivants... » Dans « Le Naturalisme en Angleterre », on remarque surtout le portrait du fier et mélancolique Byron, le héros tel que le concevait Brandès. Dans « L'École romantique en France », l'auteur témoigne d'une admiration sans bornes pour les poètes français. Dans « La Jeune Allemagne », il trace un portrait attendri de Heine et décrit avec soin la situation générale. Il ne s'intéresse d'ailleurs pas uniquement à la littérature, mais aussi à la politique. Les idées et les passions de cet écrivain ardent, servies par un style facile et rapide, eurent une profonde influence au Danemark. L'ironie avec laquelle il parle de certains défauts danois, tels que la vanité et une tendance à être trop vite satisfait de soi-même, est mordante et chargée de sous-entendus. En bref, ces *Grands Courants* sont une œuvre brillante, dont la valeur historique est contestable du fait d'un parti pris de l'auteur, mais qui présente en revanche un témoignage direct et vivant sur la culture danoise et scandinave aussitôt après 1870. — Trad. Barsdorf, Berlin, 1902.

GRAND SECRET (Le). « Impressions d'un explorateur dans la région du mystère » ; tel pourrait être le sous-titre de ce traité de l'écrivain belge d'expression française Maurice Maeterlinck (1862-1949), sorte de brève histoire de l'occultisme, publiée en 1921. La recherche des sources du fleuve mystérieux qui coule à travers toutes les religions, les croyances et les philosophies, nous conduit dans l'Inde sacrée : de là, ce courant se répandit sans doute en Égypte, dans la Perse antique, en Chaldée, imprégna le peuple hébreu, s'infiltra en Grèce et dans le nord de l'Europe, atteignit la Chine et même l'Amérique, où la civilisation aztèque fut tributaire de la civilisation égyptienne. De l'occultisme primitif, nous connaissons donc trois dérivations : la dérivation Égypte-Perse-Chaldée-Grèce (les « mystères » religieux grecs) ; l'ésotérisme judéo-chrétien, avec les esséniens, les gnostiques, les néo-platoniciens alexandrins, les kabbalistes du Moyen Âge ; enfin l'occultisme moderne, plus ou moins imprégné des précédents, qui englobe non seulement les théosophes, mais les spirites et tous les philosophes métapsychiques d'aujourd'hui. De ces divers courants, depuis les textes les plus anciens de la littérature sacrée hindoue jusqu'aux manifestations variées de l'occultisme moderne de Blavatzky, Besant, Steiner, et à la « métapsychique contemporaine », l'auteur fait un tableau fort éloquent où il s'efforce de prouver que ces fleuves et ces ruisseaux de l'occultisme ont transmis jusqu'à nous des puissances sans doute beaucoup plus spiritualistes que celles de l'esprit moderne. Pour saisir et dominer ces puissances, nous devons donc nous spiritualiser, cultiver le jardin de notre âme, c'est-à-dire notre subconscient, par le renoncement et la concentration spirituelle. Le style suggestif et infiniment poétique de Maeterlinck, l'atmosphère purifiée, peuplée de paradoxes éthérés qui s'échappent avant qu'on ait le temps de les saisir, les subtils points d'interrogation et un vague idéalisme sentimental répandu un peu partout ont été la cause du grand succès de cet ouvrage. Mais tout cela ne suffit pas à dissimuler l'absence d'unité de pensée et le caractère arbitraire de certaines affirmations d'ordre historique. Il s'agit non pas d'une doctrine, mais de variations poétiques subtiles et ingénieuses sur des thèmes qui ont toujours passionné l'humanité.

GRAND SEIGNEUR, FRÈRE BRNE (Le) : Son instruction religieuse et sa prise d'habit [*Bakonja fra' Brne, njegovo djakovanie i postrig*]. Roman de l'écrivain dalmate Simo Matavulj (1852-1908), auteur de nouvelles, de romans et de descriptions de la Dalmatie. Parmi ses romans, *Le Grand Seigneur, frère Brne* et *L'Uscoque* (*) sont considérés comme deux classiques de la littérature serbo-croate moderne. L'œuvre fut imprimée en caractères cyrilliques en 1892, en caractères latins en 1897. Ivan Jerković, fils de Kušmelj, pauvre paysan d'un village de la Haute-Dalmatie, et surnommé par moquerie le Grand Seigneur, entre dans un monastère. Son oncle le protège, qui se réjouit de le voir continuer la tradition de la famille, laquelle peut se flatter d'avoir eu de bons moines. Les parents proches ou éloignés tentent plusieurs fois de s'y opposer et de présenter le garçon à son oncle sous un mauvais jour. Mais le « Grand Seigneur » se montre un bon et diligent élève, il évente leurs plans et fait de rapides progrès ; mais il se révèle naïvement pusillanime en face des étranges événements qui surviennent pendant son séjour au monastère. Dès le début, en effet, un frère meurt dans des circonstances suspectes et, pendant un certain temps, on craint, parmi les moines, que son spectre menaçant n'erre, à travers les cellules, comme un vampire. Le calme revient au bout de quelque temps, mais le monastère est alors pillé. On découvre qu'un faux idiot, pris pour un maquignon, était en réalité un célèbre chef de brigands, qui s'était introduit dans le monastère afin d'ouvrir les portes à ses acolytes. Cependant, Ivan Jerković est devenu frère Brne, père gardien, mais il reste maladif. Même guéri, il n'ose sortir de sa chambre, de crainte de mourir. Il est guéri subitement par le chirurgien Pjevalica, qui fait semblant de vouloir le tuer. Par deux fois, l'amour menace de bouleverser la vocation religieuse de frère Brne, mais il en sort toujours victorieux. Enfin il reçoit les ordres, obtient une paroisse et séduit tout le monde par sa bravoure et sa bonté. Ce roman a donné à Matavulj une place particulière parmi les prosateurs serbo-croates : il est l'unique représentant d'un réalisme pur et sobre, qui ne tombe jamais dans les excès du romantisme ; en outre, le romancier décrit avec beaucoup de bonheur les milieux dalmates, les petites villes de la côte adriatique, les monastères et leur vie. Un humour fin, une juste connaissance des faiblesses humaines constituent la poésie de cette œuvre, qui est parmi les plus heureuses de la littérature à laquelle elle appartient.

GRANDS INITIÉS (Les). Ouvrage de l'écrivain français Édouard Schuré (1841-1929), publié en 1889. Dans cette étude philosophique et religieuse, l'auteur étudie le conflit entre science et religion. Il essaie de prouver que la doctrine des mystères antiques est à l'origine de toutes les grandes religions et, de ce fait, de toutes les civilisations. Le christianisme, par son sens de l'humain, et la science, dont la fin même demeure l'homme, finiront par se rejoindre. En établissant, avec beaucoup de pénétration, un parallèle entre l'histoire des religions et la doctrine ésotérique, Schuré s'efforce de prouver l'ancienneté, la continuité et l'unité de cette dernière. Il nous la fait connaître par des études sur les grands initiés qui, bien qu'appartenant aux époques les plus diverses, sont tous parvenus à des conclusions identiques. Rama a fondé la première religion aryenne ; Krishna a forgé l'Inde religieuse, et il proclame la divinité incarnée dans l'homme qui la manifeste ; Hermès Trismégiste, avec sa doctrine du feu-principe et du verbe-lumière, est le creuset de l'initiation égyptienne ; Moïse et son sévère monothéisme d'où procédera l'unification de l'humanité sous un même Dieu et une même loi ; Orphée, génie animateur de la Grèce ; Pythagore, son continuateur, qui a coordonné les aspirations orphiques en un système philosophico-scientifique ; Platon qui a répandu la doctrine pythagoricienne avec sa doctrine des idées ; Jésus enfin, qui est la synthèse de toutes les initiations précédentes et dont chaque postulat représente une grande religion. Cet ouvrage, plus fervent que scientifique, s'achève par une exhortation à pénétrer dans le temple des Idées immortelles, en attendant que la science et la religion se réunissent pour former une éclatante et unique lumière.

GRANDS MOTETS de M.-R. de Lalande. Œuvres du compositeur français Michel-Richard de Lalande (1657-1726), publiées (partiellement) en 1729, dans une luxueuse édition, sur ordre de Louis XV. Ces somptueuses cantates pour chœurs et orchestre appartiennent à la musique spirituelle plutôt qu'à la musique d'église proprement dite. On les jouait à la chapelle de Versailles, au cours de la messe matinale du roi, mais ils débordent largement le cadre d'un office normal – ils sont d'ailleurs divisés en morceaux pouvant être exécutés séparément. Composés sur des psaumes et non sur le texte de la messe, ils développent leur mouvement propre, indépendant, avec une superbe indifférence à l'égard de la liturgie. Autant que par leur verbe coloré et bien rythmé, pathétique et grandiose, ils séduisent d'abord par la majesté de l'appareil polyphonique et par une liberté de lignes vocales qu'on chercherait vainement dans les chœurs massifs de Lully. Lalande réconciliait ici tradition et modernisme. Formé à l'école des vieux maîtres français, il n'ignorait aucune des grandes œuvres italiennes contemporaines. S'il donne toujours à ses motets une brillante parure contrapuntique, il peut rivaliser avec n'importe lequel des novateurs d'au-delà des monts par ses hardiesses harmoniques (celles du *Requiem aeternum* et du *De Profundis* de 1689 en particulier), par le charme de ses soli ornés de vocalises, enfin par toutes sortes d'artifices expressifs, appoggiatures, retards, etc., dont il complique avec maîtrise son écriture, sans nul doute la plus riche de son époque, en France du moins. Mais peut-être est-ce par son sens de la couleur musicale qu'il se montre le plus grand : Lalande est un peintre qui sait tirer de l'opposition des tonalités des surprises intensément dramatiques. Toujours en mouvement, toujours divers, il ne se contente pas de mettre en ligne des effectifs considérables, ne s'abandonne jamais à la puissance pour elle-même, mais varie sans cesse son point d'attaque et la puissance de choc de ses batteries : tantôt ce sont les grands chœurs de soixante voix qui se séparent comme pour donner à leur réunion encore plus d'éclat, tantôt c'est un solo qui affronte tout le chœur, tantôt ce sont les voix et les instruments qui rivalisent. Dans ce « disparate ingénieux », plus encore qu'avec Couperin, le style français et le style italien célèbrent leurs magnifiques épousailles. C'est bien sans doute l'ordonnance pompeuse de Versailles que nous retrouvons chez Lalande, mais portée à une vertu supérieure et comme soulevée, sans rien perdre pourtant de son équilibre, par un souffle prophétique.

GRAND SOMMEIL (Le) [*The Big Sleep*]. Roman de l'écrivain américain Raymond Chandler (1888-1959), publié en 1939. Le détective Marlowe est convoqué chez le vieux général Sternwod, qu'un certain Geiger veut faire chanter à propos de sa fille Carmen Sternwod. Mais le général est surtout inquiet de la disparition de Rusty Regan, mari de Viviane, son autre fille, lequel lui témoignait de l'amitié. Il n'a guère d'illusions sur Viviane et Carmen, la première se soûle et joue, la seconde se drogue. Marlowe va ainsi côtoyer Geiger, patron d'une bibliothèque « rose » ; son employée Agnès ; Brody, amant de celle-ci qui, à la mort de Geiger, veut diriger son affaire et cherche à faire chanter Carmen ; Eddie Mars enfin qui dirige la maison de jeux fréquentée par Viviane. C'est Eddie Mars qui, à la demande de Viviane, a fait disparaître le corps de Regan tué par Carmen dans une crise d'hystérie. À cette découverte, Marlowe, pris de pitié pour le général, promet à Viviane de se taire si elle le paie.

Dans ce roman une peinture fouillée, personnelle, pleine de couleurs, impose un cadre si vivant que les personnages en paraissent extrêmement réels. Ces personnages ne sont pas ceux interchangeables du roman policier ordinaire. Le général, à demi paralysé dans sa serre d'orchidées, est un visage qu'on n'oublie pas. Et çà et là des touches minutieuses viennent encore confirmer cette impression de vie : Harry Jones, d'abord médiocre puis noble ; Ohls et Wilde, policiers apparemment honnêtes, mais prêts à céder à certains arguments. De Viviane et Carmen, stéréotypées et fausses, sans un brin d'humanité, Chandler fait une charge si noire qu'on est amené à penser que ce n'est pas sans dessein. Elles semblent avoir été modelées pour inspirer le dégoût de la richesse toute-puissante, qui corrompt même Marlowe. Ainsi *Le Grand Sommeil* mêle-t-il les qualités et la morale du roman traditionnel à l'action du roman policier. Œuvre d'autant plus célèbre que l'adaptation cinématographique due à Howard Hawks, avec William Faulkner comme scénariste (1944), Humphrey Bogart et Lauren Bacall dans les rôles principaux, est remarquable. — Trad. de Boris Vian, Gallimard, 1948.

GRAND SOUFFLE (Le) [*World Enough and Time*]. Roman de l'écrivain américain Robert Penn Warren (1905-1989), publié en 1950. Le titre, qui signifie littéralement « [si nous avions] assez de temps et d'espace », est une citation du poète métaphysique Andrew Marvell, et il faut signaler que Warren s'est beaucoup inspiré de cette poésie anglaise du XVIIe siècle. Warren a défini lui-même cette œuvre comme un « roman romantique », soulignant par là le caractère lyrique, intensément dramatique de son œuvre et son sujet même. Comme pour tous ses romans précédents, Warren s'est inspiré d'un fait divers emprunté à l'histoire. En 1826, à Frankfort, dans le Kentucky (pays natal de Warren), terre des ténèbres et du sang, appelée aussi la « terre du grand souffle », eut lieu un procès retentissant. Un jeune avocat, Jeremiah Beaumont, a tué celui qui avait été toute sa vie son bienfaiteur, le juge Cassius Fort. Jeremiah s'est en effet convaincu que sa jeune femme, Rachel Jordan, avait naguère été « déshonorée » par Cassius Fort. Condamné à mort, Jeremiah s'évade et va se réfugier dans une île de l'Ohio habitée par des hors-la-loi. Il finit par comprendre qu'il a été trompé par l'ennemi de Cassius Fort, et il se dispose à retourner à Frankfort pour expier son crime quand il est à son tour assassiné.

Warren, romancier de l'Histoire, adopte ici la forme de la chronique : il se sert d'une confession supposée de son héros, des lettres et libelles de l'époque, de la relation du procès, s'offrant ainsi un recul dans le temps par rapport à son héros, qui confère à ce dernier une sorte de « grandeur mythique » (Michel Mohrt : « Le Mythe du hors-la-loi » dans *Le Nouveau Roman américain*, Gallimard, 1955). Héros romantique par excellence, en n'écoutant que son idéal, Jeremiah Beaumont a méprisé la réalité du monde, rejeté l'imperfection de la vie humaine, mais sans doute est-il parvenu à la connaissance de soi. — Trad. Stock, 1955.

GRANDS PENSEURS DE L'INDE (Les) [*Die Weltanschauung der indischen Denker*]. Étude du médecin et philosophe français d'expression allemande Albert Schweitzer (1875-1965), publiée en 1935. Dans la préface de cet ouvrage, le Dr Schweitzer avoue s'être intéressé à la philosophie hindoue depuis les bancs de l'université, lorsqu'il fut mis en contact avec elle à travers les écrits de Schopenhauer. La pensée philosophique indienne, qu'il étudia ensuite, n'a jamais cessé d'exercer sur son esprit une forte attraction, car, nous dit-il, « toute pensée philosophique doit s'attacher au grand problème de l'union spirituelle de l'homme avec l'Univers », conception qui forme justement le problème clé de toute la philosophie hindoue. Dans la présente étude, Schweitzer n'oppose nullement la pensée hindoue à la pensée occidentale ; il cherche à dégager ce qui, étant situé au-delà des divergences temporelles, est « destiné à devenir le bien commun de l'humanité ». Après avoir passé en revue la doctrine des *Upanishad* (*), le Dr Schweitzer s'arrête longuement sur leurs dérivés, la doctrine samkhyà et, surtout, le jaïnisme, dont il admire visiblement le précepte le plus important, élevé, nous dit l'auteur, au rang de commandement suprême : le précepte d'« ahimsà », ou non-violence. Puis il passe à Bouddha et à sa doctrine, telle qu'elle est connue dans les différents pays qui l'acceptèrent. Il étudie rapidement les deux formes du bouddhisme : la forme primitive, ou doctrine du « Petit véhicule » (Hinayàna), et celle, plus populaire, du « Grand véhicule » (Mahayàna) ; puis explique les raisons qui contribuèrent au déclin du bouddhisme dans l'Inde : rejet par Bouddha des textes sacrés du védisme, croyance à l'impossibilité du salut pour celui qui ne pratique pas l'ascèse et vit dans sa famille, enfin, la conquête de l'Inde par les musulmans. Après avoir étudié l'introduction du bouddhisme en Chine (au Ier siècle av. J.-C.), au Japon (au VIe siècle) et au Tibet, où il donnera naissance au lamaïsme (VIIe siècle), le Dr Schweitzer passe au cycle du *Bhagavadgità* (*) et, enfin, aux philosophes modernes : Ram Mohan Rai, Ramakrishna, Vivekananda, Gandhi, Tagore, Aurobindo Ghose et Radakrishnan. Ce livre est un excellent manuel permettant, en un rapide coup d'œil, d'embrasser quelque vingt-cinq siècles de philosophie hindoue. On pourrait peut-être lui reprocher de s'attacher surtout à l'étude des théories éthiques au détriment de toutes les spéculations purement intellectuelles, pourtant si nombreuses dans la philosophie hindoue. C'est sur ce point précis que les indianistes font à l'auteur des reproches et signalent des lacunes graves. Mais, lorsqu'on connaît la vie de ce savant, vie tout axée sur le sacrifice, on comprend que, pour lui, il ne puisse y avoir de « grands philosophes » que parmi ceux qui pensent, avec Goethe : « Au commencement il y eut l'Action. » – Trad. Payot, 1936.

GRAND'TERRE (La) [*La tierra grande*]. Roman de l'écrivain mexicain Mauricio Magdaleno (né en 1906), publié en 1949. Ce roman est consacré au problème de la propriété terrienne au Mexique, thème cher aux écrivains d'Amérique latine, et qui prend ici une résonance particulière, car il est étudié à travers trois générations, dont la dernière atteint sa majorité au moment de la Révolution, qui fut aussi, et aurait dû être avant tout, une révolution agraire. La Grand'Terre est un domaine que son propriétaire, le vieux Gustavo Suárez Medrano, a fait fructifier et prospérer tout au long de sa vie. Son fils, Juan Isidro, prend les rênes de Herculano – c'est le nom de la propriété – lorsque s'ouvre le roman, et accueille parmi ses métayers le jeune Rafael Estrada, fils du maître d'école. Celui-ci s'occupe avec une énergie exceptionnelle de la part de terres qui lui est réservée, et il s'attire ainsi la haine de son ex-ami d'enfance, Gustavo, le fils de Juan Isidro. Par ailleurs un tendre sentiment se noue entre Rafael et María, la sœur de Gustavo, qui est promise à Humberto. Après des péripéties mouvementées, où les sentiments s'exacerbent avec une rare violence, les jeunes gens s'enfuient et se marient secrètement. Juan Isidro renie alors sa fille, mais finirait par revenir à de meilleurs sentiments si Gustavo ne faisait tout pour maintenir la brouille. Toutefois, par repentir de cette attitude, il laisse un testament partageant également Herculano entre Gustavo, María et Carmen, son autre fille. C'est alors, de la part de Gustavo, qui a empêché María de voir leur père sur son lit de mort, une explosion de rage. Aidé d'Humberto, le mari de Carmen, Gustavo tue Rafael. Aux deux générations suivantes, le même genre de situations, toutes de violence et de haine, se répète, mais en inversant les personnages, le fils de Rafael, par exemple, loin d'être bon travailleur comme son père, étant rongé par l'envie et la méchanceté. *La Grand'Terre* est ainsi une œuvre très complexe d'où le mélodrame n'est pas absent. Mais Magdaleno renouvelle le thème de la « terre » à la fin du roman, qui vient réduire à leurs proportions humaines les luttes acharnées que se sont livrées pour la propriété les différentes générations de Suárez Medrano : la Grand'Terre deviendra propriété de l'État, et ses domaines seront répartis entre les paysans.

GRAND THÉÂTRE DU MONDE (Le) [*El gran teatro del mundo*]. Spectacle religieux allégorique (« auto sacramental »), en un acte et en vers de l'écrivain espagnol Pedro Calderón de la Barca (1600-1681), représenté vers 1645. La pièce débute par une invitation que le poète lance au Monde à lui préparer un spectacle dont lui-même choisira les acteurs. Tandis que le Monde organise la scène, l'auteur appelle sept personnages et leur distribue leurs rôles. L'un d'eux sera le Riche, un autre le Roi et les autres respectivement le Paysan, le Mendiant, la Beauté, la Prudence et l'Enfant. Le Paysan et le Mendiant rechignent pour accepter leur rôle ; quant à l'Enfant qui n'a rien à faire si ce n'est à mourir avant de naître, il fait remarquer que son personnage n'a vraiment pas besoin d'être étudié. La scène et le décor sont prêts : ce dernier se compose de deux portes, sur l'une est inscrit le mot Berceau, sur l'autre le mot Tombe. Une fois que le Monde, qui est à la fois costumier et régisseur, a distribué tout le matériel, le spectacle commence. Les personnages voudraient répéter, mais le Monde leur enjoint d'improviser. Les personnages sortent alors l'un après l'autre du Berceau et guidés simplement par une voix mystérieuse qui leur dit : « Aime ton prochain comme toi-même ; fais le bien parce que Dieu est Dieu », ils improvisent leurs rôles respectifs : le Riche fait ripaille, le Paysan travaille et proteste, le Roi s'enorgueillit de sa puissance, la Beauté s'exalte de sa perfection, le Mendiant demande vainement la charité, la Prudence s'affirme... Le spectacle est une répétition et un concours : lorsqu'un personnage a suffisamment manifesté ses qualités, le Monde le fait sortir de scène par la porte noire de la Tombe. Le spectacle fini, l'Auteur convoque ses personnages pour leur distribuer récompenses et punitions : la Prudence et le Mendiant qui ont joué honorablement leur rôle sont accueillis à la table eucharistique et ont droit à la béatitude ; le Roi, la Beauté et le Paysan iront au Purgatoire ; l'Enfant qui n'est pas né aux Limbes, et le Riche en Enfer. L'allégorie est assez transparente et l'était plus encore pour les contemporains de Calderón, habitués à considérer le problème de la grâce comme un problème de passionnante actualité. L'improvisation sur un thème symbolise le libre arbitre humain qui peut, en union avec la grâce suffisante, don de Dieu – dans l'auto sacramental, elle est représentée par la voix conseillère –, créer la grâce efficace et obtenir ainsi le salut, tout au moins d'après les doctrines molinistes que Calderón épousait. Il faut remarquer la grande habileté avec laquelle Calderón a su concrétiser les concepts théologiques et le comique avec lequel il a représenté les personnages du Mendiant et du Paysan. – Trad. La Renaissance du livre, 1938, puis éd. Klincksieck, 1957.

★ L'« auto sacramental » de Calderón fut, en 1922, repris par le poète autrichien Hugo von Hofmannsthal (1874-1929) dans son « mystère » : *Le Grand Théâtre du monde de Salzbourg* [*Das Salzburger grosse Welttheater*], qui est l'une de ses dernières œuvres. Le Seigneur désire que la terre lui offre un spectacle nouveau et intéressant : les personnages seront des âmes non encore nées, mais revêtues pour l'occasion de leur vie future. Titre de la comédie : « Agissez bien ! Dieu vous regarde ». Pour commencer, l'ange distribue les vies : tous sont satisfaits, à l'exception du Mendiant qui se révolte (c'est le prolétaire qui a entendu la parole nouvelle du communisme) ; mais quand l'ange lui a montré la valeur absolue et suprême que possède en elle-même toute action, lui aussi accepte avec enthousiasme la vie imposée. Les personnages humains, le Roi, le Riche, le Paysan, le Mendiant, vivent et parlent — symboles eux aussi — aux côtés et sous l'influence des personnifications de la beauté, de la sagesse et des forces négatives et perverses du mal. Lorsque, à la fin du drame, les personnages vieillissent soudainement et se trouvent en face de la mort, l'enseignement et la signification de leur vie apparaissent clairement : ce n'est ni la possession, ni la richesse, ni la beauté qui rendent l'homme noble, mais la sagesse et la sereine volonté de se réfléchir en Dieu. C'est pourquoi le Mendiant (personnage principal et le plus vivant du drame), après la rébellion et la haine, trouve la paix et la joie en voyant la sagesse prier pour lui ; c'est pourquoi la mort, qui mène à la miséricorde et à la justice de Dieu, est une libération et un bien. Le drame reflète les qualités de style propres à Hofmannsthal, mais avec quelques traces de lassitude cependant : l'on remarque en effet la nature précieuse et raffinée des vers monotones et bien alignés, en même temps que de fréquentes lourdeurs ; par ailleurs, le manque de mouvement convient au genre de la représentation et à l'atmosphère rigide du « mystère ».

GRAND TRAITÉ D'INSTRUMENTATION ET D'ORCHESTRATION MODERNES. Ouvrage du compositeur français Hector Berlioz (1803-1869), publié à Paris en 1843 et réédité en 1855 avec *L'Art du chef d'orchestre*. C'est le premier grand traité complet et rationnel d'instrumentation, remarquable par la notation exacte et soigneuse des caractéristiques non seulement techniques, mais expressives de chaque instrument, et par l'illustration de nombreux exemples extraits de partitions, de Gluck, de Beethoven, de Weber et de Berlioz lui-même. Au dernier chapitre, l'auteur se laisse aller au rêve d'une masse gigantesque d'exécutants, 456 instruments et 360 choristes ; c'est le programme romantique de Berlioz exprimé sous sa formule théorique la plus paradoxale. Cette œuvre est importante : c'est un document sur le goût d'une époque et sur la définition technique d'une esthétique, dont Berlioz est le partisan le plus représentatif dans le romantisme musical français : la valeur expressive de l'instrument et de l'orchestre y est précisée par une analyse intelligente et pénétrante. Très souvent, entraîné par une vision toute personnelle, le grand artiste crée un vivant morceau d'anthologie, découvre et suggère de nouveaux moyens d'expression là où on s'attendait seulement à un exposé aride et purement doctrinal. Dans les éditions modernes postérieures, le *Traité*, demeuré une source d'étude et d'enseignement, a reçu des retouches et des mises à jour opportunes de Panizza, Widor et Richard Strauss. Il a été traduit dans toutes les langues.

GRAND TROUPEAU (Le). Paru en 1931, ce roman de l'écrivain français Jean Giono (1895-1970) est un réquisitoire contre la guerre, d'autant plus virulent qu'il est résolument non violent, se contentant de montrer les hommes et les femmes, la terre et les bêtes aux prises avec ce déchaînement de folie meurtrière, cette fatalité monstrueuse qui souffle comme un mauvais vent, les bouscule et les piétine. Peu importe d'où il a surgi, ce vent noir, de la montagne ou de la mer, d'Allemagne ou de France, peu importe qui sont ses complices, qui s'en repaît et s'en engraisse : il a déferlé sur le village avec le grand troupeau qu'en hâte, les bergers envoyés au front, on doit priver des herbes parfumées et de l'air limpide des hauteurs pour le ramener à marche sanglante vers les fermes de Camargue ou de Crau. Pour les gens frustes, comme pour les bêtes avec qui ils vivent si chaudement, cette calamité, pas plus qu'une épidémie, n'a de visage, aussi leur seule ressource est-elle de courber la tête et de s'arranger avec le malheur. Les hommes s'en vont, autre grand troupeau voué à l'abattoir, dans la boue et dans les brumes. Leur chair se révolte, leur esprit ne comprend pas ; mais ils vont. Les femmes restent, encombrées de leurs corps orphelins. Les champs pâtissent. Les vieux ont beau faire et beau vouloir, les absents sont irremplaçables. Le meilleur de leur force est au loin, avec leur fils. Alors ils fument leurs pipes, à la veillée, en se penchant sur le journal qui bafoue leur sagesse. L'ouvrage rend sensible la peine de chacun. Il peint le désarroi des batailles, les survivants hagards, les trop nombreux blessés oubliés ou soignés à la va-vite, malgré le dévouement de médecins et d'infirmiers titubants de fatigue, d'un capitaine humain que Giono a connu et admiré de 1916 à 1917, les cadavres soudains et horribles, les aveugles qu'un accordéon console du soleil, une truie dévorant un bébé mort. Il raconte comment Julia s'est acharnée à demeurer fidèle à son mari, puis comment, n'en pouvant plus, elle s'est donnée à un déserteur qui, en guenilles, sans pain, sans compagnon et sans femme, rôdait dans la forêt. Pendant ce temps, sa belle-sœur Madeleine essaie de tuer l'enfant qu'elle va avoir de son fiancé, mais les cataplasmes et les tisanes ne produisant pas l'effet escompté, elle y renonce, à l'idée que, peut-être, de l'homme qu'elle aime ne lui restera que cet enfant. Un soldat dépérit de ne pas recevoir de lettres, un prisonnier allemand cultive les champs d'un Français mort et joue avec son fils. Composé, un peu à la façon d'un film, de courtes séquences, vivement enlevées, le livre bondit du village au front et du front au village sans suivre le lit d'une histoire unique. Le roman est baigné à la fois d'horreur et de pitié devant les atrocités de la guerre, et de tendresse sensuelle devant la vie.

GRAND TYRAN (Le) [*Der Grosstyrann und das Gericht*]. Roman de l'écrivain allemand Werner Bergengruen (1892-1964), publié en 1935. Cet écrivain exprime à travers ses œuvres une opposition voilée, mais ferme cependant, à l'égard du national-socialisme. Un désir de synthèse entre imagination et réalisme, psychologie et romantisme l'avait orienté dans sa jeunesse vers les problèmes historiques, qui devaient lui permettre de toucher aux secrets les plus profonds de l'homme : *L'Empire en ruines* [*Kaiserreich in Trummern,* 1927], *Charles le Téméraire* [*Herzog Karl der Kühne,* 1930]. Le problème du droit et de la justice, de l'imperfection du monde et de la faiblesse de l'homme, essence du *Grand Tyran,* est également traité dans *Le Signe de feu* [*Das Feuerzeichen,* 1942]. Ces problèmes éthiques participent des convictions chrétiennes de Bergengruen qui s'est converti à la religion catholique. Sa foi est surtout sensible dans sa poésie : *Capri* (1930), *La Peur cachée* [*Die verborgene Furcht,* 1938], *Dies irae* (1945), *Le Monde sain* [*Die heile Welt,* 1950], et elle est une importante caractéristique de toute son œuvre.

Dans *Le Grand Tyran,* Bergengruen fait clairement allusion aux terreurs et aux erreurs de l'époque nazie. Il parle des « tentations des puissants et de la facilité de séduire les impuissants et les menacés », de façon que « notre foi en la perfection de l'homme soit mise en question ». L'intrigue se noue autour de la découverte, à Cassino, du cadavre du moine Fra Agostino, délégué diplomatique du Grand Tyran. Ce dernier charge Nespoli, le chef de la police, de la recherche de l'assassin. Mais l'enquête, au lieu d'apporter la clarté, fait grandir le doute, si bien que plusieurs personnalités importantes se sentent moralement coupables, et que la ville tout entière devient bientôt la proie d'un indicible malaise. Par peur de perdre sa place, Nespoli accuse une jeune fille innocente qui s'est suicidée ; de son côté, Monna Vittoria, la maîtresse de Nespoli, accuse, elle, son mari décédé. Des corruptions, des trahisons s'ensuivent. Enfin le teinturier Sperone s'accuse lui-même pour ramener l'ordre ancien dans la ville empoisonnée par le mal. Il succombe ainsi à la tentation de « vouloir fuir le service de Dieu quotidien et difficile sur cette terre par la réalisation d'un seul acte triomphant ». Au moment des complications, le Grand Tyran convoque le tribunal et avoue être l'assassin de Fra Agostino, qui l'avait trahi. Justifié par sa haute fonction, il reproche à ses sujets d'avoir abandonné trop facilement la vérité. Le vieux prêtre don Luca lui fait pourtant comprendre qu'il a succombé à une tentation bien plus grave, celle de vouloir ressembler à Dieu. Auteur de toutes les erreurs dont sont devenus coupables les autres, il a prouvé mieux que ses sujets, qui n'ont été que ses victimes, l'imperfection de l'homme. — Trad. Fayard, 1942.

GRANIDA. Drame pastoral de l'historien et poète hollandais Pieter Cornelisz Hooft (1581-1647), écrit en 1605. Dans le premier acte, ce drame rappelle un peu le *Pastor fido* (*) de Guarini. C'est l'histoire de la princesse Granida et du berger Daifilo. Au cours d'une partie de chasse, Granida s'égare et arrive en un lieu où Daifilo échange de douces paroles d'amour avec la bergère Dorilea. Elle est éblouie par la beauté du garçon, et, sur-le-champ, ce dernier la paye de retour. En vain Dorilea s'efforce de le retenir ; il l'abandonne pour aller se mettre en service à la Cour. Là-bas, il devient le valet de Tisiphernes, un des soupirants de la princesse. C'est lui qui porte à la belle dame les messages d'amour écrits par son maître. Mais voilà qu'un autre prétendant s'amène, le prince Ostrobas, lequel veut se battre en duel avec Tisiphernes. Alors, Daifilo révèle à son maître la raison pour laquelle il s'est introduit à la Cour et il adjure Tisiphernes de le laisser combattre à sa place. Accordé ! Il tue Ostrobas. Le soir, tandis qu'il se promène sous les fenêtres de la princesse, il se voit mander par elle. La princesse lui révèle son amour et l'adjure de fuir avec elle ; seul à seule, ils goûteront la douce vie pastorale. Hélas, l'esprit d'Ostrobas va entrer en scène. Il incite à la vengeance un de ses anciens amis qui porte le nom d'Artabanus. Ce dernier surprend aisément les amoureux et il s'apprête à tuer Daifilo. Mais le généreux Tisiphernes évente la mèche. Bien que malheureux d'être éconduit par la princesse, il est touché par cet amour réciproque. Aussi veut-il que Daifilo prenne sa place à la Cour. Il fait même en sorte que le roi l'accepte pour gendre. Cette intrigue toute simple est traitée par Hooft avec habileté, selon toutes les règles du drame pastoral.

GRANTH [*Le « Livre »*]. Appelé aussi *Granth Sahib,* c'est le livre sacré par excellence, formant un recueil des différents textes religieux qui constituent la bible des Sikhs, communauté religieuse indienne à caractère politico-militaire, fondée par Nānak (1469-1538). Nānak, vénéré comme le premier « guru » (ou sage) de la secte, se proposait, par sa réforme religieuse, de fondre l'hindouisme avec l'islamisme, en s'appuyant sur les éléments qui révèlent la communion directe des hommes avec Dieu, et en niant – du moins en théorie – le polythéisme, le ritualisme, le système des castes et l'idolâtrie. Il finit par créer un système qui se rapproche du polythéisme sémitique. Ses doctrines, exposées en forme de chants qu'il déclamait en public pour l'édification des fidèles, constituent la partie la plus originale et la plus importante du *Granth* : l'*Ādi Granth* ou *« Granth original »*, qui fut compilé par le cinquième « guru » Arjun (1583-1608) avec d'autres écrits de Kabīr (vers 1440-1518, le maître de Nānak), de Rāmānanda et de Nāmadeva. Après Arjun, le *Granth* subit peu de transformations, jusqu'à ce que, dans la seconde moitié du XVIIe siècle, Govind Singh (1675-1708), le dernier des « gurus » et le véritable réformateur militaire des Sikhs, le complétât par le *Dasven Granth* ou *Dasven Pādshāh kā Granth* [*Granth du dixième Guru*]. Cette forme définitive une fois atteinte, Govind Singh déclara close la série des « gurus terrestres », et il proclama le *Granth Sahib* comme étant l'unique enseignement de la secte et l'expression de la volonté de Dieu sur la terre. La majeure partie du *Granth* est écrite en hindi, langue néo-indienne, influencée par le dialecte « panjabī » ; le texte, surtout dans les chants de Nānak, se hausse à des effets poétiques, par la simplicité des images sans artifices et par une sensation de force qui se dégage de son style primitif.

GRAVITATIONS. Ce recueil, publié en 1925, est le premier chef-d'œuvre poétique de l'écrivain français Jules Supervielle (1884-1960). Après avoir célébré dans *Débarcadères* (*) la diversité de la Terre et l'immensité de l'Océan, le poète explore les espaces interplanétaires. Cette dimension cosmique est essentielle à la poésie de Supervielle, pour qui l'inspiration se caractérise par un sentiment d'ubiquité : il est « partout à la fois », aussi bien dans le temps que dans l'espace et « dans les diverses régions du cœur et de la pensée ». Le pluriel du titre associe aux mouvements des planètes ceux du « Cœur astrologue » ; unissant microcosme et macrocosme, c'est une « géographie du monde intérieur » que nous livrent ces poèmes, où les visions cosmiques s'accompagnent d'« un goût profond d'intimité » et d'un lyrisme contenu : « Suffit d'une bougie / Pour éclairer le monde. »

Supervielle projette dans l'univers ses préoccupations les plus personnelles. Son ciel est tout « métaphysique » : métaphore de l'Au-delà, mais aussi de la poésie, il accueille non seulement les fantômes des morts, mais le double de tous les objets de la terre, réduits à leur essence aérienne. Il conserve ainsi, comme le sous-sol et les fonds sous-marins, la mémoire du monde et celle du poète, qui, en traversant tous ces espaces, remonte aussi le cours du temps. Or, pour retrouver l'origine, le poète doit reconstituer l'image de la mère (« Le Portrait »), vaincre la distance de l'oubli et de la séparation, ce qui ne va pas sans agressivité : « Mère, je sais très mal comme l'on cherche les morts. »

D'une façon générale, l'affectivité du poète, longtemps contenue par des contraintes académiques, s'exprime très ouvertement dans l'édition originale : le recours fréquent au vers libre lui donne toute licence de mêler les images les plus baroques, les tons les plus divers, du sublime au familier, au prosaïque même. Toute une section est placée sous le signe de Guanamiru, le fantasque héros de *L'Homme de la pampa* (*), et l'un des poèmes est dédié à Henri Michaux.

Après coup, Supervielle jugera être allé trop loin dans cette libération affective et poétique : s'orientant vers une poésie de facture plus classique, il trouve dans le texte de 1925 du « désordre » et bien des « excès ». Il corrige alors les deux tiers de ses poèmes, pour leur donner une plus grande unité formelle et sémantique : il censure les images les plus osées, atténuant notamment la violence des désirs et des angoisses qui s'y exprimaient. Il refait l'architecture du livre, pour en guider la lecture, regroupant les poèmes de façon plus logique, et créant notamment deux nouvelles sections : « Matins du monde » et « Le Miroir des morts », qui donnent consistance aux deux thèmes majeurs du recueil : le mythe heureux des origines et la réconciliation entre vivants et morts. L'édition « définitive », parue en 1932, vise à imposer une forme et une image du monde plus harmonieuses, qui restent cependant traversées de tensions, réunissant ainsi les deux versants, radieux et sombre, du génie poétique de Supervielle. M. C.

GRAZIELLA. Épisode des *Confidences* (*) (1849) de l'écrivain français Alphonse de Lamartine (1790-1869), publié séparément en 1852. Le récit s'inspire d'une aventure amoureuse vécue au cours du premier séjour de l'auteur en Italie (1811-1812). Lamartine et son ami Virieu se lient avec un pêcheur napolitain, Andrea. Un jour de septembre (?) une tempête les contraint à se réfugier à Procida ; ils y rencontrent la famille du pêcheur et partagent son existence simple dans l'île, puis à Naples. La belle Graziella, petite-fille d'Andrea, conçoit pour Lamartine un attachement très pur, inconscient jusqu'à ce que ses grands-parents la fiancent à un cousin. Désespérée, elle s'enfuit de la maison ; Lamartine la retrouve à Procida, prête à se faire religieuse, et reçoit l'aveu de son amour. Revenus à Naples, les jeunes gens vivent quelques mois de bonheur mêlé d'inquiétudes. En mai, Lamartine doit rentrer en France. En novembre il reçoit une lettre de Graziella mourante.

Graziella, texte représentatif de la sensibilité et de la rhétorique romantiques, est l'œuvre la plus lue de Lamartine, et l'une des plus controversées ; passionnants et ardus sont les problèmes posés par la genèse, les avatars et la véracité du récit ; conçu d'abord, en 1844, comme un commentaire (bref) du poème « Le Premier Regret » pour une édition des *Œuvres complètes*, il devient un épisode remplissant le tiers du volume des *Confidences* à prétention autobiographique. L'auteur en parle comme d'un « roman vrai », « vrai au fond » ; pourtant, comme il a repris ses premières *Confidences* en vue de dire plus ou de « tout dire », il a refait, plus d'une fois, l'épisode de Graziella, apportant non de véritables révélations, mais des indices, dans *Antoniella* (1867) et dans ses *Mémoires inédits* (*) (1870). Roman vrai ? Vrai roman plutôt, embellissant et falsifiant une réalité que les érudits ont fini par déceler : la chronologie du récit ne correspond pas au séjour de Lamartine à Naples ; il n'avait pas alors 18, mais 21 ans ; l'héroïne s'appelait en fait Antoniella, elle n'était pas « corailleuse », mais travaillait dans une manufacture de tabacs ; « Mon départ l'avait tuée » (*Mémoires politiques* [*])... Non, elle est morte de phtisie ! Que penser de cette idylle séraphique dont le stéréotype est repris dans les romans populaires du même auteur ? Les héros s'aiment sans le savoir, aussi innocents que frère et sœur ; les âmes communient dans l'instant sans un projet, les corps n'éprouvent pas un désir ! La vérité est plus prosaïque et moins édifiante : un divertissement de touriste, d'aristocrate désœuvré (dans le mois de son retour en Bourgogne, Lamartine songe à d'autres liaisons à renouer et à nouer) ; une passade sans lendemain, qui laisse pourtant une marque profonde dans la mémoire et dans la conscience. Jusqu'à ses dernières années, le fantôme de la jeune Napolitaine revient hanter le poète avec la chaîne et le boulet des remords que lui inspire sa jeunesse gâchée, dissolue, stérile. Cette Antoniella qu'il n'ose nommer, cette amante mal aimée, il découvre un peu tard qu'elle l'a aimé pour de vrai, plus que toutes les autres. N'est-ce pas pour exorciser ses dégoûts de soi qu'il construit en s'efforçant d'y croire cette trop belle histoire d'un amour en fait posthume ? A. Cou.

GRECO ou le Secret de Tolède. Œuvre de l'écrivain français et homme politique Maurice Barrès (1862-1923), publiée en 1911 et rééditée en 1923 avec des notes et des marginalia de l'auteur. Barrès raconte sa découverte de Tolède et du Greco se pénétrant l'un l'autre au point d'être pour lui inséparables. Les thèmes de la promenade dans la ville et de l'apologie du peintre s'entrecroisent dans un petit livre où l'« idéologie passionnée » est en même temps une méthode de critique et de narration. À propos d'une « Malagueña » entendue le premier soir et de la visite au célèbre *Enterrement du comte d'Orgaz,* l'auteur développe l'idée que le Greco, originaire de Crète et élève du Tintoret, a trouvé à Tolède son véritable climat. Son œuvre n'est donc pas seulement l'expression de son génie personnel. Elle est en outre celle de l'âme tolédane tout entière. Une pensée étrangère incarne celle d'un peuple lui-même divisé entre ses origines mauresques et sémitiques et sa foi chrétienne. L'étirement des formes dans les grandes compositions du Greco, c'est le jaillissement des contradictions essentielles vers la synthèse qu'annonce l'Église catholique. Cet ouvrage présente ceci de remarquable qu'à l'époque où il parut l'œuvre du Greco était loin d'être connue dans son admirable technique vraiment révolutionnaire.

GRÉGOIRE [*Gregorius*]. Légende mise en roman par le poète allemand Hartmann von Aue (1165 ?-1215 ?). Ce roman est l'adaptation d'une source française du XIe ou XIIe siècle, la *Vie du pape Grégoire,* et s'insère dans la tradition de la légende du Bon Pécheur, laquelle introduit dans la littérature chrétienne le mythe d'Œdipe. Après avoir épousé, sans le savoir, sa mère, Grégoire, fils lui-même incestueux d'un frère et d'une sœur, se fait enchaîner sur un rocher où il demeure pendant dix-sept ans. Inspirés par Dieu, les cardinaux réunis à Rome en conclave le choisissent alors pour pape. Dieu peut donc pardonner les péchés les plus graves si le pécheur se livre au repentir et à la pénitence. Le *Grégoire* allemand a pour originalité de marier en quelque deux mille sept cents vers les genres du récit hagiographique et du roman de chevalerie. — Trad. Kümmerle, 1986.

J.-M. P.

GRENADE ENTROUVERTE (La) [*La miougrano entreduberto*]. Recueil de poésies lyriques du poète provençal Théodore Aubanel (1829-1886). L'ouvrage, publié en 1860, est un des livres les plus représentatifs de cette poésie provençale moderne qui fleurit dans la seconde moitié du XIXe siècle, grâce à Aubanel, à Roumanille et surtout à Mistral. Le poète raconte la triste histoire de son amour pour la belle Zani (Jenny Manivet). Il connut la jeune fille à Font-Ségugne, alors qu'elle priait devant une petite chapelle de campagne : pendant trois années un pur amour les unit. Cependant Zani, touchée par la grâce, dominant sa peine, décida de se faire religieuse, laissant le poète désespéré. Le beau récit de la première rencontre des jeunes gens fait penser à Pétrarque. Mais Aubanel se montre un poète original qui sait exprimer avec un art raffiné des sentiments simples et touchants. Il évoque avec bonheur les épisodes de ce long amour, qui représente pour lui toute sa jeunesse : c'est ainsi que, dans un passage bien connu, il revoit la petite chambre de Zani et parle au miroir qui a tant de fois reflété son visage. La résignation que puise le poète dans sa foi sincère n'empêche pas les accents les plus désespérés. L'amour de son art vers lequel il se reporte et qu'il considère comme son unique réconfort lui inspire des notations très délicates. De cette œuvre se dégage une atmosphère apaisante d'une douceur voulue qui rend plus touchant le drame qu'elle reflète.

GRENADIÈRE (La). Récit de l'écrivain français Honoré de Balzac (1799-1850), publié en 1832. La « Grenadière », c'est le nom d'une vieille maison de campagne située au bord de la Loire, et toute proche de Tours. Au début de la Restauration, cette maison est louée par une femme encore jeune, dont la santé délicate semble ruinée par une grave maladie. Elle se fait appeler Mme Willemsens ; elle vit là, fuyant tout contact avec le monde, entièrement absorbée par l'éducation de ses deux fils. Moins de deux ans plus tard la pauvre femme meurt, laissant ses deux enfants seuls au monde. Son fils aîné, Louis, qui n'a guère que quinze ans, montre un caractère courageux que renforce encore l'éducation qu'il a reçue. Il montre clairement qu'il est capable de tenir la promesse qu'il a faite à sa mère : il saura veiller avec une sollicitude paternelle sur son jeune frère ; il sera prêt à affronter avec bravoure la lutte pour la vie. La confession de la mère mourante à son fils, ainsi que d'autres détails insérés çà et là, comme au hasard, nous laissent entrevoir le passé orageux de Mme Willemsens : c'est toute la romantique histoire d'une passion coupable, avec ses tragiques conséquences, ennoblie par le malheur et rachetée par l'amour maternel. Mais ces éléments romanesques ne forment, pour ainsi dire, que le cadre de l'intrigue. Ce récit est traité avec un accent de tendresse sauvage et dans un style qui, sans renoncer aux longues analyses toujours chères à Balzac, reste pur de toute prétention réaliste ainsi que de digressions morales. *La Grenadière* dégage un halo poétique d'une rare pureté, ce qui lui donne une place privilégiée dans l'œuvre du grand romancier.

GRENOUILLES (Les) [Βάτραχοι]. Comédie du poète comique grec Aristophane (env. 447-380 av. J.-C.), représentée à Athènes à la fête des Lénéennes de 405 av. J.-C. L'auteur en confia la mise en scène à Philonidès. *Les Grenouilles*, auxquelles fut décerné le premier prix, suscitèrent l'enthousiasme des Athéniens et marquèrent le sommet de la carrière d'Aristophane. Cette comédie fut tellement appréciée qu'on décida de la montrer une seconde fois, événement fort exceptionnel. Ce succès fut sans doute motivé par l'engagement moral et politique de la pièce, qui est la dernière des œuvres d'Aristophane intégralement conservées à présenter encore indiscutablement les traits caractéristiques de la comédie ancienne. En effet, elle est non seulement beaucoup plus conservatrice que *Les Oiseaux* (*) de 414 et que les deux pièces de 411, *Les Thesmophories* (*) et la *Lysistrata* (*), pour ce qui concerne le maintien des formes caractérisant la structure traditionnelle du spectacle comique, mais elle est aussi engagée d'une manière nettement plus polémique et explicite dans la critique de l'actualité politique athénienne, et rappelle par cet aspect les œuvres de la première période d'Aristophane : *Les Acharniens* (*), *Les Cavaliers* (*) et *Les Guêpes* (*). C'est le moment historique particulièrement grave dans l'histoire d'Athènes qui a fait retrouver au poète sa vigueur d'antan. Depuis 407, Alcibiade s'était volontairement exilé, et, en 406, la victoire navale des Arginuses sur les Lacédémoniens, qui aurait pu laisser espérer un redressement de la situation, avait finalement débouché sur le fameux procès intenté contre les dix stratèges vainqueurs et l'injuste condamnation à mort de huit d'entre eux : c'était un signe révélateur des profondes dissensions qui déchiraient Athènes et de la crise interne irréversible d'une cité désormais au bord de la catastrophe. Peu de mois après la représentation des *Grenouilles*, pendant l'été 405, Sparte donna à Athènes le coup de grâce avec la bataille d'Aigospotamoi. Ce n'est pas uniquement par des allusions éparses et ponctuelles qu'Aristophane évoque dans sa comédie la gravité du moment politique : celui-ci détermine le sujet principal de la pièce, qui est un rappel et une réaffirmation du rôle éducateur et de la responsabilité morale à l'égard du peuple qui incombent à la tragédie. Aristophane poursuit son but en mettant en confrontation Euripide, le poète moderne (qui était mort une année auparavant, pendant l'hiver 407/6), et Eschyle, le poète de la vieille et glorieuse Athènes des marathonomaques : cette confrontation a lieu dans l'Hadès devant le dieu du théâtre en personne, Dionysos, qui finit par reconnaître la supériorité d'Eschyle. Il est à noter que dans une pièce précédente d'Aristophane, *Le Braillard* [Γηρυτάδης, fragments conservés], on assistait à la descente dans l'Hadès — pour une raison peu claire — d'une délégation de trois poètes, représentant la comédie, la tragédie et le dithyrambe. D'une manière générale, le voyage au royaume des morts et le retour des Enfers dans le monde des vivants faisaient partie des motifs traditionnels du théâtre comique attique, et il n'est pas exclu qu'il faille chercher l'explication de leur fréquence dans des raisons d'ordre religieux et cultuel. Quant au poète Euripide, Aristophane l'avait déjà montré comme personnage sur la scène dans *Les Acharniens* de 425, au début de sa carrière, et dans aucune de ses pièces conservées il ne manque de parodier et persifler la manière du poète tragique novateur, ses vers, sujets, inventions scéniques, parties musicales et costumes. En 411, il avait consacré à la parodie de l'œuvre dramatique d'Euripide ses *Thesmophories* (*), où le poète tragique joue un rôle de premier plan également comme personnage. En conséquence, c'est Euripide, plus qu'Eschyle, qui est au centre du débat dans *Les Grenouilles*, même si à la fin c'est le tragique ancien qui remportera la palme du meilleur poète et qui sera retenu par Dionysos comme le seul capable d'éduquer le peuple athénien. L'influence d'Euripide et du courant intellectuel dont il était solidaire était alors dominante à Athènes, et c'était cette influence qu'il importait à Aristophane de critiquer, ce qu'il avait du reste déjà fait bien souvent dans ses pièces précédentes, notamment dans ses *Nuées* (*), où il s'était attaqué plus particulièrement à l'enseignement des nouvelles conceptions philosophiques. Aristophane était en effet lui-même un homme imprégné des idées de son époque et attentif aux problèmes posés par la nouvelle culture, à tel point qu'on a pu écrire, paradoxalement mais avec raison, qu'Euripide était sans aucun doute le poète favori de notre comique (Sommerstein). Et il faut reconnaître que, quand Aristophane rend hommage à Eschyle, c'est d'un léger sourire ironique trahissant l'homme moderne qu'il accompagne l'expression de son admiration et de sa sympathie pour le grand poète du passé à la rudesse et à la pompe tout archaïques. Ainsi, malgré le sérieux des avertissements et des prises de position politiques et éthiques d'Aristophane, le retour d'Eschyle à Athènes en sauveur, sur lequel s'achève la comédie, garde intacte toute la légèreté d'une rêverie comique, souriante et provocatrice, morale sans être moraliste. Dans l'intrigue des *Grenouilles* sont réunies deux actions distinctes : d'un côté, Dionysos entreprend la descente aux Enfers dans l'intention de ramener sur terre Euripide, son préféré, dont il s'ennuie ; de l'autre côté, Euripide et Eschyle se disputent le trône honorifique destiné dans l'Hadès au meilleur poète tragique, auquel est réservé le droit d'être assis à côté du dieu Pluton. Apparemment, chacun des deux motifs est développé de manière autonome, le premier dans les parties initiale et finale de la comédie, et le second dans sa partie centrale, ce qu'on a expliqué par l'hypothèse d'une composition de la pièce en deux temps : le motif de la dispute pour le trône infernal pourrait avoir été imaginé par Aristophane après la mort d'Euripide, alors que l'idée du voyage de Dionysos, entrepris en vue de ramener un bon poète dans une Athènes à la scène tragique désormais livrée à la désolation, serait née d'un désir d'actualiser la pièce, désir qui ne saurait dater d'avant la mort de Sophocle, survenue entre les Grandes Dionysies de 406 et les Lénéennes de 405 (à ce moment, même le plus jeune tragique, Agathon, s'était retiré à la cour de Macédoine). Il ne s'agit toutefois que d'une hypothèse, et il n'en reste pas moins que la dualité de l'action ne dérange pas l'harmonie de l'ensemble et n'empêche aucunement de défendre l'idée d'une composition unitaire des *Grenouilles.* Dans le prologue, Dionysos et son esclave Xanthias, qui porte les bagages, sont déjà sur le chemin des Enfers. Ils font étape à la maison d'Héraclès, le frère du dieu, pour lui demander des renseignements. Le fils de Zeus et d'Alcmène connaît en effet très bien les lieux pour être descendu précédemment dans l'Hadès. Dionysos, qui est représenté comme un grand froussard, a apporté avec lui de quoi se déguiser lui-même en Héraclès — une peau de lion et une fausse massue — pour faire peur à ceux qui pourraient faire obstacle à son voyage. Tandis que Xanthias fait à pied le tour du marais infernal (l'« orchestra »), le dieu le traverse en ramant sur la barque de Charon (parodie de la tradition du char cultuel dionysiaque en forme de navire), salué par le concert bruyant des grenouilles. Celles-ci donnent le titre à la pièce. Leur rôle est tenu par le chœur qui ne fait toutefois ici que chanter en restant sans doute invisible aux spectateurs. Il fait son apparition un peu plus tard (« parodos ») : il représente des initiés aux mystères d'Éleusis, auxquels l'initiation a octroyé le privilège de mener une vie bienheureuse dans l'au-delà. Toutes sortes d'accidents et d'aventures saugrenues attendent le dieu parvenu aux portes de Pluton. Une série de quiproquos naissent du déguisement en Héraclès. Selon d'où souffle le vent, le dieu le revêt lui-même ou le passe à son esclave : tantôt il veut profiter de promesses alléchantes de festins et de danseuses, tantôt il s'empresse d'éviter l'animosité de ceux qui ont un mauvais souvenir du passage du fils d'Alcmène. Dans ce développement, on reconnaît une suite de petites scènes épisodiques semblables à celles qui se succèdent traditionnellement dans la seconde moitié d'une comédie. Malgré leurs manœuvres, maître et esclave reçoivent tous deux une bonne dose de coups, mais — c'est cela qui compte — ils sont finalement introduits dans la demeure de Pluton. Avant que la seconde action de la pièce ne commence, le chœur des initiés s'engage dans la parabase, raccourcie par rapport à sa forme traditionnelle et assumant une allure rituelle : les choreutes y exhortent les Athéniens à la concorde et les invitent à rétablir l'égalité et la justice dans la Cité. Après la parabase, Dionysos et Xanthias se trouvent aussitôt mêlés à la dispute en cours entre Euripide et Eschyle pour le trône de la tragédie (Sophocle est évoqué par une allusion rapide), et Pluton charge Dionysos de trancher le conflit en assumant la fonction de juge. Devant le dieu du théâtre, chacun des deux poètes plaide sa cause : c'est l'« agôn », suivi de brèves scènes épisodiques. Tout est examiné : le contenu moral et la construction des tragédies, les personnages, les qualités de la langue et du style, les prologues, les parties chorales et la musique, jusqu'au détail de certains vers. Chaque poète s'évertue à mettre en évidence et à persifler les défauts de l'autre. Remarquable pour la verve comique, cette partie est en outre très précieuse pour notre connaissance de la critique littéraire du ve siècle av. J.-C., de ses termes et concepts esthétiques. En vue d'arriver à une décision, on finit par peser les vers d'Eschyle et d'Euripide sur les plateaux d'une balance. Celle-ci penche trois fois du côté d'Eschyle (allusion plaisante au style lourd et ampoulé du poète ancien), mais Dionysos ne se décide toujours pas à trancher : il admire la sagesse d'Eschyle mais continue à garder sa faiblesse pour Euripide. C'est à ce moment que Pluton lui rappelle qu'il était descendu dans l'Hadès pour ramener sur terre un poète tragique ; Dionysos pose alors aux concernés deux questions décisives. La première touche à leur sentiment au sujet d'Alcibiade et la seconde à leur avis sur les moyens de sauver la Cité. Euripide répond de manière fort habile, mais le choix du dieu tombe sans plus d'hésitation sur Eschyle. Proclamé vainqueur, celui-ci remonte sur terre avec Dionysos, non sans être chargé par Pluton de lui rendre là-haut quelques petits services. Entre-temps, Sophocle occupera le trône qu'Euripide réclamait. – Trad. Les Belles Lettres, 1928 ; Gallimard, 1987. A. L.

GRÈVES (Les). Récit de l'écrivain français Jean Grenier (1898-1971), publié en 1957. « Dans ce mélange de souvenirs et de fiction, dans ces souvenirs inventés, dans ces inventions qui prennent leur origine dans des souvenirs, je trébuche à chaque fois que je passe d'une page à l'autre. Donnez-moi le premier mot, ma première phrase, et je continuerai dans la ligne qui m'aura été tracée. Ce n'est plus affaire d'entraînement. Mais qui me donnera le début ? » Et l'auteur de confesser quelques lignes plus loin : « Voilà bien le malheur. Je ne me sens pas le courage de commencer. Il y faudrait une énergie exceptionnelle. » Cependant, ce livre témoigne d'une volonté qui contredit cet excès de timidité. Un homme se retourne sur son passé et tente de retrouver les impressions premières comme dans « Les Grèves », « La Petite Ville », « L'École », « L'Exploration du passé », où l'auteur évoque son enfance dans une petite ville bretonne, au bord de l'océan, décrit la vie étouffante du bourg, ses années de collège, trace les portraits de ses professeurs, de ses amis, de ses camarades de classe, ordonne des thèmes essentiels : comment réconcilier la création et la méditation, la contemplation et l'action ? Comment vivre dans une existence malheureuse ? Comment apprendre le jeu de patience qui nous permet d'attendre la fin ? Comment donner à la vie tout son poids en face de l'absence ? Qu'est-ce que l'homme ? Voué à la vie intérieure, doué d'un sens poétique profond, le narrateur, dès l'enfance, est d'une sensibilité excessive qui le tient à l'écart des autres. Ne pouvant correspondre, il vit le plus souvent dans un état de retrait, fait d'attente, d'indifférence, de réceptivité, où la contemplation tient la première place. « La lenteur, l'incohérence, l'indécision, c'était déjà tout moi-même. » À l'incohérence répondent l'indécision, la difficulté et peut-être le refus du choix, c'est-à-dire l'inaction. Mais comment choisir de croire ceci plutôt que cela ? Et quelle raison choisir en face de la pensée de la mort ? « La conduite de la vie, comme la conduite d'une société, doit obéir à des règles qui échappent au premier regard et ne se découvrent qu'à une observation très attentive. Pour se gouverner et gouverner les autres, on croit d'abord qu'il faut agir directement : je décide et j'ordonne. En agissant ainsi, je ne tiens pas compte des obstacles et je suppose que ces obstacles, mes subordonnés ont la même volonté que moi de les vaincre. Aussi, que de résolutions vaines ! Que d'ombres tombant dans le vide ! La première règle à observer est de se plier aux lois naturelles qui veulent que l'on aménage le terrain avant de passer à la construction et que l'on crée des conditions de l'action à entreprendre... La vie se suffit à elle-même pour la plupart des hommes. Mais cette vie a un terme, et la pensée de ce terme est insupportable. Ce n'est pas parce qu'on a besoin d'autre chose que la vie, c'est parce que l'on a besoin continuellement de la vie, que l'on cherche ailleurs ou semble chercher ailleurs. » Tout enfant, « déjà la pensée de la mort, écrit Jean Grenier, me donnait le vertige et me plongeait dans la stupéfaction ». Stupéfaction qu'explique son peu de goût de l'action. Quant à l'indifférence, il faut en chercher la raison profonde dans un désir ardent de l'absolu et de la vérité. « Cesser de désirer, c'est aussi cesser de vivre, puisque la vie ne s'entretient que par l'effet d'un désir sans cesse renouvelé. Je n'échappe pas à la règle, au contraire, j'en suis un exemple, d'autant plus que mon idéal est un état d'indifférence dans lequel rien ne serait désiré parce que rien ne serait désirable, rien ne serait préféré parce que rien ne serait préférable. Mes désirs cependant souffrent, comme ceux de tous les hommes, de n'être pas satisfaits ou satisfaisables. » La vérité, si elle existe, n'est accessible qu'à de rares instants. Et Jean Grenier a connu de tels instants fulgurants, causés le plus souvent par la « contemplation de la nature sous un aspect déterminé » ; instants surgis d'une durée où le retard et l'écart constituent deux aberrations, qui donnent à la vie l'apparence d'une ligne en zigzag ; instants d'une immense plénitude, qui « nous mettent en face d'une réalité qui nous est étrangère à force de nous être intérieure ». Au cours de ces instants, « l'homme devient un diapason vibrant, les barrières qui le séparent des autres parties du monde tombent, il n'est plus qu'une de ces parties, la plus sensible, puisque, l'espace d'un instant, il arrive à ce miracle de ne plus s'appartenir ». Cependant, « les instants, eux, se fanent aussi vite qu'ils sont éclos. Ils laissent après eux un vide que l'homme ne sait comment combler. Rejeté dans le courant du fleuve, il se laisse emporter, pareil à un cadavre, sans pouvoir aborder de rivage ; ou bien il est jeté par surprise dans une île qu'il doit bientôt quitter car elle ne lui assure ni sa nourriture ni un abri. Sa vie sera donc soumise à un ballottement sans fin ». De tout ce livre, fort d'une certitude aiguë et gouverné par l'intelligence, émane un même charme, qui tient autant à l'allure familière de la pensée qu'à la grâce de l'écriture.

GRILLON DU FOYER (Le) [*The Cricket of the Hearth*]. C'est l'un des contes de Noël de l'écrivain anglais Charles Dickens (1812-1870), publié en 1846. John Peerybingle vit heureux avec sa jeune femme Dot, bien que la sincérité des sentiments de Dot soit mise en doute par le malicieux vieillard Tackleton, qui est lui-même sur le point d'épouser une femme plus jeune que lui, May Fielding. Ces insinuations semblent être confirmées par le fait qu'un vieillard excentrique vient habiter avec les Peerybingle ; John le découvre un jour transformé en un beau jeune homme, alors qu'il a ôté sa perruque, au cours d'une conversation intime avec Dot. Ce n'est que grâce à l'intervention d'un « deus ex machina », le grillon du foyer, le « génie du foyer domestique », que le cœur de l'homme s'attendrit. Il remercie le petit dieu domestique, décide de ne faire aucun cas des méchancetés de Tackleton et de pardonner la faute de sa femme, qu'il attribue à l'incompatibilité de leurs âges et de leurs caractères. Mais ensuite, il se révèle qu'il n'a rien à pardonner : le jeune homme est un vieil ami, épris de May Fielding, qu'elle avait cru mort et qui survient à temps pour empêcher son mariage avec Tackleton. Les personnages les mieux étudiés sont ceux de Caleb Plummer et de sa fille aveugle Bertha, fabricants de jouets. Ceux-ci introduisent, dans le récit, des épisodes émouvants : ainsi lorsque le vieux Caleb feint une démarche rapide et une allure juvénile, pour faire croire à sa fille que les choses vont magnifiquement, alors qu'ils sont à la merci de deux profiteurs, Gruff et Tackleton. Le conte, qui ne manque cependant pas de mérites, présente comme un peu trop facile le bonheur des humbles, ce qui l'empêche d'être absolument convaincant. — Trad. Gründ, 1938 ; Gallimard, 1966.

GRIMACE (La) [*Ansichten eines Clowns*]. Roman de l'écrivain allemand Heinrich Böll (1917-1985), publié en 1963. Le mime Hans Schnier, réfugié seul dans sa chambre, à Bonn, récapitule en quelques heures l'échec de sa vie — sentimentale et professionnelle —, avant d'aller s'asseoir tel un mendiant sur les marches de la gare, pour attendre (en tout cas faire semblant) le retour de Marie, la femme qu'il aime mais qu'il a perdue, et qui doit revenir ce jour-là de son voyage de noces à Rome. Long monologue fait de « considérations » (l'expression du titre allemand, « Ansichten ») désabusées, nourries de souvenirs personnels, et entrecoupées seulement par quelques conversations téléphoniques et une brève visite du père : une forme narrative caractéristique du dénuement du sujet, de son incapacité à assumer une « totalité » romanesque (un peu à l'image d'Ulrich, l'« homme sans qualités » de Musil, condamné à une existence potentielle). À la différence de la majorité des personnages qui habitent les nouvelles d'après-guerre de Böll, Hans Schnier est issu d'une famille bourgeoise. Sa vocation de saltimbanque fait de lui un renégat au sein de la bonne société rhénane du miracle économique. Il appartient à la génération de ceux qui, bien que trop jeunes pour être enrôlés par les dernières conscriptions hitlériennes, n'en ont pas moins grandi au milieu des slogans nationaux-socialistes. La nouvelle société d'opulence qui s'est édifiée sur les ruines est à ses yeux irrévocablement suspecte, dans la mesure où ses acteurs, tous plus ou moins compromis, s'achètent aujourd'hui à peu de frais une bonne conscience : sa propre mère elle-même préside désormais un « comité pour le rapprochement des races ». Dans ce climat de Restauration, le catholicisme dit « progressiste » qui s'affiche dans les milieux bourgeois de Bonn participe de l'hypocrisie générale. C'est sur lui que se concentre toute l'acrimonie de Hans Schnier. Il a d'ailleurs, pour cela, des raisons personnelles : Marie, qui a été sa compagne pendant six ans, l'a quitté justement pour épouser l'un de ces « catholiques modernes et pleins d'avenir » qui occupent le devant de la scène.

Face à l'hypocrisie sociale, Schnier prétend opposer le fard « sincère » du saltimbanque. Mais la grimace du clown, qui se conçoit comme une réponse esthétique-morale, et non pas idéologique, demeure dérisoire. L'épilogue grotesque, où Hans Schnier met en scène avec complaisance sa propre faillite, dessine un portrait résigné de l'artiste. Et pourtant, dit le dernier mot du roman, « il continua de chanter ». *La Grimace* est bien le roman de la fin de l'ère Adenauer : on y sent poindre, sous la « mélancolie » qui, ainsi que l'explique Böll, « n'a rien à voir avec le pessimisme, bien au contraire », le moment proche de la rébellion : ce sera le geste de Katharina Blum. — Trad. Le Seuil, 1964. J.-J. P.

GRINGOIRE. Comédie historique du poète français Théodore de Banville (1823-1891), représentée pour la première fois au Théâtre-Français en 1866. La pièce est dédiée à Victor Hugo : c'est bien lui en effet qui est à l'origine de l'œuvre de Banville. Le dixième livre de *Notre-Dame de Paris* (*) donnait à Banville le personnage de Gringoire. De Victor Hugo, Banville a aussi gardé le goût de l'anachronisme, qu'il cultive plus encore que le chef d'école romantique : chez Banville la scène se passe en 1469 et Gringoire ne naquit qu'en 1475. Quant à la « Ballade des Pendus », en en prêtant une à Gringoire, Banville fait une confusion évidemment volontaire avec Villon. Tout cela ne nuit aucunement à la pièce charmante, qui garde aujourd'hui encore toute sa fraîcheur. Gringoire est un poète bohème et famélique, gavé d'amours platoniques, mourant de faim, personnage de la Cour des Miracles. Hélas, il ne se contente pas de chanter l'amour. Il se moque aussi de la Justice du Roy : ainsi a-t-il écrit une « Ballade des Pendus », satire contre le roi qui vient de le faire condamner à être pendu lui-même. Gringoire cependant a une chance d'être sauvé : Louis XI, de passage à Tours, loge chez son vieux compère, le riche bourgeois Simon Fourniez. Si Gringoire parvient à se faire aimer de Loyse, la fille de Simon, il aura gagné sa grâce. Gringoire saisit cette chance sans beaucoup d'illusions : la conquête de Loyse – et de la vie – n'est-elle point à peu près impossible ? Loyse est riche et belle. Gringoire est pauvre, mal vêtu d'un surcot en guenilles, et, de plus, fort laid : la belle risque de lui rire au nez. Miracle des muses : Gringoire réussit à se faire aimer de Loyse, en lui vantant avec enthousiasme la poésie, les consolations qu'elle donne, en exaltant ce qu'on appellerait aujourd'hui le « rôle social du poète », qui doit répandre dans le monde les idées de justice et de clémence. Gringoire a séduit Loyse et fléchi le monarque. Banville n'a pas seulement écrit une comédie d'amour, il a aussi voulu défendre une thèse, montrer le rôle du poète dans la société. La condition du poète n'est pas brillante : quel que soit le régime, quel que soit le roi, on le voit méprisé pour sa pauvreté, condamné pour son audace. Il ne peut pourtant s'empêcher d'être poète, car il obéit à un appel irrésistible. Est-il inutile, comme les bourgeois le prétendent ? Qui, sinon lui, fait entendre la douleur des malheureux, la plainte et la colère des opprimés ? Il a une mission de justice et, par conséquent, un rôle social aussi bien que le magistrat, le bourgeois et le soldat. De ces beaux sentiments, Banville eût pu faire une pièce ennuyeuse et déclamatoire. Il a brillamment évité ce péril : la thèse n'est pas développée, mais seulement suggérée avec finesse. Ses dialogues sont vivants et la « Ballade des Pendus », si on ne peut la comparer à celle de Villon, est fort justement célèbre.

GRIPPE SÉVIT À NAPRAWA (La) [*Grypa szaleje w Naprawie*]. Roman de l'écrivain polonais Jalu Kurek (né en 1904), publié en 1934. Partisan de Marinetti, Jalu Kurek adopte dans ce roman certaines règles de l'école futuriste. Écrit dans un style original, ce livre, riche en observations psychologiques et réflexions de caractère social, se veut une description réaliste de la vie dans un pauvre village des montagnes, Naprawa, à l'époque de la grande crise économique. L'image qu'en donne l'auteur n'est pas, on s'en doute, réjouissante. Les habitants de Naprawa et les petits-bourgeois de Jordanów, une ville voisine, croupissent dans la misère. Les Juifs (Kurek en parle beaucoup et avec sympathie), qui « dans les rues de Jordanów déambulent nerveusement à la recherche d'une affaire, deviennent, dès qu'ils ont émigré à l'étranger, des millionnaires en Amérique, de grands journalistes en France, des ministres en Russie ». « Cette terre – écrit Kurek – n'est pas faite pour produire. Elle est tout juste bonne à se faire admirer par les touristes. Oui. Et les gens, pour pouvoir tenir, doivent s'imaginer que la misère est un paradis. » Afin d'augmenter le sentiment d'horreur et de souligner le néant de l'existence, Kurek fait intervenir en plus un cataclysme : une épidémie de grippe atteint le village et décime ses habitants. « Naprawa, blanc de neige, village qui a cessé d'exister. Le soleil se lève – enfin quelqu'un dans le désert. » Mais ce roman, pourtant pessimiste et désolant au possible, n'obéit pas à un parti pris de désespoir. Jalu Kurek croit au pouvoir des idées et à la faculté de l'homme d'apporter des changements. En dépeignant la misère, il essaie d'éveiller ces idées et de mettre l'homme en mouvement.

GRISÉLIDIS. La légende de la pauvre Grisélidis (ou Griselda) est l'un des motifs les plus délicats et les plus exploités de la littérature médiévale et moderne. Elle apparaît pour la première fois dans *Le Fresne,* un des *Lais* (*) de Marie de France. Elle fut ensuite reprise par Boccace dans l'une des nouvelles du *Décaméron* (*), et l'auteur a développé avec un art sûr et accompli les différents motifs sentimentaux et fantastiques de l'histoire. Pétrarque, lui aussi, reprit la légende et la traduisit en latin.

★ En France, l'on fit de l'histoire, en 1395, une adaptation scénique qui fut représentée par les clercs de la Basoche : *Estoire de Griseldis* par un auteur inconnu. Le marquis de Saluces prend pour femme la fille d'un pauvre paysan ; il en éprouve la soumission par un long martyre ; il lui enlève la garde de ses enfants, la répudie, la renvoie chez son père dans un état de dénuement complet et la reprend enfin chez lui, en qualité de servante d'une princesse, qu'il lui présente comme sa nouvelle femme. Griseldis accepte toutes ces épreuves sans révolte aucune et fait preuve d'une résignation sublime. C'est alors que le mari, vaincu par tant de constance, restitue à la pauvre femme ses enfants, son amour et le bonheur. Comme Boccace n'est pas le créateur de la légende en question, il semble que notre texte n'a pas été rédigé d'après la fameuse nouvelle italienne, mais d'après une traduction française du texte latin de Pétrarque. *Estoire de Griseldis* (déjà imprimée vers 1550 et récemment rééditée par M. J. Glomeau, *Le Mystère de Grisélidis,* Paris, 1923) présente une habileté technique, une force d'expression et une richesse de langage supérieures aux pièces françaises de ce temps ; l'*Estoire de Griseldis* se distingue aussi de ces pièces par son caractère parfaitement laïque et le manque absolu d'interventions surnaturelles. – l'*Estoire de Griseldis* a été éditée par M. Roques (Genève, Droz, 1957) et commentée par E. Golemistcheff-Koutouzoff (Paris, Droz, 1933).

★ On trouve en Espagne, outre l'adaptation de Metge, de nombreuses références directes ou indirectes à Grisélidis, que ce soit dans les œuvres moralisantes ou dans les romances populaires ; nous citerons ici la *Comédie de la marquise de Saluces* de Navarro. La légende fut aussi reprise maintes fois en Allemagne (*Griselda* de Hans Sachs [1494-1576]), ainsi qu'en Hongrie, en Hollande et dans tous les autres pays d'Europe. En Angleterre, Thomas Dekker (1572 ?-1632) en tira la comédie *La Patiente Grisélidis* [*Patient Grissild*] et Charles Perrault, l'un de ses contes – v. *Histoires et Contes du temps passé* (*). Dans la littérature moderne, nous trouvons le « mystère » en trois actes, *Grisélidis* (représenté en 1891) par Eugène Morance (1854-1928) et Armand Sylvestre (1837-1901) et le drame *Griselda* de Gerhart Hauptmann (1862-1946).

★ Nous citerons, parmi les nombreuses œuvres musicales inspirées par la légende, celles qu'écrivirent : Alessandro Scarlatti (1660-1725), Rome 1721 ; Antonio Caldara (1670-1736), Vienne 1725 ; Antonio Vivaldi (1674 ?-1740) d'après le livret d'Apostolo Zeno et de Carlo Goldoni, Venise 1735 ; Nicola Piccini (1728-1800), Venise 1793 ; Ferdinando Paer (1871-1839), Parme 1796 ; Adolphe Adam (1803-1856), Paris 1848 ; Jules Cottrau (1831-1916), Turin 1878 ; Jules-Émile Massenet (1842-1912), Paris 1891 ; et Clemens von Franckenstein (1875-1942), Troppau 1898.

GRIVES AUX LOUPS (Des). Roman de l'écrivain français Claude Michelet (né en 1938), publié et couronné en 1979 par le prix Eugène Roy, par le prix des libraires en 1980. Philippe Monnier en tira une série télévisée pour Antenne 2 en 1984. C'est l'histoire d'un village corrézien, Saint-Libéral, des premières années du siècle à l'après-Première Guerre mondiale, et celle d'une dynastie paysanne, les Vialhe. Saint-Libéral vit au rythme des saisons, que peu à peu modifient le modernisme, les idées nouvelles, les ruptures politiques avant que la guerre ne donne le coup de grâce à toute une société solidaire mais rigide et patriarcale. Chez les Vialhe, paysans durs à la peine, compétents dans leur métier, vivent sous le même toit trois générations : Édouard, le grand-père, sa femme Léonie ; Jean-Édouard, le fils marié à Marguerite ; leurs enfants Pierre-Édouard, Louise et Berthe. Conscients de leur rang, les Vialhe ne fréquentent pas n'importe qui, tels ces Dupeuch dont le fils, Léon, braconnier à douze ans, attire Pierre-Édouard. Quand Jean-Édouard devient maître de ses terres, il règne en chef absolu, sachant innover, comprenant l'intérêt d'avoir une gare à Saint-Libéral. Mais il veut marier Louise comme il l'entend, et celle-ci n'a plus qu'à s'enfuir avec Octave Flaviens, aide-géomètre à la compagnie ferrovière. L'intransigeance jettera sur le chemin de l'exil Berthe et Pierre-Édouard. Revenu différent de la guerre, celui-ci quitte à nouveau le domaine Vialhe, épouse Mathilde Dupeuch et s'installe sur d'autres terres. Un monde s'achève par entêtement, mais sa sève parcourt celui à naître.

Y. P.

GROBIANUS. De la simplicité des mœurs [*Grobianus. De morum simplicitate libri duo*]. Œuvre célèbre en distiques latins, publiée en 1549 à Francfort, par l'écrivain allemand, alors encore étudiant, Friedrich Dedekind (1524 env. - 1598) et écrite dans une langue riche en connaissances et en citations classiques. La première édition comprend deux livres ; dans le premier, Grobianus apparaît sous les traits d'un domestique ; dans le second, il est d'abord l'invité, puis le maître de maison. Voici comment Grobianus parle de sa vie de serviteur : il se garde toujours de se laver et de se peigner ; arrive quand la table est déjà mise ; ne dit bonjour à personne et mange sans aucun savoir-vivre. Impertinent avec les gens respectables, il est effronté avec les filles ; éternue, crache, tousse et vomit, sans s'occuper de son prochain. Il fait enivrer les gens qui l'ennuient et, pour les faire décamper sans envie de retour, mêle du mauvais vin au meilleur. En outre, il s'ingénie à créer les occasions de disputes et, au fort de la mêlée, chasse tous les invités. Laissant à son maître le soin d'éteindre les lumières, il va se coucher tout habillé. Lorsqu'il est invité, Grobianus commence par demander le menu, puis s'adjuge les meilleurs morceaux. Il ne rentre chez lui que tard dans la nuit, fait en chemin tout le tapage possible et satisfait à tous ses besoins. Dans le livre second, lorsqu'il est maître de maison, il se comporte de telle manière que ses invités n'ont plus jamais envie de remettre les pieds chez lui. Plus tard (1552), l'auteur a ajouté un troisième livre. Des jeunes filles lui demandent des conseils et il leur suggère les règles suivantes : « Soyez impudentes dans la rue ; bavardez et mangez en tout lieu, allez souvent à l'auberge, et enivrez votre amant pour lui extorquer une promesse de mariage. » Suivent ensuite des préceptes concernant la guerre contre les puces. Une nouvelle édition de l'œuvre complète parut en 1554 et fut plusieurs fois réimprimée jusqu'en 1704. La première édition du *Grobianus* de Dedekind a été traduite en allemand en 1551, par Kaspar Scheit (1520-1565), sous le titre : *Grobianus. Mœurs dépravées et incivilité* [*Grobianus. Von grobern Sitten und unhöflichen Geberden*]. Cette traduction en distiques et en langue populaire allonge démesurément le texte.

Grobianus y figure comme un véritable maître qui dicte ses préceptes de mauvaise conduite et va jusqu'à fonder une école de « Grobianus ». En tête de son livre, le traducteur a placé l'avertissement suivant : « Lisez souvent ce livre, mais faites toujours le contraire. » Cette traduction, qui connut un grand succès, fut réimprimée jusqu'en 1615. La troisième édition de l'œuvre de Dedekind a aussi été traduite en distiques allemands par Wendelin Helbach, sous le titre de *Grobianus et Grobiana*, 1567. De cette version a été tirée une rédaction abrégée et en prose intitulée *Grobianus redivivus* (1607). Wenzel Scherffer a mis au point une autre traduction de l'œuvre, en alexandrins cette fois, sous le titre de *Der Grobianer und die Grobianerin* (1640). Sur cette version s'appuient la traduction hongroise et la traduction anglaise. Le *Grobianus* de Dedekind est une satire. Il dénonce la dépravation qui régnait parmi les étudiants des universités allemandes et en brosse un tableau fidèle, destiné à prévenir les lecteurs et à susciter en eux le dégoût d'un tel genre de vie.

GRONDEMENT DE LA MONTAGNE (Le) [*Yama no oto*]. Roman de l'écrivain japonais Kawabata Yasunari (1899-1972), publié d'abord par fragments dans différentes revues littéraires à partir de 1949, puis remanié pour l'édition définitive (1954). Pour décrire la vie d'une famille japonaise typique, avec ses soucis et ses drames, l'auteur de *Pays de neige* (*) nous propose une succession d'images, autour d'un personnage principal toujours présent : le père.

Un soir, le père croit entendre un bruit lointain, mais obstiné et terrifiant : « Grondement de la montagne », se dit-il. Simple bourdonnement d'oreilles ? Signe de la vieillesse, en tout cas, de cette vieillesse qui précède la mort. Il ne réagit pas. Son mariage n'a pas été heureux. Mais là non plus il n'a pas jugé nécessaire de réagir. Son fils, lui, à peine marié, a déjà une maîtresse. Une sympathie délicate naît entre le père et la belle-fille, qui supporte le poids de sa tristesse avec un courage admirable. À tout prix, ils veulent sauvegarder cette sympathie, qui leur semble le bien le plus précieux qui leur reste. Cependant, les drames se multiplient autour d'eux. Cette fois, le père devrait réagir, passer à l'action. Or, au moment précis où une décision doit être prise, l'histoire se termine.

Dans ce roman, les « signes » sont nombreux : le bruit de la montagne qui annonce la vieillesse, un marron qui tombe, comme il en était tombé un autrefois, au moment du mariage malheureux. Ainsi, chaque signe se rattache à une impression, à une réminiscence précise, et revient par intermittence dans cette œuvre, à la manière d'un thème musical. En ce sens, l'ensemble peut ressembler à une longue suite de poèmes en prose, ou encore à une accumulation de séquences cinématographiques. De petites scènes y défilent, représentant chacune une parcelle de la vie quotidienne. Elles peuvent paraître insignifiantes. La description ne quitte jamais le domaine du réel, et le procédé adopté relève d'un classicisme éprouvé. Mais cet ensemble apparemment disparate est régi par une vérité interne. Si une image est présentée, c'est uniquement en fonction de ce que ressent à propos d'elle le personnage central. L'évolution des images suit celle de sa pensée. Seule la sensibilité extraordinaire de l'auteur réussit à faire parler ces fragments, à les intégrer dans une chaîne qui exclut la moindre cohérence psychologique, malgré l'apparente confusion. Une impression indéniable de vérité se dégage à la lecture, et on s'aperçoit alors que l'on a affaire à une composition romanesque parfaitement structurée. En 1954, le cinéaste japonais Narose Mikio a adapté cette œuvre. — Trad. Albin Michel, 1969.

GROS-CÂLIN. Roman de l'écrivain français Romain Gary (1914-1980), publié en 1974 sous le pseudonyme d'Émile Ajar. Le narrateur, Cousin, employé dans une entreprise d'informatique, a ramené d'Afrique un python, baptisé Gros-Câlin, puis s'est pris d'affection pour la souris qu'il lui destinait comme repas. Il raconte sa cohabitation avec les deux animaux, la relation symbiotique qui le lie au serpent, les catastrophes que l'animal provoque en fuguant dans le voisinage. Il évoque aussi sa vie au bureau, où il est la risée de ses collègues, et son amour illusoire pour une jeune Noire de Guyane, Mlle Dreyfus, qui finit par quitter l'entreprise pour se reconvertir dans la prostitution. Un certain nombre de figures pittoresques traversent le livre, dont le père Joseph, avec lequel Cousin a des conversations métaphysiques, un commissaire de police, des prostituées, un professeur spécialisé en pétitions humanitaires et un ventriloque, M. Parisi, chez qui il prend des cours de communication. Avec tous, Cousin manifeste un comportement identique, fait d'une grande maladresse et d'un vertigineux besoin d'affection, qu'il n'arrive pas à mettre en mots.

Car ce canevas simple est l'occasion d'un traitement formel original. Le discours que tient Cousin relève du délire verbal. En dérive perpétuelle dans d'interminables digressions, il passe sans cesse d'une idée à l'autre, au gré de glissements de sens, d'impropriétés ou de jeux de mots qui produisent une étrange forme de pensée instable : « Je dois donc m'excuser de certaines mutilations, mal-emplois, sauts de carpe, entorses, refus d'obéissance, crabismes, strabismes et immigrations sauvages du langage, syntaxe et vocabulaire. Il se pose là une question d'espoir d'autre chose et d'ailleurs, à des cris défiant toute concurrence. Il me serait très pénible si on me demandait avec sommation d'employer des mots et des formes qui ont déjà beaucoup couru, dans le sens courant, sans trouver de sortie. » Le comble du procédé est atteint dans les moments où les phrases de Cousin, qui n'arrive pas à se distinguer nettement de son python, se mettent à se tordre et s'enrouler sur elles-mêmes, comme prises de folie cyclique.

Cette forme d'expression insolite, même si elle n'est pas sans rappeler des tentatives comme celles de Vian ou de Queneau, permit à Gary de traiter à nouveau, sans se laisser identifier, des thèmes majeurs de son œuvre, dont l'incommunicabilité. Grand succès, le livre a été adapté à l'écran par Jean-Pierre Rawson (1979). P. B.

GROS TEMPS SUR L'ARCHIPEL [*Mau tempo no canal*]. Roman de l'écrivain portugais Vitorino Nemésio (1901-1978), publié en 1938, *Gros temps sur l'archipel* a une place privilégiée dans la littérature portugaise. Sans échapper à une tradition lyrique, dans laquelle il s'intègre par sa vocation de mémorialiste et par la nostalgie raisonnée du paradis nébuleux que tout grand poète lusitanien entretient inlassablement, Vitorini Nemésio réussit dans ce roman un équilibre de construction, une richesse concrète d'incidents et de tableaux, un enchaînement profond de liens, une revalorisation du romanesque authentique qui, à la vérité, sont rares dans la fiction portugaise. L'auteur allie à une subtilité psychologique pleine de minutie et de finesse une préoccupation documentaire, ethnographique, pourrait-on dire, qui fait de son ouvrage une image vivante des Açores, ces îles qui émergent de l'Océan comme d'âpres fleurs battus par le vent, et dont la lymphe des existences provinciales est surprise dans le lent écoulement des heures. Car le temps est ici l'élément fondamental de l'œuvre. C'est lui que l'auteur nous fait découvrir à travers l'agonie pathétique d'une grande maison, celle des Dulmo, qui représentent l'aristocratie fayalaise, soumise à des courants cosmopolites (portugais, flamands, anglais), à travers les épisodes savoureux ou tragiques de l'aventure quotidienne des baleiniers, à travers cette terre battue par les flots et brûlée par la lave des éruptions volcaniques des îles de Fayal ou de São Jorge, à travers le roman de Margarida et de João, et les intrigues de Januario Garcia. À l'enchantement de la narration, émaillée de grandes fresques des travaux maritimes, s'ajoutent la séduction d'un style puissamment suggestif, une langue pure, colorée, pleine d'images : découverte magique du monde par la parole. Par l'excellence de son écriture, Vitorino Nemésio est considéré comme une sorte de « rhapsode populaire ». — Trad. La Différence, 1988.

GROTESQUES (Les). Dix médaillons littéraires que l'écrivain français Théophile Gautier (1811-1872) fit paraître en 1844. Tous, ou peu s'en faut, représentent des écrivains plus ou moins singuliers, pour ne pas dire extravagants, de l'époque préclassique. Voici Théophile de Viau et Saint-Amant, poètes originaux d'une grande fraîcheur, Paul Scarron, le prince des burlesques, l'original Cyrano de Bergerac, et aussi matamore des lettres, enfin Georges de Scudéry. On y trouve enfin Jean Chapelain, le pesant auteur de *La Pucelle* — v. *Jeanne d'Arc* (*) — et le médiocre Guillaume Colletet : en somme, les victimes de Boileau, tant celles qui furent réhabilitées par la suite que celles qui ne purent jamais l'être. Seulement, comme la pédanterie la plus lourde et le ridicule ont un certain pittoresque, Gautier accueille dans cette galerie le père Pierre de Saint-Louis, insipide auteur d'un poème : *La Magdalénéide*, chef-d'œuvre de mauvais goût, et le détestable poète Scalion de Virbluneau, dont les *Loyales et pudiques amours* remontent à 1599. Au vrai, ce sont les quatre premiers médaillons qui donnent au recueil son véritable ton. Surtout celui de Théophile de Viau et celui de Saint-Amant. Gautier établit des parallèles avec la poésie nouvelle, à savoir la révolution romantique. Sainte-Beuve, dans son *Tableau historique et critique de la poésie française au XVIe siècle* (*), avait déjà recherché une tradition à l'art nouveau en remettant en lumière la Pléiade ; Théophile Gautier déniche d'autres précurseurs, dans l'époque de Louis XIII si haute en couleur et qui lui inspirera *Le Capitaine Fracasse* (*). Pour peu qu'on songe au romantisme toujours si artiste de Gautier, on trouve tout naturel ce rapprochement ; il est vrai que Gautier se garde de faire œuvre proprement critique, à l'instar disons de Sainte-Beuve, dans sa galerie des grotesques. Il n'empêche qu'il voit très bien que les grotesques en question furent précédés par un poète qui s'appelle François Villon. Gautier nous parle de ce dernier avec un accent qui annonce la grande réhabilitation que les érudits feront de Villon, dans la seconde moitié du XIXe siècle.

GROTTE DE FINGAL (La) [*Fingalshöhle*]. « Ouverture » du compositeur allemand Felix Mendelssohn-Bartholdy (1809-1847), écrite entre 1829 et 1830. L'idée de cette composition vint à Mendelssohn, en août 1829, au cours d'une visite à la célèbre et merveilleuse grotte basaltique de l'île de Staffa, une des îles écossaises du groupe des Hébrides, dite grotte de Fingal. Le soin que le musicien apporta à cette ouverture, que tout d'abord il intitula *Les Hébrides* (on l'appelle encore ainsi en Allemagne), nous est connu par ce fragment d'une lettre qu'il adressait de Paris à sa sœur Fanny : « Je ne peux pas exécuter ici *Les Hébrides* parce que, comme je te l'ai déjà écrit, je ne les trouve pas assez au point. Le passage central en ré majeur est stupide. Toute la modulation sent plus le contrepoint que l'huile de poisson, les mouettes et la morue, alors que cela devrait être le contraire. » Mais cette lettre nous montre aussi le compositeur rapportant sans cesse, dans son imagination, la musique qu'il écrivait à la vision marine qui en avait été le point de départ : caractère bien typique du romantisme musical, et qui nous révèle combien Mendelssohn a été un homme de son temps, même si, par de nombreux aspects de son art, il est intensément fixé dans la contemplation du passé, surtout de la musique de Bach. Tout en n'y cherchant pas d'éléments descriptifs, on ne peut pas ne pas saisir le rappel, souligné par l'auteur lui-même, d'une perception auditive, olfactive et visuelle d'un spectacle maritime. D'autre part, il est manifeste que la musique de *La Grotte de Fingal* vit essentiellement de ses données constructives propres. Le thème cité plus haut est développé dans l'« ouverture » avec une grâce mélancolique, timide et douce, comme une vague qui ondule paisiblement ; il s'assombrit parfois un peu en mineur, pour redevenir plus lumineux en majeur. Sur ce thème, qui se transforme au point de ne garder, à un certain moment, que sa pulsation rythmique, est édifiée une grande partie de l'œuvre. Plus loin en apparaît un autre, qui s'élève des zones les plus obscures de l'orchestre, exposé par les violoncelles et par le basson. On avance ainsi parmi des reflets joyeux de timbres et de tonalités colorés, en une montée de sons qui ont leur point culminant, à la partie centrale, dans une tumultueuse explosion. Après ce grand déchaînement, le premier thème reprend pianissimo, tandis que s'entendent encore, de loin en loin, ses derniers échos. Mais un autre crescendo se fait jour dans l'orchestre, plus âpre cette fois, avec le heurt serré de ses voix qui s'appellent et se répondent. Ainsi, colorée de manière changeante, jaillissant sans cesse vers de nouvelles trouvailles, l'« ouverture » développe la courbe de son admirable architecture et se clôt par le thème initial. Il faut rappeler, au sujet de *La Grotte de Fingal,* que Wagner, par ailleurs durement et obstinément hostile à Mendelssohn, la considérait comme « une des plus belles œuvres musicales qui soient ».

GROUPE (Le) [*The Group*]. Roman de l'écrivain américain Mary McCarthy (1912-1989), publié en 1963. *Le Groupe* est le livre de l'entre-deux. Point tant l'entre-deux-guerres (l'action va de 1933 à 1940) que celui qui sépare un avant dépassé d'un après à venir. Les protagonistes, en effet, huit jeunes filles qui viennent de terminer leurs études à Vassar, sont à mi-chemin entre les jeunes héroïnes fitzgeraldiennes et les filles existentialistes d'après-guerre. Comme les premières, elles sont issues de bonnes familles qui ont de l'argent et sont « dorées sur tranche », mais la grande crise a changé les choses irréversiblement. Du nostalgique et fitzgeraldien « Ce ne sera plus jamais comme avant », on passe à un « Comme c'est bien qu'il y ait eu la crise », servi par une écriture résolument a-nostalgique et un style lisse dans lequel McCarthy se démarque tout à fait de Fitzgerald, dont elle n'a pas la vibration : « La crise avait eu d'heureux effets [...] Quel dommage que papa n'ait pas perdu sa fortune ! » C'est donc l'entrée en scène des réalités vulgaires et des difficultés quotidiennes précises. Libby MacAusland trime pour se faire une place dans l'édition. Priss Hartshorn est plongée dans le terrible affrontement entre partisans et adversaires de l'allaitement maternel. Polly Andrews est bien obligée de cohabiter avec un père un peu excentrique et déjà plus si jeune, qui décide de divorcer et de venir vivre à New York. Dottie Renfrew doit affronter les problèmes que lui pose la perte de sa virginité : bocks et pessaires. Les jeunes mariés Kay et Harald (elle travaille dans un grand magasin pendant qu'il tente de se faire reconnaître comme auteur dramatique) ont à faire face à l'accablante question des commissions : « Elle devait s'arrêter chez Grindstede pour acheter de l'épicerie. Harald n'avait plus le temps de faire le marché le matin. Cette question des provisions était devenue pour eux un sujet de querelles. Il aimait les Monoprix parce que c'était bon marché. Elle préférait Grindstede parce qu'ils livraient à domicile et qu'ils avaient des légumes qu'on ne trouvait pas ailleurs. » La trivialité confine au ridicule : préférer le beurre à la margarine est-il un préjugé de classe ? Entre-deux social : *Le Groupe* est le roman du déclassement (même si certaines représentantes de la promotion Vassar 33 font un beau mariage) : « Kay et ses amies ne jouaient plus un rôle de premier plan dans une société en pleine évolution. » Entre-deux affectif : les jeunes filles croient à l'amour, mais celle qui est romantique et un peu exaltée passe pour « faire de la littérature ». Entre-deux culturel, que symbolise le mariage non conformiste du début du roman. On ne veut plus des valeurs traditionnelles, mais on sent que les façons « new look » ne font pas non plus l'affaire : « Dans un mariage ordinaire, Kay et Harald se seraient éclipsés et auraient reparu quelques minutes plus tard en costume de voyage. Mais Kay leur avait dit qu'il n'y aurait pas de lune de miel [...] Le sentiment de gêne qu'elles avaient éprouvé dans l'église s'empara d'elles de nouveau [...] Évidemment, beaucoup de jeunes gens se marient et rentrent tranquillement chez eux, mais elles avaient la conviction intime que ce n'était pas la chose à faire. » Chacune cherche donc la solution, la clé — trois d'entre elles ont d'ailleurs ce mot dans leur nom : Pokey Prothero, Lakey Eastlake et Kay, le personnage clé du *Groupe.* C'est par son mariage que commence le livre, par son enterrement qu'il se termine, cinq cents pages plus loin. Entretemps, Kay, la plus lancée de la petite bande, aura fait un séjour injustifié dans un hôpital psychiatrique, où l'aura menée un Harald méprisable de lâcheté. Kay tombera finalement d'une fenêtre : suicide ou accident stupide ? Kay est tombée dans un double et ultime entre-deux : l'énigme de sa mort, la guerre... Ce roman de Mary McCarthy, son plus célèbre, est aussi son plus abouti et restera comme son chef-d'œuvre. — Trad. Stock, 1965 ; Gallimard, 1983. Ph. Mi.

GROUPE ZOOLOGIQUE HUMAIN (Le). Structure et directions évolutives. Œuvre du père Pierre Teilhard de Chardin (1881-1955), philosophe français, publiée en 1956. La première esquisse du *Groupe zoologique humain* : « Observations "géo-biologiques" sur la mise en place, la structure et l'ultra-développement possible de l'humanité » (esquisse d'un traité ou cours d'anthropogenèse), remonte à décembre 1948. Au début de février 1949, Teilhard commença à la Sorbonne une série de conférences sur les sujets que traite cet ouvrage. La dernière page est datée de Paris, 4 août 1949. Dans ce livre, l'auteur se propose d'étudier la structure et les directions évolutives de l'homme considéré comme groupe zoologique, bref, la place de l'homme dans la nature, car celui-ci occupe une position d'axe principal dans le monde. Le phénomène humain présente en effet un caractère singulier : la matière hominisée doit être la vie portée à son extrême, c'est-à-dire finalement présenter l'étoffe cosmique à son état le plus achevé dans le champ de notre expérience. Il est possible, en regardant les choses d'assez haut, de voir les désordres de détail se fondre en une vaste opération organique et dirigée, car l'homme est le seul paramètre absolu de l'évolution. Les grandes articulations de ce traité sont les suivantes : I. Place et signification de la vie dans l'univers. Un monde qui s'enroule. II. Le déploiement de la biosphère, et la ségrégation des anthropoïdes. III. L'apparition de l'homme : ou le pas de la réflexion. IV. La formation de la noosphère. 1) La socialisation d'expansion : Civilisation et individuation. V. La formation de la noosphère. 2) La socialisation de compression : Totalisation et personnalisation. Directions d'avenir. La socialisation traduit une propriété primaire et universelle de la matière vitalisée. Avec l'homme, c'est un phylum tout entier qui tout d'un coup, et en bloc, fait mine de se totaliser. L'homme est graduellement élevé, par peur d'unification ethnicosociale, à la situation d'enveloppe spécifiquement nouvelle de la Terre (noosphère). Si la socialisation n'est pas autre chose qu'un effet supérieur de corpusculisation, la noosphère doit être regardée comme formant un seul et immense corpuscule. Après une période d'étalement géographique, on perçoit les premiers symptômes d'un reploiement définitif et global de la masse pensante. Dans la noosphère en voie de resserrement polaire rayonne une énergie libre : le problème est de canaliser le flot de puissance inutilisée dans le sens de la recherche. *Le Groupe zoologique humain* reprend *Le Phénomène humain* (*), mais sur un mode moins phénoménologique, moins philosophique, plus scientifique, plus concentré. Seules les pages de la fin : « Comment essayer de se représenter la fin d'un monde », « Réflexions finales sur l'aventure humaine : conditions et chances de succès », échappent à la spéculation scientifique. Bien que postérieur et nettement original, *Le Groupe zoologique humain* constitue la meilleure préparation à la lecture du *Phénomène humain.*

GRUES D'IBYCOS (Les) [*Die Kraniche des Ibykus*]. Ballade du poète et dramaturge allemand Johann Christoph Friedrich von Schiller (1759-1805), écrite en 1797, l'« année des ballades » ainsi que l'appelèrent Goethe et Schiller (déjà liés à l'époque par une estime réciproque à laquelle succédera une amitié durable). Elle se compose de vingt-trois strophes de huit vers, pour lesquelles l'auteur a recours au tétrapode ïambique, hypercatalectique pour les vers 1-2-5-7, acatalectique pour les vers 3-4-6-8, de chaque strophe. Le schéma rythmique est aa-bb-cd-cd. Comme une grande partie des Ballades — v. *Contes et Ballades* (*) — de Schiller, celle-ci a un caractère épique et l'action, fortement dramatique, se déroule avec une impressionnante régularité. Ibycos, le poète grec, se rend de son pays à Corinthe afin de participer à un concours. Un roi de grues l'accompagne dans son voyage, et il se fie à leur protection. Mais, en vue de Corinthe, il est assailli par deux hommes. Ses mains sont accoutumées à manier la lyre et non l'arc, aussi succombe-t-il sous leurs coups. La nouvelle du forfait se répand aussitôt à travers la ville et bouleverse le peuple massé dans l'amphithéâtre. L'action, qui se déroule alors sur la scène, est comme un écho tragique du crime qui vient d'avoir lieu. Les trois Furies, le front ceint de serpents, s'avancent d'un pas lent et cadencé, en chantant un hymne ; elles menacent le coupable qu'elles se font fort de retrouver, où qu'il se cache. Pendant que le public retient sa respiration et suit, épouvanté, le spectacle, un vol de grues obscurcit le ciel et accroît encore l'étrangeté et l'atmosphère tragique du spectacle. Dans le silence absolu, l'un des assassins d'Ibycos se trahit en laissant échapper ce cri à l'adresse de son complice : « Ami, regarde les grues d'Ibycos. » Et le chanteur infortuné est vengé sur-le-champ, la scène se transformant en tribunal qui juge des meurtriers. — Trad. *Ballades,* Aubier-Montaigne, 1965.

GUARANY (Le) [*O Guarany*]. Roman de l'écrivain brésilien José Martiniano de Alencar (1829-1877), publié en 1857. Il marque une époque importante dans l'évolution de la prose brésilienne, l'auteur ayant tenté de la différencier de la littérature portugaise et de lui donner un caractère national. C'est une révélation de la nature exubérante, sauvage et primitive du Brésil, rappelant Chateaubriand et Fenimore Cooper. L'action se passe en 1560, aux temps turbulents et héroïques de la conquête portugaise, et met en contact et, par le fait même, en contraste les pensées et sentiments, passions et ambitions, défiances, pièges, haines des Blancs et des indigènes. Cécile, la douce et belle fille du gouverneur, l'aristocrate dom Antonio de Mariz, est aimée secrètement par le chef de la tribu Guarany, le valeureux et noble Pery. Il la suit comme son ombre, veille sur elle, la défend et enfin la sauve du complot d'aventuriers qui, en accord avec le chef de la tribu Aimoré — ennemi vindicatif et implacable des Blancs —, ouvrent au féroce cacique les portes de la forteresse pour qu'il y pénètre avec ses hordes, tue le gouverneur, pille ses richesses et ravisse sa fille. L'indianisme d'Alencar est au-dessus de celui de ses prédécesseurs, non seulement par une sincérité plus grande, mais parce qu'il est plus ample et majestueux. « Ses Indiens — observe Ronald de Carvalho — parlent avec la naïve et rude simplicité apprise de la nature, aiment, vivent et meurent comme les plantes et les animaux inférieurs de la terre. Leurs passions ont le caractère subit et violent des orages ; ce sont des incendies rapides qui s'élèvent un moment, brillent d'un éclat fulgurant, puis disparaissent. » José de Alencar apprit aux écrivains brésiliens qui vinrent après lui à avoir un style, à soigner la forme, à faire du roman, non un simple jeu pour se divertir soi-même et divertir les autres, mais une œuvre d'art sentie, méditée et de valeur.

★ Du roman d'Alencar, Antonio Scalvini a tiré un livret pour l'opéra-ballet en quatre actes *O Guarany* du compositeur brésilien Carlos Gomes (1836-1896), qui fut représenté à la Scala de Milan en 1870, lors des débuts de Tamagno. Ce livret comporte une mise en scène chargée et à grand effet ; la plus notable curiosité de cet ordre qu'il contienne est la cérémonie dans laquelle les Aimoré, ayant fait prisonnier Pery, se préparent à le manger. L'histoire se termine pathétiquement quand Dom Antonio met le feu aux poudrières et saute avec tous les ennemis. Au loin, sur la colline, le Guarany indique le ciel à Cécile agenouillée. Le succès du *Guarany* fut énorme ; Gomes eut soudain une popularité si retentissante que l'on peut à peine lui comparer celle qui avait souri à Rossini un demi-siècle plus tôt ou celle de Giuseppe Verdi dans la période explosive du « Risorgimento ». À ce triomphe avaient contribué la voix splendide de Tamagno, le sujet romantique et son caractère hautement théâtral. Plus tard, on put voir que Gomes avait été favorisé par une excellente assimilation du dynamisme de Verdi : ouverture vivante et spontanée, amples airs traités avec l'énergique accompagnement de style *Trouvère* (*), autres airs pathétiques dans le rôle de Cecilia, mais tous simples et d'effet sûr ; chœurs plutôt frustes, mais tels que le public les voulait alors de rythme martelé et sur des paroles sonores.

GUDRUNE. C'est, après la *Chanson des Nibelungen* (*), le cycle épique le plus important de la saga germanique. Il fut composé par un poète autrichien vers 1210-20 en allemand médiéval (dialecte austro-bavarois) ; il compte mille sept cent cinq strophes de structure semblable à celle des *Nibelungen,* mais avec extension du dernier hémistiche à cinq arsis et des rimes non plus tronquées, mais sonores, dans le dernier couple de vers. Le poème se divise nettement en trois parties : « Hagen », « Hilde » et « Gudrune ». Dans la première, Hagen, fils du roi d'Islande Sigebant, est enlevé à l'âge de sept ans par un griffon ; tombant du haut d'un arbre, il découvre dans une grotte trois petites filles également enlevées par le griffon. Ensemble, ils s'enfuient en direction de la mer, où ils sont alors recueillis par un navire. En abordant en Islande, Hagen épouse l'une de ses compagnes, Hilde, fille du roi des Indes, qui lui donne une fille du même prénom. Dans la deuxième partie, le roi Hetel von Hegelingen, désirant épouser la jeune Hilde, envoie trois de ses hommes la demander en mariage ; mais comme Hagen fait pendre tous les ambassadeurs qui viennent apporter des propositions de mariage à sa fille, les trois messagers se font passer pour des marchands, s'introduisent auprès de la reine, persuadent Hagen de se rendre à bord de leurs navires pour voir leurs marchandises : lorsque la jeune Hilde prend pied sur le vaisseau principal, ils mettent à la voile et conduisent Hilde dans le Waleis, pays de Hetel ; Hagen, qui les a poursuivis, arrive à son tour dans le Waleis et affronte Hetel sans cependant parvenir à le vaincre. Mais Hilde s'interpose, Hagen et Hetel se réconcilient et on célèbre les noces de Hilde et de Hetel. Dans la troisième partie, deux enfants naissent de ce mariage : Gudrune et un fils, Ortwin. Après avoir refusé plusieurs princes et non sans discussions, Gudrune se fiance avec Herwig, roi de Seeland ; mais entre-temps Hartmut de Normandie, qui veut aussi en faire son épouse, attaque Hetel, le père de Gudrune, dans l'île de Wülpensand. Hetel est tué dans le combat, tandis que Gudrune et les autres femmes, prisonnières de Hartmut, sont emmenées en Normandie. Pendant treize années de captivité, Gudrune doit endurer les sévices de la reine Gerlind qui lui impose les plus humbles travaux. Néanmoins, elle préfère cet esclavage plutôt que d'accepter de se marier avec Hartmut. Mais le frère et le fiancé de Gudrune, Ortwin et Herwig, préparent une expédition contre la Normandie pour aller la délivrer. Ils débarquent enfin, et une grande bataille s'engage, au terme de laquelle Ortwin et Herwig, vainqueurs, ramènent dans leur pays Gudrune enfin libre et Hartmut prisonnier. Gudrune épouse alors Herwig ; Hartmut, pardonné, épousera une amie de Gudrune ; Ortwin se mariera avec Ortrun, sœur de Hartmut, et Siegfried von Morland, ancien prétendant de Gudrune, avec la sœur de Herwig. Quatre mariages sont ainsi célébrés, donnant lieu à de grandes réjouissances, après quoi les couples se séparent, retournant chacun vers ses propres terres.

Trois cycles de sagas bien distinctes sont juxtaposés dans ce poème : le cycle de Hagen, dont l'enlèvement par un griffon est d'origine orientale et se trouve déjà dans le roman d'Apollonios de Tyr ; le cycle de Hilde, qui se réfère aux chants de l'*Edda* (*) et à l'*Histoire des Danois* (*) de Saxo Grammaticus ; enfin le cycle de Gudrune, qui est une répétition, augmentée et enrichie de nouveaux épisodes, du cycle de Hilde. Comme la *Chanson des Nibelungen,* perpétuant le souvenir des exploits et de la fin tragique de tant de tribus germaniques dans la période de migrations, *Gudrune* conserve le souvenir de randonnées aventureuses et de batailles à l'époque des expéditions vikings. Les peuples qui y participent sont les Islandais (Hagen), les Danois, Frisons et Francs septentrionaux (Hetel) et les Normands (Harmut). Les lieux où les événements se déroulent sont tour à tour l'Islande, l'île de Rügen, le Danemark, le bassin de la Waal en Hollande et la Livonie. Le poème tout entier se ressent de l'influence des *Nibelungen* non seulement dans sa forme extérieure, mais aussi dans la technique narrative de chaque épisode de bataille, de fête ou de cour ; il est également en relation avec les chants de l'*Edda,* le *Tristan et Isolde* (*) de Gottfried de Strasbourg et le *Poème d'Alexandre* — v. *Alexandre* (*) — du prêtre Lamprecht. Il est assez malaisé de formuler un jugement littéraire en raison des conditions dans lesquelles le texte nous est parvenu, c'est-à-dire sous forme de manuscrit unique, rédigé au début du XVIe siècle sur l'ordre de Maximilien Ier, alors que le poème avait déjà subi de nombreuses variantes, additions et interpolations. Il s'impose moins par sa force épique que par le goût de l'aventure qui s'y manifeste et, dans certains passages, par le relief donné aux personnages. — Trad. Flammarion, 1905.

GUÉPARD (Le) [*Il gattopardo*]. Roman de l'écrivain italien Giuseppe Tomasi, prince de Lampedusa (1896-1957), publié, posthume, en 1958. Outre cet ouvrage, l'auteur n'a laissé qu'un petit nombre de nouvelles — v. *Le Professeur et la Sirène* (*) — et quelques études de critique littéraire. Tomasi di Lampedusa songeait depuis vingt-cinq ans à écrire *Le Guépard* lorsqu'il en entreprit la rédaction en 1955. Il devait mourir très peu de temps après avoir terminé son œuvre.

Le Guépard est une chronique de la vie sicilienne entre l'époque du rattachement au royaume d'Italie (1860) et les premières années du XXe siècle. Le roman est dominé par la figure inoubliable d'un grand seigneur, le prince Salina, le « guépard » — il s'identifie avec l'animal qui figure sur les armes de sa famille. C'est une sorte de géant, un personnage à l'allure superbe, le digne descendant d'une grande race, mais il appartient « à une génération malchanceuse, en équilibre instable entre les temps anciens et modernes, et qui se sent mal à l'aise ici et là ». Alors, pour échapper à une société où il ne trouve plus sa place, le prince se réfugie dans l'observatoire qu'il a fait installer sur le toit de son palais et il se perd, durant de longues heures, dans le calcul de la marche des étoiles.

Autour du prince évolue toute une société haute en couleur : son épouse, vieillissante et hystérique, ses nombreux enfants, son neveu Tancrède, ses domestiques, ses régisseurs, son confesseur. Malgré les menaces de révolution, toute cette société vit sur les ruines du passé, perpétuant un cérémonial grandiose et désuet. Mais c'est que la Sicile est un pays où tout doit changer, mais où l'on finira toujours par retrouver les mêmes puissances, les mêmes misères, le même scepticisme fataliste : « Plus ça changera, plus ça sera la même chose ! » Les maisons royales, les régimes, les partis, tout cela s'incline devant l'« authentique souverain », le soleil : « violent et impudent, fort comme un narcotique, il annulait les volontés individuelles et maintenait tous les êtres dans une immobilité servile, bercée de rêves violents, de violences qui avaient l'arbitraire des rêves ». Tour à tour grave ou cocasse, *Le Guépard* offre une image merveilleusement vivante et émouvante de la Sicile. C'est « une œuvre d'exception, une de ces œuvres auxquelles on travaille, auxquelles on se prépare, durant une vie entière » (Giorgio Bassani). En 1963, Luchino Visconti en tira un très beau film. — Trad. Le Seuil, 1959.

GUÊPES (Les) [Σφῆκες]. Comédie du poète comique grec Aristophane (env. 447-380 av. J.-C.), représentée à Athènes à la fête des Lénéennes de 422 av. J.-C. L'auteur confia peut-être la mise en scène de cette pièce à Philonidès, son compagnon de dème qui était aussi poète comique. À la même occasion, Philonidès fit concourir comme sienne une autre pièce (non conservée) qui lui fut en réalité proposée par Aristophane : le *Proagôn* [Προάγων]. Cette dernière comédie se moquait des poètes tragiques, en particulier d'Euripide. *Les Guêpes* n'obtinrent, semble-t-il, que le deuxième prix, après le *Proagôn.* À la suite des *Cavaliers* (*) de 424, une comédie éminemment politique qui était une satire féroce du démagogue Cléon, Aristophane revint à l'attaque dans *Les Guêpes* contre celui qui était de surcroît son ennemi personnel, choisissant pour ce faire, une fois encore, par prudence, les Lénéennes, la fête plus « intime », réservée au seul public local. Deux thèmes caractérisent cette comédie : l'engouement typiquement athénien pour les procès, exploité par les démagogues, notamment par Cléon, à leur profit ; et le conflit des générations, déjà traité par Aristophane dans ses *Nuées* (*) de 423, mais repris cette fois-ci d'un point de vue paradoxal, puisqu'il s'agit d'un fils, Bdélycléon (« Celui qui a Cléon en horreur »), essayant d'éduquer son père Philocléon (« Celui qui aime Cléon »), un vieillard qui finira par abandonner son défaut principal, la manie des tribunaux, mais qui, pour le reste, apprendra fort mal la leçon. Philocléon est un homme de l'ancienne génération, celle de la grande époque d'Athènes, l'époque de Périclès, fier patriote et partisan convaincu de la démocratie, dont il apprécie par-dessus tout l'institution des tribunaux populaires (l'Héliée et les autres cours de justice). Six mille citoyens étaient annuellement tirés au sort pour fonctionner comme juges dans les différentes instances de ce vaste appareil judiciaire dont les commissions comptaient des centaines de membres. En échange de leurs services, les juges recevaient un dédommagement pécuniaire, que Périclès avait introduit et que Cléon avait porté à trois oboles en 425. Cette dernière mesure avait fait gagner au démagogue la faveur du peuple et avait augmenté l'attrait exercé par la charge de juge, qui était déjà considérable à cause du goût naturel des Athéniens pour la procédure, et qui touchait particulièrement les pauvres et les hommes âgés : ces derniers se trouvaient ainsi occupés à une tâche leur conférant autorité et considération. L'action de la pièce commence avant l'aube ; dans le prologue, deux esclaves surveillent Philocléon par ordre de son fils Bdélycléon : il s'agit d'empêcher à tout prix le vieillard de quitter la maison (qui, dans ce but, a été couverte d'un filet) et de prendre le chemin du tribunal. Après plusieurs tentatives d'évasion, les unes plus comiques que les autres, Philocléon reçoit le secours de ses collègues venus le chercher. Ceux-ci forment le chœur, grotesquement déguisés en guêpes, avec un long dard accroché à leur croupion et sortant par-devant d'entre leurs jambes. Une lutte s'engage entre eux et Bdélycléon, qui réussit à avoir le dessus et à convaincre les vieillards, après un débat serré mené avec son père en leur présence (c'est le grand « agôn » de la pièce), que la fonction de juge, bien loin de les rendre semblables à des rois ou même à Zeus, comme ils le croient, fait d'eux les instruments dociles des démagogues, qui les utilisent à leur gré et les mystifient. Il démontre par des exemples et même par des calculs précis que les trois fameuses oboles ne sont qu'une piètre satisfaction, propre tout au plus à faire oublier les grosses sommes que Cléon et les autres chefs du peuple s'attribuent sans vergogne, aux dépens de la collectivité. Philocléon aussi est convaincu par le réquisitoire de son fils, sans être tout à fait guéri. Bdélycléon lui organise alors une sorte de tribunal domestique, où un chien de Cydathénée accuse un autre chien, nommé Labès (« Celui qui a pris »), d'avoir volé un morceau de fromage sicilien (comme témoins figurent des ustensiles de cuisine). Toute cette scène est la parodie d'un procès intenté par Cléon contre le stratège Lachès, rentré de Sicile à Athènes en 426/25 av. J.-C. Philocléon acquitte contre son gré l'accusé (allusion à l'issue du procès contre Lachès), ce qui lui laisse un sentiment de profonde frustration. Après la « parabase », qui interrompt à ce moment l'action et dans laquelle Aristophane se plaint de l'incompréhension du public pour son art, Philocléon, guéri de la manie de juger, se résigne à chercher ailleurs son bonheur et se laisse entraîner à un festin par son fils qui veut l'initier à un genre de vie plus raffiné et mieux en accord avec son temps. Mais, faisant fi des enseignements et des recommandations qu'il a reçus, Philocléon se comporte horriblement : pris d'ivresse, il malmène et offense diverses personnes sans se laisser d'aucune manière impressionner par les menaces de qui veut le traîner devant un tribunal. Il a en effet retrouvé une seconde jeunesse et s'amuse à l'excès, notamment en monopolisant une joueuse d'aulos. Enfin, il est irrésistiblement saisi d'une nouvelle passion, celle de la danse à laquelle il s'adonne avec frénésie en entraînant tout le monde. Cette dernière scène, dont Aristophane souligne l'originalité, est la parodie explicite des danses du théâtre tragique. Le moment du grand finale (ou « exodos ») est ainsi venu. Dans la version conservée, cette partie semble présenter quelques problèmes de tradition textuelle, sans que cela porte toutefois atteinte à sa vivacité : c'est en fait l'une des sorties les plus turbulentes qu'Aristophane ait jamais conçues. Dans l'ensemble également, *Les Guêpes* sont une pièce très mouvementée et riche en trouvailles scéniques d'un comique effréné. Racine s'en est inspiré pour ses *Plaideurs* (*). — Trad. Les Belles Lettres, 1924 ; Gallimard, 1987. A. L.

GUÊPES (Les). Revue politique mensuelle de l'écrivain français Alphonse Karr (1808-1890), publiée à Paris entre novembre 1839 et janvier 1849. L'auteur, moins hostile à la monarchie de Juillet qu'au gouvernement qui la représentait, déclare, dès le premier numéro, qu'il n'a aucune ambition politique. S'il a fondé une revue, c'est uniquement pour pouvoir exprimer librement son opinion sur les hommes et les événements du jour, puisque l'on a retiré les journaux d'entre les mains des écrivains qui sont pauvres pour les remettre entre les mains des spéculateurs et des marchands. Pendant dix ans, il va donc lâcher sur la vie française ces « guêpes » qui bourdonnent et piquent dangereusement, non sans quelque dommage pour l'auteur lui-même qui faillit, une fois, être frappé à coups de couteau. Les sujets traités sont nombreux :

politiques, sociaux, littéraires. Les tableaux et les portraits ne manquent pas : celui d'un roi qui n'est pas roi, avec son chapeau gris et son parapluie en guise de couronne et de sceptre ; celui d'un peuple ignorant, enivré de paroles et traîné à la mort, par ses soi-disant amis, toujours prêts à le renier au bon moment ; celui d'une bourgeoisie qui est entrée dans la politique comme dans une ville prise d'assaut ; l'inconstance de la France qui, de Louis XVI à Louis-Philippe, a expérimenté treize formes de gouvernement en trente-huit ans ; une Chambre composée de vieillards qui gâchent les affaires publiques puisque, de par leur âge, ils sont incapables de débrouiller leurs affaires personnelles ; des avocats et des professeurs, héritiers des jésuites, qui se sont partagé la robe noire de Basile ; une justice corrompue qui considère le vol comme un délit plus grave que le crime ; la guerre d'Afrique qui tourne mal ; des rhéteurs qui noient tout dans des phrases toutes faites ; un tableau de la musique, de la peinture, du théâtre moderne qui fait regretter l'ancien, etc. Voici défiler les hommes les plus en vue : Thiers, le véritable ennemi de la France ; Guizot, Garnier, Pagès, Arago, Cousin, George Sand, Balzac, Victor Hugo, qui mendie un fauteuil à l'Académie ; Gautier, Sue, Dumas, Chateaubriand, qui est devenu le saule pleureur de son propre tombeau ; Lamennais qui, dans un style pesant et inintelligible, prêche l'anarchie ; Lamartine, qui suscite la sympathie de l'auteur parce qu'il représente, en 1848, la République véritable face à la République de Ledru-Rollin. La critique de Karr a ce caractère éphémère, inhérent au journalisme, qui s'épanouit au milieu des événements eux-mêmes et ne sait guère s'élever au-dessus d'eux. Sa forme est pourtant brillante, pleine de fantaisie, riche en aphorismes et en paradoxes. Quelques-uns sont devenus célèbres.

GUERCŒUR. Opéra en trois actes, poème et musique du compositeur français Albéric Magnard (1865-1914). Première représentation au Théâtre national de l'Opéra le 24 avril 1931. Élève de Vincent d'Indy, de Massenet et de Théodore Dubois, Albéric Magnard fit, sous la conduite de ces maîtres, de solides études musicales, qui devaient permettre à son tempérament fougueux, à sa puissante personnalité de s'extérioriser sans aucun artifice. Profondément attaché à la vieille culture française, il se pencha sur les recueils de danses et de chants populaires où il récolta des idées mélodiques qui font passer un large souffle de vie à travers les trois symphonies et les diverses œuvres pour piano et pour orchestre antérieures à *Guercœur*. Il laissait trois ouvrages lyriques : *Bérénice*, *Yolande* et *Guercœur*. Le premier acte de *Guercœur* se passe au paradis, dans un paradis purement métaphysique dont les dieux se nomment Souffrance, Beauté, Bonté et Vérité. Les âmes y survivent dans une éternelle félicité. Mais seul Guercœur ne peut trouver la paix ; il a laissé sur la terre sa femme tendrement aimée, Giselle, et son peuple qu'il a libéré du joug de la tyrannie. Il supplie Vérité de lui permettre de vivre une seconde existence humaine. Bonté s'y oppose ; mais Souffrance, à l'empire de laquelle Guercœur a toujours su échapper, insiste pour que le vœu du chevalier soit réalisé. Au deuxième acte, Guercœur se réveille dans le creux d'un doux vallon de Toscane ; la cohorte des Illusions l'entoure, chantant l'espérance. Mais bientôt le héros apprend que sa chère Giselle l'a trahi avec Heurtal, son ami d'autrefois. Il pardonne et veut se faire reconnaître par le peuple qui l'acclamait jadis. Mais Heurtal, son successeur, a levé le glaive contre ce libéralisme dont il fut le défenseur. Guercœur, méprisé, bafoué, doit s'enfuir tandis que la foule acclame le tyran. La souffrance soutient le chevalier vaincu, qui repart vers le royaume des ombres. Vérité l'accueille en lui rendant le seul et véritable espoir que les hommes justes peuvent conserver : son sacrifice ne sera pas inutile, il sera une pierre de ce temple de la liberté que les hommes élèvent lentement au cours des âges. Un tel sujet philosophique pose successivement les dramatiques problèmes du renoncement, de la réincarnation, de la vie éternelle. On peut contester les solutions qu'apporte Albéric Magnard, on ne peut rester insensible à la noblesse de sa pensée. Le deuxième acte surtout est riche d'une musique expressive tour à tour tendre et violente. Un important fragment de la partition, qui avait été brûlé en 1914, a été réorchestré par Guy Ropartz en 1930.

GUÉRISON DE L'ERREUR (La) [*Kitāb al-shifā*]. Somme philosophique, mathématique et scientifique, du philosophe et médecin persan d'expression arabe Avicenne (980-1037). L'ouvrage se présente comme un exposé de la doctrine aristotélicienne, mais, comme chez tous les philosophes médiévaux, contient de nombreux éléments platoniciens et néo-platoniciens, importés par le biais de la *Théologie* faussement attribuée au Stagyrite. Ces éléments jouent d'ailleurs un rôle stratégique dans la doctrine d'Avicenne, soucieux de donner une place centrale à l'expérience religieuse et spirituelle (même si sa façon de la concevoir n'est pas tout à fait conforme à la vision islamique). Se fondant sur la théorie des émanations, il s'attache à démontrer que l'âme individuelle peut en quelque sorte « communiquer » directement avec l'intellect actif, principe cosmique gouvernant l'ordre du monde, donnant ainsi un fondement philosophique à la révélation prophétique et à l'illumination mystique. S'opposant à al-Fārābī (ainsi d'ailleurs qu'à Aristote), il affirme l'autonomie de l'âme par rapport au corps, et sa survie individuelle après la mort. Sa théorie de l'existence, opposant existence possible (celle des créatures) et existence nécessaire (celle de Dieu), permet également de penser philosophiquement le dogme, central dans l'islam, de l'absolue transcendance du Créateur par rapport à sa création. Assez paradoxalement, c'est surtout dans l'Occident médiéval que la tentative d'Avicenne porta ses fruits, exerçant une influence considérable, en particulier sur Thomas d'Aquin. – Trad. Vrin, 1978 (partielle). J.-P. G.

GUÉRISON DES MALADIES (La). Roman de l'écrivain suisse d'expression française Charles-Ferdinand Ramuz (1878-1947), écrit en 1917. C'est sans aucun doute un des ouvrages qui montrent le mieux l'orientation spiritualiste de Ramuz. L'auteur y étudie ces forces qui sont latentes dans l'homme et qui dépassent les phénomènes naturels. La guérison des maladies est, avant tout, un fait spirituel : la guérison du cœur précède la guérison du corps. Thèse absolument évangélique puisque l'on ne peut parvenir à cette guérison que par le total sacrifice de soi-même. *La Guérison des maladies* est l'histoire d'une humble créature, à peine sortie de l'enfance, et qui s'ouvre à la vie un soir seulement et pour renoncer aussitôt. Le « Parisien », dont le cœur a été touché par cette jeune fille, attend l'héroïne à la sortie de l'atelier. Au clair de lune, il lui confesse ses erreurs et son abjection. Il lui confie son amour. Elle écoute, se tait et ne refuse pas. Rien, en effet, ne semble impossible en cette nuit de printemps où tout revit et où la clarté de la lune réunit dans un même accord les choses du ciel et les choses de la terre. « Il y a un ordre nouveau. » Mais, lorsque la jeune fille rentre chez elle, elle trouve son père blessé. Le vieil ivrogne se confie à cette enfant, et c'est un nouveau cœur qui va vers la guérison ; en effet, renonçant à son rêve d'amour, la jeune fille accepte de se sacrifier. Le récit se déroule alors très rapidement : le « Parisien », privé de cet appui, retombe dans ses errements et se noie, cependant que la pauvre Marie, qui l'a sacrifié en se sacrifiant elle-même, tombe malade et ne se relèvera plus. Surmontant toutefois cette crise sentimentale, mourant au monde, elle acquiert l'occulte pouvoir de guérir les maladies des autres. Le livre se termine au moment où elle meurt. La sérénité qui se dégage de cette dernière scène, l'analyse des forces spirituelles en jeu nous disent que le type de femme qui nous est présenté est celui d'une sainte chrétienne.

GUÉRISON SÉVÈRE (La). Récit de l'écrivain français Jean Paulhan (1884-1968), publié en 1925. C'est un texte d'inspiration largement autobiographique, comme l'atteste *La Vie est pleine de choses redoutables*, recueil de notes publié en 1989. *La Guérison sévère* est le récit d'une expérience de la maladie et d'une expérience de la perte, qui toutes deux viennent considérablement modifier la perception et, au-delà, le rapport au langage des narrateurs. Le récit se déroule en trois mouvements. C'est d'abord Jacques, gravement atteint par une pneumonie, qui nous conte sa « maladresse à se guérir ». Entre vie et mort, il se trouve plongé dans un univers symbolique où sa pensée au gré d'éléments divers se laisse prendre par le pouvoir d'évocation des objets. Les images abondent et donnent à Jacques le sentiment d'être en adéquation avec le monde. Puis, lorsque sa femme Juliette vient le retrouver à son chevet, Jacques sort de l'univers symbolique pour passer dans celui de l'arbitraire, du code. Les images cèdent la place à des inscriptions utiles. Il voit ainsi écrit sur la fenêtre « je suis fort », sur le mur, « je respire bien ». Le charme est rompu, et dès lors Jacques se trouve sur le chemin de la guérison, mais une guérison sévère à l'image du manque de grâce de ces inscriptions utiles. Ensuite, c'est Juliette, la femme de Jacques, qui prend la parole. Pour elle, la maladie de Jacques est une expérience de la perte. Il y a d'abord la peur de le voir mourir puis la découverte d'un adultère entre Jacques et une autre femme. Juliette, au chevet de Jacques, parcourt un chemin proche mais inverse de celui accompli par ce dernier. Elle aussi voit se dessiner sur les murs, les couvertures, des inscriptions : « Il va guérir, il faut qu'il guérisse. » Il lui semble, dans la dépossession de soi que cause la douleur, qu'elle est elle-même devenue ces mots. Puis, au moment où Jacques amorce une guérison, le désespoir de Juliette « passe dans son corps ». Elle aussi se laisse prendre par la facilité de mourir. Enfin avec l'« échange presque parfait », Jacques reprend la parole pour revenir sur son expérience et rendre compte de cet échange entre Juliette et lui, et de la façon dont il lui a permis d'échapper à l'indifférence, à la facilité que l'on peut prendre à mourir.

Au-delà, cette expérience est langagière puisqu'elle révèle un indicible, l'indicible de sensations nouvelles pour lesquelles il va falloir chercher des mots. L'écriture ici, par ses ruptures syntaxiques, sa ponctuation erratique, ses hésitations, s'énonce précisément comme cette recherche. J.-Y. P.

GUÉRISSEUR PAR LA FOI (Le) [*The Faith Healer*]. Drame en trois actes de l'écrivain américain William Vaughan Moody (1869-1910). La première ébauche de la pièce date de 1898 ; représentée une dizaine d'années plus tard, elle connut peu de succès à la scène. Le protagoniste, Michaelis, est reçu ainsi que son domestique indien dans une ferme située près des faubourgs d'une petite ville des États-Unis. Michaelis est un de ces curieux personnages, assez fréquents dans la vie américaine, qui s'attribuent – ou auxquels on attribue – le pouvoir de guérir miraculeusement les malades en ranimant chez eux la foi religieuse. Ce réveil de la foi et de l'espérance est dû à la grâce divine, mais c'est le thaumaturge qui, par sa présence et par ses paroles, en est l'occasion. Michaelis vit depuis quelques jours à la ferme des Beelers, chez lesquels il a été conduit par leur nièce Rhoda, rencontrée en chemin et à laquelle il avait demandé l'hospitalité. La trame générale de cette œuvre, qui comporte un grand nombre de personnages et de situations secondaires chargées d'un sens plus ou moins directement symbolique, est la suivante : Michaelis est un véritable inspiré, un ascète et un mystique pour qui la santé physique et la santé morale sont étroitement liées ; mais depuis qu'il vit dans la maison des Beelers et qu'il éprouve pour la jeune Rhoda un sentiment que lui-même juge trop terrestre et égoïste, son pouvoir commence à lui faire défaut. Quand il apprend que Rhoda a été séduite par un autre homme, le Dr Littlefield, mais que maintenant elle l'aime, lui, Michaelis et qu'elle est prête à sacrifier aussi cet amour pour qu'il retourne à sa mission, il délivre Rhoda des poursuites de Littlefield et découvre que cet amour, bien loin d'être une occasion de faiblesse humaine et de péché, est une force nouvelle qui lui fait retrouver sa vertu de guérisseur des corps et des âmes. Moody, d'éducation puritaine, mais imprégné d'une culture libérale et attentif à tous les courants scientifiques et philosophiques de son temps, ébauche ici, comme il le fait un peu dans toute son œuvre, une tentative de conciliation poétique entre le sentiment religieux hérité des ancêtres et les valeurs immanentes de la vie. Dans l'Amérique de l'« Armée du Salut » et de la « Christian Science », son personnage du thaumaturge a un fond de réalité populaire qui pourrait facilement échapper à un lecteur français. Cette œuvre, cependant, n'atteint pas à l'efficacité artistique et dramatique de son autre pièce, *La Grande Barrière* (*).

GUÉRISSEURS (Les) [*The Healers*]. Roman de l'écrivain ghanéen Ayi Kwei Armah (né en 1939), publié en 1978. Ce roman « historique » se plie aux exigences du genre : située dans le temps (les années 1870) et dans l'espace (le Ghana de l'empire des Asante), cette geste d'un peuple est construite autour du thème de la résistance des Africains au colonisateur. Tout le récit est organisé pour préparer la capitulation finale mais cette conclusion, en tous points conforme aux faits, est présentée sous l'éclairage moral cher à Armah : « Nous avons fait tant de choses susceptibles d'attirer la colère de Dieu sur nos têtes que, maintenant, il nous punit », finit par déclarer la reine-mère. Et si, à la dernière page, le général blanc quitte bien le protectorat, il ne laisse derrière lui qu'une « foule grotesque et disparate » d'Africains en proie à leurs maux profonds. Comme son nom l'indique, le propos de ce livre est essentiellement thérapeutique. Dans ses premiers romans, Armah avait présenté une Afrique contemporaine malade et même apparemment incurable ; dans ce récit, l'écrivain se tourne vers le passé récent de son pays pour tenter de trouver les causes du mal et en vient ainsi à dénoncer les sociétés monolithiques et expansionnistes africaines du XIXe siècle. Faisant alors basculer l'histoire dans la fiction, Armah livre le récit aux mains d'une nouvelle race d'hommes qui se lèvent pour tenter de ramener cette nation Asante à une santé à la fois physique et spirituelle. Ces « guérisseurs » qui se dévouent pour panser les blessures des corps et des âmes sont, en un premier temps, mal accueillis par une société qui préfère vivre de ses erreurs et de ses souffrances ; mais, en menant une vie spartiate et non violente, ces hommes inspirés mais pragmatiques amènent certains de leurs « malades » à mettre en question les fondements mêmes de leur civilisation et à s'interroger, par exemple, sur l'esclavage, le mariage forcé ou la royauté absolue. Le travail de ces élus reste limité mais Armah semble vouloir persuader le lecteur que, dans un avenir plus lointain (peut-être au bout de ces « deux mille saisons » qui sont le titre de son autre roman historique), ils seront à même de généraliser leur influence et de créer une société égalitaire enfin unifiée et, donc, guérie. D. Co.

GUERRE (De la) [*Vom Kriege*]. Traité du théoricien militaire allemand Karl von Clausewitz (1780-1831). La célébrité de ce livre tient au fait que Clausewitz a su le premier envisager globalement la guerre comme constante anthropologique et en élaborer une philosophie susceptible de captiver la postérité en dépit des limites dont il était tributaire à son époque. La publication posthume du traité (1832-1834) a été assurée par l'épouse de Clausewitz. L'ouvrage a été conçu, écrit et constamment remanié entre 1816 et 1830, époque de paix profonde. Mais Clausewitz y tire la leçon des bouleversements introduits dans la conduite des guerres par les campagnes de la Révolution française et de l'Empire, menées avec des moyens humains et matériels immensément plus importants que par le passé, et surtout avec des soldats galvanisés par de puissantes motivations idéologiques. Dans tous ses écrits, Clausewitz insiste sur le rôle décisif que jouent les forces morales dans les conflits. Son œuvre de théoricien est l'antipode des réflexions auxquelles se livraient les auteurs spécialisés du XVIIIe siècle, qui prétendaient ramener l'art de la guerre à une série de mouvements calculables avec une précision mathématique, et dont la bonne exécution devait garantir le succès même sans bataille. Nul n'est plus sensible, au contraire, que Clausewitz à l'impact que peuvent avoir sur les opérations des hasards funestes, la fatigue ou la faiblesse des hommes. La force d'âme, Clausewitz y insiste, est la qualité suprême du chef de guerre, qui doit savoir résister aux doutes et même à la panique de son entourage avec la même énergie qu'aux attaques de l'adversaire. Cette sorte de détermination, faite de courage, mais aussi de clairvoyance intellectuelle, ne se rencontre que dans les civilisations évoluées. Il faut replacer ces considérations dans le contexte de l'époque. Clausewitz s'oppose au cosmopolitisme et à l'humanisme pacifiste de la génération des Lumières en Prusse, qui précède immédiatement la sienne ; génération qui avait accueilli avec enthousiasme le traité de Kant *Pour la paix perpétuelle* (*). L'aspect le plus discuté de l'ouvrage monumental de Clausewitz est la mise en relation de la guerre et de la politique. Les formules fameuses selon lesquelles la guerre est « la continuation de la politique par d'autres moyens » et tend toujours à prendre une « forme absolue » sont souvent citées, mais elles donnent lieu à de grandes difficultés d'interprétation. Il semble qu'il faille en restreindre la portée humanitaire. Clausewitz affirme expressément que la politique constitue le « principe modérateur » dans la conduite de la guerre, mais il ne faut pas entendre cette remarque au sens éthique : il semble qu'il s'agisse d'un simple constat. Cependant, Clausewitz affirme bien le primat de la politique. Ludendorff l'a perçu : dans son livre *La Guerre totale* (1935), il s'est élevé avec véhémence contre cet aspect de la doctrine. Autre notion malaisée à cerner : le concept de « guerre absolue ». Clausewitz pose en principe que la guerre vise par nature à anéantir l'ennemi, et que cet aspect fondamental ne doit jamais être perdu de vue. C'est la faute qu'ont commise les adversaires de Napoléon, lorsque celui-ci a brusquement porté l'affrontement à un degré d'intensité inouï. Mais, en regard, Clausewitz insiste sur la nécessité de proportionner l'effort militaire au but recherché. Il n'a nullement prévu l'ampleur qu'allait prendre après lui le phénomène guerre sous les effets combinés du progrès technique et du démocratisme. « La guerre, écrit-il, a bien sa grammaire propre, mais non sa logique propre. » Cette phrase permet de mesurer l'écart entre son temps et le nôtre. Ce que Clausewitz voulait dire est tout simplement que le chef politique doit avoir constamment une perception très nette des éléments de décision que lui fournissent les chefs militaires. Inversement, ces derniers ne sauraient se cantonner dans un rôle de purs techniciens : ils doivent être capables de comprendre des points de vue politiques. En ce qui concerne la doctrine stratégique, elle est dominée par deux thèses : la supériorité de la guerre défensive et la recherche indispensable de la « bataille d'anéantissement ». On y trouve également des réflexions sur la guérilla. Au nombre des lecteurs assidus de Clausewitz figurent non seulement les chefs militaires allemands du XIXe et du XXe siècle, mais aussi Engels, Marx, Lénine et les stratèges du camp communiste. Les marxistes retiendront de Clausewitz la doctrine selon laquelle la conduite des opérations doit tenir le plus grand compte de la configuration de l'aire de pouvoir que les décideurs politiques envisagent d'instaurer après la fin des hostilités. En dépit de son évident modernisme, la philosophie clausewitzienne de la guerre porte la marque de présupposés politiques conservateurs et d'un horizon relativement limité. Clausewitz n'a fait porter sa réflexion que sur la guerre terrestre, laissant pratiquement de côté la guerre navale. Il n'a pris véritablement en compte ni les facteurs économiques ni les facteurs technologiques. Et son esprit de fidélité dynastique typiquement prussien fait qu'il ignore, ce qui paraît beaucoup plus curieux, les possibilités nouvelles de mobilisation de l'opinion publique, qui pourtant avaient été largement mises en œuvre par la Révolution française. — Trad. Éd. de Minuit, 1955 ; Lebovici, 1989. P. V.

GUERRE (Sur la) [*Aus dem Kriege*]. Parmi les premiers témoignages allemands sur les événements de la Première Guerre mondiale offrant une valeur littéraire, il convient de retenir ce volume de notes de Rudolph Binding (1867-1938). On ne relève rien de tendancieux dans ce journal que l'auteur laissa volontairement inachevé pour ne pas altérer, fût-ce légèrement, un témoignage aussi direct. Il semble presque impossible aujourd'hui, en lisant ces pages, qu'un homme ait pu manifester dans la tourmente tant de tranquillité d'esprit et observer avec lucidité, sans idées préconçues, les situations les plus diverses, tour à tour banales, atroces ou extraordinaires qui firent la trame de ces terribles journées. Mais Binding s'était en quelque sorte préparé peu à peu à une expérience qui devait constituer l'essentiel de sa vie et c'est ainsi que la guerre devint véritablement pour lui l'épreuve du feu. Il la vécut heure par heure, parvenant à saisir chaque fois dans son journal un détail essentiel, notant les événements quotidiens, du fait le plus inattendu aux remarques de moindre importance. Le témoignage proprement littéraire, d'un lyrisme ardent mais contenu, alterne avec le témoignage historique et finit même par faire corps avec lui ; et c'est ainsi que l'on voit se dessiner, jour après jour, cette lente évolution qui conduisit l'Allemagne à la défaite.

GUERRE AU ROI (La) [*Daimón*]. Roman de l'écrivain argentin Abel Posse (né en 1934), publié en 1978. Longtemps méconnue et même ignorée des historiens, la figure singulière du conquistador espagnol Lope de Aguirre ne pouvait qu'intéresser les romanciers épris de fantastique. Après Miguel Otero Silva et Ramón J. Sender, Abel Posse fait de ce personnage historique complexe le héros hallucinant d'une aventure de cauchemar. On sait que Lope de Aguirre, qui vécut de 1513 à 1561, se révolta en pleine forêt amazonienne contre son souverain Philippe II et lui déclara la guerre, avec la volonté de reconquérir pour lui-même le Pérou, puis, en recrutant une armée de mille Noirs, de dominer l'Espagne et le monde. Dans sa rébellion, Aguirre rejetait Dieu pour pactiser avec le diable. Il avait pour seules armes de vieilles arquebuses et sa haine coriace. Cruel, amoral, érotomane et comme illuminé par le mal, il assassina durant l'expédition les quelque soixante-dix hommes, femmes et religieux de sa suite et, pour « la soulager de vivre », tua de deux coups de poignard sa fille de quinze ans, avec laquelle il avait des rapports sexuels. Tout cela est présent dans le roman d'Abel Posse. Mais l'approche est nouvelle, car le romancier ne présente pas Lope vivant, mais mort et réapparaissant comme un spectre au milieu des fantômes de ceux qui furent ses compagnons et ses victimes, tandis qu'une nature omniprésente, délirante et vorace, protège le délire du révolté. Âme en peine échappant ainsi au temps, Lope peut traverser les siècles et l'Histoire à la poursuite de son rêve de grandeur et se métamorphoser, se mythifier au point de confondre son destin avec celui, chaotique et grandiose, d'un continent. La même volonté baroque de donner à l'histoire latino-américaine une dimension fantastique a conduit Abel Posse à éclairer d'un jour original le destin de Christophe Colomb le découvreur dans *Les Chiens du paradis* [*Los perros del paraíso*, 1983]. – Trad. Alta, 1981 ; *Les Chiens du paradis*, Belfond, 1986. C. C.

GUERRE CARLISTE (La) [*La guerra carlista*]. Trilogie romanesque de l'écrivain espagnol Ramón del Valle-Inclán (1866-1936), publiée en 1908-1909. Elle reflète les sympathies carlistes du poète qui a moins voulu brosser une fresque historique qu'inventer une épopée à sa manière, c'est-à-dire romantique et « barbare. » La troisième guerre carliste qui opposa les partisans de don Carlos aux forces loyalistes de la Première République puis d'Alphonse XII, de 1872 à 1876, avait été vécue en témoin par Valle-Inclán durant son enfance en Galice. Dans l'esprit de l'auteur, le carlisme était une cause perdue mais il incarnait l'Espagne héroïque et ancestrale, celle de la foi, de l'honneur, de la vaillance, de l'abnégation face à l'affairisme et à la corruption de l'Espagne officielle. Les héros de *La Guerre carliste* participent jusqu'au délire au mythe hispanique des don Quichotte aventureux et idéalistes, des paysans rudes et fiers, des contrebandiers au grand cœur, des curés fanatiques et activistes, des religieuses intransigeantes et courageuses, des femmes à la fois soumises et passionnées. Nous retrouvons ici comme protagoniste le marquis de Bradomín, carliste « par esthétique ». Dans le premier volume, *Les Croisés du roi* [*Los cruzados de la causa*], Bradomín arrive dans la petite ville de Viana del Prior, en Galice. Décidé à vendre son palais, il sollicite l'aide du clergé pour acheter les armes qui manquent aux partisans de don Carlos, lequel vient de rallumer les hostilités contre le pouvoir. Le clergé accepte avec enthousiasme, mais notre marquis doit entrer directement dans l'action : faire passer en Navarre un dépôt de fusils caché dans un monastère et sur le point d'être découvert. Son fils, Juan Manuel Montenegro, le séduisant cadet Cara de Plata, et les paysans de la région se livrent avec lui à la geste héroïque et riche en rebondissements spectaculaires. Dans *La Lueur du brasier* [*El resplandor de la hoguera*], Cara de Plata se trouve maintenant en Navarre, en compagnie de deux religieuses venues soigner les blessés carlistes. Les accrochages entre les deux camps redoublent, en même temps que se développent les horreurs de la guerre. C'est le moment où surgit celui qui va devenir le personnage central du récit : don Juan Manuel Santa Cruz, un curé de village qui a pris le maquis pour combattre. Fanatiques et sanguinaires, lui et ses hommes pillent, incendient, fusillent avec une cruauté qui se veut justicière. Ce chef « sobre, chaste et fort » dont « il est impossible de pénétrer la pensée » et qui « ne dormait jamais que d'un œil, comme les lièvres » (en fait, une figure historique réelle) fond avec ses guérilleros « comme un vol de gerfauts » sur sa proie, l'ennemi. *Comme un vol de gerfauts...* [*Gerifaltes de antaño*], troisième volet de la trilogie, raconte l'attaque et l'occupation de la petite ville d'Otraïn par ce prêtre-guerrier, « une prodigieuse figure », selon son créateur. À la violence humaine, la sauvage nature galicienne, ici magistralement décrite, prête une perverse et totale complicité. – Trad. Gallimard, 1966. C. C.

GUERRE CIVILE (Commentaires de la) [*Commentarii de bello civili*]. Dans les derniers mois de sa vie, l'homme d'État et général latin César (100-44 av. J.-C.) entreprit de narrer les épisodes de la guerre civile, comme il l'avait déjà fait pour la conquête de la Gaule – v. *Guerre des Gaules* (*). Son intention était de démontrer qu'il avait été obligé par ses adversaires de recourir aux armes ; ce sont eux qui, en lui enlevant, en 49, tout pouvoir, plaçaient sa dignité et sa vie à la merci des vengeances particulières. L'œuvre aurait dû englober également les guerres d'Égypte, d'Asie, d'Afrique et d'Espagne, afin de pouvoir narrer le triomphe complet de César. Mais, par suite de sa mort prématurée, elle resta inachevée, et ne comprend que les événements de deux années 49 et 48 ; à chaque année correspondait sans doute, à l'origine, un livre, et l'actuelle division en trois livres est probablement postérieure. Il est également possible que César ait eu l'intention de relier cette œuvre aux *Commentaires de la guerre des Gaules*, arrêtés à l'année 52. Sans préambule, César commence par la réunion du Sénat qui, le 1er janvier 49, lui ordonna de licencier son armée. Les négociations successives révélèrent la mauvaise foi de ses adversaires : César, après avoir exhorté les soldats à défendre l'honneur du général qui les avait guidés lors de la pacification des Gaules, avance sur Rimini, tout en restant prêt à négocier. Mais Pompée ne pensant qu'à une chose : gagner du temps, César continue ses opérations, tandis que ses forces, d'abord limitées à une légion, augmentent graduellement, et que se rendent les armées adverses, qui devaient l'arrêter. Sa clémence envers les vaincus lui attire la sympathie de tous, tant soldats que notables civils : une à une, les villes passent de son côté au fur et à mesure qu'il descend vers Brindes, où Pompée a concentré la plus grande partie de son armée dans l'intention de traverser la mer et de passer en Grèce. César ne réussit pas à l'en empêcher et ne peut le poursuivre par manque de bateaux. Mais, pour le moment, il a beaucoup plus d'intérêt à assurer sa position en Occident. Il envoie des troupes en Sardaigne, en Sicile et en Afrique et, après un bref séjour à Rome, part pour la Gaule, où il laisse un lieutenant avec mission d'assiéger Marseille. Lui-même se rend en hâte en Espagne, où il a contre lui les généraux de Pompée et leurs sept légions. Mais vaincre une telle armée n'est pas chose facile : César n'y arrive qu'après bien des mésaventures, en la bloquant près d'Ilerde au nord de l'Èbre (Livre I). Quelque temps après, la dernière armée de Pompée, formée de deux légions, finit par capituler ; Marseille se rend également, après une forte résistance. Partout César conquiert le cœur des vaincus par sa clémence. Enfin, il peut retourner à Rome, où il réassume le titre de dictateur pour une nouvelle année. Maître de l'Occident, il peut maintenant s'occuper de Pompée. Mais voici que son légat, Curion, est battu par des partisans de Pompée et par les Numides en Afrique ; il se voit donc dans l'obligation d'abandonner ce pays. Infatigable, César est déjà à Brindes et, bien que ses troupes soient épuisées par des marches sans précédent dans l'histoire, et décimées dans des batailles, bien que la flotte soit insuffisante, dès les premiers jours de janvier, il traverse la mer avec sept légions et prend, par surprise, Oricée et Apollonie à l'ennemi. Toutefois, il n'arrive pas à prendre Duratium, où Pompée l'avait précédé.

Ici, leurs armées restent longtemps face à face : l'ennemi, maître de la mer, n'engage pas la lutte. Lorsque au mois de mars Marc-Antoine réussit à passer la mer avec cinq autres légions, et lorsque les nouvelles tentatives d'amener Pompée à engager une bataille sont repoussées avec des pertes sensibles, César semble abandonner la partie et se diriger vers l'Orient. Pompée le suit et accepte, enfin, le combat, entraîné par la morgue des nobles qui sont avec lui : ironiquement, César raconte qu'au lieu de penser à la façon de vaincre ils discutaient sur ce qu'ils feraient après la victoire. Mais le vainqueur fut César : près de Pharsale, en Thessalie, l'armée de Pompée fut anéantie. La description de la grande bataille est d'une verve rare, parsemée de considérations et d'observations précieuses du point de vue militaire sur la tactique de Pompée. Mais, si César n'épargne pas les critiques aux généraux, il n'est pas avare de louanges pour les soldats, dont il met en relief l'inutile sacrifice, en racontant l'existence commode que les officiers s'étaient réservée. La critique de César se fait âpre quand il flétrit ces gens qui avaient provoqué la guerre et ne voulaient pas en supporter les souffrances. Après la victoire, César se précipite à la poursuite de Pompée, qui se réfugie à Chypre et de là en Égypte, où il espère trouver protection auprès du roi Ptolémée Aulète. Mais celui-ci est en guerre avec sa sœur Cléopâtre et préfère s'assurer la faveur du vainqueur, César ; au prix d'une trahison perfide, il fait tuer Pompée. Mais César, bien qu'il soit arrivé avec des forces peu nombreuses et que la population l'ait accueilli avec hostilité, n'hésite pas à ordonner aux deux souverains de cesser la guerre qu'ils menaient l'un contre l'autre, et de lui soumettre leur différend. Les généraux alexandrins n'obéissant pas, commence ce que l'on a appelé la guerre d'Alexandrie (Livre III).

La suite des opérations a été narrée par les continuateurs de César. C'est à l'historien latin Aulus Hirtius, général de César, qu'on attribue, avec beaucoup de raison, la *Guerre d'Alexandrie* [*De bello Alexandrino*], qui, d'ailleurs, ne contient pas seulement la fin de la guerre avec Ptolémée Aulète (le roi fut tué et remplacé sur le trône par son frère cadet et par la fameuse Cléopâtre), mais aussi la campagne d'Asie contre Pharnace, roi du Pont. Celui-ci fut écrasé à Zéla, après cinq jours seulement d'opérations militaires : c'est de là que César envoya à Rome son fameux message : « Veni, vidi, vici. » Digne de considération est aussi la *Guerre d'Afrique* [*De bello Africano*], sur la guerre d'Afrique de 46, qui se termina par la victoire de Thapsus : l'auteur, inconnu, était sans doute un officier de César. La dernière victoire que César remporta à Munda en 45, contre les fils de Pompée qui s'étaient réfugiés en Espagne, est racontée dans la *Guerre d'Espagne* [*De bello Hispaniensi*], anonyme aussi : l'œuvre est très courte, incomplète, confuse, écrite en un mauvais style, et donne des informations peu certaines. Asinius Pollion disait des « Commentaires » de César qu'il étaient écrits sans se préoccuper de la vérité ; ce jugement portait sans doute sur la *Guerre civile*. Mais la critique considère communément aujourd'hui ce reproche comme sans fondement. Dans le même style que celui dans lequel fut écrite la *Guerre des Gaules*, César parle de lui-même à la troisième personne et met le lecteur devant les faits, le laissant juge. Naturellement, il ne perd pas l'occasion, en narrant le début des hostilités, de relever l'illégalité des intrigues de ses adversaires. Il semble, autant qu'on en puisse juger, que César n'avait pas voulu la guerre. Il est intéressant de noter qu'il exprime à l'occasion, par habileté ou émotion, sa sympathie pour les soldats harassés de fatigue par des marches inouïes, décimés par les batailles, privés même du strict nécessaire. Mais cette sympathie s'adresse aussi aux adversaires vaincus, dont César s'est appliqué à reconnaître la valeur. – Trad. Les Belles Lettres, 1947.

GUERRE CIVILE (La). Pièce en trois actes publiée en 1965 par l'écrivain français Henry de Montherlant (1896-1972), et créée par Pierre Dux la même année au théâtre de l'Œuvre. Après *Le Chaos et la Nuit* (*) et *Le Préfet Spendius,* roman non publié, voici le troisième ouvrage de l'auteur consacré à la guerre civile. La scène se situe alternativement dans les camps de César et de Pompée, au sud de Dyrrachium (Albanie) en 48 av. J.-C. Après les neuf ans de la conquête des Gaules, César pourchasse Pompée ; leurs deux armées sont face à face ; dans le camp de César, certains officiers hésitent entre ce nouveau maître et l'ancien. Deux d'entre eux rejoignent Pompée. Nous changeons de camp avec eux et nous nous trouvons sous la tente de Caton avec Pompée : un Pompée sûr de son droit et de sa force ; un Caton qui sent bien qu'en face sont l'espoir et l'avenir. Nous sommes à la veille d'une bataille qui doit être décisive. Le troisième acte nous mène à l'issue de ce conflit : la bataille fait rage depuis vingt-quatre heures sans qu'une victoire se dessine d'un côté ou de l'autre. Un instant, César paraît en déroute, et déjà les généraux de Pompée se partagent ses dépouilles ; mais Pompée refuse de profiter de son avantage et laisse César se reprendre, comme si sa victoire lui faisait peur. Au dernier moment, il se ravise en un dernier sursaut : il poursuivra sa marche sur César pour l'écraser définitivement. Le rideau tombe tandis que le chœur nous apprend la défaite de Pompée à Pharsale, trois semaines plus tard. Encore une fois donc, Montherlant touche au tragique, non au tragique des situations, mais à celui provenant de ce qu'un être contient en lui-même. Son héros, une fois de plus, est un homme qui a été fort, qui se croit encore fort et qui se révèle faible. Pompée nous touche non seulement par le grand renversement de fortune dont il est atteint, mais surtout parce que c'est son caractère qui provoque ce renversement : sa légèreté, son émotivité, son « influençabilité », les infirmités de son corps, etc. Des Romains historiques, nous retrouvons ici le sens, le goût et comme l'attrait de l'adversité, alliés à un sens profond de la chevalerie. Pompée, ambitieux centre droit ; Caton, ultra de la famille du *Maître de Santiago* (*) ; Acilius, pur de gauche ; Domitius, inconditionnel ; autant de silhouettes que nous reconnaissons. Seul Brutus, le mystérieux, l'insaisissable, échappe à toute classification. L'histoire romaine est un microcosme de toute l'histoire ; les Romains ont déployé un éventail qui va de l'art de jouir à l'art de mourir, avec entre les deux le courage, la gravité, l'infamie et la tristesse. Montherlant a passé sa vie avec ses « chers Romains » : « Je leur demandais tantôt un motif d'exaltation, tantôt un modèle de conduite, tantôt une façon de réagir dans les moments difficiles », a-t-il déclaré. Voici sans doute pourquoi, au moment où il s'interrogeait sur l'exercice du pouvoir, sur la force et la lâcheté, sur la guerre civile, il s'est tourné vers Rome et plus particulièrement vers Pompée, citant Pline l'Ancien : « Puisse être éternel ce bienfait des dieux, qui semble avoir donné des Romains au monde comme une seconde lumière pour l'éclairer. »

GUERRE DANS LE DÉSERT BLANC [*Korpi sotaa*]. Roman de l'écrivain finlandais de langue finnoise Pentti Haanpää (1905-1955), publié en 1940. Haanpää, connu pour ses romans et ses nouvelles réalistes inspirés par la campagne et la forêt finnoises, a vécu l'hiver de la guerre de 1940 en Laponie. Ce sont ses souvenirs qu'il raconte avec beaucoup de précision dans *Guerre dans le désert blanc.* Les hommes partent vers le Nord, le cœur grave, pour se battre à un contre dix. D'abord, ils ne voient pas l'ennemi, mais des ombres, jusqu'au moment où les chars d'assaut commencent à faucher ceux qui n'ont ni artillerie ni balles antichars. Les Finlandais gagnent cette première bataille, mais ils n'en ressentent aucune joie car les mourants sont là, tout près, avec leurs plaintes et leurs cris. Et les attaques se succèdent : des détonations infernales, du sang, des morts, des visions de cauchemar, comme celle de cette section de mitrailleurs ennemis restés gelés sur leur position. Car le froid poursuit partout les hommes et « saute sur eux comme pour les tuer ». Aussi les repos à l'arrière sont des moments bénis, et les bains dans le sauna de « miraculeuses solennités ». Peu de figures se détachent. On voit pourtant, campées avec humour, celle de ce jeune aspirant qui « ruminait dans sa tête des projets fous et des rêves ambitieux » et qui meurt sans pousser un cri et celle du soldat Puumi qui, terré dans un trou, découvre la beauté d'un flocon de neige. Au cours d'une retraite, ce même Puumi casse un de ses skis, se perd, et erre des jours et des nuits dans les solitudes glacées, à moitié mort de faim et de froid dans l'angoisse de s'endormir et de ne plus se réveiller. Les autres soldats, sous leurs capes raidies de gel, apparaissent comme fantomatiques. La guerre n'éveille en eux aucune pensée. Il en est un cependant qui, devant les cadavres de ses camarades, se demande s'il n'y a pas quelque chose de plus précieux que la vie. « Les mots devoir, patrie lui semblent vides et il attend une réponse à l'effroyable énigme. » Enfin, par une matinée de printemps, les canons se taisent et « une joie contenue se glisse dans les âmes de ces hommes épuisés ». Bien des livres ont paru sur la guerre de Finlande depuis le récit de Haanpää. Aucun ne donne, et dans une langue aussi concise où perce une émotion contenue, une image plus vraie de ce que furent les combats dans ce coin glacé de Laponie. — Trad. Gallimard, 1942.

GUERRE DE JUGURTHA (La) [*Bellum Jugurthinum*]. Monographie de l'historien latin Salluste (86-35 av. J.-C.), qui a pour sujet la guerre des Romains contre le roi des Numides, Jugurtha (111-105 av. J.-C.). Jugurtha avait usurpé le trône et dépossédé les fils de Micipsa ; la corruption qui régnait alors à Rome lui avait permis d'acheter la complicité du Sénat, mais la pression du parti populaire obligea Rome à déclarer la guerre. Les premiers généraux envoyés par le Sénat appartenaient à la noblesse. Leur incapacité leur valut de cuisantes défaites ; seul Cecilius Métellus sut venger l'honneur des armes romaines. Cependant, la guerre traînait. Gaius Marius, rude chevalier d'Arpinum subordonné de Métellus, profita du mécontentement général contre la noblesse pour se faire élire consul et obtenir le commandement dans la guerre contre le Numide. En deux ans Jugurtha fut vaincu et livré aux Romains. Salluste a choisi ce sujet, comme du reste celui de *La Conjuration de Catilina* (*), parce qu'il lui fournissait une occasion d'analyser la responsabilité de la noblesse, vénale et timorée, tout en mettant en relief le premier triomphe du parti populaire, d'où la place si importante, dans l'œuvre, des luttes politiques à Rome que l'auteur dépeint avec spontanéité et vivacité. Le tumulte des masses est dominé par les figures du tribun Gaius Memmius et de Marius, dont l'écrivain nous a laissé de vivants portraits. Selon la tradition historique de l'Antiquité, Salluste leur fait prononcer des discours qu'il a lui-même entièrement composés, mais qui correspondent admirablement aux situations et au caractère des personnages. L'histoire de Salluste a surtout des visées psychologiques et morales. La partialité de l'auteur ne fausse cependant pas son jugement sur les meilleurs représentants de la noblesse, comme Métellus et Sylla. Elle ne conduit pas non plus Salluste à dissimuler les défauts de Marius ou les faiblesses des masses. La vérité est mieux respectée que dans *La Conjuration de Catilina*. En ce qui concerne les opérations de guerre, le récit pèche par des imprécisions relatives au comportement du héros principal, parce que les informations dont disposait Salluste lui venaient de personnages hostiles à Marius. Au contraire, les exploits de rivaux, tels que Métellus et Sylla, sont présentés avec une plus grande abondance de détails. Salluste ne s'attarde pas à des recherches toutes formelles et s'exprime avec une grande économie de moyens. Son style, néanmoins très personnel, dans la contexture des phrases et dans sa couleur archaïque et poétique, rejette les artifices et les procédés chers à Cicéron. L'ouvrage contient deux brèves digressions, l'une sur la géographie et l'ethnographie de l'Afrique, à propos de quoi Salluste met à profit les connaissances qu'il avait acquises alors qu'il gouvernait la Numidie, l'autre sur le légendaire héroïsme des frères Philène. — Trad. Les Belles Lettres, 1947.

GUERRE DES BOUTONS (La). Roman de l'écrivain français Louis Pergaud (1882-1915), publié à Paris en 1912. C'est un récit d'aventures, ou plutôt une épopée dont les héros sont des garçons de 10 à 14 ans, lesquels parlent un patois quelque peu ordurier. *Roman de ma douzième année*, note l'auteur en sous-titre : c'est bien tout le sadisme propre à l'enfance qu'il évoque dans ce combat qui met aux prises deux bandes également furieuses. Un pittoresque neuf surgit de l'opposition entre la faiblesse de ces combattants et la discipline qu'ils s'imposent pour le succès de leur guerre, entre leurs naïvetés, leur tendresse, leurs peurs et l'inépuisable scatologie de leurs propos. Comme toujours, on a depuis longtemps oublié quel malentendu se trouve être la cause de cette guerre. Mais elle se prolonge et ressuscite, se nourrissant des haines issues du premier conflit, et plus encore des obligations que la légende a créées. La « guerre des boutons » consiste à s'emparer des camarades adversaires, à les fesser, à les dévêtir, et à couper les boutons qui retiennent leurs vêtements. Alors les vaincus rentrent chez eux, dépenaillés, pour y recevoir la correction de parents exaspérés par ces dégâts vestimentaires. Louis Pergaud, qui était le fils d'un instituteur rural, a dû participer lui-même en sa jeunesse à des combats analogues. Le village où il situe l'action, Longueverne, est en réalité Landresse, une commune de Franche-Comté où il habita. Il ne faut pas croire cependant que ce livre soit de ceux qu'on peut donner en cadeau de Noël à ses enfants. C'est une œuvre offerte aux adultes pour qu'ils y retrouvent leur jeunesse. Elle touche surtout ceux dont l'enfance s'est épanouie, dans quelque gaillarde province, en toute liberté. Quelques années auparavant, Léon Frapié avait pour la première fois mis en scène un monde enfantin dans un roman réaliste, mais il faisait appel à la pitié en révélant la misère — v. *La Maternelle* (*). Chez Pergaud, l'on ne trouve aucun sentiment de ce genre. La critique fut assez réticente et ses lecteurs citadins ne le comprirent pas. Tous ceux, par contre, dont l'enfance eut pour cadre la campagne ne laissent pas de goûter la verve de ce livre. Jack Daroy en 1936 et Yves Robert en 1962 ont porté à l'écran ce récit épique.

GUERRE DES DIEUX ANCIENS ET MODERNES (La). Poème satirique en dix chants de l'écrivain français Évariste Désiré de Forges, vicomte de Parny (1753-1814). L'œuvre parut l'an VI de la République (1799), elle est tout imprégnée d'un esprit aimablement voltairien, mais parfois quelque peu vulgaire. L'auteur, soi-disant guidé par l'Esprit Saint, chante l'arrivée des dieux chrétiens au ciel. Les divinités païennes sont en révolution, mais les colères s'apaisent vite au cours d'un repas offert aux nouveaux hôtes. Pendant ce temps, les dieux nouveaux venus cherchent à s'acclimater : ils forment un paradis à eux et conversent comme s'ils étaient au théâtre. Le Père, le Fils et le Saint-Esprit, auxquels se joint la Vierge Marie, discourent sur la foi. Bientôt éclate une bagarre entre les deux groupes de divinités. Le Ciel et l'Olympe sont les champs de bataille, les saints et les satyres luttent âprement. Des épisodes amusants se mêlent au récit : c'est ainsi que Priape, fait prisonnier par les chrétiens et baptisé, vient sur la terre et fonde des ordres religieux. Les dieux païens vaincus tentent de se ressaisir, mais Amour lui-même essuie un défaite. Cependant le christianisme fait des progrès, et c'est en vain que Minerve tourne en dérision, au paradis des nouvelles divinités, la façon dont vivent les religieuses et les moines. Dans un dernier combat qui met en danger les dieux chrétiens, le Paradis est sauvé par l'intervention de saint Priape, tandis que les païens retournent à leur Parnasse. L'Épilogue se termine sur un sourire moqueur. Cette petite œuvre inégale, de la veine de *La Pucelle d'Orléans* — v. *Jeanne d'Arc* (*) —, se rattache au courant anticatholique de la Révolution française, mais ses railleries sont, le plus souvent, forcées. La gaieté de quelques scènes ne suffit pas pour conférer au poème une vraie valeur. Son intérêt ne dépasse pas celui d'un ouvrage polémique, reflet de cet esprit philosophique du XVIIIe siècle, qui parut un indice de liberté spirituelle et de réaction nécessaire au temps de la ferveur artificielle des partisans du Concordat de 1801.

GUERRE DES GAUCHOS (La) [*La guerra gaucha*]. Récits de l'écrivain Leopoldo Lugones (1874-1938), un des plus grands poètes et essayistes argentins. Après *L'Empire jésuite* (1904), il donna, en 1906, *La Guerre des gauchos* et, en 1924, ses *Contes fatals*. *La Guerre des gauchos* est considérée comme un véritable chef-d'œuvre. Ces récits des gauchos légendaires des pampas argentines, guerriers héroïques et cavaliers infatigables, sont écrits dans une langue magnifique, barbare et coruscante, pleine de métaphores et d'inventions verbales. Ce livre est composé d'épisodes ayant trait aux luttes soutenues par les Argentins révoltés contre les armées espagnoles, qui opéraient dans les provinces de Salta et du haut Pérou de 1814 à 1818. Depuis l'aventure du sergent qui descend dans un abîme sur l'ordre du capitaine pour y chercher un fanion, jusqu'à celle que vit Güemes, l'un des grands chefs de l'indépendance argentine, c'est une suite d'actions d'éclat, de traits de courage, de cruautés sauvages. La fiction se mêle ici au trait authentique ; Leopoldo Lugones a réinventé ces épisodes sur un fond de vérité, réussissant à créer une véritable épopée de l'indépendance argentine.

GUERRE DES GAULES (Commentaires de la) [*Commentarii de bello Gallico*]. Œuvre composée par l'homme d'État et général latin César (100-44 av. J.-C.) au fur et à mesure de la conquête des Gaules (de 58 à 51 av. J.-C.), dans le but de donner un aperçu de son activité et de justifier sa politique extérieure vis-à-vis de l'opinion de ceux qui, à Rome, l'accusaient d'avoir entrepris la guerre par intérêt personnel. Les sept livres de cette œuvre sont consacrés chacun aux événements d'une année, et ce, à partir de 58 av. J.-C. La guerre fut provoquée par la migration des Helvètes, descendus de leurs régions vers l'ouest à la recherche de nouvelles terres : César, qui avait le gouvernement de la Gaule narbonnaise, l'actuelle Provence, après avoir en vain essayé de négocier, les arrête par les armes et les décime en partie sur l'Arar (la Saône) et en partie entre l'Arar et le Liger (la Loire). Des 368 000 hommes qui étaient partis, il n'en survécut que 110 000. Mais voilà que les Germains, guidés par Arioviste, passent le Rhin, soumettent les Séquanais et les Éduens, et menacent la province romaine. Les négociations n'aboutissant à rien, César leur fait front, les armes à la main, bien que les légionnaires soient atterrés par la renommée de guerriers invincibles qui est celle de leurs nouveaux ennemis. Les paroles de César, déclarant être disposé à combattre avec seulement la dixième légion, dont la fidélité est certaine, aiguillonnent le courage des soldats romains : à Vesontio (Besançon), l'ennemi est durement battu et rejeté au-delà du Rhin (Livre I). En 57, un nouveau danger se présente lors du soulèvement préparé par les Belges. Mais César les bat de vitesse, en accourant avec deux nouvelles légions et en anéantissant ceux qui ne se rendent pas ; sont restées mémorables les victoires sur l'Axonne (Aisne), à Bibracte et sur le Sabis (Sambre), où il fait un carnage des Nerviens, les plus valeureux des Belges : de 60 000 ennemis armés il n'en survit que 500 (Livre II). Ensuite vient le tour des populations de la Bretagne, parmi lesquelles se distinguent les Vénètes : ayant pris ombrage des succès des Romains, ils offensent leurs ambassadeurs et prennent des attitudes qui donnent lieu à une inquiétude justifiée. Alors César, pour les déloger des anfractuosités des falaises de la côte atlantique, où ils ont leur habitat, adapte son génie et ses moyens à la guerre sur mer : avec une flotte construite en Provence et prévue uniquement pour les besoins de la navigation méditerranéenne, il réussit, grâce à une adaptation ingénieuse, à vaincre la flotte ennemie, bien mieux préparée que la sienne à affronter les humeurs de l'Atlantique. Il soumet ensuite les Morins et les Ménapes, dans les Flandres actuelles (Livre III). Au printemps de 55, les Usipètes et les Teuctères arrivent d'Allemagne pour envahir le nord de la Gaule. César les bat ; puis, la simple défensive ne lui suffisant pas, il passe le Rhin sur un pont construit en dix jours seulement. Mais l'ennemi réussit à s'éclipser et César retourne en Gaule après avoir dévasté le territoire.

Comme les Bretons (Grande-Bretagne) avaient plusieurs fois aidé des rebelles contre Rome, il juge nécessaire d'aller les punir dans leur île que personne ne connaît, pas même les Gaulois ; il souhaite également apprendre à connaître ces peuples mystérieux qui vivent aux limites du monde habité. Mais l'expédition n'est pas très réussie en raison de l'incapacité de la flotte à supporter les colères de l'Atlantique (Livre IV). C'est pour cela que, pendant l'hiver suivant, César fait construire une nouvelle flotte avec des modifications de structure que lui-même a conçues, et en 54, avec 800 bateaux et 5 légions, il passe encore en Grande-Bretagne où, après plusieurs batailles, il soumet les Cassivellaunes et les Trinovantes, en pénétrant jusqu'au nord de la Tamise. À son retour en Gaule, il doit réprimer les premières manifestations de la rébellion qui éclatera plus tard (Livre V). Les opérations qu'il conduit avec énergie durant l'année suivante (et qu'il arrête momentanément pour entreprendre une nouvelle expédition au-delà du Rhin contre les Suèves) n'empêchent pas l'insurrection unanime des Gaulois. Elle éclate en 52 sous la conduite de Vercingétorix, roi des Arvernes. César accourt d'Italie en plein hiver, détruit Génabum (Orléans) et Avaricum (Bourges), mais il est repoussé de Gergovie, capitale de Vercingétorix aux alentours de l'actuelle Clermont-Ferrand. Même les fidèles Éduens se soulèvent, et les armées romaines sont en grand danger. Néanmoins, Vercingétorix se laisse entraîner à engager la bataille dans des conditions défavorables ; il est battu et s'enferme dans Alésia (Alise-Sainte-Reine, en Bourgogne). Malgré ses fortifications exceptionnelles, dont on a trouvé les restes, César l'assiège et la prend par la faim, après avoir battu une grosse armée accourue de toutes les régions de la Gaule (Livres VI-VII). Les opérations de 51, essentiellement de police, n'ont pas été narrées par César ; l'œuvre fut continuée par Aulus Hirtius, général de César, dans un huitième livre d'une grande valeur.

Beaucoup de généraux et d'hommes politiques, Grecs et Romains, avaient fait leur propre apologie avant César, dans des récits historiques (telle est la signification du mot « Commentaires ») : mais de toute cette vaste littérature, seuls les écrits de César survécurent, probablement en raison de leur valeur. Comme l'indique le titre, César ne voulait pas apparemment écrire une histoire de ses entreprises : pour les Anciens, une véritable histoire devait posséder les ornements de la rhétorique ; il ne voulait que fournir aux autres des matériaux pour l'écrire. C'est pour cela que l'exposé de César est volontairement simple, froidement objectif, et prend l'aspect d'un document officiel impersonnel. Ainsi César arrive plus facilement à son but caché, qui est celui de persuader le lecteur de sa véracité, étant donné que le détachement de l'écrivain par rapport aux faits désarme toute méfiance. Il n'en reste pas moins que ce livre est une apologie et on ne saurait l'oublier : il apparaît, plus d'une fois, que César s'est efforcé d'expliquer ses actes de la façon qui lui était le plus favorable : à l'en croire sans restriction, il aurait été entraîné malgré lui à la conquête de la Gaule libre.

César parle de lui-même à la troisième personne, et il semble que, par son désintéressement, il domine les faits de haut : il en résulte une impression de sérénité, qui conquiert le lecteur. Mais une telle froideur apparente résulte d'une extrême maîtrise de ses propres sentiments, telle qu'un patricien romain devait l'exiger de soi ; ses phrases simples, qui semblent bannir toute émotion, qui n'est en réalité que retenue, ont une efficacité d'évocation et d'émotion bien supérieure à toutes les formes déclamatoires. César ne se dépense pas en phrases inutiles pour exalter la grandeur cruelle de ses victoires ou l'importance décisive d'un événement : avec la même simplicité imperturbable, il énonce les chiffres énormes des pertes ennemies, mentionne les actions héroïques de ses soldats, parle de la reddition de Vercingétorix, à la suite de laquelle il s'assurait la possession des Gaules, comme dans la *Guerre civile* (*) il parlera de la nouvelle de la mort de Pompée, qui lui assurera la domination du monde. Son style est en parfait accord avec le but qu'il s'est proposé : compassé, limpide, détaché de toute construction ou forme insolite et recherchée ; excellence formelle d'autant plus remarquable que nous savons que l'œuvre fut écrite rapidement, à partir de souvenirs personnels, de notes, de documents officiels. Cicéron comprit fort justement que César, tout en faisant semblant d'offrir à d'autres le matériel pour écrire l'histoire de ses conquêtes, avait, en réalité, ôté à qui que ce soit l'envie d'affronter cette épreuve. — Trad. Les Belles Lettres, 1948.

GUERRE DES JUIFS CONTRE LES ROMAINS (La) [*Ἱστορία Ἰουδαικοῦ πολέμου πρός Ρωμαίους*]. Œuvre de l'historien juif d'expression grecque Flavius Josèphe (37-100 ?) en sept livres, publiée vers l'an 75. La version grecque est la seule qui nous en soit parvenue. Elle avait été précédée d'une version araméenne destinée aux « peuples étrangers de l'intérieur de l'Asie », sans doute pour les dissuader de toute rébellion en rappelant les récents événements de Judée. La *Guerre* semble en effet avoir été à l'origine une œuvre commandée par l'empereur Vespasien à son ancien prisonnier, le prêtre juif Joseph fils de Mathias, devenu Flavius Josephus après son affranchissement en 69, et pensionnaire impérial depuis son arrivée à Rome l'année suivante.

Avec cet ouvrage, Josèphe fait ses premières armes d'historien. Il est particulièrement bien placé pour raconter la guerre dont il a été un acteur puis un témoin. Pendant le siège de Jérusalem, auquel il assistait aux côtés de Titus, il a probablement eu l'occasion d'interroger des captifs juifs, il a peut-être aussi pris des notes, et à Rome il a eu accès aux archives impériales. Sa connaissance de l'histoire de son peuple lui permet en outre de remonter dans le temps pour élucider les causes lointaines de la guerre qu'il analyse au livre I : il y rappelle les circonstances de l'instauration de la dynastie hasmonéenne (révolte des Macchabées) et les querelles de succession qui amenèrent les Romains en Judée où ils installèrent l'Iduméen Hérode sur le trône. Au livre II, il passe aux causes immédiates de la guerre : la mainmise directe de Rome en l'an 6 crée un ferment révolutionnaire, les excès des procurateurs ne feront qu'envenimer la situation. Josèphe lui-même participe à la guerre qui éclate en 66 où il est nommé gouverneur de Galilée. Au livre III se situe l'affrontement entre Josèphe et le général envoyé par Néron, Vespasien, qui le fait prisonnier au terme du siège de Jotapata. Josèphe prédit alors l'empire à son vainqueur. Le livre IV relate la progression des troupes romaines en Galilée et dans la région de Jérusalem tandis que la guerre civile sévit dans la ville. Pendant ce temps, la guerre civile fait rage à Rome aussi, elle s'achève quand, en juin 69, Vespasien est élu empereur. Le livre V relate le début du siège de Jérusalem, par Titus. Le livre VI, celui où culmine l'œuvre, est consacré à l'incendie du Temple et à la prise de Jérusalem en 70. Le livre VII relate les derniers soubresauts de la résistance juive, notamment l'épisode de Massada, ainsi que le triomphe de Flaviens à Rome.

Pour sa première œuvre historique, Josèphe a probablement suivi le modèle de Thucydide. La version grecque est destinée au monde gréco-romain ; pour la rédiger, Josèphe a, de son propre aveu, fait appel à des aides. L'esprit général de l'ensemble est cependant plus juif que grec. L'auteur est soucieux d'y montrer l'intervention de Dieu dans les affaires humaines ; en fait, il poursuit la rédaction de l'Histoire sainte, comme l'ont bien compris les auteurs chrétiens qui l'ont utilisée.

Cet ouvrage est aussi une œuvre de passion où s'expriment la douleur de l'auteur devant la ruine de sa patrie et la haine des « brigands et des factieux » qu'il en rend responsable parmi ses coreligionnaires, alors qu'il exalte les vertus de Vespasien et de Titus. On ne s'étonne pas qu'il ait reçu l'approbation impériale. Partiale sans doute, l'œuvre sait être grandiose, à la mesure de son sujet. — Trad. Éd. de Minuit, 1977 ; Les Belles Lettres, 1975 à 1982 (Livres I à V). M. H.-L.

GUERRE DES MONDES (La) [*War of Worlds*]. Roman d'anticipation de l'écrivain anglais Herbert George Wells (1866-1946), d'abord publié dans le *Pearson's Magazine* (1897) et en volume en 1898. Wells avait déjà publié *L'Homme invisible* (*), qui est sans doute son œuvre maîtresse, lorsqu'il entreprit d'imaginer l'arrivée des Martiens sur notre planète. *La Guerre des mondes,* a-t-il raconté, lui fut suggérée par une remarque de son frère, Frank ; alors qu'ils étaient en train de se promener dans le Surrey, Frank lui dit : « Imagine un moment que des habitants d'une autre planète descendent tout à coup dans cette prairie et marchent sur nous... » Le livre était commencé. Un soir, vers minuit, on observe un nuage de gaz incandescent autour de la planète Mars et le même phénomène se reproduit pendant les neuf nuits suivantes. Quelques jours plus tard, une comète s'abat dans la région de Londres. On s'aperçoit vite qu'il ne s'agit pas d'un aérolithe, mais d'un gigantesque cylindre d'environ trente mètres de diamètre. C'est le premier des dix engins semblables qui ont été lancés de Mars pour venir porter la guerre sur la Terre. Comme on remarque des signes de vie dans l'engin, une délégation de Terriens, formée de notables et précédée d'un drapeau blanc, est envoyée pour essayer de communiquer avec les Martiens. Mais, lorsqu'elle s'approche du cylindre, elle est tout à coup décimée par le Rayon brûlant. Ce rayon mortel est la principale arme offensive des Martiens : il s'agit d'un jet de feu projeté par un miroir parabolique, si intense que tout ce qui se présente dans son cercle, hommes ou choses, est aussitôt carbonisé. La nuit suivante tombe un nouveau cylindre ; des soldats sont alors envoyés contre les Martiens, monstres aux figures repoussantes. Ayant aperçu les Martiens et leurs machines de guerre, le narrateur décide d'éloigner sa femme de la zone dangereuse et l'envoie chez une cousine. Resté seul, il rencontre un artilleur anglais, seul survivant d'une batterie dispersée par les Martiens, qui lui narre les événements de la journée. Notre homme est si impressionné qu'il se décide lui aussi à fuir et à tenter de rejoindre sa femme. Pour éviter les Martiens, il doit faire de longs détours : partout il croise des soldats qui essaient d'arrêter les envahisseurs. Partout aussi la triste cohorte des réfugiés qui sont impitoyablement poursuivis par les machines de guerre. À Londres, la panique règne ; fuite éperdue des habitants, les uns essayant de gagner le Nord, les autres de joindre le continent par la mer. Pendant que le narrateur essaie, à travers la campagne, de gagner Londres en échappant aux Martiens, il fait la rencontre d'un pasteur, et tous deux, mourant de faim, entrent dans un pavillon de banlieue, espérant y trouver quelque nourriture, juste au moment où tombe, tout à côté, le cinquième cylindre, ensevelissant la maison sous des tonnes de terre. La seule voie d'accès est gardée par les Martiens. Une semaine durant, les deux réfugiés rampent à travers les décombres de la cave et de la buanderie. Exténué, le pasteur devient fou et, pour se sauver lui-même, le narrateur est obligé de le tuer. Il s'échappe enfin, arrive à Londres, trouve la ville complètement déserte. Après avoir un moment rejoint l'artilleur, il sort de la ville, parvient à South Kensington : là, il entend tout à coup les plaintes déchirantes des Martiens et, montant sur une colline, découvre, dans une énorme redoute, nombre de Martiens frappés de mort ; empoisonnés par les germes de notre planète, et quasiment dévorés par les chiens... La nouvelle de la délivrance est répandue aussitôt. Les réfugiés rentrent. Le narrateur retrouve miraculeusement sa femme. Bref, on en est quitte pour la peur.

Ce roman d'anticipation est bien moins optimiste que ceux de Jules Verne. Au contraire, Wells semble se plaire particulièrement à nous faire frissonner. L'atmosphère du livre, en dépit de la défaite finale des Martiens, est plutôt pessimiste : nous n'avons pas grand-chose à attendre de la science — plutôt de nouveaux dangers, des catastrophes mondiales que des améliorations de notre existence. Ces horreurs futures sont décrites par l'auteur avec une rigoureuse précision. Peut-être aussi y a-t-il chez Wells une certaine satisfaction à faire peur, à assouvir, par l'entremise de la fiction romanesque, sa rancune contre la société victorienne si sûre de sa force et de sa tranquillité. — Trad. Mercure de France, 1900 ; Gallimard, 1972.

GUERRE D'ESPAGNE DE 1823. Écrit politique et diplomatique de l'écrivain français François-René de Chateaubriand (1768-1848), qui se rattache au livre que cet auteur a consacré au *Congrès de Vérone* (*). La révolution espagnole de 1820, qui devait avoir une si grande influence sur les mouvements napolitains et piémontais de 1821, a été étudiée par Chateaubriand dans une correspondance diplomatique importante et variée. Au congrès de Vérone, les souverains de la Sainte-Alliance s'entendaient sur la façon de libérer le peuple espagnol de la « contamination » des nouvelles idées de liberté. Mais comment sauver des insurgés le roi Ferdinand VII ? L'Angleterre était partisane de la non-intervention, car elle trouvait dans les désordres de l'Espagne de quoi faciliter ses propres affaires en Amérique du Sud. Le ministre autrichien, Metternich, préconisait au contraire l'intervention des armées autrichiennes et russes, auxquelles se joindraient celles de Louis XVIII. Une troisième thèse — celle de Chateaubriand, et non du gouvernement français, qui l'ignorait même — était de laisser intervenir la France toute seule, en lui laissant les risques mais aussi la gloire de l'entreprise. Ce dernier point de vue prévalut, et Chateaubriand s'en félicita toujours, même au milieu des diverses vicissitudes de sa vie politique. Il parle de cet événement comme de l'un des plus grands de la Restauration, et s'attribue la gloire d'en avoir été le principal promoteur. Il laisse d'ailleurs entendre que, en condamnant sa thèse sous prétexte que la plupart des diplomates ne la partageaient pas, on aurait condamné les faits eux-mêmes. L'ouvrage fut publié en 1838, et se trouve être plus important pour la documentation fournie sur la campagne militaire et sur l'atmosphère diplomatique qui l'entoura que pour la propre défense de Chateaubriand. Exaltant le courage français, Chateaubriand affirme, avec un sens historique dépourvu de tout sectarisme, qu'avec la guerre d'Espagne la nation française a atteint une victoire qui avait « échappé à la gloire et au génie de Napoléon ».

GUERRE DES VÊPRES SICILIENNES (La) [*La guerra del Vespro siciliano*]. Cette œuvre parut pour la première fois à Palerme en 1842 sous le titre suivant : *Un moment de l'histoire de Sicile au* XIII*e siècle* [*Un periodo delle istorie siciliane del secolo* XIII] ; mais de nombreux documents inédits, retrouvés en France, obligèrent l'auteur, historien et orientaliste italien, Michele Amari (1806-1889), à préparer l'édition parisienne de 1843. D'où le titre définitif. On avait cru, communément jusqu'alors, que la révolte des Vêpres siciliennes avait été fomentée par une vaste conjuration des éléments de l'aristocratie du pays, avec l'assentiment de Pierre d'Aragon. Amari démontra qu'« elle fut le fait de la condition sociale et politique d'un peuple fort peu enclin à supporter une domination étrangère. Si la Sicile fut sauvée de la honte et de l'anéantissement, c'est à son peuple qu'elle le doit : à son peuple et non à ses nobles ». Tandis que la première édition s'était arrêtée à « la révolte proprement dite, ou tout au moins au changement de dynastie qui s'ensuivit », Amari, dans l'édition de 1843, poursuivit l'histoire de la guerre jusqu'à la paix de Caltabellotta qui sanctionnait la reconnaissance de la nouvelle dynastie aragonaise de Sicile. À l'époque des révolutions nationales et de la formation des États représentatifs libres, Amari vit dans le soulèvement des Vêpres la force qui, demeurée solide et victorieuse à la fin de la guerre, transmit aux générations futures une grande tradition et une situation politique qui restreignit beaucoup l'autorité royale et prépara les temps nouveaux. Ces traditions et ces franchises résistèrent à un siècle d'anarchie féodale, à trois siècles de gouvernement espagnol ; elles durèrent pendant tout le XVIIIe siècle et pendant une partie du XIXe, préparant ainsi la poussée libérale qui allait conduire à la formation de l'unité italienne. Cet ardent patriotisme qui anime l'écrivain rachète certaine froideur due à un excès d'érudition. L'œuvre prend un accent de réalité des plus vifs, ce qui explique le succès sans égal que connut dans le domaine historique le livre d'Amari, au cours du XIXe siècle. Il devint classique du vivant même de l'auteur.

GUERRE DE TROIE N'AURA PAS LIEU (La). Pièce en deux actes de l'écrivain français Jean Giraudoux (1882-1944), représentée pour la première fois à Paris le 21 novembre 1935 et publiée la même année. La pièce, dont le décor représente la cour d'un palais, commence sur ces mots d'Andromaque : « La guerre de Troie n'aura pas lieu. » Mais Cassandre répond : « La guerre de Troie aura lieu. » Hector rentre de guerre, avec une armée victorieuse, et qui n'aspire qu'à la paix. Mais déjà la guerre menace : Hector apprend que son frère, Pâris, a enlevé Hélène, et que la Grèce en armes la vient réclamer. Hector a pourtant juré à Andromaque que la guerre qui vient de s'achever était la dernière. « C'était la dernière, ricane Cassandre. Une autre l'attend. » On dit, il est vrai, que Pâris est las d'Hélène et Hélène lasse de Pâris. Mais Troie ne rendra pas la belle captive : n'a-t-elle pas conquis tous les hommes de la ville ? Même les géomètres, « pour lesquels il n'y a plus de mètres, de grammes, de lieues ; il n'y a plus que le pas d'Hélène, la coudée d'Hélène, la portée du regard d'Hélène ; et l'air de son passage est la mesure des vents... ». Les prêtres d'ailleurs interrogent les entrailles des victimes et la réponse est sans réplique : Hélène ne peut quitter Troie.

Au deuxième acte, qui se déroule devant l'immense porte, ouverte, de la guerre, Troïlus, frère d'Hector et de Pâris, brûle d'embrasser Hélène. Pâris, qui survient, l'y encourage. Mais Troïlus s'enfuit, alors qu'Hélène lui promet : « Nous nous embrasserons, Troïlus, je t'en réponds. » Divertissement, hors de l'unique préoccupation : aura-t-on la guerre ? Gravement, les grands corps de l'État s'occupent de l'affaire. Et d'abord le Conseil des Intellectuels, qui s'aperçoit qu'il manque aux Troyens un chant de guerre : à Démokos de le leur composer ! On organise aussi un concours d'épithètes pour injurier l'ennemi, telles que « Fils de bœufs ! » « Cousin de crapauds ! ». Qu'au moins, dit Andromaque, si la guerre éclate, l'avenir des peuples soit tributaire d'un amour et non d'une aventure, qu'au moins Hélène aime Pâris. Mais Hélène se soucie fort peu de telles considérations. Arrivent les envoyés des Grecs : d'abord l'irritable Oïax qui gifle Hector. Celui-ci, martyr de la paix, ne répond pas. Hector veut rendre Hélène : Ulysse l'accepterait. Encore faudrait-il qu'on donne à Ménélas l'assurance qu'Hélène n'a pas connu Pâris. Hector l'affirme. Mais quoi, dira-t-on qu'un Troyen est impuissant ? Deux marins arrivent à point pour sauver l'honneur de Pâris et des hommes de leur cité : sur le bateau, ils ont été les témoins des doux embrassements de Pâris et d'Hélène. Iris descend alors du ciel, messagère des dieux. Aphrodite l'a chargée d'interdire qu'on sépare Hélène de Pâris. Mais Pallas lui a aussi enjoint d'avertir les Troyens de rendre Hélène, au risque de la guerre. Quant à Zeus, il souhaite qu'on laisse Hector et Ulysse face à face, afin qu'ils essaient de sauver la paix. La scène entre Ulysse et Hector est la plus importante de la pièce, et aussi la plus belle : l'un et l'autre veulent sincèrement la paix. Alors, dit Hector, la guerre est évitée ! Ulysse est plus pessimiste, et plus sage : Hector ne sait-il donc pas qu'avant toute guerre les adversaires se rencontrent, essaient aussi sincèrement l'un que l'autre de sauver la paix, et que pourtant de leurs palabres, c'est la guerre toujours qui sort ? La guerre est affaire non des volontés humaines, mais du destin. La fin de la pièce est dominée tout entière par l'inéluctable accomplissement de la fatalité. Autant qu'Hector, Ulysse veut la paix : on peut compter sur lui pour persuader Ménélas et lui faire accroire que sa femme est restée pure. Mais entretemps, Oïax, enivré, embrasse de force Andromaque, malgré Cassandre, et devant Hector qui, pacifiste à tout prix, ne bronche toujours pas. Démokos, le barde guerrier, s'effraie qu'on rende Hélène ; il accuse ses concitoyens de lâcheté. Hector, pour sauver la paix, le perce d'un coup de lance. Mais Démokos, mourant, accuse le Grec Oïax de l'avoir assassiné. Et Hector, navré, conclut : « La guerre de Troie aura lieu... »

C'est une tragédie accomplie qu'a écrite ici Giraudoux : toute l'action en effet est dominée par la Fatalité ; nous assistons au resserrement progressif du champ de la liberté humaine. Personne, à l'époque, n'avait ainsi restauré le théâtre dans sa valeur légendaire et su allier la fantaisie au rigoureux déroulement du drame.

GUERRE DU FAUX (La). Essai du sémiologue et romancier italien Umberto Eco (né en 1932), publié en français en 1985. C'est la traduction d'un ensemble d'études extraites de *Il costume di casa* (1973), *La periferia dell'impero* (1976), *Sette anni di desiderio* (1983), publiées précédemment sous forme d'articles dans des journaux, revues et hebdomadaires entre 1963 et 1983. Il s'agit de commentaires à chaud sur l'actualité et la culture de masse. À propos de son livre, Eco parle d'un reportage social destiné à permettre au lecteur une certaine conscience critique face aux phénomènes du monde moderne. Il propose d'entrée un voyage dans l'univers du « kitsch » californien, à la recherche de lieux où l'imagination américaine, dans sa quête d'hyperréalité, veut la chose authentique et doit réaliser le « faux absolu » pour l'obtenir. Il évoque à ce propos les musées de cire où sont reconstitués des cadres historiques « vivants » et des tableaux classiques en trois dimensions. Il poursuit son parcours à travers les « châteaux enchantés », Xanadu, la demeure de *Citizen Kane*, « chef-d'œuvre de bricolage » obsédé par l'« horror vacui », symbole de la culture américaine de l'abondance forcenée où s'expose avec faste la philosophie du « more and more », et Disneyland, allégorie de la société de consommation où la technique de l'« andro-animatronique » permet aux automates d'être plus vrais que nature. Ainsi, le long de ce parcours américain, Eco dépasse l'anecdote et évoque le problème d'une culture sans racine profonde qui tente de recréer une histoire de bric et de broc. Le désir spasmodique du « presque vrai » naît, dit-il, d'une réaction névrotique devant le vide du souvenir. Élargissant son champ d'investigation, Eco se penche sur les problèmes de la société moderne en général. C'est l'occasion pour lui de s'interroger sur les rapports entre le monde contemporain et le Moyen Âge, et de remarquer que la décentralisation du pouvoir, réduit à un système toujours plus abstrait, et la crise des pouvoirs centraux sont un trait commun à ces deux époques. Le parallélisme peut d'ailleurs être poursuivi, note-t-il, dans divers domaines qu'il analyse méthodiquement. Notant que certains phénomènes modernes comme les sectes ou le terrorisme sont très proches des déviations hérétiques médiévales, il remarque qu'il n'y a souvent qu'un pas entre idéalisme et terrorisme. Il faut, dit-il, nous méfier de tous ceux qui sont « poussés par un idéal de purification par le sang ». Son étude du monde moderne l'amène en outre à regretter certains de ses effets pernicieux comme la culture et le sport conçus comme un spectacle. C'est le rite collectif qui compte et non plus les talents du conférencier ou du sportif. Enfin, il se penche sur les nouvelles formes de pouvoir et d'expression comme la mode ou la langue. Dans le même ordre d'idées, il s'intéresse aux mass media et propose une « guérilla culturelle » afin d'éviter la passivité narcotique des téléspectateurs et de réintroduire une dimension critique dans la communication. — Trad. Grasset, 1985.

B. L.

GUERRE DU FEU (La). Roman de l'écrivain français J. H. Rosny Aîné (1856-1940). Publiée en 1909 dans *Je sais tout*, puis reprise en volume en 1911 chez Fasquelle, *La Guerre du feu* est le troisième roman préhistorique de son auteur. « Les Oulhamr fuyaient dans la nuit épouvantable. » Ainsi commence, dans la veine du *Salammbô* (*) de Flaubert et des vers de Hugo, en un passé arbitrairement fixé « il y a peut-être cent mille ans », la quête de Naoh pour rendre le feu à sa tribu. S'il réussit, Naoh obtiendra la belle Gammla qui suscite le désir de son rival Aghoo. Celui-ci, flanqué de ses deux frères, relève le défi. Naoh, assisté de deux compagnons, Gaw et Nam, se lance sur les traces des ravisseurs du feu, les Dévoreurs d'hommes. Le feu est le symbole mais aussi la réalité de la force : « Ses dents rouges protégeaient l'homme contre le vaste monde. » La quête de Naoh est elle-même découverte du monde, de paysages vierges, occasion d'affronter des éléments et des animaux redoutables, l'auroch, l'ours gris, le lion géant et surtout les autres hommes, mais aussi de nouer des alliances entre espèces, furtive avec la tigresse, durable avec les mammouths. Sans qu'il le sache, son but est le savoir. C'est de son long séjour chez les mammouths — un des plus beaux passages du livre — qu'il tire une sagesse nouvelle. Elle le conduit à sauver un blessé d'une race étrange, un homme-sans-épaule. L'alliance qu'il établit avec son peuple lui assure le secret le plus précieux, celui de produire le feu à volonté, avec des silex. Secret que, revenu dans sa tribu, ayant vaincu Aghoo et reçu Gammla, il garde par ruse pour lui. *La Guerre du feu*, métaphore de la marche hésitante de l'humanité vers le progrès, exempte de tout positivisme triomphant selon la philosophie de l'auteur de *La Légende sceptique* (1889), est aussi un formidable spectacle littéraire, une description précise et exaltée de la nature, et on comprend qu'elle ait inspiré à Jean-Jacques Annaud un de ses meilleurs films (1981). Rosny Aîné avait appuyé son œuvre sur la documentation de son temps et les quelques erreurs — harpons, domestication des animaux — qu'il semble commettre à la lumière de nos connaissances mouvantes ne pèsent pas plus lourd que les approximations de Flaubert sur Carthage.

G. K.

GUERRE DU TEMPS [*Guerra del tiempo*]. Cet ouvrage de l'écrivain cubain Alejo Carpentier (1904-1980), publié en 1958, rassemble trois nouvelles gouvernées par la même idée, celle de l'inexistence de la chronologie au sens propre, notion remplacée par celle de la durée ressentie et non pas réelle. Dans la première, « Le Chemin de Saint-Jacques » [El camino de Santiago] un marin, Juan d'Anvers, est sauvé de la peste aux Pays-Bas par saint Jacques, ce qui l'incite à faire le pèlerinage à Compostelle. En route, et devenu le Pèlerin, il se laisse envoûter par les boniments d'un colonial et s'embarque pour l'Amérique. Mais Juan l'Indien se lasse de la vie exotique que lui font mener les belles esclaves Yolofa et Mandinga. Il revient au pays où il rencontre un jeune garçon qui se rend à Compostelle en pèlerinage, un dénommé Juan le Pèlerin, qu'il convainc de gagner plutôt les colonies. Thème simple de l'éternel recommencement, qui prend sous la plume de Carpentier un relief saisissant par le recours systématique à la répétition non seulement des situations, mais des phrases, des images au début et à la fin de la nouvelle. La seconde, « Retour aux sources » [Viaje a la semilla], a pour héros don Martial, marquis de Chapellenies, saisi au moment de sa mort et suivi, remonté plutôt, jusqu'au ventre de sa mère. C'est une très brillante variation conceptuelle, où Carpentier joue audacieusement avec les images. Les statues retrouvent leurs bras cassés, les cheveux blancs retrouvent leur teinte de jais, la parole s'oublie pour ne laisser place qu'à la pensée confuse du petit enfant, le ventre se referme sur l'être qui vient d'y entrer. Le récit se déroule « à l'envers » avec une virtuosité étonnante, qui trouve toujours l'image surprenante sans tomber dans la facilité ou le procédé. Dans la dernière nouvelle, « Pareil à la nuit » [Semejante a la noche], un des soldats de la guerre de Troie, peu avant l'embarquement, va faire ses adieux à sa fiancée qu'au chapitre suivant il trompe avant de partir à la conquête du Nouveau Monde, des « Indes occidentales », cependant qu'au dernier la fiancée vient se glisser dans son lit. Les mêmes personnages sont donc vus tantôt à Athènes, tantôt dans un port d'embarquement vers le Mexique, à plusieurs siècles de distance, savamment confondus et entremêlés. Dans cette nouvelle, plus encore que dans les deux autres, Carpentier frôle le récit fantastique, jouant avec un thème cher à Borges en particulier. Mais il s'agit avant tout des spéculations intellectuelles d'un esprit au fond très lucide et que préoccupe vivement, à travers toute son œuvre, le problème de la durée. Ici, ce problème est traité d'une façon assez artificielle et propre à séduire davantage l'intelligence que le cœur. – Trad. Gallimard, 1967.

GUERRE ET CIVILISATION [*War and Civilization*]. Essai publié en 1950 par l'écrivain et historien anglais Arnold Toynbee (1889-1975). En maints passages de son ouvrage monumental *L'Histoire* (*), Toynbee aborde le problème le plus aigu de notre époque : le militarisme. Fowler s'est donné pour tâche de réunir ces passages épars en un tout qui restitue au lecteur d'une façon saisissante la vision prophétique et l'éloquent avertissement du grand historien anglais (rappelons que ces textes sont tous datés d'avant 1939). La plupart des passages réunis par Fowler sont absents de l'édition française abrégée de *L'Histoire*. Toynbee est conscient, comme peu d'écrivains ont su l'être, de notre extrême faiblesse dans le combat désespéré que nous soutenons contre le militarisme. Toutefois, il pense que les nations pacifiques peuvent lui résister efficacement et que la connaissance de ses dangers effroyables les incitera à résoudre leurs conflits sans recourir à la guerre. Mais l'auteur n'est jamais si absorbé par l'avenir qu'il ne conserve un œil ouvert sur le passé, jamais si préoccupé du premier pas à faire en avant qu'il n'ait constamment à l'esprit le danger d'un faux pas qui nous rejetterait en arrière. Armées comme elles ne l'ont jamais été dans le passé de la connaissance préalable des conséquences autodestructrices du militarisme, les nations ont aujourd'hui le moyen, croit Toynbee, de tenir le militarisme en échec jusqu'à ce qu'elles aient établi une méthode pour régler leurs conflits sans recourir à la guerre. – Trad. Gallimard, 1953.

GUERRE ET LA PAIX (La) [*Vojna i mir*]. Roman de l'écrivain russe Lev Nikolaïevitch Tolstoï (1828-1910), écrit en 1865-69, la plus grande œuvre de la littérature russe et une des plus importantes de la littérature universelle. En effet, la vie russe y est décrite d'une façon si complète et placée sur un plan d'une si haute humanité que ce roman peut être considéré comme un des plus beaux monuments de la civilisation européenne. Il a été écrit par Tolstoï en cinq ans et publié en 1878. Sur le fond des grands événements historiques du début du XIXe siècle (la campagne de 1805-1806 avec Austerlitz et celle de 1812-1813 avec Borodino et l'incendie de Moscou) s'inscrivent les aventures de deux familles appartenant à la noblesse russe, les Bolkonsky et les Rostov. Ce roman est, en quelque sorte, la chronique des deux familles. Le comte Bézoukhov, avec lequel l'auteur s'identifie manifestement, en est le personnage central bien qu'il n'occupe pas toujours la scène. Le vieux prince Bolkonsky, qui fut général au temps de la grande Catherine, est un « voltairien » intelligent, mais despotique. Il vit dans ses terres, avec sa fille Marie qui n'est plus très jeune ni très belle, mais dont les yeux d'« une grande beauté rayonnante » et le sourire timide portent le cachet d'une grande élévation spirituelle. Marie subit avec dignité une existence régie par un père aimant, mais austère et sévère ; toutefois, au fond d'elle-même, elle conserve l'espoir d'avoir, un jour, un foyer à elle. Cet espoir sera réalisé d'ailleurs, mais beaucoup plus tard, par son mariage avec Nicolas Rostov. Cependant, le personnage le plus important de la famille Bolkonsky est le prince André, frère de Marie, en tous points différent de sa sœur : fort, intelligent, superbe, conscient de sa supériorité, mais désabusé et cherchant en vain à utiliser ses dons d'une façon constructive. Blessé une première fois à Austerlitz, il retourne à son foyer ; sa femme étant morte, il tombe amoureux de la très jeune et exubérante Natacha Rostov, qui lui apparaît comme un idéal de pureté et de beauté. Quand celle-ci, dans un moment d'étourderie, se laisse entraîner dans les rets du brillant et futile Anatole Kouraguine, André Bolkonsky tombe dans un véritable désespoir. Plus tard, s'éteignant lentement des suites d'une deuxième blessure, reçue à la bataille de Borodino, il trouve enfin la « vérité de la vie » : l'amour de Dieu. Parallèlement aux péripéties de la famille Bolkonsky, nous assistons à celles de la famille Rostov. Nicolas Rostov, être quelque peu primitif, vivant sans se poser de problèmes et sans éprouver de doutes, possède toutefois un caractère noble, courageux et gai. Il devient un excellent mari et bon père lorsque les circonstances l'amènent à épouser la princesse Marie. La figure la plus attachante de la famille Rostov est celle de Natacha. C'est une des plus belles créations de Tolstoï, une des plus humaines et des plus fascinantes de la littérature mondiale. Natacha est pleine de vie et de joie, capable d'influencer tous ceux qui l'entourent par sa sérénité et sa vivacité. Elle possède cette « lucidité du cœur » qui, selon les paroles de Pierre Bézoukhov, « lui tient lieu d'intelligence ». Toutefois, Natacha est trop jeune pour se rendre compte du vide qui se cache derrière la brillante façade d'Anatole Kouraguine, et elle le préfère au prince André Bolkonsky. Néanmoins, la rupture d'avec ce dernier marque un tournant dans la vie de la jeune fille déçue par Anatole ; elle ne peut se pardonner l'erreur commise et, désespérée, voudrait mourir. La disparition de son jeune frère Pierre, tué sur le champ de bataille, la sauve et lui rend la force de vivre, car cette mort l'oblige à veiller sur sa mère et à la consoler de son immense chagrin. Par la suite, l'amour de Pierre Bézoukhov achève sa guérison. À l'instar de la princesse Marie, Natacha devient une épouse et une mère exemplaire, se vouant entièrement à ses nouvelles obligations. La destinée de Pierre Bézoukhov trace, en quelque sorte, une ligne médiane entre la destinée du prince André Bolkonsky et celle de Natacha. Fils naturel du comte Cyrille Bézoukhov, Pierre se trouve, à la mort de son père, à la tête d'une fortune immense dont il ne sait profiter. Enclin à la méditation, entravé par une vie intérieure trop intense pour ses facultés intellectuelles, porté à considérer les choses avec une simplicité primitive, bien que sentant intuitivement le contraste très net entre son attitude et celle des autres, manquant, de plus, de ce sens d'adaptation qui lui permettrait de trouver un compromis viable, le gros Pierre Bézoukhov est, dès l'abord, une proie facile pour le monde dans lequel il se meut. Le prince Basile Kouraguine réussit facilement à lui faire épouser sa futile fille Hélène. Ce mariage malheureux lui fait mieux connaître la société dans laquelle il vit et l'en dégoûte définitivement. Séparé de sa femme, Bézoukhov se lance dans de vains essais de réformes agraires et, cherchant à atteindre les certitudes dernières, se fait admettre dans la franc-maçonnerie, laquelle d'ailleurs le déçoit très vite. Lorsque Napoléon entre à Moscou, Pierre Bézoukhov se croit désigné par le destin pour tuer le tyran ; il se tient prêt à sacrifier sa vie d'autant plus facilement qu'elle lui apparaît comme inutile. Il est arrêté par les Français avant d'être à même d'accomplir son projet ; en prison, au contact d'hommes simples, tels que le soldat Platon Karataïev, une lumière se répand peu à peu dans son âme. Dès sa libération, il pourra affronter une vie nouvelle. Sa femme, Hélène, est morte, et il se sent attiré par Natacha qui, auréolée par une longue souffrance, lui devient singulièrement proche et chère. Dans la sécurité de ce nouveau foyer, la paix se réinstalle.

Tolstoï avait songé à écrire un roman dédié à la conjuration dite des « décembristes » et à leur insurrection avortée de 1825. Il avait même rassemblé toutes les données nécessaires. Cependant, pour cet ouvrage, l'étude de ces textes attira son attention sur l'époque précédente, car il crut y reconnaître les sources des phénomènes historiques qu'il désirait mettre en lumière. C'est ainsi qu'il dut remonter jusqu'aux guerres napoléoniennes. L'ampleur du cadre — englobant les événements grandioses qui furent d'une importance capitale pour la Russie — permet à l'auteur de créer une véritable épopée historique bien que l'étude approfondie des documents n'ait pas conduit Tolstoï à cette objectivité que certains critiques auraient désiré y trouver. Celle-ci se manifeste dans le style et la forme du récit même, précis et exact ; l'altération de certains moments historiques n'y porte nullement ombrage. Passant de l'analyse psychologique des personnages à l'observation des états d'âme collectifs, l'auteur introduit un élément d'importance considérable, puisqu'il s'agit d'un cadre tel que celui de l'histoire russe de 1803 à 1813.

L'importance de *La Guerre et la Paix* s'explique non seulement par la grandeur du cadre et l'ampleur de la vision de l'artiste, mais aussi par ce que d'aucuns ont appelé l'« élément moral » et d'autres l'« élément philosophique ». En ce qui concerne ce dernier, il faut y distinguer deux éléments : l'un, d'une portée universelle ; l'autre typiquement russe. L'élément universel, c'est la philosophie de l'histoire propre à Tolstoï. Selon lui, ce n'est ni l'esprit de pénétration des généraux et des dirigeants ni la tactique des états-majors qui doivent être considérés comme les facteurs décisifs dans les grands événements historiques ; c'est l'esprit des masses populaires, la force de volonté des âmes pures, unies dans un commun effort, leur obscur héroïsme et leur passivité. D'autre part, l'auteur est convaincu que cette philosophie trouve sa meilleure expression dans l'âme populaire russe. Les représentants les plus authentiques en sont le soldat Platon Karataïev et — sur un plan plus élevé — le général Koutouzov. Karataïev, avec sa prière vespérale : « Seigneur, fais-moi dormir comme une pierre et me lever comme le pain », exprime la soumission élémentaire, profondément religieuse, de l'homme à l'absolu qui le gouverne. En lui s'énonce déjà le principe de la non-résistance au mal, dans l'intime conviction que seules importent les manifestations de la bonne volonté. Koutouzov, qui considère l'invasion et ses effets avec l'intuition d'un villageois russe, sait que l'effort de Napoléon est déjà épuisé et destiné à s'évanouir dans l'immensité désolée des steppes. Aussi ne se préoccupe-t-il pas de chercher la bataille rangée ; il attend avec confiance l'heure de la grande retraite. Koutouzov est le représentant éclairé d'une conception mystique de la vie, dont seul le peuple russe, contemplatif, patient, naturellement innocent jusque dans ses excès, peut, selon l'auteur, porter le message au monde. Cette conception, que Tolstoï ne craint pas de développer avec une certaine rigueur théorique (les dernières pages du roman constituent un véritable essai de philosophie de l'histoire, indépendant du reste de l'œuvre), trouve ensuite sa large réalisation artistique dans l'ensemble de ce roman-poème, où les motifs psychologiques, épiques et descriptifs se fondent dans une merveilleuse unité. L'œil clair et rêveur de Pierre Bézoukhov joue le rôle d'un écran sur lequel se reflète le monde, dirigé par une fatalité latente, mystérieusement sage. Son incertitude n'a de l'indécision que l'apparence ; en réalité, Pierre — et il en devient de plus en plus conscient — ne fait que s'initier à la véritable contemplation. S'obstinant, dès l'âge d'homme, à porter des jugements sur son entourage, il finira par comprendre que tout jugement n'est qu'une forme du relatif. Néanmoins, il restera toujours impuissant devant l'absolu. Il arrive alors que, grâce à la participation sereine de l'âme à toute action de la vie journalière, le geste réalisé sur le plan terrestre devient — sur un plan supérieur — une sorte d'adhésion à la vérité éternelle. C'est pourquoi Pierre n'agit presque jamais et, lorsqu'il le fait, ses tentatives sont lourdes et gauches. Il n'est ni un mystique ni un saint ; il n'est point destiné à l'ascèse pure, mais doit établir cet accord entre le contingent et l'absolu, qui exclut tout acte singulier ou héroïque, afin d'arriver à l'équilibre. De là, cette plénitude humaine un peu passive que lui seul, parmi les personnages du récit, a pu atteindre. Autour de Pierre, les formes diverses d'une existence, dominée par une volonté qui transcende les individus, s'épanouissent dans leur diversité, notamment dans le monde de l'adolescence, qui trouve en ce roman sa plus profonde expression artistique. Cette adolescence y apparaît dans un climat privilégié (on pourrait dire, diaboliquement privilégié) ; elle y est caractérisée par un sens précoce de l'individualité, que vient rehausser, exalter un goût inné, ingénu, de l'universel. L'adolescence constitue, avec ses expressions naïves de joie et de douleur, avec ses émotions et ses affections, une zone témoin, permettant à l'homme, qui s'achemine vers son but ultime, de présager de quoi sera fait son destin. Natacha est l'âme même de cette jeunesse. Elle en vit intensément le jeu varié des lumières et des ombres. Lors du passage de l'adolescence à la maturité, le contact magique se rompt ; le monde adulte de Tolstoï est ici singulièrement aveugle, lourd de contingences ; c'est le monde où la guerre et la paix alternent dans leur tragique inutilité, monde qui devient fatalement sa propre victime. Si les meilleurs s'astreignent à une recherche intérieure secrète et inachevée, la majorité, poussée par les circonstances, se dirige vers des buts immédiats qui, sitôt atteints, s'évanouissent, puisque les hommes sont incapables de comprendre le sens de leur destinée. L'intelligence et le génie ne peuvent risquer un tel aveuglement. Le frivole et médiocre Anatole Kouraguine participe d'ailleurs à cet aveuglement au même titre que Napoléon. En effet, pour l'un comme pour l'autre, le sens d'une fatalité dominante n'est pas un sujet d'études psychologiques, mais simplement un jeu de motifs juxtaposés.

Fort de ses conquêtes dans le domaine du réalisme, Tolstoï fut le premier à révéler la valeur de certaines observations minutieuses : les guêtres d'un officier au cours d'une bataille, un dialogue absurde qui se répète avec une insistance ridicule dans une situation dramatique, le pli d'une veste qui, tout à coup, attire l'attention et domine l'intérêt au milieu d'un discours ardu. Tous ces détails inattendus imposent leur vie propre à la misérable condition humaine et projettent leurs incidences sur un plan métaphysique qui confond le lecteur. Le sens de l'absurde introduit magiquement la notion de l'absolu. Par ces rapports incessants entre le limité et l'éternel, qui tantôt se révèlent dans l'intimité même d'une âme, tantôt se manifestent dans la foule des hommes et dans le cadre qui les entoure, *La Guerre et la Paix* prend rang parmi les œuvres épiques, plus proche de l'*Iliade* (*) que de toutes les œuvres de la littérature européenne moderne. Dans une des périodes les plus complexes et les plus controversées de l'histoire de l'esprit, Tolstoï réussit à retrouver ces valeurs fondamentales, que Faust est allé chercher dans la région des « Mères », et les révèle, intactes et riches de promesses, à un monde qui semblait destiné à se débattre entre les pôles d'un formalisme parnassien et d'un naturalisme brutal, irrémissible. — Trad. Gallimard, Bibl. de la Pléiade, par Henri Mongault, 1945, puis in Folio par Boris de Schlœzer, 1989.

GUERRE PUNIQUE (La) [*Poenicum bellum*]. Poème épique divisé en sept livres par le grammairien Octavius Lampadius (Ier siècle avant J.-C.) et composé, dans sa vieillesse, par Cneius Naevius, poète latin, qui vécut de 270 environ à 200 avant J.-C. L'œuvre devait compter près de quatre mille vers en mètres saturniens. Il ne nous en est parvenu que quelques rares fragments. Mais, d'après l'argument du poète, d'après les citations et les jugements extrêmement nombreux que nous ont laissés de l'œuvre les Anciens, d'après les emprunts que lui ont faits les poètes postérieurs et particulièrement Virgile, il est possible de se faire une idée de l'importance considérable, surtout au point de vue historique, du poème que composa Naevius. Deux livres servaient d'introduction et, pour la première fois dans la littérature latine, évoquaient les légendes de la fondation de Rome par Romulus, lequel devenait le descendant direct d'Énée ; les livres III à VIII passaient directement au récit détaillé de la première guerre punique. Ce récit, sans tenir compte de la période intermédiaire, était essentiellement historique, très proche même, par le sujet et par la forme, des annales des historiens. Comme le fera plus tard Virgile, Naevius veut relier la guerre punique à la préhistoire de Rome et de Carthage. C'est pourquoi il cherche les causes lointaines des événements historiques (pour lesquelles il utilisa surtout les annales de Fabius Pictor) dans les légendes d'Énée, répandues en Grèce dès le IVe siècle. La valeur poétique est assez minime. Naevius est plus historien que poète. Il possède toutefois une éloquence chaleureuse et une concision très expressive, particulièrement dans les vers où il exalte la puissance romaine ; tel le vers 45 par exemple : « Superbiter contemptim conterit legiones. » Ces différents motifs, et le fait qu'il représente la première expression originale de la poésie latine, valurent au poème de Naevius d'être célèbre dans l'Antiquité. Ennius et Virgile s'en sont largement inspirés, Cicéron le loue à plusieurs reprises et, au temps d'Horace, on le lisait et on l'admirait encore.

GUERRES CIVILES DE GRENADE

[*Historia de los bandos de Zegries y Abencerrajes o Guerras civiles de Granada*]. Œuvre historique de l'écrivain espagnol Ginés Pérez de Hita (1544 ?-1619 ?), publiée en deux parties, respectivement en 1595 et 1604. La première partie traite de la fondation de Grenade, dont elle énumère tous les rois. À partir du dix-septième roi, Aben Dosmín, dit « el Cojo » (le Boiteux), la narration devient plus ample et prend même des tons romanesques. C'est ainsi que les luttes du dernier roi de Grenade, Boabdil (Abul Abdullah), appelé aussi « el Rey Chiquito » (le petit roi), contre son père Mulay Hassan (ou Mulahacén), sont traitées avec force détails. Mulahacén, en abandonnant la première sultane, Aixa, mère de Boabdil, était devenu un instrument entre les mains de la nouvelle favorite espagnole, Isabelle de Solis, qui, s'étant faite musulmane, avait pris le nom de Zoraya (Étoile de l'aube). Après avoir consigné les noms et les mérites des principales familles maures de Grenade, l'auteur décrit le duel entre Muza, fils bâtard du roi Mulahacén, et le « Grand Maître » des chevaliers chrétiens de l'ordre de Calatrava, duel qui se termina par des protestations réciproques d'amitié. L'auteur narre ensuite la lutte sanglante entre les deux familles ennemies : les Zegries et les Abencérages, que les Zegries calomnièrent et accusèrent auprès de Boabdil de vouloir s'emparer du pouvoir. Après avoir quelque peu hésité, le roi fit décapiter les meilleurs représentants de cette famille dans le « Cuarto de los Leones », l'une des salles de l'Alhambra (ici l'auteur altère les faits historiques en attribuant au Rey Chico le massacre qui fut, en réalité, l'œuvre de Mulahacén, son père). C'est ainsi que le peuple de Grenade se divisa en trois factions : celle du vieux roi, celle du roi Boabdil et celle du gouverneur. Les Abencérages s'aperçurent qu'il leur était impossible de vivre à Grenade ; ils décidèrent alors de se faire chrétiens et de se réfugier auprès du roi Ferdinand le Catholique qui, plus tard, occupa Alhama, poursuivit le Rey Chico dans sa fuite, le fit prisonnier et ne lui rendit la liberté qu'à des conditions humiliantes. L'auteur termine cette première partie en décrivant le siège de Grenade par le roi Ferdinand le Catholique qui, après avoir fondé Santa Fe, occupa la ville de Grenade le 2 janvier 1492. Boabdil, triste et couvert de honte, se réfugia en Afrique, où il mourut obscur.

La deuxième partie, historiquement plus digne de foi, mais beaucoup moins intéressante, narre la rébellion des Maures dans les montagnes Alpujarras (1568-1571), campagne à laquelle l'auteur participa personnellement. Ginés Pérez feint, selon l'usage des écrivains de récits chevaleresques, d'avoir traduit les *Guerres civiles de Grenade* d'un imaginaire chroniqueur arabe, Aben Hamin. Il n'eut, en fait de sources, que quelques « romances fronterizos » (« romances de la frontière ») du XVe siècle et des « moriscos », plus récents, intercalés dans le texte ; il se servit également de quelques chroniques chrétiennes des XVe et XVIe siècles, parmi lesquelles les plus importantes sont celles de Hernando del Pulgar et d'Esteban de Garibay ; il utilisa enfin les traditions orales, certainement nombreuses à une époque où la vie de ces régions était encore tout imprégnée de souvenirs arabes. Cette œuvre, d'un style pittoresque et populaire, attribue aux Maures des coutumes et un caractère chevaleresques et s'attarde dans des descriptions qui frappent l'imagination, même au détriment de la vérité. Elle eut une grande diffusion dans toute l'Espagne, en rendant fameux les divers romances intercalés dans le texte comme : « Abenámar, Abenámar, Moro de la Morería... » et « De tres mortales heridas, de que mucha sangre vierte... ». Ces romances, véritables « bijoux de la poésie castillane », sont parmi les documents les plus étonnants de la poésie populaire espagnole. Par là, l'œuvre de Ginés Pérez offrit des sujets à bon nombre d'auteurs dramatiques de plusieurs pays.

– Traduit en 1939 (chez Dumoulin) sous le titre : *Grenade dans la pourpre du couchant 1843-1892.*

GUERRES D'ENFER (Les). Essai sociologique de l'écrivain français Alphonse Séché (1876-1964). Cet ouvrage, publié en 1915, est inspiré du même esprit que son précédent essai sur *Le Désarroi de la conscience française.* L'auteur, étudiant les conditions dans lesquelles s'est engagée la bataille en 1914, se pose les questions suivantes : cette guerre sera-t-elle la dernière ? et pourquoi serait-elle la dernière ? Ce qui est assuré, précise-t-il, c'est que, pour nous, l'ère des guerres nationales est close, et c'est « l'ère des races qui commence ». Une confrontation constante de l'idéologie et de la réalité l'amène à cette constatation que l'avenir devait ratifier : « La guerre est entrée dans le domaine des sciences exactes. C'est la portée des armes à feu et ce sont les moyens de locomotion qui déterminent l'étendue du champ de bataille. » Après avoir étudié l'évolution historique des conflits humains, et envisagé la guerre moderne dans ses conséquences morales, économiques, politiques et sociales, Alphonse Séché dénonce l'illusoire quiétude des chimériques qui « n'entendent pas le marteau du maréchal-ferrant à la forge voisine ». Dans l'avenir, écrit-il, la guerre suivra « pas à pas le développement et les transformations de la société ». Il en résultera un « développement presque illimité des armées » et, les guerres intéressant de plus en plus l'existence de la nation, une évolution progressive des conflits. Les déductions, dont plus d'une est prophétique, s'étendent ensuite à la technique et aux procédés qui caractériseront les guerres prochaines ; mort de l'armée de métier, rôle primordial de l'aviation, de l'artillerie lourde et des chars : « L'autocanon blindé, voilà, prédit Séché, le chevalier bardé de fer du XXe siècle. »

GUERRE SUISSE (La) [*Bellum Suitense*, mais dans le manuscrit autographe : *Bellum Helveticum*]. Ouvrage de l'humaniste allemand Willibald Pirckheimer (1470-1530), publié pour la première fois en 1610, dans les *Œuvres* de Pirckheimer. Il fut ensuite remanié dans une édition plus tardive. K. Rück, en 1895, en colligea l'édition sur le manuscrit original. Dans sa jeunesse, Pirckheimer avait habité l'Italie, effectuant de sérieuses études à Padoue et à Pavie, s'imprégnant ainsi du climat de l'humanisme. Or, ce qui frappe le plus à la lecture de cet ouvrage, c'est précisément qu'on pourrait penser qu'il a été écrit par un humaniste italien. Il est d'autre part indubitable que, parmi les ouvrages historiques allemands, c'est celui qui reflète le plus l'influence des courants philosophiques alors florissants dans la Péninsule. Il se compose de deux parties : la première est un remaniement, en style humaniste, de chroniques médiévales, et traite, dans ses grandes lignes et avec bien des disproportions, de l'histoire de la Confédération suisse jusqu'en 1494. La deuxième relate la campagne de 1494 : narration conduite comme pouvait le faire Pirckheimer, simple commandant d'un groupe de Nurembourgeois sous les drapeaux de l'empereur Maximilien. De la conduite générale de la guerre, il ne savait rien, mais il connaissait bien en revanche tout ce qui lui était arrivé personnellement, petites aventures guerrières et petits incidents. C'est là au fond tout ce que l'auteur sait nous raconter. Parfois il tente aussi, en s'en rapportant à d'autres sources, de tracer quelque grande ligne, mais bientôt il s'égare et revient à ses anecdotes familières, qu'il fait alterner avec la description pathétique de faits d'armes d'un héroïsme théâtral ; le tout couronné par une conviction inébranlable en une supérieure justice divine. En outre, Pirckheimer écrit dans le but de justifier et de glorifier sa ville, Nuremberg, et lui-même ; non pas cependant contre ses adversaires, les villes suisses, mais contre les autres villes allemandes de l'Allemagne méridionale. Comme tous ceux de son temps, Pirckheimer fait preuve d'un « régionalisme » étroit et passionné : pourtant, c'est peut-être dans cette passion fraîche et naïve que réside tout l'attrait de l'ouvrage.

GUERRE SUR LES COLLINES (La) [*Il partigiano Johnny*]. Roman de l'écrivain italien Beppe Fenoglio (1922-1963), publié en 1968. À elle seule, l'histoire de la publication de cette œuvre, considérée comme la pièce maîtresse de l'auteur piémontais, mériterait un long développement : car ce que nous connaissons aujourd'hui comme un roman n'est qu'une reconstitution opérée après la mort du romancier par un spécialiste de l'œuvre, Lorenzo Mondo. Cette reconstitution fut longtemps remise en cause, et les années 70 ont été marquées par une impressionnante série d'hypothèses et de critiques faites par différents chercheurs, chacun proposant sa version de cette œuvre que la mort avait empêché de mener à terme.

Ces débats s'atténuèrent à partir de 1978, date de la publication, sous la direction de Maria Corti, des *Œuvres complètes* de Fenoglio. En dehors de la première version, celle de 1968, nous disposons aujourd'hui de trois rédactions de *La Guerre sur les collines,* recueillies dans les œuvres complètes, et dont la première est rédigée en anglais : *Ur partigiano Johnny.*

Mais, quelle que soit la version, le roman laisse entrevoir une silhouette de partisan, celle de Johnny, jeune homme rebelle aux lois fascistes et solitaire, individualiste, se démarquant des groupes de résistants auxquels il appartient.

L'histoire de Johnny, et de son épopée sur les collines des Langhe, dans le sud du

Piémont, part de 1943 – date de son incorporation dans les brigades de partisans –, et va jusqu'à sa mort en 1945. Entre-temps, il participe à des degrés divers à différents coups de main, à la prise de la ville d'Albe et à sa reddition, au démantèlement des groupes de Résistance en 1944 et à leur reconstitution à la fin de 1944. Il est d'abord enrôlé sous la bannière communiste, dans les rangs de la « Stella rossa », puis il participe aux combats aux côtés des « Azzurri », proches du maréchal Badoglio.

C'est à un long parcours, une longue marche souvent solitaire dans les collines, que nous fait assister Fenoglio. On a souvent parlé du caractère épique de ce roman, et il est vrai que Johnny prend les traits d'un héros d'épopée, traversant les collines, se jouant de nombreux obstacles, dans un cadre naturel généralement hostile : froid intense, rivières en crue, campagnes ravagées, collines souvent inhospitalières. Les références à *La Bible* ne sont pas rares, ce qui confère à l'ensemble une apparence encore plus mystérieuse et ajoute à la dimension épique du récit.

D'un point de vue stylistique, il faut souligner l'utilisation fréquente de l'anglais. L'auteur ne cachait pas son admiration pour la langue et la culture anglaises, et il est probable que nombre de ses textes – y compris, on l'a vu, *La Guerre sur les collines* – aient été ébauchés dans cette langue. L'anglais est, pour Fenoglio, une voie obligatoire pour arriver à l'écriture : ce qui explique sa présence dans le roman, et surtout, bien entendu, dans la bouche de Johnny.

Le travail d'écriture auquel se soumettait Fenoglio, qui, après l'élaboration partielle ou totale en anglais, reprenait continuellement chacune de ses pages, fait de ce roman un chef-d'œuvre de rigueur littéraire. – Trad. Gallimard, 1973.
A. S.

GUERRIER APPLIQUÉ (Le). Récit de l'écrivain français Jean Paulhan (1884-1968), publié en 1917. Le guerrier qui nous parle c'est Jacques Maast, étudiant de dix-huit ans qui s'engage la quatrième semaine de la guerre 1914-18, « un peu par timidité » et parce qu'il « paraît plus grand que son âge ». Suivant avec son nouvel ami Blanchet la marche de son régiment de zouaves, il arrive en première ligne, s'essaie à l'enthousiasme et « s'applique » à se former une « conscience guerrière ». Naguère Maast, comme beaucoup, rêvait de fuir aux champs afin d'y mener l'existence paisible qui lui était promise. Voilà son rêve réalisé, non sans quelque ironie : la nature lui offre ses charmes, mais la balle et l'obus ont remplacé la contrainte sociale. Pourtant, dans ce péril, il « éprouve pour la première fois, dit-il, la plénitude [...] de (sa) vie » ; sous cette contrainte, il se sent libre. Car si le danger est grand, il est clair et laisse place, par instants, à une plus forte vie intérieure.

Indifférent dans la paix, négligeant sa propre dignité, doutant de la sincérité des émotions, le narrateur découvre sur le front la cruauté « partout présente ». La joie de « plonger sa baïonnette dans un ventre d'ennemi » qui est celle de ses camarades, Maast ne la ressent pas, mais il acquiert par la guerre une assurance inconnue et une maturité nouvelle. La mort du premier camarade, que tue par erreur une balle française, affermit notre héros dans « cette sorte de vie », « pareille à une enfance », où les hommes ne sont que des cibles et le chagrin un sentiment oublié. De l'assaut et de la retraite auxquels il a participé, notre héros ne garde qu'un faible souvenir (franchissant le parapet il échappait à lui-même), mais, peu avant, il avait vu une autre compagnie, sur sa gauche, se dresser et courir sur la crête, disparaître, puis revenir un peu plus tard en désordre : blessé et couché dans un lit d'hôpital, il s'attache à cette image prémonitoire.

À travers une image, un chant, de menus faits, Jean Paulhan cherche à percer un secret : celui d'une guerre, qui est l'envers de la paix, où pitié ni chagrin n'ont plus cours, où les forts se révèlent faibles et forts les faibles ; mais où un adolescent apprend aussi que haine et cruauté sont des sentiments naturels. À ce bref récit d'une éducation du cœur convenait l'art discret de la litote.

GUETTEUR D'OMBRE (Le). Roman de l'écrivain français Pierre Moinot (né en 1920), publié en 1979. Un journaliste quitte la capitale pour se rendre dans une forêt de l'est de la France où il va chasser chaque automne. Une ancienne amitié le lie au garde forestier qui lui prépare le terrain avec obligeance. Or un gibier de choix attend cette année le chasseur, sous la forme d'un vieux cerf particulièrement rusé. Pendant toute une semaine, il doit traquer cette proie difficile. Ce faisant, il s'enfonce toujours plus avant dans la forêt. Symboliquement, il quitte son hôtel pour une cabane, puis pour une grotte. Peu à peu, il se libère de l'agitation de la ville, de la pesanteur de son métier, et même son amour pour Mö, son épouse, en vient à se relâcher. Il redécouvre les éléments. Également sollicité par ses connaissances ethnologiques, l'homme primitif reparaît en lui. Ses rêveries le ramènent à son enfance, à ses amours. L'image d'une biche mal tuée l'obsède, et plus encore celle d'un homme tombant au bout de son fusil, pendant la guerre. Mais, si la fin prochaine du garde lui parle aussi de la mort, la présence insolite d'une jeune femme dans la forêt allume son sang. L'arrivée de cette inconnue lui est néfaste : elle brouille les pistes et tue à sa place le gibier qui lui revenait. Cette chasse est donc un échec. Pourtant le narrateur s'en retournera régénéré par ses retrouvailles avec les forces cosmiques. Pierre Moinot reprend ainsi le thème allégorique de la chasse au cerf déjà abordé dans un de ses livres précédents : *La Chasse royale* (1954). Son récit se développe dans une écriture généreuse et musicale.

A. V.

GUIDE (Le) [*The Guide*]. Roman de l'écrivain indien Rasipuran Narayan (né en 1907), publié en 1958. Exemple le plus achevé du genre dans lequel cet écrivain excelle, la comédie sérieuse, ce récit narre le cheminement d'un jeune homme, Ramu, qui abandonne la poursuite des biens de ce monde pour atteindre, malgré lui, un niveau de spiritualité à la fois exemplaire et ridicule. Comme souvent chez Narayan, ce cheminement est ponctué de rencontres apparemment très banales mais toutes formatrices. La première, celle de Rosy, une danseuse, entraîne notre héros dans une liaison qui est à la fois une révélation sensuelle et une réussite financière. Mais une méchante affaire de fausse facture brise vite ce bonheur égoïste et conduit Ramu en prison. Narayan, fidèle à sa technique de chutes rédemptrices, fait alors de Ramu une sorte de mentor bénévole de ses codétenus qui, à sa libération, se trouve privé de ce modeste statut social qu'il s'était forgé. Désemparé, il se réfugie, un instant, dans un temple désert, lieu symbolique de la grande mystification autour de laquelle va s'organiser le récit. Un simple paysan, en partie trompé par l'aspect apparemment pieux de Ramu, en partie aveuglé par ses propres espoirs religieux, prend notre héros pour un mystique. Celui-ci, séduit par l'absurdité évidente (mais aussi par la véracité potentielle) de cette situation, se glisse peu à peu dans ce rôle et devient le conseiller écouté de son village, le « guide » dont lui-même et les gens avaient tant besoin. En dépit des dénégations de Ramu, la comédie se poursuit et même se complique lors d'une autre rencontre qui n'est qu'un malentendu supplémentaire. La sécheresse sévit dans ce coin perdu et lors d'une conversation à sens unique, l'idiot du village croit comprendre que Ramu va jeûner pour faire revenir la pluie. Le héros, se révélant incapable de rétablir les faits et de dire la « vérité pure et simple », se retrouve entraîné dans une série de souffrances publiques qu'il accepte jusqu'à la fin avec une satisfaction intérieure intense. L'ambiguïté du personnage demeure jusqu'à la dernière page et, lorsque au matin du onzième jour de privations il annonce l'arrivée de la pluie, on ne sait trop s'il s'agit là de sa dernière imposture ou de sa première prophétie. Brodant sur le thème très iconoclaste de la fausse sainteté, « celle qui semblait consister en la capacité de chacun à faire des déclarations mystificatrices », Narayan parvient, avec ce portrait ambigu d'un saint malgré lui, à mettre en abîme la capacité de l'homme ordinaire à se découvrir au travers des illusions des autres. — Trad. Belfond, 1990.

D. Co.

GUIDE DE LA FEMME INTELLIGENTE EN PRÉSENCE DU SOCIALISME ET DU CAPITALISME [*The Intelligent Woman's Guide to Socialism*]. Œuvre de l'écrivain irlandais George Bernard Shaw (1856-1950), publiée en 1928. C'est ce qu'on pourrait appeler, comme l'a dit un critique français, le testament social de Shaw. Selon l'auteur, le socialisme est une théorie dont le but essentiel est de prévoir les moyens propres à assurer la répartition des richesses. La fortune doit être répartie et aussitôt utilisée, à la façon dont on consomme de la nourriture. La répartition doit se faire selon le revenu de chacun, c'est-à-dire de ce que chacun produit en travaillant, le travail étant un devoir naturel de l'homme. L'égalité des revenus est le seul moyen capable de permettre à l'individu d'affirmer sa propre valeur et son propre mérite. Chacun de nous a surtout un devoir vis-à-vis de la personnalité humaine ; celle-ci se révolte nécessairement devant l'hypocrisie sous sa forme mondaine, sociale ou religieuse. La force vitale de l'homme est capable de créer ce miracle : la liberté de l'individu et de la collectivité. Dans cette œuvre importante, l'auteur aborde les problèmes économiques les plus graves et les plus urgents de l'époque moderne. Il passe en revue les systèmes de répartition employés par les sociétés : il discute chaque système, donnant des exemples historiques et en considérant les avantages et les inconvénients. En dernier lieu, il s'arrête au socialisme et en étudie les problèmes. Il analyse les effets de la répartition des richesses sur l'industrie, sur les personnes, sur la population, sur la justice individuelle et collective, sur l'Église, sur l'école, sur la presse. Il examine les raisons de la passivité humaine (due en dernier lieu à l'intérêt individuel) devant les maux de l'humanité. Suit une vaste étude du capitalisme et des phénomènes qu'il engendre, un examen attentif de ses défauts, dont les plus importants sont mis en relief : appropriation à des fins individuelles, contraire à l'intérêt général, et division de la société en deux classes : l'une qui travaille et l'autre qui ne travaille pas. L'étude de la femme et de son rôle dans la société est intéressante. De nombreux autres problèmes, également d'un intérêt immédiat, tel celui de la spéculation, de la nationalisation des banques, etc., sont abordés. Le socialisme est étudié ensuite de plus près dans ses rapports avec le droit privé. La difficulté de la construction du socialisme n'échappe pas à l'auteur : elle dérive surtout de la mauvaise volonté des individus qui sont retenus par des intérêts particuliers, ainsi que des réticences du gouvernement qui hésite à contrôler le revenu de chacun. Les discussions théoriques, les allusions, les citations, l'exposé vaste et précis, la netteté des jugements, malgré certaines attitudes paradoxales, ont toujours un fond logique fortement accusé et révèlent la richesse des conceptions et la personnalité puissante de Bernard Shaw qui, par son théâtre, s'est imposé comme l'un des premiers écrivains anglais de son temps. – Trad. Aubier, 1929.

GUIDE DE LA PEINTURE [Ἑρμηνεια της ζωγραφικης]. Recueil des traditions techniques et iconographiques des peintures du mont Athos, rédigé en grec au commencement du XVIIIe siècle par le moine Denys de Furnes. Le manuscrit fut découvert par Didron et publié, dans une traduction française, en 1845 ; mais l'époque réelle de la composition du livre n'a pu être précisée que dans les éditions récentes : en effet, on le croyait jusqu'alors beaucoup plus ancien. Le *Guide* se propose de former les peintres, en leur donnant une instruction de caractère presque exclusivement religieux. L'œuvre est divisée en trois parties ; la première est un ensemble de conseils techniques, tandis que la deuxième est consacrée aux sujets religieux et la troisième aux principales règles à suivre de façon à les distribuer, d'une manière logique et en même temps traditionnelle, dans la décoration intérieure d'une église. L'œuvre manque d'intérêt du point de vue artistique : l'écrivain ne se préoccupe même pas de définir ce qu'est la peinture. Ce qui l'intéresse c'est d'énoncer des principes iconographiques, afin d'éviter des fautes contre le dogme ou la liturgie, et d'instruire les fidèles. On recommande à l'élève de ne pas s'éloigner de la manière du maître ; sa plus haute ambition doit être d'arriver à reproduire parfaitement les peintures du célèbre iconographe Emmanuel Pansélinos. L'œuvre de Denys garde encore un caractère médiéval, étant l'expression d'une culture repliée sur elle-même et privée de toute possibilité de développement. Malgré sa rédaction récente, le livre témoigne de procédés artistiques beaucoup plus anciens et nettement traditionalistes. On ne peut le considérer comme un code de l'art byzantin dans sa période de splendeur, mais plutôt comme un document sur l'époque où cet art a été fixé – par un respect figé de la tradition – pour devenir un ensemble de lois et de formules fidèlement transmises de génération en génération. Néanmoins, l'importance de ce *Guide* reste considérable, non seulement parce qu'il reflète une conception traditionnelle qui n'a aucun rapport avec le climat beaucoup plus vivifiant et dynamique dans lequel s'est développé l'art de l'Europe occidentale, mais aussi parce que c'est la seule œuvre littéraire issue directement de la pratique artistique de l'Orient chrétien.

GUIDE DE LA VÉRITÉ DIVINE [*Isteni igazzsàgra vezérlö kalauz*]. Ouvrage théologique de vastes proportions du cardinal jésuite hongrois Péter Pázmány (1570-1637), publié en 1613. C'est le chef-d'œuvre magyar en prose ancienne. Sa valeur, en dehors de son sujet même, vient de ce qu'il constitue une riche mine de locutions hongroises. La première partie de l'ouvrage traite des vérités chrétiennes généralement reconnues et démontre l'existence de Dieu. Dans la seconde partie, l'auteur indique les moyens propres à faire cesser le schisme et affirme que l'Église romaine est la seule Église. Dans la troisième partie, il passe à la polémique contre les réformés. Disciple du grand cardinal italien Bellarmin, Pázmány est le champion du catholicisme en Hongrie : sa religion, il la défend avec une exceptionnelle puissance dialectique et une profonde conviction. Le *Guide* fut traduit en latin pour permettre aux savants allemands d'y répondre. La réponse vint au bout de dix ans et Pázmány y répliqua dans sa propre langue : « Je connais bien le latin, mais j'ai écrit le *Guide* en hongrois pour les Hongrois et c'est dans cette langue que j'écrirai ma réponse. » Ainsi la Contre-Réforme s'emparait-elle de l'expression en langue nationale, cheval de bataille des réformés, et faisait-elle franchir une nouvelle étape à l'utilisation écrite du hongrois.

GUIDE DE RECTITUDE (Le) [*Maguid Mécharim*]. Journal mystique écrit à Safed par le rabbin, législateur et mystique juif d'origine espagnole Joseph Caro (1488-1575), publié en 1889. Écrit dans un araméen assez proche de celui du *Zohar* (*), ce journal se présente comme un commentaire des versets du Pentateuque. C'est sous la dictée d'un guide invisible, qui se présente comme la figure féminine du plérome divin (la « Chekhina »), que cet ouvrage fut rédigé. Produit d'une sorte d'« oratio infusa », le guide céleste parlant à travers la voix de l'auteur sans aucune apparition visible, ce journal relate aussi bien les conseils donnés du ciel au jour le jour à Joseph Caro que les secrets qui lui ont été transmis concernant les sujets les plus mystérieux de la Cabale. Les inquiétudes de l'auteur au sujet du sort de son enseignement et de ses œuvres littéraires, de sa famille, de sa fin personnelle et de l'impact céleste de ses décisions juridiques font partie des questions posées régulièrement au guide invisible. Celui-ci promet à son disciple la fin glorieuse du martyr pour la sanctification du nom divin, il lui annonce l'immense popularité que connaîtra son Code religieux, lui révèle que l'infécondité de sa femme provient d'une faute commise dans une existence antérieure, lui enseigne enfin la bonne façon de comprendre le système des « sefirot » et le monde de l'émanation. Un cinquième seulement de l'ouvrage a été conservé, ce fragment fut ensuite arrangé selon l'ordre des sections du Pentateuque et publié tel quel. Ch. Mop.

GUIDE DES ÉGARÉS [*Moreh Nebukhim*]. C'est l'œuvre principale au point de vue philosophique de Mosheh ben Maimon, plus connu sous le nom de Moïse Maimonide,

ues exploits, Amelye se voit sur le
endre pour époux le roi d'Espagne
au désir de son père. Elle parvient
à prévenir Guillaume qui vole à son
'enlève. Mais on rattrape le couple
ne est condamné à l'exil. Il ne
ouser Amelye que beaucoup plus
l'instant, qu'il continue à mener
e vie de chevalier. Guillaume obéit
accomplir de nombreux exploits en
ésarçonnant nombre de chevaliers.
ra enfin, après tant de péripéties,
a douce Amelye ; il sera même le
oi Reinher, et se verra appelé à lui
ır le trône, arrivant ainsi à réunir
ines sous son sceptre : le Brabant,
e et la Normandie. Les caractères
nages sont clairement et nettement
is le poème manque d'unité. Il fut
'au XVIe siècle ; on en fit même des
l celui en trois cent quinze strophes
1522 et dont Hans Sachs lui-même
trame pour l'un de ses drames.
t imprimée à partir de 1835 dans
uses anthologies germaniques, mais
extraits. De nombreux manuscrits
diffusion de ce poème vers la fin
Âge.

AUME TELL. La figure si popu-
Guillaume Tell, dont l'histoire, la
la littérature ont fait un symbole
révolutionnaire et patriotique,
ntre d'un épisode qui donna le jour
suisse : par son acte de rébellion,
provoqua la révolte des cantons
ntre la domination autrichienne,
fut à l'origine de leur indépendance
unification. Les premiers écrits
Guillaume Tell sont des chroniques
1470 et des textes historiques
du XVIe siècle. Un premier drame
langue allemande et en vers,
Tell [*Wilhelm Tell*] fut remanié en
akob Ruof (1500-1558). L'action en
e par des commentaires doctrinaux,
rhétorique, à base de morale et de
Au XVIIIe siècle, de vives polémiques
nt en Suisse au sujet de l'origine de
de Guillaume Tell dont plus d'un
enticité. De ces polémiques restent
uvres, dissertations, controverses,
historiques : la plus importante est
Tell, fable danoise du Bernois Uriel
rger, parue en 1760.
ues années plus tard, en 1766, eut
nce, la représentation de la tragédie
Lemierre (1723-1793), *Guillaume*
assez froide et dépourvue de relief ;
cependant un certain intérêt
ire en ce que le développement
e de l'action est analogue à celui que
vera trente ans plus tard dans la
e Schiller. La seule différence est
euse scène de la cible que Lemierre,
conformément aux règles du théâtre classique, fait raconter par le peuple en effervescence.

★ *Guillaume Tell* [*Wilhelm Tell*], drame en cinq actes en vers du poète et dramaturge allemand Friedrich von Schiller (1759-1805), fut représenté en 1804. Le sujet, puisé par le poète dans la *Chronique suisse* [*Helvetische Chronik*] de Tschudi, suit la légende traditionnelle. Une nuit, dans le plus grand secret, les représentants des cantons suisses de Schwyz, Uri et Unterwalden font, sous serment, un pacte de solidarité contre l'Autriche — incarnée par Gessler, son tyrannique bailli. Guillaume Tell ne se trouve pas parmi eux et ne prend aucune part à la conjuration : c'est un homme fort simple, en effet, que la politique laisse indifférent. Mais, passant un jour avec son fils sur la place d'Altdorf, il a hésité à faire le geste, prescrit par Gessler dans le but d'humilier les Suisses : saluer le chapeau ducal juché sur une perche. Gessler, aussitôt, l'accuse de rébellion et, pour le punir, lui ordonne de traverser d'une flèche une pomme posée sur la tête de son fils. Cynique défi à l'adresse d'un homme réputé comme le meilleur arbalétrier de Suisse. Tell obéit à l'ordre cruel et ne manque pas son but ; mais dès cet instant il nourrit une haine mortelle contre le bailli. Aussi, quand Gessler le complimente de son habileté, lui déclare-t-il qu'il avait en réserve une autre flèche destinée à le frapper au cœur, au cas où il aurait eu le malheur de tuer son propre fils. L'audacieux est aussitôt arrêté et transporté en barque, sur le lac des Quatre-Cantons, à destination de la forteresse de Küssnacht. Il réussit à s'évader à la faveur d'une furieuse tempête. Libre, il ne songe plus qu'à la vengeance. Il épie son ennemi jusqu'au jour où, l'ayant suivi sur un sentier longeant le lac, il lui décoche une flèche de son arbalète et le tue. Cette mort est le signal de la révolte. Tell devient ainsi le libérateur de la Patrie, le héros, le fondateur de la nation suisse. Les deux actions indépendantes, celle du serment des cantons et celle du drame intime de Guillaume Tell, ne s'amalgament qu'à la fin de la tragédie de Schiller. Chantre de la rébellion, il avait déjà porté à la scène le conflit de l'individu et de la société — v. *Don Carlos* (*) et *Marie Stuart* (*) — tout comme celui de la nation en lutte pour sa propre indépendance : ces deux thèmes s'étaient étroitement liés dans *Don Carlos* et dans la *Pucelle d'Orléans* — v. *Jeanne d'Arc* (*). Dans *Guillaume Tell*, ils se déroulent au contraire parallèlement ; et c'est cette indépendance mutuelle qui favorise leur développement et donne à l'œuvre toute sa puissance. Deux scènes sont à retenir : celle de Rütli et celle de la place d'Altdorf — remarquables par de savants mouvements de masses. Nul n'a pu dans de semblables scènes, atteindre la force et la grandeur de Schiller. Il a su donner une profonde vérité au caractère de Guillaume Tell qui, contrairement à ses héros habituels, n'est pas un jeune homme mais un vrai « pate

philosophe juif du Moyen Âge (1135-1204). Écrite vers 1190 en arabe sous le titre : *Dalâlat al-Cha'irim*, elle fut traduite en hébreu par Samuel ben Tibbon ; depuis, elle fut traduite dans presque toutes les langues connues. Le titre du traité indique clairement l'intention de l'auteur qui veut donner un guide sûr à ceux qui s'égarent ou qui restent perplexes entre la foi et la philosophie, et plus particulièrement entre la foi et la tradition hébraïque d'une part et l'enseignement de la philosophie d'Aristote d'autre part. C'est, au fond, le même problème que celui des scolastiques, mais vu avec une mentalité juive et transposé sur le terrain de la dogmatique hébraïque traditionnelle. La thèse fondamentale de cette œuvre est celle de l'identité substantielle de la philosophie et de la religion ; d'ailleurs, pour tout ce qui concerne les vérités révélées, le *Guide des égarés* reste fidèle aux enseignements hébraïques traditionnels. Quant à l'explication astronomique et physique du monde, Maimonide adopte les points de vue de l'enseignement aristotélicien, avec quelques éléments néoplatoniciens. Une grande partie du livre est consacrée à l'explication des expressions anthropomorphiques de *La Bible* (*) en leur donnant une interprétation conforme à la conception traditionnelle de la nature de Dieu. Ceci porta Maimonide à traiter de Dieu d'une façon spécifique et à formuler la théorie des attributs négatifs de la Divinité. Quant aux rapports entre Dieu et l'homme, son concept de la prophétie, en tant que faculté naturelle qui peut être acquise par quiconque, est très important : il suffit de s'élever au degré de perfection morale et mentale requis, en suivant une sorte de préparation adéquate. C'est un concept qui fut de tout temps enseigné par les Grecs et que Maimonide affirme être contenu dans *La Bible*. Cette partie de la doctrine de Maimonide prêta plus tard le flanc à bien des attaques. Mais les plus grandes discussssions furent soulevées par la troisième partie du *Guide* qui traite des sacrifices : son auteur affirme que dans le *Pentateuque* (*) les sacrifices furent considérés comme un droit concédé plutôt que comme un devoir imposé. Cette œuvre exerça une influence considérable sur la pensée judaïque à travers les siècles : bien qu'une grande partie de son contenu soit généralement considérée comme dépassée, son esprit reste lié à la mentalité traditionnelle de l'hébraïsme. — Trad. Franck, 1856 ; Maisonneuve et Larose, 1970 ; Verdier, 1989.

GUIDE DES PÉCHEURS (Le) [*Guia de pecadores*]. Traité de morale du dominicain espagnol Louis de Grenade (dans le monde, Luis de Sarria, 1504-1588), théologien et prédicateur, publié à Lisbonne en 1556. Ce traité est composé de deux livres, chacun étant divisé en deux parties. Le premier livre a pour titre : « Exhortation à la vertu ». Dans la première partie, l'auteur énumère les différentes sortes de raisons qui nous font un devoir d'être vertueux (perfection divine, bienfaits de la création, de la rédemption, de la justification, de l'eucharistie, etc.), et les fruits inestimables que nous pouvons tirer d'une bonne conduite. La seconde partie donne des conseils à qui se propose de jouir des biens temporels et spirituels promis à la vertu, et parmi ces derniers il magnifie les douze privilèges qu'elle dispense plus particulièrement : la Providence de Dieu, la Grâce du Saint-Esprit, la lumière et la connaissance surnaturelle que Dieu concède aux âmes vertueuses. Le second livre a pour titre « Doctrine de la vertu ». Dans la première partie, l'auteur passe minutieusement en revue les vices les plus connus, les sept péchés capitaux, leurs remèdes et les péchés véniels. Il donne des conseils destinés à amener l'homme à résipiscence. La seconde partie traite de l'exercice des vertus, lesquelles sont pour l'âme un ornement en tant qu'elles satisfont à l'esprit de justice (continence, abstinence, mortification des passions). L'auteur suggère une ligne de conduite à tenir envers Dieu et envers le prochain, selon l'état et la condition de chacun. Il indique enfin les quatre moyens d'atteindre à la force morale. Le traité a un but pratique : il se propose d'endoctriner les pécheurs et de les conduire à la vertu chrétienne. Mais frère Louis, en moraliste ascétique, fait de la vertu une marche ascensionnelle qui doit avoir pour aboutissement l'identification de l'âme à Dieu. Sur plus d'un point, il se rapproche du mysticisme des « alanbrados » (les « illuminés »), comme le fera plus tard le *Guide spirituel* (*) de Molinos. Écrivain précis et coloré, Louis de Grenade dispose d'une phrase ample et lente, imitée de l'art oratoire classique. Dans son argumentation, il a souvent recours aux subtilités de la scolastique ; mais lorsqu'il décrit la misère du pécheur ou les ravissements de la vie spirituelle, sa prose se fait agile, poétique et extraordinairement docile à l'expression de ses sentiments.

GUIDE D'UN PETIT VOYAGE EN SUISSE. Essai de l'écrivain français Jean Paulhan (1884-1968), publié en 1947. Jean Paulhan prend prétexte d'un voyage en Suisse, qu'il entreprit au lendemain de la Libération, pour nous soumettre quelques idées personnelles, le plus souvent « singulières » et toujours portées par l'ironie, l'élégance, voire la préciosité. Ces idées, il fallait être Jean Paulhan pour les découvrir, par exemple à partir de questions du genre : « Comment reconnaître les paysages inoubliables ? » — « Le paysage inoubliable est celui qui réunit à une zone tempérée de lacs et de vergers une zone glaciaire de sapins, mélèzes, retenons ce mot — et cimes neigeuses [...] Les ponts, rebords de grotte et cadres de fenêtres, qui font la rencontre plus stricte et la limitent pour ainsi dire, n'étaient pas à dédaigner. Quand le pont se réfléchit dans l'eau, c'est double avantage. Il n'est pas mauvais (tout au moins dès les débuts) qu'une cascade ressemble à un écheveau de laine, un rocher à une otarie, une suite de pics à un campement d'Arabes... » Paulhan est l'esprit le plus curieux du monde, comme en témoigne tout ce pour quoi il a de l'intérêt. Il faut signaler par exemple le chapitre intitulé « Les Suisses se partagent en dandies et en bienfaisants », et ses réflexions sur les crimes ainsi que sur la nature bienveillante de l'homme suisse qui regarde volontiers son prochain comme s'il l'encourageait à vivre. Par ailleurs, Paulhan a toujours entretenu une passion pour le « divin marquis », et cette attirance pour les « plaisirs du vice » se retrouve même dans le *Guide*. Quant à l'écriture, pleine de sous-entendus, elle est vive et aiguë. Rendant un « hommage » à la Suisse, à ses distributeurs automatiques, à ses doubles portes et à ses verrous électriques, Jean Paulhan n'en applique pas moins les leçons de Sade, et ses théories, aux sites les moins disposés à les recevoir.

GUIDE-MOI, LUMIÈRE DE BONTÉ [*Lead, Kindly Light*]. Tel est le début de l'hymne célèbre du théologien anglais John Henry Newman (1801-1890), composé le 16 juin 1833 et publié parmi ses *Œuvres complètes* sous le titre *La Colonne de nuages* [*The Pillar of the Cloud*]. Il s'agit d'un appel passionné vers Dieu, prononcé par une âme égarée. « Guide-moi, – implore celle-ci, – ô lumière de bonté, à travers les ténèbres qui m'environnent. Obscure est la nuit et lointaine est ma maison. Soutiens-moi et aide-moi à faire les derniers pas, les seuls qui comptent. » Newman, qui fut le principal représentant du mouvement d'Oxford (lequel participa, avec d'autres courants philosophiques et sociaux, à la résurrection de l'idéalisme au milieu du XIXe siècle, voué à l'industrialisation et au positivisme), composa cet hymne, devenu immédiatement célèbre, peu avant de se convertir au catholicisme. En des vers simples, ce poème plein d'une foi brûlante résume bien ce composé de mysticisme et de conviction intellectuelle qui caractérise l'ensemble de l'œuvre doctrinale de Newman.

GUIDE SPIRITUEL. Œuvre du théologien espagnol Miguel de Molinos (1628-1696), publiée à Rome en 1675 sous le titre : *Guide spirituel qui purifie l'âme et la conduit par un chemin intérieur à la possession de la parfaite contemplation et du riche trésor de la paix intérieure* [*Guia es spiritual que desembaraza al alma y la conduce por el camino interior, para alcanzar la perfecta contemplación y el rico tesoro de la paz interior*]. Immédiatement traduit en italien, en latin et en français, l'ouvrage eut un grand nombre d'éditions et éveilla beaucoup d'échos ; en effet, il exprimait, en lui donnant une forme méthodique, ce mouvement qui s'opposait au sentiment religieux de la Contre-Réforme et qui devait ensuite se répandre en Europe et prendre le nom de quiétisme. Molinos, reprenant des concepts implicitement contenus chez sainte Thérèse et les autres mystiques espagnols, qui considèrent le divin comme la vraie science, explique les divers degrés de la connaissance de Dieu. Nous nous unissons à Dieu par la méditation et la contemplation. La méditation s'exerce au moyen de la pénitence et des œuvres et reste sur le plan de la pratique ; la contemplation, au contraire, gravit les degrés de l'activité discriminatoire et discursive de l'esprit et parvient à l'immédiate et béate vision de Dieu. À cette « unio mystica », on peut arriver par les moyens humains que procure la grâce et par l'oraison passive qui amène l'âme à « s'abîmer dans le néant » et à ne plus recevoir aucune impression des objets terrestres : sorte de mort mystique par laquelle l'homme renonce à lui-même pour se reconnaître en Dieu. Quand l'esprit est arrivé à cette hauteur, il peut considérer qu'il est entre les mains de Dieu et peut recevoir les impressions sensibles les plus opposées à la loi divine sans pécher. C'est pourquoi il ne faut pas se laisser troubler par l'absence de pieuses pensées, par l'aridité du cœur et par les tentations ; ces choses ne sont pas des obstacles, mais des moyens dont Dieu se sert pour purifier le fidèle et le conduire à la perfection.

La préférence donnée à la contemplation sur la méditation portait au mépris de la pénitence ainsi que des voies ordinaires de la perfection et tendait à placer l'activité spirituelle au-dessus de la pratique de la vertu et des œuvres. Pourtant la doctrine de Molinos formulait, avec une clarté exemplaire d'idée et de méthode, la nécessité d'un sentiment religieux plus intime qui se faisait sentir de diverses façons à cette époque ; aussi trouva-t-elle tout de suite de nombreux adeptes. Le pape lui-même combla de faveurs Molinos qui occupait un appartement au Vatican. Mais très vite la doctrine fut attaquée par les jésuites, qui l'accusèrent de rendre relatives les valeurs de la foi et de renouveler l'hérésie des « illuminés », qui prêchaient la coupable identification de l'anéantissement de l'intelligence dans un néant conceptualisé avec l'union charnelle des sexes. Molinos fut condamné en 1685 et conduit dans les prisons du Saint-Office. Innocent IX confirma la condamnation par la bulle *Coelestis Pastor* (1687), qui incriminait soixante-huit propositions de Molinos et le condamnait à la prison perpétuelle. Mais le quiétisme trouva en France de nombreux défenseurs. Les plus importants furent Mme Guyon (1648-1717), qui l'année même qui suivit la condamnation de Molinos reprit la doctrine dans ses œuvres : *Les Torrents spirituels* et *Moyen court et très facile de faire oraison ;* le père La Combe et enfin Fénelon (1651-1715) qui, à l'occasion de son œuvre *Explication des maximes des saints* (*), eut une célèbre polémique avec Bossuet – Bossuet écrivit à ce sujet *L'Instruction sur les états d'oraison* (*) et la *Relation sur le quiétisme* (*). Le débat se termina par la condamnation de Mme Guyon, de Fénelon et du père La Combe. – Trad. Publications théosophiques, 1905.

GUIGNOL'S BAND. Roman de l'écrivain français Louis-Ferdinand Céline (pseud. de L.-F. Destouches, 1894-1961), publié en 1944. Le premier chapitre décrit un bombardement en termes apocalyptiques : hors-d'œuvre. On dirait que Céline, en commençant certains de ses livres, ne savait absolument pas de quoi il parlerait, qu'il se lançait avec impétuosité sur un sujet, une situation, une idée, quitte à les abandonner presque aussitôt, soit parce qu'il s'était essoufflé, soit parce qu'il s'était avisé, soudain, qu'il avait une tout autre histoire à raconter et qu'avec elle il remplirait des centaines de pages. Le second chapitre de *Guignol's Band* nous conduit à Londres, pendant la guerre de 14. Nous y resterons. L'auteur a profité d'une convalescence pour s'y enfuir. Un ami qu'il a connu à l'hôpital et qui, finalement, a été fusillé pour mutilation volontaire lui a donné l'adresse de son oncle, un certain « Cascade ». Ce personnage, un proxénète, a bien des soucis. La mariée est trop belle. L'un après l'autre, ses collègues français (la capitale anglaise semble en regorger), saisis, pour d'obscures raisons, d'une poussée de fièvre patriotique, décident de s'engager. Mais que faire de leur écurie ? Une seule solution : la confier à Cascade. Celui-ci rechigne, mais on lui oppose un argument massue : s'il se désiste, il va falloir brader à des Italiens et des Arabes ces filles de France, ce patrimoine national. Vaincu, il se dévoue en geignant. L'une est comme ci, l'autre est comme ça, bref toutes coûtent plus qu'elles ne gagnent. Comédien consommé et homme habile, sachant s'entendre avec la police anglaise (représentée par le discret mais inoubliable inspecteur Meadows), ce Cascade se plaît à jouer au sultan. Au fond, il n'est pas fâché d'avoir autour de lui toute une cour. Il lui manque cependant un eunuque pour faire régner la discipline dans son harem. Ces dames ont une fâcheuse tendance à se crêper le chignon, voire à se planter des couteaux dans les fesses. Le goût prononcé d'un certain Boro, pianiste par nécessité et chimiste par plaisir, pour les engins explosifs oblige l'auteur à s'installer chez un sultan pratiquant un métier différent mais aussi lucratif, le prêteur sur gages Titus Van Claben. Celui-ci s'habille à l'orientale, tient fermées des fenêtres qui donnent sur un parc magnifique, vit dans un bric-à-brac effarant et aime la musique. L'inévitable Boro exploite sans vergogne cette unique faiblesse. Quand sa passion pour le théâtre et son penchant pour l'alcool lui en laissent le loisir, une respectable familias » ; en effet, l'amour pour sa femme, la tendresse et la sollicitude pour ses enfants sont les traits saillants de ce caractère, joints à un sentiment profond de la solidarité humaine, en face duquel l'instinct de conservation passe au second plan. On le voit dès le premier acte où Tell n'hésite pas à affronter la tempête déchaînée sur le lac pour faire fuir en barque le jeune Baumgarten en danger d'être capturé.

Le drame de Schiller est animé d'un large souffle ; il s'ouvre à l'air des lacs et des montagnes et c'est d'autant plus extraordinaire que Schiller ne connaissait pas la Suisse. Dans cet ouvrage qui est son chant du cygne, le poète a évoqué directement la nature comme il l'avait fait dans sa première œuvre toute dominée par l'atmosphère des forêts. Les nombreux personnages sont puissamment mis en relief ; outre tous les malheureux qui se plaignent des injustices auxquelles les contraint la tyrannie, le noble couple d'amoureux, Bertha et Rudenz, semble essentiel à l'action, encore qu'il ne soit pas au premier plan. Un sentiment ardent de liberté domine l'œuvre ; l'indignation à l'égard de la tyrannie, éloquente dans sa sobriété, se fait jour partout ; elle marque de son éclat les serments des conjurés, les actes du héros, l'intimité des foyers, les conversations particulières. L'esprit libéral est encore celui de la Révolution française, exprimé avec l'enthousiasme propre à Schiller, et la tragédie pourrait parfaitement servir d'illustration dramatique au *Contrat social* (*) de Rousseau. La représentation de la naissance d'un peuple par l'éveil de sa conscience nationale constitue un élément mythique d'un caractère très élevé. — Trad. Aubier-Montaigne, 1933.

★ La littérature européenne compte de nombreuses œuvres mineures ayant pour sujet Guillaume Tell. Il faut, après Schiller, mentionner la tragédie *Guillaume Tell* [*William Tell*] de l'Anglais James Sheridan Knowles (1784-1862), représentée en 1825 ; la tragédie du même nom de Michel Pichat (1796-1828), représentée à Paris en 1830, qui fut louée par Alfred de Vigny, le drame historique, toujours du même titre, de l'Espagnol Antonio Gil y Zárate (1796-1861).

★ La tragédie de *Guillaume Tell* [*Guillermo Tell*] d'Eugenio d'Ors (1882-1954), parue en 1923, est une des plus dignes d'attention. Après s'être fait le champion de la liberté, Guillaume se retourne contre elle parce qu'elle a dégénéré en licence.

★ Quelques œuvres musicales ont été composées sur le même thème. Rappelons le drame lyrique *Guillaume Tell* d'André Modeste Grétry (1741-1813) sur le texte de Sedaine, représenté en 1791 ; l'opéra *Wilhelm Tell* composé par Bernhard Anselm Weber (1766-1821), sur la tragédie de Schiller, représenté à Berlin en 1795 ; le ballet *Wilhelm Tell* de Jacob Strunz (1783-1852), Paris, 1834 ; et les musiques de scène de Franz Destouches (1772-1844), Louis Lee (1819-1896), Karl Heinrich Reinecke (1824-1910).

★ Toutes ces œuvres furent toutefois éclipsées par le *Guillaume Tell* de Gioacchino Rossini (1792-1868), créé à Paris en 1829. Écrit en français par Victor Étienne, dit de Jouy, le livret avait paru si défectueux qu'il dut être remanié et versifié de nouveau par un autre poète français, Hippolyte Bis. Même dans sa forme définitive, ce livret d'opéra, froid et ampoulé, demeure bien loin de l'œuvre de Schiller. Du drame originel, quelques scènes furent conservées intégralement (le sauvetage de Baumgarten — appelé ici Leutold ; la conjuration, abrégée toutefois ; la scène de la pomme). En revanche, beaucoup d'autres épisodes et détails ont été modifiés : Rudenz et Bertha, par exemple, transformés en Arnold et Mathilde, princesse de Habsbourg ; de nombreux personnages (parmi lesquels Stauffacher) ont été supprimés. Mais, surtout, les librettistes ont altéré la figure de Guillaume ; la simplicité et la pureté qui le caractérisaient dans la légende comme dans le drame font place ici à une attitude hautaine et théâtrale qui rend le personnage fort sombre. L'immense succès de cet opéra est dû à la musique de Rossini qui, dans les scènes principales (celles de la conjuration et de la pomme), s'est inspiré directement de l'original. Le compositeur a su transfigurer par la musique un livret très médiocre et créer un des opéras les plus marquants de son époque. *Guillaume Tell* se dresse comme un sommet isolé dans le panorama du mélodrame italien. Aux contemporains de Rossini eux-mêmes, l'opéra fit l'effet d'un prodige inattendu ; nul n'y reconnaissait Rossini, surtout le Rossini populaire des opéras bouffes. Et, en vérité, on ne retrouve pas un seul des caractères du langage musical qu'il avait employés jusqu'alors : les trop fameux crescendo, ces cadences finales stéréotypées, etc. Ici, tout concourt à la profondeur de l'expression dramatique ; tout est original et libre de toute redite ; la mélodie s'enrichit de courbes nouvelles ; les récitatifs ont un accent fort dramatique, tout a été soigné jusqu'au moindre détail, même dans le feu de l'inspiration. Nous sommes en face d'un nouveau Rossini. Cependant, cette impression de nouveauté absolue ne résiste pas à l'examen et l'on doit reconnaître que bien des éléments du nouveau style existaient en germe dans ses œuvres précédentes de caractère sérieux (dans le *Mahomet* retouché, les récitatifs avaient déjà acquis une efficacité dramatique ; de même que dans *Moïse* — revu et corrigé — on pouvait trouver une grande variété d'expression et des effets symphoniques et harmoniques remarquables). Certes, Rossini voulut véritablement renouveler son propre style en tendant vers l'expression dramatique comme plus tard le fera (en sens inverse) Verdi dans *Falstaff* (*).

Dernier opéra de Rossini, *Guillaume Tell* est le meilleur de ses grands opéras, tout comme

Le Barbier de Séville (*) est le meilleur de ses opéras bouffes. Ces deux chefs-d'œuvre renferment l'essentiel du génie si divers du grand musicien. Dans le grand opéra comme dans l'opéra bouffe, Rossini, non pas révolutionnaire mais rénovateur, se rattache à ses prédécesseurs immédiats (Cherubini et Spontini) par sa conception symphonique ; il atteint en effet, avec un équilibre parfait et spontané, cette fusion de la mélodie et de la masse orchestrale, de l'expression dramatique et de la musique pure qui sera l'idéal si laborieusement recherché et rarement atteint de tous ses successeurs dans le domaine lyrique. Il se détache cependant de ses prédécesseurs par l'originalité de son style, un style romantique plein de chaleur. Dans *Guillaume Tell*, poème de l'amour, de la patrie et de la liberté, on sent les frémissements du Paris révolutionnaire. Le goût de l'héroïsme est le fondement de l'œuvre ; c'est lui qu'expriment le chant solennel et les récitatifs pleins de force et de passion de Guillaume dont le personnage domine tous les autres par sa vitalité et sa puissance dramatique ; c'est lui qu'exprime Arnold dans les notes suraiguës de son chant dont les difficultés techniques restent en rapport avec l'expression dramatique (ce personnage prend d'ailleurs plus de consistance quand il passe des duos d'amour avec Mathilde — pleins cependant de trésors lyriques — à l'expression de son mépris pour l'étranger, qui a tué son père, et de son ardent désir de revanche) ; enfin, c'est lui qu'exprime le chœur qui, bien que condamné à l'immobilité par le livret, partage avec Guillaume le premier rôle de l'opéra. La Suisse, montagneuse et sylvestre, constitue la toile de fond de la scène : l'œuvre est toute pénétrée de l'atmosphère pastorale qu'évoque la musique. Rossini a toujours présents à l'esprit les mélodies suisses typiques et les « ranz des vaches » ; on peut les retrouver dans toute la partition, mais il les a si bien assimilés qu'au lieu d'être purement et simplement folkloriques ils font partie intégrante de son inspiration. Certain motif, tiré justement d'un ranz, est devenu une sorte de thème conducteur qui apparaît partout dans l'œuvre,

des récitatifs de Melchthal à la romance de Mathilde, et se transforme dans le final en un hymne triomphal du peuple suisse. Depuis l'ouverture — si différente de toutes les précédentes qu'écrivit Rossini —, ample morceau symphonique qui, sans contenir tous les motifs de l'opéra, les symbolise cependant, jusqu'au duetto du premier acte entre Guillaume et Arnold, à la romance de Mathilde : « Sombres forêts », au duo et au trio du second acte, à la scène du serment, à celle de la pomme, de la tempête et au final du quatrième acte, cet opéra présente une succession de pages vraiment sublimes.

GUIRLANDE (La) ou encore **Le Bouquet de fleurs** [*Kytice*]. Œuvre célèbre du poète tchèque Karel Jaromír Erben (1811-1870), publiée en 1853. Ce livre est composé d'une série de légendes populaires, transcrites avec art et qui n'ont perdu ni la fraîcheur ni le parfum des poèmes originaux qui les ont inspirées. L'œuvre est savante, car elle se réfère souvent à la littérature populaire des autres peuples slaves ; mais dans l'ensemble elle est faite de légendes locales originales, riches de souvenirs fabuleux et de figures qui, malgré leur caractère irréel, sont vivantes grâce à la psychologie aiguë avec laquelle le poète pénètre l'âme de son peuple. L'analyse attentive des critiques n'a pu découvrir dans *La Guirlande* d'Erben des influences étrangères ; elles auraient pu se faire sentir, car le recueil fut composé à l'époque où la poésie germanique se répandait en Bohême. Il n'en est rien : la poésie d'Erben est tout à fait originale par son sens vraiment merveilleux de la langue et du pays tchèques. La plus grande partie des légendes de *La Guirlande* sont en forme de ballades, aussi peut-on considérer Erben comme le véritable créateur de ce genre qui fut ensuite cultivé en Bohême par les plus grands poètes qui vinrent après lui, comme Neruda, Hálek, Vrchlický.

GUIRLANDE DE JULIE (La). Recueil de madrigaux composés à l'Hôtel de Rambouillet vers 1634 en l'honneur de Julie d'Angennes, fille aînée de la marquise, la célèbre Arthénice. La mode de ce type de recueil venait d'Italie et se répandit en France à cette époque. Tous les beaux esprits de l'Hôtel y apportèrent leur contribution. Chapelain, Conrart, Arnaud de Corbeville, Scudéry, Tallemant des Réaux, etc. Calligraphié par Jarry, orné de miniatures, le volume fut offert à Julie en 1641. Tallemant le considère comme « une des plus illustres galanteries qui aient jamais été faites » et le décrit ainsi : « Toutes les fleurs en étaient enluminées sur du vélin, et les vers écrits sur du vélin aussi [...] Le livre est tout couvert des chiffres de Mlle de Rambouillet. Il est relié de maroquin de Levant des deux côtés, au lieu qu'aux autres livres il y a du papier marbré seulement. Il a une couverture de frangipane. » Seul Voiture, poète vedette de l'Hôtel, n'y participa point, car l'initiative en revenait à Charles de Sainte-Maure, duc de Montausier, son rival auprès de Julie, qui utilisa cet hommage collectif pour faire sa cour. *La Guirlande* se compose de soixante-seize madrigaux célébrant chacun une fleur, emblématique d'une perfection de Julie. Cet ouvrage est un témoignage parfait de la poésie mondaine sous Louis XIII : goût de la petite pièce raffinée, travail du blason, métaphores dans la tradition pétrarquisante et art de la pointe finale. V. M.

GUIRLANDE DU TEMPS [*Tijdkrans*]. Recueil de poèmes de l'écrivain belge d'expression flamande Guido Gezelle (1830-1899), publié en 1893, auquel l'on peut rattacher le recueil intitulé *Guirlande de l'année*. L'auteur chante l'une après l'autre chaque saison, chaque aspect de la nature, avec une joie qui traduit son accord profond avec l'être, sous toutes ses formes. Gezelle est prêtre en effet. C'est dire que tout, même l'hiver, lui est prétexte à louer Dieu. Il sent que partout le bien abonde, même s'il se cache, et que la mission du poète est de le découvrir et de le chanter. Mais, s'il est flamand, son univers n'a point la violence, la rudesse d'un Breughel ni l'embrasement d'un Verhaeren. Il y règne une paix toute chrétienne, une simplicité pleine de robustesse. Pour évoquer le soleil, par exemple, Gezelle ne déchaîne point une symphonie fantastique : son chant se fait au contraire plus simple, naïf comme l'étonnement d'un enfant. L'anthropomorphisme dont il use pour évoquer la nature n'a cependant rien d'un idéalisme facile. Le regard simple de l'enfant qui parle dans le poète sertit précisément la nature des choses. Ainsi cette évocation du coucher de soleil : « Le soleil rouge cerise descend au nid que Dieu lui a bâti / Ses yeux qui flambaient avec tant d'ardeur, sont morts de sommeil et vaincus / Ses cheveux sont noués ; sa couronne est tombée, et son sceptre, et ses plus beaux joyaux. » Mais Gezelle se montre plus sensible encore à la nuit : celle-ci lui paraît plus pure que le jour, la prière y monte à Dieu plus sereine, sans être dérangée par les rumeurs de la ville. Chaque saison apporte au poète son tribut de louanges pour le Seigneur : en hiver, c'est le courage de la corneille qui cherche la nourriture qui le touche ; au printemps, voici l'alouette qui monte aussi haut qu'elle peut dans le ciel pour remercier Dieu, et l'apparition des premières feuilles, qui couvrent le monde d'une immense et pacifique armée de bataillons verts. La mouche même est louée pour son bourdonnement plein de cœur et de chaleur, plus chaleureux que n'est le cœur des hommes. Gezelle, en effet, se montre plus pessimiste quand il parle des humains que lorsqu'il parle de la nature. Avec moins de bonheur que lorsqu'il évoquait les saisons, il reprend le thème de l'amour humain qui fuit et de l'amour divin qui demeure. C'est la seule note pessimiste de ce chant si plein de confiance pour la nature, si loin à la fois de la fameuse « tristesse du Nord » et de l'exubérance dont se teintent souvent les joies des Flandres. — Trad. (fragmentaire) dans les *Poèmes choisis* de Gezelle, 1908.

GÜNDERODE (La) [*Die Günderode*]. C'est le second des trois romans épistolaires par lesquels l'écrivain allemand Bettina Brentano (1785-1859), après la mort de son mari, le poète Achim von Arnim, voulut selon ses propres termes « embaumer dans l'art les souvenirs de sa vie ». Il fut publié en deux volumes à Leipzig en 1840. Comme aux deux autres, il manque à ce « roman de l'amitié », en grande partie autobiographique, un noyau central. En revanche, il nous apparaît comme le plus varié, celui où la femme poète montre le mieux son aptitude à camper des personnages et son talent de conteur, manifestant à plusieurs reprises un humour féminin tout empreint de coquetterie. Dans un style plein d'originalité sont évoquées les silhouettes du galant gentilhomme anglais épris de Bettina, du peintre Voigt, du Juif Éphraïm, professeur de mécanique et d'arithmétique et, en même temps, fripier par nécessité, du duc de Gotha, auteur d'un mystérieux billet à Bettina, du poète Hölderlin, déjà gagné par la folie et dont Bettina pressent la grandeur poétique, ignorée de tous ou presque. Les pages narrant son idylle, plus idéale que réelle, avec Maurice Bethmann et l'histoire de ses trois premiers baisers ont des accents d'une ardeur juvénile. Tous ces personnages sont dominés par la figure de son amie, la poétesse Caroline von Günderode, qu'elle connut en 1802 à Francfort, où Caroline était membre de la communauté des dames nobles. Dans ces lettres transparaissent clairement l'affection sincère et, parfois même, la véritable adoration que Bettina voua à cette amie taciturne. De la tragédie dont Caroline fut la protagoniste (elle se suicida lorsque le philologue Frédéric Creuzer, dont elle fut la maîtresse, se réconcilia avec son épouse légitime), le roman ne nous donne qu'un pâle reflet. Les lettres concernant la fin de Caroline ne sont pas authentiques, car l'amitié liant les deux femmes prit fin au début même des amours de Caroline et Creuzer, lequel éprouvait d'ailleurs une forte antipathie envers Bettina Brentano. Grâce à ce roman, Bettina n'est plus seulement considérée aujourd'hui comme l'auteur d'une *Correspondance de Goethe avec une enfant* (*), mais comme un véritable poète, digne en tout point, par sa sensibilité primesautière, sa fantaisie, son joyeux sens de l'humour et son exquise originalité, d'être appelée, comme le firent ses contemporains, la « sibylle du romantisme ».

GURRELIEDER. Cette œuvre du compositeur autrichien Arnold Schoenberg (1874-1951), de proportions considérables, constitue la seconde moitié de l'opus 4 (1900). Les deux premières parties et le début de la troisième étaient terminés dès l'été 1901, mais des nécessités matérielles empêchèrent l'auteur d'achever l'orchestration de l'ensemble avant 1911. Dans la catégorie de la musique vocale avec orchestre, c'est non seulement l'ouvrage le plus important entrepris par Schoenberg mais aussi l'un des plus vastes de tout le répertoire : à titre d'exemple, citons seulement ses exigences pour le chant, cinq voix solistes, trois chœurs d'hommes à quatre voix, un chœur mixte à huit voix. Il n'est pas possible ici d'énumérer la composition détaillée de l'orchestre, elle est wagnérienne par l'ampleur ; le nombre des instruments employés et individualisés n'a-t-il pas nécessité l'usage d'un papier à musique spécial de quarante-huit portées ? Les *Gurrelieder* marquent, pour certains, la limite extrême de l'évolution du lied classique tel qu'il était conçu en Allemagne depuis Schubert. Schoenberg dut sentir que, pour survivre, le genre avait besoin de se renouveler ; ses œuvres vocales ultérieures, de la période atonale, ont fait éclater le moule primitif. Les *Gurrelieder* sont écrits sur un texte diffus et cependant poétique du Danois Jens Peter Jacobsen (1847-1885), sorte de saga qui ressemble fort, par son atmosphère irréelle, aux légendes wagnériennes. Waldemar, touché par l'amour de Tove, l'emmène dans l'île de Gurre, mais son bonheur est anéanti par la jalousie meurtrière de la reine du lieu. Toutefois, le personnage principal semble bien être la nature, le paysage, que la musique de Schoenberg a porté au premier plan. La partition porte la marque certaine de l'influence wagnérienne, encore que Schoenberg fasse un usage personnel des procédés de son aîné. En outre, on y distingue ce goût de la sobriété qui amènera progressivement l'auteur à sacrifier à la pureté jusqu'au dépouillement. Il convient de noter aussi les effets nouveaux indiqués pour les cordes, « sul legno », etc., et de remarquer que la mélodie se suffit à elle-même, qu'elle n'est pas fonction de son accompagnement harmonique comme chez les musiciens contemporains, tels R. Strauss et Debussy. Cette œuvre demeure très diversement appréciée ; sans doute sa complexité rend-elle le jugement difficile. Rappelons que la seule analyse complète qui en existe, celle d'Alban Berg, a nécessité un volume entier.

GURVAN, LE CHEVALIER ÉTRANGER [*Gurvan, ar marc'heg estrañjour*]. Pièce de l'écrivain français écrivant en breton Tanguy Malmanche (1875-1953), écrite en 1919, imprimée par lui-même à cinquante exemplaires en 1923, puis traduite du breton en français et publiée en 1945. Si la version bretonne rimée et assonancée a une force bien supérieure à celle de la version française en vers libres, toutes deux sont remarquables par la manière de mettre en scène un « mystère » dans la tradition du théâtre populaire breton, à partir d'un thème de complainte transformé en allégorie : le retour du chevalier Gurvan, tenu pour mort et condamné à errer sans mémoire, auprès de sa femme Aziliz qui ne le reconnaît pas, le prend pour le meurtrier de son mari mais se trouve amenée à l'épouser afin de défendre son domaine. L'histoire, en soi presque sans importance, n'est que l'instrument d'une rêverie « en trois journées et une éternité » sur la dualité, l'aveugle jeu de la conciliation des contraires que symbolise à la fin l'étrange affrontement de l'ange blanc de la mort et de l'ange noir. Poème ou pièce, jouable ou non, *Gurvan* est considéré comme l'œuvre majeure de Tanguy Malmanche.

F. Mo.

GUSTAVE-ADOLPHE [*Gustaf Adolf*]. Drame historique de l'écrivain suédois August Strindberg (1849-1912), publié en 1900. C'est une ample fresque dont les cinq actes retracent les principaux épisodes de la campagne allemande de Gustave-Adolphe en 1631-1632, jusqu'à sa mort à la bataille de Lützen. Le principal intérêt de cette pièce est la peinture de l'ambiance et des scènes militaires qui se détachent sur un fond de ruines et de malheurs qu'une guerre impitoyable accumule sur l'Allemagne. Le premier acte, une sorte de vaste prélude où l'on retrouve l'influence de Schiller, est la meilleure partie de la pièce à cause de l'exacte description de l'état des esprits en Allemagne et du mélange des diverses professions de foi et des différentes nationalités dans le camp même du roi de Suède. Quelques scènes du dernier acte sont également très belles, avec le brouillard qui enveloppe le champ de bataille et qui donne au paysage un aspect irréel, le confus sentiment d'un malheur qui plane et les trois moulins à vent qui ressemblent, dans la brume, aux trois croix du Golgotha. Le thème principal de la pièce, celui de la tolérance religieuse, se trouve exprimé dès le début dans le dialogue entre le meunier protestant et sa femme catholique, lequel aboutit à la fameuse maxime de Frédéric le Grand : « Que chacun fasse son salut à sa façon. » Ce thème revient sans cesse, mais demeure un peu extérieur. Le portrait du roi est moins heureux, non qu'il ne soit fidèle, mais parce qu'il demeure très faible. Strindberg, qui excellait dans la description des affections et des formes élémentaires de la vie, était pour cette raison même peu habile à rendre une humanité supérieure. Son Gustave-Adolphe est une sorte de stratège dilettante, mi-sceptique, mi-sentimental, crédule et impulsif. Son caractère superficiel et incohérent se reflète dans la pièce qui déborde de personnages et d'événements. C'est en somme une pièce descriptive et anecdotique, mais peu poétique. – Trad. in *Théâtre complet*, t. IV, L'Arche, 1984.

GUSTAVE-DE-FER [*Der eiserne Gustav*]. Roman en deux épisodes : « Inferno » et « Le Voyage à Paris », de l'écrivain allemand Hans Fallada (pseud. de Rudolf Ditzen, 1893-1947), publié en 1938. Vaste fresque de la vie de Berlin au cours des années 1914-1924, ce roman-fleuve dépeint l'agonie des classes moyennes allemandes. Au centre de l'action se dresse le personnage haut en couleur du vieux Hackendahl, propriétaire d'une écurie de fiacres. Dur envers lui-même comme envers les siens, il est fier de son surnom de Gustave-de-Fer, qu'il s'efforce de mériter en dépit de toutes les catastrophes. De ses trois fils et deux filles, seul le cadet lui donne un semblant de satisfaction. L'aîné, Otto, brave garçon terrorisé par la tyrannie paternelle, épouse en secret, juste avant de partir au front, une couturière bossue. À sa première permission, il trouve le courage d'avouer cette union à son père, qui le maudit. Au moment de rejoindre son unité, Otto est tué. Le second fils, Éric, le préféré de son père, possède ce mélange d'intelligence et de paresse, de cupidité et d'absence de scrupules qui est propre aux grands profiteurs des époques troubles. Brillant officier à l'arrière, meneur de soldats révoltés, jouisseur cynique, seigneur du marché noir et du trafic de devises, Éric a forcément honte de ses origines, de ce père vulgaire qui s'entête à rester un simple cocher de fiacre. Pendant des années, il évite soigneusement tout contact avec sa famille. Mais, un jour, ruiné par une spéculation malheureuse sur le mark, il est bien obligé de retourner chez ses parents. Or, Gustave n'est plus propriétaire d'écurie ; ruiné par la guerre et l'inflation d'abord, par l'apparition des taxis ensuite, il gagne péniblement sa subsistance avec le dernier cheval qui lui reste. Mais il trouve encore dans son porte-monnaie quelques pièces qu'il glisse dans la poche de son fils. Puis, il le chasse. La fille aînée, devenue une dame respectable, s'est complètement détachée de sa famille. Par contre la cadette, Éva, est tombée sous la coupe d'un louche personnage, souteneur et voleur, prêt à tout. Un dernier sursaut de dignité la pousse à tirer sur son protecteur qui veut la livrer à une bande de soldats démobilisés. Elle le défigure, le rend aveugle, mais, quelques semaines plus tard, elle revient docilement vers cet homme qui a fait d'elle sa chose. Seul Gustave-de-Fer, roc solide au milieu de la tourmente, est resté fidèle aux vieilles traditions. Il a dû, certes, accepter bien des humiliations, mais personne ne pourra l'accuser de la moindre action malhonnête. Il a même trouvé, presque au terme de son existence, le moyen de devenir célèbre : un voyage en fiacre, de Berlin à Paris. Sa compagne est morte. En revanche, Gustave retrouve Heinz, son fils cadet, garçon sobre, courageux et qui, peut-être, méritera un jour de porter le surnom du père. Il a fallu le grand talent de Fallada pour que l'action demeure claire en dépit de l'enchevêtrement des situations. Il y est parvenu surtout grâce au don qu'il a de peindre les caractères. En dépit de ses incessants détours, l'action garde une unité parfaite, elle suit une évolution qui paraît implacable. L'ouvrage vaut également par la description saisissante des mille aspects de cette ville inquiétante, sordide, éternellement agitée qu'était le Berlin de l'inflation. Peut-être pourra-t-on reprocher au romancier de n'avoir vu que ces aspects-là. C'est un livre dur et puissant, témoignage d'une époque atroce. – Trad. Albin Michel, 1943.

GUSTAVE FLAUBERT, L'HOMME ET L'ŒUVRE. Essai publié en 1932 par l'écrivain et critique français René Dumesnil (1879-1967). Docteur en médecine, il consacre sa thèse à *Flaubert, son hérédité, son milieu, sa méthode* (1905), puis vient une longue série d'ouvrages complémentaires : *Autour de Flaubert* (1912), *La Publication de Madame Bovary* (1928), *En marge de Flaubert* (1929), ainsi que des études sur l'école réaliste et naturaliste. Dumesnil a également publié plusieurs œuvres de critique musicale, en particulier *Le Rythme musical* (1949), *Le « Don Juan » de Mozart* (1927), *Richard Wagner* (1929). L'ouvrage sur *Gustave Flaubert, l'homme et l'œuvre* constitue, de l'aveu même de l'auteur, une reprise de sa thèse de 1905 ; une reprise, mais aussi une refonte presque complète : « Un commerce de plus de trente ans avec son œuvre m'a parfois amené à réformer mes opinions. » La première partie de l'ouvrage est consacrée à l'homme : son hérédité, le déroulement de sa vie depuis l'Hôtel-Dieu de Rouen jusqu'à la solitude de Croisset, ses relations avec Mme Schlesinger, la belle Eulalie Foucaud, Louise Colet et la princesse Mathilde. La seconde partie, celle qui sans doute a le plus bénéficié des trente ans de « commerce » de Dumesnil avec Flaubert, concerne son œuvre. Après en avoir étudié les principes, souligné le déterminisme du romancier, et noté à la fois l'unité et la diversité de l'œuvre, il s'intéresse plus particulièrement au mécanisme qui permet de transmuer la vie en œuvre d'art, en étudiant les sources de Flaubert. Dumesnil consacre ensuite un chapitre à la composition et au style, puis s'applique à dégager la philosophie de l'œuvre de Flaubert (pessimisme, bovarysme et mysticisme) et sa leçon : « Le seul bonheur qui soit permis aux hommes ne peut résider dans la possession d'un résultat, mais dans la poursuite d'un idéal. »

GUSTAVE VASA [*Gustaf Vasa*]. Drame historique en cinq actes de l'écrivain suédois August Strindberg (1849-1912), publié en 1899, se rattachant à son œuvre de jeunesse *Maître Olof* [*Master Olof*, 1872], Il devait former avec celui-ci et avec *Erik XIV* (*), écrit plus tard, une trilogie. *Maître Olof* nous avait montré le fondateur de la dynastie des Vasa au moment où il se dressait, victorieux, à l'horizon politique. Dans *Gustave Vasa*, le roi n'est plus un jeune homme, et nous le voyons à un moment particulièrement critique de sa vie, aux prises avec une révolte de paysans menée par Nils Dacke (1542). Le roi est cruel et astucieux, violent et machiavélique, mais pourtant, fatigué de lutter, il éprouve parfois le besoin de s'humilier devant les hommes et devant Dieu. Durant les deux premiers actes, on ressent constamment la présence du roi, bien qu'il ne paraisse point sur la scène. Il en résulte une série de situations pleines d'effet dramatique : ainsi, lorsque les chefs de la rébellion de Dalécarlie se trouvent attirés, puis exécutés l'un après l'autre au cours de pourparlers trompeurs, leurs vestes sanglantes sont jetées dans la pièce où les attendent leurs compagnons, comme un témoignage et un terrible avertissement. Le premier acte nous montre ainsi le roi qui élimine ses adversaires selon une méthode que n'aurait pas méprisée César Borgia ; le deuxième nous présente le pouvoir exercé par la raison d'État. Le troisième acte, au cours duquel Gustave Vasa entre lui-même en scène, complète le monumental portrait du roi, susceptible d'affections humaines dans sa vie privée, bête féroce et homme à la fois dans la politique, selon la vigoureuse définition de Machiavel. Après un quatrième acte assez faible, qui nous montre le roi circulant incognito dans Stockholm, entouré de mendiants et humilié, le dernier acte atteint par instants à une réelle intensité dramatique. Gustave Vasa se trouve dans un danger extrême, et toute possibilité d'échapper lui semble fermée. Plein d'angoisse, il s'humilie devant Dieu tandis que l'on entend les lourds pas des paysans dalécarliens qui entrent dans la ville. Le spectateur attend la catastrophe imminente, mais les paysans, qui ont appris la détresse du roi, sont venus à son secours. *Gustave Vasa* n'est donc pas une tragédie, selon la conception classique : les actions du roi ne provoquent pas la catastrophe, et le spectateur ne ressent aucune pitié. C'est plutôt une grande fresque historique, composée avec beaucoup d'habileté et pleine d'effets dramatiques, au milieu de laquelle se détache la monumentale figure du premier des Vasa. — Trad. in *Théâtre complet,* t. IV, L'Arche, 1984.

★ Avant Strindberg, l'écrivain allemand August Kotzebue (1761-1819) avait porté le personnage de Gustave Vasa à la scène, dans un drame du même nom. Clemens Brentano (1778-1842) en fit une parodie dans une comédie satirique portant le même titre (1799).

GUY DE WARWICK [*Guy of Warwick*]. Roman anglais en 7 000 vers, composé au XIVe siècle, qui s'inspire, à l'instar de *Havelok le Danois* (*) et du *Roi Horn*, de thèmes anglo-saxons et scandinaves plutôt que franco-normands. Cette œuvre a donné lieu à de nombreuses discussions sur ses origines et ses sources. Le héros est vraisemblablement le fils d'un certain Segarde, chevalier originaire du Northumberland, qui jadis, lorsqu'il n'était qu'un jeune homme, a été obligé de se réfugier à Warwick afin de se soustraire à la tyrannie d'Édouard, le fils du roi Alfred le Grand. Guy est né de son union avec une jeune fille de noble extraction. D'abord confié aux soins du docte Héraud d'Arderne, Guy s'éprend de Phelis, la fille du comte Rohande de Warwick. Phelis lui fait, au début, sentir la distance qui les sépare, mais émue peu à peu par le désespoir du jeune homme, elle consent à l'épouser à condition qu'il acquière la réputation d'un preux. Alors commence pour Guy une longue suite d'aventures. Parvenu en Allemagne, il défait les chevaliers les plus illustres, si bien que l'empereur envisage de lui donner sa fille en mariage. Il n'en retourne pas moins en Angleterre où Phelis l'incite à chercher de nouvelles aventures. C'est ainsi qu'il délivre le comté d'York d'un monstre horrible, une gigantesque vache noire qui ravageait la contrée. En Italie, Guy rencontre à Bénévent un duc allemand nommé Otten, contre lequel il soutient un duel acharné. À Byzance, il prête son aide à l'empereur Ernis contre les Sarrasins dirigés par un amiral à la stature gigantesque, nommé Coldran, que Guy parvient à tuer. Sur le chemin du retour, il doit encore engager le combat contre Otten qui, cette fois, n'échappe pas à la mort, et il libère le Northumberland d'un terrible dragon. Après avoir célébré son mariage avec la belle Phelis, Guy, contemplant un soir le ciel étoilé, subit une crise religieuse et, devant le spectacle de la vanité des chose terrestres, décide de partir pour la Terre sainte : sa femme ne le dissuade pas de sa pieuse intention. Mais de nouveaux dangers détournent le valeureux chevalier de son but : de retour en Angleterre, il apprend que son beau-père Rohande est engagé dans une guerre sans merci contre les Danois. Au service de ces derniers combat un géant africain, nommé Colbronde, à qui personne ne peut résister. Guy parvient par miracle à le tuer et libère son pays des Danois. Après cette ultime prouesse, le héros se retire dans une caverne située près du fleuve Avon, où il vit en ascète. Parfois il va recevoir avec d'autres mendiants l'aumône de sa femme, qui ne le reconnaît pas sous ses haillons. C'est seulement lorsqu'il sent approcher sa fin qu'il envoie son anneau nuptial à Phelis et lui demande de recueillir son dernier souffle.

Le fondement historique du roman est constitué par les longues guerres que soutint Rohande contre les Danois, et que termina la victoire anglaise de Brunanburh (937). L'imagination populaire broda sur ces faits et créa la légende du terrible géant Colbronde, aux ordres du roi danois Anlauf. Cette légende relate la libération de Rohande auquel Dieu lui-même avait prédit qu'aide et délivrance lui viendraient d'un pèlerin. De ce mélange d'histoire et de légende est né le roman, qui est composé de deux parties différentes. Le nom de Guy est franco-normand, et la soif d'aventures encourues pour conquérir le cœur de la dame constitue un thème qui appartient à l'univers féodal et chevaleresque. La vocation du héros pour la vie ascétique confère à l'œuvre un caractère bien spécial qui l'apparente aux écrits religieux saxons et, en particulier, aux œuvres de Caedmon. La deuxième partie de *Guy de Warwick* a peut-être subi également l'influence de la légende de saint

Alexis qui s'enfuit le soir de ses noces, pour rentrer ensuite à Rome pauvre et ignoré de tous, au point de venir mendier son pain dans le palais de son père. Sans parvenir jusqu'au ton authentiquement épique du roman de *Havelok le Danois, Guy de Warwick* l'emporte sur celui-ci par l'intérêt historique et critique, en raison de la riche documentation qu'il contient sur l'atmosphère religieuse et mystique du haut Moyen Âge anglo-saxon. — Pour la version française du XIIIe siècle, voir l'édition d'A. Ewert (2 vol., Paris, Champion, 1933).

GUY MANNERING [*Guy Mannering*]. Roman de l'écrivain écossais Walter Scott (1771-1832), publié en 1815. La scène se passe au XVIIIe siècle. Comme dans *L'Antiquaire* (*), l'auteur ne fait pas revivre des personnages historiques, mais veut simplement recréer une atmosphère historique. Le jeune Harry Bertram, fils du seigneur d'Ellangowan du comté de Dumfries, a été enlevé par des contrebandiers et conduit en Hollande. L'avocat véreux Glossin, qui a perpétré ce rapt, espère ainsi obtenir à vil prix les terres d'Ellangowan privé d'héritier mâle. Ignorant tout de son origine, Harry émigre aux Indes, sous le nom de Brown. Il se distingue sous les ordres du colonel Guy Mannering jusqu'au jour où ce dernier le soupçonne de faire la cour à sa femme. Mais en réalité, il aime Julie, la fille du colonel. Harry est blessé en duel et laissé pour mort. Guéri de sa blessure, il suit sa bien-aimée en Angleterre, près d'Ellangowan où la vieille gitane Meg Merrilies le reconnaît. Entre-temps, Glossin, qui s'est installé dans le domaine, se voit menacé par le retour de Harry Bertram et craint que ce dernier ne découvre le secret de sa naissance. De son côté, la gitane, fidèle à la famille d'Ellangowan, fait son possible pour dévoiler l'existence de l'héritier. Glossin trame alors un complot avec Dirk Hatteraick, le chef des contrebandiers qui avaient une première fois enlevé Harry : on fera disparaître ce dernier encore une fois. Mais la gitane et le laboureur Dandie Dinmont éventent le complot. Hatteraick et Glossin sont emprisonnés ; le premier se suicide après avoir tué l'avocat, en qui il voit la cause de ses malheurs. Bertram est reconnu légitime propriétaire d'Ellangowan, il retrouve la faveur de Mannering et épouse Julie. Citons, parmi les personnages moins importants, le plaisant Dominie Sampson, précepteur du jeune Harry et type de l'érudit ingénu, et le non moins drôle conseiller Pleydell qui affecte obstinément de prendre les manières d'une autre génération. Les éléments conventionnels qu'on retrouve souvent chez Scott (quelque incident fâcheux qui marque l'enfance du héros) et des personnages à l'avenant (un gros homme sympathique, un étrange vagabond, un brigand, un érudit, etc.), constituent la trame de ce récit. Mais cette trame n'a qu'un intérêt secondaire : elle relie simplement plusieurs épisodes dramatiques, tels que la chasse au renard ou la pêche au saumon à Charlie's Hope, la scène où la gitane arrache Bertram à ses persécuteurs, l'assaut de la prison par les contrebandiers, et la dramatique reconnaissance par laquelle s'achève le roman. — Trad. Firmin Didot, 1882.

GUZMÁN DE ALFARACHE. Roman picaresque de l'écrivain espagnol Mateo Alemán (1547-1614 ?), publié en deux parties : la première à Madrid en 1599 sous le titre *Première partie de Guzmán de Alfarache, par Mateo Alemán, serviteur du roi don Philippe III notre maître, natif et habitant de Séville ;* la seconde, à Lisbonne, en 1603, avec la mention dans le titre : *por Mateo Alemán, su verdadero autor* (« son véritable auteur »). La raison d'une telle mention est qu'en 1602 avait paru une seconde partie apocryphe, œuvre de Juan José Martí, avocat à Valence (1570 ?-1604), qui avait pris le pseudonyme de Mateo Luján de Sayavedra. Le roman, suivant la trame imaginée dans *Les Aventures de Lazarille de Tormes* (*), est l'autobiographie d'un fieffé coquin qui, après des aventures de tout genre, ayant fini au banc d'une galère, conte sa propre vie. Comme dans le *Lazarille,* c'est par l'histoire des parents que commence le récit. Le père est un marchand génois, voleur naturellement, qui, s'étant établi à Séville, est fait prisonnier par les Maures et conduit en Tunisie où il épouse une Arabe à laquelle il vole par la suite son patrimoine. Revenu en Espagne, il enlève à un vieux chevalier son amante qu'il donne à Guzmán. Celui-ci, à la mort de son père, quitte la maison paternelle et s'en va de par le monde pour gagner sa vie. C'est un garçon plein de bonnes intentions, mais que l'expérience va se charger de mettre aussitôt à l'école du mal. Le premier jour, dans une hôtellerie, on lui fait manger une omelette faite avec des œufs déjà couvés. Arrivé à Cantillana, en compagnie d'un muletier et d'un séminariste, on lui sert dans une « mesón » (auberge de campagne) de la viande de mulet crevé en guise de veau et on lui vole sa cape ; mais Guzmán découvre le larcin et dénonce l'hôtelier à la justice. Poursuivant son voyage vers Madrid, il entre en service dans une autre mesón et apprend à voler pour son propre compte, à alléger les poches des clients et à commettre mille autres filouteries. Arrivé à Madrid, il commence à exercer la « florida picardia », entrant dans l'honorable société des voleurs et des tricheurs. Pendant quelque temps, il fait le marmiton et connaît une période d'aisance, mais il est pris par le démon du jeu, recommence à voler et se fait chasser. Il revient à la vie de « picaro » et, après avoir volé sur la place une forte somme d'argent, il s'enfuit à Tolède où, vêtu en cavalier, il se met à faire le galant, mais il est berné par deux courtisanes. Il s'enrôle alors dans les troupes en partance pour l'Italie et dépense tout son pécule pour se gagner les bonnes grâces du capitaine qui, une fois débarqué à Gênes, se débarrasse de lui. Guzmán se met à la recherche des parents de son père ; le voyant affamé comme pas un, aucun d'eux ne veut le reconnaître ; seul un vieillard l'accueille, mais il l'envoie se coucher sans manger et le fait malmener la nuit par quatre prétendus « diables ». Guzmán entre dans l'association des gueux dont il apprend les curieux statuts et, tout en mendiant, il arrive à Rome où il apprend à simuler les plaies incurables. Un cardinal, ému de pitié, le recueille et le fait soigner par des médecins peu scrupuleux qui, pour soutirer de l'argent au cardinal, reconnaissent pour vraies les fausses plaies. Incorrigible, Guzmán, jusque dans la maison de Son Éminence, commet toutes sortes de canailleries, vole, se remet à jouer ; finalement, on le met à la porte. Il passe alors au service de l'ambassadeur de France ; ici se termine la première partie du roman.

L'ambassadeur était « enamorado », c'est-à-dire qu'il avait, comme certains membres de sa profession, un faible pour les femmes ; aussi Guzmán fait-il auprès de lui office de « ministre de Vénus et de Cupidon ». Étant allé solliciter une dame romaine pour le compte de son maître, celle-ci, pour le punir de son audace, lui fait passer une nuit pluvieuse dans une cour sordide. Le lendemain, tandis qu'il se plaint à la servante de la cruauté de sa maîtresse, il est bousculé par un porc qui le traîne dans la rue comme un sac de chiffons et le laisse couvert de boue, en butte aux moqueries des passants. Pour se soustraire au ridicule que lui valent ses tribulations, Guzmán prend congé de l'« ambassadeur » avec l'intention de visiter Florence et les autres villes d'Italie. En route, Sayavedra, frère de Juan Martí, l'auteur de la seconde partie apocryphe du roman, se lie d'amitié avec lui et, à Sienne, se joint à des malfaiteurs pour lui dérober ses bagages avec tous ses vêtements et l'argent qu'il avait gagné dans son métier d'entremetteur. À Florence, Guzmán rencontre Sayavedra, lui pardonne sa complicité dans le vol et le prend comme serviteur. Tous deux se rendent à Bologne où Guzmán retrouve le principal voleur de ses bagages, le dénonce, mais est lui-même emprisonné. Sorti de prison, grâce à Sayavedra maître en la matière, il triche au jeu et s'enfuit à Milan où, par un audacieux stratagème, il escroque un marchand. Il peut ainsi mener à Gênes une vie fastueuse, fêté cette fois par son vieil oncle et ses autres parents qui voudraient même le marier. Mais Guzmán se venge par un vol de la mauvaise plaisanterie qu'on lui a fait subir jadis et, avec Sayavedra, s'embarque sur la galère du capitaine Favelo qui fait voile pour l'Espagne. Au large de Marseille, le navire étant surpris par la tempête, Sayavedra pris de panique se jette à la mer et se noie. Débarqué à Barcelone, Guzmán voyage dans diverses régions en faisant les métiers les plus variés. À Saragosse, un aubergiste le soumet au « tarif des sottises » [« Arancel de necedades »] (qui semble imité de Quevedo) : une femme se moque de lui et à cause d'une autre il est contraint de quitter la ville. À Madrid, une jeune fille porte plainte contre lui ; pour éviter la prison, il doit débourser deux cents ducats. S'étant adonné au commerce des bijoux, il augmente son capital, achète une maison et épouse la fille d'un marchand de ses amis, lequel l'aide à escroquer ses créanciers. Demeuré veuf, Guzmán décide de se faire prêtre. Il se livre donc à l'étude à Alcalá. Mais, durant un pèlerinage, il s'éprend de la fille d'un « mesonera » et l'épouse. Il abandonne ses études et se rend avec sa femme à Madrid : là, il mène une vie corrompue et cynique, allant jusqu'à rendre à sa femme les mêmes services qu'à l'ambassadeur. Bannis de la ville à cause du scandale, ils passent à Séville où Guzmán retrouve sa vieille mère ; mais il est abandonné par sa femme qui s'enfuit en Italie avec un capitaine de galère, le laissant seul et sans argent. Guzmán revient alors à ses vols et escroqueries : entre autres, il vend les toits d'une maison qui ne lui appartient pas et trompe un saint moine. Entré au service d'une dame, il la vole, est découvert et se voit condamné à six ans de galère. Comme il tente de s'enfuir, il est repris et, cette fois, condamné à vie. Les horribles souffrances de l'existence de galérien conduisent enfin l'âme du picaro au repentir de ses fautes, et c'est après avoir dénoncé une tentative de mutinerie des galériens qu'on lui promet la liberté.

Dans le récit, selon un procédé mis à la mode par Boïardo et l'Arioste, sont intercalées trois nouvelles : « Ozmin et Daraja » (I, 1, 8) ; « Dorido et Clorinia » (I, 3, 10) ; « Messer Jacopo et ses fils » (II, 2, 9), ainsi qu'une quantité d'ébauches de sujets de romans, empruntés en partie à la tradition classique, en partie aux récits populaires et à l'observation directe de la réalité. C'est ici que triomphe l'art de l'écrivain. Comme tous les auteurs de romans picaresques, Alemán décrit les aspects les plus crus de la vie. Le cadre de son roman est fait d'abjection et de misère, en opposition volontaire avec les roses et idéales fictions pastorales et chevaleresques de la littérature des cours. Ce n'est plus, ici, la satire subtile de *Lazarille* qui choisit les épisodes, les épure, les débarrasse de leur caractère anecdotique et en coordonne la représentation pour une fin morale, atteignant ainsi l'équilibre artistique ; c'est une fantaisie créatrice débridée, un vigoureux réalisme que les freins de la morale ne compriment plus. Car Alemán est l'homme de la Contre-Réforme ; il sent l'appel de l'instinct et s'y abandonne ; mais sachant l'instinct mauvais, il y oppose la raison. On trouve en lui la joie du conteur ; une amère complaisance pour la vie de la racaille, vue comme une épopée à l'envers, mais il y ajoute le correctif de la digression philosophique qui, des cas les plus désespérés, tire un enseignement moral. Une morale qui demeure peut-être sommaire, mais qui n'est nullement frelatée et qui jaillit du contraste violemment baroque opposant, selon le procédé habituel de l'écrivain, le picaresque à l'ascétique. Il montre ainsi sa vision négative du monde, dans laquelle le mépris du stoïcien et le désespoir du juif (Alemán était d'ascendance israélite) se fondent en un christianisme que n'éclaire aucune confiance en l'homme. Le roman fut rapidement traduit dans toutes les langues. En France, Lesage (1668-1747) en fit une adaptation fort abrégée (1782), qui eut du moins le mérite d'introduire ce roman dans notre pays. — Trad. Gallimard, Bibliothèque de la Pléiade, 1968.

GWENDOLINE. Opéra en deux actes du compositeur français Emmanuel Chabrier (1841-1894), sur un poème de Catulle Mendès, créé à la Monnaie de Bruxelles en 1886. Le sujet est tiré de l'histoire de l'ancienne Angleterre et a pour toile de fond les guerres entre Saxons et Danois. Gwendoline est la fille d'un chef saxon ; on la donne pour épouse à Harald, le héros danois, en la chargeant de le tuer pendant son sommeil. Mais elle en a pitié et s'en éprend. Harald est tué par les Saxons et Gwendoline meurt avec lui. Vincent d'Indy prononça une sentence sévère contre les livrets de ce genre : « style hébraïque », disait-il, c'est-à-dire style à la Meyerbeer et « grand opéra ». Chabrier au contraire (auteur d'une rhapsodie *España* (*) qui marqua le début de l'« ibérisme » français et d'une série de petites œuvres qui amènent à la fois un genre léger d'une réelle qualité musicale et « l'harmonie de couleur »), imbu de wagnérisme, mais aussi musicien d'instinct, en fit une œuvre wagnérienne à sa façon : tout en conservant le système des leitmotive, il les rendit extrêmement personnels en les accompagnant de récitatifs d'une très belle qualité, au fond harmonique plein de surprises et de couleur. Donc, « grand opéra », mais d'un wagnérien de grand talent précurseur de l'impressionnisme : en somme, une production très composite, mais originale.

GYGÈS ET SON ANNEAU [*Gyges und sein Ring*]. Tragédie en cinq actes en vers du poète et dramaturge allemand Friedrich Hebbel (1813-1863), composée en 1854. Elle s'inspire d'une légende contée par Hérodote, selon laquelle le Grec Gygès, possesseur d'un anneau magique qui rend invisible celui qui le porte, est secrètement introduit chez Candaule, roi de Lydie, dans la chambre de son épouse Rhodope, afin de pouvoir en admirer la beauté. Pour se venger de l'outrage, Rhodope pousse Gygès à tuer son mari, puis à l'épouser, et enfin se suicide. Hebbel est parvenu à tirer de cet épisode un drame psychologique moderne. Le roi Candaule est présenté comme un homme bravant les préjugés et les anciennes coutumes de son peuple, admirateur ardent de la civilisation hellénique dont il reconnaît la supériorité sur la sienne. Poussé par le désir de faire connaître à d'autres ses richesses, il éprouve le besoin étrange de montrer à quelqu'un la beauté de son épouse et incite Gygès, son ami et confident — qui lui a fait don de son anneau magique —, à pénétrer secrètement pendant la nuit dans la chambre de Rhodope. Gygès, jeune Grec d'une grande beauté, tempérament noble et simple, se refuse d'abord à suivre les incitations de Candaule, mais cède finalement, et à la vue de la reine, s'en éprend aussitôt. Des trois personnages, celui de Rhodope est le plus problématique. Pleine de réserve et de pudeur, elle vit selon les coutumes de son pays — l'Inde, — quasi solitaire et dans la stricte obédience des commandements de sa sévère religion. Apprenant la conduite de Gygès, elle exige d'abord que Candaule tue le jeune Grec, sinon elle-même se donnera la mort ; mais lorsqu'elle s'aperçoit que le vrai coupable est Candaule, elle estime que ce dernier a cédé ses droits à Gygès et que celui-ci doit désormais tuer le roi et devenir son époux. Dans le duel qui s'ensuit, Candaule tombe en effet sous les coups de Gygès, expiant ainsi sa faute. La figure de Rhodope devient particulièrement tragique dans la conclusion du drame : étouffant ses propres sentiments, elle se sacrifie uniquement au culte de l'honneur et de la pudeur et, après avoir épousé Gygès devant l'autel d'Hestia, se donne la mort. Tout au long de cette tragédie, construite avec un sens classique de la mesure et dans un style empreint d'une calme grandeur, l'anneau magique, ramené à plusieurs reprises au premier plan dans le cours de l'action, confère à l'intrigue un caractère poétique proprement merveilleux. — Trad. Aubier, 1943.

★ Avant Hebbel, la légende avait inspiré le théâtre espagnol et en particulier José de Cañizares (1676-1750), dans sa comédie en deux parties *El anillo de Gyges, y mágico rey de Lidia* ; elle fut reprise de nos jours par l'écrivain français André Gide (1869-1951) dans sa pièce *Le Roi Candaule*, drame représenté pour la première fois au Théâtre de l'Œuvre, le 9 mai 1901. Gide transforme cependant la version d'Hérodote en y insérant une autre légende. Candaule, roi de Lydie, s'est fait de la générosité une règle de vie et vit heureux dans son palais, entouré de courtisans adulateurs qu'il couvre de récompenses, transporté par l'amour de la reine Nyssia, femme d'une surhumaine beauté. Sa conduite est cependant sévèrement jugée par le pauvre pêcheur Gygès, qui fut son compagnon de jeux au cours de son enfance et vit désormais fièrement dans sa misère et sa liberté. Au cours d'un banquet, un convive trouve dans un poisson un mystérieux anneau et le remet au roi, qui y découvre gravée la devise : « Je cache le bonheur. » Candaule fait appeler le pêcheur pour le récompenser ; et Gygès paraît alors, en compagnie de sa femme, qu'il tuera bientôt, au cours d'un dramatique entretien, en découvrant son infidélité. La sauvage fierté et la farouche simplicité de cet homme conquièrent le roi, qui garde Gygès près de lui pour en faire son meilleur ami. Et c'est à lui qu'il confiera le véritable délire qu'à atteint sa manie de la générosité : il est incapable de goûter le bonheur si nul ne le partage avec lui et n'en fait, comme lui, la directe expérience ; l'anneau trouvé dans le poisson a le pouvoir magique de rendre invisible celui qui le porte : Gygès devra s'en servir pour aller partager pendant une nuit, à la place du roi, la couche de Nyssia. Incapable de résister à la folie du roi, Gygès accepte d'accomplir la fatale expérience. Le lendemain, il n'a point reparu. Tandis que le roi cherche fiévreusement Gygès et l'anneau, Gygès, bouleversé, se confie à la reine, torturé par le remords et cependant passionnément épris. Nyssia lui ordonne alors de tuer immédiatement Candaule. Gygès s'exécute, envoûté ; et il est proclamé roi par Nyssia et les courtisans atterrés, tandis que Candaule meurt en lui conservant son amitié. Gide lui-même, dans une préface, expose les raisons intimes de cette œuvre bizarre : Candaule personnifie le dangereux penchant d'une âme excessivement raffinée qui peut devenir, selon Nietzsche, généreuse jusqu'au vice ; car une générosité excessive ne va jamais sans la perte de la pudeur qui est une réserve. Quoi qu'il en soit, il est vain de vouloir chercher dans ce drame un véritable symbole : tout au plus une invitation à généraliser, autrement dit un exemple. Gide se révèle donc, déjà avec cette œuvre de jeunesse, préoccupé d'un art qui se prévaut de sa force créatrice pour insinuer, dans l'esprit du lecteur et des spectateurs, le doute et l'ambiguïté des problèmes difficiles. Cette courte pièce aspire à la « moralité », et parvient en effet, dans son style pur et réfléchi, typiquement néo-classique, à tirer de la simple évocation de ce mythe étrange des accents de touchante humanité.

GYSBREGHT VAN AEMSTEL. Tragédie de l'écrivain néerlandais Joost van den Vondel (1587-1679), composée en 1637, et inspirée par la lutte de la ville d'Amsterdam contre les féodaux du Kennemerland, qui se solda par la destruction d'Amsterdam en 1304. C'est la veille de Noël ; Gysbreght apprend que les ennemis ont levé le siège de la ville, nouvelle confirmée par un prisonnier, Vosmeer, qui raconte comment une dispute est née entre les chefs ennemis et au prix de quels efforts il a pu échapper à la mort ; maintenant il ne lui reste plus qu'à se livrer à Gysbreght. Ce dernier lui rend la liberté et ordonne que l'on amène dans la ville le navire que les ennemis avaient laissé hors de l'enceinte. Mais, tout comme dans le cheval de Troie, de nombreux soldats sont cachés dans ce navire ; ils ont l'ordre d'en sortir à minuit, lorsque toute la population sera à l'église pour célébrer Noël, et de s'emparer de la ville. Au milieu de la joie générale seule Badeloch, la femme de Gysbreght, a un triste pressentiment ; et en effet, au moment où Gysbreght cherche à la tranquilliser, arrive la nouvelle : l'ennemi est entré dans la ville. Tandis que la ville brûle, Gysbreght se porte au secours de l'évêque et de la mère abbesse, lesquels, pourtant, refusent de fuir. Arend van Aemstel, le frère de Gysbreght, meurt après avoir vainement essayé de décider Badeloch à fuir aussi avec ses enfants. Ils sont donc réfugiés dans le château où Gysbreght est résolu à se défendre à tout prix. C'est alors qu'apparaît l'ange Raphaël qui vient les instruire de la volonté de Dieu : la ville sera prise et réduite en esclavage, mais pour renaître ensuite plus glorieuse et plus puissante, et Gysbreght devra l'abandonner. Ce dernier s'incline, dépose les armes et prend le chemin de l'exil. Dans *Gysbreght van Aemstel*, l'influence de Virgile est évidente ; c'est la reprise du second livre de l'*Énéide* (*). Entre tous les drames de Vondel, c'est celui-ci qui est resté le plus populaire : depuis le milieu du siècle dernier, il est d'usage, à Amsterdam, de le représenter à chaque fin d'année.

H

H [*He*]. Le titre lettriste de ce recueil de poèmes, publié en 1942 par l'écrivain turc Asaf Halet Celebi (1907-1958), correspond au « ê » de l'alphabet arabe ou « h » des caractères latins ; il représente aussi un symbole de lamentations dans l'iconographie populaire. Empreint d'une grande variété de correspondances plastiques, colorées et sonores, les vers de l'érudit qu'était Celebi constituent un curieux mélange de modernisme occidental et d'imagerie mystique, tantôt musulmane, tantôt bouddhiste. Obsédée par le non-être et par l'insolite, cette poésie n'a pas été sans influencer un courant hermétique qui s'est développé en Turquie après 1954 sous le nom de « Second nouveau » [Ikinci Yeni].

HABACUC (Livre de). Livre prophétique de l'Ancien Testament — v. *La Bible* (*) — attribué à Habacuc, qui vécut au VIIe siècle, quelques décades avant la destruction de Jérusalem. Ce livre comprend deux parties bien distinctes : la première est un dialogue entre Dieu et le prophète, dialogue dans lequel sont annoncés le châtiment de Juda par les armées du roi de Babylone, et la ruine qui attend, par la suite, ce dernier pays (I-II). La deuxième partie est un psaume, dans lequel le prophète annonce la venue du Seigneur pour le Jugement et implore sa clémence pour son peuple (III). L'annonce de la destruction de Babylone ne sert que comme cadre historique à la prophétie de la ruine de tous les ennemis de Dieu, représentés par les Babyloniens, et à celle annonçant la régénération du genre humain par le Messie. La forme, adoptée par Habacuc dans son texte, prouve que l'auteur fut un des meilleurs poètes hébraïques. Tantôt il lance des menaces terribles contre les opiniâtres, tantôt il supplie humblement, tantôt encore il dit la majesté du Dieu de justice. Tout atteste ici le sens de la grandeur : style et sentiment, tout se voit soulevé par un sublime souffle poétique. Le livre atteint son plus haut point lyrique dans le IIIe chapitre, formé du célèbre « Cantique d'Habacuc », considéré comme un des chefs-d'œuvre de la poésie hébraïque. — Traduction œcuménique de *La Bible*, Éd. du Cerf, 1988.

HABANERA. Pièce pour piano, transcrite pour orchestre, du compositeur français Emmanuel Chabrier (1841-1894). En 1882, Chabrier fit un voyage en Espagne qui devait avoir une influence décisive sur son évolution esthétique. Il y découvre des rythmes et des couleurs nouvelles, il en rapporte *España* (*), sorte de « rhapsodie » au mouvement effréné qui porta d'emblée son auteur au faîte de la gloire, et différentes esquisses dont celle de la *Habanera*. Dans la *Habanera* écrite pour piano en 1885 et orchestrée trois ans plus tard, Chabrier ne fait pas appel à des thèmes folkloriques, mais à des simples rythmes de danse populaire. La *Habanera* est en effet une danse à 2/4, originaire d'Andalousie, qui émigra à La Havane pour revenir plus tard dans son pays d'origine. Le motif principal est exposé deux fois, puis après un bref développement, aux modulations fortement colorées, réexposé dans sa tonalité initiale, mais à l'octave supérieure. Un contrepoint fleurit sous cette ligne mélodique. Écrit dans un mouvement assez lent, dans un style langoureux, parfois même languissant, cet ouvrage bénéficie d'une orchestration qui en rend sa valeur indiscutable, les timbres des instruments accentuant le caractère chaud et cuivré de la mélodie andalouse.

HABEL. Roman de l'écrivain algérien de langue française Mohammed Dib (né en 1920), publié en 1977. Habel a été envoyé par son frère à Paris, manière peut-être de s'en débarrasser. Mais si par certains aspects ce héros est un émigré, on ne saurait chercher dans ce livre une description réaliste de l'émigration. Car l'aventure de Habel est singulière et, si son nom peut désigner le frère de Caïn, il renvoie aussi à l'arabe « hbel » : le fou. En effet, plus que d'une émigration sociologique pourtant présente, Paris est le lieu d'un exil vécu comme une expérience des limites, dans laquelle le rapport violent des métropoles industrialisées avec le tiers monde est repensé autrement. Il y a, par exemple, cet étrange écrivain qui se fait nommer « la Dame de la Merci » (et qui peut rappeler Henri de Montherlant), qui prostitue Habel mais le possède surtout par son propre suicide, et qui reste inséparable des feuillets de ses manuscrits dont Habel ne peut plus se défaire. Et surtout cet étonnant personnage de Lily, toujours fuyante, que Habel finira par rejoindre dans l'asile de sa folie. D'ailleurs la rencontre avec Lily comme celle de la Dame de la Merci s'est faite au carrefour de la fontaine Saint-Michel où Habel revient soir après soir en quête de cette Mort dont il a entrevu la face de Méduse et qui le hante. Mort avec laquelle se confondent aussi bien Lily que l'écrivain Éric Merrain-Dame de la Merci et dont l'Ange guerrier domine le carrefour. Mais c'est par elle comme par la Folie-Lily trouvées toutes deux dans cette ville des limites que Habel a acquis un nouveau savoir, qui rend bien dérisoire l'entreprise à son égard du frère resté au pays. Savoir vertigineux qui peut aussi être une métaphore de l'écriture folie et mort ?

Ch. Bo.

HABITATIONS DU MOT [*Habitations of the Word*]. Recueil d'essais de l'écrivain américain William Gass (né en 1924), publié en 1985. « Les mots nous accompagnent partout, écrit William Gass. Dans nos secrets érotiques, dans notre sommeil. Souvent, nous n'avons pas davantage conscience d'eux que de notre salive, bien que nous les utilisions plus souvent que nos jambes. » Pour Gass, les mots sont certes habités d'une superposition de couches sémantiques formant un palimpseste qu'il s'attache volontiers à déchiffrer comme dans son essai intitulé *L'Être du bleu* [*On Being Blue*] ; mais surtout, les mots nous habitent à notre insu, informant notre pensée, nos sentiments et nos sensations, occupant notre conscience de leur flux incessant, de leur bavardage interminable et discret. Dans *Habitations du mot,* Gass s'attache à décrire ce ressassement par lequel le langage, loin d'être un ustensile à notre disposition, nous possède et nous traverse de part en part. De ce point de vue, on pourrait rapprocher ce recueil de certains textes de Roland Barthes sur la mort de l'auteur (thème auquel Gass consacre un essai), ou de *L'Espace littéraire* (*) et du *Livre à venir* (*) de Maurice Blanchot.

Deux textes de critique littéraire, l'un sur Emerson, l'autre sur Ford Madox Ford, ouvrent le recueil en posant la question de la nature de l'espace romanesque et des voix qui l'habitent. Mais c'est dans les essais suivants, « La Représentation et la guerre pour la réalité », « Se parler à soi », « La Lecture silencieuse » et « L'Origine de l'extermination dans l'imagination », que Gass explore avec le plus de brio son domaine de prédilection : les liens du langage avec la pensée, la mémoire, la conscience et l'univers des sensations. Faisant appel à son expérience personnelle, citant des anecdotes humoristiques, analysant un poème de Rilke, un passage de Shakespeare, un dialogue socratique ou un personnage de Sartre, William Gass approfondit les rapports qui lient un texte à son auteur et à son lecteur. La voix est au centre de ses préoccupations : voix muette qui nous habite, voix littéraire qui fait qu'un écrivain est aussitôt reconnaissable, contrepoint ou polyphonie du dialogue. Ainsi, en imposant sa propre voix d'écrivain et en ménageant d'imperceptibles transitions, Gass brouille les distinctions entre l'essai, la fiction, la poésie et la philosophie pour nous offrir cet hybride étonnant où le langage et ses incarnations occupent l'espace d'une intrigue purement verbale.

On retiendra également l'essai sur la conjonction « and » (et), promue héroïne et moteur d'une réflexion subtile faite d'érudition et d'humour. Cet effeuillage systématique d'un complexe linguistique, ce questionnement obstiné touchant aux rapports entre les mots et les choses rappellent certains textes « atypiques » de Michel Foucault.

B. M.

HABITS NOIRS (Les). Ce roman de l'écrivain français Paul Féval (1817-1887), publié en feuilleton en 1863 dans *Le Constitutionnel*, ouvre la série du même nom, et qui comprend à la parution en volume : *Les Habits noirs* (1863), *Cœur d'acier* (1866), *L'Avaleur de sabres* (1867), *La Rue de Jérusalem* (1868), *L'Arme invisible ou le Secret des Habits noirs* (1869), *Maman Léo* (1870), *Les Compagnons du trésor* (1872), *La Bande Cadet* (1875). Sollicité par *Le Constitutionnel* pour concurrencer le succès du *Rocambole* (*) de Ponson du Terrail, Féval s'inspire d'un fait divers de la monarchie de Juillet (le procès d'une bande de malfaiteurs) pour bâtir une fresque immense retraçant sur près d'un siècle (1770-1870) l'épopée criminelle de la secte des Habits noirs, dits encore les « frères de la merci » ou les « compagnons du silence ». Cette association, qui n'est pas sans évoquer la Camorra italienne, met en coupe réglée la société de son temps, construisant sa fortune autour de détournements d'héritage, usurpations d'identité, crimes et autres malversations. Deux principes de base lui assurent l'impunité : « payer la loi », c'est-à-dire fournir à la justice un innocent pour un coupable, et « couper la branche », à savoir sacrifier le membre susceptible de mettre en péril l'association. Le mot de passe résume à lui seul l'esprit de l'organisation : « Fera-t-il jour demain ? — De minuit à midi et de midi à minuit, si c'est la volonté du Père. » Ce « Père », c'est l'extraordinaire colonel Bozzo, vieillard centenaire qui dissimule sous des dehors de philanthrope bonhomme une intelligence hors pair et un sens inné du mal. Chef incontesté de la bande, il défie le temps par ses incarnations successives (Fra Diavolo à Naples, John Devil à Londres) : l'enveloppe est plus forte que l'être puisque à la mort d'un « colonel » le petit-fils prend aussitôt sa place... Autour de cette figure inoubliable gravite une faune hétéroclite qui imprègne le tissu social d'un contre-pouvoir tout aussi hiérarchisé, des chefs (tel l'inquiétant M. Lecoq, alias Toulonnais l'Amitié, stratège de l'organisation) aux affidés (Coyatier, dit le Marchef, commis aux exécutions ; Saladin, orphelin habile qui gravira tous les échelons jusqu'à finir à la tête de la bande). En fait c'est souvent aux seconds rôles que reviennent les silhouettes les plus pittoresques : ainsi Similor et Échalot, ou Cocotte et Piquepuce, duos de frères ennemis qui rappellent — en plus louche — la paire Cocardasse-Passepoil du *Bossu* (*). Le retour de ces figures emblématiques assure l'unité et la cohérence de l'univers narratif ; l'originalité de Féval est en effet de construire son cycle par chevauchements successifs d'intrigues, si bien que la temporalité naît de la superposition des épisodes autant que de leur déroulement interne. Dans ce microcosme où ne manquent ni la parodie ni l'autoréférence, tout concourt en somme à l'évocation cynique de la jungle sociale ; s'élabore ainsi, au fil des aventures, une étonnante comédie humaine minée par la cupidité et l'ambition, portrait au négatif d'une civilisation en crise. « Le noir, on peut le dire, est au XIXe siècle une enveloppe qui recouvre toutes les puissances et toutes les noblesses, toutes les ambitions et toutes les opulences, toutes les conquêtes, tous les succès, toutes les gloires. » L. Ba.

HABITUDE (De l'). Essai du philosophe français Félix Ravaisson-Mollien (1813-1900), publié en 1838. Il expose en substance comment seule la conscience peut faire découvrir une habitude « contractée » à la suite d'un changement et subsistant au-delà de ce changement ; et comment elle seule peut être en mesure de révéler le pourquoi et le comment de cette habitude. La conscience implique la science, et celle-ci l'intelligence : la conscience et la science elle-même, s'affirmant dans l'action, se développent avec elle. Le mouvement volontaire, à mesure qu'il se répète, se transforme en mouvement involontaire, sans pourtant sortir de l'intelligence ; l'inclination succède à la volonté, se rapproche de l'acte à la réalisation duquel elle aspire, et en revêt de plus en plus la forme : l'idée devient être. L'habitude est une idée substantielle : une nécessité nullement externe, mais faite d'attraction et de désir : la cause finale prédomine de plus en plus sur la cause efficiente et l'absorbe ; l'habitude est aussi une méthode permettant une approximation des rapports incommensurables par l'intelligence, qui s'établissent entre la nature et la volonté ; c'est une nature acquise, une « seconde nature » (Aristote). Le dernier degré de l'habitude correspond à la nature même, qui n'est que la fusion immédiate de la fin et du principe, de la réalité et de l'idée du mouvement, dans la spontanéité du désir. Toute la série des êtres n'est qu'une progression continue des puissances successives d'un seul et même principe, dont la limite inférieure est la nécessité, le « destin » considéré dans la spontanéité de la nature, et la limite supérieure, la liberté de l'intelligence. L'habitude descend de l'une à l'autre, rapprochant ces contraires et dévoilant leur essence intime et leur lien nécessaire. Son influence s'étend aux régions les plus élevées de l'esprit et du cœur. L'amour augmente avec les témoignages qu'il donne de lui-même. La volonté de l'action se transforme peu à peu en « coutumes » et en « moralité » : et la vertu, qui au début est un effort, devient un attrait et un plaisir, se rapprochant peu à peu de la sainteté de l'innocence. C'est là tout le secret de l'éducation.

Si le monde moral est, par excellence, le domaine de la liberté qui y cherche son but et s'y accomplit, le mouvement volontaire ne peut naître cependant que des profondeurs de l'instinct et du désir. L'intelligence discerne le but, et la volonté se le propose ; mais ce n'est ni l'intelligence ni la volonté abstraites qui poussent les puissances de l'âme vers le bien ; c'est le bien lui-même ou son idée qui, pénétrant jusqu'aux sources mêmes de ces puissances, les poussent au bien, dans la spontanéité primitive de la nature que toute volonté suppose et implique. La nature, c'est Dieu en nous, caché parce que enfoui trop profondément dans notre moi le plus intime, où nous ne pénétrons pas. Jusque dans la sphère de l'intelligence pure et de la raison abstraite, la loi de l'habitude se retrouve encore avec la spontanéité naturelle, son principe. Selon Tilgher, Ravaisson, grâce à sa théorie de l'habitude, a éclairé d'une lumière éblouissante le premier passage mystérieux qui conduit de l'esprit à la nature et posé ainsi les bases de la seule philosophie possible de la nature.

HABIT VERT (L'). Comédie en quatre actes des auteurs dramatiques français Robert de Flers (1872-1927) et Gaston Arman de Caillavet (1869-1915), publiée en 1913. C'est une satire de l'Académie française qui est poussée jusqu'à la farce la plus drue : la noble et docte assemblée est en effet figurée, dans *L'Habit vert,* par le duc de Maulévrier, personnage assez ridicule qui, n'ayant pas écrit grand-chose, croit toujours vivre sous Charles X et se trouve, en plus, royalement trompé par son épouse. Celle-ci est une Américaine un peu mûre, mais non dénuée de charmes, et qui écorche horriblement la langue française, disant « pistache » pour « pastiche » par exemple. Les amours de la duchesse vont tenir dans la pièce une place beaucoup plus importante que les manœuvres académiques de son conjoint. La duchesse, en effet, vient de perdre son dernier amant : celui-ci s'est marié la veille à Sainte-Clotilde. Inconsolable, la duchesse de Maulévrier reçoit les condoléances de ses intimes et va ensuite confier sa douleur à son clavecin. Mais l'infidèle sera bientôt remplacé auprès de la duchesse par le comte Hubert de Latour-Latour. À peine nées, les amours du comte et de la duchesse vont cependant rencontrer quelque obstacle en la personne de Brigitte, la nouvelle secrétaire du duc de Maulévrier. En effet, la duchesse ne tarde pas à surprendre une conversation entre Latour-Latour et Brigitte, qui ne lui laisse aucune illusion sur la fidélité de ce dernier. Latour-Latour se jette aux pieds de la duchesse. Le duc entre malencontreusement au cours de cette scène pathétique. Il est, naturellement, furieux. Mais Brigitte sauve la situation en faisant croire au duc que, dévoré du désir d'être académicien, Hubert implorait la duchesse pour qu'elle appuie sa candidature. Le duc est enchanté : Hubert académicien ? La chose est des plus faciles. Le comte de Latour-Latour n'incarne-t-il point le parfait académicien, qui n'a jamais écrit un livre et devra ainsi à l'Académie toute sa gloire ? Le troisième acte se déroule au palais Mazarin : Latour-Latour vient d'être élu. C'est le duc de Maulévrier qui le reçoit. Il commence sa harangue, mais trouve tout à coup dans les feuillets de son discours une étrange lettre qui commence par : « My dear Coco... » : c'est une lettre de la duchesse à son amant, qui s'est glissée dans la serviette de l'académicien. Maulévrier en a le souffle coupé. La séance est suspendue. Mais Pinchet, le secrétaire de l'Académie, sauve les coupables : lui aussi, révèle-t-il à Maulévrier, a connu pareille mésaventure, mais il s'est sacrifié pour l'Académie. Le duc, généreusement, fera de même. La séance reprend et Maulévrier reçoit Latour-Latour dans les termes les plus acides... Au dernier acte, Durand, député ami du duc, vient d'être élu président de la République. La scène se passe à l'Élysée. Durand s'apprête à recevoir le duc et Latour-Latour qui, selon l'usage, lui doit être présenté. Le duc est arrivé en avance, pour mettre le président au courant de son infortune. La duchesse elle-même, émue par la grandeur d'âme dont le duc bafoué a fait preuve lors de la séance de l'Académie, vient supplier Durand d'éloigner Hubert pour quelque temps. Une mission le retiendra hors de France assez longtemps pour qu'on l'oublie. La jeune secrétaire, Brigitte, entre à propos : elle suivra Latour-Latour. Ils se marieront pendant le voyage, le duc de Maulévrier va s'occuper du dictionnaire, et la duchesse de trouver un nouvel amant... Comme on le voit, l'action, qui ne se découvre qu'au deuxième acte pour se résoudre entre le second et le troisième, est assez faible : elle n'est qu'un prétexte à épisodes « salés », divertissants, à des traits satiriques extrêmement grossis, dans la tradition du théâtre de boulevard.

HACHE (La) [*Sekyra*]. Roman de l'écrivain tchèque Ludvík Vaculík (né en 1926), publié en 1966. D'inspiration autobiographique, ce roman fait partie des œuvres les plus marquantes de la « nouvelle vague » de la prose tchèque. Le travail d'écriture, les procédés stylistiques employés (inspirés par ceux du nouveau roman et du nouveau journalisme) ont apparu alors comme une contestation implicite du « réalisme socialiste », omniprésent sur la scène littéraire de l'époque ; par ailleurs, *La Hache* a été l'un des premiers romans tchèques qui critiquaient ouvertement les effets négatifs du communisme quant à l'intégrité de l'homme et de la nature. L'histoire — celle, avant tout, de la relation fils-père et de l'héritage spirituel paternel — est décomposée en épisodes fragmentaires. Faute d'intrigue, le récit est formé par un réseau de fils narratifs qui s'entrecroisent et se juxtaposent, mêlant, parfois dans une même phrase, différents registres de style et de niveaux temporels. Il y a le présent, où se déroule le voyage du narrateur en Moravie rurale, voyage qui fait remonter les images du passé. Un autre fil est constitué d'éléments relatifs à l'affaire que le narrateur, journaliste de profession, a ébruitée dans la presse : défiant les règles du jeu, il avait insisté pour faire publier un article « explosif » qui sera à l'origine du suicide de la principale intéressée, une jeune fille qui avait été contrainte, pour pouvoir s'inscrire au lycée, de passer un test de virginité. Dans la Tchécoslovaquie des années 60, il y a toutefois bien d'autres victimes, moins facilement définissables : tout un ensemble de vies brisées, de paysages détruits, de valeurs désavouées au nom de l'idéologie à laquelle avait adhéré le narrateur — tout comme l'avait fait son père, mort depuis quelques années, qui avait dû quitter, un quart de siècle auparavant, son village natal pour travailler en Perse. Ses lettres écrites de ce pays sont à présent relues et décortiquées par son fils, lui aussi quadragénaire. L'image tragique du père, obstinément fidèle à l'idéal social qui l'avait guidé durant toute sa vie, ressort avec d'autant plus de force que la narration n'écarte pas l'humour et l'ironie. C'est en acceptant pleinement l'héritage de la vie du père, et de sa mort, que le narrateur va finalement saisir la vérité d'aujourd'hui — et assumer la liberté de lui ressembler. Ironique et grave, le récit de Vaculík est ancré dans la recherche d'une vie menée en accord avec les convictions personnelles les plus profondes. La confrontation entre le caractère abstrait des idéologies et la rugueuse réalité fait d'autre part de *La Hache* l'un des témoignages les plus éclairants sur l'esprit d'une époque. — Trad. Gallimard, 1972. O. S.

ḤADĪTH. Ensemble des rapports concernant les paroles et les actions attribuées à Mahomet (570 ?-632), le prophète de l'islam, et considérés comme ayant une valeur normative en matière de dogme, de rituel et de loi. Le *Ḥadīth* sert notamment à déterminer l'« exemple » [sunna] du prophète, qui s'est progressivement imposé, depuis l'*Épître* (*) d'al-Shāfi'ī, comme la principale source prescriptive du droit islamique. Transmis de façon essentiellement orale, de façon à éviter les fautes de copistes, le *Ḥadīth* a progressivement donné lieu à des procédures complexes visant à en déterminer l'authenticité et la fiabilité : son caractère stratégique semble en effet avoir incité très tôt certains transmetteurs à déformer ou à fabriquer des ḥadīths de façon à légitimiter leurs alignements dogmatiques ou politiques. Ces procédures reposent pour l'essentiel sur l'examen des conditions de transmission : tout ḥadīth doit être accompagné de la chaîne complète de ses transmetteurs successifs [isnād], en principe depuis le prophète jusqu'à celui qui en fait état. Partant de là, un certain nombre de critères sont mis en œuvre pour déterminer sa fiabilité : sa notoriété (un ḥadīth garanti par plusieurs chaînes de transmetteurs est supérieur à un ḥadīth qui n'est transmis que par une seule chaîne), la continuité de sa transmission et la possibilité d'identifier tous les intermédiaires, et enfin la crédibilité de ces derniers ; est également pris en compte le domaine d'application (un ḥadīth douteux pourra être accepté en matière juridique, mais pas en matière de dogme). Ces procédures, qui atteignirent un haut degré de sophistication, marqué notamment par la compilation d'immenses dictionnaires biographiques permettant de contrôler la crédibilité des transmetteurs, mais aussi de vérifier la continuité des transmissions, ont été réemployées, sous une forme généralement simplifiée, dans d'autres domaines : la philologie, l'histoire (la *Chronique* [*] d'al-Ṭabarī en fait largement usage), voire l'histoire littéraire, avec notamment le *Livre des poèmes à chanter* (*) d'al-Isbahānī. En ce qui concerne le *Ḥadīth* proprement dit, à côté de cette critique externe caractéristique du savoir islamique classique, il faut également citer l'approche interne initiée par l'orientaliste austro-hongrois Ignaz Goldziher (1850-1921) et poursuivie aujourd'hui par de nombreux islamologues : celle-ci, déconstruisant l'édifice monolithique édifié par les savants musulmans, s'efforce d'y distinguer des couches historiques successives reflétant des polémiques dogmatiques et politico-religieuses spécifiques, ce qui permet d'éclairer d'un jour nouveau la période islamique la plus ancienne. Il existe plusieurs collections de *Ḥadīth* considérées comme canoniques, dont les deux plus connues sont celles d'al-Bukhārī (mort en 870) et de Muslim (mort en 875). — Trad. (d'al-Bukhārī) Maisonneuve et Larose (W. Marçais) ; Sindbad, 1988 (R. Bousquet, partielle). J.-P. G.

HADJI-MOURAD. Récit de l'écrivain russe Lev Nikolaïevitch Tolstoï (1828-1910), composé en 1904. L'auteur se reporte aux souvenirs de ses jeunes années, qui se sont écoulées au Caucase, parmi la population belliqueuse et insoumise de ce pays. Hadji-Mourad est le chef d'une tribu montagnarde ; poussé par la haine qu'il nourrit pour un autre chef, Ismaïl, lequel a tué son père et retient sa famille prisonnière, il passe du côté des Russes pour combattre l'ennemi commun. Mais ceux-ci se défient de leur nouvel allié ; voulant se garantir contre un coup de tête possible de sa part, leurs généraux l'envoient avec ses fidèles dans divers postes fortifiés de la frontière. N'obtenant pas l'aide qu'on lui avait promise, Hadji-Mourad décide finalement d'agir seul contre Ismaïl, et il s'enfuit du camp russe. Bientôt rejoint par les Cosaques, il est tué avec tous les siens après une héroïque résistance. Ce récit, par de nombreux aspects, se relie aux premiers ouvrages de Tolstoï ; on y relève toutefois unc plus grande maîtrise descriptive et une analyse plus poussée des caractères. Dans la partie centrale de l'œuvre, Tolstoï laisse libre cours à ses idées politiques (quelque peu simplistes), en brossant le portrait tendancieux de l'empereur Nicolas Ier, « bête noire » de l'écrivain, représentant de toutes ces « valeurs » et de toutes ces « vertus » qui, aux yeux du grand écrivain « anarchiste », sont le plus souvent synonymes de vices ou de futilités. — Trad. La Pléiade, 1960.

HADRIANA DANS TOUS MES RÊVES. Roman de l'écrivain haïtien René Depestre (né en 1926), prix Renaudot 1988. S'inscrivant dans le courant du « réalisme merveilleux » cher aux écrivains d'Amérique centrale et de la Caraïbe (Alexis, Asturias, Carpentier), le roman évoque les heures les plus chaudes du carnaval de l'année 1938, quand la ville haïtienne de Jacmel croyait encore à sa splendeur de ville tropicale. La mort mystérieuse de plusieurs femmes superbes, surtout celle de la belle Hadriana qui s'écroule toute raide le jour de son mariage, juste au moment de prononcer le « oui » fatal, marque à jamais le destin de la ville. On murmure qu'Hadriana a été ensorcelée, zombifiée. Et quelque chose s'est rompu de l'ancienne harmonie qui donnait à Jacmel son bonheur de vivre. Avec la mort de la jeune fille, « le réel merveilleux haïtien était entré en éruption ». Car le « réel merveilleux » (sentiment de la continuité du rêve et du réel, recours à une causalité magique rendant le quotidien naturellement insolite) demande l'équilibre de ses composants. Si « la filiation naturelle entre le réel et le merveilleux » s'interrompt, l'univers se délite. Tel est le sort de Jacmel et d'Haïti, victimes d'un enchaînement de catastrophes : « le feu, le cyclone, la sécheresse, le pian, la présidence à vie, le paludisme, l'État, l'érosion, l'homo papadocus ». Le roman invite à détecter le moment fatal où l'imaginaire s'est affolé et a coupé son lien nécessaire avec la réalité : métaphore, si l'on veut, de ce qui s'est passé quand le dictateur Duvalier, le grand zombificateur, a lâché les brides d'une négritude pervertie, appuyée sur le vaudou maléfique des sectes et des sorciers. Mais Hadriana est-elle vraiment morte ? Le tragique de sa veillée funèbre se dissolvait dans une sarabande carnavalesque effrénée. Quelques années plus tard, elle réapparaît, dans toute sa glorieuse beauté, au milieu d'un cours du narrateur, alors enseignant dans une université jamaïcaine. Occasion d'un joli morceau de bravoure romanesque : l'autobiographie de la zombie.

Le romancier, qui doit beaucoup à l'art des vieux « tireurs de contes », s'est peut-être laissé ensorceler par la beauté et la sensualité de son héroïne, qui accomplit son idéal de « femme-jardin » : solaire, amoureuse sans entraves, joyeusement épanouie par l'exubérance de son corps. Il risquait de s'enliser dans les ressassements de l'obsession érotique. Mais l'allégresse de l'écriture et les trouvailles poétiques lui font éviter les pièges de la gaudriole. J.-L. J.

HADRIEN VII [*Hadrien the Seventh*]. Roman de l'écrivain anglais Frédéric Rolfe (1860-1913), publié en 1904. C'est le chef-d'œuvre de cet auteur. Rolfe, qui est le Léon Bloy britannique, a transposé ici le rêve d'une vie manquée : « Si j'étais pape ! » Renvoyé du collège catholique d'Oscott, puis du séminaire anglais de Rome (le « Scots College ») dont il épouvantait les supérieurs, il s'était fait à Londres une certaine renommée littéraire dans les milieux d'avant-garde (autour de *The Yellow Book*, la revue trimestrielle de Lane), sous le pseudonyme du baron Corvo que lui aurait octroyé une de ses protectrices italiennes, la duchesse Sforza-Cesarini. Rolfe venait de se brouiller avec Sholto Douglas (avec qui il écrivit ses étonnants chefs-d'œuvre imaginaires, dans le style des *Discours* (*) de Cicéron, sur Jeanne d'Arc), lorsqu'il publia *Hadrien VII*, qui devait enthousiasmer Mgr Benson. Sans rien dissimuler de la violence de son caractère et de son orgueil, il s'y dépeint comme un homme aux idées et aux mœurs pures, d'une probité et d'une austérité de vie peu communes, érudit, helléniste accompli. La réalité était moins reluisante, et sa *Correspondance* nous a révélé ses vices, auprès desquels ceux de Néron semblent bénins ; quant à sa culture, elle ressemblait à celle de Shakespeare, faite de pièces et de morceaux, à la fois pédante et primaire. Mais peu importe ; en dépit de certaines affectations et facilités, Rolfe est un grand écrivain. Dans la première partie de son livre, il transcrit, sans y changer grand-chose, l'histoire de sa vie incomprise et besogneuse, où un rêve de grandeur, d'austérité, de gloire transfigurait l'étroitesse et les humiliations. Un jour, George Arthur Rose – c'est le nom de son héros – reçoit la visite de son archevêque : plein de remords pour avoir refusé de reconnaître sa vocation, celui-ci vient lui offrir les ordres, si sa vocation persiste. Il lui offrira bien plus, puisque le conclave, à ce moment réuni, et ne parvenant pas à élire un nouveau pontife, appellera, par la voie du compromis, George Arthur Rose à la suprême élection. Et la scène où l'on voit l'abbé Rose – simple conclaviste – entendre la phrase fameuse : « Révérend Seigneur, le Sacré-Collège t'a élu pour être le successeur de saint Pierre. Est-ce que tu acceptes le pontificat ? », et découvrir, au milieu des cardinaux prosternés, qu'elle s'adresse à lui est une des plus belles pages du roman. Devenu pape sous le nom d'Hadrien VII, George Rose appellera au Sacré-Collège ses amis des mauvais jours, vendra au profit des pauvres les trésors du Vatican, rétablira l'Empire romain sous deux empereurs – Guillaume II et Victor-Emmanuel III – et leur soumettra le monde, avant de mourir frappé d'une balle, non sans avoir pardonné à son assassin. La difficulté, dans cette étrange histoire, est, comme le constate Graham Greene, de « distinguer entre la possession par un diable et la possession par un esprit du ciel. Les saints ont, comme Rolfe, connu la faim et nul plus que lui n'a cru fermement à sa vocation spirituelle. Il haïssait la chair (il fit un serment inutile de rester vingt ans sans se marier pour donner aux ecclésiastiques incrédules la preuve de sa vocation) et il aimait l'esprit. Nous disons qu'il écrit du point de vue du diable, parce qu'il n'était pas humble... Mais le diable aussi appartient à l'esprit et quand Rolfe écrivait au sujet de l'esprit, il écrivait comme un ange ». C'est en effet le grand mérite d'*Hadrien VII;* au milieu de ses outrances et de ses incorrections grammaticales, l'auteur n'est jamais ennuyeux ni plat ; son livre est un témoignage extraordinaire porté sur une vocation manquée. – Trad. La Table Ronde, 1952.

HADŽI DIMITĂR. C'est le chant le plus célèbre du poète et héros bulgare Cristo Botev (1848-1876). Le sujet s'inspire de l'audacieuse expédition dans laquelle périt Hadži Dimităr, et le poème exalte le sacrifice de la vie pour la liberté, comme le plus haut idéal que puisse se proposer un citoyen. *Hadži Dimităr* est l'un des chants les plus populaires de toute la littérature bulgare, et l'une des plus puissantes créations patriotiques de Botev. La complète analogie entre les aventures et la mort de

Hadži Dimităr, et le destin qui devait être plus tard celui de Botev font de ce poème une sorte de chant prophétique.

HAENSEL ET GRETEL [*Haensel und Gretel*]. C'est peut-être le plus célèbre des contes que les frères Jacob (1785-1863) et Wilhelm Grimm (1786-1859) ont rassemblés dans les deux premiers volumes des *Contes pour les enfants et leur famille* (traduits sous le titre *Les Présents du petit peuple*), publiés en 1812 et 1815. Comme dans toute les fictions que les frères Grimm ont tirées de récits populaires et recueillies, pour la première fois, dans l'histoire de la littérature allemande, celle-ci est renouvelée par une création d'atmosphère poétique fraîche et spontanée. La célébrité atteinte par *Haensel et Gretel* est surtout due à l'opéra de même nom, en trois tableaux, du compositeur allemand Engelbert Humperdinck (1854-1921), sur un livret d'Adélaïde Wette, représenté à Weimar en 1893.

Haensel et Gretel, frère et sœur, enfants d'un marchand de balais, s'éloignent un jour de la maison pour aller au bois chercher des fraises ; ils y sont surpris par la nuit. Ils s'endorment sous les arbres et, le lendemain matin, au réveil, s'aperçoivent que, tout près, se dresse un château étrange, entièrement fait de nougat, chocolat et autres sucreries. Ils ne savent pas qu'y habite la sorcière Massepain, laquelle attire les enfants avec des friandises, pour les brûler ensuite en un four magique, d'où ils sortent transformés en statuettes de massepain. Pendant que les deux enfants sont occupés à goûter les murs du château, l'enchanteresse sort, jette un lacet au cou de Haensel et, après avoir prononcé les mots du sortilège, l'enferme avant de le faire passer dans le four. Puis elle ordonne à Gretel de tout préparer pour la cuisson ; mais la petite, profitant d'un moment où la fée, pour lui montrer comment elle doit s'y prendre, s'est approchée du feu, lui donne une poussée, aidée par Haensel qui a réussi à se libérer, et la jette dans le four. Alors l'édifice éclate avec un bruit de tonnerre ; tous les autres enfants, précédemment transformés en statuettes de massepain, sont délivrés de l'envoûtement et dansent joyeusement avec Haensel et Gretel, tandis qu'arrivent les parents de ceux-ci, au terme d'une longue recherche. L'œuvre est, dans l'ensemble, gracieuse et séduisante, surtout parce que l'auteur a eu l'heureuse idée d'y introduire de nombreuses chansons populaires allemandes, du folklore de la Westphalie, les laissant presque toujours intactes et les reproduisant telles qu'elles sont communément chantées par le peuple. Celle de Gretel, au début du second acte, est bien connue.

Elles constituent assurément la partie la plus réussie de l'opéra, car, là où l'auteur s'en éloigne, il tombe dans un wagnérisme pesant, tout à fait inadapté à la simplicité et à la naïveté du sujet. Ce style travaillé et surchargé est, en particulier, celui des préludes aux deux premiers tableaux et des autres morceaux symphoniques de l'opéra. Toutefois, *Haensel et Gretel* peut être considéré comme le premier réel succès théâtral remporté par un épigone de Wagner ; sur les scènes allemandes, en effet, la pièce a connu un vrai triomphe et la France ne lui a pas ménagé le succès.

HAERES. Recueil de poèmes de l'écrivain français André Frénaud (1907-1993), publié en 1982. Ce volume regroupe des textes écrits entre 1968 et 1981, ainsi que quelques poèmes parus naguère en revues ou en éditions illustrées. Le titre général de l'ouvrage, qui vient d'un poème éponyme, a, selon l'auteur, le sens de « bénéficiaire-contestataire » -- celui qui hérite se trouve en quelque manière « acheté » par son hoirie. Et il convient de souligner qu'une stance du dernier ensemble qui constitue *Haeres* (au titre symbolique : « Saurons-nous cesser d'enterrer les morts ? ») agrège des groupes de vers tirés de poèmes anciens. André Frénaud semble donc avoir fait de ce livre autant un mémorandum poétique qu'un viatique en forme de cénotaphe. Contrairement aux ouvrages précédents, *Haeres* rassemble une majorité de poèmes brefs : c'est là la singularité de ce volume, plus que ses thèmes ou ses cadences. Mais Frénaud a toujours travaillé le texte concis parallèlement aux longues suites qui ont fait sa renommée — v. *La Sorcière de Rome* (*) ; et il a bien souvent mélangé les deux formes dans ces différents recueils, tout en donnant généralement la primauté aux textes longs. Trois ou quatre vers composent parfois simplement les poèmes d'*Haeres* qui nous arrivent comme des comptines, de courtes fables, de cinglantes petites morales en forme de monades de pure poésie. Il faut également souligner l'importance, ici, de la peinture, tant à travers les textes où l'Italie est saluée, qu'à travers les impressions de tableaux ou les hommages (poèmes dédiés à des peintres). La peinture est restée une préoccupation majeure de ce poète, et son compagnonnage avec les artistes est indissociable de son propre travail. La figure du Christ ainsi que l'Antiquité romaine (ou plus exactement latine) parcourent aussi *Haeres*, comme des sortes de repères, ou des points d'appui pour la pensée : mais cela ne surprendra pas les lecteurs de Frénaud !

F. B.

HAÏDAMAKS [*Hajdamaki*]. Poème historique du poète ukrainien Taras Grigorévitch Chevtchenko (1814-1861), publié en 1842. Il se compose d'un prologue, de onze chants et d'un épilogue, et a pour sujet l'insurrection ukrainienne dirigée contre les Polonais en 1768. L'œuvre débute par un prologue où l'on sent l'hésitation de l'auteur entre deux tendances : le romantisme et le réalisme. En fait, Chevtchenko tire seulement parti du passé pour réveiller les masses populaires ukrainiennes. Il repousse avec indignation le conseil que lui donnent les critiques russes d'écrire dans leur langue. Le tableau historique est précédé d'une description de l'anarchie qui règne entre les nobles polonais. Leur orgueil, leur faste, leur amour du plaisir contrastent avec le dénuement du peuple. Cette misère est incarnée par Jarema Halajda, héros du poème, obligé par Lejba, usurier juif, à s'adonner aux plus basses besognes. Son unique consolation est l'amour partagé qu'il porte à Oksana, fille du pope du village voisin. Le troisième chant décrit une scène sauvage de violence, perpétrée par les nobles polonais ivres, contre Lejba, chez qui ils font irruption. Celui-ci parvient à se sauver lui-même et à sauvegarder l'honneur de sa fille, en conduisant toute la bande chez le pope. Le père d'Oksana est tué, la jeune fille enlevée et l'église incendiée. De telles scènes de violence alternent avec les scènes d'amour entre les deux jeunes gens. Elles préparent les esprits à la description du mouvement insurrectionnel, dominé par la figure de Jarema, vengeur des ignominies subies par lui et par tout son peuple. Le poète exhorte la postérité à ne pas renouveler les erreurs des ancêtres et à faire triompher un idéal de fraternité ; cet idéal fut exprimé et résumé dans le programme de la Société politique appelée « Confrérie des saints Cyrille et Méthode ».

HAÏKAÏ de Bashô. Le haïkaï, genre poétique japonais universellement célèbre et qui est aussi appelé *haïku*, est un court poème de dix-sept syllabes et correspond au tercet français de 5-7-5 syllabes. Il ne se dégagea des autres formes poétiques qu'au XVIe siècle, surtout grâce aux poètes Arakida Moritake (1473-1549) et Sokan (?-1553) qui n'en furent que les initiateurs ; puis, lors de l'époque Edo, il connut une grande popularité avec Matsunaga Teitoku (1571-1653), son disciple, Kigin, enfin le disciple de ce dernier, Bashô. Ce n'est qu'avec Bashô que le haïkaï atteignit sa forme classique et définitive. Avant lui, il n'était encore que la notation de sentiments humoristiques et déconcertants ; il était de plus astreint aux règles étroites d'un formalisme rigide : c'était un jeu de mots qui utilisait un vocabulaire particulier, appelé le fushi-mono. Bashô, d'abord disciple des poètes classiques et des deux écoles qu'ils avaient fondées (école « Teimon » et école « Danrin »), créa, à l'époque Genroku, sa propre école ; il libéra le haïkaï de son formalisme et, surtout, insuffla au genre un esprit nouveau, plus sérieux et plus humain. Fondé avant tout sur la sincérité et la sobriété, le haïkaï devint l'expression extrêmement concise d'une calme méditation en face de la nature, d'un accord subtil entre l'esprit du poète et le spectacle de la nature ; il révèle donc une attitude philosophique bien déterminée, très marquée par le bouddhisme. Le laconisme des poètes, la subtilité de l'expression, les nuances à peine perceptibles sur lesquelles elle repose sont à peu près intraduisibles et toute transcription ne peut donner qu'un schéma grossier de cette poésie exquise.

Matsuo Bashô (1644-1694), le plus grand poète du Japon, consacra toute sa vie au haïkaï. Descendant d'une famille de guerriers, Bashô, à la suite d'un grand chagrin, se retira du monde dans un monastère bouddhique. Il alla étudier avec les maîtres de la poésie japonaise, puis vint habiter un ermitage, élevé en face de bananiers, arbre qu'il affectionna toute sa vie et qu'on planta sur sa tombe (d'où son nom : « bashô », en japonais, signifie « bananier »). Bien vite sa renommée de poète se répandit et il fut entouré d'une cohorte de disciples. Bashô entreprit de nombreux voyages et demeura, jusqu'à sa mort, un poète vagabond, couchant à la belle étoile ou sous le toit d'un riche admirateur. C'est pendant ces années qu'il publia la plus grande partie de son œuvre : *Genjûannoki* [*Journal de voyage*], *Okuno hosomichi*, enfin ses admirables *Notes de voyage* [*Nozarashi-kikô*]. Tout l'œuvre de Bashô est contenu dans ses haïkaïs. Avant lui, ce court poème n'était qu'un jeu de lettrés habiles, il l'éleva à la dignité d'un grand genre littéraire. Ses poèmes sont remplis de l'amour de la nature et inspirés par le respect et la compréhension fraternelle de toutes les formes de la vie : c'est pourquoi on a pu le rapprocher de saint François d'Assise — v. *Fioretti* (*). Sa solitude complète et paisible en face de la nature le conduit au bord d'une espèce d'extase panthéiste, mais dont l'expression, si laconique, est toujours mesurée, discrète, ne donnant aux lecteurs que quelques éléments essentiels, que quelques jalons à partir de quoi se reconstitue le sentiment éprouvé par le poète. Chaque mot y est lourd de signification, d'impressions, et sous les mots s'étend un monde de rêveries et de participation dont ils donnent la clef. Bashô, homme seul (il écrit, dans son *Journal :* « Je suis seul et j'écris pour ma joie »), retrouve la vraie place de l'homme dans l'Univers, sa précarité mais aussi sa noblesse, puisqu'il est conscience du monde qui l'entoure. Il nous restitue le silence primordial : « Ah ! le vieil étang ! / et quand une grenouille plonge / le bruit que fait l'eau ! » ; il exprime sa tendresse : « Éveille-toi ! Éveille-toi ! / je ferai de toi mon ami / petit papillon qui dors » ; sa compassion : « Au soleil, on sèche les *kimono* / Oh ! la petite manche / de l'enfant mort ! » De nombreux poètes s'inspirèrent de Bashô ; parmi ses disciples, dix sont restés célèbres, ce sont les « Dix Sages » (Jittetsu), dont le plus connu est Enomoto Kikaku (1661-1707). La fin du

XVIIIe siècle (ère Tenmei) vit la renaissance du haïkaï ; enfin, pendant l'ère Meiji, Masaoka Shiki (1867-1902) fonda la nouvelle école de haïkaï Nipponha, et fit connaître à Bashô une nouvelle gloire. — Trad. Institut international de coopération intellectuelle, Paris, 1936.

HAIN-TENYS MERINAS (Les). Recueil de poésies populaires malgaches traduites et commentées par l'écrivain français Jean Paulhan (1884-1968), publié en 1913. La parution des *Hain-Tenys* (expression malgache qui signifie exactement « science des paroles ») fut un événement dans deux domaines : dans celui de la science ethnographique, puisque pour la première fois des poèmes populaires malgaches étaient traduits en français ; dans le domaine de la critique littéraire ensuite, qui s'enrichissait brusquement d'une formule d'analyse nouvelle grâce à laquelle la valeur du langage, les mouvements de la pensée étaient remis en question. C'est en étudiant puis en apprenant les hain-tenys, en les récitant lui-même que Jean Paulhan formule une constatation fondamentale, à savoir que « le langage n'est pas un milieu inerte et transparent comme une vitre laisse au paysage son ordre et ses mesures, mais bien un milieu spécifique possédant ses lois propres de réfraction, et qui nous montre à l'envers — comme une lentille fait avec les objets et les personnages — chaque événement de l'esprit ». Les hain-tenys sont des poèmes populaires se composant d'une partie claire, descriptive, et d'une partie obscure, métaphorique et proverbiale. Le peuple malgache pratique la coutume du duel poétique où les adversaires s'interpellent et se répondent au moyen de proverbes obscurs proférés avec force, comme des arguments ou des preuves. Ainsi les disputeurs mettent-ils toute leur ingéniosité à trouver et à inventer quelques proverbes capables de sanctionner ces phrases de leur autorité. Parfois, la dispute en hain-tenys se rattache à une dispute réelle, la prolonge et la dénoue. Toutefois, lorsque Jean Paulhan passa du rôle de lecteur à celui d'auditeur des hain-tenys, il fut porté à remarquer que la partie claire paraissait alors inventée, tandis que le proverbe, par contre, jaillissait spontanément. Jean Paulhan pouvait donc conclure que, là où il n'avait vu que calcul, le récitant n'éprouvait en réalité qu'inspiration ; mais là où il avait cru voir l'inspiration, le récitant était tout calcul. La méthode d'analyse dont Jean Paulhan est le promoteur, sa puissance de démonstration nous aident ainsi à nous débarrasser d'illusions qui nous sont chères en nous faisant entre autres saisir le paradoxe se trouvant au principe de toute chose et fondant les condamnations de la « Terreur ». — v. *Les Fleurs de Tarbes* (*). L'idéal serait que le langage servît tout entier, et surtout que tout se passât entre l'auteur et le lecteur « comme s'il n'y avait pas eu langage ». Mais le langage n'est pas transparent.

HALIEUTIQUES (Les) [Ἁλιευτικά]. Poème didactique en cinq chants sur l'art de la pêche. Son auteur est le poète grec Oppien de Cilicie qui vécut vers la fin du IIe siècle de l'ère chrétienne. Pour le fond, cet ouvrage s'inspire des œuvres d'Aristote. Avec beaucoup de méthode, Oppien y étudie les mœurs du peuple aquatique, depuis les poissons de mer jusqu'aux crustacés en passant par les mollusques. Du point de vue de l'histoire naturelle, ce livre est des plus remarquables pour l'époque où il fut écrit ; il fourmille de vues fines et de remarques ingénieuses. Buffon le considérait comme un ouvrage de valeur. Voilà pour le fond ; quant au style, on doit reconnaître qu'il répond à toutes les règles de la poésie descriptive. Oppien est ce qu'on appelle un poète harmonieux. Ayant, par surcroît, le sens des couleurs, il varie admirablement ses descriptions, et l'on en sait plus d'une qui est digne de Virgile. Il faut ajouter, pourtant, qu'il abuse parfois de sa verve. Mais c'est là un péché véniel que compensent largement toutes les beautés du poème. — Trad. Les Belles Lettres, 1991.

HALKA. Opéra en quatre actes du compositeur polonais Stanislas Moniuszko (1819-1872), sur un livret de Woldzimierz Wolski. La première version en deux actes fut créée à Vilno sur scène privée en 1847, la seconde, en quatre actes, à Varsovie en 1858. Considéré comme le premier opéra national polonais, *Halka,* qui donne à son auteur la célébrité, évoque, au cours d'une histoire d'amour malheureuse, les injustices sociales et la condition misérable du peuple vivant sous la domination de l'Empire russe. Brillamment orchestrée (timbales, orgue, harpe, percussion et cordes), l'œuvre se déroule en dix-neuf scènes au cours desquelles interviennent des récitatifs, des duos, des trios, des chœurs et des ballets. De nombreuses mélodies sont issues du folklore populaire. Si l'influence italienne est manifeste dans cet opéra, on y sent également celle de Glinka (1805-1857) et de Aubert (1782-1871). D. Ja.

HALLE ET JÉRUSALEM [*Halle und Jerusalem*]. « Comédie estudiantine et aventure de pèlerins » de l'écrivain allemand Ludwig Achim von Arnim (1781-1831), écrite en 1811 et publiée, à titre posthume, en 1846. Il s'agit, en quelque sorte, d'un remaniement de *Cardénio et Célinde* (*) où, comme l'a écrit Wilhelm Grimm, « les vieux murs disparaissent sous les rosiers ». Cardénio semble être la synthèse des diverses formes assumées à travers les siècles par la légende de Faust et nous restitue le type même de l'étudiant tel qu'on pouvait le trouver dans une ville universitaire allemande à l'époque d'Arnim. La première partie, en trois actes, voit s'ébaucher deux idylles. L'action se situe dans la ville de Halle. Lisandre est amoureux d'Olympia, mais celle-ci en revanche est éprise de Cardénio, bretteur fanfaron et coureur de femmes qui a pour maîtresse Célinde, une prostituée. Se ravisant enfin, Olympia consent à épouser Lisandre dont elle devine la fidélité et l'honnêteté. Voulant emprunter de l'argent pour ses noces, Lisandre se rend chez le Juif Nathan : c'est là qu'apparaît Ahasverus (*) — v. *Le Juif errant* —, protagoniste principal du drame. Ahasverus parvient à éloigner Cardénio d'Olympia, en lui révélant qu'elle est sa propre sœur. Cardénio, qui s'apprêtait à la ravir à son rival, le soir même de ses noces, abandonne son projet. Mais cela ne suffit pas à Ahasverus qui parvient encore à transformer l'amour sensuel de Célinde et à faire, de sa liaison avec Cardénio, une chaste idylle. Des esprits, des fantômes, des morts imprévues concourent à cette œuvre purificatrice.

La seconde partie, « Jérusalem », dépouillant la forme et l'unité proprement dramatiques, se présente comme une suite de tableaux. Nous retrouvons Ahasverus, Célinde et Cardénio, embarqués sur un navire faisant route vers la Terre sainte. Accusés par l'équipage d'avoir le « mauvais œil », ils sont jetés à la mer. La scène suivante nous montre Lisandre et Olympia faisant baptiser leur premier enfant à bord d'un navire anglais. Vient ensuite la description du siège d'Acre, où les Anglais sont dépeints avec l'admiration que ne pouvait manquer d'éprouver un Allemand à la veille de la guerre qui devait libérer son pays de la domination française. Tous les anciens habitants de Halle, compagnons de tripots et de bouges, se retrouvent alors, en tous points semblables à des ascètes et de pieux pèlerins. Avec la scène « En vue de Jérusalem », le poème dramatique atteint son sommet : mahométans et chrétiens s'affrontent dans une scène fantasmagorique du plus grand effet. Lisandre, blessé, meurt en vue de la Ville sainte. Cardénio et Célinde, après avoir enduré, pour expier leurs péchés, une vie d'ermites perdus dans le désert, tombent d'épuisement le jour de Pâques dans le tumulte de la foule. Olympia entre au couvent tandis qu'Ahasverus reprend sa marche lamentable à travers le monde. Mis à part l'ancien et populaire *Volksbuch* de 1602, cette figure du Juif errant apparaît ici pour la première fois dans la littérature moderne allemande ; le court poème, *Le Juif errant,* de Christian Schubart n'eut pas de résonance durable et le fragment de Goethe, portant le même titre, ne fut publié que plus tard, à titre posthume, en 1836. Le premier, Arnim entoura son personnage d'un halo proprement romantique : c'est son attitude religieuse et la mission dont il est investi qui donnent à son héros sa physionomie particulière.

HAMADRYADE (L') [*The Hamadryad*]. Poème de l'écrivain anglais Walter Savage Landor (1775-1864), publié dans le volume intitulé *Les Helléniques* [*The Hellenics of Walter Savage*] en 1846-47. Il s'agit d'une des meilleures œuvres de Landor qui renouvelle avec une sobriété consciente l'imitation de la poésie grecque. Les vers, très évocateurs et d'une pureté éblouissante, s'enchaînent selon une technique sans défaut ; les descriptions de paysages, esquissées non sans précision, se suivent sur un rythme d'idylle qui les rend dignes des plus grands modèles. Le poème est formé en partie d'un dialogue entre Raïcos, que son père a envoyé abattre un chêne dans la forêt, et l'Hamadryade qui a fait de l'arbre sa demeure. Celle-ci prie Raïcos de ne pas endommager son chêne, puis lui raconte la vie qu'elle mène dans les bois. Le jeune homme s'éprend de l'Hamadryade (« Si le bonheur est immortalité... moi aussi je suis immortel ») qui le paye de retour : tous deux se font le récit de leur existence. Le dialogue abonde en notations charmantes heureusement accordées aux vers simples et sonores. L'ensemble constitue une des plus délicieuses idylles que Landor ait composées. L'Hamadryade invite Raïcos à ne jamais lui révéler l'amour qu'il pourra éprouver pour une femme. Elle possède une abeille qui connaît toutes ses pensées et obéit à ses moindres désirs. Elle lui servira de messagère auprès de Raïcos et, si ce dernier se montre infidèle, il lui suffira de chasser l'abeille pour que l'Hamadryade se sache trahie. Un jour d'automne, tandis que Raïcos est en train de prier avec son père, il chasse distraitement l'abeille qui bourdonne autour de lui, sans penser qu'il s'agit de la messagère de sa bien-aimée. Au matin, l'insecte retourne dans la forêt : à la vue de son aile brisée, l'amie de Raïcos croyant à son infidélité pousse un cri que seul le jeune homme entend : il court vers le bois où demeure sa fidèle maîtresse, mais celle-ci a disparu. Désespéré, Raïcos emplit, durant toute une année, les bois de ses plaintes et de ses lamentations et meurt au pied du chêne hanté jadis par l'Hamadryade.

HAMARTIGÉNIE [*Hamartigenia* : Origine du péché]. Poème didactique de l'écrivain latin Prudence, chrétien d'origine espagnole, ayant vécu vers la fin du IVe siècle et le début du Ve. Du même genre et de sujet voisin de l'*Apotheosis* (*), l'*Hamartigénie* a une plus grande valeur poétique et révèle, chez l'auteur, une inspiration plus profonde. Après une préface de 63 trimètres ïambiques, dans laquelle il raconte la lutte entre Caïn et Abel, Prudence entre dans le sujet, et, en 966 hexamètres, il réfute l'hérésie de Marcion qui, partant du dualisme des gnostiques entre la matière et l'esprit, admettait deux principes opposés, du bien et du mal. Prudence, reprenant un argument que Tertullien avait largement traité dans ses cinq livres *Contre*

Marcion (*), affirme l'unité de Dieu. Le principe du mal n'est pas une divinité, mais un ange qui, ayant été créé bon, s'est ensuite corrompu et a corrompu l'homme et sa nature. L'homme, doué du libre arbitre, peut choisir entre le bien et le mal ; la béatitude éternelle attend les bons ; les peines éternelles, les méchants. Le poème se termine par une invocation de l'auteur à Dieu, afin qu'il soit clément, tout en infligeant un juste châtiment. Sans nouveauté quant aux idées exprimées, l'*Hamartigénie* est riche en éléments poétiques très heureux, qui ont trouvé un écho assez profond dans la poésie postérieure. La réfutation est souvent commentée et animée d'exemples tirés de l'Écriture, accompagnée de paraboles, de descriptions de coutumes et d'événements de l'époque, ces derniers présentant un intérêt au point de vue archéologique. — Trad. Les Belles Lettres, 1945.

HAMEAU (Le) [*The Hamlet*]. Premier volet, publié en 1940, de la trilogie romanesque de l'écrivain américain William Faulkner (1897-1962), dont les deux derniers, *La Ville* (*) [*The Town*] et *Le Domaine* (*) [*The Mansion*], parurent beaucoup plus tard, respectivement en 1957 et en 1959. La matière Snopes n'en fut pas moins conçue dès 1925 ; on dispose en effet, datant de cette année-là, d'un texte inachevé intitulé *Le Père Abraham*, lequel marque le vrai début d'une entreprise littéraire qui devait durer plus de trente ans : autant dire que le projet Snopes, sur lequel Faulkner et son ami et mentor littéraire des premières années Phil Stone collaborèrent apparemment, au moins au début, a accompagné le romancier pendant toute sa vie littéraire. Témoin cette interview parue en avril 1939 : « [Faulkner] travaille maintenant à un roman en trois volumes qu'il a commencé à La Nouvelle-Orléans voici quinze ans. Il l'aurait achevé plus tôt s'il n'avait fallu faire bouillir la marmite. C'est l'histoire d'un pauvre Blanc qui arrive dans une petite ville du Sud et y répand la corruption [...] » Le romancier reconnut d'ailleurs sa dette à son ancien ami en lui dédiant le premier et le troisième tome, tandis que le second était précédé, quelque peu hyperboliquement, de la formule : « À Phil Stone, qui a partagé trente années de rire. »

Si on peut considérer *Le Hameau* comme le plus grand livre d'humour américain depuis *Les Aventures d'Huckleberry Finn* (*) de Mark Twain, ce n'est pas tellement en raison de certaines situations comiques, lesquelles font davantage appel au stock universel de telles situations qu'aucun autre roman de l'auteur (par exemple la rivalité de deux maquignons ou la recherche d'un trésor enfoui) ; c'est pour une raison ultra-littéraire : ce roman, écrit par un écrivain en pleine possession de ses moyens et au faîte de sa carrière littéraire (quoique au nadir de sa valeur commerciale, du moins aux États-Unis : c'est d'ailleurs ce paradoxe qui le fera s'exclamer, dans une lettre d'avril 1939 à son « editor » : « Bon Dieu, c'est bien moi le meilleur écrivain d'Amérique ! ») — ce roman, donc, propose au lecteur un véritable festival du langage, du dialogue-dialecte des paysans madrés du Mississippi jusqu'au lyrisme superlatif, extatique, incroyablement (mais délibérément) « écrit » de la description des amours de l'idiot et de la vache, en passant par le récit omniscient, constamment inventif, de cette épopée paysanne. Ce récit est si « sophistiqué » qu'il exige d'ailleurs qu'on reste constamment attentif aux effets de toutes sortes, aux répétitions, aux allusions, etc., qui en tissent le texte. N'oublions pas non plus une technique romanesque assez moderne pour faire fi de la typologie humaine traditionnelle et concevoir (à des fins humoristiques, mais d'un humour si dur qu'il confine au sarcasme) les personnages en termes d'affinités mythologiques (Eula Varner, l'instituteur Labove) ou animales (les Snopes). En résumé, on pourrait dire que le paradoxe du *Hameau*, c'est d'être le plus littéraire des romans paysans. (Cette catégorie fait-elle penser à *Madame Bovary* (*) de Flaubert ? Ce ne serait ni faux ni l'effet du hasard, tant la destinée de la belle Eula fait penser à celle d'Emma.) D'autant plus littéraire que la genèse en est relativement compliquée, puisque non seulement celle-ci remonte à loin mais aussi à plusieurs tentatives faites — dont certaines, curieusement, sous le même titre que celui du cinquième roman publié de l'auteur, *As I Lay Dying* (*) [*Tandis que j'agonise*] — pour narrer l'épisode des « Chevaux mouchetés », lequel parut finalement sous ce titre pour la première fois en tant que nouvelle indépendante en juin 1931, et constitue dans le roman l'ouverture du livre IV, « Les Paysans ». Les trois autres nouvelles intégrées datent respectivement de 1931, 1932, et 1936. Ce recours à des nouvelles déjà publiées ne signifie pas un appauvrissement de l'invention chez Faulkner. Bien au contraire, celle-ci fuse constamment dans *Le Hameau*, que l'accent soit placé (comme il l'est alternativement) sur Ratliff, le célibataire ubiquiste et roublard, vendeur de machines à coudre itinérant, mais surtout colporteur de ragots et témoin n° 1 des agissements de Flem Snopes, dont il devient le rival (malheureux) dans le cœur des villageois ; sur Flem, qui n'est pas du tout l'incarnation du mal comme on a longtemps voulu le voir, mais au contraire tout un chacun dans sa farouche et médiocre ambition, augmentée ici, il est vrai, d'impuissance sexuelle, mais surtout chef d'un clan qui va s'installer partout « comme des champignons » ; sur le clan des Varner, puissants potentats locaux mais voués à perdre leur duel avec Flem, qui épousera sans amour la belle plante qu'est Eula, l'héritière ; et enfin sur la communauté elle-même, à peu de chose près héroïne éponyme (le roman fut un temps intitulé *Les Paysans*), et en tout cas dépositaire d'un point de vue nouveau dans l'œuvre, et qu'on va retrouver assez souvent : celui de la communauté. Sans doute la présence envahissante, à partir de 1940, d'un « nous » implicite sinon explicite correspond-elle à l'avantage pris par l'espace (le lieu par excellence de toutes les obliquités humaines ?) sur le temps (lieu du tragique, en tout cas du non-négociable) dans la phénoménologie de l'œuvre. L'œuvre n'est pas moins riche sur le plan thématique ; la rapacité, ou la cupidité, ou encore la possession, est peut-être le dénominateur commun des deux domaines où l'on voit ce petit monde agir et réagir : le domaine économique, où règne le troc mais aussi l'envie, et le domaine sexuel, où règne le désir mais aussi la jalousie. C'est dire qu'à bien des égards il s'agit d'un roman très ambitieux où, après la série des chefs-d'œuvre aux héros individuels des années 30, Faulkner s'essaie enfin à ce à quoi il n'avait sans doute pas osé prétendre jusqu'alors : à jouer le Balzac non pas du Sud (l'erreur sociologique a trop longtemps sévi pour qu'on la commette encore), mais du Yoknapatawpha.

L'histoire de l'introduction des trois romans *Snopes* en France est celle d'un ratage à peu près total. Non seulement, en effet, la chronologie en fut aberrante, puisque *Le Hameau* fut publié en 1959 (dix-neuf ans après l'original), puis, dans l'ordre inverse, en 1962, *Le Domaine* et *La Ville*, de sorte que le lecteur français ne comprenait plus rien à la chronologie ; mais en outre, le comique et l'humour (surtout dans *Le Hameau*) étaient restés en chemin. — Trad. Gallimard, 1959. M. G.

HAMEÇON DE PHÉNICE (L') [*El anzuelo de Fenisa*]. Comédie en trois actes de l'écrivain espagnol Lope Félix de Vega Carpio (1562-1635), publiée à Madrid en 1617. Elle est inspirée d'une nouvelle (VIII-10) de Boccace. Lucindo, riche marchand espagnol, débarque à Palerme en compagnie de son domestique Tristan. Phénice, une belle dame, fort habile à duper les gens de sa sorte, pense en faire aisément sa victime. Elle l'aborde donc en mettant en œuvre tous les artifices de sa séduction. Lucindo se tient tout d'abord sur ses gardes, mais, fasciné par la beauté de la jeune femme, il finit par répondre à ses avances. Phénice l'invite à dîner. Elle n'a pas été sans remarquer la défiance du jeune homme mis en garde par son serviteur. Elle décide de jouer son jeu le plus astucieusement du monde ; elle commence par lui faire de nombreux cadeaux, sans rien accepter en retour. Le jeune homme est pris à l'hameçon. Le premier acte se termine sur un trait qui ne se trouve pas dans la nouvelle : Phénice découvre qu'elle est sur le point de tomber amoureuse d'un bel officier, don Juan de Lara, lequel vient d'arriver d'Espagne (celui-ci n'est, en réalité, qu'une jeune femme déguisée en homme qui est venue en Sicile retrouver son fiancé disparu, Albano). Le deuxième acte commence par un dialogue entre Lucindo et son serviteur Tristan. Ce dernier tente d'éclairer son maître ; mais la voix de la raison est étouffée par la passion que la beauté de Phénice a éveillée chez Lucindo. Tous ses doutes disparaissent quand la soubrette de Phénice, Celia, lui apporte du linge fin, en lui assurant que sa maîtresse se meurt d'amour pour lui. L'amour de Dinarda (le faux don Juan) et d'Albano se renoue tandis que s'ébauche celui de Phénice pour le prétendu don Juan. Scènes d'amour qui contrastent avec les divertissements de serviteurs, insouciants, joyeux et moqueurs, que Tristan considère d'un œil désabusé. Dans la deuxième partie du deuxième acte, on revient à l'intrigue fondamentale. Phénice raconte en pleurant que son frère vient d'être condamné à mort et que, pour le sauver, elle a besoin d'une grosse somme d'argent. Lucindo, fasciné, la croit et lui fait porter tout l'argent gagné au cours de ses dernières tractations. Sitôt qu'elle est en possession de cet argent, Phénice se montre sous son vrai jour. Quand Lucindo et Tristan, ayant compris qu'ils ont été escroqués, réclament leur bien, elle les met tout simplement à la porte ; ils partent furieux et jurent de se venger.

Les premières scènes du troisième acte sont médiocres : c'est une suite de querelles entre Dinarda et ses deux compagnons auxquels se joignent Phénice et Celia, Albano et Camilo. L'intrigue se complique et se dénoue. Deux personnages viennent d'arriver au port : l'un d'eux est Lucindo, qui n'est pas près d'oublier la cruelle aventure qui lui est survenue quelques mois plus tôt et qui désire se venger ; l'autre est un mystérieux chevalier qui gardera son secret jusqu'à la fin de la comédie. Astucieusement, Lucindo parviendra à soutirer son argent à Phénice ; il s'enfuira aussi vite que possible pour ne pas se laisser reprendre aux séductions de la dame. L'autre (on finira par savoir qu'il est le frère de Dinarda) restera à Palerme et causera l'heureux dénouement des amours d'Albano et de Dinarda. Phénice se retrouvera seule, trompée par Lucindo, déçue dans son amour et abandonnée par tous. Le personnage de Phénice est le pivot de l'action. Elle a une puissante personnalité ; c'est au fond une créature simple qui passe d'un extrême à l'autre et qui se jette à corps perdu dans toutes ses entreprises, qu'il s'agisse d'amour ou de haine ; ce qui ne l'empêche pas de ressentir un vif plaisir quand elle exerce son habileté sur ses victimes moins averties. Les personnages secondaires sont bien dessinés. Aussi *L'Hameçon de Phénice* est-il une des meilleures comédies de Lope de Vega. — Trad. Charpentier, 1869.

HAMLET. Tragédie en cinq actes en vers et en prose du poète dramatique anglais William Shakespeare (1564-1616), écrite et représentée vers 1600-1601. Il existe plusieurs rédactions du texte : l'in-quarto de 1603 ou premier in-quarto, l'in-quarto de 1604 ou deuxième in-quarto, et l'in-folio de 1603 ; on admet généralement que le deuxième in-quarto représente le texte original du drame et que les autres rédactions en dérivent plus ou moins. L'histoire d'Hamlet est racontée par Saxo Grammaticus (début du XIIIe siècle) dans l'*Histoire des Danois* (*). Shakespeare en eut connaissance à travers les *Histoires tragiques* de F. de Belleforest et un drame perdu qui fit son apparition sur les scènes, probablement dès 1587 ou en 1589 au plus tard. Il y a des différences importantes entre le récit de Belleforest et le drame de Shakespeare ; dans le récit du Français, Hamlet, dès le début de l'action, sait parfaitement de quelle manière est mort son père, c'est pourquoi la folie qu'il simule est pleinement justifiée ; en outre, il ne meurt pas avant d'avoir accompli sa vengeance, et il se montre capable d'une action énergique au moment opportun. On est en droit de supposer que certains éléments nouveaux tels que la mort du héros, le spectre du père, la scène de la représentation théâtrale à l'intérieur du drame et le duel final avec Laërtes (innovations dont Thomas Kyd [1558-1594] serait l'auteur) ont été introduits dans la tragédie pré-shakespearienne, intitulée par les critiques « Hamlet primitif » ou, selon la terminologie allemande, *Ur-Hamlet*. Il est de même probable que, dans cette tragédie, Hamlet était doté d'un caractère particulièrement décidé et agressif ; dans son adaptation, Shakespeare lui donne ce caractère mélancolique qui était à la mode au XVIIe siècle, justifiant ainsi la lenteur qu'il apporte à exécuter sa vengeance. Du même coup, le centre du drame s'est déplacé, allant des intrigues de Claudius aux réactions du « mélancolique » et pessimiste Hamlet.

Dans la tragédie de Shakespeare, le roi de Danemark a été assassiné par son frère Claudius ; celui-ci a usurpé le trône et épousé, sans le moindre respect des convenances, la veuve du mort, Gertrude. Mais voici que sur les remparts du château d'Elseneur le spectre du mort fait son apparition : c'est pour révéler à Hamlet les circonstances dans lesquelles il fut assassiné ; il lui demande aussi de le venger. Hamlet promet d'obéir, mais sa nature mélancolique le plonge dans l'irrésolution et lui fait retarder le moment d'agir ; entre-temps, il simule la folie pour détourner tout soupçon et ne rien laisser échapper de ses sombres desseins. Tous ceux qui l'approchent en viennent à penser qu'il est tourmenté par son amour pour Ophélie, la fille du chambellan Polonius, qu'il avait courtisée autrefois, mais qu'il traite à présent avec cruauté. Afin de s'assurer que le récit que lui a fait le spectre est en tous points exact, il fait jouer en présence du roi un drame (l'assassinat de Gonzague) qui reproduit les circonstances mêmes du crime ; impuissant à dominer son agitation, le roi se voit contraint de quitter la salle de spectacle. Ainsi donc la preuve est faite et Hamlet sait à quoi s'en tenir. Hamlet se rend aussitôt chez sa mère : le ton monte vite, et il lui avoue tout le dégoût qu'elle lui inspire. Croyant que le roi est en train de l'écouter derrière un rideau, il tire son épée et la plonge à travers les lourdes tentures ; mais c'est Polonius qu'il vient de tuer. Décidé à faire disparaître Hamlet, le roi l'envoie en mission en Angleterre avec Rosencrantz et Guildenstern ; cependant, Hamlet est capturé par des pirates qui le renvoient au Danemark. À son arrivée, il apprend qu'Ophélie, folle de douleur, s'est noyée. Entre-temps, Laërtes, le frère d'Ophélie, est revenu au Danemark dans l'intention de venger la mort de son père Polonius. Le roi, apparemment, veut réconcilier Hamlet et Laërtes : à sa prière, chacun d'eux accepte de se mesurer non point en un duel, mais dans un combat symbolique, destiné à mettre fin à cette lamentable histoire. Or, on donne à Laërtes une épée dont la pointe est empoisonnée. Hamlet est touché, mais, avant de mourir, il blesse mortellement Laërtes et tue le roi, tandis que Gertrude boit la coupe empoisonnée qui était destinée à son fils. Le drame se termine par l'arrivée de Fortinbras, prince de Norvège, qui devient le souverain du royaume de Danemark.

Parmi les scènes célèbres, il faut citer celle du monologue d'Hamlet (acte III, scène 1) qui débute par le vers connu « Être ou ne pas être : telle est la question » [To be or not to be : that is the question] ; celle du cimetière (acte V, scène 1), au cours de laquelle Hamlet se lance dans une vaste méditation philosophique devant le crâne de Yorick, le bouffon du roi. Les vers que l'on cite couramment sont innombrables, par ex. : « Il y a quelque chose de pourri dans le royaume de Danemark » [Something is rotten in the State of Danmark] ; « Cette époque est désordonnée » [The time is out of joint] ; « Des mots, des mots, des mots... » [Words, words, words...] ; « Bien que ce soit de la folie, voici qui ne manque pas de logique » [Though this be madness, yet there is method in't] ; « Rien n'est en soi bon ni mauvais ; tout dépend de ce qu'on en pense » [There is nothing either good or bad, but thinking makes it so] ; « Quel chef-d'œuvre est l'homme ! » [What a piece of work is a man !] ; « C'était comme du caviar pour le commun » [T'was caviare to the general] ; « Qu'est Hécube pour lui, et lui pour Hécube, qu'il verse tant de pleurs ? » [What's Hecuba to him, or he to Hecuba, That he should weep for her ?] ; « Entre au couvent.. » [Get thee to a nunnery] ; « La folie des grands demande à être surveillée » ; « Le plus grand des Césars n'est plus qu'un peu de cendre / Et celui qui faisait trembler tout l'univers / Au plus modeste emploi nous le voyons descendre : / Boucher un trou par où souffle le vent d'hiver » [Imperious Caesar, dead and turn'd to clay, / ... Might stop a hole to keep the wind away] ; « Le reste est silence » [The rest is silence...] et maints autres.

Pour la plupart des critiques, le jugement porté sur *Hamlet* se réduit à un jugement sur le caractère du héros ; bien plus, celui-ci est interprété comme s'il vivait d'une vie qui lui est propre, en dehors même du drame et en complète autonomie par rapport aux autres personnages. Dans cette interprétation, les critiques furent suivis par les acteurs ; ceux-ci sacrifièrent toute la structure de l'action au personnage, coupant parfois sans scrupules des scènes qui, selon eux, étaient absolument secondaires. Cependant, de nombreux problèmes se posent en réalité et rendent la question de *Hamlet* extrêmement complexe. Pourquoi Claudius n'interrompt-il pas le drame de Gonzague, drame qui retrace les circonstances de son crime, à la seule vue de la pantomime qui précède le texte ? Pourquoi Hamlet emploie-t-il en présence d'Ophélie un langage obscène et insultant ? Les critiques qui se placent à un point de vue strictement historique répondent à ces questions, en alléguant les incongruités que l'on rencontre fréquemment dans les drames de l'époque ; Granville-Barker en arrive à dire que « l'intrigue, si on la juge en tant que telle, est développée avec une incompétence scandaleuse » ; d'autres soutiennent que certaines parties du drame ont été perdues et que le vrai « problème » d'*Hamlet* devrait se réduire en réalité à une tentative de reconstruction. Il ne nous est pas possible d'entrer ici dans le détail d'une controverse littéraire qui a fait couler beaucoup d'encre. Il suffit d'indiquer, à titre d'exemple, que l'attitude d'Hamlet envers Ophélie – attitude qui, d'après certains psychologues, résulterait de la phobie sexuelle que provoque chez le prince la conduite de sa mère – s'expliquerait, si l'on en croit les critiques partisans de la méthode historique, par le rôle d'Ophélie dans le drame original (dans celui-ci, de même que dans le récit de Belleforest, la jeune fille n'aurait été qu'un instrument du roi pour séduire le prince). En effet, le langage employé par Hamlet vis-à-vis d'Ophélie est précisément celui auquel l'on s'attend dans ce dernier cas, bien que, dans le drame de Shakespeare, la situation soit tout autre. Il se peut cependant qu'Hamlet ait imaginé qu'Ophélie était un jouet dans les mains du roi, si l'on suppose qu'il a entendu les paroles de Polonius au roi : « Cependant, je lui dépêcherai ma fille » [At such a time I'll loose my daughter to him] ; dans une telle phrase, « loose » ne signifie pas seulement que Polonius – qui jusqu'alors avait interdit à Ophélie de communiquer avec Hamlet – maintenant la laissera libre ; le mot renferme aussi une allusion à l'accouplement des chevaux et des bovins (lorsqu'ils en parlaient, les élisabéthains employaient ce verbe). Or, plus loin, Hamlet appelle Polonius « marchand de poissons » [a fishmonger], épithète que l'on donnait aux ruffians, et il compare indirectement la jeune fille à une « charogne » [carrion flesh], mais aussi, dans le langage élisabéthain, prostituée. Dans un tel cas, il faut bien supposer qu'il interprétait la conduite de la jeune fille à la lumière des mots que Polonius avait prononcés et qu'il avait surpris ; il en résulte donc – selon Dover Wilson – qu'il faut dans cette scène reporter l'indication « Entrée d'Hamlet » à neuf vers plus haut (après les mots « Here in the lobby »). Le sens général de la tragédie peut être ramené à cette phrase de l'acte III : « C'est ainsi que la verdeur première de nos résolutions s'étiole à l'ombre pâle de la pensée » [The native hue of resolution is sicklied o'er with the pale cast of thought]. Fortinbras et Laërtes, hommes d'action, sont opposés à Hamlet dont on a défini l'attitude comme celle d'un homme atteint d'une maladie de la volonté. Les alternances de frénésie et d'apparente apathie du caractère central marquent le rythme de toute la tragédie ; c'est un rythme en quelque sorte fiévreux, avec ses paroxysmes et ses langueurs ; il donne au drame cet attrait impossible à définir, difficile à analyser, mais que le public subit toujours, même s'il s'agit d'une représentation fragmentaire, ou d'un texte réduit et, parfois même, défiguré en partie. – Trad. Pour les citations, nous avons eu recours à la traduction d'André Gide (1946). Citons encore les traductions de Gallimard, Marcel Schwob (Charpentier et Fasquelle, 1899 ; rééd. Lebovici, 1991), d'Yves Bonnefoy (Mercure de France, 1962 ; nouv. éd., 1988).

★ En France, Jean-François Ducis (1733-1816) a repris en 1769 la tragédie de Shakespeare. Son *Hamlet*, tragédie en cinq actes, est une réduction servile du chef-d'œuvre anglais qui en sort singulièrement appauvri et même dépouillé de presque toute son atmosphère dramatique. On ne cite cette pièce d'habitude que pour indiquer le moment où l'œuvre théâtrale de Shakespeare a été introduite en France. Ducis en fut le premier vulgarisateur ; sa pièce a été traduite en espagnol, en vers, par Ramón de la Cruz Cano (1731-1794).

★ Alexandre Dumas père (1808-1870) composa également un *Hamlet* en cinq actes, imité de Shakespeare ; sa pièce fut représentée en 1848. Dumas suit assez fidèlement son modèle anglais, bien qu'il fasse d'Hamlet une espèce de frère d'*Antony* (*), sans parvenir toutefois à donner une œuvre littéraire de valeur.

★ En musique, la première œuvre composée sur le sujet de Shakespeare fut l'*Hamlet* de Domenico Scarlatti (1685-1757) sur un livret de Zeno et Pariati, représenté à Rome en 1715. Cette œuvre, bien que révélant des traits de génie, ne témoigne pas encore de tous les dons du grand claveciniste qui se manifestent dans ses *Sonates*. À la suite de l'*Hamlet* de Scarlatti, nous pouvons rappeler : une œuvre de Francesco Gasparini (1668-1727), élève de Corelli, Rome, 1750 ; une Ouverture de Luigi Caruso (1754-1822), Florence, 1790 ; une Ouverture et les Intermèdes pour la tragédie de Shakespeare de Georg Joseph Vogler (1749-1814) ; les œuvres de Franco Faccio (1840-1891) ; *Hamlet* sur un livret de Boito, représenté à Milan en 1871, et d'Ambroise Thomas (1811-1896) : *Hamlet* sur un livret de Carré et Barbier, représenté à Paris en 1868. La première de ces œuvres fut très mal accueillie ; la deuxième eut quelque succès. Cependant, tous les deux sont d'une facture médiocre. Il faut rappeler enfin la *Scène de l'ombre d'Hamlet* d'Hector Berlioz (1803-1869), composée en 1848 ; le Poème symphonique de Gabriel Pierné (1863-1937) ; l'Ouverture et la musique de scène pour la tragédie shakespearienne (op. 67) de Tchaïkovski (1840-1893), composées respectivement en 1888 et 1891.

★ Nombreux sont les tableaux qui ont été inspirés par *Hamlet* ; parmi les plus importants, signalons : *Hamlet et Horatio* d'Eugène Delacroix (1798-1863), *Hamlet et les fossoyeurs*, lithographie du même peintre ; notons aussi la série de treize dessins que le grand peintre romantique consacra à l'histoire d'Hamlet. *Ophélie et Laërtes* de Giuseppe Bertini (1825-1898) ; *Hamlet et Ophélie*, aquarelle de Dante-Gabriel Rossetti (1828-1882) ; *Ophélie* de J. E. Millais (1829-1896).

HAMLET ou La longue nuit prend fin [*Hamlet oder Die lange Nacht nimmt ein Ende*]. Roman de l'écrivain allemand Alfred Döblin (1878-1957), commencé à Los Angeles, achevé en 1946 à Baden-Baden, édité d'abord par un éditeur de l'Allemagne orientale en 1956, puis à Munich. C'est au fond l'œuvre posthume d'un auteur mort en solitaire, presque aveugle, oublié de son public. (En vérité, les Allemands ne lui pardonnèrent jamais d'avoir servi en 1945, en uniforme de colonel français, dans les rangs de l'armée d'occupation.) Mais la publication de ce livre rappela au monde et aux Allemands le grand écrivain qu'était Alfred Döblin. Toute sa vie durant, il a tenté d'unir en lui les contraires : le judaïsme et le christianisme, les conquêtes socialistes et le catholicisme, l'Allemagne et la France. Edward — tel est le nom du personnage central du roman — est un jeune soldat anglais qui assiste, à bord d'un transport de troupes américain, au bombardement-suicide des aviateurs japonais. Au cours de l'engagement, Edward est grièvement blessé : après un long séjour dans une clinique britannique, il retourne dans la maison de ses parents, ébranlé par les visions dont il a été le témoin. Le monde qu'il découvre dans son entourage compromet son équilibre : monde de la nuit et du mensonge, contre lequel il tente de lutter par tous les moyens. La longue nuit du malade s'achève enfin. La mort de ses parents le libère de sa torpeur, et Edward Allison apparaît comme un « nouveau Christophe Colomb ». Il touche à nouveau terre et peut s'écrier : « Je rencontre des hommes, je participe à leurs affaires et j'apprends qu'elles sont miennes. » Si ce thème est celui des œuvres les plus achevées de Döblin, telles que *Berlin, Alexanderplatz* (*) ou *Le Voyage babylonien* (*), il permet cependant à l'écrivain de se renouveler une fois de plus et de donner vie à son univers spirituel en des pages d'une grande maîtrise. — Trad. Fayard, 1988.

HAMLET-MACHINE [*Hamletmaschine*]. Pièce du dramaturge allemand Heiner Müller (né en 1929), écrite en 1977, jouée pour la première fois au théâtre Gérard-Philipe, à Saint-Denis, le 1er janvier 1979, dans une mise en scène de Jean Jourdheuil. C'est un long monologue, d'un baroquisme échevelé, réparti en quelque sorte sur deux rôles shakespeariens, Hamlet et Ophélie. Chacun des deux incarne une stratégie « extrémiste », face à la réalité que constituent les « ruines de l'Europe ». Hamlet représente l'intellectuel impuissant, désarmé, auquel répugne la réalité, symbolisée par l'accouplement obscène du meurtrier du père avec la mère veuve. Ophélie, en qui parlent toutes les victimes des systèmes d'oppression de l'histoire, a choisi quant à elle de crier sa haine, sa révolte, et propage la destruction autour d'elle : « De mes mains ensanglantées, je déchire les images des hommes que j'ai aimés et qui se sont servis de moi sur le lit, et la table, et par terre. J'incendie ma prison, je jette mes vêtements dans les flammes. » Tandis qu'elle s'identifie pleinement avec sa fureur destructrice, Hamlet, lui, reste prisonnier d'un rôle, d'une défroque qu'il range bientôt avec les accessoires d'un décor : « Je ne suis plus Hamlet. Mes propres mots n'ont plus rien à me dire. Mes pensées aspirent le sang des images. Ma propre pièce n'a plus lieu. Je ne joue plus. » Mais la machinerie tourne sans lui : derrière lui, sur scène, « à son insu », une monumentale statue de Staline — « l'espérance pétrifiée » — fait place à un décor envahi par les objets-fétiches de la société de consommation ; « l'acteur-qui-joue-Hamlet » doit maintenant se débarrasser du corps encombrant du père et du traître de la révolution. Il n'éprouve plus que nausée, mais il a conscience, en même temps, que cette nausée est encore une sorte de luxe arrogant, de « privilège » inouï que s'arroge l'intellectuel. Et l'acteur, finalement, reprend son rôle, son déguisement.

Mise en pièces du texte shakespearien, montage délirant de citations, de vestiges allégoriques, *Hamlet-Machine*, bien au-delà d'une parabole sur la fin de l'art, peut se concevoir, littéralement, comme une « mise à mort » de l'œuvre et de l'auteur. « Travailler à la liquidation de l'auteur est un acte de résistance contre la liquidation de l'homme. » Aussi longtemps que « l'exercice de l'activité artistique restera fondé sur un privilège, tous les chefs-d'œuvre seront complices du pouvoir ». Hamlet représente celui qui ne sait que trop que « quelque part des corps sont éventrés pour qu'il puisse habiter dans sa merde, quelque part des chairs sont ouvertes pour qu'il puisse rester seul avec son sang ». La mélancolie, la nausée sont une trahison ; il faudrait, comme Ophélie, pouvoir crier – « la bouche naît avec le cri ». *Hamlet-Machine* réalise de manière exemplaire la dramaturgie de la « provocation » prônée par Heiner Müller, où Bertolt Brecht rencontre Antonin Artaud et Lautréamont. – Trad. Minuit, 1979.

J.-J. P.

HAN D'ISLANDE. Roman de jeunesse de l'écrivain français Victor Hugo (1802-1885), publié en 1823. L'action se déroule dans un royaume imaginaire d'Islande, au XVIIe siècle. Un bandit sanguinaire, Han d'Islande, terrorise la population. On entoure sa vie de sombres légendes. Un jeune chevalier, Ordener, aime une jeune fille qui vit en prison avec son père – un ministre qu'un rival a faussement accusé, afin de prendre sa place de chancelier du royaume ; Ordener se met à la recherche du bandit pour obtenir de lui certains documents propres à prouver l'innocence du vieillard. Parallèlement à cet épisode, on assiste à la sombre tragédie de Han, être bestial, qui vit seul avec un ours et ne s'abreuve que de sang humain. Le fils de Han a été noyé pendant que lui-même revenait d'un rendez-vous avec la femme qu'il aime et qui l'a trahi avec un arquebusier. Comme il ignore le nom de son rival, Han décide de massacrer tout le régiment. En même temps, le diabolique chancelier se met à la recherche de Han qu'il voudrait mettre à la tête d'une insurrection, laquelle lui donnerait les pouvoirs les plus étendus sur ce royaume. Mais ni le courage d'Ordener, qui a failli tuer Han au cours d'un duel, ni la témérité du chancelier, qui rejoint ce dernier au moment même où celui-ci a tué son fils, ne réussiront à faire plier le monstre. Pour finir, les documents qu'on recherche seront retrouvés sur le corps d'un malheureux gardien de la morgue, Spiagudry ; il s'ensuivra la réhabilitation du prisonnier ; quant aux amants, ils trouveront enfin le bonheur, et Musdoemon, âme damnée du chancelier, sera exécuté par son frère, le bourreau Orugix. Han d'Islande de son côté se laisse emprisonner, mais à la seule fin de pouvoir mettre le feu à la caserne des arquebusiers. Mais lui-même périra, victime de son frénétique désir de vengeance. Ce roman nous révèle déjà la manière de Hugo : ses contrastes violents où l'on décèle le combat perpétuel du bien et du mal. Le personnage de Han atteint à une hallucinante puissance lyrique et fait de ce livre un des documents les plus significatifs du premier romantisme.

HAN-FEI-TSE (*Han Feizi*) [*Le livre du maître Han Fei*]. Œuvre du philosophe chinois Han Fei-tse (vers 280-vers 234 av. J.-C.), disciple de Siun Tse, commentateur du *Tao teu-tsing* (*), et penseur le plus célèbre de l'école légiste. Passionnément adonné à l'étude des doctrines juridiques, doté d'une vaste culture, c'est en même temps un excellent écrivain. Le livre comporte cinquante-cinq chapitres dont certains sont dus à des interpolations postérieures, d'autres contiennent des parties apocryphes, et seulement sept ou huit d'entre eux renferment sa doctrine authentique. La majeure partie du livre est consacrée à une interprétation de l'égoïsme individuel ; l'auteur, après avoir énuméré beaucoup de faits à l'appui de sa thèse, en vient à approuver la nécessité de contrôler étroitement cet égoïsme au moyen de la législation. « Le médecin et le marchand de cercueils, qui voient dans les morts et les maladies nombreuses une sorte de gain, commettent facilement des injustices. » Les intérêts personnels entrent même en jeu entre pères et enfants ; ainsi les pères préfèrent les fils aux filles parce que celles-ci, en se mariant, doivent aller avec leurs maris, tandis que les fils restent à la maison et servent leurs parents. Dans l'Antiquité, poursuit l'auteur – et bien que l'homme soit égoïste par nature –, étant donné qu'une humanité peu nombreuse vivait sur la terre, il ne naissait pas tant de conflits ; mais, de nos jours, où la population croît sans cesse, sur une terre qui ne s'accroît pas, c'est la lutte pour la vie, lutte dont on ne peut triompher au moyen des interdictions et encore moins au moyen des vertus. Il est donc impossible d'appliquer les principes anciens à la vie actuelle. La vraie raison d'être de la législation est de protéger les bons citoyens, car la justice et les rites sont pratiqués seulement par un petit nombre d'hommes vertueux et non par la masse. L'unique remède est dans une loi sévère qui vise à éliminer les délits ; il faut donc renforcer les peines, les appliquer aussi bien aux nobles qu'aux intellectuels, aux ministres qu'au peuple, etc. On ne doit jamais confondre, comme le font les femmes, l'amour et la loi. Celui qui gouverne doit connaître objectivement le véritable sens de la loi, respecter surtout la nature et s'en tenir à la règle du « non-agir » (conception de Lao Tse). On peut dire que Han Fei-tse est animé d'un esprit d'empirisme. Aussi est-il peu favorable au raisonnement pur et à l'intuition et repousse-t-il les enseignements des sages anciens et les méthodes inefficaces telles que celles des sophistes. De nombreux historiens estiment que sa doctrine dérive de Lao Tse. Cela pourrait être vrai pour certains principes théoriques, mais non pour la partie pratique. Son maître Siun Tse, qui soutient que la nature humaine est mauvaise a priori, a sans doute exercé une grande influence sur lui, mais l'affirmation de l'autonomie nécessaire de la législation, l'esprit pratique, l'aptitude à serrer de près l'actualité et le refus d'accepter l'Antiquité, tout cela montre abondamment l'originalité du disciple. – Trad. anglaise : W. K. Liao, *The Complete Works of Han Fei Tso,* Londres, 1928 ; trad. française de trois chapitres par Tchang Fou-jouei, intitulée *Hanfei zi,* You Feng, 1987.

HANG TUAH [*Hikayat Hang Tuah*]. Épopée malaise. Cette œuvre en prose entre dans la catégorie des « hikayat », mot d'origine arabe qui a essaimé dans tout le monde musulman et qui désigne, en littérature malaise, des « histoires exemplaires », qu'elles soient de nature historique, épique, ou même, à l'époque moderne, biographique – v. l'*Autobiographie* (*), de Abdullah bin Abdulkadir Munshi. La *Hikayat Hang Tuah* semble avoir été rédigée à la cour de Johore (État de l'actuelle Malaysia), à la fin du XVIIe siècle, dans le contexte de rivalités internes. Elle retrace, sur le mode épique, l'histoire du sultanat de Malacca, depuis ses origines mythiques, avec la généalogie d'êtres surnaturels, jusqu'à la prise de la ville par les Portugais (1511) et même, en épilogue, la victoire sur ceux-ci des Hollandais (1641). Durant tout ce laps de temps, cependant (la vie du sultanat proprement dit couvre tout le XVe siècle), l'État est régi par un seul sultan, dont le héros, Hang Tuah (le « Chanceux ») est à la fois le champion et l'ambassadeur aux quatre coins de l'univers. La bravoure de Hang Tuah n'a d'égale que sa loyauté. Doté de pouvoirs magiques, à la suite de séjours initiatiques auprès de divers maîtres spirituels, il extermine les ennemis par centaines. Le sultan l'envoie en missions diplomatiques ou commerciales dans les principaux États du monde malais, tout particulièrement à la cour de Majapahit, la grande puissance de Java-Est de l'époque, ainsi qu'au Siam, en Chine, en Inde et à Constantinople. Le héros profite de ce dernier voyage pour accomplir le pèlerinage aux lieux saints de l'islam. Ayant ainsi exploré les confins du monde des vivants, il se porte encore volontaire pour une ultime mission : visiter le monde des morts. Hang Tuah est un personnage historique, dont les *Annales malaises* (*) ont enregistré la valeur et la prestance et auquel l'épopée a attribué, en les magnifiant, les hauts faits d'autres héros de Malacca. La fresque épique témoigne des mentalités du temps, notamment d'une vision nouvelle de l'espace géographique héritée de l'islam. Hang Tuah est le modèle de la fidélité à son prince ; le point culminant de cette parabole légendaire est le duel qui l'oppose à son plus proche compagnon, Hang Jebat, que l'injustice du sultan avait conduit à la révolte. Hang Tuah est, depuis trois siècles, un héros national, mais les intellectuels de la Malaysia indépendante lui ont contesté ce titre, voulant voir en son frère ennemi, Hang Jebat, le héros d'un peuple épris d'un idéal politique. H. Ch.-L.

HANNA. Poème de l'écrivain finlandais Johan Ludvig Runeberg (1804-1877), écrit en suédois et publié en 1836. Toute l'action se déroule en l'espace d'un jour. Un pasteur attend son fils qui est à l'université. Entre-temps, sa fille Hanna reçoit la visite d'un soupirant, qui lui parle de la vie heureuse qu'il serait à même de lui offrir si elle consentait à l'épouser. Pensant moins à la fortune de cet homme qu'à son âge mûr et au soutien qu'elle pourra trouver en lui, Hanna se garde de l'éconduire. Là-dessus arrive son frère, accompagné d'un sien ami qu'elle considère presque comme son second frère. À ce titre, Hanna accueille ce dernier d'un baiser qui fait naître en elle un sentiment qu'elle ignorait jusqu'alors. Peu après, les jeunes gens font une promenade sur les berges d'un lac. Ils ne se parlent guère, mais déjà ils sentent qu'ils s'aiment. Une fois rentrés à la maison, ils vont demander sa bénédiction au vieux pasteur : celui-ci regarde fixement les deux jeunes gens, car il a tout deviné. Dans cette brève et simple idylle, Runeberg a voulu donner au premier amour le caractère d'une révélation subite : un seul regard suffit pour que le destin de deux êtres soit décidé. Écrit en hexamètres, ce poème, qui est la meilleure œuvre de Runeberg, a été à l'origine de la renommée qu'il a connue en Finlande. – Trad. Garnier, 1879.

HANS LE JOUEUR DE FLÛTE. Opéra-comique en trois actes, livret de Maurice Vaucaire et Georges Mitchell, musique du compositeur français Louis Ganne (1862-1923). Ganne, élève de César Franck, est surtout connu par son opérette *Les Saltimbanques* (*). En 1906, il s'essaie dans un genre un peu supérieur avec *Hans le joueur de flûte,* représenté pour la première fois le 14 avril au Théâtre de Monte-Carlo. Il choisit la légende connue en pays germanique sous le nom du « Preneur de rats de Hameln ». La scène se passe à Milkatz, riche capitale d'un pays imaginaire entre la Hollande et les Flandres. Les greniers, gardés par une armée de chats, regorgent de blé, richesse de la ville en liesse, car elle prépare un concours de poupées mécaniques. Yoris, poète et sculpteur, fignole une poupée qui a les traits de Lisbeth dont il est amoureux. Lisbeth est la fille du bourgmestre Pippermann qui la destine au premier échevin, le ridicule Van Pott. Survient Hans, jeune étranger qui a le pouvoir d'attirer les rats avec sa flûte de cristal. Il décide de corriger cette ville sans cœur et sans idéal, et envoie tous les chats se noyer dans la rivière tout en lâchant dans les greniers une armée de souris. Par ruse, le bourgmestre dérobe au sorcier Hans, que l'on emprisonne, sa flûte, mais nul ne sait s'en servir, et les catastrophes se multiplient. Force est de relâcher Hans qui impose sa volonté : il lui sera permis au concours de poupées d'en choisir une qui lui appartiendra en toute propriété. Ce vœu lui étant accordé, il envoie les souris se noyer dans la mer. Le jour du concours, la poupée de

Yoris est celle que Hans déclare victorieuse. Il la réclame et la donne à Yoris : c'est Lisbeth, qui avait pris la place de la poupée. Hans continuera sa route de marchand d'idéal. Visiblement, Ganne cherche à rivaliser avec *Les Contes d'Hoffmann* (*), mais il n'a pas la verve d'Offenbach et la qualité de sa mélodie n'est pas toujours très fine. Au premier acte, on note le « Septuor » des échevins, l'entrée de Hans et son Rondo. À l'acte II, le duo de Lisbeth et Hans, le divertissement des pêcheuses et la chanson de la flûte. À l'acte III, le duo de Lisbeth et Yoris, le défilé et le ballet des poupées.

HAPPE-CHAIR. Roman de l'écrivain belge d'expression française Camille Lemonnier (1844-1913), publié en 1886. L'œuvre est dédicacée à Émile Zola et elle s'inscrit bien en effet dans le genre du roman naturaliste. Paru peu après *Germinal* (*), *Happe-chair* sembla directement influencé par cette œuvre ; mais, comme Lemonnier le rappelle dans sa dédicace, *Happe-chair* fut composé antérieurement à *Germinal.* Il s'agit donc moins d'une influence que d'une rencontre entre Zola et Lemonnier. L'intrigue compte ici beaucoup moins que l'atmosphère : tout l'ouvrage semble brûlé par le feu rougeoyant du laminoir qui forme le cadre de l'évolution, depuis la tendresse jusqu'au désespoir et à la débauche, d'un couple d'ouvriers. L'action se passe au « Pays noir » et Lemonnier, naturaliste scrupuleux, fit preuve d'un grand souci de vérité : plusieurs semaines, il vécut à Marcinelle et à Couillet, dans la misère triste de ces villages où les ouvriers du siècle dernier enfermaient une existence sans espoir d'évasion. Le personnage central, c'est moins Huriaux que l'Ouvrier, absolument seul avec sa peine. Si Lemonnier fait plus de place que Zola aux caractères individuels, la peinture du milieu, faite avec un violent réalisme, tient néanmoins dans *Happe-chair* la place principale. Huriaux, le travailleur honnête, généreux, loyal — type favori de la littérature sociale « fin de siècle » —, s'oppose à sa femme, Clarinette, chez qui tout sens moral paraît avoir disparu. Aussi, quoi qu'elle fasse, ne peut-on la charger de responsabilité. C'est le milieu qui a corrompu cet être avant l'apparition du moindre acte volontaire : dans ce monde sans loi, où ne règne plus que la fatalité du malheur, l'instinct seul triomphe et les sentiments « naturels », l'amour maternel même paraissent complètement abolis. Clarinette Huriaux, dont l'éducation a été faite par une mère débauchée, un père brutal et ivrogne, paraît bien le type de l'ouvrière reléguée aux travaux les plus inférieurs, et souvent les plus pénibles. Les personnages de Lemonnier sont naturellement démunis de toute spiritualité. Ce sont, à proprement parler, des bêtes, grondantes, parfois déchaînées, le plus souvent passives. Le style de l'auteur s'accorde bien au sujet : une vitalité trépidante anime tout le texte : mais les métaphores hasardées, et les barbarismes de toute sorte sont assez fréquents. Ce tableau saisissant de la misère humaine est sans doute une œuvre importante de la littérature naturaliste, mais elle a les défauts de celle-ci autant que les qualités.

HARAWI, chants d'amour et de mort. Cycle de douze mélodies pour grand soprano dramatique et piano, écrit en 1945 par le compositeur français Olivier Messiaen (1908-1992). C'est le dernier des trois grands cycles mélodiques de Messiaen, les deux autres étant les *Poèmes pour Mi* (*) et les *Chants de la Terre et du Ciel* (*). L'auteur considère *Harawi* comme le premier acte d'une trilogie de *Tristan et Yseult,* dont le second est la *Turangalîla-Symphonie* (*) et le dernier les *Cinq rechants pour chœur a cappella* (*). Les textes des poèmes, écrits par Messiaen lui-même dans la lignée du surréalisme (avec des onomatopées lettristes), sont inspirés du folklore du Pérou, dans lequel « Harawi » signifie « Chants d'amour et de mort ». Les huit premiers (chants d'amour) s'achèvent par « Adieu », la mort de Piroutcha (l'Yseult péruvienne), et « Syllabes », la mort de Tristan. Les quatre derniers sont des poèmes de l'au-delà, où les amants, qui ne sont plus qu'esprits, étoiles, chantent et dansent, enfin réunis.

La musique, elle aussi, emprunte au folklore péruvien dans les lignes mélodiques. Mais, harmoniquement, elle fait usage des modes à transpositions limitées et, rythmiquement, à l'« inquiétude », à la souplesse et à l'invention propres à Messiaen. Ainsi ces mélodies ne sont-elles folkloriques que par l'adopuon de certains mélismes, remaniés en profondeur par le langage du compositeur. La partie pianistique est extrêmement riche et virtuose, véritablement orchestrale, et d'une très grande complexité d'écriture. — *Harawi* a été exécuté pour la première fois par Marcelle Bunlet et Olivier Messiaen au piano, à Bruxelles en 1946.

HARMATTAN (L'). Roman de l'écrivain et cinéaste sénégalais Ousmane Sembene (né en 1923), publié en 1964. Généralement ignoré de la critique, il retrace avec fidélité le climat de fièvre et d'exaltation qui a prévalu à travers toute l'Afrique, à la veille et au lendemain du référendum du 28 septembre 1958.

Proposé par le général de Gaulle, rappelé aux affaires par le gouvernement moribond de la IVe République, à la suite du putsch du 13 mai à Alger, ce référendum portait sur une redéfinition des rapports entre la France et la Communauté africaine. La réponse, oui ou non, devait entraîner pour les territoires d'outre-mer soit leur maintien au sein de la communauté française, soit leur indépendance immédiate (comme ce fut le cas pour la Guinée). Un peu partout un débat contradictoire se mit donc en place, tout particulièrement au Sénégal, qui sert de cadre fictif au roman de Sembene Ousmane, *L'Harmattan*, et dans lequel une série de protagonistes incarnent les débats et les hésitations suscités par l'annonce du référendum à travers le continent noir.

Ainsi le ministre Tamban Yousido, symbole de la bourgeoisie noire attachée à ses privilèges, et le catéchumène Joseph Koéboghi vont-ils s'opposer aux partisans du « non », la jeune institutrice Tioumbé, et surtout Leye, le peintre-poète, figure de l'artiste engagé qui apparaît ici comme le porte-parole du romancier. Pour lui l'harmattan dévastateur, qui donne son titre au roman, prend toute sa valeur métaphorique : « C'est, dit-il, un sanglot ! Un sanglot de quatre siècles, soufflé par des millions et des millions de voix ensevelies. Un cri intarissable à nos oreilles, venu des nuits anciennes pour des jours radieux. »

À l'instar des *Bouts de bois de Dieu*, son œuvre cardinale, le second grand roman de Sembene apparaît donc comme une œuvre résolument engagée politiquement, et les thèmes abordés dans *L'Harmattan*, la critique de la bourgeoisie africaine, l'anticléricalisme, l'hésitation sur la place à accorder à la tradition dans la société contemporaine, ou encore l'exaltation du rôle de la femme dans la société, ne font que confirmer les choix fondamentaux d'Ousmane Sembene manifestés à la fois dans son œuvre romanesque et dans son œuvre cinématographique. J. Che.

HARMONIE DU MONDE (L') [*Die Harmonie der Welt*]. Opéra en cinq actes et quatorze tableaux, livret et musique du compositeur allemand Paul Hindemith (1895-1963), représenté pour la première fois à Munich en août 1957. L'œuvre prend pour thème, dans le cadre troublé de la guerre de Trente Ans, la fin douloureuse de la vie de l'astronome Kepler, aux prises avec les malheurs domestiques, l'oubli de ses anciens protecteurs, l'incompréhension de l'Église et de ses disciples mêmes, et ne trouvant même plus de consolation dans ses admirables découvertes, puisque l'harmonie est inaccessible dans un monde livré à des pédagogues bornés, à des rêveurs déséquilibrés comme Rodolphe II ou la mère du savant, qui manquera d'être brûlée pour sorcellerie, enfin à des hommes d'ambition et de sang comme Wallenstein. Kepler va mourir désespéré, mais c'est la mort qui lui donnera enfin l'équilibre qu'il avait rêvé : dans le grand tableau final de l'opéra, groupés en théorie, reparaissent tous les héros de l'histoire symboliquement métamorphosés en planètes tandis que la musique célèbre le mouvement harmonieux des sphères. L'œuvre surprit par un contraste entre les pages d'une extrême rigueur formelle, confinant parfois à la sécheresse, en particulier dans les parties vocales, dépouillées de lyrisme, et l'état massif, postromantique a-t-on pu dire, de l'orchestre, quelquefois emphatique mais qui nous donne dans les morceaux joués entre les scènes pendant les changements de décor les meilleures pages de la partition. En 1951, Hindemith avait déjà composé une symphonie qui porte le même nom et dont l'essentiel du matériel thématique est réutilisé dans l'opéra.

HARMONIE ENTRE L'ÉGLISE ET LA SYNAGOGUE (De l'). Ouvrage en deux volumes du rabbin français converti au catholicisme Paul Louis Drach (1791-1865), publié à Paris en 1844. Le livre mérite une mention spéciale, tant par la personnalité de son auteur que par la parfaite connaissance des livres cabalistiques qui se dégage de cet ouvrage. C'est, en effet, en étudiant la *Cabale* que l'auteur, plus connu sous le nom de Chevalier Drach, fut convaincu de la vérité des dogmes chrétiens ; il se convertit et employa toute la connaissance qu'il avait acquise, en étudiant les écrits rabbiniques et cabalistiques, à susciter les conversions de Juifs. Le tome I de cette œuvre s'occupe principalement du *Talmud* (*) et de ses divisions : la *Mishna* qui en est le texte sacré, et la *Ghémara,* ou commentaire rabbinique. Drach présente ensuite la chaîne ininterrompue des Prophètes, des Thannaïtes et des docteurs Séburaïm, Emoraïm et Gaonim, qui, en transmettant de maître à disciple la loi orale, l'ont préservée intacte jusqu'à sa codification dans la *Mishna.* Le tome I comporte également une très intéressante étude sur le « Tétragrammaton ». Le tome II débute par une « Notice sur la Cabale des Hébreux », qui fourmille de citations, de preuves et de renvois, lesquels, s'ils ne facilitent pas la lecture de l'ouvrage, font justice de maints préjugés solidement ancrés. Drach distingue nettement deux Cabales : la vraie et la fausse, cette dernière « pleine de superstitions ridicules et en outre s'occupant de magie, de théurgie et de goétie ». Quant à la vraie, « elle donnait ces notions sublimes auxquelles n'ont jamais pu arriver les plus profonds génies parmi les philosophes païens privés du secours de la révélation ». C'est dans cette vraie *Cabale* que la raison humaine peut trouver la connaissance concernant : « 1°) la nature de Dieu ; 2°) les rapports de Dieu avec la créature ; 3°) les obligations de l'homme envers Dieu. »

HARMONIES ÉCONOMIQUES (Les). Ouvrage théorique de l'économiste et homme politique français Frédéric Bastiat (1801-1850), que la mort de l'auteur laissa inachevé, et dans lequel il expose l'ensemble de sa théorie, après d'âpres polémiques contre les protectionnistes et les socialistes. Le premier volume fut publié pendant le séjour de l'auteur à Rome (1848-50). Féru d'optimisme, Bastiat croit en la force des lois naturelles qui tendent au bien-être de l'humanité. Tous les efforts concourent à un résultat final, que l'humanité n'atteindra jamais, mais vers lequel elle ne cessera de tendre et ce but, c'est le rapprochement de toutes les classes vers un niveau de vie toujours plus élevé, en d'autres termes l'égalité des individus dans le progrès général. Voilà qui permet à Bastiat d'énoncer sa théorie sur la « valeur-service » qui n'est, en fait, qu'une manière personnelle de présenter la théorie classique de la « valeur-travail ». Pour Bastiat, l'utilité d'une chose tient en partie à l'action de la nature (utilité gratuite) et en partie à celle de l'homme (utilité onéreuse). Il en résulte que seule la partie onéreuse a de la valeur et trouve donc sa source dans le travail. Ainsi la valeur est un rapport entre deux « services ». La grande loi de l'harmonie, qui est, au fond, le progrès de la civilisation, fait en sorte que l'utilité tend à devenir toujours plus gratuite et commune, en arrivant progressivement à appartenir au domaine de la propriété individuelle, tandis que la valeur, au contraire, tend à diminuer toujours en comparaison de l'utilité à laquelle elle est attachée. Bastiat ne nie pas l'importance de la propriété à laquelle il reconnaît, au contraire, un rôle appréciable. L'homme en créant sans cesse de nouveaux besoins qui réclament de nouveaux efforts, donc de nouvelles utilités onéreuses, crée les prémisses nécessaires à la transformation permanente des utilités onéreuses en utilités gratuites, pour le mieux-être de l'humanité. En d'autres termes, la propriété elle-même crée les conditions de la communauté. Naturellement, la réalisation de ce programme n'est possible que si l'on maintient le libre-échange des services. De là, l'exaltation de la libre concurrence que Bastiat prône avec conviction. Dictée par un esprit plus polémique que scientifique, la construction théorique de Bastiat s'est révélée faible ; toutefois, il a marqué l'école libérale française de l'empreinte de sa personnalité, à une époque où l'école libérale anglaise s'apprêtait à faire d'amples concessions au socialisme.

HARMONIES POÉTIQUES ET RELIGIEUSES. Œuvre du poète français Alphonse de Lamartine (1790-1869), publiée en 1830. Entre sa réception à l'Académie française et la révolution de Juillet, Lamartine publie ce recueil formé de poèmes composés pendant les quatre années précédentes. De son séjour en Toscane datent les « harmonies » proprement dites. De retour en France, il a retrouvé une inspiration plus intime et des tourments religieux : en 1829, il écrit au printemps l'« Hymne au Christ » que suivront à l'automne les sombres *Novissima verba* et « Le Tombeau d'une mère ». L'ensemble n'a donc pas l'unité que suggère le titre, mais il est d'une qualité qui emporta les faveurs de la critique et du public.

À l'ampleur de l'œuvre (quarante-sept poèmes) correspond celle de chaque harmonie, celle même de chaque phrase : « phrase femelle » (Flaubert) peut-être, mais qui traduit cette communion avec la nature, cette louange de Dieu dans ses œuvres qui sont les thèmes essentiels. Non les seuls : confiance et doute, grandeur et familiarité s'entrelacent, parfois dans la même pièce. Cette variété n'a d'égale que la virtuosité. L'« Hymne au Christ », où « foi et amour » n'excluent pas l'interrogation, est une véritable symphonie dont alexandrins, octosyllabes et impairs composent, de manière très concertée, les mouvements. Jamais Lamartine n'a été moins « amateur » ; jamais il n'a été plus maître de ses moyens.

L'inspiration aussi s'est élargie. Personnelle encore (« Souvenir d'enfance »), elle est souvent cosmique et s'élève jusqu'aux plus hauts mystères (« L'Infini dans les cieux », « Jehova, ou l'Idée de Dieu »), mais de quelle religion s'agit-il ?

La biographie inciterait à la croire catholique : dédié à Manzoni, l'« Hymne au Christ » n'est-il pas écrit dans les jours mêmes où Lamartine fait ses Pâques ? Sa foi pourtant est ébranlée : de l'extérieur, par les compromissions politiques de l'Église de la Restauration (« Aux chrétiens dans les temps d'épreuves ») ; de l'intérieur, parce que le mystère déconcerte sa raison. Dans *Novissima verba*, la nuit de l'âme est comparée à l'agonie du Christ, lançant « à son Père un pourquoi sans réponse / Tout semblable à celui que ma bouche prononce ! ». Ne croirait-on pas entendre le Vigny du « Mont des Oliviers » ? Lamartine, lui, ne va pas jusqu'à l'athéisme, mais n'arrive pas à concilier l'existence de Dieu et la réalité du mal. Avec le cléricalisme et l'irrationalité, ce scandale-là le détachera un jour du catholicisme. Dès les *Harmonies*, on entend ces dissonances.

Reste qu'en 1830 la joie et l'adoration dominent, justifiant l'épigraphe biblique : *Cantate Domino, omnis terra, quia mirabilia fecit.* Cette joie est toujours religieuse. Loin d'être un de ces panthéistes qu'il avait « en horreur et mépris », le poète célèbre un Dieu paternel dans les merveilles de sa création. Vers lui il fait monter une prière toujours reprise d'adoration et d'amour, plus rarement de demande : heureux, il n'est pas de ceux à qui le bonheur fait oublier le Père.

Ce Dieu qu'il adore avec une évidente sincérité, il ne l'identifie pas absolument à celui du christianisme. Avant la lettre, il est moderniste : la vérité religieuse est progressive, les révélations se succèdent d'âge en âge. À la fin du recueil, il place une invocation « À l'Esprit-Saint » : « ... suscite un homme ! [...] / D'un autre Sinaï fais flamboyer la cime. » Bientôt Lamartine se croira ce nouveau Moïse et enseignera un christianisme purifié.

Si la religion est l'inspiration majeure des *Harmonies*, elle n'est pas la seule. La politique dicte l'« Invocation pour les Grecs ». « Milly, ou la Terre natale » évoque les souvenirs d'enfance. « Le Premier Regret » est une élégie à la mémoire de la future Graziella. Une « épître » à Sainte-Beuve permet au poète de prendre date : un jour *Jocelyn* (*) sera le chef-d'œuvre de cette poésie « intime » louée chez son ami.

Cette diversité des thèmes, qui révèle une tout autre richesse que celle des *Méditations* (*), ne suffirait pas à faire des *Harmonies* le sommet du lyrisme lamartinien. Encore fallait-il que Lamartine travaillât : ce fut le cas, aussi bien en Toscane qu'en France. Le poète niait ce labeur : « La plupart des pièces sont trop peu travaillées », déclarait-il, peu après la publication. La réalité est tout autre : « Milly », par exemple, a connu au moins trois états. Avec les *Harmonies*, il prouvait que le « moment du génie » (Stendhal) reste stérile sans des heures de persévérance et que le plus grand artiste doit accepter la collaboration d'un artisan.

L'édition des souscripteurs ajouta aux *Harmonies* dix-sept pièces, pour la plupart écrites après 1840 : souvent des vers d'album ou des pièces composées pour des loteries. L'une de ces dernières, « Sur l'image du Christ écrasant le mal », fait écho aux *Novissima verba* : « Deux mille ans sont passés et l'homme attend encore... » M.-F. G.

★ Les *Harmonies poétiques et religieuses* du compositeur hongrois Franz Liszt (1811-1886) sont en partie inspirées par l'œuvre de Lamartine. Elles se composent de dix pièces pour piano écrites entre 1835 et 1853. L'« Invocation » (« Élevez-vous, voix de mon âme / Avec l'aurore, avec la nuit ! ») est peut-être la meilleure : un thème large et austère atteint peu à peu des accents dramatiques. Les pages suivantes font preuve d'un sens du choral peut-être nouveau dans la littérature pianistique. L'« Ave Maria », sur les paroles de la prière chrétienne, est une page d'une touchante simplicité. La « Bénédiction de Dieu dans la solitude » (« D'où me vient, ô mon Dieu, cette paix qui m'inonde ? ») est le morceau le plus célèbre. La mélodie suit une longue ligne musicale, très élaborée et enveloppée, selon la manière si caractéristique de Liszt, de larges et rapides arpèges. À noter la progression haletante qui semble annoncer le tumultueux *Tristan et Isolde* (*) de Wagner. Dans « Pensées des morts », la méditation de la première partie sous forme de récitatif prélude aux sonorités du « De profundis », conduit avec un chant passionné et profane qui ne s'adapte pas au début. Dans le « Pater noster », nous retrouvons le style de l'« Ave Maria », mais plus grave et plus expressif. Dans « L'Hymne de l'enfant à son réveil », il faut noter le mouvement de berceuse, quelque peu déclamatoire parfois. Les « Funérailles » (1849), par leur volonté de dramatiser et par leur évident symphonisme pianistique ainsi que par leur richesse harmonique, rappellent cette musique à programme dont Liszt nous offrait, en ces années-là précisément, les premières tentatives — v. *Poèmes symphoniques* (*). L'influence de Chopin se fait pourtant bien sentir encore et particulièrement l'influence de la « Polonaise en la bémol majeur ». La conception et la structure du « Miserere d'après Palestrina » se rapprochent de celles de « Benediction » et de « Pensées des morts ». L'« Andante lagrimoso » (« Tombez, larmes silencieuses / sur une terre sans pitié »), une des mélodies les plus célèbres de Liszt, est même un peu trop près du titre. Le dernier morceau, « Cantique d'amour », est un chant qui s'élève vers une abondance d'accords de septième d'un lyrisme typiquement romantique.

HARMONIE UNIVERSELLE contenant la théorie et la pratique de la musique. Ensemble de traités du père Marin Mersenne (1588-1648), philosophe et mathématicien français, condisciple et ami de Descartes. L'ouvrage fut publié dans son ensemble, à Paris, en 1636, soit en latin (*Harmonicorum libri in quibus agitur,* etc.), soit en version française (*Harmonie universelle*, etc.). C'est un texte protéiforme. Sa première partie avait déjà été publiée en 1627 avec le titre « Livre Ier de la musique théorique », sous le pseudonyme du Sieur de Sermes. Le sous-titre de l'*Harmonie universelle* en résume le contenu : « où il est traité de la nature des sons & des mouvements, des consonances, des dissonances, des genres, des modes, de la composition, de la voix, des chants, & de toutes sortes d'instruments harmoniques ». L'ouvrage est divisé en dix-neuf livres groupés en une suite de traités. Le premier, en trois livres, traitant « De la nature des sons et des mouvements de toutes sortes de corps », est suivi par un « Traité de mécanique ». Vient ensuite un « Traité de la voix et des chants », en deux livres. Mersenne note l'arbitraire de la parole, mais aussi de la voix naturelle, dont l'interprétation est liée à une reconnaissance culturelle implicite : « Qui pourrait deviner que les pleurs et les sanglots accompagnés de cris et de hurlements sont des signes plus propres pour représenter la tristesse, et que le rire est plus propre pour signifier la joie que plusieurs signes dont on pourrait s'aviser ? » Mersenne n'en rêve pas moins d'inventer une langue universelle dont toutes les dictions auraient une « signification naturelle » et il s'essaie à une combinatoire d'éléments choisis pour leur brièveté. Mersenne insiste sur l'utilité que les prédicateurs et orateurs peuvent trouver dans son traité pour apprendre à placer leur voix et exciter telle ou telle passion (il note qu'il est plus séant de parler lentement, précisant qu'un sermon d'une heure devrait ainsi comporter huit mille quatre cents syllabes). Il imagine aussi un instrument destiné à renforcer et augmenter la voix à l'insu des spectateurs. Il consacre une division aux chants qui servent aux danses. Cinq livres sont consacrés au traité « Des consonances, des dissonances, des genres, des modes et de la composition (et contrepoint) ». Les « Instruments » forment un traité presque indépendant, en sept livres, contenant la description de tous les instruments de musique utilisés au XVIIe siècle : le premier livre traite du monocorde, des intervalles, de la tension des cordes. Un exemple du singulier mélange d'astronomie, de physique et de théorie musicale offert par l'ouvrage entier peut être donné en citant la proposition XI du 1er Livre des « Instruments » : « Déterminer le nombre des aspects dont les astres regardent la terre et les consonances auxquelles ils respondent ». Le 2e et le 3e Livre des « Instruments » traitent des différentes sortes de luths, guitares, violes, épinettes, etc. ; le 4e complète le traité des instruments à cordes, donne des exemples de musique instrumentale de l'époque, à cinq et à six parties, et décrit quelques instruments à cordes des Indes, de la Chine et de la Turquie. Le 5e Livre traite des instruments à vent de l'époque ; le 6e des différents éléments de l'orgue ; le 7e des « instruments de percussion ». Le dernier traité de l'ouvrage, « De l'utilité de l'harmonie et des autres parties des mathématiques », permet à l'auteur, génial mais excentrique, de lâcher la bride à sa fantaisie exubérante, en touchant à quantité de problèmes fort éloignés de la musique, par exemple : « Expliquer les utilitez de l'harmonie pour les ingénieurs, pour la milice, pour les canons & pour les gens de guerre : où l'on voit les portées & les calibres des canons. » L'ouvrage conserve néanmoins son intérêt et son utilité, surtout en raison de l'abondance des informations qu'il contient pour l'histoire de la musique, en particulier en ce qui concerne le XVIIe siècle, aussi bien sur les instruments que sur les artistes et les compositeurs, que l'auteur a fréquentés directement pour son ouvrage. Mersenne renonce à la moquerie comme moyen de corriger l'erreur des athées, mais ses préoccupations religieuses transparaissent dans son insistance sur la compatibilité de la piété et de la science : il se réfère à l'exemple de saint Augustin et exalte le point mathématique comme représentation de la divinité.

L'édition la plus précieuse du traité est celle conservée à la Bibliothèque du Conservatoire des Arts et Métiers de Paris et que le C.N.R.S. a reproduite en fac-similé, en 1963.

HAROLD EN ITALIE. Symphonie en quatre parties avec alto solo, op. 16, du compositeur français Hector Berlioz (1803-1869). Annoncée par l'auteur, dans la *Gazette musicale* du 26 janvier 1834, comme une œuvre que Paganini lui avait expressément demandée, cette symphonie devait, à l'origine, s'intituler *Derniers instants de Marie Stuart.* Puis il ne fut plus question de la participation de Paganini, et le nouveau sujet byronien – v. *Le Chevalier Harold* (*) – se prête à l'utilisation des souvenirs que Berlioz, prix de Rome, rapporta d'Italie. La première exécution eut lieu à Paris en cette même année 1834. À la différence de la *Symphonie fantastique* (*), l'ensemble ne forme pas une véritable narration continue, mais se borne à offrir des motifs descriptifs pour les quatre mouvements de la symphonie ; l'alto solo, avec son timbre pathétique, personnifie le romantique Harold, mélancolique et rêveur, devant qui passent les scènes disparates que compose l'orchestre. Un thème de l'alto solo revient dans chacun des quatre mouvements, essayant d'assurer, par un artifice extérieur, l'unité de l'œuvre.

Le premier mouvement (« Harold dans la montagne. Scènes de mélancolie, de félicité, de joie ») consiste en un Adagio d'introduction et en un Allegro de sonate. Cet Adagio, bien qu'il provienne entièrement, comme le second thème de l'Allegro, de l'ouverture de *Rob-Roy* (1833), est la pièce qui rend le mieux le personnage byronien, plongé dans la contemplation passionnée des montagnes, de la nature mystérieuse et solennelle. Quant à l'Allegro, c'est une expression de joie très vive, qui approche la manière de Rossini ; l'extraordinaire maîtrise de l'écriture orchestrale profite à tous les autres éléments, grâce à la clarté qu'elle apporte à la structure de la forme, à l'harmonie et au contrepoint. Avec la seconde partie, un Allegretto (« Marche des pèlerins »), commence la chute dans le « pittoresque ». Une belle phrase de choral, aux cordes, est suivie d'une sorte de litanie aux vents ; partie du pianissimo, elle s'élève jusqu'au fortissimo, au milieu de l'œuvre, puis décroît par degrés imperceptibles, et s'évanouit. Le pieux cortège s'avance, s'approche du méditatif Harold, s'éloigne et disparaît. Le troisième mouvement, Allegro assai-Allegretto (« Sérénade d'un montagnard des Abruzzes à sa belle »), est d'un heureux effet ; c'est une fraîche ritournelle populaire sur un accompagnement caractéristique imitant le son des fifres et des cornemuses. Le dernier mouvement, Allegro frenetico (« Orgie de brigands »), débute par une récapitulation des scènes précédentes, clairement imitée de la *Symphonie n° 9* – v. *Symphonies* (*) de Beethoven –, mais qui n'est pas semblablement justifiée par l'unité intrinsèque. Finalement, Berlioz déchaîne toutes les ressources de son prodigieux orchestre et s'abandonne à une débauche de sonorités insolites pour l'époque, de chromatismes, de heurts d'accords et de rythmes. L'alto d'Harold émerge de nouveau, vers la fin, alors que, le tumulte s'apaisant tout à coup, l'on distingue, au loin, les accents des pèlerins. Mais, bientôt, la gaieté de la troupe sauvage trouble cette sérénité et se déverse comme un torrent jusqu'à la fin de la symphonie.

HAROLD, LE DERNIER DES ROIS SAXONS [*Harold, the Last of the Saxon Kings*]. Roman historique de l'écrivain anglais Edward George Bulwer-Lytton (1803-1873), publié en 1848. L'intrigue se déroule dans la première moitié du XIe siècle. L'Angleterre anglo-saxonne, restée étrangère à l'organisation féodale et à l'évolution sociale du continent, est isolée aussi bien sur le plan spirituel que géographique en Europe. Le jeune prince Harold, deuxième fils du débonnaire Godwin et petit-fils du roi Édouard le Confesseur, est jeté par la tempête sur les côtes normandes et emprisonné à Beaurain par Guy de Ponthieu. Guillaume de Normandie, l'ayant appris, décide de tirer parti de cet événement, pour réaliser le plan qu'il a secrètement conçu depuis longtemps. Il se fait livrer Harold, qui est conduit à Rouen dans le château de Guillaume. Astucieux et dénué de scrupules, Guillaume offre à Harold de lui rendre sa liberté à condition qu'il s'engage à renoncer à tous ses droits au trône d'Angleterre. Celui-ci promet, résolu à manquer à sa parole : il se persuade, en effet, que la perfidie doit être combattue par la perfidie. C'est de ce conflit entre le juste, qui se met dans son tort, et le méchant, qui possède pour lui le droit, que résulte tout l'intérêt de ce roman. À la mort d'Édouard le Confesseur, Harold est couronné. Étant fort pusillanime, il doit renoncer, sur interdiction de l'Église, à épouser sa cousine, la belle Édith, qu'il aimait tendrement. Contre son gré et pour des motifs dynastiques, il a dû prendre pour femme Aldyth. La magicienne Hilda, qui a conservé sa foi païenne, lui prédit qu'un jour viendra où il sera uni pour toujours à Édith. Le roi trouve un réconfort singulier dans les paroles de la devineresse. Mais la bataille de Senlac provoque l'anéantissement de l'héroïque armée saxonne et bouleverse complètement la physionomie de l'Île. Édith accourt à Senlac afin de retrouver, sur le champ de bataille, le corps de son bien-aimé. L'amour surmonte en elle l'orgueil : elle vient se jeter aux pieds de Guillaume, qui avait d'abord décidé que le cadavre de son ennemi serait jeté en pâture aux corbeaux. Le duc se laisse fléchir par Édith qui découvre, parmi des monceaux de cadavres, en compagnie d'un chevalier normand et de deux moines, le corps d'Harold percé de coups. Elle meurt alors de chagrin, accomplissant ainsi la prédication de la magicienne Hilda.

À l'instar de Scott, Bulwer a tenté de faire revivre dans ses descriptions l'atmosphère de l'époque ainsi que les mœurs des Saxons et des Normands. La magicienne Hilda, seul personnage du roman qui ne soit pas historique, incarne l'ultime résistance du paganisme germanique qui, devant le christianisme envahissant, s'est transformé en une superstition de qualité inférieure. Grâce à son intensité dramatique, ce roman est l'un des meilleurs qu'ait écrits l'auteur. – Trad. Giraudet et Jouaust, 1852.

HARPE DANS LE VENT (La) [*Harfa v vetru*]. Recueil du poète slovène Alojz Gradnik (1882-1967), publié en 1954. D'abord influencé par Oton Zupancić, cette « pierre angulaire de la poésie slovène », Gradnik s'en émancipa assez rapidement et l'on peut dire que son œuvre est comme le contrepoids de celle de son prédécesseur – son contrepoids terrestre par sa densité, son goût de l'élémentaire, son érotisme sombre et instinctif. Les poèmes de Gradnik décrivent la gravitation de l'homme parmi l'humain, l'ici-bas éphémère et d'autant plus précieux. Ils font donc une large place à l'organique, aux pulsations vitales, aux forces ténébreuses qui gisent à l'intérieur des corps, des éléments et des choses naturelles. Si l'infini les habite, c'est dans la mesure où l'éphémère se renouvelle perpétuellement en engendrant un nouvel éphémère, ouvrant ainsi, à contre-mort, une sorte d'« éternité infinie », celle des espèces, des minéraux, des hommes, qui ne disparaissent que pour transmettre leur savoir et leur expérience. La langue de Gradnik est sobre et lapidaire ; elle fuit toutes fioritures, mais n'en a que plus de saveur, car elle a tour à tour le goût de l'eau, du ciel, de l'amour et des pierres chauffées par le soleil.

HARPE ET L'OMBRE (La) [*El arpa y la sombra*]. Roman de l'écrivain cubain Alejo Carpentier (1904-1980), publié en 1979. Dans la première partie du livre, un pape – Pie IX – tient sa plume en suspens au-dessus d'un décret. Signera ? Signera pas ? L'acte est d'importance puisqu'il s'agit de faire un saint de Christophe Colomb. Plus de six cents évêques et les très illustres archevêques de Burgos et de Mexico ont paraphé le document qui demande la béatification du grand amiral de Ferdinand d'Aragon et d'Isabelle de Castille, découvreur du Nouveau Monde. Le primat de Bordeaux, métropolitain des diocèses des Antilles, rappelle dans une des pièces que, grâce à cette prouesse sans égale, « l'étendue des terres et des mers connues où porter la parole de l'Évangile avait doublé ». Ce qui suscite l'hésitation du souverain pontife, c'est le caractère « d'exception » de la postulation, car il manque au dossier certaines garanties biographiques qui, selon les canons de l'Église, sont nécessaires à l'octroi de l'auréole. Car, enfin, qui est-il, ce Génois dont on ne possède que quelques lettres et un *Journal de bord* (*) que nous connaissons surtout par les fragments que publia le dominicain Bartolomé de Las Casas, qui eut en main la copie du manuscrit, et par une transcription peu fidèle faite en 1825 par Fernández de Navarrete ? Est-il cette âme apparemment pure qui décrivit son éblouissement devant les paysages et les habitants des îles ? Ou n'est-il qu'un aventurier astucieux et tenace, obsédé par l'or et les démons de la puissance ? Un imposteur qui aurait peut-être, comme l'affirment certains, acheté à des marins canariens les plans de sa découverte ?

La deuxième partie du roman, où la parole est laissée au protagoniste qui ratiocine sur ses faits et gestes pour savoir s'il mérite la béatification demandée, fait bondir d'allégresse par ses trouvailles burlesques la mémoire du lecteur (Christophe Colomb ne nous avoue-t-il pas qu'il a été l'amant de sa commanditaire, la belle et redoutable Isabelle d'Espagne ?). Avec son franc-parler de matelot en bordée, le découvreur expose la grandeur et les turpitudes de son existence, comme un homme quelconque, comme un antihéros qui connaît les limites de ses vérités et de ses mensonges. Comme une fiction picaresque tombée tout droit des pages de l'Histoire. La troisième et dernière partie rassemble dans un tribunal ecclésiastique enfin réuni par le successeur de Pie IX, Léon XIII, les écrivains et dramaturges que la figure légendaire de Christophe Colomb, ses exploits et son mystère biographique avaient inspirés. Et d'abord, Léon Bloy qui, en 1884, dans un livre préfacé par Barbey d'Aurevilly, *Le Révélateur du globe* (*), avait réclamé la canonisation de Colomb. Il tonitrue : « Je pense à Moïse, parce que Colomb révèle la création, partage le monde entre les rois de la terre, parle à Dieu dans la tempête, et les résultats de ses prières sont le patrimoine du genre humain. » « Olé ! » s'écrie l'avocat du diable, gagné par l'enthousiasme. Schiller est, comme il se doit, lyrique : « Avance sans crainte, Christophe. Car si ce que tu cherches n'a pas été créé encore, Dieu le fera surgir du néant, afin de justifier ton audace. » Victor Hugo, plus réservé, soulignant la bévue géographique, constate que, « si Christophe Colomb avait été un bon cosmographe, il n'aurait jamais découvert le Nouveau Monde ». Réflexion qui soulève un rugissement de Léon Bloy : Comment un poète qui n'a jamais navigué au-delà de l'île de Guernesey ose-t-il parler d'aventures maritimes ! Lamartine, lui, est un témoin à charge qui dénonce les « mauvaises mœurs » du Génois et son concubinage avec la belle Biscaïenne Beatriz Enriquez qui lui a donné un fils bâtard. Nouvelle colère de Bloy : « Que peut comprendre ce connard de poète du *Lac* aux expéditions maritimes ? » Les accusations décisives, toutefois, viennent de Jules Verne et du père Las Casas, qui affirment qu'en capturant plusieurs Indiens avec l'intention de les revendre en Espagne Colomb institua délibérément l'esclavage au Nouveau Monde. Concubinat. Trafic d'esclaves. La cause est perdue. L'acolyte du protonotaire fait circuler une petite urne noire dans laquelle chaque membre du tribunal introduit un papier plié. Le président lève ensuite le couvercle de l'urne et procède au scrutin : « Une seule voix pour, dit-il. Par conséquent, la postulation est rejetée. » Christophe Colomb a pu assister à son procès, car les morts, devenant invisibles, ont le moyen de circuler parmi les vivants. C'est une ombre découragée qui traverse la place Saint-Pierre où elle rencontre celle d'Andrea Doria, l'autre grand amiral, qui s'ennuyait dans son tombeau de l'église Saint-Matthieu et qui est venu prendre le frais sur la place. Doria s'étonne de voir Colomb lui refuser la chique de tabac qu'il lui tend : « Non ?... C'est étrange car si tant de gens de notre pays fument la pipe ou le cigare, c'est bien à cause de toi. Sans toi, nous ignorerions le tabac. — De toute façon, vous l'auriez connu grâce à Amerigo Vespucci », réplique Christophe, amer. Sur cette rencontre désabusée s'achève un livre drôle, fascinant, où l'histoire et la culture sont mises au service d'une fantaisie débridée pour la plus grande joie du lecteur.

C. C.

HARṢACARITA [*L'Histoire de Harṣa*]. Œuvre de l'écrivain indien Bāṇa (585-650), l'auteur de la *Kādambarī* (*). Bāṇa vécut au Pendjab et fut poète à la cour de l'empereur Harṣa. Il composa le *Harṣacarita* pour immortaliser les fastes de ce roi mécène. On classe habituellement le *Harṣacarita* dans le genre littéraire appelé « narration brève » [ākhyāyika] ou bien encore « poème artistique » [mahākāvyā]. En fait, c'est plutôt un roman historique ou, plus exactement, une biographie romancée. L'œuvre, qui se divise en huit chapitres, est écrite avec élégance et dans un style soumis aux règles de l'art poétique hindou. Une vingtaine de strophes introductives servent à l'auteur pour mentionner ou pour honorer, en les citant, des poètes fameux et des œuvres poétiques du passé, parmi lesquelles le *Mahābhārata* (*), la *Brihat-Kathā* (*), la *Sattasaī* (*) de Sātavāhana, les dramaturges Bhāsa et Kālidāsa. À la huitième strophe, Bāṇa détermine ainsi les mérites d'une œuvre poétique : un thème neuf, un art raffiné dans la description vivante des faits, des jeux de mots naturels, un ton précis et un langage élevé. Le *Harṣacarita* commence par d'intéressantes notes biographiques sur l'auteur lui-même, sa naissance, son enfance attristée par la perte de sa mère et de son père, sa jeunesse mouvementée, ses voyages à l'étranger et son retour dans la patrie ; c'est alors qu'il est appelé à se rendre à la cour du roi Harṣa. Il y reste un certain temps, puis, à l'occasion d'un retour parmi les siens, il raconte à ces derniers l'histoire de Harṣa. À ce point du récit commence un panégyrique du roi, qui n'est pas sans longueur. Le récit de la mort du roi Prabhākaravardhana, père de Harṣa, est fort dramatique : le poète glorifie le sacrifice volontaire d'un jeune médecin de la cour, âgé de dix-huit ans, si attaché au roi que, voyant son cas désespéré, il se tua en se jetant sur un rocher. La fin — également tragique — de la reine mère ne fait que renforcer l'impression dramatique. La façon dont le roman se termine, avec le VIIIe chapitre, donne l'impression très nette que l'œuvre est inachevée, et il est permis de supposer que la dernière partie du *Harṣacarita* a été perdue. Pour complaire à l'idéal artistique, dont Bāṇa se faisait le champion, les descriptions abondent ; parmi celles-ci sont particulièrement saillants les passages concernant les cérémonies religieuses et les us et coutumes de l'époque. La forme joue un grand rôle, et l'on doit la considérer comme très caractéristique du style de cet auteur, qui abonde en jeux de mots, en subtils rapprochements d'idées, et se distingue par une virtuosité assez étonnante, où de longues séries d'adjectifs s'imbriquent à l'envi. Bien que, du point de vue historique, l'on ne puisse attacher que fort peu de crédit au *Harṣacarita,* cette œuvre nous a transmis un certain nombre de renseignements et d'informations utiles pour la connaissance de la culture indienne. — Trad. en anglais par E.B. Cowell et F.W. Thomas, Londres, 1897 ; Delhi, 1968.

HASARD DU COIN DU FEU (Le). Petit ouvrage galant de l'écrivain français Claude Prosper Jolyot de Crébillon, dit Crébillon fils (1707-1777), en forme de dialogue dont l'édition originale date de 1763 (Paris, in-12) et qui eut par la suite de multiples réimpressions. Il ne laisse pas de constituer un document assez précieux sur la société dont l'auteur faisait son commerce : une société affranchie de toute morale, soumise aux lubies de l'oisiveté, et qui voyait dans le plaisir la source de tous les biens. Dans *Le Hasard du coin du feu,* le héros est tout à fait digne de faire figure dans un tel monde. Il s'appelle le duc de Clerval. Curieux de la nature humaine, ce jouisseur entend toujours rester maître de soi. Ce qui l'émeut dans quelque femme, c'est moins sa beauté que les obstacles qu'il faudra vaincre pour en triompher. Qu'est-ce qu'il se trouve avoir ici pour objectif ? Un certain refus. Et le fait est qu'il nous donne un admirable échantillon de son savoir-faire : il entend se donner la preuve qu'on peut tout obtenir d'une femme de condition sans l'aimer le moins du monde, sans feindre même de l'aimer et sans lui cacher, par surcroît, que l'on aime ailleurs. C'est précisément l'histoire de ce refus qui forme tout le sujet du *Hasard du coin du feu.* Il va sans dire que le duc arrive à ses fins. La scène se passe à Paris, dans le boudoir de sa partenaire, laquelle se prénomme Célie. Avant comme après sa victoire, le duc dédaigne de lui accorder la seule chose à quoi elle tienne, à savoir l'aveu contenu dans ces mots : « Je vous aime ». Pourquoi, diable, d'ailleurs, lui ferait-il cette concession ? Aimant d'amour certaine marquise et se voyant payé de retour, il ne peut voir en Célie qu'un agréable surplus. Il veut la cueillir comme on fait d'un fruit. Admirable sincérité ! Il est vrai qu'elle relève du jeu plutôt que de la haine du mensonge. En véritable casuiste, le duc manœuvre Célie jusqu'à ce qu'il l'ait amenée à rendre les armes. Cet exercice de haute école se traduit de la manière suivante : *« Célie :* Ce que je vous inspire est-il de l'amour ? — *Le duc :* Si je n'en avais point pour la marquise, je ne douterais pas que ce n'en fût ! — *Célie :* Puis-je me flatter que le goût que vous avez pour moi devienne jamais un sentiment ? — *Le duc* : Je l'ignore ; mais, pour pousser la franchise jusqu'au bout, je ne le présume pas. » Voilà le ton du dialogue tout entier. Claude Crébillon, le fils même du plus sombre de nos tragiques, nous enseigne par là comment l'on causait dans ce monde qu'allait bientôt balayer la Révolution. Il y a là un art de la conversation qui semble perdu à jamais : urbanité, correction, verve exempte de toute pédanterie. Tel est bien, à n'en pas douter, le ton de l'époque. Il s'agit avant tout de garder le contrôle de soi-même. Plus la sensualité se montre exigeante, plus elle tient à emprunter le masque de la froideur. Un tel intellectualisme est tout justement l'antipode du romantisme. Il dispense Crébillon de donner dans le pittoresque tout comme d'accuser les traits de ses personnages, sans nuire pour autant à la précision de l'analyse psychologique. Crébillon met un trait d'union tout à fait exceptionnel entre Laclos et Marivaux.

HASARD ET LA NÉCESSITÉ (Le). Essai sur la philosophie naturelle de la biologie moderne. Livre du biologiste français Jacques Monod, publié en 1970. « ... l'homme sait enfin qu'il est seul dans l'immensité indifférente de l'Univers d'où il a émergé par hasard. Non plus que son destin, son devoir n'est écrit nulle part. » Ainsi s'achève le célèbre essai commencé par une citation de Camus *(Le Mythe de Sisyphe)* et une phrase de Démocrite (ou attribuée à Démocrite par l'auteur) qui lui a donné son titre : « Tout ce qui existe dans l'Univers est le fruit du hasard et de la nécessité. »

Hasard et nécessité résument l'essence et les effets de l'évolution biologique, de la sélection naturelle opérant de façon aveugle, et de ses mécanismes parfaitement déterminés permettant une reproduction à l'identique avec un taux d'erreur infime. Essai philosophique sur la nature du vivant et de son évolution, ce livre est aussi une remarquable vulgarisation des acquis de la biologie moléculaire dont Monod est un des principaux artisans. En soulignant la toute-puissance de l'approche moléculaire de la vie, Monod y voit une cause majeure du divorce contemporain entre science et culture. Plus la science avance, plus elle constate jusqu'à l'ériger en principe la totale contingence du vivant (« chaque conquête de la science est une victoire de l'absurde » ; « l'ADN, conservatoire du hasard »), contingence qui va à l'encontre de tous les modes de pensée imposés par notre « anthropomorphisme forcené ». S'élevant contre l'idéologie scientiste et constatant la faillite du matérialisme dialectique, il prône un existentialisme scientifique fait du rapprochement entre le monde de la connaissance et celui des valeurs.

L'éthique de la connaissance proposée par Monod, le seul moyen selon lui de remonter aux sources d'un « humanisme socialiste réellement scientifique », a été très discutée. Elle se fonde sur une définition de l'objectivité scientifique pour le moins personnelle, mais n'en a pas moins contribué de façon décisive à la mise en question de la science et de ses résultats. N. W.

HAUTE SOLITUDE. Recueil de proses du poète français Léon-Paul Fargue (1876-1947), publié en 1941. C'est l'œuvre la plus accomplie, la plus dense, et aussi la plus déchirante, que nous ait laissée le poète. Reprenant les chemins de cauchemars et de rêves qu'il avait déjà parcourus dans *Vulturne* — v. *Espaces* (*) —, Fargue poursuit cette fois son investigation jusqu'à ce point critique où le poète, se séparant de lui-même, s'installe dans cette « haute solitude », lieu étrange et indéfinissable dont il nous dira les prestiges et les peurs. Par elle, il atteint indifféremment à la nuit des temps préhistoriques comme à celle qui accompagne cette fin du monde dont il nous dit avoir été un des six témoins. Or, c'est bien entre ces deux nuits, nuits de la terre et du ciel en rumeur, nuits de la naissance et de la dissolution, que s'inscrit *Haute solitude*. Prince du rêve, Fargue s'y meut avec cette aisance merveilleuse qui appartient à ceux qui ont longuement fréquenté la mort. Mort et fuite du temps, mort des êtres chers, mort du souvenir, Fargue nous a laissé des pages suffisamment éloquentes pour que nous ne puissions douter de la vérité absolue d'une telle expérience. Visionnaire stupéfait d'« avoir vu d'un coup Dieu dans le monde, comme on s'aperçoit dans une glace à l'autre bout de la chambre », il possédait cette puissance verbale propre à nous entraîner dans cette randonnée préhistorique qui ouvre le livre. Nous y assistons à la formation des mondes, dans une débauche d'images, où le concret se marie à l'abstrait, le grotesque à l'inexprimable, où les mots enfantent des monstres : « Un énorme soleil minium tremblotait dans un ciel de plomb. Des incendies coulèrent... Des lavasses de sabbat ruisselèrent sur la jeune peau du monde, provoquant des explosions de talc et des geysers de sueur... Des museaux de roc affleuraient. Les premiers songes de la Terre bruissaient... Des festivals de craie s'organisaient. Et déjà des concerts de coraux célébraient l'anniversaire du soleil, le tricentenaire du plasma, les jubilés du vent, du vacarme et de la couleur. » Sous nos yeux, voici recréée, pour notre enchantement et notre frayeur, la succession des époques géologiques, jusque dans leurs guerres et leurs révolutions. Mais soudain, un « Monstre bizarre » apparaît : « une sorte de machine plutôt qu'un animal, presque une construction, quelque chose de singulièrement développé et de singulièrement stupide » : l'Homme. L'apparition de Vénus Anadyomène, comme une « tremblante merveille » épanouie « au milieu des fanons et des grimaces », n'est pas moins émouvante ni solennelle. Délaissant ces mondes turbulents et chaotiques — après un « Réveil » en veilleuse —, le poète se prépare à explorer cet autre univers non moins fantastique : ce Paris tant aimé, sans cesse parcouru et arpenté (« Géographie secrète »). De sa chambre, chambre d'hôtel ou lieu d'élection, le voici, déambulant à travers les rues, guetté, poursuivi accompagné par les fantômes et les visages de ceux qu'il aima (« Marcher », « Paris »). Il dira les attentes dans les gares, les banlieues sous la fumée et la suie, les « nuits blanches » remâchées comme un brin de paille, les cafés et la rumeur de la ville en colère, la rue avec ses commères et ses passants, la vie dans son désordre (« Plaidoyer pour le désordre », « Azazel »). Il dénoncera les maléfices et la présence du diable, ou l'insolite sous toutes ses formes (« Érythème du diable », « La Mort du fantôme ») ; derrière le masque tranquille des choses et des êtres, voici surgir la turbulence fiévreuse qui les porte. Pas de route qui ne le conduise inexorablement vers ce haut lieu où souffle l'esprit : la solitude. « Mon destin, dira-t-il dans "Horoscope", c'est l'effort de chaque nuit vers moi-même. C'est le retour au cœur, à pas lents, le long des villes asservies à la bureaucratie du mystère. » Certes, toutes les parties qui composent ce livre tendent implacablement vers ce chapitre central, qui les éclaire d'un jour blafard et où toute l'amertume et la conscience désespérée se sont concentrées, chapitre qui donne son titre au livre lui-même : « Haute solitude ». Essentiel pour toute l'œuvre de Fargue, ce chapitre s'ouvre et se ferme sur le royaume de la nuit, dont il attend, chaque jour, le retour inquiétant : « Les seuls instants réchauffants, les seuls prolongements maternels sont les heures de nuit, où, pareil à un mécanicien dans sa chambre de chauffe, je travaille à ma solitude, cherchant à la diriger dans la mer d'insomnie où nous a jetés la longue file des morts... Aujourd'hui que je navigue à mon tour, j'aperçois qu'il faut apprendre à être seul, de même qu'il faut apprendre, comme une langue étrangère, la mort des êtres chers. Ce soir, un grand ressac de squelettes et de rafales humaines secoue l'esquif. » Après la « Danse mabraque », énorme et retentissante fin du monde, alors que tout semblait fini et chaque chose rendue au néant, voici le dernier chapitre : « Encore... » — ou l'éternelle répétition des gestes quotidiens, la monotonie des jours illuminés de fatigue, couleur de chagrin.

Livre déchirant et amer, révélant une parfaite adéquation du langage et de la vision, c'est sans doute l'une des proses poétiques les plus importantes du XXe siècle. Fargue a parcouru, sans effort, les grands espaces libres du fantastique moderne ; mais, à la différence des surréalistes, s'il reconnaît l'importance du rêve et du subconscient, il a toujours maintenu et proclamé la nécessité d'une règle, d'un ordre vivant et intelligible, en dehors duquel toute œuvre est vouée à la destruction. « Écrire, dira-t-il, c'est savoir dérober des secrets qu'il faut encore savoir transformer en diamants. » Créateur d'un langage où le réel s'allie au merveilleux, il aura magnifiquement rempli ce rôle qu'il fixait au poète, dans un de ses « Entretiens » avec Frédéric Lefèvre (*Une heure avec...*, 5e série), et que l'on peut résumer ainsi : poète, il fut parmi nous pour préserver le langage de cette « anémie pernicieuse » qui le menace périodiquement.

HAUTE SURVEILLANCE. Drame de l'écrivain français Jean Genet (1910-1986), représenté et publié en 1949. Le décor, une cellule de prison, est à la fois réaliste et nu. Trois hommes jeunes et beaux y sont enfermés et s'affrontent. Du début jusqu'à la fin, le ton est grave, tendu. Répliques et jeux de scène destinés à détendre un peu l'atmosphère en faisant rire sont rigoureusement absents. Ce qu'on sent d'abord et surtout, c'est la souffrance de ces détenus. Plus encore que de leur réclusion, ils souffrent d'être condamnés à demeurer jour et nuit ensemble, sans rien faire. Il serait pourtant tout à fait faux de dire qu'ils ne peuvent plus se supporter et qu'ils se détestent. Leurs rapports sont autrement complexes. L'un d'eux, désigné par le surnom de Yeux-Verts, domine et fascine ses camarades. Arrêté pour meurtre, il doit passer prochainement en cour d'assises. La Guyane l'attend, sinon l'échafaud. Allé plus loin que les autres sur le chemin du mal, il est devenu un dur parmi les durs, l'équivalent d'un maître écouté et respecté. Briguant de façons différentes sa faveur, ses compagnons de cellule se jalousent et ne cessent de se quereller. Le plus jeune, Maurice, ne cache pas ses sentiments. Lefranc, par contre, feint de réserver son admiration à Boule-de-Neige, un Noir qui, coupable lui aussi d'avoir tué, jouit dans la prison d'un prestige égal à celui de Yeux-Verts. Lefranc a en outre sur ce dernier un avantage considérable : alors que l'assassin est illettré, il sait lire, il sait écrire, il sait même tourner de jolies phrases. Il se charge de la correspondance que Yeux-Verts échange avec sa femme. Les personnages ainsi définis n'ont rien pour se distraire d'eux-mêmes. À longueur de journée, ils se provoquent, rêvent, se souviennent, expriment et ressassent leurs hantises. Chacun est doublement enfermé : en cellule d'abord et ensuite en soi, avec son passé et ses désirs, en un mot son destin. Chacun tire tant qu'il peut sur sa chaîne. En se laissant aller à son besoin de communiquer et à son imagination, chacun devient son propre metteur en scène. On a ainsi à la fois une impression d'unité et de spontanéité. La première est due à un dépouillement presque idéal. Une cellule de prison est le plus fixe des décors et le moins semblable à ces salons si propices à d'incessantes allées et venues qu'affectionnent les dramaturges. Quant à la seconde, elle tient à ce que les personnages font ostensiblement du théâtre. Jusqu'au geste qui le clôt (et même jusqu'aux réflexions que ce geste fait naître), le spectacle paraît constamment être improvisé par les trois acteurs. Leurs obsessions sont celles de Genet, ils parlent son langage, et pourtant ce qu'ils disent n'a jamais l'air concerté, tout se passe un peu comme s'ils menaient librement leur jeu, comme s'ils étaient entrés non pas dans la peau, mais dans la situation de Yeux-Verts, de Maurice et de Lefranc, et si, sur cette base, ils partaient à l'aventure. Cela donne une pièce qui est à l'opposé de ces petits mécanismes habilement fabriqués qu'on nous propose souvent. Une pièce qui ne vit pas d'une vie factice, reconstruite et recréée. Une pièce passionnante dans son double aspect de théâtre et de théâtre sur le théâtre.

HAUTEUR DES ELFES (La) [*Elverhöj*]. Comédie romantique de l'écrivain danois Johan Ludvig Heiberg (1791-1860), accompagnée de chants et de musique, représentée pour la première fois en 1828. Elle est depuis, avec le magnifique accompagnement musical de Friedrich Kuhlau (1786-1823), la comédie la plus populaire du théâtre danois et est encore de nos jours assurée d'un succès certain. Le sujet est composé d'une part d'une fable, d'autre part d'une intrigue. La fable (la légende du roi de la hauteur des elfes, qui ne supporte auprès de lui aucun autre roi) est tirée du recueil de chansons populaires publié par Peter Syv (1695). Au cours d'un voyage de Vordingborg à Copenhague, le roi Christian IV veut se reposer chez son vassal Albert Ebbesen. Celui-ci se prépare à épouser, sur l'ordre du roi, Élisabeth Munk. Mais il aime la pauvre Agnete, et Élisabeth de son côté est amoureuse d'un officier du roi, Paul Flemming. Agnete se trouve sous l'influence des elfes, or les elfes sont à l'origine de toutes les mésaventures de ce monde : là où règne leur maître, toutes sortes de méprises ont lieu. Mais quand le grand roi danois apparaît, joyeux et bon vivant, les brouillards se dissipent et les elfes perdent leur pouvoir moitié réel, moitié imaginaire, qui leur a été conféré par le caractère rêveur d'Agnete et par la superstition de celle qui se dit sa mère. Les amoureux, séparés par divers obstacles selon la tradition shakespearienne — v. *Songe d'une nuit d'été* (*) —, se retrouvent. Alors le roi découvre au doigt d'Agnete une bague qu'il avait remise à Élisabeth lorsqu'elle était enfant : Agnete est la véritable Élisabeth, tandis qu'Élisabeth est la nièce de son vassal Walkendorff, auquel elle avait été dérobée et celui-ci n'avait osé l'avouer au roi. Tout s'arrange donc et la volonté du roi sera faite sans entraver l'amour des deux couples. Cette comédie agréable et pleine de fantaisie garde jusqu'à la fin une grande fraîcheur.

HAUTEURS BÉANTES (Les) [*Zijajuščie vysoty*]. Roman de l'écrivain russe Alexandre Alexandrovitch Zinoviev (né en 1922), publié en 1976. Première œuvre littéraire d'un philosophe, *Les Hauteurs béantes* ne peuvent se ranger dans aucun genre connu. Zinoviev l'écrivit en 1974-75, mais, comme il le dit volontiers, ce livre fut le fruit de toute sa vie antérieure, et il le concevait comme un acte de rupture avec le « soviétisme ». Le titre même résume la force satirique (il s'agit d'un jeu de mots formé sur un cliché de la « langue de bois », « les cimes radieuses du communisme ») et la dimension tragique et métaphysique de l'œuvre. Sa composition est semblable à un puzzle, dont les « bribes », selon la définition de l'auteur, sont des dialogues abstraits, souvent philosophiques, entre des personnages anonymes, des chapitres d'un traité fictif égaré ou confisqué par la police, des morceaux de Mémoires sur la période stalinienne et la guerre, ces deux moments clés pour la génération de Zinoviev, de courtes nouvelles satiriques achevées, des poèmes dits « monstrueux », tantôt parodiques, tantôt lyriques : tout cela se croise, se ramifie, conflue en des trames discontinues dont le terme ne survient, pour ainsi dire, que par accident.

L'univers des *Hauteurs béantes* est une ville fantastique, Íbansk, qui est à la fois une fiction, une « localité qui ne localise rien » et une ville à consonances russes, puisqu'il s'agit d'un croisement entre le prénom Ivan et le verbe obscène *ebat'*. Ainsi le monde zinoviévien est-il simultanément réaliste, une sorte de concentré de la vie soviétique, et lunaire (car l'U.R.S.S. n'est jamais nommée), et l'auteur développe logiquement et implacablement de grotesques ou terrifiantes hyperboles, adaptées à un degré zéro de la civilisation. Ces allégories sont avant tout un moyen satirique : ainsi une file d'attente devient une gigantesque et éternelle structure sociale, avec ses leaders, ses mouchards et même les sociologues qui l'étudient. Mais la satire débouche sur l'absurde par un procédé qu'on peut qualifier de détournement : Zinoviev détourne des situations empruntées aux rituels soviétiques (remises de décorations, réunions, discours), et surtout le langage officiel en multipliant les oxymorons (ainsi des immeubles neufs sont « identiques dans leur forme, mais indifférenciables dans leur contenu »).

Cette satire, pourtant, a une portée métaphysique. La réalité est rongée par un néant qui la rend friable et incertaine. Les personnages portent des étiquettes dérisoires ou anonymes, tels « le Collaborateur », « le Barbouilleur », « le Bavard », et évoluent dans un monde atemporel, « anhistorique », un « no man's land » souvent représenté par un terrain vague. Insignifiants, interchangeables, ils entretiennent des relations qui excluent l'amitié, l'amour et même tout événement, et ne sont au mieux que des voix lucides et impuissantes. L'individu est annihilé par les autres qui, comme le dit l'auteur dans un chapitre intitulé « Épitaphe à un vivant », ne sont autres que lui-même. La répétition devient identité.

Œuvre iconoclaste en U.R.S.S. où elle fut ressentie comme une des mises en cause les plus radicales du « système » soviétique, *Les Hauteurs béantes* furent accueillies en Europe et aux États-Unis comme une anti-utopie de portée universelle : double lecture qui répond sans nul doute à sa profonde originalité. — Trad. L'Âge d'Homme, 1977. W. B.

HAUT FOURNEAU [*Υψικάμινος*]. Premier recueil du poète et écrivain grec Andreas Embirikos (1901-1975), paru en 1935 et généralement considéré comme la première manifestation littéraire du surréalisme en Grèce. Publié quelques années après *Strophe* de Séféris — v. *Poèmes* (*) de Séféris — (qui tenait Embirikos pour « le plus mystérieux », après Kalvos, « des écrivains grecs »), ce livre a en effet ouvert, à l'opposé du dépouillement lyrique voulu par le futur prix Nobel de littérature, un sentier alors quasiment vierge en Grèce, en revendiquant la plus grande liberté d'expression et d'imagination, à travers l'onirisme et l'irrationnel, et l'affranchissement de toute entrave poétique. Composé de textes très courts et sans autre lien entre eux que la fantaisie de leur auteur, *Haut Fourneau* invoque d'emblée « la voie surréaliste, celle qui continue de prêcher à la veille de la mort et au-dessus des orages... », pour reprendre la citation d'André Breton, placée en exergue. La langue en est extrêmement recherchée, tendant vers le purisme, et les titres fidèles à la lignée des surréalistes français (« Vierge au poisson », « Présence d'anges dans la locomotive », « Sauvetage organique de la joie », etc.). Si, plus tard, Embirikos a eu tendance à délaisser la pratique de l'écriture automatique pour se faire l'interprète d'un lyrisme plus classique et contrôlé, *Haut Fourneau* n'en a pas moins valeur de premier témoignage et de manifeste. G. O.

HAUT MAL. Recueil poétique publié en 1943 par l'écrivain français Michel Leiris (1901-1990). Cet ouvrage regroupe diverses plaquettes : « Failles », « La Néréide de la mer Rouge », « Abanico para los toros » et « La Rose du désert ». Ces poèmes, surtout ceux de « Failles », sont de véritables conjurations. Ils ont pour fin de délivrer l'auteur de son univers de glace, de cristal, d'acier et de pierre, de disloquer cette géométrie agressive qui le déchire. Il s'en prend à la Création, au Temps, à la Vie, à la Mort sous leur espèce palpable, injuriant « la mère » porteuse de vie dont « le ventre chargé de futurs ossements fait de la femme pleine un sépulcre mouvant », ricanant de l'« atroce pitrerie des luttes amoureuses », tandis qu'éclatent de temps à autre des cris où l'espoir se mêle à la rage : « Décaper l'acier de la vie, ressusciter l'éclair des primitives déflagrations », ou encore se manifeste, dans le sillage d'une ingénuité bouleversante à la Rimbaud, le désir d'« en sortir » à tout prix : « Écarter ce contre quoi l'on bute / rejeter les scories / et d'un coup de poing / pulvériser les fioritures / retrouver la source première. » Michel Leiris, s'il est attiré par ce qui suggère l'ordre, la stabilité, la cérémonie, ne les appelle que pour mieux mobiliser les forces qui visent à jeter bas sa construction. La nature sèche et pétrifiée qu'il édifie est constamment menacée par l'invasion sournoise ou tumultueuse de l'élément liquide, de la féminité, de la vie porteuse de mort, mais d'une mort qui, loin d'être toujours redoutable, accélère le rythme d'une destruction nécessaire. La mer qui recouvre, annihile, égalise, l'obsède en tant qu'agent du néant, mais aussi en tant qu'élément de vie, d'évasion, de transport vers l'inconnu. « Il faut aimer, dit-il, l'eau qui s'écoule et submerge le sol / l'emprisonnant dans une gangue liquide. » Il voit des « statues branlantes que minent les moisissures et la pluie ». Il rêve de navires se perdant en d'infinis voyages sur l'eau, de sables mouvants qui aspirent, de marécages qui engloutissent ; il voit sa vie se défaire « tel un cercle dans l'eau ». Il s'écrie : « Ô saison / le vide de mon cœur s'emplira-t-il / parce que la pluie tiède d'un visage / est apparue entre les feuilles ? » Enfin, dans « La Néréide de la mer Rouge », c'est la mer qui devient le « pouls du monde », c'est-à-dire la manifestation visible de la vie. On entend ici, à la cantonade, la voix du surréalisme, voix quelque peu empruntée et forcée. On ne peut douter qu'elle soit également celle de Michel Leiris : il ne s'est bâti un ordre intangible et inhumain que pour mieux le détruire. Plus exactement, reconstruisant l'empire de la nécessité, il lance contre lui toutes les forces naturelles et humaines de la vie et de la révolte.

HAUTS DE HURLE-VENT (Les) [*Wuthering Heights*]. Roman de l'écrivain anglais Emily Brontë (1818-1848), publié en 1847 sous le pseudonyme de Ellis Bell. L'adjectif « wuthering » que renferme le titre est une variante du mot dialectal, d'origine écossaise « whither », substantif et verbe. C'est un mot expressif qui évoque la tempête qui tourne autour de la maison du personnage principal et symbolise pour ainsi dire le décor sonore du roman. Celui-ci se présente sous forme d'un récit fait à la première personne par un voyageur auquel l'histoire a été racontée. Heathcliff, enfant de bohémiens, abandonné par ses parents, a été recueilli par M. Earnshaw, qui l'élève chez lui à la campagne comme l'un de ses propres enfants. Après la mort du vieux Earnshaw, son fils Hindley, caractère mesquin et fantasque, fait souffrir le jeune homme qu'il a toujours détesté ; Heathcliff trouve au contraire de la compréhension chez la fille de Earnshaw, Catherine, dont il s'éprend avec toute la fougue de son caractère passionné et violent. Mais, un jour, Heathcliff entend Catherine affirmer qu'elle ne s'abaissera jamais jusqu'à épouser le jeune bohémien ; celui-ci, profondément blessé dans son orgueil farouche, abandonne la maison. Il revient au bout de trois ans, après s'être enrichi ; Catherine a épousé un homme insignifiant, Edgar Linton ; Hindley, son frère, s'est lui-même marié et accueille maintenant volontiers Heathcliff qui a fait fortune. Mais ce dernier ne vit plus désormais que pour se venger ; un violent et sombre amour le lie à Catherine, qui en est bouleversée comme par un envoûtement et qui en mourra, au moment où lui naîtra une fille, Cathy. Entre-temps, Heathcliff a épousé Isabelle, sœur d'Edgar Linton ; il ne l'aime pas et la maltraite cruellement ; il tient en son pouvoir Hindley et son fils Hareton et laisse ce dernier grandir comme un animal sauvage pour se venger des mauvais traitements que Hindley lui a infligés lorsque lui-même était petit ; puis il attire chez lui Cathy et l'oblige à épouser son fils, débile et repoussant. Il caresse en secret l'espoir d'arriver enfin à s'emparer des biens de Linton. Après la mort du fils de Heathcliff, sa jeune veuve, Cathy, se prend d'affection pour Hareton et s'occupe de son éducation. Mais maintenant le tempérament de Heathcliff est épuisé : il souhaite la mort qui le réunira à Catherine. Il fait une tentative pour détruire les maisons de Earnshaw et de Linton, mais échoue par suite de son manque de décision. À sa mort, Hareton et Cathy peuvent se marier et vivre heureux.

Ce roman est l'une des œuvres les plus étranges et les plus passionnantes de la littérature anglaise. Emily Brontë a vécu avec ses deux sœurs, écrivains elles aussi, dans une région désolée et sauvage de bruyères, battue par le vent, où les fonctions ecclésiastiques de leur père l'obligeaient à résider ; son unique frère était parti pour vivre, au loin, une existence de déclassé. Aussi connut-elle peu la vie, dont elle ne perçut que le côté douloureux et dramatique. Un sentiment de profonde communion avec la nature, représentée pour elle par la lande déserte, lui enseigna une morale héroïque, qui lui permit d'accepter et d'aimer sa vie, sans être encouragée par d'autres joies que celles qu'elle tirait de son propre esprit. Ce roman est donc l'œuvre d'une jeune femme qui puisait uniquement en elle-même son inspiration. Il se tient sur un plan poétique où alternent les naïvetés et les intuitions psychologiques extraordinaires ; à ce titre, il mérite d'être jugé plus comme un poème que comme un roman. Par exemple, il y a une certaine naïveté dans l'analyse de l'âme de Heathcliff, homme fatal, tout d'une pièce, dont certains traits de caractère sont exagérés jusqu'à la perversité ; néanmoins, ce personnage a un puissant relief et une vérité poétique, car l'écrivain le connaît et vit avec lui dans une intimité que l'on a seulement avec les créatures de ses rêves. De ce mélange d'ingénuité et d'intuition pénétrante dérive le double aspect du récit : à la fois pure création d'une imagination ensorcelante et image d'une surprenante vérité. Sa puissance et sa nouveauté lui vaudront de servir de modèle à quelque-unes des manifestations les plus accomplies du roman anglais post-victorien.

HAUTS DÉSIRS SANS ABSENCE. Recueil du poète français Louis Émié (né en 1900), publié en 1953. Ce poète de la méditation secrète, sensible au chant du vers régulier, à sa perfection, à sa possibilité de « faire comprendre à autrui ce qui lui est foncièrement étranger », trouve dans ce recueil l'unité de la forme et du fond. C'est ce ton, où se mêlent les thèmes de l'amour et de la mort, qui lui permet de se reconnaître une âme, une mystique. De son enfance, où il fut un jeune compositeur prodige, il a retiré ce goût inné pour le caractère musical, fluide, de la poésie ; il y a joint le sens profond de la vie du cœur. Son amitié avec Max Jacob fut pour lui un puissant stimulant de l'esprit, à l'aube d'une carrière qui n'a cessé de s'affirmer, par le lyrisme pur et l'authenticité de l'inspiration. À la lecture de *Hauts désirs sans absence*, le lecteur respire déjà dans un grand souffle, grand souffle cependant contenu dans le corset rigide de la forme. En cela, Louis Émié contribue, dans la tradition d'un Valéry, à faire de la poésie française un lieu où convergent, dans une parfaite harmonie, la saveur de la langue et le rythme étudié de la poésie classique. Cependant, l'inspiration de Louis Émié, quoique d'une essence fine, ne l'empêche pas de se montrer sensible à la passion charnelle, à l'image même de l'âme double qui l'habite. De là provient une angoisse sourde, lancinante, qui parcourt secrètement les poèmes. L'auteur n'atteint vraiment la sérénité que dans la promesse des aubes, qui ont toujours signifié pour l'homme la fuite de ses inquiétudes nocturnes et le retour à la joie puissante, près des êtres aimés, parmi les objets familiers. Mais l'ombre menaçante revient avec le soir, l'inquiétude et le désespoir, à l'image des jours et des nuits. Louis Émié apparaît non seulement comme un poète métaphysique, le voici prêt à se fondre en Dieu, mais l'instant d'après, il frôle le gouffre. Une place est difficile à assigner à Louis Émié, à l'époque actuelle secouée par des remous contradictoires, alors que ses vers, aux formes chantantes et classiquement parfaites, amorceraient plutôt un « pèlerinage aux sources » de notre langue.

HAUTS FAITS DE SEYYID BATTÀL GHAZI (Les) [*Ghazevāt-i Seyyid Battàl Ghazi*]. Récit populaire turc en prose qui traite des guerres qui eurent lieu entre les Arabes, les Turcs et les Byzantins sur les frontières de l'Anatolie méridionale au XIe siècle et au XIIIe siècle. On peut faire remonter à la fin du XIIIe siècle ou au début du XIVe la rédaction écrite de cette épopée populaire. L'œuvre est donc contemporaine de la formation de l'Empire ottoman. Malgré la manière fantaisiste dont sont racontés les exploits du héros Seyyid Battàl Ghazi, le récit est entièrement fondé sur l'Histoire et, par là, il nous aide à comprendre la situation qui dut exister sur les frontières entre l'Islam arabe et turc et le monde chrétien byzantin. Les « Ghazi », c'est-à-dire les « généraux » de la religion islamique, formaient le corps de défense et d'assaut dans les régions frontalières. Du côté byzantin, cette même fonction était confiée aux « akritas ». La légende byzantine qui a donné naissance aux *Exploits de Digénis Akritas* (*) se cristallisa autour de leurs actions héroïques. Le héros, Seyyid Battàl, naquit à Malatya, ville située aux confins du territoire resté aux Byzantins, entre l'Anatolie méridionale et la Syrie occupés par les Arabes et les Turcs. Il commence sa carrière en se vengeant sur un prince byzantin qui avait tué son père ; puis il accomplit des exploits surhumains en Anatolie et en Afrique. Il entre à Byzance pour délivrer un musulman qui s'y trouve seul prisonnier ; est victorieux dans plusieurs batailles contre les Byzantins (dits les « Rum ») et les soumet à l'autorité du calife musulman de Bagdad. Il parvient même à convertir les vaincus à l'islamisme. Il sort sain et sauf de mille dangers ; combat les démons et conduit une expédition jusqu'à la montagne mythologique appelée Qaf, qui se trouve au bout de la terre. Il confond le faux prophète Babek et va en pèlerinage à La Mecque. Finalement, il tombe frappé par une pierre tandis qu'il donne l'assaut à un château byzantin. La fille du prince qu'il combat, laquelle est tombée amoureuse de lui, se tue pour ne point lui survivre. Ses deux fils deviennent émirs de Malatya. Ce récit populaire turc est d'inspiration typiquement musulmane ; il est à remarquer que dans cette œuvre, comme dans les autres récits populaires turcs et persans, règne une tendance à glorifier Ali, gendre de Mahomet, qu'une grande partie des musulmans a exalté comme un champion de la foi islamique.

HAUTS-PONTS (Les). Sous ce titre, l'écrivain français Jacques de Lacretelle (1888-1985) a rassemblé une suite romanesque qui comprend : *Sabine* (1932), *Les Fiançailles* (1933), *Années d'espérance* (1935), *La Monnaie de plomb* (1936). Ces quatre romans retracent la chronique d'un domaine, les Hauts-Ponts, dont le propriétaire, à la suite d'un revers de fortune, est obligé de se défaire. Sa fille, Lise, éprise des horizons vendéens, le rachète après bien des efforts, puis le reperd peu après.

Le premier volume, *Sabine,* raconte la vie des parents de Lise et les circonstances qui amènent la vente du domaine. Alexandre est incapable de gérer ses biens. Il a un esprit lourd et un caractère faible, qui s'allient fort bien à un certain despotisme. Sabine, sa femme, est rêveuse, faible, esclave des convenances et des principes. Lise, farouche et énergique, contraste avec ses parents, et elle est intensément attachée à son domaine. Sabine, après une aventure amoureuse avec un voisin de campagne, Jean de La Fontange, un faible et un rêveur, meurt de la poitrine, dans une pension de famille de la Riviera. Le motif des Hauts-Ponts, qui revient avec insistance dans ces pages, leur donne une note lyrique. Le domaine a reçu son nom de deux ponts qui enjambent la Vendée non loin de là. L'un d'eux est un lieu de consolation pour Lise qui « aimait à pousser la barque contre un pilier et à s'arrêter sous une des arches. Elle trouvait là une ombre de paix qui, autant que la fuite incessante de l'eau, favorisait ses rêves ». Lorsqu'elle doit quitter le domaine, Lise va voir une dernière fois le pont qu'elle aime.

Dans *Les Fiançailles,* Lise, maintenant orpheline, vit seule dans un hameau non loin des Hauts-Ponts. Elle devient à son tour l'amante de Jean et en a un enfant. Cet enfant était bien le but obscurément poursuivi par Lise, qui s'est jetée dans les bras de Jean après avoir vainement tenté de séduire un jeune homme riche puis un noble. Sans doute l'idée qu'elle va être honnie et rejetée l'atterre-t-elle, mais l'enfant recevra de son père la fortune nécessaire pour reconquérir les Hauts-Ponts. Et Lacretelle excelle à nous montrer les manœuvres de séduction de Lise, puis son effroi, puis son espoir.

Dans *Années d'espérance,* Lise se consacre à l'éducation de son fils, mais celui-ci la déçoit. Comme Jean de La Fontange, son père, Alexis est un aboulique qui reste perdu dans ses rêves. Lise parvient cependant, à force d'intrigues, à racheter le domaine qui la hante. L'amie d'Alexis est la fille d'un étrange rémouleur astrologue. Les rêveries et les bizarreries continuelles des héros alourdissent ces pages. Dans *La Monnaie de plomb,* Alexis, qui s'est rendu dans le Midi, s'adonne au jeu. C'est la ruine à brève échéance. Il ne reste plus que l'espoir d'un riche mariage. Mais le jeune homme, qu'on a envoyé dans une maison de repos catholique, est saisi par la foi et veut se faire missionnaire. Il ne reste plus à Lise qu'à vendre le domaine pour payer les dettes de son fils et à se réfugier à la Huttière, une chaumière, où elle devient peu à peu une sorte de vieille folle.

« Le rêve enraciné dans une terre, voilà tout le sujet de mon roman », écrit Lacretelle. En en effet, tous les personnages poursuivent un rêve, mais, tandis que sa mère et son fils ne rêvent que pour s'opposer à la réalité, l'oublier ou la nier, Lise obéit à une imagination prisonnière des champs, des arbres, de la maison de son enfance. Cet attachement la pousse à agir, c'est-à-dire à tendre toute sa volonté vers la réalisation de son rêve : le rachat des Hauts-Ponts, de telle sorte que paradoxalement elle s'arrache au rêve pour façonner la réalité à sa mesure, et le vivre ensuite. Ce faisant, elle utilise tout, situations, événements, amour même, pour servir son projet. Elle n'a besoin d'aucune justification sociale ou morale : ses actes obéissent à ses exigences les plus secrètes, justifiés par la logique passionnelle. Parfois, cependant, elle connaît un instant d'abandon et découvre alors la vision d'un monde à travers le monde qu'elle porte en elle, ce qui lui permet d'atteindre à la connaissance de sa vie authentique, d'échapper enfin à l'inquiétude de ses contradictions intérieures en s'identifiant à l'univers. Alexis, au contraire, n'a pas de terre où plonger ses racines : il est séparé des autres hommes par la sphère opaque où il s'est enfermé. Il demeure condamné à n'aimer que lui-même, jusqu'au jour où, ne reconnaissant plus son image, il se laissera glisser dans la fontaine. Plus rien ne peut plus le satisfaire, et ses rêves comme les biens matériels ne sont plus que de la « monnaie de plomb ». Jacques de Lacretelle a surtout décrit des isolés. Dans le silence de leur solitude, ils prennent plus ou moins conscience des émotions lointaines, des tendances, des désirs, c'est-à-dire du plus authentique d'eux-mêmes, et aussi des forces surnaturelles qui pénètrent à tout instant leur champ magnétique. Et les mouvements entre l'homme et l'univers les modifient sans cesse l'un l'autre, tendent à leur fusion mystique. Les échanges mystérieux, les puissances invisibles sont constamment présents dans l'œuvre de Lacretelle. Et cette vision poétique du monde donne à cette œuvre son climat, son rythme, sa force et son unité.

HAUTS QUARTIERS (Les). Roman posthume de l'écrivain français Paul Gadenne (1907-1956), publié en 1973. Achevé à la mort de l'écrivain, cet ample roman retrace les dernières années de la vie de Didier Aubert, philosophe et théologien talentueux, réduit par la guerre et la maladie à vivre avec grande difficulté, dans une petite ville du Sud-Ouest, de quelques cours particuliers, tout en rédigeant un traité sur les étapes de la vie mystique, travail qui le fait fréquenter Eckhart, Ruybroek ou Kierkegaard. À la suite de *Siloé* (*), qu'on peut voir comme le roman d'une convalescence et d'une initiation qui aboutit au sentiment de la vraie vie, *Les Hauts Quartiers* symbolisent une quête spirituelle, un mouvement personnel vers le haut, une métaphysique de l'effacement, un émerveillement aussi devant la nature vivace, autant d'aspirations qui s'achèveront sur leur contraire, l'enfermement et la déchéance physique, l'errance et la mort de Didier, avec comme arrière-fond l'hypocrisie d'une petite ville catholique et bourgeoise au sortir de la guerre, qui aligne ses grandes maisons de maître aux noms de vacances autour du séminaire — une ville haute, une ville basse — et génère des personnages troubles, notables, curés, marchands du temple qui noueront les événements de la vie de Didier. Le roman se construit par un enchevêtrement de thèmes récurrents, parmi lesquels s'inscrit au premier plan cette réalité du monde de la guerre et des années 50 qu'est l'incapacité de trouver un logement. Alors le mouvement vers le haut de la quête mystique ou de l'amour de deux femmes, dont Didier est le dépositaire, sera battu en brèche jusqu'à la mort par cette symbolique des lieux, par l'exiguïté progressive et inexorable des logements qu'il habite, et la détérioration de son état de santé. On voit ainsi tout au long du roman Didier exclu de sa propre vie comme du paradis terrestre, tout comme il a été chassé, scène prémonitoire, d'un pré avec sa mère au début de son séjour. Cette lente double dépossession de soi prend parfois, s'il n'était finalement question de vie et de mort, des accents drôles et ridicules, comme le seraient ceux d'un cauchemar auquel on ne croirait pas, où l'on voit ces caricatures de personnages réifiés par l'emploi de la majuscule, la Sentinelle, le Jardinier, le Colonel et sa servante Katia, la Laitière, etc., qui par leurs activités délirantes et obsessionnelles transforment et blessent le monde qu'ils habitent en abattant les arbres, en régentant le jardin, en élevant des poules avec une énergie morbide, et dans cette même mise en scène d'un monde absurde on voit Didier ne pas pouvoir se débarrasser de ses malles qui à chaque déménagement viendront encore restreindre son espace vital, et lui rappeler par leur encombrement la précarité et le rétrécissement de son existence. À la fois dérisoire et pathétiquement réelle, cette impossibilité de vivre la bassesse du monde a pour conséquence d'interdire, parce que vain, le travail spirituel, de maudire les rencontres sentimentales. Alors la vie s'échappe, le traité de mystique ne trouve pas sa forme, devenant au gré des déménagements simple vocabulaire, ou dictionnaire, toujours inachevé ; seul le titre s'imposera, si symbolique et dérisoire : *Taudis et vie spirituelle.* En même temps se dresse un tableau cruel et sans illusion du matérialisme sordide de la société française des années 50. Cette longue descente pourtant ne se fait pas en solitaire ni sans périodes de rémission. Si les hommes, au-delà des désillusions d'une amitié, sont curieusement absents de ce roman, Gadenne note que « le monde où l'avait enfermé la maladie était entièrement peuplé de femmes, et sans doute était-ce là un aspect de l'enfer ». L'univers des hauts quartiers s'inscrit en effet autour des femmes ; celles qui le sanctifient, faisant entrevoir le bonheur : Paula, lumineuse et sensuelle, Betty, secrète, qui déjà se proclame du côté des vaincus (mais Didier n'épousera ni l'une ni l'autre, leur préférant, la veille de sa mort, et comme pour sceller sa déchéance et en même temps sauver le monde, Flopie, petit être de 17 ans, perdue, enceinte d'un autre) ; et celles, mais plus âgées, qui détruisent le monde, et parmi elles cet extraordinaire personnage qu'est Fernande Chotard-Lagréou, chez qui Didier s'installera un temps, mais c'est pour mieux mourir, une femme qui vit et se nourrit du mensonge et de la méchanceté qu'elle propage d'une maison à l'autre des hauts quartiers, et qu'on retrouve agissante à chaque tournant du roman, vivante et diabolique personnification du mal qui nivelle Didier, incarnation d'un verbe subversif et d'une action infâme qui pervertit. S'il fallait encore se persuader de la grande valeur de ce livre, le lecteur trouverait dans les derniers chapitres des *Hauts Quartiers* — où l'on voit Didier, halluciné et délirant au bord de l'enfer des hommes, spectateur en un instant de sa vie et de l'humanité, errer avec sa compagne Flopie dans la ville sous une pluie battante — une noirceur et une tension particulièrement exacerbées, mais qui font la force de tout le roman. V. W.

HAVANAISE. Pièce pour violon et orchestre du compositeur français Camille Saint-Saëns (1835-1921). Camille Saint-Saëns fut toujours attiré par les rythmes et les harmonies des pays du Sud. Algérois d'adoption, il composera diverses partitions, telle la *Suite algérienne,* en hommage à la terre africaine qui devait également lui inspirer son *Cinquième Concerto pour piano* — v. *Concertos* (*). L'Espagne ne fut pour lui que la porte de l'Islam ; de différents voyages, il ne rapporta que des impressions fugitives qui se concrétisèrent presque uniquement dans la *Havanaise* pour piano et orchestre. La *Havanaise* est exactement calquée sur le rythme de la habanera : un triolet de croches précède deux croches. Originaire d'Espagne, la habanera émigra en effet à La Havane, d'où elle devait revenir sans avoir perdu sa pureté primitive. Saint-Saëns se servit de ce rythme pour composer un ouvrage d'une étourdissante virtuosité. La ligne mélodique d'une langueur passionnée et nerveuse rappelle la danse d'une Espagnole amoureuse, mais fière et hautaine. Dédiée au violoniste Diaz Albertini, la *Havanaise,* composée en 1887, fut jouée en première audition le 7 janvier 1894.

HAVELOK LE DANOIS [*The Lay of Havelok the Dane*]. Ce roman de chevalerie du XIIIe siècle compte parmi l'un des plus admirés aujourd'hui en raison de la cohérence du récit et de son intérêt soutenu. Écrit en octosyllabes rimés (trois mille vers), ce manuscrit que l'on crut longtemps perdu a été retrouvé par hasard à la bibliothèque Bodléienne d'Oxford ; il a été édité en 1868 par W. W. Skeat. S'inspirant des plus pures traditions saxonne et scandinave, il a trait aux luttes interminables et sanguinaires qui mirent aux prises Anglais et Danois et évoque cette époque de la « terreur danoise », pendant laquelle l'Angleterre septentrionale se trouva sous le joug, et qui se situe après la mort d'Alfred le Grand ; cet asservissement trouva son paroxysme avec la victoire de Canut le Grand. *Havelok* pourrait être considéré comme une grande épopée anglo-danoise, où l'on retrouve des échos de *Beowülf* (*) et de *Güdrune* (*). Athelwold, roi d'Angleterre, sentant venir sa fin et n'ayant pas d'héritier mâle, confie Goldborough, sa fille, à l'un de ses fidèles courtisans, le comte Godrich, lui faisant jurer de veiller sur elle et de la donner en mariage à un noble et vaillant guerrier. Une fois le roi mort, le comte usurpe le trône et relègue la jeune fille dans le château de Douvres. Pendant ce temps, au Danemark, le roi Birkabeyn, mourant, recommande son jeune fils Havelok à Godard, lequel médite aussitôt de se débarrasser de l'enfant, et ordonne à un pêcheur, Grimm, de le tuer. Mais Grimm, voyant une flamme sortir de la bouche d'Havelok, pressent quelles sont ses origines. Il s'embarque alors avec les siens et le jeune prince ; les vents favorables leur permettent de gagner les côtes de l'Angleterre. Havelok grandit, plein de force et de santé. Sa force devient à ce point proverbiale que Godrich, l'usurpateur du trône d'Angleterre, se trouvant un jour à Lincoln, en est frappé. À la suite de quoi, il décide de lui donner Goldborough en mariage, et de tenir ainsi le serment qu'il a fait d'unir la jeune fille à un homme brave. Une alliance aussi modeste lui permettra de déclarer Goldborough déchue de la dignité royale. La cérémonie est célébrée, et Havelok conduit son épouse à Grimsby, sans avoir le courage de lui rendre sa parole. Elle aussi voit sortir la mystérieuse flamme de la bouche de son mari et, du coup, pressent son origine royale. Havelok et Goldborough appareillent pour le Danemark où, après avoir connu bien des traverses, Havelok est reconnu héritier légitime par l'assemblée des guerriers, et Godard condamné à mort. À peine est-il devenu roi qu'Havelok entend revendiquer le droit de sa femme au trône d'Angleterre. Il débarque alors dans l'île, mais se heurte à une longue résistance de la part de Godrich : ce dernier est finalement vaincu, fait prisonnier et condamné au bûcher. Après quoi, Havelok fait grâce à tous ceux qui avaient pris parti pour l'usurpateur, et instaure une longue période de prospérité pour le Danemark et l'Angleterre alliés après des siècles de guerres.

Havelok, à l'encontre des autres « romances » qui reflètent l'atmosphère de la chevalerie, rappelle les rapsodies primitives scandinaves et islandaises par sa clarté et la simplicité de ses lignes. Dans le héros principal s'incarne l'âme germanique et saxonne telle qu'elle pouvait être avant la féodalité : c'est uniquement par sa vigueur et son adresse qu'Havelok l'emporte sur tous les nobles ; il personnifie le Saxon rebelle que le chevalier normand n'a pu encore réduire. Après de dures épreuves, l'union des jeunes gens, qui s'étend ensuite à leurs deux pays, peut être considérée comme un symbole de la conquête et du sage gouvernement de Canut le Grand : ainsi prennent tout leur sens les nombreux éléments historiques et mythiques que l'on retrouve dans *Havelok.*

HAYK LE HÉROS [*Hayk diuts'azn*]. Poème épique de l'écrivain et religieux arménien Arsène Bagratouni (1786-1866) de la congrégation des mekhitaristes de Venise, paru en 1858. Ce poème épique en vingt chants (ou livres) est écrit en arménien classique (grabar), conformément au programme de restauration de la langue classique qui a épuisé les énergies de trois générations de lettrés arméniens entre 1820 et 1860. Il reprend l'une des légendes de fondation les plus anciennes des Arméniens, rapportée entre autres par Moïse de Khorène — v. *Histoire des Arméniens* (*) —, celle de la lutte menée par Hayk contre Bel l'Assyrien. Bel ayant voulu que Hayk lui rende un culte divin, celui-ci, adorateur du vrai Dieu et fier de son indépendance, abandonne les terres de Senaar et va s'installer dans les plaines d'Ararat. Là, Dieu charge Hayk de partir en guerre contre Bel. Le Ciel soutient les Arméniens, tandis que Satan et toutes les forces de l'Enfer sont pour Bel. Hayk refuse de voir les parlementaires que ce dernier lui dépêche afin d'obtenir sa soumission. Or donc, plus d'une bataille se livre tant dans les montagnes d'Arménie que sur les lacs. Enfin l'armée de Hayk est victorieuse, Haykanouch, sa fille, est libérée grâce à une intervention divine au moment où Bel allait la tuer. Au cours de l'ultime bataille, ce dernier trouve la mort et son armée se voit mise en pièces. L'œuvre de Bagratouni est l'unique épopée littéraire qu'ait produite l'Arménie : œuvre riche d'éléments puisés dans les traditions historiques de ce pays. Elle s'inspire des chefs-d'œuvre de la Grèce et de *La Jérusalem délivrée* (*) du Tasse. Dans *Hayk le héros* triomphe le goût néo-classique.

HAYRÈN. Suite de poèmes populaires arméniens, redécouverts et regroupés au début du XXe siècle, en particulier par Tchobanian, et attribués au trouvère Nahapet K'outchak (début du XVIe siècle-1592). Ces poèmes datent du XIIIe-XVIe siècle, et l'attribution à Nahapet K'outchak doit aujourd'hui être considérée comme une pure convention. Le mot « Hayrèn », qui désigne ces poèmes, est un nom générique pour tout un genre de poésie populaire, né probablement dans la région d'Agn (Eghin), qui regroupe des poèmes d'exil, de nostalgie, d'amour, presque toujours sous forme de quatrains, et en tout cas composés, récités et transcrits en arménien du Moyen Âge, ce qu'on appelait la langue « vulgaire », par opposition à l'arménien classique, langue savante et langue des lettrés. Tchobanian a d'ailleurs publié une édition complète de ces poèmes en 1940 à Paris, sous le titre *Le Jardin parfumé des Hayrèn* [*Hayrennérou bourastanə*]. Tous les sentiments et les états d'âme élémentaires y sont peints et élevés à une résonance universelle. Ceci est fait avec une sensualité naïve et ces couleurs de légende, propres aux Orientaux, qui révèlent la magie des petits épisodes de la vie quotidienne. Ce recueil s'impose comme un témoignage de la richesse d'invention et de la fantaisie qui animèrent le Moyen Âge arménien. – Trad. (partielle) dans *Les Trouvères arméniens*, 1907. Ma. N.

ḤAYY IBN YAQẒĀN. Roman philosophique d'Ibn Ṭufayl (1110-1185). Cet ouvrage s'inscrit dans le cadre de la lutte que les philosophes arabes de tradition hellénistique ont livrée contre les courants hostiles à l'exercice de la réflexion philosophique soupçonnée, par son appel au libre usage de la raison humaine, de contester les enseignements de la religion et de pousser à l'athéisme. Le personnage de Ḥayy Ibn Yaqẓān, dont le nom signifie « le vif, fils de l'éveillé », a d'abord été créé par le philosophe Ibn Sīnā (Avicenne). Dans le roman d'Ibn Ṭufayl, Ḥayy naît de génération spontanée dans une île équatoriale particulièrement favorisée par la nature. Adopté par une gazelle qui lui prodigue l'attention et les soins dont il a besoin, l'enfant grandit dans cet environnement entièrement naturel et va y exercer librement son corps et son esprit. Observant, comparant, généralisant, il tire peu à peu de l'exercice de ses sens et de la lumière naturelle résidant dans son esprit des principes généraux, des enchaînements de causes et d'effets, bref, des savoirs tout à fait comparables à ceux auxquels l'humanité socialisée est parvenue. La mort de la gazelle mère, le désarroi qu'il en éprouve, et sa tentative de comprendre le pourquoi de cet état de choses conduisent progressivement Ḥayy à concevoir que la vie est un principe immatériel résidant dans le corps matériel. Il forme alors peu à peu l'idée que l'ensemble de ce qui est matériel et doué de mouvement doit nécessairement avoir pour origine un principe immatériel et intemporel. Ainsi, armé de ses seuls sens et de son intelligence, Ḥayy Ibn Yaqẓān reconstruit la totalité des acquisitions intellectuelles humaines, non seulement celles qui ont trait au monde matériel mais aussi celles des domaines de la métaphysique et de la religion. La démonstration serait donc faite que le libre exercice de la raison, prôné par les philosophes, conduit à la redécouverte des vérités religieuses. Si cette tentative n'a pas convaincu les ennemis de la philosophie, du moins a-t-elle enrichi le patrimoine universel d'une brillante variation sur le vieux mythe du second Adam. – Trad. Paryrus, 1983.

D.-E. K.

HEAUTONTIMOROUMENOS [ou *L'Homme qui se punit lui-même*]. Comédie imitée d'une pièce du poète grec Ménandre, écrite par le poète comique latin Térence (185 ?-159 av. J.-C.) et qui fut représentée en 163. Le personnage central, Ménédème, est un vieillard qui s'astreint à un travail pénible, pour se punir de ses mauvais procédés à l'égard de son fils Clinia : amoureux d'une jeune fille sans dot, celui-ci s'est vu dans l'obligation de fuir le toit paternel et de se faire soldat. Les malédictions de Ménédème l'ont obligé à prendre ce parti. Mais Clinia est revenu et il est l'hôte de Clitiphon, fils de Chrémès, lequel s'autorise de l'amitié qui le lie à Ménédème pour l'avertir de l'arrivée de Clinia. Cependant, les deux jeunes gens ne perdent pas de temps et ordonnent à leurs serviteurs respectifs, Siro et Dromon, d'aller quérir Antiphile, la jeune fille sans dot dont Clinia est épris, ainsi que Bacchis, la courtisane qui accorde ses bonnes grâces à Clitiphon. Cette multiplicité des personnages ne peut pas ne pas faire naître des malentendus. Et le vieux Chrémès en est la première victime. Lorsque les deux femmes entrent dans sa maison, il croit que Bacchis, la courtisane, est l'amie de Clinia, et se hâte de mettre Ménédème au courant de la nouvelle sottise que va commettre son fils. Les deux vieillards tomberont d'accord sur un point : inutile de contrarier les goûts des jeunes gens. Toutefois, ils se réservent de dissimuler leur consentement. C'est pourquoi Chrémès conseille à l'esclave Siro d'obtenir de Ménédème la somme qui manque à Clinia pour la jeune fille ; mais Siro, plus rusé, parvient à tromper Chrémès lui-même, en se faisant verser les dix mines que Clitiphon doit encore à Bacchis. Une reconnaissance se produit inopinément et bouleverse toutes les affaires en cours : Sostrata, la femme de Chrémès, aperçoit au doigt de la jeune Antiphile, pour le moment installée sous son propre toit, un anneau qui ne lui laisse aucun doute sur l'identité de la jeune fille (à la naissance de l'un de ses enfants, Chrémès, qui ne voulait pas de descendance de sexe féminin, s'était débarrassé du nouveau-né et l'avait abandonné). Antiphile retrouve donc ses parents. Cette reconnaissance dénoue toutes les intrigues ; Ménédème est heureux que son fils Clinia puisse épouser celle qu'il aime, devenue maintenant un riche parti. Cependant Chrémès entre dans une violente colère : tout d'abord contre Clitiphon, son fils, qui l'a berné en lui laissant croire que Bacchis était l'amie de Clinia ; contre Siro ensuite, à qui il avait conseillé des manœuvres louches aux dépens de son ami Ménédème. En fait, il est la première victime de ce qu'il avait machiné. Mais ce débordement de fureur est de courte durée : Clitiphon ne tarde pas à exprimer son repentir et annonce qu'il est prêt à rompre toute relation avec la frivole Bacchis et à prendre pour femme la jeune fille que son père voudra bien désigner ; c'est alors une amnistie générale, et le trop astucieux Siro reçoit, lui aussi, son pardon. On retrouve ici un des thèmes chers à Térence, et dont l'influence restera primordiale dans le théâtre comique, jusqu'à Goldoni : le thème des relations qui peuvent exister entre deux générations différentes. Le fait que les personnages se présentent, en quelque sorte, en double exemplaire – les deux vieillards, les deux jeunes gens, les deux amies, les deux serviteurs – semble établir un balancement plus visible, plus directement palpable, entre le pour et le contre. Le personnage principal, dont la psychologie, dévoilée par une continuelle introspection, effleure parfois le drame, hésite sur l'attitude qu'il doit prendre : être sévère ou faire preuve d'une compréhension intelligente et pleine de mansuétude ; il sent qu'il y a là un problème douloureux. Le vieil ami, lui, se met du côté des jeunes gens, mais ne parvient qu'à créer de nouvelles complications. L'auteur fait preuve d'une grande compréhension des relations humaines. Les rôles qui appartiennent au vieux répertoire sont éclipsés par des personnages nouveaux qui, s'ils ont des traits moins singuliers, gagnent en profondeur, en nuances saisies sur le vif, avec une ironie quelque peu chagrine. C'est dans cette pièce que l'on trouve le vers célèbre qui est une véritable profession de foi : « Homo sum, humani nihil a me alienum puto » (Je suis homme ; je considère que rien de ce qui est humain ne m'est étranger). – Trad. Garnier, 1948 ; Les Belles Lettres, 1949 ; Gallimard, 1971.

HEBDOMADES (Les) [*Hebdomades*]. Encyclopédie biographique de l'écrivain et homme politique latin Varron (116-27 av. J.-C.), dont il ne nous est parvenu que des fragments. Elle est connue aussi sous le titre de *Livre des images* [*Imagines*]. Écrite entre 44 et 39 av. J.-C., l'œuvre trouvait la raison de son unité dans le nombre sept. Son inspiration, quelque peu mystique, réunissait des éléments chaldéens et pythagoriciens. Le choix du nombre sept s'expliquait par le nombre des merveilles du monde, des sages de la Grèce, des jeux du cirque et des rois unis contre Thèbes. L'auteur faisait alterner la prose et les vers. Outre des portraits biographiques en prose, l'ouvrage comprenait en effet des épigrammes qui servaient d'illustrations au texte. Sa matière était des plus touffues. Les personnages les plus illustres de la Grèce et de Rome y trouvaient place. 686 portraits, rangés en quatorze (sept et sept) livres, du second au quinzième. Chaque livre comprenait sept Hebdomades, soit 49 portraits pour un livre, nombre qui, multiplié par quatorze, donnait finalement 686 portraits. Le premier livre nous est seul parvenu, avec quatorze portraits, certainement les plus importants, rangés en deux groupes de sept. Le premier groupe comprend les portraits d'Homère, d'Hésiode et d'autres inventeurs des genres littéraires ; dans l'autre groupe se trouvent réunis sept philosophes, capitaines ou généraux : Pythagore, Platon, Aristote, les Catons, les Fabiens et les Scipions.

HEBDOMEROS. Œuvre du peintre italien Giorgio De Chirico (1888-1978), écrite en français et publiée à Paris en 1929. Dès les premières lignes, un décor se plante, une toile se fait avec des mots, précise par le rendu de certains détails et vague par les perspectives. On a l'impression de s'embarquer. La mer est douce ; à peine un balancement léger des flots. Le ciel, serein, mais non immuable : continents blancs évoluant majestueusement sur fond bleu, entourés d'une cour d'espiègles archipels, minces et vifs comme des lutins. Les architectures appellent une luminosité des couleurs, des personnages. Intrigué mais séduit, on se dispose déjà à se familiariser un peu avec ce monde, à voir ce qu'il pourrait offrir. Mais on n'a guère le loisir de rêver : la vision s'évapore comme elle est venue, d'un coup d'aile. Il n'est resté qu'une lumière changée, tantôt plus blonde, tantôt plus fauve et tantôt plus pâle, qui a coulé on ne sait d'où, et autour de laquelle s'ordonne en un clin d'œil un nouveau paysage. Charmantes villes inventées, une tranquillité surnaturelle semble toujours y régner, même quand elles sont le théâtre de troubles. Elles ne portent pas de nom, mais elles se ressemblent. Aussi, bien qu'à chaque départ il soit question d'aller vers le nord ou vers l'ouest, a-t-on le sentiment de se déplacer dans une dimension autre que l'espace, le sentiment que c'est la contrée où on va flânant qui se transfigure, au gré de l'imagination particulièrement riche de l'auteur. Même si parfois la chaleur pèse, l'air qu'on respire est doué d'une limpidité qui rappelle l'Italie ou la Grèce. Contrairement à Lautréamont, auquel il s'apparente par son goût pour les longues périodes savamment rythmées au ton un peu incantatoire, De Chirico n'est pas un révolté plein de fougue et de colère. Peut-être estime-t-il que la croisade menée par ceux qui l'ont précédé a d'ores et déjà jeté un discrédit mortel sur la vieille façade délabrée de la poésie traditionnelle. Peut-être juge-t-il plus habile de la saper par le persiflage. Quoi qu'il en soit, son livre, situé au confluent du classicisme et du surréalisme, emploie les moyens du second pour parodier les façons du premier. Dans un pays qui, au lieu d'être décrit une fois pour toutes, se définit par une succession d'aperçus plus complémentaires que contradictoires, et où se sont glissés beaucoup de détails loufoques et quelques détails modernes (cheminées d'usines, files d'ouvriers gagnant leur lieu de travail ou en revenant), un jeune philosophe nommé Hebdomeros, parfois seul, parfois entouré de disciples et d'amis, considère les gens et les choses que le hasard met devant lui, médite sur ce qu'il a vu, prodigue en discours fleuris le suc de ses réflexions. Compacte et pourtant légère, burlesque et pourtant profonde, souriante même quand passe un nuage de tristesse, la relation qui nous est donnée de ses « voyages » est extrêmement propre à rafraîchir l'esprit. – Trad. Flammarion, 1964, 1983.

HÉCALÉ ['Εκάλη]. Poème épique de Callimaque (315/310-240 av. J.-C. environ), le plus illustre des poètes grecs de l'époque alexandrine. De ce poème, probablement composé vers 270, qui devait compter au moins mille hexamètres, nous ne possédons qu'un résumé et des fragments (à peu près 125 vers complets et 250 incomplets). Callimaque traite dans l'*Hécalé* un épisode particulier et secondaire de la légende de Thésée : alors qu'il va combattre le taureau de Marathon, Thésée, surpris par un orage, se réfugie chez une vieille paysanne, Hécalé. Celle-ci lui offre l'hospitalité avec les modestes ressources de sa rustique demeure. Après avoir tué le taureau, Thésée retourne chez Hécalé et découvre qu'elle est morte pendant son absence. Pour honorer la mémoire de la vieille femme, Thésée donne le nom d'Hécalé à un dème de l'Attique et consacre un sanctuaire à Zeus Hécaléios. Ce poème illustre parfaitement les nouvelles théories poétiques défendues par Callimaque : l'*Hécalé* n'est en rien une épopée traditionnelle. En effet, ce n'est pas le thème héroïque du combat de Thésée contre le taureau de Marathon qui est au centre de la narration, mais la nuit passée par Thésée dans la cabane de la paysanne. La composition du poème semble pleine de fantaisie et le ton très varié. Enfin, les vers qui nous sont parvenus témoignent d'une grande recherche linguistique, stylistique et métrique. L'influence de l'*Hécalé* fut considérable, tant sur les poètes grecs que sur les poètes romains : ainsi, par exemple, l'épisode de Philémon et Baucis dans *Les Métamorphoses* (*) d'Ovide doit beaucoup à la scène où Hécalé reçoit Thésée dans sa modeste demeure. – Trad. Les Belles Lettres, 1972.

O. R.

HÉCATE de Jouve. Ce roman, publié en 1928 par l'écrivain français Pierre-Jean Jouve (1887-1976), appartient au second cycle de l'auteur, celui de la psychanalyse. Il apparaît tout entier composé comme un opéra, avec sa musique d'enfer, ses récitatifs doucereux ou sanglotants, ses duos et ses trios, avec l'imagerie aiguë, instantanée de son drame. Le regard qui traverse l'aventure de Catherine Crachat est le regard de Jouve qui s'identifie à son héroïne. Le récit de Catherine constitue l'ouverture : écrit au passé car il montre les thèmes. Aussitôt après, les trois actes se déroulent ; le premier fait se rencontrer Catherine et Pierre Indemini, le second les réunit à Fanny Felicitas, le troisième laisse aux prises Catherine et Fanny. Exposition : à Paris, Catherine entre dans la peau d'Hécate, déesse infernale, elle aime ou aimante Pierre, personnage fin et réticent. Péripétie : à Vienne, Catherine est en proie aux intrigues, aux agaceries, aux fureurs de la baronne Fanny Felicitas. Elle y succombe parfois et, à d'autres moments, il semble que sa pureté ou son démon doive l'emporter. Ici se place une des rencontres machinées par le destin : Catherine retrouve dans le pied-à-terre des adultères de Fanny son ancien amant Pierre Indemini. Reprise amoureuse de Catherine pour Pierre, reprise désespérée puisque celui-ci demande le renoncement et que Catherine s'enfuit. Catastrophe : sur les bords du lac Eilsee, Catherine et Fanny se disputent la mémoire de Pierre, mort au loin. Bataille à propos de lettres, de souvenirs, en vérité, bataille de l'amour-haine. Catherine « fait » le suicide de Fanny. Toute l'œuvre est une mise en scène de la mort sous ses divers masques : le désir, l'inclination sur soi, l'impuissance, l'abîme du plaisir. La baronne figure l'ogre érotique, Pierre une nuance pervertie de l'amour courtois. Quant à Catherine, elle ne saurait être définie : elle donne la mort, étant innocente ; elle guide la sexualité, étant froide ; elle est la mort toute simple. Hécate dessine une allégorie. Catherine est toujours en scène, mais toujours son interlocuteur la domine : c'est Pierre qui fait retraite et impose la séparation, c'est Fanny qui attache à sa fortune tous les hommes et toutes les femmes. Cependant, à mesure que l'histoire se fait, nous comprenons que Catherine seule mène le jeu, que toutes choses arrivent par elle. Il faut se rappeler que le roman est placé sous le signe d'Hécate, la déesse lunaire qui préside aux enchantements. Il faut donc que Catherine ait une force qu'elle ignore, qui agit sur les autres et d'abord sur elle-même. Mais quelle force, et qui vient d'où ? Jouve ne se dérobe pas à la question. Il y répond en partie dans *Hécate*, entièrement dans *Vagadu*, roman publié en 1931.

Aux prises avec les instincts capitaux, Catherine ne peut se plier à cette fatalité et il semble que nous, spectateurs, ne le puissions non plus. Il y va de son salut, et nous voulons vivre l'expérience de Catherine avec elle parce que c'est d'elle que nous attendons l'explication. *Vagadu* est donc psychologiquement et esthétiquement nécessaire. *Vagadu* signifie à la fois le vrai combat de Catherine, et la libération intérieure, la résolution. Pour écrire son ouvrage, Jouve s'est inspiré d'une opération d'analyse vécue, mais il ne s'est point soucié de décrire cette opération. De la substance du rêve, Jouve a fait une énergie et l'a transformée en roman. « J'avais un document d'une réalité incontestable. Je découvrais un joint entre Catherine et le document. Ainsi l'instrument n'a pas tant d'importance que la mobilisation des passions. » Le roman use des passions à l'égal d'événements, progresse avec elles, nous les donne à connaître par contact. Il est la « tragédie du cœur de Catherine ». Ces mots doivent être pris à la lettre : Catherine forme la scène et les acteurs. Catherine à tous les âges, sous tous les costumes, dans toutes les postures ; spontanée, réfléchie, naturelle, déguisée, endormie, éveillée, immobile, en tous lieux ; infantile, provinciale, intrigante, conventionnelle, vulgaire, élégante, inquiétante, sublime ; bien française, belle, belle ; perpétuellement malheureuse ; toutes les épaisseurs de Catherine. Catherine pure et impure à la fois ; qui rabat sa jupe sur les genoux de Catherine ; qui emploie peu de gros mots et est remarquablement précise, comme si elle les employait. Qui dit d'un personnage : « parce que j'avais tels et tels besoins de jouir et de souffrir, organisés en plusieurs figures immuables, alors je l'ai rencontré ». Qui n'a pas assez de héros, qui les rêve, et projette ses rêves sur les autres pour agrandir encore le théâtre, ajoutant à l'érotique la nature et la lumière oniriques. Qui lutte avec l'ange. Le lecteur est sensible d'abord au vertige, au jeu des miroirs ; rien ne lui paraît véritable. Puis les figures et les états s'organisent, on mesure l'« affranchissement des erreurs et des fautes », le « lavage profond des expériences » ; on reconnaît la descente de qui plonge en soi, la remontée de qui a trouvé l'issue. Tout à la fin, on comprend que Catherine est sauvée. En même temps, le lecteur reste sensible à l'art du roman : à la coïncidence d'une forme nouvelle avec un objet classique. Ce qui émeut, ce n'est pas la brutalité des choses découvertes, mais le nombre infini des combinaisons sous un éclairage sans cesse modifié, dans une affabulation et dans une langue proprement romanesques. Et, par-dessus tout, l'indicible beauté des rêves. En 1947, Jouve réunit ses deux romans sous le titre d'*Aventure de Catherine Crachat.*

HÉCATE de Politis ['Εκάτη]. Roman de l'écrivain grec Cosmas Politis (1893-1974), paru à Athènes en 1933. Divinité préposée à la fécondité et à la magie, Hécate était représentée comme une femme à trois corps ou à trois têtes. Son culte – pratiqué la nuit où elle était associée avec la lune – comporta longtemps des sacrifices humains. Elle était censée engendrer la folie. Comme telle, elle symbolisait les mystères redoutables de la connaissance et de la fatalité. Cette histoire mythique se lit en filigrane dans le roman de Cosmas Politis, un des premiers qu'il ait écrits. Paulos Calinis, savant et mathématicien, a fondé sa vie sur la raison et la logique. Elles seules, à ses yeux, permettent d'expliquer par l'entremise de la science la naissance et l'évolution du monde. Elles devraient même un jour permettre d'expliquer les comportements, les sentiments et les idées de l'homme. Mais Paulos Calinis, comme Hécate dont il est inconsciemment la proie, est un être contradictoire : son désir forcené de logique et de clarté se double d'un élan quasi mystique vers l'amour, les mystères de la vie, les abîmes de l'âme et de la connaissance. Il se trouvera ainsi lié à trois femmes (trois têtes d'Hécate), déchiré entre leurs personnalités opposées et mené malgré lui vers le malheur et l'horreur. Toutes trois disparaîtront dans des circonstances tragiques. Les efforts de l'homme pour se libérer de l'emprise de l'ombre échoueront dans le désespoir. Malgré quelques épisodes un peu trop romanesques, ce livre fit, lors de sa parution, une impression profonde. L'ampleur du thème, la force des évocations, la maîtrise avec laquelle l'auteur sonde les profondeurs de la raison et de la folie firent que ce livre (rappelons qu'il parut en 1933) ouvrit à la littérature grecque les portes d'un monde encore vierge.

HÉCATE ET SES CHIENS. Roman publié en 1954 par l'écrivain français Paul Morand (1888-1976). Il s'agit avant tout d'une exploration du subconscient le plus noir, racontée avec un art parfait, par un virtuose de la suggestion. Ce livre, d'une audace inouïe, dissimule l'impudeur sous une retenue dans le ton qui est le comble de la hardiesse. Le héros évoque des souvenirs affreux, mêlés à d'autres, ensoleillés et heureux. Il a connu autrefois, en Afrique, une femme « plutôt laide », Clotilde. Par désœuvrement d'abord, il l'a aimée, d'un amour égoïste qui ne cherche pas à connaître son objet. Il ne l'interroge jamais sur le mari qu'elle a eu et dont elle vit séparée. Ainsi il est heureux. C'est là le climat froid des romans de Morand ; le bonheur physique de ses personnages fait un peu pitié : le plaisir physique, le confort, le luxe, les fêtes, « cette petite existence qu'on nomme la grande vie », leur suffisent. Une atmosphère lourde pèse sur ce roman. Le héros s'illusionne sur le plaisir qu'il donne à sa compagne ; il se croit aimé alors qu'il n'est que supporté. Mais en même temps il s'obstine ; il s'oblige même à partager les dérèglements de celle qu'il aime. Car il s'aperçoit dans le même temps qu'elle s'échappe et qu'il tient à elle, dans la mesure où elle le fuit. Un jour, en effet, il a un soupçon abominable. Clotilde, comme Hécate la mangeuse d'hommes, s'adonne à des orgies. N'apaise-t-elle pas la fureur de ses sens auprès de jeunes enfants qu'elle pourchasse en secret ? Patiemment, bribe à bribe, il lui arrache des aveux, la nuit. Le jour, il la retrouve comme naguère, fraîche et insouciante. Mais cette Clotilde ne l'intéresse plus. Il n'aime plus d'elle que son hideux visage de nuit, où se reflètent d'incompréhensibles voluptés. Comme entraîné par une force mystérieuse, il en vient, lui aussi, à poursuivre de tendres proies, espérant lire en elles le secret de Clotilde et l'explication d'un assouvissement physique qu'il n'a jamais su lui donner. L'amour entre eux maintenant n'est plus que lien de vice et de haine. Clotilde, ce monstre à deux têtes, refuse de partager avec son amant ses désordres érotiques. Elle le fuit. Plus tard, le hasard place le mari de Clotilde sur la route de notre abandonné. Il essaie vainement de déchiffrer, à travers cet homme, le mystère de celle qu'il a perdue et dont le souvenir est attaché à lui comme une lèpre. Quinze ans après il la retrouve, occupée d'œuvres charitables, un peu solennelle. Il tente une dernière fois de percer l'énigme. Est-ce son mari qui l'a pervertie ? Est-ce elle au contraire qui a ravagé son mari ? La question reste sans réponse, et le livre se referme sur un silence épais. Avec *Hécate*, Morand aboutit à une vue pessimiste des rapports humains : l'homme est fermé à l'homme. Nos actes les plus simples viennent d'instincts secrets, inavouables, et souvent même inconnus de nous. L'amour, la vie même ne sont possibles qu'avec la complicité du silence. Dans ces régions impures, la curiosité à tâtons est un sacrilège, qui porte en soi sa punition. Des jeux brillants de *Ouvert la nuit* (*) aux pages hallucinantes de ce roman, il nous est donné de saisir l'effort d'un artiste vers la concentration, la rigueur, le dépouillement.

HÉCUBE [Ἑκάβη]. Tragédie du poète grec Euripide (484-406 av. J.-C.), représentée, pour la première fois, probablement en 424. La scène se passe sur la côte de la Chersonèse de Thrace, où les Achéens séjournent, après la destruction de Troie, dans l'attente d'un vent favorable. Ils ont, avec eux, les prisonnières troyennes, parmi lesquelles se trouve comme esclave d'Agamemnon, Hécube, la veuve du roi Priam. Au cours de la journée qui commence avec la pièce, deux nouveaux malheurs vont venir s'ajouter aux maux qu'a déjà dû endurer la reine désormais esclave : sa fille Polyxène lui sera arrachée pour être sacrifiée sur la tombe d'Achille, et on lui apportera le corps de son plus jeune fils, Polydoros, tué par le roi du Chersonèse, Polymestor. Pour le sauver de la ruine de sa cité et de sa maison, c'est à ce dernier que Priam avait confié son fils avec toutes ses richesses. C'est l'ombre même de Polydoros qui annonce tout cela dans le prologue. Ensuite, on voit la vieille reine sortir de la tente d'Agamemnon. Pendant la nuit, elle avait été bouleversée par des visions douloureuses qui lui annonçaient la mort de ses deux enfants, et maintenant elle prie, en tremblant, les dieux de lui épargner un tel malheur. Entre sur scène un chœur d'esclaves troyennes, qui annoncent à Hécube que l'une de ses craintes va se réaliser : les Achéens ont décidé, après un long débat, d'honorer la tombe d'Achille en y répandant le sang de Polyxène : c'est là le désir qu'aurait manifesté l'âme même du héros, lors d'une apparition. Hécube exprime dans un chant le déchirement de son âme. Ses lamentations attirent Polyxène, qui apprend ainsi de la bouche même de sa mère le sort qui lui est réservé. La jeune fille n'a pas un mot pour elle-même, pour sa vie brisée ; elle ne pense qu'à la douleur de sa mère qui, avec elle, perdra sa dernière consolation. Là se manifeste déjà le caractère de Polyxène, une de ces jeunes femmes héroïques et cependant humaines et simples telles qu'Euripide les aimait ; on retrouve ce type, bien qu'avec quelques variantes, dans *Alceste* (*) et dans *Iphigénie* (*). Le sort de Polyxène est confirmé par Ulysse qui, lors du débat entre les Achéens, avait soutenu la nécessité de ce sacrifice. Hécube tente en vain d'amener Ulysse à renoncer à sa résolution et le supplie d'intervenir auprès des Achéens pour que le sacrifice n'ait pas lieu ; elle rappelle à Ulysse qu'elle lui a autrefois sauvé la vie, en gardant le silence, lorsqu'il s'était introduit furtivement dans Troie comme espion, et lorsque Hélène l'avait reconnu. Ulysse est inébranlable ; à l'aide d'un singulier raisonnement, il cherche même à convaincre Hécube que les Achéens n'ont pas le choix. Hécube conseille alors à sa fille de supplier, elle aussi, son bourreau, mais la jeune fille refuse d'avoir recours à ce moyen, sûrement inutile d'ailleurs, pour sauver une vie à laquelle elle ne tient plus. Elle se rend compte que son destin est décidé, et elle va vers lui, confiante et sereine. Elle est née libre et fille de roi : mieux vaut donc mourir que vivre esclave. La mère tente alors d'arracher à Ulysse sa victime, elle demande de mourir à sa place, ou tout au moins avec elle. Mais ses paroles sont vaines, on lui arrache sa fille et Polyxène s'éloigne en pleurant, déchirée par la douleur de sa mère, tandis que, pour elle-même, elle n'a qu'un court instant d'apitoiement, en disant adieu à la lumière qu'elle ne reverra plus. Au cours de l'entracte, le chœur des femmes troyennes pleure les malheurs de l'exil et de l'esclavage qui les attendent. Arrive alors le héraut des Achéens, Talthybios, qui raconte à Hécube et au chœur la fin de Polyxène. La jeune fille a voulu mourir, comme elle l'avait dit, en femme libre et en fille de roi. Elle a prié que personne ne la touche ni ne l'oblige à subir le coup mortel ; elle a ouvert elle-même ses habits sur sa poitrine, en invitant le fils d'Achille, Néoptolème, à frapper. Elle est morte pour être libre, pour rester libre et reine dans l'Hadès, et le peuple, qui était venu au sacrifice pour implorer et supplier Achille, fut exalté, au contraire, par cet admirable sacrifice. Hécube, fière malgré sa douleur, se prépare à donner à sa fille la sépulture la plus honorable que sa condition lui permette. Un bref arrêt de l'action, pendant lequel le chœur déplore les malheurs de la guerre de Troie, termine cette première partie de la tragédie.

Le premier des deux malheurs dont Hécube a eu le présage s'est accompli. Une esclave entre alors sur scène, traînant après elle un cadavre voilé. Ce n'est pas celui de Polyxène, comme Hécube le croit tout d'abord, mais celui de Polydoros, son jeune fils, tué par Polymestor ; bien que troublée par le présage, elle en ignorait la mort. Le cadavre, jeté à la mer, a été porté sur la rive par les flots. La douleur d'Hécube éclate sans retenue, douleur faite de haine pour l'assassin qui a violé le plus sacré des engagements. La femme, qui était abattue et harassée de douleur, est animée maintenant d'une nouvelle force contre l'ennemi le plus abject, contre le traître impie. À Agamemnon qui vient avec bienveillance l'exhorter à ensevelir sa fille, Hécube demande vengeance contre Polymestor. Mais, comme le roi, pour des raisons politiques, manifeste de la répugnance à accéder à sa prière, Hécube, déployant tous ses moyens de persuasion, de la flatterie jusqu'à la supplication, lui demande au moins de ne pas s'opposer à la vengeance qu'elle saura obtenir par ses propres moyens et avec l'aide des prisonnières troyennes. Lorsqu'il est assuré de ne pas être compromis, Agamemnon consent à la laisser agir. En sa présence, Hécube fait appeler Polymestor, pour qu'il vienne avec ses petits-enfants. Pendant la suspension de l'action, le chœur rappelle, dans une admirable évocation poétique, la douleur des femmes troyennes dans la nuit qui a vu la prise de Troie. La vengeance s'accomplit au cours de la scène suivante : voici Polymestor, qui va au-devant d'Hécube et manifeste une douleur hypocrite pour la mort de Polyxène. Après lui avoir demandé des nouvelles de son fils et goûté – pourrait-on dire – tous ses mensonges, Hécube, extrêmement lucide dans son désir exaspéré de vengeance, lui annonce qu'à son intention elle a caché de l'or dans sa tente et l'invite à entrer. Aveuglé par sa cupidité, le malheureux n'a aucun soupçon et entre. Un bref chant du chœur, qu'interrompent soudain des cris de douleur atroce, venant de l'intérieur de la tente : Hécube et les femmes ont aveuglé Polymestor. Il sort à tâtons, fou de douleur et de rage ; Hécube l'accuse alors d'avoir tué son fils. Tandis qu'il appelle au secours, Agamemnon survient et, comme convenu avec Hécube, feint d'être étonné et horrifié. Devant lui, comme devant un juge, Polymestor raconte le piège qu'on lui a tendu avec une subtile perfidie. Il a tué Polydoros, c'est vrai, mais par amitié pour Agamemnon et les Achéens. Hécube a la riposte prompte, et Agamemnon, jugeant Polymestor coupable, considère qu'il a subi son juste châtiment. Ce dernier lance à Hécube des imprécations et lui révèle que, selon une prophétie, elle sera transformée en chienne et se tuera. Il prophétise aussi que Cassandre et Agamemnon seront tués par Clytemnestre. Agamemnon, courroucé, le fait éloigner et ordonne aux femmes de regagner les tentes, car le départ est proche.

Le problème esthétique que cette tragédie a presque toujours posé aux critiques est celui de son unité : y a-t-il, dans cette œuvre, une unité d'action dramatique et, surtout, une unité d'inspiration poétique ? La première existe sans doute, même si le malheur d'Hécube est double et si la tragédie est en quelque sorte divisée en deux parties bien distinctes. La protagoniste y apparaît dans un état d'esprit différent : abattue et presque résignée dans la première, d'une fureur sauvage dans la seconde. C'est le personnage d'Hécube qui confère au drame une unité théâtrale, unité de structure et d'aspect. Même du point de vue psychologique, on peut expliquer la transformation d'Hécube. Devant le deuxième malheur, provoqué par l'homme à l'amitié duquel elle a cru, devant cette manifestation de bassesse morale, la colère, jusque-là retenue, éclate. Mais, du point de vue poétique, on remarque une participation différente du poète au double malheur d'Hécube. Dans la première partie, il semble prendre parti pour la douleur de la mère, et il s'attache au personnage de Polyxène, héroïque et suave ; dans la deuxième, en revanche, il regarde vivre Hécube, l'observe, comme il le fait souvent, avec une grande minutie, mais aussi avec un certain détachement : c'est la protagoniste d'une action barbare, entourée de personnages, ou médiocres et prudents, comme Agamemnon, ou répugnants par leur cruauté et leur lâcheté, comme Polymestor. – Trad. Les Belles Lettres, 1927 ; Gallimard, 1962.

★ Dans ses *Troyennes* (*), dans son *Alexandre* (aujourd'hui perdu), Euripide a traité également d'autres épisodes de la vie d'Hécube ; Sénèque les a repris également dans ses *Troyennes* (*). Les latins Ennius et Accius écrivirent chacun une tragédie : *Hécube*, dont il ne nous reste que quelques fragments.

★ Au début de la Renaissance française, quand le goût des traductions ou des imitations en latin et en langue vulgaire des tragédies grecques se répandit de l'Italie en France, on vit des adaptations de ces tragédies, écrites pour le théâtre français. Parmi les premières, il faut rappeler l'*Hécube* que Jean Bochetel a traduite d'Euripide en 1544. En Italie, Lodovico Dolce (1508-1568) a, lui aussi, écrit une médiocre tragédie intitulée *Hécube*. En Espagne, Pérez de Oliva (mort en 1531) écrivit une *Hécube triste*, également inspirée d'Euripide.

★ Dans le domaine musical, on retient deux œuvres : l'*Hécube* de Nicola Manfroce (1791-1813), qui remporta un grand succès lors des représentations à Naples en 1812 ; l'*Hécube* de Giovanni Francesco Malipiero (1882-1973) fut représentée à Rome en 1941.

HÉCYRE (L') (*La Belle-Mère*) [*Hecyra*]. Cette comédie du poète comique latin Térence (185 ?-159 av. J.-C.), composée en 165, reçut lors de sa première représentation un accueil des plus froids et fut, par la suite, entièrement remaniée. Le principal personnage en est une belle-mère idéale, Sostrata, dont le fils, Pamphile, marié par la volonté de son père à Philumène, est amoureux de la courtisane Bacchis. En l'absence de son mari, Philumène, restée en compagnie de Sostrata, abandonne le domicile conjugal et se réfugie chez ses parents. Pamphile, à son retour, s'interroge sur les causes du départ de sa femme : celle-ci se serait-elle prise de querelle avec sa belle-mère ? Bien qu'encore épris de Bacchis, le jeune homme éprouve pour Philumène une affection croissante, et ne peut se résoudre à la perdre. Mais, lors d'une entrevue avec elle, il apprend qu'elle va être mère : avant son mariage, elle a été nuitamment violée par un inconnu, qui lui a ravi un anneau qu'elle avait au doigt : et l'enfant qu'elle porte est le fruit de cette faute involontaire. Pamphile comprend alors les raisons qui ont guidé la conduite de son épouse, et lui promet le silence. Mais leur séparation n'est pas du goût des deux familles qui persistent à rendre Sostrata responsable de la fuite de Philumène. Sostrata propose de quitter le domicile de son fils. Pamphile s'y oppose. Après la naissance de l'enfant, les familles invitent les époux à reprendre la vie commune ; nouveau refus de Pamphile. Les deux pères convoquent alors Bacchis, en qui ils voient le seul obstacle possible à la réconciliation des jeunes gens ; mais la courtisane leur révèle que Pamphile a, depuis fort longtemps déjà, mis fin à leur liaison. Les deux vieillards sont perplexes, lorsque Myrrhina, mère de Philumène, aperçoit au doigt de Bacchis l'anneau jadis ravi à sa fille. Interrogée, Bacchis répond qu'elle tient cet anneau de Pamphile. Le mystérieux inconnu n'est donc autre que Pamphile lui-même, et rien ne s'oppose plus au bonheur du jeune couple. Cette charmante comédie domestique est inspirée d'Apollodore. Le comique en est presque, sinon entièrement, exclu. Les personnages ne sont pas, comme dans les comédies de Plaute, de simples prétextes à un brillant colloque avec le public : Térence les traite en êtres humains, il se complaît dans la peinture de leur milieu — un milieu où les courtisanes sont désintéressées et les parents soucieux du bonheur des jeunes gens. — Trad. Les Belles Lettres, 1945 ; Garnier, 1948 ; Gallimard, 1971.

HEDDA GABLER. Drame de l'écrivain norvégien Henrik Ibsen (1828-1906), écrit et publié en 1890, deux ans après *La Dame de la mer* (*). Hedda, la belle-fille du général Gabler, a épousé le plus insignifiant de ses admirateurs : Joergen Tesman, un étudiant à l'intelligence médiocre auquel on a plus ou moins promis une chaire de professeur. De retour du voyage de noces, Hedda s'ennuie déjà ; elle se montre impatiente et prompte à répondre avec ironie aux moindres propos de son mari qui tendent à lui faire entrevoir la vie médiocre qu'elle aura à vivre. Mais elle est cependant décidée à ne jamais glisser de cette médiocrité dans la vulgarité de l'adultère. Et voici que, dans la ville où elle habite, réapparaît l'écrivain Ejlert Loevborg, son camarade d'enfance qui, autrefois, lui confiait tous ses secrets et en particulier ses débauches. Il avait disparu un jour où, pour se défendre contre ses entreprises, elle l'avait menacé avec le pistolet de son père. Tout le monde l'avait considéré comme un homme fini, mais il semble maintenant régénéré par l'influence bienfaisante d'une femme, Thea (ancienne camarade d'école d'Hedda), qui a abandonné pour lui son mari et qui le suit dans la crainte incessante qu'il ne retombe dans le vice. Lorsque Hedda le rencontre, elle comprend combien elle compte encore pour lui. Loevborg se demande ce qu'il pouvait y avoir dans leur étrange intimité, si c'était de l'amour ou bien encore, de la part d'Hedda, le désir de purifier son compagnon débauché. Hedda nie le passé : c'était de la curiosité, ce n'était qu'une curiosité maladive pour ce que les jeunes filles n'ont pas le droit de connaître. Mais ne lui confie-t-elle pas d'autre part que le fait de n'avoir pas tiré sur lui était loin d'être sa plus grande lâcheté ce jour-là ! Quelle fut donc sa plus grande lâcheté ? D'avoir repoussé ses tentatives amoureuses ? Loevborg interprète ainsi la confidence mystérieuse que lui a faite Hedda, et le regret exaspère la mortification que lui impose Thea, en montrant si peu de confiance en sa fermeté. Il finit par accepter l'invitation, qu'il avait tout à l'heure refusée, de se rendre à un dîner de libertins. Il y est poussé également par Hedda, qui semble méditer quelque dessein secret. Veut-elle que Loevborg retombe dans le vice pour que l'influence régénératrice de Thea se montre vaine ? Mais ce qui arrive est pire encore. Loevborg non seulement s'enivre, mais perd également le manuscrit de l'œuvre géniale qu'il vient de terminer sous l'inspiration de Thea et où il s'est exprimé entièrement. Le manuscrit, retrouvé par Tesman, arrive entre les mains d'Hedda qui le cache. Quand Loevborg lui confie ce qui lui est arrivé et qu'elle le voit découragé au point de pouvoir en finir avec la vie, Hedda lui remet le pistolet qu'elle avait un jour pointé sur lui, pour qu'il puisse faire le geste qu'elle n'a pas eu le courage d'accomplir. Restée seule, elle jette dans le feu le manuscrit de Loevborg : ainsi brûle le fils de Thea, la créature engendrée par le seul homme qui lui ait donné le sens de l'exceptionnel, le seul homme qu'elle ait aimé ou qu'elle aurait pu aimer. Au mari, éberlué devant un tel méfait, elle déclare qu'elle l'a fait par amour pour lui. Mais Loevborg ne se tue pas « en beauté » comme l'avait espéré Hedda. L'assesseur Brack, qui fait la cour à Hedda, vient lui raconter que Loevborg a été découvert chez une demi-mondaine, blessé au ventre. Brack a reconnu le pistolet dont s'est servi Loevborg. Hedda comprend qu'elle est désormais entre les mains de son astucieux admirateur : qu'il se taise et le scandale pourra être évité. Hedda refuse de se soumettre. Elle se rend dans la pièce voisine et, froidement, tout en continuant de plaisanter avec Brack, elle se tue.

Hedda Gabler est l'unique œuvre où Ibsen ne se soit pas confessé. Ici, au contraire, nous sommes dans un monde opposé à celui du poète et qu'il regarde sans pitié. Hedda représente l'incarnation d'un caractère noble qui n'a pu se développer et s'est corrompu, faute d'amour. L'aspiration vers le merveilleux et les grandes actions, que l'on rencontre chez tant de femmes du théâtre d'Ibsen, devient ici une caricature ridicule. Le peu de goût qu'on montre parfois pour cette œuvre tient au fait que l'on a cru qu'Ibsen avait voulu faire de Hedda Gabler un modèle. En réalité, l'auteur ne cherche nullement à nous inspirer sympathie ou pitié pour Hedda, qui n'est pas plus un modèle que ne le serait lady Macbeth ou Phèdre par exemple, à côté desquelles elle peut d'ailleurs être citée à cause de l'art avec lequel elle est décrite. – Trad. Plon, 1943 ; Gallimard, 1979 ; Actes Sud, 1987.

HEIJI MONOGATARI [*Le Dit de l'ère Heiji*]. Œuvre de la littérature japonaise, d'auteur inconnu, bien qu'on l'attribue tantôt à Hamuro Tokinaga (XIIIe siècle), tantôt à d'autres. C'est une histoire romancée, en trois parties et trente-six chapitres, ayant paru probablement dans le premier quart du XIIIe siècle, et qui raconte la guerre civile de l'ère Heiji (1159), par laquelle Taira no Kiyomori (1118-1181) atteignit l'apogée de sa puissance. Le canevas est essentiellement celui des événements historiques qui se déroulèrent pendant l'ère en question et que l'on peut résumer brièvement comme suit. L'empereur Nijô (1159-1165), âgé de seize ans, est monté depuis peu sur le trône, après l'abdication de son père, l'empereur Goshirakawa (1156-1158), quand Fujiwara no Nobuyori (1133-1159), conseiller d'État et ministre de la Justice, demande une fonction plus haute ; mais le souverain, sur le conseil de Fujiwara no Michinori, la lui refuse. Nobuyori s'allie alors avec Minamoto no Yoshitomo (1123-1160) – lequel est plein de rancune à l'égard de Michinori, ce dernier ayant refusé d'accepter sa fille pour bru – contre Taira no Kiyomori, qui lui avait tué son père durant la guerre de l'ère Hôgen – v. *Hôgen Monogatari* (*). Les deux hommes se révoltent contre l'empereur, aux côtés duquel s'alignent son conseiller, Michinori et Kiyomori. Les rebelles, profitant d'une absence de Kiyomori, incendient le palais impérial, s'emparent des deux empereurs, Nijô et Goshirakawa, et massacrent Michinori. Mis au courant des événements, Kiyomori se précipite à Kyôto et charge son fils d'étouffer la révolte. Nobuyori, fait prisonnier, est décapité ; Yoshitomo, après une défense acharnée, s'enfuit, mais est rejoint par un sicaire qui le tue et envoie sa tête à Hyôtô. Sa maîtresse, Tokiwa Gozen, réussit à se cacher avec ses trois enfants ; mais Kiyomori, grâce à un stratagème, l'oblige à se présenter à lui. Subjugué par sa beauté, il n'a pas le courage de tuer les trois petits enfants de Yoshitomo. Kiyomori, dont Tokiwa devient la maîtresse, les fait enfermer dans un couvent bouddhiste, sous surveillance. Mais, un quart de siècle plus tard, devenus grands, ils vengeront leur père, exterminant les Taira, et l'un d'eux, Yoritomo (1147-1199), deviendra le dictateur du Japon.

L'œuvre est comme une immense tragédie du destin, tout imprégnée d'esprit bouddhiste, semblable sur ce point à d'autres œuvres du même genre, telles que le *Gempei Seisuiki* (*), le *Heike Monogatari* (*), et le *Hôgen Monogatari* (*). Son style, simple et vigoureux, et sa vitalité propre ont contribué à la répandre ; nombre de ses épisodes ont fourni des sujets au drame classique [nô], au roman et aux arts figuratifs, qui les ont rendus populaires. – Trad. Publications orientalistes de France, 1976.

HEIKE MONOGATARI [*Le Dit des Heike*]. C'est un remaniement classique, en douze volumes, d'une œuvre historique très connue de l'écrivain japonais Hamuro Tokinaga, le *Gempei Seisuiki* (*), rédigée par un auteur dont nous ignorons le nom, entre 1202 et 1221. Il semble qu'on puisse l'attribuer à l'écrivain Yukinaga, ex-gouverneur de la province de Shinan, ou bien à Hamuro Tokinaga lui-même, qui l'aurait écrite en collaboration avec Minamoto no Mitsuyuki (1191-1240 environ). La décadence de la famille Fujiwara, qui monopolisait tous les postes d'État les plus importants, débute le jour où Tadamori, de la famille Taira (1096-1153), obtint la permission de venir à la Cour. Son fils, Taira no Kiyomori, profitant de la faveur impériale, se proclama premier ministre, abolissant le système des deux ministres (de droite et de gauche) qui avait été en vigueur jusqu'alors. La famille Fujiwara, supportant mal la suprématie de Kiyomori, conspira secrètement avec les prêtres, que la puissance des Taira avait affaiblis et, suivant un plan fixé à Shishigatani de Kyôto, étudia le moyen de renverser l'hégémonie des Taira. Mais son dessein fut tout de suite découvert, et il y eut une réaction féroce, dans laquelle trouvèrent la mort ou l'exil presque tous les éléments hostiles aux Taira, qui restèrent les maîtres absolus. Lasse de leurs vexations, une autre famille puissante, celle des Minamoto, poussée par la maison impériale elle-même, se souleva, en 1180, dans la localité de Uji, près de Kyôto. Cette révolte fut toutefois réprimée, et Minamoto no Yorimasa, de la famille Minamoto qui l'avait provoquée, fut écrasé. Par la suite, deux branches de la famille Minamoto, Minamoto no Yoshinaka, de la région de Kiso (province centrale du Japon), et Minamoto no Yoritomo, de la région de

Kamakura (près de Tôkyô), se soulevèrent de nouveau contre la famille Taira, réussissant enfin à la vaincre. Celui qui fut l'artisan de cette victoire fut sans aucun doute Yoshinaka. Pénétrant le premier et à toute vitesse dans Kyôto, il détermina le sort de la guerre en forçant les Taira à fuir en hâte vers l'ouest. Mais Yoshinaka, grisé de sa victoire, commença, lui aussi, une politique de tyrannie, au point que la maison impériale elle-même se sentit frappée et recourut à l'aide de Yoritomo, son vieil allié. Celui-ci, secondé par son frère cadet Yoshitsune, un des guerriers les plus célèbres de l'histoire japonaise, arriva rapidement à Kyôto et, en un seul combat, dans la localité d'Awazu, tout près de la ville, défit l'armée de Yoshinaka qui se tua. Yoritomo, arrivé au pouvoir, médita longuement sur la décadence de la famille Taira et comprit que la cause principale en avait été la vie facile et molle de la Cour et le manque d'un entraînement militaire. Aussi ne resta-t-il pas à Kyôto ; il revint à Kamakura, où il établit un gouvernement militaire dont il se proclama « shôgun ». Plus tard commencera la lutte entre lui et son frère Yoshitsune.

Dans la monstrueuse tragédie que décrit le livre et où, au milieu d'actes d'héroïsme et de scènes sentimentales, d'épisodes sanglants et de gestes de pitié, la puissance rapidement alterne avec la décadence, la gloire avec l'obscurité, l'ascension avec la ruine, l'auteur voit une confirmation des idées bouddhistes sur la caducité de toutes les choses terrestres, — idées qui constituent, pour ainsi dire, le fond philosophique et religieux de tout l'ouvrage, et qui sont déjà clairement exprimées dans les premières lignes du texte où il est dit : « Dans le son de la cloche du couvent de Gion, il y a l'écho du caractère transitoire des choses humaines. La couleur des fleurs des arbres de çala avertit que tout ce qui est prospère est aussi inexorablement caduc. Les orgueilleux sont éphémères, comme le songe d'une nuit de printemps. Et les forts, eux aussi, seront enfin emportés, semblables à la poussière dans le vent. » Comme œuvre historique, le *Heike Monogatari* a peu d'importance, parce que, tout d'abord, il est écrit avec l'esprit partisan des Taira, et qu'ensuite, du fait de son caractère romantique, l'invention, dictée soit par des motifs patriotiques ou religieux, soit simplement par l'amour de l'effet dramatique ou poétique, y entre pour une large part. Mais on ne doit pas négliger sa valeur sociale, qui réside toute dans le contraste entre les deux classes en lutte : celle des nobles, adonnée seulement aux cérémonies et à l'oisiveté agrémentée de passe-temps raffinés, et occupée d'intrigues ou de médisances de Cour ; celle des guerriers (les samouraïs), satisfaite d'une vie simple et modeste, et s'adonnant aux exercices corporels. Le style de l'œuvre est élégant, mais en même temps sobre et condensé. La langue est un mélange de japonais pur et de mots dérivés du chinois. Un de ses traits caractéristiques, ce sont les nombreux passages écrits en une espèce de prose poétique, par phrases de cinq et sept syllabes alternées qui, nous le savons, étaient récités au son du *biwa* (sorte de luth) par des rapsodes aveugles, dits *biwa-hôshi* ou « bonzes au biwa » parce qu'ils avaient la tête rasée comme les bonzes. Ce fait contribua grandement à répandre et à rendre populaire le *Heike Monogatari* à une époque de grande décadence de la culture. Certains épisodes, comme celui de Kumagai Naozane, sont restés célèbres et ont même inspiré des drames qui ont passionné les foules. — Trad. par René Sieffert, Presse orientaliste de France, 1976.

HEITERETHEI ET SA CONTREPARTIE (La) [*Die Heiterethei und ihr Widerspiel*]. Deux nouvelles de l'écrivain allemand Otto Ludwig (1813-1865), publiées en 1854. Dans ces modèles de récits villageois (« Dorfgeschichten »), le conteur a dépassé le dramaturge. Tandis que la première représente la tentative d'un caractère farouche pour éclairer, vis-à-vis de lui-même, la position de l'individu par rapport à son milieu, dans la seconde, l'écrivain se libère des expériences d'une jeunesse attristée par l'autorité d'un père que les malheurs ont affligé et aigri. Heiterethei, jeune fille honnête, vivant seule et bien connue dans le pays pour son extraordinaire esprit d'indépendance, provoquée par Holders-Fritz, bon artisan mais débauché et hâbleur, lui reproche d'être le jouet de la compagnie de vauriens dont il aime s'entourer. Seul avec lui-même, Fritz combat contre son propre orgueil et sort victorieux de la première lutte, convaincu maintenant que la véritable indépendance consiste à écouter sa conscience ou les bons conseils d'autrui et non pas à s'y opposer avec insolence. Il décide même de remercier Heiterethei de sa sincérité et de la demander en mariage. Craignant un refus public, il cherche à la voir hors du pays et dans l'obscurité ; mais, comme il a été un violent jusqu'à ce jour, les gens de l'endroit, qui se sont aperçus de ses manœuvres, craignent qu'il ne veuille exercer une vengeance sur la jeune fille et s'alarment. Les commères montent la garde chez elle. Tout d'abord, elle ne croit pas au danger supposé, mais à la fin elle est prise par la psychose générale, si bien qu'un soir elle lance traîtreusement sa brouette chargée de barres de fer dans les jambes du pauvre Fritz qui l'attendait sur un petit pont, et le précipite dans l'eau. Fritz n'est que blessé. Quelque temps après, ayant gagné une nouvelle bataille sur lui-même, il se présente à la jeune fille et lui demande sa main. Heiterethei, qui depuis longtemps l'aime sans trop le savoir elle-même, accepte et, après avoir commis quelques folies motivées par son orgueil excessif, devient la femme de Holders-Fritz. Dans la « Contrepartie » de « Heiterethei », c'est-à-dire dans « Aus dem Regen in die

Traufe » (qu'on peut traduire : De Charybde en Scylla), le faible et maladif tailleur d'un village, pour fuir sa mère qui par sa tyrannie lui rend odieux le logis, le travail et la vie elle-même, pense à se marier. Il tombe sur une virago avide et violente dont, au dernier moment, il est libéré grâce à un brave ouvrier d'esprit malicieux et à la douce petite servante de la maison, de caractère toujours allègre, et qui épousera son maître. Dans les deux nouvelles (qui ont quelques personnages communs), l'existence au village est magistralement représentée dans son milieu naturel et ses habitants ; le style est direct, concis, plein d'humour et d'expressions populaires, et en même temps imprégné d'intime poésie. — Trad. Aubier, 1944.

HÉLÈNE [*Elene*]. Œuvre du poète anglo-saxon Cynewulf (VIIIe-IXe siècle). Elle est considérée comme son chef-d'œuvre. Elle est contenue dans le *Codex Vercellensis,* manuscrit qui se trouve à la bibliothèque capitulaire de Verceil (Vercelli Books). C'est un poème de mille trois cent vingt et un vers, divisés en quatorze chants ou « fitts » qui, à l'instar du *Sort des Apôtres* (*) ou de la *Légende dorée* (*) de Jacques de Voragine, raconte la légende (que l'auteur a remaniée et délibérément transformée) de la découverte de la vraie croix par Hélène, mère de l'empereur Constantin. Tandis que les Huns se préparent à l'attaquer, Constantin voit en songe une croix se dessiner dans le ciel avec cette inscription : « In hoc signo vinces » [C'est par ce signe que tu vaincras]. Il livre bataille et il est vainqueur. Sa conversion est le point de départ de la « dévotion à la croix » : elle, qui n'avait été jusqu'ici qu'un symbole d'ignominie, devient par ce fait un signe de triomphe et de gloire. Pendant que Constantin étudie les Saintes Écritures, Hélène part pour Jérusalem à la recherche de la relique. Elle doit lutter contre les Juifs qui, sur les conseils de Jude, voudraient tenir cachée cette preuve à charge. Cependant Jude, mis en état d'arrestation, se repent : il dira que Jésus est mort pour le rachat des hommes. Converti, il sera baptisé sous le nom de Cyriaque et nommé évêque de Jérusalem. À la grande colère de Satan, on retrouve les trois croix, et un miracle révèle laquelle est la vraie. Avec son précieux trophée, Hélène retourne enfin auprès de Constantin. Cynewulf vécut au moment de la grande controverse de l'iconoclasme, laquelle fit rage de 726 à 842. La parution d'une œuvre qui exalte l'image de la croix fut considérée en Angleterre comme l'un des premiers fruits d'une doctrine opposée à toute représentation autre que ce symbole. Le poème est écrit dans un style simple et dramatique avec de très beaux passages descriptifs et fantastiques : la pompe de la guerre se mêle à l'horreur qu'elle inspire ; le scintillement des joyaux, la magnificence des navires décorés et pavoisés donnent de la vie et de la couleur à un récit tout imprégné de profondeur et d'austérité. Le XVe chant, superflu au point de vue du récit lui-même, est cependant un précieux document sur la vie de l'auteur et sur sa personnalité : non seulement il contient la signature de Cynewulf en caractères runiques, mais encore c'est le « fragment d'une grande confession » qui montre comment un homme a trouvé dans la croix son propre salut.

HÉLÈNE [Ἑλένη]. Tragédie du poète tragique grec Euripide (484-406 av. J.-C.), représentée en 412. La scène se passe en Égypte, à Pharos, où Hélène, comme elle le dit elle-même dans le prologue, a été transportée par Hermès. Elle devait y rester cachée chez le roi Protée, pendant qu'un fantôme créé à son image suivait Pâris à Troie, où cette fausse Hélène devenait une cause de ruine pour le pays. Cette version si singulière du mythe d'Hélène est née avant Euripide — v. « Palinodie » dans les *Odes* (*) de Stésichore —, vraisemblablement pour des raisons morales et religieuses. Mais notre auteur ne l'adopte que parce qu'elle est plus romanesque. En Égypte, après la mort de Protée, Hélène est aimée par Théoclyménos, le fils du roi, devenu roi lui-même, mais elle reste fidèle au souvenir de Ménélas (elle que la tradition considère comme la femme adultère par excellence). Hélène prie sur la tombe de Protée, afin que ces noces lui soient épargnées. Des nouvelles de la patrie et des siens lui sont enfin apportées par Teucros, frère d'Ajax, qui a été chassé de Salamine par son père, Télamon, et qui se dirige vers Chypre, où il veut fonder une nouvelle ville. Hélène apprend ainsi que Troie est tombé depuis sept ans déjà, et que le bruit court que Ménélas est mort, bien qu'une telle nouvelle soit en opposition avec la promesse d'Hermès. Affligée, Hélène conseille à Teucros de se cacher, parce que le roi barbare dont elle est aimée a pour habitude de tuer tout Grec qui met le pied sur son territoire. Hélène reste seule avec le chœur, composé d'esclaves grecques, et se lamente sur les malheurs provoqués par sa beauté ; le chœur la réconforte et l'exhorte à consulter la pythonisse Théonoé, sœur de Théoclyménos. Décidée à suivre ce conseil, Hélène retourne au palais royal. Mais voici qu'un naufrage rejette sur les bords du Nil Ménélas lui-même ; couvert de haillons, il arrive devant le palais de Théoclyménos sans que rien puisse trahir sa dignité royale. Dans un monologue, il dit avoir erré longtemps sur la mer et avoir échoué sur cette terre qu'il ignore, accompagné d'Hélène (c'est-à-dire le fantôme qu'il prend pour Hélène) et de quelques amis. Une vieille esclave reconnaît en lui un Grec et lui conseille de s'éloigner aussitôt, non sans lui avoir dit la présence d'Hélène de Sparte, qui vit dans ce palais. Au nom de son épouse, de ses parents, de sa patrie, Ménélas reste abasourdi ;

estimant, après tout, qu'il ne s'agit là que d'une homonymie, il décide d'attendre l'arrivée du roi de cet étrange pays. Il espère que sa renommée est arrivée jusqu'aux bords du Nil et que le roi barbare aura compassion de sa misère. Le chœur entre de nouveau en scène, accompagné d'Hélène, et nous fait connaître la réponse de la pythonisse. Ménélas n'est pas mort : il erre sur la mer, loin de sa patrie. À peine Hélène a-t-elle manifesté sa joie qu'elle aperçoit et reconnaît Ménélas, ici présent. Elle voudrait l'embrasser, mais se voit repoussée : Ménélas croit être le jouet d'une ressemblance illusoire. C'est alors qu'un de ses compagnons, un vieillard, lui annonce que le fantôme d'Hélène s'est soudain dissipé. Tout doute disparaît et les époux donnent libre cours à leur joie. Après s'être raconté leurs aventures, ils pensent à la façon de s'enfuir. Ménélas est en danger de mort si le roi s'aperçoit de sa présence : ce qui ne peut manquer d'arriver puisque Théonoé, de par son don de divination, le reconnaîtra certainement. Il faut donc s'assurer le concours de Théonoé : Hélène la suppliera de ne rien dire à son frère et de favoriser ses projets d'évasion. Mais voici Théonoé : elle vient célébrer un rite religieux ; aussitôt elle reconnaît Ménélas. Vaincue par les supplications et les arguments d'Hélène, elle consent à se taire. Grâce à elle, Ménélas et Hélène réussiront à s'enfuir. C'est Hélène qui, astucieuse comme il sied à une femme, élabore le plan d'évasion.

Après un chant du chœur déplorant les horreurs de la guerre de Troie et les malheurs que les dieux, dans un dessein mystérieux, envoient aux hommes, survient Théoclyménos. Déjà, il sait qu'un Grec a débarqué dans son pays et, de ce fait, il est en proie aux pires soupçons. Mais voici qu'Hélène sort du palais en habit de deuil et fait croire au roi qu'un naufragé lui a annoncé la mort de Ménélas. Et, du doigt, elle désigne Ménélas qui sort de son refuge derrière la tombe de Protée, comme étant le réfugié qui lui aurait apporté la triste nouvelle. Ensuite, Hélène demande au roi la permission de rendre à Ménélas les honneurs funèbres ; elle lui fait croire qu'il est de coutume, en Grèce, d'honorer ceux qui sont morts en mer, en portant sur un bateau des offrandes funèbres consistant en habits et divers autres objets afin de les jeter à l'eau. Une fois ce rite accompli, Hélène se déclare disposée à épouser Théoclyménos. Celui-ci, heureux de ne plus avoir à craindre un rival, et plein de bonne foi, se laisse fléchir ; il demande même à Ménélas quels sont les objets nécessaires au rite funèbre et se déclare prêt à les lui fournir. « Outre les dons funèbres habituels, répond Ménélas, il nous faudrait une embarcation pourvue de bons rameurs. » Bien que trouvant cette demande quelque peu étrange, Théoclyménos y consent. La supercherie étant sur le point de se réaliser, Hélène raconte au chœur que Ménélas, hôte de Théoclyménos, a pu troquer ses haillons contre un habit plus digne de lui et se prépare à accomplir le rite funèbre. Théoclyménos (mû par un reste de méfiance) voudrait qu'Hélène ne quittât pas la plage pendant la cérémonie. Toutefois il cède de nouveau à ses instances, séduit qu'il est par l'idée de ses noces prochaines. Pendant que, dans un dernier chant, le chœur prie pour qu'Hélène bénéficie d'un heureux retour dans la patrie lointaine, un messager vient dévoiler tout le stratagème en question. Ménélas et Hélène se sont embarqués avec les autres naufragés, que Ménélas a invités à prendre part au rite funèbre. Après avoir accompli le sacrifice, Ménélas s'est fait connaître et, sur un signe de lui, les naufragés ont assailli les marins égyptiens. Ceux-ci étant désarmés, la lutte a été brève. Le messager ne s'est sauvé que par miracle et a dû atteindre la rive à la nage. Comme, dans sa narration, le messager fait clairement comprendre que la seule cause du malheur fut la naïveté du roi, Théoclyménos, plein de colère, veut tuer Théonoé qui ne l'avait pas averti. Le chœur le supplie d'épargner la jeune fille et se déclare prêt à mourir pour elle. Mais c'est autre chose qui désarmemera finalement la colère de Théoclyménos : les Dioscures, frères célestes d'Hélène, sont apparus et ont ordonné à Théoclyménos de ne point punir Théonoé, qui n'a fait que seconder la volonté divine. Les Dioscures prédisent également à Hélène un heureux retour dans sa patrie, où elle sera vénérée comme une déesse à la fin de sa vie, tandis que Ménélas vivra immortel dans l'île des Bienheureux.

Dans *Hélène*, Euripide est fort loin de cette rigueur morale qui caractérise la tragédie antique, voire de ce sérieux qui marque les passions humaines dans la plupart de ses autres chefs-d'œuvre. Dans ce drame — comme d'ailleurs dans *Ion* (*), dans *Iphigénie en Tauride* (*) et dans *Alceste* (*) —, le poète semble avoir voulu s'abandonner aux seuls jeux de sa fantaisie. Dans ses coups de théâtre, tout comme dans son dialogue assez léger, *Hélène* offre plus d'un trait qui est propre à la comédie. Cet élément surnaturel sur lequel elle est fondée (le fantôme d'Hélène) lui donne une liberté plus grande, et en fait une sorte de féerie. L'observation psychologique, encore qu'elle soit toujours aiguë, ne s'élève cependant pas jusqu'à la création de véritables caractères, lesquels ne peuvent naître que d'une profonde participation du poète au déroulement de l'intrigue dramatique. — Trad. Les Belles Lettres, 1950.

★ L'*Hélène* d'Euripide a été mise en musique, pour le théâtre, par Heinrich Kohler (1820-1886). D'autres opéras avaient été créés en s'inspirant de la figure légendaire d'Hélène de Troie : l'un par Francesco Cavalli (1602-1676), Venise 1659 ; un de Reinhard Keiser (1674-1739), Hambourg 1709 ; un d'Étienne-Nicolas Méhul (1763-1817), Paris 1803. Henri Meilhac et Ludovic Halévy écrivirent pour

Jacques Offenbach (1819-1880) un opéra bouffe, *La Belle Hélène* (*), joué en 1864. Enfin, Camille Saint-Saëns (1835-1921) écrivit l'opéra en un acte *Hélène*, représenté pour la première fois à Monte-Carlo en 1906.

HÉLÈNE D'ÉGYPTE [*Die Ägyptische Helena*]. Opéra en deux actes, composé en 1925-1926 par le compositeur allemand Richard Strauss (1864-1949), sur un livret de Hugo von Hofmannsthal (1874-1929), sous le numéro d'opus 75 ; il fut représenté pour la première fois à Dresde, le 6 juin 1928, sous la direction de Fritz Busch. Strauss remania cet ouvrage, et la version nouvelle fut donnée au cours du Festival de Salzbourg en 1933. Le succès en fut plus grand qu'à Dresde, sans toutefois être comparable à celui des autres pièces du même compositeur. La raison de ce demi-échec tient en grande partie au livret, dont la forme littéraire est certes digne de Hofmannsthal, mais dont la donnée, empruntée à Euripide, déconcerte. Strauss s'était engoué de cette tragédie, sans doute à cause de son étrangeté ; elle est celle dont les historiens de la littérature tirent argument pour accuser Euripide de trop aimer le romanesque et de ne point hésiter à dénaturer les légendes sans profit pour la vraisemblance ni pour le pathétique humain de ses drames. Son Hélène n'est plus la beauté fatale dont la séduction déchaîne tant de maux ; ce n'est que son fantôme, façonné par Junon, que Pâris enlève tandis qu'elle-même, aussi chaste que Pénélope, attend en Égypte, où Mercure l'a transportée dans un nuage, le retour de Ménélas son époux. Naturellement Hofmannsthal a pris avec les données fournies par Euripide bien des libertés. Il répondait d'ailleurs en cela au vœu de Strauss, soucieux d'introduire dans cet ouvrage, comme il l'avait fait dans *Ariane à Naxos* — v. *Ariane* (*) —, un élément baroque. C'est, à l'inverse d'*Ariane*, au second acte qu'on l'y trouve surtout (dans la seconde version) ; cet élément consiste en cortèges de chasse. L'évocation du « fantôme aérien » au premier acte, le finale du second comptent parmi les pages les plus caractéristiques de Strauss.

HELGE. Poème épique de l'écrivain danois Adam Oehlenschlaeger (1779-1850), publié en 1814, composé de trois parties : le « Poème de Frode » [Frodes Drapa], la « Légende de Helge » [Helges Eventyr] et « Yrsa », une tragédie. Le « Poème de Frode » raconte comment celui-ci, ayant tué son frère Halfdan, essaie vainement de surprendre ses deux neveux, Hroar et Helge. Les deux enfants se cachent d'abord chez le paysan Vilfil, puis chez leur sœur Signe, sans toutefois dévoiler leur véritable identité. Ayant accompagné leur sœur et leur beau-frère à la Cour pour les fêtes de Noël, ils déterrent la couronne de leur père et se font acclamer par le peuple. La « Légende de Helge » décrit comment les deux frères se partagent le pouvoir. Hroar règne sur les terres, où il fait construire une ville nouvelle, Helge devient le roi des mers. De Helge et d'une sirène naît une fille, Skuld. Mais il entend parler de la reine des Saxons, Oluf, et va demander sa main. Ayant vaincu la Valkyrie au combat, il se verra battu à son tour et devra retourner chez lui, couvert de honte. Revenant à la charge, il compte enlever cette fois Oluf en se servant, lui aussi, de la ruse. Il enterre un trésor, de façon à être vu par un vieux pêcheur, qui s'empresse d'en informer la reine. Lorsque Oluf accourt, Helge l'enlève et, après l'avoir gardée trois jours à bord, il la débarque sur la côte danoise, où il l'abandonne. Oluf se précipite dans la mer, mais la sirène l'accueille et, lorsqu'elle met au jour une fille, les habitants des mers la confient au vieux pêcheur. « Yrsa », la tragédie qui vient curieusement terminer ces poèmes composés de chants ou d'épisodes assez courts, est le récit de la fin terrible de Helge. Il rencontre, sans la connaître, Yrsa, qui n'est autre que sa fille, s'en éprend et l'épouse. Ayant appris par Oluf qu'il vient de commettre un inceste, il se tue. Yrsa, qui porte le fruit maudit de leur union, devient reine du Danemark.

HÉLIOPOLIS. Vue d'une ville disparue [*Heliopolis. Rückblick auf eine Stadt*]. Roman de l'écrivain allemand Ernst Jünger (né en 1895), publié en 1949. Ce livre se présente comme une somme. En effet, il se réfère sans cesse aux ouvrages précédents : rappels de personnages comme le Nigromontan de *Sur les falaises de marbre* (*), rappels de souvenirs de voyage, d'histoire naturelle, tirés du *Journal* (*), de *Jeux africains* (*), développements philosophiques qui transcrivent et utilisent certains passages du *Cœur aventureux* (*), de *La Paix* (*). Tout cela sert non seulement de cadre au roman, mais aussi de support idéologique, esthétique et moral. Ernst Jünger a conçu une action qui se situe sur plusieurs plans, et qui est moins œuvre romanesque qu'« utopie ». (« Tout État qui en arrive au point de perdre ses liaisons concrètes avec le mythe est astreint à l'utopie : par elle il parvient à la conscience de ses obligations et de sa vocation, car elle est l'avant-projet du plan idéal sur lequel se configure la réalité. ») *Héliopolis* est ainsi l'étude analytique et mythique de la nature des puissances qui se sont opposées jusqu'à la chute du IIIe Reich pour tenter d'achever l'histoire. Derrière les affirmations de Jünger, concernant la disparition des dieux personnels, derrière le refus de sauver la figure du Père, derrière son immanentisme, on discerne la fameuse promesse du serpent aux premiers hommes : « Vous serez comme des dieux, connaissant le bien et le mal. » En politique, ce retournement signifie que Jünger abandonne la pensée conservatrice pour une pensée qu'il appelle anarchique, entendant par là le retour de l'individu à l'indifférencié et le refus des partis et des États. Jünger a connu, de l'intérieur, deux attitudes : celle du soldat, qui pousse jusqu'à la mort l'obéissance à l'État ; celle du travailleur, qui sacrifie les structures historiques à l'organisation stricte d'un État. D'un côté, l'État qu'il s'agit avant tout de défendre et de conserver, les structures hiérarchiques et patriarcales de l'armée, une élite d'ascètes et de combattants, de l'autre, l'État technocratique, tendu vers le rendement, où les valeurs aristocratiques, loisirs, noblesse, exigence de l'homme envers soi-même, étaient rejetées comme inefficaces.

Au bord de la mer, au-delà des Hespérides, à une époque imprécise, située entre l'échec du premier empire mondial et la réussite du second, se dresse la ville du soleil, Héliopolis, que la science des hommes des XXe et XXIe siècles a dotée de tous les perfectionnements techniques. « Les Hespérides étaient le grand lieu d'échanges des denrées et des idées ; c'est dans leurs ports que flottes marines et interstellaires touchaient terre [...] Là jaillissaient les sources de la richesse, du pouvoir, du savoir occulte. On s'élançait vers elles comme vers les Eldorados du Nouveau Monde. » Héliopolis est l'enjeu d'une lutte entre les partis d'un gouvernement aristocratique et ceux d'un gouvernement démocratique, qui essaie de prendre le pouvoir, mais échoue provisoirement. Ces conflits, dont Jünger sous-entend qu'ils seront éternels, sont d'autant plus violents que les deux partis détiennent chacun une parcelle du pouvoir. Le régent est le maître légitime de l'État. Mais une raison inconnue le tient éloigné de sa ville et le pouvoir effectif est partagé entre le bailli, chef de l'économie, et le proconsul, chef de l'armée (opposition du Sénat et du Tribunat), deux figures abstraites, principes plutôt qu'êtres vivants. Le bailli s'appuie sur la populace et la police, le proconsul sur l'armée et l'intelligentsia. Au milieu de ces forces se situe le personnage central, Lucius de Geer, que ses attitudes et ses instincts aristocratiques détournent de s'engager totalement. Il vient du pays des Castels, où s'enseigne la morale de l'honneur, de l'esprit militaire et de la tradition chevaleresque. Il est attaché par ses fonctions au parti militaire du proconsul et à son Conseil secret. Il occupe également un poste important à l'École de guerre, où le proconsul souhaite voir de Geer seconder ses efforts, mais si de Geer y remplit ses devoirs avec scrupules, il le fait sans formalisme pour avoir décelé la foncière immoralité d'un système en apparence moral. Cependant, Héliopolis est la proie d'obscurs bataillons commandés par un homme affamé de supplices : le Landvogt. Celui-ci, s'il n'exerce pas une incontestable autorité, dispose au moins de l'enthousiasme de la plèbe, de son appui et des pouvoirs politiques qu'il entretient et conserve grâce à d'occultes opérations terroristes, et avec l'aide de son chef de la police, Messer Grande. Le proconsul tente de contrecarrer les projets du Landvogt, et désireux de vulgariser, à l'École de guerre, les qualités propres au chevalier par des conférences de rhétorique, de logique, de théologie, de droit des gens, il charge Lucius de Geer d'en surveiller l'orthodoxie. Celui-ci, sans nier leur utilité, les considère comme néfastes. Pour lui, un chevalier moderne, s'il veut conserver sa valeur, sa préséance, doit demeurer un être en haute tension, un demi-dieu, sollicité par les exigences contradictoires de la liberté et de l'obéissance, de la justice et de la sécurité. Sans jamais trahir son serment envers le proconsul, Lucius en arrive à s'apercevoir que la politique de ce dernier est aussi peu morale que celle du Landvogt. Pour l'un comme pour l'autre, la minorité ethnique et religieuse des Parsis n'est qu'un prétexte à soulever ou réprimer les émeutes dont ils ont besoin afin de tenir en haleine le peuple et les soldats. Ni le Landvogt ni le proconsul ne s'intéressent au destin des Parsis, qui leur permettent simplement de vérifier sur une réalité concrète et cruelle la justesse de leurs calculs. À la suite de l'assassinat de Messer Grande par un étudiant parsi, Lucius se voit obligé de délivrer parmi les prisonniers une jeune Parsie, Boudour Péri, nièce de son relieur, et de la cacher dans le palais du proconsul, où il vit lui-même. « Ce qui l'étonnait en cette femme, c'était un élément d'androgynie — le mélange des dons virils et féminins. Le viril était sa vie spirituelle, légère et dégagée comme l'une de ces aubes que l'on voit avec enthousiasme. Mais il s'y joignait une sorte de divination qui n'est pas donnée aux hommes. On avait l'impression qu'elle pouvait penser de tout son corps, de même que l'on danse de tout son corps. » Boudour Péri initie Lucius aux mystères de la magie orientale, l'aide à atteindre certains domaines innommés et peut-être innommables. Entre-temps, l'action du commando qu'il est appelé à diriger en vue de détruire nuitamment l'Institut de toxicologie, où, par la torture, le Landvogt travaille à l'avancement des sciences, est compromise par ses passions personnelles, et le proconsul l'oblige à se démettre de sa charge. Lucius décide alors d'épouser Boudour Péri et, sur les conseils d'un ermite apiculteur, le père Félix, de se retirer au-delà des Hespérides. Il suit le capitaine que lui envoie le prince et qui s'appelle Pharès. De Geer rompt avec son passé. Il rejette à la fois l'honneur féodal de sa famille, la morale efficace, chère au proconsul, et le terrorisme nihiliste du bailli. Le « pilote bleu », le capitaine Pharès (dont le nom se retourne en Seraph), le messager de la transcendance, répond à la question de Lucius : Y a-t-il encore des points où s'unissent la puissance et l'amour ? « Par le retour au Père. » Lucius part pour des « royaumes où non seulement les différences des nations se dissipent, mais où l'objet visé s'abolit comme une ogive la distance entre les visées », vers le mystérieux

Régent qui prépare l'avènement du second empire mondial dont on pense qu'il sera la renaissance de l'humain. « Dans le lointain disparaissait Héliopolis dont les ombres cernent des formes. Si la logique ou l'éthique, ou même la sagesse pure avaient dessiné ces lignes, leur beauté serait trop rigide. Seuls l'erreur du tisserand, le tremblement de ses mains appellent à la vie les plus profondes des figures, les rendent uniques et incomparables, comme le veut leur nature transitoire. Les villes ne doivent pas être absolues ; il faut qu'elles restent un symbole. L'homme doit se contenter de vouloir l'impérissable ; il est perdu s'il se croit parfait. Il retomberait au niveau de l'animal, du démon, du mage, à l'affreux bien-être de ces zones qui sont exilées du salut pour toute l'éternité. » — Trad. Plon, 1952.

HELLAS. Drame lyrique du poète anglais Percy Bysshe Shelley (1792-1822), écrit en octobre 1821 et dédié au prince Alexandre Mavrocordato qui avait annoncé au poète que la Grèce était décidée à se soulever contre la domination turque. La dédicace est datée du 1er novembre 1821. Shelley, assoiffé de justice et de liberté, ne pouvait rester indifférent devant la révolution hellénique. La nouvelle éveille en lui un mouvement d'enthousiasme ; elle lui inspire une vision lyrique et légendaire dont l'héroïsme des Grecs, durant la première phase de la guerre de l'Indépendance, constitue la toile de fond. C'est d'abord un chœur de femmes grecques prisonnières qui bercent, au rythme de leur chant nostalgique et passionné, le sommeil du sultan Mahmoud. Les invocations isolées de l'esclave indienne, qui veille sur le repos de son maître, alternent avec les différents chœurs. Mais le sultan s'éveille, en proie à des visions funestes ; il sent que la désagrégation de son empire est proche et inévitable : la lune très pâle, qui semble découpée dans le ciel parmi les nuages enflammés du couchant, lui apparaît comme un symbole de la puissance ottomane qui se meurt. Son aide de camp, Hassan, lui suggère de consulter le vieil Ahasvérus, sage qui connaît la clé des songes ; on le fait chercher dans sa lointaine demeure ; en attendant son arrivée, Hassan essaie en vain de rassurer son maître : les Turcs sont très forts au point de vue militaire, et ils ont l'appui des tyrans d'Europe. Unis sous un seul Dieu, un seul roi et une loi unique, ils pourront facilement dompter la révolte qui commence à s'éteindre dans le sang ; déjà l'armée grecque a subi une grave défaite. Mahmoud est cependant épouvanté par le prix élevé auquel a été obtenue la victoire ; par trois fois, les Grecs encerclés se sont élancés contre leurs ennemis avec une force formidable ; décimés par le feu de l'artillerie, ils ont préféré mourir plutôt que de se rendre. Mais si les Grecs ont été battus sur terre, sur mer, en revanche la flotte turque a subi des pertes terribles et a dû se replier. Les sombres pressentiments du sultan sont confirmés par les nouvelles qu'apportent les messagers, nouvelles de révoltes, de prodiges et de prophéties. Mais voici Ahasvérus : il ne pourra interpréter les songes comme l'espérait Mahmoud, car le monde variable des choses n'a ni importance ni vie réelle ; le passé et le futur ne sont que les vaines ombres de la fuite éternelle de la pensée. Cependant Mahmoud veut connaître l'avenir, rien n'est plus facile, car déjà dans le passé le futur se dessine. Impressionné par les paroles d'Ahasvérus, Mahmoud a une vision. La scène terrifiante de la chute de Byzance lui apparaît, et l'ombre de Mahomet II lui prédit l'écroulement de son empire, qui est inévitable dans le déroulement fatal des événements. Le drame se termine par un chœur qui, peu à peu, s'élève d'un triste gémissement à la vision sereine d'une nouvelle Hellade plus brillante que l'ancienne.

Dans le triomphe de la cause grecque, Shelley voit le triomphe de la civilisation et de la perfection idéale. La préface a une grande valeur historique et révèle l'intuition de Shelley à propos de l'une des questions politiques les plus graves de l'époque. Le poème comprend des passages d'une grande beauté lyrique. Il se termine par les rythmes pathétiques du chœur : « Une grande ère nouvelle naît pour le monde » [The World's great age begins anew]. Quant à l'action dramatique, elle n'atteint pas l'intensité des chœurs magnifiques et du Prologue ; le début merveilleux de l'œuvre se présente comme l'ébauche d'un drame de proportions plus vastes, fugitivement entrevu par le poète. Le mouvement des chœurs, qui furent par la suite mis en musique par William Christian Selle, marque le plus haut point de l'invention rythmique de Shelley. Le vers est le « blank verse » (pentamètres ïambiques non rimés), celui de Shakespeare et de Milton, à l'exception des chœurs, où des rythmes divers se lient dans une harmonie merveilleuse. — Trad. Hachette, 1906.

HELLÉNIQUES (Les) [Ἑλληνικά]. Œuvre historique de l'écrivain grec Xénophon l'Athénien (426 ?-355 ? av. J.-C.), divisée par les grammairiens en sept livres. Cette œuvre relate l'histoire de la Grèce, à partir du moment où Thucydide avait laissé son œuvre inachevée (c'est-à-dire à partir des événements qui ont immédiatement précédé le rappel d'Alcibiade). Cette narration se poursuit jusqu'à la victoire de Mantinée, portant ainsi sur une période de cinquante ans environ, de 411 à 362 av. J.-C. Des différences intrinsèques et de forme divisent nettement *Les Helléniques* en trois parties distinctes. La première, qui comprend les événements de 411 à 403 (année de la restauration démocratique de Thrasybule à Athènes) et arrive jusqu'à la fin du second livre, montre clairement l'influence de Thucydide, tant par l'ordre et la relative impartialité de la narration que par son style, plutôt compassé. La deuxième, composée après *L'Anabase* (*) et qui comprend le troisième et le quatrième livre, arrive jusqu'à la paix négociée par Antalcidas ; cette partie a tout à fait le caractère propre à Xénophon (style anecdotique et morcelé de la narration). La troisième partie, allant du cinquième livre à la fin, ne fut probablement pas écrite par l'auteur lui-même ; elle se présente sous l'aspect d'un recueil de matériaux incomplets et assez partiaux (par exemple, l'auteur évite tout ce qui aurait pu déshonorer Sparte), plutôt que sous celui d'une histoire proprement dite. Variée dans ses différentes parties, cette œuvre ne se prête pas à un jugement d'ensemble : c'est pourquoi elle fut peut-être si différemment interprétée par les critiques anciens et modernes qui se sont toujours efforcés de chercher dans cette œuvre un lien idéal, qui y manque en réalité. Comme historien, Xénophon révèle dans *Les Helléniques,* plus que dans ses autres ouvrages, la gravité de ses défauts. Ainsi ne voit-il pas l'enchaînement logique des événements ; en outre, sa partialité pour Sparte et pour Agésilas arrive à lui faire fausser des faits historiques, notamment dans la dernière partie de son œuvre. De plus, tandis que, dans bien des endroits du livre, sa documentation se révèle insuffisante, par ailleurs il se perd dans une narration prolixe d'épisodes secondaires. Il interrompt parfois sa narration par de longues digressions où il porte, en partant d'un point de vue moral assez personnel, des jugements sur des hommes ou des faits particuliers, mais jamais sur les événements dans leur ensemble. Xénophon apparaît meilleur comme narrateur, et à ce point de vue, surtout dans la deuxième partie, on peut rapprocher *Les Helléniques* de *L'Anabase* pour la vivacité et le sens dramatique avec lesquels l'auteur narre certains faits comme l'arrestation de Théramène en plein conseil, la découverte de la conjuration de Cynédone, la rencontre de Pharnabaze et Agésilas. Presque sans s'en apercevoir, il introduit dans la narration – qui devrait être impartiale et impersonnelle – des considérations morales et religieuses, des jugements dictés par ses sympathies aristocratiques, ainsi que des considérations techniques, suggérées par son expérience militaire. En tout cas, dans leur ensemble, malgré leurs qualités et leurs défauts, *Les Helléniques* forment un précieux document littéraire et constituent ce que l'historiographie grecque nous a donné de mieux après la grande période représentée par Hérodote et Thucydide. – Trad. Les Belles Lettres, 1936-39.

HELLÉNIQUES D'OXYRHYNQUE (Les). Toute trace de cet ouvrage avait été perdue lorsqu'en 1906, dans les ruines d'une ville d'Égypte appelée Oxyrhynque, fut découverte une série de fragments de papyrus grecs contenant les restes d'un traité historique. À ce même traité appartiennent encore deux autres petites séries de fragments, l'une trouvée aussi à Oxyrhynque en 1934 et publiée en 1949, et l'autre découverte dans la collection des Musées du Caire et publiée en 1976. Le traité prend la suite du récit de Thucydide – v. *Histoire de la guerre du Péloponnèse* (*) –, lequel s'était arrêté en 411, en pleine guerre du Péloponnèse. Xénophon avait aussi continué le récit de Thucydide, dans son ouvrage intitulé *Les Helléniques* (*), composé au IVe siècle av. J.-C. C'est la raison pour laquelle on a donné ce même titre aux nouveaux fragments, dont le titre est perdu. Comme chez Thucydide, le récit des *Helléniques d'Oxyrhynque* est divisé par demi-années : la période où se déroulent les hostilités et la mauvaise saison. La période couverte par *Les Helléniques d'Oxyrhynque* est aussi décrite par Diodore de Sicile, un historien du Ier siècle av. J.-C. On ne connaît pas avec certitude l'auteur des *Helléniques d'Oxyrhynque.* Cependant, Diodore de Sicile nous apprend que l'historien Théopompe, dont l'œuvre ne nous est pas conservée, a lui aussi continué le récit de Thucydide depuis l'endroit où il s'était arrêté. Le nom d'un autre historien, Cratippos, a aussi été suggéré comme l'auteur des *Helléniques d'Oxyrhynque,* sans remporter une large adhésion. Il n'est pas exclu que le nom de l'auteur n'ait tout simplement été transmis par aucune autre source antique jusqu'à nos jours.

Les fragments conservés racontent d'abord l'expédition des Athéniens contre Éphèse, sous le commandement de Thrasylle, en 409 av. J.-C. La série suivante de fragments raconte, toujours en 409, la bataille entre les Athéniens et les Mégariens, sur le territoire de Mégare. Les récits de Xénophon et de Diodore de Sicile nous sont conservés pour ce passage, et l'on peut constater que, là où le récit de Diodore se démarque de Xénophon, il se rattache assez fidèlement aux *Helléniques d'Oxyrhynque.* Il est donc fort probable que ces dernières ont servi de source indirecte à Diodore. Cependant, dans d'autres cas, le récit des *Helléniques d'Oxyrhynque* se distingue tant de Diodore que de Xénophon. Le lot le plus important de fragments concerne la période de 396 à 394. Il décrit les opérations menées par les Athéniens et les Spartiates, d'abord sur les côtes d'Asie Mineure, puis en Béotie et en Phocide, et enfin de nouveau en Asie Mineure. L'auteur décrit une révolte à Rhodes, révolte qui ne nous a été rapportée par aucune autre source. Il faut également relever une très intéressante description de la constitution des Béotiens, lesquels vivaient sous un gouvernement oligarchique. Au niveau du style, les commentateurs modernes s'accordent pour reconnaître à l'auteur des *Helléniques d'Oxyrhynque* des capacités relativement modestes. On ne peut certainement pas le comparer à son prédécesseur Thucydide. Contrairement à l'œuvre de ce dernier, *Les Helléniques d'Oxyrhynque* ne nous livrent aucun discours, procédé d'exposition et d'analyse cher à Thucydide. Il n'est cependant pas exclu que des discours aient figuré dans des parties de l'œuvre aujourd'hui perdues. – Trad. : Il n'existe pas de traduction française des *Helléniques d'Oxyrhynque*. On se reportera au besoin à la traduction anglaise de P. R. McKechnie et S. J. Kern, Warminster, 1988 ; cette traduction est accompagnée d'un commentaire. P. Sch.

HELLICONIA. Roman de l'écrivain anglais Brian Aldiss (né en 1925), composé de trois volets, *Le Printemps d'Helliconia* [*Helliconia Spring*, 1982], *Helliconia l'été* [*Helliconia Summer*, 1983], *L'Hiver d'Helliconia* [*Helliconia Winter*, 1985]. L'auteur décrit de façon encyclopédique une planète située à mille années-lumière de la Terre, avec sa faune, sa flore et surtout son climat excentrique qui régit entièrement l'histoire de deux espèces rivales, des quasi-humains et des phagors, sortes de bovins évolués. Helliconia tourne autour de deux soleils. Son orbite autour de Batalix dure une petite année de quatre cent quatre-vingts jours. Mais elle accompagne Batalix autour de Freyr, une étoile géante, en mille huit cent vingt-cinq petites années. Cette grande orbite est très elliptique, si bien qu'Helliconia connaît un hiver de plus de cinq cents ans, un été torride aussi long et, entre les deux, un bref printemps. L'hiver assure le règne des phagors mais l'été est le temps des humains. Ces saisons sont si longues et éprouvantes que les deux espèces n'en conservent de souvenir que dans leurs légendes. Leurs sociétés s'adaptent sans prendre conscience des rouages cosmiques qui les meuvent. Sur des générations dans *Le Printemps*, quelques mois dans *L'Été*, une vie humaine dans *L'Hiver*, Aldiss anime, au travers de dizaines de personnages, des collectivités entières dans une épopée sceptique, qui est aussi une construction écologique, scientifique, minutieuse. – Trad. Robert Laffont, 1984, 1986, 1988. G. K.

HELMBRECHT LE FERMIER [*Meier Helmbrecht*]. Nouvelle célèbre en mille neuf cent trente-quatre vers, écrite en allemand médiéval aux environs de la seconde moitié du XIIIe siècle, probablement entre 1270 et 1282. L'auteur dévoile son nom au dernier vers : Wernher der Gartenaere (Wernher le jardinier). On peut supposer que c'était un jongleur d'origine bavaroise. L'œuvre est considérée comme la première du genre, parmi les nouvelles paysannes allemandes, écrite en vers. Le meilleur manuscrit est celui du château d'Ambras (autrefois à Vienne). Les paysages décrits rappellent les montagnes et les bois de la vallée de l'Inn. Helmbrecht est un fils de villageois, mais il se laisse éblouir par le prestige de la chevalerie à tel point qu'il est possédé par le désir de devenir lui-même chevalier. Passant outre aux sages avertissements de sa famille, il déserte sa maison pour aller à la recherche des aventures et de la gloire. Après quelque temps, il revient au village, s'enorgueillissant d'appartenir à une troupe de chevaliers, avec lesquels, raconte-t-il, il a accompli nombre d'exploits et de hauts faits. Mais on découvre que la troupe de chevaliers à laquelle il se vante d'appartenir n'est autre qu'une bande de brigands. C'est en vain que ses parents lui adressent des remontrances. Non seulement le jeune étourdi rejoint ses compagnons, mais il persuade sa sœur Gosalind de se sauver avec lui, et il la donne pour compagne à son ami Lembelind. Mais les réjouissances dont s'accompagne la célébration des noces sont interrompues par l'arrivée des gendarmes. Neuf bandits sont arrêtés et pendus. Helmbrecht est remis en liberté, mais après qu'on l'a rendu aveugle et qu'on lui a coupé une main et un pied. Aussi son père le chasse lorsqu'il se présente à lui. À un carrefour, il se sépare de Gosalind, plein de repentir et de douleur. Pour finir, il rencontre dans le bois où ils avaient été détroussés par les brigands les villageois qui le pendent. Cette nouvelle tire toute sa valeur de l'esprit d'observation, de l'humour savoureux, du réalisme et des qualités dramatiques dont elle est imprégnée. En outre, elle contient une documentation intéressante sur l'état de la chevalerie dans la seconde moitié du XIIIe siècle et sur les coutumes en vigueur à la campagne. L'idéal de la chevalerie y semble gravement compromis, mêlé à des calculs ambitieux, tandis qu'éclate au grand jour la folie des entreprises auxquelles se livraient les classes inférieures de la société, qui tentaient de s'égaler à la noblesse et osaient revendiquer leur part d'une gloire dont elles étaient alors frustrées. – Trad. Aubier, 1938.

HÉLOÏSE ET ABÉLARD. Pièce de l'écrivain français Roger Vailland (1907-1965), représentée en 1947. L'histoire est connue, mais chacun a sa façon de broder sur un canevas donné, en mettant l'accent sur ce qui l'intéresse. Abélard était un intellectuel progressiste. Sous couvert de théologie, c'était surtout l'art de raisonner qu'il enseignait à ses élèves. Très brillant, il en attirait beaucoup, de sorte que son prestige ne cessait de croître. On murmurait déjà qu'il serait pape un jour. Cela déchaînait bien des jalousies et ne faisait pas l'affaire des conservateurs de l'époque. En le mutilant de la manière que l'on sait, Fulbert le neutralisa, et Roger Vailland a raison de souligner que son acte eut une grande portée politique. Il ne néglige pas, pour autant, les motifs d'ordre privé qui l'inspirèrent, et nous donne de l'abbé un vigoureux portrait. Nature mauvaise, ce dernier voit le péché partout et, tant qu'elle est en son pouvoir, traite durement sa nièce. Faute d'envergure, il a dû, pour réussir socialement, calculer, dissimuler, s'imposer de multiples sacrifices et supporter toutes sortes d'humiliations. Aussi n'admet-il pas que d'autres puissent, aisément et comme en se jouant, trouver le bonheur. À elle seule, cette raison le conduirait à vouloir la perte des amants. L'exceptionnelle notoriété de celui qui a séduit sa pupille ayant en outre rendu son ridicule exceptionnellement public, il préfère la vengeance à l'évêché que lui offrent les partisans d'Abélard. Parmi ces derniers figure le fils du roi qui, s'il est puissant, est malheureusement frivole. S'attachant à analyser ce personnage, Vailland explique sa conduite par sa position privilégiée. Non seulement il n'a rien à briguer mais aucune responsabilité ne pèse sur ses épaules. L'idée mérite d'être retenue, mais on souhaiterait que l'homme ait plus de relief : tel que ce prince est présenté, il demeure une abstraction. Insuffisance du même genre en ce qui concerne Héloïse et, surtout, Abélard. Ils sont nettement silhouettés, elle, sensuelle et ambitieuse, lui, intelligent et simple. Mais si le trait est précis, la pâte manque un peu. Vailland n'était pas Brecht. Son texte illustre solidement ce qu'il voulait illustrer, mais il demeure un peu froid. On a de lui deux autres pièces : *Le colonel Foster plaidera coupable* (1951), drame engagé qui plaide contre la guerre de Corée, et *Monsieur Jean* (1957), nouvelle version de *Don Juan* (*). Vailland a par ailleurs écrit un essai sur le théâtre : *Expérience du drame* (1953).

HENNO. Comédie représentée pour la première fois en 1497 par l'humaniste allemand Johannes Reuchlin (1455-1522) et qui adopte, sinon la forme proprement dite du théâtre de Térence, du moins celle des motifs connus de la farce dramatique vers la fin du Moyen Âge allemand. Comme bien souvent – v. *Farces de carnaval* (*) –, ici aussi sont mis en scène un paysan benêt, Henno, et son épouse avare. Il lui soustrait huit florins et les donne à son domestique Dromo, pour que celui-ci lui achète en ville de l'étoffe pour un vêtement neuf. La femme s'aperçoit de ce larcin ; elle recourt à l'aide de l'astronome Alcabicius, qui lui révèle que le voleur est son mari. Entre-temps, le malin Dromo a acheté l'étoffe, mais ne l'a pas payée. Dénoncé par le marchand, Dromo, sur le conseil d'un avocat, feint pendant le procès d'être sourd-muet et, à toutes les questions du juge, répond en bêlant « ble » – imitation de la *Farce de maître Pathelin* (*) que Reuchlin avait connue durant un séjour en France ; aussi le juge l'absout-il. Le comble de l'escroquerie est quand l'avocat lui demande ses honoraires et que Dromo lui répond « ble », le laissant tout penaud. Après ces hauts faits, il s'en retourne au village chez son maître Henno qui, aussi émerveillé que sa femme de l'astuce de son serviteur, lui donne sa fille en mariage et lui octroie même les huit florins... comme seule dot. Cette comédie est de construction classique ; elle a cinq actes dont chacun comprend deux scènes, elle se termine par un chœur, qui est comme un intermède musical et qui représente une nouveauté dans le théâtre comique allemand. Elle est considérée comme l'œuvre principale de la « comédie d'école » [Schulkomödie] latine et humaniste en Allemagne. Hans Sachs en reprit et remania le sujet en 1531 ; Christian Weise l'utilisa pour sa comédie *Le Trompeur trompé* [*Der betrogene Betrüger*] en 1659, et J. Christoph Gottsched lui donna une place dans son *Matériel nécessaire à l'histoire de l'art dramatique allemand* [*Nötiger Vorrat zur Geschichte der deutschen dramatischen Dichtkunst*], qui est le plus grand recueil théâtral du siècle de l'« Aufklärung ».

HENRI III ET SA COUR. Drame en cinq actes et en prose de l'écrivain français Alexandre Dumas père (1802-1870), joué à la Comédie-Française le 11 février 1829. Cet ouvrage, dont l'action est rapide, met en scène la politique difficultueuse du roi, les ténébreux complots qui l'opposent à sa mère, Marie de Médicis, et à ce parti qui avait alors à sa tête le tout-puissant et ambitieux duc de Guise. Les divers épisodes se nouent autour d'une simple intrigue sentimentale : les amours de Catherine de Clèves, duchesse de Guise, et du comte de Saint-Mégrin, favori du roi. Le duc, ayant découvert cette trahison, oblige sa femme à fixer un rendez-vous au comte de Saint-Mégrin afin de le faire assassiner par ses coupe-jarrets. Pendant que le duc savoure, avec une féroce cruauté, le désespoir de sa femme qui, mise au courant de ce projet, se trouve pourtant impuissante à le faire échouer, la duchesse est obligée de surmonter sa douleur afin que la Cour ignore ce scandale. Ce drame révèle pour la première fois l'exceptionnelle maîtrise de celui qui devait s'imposer, en France, comme le véritable triomphateur du nouvel art théâtral pendant plus d'un quart de siècle. Il tire surtout son importance de l'époque où il a été écrit. Deux ans après la fameuse préface de *Cromwell* (*), et un an avant *Hernani* (*), Dumas, utilisant de vieilles chroniques et des Mémoires parfois peu véridiques (surtout ceux d'Anquetil), mais que son sens légendaire du romanesque savait merveilleusement exploiter, offrait aux spectateurs ce « drame historique » nourri de passions violentes et plein de « couleur locale » qu'attendaient tous les novateurs. Bien plus, grâce à un instinct scénique très sûr et à une langue facile, il obtint ce succès populaire que Victor Hugo, pourtant véritable chef de file du théâtre romantique, n'obtiendra jamais.

HENRI IV [*Enrico IV*]. Tragédie en trois actes de l'écrivain italien Luigi Pirandello (1867-1936), jouée à Milan pour la première fois en 1922. De quelque point de vue qu'on la considère, elle atteste chez l'auteur un pouvoir de création tout à fait extraordinaire. En homme qui sait à quoi s'en tenir sur la vanité de nos connaissances, parce qu'il excelle à sonder le cœur humain, Pirandello y traite un sujet qui ne laissa jamais de le fasciner : l'aliénation mentale. Voici la donnée de l'ouvrage : prenant part à une cavalcade, sous le costume d'Henri IV empereur d'Allemagne, un jeune homme est désarçonné, donne de la tête contre le sol et perd la raison. De ce jour, il croit être vraiment Henri IV. Cette idée fixe est pieusement entretenue par ses parents et amis : on transforme sa demeure en palais royal et on l'entoure de serviteurs déguisés en courtisans. Dans cette cour tout illusoire, Henri IV (l'auteur ne nous donnant pas le nom que portait jadis son personnage, celui-ci est et restera Henri IV) vivra pendant quelque douze ans, jusqu'à ce qu'il recouvre la raison. Il se retrouve alors ayant atteint l'âge mûr, sans rien savoir de sa jeunesse et désormais seul. Mathilde Spina, la jeune marquise qui l'accompagnait le soir de la cavalcade, est devenue la maîtresse de Belcredi, celui-là même qui provoqua l'accident pour se débarrasser de lui. Bien qu'il soit parfaitement lucide, Henri IV a décidé de n'en rien laisser paraître afin d'observer de l'intérieur cette vie qu'il lui est interdit de vivre. C'est alors que le drame commence : Mathilde, belle, mais désormais grisonnante, sa fille Frida, Belcredi et un médecin, qui se propose de guérir le supposé fou, arrivent au château (Mathilde vêtue en comtesse Mathilde de Toscane). Entrevue dramatique à souhait : Henri IV s'amuse à les troubler par son jeu énigmatique. Il tient à Mathilde des propos allusifs qui, en la serrant de près, lui laissent pourtant supposer qu'il est loin de l'avoir reconnue. Le médecin considère tout du seul point de vue scientifique, ne doute pas de cette folie ; mais il ne laisse pas de croire que certaine expérience suffirait à rendre la raison à Henri IV. À cet effet, il ménage une entrevue entre Henri IV, la marquise Mathilde et sa fille Frida, vêtues toutes deux en comtesse Mathilde de Toscane. Il fait passer Frida pour cette comtesse qui chevauchait à ses côtés au cours de la tragique soirée. Il espère qu'en replongeant l'esprit de son malade à ce moment terrible il lui permettra de renaître « comme une horloge qui se serait arrêtée à une certaine heure et qui se remettrait à compter le temps ». Mais, pendant que l'on active les préparatifs, Henri jette le masque. Il avoue à ses serviteurs que, bouleversé par la vue de son rival, il a recouvré la raison. C'est dire que la mascarade touche à sa fin. Mais voici Frida, vêtue en comtesse Mathilde. Elle a pris la place du portrait de cette dernière. Dès qu'Henri l'aperçoit, il est pris d'une terreur folle. Il a l'impression d'être encore fou et de revoir mille fantômes. C'est alors que les autres surviennent. Instruits par les serviteurs de la guérison d'Henri, ils se disposent à emmener ce dernier avec eux. Mais désormais quel sens peut bien avoir sa vie ? La seule chance qui lui reste est donnée par Frida ou, mieux, par la personne dont elle est le symbole. Henri IV se garde bien de faillir à l'invite. Mais ce geste, hélas, le perdra : comme il veut embrasser Frida, et que Belcredi l'en empêche, il frappe mortellement ce dernier de son épée. Désormais, il sera contraint de s'installer à tout jamais dans sa prétendue folie, laquelle sera tout à la fois sa punition et sa véritable libération. Telle est la donnée de cette tragédie. On voit qu'elle marque une grande originalité. Ce fou véritable qui, s'étant guéri, trouve le moyen de renouer avec sa folie au moyen de la simulation, parce que le monde l'ennuie, ne laisse pas d'éprouver un sentiment de volupté extraordinaire. En effet, alors que son entourage est soumis aux vicissitudes qu'implique la notion du temps, il se soustrait, lui, tout entier à ce misérable destin. Sous le costume d'Henri IV, il incarne par excellence ce qui, de soi, est immuable, vu que le personnage en question ne relève plus que du passé. Par là même, il s'installe dans l'Histoire et ne craint plus personne.

L'exécution est en tout point à la hauteur de la conception. La tragédie d'*Henri IV* ne relève en rien, en effet, de ce genre faux qu'on appelle la « pièce à thèse ». Chez Pirandello, l'artiste ne se laisse jamais supplanter par le philosophe. Sensible à la vie dans ses formes les plus diverses, il sait admirablement vivifier ses méditations ; si bien que la fiction la plus folle arrive tôt ou tard à se confondre avec la réalité. Cela, c'est justement le signe du génie. Il semble que, dans *Henri IV*, Pirandello ait franchi les bornes de son art pour atteindre au comble de la tension intérieure et accéder à l'Éternel. Dans la lumineuse atmosphère que peuplent mille formes fugitives et contradictoires, le héros lutte sans relâche contre ses propres fantômes. Par-dessus les vains propos de son entourage, il poursuit sans la moindre faille son monologue intérieur. Est-il besoin de le dire ? Ce monologue est le suc même de la tragédie. Et pour cause : il porte uniquement sur la notion de la personne humaine. D'un admirable pathétique, il nous envoûte du commencement jusqu'à la fin. Sans vouloir préjuger de l'avenir, il semble bien que la tragédie d'*Henri IV* doive être considérée un jour comme le chef-d'œuvre de l'auteur. – Trad. Gallimard, 1925, et dans la Pléiade, t. I, 1977.

HENRI IV [*Henry IV*]. Drame historique en deux parties en vers et en prose (chaque partie comprenant cinq actes) du poète dramatique anglais William Shakespeare (1564-1616). Les deux parties ont été représentées en 1597-1598 et publiées respectivement en 1598 et en 1600. Le drame tire son sujet des *Chroniques* de Holinshed ; ses éléments comiques, Oldcastle et Falstaff, sont tirés d'un drame antérieur, *Les Fameuses Victoires d'Henri V* [*The Famous Victories of Henry the Fifth*]. Le sujet de la première partie est la révolte des Percy, secourus par Mortimer et

Glendower, contre le roi Henri IV et la défaite que leur infligent le roi et le prince de Galles à Shrewsbury (1403). Le prince de Galles s'associe à Oldcastle (dont le nom fut ensuite remplacé par celui de Falstaff) et à ses compagnons Poins, Bardolph et Peto, et partage leur vie de débauche. Poins et le prince inventent un tour de leur façon : Falstaff et ses compagnons attaqueront et détrousseront quelques voyageurs à Gadshill ; après quoi, ils seront eux-mêmes à leur tour détroussés. Pour justifier la perte du butin, Falstaff prétend qu'il a été assailli par cent gredins, puis il est obligé de réduire de plus en plus le nombre des agresseurs, jusqu'au moment où le prince lui révèle ce qui s'est passé ; Falstaff avoue alors qu'il n'a pas réagi car comment aurait-il pu se retourner contre son prince et mettre sa vie en danger ? La partie dramatique tire ses effets du contraste entre deux jeunes héros, le prince Henry Percy, comte de Northumberland, et Percy Hotspur. Henri est paré des qualités les plus séduisantes ; ses extravagances les plus folles ne semblent que des traits malicieux dans lesquels explose son esprit pétulant, contraint malgré lui à l'oisiveté, jusqu'au moment où l'occasion d'agir se présente. Il déploie alors toute sa fougue chevaleresque. La valeur de Hotspur est au contraire obscurcie par la brutalité, l'orgueil et l'obstination puérile ; mais son ardeur impétueuse rachète ses défauts. Il tombe à la bataille de Shrewsbury. Falstaff, vrai « miles gloriosus », trouve son corps sur le terrain et se vante de l'avoir tué. La deuxième partie a pour sujet la révolte de l'archevêque Scroop, de lord Mowbray et de Hastings, tandis que dans la partie comique se succèdent les épisodes burlesques qui ont pour héros Falstaff, le prince, le fanfaron Pistol, Poins, Mme Vabontrain (Mrs. Quickly), ou « Dodolla gigoteuse » [Doll Tearsheet]. Chargé de réprimer la révolte, Falstaff rencontre, pendant le recrutement, les juges Shallow et Silence, les prend pour cibles, et extorque mille livres sterling au premier. (Dans le personnage caricatural de Shallow, on a voulu reconnaître sir Thomas Lucy, avec lequel Shakespeare avait eu maille à partir pour avoir volé, alors qu'il était jeune homme, un daim dans sa propriété.) À la mort d'Henri IV, Falstaff pense que l'accession au trône du prince fera sa propre fortune ; mais le nouveau roi le fait emprisonner. Tandis que la partie héroïque du drame languit après la mort de Hotspur, la partie comique (les agissements de Falstaff et de ses compagnons jusqu'au moment où Henri V renie les compagnons des aventures de sa jeunesse) garde jusqu'au bout toute sa vie et constitue le chef-d'œuvre comique de Shakespeare, de beaucoup supérieur aux *Joyeuses commères de Windsor* (*) à cause du brio des trouvailles et du caractère rabelaisien du langage. – Trad. Yves Bonnefoy (1re partie) et Henri Thomas (2e partie) ; Formes et Reflets, 1954-1961.

HENRI V [*Henry V*]. Le dernier de la série des drames historiques du poète dramatique anglais William Shakespeare (1564-1616), représenté en 1600, publié sous une forme imparfaite en 1600 et dans la rédaction correcte en 1623. *Henri V* est un drame en cinq actes en prose et en vers. Ses sources sont les *Chroniques d'Angleterre* d'Holinshed et la dernière partie des *Fameuses victoires d'Henri V*, pièce anonyme. Au cours de l'acte V, on trouve l'unique allusion directe de Shakespeare à des événements de son temps (l'expédition d'Essex en Irlande, 27 mars-28 septembre 1599). Il est clair qu'Henri V est le héros favori de Shakespeare. Celui-ci l'orne de toutes les vertus royales et chevaleresques, le montre courageux, sincère, courtois et, au milieu de ses gestes héroïques, toujours enclin à quelque malice innocente qui rappelle sa jeunesse agitée de prince de Galles, en compagnie de Falstaff – v. *Henri IV* (*). Le seul événement mémorable de la vie de ce roi fut l'invasion de la France ; mais la guerre, comme l'a observé justement Schlegel, constitue plutôt une matière d'épopée que de drame. Pour faire ressortir l'élément dramatique, il ne restait plus à Shakespeare qu'à montrer les dessous moraux et psychologiques de l'entreprise. Il oppose la légèreté impatiente des chevaliers français, qui déjà se considèrent comme des vainqueurs avant même la bataille d'Azincourt (1415), à l'attitude pleine de fermeté et de dignité du roi d'Angleterre et de son armée. En effet, réduits à toute extrémité, les Anglais décident de mourir honorablement. C'est ainsi qu'en opposant avec une partialité manifeste le caractère des deux nations Shakespeare obtient un effet dramatique destiné à enthousiasmer le public anglais ; les épisodes comiques tendent également à un but patriotique, en montrant, sous les drapeaux d'Henri, un Écossais lent et circonspect, un ardent Irlandais, un Gallois pédant, mais pointilleux sur l'honneur ; tous ces hommes parlent en déformant l'Anglais selon les particularités de leurs dialectes respectifs. Les prologues lyriques (appelés « chœurs ») placés en tête de chaque acte – notamment celui qui décrit l'aspect des deux camps avant la bataille – servent à stimuler la fantaisie des spectateurs. Tout l'intérêt du drame se concentre dans l'épisode guerrier ; tous les autres épisodes en sont la préparation (triomphe sur les obstacles qui s'opposent à la carrière d'Henri V ; arrestation de lord Scroop, de sir Thomas Grey et du comte de Cambridge pour trahison) ou les conséquences (pour consolider ses conquêtes en France, Henri décide d'épouser une princesse française et fait la cour à Catherine, fille du roi fou Charles VI et d'Isabeau de Bavière : l'épisode est teinté d'ironie, car le fruit du mariage fut le faible Henri VI, sous lequel les affaires publiques allèrent à la ruine). Parmi les épisodes comiques, il faut rappeler celui où Pistol, le fanfaron, est obligé par Fluellen, le coléreux Gallois, à manger un poireau (emblème gallois) — d'où l'expression proverbiale, « to eat the leak », encaisser un affront (acte V). La mort de Falstaff est racontée par Mme Quickly. *Henri V* est un drame qui ne s'apparente à aucune autre production de Shakespeare : épopée nationale plutôt que drame et dont la beauté tient avant tout à la splendeur de la langue. — Trad. Formes et Reflets, 1954-1961.

HENRI VI [*Henry VI*]. Drame historique en trois parties dont chacune comporte cinq actes, en vers et en prose, du poète dramatique anglais William Shakespeare (1564-1616), écrit entre 1590 et 1592. La deuxième partie fut publiée (sans nom d'auteur) en 1594 sous le titre : *Première phase de la lutte entre les deux célèbres maisons d'York et de Lancaster* [*The first part of the Contention betwixt the two famous Houses of Yorke and Lancaster*] ; la troisième partie parut, en 1595, sous le titre : *La vraie tragédie de Richard duc d'York, et la mort du bon roi Henri VI* [*The true Tragedie of Richard Duke of Yorke, and the Death of good King Henrie the Sixth*]. La deuxième et la troisième partie, dont le texte était quelque peu changé, furent publiées en 1623, avec la première partie (premier in-folio des Œuvres de Shakespeare). Le drame se fonde principalement sur la *Chronique* de Holinshed (1577), mais il se peut que Halle, Fabyan, Grafton et Stowe aient été également consultés. La première partie traite des guerres de France durant les premières années d'Henri VI, de la libération d'Orléans par les Français et de la retraite des Anglais, refoulés de la majeure partie de leurs possessions en France. Les Français sont conduits par Jeanne d'Arc qui, vue par les yeux des troupes anglaises, tient à la fois de la sorcière et de la fille de joie. Le héros anglais que l'auteur lui oppose est Talbot, lequel éclipse tous les autres capitaines jusqu'au moment où il meurt près de Bordeaux. Les événements qui se déroulent en Angleterre sont : les dissensions entre nobles, le début de la lutte entre York et Lancaster. La deuxième partie met en question le mariage d'Henri avec Marguerite d'Anjou, les intrigues des partisans de York, et d'autres événements historiques, parmi lesquels la révolte de Jack Cade, jusqu'à la bataille de Saint-Albans (1455) et à la mort de Somerset. La troisième partie relate les événements qui vont de l'abdication d'Henri en faveur du duc d'York et de la révolte de la reine Marguerite (qui n'accepte point que son fils soit dépossédé de ses droits) jusqu'à la bataille de Tewkesbury en 1471. Henri VI est assassiné par Richard duc de Gloucester (le futur Richard III), dont la personnalité est déjà fortement esquissée.

Œuvre de jeunesse, *Henri VI* ne diffère pas beaucoup des drames des auteurs contemporains ; aussi les détracteurs de Shakespeare ont-ils voulu y découvrir tantôt la main de Marlowe, tantôt celle de Kyd, de Peele, de Greene, de Lodge ou de Nashe, outre celle de Shakespeare, lequel aurait seulement révisé une œuvre déjà existante. Sans que nous puissions exclure cette possibilité, nous devons cependant tenir compte du fait que le style d'un débutant rappelle toujours des tournures et des phrases d'autrui. L'on y trouve également par-ci par-là les procédés rhétoriques qui constituent un trait caractéristique de *Richard III*. Les personnages (qui sont très nombreux) sont déjà dessinés et certaines scènes ont une grande résonance : comme, dans la seconde partie, celle où le roi rend visite au vieux cardinal tourmenté de remords, courte scène que Schlegel a jugée sublime. Dans l'épisode de la révolte de Cade, le mélange de terreur et de grotesque qui se dégage de l'anarchique ivresse de la foule est bien dépeint. — Trad. Formes et Reflets, 1954-1961.

HENRI VIII [*Henry VIII*]. Drame historique, en cinq actes, en vers et en prose, du poète dramatique anglais William Shakespeare (1564-1616), écrit en 1612-1613 en collaboration avec John Fletcher (1579-1625), et publié en 1623. Durant une représentation de ce drame en 1613, le théâtre du Globe prit feu, à cause d'un coup de canon à la fin du premier acte. Comme l'a fait observer Schlegel, le règne d'Henri VIII se prêtait mal à la forme dramatique, et pour l'y adapter il fallait se résoudre à la répétition de scènes semblables : femmes répudiées et traînées à l'échafaud, favoris tombés en disgrâce et condamnés à mort. En outre, en représentant le caractère tyrannique et voluptueux du roi, l'auteur ne pouvait créer un personnage complètement odieux, car ce roi était le père d'Élisabeth de glorieuse mémoire. L'héroïne du drame est en réalité Catherine d'Aragon, dont la dignité et la résignation, la douce et ferme résistance lors de l'affaire du divorce, sont faites pour émouvoir les spectateurs. Les autres épisodes saillants de la vie d'Henri VIII sont passés en revue : la mise en accusation et l'exécution du duc de Buckingham ; l'orgueil et la chute du cardinal Wolsey, sa mort ; le couronnement d'Anne Boleyn ; le triomphe de Cranmer sur ses ennemis. Le point sur lequel s'arrête l'action ne représente pas un moment remarquable dans l'histoire, mais il veut être une apothéose d'Élisabeth, en peignant l'universelle joie que cause sa naissance. Le style du drame porte plus les marques caractéristiques de Fletcher que celles de Shakespeare ; et, à part la réussite de certaines scènes pathétiques, on ne peut dire qu'il y ait des qualités particulières. C'est aussi un curieux retour de Shakespeare au drame historique à la fin de sa vie ; et il est possible qu'il s'agisse d'une adaptation d'un drame antérieur. — Trad. André du Bouchet, Formes et Reflets, 1954-1961.

★ Le même sujet, mais compris d'une façon bien différente, fut repris par le poète Joseph-Marie Chénier (1764-1811) dans une tragédie, *Henri VIII,* qui fut représentée à Paris en 1791. La tragédie renforça, par l'enthousiasme avec laquelle elle fut accueillie, la réputation de l'auteur qui, déjà avec son précédent *Charles IX* (*), avait marqué la première date importante dans l'histoire du théâtre tragique révolutionnaire.

★ Plus tard, la figure de ce roi, ses amours, le sort tragique d'Anne Boleyn inspirèrent à Camille Saint-Saëns (1835-1921) une œuvre en quatre actes intitulée *Henri VIII,* sur un livret de Detroyat et Silvestre, représentée à l'Opéra de Paris le 5 mars 1833. *Henri VIII,* comme *Étienne Marcel* (*) et *Ascanio,* est un compromis entre le lyrisme wagnérien et l'opéra historique. L'habileté de Saint-Saëns aurait pu donner une grande œuvre si le système des compromis pouvait en produire. Le procédé des leitmotive est employé avec adresse, mais les thèmes ont peu de relief : ils sont thèmes de symphonie bien plus que motifs d'opéra. À l'audition, ils manquent de saillie et de mordant et, en conséquence, de prise sur l'auditeur. Mais les passages symphoniques sont pleins de distinction et de nuances. Il faut citer, au Ier acte, un Cantabile (« La beauté que je sers ») et l'air du roi (« Qui donc commande quand il aime »), le très élégant chœur féminin (« Salut à toi qui viens de France ») accompagnant l'entrée d'Anne ; au IIe acte, la délicatesse symphonique du Prélude, le duo d'Anna et du roi, le duo avec Catherine et le ballet ; au IIIe acte (dont on coupe généralement le premier tableau), l'Arioso de Catherine et la déclaration du roi se proclamant chef de l'Église d'Angleterre ; au IVe acte, un divertissement dansé et le quatuor final.

HENRIADE (La). Poème en dix chants, écrits en alexandrins, de l'écrivain français Voltaire (François-Marie Arouet, 1694-1778). L'œuvre parut en 1723 sous le titre de *La Ligue ou Henri le Grand* ; elle fut remaniée en 1728 et dans les éditions suivantes. Le personnage principal est le sage roi Henri IV. Il met fin par son abjuration aux graves querelles religieuses du temps, qui opposent catholiques et calvinistes. Renonçant à sa foi de huguenot, il monte sur le trône de France, y apportant sa bonté et sa fermeté. Henri III, roi de France, assiège Paris et lutte avec Henri de Bourbon, roi de Navarre, contre la Ligue. Le dernier des Valois envoie Henri de Bourbon demander de l'aide à la reine Élisabeth d'Angleterre. Au cours d'une tempête, il se réfugie dans une île. Un vieillard lui prédit son changement de religion et sa prochaine accession au trône (Chant I). Le messager royal raconte à Élisabeth les horreurs de la guerre. Il lui parle en particulier de la Saint-Barthélemy et des événements qui suivirent, jusqu'à la lutte entreprise contre la Ligue par le roi de France après sa réconciliation avec le roi de Navarre (II-III). Le retour d'Henri de Navarre déconcerte les Ligueurs qui demandent de l'aide à Rome ; la Politique soulève la Sorbonne et arme les moines ; de terribles vengeances se déchaînent à Paris, même contre l'autorité royale (IV). Une conspiration de fanatiques fait assassiner Henri III ; Henri de Navarre est proclamé roi de France sous le nom d'Henri IV par l'armée assiégeante (V). Il combat héroïquement ; Saint Louis en personne apparaît pour lui recommander la patrie (VI). Il lui prédit la gloire de sa famille et de la nation (VII). Suivent de dures batailles ; malgré l'aide du comte d'Egmont et de l'Espagne, l'armée de la Ligue a le dessous. Bataille d'Ivry (VIII). Pour faire le jeu de la Discorde, Amour met Henri sous les lois de la belle Gabrielle d'Estrées, mais le sévère Duplessis-Mornay, confident du souverain, le ramène à son devoir (IX). Le combat reprend, après de rudes duels entre héros. Paris reconnaît la bonté du roi et lui ouvre ses portes. La ville est sûre qu'une fois les guerres civiles terminées le peuple retrouvera la paix et le bien-être (X). Le poème est long, gonflé d'images mythologiques et de digressions historiques. L'auteur a échoué dans son ambition de donner à la France une grande épopée. L'œuvre garde de l'importance par les sentiments profonds de tolérance religieuse et civile qui l'animent. Henri, ce héros de prédilection de la France, personnifie aussi le type de souverain éclairé qu'attendaient les gens cultivés de cette époque et dont le « siècle des Lumières » fixera définitivement les caractéristiques.

HENRI D'OFTERDINGEN [*Heinrich von Ofterdingen*]. Roman de l'écrivain allemand Novalis (1772-1801) en deux parties, dont la première (« L'Attente ») est complète, la seconde (« L'Accomplissement ») encore à l'état d'ébauche. Il a été publié à titre posthume dans l'édition des *Schriften* de 1802, par Tieck, qui était au courant aussi des projets de l'auteur dans les derniers temps de sa brève existence. En 1799, Novalis lut, dans la bibliothèque d'une vieille famille allemande, la légende d'Henri d'Ofterdingen, ménestrel (Minnesanger) du XIIIe siècle, qui avait été à la cour de Frédéric II. D'autre part, le *Wilhelm Meister* — v. *Les Années de voyage* (*) et *Années d'apprentissage de Wilhelm Meister* (*) de Goethe —, paru peu d'années auparavant, avait fait sur lui une profonde impression, bien qu'il eût fini par le juger trop « moderne » et passablement « bourgeois » : « un livre de poésie sur une matière non poétique ». Cependant, le plan d'un roman de même genre, où le héros atteindrait un idéal de vie à travers une série d'expériences personnelles, le séduisait ; de là vint l'idée du roman présent, qui devait être un nouveau Wilhelm Meister, mais ennobli par une atmosphère de poésie selon l'idéal romantique.

Le récit commence dans la maison paternelle d'Henri (son père est un artisan). Le jeune homme fait un songe où, après avoir erré longuement par de merveilleux pays inconnus, il arrive à une grotte, où il trouve une fleur bleue : c'est le symbole de la poésie romantique allemande, autrement dit de la poésie pure et de la vie parfaite. Un peu plus tard, Henri quitte sa Thuringe natale et entreprend un voyage avec sa mère pour aller chez son grand-père, à Augusta. Au cours du trajet, il assiste aux préparatifs d'une nouvelle croisade. Il fait connaissance aussi d'une jeune Orientale, une prisonnière, figure malheureuse et douce, qui rappelle la Mignon de Goethe et évoque, en un chant nostalgique, la patrie lointaine et perdue. Après cette vision de vie guerrière et tumultueuse, les voyageurs rencontrent un vieux mineur, qui leur parle de métaux et de minéraux merveilleux cachés dans les profondeurs de la terre. Sous sa conduite, ils font une exploration dans une caverne, où ils trouvent un Hohenzollern qui s'y est retiré après un passé glorieux de légende et d'histoire ; maintenant, il étudie, se consacre à l'étude de l'histoire dans les livres. Ainsi donc Henri, après avoir été inquiété par la grande aventure d'une croisade en Terre sainte, puis par les secrets de la nature dissimulés dans les montagnes, découvre qu'il est des secrets gisant au cœur de l'histoire. Ainsi préparé, le novice arrive à la maison de son grand-père. Ici, Henri rencontre un poète déjà fameux, Klingsohr, en qui Novalis a fait le portrait de Goethe, et sa fille Mathilde. Entre les deux jeunes gens naît immédiatement l'amour, bien vu par le père. Des conversations doctes et élevées ont lieu entre celui qui est poète et celui qui le deviendra. Henri demande à Klingsohr de lui narrer une histoire, et celui-ci lui conte, en un récit symbolique, la victoire de la poésie sur la raison et ses autres ennemis : vision anticipée de ce qui devait se réaliser graduellement dans la seconde partie du roman. Henri allait connaître les grandes affaires du monde, se trouver à la cour de Frédéric II à Palerme, pousser son voyage vers l'Orient, jusqu'à Jérusalem, participer à une guerre près de Pise et voir Rome (mais le cycle de la vie terrestre de Novalis se ferma sans qu'il eût touché le sol de l'Italie), puis retourner en Thuringe, où il participerait au fameux tournoi poétique des « Chanteurs de la Wartburg ». Par la suite, le roman se serait transformé progressivement en un récit mythique et symbolique où toutes choses (animaux, plantes et pierres) parleraient et se mêleraient. Mathilde, après sa mort, sous la forme de diverses femmes, serait souvent rencontrée par Henri qui, enfin, aurait cueilli en réalité la fleur bleue de son rêve. Surpris par la mort, le poète ne put achever son ouvrage.

Si l'on considère ce fragment par rapport à *Wilhelm Meister*, il faut reconnaître qu'il ne soutient pas la comparaison, car ce pouvoir merveilleux qu'avait Goethe de représenter la réalité manque à Novalis. Mais ce n'est pas là qu'il faut chercher la substance intime de l'œuvre : celle-ci, plutôt que l'histoire de la formation spirituelle d'une âme, est un chant de pur lyrisme jailli du cœur même de la poésie. Chaque page, chaque phrase est tissée de la même magie. On peut feuilleter le livre au hasard : la prose est si chantante que les poèmes intercalés (celui de l'Orientale, le toast de Klingsohr, les chants des chevaliers, du mineur) ne surprennent pas. C'est un transport incessant, une pluie de fleurs bleues. En outre, il faut noter que les étapes de l'existence d'Henri nous conduisent graduellement à travers les lieux romantiques dont personne avant lui, ni Tieck ni Schlegel, n'avait fait une nomenclature aussi exacte. Novalis est ici un créateur et, jusqu'à Wagner, on puisera dans ce trésor caché de poésie que constitue ce roman fragmentaire. — Trad. Aubier, 1942 ; Gallimard, 1975.

HENRI DUCHEMIN ET SES OMBRES. Recueil de sept nouvelles de l'écrivain français Emmanuel Bove (1898-1945), paru en 1928 chez Émile-Paul. L'unité de ton de ce livre est tout entière suggérée par le titre du recueil, qui évoque le personnage de la première nouvelle, les ombres étant la cohorte des autres héros, tous masculins, ces personnages pathétiques dans les implacables mécanismes d'enfermement qu'ils mettent en œuvre. Tout en excluant le langage de la description, Emmanuel Bove s'attache ici, en usant de phrases courtes, et avec la précision d'un entomologiste, à d'infimes détails, et leur drôlerie fait un instant oublier le désespoir de ces situations sans issue dont le héros est toujours le propre artisan, la pauvreté physique, l'inanité morale, la honte, l'angoisse de la solitude, du lendemain, du regard des autres, ces comportements désespérés, sans que jamais on ne bascule dans le misérabilisme, comme s'il ne fallait surtout pas laisser au lecteur cette échappatoire-là. Ce dernier est alors pris entre des comportements illogiques, à la limite du pathologique, et les explications rationnelles qu'Henri Duchemin et ses ombres veulent trouver à la vie et au regard qu'ils portent sur elle, pour se rassurer, prenant souvent à partie ce lecteur en s'adressant directement à lui (ou à un alter ego) sur le ton de la confession, ou de la lettre. Il s'agit alors de forcer son jugement et d'obtenir son approbation, le faisant ainsi entrer dans le mécanisme de la narration, l'enfermant aussi dans le système. Ainsi ces personnages seront à jamais pris dans l'incertitude, la jalousie et l'autodestruction qui en résulte, arrêtés à une frontière floue entre le masochisme et l'incapacité à vivre, et voilà qui en fait des hommes attachants. On lira par exemple cette nouvelle extraordinaire, intitulée *L'Histoire d'un fou*, où le héros, sans raison apparente mais avec une certaine exaltation, annonce dans la même journée à tous ses proches, père, compagne, sœur et amis, qu'il a pris cette décision irrévocable de ne plus jamais les revoir. Plus que la jalousie elle-même, qui charpente nombre de ces nouvelles, mais dont on pourrait à tout prendre faire l'économie, ce sont les mécanismes du doute, les soupçons, l'illusion de la vérité ou l'explication qui ne vient pas qui taraudent les héros d'Emmanuel Bove, alimentant leur esprit à la manière de *La Prisonnière*, les faisant échafauder des systèmes dont l'implacable logique les détruira, ou qu'ils abandonneront un instant, par compromis, au profit de leur tranquillité, gardant pour jamais au cœur une blessure toujours prête à se rouvrir. De cette confrontation entre un difficile ordinaire de la quotidienneté (la pauvreté, la jalousie, les relations avec les femmes, l'envie) et une lucidité dans l'irrationnel naissent une sorte de fantastique psychologique, un constant détachement des personnages par rapport à la réalité, une infirmité de la perception, bref un décalage dont Bove joue à l'extrême dans la première nouvelle, « Le Crime d'une nuit », qui reste en perpétuel filigrane dans les six autres et dont il saura tirer le plus grand parti dans ses œuvres futures, reprenant alors thèmes et personnages déjà explorés dans ce recueil. V. W.

HENRI LE VERT [*Der grüne Heinrich*]. Roman du poète suisse allemand Gottfried Keller (1819-1890), publié en 1854-55 et, sous une nouvelle rédaction, en 1879-80. Il rappelle, pour le contenu, ceux de l'école romantique et *Wilhelm Meister* — v. *Les Années d'apprentissage de Wilhelm Meister* (*) —, et, pour la composition et la discrète intention pédagogique, les œuvres de Jean-Paul. Dans un style purement réaliste, l'auteur raconte comment Henri le Vert (ainsi surnommé à cause de ses vêtements tous taillés dans le drap d'uniforme de son père) a grandi, en pleine liberté, sous la tutelle indulgente de sa mère, la douce et pieuse Mme Lee. Les premières années d'école passées, il est chassé pour un méfait dont il n'est pas le principal responsable. Il entre ensuite comme élève à l'atelier d'un peintre médiocre. Au cours d'une visite à des parents, à la campagne, l'amour le saisit sous une double forme : la tendre Anne, qui fait vibrer les plus douces résonances de son âme, et la belle Judith, qui enflamme ses sens. Pendant quelque temps, il reste indécis entre ces deux femmes, et quand il se décide pour Anne, c'est pour assister à la mort de cette dernière. Suivant alors le conseil que lui donne un peintre authentique, il se rend à Munich pour se perfectionner. Bientôt, cependant, la science l'attire plus que l'art. Pour vivre, il peint des toiles incompréhensibles qu'il vend, à vil prix, à un brocanteur, et tombe dans une misère de plus en plus grande. Après quelques aventures d'amour, résolu à retourner chez sa mère, en loques et affamé, il trouve un accueil bienveillant chez un comte. Celui-ci, ayant reconnu en lui l'auteur des étranges tableaux, le contraint d'accepter une forte somme pour leur achat. Quand Henri s'éloigne enfin du château, où il était resté, attiré également par une charmante jeune fille, Dorothée, et qu'il arrive à son pays d'origine, il apprend que sa vieille mère est morte de douleur à la suite de son absence. Pris de désespoir, il se tue. Dans l'édition revue et corrigée, Keller le fait continuer à vivre.

Henri Lee est présenté comme un individu de la réalité commune, chez lequel les défauts et les fautes ne sont que le résultat de la fragilité humaine. Son caractère — toujours « vert », c'est-à-dire non parvenu à maturité — est plein d'imagination et de rêve, qui l'empêchent d'avoir une activité véritable ; il considère la vie comme un produit poétique soumis à des lois lyriques. Avec un art extraordinaire, Keller illumine la profondeur et la richesse des sentiments du protagoniste. La trame du roman est ténue ; presque la moitié de l'œuvre est dédiée à la fraîche et naïve description de l'enfance et de la jeunesse d'Henri. Les peintures idylliques du paysage suisse et des scènes populaires, en particulier une représentation de *Guillaume Tell* (*) donnée par le peuple lui-même avec, comme fond, la nature suisse, rendues avec une vigoureuse et douce poésie, n'ont d'égales que celles de *Werther* — v. *Souffrances du jeune Werther* (*). Keller a mêlé à l'intrigue de son roman de nombreuses discussions relatives aux questions esthétiques, scientifiques et religieuses de son époque. À l'origine simple récit des hésitations d'une nature d'artiste, *Henri le Vert*, grâce au développement que lui a donné le poète, est devenu un « roman éducatif » (« Bildungsroman »), qui prend place dans la grande tradition allemande. La portée didactique de l'œuvre n'est pas diminuée dans la seconde version, où la fin seule est changée, et où tout est raconté à la première personne. Très fréquemment se pose le problème religieux ; pour Henri, « la splendeur de Dieu éclate à travers le monde » ; il répudie le christianisme, mais se considère lui-même comme un protégé particulier de la Divinité. Il y a une évidente influence de la philosophie de Feuerbach, qui nie la transcendance et l'immortalité de l'homme pour le guider plus sûrement vers sa véritable patrie, le monde des vivants. En ce sens, *Henri le Vert* représente le début d'une nouvelle orientation poétique dans laquelle les deux conceptions jusqu'alors opposées de l'art, la conception romantique et la conception réaliste, tendent à se fondre. Malgré une tendance marquée au fantastique et en dépit de certaines traces de romantisme, Keller s'est détaché de ce dernier par le solide réalisme de sa conception de la vie, par son robuste attachement au monde et son optimisme serein. Comme dans *Wilhelm Meister* de

Goethe, dans *Henri le Vert* le moment des inquiétudes est dépassé ; la sérénité et le calme, la force plastique et la pureté du style en sont la preuve. Cette valeur justifie pleinement la position de ce roman parmi les œuvres fondamentales de la nouvelle littérature allemande. – Trad. Aubier, 1946 (nouv. éd. 1981).

HENRI MATISSE, ROMAN. Livre inclassable, *Henri Matisse, roman* a été publié par l'écrivain français Louis Aragon (1897-1982) en 1971, mais rédigé de 1941 à la date d'impression. À l'origine, le livre devait recueillir les différentes études que l'écrivain avait consacrées au peintre Henri Matisse, qu'il avait rencontré à Nice durant l'Occupation, et avec lequel il avait entretenu une déférente amitié. Mais le projet de ce « livre à venir » ne venant jamais à terme, l'histoire de cette impossibilité est devenue son propre roman. Si la remarquable illustration – la maquette ayant été conçue par Aragon lui-même – et la minutie de l'analyse en font l'un des plus grands livres concernant l'art du peintre (apportant, notamment avec l'« Apologie du luxe » et « Un personnage nommé La Douleur », une véritable compréhension de la luminosité matissienne comme défi au malheur et dépassement de la nuit), *Henri Matisse, roman* est surtout la mise en miroir de deux parcours créatifs. Ainsi l'étude concernant le « modèle » du peintre, dont Matisse disait qu'il était indispensable, mais pour s'en éloigner, jouera-t-elle aussi comme exposé du réalisme aragonien. Entrelaçant les enjeux, le texte apparaît alors comme un labyrinthe, aux plans démultipliés : comme l'écriture à l'image, les notes, contre-notes, post-scriptum et ajouts s'enchevêtrent, permettant sous le désordre à la confession aragonienne de s'exprimer de façon beaucoup moins voilée que dans des livres plus rectilignes. En achevant par un véritable saut de la signification la dissolution du concept de roman dont l'étude anime l'œuvre d'Aragon depuis le surréalisme, *Henri Matisse, roman* en joue une autre architecture où vient à se dire, sous le discours esthétique critiquant conjointement peinture, littérature et le roman même en train de se faire, l'impossible biographie de l'auteur.

Parallèle au « roman » de Matisse dans les dates et les objectifs, *Je n'ai jamais appris à écrire ou les Incipit* a été publié en 1969 dans une collection au titre éclairant, « Les Sentiers de la création ». Invité à s'y interroger sur son propre parcours, Aragon y affirme n'avoir « jamais appris à écrire », ce qui signifie n'avoir jamais préparé un texte ou organisé un livre, lesquels se constituent alors d'eux-mêmes, dans le seul mouvement de leur écriture. Rédigée dans une langue souveraine et divagante qui en fait l'illustration, la thèse des *Incipit* exalte ce terme latin (qui désigne les premiers mots d'un livre) en emblème de la création : à la façon du « don des dieux » du premier vers poétique, le roman sortirait peu à peu d'une première phrase, arbitraire au début, et déroulerait une narration visant d'abord à la justifier. Aragon parcourt alors la totalité de son œuvre romanesque en évoquant aussi ses lectures, puisque, pour l'auteur qui prétend découvrir son texte, lire et écrire sont désormais équivalents. Si la volonté de provocation désinvolte transforme parfois l'énoncé de cette théorie en une sorte de « mythe » de l'écriture aragonienne, celui-ci n'en a pas moins, comme toute fable des origines, une portée explicative, éclairant par-delà l'œuvre de l'auteur l'un des points de vue fondateurs de la modernité.

O. B.

HEPTAMÉRON. Récits de Marguerite d'Angoulême (1492-1549), sœur de François Ier, duchesse d'Alençon par son premier mariage, reine de Navarre par son second. De son vivant, elle eut sa part de louanges officielles où un portrait se reconnaît sous les conventions. On louait son savoir, son adresse aux affaires d'État, sa piété surtout, et aussi ses talents de poète : en 1547 ce sont des poésies, religieuses pour l'essentiel, qui sont rassemblées dans *Les Marguerites de la Marguerite des princesses* (*). Mais on ignorait ce qui fit ensuite sa réputation, cet *Heptaméron* resté inédit, et peut-être inachevé, à sa mort : soixante-douze contes dans une prose qui a un peu vieilli et, pour les relier, des dialogues où l'on en débat avec une aisance toute nouvelle alors.

En 1558, une première version est imprimée, par un de ses « valets de chambre » mais sans nom d'auteur, dans un ordre et sous un titre (*Histoires des amants fortunés*) pareillement arbitraires. En 1559 paraît l'*Heptaméron des Nouvelles de très illustre et très excellente princesse Marguerite de Valois, royne de Navarre,* « remis en son vray ordre ». Claude Gruget, autre serviteur de la reine, donnait au recueil l'ampleur et le titre qui lui sont restés : *Heptaméron,* sept journées, par référence au *Décaméron* (*), dix journées, de Boccace. Dans le prologue, en effet, on se proposait d'imiter Boccace et de « parachever », en dix jours, une centaine d'histoires, mais Gruget a dû s'interrompre, faute de matière, au début de la huitième journée. Son texte fit longtemps autorité, réimprimé tel quel ou, à partir de 1698, « mis en beau langage », c'est-à-dire retouché phrase à phrase. Il faut attendre 1853 pour lire un autre texte, établi d'après manuscrit, et pouvoir mesurer les libertés prises par Gruget, qui avait effacé du texte tout ce qui marquait de près ou de loin quelque inclination pour la religion réformée : nul risque, en 1559, à montrer des moines paillards ou meurtriers, mais pas question, sous Henri II, de mettre en doute le salut par les œuvres, ou l'utilité, pour un mourant, de « satisfaire » à ses péchés en léguant ses biens à l'Église... On lit aujourd'hui les contes et les débats rétablis dans leur intégralité et leur liberté. Il reste encore, en comparant les copies manuscrites, à établir un texte aussi sûr que possible.

Imitant Boccace, Marguerite de Navarre a supposé une société de dames et de gentilshommes provisoirement isolés du monde et de leur vie quotidienne, alors qu'ils reviennent d'une cure aux eaux de Cauterets. Chemins coupés par les orages et la crue des rivières, mésaventures diverses rassemblent dix voyageurs dans une abbaye où ils vont attendre qu'un pont soit construit. Si, le matin, ils écoutent la plus âgée des dames lire et commenter un texte biblique, « l'asprèsdisner », devenus « devisants », ils disent à tour de rôle une histoire donnée pour véritable, et c'est la série des « histoires » qui fait le livre. Outre leur encadrement, les récits doivent encore à Boccace la variété de leurs sujets. Marguerite de Navarre n'a pas voulu choisir entre contes à rire et histoires tragiques, pas plus qu'entre les tons les plus divers : comique de farce, quand un Gascon fait passer un sabot de bois pour un jambon en croûte, et comédie psychologique dans les discours embrouillés d'un hardi capitaine qui n'ose pas parler d'amour à une jeune femme vertueuse ; violences immédiates dans le tableau d'un suicide, dans les meurtres ou les viols, et tourments tout intérieurs d'amants dédaignés ou séparés malgré eux... Et les mêmes quiproquos au lit tournent en rire ou s'achèvent au contraire en tragédie.

Mais c'est de son propre fonds que vient la complexité d'un texte aux abords si faciles. L'œuvre est double et dans sa forme et dans son inspiration. Forme double : les récits sont pris dans une histoire cadre et dans des dialogues qui les annoncent — c'est la forme « à l'italienne » — mais Marguerite de Navarre, au lieu d'enchaîner en notant d'un mot, comme Boccace, larmes ou sourires de l'auditoire, a trouvé là le lieu où donner à chaque devisant sa voix propre, dans des conversations qui vont et viennent, comme naturellement, du grave au plaisant. On y commente les aventures et leurs personnages et on les oublie parfois pour débattre de l'amour, de l'honneur ou de la vertu, et, loin de rester strictement subordonnés aux récits qu'ils encadrent, ces débats, avec leurs caprices, inaugurent en France l'art du dialogue mondain. Inspiration double aussi, entre le dedans et le dehors, entre morale et mondanité. La reine de Navarre a vécu à la cour, mêlée aux jeux de la politique comme aux fêtes et à la galanterie : d'où la présence, entre les récits venus d'un lointain passé, de très modernes anecdotes, précisément situées dans la société qui fut la sienne, d'où l'attention qu'elle porte aux masques et aux mensonges, aux désirs et aux ambitions. Mais elle fut aussi un « esprit extatique », comme disait Rabelais dans sa dédicace du *Tiers Livre,* tournée vers le ciel et inquiète des exigences spirituelles que lui avait enseignées l'évêque Guillaume Briçonnet, dès 1522-1524, dans leur correspondance : d'où le souci de placer les histoires, fût-ce les plus scabreuses et les plus noires, sous le regard de Dieu ; d'où, contre les cordeliers, des critiques de « doctrine » ; d'où la très insistante condamnation de l'orgueil et, entre ce très mondain *Heptaméron* et les plus mystiques de ses poèmes, de multiples échos. Les devisants eux-mêmes, dans leur diversité, figurent toute l'expérience de celle qui les a mis en scène, et il n'est pas si vain qu'il semblerait de disputer, comme on l'a fait, de leur identité : leur présence et leurs portraits doivent beaucoup, à coup sûr, au souvenir de ceux qui furent ses proches. Son mari Henri d'Albret revit probablement en Hircan, Oisille doit peut-être quelque chose à sa mère Louise de Savoie, et Marguerite elle-même a bien pu se dédoubler pour se représenter, jeune, dans le rôle de Parlamente et, vieillie, austère et souriante encore, dans celui d'Oisille.

La fortune, ou l'infortune, du livre fut de passer bientôt pour un recueil de contes gaillards que la reine aurait écrit, selon le mot de Brantôme, « en ses gaîtés ». L'*Heptaméron* reste à découvrir dans sa complexité, avec ce « bouquet » d'histoires aux couleurs variées et ces débats si subtils dans leur très plaisante vivacité.

N. C.

HEPTAPLUS [*Heptaplus de opere sex dierum geneseos*]. Œuvre du philosophe et savant italien d'expression latine Jean Pic de La Mirandole (1463-1494), publiée en 1490 ; divisée en sept livres de sept chapitres, plus un prologue et une conclusion qui développe certaines idées particulièrement importantes dont l'influence se fait sentir un peu dans toutes les œuvres de l'auteur. Elle traite de la création en sept jours telle qu'elle est rapportée dans la *Genèse* (*). Dans ses deux préfaces, Pic nous dit que les vérités les plus hautes sont cachées sous le voile d'une énigme dans les versets de la *Genèse.* Le monde se compose de trois parties : le monde élémentaire, le monde angélique et le monde céleste. L'homme est l'image de ces trois mondes : de l'élémentaire par son corps, du céleste par son âme, de l'angélique par son intelligence. Dans la première partie (ou exposition), Pic de La Mirandole traite du monde élémentaire. Il voit dans le récit de la création du ciel, de la terre, de l'air et de l'eau une parfaite doctrine cosmologique de la matière, des formes corruptibles et de la cause efficiente. Toute parole, même la plus commune, est symbole d'une haute doctrine philosophique. On peut dire de même de la seconde partie qui traite du monde céleste, de la troisième qui se rapporte au monde angélique et de la quatrième qui traite du moyen le plus adéquat pour y parvenir : la prière, lien spirituel entre le ciel et la terre. La septième et dernière partie nous offre une doctrine du bonheur qui, naturel ou spirituel, consiste toujours dans la possession de Dieu, le bien suprême. Mais on ne saurait parvenir au lieu suprême sans le secours de la grâce. Digne d'intérêt est la conclusion, où Pic de La Mirandole veut trouver dans les premiers mots de la *Genèse*, « In principio », toute une doctrine de la création. Il y parvient en démembrant le mot et en le transposant en divers anagrammes, selon les méthodes de la kabbale. – Trad., Paris, 1578.

HÉRACLIDES (Les) [Ἡρακλεῖδαι]. Tragédie du poète tragique grec Euripide (484-406 av. J.-C.), très probablement représentée entre 430 et 427, comme le laissent à penser les allusions faites à la toute première période de la guerre du Péloponnèse. La tragédie porte à la scène, avec quelques innovations, le sujet mythique de la persécution des fils d'Héraclès – v. *Hercule* (*) – de la part d'Eurysthée, le tyran qui avait imposé les célèbres « travaux » à leur père, et qui finalement est lui-même vaincu. Eurysthée, roi d'Argos, a voulu supprimer les fils d'Héraclès – après la mort du héros – afin qu'ils ne puissent en grandissant devenir les vengeurs de leur père. Ceux-ci se sont enfuis, protégés et guidés par Iolaos, vieux compagnon d'armes d'Héraclès, mais ils cherchent vainement asile dans presque toutes les villes de la Grèce. En menaçant chaque fois d'entrer en guerre, Eurysthée est toujours parvenu à les faire chasser. Errant de ville en ville, tandis que l'aîné d'entre eux, Hyllos, est parti à la recherche d'un secours militaire, ils sont arrivés avec Iolaos dans l'Attique, à Marathon : là, dans le bois sacré de Zeus, près de l'autel du dieu, ils se sont enfin arrêtés, confiants – comme le dit Iolaos au cours du prologue – dans la puissance d'Athènes et dans ses lois humaines et libérales. Mais il semble que le petit groupe de fugitifs ne puisse même pas trouver la paix en ce lieu. Arrive un messager d'Eurysthée qui impose à Iolaos de le suivre avec les fils d'Héraclès ; il a l'ordre de les conduire tous à son maître. Le vieux Iolaos appelle au secours, clamant que l'on fait violence aux fugitifs et que l'on profane l'autel de Zeus ; à ses cris accourent les habitants de l'endroit, qui forment le chœur et qui – mis au courant par Iolaos – se déclarent en faveur des suppliants. Le messager d'Eurysthée doit s'abstenir de toute violence ; qu'il mette au courant de sa mission, s'il le veut, le roi d'Athènes, Démophon, fils de Thésée. Mais voici justement que le roi survient, attiré lui aussi par tant de clameurs. En sa présence le messager et Iolaos en viennent aux mains, le premier affirmant l'autorité indiscutable d'Eurysthée et menaçant Athènes de la guerre, le second insistant surtout sur le droit sacré des « suppliants » et sur la puissance d'Athènes qui ne tolérera pas de menaces. Pour des raisons de piété religieuse et de fierté nationale, Démophon prend fait et cause pour les fugitifs. Il ne veut pas la guerre, mais ne la craint pas. Le messager s'en va, en proférant des menaces. Déjà Eurysthée et son armée sont aux frontières. Iolaos exprime sa joie et sa reconnaissance et, invité à se rendre dans la ville, il affirme qu'il restera près de l'autel avec les fils d'Héraclès, afin de prier les dieux pour la victoire du peuple généreux qui vint à leur secours. En intermède, le chœur se déclare également prêt à la guerre pour défendre la cause sacrée et l'honneur de la patrie. Mais un obstacle nouveau et insurmontable semble se dresser pour empêcher la juste guerre. Le roi lui-même l'annonce par la bouche des devins : les dieux déclarent ne vouloir envisager favorablement la guerre que si l'on sacrifie à Coré (la fille de Déméter) une jeune fille de sang noble. Or le roi ne veut pas sacrifier une de ses filles et ne peut imposer ce sacrifice à aucun citoyen. Il a montré sa bonne volonté, mais doit céder à l'hostilité des dieux. Iolaos pleure ses vaines espérances et si, en dernier ressort, il tente de s'offrir au roi pour être l'unique victime de la vengeance d'Eurysthée, il lui faut comprendre que cette tentative est inutile et qu'il ne peut également exiger des autres un plus grand sacrifice. La situation désespérée est dénouée par l'héroïsme d'une toute jeune fille d'Héraclès (anonyme dans le drame, elle est appelée Macaria dans l'énumération des personnages). De l'intérieur du temple où elle était auprès de la vieille mère d'Héraclès, Alcmène, elle, a entendu les clameurs de Iolaos et vient en demander la raison. L'ayant apprise, elle s'offre elle-même pour le salut de tous. De toute façon, elle ne survivrait pas après la victoire assurée d'Eurysthée et serait-elle épargnée qu'elle ne pourrait accepter de vivre après la ruine de ses frères et de ses bienfaiteurs. Mieux vaut une mort librement acceptée qu'une fin sans gloire ou qu'une vie misérable et vile. Au milieu de la compassion générale, elle s'achemine vers son destin, après avoir demandé – unique expression de sa douleur en face du sacrifice – qu'on lui rende les honneurs funèbres et que l'on garde son souvenir. Il ne sera plus parlé d'elle pendant tout le reste du drame ; dans un seul vers, on trouvera une allusion à son sacrifice.

Mais désormais, le sort a tourné favorablement pour les Héraclides et le poète semble – sur le plan artistique, cela apparaît comme une faiblesse – n'avoir pas voulu troubler le ton de sérénité qui domine dans la seconde partie du drame. Un serviteur survient qui annonce à Iolaos et à Alcmène qu'Hyllos, le fils aîné d'Héraclès, ayant recruté une armée s'est rangé aux côtés des Athéniens pour faire face aux troupes d'Eurysthée. Animé d'une nouvelle foi dans la victoire, le vieux et branlant Iolaos se fait apporter ses armes et, sans se soucier des avertissements quelque peu ironiques de son serviteur, il se fait conduire sur le champ de bataille. Après un chant du chœur priant pour le triomphe des défenseurs des persécutés, le serviteur réapparaît et annonce à Alcmène la victoire d'Hyllos et des Athéniens ; Eurysthée en fuite a été rejoint par Iolaos qui, par un prodige divin, a momentanément recouvré sa jeunesse et le vieux héros le ramène, afin qu'Alcmène dispose de son sort. Dans le dernier épisode, Eurysthée est conduit par un esclave devant Alcmène qui brûle du désir de se venger. Elle ordonne qu'il meure, en dépit de la loi athénienne – rappelée par l'esclave – qui exige d'épargner tout ennemi pris vivant sur le champ de bataille. Eurysthée cherche à se défendre, arguant de la volonté d'Héra et de la raison d'État ; mais Alcmène demeure implacable. Avant d'être entraîné à la mort, Eurysthée prophétise que les Héraclides seront les ennemis d'Athènes et envahiront l'Attique (allusion évidente à la guerre du Péloponnèse) et que sa propre tombe protégera la terre athénienne.

La composition singulière du drame (surtout le silence fait sur Macaria) et le fait que les Anciens citaient comme appartenant à cette tragédie des vers qui n'y figurent pas ont fait penser que le drame ne nous était probablement parvenu que tronqué. De toute façon, il ne compte pas parmi les meilleures œuvres d'Euripide. On a l'impression d'une composition hâtive, d'un manque d'homogénéité entre les motifs mythiques traditionnels et les inventions d'Euripide (par exemple, le sacrifice de Macaria et l'impitoyable vengeance d'Alcmène). À côté de la poésie élevée de l'immolation de Macaria, le réalisme sans illusions avec lequel est dépeint Alcmène nous choque malgré son habileté, ainsi que le ton comique, tenant plus de la fable que de la tragédie, dont l'auteur se sert pour décrire la belliqueuse vieillesse de Iolaos. – Trad. Les Belles Lettres, 1942 ; Gallimard, 1962.

★ En 1752, Jean-François Marmontel (1723-1799) écrivit une tragédie, *Les Héraclides*, qui, suivant la coutume du temps, est tirée du modèle antique.

HÉRACLIUS. Tragédie en cinq actes et en vers de Pierre Corneille (1606-1684), auteur dramatique français, dédiée au chancelier Séguier et représentée sous le titre d'*Héraclius, empereur d'Orient,* à Paris en 1646.

Cette œuvre constitue un approfondissement de la nouvelle orientation de Corneille, amorcée avec *Rodogune* (*), vers ce qu'il appelle la tragédie « implexe », fondée sur la complexité de l'intrigue. Cette complexité, quoique reposant sur une double substitution d'enfants, n'a rien de mélodramatique. Si *Héraclius* est un mélodrame, comme on l'écrit souvent depuis le XIXe siècle, c'est alors presque toutes les tragédies de Corneille – à l'exception de *Suréna* (*) – qu'il faut juger comme telles. En fait, *Héraclius* est la première tragédie moderne de l'identité, caractérisée par une liaison étroite entre la quête de l'identité du héros et les questions de légitimité politique et d'amour princier. Elle ouvre dans l'œuvre de Corneille un véritable cycle, avec *Don Sanche d'Aragon* (*), *Pertharite* (*) et *Œdipe* (*), œuvres qui posent aussi, sous d'autres formes, la question des rapports entre l'identité du héros, l'héroïsme et la légitimité royale. *Héraclius*, dont le sujet est tiré des *Annales ecclésiastiques* – v. *Histoire ecclésiastique* (*) – du cardinal Baronius, est, au premier abord, un chef-d'œuvre de complication : l'empereur de Constantinople, Maurice, a été détrôné et tué par l'usurpateur Phocas ; ses fils ont été massacrés sous ses yeux ; seule sa fille, Pulchérie, a été épargnée. Mais, en cachette, le plus jeune de ses fils, Héraclius, a pu être sauvé : sa gouvernante, grande dame de Constantinople, lui a en effet substitué son propre enfant qui est mort à sa place. Mais le petit Héraclius a été élevé à la Cour sous le nom de Martian, fils de Phocas, alors que le véritable Martian a grandi auprès de Léontine, la gouvernante, qui l'a fait passer pour son fils mort, Léonce. Ainsi l'usurpateur se trouve chérir comme son héritier le fils de son ennemi qu'il croyait avoir fait disparaître. Afin d'affermir son trône, Phocas n'a pas de plus cher désir que de faire épouser Pulchérie, qu'il considère comme la seule descendante de la dynastie légitime, par son fils supposé. Du fait de ces multiples substitutions, le fiancé de Pulchérie se trouve donc être son propre frère, Héraclius. La jeune fille, d'ailleurs, en aime un autre : le véritable fils de Phocas, Martian, que l'on prend pour Léonce, le fils de Léontine.

Telle est la situation de départ. L'action commence véritablement lorsque celui qu'on appelle Léonce croit découvrir qu'il est cet Héraclius dont le bruit court qu'il est toujours vivant. Il proclame donc cette identité et se fait arrêter, plongeant dans le désarroi le véritable Héraclius à qui sa gouvernante avait appris depuis longtemps qu'il n'était pas le véritable Martian, fils de l'usurpateur Phocas. Sont ainsi créées des possibilités d'affrontements entre le tyran et le représentant supposé de la dynastie légitime ; entre l'héroïne et son amant qui croit désormais être son frère ; entre le faux et le vrai Héraclius lorsque celui-ci décide à l'acte IV de révéler sa véritable identité. À quoi s'ajoute la détresse du tyran, qui veut perdre celui qui n'est pas son fils, sans savoir lequel des deux hommes qui lui font face est ce fils, et alors même que les deux héros lui dénient toute prétention à la paternité ; s'ajoutent aussi les égarements pathétiques de ceux-ci, incertains de leur identité, redoutant de devoir épouser leur sœur, craignant de découvrir duquel d'entre eux le tyran est le père.

L'assassinat de Phocas par un patricien de Constantinople dénoue la situation. Léontine découvre la vérité : Héraclius, proclamé empereur, épouse Eudoxe, fille de Léontine ; Martian épouse Pulchérie, et les deux jeunes gens, Héraclius et Martian, héros cornéliens par la générosité de leurs sentiments et la noblesse de leurs caractères, font serment de se soutenir l'un l'autre.

Corneille n'a pas recherché la complexité pour la complexité, et les erreurs d'identité sont tout le contraire de gratuites. Tout d'abord, s'il a voulu que les spectateurs soient plongés, à la suite des personnages, dans la plus totale confusion, c'est pour les faire réfléchir sur la question – cruciale au XVIIe siècle – de l'ambiguïté des apparences. Ensuite, les incertitudes sur l'identité, outre les possibilités qu'elles offraient en situations profondément pathétiques (jusque chez le tyran Phocas, que l'on en vient à prendre en pitié), permettaient de montrer comment l'héroïsme véritable permet de faire la différence entre un vrai et un faux monarque, comment l'essence finit toujours par transparaître sous l'ambiguïté des apparences. Comme une bonne partie de l'œuvre de Corneille, *Héraclius* s'inscrit dans une vaste réflexion sur la place de l'homme dans le grand théâtre du monde : écrite durant la période troublée de la minorité de Louis XIV (régence d'Anne d'Autriche appuyée sur Mazarin, prétentions des princes du sang), cette tragédie cristallise une réflexion sur la nature de la personne royale. De là cette quête désespérée de la confirmation que l'apparence (héroïque, donc royale) est conforme à l'essence. Mais la pièce, comme toujours chez Corneille, n'a rien de l'illustration d'une thèse : puissante et lyrique, violente et pathétique, pleine de coups de théâtre, on conçoit sans peine à l'heure actuelle – où l'on ne réduit plus toute la production cornélienne à quatre pièces étroitement « classiques » – que le poète n'ait cessé de la considérer comme l'une de ses meilleures pièces. Son succès fut d'ailleurs durable, et, dans les vingt années qui suivirent, nombreuses furent les tragédies (de Boyer, Thomas Corneille, Quinault, notamment) construites sur le même modèle. G. F.

HERBE (L'). Roman de l'écrivain français Claude Simon (né en 1913), publié en 1958. Dans une propriété cossue du Sud-Ouest vivent un couple âgé (Pierre et Sabine), leur fils Georges, la femme de celui-ci, Louise, et la tante Marie, une sœur aînée de Pierre venue se réfugier là en juin 40 et qui n'en est plus repartie. Nous sommes en 1952. Paralysée par une attaque, Marie agonise. Elle a remis à Louise une bague, de menus objets sans grande valeur et ses carnets de comptes. Dans la mesure où *L'Herbe* est encore partiellement un roman traditionnel, on pourrait le résumer ainsi : le lecteur vit avec Louise quelques jours de l'agonie de Marie, marqués par de menus incidents familiaux, des rendez-vous de Louise avec un amant, et surtout par le don de Marie : après avoir lu les carnets, Louise renonce à son projet de quitter Georges et de partir avec son amant.

En fait ce schéma événementiel n'est qu'un fil conducteur. *L'Herbe* n'est pas un roman psychologique ni l'histoire d'une « modification ». La vraie matière du livre, ce sont des perceptions (lieux, paysages), des images des êtres (autrefois, aujourd'hui), l'évocation de quelques scènes : le mariage de Pierre et Sabine, l'arrivée de la tante en 1940, une dispute entre les vieux époux ; ou encore les rêveries de Louise sur des vestiges du passé (carnets de comptes, photos de famille). Réalité qui est faite en partie des souvenirs de Pierre et des fantasmes (jalousie, hantise de vieillir) de Sabine. Mais qui est surtout celle de Louise fascinée par ces trois vieillards (nous ne saurons rien de son propre passé).

Les particularités de l'écriture sont ici spectaculaires. Ce qui appartient à la perception (la lumière, la végétation, les odeurs, le râle de l'agonisante) s'impose par la précision et la richesse de la description. Mais ce qui est proprement narratif est ambigu. L'usage du présent de narration et surtout celui du participe présent cher à Claude Simon donnent aux faits racontés une espèce d'évidence immédiate. Et pourtant la narration est constamment modalisée. Le vécu de Louise est plus d'une fois présenté comme un souvenir futur possible : « Plus tard, quand Louise se rappellera cette période », « Et elle pourra se voir [...] Ou peut-être pas. » La longue scène entre les vieux époux (qu'elle suit de sa chambre contiguë à la leur) est pour une bonne part imaginée par elle. Et une photo de famille va lui permettre d'inventer un fiancé de la vieille tante auquel celle-ci aurait renoncé pour se consacrer à son frère. Paradoxe et singularité d'une narration qui, mêlant le passé, le présent et le futur possible, l'avéré et l'imaginaire, produit un « réel » à la fois problématique et convaincant.

La lecture de *L'Herbe* réserve au lecteur une autre expérience fascinante. Jamais, jusqu'alors, Claude Simon n'avait donné ainsi libre cours au pouvoir de prolifération de l'écriture, à ses virtualités d'amplification ou d'expansion par comparaisons, analogies et glissements ; avec tout un jeu de vastes parenthèses emboîtées et de splendides dérives (une des phrases du roman occupe environ vingt-cinq pages), la lecture devient alors, elle aussi, une aventure, comme une navigation au long cours.

Thématiquement, *L'Herbe* orchestre superbement le motif de la vieillesse et des ravages du temps. Le couple de Pierre et de Sabine (lui devenu un obèse monstrueux, elle luttant contre les effets de l'âge avec sa chevelure orange, ses doigts couverts de bagues, son maquillage criard et son cognac) est inoubliable – et leur combat dans la chambre à coucher un grand moment d'humour. Quant à la vieille Marie, c'est la vraie héroïne du roman. Sa sœur et elle ont renoncé à tout pour que leur frère puisse faire des études. Pour lui elles ont aussi, pendant des années, reconstruit pièce à pièce la maison de famille, que le frère n'habitera jamais et qui sera vendue. Dévouement, acharnement, pauvreté consentie dont les carnets de comptes pathétiques rendent témoignage. Mais ce « patient entassement de chiffres minuscules », cette « interminable échelle de Jacob » apparaissent aussi comme un extraordinaire consentement, ou plutôt défi, au temps destructeur et à la mort, le plus orgueilleux monument qu'un être humain se soit élevé à lui-même « à son insu ».

Premier des romans simoniens à se nourrir amplement de la saga familiale : les deux tantes paternelles qu'on retrouvera dans *Les Géorgiques* (*) et dans *L'Acacia* (*), *L'Herbe* est aussi le premier à offrir au lecteur un double bonheur : celui de découvrir des personnages attachants ou pathétiques et celui de suivre pas à pas le travail d'une écriture inventant de nouveaux chemins. J.-L. S.

HERBE D'AMOUR (L') [Tò *βοτάνι της αγάπης*]. Roman de l'écrivain grec Georgios Drosinis (1859-1951), écrit à Leipzig en 1877 et publié dans la revue *Hestia* en 1888, avant d'être réuni en un volume et traduit dans les principales langues européennes. *L'Herbe d'amour* est le récit des amours d'un paysan et d'une bohémienne ; le récit se passe dans la campagne de l'Eubée. Jean conquiert l'amour de la bohémienne Zemphira en se servant d'un prétendu philtre, l'« herbe d'amour », qui lui fut donné par la jeune fille et qu'il utilise – à son insu – contre elle. Mais le jeune homme part à l'armée et l'idylle est brusquement interrompue. Deux ans après, il retourne au village, et décide de prendre pour femme une jeune fille d'une bourgade voisine. Il repousse sans pitié la bohémienne qui, tour à tour, implore, supplie, menace. Tandis que Jean se rend au village de sa fiancée, Zemphira apparaît à un endroit où la route surplombe la mer. Après une brève discussion, d'un coup d'épaule, il écarte la malheureuse, qui tombe à la mer. Quelques jours plus tard, sur la même route, le jeune homme est trouvé mourant, une profonde blessure à la tête. Un marteau de forgeron lui a fracassé le crâne et il expire sans un mot. Toutefois, le lecteur se souviendra que le métier de forgeron ambulant était justement exercé par le père de la pauvre Zemphira. En dépit d'une froideur de puriste qui cède çà et là devant l'exigence réaliste des dialogues, l'ensemble du roman est d'une grâce et d'une fraîcheur attachantes, et même séduisantes. La trame du récit a inspiré le livret de l'opéra *Zemphira* du compositeur Pétridis.

HERBE DES TALUS (L'). Salué par la presse comme une œuvre importante, ce livre de l'écrivain français Jacques Réda (né en 1929) a reçu le prix des Critiques en 1984, l'année de sa publication. Bien qu'appartenant à la veine vagabonde inaugurée dans *Les Ruines de Paris* (*), cet ouvrage où alternent textes en prose et poèmes se signale par son caractère plus nettement autobiographique. Divisé en quatre parties, il se lit comme un roman dont le fil conducteur, le leitmotiv, le liant, serait l'herbe plutôt que le poète qui s'y promène au gré du vent et des souvenirs. Car l'herbe qui « pousse partout », meurt et renaît sans cesse, est à l'image de l'homme. Mémoire du vent, elle invite à passer, à être vacant, ouvert à l'imprévu. C'est ce que fait l'auteur, avec un art consommé de la surprise et de la digression savoureuses, égrenant, tout au plaisir des mots qui roulent « à ce rythme où bat le pouls de la vie, le "swing" profond de l'instant », des souvenirs de jeunesse, de voyages, des rêveries et des éloges vifs et bruissants. Entre « Tombeau de mon père », le poème liminaire, et « Tombeau de mon livre » sur lequel s'achève le volume, Réda retrace son chemin buissonnier. Sans complaisance aucune. Du soldat de plomb perdu dans l'herbe au gazon du terrain du football où il officiait « dans les bois », du « parfum d'herbe légère des surplis » lorsqu'il était collégien à l'herbe des heures gagnées sur le travail mercenaire ; des « affaires étrangères » qui le mènent, « prince en exil », de Luxembourg à Budapest, de Londres à Prague, d'Athènes à Pise où l'herbe le console des monuments sans surprise ; de ces « bouts du monde » dans la campagne « qui vous laissent croire à une imminence de l'infini », des hautes terres d'Écosse à « N'importe-où-sur-Loire », à pied, en train ou en vélomoteur ; de l'« herbe à Nicot » fleurissant « le long de tous les talus et les ballasts du monde » à la petite fumée du tortillard dont la « prosodie à pistons » ravive en blues mineur le « Sud profond de la mémoire ». Un chemin buissonnier donc, odorant, ébloui, où la « beauté du monde » se révèle « avec une part de ce qu'on appelle son secret ». Où « les mots courent comme de l'herbe en travers du papier », libérant un goût d'espace illimité et de temps suspendu. Encore faut-il, pour l'éprouver pleinement, « savoir partir », « pouvoir partir », régler le problème du but, des « comment, quand, pourquoi ? » et résoudre le conflit intérieur que le « réaliste » et le rêveur entretiennent au moment du départ. Les *Recommandations aux promeneurs*, publiées en 1988, répondent implicitement à ces questions. Sur le mode familier et faussement nonchalant qui est le sien, Réda fait part au lecteur de sa propre expérience de flâneur, de ses inquiétudes, de ses tiraillements, mais aussi des joies que le hasard lui a procurées. Il ouvre tout grand son sac de voyage, le carnet de ses pérégrinations et sa mémoire « encyclomotorique ». Récolte inépuisable où chacun peut se servir à son gré. De temps à autre, comme les nuages, dans le cours d'une prose sinueuse et pleine d'irrésistibles éclats, surgit un poème qui vous remet le ciel à l'heure et le cœur à sa place. C'est le moment de s'asseoir et d'aller plus loin que les pas, en rêvant. Car la promenade est une porte sur l'imprévu, si le but qu'on s'est fixé ne pèse pas plus qu'une boîte d'allumettes dans la poche. Il arrive bien souvent qu'elle soit à elle-même son propre but. Peu importe à la fin que les « sources de la Seine » restent invisibles, intact le mystère de la mer, l'essentiel est dans le désir obstiné qui nous porte vers cette « secrète route / Où goûter aux talus l'herbe d'éternité ». Ce que nous rappelle Réda dans *Le Sens de la marche,* publié en 1990 : « Je me retrouve encore une fois dans la marche / Mouvante du royaume où le véritable séjour / Attend – proche, caché – de détour en détour / Faisant signe, montrant le seul sens de la marche : / Évident mais secret il nous échappe – adieu, bonjour. » Qu'il aille en prose ou en vers, comme il passe de la route au rail, Réda va toujours en plein air. Sur les traces de La Fontaine, de Wordsworth, de Jules Renard, de Proust ou de Follain, il s'égare à loisir, préférant humer l'air des sites où vécurent ces « poètes » plutôt que de visiter leurs maisons et les musées qui n'enferment que poussières : « La vie infusée dans leurs livres, écrit-il, m'a fait l'hôte de la maison, mieux que toute visite. » Promené par l'espace autant qu'il s'y promène, c'est toujours « en osmose avec (le) paysage qu'il écrit ». De là sans doute l'allure dansante de sa prose, la variété de ses couleurs et la force tonique de ses poèmes. De là aussi la capacité de l'auteur à se plaire où il est, établissant sa morale dans cet « égocentrisme cosmique » qui lui fait trouver n'importe où le « point central de son existence », le point où tout se recommence sans cesse, l'« énigme inéclaircie » du monde et ce bleu sans fond de l'étendue où le poète va se « dissoudre », qui sait que « le voyage accompli ne s'achève jamais ». G. G.

HERBE DU DIABLE ET LA PETITE FUMÉE (L'). Une voie yaqui de la connaissance [*The Teaching of Don Juan : a Yaqui Way of Knowledge*]. Premier livre de l'écrivain américain Carlos Castaneda (né en 1925 ?) centré sur l'initiation qu'il a reçue d'un sorcier yaqui considéré et décrit comme son maître. À la fin des remerciements qu'il adresse aux professeurs d'anthropologie qui l'ont aidé à construire son premier livre en 1971, il écrit que « don Juan » lui a dit un jour ceci : « Pour moi n'existent que les voyages sur les chemins du cœur, tous les chemins qui ont un cœur. C'est là que je voyage, et le seul défi qui compte, c'est d'aller jusqu'au bout. »

Pour Castaneda, l'intention de rencontrer don Juan, au départ, ne dépasse pas le but de faire une étude botanique sur les effets des champignons hallucinogènes. Peu à peu, il est entraîné dans une aventure beaucoup plus profonde qui le conduit à être initié à la voie yaqui de la connaissance. Il découvre que l'usage des plantes est l'étape préliminaire de l'initiation et qu'elle doit être contrôlée par un maître, car on risque, sans cette précaution, un danger mortel tant pour le corps que pour le mental. Don Juan lui enseigne que les plantes contiennent le principe à la fois matériel et immatériel nommé par la tradition yaqui l'« Allié ». « Un allié est un aide indispensable pour accéder à la connaissance. Un allié te fera voir et comprendre des choses, dit don Juan à Castaneda, que pas un homme ne serait à même de te révéler. » Par progression géométrique d'un livre à l'autre, l'œuvre de Castaneda décrit les différentes étapes de son expérience et révèle, malgré les nombreuses résistances provoquées par son rationalisme occidental, comment il accepte puis s'engage totalement à devenir lui-même sorcier.

Dans le décor de la région de Sonora où vivent les Indiens yaquis et tarahumaras, il découvre, non seulement avec don Juan mais également avec d'autres personnages, ce que sont les « états de réalité non ordinaires, états où le "réel" convenu vacille et où se manifestent les autres mondes présents à chaque instant et auxquels l'homme non éveillé demeure aveugle et sourd. Ce sont des états qui permettent la rencontre avec l'allié. Toutefois l'"homme de connaissance" accède à ces états sans aide et passe sans dualité de ceux-ci à l'état ordinaire », ainsi que le note Yves Buin dans sa préface de 1985 à *L'Herbe du diable.* Le lecteur découvrant les récits de Castaneda suit lui-même une sorte de parcours initiatique qui peut lui apprendre, notamment, le moyen de rester lucide au cours de ses rêves, à distinguer et à « voir » les différences qui existent entre ce que le sorcier nomme le monde du « tonal » et celui du « nagual » (schématiquement les mondes de la réalité quotidienne et ceux du rêve). Il peut être incité à obtenir des « accroissements de conscience ». Il y retrouve également des réflexions d'ordre métaphysique proches des expériences auxquelles conduisent la spiritualité et la sagesse universelle. – Trad. Soleil noir, 1982. Al. Va.

HERBE ROUGE (L'). Roman de l'écrivain français Boris Vian (1920-1959), publié en 1950. « Être satisfait ou gâteux, dit Wolf, c'est bien pareil. Quand on n'a plus envie de rien, autant être gâteux. » Lui, Wolf, est partout et toujours mal à l'aise. Pas désespéré, pas exactement malheureux : mal à l'aise. Il a fabriqué une machine, un monstre mécanique qui lui permet d'explorer méthodiquement, palpablement ses angoisses, ses terreurs, son passé. Il entre dans la machine, et des personnages viennent à sa rencontre, qui rendent vivants les souvenirs cependant que des explications s'ébauchent. À côté, il y a la vie, merveilleuse et invivable malgré Lil, sa femme, Lazuli, son ami, et Folavril, l'amie de son ami. Comment dire ? Un récit fantastique et amer, une parabole sous la pataphysique et la plaisanterie, un langage qui est à la fois une critique du langage. Derrière l'histoire de la machine, l'histoire de deux couples, et derrière ces histoires de la plongée dans l'abîme intérieur du temps et des rapports torturés-torturants où s'use l'amour, la danse des masques au creux desquels se dissimule notre détresse. L'humour de Vian, comme celui de Jarry, mais peut-être plus continûment, excelle à se jouer de la logique pour mettre à vif les nerfs de notre esprit et faire craquer le confortable oubli où il s'efforce de tenir nos plus cuisants problèmes. Pas de repos pour qui ne se satisfait pas ; pas de repos ni dans l'amour ni dans les œuvres, seulement dans la mort, point final appelé par cette confidence qui sonne étrangement au bout du fantastique et terrible voyage : « Un mort, c'est bien. C'est complet. Ça n'a pas de mémoire. C'est terminé. On n'est pas complet quand on n'est pas mort. »

HERBES FOLLES DE TCHEVENGOUR (Les) [*Čevengur*]. Roman de l'écrivain russe Andreï Platonov (1899-1951). Terminée en 1929, cette œuvre ne devait être publiée qu'en 1972 (Paris, éditions Ymca-Press). Publication soviétique en 1988 dans la revue *Znamja.* Déclaré par Gorki « plein de mérites incontestables » mais « irrecevable par la censure », ce roman ne fut pas publié du vivant de l'auteur. Celui-ci n'a que trente ans lorsqu'il l'écrit, mais l'on s'accorde à y voir son œuvre majeure, celle qui convoque avec le plus de force l'ensemble de ses grands thèmes. L'action se situe à fin de la période du communisme de guerre, mais le texte est rédigé à la veille de la collectivisation qui allait susciter une nouvelle famine et faire des millions de victimes. Il s'agit d'une sorte d'anti-utopie, dans laquelle Platonov montre comment, au nom d'un idéal aussi meurtrier qu'irréel, la révolution prétend réaliser les rêves ancestraux de l'âme populaire : instaurer l'égalité parfaite, vaincre la mort. Cette dernière idée procède de la philosophie de Fedorov, penseur chrétien dont l'ouvrage principal *Philosophie de l'œuvre commune* était le livre de chevet de Platonov ; de fait, c'est dans un monde de non-vie, monotone et désert, semé de cadavres et d'agonisants, que les héros orphelins et destructeurs de Tchevengour cherchent la clé du mystère de la mort. Nouveau Don Quichotte, Kopenkine parcourt la Russie sur son cheval dénommé Force du Prolétariat, à la recherche du tombeau de sa dame, Rosa Luxemburg. Dvanov, qu'il a sauvé, se joindra à sa quête ; leur errance les conduira à la commune des gueux, Tchevengour. Entre-temps, ils auront traversé le village de Hanskié Dvoriki dont les habitants ont échangé leur nom contre ceux de célébrités (le fondé de pouvoir s'y nomme Fedor Dostoïevski). Ils auront visité la commune Amitié des pauvres, où nul ne travaille mais où chacun porte un titre grandiose. Ils auront vu la réserve révolutionnaire de Pachintsev : désireux de perpétuer l'époque héroïque de la révolution, celui-ci se terre dans une cave où il a entreposé des bombes destinées à décourager ceux qui veulent mettre en place un ordre « normal ». À Tchevengour, douze apôtres de l'utopie ont décidé d'instaurer le communisme « pour le Nouvel An » ; ils ont, à cet effet, liquidé la « bourgeoisie » à l'occasion d'un « deuxième avènement ». Il s'agit d'une entreprise purement volontariste, fondée sur le refus du travail perçu comme générateur d'inégalités (seul le soleil travaille) et la foi absolue en l'illumination prochaine et miraculeuse du socialisme. Un étrange détachement d'hommes en armes détruira Tchevengour, dont l'échec a été rendu manifeste par la mort d'un enfant. Kopenkine mort, Dvanov s'enfoncera tel un personnage du folklore dans le lac de Moutiévo. Le heurt tragique entre la réalité stérile du communisme et les aspirations eschatologiques du peuple s'exprime ici au travers d'images fantastiques et grotesques inspirées du conte populaire. — Trad. Stock, 1972. M. G.

HERBES QUI FLOTTENT SUR L'ÉTANG [*Ike No Mokuzu*]. Ouvrage en quatorze volumes de la femme écrivain japonaise Arakida Rei (1732-1806), rédigé en 1771, et en un temps ne dépassant guère quarante jours. C'est une histoire du Japon, plus ou moins romancée, faite à l'imitation des œuvres historiques appelées *Les Quatre Miroirs* [*Shikagami*]. L'*Ike No Mokuzu* veut en être une suite. Il continue leur narration sur une durée de 270 autres années, de 1333 à 1603, donc jusqu'au début de l'époque des Tokugawa (1603-1868). Historiquement, sa valeur est très limitée, surtout en ce qui concerne ses tentatives de reconstitution d'atmosphère qui sont le plus souvent faussées. Les descriptions, fort minutieuses, que l'auteur donne de la vie de la Cour correspondent plutôt, et encore jusqu'à un certain point, à celle de l'ère Heian (794-1186), et non à celle de la période dont traite le livre ; quant aux grandes figures militaires du XVIe siècle de l'histoire du Japon, comme Toyotomi Hideyoshi et Tokugawa Ieyasu, elles sont présentées non pas comme celles de guerriers et de dictateurs, ce qu'ils furent en réalité, mais plutôt comme celles de gentilshommes de Cour, aimables et raffinés. Par contre, on admire la claire disposition du travail ainsi que la profondeur et l'ampleur des connaissances littéraires, aussi bien chinoises que japonaises, dont l'auteur fait montre en donnant d'abondantes citations ; enfin, sa grande maîtrise des ressources de la langue lui permet des descriptions vives et colorées en un style élégant et expressif. Les qualités de cet ouvrage sont d'autant plus remarquables si l'on considère le temps très court qu'Arakida Rei employa à mener à bonne fin son travail, et ceci à une époque où les matériaux historiques étaient fort rares. Quant au titre, il fut donné par l'auteur, avec beaucoup de modestie, à son œuvre ; il provient d'une poésie mise en conclusion, où il est dit : « Comment apparaîtra le cœur de l'étang, si peu profond à cause des herbes qui flottent l'une contre l'autre sur ses ondes serrées ? » et où l'historienne, se comparant à un étang, manifeste son appréhension à l'égard du jugement que les lecteurs porteront sur son livre.

HERCULE. Le mythe d'Hercule ou Héraclès est l'un des sujets de prédilection de la littérature et de l'art classiques ; poètes et artistes l'ont revêtu de tant de richesse et de variété que la figure d'Héraclès est devenue le plus haut emblème de l'héroïsme grec. On trouve certains motifs se rapportant au mythe d'Héraclès dans l'*Iliade* (*) et dans la *Théogonie* (*) d'Hésiode, auquel est attribué également un petit poème : *Le Bouclier d'Hercule* (*). Le *Cycle épique grec* (*) tire souvent argument des exploits d'Hercule et, parmi les poètes épiques mineurs, Pisandre de Rhodes (VIe siècle av. J.-C.) a fixé dans son poème *Héraclès* la tradition, demeurée immuable, des douze travaux d'Hercule, célébrés également par Stésichore — v. *Odes* (*) — et par Panyasis d'Halicarnasse (VIe siècle av. J.-C.) dans un autre poème en quatorze livres : *Héraclée*. Les poètes lyriques s'inspirent aussi du mythe et une des compositions les plus célèbres sur ce sujet est la première « Néméenne » — v. *Épinicies* (*) de Pindare. Les philosophes ont développé le côté moral du mythe (on connaît l'apologue d'*Héraclès au carrefour* du sophiste Prodicos de Céos) et Héraclès devient le héros qui, surmontant avec une invincible constance les innombrables difficultés de la vie, se rend digne d'une gloire immortelle.

★ Parmi les poètes tragiques, le premier qui s'inspira du mythe d'Héraclès fut Sophocle qui, dans les *Trachiniennes* (*), mit en scène les dernières aventures du héros et sa mort sur le bûcher.

★ Le poète tragique grec Euripide (484-406 av. J.-C.) consacra à Héraclès plusieurs tragédies, depuis la tétralogie : *Les Femmes crétoises, Alcméon à Psophis, Télèphe, Alceste* (*) (la seule de la série qui nous soit restée), jusqu'aux *Héraclides* (*) et surtout à l'*Héraclès*, appelé également *Héraclès furieux*. On ignore l'année de la représentation de cette dernière ; les hypothèses les plus probables varient entre les années 421 et 416 av. J.-C. Le drame a pour action principale les malheurs d'Héraclès qui, après avoir accompli ses merveilleux exploits au service d'Eurysthée, revient chez lui et, par la volonté d'Héra, devient fou et tue sa femme et ses enfants. Héraclès est parti pour accomplir le dernier de ses exploits : il est descendu à l'Hadès pour en ramener enchaîné le chien Cerbère et il a laissé à Thèbes, où se situe la scène du drame, sa femme Mégara et ses enfants, sous la garde de son père putatif — il est en réalité fils de Zeus — Amphitryon. Pendant son absence, Lycos, un étranger de l'Eubée qui a provoqué une sédition, a tué le roi légitime Créon, père de Mégara, et s'est emparé du pouvoir. Certain de la mort d'Héraclès, il veut maintenant assassiner les enfants, la femme et le père du héros, voyant en eux des vengeurs possibles. Au début de la tragédie, la famille apparaît serrée autour de l'autel de Zeus sauveur. En se mettant sous la garde du dieu, le pauvre vieillard Amphitryon n'a pas eu d'autre dessein que celui de gagner du temps. Il garde encore l'espoir du retour de son fils. Mégara au contraire n'espère plus et, tout en pleurant sur le sort de ses jeunes enfants, en vient à penser qu'il vaudrait mieux abréger l'attente d'une mort certaine en abandonnant la protection de Zeus. Le chœur, composé de vieux Thébains, déplore le malheur de la famille. Survient Lycos, qui donne ordre à ses serviteurs d'entourer l'autel d'un cercle de flammes, pour que les victimes meurent sans être touchées. Le chœur, par la bouche du coryphée, prend la défense des victimes et serait disposé à combattre si Mégara — une de ces figures de jeune femme héroïque chères à Euripide — ne convainquait Amphitryon lui-même qu'il est préférable pour eux de mourir noblement sans être étouffés par les flammes. Avant de mourir, Amphitryon et Mégara implorent seulement une grâce, celle de rentrer dans leur maison pour se préparer à la mort. Lycos, imprudemment, leur accorde cette grâce. Dans le chant qui suit immédiatement, le chœur célèbre les exploits d'Héraclès et déplore sa propre vieillesse qui ne lui permet pas de s'opposer au tyran. Amphitryon et Mégara rentrent chez eux, accompagnés des enfants qui portent déjà leurs vêtements funèbres. Mégara épanche toute sa douleur devant la mort imminente de ses fils et invoque une nouvelle fois le secours de son puissant époux.

Mais voici que, par un coup de théâtre inattendu, le héros invoqué sans espoir apparaît brusquement, de retour des Enfers. Héraclès, dans un dialogue haletant avec Mégara, frémissante de joie, apprend la situation des siens et l'infamie de Lycos. « Que l'on jette ces signes de deuil ! », s'écrie le héros : il décide de massacrer Lycos et ses partisans. Amphitryon, d'accord avec lui pour souhaiter une vengeance totale, donne des conseils de prudence quant à son exécution. Plutôt que de soulever la ville, il vaudrait mieux qu'Héraclès supprime Lycos quand celui-ci se préparera à entrer dans la maison pour s'emparer de ses victimes. Ainsi le but essentiel de la vengeance sera-t-il atteint avec certitude. Héraclès consent et rentre chez lui, suivi de ses enfants, qui s'agrippent à ses bras comme s'ils craignaient de le perdre à nouveau ; il est — dit-il — comme un navire qui traîne des radeaux à sa remorque. La joie qu'éprouve Héraclès à se sentir capable de défendre les siens s'impose à la fois au chœur et aux spectateurs. Après un chant du chœur, dont le thème est le regret de la vieillesse en même temps que l'exaltation de la poésie consolatrice, la vengeance s'accomplit. Dans la maison où l'attend Héraclès, Amphitryon fait entrer Lycos venu prendre ses victimes. Le tyran est tombé dans le piège et bientôt on entend ses cris désespérés à l'approche de la mort. Du chœur s'élève un chant de joie, mais cette joie est hors de propos ; elle montre bien la faiblesse et l'ignorance humaines, car le triomphe d'Héraclès n'a été permis par les dieux que pour rendre sa ruine plus terrible. Dans le ciel, à l'effroi du chœur, apparaît une divinité terrible, Lyssa (l'une des Furies), accompagnée d'Iris, la messagère d'Héra (Junon). Iris annonce solennellement que Lyssa, sur l'ordre d'Héra, prendra possession de l'âme d'Héraclès, lequel massacrera alors sa femme et ses enfants. Le destin d'Héraclès est si injuste et digne de compassion que Lyssa elle-même a pitié un instant du héros.

Un peu plus tard, on apprendra le terrible malheur, d'abord par un colloque entrecoupé entre le chœur et Amphitryon, puis, d'une façon plus détaillée, par un messager. Alors qu'il offrait un sacrifice de purification, Héraclès, à la stupeur même des assistants, est peu à peu devenu fou. Il s'est figuré être en voyage dans la cité d'Eurysthée, ce roi qui lui avait imposé ses travaux, et il a cru le tuer, lui et ses fils. Mais, en réalité, ce sont les siens qu'il a assassinés. Amphitryon allait subir le même sort quand Pallas Athéna, frappant Héraclès d'une pierre, l'a fait tomber dans une profonde léthargie ; les serviteurs ont alors pu le lier à une colonne. Après un bref et triste chant du chœur, les portes de la maison s'ouvrent et l'on assiste au douloureux réveil d'Héraclès. Peu à peu, le héros reprend conscience, il s'étonne de l'état dans lequel il se trouve et apprend d'Amphitryon l'acte qu'il a commis. Un instant, il semble qu'il va se tuer et il invoque la mort. Mais — dernier coup de théâtre — voici Thésée, le héros athénien, sauvé par Héraclès. Poussé par la reconnaissance, il est venu de l'Hadès où il était descendu pour porter secours à son sauveur, contre Lycos l'usurpateur. Ayant appris la catastrophe, tout en plaignant le héros comme le plus malheureux des hommes, il l'exhorte à ne pas attenter à sa vie. Héraclès réplique en énumérant la série de ses infortunes ; pour lui, désormais souillé du sang des siens, il n'y a plus de vie possible. Thésée le réconforte et puisque Héraclès devra de toute façon, après son meurtre, fuir le royaume de Thèbes, il lui propose de l'accueillir à Athènes. Héraclès hésite encore, puis dans une soudaine volte-face accepte, avec résignation, de vivre : vivre sera désormais pour lui plus héroïque que mourir, car sa vie équivaudra à une véritable mort. S'appuyant aux bras de Thésée, le héros n'est plus maintenant « qu'un radeau traîné à la remorque d'un navire ».

Cette tragédie, qui, par sa richesse même, a suscité chez les critiques de nombreuses et diverses interprétations, n'a pas à vrai dire, comme on l'a si longtemps prétendu, deux actions distinctes. Le fait qu'Héraclès sauve sa femme et ses enfants dans la première partie ne rend que plus mystérieuse et douloureuse la tuerie de la seconde partie. Il est juste qu'Héraclès donne son nom au drame : c'est un caractère entier et parfaitement cohérent, dans lequel le poète a su moderniser et humaniser les traits du héros antique tout en lui conservant sa grandeur. Un seul point paraît tout d'abord surprenant : l'abandon soudain de la résolution de se donner la mort. Mais de cette décision naît l'admirable et nouvelle poésie qui enveloppe la fin de la tragédie : l'acceptation d'une vie sans éclat de la part d'un héros qui, dans sa jeunesse et dans sa force, avait cru à son invincibilité. Car c'est là la véritable signification poétiquement exprimée de ce drame : la force de l'homme le plus fort n'est que faiblesse en face des caprices inexorables du destin. — Trad. Les Belles Lettres, 1942 ; Gallimard, 1962 (sous le titre *La Folie d'Héraclès*).

★ Durant la période alexandrine, la légende d'Héraclès servit d'argument à diverses œuvres poétiques ; parmi ceux qui s'en inspirèrent, citons Rhianos de Crète, Théocrite et Moschos. Dans la littérature latine, l'*Amphitryon* (*) de Plaute se rattache au mythe d'Hercule. Et Ovide, dans ses *Métamorphoses* (*), chante la lutte d'Hercule contre Archelaos pour la possession de Déjanire, la mort de Nessus, le don de la tunique empoisonnée et la mort du héros sur le bûcher.

★ *Hercule furieux* [*Hercules furens*] du philosophe latin Sénèque (1 ? av. J.-C.-65 ap. J.-C.) est une libre adaptation de la tragédie d'Euripide. Hercule est descendu aux Enfers, et Mégara avec ses enfants ainsi que son vieux père Amphitryon sont tombés au pouvoir de Lycos qui est sur le point de les massacrer tous, lorsque Hercule revient à l'improviste du royaume de Pluton, accompagné de Thésée, et tue Lycos et ses partisans. La tragédie pourrait être finie avec la vertu récompensée et la violence punie, mais à ce moment Junon trouble l'esprit d'Hercule. Pris d'un accès de folie furieuse, à l'instant même où il va offrir un sacrifice, il donne la mort à sa femme et à ses enfants. Revenu à la torpeur qui a suivi cette crise et apprenant sa fatale erreur, il veut se tuer ; mais, cédant à la prière d'Amphitryon et de Thésée, il consent avec regret à vivre et part pour Athènes afin de s'y purifier. Le prologue est récité par Junon. La partie centrale est remplie par le chœur, composé de vieux Thébains, partisans d'Hercule, de Mégara et d'Amphitryon. La tragédie, qui a des rapports avec *Hercule sur l'Œta* (v. ci-dessous), autre légende d'Hercule, pose à nouveau le problème du rationalisme que l'on retrouve dans tout le théâtre d'Euripide ; mais il s'y ajoute la conception nouvelle que se faisaient les stoïciens de la terrible fatalité de la folie humaine. – Trad. Garnier, 1937 ; Les Belles Lettres, 1925, 5e édition 1971.

★ *Hercule sur l'Œta* de Sénèque est à son tour une adaptation des *Trachiniennes* (*) de Sophocle. Le sujet est celui de la mort et de l'apothéose d'Hercule qui, survivant de la bataille d'Écalia, revient avec la fille d'Eurytos, Iole. Il envoie celle-ci à sa femme Déjanire, avec d'autres prisonnières. Déjanire, passionnément éprise de son glorieux époux et furieusement jalouse de Iole, envoie à Hercule une tunique teinte du sang du centaure Nessus, attribuant à ce sang le pouvoir d'un philtre irrésistible, capable de lui rendre l'amour de son époux. Mais, à peine Hercule s'en est-il revêtu, pour offrir un sacrifice à Jupiter, que le poison dont le tissu est imprégné s'enflamme et dévore lentement le malheureux jusque dans la moelle de ses os. Avertie par un pressentiment de sa fatale erreur, Déjanire se donne la mort. Hercule apprend de son fils Hyllos la nature du mal qui le dévore. Se sachant condamné, il fait élever un bûcher sur le mont Œta ; il laisse ses flèches à Philoctète, ordonne à Hyllos d'épouser Iole et meurt héroïquement sur le bûcher, en présence de sa mère Alcmène. Tandis que celle-ci se lamente sur sa mort, Hercule apparaît du haut de l'Olympe pour annoncer à sa mère qu'il a été admis parmi les dieux. Le drame se termine par un hymne du chœur. Le personnage d'Hercule est le portrait idéal du sage stoïcien. Le caractère de Déjanire est traité d'une façon vigoureuse. La tragédie abonde en longs et fastidieux récits, comme celui du sacrifice et de la mort d'Hercule, auxquels les chœurs n'arrivent pas à donner de la vie. Mais les tendances philosophiques de l'œuvre et la grandeur majestueuse de la fin d'Hercule ont une incontestable originalité. – Trad. Garnier, 1935 ; Les Belles Lettres, 1927, rééd. 1967 ; Fl. Dupont, 1990.

★ L'humanisme maintiendra vivante la tradition du mythe. Parmi beaucoup d'œuvres, il faut citer en Espagne *Les Travaux d'Hercule* [*Los trabajos de Hércules*], petit traité en prose d'Enrique de Villena (1384-1434). L'ouvrage, écrit en catalan en 1417 et traduit en espagnol par le même auteur (Zamora, 1483), se divise en douze chapitres, un pour chaque exploit du demi-dieu, considéré alors en Espagne comme un héros national. Chacun des chapitres est, suivant les conventions chères à l'époque médiévale, divisé en quatre parties qui, de chaque « travail d'Hercule », présentent les diverses interprétations, littérale, allégorique, morale et, à la place de l'habituelle interprétation mystique, une quatrième que l'on pourrait qualifier d'historique. Il convient en particulier de remarquer dans cette œuvre la tendance à concilier le mythe païen avec les idées de la foi chrétienne.

★ En Italie, nombreux furent les poètes qui traitèrent de ce sujet : il faut rappeler Giambattista Giraldi (1504-1573) qui, en 1557, à Modène, publia un poème *Hercule* en vingt-six chants. Le poème, qualifié de « roman », transporte dans l'atmosphère classique et mythologique les aventures caractéristiques du poème de chevalerie.

★ Le théâtre français du XVIIe siècle connut de nombreuses interprétations de la tragédie classique ; la plus connue est *Hercule mourant* de Jean Rotrou (1609-1650), représentée en 1634 et tirée de l'*Hercule furieux* de Sénèque.

★ Le poème didactique intitulé *Hercule* du poète suédois Georg Stiernhielm (1598-1672), surnommé « le père de la poésie suédoise », emprunte son sujet à Xénophon : Hercule ayant à choisir entre la vertu et le vice. Hercule rencontre en son jeune âge Dame Plaisir, accompagnée de ses trois filles : Paresse, Vanité et Luxure, et de son fils Ivresse. Elle lui vante les attraits de ses enfants et Hercule est sur le point de la suivre, séduit par la promesse de tant de joies, lorsque Dame Vertu survient et l'engage à penser à son honneur et à Dieu ainsi qu'à la vieillesse et à la mort. Cette allégorie bien conventionnelle est animée par un souffle magnifique, l'abstraction cède le pas à un réalisme savoureux, plein d'humour et aussi de noblesse : Hercule, tel que le présente Stiernhielm, est un de ces jeunes nobles qui faisaient, à l'occasion de la Guerre de Trente Ans, connaissance avec un monde plus riche et plus séduisant que leur patrie. Si certains des passages de ce poème, de style baroque, ample et parfois un peu surchargé, sont franchement burlesques, d'autres ont une grandeur incontestable.

★ Nombreuses furent aussi les œuvres musicales qui s'inspirèrent du mythe antique. La plus célèbre est *Hercules*, un des dix-sept oratorios profanes du compositeur allemand Georg Friedrich Haendel (1685-1759). Le livret de T. Broughton, tiré du neuvième livre des *Métamorphoses* d'Ovide, s'écarte singulièrement de l'austérité habituelle des oratorios et atteint vraiment un climat dramatique qui finit par se refléter dans la musique même, écrite par Haendel en 1744. La première exécution eut lieu à Londres le 5 janvier 1745. Hercule, que Déjanire pleure comme mort, revient victorieux d'Écalia qu'il a conquise et dont il a tué le roi ; il a fait de nombreux prisonniers parmi lesquels la princesse Iole, dont Déjanire, tourmentée par la jalousie, le croit amoureux. Au contraire, c'est Hyllos, fils d'Hercule, qui s'est épris de Iole ; mais l'aveu qu'il en fait à sa mère ne la convainc pas davantage que les protestations de son époux. Elle recourt à la tunique baignée du sang de Nessus, lui croyant le pouvoir de lui ramener l'amour d'Héraclès. Mais, au contraire, le héros meurt dans d'atroces souffrances et il est accueilli par les dieux de l'Olympe qui décrètent qu'Hyllos épousera Iole. La musique, trop liée, par le livret, à l'atmosphère conventionnelle d'une Arcadie fictive, arrive rarement à s'élever au-dessus du médiocre. Il faut rappeler cependant le récit initial de Lychas, personnage qui a le rôle du récitant dans l'oratorio sacré ; presque tout le rôle de Déjanire, bien que n'atteignant pas le caractère expressif de certaines pages de Haendel, est construit avec équilibre et raffinement. Des chœurs terminent chaque acte et presque toutes les scènes ; le premier est le meilleur par son contrepoint majestueux et son originalité harmonique. *Hercules* est une de ces œuvres de circonstance auxquelles Haendel, comme tous les maîtres de son temps, ne pouvait se soustraire, et qui étaient généralement composées de morceaux tirés d'autres œuvres ou non utilisés dans des compositions précédentes. La plus belle page d'*Hercules*, et dont l'élévation est du meilleur Haendel, est le récitatif de Lychas annonçant l'agonie d'Hercule : Haendel a retrouvé là la puissance expressive de ses oratorios sacrés, en particulier dans l'expression de la douleur par la fusion parfaite de la mélodie et de l'orchestration.

★ Parmi les autres productions musicales sur le même sujet, les opéras *Ercole in Cielo* de Carlo Francesco Pollarolo (1635-1720), représenté à Venise en 1696 ; *Ercole sul Termodonte* d'Antonio Vivaldi (1678-1741), Rome, 1723 ; *Les Noces d'Hercule et d'Hébé* [*Le nozze di Ercole ed Ebe*] de Nicola Porpora (1686-1768), Venise, 1744 ; *L'Apothéose d'Hercule* [*Apoteosi d'Ercole*], premier opéra de Saverio Mercadante (1795-1870), représenté à Naples en 1890. Camille Saint-Saëns (1835-1921) composa, en 1877, le poème symphonique *La Jeunesse d'Hercule* ; un autre poème symphonique, *Hercule au jardin des Hespérides* (op. 18), est l'œuvre d'Henri Büsser (1872-1973).

★ En peinture et en sculpture, le mythe d'Hercule a été l'un des plus souvent représentés, et statues, tableaux ou fresques rappellent l'un ou l'autre de ses travaux. Parmi les principales œuvres de l'Antiquité, rappelons les innombrables vases peints et les célèbres statues de Lysippe, aujourd'hui perdues ; la fameuse statue de bronze, jadis à Tarente, puis transportée à Constantinople, où les croisés la fondirent après la prise de la ville. Nous conservons au contraire les statues d'*Hercule Farnèse* de Glycon au Musée de Naples, *Hercule archer* du fronton du temple d'Égine à la glyptothèque de Munich ; *Hercule et Télèphe* au Louvre, le *Torse du Belvédère* au Vatican, œuvre de Glycon d'Athènes. La Renaissance et l'âge du baroque reprirent le thème avec la statuette d'*Hercule et Antée* de Pollaiuolo et le bas-relief *Hercule et les Centaures* de Michel-Ange, tous deux à Florence. Quant aux tableaux, les plus célèbres sont *Hercule et Nessus* et *Hercule et l'Hydre* de Pollaiuolo (Galerie des Offices), *Hercule et Déjanire* de Titien, les toiles *Hercule et Omphale* de Tintoret (Vienne), du Dominiquin (Munich), de Luca Giordano (Dresde) ; *Hercule et Iole* (Rome) et *Hercule étouffe les serpents* d'Annibal Carrache ; *Hercule sur le bûcher*, *Hercule et l'Hydre* de Guido Reni (Louvre) ; la fresque l'*Apothéose d'Hercule* de Pietro Liberi, à Vienne ; *Hercule se reposant sur ses travaux*, de Rubens (Offices) ; les treize compositions représentant les *Travaux d'Hercule* de Poussin et de Zurbarán (Madrid) ; *Hercule et Diomède* de Gros (Toulouse) ; *Hercule et l'Hydre* de Moreau, etc.

HÉRÉDO (L'). Essai sur le drame intérieur. Étude psycho-physiologique de l'écrivain français Léon Daudet (1867-1942), publiée à Paris en 1917. Tout être est fait de deux éléments opposés et toujours en lutte : le « soi » et le « moi ». Le « moi » est la synthèse des tendances héréditaires ou « hérédismes » qui se manifestent dans les passions et dans les aspirations vagues ainsi que dans l'« instinct génésique » ou moteur animal de l'être. Le « soi », au contraire, est l'intime substance de la spiritualité, non transmissible, immortelle, inaltérable ; il comprend l'élan créateur, le tonus de la volonté (ou force volitive) et le sage équilibre de la raison. L'« hérédo » est un individu dominé par ses instincts ; le « héros » est, par contre, l'homme qui veut et obtient la victoire du « soi ». Un véritable type d'« hérédo » serait, selon Daudet, Baudelaire ; parmi les héros, il cite : Mistral, Jeanne d'Arc, Dante, Shakespeare. Toute œuvre est une manifestation du drame entre l'« hérédisme » et la raison, au plus intime de l'artiste ; les personnages de Shakespeare, par exemple, sont des images qui correspondent à de multiples tendances ataviques en lutte dans la personnalité du dramaturge. Ce drame est admirablement exprimé dans *La Divine Comédie* (*) : L'Enfer est la prédominance de l'instinct ; le Purgatoire est la lutte du « moi » et du « soi » ; le Paradis est le triomphe de la raison ordonnatrice et illuminante. Quant au style, il est clair et paisible quand domine le « soi » ; au contraire, il est halluciné et hermétique lorsque le « moi » l'emporte. La raison, à un degré plus ou moins élevé, est toujours présente dans l'individu ; la théorie de l'inconscient métaphysique est inacceptable, de même que celle de l'irresponsabilité morale. On peut progressivement apprendre à l'« hérédo » à lutter contre les « hérédismes », jusqu'à la guérison complète. Cette étude est une des premières tentatives faites pour traduire la genèse de l'œuvre d'art dans le cadre de la psychanalyse qui commençait alors à s'affirmer. L'œuvre est plus estimable par la vivacité des idées et l'élégance aisée de l'exposition (Daudet écrit en journaliste) que par sa rigueur scientifique.

HÉRÉSIARQUE ET Cie (L'). Recueil de contes de l'écrivain français Guillaume Apollinaire (1880-1918), publié en 1910. De même que *Le Bestiaire* (*) est un « cortège d'Orphée », les contes font cortège à « L'Hérésiarque », dont le héros se nomme justement Orfei. Les neuf premiers sont des variations en marge du christianisme : légendes comme celles du Juif errant, de Salomé, de Simon le magicien ; fantaisies sur les sacrements et les dogmes. Les quatre suivants mettent en scène des groupes ethniques divers : paysans de Bosnie, petit peuple de Wallonie, bourgeoisie du Hanovre, Piémontais en pèlerinage ; les thèmes religieux n'en sont pas absents. Quatre contes encore traitent de sujets à la limite du fantastique ou du genre policier. Les six derniers forment un cycle centré sur un personnage excentrique et inquiétant, le baron d'Ormesan.

Ces récits sont nourris d'une érudition orientée vers le rare et le curieux, et poétiquement utilisée pour obtenir des effets imprévus et amusants. Les personnages sont choisis dans un monde cosmopolite et bigarré, avec une préférence pour les groupes bien typés aux traditions fortes ; l'auteur est attentif aux accents et aux langues locales. L'analyse psychologique n'est pas sa principale préoccupation ; le comportement des personnages est souvent déconcertant, l'action étant déterminée par la pression interne du fantasme et par une certaine logique facétieuse et perverse. Celle-ci se manifeste notamment dans le jeu sur les dogmes et les sacrements : le Juif latin accumule les crimes et retarde jusqu'à l'article de la mort l'instant de son baptême ; peut-être sera-t-il canonisé. L'hérésiarque, frappé par le parallélisme entre les trois crucifiés du Calvaire et les trois personnes de la Trinité, se persuade que le Père et le Saint-Esprit se sont incarnés dans les deux larrons. Apollinaire explore, dans un climat assez trouble, les franges du catholicisme ; ses ecclésiastiques sont souvent inquiétants. Le surnaturel peut se greffer spontanément sur le réel ; ainsi le narrateur rencontre à Prague un personnage qui n'est autre que le Juif errant, vieil homme truculent et haut en couleur. Quand le miracle survient, il est présenté comme scientifiquement explicable (« La Disparition d'Honoré Subrac », « Le Toucher à distance ») ; aussi ne peut-on proprement parler de fantastique, malgré l'étrangeté des sujets. L'unité du recueil réside dans une structure fondamentale de l'univers apollinarien : l'oscillation entre le faux et le vrai. La mort du Juif errant est une fausse mort ; le baptême du Juif latin n'était peut-être pas valide ; la bague déposée sur l'autel est une fausse relique ; le baron d'Ormesan, faux Messie, est tué le jour de Pâques. L'écriture est pure et limpide, la phrase classique, même lorsque sont insérées dans le dialogue des expressions en langue étrangère ; des réseaux d'échos et de refrains assurent à l'intérieur des contes une cohérence musicale ; un humour singulier et ambigu contribue à leur charme.

M. B.

HÉRITAGE DU SYMBOLISME (L') [*The Heritage of Symbolism*]. Ouvrage de critique littéraire publié en 1943 par l'écrivain anglais sir Maurice (C. M.) Bowra (1898-1971). Il s'agit d'une étude pénétrante du mouvement symboliste européen, qui eut une influence si importante sur les techniques de la poésie anglaise moderne, remplaçant la diction romantique et rhétorique de l'époque victorienne par un style tantôt proche de la prose, tantôt allusif et purement suggestif. L'ouvrage insiste sur le fait que les « post-symbolistes » ne forment pas une école, mais sont seulement des poètes isolés qui, dans divers pays, ont renouvelé l'esprit de la composition poétique en ayant recours à des procédés semblables. Il analyse les processus de l'imagination créatrice et les méthodes les plus subtiles de l'expression poétique avec rigueur et discernement. Bowra a continué ses explorations des processus créateurs de l'imagination artistique dans *L'Expérience créatrice* [*The Creative Experiment,* 1949] et *L'Imagination romantique* [*The Romantic Imagination,* 1950].

HÉRITAGE INDO-EUROPÉEN À ROME (L'). Essai du sociologue français Georges Dumézil (1898-1986), publié en 1949. Cet essai conclut une série de sept ouvrages (les séries *Jupiter, Mars, Quirinus* et *Les Mythes romains*), aux liaisons multiples et enchevêtrées, qui sont un peu des rapports annuels de fouilles. La matière et l'intention de ces études intéressent autant l'Inde, l'Irlande, la Scandinavie, l'Iran que Rome, mais Dumézil a dans son essai final « décentré » l'argumentation comparatiste sur Rome parce que celle-ci est plus immédiatement accessible au public non averti. Le but de l'essai est de présenter à ce public la matière, l'objet et le moyen des études qu'il a poursuivies durant vingt ans. La matière tout d'abord : au cours des IIIe et IIe millénaires av. J.-C., d'une région située quelque part entre la mer Noire et la Baltique, des bandes conquérantes se répandent en tous sens. Le cheval domestiqué et le char leur assurent partout la victoire. Au départ, ils parlent tous des dialectes d'une même langue mais rapidement entre eux les différences linguistiques s'accusent. On appelle « indo-européen » cette langue d'où sont sortis le grec, le latin, les parlers celtiques, germaniques, slaves, l'indi et l'iranien. Une langue commune suppose un minimum de civilisation commune tant intellectuelle que matérielle. Il a donc dû exister vers le IIIe millénaire une civilisation indo-européenne et en particulier une religion indo-européenne. Dès 1918, Vendryès, par l'examen des concordances des lexiques anciens des langues indo-européennes, mettait en évidence les traces de celle-ci. Dumézil se donne comme objet d'étude l'exploration systématique de tels vestiges — à l'aide d'une méthode très stricte calquée sur celle de la linguistique comparative. Celle-ci vise deux choses : d'une part le tableau des équations phonétiques et morphologiques entre des langues de même parenté ; d'autre part, à partir de ces « faits comparatifs », qui déterminent assez loin dans la préhistoire et avec une bonne approximation un point de départ commun, joignant ce point de départ aux points d'arrivée que sont les premiers états historiquement attestés des diverses langues apparentées, elle dessine le profil d'évolution de chacune. Dumézil procède exactement de la même façon, ajoutant deux règles de méthode : puisque l'homme pense et introduit partout la cohérence, il faut établir des séries de comparaisons pour découvrir la raison du système, la « structure ». D'autre part, il faut viser un « fait total » – pour la religion, cela va des représentations quasi inconscientes à l'organisation du travail social – et, à la limite, intégrer tout le résultat à une anthropologie (le meilleur commentaire de l'avènement de Prthu est fourni par les intronisations aux îles Fidji). Dumézil illustre brièvement, pour conclure, cette méthode sur l'exemple de Rome. Il montre quelle est la structure logique et théologique qui constitue l'« histoire » que les Romains se donnent de la fondation de leur ville – laissant aux historiens le soin de déterminer ce qui est fait et ce qui ne l'est pas. Les études comparatistes exigent de briser les cadres étroits de l'humanisme du XVIe siècle. Il faut éclairer les faits romains par d'autres humanismes (zoroastrien, védique). Ce qui est légende nationale à Rome devient en Scandinavie mythe de cour des miracles, et philosophie en Iran. L'étrange alchimie des traditions révèle en négatif, sur les bornes de l'histoire, ce qu'est le travail logique de l'esprit des hommes.

HÉRITIERS (Les). Ouvrage des sociologues français Pierre Bourdieu (né en 1930) et Jean-Claude Passeron, publié en 1964. Les auteurs y montrent la diversité des conditions étudiantes et le caractère équivoque du fonctionnement de l'université. Un constat statistique simple sert de point de départ à la démonstration : 58 % des enfants de cadres supérieurs entrent à l'université, contre 1,4 % des enfants d'agriculteurs. Pierre Bourdieu et Jean-Claude Passeron réfutent l'explication par les inégalités de revenus, pour lui substituer une explication par le facteur culturel : l'université sanctionne la possession d'une culture transmise dès l'enfance dans certains milieux sociaux, absente dans d'autres ; elle juge donc les étudiants sur ce qu'elle ne leur a pas elle-même enseigné. De plus un mécanisme d'intériorisation de l'impossibilité de réussir scolairement, à partir de la constitution d'une « statistique intuitive » du phénomène, basée sur les résultats des aînés, explique les différences de motivations. Enfin l'université ne transmet pas les codes d'utilisation des connaissances : parce que certains candidats ne connaissent pas les règles du jeu, ils échouent et considèrent leur rejet de l'université comme légitime, alors que l'« héritage culturel » des autres est consacré comme mérite individuel par l'institution. Cette fonction de consécration des inégalités par l'université est essentielle : elle seule explique, en effet, que le mécanisme se reproduise sans qu'il soit nécessaire aux groupes qui en profitent de travailler à cette reproduction. C'est même le caractère diffus et non intentionnel de la violence qui rend l'exclusion acceptable par tous et donc efficace. Pour autant, Pierre Bourdieu et Jean-Claude Passeron ne rendent pas compte des échecs des efforts gouvernementaux, ou encore de ceux des instituteurs d'idéologie populaire qui n'ont pas vraiment réussi à altérer le phénomène. Quelles que soient les zones d'ombre qui peuvent toujours être trouvées, le mérite des auteurs est principalement d'avoir mis en évidence l'importance du facteur culturel dans l'explication des inégalités de réussite scolaire, à partir d'un schème explicatif particulièrement adapté aux années 60, quand la décision positive d'arrêter ses études existait. Mais ils sont conduits à forcer un peu le trait, et il serait en fait excessif de nier que le facteur économique puisse aussi avoir une influence.

F. Ch.

HERMANN ET DOROTHÉE [*Hermann und Dorothea*]. Poème idyllique de l'écrivain allemand Johann Wolfgang Goethe (1749-1832), composé entre 1790 et 1797 et publié la même année à Berlin. Ce fut l'œuvre préférée du poète, qui éprouvait, toujours en 1825, la même émotion qu'à la première lecture du quatrième chant qu'il fit à Schiller en 1796. La toile de fond est constituée par la Révolution française, « qui fit plus librement battre les cœurs, en proclamant un droit commun à tous les hommes » ; mais au premier plan se tiennent les souffrances humaines entraînées par cette même Révolution ; et c'est l'amour de l'homme, le « mouvement du cœur », qui, pour Goethe, demeure la plus haute valeur, supérieure aux plus grandes « contingences de l'histoire ». L'action – qui transpose en 1795 un fait réel qui se produisit à Altmich en 1732, pendant l'exode forcé des protestants de Salzbourg – se déroule dans une localité frontalière, où arrivent en masse les populations allemandes de l'autre rive du Rhin, fuyant devant les soldats de la Révolution. Parmi les réfugiés se trouve une adolescente, Dorothée, qui marche vaillamment auprès d'un char tiré par des bœufs. Hermann, fils du riche propriétaire de l'« Auberge du Lion d'Or », en tombera éperdument amoureux. La description de leur rencontre, de leur idylle et de leurs fiançailles, qui couronnent enfin la victoire de leur amour sur les embûches de l'adversité, constitue la trame du poème, qui comprend neuf chants ayant chacun en « surtitre » le nom d'une des neuf Muses. Le premier – dédié à Calliope, Muse de la poésie épique – est un tableau délicieux de la vie de province, restituant la paisible atmosphère qui y règne habituellement, avant de passer à la description « enluminée » du trouble qu'y apporte le passage du cortège lamentable des réfugiés. Dans le deuxième chant – dédié à Terpsichore –, Hermann, qui vient de déposer aux pieds de la belle Dorothée tous les dons et les secours qu'il avait à distribuer, s'en retourne allègrement chez lui : mais son père et sa mère lui font part de leur commun désir de le voir épouser l'une des filles d'un riche voisin ; et le pauvre Hermann, après avoir vainement tenté de s'opposer et de réagir, se retire en silence. Le troisième chant – placé sous la protection de Thalie – ne compte que cent dix vers. Le père d'Hermann y soulage sa bile en pestant, avec le pharmacien, contre les malheurs du temps, tandis que sa mère inquiète se met à sa recherche ; et le quatrième chant – dédié à Euterpe, Muse de la musique – nous la montre en quête d'Hermann, de jardin en jardin, à travers les vignes, jusqu'au sommet de la colline où elle le trouve enfin, les yeux remplis de larmes : il affirme vouloir s'enrôler, touché par les misères auxquelles il vient d'assister et conscient désormais du danger qui menace la patrie. Mais sa mère ne s'y trompe point : c'est donc cette jeune réfugiée, lui dit-elle, que tu as choisie. Les cinquième et sixième chants – sous le patronage de Polymnie et de Clio – voient la mère d'Hermann, le pasteur et le pharmacien s'évertuer auprès du père pour lui arracher son consentement au mariage. Avec les septième et huitième chants – sous les auspices de la suave Érato et de la sévère Melpomène –, le poème atteint à un lyrisme d'une profonde intensité et d'une haute pureté d'accents. Dans le septième se situe la célèbre scène d'amour à la fontaine, où Hermann et Dorothée, tout en devisant, contemplent dans l'eau leurs visages, tandis qu'un « doux désir les gagne ». Et c'est une autre scène d'amour, non moins célèbre, qu'apporte le huitième chant, lorsque Dorothée, ayant fait ses adieux à ses compagnons d'infortune, se dirige en compagnie d'Hermann vers la demeure de ce dernier. Au cours d'une promenade sentimentale à travers vignes et champs, les deux jeunes gens se font les plus douces confidences, tandis que les derniers feux du couchant et les approches troublantes de la nuit illuminée font comme un vaste écho à leurs pudeurs et à leur passion. Il ne reste désormais que la « déclaration officielle » : le neuvième chant – sous les auspices d'Uranie – lui est réservé : dans une scène pleine d'émotion et de gravité, le prêtre échange entre les deux jeunes gens les anneaux de fiançailles.

Tout dans ce poème est simple, solennel et patriarcal. Les personnages, en dépit de leurs petites faiblesses et de leurs manies, sont des gens ouverts et droits. Au milieu d'une société en perdition, le poème offre l'image d'une communauté évoluant au sein d'un ordre éternel, se référant à des sentiments immuables dans leur simplicité. Poésie d'une vie « naturelle », laborieuse sécurité dans l'harmonie de ses lois, puissance et pureté originelle des sentiments. À la relire aujourd'hui, combien cette œuvre nous paraît loin de nous ! Et dans la forme même, quelque chose accentue encore cet éloignement : lorsque Goethe écrivit son poème, il était trop imprégné de ses discussions théoriques avec Schiller au sujet de l'art pour que son inspiration pût éviter les périls de toute « esthétique appliquée » ; on découvre en effet par endroits, aux points de jonction entre les éléments d'un réalisme bourgeois et le ton légendaire, tour à tour biblique et homérique du poème, une insistance inutile, des stylisations par trop voulues. Mais ce sont là les petits tributs payés par le poète aux tendances esthétiques qu'il imprima lui-même à son époque ; cependant ni la ligne d'ensemble ni la richesse de l'œuvre n'en sont altérées. – Trad. Hatier, 1947 ; Aubier, 1991.

HERMAPHRODITE (L') [*Hermaphroditus*]. Recueil d'épigrammes érotiques latines de l'humaniste italien Antonio Beccadelli, dit Il Panormita (1394-1471), publié probablement en 1425. La versification en est parfaite ; c'est une imitation de celle de Catulle ; le sujet, également, rappelle l'œuvre du poète latin. Dans de petits groupes de distiques latins (quatre-vingts distiques divisés en deux livres) l'auteur passe en revue une riche suite d'expériences amoureuses où l'érotisme est considéré comme sa propre fin. Pour cette œuvre, dédiée à Cosme de Médicis, Beccadelli fut couronné poète par l'empereur Sigismond. Le concile de Constance condamna le poème qui fut brûlé sur la place publique. – Trad. Liseux, 1892.

HERMAPHRODITE, mythes et rites de la bisexualité dans l'Antiquité classique. Essai de l'écrivain belge d'expression française Marie Delcourt (1891-1979), publié en 1958. Hermaphrodite est l'exemple privilégié d'un mythe pur, né de la pensée de l'homme cherchant à projeter et à cerner « la représentation la plus capable à la fois de rendre compte de ses origines et de symboliser quelques-unes de ses aspirations ». Des légendes, des croyances, des rites archaïques sont à l'origine de ce mythe qu'ont cultivé à la fois les écoles, les théologies, les cosmogonies de toutes les races. « Tout se passe, en somme, comme si les Anciens avaient nettement perçu le symbolisme de la bisexualité, sans toutefois lui permettre de se fixer dans un grand mythe divin, mais en le laissant s'exprimer dans des rites, dans des cultes et dans des légendes où, du reste, sa valeur est souvent défigurée. » Si les recherches de sociologues ont permis de voir dans le mythe d'Hermaphrodite la signification première de l'androgyne, C. G. Jung nous a montré son rôle dans l'univers des alchimistes, lequel « reproduit dans ses grandes lignes la rêverie où le conscient rejoint l'inconscient, où animus s'unit avec anima pour recomposer avec elle une psyché en équilibre ». Dans l'Antiquité, les hommes se déguisaient en femmes et les femmes en hommes lors de nombreuses fêtes religieuses, beaucoup de divinités avaient une forme masculine et une forme féminine, souvent les êtres (comme Tirésias) changeaient de sexe, et la Grèce honorait un dieu Hermaphroditos que tardivement l'on représente debout (Berlin, Épinal) ou couché, voire endormi (Louvre, Vatican...). Marie Delcourt, qui semble avoir pénétré les secrets des magies de l'Antiquité, traite ce sujet délicat dans tous ses détails, expliquant bien que cet être hybride était né d'une idée (réunir dans une écriture les qualités et les forces des deux sexes) que l'on a voulu concrétiser, idée qui se retrouve chez la plupart des philosophes, entre autres dans le fameux mythe du *Banquet* (*), où Platon raconte comment des êtres doubles furent séparés par Zeus en deux moitiés qui cherchent toujours à se rejoindre. C'est ainsi que dans son dernier chapitre, « Le Symbole androgyne dans les mythes philosophiques », Marie Delcourt étudie les auteurs et leurs œuvres, qui, à partir de l'image d'Hermaphrodite, ont traduit une commune aspiration à l'unité, un rêve de régénérescence, « un effort aussi pour rattacher l'une à l'autre l'idée d'un Dieu qui doit être parfait et la réalité d'un monde qui ne l'est pas ». L'auteur commente dans un exposé sommaire, mais brillant : I « L'Orphisme », II « Platon », III « La Gnose et l'Hermétisme », IV « Le Phénix », V « La Magie et l'Alchimie ». Petit livre, mais en tout point excellent par la richesse de l'information, la clarté et la fermeté de l'exposé, la façon dont Marie Delcourt initie au monde de la tératologie.

HERMÈS (I à V). Cinq livres du philosophe français Michel Serres (né en 1930) ont été publiés sous ce titre général de 1969 à 1980. En tout quelque mille deux cents pages, et un seul art : voyager dans les savoirs, les arts et les mythes loin de la clameur des polémiques. Voyage sans carte, sous la protection d'Hermès, dieu de la communication. La série des *Hermès* correspond à une urgence : ruiner le dogmatisme, et pour cela parier pour une philosophie de la communication, donc travailler — l'époque bachelardienne étant close — à l'établissement d'un « nouveau nouvel esprit scientifique » (*Hermès I*) qui se développerait en une « philosophie du transport : intersection, intervention, interception » (*Hermès II*). Ce préfixe « inter », signe du nécessaire commerce avec l'autre, dit le devoir d'assumer sa parole comme version non contradictoire mais transverse du savoir. Le titre même des *Hermès* en est une approche : communiquer (*Hermès I* : « La Communication », 1969), c'est chercher à passer (*Hermès V* : « Le Passage du Nord-Ouest », 1980), et donc interférer (*Hermès II* : « L'Interférence », 1972), traduire (*Hermès III* : « La Traduction », 1974), distribuer (*Hermès IV* : « La Distribution », 1977). Ainsi Michel Serres parcourt l'encyclopédie, balaye l'espace sans partition du savoir, pays natal de la philosophie : mathématiques, physique, biologie, littérature, peinture, musique, mythologie, non plus en suivant le chemin droit d'une méthode mais en empruntant une multiplicité de voies, à la recherche des points de passage entre les concepts scientifiques et les sciences humaines. S'en étonneront les sédentaires, tout à leur niche ; mais s'en réjouiront les nomades car le savoir est là bondissant, heureux. Refusant la pratique de ceux qui divisent à l'infini les disciplines ou qui les additionnent, Serres reconnaît la complexité du champ du savoir, et furète partout comme un « renard ». Sa posture est celle du dieu des carrefours. Il veille sur les échangeurs, sites mobiles par où transitent les concepts, montre par exemple comment la notion algébrique de partition éclaire la composition des « Pythoprakta » de Xénakis (*Hermès II*), comment une évaluation thermodynamique se « traduit » dans un tableau de Turner (*Hermès III*), comment le concept de don de Mauss fonctionne aussi dans le *Dom Juan* (*) de Molière (*Hermès I*). Dans « La Distribution », Hermès devient bruit de fond, énergie disséminée, désordre d'où tout ordre ne surgit jamais que par miracle : *Hermès IV* introduit en philosophie un objet nouveau.

Placés sous le signe d'un tel dieu, face à la violence de l'histoire, ces cinq ouvrages lèvent haut le caducée, symbole de paix. Ainsi, dans « La Thanatocratie » (*Hermès III*), Serres dénonce ce « gouvernement de la mort » auquel la science a contribué et, fidèle au dieu des voleurs, il se donne pour tâche de la voler aux pouvoirs de ce monde qui l'enchaînent à une œuvre de mort. Arracher la science aux mains d'Arès et la rendre à Aphrodite, son épouse, telle est la sagesse d'Hermès.

H. F.

HERMOTIME [Ἑρμότιμος ἢ περὶ αἱρέσεων]. Dialogue de l'écrivain grec Lucien de Samosate (125 ?-192 ? ap. J.-C.), écrit vers 165 ap. J.-C. C'est peut-être le plus significatif de ses dialogues. L'auteur y participe lui-même et s'efforce de montrer à ses interlocuteurs qu'il est impossible de connaître la vérité en ne se servant que d'un seul système philosophique et que, par conséquent, tout effort dans ce sens est inutile. Lucien persuade son interlocuteur, Hermotime (un vieux philosophe qui, ayant passé toute sa vie à étudier la philosophie, n'a pas réussi d'autant à découvrir le critère absolu de vérité), de renoncer à toutes les spéculations et de choisir un mode de vie plus simple qui le conduise à bien faire. La critique des divers systèmes philosophiques est conçue selon la méthode des sceptiques, en opposant un système à un autre et en faisant ressortir leurs contradictions. Lucien n'est pourtant pas un sceptique : il veut simplement démontrer, en se fondant exclusivement sur le bon sens, l'inconsistance de toute spéculation abstraite et de toute doctrine fermée et dogmatique.

HERNANI ou l'Honneur castillan. Drame en cinq actes de l'écrivain français Victor Hugo (1802-1885), représenté pour la première fois le 25 février 1830. L'action se déroule en Espagne au début du XVIe siècle. La belle doña Sol a inspiré une profonde passion au proscrit Hernani. Celui-ci, incapable de vivre sans elle, brave cet interdit qui pèse sur lui ; il vit dans le maquis avec des brigands et, pendant la nuit, obtient des rendez-vous secrets de son aimée. Le cœur de doña Sol ne bat que pour Hernani, mais un vieil oncle de doña Sol, Ruy Gomez, qui désire l'épouser, essaie de la soumettre à sa volonté. Hernani lui-même a un rival en don Carlos, le jeune roi d'Espagne qui deviendra empereur sous le nom de Charles Quint. La situation se complique encore du fait que Gomez, comme Hernani, trame des complots contre le roi. Hernani est surpris, une première fois, par don Carlos dans les appartements de doña Sol. Très chevaleresquement, le roi promet de garder le secret et sauve Hernani. Au cours d'une autre rencontre, c'est Hernani qui a l'occasion de soustraire le roi au poignard des conjurés. Ruy Gomez, cependant, dans l'espoir de pouvoir épouser doña Sol, emmène celle-ci dans un château. Hernani s'y rend aussi. Le roi les rejoint et enlève de force doña Sol. Ruy Gomez refuse de lui livrer Hernani. Entre ces deux prétendants, un pacte est scellé : Gomez, qui a sauvé la vie à Hernani, permet à celui-ci de poursuivre le ravisseur et tous deux se prêteront assistance en vue de l'assassinat du roi, mais Hernani doit s'engager à se suicider dès qu'il entendra le son du cor de Gomez. Don Carlos réussit à mettre la main sur tous les conjurés mais, comme il apprend qu'il vient d'être élu empereur, il renonce à ces aventures de jeunesse, fait preuve de clémence en faveur de tous ceux qui en voulaient à sa vie et permet à Hernani d'épouser doña Sol. Les deux jeunes gens, après tant d'aventures, vont enfin connaître le bonheur ; mais voici que, le soir même de leurs noces, le cor de Ruy Gomez retentit. Hernani s'empoisonne et doña Sol avec lui. Gomez, frappé par l'horreur de son geste et pris de remords, se tue à son tour. Cet ouvrage est fondé tout entier sur la fatalité de la passion et sur le respect des lois chevaleresques. Les personnages, malgré un déploiement de gestes héroïques, manquent de vérité psychologique et de consistance. Ce drame, toutefois, nettement inspiré par la tradition romantique, celle du *Cid* (*) de Corneille et celle des *Brigands* (*) de Schiller, possède une indéniable force poétique susceptible de ravir et de transporter le lecteur. La magie du verbe fait accepter les situations les plus extraordinaires. La passion amoureuse trouve, dans les célèbres dialogues entre doña Sol et Hernani, des accents impérissables. C'est parce que *Marion Delorme* (*) avait été interdite, en 1829, que le poète dut la remplacer, à la Comédie-Française, par cet ouvrage qu'il écrivit en un mois. Lors de la première représentation se déchaîna l'attaque des jeunes romantiques, conduits par Théophile Gautier, contre le public bourgeois encore attaché aux formes traditionnelles. La légendaire soirée a été racontée par Théophile Gautier lui-même dans son *Histoire du Romantisme* (*). De violentes polémiques suivirent ce tumulte, demeuré célèbre sous le nom de « bataille d'Hernani », première grande bataille du nouveau théâtre romantique.

★ Du drame de Victor Hugo, Piave a tiré un livret pour le cinquième opéra de Verdi (1813-1901) : *Hernani* [*Ernani*], représenté en 1844 au théâtre de la Fenice de Venise. Cet ouvrage se compose d'un prélude et de quinze morceaux distribués en quatre parties : « Le Banni », « L'Hôte », « La Clémence », « Le Masque ». Verdi lui-même écrivit la trame du livret en condensant le drame original et en le modifiant quelque peu. Cette réduction ne fut pas sans nuire à la logique même de l'action. C'est ainsi que les épisodes politiques de la deuxième partie surviennent sans que le spectateur y ait été préparé. Le musicien enthousiasmé par le sujet en appréciait l'intérêt scénique et en pressentait le succès. En fait, il laissa intacte la substance même du drame de Victor Hugo, avec son mystère, ses crimes, ses amours, ses complots et ses travestissements. Les personnages sont ceux de Victor Hugo, mais certains noms sont changés. C'est ainsi que doña Sol devient Elvire et Gomez, Silva. La musique de cet opéra réunit toutes les formes, les manières et les caractéristiques des opéras précédents. C'est pourquoi *Hernani* eut un rapide succès en Italie et à l'étranger, et même un succès populaire. Les personnages n'ont ni des passions ni des caractères très originaux. Don Carlos, dans la troisième partie, est le seul des protagonistes qui ait quelque consistance psychologique. *Hernani* est le mélodrame de Verdi où éclate le plus ce manque de goût où certains romantiques mettaient leur fierté. À la fin de la représentation, on garde la mémoire de quelques airs faciles, le souvenir d'une musique abondante, mais non d'un drame humain.

★ Vincenzo Bellini (1801-1835) écrivit lui aussi, en 1832, quelques scènes pour un opéra : *Ernani* d'après un livret de Felice Romani. La censure en empêcha la représentation. L'auteur utilisa pour *La Somnanbule* (*) les morceaux qu'il avait écrits. Sous le même titre, mentionnons une « Ouverture » de Victor Duvernoy (1820-1906).

HERNE (L'). Revue fondée par l'écrivain français Dominique de Roux (1935-1977).

Après la revue *L'Herne* fondée en 1956 (huit numéros de 1956 à 1957) où écrivirent entre autres Ricardou, Thibaudeau et Londeix, Dominique de Roux fonde en 1961 les *Cahiers de l'Herne*. Chaque livraison, « consacrée à un poète, un écrivain, un peintre, un cinéaste », se proposera de réunir « aussi bien les témoignages de l'amitié que les " articles de délivrance " de poètes, d'écrivains, de peintres, de cinéastes contemporains ». Il s'agit de remettre en débat une œuvre vivante et son auteur, et non pas d'en organiser la muséographie : de donner une « forme de la vérité, non pas une vérité cohérente et centrale, mais bien latérale et divisée » (Thomas de Quincey, épigraphe aux « Cahiers »). Le premier *Cahier de l'Herne* est consacré à René-Guy Cadou ; il paraît en avril 1961. Suivront les cahiers Bernanos (janv. 1962) et Céline I (janv. 1963) et II (mars 1965) dont le succès polémique assurera aux cahiers une notoriété qui ira s'élargissant. (En 1963, Dominique de Roux crée parallèlement les éditions de l'Herne, dont les premiers titres publiés sont *La Maison de l'inceste* d'Anaïs Nin et les *Cantos pisans* (*) d'Ezra Pound.) De 1961 à 1974, trente-deux cahiers paraîtront ainsi, consacrés entre autres à Borges (1964), Pound I et II (1965 et 1966), Michaux (1966), *Le Grand Jeu* (1968), Ungaretti (1969), Lovecraft (1969), Massignon (1970), Gombrowicz (1971), Soljenitsyne (1971), Mao Tsé-toung, Jouve (1972), Gracq (1972), de Gaulle (1973), Dostoïevski (1973), Jules Verne, Karl Kraus, Péguy, Abellio... Qu'il s'agisse de révéler des auteurs encore mal connus en France (Borges, Pound, Gombrowicz) ou de réévaluer des œuvres supposées connues ou « classées », la démarche est la même qui consiste à rouvrir le dossier, au seul risque de la littérature.

En 1975, ayant été dépossédé de sa maison d'édition, Dominique de Roux fonde les *Dossiers H* pour faire suite à ses *Cahiers de l'Herne*. C'était illustrer le nom qu'il avait choisi pour son aventure, celui de l'hydre aux multiples têtes repoussant à mesure qu'on les coupe. Un seul dossier paraîtra de son vivant : *Les Écrivains et la guerre d'Espagne*. À partir de 1983, les *Dossiers H* sont publiés sous la forme d'une collection dirigée par Jacqueline de Roux aux éditions L'Âge d'homme. Paraissent successivement les dossiers : John Donne, sous la direction de J.-M. Benoist (1983), René Guénon (1984), saint Augustin (1988), François Perroux, Léon Bloy (1990), Péladan, Gurdjieff (1992)... Ph. Ba.

HÉRODIADE. C'est l'une des rares figures de femme que les Évangiles présentent avec l'auréole du péché et de la perversion : personnage cruel et étrange, Hérodiade devait séduire la fantaisie des artistes et des poètes tout autant que l'imagination populaire. Son nom, ainsi que celui de *Salomé* (*), sa fille, apparaît dans de nombreuses légendes folkloriques se rapportant à la fête de saint Jean.

★ Durant la Renaissance et à l'âge du baroque, alors que la poésie se tournait de préférence vers les thèmes et les sources épiques ou classiques, la figure d'Hérodiade fut surtout évoquée par les peintres, qui ne manquèrent pas de tirer de l'épisode évangélique de riches compositions dramatiques. Entre beaucoup d'autres, les toiles du Titien sont célèbres.

★ Le romantisme l'enveloppa dans une atmosphère de sombre passion où elle évolue avec une joie satanique. On connaît, en Italie, la tragédie *Hérodiade* de Silvio Pellico (1789-1854) en cinq actes, écrite en vers libres de onze syllabes, avec, au Ve acte, de courts versets lyriques, et publiée à Turin en 1832. Le récit biblique de la mort de saint Jean-Baptiste, par ordre du roi Hérode et sur l'instigation d'Hérodiade, est mis en scène en même temps qu'une intrigue ayant pour sujet la jalousie de Séphora, femme d'Hérode à laquelle il avait préféré Hérodiade ; mais le tout manque de cohésion et se dilue en une série d'interminables monologues ou de pesantes discussions.

★ Plus tard, les symbolistes devaient regarder Hérodiade comme l'image de la luxure sur fond oriental. À cet égard, l'*Hérodiade* de Gustave Flaubert (1821-1880), publiée dans *Trois contes* (*), en est une réalisation fort intéressante.

★ Algernon Charles Swinburne (1837-1909) lui prêta des traits de sa propre sensibilité dans une de ses *Poésies et ballades* (*).

★ Avec le poète français Stéphane Mallarmé (1842-1898), qui a tenu à en faire « un être purement rêvé et absolument indépendant de l'histoire », Hérodiade devient l'héroïne d'un mythe personnel : « La plus belle page de mon œuvre sera celle qui ne contiendra que ce nom divin *Hérodiade*. Le peu d'inspiration que j'ai eue, je le dois à ce nom, et je crois que si mon héroïne s'était appelée Salomé, j'eusse inventé ce mot sombre et rouge comme une grenade ouverte. » Commencée dès 1864 comme tragédie, puis convertie en poème, abandonnée après la crise de 1866 pour n'être reprise que dans les dernières années, *Hérodiade* est une œuvre inachevée : seule fut publiée du vivant de Mallarmé, dans le deuxième *Parnasse contemporain* en 1871, la scène de 1865. Cette scène fut reprise en 1887 dans l'édition photolithographiée des *Poésies* (*), puis dans l'édition posthume de 1899 avec cette note : « Hérodiade, ici fragment, où seule la partie dialoguée comporte, outre le Cantique de saint Jean et sa conclusion en un dernier monologue, des Prélude et Finale qui seront ultérieurement publiés, et s'arrange en poème. » Quant à l'*Ouverture ancienne*, publiée pour la première fois en 1926, Mallarmé l'avait abandonnée, après avoir tenté de la corriger, pour la remplacer par le

Prélude, inachevé, évoqué dans la note. Ce n'est qu'en 1959 que Gardner Davies devait publier l'ensemble des manuscrits laissés par Mallarmé à sa mort sous le titre *Les Noces d'Hérodiade. Mystère.* À ne considérer que la scène, qui fut pour les contemporains toute l'*Hérodiade* de Mallarmé, et l'œuvre emblématique du symbolisme, on y découvre en tout cas, en face de la nourrice tantôt inquiète, tantôt ironique, une vierge farouche, non plus la rose cruelle des *Fleurs*, « Celle qu'un sang farouche et radieux arrose », mais un lis épris d'une pureté infinie, « Triste fleur qui croît seule et n'a pas d'autre émoi / Que son ombre dans l'eau vue avec atonie ». Rejetant la nourrice, identifiée aux paradis menteurs de l'enfance, c'est en elle et non plus dans le ciel ou « l'azur séraphique » qu'elle cherche désormais, grâce au miroir, le secret de son être. Cette Hérodiade toute tournée vers elle-même (« Oui, c'est pour moi, pour moi, que je fleuris, déserte ») refuse tout contact, perçu comme un viol ou une profanation, et sa rêverie glacée se plaît à confondre la beauté et la mort. Mais après avoir congédié la nourrice, la vierge s'avoue son mensonge, qui cache en fait l'attente d'une « chose inconnue ». Cette scène où Hérodiade dialogue moins avec la nourrice qu'elle ne développe en un long monologue son rêve de beauté déploie, sans recourir aux facilités narratives ou descriptives, une variation métaphorique (florale, minérale, stellaire) sur cette beauté froide où se confondent pureté, virginité et stérilité. Valéry proposait de voir « dans cette alliance d'apparence inhumaine, dans cette sorte de vocation de l'âme à l'état de cristal, l'extrême expression de toute une esthétique », sinon d'une éthique. « Le sujet de mon œuvre est la beauté », avait dit Mallarmé de son *Hérodiade*. Toujours est-il que le personnage de la vierge au miroir peut apparaître comme la figure privilégiée d'une poésie qui, après avoir désespérément regardé vers l'azur séraphique, se saisit elle-même dans un vertige de réflexivité jusqu'à devenir, dans le sonnet en -ix, allégorique d'elle-même. « Hérodiade, où je m'étais mis tout entier sans le savoir », avouera Mallarmé au lendemain de la grande crise de 1866. Il reste que la Scène n'est que le moment d'un drame qui trouve toute sa signification dans l'ensemble projeté et finalement inachevé des *Noces* : cette « chose inconnue » que la vierge attend à la fin, c'est la révélation d'elle-même, ou son Idée, qui sera le fruit de ses noces fictives avec la tête de saint Jean, noces de la vierge et du saint, de la beauté parfaite et du regard idéal, comme le suggèrent les derniers mots du Finale : « Abstraite intrusion en ma vie, il fallait / La hantise soudain quelconque d'une face / Pour que je m'entr'ouvrisse et reine triomphasse. »

Le *Cantique de saint Jean*, publié seulement en 1913 dans l'édition des *Poésies* préparée par le docteur Bonniot, et traditionnellement placé après la scène selon la chronologie du drame, devait en réalité constituer la deuxième partie du Prélude nouveau, comme une anticipation prophétique de la décollation. Ce poème, qui rappelle par sa forme les hymnes liturgiques, se compose de sept quatrains sans autre ponctuation qu'un point final, et les dix derniers doivent se lire comme une seule phrase. Le cantique, mis dans la bouche du saint au moment même de la décollation, fait de cette tête avide d'un idéal céleste, par un symbolisme inscrit dans le nom même de saint Jean, le saint du solstice d'été, un nouveau soleil qui s'exalte avant de retomber, ou plutôt de « penche[r] », pour ce baptême mortel, un « salut » définitif. B. Ma.

★ La première œuvre musicale d'envergure est l'*Hérodiade* en quatre actes du compositeur français Jules Massenet (1842-1912), livret de Paul Milliet et de H. Grémont, d'après le poème de M. Zanardini, représentée à Bruxelles en 1881. L'épisode évangélique y paraît quelque peu déformé : Salomé, fille d'Hérodiade, abandonnée par sa mère, loin d'être hostile à saint Jean-Baptiste, s'en est éprise. À son tour, elle se voit l'objet des intrigues d'Hérodiade, qui veut la mort du Prophète pour se venger des insultes qu'il a proférées contre elle. C'est dire qu'elle cherche à profiter de la passion de sa fille pour favoriser ses desseins. Mais Jean et ses disciples sont utiles à Hérode pour résister à la domination romaine : le peuple a cédé sans lutte au proconsul Vitellius et le tétrarque est perdu si Jean ne vient à son secours. Jean s'y refuse ; Hérode, ayant appris l'amour de Salomé, le fait jeter en prison. Salomé court l'y rejoindre, toute prête à mourir pour lui ; Jean ne peut repousser cet amour que purifie le sacrifice. Sur ces entrefaites, les gardes viennent se saisir de Salomé pour qu'elle prenne part à l'orgie des Romains. Salomé se jette aux pieds d'Hérode et d'Hérodiade, demande le salut de Jean et dévoile son identité à sa mère. Celle-ci la reconnaît et s'unit à ses prières pour obtenir que Jean soit sauvé. Mais il est trop tard : Jean vient d'être décapité par le bourreau ! Salomé, alors, se tuera sous les yeux de sa mère. Quelques critiques, Gallet entre autres, ont cru déceler des affinités entre le Massenet d'*Hérodiade* et d'autres musiciens : par exemple Berlioz (avec ses oppositions violentes) et Verdi (avec sa prédilection pour la note passionnée).

★ Paul Hindemith (1895-1963) a tiré de l'*Hérodiade* de Mallarmé un « jeu orchestral » portant le même titre ; ballet pour deux danseuses réalisé par Martha Graham au Festival Coolidge de Washington.

HÉRO ET LÉANDRE [Τὰ καθ' Ἡρὼ καὶ Λέανδρον]. Poème de trois cent quarante-trois hexamètres, composé vers 470-510 ap. J.-C. par Musée, écrivain grec (IVe-Ve siècle ap. J.-C.) appartenant à l'école de Nonnos. On y voit la fin malheureuse du grand amour du beau Léandre pour la séduisante Héro, vierge prêtresse d'Aphrodite ; afin de la retrouver en de secrets colloques, il traversait à la nage, chaque nuit, l'Hellespont d'Abydos à Sestos, guidé par le flambeau que, sur une très haute tour, elle tenait tel un phare. Mais une violente tempête emporta, en une rafale, à la fois la flamme et le jeune homme ; sur son cadavre déchiré par les rochers, Héro se précipita du haut de la tour, et les deux amants jouirent de leur mutuelle tendresse, pour l'éternité, dans le royaume de l'Hadès. L'œuvre de Musée paraît se rattacher à un autre petit poème hellénistique, maintenant perdu et ignoré, dont il conserve, notamment dans la partie finale, la fraîcheur d'inspiration et le sentiment romantique. La délicatesse des situations est cependant parfois voilée par le formalisme mièvre de la rhétorique du temps (seconde sophistique) et par l'hexamètre excessivement sonore et retentissant, à la manière de l'école de Nonnos. L'œuvre rencontra une grande faveur, en particulier chez les romantiques, à cause du ton de naïveté idyllique qui l'imprègne et la rend, dans son irréalité sentimentale, d'une lecture aisée et vraiment attachante. — Trad. Les Belles Lettres, 1968.

★ Au XVIe siècle, le poème de Musée *Héro et Léandre* eut des traductions et remaniements divers. La traduction espagnole du poète Boscán Almogáver (1495-1542) et celle de Clément Marot (1497-1544) sont contemporaines, dérivant toutes les deux, à leur tour, d'une petite pièce en vers libres de Bernardo Tasso (1493-1569) ; d'un peu plus tard date la nouvelle version anglaise de Christopher Marlowe (1564-1593), qui fut complétée par George Chapman (1559-1634) et publiée sous le titre : *Hero and Leander,* en 1598. Au XVIIIe siècle, notons le drame lyrique *Héro et Léandre* de Jean Lefranc de Pompignan (1709-1784).

★ La littérature du XIXe siècle, notamment à l'époque romantique, a plusieurs fois repris ce thème émouvant ; on note un poème de Pierre Denne Baron (1780-1854), *Héro et Léandre,* paru en 1806, et un de Thomas Hood (1799-1845), *Hero and Leander,* publié en 1827 ; un drame en un acte, en vers, de Louis-Fortuné Ratisbonne (1827-1900), *Héro et Léandre,* écrit en 1859, et diverses œuvres de moindre importance. À la même fable se rattache vaguement le drame de Franz Grillparzer (1791-1872) intitulé *Les Vagues de la mer et de l'amour* (*).

★ Le mythe d'Héro et Léandre a inspiré aussi les musiciens. Parmi les différentes œuvres homonymes, rappelons celle de Francesco Pistochi (1659-1726), Venise, 1679 ; de Louis Nicolas Clérambault (1676-1749) ; de Bernhard Anselm Weber (1766-1821) ; de Karol Kurpinski (1785-1857), Varsovie, 1816 ; d'Augusta Holmès (1847-1903), Paris, 1874. Sur un texte de Grillparzer, Paul Caro a composé l'opéra *Hero und Leander,* Breslau, 1912.

HÉROÏDES (Les) [*Heroïdes*]. Recueil poétique, contenant des lettres apocryphes de femmes illustres (ou héroïnes), composé par le poète latin Ovide (Publius Ovidius Naso, 43 av. J.-C.-17 apr. J.-C.), au temps de son heureuse jeunesse, passée à Rome. Il s'agit de lettres d'amour des héroïnes de la mythologie : de Pénélope à Ulysse ; de Phyllis à Démophon ; de Briséis à Achille ; de Phèdre à Hippolyte ; d'Oenone à Pâris ; d'Hypsipyle à Jason ; de Didon à Énée ; d'Hermione à Oreste ; de Déjanire à Hercule ; d'Ariane à Thésée ; de Canacé à Macarée ; de Médée à Jason ; de Laodamie à Protésilas ; d'Hypermestre à Lyncée ; de Sapho à Phaon ; de Pâris à Hélène et d'Hélène à Pâris ; de Léandre à Héro et de Héro à Léandre ; d'Acontios à Cydippé et de Cydippé à Acontios. Les quinze premières sont seulement les lettres des maîtresses, tandis que dans les six dernières il y a aussi la réponse. Il est probable que celles-ci ont été ajoutées à une édition postérieure. Ce sont des amours mythiques, mais renouvelées selon la conception qu'Ovide a de l'amour, non sans un humour quelquefois délicieux (lettres de Pâris et d'Hélène) ; et ces héroïnes du passé acquièrent une vie, parce que transfigurées en grandes dames romaines de la galante société contemporaine. « Rome est là tout entière en ces intrigues, cachée », dit Janin en parlant de ces élégies. — Trad. Garnier, 1937 ; Les Belles Lettres, 1938 (avec des erreurs).

HÉROS (Le) de Gracián [*El héroe*]. Recueil de maximes, publié en 1630, du jésuite et écrivain espagnol Baltasar Gracián (1601-1658). De l'ensemble des vertus prônées par ces maximes se dégagerait, d'après l'auteur, le type idéal de l'homme du monde, prince ou personnage de condition élevée, apte à conquérir par ses vertus le succès et la renommée. L'œuvre comporte vingt paragraphes consacrés chacun à une qualité ou perfection (« primores ») indispensable à un homme supérieur (« héroe »). Celui-ci devra agir de telle sorte que les limites réelles de ses possibilités ne soient jamais dépassées, de façon à laisser supposer qu'elles sont chez lui d'une richesse infinie (« incomprensibilidad de caudal »). Pour cela, il faut qu'il ait une parfaite maîtrise de soi, servie par une volonté inflexible et ferme, visant à atteindre chacun de ses buts avec lucidité (« cifrar su voluntad »). Son cœur généreux et noble devra être également capable d'un beau geste qui soulève l'admiration et l'émotion. Dans toutes les manifestations des passions humaines, le « héros » saura prendre le parti de la plus grande modération, se contenant même dans ses applaudissements, parce que c'est une marque de noblesse que de mesurer son approbation (« toda escasez en moneda de aplauso es hidalga »). Il devra posséder quelques aptitudes particulièrement développées (« eminencias »), dans lesquelles il devra chercher à conquérir la première place et s'y maintenir : de cette façon, il pourra goûter simultanément et sa propre satisfaction et l'hommage qui lui sera rendu par le peuple ignorant. Il importe que le héros prenne conscience de sa qualité la plus marquante (« el realce rey ») et, par là même, puisse exploiter les bienfaits du sort ou de la « fortune ». Et puisque toutes choses ici-bas sont dominées par la « fortune », le héros s'empressera de la suivre lorsqu'elle sera favorable, et il se retirera quand elle commencera de se gâter, « une belle retraite étant aussi glorieuse que l'action la plus énergique ». Une intuition rapide, appelant une action immédiate, caractérise donc l'activité du « héros », dont le mérite essentiel est quelque chose qui échappe à toute définition : vivacité, spontanéité, entrain, aisance, tant en paroles qu'en actes : ce « despejo », qui anime toute qualité naturelle. Gracián emploie un terme emprunté à la psychologie thomiste, pour indiquer ce mérite entre tous les mérites qu'est la « puissance naturelle » : acte de la raison pratique, par laquelle l'intelligence, sous l'impulsion de la volonté, ordonne aux facultés d'exécuter ce qu'elle estime devoir être fait. En somme, le « héros » de Gracián est l'homme parfait qui, en suivant les injonctions de la raison pratique, arrive à accroître la puissance de sa propre vie. Mais cela pourrait lui causer des déceptions et de l'amertume. Il faudra donc qu'il se souille d'« un défaut qui n'en est pas un » : de quelques « imperfections vénielles, grâce auxquelles l'envie se consume en vain et le poison de l'émulation perd de son efficacité ». Alors, il ne restera au héros qu'à acquérir cette aspiration à la sainteté, qui lui fera considérer le ciel comme son dernier but.

Les sentences de Gracián amènent à concevoir le héros comme la personnification de cette raison pratique (ou, plutôt, de cette sagesse pratique), qui ne se préoccupe que du bien du sujet. Celui-ci la réalise en l'appliquant à la réalité des choses contingentes dans le règne de la fortune, chargée par la divine Providence de distribuer les biens terrestres. Cette raison pratique est l'art véritable : ce même art, ou « vertu intellectuelle », dont parlait Juan Ruiz dans le *Livre du bon amour* (*), mais avec la conscience qu'il ne s'identifie pas avec la charité et qu'il ne peut, par ses propres moyens, se hausser jusqu'au règne de la Grâce. En scolastique décadent, Gracián veut couronner par la sainteté cet art de la réussite, pour lequel tout est matière à être exploité ; pour lui, l'homme est considéré pour ses mérites et ses défauts et par rapport au but qu'il veut atteindre. L'œuvre de Gracián possède les qualités et les défauts qu'implique toute virtuosité de style surtout lorsqu'elle tend à fixer, d'une manière trop concrète, ce qui relève avant tout de la vie de l'esprit. — Trad. André Journon, 1937.

HÉROS (Les) [*Heroes, Hero-Worship and the Heroic in History*]. Il s'agit de six conférences faites à Londres par l'écrivain anglais Thomas Carlyle (1795-1881) en mai 1840, sur « Odin et le Paganisme », « Mahomet et l'Islam », « Dante et Shakespeare », « Luther et Knox », « Johnson, Rousseau et Burns », « Cromwell et Napoléon ». C'est une œuvre unique dans son genre, elle se distingue par le climat de pure poésie qui y règne, la profondeur de la pensée, l'inégalable puissance évocatrice de ses reconstitutions historiques. L'auteur y affirme la supériorité des valeurs éternelles de l'esprit sur toute forme d'incrédulité et de scepticisme, sur toute lâcheté comme sur tout mensonge, aussi bien dans la vie que dans le domaine de la culture. La foi est, pour Carlyle, le fait primordial et prédominant : « L'homme vit parce qu'il croit en quelque chose : non pour discuter et argumenter sur de multiples sujets. » La nature et l'histoire sont également œuvres de Dieu : c'est là le mystère qui échappe à la plupart des hommes, mais qui est pourtant révélé, en vertu d'un don divin, à un très petit nombre d'esprits supérieurs. Ces derniers ont reçu la mission très noble et très redoutable de s'en faire les propagateurs et les apôtres, en guidant l'humanité vers le but lumineux qu'eux seuls ont entrevu. Tel se présente le héros, qu'il soit poète ou prophète, réformateur religieux ou chef politique ; sa tâche particulière varie suivant les circonstances historiques ; mais elle reste identique dans son essence. Le héros est toujours l'homme qui se distingue par l'intelligence la plus claire, le cœur le plus fort, et qui se montre le plus juste et le plus sincère. Les foules ne sont pas par elles-mêmes capables de créations originales : l'arrivée d'un héros marque pour elles le début d'une vie nouvelle, il les rend conscientes de leur destin. Le Moyen Âge rompit son silence solennel pour faire éclater le plus sublime des chants humains : *La Divine Comédie* (*). Voici les véritables voix des nations. Et lorsque l'une d'elles se fait entendre, la nation qui lui prête sa voix est une nation consacrée : elle peut se racheter même si elle se trouve sous le joug, démembrée et avilie. L'Italie opprimée par l'Autriche était, malgré tout, grande et une, parce qu'elle avait Dante. La Russie, avec sa puissance militaire, apparaissait, au contraire, à Carlyle comme un énorme monstre muet. Les réformes religieuses et les révolutions politiques sont, elles aussi, l'œuvre de grands meneurs d'hommes : Mahomet est le voyant qui éveille son peuple dormant encore dans une barbarie primitive pour le mener à une plus haute vie spirituelle ; Luther est le héros de la Réforme, volonté indomptée et esprit pratique, qui sait mener vers une heureuse conclusion le mouvement spirituel créé par sa prédication. Cromwell est le chef, fondateur d'un nouvel ordre civil. De là vient l'aversion de Carlyle pour les idéologies démocratiques et les institutions parlementaires. De là aussi son idée que les époques sans héros et sans un culte des héros sont de tristes périodes de scepticisme et de décadence. L'œuvre est écrite avec une ferveur qui passionne, un élan qui bouleverse ; elle peut soutenir la comparaison avec celles des plus grands écrivains du siècle, Hugo, Michelet, Schopenhauer. — Trad. Colin, 1938.

HÉROS CHRÉTIEN (Le) [*The Christian Hero*]. Petit traité de l'écrivain irlandais Richard Steele (1672-1729), publié en 1701. C'est la première œuvre du célèbre fondateur et directeur du *Tatler* (*) et du *Spectator* (*), les deux journaux dont l'influence sur les mœurs et sur l'histoire littéraire anglaise fut si importante. Dans ce traité se trouvent exposés les principes qui guidèrent, sinon la vie, du moins les aspirations de l'auteur. Steele, qui par son caractère rappelait plutôt la génération libertine qui avait précédé la sienne (celle de la Restauration), a consacré son activité principalement à la réforme des mœurs ; pour arriver à son but, il publia des essais brillants dans les périodiques que nous avons cités ; il écrivit, en outre, plusieurs pièces de théâtre. Il est parvenu ainsi à se mettre à l'unisson avec ses contemporains, désireux de promouvoir une vie pacifiquement bourgeoise, régie par un ensemble de règles morales bien définies, susceptibles de concilier les idéaux chrétiens et ceux des anciens philosophes. Le traité porte le sous-titre significatif « Arguments destinés à prouver que seuls les principes de la religion sont propres à faire un grand homme ». Il débute par un avertissement : « L'auteur, trouvant que la vie militaire expose à une grande licence », a écrit ce livre « dans le dessein d'imprégner son esprit d'un idéal de vertu et de religion, capable de freiner un fort penchant aux plaisirs illicites ». Il soutient ensuite que *La Bible* en tant que guide moral est supérieure aux principes philosophiques, nobles en soi mais trop exclusivement intellectuels, des anciens et surtout des stoïciens ; il conclut par une comparaison entre Louis XIV et Guillaume III d'Orange, pour soutenir la thèse que ce n'est pas le désir de gloire, mais la conscience qui doit guider dans sa conduite un homme vraiment grand. On ne peut passer sous silence, à cause de l'influence qu'elles eurent sur les mœurs, les pages où l'auteur, en opposition avec la majorité des écrivains de son temps, conseille le respect de la femme, préludant ainsi à l'œuvre qu'il poursuivit, en compagnie d'Addison, dans le *Tatler* et dans le *Spectator* ; c'est de cette influence que dérive l'attitude romantique et chevaleresque adoptée dans la vie, et plus encore dans la littérature, à la fin du XVIIIe siècle.

HÉROS DE NOTRE TEMPS (Un) [*Geroj našego vremeni*]. Œuvre du poète et romancier russe Mikhaïl Yourievitch Lermontov (1814-1841), parue en 1840. Elle se compose de cinq nouvelles : « Béla », « Maxime Maximovitch », « Tamañ », « La Princesse Mary » et « Le Fataliste ». Ces nouvelles, dont le personnage principal, Petchorine, est tantôt le héros, tantôt le narrateur, sont considérées, à juste titre, comme les plus beaux spécimens de la prose « classique » russe. Dans « Béla », l'auteur décrit le rapt — par Petchorine — de la fille d'un prince tartare, Béla, dont il est tombé amoureux. Mais, sitôt arrivé à ses fins, il n'éprouve plus qu'ennui et indifférence. Abandonnée par Petchorine, Béla est de nouveau victime d'un rapt ; son ravisseur, un Tartare, l'assassine. « Maxime Maximovitch » est le type du vieil officier russe qui, après la conquête du Caucase, s'y est fixé et s'est, en quelque sorte, agrégé à la terre conquise. Maxime Maximovitch a connu Petchorine au Caucase et c'est par lui qu'il a appris l'aventure avec Béla. Ce récit permet au poète d'opposer la personnalité saine et forte de Maxime au personnage morbide, ténébreux et complexe, de Petchorine. « Tamañ » est l'histoire d'une jeune fille, contrebandière hardie et astucieuse, que Petchorine parvient à démasquer. Feignant d'être tombée amoureuse de son adversaire, la jeune fille réussit à le duper et tente même de le tuer, en le précipitant dans la mer. Cet épisode romanesque est vu à travers les pages du journal intime de Petchorine. Ce même journal forme la trame du récit intitulé « La Princesse Mary », relatant les péripéties d'un double amour de Petchorine (pour une certaine Véra et pour la jeune princesse Mary), il se termine par un duel avec Grouschnitsky, son ami et rival, duel qui, par certains détails, préfigure d'une façon étrange la rencontre au cours de laquelle Lermontov lui-même devait perdre la vie. Dans le cinquième et dernier récit, « Le Fataliste », l'intrigue manque complètement ; les deux épisodes qui en forment la trame tendent à démontrer que l'homme n'est pas libre dans la conduite de sa vie, mais qu'il est assujetti sans rémission aux forces de la fatalité. *Un héros de notre temps* n'est pas un roman ; c'est une biographie ou, plutôt, une autobiographie à tendance psychologique, où chaque récit met en lumière un trait caractéristique de la personnalité complexe et romantique de Petchorine. Les tourments et les passions de celui-ci reflètent, en partie, l'état d'âme de Lermontov lui-même. Comparé, avec juste raison, aux plus magnifiques textes en prose de Pouchkine, *Un héros de notre temps* se place — en dépit de l'atmosphère « byronienne » que l'on y respire — parmi les œuvres les plus fameuses et les plus représentatives de ce « grand siècle » littéraire russe que fut l'époque de l'empereur Nicolas Ier. — Trad. Robert Laffont, 1959 ; Gallimard, 1976.

HÉROS DU NORD (Le) [*Der Held des Nordens, drei Heldenspiele*]. Poème dramatique de l'écrivain allemand Friedrich Heinrich Karl de La Motte-Fouqué (1777-1843). C'est une trilogie en vers, formée des drames ou poèmes dialogués : *Sigurd, le tueur du dragon* [*Sigurd der Schlangentöter, ein Heldenspiel in sechs Abenteuern,* 1808], *La Vengeance de Sigurd* [*Sigurds Rache,* 1809], *Aslauga* (1810). Elle s'inspire de la légende des Nibelungen telle qu'elle apparaît dans la rédaction de l'*Edda* (*). Comme dans l'*Edda,* Siegfried est appelé Sigurd ; Krimhilde, Gudhrun ; Gunther, Gunnar ; Hagen, Högni, et il est le frère de Krimhilde. L'auteur a repris l'intrigue de la légende bien connue, son but n'étant pas de s'en détacher mais au contraire d'en restituer le plus fidèlement possible l'atmosphère. De ce point de vue, La Motte-Fouqué eut le mérite d'être le premier des modernes à puiser dans la matière du cycle héroïque germanique ; certaines scènes évoquent vraiment les temps héroïques du pays nordique. Mais, hélas ! les caractères sont tous rudimentaires et sans trace de cohérence psychologique, à commencer par celui de Sigurd, dont Heine disait qu'il avait en lui « la force de cent lions, mais seulement l'intelligence de deux ânes ».

HÉROS ET LE SOLDAT (Le) [*Arms and the Man*]. « Comédie antiromanesque » de l'écrivain irlandais George Bernard Shaw (1856-1950), représentée pour la première fois en 1894 et qui fait partie des *Pièces plaisantes* (*). L'action se passe en 1885 pendant la guerre bulgaro-serbe. Au premier acte, Raina, une jeune Bulgare, apprend de sa mère que Serge, son fiancé, officier courageux, s'est couvert de gloire au cours d'une charge de cavalerie qui a permis de remporter la victoire. Peu après entre par la fenêtre un ennemi fugitif, le capitaine suisse Bluntschli, qui s'est engagé par amour de l'aventure dans l'armée serbe. Menaçant la jeune fille d'un pistolet qui, d'ailleurs, n'est pas chargé, il demande son aide à Raina. Celle-ci, pleine de compassion en le voyant affamé, lui donne du chocolat, et lui offre le manteau de son père, le major Petkoff, afin de faciliter sa fuite. Au second acte, la guerre étant finie, le major et son futur gendre rentrent chez eux. Ils ont connu Bluntschli dont ils apprécient la science militaire. Lorsque ce dernier apparaît pour rendre le manteau (et revoir Raina), il est fort bien accueilli. Comme les deux officiers se trouvent dans l'embarras pour quelque affaire de service, Bluntschli leur apporte son aide. Au dernier acte, Serge apprend par des indiscrétions de la servante de Raina, nommée Louka, à qui il fait des avances, que sa fiancée a accueilli le fugitif dans sa chambre. Un duel est évité de justesse entre les deux jeunes gens. Mais la vérité éclate, et comme le Suisse apprend la nouvelle de la mort de son père, il s'apprête à regagner sa patrie. Raina, offensée par l'infidélité de Serge, lui préfère Bluntschli, son « petit soldat de chocolat », et se fiance à lui. Dans cette comédie, l'auteur a voulu montrer le contraste qui existe entre l'héroïsme et les servitudes des services de l'arrière, lesquels ont souvent le dernier mot à l'heure de la décision. Shaw fait en somme le procès de la conception romantique de la guerre. Le souci de polémique rend souvent les personnages assez ridicules et les paradoxes de l'auteur ne sont pas toujours concluants. Toutefois la vivacité du dialogue emporte toujours l'adhésion. — Trad. Munier, 1908.

HÉROS OUBLIÉ (Le) [*30-åriga kriget*]. Roman de l'écrivain finlandais d'expression suédoise Henrik Tikkanen (1924-1984), publié en 1977. Avec une joyeuse frénésie et à grand renfort d'aphorismes sentencieux, Tikkanen nous dresse le portrait du soldat Viktor Käppärä, devenu héros national en exécutant fidèlement l'ordre reçu — garder une position avancée dans une région isolée — sans jamais mettre en doute le bien-fondé de cet ordre au cours des trente années qui devaient ensuite s'écouler, la guerre ayant pris fin sans qu'il en soit informé. Basée sur un fait réel, l'histoire témoigne aussi d'une plaie mal cicatrisée chez l'auteur qui avoue n'avoir jamais surmonté le traumatisme provoqué par la guerre durant ses années les plus réceptives. La satire fonctionne admirablement : la guerre que livre le soldat Käppärä contre civils et bureaucrates dans les forêts de la Carélie, seul, par temps de paix mais sur fond de guerre froide, illustre d'une manière tangible l'incompatibilité entre les valeurs de la guerre et celles qui prévalent en temps de paix. Käppärä a la sympathie de l'auteur. Innocent et naïf, obéissant aveuglément aux instructions reçues, il n'incarne pas la guerre, il en est la victime, son isolement aggravant encore le décalage entre le monde tel qu'il est et la conception que Käppärä en a gardé. Tout le monde en prend pour son grade dans cette robinsonnade des temps modernes : les militaires, les journalistes, les dignitaires de l'Église officielle. Une suite publiée en 1979 corrobore le message de l'auteur : Käppärä, devenu porte-parole des pacifistes, est supprimé par ceux qui vivent par et pour la guerre. — Trad. Pandora/domaine nordique, 1980. K. D.

HERRIES (Les). Cycle de quatre romans de l'écrivain anglais Hugh Seymour Walpole (1884-1941), comprenant *Rogue Herries* (1930), *Julith* [*Judith Paris,* 1931], *La Forteresse* [*The Fortress,* 1932], *Vanessa* (1933). Ce cycle a pour cadre le Cumberland, un pays rocheux proche de la mer, que domine un ciel toujours nuageux. Il englobe toute l'histoire de la famille des Herries, depuis 1700 jusqu'à l'après-guerre (1930). Histoire d'une famille qui se trouve être en même temps l'histoire de l'Angleterre, car « deux cents années valent une journée et la vie de l'homme est éternelle ». Dans ce clan de la haute bourgeoisie anglaise, Walpole voit l'incarnation de tous les défauts et de toutes les qualités qui ont fait de l'Angleterre ce qu'elle est aujourd'hui : le bon sens, la volonté, le manque d'imagination, la confiance en soi, la générosité qui, en face de tout étranger, prend un masque de froideur. *Rogue Herries* est l'histoire de Francis Herries qui a vendu sa maîtresse à la foire et, sur le tard, a épousé une bohémienne, Mirabella Starr, laquelle s'enfuit de la maison, y revient pour y mettre au monde une fille, Judith, et mourir aussitôt après en même temps que son vieil époux. Les divers protagonistes, dont la personnalité s'affirmera dans les romans suivants, commencent à apparaître. Dès le début, l'atmosphère est animée et pittoresque : on voit la famille de Francis se transporter en diligence de la petite ville de Doncaster à Borrowdale dans le Cumberland, lieu d'origine de la famille et vieille demeure en ruine au milieu des montagnes. L'Angleterre de 1700 nous apparaît avec ses luttes religieuses, avec ses foires (celle de Keswick, en 1732, fut célèbre par la présence de Chinois, jamais vus jusqu'alors), avec ses mœurs singulières, ses pantagruéliques veillées de Noël, ses rixes et ses soûleries, ses vieilles sorcières que l'on noie comme au Moyen Âge, tout un tumulte de choses et de gens.

Dans *Judith Paris*, nous suivons les aventures de la fille de Francis Herries et de la bohémienne, née en 1774. Dans la maison déserte où gisent deux morts, veillés par une vieille femme ivre, les vagissements d'un nouveau-né éveillent l'attention d'un passant, le châtelain de Stone Ends, Tom Gauntry, qui recueille l'enfant et l'emmène chez lui. Judith y grandit, passant une partie de son temps dans la maison de son frère utérin David. Là, elle épouse plus tard un aventurier français plein de séduction, George Paris, qui sera l'unique amour de sa vie. Elle devient veuve et met au monde un fils illégitime, fruit d'une brève idylle avec un de ses lointains cousins. L'intérêt se fixe sur la figure, assez banale en apparence, de Judith, laquelle subit tout à la fois l'influence des Herries et celle de sa mère. D'autre part se précise l'ascension de la branche de la famille représentée par Walter Herries, neveu de David, homme plein de volonté, calculateur en diable et qui brûle de réussir. C'est Judith qui tirera les fils décidant du sort de la famille ; dans une âpre discussion familiale, elle prend parti pour les plus faibles, ceux de sa branche, et renonce même à l'indépendance pour mieux combattre Walter qui veut s'emparer du manoir d'Uldale.

Dans *La Forteresse*, le paysage est dominé par la triste demeure grise, bâtie en 1860 à High Ireby par Walter Herries, lequel, profitant de sa position, voudrait acquérir Uldale où vit Judith Paris avec la famille de Francis Herries. Dans un climat tragique, les drames s'accumulent. Mais, à son habitude, Judith reprend en main la situation, déjoue les machinations de Walter et défend crânement sa famille. Le livre se termine par la célébration de son centenaire, le 28 novembre 1874, auquel accourent tous les Herries proches ou lointains. La vie politique de toute cette période forme le fond du roman : bataille de Missolonghi, Canning et Gladstone, lutte des Chartistes, grande exposition de Londres, débuts du règne de la reine Victoria.

Vanessa, dernier volume du cycle, est l'histoire de la fille d'Adam Paris et de son amour pour Benjamin Herries. L'action se situe dans le climat social des soixante dernières années (scandales et événements littéraires ; guerre des Boers, et la Grande Guerre). Le Cumberland sauvage forme toujours la toile de fond et c'est là que reviendra Benjamin avant de mourir ; le livre avait débuté par la mort de Judith Paris, le jour de son centenaire. Les caractères les plus marqués ayant disparu, la vieille querelle familiale est éteinte désormais. La pénible ascension de la famille est achevée. Ce cycle forme l'œuvre la plus significative de Walpole. C'est une des plus remarquables dans cette production littéraire anglaise qui, suivant encore le courant du naturalisme, tendait à le dépasser en s'efforçant d'évoquer les ressorts secrets qui dirigent les événements tant historiques que psychologiques. D'où l'importance de certains « motifs » tels que celui de la querelle familiale ou celui des traits chevalins propres à la famille des Herries ; ou encore ce thème du rêve qui revient, insistant, chez tous les membres de la famille, d'un cheval blanc qui, après avoir traversé un lac, grimpe sur une colline d'Écosse ; comme dans l'œuvre wagnérienne, dont cette production se rapproche à bien des égards, ces « leitmotive » forment un climat intérieur et magique dans lequel se meuvent, avec tout leur relief, les figures et les caractères. — Trad. Édit. du Bateau ivre, 1947-1948.

HERZOG. Roman de l'écrivain américain Saul Bellow (né en 1915), publié en 1964. C'est peut-être dans *Herzog* que se trouve le prototype de ce qu'on peut appeler le héros bellovien. Au terme d'une crise qui ébranle les fondements mêmes de son être et qui le conduit au bord de la folie, Moïse Herzog éprouve le besoin de faire le point, de remonter le cours du temps pour retrouver le fil de sa vie. Le roman raconte cinq jours dans l'existence de Herzog : son voyage à Martha's Vineyard pour voir des amis, son retour à New York, la soirée érotique avec la voluptueuse Ramona, son rendez-vous avec son avocat Sikin au tribunal, son voyage à Chicago, l'accident de voiture, sa tentative de meurtre et sa retraite à Ludeyville. Mais l'essentiel se passe dans le monde clos de sa conscience. Allongé dans un hamac, Herzog est hanté par ses souvenirs ; dans son esprit ébranlé défilent des scènes de son passé : scènes dramatiques de ses démêlés avec sa femme, gesticulations cocasses de son rival, tribulations de son père en Amérique et, plus loin encore, l'image de son grand-père laissé en Russie. *Herzog* est le roman de la mémoire.

Herzog est aussi un plaidoyer pro domo, un règlement de comptes. Herzog rumine son divorce. Sa femme Madeleine l'a trahi avec son meilleur ami. Il la présente comme une femme perfide, machiavélique et cynique qui n'hésite devant rien pour réaliser ses ambitions. C'est aussi une amante frigide et névropathe qui, sur le lit conjugal, dresse autour d'elle une muraille de gros livres poussiéreux. Pour Herzog, il ne fait pas de doute que son cas relève sinon de la psychiatrie du moins de la psychanalyse. Sa version des faits vise à faire porter à Madeleine l'entière responsabilité de la rupture. Lui n'a été que la victime d'une machination ourdie par Madeleine.

Mais Herzog lui-même semble se complaire dans son rôle de victime et jouir de sa propre souffrance. Il semble avoir, par son comportement, suscité les réactions violentes de Madeleine et même, en invitant son rival sous son toit, avoir voulu pousser sa femme dans les bras de celui-ci. Ses relations avec sa maîtresse Wanda, et son intérêt pour les talons aiguilles de Madeleine, pour les bottes et les cravaches des prostituées de Hambourg, révèlent bien un penchant pour les scénarios masochistes. Il aime aussi imaginer les souffrances qu'il pourrait infliger à sa femme, le plaisir quasi orgasmique qu'il aurait à l'étrangler de ses propres mains. Il va même jusqu'à chercher le vieux revolver de son père pour châtier la femme et l'amant. Mais il ne passe pas à l'acte.

Cette crise affective a bouleversé ses assises intellectuelles. Il n'arrive plus à achever sa thèse où il se proposait de détruire « la dernière erreur du romantisme sur l'unicité du moi » ; il se débat au milieu d'idées qu'il ne maîtrise pas. Désorienté, il ne parvient pas à élaborer, au milieu d'idéologies en faillite, de systèmes philosophiques à la dérive, « une synthèse de cinq sous » ; engagé dans un dialogue obsédant avec lui-même, il essaie désespérément de comprendre, il tente de trouver un sens à l'Histoire. Et les messages que Herzog adresse, dans sa furie épistolaire, aux vivants et aux morts, et même à Dieu, n'ont pas d'autre objet. Au terme de sa crise, Herzog, réconcilié avec lui-même et en harmonie avec le monde, interrompra son discours épistolaire et ira se reposer dans son jardin des Berkshires. — Trad. Gallimard, 1966. C. L.

HESPÉRIDES (Les) [*Hesperides*]. Recueil comportant environ mille deux cents courts poèmes de l'écrivain anglais Robert Herrick (1591-1674), publié en 1648. Des morceaux d'un lyrisme aérien alternent avec les épigrammes les plus grossières, dans un désordre capricieux et plein de négligence. Les sentiments les plus variés sont évoqués au gré des circonstances par cet authentique poète qui ne craint pas de rassembler les poésies dédiées à toutes les femmes qu'il a aimées. Toutes les fantaisies de son imagination constituent pour Herrick autant de thèmes poétiques. Aux plus délicates dissertations amoureuses correspondent des madrigaux d'une exquise élégance. En raison de la fluidité inégalable de son style et de sa connaissance des charmes les plus subtils de la séduction féminine, Herrick est considéré, grâce à ce recueil qui constitue son œuvre majeure, comme le plus grand poète lyrique anglais de la Renaissance. Tout spectacle gracieux provoque son émotion (« A sweet disorder in the dress ») et lui fournit un prétexte à des variations sur des thèmes parfois enjoués, parfois mélancoliques, mais toujours pleins de charme ; ces thèmes : les fleurs, les saisons, le temps, la grâce d'une femme, à cause même de leur petit nombre, exigent des raffinements, et il n'est pas jusqu'à certaines redites qui ne contribuent avec bonheur à la grâce caressante de l'œuvre (« Bid me to live and I will live » ; « Fair Daffodils, we weep to see » ; « Sweet, be not proud of those two eyes »). Sous le classicisme de ce poète étrange et voluptueux, dont l'art très sûr n'est pas exempt de surcharges, affleure une veine romantique qui donne à cette œuvre une saveur particulière. *Les Hespérides,* dans lesquelles résonnent les rythmes musicaux d'un Marlowe, d'un Shakespeare ou d'un Campion, s'apparentent à la poésie de Catulle dont elles s'inspirent, en particulier dans les épithalames. — Trad. partielle La Différence, 1990.

HESPÉRUS ou 45 jours de la poste au chien [*Hesperus oder 45 Hundsposttage*]. Roman de l'écrivain allemand Jean-Paul (Johann Paul Friedrich Richter, 1763-1825), qui parut en 1795. C'est un ouvrage autobiographique, du type de *Wilhelm Meister* — v. *Les Années de pèlerinage de Wilhelm Meister* (*) de Goethe —, où l'auteur prête à son héros les sentiments qu'il éprouva au cours d'une des phases de sa propre évolution. Le nom de ce personnage est tantôt Victor, tantôt Sébastien, suivant les circonstances, et par ce procédé l'auteur rend plus perceptible l'extraordinaire indécision qui l'empêche de se limiter à un contour unique et précis. Au début du livre, Victor se croit le fils d'un mystérieux lord Horion, qui a des relations clandestines avec la petite cour de Flachsenfingen ; élevé par un pasteur protestant, il finit par découvrir qu'il est l'enfant naturel du prince lui-même. Toute l'intrigue est soutenue par cette idée de filiation illégitime et de reconnaissance ; cette intrigue sert de prétexte à une satire des petites cours allemandes, et donne une certaine consistance aux personnages du roman qui ont été tirés de la réalité. L'idylle de Victor et de Clotilde se dénoue dans une sorte d'apothéose poétique et lumineuse, où l'ascétisme joue un rôle important ; le jour de la Pentecôte, les deux jeunes gens se promettent un éternel amour en présence d'Emmanuel, philosophe adonné aux disciplines orientales. Exaltés par leur propre ferveur, ils découvrent un monde transfiguré : la nature leur paraît l'expression d'une éclatante joie intérieure, qu'ils considèrent la gloire du soleil, la lumière des étoiles, ou le foisonnement de couleurs dont se parent les prés en fleurs. Anticipant sur les manifestations de sensibilité en face de la nature, propres au romantisme, ce roman montre cependant des réactions toutes différentes : ici, ce n'est pas l'homme qui se plonge dans la nature et la recherche pour s'y perdre, mais la nature qui fait escorte à l'homme, qui souligne les mouvements de son âme et permet une fête des sens en face de tant de beautés. Quelques considérations pathétiques sur la mort contrastent violemment avec des passages satiriques qui semblent improvisés, avec certains traits d'humour assez déconcertants et qui rompent l'allure générale du roman, comme de durs rappels à la réalité, de diaboliques railleries à l'adresse de celui qui prétendrait vivre à l'intérieur de son propre rêve.

L'originalité de Jean-Paul, sa personnalité singulière le retranchent des courants de pensée qui caractérisent son temps, de la même manière que Wolfram von Eschenbach au Moyen Âge, encore que ce dernier ait inspiré nombre d'écrivains mystiques. On trouve cependant, dans cette œuvre de jeunesse, des artifices qui se justifient dans la mesure où le monde peut être jugé à travers les prismes de la poésie et de la satire. Les quarante-cinq chapitres s'intitulent : « Les Jours de la poste au chien ». L'auteur propose une fiction par laquelle un chien gagne une île déserte chaque semaine, et porte à celui qui s'y est réfugié les nouvelles les plus récentes qui ont été consignées par écrit. Entre chaque voyage du chien s'intercalent des « feuillets extraordinaires », où sont émises des critiques et rédigées des observations d'ordre philosophique sur toutes les personnes et les théories alors en faveur à l'époque. Schiller, dans une lettre à Goethe, datée de 1795, fait des commentaires louangeurs sur cette œuvre, et semble frappé par le caractère étrange qu'elle présente. Toutefois, Goethe ne la goûtait que médiocrement, et reprochait à Jean-Paul son isolement. Lorsqu'il parut, le roman fut bien accueilli par les intellectuels, mais n'enleva pas le suffrage du grand public. — Trad. Albert Béguin, Stock, 1930.

HEURE DES FONTAINES (L') [*Ora fântânilor*]. C'est le seul recueil de poèmes de l'écrivain et journaliste roumain Ion Vinea (pseud. de Ion Iovanaki, 1895-1964), publié très peu de temps après sa mort, en 1964. Il avait pourtant débuté, comme poète symboliste, dès 1912 et n'avait pratiquement pas cessé de publier de la poésie dans plusieurs revues dont la sienne, *Le Contemporain* [*Contimporanul*]. Il est également un des promoteurs de la poésie d'avant-garde en Roumanie et, à ce titre, après avoir exprimé le désir d'une « expression plastique strictement lapidaire comme celle des appareils Morse », il s'insurge contre la « révolution dans le lexique », selon laquelle le poète moderne devrait employer un « vocabulaire de contremaître ». Dans sa poésie on retrouve en effet des notations lapidaires, exprimées selon les règles d'un art poétique syncopé, et dans lesquelles le poète s'efforce de dépouiller le contenu lyrique, en coupant les liens entre des images qui s'enchaîneraient normalement et en associant entre elles d'autres images qui, par contre, se repoussent mutuellement. Sa poésie se situe à la croisée d'une intelligence exceptionnelle et d'une sensibilité aiguë, que le poète veut dominer, grâce à sa lucidité toujours en éveil. Mais c'est lorsqu'il échappe au contrôle de sa propre lucidité que Ion Vinea aboutit à la vraie poésie : « Une tristesse s'attarde en moi / comme l'automne s'attarde aux champs, / aucun baiser ne passe à travers mon âme, / aucune neige n'est descendue sur le sol... / C'est toute l'existence qui fait mal ainsi, / jour après jour sur l'étendue des steppes, / parmi les arbres n'atteignant pas au ciel, / parmi les ruisseaux qui suivent leur lit / et parmi les feuilles qui s'abandonnent au vent » (« Déclin »).

HEURE DE TOUS (L') [*La hora de todos*]. Œuvre de l'écrivain espagnol Francisco de Quevedo y Villegas (1580-1645), dont la plus ancienne édition est celle de Saragosse en 1651. Cette « fantaisie morale » fut écrite vers 1635 ; c'est le temps de la maturité de Quevedo, et certains critiques voient dans *L'Heure de tous* le chef-d'œuvre du fécond écrivain. Le rideau se lève sur l'Olympe : les dieux — des dieux picaresques et ridicules — font mander la Fortune, qui arrive suivie de l'Occasion. Jupiter ne cache pas sa fureur : il est accablé des cris de mécontentement qui montent de toutes parts de la terre : « Que fais-tu, accordant au délit ce qui revient au mérite, toi qui mets dans les tribunaux ceux qui devraient être hissés à la potence ? » Sous l'insulte, la Fortune bondit de colère : de quel droit Jupiter se montre-t-il sévère ? A-t-il oublié ses fredaines ? Et Léda ? Et Danaé ? Et Europe ? Et quelle injustice que de lui faire reproche : seuls les hommes sont les responsables de leurs maux. Les dieux grondent : Phébus ne cache pas son envie de faire rôtir au soleil l'irascible Fortune ! Mais Jupiter s'apaise : la Fortune n'a pas tout à fait tort. Cependant, pour tenir compte des doléances des humains, on fera une expérience ultime : pendant une heure seulement, la Fortune permettra que les hommes soient mis dans la condition qu'ils méritent et que les injustices soient réparées. La Fortune accepte, graisse sa roue et la lance sur le monde où règne aussitôt le plus grand désordre : un médecin est transformé en bourreau ; les condamnés deviennent alguazils ; un voleur enrichi voit toutes les pierres de sa maison, fruits de ses rapines, rejoindre en volant les demeures de ceux qu'il a volés ; un receleur est enlevé par un tapis volant qui l'enserre comme un serpent ; une coquette qui se poudre voit sa duègne changée en squelette et tous ses cosmétiques brouillés... Au cours de nombreux chapitres, Quevedo nous fait suivre les ravages de l'Heure : les innocents sortent des prisons, les flatteurs sont confondus, les voleurs arrêtés. Avec l'auteur nous pénétrons dans les tripots et nous assistons à des scènes d'une violente crudité. Mais tout à coup Quevedo s'arrête, quitte les bas-fonds : la sarabande de Justice, l'« Heure de tous », s'en prend maintenant aux grands de ce monde, aux États, aux idées : l'auteur en profite pour exposer les thèses les plus paradoxales — parfois même les plus révolutionnaires. Généralement misogyne, il se fait ici l'apôtre du féminisme. Ailleurs, il défend la cause des nègres : « La couleur, dit-il, est un accident, non un délit. Nos nez épatés (ce sont les nègres qui parlent) ne sont pas une excuse à notre servitude... » Le voici maintenant qui vitupère les gens de lettres, le régime républicain, car « il y a plus de tranquillité à obéir à un seul qu'à beaucoup, réunis en assemblée et séparés par des différences de coutumes, de pays, d'opinions et de desseins... ». Le désordre des idées, des faits et des doctrines est aussi grand que le désordre des personnages : tous sont confondus, doges de Venise, doges de Gênes, rois de France, rois d'Angleterre, grands-ducs de Toscane...

Pour chacun de ces portraits, Quevedo montre d'abord les gens bien assis dans leurs privilèges, leurs richesses, leurs méchancetés, leurs sottises. Et, tout à coup, l'Heure sonne : le confort de l'injustice s'écroule, tout est violemment remis à sa place. Tout se change en son contraire dans une atmosphère de Jugement dernier. Mais, à la fin de l'Heure, qu'enseigne l'expérience ? La Fortune ne s'était point trompée. Il y a toujours la même somme de mal et de bien ; les rôles simplement ont changé : les voleurs sont devenus des honnêtes gens, les honnêtes gens des crapules. Les mauvais peuvent bien courber l'échine sous la justice de l'Heure : il n'y a en eux aucune transformation intérieure. Ils plient, ne s'amendent point. D'où la conclusion désabusée de Jupiter, à la fin du livre : « Que la Fortune continue à répandre ses bienfaits avec indifférence, sans y mettre de méchanceté. N'a-t-elle point le droit, tout compte fait, de se plaindre des hommes... car ils ne savent pas user des prospérités qui leur arrivent, et pas plus des tribulations qu'on leur impose. » Cette œuvre violente, où s'exprime bien le désarroi du temps de la Renaissance, à la fin du vieux monde ancien, a quelque chose d'hallucinant et de maladif. Mais cela sert le réalisme tragique de Quevedo. Le cadre mythologique qui entoure l'action ne rappelle en rien les dieux de pacotille et de stuc d'un faux classicisme : Quevedo teinte tout de ses visions propres, informe tout de son tempérament démesuré. Et comme il sait varier son style à peu près à l'infini, c'est une image très pessimiste, mais singulièrement vaste, du monde au début de l'ère moderne qu'offre *L'Heure de tous.* — Trad. Nouvelles éditions latines, 1934 ; nouvelle traduction avec Introduction et notes par Jean Bourg, Pierre Dupont et Pierre Geneste, éd. Aubier, 1980.

HEURE ESPAGNOLE (L'). Comédie musicale en un acte du compositeur français Maurice Ravel (1875-1937), sur un poème de Franc-Nohain. Première représentation à l'Opéra-Comique le 19 mai 1911. Deux tendances se sont toujours partagé le génie de Maurice Ravel : le goût des sortilèges et celui de l'ironie ; *Ma mère l'Oye* (*) et les *Histoires naturelles* (*) représentent les deux pôles de cette inspiration. *L'Heure espagnole* occupe une place intermédiaire dans l'œuvre du compositeur. On y trouve à la fois son esprit mordant, primesautier, son sens aigu de la parodie, enfin son admiration pour les mécanismes d'horlogerie. Sa maison fut toujours encombrée de bibelots burlesques mus par des ressorts, qui paradaient avec des gestes saccadés dans le tic-tac obsédant des balanciers. Ce tic-tac hante le début de *L'Heure espagnole ;* il remplit par le jeu des violoncelles, des contrebasses, la boutique de l'horloger Torquemada. Mais la femme de ce dernier, Concepcion, préfère écouter les chants plus éloquents d'un poète, ou plus persuasifs d'un banquier pendant que son mari est occupé à remonter les pendules municipales. Survient alors Ramiro, un robuste muletier qui impressionne la jeune femme par sa vigueur et sa complaisance naïve. Il transporte, dans la chambre de l'accueillante commerçante, les horloges où se sont réfugiés ses deux premiers soupirants. Hélas, Concepcion n'éprouve avec eux que des désillusions ! Elle préfère en définitive accorder ses faveurs au souriant Ramiro, « dont les biceps dépassent les concepts ». Et quand Torquemada revient, il est tout heureux de trouver son épouse si joyeuse et trois acheteurs empressés autour d'elle. « La musique est une sorte de mot à mot musical, qui traduit fidèlement les moindres comme les plus énormes fantaisies du texte », écrivait Gabriel Fauré. Ravel jongle avec l'ironie, le paradoxe, le sarcasme. Il néglige le chant pour adopter la formule « quasi parlando », soutenue par une orchestration où s'épanouissent les couleurs riches et variées d'un kaléidoscope sonore. L'œuvre s'achève sur un étourdissant quintette où les cinq personnages célèbrent consciemment ou inconsciemment l'heure du muletier. L'action se situe en Espagne, mais c'est à peu près la seule allusion authentique à la péninsule Ibérique. Ravel disait lui-même : c'est une comédie « avec un peu d'Espagne autour ». Il utilise seulement quelques procédés rythmiques qui donnent une impression espagnole ; car la musique précise, nerveuse comme une danseuse de fandango, est bien celle d'un musicien typiquement français, qui agence avec soin les rouages subtils d'une partition méthodiquement construite.

HEURE MARITIME [*Ora marítima*]. Œuvre du poète espagnol Rafael Alberti (né en 1902), publiée en 1956. Alberti vient d'achever les splendides gloses lyriques de l'œuvre de peintres célèbres – de Giotto à Picasso – qui rappellent aux familiers du poète sa vocation picturale, lui qui commença par brosser des toiles et n'oublia jamais ce violon d'Ingres, finissant par peindre ses poèmes. Classicisme des lignes, orgie de couleurs font de *À la peinture* [*A la pintura*, 1948] une fresque digne des chefs-d'œuvre qui l'inspirent. L'ère de la poésie purement politique n'a certes pas pris fin – témoins les « Couplets de Jean le Boulanger » (1949) ou « Signes du jour » – mais l'inspiration née, pourrait-on dire retrouvée ? depuis *Pleine mer* et même dans une certaine mesure depuis *Entre l'œillet et l'épée* – voir *Pleine mer* (*) – prend à partir de ce moment-là un essor triomphal. Les *Revenances du vivant lointain* [*Retornos de lo vivo lejano*] et les *Ballades et chansons du Paraná* [*Baladas y canciones del Paraná*], qui complètent *Heure maritime*, sont composées en alternance entre 1948 et 1956. Elles reflètent la déchirante nostalgie du poète en exil : animal blessé qui ne peut regagner sa tanière et qui exhale un long cri de souffrance. C'est une plongée dans le souvenir, qui va recréant patiemment la réalité perdue, dans ses moindres détails : réalité des saisons, des paysages, des villes : « Je porte en moi de nombreuses terrasses / Les plus blanches s'allongent sur la mer / D'autres donnent sur les champs. » Des affections aussi : « Je ne veux pas te séparer de mes regards, mère, ni de mon cœur, un seul instant. » Les *Ballades du Paraná*, ce sont surtout, après une évocation ensorcelante de Cadix, les « Ballades de la Quinta del Mayor Loco » (grande propriété où vivait alors Alberti). Le poète y apparaît hanté par son éloignement, même s'il se laisse charmer par le cadre qui l'entoure. « De son balcon un homme regarde / le vent qui vient et va / ... / Les chevaux, comme des pierres / du vent qui vient et va / Les pâturages, comme une mer verte / du vent qui vient et va / .... / Il voit ce qu'il regarde, et en regardant / Il ne voit que sa solitude. » La virtuosité du poète ne s'est pas démentie et rehausse magnifiquement la pudeur des sentiments qui se dégage de ces émouvantes compositions. Depuis lors, la poésie d'Alberti s'affirme comme celle d'un homme engagé qui a su ne pas céder à la facilité démagogique et a trouvé les justes accents pour exprimer cet engagement avec la sincérité la plus émue, la plus tendre, en un mot la plus lyrique.

HEURES (Les) [*Die Horen*]. Revue mensuelle littéraire et philosophique fondée par le poète et dramaturge allemand Johann Christoph Friedrich von Schiller (1759-1805). Le premier numéro parut en janvier 1795, par les soins de l'éditeur Cotta de Tübingen. Le 1er décembre 1794, une sorte de manifeste avait été publié dans l'*Intelligenzblatt* ou *Journal des Intellectuels*. On y proclamait que « dans une période troublée par les rumeurs de guerre [...] alors que trop souvent les Muses et les Grâces étaient effarouchées par les intrusions continuelles, dans les conversations et les écrits, des questions politiques [...] alors que ces circonstances exposaient à toutes les déconvenues [...] une revue, qui se proposerait de plaire aux lecteurs par des moyens autres que ceux qui avaient plu jusque-là », serait sans doute bien accueillie. Car, de toute évidence, « le besoin se faisait sentir de libérer les esprits, de les élever jusqu'à des questions d'un intérêt plus universel, et de les soustraire par là aux influences de l'époque [...] Distinction et mesure, équité et conciliation constitueraient les mots d'ordre de cette revue ». Les collaborateurs en furent les personnages les plus en vue de la littérature, de l'histoire et de la philosophie : Goethe accepta « avec joie et de tout cœur de faire partie de cette société ». Humboldt, Fichte, Leim, Hufeland, Herder, Jacobi, Schlegel se joignirent à lui, pour ne mentionner que les plus connus. Le premier numéro d'avril fut tiré à mille huit cents exemplaires et contenait les *Entretiens d'émigrés allemands* (*) et les *Élégies romaines* (*) de Goethe, les *Lettres sur l'Éducation esthétique de l'homme* (*) de Schiller et la traduction de l'*Enfer* (+) de Dante, par Schlegel. Mais la critique s'acharna sur la revue, et en 1797, Goethe et Schiller riposteront avec les *Xénies* (*) dans l'*Almanach des Muses* (*). *Les Heures* cessèrent de paraître en 1798, alors que se préparait la proclamation lancée contre Schiller dans l'*Athenaeum* (*).

HEURES CLAIRES (Les). Recueil de poèmes du poète belge d'expression française Émile Verhaeren (1855-1916), composé de trois parties : *Les Heures claires* (1896), *Les Heures d'après-midi* (1905), *Les Heures du soir* (1911). C'était l'œuvre préférée du poète et son meilleur critique, Stefan Zweig, y voit la « part la plus durable, parce que la plus personnelle, de la poésie de Verhaeren ». Ce recueil suivait la fameuse trilogie : *Les Soirs* (*), *Les Débâcles* (*), *Les Flambeaux noirs* (+) où Verhaeren se laissait gagner par le désespoir : ce n'était en effet que visions de cauchemar, et Verhaeren semblait s'acheminer sur la voie des poètes maudits, menacés par la hantise et la folie. Avec *Les Heures claires,* il se reprend. L'occasion du salut, l'issue vers la paix intérieure et la réconciliation avec une nature apparue tout d'abord si adverse, c'est l'amour du poète pour sa compagne : la présence de la femme domine toutes les *Heures*, mais il s'agit d'une présence presque immatérielle. La femme ici est vraiment divinisée. C'est un moyen de communion avec la nature entière. L'amour, pour Verhaeren, n'est pas solitude : la compagne, toujours présente, est l'instrument d'une communion avec tout ce que la nature comporte de beauté, de bonté, de vérité. Absents les horizons des villes, les usines, le tumulte des rues. Seule la paix domestique exprime toute la noblesse de la vie. Toute réalité extérieure disparaît : elle n'est plus qu'une sorte de prétexte qui met en branle l'imagination du poète.

S'il est ici apaisé, le naturalisme mystique de Verhaeren est toujours présent : c'est une attitude qui est toute d'effacement envers la nature. Aussi Verhaeren ne tolère-t-il aucune intervention de l'intelligence : il ne s'agit que d'écouter les voix du cœur, en dépouillant cependant cette puissance de tout ce qu'elle peut impliquer de charnel, car c'est une atmosphère angélique, celle peut-être du paradis terrestre, qui emplit le jardin de Verhaeren. *Les Heures du soir,* plus tristes, sont souvent troublées par le pressentiment de la mort. S'il accepte cette ultime exigence, Verhaeren, pour autant, ne renonce pas ; il se plaît à évoquer la fierté et l'orgueil de vivre de sa jeunesse. D'ailleurs, le soir de la vie ne fait qu'éterniser l'union, fixer, immobiliser toutes choses dans la lumière : « ... le miroir / Du jardin clair que nous portions dans l'âme / Se cristallise en gel et or, ce soir. » C'est à cette image familière de Verhaeren que beaucoup pourront se plaire encore alors que de nombreuses parties de son œuvre paraîtront enflées, sans mesure, presque inhumaines. Verhaeren est ici tout spontané, point didactique, il ne cherche pas à être la grande voix du monde moderne. Il a décrit ses *Heures* comme on fait une confession.

HEURES DE LOISIR, série de poésies originales et traduites [*Hours of Idleness, A Series of Poems, Original and Translated*]. Le premier recueil de vers que le poète anglais George Gordon (lord) Byron (1788-1824) publia sous son nom en 1807. L'auteur y reprend en grande partie le contenu des deux volumes anonymes qu'il avait publiés en 1806 : *Pièces fugitives* [*Fugitive Pieces*] et, en 1807, *Poésies sur diverses occasions* [*Poems on Various Occasions*]. Il contient en outre des traductions de poètes anciens (Catulle, Tibulle, Euripide, etc.) et quelques compositions originales sans grand intérêt. L'œuvre fut assez mal accueillie par la critique : Byron s'en vengea par une satire : *Bardes anglais et critiques écossais* [*English Bards and Scotch Reviewers,* 1809].

HEURES DE RÉFLEXION [*Godzina myśli*]. Ce petit poème témoigne des pénétrantes qualités d'introspection de l'écrivain polonais Juliusz Słowacki (1809-1849) ; il a été publié en 1883. Słowacki raconte, dans ce poème considéré comme son chef-d'œuvre, l'amour malheureux qu'il éprouva dans sa jeunesse pour Lodovica Sniadecka, à la suite duquel son désespoir l'avait conduit à l'athéisme. L'auteur explique ensuite comment, dès sa jeunesse, il s'est senti attiré par les problèmes philosophiques touchant à l'essence de la vie et comment il a admis la théorie de Świendenborg relative à la métempsycose et au perfectionnement continuel de l'âme humaine à travers les réincarnations successives dans des êtres de plus en plus parfaits. Une telle foi dans l'avenir glorieux de son âme remplit d'orgueil l'esprit du poète, qui se sent né pour de grands destins. Cette œuvre a une particulière importance, autant par l'élévation du style poétique que par l'attitude spirituelle de l'auteur.

HEURES DU LAC (Les) [*Göl Saatleri*]. Recueil de vers du poète turc Ahmed Hâshim (1885-1933), publié en 1911, et repris en 1921. Dans son premier recueil, *Les Poèmes de la lune* [*Shiir-i kamer*], publié en 1908, Ahmed Hâshim se signalait déjà par la richesse et le pittoresque de ses images, la force du rythme interne de son vers — très inspiré de la musique verlainienne. Le poète conquit une immédiate popularité. Très actif dans la Société du *Fedjr-i atï*, il remporte un grand succès avec la publication des *Heures du lac*. Les jeunes intellectuels ottomans, avides de nouveauté européenne, font de Hâshim leur hérault poétique. Cependant, à la fermeture du *Fedjr-i atï*, Hâshim n'essaiera pas de regrouper une école autour de sa personne. Désormais, il sera seulement occupé à la rédaction de son œuvre, publiée en deux recueils : une nouvelle version des *Heures du lac* (1921), et *La Coupe* [*Piyâla*, 1926, puis 1928] — qui comprend également des poèmes des premières années.

Les poèmes réunis dans *Les Heures du lac* sont profondément marqués par l'influence occidentale. Ahmed Hâshim y propose cependant une vision symboliste très particulière de la nature ré-imaginée : dans les eaux du lac apparaissent au contemplatif des arbres, des fleurs, des montagnes, restituant un monde fantastique. Dans le manifeste que constitue le court poème « Préambule » [Mukaddima], le poète offre une première clé pour la compréhension de son œuvre : « J'ai contemplé les formes de la vie / Dans les eaux du bassin des rêves / Il y avait un reflet coloré / Des arbres et des plantes de la terre. » Ahmed Hâshim a tenté de créer un symbolisme propre à la poésie turque. De nombreux traits le rapprochent d'ailleurs de son contemporain Yahyâ Kemâl, tels que la nostalgie du temps passé, une tristesse omniprésente, la recherche d'un refuge dans la réalité poétique. Cependant, s'il compose ses vers selon le *'arûz*, l'ancienne métrique quantitative arabo-persane, sur laquelle il fonde leur musicalité, Ahmed Hâshim n'observe pas les règles classiques de la rime et du rythme – ce qui le rapproche de ses modèles français, et entrouvre la porte aux innovations radicales de la poésie turque, dans les années 40.

S.A.D.

HEURES OISIVES (Les) [*Tsure-zure-gusa*]. Œuvre de la littérature japonaise ancienne, écrite entre 1334 et 1339 par Urabe Kaneyoshi, plus connu sous le nom de Yoshida Kenkô (1283-1350). Cet écrit appartient au genre « zui-hitsu » (littéralement : « au gré du pinceau », c'est-à-dire « mélanges »), et il s'agit ici de mélanges littéraires répartis en deux cent quarante-trois courts chapitres que l'écrivain réunit pêle-mêle dans un désordre suggestif : aphorismes et réflexions sur la vie, les mœurs du temps, l'amitié, la mort, la poésie, l'art, la religion, les femmes, etc. L'ouvrage est rédigé dans la langue littéraire, si pure, de l'époque Heian (794-1186), avec le moins possible de réminiscences chinoises. De même que Kamo no Chômei – v. *Notes de ma cabane* (*) –, Kenkô appartenait à une famille de prêtres shintoïstes. Après avoir longtemps servi à la cour impériale comme officier de la garde, il embrassa le bouddhisme (1324) lorsque mourut l'empereur Go Uda, son protecteur, et s'installa peu après dans une chaumière sur la colline de Narabi, voisine du temple de Ninnaji, aux environs de Kyôto, la capitale. Kenkô vivait à une époque de transition entre la civilisation aristocratique de l'ère Heian et la période féodale où la société japonaise devait s'établir sur de nouvelles bases. Son caractère, sa valeur morale ont suscité bien des discussions. Pour les uns, il fut un prêtre bon et pieux, alors que d'autres ne voient en lui qu'un sceptique et un cynique. C'est ainsi qu'on l'a accusé d'avoir encouragé un adultère et d'avoir séduit, alors qu'il était déjà vieux, la fille de Tachibana no Naritada, sous prétexte de lui donner des leçons de poésie... Mais ces accusations ne reposent sur rien, et le mieux est de s'en tenir à ce que nous savons de lui par son œuvre même. Certes il ne fait aucun doute que la psychologie de Kenkô est indécise et fuyante, et certaines allusions trop complaisantes qu'il fait aux femmes, au vin et aux plaisirs mondains sont, de la part d'un religieux, assez inattendues. Mais sans doute le renoncement n'était-il pas enraciné dans son être au point d'avoir endormi le vieil homme pour toujours. Converti, il vivait dans un monde qui n'était pas le sien et se souvenait des jours anciens avec nostalgie : aussi trouvons-nous dans ses écrits le reflet des hésitations, des indécisions, du déséquilibre enfin d'un homme que déchiraient des aspirations contraires. À travers le dogme et l'éthique du Bouddha, Kenkô laisse apparaître un tempérament d'aristocrate, et son attitude de retrait est moins le fait d'un religieux profondément convaincu que d'un esthète, d'un poète déjà voué à ce culte du passé qui, par la suite, mûrira pleinement dans le drame classique « nô » et dans le « haïkaï » (épigramme). – Trad. Gallimard, collection Unesco, 1968.

HEURES POÉTIQUES [*Nebenstunden unterschiedner Gedichte*]. Recueil de poèmes de l'écrivain allemand Friedrich von Canitz (1654-1699), publié à titre posthume en 1700. Ce sont en majeure partie des satires dans le goût d'Horace, attaquant la vie de cour et ses vices : l'avarice, l'ambition et la vanité. Ces petites pièces de vers ne sont jamais mordantes ou dirigées contre des personnes précises. On y décèle plus d'humour que de sarcasme. La plus célèbre, traitée dans la manière de Boileau, est celle intitulée « Contre la poésie », autrement dit contre la vogue des poèmes de circonstance et ce qu'on appelle la métromanie. Adversaire déclaré de l'école de Silésie, Canitz compte au nombre des premiers Allemands qui prirent position contre les fadeurs de la poésie pastorale. Son principal mérite est de ne pas donner dans le mauvais goût. La vie champêtre est souvent célébrée dans ses vers. Ce mode d'existence fut peut-être le regret qui le poursuivit pendant toute sa vie de diplomate. Le plus émouvant et populaire de ses poèmes est celui où il évoque la mort de sa première femme. Canitz connut très vite la renommée ; Bodmer lui consacra quelques vers dans ses *Caractères de la poésie allemande*, le considérant comme le premier auteur satirique de la vie de cour. Sa renommée décrut dans la seconde moitié du XVIIIe siècle ; Frédéric le Grand le remit en honneur, appréciant surtout « la courtoisie et le charme de son style ».

HEUREUX HYPOCRITE (L') [*The Happy Hypocrite*]. Roman de l'écrivain anglais Max Beerbohm (1872-1956), publié en 1897. Bien que son sous-titre soit : *Contes de fées pour adultes fatigués,* l'auteur affecte de s'adresser aux enfants. Le héros, sir George Hell (« hell », en anglais, veut dire enfer), est le type même du débauché de la Régence anglaise : viveur, joueur et tricheur. Il ignore tout du monde en dehors de Londres et de ses plaisirs. Il a pour maîtresse une actrice italienne, la Gambogi. Or, comme un soir, au spectacle, il admire un nain qui tire à l'arc, ce dernier lui décoche une flèche : aussitôt, sir George a le coup de foudre pour une danseuse de seize ans, Jenny Mere (« mere » = simple, pur). Incontinent, il offre à la jeune fille son cœur, son argent et le reste. Mais Jenny n'épousera qu'un homme dont le visage sera celui d'un saint. Désespéré, sir George erre toute la nuit et finit par échouer devant la boutique d'un marchand de masques. Il achète un masque de saint et se le fait coller sur le visage. Jenny, qui ne le reconnaît pas, accepte alors d'épouser l'homme qui répond à son idéal. Sir George, qui se fait désormais appeler George Heaven (« heaven » = ciel), coule avec elle des jours heureux. Pour justifier son apparence, il rachète sa conduite passée, en distribuant ses biens aux pauvres. Il goûte ainsi à toutes les joies que procure l'altruisme. Cependant, la Gambogi finit par le reconnaître, en dépit de son masque. Haineuse, elle le lui arrache afin de révéler à Jenny l'homme qu'il est véritablement. Ô, miracle ! les traits de chair se sont modelés sur ceux du masque. Le vrai visage de sir George est devenu celui d'un saint par le seul effet du repentir. En résumé, une belle fiction que vivifie un humour d'autant plus riche qu'il s'efface toujours devant l'émotion.

HEUREUX LES PACIFIQUES. Roman publié en 1946 par l'écrivain français Raymond Abellio (pseud. de Georges Soulès, 1907-1986). Décembre 1933, janvier et février 1934 : « Une France commençait à mourir, la France politique, mais les jeunes gens criaient, sans savoir. » Le narrateur, Robert Saveilhan, polytechnicien de vingt-quatre ans, est l'un d'eux. Communiste, il fait le mur plusieurs fois par semaine pour de lointaines réunions de banlieue. Il s'est lié dès l'adolescence avec un trotskiste, Benjamin Ricarda, qui lui a présenté Gina. Gina devient la maîtresse de Robert, et Benjamin se fait tuer au cours d'une manifestation. Alexis Ricarda, le frère jumeau de Benjamin, peintre et occultiste aux relations politiques mystérieuses, demande à le connaître. Il le soupèse, le retourne, lui propose une alliance : il s'agit pour Robert de faire partie des « meneurs cachés », c'est-à-dire de devenir véritablement homme d'action et non plus homme de mensonge. Mais Alexis, dans son désir de possession et pour humilier Robert, ou forger sa volonté, commet l'imprudence d'exciter sa jalousie au sujet de Gina. Robert se révolte et tente de le tuer. Par miracle, Alexis n'est que blessé. L'année suivante, il a renoué des relations avec Robert, exactement comme si rien n'avait eu lieu. Les réunions politiques reprennent, et les séances d'occultisme avec Ricarda. Au cours d'une réunion contradictoire qui dégénère en bagarre, Robert est arrêté et, porteur de papiers compromettants, incarcéré. Il est renvoyé de l'école à la suite de cette affaire et démissionne du parti communiste. Un camarade lui offre un emploi dans l'usine paternelle tandis qu'il prépare une licence de droit. Nouveaux partis, sectes, combats dans l'ombre, assassinats, la France est en plein gouvernement de Front populaire, et il semble que Ricarda, dans les coulisses, tire toutes les ficelles. Il tente de créer un groupe d'hommes supérieurs, réellement agissants, un ordre. Mais la guerre vient interrompre ses projets. Blessé, Robert est rapatrié en novembre 1940 et retrouve Gina et Ricarda, un Ricarda qui sombre chaque jour davantage dans l'occultisme. L'ordre envisagé est devenu un rassemblement non de technocrates qui ne savent manier que l'énergie de la matière, mais de « théurges », de « théocrates » qui manient l'énergie de l'esprit. Peu à peu, il se sépare du monde, consacrant sa vie à la recherche d'une « nouvelle clef ». Il meurt dans une crise de demi-démence, au cours d'un accrochage avec des miliciens. Désormais, Robert tentera de retenir la leçon de Ricarda : « Aujourd'hui, parce que j'y consens, je me vois tourner sans angoisse sur ce cercle quadraturé par les triomphes et les défaites, en attendant que, moi aussi, j'en sois délivré. » Ce livre touffu, passionné, où se croisent les ambitions politiques et la poursuite de la connaissance, compose un étrange tableau des années de l'avant-guerre. Le goût de l'occulte l'alourdit parfois, mais lui donne aussi un pouvoir poétique auquel fut notamment sensible l'entourage d'André Breton. Il renouvelait en tout cas en son temps la matière romanesque par son extraordinaire poursuite autant de l'action que du savoir, inventant ou réinventant le roman métaphysique.

HEUREUX ULYSSE... [*Strändernas svall*]. Roman de l'écrivain suédois Eyvind Johnson (1900-1976), publié en 1946, et dont le titre original signifie littéralement : « Agitation des flots sur les côtes ». Le point de départ de ce roman fut certainement l'*Ulysse* (*) de James Joyce, mais Eyvind Johnson, tout en spécifiant qu'il s'agit d'« Un roman sur le présent » [En roman om det närvarande], retrace fidèlement l'histoire d'Ulysse et de son retour auprès de Pénélope. Cependant, le héros de Eyvind Johnson est un homme moderne, qui réagit tout autrement que l'Ulysse de la légende. Lorsqu'il s'est vengé des prétendants de son épouse, il est las et plein de dégoût. Pénélope n'est d'ailleurs pas ravie du retour de son époux, « qui met fin à sa liberté ». L'essentiel est que l'auteur se soit tellement imprégné de la légende qu'il la réécrit comme s'il en était l'inventeur et donc lui donne une vie intense et nouvelle. — Trad. Gallimard, 1950.

HEURT À LA PORTE DANS MACBETH (Sur le) [*On the Knocking at the Gate in Macbeth*]. Essai de l'écrivain anglais Thomas De Quincey (1785-1859), publié en 1823. Dans la pièce de Shakespeare, des coups sont portés contre la porte juste après l'assassinat de Duncan. De Quincey compare l'effet de cette indication à celui produit par des coups semblables se faisant entendre après le meurtre bien réel de la famille Marr par Williams en 1812, la vie semblant alors illustrer ce qu'avait inventé le poète. L'auteur y voit un exemple de cette terrible syncope, ou parenthèse, qui suspend l'ordre des choses au moment du meurtre, cet instant de calme mortel rompu par le retour à la vie ordinaire. « Afin qu'un autre monde puisse faire irruption, celui-ci doit disparaître pour un temps. Les meurtriers et le meurtre doivent être mis en quarantaine, coupés par un abîme incommensurable du flot ordinaire des affaires humaines. » Cet instant où tout est en suspens a toujours fasciné De Quincey ; on le retrouve aussi bien dans le récit de la mort de sa sœur que dans *Les Confessions d'un mangeur d'opium anglais* (*), ou dans *De l'assassinat considéré comme un des beaux-arts* (*), où il décrit de façon très dramatique ce même meurtre de la famille Marr. Mallarmé a traduit des fragments de cet essai dans « La Fausse Entrée des sorcières dans *Macbeth* » (1897) – v. *Divagations* (*). – Trad. Gallimard, 1963 ; Fata Morgana, 1987. A. Gr.

HEXAMÉRON [*Hexameron*]. Neuf homélies de saint Basile de Césarée, dit le Grand (329-379), qu'il prononça avant 370, durant la première semaine de carême, alors qu'il n'était encore que prêtre. Ces neuf homélies devaient être une explication des « six » jours de la création (d'où le titre) d'après les commentaires de la *Genèse* (*) ; mais l'auteur s'arrêta au cinquième jour et l'homélie du sixième jour fut prononcée par le frère de saint Basile, saint Grégoire de Nysse, qui écrivit ensuite pour défendre l'œuvre de son frère son *Livre sur l'Hexaméron* (*). Les homélies de l'*Hexaméron* révèlent la profonde connaissance qu'avait leur auteur des Écritures. Elles sont écrites avec élégance, dans un style simple et pur. On y retrouve l'orateur convaincant et le littérateur pénétré des leçons d'Himérios et de Libanius, le profond connaisseur du platonisme et du néo-platonisme. Dans son exégèse, saint Basile s'en tient au texte sacré et dénonce les abus des interprétations allégoriques, tout en suggérant de nombreuses pensées de saine philosophie et de pratique morale et chrétienne.

★ La même intention d'exégèse biblique a inspiré l'*Hexaméron* de saint Ambroise (330 ?-395), évêque de Milan, qui commente et illustre l'œuvre de la Création. En substance, l'ouvrage est tiré de la prédication du grand évêque durant la semaine sainte de 387. Ambroise, qui, tout en ignorant l'hébreu, lisait couramment le grec et se plaisait à confronter la version des Septante – v. *La Bible* (*) – avec les autres versions de l'« Ancien Testament », unissait la culture profane à la culture sacrée ; c'est ainsi qu'il pensait que Pythagore avait imité David en imposant la règle du silence à ses disciples ; que Socrate avait lu des pages de *La Bible* ; que Platon avait, en Égypte, eu connaissance des Écritures des Hébreux ; que Sophocle imitait Job, qu'Aristote et les péripatéticiens, Caton et les stoïciens n'avaient fait que compliquer ce que les Écritures disent dans une forme simple et claire. L'exégèse ambrosienne est surtout allégorique et découle de celle de Philon ; le sens littéral ne suffit pas, la lettre des Écritures est comme l'ombre du corps, la vraie réalité et le véritable contenu sont au-delà de la lettre. Quand la lettre du texte biblique paraît insoutenable, il faut donner au texte une valeur mystique pour spiritualiser le récit. Ambroise a puisé non seulement dans l'œuvre de Basile, mais dans les commentaires d'Origène et d'Hippolyte. Les parties les meilleures de l'ouvrage sont le troisième livre sur les plantes, le cinquième sur les oiseaux et les poissons, la seconde partie du sixième livre sur les merveilles anatomiques du corps humain. On sent déjà dans ces pages le génie du Moyen Âge, qui se servit abondamment de l'œuvre exégétique de saint Ambroise.

HIBOU ET LE ROSSIGNOL (Le) [*The Owl and the Nightingale*]. Poème anglais de mille sept cent quatre-vingt-quatorze vers qui date probablement du début du XIIIe siècle ; son auteur est inconnu, mais certains en ont attribué la paternité à Nicholas de Guildford et d'autres à John de Guildford. Il s'agit d'une contestation allégorique entre un hibou et un rossignol, qui disputent du mérite de leur chant respectif. Il est possible que le chant du premier symbolise le poème religieux, tandis que le chant du second représente le poème d'amour. Il va sans dire que la scène se passe en plein air : ce rossignol étant perché sur quelque haie et le hibou sur un vieil arbre. À la fin, cela dégénère en un véritable procès. Bien que le poète ne prenne parti ni pour l'un ni pour l'autre des rivaux, il semble bien qu'il préfère le hibou. Même si par sa forme ce poème s'inspire des procédés de l'école française, il garde néanmoins un ton personnel très remarquable. – On peut consulter le livre de K. Hume, *The Owl and the Nightingale : The Poem and its Critics*, 1975.

HIER [*Gestern*]. Drame en un acte de l'écrivain autrichien Hugo von Hofmannsthal (1874-1929), publié en 1891. L'action se passe à Imola, « au temps des grands peintres ». Andréa, le protagoniste, a une devise bien simple pour conduire sa vie : se laisser pousser en avant, se déterminer en fonction du moment. « Hier » est l'ennemi : le jour passé, l'action de la veille, le tableau et le vêtement admirés il y a sept heures, « un abîme nous en sépare... sept heures ». Aujourd'hui doit être différent d'hier ; aujourd'hui tout est changé : ciel, fleuve, désirs, envies ; et les amis, la femme qui lui rappellent ce qui arriva hier sont un martyre, un poids insupportable. La fidélité elle-même ne peut être ni promise ni désirée : qu'en sera-t-il de nous demain ? Quand la femme aimée le trahit, il hésite un moment sur l'assassinat, puis se contient et détermine de nouveau son attitude : « Hier, tu m'as aimé ; aujourd'hui, je ne suis plus rien pour toi. » La femme part, et il continue, parmi les poètes, les peintres et les comédiens, de lancer à hier son défi. Mais hier ses paroles étaient de joie, aujourd'hui elles sont de désespoir ; car l'amour d'hier est encore vivant, et il ne peut le tuer qu'en se tuant lui-même. *Hier* est le premier ouvrage théâtral d'Hofmannsthal ; il est intéressant surtout parce qu'il nous donne la clé de son théâtre : un âpre refus opposé au monde, une volonté dédaigneuse de se renfermer en soi, et l'insuffisance du moi envers lui-même. Le monde est plus fort ; il domine, écrase ; il faut s'en exiler. Une seule voie, celle de l'art, de la poésie, du rêve, de l'imagination.

HIER (D') [*Meemesh*]. Ce recueil de nouvelles de l'écrivain israélien d'origine russe Deborah Baron (1887-1956), publié en 1954, fait revivre l'univers désormais disparu des petites cités juives d'Europe orientale — univers qui fut celui de l'enfance et de la jeunesse de l'auteur. Très nettement influencée par l'art de la nouvelle tel qu'il se pratiquait dans la plupart des littératures européennes à la fin du siècle dernier, Deborah Baron a un style léger et elle excelle dans l'évocation des émotions.

HIÉRARCHIE CÉLESTE (La) [*Περὶ της οὐρανίας ἱεραρχίας*]. Traité de théologie mystique qui — ainsi que d'autres ouvrages, tels que *Les Noms divins* (*) et *La Théologie mystique* (*) — fut pendant tout le Moyen Âge et même beaucoup plus tard attribué à Denys l'Aréopagite, premier évêque d'Athènes et disciple de saint Paul. À présent, il est généralement admis que ce traité fut écrit, vers la fin du ve siècle, par un mystique chrétien, probablement originaire de la Syrie. Cette œuvre est très connue pour sa classification des esprits angéliques en trois ordres et neuf chœurs, division adoptée par les plus grands théologiens et même par Dante, et consacrée par des textes liturgiques de l'Église. Elle est également importante par les idées exposées dans ses premiers chapitres : sur le symbolisme du culte catholique, sur le « caractère imaginaire des qualités attribuées aux anges », sur la vérité de la théologie dite apophatique, suivant laquelle « les négations sont vraies en ce qui concerne les mystères divins, tandis que toute affirmation demeure inadéquate ». Toute représentation sensible du monde invisible, du domaine spirituel, à cause de leur diversité même, est nécessairement inadéquate et souffre de « l'inconvenance qui consiste à associer de si basses allégories à des légions de forme divine et d'une parfaite sainteté » ; toutefois, il ne faut pas oublier « qu'il n'est rien ici-bas qui ne participe en quelque manière au beau, puisque l'Écriture n'a pas tort de dire : tout est très bien ». Dans les chapitres suivants apparaît la fantastique hiérarchie angélique, telle que l'auteur l'avait conçue, une « sainte ordonnance, un savoir et un acte aussi proches que possible de la forme divine ». Il démontre que la fonction essentielle des ordres angéliques est de rendre perceptible aux hommes la théophanie divine, et explique la part prise par les anges dans le « mécanisme » de la Rédemption ; ensuite, il disserte sur chaque ordre des trois hiérarchies célestes et rappelle incidemment que, de même qu'il n'y a qu'un « seul principe, unique et universel », de même « il n'existe pour l'univers entier qu'une seule Providence ». Dieu, dit notre auteur, confia à ses anges la garde et le salut de tous les hommes ; bien qu'entourés d'un manque de foi presque général, les fils de Jacob furent à peu près seuls « à se convertir à la Lumière et à confesser le vrai Seigneur ». Enfin, le chapitre XII traite des raisons qui expliquent l'attribution à certains grands prêtres du titre d'« anges du Seigneur ». Les derniers chapitres sont consacrés à l'explication des divers symboles que l'Écriture attribue aux anges. Il est intéressant de noter que le chant XXVIII du « Paradis » de Dante — v. *La Divine Comédie* (*) —, avec son image d'un cône fulgurant et tournoyant des hiérarchies célestes, représente en quelque sorte un exposé sommaire de la théorie de *La Hiérarchie céleste*. — Trad. Aubier, 1943.

HIÉRARCHIE ECCLÉSIASTIQUE (La) [*Περὶ της ἐκκλησιαστικῆς ἱεραρχίας*]. Quatrième partie de ce « Corpus areopagiticum », ensemble d'œuvres attribuées à Denys l'Aréopagite — le pseudo-Denys (ve s.), qui jouit au Moyen Âge d'un si grand crédit et eut beaucoup d'influence sur toute la mystique chrétienne, dès la fin du ve siècle. Les trois premiers livres faisant partie du « Corpus », et respectivement intitulés *Des noms divins* (*), *La Théologie mystique* (*), *La Hiérarchie céleste* (*), traitent de la valeur des dénominations attribuées à Dieu dans l'Écriture sainte ; de l'union de l'âme avec Dieu, grâce à l'évasion de l'âme loin de toute forme d'activité, pour s'abandonner à la contemplation extatique, à cette vision intime qui s'identifie en Dieu ; du monde des esprits célestes, de leur nature et de leur division hiérarchique en trois triades constituant ainsi les neuf chœurs célestes : Séraphins, Chérubins, Trônes, Seigneuries, Puissances, Dominations, Principautés, Archanges et Anges. Les sept chapitres de cette œuvre présentent l'Église comme étant une image analogique de la hiérarchie céleste. C'est pourquoi, à l'instar de la constitution hiérarchisée des Êtres célestes, notre auteur décèle dans l'Église également trois triades. Il s'agit, avant tout, de la triade des « divines célébrations sacramentales » : le baptême, l'eucharistie, la confirmation. Ensuite vient la triade hiérarchique des ordres sacrés : évêques, prêtres, diacres. Enfin, il y a la triade des ordres mineurs, formée par les moines, les membres des confréries, et la masse des fidèles comprenant les catéchumènes, les servants et les pénitents. Le septième et dernier chapitre de cette œuvre est consacré aux rites et à l'explication des enseignements de l'Église chrétienne relatifs à la mort.

Dans la tradition manuscrite comme dans les traductions françaises, dix lettres font suite aux quatre sections du « Corpus ». Ces lettres sont composées de façon à faire croire, tant par leur contenu que par le choix des personnages auxquels elles auraient été adressées (par exemple la lettre X, adressée à saint Jean l'Évangéliste), qu'elles auraient été réellement écrites par Denys, membre de l'Aréopage d'Athènes dont il est question au chapitre XVII des *Actes des Apôtres* (*). Aussi, pendant tout le Moyen Âge, on a cru aveuglément à cette paternité du « Corpus ». Les écrivains de la Renaissance, à commencer par Lorenzo Valla (1405-1457), suivi vers le milieu du XVIIe siècle par l'oratorien Morin, ont été les premiers à soulever des doutes (plus que justifiés) sur le bien-fondé d'une telle attribution. La critique contemporaine, surtout par la plume de Koch et de Stygimayr, ne s'est pas préoccupée d'identifier le véritable auteur du « Corpus », mais s'est attachée surtout à déterminer, par le degré de sa culture, l'époque à laquelle l'œuvre devait avoir été composée. Celle-ci ne peut être postérieure à la fin du Ve siècle, car nous la trouvons citée dans les écrits de Sévère (premières années du VIe siècle), chef de l'école monophysite. Celui-ci, en citant le « Corpus », en indique l'auteur en ces termes : « Denys l'Aréopagite, qui fut évêque d'Athènes ». Dans la controverse confessionnelle qui eut lieu, à la fin de 532 ou au commencement de 533, à Constantinople, entre orthodoxes et monophysites, ces derniers, pour appuyer leur doctrine de la « nature unique du Dieu-Verbe après l'union », invoquèrent l'autorité de Denys l'Aréopagite. L'existence du « Corpus », dans sa forme actuelle, est attestée pour la première fois d'une façon certaine par la traduction qu'en fit en syriaque Serge de Resaine, en 536. Pour la détermination de l'époque de la composition du « Corpus », la quatrième partie de celui-ci, c'est-à-dire le traité de *La Hiérarchie ecclésiastique,* a une grande importance. Elle permet aux exégètes modernes d'affirmer que cette œuvre fut écrite intentionnellement sous un pseudonyme, afin d'introduire dans la spéculation mystico-théologique chrétienne, sous le couvert d'un nom universellement vénéré, le monde des représentations néo-platoniciennes, avec l'idée centrale de l'Un, dont toutes les choses dérivent pour retourner, en définitive, de nouveau à l'Un. La présence et l'autorité du « Corpus areopagiticum » en Occident sont prouvées dès l'époque du pape Martin Ier. Maxime le Confesseur, par son « Commentaire », contribua d'une façon efficace à sa propagation. Parmi les traductions latines, la plus connue est celle de Scot Érigène, faite à l'époque de Charles le Chauve. L'« édition princeps » du texte grec parut à Florence en 1516, et cela est une preuve du crédit dont l'œuvre jouissait dans les milieux de l'humanisme italien à la fin du XVe siècle et au commencement du XVIe. Le jésuite Cordérius en donna une édition très soignée à Anvers en 1634, réimprimée à Venise en 1755 ; cette édition est reproduite également dans Migne — v. *Patrologie grecque* (*), t. III-IV. — Trad. Aubier, 1943.

HIÉRON [Ἱέρων]. Dialogue du genre socratique, entre le poète Simonide d'Amorgos et Hiéron, le fameux tyran de Syracuse. C'est le seul dialogue de l'écrivain grec Xénophon l'Athénien (426 ?-355 ? av. J.-C.) dans lequel Socrate n'apparaît pas comme interlocuteur. Il traite d'une façon détaillée le problème politique des devoirs des gouvernants et de leurs rapports avec leurs sujets, problème déjà esquissé dans *Les Mémorables* (*) et développé dans *La Cyropédie* (*). On peut noter dans ce dialogue une certaine sympathie pour la tyrannie éclairée, tournure d'esprit qui, à cette époque, était commune aux platoniciens et aux disciples d'Isocrate. — Trad. Les Belles Lettres, 1950.

HILAROTRAGOEDIA. Essai de l'écrivain italien Giorgio Manganelli (1922-1990), publié en 1964. Immédiatement rattaché aux recherches formelles du « Groupe 63 », ce livre valut à son auteur un succès considérable. C'est une sorte de traité théorico-pratique, que l'auteur compare aux livres d'œnologie ou de floriculture, nés d'une fréquentation assidue de la matière. Le sujet en est la lévitation « descenditive ». Cette formule oxymorique, que l'on retrouve dans le titre (« tragédie hilare »), dit le propos de l'auteur : battre en brèche, par le sarcasme, par une ironie, les fausses certitudes ; creuser, par d'improbables classifications, faussement encyclopédiques, des galeries où sera enfermée la hantise de la mort. L'érudition, surtout si on la tourne en dérision, est un excellent antidote. Le traité commence par énoncer un postulat : l'homme a une nature « descenditive », il est habité par une vocation-condamnation à la descente, tant au plan physique qu'au plan spirituel. Cette affirmation fait l'objet de commentaires, d'hypothèses, d'interminables gloses, selon les exigences d'une méthode « scientifique » présente tout au long du livre. La nature « descenditive » de l'homme trouve son accomplissement dans la mort, voire le suicide. L'auteur convie le lecteur, voué à terme à l'inéluctable descente, à un « Traité des angoisses » qui constitue la deuxième partie du livre. Il en existe trois sortes : l'angoisse titillante, l'angoisse tranchante, l'angoisse conclusive ou extatique, respectivement liées aux sollicitations du désir, aux séparations, à l'attente d'événements calamiteux. Pas plus que la première, cette deuxième partie du livre n'a rien de systématique : un savoureux traité des adieux et des départs (suivi des gloses et parenthèses habituelles) se glisse entre le deuxième et le troisième type d'angoisse. Cette digression retarde une révélation : le monde est l'image de l'Hadès. Surgit alors le problème de la manière d'y accéder. Le problème du « cerf suicide », les mythes donnent une première clef. Commence ainsi à se dessiner un paysage tératologique. Quelques anecdotes permettent de distendre le temps du récit, avant d'en arriver à l'« Histoire de celui qui n'est pas né », consignée sur des feuillets numérotés de 1 à 34 555, et résumée par le narrateur. L'enfant qui n'est pas né assiste à la déchéance de ses parents ; cède lui-même à la passion amoureuse, et enfin, selon la logique « descenditive », plonge volontairement dans l'Hadès. Suit une « Relation dite du désordre des fables », récit anonyme qui passe en revue, en les démythifiant, les fables et légendes de l'imaginaire occidental. Le traité s'achève par des réflexions scatologiques : le fonctionnement de l'intestin est le modèle même de la logique « descenditive ». Hymne à l'allégresse catastrophique, dans un monde déserté par Dieu, ce traité du désespoir est un théâtre baroque : le premier rôle est dévolu à une langue très personnelle, truffée de néologismes et de réminiscences littéraires.

F. Li.

HINKEMANN. Tragédie en trois actes que le dramaturge allemand Ernst Toller (1893-1939) écrit dans la prison de Niederschoenenfeld, où il avait été écroué après la chute du mouvement spartakiste entre 1921 et 1922, publiée en 1923. L'action se passe en Allemagne, à l'époque qui suivit la Première Guerre mondiale. Eugène Hinkemann est revenu du front mutilé et il vit avec sa femme, Grete, une douce créature qui consent à se sacrifier et à lui vouer son existence. Il ne peut trouver de travail. Son ami Paul, ayant appris, par hasard, de la bouche de Grete, l'état réel des relations qui existent entre les époux (Hinkemann, par pudeur, a celé à tous la vérité), entreprend de séduire Grete. Elle devient sa maîtresse. Pendant ce temps, Hinkemann, qui ne soupçonne pas une telle perfidie, passe outre à ses répugnances et accepte, pour gagner son pain et celui de sa femme, de se produire dans une baraque de foire, en mangeant des souris vivantes. Grete l'aperçoit, alors qu'elle se trouve avec Paul, et brusquement éprouve un regain d'affection pour Hinkemann, mêlée à la plus grande honte. Elle fait part à son amant de ses intentions : elle a résolu de retourner chez elle, pour se vouer au service de son mari après avoir imploré son pardon. Mais Paul se rend dans une auberge où Hinkemann a coutume de se joindre à d'autres ouvriers pour discuter de problèmes sociaux ; il déclare alors à son ami que Grete l'a vu et s'est raillée de son exhibition publique. Le malheureux perd pied aussitôt ; n'ayant plus aucune raison de lutter, il abandonne ce travail avilissant et, après un cauchemar qui lui montre la folie d'un monde en proie à des bouleversements sociaux et à une fureur sanguinaire, il se traîne jusque chez lui. Là, il trouve un priape de bronze dont il a fait l'acquisition ; et dans une sorte d'hallucination, il exécute une danse sauvage en face de celui qui lui apparaît comme le véritable dieu de l'humanité. C'est alors que Grete le rejoint et qu'il donne libre cours à son amertume. Cette amertume n'a pas été provoquée par la trahison de Grete, dont il reconnaît qu'elle a quelque excuse, mais par son rire de mépris. Il l'invite à le quitter définitivement. Mais Grete, incapable de supporter cette faillite conjugale, se tue. Hinkemann reste donc seul, avec son désespoir, dans un monde où l'homme est frappé d'aveuglement, à jamais pris dans un engrenage de servitudes et de guerres.

Hinkemann reflète avec une vérité particulière le climat spirituel de l'Allemagne après la défaite. Au point de vue théâtral, *Hinkemann,* encore que sincère comme tous les drames de Toller, semble osciller entre une aridité désolée et une abondance verbale qui se rapproche du lyrisme des prophéties. — Trad. L'Avant-Scène, 1976.

HIPPARQUE (L') [Ἱππαρχικός] et **ÉQUITATION (De l')** [Περὶ Ἱππικῆς]. Opuscules constituant, avec *La Cynégétique* (*), le groupe des écrits mineurs de caractère technique et militaire de l'écrivain grec Xénophon l'Athénien (426 ?-355 ? av. J.-C.). Ces ouvrages furent composés avant 362, l'année de la bataille de Mantinée. Le premier est adressé à un futur « hipparque » (commandant de cavalerie) et expose ses devoirs tant du point de vue technique (dont Xénophon avait acquis une longue pratique en combattant en Grèce, en Asie, particulièrement dans la cavalerie spartiate) que du point de vue moral. Le second ouvrage s'adresse aux cavaliers mêmes et est écrit contre un certain Simòn, qui avait composé un traité sur le même sujet ; il enseigne la manière d'élever, de dresser et de monter un cheval. Dans ces deux écrits, on peut relever la place faite au sentiment religieux, ce qui prouve que Xénophon voulait appliquer, dans les domaines les plus divers, les enseignements éthiques et moraux de Socrate. — Trad. Paul-Louis Courier, 1807 ; Garnier, 1932 ; *De l'art équestre,* Belles Lettres, 1978 ; *Le Commandant de la cavalerie,* Belles Lettres, 1973.

HIPPARQUE ou l'Homme cupide [Ἵππαρχος, ἢ φιλοκερδής ἠθικός]. Dialogue attribué au philosophe grec Platon (428 ?-347 ? av. J.-C.), mais certainement apocryphe. Il se déroule entre Socrate et un de ses amis. Ce dernier qualifie d'avide celui qui escompte tirer un gain de choses dont il sait bien qu'elles n'ont aucune valeur. Mais escompter un gain, répond Socrate, signifie bien que l'on espère devoir gagner ; or, nul ne peut s'attendre à tirer profit de choses qui ne valent rien : selon cette définition, aucun homme ne pourrait être qualifié d'avide. Quant à celui qui entend spéculer sur des choses de peu de prix, manifestement c'est qu'il se trompe sur leur valeur. De plus, l'avidité consisterait dans l'amour du gain ; mais le gain est un bien, puisqu'il s'oppose à la perte, laquelle entraîne un dommage (ce qui est un mal) ; il s'ensuit que tous les hommes devraient aimer le gain : aimant le gain, tous seraient donc avides. L'ami propose alors une nouvelle définition : avide est celui qui cherche à tirer profit de choses dont les honnêtes gens n'oseraient pas profiter ; mais comment le gain pourrait-il être mauvais, puisque, s'opposant à un mal, il est toujours et nécessairement un bien ? Selon l'ami, la discussion comporte un point faible : on a dit que le gain était un bien, mais il convient de distinguer : tous les gains ne sont pas tels. Un bon gain n'est pas toujours plus profitable qu'un mauvais : il faut donc définir l'essence du gain en tant qu'elle demeure identique dans les deux cas. Ne doit-on pas entendre par gain une acquisition n'exigeant aucune dépense, ou rapportant plus qu'elle n'a coûté ? Telle est l'opinion de l'ami. Cependant, lui fait remarquer Socrate, toute acquisition n'est pas un gain : en effet, si quelqu'un est invité à un banquet et, sans bourse délier, en acquiert une indigestion, on ne pourra dire qu'il a fait un gain. Seule une bonne acquisition sera donc un gain, la mauvaise se soldant plutôt par une perte ; le gain s'identifie donc au bien, comme la perte au mal. En outre, celui qui acquiert davantage qu'il n'a dépensé ne fait pas toujours un gain : car s'il troque une demi-livre d'or contre le double d'argent, il y perd, même si quantitativement il a reçu davantage. Aussi la notion de bien doit-elle être associée à celle de valeur ; mais, étant donné que ce qui a de la valeur est digne d'être possédé, et que ce qui est digne d'être possédé est ce qui est utile, pour la troisième et la quatrième fois il est démontré que le gain est une bonne chose. C'est vers lui que tendent les hommes honnêtes, car ils aspirent au bien ; c'est vers lui aussi que tendent les mauvais, comme le démontre l'expérience : donc, tous, bons et mauvais, sont avides et ne peuvent raisonnablement se reprocher l'un l'autre une faute commune. — Trad. Les Belles Lettres, 1930 ; Gallimard, 1943.

HIPPIAS MAJEUR ou Sur le beau ['Ιππίας μείζων, ἢ περὶ τοῦκαλοῦ]. Dialogue attribué par la tradition au philosophe grec Platon (428 ?-347 ? av. J.-C.), mais dont l'authenticité est contestée par de nombreux critiques modernes. Dans ce dialogue qui se déroule entre Socrate et Hippias le sophiste, celui-ci, imbu de son vain savoir et de ses succès, cherche la définition du beau en soi, autrement dit de l'idée générale de beauté. Socrate commence par féliciter ironiquement le vaniteux sophiste qui fait consister son succès et la valeur de son propre savoir dans l'argent soutiré à ses disciples ; puis, prenant prétexte d'un discours déclamé avec succès par Hippias devant les Spartiates, il lui propose insidieusement un petit problème, qu'il prétend lui avoir été soumis par un interlocuteur curieux et combatif. Celui-ci lui aurait demandé de définir le beau, et Socrate se serait trouvé dans l'embarras. Hippias consentirait-il à l'aider, en l'éclairant de sa sagesse hautement reconnue ? Flatté, Hippias accepte avec empressement : Socrate lui donnera la réplique, pour mieux profiter de la leçon. Hippias croit résoudre aisément le problème en disant, par exemple, qu'une belle fille est une chose belle ; mais, objecte Socrate, une vieille marmite, elle aussi, est belle dans son genre et ne paraît laide que par rapport à une belle fille ; comme celle-ci d'ailleurs paraît laide comparativement à une déesse. Ces choses peuvent donc être belles ou laides et, de ce fait, ne représentent pas le beau. Le beau, c'est l'or, réplique alors Hippias : mais non lorsqu'il est utilisé à tort et à travers. Il faudra donc dire que l'or est beau lorsqu'il est approprié ; et si ce qui est approprié est beau, une cuillère de simple bois est plus belle qu'une cuillère d'or lorsqu'il s'agit de préparer une bonne soupe. Hippias croit avoir trouvé désormais la juste solution : la plus belle chose est de vivre riche et honoré, d'enterrer avec pompe ses propres parents et d'être enterré à son tour par ses propres descendants. C'est là toutefois, répond Socrate, un état qu'on ne reconnaît ni aux dieux ni aux héros immortels : il serait donc impie d'affirmer pareille chose. Nous ne sommes donc pas encore parvenus à saisir le beau. Alors Socrate, feignant d'interpréter la pensée de son interlocuteur inconnu, propose une nouvelle solution : le beau ne consisterait-il pas dans la convenance, qui rend beaux et utiles les objets ? Cependant, objecte-t-il aussitôt, la convenance fait paraître les objets plus beaux qu'en réalité : ce n'est donc pas cela qui les fait paraître tels. Il vaudrait mieux identifier le beau à l'utile : mais il existe une capacité utile à faire le mal, qui ne peut absolument pas correspondre au beau. Du reste, ce dernier ne correspond même pas à l'utilité et à la capacité de faire de bonnes choses : en effet, étant cause du bon, il ne peut être que différent ; mais peut-il jamais se faire que le beau soit autre chose que le bon ? Le beau ne serait-il pas ce qui charme au moyen des yeux et des oreilles ? Cependant, les plaisirs de la vue et de l'ouïe ne sont pas beaux en tant que plaisirs (puisqu'il existe également des plaisirs méprisables), ni en tant qu'ils relèvent de l'œil ou de l'oreille. Faut-il penser en conséquence que le beau s'identifie au plaisir utile ? Nous retombons alors dans la même incohérence qu'auparavant. Hippias, irrité par cette redoutable dialectique qui entend examiner minutieusement les choses, interrompt la discussion, accusant Socrate de ne savoir rien faire d'autre que confondre les idées. En dépit de sa structure logique assez faible, ce dialogue, qui recourt même en certains endroits à des artifices sophistiques, n'en conserve pas moins un tour extrêmement vivant du fait de sa prise de position satirique. – Trad. Les Belles Lettres, 1921 ; Gallimard, 1940.

HIPPIAS MINEUR ou Sur le mensonge [Ἱππίας ἐλάττων, ἢ περὶ τοῦ Ψεύδους]. Dialogue du philosophe grec Platon (428 ?-347 ? av. J.-C.). Socrate discute avec Hippias d'Élide de la valeur respective d'Achille et d'Ulysse. Il semble que le premier, par sa franchise, vaille mieux que le second, menteur et rusé ; mais, toute réflexion faite, le menteur qui parvient à faire prendre les choses pour ce qu'elles ne sont pas se révèle singulièrement avisé : celui qui est dénué d'intelligence ne peut mentir, ou du moins, s'il le fait, ce ne peut être qu'inconsciemment, par ignorance. Seul celui qui possède une doctrine et un esprit pénétrant réunit les meilleures conditions du mensonge : la distinction entre sincère et menteur n'apparaît donc plus aussi clairement qu'auparavant, puisque celui qui peut dire consciemment la vérité peut mentir de même. Hippias s'insurge à cette conclusion : Achille, incapable de mensonge, est meilleur qu'Ulysse. Mais Socrate lui réplique qu'Achille ne dit pas toujours la vérité ; or si, comme l'affirme Hippias, il le fait inconsciemment, il se révèle par là même inférieur à Ulysse, qui ment volontairement et en pleine connaissance de cause. Quoi qu'il en soit, celui qui faillit délibérément est meilleur que celui qui pèche sans le vouloir, car le premier possède sans aucun doute plus d'intelligence et de capacités, possédant en outre une plus claire notion de l'acte qu'il va commettre ; il a donc une nette supériorité sur l'autre, qui est victime de sa propre ignorance et de son manque de perspicacité. L'homme bon, doué d'une âme plus forte et plus sage, est mieux que tout autre en mesure de faire le mal en toute conscience. Hippias repousse résolument cette théorie, et Socrate lui-même admet ne pas en être totalement convaincu. Ce dialogue, dont l'authenticité se trouve confirmée par l'allusion qu'y fait Aristote dans sa *Métaphysique* (*), tourne brillamment en dérision la fatuité prétentieuse et l'inconsistance dialectique du célèbre sophiste d'Élide. Mais on peut y voir également une confirmation indirecte de la théorie, déjà soutenue par Socrate, selon laquelle on ne pèche que par ignorance : en l'occurrence, supposons – mais ceci n'est pas admis par Socrate – qu'un homme capable de discerner clairement choisisse le mal, il serait supérieur à l'ignorant, puisqu'il serait en possession d'un certain savoir. – Trad. Les Belles Lettres, 1920 ; Gallimard, 1940.

HIPPODAMIE. Trilogie dramatique du poète tchèque Jaroslav Vrchlický (1853-1912), publiée entre 1889 et 1891. Les trois parties ont pour titre : *Les Noces de Pélops* (1890), *La Réconciliation de Tantale* (1891) et *La Mort d'Hippodamie* (1891). La première de ces pièces est la meilleure, à cause de l'intensité tragique avec laquelle est traitée la légende de Tantale et des Tantalides, dont certains traits sont directement empruntés à Sophocle et à Euripide. Dans *Les Noces de Pélops*, Pélops, fils de Tantale, accompagné par le fidèle Iolos, arrive à la porte de la ville barbare de Pise, ornée des têtes de ceux qui ont eu l'audace de demander la main d'Hippodamie, fille d'Oenomaos. Il veut tenter l'épreuve, prend part à la course de la vie et de la mort et triomphe, parce que le roi a été trahi. Pélops ignore cette trahison, dont Myrtilos son écuyer, amoureux d'Hippodamie, est l'auteur. Pélops épouse cependant Hippodamie, mais il est humilié et irrité, car il n'a pas eu vraiment le mérite de vaincre ; aussi fait-il jeter Myrtilos à la mer. Dans la seconde tragédie, Pélops revient avec Hippodamie à Argos où son père Tantale, en proie aux Érinyes, l'attend. Pélops chasse du palais sa première épouse, la nymphe Axioché, pour y installer son épouse barbare ; puis il s'éloigne pour une expédition. Tantale, pendant ce temps, fait élever dans le palais un autel qui devra servir d'asile inviolable. C'est Axioché qui y cherche refuge la première. Mais Hippodamie, violant la loi établie par Tantale, lance des chiens contre la malheureuse. Pélops, de retour, s'aperçoit avec horreur de quelle cruauté Hippodamie est capable. Les soupçons qu'il éprouvait déjà au sujet des rapports entre Myrtilos et sa femme commencent à le tourmenter de plus en plus. Il interroge un oracle et voit les ombres d'Oenomaos et d'Axioché, mais il cherche en vain celle de Myrtilos. Celui-ci est donc encore vivant, et la malédiction d'Oenomaos et d'Axioché est suspendue sur sa demeure. La troisième pièce s'éloigne encore davantage de la tragédie classique. Myrtilos reparaît. Pour se venger de Pélops, il raconte à Chrysippos (qu'Axioché a mis au monde en mourant) la fin d'Oenomaos, trahi par lui, Myrtilos, et se fait un plaisir de lui avouer qu'Hippodamie l'a récompensé de cette trahison en se donnant à lui. Au cours d'un festin, tandis qu'un rapsode célèbre les noces de Pélops, Chrysippos révèle publiquement la honte de sa marâtre criminelle ; aussitôt il est tué par ses demi-frères. Ayant perdu son fils, Pélops est encore plus tourmenté par le doute ; il cherche Myrtilos et le conjure de lui dire la vérité. Mais Myrtilos se tait et se laisse tuer. Hippodamie, à son tour, se donne la mort sous les yeux de son mari en le maudissant. Pélops, accablé par le poids de tant d'horreurs et de crimes, retourne dans sa maison déserte, en proie aux Érinyes, comme autrefois son père Tantale.

Il est évident que ces pièces découlent des œuvres de Sophocle et d'Euripide. Le goût et la culture classique de Vrchlický se sont unis, mais non absolument fondus avec sa conception romantique du théâtre, toute pénétrée de réminiscences shakespeariennes. La trilogie de Vrchlický a servi de livret à la trilogie musicale qui porte le même titre, œuvre du musicien tchèque Zdeněk Fibich.

HIPPOLYTE ET ARICIE. Tragédie lyrique en cinq actes et un prologue, livret de l'abbé Pellegrin, musique du compositeur français Jean-Philippe Rameau (1683-1764), créée en 1733. Rameau avait alors atteint la cinquantaine et, après avoir composé des cantates et de la musique pour clavecin, il hésitait encore à affronter le théâtre. (Sa farce, *Endriague*, dont la musique a été perdue, écrite en 1723 pour la cantatrice Petitpas et représentée à la Foire Saint-Germain, n'avait été qu'une œuvre de circonstance tout à fait secondaire.) Lorsque Rameau connut la *Jephté* de Monteclair, sur un livret de l'abbé Simon-Joseph Pellegrin (curieux personnage qui tenait à Paris boutique ouverte pour les épigrammes et les madrigaux), il décida d'entreprendre une œuvre pour le théâtre. Par l'intermédiaire de son premier admirateur et protecteur La Popelinière, Rameau fit la connaissance de Voltaire qui accepta de préparer une tragédie biblique qui devait s'intituler *Samson*. Mais, plus prompt que lui, Pellegrin offrit à Rameau une version réduite de la *Phèdre* (*) de Racine, sous le titre modifié d'*Hippolyte et Aricie*. Le livret, très médiocre et superficiel, était plutôt une déformation qu'une version réduite de la tragédie de Racine : Phèdre avec ses luttes, ses remords, son destin fait d'innocence et de culpabilité, n'était plus le personnage central. Réduit à l'extrême, le rôle de Phèdre était supplanté par ceux d'Hippolyte et d'Aricie, devenus conventionnels et affectés dans leurs effusions amoureuses. Les situations théâtrales ne manquaient pas cependant, et ce furent elles qui amenèrent Rameau à accepter ce livret. Pellegrin, qui avait un certain sens du théâtre en tant que spectacle permettant des actions chorégraphique, des danses, des effets de mise en scène, offrait au compositeur une remarquable variété d'épisodes, depuis les chœurs des prêtresses et des bergers jusqu'aux fêtes et aux danses, de la descente de Thésée aux Enfers à la scène de la mort d'Hippolyte.

L'opéra de Rameau, écrit rapidement, fut représenté d'abord chez La Popelinière, puis à l'Opéra de Paris. Après un premier accueil qui rencontra une certaine opposition, de nombreuses représentations eurent lieu, suscitant, selon les témoignages de l'époque, l'intérêt croissant du public. La surprise des spectateurs à la première exécution n'était pas injustifiée. En effet, si dans la partie vocale de l'œuvre on pouvait retrouver, spécialement dans les récitatifs, une parenté avec Lully, et, dans les airs, avec la musique italienne, la partie symphonique présentait un aspect et une importance inhabituels. On n'était pas accoutumé, au théâtre, à une musique si riche, si savante, si élaborée surtout du point de vue de l'harmonie : la ligne mélodique paraît alors moins évidente et moins facile à suivre. Ce n'est pas sans raisons que l'on a comparé les jugements des contemporains à ceux qui, plus d'un siècle après, furent émis sur Wagner. On parla en effet de Rameau comme d'un « révolutionnaire », d'un « distillateur d'étranges accords », d'une « musique trop recherchée et trop étudiée ». On ironisa sur sa « trop grande science », sur la musique « triste et longue comme la figure de son auteur ». On déplora la difficulté de l'exécution et le peu de repos que le musicien accordait à l'orchestre. Mais il y eut des spectateurs qui surent comprendre aussitôt la valeur concrète du premier opéra de Rameau dans l'évolution du théâtre lyrique français. Le vieux Campra n'hésitait pas à déclarer que, dans *Hippolyte et Aricie*, il y avait assez de musique pour composer au moins dix œuvres. Et en effet, pour ce qui est des qualités intrinsèques de la matière musicale, Rameau peut être considéré comme un novateur dans le domaine du théâtre : il n'apportait aucune modification sensible à l'esthétique de l'opéra de Lully ni à la forme de l'opéra-ballet de Campra et de Destouches ; mais, par son admirable sensibilité et sa science de l'harmonie, par sa maîtrise dans l'association et la fusion des voix et des instruments, par sa capacité de créer, dans des airs à forme fixe, des pages parfaites, il imposait au théâtre sa personnalité dominatrice de musicien pur.

HIROSHIMA MON AMOUR. Scénario et dialogues de l'écrivain français Marguerite Duras (née en 1914) écrits pour le film réalisé par Alain Resnais, publiés en 1960. Le maniement neuf de la caméra, le jeu magistral des comédiens et particulièrement d'Emmanuelle Riva, la violence passionnelle des dialogues provoquèrent l'effet d'une bombe auprès du public du festival de Cannes auquel il fut présenté et en firent un film-culte. Son immense succès fit néanmoins oublier un temps que sa magie était surtout due à la force d'une écriture nouvelle et à une musique résolument répétitive qui constitueraient très vite la spécificité de Marguerite Duras. C'est pourquoi l'auteur n'a jamais manqué une occasion de revendiquer l'entière paternité de cette œuvre et de rappeler combien déjà, à une époque où ne l'avait pas encore effleurée le projet de réaliser elle-même des films, son écriture avait cette fluidité et cette capacité spontanées de passage de l'écrit à l'image.

Ce qui avait été pressenti dans les œuvres précédentes, *La Vie tranquille, Les Petits Chevaux de Tarquinia, Le Square, Des journées entières dans les arbres*, s'accomplit de manière absolue avec ce scénario et *Moderato Cantabile* (*) écrit à la même époque. L'érosion de l'histoire, l'économie d'une trame romanesque traditionnelle, le refus du psychologisme sont pratiqués au bénéfice d'une écoute, de plus en plus obsédante, des échos de la mémoire et d'un temps plein de rumeurs et de cris dont le cours inexorable révèle l'oubli et la solitude. Les thèmes majeurs de la romancière, sa géographie imaginaire sont ici définitivement mis en place. Elle ne cessera dorénavant de les sonder.

L'histoire se passe à Hiroshima en août 1957. Une comédienne française vient y tourner un film sur la paix. Elle interprète un rôle d'infirmière. Elle rencontre lors du tournage un architecte japonais. Le thème récurrent dans son œuvre déjà accomplie de la rencontre brève et violente est tout l'objet du scénario. Découpé en cinq parties, il raconte cette histoire qui se tisse, l'espace d'un temps compté, et s'enchâsse dans la durée des amants. À la narration linéaire s'intercalent des fragments situés à Nevers, où l'actrice a passé sa jeunesse, pendant la guerre. Amoureuse d'un Allemand tué à la Libération, au moment même où il voulait l'emmener avec lui en Allemagne, elle connaîtra l'humiliation de la tonsure et, pour étouffer le scandale, ses parents l'enfermeront dans la cave de leur maison. Quand ses cheveux repousseront, ils la chasseront et, à vélo, elle rejoindra Paris. L'art de Duras consiste ici à faire juxtaposer des moments différents, et des images que le texte suscite : le bombardement, Nevers, le tournage du film, la manifestation dénonçant la poursuite de l'armement nucléaire. Art du télescopage qui montre, dans sa nudité blanche, la lutte du souvenir et de l'oubli, l'usure de la mémoire qui s'obstine à archiver les crimes contre l'humanité mais en vain, miracle de la mémoire involontaire qui fait surgir tout le passé de l'actrice en une sorte de psychodrame. Les deux versants du scénario conjuguent ainsi le travail destructeur de l'oubli sur la mémoire, et la rédemption de l'oubli pour effacer le passé. Le lyrisme des dialogues, le frisson qui les parcourt, l'intensité des répliques, fulgurantes, illustrent de manière déjà exemplaire la fameuse musique durassienne que la romancière ne cessera jamais dès lors de faire chanter. A. Vir.

HISTOIRE d'Hérodote [Ἱστορίη]. Ouvrage de l'historien grec Hérodote (484 ?-425 ? av. J.-C.). Subdivisée en unités narratives ou discursives autour de personnages ou de peuples dont sont exposées les coutumes particulières (la subdivision en neuf livres portant chacun le nom d'une muse est d'époque hellénistique), cette *Histoire* est l'œuvre la plus ancienne de son genre qui nous ait été transmise sous une forme autre que fragmentaire. Elle est organisée selon un fil conducteur qui aboutit au récit des luttes entre Grecs et Perses. Tout commence avec l'histoire de Crésus. Celui-ci est le personnage par qui le monde grec est entré en contact avec les Perses. Dernier roi de Lydie, il a notamment soumis les cités grecques d'Asie Mineure au paiement d'un tribut. Son ambition et les craintes qu'ils ne deviennent trop dangereux le conduisent à entreprendre une guerre contre les Perses. Cyrus, leur roi, sort vainqueur du conflit. Sa victoire fait de lui le nouveau maître de l'Asie jusqu'à la mer Égée et le met donc en contact avec les cités grecques déjà soumises. Cet événement motive un retour en arrière dans le récit : Hérodote raconte le développement de la puissance perse sous l'impulsion de Cyrus et parcourt les différentes étapes de son expansion jusqu'à la mort de ce premier souverain (livre I). Le récit de la conquête de l'Égypte par son fils Cambyse est précédé d'un long exposé sur les coutumes et l'histoire de ce pays (livre II). Le livre III est consacré à la conquête proprement dite, à une série d'anecdotes illustrant la démesure et la folie de Cambyse, à sa mort et à l'occupation du trône par un usurpateur. Cette histoire s'entretisse à celle de la Grèce par l'intermédiaire de Samos et de son tyran, Polycrate. Sept conjurés perses luttent avec succès contre l'usurpateur et remettent la couronne à Darius. Celui-ci échoue dans sa tentative de soumettre les Scythes ; sous son règne est conquise la Libye : en même temps qu'au récit de ces péripéties, le livre IV est consacré à l'exposé des coutumes des deux régions de la terre concernées par la nouvelle expansion de l'Empire perse. En Ionie (livre V) éclate une révolte à laquelle Sparte refuse une aide qui viendra d'Athènes : cette entrée en scène de la Grèce continentale motive notamment un récit de la réforme démocratique de Clisthène, réforme qui permet de comprendre le rôle qu'Athènes va désormais jouer dans les événements. Sa participation au pillage de Sardes avec des troupes de Milet, la cité à la tête de la révolte ionienne, amène Darius, lorsqu'il a vaincu la rébellion, à entreprendre une expédition punitive, qui échoue à Marathon (livre VI). Après la mort de Darius, son fils Xerxès reprend son projet sous une forme plus ambitieuse : les derniers livres (VII à IX) sont consacrés au récit de cette guerre qui a servi de révélateur, pour l'ensemble du monde grec, aussi bien de ses qualités que des périls qui menaçaient de l'intérieur sa cohérence.

S'il est une « histoire variée », avant celle d'Élien, c'est bien celle d'Hérodote : organisée en un récit, qu'on dira « historique » parce qu'il met en scène des personnages de l'histoire humaine, mais auquel fait défaut une critique des sources, essentiellement orales, ce qui en rend la crédibilité problématique, s'y côtoient des anecdotes, des informations sur les mœurs, des descriptions d'animaux, qui hésitent entre l'« histoire naturelle » et les portraits « fantastiques », pour former un tableau dont le charme est indéniable, mais qui soumet l'esprit critique à rude épreuve. Au-delà de ses sources, cette œuvre, qui a mérité à son auteur aussi bien le titre de « Père de l'histoire » que de « Père du mensonge », soulève une série de questions : quel a été le contexte de son élaboration ? À quelles fins répondait-elle ? Y a-t-il chez l'auteur une véritable conception de l'histoire ou n'a-t-il fait que rassembler, en suivant un vague fil conducteur, toutes sortes de récits, si possible étonnants, recueillis au cours de ses voyages ? À ces difficultés s'ajoute l'incertitude où l'on est de savoir si l'œuvre est achevée. Elle s'arrête au siège de Sestos dans l'Hellespont (479), dont la reconquête n'est même pas racontée, à un moment où la lutte pour repousser les Perses hors d'Europe n'était pas achevée.

Malgré sa diversité, malgré les digressions dont elle est parsemée, il n'est pas absurde de penser que l'œuvre obéit à un schéma de construction, dans lequel informations sur les peuples et récits de conflits entre Grecs, entre Grecs et Perses, entre Perses et peuples de l'Asie, ne sont pas étrangers les uns aux autres. On considère qu'Hérodote, qui était originaire d'Halicarnasse, une cité d'Asie Mineure où des Grecs d'origine dorienne cohabitaient avec des peuples étrangers, Cariens notamment – Hérodote lui-même aurait des ascendances cariennes –, a d'abord été un voyageur. En Perse, en Égypte, au bord de la mer Noire, il aurait procédé, sans grande méthode il est vrai, à des enquêtes en accumulant divers documents sur les contrées habitées ou les coutumes des peuples qu'il visitait et en recueillant toutes sortes de récits ; son premier projet aurait été de faire l'exposé de cette recherche. Lors de séjours à Athènes au temps de sa gloire et grandeur, Hérodote en serait venu à s'interroger sur les causes politiques de cette puissance, il aurait compris le rôle que la réforme démocratique y avait joué, son importance pour la victoire de la Grèce contre la Perse et, du coup, il aurait été conduit à élargir le projet primitif de son œuvre en l'inscrivant dans le cadre plus vaste de l'histoire. Une telle explication invite à associer l'invention de l'histoire à l'invention de la politique dans la cité de Périclès. Il est indéniable que l'auteur met en évidence le rôle positif qu'Athènes a joué au cours des guerres médiques. Cet éloge, lié à des circonstances particulières, n'en fait pas pour autant le partisan d'une institution politique. En outre, il reste à expliquer la juxtaposition, dans une même œuvre, de deux projets différents, une narration historique et un rapport d'enquête – le mot grec qui a donné son titre à l'œuvre, *ἱστορίη*, à coup sûr ne signifie pas « histoire » ; on lui suppose, dans le contexte, le sens d'« enquête » ; mais cette interprétation elle-même ne va pas sans difficultés. Il se pourrait que le mot évoque plutôt une procédure d'authentification de productions verbales dont l'enjeu est capital (dans le cadre d'un conflit juridique par exemple). La guerre du Péloponnèse, dont Hérodote a certainement connu les débuts – on situe habituellement vers 425 l'époque de sa mort –, a été liée à un grave débat sur le droit qu'Athènes avait d'imposer à d'autres cités non seulement son hégémonie politique, mais également celle de ses institutions, de ses manières d'être, pour tout dire, de ses valeurs. La composition finale de l'œuvre d'Hérodote pourrait bien s'enraciner dans le contexte d'un tel débat qu'elle aurait tenté d'éclairer en prenant pour grille de lecture un autre conflit, celui des guerres médiques, lui-même resitué dans le contexte global du monde habité connu. En écrivant son œuvre, Hérodote se proposait d'établir ce qui était en cause dans la guerre, l'affirmation par un groupe de son droit à l'autonomie. Le monde humain, dans les limites où il est connu et connaissable, est composé de sociétés aux capacités et aux puissances différenciées selon les lieux et les temps (c'est ce que montrent les exposés sur la Perse, l'Égypte, les Scythes, etc.). Ces groupes sont l'expression d'autant de qualités dont la somme compose un portrait de l'humanité. Celles-ci, cependant, ne sont pas d'égale puissance dans leur manifestation, dans la manière dont les hommes les font valoir. Conduit par des circonstances, peut-être extérieures, à faire reconnaître sa valeur, un groupe humain (Cyrus à la tête des Perses, Athènes en tant que cité, par exemple) se verra entraîner à en assimiler d'autres plus faibles, puis à étendre toujours plus loin son domaine, jusqu'à commettre, inévitablement, un faux pas. Tel est le modèle que la naissance et l'extension de la puissance perse, puis son imprévisible défaite dans son affrontement avec un adversaire disposant d'un moins grand appareil militaire, permettent de dégager. Il y a sans doute, dans l'Histoire d'Hérodote, des naïvetés, à nos yeux du moins. Nous ne devons pas oublier cependant que, pour un Grec du ve siècle avant notre ère, même s'il était émancipé dans ses croyances, les fondements de la vraisemblance n'étaient pas les nôtres. Qu'un oiseau, le phénix, puisse vivre 500 ans, cela ne dérange pas notre auteur ; en revanche, qu'en naviguant vers le sud de l'Afrique, au-delà d'une certaine ligne (pour nous, celle des tropiques), la position du soleil levant change par rapport aux marins, cela lui paraît inconcevable, comme lui paraît impensable qu'il y ait de la neige dans des régions au sud de l'Égypte. Plus essentiellement, il ne fait pas de doute pour lui que les dieux jouent un rôle essentiel dans la régulation des rapports de forces entre les groupes humains. Il importe, cependant, de bien prendre la mesure de sa « crédulité ». S'il lui arrive de rapporter des récits de manifestations de personnages divins, nous les recevrons dans les limites de la règle que l'auteur s'est donnée : il s'est fait un devoir de rapporter « ce qui se dit », mais il n'est pas tenu d'y ajouter créance. En revanche, il est des circonstances dans lesquelles il engage avec force sa pensée : comme inlassablement, il rappelle qu'un grand *ἀδίκημα* (une conduite soulevant la réprobation, la transgression des règles de l'hospitalité, par exemple) entraîne son châtiment. Le monde divin se manifeste essentiellement quand est en jeu le mépris du νόμος de l'autre (ses manières d'être, ses coutumes, ses rites, ses institutions politiques, ses lois) : il est le garant du respect de la diversité humaine. Son mode d'intervention n'a alors rien de surnaturel ; il lui suffit d'emprunter à une composante comportementale pour obtenir l'effet d'un renversement. Dans un conflit donné, celui qui a obtenu satisfaction est exposé à un risque ; la confiance en sa propre valeur que fait naître le succès peut conduire à un mépris de l'autre, dont, alors, infailliblement, on calculera mal les ressources. Quelque imprévisible événement naturel — les dieux ne sont pas sans moyen d'action — fera le reste. On pourra certes admirer la grandeur de l'effort intellectuel d'un Thucydide pour fonder une connaissance sur une analyse aussi exacte et rigoureuse que possible des seuls phénomènes. Il ne faut pas oublier, cependant, qu'un tel effort a peut-être été conçu comme la réponse au défi que constituait l'explication hérodotéenne. Par ailleurs, il n'est pas interdit d'admirer Hérodote, de son côté, pour le sens qu'il conférait à la diversité ethnique des manières d'être homme. Certes, il a construit une représentation de l'autre au « miroir » grec. Mais il est sans doute l'un des rares auteurs anciens — dans les limites des connaissances que nous en avons, du moins — qui aient tenté également de construire une représentation de leur propre monde au miroir de l'autre. — Trad. Les Belles Lettres, 1932-1956. A. Sa.

HISTOIRE (L'). Un essai d'interprétation [*A Study of History*]. Essai de l'écrivain et historien anglais Arnold Toynbee (1889-1975). Conçu pendant la guerre 1914-18, ce gigantesque ouvrage ne vit le jour qu'en 1933. Seuls les six premiers volumes ont paru, les trois premiers en 1933 et 1934, les trois suivants en 1939, la Seconde Guerre mondiale ayant interrompu les travaux de l'auteur. En 1946, D. C. Somervel publia un abrégé qui fut traduit en français en 1951. En même temps qu'une analyse de la vie et de la mort des civilisations, il s'agit là d'une nouvelle et remarquable philosophie de l'Histoire. Exposé unique et continu sur le caractère et le sens des vicissitudes historiques du genre humain depuis la première apparition de cette espèce de société qu'on appelle « civilisation », cette thèse est illustrée et, pour autant que le sujet traité le permet, « prouvée » par de nombreux exemples choisis sur tout le parcours et dans toute l'ampleur de l'Histoire dans la mesure où elle est connue des historiens modernes. Certaines de ces illustrations sont fouillées dans le plus grand détail. Bien entendu, Somervel, l'auteur de l'abrégé, a dû réduire au maximum le nombre de ces illustrations, et, dans une mesure plus large encore, les détails de leur exposé. Il ne reste plus guère que l'ossature abstraite de la thèse de Toynbee et le développement de sa philosophie de l'histoire. « La continuité de l'Histoire n'est pas celle dont la vie de l'individu nous donne l'exemple. C'est plutôt une continuité faite de générations successives, notre société occidentale étant reliée à l'hellénique d'une manière analogue à la parenté d'un enfant avec son ascendant... » « L'unité intelligible visée par l'œil de l'historien n'est pas plus la nation qu'à l'autre bout de l'échelle l'humanité prise comme un tout, mais un certain groupement humain que nous appelons société. » — Trad. Gallimard, 1951.

HISTOIRE ADMIRABLE DES HORRIBLES INSOLENCES, CRUAUTÉS ET TYRANNIES EXERCÉES PAR LES ESPAGNOLS ÈS INDES OCCIDENTALES, brièvement décrite en langue castillane [*Brevissima relación de la destruyción de las Indias*]. Célèbre mémoire du religieux et écrivain espagnol Bartolomé de Las Casas (1470-1566) adressé à Charles Quint en 1542, imprimé à Séville en 1552. Las Casas l'écrivit en 1539, pour se disculper des accusations que les colonisateurs espagnols portaient contre lui à la suite de son apostolat en faveur des Indiens. L'auteur était parti en 1510 pour les Amériques et, ayant été ordonné prêtre, s'était mis à évangéliser les indigènes, entrant bientôt en lutte ouverte avec le gouvernement local qui appliquait des méthodes de colonisation particulièrement violentes, alors que Las Casas les voulait empreintes de justice et d'humanité. Afin de réprimer les abus, Las Casas s'était rendu à plusieurs reprises à la cour d'Espagne, qui l'avait proclamé « protector general de todos los Indios » lui donnant mandat officiel de pourvoir à leur émancipation. En 1520, il obtint la concession d'une bande de territoire côtier pour y réaliser son système, selon lequel, pour civiliser les Indiens, qu'il estimait « bons et doux de nature », il suffisait de les convertir à la foi. Mais, pendant son absence, les Indiens se révoltèrent et massacrèrent les colons blancs. Attaqué par les gouvernants et l'historien Oviedo, Las Casas, pour se justifier, rédigea sa relation. Il y dénonce âprement le système de colonisation, uniquement fondé sur la violence et le pillage, introduit aux Indes par les Espagnols. Contre les lois humaines de la Cour qui protégeaient les indigènes, les colons ont instauré l'« encomienda », ou répartition des terres qui, sous le couvert de conversion et d'assistance aux Indiens, légalisait le plus épouvantable des esclavages. L'exploitation économique du pays est obtenue par un travail inhumain que ne peut supporter une population épuisée par les mauvais traitements et marquée au fer rouge comme le bétail. Le dépeuplement et la ruine de l'Empire seront la conséquence directe de ce système si le gouvernement n'y apporte bon ordre. Entraîné par sa thèse, Las Casas n'hésite pas à accréditer des informations parfois exagérées, allant jusqu'à donner le chiffre de vingt millions d'Indiens massacrés, ou à tenir pour fondées des nouvelles fantastiques, comme celles relatives à la coutume des conquistadores de se faire accompagner dans leurs expéditions par des troupes d'esclaves destinés à nourrir les chiens de guerre. Le mémoire eut un grand retentissement en Espagne et amena l'abolition des « encomiendas ». Du point de vue de la filiation historique, c'est dans cet ouvrage qu'il faut voir l'origine de la formule du « bon sauvage » qui, à travers l'apologétique missionnaire, devait engendrer le mouvement primitiviste, d'où naquit, dans l'âme de Rousseau, le retour à la nature, et le nouveau climat moral, politique et esthétique du XIXe siècle. – Trad. Cartier, 1582.

HISTOIRE AMOUREUSE DES GAULES. « Roman satirique » de l'officier et écrivain français Roger Bussy-Rabutin (1618-1693), composé de quatre histoires enchaînées, en prose, mêlant récits, lettres et portraits. Écrite entre 1660 et 1662, cette *Histoire* est publiée sans nom d'auteur (Liège, 1665). De fait, appréciée pour ses qualités littéraires par un Charles Perrault ou un Saint-Évremond, l'*Histoire amoureuse*, composée pour divertir un cercle restreint d'amis, est une chronique sarcastique – inspirée du *Satiricon* (*) de Pétrone – des galanteries des Grands et, derrière les pseudonymes, les identités affleurent (Ardélise-Mme d'Olonne ; Angélie et Ginolic-Mme et M. de Châtillon ; Mme de Cheneville-Mme de Sévigné ; Bélise-Mme de Montglas, etc.). Brocardant les membres de la future société de Cour au moment même où Louis XIV s'efforce de la constituer, elle est également admonestation implicite au roi ; d'ailleurs, l'histoire du texte se révèle liée à l'amorce d'organisation de cette Cour : 1660-62 (prémices de sa mise en place, Bussy écrit ; 1665-66, passage du Louvre à Saint-Germain, Bussy laisse circuler l'*Histoire*). Que les médisances à l'égard de la famille royale que l'on y trouva fussent ou non de la plume de Bussy, l'*Histoire amoureuse des Gaules* exprimait ainsi les principes d'une contestation de la politique royale et expliquait l'exil de son auteur qui, malgré les incitations royales, ne se rétracta jamais sur le fond, arguant du fait que le texte n'était pas destiné à un large public. F.N.-D.

HISTOIRE ANCIENNE DES PEUPLES DE L'ORIENT. Œuvre de l'historien français Gaston Maspero (1846-1916), publiée en 1875. Sous une forme extrêmement claire et en même temps soutenue par une solide érudition philologique et historique, l'auteur fait une synthèse des histoires des différentes civilisations orientales. Son étude, qui fait revivre l'histoire des peuples d'Orient depuis leurs origines jusqu'à la période memphitique et thébaine, et jusqu'à l'invasion des Pasteurs, est présentée de façon à former, en soi, un monument critique de premier ordre. De même, la partie relative à l'Asie, avant et pendant le temps de la domination égyptienne, depuis les Chaldéens jusqu'à la conquête des Pharaons et aux grandes migrations maritimes, avec une particulière attention accordée à l'époque de la vingtième dynastie égyptienne, est traitée avec une remarquable connaissance d'une vaste matière archéologique souvent encore inexplorée. Le récit est particulièrement vivant en ce qui concerne l'Empire assyrien dans la première et la seconde phase de son histoire, les Hébreux au pays de Chanaan et leur État, l'arrivée des Sargonides. L'Asie au temps des Sargonides et le monde oriental au temps du Moyen Empire jusqu'à Cyrus donnent à Maspero l'occasion d'exposer de puissantes vues synthétiques. L'auteur montre, dans la lutte des peuples et dans leurs aspirations à de nouvelles conquêtes, la crise qui secouait cette époque qui vit la chute et la naissance des empires. La partie relative à l'Empire perse, de ses conquêtes primitives à sa décadence et à sa ruine, est rédigée avec une vaste connaissance des sources et sert de conclusion à l'œuvre. Un appendice sur les écritures cunéiformes, les hiéroglyphes, l'alphabet phénicien et ses dérivés indo-européens complète cet important ouvrage.

HISTOIRE ARTISTIQUE DES ORDRES MENDIANTS. Œuvre de l'historien d'art français Louis Gillet (1876-1943), publiée en 1912. Dans ces leçons faites en 1911 à la « Société de Saint-Jean pour la propagation de l'art religieux », Gillet brosse une vaste fresque de tout l'art du Moyen Âge jusqu'au début du XVIIe siècle, vue en fonction des dominicains et des franciscains. C'est ce point de vue qui fait l'unité du livre. Au premier abord, l'immense influence des ordres mendiants sur l'art religieux paraît paradoxale : la stricte règle de pauvreté, prescrite dans les Constitutions des dominicains et des franciscains, ne devait-elle pas plutôt conduire en esthétique à une position analogue à celle de saint Bernard ? Mais les Mendiants sont aussi, et avant tout, des apôtres : dans l'art, le souci de l'apostolat, la volonté de mettre l'esthétique au service de la prédication, d'en faire elle-même une prédication inscrite dans la pierre, l'emporteront rapidement sur l'attitude d'austérité radicale des fondateurs. Aussi n'est-ce point directement, mais par l'intermédiaire de leur famille spirituelle, empreinte de l'humanisme de saint Bonaventure et de saint Thomas d'Aquin, que saint Dominique et saint François eurent une influence prépondérante sur l'art du Moyen Âge. La double basilique d'Assise, de type cistercien, sert de modèle à toutes les églises des Mendiants : celles-ci sont construites avant tout pour la prédication.

Louis Gillet le rappelle et fait l'apologie du gothique italien, qu'il défend du reproche de n'être pas chrétien. L'optimisme théologique de saint Thomas et l'idéal franciscain de réconciliation de la nature et de la religion s'expriment dans la peinture. On peut dire que les fresques d'Assise marquent la plénitude du nouvel art chrétien en tant qu'art d'incarnation. En même temps apparaît une forme nouvelle de la piété, grâce à deux livres dont l'influence fut considérable à partir du XIVe siècle : les *Méditations sur la vie du Christ* (*) et la célèbre *Légende dorée* (*). Le Christ lui-même s'humanise, et c'est, pour la première fois, dans l'art, l'entrée du Dieu vraiment homme : l'art roman n'avait connu que les Christ de Majesté, le Christ Docteur et le Christ Roi : les Mendiants entraînent les artistes vers l'Homme de douleur, frère des autres hommes. C'est l'avènement du sentiment religieux pathétique, lequel, avec les danses macabres, ira trop vite jusqu'à un pessimisme fort peu chrétien en soi. Aussi l'auteur est-il en dessous de la vérité quand il écrit : « Le Moyen Âge a eu de la mort le respect le plus exquis. » On voit cependant combien l'attitude humaniste des Mendiants prépare et appelle la Renaissance : les peintres dominicains et franciscains, avec Fra Angelico et Fra Francisco Colonna, sont même parmi les promoteurs du mouvement. Louis Gillet y insiste beaucoup, dans un des meilleurs chapitres de son livre. Mais, lorsque la Renaissance prit un tour résolument anthropocentrique, les Mendiants voulurent réagir, avec Savonarole : déjà il était trop tard. Est-ce la fin cependant ? L'esprit apostolique et humaniste chrétien se transmit aux jésuites : Louis Gillet démontre que leurs églises procèdent directement des édifices franciscains, comme les peintres mendiants s'accomplissent dans Rubens, le Greco et Murillo. L'ouvrage de Louis Gillet s'inscrit dans le grand mouvement conduit par Émile Mâle ; comme ce dernier, l'auteur soutient brillamment, bien que sa critique des sources et parfois sa chronologie laissent à désirer, que les arts sont comme une floraison naturelle de la vie religieuse. Il a le sens, en tout cas, de ce qu'est l'art religieux, art d'incarnation, qui n'est réductible à aucune forme déterminée.

HISTOIRE AUGUSTE [*Historia augusta*]. Recueil contenant les biographies des empereurs romains, depuis Hadrien (117-138) jusqu'à Numérien (283). Il fut composé par différents écrivains de la basse latinité (IIIe et IVe siècle), et présenté sous forme de recueil par un personnage inconnu. Ces historiographes (Spartianus, Capitolinus, Gallicanus, Pollion, Lampridius et surtout Flavius Vopiscus, le plus important) rédigèrent leurs relations sous l'influence de la *Vie des douze Césars* (*) de Suétone. La plupart ont un style aride et ne respectent pas toujours la vérité historique ; il leur arrive d'ajouter à la confusion des témoignages traditionnels, sans doute dans un but de propagande ou de satire de l'actualité. L'œuvre passa à la postérité sous le titre : *Écrivains de l'histoire auguste* [*Scriptores historias augustae*], et fut à peu près ignorée au Moyen Âge et au début de la Renaissance. – Trad. dans *Le Crépuscule des Césars* (scènes et visages de l'Histoire auguste), le Rocher, 1964 ; Les Belles Lettres, 1991 sq.

HISTOIRE BRÉSILIENNE DE LA COMPAGNIE DE JÉSUS [*Brasilica Societatis Historia*]. Cette histoire est l'œuvre du jésuite portugais José de Anchieta (1534-1597). Le titre a été proposé par un contemporain de l'auteur, Southwel, l'historien anglais de la Compagnie de Jésus ; il embrasse toute la documentation laissée par Anchieta. Celui-ci vécut au Brésil de 1553 jusqu'à sa mort et mérita d'être appelé l'apôtre du Nouveau Monde. Outre l'évangélisation des indigènes à laquelle il se consacra, il fut le promoteur de la colonisation de cet immense pays, presque inconnu, et rendit plus faciles les rapports entre les indigènes et les Européens. Ses écrits les plus importants ont été réunis sous le titre suivant : *Renseignements et fragments historiques* (1584-1586). Ils sont fort précieux, car ils donnent des matériaux que l'on ne trouve nulle part ailleurs et qui comptent parmi les tout premiers concernant cette région. La relation la plus développée qu'il nous ait laissée est la *Documentation sur le Brésil et sur ses capitaineries ;* elle rapporte rapidement l'histoire de la découverte portugaise, et donne assez longuement des renseignements sur les sept provinces qui composaient alors le pays, en s'attardant particulièrement sur celles du Sud et, parmi elles, sur celle de São Paolo. Ses observations sur les indigènes sont fort intéressantes. Il parle de tous les aspects de leur vie : religion, langue, état social. L'auteur met en lumière plutôt les bons côtés que les mauvais (contrairement à d'autres chroniqueurs du temps, tel Pero de Magalhäes Gandavo). Plus d'un savant moderne (entre autres l'historien de la Compagnie de Jésus au Brésil, le père Sérafin Leite) ne fait pas grand cas des ouvrages d'Anchieta. Ces derniers, pourtant, qui sont purs de toute prétention, ne laissent pas d'avoir la couleur que possède seul un témoignage direct. Par là même, ils constituent l'une des justes relations que l'on ait sur le Nouveau Monde.

HISTOIRE BYZANTINE de Grégoras [Ρωμαιχὴ ἱστορία]. C'est l'œuvre la plus importante de Nicéphore Grégoras (vers 1295-vers 1361), le plus grand historien des derniers siècles de Byzance. Elle compte trente-sept livres ; on y trouve consignés les événements d'un siècle et demi environ, depuis la conquête de Constantinople par les Latins (1204), jusqu'à l'année de la mort de l'auteur. Cette période est l'une des plus tourmentées de l'histoire de l'Empire d'Orient. Byzance, en effet, marchait à sa ruine : elle ne résista pas aux convulsions consécutives à la IVe croisade (1204) et à la restauration des Paléologues, et tomba entre les mains des Turcs. Par sa chronologie et sa méthode, l'*Histoire byzantine* complète l'*Histoire des empereurs Michel et Andronic* : la place principale n'est pas donnée aux événements politiques, mais aux luttes théologiques et dogmatiques. Celles-ci, en effet, travaillèrent l'Empire au temps des Paléologues au point d'absorber toutes les formes propres à défendre l'indépendance politique. Tandis que les grands événements historiques sont exposés sommairement, le récit des controverses théologiques prend des proportions démesurées et n'est souvent qu'une suite de documents. Au point de vue chronologique, on constate les mêmes insuffisances et disproportions. L'importance de l'œuvre reste néanmoins considérable.

HISTOIRE COMIQUE. Roman de l'écrivain français Anatole France (François-Anatole Thibault, 1844-1924), publié en 1903. En 1902, lorsque France écrit cette œuvre, il a déjà atteint la célébrité, sinon la gloire. Il vient de terminer la publication de son *Histoire contemporaine* (*) avec *M. Bergeret à Paris ;* il va s'attaquer à un travail immense, que malheureusement il n'aura pas le courage de mener jusqu'à son point de perfection, sa *Vie de Jeanne d'Arc* — v. *Jeanne d'Arc* (*). L'*Histoire comique* est un entracte qu'il s'accorde ; il avait déjà écrit une nouvelle sur le monde du théâtre, intitulée *Chevalier,* c'est elle qu'il reprend et dont il fait un court roman. Depuis quelques années, France fréquentait les milieux de théâtre, il avait même commencé une carrière d'auteur dramatique avec une petite comédie en un acte, *Au petit bonheur* (1898). Il se proposait en même temps de donner dans sa nouvelle œuvre un complément à son *Histoire contemporaine* en présentant une peinture de ce milieu très spécial. Sa concision et sa spirituelle élégance font de l'*Histoire comique* une des œuvres les plus caractéristiques et les plus réussies de son auteur. L'histoire est intitulée « comique », comme *Le Roman comique* (*) de Scarron, et pour la même raison : c'est qu'elle se déroule dans le monde des comédiens, ici, ceux du théâtre de l'Odéon. Félicité Nanteuil est une jeune comédienne de talent, tout instinct et toute grâce, coquette, gentiment égoïste et passablement ignorante. Son cœur est partagé entre deux hommes. L'un est son camarade, Chevalier, un brave garçon poursuivi par la malchance et à qui elle s'est donnée par pitié ; l'autre est le jeune et brillant diplomate, Robert de Ligny. Le récit comprend une suite de scènes pittoresques, qui sont une peinture vive et perspicace de la vie des comédiens ; elles sont commentées avec saveur et ironie par le vieux médecin Trublet, surnommé le docteur Socrate, sage et ami du plaisir, par qui les vues les plus désespérées sur la chair et le sang, ainsi que sur le néant de l'espace et du temps, traversent, sans trouver d'écho, la loge de la jeune comédienne. Ce témoin de l'action est, avec Constantin Marc, un jeune et intelligent écrivain de province, le porte-parole de l'auteur. Ces scènes débouchent sur un drame sanglant d'abord, psychique ensuite : Chevalier, qui désespère de pouvoir reconquérir la jeune femme, se tue en présence de Félicité et de Robert, après avoir maudit leur amour. La jeune femme, qui est superstitieuse et impressionnable, en ressent un choc tel qu'elle est depuis lors, malgré les conseils avisés du bon docteur Socrate, la proie de continuelles hallucinations. En dépit de sa très vive attirance pour Robert, une inhibition insurmontable l'empêche de s'abandonner à lui.

Anatole France s'abandonne ici à sa veine légère et même libertine ; on le sent pénétré de l'esprit galant du XVIIIe siècle, et son style même a la grâce, un peu sèche, de certains écrivains de ce siècle. L'*Histoire comique* ne manque cependant pas de pages dramatiques et même émouvantes ; en particulier, le récit de l'enterrement du « cabotin » Chevalier, qu'on a souvent rapproché à bon droit du récit des funérailles de Désirée Delobelle dans *Fromont jeune et Risler aîné* (*). Enfin, c'est le seul livre de France de cette époque où ne se glisse aucune allusion à l'affaire Dreyfus. Pour France, l'*Histoire comique* n'a été qu'un divertissement et une halte ; mais pour nous, il demeure un de ses livres les plus vivants, un de ceux qu'on peut lire avec le plus d'intérêt et le plus de plaisir.

HISTOIRE COMIQUE DE FRANCION. Roman de l'écrivain français Charles Sorel (1599 ou 1602-1674) publié en 1623, à Paris, chez Billaine, sans nom d'auteur, et précédé d'un agressif « Avertissement aux lecteurs ». Cette version originale en sept livres connaît une suite, publiée anonymement en 1626, en onze livres, avec de nombreuses modifications, et une épître insolente « Aux grands ». Un dernier état, à nouveau corrigé et comportant douze livres, est publié en 1633, avec pour titre *La Vraye Histoire comique de Francion*, pour nom d'auteur Moulinet du Parc, une épître dédicatoire adressée à Francion lui-même. Pendant trois siècles le roman fut connu sous cette forme réductrice des audaces du texte initial : il fallut attendre la découverte d'une copie, en 1893, et l'édition critique d'Émile Roy, en 1931, pour redécouvrir un récit autrement plus corrosif, ce qui explique peut-être, autant qu'un faible tirage, la disparition des autres exemplaires. D'où une difficulté réelle pour les éditeurs : faut-il privilégier le texte de 1633, comme le fait Antoine Adam (1958), ou se contenter de celui, écourté, de 1623, comme le fait Yves Giraud

(1979) ? Entre la liberté elliptique du récit premier et l'accroissement frileux de l'ultime version, où se trouve l'expression la plus authentique de la pensée de Sorel ? Sans doute faut-il répondre dans les deux : la métamorphose du roman peut correspondre à l'évolution transformant un auteur de vingt ans, qui a toutes les impertinences de la jeunesse et ose les exprimer dans une société assez permissive, en un auteur mûr, soucieux de respectabilité, déjà engagé dans des polémiques littéraires, et vivant dans un monde où il ne fait plus bon se dire libertin et fronder les autorités morales et religieuses. Aussi doit-on d'abord évoquer l'ensemble du récit de 1633, d'un point de vue romanesque, pour donner connaissance de l'intrigue, encore que l'on ne puisse savoir si cette structure provient d'un plan global concerté « a priori » ou si elle résulte d'un simple collage. Il semble donc préférable d'évaluer ensuite l'intérêt philosophique de l'œuvre, d'un point de vue historique, à partir des seuls éléments fournis par la version de 1623.

Le roman s'organise autour de deux pôles féminins. Laurette représente l'amour charnel, vénal et finalement décevant, dont la recherche domine le récit originel, avec pour couronnement la fête libertine du VIIe livre. Naïs, connue par un portrait dans ce récit premier, est l'objet d'une quête dans les récits ultérieurs qui s'achèvera sur sa fusion parfaite avec le héros Francion, car elle symbolise la beauté pure, non désincarnée, l'âme noble, et la perfection morale, et surtout la possibilité d'un amour complet échappant à l'érosion du temps. Un subtil jeu de miroirs réunit les différents états de l'intrigue : le livre I centré sur Laurette s'opposant au livre XII centré sur Naïs, le II et le XII se répondant par l'intermédiaire de figures analogiques de Laurette : Agathe et Émilie, les III-IV et X-XI ayant pour principal protagoniste le pédant Hortensius, les V et X étant consacrés à l'amitié et à l'amour, autour de Diane et de Joconde, les VI et IX entraînant, selon les mêmes contrastes, des milieux paysans aux cours de Paris et de Rome, le livre VII ayant le rôle de pivot, puisqu'il s'ouvre sur la fête libertine, l'abandon de Laurette, et se clôt sur le départ vers Naïs, vers l'harmonie véritable. Le parcours du héros, si l'on considère l'ensemble des romans, aura donc constitué une initiation, permettant le dépassement des seuls désirs physiques, lié à la découverte de leur caducité et de leur insuffisance, se couronnant avec la rencontre d'un être grâce à qui les langages de l'esprit et du corps peuvent enfin coïncider. Francion, dont le nom symbolise la franchise, la noblesse, mais surtout la liberté, peut ainsi se donner sans se perdre, en se trouvant pleinement en autrui, et par autrui.

Mais l'œuvre de Sorel, surtout dans sa version de 1623, comporte bien d'autres sources d'intérêt. Du point de vue des structures narratives d'abord. L'histoire est en effet racontée pour moitié par un narrateur omniscient, les personnages et les faits étant présentés par lui, et pour moitié par le récit personnel des principaux protagonistes. Cela permet d'intéressants jeux spatio-temporels, Francion et Agathe nous faisant longuement revivre leur adolescence, tandis que l'action occupe symboliquement sept jours, ce qui situe scandaleusement la fête libertine, qui dure également sept jours, du vendredi au vendredi. Les dialogues permettent d'exercer cette liberté de parole que revendiquent successivement Francion, Agathe et Perrette, les porte-parole d'un libertinage affiché que complète, sous le masque du non-sens, le galimatias corrosif du fou Collinet, à la sagesse humaine, trop humaine. Des fantaisies poétiques expriment le goût pour la volupté (lettre galante, sonnet amoureux de Francion, credo de la fête libertine). Des parodies stigmatisent les superstitions religieuses (pratiques magico-dévotes et risibles de l'impuissant Valentin, sermon sur le repentir de Marie-Madeleine contredit par la prédication scandaleuse de la maquerelle Perrette). Des satires ridiculisent les vices sociaux (de l'éducation aliénante des collèges à la culture scolastique du pédant Hortensius, des mesquineries des poètes ridicules à la vulgarité des paysans, des iniquités des magistrats aux maléfices des voleurs, de l'avarice des bourgeois à la grotesque vanité des nobles dénaturés comme Bajamond). Une grande plasticité dans l'utilisation du langage, du poétique au burlesque, et une liberté de ton qui se restreindra dans les versions suivantes, une imagination qui culmine dans le rêve de Francion et qui se tarira quelque peu ensuite, la représentation d'un héros en qui la noblesse d'âme pourrait s'allier avec la vitalité du corps, par l'exercice d'une liberté en actes, laquelle se banalisera ultérieurement, tout cela fait du roman de 1623 un témoignage inégalable sur la jeunesse du XVIIe siècle, avant la mise sous éteignoir des aspirations libertines, avec le procès du poète Théophile de Viau, et les normalisations morales, esthétiques et langagières de l'époque classique. P. Ro.

HISTOIRE COMIQUE DES ÉTATS ET EMPIRES DE LA LUNE (L'). Roman de l'écrivain français Hector Savinien Cyrano de Bergerac (1619-1655). Une édition posthume a été publiée, en 1657, par un ami de l'auteur, Le Bret, qui, prudemment, s'est livré à une censure mutilant le texte par de nombreuses coupures et corrections. Les éditions modernes sont établies, avec restitution des passages supprimés ou modifiés, à partir de deux copies manuscrites sensiblement différentes, conservées à Paris (éd. Mettra, Weber, Alcover, Prévot) et à Munich (éd. Jordan, Laugaa). L'édition princeps comportait ce titre, sans doute dans un souci de parallélisme avec *L'Histoire comique des États et Empires* *du Soleil,* roman inachevé, publié en 1662 seulement, dans les *Nouvelles œuvres,* mais les manuscrits donnent pour titre *L'Autre Monde.* Les dates de composition sont inconnues. Le récit fait alterner des narrations à la première personne (ce « je » n'étant pas le représentant constant et unique de l'auteur, mais annonçant le héros « Dyrcona » des *États et Empires du Soleil*), des descriptions et des dialogues. Il n'y a pas plus de leçon philosophique explicite, systématique et univoque qu'il n'y a de point de vue absolument privilégié, ni sur les personnages, dont beaucoup changent de statut (le « héros » terrien est pris pour un singe, un oiseau, ou un sélénite, le démon de Socrate se métamorphose, bien des interlocuteurs restent mystérieux), ni sur les mondes, dont l'un est toujours la Lune de l'autre, le même et l'inverse à la fois. Deux parties principales (le voyage vers la Lune – interrompu par un détour au Canada et une longue escale au paradis – et le séjour sur la Lune) délimitent une introduction révélant le désir du voyage et une conclusion ramenant le héros sur Terre, en Italie, puis en France. Les moyens de locomotion utilisés sont variés : fioles pleines de rosée, machine propulsée par des fusées, enlèvement par le démon de Socrate et par le diable pour l'aller et le retour du héros ; force de l'imagination pour Adam et Ève, vertu ascensionnelle de la fumée sacrificielle pour Énoch, barque de Noé pour Achab, chariot aimanté pour Élie, pensionnaires du paradis ; oies pour Gonzalez (Espagnol portant le nom du héros du roman d'un précurseur de Cyrano, F. Godwin, dont l'ouvrage *Un homme dans la Lune* fut traduit en 1648). Un roman de John Wilkins (*Discovery of a New World,* 1638) évoquait déjà l'existence possible d'habitants sur la Lune, mais Cyrano doit sans doute beaucoup plus, pour le voyage imaginaire, à l'*Histoire vraie* (*) de Lucien de Samosate et à Rabelais, pour l'utopie, à More et à Campanella, et, pour diverses inventions burlesques et parodiques, à Charles Sorel (*Francion* (*), *Le Berger extravagant*). À ces merveilleuses machines volantes s'ajoutent de nombreux prodiges : double langage sélénite (gestuel pour le peuple et musical pour l'élite), nourriture par « fumigation », paiement en poèmes, maisons mobiles ou à vis, « livres-magnétophones », qui entraînent dans une sorte de vertige technologique, sans rien ôter à la prodigalité d'une nature présentée comme universelle et inépuisable donatrice. Le discours sur l'homme est plus ambigu, puisque la société sélénite qui renverse les valeurs terrestres en soumettant les vieillards aux jeunes, en célébrant le sexe et en condamnant l'épée, en réduisant les guerres à des face-à-face symboliques, en remplaçant une « mort triste » par une mort choisie, festive et joyeuse, connaît aussi l'intolérance, la xénophobie, l'injustice, possède des prêtres, des badauds et des prisons, pâtit donc de la même absence du sens de la relativité et de la même limitation de la liberté que la société terrienne. Mais *L'Autre Monde* n'est pas seulement un rêve de vol, un récit de science-fiction, une nouvelle représentation du monde à l'envers. C'est aussi un roman comique, un conte d'initiation philosophique, une satire d'inspiration libertine et un essai paradoxal de vulgarisation scientifique dans un contexte de scepticisme généralisé. Le séjour au Canada comporte des entretiens avec M. de Montmagny, le gouverneur, où sont évoqués l'héliocentrisme, les mouvements de la terre, la pluralité des mondes, l'infinitude de l'univers, la décomposition des soleils et la destruction des mondes. Le démon de Socrate fait des révélations sur les Solariens, sur la sensibilité du chou ; Gonzalez affirme l'unité de la matière et l'existence du vide ; un professeur sélénite explique l'éternité du monde, la nature des atomes, le rôle du hasard, la nature de la perception sensorielle ; le jeune homme de la Lune nie l'immortalité et la spiritualité de l'âme, les miracles, la résurrection des corps, et l'existence de Dieu. Pendant ce temps le héros découvre expérimentalement que les traditions établies reposent sur des erreurs physiques et cosmographiques, des réductions anthropocentriques, des absurdités théologiques. Il est puni pour avoir mordu dans la pomme du savoir, hué pour avoir pris la défense d'Aristote, ridiculisé pour s'être référé aux dogmes catholiques, et il a manqué d'être accidentellement entraîné en enfer. Son ultime profession de foi est de peu de poids à côté des multiples parodies bibliques, des persiflages sur les miracles, des jeux de mots scandaleux qui parsèment un roman dont l'indéniable pouvoir de subversion naît de l'ironie du ton autant que de l'audace du propos. Cet ouvrage satirique anticipe sur l'esprit critique de Fontenelle, sur l'ironie de Voltaire, sur l'imaginaire de Diderot. Peut-on en conclure pour autant que ce livre qui balaie, avec jubilation, superstitions et croyances, qui démonte les sophismes et déplace les lieux communs, débouche sur une révélation matérialiste ou sur un constat aporétique, donne un sens ou s'avoue non-sens ? En aucun cas. Cyrano met en parallèle des systèmes scientifiques opposés qui comportent des exactitudes, mais aussi des archaïsmes et des bizarreries. Chacun d'entre eux sert à dénoncer les idées reçues, à redonner à l'homme le sens d'une nature ouverte sur l'infini, mais leur confrontation sert à éveiller notre sens critique. La dynamique de la contradiction s'accorde au jeu des oppositions d'un roman qui mêle réel et imaginaire, Terre et Lune, les doctrines les plus incompatibles, et qui impose une lecture polysémique. La conquête du scepticisme est une forme d'exercice de la liberté : on découvre que l'on ne peut rien savoir, mais on gagne beaucoup à apprendre cela.

Les États et Empires du Soleil se présentent comme une suite des *États et Empires de la Lune,* ce qui peut amener à lire *L'Autre Monde* comme un seul récit, en diptyque. On y retrouve les mêmes séquences : désir d'évasion dans l'espace de la part d'un narrateur maintenant nommé Dyrcona, ascension (ici avec une fusée de verre), étape transitoire (la macule), rencontres merveilleuses (le peuple des régions éclairées), conflits avec les indigènes (oiseaux), procès et libération par un avocat ayant séjourné sur Terre, rencontres et conversations sur des sujets politiques scientifiques, intervention du livre (Campanella remplace Cardan), présence de philosophes (Platon, Démocrite, Campanella, Pomponazzi, Descartes). La fin brutale du roman pose des questions (Cyrano n'a-t-il pu l'achever, a-t-il voulu maintenir son œuvre ouverte, est-ce quelqu'un d'autre qui a supprimé la fin au moment où Descartes intervenait ?) et en laisse d'autres sans réponse (Dyrcona serait-il revenu sur Terre, de lui-même ou guidé par un autre « diable », ou serait-il resté là-haut loin de ce monde d'ignorance qu'il avait voulu fuir ?). Ce second récit de voyage cosmique qui débute par les tribulations picaresques du héros pris pour un sorcier et arrêté à Toulouse (ville où avait été brûlé le libertin Vanini) raconte une quête philosophique prométhéenne sans réponse finale ni retombée « terre à terre ». Il révèle surtout, encore plus que le précédent, la richesse d'une œuvre rendue poétique par les décalages que l'ironie crée dans la représentation des événements, des discours théoriques et des personnages ; par le jeu de tensions perpétuelles entre l'appel à la raison critique dans les domaines scientifiques et philosophiques, et l'appel à l'imagination en matière de voyage sidéral, de descriptions de contrées fabuleuses ou de prodiges surprenants ; par la fantaisie verbale, le jeu des pointes et le baroquisme des images. Cyrano, poète sceptique et philosophe incrédule, est un écrivain superbement paradoxal. P. Ro.

HISTOIRE CONTEMPORAINE (L'). Tétralogie romanesque de l'écrivain français Anatole France (François-Anatole Thibault, 1844-1924), publiée entre 1897 et 1901 et comprenant : *L'Orme du mail, Le Mannequin d'osier, L'Anneau d'améthyste, Monsieur Bergeret à Paris. L'Orme du mail,* qui ouvre la série, a été publié en 1897. Renonçant aux facilités esthétiques de ses premiers romans, pures évocations historiques où il se plaisait à rester en quelque sorte en marge de la vie moderne, Anatole France a voulu, avec cette série romanesque, se livrer à une satire de la société contemporaine. Bergeret — le héros de ce récit — est un personnage qui joue dans la société du XIXe siècle le même rôle que celui de l'abbé Coignard au début du XVIIIe. Comme Coignard, Bergeret est un humaniste, au plus profond de l'âme, qui aime philosopher sur la vie. Mais ce n'est plus un clerc fortuné et pittoresque : c'est simplement un professeur de littérature latine, enseignant à l'université d'une ville de province, Tourcoing. La figure simple et noble de cet homme d'esprit, observateur pénétrant et ironique, est soigneusement dépeinte par l'auteur qui suit son héros dans les fastidieux contretemps de sa carrière, dans les petites misères de sa vie domestique, mais surtout dans ses rapports sociaux, dans ses pensées et dans ses interminables conversations. Car Bergeret, qui a un esprit socratique, aime à discuter et à s'entretenir avec tout le monde. Ses propos, ses rencontres, ses réflexions offrent à Anatole France prétexte à évoquer autour de lui, comme dans une série d'estampes finement dessinées et mordantes, toute la vie de la petite ville. Dans la boutique du libraire Paillot, Bergeret rencontre l'irascible archiviste Mazure, un jacobin médisant et aigri, le bavard docteur Fornerol, le riche M. de Terremondre, gentilhomme campagnard, collectionneur et amateur d'art. Sa profession le met en contact avec des collègues ; son admiration l'incite à courtiser la belle Mme de Gromance, brillante et prudente pécheresse ; son intérêt pour les faits sociaux l'amène à rencontrer le préfet de la ville, Worms-Clavelin (vieux routier de la politique, habile et sceptique, servi par une femme intelligente et mondaine), le vieux général légitimiste Cartier de Chalmot, l'industriel Dellion... Mais l'interlocuteur préféré du professeur Bergeret, le compagnon de ses paisibles promenades sous les ormes du mail, à l'extérieur de la ville, c'est l'abbé Lantaigne, le recteur du séminaire. Bien que le scepticisme conciliant de Bergeret soit exactement aux antipodes de la solide et agressive foi de l'abbé, les deux hommes, ayant la même passion de la controverse et le même amour des idées générales, saisissent chaque occasion pour discuter, et le débat s'élève souvent à des considérations graves et pathétiques sur les destinées de la civilisation, sur les questions sociales, et aussi sur le gouvernement de la République. Par ailleurs, le personnage de Lantaigne nous fait pénétrer dans les milieux ecclésiastiques, où une intrigue secondaire met aux prises Lantaigne, le cardinal-archevêque, et l'abbé Guitrel, professeur de rhétorique, intrigue qui, conjointement aux histoires personnelles du professeur Bergeret, concourra à apporter à ce livre, comme aux trois autres de la série, un semblant de trame. Il s'agit, en effet, de nommer un successeur à l'évêque de Tourcoing, qui vient de mourir. Parmi les candidats, l'inflexible et austère Lantaigne et le souple et sociable Guitrel s'affrontent, chacun soutenu par un parti qui met en jeu toutes ses influences et ses relations. C'est tout un monde que France nous révèle, le jugeant avec une malice pénétrante à travers les propos de Bergeret ; pour ce faire, l'auteur procède par petites touches légères et capricieuses, usant d'une méthode d'exposition discontinue et fragmentaire que vient admirablement servir un style léger et sûr.

Avec *Le Mannequin d'osier,* second volume de la série publié également en 1897, nous assistons au développement de la lutte qui, à la fin du précédent volume, mettait aux prises pour la succession à l'épiscopat les deux ecclésiastiques Lantaigne et Guitrel. Nous sommes amenés, à la faveur de cette lutte, à entrer dans les coulisses de la IIIe République, à Paris. Parallèlement à cette trame un peu mince se poursuit, avec des passages pittoresques, le récit des aventures personnelles du professeur Bergeret. L'excellent homme, avec sa manie philosophique de parler de tout et sa naïve habitude de ne jamais cacher ses opinions, a réussi à créer autour de lui une atmosphère de méfiance agressive. Il s'en console en se réfugiant dans ses chères études, philosophant avec le fougueux Lantaigne, avec son docte correspondant de Naples, Aspertini, et avec son élève préféré, l'étudiant latiniste Roux. Mais l'hostilité du recteur et du doyen de son université, l'humeur capricieuse et le mépris manifeste de son épouse à son égard le préoccupent plus qu'il ne le souhaiterait. Pendant l'absence de ses trois filles, il surprend sa femme en flagrant délit d'adultère avec Roux, son élève. Le doux philosophe en est bouleversé, et passe successivement du courroux à l'abattement. Mais, après avoir déchargé sa colère sur le mannequin d'osier de sa femme, qui occupait son propre cabinet de travail — image de la tyrannie domestique —, et après s'être rendu compte, au cours d'une courte promenade, que sa mésaventure était connue de tous, il trouve la force de prendre une décision, avec cet opiniâtre entêtement dont font preuve les timides qui se rebellent. Il réussit à adopter une attitude indifférente et si absurde qu'elle soumet Mme Bergeret, trop habituée à commander dans la famille, à la plus cruelle des tortures : Mme Bergeret a l'impression de ne plus exister aux yeux de son mari ; elle se sent littéralement accablée par l'atmosphère qui règne chez elle et, vaincue, décide de se réfugier chez sa mère avec ses deux filles cadettes, laissant au professeur sa fille aînée, Pauline, la seule qui ressemble à son père et qui lui soit sincèrement attachée. C'est surtout dans la deuxième partie du livre que le caractère de Bergeret, analysé avec une ironie subtile et une bienveillance charitable, prend ce relief si vivant et cette physionomie si complète qui contribuèrent à faire de lui un personnage vraiment typique.

L'Anneau d'améthyste, troisième volume de la série, parut en 1899. Si le thème de la petite ville de province, de ses intrigues, de ses jalousies, reste une des composantes essentielles du récit tout comme M. Bergeret en est la figure centrale, l'action tend désormais à nous écarter des milieux citadins ; à côté des caractères déjà étudiés, qui représentent le gouvernement, la culture, la bourgeoisie, d'autres personnages prennent un plus grand relief ; personnages qui nous transportent surtout dans le monde de l'aristocratie et des grandes affaires. Et cela, parce qu'à Paris vient d'éclater le fameux scandale judiciaire qui, sous le nom d'« affaire Dreyfus », devait passionner toute une génération, divisant la France en deux camps, opposant les idées laïques et sans préjugés des libéraux aux idéaux des conservateurs et des réactionnaires. Avec le duc de Brécé, nous pénétrons dans le cercle fermé de l'aristocratie de province légitimiste ; tandis qu'avec la baronne de Bonmont, Israélite viennoise convertie au catholicisme, veuve d'un grand brasseur d'affaires anobli par l'argent, nous sommes dans le monde de la haute finance, qui s'insinue dans tous les engrenages et qui tend à s'emparer de tous les leviers de commande du gouvernement de la IIIe République. Là non plus les principaux thèmes et les moments décisifs de la vie sociale de tout le pays ne figurent jamais au premier plan dans le récit. Ils sont pris de biais, et comme par coups de sonde imprévus. C'est pourquoi l'auteur revient souvent et s'attarde même sur les derniers développements et sur la conclusion de la lutte qui oppose le recteur du séminaire Lantaigne à l'abbé Guitrel. Guitrel triomphe grâce à trois femmes qui ont influencé le ministre des Cultes dans sa décision : l'habile femme du préfet Worms-Clavelin, la délicieuse et nonchalante Mme de Gromance et la belle baronne de Bonmont, chacune d'elles ayant été amenée à agir en sa faveur pour servir différentes ambitions. Les rapports entre le haut clergé, l'ancienne noblesse légitimiste et la nouvelle puissance triomphante de l'argent sont ainsi décrits avec une subtile perspicacité ; tandis que la figure ambiguë et pittoresque de l'ami de la baronne, le brillant aventurier Raoul Marcien, nous éclaire sur les intrigues et les idées du parti militaire. Entre-temps, le bon Bergeret, délivré de son épouse indigne, a été nommé professeur titulaire ; il installe sa nouvelle habitation pour y recevoir sa fille Pauline et sa sœur Zoé (vieille fille énergique et affectueuse qu'il a décidée à venir vivre chez lui), et il trouve le moyen d'échapper à sa triste solitude en se faisant un nouvel ami : le petit chien Riquet (délicat épisode qui donne à France l'occasion d'écrire quelques-unes de ses pages les plus pénétrantes). Mais le courageux philosophe, toujours aussi passionné d'idéal, a pris parti dans la lutte qui est en train de diviser son pays : il est une des cinq personnes de la ville qui se sont déclarées favorables à la révision du procès Dreyfus, et il affronte sereinement la réprobation générale, sans cesser de commenter les événements avec son habituelle tournure d'esprit. Au début de la nouvelle année scolaire, le professeur Bergeret obtient un prix inespéré pour son travail persévérant et génial d'humaniste et de philologue. Il est appelé à l'université de Paris.

Le quatrième et dernier volume, *Monsieur Bergeret à Paris,* publié en 1901, nous fait participer aux nouvelles expériences que l'intrépide professeur connaît dans ce Paris de 1900, tout agité par les tempêtes de l'« Affaire Dreyfus » et animé par l'Exposition universelle. Ici, l'auteur se tourne délibérément vers la satire politique. Après avoir consacré les premiers chapitres à parfaire amoureusement le portrait de Bergeret (en nous décrivant sa laborieuse installation, sa reprise de contact avec la grande ville, et en lui faisant évoquer sa lointaine enfance dans de charmants et émouvants entretiens avec sa sœur), Anatole France reprend à tour de rôle certains des personnages déjà présentés dans les précédents volumes, que leurs intérêts, leurs ambitions et leurs affaires ont attirés à Paris ; il les étudie dans leur nouveau milieu. Il perd un peu le fil de son récit, et s'abandonne presque à une série de tableaux et d'épisodes significatifs qui ne présentent plus de développements proprement romanesques. Le rappel des histoires précédentes lui sert simplement à justifier certaines situations : France veut uniquement dépeindre le climat politique qui régnait à Paris pendant les premiers mois du ministère Waldeck-Rousseau ; tout son talent d'analyste lui sert à décrire la vie des groupes politiques de droite, les milieux monarchistes qui ne pensent qu'à profiter du désordre et des terribles contrecoups de l'« Affaire » pour renverser la République. Bergeret ne disparaît pas de la scène, mais il perd un peu de sa réalité humaine pour s'identifier de plus en plus avec l'auteur, qui prend souvent la parole en son nom. Il en résulte un ouvrage où les conversations et les discussions, les polémiques et les discours, et même des extraits de presse, surchargent la relation des faits. C'est justement dans cette dangereuse dispersion que brille du plus vif éclat le génie satirique de France, toujours prêt à parodier d'une plume alerte les programmes éphémères et les déclarations passionnées de l'époque. M. Bergeret donne une fois de plus à la satire un ton vivant et pittoresque ; en bon humaniste, il en appelle au grand Rabelais, dont il cite deux fragments apocryphes de 1538 (où l'on raconte les entreprises burlesques des « Trublions » pour causer du désordre dans les affaires publiques et pour pêcher en eau trouble), et se livre à des raisonnements bizarres sur certains personnages symboliques qu'il invente pour les besoins de la cause ; Jean Coq, Jean Mouton, Jean Laiglon et Gilles Singe, personnages dignes de la plus haute comédie. Mais, interrompant, avant d'en avoir abusé, ces heureuses digressions, l'auteur fait exprimer à de tout nouveaux personnages, au monarchiste Léon comme au citoyen Bissolo, le même et triste jugement sur l'opinion publique du pays tout entier, désormais calmée et indifférente. Ainsi, le jeu extrêmement raffiné de cette *Histoire contemporaine* due à l'écrivain sceptique qu'est Anatole France se termine, presque malgré lui, sur de mélancoliques constatations.

HISTOIRE CONTRE LES PAÏENS [*Historiarum adversus paganos libri septem*]. Œuvre de Paul Orose, écrivain espagnol d'expression latine du début du ve siècle, écrite en 417 sur la demande de saint Augustin, afin de compléter le troisième livre de *La Cité de Dieu* (*) ; elle présente un caractère nettement apologétique. Orose se propose de montrer que le christianisme a beaucoup diminué les maux dont souffrait l'humanité. L'œuvre est divisée en sept livres, car Orose croyait fermement à la valeur symbolique qu'Augustin attribuait à ce nombre : le premier livre comprend, outre une brève description du globe terrestre, l'histoire du monde jusqu'à la fondation de Rome qui fut accomplie, selon Orose, en 752 ; le second nous amène jusqu'à l'invasion de Rome par les Gaulois et comprend l'histoire des Perses depuis Cyrus et jusqu'à la bataille de Cunaxa ; le troisième traite de l'histoire de la Grèce et de Rome jusqu'à 200 av. J.-C. ; le quatrième, des guerres contre Pyrrhus et des guerres Puniques ; le cinquième s'occupe de la guerre civile, le sixième va jusqu'à Auguste et la naissance du Christ, le septième jusqu'aux temps de l'auteur. Plus que les faits historiques, Orose met en lumière les grandes calamités dont pâtit le genre humain : tremblements de terre, peste, famines et guerres civiles. Après le christianisme, ces maux, selon Orose, sont devenus moins lourds ; les barbares eux-mêmes sont moins féroces et pourront se civiliser au contact des Latins. La présence efficace de la Providence divine se sent dans toute la trame de l'histoire : Orose voit, ainsi que saint Augustin son maître, le signe de la Providence dans les mystérieuses correspondances chronologiques entre l'histoire des quatre empires qui se sont succédé sur la terre, babylonien, macédonien, carthaginois et romain, ainsi que dans la similitude de leurs destins. Le caractère apologétique de l'œuvre explique les exagérations et les inexactitudes ; mais, d'une autre part, c'est à ce caractère apologétique que l'on doit la vivacité qui la distingue des œuvres de la même époque. Les sources de l'œuvre se trouvent dans la *Chronique* d'Eusèbe (*), dans les *Commentaires* (*) de César, qui selon Orose sont l'œuvre de Suétone, les écrits historiques de Tacite, Justin, Florus, Augustin lui-même. L'histoire d'Orose, écrite en un style vif, riche en accents classiques, fut très répandue au Moyen Âge, et fut à son tour le point de départ de nombreuses œuvres, comme celles de Giordanès, Grégoire de Tours, Isidore de Séville, Bède, Paul Diacre, etc.

★ Une importante version de l'*Histoire contre les païens* a été rédigée entre 888 et 893 par le roi anglo-saxon Alfred (849-901) ; elle s'intitule *Histoire universelle du roi Alfred* [*Universal History of King Alfred*]. L'auteur veut donner à son peuple un manuel d'histoire et de géographie universelle. Il traite l'original avec beaucoup de liberté et y introduit de nombreux changements et additions. Par exemple, il omet dans la partie géographique la description du nord-est de l'Afrique et de l'Asie centrale, ainsi que beaucoup d'autres passages, mais il ajoute une description de la partie de l'Europe qu'il appelle Germanie, au nord du Rhin et du Danube, et surtout la narration de deux voyages, l'un du Norvégien Othere qui atteignit la latitude de 71°15' et explora la mer Blanche au nord de la Scandinavie, l'autre du Danois Wulfstan, qui explora la Baltique jusqu'à la Vistule. Le voyage d'Othere, qui est aussi reproduit dans la collection des voyages de Hakluyt, est la première tentative d'expression littéraire de cet esprit de découverte qui animait alors les explorateurs nordiques et le roi saxon. La partie historique du livre est moins originale que la partie géographique ; Alfred en a omis de nombreux fragments, surtout parmi ceux traitant de la mythologie classique, et a ajouté quelques épisodes qu'il attribue à Orose, mais qui ne se trouvent pas dans l'original, et pour lesquels il s'est probablement servi de sources qui nous sont inconnues. Il y a de nombreuses erreurs dues soit au manque de connaissance de la matière et des lieux décrits par l'auteur, soit à une mauvaise interprétation des mots latins employés par Orose. Alfred cherche partout à mettre les événements historiques en relation avec la vie contemporaine : les campagnes des Grecs et des Romains le font penser aux guerres qu'il conduisit lui-même et ses commentaires sont souvent fondés sur une expérience personnelle. L'œuvre est attribuée à Alfred pour des raisons évidentes de langue et de style, bien qu'aucune preuve positive n'existe à l'appui de cette attribution ; William of Malmesbury fut le premier à associer son nom à la traduction dans ses *Gesta Rerum Anglorum*. — Trad. Paris, 1509.

HISTOIRE CRITIQUE DE L'ÉTABLISSEMENT DE LA MONARCHIE FRANÇAISE DANS LES GAULES. Œuvre de l'historien français Jean-Baptiste Du Bos (1670-1742), publiée en 1734. Le XVIIIe siècle voit fleurir des œuvres qui avaient été préparées par le vaste courant d'érudition du XVIIe siècle ; l'histoire en tant que science était née. L'ouvrage de l'abbé Du Bos est la mise en pratique des nouvelles méthodes historiques, qui faisaient ainsi leur apparition hors du cercle étroit des érudits. Dans cet ouvrage, l'abbé Du Bos entendait démontrer que les Francs furent appelés par les Gaulois eux-mêmes pour les gouverner. Malgré les sarcasmes dont Montesquieu couvrit cette œuvre et le caractère aventureux de la thèse qui y était exposée, l'*Histoire* de Du Bos avait le mérite de mettre à la portée du grand public les progrès de la science historique. La génération suivante, appliquant l'esprit philosophique à l'étude des mœurs et plus généralement à l'étude du passé, allait rechercher les lois générales du développement de la civilisation. Elle devait régénérer l'histoire et lui faire trouver une audience toujours plus grande.

HISTOIRE CRITIQUE DU VIEUX TESTAMENT. Ouvrage du théologien français Richard Simon (1638-1712). L'auteur était membre de la congrégation de l'Oratoire, fondée à Rome par saint Philippe Néri et qu'anima en France saint François de Paule. Cet ouvrage fut publié en 1678, et, contre la volonté de l'auteur, fut réimprimé à Amsterdam, par Elzévir, en 1680. Mis à l'Index en 1683, une nouvelle édition fut revue par l'auteur lui-même, en 1685, à Rotterdam. Par son argumentation qui s'inspire d'ailleurs d'une méthode philologique, fondée sur l'examen des textes bibliques, l'exégète cherche à rectifier les opinions relatives à la religion, en faisant fond sur les prophètes du peuple hébreu. Comme cet ouvrage mettait en cause certaines questions considérées comme fondamentales pour la foi catholique, Bossuet en fit détruire l'édition entière ; plus tard, s'élevant contre un nouvel ouvrage de Simon, il rédigea son œuvre de polémique *Défense de la tradition et des saints Pères* (*). Du fait de ses subtiles tendances rationalistes, lesquelles battaient en brèche l'esprit de l'*Ancien Testament* et les problèmes de la foi, l'*Histoire critique* fut violemment attaquée par le janséniste Arnauld. Ces attaques étaient à la mesure du caractère fondamentalement novateur de l'entreprise ; en jetant les bases de la critique historique et rationaliste de *La Bible* (*), Richard Simon sapait les fondements de mille cinq cents ans d'exégèse allégorique, théologique et dogmatique.

HISTOIRE D'AGATHON [*Geschichte des Agathon*]. Roman historique et philosophique de l'écrivain allemand Christoph Martin Wieland (1733-1813), qui parut en 1766 dans une première édition à laquelle succéda une seconde édition en 1773, augmentée du livre XII et de nombreuses corrections. L'édition définitive est datée de 1794 et contient un dialogue entre Agathon et Archytas, qui sert de fil conducteur à l'œuvre dans ses visées morales. « Histoire d'une âme » (l'âme d'Agathon en l'occurrence), tel est le titre que Wieland indique lui-même dans sa préface. L'action nous transporte à l'époque du plein épanouissement de la civilisation grecque, dans une atmosphère de culture et de raffinement. Agathon naquit à Corinthe, d'un père très riche et d'une mère extrêmement belle mais de condition modeste. Le père, contraint de cacher son union, a consacré l'enfant, dès l'âge de cinq ans, au temple de Delphes, afin qu'il reçoive une éducation en rapport avec son état. Initié aux mystères orphiques, Agathon a traversé une période d'exaltation mystique, qui correspond, dans la vie de Wieland, à la période de piétisme. Mais, parvenu à une certaine maturité d'esprit, il délaisse ces domaines obscurs et cherche à atteindre la pleine conscience, la pleine lumière. De la doctrine de Pythagore, il est passé à celle de

Platon. La véritable aventure, c'est la philosophie. La Pythie séduit le jeune Agathon, encore qu'il se sente attiré par l'amour très pur que lui inspire Psyché (peut-être Sophie Gutermann, mariée plus tard à Laroche), une toute jeune fille qui vit dans le temple, et qui partage avec lui l'infortune de ne pas connaître son père et sa mère. Mais, jalouse, la Pythie éloigne Psyché, à la recherche de laquelle se lance Agathon. Ayant retrouvé par hasard son père, Agathon apprend qu'il a une sœur, laquelle a été confiée à une nourrice, dans un pays éloigné. Ici se termine cette manière de prologue. Nous nous trouvons alors dans un petit bois où dansent les Bacchantes, lorsque des pirates font irruption et enlèvent les Bacchantes et Agathon. Après une entrevue brève autant que pathétique avec Psyché, sur le navire qui les arrache tous deux à leur patrie, Agathon est vendu sur le marché de Smyrne et devient l'esclave d'Hippias. Hippias est un sophiste célèbre qui décide de mettre à l'épreuve l'idéalisme que le jeune homme doit à Platon. Pour ce faire, il le délègue au service de la belle Danaé, créature des plus expertes dans les choses de l'amour ; Danaé s'éprend d'Agathon et le libère. De son côté Agathon, qui ne sait pas encore se défendre contre des aventures de cette sorte, oublie les enseignements dont il s'est nourri et, dans un moment d'ivresse plus poétique que sensuelle, s'abandonne à la volupté.

Cette chute passagère est plus le fait de la fantaisie que d'un appétit charnel. Mais les sarcasmes d'Hippias et le remords qu'il éprouve à cause de Psyché incitent Agathon à rentrer en possession de lui-même. Quand Hippias lui découvre que Danaé a eu de nombreuses liaisons, qu'elle a été la maîtresse d'Alcibiade et de Cyrus, Agathon est saisi d'horreur. À la suite de cette révélation, le jeune homme s'embarque pour Syracuse, croyant y rencontrer Platon. Mais celui-ci a déjà abandonné la cour de Denys. Agathon y devient ministre dans l'espoir de procurer le bonheur à la fois au peuple et au tyran. Mais il s'aperçoit que ni l'un ni l'autre n'ont l'âme assez élevée pour mériter ce bien. Tombé en disgrâce à la suite d'intrigues menées contre lui à la Cour, il est mis en prison. Libéré grâce à l'intervention d'un ami, il gagne Tarente où le philosophe Archytas l'aide à retrouver son équilibre moral. Un hasard le met en présence de Psyché, et lui fait découvrir qu'elle est sa sœur. À ce moment il revoit Danaé — véritable Marie-Madeleine —, qui a été amenée au repentir et qui n'aspire plus qu'à mener une vie exemplaire, de telle sorte qu'Agathon songe à l'épouser. Mais elle refuse et ils se jurent l'un à l'autre un éternel et platonique amour. Archytas enseignera ensuite au jeune homme comment rester fidèle à ses propres lois : il ne s'agit pas de nier en soi l'instinct animal, mais de le maîtriser grâce aux secours de l'esprit et de la raison. Agathon préfigure en quelque sorte l'homme idéal du « siècle des Lumières ». Archytas est un Wieland en pleine maturité, chez qui la raison a le pas sur le mysticisme et ses excès, tant poétiques que sensuels.

Agathon est le premier roman moral et philosophique qui, en Allemagne, ait posé le problème de la lutte entre l'idéal et la réalité : par là, il annonce le roman autobiographique. De plus, on doit à Wieland d'avoir reconstitué avec bonheur le cadre et la vie d'une époque ; une telle reconstitution, exigée par l'argument même de l'œuvre, n'avait jamais encore été tentée, et la réussite de Wieland devait inciter ses imitateurs à se risquer dans la même aventure, ce qu'ils firent avec plus ou moins de bonheur : qu'on en juge par *Ardinghello et les îles bienheureuses* (*) de Heinse, œuvre intéressante, mais d'une qualité bien inférieure. — Trad. Maradam, 1802.

HISTOIRE D'ALLEMAGNE de Lamprecht [*Deutsche Geschichte*]. Œuvre monumentale en douze volumes de l'historien allemand Karl Lamprecht (1856-1915), parue de 1891 à 1909. C'est une des plus caractéristiques constructions historiques allemandes de l'époque. Les cinq premiers volumes suscitèrent des critiques violentes : Rackfahl alla jusqu'à publier une liste des erreurs contenues dans celui qui est consacré au XIVe siècle, et mit en relief, sur des colonnes parallèles, les plagiats de l'auteur. Celui-ci répondit à ses détracteurs (en 1896), soutenant que la divergence entre la conception ancienne, qui considérait l'histoire comme une « excroissance des actes individuels », et la nouvelle, la sienne, qui attribue une importance décisive à l'action des facteurs sociaux et aux données de la psychologie collective, était inévitable, et donc suffisante pour expliquer la vivacité des attaques. Si Ranke est un individualiste qui recherche uniquement « comment le fait historique est advenu », il s'agit, au contraire, d'après la théorie de Lamprecht, d'établir « comment le fait a pris naissance », en précisant les causes matérielles et spirituelles qui lui ont donné vie. On peut donc considérer Lamprecht comme un historien de la culture qui, partant de l'étude de cette dernière et de la société dans leurs états réels, vise à déterminer les conditions qui interviennent dans la production du fait historique. À la différence de Burckhardt, qui se préoccupait principalement de l'aspect spirituel de la culture, Lamprecht s'efforce de coordonner tous ses éléments avec les facteurs économiques, essayant en même temps de dégager les multiples relations sociales qui en découlent. Il aspirait précisément aussi bien à une histoire-science exacte, qui aurait à la base de ses recherches le même principe de causalité qui domine dans les recherches biologiques naturelles, qu'à une histoire de la civilisation qui embrasserait les moments les plus divers de la vie d'une nation, du phénomène économique à la production artistique, et les reconstruirait en un tout cohérent, donnant ainsi la plus grande valeur aux manifestations collectives. Il fut, en fait, un des historiens les plus subjectifs et les plus unilatéraux, chez qui les préoccupations économiques et sociales apparaissent prédominantes selon la tendance de son temps.

Un des buts importants de son travail fut de retracer le développement de la conscience germanique, car il croyait à l'existence d'une âme populaire nationale, se développant selon les lois immanentes bien qu'influencées par les multiples actions extérieures. Il donne par conséquent un grand relief aux figures d'Henri l'Oiseleur, jugé comme le véritable fondateur de l'Empire germanique, et de Othon III. Parmi les différents sujets traités dans les parties suivantes, on remarque de grandes disproportions : ainsi, un long chapitre est consacré, au volume VI, à la seule musique ancienne et au perfectionnement des instruments. Quoi qu'il en soit, les sections qui traitent de la littérature, de la philosophie et de l'art, sans compter les pages sur Kant et Beethoven, sont magistrales. Les trois volumes supplémentaires regardent l'histoire allemande à partir de 1870 : le premier s'occupe de l'art et de la science en général ; le second des phénomènes de la vie économique ; le troisième traite de la politique intérieure et extérieure de l'Allemagne. Le défaut principal de l'œuvre est de situer à une place secondaire les phénomènes de la vie politique, par rapport aux phénomènes sociaux. À part cela – et malgré les nombreuses inexactitudes ainsi qu'une tendance pangermaniste souvent évidente – elle constitue une mine d'informations et une vision grandiose de la vie du peuple germanique.

HISTOIRE D'AMOUR (Une) [*Eine Liebesgeschichte*]. Nouvelle de l'écrivain allemand Carl Zuckmayer (1896-1977), publiée en 1934. L'auteur aime choisir les héros de ses pièces – v. *Le Général du diable* (*) – et de ses nouvelles dans les milieux les plus profondément allemands : chez les soldats et les êtres qui ont le mieux gardé l'empreinte de leur pays natal. Ses personnages sont le plus souvent pleins de vie et de vérité ; leur tragique vient de ce que, attirés par ce qui leur est étranger et ne leur convient pas, ils reconnaissent trop tard l'indissolubilité des liens qui les rattachent à leur milieu. Et c'est ce déchirement qui cause leur perte. *Une histoire d'amour* se passe à Brandebourg, berceau du prussianisme, au temps de Frédéric II, après les guerres de Silésie. Les officiers de la garnison fêtent la Saint-Sylvestre. Et Zuckmayer en profite pour décrire parfaitement les Prussiens, fils spirituels des ascètes de l'Ordre teutonique, qui ont remplacé la croix par l'aigle et pour qui l'accomplissement suprême n'est plus Dieu, mais la mort. Mais cette nuit marque le commencement d'une « histoire d'amour » qui entraînera ses protagonistes, Lili et le très jeune capitaine de cavalerie von Fredersdorf, dans les labyrinthes du cœur. Cependant, aux yeux de l'officier prussien, le courage, l'amour et la mort sont les trois degrés par lesquels l'homme échappe aux désordres de la vie. Aussi Fredersdorf combat-il avec énergie l'ordre social de son temps, dont il semblait presque impossible de vaincre les préjugés. Une fois son but atteint, le jour de son mariage et de son adieu à son régiment, il se donne la mort. Zuckmayer est avant tout un homme de théâtre, et ses récits donnent toujours l'impression d'être l'esquisse d'une pièce, avec leurs dialogues faits pour être dits et leurs descriptions minutieuses de gestes, d'attitudes.

HISTOIRE D'ANGLETERRE de Hume [*History of Great Britain*]. Ouvrage du philosophe et historien écossais David Hume (1711-1776). Ayant à sa disposition la bibliothèque de la faculté de droit d'Édimbourg, Hume se mit, sans beaucoup de préparation, à écrire une histoire populaire ayant pour but de retracer le processus par lequel, à son avis, la nation avait obtenu le système de gouvernement libéral alors en vigueur. Il commença donc son histoire au règne de Jacques Ier sous lequel, d'après lui, la Chambre des communes commença à redresser la tête, faisant éclore le conflit entre le privilège et la prérogative. Le premier volume rencontra une réprobation presque universelle ; on accusa l'auteur de préjugés contre le régime libéral. Bien que Hume n'admette pas le principe divin ni l'origine contractuelle de l'autorité souveraine, il reconnaît que le but d'un gouvernement est le bien public et que la monarchie tire de là toute sa force, et, tout en reconnaissant que l'insurrection peut parfois se justifier, il estime cette doctrine trop dangereuse pour que sa diffusion soit opportune. C'est sous cet angle qu'il jugeait la révolution contre les Stuarts. Pour lui, les libertés fondamentales de la nation étaient des « privilèges » dépendant plus ou moins de la volonté et de la puissance de la monarchie ; et Charles Ier, même quand il dépassait les bornes, défendait sa position légitime de roi absolu contre le Parlement, car les libertés conquises par le Parlement, pour précieuses qu'elles fussent, avaient été obtenues par des moyens condamnables. Hume, sceptique, n'accordait aucune valeur aux mobiles religieux des hommes politiques ; il confondait toutes les sectes sous le nom de « puritain », « malheureux fanatiques, ennemis de la libre pensée et des belles lettres ». Le deuxième volume, paru en 1756, partait de la révolution de 1688 et était moins hostile aux « Whigs », car ceux-ci étant, à cette époque, désormais en possession de leurs prérogatives, Charles II et Jacques II firent figure de violateurs de l'ordre établi. Les deux volumes suivants, publiés en 1759, revenaient à la période des Tudors. Là encore, l'auteur regarde les actes d'Élisabeth comme les preuves de reconnaissance de son droit à passer outre à l'approbation du Parlement et à exercer une souveraineté absolue. C'est de la même manière qu'il envisage, dans les deux volumes parus ensuite, en 1761, les règnes des monarques du Moyen Âge, de Jules César à Henry VII. Partageant le mépris de Voltaire pour le « barbare » Moyen Âge, il estime que toute concession du souverain diminuant son pouvoir eût été nuisible. Hume renonça enfin à conduire son *Histoire* jusqu'en 1714, suivant son plan initial. Cependant l'ouvrage était devenu populaire et assura à l'auteur indépendance et aisance. Parmi les chefs-d'œuvre historiques, l'*Histoire d'Angleterre* mérite une place éminente : la phrase est partout harmonieuse et pleine d'aisance, on n'y ressent jamais l'effort de l'écrivain. Toutefois ce style châtié, mais froid, donne une impression de monotonie et de sécheresse. Par contre, on admire le don qu'a l'auteur de dramatiser les événements par une savante gradation, sans se perdre dans d'inutiles digressions. Aujourd'hui encore, l'*Histoire d'Angleterre* reste un modèle de style historique, bien qu'on n'y ait plus recours pour s'éclairer sur la formation de l'Angleterre moderne. — Trad. Boisgard, 1853.

HISTOIRE D'ANGLETERRE DEPUIS L'AVÈNEMENT DE JACQUES II [*History of England*]. Ouvrage de l'historien anglais Thomas Babington Macaulay (1800-1859). Les deux premiers volumes parurent en 1848 ; deux suivirent en 1855 et la sœur de l'auteur, lady Trevelyan, mit la main au cinquième tome qu'elle publia après la mort de son frère, en 1861. Le premier chapitre résume sommairement l'histoire de l'Angleterre, de l'époque de la domination romaine à celle de la restauration des Stuarts. Dans les vingt-cinq chapitres suivants, l'auteur, faisant état des conditions politiques et sociales de l'Angleterre, rapporte longuement et par le détail les faits survenus sous Jacques II, puis sous Guillaume d'Orange et la reine Mary et enfin sous Guillaume III, jusqu'aux premières années du XVIIIe siècle. Macaulay avait l'intention d'écrire l'histoire de l'Angleterre, de la révolution de 1688 à la mort de George III. L'ouvrage connut un succès comparable à celui des romans de Scott et de Dickens et des nouvelles en vers de Byron. L'édition des troisième et quatrième volumes atteignit aux États-Unis un tirage sans précédent, dépassé seulement par celui de *La Bible*. Mais il ne semble pas que le verdict de la postérité soit aussi enthousiaste que celui des contemporains. Homme politique belliqueux, député whig, puis pair d'Angleterre, Macaulay laisse paraître, même lorsqu'il évoque des événements lointains, un esprit passionné et partisan. Son *Histoire,* a-t-on pu dire, est trop pleine de lumière et comporte trop peu d'ombre, les hommes et les choses y sont représentés au gré des sympathies et des antipathies de l'auteur qui est un apôtre du libéralisme. L'œuvre nous séduit cependant encore par son style brillant, imagé, varié et plein de ressources. — Trad. Charpentier, 1883 ; Laffont, 1989.

HISTOIRE D'ANOUP ET DE BATA, DEUX FRÈRES. Récit égyptien qui nous est parvenu par le document connu sous le nom de « Papyrus Orbiney ». Ce manuscrit remonte à la fin de la XIXe dynastie (1210 avant J.-C.). Après avoir appartenu à une Anglaise, Élisabeth Orbiney, il se trouve aujourd'hui au département égyptien du British Museum. Il porte à la fin la signature du copiste. Ce fut le premier texte littéraire de l'Antiquité égyptienne connu en Europe. Deux frères sont les héros de cette histoire. L'aîné, Anoup (pour les Grecs, Anubis), est marié et possède une maison ; l'autre, Bata, lui sert d'homme de peine. Au temps des semailles, Bata apporte des graines à son frère et trouve sa belle-sœur en train de se coiffer. Elle regarde avidement ce jeune homme vigoureux, et ne peut cacher le désir qui s'empare d'elle. Faisant fi de ses avances, Bata la semonce vertement : après quoi, il retourne au champ et y travaille jusqu'au soir, sans interruption. Anoup rentre le premier, trouve sa femme étendue par terre. Elle lui raconte que Bata l'a maltraitée, après avoir tenté en vain de lui faire violence. Anoup alors aiguise son couteau et se poste derrière la porte de l'étable pour tuer son jeune frère, lorsqu'il ramènera les vaches du pâturage. Mais des vaches aperçoivent Anoup, préviennent aussitôt Bata, lequel s'enfuit en invoquant l'aide du dieu Rê : pour arrêter le poursuivant apparaît soudain un grand ruban d'eau peuplée de crocodiles. Mais, en s'enfuyant, Bata a eu le temps de crier la vérité à son frère. Anoup, désolé d'avoir été injuste envers lui, rentre à la maison, tue sa femme et jette aux chiens ses membres. Quant à Bata, il s'en va seul dans la Vallée du Cèdre. Là, il s'arrache le cœur et le place au sommet d'un cèdre, dont la mort doit entraîner sa propre mort. Un signal convenu avertira Anoup de son trépas ; il devra se mettre alors à la recherche du cœur de Bata, encore même cette recherche durerait-elle des années. Dès qu'il l'aura trouvé, il le mettra dans un vase d'eau fraîche afin que Bata revive.

Bata, dans sa solitude, vit de chasse. Un jour, en se promenant, il rencontre la grande Ennéade divine. Les dieux s'intéressent à ses aventures et à sa triste condition ; ils décident de lui donner une compagne en créant pour lui une femme très belle, plus belle qu'aucune créature, mais dont les sept déesses Hathor prophétisent la mort violente. Bata commet l'imprudence de lui raconter son passé, de lui révéler que sa vie est liée à celle du cèdre qui ombrage leur maison. Dès ce moment les événements deviennent encore plus étranges : une boucle de cheveux de la femme, arrachée par une branche de cèdre, est transportée par le fleuve et échoue à l'intérieur du lavoir royal. Aussitôt on la porte au Pharaon qui ordonne que l'on recherche, pour l'amener à la cour, la femme qui possède d'aussi beaux cheveux. Sitôt dit, sitôt fait. Amenée devant le Pharaon, la jeune femme le supplie de faire abattre le cèdre, pour la débarrasser de son premier mari. Le cœur tombe de l'arbre et Bata meurt sur le coup. Anoup, averti par le signal convenu de la mort de son frère, réussit à retrouver son cœur et le plonge dans un vase d'eau fraîche. Revenu à la vie sous la forme d'un jeune taureau, Bata part avec son frère pour la cour. Là, il se fait reconnaître de sa femme qui, prise de peur, ordonne qu'on le mette à mort. De deux gouttes de son sang naissent deux persias. Et Bata se manifeste de nouveau à sa femme. Celle-ci, inquiète, ordonne qu'on abatte les deux arbres pour lui en faire de beaux meubles. Tandis que les menuisiers exécutent sa commande, un copeau s'envole et vient se nicher dans les boucles de la reine. Elle conçoit alors et met au monde un enfant qui n'est autre que Bata, encore une fois ressuscité. Adopté par le Pharaon, il est nommé prince héréditaire et montera un jour sur le trône. Le récit se termine par la nouvelle du jugement et du châtiment de la femme, alors qu'Anoup, frère de Bata, se voit décerner les honneurs.

Le texte est d'une grande richesse thématique et symbolique. La première partie appartient au domaine classique de la fable où se retrouvent Joseph et la Putiphar, Phèdre et Hippolyte ; la dernière partie reste l'expression de grands mythes égyptiens autour de la vie, de la mort et de la résurrection. Le taureau et l'arbre sont respectivement les formes prises par Rê (l'astre qui renaît à chaque aube) et Osiris (assurant les principes de renouvellement de la végétation et de la fécondation par l'eau du Nil à chaque crue). Ce texte est donc aussi une grande leçon spirituelle. — Trad. *Romans et Contes égyptiens de l'époque pharaonique*, Maisonneuve, 1982 ; *Textes sacrés et textes profanes de l'ancienne Égypte*, t. II, Gallimard, 1987.

HISTOIRE DE BAMBI ou Une vie dans la forêt [*Bambi. Eine Lebensgeschichte aus dem Walde*]. Œuvre de l'écrivain et critique de théâtre autrichien Felix Salten (1868-1945), publiée en 1928. Bambi, qui a battu un véritable record mondial par le nombre des éditions et des traductions, a été rendu plus populaire encore par le film qu'en a tiré Walt Disney. John Galsworthy, dans une préface à une édition anglo-américaine, écrit : « Ce qui est remarquable dans ce livre, c'est que les paroles attribuées aux créatures du monde animal expriment les sentiments réels et propres à ces créatures. » C'est en effet un livre de poète, mais c'est aussi un livre plein de douloureuse résignation, malgré les rires francs que provoquent souvent les animaux de la forêt comme l'ami lièvre, la pie, le hibou. La naissance du chevreuil Bambi, ses premiers pas dans le pré, ses conversations avec la sauterelle et le papillon, sa rencontre avec les pères chevreuils et avec leur vieux souverain, la chute des feuilles, la venue de l'hiver dans la forêt, tout cela est écrit de façon très poétique qui rappelle certaines scènes de *Hansel et Gretel* (*) ou des *Contes* de Perrault — v. *Histoires et Contes du temps passé* (*). Mais surtout il se dégage de cette vie dans la forêt et de ses événements une tristesse angoissée due à la crainte du destin fatal qu'« il » représente (l'homme n'est jamais nommé autrement). « Lui » dont la troisième main (le fusil) fait tant de victimes — et parmi celles-ci la mère de Bambi et l'imprudent cousin Gobo qui pensait que jamais « il » ne voudrait faire du mal à un chevreuil qui a toujours paisiblement vécu. Les animaux de la forêt le croient tout-puissant. Et ce n'est qu'à la fin de sa vie que le souverain des chevreuils fera au prince Bambi, devant la dépouille d'un braconnier, cette grande révélation : « Même "sa" puissance est limitée. Il y a au-dessus de "lui" une puissance supérieure qui règle sa vie et sa mort. » Le vieux souverain apprend alors au jeune Bambi cette autre vérité : que la solitude est le couronnement de toute forme d'existence. « Ne sais-tu pas rester seul ? » lui demande-t-il. Bambi, devenu grand, abandonne les jeux charmants des autres chevreuils et même la douce Faline, qu'il aime, pour vivre seul dans la forêt, comme le vieux roi. Et aux petits chevreuils, Geno et Gurri, qu'il a eus de Faline, il redira avec la même sérénité que le vieux souverain : « Ne sais-tu pas rester seul ? » Dans *Les Fils de Bambi* [*Bambis Kinder*], Salten raconte les événements et les aventures « d'une famille dans la forêt ». Salten a également dédié d'autres livres à d'autres habitants de la forêt : *Perri ou la Jeunesse d'un écureuil* [*Die Jugend des Eichhörnchens Perri*] et *Quinze destinées de levrauts* [*Fünfzehn Hasenschicksale*, 1929], histoire des enfants de l'ami lièvre. Tous ces livres montrent l'intime communion du poète avec la nature, son observation attentive et sa profonde compréhension de la vie des animaux, mais aucun n'égale la grâce suggestive de *Bambi*. — Trad. Hachette, 1949.

HISTOIRE DE BAYHAQI [*Tarikh-é Bayhaqi*]. Œuvre de l'historien persan Abol-Fazl Bayhaqi (995-1077), appelée aussi *Histoire de Mas'oud*. Il ne s'agit que d'une partie (volumes 5 à 10) de l'ouvrage monumental de trente volumes, commencé en 1018 par son auteur, qui portait le titre général de *Somme d'histoires* [*Jâmé' al-tavârikh*] ou *Histoire de la dynastie de Sabouktaguîn* [*Tarikh-é Âl-é Sabuktagîn*] : chaque partie devait porter un titre.

La première partie concernait Sabouktaguîn, la seconde Mahmoud le Ghaznévide : elles représentaient à elles deux les quatre premiers volumes. Les exemplaires de la partie qui nous reste relatent le règne de Mas'oud et s'arrêtent en 1040, un an avant la fin de son règne. Cette partie a certainement été rédigée en 1059, date que l'auteur mentionne plusieurs fois, à partir des notes qu'il possède depuis 1018.

L'*Histoire de Bayhaqi*, telle que nous la possédons, commence à la fin du règne de l'émir Mohammad, puis concerne Mas'oud. Celui-ci est décrit comme administrateur et diplomate, et non comme militaire, homme de lettres et chef religieux, qualités que l'auteur a, semble-t-il, examinées pour Mahmoud. La correspondance de Mas'oud est utilisée comme forme de narration, notamment dans l'échange de lettres avec son frère Mohammad, lorsque l'auteur veut décrire la guerre entre les deux frères. Son originalité se manifeste dans le portrait de Mas'oud, qui diffère tout à fait de la description qu'en font les autres historiens de l'époque : par exemple, l'auteur anonyme de l'*Histoire du Sistân* ne s'intéresse qu'aux faits militaires de ce monarque, qui, en outre, n'est pas réputé pour être un excellent diplomate. On sent que l'ouvrage de Bayhaqi n'est pas écrit par un historien de métier, mais par un secrétaire de chancellerie, s'attachant à toutes les notes qu'il a prises durant sa fonction. Il est « destiné à un assez petit nombre d'hommes très cultivés, curieux des détails de l'histoire » (G. Lazard). M.-H. P.

HISTOIRE DE BELGIQUE. Le grand historien belge d'expression française Henri Pirenne (1862-1935) avait déjà acquis une renommée internationale avec ses nombreux ouvrages sur le Moyen Âge et surtout sur le Moyen Âge dans les Flandres — v. *Histoire de l'Europe* dans l'article *Histoire générale* (*) —, quand il entreprit de faire paraître, en 1910, le premier volume de son *Histoire de Belgique*, qui devait en compter sept (1899-1932). L'histoire de Belgique avait déjà fait l'objet d'un certain nombre de travaux historiques, mais tous avaient été limités par une conception très étroite de la nationalité belge. Pirenne, au contraire, cherche la clé de l'histoire de son pays dans l'histoire des grands États qui l'entourent et qui exercèrent une telle influence, souvent contradictoire d'ailleurs, sur ses destinées. Il s'efforce avant tout de déterminer quel fut le principe de son unification ; il montre que cette unité n'est ni géographique, ni raciale, ni linguistique, ni même au début politique, que la conscience nationale belge ne s'est formée qu'à partir d'une communauté de besoins et d'aspirations, et qu'elle constitue l'aboutissement d'une lente maturation des forces historiques en présence. La formation de la Belgique apparaît donc comme l'expression d'une volonté collective. L'historien suit, pas à pas, la formation de cette conscience nationale. Champ de bataille de l'Europe, la Belgique a été, de tout temps, la grande voie par où s'effectuent les échanges commerciaux entre le Nord et le Sud, le trait d'union entre les civilisations latine et germanique. La Flandre, qui relève longtemps de la couronne de Flandre, se pénètre de sa culture du XIIᵉ au XIVᵉ siècle, tandis que dans la principauté de Liège, vassale de l'Empire, c'est surtout l'influence allemande qui s'exerce. Étudiant les commencements de cette histoire, Pirenne, loin de s'embarrasser de détails accessoires, insiste surtout sur le détachement progressif de la Flandre par rapport à la France et de la Lotharingie par rapport à l'Empire ; il expose comment naquit une civilisation commune, faite d'emprunts aux grandes civilisations qui l'entouraient, mais dont la fusion est originale ; il accorde une place prépondérante, dans la formation de la conscience nationale, aux principautés bilingues : Liège, le Brabant, la Flandre, et étudie la vie économique et la vie urbaine des riches cités flamandes. Ses aperçus sur le développement de l'industrie lainière sont justement célèbres. Ce n'est qu'avec la formation de l'État bourguignon que Pirenne donne une plus grande importance à la vie politique ; ainsi qu'avec les époques où le pays joua un rôle actif dans la politique européenne : par exemple pour la période qui s'étend de la mort de Requescens à celle de Don Juan d'Autriche. La période suivante, celle de la restauration monarchique et catholique, qui commence avec Alexandre Farnèse pour atteindre son apogée sous le gouvernement d'Albert et Isabelle, n'avait pas encore été étudiée et Pirenne comble, dans son ouvrage, une grave lacune de l'histoire de la Belgique. Partout ailleurs, les événements politiques et militaires cèdent le pas à l'étude des institutions, de la vie économique et sociale, des mouvements intellectuels. L'auteur met en valeur la continuité de la conscience nationale, qui, à trois reprises, au XVIᵉ siècle contre l'Espagne, au XVIIIᵉ contre l'Autriche, au XIXᵉ contre la Hollande (révolution de 1830), s'est soulevée spontanément contre la domination étrangère.

L'*Histoire de Belgique* eut, dès sa parution, un grand retentissement, en particulier en Allemagne où elle fut aussitôt traduite. Henri Pirenne donnait enfin à son pays la certitude que sa formation politique et morale était le résultat d'une évolution longue et continue ; il replaçait la Belgique dans le mouvement général de la civilisation occidentale et montrait quel rôle elle y avait joué. Le style de Pirenne décèle un écrivain sobre et exact, un grand érudit toujours maître de son sujet, un homme d'une intelligence claire et largement ouverte aux idées générales.

HISTOIRE DE CELUI QUI S'EN ALLA DE PAR LE MONDE POUR APPRENDRE À FRISSONNER [*Mär-*

chen von einem, der auszog um das Fürchten zu lernen]. Conte des écrivains allemands Jacob (1785-1863) et Wilhelm (1786-1859) Grimm. Un jeune homme voudrait savoir ce qu'est la peur. Un sacristain qui se charge de la lui enseigner en perd la vie : il s'était déguisé afin de l'effrayer, mais l'autre l'assomme au lieu de s'enfuir. Chassé du logis, il arrive en un lieu où se dresse un château enchanté : là vivent des esprits malfaisants qui gardent un trésor au moyen de sortilèges si terribles que nul n'ose y pénétrer. En vain le roi a-t-il promis sa fille à celui qui saura rompre l'enchantement et lui remettra le trésor. Notre héros sort vainqueur de l'épreuve et épouse la princesse. Mais il ignore toujours la peur. À sa jeune femme revient l'honneur de mettre un terme à son ignorance : en effet, pendant son sommeil, elle verse sur lui un seau d'eau glacée, ce qui lui arrache un double cri : d'effroi d'abord et de joie : « Enfin, je sais à présent ce qu'est la peur ! » Ce conte recueilli par les frères Grimm au cours de leurs recherches sur la poésie populaire germanique reprend un thème initiatique très fréquent dans l'ensemble des littératures orales. — Trad. Poitiers, 1936.

HISTOIRE DE CHARLES XII. C'est la première œuvre historique de l'écrivain français Voltaire (François-Marie Arouet, 1694-1778). Voltaire ne s'était encore fait connaître que par sa tragédie *Œdipe* (*) et *La Ligue*, premier titre de *La Henriade* (*), ainsi que par ses poèmes de circonstance. En Angleterre, où il avait été contraint de s'exiler, il avait recueilli de nouveaux documents sur Charles XII et écrit la plus grande partie de son *Histoire*. Il l'acheva à son retour à Paris, mais l'impression en fut interdite. C'est pourquoi l'*Histoire de Charles XII* parut à Rouen dans une édition semi-clandestine en 1731, trois ans avant la parution des *Lettres philosophiques* (*). Voltaire n'était pas le premier à écrire sur ce singulier personnage, mais il sut renouveler complètement le sujet et faire oublier les œuvres de ses prédécesseurs. D'une part, il avait su recueillir un très grand nombre de documents de première main et en particulier les souvenirs des personnages qui avaient connu le roi de Suède : le roi de Pologne, Stanislas Leczinski, d'anciens ambassadeurs : Colbert de Croissy, Fierville, des Alleurs ; des gentilshommes attachés à Charles XII : Poniatowski, Villelongue. Il avait rencontré autrefois Goertz, le ministre de Charles XII, dont il est si souvent question dans son livre ; enfin, à Londres, il avait fait la connaissance de Fabrice, chambellan de George Ier d'Angleterre, qui avait passé sept ans à la cour de Suède. Son *Histoire* s'appuie donc sur les témoignages précis et personnels des contemporains. D'autre part, il entend être un novateur dans la manière d'écrire l'histoire. Il réprouve la conception classique qui astreignait l'historien à des règles littéraires et l'obligeait à donner une portée morale à son œuvre. Voltaire entend donner, lui, un exemple de l'indépendance absolue qui doit caractériser l'œuvre historique. S'il a choisi le personnage de Charles XII, c'est tout d'abord parce qu'il était à la mode ; c'est ensuite parce qu'il avait été séduit par la singularité des aventures de ce monarque, le cliquetis des batailles, l'énormité des desseins de Charles XII, héros quelque peu anachronique des temps modernes. L'ouvrage est divisé en huit livres et suit un ordre à la fois chronologique et synchronique. Le roi est, en quelque sorte, le héros d'une action dramatique qui se développe sur plusieurs actes, comprenant eux-mêmes un certain nombre d'épisodes. Le caractère du souverain, personnage aux desseins quelque peu extravagants mais à la volonté opiniâtre, est d'abord esquissé à larges traits, puis l'auteur commence le récit de ses campagnes. On le voit d'abord triomphant à la suite d'expéditions militaires éclairs contre Frédéric IV de Danemark, contre Auguste II de Saxe, roi de Pologne, et contre Pierre le Grand, tsar de Russie. Charles XII semble régenter, pour un temps, le nord de l'Europe : il donne à la Pologne un nouveau roi. Voltaire a su donner le ton qui convenait à son récit, rapide et épique. Il fait preuve d'un souci moderne d'exactitude, cite ses références et commente les coutumes et institutions qu'il mentionne. Puis le destin tourne et Charles XII s'acharne dans la voie qu'il a prise : ce sont la bataille de Narva, la défaite de Poltava, sa résistance à Bender et à Varnitza. Amené par le cours de la guerre jusqu'aux frontières de la Turquie, coupé de ses bases, Charles XII a trouvé un adversaire digne de lui, Pierre le Grand, mais il résiste encore. Voltaire suit, pas à pas, son héros vers la défaite inévitable ; il nous rend sensible l'encerclement progressif auquel Charles XII, victime de ses folles ambitions et de sa grandeur, n'échappera que par la mort. Avec un accent dramatique mais toujours mesuré, il fait revivre, devant nous, la personnalité de ce roi indomptable qui espérait forcer le destin par la seule puissance de sa volonté. Seule la mort, au siège de Frederickshald, brise le rythme haletant de ses folles expéditions guerrières qui ont épuisé le pays et mis son trône en péril.

Jamais, dans le cours de l'œuvre, l'historien ne s'arroge le droit de juger : il veut, avant tout, demeurer objectif. Voltaire semble éprouver à l'égard de Charles XII un mélange d'admiration et de dédain, mais le but essentiel est de créer une véritable discipline historique, appuyée seulement sur l'objectivité et la curiosité. Avec Charles XII, il avait habilement choisi son sujet : l'attention de l'Europe entière était excitée par cet extraordinaire destin ; mais l'intérêt ne devait pas cesser avec la mode : la vie qui se dégage encore de ces pages et qui faisait dire à Condorcet que l'*Histoire de Charles XII* « n'avait de romanesque que l'intérêt », la vivacité et la sobre élégance du style font de ce livre une œuvre qui n'a pas vieilli ; et encore de nos jours, elle n'est pas moins estimée des historiens que des littérateurs. Enfin, elle demeure la première histoire moderne de notre littérature, conforme à cette nouvelle conception que Fénelon avait déjà prônée dans sa *Lettre à l'Académie* (*).

HISTOIRE DE CORDE (Une) [*Manillaköysi*]. Roman de l'écrivain finlandais d'expression finnoise Veijo Meri (né en 1928), publié en 1957. C'est l'œuvre la plus connue de l'auteur, et à juste titre : on y retrouve en effet toutes les qualités, tous les traits caractéristiques de sa prose.

Une histoire de corde est une histoire de guerre. Trop jeune pour l'avoir connue au front, Meri n'en a pas moins été marqué par la guerre, qu'il aborde, comme pour l'exorciser, dans la plupart de ses œuvres. Une guerre qui révèle l'homme face à l'absurde : rien de logique n'y subsiste, tout y est irrationnel, les faits, les hommes pris dans leurs tenailles. Succession des enchaînements, rapports de causalité ? La guerre a tout balayé.

Voilà donc Joose, le héros : il a trouvé par terre une corde, qu'il veut ramener chez lui quand il part en permission. Il s'en va donc avec sa corde, qu'il doit dissimuler aux autorités militaires : elle est enroulée tout autour de son corps, sous ses vêtements. Le roman raconte en près de cent cinquante pages son voyage en train du front oriental jusqu'en Finlande centrale. Une corde, qui pourra éventuellement servir à tendre le linge : une chose insignifiante, pour laquelle Joose investit cependant toutes ses énergies, son habileté, son instinct vital : « Cette guerre ne m'a apporté que bleus et contusions. Et je n'en tirerai rien d'autre, si ce n'est cette corde », dit-il au début du roman. À cause d'elle, son voyage sera aventureux : il échappe de justesse à la police militaire, ses camarades de voyage, inquiets de voir qu'il ne se réveille pas, sont sur le point d'ouvrir sa chemise... La corde le gêne pour respirer... Le tout pour que sa femme, lorsqu'il arrive, à bout de forces, au point de perdre connaissance en se déshabillant, coupe pour le libérer la précieuse corde en mille morceaux...

La narration est dépouillée, laconique : Joose et le lecteur se meuvent dans un monde brumeux, aux contours incertains, dépourvu de repères. Meri est un écrivain de l'implicite, c'est au lecteur de reconstituer les chaînons manquants, de deviner à qui font référence les pronoms (dans une langue qui ignore la distinction de genre...). Parfois, imperceptiblement, le point de vue varie : le récit est entrecoupé d'anecdotes racontées par d'autres personnages, de contes. Le lecteur s'abandonne à cet univers kaléidoscopique, qu'il faut bien appeler absurde, mais dont les glissements s'imposent jusqu'à anéantir la limite entre raison et déraison, comme le montre l'anecdote de l'adjudant-chef fou : un « fou » qui impose à ses hommes un entraînement fructueux, qui neutralise un malade mental par une menace absurde dont il semble convaincu, et finit par mourir sous la balle d'un caporal paranoïaque... — Trad. Éditions du Temps, 1962 ; Plein chant, 1988. E. T.

HISTOIRE DE DIX ANS, 1830-1840. Ouvrage de l'écrivain politique Jean Joseph Louis Blanc (1811-1882), publié en cinq volumes de 1841 à 1844 : c'est un réquisitoire éloquent et passionné contre le gouvernement « bourgeois » de Louis-Philippe, qui se termine par une peinture de la société française à l'avènement de la monarchie orléaniste. L'auteur a l'intention de « juger les hommes et les choses, sans manquer à la justice et sans trahir la vérité » ; il est tout inspiré des principes de la démocratie, celle-ci étant considérée comme l'unique possibilité de salut de la nation au milieu de tant de changements de dynasties et de régimes ; il veut affirmer sa foi politique toute consacrée au bien du peuple. La cause des nobles, des riches, des heureux n'est pas la sienne. Mais sa tâche sera de montrer, sous l'apparent bien-être social instauré par le gouvernement débonnaire et sceptique de Louis-Philippe, une nouvelle trahison du peuple : il accorde une attention particulière au système économique, stigmatise les vices du régime industriel, qui porte l'anarchie dans la constitution des pouvoirs et entraîne le malheur des travailleurs. L'« abandon du pauvre » consommé par la bourgeoisie égoïste d'un règne que l'Europe a cru libéral est un grave malheur : on en verra les conséquences. L'auteur devait poursuivre sa recherche dans les années postérieures à 1840, elle fut interrompue par la révolution de Février et l'ouvrage constitua un acte d'accusation, qui contribua fortement à soulever les esprits et à provoquer la chute du gouvernement de Louis-Philippe. Les références réunies par Louis Blanc font de son ouvrage un document de premier ordre sur la monarchie de Juillet.

HISTOIRE DE DON PABLO DE SÉGOVIE [*Historia de la vida del Buscón, llamado don Pablo, ejemplo de vagamundos y espejo de tacaños*]. Roman picaresque de l'écrivain espagnol Francisco de Quevedo y Villegas (1580-1645), publié à Saragosse en 1626, mais écrit sûrement à une date antérieure ; suivant les différentes opinions des critiques, qu'ils s'appuient sur des indications fournies par le texte lui-même ou sur des éléments documentaires étrangers au roman, celui-ci aurait été composé entre 1601 et 1608. La date la plus sûre semble devoir être 1603. Connue aussi sous le titre de *Historia y vida del gran tacaño* ou, plus brièvement, *El gran tacaño*, l'œuvre dut circuler, sous forme de manuscrit, pendant nombre d'années ; un de ces manuscrits, non autographe, intitulé *La* *vida del Buscavida por otro nombre don Pablo* et qui fut trouvé dans la bibliothèque de Menéndez y Pelayo, présente de telles différences par rapport à la rédaction imprimée – évidemment expurgée par la censure – que l'on peut penser qu'il s'agit là de la rédaction originale ; c'est à ce titre qu'il fut édité par A. Castro en 1908. Nous nous trouvons devant l'une des expressions les plus originales de la littérature picaresque. Publié après le *Guzmán de Alfarache* (*) de Mateo Alemán et le *Marcos de Obregón* (*) de Vicente Espinel, l'*Histoire de don Pablo de Ségovie*, tout en se situant au terme de l'évolution du roman picaresque, retrouve, par-dessus les innovations de ces deux dernières œuvres, le style pur et direct qui accompagna la naissance du genre. L'influence des *Aventures de Lazarille de Tormes* (*), dont il se rapproche par le schéma général et par l'extrême simplification des épisodes, y est prépondérante...

Le « pícaro » – qui parle de lui-même comme de don Pablo de Ségovie – commence sa narration par la présentation de ses parents : un barbier voleur et une diseuse de bonne aventure, qui ne sont pas d'accord sur le métier qu'il faudrait donner à leur fils ; l'un voudrait l'acheminer vers la profession libérale du voleur, l'autre voudrait lui faire suivre les traces maternelles. Mais Pablo prétend à une vie meilleure, et on l'envoie à l'école, où il fait connaissance avec la méchanceté de ses camarades qui le persécutent par des allusions ouvertes aux mérites professionnels de ses parents. Il n'en commence pas moins son ascension en devenant ami intime de don Diego, fils du chevalier don Alonzo Coronel de Zuñiga. Pendant une chevauchée carnavalesque, le cheval de Pablo cueille un chou en passant devant l'étalage d'un maraîcher, et le broute ; il s'ensuit un grand chahut, et les étudiants doivent s'enfuir sous une grêle de légumes ; Pablo, en piteux état par suite de la bataille, se soustrait, en se réfugiant dans la maison de don Diego, aux poursuites de ses parents : ceux-ci sont fort en colère d'avoir appris que le cheval qu'il montait est mort. On envoie Pablo dans un collège, avec don Diego comme serviteur, selon la coutume de l'époque. Mais le « domine » Capra (c'est un des portraits les plus célèbres du roman), qui abhorre la gourmandise et qui dans le commandement : « Tu ne tueras point » englobe les perdrix, les chapons et tous autres animaux, affame ses collégiens ; les deux garçons sortiront bientôt de son établissement, plus morts que vifs, pour se rendre, après quelques mois de convalescence, à l'université d'Alcalá. En route, ils paieront leur premier tribut à la méchanceté des pícaros : dans une taverne malfamée, ceux-ci, profitant de leur inexpérience, se feront payer à dîner, en les laissant à jeun et bernés. Pablo subit à Alcalá les terribles plaisanteries par lesquelles les étudiants accueillent les nouveaux venus ; ces cruelles expériences tournent l'âme de Pablo vers le mal et, fripon avec les fripons (« bellaco con los bellacos »), il devient bien vite un maître dans l'art de la plaisanterie estudiantine. Il se ligue avec la gérante de l'auberge, au détriment du propriétaire, mais vole aussi celle-là en se faisant mettre de côté – sous prétexte qu'ils sont destinés à l'Inquisition – les poulets que la femme appelle (du nom du pape) « pio, pio » ; il se distingue dans des jeux de mains et dans des entreprises de tout genre, il lui arrive même de voler des armes à la police. Un de ses oncles, qui exerce l'honorable profession de bourreau, lui écrit de Ségovie pour lui annoncer qu'il a eu la douleur de pendre son père et que sa mère se trouve dans les prisons de l'Inquisition de Tolède. Don Diego, de son côté, a reçu une lettre par laquelle son père lui ordonne de retourner à Ségovie, mais sans emmener Pablo avec lui. Les deux amis se séparent, et Pablo retourne à Ségovie pour aller recueillir l'héritage de son père. En route, il fait les rencontres les plus étranges : il tombe d'abord sur un « arbitriste », c'est-à-dire sur un de ces faiseurs de projets que l'on rencontrait aux carrefours et qui proposaient, pour résoudre les affaires publiques, des plans généralement extravagants : c'est ainsi qu'il projette de terminer la guerre des Flandres en asséchant, avec des éponges, la bande de mer qui empêchait la prise d'Ostende. Après avoir quitté l'arbitriste, Pablo fait route avec un escrimeur (allusion au célèbre maître d'armes Pacheco de Narváez) qui prétend – du moins en théorie – pouvoir porter des coups infaillibles avec l'aide de la géométrie, mais un mulâtre ignorant (allusion à l'escrimeur Francisco Hernández « el Mulato ») le met en fuite ; il rencontre ensuite un sacristain provincial (allusion à Godínez ou à Valdivielso), auteur d'un poème de cinquante strophes de huit vers pour chacune des onze mille vierges, et une comédie dont les personnages sont les animaux de l'arche de Noé. Il tombe ensuite sur un soldat fanfaron, qui veut lui faire prendre des engelures pour des blessures reçues au combat, et sur un pieux ermite qui, par pure humilité, consent à abandonner le chapelet pour les cartes (en réalité, il a tant d'habileté dans les mains qu'il dépouille tout le monde).

Arrivé à Ségovie, Pablo voit la dépouille de son père écartelé ; la fin honteuse de ses parents et le métier infâme de son oncle le poussent à couper les ponts d'avec sa famille et il s'en va à Madrid muni de son héritage, qui consiste en trois cents écus. Son compagnon de voyage est don Toribio, un « hidalgo » aussi pauvre qu'orgueilleux, qui cache sa nudité sous la « capa ». Don Toribio lui enseigne les moyens de vivre aux dépens du prochain ; à peine sont-ils arrivés à Madrid qu'il l'introduit dans une confrérie de pícaros vivant de vols et d'expédients. Ici aussi, Pablo n'a pas besoin de beaucoup de leçons ; il se met tout de suite à l'œuvre. Sa première victime est un de ses anciens condisciples d'Alcalá, le licencié Flechilla, auquel il extorque un bon repas en lui promettant les faveurs d'une femme. En sortant de la maison de Flechilla, il rencontre deux respectables dames, de celles qui « demandent des prêts sur leur figure », et il les escroque en leur faisant croire qu'il est un riche chevalier. Mais la vieille Lambruscas, qui tient la maison de ces inestimables personnes et, en tant que « directrice, conseillère et receleuse du logis », fournit à ses associés des cols, faute de chemises, est arrêtée par la police et dénonce toute la compagnie. Pablo, envoyé en prison avec les autres pícaros, expérimente la vie de geôle et sa saleté. Avec ce qui lui reste de son héritage, il corrompt les gardiens et se soustrait aux rigueurs de la cellule ; il parvient à se lier d'amitié avec le geôlier et, après avoir acheté aussi le copiste, se voit remis en liberté, sans l'habituelle publication de son forfait. Sorti de prison, il va habiter dans une maison où se trouve par hasard une jeune fille en quête de mari ; en recomptant des milliers de fois les quelques écus qui lui restent, et par d'autres ruses du même genre, il parvient à lui faire croire qu'il est un grand seigneur. Mais une nuit, tandis qu'il va chez elle, il tombe du toit et, sous les yeux de la belle, il est arrêté, inculpé de vol et roué de coups. Libéré grâce à l'aide d'un Portugais et d'un Catalan, ses rivaux, il quitte la maison sans payer ses dettes, en se faisant arrêter par de faux agents de l'Inquisition ; il s'adonne alors aux galanteries, tirant ses ressources de son habileté comme tricheur. Il va presque contracter mariage avec une riche dame sous le nom de don Felipe Tristan, quand il rencontre son ancien patron, don Diego Coronel, qui le reconnaît et le fait rouer de coups, à la faveur de la nuit. Une fois rétabli, il se retrouve sans argent ; ses complices en effet l'ont entre-temps volé. Il reprend alors les habits du pícaro et, faisant l'aumône, se met en route pour Tolède. Là, équipé de neuf, il se lie avec une troupe de comédiens ; épris des beaux yeux d'une des actrices, il devient lui-même comédien, puis auteur de comédies. La compagnie s'étant dissoute, il se met à faire la cour à des religieuses ; mais, désœuvré, il prend le chemin de Séville, où il a de nouveau recours à son expérience de tricheur. Un autre de ses anciens condisciples d'Alcalá, appelé Matorral, l'introduit dans les bouges de Séville ; lors d'une rencontre avec la police, les bandits « nettoient deux corps de sbires de leurs âmes maudites » et se réfugient dans une église. La dernière transformation de Pablo le fait apparaître sous les traits d'un souteneur ; il décide enfin de passer en Amérique avec sa maîtresse « a ver si mudando mundo y tierra mejoraria su suerte ». Le récit reste en suspens comme dans le *Lazarille*. Les dernières paroles du roman promettent une seconde partie qui ne fut jamais écrite.

La technique romanesque est franchement primitive et marque un retour au picaresque du *Lazarille*, c'est-à-dire à une narration linéaire sans insertion de contes et sans digressions morales. Atteignant à une puissance extraordinaire dans le maniement de la satire et dans la déformation caricaturale, l'auteur parvient au terme de son entreprise à retrouver un sens de l'humain, dont on pouvait craindre qu'il ne fût aboli par tant de cruautés : ce n'est plus la description d'une humanité enfermée dans ses contradictions, mais la dénonciation d'une société qui a atteint les points extrêmes de la décadence morale. Le stoïcisme à la Sénèque de Quevedo prend des attitudes cyniques, paradoxales. L'étrange, le macabre, le grotesque, le répugnant s'allient dans des contrastes baroques fortement colorés, qui transposent le réalisme picaresque sur le plan de la plus authentique création : un langage, étonnamment dynamique, nerveux, un jaillissement continuel de jeux de mots, un humour féroce parviennent à recréer une image des hommes et des choses qui vit par elle-même, et en vient dans les meilleurs moments à faire concurrence au réel. Donc, contrairement à ce que pensait A. Castro, on peut affirmer que cette fantaisie en noir participe de l'esprit moderne de la manière la plus déconcertante ; après le *Don Quichotte* (*) de Cervantès, c'est l'œuvre du génie espagnol qui demeure la plus vivante. — Trad. La Geneste, Paris, 1633 ; Raclots, Bruxelles, 1699 ; Germo de Lavigne, 1843, puis 1868 ; Francis Reille, dans *Romans picaresques espagnols*, La Pléiade, Gallimard, 1968.

HISTOIRE DE FLORENCE de Bruni [*Historiarum florentini populi*]. Œuvre de l'humaniste italien Leonardo Bruni (1370-1444). Elle fut longtemps mésestimée en raison d'une note de Machiavel, qui l'accuse d'avoir omis les événements intérieurs de la cité. Ce reproche porte à faux, car l'écrivain, loin de se borner à faire le récit des entreprises militaires et de la politique extérieure de Florence, examine l'évolution de la constitution intérieure, avec une méthode et une faculté de synthèse fort remarquables. Cette œuvre met fin à la glorieuse époque des « Chroniques » et inaugure l'ère de l'Histoire. Grâce à elle s'accrurent les exigences de l'esprit florentin qui synthétisait à cette époque toute la culture italienne. Cet ouvrage comprend douze livres. Partant de la fondation de Florence par Sylla, l'auteur poursuit son récit jusqu'à la mort de Gian Galeazzo Visconti (1402), ce même Visconti grâce auquel Florence put à jamais conjurer le péril d'être intégrée dans le duché de Milan.

HISTOIRE DE FLORENCE de Guichardin [*Storie fiorentine*]. Premier texte écrit par l'homme politique et historien italien François Guichardin (Francesco Guicciardini, 1483-1540) entre 1508 et 1509, il ne fut publié qu'en 1859. L'ouvrage retrace l'histoire de

Florence de la révolte des Ciompi en 1378 – qui fut aussi la date de la première élection d'un membre de la famille de Guichardin au poste de gonfalonier – jusqu'en 1509. Il resta inachevé peut-être à cause de la nomination de l'auteur comme ambassadeur de Florence en Espagne à la fin de 1511. Les huit premiers chapitres traitent plus d'un siècle d'histoire de 1378 à 1492 (date de la mort de Laurent le Magnifique) alors que les deux derniers tiers de l'ouvrage retracent l'histoire, plus détaillée et plus complexe, de moins de vingt années. L'ouvrage s'arrête brusquement avant la reconquête de Pise par Florence, en 1509. Dans cette œuvre de jeunesse, l'historien comprend la coupure radicale que constitue l'année 1494 pour la péninsule Italienne et montre comment ce début des guerres d'Italie « changea non seulement les États mais encore les façons de les gouverner et les façons de faire la guerre ». Mais, contrairement à l'*Histoire d'Italie* (*), le récit reste centré sur la seule ville de Florence ; il est aussi plus partisan parce que plus contemporain. Guichardin y juge les hommes qui furent influents sur le gouvernement de sa patrie ; les portraits de Cosme l'Ancien, Laurent le Magnifique, Savonarole ou Piero Soderini comptent parmi les pages les plus achevées ; il donne aussi un point de vue tranché sur les régimes qui se succédèrent à Florence : la critique sévère de l'État médicéen et le jugement modéré sur la République savonarolienne en témoignent.

J.-L. F. et J.-C. Z.

HISTOIRE DE FLORENCE de Machiavel [*Istorie fiorentine*]. Suivant le désir du cardinal Jules de Médicis (le futur pape Clément VII), le 8 novembre 1520 les « officiers du Studio florentin et pisan » confièrent à l'écrivain italien Machiavel (Nicoló Machiavelli, 1469-1527) la tâche d'écrire l'histoire de Florence à partir de « l'époque qu'il jugerait le plus convenable, et dans la langue latine ou toscane, à son choix ». On lui donna un laps de temps de deux ans ; ses honoraires annuels étaient de cent florins. Deux années ne suffirent pas ; à tel point que ce fut surtout à partir de 1523, date où Machiavel se retira dans sa villa de San Casciano, qu'il se consacra à la composition de son ouvrage. Les huit premiers livres furent présentés au pape Clément VII en 1525. Puis Machiavel ne poursuivit pas plus avant son travail, qui demeura inachevé. Selon le dessein premier de Machiavel, qu'il expose dans sa préface, quatre livres devaient servir d'introduction ; le premier devait évoquer brièvement « tous les événements italiens depuis la chute de l'Empire romain jusqu'en 1434 ». Dans les trois livres suivants, l'auteur se proposait de résumer l'histoire intérieure de Florence depuis ses origines jusqu'en 1434, date à laquelle Cosme de Médicis revint à Florence. À partir de 1434, c'est-à-dire à partir du Ve livre, le récit était destiné à avoir un développement plus ample et plus détaillé, et à établir une corrélation entre les événements intérieurs et ceux qui se passaient dans le monde.

Tel qu'il nous est parvenu, l'exposé du Ier livre se poursuit, en ce qui concerne l'histoire générale de l'Italie, jusqu'en 1424 ; le IIe livre, consacré exclusivement à Florence, est poussé jusqu'en 1353 ; le IIIe s'arrête en 1442. Le IVe livre présente déjà une narration plus détaillée, menée dans le VIIIe livre jusqu'en 1492. Cet ouvrage fut publié après la mort de l'auteur, en 1532, en deux éditions, à Rome, chez Antonio Blado, et à Florence chez Bernardo Giunta. La méthode de travail de Machiavel, en tant qu'historien, est assez expéditive : pour chaque période, il se met en quête d'une ou de plusieurs chroniques, et il utilise ces sources sans exercer sur elles aucun contrôle critique. S'il consulte des archives, il ne montre aucun souci de vérifier les dires de ses prédécesseurs. En outre, il arrive très souvent que les données réelles sont déformées à dessein par Machiavel : par exemple, il parle de batailles où il n'y aurait eu aucun mort (batailles d'Anghiari et de Molinella). L'explication d'une telle négligence ou plutôt d'une déformation aussi systématique des événements se trouve dans le fait que Machiavel écrit toujours l'histoire en homme politique ; il utilise le passé pour démontrer l'efficacité et le bien-fondé de ses propres idées politiques. Dans *Le Prince* (*), dans les *Discours sur la première décade de Tite-Live* (*), dans *L'Art de la guerre* (*), Machiavel avait toujours soutenu que les armées mercenaires étaient inutiles ; or, dans son *Histoire de Florence*, lorsqu'il rencontre justement des condottieri et des compagnies de mercenaires, il saisit cette occasion pour justifier par des exemples historiques ses affirmations théoriques. Il ne faut donc pas demander à l'*Histoire de Florence* une exactitude rigoureuse. Sa valeur véritable réside dans le fait que Machiavel, en prenant pour point d'appui les données des différentes chroniques, retrace à grands traits l'histoire du développement politique des États qu'il saisit, en général, d'une façon magistrale. En somme, la partie essentielle de cet ouvrage en est la partie polémique, c'est-à-dire politique ; par exemple, lorsque l'auteur analyse les luttes entre les partis à Florence en se référant à la Rome antique et aux luttes entre patriciens et plébéiens, c'est-à-dire en ne perdant jamais de vue ce qu'il avait écrit précédemment dans le Ie livre de ses *Discours sur la première décade de Tite-Live*. Cette prise de position contre les compagnies de mercenaires, qui le pousse à des affirmations fausses, n'est cependant pas sans fondement : elle montre l'étroit rapport qui existe entre la politique intérieure et les forces militaires d'un État. Par là, Machiavel a frayé de nouvelles voies à l'historiographie italienne et européenne. – Trad. Gallimard, *Œuvres complètes*, 1952.

HISTOIRE DE FLORENCE de Malispini [*Storia fiorentina*]. Œuvre du chroniqueur italien Ricordano Malispini (1220?-1290), continuée par Giacotto Malispini. Elle englobe toute la période qui va de la fondation de Florence jusqu'à 1286. Elle comprend deux cent quarante-huit courts chapitres. Après avoir fait état des origines de la ville en s'appuyant sur la fable, l'auteur nous donne la généalogie des familles les plus importantes de Florence issues des Romains. Il nous conte, en outre, les vicissitudes de la ville jusqu'à sa division, laquelle fut causée par l'assassinat de Buondelmonte Buondelmonti. À partir du chapitre C, l'histoire devient plus détaillée en même temps que plus véridique. Elle traite des luttes entre guelfes et gibelins, et entre les différentes villes de Toscane. L'auteur est un guelfe modéré. Tout comme Dante, il déteste les parvenus et se montre fier de son antique noblesse. Sa prose simple, expressive, pas toujours claire, utilise un italien assez archaïque. On ne possède de cet ouvrage aucun manuscrit, mais le récit de Malispini est entièrement rapporté par G. Villani dans sa *Chronique* (*). On peut considérer cette *Histoire de Florence* comme la première histoire en italien qui mérite d'être remarquée, tant par son ampleur que par la fermeté de sa composition. Dante y recourut plus d'une fois pour étayer sa *Divine Comédie* (*).

HISTOIRE DE FRANCE de Bainville. Ouvrage de l'historien français Jacques Bainville (1879-1936), publié en 1924. Cette œuvre, qui connut un succès immense, surtout auprès de la jeunesse, est considérée comme le chef-d'œuvre de Bainville, la plus complète expression de sa méthode historique. En réaction contre les historiens du XIXe siècle, Bainville ne tolère aucune concession au pittoresque, ne fait dans son œuvre aucune place au détail inutile. Son *Histoire* présente une France réduite à son essence, où le particulier est toujours résorbé et expliqué par le général : cette France est un corps, un organisme vivant et hiérarchisé, non point seulement une collection d'individus et d'événements juxtaposés sans ordre. C'est dire que Bainville s'efforce de découvrir des constantes politiques, humaines qui pourront servir à l'intelligence du présent autant que du passé, à la prévision, à la maîtrise de l'avenir. Sans doute une des causes principales du succès de l'ouvrage fut-elle la vision renouvelée qu'il proposait de nombreux événements de notre histoire, et des plus essentiels. Sur les origines, tout d'abord, Jacques Bainville, disciple de Fustel de Coulanges, s'élève contre la thèse du caractère germanique de la France qui prévalut au XIXe siècle. Il montre comment les barbares furent intégrés absolument à l'ordre latin et comment toutes nos dettes de civilisation sont romaines. Pour le haut Moyen Âge, Bainville appuiera particulièrement sur l'influence de l'Église, son importance civilisatrice, qui fut complètement négligée par le XIXe siècle. La thèse fondamentale de Bainville est que la France est une œuvre de raison et de volonté, une création : elle ne s'est pas faite toute seule ; on reconnaît en elle la main d'un ouvrier supérieur, d'un artisan incomparable : la monarchie capétienne. La France est l'œuvre de ses rois : aussi Bainville s'efforcera-t-il de les défendre tous, de montrer leur égale sagesse politique. De Louis IX, d'abord, il donne une image peu habituelle : Saint Louis a fait oublier Louis IX. Bainville met surtout Louis IX en valeur, l'aspect réaliste et « politique » du saint, qui fut rien moins que clérical et ne sacrifia jamais aucun des intérêts de son royaume. Si, pour lui, Saint Louis ne fut pas le rêveur mystique que d'aucuns décrivent, de même Philippe le Bel ne fut pas plus le roi escroc et faux-monnayeur de la légende. Autre réhabilitation : celle d'Henri III qui nous est montré ici attaché à sa fonction, soucieux de maintenir l'autorité royale au-dessus des discordes civiles et de « rester le roi de tous »...

Tout au cours de l'ouvrage se fait jour la philosophie de Bainville, esprit positif fortement enclin au pessimisme. L'ordre politique apparaît dans cette *Histoire de France* comme une conquête magnifique, mais fragile à l'extrême. Cette *Histoire de France*, cependant, n'échappe pas à la critique. Bainville s'y montre un historien parfois « partisan », sinon dans le choix des détails et des faits, du moins dans sa manière propre de les interpréter : la France, avons-nous dit, est ici conçue comme l'œuvre de la monarchie capétienne. Mais le peuple semble n'avoir eu aucune part dans sa formation, que celle de pur instrument. De plus, Bainville, esprit positif, fort peu religieux, mésestime l'aspect proprement chrétien et mystique de l'œuvre française.

HISTOIRE DE FRANCE de Lavisse. Ouvrage collectif monumental publié sous la direction de l'historien français Ernest Lavisse (1842-1922). Il comprend, d'une part, l'*Histoire de France depuis les origines jusqu'à la Révolution*, neuf tomes, en dix-huit volumes publiés de 1903 à 1911, et l'*Histoire de France contemporaine depuis la Révolution jusqu'à la paix de 1919*, en dix volumes publiés de 1920 à 1922. Le tome I de l'*Histoire depuis les origines* comprend : le Tableau de la géographie de la France, de Vidal de La Blache ; les Origines, la Gaule indépendante et romaine de G. Bloch. Le tome II : les Mérovingiens et Carolingiens, par Bayet, Pfister et Kleinclausz ; les Premiers Capétiens, par Achille Luchaire. Le tome III : Louis VII, Philippe-Auguste, Louis VIII, par Luchaire ; Saint Louis, Philippe le Bel, les derniers Capétiens directs, par Langlois. Le tome IV : les Premiers Valois et la guerre de Cent Ans (1328-1422), par Coville ; Charles VII, Louis XI et les premières années de Charles VIII, par Petit

Dutaillis. Le tome V : les Guerres d'Italie, Charles VIII, Louis XII, François Ier (1492-1547) par H. Lemonnier ; la Lutte contre la maison d'Autriche, la France sous Henri II (1519-1559) du même auteur. Le tome VI : la Réforme et la Ligue, l'Édit de Nantes (1559-1598), par Mariéjol ; Henri IV et Louis XIII, du même auteur. Tome VII : Louis XIV (la Fronde, le Roi, Colbert) [1643-1685] et Louis XIV (la Religion, les Lettres et les Arts, la Guerre, 1643-1685), ces deux volumes par Ernest Lavisse. Le tome VIII : Louis XIV (1685-1715) par Saint-Léger, Rebélliau, Sagnac et Lavisse ; Louis XV, par H. Carré ; enfin le tome IX comprend : Louis XVI (1774-1789) par Carré, Sagnac et Lavisse, et les tables alphabétiques. L'*Histoire de France contemporaine depuis la Révolution jusqu'à la paix de 1919* comprend dix volumes et se divise comme suit : la Révolution, tome I (1789-1792) par Sagnac, tome II (1792-1799) par Parizet ; tome III, le Consulat et l'Empire, par Parizet ; tome IV, la Restauration, par Charléty ; tome V, la monarchie de Juillet, du même auteur ; tome VI, la République de 1848 et l'Empire jusqu'en 1859, de Seignobos ; tome VII, la Fin de l'Empire et la République jusqu'en 1875, par Seignobos ; tome VIII, la France de 1876 à 1914 du même auteur ; tome IX, la guerre de 1914-1919 par Cauvain et Bidou ; enfin le tome X renferme les tables générales. Si certaines parties de ce vaste travail ont déjà vieilli, l'*Histoire de France* de Lavisse est encore un ouvrage indispensable, aussi solidement documenté que peut l'être une œuvre d'histoire générale accessible au grand public.

HISTOIRE DE FRANCE de Mézeray. Œuvre principale de l'historien français François-Eudes de Mézeray (1610-1683), parue en 1643 sous le titre complet *Histoire de France depuis Pharamond jusqu'au règne de Louis le Juste* (c'est-à-dire Louis XIII). Le projet en fut défini dès 1642 au moins, et approuvé par Richelieu qui y voyait une argumentation au service de sa politique de conquête et de centralisation. Dès ses premières livraisons, en 1643, l'œuvre eut du succès. Elle se divise en chapitres par règnes, chacun débute par un portrait du roi concerné avec un quatrain à sa gloire. Cette présentation emblématique souligne l'ordre de succession adopté, qui fait apparaître la monarchie, l'État et le pays comme se développant ensemble. Mézeray n'est pas un érudit, il rédige à partir de compilations, et il est tributaire des erreurs de ses sources. Mais en dépit du plan qu'il suit, il n'est pas prisonnier du vieux modèle de l'historien chroniqueur. Si le personnage royal reste central, le récit ne se cantonne pas aux anecdotes ni à la relation politique et militaire : il s'élargit aux questions économiques et démographiques. Par là, il inaugure, en France, l'histoire méthodique continue et générale.

Le succès incita Mézeray à lancer, en 1667, une version allégée, en plus petit format, sans gravures, meilleur marché. Récrivant le texte, il renforça ses remarques sur la prolifération et l'alourdissement des impôts : Colbert en rétorsion lui retira sa gratification royale (1668). Il ne faut pas pour autant voir Mézeray passer de l'éloge au blâme ni estimer que son texte initial était tout de glorification : il eut toujours une certaine liberté de propos. Mais ses critiques, loin de saper la monarchie, étaient en fait l'indice du (déjà vieux) mythe d'un despotisme éclairé... Mézeray a été ensuite largement dénigré par les historiens, pourtant, l'*Histoire de France*, comme genre en soi, qu'il a le premier systématisé, a fait florès depuis.

A. V.

HISTOIRE DE FRANCE de Michelet. C'est le chef-d'œuvre de l'historien français Jules Michelet (1798-1874). Il fut publié en deux temps : les six premiers volumes, qui traitent des origines et du Moyen Âge jusqu'à la fin du règne de Louis XI, entre 1833 et 1844 ; les onze derniers (Renaissance et Temps modernes) sous des titres spéciaux de 1855 à 1867. C'est qu'entre-temps Michelet avait estimé qu'il ne pouvait étudier la monarchie absolue sans connaître bien la Révolution qui y mit fin. Il entreprit immédiatement l'étude de cette période : il en devait résulter l'*Histoire de la Révolution française* (*), publiée de 1847 à 1853. Aussi existe-t-il, entre les deux parties de l'*Histoire de France*, une différence de ton sensible et plus encore une inégalité frappante quant à la valeur objective et proprement historique de l'œuvre. Échauffé par son *Histoire de la Révolution française*, qui est une œuvre de foi et de propagande plutôt qu'une œuvre scientifique, il est incapable de retrouver la sereine impartialité qui donnait aux six premiers volumes leur puissance, non seulement historique, mais même littéraire. L'*Histoire de France* n'en demeure pas moins son chef-d'œuvre, c'est là qu'il a mis le meilleur de lui-même ; il ne lui a épargné ni les années de travail assidu et de patientes recherches ni son extraordinaire talent d'évocateur du passé et de poète. Michelet, fils de parents pauvres, avait dû travailler de bonne heure : en même temps, il accumulait les succès scolaires et commençait une carrière dans l'enseignement, qui devait le conduire au Collège de France (1838). Il avait déjà écrit, entre autres œuvres historiques, une *Introduction à l'Histoire universelle* et une *Histoire romaine.* C'est en 1831 qu'il publie ces deux ouvrages, c'est la même année qu'il devient chef de la division historique aux Archives. Il se trouve ainsi avoir sous la main une masse énorme de documents, presque tous inédits. Enthousiasmé par la Révolution de 1830, il conçoit alors la France « comme une âme et une personne », et il entreprend ce que nul n'avait osé avant lui : « une résurrection intégrale de la vie du passé ». Tous ses travaux précédents ne sont, en fait, que les préparations pour cette œuvre immense. Michelet y consacra tout son temps, et on peut dire que, pendant près de quarante ans, l'*Histoire de France* fut sa vie.

Dans le premier volume, il étudie les races qui luttèrent pour la possession du sol de la Gaule. On y sent encore l'influence d'Augustin Thierry. Mais, dès le second volume, quand il aborde la géographie à la fois physique et spirituelle de la France, Michelet trouve une méthode toute personnelle, mélange de solides connaissances géologiques, d'intuitions géniales et de poésie qui trouvent leur parfaite expression dans le « Tableau de la France », où il passe en revue les différentes provinces françaises en s'efforçant avec succès d'en dégager les caractères propres et les traits essentiels. Le « Tableau de la France » fut publié séparément, après la mort de son auteur, sous le titre de *Notre France*. Au troisième volume commence l'Histoire proprement dite. C'est moins sans doute un récit objectif des faits qu'une suite de peintures, de portraits et de réflexions dans lesquels Michelet, avec un sens admirable du raccourci, sait, grâce à quelques traits et anecdotes, frapper le lecteur et faire revivre le passé comme un vivant poème épique. Ces quatre volumes abondent en tableaux et récits restés justement célèbres, comme la mort de Saint Louis, la folie de Charles VI, les batailles de Crécy, de Courtrai et d'Azincourt ; en fresques terribles : la Jacquerie ; en peintures dramatiques : le supplice de Jeanne d'Arc ou celui de Savonarole. Ses portraits de personnages historiques témoignent des mêmes qualités d'évocation : une même curiosité, une même vivante sympathie le conduisent à nous les présenter grâce à quelques particularités physiques, à quelques traits de caractère, qui campent devant nous non pas une ombre, mais un homme vivant. Enfin, il donne une attention extrême à tous les détails, aux habitudes de vie, au costume, au mobilier, à l'aspect des rues, qui peuvent faire retrouver à ses lecteurs l'atmosphère exacte dans laquelle vivaient ses personnages. Ainsi, il se tient également loin des vues systématiques de Thierry et de Guizot, qui n'hésitaient pas à forcer le sens des faits pour les faire entrer dans leurs théories, et du simple souci du pittoresque qui inspirait l'*Histoire des ducs de Bourgogne* (*) de Barante. Si les considérations générales sur l'évolution des mœurs ou le développement des institutions politiques ne manquent pas, elles sont éclairées par un esprit perspicace mais passionné. Michelet a compris que l'érudition, bien qu'indispensable, ne suffisait pas, qu'il fallait la rendre vivante par une sympathie toujours en éveil. Si son *Histoire* entraîne son lecteur, c'est que lui-même éprouve les grands sentiments qu'il évoque, qu'il suit, avec un amour vibrant, ce « puissant travail de soi sur soi, où la France, par son progrès propre, va transformant tous ses éléments bruts ».

En 1843, tout change. Michelet publie avec Edgar Quinet son livre *Des Jésuites ;* il commence son *Histoire de la Révolution française* qui est un véritable pamphlet en même temps qu'une épopée. Il se laisse prendre aux passions contemporaines, et lorsqu'il reprend, en 1855, la publication de son *Histoire de France*, c'est dans la perspective de la Révolution française qu'il aborde l'Ancien Régime. Il se pose en justicier, demande des comptes aux gouvernants : « Qu'avez-vous fait du peuple ? Qu'avez-vous fait pour le peuple ? » Il va, avec une obstination et une subtilité d'inquisiteur, chercher parmi les faits tout ce qui peut desservir les personnages qui lui déplaisent ; il se lance dans des interprétations symboliques de visionnaire, et certains passages de la seconde partie font penser au Victor Hugo des *Châtiments* (*). Lorsqu'il traite de la Renaissance, il sait encore retrouver cette sympathie agissante qui nous vaut des pages remarquables sur cette époque, sur la Réforme et les guerres de Religion, enfin sur la vie au XVIe siècle ; mais, peu à peu, l'injustice, la calomnie, les préjugés partisans envahissent l'œuvre où l'on sent monter une haine croissante. C'est que Michelet, révolutionnaire enthousiaste, ne put juger avec impartialité une époque trop proche de la sienne et si peu conforme à ses aspirations ; c'est aussi que sa situation sociale a changé : l'arrivée au pouvoir de Louis-Napoléon Bonaparte le chasse de sa chaire du Collège de France et de son poste aux Archives et on a l'impression qu'il se venge de Napoléon III sur la monarchie absolue. Il n'en reste pas moins un très grand écrivain et, même si l'on se défie, sa passion demeure convaincante, car il a conservé toutes ses qualités de poète et d'évocateur.

Michelet voulait faire une œuvre qui ne fût ni doctrinaire ni romantique ; en réalité, son *Histoire de France* est le chef-d'œuvre de l'histoire romantique. Il abuse des vues métaphysiques, du symbolisme, des rapprochements hasardeux et des parallèles ; il se laisse souvent entraîner par sa passion, même dans la première partie de son *Histoire*. Mais il a les qualités de ses défauts : l'ardeur, le dynamisme qui donnent à son livre une vie à laquelle on restera difficilement insensible. C'est qu'il est un très grand écrivain, original et audacieux ; il a le don de la couleur et de l'image, le souci du pittoresque qui le rapproche de Chateaubriand, mais aussi la puissance et la violence d'Hugo ; son style est âpre, brusque, irrégulier, fiévreux ; ce n'est parfois qu'une succession de notations qui semblent à peine rédigées, mais qui donnent une impression de rapidité et d'intensité qu'on ne trouve chez aucun autre écrivain. Surtout le principal mérite de Michelet est d'avoir conçu l'*Histoire de France* comme un tout organique et conscient, comme une personne vivante, et d'avoir consacré le meilleur de lui-même à la ressusciter dans sa complexité.

HISTOIRE DE FRANCE enrichie des plus notables occurances survenues ez Provinces de l'Europe et pays voisins (...) depuis l'an 1550 jusques à ces temps. Œuvre de l'historien français de confession protestante Lancelot Voisin de La Popelinière (1540?-1608), publiée en 1581 à La Rochelle. Forme définitive d'un ouvrage dont la première version avait été procurée, dix ans plus tôt, par un écrivain dont l'ambition ne cessa de s'accroître. La *Vraye et Entière Histoire des derniers troubles* relatait la troisième guerre de religion (1568-1570) ; ses dix livres furent portés à quatorze, puis à dix-huit, à l'occasion de trois rééditions, et la narration conduite du début des guerres (1562) jusqu'à 1577. Le titre de l'ouvrage refondu indique un nouvel élargissement des limites temporelles et géographiques du récit et une modification du sujet traité. L'essentiel demeure la peinture d'un pays déchiré par une guerre fratricide, mais les causes du conflit, la vie politique et intellectuelle, les relations internationales ont retenu davantage l'attention de l'historien. Fait révélateur de ses qualités, le livre fut mal reçu par les plus passionnés des deux camps. Des plagiaires, Jean Le Frère et Paul-Émile Piguerre, le purgèrent des « scandaleux et inexcusables mensonges » qu'il contenait, selon eux, et en firent un violent pamphlet antiprotestant. Le synode national de La Rochelle (juillet 1581) l'accusa de diffamer « plusieurs gens de bien vivans et décédés ». En réalité la modération de La Popelinière est remarquable. Il s'interdit l'usage du vocabulaire polémique, il rapporte les événements sans opérer au préalable un choix dicté par ses sentiments religieux ou politiques. Il fait la critique des témoignages et n'admet que ce qui est confirmé « par deux, trois et quatre personnages de foy et d'honneur ». Il cite ou résume les déclarations ou manifestes des deux partis, permettant d'entrer dans les raisons des uns et des autres. Sa volonté de tenir la balance égale entre les antagonistes est telle qu'elle lui fait même parfois oublier l'exigence de vérité. La Saint-Barthélemy par exemple : si les massacreurs ne sont pas innocents, les massacrés furent coupables de céder aux charmes de la Cour et de ne pas voir le piège qui leur était tendu ! On peut être heurté aussi en constatant que, victime de plagiaires et s'en plaignant, il a reproduit, sans le signaler, les ouvrages de La Place, de La Planche et la relation du siège de Sancerre (1573) due à Jean de Léry. Petits travers d'un esprit dont le labeur immense force l'admiration. La précision de son récit et les commentaires qui l'accompagnent forment un véritable cours d'art militaire destiné à la noblesse guerrière et cultivée. Son savoir encyclopédique et l'intérêt qu'il portait à tous les faits de civilisation fournissent une foule de renseignements précieux sur les mœurs, les coutumes, les institutions du temps. Mais les qualités de l'historien, qui fut la source principale et avouée de De Thou et d'Agrippa d'Aubigné, l'emportent de beaucoup sur celles de l'écrivain. De lecture difficile en raison de son style rocailleux, l'*Histoire de France* n'a pas été rééditée depuis le XVIe siècle. A. T.

HISTOIRE DE FRÉDÉRIC LE GRAND [*History of Friedrich II of Prussia called Frederik the Great*]. Œuvre de l'écrivain et historien anglais Thomas Carlyle (1795-1881), parue de 1858 à 1865. Après avoir consacré un premier livre à la naissance de Frédéric et à ses parents, l'auteur résume en deux livres (II et III) l'histoire du Brandebourg et des Hohenzollern. Dans les livres suivants (IV-X), il raconte la vie du prince jusqu'à son accession au trône. Carlyle utilise, entre autres, les Mémoires de Sophie, sœur de Frédéric, et insiste particulièrement sur les premières difficultés du prince avec son père, Frédéric-Guillaume. Vers 1730, il s'en faut de peu que la querelle ne se termine tragiquement. Avide de liberté, Frédéric tente de s'enfuir. Arrêté, il est condamné à mort et n'obtient sa grâce qu'en jurant de se soumettre désormais à la volonté paternelle. En 1733, il épouse Élisabeth Christine de Brunswick-Bevern. Le jeune prince est féru d'histoire et de philosophie : il lit Fontenelle, Rollin, Voltaire et autres écrivains français. Il coule des jours heureux, consacrés surtout à la littérature ; il reçoit alors Algarotti, correspond avec Voltaire et écrit son premier ouvrage : *L'Anti-Machiavel* (*). En 1740, il succède à son père. Au livre XI, Carlyle aborde l'histoire du règne de Frédéric II. Le nouveau roi prend aussitôt des mesures contre la famine et abolit la torture. Il veut s'entourer de philosophes et fonder une académie. Il reçoit alors la première visite de Voltaire. Mais la situation ne tarde pas à se gâter. Après la mort de l'empereur Charles VI, il est clair que le roi de Prusse songe à s'emparer de la Silésie. L'invasion (livre XII) et la victoire prussienne de Molwitz entraînent une conflagration générale. Frédéric brise tous les obstacles et sa victoire est suivie de dix années de paix. Il s'occupe alors de réformes législatives et s'installe au château de Sans-Souci où il reçoit la cinquième et dernière visite de Voltaire. Une vaste coalition se forme contre lui et il n'aura plus désormais que le seul appui de l'Angleterre. La guerre éclate entre la France et cette dernière ; Frédéric prévient l'attaque ennemie en envahissant la Saxe. C'est le début de la guerre de Sept Ans (livres XVII à XX), qui va mettre à l'épreuve du feu l'État prussien et se terminera en 1763 par la paix de Hubertsbourg. La Prusse sort renforcée de l'aventure. Le livre XX contient un chapitre remarquable sur la Russie, tandis que le livre XXI est consacré à l'étude de la restauration du royaume épuisé par la guerre, au démembrement de la Pologne (1771), à la guerre de Bavière (1778-1779) et aux relations du roi avec divers hommes de lettres ; enfin, la dernière maladie et la mort de Frédéric. Carlyle voit son héros par le biais du romantisme. Frédéric est pour lui le dernier des rois, roi de la tête aux pieds (« every inch a King », dit-il en empruntant une phrase de Shakespeare).

Cette œuvre fut le résultat de quatorze années de labeur. Quant à la documentation, elle est si riche que l'écrivain n'arrive pas toujours à la dominer. Sitôt qu'il décrit une bataille, il fait preuve de tant de précision que son texte a été maintes fois utilisé dans les écoles militaires allemandes. Nombre de pages sont hautes en couleur et écrites avec humour. Emerson a pu dire que cette œuvre était le livre le plus spirituel de tous les temps. On n'y trouve pas la passion qui anime les autres ouvrages de l'auteur sur l'*Histoire de la Révolution française* (*) et sur Cromwell [*Olivier Cromwell. Sa correspondance et ses discours*], mais en revanche, l'*Histoire de Frédéric* est plus objective. Ce qui lui vaut une place de choix dans la production de l'auteur.

HISTOIRE DE GIL BLAS DE SANTILLANE. Roman de l'écrivain français Alain-René Lesage (1668-1747). Les premier et deuxième livres parurent en 1715, le troisième en 1724, le quatrième en 1735. L'édition définitive parut en 1747. Il est aujourd'hui prouvé que l'auteur n'a pas copié, comme on l'a soutenu, un ouvrage espagnol. Nous savons toutefois que les sources de cette œuvre sont nombreuses. Tout d'abord, *Marcos de Obrégon* (*) de Vicente Espinel, ensuite d'autres romans picaresques, les mémoires politiques et les pamphlets sur les règnes de Philippe III et de Philippe IV d'Espagne. L'extraordinaire variété des épisodes de ce livre, qui n'a d'espagnol que le cadre, mais demeure si typiquement français, en rend la trame très complexe. Gil Blas, fils d'un écuyer et d'une duègne, quitte à dix-sept ans la maison paternelle pour aller étudier à l'université de Salamanque. Une série d'événements imprévus rend impossible l'exécution de son projet auquel, du reste, il ne tient pas outre mesure. Volé par un muletier qui devine combien ce jeune homme est naïf, il tombe sur une bande de brigands, dont il est contraint de partager la vie pendant quelque temps. Il réussit pourtant à s'enfuir, en sauvant une dame qui était elle-même captive de ces gens. Accusé injustement, il est emprisonné puis libéré. À Valladolid, il rencontre son compatriote Fabrice, qui jouera un si grand rôle dans sa vie. Grâce à lui, il devient le serviteur d'un chanoine, puis d'un médecin, l'original docteur Sangrado, et se met à exercer l'art médical. De Valladolid il se rend à Madrid, où l'attendent d'autres aventures. Il sert d'abord un « petit maître », vit avec des comédiennes et devient l'amant d'une d'entre elles. Il passe ensuite d'un maître à un autre, et finit par connaître des milieux très divers. Il commence une nouvelle vie le jour où il devient le favori du duc de Lerme. À partir de cet épisode, le livre présente un intérêt historique, puisque l'auteur nous découvre les secrets du gouvernement et de l'administration. En fait, sous le voile de la fiction, c'est le gouvernement du Régent qui est dépeint ici. Emprisonné une fois de plus, Gil Blas quitte enfin Madrid. De passage à Valladolid, il rencontre à nouveau le fameux docteur Sangrado. Il arrive à Oviedo, sa ville natale, où son père agonise. Après avoir épousé la belle Antonia, il rejoint la Cour et, protégé par le roi, devient le favori du comte d'Olivarès qui l'envoie à Tolède en mission spéciale. Mais son protecteur tombe en disgrâce et, après une longue série d'aventures, Gil Blas, qui était veuf depuis plusieurs années, épouse Dorothée, qui lui donnera plusieurs enfants. Ainsi finit cette histoire.

Considéré généralement comme très supérieur au *Diable boiteux* (*), ce roman manque cependant d'unité. Cela s'explique facilement si l'on songe que *Gil Blas* n'a pas été écrit d'une seule traite. La galerie des portraits, déjà si riche, du *Diable boiteux* s'est encore complétée. Si, dans son premier roman, Lesage nous apparaît surtout comme un héritier direct des moralistes du XVIIe siècle, ici sa curiosité semble plus grande : le tableau de genre est devenu un tableau historique. Dans le troisième volume, l'auteur nous dépeint la corruption et les basses intrigues des administrations. Lorsqu'en 1735 Lesage publie la dernière partie de son roman, son pessimisme s'est atténué, mais non son intérêt pour la chose publique. De plus si, dans *Le Diable boiteux,* Lesage se fait le disciple de La Bruyère et ne veut être qu'un artiste avide de sensations dont le plaisir est de donner dans ces pages le spectacle de la société qui grouille autour de lui, dans *Gil Blas,* ou tout au moins dans quelques-unes de ses parties, il n'est plus seulement un artiste ou un moraliste : il s'intéresse aux faits sociaux en eux-mêmes. Une autre influence se fait sentir : celle de Montesquieu qui, en 1721, avait publié ses *Lettres persanes* (*). Mais c'est tout de même la variété des portraits et des tableaux qui constitue l'intérêt principal de *Gil Blas.* Le portrait du chanoine goutteux, par exemple, celui du docteur Sangrado, qui tue ses malades à force de saignées, ne sont pas indignes de la grande tradition moliéresque. Celui de Gil Blas lui-même, déguisé en médecin, celui de don Carlos Alonzo de la Ventoleria qui, par toutes sortes de procédés, veut réparer l'outrage des années, celui de don Gonzale Pacheco, vieux rabougri, jouet de sa maîtresse, demeurent inoubliables. Malgré quelques pages plus faibles, ce livre est d'une fraîcheur incomparable, surtout lorsque l'écrivain se plaît à nous peindre, avec un sens étonnant de la couleur, le spectacle de ses semblables, plus riches de vices que de vertus. *Gil Blas* demeure ainsi un des grands documents du réalisme français, un vaste tableau du monde, imprégné d'une morale indulgente mais jamais cynique.

★ Le père José Francisco de Isla y Rojo (1703-1781), prenant l'ouvrage de Lesage pour la traduction d'un livre original espagnol perdu, l'a traduit dans sa langue sous le titre de *Les Aventures de Gil Blas de Santillane* [*Aventuras de Gil Blas de Santillana, robadas a España y adaptadas en Francia por Lesage, restituidas a su patria y a su lengua por un español celoso que no sufre se burlan de su nación,* 1787-1788]. Isla, qui utilise l'anagramme de Joaquin Federigo Issalp, a traduit le chef-d'œuvre français avec un sens admirable de la langue et de la couleur, ce qui rendit ainsi plausible le plagiat de Lesage. La thèse du plagiat trouva, en Espagne, de nombreux défenseurs. C'est ainsi que Llorent, sans aucune preuve d'ailleurs, attribue le roman à Antonio de Solís y Rivadeneira, l'auteur de l'*Histoire de la conquête du Mexique* (*).

★ Le *Gil Blas russe ou les Aventures du prince Gabriel Simonovitch Tchistiakov,* roman de l'écrivain russe Vassily Trofimovitch Narejny (1780-1825), en six parties, est une libre transcription du *Gil Blas* de Lesage. Les trois premières parties parurent en 1814, mais furent interdites ensuite par l'ordre du ministre de l'Instruction publique, « à cause des passages immoraux, blâmables et scandaleux ». Les trois dernières furent éditées plus d'un siècle après, en 1938. C'est le premier roman de mœurs russe, roman satirique donnant un vaste tableau de la vie des différentes classes de la société russe. L'influence des idées de Rousseau est aussi manifeste que celle des encyclopédistes. La conception rationaliste des « lumières » s'unit à l'idéalisation des gens simples, vivant près de la nature. L'esprit didactique, hérité de la comédie russe (surtout de Fonvizine) et des revues satiriques de l'époque, prête au réalisme du roman un caractère artificiel. Pourtant, les défauts principaux des hommes et des institutions sont dénoncés avec beaucoup de force : le servage, les tares de la justice, l'arbitraire des puissants, leur immoralité. Ce roman est plein de cet esprit généreux qui tend partout à défendre la personne humaine. Dans le plan de la lutte politique, si l'auteur raille gentiment le parti réactionnaire, il ridiculise avec force les francs-maçons, soutenus alors par le gouvernement. Belinski l'appelle « le premier romancier russe ». En somme, la grande difficulté pour l'auteur résidait dans le fait que son roman présente une transition entre le genre ancien, roman d'aventures compliquées et invraisemblables, et le roman du XIXe siècle, roman réaliste des mœurs.

★ Parmi les œuvres musicales tirées du roman de Lesage, il faut citer : un opéra comique, *Gil Blas,* de Théophile Semet (1824-1888), Paris 1870, et une opérette : *Gil Blas de Santillane* du Hongrois Alphons Czibulka (1842-1894), Hambourg 1889.

HISTOIRE DE HONG KILTONG (L') [*Hong Kiltong chŏn*]. Roman de l'écrivain coréen Hŏ Kyun (1569-1618). Comme tant d'autres œuvres coréennes, *L'Histoire de Hong Kiltong* est fortement inspirée par la littérature chinoise, en l'occurrence le célèbre *Au bord de l'eau* (*), ce chef-d'œuvre du XIVe siècle. On retrouve dans le texte coréen la bande de hors-la-loi révoltés par l'injustice, et guidée par un héros du type Robin des bois (on peut aussi penser à des modèles coréens authentiques).

Mais la comparaison s'arrête là. *L'Histoire de Hong Kiltong* est bien plus courte, évitant les innombrables interpolations de *Au bord de l'eau.* Si Hong Kiltong s'en prend à toutes les injustices dont il est témoin, aidé en cela par les attributs de la toute-puissance propres à tout héros populaire, s'il se voit contraint de défier les représentants du pouvoir, l'indignité de ceux-ci ne le conduit pas à mettre en cause les principes d'une société qui lui a pourtant refusé l'essentiel : Hong Kiltong est un bâtard.

Ce que Hŏ Kyun, dans cette autobiographie déguisée, dénonce, ce n'est pas la société confucéenne, ce sont ses manquements. Ce n'est pas la règle, ce sont les exceptions. Qu'il existe des lettrés privilégiés ne le révolte guère : ce qui importe, c'est que le sang ne soit pas un obstacle à l'accession à cette classe. Le frère de Hong Kiltong, Inhyŏng, peut prétendre à tout ; lui-même, qui a pourtant le même père, le ministre Hong, mais dont la mère est paysanne, est exclu. Il n'a aucun droit. Sa révolte inquiète de plus en plus la Cour, et, après le pillage sacrilège du temple de Haein, son propre frère, devenu gouverneur, est chargé de l'arrêter. Kiltong se rend, mais huit autres Kiltong absolument identiques en font autant au même moment, qui se transformeront en autant de poupées de paille devant les officiels médusés. Le roi tente de l'amadouer en lui proposant un poste de ministre mais Hong Kiltong refuse. Et, lorsqu'il finira par conduire le « Hwalbintang » (littéralement : « sauver-les-pauvres »), la troupe de révoltés qu'il a constituée, dans une île lointaine pour y bâtir son Utopie, « Yultoguk », c'est une société confucéenne qu'il construira. Sa seule contribution consistera à supprimer la discrimination par la naissance, après avoir débarrassé l'île de ses démons et épousé une princesse chinoise. On notera avec intérêt la structure proche du roman populaire du XIXe siècle occidental : exclusion du corps social, traversée ténébreuse, acquisition de la toute-puissance, retour triomphal dans le corps social et assomption finale.

Pa. Ma.

HISTOIRE DE JÔRURI [*Jôruri jû-ni-dan sôshi*]. Pièce japonaise en douze actes. La tradition l'attribue faussement à Ono no Otsû (morte, d'après une légende, en 1579) qui, soignant le dictateur Ôda Nobunaga (1534-1582) pendant une maladie, l'aurait écrite pour le distraire. Mais on sait, par d'autres sources, que cette histoire, dès l'époque de l'empereur Gonara (1527-1557), était représentée dans les villages les plus perdus et, selon des études récentes, elle aurait paru vers le milieu de la période Muromachi, c'est-à-dire à peu près au milieu du XVe siècle.

Le *Jôruri jû-ni-dan sôshi* retrace les amours du héros populaire Ushiwakamaru, nom de jeunesse de Minamoto no Yoshitsune (1159-1189), frère cadet de Minamoto no Yoritmo (1147-1199), une des plus grandes figures de l'histoire du Japon. Ushiwakamaru, venant en compagnie du commerçant Kaneuri Kichiji de la province d'Oshû, s'arrête, au cours du voyage, à Yahagi dans la province de Mikawa, chez un riche notable de l'endroit. Cet homme sans enfant avait eu, grâce à la bienveillance du dieu Yakushi Ruri-kô Nyorai (littéralement : le Bouddha Seigneur de la médecine, resplendissant comme le « ruri » ou lapis-lazuli), une fille très belle, appelée, en l'honneur du dieu lui-même, Jôruri (le pur lapis-lazuli). Un jour, Ushiwakamaru, sans être vu, surprend une réunion musicale où Jôruri s'exerce avec d'autres jeunes filles. Entendant que la flûte manque, il sort la sienne et joue une mélodie. Ravie par la douceur des sons, Jôruri lui envoie une de ses compagnes qui sort et s'adresse à lui avec une poésie, à laquelle il répond aussitôt par d'autres vers. Ainsi invité, Ushiwakamaru entre dans la salle où se trouve le groupe des jeunes filles et fait montre d'habileté littéraire. On l'invite alors à passer toute la nuit à faire de la musique et des poésies, mais il refuse et s'en va. Cependant, éperdument épris de Jôruri, il revient, en pleine nuit, et entre dans sa chambre : il l'éveille et lui déclare l'amour qui ne le laisse pas en repos. Jôruri hésite, le conjure de partir, d'avoir pitié d'elle qui a perdu son père l'année précédente et qui maintenant prie pour l'âme du disparu. Mais Ushiwakamaru la presse. Lui aussi a perdu son père il y a trois ans et n'a jamais cessé de prier pour lui. Pourquoi devrait-il se reprocher son amour ? Bouddha lui-même a connu l'amour. La jeune fille tout d'abord écoute, lui répond qu'elle craint précisément la punition de Bouddha, mais finalement, incapable de résister, s'abandonne. Le lendemain matin vient la scène douloureuse de la séparation. Ushiwakamaru part avec Kichiji et arrive à Fukiage, dans la province de Suruga. Là, il tombe gravement malade. Kichiji le confie aux pêcheurs de l'endroit et s'en va seul. Tandis qu'Ushiwakamaru repose sous les pins du rivage, les pêcheurs essaient de lui dérober son sabre, mais celui-ci se transforme en un serpent à vingt têtes. Pendant ce temps, le dieu Hachiman apparaît, sous l'aspect d'un vieux prêtre, à Jôruri qui, s'étant séparée de ses compagnes, vit dans la solitude sous une simple cabane de branchages. Il l'informe de l'état où se trouve Ushiwakamaru qui est mourant. Elle part aussitôt et se rend à Fukiage où, avec l'aide de Hachiman, elle réussit à dégager du sable le cadavre de son amant. À ce moment apparaissent seize « yamabushi » (moines errants vivant dans les montagnes) qui, à force d'enchantements, rappellent Ushiwakamaru à la vie. Au bout de vingt jours des soins affectueux et continuels qu'elle lui prodigue, il est complètement rétabli et doit donc se remettre en route. Nouvelle et émouvante séparation. Ils échangent cadeaux et poésies ; Ushiwakamaru promet à Jôruri de la revoir le matin qui suivra la défaite des Taira ; puis, l'ayant confiée à des lutins, il la renvoie à Yahagi pendant que lui-même, reprenant son chemin, parvient à Hideira, dans la province de Mutsu, but de son voyage.

Dans l'histoire littéraire japonaise, le *Jôruri jû-ni-dan sôshi* a de l'importance, non par sa valeur intrinsèque, qui est bien peu de chose, mais parce qu'il eut un rôle précurseur et donna son nom à un genre littéraire, le « jôruri », destiné, sous la direction d'un homme de la trempe de Chikamatsu Monzaemon (1653-1724), à donner une grande splendeur au théâtre de marionnettes.

HISTOIRE DE JULES CÉSAR. Œuvre de Charles Louis Napoléon Bonaparte (Napoléon III, 1808-1873), qui parut en 1865-66 et à laquelle collaborèrent diverses personnes : Hortense Lacroix Cornu, la vieille amie de l'empereur, Victor Duruy, Mérimée et Maury. C'est ce dernier, bibliothécaire aux Tuileries, qui avait mission de réunir les matériaux. Napoléon dicta cet ouvrage à son secrétaire Mocquard, lequel procédait ensuite à la correction du texte ; il s'efforçait de rendre concise la prose coulante mais prolixe de son maître. L'empereur tenait beaucoup à son activité d'écrivain et de polémiste. Le but de cette *Histoire de Jules César* est d'illustrer et de justifier la théorie napoléonienne de la dictature. Il s'efforce de montrer que, « lorsque la Providence suscite des hommes comme César, Charlemagne, Napoléon, c'est pour tracer aux peuples la voie qu'ils doivent suivre, marquer de leur génie une ère nouvelle, et accomplir en quelques années le travail de plusieurs siècles ». Aussi, « heureux les peuples qui les comprennent et les suivent ! Malheur à ceux qui les méconnaissent et les combattent [...] Ils sont aveugles et coupables : aveugles, car ils ne voient pas l'impuissance de leurs efforts à suspendre le triomphe définitif du bien ; coupables, car ils ne font que retarder le progrès ». L'œuvre, parue en deux volumes, resta inachevée.

HISTOIRE DE KAMALĀMPĀḶ (L') [*Kamalāmpāḷ Carittiram*]. Roman de l'écrivain tamoul Rājam Aiyar (1872-1898), paru en 1886. L'un des premiers romans tamouls, *L'Histoire de Kamalāmpāḷ* a paru d'abord sous forme de feuilleton dans le mensuel *Vivēka Cintāmaṇi* entre 1893 et 1895 sous un titre légèrement différent (*La Rumeur fatale*) et sous un pseudonyme. Bien que l'auteur se soit fixé pour but, à travers son roman, de propager la philosophie du vedanta, l'œuvre constitue un bel exemple de littérature régionale.

E. S.

HISTOIRE DE LA BARONNE BOUDBERG [*Železnaja ženščina*]. Œuvre de l'écrivain et journaliste russe émigré Nina Berberova (1901-1993), publiée en russe en 1981 à New York (le titre russe est *La Femme de fer*). Elle retrace la vie de Maria (Moura) Ignatievna Zakresvakaïa-Benckendorf (1892-1974), devenue Boudberg et baronne à la suite d'un mariage blanc en 1921 en Estonie. Issue de la petite noblesse pétersbourgeoise, elle fut l'amante du diplomate et agent britannique Bruce Lockhart impliqué en 1918 dans un complot antibolchevique, du tchékiste Peters, de Gorki de 1919 au début des années trente (c'était sa secrétaire), puis de H. G. Wells jusqu'à la mort de celui-ci, en 1946. En Nina Berberova, la romancière et l'historienne s'allient ici pour mener une enquête passionnante, insérée dans trois quarts de siècle d'histoire et d'histoire littéraire. Nina Berberova établit le rôle d'agent double (anglais et soviétique) de Moura Boudberg, son influence sur la décision de Gorki de rentrer en Union soviétique (à partir de 1928), et révèle le « marché » conclu avec Staline (autorisation pour Moura de revoir Gorki malade, en 1936, en échange de la restitution des archives compromettantes que celui-ci lui avait confiées avant son retour en U.R.S.S.). Des documents soviétiques publiés en 1989 confirment les investigations et les intuitions de Nina Berberova (la baronne Boudberg avait toujours nié être retournée à Moscou entre 1921 et 1956), basées sur une vaste information écrite et orale, et sur la connaissance personnelle de Gorki et de Moura par l'auteur lors de plusieurs longs séjours sous le toit de Gorki en Allemagne puis à Sorrente entre 1922 et 1925. Nina Berberova entrelace la vie de Moura Boudberg à celle de Lockhart, de Gorki et de Wells, dont elle trace des portraits à la fois pénétrants et caustiques, notamment pour Gorki et Wells vieillissants, avec leurs projets de régénération de l'humanité, leurs plans d'éditions encyclopédiques et leur boussole d'intellectuel déréglée. On sent Nina Berberova fascinée par l'énergie vitale de son héroïne, cette « femme de fer », et par son désir instinctif de « ne pas périr ». L'auteur et son personnage ont aussi en commun l'indifférence pour le transcendant, le rejet du monde petit-bourgeois et du puritanisme victorien, le goût de l'indépendance. Cependant, l'écrivain rejette les moyens qu'emploie Moura Boudberg pour survivre, et son pacte avec Staline : elle a aussi la volonté de survivre, mais sans devenir « épervier ni léopard ». Tout fait de cette biographie un complément à l'autoportrait que Nina Berberova trace d'elle dans *C'est moi qui souligne* (*). La biographie de cette aventurière, qui n'a pas encore livré tous ses secrets, se lit comme un roman d'aventures, mais représente une contribution importante à l'histoire politico-littéraire de la Russie et de l'Angleterre. Elle fait la part du mythe et de la réalité dans la vie de celle qui était une « non-personne » pour les biographes de Gorki et un « leader intellectuel » pour la haute société londonienne. – Trad. Actes Sud, 1988.

M. N.

HISTOIRE DE L'ABENCÉRAGE ET DE LA BELLE JARIFA [*Historia del Abencerraje y de la hermosa Jarifa*]. Récit mauresque qui fait partie du recueil intitulé *Inventario*, du poète espagnol Antonio de Villegas (mort en 1577), écrit en 1551 et publié à Medina del Campo en 1565. Il n'appartient pas en propre à Villegas ; la plupart de ses éléments figurent déjà en effet dans la *Crónica del inclito Infante D. Fernando que ganó a Antequera en la cual trata como se casaron a hurto el Abindarráez y la linda Jarifa*. Au surplus, un grand nombre de « romances » attestent la popularité de l'histoire. Abindarráez, chevalier maure de la noble famille des Abencérages, est fait prisonnier par le capitaine espagnol Rodrigo de Narváez, alcade d'Antequera. Voyant son prisonnier accablé de tristesse, l'alcade lui fait raconter son histoire : lorsqu'il apprend qu'Abindarráez fut capturé près de l'endroit où l'attendait sa bien-aimée, la belle Jarifa, il le libère sur parole, en vrai chevalier. Aussitôt Abindarráez se rend chez Jarifa et l'épouse en secret. Jarifa, mise au courant du malheur de son époux, décide de le suivre en prison. Ce que voyant, Rodrigo de Narváez veut récompenser la loyauté de l'Abencérage et la fidélité de Jarifa ; il leur fait grâce, sans accepter aucune rançon. Ce récit, d'une simplicité extrême et d'une émotion délicate, devint très vite populaire dans toute l'Espagne. Cervantès le rappelle dans son *Don Quichotte* (*) ; Montemayor le transcrit dans le livre IV de la *Diane* (*) et Lope de Vega en a tiré la comédie *Le Remède dans le malheur* [*El remedio en la desdicha*], comprise dans la *Parte XIII* de son théâtre (Madrid, 1620).

HISTOIRE DE LA BESTIALITÉ [*Bestialitetens historie*]. Trilogie romanesque de Jens Bjørneboe (1920-1976) se composant de *L'Instant de la liberté* [*Frihetens Øyeblikk*] paru en 1966, *La Poudrière* [*Kruttårnet*] parue en 1969 et *Le Calme* [*Stillheten*] paru en 1973. Le héros et narrateur du livre est huissier au tribunal de Heiligenberg, petite ville d'une principauté fictive des Alpes, où il est le témoin muet des excès normaux d'un juge qui distribue à longueur de journée les peines les plus cruelles. N'ayant pas lui-même souvenir d'avoir connu autre chose dans sa vie que « les meurtres, la guerre, les camps de concentration, la torture, le travail servile, les exécutions, les villes bombardées et les cadavres d'enfants à moitié brûlés. », il a décidé d'écrire une histoire de la bestialité. Et, comme Bjørneboe lui-même dans son premier roman, il commence par les expérimentations des médecins nazis dans les camps de concentration. L'huissier est, en fait, le double de l'auteur, sa biographie présente des similitudes frappantes avec la sienne, et il n'est pas douteux que Bjørneboe a vécu personnellement cette évolution vers la solitude et l'isolement qui sont le prix à payer pour accéder au plein exercice de la liberté. Foisonnant de digressions, d'essais polémiques, d'anecdotes spirituelles, de détails baroques, le livre, bien que parfois un peu composite, est assurément de la meilleure veine. Plus faible, en revanche, est *La Poudrière*. Notre huissier est, à présent, concierge dans un asile d'aliénés en France. Symbole du monde où nous vivons, ce lieu, où tout est possible, donne à l'auteur entière latitude d'étudier, sur place et à travers l'histoire européenne, les formes les plus variées de la bestialité humaine. D'un pessimisme foncier, le livre donne à penser que c'est l'espèce elle-même qui est fondamentalement mauvaise. À quoi s'ajoute que chaque peuple, en particulier les « Germains », se voit doter de caractéristiques propres dans l'exercice de la cruauté, ce qui vaudra parfois à l'inclassable Bjørneboe d'être taxé de racisme. Mais, dans l'ultime volume, *Le Calme*, le ton change. C'est maintenant en Afrique que se trouve l'huissier, et il a des conversations avec trois personnages. S'agissant de Christophe Colomb, l'auteur poursuit son propos précédent en dénonçant les atrocités commises par les conquistadores au nom du christianisme. Mais il y a aussi l'espoir incarné par un révolutionnaire africain dont le mouvement de libération représente peut-être le salut, à condition – et c'est l'objet de l'entretien avec Robespierre, le troisième personnage – que la révolution se place sous le signe de l'intégrité. Au total, Bjørneboe laisse percer un espoir. « Je crois que l'homme est en partie bon, en partie méchant. C'est à nous de décider lequel de ces aspects nous devons développer. » É. E.

HISTOIRE DE L'ACADÉMIE FRANÇAISE. Œuvre de l'écrivain français Paul Pellisson (1624-1693), publiée en 1654 ; elle fut continuée par l'abbé d'Olivet (1682-1768) et rééditée en 1752. Conçue comme un moyen d'affirmer le rôle de la compagnie, à l'occasion de son vingtième anniversaire, alors que l'Académie avait été, dès l'origine, objet de controverses, l'*Histoire* de Pellisson est remarquablement informée (il avait des contacts personnels avec plusieurs des membres fondateurs, dont Conrart, premier secrétaire perpétuel), mais de caractère surtout anecdotique. Il passe en revue les académiciens des vingt premières années, consacrant à chacun une notice, qui s'étend en portrait plus détaillé pour quelques-uns, tels que Vaugelas, Du Ryer, Scudéry (Georges), Saint-Amant et Voiture. En reprenant et complétant l'ouvrage au siècle suivant, d'Olivet lui donne un caractère sinon plus scientifique, du moins plus méthodique. Il passe en revue tous les académiciens, en dresse la liste par fauteuil, fait une histoire académique des fondateurs et protecteurs, en particulier Richelieu et Louis XIV, et marque l'élargissement progressif de l'influence de l'Académie, de la querelle du *Cid* (*) à l'instauration des prix littéraires, dont elle eut l'initiative, et à la première réalisation du *Dictionnaire* (*). A. V.

HISTOIRE DE LA CIVILISATION AFRICAINE [*Kulturgeschichte Afrikas*]. Ouvrage de l'ethnologue et historien allemand Leo Frobenius (1873-1938), publié à Vienne en 1933. Reprenant, au terme d'une carrière de quarante ans consacrée en grande partie à en rassembler les éléments, une vaste enquête sur la pensée et l'art africains, Leo Frobenius nous livre là le point final de ses réflexions sur les civilisations de l'Afrique. Ce que l'auteur entend retrouver et mettre en lumière, ce sont avant tout les modes de pensée et de vie du monde ancien, du monde des origines de la civilisation, que nous avons oubliés mais qui, malgré nous, survivent en chacun de nous, lesquels, en Afrique, se sont longtemps conservés presque inchangés. Étudiant les styles et les motifs des images rupestres qu'on retrouve en plusieurs points du continent africain, Frobenius montre comment ils se rattachent à une conception préclassique, protohistorique et même préhistorique de l'art, autrefois répandue dans tout le Bassin méditerranéen. L'enquête se poursuit en inventoriant des concepts très particuliers, mis en œuvre et dans les œuvres d'art et dans les légendes orales, tels que les idées sur les nombres, sur la sexualité, sur la mort, qu'on retrouve dans un très grand nombre de civilisations archaïques, ce qui prouve, selon l'auteur, qu'il a existé autrefois une conception commune de l'homme et du monde. C'est déjà transformé et divisé que cet héritage pénétra et s'installa en Afrique ; suivant leur provenance et leur date, on peut distinguer, comme des vagues successives, l'apport de la civilisation eurafricaine de l'époque moyenne de l'âge de pierre, l'apport de la civilisation équatoriale de l'époque avancée de l'âge de pierre, grâce auquel s'expliquent des faits de civilisation communs à l'Afrique et à l'Océanie, enfin l'apport révolutionnaire en provenance de l'Asie occidentale venu par trois voies et formant trois domaines distincts, celui de la civilisation érythréenne à l'est, celui de la civilisation syrtique au Soudan occidental, celui de la civilisation atlantique sur la côte de Guinée. Examinant les récits historiques, les mythes et les poésies, ainsi que les institutions africaines, Frobenius y discerne des styles à travers lesquels se définissent des rapports particuliers de l'homme au monde et donc des étapes successives de l'évolution de l'esprit humain. On peut, selon lui, distinguer les styles de la mystique naturelle, le style de la magie naturelle, ceux de la réalistique romantique et de la réalisation rationaliste, chacun d'entre eux pouvant se rattacher aux grands courants précédemment définis. Il ne faut pas oublier que les affirmations de l'auteur s'appuient sur les nombreux ouvrages précédents de Frobenius consacrés à des sujets très proches, et en particulier sur l'imposant inventaire de faits et d'idées contenu dans les trois volumes de *L'Afrique parlait* [*Und Afrika sprach*] et dans les quatorze volumes de la collection *Atlantis* – v. *Mythologie de l'Atlantide* (*). Il est certain, cependant, qu'on peut mettre en doute la valeur d'une méthode qui repose souvent, en dernière analyse, sur des intuitions personnelles et même sur un verbalisme parfois irritant. On ne peut dénier toutefois à Frobenius le mérite d'avoir attiré l'attention sur les connexions existant entre les civilisations africaines et les autres civilisations archaïques, entre autres celles du Bassin méditerranéen, et d'avoir provoqué ainsi des recherches dont certaines ont déjà été fructueuses. – Trad. Gallimard, 1952.

HISTOIRE DE LA COLONNE INFÂME [*Storia della colonna infame*]. Œuvre de l'écrivain italien Alessandro Manzoni (1785-1873). Née à l'origine comme un chapitre de *Fermo e Lucia* – v. *Les Fiancés* (*) –, rajoutée à la deuxième rédaction du roman et publiée enfin sous son titre définitif à la fin de l'édition de 1840 des *Fiancés*, l'*Histoire de la colonne infâme* est le récit commenté du procès intenté à Milan en 1630, au plus fort d'une épidémie de peste, à deux malheureux (les « untori ») accusés d'avoir propagé la maladie en étalant un onguent sur les murs de la ville. Les deux condamnés furent massacrés et, la maison de l'un d'eux ayant été rasée, on éleva sur son emplacement une colonne d'infamie destinée à rappeler à la postérité la sentence et la peine encourue. D'où le titre du livre : *Histoire de la colonne infâme*. Cette analyse minutieuse et implacable d'un procès truqué, sans preuves, destiné à fabriquer des coupables à tout prix, est d'abord un cri de révolte contre la torture, dans le prolongement de ce maître livre de l'« illuminisme » italien qu'est le traité *Des délits et des peines* (*) de Beccaria, mais ce « petit grand livre » (la définition est de Sciascia) a une autre portée. Manzoni ne veut pas simplement dénoncer, comme Pietro Verri dans ses *Observations sur la torture* [*Osservazioni sulla tortura*], l'ignorance d'une époque et la barbarie des procédures judiciaires d'Ancien Régime ; il dénonce les « passions perverses » qui poussent l'homme à faire le mal. L'adversaire « illuministe » de la torture cède ici la place au moraliste chrétien : selon Manzoni, dans les mêmes conditions historiques, d'autres juges auraient acquitté les inculpés. Le libre arbitre existe donc et la Providence n'est pas responsable du mal que l'homme inflige à d'autres hommes.

Il y a enfin une dernière chose qui tient à cœur à Manzoni et qui apparaît en filigrane tout au long du livre (et cette fois c'est le conservateur éclairé qui parle). C'est l'idée que la justice moderne doit s'inspirer de principes humanitaires, faute de quoi l'institution elle-même serait moralement discréditée et ne pourrait remplir la mission « nécessaire et sacrée » (entendons : de garant de l'ordre établi) qui est la sienne. – Trad. de Maurice Nadeau, préfacée par Leonardo Sciascia, Lettres nouvelles, 1982. G. S.

HISTOIRE DE LA CONFÉDÉRATION SUISSE [*Geschichte der Schweizerischer Eidgenossenschaft*]. Œuvre de l'historien suisse d'expression allemande Johannes von Müller (1752-1809), publiée comme un remaniement de son *Histoire de la Suisse*, en 1786. L'*Histoire*, composée de cinq volumes, va des recherches sur les premiers habitants du territoire helvétique et des premières guerres des Suisses avec les Romains jusqu'à Guillaume Tell, dont Müller se fait l'apologiste dans son premier volume ; le second volume couvre la période allant de la première guerre menée pour la libération et la bataille de Morgaten contre les Habsbourg jusqu'à l'extension à huit cantons de la Fédération, à la fin du XIVe siècle et au commencement du XVe siècle ; avec le troisième volume, c'est le concile de Constance et les premières scissions entre les confédérés, la victoire sur Frédéric III et Charles VII, roi de France ; le quatrième nous conduit de cette époque jusqu'à la défaite de Charles le Téméraire à Morat en 1476. L'histoire s'arrête à la fin du XVe siècle, avant l'intervention des Suisses dans les affaires du duc de Milan, et avant leur conquête de Bellinzona. L'auteur s'était proposé avant tout de composer une œuvre d'art qui prît modèle sur les classiques ; cependant il réussit une histoire surtout romantique, qui inspira à Schiller son *Guillaume Tell* (*) et fournit un matériau abondant à l'école romantique et à ceux qui étaient épris des anciennes institutions patriarcales du Moyen Âge. Quoi qu'il en soit, c'est la meilleure histoire en langue allemande du XVIIIe siècle. L'œuvre, qui sert de prélude aux grandes recherches et aux grands travaux historiques que l'Allemagne mit ensuite en honneur, présente néanmoins des défauts dans l'usage méthodique des sources : on lui a reproché un certain morcellement des récits se rapportant à chacun des cantons. Ces tableaux successifs sont cependant liés par l'aspiration commune à l'autonomie et par l'espérance que seule l'union de tous fera leur force. L'*Histoire* de Müller est imprégnée d'un patriotisme fervent qui, ajouté à ses qualités littéraires, explique la place de faveur dont elle bénéficie.

HISTOIRE DE LA CONQUÊTE DE L'ANGLETERRE PAR LES NORMANDS, de ses causes et de ses suites jusqu'à nos jours, en Angleterre, en Écosse, en Irlande et sur le continent. C'est le premier ouvrage de l'historien français Augustin Thierry (1795-1856), publié en 1825. L'auteur parcourt toute l'histoire médiévale de l'Angleterre, afin de mettre en lumière, au sein des conflits entre les races qui dominèrent le pays, la diversité des différentes époques historiques. Thierry, saisissant toute l'importance de la rupture qu'a créée dans la société de l'Europe romanisée le choc des invasions barbares, en arrive à une nouvelle conception de l'histoire. Le but de l'historien dès lors sera d'isoler, dans les événements de chaque époque historique, le drame particulier que fut, pour chaque peuple, l'étouffement par le vainqueur de sa vie propre et originale. Cette conception, héritée du XVIIIe siècle, en soumettant l'histoire aux catégories de la raison, permettait une nouvelle et sérieuse investigation du passé. Rompant les « ténèbres » du Moyen Âge, Augustin Thierry ébauchait de cette période historique un tableau plein de vie et frémissant, dont les nouvelles générations romantiques allaient s'imprégner. Les onze chapitres dont se compose l'œuvre dévoilent, par leur plan même, les positions historiques et morales prises par l'auteur, qui lui permettent de nouer le fil de son récit autour des événements les plus significatifs et décisifs au milieu de cette époque d'invasions et de conquêtes. La « Conclusion » comprend, en divers « excursus » historiques, des indications sur les traces profondes laissées par les conquêtes des V-XIIe siècles autant dans l'histoire postérieure des populations normandes et bretonnes du continent que dans celles du pays de Galles, d'Écosse, d'Irlande et d'Angleterre.

HISTOIRE DE LA CONQUÊTE DU MEXIQUE [*The Conquest of Mexico*]. Ouvrage de l'historien américain William Hickling Prescott (1796-1859), publié en 1843. Le livre débute par une introduction aussi intéressante que documentée sur la civilisation aztèque. Le souci de rechercher les causes des événements ou les fondements des structures sociales est inexistant ; « ressusciter » les personnages ou les « milieux », telle est la principale préoccupation de l'auteur. La figure dominante de l'œuvre est celle de Hernán Cortés, dont l'activité tant militaire que politique fait l'objet d'un exposé fidèle et vivant. En un sens, l'histoire de la conquête se confond avec la biographie de Cortés, au point que l'auteur s'excuse dans sa préface d'avoir prolongé sa narration jusqu'à la mort du conquérant (1547), bien qu'historiquement la conquête se soit achevée par la prise de la capitale en 1521. Prescott avait un tel souci de la qualité artistique de son œuvre qu'avant d'entreprendre la narration des faits il s'imposa la lecture d'ouvrages classiques comme l'*Histoire de la conquête du Mexique* (*) de Solis, ainsi que d'autres sources et même des biographies célèbres telles que l'*Histoire de Charles XII* (*) de Voltaire, les passages consacrés à Annibal par Tite-Live et le *Christophe Colomb* de Washington Irving. Très caractéristique à cet égard est le reproche qu'il formule contre ce dernier ouvrage dont, à ses yeux, la conclusion marque un affaiblissement de l'intérêt.

★ À l'*Histoire de la conquête du Mexique* fit suite, en 1847, l'*Histoire de la conquête du Pérou* [*Conquest of Peru*]. Il était difficile de ne pas établir de parallèle entre les destinées des deux plus grands empires du Nouveau Monde, parallèle rendu sensible par la composition même des deux ouvrages, qui est rigoureusement identique, l'étude détaillée de la civilisation inca précédant le récit de la conquête. Le livre a cependant moins d'unité : il est vrai que Pizarro n'a pas la grandeur de Cortés, et que, comme l'auteur le regrette dans sa Préface, l'action n'y a pas la même intensité dramatique, car la prise de la capitale ouvre une nouvelle période de luttes, cette fois entre les conquérants. Mais c'est le premier ouvrage qui ait traité la question, et il ne s'appuie que sur des documents de première main. Pour différente que soit aujourd'hui notre conception de l'histoire, les deux œuvres valent encore d'être lues, et eurent, à l'époque, un retentissement jusque dans le monde savant, ce qui valut à Prescott l'amitié de Humboldt et d'Augustin Thierry. — Trad. Firmin-Didot, 1863.

HISTOIRE DE LA CONQUÊTE DU MEXIQUE [*Historia de la conquista de México, población y progresos de la América septentrional, conocida con el nombre de Nueva España*]. Œuvre célèbre du poète et auteur dramatique espagnol Antonio de Solís y Rivadeneyra (1610-1686), composée en 1667 et publiée à Madrid en 1684. C'est un des récits les plus connus de la littérature historique espagnole. L'auteur était secrétaire de Philippe IV et avait été nommé par lui « grand chroniqueur des Indes ». À ce titre, il fut chargé de continuer l'*Histoire générale des Indes* d'Antonio de Herrera. Mais, comme il le dit lui-même, la difficulté qu'il y avait à présenter les grands événements de la conquête, de telle façon que fussent évitées prolixité et confusion, l'amena à traiter séparément l'histoire du Mexique dont la conquête était la clef de tout le reste et constituait un épisode d'importance. L'œuvre se divise en cinq livres et cent sept chapitres. Les faits sont à peu près ceux que nous connaissions déjà grâce à de nombreuses œuvres qui traitent du même sujet, depuis les *Lettres à Charles Quint sur la découverte et la conquête du Mexique* (*) d'Hernán Cortés lui-même jusqu'à *L'Histoire véridique de la conquête de la Nouvelle Espagne par un de ses conquérants* (*) de Bernal Díaz del Castillo. Solís se sert de tous ces écrits et s'efforce d'en faire une sorte d'œuvre critique en utilisant d'autres récits et des documents inédits. Cependant son histoire est tout imprégnée du culte de l'homme et de l'humanité. L'auteur, qui a un tempérament de poète et de moraliste, choisit le côté légendaire de la grande entreprise et en fait un véritable poème en prose. Pour écrire une telle *Histoire*, l'auteur ne pouvait trouver aucun modèle dans les chroniques de ses prédécesseurs. Son œuvre se rapproche des modèles classiques, comme le montrent les artifices stylistiques empruntés aux historiens grecs et latins qui consistent à faire prononcer de longs discours à des personnages historiques. Le caractère nettement rhétorique de l'œuvre détermine le style de l'auteur, et son goût pour l'aphorisme et les descriptions de paysages révèle l'étroite parenté de cet art avec le « concettisme » baroque du siècle. Que cette œuvre fût traduite dans toutes les langues européennes prouve éloquemment qu'elle connut une large audience.

HISTOIRE DE LA CRÉATION DES ÊTRES ORGANISÉS D'APRÈS LES LOIS NATURELLES [*Natürliche Schöpfungsgeschichte*]. Ouvrage du biologiste allemand Ernst Haeckel (1834-1919), publié en 1868. C'est un des premiers travaux de l'auteur, inspiré des recherches biologiques de Darwin. La théorie de l'évolution, adoptée par Haeckel, ouvrant la voie à une conception mécaniste de la nature étendue jusqu'au monde des êtres vivants, lui permet d'ébaucher une « histoire de la création naturelle », autrement dit une théorie renonçant aux explications théologiques et téléologiques, et rendant compréhensible l'origine des organismes à partir de causes naturelles. L'exposé de la théorie elle-même est précédé d'un tableau de ses prémisses historiques, de Linné à Darwin, ayant pour thème central la discussion sur la notion d'espèce. La transmission héréditaire des caractères acquis est exigée comme condition nécessaire à la formation d'espèces nouvelles. C'est dans sa loi biogénétique fondamentale (l'évolution ontogénétique répétant en abrégé l'évolution phylogénétique) que Haeckel voit une des preuves les plus importantes de la théorie de l'évolution. Grâce à l'hypothèse de la génération spontanée, l'auteur franchit l'abîme séparant les êtres vivants de la matière inorganique. La descendance constitue pour lui la raison de l'affinité des formes, fondement du système naturel des végétaux et des animaux. L'établissement d'arbres généalogiques, même pour les grands groupes d'organismes, se heurte à d'importantes difficultés du fait de l'insuffisance du matériel démonstratif dans les domaines paléontologique, ontogénétique et de l'anatomie comparée. Toutefois, Haeckel entreprend une première tentative dont il reconnaît lui-même le caractère hypothétique. L'origine des êtres vivants les plus simples, les monères, organismes constitués par un grumeau de plasma, est attribuée à la génération spontanée, tandis que tous les autres organismes en seraient dérivés. Quant à l'anthropogenèse, la théorie de l'évolution conduit l'auteur à affirmer que l'homme descend d'une série de primates éteints. Les races humaines se seraient formées à travers la différenciation d'une seule espèce d'homme primitif. Bien qu'on ne puisse sérieusement mettre en doute semblable origine de l'homme, l'arbre généalogique retraçant la genèse de l'homme devient d'autant plus hypothétique qu'il essaie d'entrer dans le détail. L'ouvrage, comme de nombreux autres travaux de Haeckel, s'attira les critiques des philosophes, des savants et des Églises, du fait qu'il touchait directement à l'origine et à la nature de l'homme. Les recherches ultérieures ont ruiné ou affaibli certaines de ses vues un peu trop simplistes. Mais, en dépit de ses ambitions trop vastes, mal étayées par des conclusions erronées ou hâtives, il a eu le mérite essentiel de vulgariser l'idée du transformisme. Énormément répandu, tout comme *Les Merveilles de la vie* et *Les Énigmes de l'univers* (*) du même auteur, il a contribué largement à éveiller un vif intérêt envers la théorie de Darwin jusqu'alors peu connue. — Trad. Schleicher, 1908.

HISTOIRE DE LA DÉCADENCE DE L'EMPIRE GREC [Ἀπόδειξις ἱστοριῶν]. Œuvre en dix livres de l'écrivain grec Laonikos Chalkokondylas (1423 ?-1490 env.). Elle relate l'histoire de la péninsule balkanique entre 1298 et 1463. Comme chez Thucydide, l'introduction sert à présenter l'auteur et le but qu'il s'est fixé : Laonikos d'Athènes veut transmettre les événements dont il fut le témoin ou dont il a entendu parler ; événements qui, selon lui, ne sont pas indignes des actions des ancêtres. Les faits qu'il relate se réfèrent à la chute de l'Empire grec, aux maux qui en dérivèrent et à la rapide expansion de la puissance turque. Ensuite, l'auteur nous présente une rapide synthèse de l'histoire du monde jusqu'au XIIIe siècle, s'arrêtant plus particulièrement aux luttes qui eurent lieu entre l'Église romaine et l'Église grecque, et aux tentatives d'union. La véritable narration historique commence avec la recherche de l'origine des Turcs ; Laonikos, et c'est là son originalité, ne prend pas pour centre d'intérêt Byzance, ses guerres et ses disputes intestines, mais la puissance turque. L'auteur s'occupe de la naissance de ce nouvel Empire qui s'étend au détriment de l'Empire byzantin et des petites seigneuries chrétiennes de la péninsule des Balkans ; il évoque les expéditions entreprises contre Byzance, ainsi que contre les autres nations de l'Europe orientale. Certains sujets sont traités avec une ampleur peut-être excessive, d'autres ne sont qu'esquissés brièvement, malgré leur importance : ce manque d'équilibre provient des matériaux que l'auteur avait à sa disposition. Laonikos prend pour modèles Hérodote et surtout Thucydide dans lequel il voit le maître des historiens anciens ; mais cette imitation rend son style lourd et monotone, et appauvrit sa langue. D'autre part, l'habitude de substituer aux noms de personnes et de peuples contemporains des noms anciens ne fait que rendre l'œuvre de Laonikos plus obscure. Cette œuvre – texte grec et traduction latine – figure dans le tome CLIX de la *Patrologie grecque* de Migne. Il en existe une traduction française, faite en 1577, par Blaise de Vigenère (Paris, Chesneau).

HISTOIRE DE LA FOLIE À L'ÂGE CLASSIQUE. Œuvre du philosophe français Michel Foucault (1926-1984), publiée en 1961. Dans ce livre, Foucault tente de montrer que la folie est un fait de culture avant d'être un moment de la science. Il ne s'agit pourtant pas de s'en tenir à un relativisme vulgaire : pour la première fois l'auteur met en œuvre une nouvelle définition de l'histoire comme articulation toujours déjà complexe et discontinue des formes de savoir et des formes de pratiques, sans qu'il existe une instance ultime, idéelle ou matérielle. Ce qui est premier, c'est le geste culturel du « partage » : d'une part la raison affirme son pouvoir sur cette déraison qu'elle voudrait réduire au silence (il s'agit alors de faire « l'archéologie de ce silence »), mais elle est d'autre part l'un des pôles d'une stratégie ouverte et, dans une certaine mesure, il lui faut dialoguer avec cet envers d'elle-même qui la menace. Voici donc le projet : permettre à la déraison de se faire de nouveau entendre à partir d'elle-même, là où le dispositif puissant de la psychiatrie moderne prétend détenir les lois de son aliénation et les formes de sa guérison. Comment en est-on venu à une telle disposition ? C'est pour répondre à cette question que Foucault oriente sa recherche vers l'analyse d'un double événement historique. Le premier de ces événements, c'est l'instauration de l'« âge classique » comme âge du grand renfermement, représentant une rupture marquée avec l'acceptation jusque-là d'une déraison proliférante et transcendante qui s'incarnait par exemple dans la « Nef des fous ». C'est dans un même geste souverain que la raison s'affirme désormais identique à la pensée (chez Descartes) et invente dans l'hôpital général le lieu d'enfermement des figures jusque-là errantes de la déraison. L'expérience classique de la folie naît en ce point de convergence d'une définition philosophique et d'une pratique institutionnelle, avec au moins deux conséquences. D'une part, la folie n'est plus une puissance de révélation mais une menace sociale dont la gestion suppose désormais une complicité de la médecine et de la morale. D'autre part va naître un savoir nouveau de la folie élaborée en dehors de la pratique de l'internement : l'« insensé » incarne une absence de raison dont la définition oscille entre la faute morale et la chute dans l'animalité. Figures de la folie : entre l'objectivité qu'on exhibe et cette dialectique complexe de la passion, de l'imagination et du délire (la nuit racinienne) où se joue l'histoire des relations possibles de l'âme et du corps. Entre la déraison comme sens dernier de la folie et la rationalité comme forme de sa vérité se joue le nouveau dialogue du médecin et du malade. À la fin de l'âge classique, note Foucault, nous assistons à un nouvel événement qu'il faut restituer dans sa complexité. D'un côté le personnage du fou fait sa réapparition et la déraison de nouveau se manifeste comme une puissance inquiétante, comme les œuvres de Sade et de Goya en témoignent. Mais d'un autre côté ce retour n'est pas un recommencement : la déraison qui se manifeste là n'est plus une puissance cosmique mais une puissance solitaire (que quelques-uns vont revendiquer dans leur œuvre au risque de s'y perdre). De même, dans cette folie, l'homme a perdu non pas la vérité en général, comme le postulait l'âge classique, mais « sa » vérité. En somme, la folie n'est plus perçue sur le fond d'une nature première et sans âge, mais selon la loi d'une histoire (c'est alors qu'apparaît la doctrine de la dégénérescence). La naissance de l'asile avec Pinel est donc le second grand événement qui scande cette histoire de la folie en Occident, événement rendu possible par un nouveau partage entre raison et déraison : la rencontre, enfin, entre les pratiques d'internement et l'élaboration du savoir ; le bonheur d'une science médicale de la folie supposant que cette dernière soit à la fois définitivement séparée des figures sociales de la misère, et isolée dans son lieu propre où elle bénéficie d'une assistance spéciale. C'est là que le fou et le non-fou (celui que caractérise désormais une conscience souveraine de n'être pas fou) vont échanger leurs vérités, le premier acceptant que le second détienne les clés de son aliénation. D'une manière très critique, Foucault propose ainsi de déchiffrer le discours psychiatrique comme celui qui décrète le bon usage de la liberté, et la pratique psychiatrique comme une savante tactique morale organisée autour des figures de l'autorité familiale. En regard de ce dispositif, la place de la psychanalyse demeure, selon Foucault, équivoque : si d'une part elle s'efforce bien de redonner la parole à une déraison devenue silencieuse, elle n'en est pas moins une technique d'aveu, issue de la confession de jadis, reconduisant dans l'espace singulier du transfert l'apothéose du personnage médical qui dans sa théâtralité est par ailleurs la clé du fonctionnement asilaire.

Au bout de ce savant parcours, la question se pose de savoir ce qu'il serait possible d'opposer à cet impérialisme de la psychiatrie comme discours et pouvoir sur la folie : si l'enjeu est bien de rendre raison « de cette déraison et à cette déraison », il faudrait d'abord entendre les voix rares mais décisives de ceux qui, de Sade à Van Gogh et à Artaud, lui donnent accueil dans l'espace de l'œuvre, opposant leur tragique à la sage mais violente raison de la science. B. S.

HISTOIRE DE LA GAULE. Œuvre de l'historien français Camille Jullian (1859-1933), publiée en huit volumes entre 1907 et 1927. En partant de données positivistes, le premier volume, « Les Invasions gauloises et la colonisation grecque », établit un rapport de cause à effet entre la structure géologique et morphologique du territoire compris entre le Rhin, les Alpes et les Pyrénées, et l'histoire des Français. Les Ligures, qui l'habitaient primitivement, dérivaient sans doute d'un mélange de races ; ils furent les fondateurs industrieux des plus anciennes cités et donnèrent à la population son type physique et son tempérament, mais n'eurent pas de civilisation et ne furent pas des conquérants. C'est la civilisation grecque qui, la première, s'implanta sur les terres ligures, quand, en l'an 600 avant J.-C., débarquèrent les Phocéens qui y fondèrent Marseille. Presque en même temps, des Celtes passèrent le Rhin, ils étaient venus des plaines germaniques du Nord. Sous le nom de Gaulois, ils se répandirent dans la région, et de là partirent pour leurs grandes conquêtes en Italie le long du Danube, dans les Balkans, en Asie Mineure et en Angleterre. Mais, absorbés ailleurs par une civilisation supérieure, c'est seulement en Gaule qu'ils réussirent à fonder leur propre société. Le second volume, « La Gaule indépendante », en étudie les institutions qui, communes à différentes tribus, leur donnèrent a posteriori la notion d'une unité d'origine et d'histoire. Au milieu du IIe siècle (vol. III : « La Conquête romaine et les premières invasions germaniques »), les Arvernes avaient réussi à faire de la Gaule un seul État, possédant sa vie propre et stable ; mais les attaques des Germains et les discordes intérieures amenèrent une anarchie dont profita César, malgré le réveil national suscité par Vercingétorix. « Le Gouvernement de Rome » (vol. IV) ne pesa pas comme un esclavage, mais cimenta au contraire l'unité nationale autour du centre religieux de Lyon. L'ascendant même de la civilisation romaine avec sa supériorité amena de profondes modifications (« La Civilisation gallo-romaine », vol. V et VI), auxquelles les Gaulois se prêtèrent spontanément, en partie en développant plus rapidement les tendances autochtones de leur civilisation, en partie en oubliant leurs traditions. Après les premières invasions et les ruines du IIIe siècle, la Gaule renaît à une vie plus autonome avec les empereurs résidant à Trèves (286-394), et avec l'Église gallo-romaine dont saint Martin de Tours fut le héros. La Gaule assuma alors la tâche de servir de rempart à l'Empire contre les Barbares, et elle s'incorpora les Francs saliens (296) qui, en défendant d'abord l'Empire et en conservant leurs traditions guerrières, devaient être destinés à reconstruire un État unitaire.

L'œuvre s'arrête à la veille des grandes invasions du Ve siècle ; telle quelle, elle englobe mille ans d'histoire. L'auteur, tout en enregistrant scrupuleusement les bienfaits de la conquête romaine, regrette cette patrie gallique, « frappée dans le présent, effacée dans le passé, retardée dans ses destinées naturelles ». Il n'est pas facile aujourd'hui de distinguer les éléments originaux en les dégageant de l'emprise romaine : ce travail, Jullian l'indique à l'historien de l'avenir. Comme l'avait déjà fait Arbois de Jubainville, promoteur des recherches historiques sur les Celtes, il soutient l'existence d'un courant historique national, dont le but serait en France d'éteindre le « préjugé » et l'orgueil de la filiation romaine, pour y substituer la conscience d'une personnalité nationale essentiellement celtique, qui se serait réveillée après la décadence de l'Empire. Cette thèse discutable n'infirme pas la valeur de l'œuvre, qui est capitale pour l'histoire nationale française ; elle n'est pas exempte de reproches du point de vue technique, mais elle est féconde en intéressantes hypothèses et en interprétations, fondées non seulement sur l'examen et sur la critique des textes et documents, mais sur l'étude directe des monuments et des lieux.

HISTOIRE DE LA GUERRE DE GRENADE (L') [*Historia de la guerra de Granada*]. Ouvrage historique de l'humaniste espagnol Diego Hurtado de Mendoza (1503-1575), publié seulement en 1627 par les soins de Luis Tribaldos de Toledo. On le tient pour la meilleure des œuvres en prose de Hurtado, qui fut également un bon poète et que l'on considéra longtemps comme l'auteur des *Aventures de Lazarille de Tormes* (*). Il se compose de quatre livres et retrace les luttes menées par les généraux de Philippe II, parmi lesquels figurait le futur vainqueur de Lépante, don Juan d'Autriche, pour réprimer la révolte des Maures de l'ancien royaume de Grenade. Les événements sont rapportés dans l'ordre chronologique, de la révolte d'Albacin, la nuit de Pâques de 1568, à la mort de Aben-Aboo, qui marqua la reddition des Maures et le terme de la campagne (1571). L'auteur se révèle particulièrement bien informé sur les événements. Ayant pris pour modèles Salluste et Tacite, il ne parvient pas à dépasser la conception rhétorique de l'histoire ; il manifeste cependant dans cet ouvrage des dons exceptionnels de styliste, à la fois animé et coloré, habile à saisir le détail pittoresque et concret ; conteur remarquable, il sait en outre faire vivre ses personnages ; toutes qualités qui valurent à ce livre d'être imité par de nombreux chroniqueurs et poètes — v. *Guerres civiles de Grenade* de Pérez de Hita (*). – Trad. Hachette, 1808.

HISTOIRE DE LA GUERRE DE TRENTE ANS [*Geschichte des dreissigjährigen Kriegs*]. Œuvre historique du poète et dramaturge allemand Johann Christoph Friedrich von Schiller (1759-1805), publiée tout d'abord et partiellement en 1791 ; elle obtint du public, tant en Allemagne qu'à l'étranger, un accueil des plus favorables. Seules les grandes figures de la fameuse guerre intéressent Schiller : le roi de Suède et le général Wallenstein. Toute la seconde moitié de la guerre est traitée très sommairement ; les conditions de la paix de Westphalie ne sont même pas mentionnées. En 1793, Schiller révisa son ouvrage qui comprit définitivement cinq livres. Du point de vue historique, l'affirmation de Schiller lui-même vaut d'être retenue : « L'Histoire n'est qu'un magasin pour ma fantaisie et les sujets doivent s'adapter et devenir dans mes mains ce que je veux qu'ils soient. »

Si déjà, dans la lutte pour la liberté des Pays-Bas, ce qui intéressait Schiller était le droit des peuples à s'opposer aux perturbateurs de l'harmonie universelle, dans la guerre de Trente Ans il ne voit que la nécessité de défendre la cause de la liberté de conscience, de pensée, de religion, et il idéalise cette guerre épouvantable. Le premier livre tout entier (avec les considérations de l'auteur sur l'Europe avant l'explosion de la lutte religieuse et sur les événements qui vont de la Défenestration de Prague à la défaite de Frédéric, électeur palatin, roi de Bohême) n'est plus intéressant aujourd'hui. L'art véritable de Schiller se révèle dans le second livre lorsque apparaissent Wallenstein, puis Gustave-Adolphe. En face de ces grandes figures, le poète dramatique s'enflamme et il nous donne d'admirables peintures de caractère. De tradition luthérienne, Schiller n'est pas trop favorable à Wallenstein, dévastateur de provinces protestantes tout entières, mais il admire en lui le condottiere de génie, l'arbitre du sort de la guerre, et quand les intrigues de Maximilien de Bavière, qu'il considère comme le véritable inspirateur de la Contre-Réforme, déterminent la première destitution du général à Ratisbonne, ses sympathies sont pour le général, tandis que son esprit protestant s'insurge contre la Compagnie de Jésus, contre l'Édit de restitution pris par Ferdinand II, contre les chefs de la ligue qui se montrent plus coupables que l'Empereur, et enfin contre le noble cœur du généralissime catholique Tilly. Cependant, le prestige de Wallenstein supporte à peine la comparaison sur la scène de la guerre avec l'astre étincelant du roi de Suède, « defensor fidei ». Gustave-Adolphe a toutes les sympathies du poète, qui pensait à cette époque faire un drame sur lui : « L'homme est chrétien, même dans l'ivresse de la fortune, héros et roi dans sa piété même. » Cependant, quand le roi de Suède tombe dans la bataille de Lützen, Schiller a modifié son jugement sur lui. Si le protestant voyait en lui un bienfaiteur, le patriote ne pouvait approuver une domination étrangère sur l'Allemagne ; en outre, il avait compris que les aspirations impérialistes du maître de la Baltique avaient désormais supplanté les intérêts de la foi. Le héros disparu, c'est au tour de Wallenstein de dominer la scène ; sa fin tragique, avec la question de savoir s'il l'avait méritée ou non, devait intéresser le poète à qui la rédemption morale de ses héros tenait à cœur. En revanche, l'histoire politique et militaire de la guerre est assez terne et il y manque cette vibrante description de la vie de soldats qui fait l'intérêt du *Camp de Wallenstein* — v. *Wallenstein* (*) —, prologue de la trilogie qui porte le nom du général. Ses principales sources furent : *L'Histoire des guerres et des négociations qui précédèrent le traité de Westphalie* du jésuite Guillaume H. Bongeant et *L'Histoire de la guerre de Trente Ans* de Christoph Gottlieb von Murr. Le style est en progrès sur celui de l'œuvre précédente, il a acquis une fluidité et une aisance qui se réclament des grands historiens français. Cela et le caractère dramatique de la présentation des personnages expliquent son grand succès dans le monde littéraire. – Trad. A. Régnier, 1915.

HISTOIRE DE LA GUERRE DU PÉLOPONNÈSE [Συγγραφής ο Ιστοριῶν]. Écrite par l'historien grec Thucydide (460 ?-400 ? av. J.-C.) en huit livres, cette œuvre est une narration de la guerre qui eut lieu entre Athènes et Sparte et que l'on appelle généralement la guerre du Péloponnèse (431-404 av. J.-C.). L'œuvre est incomplète : elle s'arrête à l'année 408. Aristocrate de naissance, riche magnat de la Thrace ayant des parents et des moyens d'action puissants, Thucydide a joué un rôle de premier plan dans la politique d'Athènes. Il a participé activement à la guerre : nommé stratège en 424, il commanda l'expédition navale qui eut lieu au printemps de 424 ; l'insuccès de cette expédition lui valut une condamnation à mort. Gracié, il fut exilé d'abord dans le Péloponnèse, ensuite en Sicile, et enfin en Thrace, où il mourut. On peut donc être sûr de son témoignage et des raisons qui motivent son opinion, fondée sur une grande sagacité d'historien et une compétence d'homme politique : la scrupuleuse exactitude de sa documentation ainsi que son impartialité font de lui le plus grand historien de l'Antiquité. De plus, la vigueur de son esprit le place au rang des plus grands hommes et écrivains du monde classique. Sa personnalité, qui se fait sentir à travers toute son œuvre, est servie par un style dense et châtié, modèle de cette « gravité » à laquelle doivent beaucoup Salluste et Tacite. Il a su se soustraire à la vision épique des choses humaines – propre à son temps – affirmant que les dieux et leur volonté ne sont rien, comparés à l'activité et à la volonté de l'homme, dont la puissance va se multipliant de génération en génération. L'avenir est entre les mains de ceux qui ont préparé leur œuvre avec clarté et énergie : c'est de cette façon-là que, en dehors de tout rapport pouvant exister entre hommes et dieux, on peut dominer le monde et ses vicissitudes. La grandeur morale et politique de sa patrie et de l'Empire, le caractère froidement réaliste de Périclès, l'éducation positive reçue des sophistes ont illuminé Thucydide ; il va au-delà des accents épiques des *Histoires* (*) d'Hérodote, auquel il s'oppose avec la dédaigneuse conscience de sa supériorité. Après avoir vaincu le roi des Perses, Athènes avait, en tant que grande puissance, une mission politique importante à remplir : donner en exemple au monde ses règles de gouvernement et son mode de vie. L'exil, l'écroulement de la cité après la mort du génial Périclès illuminèrent et affinèrent le sens critique de Thucydide. Procédant à une réévaluation des faits, il est conduit à conférer une place de premier plan à l'histoire, qui devient en quelque sorte pour l'homme une règle de conduite au meilleur sens politique du mot ; en effet, l'étude du passé donne, à qui vit selon la raison, un sens juste de la valeur de l'avenir et un jugement précis quant au présent.

Il n'en serait pas moins vrai, selon certains, que les notes de Thucydide furent écrites dans un esprit très particulier d'opportunisme : il sut transformer ses opinions et, partant, modifier ses notes en conséquence. Tout cela malgré l'irrémédiable entêtement de la démocratie athénienne et l'incapacité des hommes qui la dirigeaient à son déclin. Thucydide a compris que les heurts entre les cités en question étaient la rencontre non seulement entre deux empires et deux formes de vie, mais encore entre deux idéologies, et qu'il fallait chercher la cause de ces heurts dans la jalousie de Sparte qui, sous Lysandre, se montra résolue à enlever à Athènes son empire politique, commercial et moral. Dans son jugement, l'auteur condamne l'infamie de ces Athéniens qui n'arrivèrent pas à se rendre compte de la grandeur qui fut celle de leur patrie sous Périclès. Les discours que Thucydide met dans la bouche de ses personnages dans les moments les plus graves sont l'expression la plus vive de la grande discorde. Périclès est représenté comme l'éternel défenseur de cet héritage athénien, que les citoyens avaient gâché par leur manque de sens politique et que les nouvelles générations reniaient, par crainte de la guerre. En même temps, ils se croyaient dans l'obligation de renier la démocratie, car ils considéraient la forme de leur gouvernement comme la seule cause de la ruine d'Athènes. Mais, pour l'historien, l'Empire athénien fut une grande chose, à la mesure des grands esprits qui l'avaient créé et qui y avaient formé leur conscience d'hommes et de citoyens. Ce fut la conquête d'une civilisation politique supérieure à toute autre et qui valait bien tout le sang répandu, toutes les horreurs commises et toutes les richesses englouties ; digne même de la douleur que sa fin avait provoquée. Ce sentiment de la patrie, de la civilisation humaine, de la valeur politique, de la liberté civile et de la dignité historique, Thucydide le défend dans son œuvre, devant l'opinion de ses contemporains et devant celle de la postérité, contre la propagande de l'oligarchie spartiate qui aurait voulu que la mémoire de ceux qui avaient créé la grande rivale fusse oubliée ou méprisée. Pour Thucydide, cet héritage devait rester intangible et être transmis intact à la postérité ; l'Athènes de Thémistocle et de Périclès pouvait disparaître, mais non la mémoire de ces hommes et de cette civilisation. – Trad. Les Belles Lettres, 1953-1972 ; Gallimard, 1964 ; Robert Laffont, 1990.

HISTOIRE DE LA GUERRE FRANCO-ALLEMANDE DE 1870-1871 [*Geschichte des deutsch-französischen Krieges von 1870-71*]. Ouvrage de l'historien allemand Helmuth Karl Bernhard von Moltke (1800-1891), publié en 1891. Alors que son ambition était de résumer l'histoire de la guerre de 1870-1871, publiée par l'État-Major allemand, l'auteur expose finalement son propre point de vue de chef d'État-Major. Le livre s'ouvre sur des remarques inattendues de la part de ce grand stratège : aussi longtemps que les nations auront une existence séparée, des différends surgiront qui ne pourront être réglés que par les armes ; mais il est dans l'intérêt de l'humanité que les guerres, devenues de plus en plus terribles, se fassent rares. Il importe moins aujourd'hui de savoir si un État a les moyens de faire la guerre, que de connaître si celui dont dépend la décision finale est assez fort pour l'empêcher. Succède à ces considérations d'ordre général le récit de la guerre proprement dite, récit au cours duquel nulle mention n'est faite de l'épisode de la dépêche mutilée d'Ems. L'auteur brosse ensuite, en deux tableaux antithétiques, la situation de l'armée française : manque de préparation et d'organisation, imprévoyance des chefs et du gouvernement, et celle de l'armée allemande : préparation minutieuse du plan de campagne jusqu'à ce que les troupes franchissent la frontière. Toutefois, ce serait une erreur de croire qu'on puisse fixer d'avance un plan de campagne et l'exécuter du commencement à la fin. Le premier choc avec les forces principales de l'adversaire ne doit-il pas créer nécessairement une situation nouvelle ? L'auteur rend hommage à la valeur déployée par l'armée française, malgré ses faiblesses et de nombreuses erreurs ; il reconnaît les lourdes pertes de l'armée allemande, qui s'élevèrent au cours des seuls quatorze premiers jours à cinquante mille hommes, dont un très haut pourcentage d'officiers. L'ouvrage relate en détail les péripéties de la guerre, jusqu'à la discussion et à la conclusion de la paix qui sanctionna la résurrection de l'Empire allemand. Un style énergique, une sobriété et une dimension dramatique sont autant de qualités qui donnent à ce récit tout son relief sans toutefois en entraver l'objectivité.

HISTOIRE DE LA LANGUE FRANÇAISE des origines à 1900. Œuvre monumentale du linguiste français Ferdinand Brunot (1860-1938). Cet ouvrage, qui commença de paraître en 1905, fut interrompu par la mort de l'auteur au tome X, publié en 1943. C'est une vaste enquête critique qui étudie les transformations de la graphie et du contenu sémantique des mots. En se référant aux dialectes, aux documents littéraires, historiques, et aux archives, l'auteur parvient à suivre les moindres transformations du vocabulaire. Brunot part des conclusions auxquelles Étienne Pasquier (1529-1615) était arrivé dans ses *Recherches de la France* (*). Il vérifie les vues de cet érudit par les méthodes les plus sûres. Il prouve que les mots sont le reflet des mœurs et des usages. Si, à un moment donné, un mot acquiert un sens particulier, le plus souvent conditionné par la politique et la religion, le discours lui-même varie selon les tendances de la culture et l'influence qu'elle exerce sur le langage parlé. La phonétique n'est pas exempte de variations. Tout doit retenir notre attention lorsque nous voulons définir le sens d'un vocable ou la valeur d'une construction syntaxique. Une langue est faite de traditions et d'innovations, de modes éphémères et aussi d'un « esprit » qui se fixe peu à peu tout au long des siècles. Brunot examine ainsi notre langue, son vocabulaire, sa morphologie et sa phonétique, depuis le latin parlé et le français du IXe au XIIIe siècle jusqu'à la Renaissance (tome I). Il traite ensuite du français du XVIe siècle qui se libère tantôt de l'érudition, tantôt d'un certain classicisme, et en d'autres cas de certaines incidences culturelles fort complexes. Parfois il semble succomber, mais c'est précisément le moment où il impose à ces diverses tendances une plus grande vivacité dans l'expression et une syntaxe plus libre (II). Une place importante est consacrée à la formation de la langue classique du XVIIIe siècle et en particulier à l'influence de l'Académie — v. *Dictionnaire de l'Académie française* (*) — et à l'autorité des meilleurs auteurs du siècle (III). La langue française est ainsi examinée sous tous ses aspects, depuis sa structure syntaxique jusqu'aux variations de sens. Il faut citer les admirables pages sur la langue de Pascal et de Voltaire. Jusqu'aux dernières lignes de cet ouvrage (tome X), Brunot a dispensé les trésors recueillis au cours de ses minutieuses recherches, toutes passées au crible d'une méthode des plus rigoureuses, digne d'un grand érudit. Cet ouvrage a été continué, après la mort de l'auteur, par Charles Bruneau, pour la période 1800-1886.

HISTOIRE DE LA LIBÉRATION DE LA FRANCE. Ouvrage de l'historien français Robert Aron (1898-1975), paru en 1959. Sans négliger les divers épisodes de la Libération de la France, depuis le débarquement allié jusqu'à la réduction des derniers îlots de résistance allemande, l'auteur replace ceux-ci dans le contexte plus particulier de la Résistance et de son action dans sa lutte contre les Allemands aux côtés des Alliés, avant le 6 juin, lorsque à Londres puis à Alger le général de Gaulle tente d'imposer à des alliés réticents ses objectifs ; en France, d'importantes fractions du territoire passent aux mains des réseaux de la Résistance tandis que des sabotages paralysent des armées allemandes de secours, et que des insurrections échouent comme au Mont-Mouchet et dans le Vercors, mais réussissent aussi comme à Paris. Le gouvernement provisoire de la République s'empresse de désigner des commissaires aux territoires libérés afin d'éviter les exactions et de prendre de court les communistes. Enfin ce sont les ultimes combats d'Alsace et les réductions des poches de Royan et de La Rochelle. Cet ouvrage, avec l'aide de nombreux témoignages et documents, met en lumière les luttes d'influence au sein de la Résistance et pose aussi le douloureux problème des exécutions sommaires.

HISTOIRE DE LA LITTÉRATURE ANCIENNE ET MODERNE. Célèbre série de leçons de l'écrivain allemand Friedrich Schlegel (1772-1829), publiée sous ce titre pour la première fois en 1812. Cet ensemble constitue une interprétation romantique de la littérature espagnole qui jouit dans cette œuvre d'une considération particulière grâce à son caractère « vraiment et totalement national ». « La poésie espagnole — affirme Schlegel — est restée presque intacte de toute influence étrangère et est purement romantique » ; la forme la plus haute de cette poésie se trouve dans la poésie dramatique et surtout « dans l'œuvre de Calderón, qui peut être considérée comme un poème épique d'un genre nouveau », tandis que le *Cid* est considéré comme l'expression la plus brillante de la poésie populaire ancienne.

HISTOIRE DE LA LITTÉRATURE ANGLAISE. La première histoire de la littérature anglaise vraiment importante a été écrite par un Français : c'est celle d'Hippolyte Taine (1828-1893), dont les quatre premiers volumes furent publiés en 1864, le cinquième en 1872 (9e éd. revue et augmentée d'un index bibliographique par J.-J. Jusserand, 1891). C'est un classique de l'historiographie du XIXe siècle et de la littérature critique française. C'est aussi un document curieux sur la conception positiviste selon laquelle génie et dégénérescence sont deux termes proches, de telle sorte que les auteurs sont vus dans une lumière crue, presque caricaturale. Trois facteurs généraux rendent compte d'un écrivain : le climat, la race, le moment historique ; facteurs que Taine illustre d'une manière vivante et pittoresque, de telle sorte qu'aujourd'hui encore on lit volontiers ce livre (l'« Introduction » en est célèbre) en le considérant comme une œuvre inspirée par un point de vue tout personnel plutôt que comme une source d'informations précises. S'intéressant davantage à l'illustration de ses conceptions — v. *Philosophie de l'art* (*) — qu'à la valeur effective de l'œuvre d'art, Taine nous donne un portrait gigantesque de Byron, en qui il croit découvrir un produit idéal du climat et de la race, mais il relègue au deuxième ou au troisième plan Coleridge, Wordsworth et Keats. Dès sa première apparition, l'œuvre de Taine eut à affronter des critiques très sérieuses ; celles que Sainte-Beuve, dans ses *Nouveaux Lundis* (*), dirige contre sa méthode, et spécialement contre sa théorie selon laquelle une œuvre d'art est obligatoirement l'expression de son époque, restent sans appel. L'histoire de Taine se divise comme suit : I. Moyen Âge et Renaissance ; II. Théâtre de la Renaissance : Shakespeare, La renaissance chrétienne dans la Réforme : Milton ; III. La Restauration ; IV. De Swift au romantisme ; V. Les Grands Victoriens.

HISTOIRE DE LA LITTÉRATURE FRANÇAISE de Lanson. Cette œuvre du critique français Gustave Lanson (1857-1934), fruit de travaux historiques qui se placent sous le signe de Sainte-Beuve et de Taine lorsque l'auteur tente de faire revivre l'âme des écrivains, et sous celui de Brunetière lorsqu'il établit la division des genres littéraires et des écoles, fut particulièrement répandue. Cette œuvre, publiée pour la première fois en 1894 comme « manuel » de littérature française, fut longtemps le manuel le plus connu en France et à l'étranger. Lanson a réuni dans ce livre, sous une forme simple et en un ordre rigoureux, toute son expérience d'érudit et de savant, étant l'élève et le compagnon des meilleurs philosophes, et chartistes de la seconde partie du XIXe siècle. On peut lui reconnaître une information sûre et abondante, qui assure à son œuvre une solidité toute scolaire. Par son souci continuel de replacer les œuvres littéraires dans leur cadre historique et par sa tendance à voir dans la littérature l'expression de la vie sociale, il apparaît comme l'héritier de la grande école historico-morale qui va de Nisard et de Villemain à Quinet et Michelet, Sainte-Beuve lui-même et Taine. Il s'ensuit que la partie la plus vivante et la plus durable de son œuvre représente les chapitres qui traitent plus spécialement de l'« histoire des idées ». En effet, la première partie (« Littérature du Moyen Âge ») et presque toute la seconde (« Du Moyen Âge à la Renaissance ») ne sont guère que de minutieuses et scrupuleuses mises au point, tandis que le livre se révèle excellent pour tout le XVIe siècle (en particulier pour la littérature d'inspiration politique et moraliste). Il a consacré au Siècle de Louis XIV d'abondantes pages dans lesquelles les classiques de notre littérature sont situés, dans leur milieu social et la culture de leur temps, d'une main exceptionnellement sûre. Mais l'œuvre atteint sa plus grande force et s'affirme avec toute sa vigueur dans la période qui va de la fin du XVIIe à la fin du XVIIIe siècle, de la crise du classicisme aux nouvelles formes de l'art du XVIIIe et à la littérature philosophique. Par contre, pour le XIXe siècle, il procède malencontreusement à une subdivision trop accentuée des « genres », ce qui a pour effet de fragmenter l'histoire littéraire à l'excès et tend à la réduire à une compilation. Cela est tout particulièrement sensible lorsqu'il aborde la littérature de la fin du XIXe et des premières années du XXe siècle ; l'ouvrage devient alors franchement insuffisant. Bien que ses scrupules et sa bienveillance l'aient amené, dans un tel domaine, à dominer ses goûts et antipathies personnelles, nous voyons pourtant Baudelaire confiné dans une petite page et ramené au rang de Sully-Prudhomme ; Verlaine et Mallarmé expédiés en quelques notes hâtives (pour ne pas parler de Rimbaud auquel sont consacrées deux lignes en note) : voici de clairs indices sur l'insuffisance de l'œuvre à cet égard. L'auteur a donné à ce livre un intéressant et opportun complément dans son fameux *Manuel bibliographique de la littérature française moderne*, du XVIe au XIXe siècle, dans une édition complète en 1913, remise à jour avec des additions en 1921 ; il fut continué ensuite, avec une interruption entre 1921 et 1935, par Giraud, en 1939.

HISTOIRE DE LA LITTÉRATURE FRANÇAISE de Nisard. Œuvre du critique français Désiré Nisard (1806-1888), publiée en plusieurs volumes de 1844 à 1861. Préférant aux romantiques les grands écrivains simples et naturels, les dignes représentants de la tradition française, Nisard est hostile au romantisme. Indiquant les dangers d'une littérature « facile », il visa, à travers ses *Études sur les poètes latins de la « décadence »*, les principaux représentants de la nouvelle école (l'étude sur Lucain est dirigée indirectement contre Hugo). Donc, pour Nisard, la grande littérature était « difficile », et particulièrement celle du siècle de Louis XIV. Si l'antiromantisme de principe gâte l'intelligence de l'œuvre, la meilleure part de son *Histoire* est celle consacrée à l'analyse de cette littérature solide et ferme dans ses principes, appelée classique par définition. Nisard ne reconnaît au Moyen Âge qu'une place secondaire. C'est seulement avec la Renaissance que l'esprit français acquiert selon lui la conscience de lui-même, dans un équilibre assuré entre l'imagination et la société, la vie idéale et la vie pratique. En tempérant la grandeur des Anciens par la noblesse du christianisme, le classicisme français atteint à une harmonie véritable et essentielle. Le critique méconnaît l'esprit et l'art des premiers siècles de la France (à l'exception de Villon, compris et défendu avec sincérité) : s'il estime la prose de Marguerite de Navarre, de Rabelais et la poésie de Marot, il ne montre par contre que peu d'enthousiasme pour la poésie de Ronsard. Il s'arrête ensuite longuement pour étudier « son » siècle, celui de Boileau, Corneille, Racine et La Fontaine. L'œuvre qui donne une pleine vision du monde est donc le siècle de Louis XIV : Boileau, méprisé par les poètes faciles, résume en son œuvre le meilleur d'une expérience essentielle pour l'humanité. Bien que Nisard n'apprécie pas en lui-même et par lui-même chacun des auteurs et indique, d'une façon abstraite, les grandes lignes d'une tradition (comme le lui reprochait Sainte-Beuve, qui eut pourtant à le défendre contre les attaques de ses contemporains), l'*Histoire* définit, pour la première fois, avec une clarté décisive, la notion d'« esprit français » : caractère classique et harmonie. Cette définition servira bien vite de point de départ à la critique du XIXe siècle : les adversaires eux-mêmes partiront d'une semblable définition, qui fut employée comme une formule propre à combattre le romantisme et ses maux hypothétiques tant au point de vue de la morale que de la politique. L'œuvre de Nisard a le mérite d'avoir fixé, avec rigueur, un certain nombre de notions désormais consacrées en ce qui regarde la littérature française.

HISTOIRE DE LA LITTÉRATURE FRANÇAISE CLASSIQUE. Œuvre du critique français Ferdinand Brunetière (1849-1906). Soucieux de certains principes moraux et religieux qu'il puise dans le catholicisme, tout acquis par ailleurs aux doctrines évolutionnistes qu'il appliquera dans sa critique littéraire, l'auteur s'engage, si l'on peut dire, dans les chemins ouverts par Désiré Nisard (1806-1888). De même que ce dernier s'attache à décrire la naissance, puis la décadence de la tradition classique et de l'esprit français, de même Brunetière eut le souci, dans l'ensemble de ses œuvres, de montrer l'« évolution des genres ». Toute sa vie, il poursuivit cette enquête et la résuma dans son *Histoire de la littérature française classique* (1515-1830), publiée à Paris en 1905 et les années suivantes. L'auteur y soutient que c'est seulement au XVIIe siècle que la littérature trouva son véritable épanouissement, et que la plus grande conquête du classicisme serait ce rationalisme et cette lucidité qui caractérisent l'esprit français ; pour soucieux que soit Brunetière d'être fidèle à ses théories, il n'a pas oublié cependant son rôle de lecteur et de moraliste. Si le tome II de son histoire : *Le Dix-Septième Siècle* (publié après sa mort en 1912), lui donne l'occasion d'illustrer brillamment sa théorie, par contre, dans le tome I : *De Marot à Montaigne* (*1515-1591*), on ne peut que déplorer le jugement acerbe et presque malveillant qu'il porte sur l'époque médiévale, s'opposant ainsi à la réhabilitation qu'en avaient fait les philologues romans. Tout aussi regrettable est l'intérêt quasi scolaire témoigné pour les auteurs des XVe et XVIe siècles et pour les problèmes concernant la culture européenne. Les deux derniers volumes de l'œuvre (*Le Dix-Huitième Siècle*, de 1913, et *Le Dix-Neuvième Siècle*, de 1918) montrent, à plus forte raison, l'« affaiblissement » et la décadence de l'esprit classique, de Marivaux à l'*Encyclopédie* (*) et à Beaumarchais : quant à la littérature romantique, toute de ferveur et d'inquiétude, elle conspire à éloigner de sa véritable route l'art et son expression, pour aboutir à Leconte de Lisle et à Dumas fils. Ces livres furent publiés par les soins de Gustave Michaut, René Doumic et Albert Cherel, parfois à l'occasion de travaux de leurs élèves. La forme de cours universitaire donnée à cette œuvre ainsi que la clarté de son exposition expliquent la fortune particulière de cette *Histoire*, bien que certains développements ne soient pas toujours sûrs ; néanmoins s'y affirme une connaissance certaine des textes et des sources. Le *Manuel de l'histoire de la littérature française*, de 1897, du même Brunetière, connut une grande diffusion à cause de la simplicité de sa synthèse critique.

HISTOIRE DE LA LITTÉRATURE FRANÇAISE DE 1789 À NOS JOURS. Œuvre du critique français Albert Thibaudet (1874-1936). Publiée en 1936, c'est une œuvre majeure et c'est elle qui reflète le mieux l'esprit et les tendances de la critique française proche du milieu de *La Nouvelle Revue française* (*), à laquelle l'auteur collabore régulièrement. Thibaudet fut rendu précocement célèbre par un important essai sur *La Poésie de Mallarmé* (1913), dans lequel il se montrait un subtil théoricien du symbolisme. Par contre, son luxe d'analyses minutieuses, de digressions suggestives, son goût pour une philosophie de l'intuition ont amené certains à le considérer comme le maître de la « critique hermétique » moderne. Ses livres sur Paul Valéry et sur *Le Bergsonisme* (*) se trouvent dans la même ligne ; mais il se montrait cependant également attiré par l'école positiviste, psychologue pénétrant aussi bien dans sa monographie estimée sur Flaubert que dans son portrait de Stendhal. Il étudia aussi avec passion les idéologies politico-sociales et présenta des œuvres brillantes et perspicaces, telles que les *Idées de Charles Maurras* (1920) et les *Idées politiques de la France* (*). C'est dans ce sens et dans cet esprit qu'il composa son *Histoire de la littérature française de 1789 à nos jours* (publiée après sa mort) : il y étudie la littérature en relation étroite avec les idées, les goûts, les humeurs spirituelles et le milieu intellectuel et moral de chaque période, s'appuyant sur les travaux du groupe Sainte-Beuve-Taine. En innovant à propos de thèmes connus, il voulut réaliser un type de narration qui groupât les écrivains et les œuvres selon les « générations » successives, en tenant compte naturellement des inévitables chevauchements, des retours, des précurseurs et des attardés. Ainsi la première partie de son œuvre porte en titre « La Génération de 1789 » (c'est-à-dire la génération de ceux qui avaient vingt ans en 1789) ; il réunit dans une série de chapitres substantiels Napoléon (curieusement jugé comme écrivain), Chateaubriand, l'« École protestante », Mme de Staël et le groupe de Coppet, les idéologues (« atticistes » et « chrétiens »), les nouveaux critiques, les spécialistes de la politique et les économistes. Vient ensuite la grande génération romantique de 1820, l'époque romantico-naturaliste-parnassienne de 1850, etc. Encore que discutable, cette nouvelle disposition conféra pourtant à l'œuvre un singulier aspect de vie et d'actualité, dû aussi à l'attention constante portée aux courants intellectuels et culturels, à l'abondance des rapprochements avec l'époque moderne, à un style extrêmement énergique et coloré, volontairement dépourvu de préjugés. Thibaudet se montre parfois meilleur critique des idées et du goût que des formes, et témoigne d'un certain embarras devant des œuvres de poésie d'une traditionnelle solennité, comme celles de Vigny ou de Lamartine ; tandis qu'il prend une splendide revanche, en psychologue raffiné et en littérateur de haut goût, avec Victor Hugo par exemple. La partie moderne paraît un peu hâtive ; la poésie y est souvent sacrifiée à d'autres formes d'art plus particulièrement « sociales », comme le théâtre et le roman, tandis que la critique est traitée en parfait connaisseur, avec un esprit très aigu, une justesse mordante et un bon sens supérieur. Enfin toute l'œuvre respire un goût vif et un sens si touchant et pénétrant de la « République des lettres » qu'elle prend place dans la grande tradition de l'humanisme français.

HISTOIRE DE LA LITTÉRATURE GRECQUE. Œuvre des hellénistes français Alfred (1845-1923) et Maurice Croiset (1846-1935). Elle fut publiée en 1887-1899. Les auteurs se sont efforcés de donner une vision claire et panoramique d'une civilisation littéraire prise dans son unité spirituelle et dans la diversité des personnalités et des inspirations. Les deux frères se sont réparti la tâche : Maurice Croiset traite plus particulièrement de l'épopée, du drame, de la nouvelle comédie et de la littérature de l'Empire, tandis qu'Alfred se réserve la poésie lyrique, les origines de la prose, prose attique et ionienne, et la littérature alexandrine. Les œuvres des poètes sont interprétées comme les parties d'un vaste ensemble, l'esprit grec. La poésie de Sappho et le rire d'Aristophane subissent un rigoureux examen, ils sont discutés, replacés avec profondeur dans leur milieu dramatique, et la ligne d'ensemble de l'étude fait comprendre la valeur de la tradition d'une aussi imposante unité. L'œuvre des Croiset s'appuie vraiment sur l'existence d'une « histoire » continue. S'il est vrai qu'ouvrages et auteurs semblent vivre par eux-mêmes dans la puissance de la création, jusqu'à atteindre parfois la valeur d'un mythe, on peut considérer que c'est seulement dans le cadre historique de la vie nationale grecque qu'ils prennent toute leur signification. On sent, dans l'œuvre, des réminiscences romantiques à la Michelet, une façon de raisonner des événements historiques qui rappelle Vico. L'ensemble de la composition prouve la nécessité de dominer le caractère fragmentaire des études philologiques, souvent purement textuelles et grammaticales. Cette *Histoire* demeure une des œuvres essentielles sur la civilisation et l'esprit grecs. Elle est encore aujourd'hui renommée pour l'aisance de son style et la précision de son analyse. L'heureux équilibre de la collaboration des deux savants se remarque également dans la présentation abrégée qui, pour être scolaire, n'en est pas moins scientifique, du *Manuel de la littérature grecque*, publié en 1900 et qui connut une large diffusion.

HISTOIRE DE LA LITTÉRATURE ITALIENNE [*Storia della letteratura italiana*]. Œuvre de l'écrivain italien Francesco De Sanctis (1817-1883) demeurée sans égale jusqu'à ce jour. C'est le chef-d'œuvre critique de De Sanctis, c'est le grand monument de l'historiographie romantique qui, en fusionnant en une synthèse nouvelle et originale les meilleures exigences de l'histoire et de la philosophie romantique, eut une influence directe sur le renouvellement de l'esthétique et de la critique réalisé par la philosophie de Benedetto Croce. D'après son projet initial et suivant les accords passés avec Morano, de Naples, qui fut le premier éditeur de l'*Histoire* (en 1869), cette œuvre aurait dû être un manuel de littérature italienne destiné aux écoliers. L'auteur lui-même l'avait ainsi définie : « L'histoire la plus brève qui ait jamais été écrite jusqu'à présent et qui puisse faire l'objet d'un cours que l'on donne dans un lycée. » Ce projet devait par la suite s'amplifier : au lieu d'un volume, il y en eut deux. Le premier fut achevé en juillet 1870, le deuxième vers la fin du mois de décembre de 1871. Disons que ce dernier – il va de l'époque du *Roland furieux* (*) à la moitié du XIXe siècle – manque un peu d'équilibre, par suite de la condensation excessive des dernières pages. Il fallut donc ajouter un troisième volume, lequel fut consacré à l'examen de ce même XIXe siècle : Leopardi, Manzoni, ainsi que les deux grandes écoles, « démocrate » et « libérale ». L'idée maîtresse de l'*Histoire de la littérature italienne* de De Sanctis est la notion romantique du « développement », laquelle se fonde avant tout sur l'existence de cette entité organique qu'on appelle l'« esprit national ». Cette entité se réalise tout à la fois à travers les manifestations politiques, sociales, littéraires, artistiques et philosophiques. D'où il suit qu'on tend à concevoir l'histoire de la littérature comme une vaste synthèse ; chaque manifestation devant converger en soi vers la connexion organique et unitaire du développement. De Sanctis était, par ailleurs, un tenant de l'esthétique de la « forme » (c'est-à-dire de l'autonomie absolue de l'art). Il était enclin, d'autre part, à ressentir l'intime connexion qui existe actuellement entre l'art et la personnalité. Dans son *Histoire*, il dut par conséquent faire face à un problème fort difficile : d'abord trouver la connexion entre l'art et l'histoire ; ensuite accorder les caractères de l'unique à ceux du principe organique ; sauver le caractère créateur de l'art, de façon qu'il n'apparaisse ni comme un simple produit de l'histoire ni comme une vulgaire succession de phénomènes ; harmoniser enfin le jugement historique avec le jugement esthétique. L'*Histoire* de De Sanctis manque d'un postulat précis : sa base historiographique est loin de paraître acceptable à la pensée critique la plus récente. Mais les incertitudes dont témoigne la méthode s'effacent, dans l'ensemble, devant la vigueur de la construction critique. Son inspiration est profondément réaliste et positive ; elle est laïque dans toute l'acception du terme. Cette inspiration, on la retrouve certes chez d'autres historiens italiens du XIXe siècle. Mais elle fut surtout le fait des grands historiens français de la Restauration. S'affranchir du Moyen Âge par une graduelle « réhabilitation de la nature » : voilà le signe même de la pensée moderne. Ce Moyen Âge (unité de pensée et d'action, sous l'égide de la foi) trouve son expression dans *La Divine Comédie* (*) de Dante. Ici « vit un monde noueux et tout pénétré de mystère ». Ce mystère commence à se dénouer dans Pétrarque. Dès lors, « l'Italie tourne le dos au Moyen Âge ». Pétrarque est le poète de la transition ; sa mélancolie est celle d'un monde nouveau qui, « encore ignorant de la conscience », tend à se dégager du Moyen Âge. C'est le monde des belles formes, de la belle nature et de la belle femme. Boccace humanise le surnaturel, et aboutit à un concept qui s'oppose en tout point au concept médiéval : la glorification de la chair. Le vieux monde mystique, théologique et scolastique s'effondre : « Nous sommes en présence de l'homme et de la nature. » Le couronnement artistique et philosophique de ce processus est atteint par la Renaissance qui acquiert le sens de l'immanence et du beau. Ici éclate le désaccord entre l'art et la vie, entre la pensée et l'action. Ici commence une transition nouvelle et douloureuse dont le Tasse fut le chantre. Le monde artistique de la Renaissance, vivant en dehors de la vie, se continue sous des formes diverses dans les subtilités du XVIIe siècle et dans les minauderies de l'Arcadie. Il aboutit, par les mélodrames de Métastase, à une dissolution de la parole dans la musique. Mais la grande pensée de la Renaissance donne ses fruits dans la « nouvelle science » de Bruno, de Campanella, de Galilée et de Vico, tandis que la « nouvelle littérature », jaillie comme une restauration du vrai, du naturel et de la conscience, trouve ses expressions les plus significatives dans Goldoni, Parini et Alfieri. Pour la poésie, Foscolo, comme jadis Pétrarque et le Tasse, est le champion de la transition entre deux âges, deux cultures et deux croyances, dans la nouvelle et dernière conciliation de l'idéal avec le réel, de la pensée avec la foi, réalisée par Manzoni. L'*Histoire* de De Sanctis se termine par une rapide et dramatique évocation du milieu politique, culturel et littéraire de la première moitié du XIXe siècle. La nouvelle synthèse est brisée : le « système théologique, métaphysique et politique » qui avait soutenu l'Italie dans sa lutte pour la conquête de l'indépendance et des institutions libérales s'est écroulé. La critique succède à la métaphysique, alors qu'avec la poésie de Leopardi reparaît le « mystère ». Il s'agit là d'une liquidation assez laborieuse, mais animée d'un vouloir créateur d'où sortira la « littérature moderne ». Toutefois, cette littérature « suppose une préparation sérieuse, dirigée vers toutes les branches de la science humaine et réglée par une critique libre de tout préjugé comme de toutes les impatiences de l'exploration ».

HISTOIRE DE LA LITTÉRATURE POPULAIRE CHINOISE [*Tchong-kouo sou wen-siue che – Zhongguo su wenxue shi*]. Ouvrage de l'historien chinois Tcheng Tchen-touo (Zheng Zhenduo, 1898-1958), publié en 1938. Il permit de s'apercevoir que des œuvres populaires méritaient d'être mises sur le même plan que des ouvrages traditionnels célèbres. Jusqu'au XXe siècle, seules les œuvres écrites en chinois classique étaient rangées dans la littérature, et tout ce qui était publié en langue vulgaire, c'est-à-dire les romans et les pièces de théâtre, plus toute la littérature orale, n'était considéré que comme des distractions futiles. Quand, au début du siècle, la langue classique fut abandonnée, les écrivains cherchèrent dans les anciens écrits en langue vulgaire une tradition sur laquelle s'appuyer, et déjà Hu Che avait remis à l'honneur les romans et publié une *Histoire de la littérature en langue vulgaire* [*Sou wen-siue che*]. Tcheng Tchen-touo poursuivit ces recherches, découvrit tout un répertoire du théâtre jusque-là complètement ignoré, et mit en lumière l'extraordinaire richesse de la littérature orale : ballades, chansons, récits de conteurs, dont certaines œuvres se révélèrent beaucoup plus attrayantes que les produits d'une tradition lettrée sclérosée. J. P.

HISTOIRE DE LA LITTÉRATURE ROUMAINE DEPUIS LES ORIGINES JUSQU'À PRÉSENT [*Istoria literaturii române de la origini până în prezent*]. Ouvrage du critique et écrivain roumain George Călinescu (1899-1965), publié en 1941, réédité en 1982. Bien que l'auteur ait négligé la période ancienne de la littérature roumaine, avec ses prélats lettrés et ses chroniqueurs souvent savoureux, son ouvrage demeure capital surtout pour l'époque moderne. George Călinescu a publié des monographies remarquables notamment sur le grand poète Mihai Eminescu — un volume sur la vie d'Eminescu (1932), cinq autres sur son œuvre (1934-1936) — et sur le grand prosateur Ion Creangă (1938), ainsi que plusieurs essais sur d'autres écrivains roumains ; il a suivi, en tant que critique, la littérature roumaine contemporaine dans ses manifestations les plus diverses et les plus significatives ; enfin, il a formulé ses *Principes d'esthétique* [*Principii de estetică*, 1939]. Aussi cet ouvrage forme-t-il une somme d'expérience et de savoir. Subjectif, comme dans la plupart des cas, il reflète évidemment les goûts de l'auteur. Cependant, même lorsque George Călinescu est trop distant, trop réservé ou trop sévère — il n'est jamais trop indulgent —, on peut, à travers ses jugements, se faire une idée assez juste sur tel écrivain et trouver ici une image assez objective de son œuvre.

HISTOIRE DE LA LITTÉRATURE SUISSE des origines à nos jours. Ouvrage des écrivains suisses Virgile Rossel (1858-1933) et Henri-Ernest Jenny (1876-1940). Parue en première édition à Lausanne et Berne en 1910, cette histoire reprend, avec beaucoup plus de détails, les données de l'*Histoire littéraire de la Suisse au XVIIIe siècle* de Gonzague de Reynold (Lausanne, 1909), de la *Littérature suisse du XVIIIe siècle* [*Die schweizerische Litteratur des 18. Jahrhunderts*, Leipzig, 1861] et de la *Galerie suisse. Biographies nationales* (3 vol., Lausanne, 1873-1880) de Charles Secrétan (1815-1895). Les deux volumes de l'œuvre remarquablement documentée de Rossel et Jenny comportent une introduction, quinze chapitres de texte et un appendice ; on a une idée de l'importance du travail entrepris lorsque l'on sait que l'index alphabétique des auteurs cités porte sur près de mille noms. Après une introduction conçue pour présenter le milieu intellectuel qui a vu s'épanouir la littérature suisse en deux langues, française et allemande, les auteurs passent à l'étude de ce que l'on pourrait appeler la « préhistoire de la littérature suisse » : la période qui s'étend jusqu'au XVe siècle. Il est très difficile de discriminer, parmi les premières œuvres, ce qui appartient à la production autochtone et ce qui a été importé de l'un des pays voisins. Néanmoins, on peut considérer comme établi que la première œuvre littéraire d'une certaine importance est un poème de mille quatre cent cinquante-six vers appelé *Waltharilied*, composé vers 940 par un moine du fameux monastère de Saint-Gall, Ekkehard (mort en 973) ; cette œuvre, d'après l'avis de Rossel et Jenny, est d'une importance capitale et ne peut être comparée qu'au *Beowulf* (*), à la *Chanson des Nibelungen* (*), ou au *Gudrune* (*). Ensuite (chap. I), ce fut l'époque de la poésie courtoise de la Suisse allemande, avec la *Manessesche Handschrift* (manuscrit de Manesse), la *Chronique des chanoines de Neuchâtel* (d'ailleurs probablement apocryphe) et, enfin, Othon de Grandson, le premier en date des poètes romands (mort en 1389). Le chapitre II traite d'Ulrich Zwingli (1484-1531) et de Jean Calvin (1509-1564), dont les auteurs analysent la *Confession de foi* (1562) et l'*Institution de la religion chrétienne* (*) (1536). « La littérature du XVIe siècle, nous disent Rossel et Jenny, est dans la Suisse germanique — et il n'en sera pas autrement dans la Suisse romande — une servante de la Réforme. » En effet, à part Zwingli et Calvin, nous n'y voyons apparaître que le disciple de ce dernier, Guillaume Farel (1489-1565), et Pierre Viret (1511-1571), dont l'*Instruction chrétienne* et les *Disputations chrétiennes* sont amplement connues. Le chapitre III traite de la poésie et du théâtre à l'époque de la Réforme. Ce sont, d'une part, les *Fastnachtspiels* — v. *Farces de Carnaval* (*) — de Pamphile Gegenbach et ses comédies dramatiques et, d'autre part, les pièces satiriques du Bernois Nicolas Manuel (1484-1530) : *Du pape et de son clergé* (*) et *Du conflit entre le pape et le Christ* [*Von Papst und Christ Gegensatz*], pièces dans lesquelles Manuel tend à montrer, avec une puissance d'expression qui fait penser à Ulrich von Hutten, « l'abîme qui sépare le christianisme papal du christianisme évangélique ». Dans le même chapitre, nos auteurs traitent également de Théodore de Bèze, d'Henri Estienne et de Jean-Jacques Rousseau, auteurs que le lecteur français connaît comme faisant partie du patrimoine national. Le chapitre IV nous présente les chroniqueurs et les historiens du XVIe siècle : Égide Tschudi (1505-1572), le plus brillant des chroniqueurs de la Suisse allemande de cette époque, et que Schiller et Goethe admirèrent sans réserve ; François Bonivard (1493-1570), l'ex-prieur de Saint-Victor, dont les six années de captivité inspirèrent plus tard à lord Byron son *Prisonnier de Chillon* (*). Passant rapidement (chap. V) sur le « siècle des épigones », les auteurs abordent (chap. VI) le « Réveil intellectuel » avec Jean-Pierre de Crousaz (1663-1750) et son *Traité du Beau* (*) (1717), dans lequel apparaissent des institutions et des vues dignes d'un précurseur ; en effet, Rossel et Jenny voient en lui le « fondateur de l'esthétique française ». Quant à Jean-Jacques Burlamaqui (1694-1748), le grand jurisconsulte genevois, ses *Éléments du droit naturel* (1747) et ses *Principes du droit politique* (1751) le firent apprécier dans le monde entier. Le chapitre VII nous montre Albert de Haller (1708-1777), ses poésies — v. *Les Alpes* (*) — et ses travaux scientifiques, parmi lesquels certains, dont les *Éléments de physiologie du corps humain* (*), lui valurent une renommée mondiale. À la même époque appartient le professeur Jean-Jacques Bodmer (1698-1783), qui traduisit en allemand Homère, Shakespeare et Milton, et publia, après des recherches patientes faites dans les bibliothèques parisiennes, deux recueils d'œuvres de poètes allemands du Moyen Âge (les *Minnesänger*). C'est de Bodmer que Goethe disait qu'il était une « poule couveuse pour talents d'autrui ». Jean-Gaspard Lavater (1741-1801) fut non seulement l'inventeur de la physiognomonie, science dont il établit les bases dans ses *Physiognomische Fragmente* — v. *La Physiognomonie* (*) —, mais également un penseur profond, attaché à la connaissance de soi-même : il nota ses expériences d'introspection dans son *Journal d'un observateur de soi-même* [*Tagebuch von einem Beobachter seiner selbst*, 1771]. Le chapitre VIII est consacré à Jean-Jacques Rousseau et à F.-B. de Félice (1723-1789), promoteur de l'*Encyclopédie* dite d'Yverdon, rivale de celle de Diderot. Le chapitre IX traite du doyen Philippe-Sirice Bridel (1757-1845) et de sa « vocation de l'helvétisme ». Ses *Étrennes helvétiennes et patriotiques*, qui parurent régulièrement de 1783 à 1831, furent réimprimées sous le nom de *Conservateur suisse*, nom que ces cahiers gardèrent de 1813 à 1831. Bridel y fit paraître une invraisemblable quantité de matériaux ayant trait au folklore suisse et à l'histoire locale. Le chapitre X embrasse la fin du XVIIIe siècle et le début du XIXe en Suisse allemande. Nous voyons apparaître Jean de Müller (1752-1809) et son *Histoire de la Confédération suisse* (*), œuvre dans laquelle, abandonnant les hypothèses et les abstractions chères à ses prédécesseurs, Müller n'a voulu être que le plus scrupuleux des savants, sans cesser pour cela d'être un écrivain d'une pureté toute classique. Jean-Henri Pestalozzi (1746-1827) publia d'abord deux romans : *Léonard et Gertrude* (*) (paru à Berlin en 1781) et *Christophe et Else* (1782) ; mais la gloire fut assurée à Pestalozzi pour ses travaux sur l'éducation des enfants. Avec son volume *Comment Gertrude instruit ses enfants* (*), il introduisit en Suisse et en Allemagne la méthode, dite lancastérienne, d'enseignement mutuel. Rossel et Jenny mentionnent ensuite les poètes et les prosateurs moins connus, surtout en France : Salis, Hegner, Usteri, Hess, Wyss — v. *Robinson suisse* (*) —, Kuhn, Zshokke — v. *Abellin, le grand bandit* (*) —, Froelich, et passent en revue leurs œuvres. Le chapitre XI parle de Rodolphe-Alexandre Vinet (1797-1847), de ses *Essais de philosophie morale et de morale religieuse* (1837) et de son recueil intitulé *L'Éducation, la famille et la société* (1855). Charles Secrétan (1815-1895), le philosophe qui donna au monde ce « traité de métaphysique vertigineuse » qu'est sa *Philosophie de la liberté* (*) (1848), est ensuite étudié ; suivent de courtes notices sur Blanvalet, Richard, Juste Olivier, Petit-Senn, Töpffer — v. *Nouvelles genevoises* (*) ; *Voyages en zigzag* (*). Le chapitre XII nous introduit auprès d'Albert Bitzius (1797-1854) qui, sous le pseudonyme de Jérémias Gotthelf, acquerra une notoriété avec son *Miroir des paysans* [*Der Bauernspiegel oder Lebensgeschichte des Jeremias Gotthelf*] et ses autres ouvrages : *Anna Bäbi Jowäger* (*) ; *Ulric le valet de ferme* (*) ; *La Misère des pauvres* [*Die Armennoth*] ; *Dürsli le buveur d'eau-de-vie* [*Dürsli der Brantweinsaüfer*], etc. L'œuvre de Rossel et Jenny se termine sur un aperçu de la littérature suisse allant d'Eugène Rambert à Édouard Rod d'une part (chap. XIII) et de Gottfried Keller et Conrad-Ferdinand Meyer à nos jours (chap. XIV) d'autre part. Le chapitre XV présente les écrivains actuels de la Suisse française ; un appendice spécial est consacré aux littératures romanche et italienne de la Suisse.

★ Également de Virgile Rossel nous avons une *Histoire littéraire de la Suisse romande*, parue en première édition à Genève en 1891 et rééditée en 1903 à Neuchâtel. Cette œuvre est une étude très complète des lettres suisses d'expression française, portant sur plus de huit cents noms d'auteurs dont une grande partie est totalement inconnue au lecteur français non spécialisé. L'importance de cet ouvrage pour les lettres françaises n'échappa d'ailleurs pas à l'Académie française qui le couronna. Le livre est divisé en six « périodes » : 1) Les Origines et le Moyen Âge ; 2) Le XVIe siècle et la Réforme ; le premier chapitre de cette période étant consacré — pour établir une transition entre le Moyen Âge et la Réforme — à Cornélius Agrippa de Nettesheim et à Robert Olivétan que l'auteur considère comme étant des précurseurs de la Réforme ; 3) Le XVIIe siècle, très pauvre en écrivains de langue française ; 4) « Le Siècle de Rousseau » ; 5) « De la Révolution au romantisme » ; 6) La littérature contemporaine. Le dernier chapitre de cette sixième « période », formant conclusion, est consacré à l'influence de la littérature romande sur la française. Si — nous dit l'auteur — « la France, jusqu'à la Réforme, ne doit presque rien à la Suisse romande », c'est ensuite le Suisse Burlamaqui qui fut le maître de Jean-Jacques Rousseau ; et citant

Borgeaud (dans son *Académie de Calvin*), notre auteur ajoute : « On n'en saurait douter : la science dans l'école de Calvin prépara la Révolution. »

HISTOIRE DE L'ALLEMAGNE AU XIXe SIÈCLE [*Deutsche Geschichte im 19. Jahrhundert*]. Œuvre en cinq volumes de l'historien allemand Heinrich von Treitschke (1834-1896), publiée entre 1879 et 1894. Elle débute par les tableaux successifs de la ruine de l'Empire germanique après le traité de Westphalie ; de l'Allemagne sous la domination de Napoléon ; de l'ascension de la Prusse ; et se poursuit au cours de deux chapitres avec le récit de la guerre qui s'acheva par la libération du pays, les victoires de Leipzig et de Waterloo, et la paix de Vienne (1814). C'est ensuite la naissance de la Confédération germanique, succédant au Saint Empire romain, l'ouverture de la Diète tenue par la Fédération germanique, enfin la restauration de l'État prussien, déjà prêt à une lutte avec l'Autriche pour la prédominance en Allemagne. Le volume consacré à la « Pénétration du libéralisme français, de 1820 à 1840 » traite des réformes entreprises par la Burschenschaft, de la réaction que suscitèrent les mesures prises par Hardenberg, du retour à l'absolutisme et à la contrainte militaire et économique dans les vieux États du nord de l'Allemagne, des répercussions de la révolution de Juillet sur la paix européenne. Puis il est traité de la formation du « Zollverein » ou convention qui régla les questions de douanes entre les États germaniques. C'est alors la naissance d'une Allemagne libérale qui se forme sans porter atteinte à l'ordre public, jusqu'à la lutte avec la papauté à propos de certains démêlés avec l'archevêque de Cologne. À ces événements fait suite le règne de Frédéric Guillaume IV (1840-1848), époque d'attente paisible. Vient ensuite la période de guerre du « Wacht am Rhein » et du « Deutschland über alles » ; la Révolution de 1848 ; la confusion générale et les bouleversements, tandis que des épidémies aggravent encore le mauvais état des finances. Aussi Berlin verra-t-elle s'élever des barricades, nonobstant la concession d'une Constitution et la réforme du « Bund » : mais la convocation de l'Assemblée nationale en 1848 fera paraître les divergences de points de vue entre Berlin, qui veut une Prusse libre, forte et ayant la haute main sur le pays, et les autres États.

Treitschke fut surpris par la mort et donc empêché de mener à bien son *Histoire.* Déjà le second volume avait suscité de violentes critiques de la part des historiens libéraux. Cette opposition s'exaspéra à la parution des livres suivants, lorsque Treitschke abandonna l'objectivité d'un véritable historien et se fit le champion de l'unité nationale, le tribun et le porte-parole de la réaction, l'ennemi du progrès. Dans ces volumes apparaît clairement son évolution politique, qui le faisait opter pour une prédominance de la Prusse, l'unique force capable à ses yeux de donner à l'Allemagne une unité nationale. La valeur littéraire de l'œuvre contribua à en faire un instrument de propagande de choix, et les gouvernants ne se firent pas faute d'en user.

HISTOIRE DE L'ALLEMAGNE PENDANT LA RÉFORME [*Deutsche Geschichte im Zeitalter der Reformation*]. Œuvre de l'écrivain allemand Leopold von Ranke (1795-1886), publiée en cinq volumes, de 1839 à 1843. Elle forme le centre de cette trilogie à laquelle appartiennent : *L'Histoire des pontifes romains aux XVIe et XVIIe siècles* (*), *Les Peuples du Midi et le pape* et l'*Histoire de France* [*Französische Geschichte*] ; l'auteur y étudie particulièrement le XVIe siècle dans lequel, une fois disparue l'unité religieuse du Moyen Âge, le pape cesse d'avoir une influence universelle, et doit compter avec la religion protestante, tandis que l'Empire se divise et cherche pendant plus d'un siècle à se rétablir grâce à un compromis. L'*Histoire de l'Allemagne* expose donc les transformations qui s'opérèrent dans l'Église, dans la Papauté et dans l'Empire, les trois puissances qui dominèrent l'histoire du Moyen Âge. L'Empire connut les mêmes phases d'évolution que la Papauté : longs et stériles efforts en vue d'une réorganisation intérieure, lois qui tentent de suppléer à la carence de décisions réelles et d'actions véritables. Les princes se préoccupent avant tout d'autonomie, le sentiment de l'unité de la race germanique n'ayant jamais étouffé celui de l'individualité de chaque État. Faisant appel à l'individu et à sa conscience, la Réforme, jaillie du plus profond de la vie allemande, délivre le christianisme des symboles de la hiérarchie, pour le rendre à sa forme première. L'Allemagne peut abandonner à l'Italie sa Renaissance et à l'Espagne ses conquêtes et ses découvertes ; elle a trouvé une tâche à sa mesure, d'une portée européenne et universelle, en affranchissant la société des contraintes du Moyen Âge. La rivalité entre Charles Quint, François Ier et Henri II, les complications qu'apportèrent les luttes contre les Turcs et contre le pape, les intrigues qui opposaient les uns aux autres les États allemands, les calculs d'intérêt furent autant de facilités offertes au protestantisme naissant pour étendre son influence. Après quoi l'Empire refusera aux décisions de l'Église le soutien du bras séculier. La Réforme connut en France un grand développement et eut une influence, du moins indirecte. La troisième partie de la trilogie en expose les conséquences sur la politique française, en particulier la guerre entre la France et l'Espagne, les traités de Westphalie et d'Utrecht.

C'est donc une histoire des débuts du protestantisme et de son ingérence dans la politique : la Réforme a non seulement étendu l'horizon intellectuel et moral de l'humanité, mais elle a instauré un nouveau monde politique. Le talent particulier de l'auteur pour présenter les faits et les hommes sous un éclairage inhabituel, ses tendances romantiques qui lui font voir, à travers les menées des personnages, les forces spirituelles qui les mènent le poussent à insister sur la présence immanente dans l'histoire de cette puissance obscure dont dépendent les vies humaines. Parmi les défauts qui peuvent être imputés à l'ouvrage, citons celui de mettre trop en vedette les héros et les princes et de négliger le rôle joué par les masses.

HISTOIRE DE LA MUSIQUE [*Storia della musica*]. Traité du théoricien de la musique et compositeur italien Giovanni Battista Martini, dit le Padre Martini (1706-1784) ; cette œuvre consiste en trois volumes qui parurent respectivement en 1757, 1770 et 1881 à Bologne. Elle est le fruit des recherches que l'auteur poursuivit dans sa magnifique bibliothèque (noyau de l'actuelle bibliothèque du Lycée musical de Bologne) et témoigne plutôt d'une érudition très poussée que d'un sens objectif de l'histoire. En effet, il n'y a pas un nom ni une affirmation qui ne soient accompagnés d'une foule de citations antiques et modernes : c'est pourquoi l'auteur n'est pas arrivé à dépasser la musique des anciens Grecs (un quatrième volume, qui devait traiter de la musique du Moyen Âge, est resté à l'état de manuscrit).

HISTOIRE DE LA NATION FRANÇAISE des origines préhistoriques jusqu'à nos jours. Œuvre collective publiée sous la direction de l'historien français Gabriel Hanotaux (1853-1944). Elle comprend quinze volumes publiés de 1926 à 1929, selon un plan non chronologique et assez original. C'est une œuvre de spécialistes, mais qui ne sont pas toujours des historiens de profession. Les collaborateurs ont été choisis selon leur spécialité technique, aussi présente-t-elle parfois des vues neuves et des points de vue qui diffèrent quelque peu de ceux des purs historiens ; c'est là son intérêt mais aussi la raison de ses défauts : nombreuses redites, insuffisance historique de certaines parties, valeur très inégale des différentes participations. L'*Histoire de la nation française* comprend une Introduction générale, en deux volumes, « Géographie humaine de la France » : I. Le cadre permanent et le facteur humain, par Hanotaux et Brunhes. II. Géographie politique et Géographie du travail, par Brunhes et Deffontaines ; une « Histoire politique » en trois volumes : I. Des origines à 1515, par Imbart de la Tour ; II. De 1515 à 1800 par Madelin ; III. De 1800 à 1920, par Hanotaux ; une « Histoire religieuse » par Georges Goyau ; une « Histoire militaire et navale » en cinq parties : I. Des origines aux croisades par le général Colin. II. Des croisades à la Révolution par le colonel Reboul. III. De la Constituante au Directoire par le général Mangin. IV. Du Directoire à la guerre de 1914-1918 par le maréchal Franchet d'Esperey. V. La Guerre de 1914-1918 par Hanotaux ; une « Histoire diplomatique » par René Pinon ; une « Histoire économique et financière » par Germain Martin ; une « Histoire des Arts » par Louis Gillet ; une « Histoire des Lettres » en quatre volumes : I. La littérature française en langue latine par Picavet. II. Les Chansons de geste par Joseph Bédier. III. Des origines à Ronsard par Jeanroy. IV. De Ronsard à nos jours par Fortunat Strowsky ; une « Histoire des Sciences » en deux parties : I. Introduction générale. Mathématiques, Astronomie, Mécanique, Physique, Chimie, par Picard-Audoyer et Fabry-Colson. II. Sciences biologiques, Philosophie et philosophie des sciences par Caullery et Lote.

HISTOIRE DE LA PEINTURE EN ITALIE [*Storia pittorica dell' Italia*]. Ouvrage de l'historien d'art italien Luigi Lanzi (1732-1810), publié à Bassano en 1795-1796. Il couronne, en quelque sorte, les innombrables ouvrages de critique picturale qui parurent en Italie au XVIe et au XVIIe siècle. Étude d'ensemble sans précédent, puisqu'elle embrasse toute l'histoire de la peinture italienne depuis la « résurrection des beaux-arts » (entendez la formation d'un style national avec les grands maîtres toscans du XIIIe jusqu'à la fin du XVIIIe siècle). L'ouvrage comprend dix-huit livres qui correspondent aux grandes écoles de la peinture italienne. Étudiant d'abord l'école de Florence, celles de Sienne, de Rome et de Naples, l'auteur passe ensuite aux écoles de l'Italie du Nord, vénitiennes et lombardes (Mantoue, Milan, etc.). Il s'attache en dernier lieu aux écoles de Bologne, de Gênes, de Ferrare et du Piémont. Considérant la genèse et le développement de chaque école, il fait valoir toute la richesse jusqu'à l'heure de la décadence. Par exemple, le livre consacré à la peinture florentine se divise en cinq époques : la première va jusqu'à la fin du XVe siècle ; la seconde traite de Léonard de Vinci, de Michel-Ange et des grands peintres du XVIe siècle ; la troisième concerne les maniéristes, successeurs de Michel-Ange ; la quatrième, Cigoli et les autres peintres du XVIIe siècle ; la cinquième, enfin, traite de l'école baroque de Pietro da Cortona. L'auteur sent profondément les différences qui séparent écoles et artistes. Pour les mettre en lumière, il établit un classement des écoles selon les régions. Il s'oppose à la méthode adoptée par Winckelmann dans sa célèbre *Histoire de l'art chez les Anciens* (*). Au concept platonicien de la beauté idéale, Lanzi oppose le sentiment de la valeur particulière ; plutôt que de mettre l'accent sur l'objective évolution des formes, il s'en tient tout simplement à la biographie de l'artiste. Pour restaurer l'art, Lanzi croit en l'efficacité des académies. Aux « faiseurs d'histoires », il préfère les portraitistes, les paysagistes et les peintres de natures mortes. Il défend tous les principes du classicisme académique ; mais ses conceptions en ce domaine sont loin d'être rigides. Il conserve l'indépendance de son jugement ; cela est sensible quand il parle des primitifs (au nombre desquels il range, selon les idées de son temps, les peintres du xve siècle). Plusieurs fois traduit et réimprimé, il a connu au cours du XIXe siècle un succès considérable. Stendhal, entre autres, l'a utilisé pour écrire son *Histoire de la peinture en Italie* (*). – Trad. Séguin, 1824.

HISTOIRE DE LA PEINTURE EN ITALIE. Œuvre de l'écrivain français Stendhal (Henri Beyle, 1783-1842), publiée en deux tomes chez Didot aîné, en 1817, aux frais de l'auteur. Stendhal n'avait pas signé son livre, il se cache sous les initales : M. B. A. A., c'est-à-dire « M. Beyle, ancien auditeur ». On sait en effet qu'il avait été auditeur au Conseil d'État. L'ouvrage sur lequel Stendhal avait compté, sinon pour devenir célèbre, du moins pour faire fortune, ne se vendit pas. Des exemplaires invendus, il se décida à faire une fausse seconde édition, cette fois signée de son pseudonyme Stendhal (1825). La seconde édition ne connut pas un meilleur succès. Beyle en donna une troisième en 1834. Mais en 1840, les mille exemplaires de la première édition n'étaient pas encore épuisés. Une réédition posthume fut publiée en 1854 dans les *Œuvres complètes,* précédée cette fois de la dédicace à « Napoléon le Grand, empereur des Français, retenu à l'île de Sainte-Hélène », que Stendhal n'avait naturellement pu faire paraître sous la Restauration. Dans la première édition, cette dédicace est remplacée par une autre : « Au plus grand des souverains existants », et dont le destinataire n'est pas autrement précisé. D'excellentes rééditions modernes de l'*Histoire de la peinture en Italie* furent publiées par P. Arbelet dans l'édition critique des Œuvres chez Champion en 1924, puis en 1929, par Henri Martineau, au « Divan », qui a donné l'édition la plus complète des œuvres de Stendhal. Enfin la partie restée longtemps inédite de l'œuvre (École italienne de peinture) a été publiée pour la première fois par Martineau, en 1932.

C'est en 1811, lors de son second séjour en Italie, que Stendhal conçut cette œuvre. Il se met à étudier systématiquement la peinture qu'il ne connaissait pas, sachant qu'« en étudiant les beaux-arts on apprend à les sentir ». Il achète quelques guides, dont l'*Histoire de la peinture en Italie* (*) de Lanzi ; puis décide de composer pour lui-même un précis de peinture, entièrement fait de traductions et de morceaux choisis et enrichi de ses propres réflexions. Enfin, il en vient à penser que cette œuvre pourrait être un succès d'édition en France, où de semblables manuels n'existent pas. L'ouvrage, qu'il présente au public en 1817, est donc un recueil de textes sur la peinture italienne, dans lequel il a introduit ses idées sur le « Beau idéal », de longues dissertations historiques sur les civilisations, enfin ses propres observations en face des œuvres d'art. S'il ne cite pas ses références, c'est que, l'ouvrage ayant paru anonymement, on ne saurait accuser un anonyme de plagiat. Sur ses brouillons, il écrit d'ailleurs : « Sur vingt pages, dix-neuf au moins sont traduites, et, si je n'ai pas cité les originaux, c'est pour ne pas distraire l'attention du lecteur. » L'œuvre débute avec des considérations générales sur les débuts de la civilisation italienne et les mœurs, puis Stendhal aborde l'École de Florence, où il traite successivement des « premiers progrès des arts vers l'an 1300 », du « perfectionnement de la peinture de Giotto à Léonard de Vinci ». Il s'étend longuement sur Léonard. Puis il interrompt son exposé historique pour introduire sa longue dissertation sur le « Beau idéal ». Contre Winckelmann, il soutient que le beau idéal, fixe, traditionnel et qui convient à tous n'est qu'un mythe, et qu'au contraire il existe autant de types de beautés que l'on peut dénombrer de races, de gouvernements et de climats. Suivent des considérations sur les différents tempéraments physiques, les climats dans leurs rapports avec l'œuvre d'art. Beyle essaie ensuite de dégager les principes du « Beau moderne ». Puis il reprend son exposé, avec la vie de Michel-Ange qui termine le second volume. Nous sommes loin ainsi de la réalisation de son projet. La suite de l'ouvrage (École italienne de peinture) ne vit jamais le jour, elle n'a été éditée que récemment, et encore demeure-t-elle incomplète. Sans doute Beyle, devant l'insuccès de son œuvre, s'en est-il détourné. On sait par ses notes qu'il ne se proposait rien de moins que d'étudier en Italie : les beautés naturelles, le caractère des habitants, la peinture et autres arts du dessin, la musique. De tout ce programme d'études, nous n'avons que des fragments dans *Rome, Naples et Florence* (*), les *Promenades dans Rome* (*), et enfin ses considérations sur la musique dans les *Vies de Haydn, Mozart et Métastase* (*) et dans la *Vie de Rossini* (*). À l'*Histoire de la peinture en Italie,* Stendhal a joint, en appendice, des tableaux chronologiques et le tableau des différentes Écoles de peinture, ainsi que le *Cours de cinquante heures,* qui n'est rien moins qu'une suite de recettes pour « devenir presque un artiste ». Il y conseille de passer dix heures, en plusieurs fois, « à l'école de natation pour prendre une idée de coloris », deux heures au palais des Arts afin d'y dessiner le nu, enfin de faire des calques de gravures, d'apprendre par cœur le nom des principaux muscles, etc. Le tout n'occupera pas plus de cinquante heures. S'il a emprunté presque toute la substance de son œuvre aux critiques contemporains, l'*Histoire de la peinture en Italie* n'en demeure pas moins une œuvre fort originale ; car il y a répandu à profusion des notes, des anecdotes et des souvenirs, et le tout de manière si inattendue que l'effet en est nouveau et surprenant. L'intelligence, la fantaisie et l'imagination éclatent à chaque page de ce livre où Stendhal apparaît sous son vrai jour : simple, mais capable d'affectation et de quelque pédanterie, sceptique et pourtant passionné. De plus, ses considérations sur la personnalité de l'artiste, sur le rôle du milieu et même d'éléments physiques, comme le climat et la race, dans la conception de l'œuvre d'art, annoncent déjà la critique de la fin du XIXe siècle.

HISTOIRE DE LA PHILOSOPHIE. Œuvre du philosophe français Émile Bréhier (1876-1952), parue en sept volumes de 1926 à 1932. Une comparaison avec les tentatives précédentes, beaucoup moins étendues et datant de la seconde moitié du IXe siècle – celles de Fouillée, de Janet et Séailles –, suffit à faire apparaître les qualités de Bréhier et l'effort accompli pour rendre leur place à des époques jusqu'alors assez dédaignées, en particulier au néo-platonisme, aux philosophies du Moyen Âge et à celles de la Renaissance. L'ouvrage a été complété d'autre part par deux fascicules, l'un sur *La Philosophie en Orient*, dû à P. Masson-Oursel, l'autre sur *La Philosophie byzantine*, par P. Tatakis. À propos de la philosophie contemporaine pourraient sans doute être formulées quelques critiques (développements trop restreints sur Heidegger et aussi sur de nombreuses tendances de la psychologie moderne, par exemple le mouvement de la « Gestalt » ; absence complète de la philosophie espagnole du XXe siècle, de l'école du « positivisme logique » et de Wittgenstein, Carnap, Reichenbach, dont les grandes œuvres étaient cependant connues dès 1230-35). En général, l'auteur paraît un peu déconcerté par l'ampleur des courants irrationalistes dans la philosophie du XXe siècle. Bréhier lui-même est un rationaliste, mais dégagé de tout esprit de système. Écrivant une histoire de la philosophie, il ne songe pas, comme Hegel jadis, à formuler rien qui puisse ressembler à une loi du développement philosophique. Il ne s'agit pas de construire, dit-il, mais de décrire. Néanmoins, si probe historien qu'il soit, il n'oublie pas de rester lui-même philosophe. Dans la succession des doctrines lui apparaît une continuité spirituelle : les philosophies s'appellent l'une l'autre, et la tâche de l'historien des idées, comme le souligne Bréhier, consiste à mettre en valeur cette « virtuosité de pensée », à ne voir dans telle idée qu'un passage, une direction vers une autre idée, « un vecteur plus qu'une simple ligne ». L'histoire de la philosophie, à cet égard, est libératrice : elle oblige à renoncer aux jugements trop hâtifs, elle témoigne que la pensée philosophique n'est pas une réalité fixée, qu'elle doit toujours être remise en question. Mais elle préserve aussi du relativisme historique intégral en montrant, à travers la multiplicité des systèmes périssables, une unité qui se cherche inlassablement, unité des structures mentales, et aussi unité de l'ordre rationnel immanent au monde, impossible sans doute à appréhender totalement, mais dont la présence, constamment entrevue d'une manière fragmentaire, ne cesse de guider à travers les siècles l'effort de la vie spirituelle.

HISTOIRE DE LA POÉSIE ANGLAISE DU XIe AU XVIIe SIÈCLE [*The History of English Poetry*]. Ouvrage du poète anglais Thomas Warton (1728-1790), publié à Londres en trois volumes (1774-1781). Cette première histoire de la littérature anglaise présente le caractère d'un répertoire érudit. Warton, professeur de poésie à Oxford, nommé poète lauréat en 1785, est l'une des figures les plus importantes du préromantisme. C'est lui qui a « remis en valeur » l'architecture gothique dans son ouvrage *Observations sur la « Reine des Fées » de Spenser* [*Observations on the Faerie Queene of Spenser*], publié en 1754. Plutôt que de tracer une véritable histoire de la poésie anglaise, Warton examine un grand nombre d'œuvres mineures qu'il puise infatigablement dans les manuscrits ou les livres rares, spécialement en ce qui concerne l'époque qu'il appelle « les âges les plus obscurs de l'histoire de notre poésie ». Son but est de montrer le perfectionnement continu de la poésie anglaise. L'œuvre commence au XIe siècle, mais elle ne s'étend pas au-delà de la fin du XVIe.

HISTOIRE DE LA POÉSIE PROVENÇALE. Ouvrage de philologie de l'historien français Claude-Charles Fauriel (1772-1844), publié après le décès de l'auteur en 1846, à Paris, par Jules Mobl. Il se compose d'une suite de conférences faites en 1831 à la faculté des lettres de Paris. Il forme la troisième et dernière partie d'un grand ouvrage dont la seconde est l'*Histoire de la Gaule méridionale sous la domination des conquérants germains* ; la première partie, consacrée à la Gaule sous les Romains, ne fut jamais rédigée. Fauriel examine les événements qui se déroulèrent dans la France méridionale lors de l'invasion des Barbares. C'est du conflit qui mit ces derniers aux prises avec l'Empire romain que sont nées la poésie courtoise française et la poésie provençale. Cette dernière, en tant que manifestation d'une civilisation propre, est pour la France une véritable littérature étrangère. Selon les principes mêmes du romantisme, la relation existant entre poésie et civilisation se trouve magnifiquement démontrée : langue et littérature se manifestent par une vie qui leur est propre, depuis les origines lointaines jusqu'au déclin de la civilisation provençale. Pour la France, dit Fauriel, la littérature provençale est une littérature qui offre un réel intérêt, précisément parce qu'elle est la première des littératures modernes : elle a vraiment formé toutes les autres. Il faut remonter aux troubadours pour pouvoir expliquer la poésie lyrique des Italiens, des Espagnols, des Allemands ; par la magnificence de ses motifs artistiques, elle personnifie l'idéal chevaleresque de l'amour : dans la France méridionale, en Catalogne et en Aragon, on peut relever certains caractères à ce point définis qu'ils peuvent être comparés, dans leur ensemble, à l'épopée des *Nibelungen* — v. *Chanson des Nibelungen* (*) — et aux autres manifestations historiques du même ordre. En ce qui concerne la poésie lyrique et la musique, l'influence des Arabes est grande : leur caractère rêveur et souvent nostalgique est l'un des éléments les plus importants d'une nouvelle civilisation. Dans la littérature provençale tout particulièrement (dans le poème de *Gautier d'Aquitaine,* par exemple), il est possible de saisir les conflits qui opposèrent la société gallo-romaine aux Francs. Ces conflits expliquent également la conception féodale de la fidélité au seigneur dans la lutte contre les ennemis et les infidèles ; c'est au milieu d'une telle atmosphère que l'amour courtois, signe de suprême raffinement et de liberté spirituelle, naquit et fit ses preuves. Si les premières chansons de geste peuvent être comparées aux chants scandinaves et germaniques, la poésie lyrique et amoureuse est vraiment le symbole d'une nouvelle conception de la courtoisie, du fait de cette soumission à un idéal très pur. Ainsi la poésie provençale se rattache à la poésie populaire, aux chants sur les croisades et même à la satire ; elle est la preuve d'une nouvelle civilisation, un acte de foi en un renouvellement des esprits. Après des siècles de barbarie, l'Europe fait entendre sa voix dans le pays de Provence : sur les ruines s'édifie un monde qui recueille, des siècles qui l'ont précédé immédiatement, la fleur la plus exquise et la plus charmante : l'anoblissement de la femme et la fidélité chevaleresque.

Après s'être livré à cet examen des conditions sociales qui virent naître la poésie provençale, Fauriel nous donne le portrait de poètes, tels que Bernard de Ventadour, Marcabrun, Giraut de Bornelh, Arnaud Daniel, Raimbaut de Vaqueiras ; l'analyse critique de leurs poésies est un fait important qui compte dans les annales des études romanes de la première moitié du XIXe siècle. Ensuite l'auteur traite des romans de chevalerie qu'il divise en « carolingiens » (narrant les guerres contre les Arabes d'Espagne ou les révoltes des grands suzerains contre les descendants de Charlemagne) et en « bretons » ou de la Table ronde. De nombreux résumés et examens critiques concernent les romans ; l'auteur présente en particulier une analyse fouillée du roman anonyme du XIe siècle, *La Guerre des Albigeois :* grande épopée carolingienne, elle relate la destruction de la civilisation provençale et suffit à prouver l'existence d'une épopée provençale antérieure. C'est ce roman que devait publier Fauriel en 1837, dans son texte original accompagné d'une traduction, sous le titre *Histoire de la croisade contre les hérétiques albigeois.* Dans l'ensemble, cette *Histoire de la poésie provençale* témoigne de la ferveur romantique avec laquelle Fauriel s'approcha de son sujet. Sans doute la recherche d'une fusion parfaite entre poésie et histoire peut-elle expliquer certaines déficiences critiques, notamment pour tout ce qui regarde la filiation des diverses littératures dérivant de la littérature provençale. Néanmoins, cette œuvre reste un admirable document de la culture au XIXe siècle.

HISTOIRE DE LA PRINCESSE OCHIKUBO [*Ochikubo Monogatari*]. Œuvre japonaise en quatre volumes. L'auteur est resté anonyme, bien que l'œuvre ait été attribuée par quelques critiques à Minamoto no Shitagô (911-983). L'époque de sa composition semble également incertaine. Mais elle doit être contemporaine ou postérieure à l'*Histoire d'un creux d'arbre* (*), et certainement antérieure au *Notes de chevet* (*), puisqu'elle est citée dans ce dernier ouvrage. C'est la plus célèbre et la meilleure des « Mamago monogatari » ou « histoires de belles filles », qui semblent nombreuses à une époque où les hommes avaient plusieurs femmes. De là des rapports généralement tendus entre belles-mères et belles-filles. Les incidents qui naissaient d'un tel état de choses inspirèrent toute une littérature. Le récit narre les mésaventures de la fille d'un haut dignitaire, douée d'une très grande beauté et d'une intelligence tout aussi remarquable. De telles faveurs de la part de la nature lui valent la haine de sa belle-mère, qui la fait enfermer dans une espèce de cave (« ochikubo », d'où le nom de la jeune fille). Elle est tirée de là par un jeune et puissant seigneur qui l'épouse. Enfin la douceur et la bonté du couple finissent par vaincre l'acrimonie tenace de la belle-mère, de telle sorte que les uns et les autres parviennent à vivre heureux. Comme document sur les usages et les coutumes d'une telle époque, ce récit présente le plus grand intérêt. Par ailleurs, on ne peut que louer la justesse des observations psychologiques, spécialement en ce qui concerne Shôshô, l'époux de la princesse, dont on remarquera l'esprit chevaleresque et la générosité. — Trad. anglaise de W. Whitehouse, *Ochikubo Monogatari, or the Tale of the Lady Ochikubo* (Londres, 1934).

HISTOIRE DE L'ARCHITECTURE CLASSIQUE EN FRANCE. Œuvre de l'historien d'art français Louis Hautecœur (1884-1973), publiée en neuf volumes de 1943 à 1957. « Après le XVIe siècle, l'art proprement français n'existe plus. La mode italienne, pastiche de l'Antiquité, entraîne nos architectes à renier les modes traditionnelles essentiellement françaises. » Formulée en 1930 par le plus intransigeant des médiévistes, cette affirmation de système, tardivement romantique, est le dernier legs du XIXe siècle, « inventeur » et laudateur exclusif du Moyen Âge. Depuis Viollet-le-Duc, contempteur du classicisme, nul n'avait encore osé, avec les mêmes armes scientifiques, la combattre de front. Aussi bien, dans leur ensemble, les érudits français ne laissaient-ils pas de la piétiner. Le mérite singulier de Louis Hautecœur est d'avoir enfin réhabilité quatre siècles de l'histoire de France et de s'être penché sur l'art classique avec la méthode et la ferveur qui avaient été appliquées par ses devanciers à la seule étude de l'art médiéval. L'*Histoire de l'architecture classique en France,* fruit d'une minutieuse enquête entreprise par son auteur avant la Première Guerre mondiale, est un monument d'érudition unique de son espèce. « La France classique a créé des chefs-d'œuvre, comme en avait produit la France gothique ou la France romane » : dans les sept tomes de son œuvre, Louis Hautecœur s'est attaché à le démontrer en analysant par le menu ce classicisme qui n'est pas seulement « une forme d'art mais une conception de l'existence qui transforme les États, les nations, les littératures, les manières de sentir, de croire, de penser ». La lutte, toujours enrichissante, entre les doctrinaires et les éclectiques, entre les rationalistes et les fantaisistes, entre ceux qui, au XVIIe siècle, élaborèrent le classicisme proprement dit et ceux qui, jusqu'au XIXe, subirent l'influence de l'esprit baroque, nourrit quatre cents ans de l'histoire esthétique de la France. Réduire le classicisme, comme on le fit si longtemps, au seul emploi des thèmes antiques est une erreur essentielle : « L'Antiquité était diverse et ses exemples nombreux. » Du XVIe au XIXe siècle, « le répertoire n'a [...] pas cessé de se modifier, de s'enrichir et aussi de s'abâtardir. Il ne constitue pas le classicisme ».

L'étude attentive des persistances à laquelle s'est livré Louis Hautecœur au cours de son travail représente un apport de tout premier ordre. C'est ainsi, souligne-t-il, que, du point de vue psychologique, « les traditions ont toujours été puissantes dans l'esprit des hommes, traditions religieuses et liturgiques, qui imposent le respect des plans anciens, des dispositions vieilles de plusieurs siècles ». Dans l'ordre de l'architecture sacrée, les dispositions des églises médiévales ont été longtemps respectées, notamment par les architectes de la Compagnie de Jésus ; certaines formules gothiques furent conservées jusqu'au XVIIIe siècle. La chapelle royale de Versailles est, à ce titre, la Sainte-Chapelle de l'âge classique. L'inspiration venue de Rome n'a jamais été servile. Et, du XVIe au XIXe siècle, le génie français s'est exprimé avec la même liberté et la même variété que durant les siècles médiévaux. « Les maîtres d'œuvre, les entrepreneurs groupés en corporation étaient d'autant plus enclins à respecter les plans ou les formes que le fils adoptait le plus souvent le métier du père, que se formaient des dynasties d'architectes. » Remodelée par l'Italie renaissante, la France allait à son tour rayonner sur toute l'Europe des deux derniers siècles de l'ancienne civilisation. Le triomphe de l'« Europe française » et du classicisme français, élaboré par nos théoriciens et nos praticiens, face aux offensives baroques menées par la Rome berninesque, ne peut être compris dans toute sa plénitude qu'à la lumière des volumes centraux qui sont consacrés à ce phénomène capital de l'histoire moderne.

L'ouvrage de Louis Hautecœur, qui prend l'état de l'architecture française à la fin du XVIe siècle pour en suivre le développement méthodique jusqu'à l'aube du XXe siècle, est peut-être celui qui aura le plus efficacement dessillé les yeux de nos contemporains. Le temps n'est plus, grâce à lui, où l'archéologie tenait pour négligeable tout ce qui est postérieur à l'esthétique flamboyante, considéré comme l'ultime surgeon de l'art authentiquement français, et où les organismes officiels de la protection du patrimoine national méprisaient à peu près unanimement les témoins monumentaux issus de la Renaissance. Il n'est pas jusqu'au XIXe siècle, étudié, dans un dernier volume, avec une exemplaire objectivité, qui n'ait profité d'une analyse aussi complète et aussi large que celle-là. « Aujourd'hui, l'architecture classique est morte, nous avons connu ses derniers représentants. La génération qui leur succéda montra à leur égard la même dureté que les premiers classiques à l'endroit des maîtres maçons gothiques. Il nous est permis de juger avec impartialité quatre siècles de leur histoire et de leur rendre justice. » Sous les angles de l'érudition et de la conservation, c'est-à-dire du double point de vue théorique et pratique, l'*Histoire de l'architecture classique en France* est une sorte de sésame.

HISTOIRE DE LA RELIGION ET DE LA PHILOSOPHIE EN ALLEMAGNE [*Zur Geschichte der Religion und Philosophie in Deutschland*]. C'est dans les fascicules du 1er mars, 15 novembre et 15 décembre 1834 de *La Revue des Deux Mondes,* environ un an après la publication de la première partie de *L'École romantique* (*), que le poète allemand Heinrich Heine (1797-1856) publia pour la première fois les trois parties de cet ouvrage, sous le titre : *De l'Allemagne.* En 1835 parut l'édition française en un volume sous le même titre, dédiée à Prosper Enfantin, saint-simoniste et ami de Heine. L'édition allemande, publiée par Campe comme deuxième partie du « Salon », fut mutilée par la censure et l'éditeur ; ce ne fut qu'en 1852, lors de la deuxième édition, que l'auteur put la compléter partiellement, retraduisant du français la plupart des passages supprimés. Elle est cependant demeurée à l'état de « fragment » et, comme le dit l'auteur dans ses préfaces aux deux éditions, doit demeurer telle, alors qu'elle devait primitivement servir d'introduction générale à une histoire de la littérature allemande à partir de la mort de Goethe, dont *L'École romantique* constituait la première partie. Dans cet ouvrage, le but de Heine est une fois de plus d'opposer à l'« Allemagne chimérique de Mme de Staël une Allemagne plus réelle ». Pour connaître la pensée allemande, dit-il, il ne suffit pas de connaître ses chefs-d'œuvre artistiques, mais aussi sa religion et sa philosophie ; ce n'est qu'à travers la réforme religieuse que l'on peut comprendre la philosophie qui s'est développée ultérieurement, et ce n'est qu'à travers la philosophie qu'il est possible d'évaluer le grand mouvement littéraire qu'a engendré le romantisme. Heine tient donc à présenter — presque en même temps qu'une histoire de l'école romantique — une histoire de la religion et de la philosophie, de Luther à Hegel. Alors que pour Mme de Staël l'histoire spirituelle de l'Allemagne était une évolution progressive vers l'idéalisme, pour Heine, le terme de cette évolution est le naturalisme. De Luther à Kant, il voit les étapes d'une libération des vieux dogmes et de la tyrannie du spiritualisme. Luther a redonné à la chair ses droits naturels, Kant a ruiné le déisme : c'est le Robespierre de la nouvelle révolution ; Fichte a présenté le moi souverain, idéal, créateur du réel : c'est Napoléon ; mais ce moi s'est effondré et Schelling a rebâti l'idéal avec le réel : c'est la Restauration. Il y a un net parallélisme entre la révolution philosophique allemande et la révolution sociale française : l'une contre le déisme, l'autre contre la monarchie. Le déisme vaincu, c'est le panthéisme de Spinoza qui triomphe et qui, au fond, « a toujours été la religion occulte des Allemands ». Enfin, Hegel applique la philosophie à l'histoire, à la politique et à la religion ; avec lui cesse le divorce entre corps et esprit, et s'achève le cycle de la révolution philosophique d'où sortira la grande révolution politique et sociale de l'Allemagne. De cette évolution dérive une conception de la nation allemande opposée à celle de Mme de Staël : il ne s'agit plus d'un peuple idyllique, rêveur, moral, spéculatif, mais d'une Allemagne réaliste, militante et active, formidable de tradition et d'autorité, vouée à une mission libératrice du monde à travers les siècles.

Poussée jusqu'à ses conséquences extrêmes, cette conception aboutira au pangermanisme avec ses idéaux de force et de conquête ; Heine en eut tardivement l'intuition et fit machine arrière, reniant la doctrine hégélienne et considérant comme une erreur tout ce qu'il avait écrit dans cet ouvrage au sujet de la religion. Mais, à l'époque où il l'écrivit, il était sous l'influence du saint-simonisme, dont les idéaux semblaient satisfaire à la fois ses exigences de romantique et de rationaliste. En écrivant ce livre, Heine entendait avant tout « travailler à l'entente cordiale entre la France et l'Allemagne », en les faisant mieux se connaître l'une l'autre.

HISTOIRE DE LA RÉVOLTE ET DES GUERRES CIVILES EN ANGLETERRE DEPUIS 1641. Cet ouvrage de l'écrivain anglais Edward Hyde, comte de Clarendon (1609-1674), fut publié de 1702 à 1704 sous la direction de son fils. Bandinel en donna en 1826 la première édition d'après le manuscrit original ; l'édition complète, revue par Macray, est de 1888. Le titre complet de l'ouvrage est le suivant : *Le Véritable Récit historique de la révolte et des guerres civiles en Angleterre* [*The True Historical Narrative of the Rebellion and Civil Wars in England*]. Clarendon n'écrit pas pour le public, mais pour les futurs hommes d'État. Il fait l'histoire de la lutte qui semble avoir ruiné à la fois l'Église et la monarchie. Dénonçant les fautes commises contre le pouvoir constitutionnel, il suggère le moyen d'éviter ces mêmes erreurs et de parvenir à une meilleure solution, si des conditions identiques venaient à se représenter. Clarendon a fait passer dans cette œuvre une partie de son expérience personnelle, en introduisant dans le récit son autobiographie politique. La construction habile du récit, l'art de présenter les détails, aussi bien que le résumé des faits et de leurs motifs, font de cette histoire une œuvre déjà moderne. On lui doit aussi une *Histoire de la révolte et des guerres civiles en Irlande* [*History of the Rebellion and Civil Wars in Ireland*] publiée bien après sa mort, en 1719-20. — Trad. Meyndert Uytwerf, La Haye, 1704-1709.

HISTOIRE DE LA RÉVOLTE QUI DÉTACHA LES PAYS-BAS DE LA DOMINATION ESPAGNOLE [*Geschichte des Abfalls der vereinigten Niederlande von der spanischen Regierung*]. Publiée en 1788 dans la revue *Le Mercure allemand* (*) et en volume, puis refaite en 1801, elle constitue, avec l'*Histoire de la guerre de Trente Ans* (*), la principale œuvre historique du poète et dramaturge allemand Johann Christoph Friedrich von Schiller (1759-1805). L'étude de l'histoire fut, pour celui-ci, ce que fut l'étude des sciences naturelles pour Goethe : la recherche d'une base dans la réalité, pouvant fournir une contribution durable à la création de ses divers drames historiques. Schiller était aussi intéressé dans l'histoire par le problème de la victoire de la volonté humaine sur les puissances de la nature. L'idée de l'humanité suppose chez l'homme la possibilité d'affirmer librement sa propre personnalité spirituelle et morale. C'est pourquoi elle est inséparable, suivant Schiller, de l'idée de liberté. Celle-ci est avant tout la liberté morale, car même les luttes pour la liberté politique sont un aspect de la conquête de la liberté morale. Elles intéressent donc d'une manière particulière l'historien Schiller. Il avait dans l'idée d'écrire un livre sur « les Rébellions et les Conjurations », dont la première partie devait traiter de la révolte des Pays-Bas. L'œuvre de Watson : *Histoire du règne de Philippe II, roi d'Espagne,* traduite de l'anglais (1777), fut la première source de son inspiration.

Dans cette œuvre, l'auteur tend à se dégager de toute partialité pour atteindre, par l'étude précise des sources historiques, à une rigoureuse objectivité. Le premier livre de l'*Histoire de la révolte* contient un aperçu rétrospectif du développement des Pays-Bas jusqu'au XVIe siècle ; puis sous Charles Quint et Philippe II. L'auteur cherche à montrer comment Charles Quint, parce que né aux Pays-Bas, fut plus aimé : il n'y eut pas de mouvements de rébellion sous son règne, alors que pour favoriser le bien-être du pays il essaya d'étendre la liberté civile au plan religieux. Son fils Philippe au contraire, espagnol et bigot, amena ce pays florissant à l'exaspération et à la révolte. La peinture des caractères des deux souverains, ainsi que celle des personnages principaux de l'époque, est intéressante : Guillaume d'Orange le taciturne, qui cachait sous une impassibilité extérieure une âme ardente, prodigue de son or, avare de son temps, inaccessible à la ruse et à l'amour, né conjuré ; à ses côtés, le comte Egmont, le benjamin de tous, excellent soldat, mais piètre homme politique, avec toutes les qualités d'un héros, et Marguerite de Parme, gouvernante des Pays-Bas, fille naturelle de Charles Quint, qui avait grandi dans ce pays et connaissait les formes de gouvernement de ses prédécesseurs. Schiller en donne une brève peinture, c'est une amazone hardie et partisane, dévote d'Ignace de Loyola ; il lui reproche une âme vulgaire qui la rendit incapable de devenir, comme elle l'aurait pu, la bienfaitrice de son peuple. La partie la plus importante du second livre est constituée par la peinture du cardinal Granvelle ; bien que Schiller doive détester le tyran des Pays-Bas et l'ennemi de la nouvelle doctrine religieuse, et qu'il présente, de ce fait, sous un aspect très sombre sa politique et ses intrigues, il ne peut cependant s'empêcher d'avoir une certaine admiration d'ordre esthétique pour le génie de ce grand homme d'État, pour sa capacité extraordinaire et sa perspicacité qui le firent presque égaler le cardinal Mazarin. Dans le troisième livre, à côté de l'analyse psychologique des caractères, on trouve de puissantes scènes de masses, comme celles évoquant les fameux anabaptistes, les iconoclastes, les gueux. Enfin, dans le quatrième livre, c'est l'explosion de la guerre civile, l'entrée du duc d'Albe, la fuite du prince d'Orange, la chute d'Egmont et de Hoorn, le départ de la duchesse de Parme. Du point de vue historique, l'œuvre a vieilli ; mais du point de vue psychologique, artistique, elle est d'une grande importance dans la production en prose de Schiller. — Trad. Hachette, 1883.

HISTOIRE DE LA RÉVOLUTION FRANÇAISE de Carlyle [*The French Revolution*]. Œuvre de l'écrivain anglais Thomas Carlyle (1795-1881), publiée en 1837. C'est, plutôt qu'une véritable histoire, une épopée historique dans laquelle Carlyle donne une vision toute dramatique et idéologique des événements. Sa principale préoccupation est de découvrir les puissances héroïques en jeu, de mettre en valeur les forces spirituelles qui se dissimulent sous les événements dont il accentue encore la violence et le caractère apocalyptique. Cette préoccupation apparaît dès les premiers chapitres, qui abondent en tableaux riches en couleurs et en mouvement, hérissés de sentences, d'épigrammes et d'images de visionnaire. Louis XV, qui fut un temps le « Bien-Aimé », meurt entouré par la haine. Une nouvelle ère commence, qui promet un « avenir aussi brillant qu'a été hideux le passé ». Ce fut d'abord l'« Âge de la Constitution », de l'enthousiasme et de l'illusion. La mode est au *Contrat social* (*) de Rousseau, à la découverte des frères Montgolfier, à la philosophie mondaine, au goût antique et aux miraculeux remèdes financiers de Necker. Pendant ce temps, sous le regard aveugle d'un roi, qui n'est qu'un automate, et d'une Église désormais vaincue et muette, passent « vingt-cinq millions de visages blêmes » qui n'attendent qu'une occasion pour entrer en scène ; masse qui se débat contre le manque de pain, le manque de travail, l'égoïsme des privilégiés, au milieu des fêtes, des aimables manières et des douces institutions. Le jour du règlement de compte approche ; alors éclatera la colère accumulée et réprimée depuis des siècles. « Frère, ne sois jamais charlatan, c'est un métier maudit, et les malédictions qu'il traîne après lui te suivront encore quand tu n'existeras plus depuis des siècles. » À Paris la canaille s'agite, elle est maîtresse désormais de la place : les nuages s'accumulent, l'orage gronde. Ce sont d'abord des incidents insignifiants qui se soldent par quelques dizaines de victimes, puis des tentatives d'insurrection ; enfin, les élus de la France, représentants du peuple, de la noblesse et du clergé, suivis par le roi et la cour dans toute leur splendeur, se rendent en magnifique et solennelle procession à l'ouverture des états généraux. Le tiers état, par la voix de Mirabeau, l'homme de la situation, ne reconnaît au roi d'autre autorité que celle que soutiennent les baïonnettes, et refuse de se séparer. Encore quelques jours et le cri « Aux armes ! » retentira : le 14 juillet, la Bastille, symbole exécré, tombe, renversée comme Jéricho par une clameur miraculeuse. « Mais c'est une révolte ! » s'écrie Louis XVI, surpris. « Non, Sire, c'est une révolution », répond Liancourt. C'est l'émigration, la fuite des nobles, tandis que l'Assemblée constituante poursuit son travail de destruction des institutions séculaires. Pendant ce temps, les châteaux flambent, on brûle les barrières douanières, les boulangers n'ont plus de farine, et les « brigands » débouchent de toutes parts. « Et pourtant, de tout cela sortira une ineffable bénédiction : l'homme et la vie ne s'appuieront plus sur le vide et sur le mensonge. » Vient ensuite l'insurrection des femmes affamées qui veulent du pain pour leurs enfants. Le roi est emmené à Paris par le peuple : toute la cour et la reine, elle-même, s'installent aux Tuileries, prisonnières de la foule qui crie : « Du pain sans discours. »

C'est ainsi que tous les aspects de la Révolution, tous les événements dans leur déroulement fatal et rapide sont revécus et commentés avec passion par l'auteur, jusqu'à la chute des Girondins et au dernier drame : la Terreur. Les Girondins « voulaient une République de la vertu, à la tête de laquelle ils entendaient bien rester : mais ils n'obtinrent qu'une République de la force. La nation a cru, pendant plusieurs années, à la possibilité, à la certitude même, de l'avènement d'une ère dans laquelle l'homme serait le frère de l'homme, sans douleurs, ni fautes : un ciel sur la terre ». D'où le pouvoir que la Révolution exercera sur les esprits de tous les pays, d'où la foi révolutionnaire. La Montagne l'avait compris ; les Girondins l'avaient ignoré. Après le procès des Girondins, l'assassinat de Marat, la condamnation de Danton, les survivants tentent une revanche qui sera leur salut. La Convention triomphe : « Robespierre et tous les rebelles sont hors la loi » ; et le rideau tombe sur le dernier acte de la tragédie révolutionnaire. La nation, ayant goûté du sans-culottisme, en est lasse. Les prisons rendent par flots leurs détenus : les comités sont abolis ; désormais font fureur les « bals des victimes » et la mode « à la guillotine » ; le commerce reprend son libre cours. On dresse les listes des victimes de la Terreur. Quatre mille personnes, dont neuf cents femmes, au plus. La tentative réactionnaire du 13 Vendémiaire est noyée dans le sang par le citoyen Bonaparte : les vainqueurs du sans-culottisme et du royalisme sont vaincus à leur tour. L'homme est arrivé. La France a désormais quatre millions de propriétaires terriens.

Le parti pris de l'auteur, ses outrances, ses interprétations de visionnaire, ses antipathies rendent la lecture de *La Révolution française* tour à tour exaspérante et passionnante. Le style est emphatique, prophétique, avec des attendrissements et des enthousiasmes de fanatique, des apostrophes et des interjections. L'auteur professe un violent mépris pour les hommes rusés, les charlatans et les hypocrites, une adoration pour la sincérité, même brutale, pour la force, l'énergie et la personnalité. L'œuvre reflète la théorie des « héros » chère à son auteur. Les héros incarnent les forces de l'histoire dans toute leur violence. Avec ses défauts, sa partialité, ses illuminations géniales, le rythme épique de sa narration, son interprétation caractéristique du passé en fonction des problèmes présents, le livre reste un des monuments les plus remarquables de l'historiographie romantique. Certains portraits sont restés célèbres, celui de Robespierre entre autres : « l'incorruptible mer verte » (« the Sea-Green Incorruptible »). — Trad. Alcan, 1917.

HISTOIRE DE LA RÉVOLUTION FRANÇAISE de Michelet. Œuvre de l'historien français Jules Michelet (1798-1874), publiée de 1847 à 1853. L'auteur interrompit l'*Histoire de France* (*) à laquelle il travaillait quand, arrivé au règne de Louis XI, il se rendit compte qu'il ne pourrait comprendre la monarchie absolue sans avoir au préalable étudié la Révolution. C'est alors qu'il commença cet ouvrage, dont le ton est plus souvent d'un apôtre et d'un voyant que d'un historien impartial. Directeur de la section historique des Archives depuis 1831, il put disposer d'une documentation riche, sûre et de première main. Mais son imagination, ses idées politiques allaient souvent transformer les faits, et ses jugements se ressentir profondément de ses sympathies ou de ses haines. C'est qu'il s'était produit, entre le moment où il entreprit la rédaction de son *Histoire de France* et celui où il l'interrompit pour commencer son *Histoire de la Révolution*, une modification sensible dans sa manière de concevoir l'histoire ; elle est devenue pour lui un moyen de propager dans les masses ses opinions. Michelet y a certainement gagné en popularité, et on peut dire que, sous ce rapport, il a atteint son but ; pendant des décennies, l'idée qu'on s'est fait, dans le peuple en particulier, de la Révolution provenait en droite ligne de l'*Histoire* de Michelet ; il y a perdu sur le plan de l'histoire elle-même, et sa *Révolution française* est à peine un livre d'histoire. L'œuvre, après un coup d'œil général sur l'histoire de France, débute par les élections de 1789 aux états généraux ; elle se termine à la mort de Robespierre. Michelet y parle avec sympathie de la Commune de Paris et de la Convention, même lorsque celle-ci condamne Louis XVI à mort ; ce qui ne l'empêche pas de porter un jugement sévère sur la Terreur : « La France n'a pas été sauvée par la Terreur, mais malgré la Terreur. » Comme dans l'*Histoire de France*, on trouve encore ici le souci de déceler les causes profondes des événements dans l'évolution sociale, une attention constante aux espoirs et aux croyances populaires ; non seulement les grands événements de la Révolution prennent pour lui une valeur symbolique, mais il s'intéresse à la vie intime, à la vie quotidienne sur lesquelles ils se détachent. Enfin, il garde son sens très juste des portraits : ceux de Danton, Marat, Robespierre et Saint-Just sont à juste titre classiques. Mais là, plus encore que dans la seconde partie de l'*Histoire de France*, les généralisations précipitées, le parti pris, les symboles incohérents gâtent l'œuvre. Pour lui, la Révolution a été faite par la nation tout entière et non par quelques individus, aussi nous présente-t-il des tableaux colorés du peuple « en marche », des synthèses vives et brillantes, pleines d'imagination et de passion, qui donnent à son histoire le ton d'un poème épique. Son style, toujours aussi original, imagé et vif, quelquefois forcé, contribue à donner une allure poétique et prophétique à son œuvre.

HISTOIRE DE LA RÉVOLUTION FRANÇAISE de Thiers. Œuvre de jeunesse de l'homme d'État et historien français Adolphe Thiers (1797-1877), publiée de 1823 à 1827 (dix volumes). Cet ouvrage est le fruit des études historiques de Thiers et des loisirs studieux que lui laissait sa carrière politique ; il servit à sa renommée et, dès l'époque de la Restauration, il contribua à la formation de ce mythe de la Révolution, exalté, dans sa violence, même par ceux qui prirent soin de s'en tenir éloignés : les doctrinaires, penseurs qui voulaient établir des principes solides et rationnels pour un futur gouvernement libéral. Pourtant cette œuvre n'est pas restée comme le témoignage d'un attachement à un système politique donné, telle n'est pas sa nature ; elle ne correspondit pas non plus à un programme d'action, mais elle révéla pleinement la personnalité d'Adolphe Thiers, sa façon sûre et ample de dominer les faits, de les étayer sur des recherches de détail et de les éclairer de sa prompte intelligence ; il ne fait qu'un avec son récit qui témoigne d'une compréhension directe de la réalité. Pourtant, et c'est là le plus grand défaut de cette *Histoire*, les faits n'ayant pas le pouvoir de s'animer eux-mêmes dans leur prétendue objectivité, l'auteur compose une œuvre forcément arbitraire, puisqu'elle est quand même colorée par son admiration et par sa nostalgie pour ce passé récent. Le premier volume est précédé d'un « Sommaire de l'Histoire de France » dû à Félix Bodin. Le récit s'arrête en 1799 ; c'est à ce moment-là que Thiers commencera, plus tard, l'*Histoire du Consulat et de l'Empire* (*).

HISTOIRE DE L'ART d'Élie Faure. Œuvre capitale de l'écrivain français Élie Faure (1873-1937), en quatre volumes : *L'Art antique* (1909), *L'Art médiéval* (1911), *L'Art renaissant* (1914), et *L'Art moderne* (1921), pour s'achever par l'admirable essai de *L'Esprit des formes* (*). Chaque volume, de quatre à cinq cents pages, est enrichi de nombreuses gravures, d'index et de tableaux synoptiques. Enfin les préfaces, augmentées lors des rééditions, précisent la pensée et l'humanisme de l'auteur. Ces préfaces se rectifient sévèrement l'une l'autre : le vrai courage étant pour Élie Faure de « laisser la vie aux témoignages matériels irréfutables des variations de son esprit ». Ajoutons que ces livres sont d'un style plein de mouvement. Ils ne contiennent aucune idée qui ne soit abondamment et solidement documentée. À vrai dire, cette *Histoire de l'art* n'est pas une histoire, mais une recherche, d'ailleurs fructueuse. Élie Faure ne le cache pas : hormis les suites de tableaux synoptiques, où a-t-on vu un livre d'histoire qui ne soit une interprétation de l'historien ? Une histoire de l'art ne doit pas être un catalogue descriptif, mais une transposition vivante du poème plastique conçu par l'humanité. Il s'agit de restituer l'incessante germination des formes qu'engendre le jeu des forces du passé sur les forces du présent. Comment ? « L'intuition seule décide, et le courage de s'en servir. » Il s'agit d'écouter son cœur pour parler de l'art sans l'amoindrir. Il va de soi que ce point de vue n'a rien d'un sentimentalisme enfantin. Il s'agit du cœur éclairé. Ses émotions d'artiste ont amené Élie Faure à une philosophie de l'art adogmatique. Au lieu d'imposer aux idoles une religion apprise ailleurs, le philosophe leur demande de lui apprendre la religion – une religion impossible à fixer, car universelle et vivante. Cet effort de dégager des idoles quelques-uns des traits de Dieu définit la recherche qui sera couronnée par *L'Esprit des formes.*

L'homme poursuit une idole intérieure, il la fixe et la croit définitive, mais il ne l'achève jamais. Tel est le mouvement qu'Élie Faure nomme le « jeu ». Ce jeu est ce qu'il y a de plus utile à l'homme : l'homme mouvant cherche sans cesse à s'adapter au monde mouvant. Ce jeu est la vie. Et l'amour du jeu mène à des états momentanés d'équilibre qu'on nomme « civilisation ». Une civilisation est un style. On le devine, dans ce jeu, dans cet automouvement, le mal, la méchanceté, l'erreur, la laideur et la sottise ont leur rôle – dynamique. La haine de la vie multiplie la puissance à vivre. L'humanisme d'Élie Faure est intégral. « Quel dommage, s'écrie Élie Faure, que l'Histoire soit si jeune, que nous ne puissions embrasser cent mille années ou plus de notre étonnante aventure pour montrer que nous n'avons guère changé... » Le jeu de la vie est comme une danse, une alternance où l'emporte tantôt l'individu, tantôt la multitude, espèce ou groupe social. L'organisation collective mène à l'optimisme stagnant ; l'individualisme au pessimisme de celui qui crie dans le désert. La vie traverse tout cela et l'art l'exprime. Aussi est-il important de connaître les sources ; l'archaïsme qui précède les grands rythmes collectifs, l'architecture et l'art primitif qui annoncent les avènements de l'individu et son expression, la peinture. De l'un à l'autre, la sculpture fait voir la statue, d'abord prisonnière du monument, s'en dégager, s'en séparer ; puis descendre seule sur le forum et dans les jardins ; puis s'évanouir en formes abstraites, sortes d'architectures en réduction et qui, peut-être, vont devenir colossales. Notre monde humain n'a probablement d'autre fin que cet incessant échange des formes de l'énergie et de l'amour. Les passages se peuvent d'ailleurs observer : quand le créateur est effacé par une école, le sentiment s'évanouit, une forme d'art cesse d'être sentie, et meurt. Ce qui vit, ce qui est jeune, c'est ce qui cherche — tel est l'état d'immortelle innocence, qui ne cesse ni d'apprendre ni surtout de sentir ce qu'elle apprend. Ainsi Élie Faure poursuit-il à travers toute œuvre la vie ; la vie interne de cette œuvre qui témoigne, et de la vie de l'individu, de l'homme qui ne change guère, et de celle de sa peu durable collectivité. Les passages à l'intérieur d'une œuvre, comme les passages entre les œuvres, font sentir l'harmonie de l'ensemble. L'harmonie est la loi profonde. Tout se mêle, se nourrit l'un de l'autre, et rend visible l'unité du monde.

L'humanisme d'Élie Faure apparaît ainsi comme une acceptation totale de la vie de l'univers. Le vrai mysticisme est un espoir frénétique qui se rue à travers les champs de la sensation et de l'action. Les peuples ignorent leurs buts réels, cependant ils donnent à leurs croyances les formes de leurs désirs. Dieu serait la forme du désir total. La vie est un incessant effort d'adaptation, et les hommes trouvent belles les formes qui s'adaptent à leurs fonctions : arbre, fleuve, sein de femme, etc. Le sentiment de la beauté est attaché à toute chose, nous jugeons tout de ce point de vue. Les hommes se tournent vers telle ou telle forme d'art de telle ou telle époque selon leur besoin du moment, ce qui explique comment les plus diverses œuvres d'art traversent les siècles, admirées par les humanistes, et parfois, pour la même raison profonde, abandonnées ou brisées par les barbares. Au total, la fin de la vie, c'est de vivre. L'art nous sert à vivre. Ainsi l'art qui exprime et résume la vie, qui raconte l'homme et l'univers et leurs relations, répond au « connais-les-autres » et au « connais-toi ». L'art est donc la seule chose réellement utile à tous avec le pain. Il est à la fois l'appel à la communion des hommes et son expression visible. Qu'on n'objecte pas les batailles esthétiques : art classique ou romantique, concret ou abstrait, etc. Ce ne sont que des formes momentanées de notre action, que des apparences diverses de la même réalité. De plus, ces pseudo-batailles témoignent d'écoles et de systèmes qui sont justement la marque d'un art qui vient de mourir. L'art vivant est déjà plus loin.

Tout ceci mène, dans le présent, à reconnaître l'art à sa source : c'est-à-dire l'artiste. Un premier signe permet de le situer : l'artiste est celui qui, devant la vie, maintient l'état d'amour dans son cœur. Il souffre et fait, par son œuvre, vivre l'idée humaine. Il console ainsi d'autres hommes de son temps et des siècles qui suivront. « Au Moyen Âge, l'artiste était un ouvrier perdu dans la foule ouvrière, aimant du même amour. Plus tard, sous la Renaissance, un aristocrate d'esprit, allant presque de pair avec l'aristocrate-né. Plus tard encore, un manœuvre accaparé par l'autocratie victorieuse. Et plus tard, quand l'autocratie achève d'écraser sous ses ruines l'aristocratie, quand l'ouvrier est séparé de l'ouvrier par la mort des corporations, l'artiste se perd dans la foule qui l'ignore ou le méconnaît... Il n'y a dans la démocratie qu'un aristocrate, l'artiste. C'est pourquoi elle le hait. C'est pourquoi elle divinise l'esclave qui fait partie d'elle, celui qui ne sait plus sa tâche, qui n'aime plus, qui connaît l'art de tout repos convenant aux classes cultivées, et consent à régner sur les esclaves, un palmarès à la main. » Élie Faure n'a pas à chercher bien loin les marques de mépris subies par les artistes : concours, prix et primes, et le douloureux chemin des Rembrandt, Vélasquez, Watteau, Baudelaire, Daumier, Flaubert, Manet, Zola, Cézanne, Van Gogh. Or si les hommes cherchaient à s'élever au lieu de juger, ils voudraient comprendre. Ils voudraient se comprendre eux-mêmes et, partant, comprendre l'artiste. Car l'artiste, qui a tant besoin des hommes dans sa solitude peuplée par l'univers, l'artiste rend aux hommes ce qu'il en reçoit : il est nous-même, nous tous. Et un simple coup de son ciseau, de sa brosse ou de sa plume peut changer l'histoire. Comment, sans les artistes et leurs empreintes, les civilisations disparues agiraient-elles sur l'humanité ?

Naturellement, toute cette recherche est concrète : Élie Faure traverse avec savoir-faire et précision les époques artistiques. *L'Art antique* : avant l'Histoire, l'art naît quand l'ornement qui séduit ou épouvante s'ajoute à l'utile ; puis le chemin passe par l'Égypte (inquiétude et mystère) ; l'ancien Orient (la brute, bâtir et tuer) ; les sources de l'art grec (le naturisme) ; Phidias (la raison) ; le Crépuscule des Hommes (beauté et sérénité) ; la Grèce familière (les Tanagra, la femme ne se met plus nue, on la déshabille) ; Rome (ou la cité, l'allégorie, la muraille). Alors Élie Faure, qui a le sens des passages, montre comment les dieux renaissent, comment les barbares réintroduisent l'instinct et le sensualisme dans la volonté et le rationalisme. C'est *L'Art médiéval*, soit dix siècles de dogme, d'interdictions, de machinerie sociale et religieuse, ce qui crée l'illusion collective, et ce grand murmure confus où architecture, sculpture, peinture, musique, chant et humains sont mêlés. Quand cette situation devient intolérable, c'est *L'Art renaissant*. L'individu se rue pour sa propre conquête. L'artiste veut tout juger, tout comprendre, tout dire par soi. L'Italie, psychiquement formée par deux siècles de guerre civile, devait fournir les hommes de ce mouvement. L'individu réclame le droit de mettre sa pensée au service des hommes. Enfin, c'est *L'Art moderne* et l'art contemporain : le romantisme et le matérialisme.

Que peut-on dire de notre époque si tragique et de l'art qu'elle suscite ? Il semble qu'il y ait davantage de tout : sensualité, intellectualité, tragédie, mystère. La Révolution française a supprimé en droit les obstacles politiques et religieux entre l'intelligence et l'expérience.

L'enquête totale est devenue concevable, sinon partout possible. Notre époque a repris le passé, meurtre et rut. Est-ce pour l'élever à la plus haute puissance, au plus haut amour ? Nul ne le sait. Mais les maux dont nous souffrons ne peuvent que multiplier l'énergie de ce qui doit survivre et féconder. Parallèlement, Élie Faure constate qu'il n'y a plus d'art exotique. Les arts chinois, indien, mexicain, nègre nous sont devenus un art mondial, que nous comprenons, et qui est comme l'expression d'un homme universel. Cet homme nouveau éprouve à la fois sur toute la terre les mêmes sentiments de terreur ou d'ivresse — ne serait-ce que par le cinéma, dernier-né des arts. Ce psychisme unique est aussi formé par les presses mondiales, par les transports rapides, également par les grandes guerres et le brassage des races. L'unification est visible. Si Élie Faure est heureux de ce mouvement des hommes vers l'homme universel, il se refuse à croire qu'ils y parviennent jamais. Ce n'est pas la première fois qu'une telle unification a été tentée. Athènes, Alexandrie, Bruges, Florence, Rome, Paris furent des climats uniques — d'où jaillirent les plus divers styles. La fin de la sensibilité n'est pas à craindre. L'unification des intelligences est possible, mais pas celle des cœurs. « Que l'homme tende à faire de son domaine une ruche d'abeilles, soit ! Mais qu'il n'y parvienne nulle part... Car l'homme alors serait identique à l'abeille, un monstre surprenant certes, mais dont l'automatisme morne inspire une sorte d'horreur. » De plus en plus, l'intelligence se perfectionne et le cœur s'éclaire. Notre époque oscille entre le machinal et le sentimental, le réalisme et le romantisme. L'accord et la vérité se réaliseront plus haut. Et sans doute quelques artistes feront-ils deviner la forme de notre dieu unique. Quoi qu'il en soit. Élie Faure, après ses souhaits, ne peut que dire : « Où allons-nous ? Où l'esprit de vie le voudra. » Rappelons qu'Élie Faure, dans ses papiers intimes, conte l'origine de ses efforts et de sa recherche. L'idée lui en vint à l'église basse d'Assise, à la vue du « Massacre des Innocents » de l'école de Giotto. Cette fresque fut pour lui le « spectacle singulier d'une harmonie souveraine jaillissant sans effort du carnage et de la cruauté, et le témoignage d'un dieu joueur et indifférent ». Un pareil consentement au destin n'est-il pas la plus haute et la plus vivante sagesse ?

HISTOIRE DE L'ART CHEZ LES ANCIENS [*Geschichte der Kunst des Altertums*]. C'est l'œuvre la plus importante de l'archéologue et critique d'art allemand Johann Joachim Winckelmann (1717-1768), éditée en décembre 1763 à Dresde, et datée de 1764, dix ans après le voyage du grand archéologue en Italie ; c'est le résumé de toutes ses connaissances. Winckelmann, dont la formation s'était faite sous le signe du classicisme français, s'institua le défenseur du culte de l'Antiquité et exposa ses théories sous une forme impérieuse et dogmatique. Ce célèbre ouvrage se divise en trois parties : dans la première (livres I, II et III), l'auteur retrace l'histoire de l'art chez les peuples orientaux : Égyptiens, Phéniciens, Perses, Étrusques. Dans la seconde qui est la plus importante (livres IV à VIII), il trace l'histoire de l'art grec, dont il explique la supériorité par la perfection de la nature de son peuple, due à la civilisation et aux conditions climatiques exceptionnelles de l'Hellade. À ces théories déterministes, Winckelmann, qui attribue à l'art grec une valeur exemplaire pour tous les temps, allie une conception mystique de la Beauté : « Ce n'est que par l'étude de l'art grec, écrit-il, que nous apprendrons à déterminer le beau » ; et il poursuit : « La Beauté est un des mystères dont nous voyons tous l'effet, que tous nous sentons, mais dont personne n'est arrivé à donner une idée précise. » Plus loin : « Le concept de la Beauté humaine devient d'autant plus parfait qu'il peut être pensé en conformité et en concordance avec l'Être Suprême. » L'art devra donc tendre à l'« unité » et à la « simplicité », puisque l'unité et l'indivisibilité sont des attributs de l'Être Suprême. D'où dérive le fameux principe qui sera le dogme de l'art néo-classique : l'« impassibilité », c'est-à-dire l'absence d'individualisme et de passion, principe que Winckelmann voit réalisé dans la statuaire grecque. Un tel concept est justifié historiquement par le fait que le grand archéologue ne connaît que quelques témoignages de l'art grec et toujours à travers la médiation de l'art romain, puisqu'il n'étudie pas les originaux, mais les copies romaines. La « calme grandeur », l'« impassibilité » sont donc les attributs suprêmes de l'art grec ; cependant, en face de l'exigence de l'expression, Winckelmann doit admettre que « la beauté sans l'expression serait insignifiante, et l'expression sans la beauté serait désagréable ». Elles doivent donc s'influencer réciproquement et il en résulte une harmonie, dans laquelle la beauté freine l'expression, et que Winckelmann appelle « grâce ». Suivent, dans le traité, les règles concernant la sculpture ; après avoir examiné les canons de Myron et de Polyclète, de Lysippe et de Vitruve, Winckelmann considère celui de Mengs — v. *Pensées sur la beauté et le goût dans la peinture* (*) — et s'y rallie. Il divise l'art en cinq périodes : le « style antique » (archaïque), le « Grand style » (l'art de Phidias), le « beau style » (qui va de Praxitèle à Lysippe et Apelle et où l'art acquiert une grâce majeure), la « décadence » (l'art alexandrin) et la « fin ». Il reprend ici la traditionnelle doctrine de l'évolution dans l'art qui s'était développée grâce à Vasari et Bellori : le développement de l'art grec devient pour lui un schéma universel que l'on peut retrouver à toutes les époques et qui lui permet de faire un parallèle avec la peinture italienne, où le style sublime est représenté par Raphaël et Michel-Ange. Les derniers livres de son *Histoire* sont consacrés à l'art romain qu'il considère comme la continuation de l'art grec.

La critique d'art moderne a souvent relevé les erreurs théoriques de Winckelmann : sa conception abstraite de la Beauté absolue, sa vision de l'œuvre d'art subordonnée à la réalité de la nature, sa théorie de l'évolution des styles ; elle a reconnu aussi ce que pouvait avoir de limité et d'étroit l'exaltation exclusive de l'« époque classique » de l'art grec, ce qui a eu pour résultat d'interdire aux principaux archéologues du XIXe siècle la compréhension de l'archaïsme et de l'hellénisme. Mais la grandeur historique de Winckelmann reste immuable. En face de l'archéologie ancienne qui se fondait en grande partie sur des connaissances littéraires, l'œuvre de Winckelmann est celle d'un novateur qui instaura l'habitude d'observer les monuments à décrire, avec une attention méthodique et patiente, et créa ainsi l'authentique archéologie. De plus, pour avoir le premier procédé à l'étude, non seulement de la simple biographie et de la personnalité des artistes (ainsi que les historiographes antérieurs le faisaient), mais aussi de l'histoire de l'évolution des formes, il est considéré, à juste titre, comme le fondateur de l'histoire de l'art au XIXe siècle. Outre cette glorieuse renommée d'historien et de savant, il faut lui reconnaître une ferveur et un amour de l'Antiquité, grâce auxquels il put former le goût de toute une époque, en apportant dans son œuvre un idéal de culture et d'art. – Trad. Barrois-Savage, 1789 ; Minkoff, 1972 (facsimilé de l'éd. de 1766, Amsterdam).

HISTOIRE DE L'ART PAR LES MONUMENTS DEPUIS SA DÉCADENCE AU IVe SIÈCLE JUSQU'À SON RENOUVELLEMENT AU XVIe. Œuvre de l'historien français de l'art Jean-Baptiste Séroux d'Agincourt (1730-1814), destinée à servir de suite à l'*Histoire de l'art chez les Anciens* (*) de Winckelmann, et publiée à Paris en six volumes de 1811 à 1823. Comme le titre l'indique, l'auteur se propose avant tout de faire parler les monuments, « de n'écrire que sous leur dictée » ou, tout au plus, d'en expliquer et d'en commenter le langage. D'où le grand développement de la documentation graphique : trois cent vingt-cinq tables incluses – et le texte descriptif s'y rapportant, traitant environ de mille quatre cents pièces d'architecture, sculptures, peintures, miniatures, orfèvrerie, en majeure partie inédites. Cependant, comprenant combien le recueil et la classification systématique et chronologique des ouvrages ne suffisent pas à faire une véritable histoire de l'art et qu'ils doivent être éclairés de principes philosophiques et critiques, d'Agincourt consacre la partie centrale de son œuvre à trois longs discours traitant de l'histoire de l'architecture, de la sculpture et de la peinture. Ces discours sont précédés d'un long préambule sur les conditions politiques, civiles et littéraires de la Grèce et de l'Italie et leurs reflets dans les arts figuratifs lors de la période qui va de Constantin au pape Léon X, c'est-à-dire du IVe au XVIe siècle. Le premier discours comprend une introduction à l'histoire de l'architecture des origines à son épanouissement chez les Anciens et à sa décadence ; puis de la prédominance de l'art gothique ; ensuite de la renaissance de l'art, avec Brunelleschi ; enfin de son renouvellement total à la fin du XIVe siècle et au début du siècle suivant. Les autres discours sont construits également sur un schéma analogue : après les siècles obscurs du Moyen Âge, pendant lesquels l'activité des artistes fut réduite à l'emploi matériel de méthodes techniques empruntées à l'Antiquité, la sculpture à la fin du XIIe siècle, puis la peinture renaissent lentement jusqu'à retrouver à la fin du XVe siècle leur véritable caractère, à l'exemple des Anciens. Bien que l'auteur s'occupe presque uniquement de l'art italien, en lui reconnaissant une indiscutable primauté dans les temps modernes comme héritier de la Grèce antique, son exposition historique tient compte également des œuvres de civilisations artistiques diverses, tant de France ou d'Allemagne que de l'Orient byzantin, si bien qu'elle peut, dans une certaine mesure, être considérée comme la première histoire de l'art générale du Moyen Âge européen.

Continuateur de Winckelmann, d'Agincourt conclut au classicisme comme le feront les historiographes du mouvement des « Lumières » français. Les critères qu'il adopte sont très proches de ceux de Winckelmann, avec toutefois cette différence que, si l'auteur allemand propose aux artistes des modèles de l'art classique, d'Agincourt veut plutôt leur éviter les erreurs de l'art médiéval. Cependant, les mérites de d'Agincourt sont très grands : il connaît fort bien l'art chrétien au Moyen Âge, et il a entrepris de donner un classement de certains monuments anciens et d'objets précieux (comme les miniatures des manuscrits grecs et latins) presque négligés avant lui. Si l'on étudie la méthode qu'il a suivie, on s'aperçoit qu'il accorde la primauté à l'étude directe des monuments sur celle des sources littéraires, à l'analyse des œuvres et de leur valeur expressive sur les considérations d'archéologie ; et par là on mesure l'importance fondamentale d'un tel livre pour les futurs développements de l'histoire de l'art.

HISTOIRE DE LA SOCIÉTÉ FRANÇAISE. Ouvrage des écrivains français Edmond (1822-1896) et Jules (1830-1870) de Goncourt, en deux parties : « Pendant la Révolution » et « Pendant le Directoire », publiées respectivement en 1854 et 1855. C'est le premier exemple d'une étude littéraire traitant avec ampleur de la société du XVIIIe siècle. Il faut signaler le nombre et la diversité des problèmes étudiés. Les auteurs y affirment que l'histoire de la nation est complètement à refaire, puisque l'on a toujours négligé ce qu'il y a de plus concret et de plus vivant : les mœurs et les usages. Au-delà de l'histoire académique, de l'histoire purement diplomatique ou politique, il y a des sentiments, des passions et des souffrances que des vues par trop superficielles ont toujours été incapables de nous révéler. C'est donc en appliquant une nouvelle méthode que nous parviendrons à comprendre la raison profonde de certains événements. Avec cette même passion qu'ils mettent à observer la société de leur temps, nos deux auteurs vont revivre l'époque de la Révolution, depuis les ragots de la Cour jusqu'aux salons de 1789, sans omettre de nous rapporter fidèlement la vie des théâtres et de camper de nombreux portraits, dont les plus réussis sont celui de Chamfort et celui de Mirabeau. Les émeutes et les massacres de la Terreur semblent se dérouler sous nos yeux. Marat et Robespierre dominent ce monde que l'historien superficiel a toujours négligé, mais que les frères Goncourt veulent reconstituer à l'aide de documents minutieusement analysés. Dans le volume qui dépeint la vie sous le Directoire, au moment où se font jour de nouveaux antagonismes économiques ou personnels, où les salons acquièrent de nouveau toute leur importance, au moment où l'élégance féminine réapparaît en même temps que la galanterie, les bals et le luxe, cette société, surgie au lendemain de tant de violences, est étudiée avec la plus grande objectivité. La religion elle-même, qui se présente parfois comme une consolatrice, n'est souvent qu'un ensemble de pratiques issues de la haine pour tout ce qui est nouveau. Entre Mme de Staël et Tallien, entre la presse qui rêve de grandeur antique et la mode qui reproduit les formes somptueuses d'une époque que l'on croyait révolue, Bonaparte apparaît avec ses désirs de conquête. Cet ouvrage est une mine de faits et de descriptions. Il demeure unique en son genre, parce qu'il constitue une véritable enquête sur une vie privée et sociale dont les aspects étaient à peu près ignorés.

HISTOIRE DE LA VIE DE CHRISTOPHE COLOMB. Œuvre de l'historien espagnol Fernando Colomb (1488-1539), fils naturel du découvreur, publiée pour la première fois en 1571. Elle fut écrite dans l'intention d'établir la vérité sur la vie du fameux navigateur, laquelle était souvent rapportée avec peu d'exactitude par ses contemporains. L'authenticité de cet ouvrage a été maintes fois contestée ; mais, en dépit de quelques savants, il est généralement considéré comme la source la plus sûre et la plus complète de renseignements que nous possédions sur Christophe Colomb. Après avoir décrit dans une première partie la famille du navigateur, après avoir énoncé les raisons qui l'avaient induit à chercher de rejoindre les Indes en naviguant vers l'occident et après avoir décrit les difficultés qu'il eut à se faire concéder par les rois d'Espagne les trois fameuses caravelles, l'auteur commence le récit de la découverte et de la colonisation des Indes occidentales.

Parti de l'Espagne le 3 août 1492 avec la « Santa María », la « Pinta » et la « Niña », après une longue navigation en plein océan et après deux tentatives de révolte de l'équipage, vite domptées, Colomb aperçoit, à l'aube du 12 octobre, une petite île à laquelle il donna le nom de San Salvador (maintenant Watling ou Guanahami) ; après en avoir pris possession, il se rendit à Cuba qu'il considéra au premier abord comme une péninsule asiatique et, continuant son chemin, il arriva à une grande et très belle île qu'il appela La Hispaniola (maintenant Haïti ou Santo Domingo), riche en gisements d'or. Là, tandis que la « Santa María » devait subir des réparations après avoir heurté un rocher, Colomb décide de fonder une colonie, composée de trente-neuf hommes ; il lui donne le nom de Navidad. Ayant repris le large le 16 janvier 1493 et traversé à nouveau l'océan parmi des tempêtes terribles et des dangers innombrables, il atteint Lisbonne le 4 mars, accueilli triomphalement par le peuple et le roi. Nommé gouverneur et vice-roi des nouvelles terres, il repart le 25 septembre avec dix-sept navires, afin de fonder à La Hispaniola une colonie importante. Il l'atteint le 22 novembre. Voyant que Navidad est détruite par les indigènes, il fait construire à un autre endroit une ville plus grande, Isabela, et commence l'exploitation aurifère et agricole de l'île. Reparti ensuite pour Cuba, il découvre la Jamaïque et de nombreuses petites îles, mais la rareté des vivres l'oblige à retourner à La Hispaniola. Ayant maté là quelque rébellion indigène, il repart pour l'Espagne le 10 mars 1496 et arrive le 11 juin à Cadix, où il rend compte de son voyage à la reine Isabelle. Désigné pour chef d'une troisième expédition, que retarderont les intrigues d'une partie de la cour, il lève l'ancre le 1er août 1498. Après avoir découvert l'île de la Trinidad et l'Amérique méridionale, il retrouve la cité de Santo Domingo, en proie à une rébellion qu'il réussit à grand-peine à maîtriser. À son retour en Espagne, Colomb se voit calomnié par quelques envieux. Le roi charge alors un certain Bobadilla de surveiller sa conduite : ce dernier, à son arrivée à Santo Domingo, fait arrêter l'amiral et le renvoie dans sa patrie, chargé de chaînes. À peine débarqué, il est libéré par l'intervention de la reine Isabelle, mais il perd son poste de gouverneur, bien qu'on lui confie une dernière expédition, pour laquelle il part avec l'intention de découvrir le détroit dont il supposait l'existence entre les terres découvertes : c'était le détroit qui faisait obstacle au voyage vers l'Inde. Il aurait ainsi accompli le tour du monde. Parti de Cadix le 9 mai 1502, il atteint les Antilles et de là, à travers des tempêtes terribles, arrive en Amérique centrale, où, ayant cherché en vain le détroit tout près de l'isthme de Panama, il décide de retourner à La Hispaniola. Mais les navires étaient tellement détériorés qu'il fallut les ancrer dans le port de la Jamaïque, et c'est seulement après une année environ qu'un navire libérateur de Santo Domingo peut les remmener à l'île. De là, Colomb part sur un seul navire et, ayant traversé une dernière fois l'océan qu'il avait révélé au monde et qu'il avait ouvert au commerce des hommes, il accoste l'Espagne le 7 novembre 1504. Cependant la reine Isabelle était morte et le roi lui était plutôt hostile ; aussi mourut-il presque entièrement dépouillé de sa fortune et de sa puissance, le 20 mai 1506.

C'est un livre objectif et serein qui cherche à détruire les nombreuses légendes qui circulent sur le compte du grand navigateur. Colomb nous apparaît animé par une réelle passion non seulement pour le gain et la conquête, mais aussi pour les découvertes scientifiques, doué d'une intuition quasi miraculeuse qui lui permit d'atteindre, avec sa persévérance entêtée, des résultats presque incroyables pour son temps et avec ses moyens.

HISTOIRE DE LA VIE D'HENRI JUNG dit Stilling [*Johann Heinrich Jungs (genannt Stilling). Lebensgeschichte, oder dessen Jugend, Jünglingsjahre, Wanderschaft, Lehrjahre, häusliches Leben und Alter, eine wahrhafte Geschichte, von ihm selbst erzählt*]. L'autobiographie de l'écrivain allemand Johann Heinrich Jung (1740-1817) fut publiée, en diverses parties, de 1777 à l'année de sa mort. La première partie : *Jeunesse* [*Jugend*], à l'origine n'était nullement destinée à la publication, mais devait être lue à un groupe d'amis de l'écrivain. Par hasard, le manuscrit vint à la connaissance du jeune Goethe, alors compagnon de Jung à l'université de Strasbourg, et Goethe, sous le pseudonyme de Stilling que l'auteur avait adopté, et à son insu, fit publier le petit volume. Le succès fut tel que Jung en écrivit la suite : *L'Adolescence* [*Jünglingsjahre*] et *Le Vagabondage* [*Wanderschaft*], qui parurent l'année d'après et rencontrèrent un accueil très favorable. Mais ce qui suivit plus tard n'a plus l'intérêt prenant du début.

Jung avait choisi ce pseudonyme de Stilling pour indiquer son appartenance spirituelle au mouvement des piétistes (« still », tranquille), c'est-à-dire de ceux qui attendent tranquillement la décision de Dieu dans les événements de leur vie. L'autobiographie est écrite toujours à la troisième personne. Henri Stilling naît dans un village de la Westphalie, habité principalement par des charbonniers. Son père est tailleur ; mais, ayant beaucoup étudié, il a souvent été chargé d'enseigner à l'école primaire du village. La mère d'Henri meurt peu après la naissance de l'enfant. Très intelligent, le garçon est envoyé au cours de latin, où il fait de grands progrès. Mais sa pauvreté ne lui permet pas de se vouer entièrement à l'étude et, à l'âge de quatorze ans à peine, il accepte un poste dans une école de village. Le jeune professeur, cependant, qui adore sa tâche, a des méthodes d'enseignement que ses supérieurs n'approuvent pas : il se voit éloigné de son école et contraint de retourner à la maison paternelle. Dans les intervalles au cours desquels sa carrière de pédagogue est interrompue, Stilling travaille comme tailleur et même charbonnier chez son père. Henri, qui déteste le métier de tailleur, s'enfuit de chez lui, décidé à trouver une solution quelconque. La fortune lui vient en aide : il obtient une place de précepteur chez un riche commerçant qui lui témoigne de l'affection, lui donne les moyens de s'habiller et de continuer ses études à ses heures de liberté. Au bout de quelque temps, il le nomme même administrateur de ses biens. Mais Stilling a d'autres ambitions : il étudiera la médecine, et il pense épouser une jeune fille belle et bonne dont il est épris. Il quitte son bienfaiteur et s'inscrit à l'université de Strasbourg. À cette époque, il fit la connaissance de Goethe, qui nous a donné de lui une description alerte au livre IX de *Poésie et Vérité* (*). Sa condition est toujours bien misérable ; le matin, souvent il ne sait ce qu'il mangera à déjeuner. Mais il a une immense foi en Dieu, à qui il rapporte tout heureux événement qui lui arrive. Devenu médecin, il se marie et débute dans l'exercice de sa profession ; il y devient bientôt célèbre par son traitement de la cataracte, mais ses patients sont presque tous pauvres et ne peuvent le payer. Sa femme meurt, lui laissant des enfants. Il se sent dans une détresse de plus en plus pressante et ne voit plus d'issue. C'est alors que Dieu lui manifeste de nouveau sa bienveillance. La publication de quelques volumes d'économie lui vaut sa nomination comme professeur dans une école supérieure d'agriculture. C'est la fin de la misère. Stilling se remarie, mais sa seconde femme meurt aussi, après lui avoir fait promettre d'épouser une de ses amies. Ce qui suit n'est qu'une sèche énumération de différents faits, de naissances et de morts dans la famille, et l'ouvrage perd son intérêt. Mais il n'y a peut-être rien, dans la littérature allemande contemporaine de Goethe, qui puisse égaler la grâce et l'ingénuité de ce frais « récit de village » (ainsi que l'appela un critique), avec sa description des luttes et des difficultés que doit affronter le jeune charbonnier pour se faire une place au soleil. — Trad. Thomas, 1854.

HISTOIRE DE L'ÉDUCATION DANS L'ANTIQUITÉ. Œuvre de l'historien français Henri-Irénée Marrou (1904-1977), publiée à Paris en 1948. Historien de la culture antique, Marrou a commencé par en définir l'idéal type en étudiant les scènes de la vie intellectuelle figurant sur les monuments funéraires romains, où l'on retrouve les comportements et les attitudes de l'homme des Muses (*Mousikos anèr,* Naples, 1937). Dans sa thèse de doctorat ès lettres il saisit avec finesse et acuité l'aboutissement de cette culture antique à travers l'œuvre de celui qu'il aimera toujours appeler : « mon maître saint Augustin » (*Saint Augustin ou la fin de la culture antique,* 1938, complété par une importante *retractatio* de près de cent pages en 1949 lors de la seconde édition). Affrontant consciemment les risques de critique d'érudits toujours plus spécialisés et qui, dans le domaine antique, ne cessent de gloser sur les mêmes textes, Marrou publie ensuite son *Histoire de l'éducation,* persuadé, écrit-il, que « l'érudition n'est pas une fin en soi, mais doit devenir l'une des sources où la culture de notre temps vient s'alimenter ». Il s'agit d'une monumentale synthèse, fondée sur une documentation s'étendant sur près de quinze siècles, d'Homère à Charlemagne, et qui est devenue l'un des grands classiques de la littérature historique (sept éditions successives ; traductions en italien, anglais, allemand, grec, espagnol, polonais et portugais). Partant de l'époque homérique, il décrit les processus de formation, d'apprentissage et de développement des divers systèmes d'éducation. Il en souligne les persistances et les novations. Retraçant l'évolution d'une tradition culturelle à travers les modes successifs d'éducation, Marrou n'a pas le sentiment d'une lente et irrémédiable décadence. Au contraire ! La vigueur d'expression et de conceptualisation, la profondeur des analyses psychologiques, la fidélité aux règles de la rhétorique comme aux valeurs fondamentales de la Cité qu'il avait, dans une précédente étude, relevées chez Augustin, il les retrouve, sous-jacentes ou explicites, chez les Pères de l'Église, y compris cette forme particulière de rhétorique qu'est la diatribe, inventée par les orateurs grecs. Un tel constat prouve la validité opératoire de l'héritage conservé ainsi que la nouvelle vigueur puisée par la culture antique aux sources conjointes d'une idéologie impériale et d'une spiritualité religieuse qui caractérise l'antiquité tardive. Assumant de l'héritage classique tout ce qui a paru compatible à de nouvelles conditions de vie, fidèle à la tradition classique lorsque celle-ci ne s'oppose pas à ses choix politiques ni à ses croyances religieuses, l'homme de l'Antiquité tardive continue, en l'enrichissant, la tradition culturelle gréco-romaine.

Par une démonstration rigoureuse et fondée sur une connaissance intime des œuvres et des hommes, Marrou récuse le faux cliché, hérité des Lumières rationalistes, celui d'un « Bas-Empire » qui n'est que décadence parce qu'il est devenu chrétien, alors qu'il témoigne au contraire d'un constant effort d'adaptation des valeurs traditionnelles à de nouvelles réalités.

M. M.

HISTOIRE DE L'EMPIRE DEPUIS LA MORT DE MARC AURÈLE [*Τῆς μετὰ Μάρκον βασιλείας ἱστορίαι*]. C'est l'histoire de Rome de 180 à 238 apr. J.-C. (c'est-à-dire du règne de Commode à celui de Gordien III), écrite en huit livres par l'historien Hérodien (environ 170-250 apr. J.-C.), un Oriental de langue grecque qui occupa, à Rome, de modestes charges publiques à l'époque des Sévères. Entre Commode et les Gordiens, nombreuses sont les personnalités qui se sont succédé sur le trône impérial et dont on trouve le portrait dans l'œuvre d'Hérodien : Pertinax, Julien, Septime Sévère, Caracalla, Macrin, Héliogabale, Alexandre Sévère, Maximin... Il s'agit d'une époque trouble, décisive dans l'histoire de l'Empire romain, caractérisée par une grande variété et une succession rapide d'événements : luttes pour le pouvoir, guerres, calamités de toutes sortes. C'est pendant ce demi-siècle que l'élément militaire accède au pouvoir au moyen de violentes révolutions : le vieil organisme politique et social se désagrège, et un nouveau monde commence. Hérodien est conscient de la crise de l'unité de l'Empire et ne cache pas sa faveur pour les champions de la cause des Orientaux. Il est un admirateur de Marc Aurèle, qu'il considère comme l'empereur idéal, et il loue ceux qui se sont efforcés de suivre son exemple. Il déteste au contraire les empereurs soutenus par les prétoriens et les légionnaires. L'œuvre d'Hérodien est typiquement rhétorique, pleine d'artifices de style, et ne manque pas de force dramatique. L'auteur se sert de tous les moyens de l'historiographie et de l'art oratoire classiques, dont il imite les grands modèles (en premier lieu : Thucydide, Xénophon, Démosthène). Comme Thucydide, il reproduit des discours. Si le goût pour la variété, les détails qui frappent l'imagination et les digressions érudites sont typiques de son temps, l'abondance des mots célèbres et des anecdotes concernant les souverains met en évidence la perspective éthique de son entreprise et la situe dans la ligne du genre biographique, dont le grand représentant est le Plutarque des *Vies* (*). Même si Hérodien n'est pas un écrivain de première importance et que son ouvrage abonde en lieux communs et en répétitions, il demeure néanmoins un auteur intéressant aussi bien du point de vue littéraire qu'historique : sa narration permet de combler les lacunes de celle de son contemporain Dion Cassius, avec laquelle elle a beaucoup de points communs, sans doute parce que les deux historiens ont puisé leurs renseignements aux mêmes sources. – Trad. Les Belles Lettres, 1990.

A. L.

HISTOIRE DE L'EMPIRE DE RUSSIE [*Istorija gosudarstva rossijskago*]. Œuvre de l'historien russe Nikolaï Mikhaïlovitch Karamzine (1766-1826), publiée en 12 volumes entre 1816 et 1826. Elle est restée inachevée par suite de la mort de l'auteur. Cette histoire, d'une importance capitale, se présente comme le premier ouvrage de ce genre écrit par un savant russe, après celui, moins vaste, de Tatichtchev. Le texte, d'une grande beauté formelle, est empreint d'un profond sentiment patriotique. Bien que les événements de l'histoire russe n'y soient étudiés que jusqu'au début du XVIIe siècle (1611), cette œuvre donne une idée parfaite de l'élaboration de l'unité de l'État et de la grandeur du peuple russe. Soloviev, le docte historien de la seconde moitié du XIXe siècle, en parle comme d'un « poème grandiose, célébrant l'État ». C'était, en même temps, un travail de valeur, fondé sur des sources d'archives souvent entièrement inédites. Karamzine eut à travailler dans des conditions beaucoup plus difficiles que celles auxquelles sont habitués les historiens occidentaux. Ceux-ci, en effet, ont affaire le plus souvent à une documentation déjà publiée, à des archives classées et à des bibliothèques bien organisées. Ainsi s'explique le déploiement apparemment excessif des notes de renvoi, comparé à l'exposition historique proprement dite. Karamzine s'est inspiré des méthodes des grands maîtres occidentaux : Hume, Robertson, Gibbon. Il admettait, par conséquent, l'importance capitale des grandes personnalités, en tant que causes historiques déterminantes, sans négliger toutefois le rôle d'autres éléments, de « tout ce qui constitue la structure de la vie civile des hommes ». De nombreux écrivains russes se sont inspirés de l'œuvre de Karamzine. Parmi eux, Zagoskine, dans son roman historique *Youri Miloslavsky* ; Ryléev, dans ses *Doumy* (recueil de chants épiques ukrainiens) ; enfin Pouchkine, dans son *Boris Godounov* (*). Selon l'expression de ce grand poète, dans l'*Histoire de l'empire de Russie,* « Karamzine semble avoir découvert l'antique Russie comme Christophe Colomb l'Amérique ». — Trad. Imp. Belin, Paris, 1819-1826, 11 vol.

HISTOIRE DE L'EMPIRE DE RUSSIE SOUS PIERRE LE GRAND. Ouvrage historique en deux parties de l'écrivain français Voltaire (François-Marie Arouet, 1694-1778), écrit à la demande de la tsarine Élisabeth II et publié par les frères Cramer de 1760 à 1763. Pierre le Grand à peine mort, Voltaire brûla d'être son historiographe. Il fit dans ce dessein plusieurs avances à la cour de Russie, qui prirent vite le ton de la supplication : on ne lui répondit d'abord pas, et, blessée, sa passion pour la Russie connut une longue éclipse. Ce n'est qu'après la rupture avec Frédéric II que furent enfin comblés les vœux de Voltaire : au début de 1757, son ami Chouvalov, devenu le favori de la tsarine, proposa au seigneur de Ferney d'écrire la vie du tsar. Voltaire ne se tint plus de joie : « Me voilà naturalisé russe », répétait-il. Bien qu'il y fut engagé par les Russes, il ne partit cependant point pour Saint-Pétersbourg pour s'y livrer aux recherches : il argua de son âge — il avait alors soixante-trois ans —, de sa mauvaise santé, mais il craignait toujours de rencontrer les mêmes mésaventures qui l'avaient séparé de Frédéric. Il se mit donc au travail sur des documents qui lui furent envoyés de Russie, et l'œuvre, dont la taille est analogue à celle de l'*Histoire de Charles XII* (*), avança lentement : en 1763 seulement l'ouvrage fut achevé. Sa valeur historique est à peu près nulle — et elle fut aussitôt reconnue telle par les contemporains, même amis de Voltaire. L'ouvrage a naturellement les défauts communs aux travaux historiques du XVIIIe siècle : autant que Montesquieu, Voltaire ignore, par exemple, la réalité particulière du peuple russe. D'ailleurs, des caractères historiques de la Russie il ne veut point se soucier : avant Pierre le Grand, ce peuple était, dit-il, « dans la barbarie » et il ne juge pas utile d'en ajouter plus. Ce mépris pour le Moyen Âge est certes courant au XVIIIe siècle, mais le silence de Voltaire n'est pas simple ignorance ou préjugé d'époque : il répond à un dessein bien déterminé qui est celui-même du livre.

L'*Histoire de l'empire de Russie* veut d'abord être un panégyrique de Pierre le Grand, et, à travers lui, du souverain « éclairé » par la « philosophie des Lumières ». Voltaire a pris une fois pour toutes le parti de louer et il efface toutes les taches qui pourraient assombrir le portrait de son héros ; ainsi le tsar est-il excusé d'avoir tué son fils ; ainsi, bien qu'il n'achevât jamais le code qu'il avait entrepris, Voltaire nous assure-t-il qu'il le fit en 1722. Les censeurs russes, à qui fut soumis l'ouvrage, protestèrent honnêtement contre ces exagérations flatteuses : l'auteur ne voulut rien entendre. En fait, Voltaire a recréé un Pierre le Grand à sa manière et selon les exigences de sa philosophie. S'il n'insiste pas sur l'histoire de la Russie avant Pierre, c'est que le tsar est justement pour lui le héros éclairé qui fit naître, par la seule force de la loi, une nation civilisée d'un peuple jusqu'à son avènement plongé dans les plus sombres ténèbres de la barbarie. Pierre a tout fait à partir de rien : « Enfin Pierre naquit, écrit Voltaire, et la Russie fut formée. » Dans cette phrase éclate la joie de Voltaire qui voulut voir, dans la nouvelle Russie, enfin l'avènement de la philosophie dans le monde. Son tsar est une sorte de magicien, et sa baguette est la loi. En fait, Pierre le Grand et la nouvelle Russie ne sont ici qu'une démonstration de la « philosophie des Lumières » : il fallait à Voltaire un prince et un État qui fussent des exemples et pussent témoigner que ses idées politiques n'étaient point des chimères, que tout peut être fait et refait, pourvu qu'on ait un code, des lois, un despote (avec des philosophes pour l'éclairer), pourvu enfin qu'on fût débarrassé de ceux qui font obstacle au progrès et incarnent le passé : les nobles, les privilégiés et surtout l'Église. Le Pierre le Grand de Voltaire est tout à la fois ce créateur absolu, ce législateur rigoureux, ce prince tolérant qui a brisé la puissance du clergé. On peut se demander s'il ne s'agit pas, ici, plus d'une « utopie », comme on en écrivit au XVIIIe siècle, que d'une histoire. Le livre, à cause de ses exagérations et de son mépris des faits, déplut à la cour de Russie. Il ne fut même pas traduit, et Voltaire en conçut un grand dépit. Mais, s'il y a peu d'exactitude dans ce livre, on y trouve par contre beaucoup d'enthousiasme et de flamme.

HISTOIRE DE L'ESPAGNE MUSULMANE. Œuvre d'érudition en trois volumes de l'historien français Évariste Lévi-Provençal (1894-1956). Encouragé par l'accueil très favorable fait aux deux petits volumes publiés en 1932 et en 1938 sous les titres respectifs *L'Espagne musulmane au Xe siècle* et *La Civilisation arabe en Espagne* (*), Lévi-Provençal entreprit d'écrire une histoire générale des califats arabes en Espagne, thème qui n'avait pas été traité sérieusement depuis les quatre volumes de l'orientaliste hollandais Reinhart Dozy (1820-1883) : *Histoire des musulmans d'Espagne jusqu'à la conquête de l'Andalousie par les Almoravides (711-1110)*, œuvre parue en 1861 à Paris et rééditée à Leyde en 1932. Après avoir rappelé les conditions dans lesquelles la monarchie wisigothe fut atteinte par la décadence, Lévi-Provençal relate les premières expéditions de Tarif ibn Malluk en 710, celle de Tarik ibn Ziyad en 711, la prise de Cordoue en octobre 711 et, enfin, celle de Séville en 712 par l'émir Musa ibn Nusaïr, point de départ d'un émirat arabe, soumis — du moins nominalement — aux califes de Damas. Il s'arrête plus longuement sur les raisons qui ont permis à Abd al-Rahman Ier de se libérer de cette tutelle, et après s'être proclamé émir des Andalous, de fonder en Espagne une dynastie umayyade. Ayant retracé l'histoire de celle-ci, histoire qui a connu son point culminant avec Abd al-Rahman II (822-852) et Abd al-Rahman III (912-932), qui établirent des relations diplomatiques avec Byzance et s'entourèrent de savants accourus de nombreux pays, Lévi-Provençal passe aux années de décadence du pouvoir des califes umayyades, décadence qui se termina par la chute du califat de Cordoue dans les premières années du XIe siècle. Le troisième tome de l'ouvrage traite de l'organisation politique, militaire et judiciaire de l'Espagne arabe, de la structure de la société andalouse et des communautés mozarabes et juives qui avaient au sein du califat une existence particulière. Le livre se termine sur une description très vivante de l'essor économique du califat, et de la vie privée, religieuse et intellectuelle sous les califes umayyades. Une première édition, ne comportant que la partie historique (tomes I et II), vit le jour au Caire, sous les auspices de l'Institut français d'archéologie orientale (1944) ; l'édition complète parut à Paris en 1950-53.

HISTOIRE DE L'ÉTERNITÉ [*Historia de la eternidad*]. Œuvre de l'écrivain argentin Jorge Luis Borges (1899-1986), publiée en 1936. Ce recueil, commencé en 1933, traduit à merveille les préoccupations intellectuelles de son auteur. Il s'agit, comme dans l'*Histoire universelle de l'infamie* (*), de divers essais, parfois paradoxaux, toujours brillants, et qui abordent des sujets différents, encore que certains se trouvent liés par le thème commun du temps et de ses variations qui s'y retrouve constamment. L'« Histoire de l'éternité » ouvre le volume et lui donne son titre. Après avoir évoqué et partiellement réfuté les théories grecques : Plotin et son univers unanime — « tout est partout, tout est tout » ; Platon et la doctrine des archétypes (concept de l'éternelle humanité) ; et analysé, non sans la critiquer, la position chrétienne, à partir des *Confessions* (*) de saint Augustin : — « je suis le A et le Z, le commencement et la fin » — qui fait de l'éternité un attribut du pouvoir spirituel illimité de Dieu, Borges montre le besoin absolu d'éternité chez l'homme, avant de présenter sa théorie personnelle. Il le fait en se reportant à une de ses expériences, à une nuit, qui lui en rappelle une autre, vieille de trente ans. « Non point que je crusse avoir remonté les présomptives eaux du temps ; mais j'eus l'intuition que j'entrais en possession du sens, réticent, voire absent, de l'inconcevable mot "éternité". » Dans les « Kenningar », il étudie avec la finesse et la subtilité qui lui sont familières ces « mentions énigmatiques » de la poésie islandaise, équivalences, équations syntactiques dont il rappelle l'histoire, et donne de nombreux exemples, leur reconnaissant une valeur autre que celle d'un simple symbole. « La Métaphore » y fait suite très naturellement. Borges réduit cette figure de style à quelques groupes : les étoiles pour les yeux, la femme et la fleur, le temps et l'eau, la vieillesse et le crépuscule, le sommeil et la mort. Son infatigable érudition passe en revue les principales interprétations qui en ont découlé, d'Aristote à l'Ancien Testament, pour conclure : « Les concepts sont illimités. La force, la faiblesse (d'une métaphore) réside dans les mots. » « La doctrine des cycles » ou de l'éternel retour le passionne. La conception nietzschéenne, qui limite le nombre des atomes et par conséquent de leurs combinaisons et suppose que l'Univers doit donc recommencer, le séduit mais l'irrite et il la réfute brillamment grâce à celle de Georg Cantor. Pour Borges en tout cas, il n'y a pas répétition des cycles, mais identité, et en l'affirmant, il laisse entrevoir le thème favori de plusieurs de ses nouvelles fantastiques. Il revient sur ce sujet dans « Le Temps circulaire », en fait l'historique, et précise sa propre conception. Plus encore que des cycles identiques, il pense à des cycles similaires, rejoignant ainsi Marc Aurèle. L'histoire universelle devient alors l'histoire d'un seul homme, et le présent la forme de toute vie.

Avec deux notes consacrées l'une à Al-Mut'asim et l'autre à « l'art d'injurier », la fin de l'ouvrage examine les divers traducteurs des contes des *Mille et Une Nuits* (*) que Borges considère comme l'un des sommets du merveilleux : Galland trop fade ; Lane trop pudique ; Richard Burton, qui y reflète sa vie tumultueuse. Le docteur Mardrus, malgré les manifestes libertés qu'il ne cesse de prendre avec le texte, reste le plus lisible, car les traductions allemandes, que ce soit celle de G. Well, de M. Henning, de F. P. Greve, ou même celle de Littmann, sont, malgré leur fidélité, tristement médiocres, non repensées à travers le fantastique allemand. Que n'en aurait-il pas fait un Kafka ? dit Borges. Et le lecteur pense : Que n'en ferait pas un Borges ? Le style de *Histoire de l'éternité* est toujours à dessein heurté, incisif, d'un humour discret. Borges s'y affirme dans toute son universalité. — Trad. *Histoire de l'infamie, Histoire de l'éternité*, Éditions du Rocher, 1958.

HISTOIRE DE L'HELLÉNISME [*Geschichte des Hellenismus*]. Première œuvre du philologue et historien allemand Johann Gustav Droysen (1808-1884), fondateur de l'école historique prussienne. L'ouvrage, conçu primitivement par l'auteur selon un plan beaucoup plus vaste, et dont le premier volume, l'*Histoire d'Alexandre le Grand*, devait constituer la seule préface, ne se composa par la suite que de trois parties, publiées d'abord séparément : l'*Histoire d'Alexandre le Grand* [*Geschichte Alexanders des Grossen*], publiée en 1833, l'*Histoire des successeurs d'Alexandre (Diadoques)* [*Geschichte der Nachjolger Alexanders*], publiée en 1836, et l'*Histoire de la formation des États hellènes* [*Geschichte der Bildung des hellenistischen Staatensystem*], publiée en 1843 ; ces trois parties, soigneusement revues, furent réunies sous le titre d'*Histoire de l'hellénisme*, publiée en 1877-1878, à Gotha. Le premier, Droysen se sert du terme d'hellénisme pour désigner la nouvelle forme de civilisation qui, après la conquête d'Alexandre, se répandit sur la quasi-totalité du monde connu ; civilisation qui s'identifie fondamentalement à la civilisation grecque, laquelle toutefois, en entrant en contact avec les civilisations étrangères, en adopta certains caractères, se transformant et devenant ainsi universelle. Droysen fut donc le premier à reconnaître la fonction historique de cette période, qui n'est pas considérée comme la manifestation de la décadence grecque, mais comme le début et la floraison d'une nouvelle phase historique, essentiellement différente, mais non moins glorieuse et significative ; considérée non comme l'agonie, mais comme l'expansion du génie hellène, comme le trait d'union entre la civilisation grecque et celle de l'Occident. Dans cette perspective, le jugement de Droysen sur Alexandre, qui fut par son action le facteur déterminant de la physionomie de l'époque, ne peut qu'être admiratif. Il exalte le Macédonien, s'efforçant même de justifier les côtés les moins louables de son caractère et de son action, tant du point de vue historique que du point de vue humain. Il magnifie, en particulier, la fusion entre Grecs et Barbares, voulue par Alexandre, qui put paraître comme un reniement des buts qui avaient déterminé la Macédoine à déclencher la guerre contre la Perse, mais fut en même temps l'indispensable prémisse à la naissance d'une nouvelle civilisation et à l'expansion de l'esprit grec à travers le monde. Dans les autres parties de l'ouvrage, la figure du héros une fois disparue, une riche galerie de personnages se trouve mise en relief : les diadoques d'abord, immédiats successeurs d'Alexandre (deuxième partie), puis les épigones (troisième partie). Le second volume traite de l'histoire de l'empire d'Alexandre, de la mort du héros (323) jusqu'à l'occupation de la Macédoine par Antigone et la fin de l'invasion celtique (277). Ère de luttes et d'agitations que Droysen essaie d'interpréter, en les considérant comme le développement des forces négatives qui devaient fatalement surgir dans la grande entreprise d'Alexandre, comme « antistrophe » de son époque, selon les termes mêmes de l'auteur. Alexandre s'était donné, pour fin ultime, d'opérer la fusion entre l'Occident et l'Orient dans une monarchie de type oriental. La réaction se produisit naturellement en sens inverse, avec la désagrégation de l'Empire macédonien et malgré les tentatives d'y remédier, accomplies par Perdiccas d'abord, puis par Polyperchon en Occident et par Eumène en Orient. Toutes les solutions sont tentées, mais en vain, et on aboutit ainsi à la formation des divers royaumes helléniques.

Le troisième volume s'ouvre sur un vaste tableau récapitulatif, considérant l'évolution de la civilisation sur les deux rives de la mer Égée. Puis l'auteur revient à son sujet. Tandis que la Macédoine et la Thessalie sont la proie de luttes interminables, frappées par la peste, bouleversées par l'invasion celte, de nouveaux éléments historiques se font jour : en Grèce, la ligue étolienne et la ligue achéenne ; en Occident, Carthage, l'État commercial, et Rome, l'État agraire. Au cours du premier conflit entre ces deux États, conflit auquel les Grecs d'Occident sont intéressés de façon essentielle, ceux-ci n'en seront pas moins complètement abandonnés par les États helléniques, Égypte, Syrie et Macédoine, occupés à se quereller entre eux. L'antagonisme existant entre ces trois grandes puissances permet la formation et la survivance de petits États vivant dans une tension et un mécontentement perpétuels, préparant ainsi le terrain à la conquête romaine. Avec cette conquête s'ouvrira une nouvelle série de luttes : luttes d'idées religieuses entre monothéisme et polythéisme, s'achevant par la victoire du monothéisme ; mais d'un monothéisme qui a renoncé, à travers le christianisme, à son caractère nationaliste primitif, pour assumer désormais un caractère universel.

L'histoire de Droysen est nettement conduite selon les principes de la dialectique hégélienne : les événements sont généralement considérés à la lumière des causes finales auxquelles ils tendent. Droysen est doué d'une exceptionnelle faculté d'abstraction, du pouvoir de saisir la ligne essentielle au milieu de la complexité des faits, de voir les causes motrices au-delà des apparences superficielles des événements ; avec cette conséquence que son histoire est moins une histoire d'événements qu'une histoire d'idées. Cette faculté de synthèse, d'éclaircissement, se manifeste surtout dans l'histoire des successeurs d'Alexandre. Il s'agit là d'une période historique extrêmement compliquée, sur laquelle nous ne possédons tout au plus que des témoignages incomplets et discontinus. Droysen a fait des événements de cette période un mouvement complexe, mais intelligible, qui se déroule selon une ligne de développement logique et bien déterminée. Parallèlement à cette attitude, une autre tendance propre à Droysen caractérise sa conception de l'histoire : celle de voir dans les événements l'empreinte d'une volonté supérieure qui les guide vers une fin déterminée. On comprend dès lors que l'auteur ait été attiré, avant tout autre sujet, par la période d'Alexandre le Grand, où la marque d'une telle volonté est peut-être plus manifeste qu'à tout autre moment de l'histoire. Même si désormais les idées de Droysen et sa méthode sont en partie dépassées, nul ne peut méconnaître l'importance que ces volumes, et en particulier le premier, qui demeure le plus vivant, ont eue pour notre connaissance du monde de l'Antiquité. — Trad. Leroux, 1883-85.

HISTOIRE DE L'INDE [*Tārikh al-Hind*]. Ouvrage du savant et philosophe médiéval d'expression arabe al-Birūnī (963-après 1050). L'ouvrage repose en grande partie sur les observations de l'auteur, qui accompagna le sultan Maḥmūd de Ghazni (règne : 998-1030), son protecteur, au cours de plusieurs expéditions militaires dans la vallée du Gange. Al-Birūnī s'intéresse tout particulièrement aux systèmes philosophiques indiens, qu'il expose longuement en se fondant sur des connaissances de première main : il apprit spécialement le sanskrit à cet effet. Profondément intrigué par le caractère « exotique » de l'univers intellectuel indien, qu'il met en contraste avec les affinités beaucoup plus grandes existant, selon lui, entre les traditions hellénique et islamique, il s'intéresse avant tout à en donner une description aussi précise que possible, et à en rendre compte dans une perspective quasi anthropologique : il ne s'agit pas tant, pour lui, de savoir si ce que les Indiens pensent est vrai ou faux (c'est-à-dire, concrètement, conforme ou non aux conceptions reçues), mais bien de comprendre pourquoi ils le pensent. À cet égard, l'*Histoire de l'Inde* peut être considérée comme l'une des premières tentatives dans le domaine de l'étude scientifique des religions et des systèmes de pensée.

HISTOIRE DE L'INGÉNIEUR DES ÂMES HUMAINES (L') [*Příběh inženýra lidských duší*]. Roman de l'écrivain tchèque Josef Škvorecký (né en 1924), publié en 1977 à Toronto. Ce vaste ouvrage à caractère introspectif récapitule les faits et gestes de Danny Smiřický, l'alter ego de l'auteur, le narrateur tour à tour sarcastique et mélancolique de plusieurs récits précédents, notamment des *Lâches* (*) et de *Miracle en Bohême* (*). Le roman s'organise sur deux plans narratifs : l'un recouvre la vie de Danny depuis son exil en 1968 et son installation au Canada, où il devient professeur de littérature, l'autre remonte, à travers diverses réminiscences, à sa « vie ancienne ». À ces deux plans narratifs proprement dits, qui dressent le bilan de la vie de Danny, aujourd'hui quinquagénaire, se joignent épisodes et extraits de correspondance retraçant le destin de ses amis, aussi bien en Tchécoslovaquie qu'en exil aux quatre coins du monde. Ce procédé typique de Škvorecký — psychologie introspective et chronique sociale étroitement unies — est alors exploité à fond. Universitaire confortablement installé à Edenvale College, campus rural près de Toronto, Danny mène apparemment une vie paradisiaque. Anglophile inconditionnel depuis toujours, et sujet à suspicion de ce fait dans son pays d'origine, il est enfin libre de s'adonner pleinement à ses amours littéraires (et à ses amours tout court) dans une démocratie bourgeoise florissante. Mais, inévitablement, ses souvenirs l'entraînent constamment vers le passé. À Kostelec d'abord, ville où il connut, pendant la guerre, ses premières initiations — à l'amour et à la mort, à la peur et à la violence, à la misère et à la lâcheté. Puis à Prague, où il devient écrivain et, à ce titre, selon la ferme définition du généralissime Staline, « ingénieur des âmes humaines »... Mais en ces années on y attend en vain l'arrivée du Nouvel Homme annoncée par la propagande communiste. Danny s'y heurte sans cesse aux mêmes réactions, aux mêmes types de comportement que ceux qu'il avait connus à Kostelec sous l'occupation allemande. Les dogmes faisant toujours des adeptes, il n'échappera d'ailleurs pas, même au Canada — où l'étudiant Hakim prône la révolution marxiste islamiste contre l'impérialisme mondial —, aux utopies meurtrières et aux idées reçues. Le caractère émotif de l'homme sera toujours exploité par des idéologies en quête d'ingénieurs pragmatiques. Le roman compte beaucoup de personnages, mais parmi eux deux figures se détachent particulièrement : la jeune et très fitgzeraldienne Irena Svensson, maîtresse occasionnelle de Danny, qui symbolise l'assouvissement de son vieux rêve érotique, et Naďa, ouvrière pâle aux yeux brûlants, atteinte de tuberculose, avec qui il vécut autrefois, pendant la guerre, sa première expérience amoureuse, accordée en récompense d'un acte de sabotage. Son importance croissante dans le récit — sa beauté fragile et terrifiante hante de plus en plus le narrateur — souligne une fois de plus la prédominance du passé sur le présent. Véritable synthèse de l'œuvre de Škvorecký, *L'Histoire de l'ingénieur des âmes humaines* (dont les sept chapitres prennent pour titre les noms des auteurs susceptibles d'initier les jeunes étudiants de Danny aux mystères de l'âme humaine : Poe, Hawthorne, Twain, Crane, Fitzgerald, Conrad, Lovecraft) dépasse par sa portée la chronique sociale de quatre décennies de l'histoire tchécoslovaque (enrichie d'importants aperçus sur les émigrés tchèques). Le roman pose en effet quelques bonnes questions sur la nature de l'Homme, apparemment inchangée malgré les leçons de l'Histoire.

O. S.

HISTOIRE DE L'ŒIL. Roman de l'écrivain français Georges Bataille (1897-1962), publié pour la première fois en 1928 sous le pseudonyme de lord Auch et sous le manteau. Jusqu'en 1967, toutes les éditions furent clandestines (« Séville, 1940 » ; « Burgos, 1941 ») et le nom de lord Auch continue de figurer seul sur la couverture de ce court roman, aussi important que *Madame Edwarda* (*). Dans une postface intitulée « Réminiscences », l'*Histoire de l'œil* est décrite comme la transposition de certaines images obsessionnelles venues de l'enfance, mais s'il n'est pas indifférent que ce livre soit né d'une psychanalyse, il faut voir là moins une justification que la marque même de la nécessité — nécessité qui a conduit l'auteur à s'exposer dans son livre comme le torero s'expose dans l'arène. Il est difficile de raconter ici la frénésie sexuelle qui se déchaîne à partir d'images comme l'urine, l'œuf et l'œil, lesquelles cristallisent des fantasmes, non pour en faire (ce qui est constant dans la littérature) le point de départ de l'œuvre, mais son sujet même. Ainsi l'auteur profane la parole chaque fois qu'il décrit telle ou telle posture profanatrice prise par lui-même ou sa partenaire, et le livre au lieu de n'être que le reflet de ces excès successifs devient ces excès mêmes, car l'acte (sexuel) et la parole se confondent chaque fois justement que la limite est transgressée. L'érotisme dit alors ce que le mysticisme jamais n'a pu dire : l'instant du dépassement, le halètement prodigieux de l'extase qui mêle horreur et joie comme l'orgasme mêle au fond vie et mort. Chaque scène du livre est une étape bien que chacune contienne tout son « excès » : c'est que la parole doit sans cesse recommencer à franchir un espace qui se referme aussitôt derrière elle pour que l'espace à franchir soit toujours « impossible ». Ce vide en avant, cette absence vers laquelle la parole se précipite sont analogues à ce qui allume le désir (un désir capable de bouleverser à la fois le corps et l'esprit), et l'*Histoire de l'œil* est sans doute le premier livre où le langage du sexe devient le langage de la mort de Dieu, c'est-à-dire du dépassement de l'absence infinie. Plus tard viendront des hommes comme Maurice Blanchot pour dire le silence qui neige dans l'attente et le moment souverain qui surgit de la vacance de Dieu, mais Bataille invente le langage de cet excès et le « fixe » dans ce livre où chaque lecture le fait commencer et recommencer. À partir de cette *Histoire,* l'homme sait que, si l'infini n'est pas au-delà ni ici, le goût de l'infini est dans le geste ou la pensée qui pulvérisent cette double absence en transgressant l'interdit que sa simple connaissance suffit à poser. Dès lors l'expérience ne se joue plus en direction d'un absolu extérieur (Dieu), mais en soi, à l'intérieur de l'œil qui se retourne vers sa caverne d'os sublime et pourrissante, et qui, montrant son blanc, ressemble à l'œuf ou au testicule écorché. Dès lors l'expérience n'est plus, ne peut plus être qu'expérience intérieure. Et au sommet du livre, dans la scène la plus horrible et la plus belle, le narrateur voit sa partenaire glisser dans son sexe l'œil arraché au prêtre qu'ils ont assassiné — et du fond de cette orbite infiniment souillée l'œil le regarde.

HISTOIRE DE L'OPÉRA EN EUROPE AVANT LULLY ET SCARLATTI. Ouvrage de l'écrivain français Romain Rolland (1866-1944). Conçu tout d'abord comme thèse de doctorat et publié en 1895, lorsque l'auteur devint professeur de musicologie à l'École normale supérieure, cet ouvrage remporta en 1896 le prix Bourgault-Ducoudray. C'est une étude complexe, qui tire sa principale contribution de sources originales, pour la plupart encore inconnues, l'auteur s'étant astreint à de longues et sagaces recherches dans nombre de bibliothèques italiennes. Précédée d'une vaste introduction, l'œuvre se divise en neuf chapitres, plus un Appendice et un Supplément sur la musique de Francesco Provenzale. Ayant posé comme principe que le drame lyrique dépasse largement les limites de la sphère purement musicale et réalise une des formes, parmi les plus personnelles, de la civilisation moderne, l'auteur nous informe que l'objet de cette étude est surtout d'honorer les tentatives des premiers créateurs de l'opéra. Ce faisant, il se doit d'honorer la « bonne terre italienne » de laquelle est sorti le drame lyrique. Dans le premier chapitre, l'auteur, après avoir examiné le principe fondamental de la musique d'opéra (« union de la musique avec le drame ») et rappelé les objections de la musique contemporaine contre ce principe, ainsi que les critiques qui lui furent opposées dans le passé, en vient à conclure que c'est en Italie seulement que la fusion spontanée et harmonieuse de la musique avec la poésie a pu être réalisée. C'est une idée en tous points semblable que Richard Wagner avait développée, vers le milieu du siècle dernier, quand il exposa sa conception de l'« œuvre d'art de l'avenir ». Romain Rolland poursuit son étude, en montrant la pénétration graduelle de l'esprit populaire et du sentiment personnel dans les formes purement architecturales de la musique du Moyen Âge. À la fin du XVe siècle naissent les premières personnalités musicales accomplies, tels le Flamand Josquin des Prés (1440 ?-1521 ?) et, en plein XVIe siècle, Palestrina (1515-1594), qui créa avec ses *Messes* (*) la tragédie musicale, religieuse et mystique. Avec Orazio Vecchi, de Modène (1550 ?-1605), naquit le « madrigal dramatique » et commença à se dessiner la comédie musicale. Puis, à la suite des recherches « archéologiques et littéraires » de l'académie florentine de Bardi et des autres musiciens qui fondèrent la déclamation lyrique, nous voyons s'épanouir le génie de Claudio Monteverdi (1568-1643), qui revendiqua les droits du sentiment, de la libre inspiration et de la libre expression, en opposant au conformisme de ses prédécesseurs une « mélodie humaine » et une « musique des passions », fruit de l'observation de la nature et du respect de la vérité. Romain Rolland consacre ensuite de pénétrantes analyses à l'« opéra » qui naquit dans les cours italiennes du XVIIIe siècle, opéra de caractère intellectuel et mondain, qui accordait une place prédominante à la mise en scène ; on assiste en même temps au développement « populaire » de la comédie musicale, à Florence comme à Rome, à Venise comme à Naples. À ce propos, la découverte par Romain Rolland de Provenzale – fondateur de l'école napolitaine – est capitale. Ces chapitres trouvent leur conclusion dans la description de l'apogée du drame musical en Italie. La dernière partie du livre est consacrée à l'œuvre musicale en Allemagne, en France et en Angleterre. Dans ces pays, le drame musical est considéré comme un genre d'importation italienne et n'acquiert jamais un caractère national bien défini. Dans le dernier chapitre, l'auteur, examinant la décadence de l'opéra italien, en énumère les causes : corruption du goût, recherche de la virtuosité, abaissement de l'intelligence, scepticisme de la société du XVIIe siècle. L'œuvre magistrale de Romain Rolland peut toujours être considérée comme valable et propre à servir de base aux études de musicologie, bien que cet ouvrage ait été en partie dépassé par l'orientation nouvelle de la critique ainsi que par les plus récentes recherches.

HISTOIRE DE MA FEMME (L') [*Feleségem története*]. Roman de l'écrivain hongrois Milán Füst (1888-1967), publié en 1940. C'est ce roman qui a fondé en Hongrie la popularité de Milán Füst, poète original et importante personnalité de la vie intellectuelle surtout dans l'après-guerre. *L'Histoire de ma femme* est un roman psychologique au sens classique du terme, un roman de la jalousie.

Le personnage central est Störr, un capitaine hollandais. Solitaire par tempérament et par profession, il s'éprend d'une petite Française qu'il épouse. Sa femme est coquette et mondaine. Au début de leur vie commune, tout se passe bien : quand il est en mer, elle lui manque, et il ne se soucie pas de ce qu'elle peut faire pendant son absence. Cependant, des changements dans sa vie professionnelle ont sur leurs relations de fâcheuses conséquences. Confronté, en tant que capitaine d'un bateau de plaisance, à la superficialité et à la bêtise des voyageurs, il échappe de peu à une catastrophe et perd le goût de la navigation. Commence alors une période de laisser-aller, au cours de laquelle il supporte de plus en plus difficilement la société de la jeune femme. Tenté lui-même par une aventure, il s'interroge de manière de plus en plus obsédante sur les relations de sa femme et d'un certain Ridolfi qui la suit partout. Cette interrogation tourne à l'idée fixe et la vie conjugale devient un enfer. Une accalmie donne un instant l'espoir d'un retour à un bonheur idyllique – une grave maladie au cours de laquelle sa femme le soigne de manière exemplaire. Mais un hasard lui fait découvrir qu'elle lui ment. Les événements se précipitent : elle s'enfuit avec son amant en emportant l'argent de Störr, le lendemain du jour où celui-ci a tué un homme qui voulait le détrousser. Il rattrape les fugitifs, reprend l'argent, et demande à sa femme une reconnaissance écrite d'adultère. Il reste ensuite huit ans en Amérique du Sud puis rentre en France. Il est prêt à se remarier quand il croit l'apercevoir : mirage, car il finit par apprendre qu'elle est morte, six ans auparavant. Il reste seul avec tous ses souvenirs.

Ainsi résumée, la trame du roman révèle en même temps sa richesse et son homogénéité. Homogénéité parce que la thématique reste unique : amour et jalousie. Pas de diversion ni de lignes parallèles. Cette homogénéité cependant ne fait qu'accentuer la richesse du matériau psychologique utilisé. L'histoire n'est vue – comme le montre le possessif contenu dans le titre – que du point de vue du héros. Ce sont ses pensées, ses états d'âme, sa vie intérieure qui sont au centre de la narration : l'histoire, les événements semblent ne servir qu'à donner des points de départ, à mettre en mouvement des sentiments et des méditations. Ainsi s'établissent des relations indirectes de cause à effet, qui expliquent les balancements, les évolutions, les irrésolutions, les fixations du capitaine hollandais. Par exemple : si le bateau qu'il pilote ne sombre pas lors d'un incendie, ce n'est pas grâce à lui, car au moment du danger il est pris d'un profond dégoût pour un univers si semblable à celui de sa femme, et reste dans l'inaction au fond de sa cabine. Conséquence : une grave rupture de son ressort vital, qui influe sur sa vie conjugale. C'est que Füst est profondément imprégné de psychanalyse. Le groupe de la revue *Nyugat* (*), en effet, a été très influencé par Ferenczy – le disciple de Freud qui a introduit les idées viennoises en Hongrie ; ce n'est peut-être pas un hasard si, au début du roman, c'est un psychanalyste qui recommande à Störr le mariage comme remède à une catastrophique perte d'appétit. Cette sensibilité transparaît dans les formes très diverses que prend la passion de Störr pour sa femme, et dans sa perception exceptionnellement mouvante de celle-ci.

Si ce roman est intégralement une œuvre de fiction, il est difficile de ne pas reconnaître dans le puissant capitaine Störr un trait caractéristique de l'auteur : la solitude. La perpétuelle solitude de l'homme, l'impossibilité de son rapport à autrui sont des lignes qui traversent l'œuvre de Füst et qui se retrouvent notamment dans son œuvre théâtrale. E.T.

HISTOIRE DE MA FUITE DES « PLOMBS » DE VENISE. Récit autobiographique (écrit en français) de l'auteur et aventurier italien Giacomo Girolamo Casanova di Seingalt (1725-1798), publié en 1788 à Leipzig (mais probablement aussi à Prague l'année précédente). Son vrai titre est : *Histoire de ma fuite des prisons de la république de Venise qu'on appelle les « Plombs ».* L'évasion de Casanova et du père Marino Balbi de la terrible prison vénitienne fut l'un des événements les plus retentissants de 1756. Mémorialistes, ambassadeurs et personnages officiels de la Cour le commentèrent en admirant l'habileté de l'aventurier. L'auteur insiste dans sa préface sur l'honnêteté de sa vie passée, puis il raconte comment et à la suite de quel complot et de quelles dangereuses amours avec une belle veuve il fut enfermé à la prison des Plombs. Ses ennemis l'accusent, sur le témoignage d'un espion, de sorcellerie et lui intentent un procès. Dans la tristesse de sa prison, Casanova médite de s'enfuir et, à force de ruse, parvient à mettre son projet à exécution. Les journées pendant lesquelles il prépare sa fuite en secret, au milieu des pires soucis, donnent lieu à un récit des plus vivants. Il fut aidé dans cette évasion par un noble vénitien, Marino Balbi, qui pour correspondre avec lui inscrivait ses messages en latin dans leurs livres de lecture. Tous deux s'évadèrent en descendant à la corde de leur cellule jusqu'aux quais et quittèrent ensuite leur patrie. Le récit possède un puissant intérêt psychologique. Casanova recrée, non sans art, le climat dans lequel se déroula sa vie, qu'il présente d'ailleurs comme un modèle de sincérité au milieu de la corruption générale. Dans l'*Histoire de ma vie* (*), qui est beaucoup plus connue, l'auteur fait également le récit de sa fuite en plusieurs chapitres fort amusants.

HISTOIRE DE MARIE. Poème du photographe et écrivain français d'origine hongroise Gyula Brassaï (1899-1984), publié en 1949, et comprenant deux parties : « Propos de Marie » et « Le Procès de Marie », suivis d'un « Répertoire des mots clés de Marie ». Brassaï est surtout connu comme l'extraordinaire photographe des graffitis dont les simplifications et le pouvoir déformant représentent pour lui le secret de l'invention formelle élémentaire. « Ils nous font entrer au cœur même de la primitivité, écrit-il dans *Graffiti* (1961), et les plus émouvants sont ceux de la couche inférieure – à un mètre à peine du sol – où la " haute époque " de l'enfance, entre trois et sept ans, exerce sa première action sur le monde. Ici naissent les ébauches de l'homme, et presque toutes de la soudaine illumination d'une ressemblance. » Avec *Histoire de Marie*, dont chaque page nous révèle l'histoire poignante d'une servante, ses propos, ses gestes, ses réflexions, son langage même, Brassaï fait du poème une sorte de complainte moderne où la vie à son niveau le plus banal prend une résonance extraordinaire. « Brassaï, écrit Henry Miller dans sa Préface, a saisi tous ces pathétiques récitatifs pour les couler dans une série d'images éloquentes, dans une sorte de documentaire qui restitue non seulement la pensée stricte et les actes de la femme de ménage, mais aussi les odeurs qui émanent de ses mouvements, de ses rêves, de toute sa vie sevrée d'amour. »

HISTOIRE DE MARTINUS SCRIBLERUS [*Memoirs of the Extraordinary Life and Works of Martinus Scriblerus*]. Ouvrage satirique de l'écrivain anglais John Arbuthnot (1667-1735), médecin de la reine Anne d'Angleterre, publié par Pope en 1741. Son héros est le fils d'un antiquaire de Munster. Avec beaucoup de gravité, l'auteur nous décrit sa naissance, son baptême, son éducation et les divers métiers qu'il exerce par la suite : critique littéraire, médecin, philosophe et même voyageur. La fête qui suit le baptême du petit Martinus est fort amusante. Dans la maison de l'antiquaire, tout ce qui est ancien est l'objet d'une grande vénération ; tel Hercule, donc, le nouveau-né se voit porté dans la salle du banquet sur un bouclier recouvert d'une patine ancienne, au sujet de laquelle le père de Martinus a écrit un traité qu'il se propose de lire à ses amis. Tout se passe comme prévu, si ce n'est que ce dernier s'évanouit quand il s'aperçoit que les servantes ont soigneusement ôté la précieuse patine. Il se console, il est vrai, avec ces mots mémorables : « ... Fasse le Seigneur que la patine ancienne, qu'il Lui a plu d'enlever de mon bouclier, soit accordée à mon fils, et que toute celle que je me propose de lui faire acquérir de par son éducation ne soit jamais effacée par un polissage moderne. » Pope signa quelquefois ses écrits de moindre importance du pseudonyme de « Martinus Scriblerus » et, vers 1713, il fonda avec Arbuthnot, Swift et d'autres écrivains, le « Scriblerus Club ». — Trad. Knapton, Londres, 1755.

HISTOIRE DE MA VIE de Casanova. Œuvre autobiographique écrite en français, dans les dernières années de sa vie, par l'auteur et aventurier italien Giacomo Girolamo Casanova di Seingalt (1725-1798) ; publication posthume en 1822 dans une adaptation traduite en allemand, et en 1826, en français, dans un texte remanié ; ces éditions n'avaient pas été confrontées avec le manuscrit, qui a cependant été conservé à Leipzig. L'authenticité de cet ouvrage fut suspectée par Foscolo ; il fut attribué sans raison à Stendhal qui l'admirait. Ces *Mémoires* — terme que l'on employa très vite pour les désigner — constituent un des documents les plus importants relatifs à la vie au XVIIIe siècle. Les vantardises érotiques et les affirmations cyniques de l'auteur, qui se montre affranchi de préjugés sociaux, y sont telles que cette œuvre n'est pas seulement la confession d'un débauché, mais une critique de son temps ; en effet, l'auteur s'y présente comme un produit de son époque, et s'érige presque en juge des faiblesses humaines. Après une préface où il tente de justifier sa manière de vivre, Casanova parle de sa famille, qui est, dit-il, d'origine espagnole. Sa naissance à Venise lui donne l'occasion de décrire cette société dans laquelle il a fait tant d'expériences. À l'âge de huit ans il commence à observer le monde, guidé par une grande curiosité pour toutes les choses de la vie : la société fastueuse et brillante de Venise lui offre un spectacle dans lequel il ne tardera pas à jouer un rôle. Après diverses escapades de peu d'importance et beaucoup d'appréhensions au sujet de sa propre santé, il est élevé par sa grand-mère et envoyé à Padoue pour y faire ses études : il devient très vite expérimenté dans les malices du monde. Il s'éprend d'une certaine Bettina, mais s'aperçoit qu'un rival lui est préféré ; il trouve alors un subterfuge pour faire croire que la jeune fille est possédée et bouleverse ainsi sa vie. En effet, Bettina se désespère et on la croit folle. Après avoir reçu les ordres mineurs à Venise, Casanova connaît plusieurs aventures amoureuses et, chemin faisant, se perfectionne dans la connaissance des hommes. Quelques aventures avec une certaine Juliette, puis une Lucie montrent bien vite que le brillant aventurier recherche le plaisir sous toutes ses formes, et que, sans faire l'apologie de la perversité, il n'a aucun scrupule en fait de moralité. Il perd les bonnes grâces d'un protecteur, le sénateur Malipiero ; puis cet entreprenant garçon de vingt ans est mis au séminaire, dont il est vite chassé ; enfermé dans une forteresse, puis obligé de quitter Venise, il vit à Chioggia, fait un pèlerinage à Lorette, se rend à Naples et à Rome, où il entre au service du cardinal Acquaviva et où de nouvelles affaires galantes égayent son existence.

C'est à cette époque que commence pour Casanova une véritable vie d'aventurier : il change bien vite ses vêtements ecclésiastiques contre l'uniforme militaire ou l'habit du courtisan, fait partie de la suite d'un grand seigneur ou d'un autre, voyage dans toutes les capitales d'Europe, cherche partout son profit immédiat, et en amour sa plus grande jouissance. En nous racontant ses vices et ses ruses, il se montre tel qu'il était, avec son amour de la sincérité la plus libre. Il est un partisan loyal de la bonté instinctive, un admirateur de la beauté, telle que seuls les philosophes pouvaient la rêver dans un retour à l'innocence primitive. Voyageant pendant un demi-siècle de Londres à Constantinople, de Paris à Saint-Pétersbourg, de Vienne à Madrid, l'écrivain connut les intrigues de la société, ses coulisses, ses ambitions et ses vices ; c'est pourquoi, en dehors même du tableau de ses conquêtes amoureuses (rendues sans grande finesse psychologique et avec une médiocre puissance artistique), il représente avec quelque véracité l'Europe du XVIIIe siècle. Au milieu des figures de souverains et de chanteurs, de savants et de prostituées, l'œuvre nous introduit dans un monde que peu de mémorialistes ont décrit avec autant de sagacité. Le héros sait habilement agir dans une société décadente et se servir de l'ambition des hommes et de la vanité des femmes pour mener gaiement sa vie. Tout au long de son récit, l'auteur se peint sous les traits d'un débauché fanfaron et d'un escroc, faisant preuve de cynisme. L'*Histoire de ma fuite des « Plombs » de Venise* (*), en partie réécrite et résumée dans le texte des *Mémoires,* montre que Casanova, au-delà de son apparence frivole, s'intéresse aux problèmes de son époque ; il entretient des relations avec Frédéric de Prusse, Voltaire, Rousseau, Goldoni, Galiani et aussi avec Benoît XIV et Clément XIV ; sans compter celles qu'il eut par nécessité avec Marie-Thérèse et Joseph II.

La connaissance de nombreux documents de l'époque et des travaux historiques de la fin du XIXe siècle, en confirmant la véracité de la partie documentaire de l'œuvre, la place dans sa véritable perspective.

HISTOIRE DE MA VIE de Guibert de Nogent [*De vita mea*]. Mémoires du moine bénédictin, théologien et historien français, abbé de Notre-Dame de Nogent-sous-Coucy (1053-1124). Malgré une imitation évidente des *Confessions* (*) de saint Augustin, les *Mémoires* de Guibert de Nogent sont un livre extrêmement vivant et original. C'est le premier ouvrage du Moyen Âge qu'on puisse appeler Mémoires. Guibert y conte avec une grande simplicité les circonstances de sa vie : ses impressions de jeunesse sur son milieu familial qui appartenait à l'aristocratie du Beauvaisis, l'histoire de son abbaye et celle de l'église de Laon. Il nous donne un récit, peu banal et pris sur le vif, d'une insurrection communale, à qui il attribue, de manière erronée, un caractère révolutionnaire et sur laquelle il lance l'anathème : « Commune, nom nouveau, nom détestable. » Suivent un récit coloré des événements municipaux de Laon et des portraits pleins d'intérêt des seigneurs brigands de l'Île-de-France, que Louis VI commençait à pourchasser. Le *De vita mea* nous donne une vive lumière sur la fin du XIe siècle et le début du XIIe ; il nous met en présence d'un esprit cultivé et lucide. Enfin, il est un des monuments les plus intéressants de la renaissance intellectuelle de l'époque. Guibert de Nogent nous a également laissé une *Histoire des croisades* [*Gesta Dei per Francos*] où il nous donne un compte rendu de la première croisade (1095-1099) ; c'est une des meilleures de celles que nous ont laissées les contemporains, bien qu'elle soit de seconde main. On possède aussi de lui un *Traité des reliques* [*De pignoribus sanctorum*], où il fait preuve d'un esprit critique assez étonnant pour l'époque. — La *Vie* de Guibert de Nogent a été éditée par G. Bourgin (Paris, 1907).

HISTOIRE DE MA VIE de Sand. Mémoires de l'écrivain français George Sand (Aurore Dupin, 1804-1876), en vingt volumes (1854-1855). L'annonce de la rédaction des Mémoires de George Sand fit naturellement une grande impression dans le monde littéraire de l'époque, on en attendit la publication avec une impatience qui n'était pas seulement curiosité littéraire. On crut qu'un succès de scandale se préparait. Lorsque les premiers volumes parurent, la déception fut immense. George Sand, dans ses Mémoires, se montrait beaucoup plus réservée que dans sa vie : elle taisait les détails les plus osés de son existence et surtout parlait fort peu d'elle-même. L'*Histoire de ma vie* est un ouvrage fort mal équilibré, car les ancêtres de la narratrice occupent, dans le récit, une part démesurément grande par rapport à celle que se réserva George Sand pour elle-même ; aussi a-t-on pu dire que le livre aurait dû s'appeler : « Histoire de ma vie avant ma naissance ». La biographie des aïeux de George Sand remplit près de dix volumes, depuis Auguste II roi de Pologne, arrière-grand-père de Sand par la comtesse Aurore de Kœnigsmarck, le maréchal de Saxe et Mme Dupin de Francoeil, la grand-mère paternelle. Le volume qui est consacré à cette dernière, morte en 1821 seulement, est fort intéressant. Sans doute George Sand se retrouvait-elle dans sa grand-mère Dupin, femme du XVIIIe siècle, qui avait gardé l'élégance, l'esprit et la liberté mondaine de cette époque.

Si George Sand se montre particulièrement discrète sur ce qui touche à sa vie privée, elle ne garde pas la même pudeur lorsqu'elle évoque ses proches parents. Ainsi conte-t-elle longuement la jeunesse orageuse de sa mère, exposée à des « hasards effrayants » au cours de la campagne d'Italie et qui nous est montrée quittant une « riche protection » pour suivre M. Sand. Au VIIIe volume, le lecteur touche à peine à l'époque de la naissance de l'auteur. Au Xe, la baronne Dudevant (la narratrice) quitte son mari et vient à Paris en compagnie de Jules Sandeau. L'histoire de sa jeunesse et de ses passions est voilée à l'extrême et il y a certainement plus d'exactitude, malgré la fiction, dans *Les Lettres d'un voyageur*, *Le Secrétaire intime* et *Elle et Lui* (*). On trouverait plutôt dans ses Mémoires une histoire des idées de George Sand, de son intelligence, la description de la genèse de son inspiration : il est curieux de voir comment elle savait faire des types de tout son entourage, recherchant la poésie avec Musset, la musique avec Liszt, la politique avec Michel de Bourges. Plus qu'un récit de sa vie, c'est l'histoire de son entourage qui nous est ici racontée et l'ensemble de ces volumes forme une œuvre d'un très grand intérêt.

HISTOIRE DE MÉRIADOC, ROI DE CAMBRIE [*Historia Meriadoci regis Cambriae*]. Roman écrit en latin par l'écrivain français Robert de Thorigny (XIIe siècle), abbé du Mont-Saint-Michel. Mériadoc et sa sœur Orwen, enfants d'un roi de Cambrie qu'assassina son frère, Griffin, ont été abandonnés dans une forêt. Mais un chasseur les a recueillis et élevés. Urien, le roi d'Écosse, s'éprend d'Orwen et l'épouse, tandis que Caius conduit Mériadoc à la cour du roi Arthur. Les orphelins découvrent leur histoire, et tandis que Griffin est tué, Mériadoc monte sur le trône de Cambrie. Confiant alors le royaume à son beau-frère, il se met à courir le monde. À la cour d'Arthur, il l'emporte dans un combat singulier sur les chevaliers Rouge, Noir et Blanc. Il passe avec eux au service de l'empereur d'Allemagne. Après une série d'aventures, dans une forêt pleine de monstres, de fantômes et de châteaux enchantés, il délivre la fille de l'empereur, prisonnière de Gundebalde, « roi de la terre dont nul ne revient », avec lequel il se mesure dans un duel terrible. Les deux jeunes gens s'éprennent l'un de l'autre. Mais il arrive que le roi de France demande la jeune fille en mariage. Quand il apprend que l'empereur l'a promise à Mériadoc, il déclare la guerre à l'empereur et ce dernier trouve la mort sur le champ de bataille. Mériadoc peut épouser la princesse. Ce roman présente quelque analogie avec l'*Histoire des rois de Bretagne* (*) de Geoffroi de Monmouth.

On y trouve de nombreux thèmes communs aux littératures de tous les pays (comme l'abandon des enfants dans la forêt), mais il contient aussi des réminiscences de légendes celtiques, transformées par la tradition littéraire latine.

HISTOIRE DE MES IDÉES. Œuvre autobiographique de l'écrivain français Edgar Quinet (1803-1875), publiée en 1858. En préparant l'édition complète de ses ouvrages, le fameux historien et polémiste eut le désir d'exposer, d'une façon plus méthodique, l'histoire de sa formation et les tendances de son esprit. L'histoire de ses idées est celle d'un esprit honnête et pénétrant qui cherche à comprendre à fond la réalité spirituelle de la France : lentement mais sûrement, il médite sur les événements politiques de son pays et parvient tout seul à saisir le sens de la profonde crise qu'il traverse. C'est surtout pendant les vingt premières années du siècle (de la fin du régime napoléonien jusqu'au règne de Charles X) qu'il est le mieux à même de porter un jugement sur le peuple de France : Quinet évoque le milieu dans lequel il vécut et comment il vit y mûrir ce désir violent de se dresser contre toutes les formes de tyrannie qu'implique le pouvoir absolu. Mais l'écrivain se propose d'étudier une situation morale qui dépasse de loin sa seule personnalité. C'est pourquoi il ne s'attarde pas à conter des anecdotes, il fait valoir, dans chaque circonstance, le seul point de vue de sa génération. Bien que cette œuvre soit étroitement liée à tous les événements de la vie de l'écrivain (ses années de maturité et son exil sous le second Empire), elle fut complétée par les *Souvenirs d'exil* rédigés par sa propre femme. En raison de son tempérament oratoire et didactique, Edgar Quinet ne voit, dans les exemples pris dans sa vie, qu'un prétexte à mettre en lumière, une fois de plus, ses idées démocratiques, ce que furent les compagnons qui partagèrent sa foi et les avatars que dut subir leur programme politique. Même sous cet aspect, l'*Histoire de mes idées* se présente comme une nette prise de position devant les événements du siècle ; l'auteur ne cesse d'affirmer, avec conviction et persévérance, que c'est seulement dans la discussion des libres institutions de la nation que la France pourra travailler pour son bien et celui de l'humanité.

HISTOIRE DE MES PENSÉES (L'). Ouvrage du philosophe français Alain (pseud. d'Émile Chartier, 1868-1951), publié en 1936. À cette date, Alain avait déjà fait paraître la plus grande partie de son œuvre, mais dans aucun de ces livres il n'avait fait de confidences sur sa vie privée. S'il s'y décide, en publiant *L'Histoire de mes pensées*, ce n'est pas pour y livrer ses souvenirs mais ses pensées qui, elles, sont « avouables ». Aussi, bien que le livre suive pas à pas les étapes de sa vie et, au passage, évoque une atmosphère ou les figures de ceux qui l'entourèrent, il ne nous révèle de son enfance que les livres qu'il a lus et surtout comment il les a compris, les études qu'il a faites, spécialement la révélation qu'il reçut lors de ses premiers contacts avec les mathématiques. Et il ajoute : « Donc, une enfance sotte comme elles sont toutes. » Quelques mots sur son père ouvrent le second chapitre (« Jeunesse ») ; mais ce qui intéresse Alain, c'est la formation de son esprit, et il a hâte d'en arriver à son professeur, le philosophe Jules Lagneau, qui devait faire de lui un penseur (« Je connus un penseur, je l'admirais, je résolus de l'imiter ») et orienta sa pensée. Lagneau lui donne le culte des grands auteurs, de ceux qu'il faut lire et relire, de leur pensée dont il faut se pénétrer, et tout d'abord de Spinoza et Platon. Alain entre ensuite à l'École normale supérieure. Il est envoyé comme professeur à Pontivy, puis à Lorient où il reste sept ans jusqu'en 1900. C'est alors qu'il s'intéresse à la politique et qu'il s'y mêle, à sa manière, en participant activement aux universités populaires qui viennent de se créer. Il s'occupe aussi d'un journal radical où, au bout de peu de temps, il fait tout. Il n'en poursuit pas moins ses lectures, en donnant la priorité aux écrits des théoriciens politiques de tous les temps. À partir de 1904, il collabore à la *Revue de métaphysique*. Mais, ajoute-t-il modestement, « j'avais de l'ambition, mais non cette puissance de travail qu'on m'a supposée quelquefois ». Après un séjour à Rouen, il est nommé professeur à Paris, à la fois au collège de filles Sévigné, et au lycée de garçons Henri-IV, où il devait rester jusqu'à l'âge de la retraite. En 1906, il commence à publier, deux fois par semaine, dans *La Dépêche de Rouen*, ses *Propos* (*). Alain, mêlant ensuite des considérations sur son enseignement et ses méthodes pédagogiques, et ses réflexions personnelles, traite en trois chapitres de Platon, de Kant et de Comte ; plus loin viendront des chapitres sur Hegel et Hamelin, Descartes, ultérieurement complétés par les études qu'il leur consacre dans *Idées* (*). Dans un chapitre intitulé « Obscurités », il nous relate une de ses « aventures de l'esprit » : son invention de la forme aérodynamique grâce à ses observations tout empiriques. Viennent ensuite quelques chapitres sur « La Guerre et l'Armée » : il ne s'agit point ici de souvenirs personnels, mais de considérations sur le « drame d'idées que la guerre fut pour tout le monde ». C'est à l'armée, et d'une manière toute fortuite, qu'il ébauche son *Système des beaux-arts* (*), un de ses livres qu'il préfère. Alain, esprit toujours en éveil, passe ensuite en revue les poètes, le matérialisme, la générosité, les sentiments, les contes, les religions, avec un sérieux, une prudence qui sont caractéristiques de sa démarche de penseur, considérant à neuf toutes les idées, dans une perspective exclusivement et radicalement humaine. *L'Histoire de mes pensées* est un des livres les plus intéressants d'Alain ; car ces idées, qui sont toute sa vie, nous les trouvons toutes décantées dans son œuvre ; ici, il nous les montre se faisant en lui par un continuel travail et une attention extrême.

HISTOIRE DE MON CONTEMPORAIN [*Istorija mœgo sovremennika*]. Autobiographie de l'écrivain russe Vladimir Galaktionovitč Korolenko (1853-1921). Les quatre volumes ont paru respectivement en 1909, 1919, 1921 et (posthume) 1922. « Je n'écris pas l'histoire de mon temps, déclare Korolenko, mais seulement l'histoire d'une existence pendant ce temps [...]. Ce témoignage n'est ni une biographie [...] ni une confession, parce que je ne crois pas plus à la possibilité qu'à l'utilité d'une confession publique. Ce n'est pas un portrait, parce qu'il est difficile de dessiner son propre portrait, du moins avec la garantie que celui-ci soit ressemblant. Chaque reflet se distingue de la réalité par le fait même que c'en est un reflet et, comme tel, incomplet [...]. Ici, il n'y a rien que je n'aie rencontré dans la réalité, que je n'aie éprouvé et vu. Ici, le lecteur ne trouvera que des traits de l'"histoire de mon contemporain", de l'homme que j'ai le plus intimement connu. » L'importance de l'époque de Korolenko est très grande : son enfance coïncide avec la période de la libération des serfs ; sa maturité a vu s'instaurer le régime réactionnaire d'Alexandre III, et sa vieillesse a été témoin des importantes transformations sociales et artistiques de son pays au seuil du XXe siècle. L'*Histoire de mon contemporain* est d'un grand intérêt, comparable à celui de *Passé et Méditations* (*) de Hertzen. Malheureusement, la narration s'arrête au moment où l'écrivain fut exilé en Sibérie, sous le règne d'Alexandre III. Toutefois, les allusions au développement spirituel de l'homme par rapport aux événements servent à éclairer sensiblement l'orientation future de l'histoire. L'objectivité de Korolenko historiographe ne l'empêche pas de faire preuve dans l'*Histoire de mon contemporain* de l'intuition artistique déjà révélée dans ses œuvres antérieures, telles que *Le Rêve de Makar* (*), *En mauvaise compagnie* (*) et *Le Musicien aveugle* (*). L'amour et la profonde compréhension des beautés de la nature, un réel sens humanitaire, enfin l'abnégation et la dignité dont Korolenko fait preuve en tant que défenseur des faibles et des opprimés – telles sont les caractéristiques incontestables de cet écrivain.

HISTOIRE DE MON TEMPS [*Historia mei temporis*]. Œuvre de l'homme d'État et historien français Jacques Augustin de Thou (1553-1617), publiée en latin de 1604 à 1608 ; la seconde édition complétée parut en 1620, en quatre volumes ; la dernière, en sept volumes, ne vit le jour qu'en 1733. L'*Histoire de mon temps* fut traduite en français pour la première fois en 1734 sous le titre d'*Histoire universelle*. Cette œuvre est également connue sous le titre latin de *Thuana Historia* ou *Thuana*. Elle embrasse la période qui va de 1543 à 1607. Un des amis de De Thou, Nicolas Rigaud, la continua d'après les notes laissées par l'auteur jusqu'à la mort d'Henri IV (1610). Cette *Histoire* est l'œuvre de toute une vie, car, si de Thou n'en entreprit la rédaction qu'en 1591, depuis sa jeunesse il en accumulait les éléments. De plus, il avait été mêlé de très bonne heure aux événements dont il traite : il fut témoin oculaire de la Saint-Barthélemy et eut un rôle officiel dès cette époque. Conseiller au parlement de Paris en 1576, il fut envoyé en Guyenne afin d'y négocier pour le compte d'Henri III avec le roi de Navarre, le futur Henri IV. Maître des requêtes, président à mortier, conseiller d'État, il contribua à la réconciliation du roi de France et du roi de Navarre, et fut un des rédacteurs de l'édit de Nantes (1598). Enfin, de Thou joua un rôle de tout premier plan dans les conseils de la Régence de Marie de Médicis, après la mort de Sully. L'*Histoire de mon temps* se divise en 138 livres. C'est un récit clair, exact et circonstancié, traité dans un esprit dont on doit admirer l'objectivité et la conscience. De Thou, homme modéré et surtout tolérant, sait parler sans passion d'une époque troublée et qui n'était que passion. C'est sans doute la raison pour laquelle l'*Histoire de mon temps* fut mise à l'Index en 1609, et provoqua des querelles interminables qui attristèrent les dernières années de l'historien. L'*Histoire de mon temps* est une des œuvres historiques les plus remarquables de l'époque et un des plus beaux monuments de l'historiographie française. Sans doute les réminiscences des écrivains latins, et en particulier de Tite-Live, sont-elles trop manifestes, mais, si cette œuvre n'a jamais eu la vaste audience qu'elle eût méritée, c'est qu'elle était écrite en latin.

HISTOIRE DE M. POLLY (L') [*The History of Mr. Polly*]. Roman de l'écrivain anglais Herbert George Wells (1866-1946), publié en 1910. M. Polly est un commis de magasin qui, à la suite d'un petit héritage et d'un mariage peu heureux, achète une boutique dans une ville de province et, après quinze ans de vie matrimoniale aride, d'indigestions chroniques et de mauvaises affaires, décide de mettre fin à ses jours. Cependant, toute réflexion faite, il préfère mettre le feu à sa maison et se sauver ensuite. En chemin, il s'arrête dans une auberge de campagne où trône l'hôtesse la plus sympathique et la plus pacifique du monde : la sérénité de la vie de cette femme n'est troublée que par l'existence d'un neveu brutal et fanfaron qui, de temps à autre, fait une apparition rapide chez elle, pour faire main basse sur la caisse, et ne tolère pas la présence d'autres hommes autour de sa tante. Polly et l'hôtesse deviennent très vite amis. Le courage de la peur continue à faire des miracles chez Polly, qui se trouve transporté dans un monde entièrement nouveau. Dans le passé, il ne faisait que mesurer des pièces de drap et sourire à ses clients. En trois rencontres mémorables, il arrive à triompher du féroce neveu et il gagne ainsi l'éternelle gratitude de la patronne dont il devient, à la grande satisfaction générale, l'homme de confiance. Le charme du livre, qui n'est pas négligeable, réside entièrement dans l'impression de simplicité qui se dégage du récit. La lecture finie, on a le sentiment que Polly est une personne que l'on a réellement connue et que l'on est heureux d'avoir rencontrée. Dans l'œuvre abondante de Wells, *L'Histoire de M. Polly* fait partie de ces romans d'ambiance, plus ou moins autobiographiques, où l'auteur a mis à contribution les souvenirs de sa jeunesse. — Trad. Mercure de France, 1910 ; Gallimard, 1984.

HISTOIRE DE NAPOLÉON ET DE LA GRANDE ARMÉE PENDANT L'ANNÉE 1812. Publiée en 1824, cette fameuse relation de la campagne de Russie par un témoin oculaire, le général français Philippe Paul, comte de Ségur (1780-1873), aide de camp de l'empereur, a été ensuite insérée dans *Histoire et Mémoires*. Les événements les plus importants de l'expédition sont évoqués avec beaucoup d'objectivité : la marche triomphale à travers l'Allemagne et la Pologne asservies, la rapidité avec laquelle se déroula l'avance des armées, qui rendit vaine la minutieuse organisation des troupes, les tentatives pour écraser les forces ennemies toujours fugitives, la bataille de la Moscova qui ne put être décisive, le guet-apens de Moscou et la décision trop tardive d'abandonner la ville en proie à l'incendie et au saccage. Maintenant qu'il a subi un échec, Napoléon ne pense plus qu'à Paris, anxieux des conséquences d'une longue absence. L'on abandonne tout pendant la marche exténuante : les prisonniers, les blessés, le butin, les trophées emmenés de Moscou, tandis que la faim et le froid, les maladies, la lutte incessante contre l'ennemi réduisent l'orgueilleuse Grande Armée à une masse amorphe d'homme abrutis. Par la fidélité de son récit, Ségur nous rapproche de l'empereur, détruit le mythe napoléonien, nous fait assister à ses découragements, à l'angoisse de ses nuits sans sommeil, à ses colères suivies de remords, à ses confidences. Il nous révèle aussi les souffrances physiques qui minaient ses forces et, parfois, la lucidité de son génie. Cependant, en public, il avait le courage de rester imperturbable, de donner des ordres comme si les cadres de l'armée existaient encore, de couper court aux objections en disant : « Pourquoi voulez-vous m'ôter mon calme ? » Ainsi la gloire et le prestige de la Grande Armée, dont il ne restait plus qu'un fantôme, furent conservés jusqu'à la fin. C'est dans ce livre que Tolstoï aurait puisé les renseignements dont il avait besoin pour représenter l'empereur dans son livre *La Guerre et la Paix* (*). Mais Ségur ne fait pas de Napoléon un aveugle instrument de la Providence. Conservant toute l'indépendance de son jugement, il garde un culte, fait d'admiration et de compréhension, pour le grand homme à qui tant d'autres hommes durent leur perte, mais aussi leur gloire.

HISTOIRE DE NE PAS RIRE. Recueil d'écrits en prose de l'écrivain belge d'expression française Paul Nougé (1895-1967), publié en 1956. Il rassemble des textes divers, portant sur la littérature, le cinéma, la musique ou la peinture, sous des angles tour à tour théorique, éthique et politique. Ces écrits ont été rédigés entre 1924 et 1948, et la plupart ont été publiés dans des revues surréalistes ou dans des catalogues d'exposition. Au début d'une longue section consacrée à son ami Magritte, Nougé se justifie de ne pas produire un ensemble accompli de ses pensées, mais seulement des notes, « destinées à quelque discours cohérent qui ne fut pas écrit ». Il y a chez lui une obsession du fragment qui constitue sans nul doute la clef la plus sûre pour entrer dans un recueil d'apparence hétéroclite qui s'offre au lecteur, dans la froide juxtaposition de ses morceaux, comme une critique de toute grandiloquence. On y trouve l'une des réflexions les plus originales de l'époque surréaliste, telle qu'elle a été vue et vécue à distance de Paris par le leader du groupe surréaliste de Bruxelles.

En tête de volume ont été repris les dix tracts de *Correspondance* que signe Nougé, lesquels marquent l'entrée en scène d'un mouvement surréaliste belge (avec Camille Goemans et Marcel Lecomte). Ces textes fondateurs se présentent sous plusieurs formes : réponses à quelque enquête, récritures de textes d'écrivains parisiens consacrés ou prises de position destinées explicitement aux surréalistes regroupés autour de Breton. Puis, sous le titre « Il faut bien le dire », s'enchaînent une série de textes brefs, souvent de circonstance, dont quelques-uns exposent les lignes directrices du groupe de Bruxelles. Dans « Proposition », Nougé énonce la position centrale de ce dernier : « Une éthique appuyée sur une psychologie colorée de mysticisme. » Au sommet de ce triangle programmatique intervient la notion d'esprit qui représente aussi bien l'« objet » à « bouleverser » que le siège de l'action intellectuelle. Dans le même sens, plusieurs textes soulèvent la « grande question » : « que faire ? » Que doit faire l'écrivain, se demande Nougé, pour qui le problème de l'engagement est autant moral que politique ? On trouve également dans ce recueil la longue et fondamentale « Conférence de Charleroi » (1929) qui explicite sa conception de l'art à l'aide de l'exemple musical. Loin d'être un plaisir inoffensif, la musique — comme la poésie — agit sur l'esprit et il appartient à l'artiste d'exercer pleinement la « fonction bouleversante » de son activité créatrice.

M. Bi.

HISTOIRE DE NEW YORK PAR KNICKERBOCKER [*Knickerbocker's History of New York*]. Avec cet ouvrage publié en 1809, l'écrivain américain Washington Irving (1783-1859) s'est proposé de donner une histoire comique de la ville de New York sous la domination hollandaise. De cette manière, il fait revivre les traditions, les mœurs, les coutumes et les particularités locales de cette cité, dont les spectacles et les endroits familiers retrouvent, grâce à lui, ces ombres du passé « qui constituent le charme des villes du vieux continent ». Irving attribue fictivement son ouvrage à un certain Diedrick Knickerbocker, lequel est devenu par la suite le représentant symbolique des premiers habitants de New York. Désireux de ridiculiser l'érudition pédante de certains ouvrages historiques contemporains, il expose une foule de théories sur la création du monde, « sans laquelle New York n'aurait pas manqué néanmoins d'exister », ainsi que sur la découverte de Christophe Colomb et la présence des habitants primitifs. Irving raconte comment Henry Hudson, chargé par la Compagnie des Indes néerlandaises de découvrir le passage du Nord-Ouest, rencontre le fleuve qui porte aujourd'hui son nom, et sur les rives duquel un groupe de marchands établit un fort qui devait donner naissance à la ville d'Albany. Peu après, une association d'honnêtes Hollandais, venus d'Amsterdam, atteignit, à la suite de nombreuses aventures, l'île de Manhattan, nom que l'écrivain fait dériver selon une étymologie fantaisiste de « man's hat » (chapeau d'homme) en raison du fait que les femmes indiennes portaient des chapeaux d'hommes. Cette association construisit également un fort, ainsi que des magasins destinés à lui permettre de commercer avec les indigènes, et donna à la ville naissante le nom de Nouvelle-Amsterdam. Une époque nouvelle commença avec la venue du gouverneur Wouter Van Twiller, surnommé Guillaume le Douteux, qui descendait d'une longue lignée de bourgmestres hollandais, paisibles et nonchalants, et sous l'autorité duquel régna un véritable âge d'or. Sur la frontière orientale des établissements hollandais avait été entre-temps fondée une colonie d'Anglais exilés de leur patrie pour des motifs religieux. Les indigènes nommèrent ces derniers « Yankees », c'est-à-dire les « hommes silencieux », sans doute à cause de « leur volubilité sans pareille et de leur curiosité insupportable ». Ces Anglais, désireux d'accroître à tout prix leur bien et de s'emparer de tout ce qui était à leur portée, ne tardèrent pas à inquiéter les Hollandais et à pénétrer en plusieurs points de leur territoire. Le gouverneur Guillaume Kieft, surnommé « le Têtu » qui succéda à Guillaume le Douteux en 1634, était un homme acariâtre et sec comme un échalas ; il adressa aux Yankees un ultimatum par lequel il leur enjoignait de quitter immédiatement le territoire hollandais ; comme ceux-ci se montraient indifférents à ses menaces, il entreprit de grands préparatifs militaires parmi lesquels l'édification d'un moulin à vent sur chacun des bastions défendant New York. Mais Guillaume le Têtu souleva une vague de mécontentement par une foule de décrets plus ou moins importants, dont l'interdiction d'user de pipes. En 1647 lui succéda Pierre Stuyvesant qui fut le dernier et le meilleur gouverneur hollandais ; il remit en honneur l'usage de la pipe, introduisit dans la communauté les festivités et les réjouissances et mena une campagne victorieuse contre la colonie suédoise établie quelques années auparavant sur les rives de la Delaware, campagne qui se termina par la prise du Fort Christine, à la suite d'une bataille au cours de laquelle « ni l'un ni l'autre parti ne perdirent un seul homme ». Mais la prospérité de la colonie hollandaise avait éveillé la cupidité des Yankees qui, avec l'accord secret du gouvernement de Londres, débarquèrent à l'improviste à la Nouvelle-Amsterdam, la conquirent sans coup férir et la baptisèrent du nom de New York. Il est bien entendu inutile de rechercher une quelconque exactitude historique dans cet ouvrage qu'Irving — le premier homme de lettres américain d'importance — composa avec un humour teinté de nostalgie pour les traditions de sa ville. — Trad. Sautelet, 1827.

HISTOIRE DE NUIT [*Bedtime Story*]. Pièce en un acte, publiée en 1951 par l'écrivain irlandais Sean O'Casey (1884-1964). Cet ouvrage est ce que l'auteur appelle un « Anatole burlesque ». Ce burlesque rappelle en effet assez bien les fameux *Anatole* d'Arthur Schnitzler. Il est aussi de la veine de ces farces en un acte écrites dans les années 20. La « vis comica » d'*Histoire de nuit* montre bien que le génie d'O'Casey est surtout un génie comique aristophanesque, expression spécifique du tempérament irlandais. Mais, alors que ses farces nous emportent dans le tourbillon de leurs clowneries, sans prétendre à un thème particulier, *Histoire de nuit* répond en partie à l'une des préoccupations majeures d'O'Casey : la dénonciation de la pruderie et du pharisaïsme de la société irlandaise. Non que la pièce soit amère. Elle reste souriante et finit par un éclat de rire. Pourtant, elle n'est pas inoffensive, surtout dans un pays où l'emprise du clergé sur ses fidèles, son pointilleux contrôle de leurs lectures, de leurs divertissements, et même de leur tenue vestimentaire, revêtent parfois des aspects déconcertants. Ce puritanisme, nous dit O'Casey, n'est en réalité que le prétexte d'une ambition plus précise : le maintien d'une domination politique. L'Angèle d'*Histoire de nuit* n'est certes pas la Rosie de *La Charrue et les Étoiles* (*), mais elle encourt aussi bien le pieux mépris de son amant d'un soir. Diversion obsessionnelle qui détourne le peuple de ses vrais problèmes comme pour les « saintes femmes » de *Roses rouges pour moi* (*), ou moyen hypocrite de faire carrière comme pour le Mulligan d'*Histoire de nuit*, tels sont aux yeux d'O'Casey les effets et les buts d'un moralisme dont il n'a cessé de dénoncer la fausse morale. Et c'est pourquoi les ironiques stratagèmes de l'aimable et facile Angela heurtent beaucoup moins notre sens moral que les hypocrites remords de sa pieuse et prudente victime. – Trad. L'Arche, 1959.

Le Dispensaire [*Hall of Healing*], pièce en un acte qui date de 1952, est qualifié par l'auteur de « sincerious farce ». L'élément farce s'exprime par une charge plutôt appuyée contre les médicastres ; le mot « sincerious » répond au tableau de détresse que donne l'auteur de l'un de ses thèmes majeurs : l'apathie résignée d'un sous-prolétariat prisonnier de ses mythes et aveugle aux causes profondes de sa misère. Le chant de l'orgue sur lequel se règle le ballet d'alléluia, les sirops trompeurs, les bouteilles vides qui nous montrent avec quel empressement chaque victime entretient les moyens de ses illusions, le rituel penny des âmes du purgatoire, autant de symboles d'une situation que l'œuvre d'O'Casey ne cesse de dénoncer. « Nous sommes trop pauvres, dit l'un des malades, pour nous payer le risque de discuter de choses sérieuses », « la patience des pauvres est le nom pieux qu'on donne au suicide », répond un autre malade. – Trad. L'Arche, 1961.

Il est temps de partir [*Time to go*] a été publié en 1951. Comme les deux pièces précédentes, celle-ci s'en prend à une société hypocrite et vénale où la police assure l'ordre en entretenant la crainte de Dieu. Le fameux pittoresque irlandais n'y masque pas l'âpreté des rapports commerciaux, et la miraculeuse floraison qui inquiète boutiquiers et marchands de vaches n'est pas un phénomène hallucinatoire suscité par les soleils mouillés de la verte Érin ; la seule existence de deux êtres en quête d'un monde humain suffit à faire apparaître un instant, littéralement, ce que pourrait être ce monde. Vision fugitive, sans doute, mais la veuve Machrée et Kelly, « de l'île de Mananaum », échappent aux menottes des policiers et poursuivent leur chemin, impénitents fauteurs de troubles raisonnables. – Trad. L'Arche, 1963.

HISTOIRE DE PENDENNIS (L'). Ses joies, ses malheurs, ses amis et son pire ennemi [*The History of Pendennis*]. Roman de l'écrivain anglais William Makepeace Thackeray (1811-1863), publié en fascicules mensuels de novembre 1848 à décembre 1850 ; paru en volume en 1849-50. L'auteur y raconte les aventures amoureuses d'Arthur Pendennis, qu'il suit de sa sortie du collège, à seize ans, jusqu'à son mariage. Arthur s'éprend d'abord d'une artiste qui a dix ans de plus que lui : Émilie Costigan (au théâtre, miss Fotheringay) et qui devient sa fiancée. Mais son oncle, le major Pendennis, réussit à rompre les fiançailles, au désespoir du jeune amoureux. À Oxbridge (qui désigne clairement Oxford), où il se rend pour suivre les cours au collège Boniface, Pendennis s'adonne au jeu, il gaspille son argent au point de se mettre dans de mauvais draps ; c'est son amie d'enfance Laura Bell qui l'aidera à en sortir. Il s'éprend ensuite d'une de ses voisines, Blanche Amory, jeune fille pleine de charme, mais terriblement égoïste. Elle est issue d'un premier mariage de lady Clavering, mais son père, un forçat évadé, est encore en vie. Se cachant sous le nom de colonel Altamont, il fait chanter le second mari de sa femme, sir François Clavering. Cependant Arthur se trouve engagé dans une intrigue pénible avec une jeune fille du peuple, Fanny Bolton. Après avoir failli épouser Blanche Amory (et après une grave maladie pendant laquelle il est entouré des soins de ses anges gardiens, son ami Warrington, sa mère et Laura), il épouse cette dernière dont il n'avait pas su jusqu'alors comprendre l'amour généreux. L'absence d'héroïsme (trait sur lequel Thackeray aime appuyer dans ses livres) se fait particulièrement sentir dans ce roman, qui a été écrit peu après *La Foire aux vanités* (*).

Bien qu'elle n'ait pas la puissance de cette dernière œuvre, *L'Histoire de Pendennis* témoigne des progrès de Thackeray, de plus en plus maître de son art. Comme il l'explique lui-même dans la préface, son intention a été de décrire un jeune homme de son époque, sans glisser dans les travers de ses contemporains, qui tendent à se tromper eux-mêmes et à fermer les yeux pour ne point voir le mal, au lieu de l'affronter et de le combattre. Le héros de ce roman, être faible, faux, égoïste, n'a certainement rien qui puisse attirer les sympathies du lecteur. Dans ses défauts, il n'y a rien de sublime qui l'élève, comme l'héroïne de *La Foire aux vanités*, au-dessus de la médiocrité. Dans l'ensemble, le ton de cette œuvre est cependant moins âpre. Çà et là, on perçoit une sensibilité réprimée, une compassion, une bonté secrète qui sont à la base du réalisme de cet écrivain. Ce roman, l'un des plus personnels de Thackeray, manque cependant de cohésion. L'épisode des Amory et des Clavering est un exemple de ces longues digressions qui, trop souvent, éloignent l'auteur du récit principal, mais qui lui permettent, en revanche, de créer de nombreuses figures inoubliables, tracées avec un art très sûr et un relief étonnant. – Trad. Stock, 1948.

HISTOIRE DE PIERRE DE PROVENCE ET DE LA BELLE MAGUELONE (v. *Histoire d'Ottinello et de Julie*).

HISTOIRE DE RASSELAS, PRINCE D'ABYSSINIE [*The History of Rasselas, Prince of Abyssinia*]. Roman de l'écrivain anglais Samuel Johnson (1709-1784), publié en 1759. L'auteur était déjà connu dans les milieux littéraires pour son *Dictionnaire de la langue anglaise* (*) et sa *Vie des poètes anglais les plus célèbres* (*). Son roman lui donna la gloire internationale et fut rapidement divulgué par de multiples traductions. L'action nous transporte d'abord en Abyssinie, où les princes qui doivent monter sur le trône mènent, dans une vallée entourée de montagnes, une merveilleuse existence. Mais le prince Rasselas veut connaître le monde et sortir de cette prison dorée. Il se lie avec le poète Imlac, venu habiter la vallée pour y trouver le repos et la paix. Ils se préparent ensemble à creuser dans le roc le chemin de la fuite. La sœur du prince, Nekayah, qui trouve aussi la vie de la vallée insupportable, doit les accompagner, ainsi que sa confidente et amie Pekuah. La petite troupe part à la recherche du bonheur. Mais où en trouvera-t-elle le secret ? Rasselas demande vainement conseil aux philosophes ; à la Cour règnent la haine et l'envie ; Nekayah découvre les discordes et les misères des familles bourgeoises. En Égypte, Pekuah est enlevée par des cavaliers arabes ; après diverses péripéties, sa maîtresse versera une forte rançon pour la racheter, et elle nous fera connaître ses expériences dans un gynécée arabe. Rasselas est prêt à abandonner la partie et à se consacrer à la science, mais il apprend qu'un astrologue, à force de fréquenter les mondes de l'espace, a perdu la raison. Il ne reste à la petite troupe qu'à retourner chez elle pour y méditer de nouveaux projets, pour y agiter des problèmes insolubles – en un mot pour vivre. Johnson écrivit son roman en une semaine, pour faire face aux dépenses occasionnées par les funérailles de sa mère. Le récit est facile dans la satire et désinvolte dans les discussions ; l'auteur y combine savamment les thèmes intellectualistes qu'il emprunte à la pensée européenne, et les motifs exotiques. Aujourd'hui encore, grâce à la perfection de son style, le roman de Johnson peut être considéré comme un modèle de langue anglaise. – Trad. Praut et fils, 1760 ; Baudry, 1832.

HISTOIRE DE RIRE. Farce dramatique en trois actes publiée en 1940 par l'écrivain français Armand Salacrou (1899-1989). Il s'agit d'un vaudeville marqué cependant d'une humanité profonde qui l'éloigne des jeux faciles du boulevard. Sept personnages empruntés au meilleur monde promènent leurs cocuages d'un grenier parisien à un palace de la Côte d'Azur. Le dialogue mousse avec une facilité dérisoire ; le quiproquo devient la panacée comique irrésistible ; le paradoxe fleurit, brillant, inconsistant. La pièce fut créée en 1939 et connut un énorme succès.

En 1945, Salacrou publie *Les Fiancés du Havre* ; il aborde cette fois la tragédie bourgeoise. Vingt-huit ans avant le lever du rideau, l'épouse d'un gros importateur havrais et une marchande de poissons mettent au monde chacune un garçon dans la même clinique. Une infirmière folle échange l'un pour l'autre. Quand la pièce commence, l'auteur introduit le poivrot, sa femme et leur voyou de « fils » dans le salon des importateurs pour une reconnaissance mutuelle. Sur ce point de départ de mélodrame, l'auteur monte un mécanisme de confrontations où les personnages s'appliquent l'un sur l'autre à la manière de grilles. Il apparaît que les pauvres ne valent pas mieux que les riches, de telle sorte que l'auteur s'enferme dans la seule attitude possible : le mépris. Ces trois actes furent créés à la Comédie-Française.

À la rentrée 1945-46, Dullin crée *Le Soldat et la Sorcière* (publié en 1946). Divertissement historique autour du maréchal de Saxe, il n'est pas interdit de penser qu'à l'époque où Salacrou composait sa pièce il réprouvait la lâcheté des démissions dont un autre maréchal donnait l'exemple.

HISTOIRE DE ROBERT BRUCE [*The Bruce*]. Poème comprenant quatorze mille vers environ, du poète écossais John Barbour (1316-1395). Commencé vers 1373, il fut probablement achevé en 1377. La première édition doit dater de 1570-71. Le poème débute par l'énumération des rois qui montèrent sur le trône d'Écosse après la mort d'Alexandre III (1241-1285), et continue par une lugubre description de l'état désolé du pays sous le joug anglais ; c'est ici que se place l'épisode du couronnement de Robert Bruce ; les aventures romanesques et les efforts de ce dernier pour délivrer sa patrie forment un des chapitres les plus passionnants de l'histoire d'Écosse. Les souffrances, les épreuves, la valeur du souverain, sa courtoisie chevaleresque et sa vaillance qui lui valurent l'affection de ses sujets et immortalisèrent sa mémoire sont évoquées dans le poème avec une grande vigueur. Bruce encourage ses hommes en leur contant comment Rome fut humiliée au temps d'Hannibal, avant de renaître et de régner sur le monde ; ensuite, pendant sa retraite, à travers le loch Lomond, il réconforte les siens en leur faisant le récit d'exploits des chevaliers français. Une trop longue partie du poème est consacrée aux préparatifs de combat (livre XI) et à la bataille même de Bannockburn (livres XII-XIII). Le récit de cette bataille ne manque pas néanmoins d'intérêt, car Barbour s'en était certainement fait rapporter les diverses phases par des témoins oculaires, et il a su exposer les circonstances dans lesquelles elle fut tout d'abord perdue, puis gagnée. Avec ce combat s'achève l'épopée nationale proprement dite. Barbour rappelle ensuite l'expédition de Bruce en Irlande et les exploits de ses deux fidèles paladins, Douglas et sir Thomas Randolph, louant leur culte de la loyauté et leur haine de la traîtrise. Le poème se termine par la mort des valeureux chevaliers, par celle du roi Robert dont le cœur est déposé à Melrose. L'œuvre adopte la forme d'une chronique en vers mais, comme bien d'autres auteurs l'avaient fait avant lui, Barbour confond le roi Robert Bruce avec son aïeul du même nom, prétendant évincé au trône, et s'il met en évidence tout ce qui peut servir la gloire de son héros, il tait ce qui pourrait lui nuire : en effet, Bruce avait juré fidélité à Édouard II.

Pour donner un caractère plus poétique à son œuvre, Barbour a emprunté de nombreux éléments aux romans et aux poèmes épiques français. D'ailleurs, il l'a nommée « romance ». Expert dans l'art de décrire les fastes et les combats, il sait opposer avec habileté les pauvres et robustes montagnards écossais aux fiers chevaliers anglais. L'*Histoire de Robert Bruce* constitue un document précieux pour la connaissance de l'ancienne langue de la Basse-Écosse (Lowlander), que Barbour et les autres poètes écossais nomment « Inglis ».

HISTOIRE DE ROME [*Römische Geschichte*]. Œuvre de l'historien allemand Theodor Mommsen (1817-1903), publiée en 1856. Elle se divise en trois parties qui forment un ensemble de cinq livres. La première partie qui va jusqu'à la bataille de Pidna comprend le Ier livre (jusqu'à la chute de la royauté) ainsi que le IIe (depuis ce dernier événement jusqu'à l'unification de l'Italie) ; la seconde partie s'achève à la mort de Sylla, et fait le sujet des livres III (depuis l'unification de l'Italie jusqu'à la défaite de Carthage) et IV (la révolution) ; la troisième partie est menée jusqu'à la bataille de Thapsus et remplit le Ve livre (fondation de la monarchie militaire). Chacune de ces parties examine toutes les manifestations politiques, militaires, religieuses, économiques, artistiques de la période qui y est traitée. Cette œuvre est appréciée, à l'heure actuelle, beaucoup plus pour sa valeur artistique que pour sa valeur proprement historique. Nombre d'outrances y peuvent être relevées, ainsi qu'une partialité dont l'enthousiasme et la passion de l'auteur sont principalement responsables. Mommsen ne cherche pas à dissimuler ses antipathies : ainsi l'aversion qu'il éprouve pour les Celtes nous vaut des pages hautes en couleur sur les coutumes de cette race. Les Celtes y sont qualifiés de « lansquenets » de l'Antiquité, y sont traités de gens sans institutions, sans caractère, tout juste bons à faire la guerre, à jouer dans les auberges, à porter le désordre et la désorganisation partout où ils passent ; de même, son aversion à l'égard de Cicéron le porte à des invectives féroces et savoureuses ; son mépris pour toute manifestation de morale le pousse à se rallier des Caton, spécialement de Caton l'Ancien. Mais les portraits que trace Mommsen, que ce soit avec une antipathie agressive ou avec une admiration exaltée, sont merveilleux quant à la vivacité des traits, à la beauté du style, et l'auteur semble, grâce à la chaleur de sa passion, tirer ses personnages de la poussière des siècles. On est frappé par la magnificence du portrait de César, qui représente pour Mommsen l'idéal de l'homme d'État, chez qui un génie changeant s'allie aux dons les plus divers, qu'ils soient d'ordre militaire ou d'ordre artistique, ou encore qu'ils aient trait à la vie privée de César. Des personnalités mineures, comme Sertorius, Catilina, sont peintes en traits vigoureux et réellement inoubliables. Mommsen étudie l'Antiquité avec une infinie sollicitude ; il lui semble que la confrontation entre ces époques et les temps modernes soit concluante et fasse valoir la supériorité des sociétés disparues. — Trad. Robert Laffont, 1985.

HISTOIRE DE ROSAMUND GRAY (L') [*A Tale of Rosamund Gray*]. Récit de l'écrivain anglais Charles Lamb (1775-1834), publié en 1798. Dans un village de l'Hertfordshire, Rosamund Gray, jeune orpheline, vit seule avec sa vieille grand-mère aveugle. Elle a pour voisins un couple d'orphelins : le jeune Allan Clare et sa sœur aînée Elinor. Avec les années, l'amitié enfantine de Rosamund et d'Allan se transforme en un tendre amour. De nuit, Rosamund rencontre dans un bois le prétendant malchanceux d'Elinor, l'infâme Matravis, qui la viole. Affolée, la jeune fille se réfugie chez Elinor qui l'accueille tendrement et cherche à calmer sa honte et sa douleur. Ni les soins d'Elinor ni l'amour d'Allan ne pourront guérir Rosamund. Elle se consume peu à peu jusqu'à en mourir. Les années ont passé. Un ami d'Allan le rencontre au cimetière, sur la tombe de sa sœur, morte elle aussi. Les deux amis évoquent le passé et Allan se laisse convaincre : il quittera sa solitude et suivra son ami à la ville pour étudier la médecine. Ainsi pourra-t-il au moins soulager la souffrance des hommes. Un jour, il est appelé au chevet d'un moribond en qui il reconnaît le misérable Matravis. En traitant le thème du malheur immérité qui accable de jeunes innocents, l'auteur se fondait sur son expérience personnelle : la résignation d'Allan Clare, qui accepte de survivre à la mort des deux jeunes filles, reflète son propre sentiment. Le caractère romantique de ce récit révèle une puissance qu'on ne saurait soupçonner en lisant les œuvres plus célèbres de la maturité de Charles Lamb.

HISTOIRE DE SAINTE ÉLISABETH DE HONGRIE. Œuvre hagiographique de l'écrivain français Charles Forbes de Tryon, comte de Montalembert (1810-1870), publiée en 1836. Dans l'existence du grand catholique libéral, champion de la liberté de l'enseignement et défenseur des peuples opprimés, ce livre ne représente guère qu'un moment de simple fois religieuse. Il fut conçu tout entier pendant le séjour que l'auteur fit en Allemagne, après la condamnation de son ami Lamennais. La légende de la sainte était fort populaire en Allemagne, ayant fait l'objet d'un récit anonyme en vers dès la fin du XIIe siècle, sans oublier la chronique saxonne de Johann Rothe au début du XVe siècle. Elle fut même portée à la scène par l'Espagnol Juan Mato Fragoso (1608-1689) avec le drame religieux qui s'intitule l'*Histoire de sainte Élisabeth de Hongrie* [*El Job de las mujeres Santa Isabel, reina de Hongria*]. Fille d'André II de Hongrie, la jeune princesse eut une brève, mais très pieuse existence (1207-1231). Mariée très jeune au landgrave de Thuringe, elle mena une vie chrétienne exemplaire. Elle portait toujours d'ailleurs l'habit franciscain, que saint François d'Assise lui avait lui-même fait envoyer, marquant par là le don très pur de son âme à l'idéal du Christ. Son ardente charité, battue en brèche par sa belle-mère, finit par prendre un caractère véritablement « héroïque ». Élisabeth était sans cesse épiée, trahie, dénoncée par les malveillants. La légende de la sainte est fondée en grande partie sur ses difficultés, comme en témoigne entre autres l'épisode suivant : un lépreux se transfigure au point de devenir Jésus lui-même, quand la belle-mère d'Élisabeth veut faire constater à son fils que le malheureux se trouve dans le propre lit de la sainte. Nul n'ignore plus, par ailleurs, le fameux miracle des pains transformés en roses. Montalembert, suivant à travers archives et documents les traces de sa « chère sainte », recueille donc toutes ses légendes. Autour de la noble créature (morte à Marbourg et qu'on voit suavement peinte au chœur de la cathédrale), il fait ruisseler une lumière nouvelle. Ici, l'histoire s'unit aux ornements du style et, par le biais de son romantisme, le récit prend un caractère vraiment mythique. Ce caractère qu'inspira la nostalgie du passé rend l'œuvre attachante, même pour ceux qui, alors, n'excusaient pas les fautes de l'auteur (Sainte-Beuve, le premier de tous). Aujourd'hui encore, on peut retenir les meilleures pages de cet ouvrage. Elles sont pleines de délicatesse. À cet égard, l'épisode du miracle des roses est bien significatif : tandis qu'Élisabeth porte de la nourriture aux pauvres, elle tombe sur son mari qui revient de la chasse. Quelle stupeur éprouve ce dernier quand il s'aperçoit que les dons charitables se sont transformés en roses ! Cette soudaine floraison lui fait deviner la nature vraiment chrétienne de son épouse et combien sa vie est celle d'une sainte.

★ La *Légende de sainte Élisabeth* [*Die Legende der heiligen Elisabeth*] du compositeur hongrois Franz Liszt (1811-1886) est le titre d'un oratorio composé sur un texte d'Otto Roquette. L'œuvre comprend deux parties et six épisodes. Elle date de 1858. Certains éléments du récit et de la présentation scénique font que plus d'un de ces épisodes relève manifestement de l'art théâtral. D'ailleurs, au théâtre de Weimar, en 1862, la *Légende de sainte Élisabeth* fut hardiment représentée en forme de drame sacré. Au début, la jeune Élisabeth, princesse de Hongrie, arrive au château de Wartburg près d'Eisenach, pour épouser Ludovic, fils du landgrave Hermann. D'entrée de jeu, le style théâtral est manifeste : présentation d'Élisabeth, rencontre des fiancés, chœurs des enfants, tout se succède ainsi que dans un opéra. Ce style théâtral se retrouve dans le second épisode : revenant de la chasse, Ludovic rencontre Élisabeth qui, en cachette, va rendre visite aux pauvres dans leurs cabanes. Il la gronde et c'est alors qu'elle lui montre dans son tablier les pains qu'elle destinait à ses protégés. Miracle : ils ont été changés en roses ! Par contre, l'épisode suivant se rapproche du genre « concerto ». Il se compose en effet de quelques fragments de chœurs et d'une « Marche des croisés ». Quant à la seconde partie, elle commence par une scène des plus dramatiques : Ludovic est mort à la croisade, et sa mère, ambitionnant le pouvoir, chasse Élisabeth de Wartburg. Élisabeth, sentant sa fin prochaine, évoque les souvenirs de sa vie et demande à Dieu avec ferveur de bénir ses enfants. Par ailleurs, les malheureux qui ont été secourus si souvent par elle l'assistent, la réconfortent et recueillent son dernier soupir. Après un « Intermède funèbre », l'épisode final nous fait assister à la consécration d'Élisabeth en présence de l'empereur Frédéric et des évêques. Avec cet oratorio, Liszt réalise l'une de ses œuvres les plus denses et les plus achevées. Pour l'étayer, il recourt à l'utilisation du thème, à la façon d'un « leitmotiv » wagnérien. Par là même, il maintient en contact les divers moments de l'action. Ces thèmes apparaissent fréquemment pour souligner tel personnage ou telle action. Ils sont traités d'ailleurs avec une grande liberté tant rythmique que mélodique. C'est ainsi que pour la « Marche des croisés », Liszt recourt à un thème que l'on trouve dans la liturgie grégorienne, tandis qu'une simple et douce mélodie médiévale fournit le thème du trio de la « Marche » elle-même. Toutefois, seuls certains passages de la présente *Légende* semblent répondre aux aspirations de Liszt à une musique de caractère vraiment religieux ; les pages mystiques et contemplatives alternent avec les épisodes dramatiques, et avec certains fragments dans lesquels l'auteur des « Poèmes symphoniques » s'abandonne à son penchant pour le pittoresque. Ce sera, avec *Christus* (*), l'une de ses œuvres majeures, que Liszt abandonnera l'oratorio scénique pour l'Oratorio proprement dit.

HISTOIRE DE SAINT LOUIS (L'). Chronique de Jean, sire de Joinville (1224-1317), composée de 1305 à 1309, sur le désir que lui en aurait exprimé Jeanne de Navarre, femme de Philippe IV le Bel ; mais, Jeanne étant morte en 1305, avant que Joinville eût terminé son œuvre, il la dédia en 1309 à son fils, Louis le Hutin, comte de Champagne et roi de Navarre, qui devait devenir roi de France sous le nom de Louis X. Armé chevalier par Louis IX en 1245, Joinville, sénéchal héréditaire de Champagne, se croisa avec lui en 1248 et ne revint en France qu'en 1254, après s'être battu vaillamment à Mansourah et avoir été fait prisonnier avec son roi. Il n'accompagna pas Saint Louis dans la dernière croisade au cours de laquelle le roi devait trouver la mort (1270). Joinville témoigna lors du procès de canonisation de Louis IX, en 1282, et il eut la joie d'assister aux cérémonies de sa béatification en 1298.

Avec son *Histoire de Saint Louis,* Joinville entend élever un monument à la gloire de celui dont l'Église et le peuple vénéraient déjà de son vivant la sainteté et la noblesse. L'ouvrage se compose de 149 chapitres, subdivisés en paragraphes au nombre de 769. Joinville divise lui-même son œuvre en deux parties : « La première partie si devise comment il se gouverna tout son tens selonc Dieu et selonc l'Église, et au profit de son règne. La seconde partie dou livre si parle de ses granz chevaleries et de ses granz faiz d'armes. » Mais ces deux parties sont inégales et cette division semble peu justifiée. Joinville commence par citer, pêle-mêle, quelques exemples du dévouement de Saint Louis. Puis il introduit un nouveau préambule et expose à nouveau son plan. Viennent ensuite, apparemment en désordre, toutes sortes d'anecdotes sur l'amour de Saint Louis pour la vérité et la justice, sur sa tempérance, sur sa bonté. C'est là que se placent un certain nombre d'épisodes devenus célèbres : le fameux dialogue du roi avec Joinville sur le péché mortel, Saint Louis lavant les pieds des pauvres le jeudi saint, le roi rendant la justice sous un chêne, etc. La seconde partie semble, elle, devoir être vraiment l'histoire de Saint Louis : elle commence avec des détails sur la généalogie de Louis IX, sa naissance, son couronnement ; elle se poursuit avec les premiers troubles de la minorité et du début du règne, la cour plénière tenue à Saumur (1241), la bataille de Taillebourg, la résolution du roi, à la suite d'une maladie, de se croiser (1244). Cependant, il ne faudrait pas croire que, là, Joinville suit un rigoureux exposé des faits ; sa narration est pleine de digressions et de considérations qui ralentissent le récit. À partir du paragraphe 119 et jusqu'au paragraphe 666, la chronique change de ton : c'est que Joinville raconte maintenant les événements auxquels il a participé, la septième croisade (1248-1254). Ce sont donc de véritables Mémoires et les anecdotes qui ne se rapportent pas directement à Saint Louis, mais à Joinville lui-même, y abondent. Au paragraphe 667, Joinville semble retourner à la première partie : il parle de nouveau des vertus privées et politiques du saint Roi, comme s'il rassemblait ce qu'il avait oublié de mentionner dans sa première partie. Nouveau retour à l'histoire du roi avec les paragraphes 730 à 760 : c'est le récit de la seconde croisade de Saint Louis (la huitième croisade) à laquelle Joinville ne participa pas. Aussi son récit est-il fort bref, car, explique-t-il, il ne veut « mettre en son livre de quoi il ne soit certain ». Il nous fait connaître les « enseignements » que Saint Louis, sentant venir la mort, fit à son fils qui devait lui succéder, Philippe III. Suit le récit célèbre de la mort du roi, rapporté à Joinville par un témoin oculaire, Pierre, comte d'Alençon, cinquième fils de Saint Louis. L'ouvrage se termine sur quelques détails relatifs à la canonisation de Louis IX et sur un songe de Joinville au cours duquel son roi lui apparut.

Joinville indique qu'il a composé son livre dans sa vieillesse et d'un bout à l'autre : « Je faiz savoir à touz que j'ai céans mis grant partie des faiz de nostre saint roy devant dit, que j'ai veu et oy, et grant partie de ses faiz que j'ai trouvez, qui sont en un romant, lesquiex j'ai fait escrire en cest livre. » Le « romant », dont il est question ici, est une chronique insérée dans les *Chroniques de Saint-Denis.* Comme l'analyse le montre avec évidence, *L'Histoire de Saint Louis* n'est pas un ouvrage composé ; le noyau central, ce sont les souvenirs personnels de Joinville sur la septième croisade ; autour de ce centre, l'auteur a groupé tous les faits et anecdotes qu'il se rappelait, de sa longue fréquentation du roi. Il ne faut pas oublier que Joinville était octogénaire quand il composa son livre et que, compagnon et témoin du saint roi, il se fit un devoir d'apporter sa part à la vénération dont était entourée sa mémoire. Il y a loin de la maîtrise un peu sèche de Villehardouin — v. *La Conquête de Constantinople* (*) — à la curiosité naïve et désordonnée du sénéchal de Champagne, à son bavardage et à son incapacité à suivre longtemps le fil de son récit et le plan qu'il s'est imposé. Mais, d'être sans apprêts et aussi spontanée, *L'Histoire de Saint Louis* garde un charme savoureux et comme une garantie d'authenticité. Ce qui intéresse également le lecteur, c'est la personnalité de Joinville qui apparaît en contraste avec celle de son maître. — *L'Histoire de Saint Louis* a été éditée par Natalis de Wailly (Paris, 1868) et par N. L. Corbett (Sherbrooke, Canada, 1977).

HISTOIRE DES ANIMAUX [*Περι τα ζῶα ιστοριῶν*]. Œuvre du philosophe grec Aristote (384-322 av. J.-C.) qui, en dix livres, présente une classification des animaux, fondée sur un très vaste ensemble d'observations de la nature. Cette œuvre a comme mérite principal celui d'avoir adopté une méthode de classification nouvelle. Après avoir défini un certain nombre de caractéristiques morphologiques ou fonctionnelles fondamentales, il réunit dans une même catégorie tous les animaux qui possèdent ces caractéristiques. Aristote distingue une certaine quantité de « grands genres » [Γένη μέγιστα], subdivisés en d'autres moins vastes [γένη], lesquels à leur tour comprennent plusieurs espèces [είδος]. Les caractéristiques choisies pour distinguer les « grands genres » sont fondées sur la présence ou l'absence de sang ainsi que sur le mode de reproduction. Ainsi nous avons les animaux privés de sang, qui comprennent les Mollusques (lesquels correspondent aux Céphalopodes de la classification actuelle), les Crustacés, les Insectes et les « Testacés » (oursins, limaces, coquilles, etc.). Les animaux ayant une circulation sanguine comprennent : les Vivipares (mammifères, à l'exclusion des Cétacés), les Ovipares (reptiles et amphibies), les Oiseaux et les Poissons. En écrivant l'*Histoire des animaux,* Aristote a posé une fois pour toutes le problème de la classification des êtres vivants sur des bases morphologiques : en ce sens, nous pouvons dire que la valeur de cette œuvre reste définitive. Ce n'est que plus tard qu'on put trouver un système de classification également pour les plantes. Pendant tout le Moyen Âge, l'œuvre suscita des traductions et des commentaires nombreux. Jusqu'à la naissance de la science moderne, on ne peut trouver aucune tentative de classification animale qui puisse rivaliser avec celle d'Aristote ; un point de vue vraiment original et plus moderne n'apparaîtra qu'avec Cuvier. Toutefois, on ne peut dire qu'aujourd'hui la classification d'Aristote ait été complètement abandonnée, puisque certains groupes ont été conservés : on a toutefois complètement négligé la distinction entre les formes privées de sang et les autres. Indépendamment du nom et de la composition de chaque groupe, la base morphologique et fonctionnelle de la classification aristotélicienne reste toujours valable, même depuis l'apparition des théories évolutionnistes. Celles-ci ont tenté — sans y réussir — d'aller au-delà du critère morphologique, et de fonder une classification sur les relations de parenté entre les espèces. On a également tenté de voir dans cette œuvre un germe de la théorie évolutionniste, mais en réalité Aristote considère les espèces comme stables : l'évolution ne peut être observée à l'intérieur de chaque espèce, mais uniquement par rapport à l'ensemble des espèces dont chacune représente un degré fixe. Chaque espèce porte en effet en elle les potentialités de l'espèce supérieure, mais seulement à l'état latent. Par contre, la continuité et les rapports qui lient les espèces les unes aux autres, depuis les inférieures jusqu'aux supérieures, sont clairement définis : c'est là une conception qui restera fondamentale pour l'étude des animaux et des plantes. — Trad. Hachette, 1883 ; Vrin, 1957 ; Les Belles Lettres, 1964-1969.

HISTOIRE DES ARMÉNIENS d'Agathange [*Agat'anguelay Patmout'iun Hayots'*]. Œuvre attribuée à Agathange, historien arménien présumé du IVe siècle, secrétaire de Tiridate III, roi d'Arménie, sur l'ordre duquel il l'aurait écrite dans les années 309-314. En réalité, l'œuvre date probablement de la première moitié du Ve siècle, et c'est la première en date des diverses Histoires des Arméniens. Elle a été composée à partir de sources écrites (testamentaires, hagiographiques, théologiques) et surtout orales pour ce qui concerne la partie purement historique. On en connaît trois versions : une version arménienne, publiée pour la première fois en 1709 à Constantinople, une grecque et une arabe (il existe aussi des traductions partielles dans d'autres langues). Contrairement à ce que l'on a longtemps cru, toutes les recherches récentes permettent d'affirmer que la version grecque est une traduction réalisée à partir de l'arménien. La version arabe (découverte en 1902) aurait été composée (via le grec) à partir d'une version plus ancienne de l'original arménien que celle qui nous est parvenue. La rédaction arménienne actuelle comprend trois parties : la première relate les événements depuis 226 (avènement des Sassanides en Perse) jusqu'à la fin du règne de Tiridate, avec en particulier la conversion des Arméniens au christianisme au début du IVe siècle ; la seconde partie (qui n'existe pas dans les versions grecque et arabe) contient la prédication de saint Grégoire l'Illuminateur, et constitue un véritable document dogmatique, qui a toujours servi de base doctrinale à l'intérieur de l'Église arménienne. La troisième partie décrit l'expansion du christianisme en Arménie. — Trad. dans la *Collection des historiens anciens et modernes de l'Arménie*, Didot, 1867. Ma. N.

HISTOIRE DES ARMÉNIENS de Moïse de Khorène [*Patmout'iun Hayots'*]. Œuvre principale de l'historien arménien (Ve siècle selon la tradition), écrite sur la demande d'un prince de la famille des Bagratides. L'ouvrage se divise en trois livres. Le premier traite des origines, depuis la création du monde, en s'efforçant d'adapter les données légendaires des Arméniens aux récits bibliques, et en faisant descendre en particulier l'ancêtre éponyme Hayk de l'un des fils de Noé. Il va jusqu'au début de la dynastie des Arsacides (IIIe siècle av. J.-C.) ; le second livre commence au règne de Valarsace, c'est-à-dire au temps d'Alexandre de Macédoine, et se poursuit jusqu'à la mort du roi Tiridate (341 ap. J.-C.), qui se convertit au christianisme au début du IVe siècle. Enfin le dernier livre mène l'histoire jusqu'à la chute de la royauté arménienne des Arsacides et la mort des saints traducteurs, vers 431. Il se termine par une complainte tragique sur l'Arménie désormais privée de son roi et de son patriarche saint Sahak. L'auteur fait état d'une très abondante documentation, ses sources étant principalement grecques. L'*Histoire des Arméniens* de Moïse de Khorène est toutefois remarquable par son utilisation des récits épiques arméniens. Elle en donne certes une interprétation rationaliste, mais elle sauve de l'oubli un pan immense du premier cycle épique des Arméniens.

Depuis le Ve siècle, cet ouvrage est resté la source la plus complète de l'histoire arménienne, dans laquelle ont puisé indistinctement tous les historiens successifs. C'est l'un des premiers ouvrages classiques des Arméniens à avoir été traduit au XVIIIe siècle dans les langues européennes (première traduction latine par les frères Whiston, Londres, 1736). — Trad. dans la *Collection des historiens anciens et modernes de l'Arménie*, 2 vol., Didot, 1986.

Ma. N.

HISTOIRE DES BRISSOTINS. Écrit politique du publiciste français Camille Desmoulins (1760-1794), publié en 1793. Les Girondins portent ici le nom de Brissotins, du nom de leur plus remarquable représentant Brissot. Le manifeste lancé contre eux par le journaliste jacobin est un violent acte d'accusation, dans lequel leur politique est considérée comme une trahison à la Révolution et où sont recueillis tous les bruits malveillants qui couraient contre les hommes du parti. Le livre contribua à rendre la Gironde impopulaire et à la pousser à l'abîme ; Camille Desmoulins lui-même en fut consterné, car il sentit vivement la part de responsabilité morale qu'il avait dans la fin tragique des hommes qu'il avait attaqués. Il n'avait pas su calculer les conséquences de la ruine d'un parti qui représentait malgré tout une force modératrice vis-à-vis de cette Terreur qui devait peu après le conduire lui-même à l'échafaud.

HISTOIRE DES CHATS. Monographie en prose de l'écrivain français François Auguste Paradis de Moncrif (1687-1770), publiée à Paris en 1727. Écrite tout entière sous forme de lettres, elle est enrichie de gravures inspirées de Coypel. Ayant autant d'esprit que pouvait en avoir un Français du XVIIIe siècle, l'auteur s'attache à décrire l'animal dont il est question. Ce genre de mammifère, de l'ordre des carnivores, est, comme l'on sait, de la famille des digitigrades. Moncrif étudie le chat domestique, le chat de gouttière, le chat sauvage et quelques autres seigneurs, bien dignes de considération puisque la zoologie permet qu'on aille jusqu'au tigre. Voulant faire la parodie de la fausse érudition, Moncrif ne s'est pas fait faute de tomber dans le pédantesque. Par malheur, il y réussit trop bien. Sa parodie, en effet, fut prise au sérieux. Elle lui valut le surnom d'historiogriffe et tant d'autres désagréments qu'il regretta jusqu'à sa mort de l'avoir écrite. Il n'en fut pas moins, comme l'on sait, membre de l'Académie française.

HISTOIRE DES CLAVERING [*The Claverings*]. Roman de l'écrivain anglais Anthony Trollope (1815-1882), publié en 1867. C'est l'histoire d'une famille anglaise, au début du XIXe siècle, ou du moins l'histoire des quelques années décisives qui bouleversent cette famille. Les Clavering sont divisés en deux clans. Les aînés, héritiers du titre et de la fortune, et les cadets, représentés par le pasteur, sa femme et ses enfants. Le presbytère et le manoir ne sont séparés que par une demi-lieue de parc et de village, mais les deux clans vivent dans deux mondes différents, se font des politesses et se critiquent impitoyablement. Cependant, le véritable héros du livre est le jeune Harry, fils du pasteur. Il demande la main de Julia, une belle jeune fille ambitieuse qui est la sœur de lady Clavering. Elle le repousse pour épouser un vieux lord, riche et libertin, qui l'emmène en Italie, la traite abominablement ; mais lorsqu'il meurt, un an après leur mariage, il lui lègue tous ses biens (avec une réputation fort compromise). Dans l'intervalle, Harry s'est fiancé avec une très jeune fille et se croit guéri de son premier amour. Julia revient à Londres, veuve, riche, belle, très isolée à cause des bruits de scandale qui l'ont précédée, et le jeune homme sera son seul ami, son soutien, son confident. Il n'ose lui avouer ses fiançailles, et un beau jour il perd la tête et la prend dans ses bras. Après bien des remords et des déchirements, notre faible héros retourne à la petite fiancée qui l'attend, et Julia fait preuve d'une noblesse que nous n'aurions pas attendue d'elle, après sa conduite du début. Le sort est dur pour elle, car lord Clavering meurt accidentellement et son neveu Harry lui succède dans la pairie, devenant ainsi l'héritier même qu'avait souhaité conquérir l'orgueilleuse. Tel est le thème principal, mais, comme dans tous les romans de Trollope, les personnages secondaires vivent d'une vie riche et presque plus attachante que celle des héros choisis par l'auteur : sir Hugh Clavering, égoïste, brutal, cruel même envers sa femme stupide et maladroite ; Florence Burton, la fiancée triomphante, et sa famille, qui forment un de ces groupes modestes et charmants de la très petite bourgeoisie que Trollope se plaît à peindre en contraste avec la société brillante des manoirs ; les grotesques enfin, qui sont les deux prétendants de Julia, attirés par sa fortune, et une étonnante femme mi-entremetteuse, mi-parasite qui s'est attachée aux pas de la jeune veuve. Trollope pensait que ce roman valait surtout pour ses scènes comiques ; nous ne saurions limiter à ces seules pages le plaisir que nous procure ce tableau d'époque, vivant et évocateur.

HISTOIRE DES CROISADES ET DU ROYAUME FRANC DE JÉRUSALEM. Œuvre de l'historien français René Grousset (1885-1952), publiée en trois volumes de 1934 à 1936. Remarquable orientaliste, Grousset a eu pour principale préoccupation de faire profiter l'histoire des découvertes récentes des orientalistes et de compléter l'histoire générale en y adjoignant une partie trop négligée ou insuffisamment traitée, l'histoire de l'Asie. Il a donné de remarquables synthèses historiques sur des époques et des pays pour lesquels il n'existait encore que des travaux fragmentaires de spécialistes. D'abord tourné vers l'Extrême-Orient, il a publié successivement une *Histoire de l'Asie* en quatre volumes (1922), une *Histoire de l'Extrême-Orient* en deux volumes (1928-1929), *Les Civilisations de l'Orient* en quatre volumes (1929-1930) ; il a ensuite complété ces œuvres par l'histoire des grands empires fondés par les conquérants orientaux, Attila, Gengis Khan et Tamerlan : *L'Empire des steppes* (1939) et *L'Empire mongol* (1941) ; enfin, dans *L'Empire du Levant* (1946), il s'est attaché à élucider l'histoire jusqu'alors très confuse du Proche-Orient. Dans l'*Histoire des croisades*, Grousset s'est efforcé de donner une part importante aux réactions du monde musulman en face des croisés, complétant ainsi l'œuvre de Louis Bréhier : *L'Église au Moyen Âge. Les croisades* (1907) ; et son *Histoire* ne se contente pas d'être le récit des expéditions des chrétiens en Terre sainte, mais elle est également l'histoire des établissements latins dans le Proche-Orient et particulièrement celui du royaume de Jérusalem. Le premier volume, « L'Anarchie musulmane et la monarchie franque », débute avec la première croisade (1096-1099), à la fois croisade populaire et croisade de seigneurs, et la fondation du royaume franc de Jérusalem ; le second volume, « Monarchie franque et monarchie musulmane. L'équilibre », est consacré à la période qui s'étend de la consolidation de la conquête aux premiers échecs éprouvés par les croisés ; le troisième volume, « Monarchie musulmane et anarchie franque », évoque l'unification et le redressement des musulmans face au péril, redressement qui aboutit aux victoires sur les croisés, divisés par des querelles intestines et incapables de conserver leurs conquêtes. Selon un rythme de flux et de reflux, Grousset met en lumière la désagrégation progressive de l'idée de croisade, l'intervention de considérations de plus en plus intéressées, la prédominance des intérêts particuliers qui affaiblissent peu à peu les Francs et aboutissent à l'inutile intervention d'un prince chevaleresque, Jean de Brienne (5e croisade) et aux marchandages de Frédéric II (6e croisade, « un pèlerinage sans la foi »). Les deux croisades de Saint Louis ne suffiront pas à rétablir la situation et à faire renaître l'idéal désormais anachronique de la reconquête de la Terre sainte sur les Infidèles. Cette extraordinaire aventure prendra fin avec les désastres de Mansourah et de Ptolémaïs (1291). L'ouvrage de Grousset abonde en portraits pleins de vie, en aperçus fort intéressants sur les mentalités musulmane et franque, et dégage les caractères particuliers de la civilisation qui est née des croisades et son influence capitale sur l'histoire de la civilisation de l'Europe occidentale. Grousset a donné, sous le titre de *L'Épopée des croisades* (1939), un résumé de son *Histoire* et il l'a complétée en écrivant, pour l'*Histoire générale* de Glotz, une *Histoire de l'Orient latin*.

HISTOIRE DES DAIMYÔ DU JAPON [*Hankanpu*]. C'est une œuvre historico-biographique du sinologue japonais Arai Hakuseki 1657-1725). L'auteur commença à la rédiger en juillet 1701 et la termina la même année en quatre mois. Elle comprend treize volumes et vingt fascicules, et fut écrite sur l'ordre du prince de Kôshu, Tsunatoyo, plus tard « shôgun » sous le nom de Ienobu et protecteur d'Hakuseki Arai. Le *Hankanpu* se compose de dix volumes de texte proprement dit, de deux volumes d'additions et d'un volume de tables. Il est précédé d'une longue introduction, qui ne fut insérée dans l'ouvrage que plus tard par l'écrivain Muro Kyusô, ami et collègue d'Arai Hakuseki. La première édition de ce livre n'avait pas la subdivision qu'il reçut ensuite, mais fut publiée en réunissant des groupes de cinq fascicules et imprimée avec des caractères en bois. Un de ces rares exemplaires est conservé aujourd'hui dans la bibliothèque de l'université impériale de Tôkyô. L'*Histoire des daimyô du Japon* narre minutieusement l'histoire de la famille de chaque « daimyô » des différentes provinces japonaises de 1600 à 1680. Elle est riche en descriptions et légèrement romancés ; dans les biographies des divers personnages historiques apparaissent çà et là des inexactitudes et des erreurs. Le style, qui appartient à la manière habituelle de l'auteur, est clair, plein de force et de couleur. En 1789, le gouvernement shogunal chargea un groupe de lettrés d'y ajouter un supplément. Le travail fut terminé en 1806 et, sous le titre de *Supplément au Hankanpu* [*Hankanpu Zokuhen*], accompagne aujourd'hui toutes les éditions du *Hankanpu*, dont il poursuit, en douze volumes divisés en vingt-trois parties, l'histoire des daimyô du Japon pendant cent six autres années, de 1680 à 1786.

HISTOIRE DES DANOIS [*Gesta Danorum* ou *Historia Danica*]. C'est peut-être à la demande d'Absalon, archevêque qui eut une influence prépondérante sur la vie du Danemark au temps des Valdemar (XIIIe siècle), que Saxo Grammaticus (1150 ?-1220 ?), dont nous savons seulement qu'il fut son secrétaire, a écrit cette *Histoire des Danois*, laquelle demeure le monument littéraire le plus important de tout le Moyen Âge danois. Écrite en latin, l'œuvre raconte en seize livres l'histoire du Danemark, depuis les temps les plus reculés et légendaires jusqu'en 1187. Les neuf premiers livres, qui vont jusqu'au siècle de Gorm l'Ancien, forment une sorte d'introduction : les livres 10 à 14 poursuivent le récit jusqu'à l'élection d'Absalon à l'archevêché ; les deux derniers le mènent jusqu'à la fin de l'année 1187. Il semble que le centre de l'œuvre ait été le récit des événements de l'époque d'Absalon. Le latin de Saxo Grammaticus, modelé sur celui des auteurs classiques et en particulier sur celui de Valère Maxime, est unique en Scandinavie. Des traductions en vers, qui nous ont conservé des poèmes et des légendes par ailleurs perdus, prouvent la sûreté extraordinaire de l'auteur dans le maniement des divers mètres latins. Farouchement partisan de la centralisation royale du pouvoir, Saxo pense que le roi doit gouverner et assurer en échange au peuple la paix et la justice et que l'autorité ecclésiastique doit se soumettre à l'autorité royale. L'auteur a sur le monde des vues belliqueuses ; il semble se complaire dans la description des combats et des victoires avec une ivresse barbare. Styliste d'une verve puissante, Saxo Grammaticus se révèle aussi coloriste et psychologue. Érasme a pu dire de lui : « ... un esprit vif et un talent brillant, usant d'un style dont le foisonnement verbal traduit, le plus souvent en maximes, une admirable variété de figures et d'images. » — Trad. Folle Avoine, 1988 (chapitres V à VII du premier livre), 1990 (livres 3 et 4).

HISTOIRE DES DUCS DE BOURGOGNE, DE LA MAISON DE VALOIS. Œuvre célèbre en douze volumes de l'historien français Aimable Guillaume Prosper Brugière de Barante (1782-1866), éditée entre 1824 et 1826. Cette histoire embrasse les événements et les figures les plus remarquables du duché, depuis Philippe de Rouvres, premier grand souverain, mort en 1361, jusqu'à la réunion du duché au royaume de France (fin du XVe siècle). En faisant état non seulement de documents et d'ouvrages historiques, mais de mémoires et d'œuvres poétiques, l'auteur a rédigé une chronique vivante et brillante, où il se montre plutôt chroniqueur qu'historien et où il se contente de présenter les faits sous leur aspect pittoresque au lieu d'en discuter la portée. Les personnalités des différents ducs de Bourgogne (en particulier celle, dramatique entre toutes, de Charles le Téméraire) acquièrent grâce à ce ton épique du récit un relief digne d'une vaste fresque : autour des souverains gravitent les physionomies caractéristiques des courtisans, des artistes et des militaires de leur cour. En réaction contre les préoccupations philosophiques systématiques de quelques historiens de son temps, Barante adopta une méthode, qui, si elle avait été portée jusqu'à ses extrêmes conséquences, aurait conduit à une absence complète de sens historique due au fait que l'auteur ne porte aucun jugement de valeur sur son sujet. Mais le ton, la matière même du récit, le caractère limité des événements liés à la fortune d'une maison, tout contribue à rendre agréable une œuvre écrite avec beaucoup de soin et pleine de mérites littéraires. Barante y remplit effectivement le rôle que, dans sa Préface, il assigne à l'historien : présenter avec vivacité, sans déploiement inutile de doctrines et d'abstractions politiques, le visage du passé.

HISTOIRE DES EMPEREURS ISAAC COMNÈNE, CONSTANTIN DOUCAS, ROMAIN DIOGÈNE ET MICHEL PARAPINACE [Ἱστοριῶν]. Œuvre historique parmi les plus remarquables de l'époque byzantine, composée par Nicéphore Bryenne d'Andrinople (1080 ?-1136/37 ?), gendre de l'empereur Alexis Comnène, qui lui donna sa fille Anne et l'éleva au rang de César. Après avoir pris part aux principaux événements des règnes d'Alexis et de son successeur Jean, et tenté de reprendre Antioche aux Latins, il mourut à Byzance, au retour d'une expédition de Syrie. L'ouvrage, écrit par l'auteur à la demande de sa belle-mère Irène, fut interrompu par la mort de Nicéphore. Il décrit les événements qui se déroulèrent de 1051 à 1071. C'est l'histoire détaillée de la prise du pouvoir par la maison des Comnène. Bien que ce récit soit souvent partial et tendancieux, il demeure, grâce à la richesse de ses informations et la simplicité d'un style qui ne laisse pas de rappeler Xénophon, un document fondamental pour la connaissance d'une époque riche en événements. — Trad. par le *président Cousin*, Paris, 1661.

HISTOIRE DES ÉTATS-UNIS DEPUIS LA DÉCOUVERTE DU CONTINENT AMÉRICAIN [*History of the United States from the Discovery of the American Continent*]. Œuvre de l'historien américain George Bancroft (1800-1891), publiée de 1834 à 1874, en dix volumes. À ceux-ci, on peut joindre deux autres volumes, publiés en 1882 et intitulés : *Histoire de la formation de la Constitution des États-Unis.* L'ouvrage constitue une étude à la fois ample et détaillée sur l'Amérique, depuis sa découverte jusqu'à la guerre d'Indépendance. Le style de Bancroft est éloquent, sonore, mais il nous semble aujourd'hui un peu redondant et pesant. Jugé assez favorablement à sa parution par des hommes tels qu'Emerson, qui appréciait en Bancroft un historien véritable et non pas seulement un narrateur de faits, ce travail est aujourd'hui assez peu considéré des meilleurs critiques. Bancroft avait fait ses études en Allemagne et sa méthode, ainsi que son style, reflètent ceux des écrivains allemands. Il considère l'histoire comme une série d'exemples que Dieu donne aux hommes. La vérité, la morale, la justice ne sont jamais pour lui susceptibles d'évolution ; mais la collectivité humaine évolue cependant vers une vie meilleure et plus de connaissances ; la formation de nouveaux États, qui résulte de la transformation de la société, donne au principe immortel de la liberté, voulu par Dieu, un fondement de plus en plus solide. Bancroft ne se contente jamais de documents de seconde main, mais étudie lui-même, directement, les archives, surtout en ce qui concerne les origines du peuple américain ; il a pu ainsi recueillir un imposant ensemble de sources historiques. Sa méthode, son désir de ne point se borner à l'énumération des faits et de donner une couleur vivante, humaine, à ses exposés sont indubitablement dignes d'éloges ; mais son style est médiocre et, bien que Parker ait jugé cette *Histoire* comme la meilleure œuvre historique américaine, on est loin de partager aujourd'hui cet avis. — Trad. Didot, 1861.

HISTOIRE DES FILS DE LOUIS LE PIEUX [*Historiarum libri quator*]. Œuvre de l'historien franc Nithard (800 ?-844), écrite en latin. C'est, avec la *Vie de Charlemagne* (*) d'Éginhard, un des documents les plus intéressants qui nous soient parvenus sur l'époque carolingienne. Alors que la plupart des chroniqueurs de cette époque avaient été des clercs, Nithard, lui, était un grand seigneur. Fils du célèbre poète Angilbert, primicier de la chapelle royale, et de Berthe, fille de Charlemagne, Nithard était donc le cousin des trois rois, fils de Louis le Pieux dont il écrit l'histoire. On sait qu'il fut abbé laïque du monastère de Saint-Riquier et qu'il mourut en 844 dans une bataille contre les troupes de Pépin II d'Aquitaine. Nithard commença à écrire son ouvrage à la demande de son cousin, le roi Charles le Chauve, en 841. Il est donc contemporain des événements qu'il raconte, il y a même été étroitement mêlé en tant que guerrier et diplomate, mais il sait présenter les faits dans un enchaînement logique. Il a un dessein bien arrêté en écrivant son *Histoire*, c'est de justifier Charles le Chauve aux yeux de la postérité ; cela le pousse à se montrer très sévère à l'égard de Lothaire, à qui il ne conteste pas le droit de maintenir l'unité de l'empire, mais dont il stigmatise la turbulence, l'égoïsme et les méthodes tyranniques. L'œuvre débute par un prologue où l'auteur, qui s'adresse à Charles le Chauve, déclare qu'il ne peut entreprendre le récit des dissensions des trois frères sans remonter au règne de leur père. Le livre I commence donc à la mort de Charlemagne et contient tout le règne de Louis le Pieux (814-840). Dès 817 surviennent des rivalités avec le partage du royaume entre les trois fils de Louis : Lothaire, Pépin et Louis. Mais la naissance d'un nouveau fils de Louis, Charles, rend nécessaire un second partage. Lothaire se révolte et Louis le Pieux reprend le pouvoir en 830. Nouvelle révolte de Lothaire. L'empereur Louis est déposé, puis restauré. Nouveau partage de l'empire en 837. Révolte de Louis le Germanique. Au Livre II, Lothaire, après la mort de son père, prend le pouvoir et envahit le royaume de son frère puîné, Charles. Celui-ci s'unit avec Louis le Germanique et repousse les troupes de Lothaire, à Fontenoy (841). Au Livre III, les deux alliés, Louis le Germanique et Charles le Chauve, échangent les serments d'alliance de Strasbourg (842). Les textes de ces serments devaient devenir célèbres, car le serment prononcé par Charles (qui possédait la partie occidentale de l'empire, une partie de la France actuelle), la « langue romane », est le premier monument de ce qui allait devenir le français, à cette époque encore à peine dégagé du bas latin. Enfin, le Livre IV expose la troisième campagne de Lothaire et va jusqu'aux préliminaires de la paix : trêve de Thionville et mariage de Charles le Chauve avec Ermentrude, fille du comte d'Orléans. L'*Histoire des fils de Louis le Pieux* est la seule œuvre historique de cette époque qui, à côté des sèches Annales et des Apologies ou Vies de saints, révèle de réelles préoccupations historiques. — Elle a été publiée et traduite par Ph. Lauer (Les Belles Lettres, Paris, 1926).

HISTOIRE DES FRANCS [*Historia Francorum*]. Œuvre en quinze livres, la plus importante parmi les écrits de l'historien français d'expression latine Grégoire, évêque de Tours (538-594). Le but que poursuit l'auteur est, comme il le déclare dans sa préface, de faire connaître à la postérité l'histoire de son pays à cette époque. Il se rend compte et il déplore que sa culture littéraire ne soit pas à la hauteur de la tâche ardue qu'il s'est imposée, mais il voit bien que personne en Gaule n'est capable de l'entreprendre. Grégoire se consacre à la composition de cet ouvrage avec ardeur et, l'ayant commencé en 575-76, il le termine en 592. Il semble qu'il l'ait revu peu avant sa mort, car certains passages ont pu être datés de 594. Le livre I contient une brève histoire universelle, depuis Adam jusqu'à saint Martin, prédécesseur de Grégoire au siège de Tours : les sources citées par l'auteur sont les *Chroniques* (*) d'Eusèbe, de saint Jérôme, d'Orose, *La Bible* (*), les œuvres de Sulpice Sévère et de Rufin. Il examine plus particulièrement l'histoire des Hébreux jusqu'à l'époque d'Octavien ; puis c'est l'histoire de la Gaule qui vient au premier plan. Dans les livres II, III, IV, le récit des faits historiques (des invasions des Vandales et des Huns jusqu'à la mort de Sigebert, roi d'Austrasie, en 575) alterne avec celui de faits légendaires ou qui se rapportent plus spécialement à l'histoire de l'Église. Grégoire se sert de sources aujourd'hui perdues et, selon leur importance, le récit est tantôt très détaillé, tantôt succinct. À partir du livre V, Grégoire se met à raconter les faits dont il a lui-même été spectateur, et l'*Histoire des Francs* prend un caractère réaliste et personnel qui attire surtout le lecteur par la franche simplicité dont l'auteur fait preuve, par la spontanéité et la fraîcheur de ses jugements et de ses commentaires. Le personnage central de son histoire, c'est l'Église avec ses luttes, ses travaux, ses victoires. Malgré la haine qu'il nourrit pour les ennemis de celle-ci, Grégoire est cependant impartial dans le compte rendu des faits qu'il apprécie avec toute la justesse possible. Sa langue est assez variée ; d'ailleurs il enrichit le vocabulaire classique par l'emploi de termes du langage parlé et par la manière dont il fait des mots un usage nouveau et imprévu. La syntaxe est très éloignée de celle du latin classique et prélude, comme le vocabulaire, à la formation de la nouvelle langue romane.

L'*Histoire* de Grégoire de Tours a été reprise à partir de la fin du sixième livre et continuée maladroitement jusqu'en 641, par Frédégaire ; puis au VIIIe siècle par un chroniqueur anonyme, qui la conduisit jusqu'à la fin de l'an 720. Elle demeure la source principale de l'histoire des Mérovingiens et de la Gaule franque du VIe siècle. C'est à elle qu'Augustin Thierry emprunta la plus grande partie de la matière de ses *Récits des temps mérovingiens* (*). L'*Histoire des Francs* nous offre un tableau saisissant de cette époque trouble et barbare, et du développement de la seule puissance pacificatrice et civilisatrice, l'Église, dont il retrace l'histoire depuis les origines en Gaule. C'est ainsi qu'une partie importante de l'œuvre est consacrée à la conversion des peuples barbares, ainsi qu'au récit de la vie des premiers apôtres des Gaules, des saints évêques et abbés, protecteurs des humbles contre les agents des rois francs et même contre ces rois, et dépositaires de l'antique civilisation gréco-latine. — Henri Bordier a publié une traduction française de l'*Histoire des Francs* (Paris, 1859-1862) et du *Livre des miracles et autres opuscules de Grégoire de Tours,* 4 vol. (Société de l'Histoire de France, Paris, 1857-1865).

HISTOIRE DES GIRONDINS. Œuvre historique de l'écrivain français Alphonse de Lamartine (1790-1869) (8 vol. mars-juin 1847), complétée par une *Histoire des Constituants* (4 vol. 1855). Ce titre un peu impropre recouvre trois années de la Révolution, 1791-1794. À l'origine de l'entreprise se trouvent le besoin d'une rentable opération de librairie, une curiosité pour le sujet et l'attrait d'une joute avec Thiers, mais surtout le calcul d'un homme politique se préparant au rôle d'homme providentiel dans la tempête qu'il voit venir. Adepte du socialisme chrétien de Buchez, décidé à réhabiliter la Révolution, le député de Mâcon, connu comme poète et orateur, s'improvise historien. La composition manque de rigueur, alourdie de digressions et de citations ; la documentation est peu sûre, par défaut de sens critique chez un écrivain dont Michelet déplore la « crédulité magnanime », et comporte des lacunes ; l'auteur altère les textes, romance les faits, se complaît dans la petite histoire.

Cet ouvrage a connu un succès immense : scandale pour les conservateurs, « évangile » pour les démocrates, livre passionnant pour le grand public qui y goûte les charmes mêlés de l'épopée en prose et du roman-feuilleton. Après 1848, l'*Histoire* de Lamartine est éclipsée par celles de Michelet et de Louis Blanc, et elle subit des verdicts sévères dans le procès qui accable à la fois l'historien et l'homme politique déchu : « Le mauvais livre par excellence » (*Journal des Débats*), « roman » peu sérieux selon Aulard et cent autres ! L'échec personnel de Lamartine et le naufrage de « sa » République l'ont amené à des reniements spectaculaires ; pourtant, dans sa *Critique de l'Histoire des Girondins* (1961), nul remords, mais la certitude d'avoir fait une œuvre grande et utile : « Il est certain que sans le livre des *Girondins* la révolution du 24 février était la Terreur. » Les exigences nées du positivisme ôtent toute autorité scientifique à l'auteur des *Girondins* ; mais Lamartine a voulu faire une histoire pour son temps, militante et populaire, et on a trop oublié qu'il pouvait exploiter la tradition orale en voie d'extinction et qu'il s'y est appliqué avec passion sinon avec méthode, par de nombreuses enquêtes auprès des derniers survivants de 1793 ou de leurs proches. Aujourd'hui, cette « visite guidée » de la Révolution n'est pas sans intérêt pour le lecteur qui aura l'heureuse surprise d'y trouver une profusion d'images inoubliables (du chromo au tableau de maître), illustrant des leçons de haute politique formulées dans un style digne de Tacite. A. Cou.

HISTOIRE DES GOTHS, DES VANDALES ET DES SUÈVES [*Historia de rebus Gothorum, Vandalorum et Sueborum*]. Œuvre historique du théologien espagnol d'expression latine Isidore de Séville (570 ?-636) à rattacher à sa *Chronique* (*). Elle comprend l'histoire des Wisigoths et de leurs rois, compte tenu des années de règne des empereurs romains, jusqu'à la mort de Sisebut (621). Cette relation est poursuivie dans certains manuscrits jusqu'à la cinquième année du règne de Svintila. L'*Histoire des Vandales* et celle *des Suèves* sont traitées dans deux courts appendices analogues aux *Chroniques* (*) de Prosper d'Aquitaine, de Victor de Tunnuna, son continuateur, et à celle d'Orose ; ces *Histoires* d'Isidore sont empreintes d'un fort esprit nationaliste à travers lequel l'auteur, pourtant d'origine romaine, juge l'histoire des Goths comme un tout isolé et autonome, et vante leurs exploits glorieux. Une certaine renommée s'attache, à juste titre, à l'éloge enthousiaste de l'Espagne qui sert d'introduction à l'œuvre (« pays plus beau que tous les autres, perle et ornement de l'univers »). C'est dans le même style qu'Isidore célèbre le pays des Goths, les « forts » par excellence ; ainsi que l'exprime, selon l'auteur, l'étymologie de leur nom, les vainqueurs de Rome et les auteurs de l'indépendance espagnole. Le style et la langue de cet ouvrage, comme ceux des autres œuvres d'Isidore, portent les marques distinctives de la littérature espagnole et wisigothique. Il y a une prédominance de brèves propositions réunies par des figures de rhétorique, comme le parallélisme, l'anaphore, la rime, en de longues séries qui reprennent la même idée sous des formes assez peu différentes. Avec les œuvres d'Orose, de Sidoine Apollinaire, de Jordanès, les *Histoires* d'Isidore constituent les sources les plus importantes de l'histoire des Wisigoths. — L'*Histoire des Goths* a été publiée par Mommsen dans la *Monumenta Germaniae historica*, t. IX, 1894.

HISTOIRE DES GUERRES DE L'EMPEREUR JUSTINIEN [Ἱστορικόν]. C'est l'œuvre la plus importante du grand historien byzantin Procope de Césarée (490/507-562 ?), qui, après avoir étudié à la fameuse école des sophistes de Gaza, vint s'établir à Constantinople, sous le règne de l'empereur Justinien (518-527). Après la mort de ce dernier, il devint secrétaire et conseiller de l'illustre Bélisaire, qu'il suivit dans toutes ses campagnes (en 533, en Afrique contre les Vandales ; en 536, en Italie contre les Goths, puis en Perse). Il fut ainsi non seulement spectateur d'événements grandioses dont il nous transmet l'histoire, mais il y participa activement. La date exacte de sa mort n'est pas connue, mais il a certainement survécu à Justinien (mort en 565). L'œuvre est divisée en huit livres : deux sont consacrés à la guerre contre les Vandales, deux à la guerre contre les Perses et trois à la guerre contre les Goths. Les sept premiers livres virent le jour en 550 ; le huitième — qui est, en quelque sorte, une synthèse et un complément des précédents — parut, isolément, plus tard ; il est consacré aux événements qui eurent lieu jusqu'en 554. À cause du sujet, la tradition postérieure a donné aux trois groupes formés par les sept premiers livres respectivement les noms de « Guerre persane », « Guerre vandale » et « Guerre gothique ». Mais ces titres usuels ne doivent pas porter à croire que Procope se soit cantonné à l'histoire militaire. Il est un historien complet, qui garde présents à l'esprit les facteurs politiques, géographiques, ethniques et sociaux de l'histoire. Conçue et écrite pendant le règne du grand Justinien, cette *Histoire* contribua à sa glorification, en exaltant les actions qu'il avait entreprises et que le génie militaire de Bélisaire — devenu bientôt un personnage de légende — avait accomplies. C'est donc l'histoire de la période qui compte parmi les plus brillantes de l'Empire de Byzance, période où l'on avait l'impression que Justinien allait réunir entre ses mains l'héritage de Constantin et d'Auguste. L'historien est digne de son époque. Il a pris pour modèle Polybe, qui, lui aussi, vécut à une époque historique décisive : la conclusion du duel tragique entre Rome et Carthage ; comme Polybe, notre auteur est surtout un historien des faits, s'attachant à suivre pas à pas la réalité qu'il cherche à étudier et à comprendre sous tous ses aspects. Si, par la façon de concevoir son travail d'historien, Procope ressemble à Polybe, pour le style il se rattache à la grande tradition grecque de Thucydide et d'Hérodote. Procope est le représentant le plus digne et le plus efficace de la conception aulique ; il s'adresse à un cercle restreint d'érudits et de lettrés, s'opposant en cela à la production populaire des chroniqueurs, destinée, par la grossièreté du fond et de la forme, au grand public, crédule et ignorant. On peut donc considérer Procope comme le pionnier d'une nouvelle conception de l'histoire, même si aucun des historiens byzantins postérieurs n'a réussi à l'égaler. — Trad. Les Belles Lettres, 1990.

À la mort de Justinien, Procope ajouta une *Histoire secrète* [*Historia arcana*] qui est un remaniement radical plutôt qu'une continuation des sept premiers livres des *Histoires*. D'ailleurs, le titre authentique, tel qu'il nous fut conservé grâce au *Lexique* de Suidas : *Anecdota*, indique le caractère des modifications apportées. Tandis que les *Histoires* exaltaient Justinien et Bélisaire, ici Justinien est représenté comme un tyran inepte et orgueilleux ; même Bélisaire, qui avait été le héros de tant de combats, est avili et réduit au rôle d'une marionnette entre les mains de la rusée Antonina, sa femme. Les deux œuvres se complètent : ce sont deux aspects du même tableau, vu d'abord à la lumière d'une société soumise à la tyrannie ; puis à la lumière de la réalité, quoique avilie par l'anecdote scandaleuse. Les doutes sur l'authenticité de cette œuvre n'ont pas de fondement : nous savons qu'elle avait été écrite en 550, mais, évidemment, elle ne put voir le jour qu'après la mort de Justinien (565). — Trad. Les Belles Lettres, 1990.

HISTOIRE DES IDÉES ESTHÉTIQUES EN ESPAGNE [*Historia de las ideas estéticas en España*]. Cet ouvrage du critique espagnol Marcelino Menéndez y Pelayo (1856-1912), publié en cinq volumes de 1883 à 1891, puis en neuf volumes de 1896 à 1912, devait compter cinq gros volumes dans l'édition définitive des *Œuvres complètes* qui parut à Madrid en 1940. L'auteur retrace dans cette œuvre toute l'histoire des idées esthétiques de son pays. Sans se borner à l'étude de la production étroitement théorique, Menéndez examine toute la littérature critique et didactique et a même recours, à l'occasion, aux poétiques implicitement et explicitement contenues dans les œuvres d'art les plus importantes. Il devait donc suivre en même temps certaines traditions de la pensée et du goût, qu'il n'est pas toujours possible de distinguer et qui ont trait à l'idée de la beauté en soi (la métaphysique du beau), à la beauté conçue comme expression artistique (la philosophie de l'art) et à l'étude des applications concrètes (la technique, le style, etc.). L'ouvrage expose donc les recherches essentiellement spéculatives sur la beauté et l'idée de beauté dans les grands systèmes philosophiques ; l'auteur étudie ensuite le mouvement mystique dont l'influence a été considérable sur le développement intellectuel de l'Espagne, où le beau et l'amour s'identifient au monde de la volonté et de la foi. Il recherche dans l'œuvre des philosophes, des penseurs et des critiques toutes les idées générales sur l'art. Il isole et met en lumière tout ce qui est vraiment de nature esthétique. Il étudie enfin les principes qui ont inspiré les artistes eux-mêmes. Cette *Histoire des idées esthétiques*, qui constitue un vaste chapitre d'une œuvre plus large sur la philosophie espagnole en général *(Histoire des hétérodoxes espagnols ; La Science espagnole)* est une précieuse introduction à l'histoire littéraire de l'Espagne *(Histoire de la poésie ; Études critiques)*. Mais l'Espagne ne possède pas une pensée philosophique originale, et ses idées esthétiques sont tributaires des grands courants de pensée européens ; aussi Menéndez doit-il, à propos de chaque problème, remonter aux sources, et son œuvre finit-elle par devenir une histoire générale de l'esthétique, unique en son genre par l'immensité de ses buts et par son information riche et de première main. L'auteur reconnaît avec modestie que son œuvre n'est qu'une analyse et une exposition ; mais justement, par son respect des divers courants de pensée et sa facilité à pénétrer et comprendre les esprits, Menéndez réussit à se placer dans une solide perspective historique. Comme toutes les œuvres de Menéndez, cette *Histoire* souffre d'une trop grande prolixité qui, notons-le cependant, n'est jamais inutile et dérive toujours de l'amour ardent de l'auteur pour les livres. Un équilibre plus harmonieux, le sacrifice de quelques pages et même de quelques chapitres, plus de concision dans l'analyse n'eussent pas été sans faciliter le succès de l'ouvrage et sa diffusion à l'étranger.

La première partie embrasse les origines classiques et s'étend jusqu'à la fin du XVe siècle ; Menéndez accorde une importance capitale à la pensée grecque, qu'il considère, à juste titre, comme indispensable pour jeter les fondements de toute esthétique du Moyen Âge et de la Renaissance, esthétique qui a mûri lentement et qui résulte des influences de l'idéalisme de Platon, du réalisme d'Aristote et du mysticisme de Plotin. L'examen précis de la pensée latine (Cicéron, la *Rhétorique à Herennius*, Horace, les grammairiens, etc.) et de la pensée chrétienne (saint Augustin, Denys le Mystique, saint Thomas) sert à délimiter et à décrire les moyens techniques qui devaient dominer plusieurs siècles de littérature. L'auteur se préoccupe de déterminer la place que l'Espagne a prise dans l'élaboration de la pensée esthétique : aussi se penche-t-il avec amour sur les pages de Sénèque et de Quintilien et accorde-t-il une place toute particulière à Prudence et Isidore de Séville ainsi qu'à la période de la domination des Goths et des Arabes. Ces pages constituent le tableau le mieux informé de la culture latine et islamique pendant le Moyen Âge espagnol. Menéndez termine ce premier volume en analysant l'esthétique mystique de Raymond Lulle et le platonisme amoureux du poète catalan Auzias March. La seconde partie comprend l'étude des XVIe et XVIIe siècles, caractérisée par l'avènement plus explicite de l'idéologie platonicienne et de la production mystique, en même temps que par l'importance accrue prise par la poétique aristotélicienne. Ces chapitres nourris d'une solide érudition, et où l'analyse est pleine de vigueur, mettent en lumière des régions par ailleurs négligées de la culture, et donnent un relief particulier à la formation du « conceptisme » (Góngora et Gracián), qui devait ramener l'expérience stylistique de la littérature espagnole dans le courant de la littérature européenne.

L'auteur consacre sa troisième partie au XVIIIe siècle, qu'il étudie avec un soin tout particulier. C'est la première fois que la littérature érudite et spéculative du XVIIIe et du début du XIXe se trouve ainsi éclairée, analysée et replacée dans le cadre plus général de la civilisation européenne. L'ambition majeure de Menéndez et son plus grand mérite sont d'ailleurs d'insérer les mouvements doctrinaires et artistiques de son pays dans la culture mondiale. Seul à l'époque Menéndez pouvait y prétendre grâce à sa prodigieuse connaissance des littératures anciennes et modernes et à ses extraordinaires facultés de synthèse. Dans la quatrième partie, nous trouvons l'étude de l'esthétique allemande (Kant, les romantiques, Hegel, les écoles réaliste, positiviste, physiologique, etc.) et le romantisme anglais.

Le cinquième et dernier volume, consacré au XIXe siècle français, est un chef-d'œuvre d'information et de critique qui atteste l'amour que portait Menéndez à la civilisation française et son tenace attachement à la culture romantique, à qui il doit ses meilleures aptitudes historiques. Menéndez décrit en raccourci toute l'évolution de la sensibilité française, émoussée selon lui par un classicisme outrancier et un rationalisme excessif (« Boileau exclut le monde du mystère, de la difficulté, de la nuit, du sublime et de l'épouvante, autant dire le monde poétique par excellence »), mais renouvelée et comme rachetée par la pensée romantique, définie comme une « recherche intime de l'âme humaine ». La sixième partie devait poursuivre l'étude du mouvement romantique en Espagne. Nous n'en avons qu'une table analytique. Les volumes destinés à l'esthétique post-romantique, à la culture italienne, aux doctrines contemporaines, et le dernier enfin, qui aurait exposé les idées personnelles de l'auteur, ne furent jamais écrits.

La formation essentiellement romantique et profondément chrétienne de Menéndez et son riche sens de l'humanité le portaient à se solidariser avec les idées et les penseurs qui font preuve d'enthousiasme et de noblesse spirituelle. Il supportait difficilement au contraire la raideur des systèmes étroitement dialectiques. De là vient que Menéndez attribue une valeur plus grande aux œuvres qui lui permettaient de saisir l'expérience intellectuelle en acte, de préférence aux œuvres dominées par l'abstraction métaphysique et les formules schématiques. Pour toutes ces raisons, il semble que la méditation personnelle de l'auteur le rapprochait davantage de la pensée discursive française et anglaise que de la philosophie allemande, systématique et essentiellement métaphysique.

HISTOIRE DES IDÉES SOCIALES EN FRANCE. Ouvrage en trois volumes (1941, 1950 et 1954) de l'écrivain français Maxime Leroy (1873-1957), dont le premier traite du XVIIIe siècle et de la Révolution, tandis que le second s'étend de Babeuf à Tocqueville, et le troisième d'Auguste Comte à Proudhon. Sa conception, vaste et nuancée, repose sur quelques idées maîtresses fondamentales. Tout d'abord, les problèmes sociaux que nous croyons particuliers à notre époque préoccupaient déjà nos aînés (« Pourquoi, écrit l'auteur, nous laisse-t-on croire que notre mal et notre plainte sont d'aujourd'hui, que nous avons à découvrir un monde nouveau, alors qu'il a été découvert il y a plus de cent ans ? »). Et Maxime Leroy de préciser : « Il est assez dans l'usage de frapper la conception littéraire du social moderne au millésime de Rousseau ; on sera plus près des faits d'hier et d'aujourd'hui en remontant jusqu'à Montesquieu. » Bien plus, des écrits tels que le *Détail de la France* de Boisguilbert, *La Dîme royale* (*) de Vauban, ou l'*Essai politique sur le commerce* de Melon, l'ami de Montesquieu, constituaient déjà des études économiques importantes. Aussi bien, le mouvement moderne peut-il remonter jusqu'aux idées morales, sociales et politiques de Platon. L'historien professe d'autre part que le social ne doit pas être arbitrairement dissocié du politique. Des « sociaux » comme Gracchus Babeuf, Henri de Saint-Simon et leurs disciples, Louis Blanc, Proudhon, Pierre Leroux, Lamennais, rejoignent en effet des « politiques » tels que Sieyès et son ennemi Robespierre, Mme de Stäel, Benjamin Constant, Duvergier de Hauranne, Broglie, Barante ou Tocqueville, par l'intermédiaire de Montesquieu et J.-J. Rousseau. Quant au « social des temps présents », Leroy le définit en ces termes : « La cité ancienne était fondée sur la propriété : la moderne s'efforce de se fonder sur des principes dérivés des techniques, des besoins du travail, selon des principes plus ou moins autoritaires et démocratiques, animés par des tendances nettement socialistes. » Production ou travail, social et politique, forment, conclut Leroy, un « vigoureux ensemble » que les gouvernements, l'administrateur, ne sauraient rompre sans dommage, et l'observation historique nous révèle un « social continu » d'une extrême complexité dans les systèmes et les doctrines, de telle sorte qu'il ne faut pas « chercher seulement du social chez un socialiste, ni rien que du libéralisme chez un économiste libéral ». Cette *Histoire* contient de nombreuses indications biographiques sur les théoriciens ou praticiens, et s'inspire d'un large libéralisme, l'auteur étant, comme Vauvenargues, convaincu que « c'est faute de pénétration que nous concilions si peu de choses ».

HISTOIRE DES INSTITUTIONS POLITIQUES DE L'ANCIENNE FRANCE. Œuvre de l'historien français Numa Denis Fustel de Coulanges (1830-1889). Le livre fut conçu comme un ouvrage de synthèse historique qui devait s'arrêter à la Révolution française ; l'auteur ne put le mener que jusqu'à la fin de l'empire carolingien, y introduisit ses études particulières, une très riche documentation, et une grande partie de l'ouvrage parut de façon posthume grâce aux soins de Camille Jullian. La première partie, publiée en 1874 et augmentée dans les éditions successives jusqu'à occuper trois volumes, traite de la Gaule romaine, de l'invasion germanique, de la monarchie franque ; les trois autres volumes (1889-1892) sont consacrés à des études sur la propriété rurale à l'époque mérovingienne, les origines du système féodal et la monarchie carolingienne. Selon l'auteur, l'invasion germanique n'eut aucune conséquence ni sur la langue, ni sur la religion, ni sur les mœurs, ni sur le droit de la Gaule romaine. Les transformations sociales de cette dernière, dans le passage de l'époque romaine au Moyen Âge, sont un développement naturel des institutions préexistantes ou sont dues au désordre provenant de la pénétration barbare. L'État mérovingien continue le Bas-Empire : les Francs n'ont pas fondé un nouveau régime et ne se sont pas imposés comme race conquérante. Le régime féodal lui-même existait déjà en germe. Le « bénéfice », le « patronat », l'« immunité » sont les trois institutions d'où dérive la féodalité, et correspondent respectivement au « precarium » romain (concession précaire de terre), au patronat largement répandu dans la société romaine, et à la libération progressive des grands propriétaires de l'autorité centrale affaiblie. Le régime économique féodal se dessine déjà au VIIe siècle. Peu à peu, par le passage de toutes les attributions des fonctionnaires d'État aux grands propriétaires, ceux-ci deviennent également des chefs militaires et le vasselage est consacré par une hiérarchie militaire. Cette thèse, émise quand s'agitaient déjà avec véhémence les polémiques entre romanistes et germanistes, fit grand bruit, et l'historien fut accusé de « romanisme » et de nationalisme anti-germanique. L'auteur opposait à cela qu'il avait voulu seulement affirmer que la féodalité était née d'une nécessité intérieure sortie du système foncier, et qu'il en serait advenu de même dans n'importe quel pays. Toutefois l'*Histoire* de Fustel de Coulanges apparut comme une réaction contre l'exaltation de la supériorité raciale germanique très à la mode à l'époque. Sa théorie a rectifié beaucoup des exagérations de la théorie opposée, mais elle présente à son tour une thèse trop excessive et trop systématique, qui n'est aujourd'hui acceptée que partiellement et avec de sérieux correctifs. Tout ceci n'empêche pas l'œuvre de figurer parmi les plus puissantes et les plus brillantes de toute l'historiographie française relative à l'époque mérovingienne. Écrit dans un style d'une sobre élégance et d'une grande clarté, ce livre affirmait à nouveau toutes les qualités qui avaient valu à l'auteur de *La Cité antique* (*) d'être comparé à Montesquieu et à Michelet.

HISTOIRE DE SIR CHARLES GRANDISON (L') [*The History of sir Charles Grandison*]. Roman par lettres, en sept volumes, dû à l'écrivain anglais Samuel Richardson (1689-1761), publié en 1754. Après le grand succès que connurent *Paméla* (*) et *Clarisse Harlowe* (*), l'auteur créa un personnage capable d'incarner l'idéal masculin du roman, à la fois réaliste, pédagogique et sentimental qu'il avait mis à la mode. Henriette Byron, arrivée depuis peu à Londres, est courtisée par nombre de soupirants, parmi lesquels se distingue un jeune homme beau et sûr de lui, sir Hargrave Pollexfen. Se voyant repoussé, celui-ci tente d'enlever Henriette à la sortie d'un bal ; mais sir Charles, que le hasard a placé dans ces parages, la sauve. L'amitié qui naît entre Henriette et lui se transforme rapidement en amour. Cependant Charles n'est plus maître de son destin ; les engagements qu'il a pris en Italie vis-à-vis de Clémentine della Porretta, jeune personne qui s'est éprise de lui, l'empêchent de s'abandonner à la joie de ce nouvel amour. En effet, Clémentine est tombée, depuis le départ de Charles, dans la plus profonde mélancolie ; de telle sorte que ses parents pressent Charles de revenir et sont tout disposés à consentir au mariage. Charles se sent des obligations assez fortes pour rejoindre Bologne, laissant derrière lui Henriette en larmes, et bien que ses sentiments pour Clémentine n'aient jamais dépassé le stade de l'affection. Il écrit d'Italie à son ami le docteur Barlet, pour lui rendre minutieusement compte des menées de la famille Della Porretta. Quand ces intrigues sont près d'aboutir, et qu'il va se lier à Clémentine, la jeune fille se rend compte qu'elle ne peut, en définitive, unir sa vie à celle d'un homme qui ne partage pas sa religion. Elle décide de prendre le voile et incite Charles à épouser Henriette. La description des fiançailles, des félicitations, des noces, et d'autres épisodes tels que la mort d'Hargrave Pollexfen, remplit deux volumes. Et pour que toute la joie d'une idylle menée à son heureux terme ne soit pas troublée par la tristesse de Clémentine, cette dernière sort du couvent, vient en Angleterre et épouse le comte Belvédère, son ancien prétendant. Si faible que soit le personnage du héros, on ne peut cependant se tenir d'admirer, avec Walter Scott, la perspicacité peu commune de Richardson dans l'analyse des âmes féminines ; et surtout lorsqu'il se libère de toute arrière-pensée de moraliste et qu'il considère les personnages en eux-mêmes. Johann Karl August Musaüs (1735-1787) s'attaqua à la vogue dont jouissait Richardson, dans *Le Second Grandison* [*Grandison der Zweite*, 1760-1762]. – L'abbé Prévost (1697-1763) a traduit ce roman sous le titre de *Nouvelles lettres anglaises, ou l'Histoire du chevalier Grandisson* (Paris, 1784). Dans un avertissement, l'abbé Prévost a pris soin de nous avertir que « l'ouvrage anglais ayant été fini sur de faux Mémoires, qui en rendent la conclusion fort insipide, on s'en est heureusement procuré de plus fidèles et de plus intéressants... Les soins que cette recherche a demandés, surtout dans un temps de guerre, sont une assez bonne excuse pour le délai de la publication ».

HISTOIRE DES LOMBARDS [*Historia Langobardorum*]. Œuvre de l'historien latin Paul Diacre (720 ?-799). Elle est comprise dans le premier volume du grand recueil de Muratori. L'auteur rapporte l'histoire de son peuple, de ses origines légendaires à la mort du roi Liutprand (744), en sept livres. Le récit est éloquent et l'évocation de grandes figures telles qu'Autharis le Courageux, Rotharis le Juste et Liutprand le Pieux est particulièrement vivante. Les sources et les documents de Paul Diacre ne nous sont pas tous parvenus. Il n'oublie pas dans son histoire les légendes et les vies de saints, les anciennes généalogies et les souvenirs personnels. C'est l'unique histoire des Lombards écrite par un Lombard qui nous soit parvenue, et c'est aussi la seule qui porte un vif reflet de l'esprit et des coutumes de cette époque lointaine et obscure. – Trad. sous le titre *Histoire de Paul Diacre d'Aquilée, où est traicté de l'origine des Lombards, de leurs faicts*, de Breuil, 1603.

HISTOIRE DES MARIONNETTES (L') [*Putulnācer itikathā*]. Roman bengali de l'écrivain indien Mānik Banerji (1908-1956), publié en 1936. Ce roman qui a pour cadre un village est considéré comme un des meilleurs de la littérature bengali. L'intrigue est bien construite, et l'auteur évite les digressions. Le récit est centré autour d'un personnage ambigu pour qui le romancier ne cherche pas à attirer la sympathie : c'est un jeune médecin qui, ses études terminées, revient dans son village natal exercer sa profession. Sans complaisance, le romancier décrit la société villageoise dans laquelle le héros se fait une place sans jamais s'y sentir à l'aise. Satiś est une marionnette que manipule son père, usurier détesté. Ses relations avec Kusum, la femme de son ami, qui l'aime, restent platoniques car, si le médecin ne croit plus dans les valeurs traditionnelles, il n'est pas assez courageux pour les bafouer. Il assiste de plus en plus désabusé au spectacle que lui offre le village qui semble s'enfoncer dans la stagnation et la médiocrité, et se sent piégé. Tout en demi-teinte, ce roman n'offre pas une image idéalisée de la société rurale. Les charmes de la campagne bengali ne sont pas évoqués, et le romancier, comme son héros médecin, ne voit dans les changements de saison que les diverses maladies qui les accompagnent, *L'Histoire des marionnettes* tient une place à part dans la littérature bengali.

F. Bh.

HISTOIRE DES MATHÉMATIQUES. Le mathématicien français Jean Étienne Montucla (1725-1799), qui avait déjà montré son aptitude aux recherches historiques en publiant une *Histoire des recherches sur la quadrature du cercle,* publia, en 1758, les deux volumes de son *Histoire des mathématiques ;* celle-ci connut un tel succès que le besoin d'une réédition se fit bientôt sentir. Cette nouvelle édition en quatre volumes fut publiée en 1799 (an VII)-1802 (an X). Après la mort de son auteur, l'œuvre fut achevée par l'astronome J. Lalande. Le titre de cette seconde édition est : *Histoire des mathématiques, dans laquelle on rend compte de leurs progrès depuis leur origine jusqu'à nos jours ; où l'on expose le tableau et le développement des principales découvertes dans toutes les parties des Mathématiques, les contestations qui se sont élevées entre les mathématiciens, et les principaux faits de la vie des plus célèbres. Nouvelle édition, considérablement augmentée et prolongée jusque vers l'époque actuelle, par Jean-Étienne Montucla, de l'Institut national de France. À Paris, chez Henri Agasse, libraire, rue des Poitevins 18, An VII.* Montucla est considéré, à bon droit, comme le fondateur de l'histoire des mathématiques, et si des ouvrages postérieurs peuvent rivaliser avec son œuvre pour l'exactitude et la précision de l'information, actuellement encore aucun ne l'égale pour l'abondance des matières traitées (elle comprend de nombreuses applications des mathématiques), pour l'objectivité et la sérénité de ses jugements, pour l'élégance du style et surtout pour la haute conception qu'il se fait de la valeur éducative de l'histoire de l'esprit humain.

HISTOIRE DES ORACLES. Œuvre de l'écrivain français Bernard Le Bovier de Fontenelle (1657-1757), publié en 1687. Un érudit hollandais, le docteur Van Dalen, dans deux dissertations latines sur les *Oracles des Gentils*, en 1683, avait traité la question de la disparition des oracles païens à la venue du Christ. Fontenelle s'intéressa au sujet, et avec cette finesse d'esprit qui lui avait dicté quelques années auparavant les *Entretiens sur la pluralité des mondes* (*), il eut l'idée de traduire l'ouvrage pour le faire connaître à un plus grand nombre de lecteurs. La difficulté d'orner de variations et de discussions nouvelles le lourd travail du Hollandais le poussa à traiter à nouveau le sujet. Il naquit ainsi un livre nouveau, non seulement allégé de sa pesante armature de citations classiques, mais digne en tous points de l'esprit brillant de l'écrivain français. Fontenelle partait du principe que les oracles des Anciens ne leur avaient pas été donnés par des puissances surnaturelles. L'esprit humain, privé des connaissances scientifiques, ne peut que croire au merveilleux, faute de l'expliquer. Ainsi la crédulité du peuple pousse à la fourberie celui qui, par intérêt, veut profiter de la superstition : de là l'origine des oracles, nés grâce à la complicité des prêtres antiques. Les oracles devaient nécessairement cesser quand l'esprit humain, éclairé, les eût fait taire. Conduisant avec adresse ses raisonnements, le célèbre secrétaire de l'Académie des sciences avance, çà et là, l'idée que même pour les miracles on peut tenir des raisonnements semblables, si bien que les jésuites dénoncèrent l'impiété qui faisait le fond du livre. Nous pouvons considérer ce mordant écrit de Fontenelle comme l'un des premiers exemples, à l'aube du « siècle des Lumières », de cet esprit critique moderne qui s'attaquera aux bases historiques du christianisme. La façon courtoise, mais ironique et tendancieuse, dont il présente les questions philosophiques annonce Voltaire.

HISTOIRE DES ORIGINES DU CHRISTIANISME. Vaste recueil d'essais historiques du philosophe français Ernest Renan (1823-1892), publié de 1863 à 1883. Ses études historiques, ses recherches biographiques, ses voyages en Terre sainte lui fournirent la matière de sa *Vie de Jésus* (*) et des essais qui composent cette *Histoire : Les Apôtres* (1866), *Saint Paul* (1869) ; *L'Antéchrist* (1873) ; *Les Évangiles* (1878) ; *L'Église chrétienne* (1879) ; *Marc Aurèle* (1883). Après avoir considéré la figure du Sauveur qui, d'après lui, n'est qu'un homme, Renan examine l'œuvre des apôtres et des disciples qui répandirent la Bonne Nouvelle, et en particulier la figure de saint Paul. Mais le tendre scepticisme que l'on trouvait dans la biographie du Christ ne semble pas valable lorsqu'il s'agit d'étudier les problèmes du christianisme primitif. À force de subtilités psychologiques, l'auteur ne traduit pas la dramatique situation de la société grecque et romaine du Ier siècle de l'ère chrétienne : de plus, il diminue trop souvent la personnalité des apôtres, dont il ne fait que d'insignifiantes silhouettes. Renan ne saisit pas toute la force qui se dégage notamment de l'apôtre des gentils ; il ne sait pas rendre l'exaltation qui agitait la conscience de tout messager de la Bonne Nouvelle. Son livre est empli d'aimables descriptions qui ressortissent du roman plutôt que de l'histoire. Cet érudit n'a pas compris la valeur première du christianisme, ni son essence divine, ni sa position en face du judaïsme et de l'hellénisme. Néanmoins, les vastes peintures, ainsi que les abondantes descriptions de lieux et de personnages qui agrémentent ces essais, rappellent la célèbre *Vie de Jésus.* Les dons scientifiques et artistiques de l'auteur se manifestent aussi dans les volumes suivants. Cette œuvre monumentale constitue une explication de la genèse de la civilisation moderne. L'*Antéchrist* présente, avec une vigueur surprenante, la figure d'un Néron amateur d'art et de belles formes. Il analyse avec perspicacité la corruption de la Rome impériale et son drame spirituel. La recherche des sources et la comparaison des courants religieux du christianisme, dans leur premier élan pour se répandre et s'affirmer, sont méthodiquement menées dans *Les Évangiles* et dans *L'Église chrétienne.* L'opposition de l'histoire et de la légende empêche l'auteur d'avoir une saine vision de la première société chrétienne. En effet, dans sa tentative pour fixer l'expérience essentielle d'une religion, il néglige l'angoisse qui troubla les plus grands esprits de l'époque. Renan est plus à son aise pour peindre *Marc Aurèle*, sous les traits d'un brave homme, stoïcien, vertueux dans sa vie publique et privée. Ce portrait lui permet de montrer, non sans ironie, comment l'homme peut être fidèle à son idéal de sagesse. Son intérêt pour un sujet aussi vaste démontre combien Renan faisait remonter aux origines les problèmes modernes. Mais, tout en affirmant la nécessité d'une expérience religieuse, il la réduit souvent à un élément purement social, la privant ainsi de cette spontanéité qui est la vie même de l'esprit. L'ancienne rédaction de cette œuvre, terminée en 1883, qui contient un « Index », témoigne de la foi dans la science et des conceptions ondoyantes d'un écrivain qui s'abandonne souvent à la fluidité de ses récits et se laisse distraire par la peinture des personnages secondaires.

HISTOIRE DES PAPES. Titre d'un grand nombre d'œuvres de l'époque moderne, écrites en diverses langues, qui tendent à retracer l'histoire des évêques de l'Église romaine. Les papes y sont considérés tant par rapport à leur activité de dirigeants de l'Église universelle ou « catholique » qu'en leur qualité de chefs temporels de la ville de Rome et de l'État pontifical (jusqu'en 1870). Quant au caractère politique de l'activité des papes, dans certaines de ces œuvres il sert de prétexte à l'étude des vicissitudes politiques de chaque nation, transformant certaines de ces *Histoires* en des livres consacrés à l'histoire générale de la civilisation européenne vue sous l'angle de l'institution papale. Elles se placent à des points de vue divers ; en majeure partie, elles sont apologétiques et tendent à faire ressortir la puissance de l'institution pontificale, sa concordance avec les institutions établies par le Christ, l'élévation morale et la capacité d'organisation des papes, ainsi que les effets bienfaisants de cette institution en tant qu'élément d'unité au sein de la chrétienté et du monde laïque en général. Cependant, les œuvres de caractère critique, allant même jusqu'à dénigrer cette institution, ne manquent pas ; elles s'efforcent de prouver le caractère néfaste de la papauté, comme étant contraire aux principes de simplicité et de pauvreté préconisés par les Évangiles, ainsi que sa nature essentiellement temporelle et politique, qui arrive fatalement à concurrencer le pouvoir légitime de l'État. Une grande partie de ces œuvres, et surtout celles parues en Allemagne et en Angleterre sont nées lors de la proclamation, en 1870, par le concile du Vatican, du dogme de l'infaillibilité du pape en matière de foi et de morale. En effet, cette proclamation a été la conclusion logique d'un procès intenté par certains à la papauté, depuis les IIIe-IVe siècles, par suite de la concentration, entre les mains de l'Église, de forces purement temporelles. Les œuvres les plus célèbres, à l'exception de quelques ouvrages de vulgarisation ou de synthèse historique, ne portent que rarement sur la lignée entière des papes.

La première des œuvres de ce genre, *Vies des pontifes* [*Vita dei pontefici*], qui est une simple présentation chronologique des papes, fut rédigée par l'humaniste italien Bartolomeo Sacchi (1421-1481), sur l'ordre de Sixte IV, entre 1471 et 1474, et publiée à Venise en 1479. Elle est écrite avec cette tournure d'esprit, à la fois critique et louangeuse, qui caractérise les écrits des humanistes au service d'une cour. Son titre complet est le suivant : *Liber de Vita Christi ac omnium pontificum, qui hactenus ducenti fuere et viginti.* Cette grande œuvre, qui eut un succès considérable, marque un moment important dans l'histoire de la papauté. Sortie de la grave crise du schisme d'Occident, après la fin peu glorieuse du concile de Bâle, la papauté retrouvait avec une force nouvelle son prestige et ses tâches d'institution universelle. Ses décrets étaient à nouveau observés dans toute l'Europe chrétienne, et la papauté apparaissait à la chrétienté comme étant seule capable de soutenir et de regrouper les forces chrétiennes pour arrêter la marche victorieuse du Croissant dans la péninsule des Balkans. Bartolomeo Sacchi, de Piadena (qui, à la manière latine, se fit appeler Platina), non seulement aurait voulu faire oublier le procès qui, sous le pontificat de Paul II, avait failli le mener à l'échafaud pour crime de lèse-majesté, mais désirait de plus conquérir la bienveillance du nouveau pape Sixte IV. Il s'appliqua donc à redonner une forme élégante au vieux recueil officiel des vies des papes, le *Livre pontifical* [*Liber Pontificalis*], qui s'arrêtait à Martin V (1417-1431). L'œuvre, qui témoignait du renouveau de la prise de conscience du caractère divin de cette auguste institution, révéla bientôt ses défauts de compilation bâclée, et Muratori, dans son recueil, n'en retint que les vies de Calixte III et de Sixte IV.

★ Les trois volumes de l'*Histoire des pontifes romains aux XVIe et XVIIe siècles* [*Die römischen Päpste, ihre Kirche und ihr Staat im XVI. und XVIII. Jahrhundert*] furent publiés, en 1834-36, par l'historien allemand Léopold von Ranke (1795-1886), historiographe officiel du royaume de Prusse. D'origine et de formation protestante, Léopold von Ranke ne pouvait manifester d'intérêt confessionnel pour une histoire des papes, considérant sans doute ces derniers comme un élément étranger au christianisme évangélique. En fait, il fut amené à écrire cette œuvre dans le cadre même d'une vaste étendue portant sur les princes et les peuples de l'Europe méridionale aux XVIe et XVIIe siècles, étude commencée par lui depuis 1827. Vis-à-vis de ses lecteurs protestants, il justifia ainsi son œuvre : « Les faits confessionnels et purement dogmatiques n'ont plus d'intérêt pour nous... Par contre, il existe d'autres éléments, plus particulièrement historiques, et qui nous touchent. Il ne s'agit certainement pas de l'influence sur nous des premiers, puisqu'ils ne pèsent plus sur nos destins spirituels. Nous n'avons à nous occuper que du pouvoir temporel de la papauté et de son développement. » Il ne s'agit donc plus d'histoire ecclésiastique, mais d'histoire politique et d'histoire spirituelle. On peut dire que Ranke fut le premier à mettre en valeur les sources vénitiennes, en utilisant, pour l'histoire du XVIe et du XVIIe siècle, les rapports des ambassadeurs vénitiens à la seigneurie, rapports qui décrivent hommes, choses, projets et passions des cours auprès desquelles ils étaient accrédités. Parallèlement à ces matériaux, il exploita les sources analogues de provenance romaine, tels que les documents d'État conservés entre les mains des membres des grandes familles pontificales : Orsini, Albani, Chigi, Barberini et autres, ainsi que la correspondance diplomatique, partout où il avait pu la consulter. À la lumière de ces documents, l'activité de la papauté s'imposa à Ranke – on pourrait dire : presque à son grand étonnement –, comme étant pleine de suggestion et de richesse.

« Aux XVIe et XVIIe siècles, dit cet auteur, la papauté fut ébranlée et se trouva en danger ; toutefois, elle se maintint et se consolida, conquérant de nouveau son autonomie et exerçant même une grande influence sur le monde chrétien ; puis elle s'arrêta et sembla tomber en décadence. Au cours de ces deux grands siècles où l'esprit des nations occidentales fut tourné de préférence vers les questions religieuses, nous voyons la papauté, attaquée et abandonnée par les uns, soutenue et défendue avec un nouveau zèle par les autres, occuper dans l'histoire du monde une place éminente. » C'est en partant de ce point de vue que Ranke a voulu étudier la papauté, avec l'impartialité qu'il estimait pouvoir apporter à son œuvre, en tant qu'historien détaché des passions confessionnelles de ses ancêtres et libéré de leur crainte de la tyrannie pontificale. Il en est résulté une reconstitution vivante et pénétrante non seulement de la politique pontificale, mais aussi des mouvements religieux nés au sein du catholicisme au XVIe et au XVIIe siècle : portraits pris sur le vif de nombreuses personnalités de la Contre-Réforme ; description vivante du jeu des partis et des conflits d'intérêts au sein des commissions de la Curie et dans les rapports diplomatiques ; tableau de la reprise fervente de la vie religieuse dans les ordres et dans les congrégations nouvellement constitués ; étude des forces qui, obtenant gain de cause, finirent par aboutir, malgré tous les empêchements venant du dedans et du dehors, au concile de Trente. Ce fut également une étude très sérieuse de l'œuvre considérable en matière de doctrine et de discipline que celle accomplie par ce Concile, animé de cette énergie indomptable qui sut résister au mouvement de la Réforme en Allemagne, en Pologne, en France et en Angleterre, ou du moins le circonscrire, avant de passer à la contre-offensive. Tout cela, joint à un tableau saisissant des vifs conflits surgissant entre les intérêts de la religion et ceux de la politique des divers États, frappa et frappe encore les lecteurs qui sont amenés à partager les sympathies de l'historien. Dans l'ensemble, l'œuvre de Ranke fut reconnue comme objective et écrite sans parti pris. Dans les éditions suivantes, on a ajouté, à l'usage du grand public, d'abord un premier livre sur les origines de la papauté et son histoire jusqu'au XVIe siècle ; ensuite, un autre livre qui en relate brièvement les vicissitudes postérieurement au XVIIe siècle. – Trad. Heilber, Paris, 1848 ; Laffont, 1986.

★ L'*Histoire des papes depuis la fin du Moyen Âge* [*Geschichte der Päpste seit dem Ausgang des Mittelalters*] de Ludwig von Pastor (1854-1928), historien érudit d'origine rhénane, Autrichien d'adoption, fut publiée dans l'édition définitive de 1933 en seize volumes ; elle fut conçue à l'origine par l'auteur en six volumes, comme un parallèle à l'*Histoire du peuple allemand depuis la fin du Moyen Âge* [*Geschichte des deutschen Volkes seit dem Ausgang des Mittelalters,* 1878-88] de son maître Janssen, et composée dans le même esprit : mettre en lumière la vie ecclésiastique entre le XVe et le XVIIe siècle, en se servant non seulement des études historiques particulières, mais surtout des matériaux innombrables qui restaient inexploités dans les archives publiques et privées. Pastor était mû par la profonde conviction que ce travail serait d'une grande utilité pour l'Église et la papauté. L'idée lui en était venue depuis 1878, date à laquelle il venait de terminer un travail sur les tentatives d'union entre catholiques et protestants sous Charles V ; il était en outre convaincu que l'*Histoire des papes* de Ranke ne rendait pas suffisamment justice à l'œuvre politique, religieuse et culturelle de la papauté moderne, et que les sources – pourtant nouvelles – que Ranke avait exploitées étaient bien modestes et limitées par rapport à celles qu'on pouvait mettre en valeur. Celles-ci se trouvaient surtout à Rome et plus particulièrement dans les archives secrètes du Vatican : grâce à sa ténacité et à l'appui de personnalités ecclésiastiques de premier plan, Pastor obtint l'accès à ces archives, créant ainsi un précédent qui les rendit, par la suite, accessibles à tous les érudits. L'*Histoire des papes* de Pastor fut de ce fait la première qui ait été rédigée à l'aide d'une documentation inédite ; l'ambition de son auteur fut d'ailleurs d'écrire une œuvre complète, du moins touchant la documentation et la bibliographie. Car, outre les sources vaticanes et romaines, Pastor explora systématiquement celles fournies par les archives des grandes familles princières de l'Europe entière, ainsi que toutes les collections de quelque importance, sans négliger ce qui pouvait avoir un rapport, même secondaire, avec la vie ou l'œuvre des papes.

Le premier volume parut en 1886, avec une introduction portant sur les rapports entre l'Église et la Renaissance littéraire en Italie, ainsi que sur la papauté en Avignon. L'exposé historique proprement dit débute avec Martin V et prend fin avec Calixte III Borgia ; en appendice furent publiés des documents inédits provenant, pour la plupart, des archives du Vatican. Lors de la publication de cette œuvre, les milieux allemands étaient encore imprégnés des passions religieuses déchaînées par le « Kulturkampf » de Bismarck ; dès lors, les intentions nettement apologétiques de l'auteur ne permirent pas aux représentants officiels de la culture universitaire allemande d'apprécier à sa juste valeur l'œuvre du jeune historien. Malgré l'exaltation des uns et les critiques des autres, l'œuvre s'imposa pourtant comme étant supérieure à celle de Ranke, surtout par l'ampleur du cadre et l'importance de sa documentation. En 1889 sortait le second volume (de Pie II à Sixte IV) et, en 1897, le troisième (d'Innocent VII à Jules II). Ces volumes – ainsi que le suivant, consacré aux papes de la famille Médicis : Léon X, Adrien IV et Clément VII – apportèrent la preuve que Pastor, tout en conservant sa foi dans le caractère sacré de l'institution pontificale, ne cherchait nullement à voiler ou à justifier la corruption des papes de la Renaissance et de leurs courtisans ; il publia même des documents décisifs, qui vouaient d'avance à l'échec toute tentative qui pourrait être faite en vue de réhabiliter moralement le pape Alexandre VI (Borgia) et sa famille. Les matériaux mis à la disposition de l'auteur augmentant constamment, il ne résista pas à la tentation de les exploiter, même au risque de sortir des limites de son programme initial. C'est ainsi que les tomes se suivirent, toujours plus nombreux et plus volumineux ; aux papes de la Réforme et de la Restauration catholique succédèrent ceux de l'époque de l'absolutisme papal et, avec Pie VI, l'auteur arriva au seuil de l'époque napoléonienne. Les derniers volumes, consacrés aux papes du XVIIIe siècle, furent l'objet d'une édition posthume faite d'après les manuscrits légués par l'auteur à la bibliothèque Vaticane. Des polémiques surgirent, entre jésuites et franciscains conventuels, à propos de l'opinion de Pastor sur Clément XIV, dont la bulle supprima la Compagnie de Jésus en 1774.

Le procédé de Pastor, faisant revivre la personnalité de chaque pape, reste le même à travers toute son œuvre, bien qu'il tente à élargir constamment le sujet en y intégrant tous les éléments recueillis grâce à son érudition incomparable. Il étudie les relations de famille de chaque pape, sa vie privée avant et après l'élection, son activité religieuse et pastorale, ses relations avec la Curie, les ordres religieux et l'épiscopat ; ses relations politiques avec les différentes nations, sa façon de gouverner l'État pontifical ; enfin, son activité de mécène, protecteur des sciences et des arts, sans omettre les intrigues du Conclave avant l'élection. Le style de Pastor est alerte, car toutes les digressions d'ordre polémique, ainsi que les considérations savantes de l'auteur destinées aux érudits, sont renvoyées aux notes très abondantes, tandis que des matériaux inédits sont reproduits, parfois in extenso, en appendice. La vie romaine, pleine de contrastes, dissipée ou austère, mondaine ou pleine de spiritualité, occupe une place très importante dans l'exposé de Pastor, surtout dans les derniers volumes de son œuvre. D'innombrables figures d'hommes d'Église et d'État, de savants et d'artistes, de soldats et d'agitateurs, d'ascètes et de missionnaires, défilent devant le lecteur, comme dans un kaléidoscope ; elles sont campées d'une plume alerte, mais avec vigueur et précision, sur le fond de leur époque et dans l'ambiance qui leur est propre. Des pages d'une grande valeur littéraire sont fréquentes, et on a même publié à part un certain nombre de portraits des principaux dirigeants de ce qu'il est convenu d'appeler la « Restauration catholique ». Le défaut fondamental reproché généralement à Pastor est de ne pas dominer les documents qu'il emploie : presque toujours il adopte le point de vue qui y est exposé, ce qui nuit souvent à l'indépendance d'esprit requise d'un historien de la classe de Pastor, indépendance que donnent seulement le recul et l'absence de tout parti pris. Or la multiplicité des documents utilisés et le désir de tout contrôler ont obligé Pastor à recourir à de nombreux collaborateurs, en grande partie jésuites, qui ont laissé, dans les chapitres qu'ils ont traités, l'empreinte de leur individualité et de leurs préférences personnelles. Néanmoins, l'œuvre reste jusqu'à la fin fidèle au programme et à la méthode de son auteur, unissant une grande probité dans l'emploi de la documentation et dans l'interprétation de celle-ci, avec l'intention déclarée d'exalter l'œuvre de la papauté. Toute la vie de l'Église se reflète dans ces volumes, bien qu'on y trouve davantage le témoignage de l'activité publique de l'Église plutôt que celui de son action intérieure et silencieuse. Et c'est là peut-être le plus grand grief qu'on puisse faire à l'*Histoire des papes* de Pastor : c'est plus l'histoire « extérieure » de l'Église que son histoire intérieure ; c'est une histoire de l'activité diplomatique de la papauté plutôt que celle de l'expansion progressive des idées de l'Évangile.

★ Le jésuite Hartmann Grisar (1845-1932) entreprit de rédiger une *Histoire de Rome et des papes au Moyen Âge* [*Geschichte Roms und der Päpste, im Mittelalter*], publiée à Fribourg en 1901 ; l'auteur avait l'intention d'assurer, en poursuivant son œuvre, la suite chronologique de l'œuvre de Pastor, mais il n'alla pas au-delà des deux premiers siècles. Cette œuvre fut d'ailleurs concurrencée par *L'Histoire de la ville de Rome* de Grégorovius.

★ Un disciple de Pastor, Joseph Schmidlin (1876-1944), tenta de continuer son *Histoire des papes* depuis 1800 jusqu'à nos jours sous le titre : *Histoire des papes de l'époque contemporaine* (1933-1940). Mais il resta bien au-dessous de son modèle et n'atteignit pas son but. L'œuvre de Pastor reste donc unique dans son genre.

HISTOIRE DES PLANTES [Περὶ φυτιηῶν ἱστοριῶν]. L'intitulé grec de ce traité de l'écrivain et philosophe grec Théophraste (372/370 ?-288/286 ? av. J.-C.) en neuf livres signifie en réalité « enquête sur les plantes » ; mais le titre latin a prévalu dans l'usage. Le modèle dont il s'inspire est bien sûr constitué par les traités biologiques d'Aristote — v. *Histoire des animaux* (*), *Traité sur les parties des animaux* (*). Mais il ne s'agit pas d'une imitation servile : Théophraste soumet la méthode aristotélicienne à la critique, et en propose souvent des perfectionnements. Constatant l'hétérogénéité fondamentale du règne végétal comparativement au règne animal, il insiste sur la nécessité de l'observation, et sur la difficulté de la généralisation en matière de classification végétale. L'arbre est la catégorie de base d'après laquelle sont traités les quelque cinq cent cinquante végétaux qu'il prend en compte, classés d'après leur apparence extérieure : arbres, arbrisseaux, arbustes et herbes. Théophraste développe également quelques idées de physiologie végétale, d'agriculture et de matière médicale. Son ouvrage est une des premières histoires naturelles de l'Antiquité, et constitue un modèle souvent suivi par les naturalistes ultérieurs. — Trad. Les Belles Lettres, 1988-89. A.-F. M. et V. B.

HISTOIRE DES ROIS DE « BRETAGNE » [*Historia regum Britanniae*]. Œuvre de l'écrivain anglais d'expression latine Geoffrey de Monmouth (1100-1155, environ), composée entre 1136 et 1148. L'auteur veut écrire l'histoire du peuple breton du temps de l'occupation de l'île jusqu'au moment de l'abandon du pouvoir aux Anglo-Saxons. Geoffrey prétend faire œuvre d'historien, mais son livre qui s'appuie essentiellement sur *Les Prophéties de Merlin* — v. *Merlin* (*) — et sur les chansons du cycle du roi Arthur, est en grande partie une œuvre d'imagination qui mêle à des traditions nationales comme celles d'Arthur une multitude de fables. Il connut cependant un grand crédit auprès des écrivains postérieurs qui, croyant au caractère historique des légendes de Monmouth, les rapportèrent dans leurs chroniques. L'auteur remonte au temps de Brut, fantastique héros des Bretons et premier conquérant de la Grande-Bretagne. Parmi les successeurs de Brut, il cite le roi Lear, père de la pieuse Cordélie (c'est la première trace que nous possédions de cette légende). Après l'histoire de la conquête romaine et l'adaptation du pays au gouvernement de Rome, nous arrivons au règne du traître Vortigern, qui appela dans l'île les barbares saxons et les favorisa. Vortigern rencontre Merlin, dans les prophéties duquel les contemporains de l'auteur s'ingénièrent à trouver des relations avec des faits historiques. Toujours avec l'aide de Merlin, les glorieux successeurs de Vortigern, Aurelius Ambrosius et Uther Pendragon, repoussèrent victorieusement les invasions barbares. Enfin, Monmouth rapporte le règne d'Arthur, conquérant de l'Irlande, de la Norvège et de la Gaule, et vainqueur de son neveu Mordred qui, avec l'aide de la reine Guenièvre, devenue sa maîtresse, avait tenté de s'emparer du trône. Avec les successeurs d'Arthur, et sous la menace continuelle des Saxons, le royaume ne fait que décliner jusqu'à la fin du VIIe siècle.

L'œuvre de Monmouth n'est pas sans présenter des traits communs avec *L'Histoire des « Bretons »* de Guillaume de Malmesbury — v. *Histoire des rois d'Angleterre* (*) —, avec les *Annales Cambriae* et avec les traditions galloises. Les nouveautés qu'elle apporte sont d'origine latine ou française. Arthur n'est plus seulement un roi de légende ; il devient le souverain idéal dont rêvait tout le monde chevaleresque et féodal de l'époque des croisades. Il ressemble au Charlemagne de la plus ancienne épopée française. En réalité, l'auteur a voulu glorifier son peuple et lui donner un héros national comparable au Charlemagne de la légende. Mais comme il entend donner à son héros les apparences d'un personnage historique, il l'encadre dans une chronique générale de la Grande-Bretagne. Les innombrables manuscrits, les imitations et les traductions sans nombre qui en ont été faites attestent l'immense succès de l'ouvrage. — On peut consulter avec profit *La Légende arthurienne des origines à Geoffrey de Monmouth* d'Edmond Faral (Champion, 1929) et la traduction de L. Mathey (Paris, 1992).

HISTOIRE DES SÉVARAMBES (L'). Roman utopique de l'écrivain français Denis Veiras (1635/38-1700 ?) dont la première partie : *History of the Sevarites* a été publiée d'abord en anglais, à Londres, en 1675, puis en traduction, à Paris, chez Barbin, avec privilège, sous le titre d'*Histoire des Sévarambes.* Une seconde partie paraît en 1678, une conclusion en 1679, toujours anonymes, mais les anagrammes du héros Siden et du fondateur Sevarias sont transparentes et les initiales de Veiras figurent à la suite de la dédicace à Riquet, baron de Bonrepos, architecte du Canal du Midi. Ce texte liminaire contient un éloge de la grandeur monarchique dont les principes se retrouveront dans certains aspects du système politique de la vice-royauté solaire Sévarambe, étonnante réunion de la démocratie et de la théocratie sous la forme d'une monarchie conjointement donnée par Dieu et voulue par tous. Après modification de certains passages trop dangereux, le roman complet connaîtra dix éditions entre 1679 et 1740, et une large diffusion par sa publication dans *La Bibliothèque des voyages imaginaires* en 1787-89. Leibniz, Montesquieu, Voltaire, Rousseau, Kant y feront référence.

Veiras se présente comme l'éditeur d'un récit provenant du manuscrit rédigé par le capitaine Siden, ancien avocat, qui a parcouru l'Europe avant de s'embarquer pour les Indes orientales et d'aborder, après naufrage, au pays Sévarambe, quelque part dans les terres australes. La vraisemblance est obtenue par le recours à des récits de voyages réels, comme celui de F. Pelsart, tandis que la recherche du pittoresque se nourrit de la lecture de Tavernier et de Garcilaso de la Vega. Siden passera seize ans à Sporounde, la capitale où les Sévarambes vivent en commun, essentiellement de l'agriculture, depuis que Sévarias, le législateur, persan d'origine, réforma les mœurs des anciens habitants, les Stroukarambes, pour créer une société sans argent et sans propriété, où tout est géré par l'État, pour le bonheur de tous. En 1671, Siden rentrera en Hollande, pour faire connaître ce si sage pays où il comptait bien revenir, mais une bataille navale lui coûta la vie.

C'est surtout dans les domaines religieux et philosophique que *L'Histoire des Sévarambes* se trouve en rupture d'orthodoxie. D'abord par la dénonciation des faux miracles et du discours trompeur de l'imposteur Omigas. Ensuite par une conception de la religion qui confond dans la même admiration ces grands hommes que furent Jésus et Moïse, et par une représentation rationaliste du divin qui annonce l'Être suprême du siècle des Lumières. Mais la plus grande originalité de Veiras est d'avoir présenté dans son roman, en intégrant l'idée de progrès, non une image idéale, mais une anticipation sur une réalité meilleure, à la portée de l'homme. P. Ro.

HISTOIRE DES SPLENDEURS [*Eiga Monogatari*]. Œuvre de la littérature japonaise en quarante volumes attribuée à la poétesse Akazome Emon ou bien à Fujiwara no Tamenari. Selon d'autres, la première partie serait due à Akazome Emon, le reste à Dewa Ben. La première partie semble avoir été écrite entre 1028 et 1034, la seconde entre 1092 et 1107. L'*Eiga Monogatari* représente, sous forme de récit historique, la continuation des annales officielles connues sous le nom de *Rikkoku-shi* : le récit commence en l'an 887 et se poursuit jusqu'à 1092, en embrassant une période de plus de deux cents ans, correspondant aux règnes de quinze empereurs, de Uda à Horikawa. Et puisque cette période coïncide à peu près avec celle de l'ascension des Fujiwara, on peut dire que l'*Eiga Monogatari* est, en somme, l'histoire de la suprématie de cette famille. L'auteur a cherché surtout à en montrer la splendeur (d'où le titre) au temps de Fujiwara no Michinaga (965-1027), durant lequel la puissance des Fujiwara fut à son apogée. Les titres poétiques et bizarres donnés à chaque volume sont caractéristiques de l'œuvre, par exemple : « Banquet en l'honneur de la lune », « Le Sommeil sans fin », « Derrière une roche », « Rampants à l'ombre », « Joute de poésies », « La Dame affligée qui pleure », « L'Étoile qui attend le soir », etc. L'*Eiga Monogatari* est importante du point de vue historique et littéraire, parce qu'elle représente le passage allant des journaux [nikki] aux mélanges historiques, [zasshi], sorte d'histoires romancées qui traitent l'histoire nationale avec le style de la littérature narrative [monogatari]. Beaucoup de passages donnent l'impression d'être des journaux ; on peut même dire avec certitude que plusieurs sont des journaux des dames de la Cour, tels le *Murasaki shikibu nikki* (*), l'*Izumi shikibu nikki* (*) ; d'autres encore ont été mis à contribution dans la rédaction de l'œuvre. Mais l'*Eiga Monogatari* présente aussi un intérêt philologique pour être la première œuvre à vocation historique écrite entièrement dans le syllabaire dit des hiragana ; le principal intérêt de l'œuvre est dans la partie qui se rapporte aux actions, aux us et coutumes des cours de Kyôtô et de Nara (cérémonies et rites variés, joutes de poésies, etc.). Le style est rendu attrayant par la forme légère et la variété de l'expression ; la fine psychologie ainsi que la sensibilité délicate et subtile qui s'y montrent, laissent supposer une main féminine. L'auteur fait preuve aussi d'une habileté consommée dans la poésie, comme en témoignent ses vers, excellents, disséminés dans toute l'œuvre. L'ouvrage exerça une profonde influence sur la production postérieure, depuis l'*Ôkagami* (*).

HISTOIRE DES TREIZE. Sous ce titre général se groupent trois romans de l'écrivain français Honoré de Balzac (1799-1850) : 1° *Ferragus*, 2° *La Duchesse de Langeais*, 3° *La Fille aux yeux d'or*. L'*Histoire des Treize* fait partie des « Scènes de la vie parisienne, études de mœurs au XIXe siècle » – v. *La Comédie humaine* (*). *Ferragus* parut pour la première fois en 1834 sous sa forme définitive (en mars 1833, une première version avait été publiée dans *L'Écho de la jeune France*, sous le titre *Ne touchez pas la hache*, qui reste le titre du roman jusqu'en 1839) ; *La Fille aux yeux d'or* parut en 1834. Les Treize sont, selon Balzac lui-même, les membres d'une étrange franc-maçonnerie, « assez forts pour se mettre au-dessus de toutes les lois, assez hardis pour tout entreprendre et assez heureux pour avoir presque toujours réussi dans leurs desseins, ayant connu les plus grands dangers mais taisant leurs défaites, inaccessibles à la peur et n'ayant tremblé ni devant le prince, ni devant le bourreau, ni devant l'innocence ; s'étant acceptés tous, tels qu'ils étaient, sans tenir compte des préjugés sociaux ; criminels sans doute, mais certainement remarquables par quelques-unes des qualités qui font les grands hommes, et ne se recrutant que parmi les hommes d'élite ». Ainsi nous voici d'emblée dans le « fantastique social » défini par Charles Nodier et cher à Balzac, fantastique social qui sera aussi celui d'un Eugène Sue dans *Le Juif errant* (*), sorte de conception délirante et géniale à la fois qui a donné naissance à l'une des créations les plus authentiquement balzaciennes. « Ce monde à part dans le monde, hostile au monde, n'admettant aucune des idées du monde, n'en reconnaissant aucune loi, ne se soumettant qu'à la conscience de sa nécessité, n'obéissant qu'à un dévouement, agissant tout entier pour un seul des associés quand l'un deux réclamerait l'assistance de tous : cette vie de flibustier en gants jaunes et en carrosse, cette union intime de gens supérieurs, froids et railleurs, souriant et maudissant au milieu d'une société fausse et mesquine ; la certitude de tout faire plier sous un caprice, d'ourdir une vengeance avec habileté, de vivre dans treize cœurs ; puis le bonheur continu d'avoir un secret de haine en face des hommes, d'être toujours armés contre eux et de pouvoir se retirer en soi, avec une idée de plus que n'en avaient les gens les plus remarquables ; cette religion de plaisir et d'égoïsme fanatisa treize hommes qui recommencèrent la société de Jésus au profit du diable. » Ces deux citations expliquent mieux qu'un commentaire l'esprit de l'*Histoire des Treize*. En quelques phrases, Balzac, pour qui le mythe de la puissance secrète fut toujours un aimant (il essaya lui-même de constituer avec quelques amis une sorte de franc-maçonnerie littéraire qui ne dura pas, et s'intéressa toujours aux différents mouvements occultistes), Balzac annonce le sens, sinon le contenu des trois romans. Et sa comparaison avec la Société de Jésus justifie la comparaison que nous faisons plus haut avec Sue et *Le Juif errant*. En vérité, au cœur de l'œuvre balzacienne comme au cœur du rêve littéraire de toute une partie du XIXe siècle, il y a l'idée de la société secrète, du pouvoir occulte et sans limites. Balzac a exprimé cette idée et donné au héros moderne tel qu'il le concevait quelques-uns de ses traits essentiels dans l'*Histoire des Treize*, qui entretient des liens étroits et profonds avec le cycle de Vautrin comme avec les *Mémoires de Samson*, *Wann-Chlore* et d'autres œuvres de jeunesse de Balzac.

Ferragus, chef des Dévorants, pour reprendre le titre complet, roman dédié à Hector Berlioz, se situe en 1820. Le colonel de Maulincour aime Mme Desmarets. Un jour il croit découvrir qu'elle rend secrètement visite à un amant. En fait, elle va voir, en cachette de son mari dont elle ne veut pas compromettre la carrière, son père, Bourignard, ex-forçat, dit Ferragus, chef de la secte des Dévorants. Celui-ci, de peur d'être découvert, cherche à supprimer Maulincour. Après avoir échappé trois fois à la mort, Maulincour est empoisonné grâce à la complicité des Treize dont Ferragus-Bourignard est le benjamin. Mme Desmarets, qui aime son mari, meurt elle aussi, littéralement empoisonnée par les soupçons de celui-ci. Et Ferragus vieillit, « débris humain » miné par le chagrin.

La Duchesse de Langeais, dédiée à Franz Liszt, met en scène le général de Montriveau et la duchesse de Langeais. La puissance des Treize permet à Armand de Montriveau de poursuivre celle qui se refuse à lui jusque dans le monastère espagnol où elle se cache. Mais il n'enlèvera qu'un cadavre. Cette œuvre, la plus riche et la plus complète de la trilogie, éclaire la politique de Balzac, et constitue un admirable portrait de femme coquette. Derrière la duchesse de Langeais se dessine en filigrane la marquise de Castries, que Balzac aima, qui ne l'aima pas et le fit beaucoup souffrir. Portrait tout chargé de rancune et de violence, que le modèle, il faut en croire là-dessus Marcel Bouteron qui a fait un historique exact de cette liaison manquée, ne justifiait pas tout à fait.

La Fille aux yeux d'or, dédiée à Eugène Delacroix, met en scène Henri de Marsay, la marquise de San-Real et Paquita, la « fille aux yeux d'or » aimée à la folie par Marsay et la marquise. Peinture audacieuse d'amours féminines, admirable « tableau », il est hors de doute que Balzac voulut dans ce livre rivaliser avec l'art de Delacroix et « exprimer, par le moyen du langage, ce que les peintres disent normalement par le jeu des couleurs » (Albert Béguin). Ce court récit s'achève par la mort de Paquita assassinée par la marquise.

Ces trois romans parfaitement fantastiques, irréels, sont pourtant les créations irréfutables d'un romancier génial de la réalité. Il n'y a pas de contradiction chez Balzac parce qu'il y a chez lui la présence constante du génie, qui assimile et dépasse toute contradiction. Au cœur de l'intrigue la plus inutilement (en apparence) compliquée éclatent soudain, soleils indépendants, des analyses de visionnaire qui créent le monde qu'elles décrivent, au fur et à mesure. Le phénomène de la création authentiquement balzacienne, la géniale déformation explicatrice d'un monde, est dans l'*Histoire des Treize* parfaitement mise en lumière. Pour l'anecdote, il n'y a guère d'œuvre qui soit plus extravagante. Pour le poids de réalité que la lecture de ces pages impose, il n'y en a pas, dans Balzac, de plus admirable.

HISTOIRE DES VARIATIONS DES ÉGLISES PROTESTANTES. Œuvre célèbre de Jacques-Bénigne Bossuet, prédicateur et théologien français, évêque de Meaux (1627-1704), publiée en 1688. Depuis le début de son apostolat, une des principales préoccupations de Bossuet avait été la séparation des églises chrétiennes. Disciple de saint Vincent de Paul, il voyait dans les protestants non des ennemis à combattre, mais des frères séparés à ramener à l'unité. Dès ses premières discussions avec des ministres protestants, il avait compris que le principal obstacle à une entente était une méconnaissance complète de la doctrine de l'adversaire : l'un et l'autre parti se jugeaient sur les légendes enfantées par la passion religieuse. Un de ses premiers travaux avait été l'*Exposition de la doctrine de l'Église catholique* (1671), où il dépouillait cette doctrine des croyances erronées et des pratiques abusives qui lui étaient attribuées par les protestants. Onze ans plus tard, en 1682, il publiait les *Conférences* qu'il avait eues avec le célèbre théologien, le ministre Claude. Enfin, en 1688, paraissait l'*Histoire des variations.* Bossuet avait démontré la nécessité d'adhérer à une Église qui soit une. Certains protestants, effrayés de l'anarchie qui régnait parmi les églises protestantes, en convenaient, mais ils prétendaient que cette Église ne pouvait être l'Église catholique, car elle avait changé et n'était plus l'Église de Jésus-Christ. Dans le *Traité de la communion sous les deux espèces* (1682), Bossuet tâcha de réfuter les thèses du ministre Jurieu, qui prétendait que l'Église avait varié dans l'administration de l'Eucharistie. Avec l'*Histoire des variations*, il élève le débat : les protestants reconnaissent eux-mêmes que l'Église primitive a eu autrefois le dépôt de la vérité. Si elle avait changé, elle serait tombée dans l'erreur, mais elle est infaillible dans son interprétation de l'Écriture, puisque, si elle ne l'était pas, nous aurions autant d'opinions diverses que de docteurs. C'est ce qui est advenu aux réformés : incapables, malgré leurs synodes et leurs décrets, d'établir une Église. Bossuet s'appuie sur une documentation historique très sûre qu'il fit rassembler par ses secrétaires ou rassembla lui-même, et son information directe est à peu près complète, sauf en ce qui concerne la Réforme en Angleterre et l'histoire des Vaudois. Toutefois, on peut lui reprocher de voir, dans la Réforme, un égarement de conscience plus qu'une révolution dans le domaine de l'esprit et une époque de l'histoire de l'humanité. Il explique le mouvement de la Réforme par les caractères des différents réformateurs ; d'où la vivacité des portraits de Luther, de Calvin, de Mélanchthon qu'il peint avec leurs énormes défauts, leur violence, leur intransigeance, mais aussi avec leur énergie spirituelle et la vigueur de leur esprit. Il souligne naturellement au passage les côtés tout humains de leurs personnalités et leur dénie toute inspiration divine. L'œuvre traite longuement des débuts de la Réforme en Allemagne, des luttes de Luther, de ses rapports avec Zwingli, en appuyant sur le rapide éparpillement des confessions et des sectes, et sur les agitations qui naquirent presque aussitôt de cette diversité. Bossuet passe ensuite au schisme d'Angleterre, dont il ne manque pas de signaler le caractère tout politique. Puis viennent les chapitres consacrés à la lutte des Réformés contre l'empereur, et à Calvin, qui commence une nouvelle propagande et organise une nouvelle dissidence dans les pays mêmes qui avaient déjà été secoués par les troubles de la Réforme luthérienne, en France, en Angleterre, en Allemagne et en Suisse.

L'*Histoire des variations* entend surtout montrer aux protestants qu'ils n'ont pas bien compris l'esprit de l'Église. Elle se pose moins comme une œuvre polémique que comme une mise au point impartiale ; aussi évite-t-elle soigneusement le ton agressif et les attaques directes, de telle façon qu'on ne puisse soupçonner la bonne foi de l'auteur, qui est d'ailleurs entière. L'œuvre eut un immense succès et des réfutations parurent aussitôt après sa parution. Les uns, Basnage et Burnet, écrivirent une *Histoire de la Réforme*, où ils contestaient un grand nombre de points de détail ; Bossuet leur répondit par la *Défense de l'Histoire des variations* (1691). Le ministre Jurieu prit une attitude plus habile. Au lieu de contester les « variations », il affirma qu'elles étaient une conséquence du libre examen, et donc bienfaisantes en tant que telles. Cette réponse fit rebondir la controverse et, de 1689 à 1691, Bossuet publia les *Six avertissements aux protestants sur les lettres du ministre Jurieu contre l'« Histoire des variations »*. Bossuet, malgré son zèle ardent, apparaît dans ces œuvres comme le plus libéral des catholiques ; et les protestants qui, malgré la Révocation de l'édit de Nantes, que Bossuet avait cependant approuvée, restaient encore partisans de la réunion des Églises, poursuivirent la discussion avec lui ; en particulier Leibniz avec qui l'évêque de Meaux entretint, pendant quelque temps, une correspondance. Le style de l'*Histoire des variations* a tantôt la majesté de celui du *Discours sur l'histoire universelle* (*), tantôt un ton plus familier quand il évoque la personnalité des réformateurs, mais il est toujours conduit par une dialectique admirable.

HISTOIRE DE TROIS GÉNÉRATIONS. Ouvrage de l'historien français Jacques Bainville (1879-1936), publié en 1934. Trois générations se succèdent entre 1814 et 1914 au milieu des événements héroïques et tragiques de la France, dans un siècle encore tout imprégné des souvenirs exaltants des guerres napoléoniennes et conscient de sa mission d'émancipation et de rapprochements des peuples, mission confiée à la France par Napoléon à Sainte-Hélène. C'est l'histoire de cette illusoire mission que Bainville a dessein de retracer dans son livre. Tout d'abord, Metternich lutta, sans succès, contre le principe des nationalités, il redoutait les ambitions des nouveaux États ; puis, Louis-Philippe s'opposa en vain à la volonté de guerre contre les « tyrans » et à l'abolition des traités de 1815, qui garantissaient à la France son intégrité territoriale ; en effet, dès son avènement, Napoléon III recueillit le testament de son oncle et se fit le champion de cette idéologie qui, après une brève période d'enthousiasme et de gloire, conduisit la France à Sedan. C'est à Versailles que l'Empire allemand fut fondé peu de temps après, alors que se mourait l'idée même d'une monarchie française. La IIIe République fut fondée sur l'idée du désarmement que l'on croyait essentiel à la paix européenne. Elle s'endormit ensuite dans un certain bien-être et trouva une diversion aux aspirations nationalistes dans la conquête de colonies. Le nationalisme allemand au contraire, associé dès l'origine aux idées libérales, s'était développé dans le sens impérialiste et devenait menaçant pour la France. L'agression allemande de 1914 ne suffit pas à faire répudier la politique démocratique. Les idées et les doctrines pour lesquelles les Français s'étaient sacrifiés, étaient repoussées désormais avec mépris par les peuples mêmes qui en avaient bénéficié. Ce livre est un douloureux examen de conscience, à la veille de la catastrophe de la Seconde Guerre mondiale que l'auteur ne verra pas, et un réquisitoire passionné quoique modéré par son amour de la patrie, laquelle mérite, selon lui, le titre de « Christ des Nations ». En somme, la France démocratique s'est fourvoyée dans un idéalisme contraire à ses propres intérêts et qui s'est révélé uniquement favorable à des peuples qui sont par la suite devenus ses ennemis.

HISTOIRE DE VASCO. Pièce en huit tableaux, publiée en 1956 par l'écrivain libanais d'expression française Georges Schéhadé (1910-1989), et créée la même année à Zurich par Jean-Louis Barrault. La pièce se passe vers 1850, en Amérique du Sud, en Allemagne, ou bien en Italie, au cours d'une guerre. Le commandant en chef, le Mirador général, a des idées personnelles sur le courage et sur la peur. Il aime les gens peureux parce que, prétend-il, « ils ont le sentiment des nuances ». Personne n'a plus ce sens-là que le petit Vasco, coiffeur du village de Sosso. Ce charmant jeune homme, cette âme pure, mais qui a aussi ses ruses, n'aime pas la guerre. Aussi le Mirador prendra-t-il toutes sortes de précautions pour lui faire accomplir la mission grâce à laquelle on pourra remporter la victoire. Voici Vasco au milieu de ses ennemis. Le voici aux prises également avec la poésie, l'amour et la mort. Aux avant-postes, les guerriers se dissimulent sous des vêtements de femme ou bien font le guet déguisés en marronniers. Les corbeaux attendent patiemment. Comment le petit perruquier deviendra poète, amant et héros, c'est ce que dépeint avec un art à la fois puissant et exquis Georges Schéhadé. *Histoire de Vasco* est la troisième pièce de cet auteur. C'est peut-être la plus accomplie qu'il ait écrite. Sa construction dramatique est parfaite : elle respire une poésie très ample, un comique et un tragique qui sont différents certes, mais de même nature que ceux que l'on admire chez Lorca. Il faudrait aussi parler de gravité. La poésie a ce privilège d'y conduire, comme la vie va nécessairement vers la mort. Dans sa première pièce, *Monsieur Bob'le*, publiée et créée en 1951, c'est un sage ou un poète dont la seule présence donne à une petite ville, Paola Scala, sa chaleur et son âme, mais qui se sent appelé pour une autre mission et va mourir dans un hôpital lointain. Dans *La Soirée des proverbes*, publiée et créée en 1954, c'est un jeune homme, Argengeorge, qui se rend à une mystérieuse soirée où des vieillards essaient de retrouver les rêves de leur jeunesse. Le plus désespéré d'entre eux, le chasseur Alexis, « qui ne chasse que la nuit », viendra pour tuer Argengeorge qui lui ressemble comme un frère, qui est l'image même de sa jeunesse morte. Argengeorge ne se défendra pas, car, comme M. Bob'le, mais plus tôt, il a reconnu que la pureté n'est pas de ce monde, et qu'il doit renoncer à vivre, celui qui veut se garder intact. Vasco lui-même, qui n'aime pas la guerre parce qu'il se sait innocent, sera tué au moment où il comprendra que l'on a voulu faire de lui un héros malgré lui. On peut remarquer que, dans les trois pièces, ces communications entre la vie et la mort, la vieillesse et le passé, s'opèrent grâce à des énigmes. Aux phrases mystérieuses que prononce M. Bob'le (mais que comprennent immédiatement les âmes simples) correspondent les « proverbes » ou même le message que Vasco est censé porter, et dont nous ne connaîtrons jamais la teneur. Ces énigmes en suspens au-dessus de nos têtes, ces anges noirs – le chasseur Alexis ou le lieutenant Septembre – et ces morts exemplaires, qui apparaissent comme dans les tarots la carte fatale, font leur chemin jusqu'au fond de nos cœurs. Mais au-delà du tragique et du comique, au-delà de ces personnages qu'on prendrait pour des grotesques s'ils n'étaient tous un peu visionnaires, une étonnante tendresse se fait jour. Et c'est cela qui, par-dessus tout, donne au théâtre de Schéhadé sa profondeur et sa grâce.

HISTOIRE DE VASSAF [*Tarikh-é Vassaf*]. Ouvrage de l'historien persan Vassaf al-hadrat, « le panégyriste de Sa Majesté », dont le nom véritable est Charaf al-Dîn Abdollâh (1264-1334). Le titre complet de l'ouvrage est *Partage des villes et propulsion des siècles* [*Tajziyat al-amsâr va tazjiyat al-a'sâr*].. C'est l'histoire des souverains mongols d'Iran, les Ilkhanides, de 1257 à 1328, c'est-à-dire depuis le règne d'Houlagou jusqu'à celui d'Abou Sâ'id, dont la mort en 1335 marque le commencement du déclin du grand empire ilkhanide. Il s'agit de la continuation de l'*Histoire du conquérant du monde* (*) d'Atâ Malek Joveïni. Le livre comprend cinq volumes et, comme ceux des autres historiens de la même époque, il ne se confine pas aux affaires étrangères, mais décrit dans les moindres détails la situation intérieure de l'Iran, durant le règne de chaque souverain ilkhanide. Malheureusement, l'intérêt de cette *Histoire de Vassaf* est diminué par le style redondant et emphatique de son auteur, comme le révèlent déjà les jeux de mots utilisés dans son titre. De plus, les citations arabes sont longues et nombreuses, et il y a trop de fragments de poèmes arabes et persans. Vassaf avoue lui-même que son objectif premier est stylistique et que les événements historiques lui servent de matière sur laquelle il peut broder les fines fleurs de sa rhétorique exubérante. On raconte que le souverain Öljeitu fut incapable de comprendre les passages que l'auteur lui lut lors de son audience.

Le lecteur, s'il n'est pas un spécialiste de l'Iran, peut avoir une idée de ce style pompeux et fleuri d'après la traduction allemande qu'en fit Hammer. Mais E. G. Browne et J. Rypka déplorent la trop longue et trop mauvaise influence qu'exercera Vassaf sur la prose persane de nombreux ouvrages historiques. – Trad. allemande, Vienne, 1856. M.-H. P.

HISTOIRE DE VICHY. Ouvrage de l'historien français Robert Aron (1898-1975), publié en 1954. Robert Aron divise l'histoire de Vichy en quatre périodes ; la première est marquée par la recherche d'une doctrine politique très largement inspirée de l'enseignement de Maurras ; elle est sanctionnée par diverses lois antidémocratiques et se termine enfin à Montoire par la politique de collaboration entre le Reich et l'État français, bien qu'à cette époque l'opposition Pétain-Laval soit virulente. La deuxième période (1941-42) est caractérisée par le déclin de la « Révolution nationale » de Vichy, l'entrée des communistes dans la Résistance, le procès de Riom, et par les pressions des Allemands et des collaborateurs. La troisième période (1942-43) se signale par l'hostilité croissante de l'opinion contre le régime de Vichy, notamment après la création du S.T.O., par l'exécution des otages, les déportations et l'entrée des Allemands dans la zone libre. La quatrième période (1943-44) voit la multiplication des attentats et celle des atrocités allemandes et de la Milice, ainsi que l'entrée des collaborateurs fanatiques dans le gouvernement Pétain, avant que le Maréchal ne soit arrêté par les Allemands, quand il aura vainement tenté de traiter avec le général de Gaulle, après la Libération. À chaque période correspond une étape du déclin du régime de Vichy, dont Robert Aron montre surtout qu'il n'a jamais pu se débarrasser de l'hypothèque de la défaite où il a pris racine.

HISTOIRE DE WILLIAM LOVELL [*Geschichte des Herrn William Lovell*]. Roman épistolaire en trois volumes de l'écrivain allemand Ludwig Tieck (1773-1853), publié en 1796. Le nom du héros se calque sur celui de Lovelace qu'on trouve dans *Clarisse Harlowe* (*) de Richardson. Quant à la forme épistolaire, elle est inspirée des *Souffrances du jeune Werther* (*) de Goethe. Ce roman veut être à la fois une confession et un roman psychologique. William Lovell est un « Werther sans poésie », a-t-on dit. Un jeune lord élégant, exalté et sensuel, commence la série de ses aventures en trompant une toute jeune fille sensible, à laquelle il était fiancé. Pour parfaire son éducation, son père le fait voyager. Il tombe à Paris entre les mains d'une femme rusée qui dévore son patrimoine. Voulant étouffer ses remords, il s'entoure de libertins de toutes sortes. Puis il part pour l'Italie. À Rome, il rencontre une intrigante, Andréa, qui corrompt tout ce qui lui restait de pureté, en justifiant toutes ses actions par une philosophie sensualiste et libertine. Lovell finit par se mêler à une bande de voleurs. Mais, dans le mal même, il ne peut être réaliste ; il sera la victime de ses complices, qui, le jugeant incapable, l'abandonneront. Lovell tente alors de se réhabiliter, en s'adonnant à des travaux de culture. Mais Andréa, pour assouvir une vieille rancune, le fait tomber sous les coups d'un assassin à gages. Malgré de multiples réminiscences, ce roman juvénile conserve, dans l'ensemble, l'empreinte profonde de Tieck.

HISTOIRE D'HENRI ESMOND (L') [*The History of Henry Esmond, Esquire*]. Roman de l'écrivain anglais William Makepeace Thackeray (1811-1863), publié en 1852. L'histoire se présente sous forme d'un journal écrit à l'époque de George II. Le héros du roman, le noble Henri Esmond, se rend dans ses propriétés de Virginie. Il y écrit ses mémoires. Après la mort de son père, troisième vicomte de Castlewood, dont on le croyait fils illégitime, Henri est élevé par le quatrième vicomte de Castlewood et par sa jeune femme. Celle-ci a peut-être dix ans de plus que l'enfant qu'elle a trouvé auprès de son mari, quand elle s'est mariée, et c'est avec la plus grande sollicitude qu'elle se consacre à son éducation. Quand elle perd la plus grande partie de sa beauté merveilleuse à la suite de la variole que lui a transmise Henri, elle se voit négligée par son mari ; lord Mohun veut en profiter pour essayer de séduire la jeune femme. Il s'ensuit un duel qu'Esmond cherche vainement à éviter et dans lequel lord Castlewood perd la vie. Avant de mourir, il révèle à Henri que le mariage de ses parents avait été célébré régulièrement et que, pour cette raison, il a droit au titre de vicomte et au domaine des Castlewood. Mais, pour ne point ruiner la femme qui l'a traité avec une si grande bonté ainsi que ses deux enfants (Frank et Béatrix), Esmond renonce à faire valoir ses droits et s'éloigne du château. Quand, après plusieurs années qu'il a passées en combattant sous les ordres du célèbre duc de Marlborough, Esmond retourne chez les Castlewood, il s'éprend de Béatrix qui, entretemps, est devenue une jeune fille d'une rare beauté. Lady Castlewood, dont l'affection, portée autrefois à l'enfant, s'est presque à son insu transformée en amour pour le jeune homme, fait tout ce qu'elle peut pour favoriser le mariage des deux jeunes gens ; mais Béatrix, vaine et orgueilleuse, n'acceptera jamais de se lier à un homme aussi obscur qu'Esmond. Elle se fiance au duc d'Hamilton, mais celui-ci meurt avant le mariage. Dégoûté de la conduite de Béatrix, Esmond épouse lady Castlewood et se retire avec elle dans ses propriétés de Virginie.

L'Histoire d'Henri Esmond est considérée comme le meilleur roman de Thackeray. Contrairement à ce qui se passe dans la plupart de ses autres œuvres, Thackeray raconte ici toute la vie de son héros, au lieu d'en présenter seulement une période plus ou moins longue comme dans *L'Histoire de Pendennis* (*), *Les Newcomes* (*) ou *La Foire aux vanités* (*). Toutefois, ce roman manque de cohésion. L'incapacité de l'auteur à développer l'action, en évitant les digressions, s'y manifeste, bien qu'à un degré inférieur. L'évocation de l'époque, les premières années du XVIIIe siècle, est très vivante. La transformation des sentiments que lady Castlewood éprouve pour Esmond est retracée d'une main délicate. Cependant c'est Béatrix, jeune femme égoïste et impitoyable, qui forme le centre du tableau. Certains personnages de ce roman reparaissent dans *Les Virginiens* (*). — Trad. Aubier, 1935.

HISTOIRE D'HENRIETTE D'ANGLETERRE. Ouvrage de Mme de La Fayette (Marie-Magdeleine Pioche de la Vergne, 1634-1693), écrivain français, publié après sa mort, en 1720. C'est, avec les *Mémoires* (*), la partie historique de l'œuvre de cette femme qui exerça une grande influence dans son temps, non seulement par ses livres, mais par son intelligence, sa culture et son charme. Mme de La Fayette avait connu Henriette d'Angleterre avant son élévation. Elle n'était alors que la fille du roi d'Angleterre décapité, Charles Ier, et elle vivait en exil, en France, avec sa mère Henriette de France, fille d'Henri IV. Mme de La Fayette se lia avec la jeune fille et lorsque celle-ci épousa le frère de Louis XIV, Philippe Ier duc d'Orléans, elle appela auprès d'elle Mme de La Fayette, et elle lui confia tout ce qui ne touchait pas au « secret du roi ». C'est la princesse, elle-même, qui lui demanda d'écrire son histoire ; elle lui fournit les souvenirs et les documents indispensables, et écrivit certains passages de sa main. L'*Histoire* commence avec la paix des Pyrénées et le mariage de Louis XIV avec Marie-Thérèse d'Autriche (1659), sur un exposé des rapports de Louis XIV et de Mazarin, et sur le récit des aventures féminines du jeune roi. À la mort de Mazarin, Louis XIV, après quelques hésitations, prend lui-même le pouvoir et choisit ses ministres. Il élimine Fouquet, trop riche et trop puissant, le fait enfermer à Pignerol et constitue le triumvirat : de Lionne, Le Tellier et Colbert qui devait l'assister dans le gouvernement de l'État. Louis XIV décide alors de marier son frère avec la jeune princesse d'Angleterre, dont le frère, Charles II, venait de remonter subitement sur le trône de ses pères. Union singulière que celle de cette jeune femme, intelligente, délicate, douce et fière, et de ce prince falot, efféminé, capricieux. Après son mariage, l'histoire de Madame est celle de son amitié avec le roi, son beau-frère, et celle de ses « galanteries » avec deux gentilshommes, le comte de Guiches et le marquis de Vardes ; c'est également celle des rapports entre les deux monarchies au rapprochement desquelles travailla, avec ardeur et efficacité, Henriette d'Angleterre. Le récit de Mme de La Fayette, qui avait déjà négligé l'enfance de son héroïne, s'arrête en 1665. Mme de La Fayette ne reprit la plume qu'à la mort de son amie (1670), dont elle nous donne une relation devenue classique ; le récit de la maladie soudaine de la princesse et de sa longue agonie en présence de toute la Cour, la peinture de sa résignation chrétienne sont, dans leur sobriété, particulièrement émouvants. L'auteur ne passe rien sous silence : la conviction où était la princesse d'avoir été empoisonnée, l'impuissance et l'incapacité des médecins, la présence au chevet de Madame, de Monsieur de Condom (Bossuet, alors évêque de Condom) qui devait prononcer à ses funérailles la plus célèbre de ses *Oraisons funèbres* (*). L'*Histoire d'Henriette d'Angleterre* est non seulement un précieux témoignage historique (l'auteur ne dissimule rien ; seulement elle sait dire habilement les choses), mais une belle œuvre littéraire par la vivacité du récit, la fermeté des traits dans les portraits, l'interprétation subtile des sentiments des principaux personnages, par le style enfin, qui, bien que n'atteignant pas à la perfection de celui de *La Princesse de Clèves* (*), ne manque ni de fraîcheur, ni de distinction.

HISTOIRE D'ITALIE [*Storia d'Italia*]. Écrite par l'homme politique et historien italien François Guichardin (Francesco Guicciardini, 1483-1540) entre 1537 et 1540 ; les seize premiers livres sont publiés en 1561 à Florence (chez Lorenzo Torrentino) ; trois ans plus tard, l'imprimeur vénitien Giolito publie la première édition complète des vingt livres. L'ouvrage fut édité à de nombreuses reprises jusqu'en 1636 et traduit rapidement en latin et dans les principales langues européennes ; en France, la traduction de Jérôme Chomedey date de 1568 et connaît quatre éditions en quarante ans.

L'*Histoire d'Italie* retrace la période des guerres italiennes, de 1494, date de la venue de Charles VIII, à 1534, date de la mort de Clément VII et de l'élection de Paul III. Guichardin commence par un tableau de la paix et de la prospérité qui règnent en Italie à la mort de Laurent de Médicis, en 1492. Il insiste sur les bouleversements qu'introduit l'arrivée de troupes étrangères sur le sol italien et définit ainsi une véritable époque, un tournant de l'histoire. Jusqu'à Guichardin, les historiens étaient avant tout les chroniqueurs de la vie citadine ; il est le premier à élargir son champ d'étude à l'ensemble de l'Italie et aux rapports de force entre les principales puissances européennes de l'époque. Son point de vue est nourri par son expérience politique directe ; il a été, tour à tour ambassadeur de la république florentine en Espagne, un des grands commis de l'État pontifical, un des inspirateurs de la ligue de Cognac, conclue entre François Ier, Venise et Clément VII pour combattre Charles Quint, épisode qui se termine par la victoire de ce dernier et le sac de Rome (1527).

C'est d'ailleurs l'examen de cette période qui constitue le noyau initial de l'ouvrage : Guichardin entendait ne faire que le récit de « sa » guerre, de Pavie (1525) au sac de Rome (les passages qu'il rédige en premier correspondent, dans la version définitive, au livre 16 et au début du livre 17). Ce n'est que dans un second temps, pour mieux comprendre les événements de ces trois années, qu'il décide de remonter à ce qu'il considère comme la véritable origine de cet affrontement ; 1494 et le passage des Français en Italie.

L'*Histoire d'Italie* n'est pas le premier travail historique de l'auteur ; il a déjà entrepris de rédiger, en 1508, à l'âge de 25 ans, une *Histoire de Florence* (*) et, en 1528, des *Choses florentines* [*Cose fiorentine*], toutes deux inachevées. Ce n'est pas pour autant qu'il faut considérer l'*Histoire d'Italie,* écrite durant les quatre dernières années de sa vie, dans l'*otium* de sa retraite politique, comme un pur et simple retour à une activité de lettré que les nécessités de la vie politique l'auraient conduit à négliger jusque-là ; son écriture de l'histoire et ses textes de réflexion politique — v. *Avertissements politiques* (*) et *Dialogue sur le gouvernement de Florence* (*) – sont indissociables. Guichardin écrit toujours pour comprendre, et pour agir ; son style est à l'image de cette recherche du réseau complexe des causes et des effets ; sa phrase déroule une suite d'incises, de propositions relatives et circonstancielles qui éclairent et font apparaître nécessaire l'introduction, à la fin de la période, de l'action principale. Son texte manifeste une volonté de précision – informations militaires circonstanciées et chiffrées, reconstitution des discours et raisonnements des principaux acteurs et d'une multitude de personnages secondaires — qui s'appuie sur son expérience personnelle et sur l'utilisation d'archives.

On peut considérer cet ouvrage, qui reste une source documentaire utile à bien des égards, comme le point de départ de l'historiographie moderne ; Jean Bodin (1529-1596) n'affirmait-il pas, dans sa *Méthode de l'histoire* – v. *Œuvres philosophiques* (*) de Jean Bodin –, que Guichardin était le seul historien de son temps qui pût être comparé à ceux de l'Antiquité ? – Trad. Laffont, 1993.

J.-L. F. et J.-C. Z.

HISTOIRE D'O. Roman publié en 1954 sous le pseudonyme de Pauline Réage. Précédé d'une préface célèbre de Jean Paulhan sur le « bonheur dans l'esclavage », ce récit retrace l'apprentissage d'une jeune femme qui découvre le plaisir des châtiments corporels et de la soumission. O, dont le nom évoque l'état d'ouverture aveugle que ses initiateurs exigeront d'elle, est un soir menée par son amant au château de Roissy où elle subit pour la première fois humiliations et corrections. Collier à chien, chaînettes, coups de fouets sont là pour enseigner, lui annonce-t-on, « que vous êtes entièrement vouée à quelque chose qui est en dehors de vous ». Désormais elle devra se débarrasser de ses slips, ceintures, soutiens-gorge fermés et robes qui ne se boutonnent pas en avant : en permanence elle devra s'offrir à ce « quelque chose » incontrôlable. Elle est alors soumise aux caprices d'hommes qui, à l'instar du préfacier, ont « le regard droit qu'on voit aux portraits des vieux huguenots » ; cela devant René et pour René, qu'elle aime passionnément. Il ne la prostitue en effet que pour jouir de sa soumission, et se prouver qu'elle appartient à lui seul : « Il la donnait pour la reprendre aussitôt, et la reprenait enrichie à ses yeux. » Mais ce jeu, qui attise l'amour fou en feignant de le réprimer, met en danger la constance du sentiment. Prêtée à sir Stephen par René qui veut la voir obéir à celui-ci comme à un second maître, elle devient amoureuse de cet Anglais qui sait se montrer plus exigeant. Entraînée dans une autre servitude et une autre passion, elle deviendra à jamais l'esclave de sir Stephen : la voici, au fer rouge, marquée du monogramme de son maître ; voici son sexe percé d'anneaux sur lesquels on a gravé le nom de son propriétaire... Mais là encore l'amour fou se heurte à un impossible : sir Stephen la livrera-t-il, lui aussi, aux tortionnaires du château de Roissy afin de mieux la posséder — jusqu'à la perdre ? Ou préférera-t-elle se donner la mort ? L'auteur, avec la retenue méticuleuse qui donne au roman son souffle et son originalité, s'abstient d'opter entre ces deux catastrophes : se contenter de les indiquer comme également probables permettait de clore à l'image de la séparation qui s'opère au plus intime de l'héroïne lorsque la possède la frénésie de l'esclavage. C. Be.

HISTOIRE D'OTTINELLO ET DE JULIE [*Istoria di Ottinello e Giulia*]. Poème italien du XVe siècle, sur un thème d'origine orientale. Ottinello, fils du prince de Salerne, a beaucoup entendu vanter la beauté de Julie, fille du prince de Capoue. Malheureusement, les deux princes sont séparés par une inimitié violente. Le jeune homme parvient à s'enfuir de sa demeure et il entre en qualité de valet au service du prince de Capoue. Ce stratagème lui permet de révéler son amour à Julie ; la jeune fille s'éprend à son tour d'Ottinello et les deux amoureux prennent la fuite. Arrivés au bord d'une rivière, ils s'y arrêtent pour se reposer et s'endorment. Mais voici qu'un faucon dérobe le voile brodé de perles étincelantes qui recouvrait le visage d'Ottinello : ce faisant, il griffe le jeune homme, qui se réveille et poursuit l'oiseau jusqu'à la mer. Des pirates de Chypre le font prisonnier, l'emmènent dans leur patrie, où ils le vendent à un maraîcher qui le force à cultiver la terre. Un jour, le jeune homme, en bêchant, découvre un trésor caché sous une pierre, grâce auquel il recouvre sa liberté. Il se déguise alors en marchand, achète une grande quantité de thons et en remplit des tonneaux, au fond desquels il cache ses richesses. Enfin, il s'embarque avec sa marchandise sur un bateau qui le ramène à Ancône. Il vient de mettre pied à terre, lorsqu'une tempête se déchaîne et entraîne le bateau loin du port. L'embarcation finit par échouer sur les côtes du royaume de Naples. Le propriétaire du bateau découvre le long du rivage une petite auberge : l'opinion publique tenant l'aubergiste pour un honnête homme, le matelot lui confie ses tonneaux et lui laisse des indications qui lui permettront de reconnaître le propriétaire, au cas où ce dernier viendrait à passer dans ces parages... Mais l'aubergiste est Julie en personne. Après la disparition d'Ottinello, Julie a revêtu les habits de son amant et, avec l'argent trouvé dans ses poches, elle a acheté cette auberge et fait construire un hôpital pour les pauvres. Ottinello, de son côté, reprend la mer ; son bateau sombre une fois de plus, et après maintes péripéties, le jeune homme est transporté à l'hôpital de Julie, où il retrouve à la fois ses richesses et son épouse perdue. Tous deux défoncent les précieux tonneaux, en tirent le trésor et fondent une ville magnifique qu'ils appellent Tarente, en souvenir des thons providentiels (« tarentelli »). Ils invitent alors leurs vieux parents qui se réconcilient et célèbrent ensuite des noces fastueuses. Cette aventure est reliée à la fondation d'une ville, grâce à une étymologie fantaisiste. L'origine orientale de l'histoire est incontestée : dans un des contes des *Mille et Une Nuits* (*), le récit des aventures du prince Camaralzaman se déroule à peu près de la même façon. En France, l'on a tiré parti des mêmes données et l'œuvre écrite au XVe siècle parut sous le titre d'*Histoire de Pierre de Provence et de la belle Maguelone*. À partir du texte français, des versions en langue diverses ont été composées, versions allemande, flamande, hollandaise, danoise, islandaise, espagnole, catalane, hongroise, russe, polonaise, espagnole, catalane, hongroise, russe, polonaise et byzantine. La version française est imprégnée d'un sentiment chrétien tout à fait étranger à la version italienne. Maguelone, au lieu d'une auberge, fonde une chapelle en l'honneur de saint Pierre et un hôpital pour les pèlerins malades. Dans l'*Histoire d'Ottinello et de Julie*, la chance seule permet aux héros de se tirer à bon compte de leurs aventures. Les pèlerinages, les visions, les prières qui jouent un rôle si important dans le roman français n'interviennent à aucun moment. On ne trouve, dans les différentes versions de ce conte, que quelques légères variantes ; les noms des protagonistes changent d'une région à l'autre.

★ La version moderne la plus connue est le récit intitulé : *La Merveilleuse Histoire d'amour de la belle Maguelone et du comte Pierre de Provence* [*Wundersame Liebesgeschichte der schönen Magelone und des Grafen Peter aus der Provence*] de l'écrivain allemand Ludwig Tieck (1773-1853), publiée en 1797. Il s'agit d'un ouvrage de jeunesse d'inspiration romantique et moyenâgeuse, composé de dix-sept chapitres en prose, dans lesquels sont intercalés des poèmes. L'intrigue se développe avec un mouvement narratif lent et paisible ; le début est consacré à l'évocation de l'enfance et de l'adolescence d'un jeune homme de noble lignée, aimé de tous pour sa beauté et pour sa grâce. Une fois achevée son éducation, Pierre demande au comte de Provence, son père, la permission de quitter la demeure paternelle, afin d'acquérir en voyageant une expérience solide et profonde de la vie. Il obtient son consentement, et il part. Le terme de son voyage le conduit à Naples, où il conquiert le cœur de la belle Maguelone, la fille du roi. Une nuit, les deux amoureux s'enfuient vers la Provence où ils ont décidé de se marier. Mais, tandis que la jeune fille dort, Pierre s'éloigne, à la poursuite d'un corbeau ; il monte ainsi sur un bateau qu'un orage entraîne soudain loin de la côte. Des musulmans sauvent le jeune homme ; sa rare beauté lui vaut d'être donné au Sultan, dont il devient bien vite le favori. Mais sa pensée reste obstinément dirigée vers sa patrie et vers la belle Maguelone laquelle, pendant ce temps, a dû se résigner à vivre dans la hutte d'un berger. Enfin, un hasard favorable permet à Pierre de s'enfuir sur une barque fragile. Il est recueilli par un navire chrétien qui vogue justement en direction de la Provence. Mais, pendant ce voyage, le bateau fait escale aux abords d'un îlot où Pierre, endormi dans une prairie, est abandonné par ses compagnons, qui l'ont cherché en vain. Ce qui semblait être une cruelle épreuve, se transforme en un concours de circonstances des plus heureux. Sauvé par quelques pêcheurs, Pierre est conduit par eux à la cabane du berger où s'est réfugiée sa belle et fidèle Maguelone. Le déroulement du récit, presque puéril dans sa simplicité stylisée, se subordonne de toute évidence au débordement lyrique qui gonfle les vers modelés sur le « Volkslied » et les « Lieder » de Goethe. D'un autre côté, Tieck sacrifie à son penchant romantique pour les éléments naïfs, simples, merveilleux, rendu plus évident par le choix des protagonistes, tous beaux et généreux, et par le tour de la narration qui sent l'artifice. Cette *Merveilleuse histoire de la belle Maguelone* était célèbre à son époque, et lue avec beaucoup d'intérêt. Aujourd'hui, elle demeure encore, bien que dépourvue de véritables richesses poétiques, un document d'importance sur les goûts du public de son temps.

HISTOIRE DU 41e FAUTEUIL DE L'ACADÉMIE FRANÇAISE. Œuvre de l'écrivain français Arsène Housset, dit Houssaye (1815-1896), publiée en 1885. L'évocation du passé est faite sous forme allègre et souriante qui nous réserve des sujets inattendus d'ironie. Si Richelieu a attribué à l'Académie quarante sièges, Houssaye, dans ce livre, créa le quarante et unième. On voit, en effet, par l'examen des exclus, que ce siège est digne d'être occupé par des esprits aussi ouverts que ceux qui occupaient légalement les autres. L'auteur montre dans leurs aspects coutumiers les grands hommes qui ne furent pas appelés à siéger à l'Académie ; parfois même, il les fait parler, donnant à leurs discours de réception imaginaire le ton qui convient aux personnages : c'est à cette caricature pleine de verve que le livre dut son succès. Si, au XVIIe siècle, les omissions de l'Académie furent pour le moins étonnantes, de Descartes à Pascal, à Molière et à La Rochefoucauld, pour ne citer que les plus grands, au XVIIIe siècle, il en fut de même avec Saint-Évremond, Malebranche, Vauvenargues, Saint-Simon, Prévost, Diderot, Chénier, Beaumarchais et Rivarol. Au XIXe siècle, l'auteur cite Courier et Constant, Stendhal et Balzac, Lamennais et Nerval, Gautier et Michelet. L'évocation du passé, dans chaque portrait, est faite par un esprit aimable et sagace.

HISTOIRE DU BRAVE GASPARD ET DE LA BELLE ANNETTE [*Geschichte vom braven Kaspar und der schönen Annerl*]. Nouvelle de l'écrivain allemand Clemens Brentano (1778-1842), écrite en 1817. Sur un motif d'inspiration populaire se mêlent des éléments épiques et dramatiques. L'unité poétique du récit est sauvegardée par la présence de l'aïeule, figure de Parque, saisissante et grandiose personnification du Destin inexorable, qui raconte la vie du soldat Gaspard, son neveu, et de la belle Annette, sa filleule, fiancée de Gaspard. Les deux histoires ne sont reliées que par un lien assez lâche : épris l'un de l'autre, les deux jeunes gens seront également victimes d'un sens de l'honneur mal compris. Gaspard, le moins coupable des deux, se tue, incapable de survivre à la honte d'avoir reconnu, dans son père et son demi-frère, les voleurs du cheval que lui avait confié son régiment. De son côté, Annette, séduite par Grossinger, un noble officier, est condamnée à mort pour avoir étranglé son enfant, fruit de sa faute. On retrouve là le thème de l'infanticide cher au « Sturm und Drang ». Sur le plan poétique, les paroles de l'aïeule, imprégnées d'une pitié maternelle et profondément religieuse, mue par le seul désir de pouvoir déposer le corps des deux victimes dans le caveau familial préservé du déshonneur, ont un accent de tragédie antique. Des rappels de superstitions populaires témoignent en quelque sorte de la fatalité qui pèse sur l'histoire de la belle Annette. L'élément dramatique est constitué par le personnage du séducteur, Grossinger, lequel obtient la grâce d'Annette, ne peut la faire parvenir à temps et va se livrer au peuple qui tente de le lyncher. Brentano, que son tourment intérieur incita toujours à dépasser ses propres conclusions, ajouté à cette nouvelle le récit du suicide de

Grossinger, dont la sœur est à son tour séduite par le Prince : celui-ci, frappé par le tragique destin d'Annette, réparera sa faute. En guise de moralité, la nouvelle s'achève sur la description du monument allégorique élevé sur la tombe de Gaspard et d'Annette. Parmi les détails les plus caractéristiques, il convient de citer la chanson de l'aïeule : « Quand ce sera le jour du Jugement dernier, les clous d'or du ciel tomberont sur la Terre... », qui joue en l'occurrence le même rôle que le refrain d'une ballade et contribue à situer le récit hors du temps, dans une atmosphère irréelle. – Trad. Mercure de France, 1942, Aubier-Flammarion, 1971, et Gallimard, 1973.

HISTOIRE DU CHEVALIER DES GRIEUX ET DE MANON LESCAUT. Roman de l'abbé Prévost (1697-1763), écrivain français, publié en 1731. Il constitue d'abord le dernier volume des amples *Mémoires et aventures d'un homme de qualité* (*) (1728-1731), et fait partie de ses nombreuses rééditions au XVIIIe siècle, mais il est publié séparément dès 1733, et Prévost en supervise deux rééditions en 1742 et 1753. Ce court roman a occulté l'œuvre de Prévost, et il est même souvent désigné par le seul nom de son héroïne, Manon Lescaut, devenue assez mythique pour inspirer à son tour d'autres artistes. Cette évolution a été rendue possible par les propriétés du texte, mais elle risque aussi de les dissimuler. L'*Histoire du chevalier des Grieux et de Manon Lescaut* était facile à détacher de son cadre. Comme l'explique l'homme de qualité, Renoncour, dans un « Avis » initial, il l'a placée après la conclusion de ses mémoires, parce qu'elle était trop longue et qu'elle n'a joué aucun rôle dans sa vie, tout comme il n'a joué qu'un rôle mineur dans le destin des deux amants. Il se contente en effet d'introduire le récit de des Grieux qui occupe l'essentiel du roman. Il est cependant investi d'une fonction importante, puisque, avec l'autorité de ses propres aventures, il donne au lecteur une première image des amants, à la fois pathétique et énigmatique. Il relève en particulier le contraste entre leur évidente qualité et leur situation de proscrits : Manon enchaînée avec d'autres filles de joie, et des Grieux à bout de ressources et prêt à la suivre en Amérique. Renoncour le retrouve deux ans plus tard, enseveli dans la douleur, et par sa curiosité, il lui donne l'occasion de revivre son amour, de ressusciter Manon par la parole. L'amant éploré commence par raconter comment, encore adolescent, il découvre Manon et quitte tout, famille et études, pour la suivre, mais il est trop jeune pour obtenir d'épouser ou pour entretenir la jeune fille, d'origine plus modeste, et abandonnée à elle-même. Attirée par le luxe et les divertissements de la société parisienne, elle le renvoie alors à son père pour suivre un amant fortuné. Une fois enrichie, elle renoue avec des Grieux, qui renonce pour elle au séminaire. Ils sont dans une situation trop précaire pour n'être pas alors victimes d'escrocs ou pour ne pas devoir recourir aux expédients, au vol (des Grieux triche au jeu), ou à la prostitution. Des Grieux arrache ainsi Manon des bras de deux riches protecteurs, le père, puis le fils, et essaye de retourner la situation, en les grugeant, mais mal lui en prend. Ils se retrouvent tous deux en prison, arrivent non sans ruse et violence à s'en échapper une première fois, mais la seconde, Manon est déportée, et des Grieux sans argent ne peut que l'accompagner. En Amérique, ils subissent la persécution du gouverneur, et s'enfuient dans le désert ; Manon épuisée meurt, laissant des Grieux inconsolable. Le récit qu'il fait à l'homme de qualité est pour lui un moyen de retenir le passé, mais aussi de lui donner forme et sens : c'est à la fois une célébration et un plaidoyer. Parce qu'il a accompagné Manon dans sa condamnation, sa dégradation, sa persécution puis sa mort violente, parce qu'il a lui-même participé à cette déchéance sociale et morale, des Grieux ne peut en effet être fidèle à son amour et à son sentiment que s'il parvient à montrer la dignité de Manon, à justifier son comportement, ce qui revient aussi à accuser l'ordre humain, divin ? – qui les a condamnés au malheur. Tout le sens du roman, toute la fascination qu'il exerce, reposent sur cette position particulière de des Grieux : tentant d'entraîner Manon dans son exaltation amoureuse et obligé de subir les conséquences de ses infidélités et de sa recherche étourdie des plaisirs et de l'argent, ayant tout sacrifié à l'amour, vécu comme un absolu, et conduit par cet amour à se compromettre avec la prostitution, le vol, le meurtre, à tromper sa famille, à exploiter ses amis, comme Tiberge ou M. de T. À intituler le roman de Prévost *Manon Lescaut,* le lecteur oublie le travail de remémoration et d'idéalisation effectué par l'amant, et n'en retient que l'objet : ce que des Grieux met au centre de sa vie et de son destin, mais reste le plus secret, le plus irréductiblement voilé. Le mystère de Manon tient à sa place dans le roman, puisqu'elle est vue à travers l'image que s'en fait et que veut bien en donner des Grieux, mais il tient aussi à l'impossibilité de concilier les attentes sentimentales de son amant avec ce qu'elle peut socialement et matériellement faire. Sur le personnage de Manon se noue le paradoxe du roman : son amant, pour la faire entrer dans son pathétique récit et conférer à leur amour une dimension tragique, doit invoquer tout ce qui dans son comportement et son caractère a suscité le malheur et qui révèle son indignité et exclut toute héroïsation : sa légèreté, ses escroqueries, sa ronde de courtisane, sa déportation. Manon n'est donc tragique qu'autant qu'elle ne l'est pas : par-delà le deuil, des Grieux s'enferme dans une contradiction sans issue, et c'est ce qui confère à son récit sa valeur dramatique. L'originalité de Prévost est d'avoir suggéré la force de la passion en lui opposant des détails concrets, et parfois grotesques : logement, carrosse loué, compte des dépenses, gains illicites, escroqueries, pistolet chargé, chambre forcée, culotte oubliée. Mais il n'utilise pas seulement les conditions matérielles comme obstacles du sentiment, il les fait entrer dans l'appréhension que des Grieux se fait de l'amour, dans sa tentative pour lui donner une signification, et pour recomposer une image de lui-même et de Manon qui justifie sa conduite et tienne lieu de ce qu'il a perdu : elles font partie de lui, et de ce qu'il cherche à en comprendre et à en dire. Ce processus d'intégration touche la trame quotidienne de l'existence, dotant d'une curieuse résonance affective les éléments les plus prosaïques (une bougie, une mèche de cheveux, une pièce d'or, une chambre d'auberge). Cela vaut également pour l'évocation circonstanciée de la fin du règne de Louis XIV et du début de la Régence, la difficulté de des Grieux à construire un sens devenant celle de toute une société. Une contradiction de même ordre touche la manière dont des Grieux exalte l'amour et justifie idéologiquement son aventure. Il conteste les interdits que la religion, sa famille ou la société lui ont opposés, et il les rend en partie responsables de son malheur, mais pour saisir son destin et légitimer sa passion, il est contraint d'emprunter à ces instances qui le condamnent leurs discours et leurs valeurs : à cause de son éducation, son milieu, ses inclinations, par la logique même de son entreprise, il n'a pas d'autre choix. Ce qu'il voit dressé contre l'amour est aussi ce dont il a besoin pour le dire, pour donner aux êtres et aux sentiments une qualité et un nom : sens aristocratique de l'honneur qu'il revendique, et que son père invoque contre lui, sens religieux de la faute qui l'amène à distinguer l'intention de l'acte, ce que lui reproche son ami Tiberge, goût pour l'étude et la littérature. Prévost a constamment joué de ce qu'il y a de contradictoire dans le sentiment, les rapports amoureux, les valeurs morales, les comportements sociaux, mais dans *Manon Lescaut* il en a confié l'expression à celui qui en est l'acteur principal, tirant ainsi de cette tension irrésolue le principe d'une présence passionnée et inquiète : la parole de des Grieux résonne encore de la vibration du désir face à ce qui se dérobe. J.-P. S.

★ Outre le drame de Théodore Barrière (1823-1877) écrit en collaboration avec Marc Fournier, représenté à Paris en 1850, ce roman inspira de nombreuses œuvres musicales. On retiendra le *Manon Lescaut,* ballet en trois actes (1830) de Jacques Fromental Halévy (1799-1852) ; l'opéra (1836) de Michael William Balfe (1808-1870) ; l'opéra-comique de Daniel-Esprit Auber (1782-1871), Paris, 1856, remarquable par son ouverture et certains airs du premier acte ; enfin, l'opéra moins connu de Richard Kleimmichel (1846-1901), Magdebourg, 1887.

★ Le plus populaire est *Manon,* du compositeur français Jules Massenet (1842-1912), sur un livret de Meilhac et Gille, créé à Paris en 1884. Il s'écarte du texte original dans certains épisodes et quelques personnages secondaires, comme celui de Lescaut, qui n'est plus le frère, mais le cousin de Manon, et dans la scène finale qui, au lieu de se dérouler en Amérique, est située sur la route du Havre. L'œuvre témoigne d'une grande maîtrise orchestrale. Au premier acte, qui est aussi le mieux venu, on relève les airs de Manon « Je suis encore tout étourdie » et « Tantôt je vis deux belles », ainsi que le célèbre duo de la lettre. C'est au deuxième acte que se trouve l'air le plus populaire de l'œuvre (le « rêve de des Grieux »). Dans le troisième, la romance tant vantée mais un peu inconsistante de des Grieux (« Ah !... vision »), la fameuse scène de la séduction et celle de l'Hôtel de Transylvanie. Le quatrième acte ne renferme rien de remarquable, hormis le final. Cet opéra obtint la faveur du public ; un succès énorme qui ne s'est jamais démenti et qui a fait de Massenet le musicien le plus goûté de son temps. Aujourd'hui encore, *Manon* est considéré comme son chef-d'œuvre, et une des productions musicales les plus représentatives de la IIIe République.

★ La *Manon Lescaut,* opéra en quatre actes du compositeur italien Giacomo Puccini (1858-1924) sur un livret de Luigi Illica, représenté en 1893, suit plus fidèlement le texte de l'abbé Prévost. Il révéla nettement la personnalité de Puccini et certains le considèrent encore comme son chef-d'œuvre. Quoi qu'il en soit, c'est la création la plus cohérente de cet auteur. Fort habilement, Puccini sut, en effet, tirer parti de l'apport de Massenet et des nouvelles conceptions musicales de Bizet et de Wagner. La plupart des airs célèbres de cet opéra figurent au premier acte : l'air de Des Grieux (« Parmi vous, belles brunes et blondes »), le duo Manon des Grieux et la populaire romance (« Femme, je ne vis jamais ») si riche en inventions mélodiques. À retenir encore l'air de Manon du deuxième acte ; le prélude et le chant désolé de des Grieux (« Non !... Je suis fou ») d'un tour dramatique un peu forcé mais d'un effet certain, dans le troisième acte ; et le final du quatrième.

★ Le compositeur allemand Hans Werner Henze (né en 1926), a écrit un drame lyrique en sept tableaux sur un texte de Grete Weil et un scénario de Walter Jockisch d'après *Manon Lescaut*, qui s'intitule *Boulevard Solitude*, créé à Hanovre le 17 février 1952. L'histoire de Manon Lescaut a été transposée au XXe siècle dans le Paris de l'après-guerre. Des Grieux est ici un étudiant pauvre, et Manon, après avoir séduit un banquier puis le fils de celui-ci, est amenée à tuer pour de l'argent. L'œuvre réunit drame lyrique et ballet, réalisme et surréalisme, conventions de l'opéra et références au cinéma. Les sept

scènes embrassent tonalité, atonalité, polytonalité, emprunts au jazz et adoptent la découpe traditionnelle en récitatifs, arias, duos et ensembles, à l'instar de la *Lulu* (*) de Berg.
Mi. Ri.

HISTOIRE DU CHRIST [*La storia di Cristo*]. Essai de l'écrivain italien Giovanni Papini (1881-1956), publié en 1921. Il est apparu à l'auteur – et il l'avoue lui-même dans sa préface – que, parmi les milliers de volumes qui parlent du Christ, « pas un ne satisfait celui qui cherche [...] une nourriture bonne pour l'âme et appropriée aux besoins du siècle ». En effet, Papini a voulu relater l'histoire du Christ de telle façon que ce « livre de vie et d'amour fasse revivre aux yeux des vivants un Christ vivant ». Ce livre, écrit par un laïc pour des laïcs – qu'ils soient chrétiens ou non – est fondé sur les *Évangiles* (*), mais ne prétend aucunement au titre d'histoire scientifique. L'auteur avoue qu'il l'écrivit pour expier l'athéisme de sa jeunesse, car, lorsqu'il revint au Christ après avoir étudié pendant six ans Son message, il L'a vu trahi et oublié par ceux qui se disent chrétiens, et « un grand désir l'a poussé à Le rappeler et à Le défendre ». L'esprit encyclopédique de Papini émaille chaque chapitre de considérations historiques ou scientifiques destinées à mieux faire comprendre tant la partie historique que la partie purement légendaire des récits évangéliques. C'est ainsi, par exemple, que, relatant la naissance de Jésus entre un âne et un bœuf, Papini rappelle que les peuples antiques avaient de tous temps adoré l'âne et le bœuf, et donne de nombreuses précisions historiques à ce sujet. De même, relatant le jugement de Pilate, il donne certains renseignements intéressants sur Claudia Procula, la femme de Pilate, qui intercéda auprès de ce dernier en faveur de Jésus. Ce livre, plein d'une foi brûlante de prosélyte, prend des accents dignes de Léon Bloy pour fustiger les pharisiens, les marchands du Temple et tous ceux qui vivent de la foi. – Trad. Payot, 1923.

HISTOIRE DU CLIMAT DEPUIS L'AN MIL. Étude de géo-histoire de l'historien français Emmanuel Le Roy Ladurie (né en 1929), publiée en 1967. Cet ouvrage, pionnier, est formé d'une série de contributions juxtaposées. L'auteur expose d'abord les résultats auxquels sont arrivées les recherches en chronodendrologie (analyse des anneaux concentriques dans la section transversale d'un tronc d'arbre) et en phénologie (datation de la maturité des fruits, plus particulièrement des vendanges). Il passe ensuite à l'étude du « réchauffement récent », cette tendance mondiale perçue, depuis 1860 environ, à travers une récession glaciaire de grande ampleur, mesurable, datable et aisément repérable. Repérable par les historiens, bien sûr, qui en l'étudiant conquièrent un nouveau territoire à leur discipline. Pourtant, Le Roy Ladurie ne pense pas que les effets humains et économiques d'un mouvement séculaire de cet ordre soient perceptibles. Le tiers de l'ouvrage est consacré, ensuite, au « petit âge glaciaire » ; remontant le temps, il étudie la période 1600-1850 durant laquelle les glaciers alpins, scandinaves et islandais ont connu une phase d'expansion modérée mais persistante. Étude d'une extrême minutie où l'auteur examine tout le corpus iconographique des images glaciaires de 1640 à 1850 et tout le corpus cadastral et cartographique depuis 1730.

En bon élève de Braudel, Le Roy Ladurie, contre les glaciologues qui l'ont précédé, minimise les cycles courts de onze ans, de trente-cinq ans... Il leur substitue une conception basée sur la longue durée multiséculaire : une longue crue glaciaire moderne (1590-1850) succède à une crue « médiévale » et précède une décrue « contemporaine ». L'ouvrage s'achève par quelques courts chapitres sur la tourbière de Fernau (Tyrol), merveilleux enregistreur stratigraphique des pulsions morainiques, sur la conférence d'Aspen de juin 1962 organisée par le Comité américain de paléoclimatologie, et par des réflexions et des propositions. Réflexions prudentes et, par leur honnêteté scrupuleuse, « décevantes » ; l'auteur avoue que « la faible ampleur thermique des variations séculaires » d'une part, « l'ambivalence et l'autonomie des phénomènes humains qui coexistent avec elles, interdisent de poser un lien causal quelconque entre les premières et les seconds ». L'historien du climat ne serait-il donc qu'un historien de la nature ? Optimiste, Emmanuel Le Roy Ladurie précise : « pour le moment ». L'incidence humaine de l'histoire climatique est du domaine d'une autre enquête, à entreprendre. Il en indique quelques pistes : faire du neuf avec des textes inédits descriptifs et faire du systématique en établissant des séries, par région, par année, par saison, par phénomène climatique... Ainsi disparaîtra la frontière entre l'histoire de la nature et celle des hommes.
C.-O. C.

HISTOIRE DU CŒUR [*Historia del corazón*]. Œuvre du poète espagnol Vicente Aleixandre (1898-1984), publiée en 1954 et comprenant des poèmes écrits entre 1945 et 1953. La vision du monde des livres antérieurs, en particulier d'*Ombre du paradis* (*), se modifie maintenant essentiellement. Aleixandre abandonne son pessimisme – qui voyait dans l'homme une note en désaccord avec l'harmonie du cosmos – pour chanter la communion de l'humain dans une unité qui dépasse les limites temporelles de la vie. Cette évolution est comparable, en un certain sens, à celle subie par le poète chilien Pablo Neruda. *Histoire du cœur* serait *Le Chant général* (*) d'Aleixandre (bien que chez le poète espagnol la communion des hommes soit dépourvue de toute signification politique). L'homme sera donc maintenant le centre de la vision du monde d'Aleixandre. L'homme, non en tant que partie du cosmos – comme avant – mais en tant que sujet temporel. Aleixandre rejoint ici des philosophies contemporaines, existentialistes, historicistes, qui contemplent l'homme plongé dans le temps. « L'homme n'est pas nature mais histoire », dira en Espagne Ortega y Gasset. De là les poèmes de ce livre qui chantent diverses époques humaines : enfance, jeunesse, maturité, vieillesse. Le thème de l'amour, qui garde toujours la première place dans la poésie d'Aleixandre, est abordé conformément au reste du livre, dans une perspective nouvelle. L'amour est le symbole de la communion de l'humain. Ce n'est plus l'amour passion, l'amour physique d'avant, mais l'amour en tant que coexistence, en tant que solidarité. D'autres poèmes, déjà étrangers à l'image traditionnelle du couple humain, traduisent la même invention. Comme celui intitulé « Sur la place » : il est beau, tellement humble et réconfortant, vivifiant et profond, de se sentir sous le soleil parmi les autres, poussé, entraîné, conduit, mélangé, emporté dans la rumeur. La fusion avec l'élément naturel (*Ombre du Paradis*) se transforme maintenant en une fusion avec les hommes. Aleixandre rejoint la poésie la plus jeune, solidarité poétique qui est l'expression de la solidarité humaine. Il faut, enfin, relier à cela la forme du poème. Celui-ci s'est beaucoup clarifié, le langage s'y rapproche de la prose. Comme le poète s'adresse à tous les hommes, « Le poète chante pour tous », dit le titre d'un poème, il doit employer un langage clair, accessible, qui puisse être compris de tous. C'est également un trait de la nouvelle poésie dont Aleixandre, avec une vitalité juvénile, se fait le chantre éminent. César Vallejo, le poète péruvien, avait annoncé cette tendance dans ce vers : « Faiseurs d'images, rendez les paroles aux hommes. » – Trad. Rencontre, Lausanne, 1969.

HISTOIRE DU CONQUÉRANT DU MONDE [*Tarikh-é jahân-goshây*]. Ouvrage de l'historien persan Atâ Malek Joveïni (1226-1283), commencé à Qara-Qoroum en Mongolie, en 1252-53, lors d'un voyage que l'émir Arghoun fait en compagnie de l'auteur et de son père, et terminé en 1260, après la prise d'Alamout par Houlagou.

L'ouvrage comporte trois volumes : le premier commence par une longue préface, suivie de sections décrivant les coutumes des anciens Mongols, les premières conquêtes de Genghis-Khân sur les Ouïghours, dont l'histoire, les traditions et les croyances sont largement mentionnées dans la section suivante. Ensuite, l'auteur décrit en détail les conquêtes de Genghis-Khân en Transoxiane et en Iran, ainsi que les massacres et les pillages qui s'ensuivent. Il relate la chute des rois du Khwarezm et d'autres événements ayant lieu avant la mort de Genghis-Khân, en 1227. Puis il aborde les règnes de son fils Ögötây (1229-1242), la régence de la mère de Kouyouk, Tourakina Khatoun (1242-1245), et le règne de Kouyouk (1245-1246). Le premier volume se termine par deux petites sections : l'histoire des deux fils de Genghis, Touchi (ou Chouchi) et Chagatây. Le deuxième volume commence par une préface retraçant l'histoire des rois du Khwarezm. L'auteur fait ensuite un compte rendu fort intéressant sur les Qara-Khitây, rois des Turcs païens, qui gouvernent de 1118 à 1210 la Transoxiane et le Turkestan oriental. Il mentionne aussi quelques roitelets turcs musulmans qui règnent pendant deux cents ans sur les mêmes contrées, entre les dynasties samanide et mongole, et deviennent par la suite les vassaux des Qara-Khitây. Il se termine par un rapport sur les gouverneurs et les magistrats mongols, qui administrent l'Iran d'Ögötây à Houlagou (1229-1255), tels que Jintimour, Now-Sâl, Gorgouz et l'émir Arghoun. Le troisième volume commence par le couronnement de Mangou Qâ'ân, et les festivités qui s'ensuivent (1451-52), ainsi que quelques événements du début de son règne. Ensuite vient une longue description de la marche d'Houlagou sur l'Iran (1255) et son extermination de la secte ismaélienne des Assassins d'Alamout. L'auteur décrit avec beaucoup de précision la doctrine des hérétiques, depuis leur apparition jusqu'à la mort du dernier Grand Maître, Rokn al-Dîn Khorchâh, tué par Houlagou en 1257. Certains manuscrits contiennent en annexe le texte de Nasr al-Dîn Tousi, décrivant le sac de Baghdâd et la mort du dernier calife abbasside, al-Moustassim billâh.

L'on peut regretter qu'Atâ Malek Joveïni, qui vécut jusqu'en 1283, termine son *Histoire* après la prise d'Alamout. Mais il est fort probable que ses fonctions de gouverneur de Baghdâd ne lui permirent plus d'écrire, si ce n'est les deux tracts contre ses calomniateurs, plus tard incorporés à son *Histoire*. – Trad. anglaise, Manchester, 1958. M.-H. P.

HISTOIRE DU CONSULAT ET DE L'EMPIRE de Madelin. Œuvre de l'historien français Louis Madelin (1871-1956), dont la publication a commencé en 1937. Cet immense travail, qui comporte seize volumes (le dernier, consacré aux *Cent-Jours-Waterloo*, fut publié en 1954, peu avant la mort de l'auteur), est l'aboutissement des recherches poursuivies par l'historien pendant quarante années. Dans les deux premiers tomes : « La Jeunesse de Bonaparte » et « L'Ascension de Bonaparte », Louis Madelin montre en Napoléon l'homme du destin et l'acceptation progressive de ce destin par le jeune Bonaparte. Celui-ci, dès 1789, confesse qu'il a le goût des affaires publiques. Cependant l'élève officier du collège de Brienne ne rêvait point d'être un jour le maître de la France et de l'Europe, mais plutôt de devenir le plus grand des Corses, un second Paoli. Dès 1793, la Révolution s'engageait dans la voie du césarisme : seul Robespierre l'avait compris et c'est pourquoi, à l'inverse de tous les politiques d'alors, il craignit l'entrée en guerre de la République. La répression de l'émeute du 13 Vendémiaire marque déjà le jeune général du signe de César. Mais c'est après la campagne d'Italie de 1796, dont Louis Madelin fait un récit débordant de vie, que l'admiration générale commence à l'entourer. Il est sûr que la France souhaite alors la paix ; mais elle souhaite aussi, même au prix de sa liberté, conserver l'égalité et les changements sociaux survenus depuis 1789. Bonaparte répond parfaitement aux vœux du pays. Il est, d'une manière paradoxale, à la fois l'homme de l'ordre et l'homme de la Révolution. Le troisième et le quatrième tome : « De Brumaire à Marengo » et « Le Consulat », permettent à Louis Madelin de montrer du César une figure assez différente de celle qu'en proposent les manuels. Le Premier Consul, pour l'auteur, ne rêve pas alors de dominer l'Europe : son ambition est plus bourgeoise. Il souhaite d'être le restaurateur de l'industrie et de l'agriculture, ébauche de grands plans de restauration rurale et cherche à donner au pays une suprématie moins militaire qu'économique. Au point de vue intérieur, cette époque est marquée par la lutte de Bonaparte, en accord avec les vœux de la majorité du pays, contre les Assemblées : l'épisode caractéristique est l'opposition du Tribunat au Concordat. L'Assemblée aurait pu admettre la liberté du catholicisme, mais ne peut accepter que ce dernier devienne une sorte de religion d'État. À partir de 1802 et de la paix d'Amiens, le régime parlementaire est pratiquement étouffé et le Premier Consul jouit d'une popularité inégalée. Sans excuser l'assassinat du duc d'Enghien, Madelin insiste sur l'irritation de Bonaparte devant la conjuration royaliste, coïncidant avec la crise extérieure, et montre que l'exécution du jeune noble eut pour résultat de rallier fermement les révolutionnaires au César, qui put ainsi leur faire accepter plus facilement l'instauration de l'Empire. Dans le récit, très détaillé, des campagnes de l'Empire et de la politique étrangère du nouveau régime, c'est la personnalité de Napoléon, et surtout l'importance de ses décisions, que l'auteur met en évidence.

Cependant, à mesure qu'aux victoires s'ajoutent les victoires, Napoléon perd peu à peu le sens de la mesure : cette griserie, mais surtout l'illusion persistante entretenue par l'Empereur sur l'alliance russe et plus tard l'alliance autrichienne, expliquent les échecs de sa politique extérieure. Sur le plan de la politique intérieure, Napoléon envisage de profonds changements dans la structure du régime. Celui-ci, en dépit de la forme monarchique, s'était jusqu'alors distingué radicalement de la monarchie traditionnelle, grand corps aux multiples organes séculaires ; l'empire napoléonien, au contraire, est le fait d'un seul homme. Le génie de Napoléon apparaît, dans cet immense appareil, tragiquement solitaire : aucun de ses serviteurs n'est à sa mesure. L'Empire est fédératif, pour répondre à la grande idée du règne qui fut de grouper tout l'Occident autour de la France : si Napoléon place ses parents sur les trônes, c'est sans doute moins pour satisfaire à des complaisances familiales que pour resserrer l'unité occidentale. Selon Madelin, l'idéal napoléonien est plus économique que militaire. L'Empereur est contraint à la guerre ; il regrette de la faire et de ne pouvoir se consacrer comme il le voudrait aux banques, aux manufactures. Il les développe cependant, et ses réalisations en ce domaine survivront à l'écroulement de l'édifice. Vers 1809, une évolution se fait dans les institutions impériales : Napoléon paraît vouloir revenir aux formes traditionnelles de l'ancienne monarchie. Ses juristes soutiennent alors la thèse de la IVe dynastie : la dynastie des Napoléon serait l'égale des précédentes. L'Empire pouvait-il durer en reniant ainsi ses origines, garant de son caractère propre ? Louis Madelin montre qu'au contraire, à mesure qu'il s'éloignait de la Révolution, l'édifice de Napoléon perdait ses forces et son âme. Mais l'auteur n'étudie pas seulement la Cour qui retrouve — ou essaie alors de retrouver — les coutumes de l'Ancienne France, il brosse de toute la société du début du XIXe siècle un tableau aussi vivant et alerte que celui d'une campagne militaire, riche de détails sur la bourgeoisie et la classe paysanne en particulier : une France encore fermement attachée à l'Empereur, mais lassée par le blocus et par la tension épuisante imposée par la guerre. Lassitude, certes passagère, de l'Empereur lui-même qui, pour rester quelques jours auprès de la nouvelle impératrice — comme il le confessera à Sainte-Hélène —, tarde à prendre les décisions qu'imposaient les difficultés d'Espagne. Malgré tout, la France tient, et même la retraite désastreuse de Russie ne suscite qu'un trouble passager, apaisé en quelques semaines. Mais c'est en Europe que l'Empire est sapé et, au moment de la campagne de France, la lassitude des chefs a des conséquences désastreuses. Napoléon reste pourtant égal à lui-même, et on a souvent dit que jamais il ne montra un aussi grand génie qu'alors. Mais dans l'exécution de ses plans par les généraux se révèlent des faiblesses qui mettent souvent ces derniers non seulement au-dessous de l'Empereur, mais au-dessous de leur ancienne valeur. Madelin marque le contraste entre le chef, en pleine possession de son génie, et la fatigue des maréchaux, dont certains sont déjà prêts à trahir...

Cette *Histoire du Consulat et de l'Empire* est l'ouvrage le plus considérable, le plus sûr, le plus détaché de tout système qui ait été décrit sur l'époque impériale. Alors que Bainville s'attachait surtout à montrer l'Empereur victime de fatalités idéologiques, Louis Madelin se soucie d'abord de connaître l'homme. Il le fait avec amour, n'en laisse échapper aucun trait et modèle son style à l'atmosphère qui entoure ce fulgurant destin. Jamais cependant n'est sacrifiée la rigueur historique. Mais cette œuvre n'est pas seulement celle d'un érudit, elle témoigne aussi du talent de l'écrivain.

HISTOIRE DU CONSULAT ET DE L'EMPIRE de Thiers. L'homme d'État français Adolphe Thiers (1797-1877), après avoir abandonné pour la seconde fois (1840) le ministère sous Louis-Philippe, fut porté par ses méditations vers une conception du libéralisme qui n'est pas exempte de sympathies bonapartistes. L'*Histoire du Consulat et de l'Empire* fut écrite et publiée de 1845 à 1862, en vingt volumes ; rien ne vint troubler le déroulement de l'achèvement de ce travail, alors que Thiers connut durant ces années les plus graves responsabilités. Durant son court exil, et dans la disgrâce où le tint Napoléon III, il écrivit les chapitres relatifs aux conquêtes heureuses de Napoléon Ier, après Tilsit. Son récit est pénétré d'une constante admiration pour son héros. L'œuvre fut conçue comme la suite de l'*Histoire de la Révolution française* (*) ; elle en reprend les caractères essentiels, mais avec une composition plus rigoureuse, s'alliant à une sorte de rythme lyrique de la narration, qui apparaît tout naturellement lorsque Thiers brosse, en une vaste fresque, une description des événements les plus éclatants et les plus solennels du règne ; il ne peut résister à la tentation de se mettre à la place de son héros et il tombe souvent dans le piège qui lui est tendu par son enthousiasme et par son intelligence quelquefois superficielle ; il escamote les problèmes et passe sous silence les différends. Cette facilité, on la trouve également dans le style, négligé et sans accent, et dans la nature sommaire des jugements sur lesquels repose la prétendue « théorie du succès ». Pourtant, si nous restons dans les bornes de l'historiographie de Napoléon, nous devons reconnaître qu'il n'en a pas seulement senti la grandeur, mais qu'il en a décrit la vaste intelligence, organisatrice des armées et des pays.

HISTOIRE DU DÉCLIN ET DE LA CHUTE DE L'EMPIRE ROMAIN [*History of the Decline and Fall of the Roman Empire*]. Cet ouvrage, ambitieux et grandiose, de l'historien anglais Edward Gibbon (1737-1794) parut à Londres en six volumes publiés entre 1776 et 1788. Venu en Italie pour étudier l'Antiquité, Gibbon conçut le plan de son œuvre à Rome le 16 octobre 1764 – il s'est longuement expliqué à ce sujet dans son *Autobiographie* (*). L'ouvrage étudie la période qui s'étend de l'an 180 à la chute de l'Empire byzantin. La première partie, composée avec un soin extrême et qui s'arrête en l'an 641, est la plus importante. La seconde, au contraire, plus sommairement traitée, présente une moindre valeur. L'exposé du régime constitutionnel de l'Empire depuis la période des Antonins jusqu'à la mort de Constantin Paléologue, c'est-à-dire jusqu'à la prise de Constantinople, reste fondamental encore aujourd'hui. Dans ce vaste cadre, qui embrasse près de treize siècles, sont étudiées non seulement les vicissitudes politiques de Rome puis de Byzance, mais encore l'histoire particulière des peuples qui furent en relation avec l'Empire ; en outre, les mouvements spirituels et sociaux, qui agitèrent le monde connu depuis le règne de Trajan jusqu'à celui du dernier Paléologue, font l'objet d'une partie de l'exposé. Les débuts et les progrès du christianisme, avec la décadence du paganisme qui en résulte, la vie monastique, les institutions juridiques romaines, enfin les schismes religieux sont particulièrement analysés.

L'ouvrage de Gibbon peut être considéré à la fois en soi et en relation avec le développement des sciences historiques en Grande-Bretagne qu'avaient provoqué les écrits de Hume et de Robertson. À la différence de ses prédécesseurs, Gibbon unit à la recherche scrupuleuse des sources un sens critique aigu et un vif talent d'évocation, grâce auquel les hommes et les événements reprennent vie sous sa plume. Parmi les plus belles pages de l'œuvre, il convient de citer celles qui sont consacrées aux portraits de Marc Aurèle, de Justinien, de Constantin et d'Attila. Les passages relatifs à la législation romaine, à la naissance de l'islamisme, aux invasions barbares, au règne de Julien ainsi qu'aux Croisades, sont également dignes de mention. Certes, Gibbon, qui n'est pas dépourvu de préjugés, manque parfois de largeur de vues. Son classicisme païen lui interdit toute impartialité dans l'appréciation du christianisme et des causes – qu'il limite à cinq – de sa rapide expansion. Gibbon est un esprit éminemment réaliste, parfois quelque peu cynique, en bref un esprit voltairien. C'est peut-être en raison de ce fait qu'il traite si brièvement les huit siècles d'histoire chrétienne. Les chapitres 15 et 16, consacrés à la naissance et à la diffusion du christianisme, soulevèrent des polémiques acharnées – v. *Autobiographie* (*) – à la suite desquelles l'auteur fit paraître sous le titre de *Justification* [*Vindication*] un plaidoyer par lequel il prétendait démontrer sa bonne foi d'historien. – Trad. Delagrave, 1880 ; Robert Laffont, 1983.

HISTOIRE DU GÉNÉRAL SAGOROMO [*Sagoromo Monogatari*]. Roman japonais en quatre volumes écrit vers le milieu du XIe siècle et attribué à Daini no Sanmi, fille de Murasaki no Shikibu, auteur du *Genji Monogatari* (*). L'action se déroule entièrement à la cour impériale où le général

Sagoromo, âgé de dix-huit ans et neveu bien-aimé de l'empereur, brille par son intelligence et sa beauté. Il est épris, sans oser le lui dire, de sa jolie cousine, la princesse Genji no miya. Il lui arrive cependant d'aimer passagèrement la princesse Asukai dont il a sauvé la vie : et c'est la naissance d'une petite fille ; il aura ensuite un autre enfant de la sœur cadette de l'empereur qu'il n'a toujours pas voulu épouser, par amour pour sa cousine. Fidèle à l'amour qu'il porte à cette dernière, Sagoromo ne se décide à convoler ni avec l'une ni avec l'autre de ses rivales, et sa vie s'écoule dans la tristesse. La princesse Asukai, de son côté, se voit contrainte d'épouser un haut fonctionnaire de la Cour, mais, pendant un voyage en direction de Tsukushi (aujourd'hui Kyûshû), la jeune femme, ne pouvant oublier Sagoromo, se jette de désespoir dans la mer. On la sauve, elle entre au couvent, et meurt. Quant à Sagoromo, il est plus triste que jamais, car la princesse Genji le traite avec froideur. Elle devient la grande prêtresse du temple shintoïste de Kamo, et le général s'efforce en vain de lui faire partager sa passion. Il n'a pas plus de chance, d'ailleurs, avec la cadette de l'empereur qui, elle aussi, s'est faite religieuse. La pensée lui vient alors de devenir moine, mais son père lui apparaît en songe pour le lui défendre, et finalement il épousera la sœur du premier ministre. Bientôt va se produire un événement d'importance : conformément à un oracle rendu par Amaterasu, la déesse fondatrice du Japon, l'empereur abdique en faveur de son neveu Sagoromo. Ainsi se termine le roman. *Sagoromo Monogatari*, tout inspiré qu'il soit du *Genji Monogatari*, témoigne d'un génie vraiment créateur. C'est une œuvre très vivante avec, dans les descriptions, une certaine crudité commune à tous les écrivains de la fin de l'ère Heian (794-1186).

HISTOIRE DU GRAAL. Le *Cycle breton* (*) comporte une série de romans qui se rattachent à Perceval. Le Saint-Graal serait le vase dans lequel Joseph d'Arimathie recueillit le sang du Christ. Robert de Boron, poète dont nous ne savons rien, composa dans les dernières années du XIIe siècle un poème : le *Roman de l'estoire dou Graal*, sur les voyages de Joseph d'Arimathie, qui, dans l'Évangile apocryphe de Nicodème, joue un rôle important et est mentionné au Moyen Âge dans la légende de la *Vindicta Salvatoris*. Robert de Boron s'inspire de cette légende en retraçant toute l'histoire de Joseph et du Graal ; selon ce poète, il faudrait confondre la coupe dans laquelle Jésus avait mangé et institué l'Eucharistie le jour de la sainte Cène, avec celle qui aurait servi à recueillir le sang jaillissant des plaies de Jésus crucifié. Quand, plus tard, Joseph fut jeté en prison, il aurait reçu des mains de Dieu lui-même le Graal qu'il aurait gardé durant les nombreuses années de sa captivité. Libéré par Vespasien et Titus au moment de la destruction de Jérusalem, après avoir converti ces deux empereurs au christianisme, Joseph abandonne sa patrie avec quelques-uns de ses compagnons et fonde avec eux une communauté qui se réunit tous les jours autour d'une table en l'honneur du Graal. Les moines laissent une chaise libre destinée à être occupée par le défenseur futur du Graal. Le poème se termine par un récit nous montrant le beau-frère de Joseph, Bron, en route pour l'Occident avec la sainte relique, après que Joseph lui eut confié la garde du vase sacré. Robert de Boron continua son œuvre par un *Merlin* (*) en vers dont il ne nous est parvenu qu'un seul fragment, mais dont nous possédons une rédaction complète en prose. Là, l'histoire de Merlin se mêle à celle du Graal, car l'enchanteur prédit qu'un chevalier du roi Arthur fera la conquête du vase sacré ; et ainsi la légende du Graal s'unit au thème breton. Un troisième poème de Robert, *Perceval* (*), qui ne nous est parvenu que dans une version en prose, racontait la conquête du vase sacré par Perceval. À la même époque (XIIe et XIIIe siècle), naissaient les romans en vers de Chrétien de Troyes et la rédaction en prose de certains poèmes qui étaient aussitôt réunis sous forme de compilations cycliques. La plus ancienne est celle connue sous le nom de *Petit Saint-Graal,* et qui comprend *Joseph d'Arimathie*, résumé en prose du poème de Robert de Boron ; *Merlin*, version en prose — déjà citée — du poème du même nom, œuvre de Robert de Boron ; *Perceval*, nouvelle rédaction du poème de Chrétien de Troyes ; la *Mort d'Arthur* (*), histoire des conquêtes continentales d'Arthur jusqu'à la dernière bataille, suivant le récit de l'*Histoire des rois de Bretagne* (*) et du *Roman de Brut* (*) de Wace.

Il existe un autre recueil, celui du *Grand Saint-Graal* (ou *Lancelot-Graal*), qui ne peut être, comme on le prétend, de Gautier Map, célèbre écrivain anglo-latin mort vers 1210. Il s'agit, en quelque sorte, d'une compilation postérieure au *Petit Saint-Graal*, et qui appartient au premier quart du XIIIe siècle. Elle se compose de cinq parties : *Estoire dou Graal*, qui est le *Joseph d'Arimathie* amplifié : *Merlin*, qui est simplement le *Merlin* de Robert de Boron avec une longue suite sur l'histoire des amours de Merlin et de Viviane ; *Lancelot* (*), qui est la partie la plus développée et dont le nom a souvent servi à désigner tout le cycle. Il contient l'histoire de Lancelot, et raconte les amours de Lancelot avec Guenièvre, son amitié avec Galehaut et le sortilège par lequel, se croyant dans les bras de Guenièvre, il est en réalité dans les bras de la fille d'un roi ; de cette union naîtra Galaad, le futur conquérant du Graal. La quatrième partie est la *Quête du Graal*, partie originale, qui se sert de *Perceval* et de ses premières suites, mais préfère à Perceval un héros encore plus chaste et plus pur, Galaad. Ayant perdu la trace du Graal, les chevaliers de la Table ronde, Galaad,

Gauvain, Lancelot, Perceval, etc., se mettent à la recherche de la relique sacrée, mais c'est seulement à Galaad, personnage mystique, pur parmi les purs, que sera réservé l'honneur de le retrouver. Le récit est semé d'épisodes et de personnages symboliques, et toute la *Quête* est une allégorie de la recherche de Dieu. Enfin la cinquième et dernière partie est constituée par la *Mort d'Arthur*, qui reprend en la développant la *Mort d'Arthur* du *Petit Saint-Graal*, en racontant non sans un sens artistique très vif la fin tragique d'un monde héroïque et chevaleresque, une sorte de crépuscule des dieux. La procession du Graal est éclairée par la symbolique chrétienne et pourrait représenter une allégorie de la Messe selon le rite byzantin.

Dans le roman inachevé de Chrétien de Troyes, *Le Conte du Graal*, la merveilleuse aventure du héros n'a pas le sens religieux qu'elle prendra tout de suite avec son continuateur anonyme, puis plus clairement encore avec Robert de Boron, ces deux auteurs identifiant le vase apparu à Perceval avec celui de Joseph d'Arimathie. La légende devient ainsi un mystère religieux, et le poème s'élève jusqu'à symboliser la chrétienté et la rédemption ; mais comme la conquête du Graal n'est pas due à la courtoisie et à l'audace mais à un degré absolu de perfection spirituelle, celui qui ne la possède pas doit céder la place, dans la recherche de la précieuse relique, à la figure mystique de Galaad. Le sens religieux est respecté même dans le *Parzival* de Wolfram d'Eschenbach — v. *Perceval* (*). Wagner atteindra aux mêmes sommets avec son *Parsifal* — v. également *Perceval* (*) —, où l'on voit l'ancienne légende, qui a refleuri durant le romantisme — v. *Les Idylles du roi* (*) de Tennyson —, présentée à nouveau avec toute l'actualité d'un poème national.

Dans le cycle de la Table ronde — v. *Cycle breton* (*) —, le roman de Perceval et du Saint-Graal prend la valeur d'une conclusion ; avec la conquête du Graal se terminent les « temps aventureux », les fables païennes et celtiques, et commence la nouvelle ère chrétienne du monde franco-germanique. Dans la cathédrale San Lorenzo à Gênes se trouve depuis le XIIe siècle un vase sacré, présenté aux fidèles comme une relique : il fut conquis à Césarée en 1101 et la tradition en fait le Saint-Graal.

L'histoire du Graal a été mise en théâtre par J. Gracq dans *Le Roi pêcheur* (1948) et par Fl. Delay et J. Roubaud dans *Graal-Théâtre* (1977).

Pour lire les principaux textes du cycle du Graal, on utilisera les éditions de B. Cerquiglini, *Robert de Boron, Le Roman du Graal* (Paris, 10/18, 1981), d'H. O. Sommer, *The Vulgate Version of the Arthurian Romances* (Washington, 6 vol., 1909-1913), d'A. Micha, *Lancelot* (Genève, Droz, 9 vol., 1978-1983), d'A. Pauphilet, *La Quête du Saint Graal* (Paris, Champion, 1923), de Jean Frappier, *La Mort du Roi Arthur* (Genève, Droz, 1936). *Le Conte du Graal* de Chrétien de Troyes a été édité par F. Lecoy (Paris, Champion, 2 vol., 1973-1975) et traduit par J. Ribard (Paris, Champion, 1979).

HISTOIRE DU GRAND JAPON [*Dai-Nihon-Shi*]. Monumentale œuvre de l'historien japonais Tokugawa Mitsukuni (1628-1700), seigneur de Mito, amateur passionné d'études historiques, chef et fondateur d'une école restée célèbre par ses recherches sur l'Antiquité et sur l'histoire du Japon. En 1657, il entreprit la rédaction de ce travail qui comprend trois cent quatre-vingt-dix-sept volumes et fut publié en 1715, après sa mort. L'ouvrage couvre toute la période qui va de Jinmu Tenno (c'est-à-dire, suivant la chronologie officielle, du VIIe siècle avant J.-C.) à Go Komatsu Tenno (1413), en monographies séparées avec des titres à part. La partie fondamentale, c'est-à-dire la narration des faits historiques, occupe les soixante-treize premiers volumes. Les autres constituent un complément ; parmi eux, cent soixante-dix sont des biographies, cent vingt-six des descriptions, et vingt-huit des tables et des index. Les biographies sont subdivisées par sujets : empereurs, impératrices, ministres, shoguns, hommes de lettres, exemples illustres d'héroïsme, etc. Parmi les descriptions : bureaucratie, provinces et districts, nourritures et monnaie, bouddhisme, cérémonies et musique, justice, etc. Le but de l'œuvre est d'établir la légitimité du pouvoir de la famille impériale et d'illustrer l'obligation morale de loyalisme dû par les sujets. Ces idées, soutenues par un style sobre et efficace, firent une forte impression sur les âmes en les préparant aux profonds bouleversements qui devaient amener, en 1868, à la restauration du pouvoir impérial jusqu'alors détenu « de facto » spécialement par les « shoguns » Tokugawa, c'est-à-dire par la famille même à laquelle appartenait l'auteur.

HISTOIRE DU JUIF ERRANT. Ce roman de l'écrivain français Jean d'Ormesson (né en 1925), publié en 1990, se situe dans la ligne de *La Gloire de l'empire* (1971) ou de *Dieu, sa vie, son œuvre* (1980). Immense fresque historique, il embrasse la totalité de l'expérience humaine, se jouant des époques et parcourant en tous sens les espaces. Le Juif errant est avec Faust et don Juan l'un des grands mythes occidentaux : mêlant différentes traditions, Jean d'Ormesson jette l'Histoire en pâture à son personnage qui en éclaire les zones d'ombre. C'est parce que ce dernier était là, que... Tout s'explique, c'est-à-dire qu'on ne comprend toujours pas mieux l'enchaînement des effets et des causes. Comme si l'Histoire pouvait aller droit sur une terre ronde et qui tourne ! Le romancier errant, Shéhérazade réincarnée, nous entraîne de surprise en surprise dans une ronde folle... Au départ, nous sommes à Jérusalem. Le cordonnier Ahasvérus, qui est également portier de Ponce Pilate, amoureux éconduit de la belle prostituée Myriam de Magdala, jalouse l'homme à qui celle-ci voue un incompréhensible amour. Et voici que sur le chemin du Golgotha où le cordonnier tient boutique passe un cortège de condamnés ; l'un d'eux lui demande un verre d'eau. Reconnaissant le « Seigneur » de Marie-Madeleine, Ahasvérus repousse le condamné qui lui réplique faiblement : « Je marche parce que je dois mourir. Toi, jusqu'à mon retour, tu marcheras sans mourir. » C'est ainsi que le Christ condamna l'artisan peu charitable à la vie perpétuelle et qu'Ahasvérus pour s'« être refusé à l'amour [...] est tombé dans l'histoire », cette histoire universelle et singulière qu'Ahasvérus devenu Simon Fussgänger, raconte, chaque soir par épisodes, à un jeune couple venu éprouver sa passion à Venise. Notre présent s'illumine alors aux féeries de tous les passés et, comme la jeune Marie et son amant, nous attendons les mille et un épisodes de l'errance du Juif. Lequel fut bandit avec Barabbas échappé de prison, amant de Poppée bien avant de devenir celui de Pauline Borghèse, compagnon de saint Augustin avant d'être celui de Pietro di Bernadone auquel son fils, François, donne bien du souci. Nous étions à Assise, bientôt nous passerons en Espagne où Juan Espérandios, alias Isaac le Génois, se lie d'amitié avec un certain Cristoforo Colombo qui s'apprête à une « grande aventure ». Puis nous irons en Chine où l'errant devenu Huang Sen connaîtra tous les secrets de Bouddha. Sous le nom d'Ibn Battuta révélera-t-il le zéro aux Arabes qui nous l'ont transmis ? Ahasvérus-Isaac Laquedem, fut aussi courrier de Napoléon durant la campagne de Russie où il rencontra un certain Henri Beyle. En Julien Potelin, il est valet de Chateaubriand. Avant de participer au raid d'Entebbe, il fut même Maurice Sachs, comble de l'errance... Jean d'Ormesson promène son lecteur au plaisir de l'écrivain à qui sa fausse désinvolture permet de dire, en homme du XVIIIe siècle, les choses les plus graves sur un ton léger qui est celui de la pudeur et de la politesse. Y. P.

HISTOIRE DU MARXISME [*Główne nurty marksizmu*]. Œuvre du philosophe polonais Leszek Kołakowski (né en 1927), parue en 1976, 1977 et 1978. C'est en 1968, à la suite de sa destitution de la chaire de philosophie contemporaine qu'il occupait à Varsovie, que Kołakowski entama le premier des trois tomes de cet imposant ouvrage qui retient le principe chronologique, « appliqué avec souplesse » : les fondateurs, Marx, Engels et leurs prédécesseurs ; l'âge d'or de Kautsky à Lénine ; le déclin de Staline à Marcuse.

Dans ce thésaurus des informations essentielles sur le marxisme, l'auteur en retrace l'histoire, en apportant les éléments indispensables à la mise en évidence des liens existant entre le développement de la doctrine et son fonctionnement comme idéologie politique. Ne cachant pas que sa lecture des textes a été influencée par Lukács, il évoque les débats les plus importants concernant l'interprétation qui en a été faite.

La doctrine marxiste est souvent considérée comme la tradition idéologique du communisme contemporain, mais pour Kołakowski il est vain de se demander si celui-ci est bien, dans son idéologie comme dans ses institutions, l'héritage légitime de Marx. Il est plus intéressant de s'interroger sur les ambivalences, les virtualités conflictuelles que contenait l'idée elle-même et qui permirent à différentes idéologies et à différents mouvements de se réclamer du marxisme.

Si le propos de Kołakowski est une description historique, c'est aussi une tentative de réflexion sur l'étrange histoire d'une idée qui commença avec l'humanisme prométhéen pour finir avec les abominations de la tyrannie stalinienne.

Considérant qu'il est virtuellement impossible de séparer le contenu philosophique de la forme philosophique de la pensée de Marx, humaniste au sens que ce mot avait à la Renaissance, l'auteur étudie d'abord l'héritage hégélien qui suscita les réflexions marxiennes, puis suit les grandes articulations du développement de la pensée de Marx, avant d'analyser, dans un deuxième temps, les thèmes — éventuellement implicites — qui perdurèrent dans ce développement et ceux qui peuvent être considérés comme provisoires et fortuits. Sa réflexion est centrée sur le problème qui anime la pensée proprement marxienne, à savoir le dilemme entre l'utopie et le fatalisme historique.

Cet ouvrage occupe une place importante dans l'œuvre de Kołakowski, philosophe communiste, animateur du courant révisionniste et véritable symbole du socialisme démocratique en Pologne. — Trad. Fayard, 1987. L. Dy.

HISTOIRE DU MONDE [*History of the World*]. Œuvre historique dont l'homme politique et écrivain anglais sir Walter Ralegh (1552?-1618) ne put écrire que le premier volume (1614) au cours des treize années qu'il passa en prison. Parti de la création du monde, l'auteur étudie l'histoire des Hébreux et des Égyptiens ; il traite ensuite longuement de la mythologie grecque et romaine et pousse son étude jusqu'à la chute de l'empire de Macédoine. Les inégalités de la forme semblent prouver que Ralegh eut des collaborateurs. Mais on ne peut certes lui dénier un mérite, à savoir qu'il use d'une prose que n'entache qu'assez rarement le pédantisme ordinaire des écrivains de son temps. L'*Histoire du monde* est intéressante par son style à la fois simple et solennel et par l'importance historique que l'auteur semble attribuer à bon nombre de traditions, de fables et de miracles de la sorte la plus poétique. Parmi les pages les plus remarquables, citons surtout l'invocation à la Mort, où Ralegh dit avec force que les voies du Seigneur mènent toujours le coupable à sa juste punition.

HISTOIRE D'UN BLANC. Récit autobiographique de l'écrivain français Philippe Soupault (1897-1990), publié en 1927. « Ma famille représente assez bien cette bourgeoisie qui fait, paraît-il, la force de la France. J'ai beaucoup de mépris pour cette classe de la société, et j'assiste avec plaisir à sa lente décomposition, trop lente à mon gré. » Le livre débute ainsi par une attaque virulente et quelques confidences scandaleuses sur divers membres de la famille, en particulier sur un grand industriel de l'automobile ; suivent quelques jolis souvenirs d'enfance, le triste ennui du collège, la découverte de la lecture et du voyage, la révélation décisive apportée par l'œuvre de Lautréamont, un panégyrique de la liberté. Mais le meilleur du livre est sans doute dans quelques portraits souvenirs : celui de Proust, malade et fuyant le soleil ; d'Apollinaire, joyeux, dévoué à ses amis, générateur de charme et de merveilleux ; du douanier Rousseau, qui « optimiste par définition, ne se souvenait que des jours heureux. Il lui semblait que sa vie valait qu'il s'en occupe et la peuplait de jolies attitudes, un peu surannées pour nous sans doute, et démodées pour ses contemporains, mais prestigieuses pour ses voisins, ses familiers et les connaissances du quartier ». En quelques pages sont évoquées pour finir la découverte de l'écriture automatique et la rédaction, avec André Breton, des *Champs magnétiques* (*), et ce livre, écrit comme à contre-littérature avec une désinvolture tranquille, se clôt par cette définition de l'auteur par soi-même : « Un esprit qui ne peut se satisfaire que de sa perte définitive qui le rapproche enfin de l'infini. »

HISTOIRE D'UN CREUX D'ARBRE [*Utsubo Monogatari*]. Récit de l'ancienne littérature japonaise, en vingt chapitres, attribué par quelques critiques à Ninamoto no Shitagô (911-983), et remontant en tout cas à la fin du Xe siècle. Toshikage, fils de prince, à l'âge de quinze ans, alors qu'il naviguait vers la Chine, est poussé par la tempête en un pays inconnu où sept génies lui donnent, avec la connaissance divine de la musique, un « koto », sorte de harpe horizontale. Revenu, vingt-trois ans plus tard, au Japon, où il devient le favori de l'empereur Saga (809-872), il a une fille à qui il apprend les secrets de la musique. Orpheline à quatorze ans, séduite par un noble, puis tombée dans la misère, la jeune femme est réduite à vivre dans le creux d'un arbre avec Nakatada, son enfant. Celui-ci apprend si bien à jouer du koto magique que les fauves de la forêt s'apprivoisent. Un jour, le cortège impérial vient à passer, et les seigneurs, fascinés par la musique mélodieuse de l'enfant, l'emmènent avec sa mère à Kyôto, la capitale. Nakatada charme tout le Palais impérial : au son du koto le Palais tremble et ses tuiles tombent comme des pétales de fleurs ; sa musique réussit à provoquer la chute de la neige dans le sixième mois de la lune. Il n'est donc pas surprenant que la beauté et l'art de Nakatada finissent par lui attirer l'amour de la plus jolie fille de l'Empire, Atemiya, fille d'un haut dignitaire. De leur mariage naît une enfant, Inumiya, dont la grâce surpasse celle de sa mère et ravit toute la Cour. L'empereur gratifie Nakatada d'une charge importante, et toute la famille vit une existence heureuse. Comme on le voit, les éléments fantastiques tiennent une large place dans l'ouvrage ; mais les descriptions minutieuses de la vie de l'époque (surtout de la vie de la Cour) font de l'*Utsubo Monogatari* le premier roman réaliste de la littérature japonaise. Depuis le *Taketori Monogatari*, premier ouvrage japonais du genre narratif, qui a tout du conte de fées, en passant par l'*Ise Monogatari*, le *Yamato Monogatari*, l'*Ochikubo Monogatari* (*) et le *Sumiyoshi Monogatari*, on arrive à l'*Utsubo Monogatari*, à travers une transformation graduelle du genre, dans le sens que l'élément fabuleux ou fantastique cède peu à peu la place à l'inspiration venant du milieu et de la vie. Le *Genji Monogatari* (*), dernier chaînon de cette évolution, est un roman réaliste dans le vrai sens du terme. Les rapports entre l'*Utsubo* et le *Genji* sont par ailleurs assez sensibles et ont permis de supposer que le premier avait servi de modèle au second. Même si l'on acceptait cette hypothèse, cela ne diminuerait en rien la valeur de ce chef-d'œuvre qu'est le *Genji*, ni le mérite de la romancière. Quant à l'*Utsubo*, son style est simple et aisé, mais le texte avait beaucoup souffert par la faute des copistes d'abord, des éditeurs ensuite, et foisonnait d'erreurs qui en rendaient la lecture difficile, ce qui a demandé un sérieux travail de glose et d'interprétation à ses commentateurs.

HISTOIRE D'UN CRIME. Ouvrage polémique de l'écrivain français Victor Hugo (1802-1885), publié en 1877. C'est un violent réquisitoire contre le coup d'État de Louis-Napoléon Bonaparte. Ces pages, écrites à Bruxelles pendant les premiers jours d'exil du poète, sont une évocation des quatre douloureuses journées qui virent le prince-président s'emparer du pouvoir. Les quatre parties : « Le Guet-apens », « La Lutte », « Le Massacre », « La Victoire », sont la reconstitution épique, heure par heure, de ces événements. Les arrestations de la première nuit, les assassinats, les barricades, la résistance des députés, la dispersion de la Haute-Cour, les intrigues de Louis-Napoléon, tout est évoqué par un poète dont le cœur déborde de sarcasmes contre les iniquités et les abus des violateurs de la loi. Hugo participe au soulèvement et à l'organisation des barricades. La police le recherche, mais en vain : des amis et des gens du peuple l'ont abrité. Plein de mépris pour les prêtres qui refusent les obsèques religieuses aux républicains tués par la police et pour cet archevêque qui, après avoir longtemps hésité, finit par célébrer un « Te Deum » solennel à la gloire de la réaction, le poète laisse percer son amertume devant tant de sacrifices : mort sur les barricades du député Baudin, arrestation et exil pour ceux qui ont voulu demeurer fidèles aux lois. Toutes les scènes sont évoquées avec une violence et une puissance magnifiques.

HISTOIRE D'UNE GRECQUE MODERNE. Roman de l'abbé Prévost (1697-1763), écrivain français, publié en 1740. Dix ans après *Manon Lescaut* (*), Prévost en reprend les aspects majeurs qu'il infléchit dans un sens fortement négatif. Il prend pour sujet la liaison entre un ambassadeur de France à Constantinople avec une esclave sortie du sérail qui parvient à se soustraire à ses désirs, et à inverser partiellement le rapport de domination initial. Présentant les mémoires de l'ambassadeur, qui tente de justifier son comportement et de comprendre sa protégée, Prévost s'est arrangé pour ne pas laisser au lecteur les moyens de percer les mystères de cette relation. D'une part, il lui fait découvrir Théophé à travers les seules images contradictoires que l'ambassadeur en donne. Alors qu'elle a connu toutes les turpitudes du sérail, elle refuse désormais ses offres les plus généreuses, et décline même une proposition de mariage : convaincue par le discours de son protecteur sur la supériorité de la situation de la femme en France, elle dit vouloir effacer son passé ignoble et par le travail, la lecture, la retenue vertueuse, accéder à un nouvel être. Pris au piège de son discours, l'ambassadeur oscille entre une admiration éperdue et le soupçon : ne cherche-t-elle pas à assurer son pouvoir sur lui en se livrant par ailleurs à d'autres amants ? Quand les événements l'obligent à rentrer en France, sa suspicion s'accroît, sans qu'il puisse arriver à aucune certitude. Prévost suscite en même temps le doute sur cette vision de l'ambassadeur qui se révèle égocentrique, jaloux, possessif, presque fou. Ce labyrinthe psychologique qui relance sans cesse l'interprétation, met en place les éléments sur lesquels repose le sens du roman : l'opposition culturelle entre l'Europe et la Turquie, les rapports conflictuels entre le protecteur et son obligée, l'indétermination affective. L'entreprise de l'ambassadeur illustre d'abord la difficulté du sujet à s'établir face aux autres et à leurs regards : suffit-il à Théophé de changer de nom pour échapper à l'enfance, à son passé, aux attentes des autres et aux rôles assignés par la société ? La claustration de Théophé et l'enfermement du narrateur dans ses obsessions témoignent en même temps de l'incapacité du sujet à se libérer du narcissisme. Tandis que la dépendance de Théophé lui interdit un choix amoureux authentique, l'ambassadeur est tenté par les rapports interchangeables du libertinage puis il s'attache à Théophé parce qu'elle fait de lui un Pygmalion ou qu'elle menace son pouvoir : il attend de sa partenaire une confirmation de son moi. Prévost montre par là l'effet sur le désir masculin de la contradiction où est enfermé le désir féminin : face à l'indifférenciation du libertinage, la femme n'est reconnue comme sujet légitime qu'autant qu'elle se refuse au plaisir. L'*Histoire d'une Grecque moderne* présente ainsi une image troublante du malaise du couple, du sujet, de la parole. J.-P. S.

HISTOIRE D'UNE SOCIÉTÉ (L'). Roman-fleuve de l'écrivain français René Béhaine (1880-1966), comprenant seize volumes publiés de 1904 à 1959 : I *Les Nouveaux Venus* (1904) ; II *Les Survivants* (1914) ; III *Si jeunesse savait* (1919) ; IV *La Conquête de la vie* (1924) ; V *L'Enchantement du feu* (1926) ; VI *Avec les yeux de l'esprit* (1928) ; VII *Au prix même du bonheur* (1930) ; VIII *Dans la foule horrible des hommes* (1932) ; IX *La Solitude et le Silence* (1933) ; X *Les Signes dans le ciel* (1935) ; XI *Ô peuple infortuné* (1936) ; XII *Le Jour de gloire* (1939) ; XIII *Sous le char de Kâli* (1947) ; XIV *La Maison des morts* (1957) ; XV *L'Aveugle devant son miroir* (1958) ; XVI *Le Seul Amour* (1959).

L'auteur conçut cette œuvre comme un vaste panorama qui offrirait un inventaire de la société moderne et découvrirait tout un pan de la civilisation française, monde confus que Béhaine explora pour en démêler les origines et les faiblesses, et dont il étudia les différents aspects tels qu'ils se manifestent dans les habitudes, la politique et la religion. Dans une lettre-préface au sixième volume, l'auteur explique son dessein : « Loin d'avoir cherché à rendre, par des personnages représentatifs judicieusement choisis, les multiples aspects de la société que j'avais devant moi, c'est à écrire son histoire essentiellement que je me suis borné. » En vérité, lentement, le rêve de fixer *L'Histoire d'une société* fit place à la chronique d'une vie, à travers le personnage central, Michel Varambaud. C'est ainsi que *Les Nouveaux Venus* et *Les Survivants* évoquent à la fois la bourgeoisie pleine de prétentions et de jalousie pour une aristocratie qui ne l'acceptait pas dans ses rangs, et l'aristocratie, l'ancienne noblesse provinciale et ses rigides traditions. Relevant de l'étude psychologique, les volumes suivants montrent à travers deux personnages principaux les déséquilibres d'une époque, en décrivant les longues fiançailles de Michel Varambaud (descendant par son père de la petite bourgeoisie provinciale qui n'a cessé de s'élever socialement depuis le XVIIe siècle) et de Catherine de Laignes, issue de l'aristocratie terrienne déchue à la suite des changements politiques et économiques ; l'auteur analyse leurs difficultés, les obstacles à leur union (en particulier les préjugés religieux du milieu de Catherine), puis leur mariage et leurs premiers pas dans la vie. « Et cependant, au milieu de ce grand désordre de leur époque, Catherine et Michel continuent leurs luttes difficiles, et, en même temps qu'ils ont à surmonter tous les obstacles qui les séparent, cherchent à découvrir la vérité en commençant par apprendre à se connaître eux-mêmes. » Le tome VII, *Au prix même du bonheur* (1930), malgré une insistance, une lenteur, une minutie qui peuvent sembler accablantes, offre néanmoins une remarquable image de la moyenne bourgeoisie française d'avant-guerre. Il faut ajouter que derrière les minutieuses analyses auxquelles se complaît l'auteur on entrevoit une métaphysique étrange, un platonisme pessimiste qui tend à interpréter la vie comme une chute et un pénible effort pour reconquérir à travers les hasards sinistres de l'expérience la spiritualité originellement perdue.

La critique de la bourgeoisie déchue, René Béhaine la fait en une suite de tableaux significatifs brossés à la fois par un observateur perspicace, un moraliste passionné et un humaniste narquois qui prend plaisir à montrer l'humanité toute nue dans ses contradictions et ses ridicules. Cet ensemble compose une vaste fresque qui n'est pas sans compléter celle que Proust nous a léguée de l'aristocratie et de la haute bourgeoisie vers la même époque. Cependant, la représentation du milieu Varambaud-Laignes a une portée plus humaine. Le héros, Michel Varambaud et l'héroïne Catherine de Laignes s'aiment, et leur passion jette le trouble dans ce milieu de fausses apparences où se complaisent leurs parents. Michel a soif de sincérité et rejette les conventions d'une morale purement utilitaire. Catherine voudrait, par amour, s'affranchir. Cependant, trop fortement marquée par son éducation, elle demeure prisonnière des traditions. De là naît le drame. Michel doit surmonter l'opposition des deux familles et celle de la femme qu'il aime. Ces résistances provoquent chez le héros de véhémentes réactions, quand il constate avec rage l'impossibilité de gagner à ses convictions celle qu'il voudrait élever jusqu'à lui. Et la lutte se poursuit, épuisante, entre la violence exacerbée de Michel et l'asservissement irréductible de Catherine.

Dans le treizième tome, *Sous le char de Kâli*, l'un des romans les plus connus de l'auteur, les héros fuient en Suisse, avec leur fils Claude, la Grande Guerre qui vient d'éclater. Le couple, de plus en plus désuni, de plus en plus accablé par une instabilité chronique et par de continuels problèmes d'argent, va d'une ville à l'autre. Michel a la conviction d'avoir été choisi par le destin pour écrire une grande œuvre, et cela lui interdit de s'abaisser aux réalités de la lutte. C'est un spectateur pur, niant la patrie, la démocratie et la religion. Autour d'eux, les personnages évoluent, luttent, s'aiment, meurent ; la bataille lointaine jette néanmoins des reflets sur tous les visages. C'est ainsi qu'au milieu du tumulte apparaissent des calculs d'intérêt, des partages d'héritages, des emprunts, la honte indéfinissable de Michel qui souffre à la fois des froideurs de Catherine et de sa position fausse vis-à-vis des civils et des combattants. Cependant, une espérance passionnée l'habite qui correspond à ce qu'il y a d'élevé en lui. Le conflit de deux âmes se cherchant sans pouvoir jamais s'atteindre demeure la seule action de ce long roman, action sans autres incidents que les multiples variations d'un thème unique, mais qui permet le déploiement d'une analyse extraordinairement minutieuse.

L'Histoire d'une société est animée par un mouvement cyclique qui, en se répétant, ne fait que se nier. Au centre du cercle demeure l'œil, la conscience de l'auteur et, en elle, se reflète l'image immobile de l'univers. Mais c'est une image réfractée par l'esprit, la reconstitution intellectuelle d'un certain ordre cosmique qui ne peut être saisi par les sens. Roman des causes et des fins du monde, plus métaphysique que psychologique interrogation d'une conscience et non définition d'un caractère, *L'Histoire d'une société* baigne dans le même panspiritualisme qu'une autre œuvre née à la même époque, le *Jean-Christophe* (*) de Romain Rolland. La pente de ces deux romans peut être différente, l'une entraînant Rolland vers la Révolution, l'autre, vers la Réaction, c'est la même sève qui circule en eux. « Partie des bas-fonds de l'animalité, écrit Béhaine, elle aboutit à la pensée. » Pour l'auteur de *L'Histoire d'une société,* le monde cherche la sève à travers l'instinct de son élan vital dans la lente élaboration d'une conscience collective. Se débattant dans la contradiction fondamentale que le romancier éprouve entre les fins surnaturelles et les moyens terrestres de l'homme, le héros de Béhaine constate l'échec de sa vie. Le suicide de Claude, le fils qu'il avait voulu faire à son image et qui, après s'être retiré dans une solitude muette au sein de sa famille, la quitte un matin pour se perdre dans un bois, est le symbole de cet échec. Le style de *L'Histoire d'une société* traduit la démarche de la pensée d'un auteur qui repousse « les affirmations de toute religion » et s'articule sur la logique, de sorte que le romancier, avec son anticonformisme, son insolence, son regard aigu, son attitude intransigeante, ses prises de position, a écrit une œuvre dont l'inspiration semble étrangère à l'esthétique, mais qui apparaît dans son ensemble comme une fresque aux lignes pures et d'une grande densité.

HISTOIRE D'UNE VIE. L'autobiographie de l'écrivain autrichien Elias Canetti (né en 1905) comporte trois volumes intitulés *La Langue sauvée. Histoire d'une enfance 1905-1921* [*Die gerettete Zunge. Geschichte einer Kindheit*], publié en 1977, *Le Flambeau dans l'oreille* [*Die Fackel im Ohr*], publié en 1980 et *Jeux de regards* [*Das Augenspiel*], publié en 1985, ces deux derniers avec le sous-titre « Histoire d'une vie » (respectivement 1921-1931 et 1931-1937). Cette trilogie, souvent traitée de « roman », retrace la vie de l'auteur de façon essentiellement chronologique bien que, dans le dernier volume, des « portraits » qui dépassent le cadre strictement chronologique fassent une apparition remarquable.

Le premier volume est à l'origine de la gloire tardive du prix Nobel de 1981. Considéré à juste titre comme un auteur intransigeant, Canetti acquiert soudainement les faveurs d'un public très large, séduit autant par l'histoire extraordinaire que par l'art narratif, au point de déranger le noyau dur de ses admirateurs qui ne jurait que par l'appartenance de Canetti à l'avant-garde viennoise la plus intransigeante. Un nouveau, un autre Canetti était né. *La Langue sauvée* raconte en cinq étapes, divisées en petits récits, voire nouvelles exemplaires, la vie tourmentée de l'enfant Elias. La première étape se nomme « Roustchouk (1905-1911) » et représente un petit miracle littéraire : l'auteur redevient l'enfant qu'il a été. D'ailleurs, les autres chapitres bénéficient du même don de métamorphose. On a l'impression de revivre cette histoire avec les yeux de l'enfant dont l'horizon s'élargit au fil des années. Au centre du récit, il y a la langue. Canetti est né dans un univers linguistique multiforme : l'espagnol du XVe siècle conservé par les juifs sépharades est sa langue maternelle ; le turc, le bulgare, le russe, le grec, etc. assaillent l'oreille de l'enfant. Dans ce tohu-bohu, l'allemand a un lieu secret. Les parents le parlent entre eux en souvenir de leur première rencontre à Vienne. L'enfant veut pénétrer ce secret, d'abord en vain. En 1911 commence le deuxième chapitre, l'histoire d'un premier exil. La famille émigre en Angleterre, terre promise de la liberté. Mais le père est poursuivi par la malédiction du grand-père qui parle une bonne douzaine de langues sans en connaître aucune véritablement. Elias va à l'école anglaise et reçoit à domicile un enseignement de français. En 1913, le père bien-aimé meurt. L'explication de cette mort traverse l'ensemble de la trilogie, ce qui fait de cette œuvre l'une des protestations les plus vigoureuses et crédibles contre le mythe freudien du complexe d'Œdipe. La meurtrière est la mère, parce qu'elle avait trahi la langue qui l'unissait à son amour. Paniquée, elle cherche à réparer sa faute en apprenant par la force la langue interdite, l'allemand, à son fils aîné. Armé de la « langue sauvée » de l'amour, Elias entre dans son troisième chapitre, « Vienne (1913-1916) ». Vienne et (est) la mère. Vite adapté à cette nouvelle Jérusalem, l'enfant Elias entreprend une lutte titanesque pour éloigner tout prétendant à la main de sa mère. Il a conquis son territoire. La mère décide de quitter l'Autriche en décrépitude, comme s'il fallait sauver ses trois enfants de la mort imminente symbolisée par la guerre et la mort du vieil empereur. Les chapitres 4 et 5 (1916-1921) se passent à Zurich. L'enfant se mue en adolescent, se sent en sécurité en Suisse et dans les livres. C'est la mère, qui a sauvé ses enfants de l'apocalypse autrichienne, qui impose à Elias l'émigration du paradis zurichois vers l'enfer allemand de 1921.

Le Flambeau dans l'oreille commence à Francfort aux heures paroxystiques de la République de Weimar. Canetti donne au deuxième comme au troisième volume une structure identique au premier, cinq chapitres bien charpentés qui rappellent le déroulement de la tragédie classique, c'est-à-dire que l'auteur impose une forme à l'histoire contemporaine qu'il subit. Un décalage par rapport aux dates sacrées ou damnées de l'histoire rythme l'autobiographie : c'est en 1921 (non pas en 1918) qu'a lieu l'expulsion du paradis ; en 1931 (et non pas en 1933) s'accomplit pour Canetti l'expérience de l'Aveuglement (Blendung) – v. *Auto-Da-Fé* (*) – qui régit l'époque. Et le récit du troisième volume ne s'arrête pas en 1938 (l'Anschluß) mais en 1937, lorsque meurt la mère, le centre véritable de la trilogie.

Au centre du premier chapitre du *Flambeau* (1921-1924), il y a un phénomène de masse, la giga-inflation allemande qui détruit l'ordre économique et social et prélude à la dévalorisation humaine opérée par le Troisième Reich. Puis Canetti rentre à Vienne pour y rencontrer le même jour Karl Kraus et Veza (Venetia Taubner-Calderon, sa future femme, écrivain redécouvert ces dernières années). Au centre du livre se trouve le chapitre « L'École de l'oreille » qui forme le pivot de la trilogie. Et au centre du centre, il y a un événement politique, l'incendie du Palais de Justice de Vienne le 15 juillet, seule date ouvertement déclarée par l'auteur. Canetti lui-même appellera *Auto-da-fé* le « fruit du feu ». Ce jour-là, l'intellectuel s'est transformé en particule de masse pour réclamer l'égalité devant la justice. À Vienne, à l'époque, il n'y avait qu'un seul juste, Karl Kraus auquel Canetti s'identifie totalement. Deux séjours à Berlin (en 1928 et 1929), reconnu alors comme capitale de la modernité, désillusionnent le jeune scientifique. Au triomphe de l'*Opéra de quat' sous* (*) auquel il assiste, il oppose son projet esthétique et éthique. Il retourne à Vienne en ennemi déclaré de Brecht. C'est à Vienne qu'il écrit en l'espace de trois ans l'essentiel de son œuvre de fiction (roman et théâtre).

Le troisième volume, *Jeu de regards,* a deux buts principaux : d'abord, Canetti s'insère dans sa véritable Vienne représentée par Mahler, Kraus, Musil, Broch, Berg, Kokoschka, Wotruba, etc. De l'autre il s'éloigne du *Flambeau* : c'est un homme, le docteur Sonne, ressemblant à s'y méprendre au masque mortuaire de Kraus, qui gouverne ce volume et qui brise là dictature de l'éditeur du *Flambeau.* Peu importe la charge satirique contre l'establishment culturel de l'époque (le clan Mahler-Werfel et Stefan Zweig), Canetti livre un portrait sans fard de l'époque qui, habituellement, incite aux mythographies journalistiques. – Trad. Albin Michel, 1980, 1982, 1987. G. St.

HISTOIRE D'UNE VIE [*Povest' o žizni*]. Mémoires en deux volumes et cinq parties de l'écrivain russe Constantin Paoustovski (1892-1968), publiés en 1946-62. Auteur d'une œuvre très abondante (récits, romans, pièces de théâtre, biographies romancées), Paoustovski donne dans ces mémoires le meilleur de lui-même. Tout en racontant sa vie, il brosse, par petites touches, un vaste tableau d'une époque mouvementée et exaltante. L'auteur, qui est issu d'une famille d'intellectuels libéraux, revit ainsi son enfance ukrainienne, les épreuves qu'il a traversées durant la Première Guerre mondiale et la Révolution, et arrête son récit en 1922, au moment de la N.E.P. Traumatisé par un drame familial – son père était parti avec une autre femme, laissant les siens dans la misère –, le jeune Paoustovski chercha très tôt une évasion dans la poésie et la nature. Après avoir essayé de tous les métiers (receveur de tramways à Moscou, infirmier militaire au front, ouvrier d'une usine de munitions), il aboutit tout naturellement au journalisme et devint enfin écrivain, réalisant ainsi son vœu le plus cher. Cette vocation l'absorbe au point qu'il ne s'attache profondément à rien ni à personne, toujours prêt à rompre les amarres pour chercher d'autres impressions sous d'autres cieux. Témoin attentif et curieux de tout, souvent victime des circonstances historiques, il ne prend jamais une part active aux événements, car sa nature le porte à l'observation plutôt qu'à l'action. Ainsi, une séance mouvementée du Congrès des Soviets, au cours de laquelle Lénine lui-même prend la parole, a peut-être moins d'attraits pour lui qu'une promenade aux environs de Moscou, d'où il rapporte, soigneusement enveloppées, quelques fleurs d'automne. Il est impossible de résumer ce livre, riche en événements dramatiques, en scènes populaires, en portraits minutieux et précis (tel celui de l'écrivain Isaac Babel). Le lecteur retiendra particulièrement l'admirable épisode de l'auberge de Braguinka, en Ukraine, où la nuit se réunissaient en secret des chanteurs errants, mi-mendiants, mi-brigands ; il se souviendra de la mort de la petite infirmière Lolia dans un village tragique ravagé par la peste ; d'une esquisse de la ville d'Odessa, coupée du monde pendant la guerre civile, souffrant de la faim et du froid, mais gardant intacte sa vitalité agressive et joyeuse. Paoustovski est servi par ses dons d'observation, une mémoire infaillible et une finesse des sens exceptionnelle. Après tant d'années écoulées, il est capable non seulement de reconstituer un paysage avec tous ses détails, mais encore de retrouver l'odeur des galets de la plage, mouillés par les vagues, de réentendre le frémisement d'une feuille sèche d'acacia. Ce qui le rapproche, outre sa langue sûre et nuancée, de la tradition classique russe, c'est l'amour profond qu'il porte à son pays et à son peuple et la pitié instinctive qu'il ressent à l'égard de tous les déshérités. – Trad. Gallimard, cinq vol., 1963-66.

HISTOIRE D'UNE VILLE [*Istorija odnogo goroda*]. Roman de l'écrivain russe Mikhaïl Saltykov-Chtchédrine (1826-1889) publié en 1869-70. Dans un compte rendu destiné à la revue londonienne *The Academy,* Tourgueniev signalait que « cette œuvre étrange offrait sous une forme nécessairement allégorique un tableau malheureusement trop fidèle de l'histoire russe ». Saltykov-Chtchédrine n'a jamais eu beaucoup de respect pour les genres traditionnels. Il n'est donc pas étonnant que dans, *Histoire d'une ville,* il mette bout à bout une série de brèves esquisses qui ont toutes trait à l'histoire de la ville de Gloupov dont le nom signifie la sottise. Présentant son œuvre comme une chronique découverte dans les archives municipales, l'auteur peut faire un pastiche du style ampoulé et pesant de la langue administrative du XVIIIe siècle.

Revêtus de noms allusifs, les acteurs de cette fiction renvoient à des personnages historiques réels dont il n'est pas difficile de deviner l'identité : Negodiaïev (le gredin) est Paul Ier, Benevolenski est Speranski, le ministre réformateur des premiers temps du règne d'Alexandre Ier, Grustilov (le triste) est le tsar Alexandre, Zalihvatski (le pétulant) renvoie à Nicolas Ier et Ougrioum Bourtchéev (le grondeur morose) à Araktchéev, le redoutable ministre qui rêvait d'encaserner la Russie.

Au moment où la société, déstabilisée par l'abolition du servage, les émeutes paysannes, la montée du terrorisme politique et les diverses insurrections, traversait une crise de conscience nationale, Saltykov va donner une image sinistre du destin russe ; un conflit aussi sanglant que burlesque y oppose de toute éternité les dirigeants à la masse du peuple. Il s'agit d'une conquête (ou colonisation) permanente du pouvoir par des éléments étrangers ; elle aboutit invariablement aux mêmes résultats absurdes et sanglants en dépit de l'alternance des styles politiques. Cette vision désespérée trouve une figuration symbolique dans la fameuse image du gouverneur sans tête qui tyrannise la ville des Sots. Les épisodes cocasses se succèdent : révolutions de palais, évoquées avec les luttes des « gouverneuses » pour le pouvoir, guerres civilisatrices de Pierre résumées en la personne de Borodavkin, règne de l'indolent Prychtch dont la tête est farcie de chair à pâté, entrée dans la ville de Perkhvat-Zalihvatski sur son cheval blanc ; nouveau cavalier de l'Apocalypse, il va mettre le feu au lycée, anéantissant toute science. Il sera suivi du morne et sinistre Ougrioum Bourtchéev qui décide (après avoir en vain tenté de vaincre l'anarchisme spontané de la nature) de construire une ville où toutes les activités humaines seront réglées par une discipline militaire. La délation organisée garantira l'encasernement de la ville, par ailleurs coupée du monde et de son propre passé. À ce rêve monstrueux qui préfigure les catastrophes à venir, une mystérieuse force met fin en détruisant le tyran. Cet ouvrage où Saltykov joue en maître de la parodie, du sarcasme, de l'hyperbole devait avoir une influence certaine sur *Les Possédés* (*) de Dostoïevski. Au XXe siècle, confrontés au règne des Ougrioum Bourtchéev, Platonov, Zamiatine, Boulgakov et Tertz se souviendront de cet ouvrage que l'on peut considérer comme le sommet de l'art de Saltykov-Chtchédrine. — Trad. Gallimard, la Pléiade, 1967. M. G.

HISTOIRE D'UN GROS HOMME QUI S'APPELAIT HAMLET [*Lebenslauf des dicken Mannes, der Hamlet hiess*]. Roman de l'écrivain allemand Georg Britting (1891-1964), publié en 1932. Dans ses premières nouvelles expressionnistes, *Job ridiculisé* [*Der verlachte Hiob*, 1921], *Michel et la demoiselle* [*Michael und das Fräulein*, 1927], Britting s'était imposé comme un prosateur au style riche en images et en symboles. Dans le présent roman, son art semble être celui du détail : analyses minutieuses, descriptions par petites touches innombrables. Prenant beaucoup de libertés avec la légende et avec la tradition, l'auteur déforme systématiquement l'interprétation shakespearienne du héros. Pour lui, le prince est un homme pensif, lucide, ne redoutant point l'action, un gourmet méditatif que le destin jette malgré lui dans les nécessités de la vie et qui se retire finalement avec son fils dans un monastère. Ainsi apparaît successivement le héros de Britting : Hamlet amant d'Ophélie, Hamlet guerrier courageux et que la guerre ennuie, Hamlet vengeur de son père, Hamlet moine. Dans une maison de campagne isolée, Ophélie vit avec son fils Hamlet, âgé de sept ans, dont le père n'est autre que le prince Hamlet, monsieur très corpulent, aimant la tranquillité et le bien-être. Celui-ci vient chaque jour prendre de leurs nouvelles. Quand Ophélie se plaint qu'il ne l'a plus approchée depuis la naissance de leur fils, le prince Hamlet la quitte sans répondre. Ophélie se noie. Le prince ne s'en émeut pas. Pour lui, la vie courtoise, la vie personnelle, politique ne sont rien à côté de la contemplation et de la bonne chère. Il devient de plus en plus gros. C'est alors que contre son gré, on lui confie le commandement des troupes contre les Norvégiens. Secondé par son ami Xanxrès qui l'admire, Hamlet, indifférent, participe sans aucune passion à la guerre qu'il finit par gagner. Il désire pourtant une tout autre victoire. Il veut venger son père, autrefois assassiné par sa mère et son beau-père. Durant les festivités données en son honneur, Hamlet oblige donc l'assassin à manger et à boire si démesurément que celui-ci meurt d'une congestion. La mère se lie avec Polonius, le père d'Ophélie, pour se venger de son fils, devenu roi de Danemark et adoré par son peuple. Toutefois, elle renoncera à ses idées de conspiration, persuadée que son fils devenu excessivement gros mourra avant elle. Déçu par la bêtise et la vanité de son entourage, Hamlet finit par se retirer avec son fils dans un monastère pour fuir la réalité du monde. Lié à une chaise roulante, il observe l'agitation des hommes et s'abandonne de plus en plus à son immense appétit. Le fils d'Hamlet imite son père, auquel il ressemble singulièrement. Quant aux moines, ils s'adonnent eux aussi à la bonne chère. Ainsi, tous se préparent à la grande paix : « En fin de compte, cela ne faisait pas grande différence, qu'on puisse courir çà et là, et crier, ou qu'on reste assis et qu'on soit paralysé et muet. Pourquoi courir, pourquoi crier, pourquoi, même muet, regarder si attentivement le ciel bleu ? Et un jour, un jour où depuis longtemps déjà on ne pourrait plus courir ni crier, où l'on ne pourrait même plus rester assis, muet, dans son fauteuil, pour regarder, pour du moins regarder, ce jour-là on serait ce qu'on appelle mort. » Dans ce roman, aucune analyse psychologique ; l'action, au fur et à mesure, se décompose en images brillantes. L'auteur en libérant la syntaxe, en décomposant l'action en images violentes s'efforce de donner un portrait complet de ce « gros homme qui s'appelait Hamlet ». — Trad. Gallimard, 1944.

HISTOIRE DU NISHIYAMA [*Nishiyama Monogatari*]. Roman de l'écrivain japonais Takebe Ayatari (1718-1774), publié en 1768. L'auteur a choisi pour sujet le différend qui oppose deux familles pendant de nombreuses années, jusqu'à ce que se produise la réconciliation. Ces deux familles ont des liens de parenté, et elles habitent le village de Matsuo, sur le mont Nishiyama, dans la province de Yamato (d'où le titre). Le roman est considéré beaucoup plus comme un ouvrage d'érudition philologique que comme une œuvre d'art. Takebe imite, en fait, le style classique, usant de tournures de phrases et de mots tombés en désuétude ; de telle sorte qu'il doit mettre en hors-texte des notes explicatives, et c'est là un curieux exemple d'œuvre commentée copieusement par son propre auteur. Élève de Kamo Mabuchi (1697-1769), il subit pleinement l'influence de l'école des « wagakusha » (japonologues, défenseurs des idéaux traditionnels et de la pensée japonaise, qui préparèrent les esprits à la révolution de 1867) et se montre l'un des champions de la littérature nationale. Takebe ne fut pas seul à tenter cette sorte de reconstitution et à vouloir plier la langue antique aux exigences nouvelles du récit. Ses imitateurs et ses disciplines se groupèrent en une véritable école du roman de style classique.

HISTOIRE D'UN MERLE BLANC. Conte de l'écrivain français Alfred de Musset (1810-1857), publié en 1842. Un merle blanc se plaint du malheur qu'ont en ce monde les merles exceptionnels. Quand il vit son plumage et qu'il entendit que son fils sifflait faux, son père se mit à le traiter durement et à quereller sa mère. Le merle blanc décida alors de s'en aller. Recueilli par un pigeon ramier qui porte à Bruxelles un ordre de bourse très urgent, le pauvre merle ne peut le suivre et tombe dans un champ de blé. Après avoir été rabroué par une douzaine d'oiseaux différents, et hanté par la jalousie qu'a excitée en lui le chant d'un rossignol, le merle blanc décide d'écrire ses Mémoires. C'est la gloire littéraire et bientôt le mariage avec une merlette blanche. Le ménage est heureux, jusqu'au jour où la merlette révèle à son époux qu'elle n'est qu'une merlette ordinaire, peinte au blanc d'Espagne. Bafoué, le merle blanc abandonne le métier des lettres et s'enfuit dans la campagne. On peut se demander si Musset ne s'est pas ici amusé à écrire une ironique parodie du « génie » romantique et si l'*Histoire d'un merle blanc* ne fait pas un pendant satirique aux *Confessions d'un enfant du siècle* (*).

HISTOIRE D'UN VOYAGE FAICT EN LA TERRE DU BRESIL AUTREMENT DITE AMERIQUE. Récit de voyage du pasteur et écrivain français Jean de Léry (1534-1613), publié à Genève en 1578. L'*Histoire* de Léry relate un séjour de dix mois au Brésil, du 7 mars 1557 au 4 janvier 1558, dans la minuscule « France Antarctique » fondée à l'instigation de l'amiral de Coligny, à l'entrée de la baie de Rio de Janeiro (1555-1560). L'ouvrage connut dès sa publication à Genève un succès européen. Six éditions en français, deux éditions latines et un « digest » illustré publié en 1592 dans le troisième volume de l'*America* de Théodore de Bry vont engendrer, durant l'âge classique, une lignée ininterrompue de textes qui aboutissent à la formation du mythe du Bon Sauvage au siècle des Lumières. Ce livre, qui est devenu aujourd'hui, selon le mot de Claude Lévi-Strauss, « le bréviaire de l'ethnologue », fut d'abord celui du philosophe : directement ou non, il a influencé des auteurs aussi divers que John Locke, Pierre Bayle, Prévost, l'abbé Raynal, Diderot et Jean-Jacques Rousseau.

À quoi tient l'originalité de Jean de Léry ? Moins à la nouveauté de l'information sur une région de l'Amérique déjà connue par les ouvrages d'André Thevet, qu'à un ton inédit. Léry invente un regard. Il découvre dans l'Indien nu et anthropophage, en l'espèce le « Toüoupinambaoult » du littoral brésilien, une altérité inouïe et combien fascinante. C'est une conscience qui s'éprouve dans la rencontre d'une humanité nouvelle, sortie intacte en apparence du sein de la Nature, mais déjà compromise par la malédiction du péché originel. La nostalgie de l'Éden le dispute en Léry au moraliste intransigeant. La sympathie profonde qu'il ressent pour ces hommes libres, « ny monstrueux ny prodigieux à nostre esgard », et qui font montre dans toutes leurs actions, en paix comme en guerre, des vertus les plus hautes, n'est jamais étouffée par la perspective apocalyptique qu'il leur prédit.

L'ambiguïté d'une telle attitude éclate dans l'aveu final du narrateur : « Je regrette souvent que je ne suis parmi les sauvages. » C'est l'exil qui fonde la beauté du sauvage ; c'est sa mort virtuelle et, au-delà, sa damnation qui le rendent désirable. Vingt années exactement séparent le séjour brésilien de Léry de la publication de son témoignage : vingt années remplies par le fracas des guerres civiles et les vicissitudes d'une carrière pastorale dans une France déchirée entre protestants et catholiques. L'*Histoire d'un voyage* ne serait pas empreinte de cette magie communicative s'il n'y avait, formant écran entre le tableau enchanté du Brésil et le narrateur, la hantise des guerres de Religion et de leurs atrocités récentes. En filigrane du spectacle de la Nature, se perçoit la rémanence d'une barbarie sans nom, pire incomparablement que celle des prétendus sauvages. Dans le chapitre XV, consacré à l'anthropophagie des Tupinamba et sans cesse augmenté au fil des éditions successives de l'*Histoire*, Léry dresse en vis-à-vis, comme les deux pans d'un diptyque, le tableau de cette cuisine rituelle et celui des horreurs commises en France, où il est arrivé qu'une vengeance perverse conduise au crime de cannibalisme.

De cette condamnation de l'Europe ne résulte toutefois aucun bénéfice direct pour les hommes du Nouveau Monde. L'admiration que Léry éprouve à leur endroit coexiste chez lui avec un pessimisme historique fondamental, qui exclut ces mêmes peuples du plan divin de la Rédemption. C'est pour cette raison que Léry apparaît comme un anticolonialiste : l'Indien étant inconvertible, ainsi que l'échec de la colonie française du Brésil l'a montré, les Espagnols et les Portugais n'ont aucun droit à occuper ses terres sous prétexte d'évangélisation. Dans le moment où il est écarté du rachat, l'autre est protégé dans son intégrité physique.

Restituée dans ses moindres composantes sensibles, fixée dans l'esprit du narrateur par des phénomènes de mémoire involontaire, d'origine olfactive, gustative ou auditive, la présence intacte de l'Éden brésilien n'en est pas moins menacée à terme. Cette précarité en fait tout le prix. Sur le paysage des origines plane l'Ange de l'Apocalypse, déjà venu visiter les Indiens en des temps antérieurs, comme en témoigne leur tradition orale (ch. XVI). Or, de l'abbé Prévost à Claude Lévi-Strauss, la plupart des lecteurs de Léry ont négligé cette malédiction clairement signifiée, pour ne retenir de son *Histoire* que la nostalgie des enfances du monde. F. L.

HISTOIRE DU PETIT TAILLEUR. Musique de scène et suite d'orchestre du compositeur hongrois Tibor Harsányi (1898-1954). Natif de Margyarkanizsa, Harsányi émigra en 1924 pour se fixer définitivement à Paris et œuvrer dans les rangs de ce groupe cosmopolite dit de l'« École de Paris », où figurèrent, entre autres, Igor Markevitch, Conrad Beck, Bohuslav Martinů, Marcel Mihalovici, Alexandre Tansman et Alexandre Tcherepnine. Ces compositeurs se caractérisèrent moins par une esthétique musicale déterminée que par une certaine tendance commune à se garder de l'atonalisme et à œuvrer dans le sens du Stravinski des années 1920. L'*Histoire du petit tailleur* fut d'abord conçue comme musique de scène pour un spectacle monté par Blattner en avril 1939, au Théâtre de Marionnettes de la rue d'Odessa. Le scénario, dû à Bernard Champigneulle, est tiré du conte de Grimm narrant les exploits de ce petit tailleur qui affronta les géants et triompha à force de ruse et d'audace. La partition fut plusieurs fois donnée au concert sous la forme de suite d'orchestre (éditée en 1950). Cette œuvre est imprégnée de l'atmosphère féerique des contes populaires. La structure en est thématique ; claire, dépouillée, elle convient à merveille à l'expression du merveilleux, et l'illustration musicale reste toujours fraîche et spirituelle. On y décèle une constante variation de tonalité, bien propre à souligner la succession des effets émotifs. Le thème, inspiré au compositeur par le souvenir d'un air populaire hongrois, est écrit pour flûte champêtre. L'adéquation savante et réussie de la richesse polyphonique à la mélodie linéaire, constante chez Tibor Harsányi, vient ajouter ici à la beauté même de la partition ; à telle enseigne que l'*Histoire du petit tailleur* a pris une place marquante dans la production du compositeur.

HISTOIRE DU PEUPLE D'ISRAËL. Œuvre du philosophe français Ernest Renan (1823-1892), publiée de 1887 à 1893. Plus étroitement liée que les autres travaux littéraires du même ordre à la formation linguistique et à l'érudition de l'auteur – v. *Histoire générale et système comparé des langues sémitiques* (*) –, cette *Histoire* témoigne de la passion qui domina toute la vie de Renan : l'étude des origines de la civilisation. Partant des époques et des traditions les plus anciennes, l'étude est poussée jusqu'à la vie du peuple hébreu sous la domination romaine ; elle se propose de retracer l'histoire d'une race dans son unité fondamentale et de suivre les phases de son développement. Renan s'oppose à cette critique historique qui, mésestimant la portée des facteurs religieux, ne peut être à même de juger de l'importance d'une vieille civilisation monothéiste : et ceci au moment où de nouvelles découvertes archéologiques remettent au jour les vestiges des civilisations assyrienne et égyptienne. L'histoire voisine avec la légende dans ce domaine ; mais, à la lumière de la philologie moderne, on ne peut pas ne pas reconnaître la place de choix qu'occupe la civilisation hébraïque ; et tout spécialement à partir du moment où le peuple proclame sa mission divine. Après quoi, Renan vérifie point par point, à travers l'histoire juive, cette affirmation d'un Dieu unique. À ses yeux, la propagation des idées nouvelles s'explique aisément sans le secours des miracles. Pour le rationaliste convaincu s'inspirant des méthodes scientifiques qu'était Renan, chaque fait se produit immanquablement suivant un processus que l'histoire suffit à expliquer. C'est pourquoi le peuple hébraïque, qui se croit l'élu de Dieu, a sur l'évolution de l'humanité une importance égale à celle du peuple grec, chargé, quant à lui, d'affranchir les esprits dans leur attitude à l'égard de la nature et des mythes. Mais ce qui manque à la civilisation grecque et à la civilisation hébraïque, c'est un sentiment de solidarité, de fraternité, vis-à-vis des autres peuples. Le christianisme, aboutissement et « cause finale » du judaïsme, portera spécialement sur ce point. L'histoire du peuple d'Israël s'explique seulement si l'on rapproche les faits historiques et les conquêtes spirituelles : d'abord par le contraste avec la mentalité des autres peuples, puis par cette attitude unique d'amour pour Dieu et pour le prochain. Cette conception progressiste est déterminée par la position de Renan en face de l'histoire : il voulait voir dans l'humanité des aspirations toujours plus vives vers le spirituel ; si bien qu'il identifie l'expérience religieuse à des considérations qui sont uniquement celles d'un penseur. En vue d'affirmer l'importance historique des Livres saints, ses études en précisent la valeur et la signification, au-delà de la chronologie communément adoptée par la tradition : l'œuvre des grands prophètes, qui s'échelonne de 850 avant Jésus-Christ à Jésus-Christ lui-même – Jésus étant le dernier des prophètes et celui qui donne son sens à toute l'œuvre d'Israël – est une œuvre décisive de l'importance d'un peuple qui contribua, à l'égal du peuple grec, à fonder la civilisation humaine. L'idée providentielle d'une histoire, considérée à la lumière des vues divines, s'appuie sur le rationalisme suprême des Grecs. Mais c'est seulement à Rome que ces deux courants de l'esprit humain devaient se fondre et former une nouvelle conception d'ordre universel. Le peuple d'Israël a trouvé dans le message du Christ de quoi étayer puissamment la justice et la foi. L'œuvre de Renan, fort discutée pour son interprétation purement rationaliste de l'histoire religieuse, est célèbre en ce qu'elle soutient, contre les négations du positivisme, l'importance du facteur religieux dans l'évolution humaine – v. *Histoire des origines du christianisme* (*).

HISTOIRE DU PEUPLE NORVÉGIEN [*Det norske folks historie*]. Ouvrage de l'historien norvégien Peter Andreas Munch (1810-1863) publié entre 1851 à 1863. À un moment où la Norvège libérée de la tutelle danoise recherche dans son passé les fondements de son avenir, les hommes de la « Percée nationale » s'intéressent tout particulièrement à l'histoire du pays dans sa période de grandeur, et Munch, avec les huit épais volumes de son ouvrage, leur apporte le monument auquel ils aspiraient tant. Dans son propos, Munch est porté par le courant romantique de l'époque, car il souhaite « répandre la connaissance de nos grands ancêtres et de la constitution qui était précédemment en vigueur en Norvège, une constitution qui, par rapport à notre temps, était remarquable pour ne pas dire exceptionnelle ». Cependant si, des origines à l'union de Kalmar (1397), il choisit bien l'époque pendant laquelle le pays était souverain, il n'entend nullement enjoliver les faits. En réalité, alors qu'il n'existait à cette époque que des histoires très succinctes de la Norvège et parfois peu crédibles, il rassemble un matériau considérable qu'il va puiser en Norvège mais aussi partout en Europe, en particulier au Vatican. Et même si, parfois, il lui arrive d'ajouter foi à des textes qui seraient passés aujourd'hui au crible de la critique – telles les *sagas* (*) – il agit assurément en homme de science. De nos jours encore son œuvre est une indispensable référence pour qui s'intéresse au Moyen Âge norvégien. É. E.

HISTOIRE DU PORTUGAL [*História de Portugal*]. Œuvre de l'écrivain, romancier et poète portugais Alexandreo Herculano (1810-1877), publiée en quatre volumes qui parurent successivement en 1846, 1847, 1849 et 1853. L'œuvre fut précédée par cinq *Lettres sur l'histoire du Portugal*, publiées en 1842 dans la *Revista Universal Lisbonese*. Herculano, empruntant les principes et la méthode des *Lettres sur l'histoire de France* (*) de Thierry, étudie le Moyen Âge portugais, faisant dériver les caractères essentiels de l'histoire nationale de l'absence d'une solide monarchie héréditaire et d'une vraie féodalité. Dans l'*Histoire du Portugal*, il étend ses idées à un domaine plus vaste et les appuie sur un plus grand nombre de faits. La période qui l'occupe va de la domination musulmane au règne d'Alphonse III. Herculano ne traite pas de toute l'histoire de son pays, mais seulement de ses origines, qui se terminent pour lui avec le règne d'Alphonse III (1245-1279). Cette période est abordée sous ses deux aspects politique et social, et son développement sert de base à la doctrine politique de l'auteur. Pour lui, c'est au Moyen Âge que se forme le sentiment national et que s'installent dans les masses populaires ces caractères qui conditionneront la marche de l'histoire de la Lusitanie. Bien qu'Herculano ne puisse pas être considéré comme un historien au sens actuel du mot, il est certainement l'un des rares auteurs portugais et espagnols qui se rapprochent de cette catégorie. Sa critique est plus philologique qu'historique, mais nul ne peut lui contester le mérite d'avoir été le premier à dégager l'histoire portugaise de ses données jusque-là exclusivement légendaires. Herculano joint à une érudition vaste et sûre un style très puissant et un art de la narration qu'il a perfectionné en composant roman et poésie, notamment *Enrico le Prêtre* et *Le Moine cistercien*.

HISTOIRE DU PROGRÈS DES SCIENCES NATURELLES depuis 1789 jusqu'à ce jour. Œuvre du grand naturaliste français Georges Cuvier (1769-1832), publiée en deux volumes à Bruxelles, en 1838. Les découvertes qu'y fit Cuvier au chapitre de la zoologie comparée, comme la lumière qu'il jette sur les autres domaines de la science, valut à cette œuvre une grande renommée. Dans l'introduction du premier volume, Cuvier distingue les sciences mathématiques, où règne la certitude, et les sciences naturelles ; car, même dans les applications des premières, lorsqu'un fait constaté est posé au départ, le reste n'est plus qu'une affaire de calcul, tandis que les secondes, parmi lesquelles l'auteur range aussi la physique et la chimie, si elles occupent le second rang au point de vue de la certitude, tiennent en revanche le premier sous le rapport de l'extension. Les principes généraux des sciences physiques les rendaient irréductibles au calcul, ce qui les réduisit longtemps à l'observation des faits et à leur classification. La plupart des gouvernants, ajoute-t-il, croient bon de ne voir et de n'encourager dans les sciences que leur application quotidienne aux besoins de la société ; mais les hommes instruits, non aveuglés par les préjugés, savent parfaitement que toutes ces opérations pratiques ne sont que de faciles applications des théories générales. On peut dire encore qu'aucune vérité physique n'est indifférente aux progrès matériels de la société, comme aucune vérité morale n'est indifférente à l'ordre qui doit régler celle-ci.

Le premier volume peut se diviser en deux sections ; la première, subdivisée en trois parties, a un caractère général et passe en revue les principales découvertes et les théories qui s'y rattachent. Dans la première partie, intitulée « Chimie générale », Cuvier inclut des sujets qui, aujourd'hui, sont développés aussi dans les traités de chimie-physique (par exemple, la théorie de la cristallisation et des affinités ainsi que les théories sur les « agents chimiques impondérables », comme la lumière et la chaleur) ; il y ajoute les théories sur les vapeurs et sur l'électricité, et place aussi, dans la chimie générale, la théorie de la combustion. Passant à la chimie particulière, Cuvier mentionne les corps isolés depuis peu, ainsi que les produits découverts récemment. Dans la seconde partie, consacrée à l'histoire naturelle, Cuvier traite de l'atmosphère, de l'hydrologie, des minéraux, de la géologie, des êtres vivants et de leurs fonctions, de la botanique, de la zoologie, du perfectionnement des méthodes pour l'étude des végétaux et des animaux, et du progrès de l'anatomie comparée. Dans la troisième partie, Cuvier s'intéresse surtout aux sciences appliquées, comme la médecine, l'agriculture, la technologie. À cette rapide vue d'ensemble, qui occupe les cent soixante-quinze pages du premier volume, fait suite l'exposé chronologique et détaillé des expériences et des recherches faites de 1809 à 1826. Cette partie est divisée de la manière suivante : 1) Physique, chimie et météorologie. 2) Minéralogie et géologie. 3) Botanique et physiologie générale. Le second volume poursuit l'exposé chronologique avec les chapitres suivants : 4) Zoologie, anatomie et physiologie. 5) Médecine et chirurgie de 1809 à 1826. 6) Physique, chimie et météorologie de 1827 à 1830. 7) Minéralogie et géologie de 1827 à 1830. 8) Physiologie végétale et botanique de 1827 à 1830. 9) Anatomie et physiologie animales, zoologie, de 1821 à 1830. 10) Médecine et chirurgie de 1827 à 1830.

HISTOIRE DU RÈGNE DE FERDINAND ET ISABELLE [*The Reign of Ferdinand and Isabella*]. Cette œuvre de l'historien américain William Hickling Prescott (1796-1859), publiée en 1836-1837, est encore considérée comme classique pour l'étude de cette période de l'histoire espagnole qui vit l'union des couronnes de Castille et d'Aragon. Prescott, qui travailla avec beaucoup de conscience sur les documents originaux ou sur des copies très fidèles, commença seulement après huit années de lectures préliminaires la rédaction de cet ouvrage qui se poursuivit pendant six ans. Chez lui l'érudition n'a pas étouffé cependant le sens artistique, égal sinon supérieur à l'esprit scientifique dont il fait preuve. Chacun des chapitres est conçu selon un plan soigneusement étudié dans tous ses détails, si bien que les différents événements convergent tous vers un dénouement logique, qui satisfaisait à la fois aux exigences des érudits et au goût du lecteur qui recherche un intérêt dramatique dans le récit des faits historiques. L'œuvre valut de grands éloges à son auteur, que ses contemporains situèrent au niveau de Sismondi et de Guizot. – Trad. Firmin Didot, 1861.

HISTOIRE DU RÈGNE DE L'EMPEREUR CHARLES QUINT [*The History of the Reign of the Emperor Charles V*]. Œuvre de l'historien écossais William Robertson (1721-1793), publiée à Édimbourg en 1769. Elle commence par un « Tableau des progrès de la société européenne, de la chute de l'Empire romain au début du XVIe siècle », lequel peut être considéré comme une des premières tentatives de reconstitution historique du Moyen Âge. L'auteur cherche à montrer comment dès la fin des invasions barbares l'influence exercée par la féodalité, la chevalerie et les croisades, a contribué à l'établissement progressif d'un gouvernement plus stable et par là même à l'adoucissement des mœurs, en même temps d'ailleurs, qu'elle préparait les conditions d'un équilibre politique entre les grandes puissances. Après ce tableau, Robertson consacre douze livres à l'histoire de Charles Quint. Né à Gand en 1500, Charles se trouve être l'héritier de l'empire le plus vaste qu'ait jamais possédé un souverain européen. À dix-huit ans, il monte sur le trône d'Espagne et, à la mort de son grand-père Maximilien, pose sa candidature à la couronne impériale, en même temps que son puissant rival François Ier. Cette candidature marque le début d'une lutte qui va bouleverser l'Europe durant vingt-huit ans. La rivalité des deux souverains était « fondée sur des intérêts contradictoires aussi bien que sur un antagonisme personnel ». La bataille de Pavie et l'expédition heureuse contre le corsaire Barberousse marquent l'apogée de la gloire de Charles Quint. Son étoile commence à pâlir après sa tentative d'invasion de la France et sa désastreuse entreprise contre Alger. Après la mort de François Ier, l'empereur, qui veut imposer la religion d'État dans tout son empire, tente de dompter l'orgueilleux électeur de Saxe et les protestants allemands. Mais par le traité de Passau il est contraint de reconnaître officiellement l'Église protestante. De nouvelles défaites en France, en Italie et en Hongrie épuisent le vieux monarque qui, souffrant de la goutte, finit par se retirer dans un couvent de l'Estrémadure. L'auteur éprouve des sentiments divers à l'égard de son héros : s'il admire sa prudence, sa profonde connaissance des hommes, il n'en critique pas moins son insatiable ambition. L'*Histoire* de Robertson s'appuie sur une sérieuse connaissance des documents les plus sûrs. Par ailleurs, Robertson fait preuve de beaucoup de modération dans ses jugements. Plutôt que de s'attarder sur les vertus et les défauts de Charles Quint, il décrit les grands événements de son règne, pendant lequel le statut politique de l'Europe commença de se modifier. Par là même son œuvre est une véritable « introduction à l'histoire de l'Europe ». Au surplus, elle annonce une nouvelle conception de l'histoire, une conception, disons-le, toute scientifique. – Trad. A. Desrez, 1836.

HISTOIRE DU ROMANTISME. Ouvrage posthume de l'écrivain français Théophile Gautier (1811-1872), publié en 1874. Il comprend une histoire du romantisme (incomplète), des « Notices romantiques » et le fameux rapport au ministre de l'Instruction publique sur « Les Progrès de la poésie française depuis 1830 ». Ces pages constituent une suite de souvenirs et d'éloges, mais l'auteur se soucie peu de porter un jugement vraiment critique sur un mouvement auquel il a participé avec tant de passion. Dans l'*Histoire*, écrite dans un style plus soutenu, avec une grande abondance de détails pittoresques, il évoque les temps héroïques des débuts du romantisme. Sa rencontre avec Victor Hugo, leur amitié, les joyeuses réunions de peintres et d'écrivains suffisent à expliquer l'enthousiasme avec lequel Théophile Gautier a lutté en faveur de ce mouvement. Le célèbre gilet rouge qu'il portait à la première d'*Hernani* (*) est devenu le symbole même du romantisme et de l'époque 1830. Mais la désinvolture et la liberté d'esprit de l'écrivain ne réussissent pas à cacher la délicatesse de son âme. Gautier se sentait toujours lié à ses compagnons de lutte et, chaque fois que l'un d'eux venait à disparaître, il se sentait tenu d'en évoquer la mémoire avec des accents pathétiques. Dans « Notices romantiques », Gautier parle tour à tour des plus grands et des moins connus. Il manifeste de plus en plus son admiration pour ses amis, depuis Alfred de Vigny jusqu'à Eugène Delacroix. Les pages sur « Les Progrès de la poésie française depuis 1830 » ne sont pas un simple rapport chronologique (1830-1868), mais une tentative d'explication de la poésie qui, après Lamartine, Hugo et Musset, cherchait une nouvelle voie. Ses remarques sur quelques jeunes poètes, de Banville et Leconte de Lisle à Baudelaire et à Mistral, sont fort pénétrantes. L'auteur, en essayant de comprendre l'essor du romantisme, découvre, dans son succès même, des raisons et des exigences profondes. Dans cet ouvrage, le style de Gautier est à la fois plein de vie et d'élégance.

HISTOIRE DU SOLDAT. La suite de concert du musicien russe Igor Stravinski (1882-1971) est à l'origine une musique de scène conçue pour accompagner un texte de l'écrivain suisse d'expression française Charles-Ferdinand Ramuz (1878-1947). La première de ce spectacle monté sur tréteaux – lu, mimé, dansé – eut lieu à Lausanne le 28 septembre 1918. L'argument se résume en quelques mots : un soldat suisse se laisse entraîner par son violon diabolique, et c'est l'histoire des péripéties qui s'ensuivent qui nous est contée, la musique étant à la fois le commentaire des épisodes et l'enchaînement entre eux. L'ensemble orchestral prévu est réduit à un violon, une contrebasse, une clarinette, un basson, un cornet à pistons, un trombone, une batterie – sans timbales, mais avec toute la variété de timbres de la batterie de jazz, sans doute la première employée en Europe. Le style général de l'œuvre est syncopé, mis à part le « choral » et la « valse », et rappelle le rag-time : Stravinski n'est donc déjà plus « russe » et foule dès lors la voie de l'internationalisme qui caractérise sa production ultérieure. Chacun des sept instruments est indépendant, il en résulte des dialogues imprévus qui renforcent l'impression caricaturale dégagée par certains passages de virtuosité, mais, en dépit de cette détente, le sentiment dominant est celui de la présence démoniaque, de l'emprise du diable et de sa victoire – marche triomphale finale – qui est l'un des liens de cette partition extrêmement originale avec d'autres œuvres du même auteur.

HISTOIRE DU THÉÂTRE CHANTÉ SOUS LES SONG ET LES YUAN [*Song Yuan si-ts'iu k'ao – Song Yuan xiqu kao*]. Ouvrage de l'érudit chinois Wang Kouo-wei (Wang Guowei, 1877-1927), publié en 1912. Pour la première fois avec une approche moderne, Wang Kouo-wei imposait les œuvres théâtrales, malgré leur style populaire, comme partie intégrante de la littérature. Il montra les qualités des pièces de l'époque Yuan, leur naturel, leur importance pour comprendre les mentalités et la société de l'époque. J. P.

HISTOIRE ECCLÉSIASTIQUE. La première œuvre, qui nous ait été transmise par l'Antiquité chrétienne sous ce titre, est celle d'Eusèbe de Césarée (v. ci-dessous) ; toutefois, le début de l'ère chrétienne abonde en écrits qui ne sont pas sans avoir très tôt préparé la voie à cette œuvre. Mais, à l'encontre de cette dernière, ces écrits ne se proposaient pas de retracer les vicissitudes de l'Église née de la prédication de Jésus, mais de faire seulement son apologie. Tel fut, par exemple, le but des cinq livres des *Commentaires* d'Hésésippe, un chrétien d'origine palestinienne, qui, vers la moitié du IIe siècle, entreprit un voyage à travers le monde chrétien ; malheureusement, il ne nous reste que des fragments de cette œuvre. Tel fut également le but des cinq livres des *Chronographies* (*) de Sextus Julius Africanus, un Libyen établi en Palestine, qui mourut vers le premier quart du IIIe siècle. Utilisant une méthode fort prisée des apologistes, il disposa chronologiquement les données fournies par l'histoire profane et par l'histoire sainte, pour démontrer la priorité du judaïsme par rapport aux civilisations profanes. Son œuvre, qui s'arrêtait à l'an 221 de l'ère chrétienne, servit de source à toutes les chroniques postérieures (surtout à celle d'Eusèbe, qui en a conservé d'amples fragments) et établit vraiment les bases de l'histoire universelle.

★ L'*Histoire ecclésiastique* est l'œuvre la plus importante de l'écrivain grec Eusèbe de Césarée (265 ?-340). Elle n'est pas une narration des vicissitudes de l'Église chrétienne depuis ses origines jusqu'à l'époque où vivait l'auteur, mais un ensemble disparate de matériaux concernant ces vicissitudes. Le but de l'*Histoire* est de faire l'apologie du christianisme : l'auteur a divisé son travail en différentes rubriques, qui se partagent toute la documentation recueillie par lui. L'œuvre débute par la série des chefs de l'Église, à commencer par le Christ lui-même. Pour la première fois, la succession des évêques est établie par ordre chronologique, avec l'intention de faire ressortir la continuité de l'Église et de démontrer son institution divine. Ensuite, l'auteur passe en revue la série des écrivains chrétiens, et cela dans un double but : l'un apologétique, l'autre visant à établir scientifiquement le canon des écrivains sacrés. L'auteur procède de même pour les hérétiques : Eusèbe ne leur est certainement pas favorable ; mais, ici aussi, il fait passer l'intérêt scientifique avant ses convictions personnelles. Pour déterminer les données chronologiques concernant chaque écrivain, Eusèbe se sert d'indications tirées de l'étude de l'œuvre de chacun d'entre eux, transposant ainsi avec succès dans le domaine de la littérature chrétienne, la méthode inaugurée par les savants alexandrins pour les auteurs grecs. C'est pourquoi, sans oublier la tâche de classification qu'il s'est assignée, il prend aussi position dans des questions d'authenticité. Vient ensuite la narration des malheurs qui ont frappé le peuple hébreu depuis qu'il s'est souillé du sang du Christ, jusqu'au temps d'Hadrien : les châtiments célestes devant démontrer que les Hébreux ne sont plus le peuple élu et que les chrétiens ont bien fait de se séparer d'eux. Enfin, l'auteur expose la série des persécutions subies par l'Église, qui, en survivant à tant de poursuites et en devenant toujours plus forte, a prouvé son origine divine. L'œuvre se termine sur le triomphe final de l'Église, qui, dans l'actuelle rédaction de l'œuvre en dix livres, est marqué par la victoire de Constantin sur Licinius (324 ap. J.-C.). Toutefois, l'édition actuelle a été certainement précédée par d'autres rédactions, dont l'histoire reste controversée ; il semble certain que, lors des grandes persécutions de Dioclétien et de Licinius, Eusèbe reconnut la nécessité de mener l'œuvre jusqu'à son terme logique : il écrivit alors les trois derniers livres sur les persécutions, dont il fut le témoin oculaire. L'*Histoire* d'Eusèbe acquit tout de suite une immense renommée, démontrée par le grand nombre de copies très anciennes qui sont parvenues jusqu'à nous ; elle fut traduite, lors de sa parution, en syriaque et en arménien. Renommée bien méritée, puisque, de par l'importance de sa documentation, cette œuvre reste la meilleure source pour l'histoire de l'Église primitive. — Trad. Cerf 1965 sq.

★ L'*Histoire ecclésiastique*, œuvre d'Eusèbe de Césarée est étroitement liée à celle de son traducteur latin, Rufin d'Aquilée (environ 345-410) qui, à partir de 400-402, compléta l'*Histoire* d'Eusèbe, réduisant à un seul les deux derniers livres et en ajoutant deux nouveaux. Il mena ainsi le récit des événements jusqu'en 395 ; ses additions n'ont qu'une valeur médiocre : elles dépeignent la situation du christianisme en Occident au commencement du Ve siècle.

★ La *Chronique* (*) de l'auteur latin Sulpice-Sévère (env. 360-410) est un véritable résumé de l'histoire de l'Église, rédigé sur le modèle utilisé pour l'histoire profane par Eutrope dans son *Bréviaire*. Cette œuvre, conçue en deux livres, relate le développement des événements, de l'origine du monde jusqu'au consulat de Stilicon (400 ap. J.-C.) ; sa grande importance réside dans sa partie finale, lorsque Sulpice-Sévère s'étend sur des épisodes qu'il connaît bien, comme celui de l'hérésie de Priscillien, et nous fait connaître la situation de l'Église dans la Gaule chrétienne à la fin du IVe siècle. — Trad. Cerf, 1967-69.

★ Parue en Orient, l'*Histoire ecclésiastique* du byzantin Philostorge (368-430 env.), en douze livres, est d'un grand intérêt bien que faussée par la tendance arienne de l'auteur ; il ne nous en reste que des fragments. Cette œuvre commençait par la controverse arienne (315) et arrivait à 423-425 environ. De l'œuvre de Philostorge se rapprochait l'*Histoire des conciles*, de Sabin d'Héraclée, œuvre perdue aujourd'hui et qui était, en réalité, une histoire de la controverse arienne (de 325 à 365) rédigée par un arianisant.

★ Trois continuateurs d'Eusèbe eurent, en Orient, vers la moitié du Ve siècle, une très large influence. Ce sont : Socrate, Sozomène et Théodoret. Socrate l'Historien, appelé aussi le Scolastique — de sa profession procurateur légal (env. 380 à env. 400) — a puisé dans l'œuvre d'Eusèbe et dans celle de Rufin, ainsi que dans les *Actes synodaux*, perdus de nos jours, mais dont certains fragments furent recueillis par Sabin d'Héraclée. Son *Histoire ecclésiastique*, en sept livres, reprend les événements au point où les avait laissés Eusèbe, c'est-à-dire à l'époque de l'abdication de Dioclétien (305), et poursuit sa relation jusqu'en 450, à la veille du concile de Chalcédoine. Certains des événements les plus marquants de l'Église se trouvent justement inclus dans la période traitée par Socrate, allant du schisme arien aux disputes sur le Verbe et au concile de Constantinople. Elle relate l'œuvre des Pères de l'Église : saint Athanase, saint Grégoire de Nazianze, saint Basile, saint Grégoire de Nysse, saint Augustin, saint Hilaire, etc. Particulièrement intéressants sont les témoignages portant sur les faits contemporains à l'auteur, qui les expose avec la plus grande impartialité.

★ L'*Histoire* de Sozomène (natif de Béthel, près de Gaza, Palestine), en neuf livres, fut terminée vers 444 et dédiée à l'empereur Théodose II ; elle retrace l'histoire de l'Église de 324 à 421, pendant les règnes de Constantin et de ses fils, de Julien, Jovien, Valentinien et Valens, Gratien, Valentinien II, Théodose,

Arcadius et Honorius, Théodose II. La fin du dernier livre fut perdue ou peut-être supprimée ; d'après la Préface, cette partie devait contenir la relation des événements jusqu'en 439. Tandis que Socrate est un historien, Sozomène n'est qu'un compilateur : il s'est contenté de reprendre le texte de Socrate et de détails puisés d'ailleurs aux mêmes sources que Socrate (particulièrement chez Sabin d'Héraclée). L'intention de Sozomène fut de rendre au public cultivé, même païen, son sujet agréable, par l'élégance de son style, et de rattacher ainsi l'historiographie ecclésiastique à la meilleure tradition classique. L'auteur ne fait guère preuve de sens critique ; il raconte avec beaucoup de conviction des événements évidemment légendaires, et il n'est pas toujours exact dans sa chronologie. – Trad. Cerf, 1983.

★ L'*Histoire ecclésiastique* en cinq livres de Théodoret, évêque de Cyr, en Syrie et natif d'Antioche (env. 393-458), est dominée par des préoccupations d'ordre théologique. Elle continue l'œuvre d'Eusèbe, allant de 323 à 428, année de la mort de Théodore de Mopsueste et de Théodote d'Antioche. L'ouvrage fut composé entre 449 et 450, lorsque l'auteur, accusé de nestorianisme, était exilé en Apamée. D'après les études les plus récentes, il semble que Théodoret a eu à sa disposition tous les documents qu'il cite, les entassant sans discernement critique et au détriment de la clarté de la narration. Il n'aurait donc pas tiré ses informations, comme on tendait à le croire, des œuvres de Socrate, Sozomène et Philostorge : les ressemblances, qu'on ne peut nier, seraient dues plutôt au fait qu'ils ont puisé à des sources communes. Théodoret participa activement à la vie et aux luttes religieuses de son temps : aussi, sans trop se préoccuper de l'exactitude chronologique, il se fie un peu trop souvent à ses souvenirs personnels dans l'exposé des faits. Animé par une foi sincère et par une grande ardeur religieuse, il maintient, même en écrivant une œuvre historique, un ton d'apologiste qui le porta à défendre et à justifier tous les actes des évêques amis, et à condamner sans rémission ses adversaires. Le style de l'*Histoire* est simple et clair, mais moins heureux que celui de l'autre œuvre très connue de Théodoret : la *Thérapeutique des maladies helléniques* (*) ; sa langue, très soignée et remarquablement pure, fut admirée par la postérité. – Trad. Rocolet, 1675.

★ Par les soins de Cassiodore (env. 485-580), les écrits de Socrate, Sozomène et Théodoret, furent traduits en latin par un certain Épiphane ; Cassiodore les réunit et les remania pour en faire une œuvre unique : ce fut l'*Histoire ecclésiastique tripartite*, en douze livres, qui exerça une grande influence pendant le Moyen Âge.

★ Après avoir indiqué les continuateurs de l'œuvre d'Eusèbe de Césarée, il faut observer que, s'ils le furent matériellement, ils ne reprirent nullement à leur compte sa préoccupation essentielle, qui était de créer une histoire de l'Église, en l'isolant comme un phénomène en soi. Il faudra arriver à la Réforme pour qu'une pareille tentative puisse être prise et développée, quoique dans une intention différente. Il n'y a donc pas lieu de s'étonner si, après Eusèbe et en dehors de ses continuateurs, nous ne trouvons plus une Histoire ecclésiastique digne de ce nom, même si certaines œuvres se parent quelquefois de ce titre ; en revanche, les chroniques, les annales, les histoires nationales, les documents qui touchent à l'histoire de l'Église abondent, mais cette dernière y est étroitement liée à l'histoire politique. Ce fut le cas, par exemple, de l'*Histoire ecclésiastique* écrite par le Syrien Jean d'Éphèse (2ᵉ moitié du VIᵉ siècle), qui relatait les événements allant de Jules César à l'année 585 de notre ère ; de celle de Zacharie le Rhéteur, également Syrien (VIᵉ siècle), qui s'attacha plus particulièrement à décrire les vicissitudes des Églises syriaque et égyptienne.

★ Une œuvre d'une certaine importance est celle écrite en grec par Évagrios le Scolastique, né à Épiphanie en Syrie, en 536 env. (il fut surnommé « Scolastique », car il exerçait à Antioche la profession d'avocat). Son *Histoire*, ainsi qu'il le dit lui-même dans sa Préface, avait été conçue comme une continuation de celles de Socrate, de Sozomène et de Théodoret. Elle comporte six livres et englobe les années 431-594, période si riche en événements importants pour la chrétienté orientale. Sa documentation est très solide, bien que l'auteur se montre souvent trop crédule et se laisse entraîner par son talent de conteur. C'est à l'*Histoire* d'Évagrios que nous devons, en grande partie, nos connaissances concernant les deux courants théologiques qui eurent dans le monde oriental les répercussions les plus vastes et les plus inattendues sur le sentiment religieux : le nestorianisme et le monophysisme. – Trad. Rocolet, 1675.

★ D'un caractère et d'un intérêt surtout politique est l'*Histoire ecclésiastique des Angles* [*Historia ecclesiastica gentis anglorum*] du moine et historien anglo-saxon Bède le Vénérable (673-735), dont les cinq livres embrassent l'époque allant de Jules César et du premier établissement des Angles en Grande-Bretagne à l'an 731, et accordent une importance particulière aux institutions et aux événements religieux. Particulièrement important est le récit qui concerne la période de diffusion de la foi chrétienne : dans le Kent, par l'entremise de saint Augustin, envoyé par Grégoire le Grand, et dans la Northumbrie (patrie et siège épiscopal de Bède), par l'entremise de Paulin. Bien qu'elle fût écrite en latin, on peut considérer cette *Histoire* comme l'œuvre la plus importante de la littérature anglo-saxonne, et cela d'autant plus que le roi Alfred (871-901) en fit une bonne traduction en langue saxonne ; elle est importante tant par le sujet traité que par la personnalité de l'auteur, vraiment représentative de la culture de son époque. La forme de l'ouvrage est claire et agréable, le texte s'appuie sur les meilleures sources que l'auteur avait à sa disposition : documents, traditions, lettres d'évêques et d'abbés, tous hommes cultivés avec lesquels il était continuellement en relation épistolaire. Les idées philosophiques sont puisées dans les enseignements du christianisme et dans la culture classique. Largement propagée dans toute l'Europe catholique du Moyen Âge, cette œuvre a également le mérite d'avoir introduit pour la première fois le calcul des dates « ab incarnatione Domini » : de la naissance de Notre-Seigneur.

★ Du IXe au XIIIe siècle, nous n'avons plus un seul historien vraiment digne de ce nom ; on peut mentionner cependant les *Histoires ecclésiastiques* (en 4 livres) de Hugues de Fleury (XIIe siècle), dont la première édition s'arrêtait à Charles le Chauve ; elle fut par la suite complétée par deux autres livres, allant jusqu'à l'an 855 et les *Histoires ecclésiastiques* d'Ordéric Vital, né en Angleterre et qui vécut en Normandie (1075-1143). Les treize livres de cet ouvrage étaient consacrés surtout aux exploits de Guillaume le Conquérant et de ses fils, jusqu'en 1141.

★ Le XVIe siècle nous donne l'*Histoire ecclésiastique* du polygraphe et poète byzantin Calixte Nicéphore Xantopoulos, lequel, ayant passé une grande partie de sa vie au service de la basilique de Sainte-Sophie à Constantinople, mit largement à contribution sa très riche bibliothèque. L'*Histoire ecclésiastique*, son œuvre la plus importante, comprend dix-huit livres, dont les lettres initiales forment un acrostiche révélant le nom de l'auteur. Cet ouvrage s'étend des origines chrétiennes ou, plutôt, de la naissance même du Christ, jusqu'au triste et tumultueux règne de Phocas et à la mort de ce dernier (610). Nous sont également parvenus des extraits de cinq autres écrits qui retracent les vicissitudes de l'Église pendant la période allant du règne d'Héraclius à la mort de Léon VI le Philosophe (91 ?). Le plan primitif de l'œuvre, qui devait probablement aller jusqu'à l'époque de l'auteur, n'a pas été réalisé. Cette *Histoire ecclésiastique* n'a pas une grande valeur historique, étant surtout une œuvre de compilation. L'auteur a sans aucun doute utilisé des œuvres antérieures, et il est même probable qu'il a récrit une histoire générale de l'Église d'un auteur anonyme du Xe siècle sans citer la source où il avait puisé. Cependant, cette *Histoire* a une certaine importance pour l'historien des premiers siècles de la chrétienté, par les légendes byzantines qui y sont insérées.

★ L'avènement de la Réforme protestante marque les débuts d'une ère nouvelle, non seulement pour l'historiographie ecclésiastique, mais pour l'historiographie en général. Les Réformés eurent l'intuition du puissant moyen de propagande et de lutte que constituait en soi la reconstitution des vicissitudes ecclésiastiques, en partant de nouveaux critères et en se prévalant de la critique humaniste touchant les points controversés de l'histoire religieuse. Pour leurs thèses dogmatiques, les arguments et les preuves pouvaient être tirés du passé, en démontrant que le véritable esprit de l'Évangile, qui dans l'Église s'est abâtardi à travers les siècles, y avait été restauré par la prédication de Luther. Ce fut là, d'ailleurs, le but de l'auteur de la fameuse *Histoire ecclésiastique* composée entre 1559 et 1574, à Magdebourg, par un réformé d'origine dalmate : Mathias Viacič (plus connu sous le nom latinisé de Matteus Flacius l'Illyrien (1520-1575), en collaboration avec Jean Vigand, Matteus Judex, Basile Faber, André Corvin, Thomas Holthuter, Gaspard von Nydbruck. L'œuvre devait arriver à la Réforme, mais ses treize volumes s'arrêtèrent au XIIIe siècle. Comme elle est divisée en « centuries » (un siècle par volume), elle est plus connue sous le nom de *Centuries de Magdebourg*. Elle eut une importance énorme, non seulement parce qu'elle tenait compte, dans l'étude du fait historique, du facteur spirituel universel en plus de l'élément politique individuel, mais aussi parce qu'elle suscita un intérêt nouveau pour l'étude de l'histoire ecclésiastique, même écrite dans un but dogmatique et polémique.

★ Parmi les nombreuses œuvres auxquelles les *Centuries* donnèrent naissance, la seule qui eut et conserva une importance prépondérante est celle de l'oratorien (puis cardinal) César Baronius (1538-1607), œuvre d'inspiration catholique. Intitulée d'abord *Historia ecclesiastica controversa*, titre qui révélait les intentions polémiques et apologétiques de l'auteur, elle est cependant plus connue sous le nom d'*Annales ecclésiastiques* à cause de la disposition chronologique de son texte, suivant en cela un usage cher aux historiographes du Moyen Âge. Menée par Baronius jusqu'en 1198, elle fut constituée dans l'édition de Lucques (trente-huit volumes, 1738-1759) jusqu'en 1565.

★ L'œuvre de Baronius, bien que très imparfaite, donna naissance, chez les catholiques, à une remarquable quantité d'études et de recherches savantes. Mais ce n'est qu'un siècle plus tard qu'apparurent les œuvres qui rénovèrent vraiment les méthodes et les conceptions de la recherche historique appliquée au christianisme. Elles sont dues à la plume du janséniste français Louis-Sébastien Le Nain de Tillemont (1637-1698), et constituent dans leur ensemble la première histoire, véritablement critique, de l'Église ancienne. En 1690, Tillemont commença la publication de l'*Histoire des empereurs et des autres princes, qui ont régné durant les six premiers siècles de l'Église, des persécutions qu'ils ont faites aux chrétiens*, etc. (6 volumes : 1690, 1691, 1692, 1697, 1701, 1738). Vinrent ensuite les *Mémoires pour servir à l'histoire ecclésiastique des six premiers siècles, justifiée par les citations des auteurs originaux, avec une chronologie, où l'on fait un abrégé de l'histoire ecclésiastique et profane* (seize volumes, qui virent le jour entre 1693 et 1712). Ces deux œuvres, qui d'ailleurs n'en formaient sans doute qu'une dans l'idée de l'auteur, se confondent et se complètent. La constante préoccupation de Tillemont est de s'en tenir aux sources (qui sont analysées et considérées dans un réel esprit critique), pour en extraire les faits, sans aucune idée préconçue. La méthode employée, qui a conduit l'auteur à séparer l'histoire religieuse de l'histoire civile, l'exactitude de ses conclusions et bien d'autres aspects de l'œuvre, qui reste valable encore aujourd'hui, font de Tillemont un véritable novateur dans le domaine de l'historiographie moderne de l'Empire romain et de l'Église ancienne.

★ À la polémique religieuse, plus qu'à l'historiographie, appartient l'*Histoire impartiale de l'Église et des hérétiques* [*Die unpartheische Kirchen- und Ketzerhistorie*] du théologien protestant saxon Gottfried Arnold (1666-1714), publiée à Francfort en 1699-1700. Elle retrace l'histoire de l'Église jusqu'en 1688. L'auteur revendique l'honneur de l'avoir écrite dans un esprit purement chrétien, contrastant avec les tendances de l'Église protestante officielle, qui alliait la politique à la religion et tendait vers un régime de l'Église d'État. L'ouvrage ne comporte ni discussion, ni critique des données traditionnelles ; le texte repose souvent sur des anecdotes d'une authenticité douteuse, et n'est même pas exempt de grossières superstitions ; manque une vue d'ensemble de l'enchaînement des faits, et la polémique avec la conception officielle reste la préoccupation dominante de l'auteur. Le style aussi a les qualités et les défauts d'une œuvre de polémique : la forme est tantôt négligée, tantôt alambiquée, mais ne manque ni de chaleur, ni de puissance.

★ Successivement parurent ensuite : l'*Histoire ecclésiastique* de Natale Alessandro (Paris, 1667 et 1714), mise à l'Index à cause des opinions gallicanes défendues par l'auteur, et l'*Histoire ecclésiastique* du savant abbé français Claude Fleury (1640-1723), en vingt volumes (jusqu'en 1414), également d'inspiration gallicane, publiée à Paris entre 1691 et 1720 (elle fut continuée jusqu'en 1595 par Fabre et Gouyet, Paris 1722-1727). Malgré de nombreuses critiques et des défauts évidents, cette œuvre exerça une influence considérable. Elle eut un nombre vraiment exceptionnel d'éditions in-extenso, de résumés et de traductions (anglaise, flamande, italienne et latine).

★ Il faut, pour retrouver une œuvre d'un certain intérêt, passer un siècle et arriver à l'*Histoire universelle de l'Église catholique* (vingt-neuf vol., Nancy 1842/49) de l'abbé R.-François Rohrbacher (1789-1856), œuvre d'inspiration nettement antigallicane et opposée aux doctrines de Lamennais.

★ D'une très grande importance, malgré les critiques que l'on peut aujourd'hui formuler envers cette œuvre, est l'*Histoire de l'Église aux trois premiers siècles* [*Kirchengeschichte der drei ersten Jahrhunderten*, 1853] du théologien allemand Ferdinand-Christian Baur (1792-1860), chef reconnu de l'« École de Tübingen ». Dans cette œuvre, comme dans un grand nombre d'autres qu'il a écrites sur les origines chrétiennes, l'auteur a appliqué la méthode dialectique hégélienne à l'étude de l'histoire de l'Église et du dogme, en combinant cette méthode avec l'analyse philosophique et critique des textes. Il combat toute conception de l'histoire chrétienne qui s'appuyerait sur des données surnaturelles ou trop mystiques, ne voulant prendre en considération que ce qui lui semble naturel ; dans son œuvre, le point de vue de l'historien et l'exigence de la vérité historique sont affirmés avec une sûreté et une maîtrise inconnues jusqu'alors.

★ Œuvre d'érudition faisant preuve d'une grande compréhension de l'importance des événements qui y sont rapportés et d'un sens politique très vif – telle nous apparaît l'histoire de *L'Église et l'Empire romain au IVe siècle* (4 volumes, 1856-1866), due à la plume du diplomate français, chef du parti orléaniste à l'Assemblée nationale de 1871, le duc Victor-Albert de Broglie (1821-1901).

★ Caractérisée par un rationalisme positiviste, telle est l'*Histoire des origines du christianisme* d'Ernest Renan.

★ D'une grande valeur, grâce à la clarté de l'exposé et à la sûreté de ses informations, est l'œuvre – d'inspiration catholique celle-là – du cardinal Joseph von Hergenröther (1824-1890) : *Manuel d'histoire universelle de l'Église* [*Handbuch der allgemeinen Kirchengeschichte*] (1re édition, Fribourg-en-Brisgau, 1876 ; la 4e édition, faite par les soins de J. Kirsch, parut entre 1902 et 1907). C'est un des manuels d'histoire ecclésiastique des plus répandus dans le monde catholique, même de nos jours.

★ Il faut mentionner enfin l'*Histoire ancienne de l'Église* de l'abbé Louis Duchesne (1843-1922), qui fut directeur de l'École française de Rome, un des maîtres les plus réputés en histoire et en archéologie sacrées. Le premier volume, après un chapitre d'introduction consacré aux conditions politiques et spirituelles de l'Empire romain au Ier siècle de notre ère, passe en revue l'œuvre de propagande et l'organisation des disciples de Jésus, l'extension du christianisme en Orient, les origines et les vicissitudes de l'Église romaine, les premières hérésies, la formation de la hiérarchie chrétienne en Occident, en Afrique et en Asie, ses rapports avec les autorités civiles ; les premières persécutions, les livres, les rites et les usages chrétiens, du Ier au IIIe siècle. Le deuxième volume commence par la grande persécution de Dioclétien, examine l'œuvre de Constantin, l'apparition des nouvelles hérésies, la réaction de Julien, le monachisme, le triomphe du christianisme et son établissement en tant que religion d'État. Le troisième volume examine les conséquences de ce fait capital, tant en Orient qu'en Occident, et termine sur un tableau d'ensemble, rappelant les conditions d'existence des diverses Églises et, en particulier, de l'Église romaine, tant dans leurs rapports réciproques que dans ceux qu'elles eurent avec les autorités civiles, à la fin du Vᵉ siècle. Duchesne s'était proposé de faire œuvre de vulgarisation et y a parfaitement réussi, que ce soit pour la clarté de ses reconstitutions, ou pour la vivacité avec laquelle il dépeint les hommes et les choses. la position idéologique de l'auteur est plus historique que théologique ; le souci de rester parfaitement fidèle à la réalité historique touche même parfois au scepticisme le plus absolu, à tel point que l'autorité ecclésiastique, après avoir concédé l'« Imprimatur » à l'édition française, la critiqua sévèrement à l'occasion de la parution de l'édition italienne (1911), ce qui lui valut immédiatement une grande diffusion. On a reproché à Duchesne d'avoir fondé son exposé sur l'élément humain, et d'avoir laissé l'élément divin, en quelque sorte, au deuxième plan ; d'avoir tronqué la conception traditionnelle des persécutions en diminuant le nombre des martyrs (qu'il traite presque de fanatiques), et en exaltant les persécuteurs comme des hommes de génie ; de ne pas avoir présenté les Pères de l'Église avec le respect qui leur est dû, d'avoir rabaissé leurs luttes contre les hérétiques au rang de vulgaires chicanes. On l'a accusé enfin d'avoir présenté l'Église comme une institution humaine postérieure à Jésus, privée de tous ses éléments surnaturels sur lesquels (selon la doctrine théologique) elle est fondée et en dehors desquels on ne peut l'expliquer. Il est à noter que la plupart de ces critiques avaient été faites par des savants laïques. L'œuvre fut condamnée par la Congrégation de l'Index : l'auteur se soumit, et arrêta la publication du quatrième volume qui eut (en 1925) une édition posthume faite par les soins d'H. Quentin sous le titre : *L'Église au VIᵉ siècle*. Ce volume traite des rapports entre l'Église romaine et l'Empire byzantin, entre les diverses Églises d'Orient et d'Occident et le nouvel Empire romain-germanique ; de nouvelles hérésies et des nouveaux schismes. Bien que plus conforme à l'interprétation traditionnelle, il fut publié sans l'approbation ecclésiastique. Malgré la condamnation encourue, l'œuvre qui possède d'indéniables qualités historiques et satisfait aux nécessités de ceux qui recherchent une information synthétique et sûre, a eu et a encore une grande diffusion.

★ Deux histoires ecclésiastiques plus récentes sont celles de Hans Lietzmann (né à Düsseldorf en 1875, mort en 1942) : *Histoire de l'Église ancienne* [*Geschichte der Alten Kirche*] (en 4 vol., Berlin 1932-1942) – certainement l'œuvre de synthèse la plus heureuse parmi celles dont on peut disposer actuellement pour une première information ; et celle, beaucoup plus vaste, publiée sous la direction d'Augustin Fliche (1884-1951) et de Mgr Victor Martin (1886-1945) : *Histoire de l'Église depuis les origines jusqu'à nos jours*, en vingt-quatre volumes. À ce jour ont paru : I. *L'Église primitive*, par Jules Lebreton et Jacques Zeiller ; II. *De la fin du IIᵉ siècle à la paix constantinienne*, par J. Lebreton et J. Zeiller ; III. *De la paix constantinienne à la mort de Théodose*, par Pierre de Labriolle, G. Bardy et J. R. Palanque ; IV. *De la mort de Théodose à l'avènement de Grégoire le Grand,* par Pierre de Labriolle, G. Bardy, Louis Bréhier, G. de Plinval ; V. *Grégoire le Grand, les États barbares et la conquête arabe* (*590-757*), par Louis Bréhier et René Algrain ; VI. *L'Époque carolingienne* (*757-888*), par E. Amann ; VII. *L'Église au pouvoir des laïques* (*888-1057*), par E. Amann et A. Dumas ; VIII. *La Réforme grégorienne et la reconquête chrétienne 1057-1123*), par Augustin Fliche ; IX. *Du premier concile de Lairan à l'avènement d'Innocent III* (*1123-1198*), par Augustin Fliche, Raymond Foréville et Jean Rousset ; X. *La Chrétienté romaine* (*1198-1274*), par H.-X. Arquillière, E. Jarry, Cécile Roudil et A. Fliche ; XIII. *Le Mouvement doctrinal du XIᵉ au XIVᵉ siècle,* par A. Forest, F. van Steenberghen et M. de Gandillac ; XV. *L'Église et la Renaissance* (*1449-1517*), par Roger Aubénas et Robert Ricard ; XVI. *La Crise religieuse du XVIᵉ siècle*, par E. de Moreau, P. Jourda et P. Janelle ; XVII. *L'Église à l'époque du concile de Trente*, par L. Cristiani ; XX. *La Crise révolutionnaire* (*1789-1846*), par J. Leflon, et, enfin, XXI. *Le Pontificat de Pie IX* (*1846-1878*). Lorsque le professeur Fliche, de l'Institut, et Mgr Martin conçurent cette œuvre monumentale, ils firent appel à plus de trente auteurs laïques et ecclésiastiques, que leurs titres scientifiques recommandaient tout spécialement pour écrire telle ou telle période de l'*Histoire de l'Église*. Cette publication fait honneur tant aux deux savants qui l'ont conçue et en ont esquissé le plan, qu'à ceux qui l'ont exécutée. Ampleur de l'information, juste appréciation des faits, modération dans les jugements, telles sont les qualités principales que l'on retrouve à toutes les pages de la nouvelle *Histoire de l'Église*, le tout appuyé d'une bibliographie bien choisie en vue de permettre le contrôle et d'ouvrir de nouveaux horizons. Cette œuvre est composée avec une très grande largeur d'esprit et une objectivité exemplaire.

Pour conclure, nous pouvons faire nôtre le jugement du professeur Stein dans la *Revue belge de philologie et d'histoire* (1938, t. 17) : « Je ne connais pas d'autre grande *Histoire de l'Église* qui soit comparable à celle-ci, tant pour la perfection de son style, que pour son utilité comme instrument de travail. »

En dernier lieu a paru la *Nouvelle Histoire de l'Église*, sous la direction de L.-J. Rogier, R. Aubert, M. D. Knowles, Paris, Éditions du Seuil, t. I *Des Origines à saint Grégoire le Grand (604)*, par Daniélou et Marrou ; t. II *Le Moyen Âge (600-1500)* par M. D. Knowles ; t. III *La Réforme et la Contre-Réforme (1500-1715)* par H. Tüchle ; t. IV *Siècle des Lumières, Révolutions, Restauration (1715-1848)* par L.-

J. Rogier et G. de Bertier de Sauvigny ; t. V *L'Église dans (...) le monde moderne (1848 à nos jours)* par R. Aubert et L.-J. Rogier ; Paris, Éd. du Seuil, 1963 sq.

HISTOIRE ECCLÉSIASTIQUE DES ÉGLISES RÉFORMÉES AU ROYAUME DE FRANCE. Cette œuvre, parue à Genève en 1580, est du théologien français Théodore de Bèze (1519-1605). L'anonymat permet à l'auteur de parler à la troisième personne, de louer son propre discours au fameux colloque de Poissy, assurant le lecteur que ce discours fut non seulement très écouté, mais agréable à entendre (I, 578). Un peu plus loin (I, 646), il relate sa conversation avec de Bèze, les questions qu'il lui avait posées et la réponse qu'il en avait reçue. La valeur littéraire de l'œuvre est médiocre ; elle est écrite sans un plan et sans le moindre effort quant au style. Du point de vue historique pourtant, sa valeur est certaine, puisqu'elle représente le plus ancien et le plus complet des comptes rendus relatant l'établissement du protestantisme en France et les quarante-cinq premières années de ses luttes. L'auteur, qui était une personnalité en vue du mouvement réformé, relate la vie des communautés protestantes entre 1521 et 1563, insérant, dans le corps de son exposé, des copies de procès-verbaux d'interrogatoires et de maints autres documents officiels. Il est intéressant de noter que, dès ses débuts, le mouvement protestant a créé une phraséologie à part, ce qui fait que nous retrouvons dans l'*Histoire ecclésiastique des Églises réformées* des phrases qui correspondent presque mot pour mot à ce qu'écrivaient d'autres protestants de l'époque, par exemple, Régnier de La Planche dans son *Histoire de l'Estat de France sous le règne de François II*, Pierre de La Planche dans ses *Commentaires* ou Jean Crespin dans son *Martyrologe*. L'œuvre comporte deux parties distinctes : l'une consacrée à l'histoire de la Réforme en France par règnes, et l'autre, par régions. C'est ainsi que le livre Ier relate les faits qui ont eu lieu sous le règne de François Ier ; le livre II, faits survenus sous le règne d'Henri II ; le livre III, ceux du règne de François II, tandis que les livres IV, V et VI sont consacrés au règne de Charles IX. Les livres VII, VIII, IX, X, XII, XIII, XIV et XV retracent respectivement l'histoire des villes et lieux qui étaient du ressort des parlements de Paris, Rouen, Bordeaux, Toulouse, Grenoble, Provence, Turin et Bourgogne. Le livre XI relate l'histoire de la ville de Lyon « et pays circonvoisin », tandis que le livre XVI et dernier rapporte l'histoire de Metz et du pays messin.

HISTOIRE ÉGOÏSTE. Mémoires de l'écrivain français Jacques Laurent (né en 1919), publiés en 1976. Cette autobiographie intellectuelle et littéraire pourrait se placer sous le signe de la rencontre de Stendhal et de Maine de Biran — rencontre ici fructueuse : « *Histoire égoïste* n'est pas un roman, mais des Mémoires qui ont une saveur de roman. » Un auteur qui se penche sur son passé y convoque les divers personnages qu'il fut, depuis le petit garçon du square de la Trinité des années 20, infiniment curieux des mots et gourmand de leur forme sonore et graphique, jusqu'au grand reporter qui, cinquante ans plus tard, parcourt le monde suivant ses lignes de fracture et termine cette *Histoire égoïste* sous la forme d'un journal de bord. Né entre l'armistice et la paix, c'est au lycée Condorcet et dans ses environs, la place Clichy et la gare Saint-Lazare, que Jacques Laurent fait son éducation intellectuelle, sentimentale et politique. La lecture de Bainville lui fait aborder Maurras, « magistral nettoyeur de l'intelligence » qui le fera échapper au « charme fasciste ». Tandis qu'il commence une licence de philosophie à la Sorbonne, il écrit dans *Combat* et participe à l'effervescence intellectuelle des dernières années 30, où de multiples chapelles rivales tentent de concilier les aspirations contradictoires de la « tradition » et de la « révolution ». Maurras et Nietzsche l'auront « débarbouillé du romantisme et introduit à la connaissance du cœur humain » et Stendhal converti à l'« athéisme politique », conversion raffermie par le spectacle de la guerre et de l'après-guerre, où les fureurs idéologiques au service des « monstres-mots » s'acharnent à « exterminer la liberté de vivre et son goût ». Cherchant chez Stendhal « le bonheur, donc le courage de poursuivre », Jacques Laurent ne cessera de défendre la cause de la liberté, qui pour lui se confond avec celle de la littérature. Le mécenat que lui offre son double, l'autre lui-même Cecil Saint-Laurent, lui permet d'écrire romans et essais et aussi de s'attaquer, à travers les revues où il écrit — *La Table ronde* (*) — ou qu'il dirige — *La Parisienne* (*), *Arts* — aux différentes tyrannies à la mode (l'« engagement » sartrien, l'intellectualisme freudo-marxiste). Dans son pamphlet *Mauriac sous de Gaulle*, qui lui vaudra les foudres judiciaires de la république gaullienne, il s'en prend encore à ce goût de la servitude volontaire qui incline si facilement les écrivains devant le pouvoir établi (là politique, comme ailleurs intellectuel). Le titre d'un de ses livres, *Au contraire*, pourrait être la devise littéraire de Jacques Laurent, pour qui l'écriture ne se justifie que par la liberté qu'elle sert.

Ph. Ba.

HISTOIRE ET AVENTURES DE DOÑA RUFINE, fameuse courtisane de Séville [*La garduña de Sevilla y anzuelo de las bolsas*]. Roman picaresque de l'écrivain espagnol Alonso de Castillo y Solórzano (1584-1648), édité en 1642, dernière œuvre publiée du vivant de l'auteur. Ce roman fait suite aux *Aventures du bachelier Trapaza*.

Trapaza est le père de Rufine, la courtisane de Séville — nouveau maillon de la chaîne commencée avec la *Pícara Justina* (*) de Francisco López de Úbeda. Avant de mourir, Trapaza installe Rufine chez un vieillard pourvu d'une honnête aisance ; cette fortune ne suffit pas à Rufine, qui cherche à se procurer de l'argent en utilisant ses charmes. Trompée par un premier adorateur, elle agit de telle sorte que son second amant tue le premier : son mari meurt de chagrin en découvrant l'infidélité de sa femme, et Rufine commence alors ses escroqueries de grand style. Sa première victime est le vieux Marquina, auquel elle laisse entendre qu'il doit fuir pour échapper à la justice : ses biens restent à Rufine qu'il a imprudemment accueillie chez lui. Sa seconde victime est un Génois qui s'acharne à rechercher la pierre philosophale : Rufine et un compère se présentent à lui comme alchimistes et finissent par faire main basse sur tous ses biens, après lui avoir laissé une lettre bouffonne pleine de bons conseils. Sa dernière proie importante est Crispin, faux ermite, voleur et chef de bande. Rufine se fait recevoir par cet homme de proie, le subjugue fort évidemment, le dépouille et le fait arrêter. Crispin, ayant réussi à s'enfuir, s'entend avec un compère pour rendre la pareille à Rufine ; mais son complice inspire à la belle courtisane un amour partagé, si bien que tous deux se mettent d'accord pour dérober à Crispin tout ce qu'ils peuvent et le font traduire en justice. Rufine et son compagnon se procurent encore quelque argent aux dépens du chef d'une troupe de comédiens, qui joue dans l'histoire un rôle de trompeur trompé, puis ils se marient avec l'intention d'établir un commerce de soie, mais surtout avec le désir de monter « des farces encore plus savoureuses et de plus ingénieux mensonges ». Le récit est interrompu par trois courtes nouvelles : « Qui veut tout perd tout », « Le Comte des légumes », « À quoi l'honneur nous oblige ».

L'unité fondamentale des quatre récits leur est donnée par ce précepte, dûment appliqué et mis en valeur, qu'il ne convient ni de mortifier ni de combattre ses instincts, lesquels doivent contribuer à rendre la vie agréable et être utilisés pour le plus grand avantage et pour le plus grand plaisir de tous, à condition que ce soit avec discrétion, intelligence et prudence. En effet, si Rufine échoue dans sa première aventure, comme Isabelle (héroïne de la première nouvelle) dans la sienne, comme tous les personnages que Rufine prend dans ses filets, ce n'est pas parce qu'il s'agit pour eux d'être amoraux ou immoraux, mais simplement parce qu'ils ne sont pas suffisamment intelligents ou rusés pour prendre leur plaisir sans complication. Vision railleuse et burlesque de la vie, qui ne prend au sérieux aucun des événements tragiques, dramatiques ou sentimentaux qu'elle expose. Il ne reste presque rien du héros picaresque traditionnel : car l'aspect particulier de cette figure ne vient pas tant de ses qualités, bonnes ou mauvaises, que de la coexistence et de l'interpénétration des unes et des autres. Ici, au contraire, des conceptions telles que l'honneur, la générosité, le souci de reprendre le droit chemin sont tout à fait dépassées. Du héros picaresque primitivement honnête — même si son honnêteté est d'un genre particulier —, Rufine et ses compagnons n'ont rien conservé ; ils sont déloyaux et ne peuvent pas ne pas l'être à cause de leur forme d'esprit. Au point de vue littéraire, ce roman picaresque ne manque pas de valeur : le récit est très vivant, le style attrayant, et les descriptions vigoureuses sont entremêlées çà et là de maximes morales, qui se présentent de telle façon qu'elles ont beaucoup plus l'air de plaisanteries que de sévères avertissements. — Trad. H. du Sauzet, 1732.

HISTOIRE ET CONSCIENCE DE CLASSE [*Geschichte und Klassenbewusstsein*]. Ouvrage du philosophe et critique littéraire hongrois György Lukács (1885-1971), écrit et publié en allemand en 1923. Considéré comme l'ouvrage le plus important de Lukács, ce recueil d'essais est cependant une œuvre de jeunesse qui se rapporte, dans la vie de l'auteur, à une époque de transition entre l'idéalisme objectif de Hegel et le matérialisme dialectique. Lorsqu'il le composa, Lukács était déjà un militant communiste connu, mais il inclinait, comme il se le reprochera plus tard, à minimiser le rôle que le parti révolutionnaire doit conserver au sein même du futur État socialiste. C'est l'essai sur le « changement de fonction du matérialisme historique » qui devait valoir à l'auteur les plus vives critiques. S'appuyant sur le déterminisme historique, Lukács y annonçait la victoire du matérialisme historique, dans laquelle les « lois aveugles de la matière » feront place à la « volonté consciente et planificatrice de l'ordre socialiste futur ». De cette affirmation banale, Lukács tirait cependant des conséquences assez aventureuses et il posait nettement le grave problème de la validité universelle du matérialisme historique. Dans l'ordre socialiste futur, la détermination de la conscience par l'être social conservera-t-elle un sens ? En répondant à cette question, Lukács rappelle que du point de vue marxiste les lois sociales ne sont que des « lois naturelles basées sur la non-conscience des participants » ; n'en faut-il pas déduire, par conséquent, que cette non-conscience se trouvant abolie dans l'ordre socialiste, le matérialisme historique perdra alors sa validité pour ne plus servir que comme une méthode d'investigation du passé. Cette interprétation du schéma marxiste prévoyant le « saut de la nécessité dans la liberté » fut dénoncée par les milieux dirigeants communistes pour ses tendances révisionnistes et réformistes. Lukács se soumit à ces critiques et il devait proclamer par la suite que *Histoire et conscience de classe* était un livre périmé et erroné ; même après 1945 l'ouvrage ne fut jamais publié en hongrois et la traduction française a paru sans le consentement de l'auteur. – Trad. Éditions de Minuit, 1960.

HISTOIRE ET LA FABLE (L') [*The Story and the Fable*]. Autobiographie de l'écrivain écossais Edwin Muir (1887-1959), publiée en 1940. Dans ce récit, dont le titre s'inspire de *Poésie et Vérité* (*) de Goethe, l'auteur raconte son enfance et sa carrière littéraire jusqu'à l'âge de trente-cinq ans, date où il se tourna vers la poésie en se relevant de la longue maladie qui avait assombri les années passées à Glasgow. Les premiers chapitres, écrits dans un style souple, dans une prose rythmée et paisible, sont les plus beaux du livre et traduisent bien la poésie d'une enfance livrée à la méditation. Ils éclairent également de manière intéressante le roman *La Marionnette* que Muir publia en 1927. Dans son ensemble, cette autobiographie renseigne davantage sur l'évolution spirituelle de l'auteur que sur les circonstances extérieures de sa vie. On le sent fort préoccupé de retrouver les différents mouvements de sa vie intérieure : la perte du paradis de l'enfance, la chute dans le cruel désert du temps (le thème du temps est le sujet dominant de son œuvre de critique littéraire), la fable au-delà de l'histoire. En 1954, Muir publia une suite à ce volume avec son *Autobiographie* [*Autobiography*] où, contrairement à *L'Histoire et la Fable*, l'histoire prend nettement le dessus sur la fable et le monde extérieur sur les états d'âme. L'auteur y parle de son éveil au christianisme lorsqu'il vivait à St. Andrews, de son séjour en Allemagne du Sud, du coup d'état de Prague. Cette seconde partie est un document passionnant, mais ne parvient pas à retrouver la fraîcheur qui fait la grandeur du premier livre.

HISTOIRE ET POÉSIE [*Istorija i poezija*]. Recueil d'essais de l'écrivain serbe Marko Ristič (né en 1902), publié en 1963. Intitulé *Sans mesure* [*Bez mere*] et paru pour la première fois en 1928, le texte qui ouvre le recueil participe à la fois de l'essai et du poème lyrique ; c'est l'une des œuvres les plus représentatives du groupe surréaliste de Belgrade, qui mérita le titre de « Seconde Centrale du surréalisme en Europe ». Ce texte, sorte de film de la vie intérieure, participe à la fois de l'émotion et de la pensée ; apparemment chaotique, il est composé d'une suite d'images qui évoluent au gré d'une métamorphose continuelle, qui témoigne d'une extrême richesse lyrique. Le second texte : « Sens moral et social de la poésie » [Moralni i socijalni smisao poezije] traite de la poésie en tant que méthode de perception et acte moral ; il y est également fait mention de la conception matérialiste et pseudo-matérialiste de l'art. « Préface pour quelques romans non écrits et le Journal de cette préface » [Predgovor za nekoliko nenapisanih romana i dnevnik tog predgorova] discute de l'importance comparée du roman et de la poésie, et conclut en soulignant la supériorité de cette dernière et le rôle primordial de l'irrationnel dans la littérature. « Histoire et Poésie », qui donne son titre au recueil et fut rédigé au moment de la guerre d'Espagne, se compose de trois parties : « À la lumière de l'incendie de l'Espagne » [U svetlosti pozara Španije], « Le Rêve et la Vérité de don Quichotte » [San i Istina Don-Kihota] et « Noté en 1938 » [Zapis iz 1938], qui mettent en relief l'incompatibilité de la poésie et de l'oppression politique. Les divers thèmes du recueil sont repris dans les deux derniers essais composés beaucoup plus récemment : « D'une nuit à l'autre » [Iz noći u noć] et « De nouveau au sujet du moderne et du modernisme » [O modernom i modernism, opet]. Bien qu'on puisse lui reprocher parfois une trop grande subjectivité, Ristić demeure l'exemple le plus parfait d'une critique honnête, enracinée dans l'« espace et le temps », fondée sur une vaste culture et animée d'une grande foi dans les valeurs esthétiques. Les autres grands recueils d'essais de Ristič : *La Politique littéraire* [*Knjizevna politika*, 1952] et *Hacer tiempo*, suite dont le premier volume a paru en 1965 sous le titre *Inquiétude* [*Nemir*], révèlent de grands dons de polémiste et une sensibilité toujours en éveil. La réalité effroyable de la guerre et de l'occupation y est notamment évoquée, et c'est l'occasion pour l'auteur de condamner toute forme de violence.

HISTOIRE ET VIE DU COLONEL JACQUE [*The History of the Life and Surprising Adventures of Colonel Jack*]. Roman de l'écrivain anglais Daniel Defoe (1660-1731), paru à la fin de 1722. Cette œuvre se place au point de vue chronologique après le *Journal de l'année de la peste* (*) et *Lady Roxane ou l'Heureuse Catin* (*). Le roman est très long (l'auteur travaillait à la commande et dans le but avoué du gain immédiat) ; aussi ce qui garde de l'intérêt dans cette histoire, c'est uniquement la première partie, description réaliste de la vie d'un jeune garçon pauvre dans les bas-fonds de Londres. Le protagoniste est un enfant trouvé, qui entre dans une bande de petits vauriens et, à l'école des plus grands d'entre eux, devient un habile coupeur de goussets. À cette partie, une des plus incisives et des plus puissantes qui soient sorties de la rude et réaliste plume de Defoe, font suite d'innombrables aventures de toutes sortes ; l'auteur imite là quelques-uns de ses autres romans à succès, et cherche à tirer tout ce qu'il peut de sa renommée avant qu'elle ne faiblisse et que la faveur du public ne se détourne de lui. Quelques militaires (Jacque s'est consacré à la carrière des armes) rappellent ceux qui sont décrits dans *Mémoires d'un cavalier* (*) ; d'autres semblent vouloir faire suite à l'amoureuse succession des amants de Moll Flanders — v. *Moll Flanders* (*) — ; comme celle-ci a eu cinq maris, Jacque, lui, prendra cinq femmes. Bien qu'il soit inférieur aux œuvres précédentes, l'*Histoire et vie du colonel Jacque* eut aussi un grand succès. Defoe était tellement aimé du public qu'il pouvait impunément s'imiter lui-même. À l'époque victorienne, son œuvre, comme toutes celles de son temps, connut une éclipse temporaire. De nos jours, la critique s'est intéressée tout particulièrement au récit de la jeunesse de Jack, passée au milieu des voleurs, dans les bas-fonds de Londres. Elle a fait un parallèle entre ce roman et celui de Charles Dickens, *Olivier Twist* (*) ; si ce dernier est plus riche peut-être en éléments pathétiques, l'œuvre de Defoe a une plus grande puissance réaliste et dépeint plus fidèlement et plus crûment la vérité humaine. — Trad. Martel, 1948 ; Gallimard, 1970.

HISTOIRE EXTRAORDINAIRE. ESSAI SUR UN RÊVE DE BAUDELAIRE. Essai de l'écrivain français Michel Butor (né en 1926). En 1947 paraissait l'étude de Jean-Paul Sartre consacrée à *Baudelaire* (*). Axée sur l'étude de l'homme et de son « choix originel », elle ne prétendait pas, selon les termes de Michel Leiris dans sa Préface « à rendre compte de ce qu'il y a d'unique dans les proses comme dans les poèmes baudelairiens ». Le livre de Michel Butor, publié en 1961, constitue en quelque sorte une réponse à cet essai et une démonstration de la possibilité de tenir pour participant à un discours identique les faits d'existence et les écrits.

Le volume est, tout d'abord, exemplaire de la méthode critique de Michel Butor. Il s'ouvre par la citation intégrale du rêve que le « jeudi 13 mars 1856 » Charles Baudelaire note dans une lettre adressée à Charles Asselineau. Et, allant du plus simple au plus subtil, associant progressivement de plus en plus d'éléments — tout comme dans les romans est révélée graduellement la complexité d'une situation tenue, à l'origine, pour insignifiante —, Butor fait voir qu'un rêve n'est pas lié à un instant, mais que son récit est révélateur, plus que de l'attitude d'un être au monde, de toute une mentalité.

L'hypothèse de Michel Butor est que si Baudelaire « n'a pas la clef » de son rêve, le rêve est rédigé en « Un langage dont il nous donne les clefs ». Un roman de Michel Butor expose en lui son mode d'emploi ; il ne retient nulle indication qui pourrait servir à en révéler le sens, et qui serait à chercher hors de lui. De la même façon un texte, et plus particulièrement un récit de rêve, ne peut que produire ce qu'il avait à nous dire si tôt que nous considérons qu'un être est totalement présent en chacun de ses actes (et que tout fragment de texte est à l'image de la totalité), qu'une conduite n'est point distincte d'une œuvre, qu'une œuvre est une forme d'existence.

Aussi, progressivement, tous les éléments du rêve, dans l'ordre même du texte de Baudelaire, sont analysés dans leur relation avec l'œuvre entier de Baudelaire mis à contribution de façon de plus en plus vaste. La vie éveillée et le rêve, le travail et le désir, le monde du langage et celui des mots, communiquent : le travail de l'œuvre, les variations du titre, la dévotion à Edgar Poe (le titre de l'essai de Michel Butor constitue une allusion à l'art du décryptement, tenu pour un exercice d'écriture extraordinaire, et un hommage à Poe) ont contribué à élaborer le langage du rêve.

Cette attention au rêve, en tant que part de l'œuvre littéraire, et part produite par son travail, a entraîné Michel Butor à écrire un ensemble de cinq livres, un « pentateuque », *Matière de rêves* (1975-1985), où il fonde un genre littéraire nouveau : le texte concerne à la fois l'individu, comme les rêves qui, selon les Anciens, passaient par les portes d'ivoire, et de ce fait appartient au domaine de l'autobiographie ; et il exprime la vision du monde commune à toute la collectivité, comme les rêves que ne pouvaient retenir les portes de corne. Les lecteurs trouveront dans le livre la matière de leurs rêves, une matière pour leurs rêves. J. Rou.

HISTOIRE GÉNÉRALE DES INDES OCCIDENTALES ET DE LA CONQUÊTE DU MEXIQUE [*Historia general de las Indias y conquista de Mexico*]. Cet ouvrage, publié en deux volumes à Saragosse en 1552-53, par l'écrivain espagnol Francisco López de Gómara (1512-1572), est une des premières et des plus importantes histoires de la colonisation espagnole. Elle se compose de deux parties : dans la première, l'auteur fait un « excursus » dans l'histoire du monde jusqu'à la découverte de la Nouvelle-Espagne, comme pour souligner l'événement qui devait ouvrir une ère historique nouvelle. Il retrace alors les conditions dans lesquelles les premières îles furent découvertes, la conquête et la fondation des premières colonies jusqu'en 1552. La deuxième partie, plus étendue, est consacrée à la conquête du Mexique par Hernán Cortés. Gómara, qui était aumônier et secrétaire de la maison des Cortés, se propose une fin tout autre qu'historique, visant surtout la glorification et le panégyrique ; tout le récit se trouve ainsi centré sur la figure du capitaine à qui sont attribués tous les mérites de l'entreprise. Cet individualisme exclusif, que Gómara tient de l'historiographie classique, confère à la narration une valeur assez poétique, qui lui permet non seulement de dominer les événements d'un point de vue essentiel et unitaire, mais encore soustrait l'ouvrage aux exigences d'une réalité multiforme et contradictoire, la portant ainsi sur un plan narratif où il assume nécessairement un ton littéraire. C'est avec le plus grand soin qu'il rassemble les informations directement recueillies chez les protagonistes et les témoins des événements, accompagnant son exposé d'un répertoire exact de notes géographiques et ethnographiques. L'ouvrage, de par sa partialité, souleva néanmoins d'âpres critiques chez les « conquistadores » qui participèrent à l'expédition du Mexique ; aussi, pour rétablir la vérité historique, Bernal Díaz del Castillo écrivit-il son *Histoire véridique de la conquête de la Nouvelle-Espagne par un de ses conquérants* (*). Le Conseil des Indes mit à l'index l'ouvrage de Gómara, qui en donna une seconde édition complètement refondue, parue à Salamanque en 1568. – Trad. *Hist. générale des Indes occidentales et terres neuves qui jusques à présent ont été découvertes*, Sonnius, 1606.

HISTOIRE GÉNÉRALE D'ESPAGNE [*Historia general de España*]. Ouvrage du jésuite espagnol Juan de Mariana (1535 ?-1624), primitivement écrit en latin sous le titre *Historiae de rebus Hispaniae libri XXX*, dont les vingt premiers livres (soit 15 vol.) parurent à Tolède en 1592, les livres XXI à XXV également à Tolède en 1595 et l'ouvrage complet, à Mayence, en 1605. Avant la publication des cinq derniers livres en latin, Mariana commença la traduction, ou plutôt la refonte espagnole de son ouvrage qui parut à Tolède en 1601. C'est la première histoire générale de la Péninsule ibérique conçue de façon unitaire, et non seulement du point de vue géographique, puisqu'elle comprend tous les territoires de la péninsule, y compris le royaume du Portugal, mais aussi d'un point de vue idéal. En effet, l'idée d'Espagne en tant que « nation » trouve chez Mariana sa première affirmation précise. Zélateur convaincu de la monarchie universelle espagnole, qui atteignait alors justement son plus haut degré d'expansion, il voit dans l'histoire des divers royaumes ibériques un processus historique trouvant son dessein providentiel dans la constitution unitaire réalisée par la Castille. L'exposition analytique et synchronique de l'histoire médiévale est ainsi ramenée à une exposition unitaire ayant son apogée dans l'action unificatrice de la monarchie. L'ouvrage embrasse l'entière période qui va des origines à l'époque contemporaine de l'auteur (la première édition espagnole va jusqu'à la mort de Ferdinand le Catholique, en 1516 ; mais un *Sumario*, ajouté en 1616-1617 et augmenté en 1623, reconduit les événements jusqu'en 1621). L'auteur fut accusé d'avoir accordé trop de crédit aux fables et aux légendes, à commencer par celle des mythiques « fondateurs » de l'Espagne, comme Hispalo, Hespero, etc. Et en fait, les critères de discrimination, en ce qui concerne les sources, sont chez Mariana particulièrement vagues ou mal établis. Il serait naïf de vouloir trouver dans cet ouvrage une pensée proprement historique. Dans ses limites littéraires et apologétiques, l'*Histoire générale* de Mariana, avec son style archaïque, concis et coloré, demeure un authentique chef-d'œuvre. – Trad. David, 1723.

HISTOIRE GÉNÉRALE DU IVe SIÈCLE À NOS JOURS. Ouvrage collectif publié à Paris à partir de 1893 sous la direction d'Ernest Lavisse (1842-1922) et A.-N. Rambaud (1842-1905). Le développement du champ des connaissances historiques rendait presque impossible à un seul historien de traiter de toutes les époques et de tous les pays ; et les grandes histoires générales, qui ont pour objet de présenter un tableau général des résultats de la recherche historique et qui se sont succédé depuis la fin du XIXe siècle sont des travaux collectifs où, autour d'un plan d'ensemble, s'agrègent des monographies rédigées par des spécialistes. En France, la première de ces Histoires générales fut l'*Histoire générale du IVe siècle à nos jours* de Lavisse, Rambaud et collaborateurs, douze volumes parus de 1893 à 1900, réédités en 1927. Dans chaque volume, surtout dans ceux qui se rapportent à l'histoire moderne, on peut distinguer trois sortes de chapitres : les uns traitent de l'histoire des pays d'Europe, d'autres de l'histoire du monde moins l'Europe, d'autres enfin sont consacrés à l'histoire de la civilisation. Le Moyen Âge comprend trois volumes : I. *Les Origines* (*385-1095*) ; II. *L'Europe féodale, les croisades* (*1095-1270*) ; III. *Formation des grands États* (*1270-1492*). L'histoire moderne est contenue dans quatre volumes : IV. *Renaissance et Réforme ; les Nouveaux Mondes* (*1492-1559*) ; V. *Les Guerres de religion* (*1559-1648*) ; VI. *Louis XIV* (*1648-1715*) ; VII. *Le XVIIIe siècle* (*1715-1788*). Les cinq derniers volumes sont consacrés à l'histoire contemporaine ; VIII. *La Révolution française* (*1789-1799*) ; IX. *Napoléon* (*1800-1815*) ; X. *Les Monarchies constitutionnelles* (*1815-1847*) ; XI. *Révolutions et guerres nationales* (*1848-1870*) ; XII. *Le Monde contemporain* (*1870-1900*). Il était inévitable qu'un semblable ouvrage se démode en certaines de ses parties, étant donné le développement contemporain de la science historique ; l'*Histoire générale* de Lavisse et Rambaud n'en est pas pour autant périmée, et sous un volume relativement limité elle est encore un excellent guide.

HISTOIRE GÉNÉRALE ET SYSTÈME COMPARÉ DES LANGUES SÉMITIQUES. Ouvrage du philosophe français Ernest Renan (1823-1892), publié par l'Imprimerie impériale en 1855. Au moment de sa publication, cet ouvrage était depuis longtemps conçu, puisque Renan en avait envoyé le plan en 1847 pour le concours du prix Volney. Il devait comprendre deux parties : la première, « L'histoire extérieure des idiomes, leur rôle, leur géographie, leur chronologie et le caractère des monuments écrits qui la font connaître » ; la seconde, « Leur histoire intérieure, développement organique de leurs procédés » ; seule parut la première partie : travail à la fois historique et de philologie comparée, que Renan appliqua, bien qu'avec une certaine réserve, aux langues sémitiques, comme Bopp l'avait fait pour les langues indo-européennes. L'ouvrage est divisé en cinq livres. Le premier traite de ce que Renan appelle les « questions d'origine » : l'auteur remarque tout d'abord que le mot sémitique est assez impropre et que mieux vaudrait parler de langues « syro-arabes ». Il se préoccupe ensuite de situer les Hébreux dans l'histoire, de définir leurs caractères essentiels qui, en fait, se résument en un seul : c'est un peuple avant tout religieux, vraiment le « peuple de Dieu » par excellence. Peuple consacré, Israël se préoccupera fort peu des conditions purement terrestres de la vie et ne brillera en aucun domaine des activités profanes : la science, la philosophie ; le souci politique, si honorable chez les Grecs, lui sera étranger. Comme toute sa vie est prise, séparée pour Dieu, sa langue même semble participer à l'immobilité de sa pensée. Renan remarque encore que ces langues sont plus lyriques et poétiques qu'oratoires, et rebelles à l'abstraction et à la métaphysique. Les langues sémitiques ont-elles une origine commune ? Renan ne le croit point et il remarque justement que plus on remonte dans le passé des peuples, plus nombreux sont les dialectes. C'est la diversité extrême, et non l'unité qui règne à l'origine.

La première période de l'histoire des langues sémitiques est la période hébraïque. Ses débuts remontent jusqu'au deuxième millénaire avant Jésus-Christ, lorsque l'émigration de Tharé amena les Hébreux sur la rive droite de l'Euphrate, jusqu'aux Chananéens qui parlaient la même langue qu'eux. Les Sémites possèdent seuls alors l'écriture et l'alphabet. Au XVIIIe et au VIIe siècles av. J.-C., l'hébreu atteint une perfection classique : époque d'Isaïe, qui surpasse encore la beauté des textes de David et de Salomon. Renan insiste beaucoup sur le caractère de perfection absolue de *La Bible* (*), qui est une œuvre « classique » au même titre que les chefs-d'œuvre d'Athènes et de Rome : « Israël eut, comme la Grèce, le don de dégager parfaitement son idée, de l'exprimer dans un cadre réduit et achevé. La proportion, la mesure, le goût furent, en Orient, le privilège exclusif du peuple hébreu ; et c'est là qu'il réussit à donner à la pensée et aux sentiments une forme générale et acceptable pour tout le genre humain. » La période hébraïque décline au VIe siècle : l'hébreu cesse d'être la langue vulgaire. Les classes supérieures, qui étaient dépositaires de la langue, sont déportées à Babylone. L'hébreu restera la langue des lettres et de l'aristocratie juive. Mais, depuis longtemps déjà, le reste du peuple fait usage couramment de l'araméen (ou syriaque). Ainsi, bien des siècles avant le Christ, à peu près personne ne parlait plus l'hébreu en Judée. Mais dès l'instant qu'on écrivait, ce que l'on faisait rarement, l'hébreu seul était employé. La période araméenne se divise elle-même en de nombreuses périodes : chaldéen biblique ; chaldéen talmudique ; syrochaldaïque ; samaritain, dont la plus intéressante est l'aramaïsme chrétien (ou syriaque). Le syriaque est l'araméen ecclésiastique : cette langue, dont les foyers furent les écoles de Nisibe et d'Édesse, si elle est assez peu importante au point de vue linguistique, joue au contraire un grand rôle pour les études grecques et chrétiennes. En effet, vers le IVe siècle de notre ère, en Mésopotamie, la totalité des docteurs grecs, orthodoxes et hétérodoxes, furent traduits en syriaque : un nombre considérable de documents fut ainsi sauvé, et l'un des plus anciens textes de *La Bible* nous est parvenu en syriaque. Mais, vers le VIIIe et le IXe siècles, une autre traduction eut lieu qui eut des conséquences essentielles pour le destin non seulement des langues sémitiques, mais de la pensée occidentale elle-même : des Syriens traduisirent en arabe la plupart des auteurs grecs. Ainsi, avec les Arabes, les Juifs, pour la première fois, entraient dans la pensée abstraite et la philosophie, et on sait que, par les textes arabes, l'Occident des XIIe et XIIIe siècles redécouvrit la presque totalité de l'héritage grec. L'islamisme, note Renan, fut l'effet et non la cause du réveil de la nation arabe, qui a précédé d'un siècle au moins la naissance du Prophète. Les progrès furent foudroyants : chez des peuples qui ne connaissaient l'écriture que depuis un siècle se forma un public des plus raffinés. Dès lors, au milieu du VIIe siècle, l'arabe est fixé de façon immuable : l'arabe écrit contemporain est, somme toute, le même que celui qu'écrivait Othman, cinquante années après Mahomet. Une des conséquences les plus heureuses de cette immobilité fut que l'arabe, la première entre les langues sémitiques, eut une grammaire.

Dans sa conclusion, Renan se livre à une comparaison des langues sémitiques et des langues indo-européennes : du point de vue de la langue, les familles sont complètement distinctes. Mais il n'en va pas de même du point de vue de la race : sans trop s'y attarder, car ces origines sont assez obscures, Renan note qu'Aryens et Sémites viennent des mêmes terres, les contrées qui s'étendent aux confins de la Perse et de l'Inde. Si la grammaire et les mots sont différents, il n'est donc pas étonnant que le rapport de la pensée au langage soit identique : c'est pourquoi les échanges fondamentaux furent possibles, les Aryens, avec le christianisme, adoptant la tradition religieuse juive, les Juifs, avec les Arabes, accueillant la science grecque. Cet ouvrage de jeunesse — lors de sa publication, Renan avait trente-deux ans — est sans doute le plus sérieux, le plus rigoureusement scientifique de l'œuvre entière. Le plan est fort rigide et très bien dessiné. Si l'érudition est très grande pour l'époque, le style, bien qu'il soit le plus souvent libre de l'emphase (le sujet ne s'y prête guère), n'est cependant pas toujours clair. L'influence du livre fut grande : il s'agissait de la première tentative de ce genre appliquée aux langues orientales. L'ouvrage est classique ; mais il a quelque peu vieilli, surtout depuis les récents progrès de l'assyriologie.

HISTOIRE LAUSIAQUE [*Historia Lausiaca*]. Œuvre de Palladios de Galatie, évêque d'Hélénopolis (368-431 ?). Ce que les *Actes des apôtres* (*) et les *Actes des martyrs* (*) avaient été pour les chrétiens qui vivaient avant Constantin, les légendes hagiographiques des moines et des ascètes le furent pour les hommes de la période suivante. À partir du IVe siècle, une équivalence s'établit dans l'apologétique catholique entre le sacrifice des martyrs et l'ascèse héroïque pratiquée par les contemplatifs du désert et les anachorètes. On peut se risquer à dire que la littérature qui fleurit autour des martyrs chrétiens, comme les apologies inspirées par l'ascétisme qui, à partir du IVe siècle, se développe dans le milieu croyant, ont eu sur la mentalité des foules le même ascendant et ont joui de la même fortune que la littérature romanesque dans le monde moderne. Naturellement, cela ne veut pas dire que, dans les *Actes des martyrs* comme dans les florilèges des ascètes, il ne reste pas un fond de réalité historique que la critique philologique et littéraire cherche à délimiter et à authentifier. Parmi l'abondante littérature ascétique des IVe et Ve siècles, le recueil de biographies de moines compilé par Palladios occupe une place de grande importance. Disciple d'Évagre du Pont, de l'école d'Origène, et plus tard évêque en Asie Mineure, Palladios donne à son ouvrage le nom de Lausus, fonctionnaire à la cour de Théodose II, à qui il le dédia. Dans ce florilège, prototype remarquable de compilations telles que les « Vies des saints Pères » [Vitæ sanctorum patrum] ou des « Paradis » [Paradisi], qui faisaient la joie des lecteurs dévots du Moyen Âge catholique, l'auteur a reconstitué en de courts chapitres la vie des ascètes égyptiens et syriens. Palladios, suivant en cela l'exemple donné en Occident par Cassien de Marseille, fit de longs voyages en Égypte et en Palestine pour étudier personnellement la façon de vivre de ces ascètes qui, au lendemain de la conversion de Constantin et pendant tout le IVe siècle, cherchèrent par la solitude et la contemplation à réaliser l'idéal chrétien. Ils refusèrent ainsi les avantages et les honneurs que la conversion de l'Empereur permit à certains d'obtenir. Cette œuvre possède une importance évidente car, à travers les anecdotes, bien souvent extraordinaires pour ne pas dire scabreuses et piquantes, qu'elle contient, on saisit sur le vif la conception de vie et les pratiques morales qui se dégagent des courants ascétiques et religieux du IVe siècle. Ces courants, qui régnèrent à cette époque sur le monde chrétien, préparèrent l'avènement des formes d'ascèse organisées qui trouvèrent, avec Basile le Grand en Orient, avec Césaire d'Arles et saint Benoît en Occident, leur expression normative.

HISTOIRE LITTÉRAIRE DE LA FRANCE. Dans le domaine de l'histoire de la littérature française, c'est la première œuvre vraiment capitale, qui a fait date non seulement en France, mais à l'étranger. Elle a été entreprise par les pères bénédictins de la Congrégation de Saint-Maur sous le titre complet de : *Histoire littéraire de la France, où l'on traite de l'origine et du progrès, de la décadence et du rétablissement des sciences parmi les Gaulois et parmi les François ; du goût et du génie des uns et des autres pour les lettres en chaque siècle ; de leurs anciennes écoles ; de l'établissement des universités en France,... et de tout ce qui a un rapport particulier à la littérature.* Cette œuvre monumentale fut commencée par dom Rivet de la Grange (1683-1749), qui dirigea personnellement la publication des huit premiers volumes, dont le premier vit le jour en 1733. Le neuvième volume fut composé par dom Taillandier sur le manuscrit laissé par dom Rivet, mort à la tâche, le dixième fut confié à une commission de trois religieux de la même congrégation : dom Maurice Poncet (1686-1764), dom Jean Colomb (1688-1774) et dom Charles Clémencet (1703-1778), auxquels, pour le onzième volume, fut adjoint dom François Clément (1714-1793). Le douzième volume fut le dernier rédigé par les pères bénédictins. La publication fut interrompue par les événements, et ne fut reprise qu'en 1814, date à laquelle l'Académie des inscriptions et belles-lettres fut chargée de continuer le travail. La commission qui fut alors désignée et qui comprenait, à l'époque, MM. Félix Lajard, Paulin Paris, Victor Le Clerc et Fauriel, commença par rééditer les volumes X, XI et XII, devenus introuvables, et, ensuite, entreprit la publication des volumes suivants. L'examen des auteurs anciens et de leurs œuvres, des origines au XIVe siècle, est développé avec une documentation fort précieuse ; l'ouvrage est plein de rapprochements perspicaces et, en ce qui concerne certaines parties, définitifs. Cette œuvre monumentale se présente, à tout prendre, comme un travail d'érudition conforme aux principes d'analyse chers au XVIIIe siècle ; au cours du siècle suivant, les auteurs s'adjoignirent efficacement la nouvelle méthode, dite scientifique par excellence, la méthode « historique ». Les douze premiers volumes – œuvres des pères bénédictins – débutent par l'époque préchrétienne et se terminent avec le XIIe siècle de notre ère, le volume XIII servant de table.

Nous croyons devoir analyser le contenu de ces volumes, car les sources littéraires pour la période qui précède le XIIIe siècle sont extrêmement peu nombreuses, et des indications plus précises peuvent aider les chercheurs à travers la masse des renseignements accumulés. Le tome I débute par une étude sur l'état des lettres dans les Gaules, dans les siècles antérieurs à l'ère chrétienne. Elle est suivie immédiatement par des études analogues qui portent sur l'état des lettres en Gaule romaine durant les trois premiers siècles de l'ère chrétienne. Parmi « les grands hommes qu'ont donnés les Gaules à la république des lettres » au Ier siècle, nous trouvons : Pythéas, Ératosthène, Gniphon, Caton, Divitiac, Varron, Trogue Pompée ; les Césars : Germanicus et Claude ; le poète Pétrone (Marseillais de naissance !), Ausone (né à Bordeaux) et, enfin, saint Irénée. Du volume II au volume IX nous voyons défiler les siècles, du IVe au XIe inclus ; d'abord un volume par siècle et, à partir du IXe siècle, la documentation devenant de plus en plus abondante, deux volumes suffisent à peine. Chaque siècle est comme préfacé par une étude sur l'état des lettres en Gaule — ensuite en France — pendant le siècle envisagé. Certains volumes comportent des « Avertissements au lecteur », qui sont des réponses à des critiques soulevées par la parution de l'*Histoire littéraire*. Quelques-uns sont de véritables controverses : l'« Avertissement » au début du volume V a quarante pages, et celui du tome VII en a 80. Le deuxième volume, comprenant la seconde partie du tome I, décrit l'état des lettres en Gaule au IVe siècle. Parmi les personnages étudiés, nommons saint Hilaire de Poitiers et saint Ambroise, évêque de Milan (né à Trèves et dont le père fut préfet du Prétoire des Gaules). Dans le tome II, consacré au Ve siècle, nous trouvons, entre autres, saint Honorat, fondateur de l'abbaye de Lérins ; saint Paulin, évêque de Nôle ; Jean Cassien, saint Hilaire d'Arles, saint Vincent de Lérins et saint Apollinaire Sidoine, évêque de Clermont. Le tome III, consacré aux VIe et VIIe siècles, étudie la vie et les œuvres de saint Avit évêque de Vienne, saint Rémi évêque de Reims, saint Césaire d'Arles, saint Grégoire de Tours et saint Colomban. Le tome IV passe rapidement sur le VIIIe siècle et entreprend l'étude du IXe siècle, dont l'étude se terminera au tome V. Les personnalités les plus marquantes, pour le IXe siècle, sont le bienheureux Alcuin, abbé de Saint-Martin à Tours ; Charlemagne et ses descendants : Louis le Débonnaire et Charles le Chauve ; le bienheureux Raban, archevêque de Mayence ; Jean Scot Érigène ; saint Rémi, archevêque de Lyon, etc. Les tomes VI et VII, consacrés au Xe siècle, étudient, entre autres, saint Odon, abbé de Cluny ; Rathier, évêque de Vérone, et le pape Silvestre II (Gerbert). Les tomes VIII et IX, consacrés au XIe siècle, étudient la vie et les œuvres de saint Fulbert, évêque de Chartres ; saint Odilon, abbé de Cluny, les papes saint Léon IX, Nicolas II et Urbain II, Bérenger de Tours et le bienheureux Lanfranc, archevêque de Canterbury. Des études substantielles sont consacrées à Guillaume le Conquérant et à Godefroy de Bouillon. Avec le tome X débute l'étude du XIIe siècle, qui se poursuivra jusqu'au tome XV ; le tome XVI contient les tables relatives aux volumes qui précèdent. Au cours de ces six volumes (X à XV) sont étudiés, entre autres, Baudouin Ier, roi de Jérusalem ; Raoul de Caen, historien de la première croisade ; les papes Pascal II et Callixte II, saint Étienne, abbé de Cîteaux ; Rupert de Tuy, dom Guigues, Hugues de Saint Victor, Pierre Abélard, Honoré d'Autun, l'abbé Suger, Pierre Lombard, saint Bernard de Clairvaux, Pierre le Vénérable, Jean de Salisbury, Pierre de Celle, Pierre de Blois, pour finir (T. XV) avec les poètes Lambert le Cors, Alexandre de Paris et Chrétien de Troyes. Dans la nouvelle série, publiée sous les auspices de l'Académie des inscriptions et belles lettres, sept volumes (XVII à XXIII) sont consacrés au XIIIe siècle, et quinze (XXIII à XXXVIII) au XIVe siècle.

HISTOIRE LITTÉRAIRE D'ITALIE. Œuvre de l'historien et critique français Pierre-Louis Ginguené (1748-1816), publiée entre 1811 et 1819. Cet ouvrage fut important en son temps. Il se peut que le jugement de l'auteur ne soit pas toujours exact, que le choix de ses sources semble parfois discutable et que sa conception relève un peu trop de la vieille tradition des genres littéraires. Mais il faut lui rendre cet hommage qu'il sut saisir toute l'importance de la contribution de l'Italie à la culture européenne. Il se trouve avoir en outre corrigé plus d'un jugement émis à ce sujet par ses prédécesseurs, depuis Boileau jusqu'à La Harpe. En bref, il a largement contribué à faire connaître en France la littérature italienne. Son œuvre débute à l'époque du règne de Constantin et va jusqu'au XVIIIe siècle. La première partie de ce cours va du début du Moyen Âge jusqu'à la fin du XVe siècle. Elle fut publiée en 1811. L'auteur cherchait par cet ouvrage à expliquer le phénomène littéraire par les influences historiques, lesquelles, tout en étant quelquefois discutables, permettent néanmoins d'exposer avec méthode des faits que l'on a puisés honnêtement aux sources dont on dispose. Ginguené consacre un volume, ou peu s'en faut, à Dante et à l'étude de *La Divine comédie* (*) dont il sut d'ailleurs exactement apprécier la valeur. En quoi il se différencie de La Harpe, qui tenait cette œuvre pour un « poème monstrueux ». Ginguené étudie avec le même soin Pétrarque et Boccace. Les chapitres qu'il consacre à la Florence des Médicis sont loin de manquer d'intérêt. La deuxième partie du cours (dont la publication ne fut achevée qu'en 1835) comprend les XVIe et XVIIe siècles. Ici, notre auteur reprend, notamment en ce qui concerne Boïardo, l'Arioste et certains poètes mineurs, les thèses de l'école de La Harpe. Ceci dit, Ginguené se révèle pourtant comme le précurseur des maîtres de la méthode historique, grâce aux renseignements qu'il a laissés tant sur le poème de l'Arioste que sur la vie de la Renaissance italienne. Bien qu'il ait vécu à l'époque des encyclopédistes et de la Révolution, on peut dire qu'il ne se laissa que rarement influencer par le système philosophique de son temps.

HISTOIRE LITTÉRAIRE DU SENTIMENT RELIGIEUX EN FRANCE DEPUIS LA FIN DES GUERRES DE RELIGION JUSQU'À NOS JOURS. Œuvre de l'abbé Henri Bremond, écrivain français (1865-1933), publié en onze volumes, de 1916 à 1933. Cet important travail, resté inachevé, étudie les manifestations « écrites » de la pensée religieuse, à partir de la fin des guerres de religion jusqu'à nos jours. L'auteur a puisé à toutes les sources littéraires : biographies, livres de piété, essais de philosophie dévote, livres de morale et d'ascétisme, sermons. Pour nous donner une histoire complète du sentiment religieux, ou plutôt des modes d'expression de ce sentiment, il a, en outre, puisé à des documents historiques qui lui fournirent des indications précieuses sur les habitudes et les tendances religieuses d'une époque. L'étude du sentiment religieux conduit naturellement à celle du progrès de la langue et des lettres ; aussi l'abbé Bremond retrace-t-il non seulement l'évolution de ce sentiment, mais aussi celle du langage. Cette histoire richement documentée contient des biographies et des citations importantes ; son but est de pénétrer le secret des âmes, depuis les plus simples jusqu'aux plus complexes, à travers toutes les manifestations écrites, qu'elles soient dignes ou non d'appartenir à l'histoire littéraire du pays. L'abbé Bremond fait l'éloge de la méthode suivie par Sainte-Beuve dans son *Port-Royal* (*), ainsi que celle du cardinal Newman. Chez ces écrivains, c'est l'étude de la religion, de son influence profonde et de son histoire, de son progrès, et l'étude de ses éclipses qui les intéressent. En cela, les auteurs diffèrent de divers autres critiques qui se sont préoccupés avant tout de la valeur littéraire, et non de la valeur spirituelle des œuvres étudiées. Mais, tandis que Sainte-Beuve et Newman n'étaient que des auteurs d'essais critiques particuliers, parfois très développés il est vrai, l'abbé Bremond est l'auteur d'un travail d'ensemble dans lequel rien n'est négligé. Aussi trouvons-nous dans cette œuvre tous les plus grands noms de la pensée religieuse française : saint François de Sales, Pascal (le chapitre sur « La Prière de Pascal » est très célèbre), Fénelon ; ces auteurs lui ont inspiré des pages d'une rare profondeur dans lesquelles on peut admirer l'étendue de sa culture et la sagacité de ses analyses.

HISTOIRE MERVEILLEUSE DE PETER SCHLEMIHL ou l'Homme qui a vendu son ombre [*Peter Schlemihls wundersame Geschichte*]. Roman de l'écrivain allemand d'origine française Adelbert von Chamisso (1781-1838), qui parut en 1814. Il se peut que l'auteur ait été inspiré par une vieille légende espagnole ; mais c'est là, à coup sûr, l'un des plus étranges et des plus beaux récits qu'ait engendrés le romantisme allemand : Peter Schlemihl, un pauvre diable en quête de travail, rencontre chez le riche Thomas John, à qui il s'est présenté avec une lettre de recommandation, un personnage d'humble apparence dont le pouvoir singulier est tel qu'il peut satisfaire tous les désirs de Thomas et de ses amis, les uns et les autres le traitant d'ailleurs avec indifférence. Cet individu, qui n'est autre que le démon auquel Thomas a déjà cédé son âme, propose à Peter Schlemihl d'échanger son ombre contre la bourse de Fortunatus, bourse magique qui reste continuellement pleine d'argent, encore même y puiserait-on sans retenue. Le pacte est rapidement conclu. Devenu très riche, Peter Schlemihl s'avise de l'importance énorme que les hommes donnent à leur ombre et constate que tous l'évitent depuis qu'il a perdu la sienne, en lui manifestant le plus grand mépris. Il doit aussi renoncer à celle qu'il aime. Mina, du fait que les parents de cette dernière accordent la préférence à Rascal, le propre serviteur de Schlemihl, qui a amassé de l'argent en volant son maître, mais qui, lui, possède une ombre. Le démon consent, pressé par Schlemihl, à lui restituer cette ombre précieuse, mais seulement en échange de son âme. Peter Schlemihl refuse et jette la bourse fatale. C'est alors que commence pour lui une sorte de voyage expiatoire : un bel enfant lui a cédé une paire de vieilles bottes qui sont, en fin de compte, les fameuses Bottes de Sept Lieues grâce auxquelles il parcourra le monde. Épuisé, il est recueilli dans un hôpital qu'a fait construire un de ses anciens serviteurs, Bendel, avec l'argent qu'il avait laissé au moment de son départ. Là, il retrouve Mina qui, elle aussi, expie par des œuvres de piété l'ambition des siens et la vanité qui l'a poussée à épouser Rascal. Toutefois, Schlemihl ne se fait pas reconnaître et poursuit son voyage, ayant trouvé la sérénité, si ce n'est le bonheur, et résolu à consacrer le reste de sa vie à l'étude des sciences naturelles. Égarée par une ressemblance évidente avec le thème de *Faust* (*), la critique a vainement cherché à découvrir ce que Chamisso avait voulu dissimuler derrière le symbole de l'ombre vendue ; quelques-uns ont voulu y voir la patrie, expliquant comment l'auteur avait dû, au moment de la Révolution, abandonner la France où il était né et se rendre en Allemagne. Mais en réalité, le thème recouvre, d'un épisode à un autre, des sous-entendus divers et garde une unité profonde, en dehors de toute logique. Tout ceci ne nuit en rien à la poésie de l'œuvre. Bien au contraire, c'est dans l'impossibilité même de contenir l'histoire dans un cadre bien défini que résident toute la force et la vie de l'œuvre ; l'imagination conserve ainsi son libre jeu. — Trad. Le Club français du Livre, Paris, 1948 ; École des Loisirs, 1978, et J. Corti, 1989.

HISTOIRE NATIONALE VERSIFIÉE [*Dai Nam quôc su diên ca*]. Ouvrage historique vietnamien. Édité en langue nationale en 1870, 1873. Transcriptions et éditions dès 1875 à Saigon par Truong Vinh Ky, puis avec notes en 1956 par Hoàng Xuân Han ; en 1966 à Hanoi. L'ouvrage connu de nos jours est la mise en forme d'une ancienne composition peut-être de plusieurs auteurs, d'abord par Lê Ngô Cat en 1860, puis par Pham Dinh Toai en 1865, réduisant 1887 distiques à 1027. Diffusée dans un but éducatif, c'est l'histoire chronologique du Vietnam des origines à l'avènement des Nguyên, en vers allusifs et faciles à retenir, sur le mode 6-8 pieds spécifiquement vietnamien. Considéré par des lettrés modernes tels que Dang Huy Tru (qui l'imprime en 1870), Truong Vinh Ky ou Hoang Xuân Han, comme un instrument pour une meilleure prise de conscience nationale, cet ouvrage manque certainement d'objectivité et de rigueur scientifique. Il parvient cependant à amplifier la grandeur du pays en faisant appel à l'émotion populaire et en exaltant les faits héroïques, réels ou mythiques, qui émaillent la mémoire collective vietnamienne.

T.-T. L.

HISTOIRE NATURELLE d'Aldrovandi [*Historia naturalis*]. Cet ouvrage en treize volumes du médecin et naturaliste italien Ulisse Aldrovandi (1522-1605) offre un tableau intéressant des sciences naturelles au temps de la Renaissance. Le titre exact en est : *Histoire naturelle. Ornithologie, des Insectes, des autres animaux privés de sang, des Poissons, des Quadrupèdes solipèdes, de tous les Quadrupèdes bisuques, des Quadrupèdes vivipares munis de doigts, des Serpents et des Dragons, des Monstres ; le Musée Métallique, Dendrologie* [*Historia naturalis, Ornithologiæ, de Animalibus insectis, reliquis animalibus exsanguibus, de Piscibus, de Quadrupedibus solipedibus, Quadrupedum omnium bisulcorum, de Quadrupedibus digitatis viviparis, Serpentum et Draconum, Monstrorum, Museum metallicum, Dendrologiæ*]. La classification adoptée — ainsi qu'on peut le voir d'après le titre — suit en gros celle d'Aristote, mais ne présente pas de véritable progrès par rapport à cette dernière. L'importance donnée au manque de sang chez les insectes est, par exemple, dérivée d'Aristote. Le chapitre sur les Dragons est au contraire influencé par les nombreuses descriptions d'animaux fantastiques si répandues au Moyen Âge. Aldrovandi ne commença son œuvre qu'à un âge avancé. Seuls les quatre premiers volumes de l'*Histoire naturelle* « Ornithologie » et les « Insectes », publiés entre 1599 et 1604, sont de sa main ; tous les autres furent écrits par des tiers. Collectionneur passionné, qui dépensa une grande partie de sa fortune pour se procurer des pièces rares et précieuses, Aldrovandi se vantait « de ne jamais avoir décrit une chose sans l'avoir touchée de ses propres mains, et sans en avoir fait l'anatomie ». Cette déclaration est importante parce qu'elle dénote l'exigence, toute nouvelle en son temps, d'apprendre les formes de la nature par l'observation directe et pas seulement par les organes externes. Il semble cependant qu'Aldrovandi n'ait pas toujours senti la nécessité de l'expérience : il suffit de se rappeler à ce propos les nombreuses espèces imaginaires qu'il décrit avec minutie (surtout le livre des Dragons). L'œuvre fit sensation en son temps ; par la suite, elle perdit beaucoup de son crédit et fut sévèrement critiquée, surtout dans les dernières parties non rédigées par l'auteur lui-même. De nos jours, l'on se rappelle l'*Histoire naturelle* surtout parce que c'est le plus grand effort de classification zoologique, minéralogique et botanique qui ait jamais été accompli après Aristote jusqu'aux temps modernes. Sa valeur est purement historique.

HISTOIRE NATURELLE de Pline [*Naturalis historia*]. Œuvre considérable en trente-sept livres de l'écrivain latin Caius Plinius Secondus, dit Pline l'Ancien (23-79 av. J.-C.), publiée après la mort de l'auteur par son neveu Pline le Jeune. Le Ier livre contient le plan général de l'ouvrage et indique les nombreux écrivains que l'auteur a lus ou étudiés ; les livres II à VII traitent de géographie, d'astronomie et d'anthropologie ; VIII à XI de zoologie ; XII à XIX de botanique ; XX à XXVII de médecine végétale ; XXVIII à XXXII de médecine animale ; XXXIII à XXXVII de la minéralogie dans ses rapports avec les usages de la vie humaine, et de l'art. C'est une véritable encyclopédie que Pline le Jeune a définie comme une « œuvre érudite et immense aussi variée que la nature elle-même ». Son matériel se fonde sur la lecture de près de deux mille volumes, et l'auteur cite près de 150 écrivains grecs et latins. Pline n'a rien d'un aride compilateur. Son idée fondamentale est que l'homme se trouve dans la nécessité d'apprendre pour assurer sa vie. Les animaux, dit-il, sentent leur propre nature ; ils agissent et prévoient en fonction de cette nature. Mais l'homme ne sait rien de lui-même, s'il ne l'apprend pas. Réduit à ses seules forces, il ne sait que gémir. Il importe donc qu'il connaisse les lieux où il habite, les êtres avec lesquels il vit, les aspects et les phénomènes du ciel et de la terre, en particulier ce monde végétal et animal d'où il tire sa nourriture quand il est en bonne santé, et des remèdes quand il est malade. Connaître tout ce trésor, telle est bien la condition essentielle de la vie humaine. Le groupe des livres XXXIII à XXXVII concerne surtout l'histoire de l'art antique. Il traite de la minéralogie, du travail des pierres et des métaux et, par là même, constitue avec *Les Dix Livres d'architecture* (*) de Vitruve le dernier témoignage qui nous reste de la riche floraison d'écrits antiques sur les arts figuratifs. Certes, Pline ne s'occupe des arts qu'indirectement. Néanmoins, il nous donne de multiples informations sur nombre de sculptures et de peintures qui existaient alors à Rome. Il rapporte même des jugements empruntés la plupart du temps à d'autres auteurs comme le sculpteur Lysippe ou Xénocrate. En outre, il trace un tableau d'ensemble du développement de l'art antique, lequel est remarquable malgré ses insuffisances. Compilateur consciencieux plutôt que critique d'art, Pline prend soin ici comme ailleurs d'énumérer ses moindres sources. Il nous offre ainsi un répertoire de l'art antique, du plus haut intérêt pour l'archéologie moderne. Ces livres sur l'art ne furent point négligés par la Renaissance : Ghiberti s'en est servi pour ses *Commentaires*, et Landino les a traduits en italien en 1470. – Trad. E. Littré, coll. Nisard, 2 vol., 1860 ; Les Belles Lettres, 1947 sq., 35 vol. parus.

HISTOIRE NATURELLE DE LA RELIGION [*The Natural History of Religion*]. Dissertation critique, due au philosophe écossais David Hume (1711-1776) : publiée en 1758, elle se rattache à l'*Enquête sur l'entendement humain* (*). Dans le but d'expliquer la genèse du besoin religieux chez l'homme, Hume distingue les deux problèmes religieux : historique et philosophique. Les arguments théoriques invoqués pour démontrer le théisme, constituent une chose bien différente des processus mentaux effectifs dont la religion est issue ; religion qui est, certes, fondée sur la nature humaine, mais non pas sur la raison ni sur la foi. L'intérêt suscité par les étranges vicissitudes de la vie, les espérances, les préjugés et les craintes qui assaillent l'esprit humain, permettent d'expliquer la genèse de la religion, qui fut à l'origine un polythéisme et un culte des héros. Le monothéisme, bien qu'il soit plus juste que le polythéisme, a exercé une influence déprimante sur l'humanité, surtout lorsqu'il s'associe à des terreurs superstitieuses, inspirant une attitude de soumission et d'avilissement et proposant, comme les seules acceptées par Dieu, les vertus monastiques de la mortification, de l'humilité et de la résignation ; les héros du paganisme répondent avantageusement aux saints du christianisme. D'autre part, même dans les religions les plus pures et les plus hautes, les faveurs de la divinité sont sollicitées par les fidèles, moins par la pratique des vertus morales que par de frivoles observances et des rites superstitieux. Aussi l'auteur conclut-il que ce n'est ni dans les miracles, ni dans les prophéties et le surnaturel – création d'une passion morbide de l'homme envers le merveilleux – qu'il faut rechercher les preuves d'un but intelligent du monde et d'une finalité morale de la vie, mais dans les manifestations les plus communes et les plus ordinaires de la nature et de notre expérience morale. Dans toutes les manifestations de la vie, le mal se trouve mêlé au bien ; la modération et la température dans nos désirs constituent l'attitude la moins exposée aux tempêtes de l'existence. Sauvons-nous donc autant que possible « dans les régions calmes, quoique obscures, de la philosophie ». L'auteur tenta ultérieurement de résoudre l'énigme dans ses *Dialogues sur la religion naturelle* (*), écrits en 1749-51, mais publiés à titre posthume, où il fait intervenir dans la discussion un croyant orthodoxe, un naturaliste sceptique, un déiste rationaliste, sans dissimuler sa sympathie pour le second, tout en jugeant parfois sa doctrine exagérée et tout en concluant que « la cause de l'univers et les causes de l'ordre de l'univers ont probablement quelque lointaine ressemblance avec l'intelligence humaine ».

Dans ces deux traités, la critique des conceptions dogmatiques de la théologie est poussée bien plus loin que celle des déistes, puisqu'elle n'admet pas comme objectivement valable l'idée de Dieu, sans cependant en tirer des arguments contre les religions positives, qui ne reposent pas sur des notions rationnelles, mais sur des sentiments et des croyances irrationnelles. L'expérience religieuse est un instinct originel fourni par la nature et analogue à celui de l'amour-propre, de l'instinct sexuel et de l'amour filial : un fait naturel correspondant aux origines de la vie humaine, toutes de passion et d'imagination. Avec Hume, Toland, Rousseau et Voltaire – précédés par Herbert of Cherbury –, la critique des religions positives, se mêlant à des préoccupations religieuses, alimentées par des motifs rationnels ou pratiques, donne lieu au déisme : philosophie religieuse plus que religion. – Trad. dans *Œuvres philosophiques*, Londres, Wilson, 1788 ; Vrin, 1971 et 1987.

HISTOIRE NATURELLE DE L'HOMME de Buffon (v. *Histoire naturelle générale et particulière*).

HISTOIRE NATURELLE DES ANIMAUX SANS VERTÈBRES. Œuvre fondamentale du naturaliste français Jean-Baptiste Pierre Antoine de Monet, chevalier de Lamarck (1744-1829), qui parut de 1815 à 1822, et dont le titre complet est : *Histoire naturelle des animaux sans vertèbres, présentant les caractères généraux et particuliers de ces animaux, leur distribution, leurs classes, leurs familles, leurs genres et la citation des principales espèces s'y rapportant : précédée d'une introduction.* Lamarck avait déjà publié en 1801 un *Système des animaux sans vertèbres*, que lui-même considéra comme un essai préliminaire à cette œuvre plus vaste dont la première édition comportait sept volumes (in-8°) ; la seconde édition en onze volumes parut de 1835 à 1845, revue et corrigée par Deshayes et Milne-Edwards. Dans cette édition, le premier volume contient l'introduction et le traité des Infusoires ; le second est consacré aux Polypes, le troisième aux Rayonnés et aux Vers, le quatrième aux Insectes, le cinquième aux Arachnides, aux Crustacés, aux Annélides et aux Cirripèdes et les six autres aux Mollusques. Le onzième volume contient entre autres un important index analytique. Dans l'introduction, Lamarck reprend les idées qu'il avait déjà exposées dans sa *Philosophie zoologique* (*) sur la complication progressive des organismes, leur évolution et l'ordre naturel de leur apparition. Lamarck est le premier à établir l'importante division en Vertébrés (Poissons, Reptiles, Oiseaux et Mammifères) et Invertébrés (tous les autres animaux), distinction qui conserve encore aujourd'hui un intérêt certain, ne serait-ce que d'un point de vue didactique. Parmi les Invertébrés que Linné divisait en deux classes seulement : « Insecta » et « Vermes », Lamarck distingue dix classes réparties en deux groupes. Les « Animaux apathiques », les moins parfaits et les plus primitifs, comprennent : les Infusoires (les Protozoaires d'aujourd'hui et les Rotifères), les Polypes (Cnidaires polypes et Porifères), les Rayonnés (Cnidaires, Méduses et Échinodermes) et les Vers. Les « Animaux sensibles » comprennent : les Insectes, les Arachnides, les Crustacés, les Annélides, les Cirripèdes et les Mollusques (les Mollusques d'aujourd'hui, plus les Tuniciers).

Le mérite principal de cette œuvre, outre la description d'innombrables genres et espèces, dont beaucoup étaient nouveaux (en particulier parmi les Mollusques), est d'avoir introduit une classification rationnelle des animaux inférieurs – qui s'approche beaucoup de la classification actuelle – et d'avoir caractérisé pour la première fois de nombreux groupes, plus ou moins importants. Le groupe des Rayonnés (qui comprend d'ailleurs des formes très éloignées telles que les Méduses et les Echinodermes) est nouveau. Nouveaux également les groupes des Arachnides et des Crustacés (séparés des « Insecta » de Linné, et le groupe des Annélides, distingués des « Cermi linneani »). Le groupe des Mollusques est plus vaste que chez Linné, qui y comprenait seulement les Céphalopodes : Lamarck leur ajoute, à juste titre, les Bivalves et les Gastéropodes ainsi que, de manière erronée, les Tuniciers. Les Cirripèdes, qui formaient d'abord une classe propre, furent par la suite, et justement, rangés dans celle des Mollusques par Lamarck lui-même. Par rapport à la classification de Linné, celle de Lamarck représente un progrès évident et constitue, de toute évidence, la base de la classification de Cuvier qui fut, à son tour, le prototype des systèmes actuels.

HISTOIRE NATURELLE ET GÉNÉRALE DES INDES [*General y natural historia de las Indias*]. Ouvrage de l'historien espagnol Gonzalo Fernández de Oviedo y Valdés (1478-1557), la première histoire, au sens étroit du terme, de l'Amérique espagnole. Oviedo, qui connut Colomb et participa à l'expédition de Pedrarias (1513), effectuant un séjour de plusieurs années à Saint-Domingue, écrivit d'abord son histoire sous forme d'un sommaire, *De la natural historia de las Indias* (Tolède, 1525), dédié à Charles Quint. Nommé chroniqueur des Indes, il développa son ouvrage sous le titre d'*Historia general y natural de las Indias, islas y tierra firma del mar oceano.* C'est une vaste histoire officielle de la Conquête, comprenant trois parties, dont la première parut à Séville en 1535 et les deux suivantes en 1551 et 1559. La première partie s'attache à la découverte et la colonisation des Indes proprement dites, la seconde à la conquête du Mexique, la troisième à la conquête du Pérou et des autres régions. Les cinquante livres que comporte l'ouvrage offrent au lecteur, outre la relation des faits, un ensemble d'informations géographiques et ethnographiques sur le Nouveau Monde, où Oviedo se révèle comme un observateur pénétrant et curieux de tous les aspects de la nature, tels que la faune, la flore, et des mœurs des indigènes. Bien que, sur ordre de Charles Quint, les divers gouverneurs de l'Amérique espagnole fournirent au compilateur tous les documents nécessaires et que l'auteur s'attacha le concours précieux du géographe italien Giovan Battista Ramusio, l'ouvrage apparaît plus prolixe qu'exhaustif, en raison surtout du manque d'esprit de synthèse de son auteur. — Trad. Paris, M. de Vascosan, 1556.

HISTOIRE NATURELLE GÉNÉRALE ET PARTICULIÈRE. Vaste ouvrage de caractère encyclopédique, conçu et entrepris par le naturaliste français Georges-Louis Leclerc, comte de Buffon (1707-1788) et écrit par lui-même et, sous sa direction, par une équipe de savants et d'écrivains. C'est lorsqu'il fut nommé intendant du Jardin du Roi (l'actuel Jardin des Plantes) que Buffon, qui vivait entouré des collections du Cabinet royal d'histoire naturelle (qui devait devenir le Muséum d'histoire naturelle), conçut le plan de cette œuvre grandiose. Il y fit collaborer un certain nombre des hommes de science qui travaillaient avec lui. Son adjoint au Jardin des Plantes, Daubenton, y écrivit l'*Histoire des quadrupèdes* (publiée en 1765), puis se retira. Guineau de Montbéliard travailla aux chapitres consacrés aux oiseaux ; l'abbé Bexon continua l'œuvre commencée par Guineau sur les oiseaux ; enfin, Faujas de Saint-Fond et Guiton de Morveau y traitèrent particulièrement des minéraux. L'*Histoire naturelle* fut publiée à Paris de 1749 à 1789, en trente-six volumes. Les éditions successives s'en épuisèrent au fur et à mesure de leurs parutions ; chacune d'elles était imprimée avec de nombreux suppléments et corrections. Lacépède continua l'œuvre entreprise par Buffon, après sa mort, en donnant l'*Histoire générale et particulière des quadrupèdes ovipares et des serpents* (1788-1789), puis, en 1798-1803, l'*Histoire naturelle des poissons,* et en 1804, l'*Histoire naturelle des cétacés.* Enfin, à partir de 1804, parut une réédition de l'ensemble publiée par Lacépède, qui incluait les nouveaux livres qu'il avait fait paraître sur les reptiles et les poissons. Cette nouvelle édition comprenait quarante-quatre volumes et formait l'édition définitive de l'*Histoire naturelle.*

Des trente-six volumes de la première édition, les trois premiers sont consacrés, après un discours : « De la manière d'étudier et de traiter l'histoire naturelle », où Buffon définit sa méthode, à l'exposé de sa *Théorie de la Terre,* où l'auteur, en une remarquable synthèse, propose un nouveau système du monde, appuyé en particulier sur la conception alors toute récente des ères géologiques et sur les premières découvertes paléontologiques. Puis vient l'*Histoire naturelle de l'homme.* Buffon s'y sépare nettement des matérialistes et des sceptiques de l'époque, en exprimant l'idée que la chaîne qui va du minéral au végétal, et du végétal à l'animal, est interrompue avec l'apparition de la pensée et du langage, ainsi que de la possibilité de progresser chez l'homme. Ce livre contient de curieuses considérations sur les races humaines, les causes de la mort et les monstres, qui, à part quelques naïvetés et quelques erreurs grossières, forment un des premiers monuments de l'anthropologie scientifique. Buffon se sert pour ses démonstrations des observations des voyageurs ; il utilise même la statistique. Avec le quatrième volume commence l'étude des animaux. Il s'ouvre par un « Discours sur la nature des animaux », où Buffon exprime l'hypothèse de la variabilité des espèces vivantes, qui fut la base de la théorie du transformisme, développée par les continuateurs de Buffon : Lamarck et Geoffroy Saint-Hilaire. Viennent ensuite, en une série de portraits, la description des quadrupèdes, qui constitue la partie la plus connue, mais qui est loin d'être la meilleure de l'œuvre. Ces descriptions demeurent tout extérieures : elles sont entachées d'un anthropocentrisme naïf, elles ont surtout une tendance à la moralisation, qui a dû plaire en son temps, mais qui semble, de nos jours, quelque peu exagérée. Un pas de plus, et Buffon et ses collaborateurs tombaient dans un providentialisme à la Bernardin de Saint-Pierre — v. *Études de la nature* (*). Malgré ces défauts, on ne peut nier que cette partie descriptive n'ait un grand charme et qu'elle soit écrite admirablement. Les onze livres suivants qui continuent la série des monographies des quadrupèdes sont surtout l'œuvre de Daubenton ; tandis que les dix livres sur les oiseaux ont été rédigés par Guineau et l'abbé Bexon et revus par Buffon qui y allégea considérablement les descriptions. Les onze derniers livres traitent des minéraux et la part de Buffon y est encore moins importante ; les derniers volumes parurent d'ailleurs après sa mort. Enfin, l'ouvrage comporte un certain nombre de suppléments, en particulier *Les Époques de la nature* (1778) où Buffon trace, avec une éloquence un peu pompeuse, un tableau étonnant du monde naissant. Il y formule des hypothèses hardies et même aventureuses, mais dont les découvertes de Cuvier devaient vérifier l'exactitude.

L'*Histoire naturelle* connut, dès la parution des premiers volumes, un succès retentissant. Buffon fut admiré de l'Europe entière et connut aussitôt une célébrité égale à celle de Voltaire et de Rousseau. On l'appella « le Pline et l'Aristote de la France » ; il entra, sans avoir fait une démarche, à l'Académie française ; on lui éleva une statue de son vivant. L'*Histoire naturelle* apparut, à juste titre, comme un des monuments de la science moderne et du réveil des esprits, au même titre que l'*Encyclopédie* (*) qui lui est contemporaine. Elle eut, en tout cas, le mérite de mettre à la mode, non plus ces expériences d'amateurs qui avaient la faveur des gens du monde, mais la véritable science d'observation, et elle suscita immédiatement un intense développement des sciences naturelles. Du point de vue scientifique, l'œuvre de Buffon est naturellement dépassée, et ses descriptions qui avaient fait, en grande partie, la popularité de l'œuvre, trop jolies, pompeuses et moralisantes, ont vieilli. Ce qui est resté, c'est une vue nouvelle, synthétique et fructueuse de l'histoire naturelle, des aperçus profonds et justes, inspirés par une curieuse imagination scientifique, qui anticipe souvent sur l'avenir, enfin et surtout, spécialement dans la *Théorie de la Terre* et dans *Les Époques de la nature,* une noblesse de style, un goût de l'ordre et de la clarté, qui font de Buffon un des plus grands écrivains du XVIIIe siècle français.

HISTOIRE NON OFFICIELLE DU JAPON [*Nihon Gai-shi*]. Œuvre historique en vingt-deux tomes et en douze volumes que l'écrivain japonais Rai San-yô (1780-1832) publia en 1829. Dès l'enfance, l'auteur se sentit attiré par l'histoire, la poésie et la philosophie chinoises. À l'âge de 16 ans, il entra en relations avec le géographe Furukawa Koshôken (1726-1807) qui lui apprit les notions géographiques indispensables à ses études historiques. À 18 ans, il fit un voyage à Edo et suivit les leçons de Bitô Nishû (1745-1813) et de Shibano Ritsuzan (1748-1821), ce qui donna de solides bases à sa culture. Il étudia en même temps le *T'ong-Kien Kang Mou*, célèbre histoire en cinquante-neuf volumes, publiée en 1223 par le philosophe nationaliste chinois Tchou Hi. L'idée d'écrire son *Histoire* lui vint en lisant l'*Histoire du grand Japon* (*), dont son oncle possédait une copie. Au bout de vingt ans de travail, l'œuvre fut achevée ; mais son auteur n'avait pas le courage de la faire paraître. Toutefois, le ministre Matsudaira Sasanobu (1758-1829), en ayant entendu parler, demanda qu'on voulût bien la lui prêter. Elle lui fit si bonne impression que l'auteur se résolut enfin à la publier. L'*Histoire non officielle* est écrite en chinois ; San-yô y étudie la prospérité et la décadence de treize grandes familles, dont les luttes et la domination constituent l'essentiel de l'histoire du Japon, depuis le XIIIe siècle jusqu'aux temps où vécut l'auteur. Les vingt-deux tomes sont répartis de cette manière : quatre sont consacrés aux Minamoto, deux aux Nitta, six aux Ashikaga, et dix aux Tokugawa. Dans l'agencement général de l'œuvre, on sent surtout l'influence du grand historien chinois Se-ma Ts'ien (145 ?-87 ?) et de Sou Tong-p'o (mort en 1101) et tout particulièrement celle de l'*Aperçu de l'histoire du Japon* [*Tokushi Yoron*] d'Arai Hakuseki (1657-1725). En tant qu'œuvre historique, l'*Histoire non officielle* a une portée très limitée. Il n'était d'ailleurs pas dans les intentions de l'auteur de s'en tenir rigoureusement à la vérité des faits historiques (et d'ailleurs, si l'on se place à ce point de vue, la majeure partie des œuvres de cette époque et de celles qui précédèrent méritent bien la piètre réputation qui leur a été faite). C'est avant tout un acte de foi. Le style est animé par le plus ardent des patriotismes. Les idées qui sont exposées contribuèrent à former l'opinion publique, préparant ainsi la restauration du pouvoir impérial qui devait avoir lieu quelques années plus tard. Rai San-Yô commença à écrire la suite, qu'il intitula *Histoire politique du Japon* [*Nihon Sei-shi*]. Mais la mort l'interrompit dans son œuvre.

HISTOIRE NOUVELLE [*Historia nea*]. Histoire de l'Empire romain d'Auguste à 410 du fonctionnaire grec retraité Zosime, publiée en six livres, entre 498 et 518 (dates déduites d'allusions de l'œuvre et de citations dans des auteurs plus tardifs). Le livre I, d'abord très résumé, puis s'étoffant un peu à partir du début du IIIe siècle, porte le récit jusqu'à Dioclétien ; le livre II narre les règnes de Constantin et de ses fils, le livre III celui de Julien ; le livre IV couvre les années 363 à 395, le livre V les années 395 à 409 ; le livre VI, très bref et inachevé, poursuit le récit jusqu'à quelques semaines avant la prise de Rome par Alaric en été 410. Il est vraisemblable que l'intention de Zosime était d'englober dans son œuvre les événements du Ve siècle. Comme historien, Zosime manque d'originalité, car son livre n'est guère plus qu'un résumé des ouvrages historiques perdus d'Eunape et accessoirement d'Olympiodore. Sa clarté, sa concision et son grec simple, mais correct, ont valu à l'œuvre de Zosime de se conserver malgré sa vive hostilité contre les empereurs chrétiens, notamment Constantin, Gratien et Théodose. Zosime explique les malheurs de l'époque qu'il narre par l'abandon des cultes païens dû au triomphe du christianisme. Il se fait donc le champion d'un providentialisme de signe opposé à celui qu'on trouve chez les historiens ecclésiastiques. Cette orientation polémique contraire à l'interprétation dominante explique peut-être le titre de l'œuvre. – Trad. Les Belles Lettres, 3 vol. en 5 tomes, 1971-1989. F. P.

HISTOIRE ORIENTALE ou Arsace et Isménie. Petit roman du philosophe et écrivain français Charles Louis de Secondat, baron de Montesquieu (1689-1755), publié pour la première fois dans l'édition de ses Œuvres complètes par son fils en 1783. On ne sait exactement à quelle époque de sa vie Montesquieu composa cet ouvrage. Grimm a supposé qu'il était destiné à figurer dans les *Lettres persanes* (*), mais que l'auteur, trouvant cet épisode trop long, l'avait mis de côté. Cependant Montesquieu ne le mentionne que dans une lettre à l'abbé Guasco du 15 décembre 1754 (deux mois avant sa mort), et comme une de ses récentes productions ; il ajoute qu'il lui semble que son *Histoire* est trop éloignée des mœurs pour pouvoir être reçue avec faveur en France. L'un des derniers éditeurs de l'*Histoire orientale*, Roger Caillois, estime, au contraire, que cette œuvre fut écrite vingt ou trente ans plus tôt et qu'elle fut conçue comme un des récits que Montesquieu mettait dans la bouche de son héros, dans la quatrième partie de l'*Histoire véritable* (*). L'*Histoire orientale* est le récit d'un amour conjugal traversé de mille obstacles et de l'élévation au trône de deux amants fidèles ; c'est une manière de petite utopie sentimentale et politique. L'*Histoire* se déroule dans un pays fictif : la Bactriane. À la mort du roi Aratamène, sa fille, Isménie, doit monter sur le trône, mais la réalité du pouvoir passe au premier eunuque du palais, Aspar. Isménie, sous le nom d'Ardasire, a été élevée à l'étranger, elle y a épousé un noble Mède qui a dû rompre ses fiançailles avec la fille du roi de son pays, pour la suivre. La fidélité des deux amants les entraîne dans toutes sortes d'aventures (enlèvements, travestissements, assassinats) ; après avoir surmonté toutes les difficultés, ils se retrouvent tous deux sur le trône de Bactriane où ils forment un couple de souverains idéaux. Montesquieu, à la fin de son récit, peint, sous les traits d'Arsace, le portrait du monarque éclairé tel qu'il le conçoit. *Arsace et Isménie* se présente comme un divertissement dans le goût oriental à la mode du temps ; mais l'auteur entend lui donner une portée morale et politique : c'est un hymne à la fidélité conjugale et au pouvoir éclairé. Montesquieu y fait preuve d'un grand talent de conteur : son récit est rapide, un peu sec ; toutefois son dessein n'y apparaît pas toujours clairement, probablement du fait que l'*Histoire orientale* n'était qu'un épisode de l'*Histoire vraie*, plus tard retranché de cette œuvre ; aussi *Arsace et Isménie* ne peut-il être compté que parmi les œuvres mineures de Montesquieu.

HISTOIRE POÉTIQUE DE CHARLEMAGNE. Œuvre du philologue français Gaston Paris (1839-1903), publiée à Paris en 1865. Paul Meyer en établit, quarante ans après (1905), une réédition comportant des notes tirées en grande partie des indications laissées par l'auteur. L'œuvre est restée à la base de tous les travaux ultérieurs relatifs à la poésie épique néo-latine ; elle équivaut à une étude d'ensemble sur ce sujet, bien qu'elle ne s'occupe que des écrits relatifs à Charlemagne. De la multitude de récits conservés dans toutes les littératures (latine médiévale, française, allemande, flamande, scandinave, anglaise, italienne, hispano-portugaise) se dégage un portrait légendaire de Charlemagne, une « histoire poétique » d'une importance telle qu'on a pu la mettre en parallèle avec l'« histoire historique » du grand empereur. Après trois quarts de siècle, les connaissances dont dispose la philologie romane, qui, en 1865, n'en était qu'à ses glorieux débuts, sont, on le comprend, bien différentes de celles dont pouvait disposer Paris dans sa jeunesse ; l'aspect positiviste qu'il ne pouvait manquer de donner à l'*Histoire poétique de Charlemagne* ne s'accorde plus avec la pensée contemporaine. Voici en quels termes l'Introduction définissait le programme que se fixait l'auteur : « C'est pour ainsi dire une étude de cristallisation : étant donné certains faits et certaines idées, connaissant les lois générales de l'imagination populaire, et le milieu où elles agissaient, il fallait chercher ce qui s'était produit et ramener à une formation normale les irrégularités apparentes des phénomènes. » Mais un tel programme s'est par bonheur arrêté à l'aspect positiviste déjà mentionné, et les progrès réalisés par notre érudition n'empêchent pas que le livre reste encore un ouvrage fondamental, grâce à l'abondance des faits mentionnés et analysés avec pénétration ; en ce qui concerne la rigueur scientifique, l'*Histoire poétique* marque un immense progrès dans le domaine de la critique philologique des littératures modernes, qui n'était jusqu'alors représentée que par des études superficielles.

HISTOIRE POLITIQUE DE LA RÉVOLUTION FRANÇAISE. Œuvre de l'historien français Alphonse Aulard (1849-1928), publiée en 1901-1902. Cette histoire de la Révolution veut être seulement politique, c'est-à-dire montrer comment les principes de la *Déclaration des droits de l'homme et du citoyen* (*) de 1789 furent appliqués et interprétés par les élus du suffrage populaire. Deux d'entre eux sont fondamentaux : l'égalité, d'où dérive la démocratie, et la souveraineté nationale, d'où dérive la République. Au début, la Révolution se limita à un régime bourgeois censitaire et à une monarchie modérée. La démocratie triomphe seulement le 10 août 1792, avec le suffrage universel (la République fut proclamée le 22 septembre). Elle fut supprimée par la Constitution de l'an II (Directoire) et la République fit place à l'Empire en 1804. De ce point de vue, on peut distinguer dans la Révolution quatre périodes : la monarchie constitutionnelle (1789-1792) ; la république démocratique (1792-1795) ; la république bourgeoise (1795-1799) ; la république plébiscitaire (1799-1804). Le sujet se limite à l'histoire des institutions, de la lutte entre les partis, des réactions de l'opinion, à l'exclusion de l'histoire militaire, diplomatique et financière. L'application des principes de 1789 se développa au milieu de circonstances complexes ; il fallait promulguer des lois raisonnables et durables, tout en gouvernant sous la pression de la guerre étrangère et civile. Ainsi les mesures qui furent présentées comme les excès de la Révolution s'expliquent par la montée du péril extérieur et intérieur. Le danger s'étant éloigné, la Terreur prit fin. Toutefois, l'auteur ne fait pas tenir la Révolution dans ces faits accidentels, mais il la ramène à une histoire de l'idéal démocratique et républicain, en partie appliqué dans la pratique et en partie contredit par elle. Les principes de 1789 eux-mêmes contenaient en germe tous les résultats contradictoires, qui font de la période révolutionnaire un abrégé anticipé de l'histoire du siècle suivant. S'opposant à Taine, qui voit la Révolution dominée par une folie raisonnante, l'auteur démontre que les événements révolutionnaires obéissent à la logique des circonstances. L'œuvre n'est pas classée parmi les grandes œuvres littéraires qui traitent de ce sujet ; en effet, elle est aride à cause de la froideur du style et parce que ce sont les groupes sociaux, plus que les individus, qui y sont mis en vedette. Pourtant, c'est une des premières études fondées sur des recherches méthodiques et scrupuleuses, et elle rassemble une documentation aussi étendue que variée.

HISTOIRE ROMAINE d'Appien [Ῥωμαϊκά]. Dans la distribution de la matière historique, le propos des annalistes romains était de grouper les faits par années, ce qui obligeait le lecteur à passer continuellement de l'histoire intérieure de Rome à son histoire extérieure, l'écrivain faisant pour chaque année le tour des divers théâtres de l'action. L'historien Appien, un Grec installé à Rome (IIᵉ siècle ap. J.-C.), pensa remédier à cet inconvénient en transcrivant tous les passages des auteurs grecs qui intéressaient les relations des Romains avec chaque peuple et l'histoire intérieure de Rome. Tous ces documents, il les réunit ensuite dans une chronique nouvelle intitulée *Histoire romaine* et divisée en vingt-quatre livres. Après un premier livre consacré aux rois, les peuples Italiques, Samnites, Celtes, etc., se voyaient respectivement attribuer un livre chacun. Outre des fragments de tous les livres, nous avons intégralement le VIe sur les guerres d'Espagne, le VIIe sur la guerre contre Annibal (étudiée séparément parce qu'elle se déroule en Italie). Du livre VIII, nous possédons la partie qui traite de Carthage ; du IXe, celles qui concernent l'Illyrie ; enfin nous avons les XI et XIIe livres sur la Syrie et Mithridate. Nous possédons encore les livres XIII à XVII qui, sous le titre de « Guerre civile », font le récit de l'histoire intérieure de Rome de 133 à 35 av. J.-C. Les autres livres, qui parlaient des guerres de l'Empire jusqu'à Trajan, sont perdus. Appien se borne à transcrire ses sources. Tout au plus les abrège-t-il. Quand il lui arrive d'ajouter quelque chose, il commet des erreurs considérables (ainsi, il prend Sagonte pour Carthagène et la situe au nord de l'Èbre). La meilleure partie de son œuvre est celle qui concerne les guerres civiles, parce que Appien s'est borné à faire état d'une source de grande valeur, mais qu'on ne peut identifier. Doué d'une sûre intuition historique, et d'une profonde intelligence des questions sociales et politiques, l'auteur raconte l'histoire des Gracques, en les dépouillant de tout ce qui pouvait être inutile à l'intelligence des faits et en resserrant la matière dans un récit net et concis. Sa narration devient de plus en plus touffue à mesure qu'on se rapproche de l'époque d'Octavien. Ce fait, joint à une partialité qui se fait jour dans la partie la plus récente de la chronique, révèle l'intérêt immédiat de l'auteur pour les faits qu'il rapporte. Aussi a-t-on pu voir en Asinius Pollion la source originale de l'histoire d'Appien. En tout cas, il était doué d'un grand talent artistique et singulièrement au courant des problèmes politiques de Rome et c'est à lui que nous devons le meilleur récit de l'importante période des guerres civiles. — Trad. Les Belles Lettres, à paraître.

HISTOIRE ROMAINE de Dion Cassius [Ρωμαικὴ ιστορία]. L'historien grec Dion Cassius (155-235 env.), qui, sous les Sévère, avait accédé aux plus hautes magistratures, a écrit une *Histoire romaine*, depuis les origines jusqu'à son époque. Outre des fragments de dimensions diverses sur l'ère républicaine, nous possédons les livres 36 à 60 (de 68 av. J.-C. à 46 ap. J.-C.) ainsi qu'une grande partie des deux derniers livres. Des autres livres, nous avons les nombreux extraits que le moine Xiphilin, au XIe siècle, et Zonaras (XIIe siècle) ont insérés dans leurs précis d'histoire romaine. D'autres fragments enfin nous sont parvenus dans les *Églogues constantiniennes.* Dion Cassius n'est ici qu'un annaliste, son *Histoire* est un récit pur et simple des événements d'année en année. Elle n'a pas grande valeur artistique et la pensée de l'auteur manque de profondeur et d'originalité. L'ouvrage est cependant précieux, parce qu'il constitue une source irremplaçable pour l'histoire de son époque, et est typiquement représentative de l'attitude politique des classes provinciales, appelées par l'empereur à collaborer au gouvernement de l'État. Par sa carrière et sa tournure d'esprit personnelle, Dion Cassius s'intéresse aux problèmes d'organisation politique et administrative, que les historiens romains ont souvent négligés ; d'où une quantité d'informations importantes à ce sujet. Pour la même raison, il ne partageait pas, contre l'Empire, l'hostilité préconçue des historiens qui se rattachent à la tradition républicaine. Ami et conseiller de l'empereur Alexandre Sévère, il apprécie les bienfaits du gouvernement monarchique ; d'origine provinciale, il comprend la politique d'égalité entre le vainqueur et le vaincu ; nouveau venu dans la noblesse romaine, il n'est pas toujours très tendre pour les vaines aspirations à la liberté. L'*Histoire* de Dion Cassius est une source historique très importante, qui nous permet, en outre, de connaître le véritable état d'esprit de couches importantes de la société à l'égard de l'Empire. — Trad. des livres 50 et 51, Les Belles Lettres, 1991.

★ Jean Xiphilin, chroniqueur byzantin, qui vivait dans la seconde moitié du XIe siècle, a écrit un *Épitomé de l'Histoire romaine de Dion Cassius.* Cette œuvre appartient au mouvement qui marque l'intérêt renaissant pour les études historiques, provoqué par l'œuvre de Constantin Porphyrogénète. Cet *Épitomé* fut composé sur l'ordre de Michel VII Parapinace. Il va du livre 36 au livre 80, soit du temps de César et Pompée (68 av. J.-C.) à la fin du règne d'Alexandre Sévère (229 ap. J.-C.). Les livres antérieurs au 36e manquent malheureusement. L'*Épitomé* comprend un certain nombre de biographies. Il s'ouvre sur la vie de Pompée, celle de César ; viennent ensuite celles des empereurs : d'Auguste à Héliogabale. Le récit de Xiphilin n'est pas toujours fidèle au texte de Dion Cassius ; parfois il omet des noms et des informations ; d'autres fois il en ajoute, qui proviennent d'autres sources. Cette œuvre est fort digne d'intérêt parce qu'elle nous fait connaître, encore que résumée, la partie du récit de Dion Cassius qui manque dans l'original (livres 60 à 78 compris). Il arrive même qu'elle soit utile pour corriger et compléter les livres précédents.

HISTOIRE ROMAINE de Niebuhr [*Römische Geschichte*]. Œuvre de l'écrivain allemand Berthold Georg Niebuhr (1776-1831). Le premier volume, publié en 1811, traite des rois ; le second (1812) nous mène jusqu'aux lois de Licinius ; le troisième (1832) jusqu'à l'an 241 avant Jésus-Christ. Les deux premiers volumes furent ensuite refaits par l'auteur, d'après des études qu'il poursuivit à Rome pendant sa mission diplomatique (entre 1816 et 1822), et publiés en 1827-1828. *L'Histoire romaine* de Niebuhr annonce la réaction des premières années du XIXe siècle contre le rationalisme du siècle précédent. Niebuhr examine à nouveau les sources historiques, et substitue la critique au scepticisme. Il ne veut pas détruire, mais rendre au cadre ses couleurs primitives en supprimant les hypothèses et en faisant saisir le lien que suppose tout processus historique. Selon Niebuhr, il y a trois âges dans la nation : le premier, poétique et irrationnel, autrement dit mythologique ; le second mythique et historique, fondé sur les vraies traditions ; le troisième historique. Il y a donc trois sources auxquelles on peut puiser : les monuments et les documents authentiques ; les annales publiques et privées ; les légendes poétiques. Jusqu'à présent on s'est peu servi des premières. Les annales primitives ont été perdues, et l'histoire refaite dans les annales postérieures est fausse. Il faut donc voir ce que les écrivains ont pu retrouver de la tradition et des légendes. Niebuhr arrive ainsi à libérer l'histoire de l'armature trop rigide dans laquelle l'avaient enfermée les conceptions des écrivains antiques. Il la fait bénéficier de l'esprit du temps ; il la rend directe et actuelle comme s'il traitait d'une histoire contemporaine. La vie du peuple devient le centre de l'étude qui, auparavant, avait eu pour objet les individus. Il donne une nouvelle valeur au fait considéré en lui-même. Pour son traité, il choisit un peuple dont les possibilités spirituelles se manifestaient dans le domaine politique, un peuple dont les citoyens ne créaient pas un art ou une science originale, mais qui avaient su concevoir l'État le plus parfait qui ait été retenu par la tradition ; modèle et exemple pour l'Allemagne d'alors qui, à l'exemple de la Grèce antique, tournait toutes ses forces vers la littérature et la philosophie et ignorait encore les grands engagements de la vie politique. Cette conception romantique de l'histoire fondée sur la conviction qu'il existe une production épique romaine, reprise ensuite dans les annales, devait demeurer surtout comme un document de son époque. Plus originale et plus importante fut par contre son étude sur l'État romain, considéré comme essentiellement agricole, et sur les luttes entre la plèbe et le patriciat. Là, Niebuhr, hostile à l'empire des bourgeois de Napoléon, montre sa sympathie pour la plèbe et pour le peuple des campagnes en général. De par son style, cet ouvrage est complexe, et devient parfois hermétique à force de concentration. Son influence fut très forte sur toute l'historiographie postérieure. Ranke a pu écrire : « L'*Histoire romaine* est le premier livre d'histoire écrit en allemand qui m'ait fait impression. Les descriptions de Niebuhr, pleines du souffle de l'Antiquité, m'ont fait penser que, même parmi les modernes, il peut y avoir des historiens... »

HISTOIRE ROMAINE de Rollin. Œuvre en huit volumes de l'historien français Charles Rollin (1661-1741), publiée de 1738 à 1741. Elle fut complétée à la mort de l'auteur par son élève Crevier. Rollin traite de la monarchie et de la République jusqu'au triomphe d'Octave. Il veut montrer qu'un dessein providentiel s'est accompli dans les conquêtes romaines avec une constance et une cohérence d'actions et de résultats qui dépassent la prudence humaine. Il montre aussi sur quelles vertus se fonda la grandeur de la ville de Rome : le culte religieux, l'amour de la liberté, dans la mesure où celle-ci reste soumise à sa propre loi, l'amour et le dévouement absolus à la patrie, la discipline et la fermeté des caractères, la passion de la gloire et le goût de la domination. L'organisation des rapports sociaux palliait l'inégalité des classes. Même les luttes entre l'aristocratie et le peuple profitèrent à tout le monde. Les conquêtes furent nécessaires à l'unification et à la pacification du monde et facilitèrent l'avènement du christianisme. S'appuyant sur ce principe, Rollin montre le déroulement des faits en acceptant la tradition sans aucune critique. Les événements et les hommes, que le pédantisme privait de vie, sont animés par la chaleur communicative de l'auteur. Œuvre historique d'une rare valeur, elle conserve aujourd'hui même un certain crédit en raison de l'esprit sous lequel elle fut écrite. Elle représente elle-même un signe des temps. Héritière, par son classicisme héroïque, de l'admiration du règne de Louis XIV, et en même temps, par Bossuet, du concept d'un dessein providentiel dans la constitution de l'Empire romain, l'œuvre de Rollin transmit aux générations révolutionnaires, éduquées par cette histoire, l'idéal d'une vertu civile, de la liberté, du sacrifice pour la patrie et du respect des lois qui eut une si grande part dans la politique, tout comme dans la pratique, de la Révolution de 1789.

HISTOIRE ROMAINE de Tite-Live [*Ab Urbe condita libri*]. Au lendemain de la bataille d'Actium, qui ramena la paix et la concorde dans l'Empire romain tourmenté par un siècle de guerres civiles, l'historien latin Tite-Live (59 ? av. J.-C.-17 apr. J.-C.) se proposa de narrer l'histoire de Rome dans une œuvre qui, par l'ampleur du dessein, l'élévation de l'inspiration et la noblesse de la forme, puisse être digne de la grandeur du sujet ; c'est ce qu'on ne pouvait dire des narrations des divers annalistes de l'époque de Cicéron. Déjà en 27 ou en 26 av. J.-C., Tite-Live publiait les premiers livres de son œuvre, qui lui valut l'admiration universelle. Pendant toute sa vie, il continua sa gigantesque entreprise ; il arriva à composer cent quarante-deux livres, c'est-à-dire l'œuvre la plus volumineuse de la littérature latine ; des origines de Rome, la narration arrivait jusqu'à la mort de Drusus (9 av. J.-C.). Cette véritable bibliothèque n'est pas arrivée jusqu'à nous intégralement ; nous possédons les livres I-X (1re décade) et XXI-XLV (3e, 4e et moitié de la 5e décade), quelques fragments des autres et, de tous les livres, les sommaires *(Periochae)*, composés très tard, peut-être sur un épitomé du Ier siècle, dont se servirent des écrivains comme Orose et Florus. Tite-Live, qui avait une éducation de rhéteur – comme l'eurent en général presque tous les historiens romains –, était loin d'avoir une conception scientifique du travail d'historien : son but n'était pas une recherche et une critique des documents nouveaux mais une synthèse harmonieuse de la tradition littéraire existante. C'est pourquoi la valeur historique de sa narration dépend de la valeur des sources que Tite-Live remania librement, suivant les exigences de son art, sans s'arrêter à l'évaluation de leur véracité ; là où il découvrait des contradictions et des falsifications, il rendait compte des différentes opinions d'autrui et de ses propres doutes, mais il ne s'attardait pas en discussions qui auraient troublé l'unité artistique de l'œuvre, ou qui en auraient retardé la continuation. Aux œuvres les plus anciennes, assez peu documentées, il préféra celles des annalistes les plus récents, pleines d'inventions, mais prolixes ; aussi ne s'attarda-t-il pas aux époques archaïques. C'est ainsi que les dix premiers livres vont des origines à 293, tandis que les autres – parmi ceux qui nous sont parvenus – vont de 218 à 167 ; c'est-à-dire que la narration devient toujours plus ample au fur et à mesure que l'écrivain s'approche de son époque. D'ailleurs, à l'égard des époques les plus anciennes, Tite-Live n'éprouvait pas la curiosité de l'archéologue, mais un sentiment d'admiration, patriotique et religieux. Le contraste entre la vie héroïque et simple des temps reculés et celle, toute de discordes violentes, de luxe et de vice, de son époque, communique à sa narration des époques anciennes une émotion poétique intense, surtout lorsqu'il évoque les héros de la légende, tels Coriolan (liv. II), Cincinnatus (liv. III), Camille (liv. V) ou les héroïnes qui représentent les vertus de toute une race : Lucrèce (liv. I), Clélie (liv. II), Virginie (liv. III). L'auteur se garde d'évoquer ses personnages en leur prêtant une individualité de personnage de roman, forcément fausse et sans conviction (comme c'est le cas, par exemple, avec les *Prosopopées* prolixes et vides de Denys d'Halicarnasse) ; mais, par le langage qu'il leur prête, il les revêt d'une noblesse de sentiment toute romaine, qui les rend peut-être quelque peu impersonnels, mais les élève au-dessus de la réalité quotidienne, sur un plan qui tient de la poésie et de la légende.

La partie la plus inspirée de toute l'œuvre est la troisième décade, consacrée à la guerre contre Hannibal. Tite-Live participe avec une émotion intense aux événements dramatiques de cette guerre : il ne s'attache pas à la recherche de causes économiques ou sociales : dans l'héroïque résistance de la ville, il voit la manifestation des vertus et de l'amour de la patrie qui ont fait la grandeur de Rome. Son langage, toujours élevé, confère une grandeur particulière aux hommes et aux événements décrits. La traversée des Alpes par Hannibal, les grandes batailles dans lesquelles périssait la fleur de la jeunesse romaine, le renversement graduel du sort de la guerre, jusqu'à ce que, grâce au génie de Scipion, le rêve d'Hannibal soit à jamais détruit et la puissance impériale de Rome accrue ; tout cela trouve dans Tite-Live un narrateur passionné qui, sans artifice, au moyen d'expressions sobres, oblige le lecteur à partager sa foi dans les destinées de Rome. Le point culminant de son émotion est atteint dans la narration du premier grand succès obtenu en Italie contre les Carthaginois lors de la bataille du Métaure. Avec un sens dramatique aigu, l'écrivain passe rapidement de la marche téméraire de Claudius Néron à l'anxiété qui s'empare de Rome, quand le peuple se presse le long des routes parcourues par les légionnaires dans leur marche fantastique et manifeste, par ses vœux, ses prières et ses acclamations, que le salut de la patrie ne dépend plus que d'eux. Pendant des journées entières, le peuple stationna sur le Forum, de l'aube au coucher du soleil, attendant anxieusement des nouvelles ; quant au Sénat, il siégea en permanence dans la Curie. L'annonce de la victoire, après tant de défaites, ne trouva pas de crédit immédiatement ; mais lorsqu'il fut enfin certain que la victoire était acquise, on vit une joie d'autant plus grande et une gratitude d'autant plus ardente se manifester envers les dieux, puisque ceux-ci avaient finalement récompensé une si longue et si douloureuse patience. Par contre, dans le camp ennemi, quand Hannibal vit qu'on lui rapportait la tête de son frère Hasdrubal, il eut le pressentiment de la catastrophe et, découragé, s'exclama : « Ô Carthage, je succombe sous le poids de tes maux ! » En effet, c'est à partir de ce moment que commencent les succès romains, qui atteignent leur point culminant à Zama. Si le récit de cette bataille, comme celle des précédentes, est confus et peu convaincant, soit à cause des sources, soit à cause de l'incompétence de l'écrivain en matière d'art militaire, par contre, l'art avec lequel Tite-Live fait sentir au lecteur la grandeur du moment qui décida de l'histoire de la Méditerranée et du monde atteint les plus hauts sommets de la puissance dramatique. La narration se termine par le contraste entre le rire désespéré d'Hannibal devant l'égoïsme mesquin de ses concitoyens et le triomphe de Scipion. Toutefois, les ultimes paroles qu'Hannibal adresse aux Carthaginois jettent une ombre sur la joie de cet instant tant désiré : « Aucune grande ville ne peut vivre longuement en paix ; si elle n'a pas d'ennemis au-dehors, elle les trouve en elle-même ; ainsi les corps les plus robustes, même lorsqu'ils semblent être à l'abri de toute force extérieure, sont minés par leur exubérance même. C'est là le destin qui attend Rome, lorsqu'elle aura triomphé de tous les peuples de la Méditerranée. »

La quatrième décade s'ouvre sur une comparaison fameuse : Tite-Live s'identifie à celui qui s'avance à pied dans la mer et se trouve porté à chaque pas vers des profondeurs plus grandes. Ainsi, la matière offerte à l'écrivain par l'histoire romaine lui semble, au moment où il va relater la conquête du monde par Rome, devoir augmenter sans cesse. Dans cette partie qui porte sur les grandes guerres orientales, Tite-Live reproduit en substance Polybe, dont nous possédons encore d'amples fragments, et lui emprunte même sa méthode de travail. S'il transcrit ses textes avec assez de fidélité, il ne se fait pas faute d'enrichir sa narration de cette beauté de style que Polybe avait recherchée en vain. Mais il est évident aussi que Tite-Live se préoccupe avant tout de ne pas ternir la vision qu'il veut donner de la grandeur romaine. En effet, non seulement il omet tout ce qui ne concerne pas directement Rome, mais aussi certains faits parfois très importants pour la compréhension historique, mais qui risqueraient de montrer les Romains sous un jour défavorable. À part ces omissions, il n'y fait pas montre d'une élaboration personnelle profonde : certes, l'excellence de la source était telle que Tite-Live n'était pas trop porté à en modifier les données. Mais les discours qu'il prête, comme dans les autres parties de son œuvre, aux hommes d'État, aux généraux, etc., sont exclusivement de lui. Dans ces discours, librement construits, Tite-Live ne fait pas œuvre de rhéteur : il y exprime, sous une forme assez objective, les conditions dans lesquelles se déroulèrent les événements ; chaque fois que l'occasion s'en présente, il fait dire à ses personnages ce que la situation semble exiger qu'il soit dit ; il donne ainsi à la narration un fondement rationnel. Mais il est obligé de noter que les grands succès de la politique et des guerres extérieures ont comme contrepartie la corruption des mœurs, conséquence de la prospérité apportée par les conquêtes. Tite-Live qui, dès l'exorde, avait établi un parallèle entre l'antique grandeur morale et les misères de son époque, ne pouvait ressentir qu'avec une intensité douloureuse la proche décadence de Rome. Même la partie la moins réussie de l'œuvre de Tite-Live (c'est-à-dire la narration des luttes intestines) est soulevée par le pressentiment de la catastrophe qui allait précipiter Rome dans les guerres civiles. Si dans la partie, aujourd'hui perdue, qui relatait la guerre entre César et Pompée, il ne craignait pas de manifester sa préférence pour le second, combien plus facilement, en traitant des luttes des classes, ne devait-il pas montrer son peu de sympathie pour les démagogues et les novateurs. Cependant, même ici on ne peut dire qu'il fausse délibérément les faits, car son enthousiasme et sa foi dans le destin de Rome étaient trop profonds et sincères pour avoir besoin de tels stratagèmes. Son style, harmonieux et libre, sait fuir sans effort toute monotonie, en s'adaptant aux situations les plus diverses : tantôt vif et dramatique, tantôt solennel, évocateur et quasi sculptural, tantôt encore abondant, coloré et pittoresque. L'œuvre de Tite-Live fut vraiment digne de la grandeur de Rome, tant par le sentiment religieux et par le sens de la vie morale qui l'imprègnent que par les qualités artistiques et la probité dont l'historien y fait preuve. — Trad. Garnier, inachevée, 7 vol., réimpr. 1950 ; Les Belles Lettres, inachevée, 19 vol. parus, 1 943 sq. ; complète Nisard, 2 vol., 1864.

HISTOIRE ROMANCÉE DE LA RÉUNIFICATION DE L'EMPIRE DES LÊ [*Hoàng Lê nhât thông chi*] ou [*Annam nhât thông chi*]. Roman historique vietnamien écrit en chinois. Un manuscrit mentionne comme auteurs Hoc Tôn et Truong Phu. Plus sûrement, ce livre (fin XVIIIe-début XIXe siècles) est l'œuvre de plusieurs lettrés de la famille Ngô (Ngô gia van phai) dont Ngô Thi Chi (1753-1788), Ngô Thi Du (1772-1840), Ngô Thi Thiên. Plusieurs traductions et éditions à Hanoi (1912, 1942 par Ngô Tât Tô, 1970), à Saigon 1969, 1978. Construit en dix-sept chapitres, inspiré du modèle chinois des romans à épisodes, ce roman relate le déclin des princes Trinh, la montée des Tây Son, la chute des Lê, l'avènement des Nguyên (1802). En conciliant les réalités historiques et sociales dans un style vivant, alerte, il réussit à créer une atmosphère pleine de bruit, de fureur, de détresse. Tout en scrutant avec minutie la psychologie des acteurs (favorite au gynécée, soldats qui sont les véritables arbitres de la situation imbus de leur insolent pouvoir, populations coincées entre les luttes des factions...), les auteurs restent objectifs face au déroulement des événements. Cet ouvrage, tout en étant une véritable création romanesque, est un document historique qui vaut tant par la recherche des mobiles profonds de la décomposition du pouvoir que par le tableau social de l'époque. — Trad. partielle E.F.E.O. 1985. T.-T. L.

HISTOIRES d'Ammien Marcellin [*Rerum gestarum libri*]. Œuvre de l'historien latin Ammien Marcellin, né à Antioche d'une noble famille grecque (vers 330-400) et qui participa activement aux événements militaires et à la vie politique de son temps. L'œuvre, écrite en latin — l'auteur se donna pour tâche de continuer les *Histoires* (*) de Tacite —, narrait en trente et un livres les événements de l'empire, de Nerva (96 apr. J.-C.) à la mort de Valens en 378. Les treize premiers livres, qui exposaient d'une façon assez sommaire l'histoire sur une période de 257 ans, sont perdus ; les événements qui sont contemporains à l'auteur sont retracés dans les dix-huit livres qui sont parvenus jusqu'à nous et qui contiennent l'histoire d'une période de 26 années. Ce qui nous reste représente donc la partie la plus importante de l'œuvre. Le XIVe livre débute à l'an 353, par lequel commence la régence de Constance, et arrive à la mort de César Gallus (354). Les exhortations des amis de Marcellin et la faveur du public auquel l'auteur la fit connaître l'induisirent à continuer avec la narration des événements survenus sous les empereurs Valentinien, Valens, Gratien et Valentinien II ; l'œuvre se termine à la mort de ce dernier, lors de la bataille d'Andrinople.

Ammien Marcellin fut le seul historien qui put s'élever très au-dessus des annalistes, chronographes et biographes contemporains, et qui tenta une histoire universelle en englobant les événements d'Orient et d'Occident. La multiplicité de ses incursions dans le domaine de la géographie, de la physique, de la mathématique, de la philosophie, de la religion et dans le domaine social, empêche quelque peu l'unité de la narration, mais arrive à modifier la physionomie de l'œuvre, en lui donnant une allure encyclopédique. — Trad. Dubochet, 1849 ; Les Belles Lettres, 1968 sqq. (en cours).

HISTOIRES de Doucas [Ιστοριαι]. Œuvre de Doucas, chroniqueur byzantin du XVe siècle. Le genre historique de cette époque auquel se rattache ce texte délaisse le récit des événements de la ville et de la Cour, et les stériles et ruineuses controverses de toutes sortes, pour se livrer à l'étude des événements du vaste empire byzantin désormais conquis en grande partie par les Turcs. Doucas commence par une introduction qui, à la manière des chroniques, contient un résumé généalogique d'histoire universelle. Il étudie ensuite en détail les événements qui se déroulèrent de 1341 à 1462, c'est-à-dire entre l'avènement de Jean V Paléologue et la prise de Lesbos. Dans ces pages, au cours desquelles il se révèle âprement hostile aux Turcs, alors envahisseurs de l'Empire byzantin, il montre une finesse et un esprit critique remarquables. Ancien serviteur du podestat génois de Phocée et des Gatelussi de Lesbos, il considère naturellement l'union ecclésiastique avec les Latins comme un moyen de sauver l'Empire. Dans la partie principale de son ouvrage, il fait souvent appel à son expérience personnelle et à des témoignages particulièrement bien choisis. Certaines pages de son *Histoire*, particulièrement celles où sont retracées les dernières heures de la Constantinople byzantine (1453), sont d'une grande beauté et d'une émotion poignante.

HISTOIRES d'Hécatée de Milet [Ιστοριαι]. Œuvre de l'historien et géographe grec Hécatée de Milet également connue sous le titre de *Description de la Terre* (VIe siècle av. J.-C.). Hécatée, selon la coutume des écrivains ioniens appelés « logographes », ne composait pas ses livres en partant d'une idée unitaire. La production littéraire de ces « logographes » consistait, en effet, en contes [λόγοι] qui prenaient leur sujet soit dans la mythologie (comme les *Généalogies*), soit dans la géographie. On ne peut distinguer avec certitude ce qui appartient vraiment à Hécatée, dans ce qui nous est parvenu sous son nom, de ce qui est apocryphe et provient de falsifications postérieures ; on ne peut non plus décider lequel des titres suggestifs, qui depuis les temps anciens ont été proposés pour l'œuvre d'Hécatée, refléterait le mieux l'intention de l'auteur. La seule unité que l'on puisse retrouver dans l'œuvre d'Hécatée est celle qui résulte de son attitude spéculative de voyageur insatiable, qui visite des contrées et des régions lointaines, et qui observe les configurations géographiques, pour en déduire les besoins des habitants. Il fut le premier de ceux que l'on appelle aujourd'hui « géo-politiciens ». Son point de départ culturel est fourni par le *Périple* (*), mais il n'y trouvait que des relations de voyages, donnant un aperçu plus ou moins exact des distances, la liste des ports, le nom des plages, etc. Son mérite fut de ne pas se limiter à la côte, comme avaient fait jusque-là presque tous les navigateurs ioniens, mais de jeter un coup d'œil à l'intérieur des pays. Il s'aperçut ainsi que bien des données géographiques fournies par les auteurs de *Périples* étaient fausses, les mesurages ayant été trop hâtifs. Tandis qu'il s'occupait à rectifier les erreurs matérielles par des calculs personnels, il se demanda si les notions que l'on avait des peuples ne manquaient pas également de précision. Et comme non seulement la géographie — c'est-à-dire la science de l'espace terrestre —, mais également l'histoire — c'est-à-dire la connaissance des temps passés —, étaient en réalité soumises à de telles erreurs, il partit en guerre contre les erreurs de tout genre répandues dans le monde grec. Il révéla au monde la mer Méditerranée jusqu'aux « Colonnes d'Hercule », la décrivant à travers un grand périple passant le long des trois péninsules européennes, les côtes de l'Asie et les déserts de la Libye. Il révoqua en doute tous les mythes grecs anciens, réduisant les exploits des divinités à de modestes faits humains. Les recherches d'Hécatée, qui furent appelées *Histoires* suivant l'usage de son époque, ne disparurent pas avec lui ; elles purent renaître avec Hérodote, dépouillées de leur caractère géographique et réduites à un point de vue ethnographique.

HISTOIRES de Polybe [Ιστορίαι]. Œuvre monumentale de l'historien grec Polybe, citoyen de Mégalopolis, en Arcadie (205/200-120 av. J.-C.) et qui passe, à bon droit, pour le père de l'histoire. L'œuvre, en quarante livres (dont nous ne possédons que les cinq premiers, plus un certain nombre de résumés, de fragments et de témoignages indirects), comprenait les événements historiques allant de l'année 264 av. J.-C. jusqu'en 146 (prise de Corinthe). Il s'agit donc de cette période si pleine de contrastes et si importante qui fit de Rome le centre du monde. Cette œuvre porte avant tout sur la période 220-168 ; quelque cinquante ans qui ont suffi à assurer la maîtrise de Rome sur toute la terre connue alors. Fils de Lycortas, qui fut stratège de la Ligue achéenne, défenseur obstiné de la Grèce désormais à son déclin, politicien de premier plan, envoyé à Rome comme otage après la défaite (d'où ses relations d'amitié avec Scipion), Polybe doit sa position d'historien à son éducation hellénique et à sa situation politique. Ayant eu le courage de prendre une position très nette dans le domaine politique, il nous a laissé en héritage la plus parfaite des synthèses historiques, synthèse qui contraste fort avec la futilité propre à beaucoup de ses contemporains. Son mérite est d'avoir écrit une histoire qu'il a pu lui-même appeler « pragmatique », c'est-à-dire tendant à une connaissance précise et scientifique de tout ce qui entre dans le champ d'étude d'un historien, qu'il s'agisse de la guerre ou de la politique. D'ailleurs, l'interprétation des faits d'ordre militaire ou diplomatique ne présentait guère de difficultés pour Polybe. Étant un homme de guerre en même temps qu'un diplomate, ce dernier possédait cette expérience personnelle qui sera toujours l'essentiel pour qui entend étudier sa propre époque. Aussi sent-on constamment dans son œuvre le jugement d'un critique pénétrant et consciencieux : en géographe soucieux de précision, il a refait en personne l'itinéraire d'Annibal à travers les Alpes, la Gaule et la Libye. Par ailleurs il est sérieux dans la discrimination des sources. Enfin, il se montre toujours attentif et impartial. À ces grandes exigences dans la recherche correspond une interprétation adéquate des phénomènes historiques. L'utilité de l'histoire consiste dans la découverte des causes qui déterminent les événements et leur enchaînement ; elles ont une valeur absolue, même en dehors des contingences, et sont importantes pour la compréhension du passé comme pour la prévision de l'avenir. Pour l'historien, nous dit Polybe, l'objet de la recherche est la « cause » [aitia], qu'il ne faut pas confondre avec l'événement accidentel qui en fut l'occasion [prophasis] ou avec celui qui en fut le point de départ [arché], ces deux derniers n'étant que les résultats de coïncidences fortuites. C'est pour cela que les dieux sont en dehors des événements humains : la religion a une fonction purement sociale, celle de maintenir la masse inculte, le vulgaire [deisidaimonia] dans le respect de la loi morale des ancêtres. Si quelque chose existe, c'est la « Fortune » [Tyché], qui semble régir le jeu des lignes droites et des tangentes. Tout en restant quelque peu imprécis sur l'application pratique de cette théorie, Polybe semble en inférer qu'une convergence des lignes de force de l'histoire incline vers la puissance de Rome. En tout cas, il conçoit la Fortune à l'image du Bien absolu des péripatéticiens.

Mais les hommes ont, eux aussi, leur sphère d'influence et les événements y sont parfois subordonnés : Amilcar fut la cause première de la guerre punique ; Annibal et les deux Scipion ont, de leur côté, imprimé au monde des tendances déterminées ; mais Polybe, qui fut lui-même un homme politique, met bien en lumière ce fait que, derrière les hommes, il y a les peuples, avec leurs coutumes, leurs lois et leurs formes de gouvernement. De l'étude de l'individu, Polybe passe à l'analyse de l'État en tant qu'organisme (VIe livre). Il étudie les forces qui président à sa constitution ainsi que l'origine des institutions en tant que facteurs historiques d'importance fondamentale : ce qui fait la solidité ou la faiblesse d'un État, c'est la forme de son gouvernement. Voilà la source des idées et des actions qui donnent le branle à ses entreprises et aussi ce qui provoque sa chute (VI, 1, 3). Cet État est un organisme ; comme tel, il est sujet à une évolution qui, après une pleine maturité, accusera fatalement une courbe descendante. C'est la loi inflexible de l'« anakyklôsis », ou « cycle », loi dont Polybe se sert pour décrire la terrible tragédie de la Grèce et de Carthage, qui, à leur déclin, furent nécessairement renversées par l'État romain alors en pleine ascension ; c'est une loi historique qui n'épargnera pas non plus la République romaine, lorsque son évolution aura épuisé le cycle de ses institutions et de ses gouvernements. Mais les peuples garderont éternellement la grandeur morale du passé, supérieure à la puissance éphémère du présent. Polybe fut le seul Grec qui sut comprendre la grandeur de la République romaine ; et ce fut lui, exilé politique en terre étrangère, otage de l'ennemi, qui indiqua aux Romains, et surtout à ce Scipion qui fut son ami et son élève, la merveilleuse puissance de la machine politique de son temps. Comme Thucydide, il n'eut pas d'imitateurs. Nous lui devons d'avoir sauvé, pour la postérité, le souvenir de la grande lutte entre Rome et Carthage ; mais nous lui devons surtout d'avoir montré, par son œuvre, combien la science politique, telle qu'elle a été comprise par les Grecs, s'inscrit à la base de l'histoire des hommes et de leur civilisation, comme une règle et un exemple fécond. — Trad. Garnier, 1921 ; Les Belles Lettres, 1961 sqq.

HISTOIRES de Posidonios [Ἱστορίαι]. Le philosophe et polygraphe stoïcien Posidonios d'Apamée (135-52 av. J.-C.) écrivit cette histoire universelle comme une suite à celle de Polybe. Les cinquante-deux livres de ces *Histoires* traitaient de la période qui s'étend de l'année 145 pour arriver — du moins, on le pense — à l'an 82 av. J.-C. (dictature de Sylla). Il ne nous en reste que des fragments si insignifiants que nous sommes obligés, pour nous en faire une idée, de recourir aux longs fragments que Diodore de Sicile — v. *Bibliothèque historique* (*) — avait transcrits dans son œuvre de compilation. L'exposé de Posidonios, si l'on en croit Diodore, groupait les événements survenus dans chaque pays donné sur une longue période, contrairement au système adopté par les annalistes de l'époque. Une autre singularité de Posidonios fut son intérêt pour les peuples primitifs, dont les institutions étaient analysées avec un esprit que l'on pourrait actuellement qualifier de scientifique : efforts pour pénétrer le caractère des institutions et pour remonter ainsi aux aspects primordiaux de la société humaine. Est également digne d'intérêt sa tendance à lier le sort des États à leur condition géographique. Posidonios ne négligeait pas non plus le facteur spirituel, accordant une grande importance aux croyances religieuses des peuples. Contrairement à ce que l'on avait cru, il ne s'intéressait pas à cet aspect particulier par superstition, mais parce qu'il a su voir l'importance de l'élément religieux dans la vie des peuples. Du reste, sa conception de l'histoire est en accord avec les principes stoïciens, et on la retrouve chez nombre d'écrivains grecs, qui considéraient l'évolution et le progrès de chaque État comme étant déterminés en grande partie par les mœurs de ses habitants. Cette façon de voir l'amena à fonder concrètement ses recherches d'historien sur une étiologie morale. Nous observons ce fait, en particulier, dans les fragments qui traitent des révoltes d'esclaves en Sicile, révoltes qui furent, d'après lui déterminées par le luxe des classes dirigeantes. L'empire étrusque se serait également écroulé à cause de la corruption de ses dirigeants. Il est plus que probable que l'histoire de Rome et son avenir étaient étudiés en partant du même point de vue. Malgré ses imperfections, la multiplicité des aspects envisagés par cet historien confère à l'œuvre une grande richesse et une valeur certaine, que vient d'ailleurs rehausser un style coloré et vivant : il marie sans effort les périodes oratoires les plus classiques aux locutions vulgaires. En raison de sa grande richesse, l'œuvre de Posidonios occupe une place de choix dans l'historiographie grecque de son temps.

HISTOIRES de Prévert. Ce recueil du poète français Jacques Prévert (1900-1977) n'a pas été fixé dans sa forme présente (1963) sans des aménagements considérables. Un précédent recueil fut publié (en 1948) sous une signature double : Jacques Prévert et André Verdet. Chacun des deux auteurs a depuis récupéré ses propres poèmes, chansons et jeux. Ne figurent donc plus ici que des textes de Prévert. D'autre part, celui-ci incorpore au volume quelques inédits ainsi que des apports variés de livres antérieurs en provenance notamment du *Grand Bal du printemps* (écrit à la louange du Paris populaire, publié en 1951) et de *Charmes de Londres* (1952). S'y retrouvent aussi les *Contes pour enfants pas sages* (*) : « L'Autruche », « Scène de la vie des antilopes », « Le Dromadaire mécontent », « L'Éléphant de mer », « L'Opéra des girafes », « Cheval dans une île », « Jeune lion en cage », « Les Premiers Ânes ». L'ensemble des textes ainsi regroupés compose un volume divisé en deux parties — « Histoires » et « Autres histoires » — « C'est à Saint-Paul-de-Vence », dédié à André Verdet, est l'un des deux plus longs textes, l'autre est l'inédit par lequel le volume s'ouvre : « Encore une fois sur le fleuve » (la Seine, le soleil, les ponts, les amoureux, la misère, la justice, l'opinion, le haut choix sentimental des artères riveraines). C'est bien quand il va jusqu'au bout de son chant que Prévert s'affirme le mieux dans ce qu'il apporte d'unique et d'irremplaçable. Les lieux communs sont pris au piège, et pour cette raison la société est montrée à l'envers, surprise et enfin changée en elle-même ; vraie et telle quelle. La peinture d'une rencontre de deux vrais messieurs à Saint-Paul-de-Vence est parfaite à cet égard, le coq-à-l'âne y occupant à peine plus de place que dans la réalité conversante. Ce sont, aux deux sens du mot, des clichés. Seul le montage les commente, et les commentant leur donne le sens qu'ils ont bien.

En regard de ces grands textes — feuilletons, opéras ou féeries — il y a des « choses vues ». Elles sont disséminées dans l'œuvre entière — mais nombre d'entre elles décorent ce livre, et lui ajoutent un relief poignant. Aquarelles, bois, enluminures ? L'image vue s'arrête, se fixe indélébile, et pourtant en elle beaucoup de la vie passe. Voici le simple et évident usage des nombres, fixé par l'œil et la plume : « Boulevard de la Chapelle où passe le métro aérien / Il y a des filles très belles et beaucoup de vauriens / Les clochards affamés s'endorment sur les bancs / De vieilles poupées font encore le tapin à soixante-cinq ans. » Images calamiteuses, dans la fourmillante statique de la nuit. Ailleurs c'est un vieil acteur apparu lui-même enfin dans cette apparition : « Des oubliettes de sa tête / comme un diable de sa boîte / s'évade un fol acteur / drapé de loques écarlates. » Devant les planches gravées par Georges Ribemont-Dessaignes, le commentaire aide à les connaître mieux : « En argot les hommes appellent les oreilles des feuilles / c'est dire comme ils sentent que les arbres connaissent la musique / mais la langue verte des arbres est un argot bien plus ancien / Qui peut savoir ce qu'ils disent lorsqu'ils parlent des humains. » Parfois un monde éclaté superpose ou fait successivement apparaître quelques-uns de ses menus morceaux. Sur le boulevard Prévert sont venus tour à tour se promener « une boîteuse avec un hussard / un laboureur et ses enfants / un procureur avec tous ses mollusques / un chien avec une horloge / un rescapé d'une grande catastrophe de chemin de fer / un balayeur avec une lettre de faire-part / un cochon avec un canif / un amateur de léopards... » Car ces résurgences des jeux, des rythmes et de la parole même peuvent fort bien s'entendre comme le vœu d'un retour aux origines : pas de société encore, pas encore l'avènement des hiérarchies.

HISTOIRES de Salluste [*Historiæ*]. Ouvrage en cinq livres de l'historien latin Salluste (86-35 av. J.-C.). Il commençait en 78, à la mort de Sylla, et se terminait en 67 à la guerre contre les pirates. Nous n'en avons que des fragments, dont les plus importants comprennent quatre discours et deux lettres. Le discours de M. Emilius Lepidus contre les réformes de Sylla ; le discours de M. Philippus contre Lepidus ; le discours de C. Aurélius Cotta contre Sertorius et Mithridate ; celui, enfin, de C. Licinius Macro sur les dangers de la dictature. Une des lettres est de Pompée qui, d'Espagne, réclame des renforts au Sénat ; l'autre, de Mithridate, qui demande à Arsace son alliance contre les Romains. Les monographies de l'auteur sur *La Conjuration de Catilina* (*) et *La Guerre de Jugurtha* (*) nous font entrevoir dans quel esprit partial, hostile au Sénat et favorable à César, Salluste composait ses *Histoires*. — Trad. partielle, Les Belles Lettres, 1947.

HISTOIRES de Tacite [*Historiæ*]. C'est la première des grandes œuvres de l'historien latin Tacite (55-57 ?-ap. 117), qui avait déjà écrit la *Vie d'Agricola* (*) et *La Germanie* (*). Elle fut écrite de 104 à 110, après que le règne de Nerva eut réussi — selon l'expression de l'auteur lui-même — à concilier pour la première fois la liberté et la monarchie. Tacite avait attendu jusque-là pour se consacrer à l'histoire ; en effet, il était incapable d'hypocrisie et avait préféré renoncer à écrire pendant la tyrannie de Domitien : il nous l'explique lui-même dans sa préface. Les *Histoires* comportaient douze livres, les six premiers consacrés aux empereurs Galba, Othon, Vitellius et Vespasien, le 7e à Titus, les livres 8 à 12 à Domitien (R. Syme). Nous possédons I-IV et une partie du cinquième. Le récit commence le 1er janvier de l'an 69, jour où Galba, proclamé empereur dès la mort de Néron (juin 68), prit possession du consulat. Dès ce moment, son pouvoir était menacé bien qu'il eût pris la peine, afin d'apaiser les esprits, de se nommer un successeur en la personne de l'irréprochable Pison Licinien. Après l'assassinat de Galba et de Pison, Othon lui succède : cependant Vitellius, proclamé empereur par les légions de Germanie, se révolte immédiatement contre lui. La discorde et la violence planent sur cette révolte ainsi que sur les préparatifs de l'occupation de l'Italie, tandis que, dans la capitale, Othon, victime de ses vices et de sa lâcheté, trompé par des courtisans ambitieux et intrigants, prépare sa résistance (livre I). La rencontre a lieu à Bédriac, près de Crémone (69). Vitellius est vainqueur et Othon — digne de Rome seulement par sa mort — se suicide. Vitellius entre dans la capitale en triomphateur. Pour satisfaire la cupidité de ses ministres et de ses soldats, il livre la ville au pillage. Cependant, la nouvelle de la proclamation d'un nouvel empereur en Orient, Vespasien, parvient à Rome. L'armée danubienne, passée sous ses ordres, descend vers l'Italie ; la nouvelle rencontre a lieu encore une fois près de Crémone, et les soldats de Vitellius, sont vaincus ; les conquérants saccagent à nouveau l'opulente et ancienne cité. Vitellius reste à Rome et suit une politique de contradictions, voulant tantôt attaquer, tantôt conclure un traité impossible. Toutefois, quand les ennemis occupent les Apennins, les propres soldats de Vitellius l'abandonnent. À Rome, cependant, Sabinus, frère de Vespasien, est assiégé par les Vitelliens dans le Capitole, qui est incendié et détruit. Vitellius, toujours hésitant, est abandonné de tous ses partisans et finit par être tué par la foule furieuse à sa sortie du Palais (livre III). Tandis que le trouble règne dans la capitale, la révolte éclate en Gaule et en Allemagne : un prince batave, Julius Civilis, fait fuir les légions romaines et sème la trahison dans leurs rangs ; un Lingon, Sabinus, se fait proclamer empereur de Gaule. Les Flaviens envoient une puissante armée qui rétablit l'ordre tout en subissant de grandes pertes. En Égypte, des présages miraculeux indiquent à Vespasien, qui est sur le point de partir pour Rome, que les dieux lui sont favorables (livre IV). Titus, son fils, reste en Orient et se prépare à exterminer la résistance acharnée des Hébreux (Tacite nous donne ici, une description détaillée de la Judée et de la condition des Juifs au cours des siècles). À l'Occident, Petilius Cerialis mène la guerre contre les Bataves jusqu'à sa fin victorieuse (livre V, ch. I-XXVI).

L'œuvre de Tacite nous est parvenue dans un état trop fragmentaire pour que nous puissions juger de son évocation des règnes des empereurs Flaviens. Cependant, nous pouvons nous faire une idée de la technique mise en œuvre par l'auteur et de la conception qu'il se faisait de l'histoire. La matière qu'il avait choisie était très vaste, à cause du nombre et de la diversité des événements (guerres extérieures et intestines, victoires et défaites, scandales et intrigues) ; délicate, par suite des haines latentes, des vengeances non assouvies ; ardue, à cause de la complexité des affaires d'un empire aussi grand et de son manque d'équilibre constitutionnel et civique. Tacite était tourmenté par la conscience des difficultés que traversait l'Empire. Bien qu'épris de liberté, Tacite doit admettre que l'obéissance est nécessaire à la paix ; ennemi de la tyrannie, il souhaite un gouvernement fort pour le bonheur de l'Empire. Il voit, avec amertume, que la force divine (maîtresse du destin des hommes et jusqu'à présent favorable à Rome) ne protège plus Rome, et que les dieux s'occupent de leur vengeance au lieu de s'occuper du bien des hommes. Ainsi, le sentiment d'une contradiction insoluble plane sur l'œuvre entière, et le jugement pessimiste de Tacite sur l'humanité l'aggrave encore. Ce n'est pas qu'il refuse de reconnaître les qualités des hommes, mais il connaît mieux leurs défauts ; et leurs défauts sont plus aptes à expliquer son Histoire. En effet, tandis qu'extérieurement le schéma de son livre s'organise autour des dates et suit un ordre rigoureusement chronologique, les faits se groupent d'après des scènes ou des drames provoqués par les personnalités les plus fortes ; la recherche psychologique n'est cependant pas encore aussi profonde qu'elle le sera dans les *Annales*. Nous ne savons comment Tacite a décrit Vespasien et Titus, et nous devinons à peine l'aspect de Domitien ; cependant les défauts ou les vices de Galba, d'Othon et de Vitellius sont déjà rendus d'une manière vigoureuse. Le style est en harmonie avec la profondeur de la pensée et avec l'austérité de la vision historique. Très original, il est plein d'ellipses et d'asymétries, parsemé de métaphores inattendues, tantôt rappelant le langage poétique, tantôt la langue archaïque ; il ne désire certes pas flatter l'oreille du lecteur, mais il surprend son esprit, s'empare de son attention et le contraint à méditer. Et si sa densité rappelle Thucydide et sa profondeur Polybe, si l'on a dit avec raison que Salluste lui fut très proche en tant qu'artiste et historien, il est certain qu'il n'eut pas d'imitateurs, car son style fut lié trop intimement à sa forme de pensée et à la vision historique qui furent sa gloire et son tourment. — Trad. Garnier, 1933 ; Les Belles Lettres, 1987 ; Gallimard, 1990.

HISTOIRES de Velleius Paterculus. Œuvre historique, en deux livres, de l'historien latin Caius Velleius Paterculus (19 av. J.-C. ?-31 apr. J.-C.) portant sur la période qui va de la destruction de Carthage jusqu'au consulat de Vinicius, à qui l'œuvre est dédiée. L'auteur s'est efforcé d'écrire une histoire militaire dans le cadre d'une histoire générale du monde et de la culture romaine. Par tradition familiale, Paterculus avait embrassé la carrière militaire, ce qui lui permit de connaître l'Orient et la Germanie. Ses études littéraires, ainsi que l'ambition politique, l'ont conduit à écrire cette œuvre. Ces *Histoires* sont faites d'éléments divers, pas toujours bien fondus. De la masse de l'œuvre se dégage surtout le récit des événements contemporains : c'est ainsi que Velleius Paterculus attache une importance primordiale au règne de Tibère ; d'ailleurs il participa lui-même à diverses campagnes de l'empereur. Les digressions abondent, notamment à propos de l'histoire littéraire : à la fin du livre I il élabore la notion de « siècle » au sens de réunion en une même courte période de nombreux grands esprits (c'est le sens même où l'entendra Voltaire). Il fut un des premiers à avoir compris l'histoire comme le récit de la « vie totale » des peuples et à s'être efforcé de tenir compte de leur histoire culturelle. — Trad. Garnier, 1932 ; Les Belles Lettres, 1982.

HISTOIRES de Walser [*Geschichten*]. Recueil de proses de l'écrivain suisse d'expression allemande Robert Walser (1878-1956), paru à Leipzig en 1914, avec des illustrations du frère de l'auteur, Karl Walser. Regroupant une trentaine de textes parus précédemment en revue — entre 1899 pour *Le Greifensee,* le plus ancien texte connu de Walser, et 1912 —, *Histoires,* comme les autres volumes de proses, n'a encore été traduit en français que de façon très fragmentaire. Plusieurs d'entre elles sont pourtant des petits chefs-d'œuvre de ce genre, à mi-chemin entre la nouvelle, la fiction courte, le croquis et la pure rêverie, que Robert Walser n'a cessé d'affectionner (il a composé ainsi près de mille cinq cents textes brefs, dont une partie seulement a été publiée de son vivant) et qui, à quelques éminentes exceptions près, a été peu prisé et rarement compris par ses contemporains. Qu'il décrive une promenade au bord d'un lac, s'attarde sur un personnage échappé d'un roman précédent, évoque le séjour d'Heinrich von Kleist à Thoune, s'émerveille devant l'incendie d'un théâtre ou rédige les quelques pages du journal d'un écolier, Walser se départit rarement de son penchant pour l'inachevé, le mineur et le laissé-pour-compte, non plus que d'un ton apparemment enjoué, servi par une langue fluide et transparente. « Mes proses, disait-il, ne sont rien d'autre que les morceaux d'une longue histoire réaliste sans action, [...] les chapitres plus ou moins volumineux d'un roman. Ce roman que je ne cesse d'écrire, qui reste toujours le même, et qui devrait pouvoir être appelé un livre du moi abondamment découpé ou déchiré. »

G. O.

HISTOIRES À LA MANIÈRE ALLEMANDE [*Geschichten nach deutscher Art*]. Recueil de nouvelles de l'écrivain allemand Paul Ernst (1866-1933), publié en 1928. Il ne diffère des nombreux autres recueils analogues du même auteur — *Histoires de comédiens et de fripons* [*Komödianten-und Spitzbubengeschichten*, 1927], *Histoires d'amour* [*Liebengeschichten*, 1929], *Nouvelles romantiques* [*Romantische Geschichten*, 1929], *Histoires entre le rêve et la lumière du jour* [*Geschichten zwischen Traum und Tag*, 1930] — que par le choix des sujets, empruntés soit à la vie, soit à des épisodes de l'histoire allemande, alors que dans les autres recueils, les milieux allemands et étrangers, en particulier français, italiens ou slaves, sont alternés sans que soit opérée entre eux la moindre distinction. Du point de vue esthétique, ces nouvelles semblent relever dans leur ensemble du goût et de l'idéal poétique qu'Ernst manifesta dans les années de sa première maturité, en traduisant et étudiant les « novellieri » italiens du XVe et du XVIe siècle : *Anciennes nouvelles italiennes* et *Le Chemin vers la forme.* À la tendance générale de la prose allemande, qui s'égarait dans l'effusion lyrique ou un nébuleux vagabondage fantastique, il avait alors opposé l'idéal d'une narration cohérente et linéaire, solide dans sa structure intérieure et achevée dans sa forme. Et durant trente années d'activité créatrice au risque même de se voir isolé dans la littérature de son temps, il tint parole. Rapide et ramassée comme une « facétie comique ou tragique », ou bien complexe par ses thèmes et ses développements ; tirée d'une ancienne saga ou d'une chronique, de la biographie d'un grand poète ou d'un « chant populaire », d'une observation personnelle de la réalité ou d'un motif de légende, de l'impression laissée par une sonate de Beethoven ou d'un « Volkslied », dans chacune de ses nouvelles, la matière se trouve élaborée et « modelée » sciemment selon cette aspiration à une « intransigeante pureté formelle ». Dans sa tentative de renouveler l'art narratif allemand en modernisant certains aspects de l'ancienne nouvelle italienne, Ernst a assumé une importance certaine dans l'histoire littéraire de son pays ; mais la poésie qu'il parvient à créer demeure surtout celle qui fleurit spontanément, « au bord du chemin », dans quelques-unes de ses « nouvelles mineures » ou qui naît de certains épisodes de la vie bourgeoise ou populaire constituant la trame de nouvelles plus importantes.

HISTOIRE SANS NOM. Roman de l'écrivain français Jules Barbey d'Aurevilly (1808-1889), publié en 1882. Ce livre de vieillesse – Barbey, lorsqu'il l'écrivit, avait près de soixante-quatorze ans – pourrait bien être le chef-d'œuvre de l'auteur des *Diaboliques* (*). *Histoire sans nom* est d'ailleurs du même esprit, de la même veine que *Les Diaboliques.* Le récit débute avant la Révolution, dans une petite ville du Forez. C'est le temps de Carême et le père Riculf, un religieux capucin, aux allures peu sympathiques, au langage mal accordé avec l'humilité de sa religion et de son ordre, est venu prêcher dans la bourgade. Pendant la semaine sainte, il est hébergé par une dame noble, la baronne de Ferjol, veuve inconsolable, dont la religion a tourné à la bigoterie et au rigorisme et qui vit seule avec une fille unique, fragile et douce, Lasthénie. Le matin du samedi saint, on s'aperçoit que le prêtre inquiétant a disparu dans la nuit et nul ne sait où il est parti. Peu de temps après Pâques, Lasthénie commence à souffrir de malaises singuliers. Mme de Ferjol, malgré la honte et la colère, ne peut s'y tromper longtemps : sa fille a été déshonorée et elle attend un enfant. La baronne presse de questions Lasthénie, elle la veut forcer à avouer le nom de son amant, mais la jeune fille paraît stupéfaite des questions de sa mère et ne les comprend pas. Elle met au monde un enfant mort et meurt elle-même... Le séducteur est justement ce capucin étrange qui a disparu si soudainement la veille de Pâques. Depuis longtemps, Lasthénie était atteinte de somnambulisme : le mauvais prêtre a profité d'une de ces crises, il a abusé de la jeune fille et lui a enlevé une bague de famille, une émeraude, qu'elle portait au doigt. La Révolution arrive : le religieux se hâte de défroquer, devient terroriste et chef de bandits. Un jour, au cours d'une attaque, il a la main coupée – cette main qui portait depuis le drame l'émeraude de Lasthénie. La bague, sous la Restauration, reviendra à un parent de Mme de Ferjol. Celle-ci pourra donc reprendre la poursuite du prêtre infâme : elle le retrouvera, manchot, agonisant, couché dans un couvent de trappistes sur un lit de cendres. Désespéré, repentant, il est allé demander refuge à l'Église. Les hommes de Dieu, les religieux ont pardonné à l'indigne. Mais Mme de Ferjol ne veut rien abandonner de sa haine. Elle tourmentera le prêtre jusqu'à sa mort et assistera inflexible à l'enterrement. « S'il est au ciel, dira-t-elle, je n'en veux pas avec lui... »

Dans ce roman, Barbey d'Aurevilly a su allier et fondre les deux grandes formes de son art, le roman pittoresque et le roman psychologique. On retrouve la même recherche de satanisme que dans *Les Diaboliques.* Les pages les plus belles sont celles de la description du Forez, du portrait du père Riculf, des analyses du caractère impitoyable, janséniste, de Mme de Ferjol. L'atmosphère du roman est envoûtante à l'extrême et Barbey a entouré ses personnages d'une horreur qui est souvent grandiose.

HISTOIRES BABYLONIENNES [*Ἐκ τῶν ἱστοριῶν βαβυλωνιακῶν*]. Roman écrit en grec par l'écrivain syrien Jamblique (IIe siècle apr. J.-C.). Du texte original ne nous sont parvenus que quelques extraits dans la *Souda* (*) et quelques fragments disséminés dans divers manuscrits. Nous en possédons, par contre, un résumé assez complet dans la *Bibliothèque* (*) de Photius. Il s'agit du récit des traditionnelles aventures amoureuses que nous retrouvons avec quelques variantes dans tous les romans grecs que nous ayons. Sinonide, une très belle jeune femme de Babylone, mariée depuis peu à Rodane, est désirée par le roi de Babylone, Garmo. Pour se soustraire au désir de celui-ci, elle s'enfuit avec son mari, tandis que les eunuques du roi partent à leur poursuite. C'est le commencement d'une série d'aventures interminables ; le couple en fuite est toujours sur le point d'être capturé mais, au dernier moment, quelque hasard heureux le sauve. La magie, les poisons, les sortilèges, ainsi que l'effusion du sang, les tentatives de suicide, la mort réelle ou apparente, les rapts et les condamnations, jouent un rôle de premier plan. À un moment donné, la jalousie s'en mêle pour séparer les jeunes époux : Rodane a embrassé une belle jeune fille, et Sinonide, dans sa fureur, veut tuer sa rivale, mais sa violence ne fait que susciter au couple de nouvelles difficultés. Rodane, à la suite de la victoire qu'il a remportée dans une guerre, devient roi de Babylone et retrouve Sinonide. Le thème de la narration est exploité sur un fond pseudo-historique émaillé d'anachronismes, mais il est intéressant de noter l'analogie de certains thèmes de ce roman avec ceux des contes orientaux. Le résumé suffit amplement du reste à montrer que le roman de Jamblique appartient à un genre que nous connaissons bien à travers les textes les mieux conservés. — Trad. à Lyon, Prigaud, 1577.

HISTOIRES BLANCHES. Ce recueil de poèmes de l'écrivain français André Frédérique (1915-1957), que Raymond Queneau fait paraître à la fin de l'année 1945, ne retient guère l'attention de la critique mais, ce qui est mieux, celle d'une nouvelle génération de lecteurs au lendemain de la guerre : André Frédérique devance d'un ou deux ans les livres de Prévert, Vian et Queneau, et mêlant sa voix au chœur des poètes engagés frais émoulus de la Résistance, chante la bêtise et la mort, au moment même où l'*Anthologie de l'humour noir* (*) d'André Breton sort des caves de l'éditeur. « J'étais hier plus léger qu'aujourd'hui d'un jour / Et je serai demain plus lourd qu'aujourd'hui / La tonne qu'à ma mort je pèserai / Si tout va bien / Je te la donne, Ô mon Dieu » (« Offrande »). À côté de courts poèmes plus secrets où la tendresse se mêle à la violence, les jeux cruels de l'enfance tiennent une grande place dans les *Histoires blanches*, avec les proses de « John et Michel » et surtout des poèmes comme « L'Enfant boudeur » et « Cadeau » qui sont entrés dans toutes les anthologies. Le fantastique aussi, inspiré par les surréalistes, un fantastique qui vire au macabre (« Il y avait tant de paresse dans le jardin / que les fleurs montaient lentes et mortes comme des mains... »). Mais aussi avec les lettres du « Parfait secrétaire », un humour qui annonce déjà les cabarets « rive gauche ». Dans ses recueils suivants, *Aigremorts* (1947) et *Poésie sournoise* (1957), apparaît progressivement la présence envahissante de la mort. F. C.

HISTOIRES COMME ÇA POUR LES PETITS [*Just so Stories for Children*]. Nouvelles de l'écrivain anglais Rudyard Kipling (1865-1936), publiées en 1902. Contrairement aux autres œuvres de la même période, qui ont pour cadre l'Angleterre, l'auteur revient ici à son Inde natale. Le recueil comprend seulement des récits d'animaux qui sont le sujet préféré de Kipling. Une atmosphère mythique plane sur ces pages. Aux origines du monde, les animaux étaient les amis de l'homme. Celui-ci comprenait alors leur langage. Les génies et les esprits étaient les forces de la nature et l'écriture restait encore à inventer. La baleine était un monstre dont la voracité dépeuplait l'Océan. Un marin lui planta un jour dans la gueule une grille faite de pieux de son radeau. Depuis lors, elle ne peut plus avaler que les petits poissons. La bosse du chameau est le fruit de sa paresse ; dame ! il ne voulait rien savoir, alors que tous les autres animaux domestiques aidaient l'homme dans ses travaux. Kipling raconte encore comment fut écrite la première lettre et quelle fut l'origine de la trompe de l'éléphant. Ces récits sont pleins d'imagination, celle-là même qui est le propre des enfants. Naturel et simplicité, bonhomie et gentillesse que n'entache aucun artifice, bref, une perpétuelle trouvaille. Kipling va jusqu'à répéter certaines phrases comme des refrains, pour leur donner plus de relief, comme font les Orientaux. Il a lui-même illustré ces nouvelles de dessins plus étranges que beaux, qu'il a rehaussés de spirituelles légendes. — Trad. Delagrave, 1963.

HISTOIRES D'ALMANACH de Brecht (v. *Histoires de monsieur Keuner*).

HISTOIRES D'AMOUR [*Noveller om kjaerlighet*]. Recueil de nouvelles de l'écrivain norvégien Johan Borgen (1902-1979), publié en 1952. Ce recueil peut être considéré comme la suite d'un autre publié en 1948 : *Jours doux comme le miel* [*Hvetebrods dager*]. Borgen a dit lui-même l'affection qu'il a pour le genre de la nouvelle, qui est d'ailleurs celui qui lui convient le mieux. *Histoires d'amour* offrent quelques exemples très typiques de son art. Ces nouvelles ne sont pas des histoires d'amours brèves et faciles. La passion qui anime les personnages est violente, mais elle dure jusqu'à la fin de leur vie et indépendamment de la présence de la personne aimée. L'intérêt que prend l'auteur à raconter ces histoires n'a absolument rien à faire avec l'érotisme, si fréquent dans de nombreux romans contemporains. L'amour, pour Johan Borgen, est une aventure psychologique.

HISTOIRES DE BLANCS [*The Ways of White Folks*]. Recueil de nouvelles du poète noir américain Langston Hughes (1902-1967), publié en 1934. Les quatorze nouvelles du recueil ont toutes pour thème le comportement des Blancs américains, racistes plus ou moins violents, avec parfois une nuance de paternalisme et certains complexes à l'égard des Noirs ou Noires d'Amérique, que les circonstances ou hasards de la vie les obligent à côtoyer. Une étude approfondie permettrait sans doute d'établir dans beaucoup de cas le lien entre ces nouvelles et les souvenirs et scènes vécues ou vues, que Hughes évoque dans son autobiographie : *Les Grandes Profondeurs* (*). En tout cas, ce lien existe. Dans « Cora », c'est la domestique noire qui, ayant perdu son enfant naturel, s'occupe passionnément de la fille de ses patrons ; et quand celle-ci meurt de désespoir parce que ses parents ont empêché son mariage et l'ont obligée à faire « passer » son enfant, c'est Cora qui dénonce le scandale à l'église, lors des funérailles. Parfois, le dénouement est plus tragique. Dans « Père et Fils », la dernière nouvelle du livre, le colonel Norwood, qui a eu cinq enfants d'une domestique noire, Coralie, se heurte au plus énergique de ses fils, Bert, qu'il veut toujours traiter comme un « nègre », mais qui lui résiste. En fin de compte, le fils, menacé, précipite la mort du colonel et, plutôt que de se laisser lyncher, se tue lui-même. Furieux, les Blancs lynchent son frère Willie, qui avait pourtant toujours gardé une attitude soumise. Ailleurs, l'incompréhension des Blancs, qui veulent être « gentils » pour les Noirs, est durement mise en lumière. Dans « Esclave à vendre », un couple d'artistes blancs prend à son service un jeune Noir, parce que c'est un beau modèle, et finit par le renvoyer sans que la glace ait été brisée ; dans « Les Blues que je joue », une musicienne noire trouve une protectrice blanche qui lui paie ses études, mais ne comprend pas que sa protégée se consacre à la musique noire et épouse un des siens ; enfin, dans « Pauvre petit Noir », le fils d'une domestique noire est élevé par les patrons qui n'ont pas d'enfants dans une petite ville presque uniquement blanche. Il fait ses études, et, quand il atteint l'âge d'homme, on ne sait plus que faire : il ne peut tout de même pas épouser une Blanche. On l'amène à Paris, où il rompt avec ses protecteurs pour pouvoir vivre librement. Dans certains textes courts, la tension est moins dramatique, mais non moins présente. Toutes les nouvelles sont écrites dans un style qui pourrait à certains égards faire penser à Maupassant, sans jamais élever le ton, comme des comptes rendus d'événements ou d'états d'âme. Elles sont dans ce domaine une des plus grandes réussites de Hughes, une des œuvres capitales de la littérature de la renaissance noire aux U.S.A. — Trad. Éditions de Minuit, 1946.

HISTOIRES DE LA BARRIQUE [*Geschichten aus der Tonne*]. Sous ce titre, l'écrivain allemand Theodor Storm (1817-1888) a réuni trois fables, lesquelles parurent en 1864. Elles ont pour titre : « Gertrude la Pluie » [Die Regentrude], « La Maison de Bulemann » [Bulemanns Haus] et « Le Miroir de Cyprien » [Der Spiegel des Cyprianus]. La plus belle des trois, c'est la première. Elle raconte la visite faite par un couple de jeunes paysans amoureux au royaume de la fée Gertrude, dispensatrice de la pluie. Elle s'est endormie ensorcelée par Eckeneckepenn, le génie du feu. Gertrude endormie, c'est tout le pays menacé d'une terrible sécheresse. Mais la jeune paysanne croit connaître les paroles qui peuvent réveiller la fée, tout comme elle connaît son habitat. Elle s'y rend avec son fiancé : à peine a-t-elle prononcé la formule magique que la fée sort de son sommeil ; de ses mains sortent les nuages porteurs de pluie. Alors, toute la campagne reverdit à merveille. Bref, on en est quitte pour la peur. « La Maison de Bulemann » est le drame de l'égoïsme : l'égoïsme qui est finalement terrassé par les spectres qu'il créa lui-même. C'est un conte fantastique, où l'on retrouve d'évidentes réminiscences d'Hoffmann : un vieux marin, très avare, habite une affreuse cambuse en compagnie d'une servante et de deux énormes chats. Son père, un usurier, lui ayant légué nombre de gages, il les revend sans vergogne, au plus haut prix. Il n'a pitié de personne, pas même de son neveu et de sa sœur. Sa servante elle-même finit par fuir pareille ladrerie : elle déserte la maison, le laissant seul avec ses chats. Or voici que ces derniers grandissent toujours davantage, deviennent de véritables monstres et font de lui leur prisonnier. Le vieux ne réussit pas à sortir de sa cambuse, non plus qu'à appeler à l'aide. Peu à peu, sa peau se ratatine. Il s'amenuise, condamné à vivre à jamais sous la forme d'un odieux petit esprit. C'est seulement les nuits de pleine lune qu'il pourra se mettre aux fenêtres délabrées de sa tanière pour effrayer les passants. Quant au « Miroir de Cyprien », c'est la moins intéressante des trois fables. Elle n'a pas l'atmosphère féerique des deux autres : Un sorcier fait don à une châtelaine d'un miroir qui annonce aux femmes la naissance de leurs enfants. Mais si sa surface reflète une mauvaise action, le miroir perd ses vertus magiques. Après avoir mis au monde un enfant, la châtelaine meurt ; son mari donne rapidement à son fils, une marâtre, qui devient mère également à son tour. Les enfants grandissent ensemble et s'aiment bien, quoique la seconde femme cherche à semer la haine entre eux. Après la mort du comte, la marâtre fait tuer son beau-fils pour que son fils soit seul héritier ; mais le crime a été commis en présence du miroir, et le second des enfants meurt sur le champ. Ce n'est que beaucoup plus tard que le miroir recouvrera ses vertus magiques. — Trad. dans *Contes*, Aubier.

HISTOIRES DE MONSIEUR KEUNER [*Geschichten vom Herrn Keuner*]. Roman de l'écrivain allemand Bertolt Brecht (1898-1956), publié posthume en 1958. Sous la forme d'anecdotes, de définitions, de portraits, le sage M. Keuner nous décrit son univers, nous y entraîne, nous fait participer à ses jugements sur les hommes, la nature, la guerre et les sentiments les plus divers qui divisent ou unissent. Il y a dans ces pages un humour douloureux, une critique amère des institutions, de la condition humaine, des défauts et des faiblesses de l'homme, une tristesse derrière laquelle se cachent un amour, un attachement et peut-être une espérance. M. Keuner pourrait être l'image littéraire de Brecht lui-même : sagesse, bon sens, un mélange d'autocritique, de naïveté, de franchise, de réserve et de tendresse. M. Keuner ressemble aussi par plus d'un trait au valet Matti. De même, deux mille ans plus tôt, il aurait pu être cet esclave Rarus qui dans son journal note, commente, explique la vie politique du soldat Jules César. Dans cet ouvrage publié en 1949, *Les Affaires de monsieur Jules César* [*Die Geschäfte des Herrn Julius Caesar*], Brecht nous fait assister à l'ascension et à la décadence du héros légendaire de l'histoire d'un être assoiffé de puissance, de conquêtes, fondant toute sa politique sur le pouvoir des financiers et des banquiers, méprisant au plus profond de lui-même le principe démocratique des élections. Brecht fait alliance ici avec tous les Brutus de la terre. C'est en leur faveur que se déroule l'histoire, que se forme la tradition. Il est, dans son genre, un Brutus qui a placé de son côté la nécessité de l'histoire et de ses tendances. Brecht assassine les tyrans, non par acte de vengeance, mais parce qu'il a conscience de remplir une mission qui l'inscrit dans l'évolution logique des événements. Ainsi l'œuvre romanesque de Brecht procède d'un tempérament de moraliste plus que de conteur. Il est certain, du moins, que le moraliste se sert du conteur, l'emploie à ses fins. C'est déjà très sensible dans les courtes nouvelles et les récits réunis sous le titre *Histoires d'almanach* [*Kalendergeschichten*, 1949]. Qu'il s'agisse du « Cercle de craie augsbourgeois », des « Deux fils » du « Manteau de l'hérétique », du « Soldat de La Ciotat », Brecht donne toujours à son récit l'allure d'un rapport sans passion, sans inutile détour, allant droit au but : voilà de quoi il s'agit, semble-t-il dire au lecteur, à vous d'en tirer la conclusion. — Trad. de ces trois volumes, L'Arche, 1959 et 1961.

HISTOIRES DU BON DIEU [*Geschichten vom lieben Gott*]. Recueil de contes du poète allemand Rainer Maria Rilke (1875-1926), publié en 1900. Ce sont treize histoires brèves, treize paraboles — comme l'indique le sous-titre de la première édition — racontées à des grandes personnes qui n'ont pas oublié leur enfance, et qui en ont gardé une sensibilité inhabituelle, un peu maladive, susceptible de vibrer intensément. Le poète les composa après un long séjour en Russie où il avait eu avec Tolstoï d'interminables entretiens, et après quelques rencontres avec des paysans russes, ce dont il fut fort impressionné. « La Russie est aux portes de Dieu », affirmait-il, après avoir écrit à Ellen Key : « L'amour pour la vie et l'amour pour Dieu ne doivent pas se traiter en frères ennemis, et il faudrait qu'on ne leur élevât pas des temples à deux endroits différents » ; « On ne peut adorer Dieu si l'on ne se donne pas complètement à la vie. Chaque jour que l'on consacre à Dieu s'en trouve ennobli ; rechercher une harmonie entre les choses apparemment inanimées et Dieu, c'est créer Dieu. En d'autres termes, il importe à chacun de faire grandir en lui l'idée de Dieu, et non de bâtir sa vie sur une absence. »

Quelques-unes de ces histoires sont racontées à un paralytique, Ewald, qui passe ses journées vides allongé près de sa fenêtre, au rez-de-chaussée. D'autres sont dites à l'intention de Ph. Baum, d'un maître pédant, d'une voisine ingénue, et la dernière s'adresse aux ténèbres. Chaque récit a deux sens : l'un est symbolique, confus, plein de sous-entendus ; l'autre est celui que l'on donne à une fable, simple et clair, mais qui aiguise l'imagination. Quoi que l'on y découvre, Dieu est toujours présent à travers les choses ; il s'approche de qui sait le sentir comme une flamme, au plus profond de son être. Dieu veille pour que ne se perde pas l'usage des chants populaires qui, dans les familles russes, se transmettent de père en fils. Ainsi dans la parabole intitulée : « Comment le vieux Timofei mourut en chantant », la vigilance de Dieu se fait sentir dans le fait que le jeune Yégor quitte sa femme et son fils, pour retourner dans la demeure paternelle et recueillir des lèvres du vieux Timofei mourant les mélodies qu'il chantera lui-même d'une voix désolée, en se rappelant son fils et son épouse abandonnés. Aussi demeure-t-il fidèle à sa mission de chanteur. Dieu est l'inachevé : il est ce que nous devenons nous-mêmes peu à peu, ce que nous faisons naître de notre attente et de notre espoir, il est notre illusion. C'est ainsi que dans « Une histoire racontée à l'obscurité », une femme a renoncé à tout pour unir son existence à celle de l'homme qu'elle aime ; et elle attend, en compagnie de l'enfant qu'elle a eu de lui, qu'il veuille bien revenir. Ce retour est incertain, mais l'attente de cette femme est baignée d'un bonheur mystique dû à l'espérance qu'elle garde profondément enracinée dans son cœur, en dépit des remontrances que peut lui faire sa raison. Les *Histoires du Bon Dieu* représentent une sorte de halte sereine dans cette continuelle recherche de Dieu à laquelle s'était voué Rilke ; et plus que dans une conception intellectuelle de Dieu, c'est dans l'idée d'une présence sensible que Rilke trouve un apaisement. — Trad. Émile-Paul, 1927.

HISTOIRES DU HIMMERLAND [*Himmerlands-historier*]. Recueil de récits, publiés de 1898 à 1910, par l'écrivain danois Johannes Jensen (1873-1950). « Trente-trois ans », c'est l'histoire d'une paysanne qui devient folle. « Nuit d'octobre », une évocation mélancolique et terrible : trois lansquenets s'arrêtent dans une auberge et y font quelque vacarme ; l'hôtelier les prie de se taire, car sa fille est gravement malade ; ils finissent par s'en aller, mais en chemin le plus jeune des trois se querelle avec ses compagnons, il est blessé et meurt comme un chien dans la lande. « Cécilie » est une histoire d'amour rustique. « Calme maturation » nous fait assister à l'évolution spirituelle d'un poète. En 1904 parurent les *Nouvelles histoires du Himmerland* : « Tordenkalven », portrait pathétique et humoristique d'un singulier vagabond ; « Anders Olufsen », caricature d'un paysan plein de suffisance ; « Jens Jensen », histoire d'un garçon possédé par un grand désir de vivre ; « Wombwell », qui est peut-être la plus belle « histoire du Himmerland » : un fameux cirque anglais s'installe dans la région. On n'a jamais rien vu de semblable : pour un jour les paysans oublient leur sauvagerie obstinée, leur méfiance ridicule et sont en proie à une véritable frénésie. Tous meurent d'envie de voir le spectacle, mais aucun n'ose s'y risquer ; seuls trois enfants surmontent leur timidité, grimpent sur un camion et vont ainsi jusqu'au bourg où se donne la représentation. Les trois garçons, surtout « Petit-Niels », l'enfant abandonné, le plus courageux de la bande, sont dépeints avec beaucoup de pathétique et d'humour. Cette frénésie paysanne est évoquée avec un grand comique et une psychologie aiguë. Enfin, en 1910, parut le *Troisième recueil des Histoires du Himmerland* qui contient, avec tous les récits précédents, d'autres parus dans des journaux et revues. En 1926 s'y ajoutera la longue et romantique histoire de la belle paysanne enamourée, « Jørgine », et de sa longue vie laborieuse. Les nouvelles de Jensen témoignent d'une connaissance profonde du pays qui leur sert de cadre. On sent que l'auteur aime les gens dont il parle, tout en restant capable de les juger ; il entre dans leur intimité. Dans le paysan de son pays, il goûte les vertus de la race, demeurées inaltérées, mais sa sympathie se change souvent en une ironie mordante et, parfois, en moquerie un peu méprisante. Ces récits sont l'œuvre la plus sincère de Jensen ; on y sent à la fois toute la sensualité paysanne et tout le raffinement d'un écrivain maître de son art.

HISTOIRES DU PÈRE BROWN (Les) [*The Father Brown's Stories*]. Sous ce titre sont réunies quatre séries de nouvelles de l'écrivain anglais Gilbert Keith Chesterton (1874-1936), elles ont pour héros un prêtre qui fait métier de détective et qui s'appelle le père Brown. La première série : *L'Innocence du père Brown* [*The Innocence of Father Brown*], publiée en 1911, nous montre le jeune prêtre naïf arrivant à débrouiller les problèmes policiers les plus compliqués parce qu'il voit le côté simple et innocent des choses, tandis que la solution échappe à ceux qui poussent leur enquête avec expérience et malice. Dans « Les Pieds bizarres » [The Queer Feet] par exemple, le voleur réussit à s'introduire dans un milieu très fermé pour y commettre un vol important, tout simplement parce que la tenue de soirée d'un homme du monde est semblable à celle d'un maître d'hôtel. Dans « Les Étoiles volantes » [The Flying Stars], un aventurier qui veut s'emparer de diamants très fameux se déguise en Arlequin, opère tout en prenant part à une pantomime et dissimule son trésor sous les paillettes dont son costume s'agrémente. « L'Homme invisible » [The Invisible Man], n'échappe à tous les regards qu'en raison de sa propre insignifiance. La seconde série : *La Sagesse du père Brown* [*The Wisdom of Father Brown*], publiée en 1914, comprend des nouvelles qui ne traitent pas tant de crimes que de pratiques bizarres, lesquelles peuvent paraître coupables aux yeux d'un observateur superficiel. Dans « L'Absence de M. Glass » [The Absence of Mr. Glass], la victime supposée est un prestidigitateur qui, enfermé dans sa chambre, s'exerce à quelques trucs de son métier et se parle à lui-même, à haute voix. « Le Paradis des voleurs » [The Paradise of Thieves] nous présente un riche banquier, coupable de graves malversations qui pour détourner les soupçons fait simuler une attaque de brigands dans les Apennins. Dans cette comédie, il joue le rôle d'un homme auquel on a confié de l'argent et qui est victime d'un vol. « Le Duel du docteur Hirsh » [The Duel of Docteur Hirsh] est un simulacre organisé dans un but publicitaire par quelque savant. « La Tête de César » [The Head of Caesar] est le drame de l'avarice qui pousse un collectionneur à exercer un chantage vis-à-vis des membres de sa famille, en cachant son identité.

Dans les nouvelles de la troisième série, *L'Incrédulité du père Brown* [*The Incredulity of Father Brown*], publiée en 1926, le héros résout les problèmes les plus difficiles, grâce à son scepticisme envers des superstitions si enracinées dans le cœur des hommes qu'elles peuvent conduire au crime. « La Flèche du ciel » [The Arrow of Heaven] qui frappe les propriétaires successifs d'un objet précieux, ne vient pas du ciel, mais simplement de la malignité humaine. « L'Oracle du chien » [The Oracle of the Dog], loin d'être le fait d'une infaillible intuition animale, s'explique d'une manière beaucoup plus simple. « La Malédiction de la croix dorée » [The Curse of the Golden Cross], qui frappe tous ceux qui la touchent, n'est autre chose que la ruse d'un maniaque, poussé au crime par sa passion de collectionneur. Dans « Le Poignard ailé » [The Dagger with Wings], un malfaiteur perpètre ses crimes en se servant de l'atmosphère surnaturelle qu'il crée autour de lui.

Dans la dernière série de ses contes, *Le Secret du père Brown* [*The Secret of Father*

Brown], publié en 1927, le héros nous fait enfin connaître sa méthode. Il s'identifie avec le coupable : tout comme ce dernier, il prépare la faute qu'il va commettre dans ses moindres détails, allant aussi loin que possible dans cette mise en scène, sans toutefois passer à l'action. Cette méthode est illustrée par plusieurs récits : « Le Miroir du magistrat » [The Mirror of Magistrate] où un poète innocent est accusé d'une faute commise, au contraire, par le juge qui conduit le procès ; « L'Homme aux deux barbes » [The Man with two Beards] où la qualité même du délit fait découvrir son auteur. Enfin « Le Plus Grand Crime du monde » [The Worst Crime in the World] nous montre la psychologie tortueuse d'un homme qui, après avoir tué son propre père, se fait passer pour celui-ci, en s'accusant avec une complaisance diabolique du plus terrible des forfaits.

La variété des milieux, des situations et des types que nous trouvons dans ces histoires est vraiment déconcertante. Se faisant le champion de l'orthodoxie religieuse, Chesterton s'oppose au scepticisme scientifique de son époque. Il donne libre cours à son goût pour le fantastique et le paradoxe, exprimant sous la forme simple de nouvelles policières sa fidélité à la doctrine traditionnelle qui, seule, peut sauver l'humanité du crime et du chaos. – Trad. Gallimard, 1936.

HISTOIRES EN NOIR ET BLANC [*In Black and White*]. Contes sur la vie indienne de l'écrivain anglais Rudyard Kipling (1865-1936), publiés en 1889. Comme dans ses œuvres de la première manière, dès le premier conte, « Dray Wara Yow Dee », histoire d'une vengeance de bêtes féroces, Kipling se plaît à insister sur l'élément tragique. Dans « Le Jugement de Dungara » se trouvent quelques pages sur la vie des missionnaires, où Kipling, comparant leurs sacrifices et la ruse des sauvages, souligne, par un commentaire triste et âpre, sa foi dans la suprématie de la race blanche. Dans « Thana de Howli » est, de nouveau, étudiée la ruse des indigènes, qui font croire à une agression de rebelles dont ils sont en réalité complices. Dans « Le Vingt-Deuxième Puits », un vieux mineur, aveugle depuis trente ans, réussit à quitter une mine inondée et à se sauver avec son équipe par un passage que lui seul connaît ; Kundo profite de cette cécité pour s'enfuir par ce même passage avec la jeune et belle femme du vieillard, et toutes ses économies. « À l'époque des crues » est l'histoire d'un mahométan des Barkides, qui passe à la nage un fleuve en crue, parmi les cadavres et les charognes, pour voir la femme aimée qu'il ne peut épouser, car elle est de race hindoue ; il se sauve en se tenant à un cadavre dans lequel il reconnaît ensuite son rival en amour. Parmi d'autres contes, relevons : « Les Jumeaux », satire de la justice ; « L'Envoi de Dana Da », satire de la matérialisation à distance au moyen d'un banal truc. « Sur les murailles de la ville » est l'histoire du salon d'une Aspasie indienne, ce qui sert de prétexte à l'auteur pour décrire une des batailles périodiques entre mahométans et hindous. *Histoires en noir et blanc* fut une des premières œuvres qui, publiées par Kipling durant son séjour aux Indes, révélèrent son originalité et son génie de conteur : tous les éléments que l'on retrouvera par la suite dans ses romans s'y trouvent réunis. – Trad. UGE, 1980 ; Laffont, 1988.

HISTOIRES ET DESSINS [*sipourim vétsiourim*]. Recueil de nouvelles de l'écrivain israélien Guershom Shofman (1880-1972) publié en 1902 à Varsovie. Marquant un tournant dans la littérature hébraïque, ces premières œuvres présentent un caractère original tant par leur fond que par leur forme. Dans ces récits, pratiquement dépourvus d'intrigue, Shofman s'inspire de ses années passées en Russie pour décrire la société juive du début du XXe siècle. Ses personnages, qui sont en quelque sorte des antihéros, accablés par un destin cruel devant lequel ils restent généralement passifs, évoluent dans un monde hostile. Honteux de leur condition misérable, qu'ils s'efforcent de dissimuler, les héros de ces nouvelles sont aussi la proie de tourments intérieurs et de troubles psychologiques nés du conflit entre leur situation matérielle et les aspirations irréalisables dont ils nourrissent leurs rêves. Les personnages de certaines nouvelles sont, en outre, confrontés à la maladie et à la mort, dont ils refusent l'issue inéluctable. Leur caractère complexe se révèle dans leur attitude ambiguë face au monde qui les entoure et envers lequel ils ressentent à la fois une profonde attirance et un désir de rejet. Toutes ces nouvelles empreintes d'un fort pessimisme sont écrites avec une concision extrême. L'auteur ne cherche pas à accentuer le caractère dramatique de ses œuvres par des effets de style.

L. L.

HISTOIRES IMPOSSIBLES [*Can such Things be ?*]. Contes macabres et fantastiques de l'écrivain américain Ambrose Gwinett Bierce (1842-1914), parus en 1893. L'art du récit de Bierce repose sur la cruciale question du point de vue de la narration et des informations ainsi fournies au lecteur. Le dénominateur commun de ces récits est la mort ; mort que Bierce côtoya durant la guerre de Sécession – v. *Morts violentes* (*) –, où il fut grièvement blessé en 1864, et qui, vingt-cinq ans plus tard, devait lui ravir coup sur coup sa femme et ses deux fils. Humoriste féroce, écrivain de terreur, misanthrope invétéré, Bierce, tout en évoquant dans ses nouvelles fantastiques revenants et fantômes vengeurs, glisse au détour des phrases, aux angles morts de la narration, d'anodines réflexions d'un mordant extrême sur les circonstances de la vie. Et, pour lui, la plus grande circonstance de la vie, c'est évidemment la mort, moyeu de chacun de ses contes « moraux » autour duquel s'organise la danse macabre de l'existence. Un cadavre, écrit-il plaisamment dans son *Dictionnaire du diable* (*), est le « produit fini dont nous sommes la matière première ». Tantôt l'accent est mis sur l'aspect surnaturel-terrifiant de l'affaire et la narration s'enrobe de mystères destinés à créer un climat propre à amplifier l'émotion finale du lecteur, apogée de la tension qui se réalise dans la mort violente du personnage, tantôt l'accent est sardoniquement placé sur l'aspect macabre et invraisemblable de la situation (dont l'inéluctabilité ne change pas) et le récit du trépas se pare des atours pervertis d'une fausse morale judéo-chrétienne simplifiée et tournée en dérision. Son art concis et incisif de l'humour noir, Bierce-l'Amer (Bitter Bierce, ainsi qu'il a été surnommé) le porte à un degré supérieur dans les quatre nouvelles du « Club des parenticides » qui décrivent à la première personne, d'un ton badin et totalement amoral, quatre manières parfaitement atroces et ridicules de se débarrasser de ses parents. Il atteint au paroxysme du cynisme avec son *Dictionnaire du diable.* — Trad. Grasset, 1950 ; autre choix de nouvelles sous le titre *La Rivière du Hibou,* Humanoïdes associés, 1977. X. P.

HISTOIRES NATURELLES. Ouvrage en prose de l'écrivain français Jules Renard (1864-1910), publié en 1894 et augmenté au fur et à mesure des éditions successives. Le créateur de *Poil de carotte* (*) se révèle ici surtout comme un poète, un chasseur d'images (comme il se définit lui-même). Ainsi qu'en un album, il fixe les figures des animaux par des traits brefs et fermes, en se servant d'un jeu subtil d'analogies, d'indications picturales et musicales, grâce auxquelles, lui, le disciple des naturalistes, semble aborder le domaine de la poésie pure. S'en tenant toujours à la manière propre aux classiques, il se soumet, certes, au mode extérieur, mais l'interprète de la façon la plus libre et la plus nouvelle, avec une imagination lucide et pleine de ferveur. Son tendre amour pour les bêtes l'inspire tout entier : après le cheval, c'est la vache ou l'âne (« le lapin devenu grand »), le crapaud, les chauves-souris. Sa phrase nous fait entendre le chant de l'alouette, elle évoque la splendeur princière du paon. Ce sont toujours de tendres interprétations poétiques, aiguës, très poussées, précieuses quelquefois, ou donnant dans l'épigramme : témoin cette concise définition du serpent (« Trop long »). L'auteur nous dit la compassion qu'il éprouve pour les oiseaux, encore qu'il soit par ailleurs un chasseur insatiable, et sa fraternelle affection pour les arbres taciturnes et si solitaires.

★ Le compositeur français Maurice Ravel (1875-1937) a donné une élégante transcription musicale pour chant et piano à cinq d'entre ces *Histoires naturelles :* « Le Paon », « Le Grillon », « Le Cygne », « La Pintade » et « Le Martin-Pêcheur ». Ces morceaux, écrits en 1906, suscitèrent lors de leur première exécution en 1907 des discussions et des polémiques de toute sorte dans les milieux parisiens. Quelques critiques, parmi lesquels Pierre Lalo (1866-1943), soutinrent que le texte de Jules Renard n'était guère susceptible d'être mis en musique, et ne virent dans les *Histoires naturelles* qu'un laborieux exercice de préciosité harmonique. En vérité, le caractère de cette musique est tout à fait exceptionnel. Il fallait une pénétration extraordinaire et une sensibilité des plus aiguës pour transposer sur le plan sonore l'atmosphère poétique et la subtile ironie des textes de Jules Renard. Ravel lui-même ne soupçonnait peut-être pas le sens que ces cinq morceaux allaient prendre dans sa production. En effet, en mettant en musique les *Histoires naturelles,* il voulait faire un simple exercice de « déclamation », exercice qui lui avait été suggéré par le sobre et clair langage de Jules Renard. Son expérience fut faite d'une manière très personnelle : la « déclamation » de ces morceaux se différencie nettement, en effet de celle de Claude Debussy (1862-1918) ; l'indépendance de Ravel vis-à-vis de l'esthétique et de la technique impressionnistes se manifeste ainsi sans équivoque. Du fait que le texte ne pouvait pas lui suggérer le moindre développement lyrique particulier, les motifs mélodiques sont hachés, courts et incisifs — admirablement accordés aux exigences de la prosodie française. Toutefois, la tendance à la mélodie linéaire, à ses rapports contrapuntistes avec l'accompagnement du piano, apparaît ici évidente : elle s'oppose du tout au tout à la déclamation impressionniste, qui, étant toujours tributaire de l'harmonie, ne tend, en somme, qu'à lui donner de l'extension.

HISTOIRE SOCIALISTE 1789-1900. Œuvre collective publiée en douze volumes (de 1901 à 1908) sous la direction de l'homme politique français Jean Jaurès (1859-1914). Les quatre premiers tomes sur l'*Histoire socialiste de la Révolution française* (*) sont de Jaurès lui-même. Le cinquième, *Thermidor et le Directoire,* est de Deville ; le sixième, *Le Consulat et l'Empire*, de Brousse et Turot ; le septième, *La Restauration,* de Viviani ; le huitième, *Le Règne de Louis-Philippe,* de Fournière ; le neuvième, *La République de 1848,* de Renard ; le dixième, *Le Second Empire,* de Thomas ; le onzième comprend *La Guerre franco-prussienne,* de Jaurès, et *La Commune* (*), de Dubreuilh ; le dernier, *La Troisième République,* de Labusquière, et la « Conclusion » de Jaurès lui-même. C'est moins une histoire du socialisme qu'une histoire politique considérée du point de vue socialiste, cette dernière étudiant les événements par rapport au développement des forces sociales. La Révolution française crée les conditions favorables pour l'ascension progressive de la classe ouvrière et paysanne à la vie politique et à l'organisation du travail : soit par sa participation toujours plus large au pouvoir législatif, soit par ses propres institutions destinées à supplanter les institutions bourgeoises. Selon la conception marxiste dont l'œuvre tire son inspiration, une telle ascension se poursuit essentiellement à travers la lutte des classes, acquérant par là même un degré de maturité sans lequel toute victoire resterait stérile. L'*Histoire socialiste* considère ensuite le développement des institutions démocratiques, dans la mesure où le permettent les libertés de propagande et d'association – en quoi elle ne diffère pas de l'histoire à tendances radicales. Elle s'applique surtout à rechercher les phénomènes économiques en tant qu'ils influent sur les conditions des classes laborieuses et sur la fermeté de leur position dans l'État et dans l'organisation de la production.

Ce jugement correspond bien à l'opinion des différents auteurs de l'œuvre : Jaurès, révélant le substratum économique de la Révolution ; Deville, analysant le mouvement babouviste ; Fourmière, mettant en lumière le caractère bourgeois de la monarchie de Juillet ; Renard, interprétant la crise politique de 1848 ; Thomas, décrivant les débuts de l'organisation ouvrière hors de l'État dans les dernières années du second Empire ; Dubreuilh, enfin, étudiant la Commune. Les autres tomes s'en tiennent au récit populaire des événements politiques, récit souvent superficiel et partial. Dans son ensemble, l'œuvre a le mérite de présenter les événements principaux du XIXe siècle sous un angle tout à fait nouveau : ce qui fait que leur connaissance en est enrichie d'autant, tout comme leur signification, et cela même ouvre à la recherche plus d'un nouvel horizon ; par contre, et c'est naturel dans une œuvre d'une telle ampleur, elle montre dans l'exécution un caractère inégal. Dans les meilleurs volumes se décèle une préparation soigneuse qui est allée puiser directement aux sources. De nombreuses illustrations ornent cet ouvrage. Elles présentent un vif intérêt, car elles sont extraites de publications et de documents de l'époque – mais elles sont parfois inintelligibles, faute de se référer suffisamment au texte.

HISTOIRE SOCIALISTE DE LA RÉVOLUTION FRANÇAISE. Sous ce titre se groupent les quatre premiers volumes de l'*Histoire socialiste 1789-1900* (*), écrits par l'homme politique français Jean Jaurès (1859-1914) et publiés entre 1901 et 1904 : *La Constituante, La Législative, La Convention* (première partie), *La Convention* (seconde partie). S'opposant à Taine, Jaurès voit dans la Révolution non pas l'œuvre des idéologues, mais une construction qui repose sur des bases politiques et économiques solides. La Révolution marqua l'avènement de la bourgeoisie. Dans la pensée même de Robespierre – v. *Discours* (*) – dit Jaurès, l'idée de la société nouvelle ne dépassa jamais une démocratie d'artisans et de petits propriétaires. Selon la conception marxiste de l'histoire, l'auteur se propose de mettre en évidence comment, dans le sein même de la révolution bourgeoise, se seraient formés les éléments du mouvement prolétarien destiné à s'opposer à celle-là et à la dépasser. Tout d'abord, le prolétariat ne manifesta aucune conscience de classe et aucun esprit d'organisation : il n'en fut pas moins une force de la révolution bourgeoise, dans laquelle on sent naître confusément les promesses d'un relèvement social. Par la suite, la collusion de certaines couches de la bourgeoisie avec les conservateurs stimula la masse populaire, la poussa à de grands déploiements de forces et l'incita à exiger l'extension des droits politiques à tous les citoyens. C'est ainsi que naquit un mouvement dont la position extrême est représentée par la conjuration de Babeuf, première manifestation historique du communisme.

Dans le raisonnement de Jaurès, l'interprétation de l'histoire selon les principes du déterminisme économique n'exclut pas du tout la part qui revient à la volonté individuelle et à l'héroïsme. La bourgeoisie elle-même n'est pas toujours, dans son action, poussée par ses intérêts de classe : quelque grande idée humanitaire est capable de balayer tout le reste, et l'on voit alors tous les hommes se confondre dans un religieux enthousiasme. C'est pourquoi, déclare l'auteur, son interprétation est à la fois « matérialiste avec Marx et mystique avec Michelet ». De cette vision dominée par le conflit social est exclue toutefois la considération du principe national en tant qu'il serait capable de réunir les classes dans un commun effort de défense et de conquête. Ce manque de compréhension, tout comme l'antimilitarisme dont Jaurès fut le courageux défenseur le poussent à juger inutile et même dangereuse la guerre extérieure engagée par le gouvernement révolutionnaire. Cela mis à part, l'œuvre de Jaurès, en éclairant la trame économique des événements politiques et sociaux (avec ses considérations hardies sur le problème du travail ainsi que sur l'essor de la grande industrie en liaison avec le mouvement révolutionnaire), fait naturellement autorité dans le domaine qui nous concerne. Elle est vraiment le moteur des recherches approfondies faites, dans le premier tiers du XXe siècle, sur les facteurs économiques de la Révolution. Il suffit de citer, à ce point de vue, l'ouvrage de Mathiez sur *La Révolution française* (*).

HISTOIRES PHILIPPIQUES [Φιλιππικά] Œuvre capitale de l'historien grec Théopompe de Chios (378-304 av. J.-C.) qui, dans ses *Histoires helléniques,* avait déjà continué Thucydide, de l'an 411 à 394. Les premiers succès de Philippe II de Macédoine, qui laissent entrevoir la future unification de la Grèce sous l'hégémonie macédonienne, amenèrent Théopompe à rédiger une histoire centrée sur la personne du grand monarque. Il la composa en cinquante-huit livres, de l'avènement de Philippe (360-359) jusqu'à 336. Il se fit ainsi l'interprète des divers courants panhelléniques, à l'instar d'Isocrate qui avait été son maître. La philosophie de l'époque le conduisit à donner une grande importance à la personnalité humaine ; ses tendances de moraliste lui firent scruter à fond les secrets de la vie privée de ses héros, distribuant les louanges et plus souvent le blâme. Il négligera le point de vue politique car, expert en rhétorique selon l'enseignement d'Isocrate, il ignorait tout de cette matière autant que des questions militaires. Il s'attacha plus à plaire qu'à faire œuvre scientifique et didactique (sinon dans l'acception la plus banale). On relève maintes maladresses comme, par exemple, celle d'avoir formulé des critiques calomnieuses sur les vices de Philippe II à côté d'un rappel de ses victoires. L'amour du merveilleux, qui a tant d'importance dans son ouvrage, occupe une place à part. L'absence d'esprit critique lui fait accepter des inventions fantaisistes de toute sorte ; il explique avec une légèreté surprenante les plus grands événements de l'histoire. Ajoutons l'abondance de ses digressions, parfois interminables, si bien que le sujet, loin d'être traité dans l'ordre chronologique, se développe dans l'ordre des questions étudiées, s'apparentant ainsi aux ouvrages d'histoire de la période ionienne ; il prend l'aspect d'une histoire universelle. Le succès de Théopompe fut grand, car on le lisait plus facilement et avec plus d'agrément que l'austère Thucydide. Pourtant, d'après les fragments que nous possédons (quatre cents environ, nombre respectable qui témoigne de la faveur dont il a joui), nous approuvons les critiques de Polybe. Ayant atteint son plus haut degré spéculatif avec Thucydide, l'historiographie grecque devient, avec Théopompe, la source d'une vaine et facile déclamation.

★ Trogue-Pompée, historien latin du temps d'Auguste, a écrit vers l'an 9 ap. J.-C. une imitation des *Histoires philippiques* de Théopompe. Ses *Histoires philippiques* [*Historiae Philippicae*] en XLIV livres ne nous sont connues que par l'abrégé qu'en fit l'historien latin Justin au IIe siècle. Cet *Epitomé des Histoires philippiques* [*Epitoma Historiarum Phillipicarum*] dépourvu de valeur propre, nous présente un résumé général et quelques fragments originaux de Trogue-Pompée ; son œuvre était une histoire de l'empire macédonien débutant par l'histoire des Assyriens, des Mèdes, des Perses, des Scythes et des Grecs (livres I-VI). Les livres VII-XL étaient consacrés au règne de Philippe II et de ses prédécesseurs, et les derniers allaient jusqu'aux premiers temps de la puissance des Parthes (XLI-XLIV). À l'imitation de Théopompe, il fournit des renseignements sur les diverses régions, sur les origines, le passé, les coutumes de chaque peuple. En donnant à son œuvre le nom de Philippe II, Trogue-Pompée rend hommage au fondateur de la puissance de la Macédoine en tant qu'État ayant exercé son hégémonie dans la suite des grands cycles de l'Histoire. La Macédoine d'abord, dominatrice du monde gréco-oriental, Rome ensuite, maîtresse de l'Orient et de l'Occident, sont les deux grandes nations autour desquelles se déroule le destin des autres peuples ; mais chez Trogue-Pompée d'origine gauloise, il y a une réaction contre la glorification de Rome telle qu'on la trouve dans l'*Histoire romaine* (*) de Tite-Live et dans l'*Énéide* (*) de Virgile. Il écrit l'histoire des peuples étrangers, et oppose à Rome la gloire d'Alexandre, aux Romains les Étoliens et les Parthes ; il glorifie même Mithridate. — Trad. de l'*Abrégé* de Justin, Garnier, 2 vol. 1936.

HISTOIRES SANGLANTES. Recueil de contes et nouvelles publié en 1932 par l'écrivain et poète français Pierre Jean Jouve (1887-1976). Ce volume, qui introduit le troisième cycle, celui d'Hélène, fait transition avec le précédent, celui de Catherine — voir *Hécate* (*). Il a été repris, en 1961, dans l'édition définitive de *La Scène capitale* (*). On y voit partout la trace des rêves. Comme ces nouvelles précèdent de peu *Sueur de sang* (*), nous pouvons supposer que Jouve s'entraîne à « rêver pour mieux utiliser le rêve ». Il y a là mélange de rêveries, de bribes d'inconscient, de souvenirs d'enfance, de tentations de l'âge d'homme, d'inventions à partir de petites ou grandes choses : spectacle de la rue ou musique inouïe. Des paraboles, chargées du désespoir de Kierkegaard, sont soudain éclairées d'« états d'enfant » et de la nostalgie du paradis. L'humour n'est pas absent. Gribouille va se noyer dans l'eau du « rivage » des péniches parce que, sous l'émotion que lui a donnée une fille d'estaminet, il a perdu le parapluie sacré que son père lui ordonne de porter, et se trouve trempé de pluie. L'un des récits, « Les Allées », contient la belle capitaine H., qui va devenir l'Hélène de *La Scène capitale* (*). Cette femme, la première qu'aima Jouve, entre sa dix-septième et sa vingtième année, était femme d'officier à Arras. Elle devait prendre une importance considérable dans toute l'œuvre, tant poétique que romanesque, de l'auteur. Il convient de signaler son apparition première dans « Les Allées » : « N'était-ce pas là, au son d'une noble musique, valeureusement exécutée par le IIe régiment du génie, que j'avais marché dans la poussière, sanglé en un pardessus vert et suçant ma canne, et que j'avais fait de l'œil vingt mille fois à la belle capitaine H. ? N'était-ce pas là que j'avais rêvé à l'amour, à l'art, et à moi-même ? »

HISTOIRES SINGULIÈRES À L'EST DU FLEUVE [*Bokutô-kitan*]. Œuvre de l'écrivain japonais Nagai Kafû (1879-1959), publiée en 1937. Le fleuve qu'évoque le titre est la rivière Sumida. Avant de se jeter dans la baie de Tôkyô, elle baigne le quartier, célèbre depuis des générations, d'Asakusa : là s'arrêtait jadis la ville. Pour un citadin comme Kafû, passer le fleuve, c'était entrer en pays inconnu. Depuis quinze ans, surtout depuis le tremblement de terre de 1923, il s'était formé dans cette banlieue, que des tramways commençaient à peine à relier au centre, une curieuse agglomération où s'étaient retrouvés des cinémas, des estaminets, des établissements de toute sorte, chassés d'Asakusa par les opérations d'urbanisme. Ainsi était né un labyrinthe de venelles boueuses, le plus récent, le plus populeux des quartiers de plaisir. Le titre du roman, une suite de quatre caractères difficiles, est composé dans la tradition des lettrés d'autrefois, nourris de classiques chinois. Le premier signe, créé à l'époque d'Edo par quelque poète érudit pour désigner la rivière Sumida et depuis tombé en désuétude, est une véritable curiosité philologique, et Kafû l'explique, non sans satisfaction, au début de la postface. À la réalité la plus méprisée il associe une littérature d'un raffinement extrême, déjà oubliée. L'œuvre tire sa « singularité » de ce mélange. Le narrateur, personnage principal, est lui-même un romancier, vieux et misanthrope. Il marche le soir dans les ruelles d'Asakusa. Sur sa mine misérable, un policier l'interpelle et l'entraîne au poste de police pour vérification d'identité. Justement, le roman qu'il écrit s'appelle « La Disparition » : un honnête professeur et père de famille choisit de disparaître le jour de sa retraite. Pour son personnage, il cherche un quartier qui lui serve de refuge, et passe le fleuve. Un orage éclate, une jeune femme se réfugie sous son parapluie. Cette prostituée, qui vit au milieu du « labyrinthe » dans une étroite maison envahie par les moustiques, se vêt et se coiffe à l'ancienne mode. De ses gestes émane une grâce qui restitue au vieillard la douceur d'Edo. Cependant, à cause de son tempérament comme à cause de son âge, il refuse la perspective d'une vie en commun et décide de rompre ; quand, une dernière fois, il veut revoir la jeune femme, on lui répond qu'elle est tombée malade et qu'elle est partie. Il ne sait que faire, sinon recopier un ancien poème chinois sur l'automne. Quelques jours plus tard, il compose une poésie en vers libres, d'un ton grave et plaintif.

À aucun moment, la mièvrerie ne ternit cette histoire. Kafû est volontiers présenté comme un nostalgique du passé, mais il n'est guère d'écrivain qui ait su mieux traduire, en ces années 1930, la vérité de Tôkyô, l'incohérence et le flot de la vie. Les paysages qu'il décrit sans cesse avec une sorte d'entêtement sont quelconques : des terrains vagues, des baraques, de ponts de chemin de fer. Malgré sa laideur, il ne peut se détacher de sa ville. Il en connaît le plan par cœur, il énumère d'une voix amoureuse les noms des ponts et des rues. Il oublie l'intrigue pour faire l'historique de ces quartiers ; à la fiction il mêle l'exposé objectif et, pour mieux fondre l'illusion et la réalité, il insère tantôt un résumé, tantôt un chapitre du roman qu'écrit son héros. Aussi Kafû a-t-il voulu, après avoir clos son récit sur un poème, ajouter quelques « remarques superflues ». Sous couleur d'apporter des précisions, philologiques ou historiques, il retrace l'évolution des mœurs entre 1930 et 1935. Les temps ont changé. Sans nulle affirmation générale, juste avec quelques « détails », il montre l'effondrement de l'ordre ancien et l'irruption de la violence. Le premier chapitre revient alors en mémoire : sur une simple apparence, le vieillard avait été appréhendé par la police et interrogé longuement. Comme souvent dans ses œuvres, Kafû note au fil du récit le déroulement inexorable des saisons, la venue de l'automne. Il se sent étranger à ce qui l'entoure. Ses amis ne sont plus. Volontiers, il capte en une longue phrase le déroulement du temps, il montre comment les choses, les mots, les modes naissent puis déclinent. L'art de la période, jadis si éclatant, si coloré, s'est dépouillé. Devant la montée sourde de la violence, Kafû avait trouvé un refuge provisoire dans l'anonymat de cette banlieue. Son roman parut en feuilleton dans le plus grand journal du pays, du 16 avril au 15 juin 1937. Les « incidents de Chine » éclatèrent à la fin de juillet. *Bokutô-kitan* appartenait déjà à la littérature de l'exil intérieur.

HISTOIRES TRAGIQUES DE NOTRE TEMPS (Les). Recueil de nouvelles publié par l'écrivain français François de Rosset (vers 1570-1619) en 1614. Ces « histoires tragiques » se rattachent à une tradition de nouvelles cruelles mises à la mode par le recueil de *Nouvelles* (*) (1554-1573) du conteur italien de la Renaissance, Matteo Bandello. Sur les deux cent quatorze histoires de Bandello, une soixantaine seulement étaient tragiques, mais ce sont surtout celles-ci que retinrent les traducteurs français Pierre Boaistuau et François de Belleforest, traductions réimprimées sans cesse de 1559 au premier quart du XVIIe siècle. *Les Histoires tragiques* de Rosset, « aussi véritables que tristes et funestes » (Préface), se présentent comme un recueil de faits divers, presque tous tirés de la chronique contemporaine, et dont le point commun est le caractère sanglant ou funeste aussi bien des péripéties que du dénouement. Les titres des nouvelles – « De la mort tragique », « De l'horrible et épouvantable sorcellerie », « Des amours incestueuses », « De la cruauté d'un frère », « Des barbaries étranges et inouïes » – permettent de se faire une idée du contenu de ces histoires, dans lesquelles le suspens et la préparation psychologique des actes comptent moins que la description complaisante des horreurs qui les constituent ou des exécutions capitales qui les suivent. Cette recherche à tout prix de l'effet de vérité, dévoilant l'empire du mal et peignant les passions les plus secrètes, est loin d'être dépourvue d'intention morale : il s'agit de détourner les criminels de leurs penchants et, tout en procurant aux bons lecteurs des émotions fortes, de les rassurer sur la toute-puissance des justices royale et divine. Le livre, qui ne contenait que quinze nouvelles dans la première édition, fut constamment augmenté, et connut jusqu'à la fin du siècle trente-cinq rééditions, chiffre record pour l'époque, et cinq encore au XVIIIe siècle, sans compter les nombreuses éditions allemandes, hollandaises et anglaises. Le succès suscita de nombreux imitateurs, mais un seul mérite vraiment de retenir l'attention, Jean-Pierre Camus – v. *Nouvelles* (*) de Jean-Pierre Camus. Cette tradition d'histoires cruelles ainsi constituée devait déboucher un siècle et demi plus tard sur le Divin Marquis. G. F.

HISTOIRE UNIVERSELLE. La rédaction de cette œuvre monumentale fut la grande affaire des trente dernières années de l'écrivain français Théodore Agrippa d'Aubigné (1552-1630). Son dessein premier fut, semble-t-il, de compléter *Les Tragiques* (*) en citant, « sans eslite et sans choix », les noms des martyrs de la Réforme, dont quelques-uns seulement sont glorifiés dans le poème, mais rapidement la logique de l'exposé élargit ce projet à l'histoire générale du protestantisme français replacée dans celle de l'Europe, avec un aperçu de celle de l'univers connu. D'où le titre, qui cependant ne peut dissimuler une évidence : ce sont les affaires françaises, l'affrontement guerrier et idéologique qui intéressaient surtout Aubigné. Un intérêt révélé du reste par la structure de l'ouvrage. Il se compose de trois tomes de cinq livres chacun, divisés eux-mêmes en chapitres dont la disposition est invariable. Les premiers relatent l'une de nos guerres civiles ; à son terme, un autre traite des relations entre la France et les pays voisins, les quatre suivants donnent un abrégé des faits importants survenus dans le reste du monde, mais le dernier ramène le lecteur en France avec le texte du traité de paix qui mit fin au conflit relaté au début.

L'impression de l'ouvrage se fit, à partir de 1616, à Maillé, village proche de la place forte de Maillezais dont Aubigné était gouverneur. Elle dura quatre années durant lesquelles l'historien s'efforça vainement d'obtenir un privilège : le 2 janvier 1620, le livre était condamné au feu par la cour du Châtelet. Une seconde édition, revue et augmentée, parut, en 1626, à Genève où l'historien, compromis dans le soulèvement contre Luynes, s'était réfugié. À sa mort, il laissait inachevé le manuscrit de ce qui devait constituer un quatrième tome.

L'Histoire universelle est le couronnement de la riche historiographie protestante du XVIe siècle. Puisant son information dans les travaux de ses prédécesseurs, Bèze, Goulart, La Popelinière surtout, et dans les mémoires qu'il fit demander à toutes les provinces du royaume par le synode de Gap d'octobre 1603, Aubigné est l'auteur de la seule relation générale des guerres civiles due à un réformé. Par là, il répondait à la contre-offensive idéologique déclenchée par le catholicisme, et il le faisait avec l'autorité que lui donnait son expérience guerrière. Au moment où l'histoire devenait la spécialité des gens de cabinet, il laissait percer sa fierté d'être l'un des derniers représentants d'une lignée où brillèrent César et Guillaume du Bellay : « La matière de laquelle j'escris ne se recueille pas entre les pupitres et faut des ammes ferrees pour escrire du fer. » Mais ce soldat a une haute idée du « mestier d'historien ». Si la certitude que Dieu est le maître du monde, dont il dirige souverainement l'évolution, est affirmée avec la force que l'on sait dans *Les Tragiques*, elle sous-tend l'*Histoire* mais n'y est pas énoncée. Aubigné entend être serviteur de la simple vérité objective. Il n'a pas recours au surnaturel pour expliquer l'incompréhensible. Il s'interdit tout jugement et se borne à enregistrer les faits sans ornements rhétoriques, en laissant au lecteur le soin de se faire une opinion personnelle. L'hostilité voire la haine bousculent parfois, il est vrai, ce parti pris d'objectivité : les papes, les ordres religieux sont fort mal traités. Il n'en demeure pas moins que l'*Histoire*, considérée dans son ensemble, est digne d'estime. Nulle flagornerie à l'égard des chefs protestants, une grande modération envers ceux du camp ennemi dont un sens chevaleresque de l'honneur permettait à l'historien de reconnaître les mérites. Partant la valeur documentaire de l'ouvrage est considérable, sur les faits de guerre qui passionnaient Aubigné, sur le parti protestant, sur les cours de France et de Navarre, sur Henri IV. Par là, il est le commentaire obligé des livres historiques des *Tragiques* et le complément de *Sa vie à ses enfants*. Il révèle aussi implicitement les fortes convictions du « Ferme » qu'était Aubigné. La Réforme est l'objet d'une haine que l'édit de Nantes n'a pas apaisée ; elle doit sa survie à la crainte qu'elle inspire. Il faut donc maintenir fermement l'autonomie du parti, être toujours prêt à résister, au besoin par la force, si le pouvoir royal dégénère en tyrannie. Cet appel a perdu toute actualité. Demeure toutefois la belle image d'un homme en qui s'incarna l'esprit héroïque du protestantisme. La qualité littéraire de l'ouvrage où il se manifeste, faisant alterner grandes scènes tragiques, anecdotes piquantes, portraits psychologiques alertement brossés, discours percutants, force aussi l'admiration. A. T.

HISTOIRE UNIVERSELLE DE L'INFAMIE [*Historia universal de la infamia*]. Œuvre de l'écrivain argentin Jorge Luis Borges (1899-1986), publiée en 1935. Borges présente à ses lecteurs quelques « infâmes » choisis par lui, dont il dit d'ailleurs dans la préface qu'ils ne sont pas autre chose qu'« apparence », « images en surface », et dont il a télescopé les vies en quelques scènes, grâce à une transformation baroque de leur réalité. Défilent alors Lazarus Morell qui revendait plusieurs fois un esclave noir sous prétexte de le libérer et l'assommait ensuite ; Tom Castro auquel son mauvais génie Bogle fait adopter l'identité du disparu Tichborne, et qui finit en prison à la mort de Bogle ; la pirate chinoise Ching, terrible veuve qui lutte avec sa flotte corsaire contre les navires de l'empereur ; le tueur Monk Eastman et sa rivalité avec Paul Kelly ; Billy The Kid qui avait appris à bien viser « en tuant des hommes » ; et bien d'autres, présentés par Borges, avec un humour légèrement sinistre. L'auteur s'essaie alors, lui aussi, à créer un « infâme » dans un conte particulièrement savoureux où il transcrit le parler populaire argentin avec une remarquable perfection, et fait parler un personnage, en apparence témoin, et qui se révèle être le moteur même de l'action : un crime, dans la chute inattendue, bien sûr, de la nouvelle. Borges s'est visiblement amusé en écrivant cette histoire universelle de l'infamie dont il moque lui-même le titre à la fois « pédant » et solennel. Il réussit comme toujours à amuser le lecteur tout en lui ouvrant des perspectives audacieuses sur des domaines peu connus. — Trad. *Histoire de l'infamie, Histoire de l'éternité*, Éditions du Rocher, 1958.

HISTOIRE VARIÉE [*Ποικίλη ἱστορία*]. Compilation due à Claude Élien (environ 170-240 apr. J.-C.), écrivain érudit d'expression grecque originaire de Préneste (près de Rome) et appartenant au courant de la deuxième sophistique. Écrit en grec, dépourvu de prologue et de conclusion, sans doute inachevé et transformé par un abréviateur, ce recueil d'histoires hétéroclites, rapportées sous des formes très différentes, est divisé en quatorze livres. Si dans son œuvre majeure, le *Traité sur la nature des animaux* (*), l'attention d'Élien se concentre sur le monde des bêtes, ce sont essentiellement les hommes (mais pas seulement ceux-ci) qui fournissent la matière de l'*Histoire variée :* les deux compilations se trouvent dans un rapport de complémentarité et relèvent d'un même projet et esprit. Imprégné d'un sentiment religieux teinté de stoïcisme, mais foncièrement populaire, l'auteur tire des enseignements moraux des vertus et des vices des grands hommes et autres figures du passé (hommes de pouvoir et de guerre, philosophes et artistes, poètes et historiens, orateurs et athlètes, astronomes et musiciens, médecins et originaux, mignons et courtisanes), des lois anciennes des cités grecques et des mœurs des différents peuples barbares, d'événements historiques marquants et de petits faits divers. La providence divine n'est pas, à son avis, absente de l'histoire. Si c'est avant tout le passé hellénique qui l'intéresse, on reconnaît le Romain dans quelques déclarations patriotiques et dans certains de ses intérêts. Les philologues discutent encore l'identification de ses sources : Élien ne cite pas les noms des auteurs consultés (que souvent il ne fait que transcrire), sauf dans le cas d'écrivains et poètes « classiques », comme effet de style. Pour l'essentiel, il se sert de lexiques et compilations des époques hellénistique et impériale plutôt que d'ouvrages originaux. Le programme littéraire et esthétique est le même que celui qu'il proclame dans son traité sur les animaux : didactique, Élien veut néanmoins amuser et étonner son lecteur, lui être agréable. Dans ce but, il opte pour le style défini comme simple par la rhétorique de son temps, et vise la plus grande variété possible, dans les arguments traités comme dans la forme. Il recherche l'anecdote curieuse, merveilleuse, paradoxale, voire incroyable. Par l'emploi de certaines formules conventionnelles empruntées aux grands auteurs, il laisse voir qu'il conçoit son effort comme relevant du genre historiographique. Il a voulu tout particulièrement donner une preuve de sa maîtrise rhétorique et de ses qualités de narrateur dans trois chapitres plus longs, conçus comme des morceaux de bravoure : la description de la vallée de Tempé (III, 1), l'histoire d'Aspasie et de Cyrus (XII, 1) et celle de la vierge Atalante (XIII, 1). — Trad. Les Belles Lettres, 1991.
A. L.

HISTOIRE VÉRIDIQUE DE LA CONQUÊTE DE LA NOUVELLE ESPAGNE PAR UN DE SES CONQUÉRANTS [*Historia verdadera de los sucesos de la conquista de la Nueva España por Fernando Cortez, y de las cosas acaecidas desde el año 1518, hasta la su muerte ne el año 1547, y después hasta el 1550, escrita por el capitán Bernal Díaz del Castillo, uno de sus conquistadores, y sacada à luz por el P. Alonso Remón*]. Œuvre du conquérant et chroniqueur espagnol Bernal Díaz del Castillo (1492 ?-1581 ?), publiée après sa mort, à Madrid, en 1632. Castillo, qui fut un des plus vaillants capitaines de Cortés, a voulu faire un récit détaillé et rigoureux de la campagne qui préluda à la conquête du Mexique. Il rétablit la vérité des faits qui avait été altérée par López de Gómara dans son *Histoire générale des Indes occidentales et de la conquête du Mexique* (*). Au vrai, López de Gómara, en écrivant son œuvre, s'est laissé entraîner par son enthousiasme et en arrive à faire de l'histoire le panégyrique d'un seul homme : Cortés. À lui seul il attribue tout le mérite de l'entreprise. Castillo nous avoue qu'ayant eu sous les yeux l'*Histoire* de Gómara alors qu'il écrivait la sienne, il avait hésité à continuer son travail, car il sentait que son propre style était par trop inférieur à celui de Gómara ; il avait persévéré tout de même, estimant que son devoir était de redonner aux faits toute leur objectivité et de détruire les légendes qui s'étaient créées autour de cette expédition. Rectifiant les dates et contrôlant les faits, certes Castillo reconnaît à Cortés toute la gloire qui lui revient. Mais il se garde bien d'oublier ses lieutenants et les autres personnages qui avaient été éliminés de l'*Histoire* de Gómara ; il relate longuement les hauts faits de chacun et il n'oublie pas non plus les mérites des chefs indiens. Le récit homérique de López de Gómara, où il était question de défaites écrasantes infligées aux Indiens, d'exécutions en masse, etc., se trouve réduit chez Castillo à de plus justes proportions ; à l'exaltation héroïque est opposée une réalité non moins héroïque : les aventures d'une poignée d'hommes toujours sur le qui-vive, et qui finissent par venir à bout de leur entreprise, autant à cause des faiblesses de leurs adversaires que par le fait de leur propre valeur. C'est une œuvre de polémique qui, à la reconstitution historique, oppose la « chronique » proprement dite ; le récit de Castillo est un document très vivant sur la Conquête ; il est encore tout frémissant des souvenirs personnels de l'auteur qui fut acteur et spectateur des faits qu'il rapporte. Castillo, sans doute, est loin d'avoir ce grand style qui fait le prix de l'*Histoire* de López de Gómara, et Solís pouvait dire avec raison en racontant les mêmes faits — v. *Histoire de la conquête du Mexique* (*) — que Castillo « s'expliquait mieux avec l'épée qu'avec la plume ». Il n'en reste pas moins que sa prose est toujours haute en couleur, pleine d'énergie et savoureuse dans toute l'acception du terme. — Trad. par *José-Maria de Heredia*, Lemerre, 1878-1881.

HISTOIRE VÉRITABLE. Conte philosophique du philosophe français Charles-Louis de Secondat, baron de Montesquieu (1689-1755), qui ne vit le jour qu'en 1892, dans le second volume des *Mélanges inédits.* Cette œuvre fut ensuite éditée par Bordes de Fortage en 1902. Selon l'un des derniers éditeurs de Montesquieu (*Œuvres*, dans la Bibliothèque de la Pléiade, Gallimard, 1951), le second texte de 1902 serait antérieur à celui qui parut dans les *Mélanges inédits* et ne contiendrait pas les corrections que Montesquieu apporta à l'*Histoire véritable* sur les conseils d'un de ses amis, Jean-Jacques Bel ; toutefois ce texte lui-même est incomplet, et Montesquieu en avait commencé une nouvelle rédaction qu'il n'acheva pas. Aussi, les derniers éditeurs donnent-ils le début remanié par l'auteur, qu'ils font suivre du texte qui n'a pas été corrigé. L'*Histoire véritable* était précédée d'une présentation que Montesquieu attribue au libraire qui devait publier l'œuvre. Il y est conseillé au public d'acheter le livre comme un roman, « s'il ne juge pas opportun de l'acheter comme une histoire ». C'est le récit, à la première personne, que fait un pauvre barbier de Tarente à un certain Ayesda, des avatars par lesquels il est passé au cours de ses existences antérieures. Lors de sa première incarnation, il était valet d'un vieux gymnosophiste, aux Indes, quatre mille ans plus tôt. Ce gymnosophiste, depuis cinquante ans, s'efforçait de se procurer une transformation heureuse en s'imposant des dures pénitences et cherchait à se réduire à l'état de squelette en ce monde, pour ne pas être transformé dans l'autre en quelque vil animal. Son patron s'étant immolé sur un bûcher, le valet prend le large pour ne pas en être réduit à partager le même sacrifice. Il se met au service de divers personnages pour subsister. Mis à mort, ensuite, par un mari jaloux, il commence le cycle de ses métamorphoses : successivement insecte, perroquet, il devient petit chien, et Montesquieu nous dépeint l'attendrissement niais d'une femme à sa vue, et l'adoration que les Égyptiens lui témoignent quand il est devenu bœuf Apis. Notre héros, loup quelque temps, est incarné dans le corps d'un éléphant. Enfin, redevenu homme avec le commencement de la seconde partie, il décrit, sur un mode ironique, ses liaisons amoureuses, et il en est des plus diverses, puisqu'il est successivement eunuque, puis femme de harem ; dans cette nouvelle situation, il a la satisfaction de voir son ancien maître, devenu eunuque à son tour, endurer ses anciennes souffrances (troisième partie). D'autres métamorphoses offrent à l'auteur l'occasion de faire la satire d'une société qu'il situe vaguement à Naples ou en Sicile (quatrième et cinquième parties) selon la prudente pratique qu'on retrouve dans d'autres œuvres de son temps. Ainsi le héros a vécu dans toutes les situations imaginables et, en particulier, dans toutes les positions sociales possibles, au point qu'« ayant intérieurement changé, il ne se regarde pas comme un individu ». De tous ces avatars dont, par une faveur spéciale accordée par les hauts esprits philosophiques, il a gardé un souvenir très précis, il n'a d'ailleurs tiré aucun plaisir : « Je ne me suis guère trouvé plus heureux dans une transmigration que dans une autre. »

Montesquieu, dans cet apologue, exprime l'idée que, quelles que soient les conditions dans lesquelles se trouve un être humain, son sort n'est pas si différent, que les véritables biens ne dépendent pas de la misère et de l'humiliation d'autrui et qu'ils échappent aux vicissitudes du sort. Mais il nous donne de l'homme une image quelque peu désabusée ; son héros est un incorrigible fripon, et le récit engendre une espèce de pessimisme souriant et moqueur qui ne va pas sans lassitude. Montesquieu semble, par moments, s'y fatiguer de son propre dilettantisme, et il est significatif que, bien que la première rédaction de l'*Histoire véritable* soit antérieure à 1738, et malgré les nombreuses corrections et modifications qu'il y a apportées par la suite, Montesquieu n'en soit pas venu à bout. Il est certain qu'il l'aurait encore remaniée, s'il avait eu l'intention de la publier : dans l'état où elle nous est parvenue, on peut lui reprocher l'inutile multiplicité des épisodes souvent trop peu différenciés. Montesquieu s'y montre cependant, sous le couvert de la fiction, l'admirable observateur des mœurs des Français de son temps que révélèrent au public les *Lettres persanes* (*). On y rencontre de très belles pages dignes de l'anthologie, lorsque l'auteur est parvenu à ce style limpide et presque épigrammatique où se manifestent le mieux son génie et sa causticité.

HISTOIRE VRAIE [*Ἀληθοῦς ἱστορίας λόγος*]. Œuvre en deux volumes, composée par l'écrivain grec Lucien de Samosate (125 ?-192 ? apr. J.-C.) dans la dernière période de son activité littéraire (du moins selon l'avis de la critique moderne). Elle fait partie du groupe d'œuvres tendant à parodier les inventions et les fantaisies des poètes. Après avoir, dans la préface, averti le lecteur qu'il ne dira rien de vrai, Lucien s'abandonne à sa fantaisie déchaînée et raconte une longue série d'aventures curieuses et fantastiques, avec une facilité, un brio et une élégance dignes d'un grand écrivain. Il prend pour point de départ les grands poètes, historiens et philosophes anciens, comme Homère, Ctésias, Hérodote, Pythagore, Empédocle, Platon, etc. ; toutes sortes de lieux et de personnages étranges peuplent sa narration : des îles mystérieuses, des arbres dignes d'un pays de cocagne, des fleuves de vin, des sources d'onguent, des baleines gigantesques, des luttes entre des sirènes et des êtres imaginaires, des hippogriffes, des centaures... Des descriptions fantastiques se succèdent : des tempêtes miraculeuses, des ascensions à travers l'espace, des visites à la lune, au soleil, des excursions sous-marines et dans le règne des morts. L'infatigable richesse et la variété des inventions ont fait de cette œuvre un modèle du genre ; Gozzi l'a récrite en italien et des écrivains de tous les temps, de Rabelais à Swift et à Voltaire, en ont tiré inspiration pour des contes merveilleux : *Les Voyages de Gulliver* (*) et *Les Aventures du baron de Münchhausen* (*) trouvent leur prototype dans l'*Histoire vraie*. — Trad. *Œuvres complètes,* Garnier, 1933-1934.

HISTORIA CALAMITATUM ABAELARDI. Longue lettre adressée par le théologien et philosophe scolastique Pierre Abélard (1079-1142) à un ami inconnu (que certains tiennent pour fictif) entre son premier et son second séjour à l'abbaye de Saint-Gildas, en Bretagne, dont il était abbé, probablement aux environs de 1136. Elle fut publiée par Cousin dans *Petri Abaelardi Opera hactenus inedita* (1849-1859). Abélard nous fait ici le récit passionné de sa vie, à commencer par l'enfance, avec tous les détails de son amour pour Héloïse, les vicissitudes douloureuses qui l'accompagnèrent et le suivirent, les tourments endurés du fait de ses adversaires implacables, des moines turbulents de Saint-Gildas, de la condamnation de Soissons, sans craindre d'avouer avec franchise ses propres défauts et, en particulier, son orgueil et sa vanité. Le tempérament dialectique et polémique d'Abélard se révèle une fois de plus dans cette lettre, non seulement dans les passages mordants concernant ses détracteurs, mais dans la fine analyse de ses émotions, qui devient à son tour une nouvelle source de souffrances. C'est là certainement un document intime des plus originaux, dont l'importance tient dans le fait qu'il nous dévoile l'âme tourmentée de cet ardent philosophe, tout en constituant la seule source sûre sur sa vie. Ce livre fut en outre le point de départ involontaire de la correspondance ultérieure entre Héloïse et Abélard. En effet, Héloïse, alors supérieure du monastère du Paraclet, ayant pris fortuitement connaissance de cette « lettre pleine de foi et d'affliction », fut saisie d'une soudaine et vive émotion et écrivit la première, après des années de silence, à l'époux que jamais elle n'avait oublié — v. *Lettres d'Abélard et Héloïse* (*). — *L'Historia Calamitatum* a été publiée par J. Monfrin (3e éd., Paris, Vrin, 1967) et traduite dans le volume *Héloïse et Abélard, Lettres* (Paris, 10/18, 1964). Elle a inspiré le roman de Paul Zumthor, *Le Puits de Babel* (1969). Voir également, de P. Zumthor, *Correspondance, P. Abélard et Héloïse,* Paris, 2e éd. 1983.

HISTORIETTES [*Historietter*]. Recueil de nouvelles de l'écrivain suédois Hjalmar Söderberg (1869-1941), publié en 1898. Ce recueil, qui tranche, face au courant littéraire suédois dominant dans les années 1890, par son scepticisme et son athéisme, constitue une des œuvres les plus appréciées de Söderberg. Admirateur d'August Strindberg, de Herman Bang, de Maupassant et d'Anatole France (dont il donna des traductions remarquables), Söderberg excelle dans l'art de la nouvelle, genre qu'il maîtrise déjà à la perfection lorsque paraissent *Historiettes.* Malgré la diversité de leurs sujets, ces vingt récits présentent une unité certaine, reflet de la psychologie et de l'attitude de l'auteur : mélancolie et désillusion imprègnent ces morceaux en prose, expression d'un sentiment de spleen baudelairien (« Spleen » est d'ailleurs le titre choisi pour une des nouvelles). Derrière une simplicité apparente, chaque récit est composé avec une grande subtilité et invite à une double lecture : l'anecdote superficielle cache toujours une réflexion philosophique qui lui confère toute son ambiguïté et sa richesse. Aucune analyse ne parvient à percer entièrement l'énigme ultime. Söderberg ne livre pas de réponse, laissant le lecteur perplexe et troublé. L'ironie, arme principale de cet homme désabusé, prend des accents variés, tantôt amère (« La Pelisse » [Pälsen], sa nouvelle la plus connue), tantôt sarcastique (« Le Sacrement de la Communion » [Nattvardens sakrament]), toujours sobre et légère. La limpidité, la concision de la langue et la précision de l'observation rendent de surcroît le style particulièrement efficace. Cet écrivain, d'une profonde honnêteté intellectuelle et d'une lucidité exceptionnelle, s'élève contre la bêtise, la cruauté et l'indifférence, sans jamais se laisser aller au sentimentalisme, préférant mêler raillerie et gravité. Quel que soit le thème de ses nouvelles, qu'il s'agisse de satires de son temps (« Une tasse de thé [En kopp te]), d'histoires d'amour nostalgiques (« Le Salaire du péché » [Syndens lön]) ou tragiques (« La Femme du ramoneur [Sotarfrun]), de contes édifiants (« La Bruine » [Duggregnet]) ou d'épisodes oniriques (« Cauchemar » [Mardröm]), une même volonté les sous-tend : inciter à une réflexion existentielle. La première et la dernière nouvelle (« Dessin à l'encre [Tuschritningen], « Un Chien perdu » [En herrelös hund]) sont une interrogation sur la signification de la vie, tandis que « Le Pasteur Papinianus » [Kyrkofadern Papinianus], inspiré par l'affaire Dreyfus pour laquelle Söderberg s'engagea activement en publiant la traduction intégrale du *J'accuse* dans le quotidien *Svenska Dagbladet,* dénonce l'immoralité d'une justice qui sacrifie l'individu à la raison d'État. Écrivain désenchanté, qui possède au plus haut point le sens aigu du récit bref, merveilleusement ciselé, corrosif, à la chute finale déconcertante, Söderberg se plaît, sous couvert d'une description d'événements en apparence anodins, à débattre de questions fondamentales et réussit à créer dans chaque nouvelle un véritable chef-d'œuvre en miniature. M.-B. L.

HISTORIETTES. Mémoires et anecdotes du mémorialiste français Gédéon Tallemant des Réaux (1619-1692). Ces petites pièces n'étaient pas destinées à la publication, mais comme cela se faisait souvent à l'époque, à la circulation au sein d'un groupe restreint, « mes amis », dit Tallemant. Ce n'est qu'en 1834-1835 que Monmerqué les donna au public. Bien qu'il les eût soigneusement expurgées, elles firent scandale au point qu'on l'accusa de les avoir fabriquées. Elles répondaient en effet assez mal à l'idée que le XIXe siècle se faisait d'un Grand Siècle classique et policé sous la férule de Louis XIV. L'œuvre est faite essentiellement d'anecdotes souvent fort crues recueillies au départ à l'hôtel de Rambouillet auprès de la marquise elle-même, et ensuite dans tous les milieux que fréquenta Tallemant. Reflétant parfaitement la conversation mondaine de l'époque, ces « petits mémoires » révèlent des aspects souvent peu connus des grands du siècle, d'Henri IV à Louis XIII en passant par Richelieu ou Sully. Mais plus largement, ils sont un document de qualité sur la société parisienne, cour et ville, nobles et bourgeois, du monde de la haute finance protestante et des partisans auxquels Tallemant avait accès par sa famille (Hervart, Particelli d'Emery, Puget de Montauron, Ruvigny, etc.) jusqu'à des milieux plus aristocratiques où il était accepté (hôtel de Senneterre ou de Nevers), en passant par des académies comme celle qui se tenait chez Conrart. Ils renseignent également sur les cercles littéraires, des Samedis de Mlle de Scudéry aux salons de la vicomtesse d'Auchy ou de la comtesse de La Suze. Ils nous font pénétrer chez les épicuriens (Chaulieu et La Fare, Lhuillier et Chapelle, les ducs de Vendôme et de Nevers, Boisrobert, Mme de La Sablière et Mme Deshoulières) comme chez les femmes galantes (Marion Delorme, Ninon de Lenclos). Ils sont souvent féroces pour les hommes de lettres, Chapelain le poète influent et bien doté mais avare jusqu'à la malpropreté, Corneille le provincial mesquin et bourru, Voiture le poète de salon à l'humeur changeante, La Fontaine le distrait. Mais surtout ils montrent les relations sociales de l'époque, entre les différents ordres, entre hommes et femmes au sein du couple ou dans des rapports passagers, adultères, vénaux ou admirables.

La valeur documentaire n'est pas le seul intérêt de cette œuvre. Moraliste tranquille, Tallemant décrit avec beaucoup de détachement ses contemporains : sa seule arme est l'ironie – féroce – et l'alacrité du style. Il retrouve la verve d'une conversation piquante, à bâtons rompus, entre honnêtes gens. Il ne recule devant aucune gaillardise pour servir sa vision satirique du monde qui l'entoure. Il possède un sens du dialogue naturel, une technique sûre du portrait en quelques lignes, une science parfaite du détail signifiant et le jugement pertinent d'un observateur détaché. Ses contemporains s'accordaient en outre à lui reconnaître des talents de conteur hors pair et une langue d'une rare qualité. On peut rapprocher son œuvre de celle de Mme de Sévigné pour la qualité de la narration et de celle de Saint-Simon pour l'ampleur du témoignage sur l'époque. V. M.

HITOPADEŚA [*L'Instruction profitable*]. Nouvelle indienne appartenant au genre narratif didascalique. C'est en Inde la plus importante imitation du *Pañcatantra* (*) ; elle remonte à la période qui peut être comprise entre le Xe et le XIVe siècle. De l'auteur, Nārāyana, nous ne connaissons que le nom. Dans l'introduction, il confirme avoir puisé dans le *Pañcatantra* ainsi que dans une autre œuvre qu'il ne cite pas et qui n'est probablement pas parmi celles qu'il nous a été donné de connaître jusqu'à maintenant. La trame est analogue à celle du *Pañcatantra,* mais les livres sont réduits à quatre : 1) l'acquisition des amis ; 2) la rupture entre les amis ; 3) la guerre ; 4) la paix. On peut noter par rapport au *Pañcatantra* d'importantes divergences ou innovations dans l'allure générale et dans les détails de la narration. Bien que de dimension plus modeste, l'*Hitopadeśa* accentue, par rapport au *Pañcatantra,* le caractère d'œuvre doctrinaire, consacrée en premier lieu à l'enseignement de la science politique et, ensuite, à celui de la sagesse pratique. – Trad. dans la *Revue orientale,* 1858 ; Maisonneuve, 1882.

HOBEREAUTE (La). « Opéra parlé » en trois actes, de l'écrivain français Jacques Audiberti (1899-1965), écrit en 1956 et représenté pour la première fois le 26 septembre 1958 au théâtre du Vieux-Colombier dans une mise en scène de Jean Le Poulain, avec entre autres Françoise Spira (rôle-titre), Daniel Ivernel (Chevalier Lotvy), Jean Le Poulain (baron Massacre). Quelque part entre Reims et Colmar, dans la mythique terre d'une France du IXe siècle tout imprégnée de paganisme celte et de légendes sylvestres, se livre un combat à mort entre une mystique « sauvage » de la nature et un christianisme victorieux, hégémonique, qui prétend tout englober, tout absorber, et tout ordonner.

Le hobereau, rapace proche du faucon, est le symbole de cette force naturelle, cruelle et insaisissable, à laquelle s'affronte le christianisme « civilisateur ». Cette « hobereaute », « instruite dans les secrets de la bête et de la plante », est une sorte de sorcière, une fée médiévale, demi-déesse de la nature, sœur des légendaires driades, qui possède entre autres pouvoirs celui de se déplacer en un éclair dans les airs. Sa puissance vient de son innocence. Telle que nous la découvrons au début de la pièce, elle n'a pas connu l'homme, son pouvoir est lié à sa virginité, à son statut de fille-femme « sauvage », non accouplée.

Lorsque au premier acte, le « Maître Parfait », « dernier serviteur d'un culte dépossédé, déshérité... », sorte de magicien druidique qui par certains côtés rappelle l'Obéron du *Songe d'une nuit d'été* (*), intervient dans le but de marier celle qu'il confia enfant à un brave travailleur, de faire d'elle une femelle d'homme, il lui fera perdre du même coup tous ses pouvoirs surnaturels. Et nous assisterons alors, la hobereaute sacrifiant la pureté de son essence sur l'autel du mariage avec le baron Massacre, au combat sans merci d'un idéal farouche jamais éteint, avec une chrétienté civilisatrice qui sépare l'homme de la nature. Ainsi l'énonce le « Maître Parfait » : « Rome, en sa gloire têtue, Rome n'accepte le miracle que de Dieu. Nous de la pierre vibrante et de l'herbe moisie. »

Nous trouvons dans cette pièce, étroitement entremêlés, les thèmes de la lutte entre l'ésotérisme païen et le christianisme, et celui de la perte de l'innocence, de l'accès à l'âge du compromis, que symbolise le mariage de la hobereaute, qui, contrairement à Antigone, se soumet, ou plutôt tente de se soumettre au primat de la raison sur la passion. Comme si, pour Audiberti, le déclin des anciennes croyances druidiques s'apparentait à la fin de l'adolescence. N. Ro.

HOFFMANN CANADA. Récit de l'écrivain français Claude Aveline (1901-1993), publié en 1977. En octobre 1960, le narrateur, François Lemonnier, qui vient d'être nommé inspecteur général des postes diplomatiques et consulaires aux Affaires étrangères, est envoyé en mission au Canada. C'est dans une cabine de luxe du « Super Continental » qu'il choisit de traverser les régions des Prairies et des Rocheuses, de Winnipeg à Vancouver. Le soir tombe et un dernier reflet solaire s'attarde au pied des montagnes, quand Lemonnier découvre que celui-ci est en fait la lumière d'un chalet suisse, construction insolite dans cette contrée si éloignée de l'Europe. L'angoisse provoquée par l'étonnante vision fait resurgir dans sa mémoire un nom : Hoffmann ! Robert Hoffmann ! Hoffmann Canada ! Un saut brutal dans le passé ramène Lemonnier aux années noires de l'occupation allemande en France, où il dirige, à Lyon, à la fin de 1942, un réseau de résistance. Chaque dimanche, six hommes se réunissent dans la propriété de campagne d'un vieil entrepreneur, M. Coustou ; pour les gens du pays ils sont censés se livrer à la passion du jeu : cartes, échecs, dames, jaquet. Magdeleine, la secrétaire du maître des lieux, une jeune femme stricte, qui semble « n'exister que pour ce qu'elle a à faire et le fait à la perfection », est chargée de surveiller l'extérieur. Un jour, un homme maigre et blond, vêtu d'un complet gris et exhibant une horrible cravate jaune serin, apparaît à l'extrémité du jardin. Il se présente : « Hoffmann, Robert Hoffmann. Bonjour, monsieur... Messieurs... Excusez-moi de déranger votre réunion. Mais la Gestapo vient d'arrêter mon oncle. » Cet oncle n'est autre que l'ingénieur Justinien Déroche, membre du réseau. L'inconnu habite Paris mais il était venu passer huit jours à Lyon dans sa famille quand le drame s'est produit. Son allure froide, ses phrases brèves et sibyllines suscitent les doutes. Convoqué chez la logeuse du narrateur, l'homme accepte d'apporter les papiers compromettants de Déroche et tient parole. Dans les rapports qui suivent, Hoffmann adopte une attitude de collaboration apparemment sincère, sans que pour autant ses propos éclaircissent l'énigme de sa personnalité. Le nom, seul, est expliqué par lui. Sa mère, belle-sœur de Déroche, ayant épousé après la Première Guerre mondiale un soldat de l'armée canadienne, ses condisciples du lycée Condorcet à Paris l'avaient affublé du surnom d'Hoffmann Canada pour le différencier d'un autre Hoffmann de sa classe. Quand, cinq mois et demi après son arrestation, Déroche est fusillé au Fort Montluc, Hoffmann semble se faire un devoir de poursuivre la mission de son oncle, mais il est à son tour arrêté le 1er octobre 1943. En 1950, la réapparition de Magdeleine, qui apprend à Lemonnier qu'elle a été la maîtresse d'Hoffmann et qu'à la fin de la guerre il a été porté « disparu », l'incite à se soucier à nouveau du sort de son mystérieux compagnon. Est-il mort ? A-t-il regagné secrètement, selon son habitude, le pays de son père pour y exercer sa passion, la peinture ? Vit-il volontairement oublié dans ce chalet suisse aperçu au cours de la traversée du Canada ? Ce récit de la Résistance, écrit par un romancier qui fut l'un de ses membres, prend dès lors l'allure d'une fiction policière aux multiples rebondissements, traitée par un écrivain qui en est également le spécialiste. Et si, comme le révèle un témoin, Hoffmann est bien mort, sa personnalité conserve un mystère que l'art de Claude Aveline rend magiquement angoissant. C. C.

HÔGEN MONOGATARI. Œuvre japonaise, dont l'auteur reste inconnu, encore qu'on l'ait attribué à Hamuro Tokinaga (XIIIe siècle) et à quelques autres. C'est l'histoire romancée, en trois volumes et trente-sept chapitres, de la guerre civile qui eut lieu à l'époque Hôgen (1156-1158) et qui fut causée par des querelles de succession. À la mort de l'empereur Konoe (1142-1155), son frère, l'empereur Sutoku (1124-1141), qui avait abdiqué depuis longtemps, voulut faire accéder au trône son propre fils Shigehito ; mais le père de Sutoku, l'empereur Tôba (1108-1123) qui avait, lui aussi, abdiqué depuis de très nombreuses années, désigna un autre de ses fils, Go Shirakawa (1156-1158). Il s'ensuivit une lutte dans laquelle Sutoku fut soutenu par la famille des Minamoto, et Go Shirakawa par celle des Taira, à qui resta en fin de compte la victoire. Sutoku fut exilé, Shigehito contraint à se faire bonze, les partisans de l'un et de l'autre massacrés ou renvoyés en exil, tandis que la famille des Taira acquérait un prestige et une gloire extraordinaires. Par son style simple et vigoureux, cette œuvre s'égale à l'*Heiji Monogatari* (*) ; les descriptions sont détaillées et s'étendent jusqu'aux vêtements, aux armes, aux chevaux ; nombre de discours sont également insérés ainsi que des rappels de l'histoire chinoise et japonaise. Toute l'œuvre se présente comme une immense tragédie, celle du destin, considérée à la lumière des doctrines bouddhistes, et où le succès et la disgrâce sont les simples effets du « karma », c'est-à-dire des mérites ou des démérites accumulés dans des existences précédentes. L'*Hôgen Monogatari* eut une profonde influence sur la littérature des époques qui suivirent, fournissant, avec ses multiples épisodes, des sujets au drame classique « nô », au roman et aux arts figuratifs. – Trad. Publications orientalistes de France, 1976.

HÖLDERLIN. Vision du monde et religiosité [*Hölderlin. Weltbild und Frömmigkeit*]. Essai du philosophe allemand Romano Guardini (1885-1968), publié en 1939. Romano Guardini a signalé chez des auteurs, tels que Goethe, Spinoza, Schelling, les manifestations du panthéisme qui permet à l'homme d'échapper, sans recourir au vrai Dieu, à l'angoisse de l'être fini menacé par le néant. Cette idée, Guardini l'a approfondie dans la plus originale de ses grandes études critiques : *Hölderlin.* Ce qui attire l'attention de Romano Guardini sur le poète, c'est d'abord l'union intime, en lui, de la doctrine et de la vie. La poésie n'est point ici le divertissement d'un esthète, elle est le message d'un voyant responsable du salut de l'humanité. Le sentiment de la nature va chez lui infiniment plus loin que chez les autres romantiques. Derrière le voile facile que l'univers semble offrir aux regards du vulgaire, c'est un domaine mystérieux des correspondances, des choses chiffrées, un « au-delà » des apparences que découvre la vision du poète. Les accidents géographiques de l'écorce terrestre, fleurs, mers, montagnes, volcans, non seulement revêtent chez lui un caractère symbolique mais sont eux-mêmes des puissances animées, de véritables divinités. Guardini remarque que Hölderlin « paraît bien être, depuis l'Antiquité, le seul poète auquel on puisse prêter foi lorsqu'il déclare croire aux dieux ». Plus inquiétante est chez Hölderlin l'utilisation d'une foule d'éléments et même de sentiments d'origine spécifiquement chrétienne, mais dont le sens est ici foncièrement perverti. Comme Dante, remarque Guardini, Hölderlin intègre à sa vision chrétienne, et sans nuire toutefois à sa pureté, un grand nombre d'éléments issus de la mythologie païenne. Et comme le fera plus tard Rilke, Hölderlin tente d'intégrer au monde le domaine de l'au-delà et l'éternité elle-même. L'âge d'or qu'attend Hölderlin est la transposition païenne des « nouveaux cieux » et de la « nouvelle terre » dont parle l'Écriture. Mais ce n'est plus le Christ qui doit renaître, c'est la Grèce. Et ce n'est plus le temps qui doit faire place à l'éternité, c'est l'éternité qui est absorbée par le temps.

HOMÉLIES d'Avit [*Homeliae*]. Des trente-quatre homélies qu'écrivit l'écrivain latin Sextus-Alcimius Ecdicius Avitus (saint Avit, 450-518 environ), évêque de Vienne en Dauphiné, trois seulement nous sont parvenues intégralement ; des trente et une autres, nous ne possédons que des fragments plus ou moins étendus. C'est l'évêque lui-même, sur l'incitation de ses amis, qui s'occupa de l'édition, voulant que ses homélies, adressées aux fidèles, mais écrites suivant les règles de la rhétorique alors à la mode dans les écoles de la Gaule, ne se perdent pas. La réputation de l'éloquence de saint Avit s'était répandue dans toute la Gaule méridionale et était parvenue, malgré la différence de confession religieuse, jusque chez les rois des Burgondes. Malheureusement ses *Sermons* [*Sermones*], plus importants que les *Homélies* et qui devaient sans doute contenir plus d'allusions à la société de son temps, ont été perdus. Néanmoins, à en juger par les *Homélies* (plusieurs fragments conservés sont consacrés aux Rogations), la culture littéraire de l'orateur, qui a lu les poètes et les prosateurs et qui, pour orner ses discours, ne craint pas de se servir de tous les artifices de rhétorique dont use la littérature classique, devait être peu commune et justifier la renommée qui entoura son nom.

HOMÉLIES de Grégoire le Grand. Les sermons du grand pape (vers 535-604), spécialement destinés à un peuple rude et inculte en vue de fortifier sa foi et de lui apprendre à faire pénitence à une époque où la barbarie régnait en Italie, peuvent se diviser en deux grandes parties : les *Homélies sur l'Évangile* et les *Homélies sur le prophète Ézéchiel*. Les premières, au nombre de quarante, constituent l'ensemble des discours prononcés en 591, rassemblés en 593 et dédiés à Secondin, évêque de Taormina. Une vingtaine d'entre elles furent prononcées par Grégoire lui-même devant le peuple assemblé dans les églises, les vingt autres furent lues par un de ses clercs. Dans le premier sermon prononcé le deuxième dimanche d'Avent dans la basilique de Saint-Pierre, aussitôt après qu'il eut été élu pape, Grégoire commente un passage de saint Luc (XXI, 25, 32), dans lequel l'Évangéliste se réfère au discours de Jésus à ses disciples sur la fin du monde : l'humanité approche de sa fin, les signes en sont évidents, guerres, calamités, tremblements de terre sévissent plus que ne le rapportent les histoires. C'est pourquoi Grégoire attire l'attention de ses auditeurs sur la terreur du Jugement dernier, sur les devoirs de pénitence. Avec bienveillance, il illumine d'espérance le cœur des bons qui, soumis à la volonté de Dieu, se seront présentés à son jugement pleins de repentir pour les fautes commises. Dans un autre sermon prononcé pour la solennité de Pâques, il revient sur l'argument du Jugement dernier et, avec des paroles enflammées, il évoque le jour terrible où Celui qui ressuscita paisiblement d'entre les morts apparaîtra menaçant, entouré de ses légions d'anges. Un des sermons les plus importants sur les Évangiles est le dix-septième, adressé aux évêques, dans la basilique de Saint-Jean-de-Latran. Le pape y parle des devoirs du prédicateur, de la parole de Dieu et des mœurs débauchées du clergé. Il insiste sur le fait que le prêtre ne doit pas prêcher pour obtenir une récompense temporelle, mais pour conquérir le salut éternel, et il blâme ceux qui ne font rien pour les âmes des fidèles. Son enseignement moral n'est pas toujours donné sous forme d'exhortations ou de préceptes. C'est dans ce premier groupe de sermons que l'on trouve, pour la première fois, des exemples non tirés des Écritures, mais directement de la vie ; et c'est ainsi que Grégoire forme la transition entre l'Antiquité et le Moyen Âge, en présentant des légendes et des récits de tout genre dont les prédicateurs du début de la Renaissance feront grand usage pour répandre une crainte salutaire dans leur auditoire.

Les *Homélies sur le prophète Ézéchiel*, au contraire, sont une explication allégorique de la prophétie d'Ézéchiel, dans laquelle sont intercalées des instructions de caractère théologique et moral. Pour complaire au désir de ses fidèles, Grégoire aurait voulu expliquer le livre en entier, mais il fut interrompu par le torrent impétueux des armées barbares, ce qui l'obligea à d'autres activités. Il ne nous reste que d'importants fragments. Ce commentaire est allégorique et se prête à de nombreuses applications pratiques. Grégoire insiste sur la nécessité des œuvres pies et sur la pratique de la vertu : il marque la différence entre la vie active et la vie contemplative, et fixe les caractères de l'une et de l'autre. Il s'étend sur l'utilité qu'il peut y avoir à lire et à prêcher l'Écriture, et il revient souvent sur les devoirs de ceux qui ont responsabilité d'âmes. Dieu appelle « explorateur » [speculator] celui qu'il envoie prêcher et il lui donne ce nom parce que ce messager siège sur les hauteurs de l'esprit, observe de loin ce qui se passe et tire son titre de la vertu de l'action. Le ton, vivement dramatique, de ces sermons n'est pas sans évoquer les heures tragiques que vivaient alors Rome et l'Italie. C'était en juin 593 ; l'armée d'Agilulphe se battait aux portes de la ville, menaçant de la détruire. La douce et sereine voix du pape fait revivre l'histoire qui se déroule. Le dix-septième sermon du deuxième livre est riche en passages dramatiques, spécialement quand il est dit que, partout où s'étend le regard, ce ne sont que deuils et gémissements. Élevant le ton, Grégoire se lamente de ce qu'aucun cultivateur ne soit resté dans les champs, de ce que des calamités s'abattent quotidiennement sur le reste du genre humain, de ce que la justice divine ne se lasse pas de frapper les coupables, encore que tant de châtiments soient insuffisants. Il devient épique lorsqu'il déplore avec une grande véhémence l'état auquel Rome, autrefois maîtresse du monde, se voit réduite. – Trad. *Homélies sur le prophète Ézéchiel*, éd. du Cerf, 1986-1990.

HOMÉLIES de Jean Chrysostome. Suite de prônes, dont la richesse extraordinaire a valu à son auteur, le Père de l'Église Jean, évêque d'Antioche (344 ou 347-407), le surnom de Chrysostome, ou « Bouche d'or ». Le cycle des *Homélies* se rapporte, suivant les exégètes, à deux périodes différentes de la vie de l'évêque : celle d'Antioche, où Jean avait été ordonné diacre en 381, puis prêtre en 386 ; et celle de Constantinople, où il fut élu évêque en 397. Nous ne possédons pas toutes les *Homélies,* qui étaient très nombreuses ; d'autre part, quelques-unes de celles qui nous sont parvenues sont certainement apocryphes. Parmi les plus anciennes *Homélies* de Jean arrivées jusqu'à nous, il faut compter les vingt et un sermons dits « des statues », adressés au peuple d'Antioche dans un moment très douloureux pour la ville, gravement punie, par ordre impérial, à la suite d'une émeute. Toute la force du verbe de Jean, qui participe profondément à la douleur de son peuple, s'y manifeste ; mais il trouve dans la plénitude de sa foi la force et l'autorité nécessaires pour s'élever au rôle de conseiller et de maître. D'autres *Homélies* ont été également dictées par les événements contemporains et célèbrent des martyrs chrétiens ou des personnalités de l'époque, mais les plus nombreuses sont celles destinées à expliquer l'Écriture sainte. Parmi ces dernières, une centaine environ est consacrée à l'Ancien Testament : deux groupes successifs, un de six et un de soixante-sept homélies sur la *Genèse* (*) et une série consacrée aux *Psaumes* (*) ; tandis que plus de quatre cents *Homélies* commentent différents passages du Nouveau Testament. C'est justement dans celles-ci, et plus particulièrement dans les quatre-vingt-huit homélies consacrées à l'*Évangile* (*) selon saint Matthieu, que le verbe de Jean Chrysostome a atteint sa plus grande force. Les points de doctrine théologique et les diatribes polémiques tournées contre les juifs, les anoméens les marcionites, les manichéens, les novatiens, ne manquent pas ; mais le prédicateur sacré excelle surtout dans les homélies à fond moral. Saint Jean Chrysostome, en vrai chrétien, s'adresse avec amour aux humbles, aux pauvres, aux esclaves ; il condamne la richesse excessive, il prêche la charité ; dans son exégèse, il adopte la méthode dite d'Antioche laquelle, contrairement à la méthode alexandrine, n'abuse pas de l'allégorie, mais donne une plus grande importance au sens littéral. La langue et le style des *Homélies,* surtout de celles d'Antioche, atteignent presque à la pureté attique ; disciple de Libanios, saint Jean Chrysostome était passé maître dans les artifices de l'art oratoire. Il n'a pourtant aucune prétention littéraire, et ce qui l'absorbe, c'est sa tâche morale, si élevée et si profondément ressentie. Parmi les *Homélies* prononcées à Constantinople (en général moins soignées que les précédentes), il faut rappeler particulièrement celles sur les *Actes des Apôtres* (*), sur les *Psaumes* et sur les *Épîtres aux Thessaloniciens* (*). Certaines des *Homélies* de Jean Chrysostome se rapportent aux événements de son époque, événements auxquels l'auteur participa activement ; elles nous renseignent sur sa vie et mettent en relief sa grandeur d'âme, l'ardeur avec laquelle il s'opposait à tout ce qui lui semblait impie ou injuste, sans se préoccuper des dangers auxquels il exposait sa personne. Cette part d'intérêt personnel contribue souvent à conférer à ces homélies un caractère dramatique, qui les distingue des homélies prononcées à Antioche, de ton plus « classique » et plus mesuré. À ce point de vue, l'homélie la plus fameuse et la plus caractéristique — un commentaire sur les paroles de l'*Ecclésiaste* (*) : « Vanitas vanitatum, et omnia vanitas » — est la première des deux prononcées « contre Eutrope », le consul protégé par l'impératrice Eudoxia. Eutrope avait soutenu l'élection de Jean au siège épiscopal ; mais, par la suite, il devait s'opposer à lui, ce qui ne l'empêcha d'ailleurs pas de venir, plus tard, demander la protection de son évêque. Des doutes ont été émis quant à l'authenticité de la deuxième homélie contre Eutrope et de quelques autres, qui se rapportent à la dernière période de l'activité de saint Jean à Constantinople, période qui fut illustrée par son conflit avec l'impératrice Eudoxia. Quelques-unes d'entre elles sont certainement apocryphes, d'autres ont été interpolées ; toutefois leur intérêt reste vif à cause de leur valeur historique ; elles font ressortir, tout comme les homélies authentiques, la personnalité du grand évêque, l'un des plus profonds moralistes et le plus grand orateur de l'Église chrétienne. — Trad. Vives, 1965-73 ; *Homélies sur Orios,* Cerf, 1981.

HOMÉLIES d'Origène [Ὁμιλίαι]. Maître de l'école catéchistique, écrivain infatigable, exégète plein de ressources et de subtilité, le théologien grec Origène (185-252/3) a pleinement témoigné de sa science dans ses *Homélies,* ou sermons, sur des textes bibliques. Ce sont les traducteurs latins d'Origène, Jérôme et Rufin, qui ont donné à ces sermons le nom de « homiliæ » ou « tractatus ». Nous en possédons un très grand nombre, entières ou en fragments, surtout dans les *Catènes.* Tous les livres du *Pentateuque* (*) ont servi de point de départ aux *Homélies* d'Origène. Dans la version paraphrasée de Rufin, nous possédons dix-sept Homélies sur la *Genèse* (*), treize sur l'*Exode* (*), treize sur le *Lévitique* (*), vingt-huit sur les *Nombres* (*). Les livres historiques de l'« Ancien Testament » ont également fourni le thème de nombreuses Homélies. Il y a même lieu de penser que les *Homélies* ne sont pas les seuls écrits consacrés à ces livres par Origène. Selon le témoignage de saint Jérôme, vingt-deux Homélies d'Origène sur Job furent traduites en latin par Hilaire de Poitiers, mais il ne nous en reste que deux petits fragments. Également en latin, mais dans la version de Rufin, il nous reste neuf Homélies d'Origène : cinq sur le Psaume 36, deux sur le 37 et deux sur le 38. On sait que saint Jérôme fit tout son possible pour faire pénétrer les écrits d'Origène, purifiés de ses doctrines ultra-spiritualistes, dans le monde occidental. Il nous a conservé notamment, en version latine dûment édulcorée, quatorze Homélies sur le livre d'*Ézéchiel* (*). Toujours suivant le témoignage de saint Jérôme, l'*Évangile selon saint Matthieu* (*) a fourni le thème à quelques vingt-cinq Homélies, et celui *selon saint Luc* (*) à pas moins de trente-neuf. Les *Catènes* ont conservé des fragments d'Homélies sur les *Épîtres* de saint Paul et particulièrement sur la première, l'*Épître aux Corinthiens* (*) et sur l'*Épître aux Galates* (*). La copie des fragments qui restent de la prédication biblique d'Origène dans les *Catènes* nous permet de constater l'énorme influence exercée par le grand exégète et maître alexandrin sur toute la tradition mystique et ascético-théologique du Moyen Âge chrétien. Selon les témoignages de saint Jérôme, il y a lieu de penser que les *Homélies* n'ont pas toujours été exclusivement consacrées à des thèmes bibliques. Ainsi, saint Jérôme nous parle d'une Homélie d'Origène sur la paix, d'une Homélie d'exhortation adressée à un certain Pionia, d'une Homélie sur le jeûne, de deux autres sur les monogames et sur les trigames ; mais de toute cette partie de l'œuvre d'Origène aucun fragment ne nous a été conservé. — Trad. *Homélie de la Magdeleine,* Paris, 1627 ; *Homélie sur l'Exode,* Cerf, 1947 ; *Homélie sur la Genèse,* Cerf, 1944 ; *Homélies sur Ézéchiel,* Cerf, 1989 ; *Homélies sur Jérémie,* Cerf, 1976-77 ; *Homélies sur Josué,* Cerf, 1960 ; *Homélies sur le Cantique des Cantiques,* Cerf, 1966 ; *Homélies sur le Lévitique,* Cerf, 1981 ; *Homélies sur les Nombres,* Cerf, 1992 ; *Homélies sur Samuel,* Cerf, 1986.

HOMMAGE À LA CATALOGNE (1936-37) [*Homage to Catalonia*]. Œuvre de l'écrivain anglais George Orwell (1903-1950), publiée en 1938. Rien n'est plus sujet à l'usure du temps que les témoignages sur un événement donné, celui-ci conserve cependant, au bout d'un quart de siècle, une résonance et une vigueur exemplaires. Peut-être, d'abord, parce qu'il décrit un événement (la guerre d'Espagne durant les premiers mois de 1937) qui est devenu un symbole, mais surtout parce qu'il est rédigé avec une honnêteté, une rigueur et une vie qui ne pouvaient justement que l'élever au rang d'exemple. Engagé dans les milices du P.O.U.M. (Parti ouvrier d'unification marxiste), Orwell a connu la Catalogne au moment où le souffle révolutionnaire abolissait toutes les barrières de classe ; cette liberté, pour une fois palpable et vivante dans la rue, le début de son livre nous la fait partager avant de décrire la guerre de tranchées et la camaraderie des milices où soldats et officiers touchaient la même solde et se transmettaient les ordres d'égal à égal. Orwell rapporte ensuite les troubles qui éclatèrent à Barcelone en mai 1937, puis sa blessure par une balle qui lui traversa la gorge, enfin la mise hors la loi du P.O.U.M. et sa fuite hors d'Espagne ; il termine par deux longs appendices sur « Les Dissensions entre les partis politiques » et sur « Ce que furent les troubles de mai à Barcelone », pages dans lesquelles, tout en se référant à son expérience, il abandonne le ton du témoin pour celui de l'historien.

La guerre d'Espagne fut pour Orwell un tournant décisif parce que, à l'occasion de la mise hors la loi du P.O.U.M., elle lui fit prendre en horreur les méthodes staliniennes, horreur qui devait l'amener à écrire son chef-d'œuvre : *1984* (*). Se conduisant en révolté plus qu'en révolutionnaire, Orwell ne pouvait accepter, même s'il le comprenait, le jeu de la politique qui exige souvent le sacrifice des sentiments ou de l'« honneur » au souci de l'efficacité ; son attitude est ainsi d'un réformiste et non d'un militant décidé à accepter toutes les conséquences de son engagement, mais cela n'enlève rien à la qualité de son témoignage, tout entier parcouru par une vivacité, une compréhension et un humour qui, à l'opposé des belles déclarations, donnent à sa générosité l'accent même de la vérité. — Trad. Gallimard, 1955, 1976 ; Lebovici, 1981.

HOMME (L'). Revue d'anthropologie. Fondée en 1961, la revue dont le titre complet est *L'Homme, revue française d'anthropologie* paraît régulièrement tous les trois mois. Son comité de direction était à l'origine composé de trois professeurs au Collège de France : un linguiste (Émile Benveniste), un géographe (Pierre Gourou), un anthropologue (Claude Lévi-Strauss). Dans son chapeau de présentation, la revue se proposait d'« associer les trois disciplines en offrant aux ethnologues, aux géographes et aux linguistes un lieu de rencontre où ils pourront exposer et confronter leurs hypothèses et leurs résultats ». En fait, dès le début l'anthropologie sociale s'y tailla la part du lion avec Lévi-Strauss. C'est encore aujourd'hui la grande revue française d'anthropologie, publiée par le Laboratoire d'anthropologie sociale du Collège de France et l'École des hautes études en sciences sociales. Les numéros spéciaux parus depuis 1965 indiquent bien l'orientation : études sur la parenté (1965), études d'anthropologie politique (1973), du mariage et de l'inceste (1975), études d'anthropologie urbaine (1982), littérature et anthropologie (1986), anthropologie du proche (1992). La revue a aussi publié de nombreuses études sur l'anthropologie économique, l'anthropologie religieuse, la mythologie ; la linguistique structurale est bien représentée, surtout dans ses rapports avec la littérature orale ; mais la parenté et les structures sociales demeurent le domaine principal, au moins jusqu'aux années 1980.

Depuis, la revue s'est fait l'écho des deux tendances qui marquent très fortement l'anthropologie aujourd'hui : un redéploiement sur le territoire de la métropole avec l'essor d'une anthropologie urbaine et industrielle ; et par ailleurs un regard sur d'autres disciplines : histoire, médecine, sciences naturelles ; d'où la prolifération de sous-disciplines telles qu'ethnomédecine, ethnobotanique, etc. qui viennent s'ajouter à l'objet classique de la recherche, c'est-à-dire l'étude des sociétés « autres », les plus éloignées possible de la nôtre. Abordant des sujets tels que les problèmes urbains, l'immigration, les transformations du monde rural, l'anthropologue se voit confronté à des questions qui concernent de près ses lecteurs et sur lesquelles ceux-ci se sont déjà forgé leur idée. S'intéressant néanmoins à un groupe minoritaire, le chercheur éprouve quelque difficulté à rendre audible le discours de l'autre. Il retrouve ainsi, souvent sans le savoir, la situation de ses aînés en milieu colonial, cherchant à faire entendre la voix du « sauvage ». D. P.

HOMME (L') d'Aluízio de Azevedo [*O homem*]. Roman de l'écrivain brésilien Aluízio de Azevedo (1857-1913) publié en 1885. C'est l'étude d'un milieu, selon les règles du naturalisme le plus strict. Magda, jeune fille de Rio de Janeiro, orpheline de mère, vit dans l'aisance avec son père. Quand le récit commence, elle est, depuis peu, de retour d'un voyage en Europe. Un voyage qui, hélas, l'a déçue, car elle n'a retrouvé ni la santé ni la gaieté. Faisant un exposé rétrospectif, l'auteur explique les causes du malaise de la jeune fille : la déception amoureuse du jeune Fernand élevé avec elle, qui apprit, lorsqu'il la demanda en mariage à son père, que Magda était sa sœur. Fernand partit alors pour l'Europe, où il mourut de tristesse, à peine âgé de vingt ans. Comme remède, le médecin de famille conseille au père de Magda de lui trouver un mari, car il prévoit une crise grave. La jeune fille éconduit ses nombreux prétendants, et son état s'aggrave d'autant. Au cours d'une excursion, elle est prise d'un vertige, et elle est ramenée chez elle par quelque jeune travailleur, Louis, le fiancé de la sœur de sa domestique. Depuis ce jour, Magda vit une double vie : le jour, d'horreur et de dégoût pour la force brutale de ce garçon, et la nuit, de plaisir sexuel. Lentement l'hallucination morbide de la jeune fille transforme Louis en un beau jeune homme, seigneur et maître de l'île du Secret, l'île de leur amour. Mais le mariage du jeune homme avec sa fiancée vient anéantir cette vie secrète. Magda invite les nouveaux mariés chez elle et les empoisonne. Devenue folle, elle déclare qu'elle a voulu punir la femme avec laquelle il l'avait trahie. Ce roman est l'un des plus représentatifs qui aient été inspirés à la littérature brésilienne par l'étude des mœurs d'une petite ville.

HOMME (L') d'Hello. Paru en 1872, c'est le livre le plus connu de l'écrivain français Ernest Hello (1828-1885), qui se consacra tout entier à la défense et à la promotion du catholicisme intégral, dans la lignée de Joseph de Maistre. À la différence d'un Louis Veuillot, il ne s'est pas directement inscrit dans une perspective politique ou militante. Proche de Léon Bloy, dont il fut l'ami et, pour une part importante, l'inspirateur, Hello ne cultive pas, comme ce dernier, la veine polémique. Comme *L'Homme* le montre, sa vision du monde est d'un mystique et d'un contemplatif « qui n'est pas un religieux dans son cloître, mais à qui le mépris du monde en a bâti un dans son cœur » (Barbey d'Aurevilly). Hello n'avait pas vraiment le sens ou le souci de la composition d'un livre. Comme la plupart de ses autres titres, *L'Homme* garde le caractère hybride et inégal d'un recueil d'articles. Il est regroupé sous trois grands thèmes : « La Vie », « La Science », « L'Art ».

Qu'il parle de l'avarice – admirablement – ou de l'indifférence, de la charité ou de la passion du malheur, qu'il établisse de puissants parallèles entre le rire et les larmes, la crainte et la peur, Hello prend toujours le point de vue le plus surplombant, celui qui embrasse la réalité vivante et l'amène au cœur de l'unité où elle a sa place. Éclairée par une vision exclusivement spirituelle, sa psychologie peut sembler parfois sommaire ; elle reste souvent surprenante de vérité. De la même manière, les vues d'Hello sur la science et sur l'art sont gouvernées par ce désir de perception unitaire. Tout existe en Dieu : l'acte de l'homme comme sa parole – mais la parole est un acte, pense Hello – n'ont de réalité, ne prennent leur vrai sens que là. « Plus le monde physique est connu, plus la vérité de la parole de Dieu éclate en lui », écrit-il. Plus Hello prend de la hauteur, mieux il semble respirer, et plus belle est sa vision. Lorsqu'il regarde de plus près, la littérature par exemple, dans la dernière partie de *L'Homme*, cette vision se rétrécit, se trouble, et parfois se ridiculise. Ce caractère mêlé, où se retrouvent les cimes les plus hautes et les chutes pantelantes, est la marque même de toute l'œuvre d'Hello. P. Ké.

HOMME (L') de Maïakovski [*Čelovek*]. Poème de l'écrivain russe Vladimir Vladimirovitch Maïakovski (1893-1930), publié en 1917. C'est l'exposé le plus important du futurisme russe. *L'Homme* est une sorte de « saga » fantastique, où s'exprime la lutte entre le moi lyrique et le moi social du poète. « Comment ne pas me chanter moi-même, moi qui suis un vrai miracle, moi donc chaque mouvement est un immense, un mystérieux prodige ? », s'écrie Maïakovski. Après avoir parlé longuement des merveilles de l'homme, l'auteur, dans la partie intitulée « Vie », relate la naissance quand, « à son cri, se leva, épouvantée, la troupe des banquiers et des puissants ». Puis, dans les « Passions », lorsqu'une femme l'abandonne pour fuir avec un riche, Maïakovski se sent poète et saint ; il chante sa propre « Ascension », état de grâce qui a pris possession de lui dans une pharmacie où il s'est rendu pour acheter du poison : « Exaltez, maintenant, le nouveau démon en vêtements sportifs et chaussures jaunes. » Dans « Maïakovski au ciel », nous voyons un paradis égayé par la musique de Verdi : on y rencontre beaucoup d'amis et on y voit, entre autres, les ébauches des premiers animaux. Mais au paradis l'ennui vous guette ; le poète retourne donc sur la terre (« Maïakovski revient »). On le prend pour un peintre en bâtiment tombé des toits. « Silence, philosophes ! Je sais, ne discutez pas / Pourquoi la source de la vie vous a été dispensée. / Pour déchirer, pour jeter aux ordures, les feuillets du calendrier. » Dans « Maïakovski aux siècles à venir », le poète crie son désespoir et prévoit que l'on dira de lui : « Ici, près de la porte de l'amante, il s'est tué. » Quatorze ans plus tard, il mit effectivement fin à ses jours. Véritable poème lyrique et épique, *L'Homme* est caractéristique du « système » poétique de Maïakovski (utilisation prédominante de la rime pour mettre en valeur les mots, enflement puis retombée du tempo, emploi des hyperboles ou des litotes, des contrastes...). Le poème est le lieu d'une tragédie intérieure, il s'élève en une supplication, un cri qui s'adresse à l'humanité : « Je baignerai tout le monde dans mon amour, / mais cet océan est emprisonné par les maisons. » – Trad. Messidor, 1985.

HOMME (L') de Wergeland [*Mennesket*]. Ce poème est la version définitive donnée par l'écrivain norvégien Henrik Wergeland (1808-1845), en 1845, peu de temps avant sa mort, à son œuvre de jeunesse *La Création, l'Homme et le Messie*, écrite seize ans plus tôt et beaucoup plus longue. Le prologue, qui nous montre le poète à vingt et un ans, indique comme origine du poème l'amour platonique de Wergeland pour la mystérieuse Stella, femme idéale et pour lui personnage céleste. Le poème s'ouvre par un dialogue entre Phun-Abiriel, un « esprit fort et sceptique », et Ohebiel, « esprit rempli d'amour ». Ils assistent à la naissance d'un monde nouveau : pour Ohebiel, c'est là une preuve éclatante de la gloire de Dieu, tandis que Phun-Abiriel n'y voit qu'une énigme supplémentaire qui ne l'éclaire en rien sur ce Dieu qu'il se refuse d'admirer tant qu'il ne l'aura pas vu. Seules l'omniscience ou la folie lui semblent présenter une solution à son doute. En vain Ohebiel lui rappelle que même Akadiel, le premier-né des esprits, n'a pu voir Dieu. Lorsque Akadiel arrive, entouré des autres esprits, Phun-Abiriel se cache dans la nuit, suivi par Ohebiel. La deuxième partie est une sorte de cantate où Akadiel et le chœur des esprits se réjouissent de l'éclosion de la terre. En un magnifique chant alterné, aux strophes majestueuses, remplies de ces admirables images qui semblent naître sans effort sous la plume de Wergeland, nous assistons aux six premiers jours du monde, à la création successive et triomphale de la lumière, du jour et de la nuit, des animaux et de l'homme. Dans la troisième partie enfin, nous retrouvons Phun-Abiriel, penché sur l'homme et la femme endormis. Il envie à l'homme son innocence, son ignorance, qui vont faire de lui, à ses propres yeux, le maître du monde. Attiré par cette « folie », Phun-Abiriel renonce à sa qualité d'esprit du ciel et se glisse dans l'âme de l'homme. Ohebiel, qui a assisté avec angoisse à ce « suicide », se glisse par amour pour Phun-Abiriel dans le corps de la femme. Les hommes porteront donc toujours en eux le souvenir confus d'un ciel que leur âme a abandonné, et retrouveront sur terre un reflet de l'amour d'Ohebiel pour Phun-Abiriel — suprême réminiscence céleste —, jusqu'au jour où naîtra Celui qui doit sauver le genre humain en soumettant définitivement la poussière à l'esprit.

HOMME À BONNE FORTUNE (L'). Comédie en cinq actes de Michel Boyron, dit Baron (1653-1729), poète et comique français, représentée en 1686. Baron avait été l'élève et l'ami de Molière, en même temps qu'un des meilleurs comédiens de sa troupe. On distingue dans ses pièces l'influence de son illustre maître. Dans la présente comédie, Moncade, son héros, est un personnage plein de naturel et d'une vivacité d'esprit vraiment remarquable. Ces qualités firent la fortune de cet ouvrage, au point qu'on le représentait encore au début du XIXe siècle. Séducteur professionnel, Moncade se fait aimer de Lucinde, jeune et belle veuve. Il lui promet le mariage, s'installe en maître chez elle, et réussit à prendre dans ses filets trois de ses amies : Léonore, Araminte et Cydalise. Le frère de Léonore, Éraste, amoureux de Lucinde, réussit à ouvrir les yeux de sa bien-aimée, de sa sœur et de ses amies sur le véritable caractère de Moncade. Pour confondre le drôle, il lui fixe un rendez-vous par une lettre anonyme, spécifiant qu'il devra s'y trouver les yeux bandés. Pensant à une certaine Julia dont il est en train d'entreprendre la conquête, Moncade accepte et, à son insu, se trouve en présence de la veuve et de ses trois amies. Pour séduire la belle inconnue, qu'il tient déjà pour sa proie, Moncade déclare n'aimer personne ; les jeunes femmes alors lui enlèvent son bandeau et, après s'être moquées de lui, le laissent à sa courte honte. Désabusée, Lucinde épousera Éraste. Cette comédie, légère et galante, est assez dans le ton de celles qui fleuriront tout au long du XVIIIe siècle.

HOMME À BONNES FORTUNES (L'). Comédie en trois actes en prose de l'écrivain français Jean-François Regnard (1655-1709), représentée en 1690. Elle n'est pas très originale, étant très influencée par le théâtre italien (des scènes italiennes alternent d'ailleurs avec les scènes françaises) et par Molière. Le premier acte rappelle la scène des *Femmes savantes* (*) entre Henriette et Armande. Les deux filles du veuf Brocantin ont grande envie d'être mariées : l'aînée, Isabelle, s'efforce de détourner la cadette, Colombine, de ses rêves de vie conjugale. Mais le cœur de Colombine bat pour un certain vicomte, « homme de grande condition », qu'elle a aperçu au palais, et elle charge Pierrot de lui aller porter une lettre. Brocantin annonce à Isabelle qu'il a décidé de lui donner un époux ; il s'agit d'un médecin, M. Bassinet. Isabelle, tout à l'heure si empressée, lorsqu'elle apprend qu'il s'agit d'un médecin, feint de s'effacer devant sa cadette et de lui céder son droit d'aînesse. Mais Colombine, occupée par son vicomte, refuse. Le fameux vicomte arrive : ce n'est qu'un aigrefin de basse classe, qui tire ses ressources de ses « bonnes fortunes ». Le personnage est un pâle reflet du Mascarille des *Précieuses ridicules* (*). Tout le dernier acte est un plagiat médiocre du dernier acte du *Bourgeois gentilhomme* (*). Le vicomte épouse Colombine et Isabelle un certain Octave, amoureux d'elle depuis longtemps. Cette pièce assez médiocre a la légèreté, la vivacité et la grivoiserie du théâtre italien, fort en faveur à la fin du XVIIe siècle. Sans cesse elle sacrifie la vraisemblance à la gaieté. Elle connut une telle faveur du public que Regnard, comme il avait fait pour *Le Légataire universel* (*), écrivit une *Critique de « L'Homme à bonnes fortunes »*.

HOMME À CHEVAL (L'). Récit romanesque de l'écrivain français Pierre Drieu la Rochelle (1893-1945), publié à Paris en 1943. Prenant pour cadre la Bolivie, l'auteur entreprend de narrer la vie d'un homme d'action : Jaime Torrijo. Simple lieutenant dans un régiment de cavalerie, il s'intéresse à la politique de son pays et rêve d'y faire renaître ces sentiments de magnanimité qui firent jadis la grandeur de Bolivar. Adoré de ses hommes, tout lui est possible. Par un coup de force, il renverse don Benito, le chef suprême de l'État, et s'installe dans son fauteuil. Désormais, il est le maître de la Bolivie. On conçoit que le parti des grands fait au vainqueur un accueil plutôt glacial. La situation s'envenime parce que Jaime fait la conquête d'une fille splendide dont la famille appartient justement au puissant parti en question : doña Camilla. Conquête qu'il délaisse, d'ailleurs, le lendemain, car il craint que cet amour ne l'empêche de réaliser son idéal politique. L'affaire cause un grand scandale. Doña Camilla, mortifiée de s'être, comme elle dit, donnée à un chien, réunit aussitôt chez elle la jeunesse dorée de la capitale afin d'ourdir un complot contre Jaime. Peine inutile, car ce dernier, prompt comme l'éclair, fait irruption en pleine nuit avec son escorte dans la demeure où sont réunis les conjurés. Bien loin de les occire en bloc, Jaime se borne à défier leur chef en duel. Et il le tue allègrement sous les yeux de doña Camilla. Le parti des grands ne se tient pas pour battu. Un jésuite, le père Florida, homme intelligent et perfide, s'entend avec les francs-maçons pour provoquer les Indiens à la révolte. Le soulèvement prend vite d'énormes proportions. Jaime se voit contraint de sévir contre les rebelles. Il use donc de représailles avec une sauvage énergie. Quand il est maître de la situation, il découvre que sa victoire est un pur néant. Depuis toujours, en effet, Jaime, qui avait du sang indien, aimait les Indiens de toute son âme. Il avait réellement tout fait pour améliorer leur sort, rêvant, en s'appuyant sur eux, de refaire l'empire des Incas. Maintenant, ce rêve magnifique est brisé, et par lui-même. Ce terrible échec le conduit à renoncer au pouvoir. Jaime décide donc de partir pour ces régions mal connues au cœur desquelles se trouve le lac Titicaca. Sans autre escorte qu'une poignée de fidèles et avant tout son vieil ami Felipe, guitariste de son métier, le seul qui n'ignore rien de ses plus secrètes pensées. Avant de se séparer d'eux, Jaime ne laissera pas de les faire assister à quelque cérémonie : considérant que le Dieu de toute sa vie ne saurait être figuré que par son propre cheval, il décide de le sacrifier à la manière des Anciens. Il l'embrasse donc sur les naseaux, le frappe de son coutelas et brûle son corps tout entier. La dernière phrase du roman serre le cœur : « Je regardais le dos de cet homme derrière lequel j'avais marché pendant vingt ans : l'homme à cheval était à pied. »

Comme on le voit, il serait assez injuste de considérer ce récit comme un simple roman d'aventures. Dans ses meilleurs passages, il relève de l'épopée. On admire combien Drieu élude tout pittoresque dans la peinture des milieux. Son style, bien que négligé, fait adhérer à la fiction.

HOMME À LA CLEF D'OR (L') [*Autobiography*]. Ouvrage posthume de l'écrivain anglais Gilbert Keith Chesterton (1874-1936), publié, quelques mois après la mort de l'essayiste, par Hutchinson, à Londres. Le titre français évoque le plus vivant souvenir de l'auteur. Un souvenir d'enfance : celui d'un charmant jeune homme, coiffé d'une couronne d'or, et qui traversait un pont, tenant à la main une grande clef d'or. Au-delà du pont, il y avait un donjon, et, dans le donjon, une belle captive implorant sa délivrance. Rêve ? Non ! simple souvenir d'une pièce jouée au théâtre des marionnettes. Chesterton y voit toute sa vie préfigurée et récapitulée, cette vie qui ne fut qu'une foi agissante et, à la fin du récit, il donne le sens de l'allégorie : le chevalier est le chef de l'Église, porteur de clefs et Pontifex, celui qui bâtit les ponts qui unissent l'âme à

Dieu ; la clef d'or, enfin, est la foi qui délivre l'âme des prisons...

Chesterton, français par sa mère, appartenait par son père à cette classe moyenne anglaise qu'il nous montre bien plus différenciée que celle du continent : cette famille de gérants d'immeubles se trouvait donc aussi rigoureusement séparée du peuple que de la classe supérieure : chez les Chesterton, par souci de « tenir son rang », on n'eut jamais toléré le moindre contact humain avec la domesticité et une amie de la famille préférait aux repas se forcer à ne rien laisser dans les plats plutôt que de supporter l'idée que la servante pouvait manger la même nourriture qu'elle ! L'écrivain fit ses études au collège de Saint-Paul où il fut un excellent élève, bien que, s'empresse-t-il d'ajouter, il travaillait fort peu. Sans doute était-il prédestiné à la carrière des lettres, car il fonde un journal de collégien avec ses condisciples ; pourtant, ses études secondaires achevées, il entre à Slade School, école de peinture réputée. Il se lie là avec le fils du grand éditeur Williams et cette amitié va décider de son orientation vers la littérature ; Williams suit les cours de littérature d'University College, il y entraîne son ami qui s'y plaît plus qu'à Slade School et renonce à la peinture. Chesterton fait alors des critiques artistiques dans la revue éditée par Williams, *The Bookman*. C'est la polémique qui allait révéler Chesterton à lui-même : il commença par prendre la défense des Boers. Le voilà dès lors profondément engagé dans son siècle et c'est lui tout entier qui revit dans cette autobiographie : peints de main de maître, voici les littérateurs Henry James, H. G. Wells, et le polémiste Hilaire Belloc ; les hommes politiques : lord Asquith, Winston Churchill et quelques autres. Mais Chesterton aime trop la discussion et les batailles intellectuelles pour se limiter aux faits matériels de sa vie et la description de son milieu. Cette autobiographie est surtout une histoire de ses idées et ses lecteurs retrouveront ici tous les thèmes de son œuvre, mais comme inconnus, inédits ; car la meilleure qualité de Chesterton est certainement cette extraordinaire puissance de donner une vie toujours neuve à des vérités éternelles : nulle part peut-être dans son œuvre, elle n'apparaît mieux que dans cette *Autobiographie*. — Trad. Desclée de Brouwer, 1938.

HOMME À LA MODE (L') ou sir Fopling Flutter [*The Man of Mode, or Sir Fopling Flutter*]. Comédie en cinq actes de l'écrivain anglais sir George Etherege (ou Etheredge, 1635-1691), représentée pour la première fois en 1675. Le jeune et galant Dorimant, qui s'est amouraché de Bellinda, désire à tout prix se libérer de sa liaison avec la jalouse et exigeante Mme Loveit. Afin de parvenir à ses fins, il l'accuse de s'être laissé courtiser par sir Fopling Flutter, l'« homme à la mode », lequel s'est entiché, à un degré ridicule, des élégantes manières françaises. La pauvre Mme Loveit n'éprouve en réalité aucune sympathie pour ce dernier, mais peu à peu elle feint d'attirer son attention, lors de rencontres fortuites, avec l'espoir de rendre son amant jaloux. Dorimant mécontent fait une scène à celle-ci, car, s'il ne se soucie pas d'elle, il ne se sent pas moins blessé dans son amour-propre. D'autres intrigues se mêlent à la première. Etherege introduit dans le théâtre anglais un authentique souffle de vie ; à l'imitation des écrivains français, il crée la comédie d'intrigue et substitue aux peintures d'« humeurs » propres à Ben Jonson des caractères pleins de vérité, ouvrant ainsi la voie à Congreve et à Sheridan. *L'Homme à la mode*, qui veut être une satire des mœurs de l'époque, révèle une société profondément fruste sous une apparence raffinée. Face à sir Fopling, le petit maître féru des modes françaises, Dorimant incarne la réplique de ce type d'homme, mais adapté au goût anglais : il existe, chez ce personnage vaniteux, un dédain, une impudence tranquille qui restreignent les vertus comiques de la pièce et font perdre à ladite satire beaucoup de son efficacité.

HOMME À LA ROSE (L'). Pièce en trois actes du poète et auteur dramatique français Henry Bataille (1872-1922), représentée pour la première fois à Paris en 1920. Cet homme à la rose, c'est l'homme au cœur d'artichaut, don Juan puisqu'il faut l'appeler par son nom ; et tel qu'on peut l'imaginer dans l'Espagne du « Siècle d'or ». Voici la donnée de l'ouvrage : étant de passage à Séville, don Juan séduit quelque duchesse et obtient d'être reçu chez elle sur le minuit. Il arrive au pied de la terrasse de son château. Mais au moment de jouir de sa conquête, il cède la place, par lassitude, au garçon qui lui fait escorte, le jeune Manuel. Que ce dernier se fasse passer pour lui et tout sera pour le mieux. Aussi bien, la nuit, tous les chats sont gris. Manuel accepte avec joie. Hélas, la supercherie ne lui portera pas bonheur. En effet, l'époux de la duchesse, le bouillant duc de Nuñez, arrive avec son chapelain et ses hommes d'armes. Croyant avoir affaire à don Juan lui-même, il se venge sur Manuel de cet adultère. D'un violent coup d'épée, il l'envoie par-dessus la balustrade aux pieds de don Juan. Après ce prologue qui est tout entier de cape et d'épée, l'aventure prend un tour tout à fait somptueux puisqu'elle a pour cadre l'intérieur de la cathédrale de Séville. C'est là qu'on célèbre, en effet, le service religieux du prétendu don Juan. On pense bien que ce dernier y assistera en personne. Il possède, d'ailleurs, tout pour goûter pareil spectacle. Mécréant autant qu'homme d'esprit, ayant atteint la quarantaine, il se trouve être exempt de cette fatuité que suppose son genre de vie. Témoin lucide, il suivra donc les phases de la cérémonie. Derrière un pilier, il confie ses impressions à son camarade Alonso. Tout ce spectacle, d'ailleurs, est propre à le satisfaire : en vérité, la plus belle fête qu'un humain puisse se donner à lui-même !

Cinq ans après, nous retrouvons don Juan dans une auberge andalouse. Il va sans dire que, depuis la cérémonie en question, il est contraint de garder l'incognito. Aussi s'ennuie-t-il à périr. Il souffre surtout de voir qu'on s'occupe fort peu de lui. Si quelque femme lui accorde un brin d'attention, c'est le plus souvent pour lui dire qu'elle le trouve assez quelconque, ou peu glorieux, quand ce n'est pas pour le prier de cesser ses assiduités. Il brûle donc du désir de jeter le masque. Mal lui en prend. Dès qu'il révèle sa véritable identité, il se fait traiter d'imposteur par sa belle interlocutrice. Il tente alors de se consoler en relisant ses mémoires qu'il avait glissés naguère dans la poche de Manuel. Inspiration bien fâcheuse. Sa lecture tourne au cauchemar sous le signe de la Mort elle-même. Cette fantasmagorie lui dessille les yeux. Au fond, son drame est des plus simple : du jour où il s'est vu contraint de vivre sous un nom d'emprunt, il a cessé d'avoir tout succès féminin. Son pouvoir de séduction est pourtant demeuré intact. Mais toute femme y reste insensible, parce qu'elle songe invinciblement à celui qui portait naguère le nom prestigieux de don Juan. Son nom s'est, en quelque sorte, détaché de son physique ; il a pris son vol et règne sur l'opinion du monde. N'est-ce pas justement cela qu'on appelle la gloire ? Bien entendu, don Juan ne voit là que le signe même de la dérision. Il se révoltera donc contre sa renommée. Car il préfère jouir de sa vie jusqu'au bout plutôt que se complaire dans pareil néant. Il se flattera même d'être un bon payeur. C'est, du reste, par ce trait-là que se termine la pièce : quelque fille se trouvant là, don Juan lui donne l'argent qu'elle réclame pour prix de ses faveurs. C'est le cas de dire qu'il ne faut jamais jurer de rien.

On regrette qu'Henry Bataille n'ait pas su mieux mettre en lumière la crise philosophique dont il vient d'être question.

HOMME À L'OREILLE CASSÉE (L'). Roman de l'écrivain français Edmond About (1828-1885) publié en 1862. Comment un colonel d'Empire de 24 ans, condamné à mort par les Prussiens en 1813, a été desséché par un professeur de Dantzig qui poursuit des recherches sur la résurrection des êtres humains... Comment cette momie est passée de la collection de M. de Humboldt entre les mains d'un jeune ingénieur français, retour de Russie où il était allé chercher fortune pour gagner la main de sa fiancée... Comment le colonel, « mort » en 1813 à l'âge de 24 ans, est ressuscité en 1850 dans l'apparence d'un homme de 24 ans, et des quiproquos qui en résultent : on pourrait faire ainsi un résumé de chaque chapitre et allécher le lecteur jusqu'à l'essoufflement. Mais la plume patiente, et peut-être ironique, d'Edmond About a fait de cette histoire aux épisodes rocambolesques un conte à dormir debout certes, mais à dormir surtout sous la lampe bienveillante des soirées second Empire, entre un whist et un pharaon. L'atmosphère bourgeoise d'une époque reposée donne un cadre solennel et quelque peu pédant à l'histoire tumultueuse de ce « ressuscité » qui évoque, en contrepoint, le fracas des campagnes napoléoniennes dans un langage fleuri et emphatique. Edmond About donne vraiment parfois l'impression de se pasticher lui-même. Après mille aventures, le « ressuscité », recherchant l'enfant qu'il a eu en 1813, lequel « a 46 ans aujourd'hui et qui pourrait à son tour être mon père », gémit-il, découvre dans la sensible Clémentine non pas même sa fille, mais sa petite-fille, puisque après tout il est né en 1789 et a logiquement et administrativement 70 ans, malgré son sommeil de quarante-six années. Pour comble de malheur, le ministre lui refuse le grade de général, toujours à cause de son état civil. Vraiment c'est trop d'émotions : il marie Clémentine à son sauveur, la dote richement et meurt dans son lit, peut-être suicidé. « Ressuscité le 17 août, il mourut le 17 du mois suivant sans appel. Sa deuxième vie avait duré un peu moins de trente et un jours. Mais il employa bien son temps : c'est une justice à lui rendre. » Il faut reconnaître, de même, qu'Edmond About a bien employé, dans son genre et dans son talent, cette histoire « d'époque », mais qui se prolonge hors de l'époque et des magasins d'antiquités.

HOMME APPROXIMATIF (L'). Poème de l'écrivain français d'origine roumaine Tristan Tzara (1896-1963), publié en 1931. Tzara consacra plusieurs années de travail à cet étonnant ouvrage qui, dès sa publication, apparut comme un des sommets de la littérature surréaliste. Les matériaux sont simples : quelques thèmes, des mots existants et des mots inventés, que l'auteur, avec génie, va organiser entre eux pour donner naissance à des images innombrables. La pensée libérée engendre une écriture décuplée, une langue immensément riche, qui rend possibles tous les arrangements de mots, même les plus insolites et les plus incohérents. Les mots et les images retrouvent leur pureté originelle dans un univers chaotique reconstruit par l'auteur à l'image du monde dans lequel il vit. Ce livre, fait de nuances et de mouvements, et dans lequel Tristan Tzara a mis sa vie, son savoir, sa haine et son humanisme, est l'accomplissement poétique d'une féroce volonté de purification du monde. Jean Cassou a pu en dire que c'était un « extraordinaire poème primitif, l'un des plus résolus, des plus complets témoignages de la poésie contemporaine [...] une œuvre positive, abondante, généreuse, passionnée, et qui imite tout ce qu'il y a de plus ardent et de plus vorace dans la création ».

HOMME AU BON NATUREL (L') [*The Good Natur'd Man*]. Comédie en cinq actes et en prose de l'écrivain anglais Oliver Goldsmith (1728-1774), représentée en 1768. Mr. Honeywood, jeune homme confiant et crédule, donne de l'argent aux solliciteurs au lieu de payer ses dettes. Aussi, son oncle, sir William Honeywood, afin de lui révéler quels sont ses vrais amis, décide de lui donner une leçon en le faisant emprisonner pour dettes. Le jeune homme, qui est amoureux d'une jeune fille de riche famille, miss Richland, laquelle le paie de retour, n'ose lui présenter sa demande en mariage. Bien mieux, il favorise la cour que lui fait Lofty, un fonctionnaire auquel il croit devoir sa libération. En fait, Honeywood doit celle-ci à miss Richland. Lofty qui est un imposteur est démasqué, et Honeywood, guéri de sa crédulité, peut épouser la femme de son cœur, grâce à l'intervention de son oncle. La pièce comporte une autre intrigue secondaire, elle-même fort comique. Cette peinture de la naïveté sentimentale abonde en épisodes d'une franche gaieté.

HOMME AU BRAS D'OR (L') [*The Man with the Golden Arm*]. Roman de l'écrivain américain Nelson Algren (1909-1981), publié en 1949. Le héros du livre, Frankie Majcinek, est un produit du misérable quartier de Chicago où s'entasse la pègre d'origine polonaise. Le seul avantage dont le sort ait pourvu Frankie est un coup de poignet fort et souple : « l'homme au bras d'or » gagne d'ailleurs sa vie comme donneur de cartes dans un tripot clandestin (d'où ses surnoms de « la Distribe » et de « Frankie Machine ») et il rêve de devenir batteur dans un orchestre de jazz. Il a une femme, Sophie, qui, depuis un accident de voiture, ne quitte plus un fauteuil d'infirme. En fait, Sophie, plus ou moins consciemment, simule la paralysie pour retenir auprès d'elle son mari. Frankie, qui conduisait en état d'ivresse, se tient pour responsable de l'accident et n'ose abandonner la femme envers laquelle il éprouve un fort sentiment de culpabilité. Alors, la Distribe, le faux dur, a recours à la drogue pour oublier un moment la tristesse de sa vie. Périodiquement, il se révolte contre la morphine, espère toujours s'en délivrer mais, peu à peu, devient son esclave. Un soir, pourtant, dans un mouvement d'orgueil blessé, il tue le trafiquant qui lui procure la drogue. Quelques mois plus tard, traqué par la police et épuisé par son vice, l'homme au bras d'or se pend. À travers le destin de la Distribe, c'est celui de tous les enfants de Division Street qu'exprime le romancier : destin d'êtres accablés par des forces impitoyables et dont les efforts pour « s'en tirer » restent désespérément vains. Le livre contient toute une collection de portraits de ces hommes et femmes déchus, tragiques, pitoyables et pittoresques : le jeune Solly Saltskin, dit le Piaf ou le Voyou, qui sait tout « sauf comment on reste hors de tôle » ; Louis le Rupin, l'ancien « camé », qui trafique de la drogue, et son compère, l'aveugle Ducochon ; la chaude Violette et Vieux Mari, son époux ; Antek le Tôlier, patron du Cognedur, bistrot où se réunit tout ce petit monde, etc. On retrouve dans tout l'ouvrage ce réalisme amer mêlé de tendresse, qui donnait un ton si original au premier roman de l'auteur, *Le matin se fait attendre* (*). – Trad. par Boris Vian, Gallimard, 1956.

HOMME AU CHEVAL BLANC (L') [*Der Schimmelreiter*]. Nouvelle de l'écrivain allemand Theodor Storm (1817-1888), dans laquelle est contée la vie de Hauke Haien, avec la Frise pour toile de fond. Cet Hauke est un simple domestique ; par sa seule intelligence et sa volonté, en luttant contre la superstition paysanne, il a réussi à devenir « Deichgraf », une sorte de surintendant. Il construit alors, contre la violence de la mer, une digue très solide, laquelle représente l'intelligence éclairée de l'homme, capable de créer en ce monde des œuvres durables. Sa femme, Elke, participe étroitement à sa vie : son amour silencieux, sa foi et son esprit de sacrifice ne désarmeront jamais, même après la naissance de la petite Wienke, pauvre créature déficiente. Une nuit de tempête, Hauke meurt en se promenant sur son cheval blanc le long de la nouvelle digue, tandis que l'ancienne, cédant à la fureur des eaux, s'éboule et que Elke et Wienke sont emportées dans les vagues. La vieille digue, que les paysans défendent âprement, représente tout un monde de superstitions populaires, qui enveloppe la réalité en l'entourant de mystère et de poésie. Le maître d'école du village raconte cette histoire un siècle après l'inondation survenue en 1856. La claire figure de Hauke est devenue dans l'imagination populaire le fantôme effrayant de l'« homme au cheval blanc », annonciateur de la tempête. Sa vive intelligence avait quelque chose de démoniaque. La belle prière que prononce Hauke quand Elke accouche et que Wienke est sur le point de mourir (« Seigneur, mon Dieu, je sais que même Toi tu ne peux faire ce que tu veux ; tu es tout-puissant et tu dois agir selon ta sagesse ») a été interprétée comme un blasphème par l'esprit obtus de ces paysans. Ce voile de légende qui atténue les contours est bien propre à évoquer cette lutte de l'homme impuissant contre les forces inexorables de la nature : un climat âpre et pervers où le soleil ne rit jamais, où la mer n'est jamais bleue. C'est la dernière nouvelle de Storm, elle est bien digne de son auteur tant dans la conception que dans l'exécution. – Trad. Aubier, 1945. Cette nouvelle a été aussi traduite sous le titre *L'Homme au cheval gris* (Stock, 1928).

HOMME AU SINGULIER (Un) [*The Single Man*]. Roman de l'écrivain anglais naturalisé américain Christopher Isherwood (1904-1986), publié en 1965. Le célibataire, George, est un homosexuel anglais qui ne se console pas de la mort de son ami Jim. Quinquagénaire plein d'astuce et d'ironie, il ressent les passions enthousiastes d'un adolescent. Il souffre du décor de mauvais goût de la banlieue californienne où il demeure, il redoute ses voisins, les Strunk et surtout leurs démons d'enfants, mais sa timidité réelle se double d'une arrogance perverse. Bien qu'il enseigne les belles-lettres à l'université de Los Angeles avec de grands effets de coquetterie théâtrale, il tient plus de l'artiste raté que du professeur. Étude d'un caractère et d'un milieu, le roman se passe en vingt-quatre heures, journée d'une routine accablante de cette vie peu exemplaire : préoccupations matérielles, longue description des besoins naturels, moments amusants comme ce dîner avec son amie Charley qui tente de le séduire, et quand il rencontre au bar le jeune Kenney, l'espoir vite déçu d'une nouvelle liaison – telle est, semble dire l'auteur, la vie d'un homosexuel comme tout le monde. Le ton aisé et confidentiel, un certain détachement et une absence totale de pose donnent un air familier au roman, qui, malgré la surabondance de détails sordides, est une entreprise réussie de démystification, le reflet contraire du mythe de l'homosexuel. – Trad. Hachette-P.O.L., 1980.

HOMME AUX QUARANTE ÉCUS (L'). Récit de l'écrivain français Voltaire (François-Marie Arouet, 1694-1778), publié en 1768. Du point de vue de l'exécution, c'est le récit le moins heureux de l'auteur. L'intrigue est noyée, en effet, dans un fatras philosophique assez fâcheux. Le héros, c'est le Français moyen, avec ces quarante écus de rentes que lui rapporte quelque modeste propriété. Malheureusement, le fisc lui enlève douze écus ; le pouvoir législatif et exécutif, copropriétaire de droit divin de toutes les terres, lui a pris par ailleurs quelque vingt écus au cours de la dernière guerre ; et comme notre homme ne les avait pas, on l'a mis froidement en prison. Lorsqu'il recouvre la liberté, il rencontre un riche seigneur possédant huit millions comptant et qui, de ce fait, n'est soumis à aucune taxe. Il veut se faire expliquer ce mystère par un géomètre et se voit instruit par ce dernier du système de répartition des taxes dans divers autres pays. Sa curiosité en toute matière le pousse ensuite à provoquer les confidences d'un agriculteur insatisfait de son sort. D'où de nouvelles discussions, qui auront pour effet de l'enfoncer plus avant dans sa perplexité. Mais voici que de nouveaux problèmes vont se poser : le dommage causé par les communautés monastiques à la société, l'inutilité de la peine de mort, l'importance de l'instruction et du livre, la diffusion des Lumières, etc. Peu à peu, notre homme acquiert une certaine culture, et, grâce à quelque héritage, il améliore sa condition et se constitue une petite bibliothèque. Il n'est plus du tout, il s'en faut, le petit « homme aux quarante écus », mais bien le sage Monsieur André, que nous pouvons voir à table, au milieu d'invités respectueux, discutant toutes sortes de questions économiques, sociales, littéraires, artistiques et même théologiques, fort aise, en somme, d'être né à une époque de progrès où peut encore triompher la raison humaine. L'unité de ce récit, passablement disparate, réside avant tout dans l'intérêt passionné que montre l'écrivain pour le problème social. Voltaire estime, en effet, que la société est frustrée par les ingérences de la religion, par la mauvaise répartition des impôts, par l'organisation défectueuse de la justice et enfin par tous les méfaits de l'ignorance.

HOMME-BOÎTE (L') [*Hako otoko*]. Roman de l'écrivain japonais Kôbô Abe (1924-1993), publié en 1973. Dans le quartier d'Ueno, à Tôkyô, un clochard vit dans un carton. De même que dans *La Femme des sables* (*), Abe donnait de nombreux détails scientifiques sur le sable et dans *La Face d'un autre* (*) se livrait à une minutieuse description de la musculature d'un visage et des conditions dans lesquelles pouvait être pratiquée une intervention de chirurgie plastique, il commence ici son roman par les données matérielles qui permettent de définir précisément une boîte en carton et même de la confectionner. À ce procédé, il ajoute différentes techniques auxquelles ses lecteurs sont maintenant habitués et qui prennent souvent l'aspect de documents insérés dans le livre : coupures de presse, photographies, lettres, graffitis, lignes imprimées à l'envers, parenthèses qui arrêtent le cours du récit, monologues intérieurs, étiquettes, planches d'anatomie, effets d'optique. L'éclatement du roman atteint ici son point extrême. Bien que l'auteur aborde des thèmes qui ne sont pas nouveaux, le voyeurisme (l'homme-boîte est un ancien photographe qui assouvit sa sexualité par le regard : une longue scène érotique occupe près d'un quart du roman), la nudité, la monstruosité, le mensonge social, l'euthanasie, le meurtre, le sadomasochisme, il refuse délibérément de les centrer sur un seul personnage et l'homme-boîte se double d'un « faux homme-boîte ». Le métier qu'a exercé le clochard, celui de photographe, fait que le regard est le lien essentiel qui rattache ce marginal au monde environnant : c'est un regard négatif, hanté par la laideur, l'écœurement, la nausée. « Regarder, c'est l'amour. Être regardé, c'est le dégoût. On fait des grimaces en essayant de supporter la blessure du regard : mais ce n'est pas donné à n'importe qui de ne faire que regarder. » Bien que ce roman compte parmi les plus célèbres d'Abe, il ne peut, en dépit de son originalité, passer pour le plus accompli. En 1973, Abe avait acquis une célébrité telle qu'il pouvait se permettre toutes les fantaisies littéraires et pousser jusqu'à son terme son esthétique et ses théories romanesques. Mais par l'accumulation des procédés, l'artifice excessif de la narration, le roman reste attaché à l'expérimentalisme des années 70, ce dont l'auteur fut conscient, puisqu'il devait renouer avec un style plus classique. — Trad. Stock, 1980. R. de C. et R. N.

HOMME, CET INCONNU (L'). Dans cette œuvre, publiée en 1935, le célèbre biologiste et chirurgien français Alexis Carrel (1873-1944), prix Nobel de médecine en 1912, s'adresse à tous ceux qui souhaitent échapper à l'esclavage des dogmes de la civilisation moderne et parvenir à une nouvelle conception du progrès humain. Pour atteindre ce but, il est indispensable, dit-il, de créer une science de l'homme, approfondie et totale, qui utilise toutes les techniques connues et qui tienne compte de la nécessité d'étudier chaque fonction dans ses relations avec l'ensemble. On doit quitter pour un certain temps le domaine du progrès mécanique et, dans un certain sens, franchir les limites de l'hygiène classique, de la médecine et de l'étude des aspects purement matériels de notre existence ; en revanche, on s'intéressera aux phénomènes qui échappent à nos critères habituels et qui pourront peut-être nous ouvrir des régions jusqu'à présent inconnues. La physiologie et la médecine, l'hygiène, la sociologie et la pédagogie ont, chacune, étudié l'homme sous un de ses aspects ; mais toutes ont négligé l'étude de l'être humain dans sa totalité et dans sa complexité et, surtout, n'ont pas accordé, dans les recherches sur la biologie humaine, une importance suffisante aux activités morales. Notre civilisation, jusqu'à présent, n'est pas encore parvenue à créer un milieu qui convienne à nos activités mentales, parce qu'elle ignore délibérément le côté moral. D'autre part, dans les nouvelles conditions d'existence que nous avons créées, nos activités les plus caractéristiques se développent mal et de manière incomplète, comme si, au milieu de tous les miracles de la civilisation moderne, la personnalité humaine tendait à se dissocier. Puisque, malgré tous leurs efforts, médecins et hygiénistes ne sont pas parvenus à prolonger et à améliorer la vie humaine, il faut bien supposer que le confort moderne et le genre de vie adopté par les habitants de la cité moderne violent certaines lois naturelles. En observant le corps humain, on voit que les relations entre les différents organes sont assurées par la circulation du sang et par le système nerveux : chaque partie du corps s'adapte aux autres, et l'organisme tout entier s'adapte au milieu ambiant, tant physique que social. L'adaptation est donc une qualité essentielle de tous les phénomènes organiques et mentaux. Dans la vie moderne, malheureusement, on n'a pas tenu compte de cette importante fonction, et, en supprimant presque complètement son usage, on a provoqué une perturbation qui atteint aussi bien le corps que l'esprit. Seule la connaissance des mécanismes de l'adaptation nous permettra de reconstruire ou de restaurer l'individu. La société moderne ignore l'individu et tient seulement compte de l'espèce humaine ; c'est cette confusion qui a amené la standardisation et l'atrophie de l'être humain. La civilisation scientifique doit maintenant abandonner la voie suivie depuis la Renaissance et, en faisant retour à l'observation du concret, se libérer du préjugé matérialiste, en évitant toutefois de tomber dans une réaction spiritualiste. Il s'agit de rétablir l'homme dans la plénitude de sa personnalité : pour cela, il faut rejeter les principes de la civilisation technologique et libérer l'homme de l'univers cosmique créé par le génie des physiciens et des astronomes, en le rétablissant dans l'harmonie de ses activités, physiologiques et mentales. La pensée profonde de l'auteur — qui s'exprime parfois un peu naïvement en termes bergsoniens — se dégage bien de cette œuvre résolument vulgarisatrice à laquelle l'ardente passion scientifique donne une chaleur convaincante.

HOMME COMME LES AUTRES (Un). Pièce en trois actes publiée en 1937 par l'écrivain français Armand Salacrou (1899-1989). « Un homme aimé, pour être aimé dans sa nature d'homme, dit à sa femme ce qu'il est et perd l'amour de cette femme, écœurée » ; tel fut le premier jet d'*Un homme comme les autres.* Raoul se regarde dans le regard de sa femme Yveline ; il n'aperçoit que l'image d'un « homme admirable », d'un parangon de droiture et de dignité. Or, l'opinion qu'il a de lui-même est tout autre. L'homme, obscurément, souffre d'être ainsi dédoublé, contraint de jouer un rôle. Le jour où une crise grave surgira, le jour où Raoul perdra pied dans le malheur, la force lui manquera de continuer à paraître ce qu'il n'est pas. Et il criera à sa femme : ton amour s'adresse à un étranger. Le soutien et le bonheur que tu m'offres sont un faux soutien et un faux bonheur. Je n'y ai point de part. Laisse-moi être ce que je suis. Aime-moi, si tu peux, tel que je suis. Une fois de plus apparaissent le thème salacrien de l'être qui cherche sa vérité et celui, infiniment douloureux, de l'inadéquation de l'homme et de la femme dans le couple. La grande nouveauté de la pièce sera l'accent mis sur le problème moral. On aurait pu croire avec *Les Frénétiques* (1935) que la distinction du bien et du mal intéressait assez peu Salacrou. La métaphysique de l'Être et du Devenir semblait reléguer au rang de préoccupation secondaire celles du « faire » et du « ne pas faire ». La leçon qui éclate dans *Un homme comme les* *autres* est presque inverse. Elle s'accompagne d'une vision affreusement pessimiste de la nature humaine. « Rien n'a plus de sens sauf la solitude et la mort. » Dernier mot, de désespoir, sur un monde en faillite, qu'on ne peut oublier quand, dans la lumière froide de l'aube, la pièce s'achemine vers un dénouement qui n'est que la reprise, par chacun, du quotidien fardeau. La pièce ne finit pas ; il faut continuer à vivre en l'état où on nous laisse. La pièce fut créée en novembre 1936. Un succès éclatant vint couronner cette œuvre, à tout prendre assez désobligeante pour le commun des spectateurs. Mais les coups de cravache ont leur charme. La preuve en est que la reprise de 1945 subjugua sans difficulté un nouveau public.

HOMME CONTRE LE CIEL (L') [*The Man against the Sky*]. Œuvre lyrique du poète américain Edwin Arlington Robinson (1869-1935), publiée en 1916. Le titre se réfère au dernier et court poème du volume qui contient la description suivante : le poète est plongé dans la contemplation d'un flamboyant coucher de soleil ; entre l'astre qui disparaît et lui-même s'élève une haute colline arrondie et dénudée, « telle une coupole dressée face à la gloire du paysage embrasé » ; sur cette colline, un homme marche seul vers la lumière « comme s'il était le dernier dieu rentrant chez lui — vers son ultime désir ». Robinson montre dans ce bref, mais dense recueil, plus de sûreté de moyens et une meilleure maîtrise de son sujet que dans *Les Enfants de la nuit* (*) et les œuvres qui suivirent. On trouverait difficilement, dans *L'Homme contre le ciel,* une page qui ne se tienne au niveau de ses meilleurs écrits. À l'exemple d'œuvres antérieures, l'auteur décrit des figures, des milieux et des états d'âme qui évoquent son pays natal, le Maine, et la culture de la Nouvelle-Angleterre. Fidèle aux formes métriques traditionnelles, il n'en réussit pas moins à les adapter à l'expression d'une sensibilité moderne délicate et discrète. Certains ont voulu voir dans son œuvre l'expression d'une crise de la conscience puritaine mise en échec par de nouvelles croyances et le sens moral plus libre de notre temps ; la mélancolie diffuse de Robinson, sa caractéristique « réserve », jointe à ses tendances moralisatrices et quasi didactiques, formulées d'une manière allusive sinon recherchée, ont fait dire qu'il représente le trait d'union reliant la poésie traditionnelle à l'école « Imagiste » de notre siècle. Le volume commence par une sorte de ballet intitulé « Flammonde », dans lequel est décrit un type d'aventurier sympathique, vivant parmi la société sans horizon d'une ville de la Nouvelle Angleterre. Ce curieux homme dispense un enseignement moral, plein d'une sagesse conçue dans un esprit large, à des êtres dominés par une tradition rigide et mesquine. Dans « Ben Jonson reçoit un homme de Stratford », les grandes figures de Ben Jonson et Shakespeare font l'objet d'une évocation pleine de sensibilité chaleureuse et poétique. Les autres pièces les plus remarquables sont : « La Vie suspendue », « Fragment », « Eros Turannos ».

HOMME COUVERT DE FEMMES (L'). Roman de l'écrivain français Drieu la Rochelle (1893-1945), publié en 1925. C'est la peinture réaliste, légère jusqu'à l'indécence, cynique et désespérée de l'existence amoureuse facile d'un jeune homme de l'après-guerre. L'intrigue est assez faible, l'action traîne, tombe au moment même où elle commence à s'animer, bien que le départ du roman soit excellent : Gille séjourne à la campagne chez Finette, une jeune veuve, sœur de son ami Luc. Parmi les invitées Gille trouve Molly, une amie de Finette, qui lui offre ses faveurs le soir même de leur rencontre. Dans un petit bois, près de la villa, il a bientôt une autre aventure ; puis il fleurette avec lady Haycinthia. Malgré ces divertissements faciles, Gille s'ennuie : il prend un jour de vacances à Paris, qu'il passera dans ces maisons où « les femmes vivent nues comme des poissons dans l'eau » : l'auteur décrit méthodiquement, précisément, les scènes, avec une liberté qui fit bondir plus d'un critique de l'époque. Quand il rentre à la campagne, Finette le provoque : en vain. Gille lui fait une longue confession, où il prend des allures de grand conquérant volage, mais avoue qu'il est de glace avec les « honnêtes femmes ». Son plaisir sexuel est souvent gâché par la discorde entre l'âme et le corps : aussi aime-t-il les filles, qui souffrent comme lui de ce déchirement. Finette n'est pas convaincue par ces explications psychologiques : le jeune homme, pense-t-elle, est simplement fatigué et elle l'avertit qu'elle fera tout son possible pour arriver à ses fins : « pousser leur camaraderie jusqu'aux plus aimables échanges ». Elle ne tarde pas à réussir et Gille conclut qu'elle ne vaut pas plus cher que les autres. Mais Jacqueline arrive soudain, seule femme que Gille ait aimée, ou cru aimer, peut-être parce qu'elle lui rappelle une pureté, dont son âme rêve, en dépit de son corps. Gille ne peut supporter longtemps la coexistence en lui de ces deux femmes. À quoi rime d'ailleurs sa liaison avec Finette ? « Toutes les nuits recommencer le même geste. Ce n'était pas qu'il fût nécessaire de lui faire un enfant, à cette femme ; mais le fait qu'elle ne peut m'en donner figure pour moi tout à coup que cette sorte d'amour est une impasse. » Et, sur une condamnation de la stérilité moderne, un appel à la maternité, Gille s'en va et le livre finit. Dénouement paradoxal ? Il ne faut point que le titre et l'intrigue fassent illusion : *L'Homme couvert de femmes* est tout autre chose qu'un roman de mœurs faciles, prétexte à des descriptions érotiques. Certes, l'expression est cynique, autant que les mœurs des héros, et, lorsqu'ils n'agissent pas, les personnages se content complaisamment leurs aventures. Mais tous les personnages ne sont justement ici qu'une toile de fond : ils ne font que préciser, définir Gille. Qui est celui-ci, sinon l'auteur lui-même, le frère de Drieu ? Il vit le temps du cynisme, sans que tout lui-même y puisse adhérer : dans la débauche et le ricanement, il rêve de grandeur, déteste la décadence qui le pénètre, et surtout cherche l'« autre », la communion qui pourraient lui faire retrouver l'unité de lui-même. Gille est poursuivi par la nostalgie de l'amour : s'il ne le trouve pas, il peut en accuser les « autres » ; mais sans doute sait-il plus profondément que cette impuissance est en lui.

HOMME CRIMINEL (L') considéré des points de vue de l'anthropologie, de la jurisprudence et de la discipline pénitentiaire [*L'uomo delinquente, in rapporto all'antropologia, alla giurisprudenza ed alla disciplina carcerarie*]. Ouvrage fondamental de l'école italienne d'anthropologie criminelle dû au psychiatre Cesare Lombroso (1835-1909), publié en deux volumes en 1876, puis augmenté de nouvelles recherches, en 1889 ; un troisième volume fut publié en 1896. À la différence de l'école classique de criminologie, qui considérait le délit en faisant abstraction du coupable, et jugeait l'acte comme un simple accident dans la vie de son auteur (bien que les aliénistes aient déjà reconnu, en beaucoup de cas, l'impossibilité de dissocier nettement folie et délit), la nouvelle école anthropologique fondée par Lombroso fut la première à démontrer, après de nombreuses recherches et de longues études, que le criminel constitue un type anthropologique à part ; il présente des anomalies physiques, anatomiques et fonctionnelles plus nombreuses et plus marquées que chez l'homme moralement normal, en relation avec les déviations morales de la conduite ; ceci fait induire un lien causal entre ces anomalies de structure et les anomalies morales. Le délit et l'étiologie du délit (étudiée en fonction du climat, de l'orographie, de la géologie, de la race, de l'alimentation, de l'alcoolisme, de l'instruction, des influences religieuses, éducatives, etc.) exigent une prophylaxie, une thérapeutique et des méthodes de défense sociale, et nécessitent en même temps que soit entreprise une régénération du coupable. L'auteur attribue la plus grande importance à la correspondance entre les « caractères dégénérés » et les formes ancestrales « classiques » qui apparaissent normalement dans le fœtus ; habituellement, elles évoluent ou se transforment, mais parfois elles se fixent et se maintiennent chez l'adulte. L'apport atavique se manifeste également dans les phénomènes psychiques : impulsivité, irritabilité physiopsychique, répugnance à un travail continu et discipliné. À cette influence atavique, Lombroso ajoute, comme cause déterminante, dans la genèse directe des anomalies, un élément purement maladif : l'épilepsie (son école y ajoute la syphilis et le crétinisme).

Le premier volume renferme l'étude de l'« embryologie du délit », c'est-à-dire le délit dans son état primitif et naissant ; de l'anatomie pathologique et de l'« anthropométrie du délit » (c'est à la suite de cet examen que Lombroso conclut à l'anomalie du type anatomique et physionomique du délinquant) ; il passe ensuite à l'étude de la « biologie et de la psychologie du criminel-né » (tatouages et suicides) : récidive et morale des criminels : leur religion, leur intelligence et leur instruction ; argots, écriture, gestes, etc. On en arrive à la conclusion que le criminel est un homme sauvage, et en même temps un malade ; les coupables-nés sont des fous moraux et des épileptiques ; la maladie, la dégénérescence, la monstruosité, l'atavisme sont les caractères les plus constants des criminels-nés. En somme, le délit apparaît, tant aux points de vue statistique qu'anthropologique, comme un phénomène aussi naturel que la naissance, la mort, la conception, les maladies mentales, desquelles il n'est qu'une triste variante. Le second volume traite, dans les trois premières parties, de différentes catégories de criminels : épileptiques, impulsifs, fous et « criminaloïdes ». Chez tous les fous-criminels se manifeste la fréquence de formes épileptoïdes : et à cause d'elles, si dangereuses pour l'entourage, découle la nécessité, pour la défense sociale, de traiter ces fous en délinquants. Les criminels d'occasion, les pseudo-criminels, les criminaloïdes, les épileptoïdes sont étudiés séparément. Le troisième volume est entièrement consacré à l'étiologie, à la prophylaxie et à la thérapeutique du délit. Dans le dernier chapitre : « L'Utilisation du délit. Symbioses », se trouve un jugement qui pourra être retenu comme conclusion de l'ouvrage : « La vie nouvelle [...] à laquelle ce livre prépare en partie [...] doit créer des institutions permettant d'utiliser les délinquants comme les honnêtes gens ; ceci aura un avantage supplémentaire : celui de révéler, par l'étude du délinquant, où se cache plus spécialement la plaie sociale [...] et par là, de pouvoir y porter remède. Le temps approche où la société trouvera le moyen de faire vivre, grâce à un traitement symbiotique approprié, le criminaloïde au milieu de l'épanouissement d'une société en progrès, non seulement en le supportant, mais en l'utilisant au mieux (à son propre avantage). » L'opposition très vive aux idées de Lombroso et de son école n'est pas encore éteinte, surtout par le fait que les forces morales de l'individu et le principe de la responsabilité fondé sur la notion de liberté y ont peu de place ; mais elles ont exercé une vaste influence, non seulement théorique, mais pratique et réformatrice, dans tous les pays. — Trad. Alcan, 1887.

HOMME D'AFFAIRES (Un). Récit de l'écrivain français Honoré de Balzac (1799-

1850), publié en 1845 (certaines éditions portent pour titre : *Esquisse d'homme d'affaires*). Dans le salon d'une « lorette », la belle et sympathique Marguerite Turquet, dite Malaga, plusieurs personnages, souvent rencontrés déjà dans d'autres œuvres de Balzac, tiennent conversation : le notaire Cardot, protecteur de la jeune femme, le caricaturiste Bixiou, le journaliste Cousteau, le romancier Nathan et l'avocat Desroches. On parle du duel quotidien qui met aux prises débiteurs et créanciers dans la vie mondaine de Paris. C'est alors que l'avocat relate certaine histoire piquante à laquelle il fut mêlé en personne. Les héros en sont le fameux Maxime de Trailles, le « prince des débauchés » de la capitale, et un homme d'affaires véreux, Cérizet. Ce dernier se trouve avoir acquis à vil prix un crédit de quelques milliers de livres sur de Trailles. Et il parie qu'il arrivera à se faire payer. Il atteint d'ailleurs son but grâce à un rocambolesque jeu de travestissements. L'histoire, qui se dénoue avec rapidité, ne présente pas un intérêt exceptionnel. Il ne faut voir dans cette œuvre qu'un divertissement du grand romancier. Notons, cependant, l'épisode de la belle Antonia, favorite du comte Maxime et courtisée par deux bourgeois d'âge avancé : ici, le génie de Balzac apparaît dans toute sa force. Habile à prodiguer les détails pittoresques, l'auteur se meut à l'aise dans ce réalisme magique dont il demeure toujours le maître incontesté.

HOMME DE BOUE (L') [*De modderen Man*]. Recueil du poète belge d'expression néerlandaise Karel van de Woestijne (1878-1929), publié en 1920 et comprenant vingt-quatre poèmes écrits entre 1909 et 1915. Après Guido Gezelle, Van de Woestijne passe pour le plus grand poète belge d'expression néerlandaise. Parmi tant d'écrivains flamands qui, suivant l'illustre exemple de Gezelle, s'inspirèrent de leur sol et des réalités populaires, Van de Woestijne fait figure d'aristocrate, tant par son romantisme que par la très vaste culture dont il est tout pénétré. On peut le comparer à ces hommes de la Renaissance qui allièrent la richesse des formes à beaucoup d'intelligence et de sensibilité. Cet esprit Renaissance se manifeste aussi dans ses conceptions de la vie : un scepticisme noble mitigé par un certain platonisme, et que, dans le fond, on pourrait nommer païennes, si elles n'étaient marquées par un sentiment tout chrétien : celui de la culpabilité. Deux forces dominent la vie de ce poète : la volupté et la soif inaltérable d'une sublimation spirituelle. Il a beau se cuirasser contre ses victimes, jamais le poète ne saura se défaire du sentiment de sa vulnérabilité. Aussi est-ce bien une plainte qui lui échappe quand il dit : « J'ai un cœur comme un fer de lance, mais qui ne doit pas fléchir » ; ainsi pourra-t-il chanter la beauté sublime de la souffrance. Le dernier poème de ce recueil, dédié à sa femme, qu'il avoue si souvent avoir blessée, est un acte de générosité — humble et fière à la fois — et d'une authentique tendresse. Dans le poème « Sur la mort de Jean Moréas » (en cinq parties), nous entendons pourtant, à travers le silence de la nuit étoilée, avec un accent plus joyeux, l'appel de cette éternité dont le poète attend son salut. Van de Woestijne est sans aucun doute un poète tout aussi grand que ses compatriotes Verhaeren et Maeterlinck, car il a vécu dans toute son intensité le drame de la condition humaine. Van de Woestijne mérite une place d'honneur dans la littérature européenne moderne, car sa poésie chante ce combat de l'ange et de la bête dans un langage dense et sonore, sensuel et plein de nuances, en lequel on reconnaît le signe même de la création proprement lyrique.

HOMME DE COUR (L') [*El oráculo manual y arte de prudencia*]. Recueil de maximes du jésuite espagnol Baltasar Gracián (1601-1658), publié en 1647. Au nombre de trois cents, ces maximes résument les principes moraux sur lesquels Gracián avait fondé ses œuvres antérieures, en particulier *Le Héros* (*), *Le Sage* et *Le Criticon* — v. *L'Homme détrompé* (*). Elles tendent à former un homme avisé, vif d'esprit, pratique dans ses réalisations, génial et ingénieux à la fois, maître de ses passions. Sans s'embarrasser d'illusions faciles, il fait face à la réalité ; il s'efforce de s'entendre avec ses semblables, en leur faisant un minimum de concessions et en s'assurant pour lui-même le maximum d'avantages. Ce livre conserve de nos jours une valeur pratique, parce que son auteur fait fond sur sa propre expérience. En raison du pessimisme qui l'inspire, l'œuvre se rattache aux traités politiques de Machiavel et de Guichardin. Cependant, Gracián établit nettement la distinction entre la nature singulière de chacun et l'essence universelle de l'espèce humaine. Au-dessus de la nature, il met l'art, qui serait, avec la culture en général et le gouvernement de nous-mêmes, l'œuvre de la raison, régulatrice des actes et de la sensibilité de l'homme. Gracián conclut à l'utilité d'une application constante de l'intelligence comme étant la seule force capable de susciter en nous ces qualités proprement humaines sans lesquelles on ne saurait affronter les relations complexes de la vie civile. Certes, *L'Homme de cour* se prête à des interprétations fâcheusement utilitaires, si l'on omet de faire nettement la distinction entre individuel et universel. Le succès de l'œuvre fut immédiat en Espagne, malgré son style précieux et recherché. Elle prit sa place dans la culture européenne grâce aux nombreuses traductions qu'on en fit en Italie (1670), en France (Vve Martin et J. Boudot ; Paris 1864), en Angleterre (1694) et en Allemagne (1723). — Trad. Lebovici, 1972.

HOMME DE DÉSIR (L'). Œuvre de l'écrivain et philosophe français Louis Claude de Saint-Martin (1743-1803), publiée à Lyon en 1790, in-8°. Réimpression à Metz en deux volumes in-12 en 1802. Louis Claude de Saint-Martin, le « Philosophe inconnu », principale figure du mouvement mystique de la fin du XVIIIe siècle, a écrit *L'Homme de désir* pendant ses séjours à Londres et à Strasbourg, alors qu'il était en train de découvrir Jacob Böhme. *L'Homme de désir* n'est pourtant pas influencé par le grand théosophe allemand. On y reconnaît plutôt Swedenborg et surtout Martinez de Pasqualis, cet étrange juif espagnol, fondateur du martinisme, auquel Saint-Martin emprunte la plupart de ses théories. C'est dire que le contenu idéologique de *L'Homme de désir* est assez faible et guère original : le titre lui-même est emprunté à Martinez. Le livre plut surtout aux milieux théosophes par son style enflammé, débordant de sensibilité mystique. Plus qu'un ouvrage de doctrine, c'est un recueil d'hymnes, où l'on sent parfois quelque imitation de l'*Apocalypse* (*) : certaines pages paraissent comme touchées par la grâce. *L'Homme de désir* est le pendant de l'*Ecce Homo* que Saint-Martin avait publié quelque temps auparavant : dans cet ouvrage, Saint-Martin appuyait surtout sur la misère de l'homme déchu, séparé de Dieu, infidèle à sa vocation divine. *L'Homme de désir*, c'est celui qui aspire à la réintégration en Dieu, qui veut refuser les limites humaines : tous les êtres en effet sortent de Dieu, et l'homme est pensée primitive de Dieu. Mais il n'est plus dans sa jeunesse originelle, il est devenu le vieil homme. Il est prisonnier de la matière, et cette aliénation est bien exprimée par les doctrines sensualistes et matérialistes. Saint-Martin est leur violent adversaire : il leur reproche d'avoir déformé et découpé l'unité de l'intelligence humaine « comme avec un scalpel ». Mais sa critique du sensualisme le pousse aussi à rejeter les pratiques, courantes dans les milieux pseudo-mystiques, de l'occultisme ; car, dit-il, l'âme peut fort bien être trompée par cela aussi. L'homme ne se sauvera qu'en se retrouvant en Dieu, en se conformant en tout point à la pensée divine, en se pensant lui-même selon son origine suprême.

Une telle démarche semble très proche du mysticisme orthodoxe. En fait, Saint-Martin ne réussit pas à échapper au panthéisme : la créature humaine, selon lui, est à Dieu comme le Verbe. Il adopte la doctrine de Martine sur la génération éternelle et continuelle des êtres qui sont « comme les rayons de la divinité ». Tout participe à l'unité divine, tout est Dieu : « ... Tout est individuel, et cependant tout n'est qu'un. » Saint-Martin a des pages très belles pour décrire la résurrection. Si l'ivresse religieuse ne s'accompagne point ici de la pureté et de la rigueur doctrinales, *L'Homme de désir* montre bien comment l'illuminisme, qui fit beaucoup pour affaiblir le christianisme avant la Révolution, a contribué, la Révolution venue, à maintenir en France des foyers de vie spirituelle.

HOMME DE DIEU (Un). Pièce en quatre actes du philosophe et dramaturge français Gabriel Marcel (1889-1973), publiée en 1925 et représentée en 1949. Cette pièce est peut-être l'aînée du théâtre existentialiste. C'est l'histoire d'un secret mal gardé et trahi constamment ou à demi trahi par pitié, par tendresse, par la lâche bonté qui fait plus de mal que la dureté. Un pasteur, Claude Lemoyne, a pardonné à sa femme un amour fou qui faillit autrefois briser leur union. Il a gardé l'enfant, Osmonde, née de cette illégitime passion. Mais l'amant revient, cynique, rongé par la maladie ; par curiosité ou par amour paternel, il réveille ce que la bonté du pasteur avait recouvert et réduit en cendres. Sa seule présence remet en question le sens des actes que vingt ans avaient purifiés, annulés. Le pasteur découvre que son pardon était réflexe professionnel, ou pis encore, impuissance et orgueil. Sa femme découvre que c'est par peur qu'elle a accepté ce pardon. L'amant découvre qu'il a manqué sa vie pour un amour qu'il ne ressent plus, pour une femme qu'il méprise. La fille découvre que son père n'est pas son père ; les vies mitées que les mensonges et les ans avaient sauvegardées, les vies qui composent ce minable cercle de famille s'effondrent. Seule Osmonde tirera la conséquence de ces faux jours, mais par une révolte puérile. Les autres joueront l'apparence de leur vie, prendront pour rôle ce qu'ils prenaient pour leurs convictions. Rien n'aura changé dans le fond : trop nuls pour vivre l'angoisse de l'ambiguïté, ils mentiront à plusieurs, au lieu de mentir seuls. Le tout est de savoir si Gabriel Marcel est plus que ses personnages capable de concevoir autre chose, si cette nullité qui sonne si vrai est du dramaturge ou du penseur.

HOMME DE FER (L') [*El hombre de hierro*]. Roman de l'écrivain vénézuélien Rufino Blanco-Fombona (1874-1944). Cet auteur, qui mena une vie d'aventure des plus passionnante, si l'on en juge par ses *Mémoires*, a laissé, outre plusieurs recueils de contes, des romans qui comptent parmi les plus remarquables de la littérature de l'Amérique espagnole. Son chef-d'œuvre est *L'Homme de fer*, qui parut en 1905. L'homme de fer, c'est le surnom que son patron, un commerçant sans scrupules, donne au héros, Crispin Luz, employé modèle dont la vie est contée à la manière de Balzac. L'auteur montre d'une façon très vivante la vie de la petite bourgeoisie vénézuélienne. Crispin Luz appartient à une famille aisée. Il a perdu son père très jeune et c'est à la veuve, doña Felipa, femme énergique autant qu'avare, qu'échoit le rôle d'élever les enfants. Elle n'a de faiblesses que pour l'un de ses fils, Ramon, un incapable qui l'entraîne dans de mauvaises spéculations. D'où il suit que la fortune indivise des Luz finira par tomber dans les mains de Perrin, un étranger dont Crispin est l'employé modèle. Crispin se mariera avec une jeune fille qui le trompera avec le premier bellâtre venu, parce qu'elle n'est pas parvenue à l'aimer, parce qu'elle s'ennuie et parce que la mère et la sœur de son mari lui font une vie difficile. Maria, abandonnée à son tour, met au monde un enfant difforme et Crispin meurt de tuberculose. Tous ces personnages sont évoqués avec cette amertume vengeresse qui caractérise l'œuvre de Blanco-Fombona. À cet *Homme de fer* qui, au vrai, n'est qu'un homme de gélatine, l'auteur donnera pour pendant, plus tard, un récit intitulé *L'Homme d'or* (*) où l'on voit un avare dénué de tout scrupule qui, lui, saura triompher de toutes les embûches de la vie.

HOMME DE GÉNIE (L') [*L'uomo di genio*]. Œuvre du psychiatre et anthopologue italien Cesare Lombroso (1835-1909), publiée à Milan en 1864, tout d'abord sous le titre de *Génie et Folie* [*Genio e follia*]. L'auteur, qui croit en un rigoureux déterminisme psychophysiologique, s'est proposé d'approfondir ses recherches sur les rapports entre le génie et la folie, qu'il avait commencées dans un essai de jeunesse, *La Folie de Cardano* [*La pazzia del Cardano,* 1855]. Beaucoup de psychiatres ont rangé le génie parmi les formes tératologiques de l'esprit humain, parmi les variétés de la folie ; c'est en partant d'une telle hypothèse que Lombroso étudie tour à tour la physiologie, la pathologie et l'étiologie du génie. Il passe d'abord en revue diverses formes de névroses qu'on rencontre fréquemment chez les hommes de génie : manies, obsessions, hallucinations, etc. : puis il s'attache à l'examen des nombreux signes de dégénérescence que les génies ont en commun avec les aliénés : mégalomanie, vagabondage, misonéisme, instabilité, etc. ; enfin, chez beaucoup de grands hommes, il constate un développement excessif de la sensibilité provoquant des actes bizarres semblables à ceux qui sont commis par les fous. d'autre part, les hommes de génie seraient des « météoropathes », c'est-à-dire que les facteurs climatiques — pression, chaleur, vents, saisons... — exerceraient une action indirecte sur les manifestations de leur génie ; et ils subiraient aussi très fortement l'influence de l'hérédité, des maladies, des conditions et du milieu dans lesquels ils vivent. Lombroso donne ensuite à l'appui de sa thèse des exemples de fous doués de génie et de génies atteints de folie (le Tasse, Swift, Vico, Rousseau, Ampère, Hoffmann, Schopenhauer, Auguste Comte, Gogol, Schumann, Baudelaire et bien d'autres) ; mais il y eut aussi des hommes de génie qui ne donnèrent jamais aucun signe d'aliénation mentale (Dante, Galilée, Spinoza, Voltaire, Bacon...). Pour conclure, Lombroso souligne combien sont nombreux les traits communs à la pathologie de l'aliéné et à la physiologie de l'homme de génie, et — sans aller jusqu'à confondre l'un et l'autre — il affirme que le génie est, comme la folie, une forme de la dégénérescence mentale ; aussi faut-il éviter de le surestimer. L'ouvrage de Lombroso eut un retentissement considérable et fut traduit dans presque toutes les langues — la traduction française *L'Homme de génie* (1889) est précédée d'une préface de Ch. Richet, qui souscrivait entièrement aux idées de l'auteur. Bien que ses théories sur la nature anormale du génie et sur l'importance primordiale des facteurs constitutionnels et du milieu aient été abandonnées à la suite de travaux postérieurs, *L'Homme de génie* est considéré aujourd'hui encore comme une œuvre maîtresse de l'école positiviste. — Trad. Alcan, 1889.

HOMME DE GINGEMBRE (L') [*The Ginger Man*]. Premier roman de l'écrivain irlandais James Patrick Donleavy (né en 1926), publié en 1955. L'ouvrage connut un succès immédiat et demeure la pièce maîtresse de l'œuvre abondante de Donleavy. Le caractère scabreux du roman lui valut d'être mal accueilli par la censure irlandaise. Donleavy, né à New York de parents irlandais et venu suivre des études à Dublin au lendemain de la Seconde Guerre mondiale, utilise dans ce roman des éléments autobiographiques de la vie de bohème qu'il partageait avec d'autres piliers de pubs comme Brendan Behan et un jeune Américain, Gainor Christ, qui sert de modèle à l'un des personnages. Le héros est un jeune Américain venu faire ses études de droit à Dublin. Sebastian Bullion Dangerfield vit aux frais de son père qui, désormais sans illusions à son sujet, continue cependant à l'entretenir. L'attente constante du chèque qui calmera les plus virulents des créditeurs et permettra à Sebastian de s'adonner à son occupation favorite (la consommation d'alcool) sert de toile de fond au récit. Nanti d'une femme et d'une fille en bas âge, Sebastian, mauvais mari et père indigne, affronte les problèmes quotidiens dans la veulerie et la lâcheté la plus totale. Son compagnon de débauche est un autre Américain de sa trempe, Kenneth O'Keefe. De drame conjugal en fuite éperdue devant les créditeurs, de scène de séduction en bagarre de pub, l'intrigue nous entraîne dans l'univers glauque du héros. Abandonné par sa femme, Sebastian parvient encore à survivre quelque temps à Dublin aux crochets de sa locataire au nom évocateur (miss Frost), qu'il révèle à elle-même avant de l'abandonner. Poursuivi par ses créditeurs, frustré de son héritage paternel (il ne pourra disposer de l'argent que la quarantaine passée), Sebastian part pour Londres, où le rejoint une autre de ses conquêtes, dont il dévore allègrement les économies. La fin du roman laisse le lecteur en suspens, avec le sentiment vague que d'autres péripéties semblables attendent le héros. Donleavy nous livre une aventure picaresque où réalité et fantasme s'enchevêtrent, où sexe et violence se répondent, où pornographie, scatologie et vulgarité finissent par donner à l'œuvre une stature tonitruante et « énaurme ». Ce comique de la démesure est servi par un style bref, saccadé, qui traduit l'état de perpétuelle ébullition intérieure du narrateur, sous lequel perce cependant une vision mélancolique de la condition humaine. – Trad. Denoël, 1968. E. G.

HOMME DE KIEV (L') [*The Fixer*]. Roman de l'écrivain américain Bernard Malamud (1914-1986), publié en 1966. Cette œuvre est inspirée de l'histoire vécue de Mendel Beiliss, un ouvrier juif arrêté à Kiev en 1911, à l'époque du tsar Nicolas II, sous l'inculpation de meurtre rituel d'un enfant chrétien dont il aurait utilisé le sang pour faire des galettes de Pâques. Ce n'est que trois ans plus tard, après d'effroyables tortures, que Beiliss sera jugé et acquitté. Sans doute l'antisémitisme est-il un thème important dans *L'Homme de Kiev*, mais ce qui importe, ce sont moins les aberrations du fanatisme religieux que la lutte d'un homme qui, malgré les tortures et les pressions de toutes sortes, choisit de ne pas céder et d'affirmer les valeurs inaliénables de l'homme.

Orphelin – son père a été assassiné par un soldat ivre –, abandonné par une femme adultère et stérile, n'ayant plus foi en Dieu, Yakov Bok décide de quitter l'univers clos et sans espoir de son « shtetl » pour tenter sa chance à Kiev. En chemin, ce picaro juif a toutes sortes de mésaventures, il est obligé d'abandonner sa charrette, il perd ses outils, et il est accusé de viol par une veuve qui pourtant l'avait séduit. Ce premier mouvement qui l'éloigne de son village l'éloigne aussi du judaïsme ; geste symbolique, il jette ses phylactères dans le Dniepr. À Kiev, dissimulant son identité, Yakov travaille comme contremaître dans une briqueterie. Mais, accusé de crime rituel, il est envoyé en prison. C'est là que, confronté à la cruauté sadique de ses geôliers et à leur chantage, il trouve dans le souvenir des *Psaumes* et dans la lecture de quelques pages de *La Bible* la force de résister. Constatant que l'Alliance devait d'abord être rompue pour pouvoir être rétablie, il décide de rétablir son dialogue – pas toujours serein – avec Dieu. Il découvre que son destin est inséparable de celui des autres Juifs et que ce destin s'inscrit dans l'Histoire. Il ne peut y avoir de paix séparée avec les forces de la tyrannie. Il refuse de se laisser aller au désespoir, de « confesser son crime » en échange de la liberté, il refuse la grâce du tsar. Il tient à être jugé et à ce que son innocence soit proclamée. Il veut donner un sens à sa souffrance.

Bok, qui ne s'intéressait pas à la politique, comprend qu'un Juif ne peut rester indifférent aux affaires de ce monde ; cette prise de conscience politique fait partie intégrante de son évolution. Il se rend compte qu'il se bat non pas pour sa liberté personnelle mais pour la liberté de tous. La prise de conscience politique débouche sur une prise de conscience morale.

Dans sa prison, Bok, mûri par ses souffrances, pardonne à sa femme et accepte de reconnaître un enfant qu'elle a eu d'un autre homme. Le roman raconte donc la métamorphose de Yakov qui, d'abord, dans un mouvement de rébellion, renie tout ce qui le lie à sa judéité, le « shtetl », sa femme, son rapport à Dieu, mais, à travers l'expérience de la souffrance et de l'emprisonnement, acquerra une maturité politique et une maturité morale, marquée dans le monde de Malamud par la paternité. – Trad. Seuil, 1967.

C. L.

HOMME DE LA PAMPA (L'). Premier roman de l'écrivain français Jules Supervielle (1884-1960). Publié en 1923, il participe, par sa fantaisie débridée, par la personnalité fantasque de son héros, par ses thèmes fantastiques, de l'élan libérateur qui anime alors la production de Supervielle : il est proche de *Débarcadères* (*) par l'exotisme, de *Gravitations* (*) par l'onirisme.

Gros propriétaire terrien, père d'une trentaine d'enfants illégitimes, Fernandez y Guanamiru s'ennuie dans son palais de Las Delicias, où se mêlent tous les styles ; quand il visite ses estancias, il trouve la pampa désespérément plate. Aussi décide-t-il de se faire construire un volcan, qu'il baptise Futur. Il envisage d'organiser des éruptions publiques, mais, victime d'une campagne de presse hostile, il est obligé d'émigrer en Europe, avec un modèle réduit de son volcan. Celui-ci communique avec lui par un langage fait de parfums, et il suscite pour son maître des compagnes éphémères, et plus ou moins imaginaires : une sirène au cours de la traversée de l'océan, et, à Paris, une fille poétiquement nommée Line du Petit Jour. Mais le volcan disparaît ; désespéré, Guanamiru se met à grandir démesurément : « gonflé à bloc jusqu'aux nuages », il meurt « par éclatement de mégalomanie éruptive ».

Née du désir et du plaisir de raconter (« j'ai écrit ce petit roman pour l'enfant que je fus et qui me demande des histoires »), cette fiction est aussi emblématique de la nouvelle poétique de Supervielle au début des années 20 (il intitulera « Poèmes de Guanamiru » toute une section de *Gravitations*). Pour lui, « le fantastique », « c'est l'image poétique libérée, devenue vivante, et qui se met à agir » ; et de fait, bien des épisodes sont le développement narratif d'une métaphore : l'assassin Smith s'enfuit avec la main coupée d'une femme qui avait refusé de lui « accorder sa main ». S'éloignant des « études classiques » qui avaient jusqu'alors bridé son inspiration, il puise à un certain baroque latino-américain, s'autorise du discrédit lancé en Europe contre le roman réaliste, adopte une « logique » « fluide, aérienne », mêlant « rêves et réalités, farce, angoisse », pour exprimer des pulsions trop longtemps contenues, qui se libèrent ici non sans quelques excès dans l'hyperbole, corrigés par un constant humour. M.C.

HOMME DE LA POMPE À ESSENCE (L') [*Mannen fra bensinstasjonen*]. Roman de l'écrivain norvégien Sigurd Christiansen (1891-1947) publié en 1941. Le héros, Julius Klüver, le petit « homme de la pompe à essence » a chassé sa femme et son enfant de chez lui le jour où il a appris que, dans sa jeunesse, celle-ci avait exercé le plus vieux métier du monde. Un beau jour, douze ans plus tard — il a alors une soixantaine d'années — il apprend à la radio qu'elle a été assassinée. Pour autant, la mort ne modifie en rien les sentiments qu'elle lui a inspirés ; n'ayant jamais douté un seul instant d'avoir été dans son bon droit, convaincu d'avoir subi une suprême et impardonnable offense, il redoute d'être à nouveau couvert d'opprobre par sa faute et « post mortem » la hait plus que jamais. Puis, obligé par les circonstances de se replonger dans ce passé, il découvre progressivement une femme autre que celle dont il avait façonné l'image, il comprend enfin ce qu'elle était réellement. Cette prise de conscience l'amène non seulement à réhabiliter son épouse à ses propres yeux, mais aussi à comprendre quelle a été sa faute, et à trouver en lui les ressources qui lui permettront d'être un autre homme. Dans ce roman, sans doute le mieux construit de tous ceux qu'il a écrits, l'auteur use avec virtuosité de la technique rétrospective inaugurée par Ibsen. É. E.

HOMME DE L'EAU (L') [*De Waterman*]. Roman de l'écrivain hollandais Arthur van Schendel (1874-1946), publié en 1933. Un garçonnet, Maarten Rossaart, est un jour, à l'insu de tous, témoin d'un crime : on tue un homme et son cadavre est jeté dans le fleuve. Dès lors, ce secret établit entre l'enfant et le fleuve même un lien mystérieux et sinistre, un lien de complicité : Maarten se détachera de sa famille et des terriens. Une sorte d'aversion pour l'existence humiliante de tous les hommes le pousse à vivre uniquement sur l'eau. Devenu un homme, il navigue à travers toute la Hollande, avec sa femme et son fils : ce sont les années les plus heureuses de sa vie. Mais la mystérieuse amitié du fleuve est exigeante et jalouse ; elle lui vole son enfant. La femme alors prend peur du fleuve, elle veut regagner la terre à laquelle elle a toujours été attachée. Sa vie sur l'eau avec Maarten n'a été qu'un épisode confus et sauvage qui l'effraye. Maarten se retrouve donc seul. Il erre sur de vastes fleuves, sorte de « Hollandais volant » de la navigation intérieure. Après le départ de sa femme, il a fait l'acquisition d'un chien. Mais l'eau furieuse et jalouse attire dans son sein le navigateur, et, par la mort, le sauve de tout amour terrestre. Ce roman sombre et mystérieux est l'un des plus émouvants de la littérature hollandaise contemporaine. L'âme secrète du fleuve et celle de l'homme sont confondues avec bonheur ; dans le fleuve, où se reflète un ciel toujours changeant, l'homme voit l'image de son irréductible espoir d'éternité.

HOMME DE QUITO (L') [*El chulla Romero y Flores*]. Œuvre de l'écrivain équatorien Jorge Icaza (1906-1978), publiée en 1958. Selon la définition donnée par l'auteur, le terme « chulla » désigne en Équateur un « homme ou une femme de la classe moyenne qui tente de se dépasser par les apparences ». Au début du roman, un petit bureaucrate, le « chulla » Luis Alfonso Romero y Florès, se voit confier par son chef Ernesto Morejon Galindo les pleins pouvoirs afin de contrôler la comptabilité de la haute société du pays. Fier de sa nomination qui lui permettra peut-être de prendre place parmi les privilégiés, il se heurte vite au mépris et aux tentatives de corruption de ces derniers. Dans le cœur de ce métis ambitieux s'affrontent perpétuellement l'orgueil d'un père espagnol déchu et l'humilité douce et parfois servile d'une mère indienne. Une nuit d'errance aventureuse, le « chulla », attiré par la musique d'une maison en fête, se mêle aux invités d'une famille inconnue et séduit par ses mensonges et sa vantardise la jeune Rosario, une fille du peuple en train de divorcer. Le soir où elle s'abandonne à lui, Rosario découvre, au lieu de la résidence décrite par son séducteur, la chambre sordide qui l'abrite dans l'immeuble collectif d'un quartier déshérité. Tendre et sentimentale, elle accepte pourtant de partager sa misère et sa vie capricieuse. Pour Romero y Florès, le drame commence vraiment le jour où, pour offrir à Rosario enceinte un accouchement digne, il décide d'oublier sa mission de « contrôleur intègre » et d'escroquer un commerçant auquel il emprunte de l'argent avec un chèque frauduleux. Quand il rentre chez lui, un enfant envoyé en éclaireur par les voisins l'avertit : la police assiège la maison. La fuite éperdue de l'homme traqué dans les bas-fonds et les ravins de la ville, mais protégé par les gens de son milieu et qu'il méprisait jusqu'alors, brossée avec un hallucinant brio par le romancier, constitue sans aucun doute les plus belles pages du livre et même de l'œuvre d'Icaza. Lorsque le « chulla », sauvé in extremis par un changement politique du régime et la suspension des poursuites judiciaires, peut enfin regagner son domicile, c'est pour trouver Rosario mourant d'une hémorragie causée par la matrone accoucheuse. Un enfant est né que le « chulla » devra élever en renonçant à ses tricheries et à ses artifices d'opportuniste. Au milieu de la commisération sincère qui l'entoure lui apparaît plus clairement sa condition cruelle et ambiguë de « chulla », fruit ambivalent et complexe de deux races unies par une rencontre fortuite et contraint de vivre, comme beaucoup de ses semblables, dans l'ambiance chaotique d'une société encore en formation. Personnage typique de la sociologie et de la littérature équatoriennes, le « chulla » trouve dans ce roman noir et émouvant sa représentation définitive. – Trad. Albin Michel, 1992.

C. C.

HOMME DES CHAMPS (L') ou les Géorgiques françaises. Poème en quatre chants du poète français Jacques Delille (1738-1813), publié en 1800 et de nouveau, avec quelques remaniements, en 1805. Au sortir de la Terreur, en 1795, Delille a quitté Paris avec l'intention de publier sans délai un nouvel ouvrage – il n'a rien fait paraître depuis *Les Jardins* (*) en 1782. Les deux sommes de *L'Imagination* et des *Trois Règnes de la nature* n'étant pas prêtes (ces deux poèmes en huit chants chacun paraîtront respectivement en 1806 et en 1808), le poète sort de ses cartons un projet ancien, quitte à lui apporter les compléments nécessaires. Dès 1775, il travaillait à un poème original « sur les plaisirs de la vie champêtre » ou sur la nature champêtre divisé en trois parties : l'art de la chanter, l'art de l'orner, l'art d'en jouir. Chantier abandonné au profit des *Jardins* qui récupèrent au passage l'art d'orner ou d'embellir les paysages. Mais, des années durant, Delille récite en public une épître « sur la manière dont on doit peindre en vers la nature et les campagnes » (c'est l'art de la chanter), espèce de « poétique » du genre. Vers 1788, logeant au Collège de France où il côtoie des savants éminents, il versifie la description très remarquée d'un cabinet d'histoire naturelle, d'où naîtra l'idée des *Trois Règnes*. Enfin, réfugié dans les Vosges après 1795, il rédige le chant consacré à l'agriculture.

Ces divers éléments remaniés et réagencés sont devenus *L'Homme des champs*. Après bien des péripéties, l'ouvrage paraît simultanément à Strasbourg et à Bâle en 1800, mais non à Paris qui boude le poète traître à sa patrie. Ni le titre ni le sujet ne sont neufs : les célébrations du « bonheur rural » en vers ou en prose avaient pullulé sous le règne de Louis XVI. Les circonstances donnaient à la remémoration un parfum de nostalgie mais Delille, installé pour l'heure à Londres, pays ennemi, dut affronter en son absence l'épreuve du « vingt ans après ». Le plan finalement adopté recompose habilement la matière et fait se succéder en quatre chants le bonheur du sage à la campagne (c'est l'ancien « art d'en jouir »), l'agriculture, l'investigation scientifique, enfin la reproduction de la nature par l'art. On pourrait parler d'un didactisme intériorisé dans la mesure où chacune des étapes du parcours entretient un rapport intime avec l'homme-sujet qui construit son bonheur au prix d'une quadruple conquête de la nature, par la villégiature, le travail technique, l'étude savante, enfin par la création esthétique. Comme le dira l'auteur pour sa défense, « le sage, l'agriculteur, le naturaliste, le paysagiste sont les quatre divisions de ce poème », et la gradation elle-même est significative.

La « modernité du nouveau Virgile » (J. Ehrard) ne se situe pas tant du côté de l'« hymne à la gloire de l'*homo faber* » qu'on rencontre dans le second chant et dont les accents sont déjà périmés en 1800, que dans certain intimisme dont Delille a trouvé le secret au contact de ses modèles anglais : croquis et tableaux qui émaillent le premier chant, le pêcheur, le chasseur, les joueurs d'échecs (un chef-d'œuvre du genre) ; le curé de village, l'instituteur. Ou encore dans les fresques descriptives du troisième chant, le plus neuf et le plus admiré des connaisseurs, où Delille rivalise avec Buffon et Bernardin de Saint-Pierre en peignant les « grands phénomènes de la nature » : formation de la terre, alluvions, inondations, l'ouragan, le volcan, la mer et toute sa splendeur, les montagnes, les avalanches. Heureux débordements du sujet et du genre sur fond de conservatisme vieillot. Dans *L'Homme des champs* cohabitent les « beautés neuves » (Ginguené), les « conquêtes poétiques » (Fontanes) et les ornements défraîchis.

E. Gu.

HOMME, DE SES FACULTÉS INTELLECTUELLES ET DE SON ÉDUCATION (De l'). Œuvre posthume du philosophe français Claude Helvétius (1715-1771), publiée en 1772 et dédiée à Catherine II de Russie. Elle comprend dix sections, chaque section étant subdivisée en un nombre variable de chapitres. Le but que se propose l'auteur est le même que celui qu'il a poursuivi dans son œuvre précédente *De l'esprit* (*) : établir, par l'étude scientifique des faits individuels et sociaux, les lois nécessaires au bonheur des peuples. En effet, il apparaît que l'idée de bonheur est essentielle dans le système général de l'auteur ; c'est autour d'elle et par rapport à elle que s'organisent toute la pensée et les recherches du philosophe. Reprenant donc les idées précédemment exposées, pour les approfondir et parfois pour les corriger, Helvétius est amené à donner, ici, une importance particulière au problème religieux dans les rapports sociaux. Les obstacles à une bonne éducation de l'homme sont, à ses yeux : le gouvernement arbitraire, l'intérêt personnel des pouvoirs publics, l'ignorance. En prévoyant la transformation de la France en une République fédérale, avec pleine liberté d'esprit et d'activité, l'auteur ébauche en quelque sorte un catéchisme du citoyen, dans lequel le bien public fait figure de loi suprême ; tout un système bien ordonné de récompenses et de punitions l'accompagne. Le premier et le plus grand de tous les obstacles que dénonce Helvétius tient dans le fait que les intérêts du clergé se sont alliés à ceux de l'État, en vue de se maintenir au pouvoir, grâce à la « stupide crédulité des peuples ». D'ailleurs, toutes les religions existantes sont condamnables : elles mettent un frein à l'usage de la raison et favorisent l'asservissement des hommes. Le paganisme, lui, était moins néfaste : étant sans dogme, il était tolérant, tant il est vrai que « tout dogme est un germe de discorde et de crime jeté contre les hommes ». Quant au catholicisme, au « papisme » (pour employer l'expression de l'auteur), il est une forme inférieure et déchue des religions chrétiennes ; il n'a plus rien du christianisme de Jésus, et son ascétisme déforme la vie : en condamnant les passions, le catholicisme condamne à l'inaction. « Convaincus de l'utilité des passions, les anciens législateurs ne se proposaient point de les étouffer. Que trouver chez un peuple sans désir ? Sont-ce des commerçants – interroge Helvétius –, des capitaines, des soldats, des hommes de lettres, des ministres habiles ? » « Non, mais des moines », répond-il avec quelque mépris. Cependant, l'attaque dirigée contre le catholicisme l'est surtout contre sa morale, dans la mesure où elle est en constante et flagrante opposition avec le comportement réel et pratique de ses adeptes, à commencer par le plus grand d'entre eux. Partout, ce n'est qu'amour des richesses, fausseté et hypocrisie. Parlant des indulgences distribuées par la Curie romaine, et reprenant certains arguments qu'avaient fait valoir les partisans de la Réforme, Helvétius écrit, non sans indignation : « L'Église romaine ouvrit une banque entre le ciel et la terre, et fit, sous le nom d'indulgences, payer, argent comptant dans ce monde, des billets à ordre directement tirés sur le paradis. » Pour empêcher le catholicisme ou toute autre religion de nuire, Helvétius propose les mesures suivantes : séparer l'Église de l'État, à l'exemple de la Pennsylvanie ; favoriser la liberté des cultes (ou « diviser pour régner ») ; ou encore, solution plus radicale, réunir dans la même main le pouvoir spirituel et le pouvoir temporel, en faisant des prêtres de simples fonctionnaires d'État. Il rêve, en revanche, d'une religion universelle, fondée sur la véritable nature de l'homme et créée par le pouvoir législatif, dont le seul dogme serait : « La volonté d'un Dieu juste et bon, c'est que les fils de la terre soient heureux et qu'ils jouissent de tous les plaisirs compatibles avec le bien public », et l'unique précepte : Que les citoyens, « en cultivant leur raison », parviennent à la connaissance de « leurs devoirs envers la société [...] et de la meilleure législation possible ».

Prolongement et développement de son traité sur l'*Esprit, De l'homme et de ses facultés intellectuelles* se distingue de cet autre ouvrage par l'abondance de ses vues de détail, infiniment plus efficaces et opportunes. L'un et l'autre, cependant, renferment les mêmes paradoxes, témoignent de la même érudition, présupposent la même foi en l'homme et en ses capacités. Pour circonstanciées et importantes qu'elles soient, on ne pourrait réduire ce traité aux seules attaques contre l'Église et la religion qu'il contient : certes, la part critique et destructrice de ce livre, paru à une époque où rien n'était plus urgent que de tout remettre en question, ne saurait être minimisée ou faussement ramenée aux dimensions de notre époque, sans que la signification même de l'œuvre n'en soit déformée. Il suffira, pour replacer toute chose en son temps, de rappeler que l'ouvrage d'Helvétius fut mis à l'Index dès 1774, et poursuivi des foudres de toute la réaction rassemblée. Helvétius ne se propose pas seulement de démolir, mais entend aussi construire.

Partant d'une analyse concrète de la situation de l'homme, dans la nature ainsi que dans la société, il tire une toute première conclusion que voici : « L'homme est disciple de tous les objets qui l'environnent, de toutes les positions où le hasard le place, enfin de tous les accidents qui lui arrivent. » Systématique dans ses postulats, Helvétius prend bien garde de ne jamais perdre le contact avec le réel. Analyste perspicace, il se préoccupe de perfectionner cette « science de l'éducation », qui doit mettre l'homme sur le chemin du bonheur ; mais, dans le même temps, il a souci « de ne point resserrer les bornes de l'empire du hasard », autrement dit de la vie. Doué d'un sens aigu de la dialectique, il démontre que, « si l'homme naît sans autres besoins que ceux de la faim et de la soif », il change souvent, au cours de sa vie, « d'idées ou de passions », « sans changer pour autant d'organisation » ; et, s'appuyant sur ces vérités premières, il entreprend, à partir de la IXe section de son œuvre, de décrire l'homme plus particulièrement dans la société : l'humanité étant toujours – l'expérience le prouve – le « produit ou de la crainte ou de l'éducation ». Helvétius, en partisan des « lumières », choisit délibérément et sans retour cette « éducation qui peut tout », selon la célèbre formule ouvrant le chapitre I de la Xe section. Dans le plan de la pratique, on pourra faire remarquer que les mesures prises par la Révolution française envers l'Église, ainsi que l'idée d'une religion laïque qui pourrait devenir en quelque sorte une religion d'État, trouvent leur origine et leur première expression dans cette œuvre. Sur le plan proprement philosophique, on trouvera dans *De l'homme et de ses facultés intellectuelles* les germes de cette morale utilitaire dont Bentham sera le théoricien. Bentham devait d'ailleurs porter sur l'œuvre d'Helvétius le jugement suivant : « Ce que Bacon fit pour le monde physique, Helvétius le fit pour le monde moral. »

HOMME DÉTESTÉ (L') [Μισούμενος]. Comédie du poète grec Ménandre (342-290 ? av. J.-C.), de date inconnue. Thrasonidès, soldat professionnel, possède une jeune esclave, Krateia, dont il est profondément amoureux. Elle le déteste (peut-être pense-t-elle qu'il a tué son frère). Thrasonidès respecte ses sentiments. Survient à l'improviste le père de Krateia, Déméas. Thrasonidès demande en mariage la fille, mais elle refuse. (C'est un des rares cas où une jeune fille est appelée à se prononcer sur ce sujet.) Il la libère néanmoins et la rend à son père. Le malentendu initial (dont la nature exacte nous échappe) s'éclaire à la fin et le mariage peut avoir lieu. — Trad. italienne Istituto de Filologia, Gênes, 1985 ; trad. anglaise Penguin, 1987. I. L.

HOMME DÉTROMPÉ (L') ou le Criticon [*El criticón*]. Roman philosophique du jésuite espagnol Baltasar Gracián (1601-1658), divisé en trois parties dont chacune fut publiée séparément : la première en 1651 (où l'auteur cache son nom sous l'anagramme de García de Morlanès), la seconde en 1653 et la troisième en 1657. Subdivisées en courts chapitres, dont chacun se rapporte à une « crise » où s'accomplit un changement, ces trois parties correspondent aux trois âges de l'homme : le printemps, c'est-à-dire l'enfance et la jeunesse ; l'automne, ou la maturité ; l'hiver, ou la vieillesse, ses maux et ses infirmités. La fuite sans retour de la vie est symbolisée par les pérégrinations continuelles des deux héros du roman : l'un, Andrenius, représente l'Homme, âme qui ignore son origine divine et que son matérialisme empêche d'accéder à la lumière ; l'autre, Critile, incarne la raison naturelle qui, par instinct, recherche le bonheur : sorte de mouvement de la pensée qui va jusqu'à l'action en quoi elle se concrétise. C'est donc une raison pratique qui, dans l'ordre de l'action, règle et dirige la volonté selon des buts toujours nouveaux, dont les données sont fournies par l'expérience. Cette expérience, fondée sur la connaissance de toute chose, est à la base de l'activité mentale et de l'activité créatrice. L'allégorie dans ce roman repose exclusivement sur ces conceptions scolastiques, lesquelles sont ramenées alors à leur principe fondamental. Critile et Andrenius représentent un tout indissoluble : les jugements de l'un sont toujours examinés par rapport à la volonté de l'autre. Critile voyage de par le monde à la recherche de sa femme Felisinde qui lui a été ravie. Dans un naufrage sur les côtes de la petite île de Sainte-Hélène, il est sauvé par un jeune homme vivant à l'état de nature. Critile s'aperçoit qu'il ne sait même pas parler ; il n'a aucune peine à l'éduquer et lui donne le nom d'Andrenius. Tous deux vont ensuite en Espagne. Arrivé à Madrid, Andrenius se laisse prendre par les artifices d'une certaine Falsirène, mais Critile s'empresse de lui ouvrir les yeux sur le caractère, les ruses et la perfidie des femmes.

Le premier âge de l'homme, la jeunesse insouciante dominée par l'amour, s'achève. Nous voici parvenus à l'âge mûr qui rend les hommes actifs et réfléchis ; chacun est concentré sur lui-même et voue toute son énergie au songe qui l'attire. Les deux voyageurs, ayant quitté le pays de la jeunesse, gravissent la montagne qui se dresse à la frontière ; parvenus à son sommet, ils reçoivent l'hospitalité d'un certain Salastane (qui personnifie Vicencio Juan de Lastanosa, ami et protecteur de Gracián). Ils visitent sa bibliothèque. Ensuite ils se rendent en France, terre des arts et de la vie pratique. Ils y rencontrent la nymphe des beaux-arts et de la littérature, et Critile enseigne à son disciple l'art de juger avec objectivité. Puis ils visitent l'ermitage d'Hipocrinde (l'hypocrisie), pour passer enfin à l'arsenal de la valeur, à la cour d'Honoria, déesse de la renommée, et dans un asile d'aliénés où ils assisteront à une vision de toute l'humanité. Dans cette France symbolique, Critile a tout loisir d'user de sa dialectique : il apprend à Andrenius la façon de se comporter pour conquérir honneurs et réputation au milieu de la folie universelle.

Maintenant, les deux voyageurs sont parvenus au seuil de la vieillesse. Ils se dirigent vers Rome, la Ville éternelle, en passant par le palais de la Vieillesse et celui de l'« Embriaguez », où s'estompent les facultés inférieures de l'âme. Ils sont guidés par l'« Acertador » (la « Prudence »), le « Descifrador » (la finesse d'esprit) et le « Zahori » (la « Perspicacité »), qui les conduit dans un repaire d'aventuriers. Andrenius et tous ceux qui se trouvent en sa compagnie deviennent invisibles jusqu'à ce qu'ils soient illuminés par l'éclat de la désillusion. Sous cette forme symbolique, Gracián nous fait connaître la vraie vie de l'esprit : celle qui, du monde extérieur, se replie sur elle-même, parvenant ainsi à voir la vanité des choses et à retrouver le sens de l'éternel. Arrivés à Rome, Critile et Andrenius assistent à une séance de l'Académie ; puis, du haut de l'une des sept collines, ils contemplent la Roue du temps.

Comme dans *Le Héros* (*), Gracián fait de la raison pratique le support de sa construction didactique. Dans sa casuistique et ses considérations pratiques, Gracián s'est inspiré librement des auteurs classiques : Cicéron, Sénèque, Lucien, Marc Aurèle, Martial, et de *La Bible* (*). Mais ce qui lui est propre c'est sa manière d'exprimer les idées qu'il développe, les rendant évidentes par elles-mêmes. La pénétration d'esprit de Gracián fait de cet ouvrage un exemple éloquent du style baroque. — Trad. Stock, 1931.

HOMME DEVANT LA MORT (L'). Œuvre de l'historien français Philippe Ariès

(1914-1984), publiée en 1977. L'auteur propose une périodisation des attitudes européennes devant la mort depuis mille ans. Premier stade, la « mort apprivoisée », celle des chevaliers carolingiens, celle aussi des paysanneries traditionnelles. Mort consciente dont le malade ou le blessé a été averti par la Providence. L'« ars moriendi » consiste à se coucher, joindre les mains, demander pardon, recevoir l'absoute et remettre son âme à Dieu. Deuxième stade, la « mort de soi », qui témoigne de l'émersion de l'individu à partir du XIIe siècle. Face à l'ultime Justice, l'individu fait un bilan « comptable » de son existence. Dans le même temps, la tombe s'individualise, l'épitaphe réapparaît, et la mort apparaît comme une rupture scandaleuse tandis que l'artiste est fasciné par la décomposition cadavérique. C'est l'art qui donne sa meilleure expression à la troisième phase, celle de la « mort baroque » qui, au XVIIe siècle, accepte et met en scène le macabre mais rejette les réactions névrotiques ; elle ordonnance les funérailles qui, dans leur diversité, reflètent l'ordre social inégalitaire. À partir de 1780, c'est la quatrième phase, celle de la « mort de l'autre ». Le décès romantique, celui qu'on pleure, c'est non le sien mais celui de l'être aimé. Les tableaux de Greuze sont « pleins de larmes » et les cimetières se remplissent de tombeaux monumentaux. Ultime phase, la nôtre, la « mort inversée », avec le triomphe de la médicalisation ; celui du mensonge aussi, qui tait au mourant — arraché à sa famille par sa famille, pour une inutile hospitalisation — l'approche de l'heure dernière. C'est le temps de la « mort exclue », des funérailles discrètes et rapides, de l'indécence du deuil. Philippe Ariès développe ici, à sa façon un peu pointilliste — on est loin des froideurs statistiques de la démographie quantitative ! —, ce qu'il avait esquissé dans ses *Essais sur l'histoire de la mort en Occident* (1975) ; il use de sources littéraires de toutes sortes, sans négliger l'apport de l'archéologie et de l'iconographie. Comme le dit, justement, Emmanuel Le Roy Ladurie, « le film d'Ariès est une succession d'images culturelles ». Ouvrage pionnier, *L'Homme devant la mort* annonçait les gros travaux de Pierre Chaunu (*La Mort à Paris, XVIe, XVIIe et XVIIIe siècle*, 1978), de Robert Favre (*La Mort dans la littérature et la pensée françaises au siècle des Lumières*, 1978) et de Michel Vovelle (*La Mort et l'Occident de 1300 à nos jours*, 1983). Mais il se distingue d'eux par l'approche et le style, tout de finesse et de clarté, d'intuition et de chaleur humaine ; de nostalgique sympathie aussi. C.-O. C.

HOMME DEVENU CRIMINEL POUR AVOIR PERDU L'HONNEUR (L') [*Der Verbrecher aus verlorener Ehre*]. Nouvelle du poète et dramaturge allemand Johann Christoph Friedrich von Schiller (1759-1805), qui date de l'année 1786, et qui, avec le roman intitulé *Le Visionnaire* [*Der Geisterseher*, 1787-89], demeuré à l'état de fragment, constitue l'unique production en prose de réelle valeur qu'ait fournie ce poète. Après la période mouvementée où Schiller composa ses grands drames, l'impulsion à laquelle obéit l'auteur en écrivant cette nouvelle correspondait chez lui à un désir d'analyse objective, de psychologie exacte, à un souci de réalité humaine. Le sujet est une histoire vraie, celle d'un bandit célèbre, un certain Schwan, « l'aubergiste du Soleil », qui avait été jugé en 1760. Ce ne sont pas les faits qui intéressent Schiller, mais les mobiles. Il veut démontrer que les êtres malfaisants ne sont pas toujours tels de naissance, mais qu'ils le deviennent par le traitement qu'ils subissent de la part de la société. L'aubergiste du Soleil hérite, encore enfant, d'une misérable hôtellerie. Difforme, il est repoussé par les gens, privé de toute tendresse, et pour se faire aimer d'une jeune fille, Jeanne, il ne trouve pas d'autre moyen que de devenir braconnier. Son rival, Robert, qui est chasseur, le prend en flagrant délit et le fait emprisonner. Ayant expié sa faute, le malheureux revient dans son pays ; mais personne ne veut le reconnaître, personne ne veut lui donner de travail ; il ne trouve aucune chaleur humaine qui réponde à son immense désir d'amitié. Désespéré par le refus d'un enfant à qui il avait demandé l'aumône, il recommence à braconner, et cette récidive lui vaut la forteresse, où il se trouve en compagnie de larrons de la plus basse espèce qui l'entraînent dans leur déchéance. Une fois sorti de la forteresse, il tue Robert pour se venger et devient le chef d'une bande de brigands. Au moment où se déclenche la guerre de Sept Ans, il espère échapper à sa condition, et s'engager comme soldat, mais ses démarches pressantes auprès des chefs demeurent sans résultats. Arrêté peu après comme suspect, il est traité avec beaucoup d'humanité par l'autorité du district, si bien qu'il en éprouve de l'attendrissement, du remords, et qu'il se livre spontanément à la justice. Il conte lui-même son histoire au prêtre qui l'assiste avant son exécution. Le problème proposé présente une certaine analogie avec celui de l'histoire de *Michel Kohlhaas* (*) de Kleist, encore que la manière de traiter la question soit différente : alors que Kleist met l'accent sur le caractère épique de l'histoire, Schiller insiste sur le côté psychologique. Il n'en tire pas moins des effets d'une grande sobriété qui emportent l'adhésion du lecteur. — Trad. Hachette, 1861.

HOMME D'OR (L') [*El hombre de oro*]. Roman de l'écrivain vénézuélien Rufino Blanco-Fombona (1874-1944). L'auteur commença de l'écrire en 1913, dans la petite station balnéaire bretonne de Pornichet et le termina à Madrid dans l'hiver de 1914 à 1915. Dans *La Lampe d'Aladin*, il écrit, au sujet de ce livre :

« C'est, peut-être, mon meilleur ouvrage. Quant au sujet, c'est une peinture à laquelle devront se référer ceux qui voudront étudier les mœurs politiques et sociales du Venezuela à l'époque du dictateur Castro. » Nous y voyons une famille espagnole, établie au Venezuela depuis le XVIIIe siècle et qui, ruinée, doit abandonner la vieille demeure seigneuriale. Elle est composée de trois sœurs, les demoiselles Agualonga, les « trois mères » de leur nièce orpheline, Olga Emmerich, fille d'un Allemand mort très jeune, et qui, trop gâtée, se laissera entraîner par son égoïsme et sacrifiera l'honneur de sa famille et sa famille elle-même, à son appétit de jouissance personnelle. Quant à l'« homme d'or », c'est le type même de ces hommes d'affaires sans scrupules, dont la littérature offre déjà tant d'exemples, mais qui est décrit ici avec une vigueur exceptionnelle. Camilo Irurtia, l'employé de magasin, s'élève à force d'intrigues et de compromissions, de spéculations et d'opérations malhonnêtes, jusqu'au poste de ministre des Finances et d'homme de confiance du président de la République. Ce dernier, le dictateur Castro, est lui-même décrit avec cette verve vengeresse qui animait la plume de Blanco-Fombona. D'autres personnages secondaires sont encore traités de main de maître, comme le guérisseur Cirilo Matamores, le général Chicharra et Tomasa, la vieille servante de l'« homme d'or ».

HOMME DU DESTIN (L') [*The Man of Destiny*]. Comédie de l'écrivain irlandais George Bernard Shaw (1856-1950), représentée en 1896 et publiée deux ans après. L'action, qui n'a aucune base historique, se passe à Tavazzano, où l'auteur imagine que Napoléon Bonaparte, vainqueur à la bataille de Lodi, s'est arrêté, alors qu'il se dirige sur Milan. Une dame, d'origine anglo-irlandaise, déguisée en cavalier, a dérobé un paquet de lettres adressées au jeune général ; elle l'a fait pour empêcher que celui-ci ne lise l'une d'entre elles, qui compromet Joséphine dont elle est l'amie. Bonaparte découvre le vol et se fait remettre les papiers. L'intrigue tient davantage de la farce que du drame historique. Cependant l'intérêt de la comédie réside dans les deux caractères : Napoléon, chez qui mûrit déjà une ambition héroïque, mais égoïste, et la dame capable d'employer des expédients pour arriver à ses fins, sans idées préconçues, mais au cœur noble. Ce que l'auteur, Irlandais, fait dire à Bonaparte sur le caractère et la politique britanniques ne manque pas de profondeur : « Aucun Anglais n'est assez de la populace pour ne pas avoir de scrupules. Aucun Anglais n'est assez de l'aristocratie pour être libéré de la tyrannie. Mais chaque Anglais naît avec un certain pouvoir miraculeux qui le rend maître du monde. Quand il désire une chose, jamais il ne s'avoue qu'il la désire. Patiemment, il attend que pénètre dans son esprit — nul ne sait comment — l'intense conviction que son devoir moral et religieux l'oblige à conquérir ceux qui possèdent l'objet de son désir. Alors, il devient irrésistible [...] Quand il a besoin d'un nouveau marché pour écouler ses marchandises frelatées de Manchester, il envoie un missionnaire enseigner aux indigènes l'évangile de la paix. Les indigènes tuent le missionnaire. L'Anglais vole aux armes pour défendre la chrétienté. Il se bat pour elle, conquiert pour elle et, en guise de divine récompense, il s'empare du marché [...] Tout ce qu'il accomplit, il l'accomplit par principe. Par principe patriotique, il vole au combat. Par principe d'affaires, il vous vole. Par principe impérialiste, il vous réduit en esclavage. Par principe de loyalisme, il soutient son roi, et par principe républicain, il coupe la tête à son roi. Son mot d'ordre est toujours le Devoir, mais jamais il n'oublie qu'elle est perdue, la Nation qui laisse son devoir passer du côté opposé à ses intérêts, à lui... » Cette comédie n'est qu'une bagatelle (« trifle », dit l'auteur, lui-même), mais elle est agréable et pleine de verve. — Trad. Lévy, 1926 ; L'Arche, 1974.

HOMME DU MIDI ET L'HOMME DU NORD (L') ou l'Influence du climat. Œuvre de l'écrivain suisse Charles-Victor de Bonstetten (1745-1832), publiée en 1824. L'auteur tire de son expérience de diplomate et de voyageur des observations d'ordre général sur les relations entre les climats et les activités humaines. Déjà Montesquieu avait formulé le principe de l'influence directe du climat sur les hommes ; il était nécessaire, en limitant cette affirmation, de souligner l'importance de l'influence indirecte qu'ont en particulier l'aspect du pays, la production agricole, et tout ce qui détermine la vie privée des hommes. Bonstetten met en parallèle le mode de vie de l'homme du Midi et de l'homme du Nord : le premier préfère la campagne et la libre nature, le second sa maison et le recueillement. C'est pourquoi, alors que le Méridional est instinctif, passionné, violent, vindicatif, amoureux de la musique et de la danse, le Nordique, au contraire, aime la méditation, la liberté politique sanctionnée par la loi, la réflexion, l'imagination ; il s'intéresse aux problèmes religieux ; il pratique l'épargne à cause du caractère précaire de la production. Pour ces raisons, dans le Nord, les relations, les contacts entre les hommes, la lecture, les discussions sur les problèmes moraux ont pris plus d'essor ; le sens de l'amitié y est plus vif, et remarquable la fidélité en amour. Il y a une différence essentielle entre l'éducation et la civilisation nordiques plus lentes et plus sûres dans le Nord, et celles du Midi, brillantes, mais plus portées à la facilité et à la légèreté. L'œuvre, même si elle semble se placer au point de vue d'une Restauration éclairée — et ceci est manifeste dans le chapitre final, « Ce que nous avons été et ce que nous sommes, ou l'an 1789 et 1824 » – s'inspire cependant des exigences politiques les plus marquantes du XIXe siècle.

HOMME DU MONDE (L') [*El hombre de mundo*]. Comédie en quatre actes et en vers de l'écrivain espagnol Ventura de la Vega (1807-1865), représentée en 1845. Luis, un homme du monde, s'est rangé en épousant Clara, une jeune fille de bonne famille, et il vit heureux avec elle. Mais voici que vient lui rendre visite, au retour d'un long voyage, Juan, un célibataire endurci, qui a été son compagnon au temps de ses fredaines. Ils ont joué ensemble d'innombrables farces et ils se rappellent avec plaisir leurs anciennes aventures. Entre autres farces, ils évoquent celle qu'ils jouèrent à une dame qui avait invité chez elle son amant – Luis précisément – et l'avait présenté à son mari... Révélation soudaine ! Car, le récit de ces souvenirs déclenche dans l'esprit de Clara et de Luis un étrange soupçon réciproque : Clara, en effet, a demandé à son mari de lui présenter Antonino, un garçon qui, assure-t-elle, courtise sa sœur, Émilia. Ainsi, les deux jeunes gens auront l'occasion de mieux se connaître. Luis, l'homme du monde, perd la tête et croit que Clara et Antonino sont de connivence, d'autant plus qu'Émilia refuse d'admettre que c'est pour elle que le jeune homme vient à la maison. De son côté Clara, en constatant le trouble de son mari, pense qu'il doit avoir une maîtresse et Juan, qui est amoureux de Clara et qui voudrait la séduire, attise ses soupçons. Luis cherche à faire parler le domestique Raymond, mais avec tant de détours et de dissimulations que celui-ci comprend mal et croit que son patron, redevenu libertin, est amoureux de sa belle-sœur. Après quoi, les équivoques s'accumulent et se mêlent les unes aux autres.

Cet imbroglio se dénouera, d'ailleurs, le mieux du monde. Comédie d'intrigue dans la plus pure tradition du théâtre espagnol. C'est sans aucun doute le chef-d'œuvre de l'auteur : d'un bout à l'autre le dialogue est plein de verve. On peut se ranger au jugement de Menéndez y Pelayo : « C'est une comédie qui a le tort d'être trop bien faite. »

HOMME DU NÉANT (L') [*Hitler in uns selbst*]. Œuvre du philosophe suisse d'expression allemande Max Picard (1888-1965), publiée en 1945. Homme du néant, Hitler fut pour ainsi dire appelé par une société qui vivait dans l'instant et où tout était sans continuité – société qui a besoin de l'impression forte pour se rappeler qu'elle existe. Dès lors un tel monde ne peut que recevoir une unité factice, celle qui naît du commandement et du cri. Cette apparence d'ordre, qui dispense l'homme de penser, ce cri qui l'arrache au néant intérieur, c'est cela que l'Allemagne trouva en Hitler. Le monde de la discontinuité, c'est évidemment celui de l'illustré, du cinéma ou de la T.S.F., mais c'est aussi, à des degrés divers, le monde tout entier où nous vivons, celui que nous sommes. La vérité, elle-même, y devient une poussière d'hypothèses, un hasard, puisqu'elle n'est plus fondée dans l'esprit. C'est le monde, pathétique ou disloqué, de la pensée ou de l'art contemporains. Ce qui manquait à l'Allemagne et ce que nous sommes sur le point de perdre, c'est l'esprit au sens grave du mot, seul principe de cohérence et de continuité. Dans un tel monde, « où l'homme est dominé par le physique, aucune doctrine, aucune éducation n'est en mesure de le transformer ; il ne gravite qu'autour d'un centre tout extérieur, qui se fixe là où l'on crie le plus fort ». D'autre part, « une transformation de l'homme n'est possible que là où il est en mesure de faire persister durablement sa transformation, là où quelque chose peut durer ». La conclusion du livre est qu'il ne suffit pas de supprimer le dictateur pour obtenir la guérison. Le véritable remède est le christianisme, « monde de la durée et de la continuité », et qui peut rendre à l'homme sa cohérence et son équilibre. *L'Homme du néant* apporte sur notre époque des vues pénétrantes. C'est l'œuvre d'un esprit fin, incisif, ouvert. La forme en est vive ; elle s'arrête aux frontières de la poésie. – Trad. Éditions de la Baconnière, 1948.

HOMME DU RESSENTIMENT (L') [*Das Ressentiment im Aufbau der Moralen*]. Cet écrit, extrait du grand ouvrage de Max Scheler (1874-1928) intitulé *Le Renversement des valeurs* (*) (t. I, 1923), est la principale œuvre du philosophe allemand, avec *Nature et formes de la sympathie* (*). Scheler examine ici, selon la pure méthode de description phénoménologique, un phénomène psychique entrevu par Nietzsche, le ressentiment. À l'origine, le ressentiment est toujours l'expression de quelque sentiment d'impuissance, né de l'échec du sujet à assumer selon les formes de sa personnalité telle ou telle valeur morale. Le sujet affecté en arrive alors, pour libérer sa vie intérieure, à nier la valeur qu'il n'a pu réaliser. Mensonge, sans doute, mais « ce qui chez l'homme lucide est le résultat d'une tromperie consciente est, ici, le seul effet de l'automatisme tendancieux de toute son activité psychologique ». Par cette mutation, l'homme du ressentiment parvient à se délivrer de l'obsédante expérience de l'impuissance. Le désir de la valeur autrefois convoitée disparaissant, disparaît du même coup le sentiment de la résistance qui nous empêchait de l'atteindre : le sentiment de puissance individuelle augmente d'autant. Puissance tout illusoire ; si l'homme du ressentiment s'attache à des valeurs nouvelles, ce n'est jamais pour leur contenu positif, mais dans la mesure où elles lui permettent d'amoindrir l'ancienne valeur qu'il n'a pu atteindre. L'origine du ressentiment est le plus souvent personnelle ; mais il est également possible d'envisager une sorte de ressentiment collectif. C'est Nietzsche qui a le premier attiré l'attention des philosophes sur le phénomène du ressentiment ; ce phénomène est même la clef de son explication du christianisme, dans la *Généalogie de la morale* (*) en particulier. Comme on l'a fait souvent, Scheler reproche d'abord à Nietzsche d'avoir vu dans le christianisme une morale, ce qui l'a empêché de comprendre le fait essentiel, purement religieux. Le centre du christianisme, c'est en effet l'amour. Nietzsche n'y voit qu'un masque de la volonté de puissance des faibles, qui souhaitent de prendre une revanche sur les forts. Mais Nietzsche, nourri d'hellénisme, a confondu l'amour chrétien et l'amour païen alors que, selon Scheler, leurs directions sont radicalement inverses. Pour les Grecs, l'amour est une montée dialectique, de l'inférieur vers le supérieur ; l'imparfait tend vers le parfait, l'indéfini vers le fini et l'infini, l'apparence, vers l'essence. Nulle part ce caractère n'est mieux visible que chez Platon. Et c'est bien en effet la tendance la plus naturelle du monde ; mais, pour n'avoir connu qu'elle, les Grecs ont été amenés à supposer que l'homme seul est capable d'aimer. Dès le début, le christianisme opère un radical renversement des valeurs ; l'amour prêché par le Christ est d'abord une grâce, c'est-à-dire un don gratuit, un épanchement descendant, une compassion du Créateur pour la créature, et, plus particulièrement au point de vue moral, des supérieurs vers les inférieurs, du riche vers le pauvre, de l'être sain vers le malade. L'amour, ici, est donc essentiellement un « acte spirituel », l'expression de la surabondance du bien ; l'amour, dans le christianisme, n'est pas un moyen, mais une fin ; c'est la norme de toute valeur. Sans doute chez les individus se maintient-il rarement à ce niveau, et Scheler n'oublie pas que l'amour chrétien peut facilement dégénérer en phénomène de ressentiment ; ainsi toute ascèse ne serait qu'une justification de l'impuissance à vivre la vie de ce monde. Scheler, dans une polémique très vive, montre l'incompatibilité radicale qui existe entre le christianisme et l'humanitarisme moderne, ce christianisme sans transcendance, né de la morale bourgeoise, et qui, oubliant le mouvement essentiellement descendant de l'amour, ne peut que tomber dans le ressentiment. Cette conception peut sembler séparer par trop l'ordre de la nature et l'ordre de la grâce. Mais son exposé, outre sa valeur purement psychologique, a celle d'une interprétation sociologique. En montrant la divergence radicale de la véritable mystique chrétienne et de cette mystique humanitariste, Scheler ouvre un débat décisif qui met en question toutes les synthèses de politique chrétienne esquissées au cours de ces dernières années. – Trad. Gallimard, 1933.

HOMME ÉTERNEL (L') [*On the Creature Called Man*]. Œuvre de l'écrivain anglais Gilbert Keith Chesterton (1874-1936), publiée en 1925. Les textes de Chesterton, traduits sous ce titre, ne sont que la première partie d'un grand essai de polémique religieuse, *The Everlasting Man,* dont la seconde partie, la plus importante, a été publiée plus tard en français sous le titre *L'Homme qu'on appelle le Christ* (*). Il s'agissait ainsi d'une vaste synthèse, « abrégé de l'histoire humaine », roman de l'humanité, partagé en deux grands épisodes, l'homme exilé d'avant le Christ [*On the Creature Called man*] et l'homme réconcilié, accompli [*On the Man Called Christ*]. Le dessein de Chesterton, de même qu'il sera, dans la deuxième partie de l'œuvre, de nous faire prendre conscience de la nouveauté radicale du Christ et de l'Église par rapport aux autres religions, est ici de nous faire retrouver le sens de l'étrangeté radicale de la créature humaine. Aussi, avec un humour acerbe, Chesterton s'oppose-t-il à toutes les théories évolutionnistes sur l'origine de l'homme. Aussi loin que nous puissions remonter dans l'histoire de l'homme, il nous apparaît en pleine possession de sa nature. L'« homme des cavernes », transition incertaine entre l'animal et la créature raisonnable, est un mythe : l'homme des cavernes dessine et peint sur les murs. « Il faudrait, dit Chesterton, aller bien plus loin pour trouver une caverne où un homme eût été sculpté par un renne. » L'apparition de l'homme est un événement absolu dans la chaîne des créatures : avec lui apparaît un être qui est capable de percevoir et de représenter le monde, « la nouveauté inouïe d'un esprit qui est à la fois un miroir ». Ainsi la filiation propre de l'homme se découvre : il est vraiment la création directe de Dieu, à son image, puisqu'il est un monde en puissance, puisque, par la connaissance, il peut être tout, véritable microcosme.

L'homme est créature de Dieu, à son image et il se souvient de lui. C'est ce souvenir que Chesterton découvre dans toute l'Antiquité. Non pas présence de Dieu, mais présence de son absence. On ne pourrait définir la sensibilité religieuse du monde ancien que par l'image terrible de l'*Ancien Testament* d'un Dieu qui ne présente à l'homme que son dos, comme s'il se refusait à voir les hommes... Image d'une infinie tristesse, exprimée dans les légendes de l'« Âge d'or », ches les Grecs, dans l'inquiétude des anciens poèmes et aussi dans ce sens de la soumission dernière des dieux à un impénétrable Destin, qui figure ce Dieu dont l'humanité a perdu les voies... Déjà le monde ancien avait découvert les deux grands aspects humains de Dieu : solitude, impénétrabilité divines chez les Juifs et les philosophes. Mais aussi Dieu figuré, humanisé, localisé des légendes mythologiques. Ces deux voies parallèles de la raison et de l'imagination, de la mythologie et de la philosophie, ne purent jamais se rejoindre dans le monde antique... Dieu seul pouvait joindre ce qui était ainsi séparé : aussi le christianisme n'est-il point une religion comme une de celles que connut l'Antiquité : lui seul put unir la philosophie (la pensée) et la mythologie (la poésie). — Trad. Le Roseau d'or, 1927 ; Dominique Martin Morin, 1984.

HOMME ET LA COQUILLE (L'). Essai de l'écrivain français Paul Valéry (1871-1945), publié en 1937 aux éditions de la *N.R.F.* avec des dessins d'Henri Mondor. Variété d'intelligence préoccupée d'elle-même et soucieuse de célébrer « les merveilles et les émotions de l'intellect », Valéry s'attarde ici, avec une subtilité brillante, à l'examen d'une coquille ramassée dans le sable. La considération de cet objet qui semble fabriqué est une occasion, pour l'auteur, dans sa recherche nostalgique et constante d'une loi fondamentale de la fabrication artistique, de comparer la création de l'homme à celle de la nature productrice. L'explication qu'il se donne de ce coquillage le conduit d'abord à lui substituer des descriptions géométriques : développement des thèmes combinés de l'hélice et de la spire dont nous pouvons imiter le mouvement en faisant un cornet de papier, en engendrant « un cône où le bord du papier marque une rampe qui s'élève vers la pointe et s'y termine après quelques tours » ; en augmentant ou réduisant le pas de l'hélice, on obtient toutes les variétés de formes des coquillages, de l'inscription dans un cône à la disposition en ressort de montre, sans préjudice des variétés accidentelles supplémentaires qui « enrichissent, sans l'altérer, le motif fondamental de l'hélice spiralée ». Le géomètre isole trois observations : 1) C'est une figure descriptible à l'aide de notions très simples ; 2) Le cône, l'hélice, la spirale vont à l'infini, tandis que l'allure des formes des coquillages a des changements brusques ; 3) La spirale généralement s'écarte du sommet en procédant de gauche à droite. Viennent ensuite les questions volontairement naïves du philosophe : qui l'a faite ? En effet, expliquer est une manière de faire. Or la coquille est un tout, dans la dépendance duquel parties et aspects sont mystérieusement unis. Toute tentative de faire cette coquille nous contraint d'isoler, dans le climat de liberté qui précède nos actes de fabrication, un certain nombre de notions : matière, forme, grandeur. Ce que nous faisons généralement doit pouvoir être fait de plusieurs manières et par une série d'actes distincts. Ce que nous ne faisons que d'une seule manière (marcher, respirer, se souvenir) nous fuit, nous ne le comprenons pas. Face aux nécessités de la fabrication, cette « liberté diminue, se renonce pour un temps » seulement, car nos « fabrications voulues semblent très étrangères à notre activité organique profonde ». À ce moment de notre explication, il n'est pas possible de distinguer la part de l'homme de celle de la nature, dans la production de cet objet qui n'est l'œuvre ni de l'homme, ni de la machine, ni du hasard. Et l'idée d'utilité ne nous sert de rien. Quelle est l'utilité de l'art ? La différence est dans le fait que la coquille, « fantaisie que le mollusque répète indéfiniment, est « chose vécue et non faite ». Certes, nous connaissons le processus qu'emprunte la nature. Mais ce que ne traduit pas l'analyse microscopique, c'est, à travers son inconcevable dimension temporelle, l'aspect totalitaire de ce processus qui « compose indistinctement et indivisiblement les constituants que la forme de l'acte humain » nous oblige à considérer séparément (forces, temps, matière, liaisons). La vie se fait une relativité généralisée, développant simultanément sa géométrie et sa physique. Ce mollusque a renoncé depuis longtemps aux idoles postulatoires d'Euclide, alors que, « tout intérieur et revissé dans son étui de nacre », il pourrait prendre « son arc de spire pour sa droite, comme nous prenons pour la nôtre notre petit arc de méridien ». Et comment ne pas voir le difficile problème qui se pose à lui pour ajuster l'expérience de sa vie privée de formateur de coquille à celle de sa vie mondaine quand, sorti de son monde de constructeur, il s'aventure pour puiser dans les ressources extérieures « l'énergie et le minéral dont il construira ce qui dure ». Notre philosophie est un effort pour absorber la différence qui sépare le monde des corps de celui des esprits, comme, dans un ordre plus immédiat, s'unissent par l'usage et l'habitude, parmi les variétés de nos sens, le monde de l'ouïe et celui de la vue, dont nous avons oublié l'incohérence fondamentale. À la pointe de cette dissertation, Valéry, scrupuleux observateur, constate sans tristesse l'impuissance de notre esprit à saisir le fond de l'être. L'esprit peut être humilié par cette zone d'ombre qui l'assaille aussitôt qu'il veut pénétrer dans les choses ; mais aussi trouve-t-il là une satisfaction secrète. S'il ne peut rien connaître de l'être, n'est-il pas ainsi délivré de la crainte du démenti que l'être lui pourrait apporter ?

HOMME ET LA MATIÈRE (L'). Œuvre de l'ethnologue et préhistorien français André Leroi-Gourhan (1911-1986). La première partie, *Évolution et Techniques,* parut en 1943, et la seconde, *Milieu et Techniques,* en 1945. André Leroi-Gourhan est le fondateur du principal courant actuel de la technologie culturelle. Partant de l'idée que ce qui distingue l'homme des autres animaux est son aptitude à dominer et à manipuler tout ce qui l'entoure, il note que la première grande invention de l'homme a consisté à allier à la précision d'une percussion posée (le couteau qui taille finement) la force d'une percussion lancée (la hache qui fend un gros billot) pour obtenir une percussion posée avec percuteur (le ciseau et le maillet du sculpteur). Il classe les techniques de fabrication selon la nature de la matière à travailler : solides, stables, fibreux, semi-plastiques, plastiques, souples, fluides. Les comportements techniques rendus possibles par les percussions et les techniques de fabrication mènent aux techniques d'acquisition et de consommation.

La chaîne opératoire d'une part, la notion de tendance et de fait d'autre part guident son analyse des moyens, des procédés et des objets ; elles éclairent aussi sa réflexion sur des notions telles que milieu ethnique, style ethnique, devenir humain. D'où un classement des objets à la fois morphologique et dynamique, historique et géographique. Les fondements en sont ceux-là mêmes qui président à l'établissement de taxinomies. L'exemple classique est celui du propulseur où la tendance à vouloir augmenter la force de jet trouve son expression concrète dans des degrés de faits que l'observation peut hiérarchiser. Au travers des divers milieux, naturel, technique et social, des différences subtiles permettent de définir le style caractérisant un groupe social. D. P.

HOMME ET LA POUPÉE (L') [*The Captain's Doll*]. Nouvelle de l'écrivain anglais David Herbert Lawrence (1885-1930), publiée en 1923. Après la guerre de 1914, deux jeunes femmes réfugiées en Allemagne, la comtesse Hannele et la baronne Mitchka, partagent un studio. Hannele fabrique des poupées pour gagner sa vie. Son chef-d'œuvre est une effigie de son amant, le capitaine Hepburn, officier britannique d'origine écossaise. Le capitaine est un homme énigmatique, rêveur, passionné d'astrologie. Sa femme, une petite bourgeoise sentimentale et assez ridicule, soupçonnant qu'il a une liaison, vient le voir. Elle se rend à l'atelier de Hannele et veut acheter la poupée. Elle imagine que la maîtresse de son mari est Mitchka. Dans les jours qui suivent, elle se tue accidentellement en tombant par une fenêtre de son hôtel. À demi soulagé mais perturbé, Hepburn retourne en Angleterre. Il écrit à Hannele. Ne recevant pas de réponse, il part à Munich pour la rechercher, apprend que Mitchka a été tuée dans une émeute et que Hannele est en Autriche. Hepburn se rend au Tyrol. Il y achète une nature morte où figure très ironiquement la poupée que Hannele a faite de lui. Cependant, Hannele s'est fiancée au gouverneur de la ville où elle est venue s'installer. Hepburn la retrouve. S'ensuivent des querelles à propos de ce que chacun exige de l'autre. Hepburn veut être adoré, Hannele résiste et souhaite une relation égalitaire. Ils font tous deux une promenade en montagne, ascension qui devient pour Hepburn une « bataille mystique » pour surmonter l'angoisse que lui cause cette énorme masse de terre glacée qui ressemble à un corps de femme. De retour à la ville, Hepburn propose à Hannele de l'épouser mais sur une base autre que celle de l'amour. Il lui reproche de l'avoir transformé en poupée et veut désormais être honoré et obéi. Hannele accepte de l'épouser et de le suivre en Afrique mais ne promet rien de plus. Ainsi se termine de manière assez ironique ce plaidoyer contre l'amour romantique. On y trouve matière à réflexion sur l'attitude de Lawrence vis-à-vis de l'émancipation de la femme et de ce qu'il appelle la « guerre des sexes », ainsi que de magnifiques descriptions des Alpes tyroliennes où l'auteur avait lui-même séjourné en 1921. — Trad. Gallimard, 1982. Ce recueil contient également *La Coccinelle* et des nouvelles plus courtes republiées dans *Les Nouvelles Complètes*, Garnier, 1986-88. G. Roy.

HOMME ET LE MONDE (L') [*Mensch und Welt*]. Essai anthropologique du philosophe allemand Théodor Litt (1880-1962), publié en 1961. Philosophe et pédagogue, Litt, dans de nombreux ouvrages, a traité particulièrement de la relation qui existe entre la formation de l'homme en tant qu'être solitaire, sensible et cultivé, d'une part, et l'influence sur lui de la science, de la technique et du monde extérieur ainsi que la société de l'autre. D'où une série d'ouvrages dont les principaux sont *L'Individu et la Communauté* [*Individuum und Gemeinschaft,* 1926] et *La Mission culturelle de l'université allemande* [*Der Bildungsauftrag der deutschen Hochschule,* 1952]. Dans *L'Homme et le Monde,* l'auteur développe au premier chapitre l'aspect de l'existence humaine qui semble se suffire à soi-même, puis dans les chapitres II à V il montre que l'homme est exposé aux tentations de glisser et de se tromper sur lui-même au moment où il entre en contact avec les autres hommes et avec la nature. C'est ici que se pose le problème de l'ambiguïté de l'homme. Le résultat de cette confrontation est pour Litt la victoire de l'action libératrice de l'esprit combattant de l'homme, dont le monde extra-humain a besoin pour exister. Ensuite, l'auteur montre de quelle manière l'esprit s'ouvre à la connaissance de soi-même et découvre ainsi sa mission au sein de l'univers. Litt conclut que, quelle que soit l'ambiguïté humaine, la victoire dans cette lutte intérieure appartient nécessairement aux éléments positifs, car l'homme est essentiellement défenseur de l'esprit et porteur de liberté dans le monde. Il ne faut toutefois pas négliger les erreurs qu'il doit commettre en se servant de ce privilège. Il faut voir l'une et l'autre face du problème pour vraiment comprendre la situation et la condition humaines. D'autre part, on ne peut attribuer à un être le privilège de l'esprit et la dignité de la liberté sans le voir immédiatement élevé à une hauteur et une perfection divines. D'autre part, l'erreur de l'esprit n'est pas un déraillement éphémère, mais un facteur essentiel et indispensable ; et ainsi n'est-il plus possible de nier l'esprit en faveur du Fini ou le Fini en faveur de l'esprit.

Dans *Penser et Être* [*Denken und Sein*, 1948], Litt complète ce point de vue sur l'homme, en traitant de l'essence des sciences et des rapports qui existent entre elles dans la lutte qu'elles mènent ensemble pour aboutir à l'accomplissement de l'homme.

HOMME ET LE RÊVE (L') [*Mies ja Haave*]. Roman de l'écrivain finlandais de langue finnoise Mika Waltari (1908-1979), publié en 1933. C'est le premier tome d'une trilogie qui décrit la vie à Helsinki d'un grand-père, de son fils et de son petit-fils, lequel serait un double de l'auteur. Vers 1870, l'aïeul, Élias, encore adolescent, est venu de la campagne gagner sa vie dans la capitale, qui s'agrandit et est en pleine évolution. Il est arrivé un matin de printemps, après avoir quitté la ferme paternelle où il a passé sa dernière nuit assis sur l'escalier de la maison, près de sa mère qu'angoissait cette séparation. Ce premier chapitre est un des plus émouvant qu'ait écrit Waltari. Mais Élias a les yeux tournés vers l'avenir. Apprenti maçon, il apporte à son métier toute l'ardeur du jeune paysan qui s'est promis d'être sobre et de faire honneur à sa race, car il est fier d'être finnois dans cette ville encore de langue et de culture suédoises. Aussi, pendant que ses camarades s'amusent et boivent, Élias visite Helsinki, fréquente les bibliothèques et, à mesure qu'il s'instruit, bien des questions se posent à lui qui l'éloignent de l'Église. Il se sent souvent découragé et lui aussi prend alors plaisir à boire. Après son mariage avec une femme qui pense seulement à le convertir, sa vie précaire, car les jours de chômage sont nombreux, ne sera qu'une longue lutte entre sa passion pour l'alcool et son désir de s'instruire. Mais comprenant bientôt qu'il n'arrivera lui-même à rien, il reporte sur ses fils ses rêves d'avenir. Et pendant que les enfants font de brillantes études, usé avant l'âge par l'alcool et les privations, il tombe dans une profonde apathie. Dans les deux volumes suivants : *L'Âme et la Flamme* [*Sielu ja liekki*] et *Jeunesse ardente* [*Palava nuoruus*], le fils et le petit-fils d'Élias le maçon acquièrent cette culture dont leur père avait tant rêvé. La vie pathétique d'Élias et celle, moins idéaliste, des quelques ouvriers qui l'entourent, le cadre et l'époque où elle se déroule : Helsinki qui se renouvelle au moment où les Finnois prennent de plus en plus conscience du rôle qu'ils doivent jouer dans leur propre pays et de l'importance de leur langue, donnent à ce roman tout l'intérêt d'un document à la fois psychologique et historique.

HOMME ET LE SACRÉ (L'). Essai de l'écrivain français Roger Caillois (1913-1978). La première édition de cet ouvrage date de 1939, il sera ensuite réédité avec des essais nouveaux en 1949. Ces recherches sont parallèles à celles que l'auteur entreprit sur le mythe, *Le Mythe et l'Homme* (1938), et seront ultérieurement complétées par ses travaux sur le jeu, *Les Jeux et les Hommes* (*) (1958). Caillois avait été, avec Georges Bataille et Michel Leiris, le cofondateur du Collège de sociologie (1937-1939) où la question du sacré était au centre des débats. Marcel Mauss et Georges Dumézil sont les véritables inspirateurs de travaux qui témoigneront de leurs apports. Le sacré sera abordé non pas tant à partir d'une psychologie des sentiments, comme chez Rudolph Otto, que d'une sociologie qui sera chargée d'en exposer les motifs. Sous la multiplicité des apparences, l'auteur cherchera à dégager ce qui fait l'unité du phénomène. « Ne pouvant aborder l'étude de l'inépuisabilité "morphologique" du sacré, j'ai dû tenter d'en écrire la "syntaxe" ». Syntaxe souvent binaire qui traduit le sacré en son « ambiguïté » ou son ambivalence : par nature le sacré s'oppose au profane et son émergence au sein de toutes les sociétés implique la discrimination d'un principe d'ordre non entièrement résorbable dans ce qu'il a fondé. À la charnière de la nature et de la culture (et des glissements et passages de l'un à l'autre), l'instauration du sacré (que ce soit un lieu, un objet, une caste d'hommes...) cherche à fonder un ordre en établissant ou consacrant des divisions. C'est au repérage de ces divisions et de ce qui les fonde, de leur « constante » que se livre l'auteur. « Le pur, le profane et l'impur manifestent une remarquable aptitude à se liguer deux à deux contre le troisième. » Ces termes « antithétiques et complémentaires » définissent une « dialectique du sacré ». Mais c'est avant tout aux façons dont les sociétés humaines ont répondu à cette dialectique que s'intéresse le sociologue qui va distinguer (objets de deux chapitres centraux) le « sacré de respect » et le « sacré de transgression ». Le premier relève d'une « théorie des interdits », le second d'une « théorie de la fête ». Les interdits ont une fonction (on reconnaît ici l'influence des analyses de Malinowski) : la distinction du permis et du prohibé incarnée dans des groupes sociaux différents a pour rôle d'assurer ordre et stabilité à la communauté, l'ordre social reflétant à son niveau l'ordre cosmique. À l'inverse, la fête va, par la subversion de l'ordre quotidien qu'elle opère, et les excès ou paroxysmes qu'elle entraîne, avoir une fonction de « revitalisation » : « On a besoin qu'un simulacre de création remette à neuf la nature et la société. » Fondamentalement liée au temps qui tout à la fois fait et défait le monde, la fête est, en ses expressions tumultueuses, retour à l'originaire, lutte contre l'entropie généralisée de l'univers. Caillois tire de ses analyses, fondées sur une solide reprise des documents dont il pouvait disposer à l'époque, une sorte de métaphysique de l'homme et un appel à un nouveau sacré. « Tout ce qui ne se consume pas pourrit. Ainsi la vérité permanente du sacré réside-t-elle simultanément dans la fascination du brasier et l'horreur de la pourriture. » F. W.

HOMME ET LE SURHOMME (L') [*Man and Superman*]. Comédie en quatre actes de l'écrivain irlandais George Bernard Shaw (1856-1950), publiée en 1903. Une jeune fille, Anne Whitefield, ayant perdu son père, a pour tuteurs un ami de la maison, Ramsden, vieux libéral de l'époque victorienne, et Jean Tanner, auteur d'un « Manuel du parfait révolutionnaire » qui a fait beaucoup de bruit et qui a soulevé l'indignation de Ramsden. Mais la révolution souhaitée par Tanner est plutôt biologique que politique et sociale : le problème le plus important pour lui est de créer des conditions favorables à l'avènement du Surhomme. En effet il est persuadé que, même lorsque l'homme se donne l'illusion de conquérir la femme, il est en réalité conquis par elle ; la Vie veut suivre son cours et progresser, et la jeune fille, selon les lois de la nature, aspire au mariage pour être mère. Tanner est personnellement loin d'être insensible à l'attrait féminin ; mais il est opposé au mariage qui supprimerait en lui l'activité intellectuelle. Anne est aimée d'Octave, prototype du jeune homme de bonne famille, qu'elle parvient à s'attacher par ses coquetteries, mais elle aime Tanner, et elle a suggéré à son père de le désigner, dans son testament, comme l'un de ses tuteurs. Tanner ne s'en aperçoit pas, car il croit que l'amour d'Octave est payé de retour ; mais son chauffeur, un personnage bizarre, lui ouvre les yeux. Tanner décide alors de fuir ; il part en voyage et arrive en Espagne, dans la Sierra Nevada. Là, une bande de brigands l'oblige à s'arrêter. Leur chef Mendoza est un ancien garçon d'hôtel, qui s'est transformé en brigand, le jour où il a été éconduit par la jeune fille qu'il aimait, Louise, à cause de sa condition de juif. Celle-ci est, comme on l'apprend plus tard, la sœur du chauffeur de Tanner. Ce dernier, après un entretien relativement poli avec le bandit, s'endort et rêve. Nous sommes transportés alors en enfer ; apparaissent don Juan Tenorio qui a l'aspect de Jean Tanner, doña Anna qui, quoique morte à soixante-dix-sept ans, rappelle par sa physionomie Anne Whitefield, la statue du commandeur et le diable, ces deux derniers ayant quelque chose de commun respectivement avec Ramsden et Mendoza. Mais l'enfer de Bernard Shaw n'est pas un lieu de tourment ; c'est un royaume d'illusions, de plaisirs futiles, de fantaisie, toutes choses insupportables pour un esprit énergique. Le paradis est au contraire le royaume des seigneurs de la vie : on y rend hommage à la « force vitale ». D'ailleurs, il n'existe point de barrière entre les deux mondes qui, en somme, représentent deux manières différentes de considérer les choses. Le commandeur, esprit médiocre qui s'ennuie au ciel, veut descendre en enfer : don Juan, rassasié de vains plaisirs, veut monter au paradis. En un long dialogue philosophique, il oppose aux négations stériles du diable son affirmation de la « force vitale », de l'évolution, du Surhomme. En vain le diable veut-il le retenir auprès de lui : don Juan lui échappe, et de même doña Anna qui reconnaît que son œuvre de mère n'est pas encore accomplie, puisque le Surhomme n'est pas encore né. À ce moment, le rêve cesse et Tanner s'éveille. C'est l'instant où entrent en scène Anne, qui est parvenue à retrouver les traces du fugitif, Octave, sa sœur Violette et Hector Malone leur ami. Survient également un groupe de soldats qui ont pour mission d'arrêter les brigands ; ceux-ci seront sauvés par Tanner, qui certifie que ces hommes font partie de son escorte. À Grenade, la comédie trouve son épilogue. Anne refuse la main d'Octave, en lui faisant croire que sa mère désire qu'elle épouse Tanner. Celui-ci, pris au piège, réagit ; il a un violent entretien avec la jeune fille, mais il se laisse entraîner, s'émeut et finit par l'embrasser. À ce moment, il est surpris par des amis et par d'autres personnes ; son sort est fixé. Anne s'évanouit, mais elle a obtenu ce qu'elle désirait. Les amours et les noces secrètes de Violette et d'Hector Malone se déroulent parallèlement à l'action principale.

Le don Juan de Shaw est donc bien différent du don Juan traditionnel. Ce n'est plus, comme le dit l'auteur dans la préface, l'homme qui laisse croire qu'il a lu Ovide : « En réalité, il lit Schopenhauer et Nietzsche, et étudie Westermark ; ce qui le préoccupe, c'est l'avenir de la race humaine, et non plus la liberté de ses instincts. Désormais, sa dépravation et ses airs de matamore sont relégués, avec son épée et sa mandoline, au bric-à-brac des anachronismes et des superstitions. En fait, il est à présent plus un Hamlet qu'un don Juan. » Shaw oppose ici au type d'homme ou de surhomme créé par la Renaissance, entièrement voué au culte de l'individualisme et de la puissance philosophique comme chez *Faust* (*), politique comme dans *Le Prince* (*) ou sensuelle comme chez *Don Juan* (*), l'homme de la fin du XIXe siècle, chez qui les théories de Darwin ont remplacé l'idée d'individu par l'idée de l'« espèce », de même que les théories de Karl Marx ont fait prévaloir les intérêts de la société sur ceux de l'individu. Devant un pareil type humain, la femme se trouve naturellement avantagée, car elle n'essaie pas, en suivant son instinct, de mettre au monde des individus, mais de maintenir en vie une collectivité. Cet instinct élémentaire la met résolument au-dessus des idéologies masculines. Bien que dans *L'Homme et le Surhomme*, on trouve çà et là des morceaux de rhétorique, Shaw n'a recours à sa théorie que dans la mesure où elle lui offre un prétexte à un dialogue brillant et à des situations paradoxales. Une fois de plus, on assiste ici à un duel entre l'auteur et le public bourgeois de Grande-Bretagne, duel qui, au fond, est la raison d'être du théâtre de Shaw. L'écrivain irlandais veut épouvanter ses auditeurs, faire un sort aux lieux communs des bien-pensants, démolir leurs principes pour les voir donner des signes d'inquiétude. Son idée de Surhomme reste essentiellement polémique ; il s'agit du symbole d'esprits libres et forts, mais qui ne sont pas définis et qui ne connaissent pas les affres de l'autocritique ; car, au fond, l'auteur ne recherche point cette vertu messianique qui l'empêcherait de sourire. – Trad. Figuière, 1912 (version abrégée).

HOMME ET SA DESTINÉE (L'). Œuvre philosophique et apologétique du savant français Pierre Lecomte du Noüy (1883-1947), parue en anglais sous le titre *Human Destiny* (New York, 1946), avant d'être publiée en France en 1948. Dans un livre précédent, intitulé *L'Homme devant la science* (1939), Lecomte du Noüy avait étudié le problème de la connaissance en soumettant à une critique rigoureuse les principales méthodes scientifiques. Le but de l'ouvrage était de déterminer les limites dans lesquelles un savant a le droit de tirer des conclusions extra-scientifiques des résultats obtenus expérimentalement. Accessoirement, il y exposait les contradictions et les difficultés auxquelles se heurte l'explication purement mécaniste de la vie et de l'évolution. Dans *L'Homme et sa destinée*, l'auteur tente donc de tirer des conclusions extra-scientifiques des travaux d'un biologiste suisse de renom, Charles-Eugène Guye, et de démontrer que la vie sur la terre n'a pu être suscitée par une combinaison d'éléments due au seul hasard. Après avoir étudié l'âge de la terre et l'apparition d'une loi qui commande l'évolution des espèces, Lecomte du Noüy tente d'en établir le mécanisme et le sens profond. Pour lui, le sens de l'évolution est clair : l'homme est sur terre pour se spiritualiser, pour dépasser de plus en plus l'homme de chair, l'homme-animal, et obtenir un jour une « sorte d'immortalité impersonnelle dont nous avons la certitude ». Que signifiera cette « immortalité impersonnelle », l'auteur ne nous le dit point, mais il semble suggérer une sorte d'évolution collective de l'espèce entière, évolution qui amènerait celle-ci à un stade nouveau où chaque homme deviendrait « un élément conscient, autonome, libre à tout instant de rétrograder et de disparaître ou de progresser et de participer à l'œuvre divine ». Comment cette hypothèse « téléfinaliste » peut-elle devenir une réalité ? Par un changement radical des principes de l'éducation des enfants et des étudiants, car « il ne faut pas que le professeur ait de doutes à l'égard du soi-disant conflit entre la science et la religion. Il doit être convaincu que ce conflit n'existe pas à la lumière de la science moderne ». L'hypothèse de Pierre Lecomte du Noüy ne va pas jusqu'à donner une solution au problème de l'immortalité individuelle qui, nous dit-il, « échappe à toute conception rationnelle ».

HOMME ET SON DÉSIR (L'). Ballet du compositeur français Darius Milhaud (1892-1974), composé en 1917-18, lors du séjour de Darius Milhaud au Brésil en qualité de secrétaire de Paul Claudel, alors ministre de France à Rio. Il illustre le poème de Claudel écrit en 1917, ainsi résumé par l'écrivain dans le commentaire qu'il prit soin de rédiger lui-même après la représentation du ballet : « Ce petit drame est issu de l'ambiance de la forêt brésilienne où nous étions en quelque sorte submergés et qui a presque la consistance uniforme d'un élément [...] Le personnage principal, c'est l'homme repris par les puissances primitives et à qui la nuit et le sommeil ont enlevé tout nom et toute figure. » Milhaud, dans ses *Études,* rapporte le souci très vigilant et le plaisir que Claudel et lui ont éprouvés à bâtir cette œuvre jusque dans ses moindres détails scéniques (en collaboration avec Audrey Parr) : le décor comportait quatre gradins ; au sommet défilent les « Heures noires coiffées d'or » (la nuit) ; au-dessus, la lune accompagnée d'un nuage, sa suivante ; en bas, « les eaux du vaste marais primitif » où tous deux se reflètent et, entre ces deux éléments, la plate-forme où se déroulera le drame proprement dit. À cette division spatiale, Milhaud avait adapté une disposition instrumentale inusitée, fondée sur une dispersion verticale et latérale des différents groupes vocaux et instrumentaux, destinée à en assurer la parfaite indépendance musicale : « Au troisième étage d'un côté, un quatuor vocal ; de l'autre, le hautbois, la trompette, la harpe, la contrebasse. Au deuxième étage, de chaque côté, des instruments de percussion. Sur un côté du premier étage, la petite flûte, la flûte, la clarinette, la clarinette basse, et de l'autre côté un quatuor à cordes. »

Milhaud applique dans cette partition les principes polytonaux qu'il expérimente depuis 1914. Dès l'introduction, les différentes parties s'entrecroisent, se superposent dans la plus totale liberté tonale et rythmique, sans aucune impression de dureté et de dissonance arbitraire : au contraire, une grande fluidité mélodique naît de cette imbrication complexe d'où sourd tout d'abord l'évocation de la mystérieuse et inquiétante vie nocturne de la forêt, et dans laquelle s'insère bientôt le quatuor vocal, précédant l'apparition de l'homme endormi. Ce maniement extraordinairement poétique, clair et efficace, de la polyphonie se retrouve jusque dans la séquence dévolue à la percussion (« les choses de la forêt viennent voir l'homme endormi ») qui décrit de façon saisissante les bruits de la forêt et leur pulsation sourde et envoûtante. L'intensité expressive atteint, toujours par les mêmes moyens, son paroxysme dans la danse de la passion, où l'enchevêtrement sonore reste puissamment lié et ramassé en une immense pédale de quatre-vingt mesures, symbolisant simultanément le « mouvement de va-et-vient de plus en plus désespéré » et l'« idée fixe [...] mouvement de désir désespéré ». Puis les voix et les différents motifs instrumentaux s'estompent lentement, après une dernière et douloureuse invocation où une fois encore les lignes se nouent en une polyphonie d'une suavité poignante. Cet usage neuf de la polytonalité, l'orchestration très inhabituelle dans sa composition même et son emploi « spatial », l'usage de la percussion et l'effet de dépaysement et d'exotisme auquel elle concourt, désorientèrent complètement le public de la première audition donnée par les Ballets suédois, à Paris, en 1921. Elle donna lieu à un véritable scandale : mais on reconnut bientôt la profonde nouveauté et la valeur intrinsèque de cette partition géniale qui demeure, esthétiquement et philosophiquement, l'une des plus significatives de l'œuvre de Milhaud.

HOMME FINI (Un) [*Un uomo finito*]. Essai autobiographique de l'écrivain italien Giovanni Papini (1881-1956), écrit en 1912. Œuvre magistrale d'introspection : l'écrivain ne tire aucune conclusion, ne relate même pas des faits d'ordre biographique ; ainsi qu'il le dira à la dernière page : « Ici dedans il n'y a pas de biographie, mais le cours exact de mes événements intérieurs. Tout le reste de mon œuvre trouve ici son application et sa clé. » Nous apprenons néanmoins, par cette confession, que l'écrivain n'a jamais été un enfant et que dès son plus jeune âge il se sentait « terriblement seul et différent des autres ». En regardant – avec le recul des années – un portrait de lui-même, pris vers l'âge de sept ans, Papini dira : « Ce sont là les lèvres serrées de quelqu'un qui souffrira sans la faiblesse desséchante des lamentations. » La rage de savoir sauvera le jeune Papini de la solitude ; il se lancera dès sa quatorzième année dans des lectures désordonnées et accumulera des masses de notes qui formeront plus tard la base de ses connaissances encyclopédiques. Il entreprendra même – dès sa seizième année – une encyclopédie qui pourra, enfin, « donner une réponse à toute question ». Persuadé bientôt qu'il s'est attaqué là à un travail au-dessus de ses forces, il l'abandonnera pour écrire une histoire universelle, puis, successivement, un commentaire rationaliste (il était athée à l'époque) de *La Bible* (*), une histoire comparée des littératures romanes, un manuel d'histoire de la littérature espagnole... Inutile de dire qu'aucune de ces entreprises n'aboutit. N'empêche que dès cette époque il se jura de devenir quelqu'un avant de mourir. Dans les cénacles littéraires qu'il fréquenta vers l'âge de vingt ans, il se fit remarquer par une critique acerbe des *Fiancés* (*) de Manzoni ; il se dressa également contre « cet esprit dannunzien qui commençait alors à s'étendre et à corrompre les jeunes Italiens ». De ces cénacles littéraires sortit un journal, *Leonardo,* créé le 4 janvier 1903 par un groupe de jeunes apportant chacun un peu d'argent – 10 lires par mois ! – et beaucoup de travail. Cette organisation collégiale disparut au bout de deux ans ; toutes les tâches furent alors assumées par Papini aidé d'un ami, Giuliano. *Leonardo,* qui traitait de tout – art, politique, littérature –, se transforma bientôt en une revue ne traitant que de questions philosophiques. De cette époque datent les premiers succès littéraires personnels de Papini. Lorsqu'il eut conquis un nom et fut « lu, discuté, suivi, craint », il sentit en lui un vide. Il aurait voulu devenir un fondateur d'école, créateur d'une secte ou d'une religion, en un mot « être l'un de ceux-là qui donnent leur nom à une idée, à une multitude d'hommes ». Aussi se lancera-t-il dans la politique et deviendra-t-il rédacteur en chef d'un journal nationaliste italien, notant dans son livre : « Une nation qui ne sent pas en soi la passion messianique est destinée à disparaître. » Dans la dernière partie de *Un homme fini,* Papini montre véritablement son âme à nu et décrit les combats qui s'y livrent. « Je croyais de toute la force de mon âme avoir une mission dans le monde – une mission à moi », écrira-t-il. Et, quelques pages plus loin : « Toute ma vie est fondée sur cette conviction : que je suis un homme de génie. Mais si, au contraire, je me trompais ? » Questions d'autant plus angoissantes que, d'un examen approfondi de ses connaissances, cette constatation socratique s'impose à Papini, constatation qui sera la conclusion de ce livre étrange : « De quelque côté que je me tourne, je ne suis pas un profane, mais pas davantage un initié [...] Je suis un Juif errant du savoir. » – Trad. Dessart, 1942.

HOMME FOUDROYÉ (L'). Œuvre de l'écrivain français d'origine suisse Blaise Cendrars (pseud. de Frédéric-Louis Sauser, 1887-1961), publiée en 1945. C'est à Aix-en-Provence, où il était retiré depuis la défaite de 1940, que Cendrars commença à écrire *L'Homme foudroyé*, volume de souvenirs qui allait être complété par *La Main coupée* (1946), *Bourlinguer* (1948) et *Le Lotissement du ciel* (1949). Il serait vain de vouloir analyser avec précision le contenu de cette série d'ouvrages. En effet rien n'eût été plus étranger à l'esprit de Cendrars que le projet de nous faire de sa vie un récit continu, s'inscrivant dans un ordre chronologique strict. L'écrivain nous dit dans les premières pages de *L'Homme foudroyé* que c'est à la suite d'une conversation avec son ami Édouard Peisson que, se retrouvant seul, un soir, il avait été si bouleversé par l'apparition soudaine de certains souvenirs qu'il n'avait pu s'empêcher de les rédiger aussitôt : « Et alors, j'ai pris feu dans ma solitude [...]. L'écriture est un incendie qui embrase un grand remue-ménage d'idées et qui fait flamboyer des associations d'images avant de les réduire en braises crépitantes et en cendres retombantes. Mais, si la flamme déclenche l'alerte, la spontanéité du feu reste mystérieuse. Car écrire c'est brûler vif, mais c'est aussi renaître des cendres. » Aussi est-ce au gré de son humeur que Cendrars évoque tel ou tel épisode de sa vie, sautant avec agilité d'une époque à une autre, de même qu'il passe allègrement de continent en continent. Par ailleurs, il ne se contente pas de mettre en scène les hommes et les pays qu'il connut au cours de sa vie agitée. Sous sa plume revivent parfois des figures appartenant à des siècles lointains, rencontrées en des lectures faites dans les bibliothèques du monde entier, personnages étranges qu'il annexa à son univers intérieur, qui fascinèrent son imagination et vinrent hanter ses rêves, tel le Nicolao Manuci de *Bourlinguer* ou le saint Joseph de Cupertino du *Lotissement du ciel*.

L'Homme foudroyé, premier volume de ces « mémoires » décousus, s'ouvre sur un souvenir de guerre (« Dans le silence de la nuit »), évoque plusieurs séjours faits dans le Midi avant la guerre de 1939 (« Le Vieux Port ») et se termine sur quatre « Rhapsodies gitanes » dans lesquelles nous trouvons un tableau de la vie des tribus gitanes, des souvenirs concernant le peintre Fernand Léger et un magnifique portrait de ce curieux personnage que fut le romancier Gustave Le Rouge. *La Main coupée* est le seul volume de souvenirs de Cendrars qui soit tout entier consacré à une période précise de sa vie. Ce livre est une évocation extrêmement vivante et dramatique de la Grande Guerre. Bien que de nationalité suisse, le poète n'avait pas voulu rester « au-dessus de la mêlée » et s'était engagé dans la Légion étrangère dès 1914 après avoir signé avec Ricciotto Canudo un « appel » aux étrangers résidant en France, qui leur demandait de participer à la lutte contre l'Allemagne. *Bourlinguer* est par excellence le livre du voyage et nous entraîne dans onze ports d'Europe — Venise, Naples, La Corogne, Bordeaux, Brest, Toulon, Anvers, Gênes, Rotterdam, Hambourg et... « Paris, Port-de-mer » — chacun fournissant le cadre d'un récit. Dans *Le Lotissement du ciel* nous trouvons, entre autres, une biographie de saint Joseph de Cupertino, qui vécut au XVIIe siècle et était doué du pouvoir de lévitation, des souvenirs de Cendrars correspondant de guerre anglais (1939-40) et des récits se rattachant aux séjours que le poète fit en Amérique du Sud.

Dans *L'Homme foudroyé, La Main coupée, Bourlinguer* et *Le Lotissement du ciel*, le talent de conteur de Cendrars atteint un remarquable pouvoir de suggestion. Aussi, bien que ces volumes contiennent un certain nombre d'histoires particulièrement insolites ou tragiques, on peut dire que le « sujet » n'y a jamais une bien grande importance, l'écrivain parvenant à insuffler une vie et une saveur étonnantes aux plus banales anecdotes. La langue de Cendrars est ici admirablement imagée, savoureuse. Sa phrase, très souple, s'allonge parfois interminablement afin de saisir et d'exprimer cette masse de visages, de paysages et d'émotions dont le poète du *Panama* — v. *Poésies* (*) — avait fait ample moisson au cours de sa vie aventureuse.

HOMME FRANC (L') [*The Plain Dealer*]. Comédie en cinq actes en prose du dramaturge anglais William Wycherley (1640-1716), représentée en 1676 et publiée en 1677 ; tout en n'ayant pas rencontré auprès des contemporains le même succès que *La Provinciale* (*), cette comédie est souvent considérée comme le chef-d'œuvre de l'auteur. Wycherley subit l'influence de Molière, surtout du *Misanthrope* (*), mais il trouve son sujet en lui-même, et comme le dit Dryden (1661-1731), « il en fait une des satires les plus hardies qui aient été représentées sur la scène anglaise ». Voltaire le loua également, affirmant que ses traits « sont plus forts et plus audacieux que ceux du *Misanthrope*, bien que moins délicats » et non dirigés : l'auteur, en effet, n'a pas eu souci de « ces règles de décence qui devraient être observées ». L'« homme franc » est Manly, honnête marin qui n'a confiance en personne si ce n'est en son ami Varnish et en la femme de son cœur, Olivia. Mais sa confiance est mal placée. À son retour de la guerre, Manly trouve qu'Olivia l'a abandonné pour épouser Varnish, refusant même de lui rendre l'argent qu'il lui avait confié. Il a auprès de lui Fidelia (déguisée en marin), qui l'aime et l'a toujours suivi ; il l'envoie comme messagère auprès d'Olivia. Mais alors se produit l'inattendu : Olivia s'éprend du beau mousse et lui donne un rendez-vous auquel celle-ci se rend avec Manly ; Varnish y arrive inopinément et tire l'épée pour frapper son rival, mais Fidelia se jette devant Manly et est blessée au bras. Tout s'explique quand s'éclaire la chambre où Olivia croyait ne trouver qu'un seul soupirant, et Manly, enfin guéri de sa passion, découvre la véritable identité de Fidelia et lui offre son amour. Parmi les caractères secondaires, il faut citer la veuve Blackacre, querelleuse et vulgaire, proche parente de la comtesse des *Plaideurs* (*) de Racine ; le fils de la veuve qui fait penser à Lumpkin, type fameux de *Elle s'abaisse pour triompher* (*) de Goldsmith ; enfin on ne peut s'empêcher de trouver à Fidelia une ressemblance avec la Violetta shakespearienne de *La Nuit des rois* (*) — Trad. *Chefs-d'œuvre du théâtre anglais*, Paris, 1823.

HOMME HEUREUX (Un) [*A boldog ember*]. Roman de l'écrivain hongrois Zsigmond Móricz (1879-1942), paru en 1932. Originaire de Hongrie orientale, Zsigmond Móricz connaissait fort bien le milieu paysan, qui constituera une partie de son inspiration :

Un homme heureux en est certainement la manifestation la plus importante. Dès les premières pages du roman, le sujet est posé : Móricz reçoit la visite d'un paysan de son village, György Joo. Celui-ci a un objectif très précis : « Je suis venu pour vous raconter ma vie, à vous d'en faire un beau roman. » La vie est dure, en 1932, avec la sécheresse et une crise mondiale qui commence à toucher la Hongrie. Pour pouvoir nourrir ses cinq enfants, Joo cherche du travail à Budapest. Il expose tous ses malheurs sans le moindre pathos. Mais s'il veut raconter sa vie, dit-il, c'est en fait parce qu'il a été heureux. « Heureux, comme on ne peut plus l'imaginer aujourd'hui. Pas seulement moi, d'autres aussi. Mais à présent tout le monde est malheureux. » Ainsi commence le véritable roman : à la première personne, ce paysan raconte sa vie avant la guerre, sa vie d'homme heureux. Ainsi s'écriront trente et un monologues, dans une langue qui fleure bon la campagne. Et nous entrons dans cette vie qui nous est annoncée comme idyllique. Seul avec sa mère, il travaille très tôt comme garçon d'écurie, puis comme journalier chez les riches du village. Au fil des amourettes, des travaux de fortune, des expéditions de son héros dans les villages voisins ou dans la capitale, Móricz brosse un tableau pittoresque du village hongrois au début du siècle. On voit défiler des personnages divers, et on perçoit bien l'évolution des rapports de propriété dans la campagne hongroise. Le roman de Móricz ne comporte pas véritablement d'intrigue. Chronique au quotidien, il s'apparente plutôt à la fresque qu'au récit. Au fil des petits faits, Joo apprend à découvrir la vie et à se défendre des pièges qui ne cessent de le guetter. Cependant *Un homme heureux* est un roman complexe : objectivement, cette vie est une vie de souffrances, les paysans doivent trimer, sont à la merci de la moindre maladie, certains souffrent même de la faim ; ils ploient sous le poids des dettes. La mère de Joo doit vendre son lopin pour garder la maison : hypothèques et procès empoisonneront longtemps la vie de la famille. Et pourtant György Joo est un homme heureux. Figure en même temps tragi-comique et émouvante. Sa vision optimiste de la vie au début du siècle est due à sa naïveté et à sa bonhomie, mais aussi à l'idéalisation des années de jeunesse et à la comparaison de cette époque avec le présent, où le village a toujours faim et l'angoisse pèse sans cesse. Somme toute, la grande réussite de György Joo est d'être parvenu à survivre.

Ce roman s'inscrit dans la démarche de sociologie descriptive qui caractérise les écrivains hongrois et « ruraux de l'entre-deux-guerres ». Malgré la différence de tonalité, il annonce déjà le chef-d'œuvre de Gyula Illyés, *Ceux des pusztas* (*). — Trad. Corvina, 1961.

E. T.

HOMME INVISIBLE (L') [*The Invisible Man*]. Roman de l'écrivain anglais Herbert George Wells (1866-1946), publié en 1897. Le jeune Griffin fait des études de physique ; fort intelligent, mais très pauvre, il a découvert un moyen de rendre transparents tous les tissus, y compris les cellules vivantes et il expérimente son procédé sur lui-même. Lorsque, après bien des heures d'un travail énervant et beaucoup de souffrances, il atteint son but, il se trouve dans un terrible état d'exaltation nerveuse augmentée par le caractère douloureux des expériences auxquelles il s'est volontairement soumis. Il s'aperçoit tout de suite qu'il ne jouit nullement des avantages qu'il espérait de sa transformation. Certes son corps est invisible, mais ni ses vêtements, ni la nourriture qu'il absorbe ne le sont : il est nu et souffre cruellement de la faim et du froid ; habillé, il doit porter des gants, cacher son visage sous un voile et ses yeux avec des lunettes noires afin de ne pas être un objet de terreur, mais ce déguisement lui donne un aspect étrange et repoussant. Il se réfugie dans une auberge de campagne et cherche en vain le moyen de reprendre un aspect normal. Aussi longtemps qu'il a de l'argent, les choses se passent assez bien : mais lorsque ses quelques ressources sont épuisées, repéré comme auteur d'un vol qu'il a réellement commis, il doit fuir, et a recours aussitôt à son invisibilité. Il oblige alors un vagabond atterré à lui servir de compère et se livre à toutes sortes d'excès ; il vole librement et éveille l'envie de son compagnon, qui essaie de s'enfuir avec le magot dont il est le gardien. Une grosse récompense est promise à qui s'emparera de l'« homme invisible » : les pays qu'il traverse dans sa fuite sont bouleversés. Blessé, hors de lui, il se réfugie par hasard chez Kemp, médecin qui fut son camarade de classe et qui a promis de ne pas appeler la police. Auprès de ce dernier, il se calme un peu, lui fait des confidences et espère trouver l'aide dont il a besoin pour assouvir sa soif de domination. Mais Kemp a peur de lui et, choqué par ses manières, il le dénonce secrètement. Après une lutte acharnée, l'« homme invisible » est sauvagement tué par la foule menée par Kemp, et lentement son cadavre redevient opaque.

Ce roman appartient à la série des récits merveilleux par lesquels Wells commença sa carrière d'écrivain. Ils lui furent inspirés par les conquêtes de la science moderne. La question sociale occupait alors une place prépondérante dans l'esprit de l'auteur. Bien que l'« homme invisible » se rende coupable de plusieurs crimes, il est le prolétaire génial qui, en fin de compte, est plus sympathique que le « gentilhomme » Kemp, timide, secrètement envieux de la supériorité scientifique de son ancien camarade, et offensé de son manque d'« éducation ». Une assez terrible amertume se fait jour dans ce roman : Si tu es pauvre, ne sois pas différent des autres, ne sois pas plus intelligent que la moyenne, ne te fie pas aux riches : ils essaieront de te détruire par tous les moyens. Le roman a eu un grand succès. – Trad. Ollendorf, 1901 ; Gallimard, 1982.

HOMME INVISIBLE, POUR QUI CHANTES-TU ? [*Invisible Man*]. Roman de l'écrivain américain Ralph Ellison (né en 1914), publié en 1952. Le roman, de structure picaresque, raconte les tribulations d'un jeune Noir qui est chassé d'une université du Sud parce que, en toute naïveté, il a révélé à un bienfaiteur blanc de l'institution la face cachée du monde noir : la misère, la violence, la brutalité, mais surtout le tabou des tabous : l'inceste tranquille d'un Noir. Il se retrouve à New York, d'abord chômeur dans les rues de Harlem, puis employé dans une usine de peinture, où l'explosion d'une chaudière l'expulse de ses illusions et le conduit à l'hôpital. À sa sortie, remarqué pour son talent d'orateur, il est enrôlé dans une organisation d'obédience communiste, la Fraternité.

Chaque expérience, chaque étape correspond pour notre picaro noir à une initiation, un rite de passage. Mais le parcours est piégé. Tout n'est que faux-semblants et impostures. Les idéaux américains – le droit au bonheur, l'égalité des chances, la justice sociale – sont autant de miroirs aux alouettes. Et la version noire du rêve américain prend souvent des allures de cauchemar. Cauchemar du jeune héros venu, plein d'illusions, faire un beau discours à la gloire du leader noir Booker T. Washington (1856-1915) et forcé de se battre contre d'autres jeunes Noirs devant une assemblée de notables, déjà enivrés et rendus hystériques par la danse lascive d'une Blanche entièrement nue. Éviction de personnes âgées dont on jette les affaires dans la rue, assassinat de sang froid d'un militant noir par un agent de police blanc : le Noir n'a aucun droit.

Il doit accepter toutes les humiliations et les injustices, il est tenu aussi, sur le plan fantasmatique, de jouer le rôle qui lui est imposé : il doit prendre en charge les pulsions et les désirs refoulés du Blanc. Ainsi le héros du récit est instamment prié par la douce Sybil, militante blanche de la confrérie, de jouer son rôle d'étalon noir. Il découvre aussi que les Noirs ne constituent qu'une masse de manœuvre anonyme et qu'il n'est pour les membres du parti qu'un pantin dont on tire les cordes. Il refuse de se laisser manipuler par les idéologues de tous bords, il refuse, tel Rinehart, la tentation des déguisements multiples pour survivre. La défection de son ami Clifton et son assassinat précipitent cette prise de conscience. Au cours d'une insurrection à Harlem, où s'affrontent violemment forces de l'ordre et groupuscules nationalistes noirs, poursuivi par des émeutiers, il tombe au fond d'une cave à charbon.

C'est là qu'il a la révélation de son invisibilité. Le Noir est invisible parce que le Blanc ne peut le voir. Ayant intériorisé le regard de l'autre, le Noir se retrouve invisible aux autres et à lui-même. C'est à la fois la conclusion et le point de départ du roman. La retraite dans la cave a souvent été interprétée comme une dérobade, une fuite devant la réalité, un échec. « Les critiques oublient trop souvent, écrit Ellison, que le roman est en réalité un livre de mémoires, les mémoires et la métamorphose du héros. Maintenant il se connaît suffisamment pour écrire ses mémoires. » C'est donc que l'hibernation, bien loin d'être une démission, est un moment essentiel, c'est le temps de l'écriture, le temps de la métamorphose de l'expérience en musique, le temps du blues.

Tout le roman n'est en effet qu'un immense blues puissamment orchestré qui chante l'expérience douloureuse d'être noir. Reprenant un refrain d'une chanson de Louis Armstrong, le narrateur s'écrie : « Qu'ai-je fait pour être si noir et broyer du noir ? » c'est là le leitmotiv du livre. C'est dire que la couleur de la peau constitue un fait inéluctable, inexorable, et qu'au terme de ses déguisements successifs le héros reste confronté à sa noirceur. C'est dans la négritude qu'Ellison puise l'essentiel de sa matière romanesque, et c'est la musique noire qui donne à son écriture sa spécificité et à la voix du narrateur sa couleur et son timbre irremplaçables. Écrivain américain, écrivain noir, Ellison a trouvé les mots et le ton juste pour dire à chacun d'entre nous l'humaine condition. – Trad. Grasset, 1969. C. L.

HOMME, LA BÊTE ET LA VERTU (L') [*L'uomo, la bestia e la virtù*]. Farce en trois actes de l'écrivain italien Luigi Pirandello (1867-1936), jouée pour la première fois en 1919. Elle est loin d'être dans le ton habituel de l'auteur. Avec un cynisme bouffon, Pirandello y affiche son mépris des conventions sociales. Faisant fond, en effet, sur l'éternel adultère, il renverse l'ordre des choses vu qu'il s'arrange pour que ce soit l'amant lui-même qui pousse dans les bras de l'époux l'objet aimé. Or donc, Perrella, le mari, est un officier de marine qui fait à son foyer de rares apparitions, traite sa femme assez durement et se garde d'avoir avec elle le moindre rapport intime. De guerre lasse, la délaissée devient la maîtresse du professeur Paulin. Elle se trouve être un jour enceinte de ses œuvres. Comment cacher cet adultère ? Un seul moyen se présente : faire en sorte qu'à son prochain retour, le récalcitrant Perella consente à remplir ses devoirs conjugaux. Ainsi seulement pourra-t-on légitimer le fruit de la faute. Avec l'aide d'un pharmacien, Paulin prépare quelque aphrodisiaque qu'on introduit dans un gâteau. Par là-dessus, l'épouse se fait belle comme le jour, et le diable s'en mêlant, tout finit le mieux du monde. Dans cette farce, Pirandello est loin d'être égal à lui-même. – Trad. Gallimard, La Pléiade, t. II, 1977.

HOMME LIBRE (Un). Ce roman de l'écrivain et homme politique français Maurice Barrès (1862-1923), publié en 1889, constitue la seconde partie du cycle *Le Culte du moi,* qui comprend également *Sous l'œil des Barbares* (*) et *Le Jardin de Bérénice* (*). *Sous l'œil des Barbares* nous révélait la complexité morale du héros désireux de connaître le monde sans pour autant renoncer à lui-même. Il s'éloigne maintenant de Paris avec Simon, son compagnon, et va à Jersey. Il comprend que, pour être véritablement lui-même, il a besoin de vivre d'une manière exceptionnelle et d'éprouver de fortes émotions. Ses contacts avec la nature, la solitude dans des ermitages austères et la méditation des *Exercices spirituels* (*) de saint Ignace de Loyola lui font sentir le frémissement de l'univers. Le jeune homme n'ignore pas que le monde est plein d'illusions et que la femme elle-même éloigne l'homme de la sagesse, parce qu'en le distrayant elle le prive de sa véritable liberté. Il se fortifie en méditant l'*Adolphe* (*) de Benjamin Constant et *Volupté* (*) de Sainte-Beuve, qui lui révèlent les combats menés par ces deux hommes au cours de leur adolescence pour triompher de la vie. Le héros, qui tient son journal, s'exprime toujours à la première personne. Nouveau moine d'une religion austère, la méditation de quelques grands esprits l'a forcé à l'exercice spirituel. Mais il accomplit un pèlerinage en Lorraine, sa terre natale, où il se redécouvre lui-même. Le contact de l'Italie, Milan, Padoue et Venise lui ouvrent de nouveaux horizons et lui révèlent la souveraineté de la vie. De retour à Paris, il se sent prêt à l'action, parce que fortifié par la méditation des grands esprits et par la vision d'œuvres d'art et de terres nouvelles. Venise a maintenant décidé de son existence ; son littoral lumineux lui a fait comprendre la valeur de la vie : ses rêves débouchent maintenant sur la réalité la plus authentique. Après s'être imposé une nouvelle règle de vie nécessitée par sa volonté d'être désormais pleinement lui-même, il écrit à Simon son désir d'être seul et libre. Son initiation au monde est désormais accomplie, et une période de sa vie se termine. Ce livre a souvent le ton d'une confession. L'auteur y prouve ses dons de très fin psychologue et y professe un individualisme paradoxal, à la recherche de sensations neuves ou rares ; il y annonce déjà cependant cette guerre au dilettantisme sceptique qui devait l'opposer à Anatole France. Barrès cherche une foi : c'est une attitude qu'il trouve, et ce retour à la réalité de son héros correspond chez Barrès lui-même avec le début de sa carrière politique ; en effet, s'il avait déjà pris parti, en 1888, pour le général Boulanger, c'est l'année même de la parution de *Un homme libre* qu'il fut, pour la première fois, élu député (1889).

HOMME-MACHINE (L'). Ouvrage du philosophe et médecin français Julien Offray de La Mettrie (1709-1751), publié en 1748, à Leyde chez Élie Luzac fils. Docteur en médecine à l'âge de dix-neuf ans, après cinq ans d'exercice dans sa ville natale de Saint-Malo, il décide d'aller à Leyde, auprès du célèbre Boerhaave, dont il traduit le *Tractatus medicus de lue aphrodisiaca* ; dans le même temps, il publie son *Traité des maladies vénériennes* (1734). De retour en France, il devint médecin attaché aux gardes. Suivant les armées dans leur déplacement, il assista au siège de Fribourg, au cours duquel il fut atteint d'une fièvre chaude. La désorganisation psychique qu'entraîna momentanément cette fièvre le conduisit, après son rétablissement, à soutenir la conception d'un étroit conditionnement des fonctions mentales par notre organisme : c'est ce qu'il développa dans son *Histoire naturelle de l'âme* (publiée à La Haye, en 1745), faisant ainsi son entrée dans la carrière philosophique. Il ne tarda pas à être vivement pris à partie par l'ensemble du corps médical et des dévots. Après la publication de son pamphlet intitulé : *Politique du médecin de Machiavel ou le Chemin de la fortune ouvert aux médecins* (1745), il se vit dans l'obligation de quitter la France, où l'on venait d'ordonner que ses livres soient brûlés en place publique par la main du bourreau. Il retourna alors à Leyde, où il publia *L'Homme-Machine* sans nom d'auteur. C'est là, sans aucun doute, le plus célèbre de ses ouvrages. La Mettrie y reprend, avec audace, pour le grand public, les idées qu'il avait précédemment esquissées dans ses autres livres. Pour lui, jamais la philosophie n'a pu et ne pourra prouver, de façon certaine, l'existence de l'âme, et encore moins la Révélation ; car si la nature est muette, son Dieu l'est de même : et la raison nous a été donnée pour expliquer également la Révélation et l'accorder à la nature. Pour La Mettrie, les sensations et l'expérience nous enseignent que les facultés de l'âme dépendent du tempérament, du milieu, de l'alimentation, des maladies ; les troubles mentaux sont fonction des troubles organiques. « Un rien, une petite fibre, quelque chose que la plus subtile anatomie ne peut découvrir, eût fait deux sots d'Érasme et de Fontenelle. » La pensée dépend donc étroitement de la matière : il n'y a dans l'univers qu'une seule substance, diversement modifiée. L'âme est ce principe de mouvement qui s'exerce à l'intérieur d'une machine, le corps, dont elle est le ressort principal et dont les autres ressorts ne sont que l'émanation. Est-ce à dire que l'âme périsse entièrement ? Nous n'en savons rien et toute affirmation de principe est vaine : simple vérité théorique qui n'est guère d'usage dans la pratique. On le voit donc, La Mettrie n'affirme pas que la matière soit la seule réalité de l'Univers ; son matérialisme est anthropologique. Quant à l'existence de Dieu, s'il l'admet comme possible, il n'en dénie pas moins toute valeur aux preuves traditionnelles relatives au premier moteur ou aux causes finales. Comme, par ailleurs, on ne peut déduire de l'existence de Dieu la nécessité d'un culte quelconque, sa négation ne saurait entraîner celle de la morale. Fidèle à une morale du bonheur tout comme Diderot et les encyclopédistes, La Mettrie estime que « si l'athéisme était généralement répandu », « la Nature infectée d'un poison sacré reprendrait ses droits et sa pureté ». *L'Homme-Machine* bénéficia d'un énorme succès de scandale : toute l'Europe cultivée le lut. Son succès fut particulièrement important en Allemagne, où Frédéric, le roi philosophe, avait appelé La Mettrie auprès de lui (février 1748). Certes, La Mettrie ne fait souvent qu'étendre à l'homme l'automatisme attribué par Descartes aux animaux et ressusciter l'hédonisme d'Épicure *(Art de jouir)*. Toute la force de ce livre tient dans sa cohérence, sa sincérité, sa franchise ouverte. Dans ses vues de détail, dans ses observations proprement médicales – et elles sont nombreuses –, il fait preuve d'un jugement perspicace et aiguisé, et rarement ses explications, si elles sont incomplètes, sont erronées. Pour juger un tel livre, il convient de le replacer dans la lutte pour les idées nouvelles menée à l'époque, avec un courage et un enthousiasme quelque peu naïf de pionnier, par tous les partisans des « lumières ». La Mettrie introduit la méthode rationnelle et l'observation, là où régnaient en maître la dispute théologique et la dialectique fatiguée des métaphysiciens. Il faut souligner enfin le caractère particulièrement « cohérent » de son matérialisme, indépendant, comme celui de d'Holbach, d'Helvétius et de Diderot, du matérialisme des écoles sensualistes de leur époque.

HOMME-MASSE (L') [*Masse Mensch*]. Drame de l'écrivain expressionniste allemand Ernst Toller (1893-1939), représenté à Berlin en 1921 au « Proletarisches Theater » d'Erwin Piscator. En tant que « drame de la révolution sociale du XXe siècle, » il est dédié aux prolétaires. Se composant de sept tableaux, il est en forme d'allégorie et ses personnages n'ont pas de nom : ils s'appellent la Femme, l'Homme, l'Accompagnateur, le Sans-Nom, Ouvriers, prisonniers, Ombres, etc. C'est dire que chacun d'eux est un symbole. La Femme, symbole de la personne humaine, est l'héroïne ; son antagoniste est la Masse, personnifiée par Sans-Nom. Dans le premier tableau, on assiste à une réunion clandestine d'ouvriers à la veille d'une grève de grande envergure. La Femme les incite à l'action. Surprise par l'Homme, qu'elle aime, bien qu'il représente la Bourgeoisie, elle se voit reniée par lui et abandonnée. De son chagrin même naîtra sa volonté de sacrifice elle est « prête à payer de sa personne ». Le tableau suivant nous montre la salle de la Bourse, où les banquiers spéculent pour « sauver le système » dont la corruption, la guerre et le reste sont la plus belle illustration. Après quoi, l'on assiste à la danse des banquiers en haut-de-forme, danse scandée par le son des écus d'or, en façon de castagnettes. Le troisième tableau est fait d'actions de masse, qui sont restées célèbres parmi les mises en scène du théâtre de Piscator. Les ouvriers, en foule, hurlent l'humiliation de leur vie. La Femme est avec eux, un seul cri de révolte les unit et les exalte : la grève ! Mais Saint-Nom se détache de la masse pour dire l'inefficacité d'une pareille grève : il est d'une nécessité impérieuse de recourir à la violence. La Femme s'y oppose. Suit une vision nocturne : dans la cour d'une prison, condamnés à mort, prostituées et gardes dansent autour du Sans-Nom. Sur ces entrefaites, la Femme arrive, et, reconnaissant parmi les condamnés à mort l'Homme, elle implore sa grâce : « Un homme, ça compte ! » On lui répond que c'est la multitude qui compte. Du coup, elle renonce à l'action. « Tirez, si bon vous semble. Je ne suis plus des vôtres... » Dans le cinquième tableau, qui se termine par le chant de l'*Internationale*, on assiste à l'échec de l'insurrection. La Femme est aux prises avec Sans-Nom. Des soldats font alors irruption et mettent la Femme en état d'arrestation. Dans le sixième tableau, la Femme est enfermée dans une cage éclairée la nuit par un violent cône de lumière. Autour d'elle se trouvent les ombres accusatrices des morts fusillés : elle est coupable, elle qui n'a pas voulu les sauver en opposant la violence à la violence. D'autres fantômes viennent, et tous de l'accuser : « C'est ta faute, oui ; c'est ta faute... » Sous l'effet de sa propre angoisse, la Femme doute d'elle-même, de Dieu, de la vie. Le dernier tableau est la cellule où elle attend l'heure de son exécution. Elle tend la main à l'Homme, qu'elle aime malgré tout : hélas, en vain ! Arrive alors Sans-Nom qui lui propose de fuir : ayant enfin tout compris, il veut la sauver ; il suffira que l'on tue un gardien. Devant pareille proposition, la Femme recule : le gardien lui aussi est un homme, et elle n'a pas le droit de le tuer, même pour la cause de la Masse. Elle se résigne à la mort pour pouvoir « devenir un jour plus pure et plus innocente ». Et le drame se termine sur un bruit de mousqueterie auquel répond le sanglot des compagnes de la Femme demeurées dans la cellule.

Toller veut illustrer ici la lutte éternelle de l'homme pour sa libération totale. Son drame reflète le début de la crise qui devait le conduire au suicide. Malheureusement, la donnée de ce drame est trop schématique pour emporter l'adhésion du spectateur. En outre, elle reste sans conclusion à cause du disparate de ses propres éléments. Quant à la forme, elle est inspirée en partie des drames d'Oskar Kokoschka, qui fut le premier (en 1907) à porter au théâtre un langage pur de toute métaphore et à n'employer les mots que dans leur sens le plus commun. Ainsi le climat du drame est brûlant à souhait. En dépit de toutes les réserves que l'on peut faire sur sa texture, il constitue à n'en pas douter un des exemples les plus vivants de ce théâtre de combat qui relève de l'expressionnisme allemand.

HOMME NE VIT PAS SEULEMENT DE PAIN (L') [*Ne hlebom edinym*]. Roman de l'écrivain russe Vladimir Dmitrievitch Doudintsev (né en 1918) paru en 1956. L'histoire commence dans une ville de province soviétique au lendemain de la guerre. Drozdov, le directeur d'une grande usine, est le véritable « patron » de la ville. C'est un homme autoritaire, intelligent, actif, apparemment dévoué corps et âme à son travail. Mais le lecteur découvre peu à peu, lors des discussions de Drozdov avec sa femme, Nadia, qu'il est avant tout intéressé par sa carrière et qu'il a perdu toute humanité. C'est ainsi qu'il étouffe l'invention d'une machine révolutionnaire due à un enseignant, le mathématicien Lopatine. Le conflit entre le chercheur désintéressé d'une part, et Drozdov et ses acolytes de l'autre, constitue la trame du roman. Devenu chef d'un département au ministère, Drozdov continue à Moscou sa lutte contre Lopatine. Aidé par Nadia, qui quitte son mari, et par plusieurs enthousiastes, Lopatine remporte quelques succès, mais une machination du clan Drozdov le conduit en prison. Il semble que, dans un premier temps, le roman s'arrêtait là. Mais nous voyons Lopatine, libéré de prison dans des circonstances peu vraisemblables, remporter finalement une victoire totale.

Les faiblesses du roman sont évidentes, mais dans le contexte du « dégel » et des premières critiques contre le stalinisme il incarne la lutte contre un système bureaucratique qui étouffait toute initiative vivante. À la sortie de *L'homme ne vit pas seulement de pain*, toute la critique officielle attaqua violemment Doudintsev ; de l'autre côté, les écrivains « libéraux » comme Paoustovski ou Kavérine prirent sa défense. — Trad. Julliard, 1957. A. Be.

HOMME PÉTRIFIÉ (L') [*A Curtain of Green*]. Dans son premier recueil de nouvelles, publié en 1941, l'écrivain américain Eudora Welty (née en 1909) choisit le Sud où elle est née comme toile de fond, on pourrait presque dire comme protagoniste. La nature du Sud, avec ses fleuves lents, sa chaleur, ses plantes, joue un rôle essentiel et Welty a ainsi pu passer pour un écrivain de l'atmosphère sudiste. Tout en posant le rythme alangui, la température écrasante, le foisonnement des plantes ou l'aridité des champs, Welty fait surgir et parler des personnages variés ; paysans, notables de petite ville, mères de famille ; ils sont jeunes ou vieux, noirs ou blancs. La diversité des tons utilisés par Welty pour raconter leur vie ou un épisode clef de celle-ci est assez grande : la touche d'humour ou d'ironie est toujours présente et va jusqu'au comique, (par exemple dans le monologue de « Pourquoi j'habite au bureau de poste »), ou au satirique (une mentalité provinciale mesquine est esquissée dans « L'Homme pétrifié »), mais c'est au fond une tristesse grise ou noire qui colore toutes les nouvelles.

Celles-ci s'organisent autour de préoccupations semblables : le sentiment douloureux d'un écart entre le protagoniste et le monde qui l'entoure. L'agression que représente le monde est souvent figurée comme étant de nature sexuelle. Dans « Un souvenir », une très jeune fille observe sur la plage des baigneurs répugnants et tente de concilier cette vision d'une chair dégradée et son pur amour pour un camarade d'école. Le timide protagoniste de « Des fleurs pour Marjorie » tue sa femme enceinte. Dans « La mort d'un voyageur de commerce » (la première nouvelle qu'ait publiée Welty), un homme meurt seul en pleine cambrousse, après avoir trouvé refuge dans une cabane dont une très symbolique occupante est une femme enceinte occupée à nettoyer une vieille lampe à pétrole.

La mort, comme la sexualité, apparaît donc aussi très souvent à l'arrière-plan de tous les mouvements fugitifs de l'âme. Indirectement, mais de manière constante, ce que Welty suggère c'est la douleur de se sentir séparé. Ce sentiment, qui va de l'ulcération au désespoir, est présent obliquement parce qu'il est voilé par le lyrisme, des métaphores multiples, une préciosité grande, parce que les symboles, les ellipses, les euphémismes, les silences garantissent, dans les meilleures nouvelles en tout cas, une élégante ambiguïté. — Trad. Flammarion, 1986. C. Gr.

HOMME POUR HOMME [*Mann ist Mann*]. Pièce de l'écrivain allemand Bertolt Brecht (1898-1956). Cette œuvre, achevée en 1925, fut créée en 1926 ; il s'agit de la première pièce épique de l'auteur. Le docker Galy Gay qui était parti un matin de chez lui pour acheter un poisson se retrouve à la fin de la pièce revêtu de l'uniforme de la grande armée britannique et transformé corps et âme en un féroce combattant pris dans les rouages d'une guerre impérialiste. L'inexorable processus de cette transformation, à laquelle le héros collabore sans réellement y participer, fait l'objet de la pièce qui se déroule aux Indes, dans une atmosphère de faux héroïsme colonial, parodie de Kipling. Galy Gay va son chemin, solitaire, tout au long des quinze scènes, comme l'Anna Fierling de *Mère Courage* (*) que la guerre, pas à pas, transforme en une vieille femme dépossédée. Les trois soldats de *Homme pour homme*, que le hasard fait buter sur un pauvre docker au moment où ils cherchent désespérément à remplacer leur camarade disparu, sont eux-mêmes les victimes d'un ordre qui les dépasse ; ils apparaissent déjà totalement aliénés. Ils ne s'opposent pas à Galy Gay, ils se contentent, mus par la nécessité, de l'introduire à son tour dans le système social dont ils dépendent. Le processus de cette aliénation est ici traduit littéralement, physiquement. Par le subterfuge le plus grossier, Galy Gay est compromis dans une affaire louche, traduit devant un tribunal, jugé, fusillé, enterré, pour renaître en possession d'un autre nom et d'un uniforme. Une bonne farce ! Tout le monde ici, sauf le spectateur, est à la fois dupeur et dupé. Une farce énorme, où le lyrisme se double d'un humour grinçant, dans un mélange qui rappelle, par moments, le style claudélien. Rien de plus déchirant que ce poème par lequel le docker, parvenu presque au bout de sa métamorphose, salue la dépouille de cet autre lui-même que figure une caisse marquée d'une croix, avant que s'accomplisse le simulacre d'enterrement. Si *Homme pour homme* est représentatif du style épique, on y retrouve nettement la trace expressionniste ; le texte est volontiers schématique et l'acte théâtral s'y impose dans sa littéralité. Chaque symbole est pris à la lettre et la réalité de chaque geste rigoureusement maintenue. Ceci jusqu'au malaise, d'où jaillit, pour le spectateur, la connaissance. — Trad. L'Arche, 1955.

HOMME PRÉCAIRE ET LA LITTÉRATURE (L'). Unique ouvrage consacré à la littérature par le romancier français André Malraux (1901-1976), auteur de nombreux essais touchant les arts plastiques. Rédigé en 1976, publié en 1977, cet essai posthume se démarque de l'histoire littéraire soumise à la succession des écoles, des courants. Il offre une vision d'ensemble qui apporte des interprétations personnelles et fortes sur les œuvres majeures de notre littérature. Alors qu'à propos des arts visuels il enjambe avec assurance les siècles et les civilisations, Malraux place ici la littérature sous le signe de la précarité et l'envisage à l'aune d'une vie humaine. Dès l'ouverture (chap. 1 : « Portraits dans l'antichambre »), il relie son dessein à une expérience de jeunesse : le *Tableau de la littérature française. De Corneille à Chénier* réalisé avec la collaboration des plus grands écrivains vivants, sollicités par lui afin qu'ils parlent d'un des « maîtres du passé » de leur choix. Le projet reposait sur deux idées qui dominent encore *L'Homme précaire :* la notion de métamorphose de l'art qui s'oppose à l'idée de la pérennité du chef-d'œuvre — constante et imprévisible métamorphose qui impose de reconsidérer périodiquement tout palmarès des écrivains les plus appréciés — et la notion de présence réelle, donnée pour « valeur suprême », dépendant de subtiles affinités entre l'œuvre et son lecteur, elles-mêmes étroitement tributaires de la « bibliothèque imaginaire » du récepteur. Est constamment soulignée la nature des relations de l'écrivain au réel : rivalité et non soumission : « La littérature est un imaginaire dans sa totalité, et de quelque réalisme qu'elle se réclame. » *L'Homme précaire* présente la vision d'un homme qui a accédé à la littérature dans les années 20, au moment où le génie de Baudelaire, de Flaubert se voyait enfin reconnaître. L'auteur s'arrête, à peu d'exceptions près, à la génération qui précède la sienne. Il consacre la plus grande partie de sa réflexion au roman. Il voit en effet dans « ce que *nous* appelons le roman » un domaine « international », car il se traduit plus aisément que la poésie, et « capital », car il est devenu « pressante interrogation sur l'homme », « moyen d'expression de ce qu'on appela longtemps la sagesse ». À partir des commentaires disséminés dans les chapitres 5 à 10, on peut reconstituer une originale théorie du genre romanesque. Prenant les grandes œuvres du XIXe siècle — où il fait commencer « L'Imaginaire du roman » — non plus en elles-mêmes mais dans leurs relations les unes aux autres, il fait ressortir l'unité et la singularité de la forme qui a prévalu sans rivale des premiers romans de Balzac à la mort de Tolstoï. Il reprend en partie les grandes périodisations qu'il avait adoptées pour les arts plastiques dans *La Métamorphose des dieux* (*) en une chronologie discontinue liée à l'histoire de la sensibilité et aux valeurs dominantes depuis « L'Imaginaire de vérité » (chap. 2) du Moyen Âge chrétien avant la rupture de la Renaissance, jusqu'à l'époque actuelle dominée par l'imaginaire de l'audio-visuel (chap. 14 : « L'Aléatoire »), en passant par « L'Imaginaire de l'illusion » (chap. 4), où triomphe le théâtre, et « L'Imaginaire de l'écrit » (chap. 5), qui est pour l'essentiel celui du roman. Dans les derniers chapitres, l'auteur réfléchit à la profonde mutation que l'audiovisuel a apportée à notre relation avec le monde. Il s'interroge pour finir, sur ce que sera la prochaine métamorphose, sans exclure la possibilité d'« événements spirituels capitaux », toujours imprévisibles. Ch. Mo.

HOMME QUI CORROMPIT HADLEYBURGH (L') [*The Man that Corrupted Hadleyburgh*]. Récit de l'écrivain américain Mark Twain (1835-1910). La première édition date de 1900, mais l'œuvre fut publiée plus tard, sous forme d'un volume qui contenait d'autres contes et des essais. Parmi les courts récits de Twain, celui-ci, qui est peut-être le plus célèbre, s'est acquis une signification presque proverbiale. Hadleyburgh est une bourgade américaine de quelques milliers d'habitants qui jouissent d'une réputation d'honnêteté incorruptible. Un mystérieux personnage, désireux de venger certains affronts obscurs que lui auraient infligés les habitants d'Hadleyburgh, trame une farce destinée à révéler aux yeux du monde la véritable moralité des villageois ou tout au moins des dix-neuf notables les plus estimés. Il abandonne dans la banque locale, auprès du caissier, un sac accompagné d'une lettre qui révèle que celui-ci contient des pièces d'or destinées à récompenser le citoyen d'Hadleyburgh qui, plusieurs années auparavant, avait donné vingt dollars et de bons conseils à un vagabond affamé. Afin d'être identifié, le philanthrope en question devra être invité publiquement à insérer dans une enveloppe fermée le texte de la phrase dont il avait accompagné son aumône. Les dix-neuf citoyens d'Hadleyburgh qui se sont mis sur les rangs sont convaincus du mensonge, tandis que le sac se révèle gonflé de pièces de plomb doré. Le village est contraint de changer de nom. La plaisanterie prend un aspect tragique pour le vieux caissier et sa femme, qui fuient leur petite ville à cause des machinations du mystérieux mystificateur ; leur soif de l'or les entraînera, de déchéance en déchéance, jusqu'à la mort. Ce récit est l'un de ceux dans lesquels Twain a poussé l'humour jusqu'à la tragédie, non seulement en raison de la fin misérable du caissier, mais parce que le lecteur escompte jusqu'à la conclusion qu'un personnage au moins échappera à la condamnation, alors que tous, sans exception, se trouvent compromis. La conception pessimiste de l'homme, qui est sous-jacente à l'œuvre de Twain tout entière, prend ici une forme particulièrement implacable. Le volume publié en 1917 contient, en outre, d'autres contes célèbres comme « Le Billet d'un million », « Les Débuts d'un lettré », « Mort ou vivant ? » et la « Pétition à la reine d'Angleterre ».

HOMME QUI DORT (Un). Roman de l'écrivain français Georges Perec (1936-1982), publié en 1967. Si *Les Choses* (*) traitait des « lieux de la fascination mercantile » selon l'expression de l'auteur lui-même, *Un homme qui dort,* selon Perec toujours, traite des « lieux de l'indifférence ». Il y a là comme le traitement de l'une des potentialités du Jérôme ou de la Sylvie des *Choses.* Le ton est ici encore plus sombre : litanie envoûtante, somnambulique ; monologue d'une sorte de dédoublement où le « je » s'adresserait à lui-même. « Ta chambre est le centre du monde. Cet antre, ce galetas en soupente qui garde à jamais ton odeur, ce lit où tu te glisses seul, cette étagère, ce linoléum, ce plafond dont tu as compté cent mille fois les fissures... » Tout le roman est écrit à la deuxième personne du singulier, à l'exception de quelques lignes qui sont un résumé précis du *Bartleby* (*) de Herman Melville, figure emblématique du détachement, et dont on retrouvera bien des échos dans l'œuvre ultérieure de Perec.

Ce roman va au bout de la tentation d'inexistence : refus, déprime, dégagement, errance, indifférence... Le personnage se définit par le « sans » : sans désir, sans dépit, sans révolte, sans aspérités, sans mémoire, sans frayeur, sans histoire et sans histoires... Il s'agit de la première émergence évidente, chez Perec, de cette obsession du manque, de la disparition : « Tu préfères être la pièce manquante du puzzle. »

Pourtant, Perec ne va pas jusqu'au suicide, et son personnage finit par reprendre pied, sous le coup d'un appel à regarder le monde.

Un homme qui dort fut également un film, tourné par Bernard Queysanne et Georges Perec (1974), qui révèle de façon très forte les qualités sonores du texte de Perec et travaille presque systématiquement le décalage temporel entre les images et les évocations verbales.

J. J.

HOMME QUI ÉTAIT MORT (L') [*The Man who Died*]. Court roman de l'écrivain anglais David Herbert Lawrence (1885-1930), publié à Londres en 1931. Une première édition en avait été faite l'année précédente à Paris, sous le titre *Le Coq échappé* [*The Escaped Cock*]. L'homme qui était mort, c'est le Sauveur que l'on a déposé dans le sépulcre sans qu'il ait vraiment vécu. Sa mission l'a empêché d'être lui-même ; en prêchant son évangile, il a proposé aux hommes l'amour, mais un amour condamné à mourir. Car, ignorant de la véritable vie, il ne tendait qu'à en arracher les hommes pour se les attacher par des liens purement spirituels. Par la suite, il ressuscite plein de déception, mais décide de créer sa propre existence solitaire au sein du monde. Désormais, l'ardeur qu'il mettait dans sa prédication est éteinte ; son âme est vide, et le monde n'est pour lui que désolation. Pourtant, il doit exister une espèce d'élan vital et il faut qu'il en découvre la signification afin de n'être pas mort en vain ; c'est l'appel orgueilleux, lancé vers le soleil par un coq, qui le lui révèle. Fatigué et le cœur rempli de crainte, l'homme qui était mort se met en route à travers le monde en quête de la véritable vie. Dans une région lointaine, il rencontre une jeune fille, prêtresse d'Isis, dont la mission sacrée est d'accueillir l'homme qui, le premier, saura cueillir la fleur de sa virginité. Le ressuscité et la jeune fille qui l'attendait s'unissent dans une extase mystique ; ils se sont révélé ainsi la véritable signification de la vie. La femme a conçu le fils d'Osiris et l'homme a vaincu la mort pour pénétrer vraiment dans la vie. Ce récit, dont le thème sacrilège s'apparente à celui qu'expose George Moore dans *Solitude du Kerith* trouve sa source dans les écrits de Nietzsche et de D'Annunzio. La beauté et la sensualité de l'écriture font oublier ce qu'il y a de caricatural dans cette réinterprétation osée de la vie du Christ. — Trad. Gallimard, 1933.

HOMME QUI MANGEA LE PHÉNIX (L') [*The Man who ate the Phoenix*]. Œuvre de l'écrivain irlandais lord Edward Dunsany (1878-1957), publiée en 1950. C'est un recueil de contes et de nouvelles dont le premier a donné son titre à l'ouvrage. L'Irlande se modernise et, peu à peu, son esprit singulièrement aiguisé, spontanément ouvert à la poésie, se transforme et se perd. Cette Irlande traditionnelle que Dunsany aimait, il a voulu en recréer l'atmosphère, comme il l'avait fait dans *Mon Irlande* [*My Ireland,* 1938]. Il prend pour matériaux les vieilles légendes orales des paysans irlandais avant qu'elles ne disparaissent complètement de la mémoire du peuple : ce sont surtout les rencontres périodiques des petites gens avec le monde surnaturel et féerique des revenants qui le passionnent. Dunsany est un vrai conteur, plein d'esprit et de vivacité, et dans ce recueil son imagination fantaisiste, même fantasque, et sa douce ironie se sont donné libre cours. Il utilise avec autant de bonheur que la légende un petit fait bizarre autour duquel il tisse une histoire brève, mais charmante. Le genre du conte, plus même que la nouvelle, lui permet de créer une atmosphère de connivence et d'intimité avec son interlocuteur – interlocuteur et non pas lecteur – car il lui parle, et sa parole charme sans jamais fatiguer ni ennuyer. On voudrait partir avec lui à la recherche d'un « lepreshaun » (petit être féerique plein de malice) caché sous un brin d'herbe.

HOMME QUI MOURUT DEUX FOIS (L') [*The Man who died Twice*]. Poème du poète américain Edwin Arlington Robinson (1869-1935), publié en 1924 et qui obtint en 1925 le prix Pulitzer. En fait, on ne peut guère parler ici de poème, mais de récit ou roman en vers. Robinson est un des maîtres de ce genre, qui connaît une si grande fortune dans les pays anglo-saxons : il y a consacré presque exclusivement la dernière partie de sa production, à laquelle appartient d'ailleurs cette œuvre. Pour lui, le récit en vers n'est pas action, mais portrait psychologique permettant d'accéder aux problèmes éternels du sens de la souffrance et de la vie. Le narrateur (dont la personnalité demeure à peine esquissée) rencontre un soir dans la rue, battant du tambour pour l'Armée du Salut, le compositeur Fernando Nash, qu'il avait connu dans sa jeunesse, alors que ses dons exceptionnels lui valaient l'admiration et l'envie de tous. Il l'aborde, et c'est dans une chambre misérable que Nash lui raconte sa tragédie : pleinement conscient de son génie, il sait qu'il l'a perdu pour ne pas lui avoir fait suffisamment confiance et avoir voulu posséder les joies matérielles. Les tortures de son esprit dans la « vallée de l'ombre » l'ont amené à trouver dans l'humilité devant Dieu la victoire sur la mort. Ces tortures, cette révélation sont l'essentiel du poème. L'art de Robinson, tout de suggestion, sa maîtrise du monologue dramatique où, dans les redites comme dans les allusions les plus voilées, se révèle et s'agence un caractère, sont ici mis en lumière. Il expose le mystère d'une vie, mais ne le résout pas : Nash a-t-il trouvé la vérité ? Sa conviction est aussi troublante que les réserves de son ami : hors du doute, seules demeures l'intensité de son expérience et la souffrance qui est la rançon de toute vie spirituelle.

HOMME QUI REGARDAIT PASSER LES TRAINS (L'). Roman de l'écrivain belge d'expression française Georges Simenon (1903-1989) écrit au printemps 1937 et publié l'année suivante. Jusqu'à cette soirée où il croise son patron dans un troquet minable, Kees Popinga, bourgeois de Groningue, mène une existence sans histoires, partagée entre sa profession de comptable, son foyer et ses parties d'échecs. Avec un cynisme méprisant, Julius de Coster lui apprend que la justice va le poursuivre pour avoir escroqué sa propre entreprise. C'est pourquoi il va prendre le large après avoir simulé un suicide. Le lendemain, empli d'une assurance nouvelle, Popinga prend un de ces trains qu'il regardait naguère avec envie et disparaît à son tour. À Amsterdam, il étrangle l'ancienne maîtresse de son patron, parce qu'elle a repoussé ses avances en se moquant de lui. À Paris, une prostituée, Jeanne Rozier, l'aide à se cacher dans le milieu. Mais Popinga a flairé un piège et s'enfuit de la chambre où les malfrats l'ont enfermé avant de blesser Jeanne qui s'est refusée à lui.

Les journaux s'emparent de l'affaire et, à coups d'articles sensationnels, donnent de Popinga une image de fou dangereux, peu conforme avec sa réalité intime. Alors, autant par défi que pour attirer le regard des foules, il entreprend de révéler sa personnalité secrète par des lettres adressées à la police et aux journaux. Rien n'y fait. Le malentendu reste entier car les autres ne l'admettent pas tel qu'il est. Son aventure prend fin le long des rails de chemin de fer, dans la grisaille d'une banlieue où il est privé de toute ressource à la suite du vol de son portefeuille. Serré de près par la police, il cherche à se suicider en rendant son visage méconnaissable pour empêcher toute identification. Au préalable, une lettre expédiée à la presse aura décrit la destinée exemplaire d'un Popinga arrivé au sommet de la gloire sous un nom d'emprunt. L'être s'efface au profit de l'image : bien que dérisoire ce message est sa dernière chance d'imposer une légende à la mesure de ses prétentions narcissiques. Intercepté, il finira ses jours dans un hôpital psychiatrique, face à son propre vide, convaincu qu'il n'y a pas de vérité.

Lors de sa fugue, le héros a beau prendre le contre-pied des valeurs en usage dans sa classe d'origine, sa conscience demeure obscurcie par l'observance viscérale des codes appris et par le rôle écrasant dévolu à l'autre, qu'il soit représenté par la presse, la police ou l'opinion publique. Comme Jules Malétras (*Le Bilan Malétras*, 1948) ou Hans Kupérus (*L'Assassin*, 1937), même au plus fort de sa déviance — v. *La Fuite de monsieur Monde* (*) —, il demeure enchaîné à ses illusions, incapable d'admettre que son entreprise faussement libératrice repose sur un malentendu fondamental. Tout à la jubilation de bousculer les interdits, il discerne mal que ses aliénations originelles perdurent et qu'il continue de flotter à la surface des choses, coupé de la vérité. Toutefois, au fur et à mesure que les expériences de vie s'accumulent, les chimères s'estompent jusqu'à ce que s'entrouvrent les portes de la connaissance. Aveuglé au cours de son existence bourgeoise mais aussi pendant une bonne partie de sa fugue initiatique, le héros finit par briser la coquille des faux-semblants psychologiques et sociaux, ce qui le dote d'une lucidité susceptible de l'aider à voir plus clair en lui. Ce roman a été adapté au cinéma par Harold French sous le titre *The Man who watched trains go by* (1953), avec Claude Rains dans le rôle de Popinga.

Al. B.

HOMME QUI RIT (L'). Roman de l'écrivain français Victor Hugo (1802-1885), publié en 1869. Cette œuvre écrite dans la dernière période de l'exil à Bruxelles reflète, comme *Les Misérables* (*), les préoccupations sociales qui avaient fait de Victor Hugo un homme politique, et sa passion, à la fois naïve et ardente, donne à ces pages un accent inoubliable. *L'Homme qui rit* est peut-être le roman le plus typique de Victor Hugo, celui dans lequel son goût de l'antithèse est mis le plus clairement au service d'une idéologie. Un saltimbanque philosophe, un monstre à l'âme lumineuse, une orpheline aveugle d'une pureté exceptionnelle, une duchesse pervertie, tels sont les protagonistes de ce roman. L'action se passe en Angleterre, au temps de la reine Anne. Un étrange vagabond, Ursus, misanthrope au cœur généreux, erre à l'aventure avec son chariot et son ours. Il rencontre deux enfants abandonnés : l'un, rendu infirme par les « comprachicos », porte un visage marqué d'un rire perpétuel, tandis que sa compagne est aveugle. Ursus les recueille, et plus tard il forme avec eux une sorte de compagnie de mimes, Gwynplaine, le garçon, avec sa face monstrueuse, acquiert très vite une certaine renommée : Dea est sa joyeuse compagne de scène ; les deux jeunes gens s'aiment tendrement. Or, il arrive qu'à Londres on reconnaît bientôt dans Gwynplaine le baron Clancharlie, pair du royaume, qui fut jadis enlevé à sa famille. On le rétablit dans ses titres et ses droits. Ursus, qui le croit mort, tente vainement de cacher son absence à Dea. Cependant, Gwynplaine a fait son entrée à la Chambre des lords. Là, il se fait le défenseur de ce monde misérable au milieu duquel s'est déroulée toute sa vie. Il parle avec une telle passion qu'il en vient à perdre la tête et s'abîme dans les sanglots à la fin de son discours. Il ne pense plus à sa difformité. Mais les lords, eux, voient ses pleurs se transformer en un rire spasmodique. Stupeur : toute la Chambre ricane. Ivre de dégoût, le héros prend la fuite. Il n'aspire plus qu'à rejoindre Ursus et Dea sur le bateau qui s'apprête à les emporter. Hélas, il arrivera trop tard ! Dea expire entre ses bras, brisée par la douleur de l'avoir cru mort. Gwynplaine, inconsolable, finit par se noyer.

L'évocation de la vieille Angleterre du début du XVIIIe siècle est loin de manquer de force ; la brutalité populaire explose sous le vernis de l'orgueilleux raffinement de la société. Les effets d'ombre et de lumière, les formes grimaçantes qui contribuent à évoquer cette atmosphère pénible, s'adaptent avec plus de vérité à cette époque qu'aux évocations d'un Moyen Âge tardif, jouisseur et déjà bourgeois — v. *Notre-Dame de Paris* (*). La vie de l'œuvre provient de ce décor violent, mais trop violent pour pouvoir accueillir des thèses sociales et pour permettre au drame de prendre cette profondeur qui, seule, aurait pu rendre réels les personnages.

HOMME QUI SAVAIT (Un). Roman posthume de l'écrivain français Emmanuel Bove (1898-1945), écrit en 1942 et paru en 1985. Le roman est tout entier centré sur le personnage de Maurice Tesca, un ancien médecin de 57 ans qui vit avec sa sœur une existence misérable et replié sur lui-même dans un petit appartement de la rue de Rivoli. Malade, ou hyper-émotif, ou comédien, Maurice Tesca, grand arpenteur de la ville, vit à la fois dans la terreur du regard d'autrui, le concierge, les passants, les consommateurs d'un café, et en faisant régner une tyrannie de chaque instant sur sa propre sœur, lui promettant de lui donner de l'argent, puis dans le même instant la menaçant de la mettre à la rue. Ce personnage ambigu, diabolique, vit dans un état d'extrême pauvreté, de saleté et de dénuement, faisant miroiter par moments à sa sœur l'éventualité de rentrées d'argent dont bien évidemment elle bénéficierait, pour mieux tenir sa proie, comme un chat qui lâche la souris avec des paroles de consolation, pour mieux la reprendre, soufflant alternativement le chaud et le froid. Le roman enchevêtre deux histoires, la relation avec Mme Maze, femme d'âge mûr, divorcée, que Maurice pousse, sans y toucher, par la bande, et faisant preuve du plus grand désintéressement extérieur, à entreprendre des démarches auprès d'un notaire pour réclamer de son ancien mari des biens, quelques bijoux, une fourrure — biens qu'il accaparera — et la relation, l'asservissement dans lequel Maurice maintient sa sœur, lui reprochant, par une torture harcelante de chaque instant, son manque de combativité (« Sois heureuse », lui dit-il), lui proposant de devenir, mais pour le dépouiller, la maîtresse de son ancien patron et beau-père, un professeur de médecine. Le lecteur est pris par ce personnage à la fois pitoyable et faussaire, qui dans une constante valse-hésitation enferme ses proches dans des conversations sans queue ni tête, un ressassement d'histoires sans ombre de vérité, une mythomanie agissante qui se développe autour de quelques individus, pour les détruire, mais en se gardant toujours des airs de victime. *Un homme qui savait* (ce titre énigmatique accréditant l'explication du parfait comédien) se donne en spectacle pour mieux observer l'image qu'il projette et les réactions de ses proches – sans qu'il soit finalement possible d'affirmer avec certitude que cet homme est un monstre parfait, ou un personnage pitoyable, malade, mythomane. La vérité sera peut-être dans le jugement que porte Emily sur son frère, ce dernier lui disant : « Une chose m'ennuie, tu ne comprends jamais ce que je te dis », ce à quoi elle répond : « C'est qu'il n'y a rien à comprendre. » On retrouve dans ce roman très noir d'Emmanuel Bove les constantes de son écriture, le souci du détail de la vie quotidienne, le vêtement, les repas, l'observation de la déchéance du corps, avec en même temps ce regard qui rend les personnages terriblement humains, terriblement pareils à chacun d'entre nous, au point qu'on ne saurait les juger sans se juger soi-même. V. W.

HOMME QUI SEMBLAIT ÊTRE UN CHEVAL (L') [*El hombre que parecia un caballo*]. Œuvre du poète guatémaltèque Rafael Arévalo Martínez (1884-1975), publiée en 1915. Avec la publication de cette nouvelle, Martínez obtint les louanges et l'admiration de ses contemporains, qui rapprochèrent son talent de ceux de Poe et de Barbey d'Aurevilly. L'auteur avait déjà publié d'autres nouvelles dont le sujet était la surprenante correspondance qui existe entre certains caractères humains et animaux. Mais cette tendance de son esprit, presque obsessionnelle d'ailleurs, atteint son expression la plus parfaite dans *L'Homme qui semblait être un cheval*. L'histoire que conte la nouvelle est fort simple : un homme s'efforce d'entrer dans l'intimité d'un poète qu'il vénère et découvre, non sans surprise et sans désappointement, que le poète n'est pas un homme, mais « vraiment » un cheval : par la suite il rompt toute relation avec lui, créant sa propre métaphysique qui ne laisse pas d'être tendancieuse ; l'auteur en tire des conclusions singulières. Il affirme dans une autre nouvelle : « De même que la flamme et les figures du Greco nous font soupçonner une mystique aspiration de la matière vers Dieu, Léon Franco [l'homme qui semblait être un chien] me permettait de découvrir la merveilleuse unité de l'univers sensible. » Martínez n'ignore pas à quel point les autres jugent inacceptables ses affirmations. L'étrangeté de sa « révélation » est accentuée par le style recherché qui est celui des poètes modernistes, d'une musicalité bizarre, presque extravagante. Arévalo Martínez l'utilise pour la description comme pour le dialogue et crée ainsi une atmosphère de profond mystère qui est à la fois, paradoxalement, naturelle et presque naïve. Cependant que tout chez l'auteur est métaphore : le style, l'histoire, et sa propre idée de l'histoire, le lecteur peut accueillir au-delà des métaphores, mais toujours à travers elles, une réalité objective que l'auteur, lui, perçoit déformée. Ce mélange de mystère et de translucidité fait d'Arévalo Martínez un cas hors série dans la littérature latino-américaine.

HOMME QU'ON APPELLE LE CHRIST (L') [*On The Man Called Christ*]. Ouvrage de l'écrivain anglais Gilbert Keith Chesterton (1874-1936), publié en 1927. Cet essai apologétique est la deuxième partie d'une œuvre intitulée *The Everlasting Man*, dont le début fut publié en français en 1927 sous le titre *L'Homme éternel* (*). Le christianisme, dit Chesterton, n'est pas une théorie du monde, c'est un événement d'une nouveauté absolue. L'Évangile se propose en effet comme un livre d'énigmes et l'une des plus mystérieuses est, sans aucun doute, la longue vie secrète du Christ jusqu'à la trentième année. Rien, qui ne s'oppose plus à l'habituelle imagination populaire et si Jésus n'avait été qu'une invention de cette imagination, nul doute qu'il nous eût été présenté, comme il l'est dans les Évangiles apocryphes, demi-dieu, accomplissant dès le berceau des prodiges fabuleux... Le silence et la solitude du héros contredisent toutes les traditions de la rêverie humaine : c'est une énigme, qu'il est difficile de ne point reconnaître comme celle d'un Dieu. Rien de plus complexe, de plus équilibré aussi, que la personnalité de Jésus. Jésus se dit Fils de Dieu, mais il se dit aussi Fils de l'Homme et tous ses propos témoignent du même dualisme. Sage, il le fut : ceux mêmes qui lui dénient la divinité lui accordent la sagesse. Mais il est justement ce sage, le seul qui ait jamais osé se dire Dieu : avant lui, après lui, ces prétentions ont été réservées aux fous...

Nouvelle, l'Église l'est, comme le Christ. Longuement, avec une extrême agilité, souvent ironique, Chesterton argumente contre les objections libérales à l'endroit de la divinité de l'Église catholique. Certaines de ces objections disent que le christianisme des origines n'était qu'une foi simple, primitive « naïve », compliquée plus tard par l'Église. Il est au contraire évident que le milieu du Iᵉʳ siècle était rien moins que primitif et « naïf » et témoignait d'une civilisation extrêmement compliquée. Quant à la « déformation » par l'Église du message primitif, les exégètes protestants ont été contraints d'en reculer les premiers signes jusqu'à des dates de plus en plus rapprochées de la mort du Christ. Alors ? Il est d'autres exégètes pour prétendre, à l'opposé des premiers, que le christianisme ne fut qu'un des innombrables phénomènes de décadence de la civilisation antique ; mais ces cultes orientaux qui envahirent l'Empire romain (manichéisme, mithracisme, etc.), le christianisme les a moins apportés que chassés de Rome. Ces superstitions, qui ne brillèrent de quelque éclat qu'à la faveur des désordres de l'Empire, disparurent avec l'Empire. Le christianisme seul dura, prouvant ainsi qu'il y avait à ses succès d'autres causes que la faiblesse de cet Empire qui mourut sans l'entraîner dans sa mort.

Le destin du christianisme, de l'Église qui est le corps historique de la Passion et de la Résurrection du Christ, est bien en effet de mourir et de renaître sans cesse, Chesterton le souligne dans son dernier chapitre, assurément le plus beau du livre. Chaque fois que, depuis deux mille ans, disparut une société, le christianisme, qui semblait l'avoir épousée pour l'éternité, parut sur le point de disparaître : il en fut ainsi avec l'Empire romain, avec la féodalité, avec la Renaissance, avec la Révolution. Chaque fois, au grand dépit de prophètes trop pressés, ce ne fut pas la mort qui vint, mais une résurrection dans une nouvelle chair, dans une nouvelle expression historique. Chesterton ranime l'Apologétique. Il n'est pas de ceux qui croient que, pour convaincre, les tirades emphatiques valent mieux que la découverte du contenu de la foi avec la simplicité de la bonne foi et de l'amour qui renouvellent les vérités éternelles. Aussi, tout au long de sa démonstration, réussit-il à nous proposer le fait du Christ comme une surprise, une vraie « bonne nouvelle ». – Trad. Nouvelles éditions latines, 1947.

HOMME RAPAILLÉ (L'). C'est sous ce titre générique que le poète québécois Gaston Miron (né en 1928) a réuni l'ensemble de ses poèmes longtemps dispersés dans des revues souvent éphémères. C'est un livre mobile, sans cesse augmenté et revu, traduit en plusieurs langues, et dont les éditions depuis 1970 se succèdent. Il incarne la lutte d'un peuple pour sa libération en même temps que la « marche à l'amour » d'un homme humilié, dépossédé de son héritage, de son pays, de sa langue – l'« homme agonique », ainsi que le nomme l'auteur – et qui se « rapaille » et « avance en poésie » au nom de l'« obscure respiration commune » : « Mes camarades au long cours de ma jeunesse / si je fus le haut lieu de mon poème, maintenant / je suis sur la place publique avec les miens / et mon poème a pris le mors obscur de nos combats. » Organisé autour de deux pôles majeurs : le combat collectif pour la liberté du Québec et l'aventure individuelle avec ses angoisses, ses amours et ses souvenirs, *L'Homme rapaillé* n'a de cesse de réconcilier l'amoureux et le militant dans la seule cause qui vaille : la dignité de l'homme ; de fondre en un seul chant l'amour du pays natal et celui de la femme ; de regagner son passé et de le changer en avenir. D'une rigueur d'écriture toute mallarméenne, la poésie « engagée » de Miron échappe à tous les poncifs du genre ; extrêmement riche et diverse, tantôt épique, tantôt ironique, récitative ou lyrique, elle épouse des mètres variés, souvent amples, où l'oral et le visuel se fondent dans une langue savoureuse et efficace : « J'ai fait de plus loin que moi un voyage abracadabrant / il y a longtemps que je ne m'étais pas revu / me voici en moi comme un homme dans une maison / qui s'est faite en son absence / je te salue, silence // je ne suis plus revenu pour revenir / je suis arrivé à ce qui commence. »

G. G.

HOMME RÉVOLTÉ (L'). Essai de l'écrivain français Albert Camus (1913-1960), publié en 1951. Défini par son auteur comme un effort pour comprendre son temps, *L'Homme révolté* est centré sur ce que Camus juge être le problème majeur du XXe siècle : celui du meurtre, du crime qui se prétend légitimé par l'idéologie ou la raison d'État. À défaut d'une « impossible innocence », la révolte peut-elle permettre de « découvrir le principe d'une culpabilité raisonnable », et ne pas déboucher sur la justification du meurtre ? La question se situe dans le prolongement du *Mythe de Sisyphe* (*), puisque l'essai « se propose de poursuivre devant le meurtre et la révolte une réflexion commencée autour du suicide et de la notion d'absurde ». Déjà, la prise de conscience de l'absurde engendrait la révolte, qui s'affirme ici comme son dépassement ; de plus, la souffrance individuelle, née de l'expérience absurde, devient collective ; elle se transforme en « aventure de tous ». La relation à l'autre et la solidarité humaine deviennent essentielles ; ce que fonde et résume le « cogito » de Camus : « Je me révolte, donc nous sommes. » *L'Homme révolté* peut se lire comme une histoire de la révolte, qui, partant de *La Bible*, de la mythologie et de la pensée grecques, allant jusqu'aux révolutionnaires de l'époque contemporaine, examine quelques figures empruntées à la religion, à la philosophie, à la politique ou à la littérature. Les développements centraux sont consacrés à la « révolte métaphysique », qui dresse l'homme contre sa condition, puis, plus longuement, à la « révolte historique », qui dresse l'homme contre ceux qui l'oppriment. L'essai ne se contente pas de décrire ; alliant réflexion et enquête, il pose une problématique singulièrement novatrice, qui fait de la révolte historique la « suite logique » de la révolte métaphysique. La « négation absolue », à l'œuvre chez Sade, dans sa revendication d'une liberté frénétique, et la déshumanisation qu'opère l'intelligence, est également illustrée par les dandys et la vision romantique de Satan. À travers Ivan Karamazov, inaugurant l'« entreprise essentielle de la révolte, qui est de substituer au royaume de la grâce celui de la justice », c'est le « refus du salut » qui est incarné ; avec son « tout est permis » commence l'histoire du nihilisme contemporain. Nihilisme dont Nietzsche est la conscience la plus aiguë, qui fait passer l'esprit de révolte de la négation de l'idéal à sa sécularisation : le salut de l'homme ne peut se faire que sur terre. La révolte nihiliste encore de Lautréamont, l'exaltation de la poésie révoltée des surréalistes vont dans le même sens. De la révolte métaphysique naît la révolution ; mais celle-ci, s'armant de la raison, devient conquête totalitaire. C'est ce qu'attestent le fascisme, qui proclame le règne de quelques individus et traite tous les autres en esclaves, ou le marxisme qui, au nom d'une hypothétique liberté à venir, asservit l'homme d'aujourd'hui. C'est ce dont témoignent, à travers l'histoire, les régicides, les déicides, ou les terroristes. Par le terrorisme individuel, les « meurtriers délicats » font le sacrifice de leur innocence et de leur vie ; le terrorisme d'État, qu'il joue sur l'irrationalité, comme le nazisme, ou sur la rationalité, comme le « socialisme autoritaire », règne, littéralement, par la terreur absolue ; la mystique destructrice de l'hitlérisme ne conduit qu'au néant, le marxisme, à l'univers du procès ; l'un et l'autre aboutissent à l'horreur du monde concentrationnaire. Prométhée est transformé en César par l'exercice du pouvoir. L'art, cependant, permet d'affirmer que « l'homme ne se réduit pas à l'histoire ». Dans son exigence d'unité, et son refus du monde tel qu'il est, la création permet de voir la révolte à l'état pur, hors de l'histoire ; en particulier le roman, qui « corrige » le réel, illustre la tension entre « refus et consentement, singularité et universel, individu et histoire ». Tension, finalement, entre le « oui » et le « non » au monde, que symbolise la « pensée de midi », qui ne renie rien de l'homme, mais maintient vivants la révolte, l'amour, la fécondité, la dignité qui sont en elle, et donne à la mesure humaine sa valeur créatrice. À sa parution, *L'Homme révolté* fut l'objet de violentes polémiques, plus politiques que philosophiques ; Sartre et l'équipe de la revue *Les Temps modernes* (*), notamment, n'acceptèrent pas la condamnation du marxisme et de son totalitarisme, ni le refus des idéologies absolues. Paradoxalement, l'histoire, dont il se défiait tant, a, en cette dernière décennie du siècle, donné raison à Camus. Une lecture plus sereine de l'essai est désormais possible, laissant apparaître sa puissance littéraire, le bien-fondé de ses analyses, la force de la pensée et de la visée éthique. J. L.-V.

HOMME SANS QUALITÉS (L') [*Der Mann ohne Eigenschaften*]. Roman inachevé de l'écrivain autrichien Robert Musil (1880-1942). Partiellement publié du vivant de l'auteur, en 1931 et en 1933, *L'Homme sans qualités* devait se composer de deux volumes contenant respectivement deux parties : « Une manière d'introduction », suivie de « Toujours la même histoire », et une troisième partie intitulée : « Vers le règne millénaire », avec pour sous-titre, entre parenthèses : « Les Criminels ». S'étendant sur près de quarante ans, si l'on y inclut les phases préliminaires et les versions successives auxquelles Musil donna le jour avant de commencer à en fixer réellement les grands traits, la période d'élaboration débute avec les premières ébauches d'un roman successivement intitulé *Achille*, puis *L'Espion*, et enfin *L'Homme sans qualités*. Mais lorsque Musil meurt, en 1942, la seconde partie du roman est encore en chantier, dénuée de plan définitif : cinq mille pages manuscrites que les éditions successives vont exploiter avec plus ou moins de bonheur. C'est que, au-delà des hypothèses que les commentateurs ont bien voulu retenir, Musil se heurte, dans les dernières années de sa vie, à d'importantes difficultés que la précarité de ses conditions d'existence n'a probablement fait qu'aggraver. Au fil des ans, il a accumulé les brouillons, les variantes, les possibilités narratives, sans parvenir à prendre la décision qui lui eût permis, même au prix de certains sacrifices, de mettre un terme à un roman dont la construction n'a cessé de se compliquer. Inachevé, *L'Homme sans qualités* devait donc prendre place au côté des grandes œuvres mythiques qui singularisent le roman du XXe siècle et ses impossibilités présumées.

Le roman, pourtant, ne repose pas moins, en tout cas au début, sur des composantes narratives relativement simples. Deux éléments en déterminent la composition initiale. On y trouve d'abord la figuration d'un fait divers. Un charpentier, nommé Moosbrugger, est accusé de crimes sexuels et condamné à mort. Le personnage central du roman : Ulrich se découvre pour le criminel dont les atrocités sont rapportées par tous les journaux un intérêt, mêlé de sympathie, autour duquel le récit s'organise. Sans doute aurait-il pu se nouer autour de ce seul fil, mais Musil en a décidé autrement, et c'est à cette fin qu'il confie à une seconde « action », l'« Action parallèle », une fonction narrative complémentaire qui se conjugue aux différents épisodes du procès de Moosbrugger. Du coup, le récit se nourrit des extravagances typiques d'une galerie de personnages dont l'ambition vise à célébrer dignement l'anniversaire de François-Joseph, empereur d'une double monarchie à laquelle Musil donne le nom de Cacanie, conformément à l'habitude qui consistait à désigner au moyen des deux lettres *K* et *K (« Kaiserliche und Königliche »)* l'empire austro-hongrois. L'action parallèle, nom que prend significativement, dans le roman, la grande action patriotique, comporte à sa tête, outre le comte Leinsdorf, qui en est l'instigateur, deux personnages incarnant à eux seuls le ridicule et les contradictions d'une époque nourrie des idéologies propres à un monde qui ne sait plus où donner de la tête : Diotime, sorte de « beauté spirituelle » et Arnheim, chevalier d'industrie, l'un et l'autre engagés à la recherche de l'idée qui permettra à la Cacanie, en célébrant l'anniversaire de son empereur vieillissant, de donner au monde un exemple rédempteur. Les personnages qui hantent les comités de l'Action parallèle sont à la hauteur d'une époque dont Musil offre un tableau d'une perspicacité et d'une drôlerie que l'on ne soulignera jamais assez. Mais les moyens qui lui permettent de placer sous un éclairage saisissant la situation de l'Autriche à la veille de la Première Guerre mondiale, lui offrent également la possibilité de construire le personnage principal : Ulrich, et de lui donner une existence narrative que n'autoriseraient pas ses seuls traits paradoxaux, pour ne pas dire négatifs. Ulrich est en effet l'« Homme sans qualités », conformément au nom que lui donne son ami d'enfance : Walter, lorsqu'il précise, s'adressant à sa femme, Clarisse : « Il y en a aujourd'hui des millions. Voilà la race qu'a produite notre époque. » « Sans qualités », Ulrich l'est en effet, au sens où il a perdu les attributs qui confèrent ordinairement au moi l'existence qu'on lui prête. Il est, en cela, l'héritier d'une époque — et d'une intelligence — qui ne tolère plus le genre d'illusions dont les générations antérieures se sont bercées en confiant au moi la tâche de donner à la vie le port d'attache qu'elle réclame. Chez lui, le « possible » se substitue au « réel » et l'« essai » à la faculté d'agir. Comment un tel personnage pourrait-il porter un roman sur ses épaules ?

Ulrich devient, il est vrai, le secrétaire de l'Action parallèle ; il songe aussi à sauver Moosbrugger de l'échafaud, mais il n'« agit » pas à proprement parler. S'il y en a en lui un personnage de roman, c'est par procuration : peut-être en raison de ce qu'il est appelé à vivre — mais qu'il ne vit pas encore — et grâce à la part — tout à fait indifférente — qu'il prend à ce semblant d'action que mime l'Action parallèle. Car dans ce récit, décidément bien singulier, les autres personnages, les personnages « à qualités », ne possèdent eux-mêmes qu'en apparence les attributs qui font défaut à Ulrich. Ils n'agissent pas : ils font mine d'agir ; ils ne se déplacent pas : ils s'agitent. L'idée à la recherche de laquelle ils dépensent leur énergie désordonnée figure l'histoire à laquelle ils tentent de donner une réalité constamment différée. À leur échelle, celui du sens qu'ils tentent maladroitement de donner à leur vie, les personnages de l'Action parallèle vivent le drame indolent de l'Autriche : l'absence de fins et l'inconséquence caractéristiques d'une époque où tout glisse dans l'indifférence. On accordera, à cet égard, au début du roman et au titre du premier chapitre toute l'importance qui convient : « D'où, chose remarquable, rien ne s'ensuit. » Un accident de la circulation, tel qu'il s'en produit quotidiennement dans les grandes villes, un « événement légal et réglementaire », et ce sentiment de soulagement qu'éprouvent les témoins lorsqu'une explication vient lui donner une place dans un ordre donné : « Les poids lourds dont on se sert chez nous ont un chemin de freinage trop long. »

Comme le suggère l'auteur lui-même dans un chapitre du roman, les personnages de Musil sont en quête de récit : ils voudraient bien qu'on leur raconte des histoires. Seul Ulrich n'en éprouve pas le besoin. Il n'est pas jusqu'à ses amours qu'il ne vive dans l'indifférence, pour ne pas dire qu'il ne les vit pas. Ulrich s'est « mis en congé de la vie ». Sa participation aux événements est pure apparence. Tel est le prix de son « Eigenschaftslosigkeit », de son absence de qualités. Mais la construction de *L'Homme sans qualités*, parce qu'elle épouse les contours de l'expérience d'Ulrich, présente des aspects comparables à l'expérience mystique dans la théologie négative. Le dénuement de son héros, ce dont il s'allège, et se désapproprie : son « détachement », pour tout dire, contribue à une autre expérience, celle d'un « autre état », selon l'expression de Musil, s'ouvrant sur un autre « règne ». Il est vrai qu'une transgression, un « crime » paraît en être la condition. Dans la seconde partie du roman, essentiellement composée de papiers posthumes, Ulrich retrouve sa sœur oubliée : Agathe, sa part cachée, son double, au chevet de son père mort. Alors commence une exceptionnelle histoire d'amour, propre à engager le roman dans une autre voie, capable de surmonter les incertitudes narratives de la première. Tandis que l'histoire de l'Action parallèle s'essouffle, et que se révèle davantage la vanité qui la minait, l'expérience des deux jeunes gens s'approfondit en une quête mystique aux frontières du principe d'individuation. Les pages que Musil, dans cette partie du roman, consacre à cette expérience sont certainement des plus belles, et des plus fortes, que la littérature nous ait jamais offertes. Mais cette expérience, comme telle, ne résout ni les questions, ni les impossibilités qui avaient conduit Ulrich, dans la première partie du livre, à se mettre en congé de la vie. L'autre état n'est pas un remède aux maux qui frappent l'existence socialisée.

L'antinomie qui s'y oppose, l'impossibilité de donner à l'autre état une existence durable, mine aussi le roman ; cette antinomie est certainement l'une des difficultés, à la fois thématique et narrative, à laquelle Musil a été confronté au moment où il tentait d'achever son livre. C'est pourquoi les fragments qui composent la partie posthume convergent à nouveau vers la question de l'histoire : celle de savoir, comme le suggère Ulrich, « pourquoi on ne fait pas l'histoire ». En ce sens, le roman paraît s'achever sur une aporie que seule permet d'effacer la déclaration de la guerre. Entre-temps, du début du récit à sa fin supposée, telle que Musil l'envisageait, une année s'est écoulée.

Y a-t-il lieu de spéculer sur ce que ce roman aurait été si Musil avait pu lui consacrer les années qui lui ont manqué ? La partie posthume se compose incontestablement de fragments qui, s'ils présentent parfois une forme accomplie, n'appartiennent pas moins à un champ incertain de solutions concurrentes. En 1943, Martha Musil publia d'abord quatorze chapitres inédits, parmi ceux que Musil avait rédigés de 1933 à 1942. Mais c'est l'édition de 1952, réalisée par Adolf Frisé, qui marquera la réception de Musil en Allemagne, puis dans les autres pays où la traduction de *L'Homme sans qualités* se fit à partir de cette première édition. Mais le choix qui fut alors proposé procède d'une reconstruction souvent arbitraire. Aujourd'hui encore, malgré une seconde édition (1973) comportant un ensemble de textes posthumes beaucoup plus important pour toute la partie inachevée du roman, les commentateurs continuent de plaider en faveur d'une édition critique qui surmonterait les défauts des choix qui ont été proposés au lecteur depuis 1943. En France, servi par la traduction que Philippe Jaccottet en a donnée en 1957, *L'Homme sans qualités* attend le moment où une nouvelle édition permettra toutefois d'offrir une idée plus juste que le choix initial d'Adolf Frisé ne l'a permis jusqu'à présent. Peut-être ce moment verra-t-il enfin naître un intérêt que cette œuvre, au nombre des plus grandes, malgré la fascination que Vienne exerce à intervalles réguliers, malgré les modes, et en dépit de l'accueil que lui réservèrent des auteurs comme Maurice Blanchot, n'a pas encore su réellement susciter. – Trad. Le Seuil, 1957. J.-P. C.

HOMME SANS VOIE (L') [*Mannen utan väg*]. Recueil de poèmes de l'écrivain suédois Erik Lindegren (1910-1968), publié en 1942. Ce recueil constitue les débuts de la poésie dite « des années quarante », en Suède. Qu'y a-t-il donc de nouveau dans cette œuvre ? Il y a d'abord un pessimisme sans précédent. Pour Erik Lindegren, la Seconde Guerre mondiale était l'indice irréfutable de la chute complète de la culture occidentale. De ce pessimisme résulte un cynisme exemplaire : « tuer un ennemi et rouler une cigarette » [att skjuta en fiende och rulla en cigarrett]. Au point de vue de la forme, le recueil consiste en une série de poèmes numérotés, tous des « faux sonnets » (deux vers sur sept non rimés). Lindegren n'utilise ni capitales ni ponctuation, et se passe souvent de sujet et de verbe. Le résultat est une poésie en prose très directe et très efficace. *L'Homme sans voie* est une œuvre qui résume la situation désespérée de toute une génération. – Trad. Seghers, 1952.

HOMMES CREUX (Les) [*The Hollow Men*]. L'écrivain anglais Thomas Stearns Eliot (1888-1965) ajouta cet important poème à ses œuvres précédentes pour former le recueil *Poèmes : 1909-1925* [*Poems : 1909-1925*], publié trois ans après *La Terre vaine* (*). On a souvent considéré *Les Hommes creux* comme le point culminant de la phase de stérilité et de désespoir dans laquelle s'inscrit *La Terre vaine*. Il constitue une élégie un peu sardonique sur les personnages irréels d'un no man's land spirituel qu'accable sans cesse « l'Ombre » s'abattant « entre l'émotion et la réaction ». L'existence en ce monde est une demi-mort, elle exige un renouveau de l'ascétisme chez ces humains décrits « non comme des âmes perdues / et violentes, mais seulement / comme les hommes creux / les hommes bourrés de paille ». Pourtant ce nadir de vide et de désespoir apparaît également comme une transition qui conduira à l'affirmation de foi des *Quatre quatuors* (*). L'état d'esprit et les images sont proches de ceux de *La Terre vaine* : les « prières aux pierres brisées » et « la rivière gonflée » rappellent, par exemple, le « tas d'images brisées » et la Tamise « suant mazout et goudron ». Mais le décor urbain disparaît tandis que s'esquissent des visions célestes, timides certes, mais de plus en plus nettes, comme « l'étoile perpétuelle, rose multifoliée », qui fait allusion à la vision dantesque de la Vierge et des saints. Ce symbolisme révèle que l'auteur va abandonner l'enfer pour se tourner vers le paradis. Il est intéressant de retrouver cette évolution vers un symbolisme céleste plus net et plus concret dans les différentes étapes de la composition du poème, depuis « Le Chant de rêve de Doris » [Doris's Dream Song], qui parut dans *Chapbook* en 1924, jusqu'à la version des *Hommes creux* publiée en mars 1925 par *The Dial*. D'un état à l'autre, l'identité des narrateurs se précise, l'instabilité de leur pensée est imputée à l'atrophie de leur vie spirituelle, les « yeux que l'on n'ose regarder en rêve » sont décrits comme ceux de Marie ; enfin, Eliot ajoute une section qui spécifie le caractère de la barrière qui sépare du salut les hommes creux.

Dans son état final, le poème a pour épigraphe « Missié Kurz -li mort », qui évoque la fin horrible du héros conradien du *Cœur des ténèbres* (*), victime de la fièvre et de ses hallucinations au cœur de la forêt vierge. Les hommes creux se trouvent dans la même situation épouvantable à l'approche de la mort. Peut-être lointains descendants des « pantins tirés par des ficelles » qu'Eliot a pu trouver dans un poème de Wilde, ils ressemblent plus pour nous à l'homme selon Beckett. Égarés, paralysés dans la « vallée sans étoiles », ils se blottissent à tâtons les uns contre les autres, aveugles et muets de désespoir. Cependant, leurs « lèvres qui voudraient embrasser » esquissent les premiers mots d'une prière. Les quatrains d'une ronde enfantine sont la formule de leur impuissance puérile, pourtant les fragments du « Notre-Père » qu'ils balbutient, même s'ils font place à un gémissement – « La vie est très longue » – sont une affirmation de la foi. L'Ombre s'abat entre la conception et la création, entre la potentialité et l'existence ; c'est « l'attachement à soi, aux choses et aux personnes » évoqué dans *Quatre quatuors ;* or, l'attachement à soi des hommes creux n'a rien de passionné, leur égoïsme ne fait pas obstacle à leur salut. C'est l'absence de volonté, l'acceptation indifférente de la direction « où le vent les pousse », l'incapacité d'action qui interdisent l'espoir. Pourtant le chemin du salut est vaguement en vue et la lutte ascétique et libératrice va pouvoir maintenant commencer avec *Mercredi des Cendres* (*). – Trad. de Pierre Leyris, in *Poésie,* Le Seuil, 1976.

HOMMES DANS LE SOLEIL (Des) [*Riǧāl fī l-šams*]. Roman de l'écrivain palestinien Ghassān Kanafāni (1936-1972), publié en 1963. Le récit est très court (moins de cent pages) et poignant : trois hommes, trois Palestiniens, veulent entrer clandestinement au Koweit, Eldorado où, dit-on, on trouve du travail et donc de l'argent qui fait si cruellement défaut pour aider les familles palestiniennes à survivre tant bien que mal dans les camps de réfugiés disséminés dans tout le Proche-Orient. Un compatriote, chauffeur de camion-citerne entre Bassora en Iraq, où ils se retrouvent, et le Koweit, leur propose moyennant finances de leur faire passer la frontière cachés dans la citerne vide de son engin. Mais au poste frontière, sous un soleil d'enfer, les formalités de passage durent trop longtemps pour des raisons bureaucratiques triviales. Lorsque le passeur peut enfin ouvrir la citerne, il découvre que ses trois malheureux passagers sont morts étouffés sans pousser même un cri. Il jettera leurs corps sur un tas d'ordures dans un dépotoir, dans l'espoir que les fonctionnaires municipaux les trouveront au matin et leur donneront une sépulture.

Derrière cet argument brutal, Ghassān Kanafāni, à travers une écriture d'une rigueur et d'une acuité sans doute inégalées dans la littérature arabe moderne, plonge le lecteur dans l'indicible tragédie d'un peuple que les injustices de l'histoire ont dépouillé à ce point de droits et de prérogatives que son destin, en ce début des années 60 du moins, semble être l'étouffement et la mort silencieuse et discrète aux frontières des « pays frères ». Dans le récit de Ghassān Kanafāni, chacun des malheureux protagonistes se voit consacrer un chapitre : on découvre à travers eux trois aspects de la vie du peuple palestinien en exil, sa misère et ses illusions, son incroyable attachement à la vie mais aussi l'absence de perspectives collectives qui conduit au chacun-pour-soi, à la recherche de « combines » individuelles pour s'en sortir et faire survivre les siens. Quant au chauffeur, c'est un ancien combattant de la guerre de 1948, émasculé par l'explosion d'une mine sioniste, et qui promène une vie sans espoir sur les routes infernales du désert iraqien. C'est à ce vaincu, à cet homme qui n'en est plus un, à ce desperado, que trois Palestiniens en quête de travail et d'avenir vont confier leur vie ! C'est dans une citerne chauffée à blanc dans un no man's land invivable qu'ils vont crever, comme des rats, sans un cri, sans que personne, sinon leur guide-rançonneur, torturé par son secret, sache même ce qui est en train de se passer.

La question qui obsédera le malheureux chauffeur sera : pourquoi ne se sont-ils pas manifestés ? Pourquoi n'ont-ils pas crié ? Le livre de Ghassān Kanafāni est justement ce cri du peuple palestinien alors oublié de tous. – Trad. Sindbad, 1977. D.-E. K.

HOMMES DE BONNE VOLONTÉ (Les). Roman-fleuve de l'écrivain français Jules Romains (Louis Farigoule, 1885-1972) ; la publication des vingt-sept volumes qui le composent s'est échelonnée de 1932 à 1947.

I. **Le 6 octobre.** Nous sommes en 1908, et l'auteur nous fait participer à sa vision du monde des travailleurs, la grande migration quotidienne des ouvriers s'acheminant dès l'aube vers leur lieu de travail. En fait, c'est avec divers milieux que nous allons être confrontés : monde du théâtre avec Germaine Baader, comédienne, maîtresse du parlementaire Gurau ; monde politique, noblesse du faubourg Saint-Germain, chez les Saint-Papoul de la rue Vaneau et la vicomtesse Marie de Champcenais ; petit peuple de Paris avec Mme Maillecotin ; et avec la mentalité laïque éprise de probité et d'idéal, personnifiée par l'instituteur Clauricard, de Sampeyre, vieux professeur en retraite imbu des idées de Michelet, Hugo, Renan, Vallès, Quinet, Blanqui, Proudhon. Le jeune Jean Jerphanion quitte ses montagnes pour venir à Paris étudier à l'École normale. À travers tous ces personnages bruissent les espoirs et les menaces de l'avenir concrétisés dans les grèves et la hantise d'une guerre.

II. **Crime de Quinette.** Selon le procédé amorcé au tome précédent, l'auteur brasse, en une nouvelle fresque où s'égare quelque peu le lecteur, divers personnages qu'il ne fait qu'entrevoir : Juliette Ezzelin toujours amoureuse d'un ami de jeunesse, Germaine Baader, Gurau qui est en butte à une cabale des « pétroliers », Jacques Avoyer, Marie de Champcenais, désœuvrée et ravie par la cour que lui fait Sammécaud, Jerphanion et Jallez, étudiants à Normale supérieure, ainsi que le tranquille boutiquier Quinette qui se porte au secours de Lehendry, falot anarchiste, attiré par l'odeur du crime qu'il renifle sur lui. Cette inclination malsaine porte les pas de Quinette, bientôt assassin, chez un commissaire de police, et nous fait pénétrer ainsi dans un milieu d'indicateurs en lisière de la pègre.

III. **Les Amours enfantines.** Jallez et Jerphanion sur les toits de l'École méditent et échangent des confidences. Jallez évoque Hélène Sigeau, l'aimée de ses quinze ans, évocation qui se poursuivra au cours de nombreuses promenades. Par ailleurs, nous voyons la célibataire refoulée Mlle Bernardine de Saint-Papoul, Marie de Champcenais courtisée par le pétrolier Sammécaud, le constructeur d'autos Bertrand, l'abbé Mionnet, ancien normalien, le critique Georges Allory, le lieutenant-colonel Duroure, Gurau et Jaurès. La conversation de Gurau et Jaurès nous éclaire sur la situation politique du moment.

IV. **Éros de Paris.** Ce volume est plus particulièrement consacré à évoquer la préoccupation obsessionnelle de tous ces personnages : alors que le pétrolier Sammécaud attend Marie dans sa garçonnière, Germaine Baader est en butte aux privautés de Rocco-boni, Isabelle Maillecotin amoureuse d'un voyou. Jallez rêve d'une affection pure et idéale au milieu d'un tourbillon de tentations, tandis que Jerphanion, plus sagement matérialiste et opportuniste, profite de ce qu'offre l'instant. Tous nous entraînent dans la quête primordiale au sein de Paris, quête que symbolise et nuance d'humour l'apparition du chien Macaire. Deux autres passions se font jour ici : l'art, à la Closerie des Lilas où apparaissent Paul Fort et Moréas, l'idéal politique au meeting de Jaurès.

V. **Les Superbes.** Marie révèle à Sammécaud l'existence de l'enfant anormal que son mari et elle ont confié à des paysans de la forêt d'Othe. Au cours de la visite qu'ils lui rendent ensemble, Marie cède à Sammécaud dans une auberge de campagne. Sous couvert de trouver un collège anglais pour l'enfant, les deux amants font un voyage à Londres, au retour duquel Marie, inquiète de se trouver enceinte, découvre l'état de misère et d'angoisse dans lequel vit le peuple. Pendant ce temps, Hawerkamp, le bookmaker déjà rencontré dans les tomes précédents, réussit sa première affaire en découvrant une source d'eau minérale. Gurau rêve de justice et écrit des articles généreux dans un journal à la solde des pétroliers.

VI. **Les Humbles.** C'est à une peinture minutieuse de la vie des « pauvres », de la médiocrité pire encore que la misère, que s'attache ici l'auteur. Le petit Louis Bastide se voit récompensé de sa sagesse par l'achat d'une paire de chaussures jaunes. Son père vient de perdre son travail et la famille est vouée à la détresse. De plus, comme « un malheur ne vient jamais seul », Mme Bastide égare son porte-monnaie. Louis, bouleversé, sollicite l'aide de Clauricard, son instituteur, rend bravement visite à l'ex-employeur de son père, puis, désespéré par le refus qu'il essuie, se confesse à l'abbé Jeanne. Le prêtre ému se sert d'une ruse pour remettre par l'intermédiaire de l'enfant à Mme Bastide l'argent perdu. Mais le père n'a toujours pas de travail et Louis, à l'insu de ses parents après l'école, pour gagner un peu d'argent, porte des fleurs, puis des paquets de café dont l'odeur incrustée dans sa pèlerine d'écolier souligne le tragique de cette existence enfantine. Stephen Bartlett, un journaliste anglais que nous ne connaissions pas encore, développe sur l'époque des idées pleines d'humour.

VII. **Recherche d'une Église.** Jerphanion et Clauricard constatent que leur génération éprouve le besoin de se rattacher à une Église. Cette recherche d'une communauté nous est montrée à travers plusieurs expériences : celle de Sampeyre, celle de Laulerque attiré par une société secrète pour la paix, et à travers des aperçus sur la franc-maçonnerie. Mais c'est évidemment à d'autres préoccupations que se livrent, en soupant dans un restaurant, Sammécaud, Avoyer, le journaliste Berenine, l'auteur dramatique Mareil. Dans son cabinet ministériel, Gurau médite et songe à dissiper ses soucis chez sa maîtresse. Mais, ayant aperçu une silhouette d'homme chez Germaine, il renonce à sa visite. Bientôt Gurau démissionne de ses fonctions de ministre du Travail. La politique est aussi décevante qu'une femme. Jallez revoit Juliette, malgré son mariage qu'elle lui avait caché de crainte de le perdre une seconde fois.

VIII. **Province.** Jerphanion, chargé de rédiger discours et affiches pour le marquis de Saint-Papoul mis en ballottage à Bergerac, écrit ses impressions à Jallez sur les manœuvres électorales. Élu au second tour, le marquis reçoit dans son château les artisans de sa réussite, ce qui amène à un intéressant tableau de la mentalité et de la vie des hobereaux. De son côté, Laulerque se rend en mission secrète à Amsterdam, tandis que Mionnet se voit confier une mission délicate dans le diocèse de Mgr Sérasquier, compromis dans une trouble affaire financière. Sous sa conduite, nous pénétrons au sein de la province calme et hypocrite, et dans l'intimité des gens d'église. Une intrigue amoureuse, le voile à demi levé sur le « petit couvent » montrent que les prêtres participent aux préoccupations du commun des mortels. Puis viennent faire contrepoint à cette description provinciale celle de Paris qui s'abandonne dans la douceur de juillet, et celle de la station de La Celle-les-Eaux en pleine saison de cure.

IX. **Montée des périls.** Ici est évoquée la transformation radicale que subit Paris, l'immense développement industriel des faubourgs et les bouleversements sociaux qui en résultent : montée du syndicalisme, affrontement de deux pouvoirs, celui des ouvriers et celui de l'État qui couvre les intérêts patronaux. L'amendement à la loi de grève des cheminots, qui permet leur mobilisation lors de la grève générale d'octobre 1910, stoppe l'élan syndical et aura de vastes conséquences. Le reflet du monde du travail apparaît au travers de certains personnages : l'ouvrier Maillecotin, les patrons Bertrand et Champcenais, Gurau, hanté par le péril allemand, refuse pourtant le ministère des Affaires étrangères que lui offre Briand. Champcenais et Zulpicher font des transactions avec la Banque de l'Union européenne et Laulerque suit le mystérieux M. Karl, envoyé par l'« Organisation », dans le Midi. Après l'attentat dont Briand est l'objet à la Chambre, Laulerque s'avise que le meurtrier a été armé par son organisation et se sent dupe. Une petite Françoise naît chez Mme Maïeul ; Marc Strigelius, employé dans une banque, dévoile à sa sœur les ressorts secrets du monde financier.

X. **Les Pouvoirs.** Nous pénétrons ici dans le mécanisme gouvernemental. Gurau refuse des mains de M. Monis le portefeuille du ministère du Travail, mais accepte celui des Travaux publics. L'accident d'aviation qui coûte la vie à Bertaux, et le remaniement ministériel qui s'ensuit, lui permettent d'obtenir de Caillaux le portefeuille des Affaires étrangères. Mais Courson, fonctionnaire du Quai d'Orsay, l'avise des tractations secrètes du président du Conseil avec Berlin. Gurau songe à démissionner pour désapprouver l'accord franco-allemand conclu par Caillaux, et en est dissuadé par son dévoué secrétaire Manifassier, que l'attaché de cabinet Geoffroy a convaincu. Laulerque, lui, est en proie aux doutes les plus sérieux sur l'« Organisation ». Jerphanion, après s'être attaché Mathilde qu'aime Clauricard, pris de remords, fait marche arrière. Il va bientôt vivre quelques journées privilégiées, malgré les menaces de guerre, dans son pays en Haute-Loire où, avec Jallez, il se repose de leur commun succès à l'agrégation.

XI. **Recours à l'abîme.** Avec Georges Allory, homme de lettres aigri par ses échecs académiques, Isabelle Maillecotin, Romuald Guyard, nous faisons une plongée dans le monde du vice où apparaît aussi Margaret Desideria, l'amie de Laulerque. Ce dernier, soudain délaissé, séduit Mathilde Cazalis. Dans son salon, Mme Godorp, la maîtresse de Gurau, recueille les rumeurs. Seuls Jerphanion, sous-lieutenant à Reims, et Jallez, journaliste, qui réussit à préserver sa liberté afin d'écrire, échappent à l'avilissement général.

XII. **Les Créateurs.** Ce sont le docteur Viaur, le poète Strigelius et le peintre Ortegal. Le docteur Viaur, médecin de La Celle-les-Eaux, servi par le hasard qui met sur son chemin un garçon de salle pouvant, comme un yogi, arrêter son cœur à volonté, s'attaque à ce problème essentiel. Avec la rencontre d'Hachenard, enthousiaste pour ses travaux, il projette le dépôt d'un pli cacheté à l'Académie des sciences et une séance d'expérience où seraient invités Vaquez et Balinsky. Strigelius rêve d'un poème écrit à froid, en jouant avec les mots du dictionnaire, et Ortegal, qui fait une peinture saugrenue, ne se soucie pas de l'expliquer. La puissance de Jaurès décline. Gurau, découragé et bedonnant, accepte l'idée d'un conflit armé, mais, de son côté, Jallez qui reste lucide trouve que le sort de l'Alsace-Lorraine ne mérite pas une guerre.

XIII. **Mission à Rome.** L'Église, effrayée par la montée de la gauche en France révélée lors du vote de la loi Combes, est favorable à l'Allemagne. Gurau convainc Poincaré des périls venant de Rome et décide d'envoyer là-bas un observateur. Sur les conseils de Saint-Papoul, assez bon républicain malgré ses origines, la mission est confiée à l'abbé Mionnet. Celui-ci, nanti des conseils de Mgr Sérasquier, se rend à Rome. À sa suite, nous découvrons un dédale d'intrigues et l'existence de mœurs proches de celles de la Renaissance. Dans ce milieu policé et secret, deux courants interfèrent, représentés l'un par le cardinal Merry del Val, hostile à la France, l'autre par son ennemi Giacomo della Chiesa, évêque de Bologne. De Paris, l'inquiétant journaliste international Maykosen envoie au Kaiser des rapports sur la situation en France et lui signale le pacte secret de neutralité signé en 1902 entre l'Italie et la France. Dans le café du Croissant où il sera assassiné un an plus tard, Jaurès confie à Gurau qu'il croit la guerre devenue inévitable.

XIV. **Le Drapeau noir.** Jerphanion annonce son futur mariage à Jallez, Germaine et Marie de Champcenais fréquentent les voyantes, tandis que Quinette en est à son troisième assassinat. Cependant l'approche de la guerre transparaît dans les conversations de trois jeunes écrivains et d'Allory, dans l'esprit de Laulerque, qui voit s'évanouir son rêve pacifiste. Lénine en Suisse, Jaurès, le monde entier apprennent l'attentat de Sarajevo. Jaurès veut espérer encore que la guerre sera évitée, Gurau n'y croit plus. Mionnet expose à Poincaré son double jeu auprès de Merry del Val et de Giacomo della Chiesa. Maykosen et Guillaume II s'entretiennent. Au milieu de toutes ces menaces, Jerphanion épouse Odette Clisson ; Clauricard, Mathilde Cazalis délaissée par Laulerque, tandis que de Londres Jallez envoie une lettre de rupture à Juliette.

XV. **Prélude à Verdun.** L'illusion des peuples partis pour une guerre courte et brillante s'effondre après l'échec des premières offensives. L'auteur souligne l'impuissance, l'incapacité, les vues bornées et égoïstes des hauts commandements. Avec Jerphanion et sa compagnie qui remontent au front, en Champagne, nous subissons la peur et l'horreur permanente de la vie des tranchées. Jerphanion et Clauricard sont profondément désespérés. C'est la fin d'une civilisation. Gurau, que Gallieni a mis au courant de ses inquiétudes au sujet de Verdun insuffisamment protégé, essaie d'attirer là-dessus l'attention de Joffre. Le calme de celui-ci l'impressionne. Maykosen n'hésite pas à conseiller à Guillaume II d'attaquer Verdun. En dépit des croyances bornées et criminelles du haut état-major français confiné dans ses amours-propres, dans le secteur de Clauricard, à Vauquois, dans le secteur de Jerphanion, à Pagny, se déclenchent d'intenses canonnades, et le 21 février 1916 l'attaque allemande se déferle sur tout le front de Verdun.

XVI. **Verdun.** Surpris par le bombardement intense, Castaldi, Mazel et Raoul se réfugient dans un précaire abri, tandis que Pierre

Lafeuille s'efforce de communiquer avec l'état-major pour l'aviser de la situation. Le commandant qu'il a au bout du fil refuse de croire à la gravité des événements. Pendant ce temps, les soldats tombent, et les survivants des premières lignes françaises sont en butte à l'assaut de l'infanterie allemande alors que leur propre artillerie reste muette. Enfin au Q. G. de Dugny, après hésitations et parlotes qui mettent encore en relief la responsabilité de l'état-major dans les pertes écrasantes des troupes françaises, on se décide à bouger. Le régiment de Jerphanion, qui a manqué sa relève du fait de la gravité de l'heure, retourne au front. Les applaudissements des civils, dans les villages traversés, ne remontent pas le moral des soldats enclins à penser que, si on leur fait autant fête, c'est qu'on n'attend le salut que de leur mort. Pétain est chargé du commandement de Verdun. Le 151e, à travers la cohue qui encombre les routes de convois de soldats et de réfugiés, approche de Verdun en flammes et, barbotant dans la neige, grimpe le ravin tragique d'Audromont. Un pénible parallèle s'établit entre le sort des soldats jetés à la mort et les trafiquants de l'arrière, tel Hawerkamp, qui s'enrichit grâce à cet immense et absurde holocauste. Hawerkamp a abandonné ses tractations immobilières pour le lucratif négoce des chaussures, cantines, peaux de moutons, grenades. Son employé Wazemmes, après avoir été versé dans l'auxiliaire à la suite d'une blessure, est récupéré pour mourir au front, entretenu dans l'héroïsme par une marraine royaliste. À une échelle beaucoup plus réduite qu'Hawerkamp, Maillecotin profite lui aussi de la guerre. Tourner des obus lui rapporte davantage que son travail du temps de paix. En face de l'horreur et du désastre, l'abbé Jeanne s'efforce de trouver des excuses à Dieu.

XVII. **Vorge contre Quinette.** Le projecteur éclaire de nouveau comme au tome II le personnage de Quinette. Tel une planète entraînant dans sa course des satellites, il attire le poète Claude Vorge et les littérateurs de son acabit. Vorge aimanté par le crime, un peu comme Quinette jadis avec Lehendry, prend connaissance d'un rapport de police sur Quinette. Celui-ci, convoqué par Fachuel, se défend avec maestria des soupçons qui pèsent sur lui. Admiratif, Vorge lui rend visite et l'interroge sur le meurtre qu'il lui attribue. Quinette s'en défend, mais, flatté par l'empressement de Vorge, se laisse introduire, après un dîner, chez le substitut Fachuel, convaincu qu'il rend service au Deuxième Bureau, dans la compagnie de gens d'avant-garde amis de Vorge. Celui-ci, que la plate réalité écœure, est envoûté par la personnalité de Quinette qu'il prend pour un maître. Mais Quinette sent sa raison vaciller quand éclate l'affaire Landru qui relègue dans la médiocrité ses propres crimes. Vorge cependant, peut-être pour arracher son estime, peut-être pour attirer ses confidences, cherche à étrangler la belle et indolente cliente de Quinette. Il n'y parvient qu'à moitié. En contrepoids à ces délires, de Rhénanie où Jerphanion est en occupation, de Vienne où Jallez fait un reportage, nous parvient à travers la correspondance des deux amis l'assurance que l'Europe entrevue par Hugo et Beethoven n'est qu'un mythe. Les fêtes de la Victoire du 14 juillet 1919, placées sous l'égide des morts, démontrent la décadence et la dégradation d'une époque qui a fait si bon marché de la vie humaine.

XVIII. **La Douceur de la vie.** Jallez, installé à Nice pour l'hiver, fait la connaissance d'une petite vendeuse, Antonia, se souvient d'Hélène Sigeau, hésite entre la grande passion et l'aventure sans lendemain. Il s'installe dans un meublé de la vieille ville qui le charme et, au retour d'une promenade, envoie un bouquet à Antonia avec qui il va engager une idylle. Il confie ses hésitations et ses scrupules à la belle Élisabeth Valavert qui aurait rêvé d'un autre rôle que celui de confidente. Il fait la connaissance du libraire Quinette-Descomble qui a réalisé son rêve et tient une librairie en compagnie de la belle indolente, dans le vieux Nice. Sa visite à Mionnet, devenu évêque de Digne, nous montre le chemin parcouru par celui-ci. Ces vacances niçoises abandonnées à la douceur de vivre prennent fin avec le départ de Jallez pour Genève où il a obtenu un poste dans la S.D.N. naissante. De son côté, Clauricard se tourne vers la Russie, tandis que Laulerque, établi en Suisse, profite de ce séjour en pays neutre pour prendre contact avec des pacifistes de divers pays.

XIX. **Cette grande lueur à l'Est.** Nous sommes en 1922. Les structures sont bouleversées ; à côté de la puissance accrue de l'argent apparaissent des forces nouvelles, inconnues, qui effraient. L'exemple des Russes inquiète le monde. Sampeyre, Laulerque et Clauricard parlent de Lénine que Laulerque a connu, des différences entre les peuples, de la paix et de la guerre qui restent les questions primordiales. Clauricard, revenu manchot de la guerre, pense être nommé directeur mais rêve avec Laulerque d'un voyage en Russie. Ce qui n'empêche pas Laulerque de renouer avec Mathilde. Clauricard, après cette double trahison, est un peu réconforté par la visite de Louis Bastide devenu ingénieur qui vient lui présenter sa fiancée avant de partir pour le Maroc, et plus tard par une jeune doctrinaire russe, qui, malgré son amour pour lui, refusera cependant de le suivre en Russie. Jallez en Italie a observé le mouvement fasciste, aux côtés de Bartlett. Ils décident de se rendre ensemble en Russie. Jerphanion, lui, y accompagnera son patron, le ministre radical Bouitton. La grande « lueur à l'Est » intrigue tout un chacun, suscite des meetings, des enthousiasmes et des peurs, des légendes. Maillecotin, lui, pense qu'on est mieux en France.

XX. **Le monde est ton aventure.** Avec Jallez et Bartlett, nous faisons connaissance avec le fascisme qui sévit en Italie. Cependant Jallez, de retour en France, se retrempe dans la douceur de Nice et conquiert Élisabeth Valavert avant de partir pour Odessa avec Bartlett. Devant les ruines, les arbres abattus, les voyageurs songent à un Paris qui serait conquis par des troupes coloniales. En Ukraine, la famine règne. Jallez est arrêté sous des prétextes confus, puis libéré. Jerphanion et Bouitton sont déjà à Nijni-Novgorod où Jallez les rejoint. À travers les allées et venues des amis, les conversations au hasard des rencontres, l'opinion d'un paysan allemand d'Ukraine et d'un prêtre, nous faisons connaissance avec les méthodes bolcheviques. Une représentation de *Carmen* au Grand Théâtre de Moscou, à laquelle a assisté Jerphanion, nous donne la mesure de l'enthousiasme, de l'optimisme du peuple russe, qui seront encore confirmés par le poète Xiadkaieff.

XXI. **Journées dans la montagne.** Jerphanion, candidat aux élections législatives de 1924, se remémore la campagne du marquis de Saint-Papoul en 1910, et renoue avec son pays d'origine, ces monts du Velay où les gens gardent un certain art de vivre. Au cours d'un grand discours à l'adresse des instituteurs de la Haute-Loire, Jerphanion insiste sur la nécessité de tout faire pour empêcher une nouvelle guerre, ou du moins la Révolution. C'est le but du parti radical-socialiste, son parti. Avant son départ pour Saint-Front où il va prononcer un discours devant ses électeurs, Jerphanion est mis au fait de deux crimes impunis, et son intérêt est éveillé bien qu'il ne résolve pas l'énigme. À Genève, Jallez toujours à la S.D.N. demeure attaché au service de la paix, ainsi que Laulerque. Viaur est devenu célèbre, non pour sa grande découverte, passée sous silence, mais pour une mince trouvaille. L'expérience de ces hommes démontre que les bonnes volontés n'ont souvent sur les événements qu'une faible influence.

XXII. **Les Travaux et les Joies.** Hawerkamp, richissime, charge Raoul Turpin, l'architecte engagé jadis pour La Celle-les-Eaux, et Serge Vazar, décorateur, de la construction et de l'aménagement de l'hôtel moderne, et du château ancien où il veut s'installer, et s'apprête à perdre pas mal d'argent pour divorcer. Jerphanion fait un pèlerinage rue d'Ulm, et sur les toits de l'école hésite et s'interroge sur ses tâches difficiles. De son côté, sa femme, Odette, confie à Jallez son anxiété devant la vie que mène Jerphanion, pris dans le tourbillon politique et mondain. Elle craint que les liens de leur ménage ne se détendent. Jallez la rassure. Jerphanion, obsédé par la crainte d'une nouvelle guerre, convie Laulerque pour l'entretenir d'un projet d'organisation internationale vouée à la paix. Laulerque, d'abord sceptique après tant de déconvenues, accorde ses vues à celle de Jerphanion. Un voyage à quatre en Bourgogne, chez Ernest Torchecoul, rescelle l'amitié de Jallez, Jerphanion, Odette et Bartlett.

XXIII. **Naissance de la bande.** Françoise Maïeul et son amie Margot nous introduisent parmi les jeunes étudiantes de l'époque. Une vision de la jeunesse d'alors nous est donnée avec les garden-parties, où Margot, attirée par les idées de gauche, « observe la pourriture bourgeoise ». Gilbert Nodiard, fils bâtard d'un grand commerçant, tête d'une bande de jeunes cyniques, échange des propos osés avec Alexis Coislon sur la propre sœur de celui-ci, Jeanne, mêlée à des orgies. Nordiard, que les procédés fascistes des nazis enthousiasme, rêve de bandes unies par un lien charnel, instruments de buts politiques. Il courtise à toutes fins utiles Douvrin, l'ancien communiste, homme de meeting redoutable qui serait une recrue importante pour ses buts. Bouitton réunit dans un brillant dîner Jerphanion, Georges Mandel, Albert Sarrault, Gurau, Carlier, secrétaire de la préfecture de police. Ces hommes se préoccupent des agitateurs comme Douvrin, et de la formation de diverses bandes, qu'il est urgent de combattre.

XXIV. **Comparutions.** Jallez et Hawerkamp, chacun dans un avion différent, s'interrogent sur leur vie. Hawerkamp vient de lancer sur le marché les « bons Hawerkamp », mais regrette de ne pas s'être consacré à une carrière de constructeur, et constate que sa vie privée est un fiasco. Jallez reconnaît de son côté qu'il n'a pas atteint ce qu'il rêvait à vingt ans. Toutefois, c'est Jerphanion le plus désespéré. Il se trouve très loin de son but : empêcher une nouvelle guerre. La puissance des bandes, du fascisme, l'effraie et l'angoisse. Il ressasse son impuissance, et se demande si les meilleurs peuvent influer sur le cours de l'Histoire. Le jeune député radical, avec Clauricard et Mathilde, sont au chevet de Sampeyre à sa mort. Ils promettent au vieux maître de faire donner son nom à une rue de Montmartre. Éclate à ce moment le scandale des bons Hawerkamp qui risque de rejaillir sur le parti radical-socialiste, car le financier lui a apporté son aide aux précédentes élections. Quinette meurt sans avoir été inquiété pour ses crimes.

XXV. **Le Tapis magique.** Livré à l'ennui, Jallez cherche à se divertir sur le « tapis magique » de l'érotisme. Au cours de ses voyages, il se distrait avec une Berlinoise, une Polonaise, une baronne, une voyageuse anonyme. Bartlett, lui, se voue à l'étude de la langue gaélique. Jerphanion, à qui Gurau, peu soucieux de signer le Pacte à Quatre, vient de passer les Affaires étrangères, se débat et constate la vanité de ses efforts. Le docteur Viaur s'occupe d'un petit garçon, Xavier, dont le père est mort à Verdun. Il l'emmène en voyage. En passant à Verdun, ils rencontrent un capitaine ancien combattant qui, révolté de s'être battu pour rien, se suicidera sur la butte de Vauquois. La chute d'Hawerkamp et de ses bons a lieu en même temps que la disparition de l'instigateur de l'opération, Henri de Belleuse.

XXVI. **Françoise.** Françoise Maïeul, dont la famille a été ruinée dans l'affaire des bons Hawerkamp, travaille dans un ministère. Elle rencontre Jallez. La jeune fille admire l'écrivain. Commence une nouvelle idylle. Au Quai d'Orsay, Jerphanion tient un conseil de guerre avec ses amis. Devant les attitudes ambiguës de l'Angleterre et des États-Unis, il renonce à signer le Pacte à Quatre et démissionne. C'est alors que disparaît Hawerkamp, disparition soigneusement mise au point par celui-ci, et qu'une certaine presse ne manque pas de rapprocher de la démission de Jerphanion. Jallez confie à Odette son amour pour Françoise. L'écrivain et la jeune fille se retrouvent au Canon de la Bastille et se promènent dans le faubourg Saint-Antoine et sur la place d'Aligre.

XXVII. **Le 7 octobre.** Le cercle se referme. Vingt-cinq ans après, comme au matin du 6 octobre 1908, le peuple des faubourgs se hâte encore vers son travail. Mais la hâte est plus fébrile, les files d'attente devant les bus, dans le métro, plus longues, plus serrées. La radio et le journal déversent des nouvelles peu rassurantes. Nous sommes en 1933, au moment du procès des faux incendiaires du Reichstag. Jallez, lui, a rencontré le bonheur grâce à Françoise. Il présente la jeune fille à Odette, Jerphanion, et Bartlett de passage à Paris. À l'écart du monde occidental, l'ancien pétrolier Sammécaud mène en dehors des femmes une vie voluptueuse à Tunis, où Bartlett l'a rencontré. Clauricard, angoissé par l'approche d'une guerre, se promène rue Sampeyre et demande au souvenir de son vieux maître des réponses à ses inquiétudes. Jerphanion, au retour du Congrès radical de Vichy, s'accorde avec le chef de cabinet de Daladier pour trouver la situation difficile. Sur la France et l'Europe se projettent les ombres redoutables de Hitler et de Mussolini. Cependant, les hommes de bonne volonté, Jallez, Jerphanion, Françoise et Odette, Caulet, Budissin et Bartlett, parmi tant d'autres, réunis chez Drouant, trouvent dans leur camaraderie et leur commun idéal une raison d'exister.

Pour peindre la société de son temps, Jules Romains a voulu s'appuyer sur l'exemple de ses aînés Balzac et le Hugo des *Misérables* (*). Mais son dessein est tout différent. Dans la Préface qui ouvre *Les Hommes de bonne volonté,* l'auteur expose sa conception de l'unanimisme. Ce n'est pas la destinée d'un homme ni même d'une famille qu'il entend peindre, mais, à travers de multiples personnages, l'âme unique qui anime une communauté. Exprimant les mouvements de l'âme d'individus caractéristiques, il pense exprimer par là la complexité de la vie. Ainsi, il prend ses distances vis-à-vis des procédés jusqu'alors coutumiers au romancier.

Les Hommes de bonne volonté nous font pénétrer simultanément dans plusieurs mondes, imbriqués les uns dans les autres ou se juxtaposant, à la manière d'un puzzle à reconstituer : le monde politique, le monde universitaire, le monde des arts et des lettres, le monde de la science, celui des affaires, l'Église, la police, la grande bourgeoisie, la noblesse, l'armée, le peuple. De même, nous participons aux différentes idéologies de l'époque 1908-1933 : communisme, socialisme, fascisme, aux sociétés secrètes, telle la franc-maçonnerie, à la mentalité laïque, au syndicalisme et aux angoissantes préoccupations d'un siècle marqué par l'approche de deux guerres. Nous visitons l'Italie, l'Allemagne, l'Angleterre, le Maroc, la Tunisie et la Russie bolchevique. Nous vivons cet immense crime collectif, la guerre de 1914-18, conçue par certains intérêts pour éviter une révolution, guerre qui sonne le glas d'une manière de vivre, d'une civilisation. Nous faisons connaissance avec l'après-guerre, ce temps de paix précaire, où, au milieu des valeurs mortes et des nouvelles façons de penser, apparaissent des mouvements esthétiques révolutionnaires : Dada, le surréalisme, l'École de Paris marqueront l'époque de leur prestige, tandis que monte avec le fascisme le danger politique. L'idée prédominante qui sourd de ces pages, c'est à la fois le drame de la bonne volonté impuissante et la conscience de la camaraderie humaine.

Cette vaste fresque conçue par l'auteur ne se laisse pourtant pas englober dans une vision aisée. Des difficultés à son échelle l'accompagnent. Le lecteur est souvent égaré dans la forêt de personnages dont certains, épisodiques, apparaissent pour ne plus revenir ou ne revenir qu'à plusieurs tomes de distance, dans la complexité, le fourmillement des faits. Ainsi, l'attention que l'auteur exige du lecteur contraint celui-ci à un tel effort de mémoire que le charme ou la portée des pages s'en trouvent réduits. Par contre, ceux qui servent au lecteur de guides dans ce labyrinthe : Jallez, Jerphanion, Hawerkamp, Bartlett, Laulerque, Clauricard, Marie de Champcenais, Sammécaud, Monnier, Gurau, Germaine Baader, ne sont souvent que des silhouettes et nous déçoivent par leur manque d'épaisseur. On aimerait en savoir sur eux davantage. Et la foule de comparses qui les entoure incommode le lecteur qui aime rêver, respirer. Oppressé, il a parfois envie de repousser cette marée humaine.

Là où l'auteur atteint le mieux son objectif c'est dans les pages relatives à la guerre. Ainsi, les deux tomes sur Verdun transcrivant un événement à la mesure d'un pays, et non plus à celle d'un homme, sont une réussite. Là est le cœur de l'œuvre, la fresque voulue par Jules Romains. Mais il ne faut pas oublier que si la réussite est atteinte alors, c'est que sans doute elle n'était possible qu'à la jonction du destin individuel avec l'universel, la parfaite imbrication de la tragédie d'un homme avec celle de centaines de milliers d'autres, pris ensemble dans le creuset de l'Histoire. La tragédie d'un est alors celle de tous, puisque chacun s'est vu dérober son identité, a atteint l'anonymat. Là est la leçon de la catastrophe. Tout le reste n'est que préparation ou suite, souvent languissante, de cette apogée romanesque.

HOMMES DE LA ROUTE (Les). Roman de l'écrivain français André Chamson (1900-1983), publié en 1927. Ce livre, qui compose avec *Roux le bandit* (*) et *Le Crime des justes* (*) *La Suite cévenole*, illustre le drame de l'exode des paysans français vers les villes, au XIXe siècle. L'action du livre débute en 1850, date où la France commence à s'ouvrir à une modernisation radicale. Combes est l'incarnation, et l'un des derniers représentants, de cette humanité pour qui la terre est source de plénitude réelle. Afin de construire une route à Saint-André, dans un canton des Cévennes, l'État fait embaucher les paysans des environs pour y travailler, ce qui les oblige à quitter leurs champs. Ils prennent l'habitude de l'argent et, comme les citadins, le dépensent à la ville où la plupart se sont installés et élèvent leurs enfants. Des années passent. Les fils apprennent un métier. Celui de Combes est instituteur dans un village proche. Veuf, solitaire, Combes est resté à Saint-André et monte, chaque semaine, cultiver ses terres sur les montagnes, ne vivant que dans l'espoir du retour de son petit-fils au domaine ancestral. Ce roman paysan n'est pas seulement un récit régionaliste, mais l'étude psychologique d'une classe sociale qui se retient d'échouer dans les foules citadines et l'âge moderne. On trouve dans ce récit tout ce qui peut contribuer à la défense de l'individu : une force de conviction, une atmosphère morale, un enthousiasme communicatif.

HOMMES DE MAÏS [*Hombres de maiz*]. Roman de l'écrivain guatémaltèque Miguel Angel Asturias (1899-1974), publié en 1949. C'est une des œuvres les plus complexes d'Asturias et on ne saurait l'aborder sans connaître certains aspects du peuple maya et de son histoire, en particulier l'existence d'une sorte de Bible, le *Popol Vuh* (*). Il est certain aussi que la lecture des *Légendes du Guatemala* (*), du même auteur, éclaire ce très gros ouvrage dans lequel s'entrelacent, de façon plus ou moins artificielle, voire arbitraire, des thèmes où s'unissent le fantastique, la légende, et une certaine réalité, le tout visant à offrir un tableau de la vie des Indiens, faite encore de mille superstitions, mythes, pratiques de sorcellerie. Divisé en six parties qui ne sont que très vaguement liées en apparence, mais finalement s'imbriquent étroitement l'une dans l'autre par la réapparition constante de personnages — allant même jusqu'à changer d'identité — le récit est dominé tantôt par un héros, tantôt par des événements. L'ouvrage s'ouvre sur ce qu'on pourrait appeler la « geste de Gaspar Ilom », chef indien qui lutte contre les exploitants du maïs parce que les sorciers le lui ont ordonné, las de voir la terre personnifiée souffrir des coups qu'on lui porte. Il est empoisonné, puis se noie, après que les soldats ont tué toute sa famille. Le style de cette première partie est emprunté au *Popol Vuh*, avec les répétitions lancinantes, et les phrases tripartites caractéristiques de cet ouvrage. Les sorciers ont décrété l'extinction de la race de ceux qui avaient tué des Indiens. Ainsi Tomas Machojon, qui avait empoisonné Ilom, est-il à son tour frappé par le sort. Quant à son fils, il disparaît alors qu'il allait retrouver sa fiancée, Candelana Reinosa, après avoir rencontré le diable. La troisième partie met en scène un sorcier, le Cerf des sept « Rozas » dont le double, ou nahual — esprit qui accompagne l'homme et le suit dans la mort — est, bien entendu, un cerf. Précisément, l'un des frères Tecún tue un cerf, ce qui cause la mort du sorcier, lequel a guéri la mère des Tecún, en obligeant ces derniers à égorger toute la tribu Zacaton. Ceci donne lieu à une scène d'horreur d'une violence extrême. Puis le lecteur est entraîné à la suite du colonel Chalo Godoy qui se promène dans la montagne avec le sous-lieutenant Musus. Après avoir successivement rencontré le Serpent des villes (un des pseudonymes du diable) et un cercueil où se tenait un Indien vivant, ils sont attaqués par les Tecún — ce qui avait été prédit au début par une sorcière, la Vaca Mannela. La cinquième partie conte les pérégrinations de Goyo Yic, un aveugle que sa femme Maria Tecún a abandonné, et qui la cherche malgré sa cécité. Il est opéré de la cataracte — ce qu'on expose dans des pages dignes de n'importe quel ouvrage de médecine ! — et achève sa vie au bagne, devenu légendaire. Une autre fin lui fait retrouver sa femme, et tous deux retournent à Pisigüilito (l'exploitation de maïs). Le dernier et le plus long des épisodes du roman relate le voyage du facteur Nicho-Aquino, de San Miguel Acatan à la capitale. Transformé en coyote après que sa femme l'a laissé, il devient un être surnaturel. Ce résumé donne une idée à la fois de l'ampleur, de la richesse et du manque d'unité d'*Hommes de maïs*. On ne peut parler vraiment de protagonistes, d'action ; pourtant personnages et événements abondent, se perdent, se retrouvent, deviennent plus intelligibles au long des chapitres, ce qui permet souvent à Asturias de décrire, outre l'Indien, comme il se propose de le faire, le reste de la société guatémaltèque : bureaucrates, militaires, Nord-Américains, métis, sans pourtant qu'ils s'intègrent à une hiérarchie sociale. Le lecteur s'égare dans ce labyrinthe mais il en sort fasciné et ne s'étonne pas de voir Maria Tecún devenir Maria Zacaton avant de s'identifier à la femme de Gaspar Ilom, ce qui pourtant ne laisse pas d'être quelque peu forcé. Asturias, avec *Hommes de maïs*, révèle toutes ses ressources, et la valeur de son ouvrage, outre un style éblouissant, réside dans l'évocation envoûtante du folklore maya. – Trad. André Martel, 1953 ; puis Albin Michel, 1967.

HOMMES DE PAILLE (Les) [*The Mimic Men*]. Publié en 1967, ce roman de l'écrivain trinidadien V. S. Naipaul (né en 1932) reste probablement la plus riche de ses œuvres après *Une maison pour M. Biswas* (*). Il reprend, à bien des égards, une situation déjà évoquée et dénoncée, sur un ton plus léger, dans *Le Masseur mystique* (*). Cette fois une carrière individuelle, caractérisée par le mimétisme qui pousse l'ancien colonisé à imiter ses maîtres de naguère, devient le symbole du comportement décevant de toute une génération, celle qui a bénéficié de la chance historique de vivre l'avènement de son pays à l'indépendance politique et de mettre la main sur quelques fragments du pouvoir abandonné par la métropole. Le héros est un Indien de haute caste, Ralph Kripal Singh, qui manque moins d'éducation que de volonté, moins d'initiative que de but cohérent, de persévérance que d'honnêteté. Il évoque ses souvenirs d'enfance, ses études en Angleterre, son retour au pays après l'indépendance et son exil définitif. Singh, de manière significative, n'a pas réussi à s'insérer dans le contexte pluriethnique de son île, sa nouvelle nation. Il se perçoit sous les traits d'un étranger et se considère (faut-il dire : comme l'auteur lui-même ?) comme une sorte d'exilé dans un pays du Tiers-Monde, loin de la chère Angleterre de Shakespeare et de Dickens, des hivers enneigés et des jonquilles, qu'il a découverte dans ses lectures... S'évadant dans un monde fantastique où il cherche sa gratification de manière infantile, le citoyen du Tiers-Monde court au désastre. Tandis que les membres de la classe moyenne se réfugient dans les signes matérialistes de leur statut économique et dans un rituel social imitant celui des cercles coloniaux, le peuple s'évade grâce à l'opium de la religion, ou bien substitue à la lutte des classes les clivages des races et des groupes ethniques dans un particularisme exacerbé par la quête de boucs émissaires. Le malaise de la post-indépendance est rendu, comme dans le beau « roman de la désillusion » du Ghanéen Ayi Kwei Armah, *Fragments*, par une structure éclatée. Le récit est fait par le protagoniste lui-même, sous forme d'évocation de ses souvenirs, et s'il se trouve soumis à une critique, celle-ci reste implicite. Mais la narration n'est pas linéaire et un va-et-vient plein d'hésitations semble seul commander l'ordre de ces fragments, de ces bribes décousues de vie qui refont surface. Le contraste semble un principe unificateur plus que la continuité logique, soulignant ainsi le manque de plan de cette existence et l'exil vis-à-vis de soi-même qui mutile à jamais ce « réfugié » loin de ses racines. Comme certains romans londoniens du Barbadien George Lamming et de Samuel Selvon, le compatriote de Naipaul, celui-ci met en scène le caractère doux-amer de l'existence de l'ancien colonisé dans le « Londres des nègres » et le perpétuel déplacement de ceux qui croient, à tort, s'y trouver un jour acceptés. Plus sérieuse que *Le Masseur mystique,* cette tentative pour analyser et affronter sa propre situation psycho-culturelle montre Naipaul en pleine possession de ses moyens critiques. Sa lucidité parfois glacée laisse peu de place à la consolation, et cette intransigeance par rapport à soi-même fait de lui un moraliste d'envergure. – Trad. Bourgois, 1991. M. Fa.

HOMMES EN ARMES [*Men at Arms*]. On peut voir dans la trilogie, dont ce roman de l'écrivain anglais Evelyn Waugh (1903-1966), publié en 1952, constitue le premier volume, l'une des meilleures œuvres inspirées par la Seconde Guerre mondiale. En 1942, *Hissez le grand pavois* [*Put out More Flags*] opposait les intrigues sordides de la « drôle de guerre » au sacrifice des patriotes, symbolisés, bien que de manière ambiguë, par des mésaventures d'Ambrose Silk et le désir de Basil Seal de se « planquer » au ministère de l'Information et à la Sécurité militaire. Avec *Hommes en armes* commence la trilogie des Crouchback, qui se poursuit avec *Officiers et Gentlemen* [*Officers and Gentlemen*, 1955] et *La Capitulation* [*Unconditional Surrender*, 1961]. Le héros de ces romans est le type de l'homme qui n'a plus sa place dans le monde moderne auquel sa conception intransigeante de l'honneur et du devoir l'empêche de s'adapter. Cependant, à la fin de la série, le héros devient véritablement sympathique et incarne les valeurs que respecte l'auteur. La chronique de la guerre se situe dans un cadre restreint, suivant Crouchback depuis sa lune de miel avec l'armée jusqu'à la perte de ses illusions. Durant la guerre, Guy apprend en effet à accepter des valeurs nouvelles : l'alliance avec la Russie et la défection de celui qu'il prenait pour la fleur de la chevalerie le rendent amer, mais il assiste à la naissance d'une autre vocation, celle de romancier à succès du caporal-chef Ludovic. Il finit par accepter la vérité du monde. Par charité, il épouse à nouveau son ancienne femme, sachant fort bien qu'elle est légère, coquette et enceinte d'un autre, le « héros » professionnel Trimmer. C'est que la charité est le seul type d'action que le monde temporel ne puisse corrompre. La fin du roman est un apaisement : le père de Guy, le seul personnage entièrement bon, meurt en paix, comme l'oncle Peregrine qui se révèle moins ennuyeux qu'on ne l'eût cru. Crouchback, qui participe volontairement au gouvernement militaire de l'Italie, devient, en tant qu'officier, un agent de liaison avec la résistance yougoslave. Victime des événements, il a encore recours à la générosité pour affirmer sa liberté : il sauve un groupe de réfugiés juifs, pour expier d'avoir pensé « que son honneur personnel serait satisfait par la guerre ». Le héros est une victime, victime d'une action juste tout aussi inconséquente dans le monde réel mais fantastique de la guerre que l'était celle des victimes de la fantaisie gratuite des oisifs dans *Grandeur et Décadence* (*). Crouchback est semblable à Tietjens, le héros de Ford Maddox Ford dans *Le Bon Soldat.* Plein d'esprit et souvent comique, il est aussi plein de compassion et de sérieux. Le symbolisme joue dans le roman un rôle important : des épisodes se répètent d'un volume à l'autre avec un schéma semblable – le raid de Dakar, la débâcle de Crète, l'attaque des résistants yougoslaves – et la structure générale s'en trouve renforcée. L'ensemble dépasse le niveau des œuvres ordinaires de Waugh et révèle, en ce satiriste, un romancier traditionnel d'envergure. Les trois romans ont été réédités sous le titre de *L'Épée d'honneur* [*The Sword of Honor*] en 1961. – Trad. Stock, 1954, 1956, 1962.

HOMME SE PENCHE SUR SON PASSÉ (Un). Roman d'inspiration autobiographique de l'écrivain français Maurice Constantin-Weyer (1881-1964) qui lui valut le prix Goncourt en 1928. Le futur romancier, dont la famille avait été ruinée en 1901, dut interrompre ses études et chercher fortune au Canada, où il fut tour à tour fermier, cow-boy, bûcheron, marchand de chevaux ou de fourrures, reporter, etc., sans jamais renoncer à ses auteurs favoris : un petit Shakespeare, *Tom Jones* (*) de Fielding et les essais de Hazlitt. Les onze années (1903-14) ainsi vécues au Canada sont à l'origine d'une vocation littéraire qui n'allait éclore qu'après la Première Guerre mondiale, d'où Constantin-Weyer revint blessé et invalide à quatre-vingts pour cent. Le roman, de la même veine que *Manitoba*, publié en 1924, est écrit à la première personne et, tout en se pliant aux conventions du genre, n'en décrit pas moins, comme l'auteur l'a observé lui-même, « des paysages que j'ai vus et dont le souvenir m'est demeuré cher », et les hommes que l'on y voit vivre sont bien tels qu'il les avait connus. De la transposition sincère des souvenirs d'une vie active, il est résulté un roman de l'énergie et de l'indépendance où l'intrigue apparaît secondaire, avec pour seule héroïne la nature du Nord canadien, cette « bourrue bienfaisante ». Dans la ligne d'un Jack London ou d'un Knut Hamsun, on y assiste – fût-ce au prix, quelquefois, d'une certaine monotonie – à ce spectacle toujours émouvant : la grandeur de l'homme voué aux seules forces élémentaires (faim, soif, isolement ou « beau froid sec à 25 ou 30 au-dessous de zéro »). *Un homme se penche sur son passé* pour revivre les intenses émotions de naguère, alors qu'il se frayait un chemin à la hache, courait le loup à cheval ou traquait l'orignal, et son œil, en maintes descriptions qui cernent le réel, a retenu la coloration des prairies et des forêts, les jeux de la lumière sur la neige et sur la glace. La grande fresque est animée par des personnages pris sur le vif, tels que le pittoresque Napoléon Brazeau, Angus Mac Pherson, « les yeux rougis par l'usage du whisky », ou « l'énorme Grant, atteint de la maladie des citations bibliques ». Certaines scènes, comme la veillée d'un agonisant, « ce pique-nique avec la mort, en plein désert de neige », sont inoubliables. Soulignons enfin le propos bien arrêté de Constantin Weyer, lorsqu'il publia ce roman : protester par une apologie de l'action contre certaine littérature des années 1928 qui, selon lui, « manquait cruellement d'air pur » ; proposer au lecteur un héros dépourvu d'inquiétude ; écrire un livre « aussi parfaitement étranger au goût du jour qu'un costume de cow-boy à l'avenue de l'Opéra ».

HOMMES ET FEMMES [*Men and Women*]. Poésies de l'écrivain anglais Robert Browning (1812-1889), publiées en 1855. Le volume, composé à l'origine d'une cinquantaine de poésies, fut réduit seulement à treize poèmes en 1868. Ce sont, pour la plupart, des monologues dramatiques, que l'auteur considérait comme étant parmi ses meilleures œuvres. Bien qu'il s'agisse de poèmes d'amour, Browning ne les réédita pas dans les *Idylles dramatiques* (*), ni dans les *Romances dramatiques.* Parmi les poésies qui furent conservées dans *Hommes et Femmes*, se trouvent *Andrea del Sarto* (*) « Fra Lippo Lippi », « L'Évêque de Saint Praxède ». Browning atteint ici cette intensité expressive qui lui valut d'être considéré par Ruskin comme le plus grand poète anglais après Shakespeare ; et cela, au moyen du monologue dramatique, riche de cette vivante humanité qu'on lui avait précisément reproché jusqu'alors de sacrifier à un intellectualisme obscur. Si l'on considère la poésie de Browning, en oubliant les éloges exaltés des apologistes et la réaction qu'entraînèrent ceux-ci de la part des écrivains de la fin du XIXe siècle et des critiques du XXe siècle, on peut dire qu'elle allie la force à l'intelligence ; l'âme du poète vit en profondeur ; sans négliger pour autant le monde extérieur, elle s'empare de la réalité psychologique avec une netteté dans la compréhension et une originalité dans la démarche tantôt lente, tantôt fulgurante, qui lui sont très particulières. Le poète aime surtout les figures de second plan, celles que son *Andrea del Sarto* appelle les « demi-hommes ». Curieux de tout ce qui, dans le passé le plus ancien, était le moins connu, Browning s'intéressa aux personnes et aux situations qui lui parurent se prêter le plus aisément à ses libres interprétations. Il sut tirer de ces éléments à propos desquels il était difficile de rassembler une documentation précise, des vérités humaines universelles, qu'il exprima avec une puissance et une intuition psychologique remarquables. S'identifiant aux personnages les plus divers, il mena une enquête passionnée sur ces divers moments de l'esprit humain dans sa lutte pour s'élever au sommet de la vie et de l'art. – Trad. partielle Aubier, 1938 ; 1979.

HOMMES ET LES AUTRES (Les) [*Uomini e no*]. Roman de l'écrivain italien Elio Vittorini (1908-1966), publié en 1945. C'est une chronique de la résistance italienne à la fin de la Seconde Guerre mondiale. Des corps de suppliciés sont exposés sur une place de la ville, un officier S.S. fait dévorer un homme par son chien, tandis que les fascistes sentent leur foi vaciller avec l'accroissement des attentats « terroristes ». Cependant, au cœur de la lutte, le résistant communiste N2 est lui-même saisi par le désespoir au fur et à mesure que ses plus anciens camarades tombent au combat, et il ne pourra surmonter le désir morbide de disparaître à son tour. Dans une note ajoutée à l'édition française du roman, l'auteur souligne que le titre original de son œuvre, *Uomini e no,* « vise à rappeler qu'il y a, en l'homme, de nombreuses possibilités inhumaines ». Mais il ne divise pas l'humanité en deux parties : dont l'une serait tout humaine et l'autre tout inhumaine (comme le titre de la traduction française pourrait le faire croire). Parfois confuse, pour être chargée de trop d'intentions et de thèmes, cette œuvre contient cependant des pages fortes et émouvantes. – Trad. Gallimard, 1947.

HOMME SEUL (L') [*Tek Adam*]. Cette biographie d'Atatürk, composée par l'écrivain turc Shevket Süreyya Aydemir (1897-1976), a été publiée en trois volumes, successivement en 1963, 1964 et 1965. Sans chercher à analyser la complexité psychologique de ce personnage exceptionnel, l'auteur s'est attaché, depuis l'enfance et la jeunesse jusqu'à la maturité de son héros, à déceler les raisons qui ont fait de lui un homme seul, malgré l'attirance exercée par sa personnalité sur son entourage et sur les foules. Analysant les facteurs moraux et matériels qui ont conditionné la prime jeunesse, puis l'adolescence d'Atatürk, Aydemir a reconstitué le climat douloureux d'un être issu d'un milieu modeste, très tôt conscient de son génie, aux prises avec la médiocrité provinciale de sa ville natale (Salonique), puis avec la hiérarchie d'officiers supérieurs bornés qui tentèrent d'étouffer sa fulgurante carrière. L'auteur expose en l'analysant le conflit politique fondamental qui opposa Mustafa Kemal à l'homme le plus puissant de l'empire, Enver Pacha, dont il désapprouva les idées utopiques (pantouranisme) et aventureuses (alliance avec l'Allemagne du Kaiser expansionniste). Aydemir suit Mustafa Kemal durant toutes les péripéties de la désagrégation de l'Empire ottoman, jusqu'à Istanbul, la capitale occupée par l'ennemi (1918). Enver Pacha et son entourage d'activistes ont déjà fui, laissant le terrain à un sultan impuissant et à des ministres résignés à la défaite. Mustafa Kemal est seul face au destin, jusqu'en 1919 où avec quelques rares compagnons il décide de passer en Anatolie afin de prendre la tête de la lutte armée contre les envahisseurs. Le second volume décrit cette nouvelle phase, qui aboutit en 1922 à la débandade des troupes ennemies jetées à la mer, à Izmir. L'auteur a su mettre en relief les talents multiples d'organisateur et de soldat d'un homme qui, même dans les conditions nouvelles d'un combat soutenu par les forces vives de la nation, reste souvent isolé, incompris et même calomnié. Mais la victoire reste acquise, et l'auteur s'attache dans son troisième volume à expliquer les nouveaux problèmes auxquels Mustafa Kemal a dû faire face : la déposition du sultan et la constitution de la République turque, les conflits qui accompagnèrent le renouvellement et la modernisation des institutions. Les nouveaux principes d'indépendance nationale sans conditions, la liquidation des capitulations, les efforts pour créer une économie nationale viable, les réformes tendant à occidentaliser la vie quotidienne et la vie culturelle. L'auteur propose donc un portrait dans lequel on reconnaît le seul homme, et « l'homme seul », qui a su donner, grâce à sa volonté de fer, sa logique sans faille et la confiance à son peuple, le premier exemple d'une lutte nationaliste et anti-impérialiste victorieuse. Parmi les nombreux ouvrages consacrés à Mustafa Kemal, celui-ci est le premier qui tente de recréer la vie du personnage historique dans un esprit de synthèse avec un grand souci d'objectivité.

HOMMES, FEMMES ET FANTÔMES [*Men, Women and Ghosts*]. Recueil lyrique de la poétesse américaine Amy Lowell (1874-1925), publié en 1916. Venant après les deux recueils intitulés *Coupole aux vitres multicolores* [*A Dome of Many Colored Glasses*, 1912] et *Lames d'épées et graines de pavot* [*Sword Blades and Poppy-Seeds*, 1914], ce livre consacra la renommée de l'auteur et confirma définitivement sa position de chef de l'« école imagiste ». Un souci de renouvellement et l'approfondissement des recherches relatives à la technique de la versification s'y manifestent clairement. L'inspiration d'Amy Lowell se fonde sur des thèmes plus larges que ceux de ses œuvres précédentes et qui lui permettent, pour la première fois, de révéler ses talents de conteuse. Plus varié que les précédents, ce recueil abonde en évocations subtiles des couleurs, des parfums et des sons, grâce auxquelles l'écrivain occupe une place de choix dans l'histoire de la poésie américaine du XXe siècle.

HOMMES ILLUSTRES (Des) [*De viris illustribus*]. C'est un ensemble de biographies littéraires composées par l'historien latin Suétone (75 ?-150 ?) et réparties par catégories, selon que les personnages sont poètes, orateurs, historiens, philosophes, grammairiens ou rhéteurs. L'œuvre a été en grande partie perdue. Une brève introduction sur chaque genre littéraire posait les bases théoriques et les grandes lignes du développement de l'argument ; on y évitait de parler des contemporains. Il nous reste le livre *Des grammairiens et rhéteurs* (*) ; quelques fragments du livre *Des poètes* [*De poetis*], avec les vies de Térence, d'Horace et de Lucain ; du livre *Des orateurs* [*De oratoribus*] et du livre *Des historiens* [*De historicis*]. En général, ce sont de brèves esquisses, agrémentées çà et là d'anecdotes ; grâce à leur forme schématique qui plaisait aux écoles, ces biographies connurent une grande faveur et furent résumées dans leurs données principales, « nasce, florisce e muore » (naissance, œuvre et mort) par saint Jérôme dans sa *Chronique* – v. *Chronique* (*) d'Eusèbe de Césarée.

★ Plutarque a laissé de son côté une suite de biographies des hommes illustres de la Grèce et de Rome, dont l'influence fut considérable à la Renaissance notamment – v. *Vies des hommes illustres* (*).

★ Sur le modèle de l'ouvrage de Suétone, saint Jérôme (env. 347-420) nous a laissé une des œuvres de sa maturité, *Des hommes illustres* [*De viris illustribus*], écrite à Bethléem en 392. Plus qu'une histoire de la littérature latine chrétienne, c'est une nomenclature des écrivains chrétiens depuis saint Pierre jusqu'à Jérôme lui-même : le but de l'auteur est de mettre en lumière l'apport des écrivains chrétiens à la culture et de montrer que l'Église a eu, elle aussi, ses docteurs, ses philosophes, ses orateurs. Sont nommés tous ceux qui, depuis l'année de la passion du Christ jusqu'à la XIVe année du règne de Théodose, « se distinguèrent par quelque écrit sur les Saintes Écritures » : cent trente-cinq notices, dont les soixante-dix-huit premières sont en substance, sauf quelques corrections, tirées de la *Chronique* (*) et de l'*Histoire ecclésiastique* (*) d'Eusèbe de Césarée. Par la suite, l'ouvrage prend un caractère original, et les notices consacrées aux écrivains, plus ou moins importantes suivant le plus ou moins de sympathie que l'auteur éprouve à leur endroit, sont le fruit d'une connaissance directe et constituent souvent une unique et précieuse source d'information : citons, par exemple, les biographies de Tertullien, de Cyprien, de Novatien, de Victorin et de nombreux autres. Les écrivains chrétiens y sont mentionnés sans la moindre discrimination, comme si l'auteur avait voulu à tout prix grossir la liste. Des hérétiques y figurent donc : par exemple Photin, Bardesane, Tatien et même des écrivains qui ne sont absolument pas chrétiens, comme Philon d'Alexandrie, Flavius Josèphe, Juste de Tibériade. L'ouvrage, malgré quelques défauts, a une grande importance et eut de nombreux continuateurs.

★ L'œuvre de saint Jérôme fut, en effet, continuée par Gennade de Marseille, prêtre et écrivain latin vivant dans la seconde moitié du Ve siècle, auteur de nombreux écrits, tous perdus, contre les hérésies les plus diverses. Dans ses *Hommes illustres*, se référant à saint Jérôme et instaurant précisément avec lui une nouvelle série, Gennade continue la nomenclature des écrivains chrétiens grecs et latins commencée par son prédécesseur, pour revendiquer l'importance et la valeur de la culture chrétienne contre ses détracteurs païens. Gennade donne aussi quelques notices sur les auteurs chrétiens du IVe siècle qui manquent dans l'ouvrage de Jérôme, mais il consacre la majeure partie de son livre à ceux du Ve siècle. L'ouvrage fut livré au public en deux rédactions : la première en 469, la seconde, augmentée, en 478. Cette dernière compte cent un chapitres et donne des notices sur quatre-vingt-onze auteurs (les dix autres notices sont tenues pour apocryphes) ; le dernier chapitre, dans lequel Gennade parle de ses propres écrits à la première personne, semble interpolé. L'ouvrage de Gennade fut également continué par divers auteurs. Tout en ne manquant pas d'inexactitudes chronologiques et autres, il est, dans l'ensemble, digne de foi et constitue une source précieuse de renseignements littéraires.

★ Aux écrits de Jérôme et de Gennade se rattachent de nombreux ouvrages du Moyen Âge latin qui les lut avec assiduité et y trouva des modèles pour ce genre d'histoire littéraire. Les plus anciens continuateurs se trouvent presque exclusivement en Espagne ; celui qui occupe parmi eux la première place, même chronologiquement, est Isidore de Séville (570-636), le plus grand docteur de son temps, qui, avec son *Livre des hommes illustres* [*De viris illustribus liber*], voulut justement compléter et poursuivre l'œuvre biographique de ses prédécesseurs. Encore que l'ouvrage témoigne d'un sens critique assez limité et d'un manque de perspective historique, il offre toutefois une utile information sur les écrivains chrétiens des cinq premiers siècles. Ildefonse, archevêque de Tolède (env. 607-667), composa de son côté les *Écrits des hommes illustres* [*De virorum illustrium scriptis*]. L'ouvrage, conservé dans une bibliothèque du Mont-Cassin, fut rédigé après que l'auteur eut été élu archevêque (657) ; il fait une large place aux auteurs vivants en Espagne et particulièrement à Tolède, et il s'appuie, comme le dit la préface, sur des sources écrites et des traditions verbales. Plus tard, en ce VIIe siècle qui vit peut-être la plus grande renaissance culturelle de tout le Moyen Âge, l'intérêt pour ce genre littéraire connut un regain de vigueur. Trois ouvrages écrits à peu de distance l'un de l'autre en font preuve : *Les Hommes illustres* [*De viris illustribus*] de Sigebert de Gembloux (env. 1030-1112), rédigé probablement en 1111, qui comprend cent soixante et onze chapitres, dans le dernier desquels l'auteur, parlant de lui-même, dit avoir « imité Jérôme et Gennade » tout en s'efforçant de mettre à contribution tout ce qu'il avait pu apprendre par ses recherches ; *Les Écrivains ecclésiastiques* [*De scriptoribus ecclesiasticis*] d'un anonyme qui vécut vers 1130 et se rattache directement à Jérôme et à Gennade. Il regrette, dans sa préface, que les écrits de Cassiodore et d'Isodore n'aient pu tomber entre ses mains ; enfin *Des lumières de l'Église* [*De luminaribus Ecclesiae*] d'Honoré d'Autun (XIIe siècle), dans lequel sont passés en revue « les noms de tous les écrivains ecclésiastiques, depuis le temps du Christ jusqu'à nos jours, que je pus connaître [comme le dit expressément l'auteur indiquant ainsi ses sources traditionnelles] par Jérôme, Gennade, Isidore, Bède et d'autres ».

★ L'ouvrage du poète et humaniste italien François Pétrarque (1304-1374), *Des hommes illustres* [*De viris illustribus*], commencé autour de 1338 et jamais achevé, devait s'intituler *Quorundam illustrium vivorum et clarissimorum heroum epithoma*, c'est-à-dire « Résumé de ce qui a été écrit sur les plus célèbres personnages de tout genre et de tous les siècles » ; mais ensuite Pétrarque limita son œuvre à l'histoire romaine et particulièrement aux personnages les plus remarquables, de Romulus à Titus. Il n'alla cependant pas plus loin que la biographie de Jules César, soit qu'avec le travail son premier enthousiasme se fût refroidi, soit qu'il jugeât que les vertus des grands Romains seraient célébrées, mieux que par ces biographies en prose, par son poème *L'Afrique* (*), dont le personnage central est son héros préféré, Scipion l'Africain, ce qui eut pour effet de le détacher de son projet primitif. Bien qu'inachevé, le livre est important en tant que document sur la conception historiographique de Pétrarque, lequel se propose une tâche d'édification morale en signalant chez ses héros les exemples de vertu ; il sut animer ces exemples historiques d'un souffle de sympathie humaine, spécialement lorsqu'il traita de Scipion et de Jules César, cette dernière biographie étant la plus achevée et la plus complète. Il ne se contenta pas de faire œuvre de compilateur, mais s'efforça de fondre les récits des divers auteurs dans lesquels il puisa, discutant de leur vraisemblance, dans une intention de critique historique indéniable. Ses personnages auxquels il insuffle sa vie, il les considère non seulement comme des modèles de vertu, mais aussi comme des hommes conscients de leur propre humanité et, par là, sujets à cette mélancolie que suscitait en lui la contemplation des vicissitudes humaines.

HOMMES ONT SOIF (Les) [*The Edge of Longing*]. Roman de l'écrivain anglais d'origine hongroise Arthur Koestler (1905-1983), paru en 1951. Ce roman est tout imprégné de l'expérience communiste de l'auteur qui fut membre du Parti durant huit ans. On y sent percer l'amertume qu'il éprouva en se voyant contraint d'abandonner une cause en laquelle il avait mis tant de foi. « La Foi », tel est le thème central du livre. Les hommes ont soif d'une foi, ils ont la nostalgie du Paradis perdu. En conséquence, chaque fois qu'il meurt un Dieu, il y a des difficultés dans l'Histoire. Les gens ont l'impression de s'être laissé duper par ses promesses, de se trouver avec un chèque sans provision dans leur poche, et ils courent après tous les charlatans qui leur promettent de le payer. « La dernière fois qu'un Dieu mourut, dit Koestler, fut le 14 juillet 1789. Le peuple a été dépouillé de son seul bien : l'illusion de posséder une âme immortelle. Seule demeure la Nostalgie du Royaume. » La soif instinctive, sourde, inexprimée, sans connaissance de sa source ni de son objet. Tels sont les thèmes que Koestler met en scène dans ce roman, dont l'action se situe peu avant la dernière guerre. Il met en parallèle Heydie, jeune femme jolie et désœuvrée, au tempérament mystique et passionné, fille d'un colonel américain, parfait exemple féminin de la société occidentale décadente, et Nikitine, attaché culturel à l'ambassade soviétique, occupé à une mystérieuse besogne. Mais ce qui précipite la jeune femme dans les bras du Russe entêté et persévérant, c'est la soif. Nikitine croit au Parti. Il a en lui la foi absolue que cherchent tous les êtres. Pour lui, il est prêt à sacrifier sans hésitation et les autres et lui-même. Heydie n'aura qu'une envie : se brûler à ce feu comme les papillons de nuit s'approchent des lampes. Et pourtant, à la fin, quand elle sait en quoi consistent cette foi et le travail de Nikitine, une seule solution lui paraît possible : tuer Nikitine, anéantir les êtres qui croient en un tel idéal. Koestler nous montre dans ce roman ce qu'il appelle « des individus pré-pubertiens », et il les étudie un à un, tel un sociologue qui se penche sur les cas types d'une civilisation. Mais sous l'ironie transparaît l'amertume de l'homme qui a cru et qui a été déçu. « Si vous êtes optimiste, dit-il, vous penserez qu'un jour, quelque mutation biologique guérira la race humaine. Mais il semble infiniment plus probable que nous suivions le destin du dinosaure. » — Trad. Calmann-Lévy, 1951.

HOMME SOÛL CONTEMPLE LE CHARDON (Un) [*A Drunk Man Looks at the Thistle*]. Recueil de poèmes du poète écossais Hugh MacDiarmid (1892-1978) publié en 1926. Chef d'œuvre de la poésie moderne et pièce maîtresse du mouvement de la « Renaissance écossaise », ce long cycle de poèmes est écrit en « Braid Scots », langue littéraire et synthétique qui s'inspire librement des différents lexiques régionaux. Son narrateur est un homme rêveur et fatigué qui, ayant un peu trop bu de whisky, en rentrant du pub le soir est tombé dans un fossé au bord du chemin. Couché sur le dos, il se trouve face à un gigantesque chardon illuminé par le clair de lune. À partir de ce foyer métaphorique, l'auteur peut ouvrir largement les portes du poème. Par terre (donc au plus bas), à la fois face au chardon (symbole de l'Écosse) et au ciel nocturne (donc au cosmos), et soûl de surcroît (donc libre de passer abruptement d'un sujet à l'autre), le narrateur monologue sur les possibilités de métamorphose spirituelle que lui suggèrent le corps torturé et informe du chardon. Au fur et à mesure que l'influence du whisky s'accroît, il voit la plante se transformer, tour à tour, en fœtus avorté, en système nerveux, en phallus, en Christ crucifié, ou en compagnie de soldats des Highlands avalés par des alligators... S'appuyant sur une dialectique négative fortement influencée par Chestov, Nietzsche et Dostoïevski (ce dernier fait notamment l'objet d'un long hommage vers la fin du livre), le narrateur médite sur le temps et le destin, l'amour et la mort, et reproche à Dieu et au principe de la lumière de n'avoir rien révélé que ce qui était déjà là, d'avoir tout illuminé sauf lui-même. Ayant fait l'éloge du chaos et du non-être, de cette « fontaine toujours jaillissante / Qui remonte de la nuit », le poème s'achève par une sorte d'inversion du mouvement dantesque où le narrateur descend de la grande roue céleste pour revenir sur terre à sa femme, se consolant à l'idée que, au-delà des chimères de la pensée, il lui reste toujours le silence. Aussi est-ce à la femme qu'il revient de clôturer le poème : « Oui, il me reste le silence, / Cela je veux bien le croire, / Dira Jeanne, après une nuit pareille ! » Parmi les autres livres de MacDiarmid, signalons ici la petite anthologie publiée en 1967, lors du 75e anniversaire du poète *Un tour d'honneur* [*A Lap of Honour*]. Ce recueil présente un très beau choix des longs poèmes des années 30, dont certains étaient restés enfouis dans des revues de l'époque. (Voir notamment le monumental « Sur une plage soulevée » [On a Raised Beach] et, parmi les poèmes en écossais, « Whuchulls »). Les *Œuvres poétiques complètes* [*The Complete Poems*] en deux volumes de 1978 ont été reprises en édition de poche en 1985. M.Hut.

HOMME SPÉCULAIRE (L') [*Philosophy and the Mirror of Nature*]. Ce livre, publié en 1979, est l'œuvre la plus importante du philosophe américain Richard Rorty (né en 1931). Fondées sur une lecture de la tradition philosophique occidentale qui en embrassent les moments les plus significatifs, les analyses de Rorty visent à apprécier l'importance des métaphores oculaires dans la constitution des principaux schèmes qui ont marqué le développement de la philosophie, et tout particulièrement de la théorie de la connaissance. Le paradigme de la vision, comme Heidegger l'a montré pour les Grecs, joue un rôle déterminant dans l'histoire de la métaphysique. Jusqu'au XVIIe siècle, la métaphore oculaire établit une similitude entre l'intelligence et la vision. Mais c'est avec le siècle classique, plus précisément avec Descartes et Locke, vers qui Rorty se tourne tout particulièrement dans ce livre, que la philosophie s'engage dans une voie aux conséquences beaucoup plus décisives. Le modèle du sujet qui voit le jour avec le cartésianisme représente une pièce maîtresse du déplacement qui s'accomplit à ce moment-là. Mais c'est Locke qui en a étendu les effets à une image déterminante pour tout ce qui s'accomplira après lui en philosophie. Avec Locke, l'homme est consacré dans sa fonction spéculaire : l'esprit humain devient le « miroir de la nature ». Cette nouvelle constitution de l'homme s'accomplit à la faveur de la distinction de la « sensation » et de la « réflexion ». L'esprit est cette faculté grâce à laquelle l'homme peut contempler, comme en un miroir, les idées qui se réfléchissent en lui. Une métaphore attribue à l'esprit une fonction comparable à celle de l'œil pour le corps (l'« œil de l'esprit ») ; un corrélat essentiel en est l'« idée d'idée », c'est-à-dire la possibilité, pour les idées de la réflexion, de se rapporter à d'autres idées issues de la sensation.

Pour une telle conception, la connaissance réside dans une collection de représentations adéquates. Parmi elles, certaines sont « privilégiées » en ce sens qu'elles suscitent indubitablement l'assentiment et fondent la connaissance dans son ensemble. Cette conviction assure à la théorie de la connaissance un rôle prépondérant ; c'est elle qui, avec Kant, affirme son emprise sur la philosophie. C'est elle également qui fait du philosophe le président d'un tribunal appelé à statuer, en dernière instance, sur toutes les questions qui concernent l'homme et la culture. Dans *L'Homme spéculaire*, Rorty en montre les développements variés dans ce qu'il nomme le « consensus néo-kantien », en ne songeant pas seulement à ce que la tradition continentale a retenu de Kant et du statut fondationnel de la philosophie, mais aussi à ce que la philosophie du langage a largement représenté : « identifier la philosophie à l'analyse du langage semblait une opération unissant les mérites de Kant à ceux de Hume ». Les thèses de Rorty ne se limitent pas à une étude des métaphores influentes qui ont guidé la philosophie dans ses choix et assuré la souveraineté d'un paradigme de la vérité qui est celui de la « confrontation ». L'auteur montre également ce qu'il advient lorsqu'on lui substitue le modèle de la « conversation », comme nous y invitent, à ses yeux, les travaux de Quine, Sellars, Davidson ou Kuhn. La question devient alors celle d'une « philosophie non spéculaire », c'est-à-dire de savoir, comme cela est examiné dans la dernière partie du livre, ce que serait une « philosophie » qui n'aurait plus rien de commun avec la connaissance et poursuivrait une tâche dont Dewey et Wittgenstein, selon Rorty, ont montré la voie. – Trad. Le Seuil, 1990. J.-P. C.

HOMMES REPRÉSENTATIFS [*Representative Men*]. Recueil d'essais de l'écrivain américain Ralph Waldo Emerson (1803-1882), publié en 1850. Il s'agit de sept conférences données en 1845-46, en réponse à l'œuvre de Carlyle, *Les Héros* (*) (1841). Ce sont – outre l'essai introductif – « Platon, ou le Philosophe » [Plato, or the Philosopher], « Swedenborg, ou le Mystique » [Swedenborg, or the Mystic], « Montaigne, ou le Sceptique » [Montaigne, or the Sceptic], « Shakespeare, ou le Poète » [Shakespeare, or the Poet], « Napoléon, ou l'Homme de l'univers » [Napoleon, or the Man of the World], et « Goethe, ou l'Écrivain » [Goethe, or the Writer]. Chacun de ces portraits évoque tout d'abord ce qui fait un « grand homme » : la hauteur spirituelle de Platon, le courage intellectuel de Goethe, la rapidité de décision de Napoléon, la puissance visionnaire de Shakespeare, la lucidité de Montaigne, la force divinatoire de Swedenborg ; mais cette hypertrophie d'une seule faculté se paie par l'atrophie des autres : le détachement de Platon le coupe du quotidien ; Swedenborg sombre dans l'égotisme et la morbidité ; Montaigne laisse son lecteur en quête d'une vérité transcendante ; Napoléon, le libérateur, est à son tour asservi par sa propre volonté de puissance ; Shakespeare gaspille son génie dans des activités ludiques qui font de lui un amuseur universel ; Goethe sacrifie le sien à des mondanités. Les « grands hommes » sont donc tout aussi « représentatifs » par leurs faiblesses que par leur grandeur, et c'est en quoi ils se distinguent radicalement des héros carlyliens : « Tous les hommes, en définitive, sont de même taille. » – Trad. Crès, 1920. Y. V.

HOMMES SANS FEMMES [*Hombres sin mujer*]. Roman de l'écrivain cubain Carlos Montenegro (1900-1981), publié en 1937. D'inspiration autobiographique – l'auteur vécut onze ans en prison – ce roman dénonce un système pénitentiaire qui, loin de « réformer », avilit et corrompt. Dans la langue des truands cubains, aussi crue que la réalité qu'elle exprime, Montenegro évoque la misère sexuelle de ces hommes jeunes rendus fous par l'absence de femmes et par une promiscuité immonde. La frustration engendre des comportements aberrants. Cet autodidacte, qui a lu Freud, le constate : « Le sexe est partout. » Pour la première fois dans la littérature cubaine, le thème de l'homosexualité est évoqué sans fard. Le héros du roman est un Noir ; c'est le seul personnage lucide, le seul à résister, par la sublimation, à la tentation homosexuelle. Jusqu'au moment où il tombe amoureux d'un détenu adolescent ; amour naturellement voué à l'échec.

Les tares de la prison sont, jusqu'à la caricature, celles de la société. Les oppressions de classe, de race, voire de caste, s'y étalent, à nu. Certes, les valeurs y sont inversées. Ainsi, tel bagnard se croit-il supérieur aux autres prisonniers car il vient de la Guyane où il a même connu Dreyfus ! Le système, qui fonctionne par la délation, est pernicieux pour l'individu et pour le groupe : l'ex-détenu remettra en circulation les « tares acquises » en prison. Le message politique est clair : l'ascension sociale est exclue et le fils du criminel deviendra criminel à son tour. – Trad. Seghers, 1946, sous le titre *La Prison, roman cubain.* L. H.

HOMME TRANQUILLE (L') [*The Quiet Man*]. Recueil de nouvelles de l'écrivain irlandais Maurice Walsh (1879-1964), publié en 1952, et groupant « La Fille du capitaine », « Le Solitaire de Leaccabuie », « L'Homme tranquille », « L'Étang de la fille aux cheveux roux », « Mystère à Dublin ». Le livre a pris pour titre celui de la nouvelle qui donne le ton général de l'ensemble. Les actions complexes de ces cinq nouvelles progressent avec une harmonieuse aisance ; elles ont pour toile de fond la lutte sans merci de l'Irlande du Sud contre l'Anglais, l'ennemi héréditaire. Mais les épisodes sanglants ou tragiques laissent de réconfortants répits pour la pêche à la truite et la chasse : alors les ennemis d'hier oublient leur rancœur, et la haine se dissout magiquement devant la beauté sereine et tourmentée de la campagne irlandaise. Livre sans prétention, mais qui offre une peinture étonnamment exacte de l'Irlande et de son âme, où la pire violence sait s'atténuer en une pudique tendresse, où le surnaturel côtoie les plus prosaïques réalités, où se joue, avec un humour désinvolte, le jeu amusant et brutal de la vie et de la mort. Rien de surprenant à ce que l'une de ces cinq nouvelles, *L'Homme tranquille*, ait inspiré à John Ford, en 1952, un film à la fois mouvementé et merveilleusement humain avec son histoire d'un boxeur qui, après avoir fait le serment de ne plus se battre (mais se battra, néanmoins, pour contenter ses amis et son épouse), retourne en Irlande, son pays d'origine, pour y vivre en terrien le reste de son âge. Mœurs et coutumes locales, complexe affaire de dot, tout contribue à donner une saveur originale et singulière à la nouvelle comme au film. – Trad. Éditions France-Empire, 1953 ; Presses de la Cité, 1967.

HOMME TRAQUÉ (L'). Roman de l'écrivain français Francis Carco (1886-1958), publié en 1922. François Lampieur, boulanger, vient d'assassiner une vieille concierge pour lui voler son argent. Le crime paraît parfait ; cependant Lampieur se doute qu'une prostituée s'est rendu compte de son absence du fournil, le soir du crime. Qui pouvait donc l'avoir vu ? Qui pouvait le soupçonner ? Ferait-on le rapprochement ? C'est à ces questions que Lampieur va essayer de répondre durant une bonne partie de l'ouvrage. Son esprit fait naître mille suppositions, mille hypothèses jusqu'au moment où il croit tenir le témoin en la personne de Léontine. Il entre en contact avec celle-ci, la questionne brutalement, et effectivement arrive à comprendre que la fille a fait le rapprochement. Léontine, de son côté, est en proie aux mêmes suppositions : Lampieur a-t-il ou non tué la concierge ? Par précaution, le boulanger garde la fille près de lui ; il en fait sa maîtresse et son esprit s'apaise. Mais bientôt, ses inquiétudes reviennent et par sa façon d'être, il avouera indirectement son acte à Léontine. Ils sont liés, car ce crime « les ramenait l'un à l'autre [...], il décidait de tout et s'imposait à eux ». Très vite, Léontine va se lasser ; elle quitte Lampieur. Celui-ci ne trouve plus la paix, ses inquiétudes vont grandissant car Léontine « n'est plus là pour le détourner de son tourment ». Il se prend en pitié, revoit le geste fatal et le regrette. Ivre mort, il revient sur les lieux du crime et se fait remarquer par les voisins qui alertent la police. Il se fait arrêter au moment où, ayant retrouvé Léontine, il s'apprêtait à fuir avec elle.

Ce roman, d'une grande densité psychologique, présente deux êtres qui s'entre-déchirent avec une rare violence. Les sentiments des deux protagonistes sont dépeints avec sensibilité et exactitude, dans une langue forte et riche qui colle étroitement au sujet. L'action se situe à Paris dans le quartier des Halles et donne lieu à de vivantes descriptions du monde des filles et des cafés.

HOMME VÉRITABLE (Un) [*Povest' o nastojaščem čeloveke*]. Roman de l'écrivain russe Boris Polevoï (1908-1981), publié en 1946. L'auteur, dont les parents appartenaient à l'intelligentsia libérale, a reçu une excellente formation littéraire. Journaliste, puis correspondant de guerre attaché à la *Pravda*, Polevoï a puisé les sujets de ses œuvres dans la réalité vécue, utilisant aussi bien ses propres impressions que les récits de ses amis et correspondants. Le héros d'*Un homme véritable* est un personnage réel, introduit dans le roman sous son vrai nom, et qui a lui-même conté à l'auteur son aventure exceptionnelle. Alexei Meressiev, pilote de guerre, est poursuivi par des chasseurs allemands ; son appareil est abattu et, en tombant, le pilote se brise les deux pieds. En se traînant à genoux, mourant de faim et d'épuisement et soutenu uniquement par une volonté prodigieuse, Meressiev essaie de gagner les lignes russes ; au bout de dix-huit jours de souffrances atroces, il est recueilli par des paysans. À l'hôpital militaire de Moscou où on l'expédie, le jeune homme apprend que ses pieds sont gangrenés et qu'une amputation est inévitable. Meressiev croit alors sa vie finie : il n'est plus qu'un infirme ; jamais plus il ne pourra piloter un avion. Mais un voisin de lit, doué lui aussi d'une vitalité et d'un courage exceptionnels, parvient à remonter le moral du pilote : à un « homme soviétique » rien n'est impossible. Petit à petit, Meressiev reprend courage ; au prix d'efforts patients et inlassables, il apprendra à marcher sur ses prothèses, il obtiendra l'autorisation de repasser l'examen de pilotage et finira par prendre part à la bataille de Stalingrad. C'est surtout dans la première partie du roman que se manifeste le talent de l'auteur : il y a une réelle poésie dans l'image de la forêt enneigée et silencieuse et une indéniable grandeur dans la lutte opiniâtre de l'homme contre son cruel destin. La seconde partie, consacrée au rétablissement physique et moral du pilote, est gâchée par un patriotisme trop appuyé. En outre, la perfection morale de presque tous les personnages les rend insipides et peu vraisemblables. Ce roman a obtenu le prix Staline en 1946. Serge Prokofiev en a utilisé le thème dans son opéra : *L'Histoire d'un homme véritable*. Entre autres ouvrages, Polevoï a publié un recueil de nouvelles intitulé *Nous autres Soviétiques* [*My, sovetskie ljudi*, prix Staline 1948], où il trace de nombreux portraits d'hommes et de femmes, héros de la Seconde Guerre mondiale. Polevoï fut directeur de la revue très populaire *Jeunesse* [*Younost*], où sont abordés avec courage et franchise tous les problèmes concernant les jeunes. — Trad. Éditeurs français réunis, 1957.

HOMO FABER Roman de l'écrivain suisse d'expression allemande Max Frisch (1911-1991), paru en 1957. Le titre emblématique, conforté par le sous-titre générique « Rapport », signe la caractéristique principale du héros-narrateur : Walter Faber, ingénieur de son état, chargé d'études auprès de l'Unesco sur les pays en voie de développement (ce qui autorise le voyage au sein du roman : New York, Caracas, Mexico, Cuba, etc.). Walter représente le type de l'homme « moderne » ou, plus exactement, décidé, entêté, habitué à coller au plus près à l'image de l'homme scientifique-technique véhiculée par l'esprit du siècle, selon un processus qui le rend aveugle, étranger à sa propre existence, qui fait de lui « un homme vivant en marge de lui-même ». L'œuvre est étroitement liée, par la genèse (avec, à l'arrière-plan, le séjour de l'auteur en Amérique, de 1951 à 1952), le thème et l'écriture, au précédent roman de Frisch, *Je ne suis pas Stiller* (*), avec cette différence que le récit, cette fois, cerne moins une quête de l'identité qu'il ne déconstruit une identité déjà arrêtée et factice. L'imbrication de différents niveaux narratifs qui brisent la continuité chronologique — à l'autobiographie commencée à Caracas se superposent petit à petit les notes lapidaires du journal tenu par Walter Faber peu avant son opération, dans une clinique d'Athènes — illustre l'impossibilité, pour le héros-narrateur, d'ériger un Je souverain en point de repère et de focalisation de sa propre histoire. À travers ce prisme narratif se dessine le récit du saccage d'une existence.

Walter Faber a aimé autrefois, au temps où il préparait sa thèse à l'École polytechnique de Zurich, de 1933 à 1935, une étudiante en histoire de l'art, d'ascendance juive, Hanna Landsberg. Bien qu'elle attendît un enfant de lui, il la quitta pour poursuivre sa carrière à l'étranger, non sans être convaincu qu'il avait réussi à la persuader de se faire avorter. Vingt ans plus tard, il apprend que celle qu'il croyait morte vit à Athènes et qu'elle a eu jadis une fille, après avoir épousé son ami Joachim. Au cours d'un voyage en Europe, Walter Faber fait la connaissance, sur le transatlantique, d'une jeune fille dont il tombe amoureux, Sabeth. Il accompagne celle-ci jusqu'en Grèce, retrouve Hanna, qui lui confirme ce qu'il pressentait sans oser se l'avouer : Sabeth n'est autre que sa propre fille. À l'amour incestueux s'ajoute une ultime fatalité : Sabeth trouve la mort dans des circonstances accidentelles, mais dont il peut se considérer comme responsable (elle fait une chute en reculant, littéralement, devant sa « nudité ») ; ainsi, juste avant d'être opéré d'un cancer qu'il sait incurable, Walter Faber, regardant en arrière, ne voit que « celui qui a tout détruit ». « Je ne crois pas à la fatalité ni au destin ; en tant que technicien, j'ai l'habitude de m'en tenir au calcul des probabilités... » : c'est justement cette certitude trop vite prônée que vient démentir de manière ironique et tragique la vie de Walter Faber. L'Homo Faber n'est pas à l'abri du sort d'Œdipe. Lucidité tardive : « Mon erreur : que nous autres, techniciens, cherchions à vivre sans la mort... » — Trad. Gallimard, 1961.

J.-J. P.

HOMO HIERARCHICUS. Essai sur le système des castes. Œuvre de l'anthropologue français Louis Dumont (né en 1911), publiée en 1967.

Dans son *Essai sur le régime des castes* qui date de 1908, Célestin Bouglé est le dernier sociologue français qui ait tenté de ramener le système à trois principes : séparation, hiérarchie et interdépendance des groupes sociaux héréditaires. Reprenant le sujet soixante ans plus tard, Louis Dumont observe d'abord que ces trois principes n'en font qu'un : l'opposition religieuse du pur et de l'impur. Voir dans la caste, comme on l'a généralement fait, l'aboutissement ultime de distinctions sociales de classe ou de rang, voire de race, c'est ne pas sortir de l'idéologie égalitaire de nos sociétés occidentales modernes. Louis Dumont prend la démarche inverse : sous-jacente à l'ordre hiérarchique des castes, il observe qu'on trouve une structure fondamentale qui donne sa forme générale au système. La hiérarchie est l'aspect conscient du rapport de l'élément à l'ensemble, où interviennent la division du travail (chap. IV), la réglementation du mariage (chap. V), et les interdits alimentaires (chap. VI). L'idéologie ainsi dégagée, l'auteur aborde les implications les plus profondes du système : analyse du pouvoir et du territoire (chap. VII), fonction royale et de dominance, droit sur le sol, justice et administration de la caste (chap. VIII). Les derniers chapitres débouchent sur de larges aperçus comparatifs : la caste existe-t-elle chez les non-hindous et hors de l'Inde ? Les changements récents ont-ils modifié les comportements spontanés ? En appendice quatre essais complètent l'ouvrage sur des points essentiels : la différence entre caste et racisme — une théorie générale de l'« inégalité » doit être centrée sur les sociétés qui lui donnent un sens et non sur celles qui ont choisi de la nier tout en en présentant certaines formes ; la place centrale du renoncement à la vie sociale dans les religions de l'Inde, par opposition à l'Occident qui met l'accent sur l'« individu dans le monde » ; la conception de la royauté dans l'Inde ancienne où, avec une reconnaissance progressive de l'individu, l'auteur pose l'hypothèse d'un parallélisme avec le développement occidental ; enfin une réflexion sur l'éloignement croissant dans les relations entre musulmans et hindous dans la politique moderne, qui conduit à dégager une définition comparative de la nation.

Ce vaste tour d'horizon sur une société aux antipodes de la nôtre contribue, par là même, à éclairer ce qui chez nous est resté obscur, résiduel et pourtant bien présent. *Homo hierarchicus* annonce et conduit tout naturellement à l'étude comparable d'*Homo æqualis* (1977) où l'auteur, selon la même méthode qui inverse la perspective, étudie la société égalitaire à la lumière de la société hiérarchique de type pur.

D. P.

HOMO LUDENS. Essai critique de l'historien hollandais Johan Huizinga (1872-1945), composé en allemand et publié à Amsterdam en 1939. Dans ce livre, sous-titré « Essai sur la fonction sociale du jeu », l'auteur entreprend de « définir les éléments de jeu » que comporte la civilisation ; à cette fin, il s'appuie sur une notion particulière de la culture, conçue comme un ensemble organique vivant d'une vie propre et échappant aux événements et aux passions. Déjà dans *L'Automne du Moyen Âge* (*), ses vues sur le duché de Bourgogne nous avaient montré un type de « parfait chevalier ». Avec *Érasme* (1924), l'auteur avait dessiné la silhouette d'un érudit vivant en dehors des disputes et s'était attaché à nous prouver la valeur de la pensée intime et de l'esprit religieux le plus indépendant. Dans *Homo ludens,* Johan Huizinga oppose un nouveau modèle de civilisation aux mythes de l'« homo sapiens » et de l'« homo faber ». Telle une fleur délicate, la société résulte des contrastes sociaux : elle en est la convention, la création raffinée, le « jeu » en quelque sorte. En dehors de toute nécessité intrinsèque, l'art et la politique, l'amour et les convenances engendrent l'œuvre, le geste, la parole, dans une effusion sereine et harmonieuse qui porte sa foi en soi-même.

Cet ouvrage rassemble un grand nombre d'exemples et d'observations sur les « éléments de jeu » qui ont brillé depuis le passé jusqu'à nos jours dans le langage et dans la poésie, dans la peinture et dans le droit, dans la guerre et dans la science, dans le sport et dans l'amour, tout comme dans la philosophie. Chaque époque historique est examinée « sub specte ludi », sans en exclure la politique actuelle envisagée, elle aussi, comme une vaste partie de cartes propre à offrir bien des solutions inattendues et, au milieu de tant de contrastes, à faire entrer chacun de nous dans le silence de son intimité morale. L'œuvre ne manque pas de souligner combien le dilettantisme fut à la base de la formation philosophique de l'auteur. Elle constitue cependant un recueil de pensées bien significatif et qui nous donne certaine vision du monde sous un aspect unitaire et rationnel. Par « jeu », il faut donc entendre la force ailée des passions dans sa forme de vie la plus élevée : disons l'œuvre accomplie par un Ariel invisible et tout-puissant sur quelque sauvage Caliban. Seules ces « formes » désintéressées de civilisation conservent, à travers le temps, la trace du travail et de la lutte de tant de siècles, tout comme dans le symbole d'une pyramide d'Égypte ou d'un théorème de géométrie se conserve l'acquis de la société la meilleure, même si les erreurs et les contradictions inhérentes à la vie des peuples autant que des individus ne cessent de se multiplier. – Trad. Gallimard, 1951 ; 1988.

HOMO SAPIENS. Trilogie du dramaturge et romancier polonais Stanisław Przybyszewski (1868-1927), publiée en 1901. L'auteur appartient au groupe dit de la « Jeune Pologne » qui voulut s'opposer au courant positiviste. Les trois volumes qui composent ce vaste roman ont pour titre : *Au carrefour* [*Na rozstaju*], *En chemin* [*Podrodze*] et *Dans le tourbillon* [*W Malstromie*]. Comme dans ses autres œuvres, l'auteur retrace ici l'histoire psychologique de ses héros, de leurs âmes malades, de leurs imaginations déréglées, et des visions qui accompagnent les faits réels de leur vie. « Au début était le sexe » : tel est l'axiome qui domine l'œuvre de Przybyszewski ; l'amour sexuel est pour lui une force aveugle et mystérieuse de la nature, force créatrice qui, comme toutes les forces naturelles, va au-delà de la morale. C'est pourquoi Erik Falk, le héros d'*Homo sapiens*, est entraîné, ou plus exactement se laisse volontiers entraîner par cette force occulte, sans que sa volonté soit engagée et, par conséquent, sans aucune responsabilité morale. L'auteur y décrit avec une grande vérité le milieu dans lequel lui-même vivait.

Dans le second volume, Falk, pendant un séjour en province, chez sa mère, s'éprend d'un « ange de beauté et de bonté ». Il essaie de triompher des scrupules moraux et religieux de la jeune fille et, par ses théories insidieuses, cherche à la séduire ; il finit par atteindre son but, mais la jeune fille, apprenant de Falk lui-même qu'il est déjà marié, se noie dans le lac.

Dans le troisième volume, Falk vit en compagnie d'une certaine Giannina, qu'il a connue autrefois et auprès de laquelle il est retourné, comme pour reposer « sa tête lasse ». Il lui donne un fils. Mais le fiancé de Giannina, qui a été condamné pour un délit politique, sort alors de prison et veut obliger Falk à divorcer pour épouser Giannina, en le menaçant de faire connaître la vérité à sa femme. Falk se rend compte qu'alors cette dernière l'abandonnerait et il ne peut vivre seul. Désespéré, il provoque en duel un excellent tireur, certain qu'il va à la mort. Mais le destin une fois encore se moque de lui : il sort indemne du duel et apprend que sa femme, ayant eu connaissance de sa liaison avec Giannina, s'est enfuie. Falk, seul désormais, retourne à ses amis du parti socialiste clandestin. Mais, ainsi qu'il l'explique un jour à l'un de ses compagnons : c'est toujours à cause de points de vue et de circonstances toutes personnelles que les « membres du parti accomplissent leur action sociale ». Le refuge que lui-même a cherché dans cette activité ne fait que confirmer cette opinion pleine d'amertume. L'humanité n'existe pas, seuls les hommes existent, individus en proie à des passions déchaînées que ni la raison ni la conscience ne peuvent régler. Ainsi finit le roman. Przybyszewski n'expose pas un système nouveau et original : il introduit au contraire dans le roman polonais certains caractères propres à la littérature allemande et à la littérature scandinave, en y ajoutant toutefois un élément nouveau : la psychanalyse freudienne ; mais l'amour sexuel n'est pas uniquement limité au domaine de la chair, puisque corps et âme forment, pour lui, une unité indissoluble. L'analyse minutieuse des détours les plus secrets de l'âme humaine et l'ardeur des passions qui remplissent les trois romans confèrent à cette œuvre une très grande valeur ; elle fut considérée lors de sa publication comme l'une des plus hardies et des plus révolutionnaires de la littérature polonaise.

HOMO VIATOR. Recueil d'articles et de conférences publié en 1945 par l'écrivain et philosophe français Gabriel Marcel (1889-1973). Cet ouvrage groupe plusieurs textes importants : « Moi et Autrui », « Le Mystère familial », « Obéissance et Fidélité », « L'Être et le Néant », etc. « Être, c'est être en route. » L'image du chemin revient sans cesse dans les écrits du philosophe. La réflexion suit la cadence de la marche, connaît la halte, mais non l'arrêt ; elle ne construit pas d'abri permanent. Car la philosophie est quête inlassable, aventure, cheminement. L'homme est un être itinérant. Le temps est la forme de son épreuve. La foi répète l'expérience de l'existence. Elle est une marche, un exode. Mais cette marche a un terme, et elle le sait : par-delà l'issue apparente, la mort, un débouché invisible, l'éternité. Nous sommes des pèlerins, non des vagabonds ou des nomades. L'espérance s'oppose à l'ordre du désir et de l'espoir. Sorte de « mémoire du futur », elle affirme résolument un au-delà dont elle repère et précise déjà dans l'obscurité les signes irréfutables. Sa formule développée, c'est « J'espère en Toi pour nous », c'est-à-dire pour la communauté vivante que nous formons. Si la condition même d'une métaphysique de l'espérance est de ne se traduire qu'en termes précaires et toujours renouvelés, l'hymne à l'espérance est en revanche l'intarissable source de l'orphisme que Gabriel Marcel évoque. Comme Socrate achève le *Phèdre* (*) par la prière au dieu Pan, ainsi le philosophe et son lecteur se tournent vers un ange tutélaire. Ce n'est plus la philosophie qui parle, c'est le chant qui jaillit ; ce n'est plus la réflexion, c'est le murmure de l'invocation. Voici en effet quelle est la conclusion d'*Homo viator* : « Esprit de métamorphose ! Quand nous tenterons d'effacer la frontière de nuées qui nous sépare de l'autre royaume, guide notre geste novice ! Et lorsque sonnera l'heure prescrite, éveille en nous l'humeur allègre du routier qui boucle son sac tandis que derrière la vitre embuée se poursuit l'éclosion indistincte de l'aurore. »

HONNÊTE DISSIMULATION (De l') [*Della dissimulazione onesta*]. Traité de l'écrivain italien Accetto Torqueto (né vers la fin du XVIe siècle), publié en 1641 à Naples. Ce petit ouvrage de la période de la Contre-Réforme traite de la dissimulation nécessaire, laquelle se distingue de la vulgaire simulation qui est tromperie et faux-semblant, puisqu'elle n'exclut pas un profond amour de la vérité ; mieux, la voilant et la masquant, elle la protège en des temps iniques. La théorisation de la duplicité et de l'ambiguïté comme comportements obligés sur terre passe ici par le recours à un savant et dense réseau métaphorique et l'emploi habile de l'hyperbole. La structure du traité rappelle fortement celle des « paradoxes », fort prisés à Naples dans le milieu de l'Académie des oisifs. Mais, s'il est au point de départ de l'ouvrage un jeu intellectuel, cela ne doit point faire oublier combien celui-ci est emblématique d'une condition spirituelle commune en ce début du XVIIe siècle, le jeu étant souvent l'expression privilégiée, indirecte et allusive, d'attitudes essentielles. De fait, patience, simulation et prudence constituent la grande trinité du siècle, la création ou le perfectionnement d'un véritable « style dissimulatoire » pour théoriser la dissimulation, l'un des aspects les plus typiques de l'époque.

HONNEUR (L') [*Die Ehre*]. Comédie en quatre actes, en prose, de l'écrivain allemand Hermann Sudermann (1857-1928), représentée à Berlin en 1889. Mülling, un riche homme d'affaires, vit dans un luxueux immeuble. Dans la cour de cet immeuble se trouve un humble logis qu'habite la famille Heinecke. Quant à Mülling et les siens, ce sont des gens du monde égoïstes et rapaces, à l'exception de Léonora, la fille de Mülling, laquelle est douce et loyale. Les Heinecke sont de pauvres gens que la misère a dépravés. Le fils de Mülling, Charles, séduit la fille des Heinecke, Alma, mais lui paie magnifiquement son déshonneur, et ses parents accueillent sans révolte cette ignominie qui, pour eux, est toute naturelle. Un beau jour, leur fils Robert revient des Indes où il a travaillé longtemps pour le compte de Mülling. Il s'insurge moins contre l'outrage fait à sa sœur que contre l'acceptation de ses parents. Il voudrait provoquer en duel Charles Mülling, mais le comte Trast, qui a été son ami et son compagnon aux Indes, le dissuade de ce projet. Lui-même a traversé une crise tragique et il veut que son ami recueille les fruits de son expérience. Officier de cavalerie, il avait perdu au jeu un demi-million et, ne pouvant payer tout de suite, était allé jusqu'au bord du suicide. Ayant par la suite émigré aux Indes, il lui avait été possible de se refaire une vie, ainsi que d'acquitter sa dette. Revenu dans son pays, il s'était senti étranger à son père, aristocrate rigide qui, douze années auparavant, l'avait maudit parce qu'il avait déshonoré leur nom. Le comte Trast pousse Robert à abandonner sa famille et à retourner aux Indes, vers son travail : « Ici, tout comme aux Indes, il y a des castes ; chaque caste a son propre honneur, son propre langage. Celui qui, se trouvant au dehors, n'a pas le courage de s'en détacher est très malheureux. » Robert rendra donc à Mülling l'argent que sa famille avait reçu pour prix du déshonneur de sa sœur et repartira pour les Indes, emmenant avec lui la douce Léonora Mülling, dont il vient de faire sa femme. Cette comédie, écrite sous l'influence du théâtre naturaliste français, marque le début de la gloire théâtrale de l'auteur qui jouissait déjà d'une certaine réputation en tant que romancier. On vit aussitôt en lui l'« héritier direct du jeune Schiller ». Un tel succès était dû à la fois au sûr métier de Sudermann ainsi qu'aux morceaux de bravoure dont il sut toujours rehausser chacune de ses créations. — Trad. Éd. La Revue Blanche, 1902.

HONNEUR DE LA TRIBU (L'). Roman de l'écrivain algérien d'expression française Rachid Mimouni (né en 1945), publié en 1989. Après l'horreur dans laquelle plongeait le roman précédent, *Tombéza* (*) (1985), nous voici avec *L'Honneur de la tribu* dans un récit de type oral que nous conte un vieil homme. Il s'agit de l'histoire d'une tribu algérienne, chassée par la conquête française dans ces terres désolées où elle vit en marge du monde, jusqu'au moment où, après l'Indépendance, Omar El Mabrouk le paria revient, en technocrate tout-puissant du nouveau régime, pour tout bouleverser par décision administrative. Dès lors le village va vivre sa destruction, et perdre son âme en perdant sa mémoire tout autant que ses biens. Une fois de plus, sous la bonhomie apparente du début, l'histoire vire progressivement à l'horreur, dans une écriture maîtrisée qui fait de Mimouni l'écrivain algérien le plus accompli de la nouvelle génération. Ch. Bo.

HONNEUR DE SOUFFRIR (L'). Recueil de vers de l'écrivain français Anna de Noailles (1876-1933). En 1923 mourait Maurice Barrès, à qui la poétesse Anna de Noailles, alors en pleine gloire, était attachée par des liens étroits. Quatre ans après, celle-ci faisait paraître un volume de vers intitulé *L'Honneur de souffrir* et portant à la dernière page les dates « Novembre 1923-Février 1927. » La couverture portait en épigraphe cette citation extraite de l'*Antigone* (*) de Sophocle : « J'aurai plus longtemps à plaire à ceux qui sont sous terre qu'à ceux qui sont ici. » Le volume, composé de cent treize pièces, dont les plus longues ne dépassent pas trente vers, est entièrement consacré au thème de la mort. Anna de Noailles ne craint pas ici de regarder en face la fin de l'homme. Elle le fait sans rien renier de l'esprit qui anime le reste de son œuvre, c'est-à-dire l'attachement exclusif à la vie sensible, dont la volupté, pour elle, est la fleur. Elle le fait aussi sans aucune croyance à l'au-delà. Elle refuse même à ce sujet toute illusion secourable. Il en résulte que le vertige auquel elle n'échappe pas se trahit par des chants terriblement douloureux. Ils s'adressent tantôt à celui ou à ceux dont elle pleure la disparition, tantôt à elle-même qui ne souhaite plus que s'anéantir. Et sa consolation est de se considérer comme morte déjà : « Je ne remonte pas d'où l'on t'a descendu. » Ce livre, dans sa désespérance, n'a de rayonnement que celui de la poésie.

HONNEUR PERDU DE KATHARINA BLUM (L') ou Comment peut naître la violence et où elle peut conduire [*Die verlorene Ehre der Katharina Blum oder Wie Gewalt entstehen und wohin sie führen kann*]. Récit de l'écrivain allemand Heinrich Böll (1917-1985), publié en 1974. « L'action et les personnages de ce récit sont imaginaires. Si certaines pratiques journalistiques décrites dans ces pages offrent des ressemblances avec celles du journal *Bild,* celles-ci ne sont ni intentionnelles ni fortuites, mais tout simplement inévitables » : cet avertissement signe exactement le lieu du récit, le « réalisme polémique » de Böll. L'histoire se passe en février 1974, pendant le carnaval de Cologne. Katharina Blum, une jeune femme divorcée de vingt-sept ans, fait la connaissance, au cours d'une soirée chez des amis, d'un certain Ludwig Götten, qui est recherché pour activités terroristes. Elle l'abrite chez elle durant la nuit ; quelques heures après, elle est arrêtée, interrogée brutalement par la police, tandis que la presse à sensation (désignée à l'intérieur du récit sous l'étiquette lapidaire, globale et menaçante du « journal »), à travers la personne du journaliste Werner Tötges, s'empare de l'affaire et étale bientôt sa vie privée, jetant en pâture au public une image propre à nourrir l'hystérie collective entretenue autour du terrorisme. À peine remise en liberté, quatre jours plus tard, Katharina, dont la vie est irrémédiablement saccagée, va tuer le journaliste et se constituer prisonnière afin, dit-elle, de rejoindre « son cher Ludwig ».

Il est évident qu'Heinrich Böll, à travers ce récit, règle ses comptes avec une certaine presse qui s'était acharnée sur lui peu auparavant, à la suite de ses prises de position dans l'affaire d'Andreas Baader et Ulrike Meinhof, qui ébranla toute l'opinion publique ouest-allemande. Mais, au-delà du pamphlet et du plaidoyer en faveur du respect des droits de l'individu — conforme à l'idéal humaniste de Böll qui traverse toute son œuvre —, ce récit pose, par sa manière de raconter, toute la question des conditions de possibilité d'une écriture « authentique ». Il introduit à cet effet un narrateur qui s'applique à démonter toute la rhétorique de la presse à sensation, à mettre à jour tous ses procédés d'insinuation, de falsification, de manipulation. Cela dit, cette position qui se donne pour ambition de rapporter les « faits bruts » n'est pas neutre, elle non plus, ni même exempte de parti pris esthétique, puisqu'il faut bien, comme Böll le dit lui-même, procéder à un « drainage » des différentes « sources d'information » qu'il recueille pour composer ce qu'il appelle son « rapport ». Pourtant ce narrateur a au moins conscience de son préjugé, à la différence du journal qui, lui, fait comme s'il n'avait d'autre opinion que l'information objective de ses lecteurs. La véritable leçon du récit de Böll est qu'il faut prendre garde aux mots. Un récit sur le langage « juste », au double sens du terme, et qui, par là, correspond tout à fait à l'« esthétique morale » défendue par l'écrivain. — Trad. Le Seuil, 1975.

J.-J. P.

HONNEURS POSTHUMES [*Posmrine Počasti*]. Recueil du poète serbe Šima Pandurović (1883-1960), publié en 1908. L'auteur y a réuni toutes ses poésies de jeunesse précédemment parues dans des revues comme *Mouvement* [*Pokret*], *La Semaine littéraire* [*Književna nedelja*] ou *La Revue littéraire serbe* [*Srpski knjizevni Glasnik*] ; ces œuvres, d'apparence « décadente », témoignent de l'influence des poètes symbolistes français, mais parfaitement assimilée au génie serbe, et avec un sens de l'image et du rythme très personnel. On y trouve aussi une sensibilité toujours à vif, et qui choisit spontanément le mot le plus expressif ; une tendance à la méditation, qui donne une résonance métaphysique aux images ; un goût pour le tour syntaxique le plus concis et le plus concret. Ces qualités se retrouveront à travers toute l'œuvre très abondante de Pandurovič, en particulier dans *Les Jours et les Nuits* [*Dani i Noci*, 1912] et surtout dans la grande anthologie intitulée *Poèmes* [*Pesme*], établie par l'auteur lui-même et éditée dans la Collection de la littérature serbe, c'est-à-dire parmi les cent classiques de cette littérature. Cette place, Pandurovič la mérite par la nouveauté d'un style qui invente l'union musicale du fond et de la forme, mais surtout par le perpétuel jaillissement d'une imagination qui a su recréer tous les aspects de la vie humaine dans un élan lyrique doué d'une incontestable puissance.

HONORINE. Récit de l'écrivain français Honoré de Balzac (1799-1850), publié en 1843. Maurice, un jeune homme que tout destine à un brillant avenir dans la carrière consulaire, est devenu le secrétaire d'un éminent magistrat, le comte Octave. Une profonde amitié lie les deux hommes. Sous une activité fébrile, le comte cache une âme tourmentée. Il finit par avouer à son ami qu'Honorine, l'épouse qu'il chérissait tant, l'a abandonné pour suivre un homme indigne d'elle et dont elle a eu un fils. Abandonnée à son tour par ce séducteur, elle a perdu son enfant. Honorine mène une vie très retirée et ne demande qu'à ses seules forces le moyen de vivre honnêtement. C'est le comte Octave lui-même qui, fort discrètement, a créé autour de la femme aimée un petit univers qui lui a permis de vivre dans une certaine aisance. Jusqu'ici le comte a eu le courage de vivre dans l'ombre, mais il désire maintenant se rapprocher d'Honorine. Il charge Maurice d'aller la voir et de la convaincre de l'amour de son mari. Maurice se charge de cette mission, mais il tombe amoureux d'Honorine. Il est frappé par la conception, à la fois chaste et rigide, que cette femme a de l'amour. Elle lui avoue en effet que, si elle devait aimer un autre homme, ce ne pourrait jamais être le comte Octave. Toutefois elle n'a pas le courage de rester sourde à l'appel de ce cœur si noble et si généreux. Elle suit les conseils de Maurice et reprend la vie conjugale. Quelque temps après, elle aura un enfant et elle mourra. Le comte Octave n'a pas su lire dans le cœur de cette femme qui n'avait repris goût à la vie qu'en aimant passionnément Maurice. Dans ce récit dramatique, Balzac a voulu créer un type de femme qui revendique la liberté d'aimer, qui suit une morale personnelle et paye de sa vie cette révolte.

HOP LÀ ! NOUS VIVONS ! [*Hoppla, wir leben !*]. Drame de l'écrivain allemand Ernst Toller (1893-1939), en un prologue et cinq actes, écrit en 1927 et représenté au cours de cette même année au « Piscatorbühne » de Berlin. L'action se passe en Allemagne, en 1927, mais dans le prologue sont exposés certains événements qui sont arrivés en 1919 et qui sont utiles pour la compréhension de l'action. Dans une prison, cinq révolutionnaires condamnés à mort (Charles Thomas, Guillaume Kilman, Albert Kroll, Eva Berg, et Mme Meller) attendent depuis dix jours l'exécution de la sentence. L'attente qui épuise leurs forces les exaspère à tel point que, le dixième jour, lorsqu'on leur annonce à l'improviste qu'ils sont graciés, l'un d'eux ne peut résister à l'ébranlement nerveux dont il est victime et devient fou. À sa sortie de l'asile, Charles Thomas, le héros du drame, reprend contact avec la vie. Huit ans se sont écoulés. Pour lui, le temps de la folie a été celui d'un long sommeil. Mais il s'aperçoit que tout a changé autour de lui. De ses anciens compagnons, Kilman s'est vendu à l'adversaire et il est devenu ministre ; les autres ont continué de lutter, mais dans un esprit différent : ils ont appris à calculer froidement, à attendre, à user de ménagements avec eux-mêmes et à se servir de combinaisons politiques dont Thomas ne voit que le côté négatif sans vouloir en reconnaître la nécessité. Eva Berg elle-même, dont il était aimé jusqu'alors, ne répond plus qu'avec un froid cynisme à ses sentiments. En fin de compte, elle accepte d'être sa maîtresse. Charles Thomas est bouleversé, anéanti ; il lui semble être le dernier représentant d'une génération ensevelie dans la tombe. Aux prises avec le doute, il ne sait plus de quel côté se trouve l'erreur. Employé comme valet de chambre au Grand Hôtel, il est témoin de la corruption où vivent, en trafiquant pour leur propre compte, Kilman et ses complices. Aussi décide-t-il d'exécuter Kilman, le traître. Dans le même temps, un autre individu tuera le ministre. Néanmoins, toutes les preuves étant contre Thomas, il est arrêté. Le dernier acte rejoint le prologue. Il se passe dans la prison, où se trouvent enfermés avec Thomas les compagnons d'autrefois, soupçonnés de complicité. Malgré cela, Thomas se sent désespérément seul, épuisé, et sa raison menace encore une fois de lui échapper. Incapable de transiger avec son idéal, Thomas se pend.

Quinze ans après, dans un misérable hôtel de New York, Ernst Toller mourut comme Thomas, et c'est à la lumière de cette tragédie que l'on put découvrir à *Hop là, nous vivons !* une signification autobiographique. La marche du drame est fréquemment interrompue par des intermèdes cinématographiques. L'auteur avait prévu pour la scène une disposition telle que l'on y pût représenter successivement des épisodes multiples et rapides. La troupe d'Erwin Piscator en a donné une représentation restée fameuse dans le théâtre contemporain.

HORACE de l'Arétin [*La Orazia*]. Tragédie de l'écrivain italien l'Arétin (pseud. de Pietro Bacci, 1492-1556), publiée en 1546. Bien que de type traditionnel, elle présente une certaine originalité. Elle débute par un prologue où brille l'esprit courtisan. La Renommée chante les louanges du pape et des principaux seigneurs d'Italie. Au premier acte, le père des Horaces, Publius, parle avec son ami Spurius, du prochain duel qui doit opposer les champions de Rome à ceux d'Albe ; suit un dialogue de Clélia (sœur des Horaces fiancée à un Curiace) avec sa nourrice. Après quoi, le chœur des Vertus commente le dire des personnages. Au deuxième acte, le chevalier romain, Titus Tatius, fait un long récit du duel ; le poète exprime ensuite la douleur de Publius et les plaintes de Clélia lorsqu'elle apprend la mort de son amant. Durement réprimandée par son père, Clélia s'évanouit. Le chœur des Vertus commente une nouvelle fois l'action et en particulier les plaintes de Clélia. Le troisième acte s'ouvre dans une atmosphère de triomphe qui contraste en tout point avec l'angoisse de Clélia. Celle-ci en effet aperçoit, parmi les dépouilles des Curiaces vaincus, la tunique qu'elle avait tissée de ses propres mains pour son fiancé. Cette douleur indigne tellement Horace qu'il n'hésite pas à tuer sa sœur. Ce geste ignoble, qu'approuve le vieux Publius, soulève le peuple. Le chœur des Vertus commente favorablement les sentiments du père. Le quatrième acte n'est qu'une longue scène entre Publius et Spurius, lesquels prennent le parti d'Horace contre les Décemvirs qui réclament son exécution. Nouveau commentaire du chœur des Vertus. Au cinquième acte, Publius plaide la cause de son fils devant le peuple qui, selon l'usage des tragédies de l'époque, paraît en scène sous les traits d'un personnage, et non sous la forme d'un chœur. Le peuple blâme la cruauté d'Horace ; il finit toutefois par lui pardonner, l'absout de la peine capitale et le condamne à passer sous le joug. Horace refuse dédaigneusement cette clémence, mais une voix céleste lui ordonne de se soumettre à la volonté du peuple. Le chœur des Vertus termine la pièce par un commentaire sentencieux de l'action. D'aucuns ont voulu voir dans cette tragédie la plus belle du XVIe siècle italien ; on l'a même comparée aux drames romains de Shakespeare. Sans aller jusque-là, on doit lui reconnaître quelques mérites : un style dépouillé, une technique savante, un sens assez profond, enfin des caractères et des passions pour la plus grande gloire de Rome. – Trad. *L'Orazia,* Mercure de France, 1912.

HORACE de Corneille. Tragédie en cinq actes de Pierre Corneille (1606-1684), auteur dramatique français, qui fut représentée en 1640 sur la scène du théâtre du Marais. Le sujet de cette pièce a été fourni à Corneille par la lecture des *Histoires* de Tite-Live – v. *Histoire romaine* (*) –, de Florus et surtout de Denys d'Halicarnasse – v. *L'Archéologie romaine* (*). Les trois historiens proposaient d'un même fait des versions à peu près identiques : sur la proposition de Métius Suffétius, Rome et Albe, qui rivalisaient pour avoir la prééminence, avaient désigné chacune des combattants : les trois Horaces avaient à répondre du sort de Rome, les trois Curiaces du destin d'Albe. La ville dont les représentants seraient vaincus devrait se soumettre à sa rivale. S'aidant d'une ruse, après que ses frères eurent succombé, Horace avait tué ses adversaires et assuré les destinées de Rome. Mais il avait égorgé sa sœur, qui pleurait l'un des Curiaces auquel elle s'était fiancée. Pour prix de sa victoire, il eût été condamné à mort et exécuté sur l'ordre des duumvirs, si le vieil Horace, dont on n'avait pas oublié le zèle au service du roi Tullus Hostilius, ne s'était interposé avec chaleur, réclamant qu'on lui laissât ce dernier enfant, qui d'ailleurs avait droit à la reconnaissance de tous. Sur ce même sujet, l'Arétin avait composé *Horace* (*), Lope de Vega l'*Honrado hermano* et Pierre de Laudun d'Aigaliers un *Horace Trigémine.* Mais s'il est possible que Corneille ait eu connaissance des œuvres de ses prédécesseurs, sa tragédie ne leur doit rien.

À l'acte I, Sabine, jeune épouse d'Horace, déplore que des guerres fratricides opposent Romains et Albains. L'un de ses trois frères, Curiace, est fiancé à sa belle-sœur Camille. On apprend qu'une décision commune va mettre un terme à ces effusions de sang ; le sort doit désigner dans chacun des camps trois champions qui seront chargés de faire triompher la cause de la patrie. L'acte II révèle coup sur coup aux Horaces et aux Curiaces leur infortune ; un choix unanime les commet au soin de défendre les intérêts de Rome et d'Albe. Déchiré par la perspective d'un devoir si pénible, Curiace, le fiancé de Camille, refuse cependant de s'y soustraire ; dans le même temps, Horace manifeste une joie orgueilleuse et brutale. Devant l'éloquence et les larmes des deux femmes, les guerriers faiblissent quelque peu. Mais l'arrivée du vieil Horace met fin à ces atermoiements. Il envoie les jeunes gens au combat, et les exhorte avec une grandiloquence émue. À l'acte III, Sabine, gardée à vue dans la maison, tire quelque espoir du fait que les armées se sont mutinées et ont voulu forcer leurs chefs à choisir d'autres combattants. On interroge les dieux. Sombre, Camille n'espère plus rien ; et ses pressentiments se justifient puisque les augures sont favorables. Un peu après que le combat se fut engagé, Julie, la confidente de Sabine, qui se trouvait sur les remparts, annonce que deux des Horaces sont morts et que le dernier fuit devant ses assaillants tous trois blessés. C'est là que se place la parole fameuse du vieil Horace, au comble de l'indignation et de la fureur, et qui réplique à la question de Sabine :

« Que vouliez-vous qu'il fît contre trois ? – Qu'il mourût ! » Mais il est instruit à l'acte IV du stratagème dont Horace a fait usage pour triompher des Curiaces ; inégalement blessés, ceux-ci ont poursuivi Horace plus ou moins vite, selon la gravité de leur blessure. Et lui les a tués à tour de rôle sans difficulté. Le désespoir de Camille offense le vainqueur dans son amour-propre et dans son patriotisme sommaire. Il tue sa sœur et se juge bien fondé de le faire. L'acte V met en présence le meurtrier et son père, qui lui reproche cette inutile violence. Horace se déclare prêt à comparaître devant le roi. Bien que son inhumanité le rende antipathique au dernier point, il est acquitté grâce à la plaidoirie du vieil Horace, qui fait valoir que c'est là un vainqueur, et que cette qualité toute nouvelle lui donne droit à certaine immunité passagère. Car la reconnaissance du peuple lui reste acquise. Le patriotisme l'emporte sur toute autre considération, et le fratricide est absous.

Il semble qu'il y ait là deux actions et deux drames différents : le premier s'achève avec le combat ; le second éclate à l'instant de l'assassinat et est mené jusqu'à son terme avec le procès. Le crime commis par Horace peut entraîner une condamnation à mort et, par deux fois, sa vie est donc en péril. Mais à défaut d'une étroite unité d'action, la double épreuve à laquelle est confrontée le héros crée une gradation dans les dangers encourrus qui constitue une « unité de péril », et surtout l'intérêt que suscite le sort de toute la « gens Horatia » achève de donner à la pièce sa véritable unité. Du récit de Tite-Live qui n'offrait qu'une médiocre situation dramatique, Corneille, en inventant le personnage de Sabine, tire les effets les plus poignants, du fait que ces deux familles étroitement unies se trouvent écartelées par des sentiments contradictoires. Il s'agit de choisir entre l'amour et le patriotisme. Et Corneille, qui sait bien qu'il n'y a de héros tragique que confronté à un destin et à des choix hors du commun, considère toujours la difficulté comme le critère le plus sûr du devoir. L'habileté avec laquelle est fragmenté le long récit historique, le coup de théâtre de la fausse nouvelle apportée par Julie – fausse nouvelle qui permet au vieil Horace de réagir avec toute l'intransigeance bornée, absolue, magnifique d'un vieux soldat qui ne connaît que la consigne –, et l'élargissement, apporté par le procès du Vᵉ acte, à une réflexion sur le rapport entre le héros, la loi et la raison d'État font de cette tragédie très sobre et mûrie dans la retraite l'un des chefs-d'œuvre de Corneille.

Pourtant, à sa création, *Horace* ne produisit pas tout l'effet que Corneille avait dû escompter : « Il courut un bruit, dit un contemporain, qu'on ferait encore des observations et un jugement sur la pièce. » Il avait soumis sa nouvelle tragédie à un comité de critiques qui condamna, en effet, la fin de la pièce, déclarant difficilement acceptable ce héros qui transperce sa propre sœur de son épée : de même qu'avait été jugé contraire à la vraisemblance qu'une fille épouse le meurtrier de son père, de même il paraissait contraire au comportement ordinaire des hommes civilisés qu'un frère aille jusqu'à assassiner sa sœur. Une telle action, quoique historique, n'était pas jugée bonne pour le théâtre. Passant outre, Corneille reconnaîtra pourtant vingt ans plus tard : « C'est une croyance assez générale que cette pièce pourrait passer pour la plus belle des miennes, si les derniers actes répondaient aux premiers. Tous veulent que la mort de Camille en gâte la fin » (Examen d'*Horace*). L'avis fut-il partagé par le public qui avait déjà fêté *Le Cid* (*) sans se soucier de l'avis des « doctes » ? Le succès ne fut-il que d'estime ou de curiosité ? Succès public il y eut, très certainement ; mais avec de telles réserves de la part des « savants » que Corneille, vingt ans plus tard, dans l'Examen d'*Horace,* parlera de « chute ». Le mot, en tout cas, est révélateur de l'échec qu'a rencontré non la pièce en elle-même, mais Corneille au plan de sa stratégie littéraire. En un temps où la consécration absolue ne peut venir que de la double approbation du public et des savants, Corneille va devoir encore donner des gages à ceux-ci, qui détiennent le vrai pouvoir de légitimation. Il lui faudra trouver un sujet dans lequel son personnage principal puisse accomplir un acte exceptionnel qui soit à la fois extraordinaire *et* vraisemblable : ce sera, deux ans plus tard, *Cinna* (*). Malgré ces réserves, *Horace* n'en a pas moins constitué une étape d'une importance considérable dans la carrière de Corneille : avec elle, il s'est engagé dans la voie de la tragédie historique et romaine – *Le Cid* (*) n'était qu'une tragi-comédie, fondée sur un sujet plus légendaire qu'historique –, dont il ne s'écartera plus guère ; il y est venu plus tard que ses rivaux, mais, comme il l'avait fait tour à tour pour la comédie et pour la tragi-comédie, il les a surpassés dès son coup d'essai.

★ Sur le même sujet, le compositeur italien Domenico Cimarosa (1749-1801) a composé un opera seria, *Les Horaces et les Curiaces* [*Gli Orazi e Curiazi*, 1797].

HORACE VICTORIEUX. Œuvre symphonique du compositeur suisse Arthur Honegger (1892-1955). Primitivement conçue comme une pantomime, ou un ballet pour mimes et chœurs sur le thème du combat légendaire entre les Horaces et les Curiaces et du meurtre de Camille, cette partition fut remaniée à la suite du décès du peintre Fauconnet qui en avait d'abord ébauché le décor et les masques, en une « Symphonie mimée » composée de huit épisodes : « Introduction », « Camille et Curiace », « Entrée des Horaces », « Entrée de la foule précédant les hérauts », « Annonce et préparatifs du combat », « Le Combat », « Le Triomphe d'Horace », « Les Lamentations et les imprécations de Camille », « Le Meurtre de Camille ». Pour traduire la violence barbare de cette action et la véhémence des épisodes principaux, Honegger a utilisé les matériaux techniques déjà employés dans certaines de ses œuvres antérieures : en premier lieu un langage polyphonique aux intentions soit descriptives (fugato de « L'Entrée des Horaces » superposant aux altos, aux seconds et premiers violons, le thème principal symbolisant les trois Romains ; fanfares jumelées de l'« Annonce du combat » ; fugato de la fuite du jeune Horace et sa poursuite par les trois Curiaces), soit expressives, rassemblant dans un tissu contrapuntique très complexe les motifs qui situent le déroulement du drame et les sentiments qu'il engendre chez les différents protagonistes (Combat des Horaces et des Curiaces, première partie ; Triomphe d'Horace). En second lieu, une rythmique particulièrement accentuée d'une grande puissance évocatrice. Enfin, un style harmonique très audacieux, où abondent les dissonances, dont la crudité et la consistance sont volontairement accusées par l'emploi fréquent des instruments par groupe. *Horace victorieux* fut créé en 1921 à Genève par l'orchestre de la Suisse romande dirigé par Ernest Ansermet. La nouveauté comme la rigueur sans concessions des moyens d'expression qu'elle mettait en œuvre se heurtèrent à une incompréhension quasi totale du public et de la critique de l'époque.

HORDE (La) [*La horda*]. Roman de l'écrivain espagnol Vicente Blasco Ibáñez (1867-1928), publié en 1905 à Valence. Le romancier social donne ici une peinture de la pègre madrilène, « horde » de déshérités, contrebandiers, chômeurs, vagabonds, apaches, mendiants, gitanes, qui n'est pas sans rappeler certaines pages de *Notre-Dame de Paris* (*) de Victor Hugo. Le récit par lui-même n'offre pas d'intérêt particulier : l'intrigue est pauvre d'événements marquants, comme la vie du « lumpen-proletariat » qui est ici décrit. Il n'y a qu'un fait, qu'un événement, la misère, qui, jusqu'aux dernières pages en tout cas, semble plus forte, collante comme une glu au personnage central, Isidro, et à ceux qu'il aime et qui l'entourent. Que la chance passe, on ne peut la saisir, la « horde » plus forte retrouvant, aspirant en elle le fugitif... Isidro Maltrana est né d'un maçon et d'une misérable paysanne castillane, la Mariposa, chiffonnière du quartier des Carolinas, à Madrid. Isidro semble pourtant pouvoir échapper à la misère : attirée par les dons du gamin, une vieille dame l'a recueilli et le fait instruire. Isidro va au collège, grandit, se fait recevoir bachelier, suit les cours de la faculté des lettres. Mais la chance n'est pas une compagne fidèle pour les gens de la « horde ». Au cours de l'avant-dernière année des cours, la protectrice d'Isidro meurt. Le voilà dans la rue, sans profession, journaliste déclassé et famélique. Il vit bientôt dans un taudis proche du Rastro, avec la fille du braconnier Mosco, Feliciana. Sa maîtresse est alors enceinte : poursuivi par la faim, en haillons, le ménage émigre dans un taudis pire encore que le premier, dans le quartier des Cambroneras. Autour d'eux, le malheur, la mort déciment la « horde » et les jeunes gens, enlisés dans leur misère, n'ont plus la force d'affronter la vie. Feliciana meurt en couches à l'hôpital et son corps s'en va à la fosse commune après un passage aux salles de dissection de la faculté de médecine. Blasco Ibáñez n'a pas voulu cependant pousser sa peinture jusqu'à une impasse : à la fin de son livre, il nous laisse deviner, espérer un Isidro, dont le caractère s'est maintenant trempé par le malheur, qui s'est rendu maître de son âme et s'en va vers une vie nouvelle, hors de la « horde ». L'intention politique est nettement accusée. Mais Blasco Ibáñez a su brosser de main de maître le visage du Madrid de la faim, et ses personnages paraissent sortir vivants du cauchemar, ici trop réel, d'un Goya. – Trad. Calmann-Lévy, 1912.

HORIZON CHIMÉRIQUE (L'). Unique recueil de poèmes de l'écrivain français Jean de La Ville de Mirmont (1886-1914), publié en 1920 par la Société littéraire de France, avec des bois gravés de Léon Dusouchet. Il contient : *L'Horizon chimérique* (quatorze poèmes), *Jeux* (huit poèmes), *Attitudes* (dix poèmes), *Chansons sentimentales* (sept poèmes), *Confidences* (quatre poèmes). Réimprimé chez Grasset en 1929 avec *Les Dimanches de Jean Dézert* et huit *Contes*, l'ensemble fut doté d'une Préface de François Mauriac. Fils d'un éminent latiniste professeur à la faculté des lettres de Bordeaux, Jean de La Ville de Mirmont ne fit paraître, entre 1910 et la Grande Guerre – où il fut tué le 28 novembre 1914, au Chemin des Dames –, que quelques contes (dans *Paris-Journal*), quelques poèmes (dans *La Revue hebdomadaire* et *Les Marges*) et enfin une assez longue nouvelle intitulée *Les Dimanches de Jean Dézert*. Chez le libraire Jean Bergue, il fit la connaissance de Vincent Muselli, Francis Carco, Maurice du Plessys, André Suarès, Maurice Chevrier, Adrien Bertrand, Louis Piéchaud. Ses poètes de prédilection étaient Baudelaire, Laforgue, Moréas, Jammes surtout. Mais c'est au maître des *Fleurs du mal* (*) et du *Spleen de Paris* (*) qu'il s'apparente le plus dans la première – et la plus belle – partie de cet *Horizon chimérique* qu'il n'eut que le temps d'agencer avant de partir, volontairement (car il était réformé pour myopie), dans un régiment d'infanterie. « Mon Dieu, vous le vouliez, je suis né dans un port » : toute, ou presque toute l'inspiration de Jean de La Ville tourne autour de la hantise d'un départ qui n'eut jamais lieu.

Cependant, à cette nostalgie de l'inconnu,

très baudelairienne, à cette mélancolie sans fadeur se joint, dans la seconde partie du mince recueil, une note ironique ; et par là ce poète, qui eut le sens de la grandeur et d'une puissante harmonie, s'apparente aux meilleurs représentants de l'école dite fantaisiste, Toulet et Pellerin, beaucoup plus qu'à l'inimitable, au très particulier Laforgue. Quant au « métier », il est à la fois très sûr et très hardi ; ainsi, les rythmes impairs, la contre-assonance (« Leurs yeux, qui sont faits / Pour d'autres lumières, / Dans notre jour faux / Clignent des paupières »), la variété métrique de certaines strophes faisaient pressentir une évolution prochaine – et nous font mesurer la perte que la poésie subit par cette mort prématurée. Rappelons enfin que Gabriel Fauré s'enthousiasma lorsqu'on lui fit lire *L'Horizon chimérique* et que les admirables mélodies que plusieurs pages lui inspirèrent ne furent pas sans donner quelque lustre à l'œuvre du « parolier » – v. *Mélodies* (*) de Fauré.

HORLA (Le). Recueil de contes de l'écrivain français Guy de Maupassant (1850-1893), publié en 1887. *Le Horla* est le premier de ces contes. Sous forme de journal, Maupassant nous rapporte les hallucinations d'un homme obsédé par la mystérieuse présence d'un être surnaturel auquel il donne le nom de « Horla ». Ce Horla serait une sorte d'« incube », qui posséderait toutefois un corps, fait d'une matière invisible et impalpable lui permettant d'échapper à toute investigation des sens. Cet être surnaturel est capable de raisonnement, tout comme les hommes ; une manière de surhomme qui s'empare du premier venu, lui impose sa propre volonté jusqu'à en faire son esclave, et absorbe, à son bénéfice, toute l'énergie vitale de sa victime. L'auteur nous rapporte que le manuscrit contenant cette étrange confession est brusquement interrompu, comme si le protagoniste avait sombré dans la folie. Cette histoire déconcerta les lecteurs de Maupassant. On la rapprocha, par la suite, de la triste fin de son auteur, comme s'il fallait y voir un témoignage de ses propres troubles mentaux. Au vrai, ce n'est là qu'un écrit purement littéraire et naturaliste. Il faut chercher son origine bien moins dans Hoffmann et dans Poe que dans la grande vogue des études sur les maladies du système nerveux entreprises par le docteur Charcot. Ce thème de la terreur dans le plan du surnaturel, propre à bouleverser notre esprit, reparaît dans un autre conte du recueil, l'un des plus beaux et des plus connus de Maupassant : c'est « L'Auberge » : Ulrich, un jeune montagnard suisse, doit passer l'hiver comme gardien dans une grande auberge de la haute montagne. Son compagnon, Gaspard, disparaît au cours d'une partie de chasse et Ulrich se croit persécuté par son âme : dans sa trop longue solitude, il devient fou.

Le reste du volume se compose de contes dans le genre habituel à Maupassant, reposant sur des anecdotes grivoises, cyniques ou sentimentales : « Le Signe », « Au bois » ; on y trouve aussi une nouvelle sur le mode tragique un peu facile et forcé, « Le Diable », deux vigoureuses histoires qui reprennent le thème de la satire antibourgeoise : « Une famille » et « Le Vagabond » ; enfin l'inévitable histoire de guerre : « Les Rois », laquelle est très belle, d'un comique étrange, légèrement mêlé d'horreur. « Amour » est la brève histoire d'un chasseur et contient quelques pages d'une qualité rare. Dans « Clochette », l'auteur évoque, avec une vive mélancolie, la chère et triste figure d'une pauvre femme qui avait réjoui son enfance de ses histoires. « Le Marquis de Fumerol » est une pittoresque esquisse qui relate, avec un brio incomparable, les scènes étonnantes de la mort d'un vieux noceur impénitent. Mais le chef-d'œuvre du recueil, c'est le petit conte intitulé « Le Trou » : Léopold Renard, honnête tapissier de Paris, féru de pêche à la ligne, a été amené à causer la mort d'un homme au cours d'une de ses promenades dominicales. Il est traduit en cour d'assises et, pour se disculper, il expose le fait qui est à l'origine du drame : sa dispute avec un autre pêcheur pour une affaire de femme, qui s'est terminée par la chute de l'adversaire dans un coin dangereux de la rivière. Ce récit, conçu sur un mode assez bonasse, est rehaussé de détails colorés et conduit avec une telle simplicité qu'on peut vraiment le tenir pour un chef-d'œuvre.

HORLOGE DES PRINCES (L') [*Relox de príncipes o Libro aureo del Emperador Marco Aurelio*]. Ouvrage de l'écrivain espagnol, le franciscain Antonio de Guevara (1480-1545), publié à Valladolid en 1529. Ce livre de piété connut un succès considérable aux XVIe et XVIIe siècles, tant en Espagne qu'à l'étranger. En un siècle et demi, on compte en effet 33 éditions espagnoles et 58 autres en français, italien, allemand, anglais et latin. L'horloge en question, c'est l'horloge de la vie. Guevara veut enseigner les princes, leur apprendre comment il faut employer chaque heure du jour au mieux des besoins de l'âme et comment il faut gouverner les peuples en bon chrétien. L'œuvre est divisée en trois livres. Le premier montre comment le prince sera un bon chrétien : si Guevara a placé son propos sous l'égide de Marc Aurèle, c'est pour faire comprendre à son lecteur que si un païen a été un prince excellent, à plus forte raison un chrétien devra s'employer à l'être. Guevara est humaniste, mais ses démonstrations sont souvent sommaires. S'il appuie sur l'excellence de la religion chrétienne, il loue aussi la piété des anciens, qui doit faire honte au relâchement religieux des chrétiens, et il estime que, sous le culte des faux dieux, c'était déjà le Dieu d'Abraham et le Christ qu'appelaient les Romains. Il s'efforce ensuite de prouver que le gouvernement monarchique est le meilleur de tous. Le gouvernement est un service, et si les peuples doivent obéir aux princes, les princes ont pour devoir, plus encore que les gens du commun, d'obéir à Dieu. Le deuxième livre, qui traite des devoirs du prince à l'égard de sa femme et de ses enfants, est, en fait, un véritable traité de puériculture. Guevara prouve d'abord la bonté de l'état de mariage. Le mariage ne sera durable qu'à condition qu'on se garde bien d'émanciper la femme : celle-ci doit obéir aveuglément à son mari, quels que soient les défauts de celui-ci. Il faudra qu'elle ne sorte pas souvent, ou mieux jamais, de sa maison. Mais Guevara s'occupe surtout de donner d'abondants conseils sur les soins à donner à la femme pendant la grossesse, au moment de l'accouchement et sur la manière de bien traiter les nouveau-nés. Il proscrit la nourrice : la mère ne doit pas se désintéresser de l'enfant une fois né et, de plus, le mari risquerait de trop s'intéresser à la nourrice. C'est pourquoi, si l'on se résigne à en prendre une, la faudra-t-il choisir laide. Le temps de l'allaitement devra durer au moins un an et demi : Guevara se réfère ici à une autorité indiscutable, Aristote. Le troisième livre traite du prince dans la république : le roi se souciera surtout de la justice et de la paix. Guevara condamne résolument la guerre offensive et de conquête. Le prince ne devra pas songer à ses querelles personnelles, ne pas être avare, ne pas non plus aimer le théâtre. Il prendra grand soin du choix des juges et sera le protecteur de la veuve et de l'orphelin.

Le succès de l'ouvrage nous surprend beaucoup aujourd'hui. Les citations que fait Guevara sont trop souvent inexactes et même fantaisistes. Mais leur nombre séduisit les lecteurs de l'époque : aussi son ouvrage semblait-il récapituler toute la sagesse des anciens et on admira le travail de dépouillement auquel avait dû se livrer l'auteur. Quant au style, il est vivant, souvent éloquent, parfois tendre, surtout au chapitre de l'amour maternel, bien que Guevara soit d'habitude d'humeur sévère et austère. – Trad. Rigaud, 1608.

HORLOGER D'EVERTON (L'). Roman de l'écrivain belge d'expression française Georges Simenon (1903-1989), écrit en mars 1954 à Lakeville (Connecticut) et publié la même année. Issu d'un père falot et d'une mère dominatrice, Dave Galloway, horloger à Everton, dans l'État de New York, mène une vie sans histoires depuis que Ruth, sa volage épouse, l'a quitté six mois après avoir mis au monde un fils. Compensation affective ou difficulté d'établir des relations équilibrées avec les femmes, Dave s'est totalement investi dans l'éducation de Ben, dont il croit avoir définitivement gagné l'affection. C'est que l'assouplissement existentiel provoqué par la répétition quotidienne des mêmes gestes donne une impression rassurante de tranquillité. On comprend donc que lorsque Ben, âgé de 16 ans, part avec son amie Lillian pour se marier dans un autre État à la législation plus souple, et que, dans sa fuite, il tue un homme pour lui voler sa voiture, le choc est terrible. Pour le père désemparé, commence alors une attente interminable, alimentée par un examen de conscience minutieux au cours duquel il revit les années passées avec son fils. Cherchant plus à le comprendre qu'à le juger, il conclut que sa place est à ses côtés et fait tout ce qu'il peut pour le sauver. Lorsque les jeunes gens sont capturés après une fusillade, Dave, abandonné de tous, sauf de son voisin, l'ébéniste Musak, entreprend de se rendre auprès de son fils, incarcéré à Indianapolis. Mais Ben refusera de lui parler, dans sa prison comme dans l'avion qui le ramène à Liberty, le chef-lieu du canton où il sera jugé, et même au cours de son procès. Pourtant, plus que jamais, le père partage sa souffrance, car il a compris que ce crime n'est que l'expression de la révolte intérieure des Galloway, révolte d'autant plus abrupte qu'elle a été réfrénée durant deux générations. Dave et son père avant lui ont été chacun les victimes de compagnes écrasantes ou infidèles. D'où, chez Dave, l'angoisse de ne pas être à la hauteur de son rôle d'homme. Angoisse qui explique sans doute pourquoi il refuse de voir en son fils un coupable, et veut assumer sa faute en portant « sa croix ».

Dans ce roman, Simenon analyse les ambiguïtés des relations entre un père et un fils. Si Dave aime son fils jusqu'au sacrifice, il n'en reste pas moins que leurs rapports sont entachés par une incommunicabilité dramatique. C'est que contrairement au *Fils* (1957), Ben n'a pas trouvé en son père un modèle, fort et équilibré, mais une victime, un faible, un timide qui n'aura pas eu le courage de rompre ses chaînes par une révolte destructrice. Révolte qui confère à Ben, lui-même père depuis peu, toute sa dignité d'homme debout. – Une adaptation cinématographique du roman a été réalisée en 1973 sous le titre *L'Horloger de Saint-Paul*, avec Philippe Noiret et Jean Rochefort dans les rôles principaux.

Al. B.

HORS JEU [*Fuera del juego*]. Recueil de poèmes de l'écrivain cubain Heberto Padilla (né en 1932), publié à La Havane en 1968. Bien que primé par un jury soucieux de récompenser un livre « non pas apologétique, mais critique et polémique », l'ouvrage paraît précédé d'une « Déclaration de l'Union des écrivains » dénonçant le poète pour son « déviationnisme politique » et sa collusion avec les traîtres à la Révolution. Grâce à ce brûlot, Padilla devient le symbole de la contestation et, du même coup, le bouc émissaire, ce qui débouchera, en 1971, sur une humiliante autocritique (« Affaire Padilla »).

Certains poèmes évoquent la dureté des

sacrifices inutilement exigés par la Révolution au nom d'objectifs douteux. D'autres donnent une vision tragique de l'U.R.S.S. Beaucoup expriment la solitude et l'inadaptation du poète après la perte de l'illusion révolutionnaire. Il n'est plus question comme dans *Le Juste Temps humain* [*El justo tiempo humano*, 1962], de communion avec la Révolution. Le poète s'estime « hors jeu » et envisage l'avenir avec désespoir. Le ton est d'une grande sincérité, le langage sobre, accessible, malgré la complexité des références et la densité thématique ; il y a peu d'adjectifs et de métaphores. Padilla explore la capacité poétique du parler quotidien. — Trad. Seuil, 1969. L. H.

HORS LES MURS. Publié en 1982, cet important recueil du poète français Jacques Réda (né en 1929) poursuit sur un ton à la fois réaliste et « picaresque » l'exploration de la veine vagabonde entamée dans *Les Ruines de Paris* (*) (1977). Si le mode de déplacement de l'auteur reste sensiblement le même — à pied, en solex, en voiture — la zone de ses déambulations est ici plus géographiquement circonscrite (les banlieues de la Petite Ceinture parisienne) et sa démarche lyrique plus unie et comme intimement ajustée à l'univers conventionnel et dénaturé qu'il décrit : le poème en vers comptés, rimés, « mâchés, dit-il, suivant le parler usuel au nord de la Loire » qui élimine « à la diction la plupart des e muets ». Subvertissant l'ordre classique à cœur joie, gauchissant l'alexandrin, lançant son étalon de quatorze syllabes par-dessus les haies les plus périlleuses, le poète se livre dans la langue, avec une maestria euphorisante, à une reconstruction « parodique » de cette périphérie frileuse, « rhumatismale » et fermée sur elle-même qu'est la banlieue. De Javel à Montparnasse, de Malakoff à Fontenay-aux Roses, d'Ivry à Vanves, de Sceaux à Palaiseau, Réda, pour qui la flânerie semble être une seconde nature, sinon la seule façon peut-être de supporter l'autre, la « vraie » qui tire vers la nuit son pesant de doutes et de désarroi, Réda promène son œil exercé et précis, sa mémoire, son blues et son flegme chaleureux dans un monde cahotant, chaotique et désolé où la tondeuse et le clapier voisinent, au bord des autoroutes, avec la « ferraille amère et les vieux pneus », les usines à gaz avec les hôpitaux, les bistros avec les cimetières et, près de petits jardins potagers « à l'abandon sous une constellation d'ordures / diverses qui resplendit », des « pavillons cyniques qui se branlent / Dans la compote des tilleuls ». C'est « la zone ultime où se cramponne / L'âpre humanisme du lopin et de l'individu ». Ce qu'il cherche dans cet univers dérisoire, pâle copie de la capitale, le poète l'ignore sans doute mais continue, comme porté par cette « fatalité qui réglait (s)a propre trajectoire et qui vaut que chaque pas soit prévu [...] chaque mot, chaque pointe aberrante ou non d'herbe, d'étoile, de ferraille », continue inlassablement d'interroger l'espace alentour, qui appelle : « Je ne cesserai donc jamais de chercher, d'attendre : qu'est-ce qui me réclame ? » Parce qu'il est « Toujours indifférent aux comment et pourquoi, / Comme un faux vagabond qui râle, qui mendie / L'obole d'un instant d'oubli près des jardins », il s'en remet, pour l'exercice de cette quête ontologique, au poème qui est, selon son heureuse formule, un « art que rien ne décourage ». Rien, ni le « ciel muet », « tuméfié », ni la terre qu'on étrangle de partout, ni l'âme qui flanche de plus en plus devant la « télé tutélaire ». Plutôt que de dresser son poème en une vaine protestation, Réda le règle en un « fol opéra » où tout, petites merveilles recensées, soleils rabougris, plâtras, vieux fers, faux ciels et jusqu'au moindre « de ses pas anodins » thésaurisés « au profit de l'insatiable prosodie », tout s'harmonise et monte avec la musique à l'assaut des nuages qui passent et nous consolent.

G. G.

HORTENSIAS BLEUS (Les). Recueil de poèmes de l'écrivain français Robert Montesquiou-Fezensac (1855-1921), publié en 1896. D'une inspiration assez inégale, ce recueil est placé sous le signe de la préciosité. Une phrase de Théophile Gautier, en épigraphe, avertit le lecteur : « Nous y avons remarqué [...] des massifs d'hortensias gigantesques qui, au lieu d'avoir cette nuance rose ou mauve qui leur est habituelle en France, offraient des teintes d'un azur charmant. Ces hortensias bleus nous ont beaucoup frappé, car le bleu est la chimère des horticulteurs... » De fait, les espoirs du poète ne semblent pas moins chimériques. Doutant si l'avenir lui accordera quelque attention, il préface lui-même son livre avec soin ; mais sa poésie n'a pas d'originalité. C'est celle d'un suiveur attardé de Vigny, de Baudelaire et de Verlaine. On y retrouve toutes les influences, où domine celle du symbolisme. Quelques poèmes réussis, tel « Hic Locus » à la prosodie savante : « Une chambre assoupie où la guipure émousse / Aux fenêtres l'éclat d'un jour trop dur ; où mousse / À terre le rinceau bouclé des sourds tapis. » D'amusantes déliquescences verbales (« Pierrot ») : « Passereau paresseux qui, dans la japonaise / Porcelaine et dans ceux / Des foukousas que j'aime... » Un poème macabre aux résonances baudelairiennes (« Reliquiæ ») : « Ces dieux étaient pourris et leur puanteur telle... / Qu'à peine le vinaigre et le sel la chassaient. » Il n'en ressort pas moins de l'ensemble une impression de noblesse factice.

HOSTIES NOIRES (Les). Recueil de poésies de l'écrivain et homme d'État sénégalais d'expression française Léopold Sédar Senghor (né en 1906), publié en 1948. L'auteur, dans son essai intitulé *Langage et poésie négro-africaine* (1954), dévoile quelques-unes des clés de son art : « ... poésie, prière, participation d'identité aux forces cosmiques, à l'acte créateur de Dieu, la poésie négro-africaine reste près des sources divines. C'est ce qui en fait la valeur... » « L'image dépasse naturellement les apparences pour pénétrer les idées. C'est, du moins, ce qui fait presque toujours l'image négro-africaine, qui est analogie, symbole, expression du monde moral, du sens par le signe. » *Hosties noires* exprime une solidarité sincère et militante. « Vous, Tirailleurs sénégalais, mes frères noirs à la main chaude sous la glace et la mort / Qui pourra vous chanter si ce n'est votre frère d'armes, votre frère de sang ? » En célébrant ses camarades, la nature, le tumulte de la brousse, la fête gymnique des moissons, les rythmes nocturnes de la terre, Senghor aspire au lyrisme le plus vaste, à un poème d'ordre cosmique. La force du chant, le poète la manifeste principalement dans l'emploi le plus sûr de ces « mots-ciment » qui constituent les assises du poème (nuit, noir, mots accompagnant essentiellement une idée de perfection esthétique et de glorification). Léopold Sédar Senghor est l'auteur de plusieurs essais dont *Liberté I. Négritude et humanisme*, premier ouvrage d'une série intitulée *Liberté* dont le second aura pour sous-titre *Nation et voie africaine du socialisme*. L'auteur déclare que ces quatre idées sont une véritable obsession, des idées forces qui inspirent à la fois ses écrits, ses discours, son action. Cet ouvrage est un recueil d'essais, préfaces, articles et conférences écrites ou prononcées depuis 1945. La négritude, pour lui, est la « personnalité collective négro-africaine » qui n'est pas à l'origine d'un racisme, mais bien d'une civilisation comparable aux autres, en fait d'un humanisme. Cette doctrine, il l'applique à tous les problèmes de l'Afrique : art, littérature, poésie et langage, esthétique, politique. Si la plupart des articles sont consacrés à des sujets africains, tels l'université de Dakar, les ballets africains, la poésie bantoue, la poésie négro-africaine, d'autres sont plus généraux : éloge de la latinité, Paris, l'Unesco, Charles de Gaulle, etc. L'auteur cherche ainsi à intégrer la civilisation négro-africaine dans la civilisation universelle qui « sera l'œuvre de toutes les races ou ne sera pas ».

HÔTE INCONNU (L'). Ouvrage de l'écrivain belge d'expression française Maurice Maeterlinck (1862-1949), publié en 1917. Il appartient à cette série d'œuvres philosophiques dans lesquelles l'auteur tend à élucider les phénomènes de télépathie, d'intuition, de clairvoyance, ainsi que les manifestations médiumniques, métapsychiques et autres. L'effort philosophique de Maeterlinck est, en effet, déterminé par une sorte d'obsession qui l'incite à pénétrer l'énigme de la destinée humaine, afin de donner un sens à la vie. Cet ouvrage est loin d'être une création originale. Ce n'est guère qu'une sorte de mise au point fondée sur les procès-verbaux de la « Society for Psychical Research ». L'auteur aborde ces questions si discutées de matérialisations, lévitations, transmissions de pensée, avec une réelle objectivité. Il sait que beaucoup de prétendus médiums ne sont que des simulateurs. Toutefois il ajoute : « Si grande que soit la part faite à la supercherie, il n'en reste pas moins un nombre considérable de faits si rigoureusement contrôlés qu'il faut bien les admettre ou renoncer à toute certitude humaine. » Passant à l'étude du subconscient (cet « hôte inconnu » auquel le livre emprunte son titre), Maeterlinck nous entretient longuement des pouvoirs de cette force spirituelle qui réside — à notre insu — au plus profond de notre être : cette force agit sans organes, passe à travers la matière, ignore le temps et l'espace, échappe aux lois de la pesanteur ; il n'est donc pas aussi étrange de la voir survivre quelque temps à ce corps auquel elle ne semble pas, comme notre existence consciente, indissolublement liée.

La deuxième partie de *L'Hôte inconnu* est consacrée aux fameux chevaux calculateurs d'Elberfeld, qui ont fait couler tant d'encre au début de ce siècle. Maeterlinck n'ignorait pas que des commissions scientifiques, chargées d'étudier la question, ont, à la suite de nombreuses expériences, conclu à la supercherie. Cela ne l'empêcha pas de se faire le défenseur enthousiaste des expériences d'Elberfeld, allant jusqu'à invoquer le témoignage de Tertullien qui mentionne les « capellas divinatores », chèvres sibyllines qui répondaient — comme les chevaux d'Elberfeld — selon un alphabet convenu, en frappant le sol du pied. « Tout ceci, il faut en convenir [...] peut être considéré comme l'un des plus étranges prodiges, l'une des plus stupéfiantes révélations qui aient eu lieu depuis que l'homme habite cette terre [...] une des plus grandes, des plus étranges énigmes qui puissent ébranler l'âme humaine. » Une telle conclusion a fait dire à Marcel Boll : « Maeterlinck n'a jamais brillé par le sens critique ; les chevaux d'Elberfeld sont là pour en témoigner. »

HÔTEL (L') [*The Hotel*]. Premier roman de l'écrivain anglais Elizabeth Bowen (1899-1973), publié en 1927. Il avait été précédé par deux recueils de nouvelles, le premier d'entre eux, *Rencontres* (*), publié quatre années plus tôt. *L'Hôtel* est un livre de l'adolescence. Son héroïne, Sydney, est une jeune fille intelligente et réceptive. La voici devant un échantillonnage de colonie britannique, dans un hôtel de la Riviera italienne. Cet hôtel est, comme le titre le veut, le lieu du livre. Le conflit est en Sydney elle-même, le cœur partagé entre ses deux cavaliers (l'un d'eux étant un clergyman) ; mais cette situation, en elle-même lourde de scènes comiques et amères, introduit un thème : les découvertes du cœur innocent. Les relations de l'innocence et de l'expérience ont toujours fasciné Elizabeth Bowen. Dans une perspective autre, *L'Hôtel* est une étude de mœurs, datée.

Devant un livre de femme écrit en 1927, la convention appellerait des adjectifs tels que : aimable, sentimental, romantique. En vérité, rien de tel. Il est vrai que les êtres jeunes des deux sexes n'apprennent ici à se connaître que selon un mode sinueux, dans des conversations que, quelquefois, un baiser ponctuera ; l'équivalence de ce roman quarante ans après révélerait des comportements autres : tels qu'après une mutation, ou bien presque. À ces égards, *L'Hôtel* peut se comprendre comme un document. Ce qui continue de surprendre, c'est une sûreté de trait qui met chaque personnage à sa place. Cette entreprise n'est ni aimable, ni sentimentale, ni romantique : mais détachée, implacable. On détecte même chez l'auteur une manière de supériorité glaçante. Deux dames montent au sommet d'une colline à la fin du livre (le livre que les personnages principaux ont à ce moment-là déserté) ; et du haut de cette colline « l'Hôtel avait l'air d'une petite maison de poupées ».

On peut regretter ce ton implicitement supérieur, quand est engagé un combat juste : contre le philistinisme et l'étroitesse d'esprit. Plus tard, le même combat sera repris, sans arrogance juvénile, quoique avec la même objectivité ; et quelquefois les flèches toucheront le cœur de la cible. Il demeure que *L'Hôtel* est un premier roman fermement construit et conduit, dans la tradition de Jane Austen.

HÔTEL DU NORD. Œuvre de l'écrivain français Eugène Dabit (1898-1936), publiée en 1929. C'est le premier roman de l'auteur, il n'en fut pas moins remarqué et loué par la critique, au moment de la fondation de l'« école populiste ». Il ne s'agit pas à proprement parler d'un roman. Il n'y a pas d'intrigue en effet, mais une suite d'histoires très courtes, de « tranches de vie », de figures, d'anecdotes, dans le cadre populaire d'un hôtel pour ouvriers. Grâce à un petit héritage, un ménage de travailleurs, les Lecouvreur, achète un fonds, un petit hôtel du quai Jemmapes. C'est le tableau de la vie des locataires que brosse Eugène Dabit. Tableau monotone, car toutes ces existences, dominées, dévorées par un travail sans diversité, se ressemblent et se confondent en une seule misère, et cependant tableau fort riche en couleurs et en nuances. Dabit, dont le père dirigeait un hôtel analogue, a pu user de ses souvenirs d'enfance. Chaque locataire, chaque servante est marqué, distingué d'un trait. Êtres déracinés, sans logement fixe, dont la seule règle est la dure mécanique du travail : se lever, usiner, manger, se coucher, aimer une nuit — ou s'en donner l'illusion... De tout le livre monte une impression générale de découragement, d'écrasement, et peut-être le leitmotiv le plus caractéristique est-il celui d'un personnage qui répète inlassablement : « Vivement ce soir qu'on se couche... » Existence sans issue pour l'artiste lyrique, l'employé de commerce, l'ancien paysan qui n'est plus ni de la terre ni de la ville. D'autres, pourtant, trouvent dans l'« Hôtel du Nord », une certaine joie de vivre : comme cet ancien bourgeois, malade, qui avant de mourir, s'est privé de son confort pour connaître quai Jemmapes une liberté solitaire. Ainsi, c'est toute l'existence ouvrière de Paris que Dabit parvient à faire pressentir. Malgré l'absence d'intrigue, le lecteur n'éprouve aucune lassitude. L'auteur nous met en face du fait du prolétariat déraciné : l'hôtel n'est que le point, fragile, de permanence dans cette masse mouvante, le seul foyer social, et combien précaire. Pour finir, l'hôtel, ayant été exproprié, tombe sous la pioche des démolisseurs.

HÔTEL SAVOY. Roman de l'écrivain autrichien Joseph Roth (1894-1939), publié en 1923. Premier roman publié par l'auteur, *Hôtel Savoy* est un « Heimkehrerroman », un roman du retour de guerre, l'un des premiers de la littérature allemande. Gabriel Dan, héros et narrateur, arrive, après deux ans de guerre et trois ans de captivité en Russie, dans une ville située « aux portes de l'Europe », là où se côtoient et se mêlent le monde de l'Est et l'Europe occidentale. Il descend dans l'Hôtel Savoy où il croit trouver le confort, la vie civilisée, gagner de l'argent et repartir « avec dix valises ». Mais il aura bien du mal à reprendre pied dans ce monde de l'après-guerre. La société nouvelle n'a guère changé l'ordre des choses : son oncle le riche Phöbus Böhlaug lui donne généreusement un de ses vieux costumes, la danseuse Stasia dont il tombe amoureux partira finalement avec le fils du riche Phöbus. Gabriel Dan trouve un travail comme manœuvre, puis devient secrétaire de Bloomfield, le Juif émigré qui a fait fortune en Amérique, mais n'est venu que pour un bref pèlerinage sur la tombe de ses ancêtres et repart avec ses dollars dans lesquels toute la ville mettait ses espoirs. Écrit dans le style net et concis du « reportage » dont, par ailleurs, le journaliste Roth était un maître, *Hôtel Savoy* se rattache à la « nouvelle objectivité » des années 20. Le jeune Roth y témoigne d'un engagement socialiste évident, et l'Hôtel Savoy est, en réalité, un lieu symbolique, un microcosme : dans les 864 chambres de ses 7 étages habitent les représentants de ce monde scindé en deux classes, destins étranges des égarés, des perdants, de ceux qui logent dans les derniers étages, Santschin le clown misérable, Hirsch Fisch qui rêve les numéros gagnants de la loterie, Glanz le petit trafiquant de devises, Zlotogor le magnétiseur — et puis les riches, les négociants qui se retrouvent au bar de l'hôtel, tandis que le liftier Ignace, sinistre et énigmatique, monte et descend les uns et les autres, Charon moderne, symbole de la mort qui attend ceux « d'en haut ». La ville, elle aussi, vibre des destins de cette société où se préparent les troubles des années 20. Ville grise, ville sale. Dans les usines qui y déversent leurs fumées, les ouvriers se mettent en grève, dans les rues arrivent les colonnes de prisonniers rentrant de Russie, du pays de la révolution socialiste. La révolte gronde, attisée par Zwonimir le révolutionnaire arrivé brusquement de là-bas. La révolution éclate, vite écrasée par l'armée, comme dans l'Allemagne, la Hongrie, l'Autriche de 1918. L'Hôtel Savoy disparaît dans le brasier de cette brève flambée révolutionnaire. Gabriel Dan observe, constate, ne se mêle pas. À la fin du roman, il est à la gare, dans l'attente d'un train qui l'emmènera plus loin « vers l'ouest ». Dès ce premier roman, Roth annonce le narrateur des grands romans à venir, révèle sa capacité à intégrer dans son œuvre à la fois l'histoire d'une époque et les destinées individuelles, à brosser en quelques lignes la vie d'un personnage, à suggérer en quelques phrases le destin d'une communauté, d'un peuple, d'une société. — Trad. Gallimard, 1969. G. Ra.

HÔTE POUR LA NUIT (Un) [*Oreach nata lalun*]. Œuvre de l'écrivain israélien d'origine polonaise Shmuel Yoseph Agnon (1888-1970), publiée en 1940. Ce roman d'apparence autobiographique relate l'expérience spirituelle du narrateur alors que, longtemps après avoir émigré en Palestine, il effectue une sorte de pèlerinage sur les lieux de son enfance au lendemain de la Première Guerre mondiale. L'immense retentissement de ce roman à la veille de l'anéantissement du judaïsme européen par les persécutions nazies, loin d'être fortuit, est révélateur du sentiment de malaise qui pesait alors sur l'Europe centrale juive, et qu'Agnon, avec une sensibilité toute poétique, a tenté de cerner, faisant ainsi, non sans lucidité, œuvre de témoin.

Par sa structure, *Un hôte pour la nuit* est une œuvre singulière dans la mesure où elle ne repose pas, à proprement parler, sur une intrigue. Le narrateur, durant le long et sinistre hiver galicien qu'il passe dans sa ville natale encore marquée par les stigmates de la guerre, est assailli, au hasard des incitations du présent, par les bribes d'un passé qui se reconstitue finalement dans sa presque totalité par additions successives. Confronté au présent, ou mieux, suscité par lui, le passé se transfigure en un âge heureux, quasi mythique, irrévocablement révolu, de toute manière poétisé, qui, projeté à son tour sur le présent, ne fait qu'en éclairer davantage le tragique. Car la ville que le narrateur retrouve est l'image de la désolation. Certes la guerre l'a recouverte de ruines et l'a plongée dans la misère, et le souvenir de la famine et de la mort se découvre à plus d'un détour, mais il y a plus grave encore ; il y a, au-delà de cette misère physique, une misère morale et un désarroi bien plus lourds de conséquences : ce qui reste d'une communauté autrefois vivante et prospère végète et se terre. Tout est livré à l'abandon, même les richesses de la tradition qui avaient maintes fois sauvé dans le passé plus d'une génération en lui offrant des valeurs dans lesquelles elle trouvait le courage de recommencer, de reconstruire et d'oublier l'épreuve. À cet égard, l'abandon de la vieille maison d'études est très largement significatif. Et même lorsque les pères, tel Sommer l'aubergiste dont le narrateur est l'hôte, tentent de se raccrocher à cette tradition, leur tentative est solitaire, et leurs fils se dissipent et ne les suivent plus. Le désarroi des jeunes générations se reflète aussi dans les tentations qu'elles subissent : le communisme et l'anarchisme, alors que le ghetto éclate et que la jeunesse accède à l'université.

Dans ce monde qui se défait, où les perspectives se bouchent pour le monde juif, que tous fuient ou cherchent à fuir, que ce soit par l'émigration en Palestine, en Amérique ou ailleurs, ou par l'évasion dans le rêve ou le silence, comme on déserte un navire sur le point de sombrer, c'est l'hôte pour la nuit, le pèlerin de l'enfance et du passé, qui vient recueillir l'héritage. Il y a dans *Un hôte pour la nuit* un épisode très significatif à cet égard, c'est celui de la clef infiniment usée de la maison d'études dont le narrateur se fait confier la garde : ainsi, durant tout l'hiver, il va rouvrir la synagogue, veiller à ce qu'on reprenne l'habitude d'y faire régulièrement du feu, il ira même jusqu'à s'improviser commentateur et exégète pour diriger des ouailles qui reviennent sans trop d'illusions à la recherche d'eux-mêmes, de leur passé, d'un vague espoir, ou simplement peut-être pour y tromper leur ennui. Un groupe de jeunes Juifs, chez qui l'auteur va passer quelques jours, et qui a abandonné la petite ville pour s'installer dans les champs et y faire l'apprentissage du travail de la terre pour se préparer à une émigration régénératrice en Palestine, représente la porte du salut par contraste avec cet univers voué à la dégradation et à la décomposition ; pour ce groupe, le narrateur est le maître, le représentant de ce judaïsme retrempé par l'esprit pionnier, qui a sauvé son identité juive tout en se tournant résolument vers le futur. — Trad. sous le titre *L'Hôte de passage*, Albin Michel, 1973.

HÔTES DE PASSAGE. Œuvre de l'écrivain français André Malraux (1901-1976), publiée en 1975 et formant en 1976 le début de *La Corde et les Souris* (*). Trois chapitres, trois dialogues : avec Senghor à Dakar, avec Georges Salles et une voyante à Paris, avec Max Torrès, compagnon d'Espagne retrouvé au Palais-Royal en mai 1968. Le premier texte, auquel est incorporé un fragment des *Antimémoires* (*) (le voyage en Casamance), associe les problèmes de la jeune Afrique et de la Grèce antique. Le second – reprise modifiée de *Roi, je t'attends à Babylone...* (1973) – est une méditation à deux voix sur le destin d'Alexandre qu'a retrouvé le médium. Le troisième permet au ministre d'État et à son interlocuteur, devenu professeur en Californie, de confronter leurs expériences des mouvements étudiants à Paris et à Berkeley ; en partant, Max Torrès laisse à Malraux une dose d'une drogue nouvelle.

Malgré la disparate et une certaine facilité de l'écriture, ce livre n'est pas sans force ni sans unité. « En proie aux espoirs les moins sages » (Jean Grosjean), l'auteur y explore avec lucidité les voies de l'irrationnel. L'agnostique qu'il demeure sait trop que la raison et la science ne peuvent répondre à toutes ses interrogations.
M.-F. G.

HOUAI-NAN-TSE (*Huainanzi*) [*Le Livre du maître de Houai-nan*]. Œuvre célèbre de la philosophie chinoise, composée sous le patronage de Lio An (180 ?-122 av. J.-C.), prince de Houai-nan (littéralement : le pays au sud du fleuve Houai), petit-fils de Kao-tsou, premier empereur de la dynastie Han (et régnant de 206 à 195 av. J.-C.). Bien que de rédaction inégale et reflétant plusieurs courants de pensée, le *Houai-nan-tse* représente l'exposition la plus élevée, par la pensée comme par la langue, du taoïsme moniste qui soit venue jusqu'à nous. Il faut noter que la doctrine du livre est en contradiction déclarée avec la conduite de son auteur présumé qui, loin d'adhérer au « wou wei » (le non-agir taoïste), fut un ambitieux et un intrigant, contraint au suicide (122 av. J.-C.) par la découverte du complot qu'il avait ourdi avec son frère pour succéder aux Han sur le trône. Le livre, divisé en vingt et un chapitres, est un recueil des discussions sur le « Tao » et ses vertus, que le « maître de Houai-nan » aurait tenues avec ses adversaires ; aussi manque-t-il d'unité et n'est-il pas exempt de contradictions, mais le style en est beau et étudié. Le Tao y est interprété, selon Lao Tse et Tchouang Tse, comme un infini universel, éternel et absolu avec deux phases analogues au Yin et au Yang du *Yi-tsing* (*), c'est-à-dire la phase dynamique qui se manifeste extérieurement (les phénomènes de l'univers) et la phase statique, la véritable substance de l'univers, appelée non-agir – v. *Tao teu-tsing* (*). Tous les êtres sont dérivés de la même substance (matérielle) appelée « Ts'i » (littéralement : esprit) ; l'homme vient d'un « Ts'i » très affiné, les autres animaux d'un « Ts'i » plus grossier. Ainsi les différents degrés d'affinement du « Ts'i » déterminent-ils les différents degrés des êtres. Cette théorie du « Ts'i » a été reprise plus tard par les philosophes du temps des Song (960-1279). Pour le « maître de Houai-nan » il n'existe donc pas de différence essentielle entre les êtres vivants ; le Créateur est comparable à un potier qui modèle l'argile pour en faire des ustensiles divers : petits ou grands, beaux ou laids, mais ces objets, une fois détruits, se trouvent réduits à la même matière originelle. Aussi toutes les différences de l'univers ne sont jamais qu'apparentes : bijoux et pierres, richesse et pauvreté sont identiques. Cette théorie ressemble beaucoup à celle de Tchouang-tse, mais il y a ici un élément personnel : l'homme est un microcosme. La tête est comparable au ciel, les pieds à la terre, les quatre membres aux quatre saisons, les trois cent soixante articulations aux trois cent soixante jours, la joie et la colère au chaud et au froid, les poumons à l'air, le foie au vent, etc. Le *Houai-nan-tse* constitue d'ailleurs l'un des plus vieux récits cosmogoniques chinois, et une source importante en termes de mythologie ancienne. Cette œuvre présente aussi un caractère encyclopédique, car elle embrasse, dans une exposition vive et brillante, toutes les doctrines des différentes écoles : confucianiste, taoïste, juridique et militaire, ce qui lui assure un grand intérêt. Mais ses principes fondamentaux ne vont jamais au-delà des doctrines de Lao-tse et de Tchouang-tse. – Trad. de fragments dans *Le Traité VII du Houai nan tseu,* Institut Ricci, 1982, et dans *Anthologie des mythes et légendes de la Chine ancienne,* Gallimard, 1989.

HOUANG-TI NEI-TSING SOU-WEN (*Huangdi neijing suwen*) [*Questions simples sur la médecine de l'empereur Houang Ti*]. Le plus ancien traité de médecine (physiologie et thérapeutique) chinois, écrit par un auteur anonyme, en vingt-quatre volumes, remontant probablement au IVe siècle avant J.-C., et certainement remanié par la suite. Au VIIIe siècle, Wang Ping en rédigea un commentaire ; c'est à lui qu'est attribué aussi le *Ling chou tsing* [*Le Livre canonique du fondement de l'âme*], autre traité en douze volumes sur la médecine interne et l'acupuncture, lequel, bien qu'il date du XIe siècle dans sa version actuelle, doit contenir l'essentiel d'œuvres plus anciennes. Les deux traités sont communément connus et considérés comme *Nei-tsing* [*Les Livres canoniques de la médecine*]. Le titre du *Houang-Ti nei-tsing Sou-Wen* vient du fait que cette œuvre a la forme d'un dialogue entre Houang-ti (« l'empereur jaune »), le fameux souverain mythique de la Chine ayant vécu, selon la chronologie indigène, au XXIVe siècle av. J.-C. environ, et son ministre Ts'i Pai ainsi que d'autres sages, qui éclairent une série de problèmes que l'empereur leur expose. Le *Sou-Wen* établit tout d'abord une stricte interdépendance entre le monde extérieur (macrocosme) et l'organisme humain (microcosme). Le macrocosme est tout entier dans le T'ai-yu [le grand vide], c'est-à-dire l'espace entre terre et ciel, dans lequel tournent, superposées et en sens inverse, deux roues : au-dessus, tournant vers la gauche, la roue des deux modalités célestes Yin et Yang, dont chacune présente trois phases : maxima [t'ai], décroissante [ts'iao] et minima [ts'ue] ; au-dessous, tournant vers la droite, la roue terrestre, avec cinq secteurs correspondants aux cinq agents naturels [wou-sing], c'est-à-dire, par ordre de production réciproque : bois (matière végétale), feu, humus, métal (matière minérale) et eau. Ces secteurs, tournant avec la roue, se présentent à l'influence de l'autre roue de telle manière que tous les trente ans chaque position se répète. Passons maintenant au microcosme, autrement dit à l'individu humain. Ici, nous trouvons les cinq viscères [wou tsang], chacun sous l'influence d'un des cinq agents naturels, c'est-à-dire dans le même ordre : foie [kan], cœur [sin], rate [p'i], poumons [fei] et reins [chen]. La roue des deux modalités Yin et Yang agit sur les cinq secteurs et donc aussi sur les cinq viscères qui sont sous leur influence. Comme, d'autre part, les deux roues sont divisées en 360° (répondant aux trois cent soixante jours en lesquels l'année était alors partagée), il est possible, au moyen de tables mathématiques, de calculer pour chaque jour (et même pour chaque heure du jour) l'action de la roue céleste sur les cinq viscères. Ces mathématiques, disons transcendantales, sont encore en usage de nos jours à des fins divinatoires.

À cette partie que l'on peut appeler théorique succède la partie pratique : diagnostic et thérapeutique. Les maladies apparaissent dans l'organisme humain à la suite d'un mauvais fonctionnement d'un des cinq viscères. Le diagnostic consiste à déterminer lequel et sous quelle influence ; ce qui se fait par l'examen du pouls ; sur ce point, le traité s'étend longuement. La thérapeutique comprend deux méthodes : l'acupuncture et l'action héroïque par les poisons. L'acupuncture a le but de stimuler celui des cinq viscères qui se montre récalcitrant à reprendre son rythme normal. Ordinairement, c'est-à-dire dans les cas sans gravité, elle est indirecte ou superficielle. La surface du corps humain, en effet, a été divisée par les Chinois en zones ayant chacune un nom particulier, et chacune correspondant théoriquement à des affections déterminées de chacun des cinq viscères. En piquant avec une aiguille une de ces zones, celui des viscères auquel elle correspond s'en ressent et est stimulé à fonctionner d'une manière déterminée et donc à se normaliser. Dans les cas graves, on doit recourir à la piqûre directe des viscères ou à l'action violente de poisons (tels que l'arsenic, l'aconit, la noix vomique, etc.) que les Chinois ont connus depuis une très haute antiquité.

Tel est, dans ses lignes essentielles, le contenu du *Houang-ti nei-tsing Sou-Wen,* dans lequel, d'autre part, est manifeste l'influence des systèmes philosophiques chinois, notamment du taoïsme. Il n'y a pas lieu de parler de valeur scientifique à propos d'un tel système sans aucun fondement ni empirique ni expérimental, et qui ne peut intéresser que l'historien de la médecine. Comme fait particulier, nous observerons ici que le *Sou-Wen* connaît la circulation du sang à laquelle, cependant, il ne parvient pas sur le plan expérimental, mais par une curieuse intuition, ou mieux par analogie avec la circulation du principe vital dans le macrocosme universel. Nous pouvons aussi remarquer les analogies entre les applications pratiques de ce système : l'acupuncture, pratiquée encore aujourd'hui en Chine, et la réflexothérapie moderne (cf. L. Wieger S.J., *Histoire des croyances religieuses et des opinions philosophiques en Chine,* Hsien-hsien, 1922, Leç. 41). – Trad. par Cl. Larre des chapitres I. « Plein Ciel », II. « Assaisonner les esprits », III. « Vif », V. « Par cinq », VIII. « Fil », et XXXVIII. « Toux », Institut Ricci.

HOULIGANS (Les) [*Huliganii*]. Roman de l'écrivain français d'origine roumaine Mircea Eliade (1907-1986), publié en 1935. Après quatre autres romans, dont *Maïtreyi*, publié en 1933 (sous le titre *La Nuit bengali*, 1950), celui-ci est présenté par l'auteur comme le second volet de son précédent roman, *Le Retour du paradis* [*Intoarcerea din Rai*, 1934]. Dans son action s'enchevêtrent une multitude de personnages faisant partie pour la plupart d'une jeunesse non conformiste et insolite, mais en même temps cruelle et désemparée.

Parmi ces jeunes, Petru Anicet, fils d'une bonne famille riche autrefois, mène sa vie à l'ombre d'un frère aîné décédé et de sa mère, veuve, qu'il doit entretenir. Pour cela, il donne des leçons de piano à une jeune fille, Anisoara, vivant dans un milieu familial faux et vicié, mais en même temps il n'hésite pas à recevoir de l'argent de Nora qui l'aime et qui, pour pouvoir l'aider, offre ses charmes, sans se cacher, à d'autres hommes. Sa jeune élève tombe amoureuse de lui et devient sa maîtresse. Pour l'aider, elle vole des bijoux de famille qu'elle croyait oubliés et que Petru vendra. Celui-ci pourra ainsi raconter à sa mère, pour lui faire plaisir, que ses compositions musicales commencent à avoir du prix. Pourtant, la mère de Petru, convoquée un jour par la mère d'Anisoara, apprendra le vol : la nuit suivante, Petru, en rentrant tard chez lui, trouvera sa mère pendue.

À peine plus âgé, Mitică Gheorghiu, employé dans une banque et sportif amateur, aime Marcella, fille d'un pharmacien de province, qui vient de finir brillamment le conservatoire d'art dramatique et de faire ses débuts au théâtre dans des rôles insignifiants. Un jour, en lui téléphonant de chez un ami pour lui témoigner son admiration, sans dire son nom, Mitică déclenche malencontreusement une passion de Marcella pour cet ami inconnu de son amoureux, qu'elle réussit à identifier et qu'elle croit être son admirateur. C'est un employé à l'Opéra, Jean Ciutariu, dont les relations dans le monde artistique pourraient aider la carrière d'une actrice. Marcella devient sans difficulté sa maîtresse. De son côté, Mitică commence à mener une vie de débauche. Pour apaiser ses tourments, il fait un pèlerinage aux sources de l'amour défunt, chez les parents de Marcella, où, pour braver son infortune et devancer un éventuel retour des choses, il se présente toujours comme le fiancé de leur fille. Rentré à Bucarest, il apprend que Marcella partira poursuivre ses études d'art dramatique à Paris. Après avoir pris toutes ses précautions, il se cache dans le même train pour Paris et, dans la voiture presque vide, il la guette à la sortie des toilettes et lui saute dessus. Ils poursuivent calmement leur voyage en faux amoureux et, après quatre jours passés ensemble dans une même chambre d'hôtel à Vienne, elle reprend son train pour Paris, tandis que lui, mi-satisfait mi-dégoûté, rentre à Bucarest.

Le roman contient d'autres épisodes de ce genre, dont l'action est coupée à plusieurs reprises pour être renouée plus loin. Parfois, les héros d'un épisode se croisent avec ceux d'un autre dans une sorte de mouvement sans but précis, tout comme les héros eux-mêmes, faits d'exaltation et de bassesse, de cruauté et de faiblesse.

HOURRA L'OURAL. Recueil poétique publié en 1934 par l'écrivain français Louis Aragon (1897-1982), et regroupant des poèmes écrits en 1932, et le célèbre « Front rouge », qui avait valu à l'auteur des poursuites policières. Aragon, soutenu d'abord par les surréalistes, avait été honni par eux quand il leur préféra le communisme. Ce recueil marque donc une rupture décisive. Pour la première fois, le sujet en est emprunté au monde extérieur. Le surréalisme avait libéré la poésie d'un grand nombre de conventions techniques sans signification vitale ; mais la vie des hommes n'y apparaissait qu'en des reflets fantastiques. Rien de ce qui est essentiel à l'époque ne se jouait dans cette poésie qui se voulait pourtant révolutionnaire. Aragon, brisant cette limitation de la poésie, entend se mêler aux forces vives d'aujourd'hui qui bâtissent l'avenir. Être témoin et compagnon de ce combat. Le prolétariat dont il parle n'est pas celui que la misère ou la servitude accablent, mais un prolétariat conscient d'être la classe qui a pour mission de construire l'avenir et d'acheminer l'individu vers la possession de sa véritable nature d'homme. Les travailleurs soviétiques sont en train de transformer l'Oural, où les anciens capitalistes propriétaires n'apparaissent plus dans le poème que comme d'illusoires nuées. Le fait que le sujet est emprunté au monde extérieur pose des problèmes esthétiques nouveaux : la poésie ne peut plus consister à enregistrer ou à capter, selon les techniques surréalistes, des associations ou des analogies surgies de l'inconscient. Maintenant, comme l'écrit Aragon, la chose précède le mot et non le mot la chose. Le passage est difficile, de la spontanéité et de l'automatisme, à une forme organisée d'expression. Certes, on retrouve dans *Hourra l'Oural* la marque des goûts intimes d'Aragon : la virtuosité dans l'emploi poétique de l'association et de l'allitération (« longue file des morts au morfil des années »), mais ce recueil marque une rupture par rapport au précédent, *Persécuté Persécuteur* (*). Dans *Hourra l'Oural*, dans sa prosodie comme dans ses images, la Révolution n'est plus seulement, comme dans *Persécuté Persécuteur*, la broyeuse des vieilles infamies, mais elle marque la naissance de la grandeur de l'homme, sous une forme constructive, positive. La difficulté est d'ajuster la technique poétique à la réalité nouvelle qui l'anime : « C'est cependant la même dame mais ce n'est pas le même amour. » Aragon a franchi une étape décisive ; il sait maintenant que la poésie ne puise pas seulement sa signification dans les intentions de l'auteur : le monde est tel que chaque poème, chaque œuvre d'art, y prend signification et efficacité en fonction d'une bataille historique déterminée. Il peut même advenir à un poème d'être une arme contre la poésie. Servir la culture, la poésie, c'est aider à l'accouchement du socialisme. C'est ce qu'Aragon écrit dans *Commune* (*) en 1933 : « Au risque de passer pour un démagogue et un charlatan, je vous dirai que moi je défends la poésie quand je défends l'Union soviétique. » *Hourra l'Oural* est dédié à Pérez, Lauchin, Tailler, Mons, Boudin, Bureau, Perdreaux et Sharback, militants antifascistes tués lors des événements des 9 et 12 février 1934. Les noms de ces mêmes militants reparaîtront dans *Le Roman inachevé* (*). Chantant l'Oural et l'homme nouveau, c'est de ceux-ci dont veut se souvenir le poète.

HOUTEKIET [*Houtekiet*]. Roman de l'écrivain belge d'expression néerlandaise Gérard Walschap (1898-1989), publié en 1939. L'œuvre de l'écrivain est l'illustration des problèmes que se posent l'homme et la société convaincus que la culture mène au désordre et qu'il n'y a de salut et de bonheur que dans l'instinct. Dans ses cinq premiers romans : *Adélaïde* (1929), *Carla* (1933), *Éric* (1931), *Mariage* [*Trouwen,* 1933], *Célibat* [*Celibaat,* 1934], l'auteur s'intéressait surtout à la psychologie des personnages et aux causes qui provoquent leur déchéance. Le style en était puissant et multiple, avec une allure de chronique, alors que dans *Houtekiet,* il semble fait de raccourcis, de notations sèches, de brusques passages au style direct. Ce livre est une fresque magistrale, qui nous montre le développement de la vie sociale et religieuse d'un hameau, dominé par la forte personnalité d'un « instinctif » intelligent qui veut établir avec quelques disciples une nouvelle société obéissant aux seules lois de la nature : justice élémentaire, liberté des mœurs. Ignorant toute distinction entre le bien et le mal, son unique préoccupation étant de montrer sa force, Houtekiet abat sans phrases tous ceux qui lui résistent, moyennant quoi il crée, bâtit, dirige. Très vite, son autorité est reconnue par tout le village. Cependant, le spectacle de la mort y réintroduit l'idée de l'au-delà, et Houtekiet lui-même, à la suite d'un pari, se voit obligé de construire une église. Perdant peu à peu la confiance de ses protégés, c'est à l'écart qu'il regarde la conversion de sa petite troupe dirigée par le père apôtre. Il lui faudra des années pour se décider à épouser Line, sa compagne, alors que sa religion consiste plutôt à rêver devant l'immensité de la campagne qu'à réciter des prières dans un coin de l'église. D'une fécondité prodigieuse, Gérard Walschap fut l'auteur le plus discuté de la Flandre pour ses vues philosophiques et religieuses. Tout chez lui est action. Esprit inquiet, passionné de la vie, il étudie les cas extrêmes, les préjugés : il fait plus que les décrire, il en cherche le sens caché, les motifs, et tout cela donne à son œuvre une valeur profonde.

HOWL [*Howl*]. Recueil de poèmes de l'écrivain américain Allen Ginsberg (né en 1926), publié en 1956. Le poème intitulé « Howl » [Hurlement] qui donne son titre au recueil fut initialement lu par Allen Ginsberg à la Six Gallery de San Francisco en novembre 1955, lors d'une soirée mémorable qui marqua le début d'une ère nouvelle : renaissance d'une école de poésie sur la côte ouest des États-Unis, début de la « beat generation » et révélation d'un poète de vingt-neuf ans dont les textes et les apparitions publiques allaient faire sensation dans toute l'Amérique. À commencer par la publication de *Howl,* livre qui fut aussitôt saisi par les services de douane américains et la police de San Francisco, puis fit l'objet d'un long procès pour obscénité.

Dédié à Jack Kerouac, William Burroughs, Neal Cassady et Carl Solomon, préfacé par William Carlos Williams, poète ami de Ginsberg, *Howl* est un « hurlement » proféré au nom des « meilleurs esprits de ma génération détruits par la folie, affamés hystériques nus ». Carl Solomon, l'ami de Ginsberg, effectua en effet un séjour en hôpital psychiatrique. Quant à Kerouac, Burroughs et Cassady, ils ne parvenaient pas à publier leurs livres malgré les efforts de Ginsberg. *Howl* est donc un cri de désespoir provoqué par l'incompréhension, l'indifférence de la société devant les souffrances endurées par Ginsberg et ses amis. La folie, la drogue, le jazz, les voyages frénétiques, la misère noire, *Howl* évoque tout cela sur un rythme haletant, scandé par le retour d'un mot-clef qui structure l'imprécation. En fait, ce long poème est à lire à haute voix, comme un chant ou un blues, car c'est le souffle même du lecteur qui en marque les temps forts.

Moloch est ensuite apostrophé, pris à partie : « Moloch ! Solitude ! Laideur ! Poubelles et dollars impossibles à obtenir ! Enfants hurlant sous les escaliers ! Garçons sanglotant sous les drapeaux ! Vieillards pleurant dans les parcs ! » Moloch, c'est le monstre destructeur de l'Amérique insensible, l'aliénation et la guerre, le « cauchemar climatisé » d'Henry Miller, cette incarnation de la mort que combattent les rêves, les visions de la « Réalité absolue » et les délires de la « Génération folle ». Dans ce conflit sans merci, où Ginsberg s'identifie volontiers à « des camarades fous chantant les dernières strophes de l'*Internationale* », la folie rôde : le poème se termine sur une ode à Carl Solomon, l'ami enfermé à l'asile de Rockland. Suivent un « Tournesol Soutra », une invocation à l'Amérique et quelques poèmes plus intimistes. Portrait condensé d'une génération et d'une époque, *Howl* a la beauté rageuse d'une lamentation réfléchie et préfigure tous les grands thèmes de Ginsberg : politique au sens large, religion, quête de l'extase, travail sur la forme poétique. – Trad. Christian Bourgois, 1977. B. M.

H. P. [*Horse Power*]. Ballet du compositeur mexicain Carlos Chávez (1899-1978), composé entre 1926 et 1931. Chávez le définit lui-même comme une « revue de notre époque » et qui entend décrire musicalement les liens et les oppositions du Nord et du Sud, de la civilisation américaine, manufacturière et industrielle, et des Tropiques, riches de toutes leurs ressources naturelles brutes. À cet argument original se greffent quelques péripéties secondaires de caractère social, assez significatives des conceptions de Chávez quant au contexte humain dans lequel il vit. L'œuvre, divisée en quatre parties (« Danse de l'homme », « Le Navire », « Tropique », « Danse des hommes et des machines ») évoque tour à tour la puissance créatrice de l'homme, puis les liens commerciaux unissant le Nord et le Sud, plus particulièrement évoqués dans « Tropique », enfin la victoire des travailleurs sur les puissances d'argent et sur l'asservissement du machinisme. Diverses danses nationales, thèmes et rythmes autochtones se combinent assez hardiment avec une technique d'écriture souvent abstraite, alliage qui ne manqua pas de provoquer de sévères appréciations lors de la création de l'œuvre en décembre 1931 à Mexico, sous la direction du compositeur.

HUASIPUNGO. Œuvre du romancier équatorien Jorge Icaza (1906-1978), publiée en 1934. Ce roman, considéré comme le plus représentatif de la littérature dite « indigéniste », fut d'abord traduit en français par Georges Pillement sous le titre *La Fosse aux Indiens* (Éditions sociales internationales, 1938). Le « huasipungo » était en Équateur une parcelle de terre que le grand propriétaire cédait en usufruit à l'Indien avec une chaumière pour y vivre avec sa famille, moyennant quatre jours de travail par semaine et une infime rétribution. Dans cette fiction sociale et politique, Alfonso Pereira, propriétaire de l'hacienda Cuchitambo, dans la montagne andine, a des dettes. Pour se remettre à flot et s'enrichir, il décide, sur le conseil de son oncle Julio, de s'entendre avec un puissant Nord-Américain, Mr. Chapy, afin d'exploiter les forêts, voisines, de Filoccorrales et Guamani. Mais, pour rendre possible l'exploitation, il faut construire une route qui traversera la montagne et les marais. Les Indiens, encouragés par les sermons du curé, les promesses du latifundiste qui parle de progrès et de civilisation, et aussi par l'alcool qui circule à gogo, commencent les travaux. Très vite, le froid, la tempête et le paludisme dans la montagne, la chaleur et la soif dans la boue des marais, déciment nombre d'entre eux. Une inondation, qui aurait pu être évitée, emporte dans ses eaux noires les cadavres des enfants et des vieillards, et les quelques biens des travailleurs. À l'inondation succède la faim. Pour tenter de survivre, et devant l'indifférence de Pereira, les Indiens se livrent à de petits larcins ou déterrent les charognes tandis que se multiplient les intoxications souvent fatales. Quand arrive l'ordre d'abandonner les « huasipungos » car les hommes de Mr. Chapy veulent construire ici leurs maisons, la rébellion éclate. Les Indiens attaquent l'hacienda, pillent les réserves bien garnies et pour la première fois mangent à leur faim. La victoire est de peu de durée car les soldats, envoyés par l'État protecteur des puissants, apparaissent bientôt pour exterminer à la mitrailleuse les révoltés et brûler leurs pauvres cabanes. Réaliste, proche des techniques naturalistes, cette œuvre de dénonciation présente une force épique peu commune qui lui a assuré dans le monde entier de nombreux lecteurs. — Trad. Rééditions françaises, Paquie-Bellenand, 1967 ; Albin Michel, 1993.

C. C.

HUDIBRAS. Poème héroï-comique en octosyllabes de l'écrivain anglais Samuel Butler (1612-1680), publié en trois parties (1663, 1664, 1678). S'inspirant de *Don Quichotte* (*), l'auteur narre les mésaventures de sir Hudibras — nom qu'il emprunte à *La Reine des fées* (*) de E. Spenser — et de Ralph son écuyer. Sir Hudibras est un presbytérien, Ralph un indépendant : le lecteur assistera donc à leurs plaisantes discussions. Dans la première partie, les deux chevaliers errants livrent bataille à des gens qui s'adonnent à un jeu fort à la mode, interdit par les puritains. Dans la seconde partie, Hudibras promet à une veuve, qu'il courtise pour son argent, de se faire fouetter afin de lui prouver son amour. Seulement, il cherche à se soustraire à sa promesse et à faire fustiger à sa place son écuyer qui se cabre et se chamaille avec lui. Après quoi, Ralph conseille à son maître d'aller consulter un astrologue, ce que fera aussitôt Hudibras. Mais il découvre par la suite que l'astrologue en question est un charlatan. D'où de nouvelles batailles. Croyant bien avoir tué son adversaire, Hudibras s'efforce de faire mettre ce meurtre sur le compte de son écuyer tandis que lui-même prend la fuite. Dans la troisième partie, Hudibras retourne chez la veuve et lui raconte ce qu'il a souffert pour elle. Mais Ralph survient et dévoile toute la vérité. Hudibras s'étant vu contraint de révéler le véritable mobile de ses galanteries, la veuve éconduit à jamais le piètre amoureux. Dans ce poème, l'intrigue n'a guère d'importance : on sent qu'elle est pour l'auteur un simple prétexte pour tourner en dérision le puritanisme sous toutes ses formes, pour en dénoncer tout ensemble les hypocrisies et la présomption. Certains ont prétendu que les personnages principaux représenteraient les chefs du parti puritain. Paru peu après la Restauration, *Hudibras* rencontra le plus vif succès parce qu'il entrait dans le goût du public, en grande partie hostile au parti puritain déchu. Véritable pot-pourri, le poème tire sa vie de l'extraordinaire vigueur de la satire et, plus encore, de l'art avec lequel est employé l'octosyllabe qui, depuis ce poème, a pris le nom de « hudibrastic ». Outre l'influence de *Don Quichotte,* il est clair que le poète a subi l'influence des auteurs satiriques latins et de toute la littérature épique classique ; on retrouve également (par exemple dans la description de l'astrologue Sidrophel) plus d'un trait emprunté à Rabelais. — Trad. Jombert, 1819.

HUGH SELWYN MAUBERLEY. Poème du poète américain Ezra Pound (1885-1972), publié en 1920 à Londres (première édition américaine : 1926, *Personae*). C'est la dernière œuvre poétique importante de Pound qui ait été indépendante des *Cantos* (*), dont la publication avait commencé en 1917. Elle est divisée en deux parties, la première où l'auteur et le personnage imaginaire se confondent, la seconde, portant en sous-titre : (Mauberley) 1920, où, au contraire, l'auteur se sépare de son personnage et le juge. L'ensemble est tout à la fois un bilan et un art poétique. La première partie comprend douze brefs poèmes, elle s'ouvre par « E. P. Ode pour l'élection de son sépulcre » (le titre, repris de Ronsard, est en français dans le texte). « Sa propre Pénélope était Flaubert. Il jetait sans cesse sa ligne sur les rivages d'îles endurcies ; / il portait plus d'attention à l'élégance des cheveux de Circé / qu'aux devises des cadrans solaires. / Indifférent à la “marche du temps”. / Il disparut de la mémoire des hommes en l'an trentiesme / De son eage ; son cas / n'ajoute rien à la couronne des Muses. » Ces vers, qui sont très vite devenus célèbres parmi les amateurs de la poésie de Pound, sont suivis d'un second poème, de trois quatrains, non moins célèbres. « L'époque exigeait une image / De sa grimace précipitée, / Quelque chose qui plût à la scène moderne, / Non pas, certainement pas, la grâce attique ; / Non, à coup sûr non, les rêveries obscures / Du regard intérieur ; / Plutôt des mensonges / Que la paraphrase des classiques ! / L'époque exigeait surtout un moule de plâtre / Coulé à toute vitesse, / Une prose cinématographique, mais sûrement pas l'albâtre / D'une rime bien sculptée. » Le troisième poème développe ce thème de l'art rendu impossible par les exigences de l'époque ; on y trouve, au sixième quatrain, une attaque explicite contre la démocratie. Le quatrième poème, qui abandonne provisoirement la forme du quatrain, évoque la guerre de 1914-18, et ses horreurs, l'héroïsme prodigué en vain au profit de mensonges et d'infamies. Le cinquième poème, très bref, n'est qu'un appendice du précédent. Avec le sixième poème, intitulé « Yeux glauques » (en français dans le texte), nous revenons aux problèmes littéraires, avec une évocation des préraphaélites anglais et de leur échec. Le septième poème, intitulé « Siena mi fe ; disfecemi Maremma » (citation de Dante) évoque les mouvements littéraires de la fin du XIXe siècle, et le mépris croissant pour l'artiste sérieux, savant, de plus en plus isolé. Le huitième poème, intitulé « Brembaum », très court, est une première manifestation de l'antisémitisme dans la poésie de Pound. Le neuvième, intitulé « Mr. Nixon », est une satire de l'art commercialisé, soumis aux impératifs de l'argent. Le dixième poème évoque l'artiste solitaire, « non stipendié, inconnu », à l'écart de la « tempête mondiale », et qui s'obstine. Les onzième et douzième poèmes évoquent, le premier, les femmes cultivées (« La Milésienne »), elles aussi artistiquement stériles, et les cercles cultivés et snobs, pour qui l'artiste vrai (Pound ou Mauberley) est inacceptable. Enfin, « Envoi » (1919) résume tous les thèmes de la première partie, en les concluant par l'oubli définitif vers lequel s'en va l'artiste véritable. La seconde partie, composée de cinq poèmes seulement, reprend et développe certains vers de la première partie, mais cette fois du point de vue du seul Mauberley, comme un contrepoint ironique. Le premier poème fait ainsi écho au poème du début, mais Mauberley, dont l'art « n'est qu'un art du profit », est défini : « Un Piero della Francesca / privé de la couleur / Un Pisanello auquel a manqué le métier nécessaire / Pour forger l'Achaïe. » Dans le second poème, le héros comprend qu'il lui a manqué d'avoir une passion active, que tout amour véritable lui a fait défaut. Le troisième répond au second poème de la première partie. Mais Mauberley a échoué, il n'a abouti qu'à une « olympienne ataraxie », et a finalement été exclu de l'univers des écrivains. Le quatrième poème évoquant des voyages vers « Des Moluques éparses », se ferme par l'épigraphe à mettre sur la tombe de Mauberley : « Ici se noya / Un hédoniste. » Enfin, le dernier poème : « Médaillon » illustre ce qui reste de cette aventure manquée : un médaillon. Le poème marque donc tout aussi fortement l'opposition de Pound à son époque, aux goûts et au laisser-aller esthétique (du moins, à son sens) de cette époque, que son refus de devenir simplement un Mauberley, un solitaire vaincu et paresseux. Comme on sait, le double refus de l'époque et de l'hédonisme allait malheureusement conduire Pound au fascisme. Cependant, il faut remarquer que *Mauberley*, publié (à tirage limité) en 1920, a précédé de deux ans la publication de *La Terre vaine* (*) d'Eliot, et que cette tentative de jugement global sur l'époque, sous forme poétique, a pu inspirer la tentative, plus achevée, du second. Il est à peine besoin d'insister sur l'influence, évidente jusque dans le choix du quatrain, la brièveté des vers, leur rythme même, du Théophile Gautier d'*Émaux et Camées* (*), sur *Mauberley*. Et la référence initiale à Flaubert, si elle révèle une autre influence consciente — le Flaubert de *Salammbô* (*) bien plus que celui de *Madame Bovary* (*) —, doit aussi, dans le premier poème, être comprise comme une curieuse substitution. On peut se demander si c'est à ces influences qu'il faut attribuer la qualité poétique de cette œuvre, plus rigoureuse, plus solide que les *Cantos* (même les *Cantos* écrits ces années-là). Elle reste, en tout cas, l'œuvre majeure du Pound d'avant les *Cantos*. — Trad. dans *Poèmes*, Gallimard, 1985.

HUGO. Œuvre du poète polonais Juliusz Słowacki (1809-1849), écrite en 1829. Une jeune fille, Blanche, est contre son gré enfermée dans un couvent et obligée de prendre le voile. Hugo, qui l'aime, accourt pour la délivrer ; profitant de la nuit, il l'emmène déguisée en page et se réfugie avec elle au château de Malborg. Les jeunes gens sont découverts, et le ravisseur est condamné à mort sans pitié. Mais celui qui doit exécuter la sentence frappe Blanche au lieu du jeune homme, car celle-ci, pour le sauver, a pris sa place au château tandis qu'il essayait de s'enfuir. Le malheureux amant, bouleversé par le chagrin, disparaît sans qu'on puisse retrouver sa trace. L'œuvre, d'inspiration tout à fait romantique, reste parmi les petits poèmes byroniens les plus caractéristiques de Słowacki.

HUGUENOTS (Les). Opéra en cinq actes du compositeur allemand Giacomo Meyerbeer (1791-1864) sur un livret de l'auteur dramatique français Eugène Scribe (1791-1861), créé à Paris le 29 février 1836. L'action débute en Touraine, durant les derniers jours d'août 1572. Dans le château du comte de Nevers, grand séducteur, quelques seigneurs catholiques font joyeuse chère en compagnie du jeune protestant Raoul, qui vient de libérer des galanteries importunes de quelques étudiants une demoiselle dont il ignore le nom : Valentine de Saint-Bris, et dont il est épris. Celle-ci arrive au même instant et demande à parler au comte de Nevers : Raoul la reconnaît et pense que sa venue en ce lieu a des raisons galantes. Valentine ne s'est rendue chez le comte de Nevers que pour obtenir qu'il renonçât à l'épouser. La reine l'y a envoyée, secondant ainsi ses désirs, afin de mettre fin aux querelles entre catholiques et huguenots en offrant ensuite sa main à Raoul qu'elle aime. Mais Raoul, la croyant la maîtresse de Nevers, refuse de l'épouser, scandalisant ainsi les chevaliers catholiques et suscitant leur ressentiment. Raoul, provoqué en duel, mais pour l'instant sans armes, relève le défi et promet de se rendre à Paris pour s'y battre. Là, dans la petite église du Pré-aux-Clercs, Valentine épouse Nevers. Elle obtient de rester à prier dans l'église, d'où elle peut entendre les projets des amis de son père : ceux-ci attendent Raoul pour l'assassiner au cours du duel. Elle en avertit le fidèle serviteur de Raoul, qui alerte aussitôt les soldats huguenots. Une véritable bataille se prépare, quand la reine survient et sépare les deux factions : Raoul, ayant compris la pureté de l'amour de Valentine, pénètre dans l'hôtel de Nevers pour parler à la jeune fille et, s'il le faut, mourir auprès d'elle. Du refuge où il s'est dissimulé, il peut alors assister à la conjuration historique. Le père de Valentine fait connaître les ordres du roi : exterminer les huguenots par traîtrise. Nevers refuse de suivre ces ordres, brise sa propre épée, puis est mis en état d'arrestation. Après avoir revu Valentine, Raoul s'enfuit pour avertir les huguenots du péril. Le massacre commence ; Raoul lui-même vient l'annoncer, interrompant un bal à la cour d'Henri IV. Dans un cloître, parmi des femmes et des enfants qui cherchent un refuge, Raoul et Valentine se rencontrent à nouveau ; celle-ci lui apporte un sauf-conduit, gage de salut, mais il le refuse et les deux amants se disposent à mourir ensemble après que Valentine s'est convertie à la religion réformée. Saint-Bris, accompagné de soldats, arrive et ordonne de tirer sur le groupe. Il s'aperçoit, mais trop tard, qu'avec Raoul il a fait tuer sa propre fille.

Cet opéra — le meilleur de Meyerbeer — comporte tout ce qui garantit la réussite d'un spectacle : airs, duos, chœurs, grandes scènes, mais peut-être manque-t-il par ailleurs de tout ce qui constitue la valeur réelle d'une œuvre d'art : émotion et personnalité. Pourtant, une singulière habileté de métier — construction, harmonie, orchestration — remplace les qualités manquantes et amalgame les procédés et le style personnel de cinq ou six maîtres (Rossini, Mozart, Weber, etc.) en un style qui peut, à certains moments, paraître nouveau : le style de Meyerbeer. Son succès en France a créé un genre et une tradition qui influencèrent longtemps l'activité musicale.

HUIS CLOS. Pièce en un acte de l'écrivain et philosophe français Jean-Paul Sartre (1905-1980), jouée pour la première fois au théâtre du Vieux-Colombier en mai 1944. C'est probablement la pièce la plus célèbre de Sartre. Inès, Estelle et Garcin sont morts. Ils se retrouvent en enfer, et se rencontrent dans un salon Empire où ils sont enfermés après s'être attendus à de terribles tortures physiques. Se demandant d'abord en quoi consiste leur damnation, ils évoquent le passé qui l'a provoquée. Inès, lesbienne, a poussé au désespoir son amie qui l'a tuée et s'est suicidée. Garcin, militant pacifiste, a trahi sa cause pour s'enfuir ; arrêté, il est mort lâchement ; Estelle a noyé l'enfant qu'elle a eu de son amant, qui s'est tué. Ils s'attendaient à retrouver leurs victimes en enfer, et se demandent pourquoi ils sont ensemble. Inès, la plus clairvoyante, comprend que le bourreau est « chacun de nous pour les deux autres ». Ils conviennent alors de ne plus s'adresser la parole, mais bientôt Estelle ne peut s'empêcher de parler et Inès de lui faire des avances. Estelle la repousse et se tourne vers Garcin, qui ne peut faire abstraction de leur présence. Le couple Inès-Estelle n'est pas plus possible que le couple Estelle-Garcin car ils ne peuvent se délivrer de la présence d'Inès, qui les guette et détruit de ses sarcasmes les efforts que fait Garcin, obsédé par son passé, pour qu'Estelle voie en lui autre chose qu'un lâche. La porte s'ouvre, mais aucun d'eux n'a le pouvoir de sortir, ils comprennent qu'ils sont inséparables, qu'ils seront tous les trois indéfiniment à la fois victimes et bourreaux les uns des autres, que « l'enfer, c'est les autres » — Cette pièce est d'un mécanisme rigoureux, presque mathématique, car fondé sur le triangle que forment les personnages, incapables de nouer à deux une relation authentique, une réciprocité que ne détruise pas la présence du troisième, autant que de ne pas se poser en antagonistes dès qu'ils essaient d'accepter leur situation. Elle illustre la lutte fondamentale entre les consciences, qui intervient dès que disparaissent les faux-fuyants de la vie sociale et les artifices de la mauvaise foi.

HUIT COMÉDIES ET HUIT INTERMÈDES [*Ocho comedias y ocho entremeses nuevos*]. Recueil de pièces de théâtre de l'écrivain espagnol Miguel de Cervantès Saavédra (1547-1616), publié à Madrid en 1615. Il réunit toute la production des dernières années de l'auteur, production que celui-ci qualifie de « nouvelle » pour la distinguer des œuvres de début dont il ne nous reste que *La Vie à Alger* [*El trato en Argel*] et *Numance* (*). Dans le Prologue, Cervantès esquisse une rapide synthèse du théâtre espagnol depuis les origines jusqu'à son temps, se plaçant, avec un réel esprit critique, entre Lope de Rueda et Lope de Vega. Il se vante d'avoir écrit vingt à trente comédies qui toutes ont été représentées, d'avoir réduit le nombre des actes de cinq à trois et d'avoir introduit dans ses comédies des « figures morales », c'est-à-dire des personnages allégoriques ; puis vint « le grand prodige de la nature », Lope de Vega, qui « s'empara du royaume de la scène ». Cervantès qui, dans la première partie (1605) de *Don Quichotte* (*), s'était moqué, par la bouche du chanoine, des extravagances des comédies à la mode (« Choses qui n'ont ni queue ni tête »), subit son influence ; jugeant bon de se justifier quand il s'écarte par trop des règles classiques, Cervantès accepte les innovations de Lope, tout comme celui-ci avait accepté la leçon moqueuse de *Don Quichotte.* Les comédies de Cervantès, qui sont toutes en vers, se présentent dans l'ordre suivant : *Le Vaillant Espagnol* [*El gallardo español*], *La Maison de la jalousie* [*La casa de los celos*], *Les Bagnes d'Alger* (*) *Le Truand béatifié* (*) *La Grande Sultane* (*) *Le Labyrinthe d'amour* [*El laberinto de amor*], *La Comédie amusante* [*La entretenida*], *Pedro de Urdemalas* (*).

Le Vaillant Espagnol est une comédie du genre roman de chevalerie, qui résume quelques-uns des motifs les plus personnels de Cervantès, motifs liés aux conditions de sa propre vie : l'amour pour l'atmosphère mauresque qui reparaîtra dans d'autres comédies et la prédilection pour les traits épiques. Inspirée par un voyage de l'auteur à Oran en 1581, elle représente les prouesses d'un soldat espagnol, don Fernando de Saavédra, lequel, provoqué par un Maure jaloux de sa réputation, abandonne, malgré les avis de son commandant, la cité assiégée et passe sous un faux nom dans le camp ennemi. Là, il est rejoint par une femme éprise de lui, qui travestie en homme, l'a cherché par toute l'Espagne et l'Italie, et par le frère de cette femme qui, à son tour, est à la recherche de sa sœur. Fernando, sans se dévoiler, accompagne l'armée ennemie sous les murs de la cité ; mais au moment de l'assaut, il se retourne inopinément contre les infidèles et défend seul les remparts de la ville. La comédie est colorée et fort habile si l'on en juge par le sujet essentiellement romanesque, ce qui ne permettait aucune situation dramatique. – *La Maison de la jalousie*, qui est aussi une comédie épique, se ressent de l'exemple du Lope de Vega le plus grandiose (celui, par exemple, de *Las pobrezas de Reinaldos*). « Un fantastique roman de chevalerie : trois actes pleins de la beauté fulgurante d'Angélique suivie des rivaux Roland et Renaud, parmi les enchantements de Malagigi, à l'ombre de la barbe fleurie du grand Charlemagne » (Savj-López). Combats, enchantements, pastorales, se succèdent comme dans une lanterne magique actionnée par l'imagination d'un Arioste qui serait privé d'ironie et de vigueur. – *Les Bagnes d'Alger* est l'une des meilleures et des plus originales comédies de Cervantès, d'un genre tout personnel : la « comedia de cautivo », indépendante de tout plan et presque sans armature théâtrale. Les motifs mauresques déjà mis à contribution dans *La Vie à Alger*, dans la nouvelle du « cautivo » (du « captif ») insérée dans *Don Quichotte* et dans *L'Amant généreux* – v. *Nouvelles exemplaires* (*), sont repris ici avec un rythme très libre, en une série de scènes disposées comme autant de tableaux à l'aspect épisodique et non reliés par une véritable action. Toutefois les thèmes mis en conflit et le dynamisme des dénouements donnent des effets dramatiques très puissants.

Le Truand béatifié appartient au genre des « santos » et offre une nouvelle preuve d'originalité parmi ces comédies. Elle porte à la scène et dramatise la vie de fray Cristóbal de la Cruz (dans le siècle Cristóbal de Lugo) qui passa de l'existence picaresque à l'héroïsme chrétien, gagnant à Dieu, au prix de ses mérites, une pécheresse impénitente. Dans le premier acte, les prouesses de Lugo, bretteur et mauvais sujet, l'atmosphère picaresque, pleine de mouvement et de bonne humeur, créent un tableau coloré et dramatique que les actes suivants, tout brûlants de mysticisme, viendront rehausser par contraste ; les actes suivants représentent en effet la pénitence et la mort glorieuse du saint. – *La Grande Sultane*, elle, nous ramène au monde pittoresque et passionné des *Bagnes d'Alger*, mais le jeu des intrigues amoureuses, le parallélisme entre les motifs pathétiques et leurs contrastes grotesques sont poussés à la limite du burlesque. – *Le Labyrinthe d'amour*, de caractère épique, est une des comédies les plus extérieures et extravagantes du recueil. D'atmosphère italienne, elle développe le thème de l'innocence calomniée et défendue par un paladin inconnu, motif traditionnel de la littérature médiévale – v. *Lohengrin* (*) – que Cervantès a pu trouver dans le chant V du *Roland furieux* (*) de l'Arioste. L'auteur se complaît à embrouiller l'intrigue à l'extrême pour mieux étonner le spectateur par son dénouement à effet. – *La Comédie amusante* développe, avec beaucoup de souplesse et d'intuition théâtrale, un motif de « commedia dell'arte ». Cardenio, étudiant pauvre et loqueteux, aspire à la main de la riche Marcela dont le frère est épris d'une autre Marcela, en laquelle il trouve à la fois le nom et la ressemblance de sa sœur. Marcela doit épouser un de ses cousins qui voyage au Pérou ; sur le conseil d'un serviteur, Cardenio se présente sous le nom du Péruvien et s'installe chez Marcela avec son valet Torrente. Mais voici que le véritable cousin arrive ; Cardenio et Torrente sont délogés et l'auteur conclut ironiquement la comédie sans la terminer par la traditionnelle scène de noces, comme il est d'usage dans le théâtre de Lope. La structure de l'œuvre est traditionnelle, et s'organise autour du classique parallélisme des amours des maîtres et de ceux des serviteurs ; mais les notations psychologiques lui donnent un fond ambigu et inquiétant qu'adoucissent quelques passages lyriques (comme par exemple cette belle et célèbre « endecha » : « triste de las mozas / a quien trajo el Cielo / por casas ajenas / a servir a dueñas... ! ») ; tandis que la rivalité des serviteurs et leur jalousie sont décrites avec un humour plein d'entrain. – *Pedro de Urdemalas* est une comédie tout à fait typique de l'esprit de Cervantès avec ses traits picaresques et la profondeur du thème psychologique. Un devin a prédit à Pedro de Urdemalas qu'il serait un jour pape, empereur et roi. Un obscur besoin pousse Pedro à changer, à se transformer de mille manières, à vivre la vie dans ses formes les plus variées, tantôt conseiller d'un rustique et grotesque maire de village, tantôt gitan par amour de Belica, tantôt émissaire des âmes du purgatoire auprès d'une veuve trop attachée à l'argent. La belle gitane Belica rêve aussi d'être princesse et reine, mais elle découvre à la fin qu'elle est de souche royale et montera les marches du trône tandis que Pedro trouvera la réalisation de la prophétie du devin en embrassant le métier d'acteur. Il sera donc, au moins en illusion, pape, empereur et roi, car « le métier d'acteur / embrasse tous les états ». Don Quichotte à l'envers, il se résigne à rêver sa vie alors que le chevalier de la Triste Figure ne pouvait vivre que dans le songe. Cette comédie tire surtout sa valeur de son mouvement et de sa couleur, de la richesse de ses éléments poétiques et de la puissance de suggestion des personnages.

Si Cervantès n'avait écrit que ces huit comédies, il n'eût été rien de plus qu'un dramaturge de second ordre de l'époque de Lope de Vega. Mais c'est dans les *Huit Intermèdes* que son génie trouve son expression la plus typique. Dans ces petits tableaux pleins de saveur, de vivacité et de gaieté triomphent son originale observation de la vie et son humour débonnaire et expansif. Sur le modèle du « paso » créé par Lope de Rueda, Cervantès a créé un genre nouveau, d'un réalisme bien équilibré. L'ordre des huit intermèdes est le suivant : *Le Juge des divorces* [*El juez de los divorcios*], *Le Rufian veuf* [*El rufián viudo*], *L'Élection des alcades de Draganzo* [*La elección de los alcades de Draganzo*], *Le Gardien vigilant* (*) *Le Faux Biscaïen* [*El vizcaino fingido*], *Le Tableau des merveilles* [*El retablo de las maravillas*], *La Cave de Salamanque* [*La cueva de Salamanca*], *Le Vieillard jaloux* [*El viejo celoso*]. – *Le Juge des divorces*, en prose, est une satire sociale pleine d'un humour authentique. Devant un juge comparaissent quelques couples mal assortis ; un vieillard qui a épousé une jeune femme, Mariana ; une dame, doña Guiomar et son mari, soldat fainéant ; un chirurgien avec sa femme Aldonza Minjaca ; un commissionnaire qui a épousé pour la sauver une femme de mauvaise vie. Ces couples, après s'être jeté réciproquement tous leurs torts à la face, demandent une sentence de divorce. Mais le juge, tout en trouvant graves les dissentiments des prévenus, repousse leur requête pour manque de preuves. Les plaignants sortis, entre une compagnie de musiciens qui invitent le juge à participer à la fête qui se donne pour la réconciliation d'un couple, et tous de chanter la ritournelle qui est un peu la morale de la fable : « Mieux vaut le pire des accords / que le meilleur des divorces. » – *Le Rufian veuf* est en vers ; il retrace avec un réalisme poussé et un grand charme verbal les mœurs ridicules et le langage caractéristique de la mauvaise vie. Trampagos, un souteneur, a perdu sa précieuse compagne ; aux amis qui lui expriment leurs condoléances, il énumère grotesquement les vertus de la morte ; mais tous le consolent et l'invitent à se choisir une nouvelle compagne parmi les prostituées disponibles sur place. Les concurrentes se bousculent et se querellent, mais le choix est vite fait et l'intermède se termine par une gaie beuverie. C'est un tableau animé et pittoresque, d'un réalisme presque forcé, que l'auteur semble opposer avec un sourire aux travestissements raffinés de la comédie chevaleresque.

L'Élection des alcades de Draganzo, en vers, est une plaisante satire de la magistrature. À Draganzo, on doit élire deux alcades : devant les magistrats chargés de l'élection, se présentent quatre candidats qui vantent leurs mérites respectifs ; l'un est analphabète, mais connaît bien quatrc oraisons qu'il récite quatre à cinq fois la semaine ; l'autre sait tirer à l'arc d'une façon merveilleuse ; le troisième est un inimitable connaisseur de vins et le quatrième a une mémoire prodigieuse. L'arrivée d'une troupe de gitans laisse l'élection en suspens ; un sacristain proteste alors contre le manque de sérieux de l'assemblée et celle-ci punit l'ingérence du pouvoir religieux dans les choses publiques en faisant sauter le pauvre sacristain dans une couverture. – *Le Gardien vigilant*, en prose, est également un tableau de mœurs. Cristina, la fille de cuisine, est courtisée par un sacristain ainsi que par un soldat fanfaron et sans le sou. Ce dernier, par jalousie, monte la garde à la porte des patrons de Cristina et en éloigne, par la menace ou la douceur, tous les visiteurs du sexe masculin, arrivant même à refuser l'entrée au maître de maison. Survient le sacristain avec un de ses collègues et une terrible lutte s'engage en l'honneur de la fille de cuisine. L'intervention de la belle comtesse remet toutes choses en place et la farce (dans laquelle Valbuena Prat voit une burlesque querelle entre les lettres et les armes) se conclut par une promesse de mariage entre Cristina et le sacristain. – Dans *Le Faux Biscaïen*, en prose, Solórzano, à l'aide de deux colliers faux et avec la complicité d'un ami qui prétend être de Biscaye, parvient à tromper et à voler une courtisane, se faisant de plus en plus inviter à dîner : thème bien ordinaire, mais traité avec vivacité.

Le Retable des merveilles est le chef-d'œuvre du recueil ; il est tiré d'un des apologues (le XXIIe) du *Comte Lucanor* (*) de Juan Manuel.

Chanfalla le montreur de marionnettes et sa compagne Chirinos ont constaté qu'on gagne davantage à duper son prochain qu'à montrer des marionnettes ; au lieu du spectacle habituel, ils prétendent représenter une scène magique dont les personnages ne doivent être visibles qu'aux spectateurs n'ayant pas d'ascendants juifs et qui sont fils légitimes ; les spectateurs ne voient rien ; mais, pour sauver leur dignité, ils feignent de voir les scènes et les figures que suggèrent les deux charlatans : les exploits de Samson, la fuite d'un taureau furieux, une invasion de rats, etc. Finalement, un soldat chargé du logement d'une division entre dans la salle, pour demander aux autorités du pays de lui fournir des logements pour la troupe ; et comme il n'est pas prévenu, il ne voit rien sur le théâtre des merveilles. Tous les assistants le regardent alors avec un air de compassion, le tenant pour un bâtard ou un converti ; et cela amène une bataille entre le soldat et les villageois. L'intermède, qui est une fine satire contre les conventions sociales, trouve ses effets les plus heureux dans l'enthousiasme des spectateurs à voir ce qui ne se voit point, dans leurs commentaires à haute voix et les doutes qu'ils formulent à voix basse. Quiñones de Benavente imita cette farce dans un intermède du même titre, mais resta très en dessous de son modèle quant à la richesse de l'esprit, le réalisme des personnages, la bonne humeur de la satire.

La Cave de Salamanque, en prose, dans sa malice qui rappelle Boccace, est l'un des intermèdes les plus parfaits. Leonarda, femme de Pancrazio, après avoir par de faux soupirs déploré le départ de son mari, donne rendez-vous à son amant et à celui de sa servante Cristina. À la petite bande de jouisseurs se joint Carraolano, un étudiant qui avait demandé asile pour la nuit. Au moment où les convives vont se mettre à table, Pancrazio, qui a eu un accident de voiture, revient inopinément chez lui. Les deux galants se cachent dans les corbeilles contenant les victuailles mais Carraolano, découvert et aussitôt pardonné pour permettre aux deux autres de réapparaître avec les vivres, feint d'être expert dans l'art magique qu'il aurait appris dans la fameuse cave de Salamanque ; et pour donner une preuve de son habileté, il déclare qu'il évoquera deux diables, lesquels assumeront pour la circonstance l'aspect du sacristain et du barbier du pays. Cet intermède fut très souvent imité et Calderón en tira une comédie. – *Le Vieillard jaloux*, également en prose, est une réplique de la nouvelle *Le Jaloux d'Estramadure* (*) traduite à la manière de Boccace. Le vieux Cañizares est jaloux de sa jeune femme Lorenza de la façon la plus grotesque, au point que non seulement il exclut les hommes de chez lui, mais ne veut même pas de figures masculines sur les tapisseries qui ornent sa maison. Moins stupide au contraire est sa peur des voisines qu'il juge comme des instruments de perdition. En effet, l'une d'entre elles, Hortigosa, s'est mis en tête de faire le bonheur d'un de ses protégés aux dépens de Cañizares ; par un expédient assez hardi, elle parvient à ce que le galant retrouve Lorenza, à quelques pas de la chambre où elle-même s'entretient avec le mari. Grillparzer considérait *Le Vieillard jaloux* comme une des farces les plus hardies qui aient été mises au théâtre, mais le rire de Cervantès n'a rien de vulgaire et parvient à transfigurer les situations les plus scabreuses.

On attribue également à Cervantès les intermèdes : *Les Deux Bavards* [*Los dos habladores*], *La Prison de Séville* [*La cárcel de Sevilla*], *L'Hôpital des pourris* [*El hospital de los podridos*], *L'Intermède de romances* [*El entremes de los romances*] et autres. Par leur vivacité, *Les Deux Bavards* pourraient être de Cervantès. Un « picaro », soldat fanfaron et bavard, ayant appris qu'un cavalier a payé un coup d'épée d'une pénalité de deux cents écus, lui propose de recevoir de lui un autre coup d'épée pour le quart de cette somme ; il l'assourdit par un tel flot de paroles que le cavalier l'emmène chez lui afin de le présenter à sa femme, incorrigible bavarde elle aussi, pour qu'elle se corrige enfin en voyant le défaut de l'autre. *L'Intermède de romances*, qui d'après Ramón Menéndez Pidal serait la source de *Don Quichotte*, n'est pas sans doute de Cervantès pour les raisons invoquées par l'illustre philologue. Il traite du paysan Bartolo qui, à force de lire le *Romancero* (*), devient fou et se met à imiter les personnages qui y figurent, se livrant aux mêmes extravagances que le chevalier de la Manche. Tempérament plus porté à créer un genre spécial qu'à répéter les formes à la mode, Cervantès, dans ces Intermèdes, déploie ses étonnantes qualités d'observateur et atteint une originalité qui rappelle les meilleures *Nouvelles*. La vieille farce de Lope de Rueda devient plus légère, plus vivante, les caractères sortent de l'anonymat, les figures physiques et morales prennent un sens réaliste et l'humour, sous la déformation caricaturale, laisse transparaître un sentiment de mélancolique sympathie, transfiguré en un rire franc, sans gaieté équivoque.

HUITIÈME DIALOGUE. La Mort de Socrate [*Ottaro Dialogo. La Morte di Socrate*]. Partition pour baryton et orchestre de chambre (1957) du compositeur italien Gian Francesco Malipiero (1882-1973), connu surtout comme musicologue, pour ses excellentes restitutions et publications des œuvres de Monteverdi, des plus belles partitions de l'ancien opéra italien, et de Vivaldi. Il n'en a pas moins écrit une importante œuvre originale, d'un grand intérêt. L'*Ottaro Dialogo* est inspiré du *Phédon* (*), dialogue de Platon, le même qu'avait mis en musique, dans la traduction de Victor Cousin, le compositeur français Erik Satie. Dans ce texte, Platon retrace les derniers moments de

Socrate injustement condamné par les juges athéniens. Ce récit émouvant appelle évidemment le style déclamatoire, et Malipiero non plus que Satie n'ont tenté de s'y soustraire. La dissemblance de la personnalité des compositeurs n'en apparaît pas moins frappante, et chacun, avec son génie et son tempérament particuliers, éclaire ce même texte d'une manière également intéressante. À la simplicité noble, parfois proche de l'esquisse, de Satie s'oppose la prodigieuse inspiration mélodique que Malipiero tire en partie de sa profonde connaissance du chant grégorien et de l'école italienne du XVIe siècle.

HUIT JOURS CHEZ M. RENAN. Œuvre de l'écrivain et homme politique français Maurice Barrès (1862-1923), publiée chez Dupret en 1888. Le jeune écrivain avait fait le projet d'écrire une série de « Dialogues parisiens » où il se fut mesuré avec ses héros et ses maîtres grâce à des interviews imaginaires de célébrités du temps : il avait ainsi ébauché, outre son « M. Renan », un « M. Taine en voyage » qui ne fut pas publié. Mais Renan, plus encore que Taine, avait été le maître, le « héros » du jeune Barrès : pour comprendre le sens de *Huit jours chez M. Renan,* il faut songer à ce que l'auteur de *L'Avenir de la science* (*) était pour la jeunesse de 1888, au respect universel qui l'entourait, et aussi à ce que lui devait Barrès, qui avait reçu de lui la résignation au relatif. Pourtant l'individualiste, le prêtre du moi qui vient de s'affirmer dans *Sous l'œil des Barbares* (*) brûle de rompre ses attaches : sa ferveur pour Renan, parce qu'elle l'attire hors de lui, l'importune, et il écrit lui même que c'est « cette sorte d'ivresse que me donnait la pensée renanienne... qui me poussait, explique qui pourra, à bâtonner lyriquement mon maître ». Celui-ci, déjà égratigné dans *Sous l'œil des Barbares,* allait être la victime de cet entretien imaginaire. *Huit jours chez M. Renan* est un dialogue à la manière de Platon, et, s'il fit scandale dans l'entourage de Renan, il faut pourtant bien reconnaître que le portrait n'est pas plus irrespectueux que celui de Socrate dans *Le Banquet* (*). La visite à Renan n'est pas tout à fait imaginaire : elle avait eu lieu dans l'été de 1887 au cours du voyage en Bretagne de Barrès, qui, en compagnie de Le Goffic, s'était arrêté à Lannion chez le philosophe. Sans doute Barrès, enflammé par l'œuvre qu'il baignait de son imagination, fut-il déçu par l'homme. Son Renan était un mythe que Renan lui-même vint abîmer : « Pour moi, il était trente chefs-d'œuvre, sans plus, que mon âme seule animait ... » Déception, donc. Mais aussi volonté de s'affirmer, de se différencier, goût du scandale que le jeune égotiste se gardait de combattre. Mais c'est surtout la protestation de l'individualiste contre ce maître à qui justement l'individu est indifférent : « Tous lui sont indifférents, nous dit Barrès. Il ne s'intéresse qu'aux caractères spécifiques ; pour lui l'individu n'existe pas. » Il ne pourrait y avoir de péché plus grave aux yeux du jeune Barrès. Celui-ci sait pourtant allier à l'irrévérence la fidélité pour ses maîtres : Renan est indispensable à Barrès, qui le sait bien, puisqu'il prête cette parole au savant : « Vous m'inventeriez plutôt que de vous passer de me connaître ! » Renan est le point de contradiction de l'individualisme barrésien auquel il permet de s'éprouver. Aussi bien l'indifférence au monde de Renan n'était-elle point pour déplaire au jeune égotiste : il a fait, nous dit-il, sa vie « pauvre, pleine d'émotions intimes, exemptes des soucis matériels et des influences extérieures ». L'exemple de Renan affermissait de toutes manières Barrès dans le culte de soi : ce divertissement ironique était nécessaire à cet écrivain qui toujours s'affronta moins aux choses et aux idées qu'à des âmes, des maîtres, des héros.

HUIT LIVRES (Les) [*Hasht ketâb*]. Œuvre poétique du poète iranien Sohrâb Sepehri (1928-1980), publiée en 1976. Ce recueil des œuvres complètes se compose de huit livres, d'où son titre : « La Mort de la lumière » [marg-e rang, 1951], « La Vie des rêves » [zendegi-e khâb-hâ, 1953]. « Soleil en ruine » [âvâr-e âftâb, 1961], « L'Orient de la tristesse » [Sharq-e andouh, 1961]. « Bruit des pas de l'eau » [sedâ-ye pâ-ye âb, 1965]. « Le Voyageur » [mosâfer, 1966]. « Masse verte » [Hadjm-e sabz, 1967], « Tout néant, tout regard » [mâ hitch mâ negâh]. Deux thèmes centraux courent dans l'œuvre de Sepehri : le voyage et le souvenir. Voyage dans le monde extérieur (Extrême-Orient, Japon, Inde, Pakistan, Europe...) voyage dans le monde intérieur (« Masse verte », « Bruit des pas de l'eau », « Le Voyageur »). Voyages qui sont sortie de soi, mouvement vers l'ailleurs, exil parfois et solitude. Voyages qui se poursuivent dans le souvenir où se mêlent la réalité des paysages traversés et la « surréalité » de la charge émotionnelle qui pèse sur l'esprit du poète. La double expérience de Sepehri — poète et peintre — puise à une même source : le contact mystique avec la nature, une nostalgie des origines. Cependant, le « mysticisme » du poète ne saurait être confondu avec le grand courant mystique qui traverse la poésie multiséculaire de l'Iran. Tout imprégné qu'il est de cette tradition visionnaire, il s'abreuve aussi aux sources de la poésie universelle : autant chez Rilke que chez Tagore, et surtout — à travers son approche picturale — à l'art japonais de la concision et du dépouillement. Sepehri est d'abord le poète de l'eau. Sa poésie est un hommage à la déesse Anahita, du panthéon iranien ancien. Il est aussi le poète de la couleur verte. Il lui consacre un recueil. Vert qui n'est pas uniquement la couleur de l'Islam, mais aussi le symbole de Khwarnah, paradis-refuge de Zoroastre, source de la fécondité. Sepehri est le poète du réel et du surréel. Son don de double vue nie la toute-puissance du réel illusoire, atteint cet au-delà du réel, en dévoile la transparence. Sepehri est en cela l'héritier d'une lignée de poètes « libertins » qui, de Khayyâm à Hâfez, revendiquent la liberté créatrice contre le conformisme et la scolastique. Sepehri, en communion avec la nature, vit dans l'immédiat de la contemplation. En lui le peintre et le poète se rejoignent dans une vision du monde qui se réalise par des « instantanés » — à la façon des haïkus japonais ; vision qui mûrit et s'épanouit dans les deux recueils : *L'Orient de la tristesse* et *Masse verte*. Dévoilement qui s'opère dans un voyage par-delà le néant (le « hitchestân » — le pays de nulle part), le poème est ce passage de l'extérieur vers l'intérieur (« biroun-andaroun ») à travers le jardin (« ferdows », ou paradis). Le poète nous entraîne à l'arrière de cet espace, au-delà du seuil du réel, à la rencontre de l'ami, figure emblématique de ce retour aux origines ; appel magique et pourtant bien concret de cette terre mythique originelle. Le poète est chargé de faire jaillir ces mythes en révélant aux hommes les secrets passages vers ces grottes oubliées de leur mémoire. — Trad. *Oasis d'émeraude,* éditions Imago, 1982. C. Ba.

HUIT MILLIONS DE MORTS EN SURSIS [*Eight Million Ways to die*]. Roman policier de l'écrivain américain Lawrence Block (né en 1938) paru en 1982. Ces huit millions de morts en sursis, ce sont les New-Yorkais ; le titre américain, repris par le cinéaste Hal Asby qui portera le roman à l'écran, précise qu'il existe huit millions de façons de mourir. On fait la connaissance de Matt Scudder, un ancien flic devenu privé sans licence. Il a démissionné de la police après avoir tué une fillette par balle perdue. Alcoolique, il tente de remonter la pente et fréquente assidûment les réunions des alcooliques anonymes sans jamais prendre la parole. Kim, une call-girl désireuse de retrouver sa liberté, lui demande d'intercéder auprès de son protecteur, M. Chance. Ce proxénète noir, distingué, collectionneur d'art africain assure Matt que ses protégées sont entièrement libres de le quitter, cependant, le lendemain, on retrouve le corps de Kim découpé à la machette. Engagé par Chance pour retrouver le meurtrier, Scudder interroge les « filles » du souteneur qui ont plutôt le profil d'étudiante, de poétesse ou d'écrivain — comme celle qui cite ce mot de Heine : « Dieu me pardonnera, c'est son métier. » Matt démasquera l'assassin qui a d'abord agi pour satisfaire une vengeance personnelle puis par goût du sang. L'intrigue est prenante, mais ce sont surtout les à-côtés, l'atmosphère, la peinture de New York, les monologues intérieurs de Matt, la personnalité de Chance qui font l'intérêt de ce copieux roman. La vision de l'humanité est assez désespérée, mais l'auteur est poli et il égaie le lecteur par des traits d'humour distillés avec maestria. On retrouve avec beaucoup de plaisir Matt Scudder dans *Le Blues des alcoolos* [*When the Sacred Gin Mill closes,* 1986] et dans *Drôles de coups de canif* [*Out on the cutting Edge,* 1989]. — Trad. Gallimard, 1985. D. B.d.M.

HUIT POÈMES DE JEAN COCTEAU. Œuvre du compositeur français Georges Auric (1899-1983). Écrits en 1918, ces huit poèmes « pour voix moyenne » témoignent de ce qu'on a pu définir comme la première manière de Georges Auric, tout imprégnée des tendances esthétiques de Satie, de Cocteau et de son « manifeste », dont, avec Poulenc, Auric incarnera le mieux le contenu et la portée artistique. Ainsi dans les *Huit poèmes* trouve-t-on, comme l'écrit P. Landormy, « une certaine atmosphère parisienne [...], un langage qu'on pourrait taxer de vulgarité parce qu'il est tout près de l'inspiration populaire mais qui se relève toujours de quelque souci artiste ». C'est précisément résumer l'essentiel du credo du Groupe des six (du moins à l'origine) : l'humour, la parodie, la cocasserie, mais aussi une poésie qui se refuse à tout pathétique et à tout romantisme, s'y imposent, dans un décor parisien, le Paris des guinguettes, du cirque, du music-hall, des peintres et des poètes de l'époque. Ce décor est celui des poèmes de Jean Cocteau : ils évoquent Marie Laurencin, le Douanier Rousseau, Satie (dans l'« Hommage à... »), Paris (« Biplan le matin, place des Invalides ») et ses casernes au petit matin (« Réveil », « École de guerre »), ou telle libre et délicate suggestion (« Aglaé »). La ligne mélodique, d'un caractère strictement diatonique, vaut par sa netteté, sa simplicité, sa franchise ; elle suit toutes les nuances d'un texte aux détours souvent imprévus, marqué d'une fine ironie, de ce dilettantisme supérieur dont Cocteau, comme Satie, « père spirituel » d'Auric, se sont faits les tenants de génie. L'accompagnement, acide, sarcastique, ponctué malicieusement de dissonances et de trouvailles rythmiques, accentue la légèreté et la fantaisie du propos poétique, et concourt avec esprit à une réalisation musicale d'ensemble qui marque incontestablement une date significative dans la musique de cette époque et dans l'œuvre de Georges Auric.

HUIT QUESTIONS À PROPOS DE L'AUTORITÉ PONTIFICALE [*Quaestiones octo de auctoritate summi pontificis*]. Traité de théologie politique, composé de 1339 à 1342, par Guillaume d'Occam (ou d'Ockham, 1295/1300-1349/50), théologien et franciscain anglais. C'est l'œuvre la plus impérialiste qui soit née du conflit qui opposa le pape Jean XXII à l'empereur Louis de Bavière. Guillaume d'Ockham se joignit au général des frères mineurs, Michel de Césène, et à d'autres fugitifs, qui avaient quitté Avignon où on les accusait d'hérésie, pour invoquer la protection du prince contre le pape. Ockham s'était mis en ces termes au service de l'empereur : « Empereur, que ton épée me défende, et ma parole te défendra » [O Imperator defende me gladio et ago defendam te verbo]. Alors qu'il avait, dans ses écrits antérieurs, combattu les erreurs de Jean XXII sur des points de doctrine, il envisage maintenant le problème plus général des rapports de l'Église et de l'empire, et plus particulièrement celui de la juridiction impériale. Dialecticien admirable, Ockham ne laisse pas de dissimuler son attachement à la thèse impériale d'après laquelle, l'Empire germanique continuant l'Empire romain, le pape n'aurait d'autre prérogative que de couronner l'empereur sans pouvoir exiger aucun serment de fidélité. Les huit questions que pose Ockham sont les suivantes : Y a-t-il incompatibilité entre les pouvoirs parallèles du pape et de l'empereur, l'un représentant la puissance religieuse et l'autre la puissance impériale ? La puissance impériale est-elle issue directement de Dieu ? L'empereur dépend-il du pape ? Y a-t-il une différence entre l'Empire romain et l'Empire germanique ? L'onction sacrée et le couronnement confèrent-ils le pouvoir impérial, ou sont-ils une simple cérémonie symbolique ? L'élection par des princes confère-t-elle au roi des Romains la même autorité que la succession à un prince héréditaire ?

Ockham va jusqu'à refuser au concile et au pape toute infaillibilité ; il admet, en principe, qu'il peut y avoir dans l'Église plusieurs papes indépendants, et qu'en dernier appel c'est à l'universalité des fidèles qu'il appartient de trancher les questions les plus importantes, et en particulier les questions de foi. À ces problèmes qui tiennent dans une dépendance étroite la théologie et la politique, l'auteur joint celui de la « pauvreté du Christ », que l'on trouve traité dans certains autres de ses écrits. On sait que Jean XXII avait pris position contre le courant spirituel franciscain, mais que le chapitre de l'ordre réuni à Pérouse en 1392 avait déclaré « saine, catholique et véridique » la proposition qui affirmait que « le Christ et ses apôtres n'avaient rien possédé personnellement ». En réponse, le pape avait supprimé la fiction légale qui rendait le Saint-Siège propriétaire des biens de l'ordre, et qualifié d'hérétique la proposition proclamée à Pérouse, ce qui avait entraîné la révolte de l'ordre et de son général, Michel de Césène, excommunié avec Ockham et Bonagrazia de Bergame, mais appuyés par Marsilio de Padoue et Jean de Jandun.

HUMAIN, TROP HUMAIN [*Menschliches, Allzumenschliches. Ein Buch für freie Geister*]. Ouvrage du philosophe allemand Friedrich Nietzsche (1844-1900), commencé au cours de l'été de 1876, achevé en 1878 et publié au printemps de la même année. Conçu à Bayreuth, il fut en majeure partie dicté à Peter Gast, alors étudiant à Bâle. La première édition était dédiée à la mémoire de Voltaire, dont c'était le centenaire le 30 juin 1878. L'ouvrage se présente sous la forme d'une série de 638 aphorismes tirant leurs titres de sujets divers et ordonnés en neuf parties, conçues à l'origine comme autant de *Considérations inactuelles* (*) et devant faire suite aux quatre précédentes déjà publiées entre 1873 et 1876. Dans la première partie, « Des choses premières et dernières », Nietzsche fait observer que le monde métaphysique constitue, par définition, la plus indifférente des connaissances, aussi indifférente que doit l'être « au navigateur dans la tempête la connaissance de l'analyse chimique de l'eau » (aphorisme 9). À la métaphysique il opposera donc sa propre philosophie « historique », tendant à retrouver, dans tout ce que la pensée avait considéré jusque-là d'origine transcendante, une sublimation d'humbles éléments humains. Cette philosophie nouvelle doit consacrer son triomphe dans une histoire des origines de la pensée, qui ne verra, dans ce que l'homme appelle « monde », que la somme des erreurs et élucubrations de l'esprit humain, héritées des plus anciennes générations. Pour l'auteur, l'origine de l'idée métaphysique est le langage, qui, doublant en quelque sorte la réalité, place un nouveau monde à côté du monde réel ; erreur bénéfique qui permit le développement de la raison et, en particulier, celui de l'activité logique et de ses concepts. Il n'hésite pas à remonter la succession phylogénétique jusqu'aux rudiments d'une vie bestiale, préhumaine, et plus loin encore, à la vie végétale, afin d'y retrouver l'origine des concepts, sans soupçonner un seul instant l'insuffisance d'une telle démarche dans un domaine où seule l'analyse transcendantale pourrait prétendre se frayer une voie. Selon Nietzsche, c'est au niveau de notre existence végétale que remonterait la notion d'« égalité », justifiée par la paix éternelle dans laquelle vivent les plantes. De ce concept illusoire d'égalité, l'idée de nombre aurait plus tard tiré son origine ; de même, le principe des « substances » provient du fait que les yeux trop faibles des premiers organismes voyaient en tout la « même chose » ; quant à l'idée de liberté, elle se serait formée à partir de la croyance erronée en l'existence de choses isolées, sans rapport avec le reste. Dans d'autres aphorismes, l'auteur voit l'origine de la métaphysique dans ce « malentendu » qui naquit « à propos des rêves » ; à des époques encore frustes, n'en vint-on pas à croire que l'on vivait, en dormant, dans un deuxième monde irréel. Nietzsche a cependant conscience de tout ce qui peut se trouver détruit par une philosophie libérée de la métaphysique : étant donné que le monde en tant qu'erreur est considéré par lui comme quelque chose de « profond, de merveilleux », et que la disparition de la métaphysique implique l'énorme désavantage de supprimer toute impulsion à l'accomplissement d'œuvres grandes et durables. Mettant alors un frein à son esprit de négation, il voit dans sa critique un mouvement « rétrograde », qui, ayant pris connaissance des raisons psychologiques des conceptions transcendantes, reconnaît ensuite qu'un plus grand progrès humain est dû à ces anciennes erreurs.

Dans la deuxième partie, « Pour servir à l'histoire des sentiments moraux », l'auteur aborde le problème éthique. Nietzsche tient pour essentielle, à l'égard de la morale, la proposition selon laquelle nul n'est responsable de ses actes, à telle enseigne que juger équivaut à être injuste. L'homme n'est qu'un amas changeant de sentiments. Les hommes cruels ne sont rien d'autre que « des arriérés dont le cerveau, par suite de tous les accidents possibles au cours de l'hérédité, n'a pas subi une série de transformations assez délicates et multiples » (aphorisme 43) ; la méchanceté est rare, et même n'existe pas. Le mensonge lui-même n'a aucune signification morale, puisque dire la vérité n'a d'autre raison que la commodité, le mensonge exigeant imagination et mémoire : un enfant qui grandit dans une atmosphère familiale compliquée apprendra naturellement à mentir, et en toute innocence. Un principe absolu et transcendant n'est donc pas nécessaire à l'explication des prétendues valeurs morales : par exemple, une armée valeureuse convaincue de l'excellence de la cause qu'elle défend. En général, la morale est une « auto-décomposition » ; il est impossible d'être altruiste ; si une mère par exemple se sacrifie pour son enfant, c'est qu'elle porte son fils « en elle-même », et préfère cette part d'elle-même à tout le reste.

La troisième partie, « La Vie religieuse » contient en germe les thèmes – développés par la suite dans *L'Antéchrist* (*) – de la lutte que Nietzsche mènera contre le christianisme, tenu pour une « haute ordure », en raison de son culte morbide de l'absurde moral et logique, de son « asiatisme » et de son exaltation du mépris de soi. Quant à leur origine, les religions découlent d'une part d'une fausse interprétation de la nature, de l'autre du besoin, propre à toute morale ascétique, d'exalter une part de soi en tant que partie intégrante de Dieu, parallèlement à un abaissement et une « satanisation » de l'autre face de sa personnalité.

La quatrième partie, « De l'âme des artistes et des écrivains », entend surtout définir les caractères essentielles de l'art, qui doit, dans ses productions, présenter les caractères d'une immédiate et soudaine révélation, alors qu'en réalité il suppose une patiente et complexe élaboration logique et critique. Quant à la fonction essentielle de l'art, Nietzsche la voit dans sa force d'élévation en tant qu'initiation au sentiment de l'innocence du devenir. Les « caractères de haute et basse civilisation » sont recherchés et définis par l'auteur dans la cinquième partie. Ici, il s'attache surtout au mystère des origines du génie, remontant à ces conditions premières que sont la nature et l'histoire, et à ce qui distingue l'esprit libre, l'« esprit fort », de l'esprit bon selon les critères du vulgaire. Pour Nietzsche, la nature emprisonne le génie tout en exaltant au plus haut degré sa volonté de libération. L'esprit de la civilisation est ressenti comme l'union, à l'image du centaure, de deux instincts opposés, l'angélique et le spirituel. Seule une extrême tension des énergies en conflit engendre le climat propice à l'apparition du génie, tandis que le « bon » caractère n'est que soumission aux circonstances. Dans cet esprit, l'auteur donne une puissante interprétation de la Renaissance italienne, l'opposant à la Réforme protestante comme la lumière s'oppose à l'ombre. Dans la sixième partie, « L'Homme dans la société », nombre d'aphorismes soulignent crûment la vanité et l'égoïsme qui constituent le fond de toute amitié, des luttes, des polémiques et en général de tous les rapports humains : l'influence des moralistes français du XVIe au XIXe siècles est manifeste dans ces pages ; mais certains aphorismes se réfèrent encore tacitement à d'humaines valeurs morales, comme la bienveillance, la générosité. Cette partie s'achève sur une remarquable envolée dans laquelle, abandonnant toute justification de l'égoïsme, Nietzsche appelle la venue de l'ère joyeuse où, au lieu du vieil adage : « Amis, il n'y a pas d'amis ! », on pourra dire : « Ennemis, il n'y a pas d'ennemis ».

Avec la septième partie, « La Femme et l'Enfant », l'auteur se livre à de pertinentes remarques. Le mariage, selon lui, doit être fondé sur l'amitié, être semblable à une « longue conversation ». Les traits essentiels de l'esprit féminin sont notés avec beaucoup de lucidité, à l'encontre des opinions superficielles et couramment admises. On y relève également de pénétrantes observations relatives au drame de l'enfance, souvent sacrifiée en raison du désordre moral des parents. Avec la huitième partie, Nietzsche jette un « Coup d'œil sur l'État ». Son tempérament aristocratique le conduit à dénoncer dans les deux maux opposés de la démagogie et de l'idolâtrie de l'État le plus grand péril pour le développement de l'esprit. Pour lui, le socialisme n'est rien d'autre que le frère cadet du défunt despotisme. Le dernier aphorisme ne voit dans les opinions publiques que des paresses privées. « L'homme avec lui-même » constitue le sujet de la neuvième et dernière partie. Deux thèmes principaux : la valeur de la justice intellectuelle opposée au fanatisme des convictions absolues, fruit de la passion et de la paresse d'esprit ; et la conscience qu'a Nietzsche de sa mission, vivement ressentie dans tous ses aspects ; sentiment de danger moral qui s'associe secrètement à sa volonté de libération ; fatigue et angoisses de l'isolement ; mais aussi, joie de la recherche aventureuse, altière et solitaire allégresse de la découverte, toutes choses qui seront exprimées d'admirable façon, sous une forme mythique, dans la dernière page : « Le voyageur » (aphorisme 638).

Humain, trop humain comme les ouvrages qui lui succéderont, doit sa forme aphoristique, souple et variée, à l'intime nécessité d'expression d'un esprit qui se cherchait sans cesse, et aux limites que ses infirmités imposaient à l'auteur, l'empêchant d'atteindre à une transcription plus complexe de sa pensée. La belle préface, que Nietzsche écrivit pour la deuxième édition de l'ouvrage, précise, mieux qu'on ne le pourrait faire, quelle place revient à ce livre dans l'évolution spirituelle de son auteur : livre tout vibrant d'une suprême « volonté de santé » s'opposant à un romantisme morbide ; passage du romantisme pessimiste à l'ironie positive qui justifie en quelque sorte la dédicace à Voltaire. Nietzsche du reste devait définir lui-même le titre de son ouvrage : « Là où vous voyez des choses idéales, moi je vois des choses humaines, hélas ! trop humaines ! Je connais mieux l'homme. » — Trad. Mercure de France, 1899 ; Gallimard, 1988.

HUMANISME ET TERREUR. Essai du philosophe français Maurice Merleau-Ponty (1908-1961), publié en 1947. Ce que Merleau-Ponty dénonce d'abord dans ces pages, c'est la fausseté de l'argument qui oppose la violence et la ruse communistes à la prétendue libéralité des démocraties qui, sous le couvert de leurs principes, usent de la même violence pour asseoir leur domination. Il y a donc ce que l'auteur appelle une « mystification libérale », et le vrai problème sera de savoir « non seulement ce que les libéraux ont en tête mais ce que l'État libéral fait en réalité dans ses frontières et au-dehors. La pureté de ses principes ne l'absout pas, elle le condamne s'il apparaît qu'elle ne passe pas dans la pratique ». Corrélativement, si l'on veut porter un jugement sain sur le problème communiste, c'est-à-dire ne pas passer à côté de la question, il faudra poser le problème comme les communistes eux-mêmes le posent « c'est-à-dire non pas sur le terrain des principes mais sur celui des relations humaines ». Pour illustrer son propos et montrer comment la violence communiste n'est brutalité inhumaine que du dehors, Merleau-Ponty prend l'exemple de Boukharine, condamné aux procès de Moscou parce que, révolutionnaire opposant à la révolution, ce qu'il mettait en danger ce n'était pas seulement les têtes du parti qu'il voulait décapiter, c'était la révolution elle-même : « C'est qu'il [Boukharine] reconnaît dans sa conduite politique, si justifiée qu'elle fût, une ambiguïté inévitable par où elle donne prise à la condamnation. Le révolutionnaire opposant dans les situations limites, où toute la révolution est remise en question, groupe autour de lui ses ennemis et peut la mettre en danger. » À partir de là, Merleau-Ponty trace un très beau portrait du politique engagé dans l'histoire au point de sembler un instant devoir la maîtriser, et victime finalement de son maléfice : « Il y a dans l'histoire une sorte de maléfice. Elle sollicite les hommes, elle les tente, ils croient marcher dans le sens où elle va et soudain elle se dérobe, l'événement change, prouve par le fait qu'autre chose était possible. » À l'intérieur de l'histoire, l'humanisme est donc en suspens. Il n'y a que des terreurs. L'alternative n'est donc pas de choisir entre pureté et violence, mais entre différentes sortes de violences, et la violence révolutionnaire doit être préférée parce qu'elle a un avenir d'humanisme. C'est qu'en effet, souligne l'auteur, on a trop tendance à oublier qu'on retrouve au cœur du marxisme, en dépit de tous ses atermoiements, de tous ses replis, l'idée d'un humanisme vivant, c'est-à-dire d'un avènement de l'homme par l'homme qui ne requiert la violence que pour créer entre les hommes des rapports humains.

HUMANISME INTÉGRAL. Essai du philosophe français Jacques Maritain (1882-1973), publié en 1936. C'est, avec *L'Homme et l'État* (1951), le plus important des ouvrages politiques de l'auteur, et l'apparition de ce livre, à l'heure où commençait la guerre civile espagnole, devait éveiller un trouble profond en beaucoup de consciences catholiques. Maritain traite ici du problème de la civilisation chrétienne, de la « chrétienté ». Celle-ci ne se confond pas avec l'Église elle-même : la chrétienté appartient à l'ordre temporel et humain ; c'est un certain régime temporel dont les structures sont imprégnées, à des degrés variables, par la conception chrétienne de la vie. Il n'y a qu'une vérité religieuse intégrale, mais il peut y avoir des civilisations chrétiennes diverses, selon les exigences particulières de tel ou tel âge historique. Ce problème, d'ordre pratique et éthique, est d'ailleurs commandé par un problème spéculatif : qu'est-ce que l'homme ? Dans la première partie de son livre, Maritain examine ce qu'il appelle la « tragédie de l'humanisme ». À l'humanisme médiéval, qui ne comportait pas de réflexion de l'homme sur sa condition, sur le mystère propre de sa liberté, la Réforme et la Renaissance ont opposé une réhabilitation agressive de la créature : le luthéranisme comme le molinisme expriment un même humanisme anthropocentrique fondé sur la foi dans la nature et dans la liberté humaine conçues hors de la causalité divine. Dès lors a commencé la tragédie de l'homme européen : n'étant plus rapporté à son origine et à ses fins transcendantes, l'homme va bientôt s'enfoncer dans le biologique (comme chez Darwin et chez Freud), ou dans la masse sociale (comme dans le marxisme et les totalitarismes modernes). Est-ce à dire cependant qu'il faille condamner absolument toutes les valeurs du monde moderne ? Loin de le penser, Maritain s'efforce de sauver ces valeurs en les intégrant à une conception chrétienne du monde. L'erreur de l'humanisme classique n'a pas été de faire prendre à l'homme conscience de lui-même, mais de lier cette prise de conscience au rejet de Dieu et des fins suprêmes de la création ; l'erreur de l'humanisme classique est d'avoir été anthropocentrique mais non pas d'avoir été un humanisme ; à partir de là, une nouvelle civilisation chrétienne peut naître qui cherchera elle aussi la réhabilitation de la créature et de la liberté, mais dans leur ordination finale à Dieu. Maritain envisage alors de quelle manière cette réhabilitation pourra se traduire dans le domaine du temporel et de la politique. La chrétienté médiévale, peu sensible, dans l'ordre pratique, à la distinction du sacré et du profane, a vécu sur l'idée de la force mise au service de Dieu ; le temporel était considéré comme une simple fonction du sacré ; l'unité de la société était fondée sur l'unité de religion. Après l'affirmation humaniste de l'âge classique, il est aujourd'hui impossible d'attendre la renaissance de cette forme « sacrale » de chrétienté, laquelle ne constitue d'ailleurs qu'une étape mineure dans le développement de la conscience politique. À l'idée médiévale de la force au service de Dieu, il faut substituer l'idée de la « sainte liberté des enfants de Dieu », où Maritain voit le mythe dynamique de la civilisation chrétienne à venir. Il précise ensuite dans ses grandes lignes l'« idéal historique » de cette nouvelle chrétienté : elle devra d'abord s'accommoder de la situation de fait de notre temps, essentiellement pluraliste. On ne peut plus fonder l'unité sociale sur l'unité de foi, et il faut proclamer l'égalité politique des chrétiens et des non-chrétiens. Au point de vue économique, une société fraternelle devra remplacer la société paternaliste d'autrefois. Au point de vue politique enfin, c'est dans le sens d'une démocratie personnaliste que les chrétiens, selon Maritain, doivent désormais diriger leurs efforts. Liberté et accomplissement de la personne ; sens précis de l'autonomie du temporel comme fin intermédiaire ou « infravalente » à l'égard de la vie éternelle, telles sont des deux bases fondamentales de la nouvelle chrétienté. L'auteur s'interroge enfin sur les moyens concrets et prochains de la politique : en souhaitant une collaboration active, sur le plan temporel, des chrétiens et des non-chrétiens, il rejette radicalement tout machiavélisme : la politique ne peut être conçue comme une pure technique, indifférente à la morale. Sur un autre plan, la politique chrétienne d'aujourd'hui a pour devoir de tenir compte de la prise de conscience du prolétariat et du rôle historique de celui-ci : la classe ouvrière est déjà devenue une force, elle a encore à devenir une « personne », mais elle n'y parviendra qu'en se référant aux principes dont le christianisme a le dépôt. Reste le grand défi, celui qui est porté aux hommes de liberté par les régimes totalitaires : en face de ce défi, les chrétiens ont sans doute la solution du martyre, mais ils ont aussi la certitude de n'être pas enfermés dans une tragédie. Dieu demeure finalement seul maître de l'histoire, et les efforts déployés aujourd'hui pour un avenir si lointain soit-il, mais juste, ne sauraient être perdus. Par *Humaniste intégral*, Maritain a contribué à détacher définitivement un grand nombre de jeunes intellectuels chrétiens des idéologies de droite qui avaient paru longtemps indissociables du christianisme ; il a défini les principes fondamentaux de cette démocratie « chrétienne » et « personnaliste » vers laquelle parurent s'orienter plusieurs pays européens après 1945.

HUMBLES (Les). Recueil de vers du poète français François Coppée (1842-1908), publié en 1872. Ce volume comprend quatre parties : « Les Humbles », « Écrit pendant le siège », « Quatre sonnets », « Promenades et intérieurs », plus une poésie à part : « Plus de sang ! ». La première, la plus importante, se compose de neuf longs poèmes dans lesquels Coppée chante les êtres les plus humbles, les formes les plus ignorées d'héroïsme et d'humanité ; notons plus particulièrement « La Nourrice », qui évoque en termes poignants le déchirement de la femme qui doit abandonner son propre enfant, et « Émigrants ». Parmi les sonnets, retenons, pour l'amère ironie dont il s'enveloppe, « La Famille du menuisier » : la petite famille de l'artisan honnête remercie le Ciel de l'épidémie de choléra qui se propage, car le père a beaucoup de bières et de cercueils à fabriquer. Dans *Les Humbles*, Coppée nous livre la vraie caractéristique de son art : humilité de l'inspiration, simplicité de la forme qui reprend, en les rendant accessibles au plus grand nombre, quelques-unes des conquêtes du Parnasse.

HUMBLES (Les) [*Os simples*]. Recueil de poèmes du poète portugais Abílio Manuel de Guerra Junqueiro (1850-1923), publié en 1892. Ce petit volume, qui ne comprend que treize poèmes, représente un aspect nouveau de la personnalité poétique de Guerra Junqueiro. À l'accent révolutionnaire et polémique qui marquait *La Mort de don Juan* — v. *Don Juan* (*) —, *Patrie* et *La Vieillesse du Père Éternel*, succède une poésie intime et nostalgique, tout empreinte de mysticisme. Dans une note qui se trouve à la fin du volume, le poète révèle la source de ses poèmes : « J'ai voulu exalter la vie simple et humble de ces bonnes créatures, qui traversent un monde de misère et d'injustice, de faim et de douleur, sans une parole de plainte pour leur propre destin, sans un regard hostile au monde de dissipation et de vice qui les environne. » Ce sentiment humain et universel de pitié trouve son expression dans de simples et douces mélodies comme (« O pastor », « O cavador », « Canção perdida », « Os pobrezinhos », etc.) et surtout dans l'admirable « Regresso ao lar » qui chante le foyer. L'ancienne fureur antireligieuse fait place ici au respect et à l'admiration pour ce « christianisme primitif et naïf du peuple, éloigné de toute rigueur dogmatique, et qui peut être considéré comme une intuition humaine de l'Évangile ». Il est inexact de parler d'une conversion du poète au catholicisme ; il faut plutôt reconnaître dans ces accents la nostalgie d'une foi, le respect et la compassion en face de la douleur humaine.

HUMILIÉS ET OFFENSÉS [*Unižennye i oskorblennye*]. Roman de l'écrivain russe Fedor Mikhaïlovitch Dostoïevski (1821-1881), publié en 1861. C'est sa première grande œuvre. Elle fut écrite à son retour de Sibérie. Son succès auprès de la critique fut quasiment nul. Même les amis de Dostoïevski n'ont pas apprécié ce roman, riche en détours étranges et imprévus. Aussi la faveur que Dostoïevski avait gagnée, en 1846, avec *Les Pauvres Gens* (*) ne lui revint qu'après la publication des *Souvenirs de la maison des morts* (*). L'auteur lui-même considérait ce roman comme une œuvre « sauvage », tout en y trouvant une cinquantaine de pages dont il se déclarait fier. C'est dans *Humiliés et Offensés* qu'apparaît pour la première fois la vraie « Weltanschauung » de Dostoïevski, mise à nu et non plus masquée, comme c'était le cas pour les œuvres précédentes, par des considérations d'ordre politique ou polémique. L'auteur nous fait comprendre qu'il croit en l'homme et en sa bonté naturelle ; le salut est, d'après lui, entre nos propres mains : il suffit de suivre la loi préconisée par l'Évangile et d'aimer son prochain comme soi-même. C'est dans ce roman qu'apparaît le mieux cette puissance d'analyse psychologique et cette peinture si aiguë des crises d'épilepsie, qui font pressentir déjà l'auteur des ouvrages postérieurs aux *Mémoires écrits dans un souterrain* (*). Le héros du roman, Vania, raconte sa propre histoire : il a grandi dans la famille d'un certain Ikhmeniev, administrateur des biens du prince Valkovsky, lequel, très lié avec son factotum, envoie son fils Alexis chez ce dernier. Ikhmeniev a une fille, Natacha, qui naturellement plaira au fils du prince. Des médisances accablant Ikhmeniev, le prince non seulement lui retire l'administration de son domaine, mais lui intente un procès. C'est autour de ce procès que se déroule le roman. Vania, ayant retrouvé à Pétersbourg les Ikhmeniev, tombe amoureux de Natacha et veut l'épouser. Mais, dans la maison d'Ikhmeniev et à son insu, arrive le fils du prince, qui persuade Natacha de quitter la maison paternelle. Comme il suffit à Vania de savoir Natacha heureuse, il renonce à son propre bonheur, faisant tout son possible pour qu'Alexis puisse épouser celle qu'il aime. L'histoire de Nelly, une petite fille que Vania arrache des griffes d'une mauvaise femme, la Boubnova, s'enchevêtre avec les événements précédents. Pendant ce temps, le prince, qui a trouvé pour son fils une femme qui lui convient comme bru, cherche par mille astuces à arracher Alexis à Natacha. Il feint donc de consentir à leurs noces, mais réussit à rendre Alexis amoureux de Katia, la fiancée de son choix. Entre-temps, à la suite d'une série de circonstances rocambolesques, on apprend que Nelly est la fille du prince. La pauvre petite meurt, épileptique, très affaiblie par suite de grandes privations. Les Ikhmeniev rentrent chez eux et Vania, malade, est hospitalisé ; il épousera probablement plus tard Natacha. — Trad. Gallimard, 1949.

HUMORADAS. Recueil de poèmes du poète et philosophe espagnol Ramón de Campoamor (1817-1901), publié en 1888. Le thème essentiel de l'auteur (l'étude de la faiblesse humaine, de l'amour, du cœur féminin) s'affirme ici comme ailleurs, sauf à noter qu'il est exempt de toute rhétorique. Partout triomphe la concision. Ces poèmes sont en forme d'aphorismes, d'épigrammes ou de proverbes. Par exemple : « Nulle part je n'ai vu le bonheur et la fortune se donner la main. » Ailleurs, nous trouvons des galanteries (« piropos ») dans la plus pure tradition espagnole : « À cause de ton charme surnaturel, les peintres ne sauraient faire ton portrait ; car, à voir les beautés de ton visage, le pinceau leur tombe des mains. » On trouve, en outre, des considérations dictées par l'esprit de résignation devant un monde qui, « tout entier, erre sans foi ni avenir ». Mais ces vues philosophiques, propres à illustrer la précarité de ce monde, sont loin d'être aussi aiguës que certaines observations immédiates par lesquelles Campoamor saisit la réalité : « Les idées, lorsqu'elles descendent dans la rue, sont des torches dont le peuple se sert pour provoquer un incendie. » Nombre d'autres vers sont d'intéressantes variations sur l'amour que l'auteur présente sur un mode souriant, lequel contraste étrangement avec le fond pessimiste de sa nature.

HUMOUR ANGLAIS (L') [*The English Sense of Humour*]. Cet essai de l'écrivain anglais Harold Nicolson (1886-1968) fut publié en 1946 dans une édition à tirage limité, puis réimprimé en 1956. Dans cette seconde édition, *The English Sense of Humour* précède différentes études : la santé des auteurs ; les deux frères de Tennyson ; Swinburne et Baudelaire ; le métier de biographe ; Alexandre le Grand ; la nature dans la poésie grecque. Quoique la diversité de ces sujets soit indicative du registre de connaissances de l'écrivain, il ne sera question ici que de ce qu'il explore le plus utilement : l'humour anglais. Dans ce texte d'une cinquantaine de pages, il a fixé l'essentiel d'un sujet qui peut être rapporté — somme toute — à la compréhension d'un pays, d'une civilisation et d'une littérature. Si rien de très original n'y est énoncé, tout y est exact. Ainsi sera mieux compris un faux mystère sur lequel n'avaient été amassées jusque-là qu'approximations ou bêtises.

C'est d'une exploration qu'il s'agit, poursuivie avec une méthode claire. Le sujet est dès l'abord saisi dans son contexte. On n'est pas si loin, dirait-on, d'une dissertation.

Puis, le sujet enfin dégagé, isolé, spécifié, Harold Nicolson le définit. Le sens anglais de l'humour, déclare-t-il, correspond aux qualités et défauts suivants : bonne humeur, tolérance, don de sympathie, compassion, affection pour la nature, les animaux et les enfants, qui dégénère quelquefois en sentimentalité, sens commun, don de fantaisie, respect accordé au caractère individuel plutôt qu'à l'intelligence individuelle, détestation des extrêmes et de l'emphase inutile, préférence accordée au compromis et à la litote, amour des jeux et du jeu, souvent sous des formes enfantines, difficulté de se mettre en avant, inhibition, méfiance de soi, timidité, peur du ridicule, paresse, notamment paresse mentale, optimisme qui se réfléchit dans un désir de bien-être mental et affectif.

L'auteur montre ensuite quelles attitudes ces dispositions du caractère national, qui se manifeste comme un don individuel et se définit plutôt comme une attitude devant la vie que comme une pensée, entraînent dans la mise en forme de l'humour.

HUMUS [*Húmus*]. Roman de l'écrivain portugais Raul Brandão (1867-1930), publié en 1917. Impossible de résumer l'intrigue de ce récit-poème parcouru d'ombres et de lumière, de réflexions sur le rêve et la mort. L'action se passe dans une petite ville au nord du Portugal. Il pleut et il vente dans la lumière impressionniste d'un paysage de montagne. Quelques vieilles femmes aux noms ridicules et évocateurs (dona Bisborria : la Babiole ; dona Desidéria : la Jalouseuse, etc...) y mènent une vie confinée, mesquine, minée par la convention, à la limite du sordide : « Elles représentent des années de patience, d'envie et de fiel, des années de tragédie. » La vision que Brandão a de l'univers provincial est hallucinée, elle dépasse par conséquent, de loin, l'analyse réaliste. Les personnages semblent impalpables, ombres qui peuplent le monde de l'auteur ; ainsi Garibu (il apparaît déjà dans *Les Pauvres* [*Os pobres,* 1906] : « Ombre de l'auteur, il est annonciateur des leitmotiv qui parcourent l'œuvre de Brandão », souligne le critique José Manuel de Vasconcelos. Pour Garibu, la mort est la source de la vie ; les morts constituent l'humus qui permet aux vivants de croître. Il utilise le rêve comme « pont » vers les morts. Le rêve n'est pas un refuge, c'est un instrument qui « va toucher le souterrain, réveille les morts ». « Il est des jours, dit Garibu, où je ne distingue plus la vie de la mort et je m'aggrippe à ce rêve comme un naufragé. » Cette volonté panthéiste et tragique de fondre ainsi la vie et la mort oblige l'auteur à explorer les recoins les plus cachés de l'esprit, à recourir aux forces simultanément créatrices et destructrices que nous portons en nous. Le paysage rétréci d'un bourg de province devient, au cours du livre, l'univers entier, incompréhensible, lieu d'une méditation philosophique sur ce « puits sans fonds » qu'est l'humanité. Garibu semble être « au seuil d'un autre monde », ainsi le situe l'écrivain Vergílio Ferreira. Il dépasse les limites du temps et de l'espace mais reste aussi dans la réalité d'une certitude : la mort est notre seule condition future. Les vieilles femmes qui hantent le roman rompent elles aussi les barrières du temps : « Dona Penaricia ment depuis l'origine du monde ! » L'humour des propos ouvre sur une vérité absolue, le temps aboli donne aux personnages une dimension universelle. La dérision devant l'absurdité de la condition humaine et la féroce volonté de se dégager de l'hypocrisie « plus difficile à abandonner que notre propre peau » ne contredisent pas la réelle compassion pour le malheur et la profonde tendresse de Brandão. Le style, souvent déroutant, ne sacrifie cependant jamais à l'esthétisme. — Trad. PUF - Gulbenkian, 1981. F. Be.

HUON DE BORDEAUX. Chanson de geste française en laisses de décasyllabes assonancés, œuvre d'un trouvère artésien du début du XIIIe siècle. Le jeune Huon, fils de Seguin duc de Bordeaux, a tué pour défendre sa vie Charlot, l'héritier de Charlemagne. Menacé d'abandon par ses barons, l'empereur renonce à bannir à jamais Huon de la doulce France, mais lui impose d'aller insulter dans son palais l'amiral Gaudise, roi de Babylone : Huon devra tuer à sa table le premier de ses barons, baiser trois fois sur la bouche sa fille, la belle Esclarmonde, et réclamer à l'amiral, gage de soumission, sa barbe et quatre de ses dents. Étant passé par Rome où il s'est confessé au pape son cousin, ayant traversé la Syrie et plusieurs pays fabuleux, Huon rencontre le nain Auberon, heureuse transfiguration du nain Albéron et Alberich des mythologies franco-germaniques, beau comme un ange, fils de Jules César et de la fée Morgue, roi de Monmur, terre de Féerie. Le bon nain le prend en amitié, lui offre son aide, mais exige qu'il suive ses avis. Huon, étourdi, généreux, insouciant, oublie souvent les conseils du nain et provoque sa colère. Huon n'oublie pas de remplir fidèlement les trois points de sa mission auprès de Gaudise, mais voici qu'Esclarmonde s'éprend d'amour pour lui. Il fuira avec elle, après avoir tué Gaudise et lui avoir arraché barbe et molaires. Auberon, qui une fois de plus a volé à son aide, l'engage à ne point partager la couche d'Esclarmonde avant de l'avoir épousée. Ayant désobéi une fois de plus, il est séparé d'elle. Après bien des péripéties, il finira par retrouver Esclarmonde et l'épousera à Rome, où elle est baptisée par le pape ; alors il rentre avec elle en France. Un complot de son frère Gérard et du beau-père de celui-ci, parent de Ganelon, risque de le faire pendre, car Charlemagne n'a point pardonné ; mais une dernière fois Auberon le sauve et lui fait rendre son duché. Dans trois ans, lui annonce-t-il, il l'appellera à Monmur pour qu'il lui succède, car il ira lui-même au paradis, aux côtés de Notre Seigneur. Le trouvère tient en haleine son public, résume souvent les antécédents pour les auditeurs en retard, interrompt le récit pour faire appel à la générosité de l'assistance. Le poème se rattache à la légende carolingienne, mais n'a rien de commun avec les chansons de geste de ce cycle : plein de fantaisie, rivalisant en aventures féeriques avec les romans courtois, raconté avec verve et non sans talent, c'est l'un des plus amusants romans du Moyen Âge. Il existe une deuxième version du poème, en alexandrins. Son remaniement en prose, du milieu du XVe siècle, connut plus de 20 rééditions au cours du siècle suivant. Par ailleurs, dès le XIIIe siècle, on trouve des imitations : prologues *(Auberon),* racontant l'histoire du nain antérieure à la rencontre d'Huon ; épilogues (*Esclarmonde, Clarisse et Florent, Yde et Olive,* etc.), racontant les aventures d'Huon devenu roi de Monmur, celles de sa fille Clarisse, mariée à Florent, prince d'Aragon, celles de sa petite-fille Yde, crue longtemps un preux chevalier et obligée d'épouser la fille de l'empereur Octavian : un miracle survient à propos pour rétablir l'équilibre des sexes et un fils *(Croissant)* est l'heureux dénouement de cette intrigue. — *Huon de Bordeaux* a été édité par P. Ruelle (Paris-Bordeaux, 1960), traduit par F. Suard (Paris, Stock, 1983) et commenté par M. Rossi (Paris, Champion, 1975).

★ Le succès du roman ne tarda pas à s'étendre hors de France. On en connaît des imitations néerlandaises, un *Poème de la reine Sibylle et de Huon de Bordeaux,* de la fin du XIVe siècle, un autre du milieu du XVIe. La traduction de *Huon de Bordeaux* par lord Berner (milieu du XVIe siècle) introduisait le personnage d'Obéron dans la poésie et dans le théâtre anglais : *La Reine des Fées* (*) de Spenser est de 1590 ; on jouait à Londres en 1593 un mystère *(Hewen of Burdoche)* ; Le Songe d'une nuit d'été (*) de Shakespeare est de 1595.

★ En Allemagne, une analyse de *Huon de Bordeaux* par M. de Tressan inspirait à Christoph Martin Wieland (1733-1813) son poème *Obéron* (*) (1780), d'où Planché tira le livret du célèbre opéra de Weber (1826).

HUSSARD BLEU (Le). Roman de l'écrivain français Roger Nimier (1925-1962) publié en 1950. L'action se déroule durant les années 1945-46. Nous sommes au 16e hussards, et nous suivons les péripéties de cette campagne victorieuse, qui mena les troupes alliées jusqu'en Allemagne, où elles s'installèrent dans une « occupation » qui permettait bien des « occupations ». C'est au travers du regard d'une douzaine de personnages que l'auteur présente ces événements. Par une curieuse construction, il donne la parole tour à tour à chacun d'eux, se réservant le droit d'en élire plus particulièrement quelques-uns, ceux qui lui tiennent le plus à cœur. Parmi ceux-ci, il y a tout d'abord Sanders : engagé à dix-sept ans, en 1940, prisonnier, évadé, résistant, milicien par obligation puis par goût, et enfin dernier avatar : l'uniforme des armées alliées. Certes, Sanders est un rêveur et un romantique, mais c'est aussi un « gros garçon français », bâti en hercule, doux et puissant, brutal quelquefois. Il appartient « à cette génération heureuse qui aura eu vingt ans pour la fin du monde civilisé ». Mais son rêve est de « s'en tirer sans éclats », il a choisi de mourir dans cette campagne. Hélas, il ne mourra pas. Au bout, tout au bout, il lui faudra reprendre le chemin de Paris, revenir à sa nature véritable qui est « de servir à quelque chose, sans amour, mais avec passion » : « vivre, il me faudra vivre encore quelque temps parmi ceux-là. Tout ce qui est humain m'est étranger. » Et puis il y a Saint-Anne : dix-huit ans, blond et joli, un petit frère de Thomas l'Imposteur ; le voici, le « hussard bleu », et si, dès les premières pages, nous le voyons chercher l'amitié de Sanders, il n'y gagnera tout d'abord qu'un gros coup de poing entre les deux yeux ; lorsqu'il revient à lui, Sanders lui lave le visage : « Voilà, il ne faudra jamais plus parler de ça. Maintenant il ne t'arrivera plus rien. Je te défendrai. » Et c'est ainsi que Saint-Anne, ce « con joli », s'attire toutes les amitiés de l'escadron : le lieutenant de Forjac, ou Florence, la maîtresse du colonel. Entre Saint-Anne et Sanders viendra se glisser une femme, une belle Allemande, riche et sensuelle, dont le mari croupit quelque part en Russie. Elle fait l'amour avec l'un, ou avec l'autre, pour finalement les mettre en présence. Lequel des deux aime-t-elle ? Le sait-elle elle-même ? Cependant, c'est Saint-Anne qu'elle tuera avant de se suicider ; et c'est Sanders qui se retrouve seul, et qui affronte le retour dans la patrie. Il avait choisi la violence parce qu'elle simplifiait les choses ; le voici maintenant devant des choses trop simples : l'amitié, la justice, la raison, la colère sont « rongées par une lèpre aveugle ». Il lui reste tout un avenir à vivre : « Désormais, je connais mon rôle sur la terre, mais je ne sais qui je suis. »

HUSSARD SUR LE TOIT (Le). Publié en 1951, ce roman est l'un des chefs-d'œuvre de l'écrivain français Jean Giono (1895-1970). Sous Louis-Philippe, une épidémie de choléra éclate en Provence. Elle est très meurtrière. Le choléra est une maladie extrêmement spectaculaire, il se déchaîne en un rien de temps. Il tord, contracte et consume les corps, il foudroie. L'auteur l'exploite à merveille. Le jeune Angelo, colonel de hussards piémontais en exil, trouve soudain, alors qu'il somnole sur son cheval, un village absolument et curieusement désert. Poussant les portes, il y découvre des cadavres, crispés dans des postures atroces et assaillis par les rats, les oiseaux, les chiens et les truies. Le ciel est livide et la chaleur étouffante. La fatigue, l'écœurement, le désarroi et la soif le tourmentent. Il gagne un autre village : même désolant et affreux spectacle. Enfin, un vivant. C'est un jeune médecin envoyé là, mais trop tard, et tout à fait dépourvu de médicaments. L'un l'autre ils se réconfortent. Le médecin apprend à Angelo à chercher les moribonds dans les cachettes les plus inattendues et à tenter de sauver les malades en les frictionnant. Malgré leur obstination, ils n'en raniment aucun. Bientôt le médecin lui-même est atteint, et Angelo assiste, impuissant, à son agonie. Il reste seul. Il n'a guéri personne, mais il a surmonté sa peur. Dorénavant, il sera d'autant plus seul. En effet la peur s'est emparée des esprits avec une violence qui surpasse celle du mal, pourtant si violent. Dans ces conditions, Angelo a quelque peine à gagner Manosque, où il doit voir son frère de lait. Lorsqu'il y arrive, il manque d'être lynché comme empoisonneur. Pour échapper à cette fin stupide et affreuse, il vit quelques jours sur les toits, en compagnie d'un chat. Il a tout le temps d'observer et de méditer. Pour se nourrir, il fait des razzias dans les appartements. Une de ces expéditions lui fournit l'occasion de rencontrer Pauline de Théus, jeune femme qui n'a pas peur. Elle lui offre une chose merveilleuse : du thé bouillant et bien sucré. Peu après, descendu de son piédestal, il rencontre une religieuse qui, restée pour garder un couvent, passe ses journées à laver les morts. Il l'aide. Mais, de plus en plus nombreux, les habitants désertent la ville pour se réfugier sur les collines, où l'air est plus sain. Un vaste campement y a été organisé. Le frère de lait, Giuseppe, en est l'un des principaux responsables. Mais la vie au camp ne convient pas au jeune hussard. Il n'apprécie pas certains usages, en particulier celui de bannir, inflexiblement, les familles des malades. La chaleur atteint à son comble, et une pluie torrentielle se met à tomber, annonçant l'automne. Le choléra, lui, persévère. Angelo, coquettement habillé de neuf et porteur d'une bourse bien garnie, reprend route. Devant un barrage, il rencontre à nouveau Pauline. Ils le contournent ensemble, avec beaucoup d'esprit. Recherchés, ils passent à la belle étoile une nuit périlleuse et continuent leur chemin. Ils traversent un pays désert, un village que le mal, curieusement, a épargné. Alors qu'ils commcncent à l'oublier, ils se font prendre et jeter en quarantaine. Séjour malsain, ils se hâtent de fuir. Ils passent une nuit chez un vieux médecin philosophe qui leur explique la nature profonde du choléra : « un sursaut d'orgueil ». Un soir Pauline essaie de sourire et se met à vomir. Angelo la soigne. Il n'a aucun espoir. Il la sauve. Puis, la laissant chez son mari, il part vers l'Italie. Le soleil brille. Il est heureux.

On voit que ce roman bondit et rebondit. Il est plein de couleur, de parfums, de lumière. Concret, il est en même temps poétique. La symbolique qui s'y trouve n'est jamais appuyée, mais il est clair que le choléra représente la guerre. Angelo, qui le traverse sans en être atteint, est ouvertement un héros de Stendhal, frère du Fabrice del Dongo de *La Chartreuse de Parme* (*). Pauline et lui, nobles, courageux, brillants, naturels, font partie d'une aristocratie de l'humanité. Autour d'eux, en une fresque sans cesse renouvelée, se manifestent d'une part le choléra, que Giono fait plus effrayant et plus redoutable encore qu'il ne l'est dans la réalité, d'autre part des êtres qui se trouvent tout à coup dans une société désorganisée, et d'où jaillissent tantôt des qualités exceptionnelles de dévouement et de générosité, tantôt un égoïsme, une avidité et une cruauté sans fond. Ainsi, *Le Hussard sur le toit* est à la fois un grand roman d'aventures imprégné de Stendhal et une œuvre épique où le héros triomphe d'une fatalité qui le dépasse.

HYAKUNIN-ISSHÛ [*Littéralement : Une poésie de cent auteurs,* c'est-à-dire : *Cent poésies, chacune par un auteur différent*]. Célèbre anthologie de poésies japonaises, attribuée au poète Fujiwara no Teika (ou Fujiwara no Sadaie, 1162-1240), qui l'aurait composée pour décorer, avec les feuilles de couleur sur lesquelles il écrivait les pièces choisies, les murs de sa villa située sur les pentes du mont Ogura ; d'où le titre d'*Ogura Hyakunin-isshû* que l'anthologie portait à l'origine. La critique n'est pas d'accord sur la provenance du texte actuel, bien qu'il soit certain que la transcription des originaux est due à l'écrivain Renshô (XIIe siècle). Les auteurs représentés appartiennent à la période qui va du règne de l'empereur Tenki (660-670) à celui de l'empereur Juntoku (1197-1242) ; nous trouvons, parmi les noms les plus connus, Kakinomoto no Hitomaro (VIIe-VIIIe siècle), Kisen Hôshi, Abe Nakamaro (701-770), Mibu Tadamine (867-965) et le compilateur luimême, Teika. Comme il s'agit d'un recueil, il est naturel qu'y apparaissent les styles les plus variés ; mais, au choix des œuvres, on peut se faire une idée du goût de celui qui les a réunies. Certains critiques le jugent plutôt sévèrement, et l'accusent d'avoir beaucoup plus tenu compte de l'usage correct de la langue et de l'étalage d'un art formel que du contenu poétique des pièces choisies. Néanmoins, le *Hyakunin-isshû* a joui et jouit toujours d'une grande popularité ; pendant longtemps, il fut considéré comme un vrai canon poétique, qui exerça une influence notable sur les poètes ultérieurs. Pendant l'époque des Tokugawa (1603-1868), cette anthologie servit de modèle pour la calligraphie (qui, au Japon, est un art véritable), et, à partir du XVIIe siècle, elle entra dans l'usage également comme livre classique pour l'éducation de la jeunesse féminine, et dans les familles comme jeu de cartes (les « utagaruta » ou cartes poétiques), passe-temps encore en grande vogue, qui a procuré une énorme diffusion aux pièces de vers qu'il contient. — Trad. par M. Révon, dans l'*Anthologie de la littérature japonaise,* Paris, 1918.

HYDE PARK. Comédie en cinq actes de l'auteur dramatique anglais James Shirley (1596-1666), représentée pour la première fois à Londres en 1632, à l'occasion de l'ouverture au public du célèbre parc londonien de ce nom, publiée en 1637. L'intrigue, assez mal nouée et qui manque d'unité, se déroule autour de trois femmes de caractères différents : Mme Bonavent, considérée comme veuve et courtisée par Lacy ; Juliette, sœur de Fairfield, courtisée par Trier, puis par lord Bonvile ; et Mme Carol, une coquette, courtisée par Fairfield, Venture et Rider, dont elle se moque. Les courses de Hyde Park constituent le fond du tableau et préparent le dénouement final, mais l'action ne se déroule pas seulement dans ce cadre. Le retour de Bonavent, d'Afrique, où il a été esclave pendant sept ans, empêche que le mariage de celle que l'on croyait sa veuve et de Lacy soit consommé ; pour avoir voulu éprouver l'honnêteté de sa fiancée, Trier perd son amour, et celle-ci épouse lord Bonvile qui avait essayé auparavant de la séduire ; par un stratagème qui consiste à faire promettre à Mme Carol qu'elle ne l'a jamais aimé et qu'elle n'a pas recherché sa compagnie, Fairfield gagne l'amour de la jeune fille capricieuse. Ce dernier détail constitue en quelque sorte une variante de la méthode employée par Petruchio vis-à-vis de Catherine dans *La Mégère apprivoisée* (*) ; cependant les personnages de Carol et de Fairfield rappellent plutôt (par leur esprit capricieux) Béatrice et Benedick de *Beaucoup de bruit pour rien* (*). Écrite entièrement en vers de cinq pieds non rimés, cette comédie est non seulement pleine de mouvement, mais très représentative des mœurs du début du XVIIe siècle. C'est une des mieux réussies de l'auteur. Elle a joui en son temps d'une grande popularité ; elle connut un nouveau succès, après la Restauration, comme nous l'apprend le *Journal* (*) de Samuel Pepys.

HYMNE. Poème de l'écrivain français Pierre Jean Jouve (1887-1976), publié en 1947. Succédant à *La Vierge de Paris* (*) et prolongeant cette œuvre historiquement importante au point que, généralement, les critiques ne s'arrêtent pas à lui, *Hymne* apparaît d'abord comme un immense constat. Le poète, imprégné des horreurs de la guerre, ne se hâte pas de célébrer la liberté et la patrie retrouvées. L'été qui succède au juin dans lequel s'étaient à ses yeux figés Paris et la France ne fait qu'éclairer les ruines, les restes funèbres : « Univers livré aux durs anges / Coupes abîmées sur la mer / Monde en ruine et sales langes / Et peuple de victoire amer. » Le thème du rien, fondamental et absolu, continue de voisiner avec celui de la confiance en l'homme, confiance qui disparaîtra totalement dans les œuvres suivantes. De même la fermeté du ton et de la pensée, qui donne à cette œuvre une homogénéité que ne connaissait pas *La Vierge de Paris*, masque un immense désarroi : « Jamais ne sera chaud l'été / Tant qu'une éternité obscure. » Le poète, par des incantations qui rappellent celles de *Kyrie* (*), se raccroche à ses appartenances : à Arras (sa patrie et celle de Robespierre) dont il sculpte les moments révolutionnaires du fer de l'échafaud ; à la terre française (« et la vierge conduit / Ces pays vrais / Vers l'éternité pure des demeures ») ; à la beauté spirituelle, approchée ici sans l'art qui caractérisera ses dernières œuvres : « La beauté préparant l'éternel en un vase / Où boire, le poème est la création / Quand d'un acte de viol amoureux son extase / Fait toucher l'invisible immédiatement. » En effet, la guerre a considérablement dérangé le projet du créateur, du chercheur, qui s'est vu contraint de sortir de lui-même. Et s'il déclare encore au début d'*Hymne* : « Nous tous dont je suis le chantre », il revient progressivement au thème, ou plutôt au système que son exploration doit établir : l'homme plongé dans la condition charnelle et condamné à mort survit et s'élève grâce aux mystérieuses beautés de la sexualité, au fond de laquelle se trouve la mort, cette mort qui l'accomplira lui et son œuvre, laquelle survivra : « Je suis démesuré par cette mort j'arrive / À ce lieu que l'on nomme amour irréparable / Contemple morte aimable / Contemple la promesse... » Et le sang de *Sueur de sang* (*) réapparaît : « Lui, tout ! je le transporte assassiné / Son sang sur mon épaule et son poids de beauté / Car Éros en mourant ne faiblit pas d'aimer. » Aussi « l'irréelle Cité des nations / Crues et nues et criminelles dans l'ombre » l'emporte sur le site de *La Vierge de Paris*, mais Jouve dessine avec un art extrême les abords et profils du Louvre : « J'étais seul / Sur cet horizon de pierre et de destin / Sur cette vénérable et douce grisaille / De très dures demeures / D'arbres mobiles verts... » C'est qu'il voit là la main de l'homme artiste qui a dressé l'architecture « droit contre nature », en « remplissant tous les bords ». De l'homme, seule sera considérée désormais la main qui lègue musique et poésie. Il met en elle toute son espérance.

HYMNE ACATHISTE [Ακαθιστος ὕμνος]. C'est le plus fameux des hymnes de la liturgie orthodoxe, ainsi appelé parce que les fidèles en chantent solennellement une partie « debout » tous les vendredis de Carême ; plus solennellement encore — et en entier — le samedi de la quatrième semaine du Carême pascal. L'époque de la composition et le nom de l'auteur sont très discutés : la date, elle-même, est si incertaine qu'il existe un écart de cinq siècles entre les hypothèses extrêmes qui ont été faites à ce sujet. Suivant l'opinion la plus répandue, quoiqu'insuffisamment prouvée par des documents valables, l'hymne aurait été composé d'un seul jet par le patriarche Serge à l'occasion de la levée du siège de Constantinople par les Avares, le 7 août 626. Le patriarche, qui avait été l'âme de la défense, en inspirant aux défenseurs une foi inébranlable dans l'aide de la Vierge, aurait ensuite élevé jusqu'à Elle un cantique de remerciement. Il paraît toutefois que l'hymne existait déjà avant cette date, et qu'à cette occasion il ne fut que chanté solennellement. D'aucuns en attribuent la paternité à Apollinaire le Jeune, de Laodicée (IVe siècle), versificateur médiocre qui transposa les psaumes en centons classiques ; d'autres encore, et avec plus de fondement, à Romanos le Mélode (VIe siècle). On a trouvé, en effet, des ressemblances de style et des correspondances de doctrine entre les compositions de ce dernier et l'hymne. Certains l'ont attribué à Georges Pisidès (VIIe siècle) ; d'autres proposèrent les noms du patriarche Photius et de son disciple Georges de Nicomédie (VIIe siècle). En réalité, on ne possède aucune documentation sûre à ce sujet, mais il semble certain que l'Hymne n'est pas postérieur au VIIe siècle. Il commence par un exorde dans lequel la ville libérée élève « à l'invincible conductrice un chant de victoire » et adresse à la Vierge Théotokos un chant de gratitude pour l'avoir libérée d'un péril imminent, ainsi qu'une prière pour obtenir sa protection dans tous les maux à venir. Viennent ensuite vingt-quatre stances ordonnées en acrostiche alphabétique, qui se terminent alternativement par le mot « alléluia » et par des salutations, dont la plus usitée est « Salut, ô chaste épouse ». Ensuite vient le thème de l'Annonciation et de l'Incarnation du Verbe, inséré dans un chœur de louanges à la Vierge. L'*Hymne acathiste* est un des hymnes les plus beaux de la liturgie orthodoxe ; c'est justement en raison de sa beauté qu'il survécut à la réforme liturgique de l'Église grecque.

HYMNE DE L'UNIVERS. Œuvre du père Pierre Teilhard de Chardin (1881-1955), philosophe français, publiée posthume en 1961. Ce recueil, dont le titre est fictif, comporte deux parties, d'abord le texte in extenso de trois grands poèmes mystiques : « La Messe sur le monde », « Le Christ dans la matière », « La Puissance spirituelle de la matière » ; ensuite des pensées choisies, classées sous quatre chefs : « Présence de Dieu au monde », « L'Humanité en marche », « Sens de l'effort humain », « Dans le Christ total ». Insistons sur la première partie, dont nous étudierons les pièces par ordre chronologique. 1) « Le Christ dans la matière, trois histoires comme Benson. » Certains contes, inspirés de loin par Robert Hugh Benson, romancier et prélat anglais, ont été conçus le 9 et achevés le 14 octobre 1916 à Nant-le-Grand, avant l'affaire de Douaumont (Verdun). Nous assistons à la première émersion de la mystique panchristique : le Sacré-Cœur, perçu en son essence comme énergie de rayonnement, commence à faire irruption dans le milieu cosmique. Dans « Le Tableau », Teilhard contemple un tableau représentant le Christ, avec son cœur offert aux hommes, et ce tableau s'anime et s'irradie à travers la matière jusqu'à ce que l'univers puissant et multiple prenne la figure du Christ. Dans « L'Ostensoir », la sphère blanche de l'hostie grandit et se diffuse dans l'espace, et capte toute la puissance d'aimer contenue dans l'univers. Dans « La Custode », Teilhard se communie lui-même, entre en contact avec l'infinité divine, et par une substitution merveilleuse, l'hostie se dérobe par sa surface, et le laisse aux prises avec tout l'univers reconstitué d'elle-même, tiré de ses apparences — révélation de l'univers placé entre le Christ et Teilhard comme une magnifique proie. Ainsi donc, par les effets assimilateurs de l'Incarnation et de l'Eucharistie, le Christ est présent partout dans la matière. 2) « La Puissance spirituelle de la matière » a été conçue le 2 et terminée le 8 août 1919 à Jersey. Ce poème en prose, d'allure allégorique et d'une rare beauté, est inspiré par *La Bible* (*Genèse* : lutte de Jacob contre l'ange, cf. la fresque de Delacroix ; *Livre des rois* : le prophète Élie enlevé au ciel). Il représente une découverte mystico-philosophique. Teilhard, luttant avec la matière comme Jacob avec l'ange, en découvre la diaphanie (transparence) christique, car c'est la matière qui le portera jusqu'à Dieu, puisque Dieu rayonne au sommet de cette matière dont les flots lui apportent l'esprit. 3) « La Messe sur le monde » : ce poème du feu, dont les rythmes larges égalent Chateaubriand, a été conçu dès le 28 août 1918 à Carlepont, mais n'a été réalisé qu'en Chine, après le choc existentiel provoqué par l'Extrême-Orient (révélation de l'immensité de la Terre et de l'Humanité). Repris le 6 août 1923, fête de la Transfiguration, dans les Ordos (Mongolie intérieure), le poème a été rédigé à Tientsin en décembre 1923 : en plein désert des Ordos, privé de dire sa messe, Teilhard offre à Dieu, sur l'autel de la Terre entière, le travail et la peine du monde. Le déroulement du poème est liturgique, sans que l'œuvre vise en rien à créer une nouvelle liturgique : « L'Offrande », « Le Feu au-dessus du monde », « Le Feu dans le monde »,

« Communion », « Prière ». Ainsi, par-delà l'hostie transsubstantiée, l'opération sacerdotale s'étend au cosmos lui-même et la matière subit, lentement et irrésistiblement, la grande consécration. La transsubstantiation s'auréole donc d'une divinisation réelle, bien qu'atténuée, de l'univers et retentit sur lui.

HYMNE EN TOUT TEMPS [*Himnusz minden idöben*]. Recueil de poèmes du poète hongrois Làszló Nagy (1925-1978), paru en 1965, après huit ans de silence. Initialement enthousiasmé par les perspectives que le socialisme ouvrait à la campagne hongroise, il avait dans ses premiers poèmes chanté l'espoir de progrès qui l'animait. Quand il reprend la parole, la tonalité a changé. Toujours très soucieux de la forme, une forme rythmée, jamais totalement libre, structurellement musicale, il se tourne vers une poésie plus abstraite, en même temps plus personnelle et plus universelle. Nagy est un poète éminemment vital. Même s'il doute de la raison (« Où es-tu, fulgurante énergie, espérance où es-tu ? En vain vous cherchez la raison »), même si la mort (« arbre de mort montant jusqu'aux étoiles ? ») est très présente, la couleur qui caractérise cette poésie est le blanc, un blanc lumineux, le blanc du gel et de la neige baignés par le soleil ; de plus, le chant est rédempteur. Sa poésie est visionnaire (*L'Ange vert, Le Blason de la ville* avec son noir soldat), avec un langage de plus en plus riche, dense, audacieux, avec des associations de mots et de concepts puissantes et originales : « Qui donc construira pour des croyances écroulées des cathédrales de jurons ? » *Hymne en tout temps* annonce d'emblée la toute-puissance du poète : « C'est moi qui ai ici tous les pouvoirs. » Il se compose de quelques séries de poésies isolées (*La Fée qui aboie du sang, Fleurs et Dangers, Vie qui brise les os*) et de quelques poèmes d'une dizaine de pages, qui constituent de saisissants tableaux. Citons *Les Adieux du petit cheval* et *La Noce*. Dans le premier, un monologue révèle la douleur du petit cheval, qui aime à galoper dans la neige fraîche, devant les changements qui bouleversent la vie du village. De par sa sensibilité, on pourrait qualifier Nagy de poète « écologique ». Mais sa fantaisie, le traitement en même temps baroque et surréaliste auquel il soumet ses thèmes, ne se laisse pas réduire à un simple message. Dans *La Noce* un couple, seul sur le rocher devant la mer, se fond avec l'environnement alors que la noce, oubliant les jeunes époux, continue. La solitude est un thème présent chez Nagy ; mais elle n'est jamais sans issue. Elle aboutit à une fusion avec la nature — qui pour Nagy reste structurante (*La Prière du vent brûlant*). De plus, dans quelques poèmes, Nagy rend hommage aux grands noms de la culture hongroise qui lui sont proches : le peintre Csontvàry, le compositeur Béla Bartók, le poète Attila József.

E. T.

HYMNES d'Ambroise. L'une des œuvres les plus connues et les plus significatives du grand évêque de Milan (né entre 333 et 340 mort en 395) ; elle fut cause que l'Occident considéra saint Ambroise comme le père de cette forme d'art populaire ecclésiastique. En réalité, saint Ambroise fut précédé dans ce domaine par saint Hilaire de Poitiers — v. *Hymnes* (*) — qui, s'inspirant probablement des chants ecclésiastiques grecs qu'il avait connus pendant son exil, avait composé des chants religieux. Mais cette tentative avait tourné court. Le sort destiné à l'activité de saint Ambroise dans ce domaine fut bien différent. Avec ses *Hymnes*, il a vraiment créé un élément essentiel de la liturgie occidentale. Les circonstances qui poussèrent l'évêque de Milan à introduire le chant dans les offices sont, elles aussi, d'un intérêt particulier ; elles constituent l'un des épisodes les plus singuliers de la lutte de l'orthodoxie contre la tentative, faite par l'empereur, d'imposer par la force l'arianisme en Occident. Nous nous trouvons en 386, dans la semaine qui précède Pâques : l'impératrice Justine, toute-puissante à la cour de son fils Valentinien, avait ordonné que la basilique Porzia, qui se trouve hors des murs de Milan, fût remise aux ariens et, en particulier, à leur évêque Auxence, pour l'exercice séparé de leur culte. Ambroise avait résolument refusé et, pour empêcher un acte de violence, il avait fait occuper la basilique et ses abords immédiats par la masse de ses fidèles, se tenant lui-même parmi eux, décidé à subir un siège en règle plutôt que de remettre la basilique. C'est en quelque sorte pour tenir en éveil l'enthousiasme de ses fidèles, qui stationnaient jour et nuit dans la basilique, que saint Ambroise eut alors l'idée de composer des hymnes sacrées, pour qu'elles fussent chantées en chœur. Le fait de chanter en chœur constituait une nouveauté liturgique singulière et offrait en même temps aux fidèles de Milan un instrument de lutte facile contre les ariens, les hymnes exprimant, sous une forme poétique, la foi orthodoxe en la Trinité. Saint Ambroise lui-même était bien conscient de l'efficacité de ce singulier instrument de propagande : « Qu'y a-t-il de plus puissant que cette proclamation de la Trinité célébrée chaque jour par la bouche de tout un peuple ? Tous s'efforcent à l'envi d'affirmer leur foi, tous ont appris à célébrer dans mes vers la divinité du Père, du Fils et du Saint-Esprit. » Les ariens eux-mêmes furent déconcertés et, à défaut d'autres griefs, ils prétendirent que par ses poésies Ambroise trompait le peuple. Mais l'usage en demeura désormais lié à la tradition liturgique occidentale. Paolino, le biographe d'Ambroise, écrit : « Depuis ce temps, dans l'église de Milan, on commença à chanter régulièrement antiennes, hymnes et vigiles ; et dès lors cette dévotion demeura et s'affermit, non seulement dans la ville de Milan elle-même, mais encore s'étendit à presque toutes les provinces de l'Occident. »

Des nombreuses *Hymnes* qui nous sont parvenues sous le nom de saint Ambroise, quatre d'entre elles sont sûrement authentiques : « Dieu créateur de toutes choses » [Deus creator omnium], une hymne de remerciement pour le jour écoulé, implorant de Dieu protection et préservation du péché pendant la nuit qui s'approche ; elle fut composée vers 368 au plus tard ; c'est l'hymne même qu'entonna saint Augustin le soir des funérailles de sa mère Monique ; « Éternel fondateur des choses » [Aeterne rerum conditor], hymne merveilleuse pour saluer le jour qui se lève ; « Déjà naît l'heure tierce » [Jam surgit ora tertia] chante la mort du Seigneur, crucifié lors de la troisième heure du jour, selon l'*Évangile* (*) de saint Marc ; « Écoute, toi qui gouvernes Israël » [Intende, qui regis Israel] est un chant de Noël qui commémore l'incarnation de Jésus, fils de Dieu ; il a un contenu dogmatique et il s'inspire clairement de la polémique contre les ariens. Huit autres *Hymnes* sont probablement de saint Ambroise, mais l'attribution n'en est pas très certaine : « Splendeur de la gloire paternelle » [Splendor paternae gloriae], un chant pour le matin ; « Ô Très Haut qui illumines » [Illuminans altissimus], pour l'Épiphanie ; « Nouveaux remerciements à toi, ô Jésus » [Grates tibi, Jesu, novas], une hymne de remerciement pour la découverte des reliques de saint Gervais et de saint Protais ; « Apostolorum supparem », en l'honneur de saint Laurent ; « Victor, Nabor, Félix, pieux » [Victor, Nabor, Felix, pii], en l'honneur des trois saints martyrs ; « La Passion des Apôtres » [Apostolorum passio], sur la passion de saint Pierre et saint Paul ; « Ce jour est le vrai jour de Dieu » [Hic est dies verus Dei], pour Pâques ; « Agnès de la bienheureuse Vierge » [Agnes beatae virginis], en l'honneur de sainte Agnès.

Les *Hymnes* doivent généralement être chantées en chœurs alternés. Les vers sont métriques (c'est-à-dire construits selon le principe de la quantité des syllabes) et non rythmiques (selon la mesure de l'accent des syllabes elles-mêmes), bien que souvent, et non par hasard, l'accent tonique et l'ictus (temps fort) du vers coïncident. Le mètre préféré est un type de dimètre ïambique acatalectique d'intonation populaire qui, précisément parce qu'il fut employé par saint Ambroise, devint le mètre par excellence de la poésie religieuse médiévale et, avec l'hexamètre et le distique élégiaque, l'un des mètres les plus connus de la poésie latine au Moyen Âge. Nous devons rappeler ici l'hymne ecclésiastique la plus célèbre, qui fut souvent attribuée à saint Ambroise : le *Te Deum*, qui aurait été entonné par saint Ambroise le jour du baptême de saint Augustin, à Milan, le 24 avril 387. En vérité, le *Te Deum* n'est pas dû à saint Ambroise et, selon toute probabilité, il est l'œuvre de Nicétas, évêque de Remesiana (l'actuelle Palanka, près de Nich) dans la Dacie inférieure, qui vécut dans les premières années du Ve siècle.

HYMNES de Callimaque. Six hymnes composés en l'honneur des dieux par Callimaque, le plus illustre des poètes grecs de l'époque alexandrine (315/310-240 av. J.-C. environ). De l'abondante production poétique de Callimaque, le livre des *Hymnes* est, avec les *Épigrammes,* la seule œuvre qui nous soit parvenue en entier. La datation des *Hymnes* (à Zeus, à Apollon, à Artémis, à Délos, pour le bain de Pallas, à Déméter) ne peut être établie de façon certaine, mais il est probable que leur composition s'étale tout au long de la carrière de Callimaque : le plus ancien est le premier, l'*Hymne à Zeus* (283-282 av. J.-C.), et le plus récent est le deuxième, l'*Hymne à Apollon* (postérieur à 246). La langue traditionnelle du genre hymnique est le dialecte ionien et le mètre typique en est l'hexamètre ; Callimaque fait donc preuve d'une innovation hardie en employant une langue littéraire à forte coloration dorienne dans les deux derniers hymnes et le distique élégiaque dans le cinquième. Ce mélange de respect de la tradition et d'innovations se retrouve dans le contenu des hymnes. Ainsi, par exemple, l'*Hymne à Zeus* contient plusieurs éléments traditionnels : première place dans un recueil d'hymnes consacrée à Zeus, le plus important des dieux ; évocation et description de ses qualités et de ses fonctions ; conclusion sous forme d'un congé du poète à la divinité. Mais de nombreux détails témoignent de l'originalité et de l'invention de Callimaque : le premier vers indique que la célébration du dieu n'a pas pour cadre une cérémonie religieuse, mais un banquet ; le poète, plein d'humour, résout le problème érudit du lieu de naissance de Zeus (Crète ou Arcadie) en rejetant la version crétoise, sous prétexte que les Crétois sont des menteurs ; dans le récit de la naissance du dieu en Arcadie, Callimaque insère avec grâce des détails recherchés sur les cours d'eau et les nymphes de la région ; une polémique sur un détail du mythe de Zeus (la manière dont Zeus et ses deux frères aînés se sont réparti la souveraineté sur le monde) recèle une allusion aux querelles de Ptolémée Philadelphe et de ses frères pour le pouvoir ; enfin l'éloge de Philadelphe est habilement amené en conclusion du lien établi entre le souverain du monde et les souverains de la terre. Une telle variété est caractéristique de l'ensemble du recueil où alternent humour, érudition, scènes pittoresques, plaisantes ou poignantes. L'*Hymne à Apollon* contient un éloge de Cyrène, patrie du poète, et se termine par une polémique littéraire. L'*Hymne à Artémis* allie précisions érudites et épisodes très amusants (visite de la déesse aux Cyclopes, gloutonnerie d'Héraclès). La partie centrale de l'*Hymne à Délos* est consacrée à la scène dramatique de la fuite des cités, des contrées, des fleuves et des îles qui, par peur d'Héra, refusent d'accorder un asile à Létô sur le point d'accoucher. Dans l'*Hymne pour le bain de Pallas* est évoquée la ferveur religieuse des Argiennes, qui attendent l'épiphanie d'Athéna ; l'interdiction faite aux hommes d'assister à la cérémonie est illustrée par l'histoire de Tirésias, rendu aveugle par la déesse, parce qu'il l'avait vue nue au bain. Dans l'*Hymne à Déméter* est narrée la punition du sacrilège Érysichthon, condamné à une faim insatiable par la déesse de la fertilité, sur un ton tantôt dramatique, tantôt ironique. — Trad. Les Belles Lettres 1972. O. R.

HYMNES de Fortunat [*Carmi*]. Recueil en onze volumes de poèmes dus à Saint Fortunat (Venantius Honorius Clementianus Fortunatus, 530 ?-600 ?), poète latin chrétien qui, né en Italie, passa la plus grande partie de sa vie en Gaule. Ces quelque trois cents *Hymnes*, différentes par le genre et le sujet, sont disposées sans ordre préétabli ; on attribue généralement une importance particulière aux hymnes *Pange lingua* (*), *Vexilla regis prodeunt* (*) et *Agnoscat omne saeculum*. Le distique élégiaque est le mètre le plus employé, alors que les formes usitées dans la poésie lyrique classique sont très rares. De nombreux panégyriques exaltent les hauts faits de saints et de martyrs tels que saint Médard, Saturnin, évêque de Toulouse, ou encorc sainte Agnès, protectrice spirituelle de Fortunat ; d'autres panégyriques sont consacrés à diverses personnalités ecclésiastiques, aux rois mérovingiens et à certains hauts dignitaires. Composée en l'honneur de l'archevêque de Bordeaux, Léonce, l'hymne *Agnoscat omne saeculum* est écrite en ïambes acatalectiques, assez fréquemment rimés. L'auteur avait déjà consacré à ce prélat, qui l'honorait de sa protection, un panégyrique écrit en distiques élégiaques. L'hymne qui suivit célèbre le retour inattendu de l'archevêque, dont ceux qui se disputaient la succession avaient déjà annoncé la mort. Le poète attaque ces prêtres indignes qui médisent du pouvoir que Dieu leur accorde. L'arrivée de Léonce met fin à la lutte. En pasteur sagace et bien inspiré, il remettra sur la bonne voie son troupeau qui s'égarait. Le peuple exulte et s'unit au poète, et l'hymne s'achève par un mouvement dont l'élan et l'ampleur sont dignes des chœurs antiques. Encore que la recherche formelle soit minutieuse et que les artifices de rhétorique abondent, l'ensemble est vivant et émouvant, et peut être considéré comme une des compositions les plus importantes et les mieux réussies de l'époque, au même titre que le *Vexilla regis prodeunt*, du même auteur. Cette hymne entra très tôt dans la liturgie. Elle est formée de strophes de quatre vers, en ïambes acatalectiques, dans lesquelles la rime se rencontre fréquemment, mais sans ordre bien déterminé. Elle fut écrite à l'occasion de la remise d'une relique de la vraie Croix, faite par l'empereur Justin à Radegonde, la protectrice et l'amie spirituelle de Fortunat. L'hymne débute par une description émouvante de la Croix, à laquelle succèdent différentes images de la Passion et un commentaire de la prophétie de David sur le Christ. Puis le poète se tourne avec douleur vers cette croix qui fut jugée digne de porter les membres divins, « arbre orné de la pourpre royale, bois parfumé d'arômes dont la saveur est plus douce que le nectar, orgueilleux de son fruit fécond, témoin du noble triomphe du Christ ». Les approximations dans la forme, les barbarismes disparaissent sous le flot de sentiments sincères, qui émeuvent le poète et lui inspirent des accents d'une rare fraîcheur.

D'autre part, on ne peut dénier un grand intérêt archéologique aux nombreuses poésies que Fortunat écrivit à l'occasion des consécrations d'églises et de monuments ; l'auteur les décrit tous avec minutie : que ce soit l'église de Saint-Martin, que fit construire à Tours saint Grégoire, ou l'église qu'édifia à Nantes saint Félix. Notons également les épithalames, les épitaphes (qui à elles seules constituent le livre IVe) et les épigrammes : ces diverses poésies présentent un intérêt évident pour la connaissance de l'histoire et de la civilisation de l'époque. Enfin, quelques lettres brèves, adressées le plus souvent à Radegonde et à Agnès, les pieuses amies de Fortunat, ont un caractère spontané qui permet d'entrer dans l'intimité du poète. Parmi les lettres en vers, la plus remarquable est celle qui relate un voyage sur la Moselle, de Metz à Andernach, lettre qui témoigne de la sensibilité du poète en face de la nature. Quoi qu'il en soit, le nom de Fortunat mérite d'être sauvé de l'oubli pour ses *Hymnes*, où l'auteur a mis le meilleur de lui-même : fraîcheur et originalité dans les descriptions de la nature, profondeur des sentiments et des affections, réalisme non dépourvu d'une veine comique et satirique. Cependant Fortunat n'échappe pas à un défaut littéraire fort commun à son époque : son style est pompeux. On a voulu voir dans ses œuvres, et à juste titre, le dernier écho de la poésie au seuil du Moyen Âge. — Trad. Nisard et Rittier, Paris, 1887 ; et dans A. Poizat, *La Poésie latine... du ve au VIIe siècle*, Lyon, 1903.

HYMNES de George [*Hymnen*]. C'est le premier recueil de poèmes publié par le poète allemand Stefan George (1868-1933). Il parut en 1890, dans une édition à tirage limité à cent exemplaires et dédié à Carl August Klein, « fidèle ami de jeunesse » : ce ne fut que plus tard, en 1899, qu'il fut augmenté de *Pèlerinages* (*) et d'*Algabal* (*), et publié en un seul volume dans une édition courante et définitive. Son titre ne lui vient pas d'une forme particulière de versification ou de la solennité d'un thème plus ou moins religieux, mais d'une élévation constante du ton et d'un sentiment d'adoration envers la beauté qui transparaît dans chaque image. George, qui combina dans son œuvre les tendances de nos symbolistes et de nos parnassiens, ne dissimulait pas ce qu'il devait à Verlaine, Villiers et surtout Mallarmé. Initié, en effet, aux nouveaux « rites et cultes » de l'art entendu comme religion, il se découvre lui-même comme un « sacerdos magnus et pontifex », doué d'une faculté personnelle de création verbale. C'est dans les *Hymnes* justement qu'apparaissent pour la première fois tous les signes distinctifs qui feront son style : d'une attitude de fier détachement à la gravité de l'engagement poétique, des larges sonorités verbales à la netteté et à la précision du ton, de l'élimination de la ponctuation à l'abolition des majuscules initiales dans les substantifs. Les thèmes — « Ordination », « Agapes d'Amour », « Métamorphoses », « Dans un parc », « Sur la terrasse », « Plein été », « Hymne nocturne », etc. — rappellent ceux de nos symbolistes, mais ce n'est là que prétextes. L'inspiration est constituée en substance par le bonheur conscient d'une « puissance d'évocation » saisie dans le cercle bref et complet d'une harmonie verbale, l'exaltation consciente de pouvoir concrétiser ce qu'il y a de plus ineffable dans la vie. Certes, on peut y déceler l'ivresse solitaire de Narcisse, qui s'éprend de sa propre image en la contemplant dans les mots, et une préciosité du vers se suffisant à elle-même. Néanmoins, certains motifs sont déjà traités de main de maître : le célèbre sonnet sur « Un tableau de Fra Angelico » par exemple, où la transposition verbale d'un motif pictural — « *Le Couronnement de la Vierge* » — est menée avec une ravissante similitude de touche. Si, dans l'ensemble, les *Hymnes* ne constituent pas, au sens étroit du terme, « un point de départ », ils n'en sont pas moins un des moments décisifs dans l'expérience du poète. Le recueil contient les éléments déterminants de la profonde influence que le poète exercera sur ses disciples et sur le public. — Trad. Aubier, 1941.

HYMNES d'Hilaire de Poitiers. À la fin du siècle dernier fut découvert à Arezzo un manuscrit provenant du Mont-Cassin, contenant trois hymnes de saint Hilaire (vers 315-367), théologien latin, évêque de Poitiers, premier docteur de l'Église. Il n'y a aucun doute sur l'authenticité de ces hymnes. Aucune des trois n'est achevée : les quatre dernières strophes manquent à la première, écrite en strophes asclépiades secondes (c'est-à-dire composées d'un vers glyconien suivi d'un asclépiade mineur) ; elle est alphabétique et traite d'un sujet dogmatique : les rapports du Christ avec Dieu le Père. La seconde, « Fefellit saevam », également alphabétique, est en sénaires ïambiques ; les cinq strophes du début manquent. Dans cette hymne, saint Hilaire élève vers le ciel un chant de joie pour la libération de l'âme délivrée de la crainte de la mort, libération rendue possible par la mort du Christ et le baptême qui en est le symbole. La troisième hymne, « Adæ carnis gloriosae », n'est pas terminée ; écrite en tétramètres trochaïques catalectiques, elle célèbre la première victoire de l'Adam céleste, le Christ, sur Satan. Hilaire, adversaire acharné de l'arianisme, commença à composer ces *Hymnes* durant son séjour en Orient, où il adopta la méthode de ses ennemis, lesquels trouvaient que la poésie avait une action efficace sur les âmes des fidèles. Bien que, contrairement aux autres écrivains chrétiens, Hilaire ait déclaré attacher une grande importance à la forme, ses *Hymnes* sont techniquement imparfaites ; certains passages toutefois ne manquent pas de chaleur, de sentiment et d'éloquence. Elles sont les premières de la littérature chrétienne et ont exercé une notable influence sur saint Ambroise qui, écrivant lui aussi des *Hymnes* (*) pour la lutte contre les ariens, a certainement pris pour modèle son unique précurseur, saint Hilaire de Poitiers.

HYMNES de Kasprowicz [*Hymny*]. C'est une des œuvres prépondérantes du poète polonais Ján Kasprowicz (1860-1926), publiée en 1902. Les *Hymnes* sont au nombre de huit : dans le premier, « Dies irae », le poète, reprenant le chant d'Église qui porte ce titre, imagine, dans un puissant enchevêtrement de thèmes religieux et de conceptions spirituelles propres à son époque, la terreur du jugement universel et du châtiment des pécheurs. Dans « Salomé », l'âme du poète semble se débattre, incertaine, entre le bien et le mal, entre Dieu et Satan ; son hésitation est le symbole même des luttes du genre humain perdu au milieu du chaos de cette vie trompeuse. « Dieu saint, Dieu puissant ! » reprend les premières paroles d'un chant liturgique très en faveur chez le peuple polonais, qui avait coutume de le chanter pour invoquer la miséricorde divine à l'occasion des grands malheurs. C'est une sorte de cri désespéré de l'âme affligée, qui aspire de toutes ses forces à la paix, âme du poète lui-même souffrant des misères de ce monde et souhaitant la quiétude éternelle d'une tombe placée dans un coin perdu de sa terre natale. Cet hymne, qui est, avec le suivant, l'un des plus puissants du recueil, est l'expression lyrique d'un désespoir prométhéen, où la sensation de l'éloignement de Dieu pousse le poète à invoquer Satan. « Mon chant tardif » témoigne au contraire d'une espèce d'apaisement de l'esprit qui a, en quelque sorte, dominé le désespoir et la lutte. L'« Hymne de saint François », qui vient ensuite, marque un éloignement profond pour cet état d'âme. Beaucoup moins puissant dans le contenu et dans la forme que les deux précédents, il consacre une sorte de réconciliation, peut-être un peu forcée, du poète avec la mort, à travers laquelle il paraît vouloir arriver jusqu'à Dieu. La souffrance mène à l'amour, au bonheur, à Dieu ; mais l'amour, né de la souffrance, ne peut éloigner la mort du monde, et elle n'est que résignation. La foi du poète paraît s'affermir avec les derniers hymnes du recueil : « Salve Regina », « Judas » et l'« Hymne de Marie l'Égyptienne ». Dans ce dernier, l'humanité tout entière est comparée à Marie l'Égyptienne qui, ayant entendu la bonne nouvelle, a le pressentiment d'un bien surnaturel et va à sa rencontre. Sur son chemin, il y a la mort, et Satan ricane, car il sait que dans ce monde tout est misère. Mais voici que surgit l'apparition de saint François, qui se charge du fardeau de tous les péchés des hommes, pour arriver à l'amour, dans lequel l'esprit trouvera sinon sa propre libération, tout au moins son propre rachat.

HYMNES de Paulin. Œuvre poétique de l'écrivain latin Paulin d'Aquilée (730/740-802), maître de grammaire à la cour de Charlemagne, élu ensuite patriarche d'Aquilée. L'œuvre de Paulin est restreinte et pleine d'incertitudes quant à son authenticité. Sa « Règle de la foi » [Regula fidei], en cent cinquante et un hexamètres de faible valeur poétique, est une profession de foi de caractère purement théologique, qui sied à un dignitaire ecclésiastique, collaborateur d'un grand prince chrétien dans la lutte contre les hérétiques et dans la conversion des infidèles. À la fin de la « Règle » se trouve un curieux « Avis au lecteur », en prose, dans lequel Paulin semble très peu tenir compte de la métrique et des finesses de la forme. Paulin fut sans doute beaucoup plus attiré vers la poésie rythmique populaire, très répandue de son temps. Ainsi il pleura avec des accents émus la mort prématurée sur le champ de bataille de son ami Eric, le valeureux duc de la Marche de Frioul : le célèbre hymne, « Versus Paulini de Herico duce », en quatorze strophes de cinq trimètres ïambiques chacune, est, dans son genre, le premier « planctus » parvenu jusqu'à nous. Un autre hymne, incomplet, qui compte vingt-huit strophes de quatre vers, narre, en suivant fidèlement le texte de l'*Évangile* (*) selon saint Jean, le miracle de la résurrection de Lazare (« Versus Paulini de Lazaro »). La fameuse et vivante complainte sur la destruction irréparable d'Aquilée par Attila (« Versus de destructione Aquilegiæ numquam restaurandæ ») fut jadis attribuée à Paul Diacre. On sait aujourd'hui qu'elle fut écrite par Paulin. C'est un hymne « abécédaire » en vingt-trois strophes ; chaque strophe est composée de trois trimètres ïambiques avec un quatrième vers à chaque finale. Du même mètre est l'Hymne en quarante-deux strophes sur la naissance de Jésus (« De nativitate Domini nostri Jesu Christi ») et sur les événements de sa vie jusqu'au massacre des Innocents. Comme ce fut le cas pour l'hymne sur la résurrection de Lazare, le texte suit d'assez près celui de l'*Évangile*. On attribue généralement à Paulin un autre « abécédaire », de la même composition rythmique que le précédent, en vingt-trois strophes, plus une doxologie terminale à la louange de la Très Sainte Trinité. C'est une confession de ses propres péchés (« Versus confessionis de luctu pœnitentiæ »), un acte de foi en même temps qu'une demande de pardon. Notons que certains manuscrits attribuent cet hymne à saint Hilaire, évêque de Poitiers. Pour d'autres hymnes sacrés, anonymes, mais que la critique voudrait attribuer au patriarche d'Aquilée d'après un témoignage précis de Walahfrid Strabon (808 env.-849), le doute, quant à leur authenticité, subsiste.

HYMNES de Proclus. Ces *Hymnes* (au nombre de six) du philosophe grec néoplatonicien Proclus de Constantinople (412-485) sont dédiés aux divinités païennes. Ils ont beaucoup de traits communs – quant à leur forme et à leur fond – avec les plus anciens *Hymnes homériques* (*) et orphiques, et avec les *Hymnes* (*) de Callimaque ; mais ils portent le cachet hautement spirituel de la personnalité du poète-philosophe qui les a composés. Ils sont respectivement consacrés au soleil, à Aphrodite, aux muses, à Hécate, à Janus et à Athéna ; le plus long et le plus complexe est l'hymne à Athéna. La première partie de chaque hymne comprend une louange du dieu célébré ; vient ensuite une prière dans laquelle le poète, loin de demander les richesses, la gloire ou les honneurs, demande de pouvoir être exempt de fautes et de passions, de façon à pouvoir être admis à la contemplation du divin. Les *Hymnes* de Proclus sont animés par la chaleur d'une foi sincère. La forme, qui se rapproche du genre épique, est riche – comme le langage poétique de l'époque – de termes archaïques et scientifiques. Dans la langue comme dans la technique de l'hexamètre, l'influence de Nonnos est évidente.

HYMNES de Romanos le Mélode. C'est sous ce titre que l'on désigne généralement les cantiques [Κοντάκια] composés par l'écrivain religieux byzantin Romanos le Mélode. L'auteur, un Juif de Syrie converti au christianisme, vécut au moins jusqu'en 555. Il ne reste de lui guère plus de quarante cantiques, dont quelques-uns sont encore inédits. Mais ce qui est connu suffit pour assurer la gloire de Romanos et pour justifier son titre de « prince des mélodes » ; c'est d'ailleurs ainsi que les Anciens l'appelaient. L'inspiration de Romanos est exclusivement religieuse : aussi, pour comprendre la valeur de ses compositions, faut-il tenir compte du fait qu'on les exécutait, durant la liturgie dont elles faisaient partie, devant les fidèles. Une légende rapporte que l'inspiration poétique de Romanos était due à un miracle : pendant une veille de Noël, alors qu'il devait composer un cantique pour la fête religieuse, il se vit à ce point dépourvu de toute inspiration qu'il en vint à désespérer de ses capacités ; s'étant endormi, il reconnut en rêve la Vierge, qui lui ordonna d'avaler un rouleau de parchemin. À son réveil, il se sentit si puissamment inspiré, qu'il composa ce « Noël » que l'on considère à juste titre comme étant son chef-d'œuvre. Dans cette pieuse légende, on découvre la véritable signification de la poésie de Romanos et aussi, peut-être, l'humilité du poète, qui attribuait à la Vierge le mérite de son œuvre. Les thèmes, traités avec une certaine monotonie, ne diffèrent pas de ceux qu'on tirait d'habitude des différentes fêtes de l'année ; très célèbres sont : l'« Hymne de Noël », la « Présentation au Temple », etc. La métrique, libérée désormais des lois de la prosodie, est celle qu'on employait communément à cette époque : fondée sur l'accent tonique et le nombre des syllabes, ce qui fait que l'harmonie du vers est intimement liée à l'élément musical. Chaque cantique ou hymne, appelé « kontàkion », est précédé par un court poème d'une ou deux petites strophes appelées « koukoulion » [κουκούλιον], le cantique proprement dit comprend de dix-huit à vingt-quatre strophes [τροφάρια] ; à la suite de chaque strophe vient un refrain de deux ou trois vers, entonné par les fidèles. Le style est élevé, intimement poétique, surtout lorsque Romanos donne libre cours à la profondeur et à la puissance de son sentiment religieux, sans entrer dans les polémiques théologiques, comme cela lui arrive quelquefois. Le caractère fortement lyrique de ces *Hymnes* tient essentiellement à la forme dramatique adoptée par l'auteur : ainsi les personnages mis en cause par le récit acquièrent un relief et une puissance beaucoup plus grands ; à ce titre, les *Hymnes* de Romanos constituent une première tentative de ce « théâtre sacré » que les Byzantins aimaient tant, et qui eut une si grande influence, même sur la littérature occidentale.

HYMNES de Ronsard. Œuvre en deux livres du poète français Pierre de Ronsard (1524-1585), dont le premier fut publié en 1555 et le second en 1556. Elle a été, à plusieurs reprises, profondément remaniée. Dans l'édition de 1584, le Livre Ier comprend les éloges solennels des plus célèbres personnages du temps, tels que Henri II et le cardinal de Lorraine, ainsi que des hymnes consacrés à de grands sujets généraux, comme l'Éternité, la Justice, le Ciel, les Étoiles, ainsi qu'un hymne consacré aux Démons, fort intéressant en ce qu'il est un document sur l'état des esprits de cette époque au sujet des sciences occultes. Le Livre II renferme deux des pièces les plus célèbres : l'« Hymne de l'Or », considéré par le poète comme le roi du monde, poème plein de souvenirs mythologiques et de considérations morales, d'une ampleur admirable et qui contient de très beaux passages – Étienne Pasquier, dans ses *Recherches de la France* (*), considérait cet hymne comme un des plus remarquables poèmes de Ronsard – et l'« Hymne de la Mort », où figurent un certain nombre de vers demeurés célèbres : « Que ta puissance ô Mort, est grande et admirable ! / Rien au monde par toy ne se dit perdurable », et se termine sur ce vœu du poète : « Mais puisqu'il faut mourir, / Donne moy que soudain je te puisse encourir, / Ou pour l'honneur de Dieu ou pour servir mon Prince. / Navré d'une grand' plaie au bord de ma province ! » C'est aussi au livre II qu'on trouve les quatre hymnes des Saisons, publiés d'abord en 1563, vaste composition où Ronsard se fait mythologue et médite sur l'usage de la fable. Les contemporains du poète ont vivement apprécié cette œuvre, pour laquelle Ronsard, renouvelant la tradition du *porta philosophus*, entreprend de célébrer la Nature conçue comme complexe manifestation du divin.

HYMNES de Synésios. Ces *Hymnes* (au nombre de neuf, l'hymne X étant une imitation byzantine ajoutée tardivement au recueil), composés par le philosophe grec Synésios de Cyrène (370 ?-413) à l'extrême fin du IVe et dans les premières années du Ve siècle de notre ère, expriment sous une forme raffinée une sensibilité religieuse où des éléments de la mystique néo-platonicienne se mêlent, sans dogmatisme aucun, à des thèmes chrétiens. Comme c'est le cas pour les *Lettres* (*), la composition du recueil des *Hymnes* trahit une publication non raisonnée, exécutée à partir des papiers laissés par Synésios à sa mort : ainsi, parmi d'autres indices, l'ordre des pièces ne suit pas la chronologie de leur composition, les hymnes I et II, dont le premier porte les traces d'une élaboration en plusieurs étapes, font double emploi et les regroupements thématiques ou métriques possibles ne sont pas régulièrement suivis.

Synésios se sert du dialecte dorien, qui avait été à l'époque classique celui de sa patrie et dans lequel s'étaient exprimés de nombreux poètes lyriques. Son vocabulaire fond ensemble des termes et des images empruntés aussi bien à la tradition lyrique qu'à la philosophie, à la gnose et au christianisme. La métrique de ses poèmes présente une recherche d'originalité : au fur et à mesure que l'élément chrétien s'affirme dans la mystique de Synésios, celui-ci en vient à utiliser de savantes formes poétiques inexploitées par ses devanciers profanes.

Le long hymne I (dans la numérotation des éditions modernes) dépeint les élans de l'auteur vers le Dieu suprême et trinitaire, et ses efforts pour s'arracher aux liens du monde matériel ; l'hymne II est comme une prière résumant l'essentiel du précédent. Le Christ est célébré par l'hymne III, qui semble une reprise de l'hymne IV, adressé au « Fils de Dieu » sur un mode moins orthodoxe. Les hymnes V et surtout IX, à la thématique largement classique, exaltent l'intelligence divine et le mouvement de l'âme depuis la matière vers les sphères pures de l'univers : le souffle qui les anime est plutôt néo-platonicien. En revanche, les hymnes VI (un cantique d'Épiphanie) et VIII (Résurrection et Ascension du Christ), qui datent de la période de l'épiscopat ou de peu avant, ainsi que la prière pour lui-même et sa famille de l'hymne VII, composée peu après son mariage en 403, sont de ton essentiellement chrétien. — Trad. Belles-Lettres, 1978. A.-L. R.

HYMNES À LA NUIT [*Hymnen an die Nacht*]. Œuvre du poète romantique allemand Novalis (1772-1801) ; ces *Hymnes* parurent en 1800 dans le dernier numéro de la revue romantique *Athenaeum* (*) : ce sont des rhapsodies en prose lyrique parsemée de poèmes. Fidèle à son principe esthétique, Novalis y donne le pas à la musicalité sur l'expression rationnelle des sentiments. Ces poèmes sont inspirés par la mort, à l'âge de 15 ans, de sa fiancée, Sophie von Kühn. Novalis pensa la suivre, non par le suicide, mais par un pur acte de volonté ; car il « se sentait alors entouré par la présence réelle de la morte » ; il percevait « les doux appels de l'invisible ». Trois mois après qu'elle fut morte, elle lui apparut, le 13 mai 1797. Il vécut dès lors une vie de visionnaire, se nourrissant du piétisme de Zinzendorf, de la philosophie de Spinoza, de l'idéalisme de Schelling. Puis il se fiança avec Julie von Charpentier ; mais la morte vivait toujours en lui. C'est pour elle qu'il écrivit les six médaillons qui forment les *Hymnes à la nuit.* Cette nuit est l'expression poétique d'un état de « béatitudes infinies » ; elle est un sentiment de libération, une extase dans l'amour et en Dieu. Les trois premiers *Hymnes* sont centrés sur le motif de l'extase amoureuse, « l'éternité de la nuit nuptiale ». Le premier présente la nuit comme « l'initiatrice de la vie profonde » ; le second est une variation (les termes musicaux sont nécessaires pour définir une poésie aussi proche de l'expression musicale) sur « l'éternel sommeil » ; le troisième évoque Sophie et l'apparition du 13 mai. Dans les trois derniers, la poésie choisit une tonalité religieuse. Le quatrième est un contrepoint où se mêlent les deux grands motifs : amour et religion, passion pour Sophie et culte du Christ. Le cinquième célèbre la révélation d'une vie plus haute dans le sein de Dieu. Le sixième est composé comme un choral : « Nostalgie de la mort », effusion lyrique proche des *Hymnes sacrés* (*) de l'auteur. Dans l'ensemble, peu de motifs et peu de « pensées », mais une musicalité encore inconnue dans l'expression littéraire qui reste simple et candide. Bien que Novalis emprunte aux *Nuits* (*) de Young des images et des tournures, ces *Hymnes* ont une résonance personnelle musicale autant que poétique. L'intime fusion de la musique et de la poésie, proclamée nécessaire par les théoriciens du romantisme allemand, les Schlegel ou Tieck, est pour la première fois réalisée. Elle sera une source féconde de l'art wagnérien ; elle baignera tout le symbolisme et s'épanchera jusqu'à Rilke. — Trad. Stock, 1927 ; Gallimard, 1975.

HYMNES À UIRA-COCHA. Ces hymnes, conservés dans un manuscrit du commencement du XVIIe siècle, dû à un Indien quichua (Yamqui Pachacuti Salcamayhua), furent publiés, d'après le texte original, par sir Clemens R. Markham en 1873. Quelques années plus tard, ils furent traduits en espagnol, à Madrid, par D. Samuel A. Lafone Quevedo qui, en 1892, avec l'aide du docteur bolivien Miguel Mossi, en donna l'édition définitive dans la *Revista del Museo de la Plata* de 1892 : *Los himnos sagrados de los reyes del Cuzco, según el Yamqui Pachacuti.* Dans ces hymnes s'exprime toute l'anxiété de connaître la Divinité invisible. Ils révèlent également une foi profonde dans la divine puissance, en tant qu'ordonnatrice du ciel et providence de l'univers. Dans l'un de ces hymnes, émouvant par son ingénuité, on supplie Uira-Cocha — qu'il soit mâle ou femelle, qu'il habite « dessus ou dessous », dans le ciel ou dans la mer, créateur du monde et du genre humain — de se faire voir ; de daigner se faire connaître et d'alléger les peines des hommes. Comme le dit sir Markbam, on retrouvera, dans d'autres hymnes, de semblables idées ; mais ce que ceux-ci ont de particulier, c'est qu'ils nous montrent combien, dans l'intimité de leur cœur, les meilleurs d'entre les Incas tendaient ardemment à la connaissance de l'invisible Créateur de l'Univers.

HYMNES DE MERCIE [*Mercian Hymns*]. Cette œuvre du poète anglais Geoffrey Hill (né en 1932), publiée en 1971, est sans doute l'un des sommets de sa création. Les trente poèmes en prose rythmée, de quelques versets chacun, s'ordonnent autour de la figure à demi légendaire du roi de Mercie, Offa, que le poète interroge et, en même temps, réinvente en lui prêtant des traits de sa propre enfance. Ce croisement de l'archaïsme et de la modernité, concerté avec une extrême minutie dans ses divers registres et tons, illustre magnifiquement l'entreprise de Hill. L'évocation d'Offa, qui édifia, non sans brutalité, au VIIIe siècle le royaume de Mercie, ébauche d'Angleterre, signifie d'abord un renoncement à une poésie lyrique ou d'épanchement à laquelle on identifie facilement le romantisme. Le choix d'un personnage aussi douteux, comme double de lui-même imaginé par l'auteur, témoigne aussi d'une exigence soupçonneuse à l'égard de soi aussi bien que des discours reçus. Ceux-ci paraissent à Hill le plus souvent faussés, en particulier par un désir de domination dont se trame l'histoire et dont

Offa fournit un emblème fruste et fascinant, aussi dérisoirement lointain que tragiquement actuel. Le titre d'un poème antérieur, « Ovide dans le Troisième Reich » [Ovid in the Third Reich], rapprochait déjà, avec la même incongruité éloquente, des ordres temporels disparates. Si *Hymnes de Mercie* est une œuvre singulière en ce qu'elle intègre d'éléments autobiographiques, certes transposés, réfractés et recomposés, elle reste exemplaire des préoccupations et des ressources de Hill. Celles-ci se retrouvent dans les deuxième et quatrième recueils, *Le Roi soliveau* [*King Log,* 1968] et *Tenebrae* (1978). L'œuvre de Hill s'y montre hantée par l'incessant retour de la violence dans l'histoire. Nombre de poèmes se centrent sur les épisodes anciens, comme la guerre des Deux Roses dans la suite « Musique funèbre » [Funeral Music], mais aussi une horreur plus proche, comme dans ceux qu'il consacre à des victimes du génocide hitlérien : « Chant de septembre » [September Song], « "Domaine public" i. m. Robert Desnos, mort au camp de Terezin en 1945 » [« Domaine Public » i. m. Robert Desnos, died Terezin Camp, 1945] ou de la tyrannie stalinienne : « Tristia : 1891-1938. Adieu à Ossip Mandelstam » [Tristia : 1891-1938. A Valediction to Osip Mandelstam] qui fait immédiatement suite au précédent. Dans ces œuvres, Hill se défie d'une rhétorique malséante, falsificatrice, et, le cas échéant, meurtrière. Son attention pointilleuse aux résonances, souvent heurtées de chaque mot, aux complexités de syntaxe, pourrait passer pour un formalisme exacerbé, mais elle s'enracine plus sûrement dans la conviction que l'acte de parole engage les passions et la liberté responsable de celui qui s'y livre. L'une des questions principales du *Mystère de la charité de Charles Péguy* [*The Mystery of the Charity of Charles Peguy,* 1983], porte sur le rôle, dans l'assassinat de Jaurès, de certains écrits de Péguy apparemment très éloignés de son poème célébrant cette vertu théologale. Hill ne succombe pourtant pas à une fascination pour le mal. Il s'attache tout autant, dans une considération vigilante, à des témoins de droiture qui apportent une lueur peut-être surnaturelle, puisque le modèle paraît en être la figure christique du juste souffrant. La parole du poète serait alors intermédiaire entre ces deux ordres opposés quoique le plus souvent mêlés. Hill évoque même le rôle de réconciliation et réparation [atonement] d'une telle parole. Dans son exigence inquiète, farouche, de justesse et justice, elle s'efforce de reprendre, pour la transfigurer, la trame déchirée, souvent tragique, du monde et des mots. La poésie de Hill vise ainsi à un ordre de beauté dense, tendue, difficile, qui peut sembler parfois opaque au premier abord, mais révèle finalement une incomparable richesse d'accords. — Trad. Obsidiane, 1988 ; Trois Cailloux, 1989.

R. G.

HYMNES ET ODES de Purcell. Œuvres du compositeur anglais Henry Purcell (1659-1695). L'« anthem » ou hymne est, à côté de la liturgie proprement dite, un genre particulier à la musique religieuse anglicane. À la forme primitive, strictement polyphonique à quatre voix (« full anthem »), se substitua de plus en plus, à partir de la Restauration et sous la double influence de la cantate italienne et du motet versaillais, la forme nouvelle de la « verse anthem », avec soli, chœurs et important accompagnement instrumental. Élevé dans des maîtrises où l'enseignement traditionnel restait en honneur, Purcell écrivit ses premières compositions religieuses en pur style polyphonique : c'est le cas dans l'« anthem » *Behold now, praise the Lord* et dans le *Te Deum en si bémol* de 1683, avec ses nombreux passages traités en canon et ses emprunts aux modes grégoriens. Mais le roi Charles II se montrant un partisan décidé du nouveau style baroque italien, Purcell, compositeur officiel, dut se plier à la mode, sans trop de regrets d'ailleurs, car la « verse anthem » lui permettait de mettre en valeur jusque dans l'église ses qualités dramatiques. Celles-ci s'expriment au plus haut point — non sans quelque facilité dans les assauts de bravoure auxquels se livrent les chœurs et les trompettes — avec le grandiose *Te Deum en ré* écrit pour la Sainte-Cécile de 1694 ; dans son fastueux appareil de vocalises, cette œuvre décorative est d'une structure très proche de la cantate profane. Les « anthems » proprement dites sont également traitées dans un style extrêmement orné et rehaussées habituellement par un grand alléluia final : la *Coronation anthem : « My Heart is inditing »,* écrite en 1685 pour le couronnement de Jacques II, en donne un exemple typique. Il s'y déploie continûment, jusqu'à l'apothéose de l'alléluia fugué, une pompe typiquement vénitienne, Purcell ayant repris le procédé d'opposition dramatique de deux grands chœurs que les Gabrieli, jadis, avaient introduit à la basilique de Saint-Marc. Ses fonctions à la Cour amenèrent Purcell à écrire également une trentaine d'odes de circonstance pour les naissances, les anniversaires, les mariages des grands personnages. Ces œuvres décoratives sont de proches parentes des « anthems ». Dans les *Chants de bienvenue* [*Welcome Songs*] destinés à Charles II et à Jacques II rentrant de voyage, l'intérêt est concentré sur les symphonies instrumentales, qui rappellent l'ouverture à la française de Lully. La maturité de Purcell se révèle plutôt dans les six odes pour grand chœur composées à l'occasion des anniversaires de la reine Mary, et particulièrement dans la dernière, *Come ye sons of art away* de 1694. Mentionnons enfin les odes écrites pour la Sainte-Cécile, patronne des musiciens, et surtout celle de 1692, *Salut, brillante Cécile* [*Hail, bright Caecilia*], avec sa grandiose ouverture, son air « C'est la voix de la nature » ['Tis nature voice] et son grand chœur « Âme du monde » [Soul of the world], un des plus magnifiques ensembles vocaux qu'ait écrits Purcell.

HYMNES HOMÉRIQUES. Série de trente-trois poèmes en grec ancien, composés en hexamètres et dédiés chacun à une divinité du panthéon grec. La tradition les attribuait à Homère, mais en réalité nous ignorons tout de leurs auteurs. Les quatre premiers hymnes (à Apollon, Déméter, Hermès et Aphrodite) sont nettement les plus intéressants ; ils se détachent aussi de l'ensemble par leurs dimensions, le sujet et la date : ils s'étendent sur plusieurs centaines de vers (entre 293 et 580), narrent des épisodes de la biographie mythique de la divinité, et sont considérés comme anciens (entre 650 et 400 av. J.-C.). Le reste du recueil, vingt-neuf hymnes comptant entre trois et cinquante-neuf vers, ne sont pour la plupart que de brefs éloges ou invocations, et sont considérés comme plus récents.

Les hymnes n'étaient pas associés à la pratique du culte. Il semble en revanche que les rhapsodes les récitaient en prélude à la récitation des morceaux épiques. En tant que documents pour l'histoire de la littérature et l'histoire des religions, les hymnes à Apollon et à Déméter sont les plus intéressants.

Artistiquement inégal, l'« Hymne à Apollon » est probablement composé de deux pièces qui étaient initialement distinctes, l'une dédiée à Apollon Délien (originaire de Délos) et l'autre à Apollon pythique (le seigneur de l'oracle de Delphes). Dans une première partie sont traités la naissance d'Apollon à Délos, son établissement à Delphes, son apparition sur l'Olympe dans toute sa divine splendeur, la fête que les Grecs célèbrent sur son île. Dans la seconde partie, qui commence par une allusion à la difficulté de trouver un thème pour célébrer Apollon, le poète chante la longue course errante du dieu à la recherche d'un lieu où établir son oracle, la construction du temple de Delphes, le meurtre du dragon, et le voyage dans l'île de Crète.

D'une qualité poétique supérieure, l'« Hymne à Déméter » décrit de manière émouvante le désespoir de la déesse après le rapt de sa fille Perséphone, la désolation de la terre privée de moissons et l'intervention de Zeus qui envoie Hermès auprès de Perséphone pour qu'elle regagne la terre, où elle restera les deux tiers de l'année. Outre sa valeur artistique certaine, cet hymne est également intéressant pour l'histoire de la religion grecque, et en particulier pour une de ses manifestations qui demeure évidemment obscure, les Mystères. Lié à Éleusis, ce haut lieu de l'initiation secrète, l'hymne porte aussi les caractéristiques de l'« aition », l'exposition des causes qui aboutirent à l'instauration d'un rite ou à la fondation d'un sanctuaire.

L'« Hymne à Hermès » raconte les prouesses de ce dieu dès sa prime enfance : né à l'aube, à midi il joue déjà de la lyre qu'il vient d'inventer, et le soir, avant de retrouver ses langes, il vole les bœufs de son frère Apollon ; puis vient la lutte entre les deux frères, où Apollon est toujours dominé par le dieu encore enfant, et leur réconciliation. Le récit est mené avec beaucoup de grâce, et le ton dominant est celui de l'humour et d'une vivacité toute rustique.

L'« Hymne à Aphrodite » narre les amours de la déesse et d'Anchise, un simple mortel, l'engendrement d'Énée, le secret imposé à Anchise. L'introduction en l'honneur d'Aphrodite, qui a donné l'amour aux dieux, aux hommes et aux animaux, est vraiment très belle. Ce thème évoque les mythes orientaux. L'hymne fut probablement composé en Asie Mineure et n'est pas postérieur au VIe siècle avant J.-C.

Les autres Hymnes, quoique de dimensions moins importantes, ne manquent pas de passages d'une remarquable valeur poétique. La description, entre autres, de l'enlèvement de Dionysos par les pirates tyrrhéniens et leur métamorphose en dauphins ; celle de la vie de Pan dans la libre nature (cf. l'Hymne qui lui est consacré et qui fut composé à une époque relativement tardive) ; enfin la description de l'épouvante éprouvée par les montagnes et les forêts au passage de la déesse, dans l'« Hymne à Artémis », sont particulièrement saisissantes. À de rares exceptions près, les divinités célébrées sont celles que l'on rencontre chez Homère, et les mythes complètent et développent les thèmes existant déjà dans l'œuvre de ce poète. La langue et les formules épiques sont pour la plupart de type homérique. Les Hymnes n'exercèrent pas une grande influence sur la poésie postérieure, bien qu'ils connurent une large diffusion. C'est d'eux que s'inspirèrent Callimaque, à l'époque hellénistique, et Cléanthe, le philosophe stoïcien (IIIe siècle av. J.-C.), dans le magnifique Hymne à Zeus qui est parvenu jusqu'à nous. — Trad. Belles-Lettres, 1937 (Bibliogr. détaillée *in :* J. Strauss Clay, *The Politics of Olympus. Form and meaning in the major homeric hymns,* Princeton, 1989). F. T.-P.

HYMNES NATURELS [*Hymni naturales*]. Les *Hymnes naturels* de l'auteur d'origine grecque écrivant en latin Marulle (1450/51-1500) ont paru en 1497 à Florence. Ce sont des poèmes religieux en latin adressés à des divinités païennes de l'Antiquité, disposés en quatre livres selon une hiérarchie descendante. Le livre I est réservé aux divinités supérieures et extérieures au monde visible : I à Jupiter très bon et très grand (le Dieu créateur tout-puissant) ; II à Pallas (la sagesse, enfant unique du précédent) ; III à l'Amour ; IV aux habitants des cieux (les anges et les hommes ayant accédé à la vie éternelle) ; V à l'Éternité ; VI à Bacchus (qui fait le lien avec le monde des créatures en tant que Providence et en tant qu'inspirateur). Avec le livre II, on descend dans le monde sensible : I Pan (l'Âme du monde) ; II le Ciel (la sphère la plus extérieure) ; III les Étoiles ; IV Saturne ; V Jupiter (ici : la planète) ; VI Mars ; VII Vénus ; VIII Mercure. Le livre III est réservé aux deux astres alors considérés comme les plus voisins de la Terre ; I le Soleil (avec deux cent quatre-vingt-sept vers, c'est l'hymne le plus long) ; II la Lune. Enfin, toujours selon une hiérarchie descendante, les éléments du monde sublunaire : I l'Éther ; II Jupiter fulgurateur (zone où se forment les éclairs et la foudre) ; III Junon (qui est l'air) ; IV Océan (père de toutes les eaux) ; V Terre (à la fois l'élément le plus lourd et la demeure des hommes). Il semble qu'on puisse interpréter cet ensemble où abondent les vers elliptiques, les allusions savantes, les images lyriques, comme un tout gouverné par une pensée philosophique. Les trois premiers hymnes du livre I sont bien adressés à des divinités païennes ; mais celles-ci correspondent aux trois personnes de la Trinité chrétienne ; maints détails montrent aussi que derrière toutes ces grandes divinités on retrouve, ainsi que l'enseignait Macrobe dans ses *Saturnales* (*), le dieu unique de la lumière, Apollon, auquel déjà certains penseurs antiques ou du XVe siècle identifiaient le Christ (en particulier Ficin). Le dessein de Marulle serait donc à rapprocher de celui de Pic de la Mirandole qui dans son *Heptaplus* (*) avait essayé de montrer l'accord en profondeur de diverses doctrines philosophiques et religieuses apparemment très différentes : Platon, Aristote, l'hermétisme, les oracles chaldaïques attribués à Zoroastre, le christianisme, la *Kabbale* juive (doctrine ésotérique apparue au XIIIe siècle). Marulle aurait tenté de montrer que la théologie des poètes païens, elle aussi, s'harmonisait avec la doctrine chrétienne ou plutôt universelle. J. Ch.

HYMNES SACRÉS de Luther. Les « lieder » religieux sont une des grandes œuvres du réformateur allemand Martin Luther (1483-1546). Au nombre de quarante-deux, ils furent composés, pour une bonne part, en 1523-24 ; dix-huit furent publiés en 1524 dans l'*Erfurter Enchiridion* ; sept autres, la même année, dans le *Geistliches Gesangbüchlein* de J. Walther ; « Eine feste Burg » a été daté par Spitta de 1521, mais il est plus probablement de 1528, juste avant la diète de Spire. Selon la source à laquelle ils puisent, on peut les classer ainsi : 1) certains sont tirés des Psaumes, comme « Dans une profonde détresse, je crie vers toi » [Aus tiefer Not schrei ich zu dir...] du psaume 130 ; « Ô Dieu, du haut du ciel regarde en ce lieu » [Ach Gott, vom Himmel sieh darein...] du psaume 12 ; « Que Dieu nous soit miséricordieux » [Es woll uns Gott gnäding sein...] du psaume 67 ; « Notre Dieu est une forteresse » [Eine feste Burg ist unser Gott...] du psaume 46 ; 2) d'autres proviennent de séquences et d'hymnes liturgiques de l'Église romaine, comme « Te deum laudamus » [Herr Gott, dich loben wir], « Veni Sancte Spiritus » [Komm, heiliger Geist] ; « Media vita in morte sumus » [Mitten wir im Leben sind] ; 3) d'autres font revivre d'anciens chants religieux populaires ; comme « Maintenant, prions l'Esprit-Saint » [Nun bitten wir den heiligen Geist] ; « Christ est ressuscité » [Christ ist erstanden] ; « Sois loué, Jésus-Christ » [Gelobt seist du, Jesu Christ] ; 4) d'autres enfin sont d'invention originale, comme « À présent, réjouissez-vous, chers chrétiens » [Nun freut euch, liebe Christen] ; « Du haut du ciel, je viens » [Vom Himmel hoch, da komm ich her]. Les *Hymnes sacrés* de Luther ont eu une importance considérable : au point de vue religieux, accompagnés par la musique, ils représentent le moyen le plus puissant de communion spirituelle pour l'âme allemande, étant donné sa vive sensibilité à l'harmonie et au chant ; au point de vue littéraire, ils créèrent un nouveau genre poétique qui donnera des fruits abondants plus tard, avec Paulus Gerhardt au XVIIe siècle ; avec Spener, Francke et Zinzendorf (*Chants sacrés des Herrnhuter*) au XVIIIe ; avec Novalis, Spitta et Gerok au XIXe. – Trad. *Hymnes ou Chansons spirituelles,* Foillet (1618).

HYMNES SACRÉS de Novalis [*Geistliche Lieder*]. Œuvre du poète romantique allemand Novalis (1772-1801). Très religieux, il avait été élevé dans une famille de piétistes et, plus encore que ses amis littéraires, il répondit à l'appel de la religion et eut un particulier attachement pour le culte de la Vierge Marie. Les *Hymnes sacrés,* au nombre de quinze (dont deux « Chants à la Vierge »), ont été composés presque tous en 1799, au cours d'une crise mystique ; le treizième, un peu postérieur (août 1800), précéda de peu la mort du poète. Les sept premiers parurent dans l'*Almanach des Muses* (*) en 1802. L'ensemble forma une édition posthume publiée par les soins de Schlegel et de Tieck. L'inspiration, comme pour les *Hymnes à la nuit* (*), vint de la vision du 13 mai 1797 : Novalis crut voir apparaître, un jour qu'il priait sur sa tombe, sa fiancée, Sophie von Kühn, morte à 15 ans. Cette mort, il l'avait ressentie comme le début d'une nouvelle vie, la vraie vie. Malgré une sensibilité morbide et confusément érotique, l'âme du poète reste simple et claire. À travers la vision de la morte, elle cherche Dieu. Sa foi pure est lumineuse comme chez l'enfant et ses thèmes poétiques ont une suavité angélique. L'Hymne I est l'offrande du cœur qui souffre et se donne, abandon plus marqué encore dans l'Hymne V. L'Hymne II est illuminé par l'étoile de Noël. Les chœurs de Pâques inspirent l'Hymne IX, les bénédictions de la Pentecôte l'Hymne XII. Le thème le plus puissant, le plus fréquent, qui revient comme un motif préwagnérien, c'est celui de l'âme affligée qui s'apaise par « l'extase en Dieu » (Hymnes III, VIII, X, XIII). Le point culminant de cette extase (Hymne VII) est celui de la « communion », à la fois communion en Dieu et en l'aimée qui est morte. On saisit là sur le vif le fondement humain de cette dévotion à la Vierge qui, de thème romantique idéal, devient l'expression d'une douloureuse expérience particulière : « Je te vois en mille images suaves, ô Marie, mais aucune ne peut retracer celle qu'a contemplée mon âme. Je sais seulement que toute la rumeur du monde s'est évanouie en moi comme un songe et qu'un ciel indiciblement doux est pour l'éternité dans mon cœur. »

Cette poésie est d'une religion intérieure si profondément ressentie qu'elle a pu être accueillie comme un « acte de prière » par des communautés : les Hymnes I, V, VI, VIII, IX et XIII ont été admis dans certain psautiers protestants. – Trad. Gallimard, 1975.

HYPÉRION. Poème épique en vers libres que le poète anglais John Keats (1795-1821) écrivit de 1818 à 1819 et publia inachevé en 1820. Jupiter a chassé de l'Olympe Saturne et, avec lui, toutes les autres divinités que le poète nomme indifféremment Titans ou Géants. Au second chant, Océan et sa fille Clymène nous apprennent que les Titans n'ont pas succombé à la violence, mais à la beauté de leurs vainqueurs. Seul parmi eux, Hypérion, dieu du Soleil, a conservé sa puissance ; mais le jeune Apollon le détrône. Le poème s'interrompt sur la description des métamorphoses d'Apollon et nous ignorons comment le poète entendait le poursuivre. Keats avait certainement projeté d'écrire un poème en dix livres ; mais il semble que, par la suite, il dut se résoudre à le réduire à quatre livres. Dans sa forme actuelle, *Hypérion* n'en comprend que trois. Cette partie nous suffit pour saisir l'idée maîtresse du poème, idée que Keats avait exprimée l'année précédente, dans *Endymion* (*) : « Selon une loi éternelle, dit le poète, le plus beau doit être le plus fort. » Keats ne conçoit pas la beauté comme un ornement extérieur à l'être, mais comme une force proportionnelle à son développement spirituel et intellectuel. Un tel développement ne s'acquiert que dans l'effort et la douleur. Les Titans symbolisent les forces élémentaires du monde qui luttent en vain contre la nouvelle race des dieux, dont la suprématie repose sur un principe plus élevé que la force brutale. La chute d'Hypérion est, pour Keats, le symbole dramatique de la défaite des Titans. On reconnaît facilement dans cette œuvre l'influence du *Paradis perdu* (*) de Milton, surtout apparente dans la construction du poème et dans certaines scènes particulières, comme dans le style. Dans *Hypérion*, plus que dans ses œuvres antérieures, Keats recherche la concentration et la rigueur des proportions ; il évite l'accumulation des détails et gagne en sérénité et en sobriété. Cependant le degré de maturité esthétique qu'il avait dès lors atteint, ne pouvait encore se montrer à la hauteur des ambitieux desseins du poème. D'autre part, Keats était porté naturellement vers la poésie lyrique plutôt que vers le genre épique (les meilleurs passages d'*Hypérion* ont un caractère nettement lyrique) : tout ceci explique qu'*Hypérion* soit resté inachevé. Avant de mourir, le poète tenta de remanier son œuvre et écrivit *La Chute d'Hypérion* [*The Fall of Hyperion*], qui fut publiée en 1856, par R. Monckton Milnes. – Trad. Mercure de France, 1910 ; La Dogana, 1989.

HYPÉRION ou l'Ermite de Grèce [*Hyperion oder der Eremit von Griechenland*]. Roman du poète allemand Friedrich Hölderlin (1770-1843). L'œuvre est en deux parties, publiées en 1797-99. Un fragment d'une première version de ce roman (dont le projet est mentionné, dès 1792) avait paru en novembre 1794 dans la revue de Schiller *Thalia*. Sous forme épistolaire et en marge d'une narration qui n'est qu'un prétexte, le jeune poète y chante son amour romantique pour l'hellénisme et la beauté, son aspiration nostalgique à un idéal jamais atteint. Dans les lettres d'Hypérion à Bellarmin, son ami lointain, frémit un sentiment lyrique de la nature et d'une humanité régénérée en elle. Mais l'humanité, mesquine dans sa réalité quotidienne, brise l'âme du jeune pèlerin qui, élevé par son maître Adamas dans le culte de l'Antiquité grecque, parcourt la Grèce à la recherche de la gloire antique, et ne trouve que cruauté et indifférence. Plein de l'anxiété pénible d'une inutile poursuite, il rencontre Alabanda, lui aussi endurci par le mépris qu'il éprouve à l'égard de l'humanité dégénérée et par la souffrance que ce mépris même lui cause. Alabanda est séduit par la jeunesse ardente et douloureuse d'Hypérion, et Hypérion par l'amère froideur de l'homme mûr qui connaît le monde et n'a plus d'illusions. Mais Alabanda doit suivre son destin désenchanté, et Hypérion, en proie au découragement, se réfugie chez le vieux Notara. C'est là qu'il rencontre Diotima et qu'éclôt la fleur merveilleuse de leur passion, issue du même amour exalté que tous deux portent à la Nature ; la fièvre d'idéal, qui dévore Hypérion, dévorera aussi Diotima, car elle accepte dans son cœur toute la peine inquiète du bien-aimé pour être digne de souffrir avec lui. Mais Hypérion ne trouve pas de paix : sa soif inépuisable de gloire, son besoin inexprimé d'action, le poussent au loin de nouveau, vers un rêve irréalisable de beauté. Diotima, brûlée du feu de sa passion inextinguible, languit jusqu'à en mourir. Hypérion cherche la gloire dans la guerre que mènent les Grecs contre les Turcs, aux côtés d'Alabanda qu'il a retrouvé, et se sent grisé d'espérance et de foi. Mais le premier assaut victorieux le désabuse : au milieu du pillage inhumain et féroce auquel se livrent ses soldats, ivres de sang, il connaît le désespoir le plus cruel. Il voudrait maintenant se laisser mourir, mais Alabanda le sauve par son affection vigilante et l'incite à retourner auprès de Diotima, pour oublier dans l'amour la dernière déception de son idéal brisé ; lui, Alabanda, qui aime Diotima sans espoir, partira pour ne pas troubler la félicité des amants. Ce n'est qu'au moment où Hypérion s'apprête à s'embarquer que lui arrive la nouvelle de la mort de Diotima. Après une lettre amère à Notara, où il s'accuse d'avoir causé la mort de la femme aimée, le cœur ulcéré, il se réfugie en Allemagne, où la grossière incompréhension qu'il rencontre aggrave encore sa douleur, si bien qu'il s'enfuit, cherchant un oubli désolé dans la nature. Celle-ci enfin lui parle, lui révélant l'âme indestructible du monde, l'harmonie au-delà de toute dissonance, la conciliation secrète de chaque opposition dans le Tout.

Hypérion est un livre douloureux, palpitant d'une poésie tragique qui s'élève en notes sublimes, quand l'âme du protagoniste semble se briser sous le poids de la souffrance. Sa valeur est dans la richesse et l'intensité (parfois morbide) du sentiment ; elle est dans l'égarement sombre qui donne à son sens de la souffrance des accents où l'on peut voir déjà un présage de cette folie, dans les ténèbres de laquelle l'auteur vécut les quarante dernières années de sa vie. Hölderlin a pour la nature et la beauté une adoration exclusive, passionnée, quasi religieuse : par la nature et dans la nature il palpite, vit, et croit en une existence intime et profonde qui, des débris de notre forme terrestre, se libérera pour se fondre dans le Tout et vibrer à l'unisson avec lui dans l'éternelle harmonie de l'Univers. Par ce côté, et bien que sa conception soit exprimée en une forme qui est essentiellement poétique, Hölderlin ouvre la voie à l'idéalisme romantique : ayant saisi l'Unité du Tout, il s'élève à une conception cosmique et hautement créatrice de l'Univers. — Trad. par Philippe Jaccottet, Mercure de France, 1965.

HYPOTHÈSES SUR LESQUELLES REPOSE LA GÉOMÉTRIE (Des) [*Ueber die Hypothesen welche der Geometrie zu Grunde liegen*]. Œuvre du mathématicien allemand Bernhard Riemann (1826-1866), publiée en 1867, de petit volume mais fondamentale pour le nouvel édifice de la géométrie non euclidienne. Selon ces nouveaux concepts, la géométrie classique n'est qu'une forme particulière de la géométrie. L'auteur affronte ici le problème de l'espace, qui n'est pas nécessairement à trois dimensions comme celui que nous réussissons à concevoir et que la géométrie élémentaire étudie. Un espace à deux dimensions, constitué par des surfaces gauches, peut toujours être conçu. Si le produit des rayons de courbure principaux est constant et positif, on a la surface de la sphère classique ; si le produit est usuel, on a le plan de la géométrie usuelle : si le produit est négatif, on se trouve en présence de surfaces que Beltrami appellera pseudosphériques. Dans le premier cas, à la ligne droite correspond la géodésique et, d'un point, on ne peut mener une géodésique parallèle à une autre ; dans le second cas, on peut mener d'un point une parallèle et une seule à une autre ; dans le troisième cas, on peut en mener plusieurs. Nous sommes habitués à considérer notre espace comme un plan, parce que la supposition du second cas est généralement retenue comme valable, sans que toutefois nous puissions le confirmer avec certitude. Riemann affirme et démontre qu'il existe trois espaces à trois dimensions, qui ont des propriétés analogues à celles que nous avons déjà vues pour les espaces à trois dimensions.

C'est ainsi que l'espace à surfaces courbes, qui fut ensuite appelé « espace de Riemann », fut utilisé récemment dans la théorie de la relativité qui admet que la courbure de l'espace est donnée en chaque point et à chaque instant par la présence de la matière. — Trad. Villars et fils, 1898.

HYPOTYPOSES (Les) [Ὑποτυπώσεις]. Œuvre d'exégèse en huit livres de Clément d'Alexandrie, premier docteur de l'Église (seconde moitié du IIe siècle ap. J.-C.). Cette œuvre, de laquelle ne subsistent que de rares fragments, était un commentaire qui suivait pas à pas les textes de l'Ancien et du Nouveau Testament, y compris certains livres reconnus depuis comme apocryphes, comme l'*Épître* (*) de Jude, l'*Épître* (*) de Barnabé et l'*Apocalypse* de Pierre. Suivant le témoignage de Photius, Clément n'aurait commenté de l'Ancien Testament que la *Genèse* (*), l'*Exode* (*), les *Psaumes* (*) et l'*Ecclésiaste* (*). Outre un certain nombre de fragments épars, il nous en est parvenu un extrait assez important, en traduction latine, comprenant les commentaires sur la première *Épître* (*) de Pierre, la première *Épître* (*) de Jude et les deux *Épîtres* (*) de Jean. Les commentaires de l'Écriture sainte furent par endroits interrompus par l'auteur, non seulement dans le but de rapporter quelques détails traditionnels, mais encore pour exposer ses doctrines personnelles, dont Photius est allé jusqu'à suspecter l'authenticité, les jugeant impies.

I

IAMBES d'Archiloque. Poèmes du poète grec Archiloque de Paros (première moitié du VIIe siècle av. J.-C.), que les Anciens célébraient presque à l'égal d'Homère, mais dont très peu de textes nous sont parvenus. Des découvertes papyrologiques — certaines récentes — ont néanmoins enrichi notre connaissance de son œuvre et ont permis de corriger l'image quelque peu édulcorée qu'en donnait la tradition indirecte.

Bien qu'Archiloque ait composé également des *Élégies* (*), sa célébrité était surtout due à ses poèmes iambiques : on lui attribuait même l'invention de l'iambe, vers caractérisé par un rythme vif et proche de celui de la langue courante. Archiloque met ce vers au service de son tempérament passionné, dans des textes qui sont directement inspirés par les événements de sa vie : chagrins d'amour, désillusions, haines, joies aussi, comme celles qu'il sait trouver parfois dans la rude vie de soldat qu'il mena longtemps.

Premier poète lyrique, Archiloque témoigne ainsi de l'émergence de la conscience individuelle, à une époque charnière où, à travers la colonisation et l'extension du monde à laquelle elle ouvre, se transforme l'ancienne idéologie de l'aristocratie, au profit de nouvelles valeurs que sa poésie anticipe ou même dépasse, par sa vivacité de ton et le réalisme de son contenu. Bien connue est sa dispute avec Lycambe, qui lui avait refusé la main de sa fille. Contre ce parjure, l'amoureux éconduit déchaîne sa verve dans des poèmes où l'invective violente et souvent très crue va fonder le genre auquel restera lié le vers iambique. On rapporte que Lycambe, de honte, se serait donné la mort. Anecdote qui a surtout pour intérêt de souligner la force de la poésie lorsqu'elle est utilisée comme arme personnelle. On trouve aussi chez Archiloque d'autres tons, parfois plus calmes : de sages considérations sur la modération des désirs ou sur la toute-puissance des dieux, de viriles exhortations à lui-même, de brèves notations descriptives, qui présentent, avec une netteté admirable, tantôt l'île inhospitalière de Thasos hérissée de forêts comme le dos d'un âne, tantôt une jeune fille que charme le cadeau d'une branche de rosier.

L'art d'Archiloque semble tenir surtout à la capacité qu'a le poète à évoquer une figure ou un paysage en quelques mots suggestifs, ou à exprimer une affection, même violente, avec la plus vive simplicité, dans des textes où ne sont pas tant importants les faits que la subjectivité de celui qui les a vécus. — Trad. Les Belles-Lettres, 1958. M. Ro.

IAMBES de Barbier. Recueil du poète français Auguste Barbier (1805-1882), publié dans la *Revue de Paris* au lendemain de la révolution de Juillet (1830) et en volume l'année suivante. Il ne faut chercher dans ce recueil aucun plan suivi. Selon le poète lui-même, la dénomination d'*Iambes* embrasse ici tous les morceaux qui relèvent de la satire lyrique. L'apparition du premier de ces morceaux fit l'effet d'un coup de tonnerre : c'était « La Curée ». Avec la verve la plus amère, Barbier y marquait d'infamie ces effrontés, faiseurs et canailles de toute sorte qui se disputaient à l'envi tous les emplois, sans égard pour les obscurs artisans de la victoire. La forme de ce poème n'était point inférieure au fond. Reprenant, en effet, ce rythme alternatif dont Chénier avait été le créateur, Auguste Barbier trouve aussitôt à l'enrichir de métaphores saisissantes. D'entrée de jeu, il prend son véritable ton : « C'est que la Liberté n'est pas une comtesse / Du noble Faubourg Saint-Germain... / C'est la vierge fougueuse, enfant de la Bastille / Qui, jadis, lorsqu'elle apparut / Avec son air hardi, ses allures de fille / Cinq ans mit tout le peuple en rut. » « La Curée » valut à Barbier la plus grande vogue. Sans plus attendre, il la fit suivre d'autres morceaux jetés dans le même moule : « La Popularité », « L'Idole », « Quatre-vingt-treize » et quelques autres encore. C'est sur l'indignation qu'il fonde à chaque fois toute l'économie de son discours. En Auguste Barbier, l'époque de la Révolution venait de trouver son chantre. Pour la première fois, un poète authentique avait le courage de s'inscrire en faux contre les tenants de l'opinion bonapartiste et de rejeter sur leur idole tous les malheurs dont la France venait de souffrir. En résumé, tout nous montre que Barbier atteint souvent à un degré d'éloquence assez peu commun dans la poésie française. Richesse du verbe, vigueur du rythme, sens du détail : cet alliage confère aux *Iambes* un relief tout à fait épique. Ajoutons qu'Auguste Barbier fut ce qu'on appelle un météore. Sa haute renommée, en effet, n'eut point de lendemain. Tout ce qu'il lui advint de publier par la suite laissa le public indifférent. Comment s'en étonnerait-on ? Il suffit qu'on se reporte aux petits poèmes qui font suite à la satire en question : « Il Pianto », dont l'Italie forme le cadre, et « Lazare » où est évoquée la détresse des ouvriers en Angleterre. Qu'on le veuille ou non, Barbier demeure essentiellement l'auteur des *Iambes* et ce recueil le range parmi les grands poètes de combat entre Agrippa d'Aubigné et Victor Hugo.

IAMBES de Callimaque [Ἴαμβοι]. Compositions de Callimaque, le plus illustre des poètes grecs de l'époque alexandrine (315/310-240 av. J.-C. environ). Le livre des *Iambes* de Callimaque contient treize pièces composées en des mètres divers, dont la plupart ont pour unité l'iambe, c'est-à-dire une syllabe brève suivie d'une syllabe longue. Aucun point de référence ne permet de dater ces poèmes, qui appartiennent probablement à différentes périodes de la carrière de Callimaque. Les *Iambes* nous sont parvenus de façon très fragmentaire : des *Iambes* 8 à 11, nous n'avons que le premier vers, parmi les autres, les moins lacunaires sont les *Iambes* 1, 4, 12 et 13 ; heureusement, nous possédons un résumé de chacun d'eux. Dans l'*Iambe* 1, le fantôme d'Hipponax, poète iambique du VIe siècle av. J.-C. célèbre pour la virulence de ses attaques, exhorte les lettrés alexandrins à la concorde et à la modestie. Pour ce faire, il leur raconte l'histoire de la coupe de Bathyclès que les sept sages refusent tous, car ils s'en jugent indignes. L'*Iambe* 2, sous la forme d'une fable d'Ésope, contient une polémique littéraire. Dans l'*Iambe* 4, le débat entre le laurier et l'olivier est probablement avant tout une parodie littéraire. À côté de ces *Iambes* liés à des problèmes littéraires, certains apparaissent comme des poèmes de circonstance (5 : reproches à un maître d'école ; 6 : description du Zeus de Phidias adressée à un ami qui part pour Olympie ; 8 : épinicie pour un habitant d'Égine vainqueur d'une course ; 12 : vœux à un ami à l'occasion de la naissance de sa fille), d'autres racontent l'origine d'un culte (7 : culte d'Hermès à Ainos ; 10 : culte d'Aphrodite Castnia à Aspendos). Dans l'*Iambe* 13, Callimaque défend vigoureusement la *« polyeideia »,* la variété de contenu et de forme qui est à la base du livre des *Iambes* et refuse de se cantonner dans un genre littéraire unique. Cette défense est d'autant plus justifiée que sous la diversité apparente de l'ensemble se cache une organisation subtile des treize pièces, avec des effets d'échos et de symétries dans le choix des thèmes et des mètres.

À la fin du recueil des *Iambes* se trouvent quatre compositions de mètres très recherchés. L'on s'accorde aujourd'hui à dissocier ces quatres poèmes des *Iambes* proprement dits et à les rattacher au genre lyrique (le premier semble décrire le massacre des Lemniens ; le deuxième, intitulé *Pannychis,* « Fête nocturne », est une chanson à boire ; le troisième est l'*Apothéose d'Arsinoé,* reine morte en 270 av. J.-C. ; le dernier est intitulé *Branchos,* nom d'un favori d'Apollon qui reçut le don de prophétie). — Trad. Les Belles Lettres, 1972.

O. R.

IAMBES de Chénier (v. *Poésies* de Chénier).

IAMBES d'Hipponax. De l'œuvre du poète grec Hipponax d'Éphèse (milieu du VIe siècle av. J.-C.), il ne subsiste qu'environ quatre-vingts brefs fragments, composés pour la plupart en iambes. Ces fragments suffisent pour retracer une vivante figure de poète pauvre, qui vécut au milieu des humbles et emploie leur langage imagé, souvent grossier, mais toujours expressif, pour se plaindre de sa misère et pour fustiger ses ennemis personnels. Il utilisait le trimètre iambique avec une inversion finale du rythme qui donne au vers une allure boiteuse (d'où la dénomination de trimètre iambique « scazon » ou « choliambique »). Le poète s'emporte contre le dieu de la richesse, Pluton, qui ne s'est jamais soucié de lui concéder quelque faveur ; il supplie confidentiellement Hermès, afin qu'il lui procure un manteau, une tunique, des chaussures chaudes pour protéger son corps boursouflé d'engelures ; il demande l'aumône avec insolence ou il s'emporte contre un certain Boupalos, son ennemi mortel, avec des invectives qui sont restées fameuses pour leur véhémence. En outre, même quand ils ne sont pas significatifs par leur fond, ces fragments ont de la valeur comme témoignage de la pénétration du langage populaire dans la littérature, jadis habituée au ton élevé de la poésie homérique. Telle est aussi la valeur d'ensemble d'Hipponax : c'est un Archiloque (en plus vulgaire), qui ne s'élève pas au-dessus de la vie quotidienne et des intérêts personnels, mais qui trouve, pour l'expression de son petit monde d'idées, des formules d'une efficacité exemplaire.

IAMBES de Sémonide. Il nous reste de rares fragments des iambes de Sémonide, poète grec de la seconde moitié du VIIe siècle av. J.-C. Selon certaines traditions, il aurait été le premier à faire usage du mètre iambique, dont l'invention est en général attribuée à Archiloque. Dans les iambes de Sémonide, le ton est souvent pessimiste, l'attaque amère, en particulier dans le fragment le plus célèbre, le « iambe des femmes », poème dont les cent dix-huit vers conservés consistent en une violente diatribe contre les femmes, qui sont classées en différentes « races » ; ce thème misogyne, qui remonte à Hésiode (*), est assez répandu à l'époque : on en trouve une illustration chez Phocylide par exemple. Chez Sémonide, comme chez Phocylide d'ailleurs, seule la race des femmes issue de l'abeille échappe au blâme : elle est travailleuse et bonne épouse ! Pour le reste, la femme est présentée comme le plus grand des maux que Zeus ait créés. Un autre fragment de vingt-quatre vers évoque le sort misérable de l'homme : sa vie consiste à attendre en vain un bonheur illusoire, que la mort devance. Parmi les causes de mort qui viennent mettre un terme aux espérances des mortels, Sémonide évoque même le suicide. M. Ro.

IAMBES ET ANAPESTES [*Ιαμβοι καὶ Ανάπαιστοι*]. Recueil de poèmes, publié en 1898, de l'écrivain grec Kostis Palamàs (1859-1943), l'un des poètes les plus représentatifs de la Grèce moderne. Ce recueil est composé de poésies très courtes, humbles ou solennelles, moralisantes ou lyriques. Il contient en germe toute l'œuvre future du poète et passe aux yeux de certains critiques pour son chef-d'œuvre, malgré un symbolisme diffus et difficilement compréhensible. En effet, cet ouvrage présente déjà les divers éléments qui forment le monde poétique de Palamàs et qui vont du pathétique au familier, du philosophique au légendaire. On y voit mûrir son art délicat et concis, vigoureux et subjectif, constamment conscient de son but et de ses limites. Des poèmes comme « Amour et Poésie », « Les Lettres d'amour de mon père », « Le Parthénon et le Soleil », « Antiope », laissent une trace durable chez le lecteur qui sait reconnaître, sous le voile de l'allégorie ou dans la suggestion d'un thème, la personnalité de l'auteur et le caractère universel de son expression marquée par une profonde compréhension du genre humain et une inquiétude créatrice, apte à la contemplation comme à l'analyse. De là, également, le caractère ascétique de sa poésie.

IAMBES ET ÉPODES [*Giambi ed epodi*]. C'est sous ce titre que le poète italien Giosuè Carducci (1835-1907) a rassemblé ses poèmes composés entre 1867 et 1872, lesquels figuraient déjà dans le volume des *Poésies* paru en 1871 et comprenaient en outre *Juvenilia* et *Levia Gravia*. Ils furent ensuite publiés à part en un volume, en 1882, à Bologne, avec une préface insérée plus tard dans *Confessions et Batailles* (*) et enfin, dans le volume des Poésies complètes, avec addition de quelques poèmes postérieurs à 1872 : « Le Sacre d'Henri V » (1874), « Le Chant de l'amour » (1877), « À propos du procès Fadda » (1879). Les *Iambes* représentent, dans l'œuvre poétique de Carducci, le point culminant de la période de rébellion et de combat qui s'ouvre avec « Après Aspromonte » et l'« Hymne à Satan » (1863) : cri de révolte contre la mollesse de la bourgeoisie, les lâchetés de l'opinion publique, les hésitations du gouvernement ; avant de s'apaiser dans la sérénité solaire du « Chant de l'amour ». L'« Hymne à Satan », lancé contre le mysticisme chrétien, avait soulevé trop de passions pour ne pas inciter le poète à prolonger l'anathème. L'épisode d'Aspromonte, qui vit Garibaldi blessé tomber aux mains des troupes de Victor Emmanuel II, avait ruiné son vague idéalisme monarchique et profondément marqué les poèmes de *Juvenilia*. Carducci, héritier du patriotisme fervent des poètes du « Risorgimento », rêve d'une patrie puissante et glorieuse, alors qu'en réalité elle traverse une crise profonde, au sortir de plusieurs siècles de morcellement. Adoptant l'idéologie démocratique et libertaire, il entend avec les *Iambes* jeter à la face de son époque, comme un reproche, un remords et un exemple, l'image d'un passé héroïque et encore récent. Expression d'une personnalité tumultueuse, les *Iambes* offrent une « vision » du monde des passions politiques italiennes de l'époque, monde composite où on décèle bien des modèles et des influences : idéaux rationalistes et démocratiques de 1789, métaphysique laïque et jacobine (Quinet, Michelet, Proudhon, etc.), jacobinisme anticlérical, invectives, mordante satire et cinglante ironie : on pense à Barbier — v. *Iambes* (*) —, au Hugo des *Châtiments* (*) et, dans les poèmes d'un ton plus contrôlé, à Heine, Shelley ou Platen. Mais on ne peut parler ici d'imitation, l'inspiration de Carducci demeurant toujours profondément originale. *Iambes et Épodes* marquent un tournant décisif dans l'œuvre du poète : le classicisme et, en quelque sorte, l'humanisme de *Juvenilia* se libèrent de toute convention académique, atteignant à la souplesse et au caractère concret qui constitueront l'apport nouveau du langage poétique de Carducci dans les *Rimes nouvelles* (*) et les *Odes barbares* (*).

IBERIA. Suite pour piano du compositeur espagnol Isaac Albéniz (1860-1909), composée entre 1905 et 1909. En 1893, marié et libéré de ses obligations de concertiste toujours en voyage, Albéniz s'établit à Paris. La gloire de Wagner s'estompait ; le goût du jour se portait vers César Franck et vers la « Schola cantorum » de Vincent d'Indy. Albéniz connut, fréquenta, admira Fauré, Dukas, d'Indy,

Chausson, Charles Bordes. Il connut aussi, mais n'admira pas, Chabrier et Debussy. Un jour, à l'improviste, il éprouva une inquiétude nouvelle : le tourment du style. Il sut alors combien l'art est une difficile conquête. Ses compositions de jeunesse lui parurent comme de « petites saletés ». Son inspiration traversa une crise. Mais elle en sortit victorieuse. Dans *Iberia*, c'est l'Espagne vue de loin, le cri de l'exilé, la nostalgie après son expérience du monde. Ce n'est plus l'Espagne vivante, spontanée, celle de quelqu'un qui y demeure et, inconsciemment, en incarne la sève, la lumière, les couleurs. En somme, c'est l'Espagne vue à travers le prisme de l'art. Comme l'a défini très justement Salazar, il y a entre *Iberia* et les œuvres de la première manière la même différence que celle qui existe entre un souvenir et une sensation. La suite comprend douze pièces de longueur insolite : toutes présentent de très grandes difficultés pianistiques. La légion d'admirateurs qu'Albéniz possédait parmi les amateurs de piano fut consternée. Le maître avait appris de Wagner la longueur excessive des compositions, de Debussy l'extravagance impossible de l'écriture pianistique. Il n'avait plus d'égards pour les exigences pratiques et commerciales. La matérialisation de son rêve artistique était désormais son unique préoccupation. Les connaisseurs, eux, ne se trompèrent pas. Debussy chanta hautement les louanges des douze pièces d'*Iberia* (« Évocation », « El Puerto », « Fête-Dieu à Séville », « Triana », « Almeria », « Rondeña », « El Albaicín », « El Polo », « Lavapiés », « Malaga », « Jérez », « Eritaña »). L'impressionnisme avait marqué Albéniz. D'une part, il sympathisait avec lui sous certains de ses aspects : l'amour de la beauté sensuelle, ses possibilités de splendeur éclatante, de richesse sonore, la gamme illimitée des couleurs pouvant rendre les paroxysmes les plus fous. D'autre part, quelque chose avait résisté, chez Albéniz, au sortilège impressionniste : la simplicité élémentaire de son tempérament, la clarté solaire et méditerranéenne de sa nature, son instinctive méfiance à l'égard des subtilités intellectuelles et des préciosités délicatement nuancées de Debussy. Certaines de ces pièces ont été orchestrées par Enrique Fernandez Arbós, Carlos Surinach et D.-E. Inghelbrecht ; la suite d'Arbós (cinq pièces) est la plus fréquemment exécutée.

★ *Iberia* est également le titre d'une des « Images pour orchestre » – v. *Images* (*) de Claude Debussy (1862-1918). Si elle n'est pas la plus belle, elle est certainement, de ses compositions orchestrales, celle qui a le plus de souffle.

ICI EN DEUX. Recueil du poète français André du Bouchet (né en 1924), publié en 1986. L'auteur y a réuni des textes qui, dans la diversité de leur forme, témoignent tous de la même volonté d'explorer son rapport au monde et au langage et de ressouder ce qui, dans l'un et l'autre, lui apparaît comme désintégré. Le titre du livre, emprunté à celui des poèmes de la première partie, rend manifeste l'obsession du dédoublement, fréquente chez André du Bouchet, pour qui l'accession à l'être semble passer par la division de soi. À la séparation des choses répond en effet la fission du moi : « Que tu te retires, / moi-même / deux aussitôt. » Le lieu même où « je » suis, ici, se divise « en deux », renvoyant à l'identité du proche et du lointain : « Cela / est proche / puisque / la substance en moi qui souffle / est / la même / que / l'autre des lointains. » La pensée poétique unit ce qui est séparé, et l'écriture mesure les décalages, spatiaux et temporels, entre le monde, le mot et le moi : « Le mot est là / pas moi. » Le mot donne accès à l'ouvert, au monde, à l'espace et à la coprésence des temps, et le poète doit être assez vigilant pour ne pas se laisser enfermer par le langage : « ... parce que je ne voudrais pas que le langage se referme sur soi. Je ne voudrais pas que le langage se referme sur moi. » L'ouvert, c'est aussi le dehors, dont s'approche celui qui se livre à la parole : « ... mais entier dans la parole, j'ai aussi été proche du dehors un instant. » Avec ses « Notes sur la traduction », reprises dans *Ici en deux*, André du Bouchet nous donne une méditation sur les rapports de la langue, de la parole et du dehors. Le mot « traduction » doit être entendu dans un sens métaphorique qui déborde le sens habituel. Il s'agit pour le poète de traduire le monde et les êtres, choses ou mots qui en font partie. « Traduire est une séparation aussi » et l'acte de traduire, faisant apparaître la langue maternelle comme étrangère, révèle l'une des fonctions de l'acte poétique, à savoir la mise au jour de l'étrangeté. Ces « Notes sur la traduction » éclairent d'une certaine manière les textes plus proprement poétiques du recueil : « Ici en deux », « Fraîchir », « Axiomes », dont l'intensité et la concision, ennemies de tout discours emphatique ou musical, mettent le lecteur en état de saisir directement, grâce à la nudité de la parole d'André du Bouchet et à l'expérience qu'il fait de son être au monde, les décalages et les failles sur lesquels s'appuie cette expérience et que la typographie rend sensibles à l'œil. Dans ces poèmes, André du Bouchet poursuit sa recherche d'un dépouillement rigoureux qui va de pair avec l'une des pensées poétiques des plus exigeantes qui soient. Ses thèmes familiers, l'air, le ciel, l'eau, l'instant, la pierre, le sol, se conjuguent pour faire d'« ici » le lieu d'affleurement du réel dans ce qu'il a d'élémentaire et le support mouvant du souffle, de la parole et de la voix.

J. De.

ICI ON RÉPARE LES POUPÉES [*Si Riparano Bambole*]. Roman de l'écrivain italien Antonio Pizzuto (1893-1976), publié en 1960. Dans l'appendice intitulé « Un auteur tel qu'il se voit », Pizzuto nous livre des réflexions sur son art : « Raconter une histoire, c'est se proposer de représenter une action, c'est-à-dire un développement de faits ; au lieu de les représenter, le récit en dernière analyse les documente. Personnages, événements, données psychologiques, tout se pétrifie au fur et à mesure qu'on le raconte... Si les personnages racontés sont des documents, les personnages narrés sont des témoins... La narration devient ainsi substance-forme, c'est-à-dire style, non plus analyse mais synthèse transcendantale, dans laquelle l'action reprend vie, parce que la narration n'en est plus le portrait mais une résonance. » Et l'auteur définit l'essence de ses pages comme un antihistoricisme absolu. Par fragments savamment juxtaposés, la trame du livre, qui au fil du récit se brise en mille éclats dans la nécessité de les fixer en une seule image transparente, recompose tout l'univers et son énigme. Au début de ce siècle, le jeune Pofi découvre le monde qui l'entoure, d'abord à travers les trois générations d'une famille sicilienne modeste et laborieuse, vivant parmi les dernières splendeurs d'un palais sicilien, puis à travers les problèmes, les inquiétudes, la répétition des saisons que le temps rend insoutenables. Le style audacieux et l'architecture de ce roman méditatif et poétique, précieux et dépouillé, rappellent certaines expériences du « nouveau roman ». En effet, ce texte qui tend à brouiller les temps verbaux, à désigner successivement des personnages différents par le même pronom et à réduire au minimum les signes de ponctuation, ne constitue qu'une longue suite d'énigmes. — Trad. Gallimard, 1964.

ICI SOUS L'ÉTOILE POLAIRE [*Täällä pohjantähden alla*]. Trilogie romanesque de l'écrivain finlandais d'expression finnoise Väinö Linna (né en 1920), publié en 1959, 1960 et 1962. L'objectif initial de Linna était de témoigner de la vie du peuple d'agriculteurs, et d'anciens métayers de sa campagne, le Häme, en Finlande centrale, dans les années de l'entre-deux-guerres, quand il était enfant et adolescent. Mais cette période ne pouvait être comprise qu'en allant chercher les racines des problèmes plus loin dans le temps. Ainsi ont pris naissance les trois parties de *Ici sous l'étoile polaire*, qui racontent la vie d'une famille de métayers au village de Pentinkulma depuis les années 1880 jusqu'à la « guerre d'hiver ». La première partie va jusqu'à la première décennie du siècle : la deuxième a pour axe la guerre civile de 1919 et la troisième couvre les années 20 et 30.

Linna dans son enfance aurait vu sa mère, veuve, pourvue de sept enfants, courir sans cesse pour aller servir au manoir. Donc, chez lui, pas d'idéalisation : son image de la patrie et de la campagne est aux antipodes de celle, mythique et romantique, d'un Runeberg (1804-1877).

À Pentinkulma, toute une population de métayers et d'ouvriers agricoles est soumise à l'arbitraire du pasteur et des gens du manoir. Jussi Koskela, d'abord berger puis valet, au caractère renfermé mais volontaire, est autorisé à réhabiliter une métairie de la paroisse, et parvient à prospérer. Cependant il est à la merci du propriétaire, et l'arrivée d'un nouveau pasteur aggrave sa situation : le domaine ecclésiastique, en toute légalité, absorbe une partie des terres qu'il cultivait. Jussi se retranche en lui-même. Mais son fils Akseli, influencé par les idées socialistes, prend conscience de l'injustice. Akseli sera le héros de la deuxième partie qui montre son évolution vers le socialisme révolutionnaire : il dirige un détachement des rouges lors du soulèvement puis de la guerre civile de 1919. Arrêté et interné, il échappe à l'exécution. À son retour, en 1922, la loi sur la terre fait qu'il n'est plus métayer mais agriculteur indépendant. La troisième partie présente la période qui suit l'indépendance, dans une Finlande bouleversée par une guerre civile qu'elle essaye d'oublier, et en proie à la crise économique. Akseli se referme sur sa vie familiale, et ne fait plus de politique. Le roman montre bien tous les germes de la montée du fascisme. Il va jusqu'à la guerre, pendant laquelle Akseli meurt ainsi que trois de ses enfants, le troisième figurant dans *Soldats inconnus* (*). Il ne reste plus que le cadet, Juhani, pour continuer le combat, dans des conditions cependant bien meilleures qu'elles ne l'ont jamais été.

La trilogie a reçu dès 1962 le prix du roman des pays nordiques. Mais son succès littéraire a suscité un débat public comparable à la polémique sur *Soldats inconnus*. Car la guerre civile était encore à l'époque un sujet tabou, particulièrement douloureux. Linna essaye de comprendre les origines d'une période qu'il n'a connu, d'abord, que par la version officielle, établie par les vainqueurs. Il découvre combien elle est partiale : les rouges n'étaient pas des brigands, mais des gens poussés à bout par une oppression féroce. Linna n'a rien d'un révolutionnaire, mais il se sent solidaire des vaincus sur le plan humain. Ainsi, quarante ans après les événements, brise-t-il le silence et réhabilite-t-il toute une partie du corps social finlandais.

Dans sa recherche d'objectivité, Linna veut une fois de plus mettre à nu les rapports de cause à effet : même les personnages qui ont sa sympathie (les rouges, les gens simples) sont présentés sans idéalisation. Ils ne sont pas forcément meilleurs que les autres, ils sont acculés à une situation plus misérable. Le romancier fait appel ici encore à la vertu qui a fait la force de *Soldats inconnus* : la réserve. Mais ici la galerie de portraits est plus riche. Les femmes notamment sont présentées de manière plus vraie. Par ailleurs, des personnages extérieurs à la famille Koskela sont porteurs des préoccupations éthiques de l'écrivain et comptent parmi les figures les plus vivantes : le tailleur Halme, un idéaliste qui initie Akseli à la pensée socialiste et reste solidaire des ouvriers « même quand ils font des bêtises » ; le fasciste Salpakari, cynique, égoïste, nietzschéen, dans lequel se retrouvent certains traits des personnages des premières œuvres de Linna ; le social-démocrate Janne Kivivuori, certainement de tous le plus proche de l'auteur. La famille Koskela parvient somme toute à améliorer sa situation. Au prix de quels sacrifices, c'est ce que la trilogie nous apprend. — Trad. Robert Laffont, les deux premières parties, 1962, 1964, la seconde sous le titre *Les Gardes rouges de Tampere*.

E. T.

ICÔNES DE LA GRANDE VILLE (Les) [*Nagyvàrosi ikonok*]. Recueil de poèmes du poète hongrois Jànos Pilinszki (1921-1981), publié en 1970. Pilinszki rassemble ici l'ensemble de son œuvre poétique depuis 1940. La première partie comporte les poèmes écrits de 1940 à 1946. C'est la période pendant laquelle il entre dans la vie et dans la guerre. Celle-ci, centrale dans toute son œuvre, n'est pas directement présente dans le premier recueil, *Trapèze et Limite* [*Trapéz és korlàt*, 1946]. Mais déjà des éléments structurels apparaissent : versification maîtrisée, tonalité en mineur, sentiment d'une fatale inadéquation (*Sur une étoile interdite* : « Je suis né sur une étoile interdite... » « Naître je ne l'ai pas voulu, par le néant engendré et nourri »). Parfois il s'adresse à un interlocuteur — mère, dieu, amante, produit de son imagination — mais c'est un dialogue désespéré. Le noir, les impressions de fusion, de dislocation, de désagrégation, le silence (« fragile et creux »), la douleur (« dans des contrées douteuses et lointaines / vigilante la douleur s'apprête ») dominent. La thématique religieuse fait discrètement son apparition (*Stigmate*) alors que déjà le pouvoir de la raison est mis en doute : « La raison infidèle ne me protège pas » (*Deuil*). Pressentiments, visions, cauchemars : « La destruction ronronne à tes pieds, pourquoi ne la repousses-tu pas ? » (*Je te dis*). Dans la deuxième partie *Et le troisième jour* [*Harmadnapon*, 1946-1958], le rapport entre le poète et le monde se précise : il se donne en « aliment vivant au monde entier » : « Digérez donc mon essence, pour que je comprenne votre faim » (*Paraphrase*). La mort (« Je me nourris de la mort, elle se repaît de moi », *Monde refroidi*), les préoccupations métaphysiques (« Si nous sommes nés pour l'éternité, pourquoi mourir en vain ? », *In memoriam N.N.*), le silence (« Entends-tu ma muette parole ? », *Lamentation* ; ou encore « Ce sera la paix parfaite : ne pas entendre jusqu'à mon cœur », *Avant que tu ne viennes*) traversent le recueil. Et voilà émerger puissamment (*Sur le mur d'un camp de KZ*), le thème de la guerre (« J'ai faim ! Et en même temps je sens la faim éternelle que nulle nourriture terrestre ne rassasie », *Un prisonnier français*). C'est une poésie du refus : « Je pars. Un homme va, en silence, faire face à la destruction », (*Apocryphe*). Un refus qui est sacrifice : « Aujourd'hui on versera mon sang. » Le poète, le souffrant et le Christ ne font qu'un. Enfin inédits, seize poèmes et *KZ-oratorium*. Ce dernier, chant à trois voix d'un dépouillement monacal, présente en parallèle trois déportés : « N'est-ce pas que nous sommes morts ? » dit le jeune garçon. Dans les poèmes (1959-1970), le vers est moins rigide et la pensée plus abstraite, plus impressionniste : répétitions, phrases nominales, juxtapositions inattendues, atomisation de la pensée, bribes de poèmes. Mais l'atmosphère n'a pas changé : « Ouvrez la porte, je suis arrivé ! De porte il n'y en a pas que nous puissions ouvrir » (*Petite musique de nuit*). Ainsi l'auteur définit-il lui-même son langage poétique : « absence de langue, pauvreté de langue ».

E. T.

ICOSAMERON. Roman fantastique écrit en français par l'auteur et aventurier italien Giacomo Girolamo Casanova di Seingalt (1725-1798), et publié en 1788, à Prague, comme traduit de l'anglais. L'écrivain, au cours d'un récit fantaisiste inspiré par les réformes de l'époque, exprime sa conception utopiste de l'avenir de l'humanité. Le vrai titre de l'œuvre est *Icosameron ou Histoire d'Édouard et d'Élisabeth qui passèrent quatre-vingt-un ans chez les Mégamicres, habitants aborigènes du Protocosme dans l'intérieur de notre globe*. Les deux jeunes gens, entraînés par le tourbillon du Maelström, descendent au moyen d'une caisse en plomb au milieu d'une population étrange, qui vit sous terre dans une sorte de béatitude innocente. Après diverses aventures, qui leur inspirent certaines réflexions morales sur la nature de l'homme et sur l'état futur du monde, ils reviennent à la surface de la terre où, grâce à leur expérience, naîtra bientôt une race d'hommes nouveaux, meilleurs que tous ceux qui avaient vécu depuis l'origine de la création. Cette nouvelle race sera le principe régénérateur de la civilisation. L'œuvre est divisée en « vingt journées » — ainsi que l'indique le titre, qui est à rapprocher du célèbre *Décaméron* (*) — et illustre le goût de ce siècle pour les théories utopiques sur le bonheur de l'humanité. Les passages qui témoignent de l'expérience personnelle de l'auteur sont les meilleurs. Dans l'ensemble, l'ouvrage nous fait connaître la curiosité insatiable de l'un des plus typiques aventuriers du XVIIIe siècle et son espoir en de grandes réformes sociales ; il est dans la ligne de *La Cité du soleil* (*) de Campanella ou des *Voyages de Gulliver* (*) de Swift. Casanova a des dons de visionnaire qui lui font deviner quelques-unes des inventions modernes : les chevaux volants, la production des essences précieuses, la fabrication des projectiles suffocants, le « feu électrique » et d'autres encore. Cette œuvre curieuse fut peut-être pour Jules Verne la source de son *Voyage au centre de la Terre* (*), paru en 1864.

IDÉAL AMÉRICAIN (L') [*American Ideals and Other Essays, Social and Political*]. Recueil d'essais politiques et sociaux de l'homme politique et écrivain américain Theodore Roosevelt (1858-1919), qui fut président des États-Unis de 1901 à 1908. L'œuvre, dédiée à H. C. Lodge, fut publiée à New York et à Londres en 1897. Elle consiste en seize essais distincts, précédés d'une brève préface ; l'ensemble est l'exposé des conceptions politiques de l'auteur, principalement en ce qui concerne son pays. La préface exalte les qualités que Roosevelt estime nécessaires à l'homme politique : « le courage, l'honnêteté et le bon sens » ; vaine ou nuisible s'avère l'action que n'éclaire aucun principe ; et non moins dangereuse ou néfaste apparaît celle que ni la sagesse ni la vertu n'inspirent. D'ailleurs, les théories qui ne suivent pas les actes sont inutiles. Dans le recueil tout entier, et surtout dans le premier essai qui lui donne son titre, l'auteur vante le courage éclairé dans l'exercice de l'activité politique, et précise les buts vers lesquels, selon lui, doit tendre la vie publique américaine. Les principes fondamentaux de la Constitution américaine, définitivement fixés à la suite des épreuves pénibles de la Guerre civile, sont repris un à un et illustrés de manière simple et frappante. Les exemples ne sont pas oubliés, ni les violentes invectives contre certaines personnalités de la vie politique, intellectuelle, ou du monde des affaires. Quelques essais ne sont que des comptes rendus, dénués de bienveillance, concernant des ouvrages d'ordre historique ou sociologique parus durant la dernière décennie du siècle passé. Tant par sa valeur intrinsèque que par la personnalité de son auteur qui joua un si grand rôle dans la vie américaine, ce livre constitue un document historique remarquable. — Trad. A. Colin, 1904.

IDÉAL ET RÉALITÉ DANS LA LITTÉRATURE RUSSE [*Idealy i deistvitel'nost' v russkoj literature*]. Œuvre de l'écrivain russe Peter Alexeïevitch Kropotkine (1842-1921), très importante en raison des principes sociaux qui l'ont inspirée. Cet ouvrage, qui eut pour base le texte de huit conférences tenues à l'institut Lowel de Boston en 1901 — conférences ayant pour sujet la littérature russe du XIXe siècle —, fut publié dans le texte original anglais en 1905 et traduit en allemand l'année suivante. Une seconde édition augmentée parut en anglais en 1916. La traduction russe, exécutée sous la surveillance de l'auteur lui-même qui l'enrichit de ses nouvelles recherches (Saint-Pétersbourg, 1907), doit être considérée comme la meilleure édition de cet ouvrage, tant pour la souplesse et la vivacité du langage que pour son efficacité polémique. Le titre indique nettement le but de l'ouvrage : démontrer l'importance du rôle assumé par la littérature dans la société russe, mettant en lumière les conflits qui opposèrent la pensée intellectuelle à un régime despotique sévère. Après un rapide coup d'œil sur les conquêtes artistiques des premiers siècles, l'auteur montre, dans l'œuvre de Pouchkine et des « Décembristes » de 1825, l'esprit de lutte à outrance qui les animait pour obtenir des améliorations sociales nécessaires au bonheur du peuple. Passant successivement d'un écrivain à un autre, Kropotkine met en valeur leur contribution à la cause commune, allant ainsi des grands écrivains du XIXe siècle jusqu'à Tchekhov. Le livre de Kropotkine devint rapidement célèbre dans la littérature occidentale, en raison des profonds sentiments sociaux et civiques qui l'inspirent. Les diverses recherches littéraires sont toutes guidées par l'intention d'exalter le travail d'un peuple, d'affirmer son idéal, de montrer ses tourments et l'aridité de ses conquêtes. Dans son ensemble, ce livre reflète les préoccupations d'un esprit constamment tendu vers de nouvelles acquisitions, ce qui explique l'importance accordée par l'auteur au rôle politique des écrivains ; cette remarque vaut tout particulièrement pour Dostoïevski et Tolstoï. On voit se former en Kropotkine un esprit de justice et de liberté, qui est le propre de la littérature russe de cette époque.

IDÉALISME CONTEMPORAIN (L'). Ouvrage du philosophe français Léon Brunschvicg (1869-1944), publié en 1921. Il se compose de plusieurs essais écrits à diverses époques et réunis par la suite en un seul volume. Aux courants de la philosophie contemporaine, Brunschvicg oppose une théorie personnelle : un idéalisme critique de type kantien dans lequel la synthèse des catégories de la raison et l'expérience empirique sont les éléments constitutifs du problème gnoséologique. L'idéalisme subjectif-métaphysique, le positivisme empiriste constituent des idoles à abattre ; sans la raison, l'expérience est aveugle, sans l'expérience, la raison est vide : le moi et le non-moi sont en rapport dans un processus continuel de symbiose. Le développement réciproque de la rationalité et de l'objectivité est marqué par le mouvement dialectique d'une activité spirituelle unique : la vie de la pensée. Dans le premier essai, la pensée est considérée en fonction du sens commun qui ramène la raison à sa clarté originelle lorsqu'elle dégénère en anarchie intellectuelle, et fixe les étapes parcourues par l'activité intellectuelle, éclairant et soulignant les valeurs essentielles de la pensée elle-même. Le deuxième essai traite de l'essence de la vie spirituelle fondée sur l'antinomie entre l'idée pure et sa forme sentimentale extrinsèque.

Contre les philosophies du sentiment et de la volonté (Pascal, Schopenhauer, etc.) qui mettent au premier plan les états affectifs, Brunschvicg soutient que les sentiments non conditionnés par la raison dégénèrent en esclavage moral et que l'absurdité radicale du vouloir-vivre schopenhaurien, dans son caractère négatif, nous renvoie elle-même de toute façon à un choix de la raison : c'est pourquoi le rationalisme, loin de condamner le sentiment, lui impose une discipline. Le troisième essai est consacré au problème de la méthode philosophique : l'idéalisme critique s'efforce de concilier l'idéalisme cartésien et le criticisme kantien ; il cherche dans la pensée le caractère constitutif de la substantialité de l'être, sans cependant réduire la substance à une simple catégorie spirituelle. Par un processus qui va du particulier au général, l'idéalisme, au moyen de l'analyse, décompose le monde de l'expérience en ses moments infinis pour les recueillir, en un second temps, dans une synthèse de valeur universelle. Enfin, dans les quatrième et cinquième essais, l'auteur réfute les accusations portées par les spiritualistes de l'école bergsonienne contre l'intellectualisme, soulignant les éléments positifs de ce dernier.

IDÉALISTE (Un) [*En idealist*]. Drame en dix actes de l'écrivain danois Kaj Munk (1898-1944), écrit en 1923-1924. C'est une des œuvres les plus remarquables de cet auteur, et qui, représentée en 1928 pour la première fois à Copenhague, a suscité depuis d'âpres polémiques. Plus encore que par le sous-titre « Quelques impressions de la vie d'un roi », la clé de ce drame est donnée par une citation de Kierkegaard, placée en exergue : « La pureté du cœur consiste à vouloir une seule chose. » Effectivement, le personnage principal, Hérode, désire de toutes ses forces une seule chose, le pouvoir, et l'auteur se sent par là justifié à le qualifier d'idéaliste. Hérode prétend venger Ésaü en s'attaquant aux descendants de Jacob ; devenu roi d'Israël, il ne craint pas de se rendre odieux, en exerçant un pouvoir illimité. Doué d'une force et d'une intelligence peu communes, il ne recule devant aucune infamie. La brutalité, les assassinats, les intrigues, les mensonges, les flatteries sont, pour lui, autant de moyens propres à mettre hors de combat ses ennemis. Ayant déjà fait alliance avec Antoine et Cléopâtre, il réussit à se lier avec Octave, une fois que ce dernier a remporté la victoire ; de telle sorte qu'il conserve et même étend son pouvoir au moment même où les autres rois de l'Orient sont conduits, enchaînés, à Rome. Nul ne peut lui résister. Et cependant il est assujetti à une faiblesse humaine : l'amour que lui inspire sa femme, l'incomparable Mariamne. Fille d'un roi détrôné, elle l'aime fidèlement, lui portant le respect dû au père de ses enfants. Sa vertu et sa beauté, qui la rendent chère à son entourage, lui attirent la haine de sa belle-sœur, Salomé, créature difforme et perverse ; celle-ci parvient à déchaîner la jalousie d'Hérode. Convaincu de sa propre faiblesse, Hérode décide de sacrifier sa femme à l'exercice du pouvoir. Il la fait condamner pour adultère par un tribunal de pharisiens. Dès lors, plus rien ne le retiendra, et son impudence va dépasser toutes les limites. Menacé d'une mort imminente, il réussit à berner encore une fois le peuple qui se félicitait de cette fin, et il s'en tire à bon compte. Mais lorsqu'il mourra, ce ne sera pas en vainqueur : la beauté d'une passante l'incite à la faire appeler ; il médite de satisfaire une dernière fois ses goûts sensuels ; mais la tranquille pureté de la jeune femme et le regard profond de l'enfant qu'elle porte sur son bras le déconcertent. Devant ce pouvoir plus grand que le sien, il prie désespérément, sur son lit de mort, le « Dieu de Jacob » de faire disparaître de ses yeux l'image de cet enfant. La force avec laquelle s'imposent les personnages et les situations fait oublier la longueur du drame et ce qu'il peut contenir de paradoxal et de systématique.

IDÉALISTES (Des) [*Idealister*]. Roman de l'écrivain danois Hans Scherfig (1905-1979), publié en 1944. Ce livre, écrit dès 1940-41, est étonnamment complexe, sur une trame de roman policier. Une nuit, Skjern-Svendsen, riche industriel philanthrope, est tué dans son château. Qui a commis le meurtre ? Sa femme, épouse insatisfaite, qui se console auprès de leur jardinier et auprès d'un charlatan sexologue ? Son valet actuel qui, comme tous les domestiques du château, a fait plusieurs séjours en prison, ou son prédécesseur, étrange personnage qui travaille désormais chez l'imprimeur Damaskus, à Copenhague, et qui avait fait chanter son ancien patron ? Les idéalistes de ce livre : le châtelain, le sexologue, un occultiste, l'imprimeur, le pasteur du village, qui crée une section de Jeunesse chrétienne et qui met fin aux activités de l'association sportive de la commune, le jardinier, qui veut vendre son salut au profit de la châtelaine, sont tous plus nuisibles à la société que les « criminels » qui ne commettent après tout que quelques larcins. Mais ce roman doit surtout sa réputation à son style. La critique de la société et de toute la civilisation moderne est écrite avec une telle bonne humeur que la lecture est un plaisir, même si l'on ne partage pas les opinions politiques du romancier. Il y a aussi des protestations déguisées contre la trop facile soumission officielle du Danemark lors de l'Occupation, et Scherfig loue les activités des saboteurs en rappelant que ce sont tous des hommes du peuple.

IDEARIUM ESPAÑOL. Œuvre de l'écrivain espagnol Angel Ganivet (1865-1898), publiée en 1897. C'est une sorte de bréviaire, où l'auteur tend à démêler les causes de la décadence espagnole ; il se divise en trois parties : la première dégage l'ossature de l'Espagne historique, religieuse et artistique, et donne les caractères de son paysage spirituel ; la deuxième fixe sa position politique en face du monde moderne ; la troisième donne les causes du marasme actuel et laisse pressentir la formation d'une nouvelle conscience nationale. Bon nombre des maximes que contient cet essai semblent tombées de la main d'un moraliste français ; d'autres, par contre, ont un caractère plus personnel, elles ne s'imposent au lecteur que par l'art avec lequel elles sont formulées. Enfin, une certaine partie d'entre elles nous révèle une perspicacité en face des événements de l'histoire du peuple espagnol à laquelle personne n'était parvenu avant Ganivet. Parmi les idées les plus intéressantes de l'*Idearium español*, retenons celles-ci : la philosophie naturelle du peuple espagnol lui viendrait directement du stoïcisme de Sénèque ; l'identification que l'on peut faire du caractère hispanique avec le catholicisme ; la distinction entre les peuples guerriers et les peuples militaires ; la découverte que l'improvisation est le trait dominant de l'activité espagnole, aussi bien dans le domaine artistique que dans le domaine pratique. L'écrivain est toujours soutenu dans cette œuvre par un style clair, concis et élégant. Toutes ces qualités, jointes à cette inquiétude intellectuelle qui est le propre de l'auteur, font de Ganivet le précurseur direct de ce qu'il est convenu d'appeler « la génération de 98 ».

IDÉE. La guirlande du berger [*Idea, the Shepeards Garland*]. Neuf églogues du poète anglais Michael Drayton (1563-1631), publiées pour la première fois en 1593. Sous le pseudonyme de Roland, l'auteur célèbre la reine Elizabeth ; il se plaint de la cruauté de son amante, Idée, et pleure la mort de héros disparus, entre autres sir Philip Sidney. On ne sait trop quelle est la femme que Drayton a voulu chanter sous le nom d'Idée, sans doute s'agissait-il d'Anne Goodere, la fille de son protecteur. La cinquième églogue et les sonnets que l'auteur se mit à publier en 1594, sous le titre de *Miroir d'Idée* [*Ideas Mirror*] nous apprennent que cette dernière vivait sur les rives du fleuve Ankor. Quant au mot Idée, le poète nous fait savoir qu'il nous faut l'entendre dans son sens platonicien. Dans l'ensemble, Drayton s'inspire de Spenser, mais sans en adopter ni les archaïsmes ni le moralisme. Bien qu'ayant imité Spenser et subi l'influence de Pétrarque, Drayton n'en reste pas moins, par la richesse de son imagination, le poète le plus original de son époque. Certes, parfois son œuvre témoigne d'un manque de finesse ou de graves défauts de composition. Mais son style fait de Drayton un des auteurs élisabéthains qu'on lit avec le plus grand plaisir.

IDÉE DE LOI NATURELLE DANS LA SCIENCE ET LA PHILOSOPHIE CONTEMPORAINES (De l'). Cours professé par le philosophe français Émile Boutroux (1845-1921) durant l'année scolaire 1892-93 et publié en volume en 1895. L'auteur se propose de déterminer et de préciser la valeur, le sens métaphysique et moral de l'idée de loi naturelle, d'étudier à quel point les lois naturelles sont intelligibles et nécessaires à notre pensée ; si elles nous donnent la substance des choses ou sont seulement des symboles élaborés par nous ; si le déterminisme existe aussi dans la réalité de la nature ou s'il est seulement pour nous notre façon nécessaire de concevoir le monde. Pour répondre à ces trois questions, Boutroux examine les lois logiques, et observe qu'elles ont un maximum d'intelligibilité dans les trois principes aristotéliciens, d'identité, de contradiction et du tiers exclu ; ces principes ne nous disent pourtant rien de la réalité. « A est A » est absolument vrai, mais ne signifie rien pour la connaissance de la réalité, alors que nous devons pouvoir dire, pour que la pensée ait pour nous une valeur : « A est B » (par exemple « la rose est une fleur »). Mais le passage de A à B a pour nous quelque chose d'obscur, et de la sorte toute la logique syllogistique, encore qu'elle pousse des racines plus profondes dans la réalité, n'a plus l'absolue intelligibilité des premiers principes logiques. Les lois mathématiques ne sont pas une pure et simple élaboration logique de notre esprit, parce qu'elles requièrent un principe intuitif qui est impénétrable à notre pensée : le postulat. D'autre part, elles ne proviennent même pas de l'expérience, étant formulées antérieurement à celle-ci. On devra comprendre les mathématiques comme une adaptation volontaire et intelligente de la pensée aux choses, comme des symboles créés par l'esprit pour connaître les choses. Les lois mécaniques et physiques représentent le caractère que nous devons attribuer aux choses pour qu'elles puissent être exprimées par les symboles dont nous disposons. La chimie semble descendre plus avant dans la réalité parce qu'elle ne considère pas, comme les lois précédemment indiquées, un objet abstrait ou une propriété, mais qu'elle étudie les corps concrets. Par contre, l'intelligibilité des lois chimiques se fait toujours plus petite parce qu'elle doit admettre une série de corps hétérogènes ainsi que des principes obscurs et empiriques tels que les valences (Boutroux ne pouvait avoir connaissance des études ultérieures dans le domaine de l'atome, qui pourtant n'infirment pas complètement sa pensée). En avançant dans la biologie, la psychologie et la sociologie, l'idée de loi devient toujours plus incertaine. On est tenté de réduire les lois biologiques à des lois physico-chimiques, mais on n'a pu expliquer comment, dans les corps organiques, tous les phénomènes concourent à l'unique but de maintenir la vie. On ne peut pas parler de lois psychologiques, parce que nous ne pouvons rendre objectifs les phénomènes subjectifs de l'âme ni les réduire à des phénomènes physiques. On peut en dire autant pour les phénomènes sociologiques.

De cet examen, Boutroux peut conclure que la loi scientifique, en passant de la logique aux mathématiques, mécanique, physique, chimie, biologie, psychologie, sociologie, pousse des racines toujours plus profondes dans la réalité, mais devient toujours moins intelligible et nécessaire. Contre le positivisme qui voyait la liberté de l'homme annulée par l'existence des lois naturelles absolues et nécessaires, Boutroux peut conclure que les lois naturelles ne sont pas une nécessité extérieure qui enlève toute liberté à l'esprit, mais bien au contraire le moyen par lequel l'esprit peut agir sur les choses extérieures. Cet ouvrage, comme on le voit, est destiné à démontrer la possibilité du libre arbitre en s'appuyant sur la contingence des lois naturelles, mais son intérêt va bien au-delà de la thèse qu'il soutient parce que c'est un solide, lucide et souvent très pénétrant examen critique des procédés des diverses disciplines scientifiques, avec une documentation comportant de très intéressantes citations de savants.

IDÉE D'UNE HISTOIRE UNIVERSELLE DU POINT DE VUE COSMOPOLITE [*Idee einer Universalgeschichte von dem kosmopolitischen Standpunkt*]. Ouvrage du philosophe allemand Emmanuel Kant (1724-1804), publié en 1784. Selon Kant, il doit être possible de découvrir, au-dessus du désordre des tendances individuelles, un ordre rationnel auquel chacun se conforme inconsciemment et qui trouve sa cause dans un plan de la nature. Et si nous admettons une téléologie naturelle, nous devons convenir que « dans l'homme [...] ces dispositions naturelles, qui ont pour fin l'usage de la raison, ne peuvent atteindre à leur plein développement que dans l'espèce et non dans l'individu, car la vie de ce dernier est trop brève pour lui permettre d'épuiser au cours de son existence toutes les dispositions possibles ». La réalisation du but humain s'accomplit à travers l'antagonisme de l'« insociable sociabilité », autrement dit des deux attitudes contradictoires dont l'homme est le lieu ; se socialiser et s'individualiser. De là surgit le plus grave des problèmes concernant l'espèce humaine : « établir une société civilisée capable de faire valoir universellement le droit ». La fin de la nature est donc l'établissement d'une juste constitution, où la liberté de l'un ne trouverait sa limite que dans la loi qui veille à l'égale liberté des autres. Ce problème est le plus difficile et le plus long à résoudre ; car si, d'un côté, pour mettre un frein aux excès de sa liberté, l'homme a besoin d'un maître, le maître, d'un autre côté, est également un homme conduit à abuser de sa propre liberté. Le problème consistant à établir une constitution civile parfaite dépend donc du problème concernant le moyen de régler par des lois les rapports internationaux, et celui-ci ne peut être résolu que par l'institution d'une fédération d'États, au sein de laquelle chacun d'eux serait soumis à une loi réglant leur liberté réciproque ; car, en l'absence d'une semblable autorité, il en adviendrait comme des particuliers entre eux : autrement dit, les États, incités par les égoïsmes particuliers, se jetteraient les uns contre les autres, s'entre-dévorant et semant la ruine, la misère et les révolutions. Considérant alors le passage des individus de l'état de barbarie à la société civilisée et, de même, le passage des États de l'indépendance à la fédération, on découvre que les antagonismes et les luttes, avec leurs douleurs, leurs misères et leurs destructions inévitables, ne sont que des moyens destinés à réaliser le but de la nature. Il n'y a donc rien d'impossible, et encore moins d'utopique, dans le fait de concevoir systématiquement le cours de l'histoire humaine selon un dessein rationnel, dans lequel la liberté humaine se trouverait intégrée dans le vaste plan providentiel de la nature.

Cet ouvrage de Kant, ainsi que celui consacré à la paix perpétuelle, est indispensable pour pénétrer pleinement la doctrine politique du grand philosophe. En effet, si la *Doctrine du droit* conclut dans un sens individualiste, ces études démontrent clairement que Kant était loin de se satisfaire d'une semblable solution. Pour échapper au cercle étroit de l'individualité, il dut recourir à une rationalité située dans la nature qui, si elle transcende téléologiquement toute possibilité théorique et pratique de l'esprit individuel, lui demeure toutefois immanent en tant que principe actif ; mais sous cette forme la nature envisagée par Kant n'est plus le monde mécanique des phénomènes, mais est quelque chose de plus : l'objet rationnel et intelligible du « noumène ». — Trad. Gallimard, 1984 ; et dans *Opuscules sur la philosophie de l'histoire,* Garnier-Flammarion, 1989.

IDÉE FIXE (L') ou Deux hommes à la mer. Dialogue de l'écrivain français Paul Valéry (1871-1945), publié en 1932 par les « Laboratoires Martinet ». C'est sans doute l'œuvre la plus facile et la plus brillante de l'écrivain. Elle se place sous le signe de la science médicale, à savoir de la science expérimentale par excellence (l'ouvrage est dédié au docteur Mondor « et à tous les amis que je compte dans le corps médical ») ; mais la discussion prend la forme d'une conversation mondaine. L'auteur, en proie à un malaise occasionné par des pensées pénibles, cherche à se détendre en faisant une excursion au bord de la mer, par une belle journée ensoleillée. Là, il retrouve un célèbre médecin parisien de sa connaissance, muni d'une ligne de pêcheur et de tout un attirail de peintre : le but poursuivi par l'honorable praticien est tout simplement de se reposer, de condamner son esprit à l'immobilité, à l'inaction, car notre homme souffre... il est tourmenté par une « idée fixe ». Mais aussitôt notre philosophe de le contredire et de lui démontrer qu'il n'y a rien de plus mobile que ce que l'on appelle « idée fixe » : le propre de toute « idée fixe » n'est-il pas précisément de se présenter à la conscience avec une fréquence particulière et des retours toujours plus obstinés ? Partant de ce premier thème, la conversation se poursuit, irrégulière et capricieuse, touchant l'une après l'autre les formes du savoir, traitant de l'importance des problèmes de méthodologie médicale, effleurant les théories freudiennes, illustrant le fameux relativisme d'Einstein, pour en arriver, après les coq-à-l'âne et les multiples accidents que propose toute conversation, au thème le plus ardu et le plus difficile, celui du rapport entre la science expérimentale et la connaissance intellectuelle. Ce problème, qui veut être, qui est le véritable argument de toute l'œuvre de Valéry — et dont l'expression poétique tient tout entière dans le drame de la pensée à la recherche d'une réalité absolue, probablement inaccessible —, ce problème donc est ici abordé avec la légèreté voulue d'un dialogue mené à bâtons rompus : jeux de mots et faciles traits d'esprit, qui sont le propre du genre, y sont ouvertement avoués et utilisés. Cependant, sous les plaisanteries, on voit se dessiner l'angoisse inévitable de l'esprit humain en proie aux mirages de la connaissance et sans cesse partagé entre le danger d'aboutir à une « mécanisation », soit qu'il s'abandonne totalement à la commune mentalité scientifique, soit qu'il se livre aux constructions métaphysiques incontrôlables, nées d'opinions personnelles. Cette angoisse est volontairement contenue dans le deuxième titre de l'ouvrage ; il peut en effet vouloir signifier, en jouant sur les mots, aussi bien : « deux hommes à la mer » que « deux hommes dans la mer », équivoque qui n'est pas sans résumer toute la frivolité aiguë et toute la pathétique gravité de cet esprit qui fut celui de Valéry.

IDÉES. Ouvrage du philosophe et essayiste français Alain (pseud. d'Émile Chartier, 1868-1951), publié en 1936. Dans sa préface, Alain expose ses intentions : professeur de philosophie, il s'est proposé de donner à un étudiant le goût de la philosophie. Il avait depuis longtemps dessein d'écrire un traité de philosophie ; en accumulant, peu à peu, des introductions aux principaux systèmes philosophiques, il se trouve qu'il l'a écrit. L'ouvrage comprend « onze chapitres sur Platon », une note brève sur Aristote que l'auteur regrette d'avoir seulement traité en quelques lignes, mais, dit-il, « Hegel peut tenir lieu d'Aristote, car c'est l'Aristote des temps modernes » ; trois longues études sur Descartes, Hegel et Auguste Comte. Il convient de compléter cet exposé par les quelques chapitres consacrés à des philosophes dans *L'Histoire de mes pensées* (*) et par un petit ouvrage publié à part : les *Lettres à Sergio Solmi sur la philosophie de Kant. Idées* se termine sur quatre chapitres intitulés : « Sociologie de la famille ».

Ces études revêtent un tour très particulier : Alain, philosophe anti-intellectualiste, s'efforce non seulement de dégager la pensée de l'auteur du commentaire scolaire qui l'encombre, mais plus encore d'oublier tout ce qui a été dit sur l'auteur qu'il étudie, afin de retrouver son œuvre dans son originalité première et de montrer qu'elle constitue, avant tout et toujours, un guide pour la pensée. Plus que le système qui en découle, c'est la démarche spontanée du philosophe qui l'intéresse et son attitude devant les problèmes fondamentaux. Aussi, c'est le plus souvent à un portrait assez étonnant qu'il parvient et à une interprétation de l'œuvre assez déconcertante par son non-conformisme. En Platon, il découvre un philosophe relativement secret, assez réticent, qui préfère procéder par allégories et allusions parce qu'il risquerait d'en dire trop et de dire mal, pour avoir aperçu le fond même du problème. Descartes, lui, est avant tout une « grande âme », un esprit sûr, courageux et merveilleusement perspicace. Mais Descartes, et plus encore Platon, sont des philosophes de la critique du moi et ils conviennent à ceux « qui sont en difficulté avec eux-mêmes ». Aristote, Hegel et même Leibniz sont plutôt des naturalistes : ils recherchent « la conscience sous ses dehors et ils pensent l'esprit du monde ». En neuf brefs chapitres, Alain nous propose ensuite une analyse sans indulgence, mais fort pénétrante et compréhensive, de la philosophie hégélienne. Les chapitres consacrés à Auguste Comte sont un hommage : Alain y reconnaît son influence sur sa pensée. S'il ne dissimule pas les faiblesses de cette philosophie, il en admire la méthode ; il admire surtout la perspicacité et la profondeur des vues de Comte sur la sociologie qu'il a créée. Aussi l'ouvrage se termine-t-il par un « Essai d'une sociologie de la famille », qui se propose d'être une application des principes de Comte : « En cet essai, j'ai voulu... faire voir qu'un bon lecteur peut se proposer une tâche bien plus importante que d'expliquer le système : c'est d'inventer soi-même d'après la méthode du maître qu'on s'est choisi. » On peut reprocher à Alain l'apparent arbitraire de certains de ses jugements et le caractère tout personnel de l'échelle des valeurs qu'il propose, mais on ne peut que louer l'extrême pertinence de ses interprétations, la vigueur et l'originalité de sa démarche qui le font juger les philosophes ni de haut ni de loin, mais du cœur même de leur propre pensée.

IDÉES DIRECTRICES POUR UNE PHÉNOMÉNOLOGIE [*Ideen einer reinen Phänomenologie und Phänomenologischen Philosophie. Allgemeine Einführung in die reine*

Phänomenologie]. Ouvrage fondamental du philosophe allemand Edmund Husserl (1859-1938), dans lequel l'auteur éclaircit, dans leur signification, les recherches de psychologie phénoménologique, jetant les bases de la phénoménologie transcendantale. La première édition (1913) fit partie du premier volume des *Annales de philosophie et de recherche phénoménologique* [*Jahrbuch für Philosophie und phänomenologische Forschung*]. L'ouvrage comprend quatre sections. Dans la première (« Les essences et la connaissance des essences »), Husserl reprend le programme positiviste ou plutôt celui de précurseurs du positivisme, tels que Hume, consistant à accepter tel quel tout ce qui est donné dans l'intuition, en la considérant comme une source de légitimité pour la connaissance. Mais le domaine de l'intuition n'est pas limité à la connaissance sensible : il y a une intuition des objets idéaux, des idées pures, qu'il qualifie d'essences ; mais celles-ci ne doivent pas être entendues comme des idées platoniciennes, car elles ne transcendent pas la sphère de l'objet, et se constituent même essentiellement comme termes d'un acte de conscience. Dans la deuxième section (« Considérations phénoménologiques fondamentales »), l'auteur développe la théorie de la méthode des « réductions ». Les actes de la pensée sont uniquement dirigés vers la connaissance du monde extérieur et fondés sur la croyance en son existence. Par un acte de suspension de cette croyance, ou « réduction », la philosophie peut obtenir la conscience pure, enveloppant les objets qui se constituent en elle, qu'ils soient ou non existants. La description de ce monde pur des actes de conscience constitue le thème de la phénoménologie pure. Thème qui se trouve analysé, dans ses détails technique et méthodologique, dans la troisième section (« Méthodes et problèmes de la phénoménologie pure »), où est décrite la constitution essentielle de la conscience pure, caractérisée par une double polarité : la « nœsis » (ou acte de conscience) et le « nœma » (ou terme visé par la « nœsis »), qui ne doivent pas être confondus avec le sujet et l'objet, car il ne s'agit que de deux pôles abstraits d'un même concret : chaque acte de conscience constitue immanquablement un « noème », et chaque objet est immanquablement constitué dans un acte de conscience. Enfin, la quatrième section (« Raison et réalité ») tente une gnoséologie à l'intérieur de la réduction phénoménologique : la vérité est l'évidence, c'est-à-dire l'explicitation complète des contenus auxquels se réfèrent les concepts. Tout en serrant toujours de très près les problèmes qui viennent systématiquement se poser, l'ouvrage est empreint de la foi en l'immanence d'une conscience plus haute au sein d'une conscience empirique ; conscience pure dans laquelle, une fois dépassées les antithèses entre être et pensée et, par conséquent, entre réalisme et idéalisme, se déploie un monde idéal, purement possible, racine en acte et substance de ce monde empirique et de notre conscience empirique. En s'élevant à cette contemplation de l'éternel, que l'individu trouve dans sa propre intériorité, la réalité apparaît saisie dans son essence a priori et justifiée en elle. Cette rationalité de la Nature et de l'Histoire se présente toutefois au philosophe, non comme un havre transcendant où jeter l'ancre, mais comme une mission infinie à réaliser activement : la mission humaine du philosophe. – Trad. Gallimard, 1952.

IDÉES ET CROYANCES [*Ideas y creencias*]. Ce recueil, publié en français en 1945, comprend la traduction de trois des plus importants essais du philosophe espagnol José Ortega y Gasset (1883-1955) : *L'Histoire comme système* [*Historia como sistema*, 1941], *Le Schéma des crises* [*Esquema de las crisis*, 1942] et *Idées et Croyances* [*Ideas y creencias*, 1940] ; publiés d'abord séparément, ils n'en révèlent pas moins le progrès d'une même pensée directrice, immédiatement inspirée, ainsi que l'auteur en convient à plusieurs reprises, par l'historicisme de Dilthey. Nous nous trouvons en présence d'une vigoureuse et solide critique de l'idéologie rationaliste menée ici au nom du relativisme historique. Le fond de toute vie humaine, affirme Ortega, est constitué par des « croyances » fondamentales, non point des idées que nous avons reçues, mais « des idées que nous sommes ». L'erreur de l'intellectualisme est de définir l'homme par ce qu'il a de plus conscient. Mais l'idéologie n'est qu'un monde à part du monde réel ; il subsiste toujours une distance de nous à elle et l'on peut même soutenir que c'est seulement dans la mesure où nos croyances vitales diminuent de force que l'idéologie prend à nos yeux de l'importance. Nos idées sont l'alibi de notre doute. Le souci de la connaissance se nourrit d'un état d'angoisse, de maladie. Nous traversons précisément une de ces crises. L'homme moderne se rend compte qu'il n'est pas un être « naturel » mais « historique ». Il n'est jamais mais devient sans cesse. En cet instant, où nous comprenons que le dogme de la raison n'est pas inscrit dans l'être, qu'il n'est qu'une de nos fois historiques, il est naturel de s'interroger sur les grandes crises de culture en général. Toutes se manifestent par des signes analogues : c'est d'abord une attitude de cynisme ; puis, sur la ruine des idées jusqu'alors admises apparaît le type de l'homme d'action qui ne se soucie plus d'avoir raison mais se confie à la seule force, tandis que les espèces moyennes et inférieures de l'humanité, la vie intérieure se tarissant, disparaissent de plus en plus dans leurs fonctions sociales ; mais la nostalgie de la barbarie, d'un retour à la santé primitive, à la « nature », manifeste l'aspiration à une culture authentique nouvelle. Tel est le point où se trouve actuellement notre humanité :

dans un monde tyrannique et socialisé, le seul recours est de revenir à la réalité fondamentale, à la vie individuelle. — Trad. Stock, 1945.

IDÉES MODERNES DANS LA LITTÉRATURE PORTUGAISE (Les) [*As Modernas Ideias na Literatura Portuguesa*]. Œuvre en trois livres de l'écrivain portugais Teófilo Braga (1843-1924), publiée à Porto en 1892. Après avoir étudié les causes qui amenèrent la décadence du romantisme, l'auteur s'attache à déterminer le rôle joué par les plus grands représentants de ce mouvement : Rebello da Silva, Mendes Leal, Soares de Passos, Camillo Castello Branco. Il met en relief le synchronisme que l'on peut constater entre la décadence philosophique et littéraire du Portugal et sa décadence politique et sociale. Aussi ce mouvement devait-il être vivement combattu par l'école dite « de Coïmbre », qui empruntait ses idées à Hugo, Balzac, Michelet, mais aussi à Vico, Hegel et Auguste Comte. L'auteur examine alors les figures les plus représentatives de l'« école de Coïmbre », les poètes João de Deus et Antero de Quental, ainsi que certains écrivains de moindre importance, les groupant selon leurs jugements sociologiques. Il trace ensuite un programme de réformes, politiques, sociales et intellectuelles pour la génération future. Ce programme sera fondé sur la philosophie positiviste qui était en vogue à ce moment-là. Il veut que l'éducation première soit d'abord esthétique, puis scientifique et enfin philosophique, afin que l'individu puisse donner, dans une vaste synthèse, une base à sa propre existence et agir sur la direction de la vie politique. Cette œuvre perd beaucoup de sa valeur, du fait que l'auteur substitue volontiers au jugement esthétique et littéraire des œuvres ou des hommes qui les ont écrites, un jugement grossièrement sociologique que ne vient étayer aucun apport sérieusement scientifique.

IDÉES POLITIQUES DE LA FRANCE (Les). Titre d'un copieux essai publié en 1931 par le critique français Albert Thibaudet (1874-1936). Il s'agit moins d'un examen philosophique des différents systèmes ou d'une discussion des principes idéaux qui régissent la « cité » que d'un tableau des idéologies dont s'imprègne l'atmosphère intellectuelle contemporaine. Pour Thibaudet, les « idées politiques » ne sont pas des conceptions doctrinales « rigides ». Il conviendrait plutôt de les qualifier de « concrétions spirituelles » à l'intérieur desquelles, idées philosophiques, sentiments instinctifs et préoccupations pratiques se mêlent d'une façon variable. L'ensemble conserve toutefois, en dépit des nuances, une dominante — laquelle est représentée par l'idée fondamentale. De telles idées ne coïncident jamais exactement avec l'armature des partis, sous peine de se dissoudre dans la vie sociale et de s'identifier aux simples abstractions des programmes politiques. De leur côté, les partis sont sans cesse contraints de se réclamer d'elles, afin de ne pas renoncer à toute originalité et à toute individualité. Poursuivant cet examen fondé sur un point de vue très personnel, Thibaudet distingue, « sur la carte des actuelles idées politiques françaises, six familles spirituelles : la famille traditionaliste, la famille libérale, la famille industrialiste, la famille chrétienne-sociale, la famille jacobine et la famille socialiste. En d'autres termes, on discernerait six idéologies politiques françaises, lesquelles s'arrangent tant bien que mal, souvent plus mal que bien, avec des systèmes d'intérêts et ne coïncident parfois que d'assez loin avec des groupes parlementaires, avec une représentation politique, « auxquels il convient de les rattacher ». Le lucide observateur qu'est Thibaudet analyse alors ces groupes abstraits dont il étudie l'origine, la formation ainsi que les mutations successives, avec une finesse que seul peut fournir le long exercice d'une critique littéraire avisée. En conclusion, il aboutit à un « résultat » décourageant. En fait, toutes les idéologies qui régissent la vie politique française sont vieilles d'un siècle. Toutes ont réussi à donner naissance à un parti qui a joué un rôle dans l'histoire de la société française. Comme l'auteur dénie, par ailleurs, toute influence au marxisme ou aux théories bolchevistes, il établit un grave diagnostic : selon lui, toutes les idéologies politiques françaises vieilles et épuisées ont perdu désormais leur force d'impulsion doctrinale. L'analyse menée avec une parfaite rigueur et sous une forme brillante, enrichie de remarques spirituelles et ironiques, confère à cet ouvrage un caractère particulier, qui l'apparente aux meilleurs écrits politiques du XVIIIe siècle.

IDÉES POLITIQUES ET SOCIALES DES FRÈRES POLONAIS DITS SOCINIENS (Les) [*Idelogia polityczna i społeczna Braci Polskich zwanych Arianami*]. Œuvre de l'écrivain et historien polonais Stanisław Kot (1885-1975), publiée en 1932. Auteur de nombreux ouvrages sur la culture polonaise aux XVIe et XVIIe siècles, spécialiste de l'époque de la Renaissance, s'intéressant particulièrement à l'influence des grands centres intellectuels de l'Occident (les universités de France, de Suisse, d'Italie) sur la pensée polonaise, Stanisław Kot parle dans ce livre de l'activité des Frères polonais, appelés antitrinitaires ou sociniens, du nom de leur fondateur, le juriste et théologien italien Fausto Socini (1539-1634), qui refusait le dogme de la Sainte-Trinité, le péché originel et la divinité du Christ, et qui se prononçait contre toute guerre, toute violence et refusait à quiconque le droit de juger son semblable. Il n'y évoque pas leurs disputes théologiques, mais examine — chose bien plus intéressante — leurs rapports avec les grands penseurs de l'époque : Descartes,

Bacon, Spinoza, Grotius ; leurs origines, leurs dilemmes politiques et sociaux, leur doctrine de non-opposition au mal. Deux problèmes attiraient spécialement l'attention des Frères polonais : le droit à la propriété privée et l'attitude à l'égard de l'État. Ils entrèrent en contact avec les anabaptistes, qui appliquaient une sorte de doctrine communiste, mais ils abandonnèrent bientôt l'idée de collectiviser les biens. Ils reprochaient aux anabaptistes leur despotisme, leur tendance à former une classe privilégiée composée d'Anciens, leur vie misérable malgré le travail forcené de toute la communauté, leur intolérance. Les Frères polonais se prononcèrent pour une solution individuelle de ce problème : ceux qui le voulaient pouvaient distribuer leurs biens. En ce qui concerne le second dilemme, les Frères polonais, foncièrement pacifistes, se déclaraient non seulement contre toute guerre, mais se demandaient en outre s'ils avaient le droit d'occuper un poste dans l'administration d'État, d'user de la force pour punir les coupables, d'exterminer le mal par la violence. D'abord intransigeants dans ce domaine, ils devaient évoluer, sous l'influence de Socini, vers une doctrine de compromis. Le livre de Kot, passionnant et très documenté, donne un très intéressant aperçu de l'influence que les Frères polonais ont exercée, en Pologne, sur les arts et la pensée de leur époque. En outre, il apporte des détails inédits sur les origines et le développement de la crise idéologique de ce mouvement, qui constitue certainement un des phénomènes les plus curieux de l'histoire de la Pologne.

IDÉES POUR UNE PHILOSOPHIE DE LA NATURE [*Ideen zu einer Philosophie der Natur*]. Ouvrage du philosophe allemand Friedrich Wilhelm von Schelling (1775-1854), publié à Vienne en 1797. Il marque l'affranchissement de l'auteur de l'influence fichtéenne qui avait dominé ses premiers travaux philosophiques, et l'affirmation de ce système original qui fut qualifié d'idéalisme physique ou philosophie de la nature. Schelling atteint à cette philosophie à travers les exigences de ses propres tendances intellectuelles, assignant à la nature la réalité et la consistance que l'idéalisme subjectif de Fichte lui avait déniées, et faisant preuve d'un solide enthousiasme pour les récentes découvertes scientifiques qui étaient venues s'ajouter aux aspirations du mouvement romantique à traduire en termes rationnels la subjectivité de la nature. Dans son introduction, après avoir déclaré son intention de déterminer philosophiquement — et, partant, a priori — la science de la nature, Schelling soutient la conception dynamique de cette dernière en tant que physique du nouvel idéalisme, en opposition à la théorie mécaniste impliquée par l'attitude dogmatique : il s'engage ainsi dans la voie indiquée par Leibniz avec sa théorie monadologique, et reprend, jusque dans sa démonstration et ses arguments, ce que l'idéalisme critique kantien avait affirmé dans le domaine des sciences physiques. L'opposition de Schelling aux théories mécanistes se manifeste également dans son interprétation finaliste de la nature déjà avancée par Leibniz et abordée par Kant dans sa *Critique du jugement* (*), mais développée ici dans le sens de l'idéalisme le plus moderne.

Partant du concept fichtéen de l'activité s'engendrant par l'opposition et le contraste, Schelling cherche à déterminer le principe de renouvellement qui commande la vie de la nature : dans le premier livre, qui constitue la partie empirique de l'ouvrage, il reconnaît ce principe dans les phénomènes chimiques, tous réductibles à celui, fondamental, de la combustion par la présence de l'oxygène — principe universel et supérieur qui permet une classification des éléments selon les degrés d'affinité qu'ils ont avec lui. À la combustion se rattachent les phénomènes de la lumière et de la chaleur, indifférenciés à la base, et dont le caractère commun est la propagation. C'est en effet à partir de la lumière, par une combinaison chimique, que Schelling donne une explication erronée de l'atmosphère, où l'équilibre serait maintenu grâce à la fixation de l'oxygène par les végétaux. Dans les domaines de l'électrochimie et du magnétisme, s'appuyant sur le fait expérimental qu'un corps ayant des affinités avec l'oxygène est positivement électrisé, Schelling en conclut à l'identité fondamentale des phénomènes électriques avec les phénomènes de combustion, étudiant minutieusement les rapports et les différences entre magnétisme et électricité. Dans le deuxième livre, qui constitue la partie théorique de l'ouvrage et son point central, l'auteur tente, à travers Kant, la fusion de la physique dynamique et de l'idéalisme fichtéen. Kant avait abordé sa théorie de la matière en se fondant sur la physique newtonienne, laquelle considérait l'attraction et la répulsion comme des forces inhérentes à la matière. Un contemporain de l'auteur, Le Sage — partisan de la physique atomistique —, en avait donné une autre explication en les considérant comme des forces engendrées par des particules atmosphériques. Théories insuffisantes. Pour Schelling, attraction et répulsion sont des éléments « constitutifs » de la matière qui existe en tant que produit de l'action de ces forces antithétiques, saisies dans l'intuition. Si un seul de ces deux facteurs était agissant, on aurait respectivement l'espace, dans lequel se perdrait l'infini de la matière, ou le point, dans lequel elle serait ramassée ; mais, du fait qu'ils agissent toujours dans un jeu changeant de limitation et de contraste, la matière se trouve engendrée comme un tout organique et fini. La dynamique est une physique bien plus élevée que la mécanique : celle-ci nie le continu pour le reconstruire avec du discontinu, ce qui est arbitraire, car l'expérience donne du continu : elle nie en outre la qualité, alors que c'est là précisément le point de départ de la dynamique qui constitue la vraie physique en accord avec l'idéalisme critique. Ce qui n'implique nullement que Schelling accepte la dynamique kantienne. Celle-ci utilise le processus analytique, là où Schelling soutient le caractère synthétique du concept de matière : cette dernière chez Kant demeure comme une « chose en soi », tandis que le nouvel idéalisme repousse semblable transcendance, ramenant la matière à une production de l'activité spirituelle. Traitant de la dynamique appliquée, Schelling reconnaît à la nouvelle physique la faculté d'expliquer la différence qualitative des corps, puisqu'elle se réduit au rapport graduel, donc quantitatif, des deux forces fondamentales. L'activité chimique est le rétablissement de l'équilibre de ces forces, après le contact de deux corps hétérogènes. De la dynamique dépendront en conséquence les lois générales du processus chimique. Seule la philosophie devra décider alors ce que notre connaissance comporte d'expérimental et d'a priori.

Les *Idées pour une philosophie de la nature* expriment les répercussions philosophiques des géniales découvertes physiques, chimiques et biologiques du XVIIIe siècle, l'audace des nouvelles hypothèses, l'exigence profonde d'une philosophie de la nature que l'idéalisme de Fichte n'avait pu justifier. L'ouvrage fut en général considéré comme l'œuvre d'un esprit jeune, mêlant à des vues profondes et à des conquêtes positives un manque de maturité dans la recherche et des inégalités de style.

IDÉES SINGULIÈRES. Ensemble d'ouvrages de l'écrivain français Nicolas Edme Restif de La Bretonne (1734-1806), dont la publication s'étend sur une vingtaine d'années, et qui prennent la forme tantôt du roman épistolaire, tantôt du « quasi-roman », tantôt du traité. Restif s'inscrit, avec eux, dans la foule des réformateurs et des utopistes du XVIIIe siècle. Mais on y retrouve sa manière d'y faire éclater les structures d'un genre, d'y mêler les confidences et les querelles personnelles, voire intimes, et de s'y montrer homme d'ordre (célébrant le pouvoir, de Louis XVI à Bonaparte).

Dans *Le Pornographe ou Idées d'un honnête homme sur un projet de règlement pour les prostituées...* (1769), Restif traite le problème social de la prostitution. Pour lui, elle est une nécessité et, plutôt que de la supprimer, il faut la réglementer pour obvier autant que possible à ses inconvénients. Mieux vaut que les filles soient cloîtrées dans des maisons contrôlées par l'État que d'agir à leur guise. Dans ces établissements, elles seraient bien traitées ; il n'y aurait ni abus ni désordre, grâce à un règlement minutieusement observé ; elles seraient soumises à des mesures d'hygiène strictes, la société ne serait pas corrompue par elles et gagnerait sur le plan moral. *La Mimographe ou Idées d'une honnête femme pour la réformation du théâtre national* (1770) s'attaque à un autre problème social : le théâtre. Dans une société évoluée, il doit être l'instrument qui formera le goût du peuple, lui donnera de la sensibilité et éveillera son sens moral. Après avoir passé en revue les « Drames » que l'on représente sur la scène, Restif s'attaque au problème de la formation et du jeu des acteurs, sans oublier aucun détail matériel d'organisation. *L'Éducographe,* faux titre d'une édition de *L'École des pères* (1776), est un traité d'éducation dont le prétexte, un voyage éducatif en Bourgogne et à Paris, permet à l'auteur un retour à ses sources ; le séjour à Paris suscite un vaste tableau de la vie urbaine, et des réflexions sur les systèmes politiques. *Les Gynographes ou Idées de deux honnêtes femmes sur un projet de règlement proposé à toute l'Europe pour mettre les femmes à leur place et opérer le bonheur des deux sexes* (1777) : dans ce quatrième volume, Restif aborde le problème de l'éducation des jeunes filles et des femmes, qu'il résout curieusement en aristocrate sur des bases communautaires. *L'Andrographe ou Idée d'un honnête homme sur un projet de règlement proposé à toutes les nations de l'Europe pour opérer une réforme générale des mœurs et, par elle, le bonheur du genre humain* (1781) : ce volume est le pendant des *Gynographes.* L'auteur s'attaque cette fois à l'éducation des hommes et donne libre cours à ses idées socialistes, qu'il reprendra quelques années plus tard dans *Le Thesmographe* en les modifiant. *Le Thesmographe ou Idée d'un honnête homme sur un projet de règlement proposé à toutes les nations de l'Europe pour opérer une réforme générale des lois* (1789) : après avoir préconisé le partage entre nobles et roturiers et dit quelques mots au sujet de la religion, glorifié le travail, Restif se préoccupe de l'organisation de la société, qu'il résout en socialiste. Dans cette suite d'*Idées singulières,* l'auteur apparaît comme un esprit extrêmement original et curieux. Il fait œuvre de philosophe au sens où l'on prend le mot au XVIIIe siècle, dans le sens de critique et réformateur de la société, mais aussi de moraliste. Restif avait projeté d'exposer ses idées sur l'orthographe et la langue française dans *Le Glossographe,* jamais publié, dont il indique les grandes lignes dans *Monsieur Nicolas* (*) (« Mes ouvrages »). Et des fragments du *Généographe,* « Système de la nature », ont été retrouvés et publiés en 1977 par D. Fletcher.

IDÉES SUR LA PHILOSOPHIE DE L'HISTOIRE DE L'HUMANITÉ [*Ideen zur Philosophie der Geschichte der Menschheit*]. Ouvrage philosophique en trois volumes de l'écrivain allemand Johann Gottfried Herder (1744-1803), publié de 1784 à 1791. Contrairement à Vico qui commença par établir l'ordre de succession entre les divers moments de l'esprit, pour tracer ensuite une histoire idéale éternelle dans le cadre de laquelle se déroule le cycle de l'histoire phénoménale qui s'y insère en tant que pur symbole, Herder s'élève des manifestations physiques naturelles, de l'étude de la terre, de ses montagnes, de ses mers, de son atmosphère, de l'immense laboratoire au sein duquel se préparent l'organisation des plantes et la vie des animaux, jusqu'aux structures physiologiques les plus complexes, aux instincts animaux les plus surprenants, jusqu'à l'homme, résumé de la création. Celle-ci cependant se scinde alors comme en deux mondes : celui de l'espace, où les lois physiques, les saisons et les climats obéissent à un rythme, fait en apparence de mouvement, en fait d'éternel repos, et construisent la demeure de l'homme ; l'autre qui évolue dans le temps et comme lui en perpétuelle transformation, avec ses progressions, ses régressions, ses déviations et ses répétitions, variable à l'infini, apparemment sans loi ni fin, mais en réalité en continuel mouvement : le règne de l'homme. Doué de sens plus parfaits et d'instincts plus purs que ceux des animaux, et partant organisé en vue de la liberté d'action pour l'art et le langage, pour l'humanité et la religion, pour les espérances d'immortalité, l'homme, nanti de facultés spirituelles, est le dernier anneau de la chaîne des créatures terrestres et le premier dans celle d'un ordre supérieur : d'où la contradiction immanente de son être, du citoyen de deux patries à la fois. Herder fait naître ces deux mondes l'un de l'autre : s'il est vrai que les lois physiques ont construit l'univers et que les lois de l'humanité ont édifié celui de l'histoire, l'homme, dans la multiplicité de sa nature, n'est que le résumé et le point de convergence de toutes les forces organiques. Formé et modelé par le milieu physique, le climat, les besoins vitaux, etc., il serait demeuré nature, fleur de la nature, mais placé dans l'impossibilité d'échapper à son déterminisme, contraint de marquer le pas de génération en génération, s'il n'y avait eu la Révélation originelle et fondamentale, cette communication de Dieu qui, trouvant l'homme tel une chose parmi les choses, le dota d'un langage et d'une forme de religion, de tradition et d'humanité. « Seule la religion introduisit parmi les peuples les premiers éléments de la civilisation et des sciences, qui ne furent rien d'autre à l'origine qu'une sorte de tradition religieuse. » L'auteur passe alors en revue les plus anciennes traditions de l'Asie et l'histoire des grandes nations du passé, montrant que l'évolution humaine se poursuit désormais de façon autonome, confiée à des forces immanentes. « Le but de la nature humaine, c'est l'humanité » ; et Dieu, en donnant cette fin aux hommes, a placé leur sort entre leurs propres mains, à partir des fondements de la raison et de la justice, sous l'impulsion d'une suprême bonté législatrice, dont dépend notre bonheur suprême dans la mesure où nous y collaborons. Le troisième livre envisage l'histoire des nations européennes, surtout pendant l'ère chrétienne, et en particulier l'empire romain, les Germains et l'Église, les causes de leur succès partiel et de leur décadence. L'ouvrage s'achève sur l'interrogation : « Quand viendra l'époque de l'éducation universelle et réciproque des peuples au moyen des lois, de l'instruction, des constitutions politiques ? »

Relevant typiquement des « Lumières » dans ses origines (l'amour fervent de la nature et la haine du despotisme tient de Rousseau ; ainsi que l'idée de la séparation – artificielle – du monde de la nature de celui de l'histoire), l'ouvrage se révèle comme un compromis entre les préoccupations d'un déterminisme naturaliste et une conception optimiste et théologique de la Providence. Mais c'est précisément ce compromis fécond, ce net effort pour dépasser la transcendance dans l'immanence, qui est à la source de tout le romantisme dont Herder fut un des précurseurs. En dépit de ses insuffisances dans les domaines économique et juridique et l'absence d'une exposition critique de la matière historique, cette œuvre s'offre comme une vision grandiose, d'une éloquence inspirée, pourvue d'éléments vigoureux et souvent originaux, enrichie de vues amples et d'une véritable noblesse de style. – Trad. par Edgar Quinet, 1825 (réédition partielle Presses-Pocket, 1991) ; Aubier-Montaigne, 1964.

IDÉOLOGIE ALLEMANDE (L') [*Die deutsche Ideologie, Kritik der neueten deutschen Philosophie in ihren Repräsentanten, Feuerbach, B. Bauer und Stirner, und des deutschen Sozialismus in seinen verschiedenen Propheten*]. Cette œuvre, dont le titre complet est : *L'Idéologie allemande – Critique de la philosophie allemande contemporaine en la personne de ses représentants, Feuerbach, B. Bauer et Stirner, et du socialisme allemand en la personne de ses divers prophètes,* est le fruit de la collaboration des philosophes allemands Karl Marx (1818-1883) et Friedrich Engels (1820-1895), pendant leur séjour à Bruxelles. Elle fut écrite entre septembre 1845 et mai 1846. Les difficultés que rencontrèrent les auteurs pour la faire imprimer leur en firent abandonner l'élaboration définitive et ils l'abandonnèrent « à la critique rongeuse des souris ». C'est donc sous la forme d'un manuscrit inachevé qu'elle devait être révélée au public en 1933. Alors que la signature des chapitres de *La Sainte Famille* (*) indique la part qui revient à chacun d'eux, le manuscrit que nous possédons de *L'Idéologie allemande* ne permet pas de déterminer avec certitude ce qui est l'apport de Marx et celui d'Engels. La plus grande partie est rédigée de la main d'Engels ; mais il est fort possible qu'il s'agisse essentiellement d'une copie ou de la mise au net d'un manuscrit original qui n'a pas été retrouvé. L'ouvrage est bien l'œuvre commune des deux auteurs, en ce sens qu'il est né de la discussion et de l'élaboration entre eux des principes qu'ils entendaient affirmer, en tant que chefs du jeune « parti communiste », en face des positions prises par les tenants de l'hégélianisme d'une part et les prophètes du « socialisme vrai » d'autre part. Marx a dit lui-même, dans la préface à sa *Critique de l'économie politique* (*), le but que s'étaient fixé les deux amis : « Nous résolûmes de travailler en commun à dégager l'antagonisme existant entre notre manière de voir et la conception idéologique de la philosophie allemande : en fait, de régler nos comptes avec notre conscience philosophique d'autrefois. Le dessein fut réalisé sous la forme d'une critique de la philosophie post-hégélienne. » C'est donc une œuvre polémique, qui, à ce titre, se range aux côtés de *La Sainte Famille* dont elle est le prolongement. Mais, comme toute œuvre polémique, elle contient des éléments positifs que l'on considère, à juste titre, comme le premier exposé des principes du matérialisme historique comme il est convenu d'appeler l'explication marxiste de l'histoire par les transformations de la vie réelle (opposée à la conscience). Le plan primitif de l'ouvrage comportait la rédaction de deux volumes : le premier plus spécialement consacré à la critique de Feuerbach, de Bruno Bauer et de Max Stirner, le second traitant du « socialisme vrai ». C'est le premier dont l'élaboration a été le plus poussée. Ce que nous connaissons du second n'a qu'une centaine de pages, soit moins du quart de la partie réservée à la philosophie. Si Marx et Engels s'étaient jusque-là proclamés disciples de Feuerbach et de son humanisme matérialiste, leur conception nouvelle les amène maintenant à critiquer les limites de sa pensée, bien que celle-ci contienne des « germes susceptibles de développement ». En dernière analyse, Feuerbach n'a pas réussi à venir à bout du monde sensible, car il ne le considère pas dans sa réalité concrète, mais avec les lunettes du philosophe pour lequel tout doit être traduit en catégories, c'est-à-dire en abstractions. La nature, pour lui, est donnée une fois pour toutes, alors que chaque objet n'est accessible à la connaissance que comme le produit de l'activité des générations successives. De même Feuerbach ne considère pas l'homme dans son activité spécifiquement humaine, productive, mais comme une entrée : l'homme réduisant ainsi la multiplicité des rapports humains à l'amour et à l'amitié, et obscurcissant le problème des rapports entre l'homme et la nature. De ce fait, parce qu'il reste ainsi sur le plan d'un matérialisme abstrait, Feuerbach retombe pour Marx et Engels dans l'idéalisme. « Dans la mesure où il est matérialiste, il ne tient pas compte de l'histoire, et pour autant qu'il en tienne compte, il n'est pas matérialiste. » La critique de Bruno Bauer et de Max Stirner est beaucoup plus mordante. C'est un véritable règlement de comptes avec les prolongements de la gauche hégélienne, dont Marx et Engels étaient eux-mêmes issus. Mais, alors que le contact avec les réalités politiques et économiques, et surtout la reconnaissance du rôle du prolétariat, les avaient conduits à une conception matérialiste du monde, les derniers représentants de la gauche hégélienne restaient, en dépit de leur phraséologie révolutionnaire, prisonniers de leur idéalisme. On leur reproche de juger de la marche du monde d'un point de vue étroit et abstrait, de substituer aux problèmes pratiques et aux luttes politiques des luttes entre catégories philosophiques, d'imaginer que le déroulement de l'histoire du monde dépend de la préexistence des catégories philosophiques et de la connaissance que prennent de ces catégories les philosophes « critiques ». – La polémique contre Bauer n'est, somme toute, que le prolongement et la conclusion de ce qui avait été dit dans *La Sainte Famille.* Mais le cas de Stirner, qui venait (1845) de publier *L'Unique et sa propriété* (*), fait l'objet d'une critique approfondie, souvent pleine d'humour, parfois aussi fastidieuse par sa minutie. Max Stirner, maître d'école berlinois, venait de se poser en iconoclaste, renversant toutes les idées du monde bourgeois au nom d'un anarchisme qui se tenait pour le dernier mot de l'esprit révolutionnaire. Tout le piquant de la critique va consister à montrer dans ce contempteur un père de l'Église qui s'incline devant l'autorité de la sacro-sainte philosophie hégélienne, et dans ce révolutionnaire un petit-bourgeois de Berlin, érigeant son horizon borné et foncièrement conservateur en table des valeurs de l'anarchie. La critique du « socialisme vrai » est essentiellement dirigée contre les théoriciens de ce socialisme qui proclament, comme des découvertes bouleversant le monde, des idées auxquelles étaient parvenus, 30 ou 40 ans plus tôt, les socialistes utopistes français. Mais ils ont travesti ces idées en les habillant des défroques de la philosophie allemande, ce qui leur permet de s'en attribuer la paternité. Ce faisant, ils laissent de côté toute la critique des rapports sociaux qui, chez Fourier ou Saint-Simon, apportait des éléments valables, et ils construisent ainsi une doctrine qui n'est, elle aussi, que la transposition en phrases révolutionnaires de leur idéal borné de petits-bourgeois, et qui plus est, de petits-bourgeois allemands, privés par la stagnation économique et politique de leur pays de toute perspective de quelque ampleur.

Dans toute cette polémique, l'accent est moins mis sur la façon dont la gauche hégélienne se détermine maintenant par rapport à Hegel que sur le dédain des philosophes et des théoriciens allemands pour la réalité sociale et politique qui les entoure. C'est cette société, avec son histoire, son développement économique, ses luttes de classes, qui est maintenant pour Marx et Engels la base de toute leur conception. Et *L'Idéologie allemande* reste un ouvrage capital en ce sens qu'elle nous apporte le premier exposé de la conception matérialiste de l'histoire. L'histoire n'est pas le champ de bataille des catégories philosophiques : elle est l'œuvre des hommes. Mais l'homme est considéré comme un être concret, déterminé par sa situation dans la société, sa position par rapport aux forces productives, le contenu réel de sa conscience. Forces productives, rapports de propriété, état de la conscience, telles sont les trois données fondamentales de l'histoire. C'est la production, le travail, par lesquels l'homme entre en rapport avec la nature et avec les autres hommes, qui le différencient de l'animal et déterminent son comportement historique. Les besoins des hommes vivant en société engendrent progressivement les institutions, comme la propriété, l'État qui se différencie par une série d'étapes de la société civile, etc. C'est le développement de la production et ses conséquences, notamment la division du travail, qui constituent la base du déroulement de l'histoire, l'évolution du régime politique, la naissance et le déclin des idéologies, et non l'inverse. La division du travail, qui s'impose historiquement à un certain moment du développement de la production, a pour résultat de séparer l'homme de l'objet de son activité, de déterminer ses rapports avec les autres hommes, d'opposer le travail manuel et le travail intellectuel, la ville et la campagne. La société se divise en classes antagonistes, et ce sont leurs luttes qui sont l'histoire réelle de l'humanité. La conscience n'est elle-même que « l'être » conscient. Elle a pour contenu non pas telle ou telle conception abstraite substituée à des conditions concrètes, mais elle reflète plus ou moins fidèlement les conditions pratiques de l'existence. Dans le régime de la propriété privée, l'individu ne s'appartient pas à lui-même. La manifestation de sa vie est parcellaire, il ne peut se développer que dans le cadre et les limites des conditions sociales qui lui sont imposées. Ce qui importe, ce n'est donc pas de modifier la conscience de l'homme, mais les conditions pratiques dont cette conscience est le reflet. Le communisme n'est pas un idéal, il est le mouvement réel de l'histoire. Seul le prolétariat, qui n'a plus d'intérêts de classe à faire prévaloir, est capable d'émanciper l'humanité de ses limitations, car sa libération signifie la libération de l'homme. La socialisation des moyens de production signifiera l'abolition de la propriété privée, la fin d'une activité morcelée, subordonnée à une division aveugle du travail. C'est seulement dans le communisme que l'individu pourra développer librement ses facultés, cesser d'être un homme partiel pour atteindre à la réalisation de son être intégral. Le communisme de Marx, ici, est la libération de l'individu des aliénations. Ainsi la partie positive de *L'Idéologie allemande* nous donne (essentiellement dans son premier chapitre : « Feuerbach ») un exposé de la pensée de Marx et d'Engels qui sera la base de toute leur œuvre et dont les éléments se retrouvent jusque dans l'ouvrage de la maturité : *Le Capital* (*). Il faut remarquer que l'expression s'est faite plus concrète ; l'exposé s'appuie sur des données historiques qui dénotent une vaste culture. La phraséologie hégélienne, si caractéristique des œuvres du jeune Marx, a maintenant disparu. Elle n'apparaît plus que pour caractériser la démarche intellectuelle des adversaires, qui sont encore tout empêtrés dans les catégories de la philosophie spéculative. Mais il ne faut pas oublier qu'il s'agit là d'un premier exposé cohérent de la conception marxiste, et il serait faux de le prendre pour le dernier mot de la pensée de Marx et d'Engels. Celui-ci ne disait-il pas en 1888 : « La partie rédigée consiste en un exposé de la conception matérialiste de l'histoire qui prouve seulement combien nos connaissances d'alors en histoire économique étaient encore incomplètes. »

Il convient de ne pas séparer *L'Idéologie allemande* d'un autre texte célèbre de Marx, publié généralement avec elle, et qu'il a rédigé en mars 1845 : les *Thèses sur Feuerbach* ; sous leur forme condensée, impossible à résumer sans en trahir le contenu, elles donnent en effet la base philosophique de la pensée de Marx à cette époque. Ces onze thèses se décomposent en trois parties. Les trois premières opposent au matérialisme ancien et à l'idéalisme pur la conception matérialiste de l'histoire. Les thèses IV à VI analysent les conséquences de la conception contemplative de Feuerbach. Enfin les thèses VII à XI exposent la théorie même de Marx. Le matérialisme ancien ne conçoit la réalité que sous la forme d'objet ou d'intuition ; l'idéalisme ramène l'univers extérieur à une activité abstraite. Pour Feuerbach, l'activité humaine est l'activité théorique (thèse II). Le matérialisme qui considère que l'homme est formé par les circonstances (ce qui est le cas du matérialisme français du XVIIIe siècle, Helvétius par exemple), ce matérialisme oublie que c'est l'homme qui modifie les circonstances (thèse III). Les thèses qui critiquent l'attitude de Feuerbach sont développées dans *L'Idéologie allemande*. Elles se rapportent toutes au fait que Fauerbach oublie toujours que l'homme est essentiellement activité pratique et que le monde est l'activité pratique concrète de l'homme. Et Marx exprime quelques-unes des idées fondamentales de sa doctrine dans les cinq dernières thèses. Les superstructures religieuse, philosophique, etc., sont le produit d'une réalité sociale déterminée. La vie sociale est essentiellement pratique, et c'est en elle que tous les mystères trouvent leur solution. Le matérialisme intuitif, « statique », est le point de vue de la société civile bourgeoise. « Le point de vue du nouveau matérialisme est la société humaine ou l'humanité socialisée » (thèse X) ; cependant que la thèse XI est la quintessence de tout ce qui différencie le marxisme de la pensée philosophique traditionnelle : « Les philosophes n'ont fait qu'interpréter le monde de différentes manières, mais il s'agit de le transformer. » — Trad. complète Éditions sociales, 1968.

IDÉOLOGIE ET UTOPIE [*Ideologie und Utopie*]. Ouvrage du sociologue hongrois Karl Mannheim (1893-1947), paru en 1927. Mannheim utilise le concept total d'idéologie. C'est pour lui un fait général impliquant un jugement de valeur, et il faut en rapporter le discours au plan social. Ainsi, l'idéologie bourgeoise et l'idéologie capitaliste sont considérées comme des perspectives qui peuvent coexister mais ne sont ni vraies ni fausses. Elles sont intéressantes en tant qu'expression partielle de la réalité historique. Certaines formations spirituelles ne sont pas des idéologies, et chacune a un rythme d'évolution qui lui est propre. Les sciences de la nature et de la technique progressent par accumulation dans un processus unilinéaire, tandis que les créations artistiques se succèdent sans ordre et sont marquées par la spécificité de la forme. Entre elles s'intercalent la dialectique des mœurs, de l'économie et du droit. Les sciences morales et l'histoire, quant à elles, se caractérisent par le perspectivisme. Mannheim allie les analyses marxistes qui mettent l'accent sur la relativité de la connaissance historique et les analyses allemandes de l'historicisme reprenant l'idée hégélienne selon laquelle le devenir historique est le devenir même de l'esprit. Pour lui, il n'y a plus de détermination de la superstructure par l'infrastructure, mais correspondance entre elles, car elles forment un tout. La seconde s'impose plus fortement aux individus enserrés dans des rapports sociaux, mais la relation des idéologies à la situation sociale peut être indirecte et ne s'analyse pas en terme de reflet. Une certaine logique régit les divers éléments de toutes les doctrines politiques dans la mesure où celles-ci consistent toujours en une synthèse entre les jugements de réalité, des jugements de valeur et d'interprétation historique, dans des structures qui font varier leurs relations. Mannheim applique cette méthode au libéralisme, au socialisme et au conservatisme, doctrines qui ont chacune une philosophie et une manière de penser rapportées à un groupe social précis. Les groupes dominants ont besoin d'idéologies qui légitiment leur situation, alors que les groupes dominés produisent des utopies contestatrices. Deux critères permettent de mesurer la valeur des idéologies : la possible universalisation de leur utilisation à tous les partis et l'intégration de l'expérience totale d'une époque à une analyse orientée vers l'avenir. La distinction entre idéologie et utopie repose sur la notion d'efficacité, la seconde étant incapable de se donner les moyens de sa réalisation car elle est appuyée sur une fausse conscience procédant d'un jugement en contradiction avec le réel. Les idéologies seraient des concepts qui permettent de s'orienter dans le monde. Mais la limite de toute doctrine c'est que les hommes qui la font sont enracinés dans un contexte historique. Ils produisent des vues partielles et biaisées. Ce n'est donc que de leur synthèse que peut naître une vision objective et de là une véritable théorie de la connaissance. Seule l'« intelligence déracinée » peut l'opérer, c'est-à-dire les intellectuels et les professeurs, seuls capables de s'abstraire de leur situation sociale. Cet aspect de l'ouvrage a fait l'objet de critiques particulièrement vives, l'accusant de faire de la vérité le privilège d'un certain nombre de spécialistes de sociologie. — Trad. M. Rivière et Cie, 1956. H. T.

IDES DE MARS (Les) [*Ides of March*]. Roman de l'écrivain américain Thornton Wilder (1897-1975), publié en 1948. Divisé en quatre « livres », il est constitué par la correspondance imaginaire de divers personnages importants des derniers jours de la république romaine : César, Cicéron, Catulle, Cornelius Nepos, Caton le Jeune, Brutus, Clodia Pulcher, Julia Marcia (tante de César), l'actrice Cytheris, la reine Cléopâtre, etc. Habilement distribuées dans le temps et se complétant de manière à projeter un éclairage toujours renouvelé et plus complet, ces lettres tournent essentiellement autour du personnage de César, à la mythologie duquel elles apportent une contribution remarquable tant par la vivacité de l'évocation historique que par la richesse de la pensée et de l'information. Ainsi, tour à tour, César nous apparaît comme désireux de détruire les superstitions et de dresser l'homme en solitaire face à son destin ; comme un chef, non pas égaré par l'étendue de son pouvoir, mais isolé par ses responsabilités ; comme un homme surtout, qui se proclame sujet à l'erreur et n'en rougit pas. Le trait le plus frappant sans doute que lui prête Wilder est son goût pour la poésie, et son regret de n'en avoir pas reçu le don, supérieur pour lui à tous les autres, ce qui le remplit d'indulgence à l'égard des satires de Catulle. Nombre de paroles de César méditant mériteraient d'êtres citées : « Je ne m'incline pas seulement devant l'inévitable : je m'en fortifie. » « La noblesse de la vie est l'exercice du choix. » « Où il y a inconnaissable, il y a espoir. » Ces paroles forment au long du livre comme une trame de pensée sur laquelle se tissent les événements et les rapports des personnages ; elles élèvent l'évocation historique jusqu'à en faire le reflet d'une philosophie, et elles transforment ce roman, de divertissement cultivé, en œuvre où se reflète l'expérience d'une vie et d'une pensée. — Trad. Gallimard, 1951.

IDIOME [*Idioma*]. Recueil de poèmes de l'écrivain italien Andrea Zanzotto (né en 1921), publié en 1986. Il s'agit du troisième volet du triptyque commencé par *Le Galaté au bois* (*) (1978) et poursuivi par *Phosphènes* [*Fosfeni,* 1983]. Écrit de 1975 à 1984, ce livre achève la spectrographie de la langue poétique qu'avaient entreprise les deux recueils précédents. D'ailleurs, il ne fait que confirmer, dans ce sens, les orientations de *La Beauté* (*) (1968). Les tours d'ivoire de la tradition littéraire se sont écroulées : la langue se délite, cherche à tâtons un sens. Le poète vise à tracer les contours de cet « idiome » qui vit en fait de transgressions, d'annexions et de mises en cause. Sa recherche gravite autour de l'axe « idiome / idiotie » : le rapport entre une langue privée et, de ce fait, inévitablement tentée par l'enfermement complet (l'idiotie) et une aspiration opposée au débordement. En ce sens, il n'est pas étonnant qu'*Idiome* gagne en largeur (en « horizontalité », dit un poème) ce qu'il perd sans doute en profondeur : le poète n'avait pas à plonger, une fois de plus, à l'origine du langage. L'organisation du volume le confirme. Les seize poèmes de la première section sont, souvent, des échos d'une actualité cyclique (le 25 avril, anniversaire de la fin, en 1945, du fascisme en Italie), ou ponctuelle (l'attentat meurtrier à la gare de Bologne). Ces nouvelles tronquées, allusives, sont autant de possibles jaillissements d'un sens. Mais le poète, qui n'a rien d'un chroniqueur, tient à distance l'actualité : il évoque le temps (révolu) où de nobles sentiments l'habitaient et qu'il était capable de chanter la beauté. Ou bien il s'interroge sur la naissance de la parole, sur le mouvement du doigt qui s'apprête à tracer une lettre. La seconde section, tout en poursuivant le dialogue avec les recueils précédents (« Nino dans les années 80 » reprend et amplifie « Les Prophéties de Nino » de *La Beauté*), comporte essentiellement des poèmes en dialecte, suivis d'une traduction en italien. Telles des cartes postales aux couleurs passées, ces textes ressuscitent la vie provinciale de la région de Trévise. *Petits métiers* [*Misteròi*] fait défiler sous nos yeux une série de métiers de jadis : charretiers, bergers, maréchaux-ferrants, raccommodeurs de parapluies, rémouleurs, empailleurs de chaises, fileuses (prêtes à se transformer en Parques), lavandières. Une halte au milieu d'un paysage humain effacé par le progrès. La troisième section en revient aux enjeux de la première : le mot « idiome », répété dix fois dans « Haut, autre langage, hors idiome ? » [Alto, altro linguaggio, fuori idioma ?] le rappelle clairement. « Nix Olympica » (une montagne de Mars, haute de 24 000 mètres) réintroduit une verticalité vertigineuse et l'intuition que la vraie langue est en dehors de l'« idiome ». Sans doute moins novateur que les recueils précédents, *Idiome* répertorie, avec un pathétique souci d'ordre, les différents éléments du psychodrame de l'auteur.

F. Li.

IDIOT (L') [*Idiot*]. Roman de l'écrivain russe Fedor Mikhaïlovitch Dostoïevski (1821-1881), publié en 1868-1869. Le prince Muichkine, dernier rejeton d'une grande famille déchue, revient dans sa patrie après avoir séjourné longtemps en Suisse pour raison de santé. Officiellement il s'agit d'une dépression nerveuse mais, en réalité, Muichkine est atteint d'une forme d'idiotie qui se traduit par une carence absolue de la volonté. De plus, son inexpérience complète de la vie engendre chez lui une confiance illimitée envers autrui. Grâce à Rogojine, un compagnon de voyage de Muichkine, ce dernier aura l'occasion de montrer ce qui peut arriver à un homme « positivement bon » au contact de la réalité. Poussé par une secrète sympathie et par le besoin de s'épancher, Rogojine, jeune homme exubérant et volontaire, se confiera pendant le voyage à Muichkine, qui est son antipode au point de vue spirituel : Rogojine lui conte la violente passion qu'il éprouve pour Nastasie Philippovna, beauté de réputation équivoque, qui devint — non sans répulsion, mais par un sens du devoir — l'amante de son bienfaiteur, lui prouvant ainsi sa reconnaissance. Nastasie cache en son âme, naturellement généreuse, une aversion pour les hommes et, en général, pour tous ceux qui, plus favorisés qu'elle par le sort, semblent s'en prévaloir pour l'humilier. Arrivés à Saint-Pétersbourg, les deux nouveaux amis se séparent, et le prince se rend chez un sien parent, le général Epantchine, espérant trouver auprès de lui un soutien pour la vie laborieuse qu'il veut entreprendre.

À partir de ce chapitre, le roman se développe à un rythme accéléré, créant une atmosphère de tension nerveuse. Chez Epantchine, Muichkine entend de nouveau parler de Nastasie Philippovna : il apprend que le secrétaire du général, Gania, se prépare à l'épouser pour la dot que son « bienfaiteur » lui a promise. Un lien secret attire le jeune prince vers cette inconnue, en qui il devine une victime des circonstances au caractère noble et bon. La rencontrant enfin chez Gania, Muichkine saisit immédiatement la situation : Gania n'est pas un être vil, mais c'est un ambitieux qui aspire à ce mariage en raison des avantages qui en découleraient pour sa carrière ; quant à Nastasie, elle serait peut-être disposée à accepter Gania, si elle percevait en lui quelques sentiments humains, mais elle est écœurée par son esprit borné d'arriviste. Muichkine, relevant à peine de cette maladie qui lui avait obscurci l'esprit, est absolument convaincu que chaque geste humain doit tendre au bien d'autrui, et que chaque homme recherche avec anxiété la perfection, aussi se jette-t-il, en véritable paladin, dans une périlleuse aventure. Sans y être invité, il se présente un peu plus tard chez Nastasie Philippovna. Il la trouve entourée d'amis et fêtée. Mais voici qu'arrive Rogojine, ivre et accompagné d'autres ivrognes ; il jette sur la table une forte somme d'argent, espérant par ce geste grossier décider Nastasie à tout quitter pour le suivre. Muichkine s'érige alors en défenseur résolu de la jeune femme, se déclarant prêt à l'épouser pour la sauver de la ruine ; en effet, la dot promise par son protecteur sera perdue à tout jamais si elle s'enfuit avec un amant. Nastasie voit en Muichkine l'homme qui pourrait vraiment la sortir de la fange ; mais elle n'accepte pas cette solution, dictée par la pitié et trop périlleuse pour le jeune prince ; elle part avec Rogojine. Mais voici que la situation de Muichkine se complique : la plus jeune des filles du général Epantchine, Aglaé, lui déclare son amour. En effet, la jeune fille avait tout d'abord dissimulé ses sentiments par orgueil ; mais une affectueuse admiration l'emplissant, elle s'est vue contrainte de passer aux aveux. Le prince semble répondre à cet amour, mais l'appel des sens ne suffit pas à le détacher de l'amour universel qui le lie à tous les humains. Si l'admiration d'Aglaé pour son élu n'a fait que croître, sa féminité s'en trouve tout de même exaspérée, ce qui la porte parfois à mépriser l'homme dans la créature supérieure qu'elle vénère. Par ailleurs, des liens d'une sympathie presque fraternelle se sont lentement noués entre Muichkine et Rogojine, sympathie fondée sur un comportement commun envers Nastasie Philippovna. Toutefois cette sympathie ne va pas sans une jalousie furieuse de la part de Rogojine, qui connaît alors la tentation de tuer son ami. Au second plan apparaissent d'autres personnages, amis de Rogojine et de Muichkine : des étudiants sans avenir, des ratés, partagés également entre une tendance au bien et une certaine sauvagerie. Le seul être normal de ce roman est un jeune adolescent, sain d'esprit et plein de bonne foi : Kolia, le jeune frère de Gania. Kolia joue ici presque le même rôle que celui réservé par Dostoïevski à Aliocha dans *Les Frères Karamazov* (*). Le roman se termine tragiquement, par la démence définitive du prince Muichkine et l'assassinat de Nastasie par Rogojine.

« La pitié est ce qui importe le plus, peut-être est-elle l'unique loi de l'existence humaine » : ces paroles que prononce l'un des personnages du roman nous donnent la clé, non seulement de l'œuvre en question, mais encore de la tournure d'esprit particulière à Dostoïevski face au problème de la responsabilité humaine. Ce problème, à vrai dire, est le plus important qu'ait soulevé Dostoïevski, que ce soit dans *Crime et Châtiment* (*) ou dans *Les Possédés* (*). En réalité, c'est dans *L'Idiot*, plus que dans n'importe quel autre roman, que l'auteur a tenté de donner une réponse, en faisant de Muichkine un exemple de bonté portée jusqu'à la sainteté. Cependant, l'idée centrale de son œuvre ne devait pas être le triomphe de la pitié : plus puissant et plus vrai que ce sentiment est le conflit sentimental entre le bien et le mal, l'amour et la haine, qui domine toute l'œuvre de Dostoïevski, allant jusqu'à lui suggérer de véritables formules narratives. Toutes les situations dramatiques de ce roman naissent d'une recherche d'ordre moral, mais il s'agit, hélas, d'une recherche purement intellectuelle, incapable de s'affirmer. Ainsi, Gania est convaincu d'agir en « esprit fort » en voulant épouser Nastasie Philippovna : il espère ainsi résoudre, pour le plus grand bien de chacun, une situation équivoque ; mais en réalité il sera rabaissé par la jeune femme qui méprise son arrivisme. Rogojine s'insurge sincèrement contre ce compromis qu'il trouve odieux ; il offre à Nastasie, non sans une certaine loyauté, l'hommage de ses sens ; mais, par cette sensualité même, il sera entraîné et poussé au crime, lorsqu'il s'apercevra que la jeune femme, bien qu'attirée par la violence de la passion, le traite avec la même rancœur qu'elle éprouve pour toute forme de cupidité masculine. Quant à Nastasie Philippovna, elle reconnaît la supériorité du prince ; mais, doutant avant tout d'elle-même, elle refuse de le suivre, se sachant incapable de dominer son cuisant ressentiment envers les hommes. À tout cela, Muichkine devrait opposer la force illimitée de sa bonté, mais, cette bonté qui, chez les autres, réussit quelques rares fois à s'exprimer, reste chez lui fatalement inactive. Jugée sévèrement, elle semble provenir d'une inaptitude congénitale à l'égocentrisme et d'une émotion constamment renouvelée, naissant à la vue des malheurs d'autrui. On ne sait au juste s'il faut attribuer cette particularité à une véritable supériorité de l'esprit de Muichkine ou à des dépressions d'ordre somatique consécutives à sa maladie. En réalité, le malheureux prince, quoique toujours prêt à se sacrifier pour autrui, n'accomplit jamais le sacrifice projeté : il lui manque la puissance du geste libérateur, capable de trancher les contradictions dans lesquelles les autres se débattent ; aussi son « idiotie », ne réussissant pas à se nimber de sainteté, finit par rester ce qu'elle est en réalité : une tare. *L'Idiot,* et c'est également le cas des autres chefs-d'œuvre de Dostoïevski, finit par s'imposer avec puissance à l'esprit du lecteur, mais non à résoudre un problème moral. – Trad. Gallimard, 1934 ; Garnier, 1977.

IDIOT DE LA FAMILLE (L'). Ouvrage du philosophe français Jean-Paul Sartre (1905-1980). Jean-Paul Sartre fit publier les 2 136 pages de *L'Idiot de la famille,* tomes 1 et 2, en 1971 ; en 1972, les 665 pages du troisième – ces chiffres augmenteront lors de la réédition de 1988 (qui inclut les notes prises pour le quatrième tome). Sous ce titre, tiré de la *Correspondance* de Flaubert, on lit l'accomplissement monumental d'un désir biographique, qui remonte à l'enfance sartrienne (vœu, explicité dans *Les Mots* (*), de vivre une vie de grand homme), se critique dans *La Nausée* (*), se fonde en théorie dès *L'Être et le Néant* (*), engendre *Baudelaire* (*) et *Saint Genet* (*).

L'enjeu est au moins triple : prouver qu'une totalisation de nos connaissances anthropologiques à propos d'un individu n'est pas impossible (« que peut-on savoir d'un homme, aujourd'hui ? ») ; tenter de savoir comment l'on devient écrivain ; s'interroger sur le rapport controversé de l'homme à l'œuvre. La méthode : non point « scientifique » (factuelle jusqu'à l'épuisement), mais empathique (pas de biographie existentielle sans projection de soi vers l'autre, cf. Dilthey), notionnelle (le concept décrit statiquement le général, la notion vise le singulier – cf. Leibniz – et son mouvement dans le temps – cf. Hegel), dialectique (produire une logique de la temporalité vécue, selon la méthode « régressive-progressive »).

L'ouvrage – le « roman vrai » de « Gustave Flaubert de 1821 à 1857 » – se divise en deux volets. Le premier (tomes 1 et 2) est consacré à la constitution, à la personnalisation, à la « chute » névrotique de Flaubert. Constitution passive, essentiellement, révélée par le problème initial, celui du mauvais rapport aux mots (le difficile apprentissage de l'acte de lecture), qui vaut à Gustave le titre d'idiot de la famille. Pour la comprendre, une synthèse progressive est menée qui porte sur la cellule familiale : le père, médecin rationaliste et pater familias semi-féodal, la mère, qui sans tendresse aime par pieuse vertu, le frère aîné, répétition, sans personnalité, du père, font de l'enfant un objet isolé et soumis, enfermé dans l'ennui (la non-valorisation ressentie) et le pathétique : « Ce qui est subi sans être exprimé », écart qui engendre crédulité et comédie. Le monde de l'enfant, où domine la malédiction lancée par le seigneur paternel (« tu es l'idiot... », et donc l'univers est mauvais), est analysé tel qu'il transparaît dans les écrits de jeunesse, puis comme l'effet de la contradiction entre idéologies scientiste et religieuse – qui engendrent chacune un type de bêtise, substance (cérémonies et lieux communs) ou négativité (l'analytique Monsieur Homais).

Ce qu'on a fait de lui, Flaubert tente de le dépasser dans un lent mouvement de personnalisation. Son entreprise est de se faire écrivain ; choix de l'imaginaire, qui passe par différentes étapes : stations au miroir, comédie de la générosité, désir d'être un acteur comique, que le veto familial transforme en premiers essais d'un jeune auteur. Sartre à ce point donne une brillante analyse de la rêverie mimologique (le mot, image de la chose, le monde, résumé dans un livre). Rêve de poète, qui devient cauchemar de l'artiste à la poursuite d'une sainte et impossible beauté, sous l'influence d'un condisciple, Alfred Le Poittevin, qui fait connaître la gratuité romantique, mais en conséquence aussi de la dure vie de collège (moqué, l'enfant se fait risible et désespéré dans le personnage du Garçon), puis d'une nécessité menaçante et refusée : devoir prendre un état. Gustave est entré dans une prénévrose qui aboutit à la crise nerveuse de 1844, « chute » hystérique vers l'inertie, dernière spirale existentielle, interprétée à la fois comme meurtre du père et choix d'un « Qui perd gagne » artistique.

La névrose procède encore des contradictions propres, au milieu du XIXe siècle, à l'art passé comme à l'art à faire. De là un second volet (tome 3), l'étude de l'horizon de production dans lequel vient se placer le projet flaubertien. La situation de l'apprenti écrivain après le romantisme est celle d'une rupture avec le public bourgeois : l'art est posé comme absolu, valeur et séparation ; art-névrose, qui assume l'échec de la communication, et l'impossibilité d'atteindre l'idéal. Cette position – celle de Flaubert – anticipe sur l'esprit objectif du second Empire, névrose d'une bourgeoisie qui réextériorise dans un pessimisme amer la haine qu'on lui a vouée en 1848. En ce sens, la vie de Flaubert est le programme du second Empire, avec lequel il entretint une complicité que Sartre tente de prouver.

Les notes pour le quatrième tome portent sur la genèse, le temps (historique, narratif, grammatical), le genre, le style de *Madame Bovary* (*), et cherchent à intégrer certains acquis de la critique moderne à un projet intellectuel dont on n'a peut-être pas encore mesuré toute la fécondité. J.-F. L.

IDIOTE (L') [*Hakuchi*]. Nouvelle de l'écrivain japonais Sakaguchi Ango (1906-1955), publiée en 1946. Dans la littérature de l'immédiat après-guerre, cette longue nouvelle occupe une place à part, due bien entendu au talent de l'auteur, mais plus encore au thème choisi et à la manière dont il est traité. La guerre y est présente à chaque ligne, mais vue sous l'angle de ses victimes les plus pitoyables, les habitants d'un misérable quartier de taudis de la banlieue de Tôkyô que l'auteur situe dès la première phrase du récit : « Dans ces maisons vivaient des hommes, des porcs, des poules et des canards, mais les bâtiments qu'ils habitaient et les aliments dont ils se nourrissaient ne différaient guère. » Dans ces masures croulantes grouille une humanité déchue pour laquelle la guerre n'a aucun sens et ne se manifeste que par la disette, et depuis peu (nous sommes au début de 1945) par la mort qui tombe du ciel avec les bombes. Deux personnages cependant se détachent de cette masse indistincte : d'une part Izawa, un jeune journaliste qui vit pauvrement du travail le plus vain que l'on puisse imaginer à pareille époque, à savoir la rédaction de commentaires pour films « culturels », et d'autre part l'« Idiote ». Celle-ci est une jeune femme qui vit avec une belle-mère hystérique et un mari fou, qui la terrorisent. Un jour, Izawa trouvera l'« Idiote » réfugiée dans sa chambre ; après une nuit d'hésitations, il décide de la garder avec lui, bien qu'elle ne soit qu'une « masse de chair, à peine différente des porcs de la cour ». Et lorsque enfin les bombes tomberont sur le quartier jusque-là épargné, il trouvera la force de braver sa propre panique pour sauver cette épave que sa raison même lui conseille d'abandonner à un sort plus clément que la vie. Malgré le réalisme apparent de ce récit – la description de l'horrible nuit où le quartier s'abîme dans un océan de flammes mérite une place de choix dans une anthologie des « horreurs de la guerre » –, la lecture des autres œuvres de Sakaguchi invite à en rechercher la symbolique. Quelques réflexions qu'Izawa fait en passant, et qui n'ont rien que de naturel chez ce jeune intellectuel, indiquent d'ailleurs la route à suivre. Entre ces déchets d'humanité qui l'entourent et les hommes « normaux », la guerre ne distingue pas ; c'est à peine si ceux-ci sont un peu plus conscients, et, s'ils le sont, ils se vautrent avec d'autant plus de complaisance dans les ordures du conformisme et de la peur. La guerre a du moins un avantage, celui de distordre le temps : « Grâce à son effroyable puissance destructrice, elle opère en un jour des changements qui autrement prendraient des siècles, les événements de la semaine dernière paraissent d'une autre année, ceux de l'an passé déjà sont stratifiés dans les couches les plus profondes de la mémoire. » Il en résulte un recul qui permet à l'observateur lucide qu'est Izawa, encore qu'il hésite à se prendre pour tel, de juger ses contemporains à leur juste valeur ; et ce qu'il découvre ne le porte sans doute pas à une vision optimiste de l'humanité, puisqu'il choisira délibérément le parti de l'« Idiote ». – Trad. Picquier, 1990.

IDOMÉNÉE. Opéra en trois actes du compositeur autrichien Wolfgang Amadeus Mozart (1756-1791), sur un livret de Giambattista Varesco. Première représentation à Munich, le 29 janvier 1781. Pour être le quatorzième opéra de Mozart, *Idoménée* n'en est pas moins le premier digne d'être remarqué, par son importance, par son invention musicale, par son style qui annonce déjà *L'Enlèvement au sérail* (*) et *Les Noces de Figaro* (*) qui lui succéderont. Mais *Idoménée* obéit encore aux règles de l'opéra seria italien ; la musique ne cherche guère à souligner le caractère dramatique ou lyrique du livret : elle reste un divertissement, elle ne prend guère part à l'action, bien que dans certains airs, et notamment dans le quatuor du deuxième acte, on devine déjà la réforme que Mozart va introduire dans le théâtre chanté. C'est ainsi que certains personnages trahissent leur caractère, leurs émotions, leurs rêves à travers les airs qui leur sont confiés. La tentative est sans doute discrète, mais il ne faut pas s'y tromper : ce n'est pas une émeute, mais une révolution. Le rideau se lève, au premier acte, sur le palais royal de Crète où Idamante règne en l'absence de son père, Idoménée ; les vents contraires auraient, pense-t-on, dispersé la flotte du roi, au lendemain de la prise de Troie. Idamante déclare son amour à Ilia, fille de Priam, tandis qu'Électre, en digne héritière des Atrides, veut se venger du dédain où le jeune prince la tient. Mais voici que la flotte d'Idoménée apparaît à l'horizon. Celui-ci a su apaiser la colère de Neptune, en lui promettant d'immoler la première personne qu'il rencontrera en débarquant. Or c'est Idamante qui, le premier, apparaît devant ses yeux. Au deuxième acte, Idoménée, qui a feint de ne pas reconnaître son fils, veut, pour échapper à son serment, l'éloigner de Crète et lui ordonne de reconduire Électre en Grèce. Mais Neptune réclame sa proie et envoie un monstre qui interdit le départ du navire princier. Les adieux d'Idamante, le chœur exprimant la terreur du peuple crétois préfigurent déjà les accents tendres ou déchirants du troisième acte, qui débute par un doux dialogue entre Ilia et son amant. Mais le peuple exige qu'Idoménée accomplisse son vœu... Idamante est désigné par le destin ; seulement le jeune héros a tué le monstre, et Neptune, touché par son courage et par l'amour d'Ilia, accorde sa grâce à condition qu'Idoménée renonce au trône, au profit de son fils. Alors Électre, voyant s'échapper son dernier espoir, éclate de rage, tandis qu'Idoménée abdique avec sérénité et dignité.

★ Le compositeur français André Campra (1660-1744) composa en 1712 un opéra sur le même sujet, livret de Dauchet.

★ En 1930, Richard Strauss (1864-1949) s'est penché sur le texte de Mozart pour lui enlever davantage encore cette allure d'opéra seria ; il a orchestré à sa manière les récitatifs, bouleversé l'ordre de certaines scènes, transformé le personnage d'Électre en celui plus doux d'Ismène, ajouté quelques interludes descriptifs. Sous cette forme nouvelle, l'ouvrage fut représenté à Vienne le 16 avril 1931.

IDYLLE AU DÉSERT et autres nouvelles [*Uncollected Stories*]. Quatrième et dernier recueil de nouvelles de l'écrivain américain William Faulkner (1897-1962), publié aux États-Unis, de façon posthume, par les soins du biographe J. Blotner en 1979, après *Treize histoires* (*), *Le Docteur Martino et autres nouvelles* (*), et le volume intitulé *Histoires diverses* qui a remplacé, en France, le grand recueil de 1950 intitulé *Collected Stories* – v. *Nouvelles* (*) de Faulkner. À l'exclusion des nouvelles publiées en magazine mais ensuite révisées pour être intégrées dans cinq volumes : *Les Invaincus* (*) [6 titres], *Le Hameau* (*) [4 titres], *Descends, Moïse* (*) [8 titres], *Les Grands Bois* (*) [1 titre] et *Le Domaine* (*) [1 titre], l'édition française de ce volume contient tout ce qui était resté inédit ou n'avait pas été recueilli en volume du vivant de Faulkner, soit vingt-cinq titres. Parmi les treize nouvelles qui constituent la première catégorie, celle des inédits – la plus intéressante pour le grand public –, il faut distinguer entre celles que Faulkner n'avait pas réussi à placer, dont ce « Portrait d'Elmer » qu'il tira en 1935 d'*Elmer,* premier roman inachevé datant du séjour à Paris en 1925, et celles qu'il n'avait apparemment pas cherché à placer, ce qui est le cas au moins des quatre ou cinq premiers textes, datant du début des années 20 : textes d'apprentissage, où l'on décèle bien une veine légèrement apitoyée sur soi-même et sur les « troubles de la croissance » (c'est le titre alternatif et peu prometteur de l'une de ces tentatives). Certaines sont excellentes, comme ce « Caïd » où l'on assiste à la première apparition de Popeye, ou encore le doublon qu'en est « Histoire triste » (narré de façon omnisciente, à la différence de la narration à la première personne, bien meilleure – et plus faulknérienne –, qu'on trouve dans « Le Caïd »). À propos de doublon, on signalera surtout l'extraordinaire gémellité représentée par « Nympholepsie », qui est comme l'envers (où rien n'est tu des fantasmes) d'un endroit constitué par « La Colline », bref et baudelairien poème en prose, où l'on peut voir le véritable point de départ de la carrière de l'écrivain – on trouvera ce texte dans *Proses, poésies et essais critiques de jeunesse* (*).

En vérité, c'est dans l'atelier même de l'écrivain que nous convient ces nouvelles ; non seulement on sait que cette image de l'atelier du menuisier lui tenait à cœur, mais il faut tenter de dire ici quel fut, dans la carrière romanesque de Faulkner, le statut de son activité de nouvelliste. Contrairement à ce que crut d'abord Malcolm Cowley, et en dépit de ce que paraît indiquer le succès aux États-Unis de quelques titres comme « Une rose pour Émilie », « Granges brûlées » et « L'Ours », Faulkner n'était ni ne fut jamais un nouvelliste avant d'être un romancier. Quoiqu'il tînt le genre dans le plus grand respect, allant jusqu'à considérer qu'il convenait de le classer tout de suite après la poésie dans l'ordre de la difficulté, il est clair que la nouvelle fut d'abord et avant tout pour lui un moyen – le plus efficace après les séjours de scénariste à Hollywood – de gagner sa vie. On le voit, par exemple, réussir le tour de force d'en publier seize (et non des moindres) dans la seule année 1931, parce qu'il a besoin d'un argent que ne lui a procuré aucun de ses cinq premiers romans et que ne lui procurera même pas, malgré un relatif succès de librairie, le sixième, *Sanctuaire* (*), qui avait pourtant été, à l'en croire, écrit à cette fin, du moins dans la première version. La contre-preuve de ce qui est ici avancé réside dans le fait qu'après 1950, lorsque l'attribution du prix Nobel de littérature aura enfin déclenché aux États-Unis la vague de notoriété tardive (et d'ailleurs un peu réticente) qui le libérait de ses soucis d'argent, il cessera à peu près complètement d'écrire des nouvelles, se contentant de temps à autre, comme pour s'offrir une prime, de donner un fragment de roman à un magazine. Reste donc le fait, simple et incontournable, qu'il a gagné davantage en plaçant « Une rose pour Émilie » en avril 1930 qu'en touchant les avances qui lui étaient dues sur les droits de ses cinq premiers romans réunis. Il faut sans doute imputer au même compte, à savoir l'économie, l'acharnement mis par lui à tirer quelque chose de ces nouvelles, à les remanier jusqu'à ce que quelqu'un les publie, bref, à n'en abandonner aucune, au contraire des romans qui, une fois achevés, ne lui appartenaient plus. Il y avait chez Faulkner, comme, sans doute, chez tout grand écrivain, un souci et un sens étonnants – presque une obsession – de l'économie.

Parmi les nouvelles les plus remarquables de la deuxième moitié du recueil, consacrée aux textes non encore réunis en volume, une mention spéciale doit être faite pour « Miss Zilphia Gant », nouvelle publiée en édition limitée en 1932, et qui illustre parfaitement l'influence du maître de La Nouvelle-Orléans littéraire des années 20, Sherwood Anderson, et, à travers lui, de la psychanalyse. Celle-ci, est-on tenté de dire, est responsable de l'idée même de la nouvelle, une histoire de femmes, mère et fille, et d'hystérie. Également remarquable, mais pour la raison inverse, à savoir que c'est peut-être la pire nouvelle écrite par Faulkner, est « Une épouse pour deux dollars ». Les trois dernières nouvelles, enfin, ont, à des titres divers, un intérêt autobiographique : « L'Après-midi d'une vache », parce que Faulkner s'y met en scène de façon humoristique dans une pochade dont l'anecdote trouvera son chemin jusque dans l'apogée des amours de l'idiot et de la vache dans *Le Hameau* ; « M. Acarius », parce que l'écrivain y raconte de façon à peine voilée un séjour infernal dans une maison de désintoxication alcoolique, situation qu'il connaissait fort bien ; et « Sépulture Sud », où est utilisée fort élégamment la connaissance de première main qu'avait Faulkner des coutumes funéraires dans le Sud profond. M. Gr.

IDYLLES de Chénier (v. *Poésies* de Chénier).

IDYLLES de Gessner [*Idyllen*]. Tableaux idylliques et scènes champêtres du poète suisse d'expression allemande Salomon Gessner (1730-1788), parus en 1756 et 1772, *Nouvelles Idylles* [*Neue Idyllen*]. Gessner, qui fut également peintre et graveur, nous transporte dans une Grèce de convention, peinte avec un souci de précision et, parfois même, un certain réalisme où on retrouve la campagne des environs de Zurich : monde champêtre, idyllique et optimiste, imaginé tel qu'il devrait être, à l'encontre de Haller – v. *Alpes* (*) – et de Pestalozzi – v. *Léonard et Gertrude* (*) –, qui cherchaient à le restituer « tel qu'il était » à leur époque. Dans ces paysages composés, rappelant Poussin mais surtout Claude Lorrain, se déroulent de petites scènes menées avec une fraîcheur de touche et un sens du rythme qui, en dépit de leur mignardise, sont encore aujourd'hui d'une lecture agréable. L'auteur nous dit dans sa préface que son intention était d'imiter Théocrite, qu'il s'adressait aux âmes sensibles aux beautés de la nature, sans se soucier du nombre de ses lecteurs. En fait, renouvelant le genre pastoral, les *Idylles*, tout comme les autres poèmes de Gessner, obtinrent dès leur parution un succès international qui les fit d'emblée adopter comme modèles. Certes, on retrouve les personnages traditionnels du genre, Daphnis, Chloé, etc. ; mais il ne s'agit plus seulement de bergers et de bergères : de gentils enfants, de tendres mères de famille, de bons et doux vieillards viennent s'y mêler ; la générosité, la « vertu », la bienveillance, la piété filiale, le sentiment du foyer et de l'hospitalité s'y manifestent, accompagnés de larmes de tristesse ou de tendresse. Émule de Rousseau, Gessner croit à la bonté originelle de l'homme et donne à ses personnages ce tour d'innocence primitive déjà goûtée par ses lecteurs dans les « bons sauvages d'Amérique ». Cet idéal de vie noble et rustique répondait aux aspirations des préromantiques, et explique le succès de Gessner en Europe, où ses *Idylles* charmèrent les cœurs tendres et les esprits rêveurs. Si un tel engouement, qui en Italie et dans certains pays slaves se prolongea jusqu'au début du XIXe siècle, nous semble aujourd'hui bien peu justifié, il n'en fut pas moins un des plus vifs et des mieux admis à l'époque. En France, Gessner fut introduit par Turgot dès 1760. Plus de quatre-vingts traductions en furent publiées ; on alla même jusqu'à élever des monuments au « sage » Gessner. Il fut le modèle de Berquin et de Florian, qui le proclama d'ailleurs hautement ; Chénier et Bernardin de Saint-Pierre s'en inspirèrent. — Trad. Lyon, 1762.

IDYLLES de Moschos. Il nous est resté peu de chose de l'œuvre du poète grec Moschos (IIe siècle av. J.-C.), connue généralement sous le titre d'*Idylles*. Stobée cite trois passages en hexamètres (**Μόσχου** ἀποσπάσματα), extraits probablement des poésies complètes. Le premier contient un beau parallèle entre la vie de la mer et celle de la campagne. Le second parle des amours et des chagrins d'amour de Pan, Echô et Satyre. Le troisième a comme sujet la légende des fleuves Alphée et Aréthuse. Éros, tel que l'a décrit Anacréon, est le protagoniste d'une épigramme — « Éros laboureur de la terre » [Εἰς Ἔρωτα ἀροτριόντα] et « Éros fugitif » [Ἔρως δραπετής] où sa mère Aphrodite annonce qu'elle récompensera celui qui saura retrouver son fils disparu. Ce sujet a été imité plus tard par Horace. On dispose également de deux petits poèmes épiques « epyllia », qui nous sont parvenus sous le nom de Moschos : « Europe » [Εὐρώπη], le plus long (cent soixante-six hexamètres), racontant le mythe du rapt d'Europe par Zeus métamorphosé en taureau, et « Mégara » [**Μέγαρα**] qui représente un dialogue entre la femme d'Héraclès du même nom et la mère du héros Sémélé. Ce dernier ainsi que « Le Chant funèbre en l'honneur de Bion » [Ἐπιτάφιος **Βίωνος**] sont attribués à Moschos sans qu'on puisse prouver qu'ils soient vraiment de lui.

Dans son ensemble, la poésie de Moschos, qui est inspirée par un vif amour du merveilleux et du pittoresque, paraît inférieure à celle de Théocrite. Mais elle révèle une fine intuition qui permit à Moschos de faire revivre des scènes et des sentiments qui avaient été ceux de l'époque de Théocrite, mais qui étaient déjà devenus anachroniques.

Dans « Éros fugitif » et dans ses poésies bucoliques, Moschos emploie le dialecte dorien, dans « Europe » et « Éros laboureur de la terre », le dialecte ionien. — Trad. Les Belles Lettres, 1967. N. R.

IDYLLES du « peintre Müller » [*Idyllen*]. Recueil de l'écrivain allemand Friedrich Müller, dit Maler Müller (le « peintre Müller », 1749-1825), publié pour une première partie en 1775, l'autre en 1778 et en 1783. Les pièces qu'il contient sont parmi les créations poétiques les plus gracieuses du XVIIIe siècle et annoncent déjà la grande floraison de la littérature allemande. Elles appartiennent à la production de jeunesse du peintre-poète : idylles dont le sujet est tantôt biblique, tantôt mythologique ou rustique, avec l'Allemagne pour cadre ; l'auteur use d'un langage plein de fraîcheur et d'images pittoresques. Parmi celles développant un sujet biblique, la plus connue est « Premier éveil et heureuse nuit d'Adam » [Adams erstes Erwachen und selige Nacht], qui s'appuie sur une composition analogue de Gessner (« Der erschlagene Adam »), mais la dépasse par l'inspiration poétique. Les idylles de sujet mythologique sont fort jolies et bien senties. La plus belle de ces idylles est *Bacchidon et Milon* [*Bacchidon und Milon*, 1775], histoire du jeune berger Milon, qui a inventé un chant en l'honneur de Bacchus et maintenant meurt d'envie de le chanter à quelqu'un. Il rencontre le gros faune Bacchidon et réussit à le retenir. Mais Bacchidon est un ivrogne, et le bon vin que le berger lui verse le rend si bavard qu'il n'écoute point le chant de Milon, mais n'arrête pas de louer le vin. Deux fessées du berger à la fin le feront taire. Charmant aussi, *Le Satyre Mopsus* [*Der Satyr Mopsus*, 1775]. Au nombre des pièces de sujet champêtre proprement allemand, les plus connues sont *La Tonte des moutons* [*Die Schafschur*] et *L'Amande* [*Das Nüsskern*, 1776], qui se passent dans la campagne rhénane et dont le contenu est une simple et charmante aventure entre paysans au travail.

IDYLLES de Shimoni [*Idellioth*]. Recueil du poète israélien d'origine russe David Shimoni (1886-1956), publié en 1944. Ces

Idylles appartiennent à la seconde période Shimoni — v. aussi *Poèmes* (*) —, et ont rapidement joui, auprès du public israélien, d'une grande popularité. Elles sont en quelque sorte la réponse à cette aspiration qui était la substance même des *Poèmes*, aspiration à la découverte de la terre élue pour vivre enfin un rêve resté longtemps mythique. Les *Idylles* chantent donc la joie de l'homme qui a retrouvé ses racines ancestrales et emploie sa liberté à faire revivre une terre précieuse pendant des siècles abandonnée. Un certain tragique, né de l'évocation des événements sanglants de l'époque, n'est toutefois pas absent de ces poèmes et y fait résonner sa note grave parmi les tableaux du bonheur reconquis.

IDYLLES de Théocrite [*Εἰδύλλια*]. Ces trente compositions du poète grec Théocrite de Syracuse (310-260 avant J.-C.), pour la plupart en hexamètres, sont une des productions les plus connues et les plus caractéristiques de la poésie alexandrine. Le titre collectif d'*Idylles,* qui ici signifie petites compositions poétiques, indique déjà que l'un des éléments typiques en est la brièveté et la ténuité. Au monde héroïque et tragique de la poésie classique succède un petit monde bourgeois ou rustique, observé dans sa réalité quotidienne avec un minutieux réalisme. Aujourd'hui, lorsqu'on parle de Théocrite, on pense avant tout aux bois, aux amours et aux chansons pastorales. L'imitation qu'en fit Virgile dans ses *Bucoliques* (*) a contribué beaucoup à créer cette image conventionnelle. Mais l'observation de Théocrite ne se borne pas uniquement à la description de tableaux agrestes, elle trouve même dans la peinture de la vie quotidienne des villes quelques-uns de ses moments les plus heureux. Dans la XVe Idylle par exemple (« Les Syracusaines ou les Femmes à la fête d'Adonis ») est dépeinte une visite que se font deux femmes de la petite-bourgeoisie à Alexandrie ; le poète y reproduit fidèlement les bavardages féminins, d'abord dans la maison, puis à travers les rues encombrées de la métropole qu'empruntent les deux femmes pour se rendre au Palais royal afin d'assister à la fête d'Adonis. La IIe (« Les Magiciennes ») et la XIVe Idylles (« Thyonnichos ou l'Amour de Kynisca ») sont également des tableaux urbains. La première décrit les charmes mis en œuvre par Simeta pour ramener à elle son jeune amant (imitée par Virgile dans la huitième Églogue) ; il y a là un contraste empreint d'un réalisme efficace, entre un amoureux sentimental et un ami moqueur. Les idylles bucoliques sont : la Ire (« Thyrsis ou le Chant ») : un chevrier chante l'éloge du dieu pastoral Daphnis ; la IIIe (« La Visite galante ») : sérénade d'un berger à sa belle ; la IVe : petite scène entre deux pâtres, Battos et Corydon, qui parlent un peu de tout ; la Ve (« Chevrier et Berger ») : combat poétique entre deux pasteurs ; la VIe (« Les Chanteurs bucoliques ») : Daphnis et Damoïtas, tout en gardant leurs troupeaux, évoquent par leurs chants les amours de Polyphème et de Galatée ; la IXe : autre concours de pasteurs poètes ; la Xe (« Les Ouvriers et les Moissonneurs ») ; scènes de moissonneurs, caractérisés d'une manière très vivante, d'un côté un amoureux sentimental, de l'autre un garçon farceur et moqueur ; la XXe : un jeune bouvier se lamente du refus qu'il a essuyé de la part d'une fille de la ville.

Dans l'œuvre de Théocrite, ville et campagne sont deux aspects complémentaires : l'époque alexandrine connut le phénomène de l'urbanisme ; la ville fut envisagée pour la première fois comme un monde à part, et on commença à souffrir de ce qu'elle comporte de mesquin et d'étouffant. C'est alors, peut-on dire, que naquit le sentiment de la nature, nostalgie et rêve d'une vie plus pure, plus simple, plus heureuse. C'est ici que réside la sincérité de l'inspiration de Théocrite par-delà le maniérisme de certaines peintures : l'amour de la campagne, et spécialement de la campagne sicilienne liée aux souvenirs de jeunesse, correspond dans sa sincérité à une donnée évidente du caractère du poète, enclin à la vie naturelle et tranquille, et spontanément attiré par les choses simples. La fraîcheur de bien des scènes agrestes, riches de notations visuelles ou auditives, le goût du détail réaliste, la vivacité de certaines figures, constituent les qualités positives de Théocrite. Mais, à côté de l'artiste, le lettré, expert en technique poétique et amoureux de la forme rare, l'érudit en mythologie et archéologie, entendent ne pas perdre leurs droits. Déjà, dans quelques-unes des idylles que nous avons citées, le vernis littéraire voile la spontanéité de l'inspiration, et souvent les bergers de Théocrite nous semblent beaucoup trop raffinés. Mais il existe un groupe d'idylles où ces tendances littéraires se trouvent encore plus marquées ; ce sont celles que l'on a coutume d'appeler les « épopées en miniature » ; la XIIIe (« Hylas ou le Jouvenceau aimé d'Hercule »), la XVIIIe (« Épithalame d'Hélène »), la XXIIe (« Les Dioscures »), la XXIVe (« Héraclès enfant », étranglant les serpents), la XXVe (« Héraclès tueur du Lion ») dont l'attribution à Théocrite est d'ailleurs incertaine ; elle aurait été composée par un de ses disciples, probablement au IIIe siècle.

Un dernier groupe de poèmes de Théocrite est formé de divertissements littéraires ou de souvenirs personnels, tels le VIIe (« Les Thalysies ») qui évoque une partie de campagne entre amis, avec des allusions à leurs amours respectives ; le XIe (« Le Cyclope »), où, pour consoler son ami Nicias de Milet, médecin malade d'amour, le poète rappelle la vertu du chant, citant l'exemple de Polyphème devenu poète par amour de Galatée, et le XXVIIIe (« La Quenouille »), poème qu'il joignit au cadeau d'une quenouille destinée à la femme du même Nicias. Il existe aussi quelques poèmes d'amour : les idylles XII, XIX, XXIII, XXIX, XXX (les deux dernières, ainsi que la XXVIIIe, en dialecte éolien et en mètres lyriques), inspirées particulièrement par la « Musa puerilis », et fort peu différentes des autres œuvres qui nous sont parvenues de la poésie érotique hellénique. Enfin les idylles XVI et XVII sont des poèmes écrits à la louange, l'un de Hiéron II de Syracuse (« Les Charites ou Hiéron »), l'autre de Ptolémée II Philadelphe (« Éloge de Ptolémée »), en vue de solliciter l'appui de ces puissants selon la coutume courtisane des poètes de cette époque, à laquelle Théocrite lui-même ne sut pas se soustraire complètement. Il faut signaler en dernier lieu que l'on ne peut attribuer en toute certitude à Théocrite la paternité de certaines compositions — en réalité très différentes quant au caractère et à la valeur — et qui font partie du recueil des œuvres qui nous est parvenu sous le nom du poète syracusain. — Trad. dans *Bucoliques grecs,* t. I, Les Belles Lettres, 1925 ; — *Théocrite, Idylles II, V, VII, XI, XV,* 1968 ; La Différence, 1991.

IDYLLES de Todorov [*Idilli*]. Les *Idylles* sont le chef-d'œuvre de l'écrivain bulgare Petko Todorov (1879-1916). Le critique bulgare Krăstev en donna une définition heureuse en les qualifiant de « confessions lyriques ». Leur ensemble constitue une série d'esquisses et de tableaux d'importance et de sujets divers. Il parut en 1907, alors que l'auteur n'avait que vingt-huit ans. Ce sont des visions fantastiques, des allégories, des descriptions poétiques de la nature et des interprétations symboliques de la vie. Le poète trouve son inspiration dans la vie et l'âme du peuple bulgare, spécialement du peuple de la campagne, avec ses chants, ses légendes et ses traditions. Mais le réalisme, qui avait été la caractéristique de toute la littérature bulgare jusqu'à Todorov, est dominé chez lui par une vision tout individuelle des choses. Par exemple, dans les « Noces du soleil » [Slănceva Ženitba], une des idylles principales du recueil, il y a d'une part une légende et, d'autre part, l'interprétation symbolique que lui donne Todorov et qui est toute personnelle. La légende, c'est l'histoire, très répandue et racontée sous diverses formes dans des chants populaires, de la jeune fille qui va épouser le soleil. Le sens allégorique et symbolique qui se cache sous la fiction est le contraste entre l'âme de la femme, qui trouve dans le mariage la fin même de son existence, et l'esprit dynamique de l'homme qui, absorbé par des soucis plus importants, ne voit dans le mariage qu'un épisode de sa vie. La même idée fondamentale se retrouve dans différentes idylles, mais exprimée par des symboles divers. Dans « Joie » [Radost'], le symbole et l'allégorie sont empruntés au monde végétal : un frêle plant de vigne s'est accroché au tronc d'un chêne gigantesque ; il représente le tendre amour d'une femme, entièrement soumise à la puissance de l'homme, qui la conquiert et la domine. On perçoit ici l'influence de la culture et de la littérature européennes occidentales (surtout celle de Schopenhauer, Nietzsche et les symbolistes français), influence qui ne s'était guère fait sentir dans la littérature bulgare avant Penčo Slavejkov et Todorov.

IDYLLES DRAMATIQUES [*Dramatic Idylls*]. Œuvre poétique de l'écrivain anglais Robert Browning (1812-1889), publiée en deux fascicules de 1879 à 1880. Ce sont des récits en vers où l'on retrouve le créateur des fameux monologues d'*Hommes et Femmes* (*) et de *Dramatis personae* (*). Browning reprend ici des thèmes qui lui sont chers. Chacun de ces récits contient toujours quelque crise d'âme. On en trouve d'amusants, comme « Doctor » où le poète soutient qu'« une méchante femme est pire que la mort » ; dans d'autres, le cynisme un peu voulu de Browning dissimule une morale très personnelle. Citons, en outre, « Ned Bratts », où le poète fait le récit d'une conversion ; « Ivan Ivanovitch », où il se laisse émouvoir par le manque d'humanité d'une mère ; enfin, « Martin Relph » où le héros, devenu vieux, s'accuse publiquement d'une ancienne faute ; autrefois, il a lâchement laissé périr un soldat qu'il aurait pu sauver. Ces *Idylles dramatiques* sont peut-être le chef-d'œuvre de Browning.

IDYLLES DU ROI (Les) [*The Idylls of the King*]. C'est une série de petits poèmes du poète anglais Alfred Tennyson (1809-1892), dont un premier fragment, « Mort d'Arthur », fut publié (avec d'autres poésies) en 1842. En 1859 parurent, publiés sous le titre *Idylls of the King,* quatre petits poèmes : « Enid », « Vivien », « Elaine », « Guinevere ». Plus tard, en 1869, s'ajoutèrent encore à la série : « Le Saint-Graal » [Holy Grail], « La Venue d'Arthur » [The Coming of Arthur], « Pelleas et Ettarre », « Le Passage d'Arthur » [The Passing of Arthur », qui comprend la « Mort d'Arthur », publié en 1842. En 1872 parurent en outre : « Le Dernier Tournoi » [The Last Tournament] et « Gareth et Lynette ». La série est enfin complétée par « Balin et Balan », publiée en 1885. Par conséquent, les *Idylles* ne furent pas écrites dans l'ordre des événements qu'elles relatent, mais au gré de l'inspiration du poète. Toutes contiennent des épisodes de la légende du roi Arthur et de ses chevaliers. Le roi Arthur représente ici l'Homme idéal qui groupe autour de lui les chevaliers de la Table ronde, c'est-à-dire les puissances de l'esprit et du corps qui jurent de servir Jésus-Christ et le roi, de redresser les torts et de protéger la femme. Mais dès la nouvelle de la faute de Guenièvre, l'organisation du royaume commence à s'affaiblir. Les chevaliers perdent la foi qu'ils avaient placée dans les hommes et dans leur propre mission. La recherche vaine du Saint-Graal les disperse dans le monde. Mais ce drame de l'échec du meilleur d'entre les hommes par la faute du péché n'aura pas été vain. Arthur pourra remporter la victoire à condition de perdre tous ses biens terrestres. C'est là, dans son ensemble, l'allégorie des *Idylles*. Elle en constitue le fonds commun.

Les *Idylles du roi* sont sans doute l'œuvre la plus vaste entreprise par Tennyson ; malgré le succès qu'elles remportèrent auprès des contemporains — succès facilement explicable, si l'on considère que le cycle est bien dans l'esprit de l'art victorien, et qu'en traçant le type du souvenir idéal le poète eut indirectement l'intention de célébrer le prince consort Albert —, l'on ne peut les compter parmi les meilleures pages de Tennyson. Bien que certains détails soient pathétiques et que l'art de l'écrivain n'ait jamais atteint une pareille perfection, les épisodes par trop « ajustés » de cette épopée moralisante en réduisent la résonance artistique. — Trad. Belin, 1887.

IGITUR ou la Folie d'Elbehnon. Conte inachevé, en prose, du poète français Stéphane Mallarmé (1842-1898), publié en 1925 par le docteur Bonniot, à partir des notes laissées par le poète. C'est en 1869, au sortir de la grande crise inaugurée trois ans plus tôt, à l'occasion du travail sur *Hérodiade* (*), par la découverte du néant, que Mallarmé conçoit le projet d'*Igitur*, dont il révèle à Cazalis la finalité : « C'est un conte par lequel je veux terrasser le vieux monstre de l'impuissance, son sujet du reste, afin de me cloîtrer dans mon grand labeur déjà réétudié. S'il est fait (le conte), je suis guéri ; *Similia similibus.* » Ce conte resté à l'état d'ébauche, mais qui resurgira sous une autre forme dans le poème *Un coup de dés jamais n'abolira le hasard* (*), a donc pour Mallarmé en 1869 une fonction essentiellement thérapeutique ; il s'agit, comme le montre la référence à la formule même de l'homéopathie, de soigner le mal par le mal, c'est-à-dire de liquider définitivement une crise — celle de l'impuissance ou de l'absolu — que Mallarmé a désormais dépassée, en la revivant sous une forme littéraire. Tout le décor de ce conte, rideaux, tentures, chimères du mobilier, pièces d'orfèvrerie, miroir, et le drame même qui s'y joue, font revivre ainsi, notamment dans cette espèce de parenthèse rétrospective que constitue la « Vie d'Igitur », les nuits de Tournon et de Besançon où le rêve de création se heurte à l'impuissance et à l'ennui. Quatre parties, outre l'épisode intitulé « Vie d'Igitur », apparaissent dans ce conte : « Le Minuit », « L'Escalier », « Le Coup de dés », « Le Sommeil sur les cendres, après la bougie soufflée ». Si aventureux qu'il soit de renouer le fil d'un texte fragmentaire et inachevé, qui tient à la fois du conte et du *Discours de la méthode* (*) — « ce Conte s'adresse à l'Intelligence du lecteur qui met les choses en scène, elle-même » —, on peut y lire au moins l'argument suivant : Igitur, le héros au nom de conjonction — une conjonction qui en rappelle une autre, l'« ergo » du « Cogito », surtout quand on sait que c'est très probablement la lecture de Descartes, en lui révélant la notion de fiction, qui a permis à Mallarmé, au début de 1869, de dépasser cette crise de l'absolu —, se découvre l'héritier d'une tradition littéraire immémoriale, ou d'une folie, celle d'un acte littéraire absolu capable d'abolir le hasard. Parce qu'il sait désormais la vanité de cet acte, Igitur, « suprême incarnation de cette race » atteinte par la « maladie d'idéalité », entreprend de renouer la généalogie de ce rêve ancestral en descendant, comme le Vigny de *L'Esprit pur*, dans les « escaliers de l'esprit humain ». En revivant l'histoire de ce rêve pour le porter à la conscience de soi, le « moi projeté absolu » d'Igitur se retrouve à la fin confronté à l'acte — le coup de dés — qu'attendent ses ancêtres, mais un acte qui n'est plus désormais qu'une fiction (« dans un acte où le hasard est en jeu, c'est toujours le hasard qui accomplit sa propre Idée en s'affirmant ou se niant »), si bien que le héros peut à la limite se contenter d'un simulacre : « Igitur secoue simplement les dés », avant de se coucher sur les cendres de ses ancêtres. Œuvre d'exorcisme, ce conte inachevé, à la fois odyssée mentale et saison en enfer, aura permis au rêveur absolu de redevenir, au début des années 1870, « un littérateur pur et simple ».

Igitur, en tout cas, témoigne, dans la prose mallarméenne, d'une écriture nouvelle, moins linéaire que circulaire ou plutôt spiralée, à l'image de cette descente dans les escaliers de l'esprit humain. Cette écriture musicale, déjà sensible dans les vers de l'*Ouverture ancienne d'Hérodiade*, avec des répétitions et des jeux d'échos syllabiques, ne survivra guère aux années 1860, et c'est une tout autre logique musicale que révélera ce qui peut apparaître comme l'ultime avatar d'*Igitur*, le *Coup de dés*.

B. Ma.

IGNORANCE ÉTOILÉE (L'). Recueil d'aphorismes du philosophe français Gustave Thibon (né en 1903), publié en 1975. Le propos a pour point de départ le contraste entre deux observations : la concordance des intuitions fondamentales des saints, des sages et des poètes de tous les temps et de tous les pays, qui atteste une « vérité transcendante et immuable », et l'usage ordinaire que les hommes font de cette vérité : à l'« éternelle nouveauté » de cette vérité immuable et de son appel répond la « perpétuelle monotonie » de la misère humaine et de l'« immortel péché » qui tente de la camoufler. Une enquête philosophique sur l'homme et sa vocation doit partir de cette « rupture entre l'homme et lui-même » que le christianisme appelle « péché originel » et d'en rechercher les conséquences dans l'ordre psychologique et social : « D'approches en approches, j'ai essayé de dénuder cette blessure humainement incurable que tout homme porte en lui et qui est le point d'insertion du divin et du psychologique. » La forme aphoristique choisie par l'auteur correspond à cette méthode d'approches successives. Ses réflexions s'ordonnent en quinze chapitres, de « L'Ignorance étoilée » à « Un avenir sans éternité » : « L'Ignorance étoilée », qui donne son titre au recueil, est empruntée à un vers de Victor Hugo contre les raisonnements des matérialistes de son temps (« Eh bien, non. J'aime mieux l'ignorance étoilée / De Platon, de Pindare... ») ; Thibon le reprend pour disputer aussi bien des objections des incroyants que des certitudes des demi-croyants : « Règle absolue : trouver Dieu partout et ne le mettre nulle part. » La philosophie se propose ici comme expérience d'« athéisme purificateur », selon l'exigence de Simone Weil : « On ne finit jamais de décanter Dieu dans l'homme. » L'auteur examine les paradoxes sous le déguisement desquels se manifeste la vérité : de la « logique de l'absurde » à la « vérité du mensonge », de « Dieu et les dieux » à l'« être et l'avoir », de la « réalité de l'impossible » à la « mort et à la résurrection », de la « foi et des vêtements » à l'« épreuve du temps » et des « chemins du désespoir » à la « présence absente », il montre que « l'esprit philosophique consiste à préférer aux mensonges qui font vivre les vérités qui font mourir ». Le philosophe, témoin de Dieu et non son accusateur, selon Épictète, doit aller « au secours de Dieu » et, par un renversement de la perspective apologétique, défendre son impuissante perfection contre la toute-puissance dont les hommes prétendent le dépouiller : « Le "Dieu est mort" de Nietzsche est la traduction désespérée du "Dieu est amour" de l'apôtre. » *L'Ignorance étoilée* est l'une des œuvres les plus caractéristiques du « socratisme » de Thibon, chez qui la sagesse stoïcienne est incessamment provoquée par le *contra spem in spe* de saint Paul. Ph. Ba.

IGUANE (L'). Œuvre de l'écrivain français Jean Blanzat (1906-1977), publiée en 1966. Les fables que conte l'auteur dans une langue précise et pure sont en fait des méditations sur la justice, la mort, l'amour. Livre lumineux et clair, en apparence, mais où chaque phrase entraîne le lecteur à réfléchir sur les rapports mal connus et mystérieux de l'homme avec l'univers qui l'entoure, plein de menaces et de signes. À la suite du *Faussaire* (*), nous nous trouvons à nouveau à mi-chemin entre l'exploration du réel et de l'imaginaire. Pour illustrer cet insolite qui lui est personnel, l'auteur réunit plusieurs fables, habilement construites, qui approchent ainsi tantôt la solitude des êtres, tantôt l'équivoque de la justice suprême, les scandales de la souffrance et de la mort. Les nombreuses expériences du narrateur, la mort d'un enfant, celle d'un ami curieusement accidenté dans le Marais, le vieil homme amoureux d'une jeune fille, sont autant de moyens aptes à restituer la douleur, l'angoisse, l'amour plus ou moins condamné à l'échec. S'il a souvent recours à une dimension onirique ou allégorique, il suffit parfois à l'auteur de nous relater une scène familière — la noyade des chats nouveau-nés — pour saisir le terrible duel entre le miracle de la vie et la monstruosité de la destruction. En filigrane, ces pages témoignent de la méditation d'un homme soucieux, qui ne se lasse pas au cours du temps d'interroger le destin. Grâce à sa phrase classique, brève, Jean Blanzat parvient à analyser avec une précision appliquée les conditions qui engendrent ce fantastique sortant des sentiers battus.

IGUANE (L') [*L'iguana*]. Roman de l'écrivain italien Anna Maria Ortese (née en 1914), publié en 1965. Considéré comme le chef-d'œuvre d'Anna Maria Ortese, *L'Iguane* est un livre absolument inclassable et, par bien des aspects, très étranger à la culture italienne, d'où l'incompréhension dont il fut d'abord victime. Fable, allégorie, récit d'un rêve ou d'une hallucination : s'y trouve portée à l'incandescence la veine fantastique et magique de l'auteur, dans une transfiguration spatio-temporelle des éléments les plus secrets de la vie intérieure. Parmi de multiples lectures possibles, proposons la suivante : le comte Carlo Ludovico Aleardo di Grees (surnommé Daddo), architecte, grand voyageur et « acheteur d'îles », entreprend une croisière d'où il espère aussi rapporter, pour un ami éditeur, quelque manuscrit d'exception, voire « anormal ». Il atteint l'île d'Ocaña, que ne mentionnent pas les cartes et que son matelot considère comme une terre du diable. Là vivent les derniers descendants d'une noble famille portugaise, les Guzman, dont l'aîné, le marquis Ilario, fin lettré, auteur d'un long poème, deviendra bientôt l'ami de Daddo. Mais le personnage le plus singulier est Estrellita, la servante, en réalité une petite iguane sans âge, au regard infiniment douloureux. Dans l'univers destructuré de l'île, où les choses et les êtres alternent avec les visions symboliques qu'ils engendrent, Daddo sera fasciné par l'iguane et découvrira qu'elle pourrait être la forme actuelle de la guenon Perdita, pour laquelle Ilario éprouva une passion extrême qui, devenue mystérieusement mépris, entraîna la déchéance de la créature. Se multiplient scènes et visions où l'aspiration à l'amour sublime affronte l'horreur du monde, où les personnages oscillent entre don de soi et désir de possession. C'est bien d'une puissance visionnaire et mystique qu'il faut parler à propos de *L'Iguane,* puisque cette marqueterie, où s'ajustent maints fragments de la vie psychique ordinairement dissociés, aspire à s'élever jusqu'à une impossible épiphanie. Influencé par les auteurs fantastiques anglo-saxons autant que par les mystiques espagnols ou Schopenhauer, le roman conte l'itinéraire de Daddo jusqu'à une perdition qui pourrait bien être le salut.

Comme Elsa Morante, Anna Maria Ortese est hantée par l'innocence originelle qu'on prostitue, par l'enfance assassinée, par une incarnation qui se confond souvent avec le mal mais connaît aussi d'éphémères rédemptions, par la transformation cynique du mystère de l'être en donnée marchande. *L'Iguane* ne laisse pas son lecteur indemne et, pour cette raison, surtout depuis sa réédition en 1986, on le considère en Italie comme un « livre-culte », salué aussi bien par la critique la plus attentive aux recherches contemporaines (Manganelli) que par des auteurs attachés à une vision plus humaniste (Citati). — Trad. Gallimard, 1988.

B. Si.

ÎLE (L') de Huxley [*The Island*]. Roman de l'écrivain anglais Aldous Huxley (1894-1963), publié en 1962. La dernière période de l'activité littéraire de Huxley, consacrée surtout à des méditations sur l'humanité, demeure assez confuse : *Les Diables de Loudun* (*) (1952) montrant la réalité de la religion dans ses égarements ; *Le Génie et la Déesse* (*), critiquant l'esprit scientifique ; les essais de *Retour au Meilleur des mondes* (1957). Il restait à l'auteur, menacé par le cancer, à donner au public l'utopie optimiste qui équilibrerait l'univers pessimiste et en voie de réalisation du *Meilleur des mondes* (*). Après sa satire de l'utopie de Wells, Huxley brosse sa propre utopie : une île imaginaire des tropiques où l'on mène une vie bonne et heureuse. Le journaliste naufragé qui découvre la sage communauté, où un roi éclairé et un médecin écossais n'ont gardé que le meilleur de notre civilisation, décrit tout un art de vivre. La religion est adoration de la beauté et des forces vitales ; l'amour est libre mais n'empêche pas la fidélité, tandis que les enfants peuvent passer d'une famille à l'autre. La mescaline et l'adrénaline aident à combattre la souffrance et la mort. Comme Will Farnaby, nous admirons les bases rationnelles et l'éclectisme de la philosophie des habitants de Pala. Cet éclectisme est celui de l'auteur qui met en pratique les principes de *La Philosophie éternelle* (*) combinant la sagesse orientale et la culture occidentale. S'agit-il d'un rêve sans espoir dans un monde qui s'effondre ? Un tyran brutal et matérialiste vient détruire ce bonheur pour exploiter les ressources pétrolifères de l'île. Mais, tandis que les bulldozers retournent la terre, les oiseaux effarouchés répètent le mot qu'on leur apprit : « Compassion. » L'auteur pense que « cet âge des lumières subsiste, ignoré dans les ténèbres ». C'est là le testament de Huxley : un roman didactique, un peu romantique, qui reflète une sérénité retrouvée. L'île impossible est le symbole des États sous-développés auxquels l'auteur conseille un dosage judicieux d'innovation et de tradition. Certes, l'optimisme de Huxley est moins convaincant que son pessimisme ; pourtant cette dernière contribution à l'humanisme mérite mieux que les critiques sévères qui l'ont accueillie. C'est l'ultime grand roman de cet auteur prolifique et généreux. — Trad. Plon, 1963.

ÎLE AU RHUM (L') [*Rumeiland*]. Roman de l'écrivain néerlandais Simon Vestdijk (1898-1971), publié en 1940. Lorsque, au début du XVIIIe siècle, Richard Beckford, fils d'un riche planteur de la Jamaïque, revient en Angleterre, le navire est arraisonné par des pirates. L'un d'eux s'empare du jeune homme et le complimente sur son courage. Et Richard ne pourra oublier la douceur de sa main sur sa nuque. Étudiant en droit à Oxford, il ne cesse de penser à la douceur de ce geste et, quand son frère William l'envoie faire une tournée d'inspection dans leur plantation de l'île au rhum, Richard accepte et sa quête commence. Il découvrira la perfidie de son cousin Ballard, la lâcheté d'Edward Manning, l'associé de William, et la beauté de Jane Hovenden Walker, l'épouse du gouverneur. Avec le temps, Richard s'est persuadé que son pirate blond n'est autre que la célèbre Anne Bonney, emprisonnée et condamnée, puis relâchée pour cause de grossesse et disparue sans laisser de trace. Enfin, il croit la reconnaître dans la femme du gouverneur de l'île. Au cours d'un bal masqué, cette dame se déguise même en Anne Bonney et lui accorde enfin un rendez-vous dans un repaire de brigands, en pleine montagne. La nuit même elle s'offre à lui, à la condition qu'il retourne en Angleterre. La magie du souvenir, la quête aventureuse doublée de la poursuite d'une ombre manquée, puis rêvée, le charme de la nature, donnent à ce livre, au style vigoureux et simple, un charme inimitable — celui de la nostalgie et de l'imaginaire, celui de la passion qui se cherche tout autant qu'elle se rêve. — Trad. Gallimard, 1963.

ÎLE AU TRÉSOR (L') [*Treasure Island*]. Roman de l'écrivain écossais Robert Louis Stevenson (1850-1894), publié tout d'abord dans la revue *Young Folks,* puis en volume en 1883. L'auteur, alors âgé de trente-trois ans, devint immédiatement célèbre. Le récit, dont l'intrigue se déroule au XVIIIe siècle, est supposé écrit par le jeune Jim Hawkins, fils de la tenancière d'une auberge, qui habite un petit port anglais. Dans la taverne isolée de « L'Amiral Benbow » règne une atmosphère mystérieuse, d'attente anxieuse. Le principal client se trouve être un vieux marin au visage balafré, nommé Billy Bones, sur lequel pèse une obscure menace. Celle-ci se précise le jour où un mystérieux aveugle lui remet l'« emblème noir », emblème tragique qui, dans le monde des pirates, annonce un massacre. Le même jour, Billy, qui est un ivrogne impénitent, meurt. En ouvrant sa malle, Jim et sa mère découvrent une carte sur laquelle est indiquée la cachette d'un fabuleux trésor que la bande du capitaine Flint a enfoui dans une île déserte. En vain les pirates donnent-ils l'assaut à l'auberge afin de s'emparer du document. Jim a déjà pris le large, et comme le docteur Livesey et le chevalier Trelawney, le hobereau du village, s'intéressent à l'affaire, il peut affréter un navire baptisé l'« Hispaniola ». Tous se mettent en route pour l'île au trésor. Mais quelques pirates de la bande de Flint, dirigés par John Silver, pittoresque personnage à jambe de bois, se sont engagés dans l'expédition ; aussi le conflit ne tarde-t-il pas à éclater. Grâce à un procédé narratif qu'affectionne Stevenson et dont Conrad fit également usage, diverses autres aventures sont racontées non plus par le jeune Hawkins, mais par le docteur Livesey. De la sorte, le récit s'écarte du sujet principal pour y revenir ensuite. Lorsque l'île est atteinte, la lutte s'engage entre les deux groupes, celui de Silver et celui que commandent Livesey et Trelawney, auquel s'est joint un ancien membre de la bande de Flint, nommé Benn Gunn, que celle-ci a abandonné depuis trois ans sur l'île. Les chances de succès restent longtemps indécises au cours de divers épisodes dont l'intérêt est sans cesse soutenu. Mais, pour finir, le trésor tombe en de bonnes mains. Silver disparaît et l'« Hispaniola » reprend la mer avec sa précieuse cargaison.

Dès sa publication, *L'Île au trésor* devint un classique du roman d'aventures, au point d'être comparée à l'*Odyssée* (*). Il semble plus juste de considérer ce livre comme un magnifique chaînon de la tradition littéraire anglo-saxonne si riche en récits consacrés aux aventures dans les mers lointaines. Il convient de placer *L'Île au trésor* entre le *Robinson Crusoé* (*) de Daniel Defoe (le créateur du genre), les récits polynésiens de Melville — v. *Typee* (*) et *Omoo* (*) qui le complète —, d'une part, et certains romans de Conrad — v. *Une victoire* (*) — ou de Jack London d'autre part. Ainsi que dans toutes les œuvres réussies de Stevenson, la valeur artistique fondamentale du livre réside dans le remarquable équilibre réalisé entre la peinture du réel et celle du fantastique. Stevenson écrit toujours avec un souci de la précision et du concret, parfois même avec une certaine minutie, mais jamais au point de ralentir le rythme de son récit, ni de ternir le halo de légende qui enveloppe ses personnages. *L'Île au trésor* constitue un de ces très rares ouvrages capables de satisfaire la soif d'aventures qui est le propre des enfants aussi bien que le sens esthétique des lecteurs raffinés. — Trad. Hetzel, 1885 ; Robert Laffont, 1984.

ÎLE D'ARTURO (L') [*L'isola d'Arturo*]. Roman de l'écrivain italien Elsa Morante (1912-1985), publié en 1957. Le second roman d'Elsa Morante, commencé en 1952, paraît neuf ans après *Mensonge et Sortilège* (*) et il obtient le prix Strega. Arturo Gerace, le narrateur, se souvient de son enfance à Procida, et en particulier des deux années cruciales de son adolescence dans la « maison des *Guaglioni* », où ne sont pas admises les femmes, comme en a décidé son ancien propriétaire, l'étrange Romeo l'Amalfitain, qui l'a léguée à Wilhelm, père d'Arturo. La mère d'Arturo, d'ailleurs, est morte presque aussitôt après la naissance de l'enfant, qui depuis vit seul, libre et sauvage, élevé tout d'abord par un jeune paysan serviteur, Silvestro, puis nourri par un autre, Costanzo, en compagnie surtout d'une chienne, Immacolatella, qui mourra en mettant bas. Son père ne revient que rarement et pour de brefs séjours, et Arturo, qui rêve de grandes aventures, lui voue une admiration sans bornes. Un jour (Arturo a quatorze ans), Wilhelm revient accompagné d'une jeune épouse, femme-enfant (elle a seize ans), venue d'un quartier misérable de Naples. Arturo, jaloux, accepte mal sa présence. Il se montre dur et méprisant à l'égard de Nunziata qui, simple et touchante, en l'absence de Wilhelm, s'efforce de lui servir de mère. Assimilation qui trouble Arturo, privé d'amour maternel, qu'il confond avec la passion qu'en réalité il éprouve pour Nunziata. Entre-temps, Arturo est initié à l'amour physique par une jeune veuve, Assunta. Lorsque Nunziata est enceinte, puis met au monde un petit garçon, Carmine Arturo, la souffrance d'Arturo est décuplée, il prend même le risque de mourir en tentant un faux suicide. Un jour, Wilhelm revient, mais ce n'est que pour un détenu du pénitentier de Procida. Arturo découvre alors qui est en réalité son héros : homosexuel, vivant de trafics minables, humilié par un petit voyou, Tonino Stella, qui le traite de « parodie ». Parodie de père, parodie de mythe : les certitudes d'Arturo s'écroulent, et il va profiter de la venue de Silvestro pour quitter définitivement l'île. Cette île, c'est l'île maternelle, « limbes » en dehors desquels « il n'est pas de paradis », temps et espace absolus de l'enfance et de l'illusion, île mythifiée qui disparaît lorsque Arturo entend les grondements de l'Histoire vers laquelle il se tourne, tout en sachant que le monde de l'île était la seule réalité. Récit initiatique, interprétation très personnelle de la mémoire de l'enfance, *L'Île d'Arturo* baigne dans une atmosphère de réalisme transfiguré où les ressorts de la fable sont aussi marqués que ceux de la psychanalyse. On en trouve l'écho dans *Le Châle andalou* [*Lo scialle andaluso*] publié en 1963, mais écrit en 1951, où Andrea vit pour sa mère, Giuditta, le même amour exclusif suivi du même drame du désenchantement. — Trad. Gallimard, 1963. M. B.-B.

ÎLE DE LA FÉLICITÉ (L') [*Lycksalighetens ö*]. Fable dramatique du poète suédois Per Daniel Amadeus Atterbom (1790-1855), publiée entre 1824 et 1827. Le sujet de cette fable provient en majeure partie des livres populaires suédois du milieu du XVIIIe siècle, lesquels étaient à leur tour des traductions d'une fable racontée par Mme d'Aulnoy dans son roman *Histoire d'Hippolyte, comte de Douglas* (1690). Ici et là, l'influence d'Oehlenschläger est évidente, et plus encore celle d'un grand poète cher aux romantiques : Le Tasse. Au cours d'une partie de chasse à l'ours, le jeune roi d'un pays hyperboréen, Astolphe, se perd et se retrouve dans la grotte des vents où l'accueille leur vieille mère Anemotis. Parmi les vents, le jeune et charmant Zéphyre parle de Félicie, la reine de l'île de la félicité, dans laquelle Astolphe reconnaît la femme de ses rêves. Zéphyre conduit le roi dans l'île. La princesse Svanvit (« Blanche-comme-le-cygne ») y habite, attendant vainement l'arrivée d'Astolphe qu'elle aime en secret. Après une fête pleine d'éclat, Astolphe se débarrasse du manteau qui le rendait invisible et se révèle à elle. Pris pour l'oiseau Phenice, Astolphe gagne aussitôt l'amour de Félicie, qui lui promet une jeunesse éternelle s'il consent à rester avec elle. Éternellement jeunes, ils jouissent d'un amour parfait pendant trois siècles, jusqu'au jour où Astolphe, regrettant la vie active, obtient l'autorisation de retourner pour un moment dans sa patrie, sur un cheval ailé duquel il ne doit pas descendre avant d'être arrivé dans son pays natal, sous peine de se perdre. Revenu dans sa patrie, Astolphe apprend à connaître la république hyperboréenne qui a succédé à son antique royaume, ainsi que les démagogues au pouvoir qui lui sont présentés comme des pantins ridicules. Astolphe tente de soulever le pays contre l'abjection présente, mais il échoue et est banni. Il ne lui reste pas d'autre solution que de retourner auprès de Félicie. Sur la voie du retour, Astolphe entend les lamentations d'un vieillard qui demande du secours. Il oublie l'avertissement et descend de son cheval. Mais la main du vieillard le glace. Le vieillard n'était autre que le Temps, et Astolphe meurt en se rappelant une dernière fois Félicie, auprès de laquelle l'instant était éternité. Zéphyre porte son corps dans l'île et Félicie éclate en pleurs. Maintenant que le bonheur terrestre a été ruiné, Félicie peut s'élever vers la béatitude céleste.

L'Île de la félicité, avec ses nombreuses influences de la poésie de la Renaissance italienne, sa diffuse sentimentalité et le rôle prépondérant pris par le décor, est un des derniers exemples d'un genre qui puise ses origines dans certaines œuvres du Tasse et de Shakespeare et se rapproche de la manière plus superficielle, mais agréable, de Wieland. Mais, d'un autre côté, Atterbom est un romantique à la façon allemande. Dans la caricature grossière des personnages et des institutions de la Révolution française, on retrouve le mystique qui allait répéter en Suède les idées et la polémique de certains milieux rétrogrades du romantisme allemand.

ÎLE DE PÂQUES (L'). Œuvre de l'ethnologue américain d'origine suisse et d'expression française Alfred Métraux (1902-1963), publiée en 1941. Cet ouvrage est une synthèse, destinée aux non-spécialistes, des nombreuses études que Métraux a consacrées à l'île de Pâques. Quand, en 1934, Métraux arriva dans cette petite île volcanique, isolée au sud-est du Pacifique, ne subsistaient plus que quelques centaines d'habitants misérables, pour la plupart christianisés, vivant dans l'oubli de leurs traditions et de leurs rites, ne fabriquant plus que pour les voyageurs des statuettes et des sculptures sur bois dépourvues de style. Le contraste entre le dépérissement, le dénuement culturel de la population de l'île de Pâques, et les immenses statues de basalte ou de tuf qui, dressées le long de la mer mais lui tournant le dos, ou gisant à terre, semblent les vestiges géants d'un monde disparu, ont donné lieu à toutes sortes d'hypothèses, et de nombreux voyageurs ont supposé que ce ne sont pas les ancêtres des habitants actuels de l'île de Pâques qui ont érigé ces statues gigantesques, mais des peuples migrateurs qui ont ensuite poursuivi leur chemin jusqu'en Amérique. Métraux s'efforce de dissiper ces légendes, en montrant que le contraste entre la décadence actuelle de la population pascuane et les traces d'un passé grandiose est dû plutôt, après la curiosité bienveillante des voyageurs du XVIIIe siècle, en particulier Cook et La Pérouse, à la destruction violente et réitérée d'un peuple et d'une civilisation, en butte tour à tour à la brutalité des négriers, razziant en 1862 un millier d'insulaires pour les faire travailler dans les gisements de guano du Pérou, aux épidémies ramenées par les survivants, à la christianisation de l'île, détruisant traditions religieuses et organisation politique et, à la suite de celle-ci, à l'exploitation des trafiquants et à la colonisation par le Chili. L'isolement de l'île de Pâques, lui interdisant de plus l'adaptation relative à la vie moderne survenue en Polynésie, en faisait en 1935 « la plus malheureuse des colonies du Pacifique ». C'est à partir de cette situation de déculturation que Métraux s'efforce de reconstituer le passé de l'île et de résoudre les énigmes que posent les vestiges les plus mystérieux de l'ancienne civilisation pascuane : les immenses statues le long de la mer, et les tablettes de bois où sont gravés des signes dans lesquels certains ont vu une écriture hiéroglyphique, alors que toutes les autres civilisations polynésiennes ont ignoré l'écriture. À travers des fragments de légendes et de mythes, et les quelques rites et coutumes qui ont survécu à la christianisation de l'île, l'auteur déduit l'existence d'une population nombreuse et relativement prospère, tirant sa subsistance de la culture (taros, patates, ignames, bananiers, cannes à sucre), de l'élevage (porc, chien, poule), de la pêche, et dont le problème le plus difficile est l'approvisionnement en eau douce. Des traces de buttes immenses témoignent d'institutions communautaires. Des restes d'organisation tribale indiquent une société fortement hiérarchisée, à la suite des guerres qu'ont occasionnées des vagues d'immigration successives, venues de Polynésie. Prêtres et guerriers jouaient un rôle politique important. Les tribus vaincues étaient réduites au servage et obligées de cultiver la terre des vainqueurs. La vie politique était marquée par la rivalité entre les guerriers et le roi, dont le prestige était plutôt religieux. Les guerres étaient longues et acharnées et donnaient lieu à un cannibalisme rituel, qui jouait d'autre part un puissant rôle de provocation. L'organisation familiale et sociale comportait une grande richesse de rites : naissance, jeux, tatouages, mariage, funérailles. Une grande liberté sexuelle régnait, variable cependant selon le rang social. Magie et religion, petits dieux et grands dieux, formaient deux ensembles relativement distincts, et c'est surtout la magie qui a survécu au christianisme. L'importance des généalogies divines reflète la prédominance de la hiérarchisation sociale dans l'ancienne civilisation pascuane. La fête de l'« homme-oiseau », à laquelle donnait lieu la découverte du premier œuf de l'oiseau « manutara » dans les falaises de l'île, semble avoir joué un rôle médiateur entre la fécondité de la nature et la communauté humaine. Les célèbres statues, qui ne sont plus dressées sur un mausolée, mais, pour la plupart, étalées sur le ventre, sont d'énormes bustes, taillés pour la plupart dans un tuf relativement léger, et quelques-uns dans le basalte. La plupart sont groupées, mais il y en a quatorze isolées. À propos des travaux gigantesques nécessités par leur érection, Métraux évoque plutôt une entreprise collective joyeuse et spontanée, dans une atmosphère de fête, que les travaux forcés de grappes d'esclaves. Au sujet des tablettes gravées et de l'hypothèse d'une écriture hiéroglyphique, Métraux évoque de nombreux témoignages et expériences selon lesquels aucun Pascuan ne s'est véritablement montré capable de lire une tablette, chacun d'eux donnant un texte différent pour la même tablette, ne s'apercevant pas de la substitution d'une tablette à une autre, ou donnant successivement plusieurs textes différents. Il suppose qu'il s'agit, plutôt que d'une écriture, de bâtons rituels couverts de signes jouant d'abord un rôle d'aide-mémoire dans les cérémonies, et qui deviennent des éléments décoratifs traditionnels. Cet ouvrage, qui fait définitivement justice des hypothèses fantastiques échafaudées à propos des statues gigantesques de l'île la plus isolée du monde, sollicite l'esprit dans une direction bien différente, par les images fragmentaires, mais précises et colorées qu'elle nous donne de l'ancienne société pascuane, communauté qui, ne pouvant être figurée qu'à partir de bribes et de vestiges, ne peut nous être présentée qu'à travers l'image de sa disparition.

ÎLE DES ESCLAVES (L'). Comédie sociale en un acte et en prose de l'écrivain français Marivaux (1688-1763), représentée pour la première fois par les Comédiens italiens le 5 mars 1725. La scène est dans une île utopique. Iphicrate, jeune seigneur bien fait, et son valet Arlequin viennent d'échapper à un naufrage. Lorsque le maître révèle imprudemment que l'île est habitée par d'anciens esclaves révoltés, Arlequin devient insolent et refuse de servir davantage. Iphicrate le poursuit, l'épée à la main, mais il est retenu par l'arrivée de Trivelin. Celui-ci ne se borne pas à désarmer Iphicrate. Pour rabattre son orgueil, il l'oblige à changer de nom avec Arlequin, autrement dit, à devenir son esclave : « Ce sont là nos lois, dit-il, et ma charge dans la république est de les faire observer. »

En effet, les anciens esclaves, devenus « philosophes », n'ont plus de haine ni de rancune, mais la volonté de corriger les cœurs barbares. Trivelin déclare que chaque fois que la Providence jette dans son île un échantillon de la race des maîtres, il se contente de le réduire à l'esclavage, à seule fin de lui faire sentir toutes les misères qu'on y éprouve. Souvent, l'on s'améliore à l'école du malheur. Au vrai, cet esclavage relève de la médecine, un simple traitement qui doit entraîner la guérison. Force est donc à Iphicrate de subir la cure en question. Il s'en tirera le mieux du monde, car il ne laisse pas d'avoir un bon naturel, lequel répond en tout point à celui de son valet Arlequin. Pour servir de contrepoids à ce duo masculin, Marivaux nous présentera un duo féminin. Maître et serviteur, d'un côté, maîtresse et servante, de l'autre : en bref, de quoi faire un quadrille. Marivaux ménage plusieurs scènes piquantes : les serviteurs décrivent leur maître, en leur présence, avec l'ironie que leurs défauts méritent ; Arlequin fait la cour, en son langage, à la petite maîtresse devenue servante. Mais, de part et d'autre, l'injure se réduit en louange. Chacun d'eux fait un retour sur lui-même. On se pardonne, on s'exalte, on promet de se corriger. « Cela fait quatre beaux repentirs qui nous feront pleurer tant que nous voudrons. » Comme il se doit, Trivelin tirera la morale de l'histoire : « Vous avez été leurs maîtres, et vous avez mal agi ; ils sont devenus les vôtres, et ils vous pardonnent ; faites vos réflexions là-dessus. La différence des conditions n'est qu'une épreuve que les dieux font sur nous... » Cette pièce, que Sainte-Beuve appelait une « bergerie révolutionnaire », n'obtint en son temps aucun succès. Marivaux en écrivit deux autres de la même veine, qui, d'ailleurs, eurent le même sort : *L'Île de la Raison* et *La Colonie.*

Cette trilogie sociale mérite qu'on la mentionne, parce qu'elle occupe une place à part dans l'œuvre de Marivaux.

ÎLE DES JACINTHES COUPÉES (L') [*La isla de los jacintos cortados*]. Roman de l'écrivain espagnol Gonzalo Torrente Ballester (né en 1910), publié en 1980. Le livre est écrit à la première personne, à la manière d'un journal : un professeur d'une université américaine est amoureux d'Ariadna, une étudiante, mais leur relation n'est qu'amicale car la jeune fille semble amoureuse du professeur Claire, qui la fascine par son intelligence et ses capacités. Ce collègue vient de démontrer que Napoléon n'existait pas. Le protagoniste entraîne alors la jeune fille dans des veillées sans fin où la contemplation des flammes de la cheminée permettra de faire découvrir à sa jeune compagne une île, la Gorgone, où l'on voit peu à peu se dérouler l'histoire qui révélera à Ariadna que Napoléon n'a jamais existé, qu'il est un mythe inventé de toutes pièces. Torrente Ballester prend prétexte de cette trame pour écrire une élégie poignante sur le vieillissement, dans un style sans épines qui apparente l'auteur aux plus grands musiciens du mot. Il mêle par ailleurs fantastique et réalisme avec un talent qui a trouvé sa forme la plus accomplie dans *La Saga/Fuga de J. B.* (1972), chronique d'une ville de Galice qui entre en lévitation quand l'unanimité de ses habitants est possédée d'une préoccupation commune. – Trad. Actes Sud, 1989. C. Bl.

ÎLE DES PINGOUINS (L'). Récit de l'écrivain français Anatole France (François-Anatole Thibault, 1844-1924), publié en 1908. Dans le Livre Ier (« Les Origines »), imitant les anciennes légendes bretonnes, Anatole France raconte la merveilleuse légende de saint Maël qui, se trouvant miraculeusement transporté dans les régions hyperboréennes, change en hommes une tribu de pingouins et leur donne le baptême. Au paradis, après une longue discussion théologique, il est décidé d'accepter le fait accompli et de transformer tous ces palmipèdes en créatures humaines. Saint Maël transporte ensuite l'île des pingouins dans les parages de l'antique pays d'Armor et enseigne à ce nouveau peuple les rudiments de la vie civilisée, sans pouvoir toutefois leur éviter maintes embûches du démon. Ainsi naît la nation pingouine qui symbolise la France. Dans le Livre II (« Les Temps Anciens »), l'auteur nous éclaire sur les origines de la féodalité. Il nous conte la mirobolante histoire du dragon Kraken, de la pseudo-vierge Orberose et du héros Draco, fondateur de la dynastie royale des Draconides (les Bourbons). Le Livre III nous raconte les vicissitudes de l'« île des Pingouins » durant le Moyen Âge et la Renaissance. Le Livre IV illustre les temps de la Révolution, tandis que les Livres V, VI et VII se situent au cœur de l'histoire contemporaine. Cette partie de la civilisation pingouine est envisagée surtout du point de vue du nouveau régime libéral que France synthétise en trois épisodes principaux : le premier (« Châtillon ») n'est autre que l'aventure du général Boulanger ; le deuxième (« L'Affaire des quatre-vingt mille balles de foin ») présente les étapes retentissantes de l'affaire Dreyfus (ce dernier est figuré par Pyrot, Zola par Colomban, d'autres noms de fantaisie désignent le ministre Méline, Waldeck-Rousseau, etc.) ; le troisième enfin (« Madame Cérès ») illustre les intrigues des coteries politiques, de la haute finance et des hommes d'affaires qui font l'impossible pour se jeter aveuglément dans une guerre (la guerre de 1914, qu'Anatole France avait prévue avec lucidité). Le Livre VIII, qui est le dernier, a pour titre « Les Temps futurs : l'histoire sans fin ». Là, l'auteur esquisse les derniers développements de la société capitaliste, la révolution collectiviste, les conflits armés, les retours à la barbarie, enfin les nouvelles civilisations qui perpétueront les anciennes erreurs auxquelles l'humanité semble à jamais condamnée. Par cet ouvrage qui s'inspire de toute une série d'œuvres satiriques et utopistes, celles de Swift comme celles de Rabelais, Anatole France a tenté de faire la satire de la civilisation occidentale. Sa malicieuse érudition, la verve de son style, son goût des paradoxes intelligents ont contribué à créer un savoureux tableau. On peut, certes, lui reprocher son caractère superficiel et un certain manque de souffle. Seuls des épisodes secondaires et quelques personnages témoignent d'une vitalité authentique. Il faut noter, en outre, que le scepticisme de France vis-à-vis de notre civilisation et son pessimisme à l'égard du caractère humain sont ici poussés à l'extrême. Cela fait prévoir sa sympathie pour la révolution communiste de 1917-1919.

ÎLE DU DOCTEUR MOREAU (L') [*The Island of Doctor Moreau*]. Roman de l'écrivain anglais Herbert George Wells (1866-1946), publié en 1896. Il fait partie de ces récits fantastiques, à base scientifique, auxquels l'auteur est redevable de sa renommée mondiale. Le domaine du docteur Moreau est un petit îlot perdu dans les mers du Sud, où aborde Édouard Prendrick, unique survivant d'un navire qui vient de sombrer. Prendrick s'aperçoit que l'île est habitée, non seulement par le docteur Moreau et par son assistant, Montgomery, qui, à contrecœur, lui a offert l'hospitalité, mais aussi par une population de créatures bizarres : hommes qui ont des allures de bêtes, ou plutôt bêtes qui se conduisent comme des hommes. Ils parlent d'une manière étrange, marchent en se tenant debout, et les domestiques de Moreau et Montgomery, les premiers êtres singuliers qu'il a rencontrés, portent des vêtements. Étonné, inquiet et terrifié par ce qu'il voit et ce qu'il entend sans le comprendre, Prendrick décide de fuir l'étroite surveillance à laquelle le soumettent les deux chirurgiens. Il découvre un village de huttes, qui est habité par des créatures encore plus horribles et bizarres. Celles-ci s'attribuent le nom d'« hommes » ; elles semblent gouvernées, au moins en partie, par une étrange loi dont elles se plaisent à répéter les préceptes dans une sorte de litanie que Montgomery leur a enseignée. Rejoint par les deux médecins, Prendrick apprend que ces êtres horribles ne sont autres que des animaux sur lesquels Moreau a pratiqué des expériences hardies de greffe et de vivisection en modifiant leur cerveau et leur larynx, pour les rendre capables d'une pensée rudimentaire et pour leur donner la faculté de parler. Les animaux ainsi humanisés retombent cependant, après un court laps de temps, dans leur condition primitive, et c'est seulement la terreur et le respect que Moreau leur inspire qui réussissent en partie à les retenir. Lorsque Moreau est tué par un gigantesque puma sur lequel il avait commencé ses expériences horribles et cruelles, Montgomery, qui s'est enivré par désespoir, précipite les événements : bientôt tous les hommes-bêtes se révoltent, Montgomery est tué ; la maison de Moreau est détruite par un incendie, et Prendrick se trouve seul en lutte contre les habitants de cette île terrible, jusqu'au moment où il arrive à fuir sur une petite barque et où il est recueilli par un navire de passage.

Dans aucun de ses autres livres Wells n'a recours à un ton satirique aussi amer. L'organisation des hommes-bêtes a de nombreux traits communs avec celle qui est en vigueur dans la société humaine. Cette humanité animale, loin de tirer un soulagement des lois et surtout de la religion (dont Moreau, l'homme-dieu, et Montgomery, le prêtre, sont les représentants), y trouve un sujet de tortures : peur du châtiment qui menace chaque fois que l'on s'abandonne à la joie de l'instinct, remords et autres turpitudes. Ce n'est que l'homme-dieu, conscient de sa propre dignité et de son propre pouvoir, qui peut s'y adapter et comprendre. La vraisemblance psychologique des personnages, en dépit de leur aspect fantastique, est frappante et donne toute sa force à cet étrange conte philosophique. — Trad. Mercure de France, 1946 ; Gallimard, 1977.

ÎLE MYSTÉRIEUSE (L'). Roman d'aventures en deux parties (« Les Naufragés de l'air » et « L'Abandonné ») de l'écrivain français Jules Verne (1828-1905), publié en 1874, faisant suite à deux autres volumes : *Les Enfants du capitaine Grant* (*) et *Vingt mille lieues sous les mers* (*). Pendant la guerre de Sécession, des prisonniers des Sudistes réussissent à s'évader et à prendre possession d'un aérostat sur lequel ils s'envolent. En plein océan, l'engin est entraîné par une trombe marine et ses occupants viennent s'échouer sur la plage d'une île déserte. Privés de toutes ressources, les cinq compagnons (l'ingénieur Cyrus Smith, Gédéon Spillett, le noir Nab, le marin Pencroff et le jeune Harbert) essaient de trouver le moyen de faire face à la situation. L'île, qu'ils baptisent du nom de Lincoln, offre des ressources admirables et insoupçonnées. Nos cinq naufragés se persuadent bientôt qu'ils sont secourus par quelque puissance mystérieuse. Ils reçoivent également un message qui leur permet de retrouver le fameux Ayrton, l'ancien forçat que lord Glenarvan — v. *Les Enfants du capitaine Grant* (*) — avait abandonné sur un îlot voisin et que nos gens parviennent à sauver. Finalement, une découverte leur révélera le mystère qui les obsède de plus en plus : le fameux « Nautilus » du capitaine Nemo a cherché refuge dans ces parages. En effet, les naufragés rencontrent l'illustre navigateur et arrivent tout juste pour assister à sa mort. Grâce au concours du capitaine Nemo, ils pourront par la suite rentrer dans leur patrie, emmenant avec eux Ayrton. Dans ce roman, Jules Verne s'est sans nul doute inspiré du *Robinson Crusoé* (*) de Daniel Defoe. De même que Robinson est par-dessus tout l'incarnation de l'humanité pensante, les cinq naufragés de *L'Île mystérieuse* sont celle de l'humanité savante. Ils sont les tenants d'une civilisation fondée sur la science et la morale : comme tels, ils doivent pouvoir triompher des forces aveugles de la nature. Ce point de vue fait du roman une œuvre bien représentative de la mentalité de la seconde moitié du XIXe siècle.

ÎLE POURPRE (L') [*Bagrovyj Ostrov*]. Pièce de l'écrivain russe Mikhaïl Boulgakov (1891-1940). Écrite en 1928, elle ne fut pas publiée du vivant de l'auteur. Sa première représentation eut lieu en décembre 1929 au Théâtre de Chambre de Moscou. Six mois plus tard, sous la pression d'une critique hostile, le théâtre se voyait obligé de retirer *L'Île pourpre* de l'affiche.

C'est le théâtre qui constitue le sujet de *L'Île pourpre*. La pièce fait, d'une part, la satire de la censure. D'autre part, Boulgakov y tourne en dérision le théâtre de gauche des années 20. Pour mener à bien ce double propos, il a recours au procédé du théâtre dans le théâtre. Dymogatski, jeune auteur qui signe Jules Verne, a écrit une pièce contre le colonialisme, l'exploitation des peuples primitifs par des capitalistes avides de profits. Il faut maintenant la présenter au censeur, le terrible Savva Loukitch. On improvise une représentation en toute hâte ; c'est pour Boulgakov l'occasion de montrer la vie d'une troupe, les rivalités, les problèmes psychologiques inhérents au métier d'acteur. La pièce de Dymogatski-Jules Verne se déroule sur une île dont les capitalistes anglais tentent de s'approprier les richesses. L'action comporte maints éléments exotiques (éruption volcanique, bateau à vapeur, lianes, perroquets, coups de feu) selon les meilleures traditions d'un certain théâtre du début du siècle. À son terme, les indigènes auront gagné leur indépendance. Néanmoins, Savva Loukitch n'est pas satisfait car la révolution internationale est absente de la scène. Qu'à cela ne tienne ! On l'improvisera en moins de temps qu'il n'en faut pour le dire. Cette fable douce-amère est une parodie : la pièce de Dymogatski-Jules Verne ressemble à s'y méprendre aux nombreuses pièces idéologiques qui se multipliaient alors à Moscou ; mais en les ridiculisant, Boulgakov donne un bel exemple de théâtre de l'imagination en liberté. De tout cela la censure ne voulut retenir qu'un « libelle contre la révolution »... — Trad. Robert Laffont, 1971. M. Go.

ÎLES (Les). Œuvre de l'écrivain français Jean Grenier (1898-1971), publiée en 1932, réimprimée en 1959 avec une Préface d'Albert Camus et comprenant (dans la première édition) : I « Le Chat » (l'homme et l'animal), II « Les Îles Kerguelen » (l'homme et la société), III « Les Îles Fortunées » (l'homme et la nature), IV « L'Île de Pâques » (l'homme et la mort), V « L'Inde » (l'homme et l'absolu). La conscience de l'écart entre l'homme et le monde ne triomphe pas de l'attachement aux choses. Nourri des grands textes chinois et de la pensée indienne, Jean Grenier s'est demandé si l'indifférence n'était pas la seule réponse au sentiment de l'écart. Très tôt, l'auteur découvrit la double vertu de la lumière, qui est à la fois exaltation des désirs et invitation à l'immobilité. Et sa langue limpide, dense, plaine de retraits, de silences, d'« oscillations », de retenue, ne cesse de traduire une seule et même recherche : la conciliation entre l'éternité des désirs et la fragilité de la vie. Pour définir une attitude devant la vie, Jean Grenier procède par approximations, s'attarde, avant de passer du signe à la chose signifiée, sur la valeur du signe, lui donnant ainsi presque un épanouissement. C'est de cette manière que l'auteur parvient à communiquer l'universel par la valeur du singulier. « On peut donc voyager non pour se fuir, chose impossible, mais pour se trouver. Le voyage devient alors un moyen, comme les jésuites emploient les exercices corporels, les bouddhistes l'opium et les peintres l'alcool. Une fois qu'on s'en est servi et qu'on touche au but, on repousse du pied l'échelle qui vous a servi à monter. On oublie les journées écœurantes du voyage en mer et les insomnies du train quand on est parvenu à se reconnaître (et par-delà soi-même autre chose sans doute) et cette "reconnaissance" n'est pas toujours au terme du voyage qu'on fait : à vrai dire, lorsqu'elle a eu lieu, le voyage est achevé. Il est donc bien vrai que dans ces immenses solitudes que doit traverser un homme de la naissance à la mort, il existe quelques lieux, quelques moments privilégiés où la vue d'un pays agit sur nous comme un grand musicien sur un instrument banal qu'il révèle, à proprement parler, à lui-même. La fausse reconnaissance, c'est la plus vraie de toutes : on se reconnaît soi-même ; et quand devant une ville inconnue on s'émerveille comme devant un ami qu'on avait oublié, c'est l'image la plus véridique de soi-même que l'on contemple. » Albert Camus, après avoir rappelé l'émerveillement que fut pour lui la découverte de ce livre, précise : « Le voyage décrit par Grenier est un voyage dans l'imaginaire et l'invisible, une quête d'île, comme celle que Melville, avec d'autres moyens, a illustrée dans *Mardi* (*). L'animal jouit et meurt, l'homme s'émerveille et meurt, où le port ? Voilà la question qui raisonne dans tout le livre. » À sa manière, un homme se raconte, s'ouvre à travers un enchaînement de monologues parfois solennels, souvent familiers. Tout en disposant à l'arrière-plan de son discours un fond illimité de nostalgie et de religieuse mélancolie, la nonchalance entretient la patience de sa méditation et le calme de sa sérénité. Jean Grenier nous parle d'expériences simples et quotidiennes dans une langue sans effusion. « Puis, il nous laisse traduire, chacun à notre convenance. » Dans ces essais à demi improvisés, qui ridiculisent les efforts de la science, les plaisirs de la société, l'inutilité de l'ambition, l'auteur parle du temps qui passe, de la mort d'un chat, de la mer et de la fleur. « Rien n'est vraiment dit dans ce livre. Tout y est suggéré avec une force et une délicatesse incomparables. Cette langue, à la fois exacte et rêveuse, a la fluidité de la musique. Elle coule, rapide, mais ses échos se prolongent. » Jean Grenier ne manque pas de faire éclater la disproportion de l'éphémère et de l'éternel en insistant sur le rôle de l'art qui est d'illustrer le néant que la vie quotidienne découvre par d'incessantes déchirures. Le titre, *Les Îles,* exprime la nécessité de l'isolement pour la vie intérieure. Signalons parallèlement *Inspirations méditerranéennes* (1941) et *Lettres d'Égypte* (1962).

ÎLES À LA DÉRIVE [*Islands in the Stream*]. Roman posthume de l'écrivain américain Ernest Hemingway (1899-1961), publié par Mary Hemingway en 1970. En 1950, alors qu'il n'a rien publié d'important depuis *Pour qui sonne le glas* (*) (1940), Hemingway, qui, quelques années plus tôt, avait conçu l'ambitieux projet d'une trilogie consacrée à la terre, à la mer et à l'air, et qui avait déjà écrit mille pages sur la mer, annonce qu'il a enfin achevé cette partie : mais il lui faut encore beaucoup couper... Sur ces entrefaites, il écrit *Le Vieil Homme et la mer* (*), dont on sait le succès en 1952, couronné du prix Pulitzer la même année, et... du prix Nobel en 1954. Quant au reste de la trilogie, Hemingway n'acheva jamais le travail. Neuf ans après sa mort, sa dernière femme et le fils de son éditeur, Charles Scribner Jr., taillèrent dans la masse et publièrent ce livre sous le titre quelque peu fallacieux de « roman ». Il s'agit de l'histoire d'un romancier et peintre du nom de Thomas Hudson, qui vit en solitaire sur une petite île au large de la Floride. Arrivent ses trois fils. Il leur raconte le Paris des années 20, puis il organise une partie de pêche au marlin qui échoue : c'est la partie « Bimini » (le nom de l'île), celle où l'on trouvera les plus belles pages. Mais on trouve ensuite une partie intitulée « Cuba », où Hudson bavarde interminablement, au bar la Floridita, avec une prostituée du nom d'Honest Lil. Enfin, dans « En mer », il improvise une chasse aux sous-marins allemands avec son bateau transformé – tout comme Ernest Hemingway avait fait, en 1942, avec son bateau le « Pilar ». Arrivé là, il faut avouer qu'on lit ce qu'aurait très bien pu écrire un imitateur de Hemingway. Le livre fut d'ailleurs fort mal accueilli par la presse américaine, laquelle ne fut pas tendre non plus pour l'inédit suivant, *Le Jardin d'Éden* (*) (1986). – Trad. Gallimard, 1971.

M. G.

ÎLES D'ARAN (Les) [*The Aran Islands*]. Cet ouvrage, publié en 1907, réunit tous les textes composés par l'écrivain irlandais John Millington Synge (1871-1909) à propos des îles d'Aran où il séjourna longuement et à plusieurs reprises de 1898 à 1902. Synge vivait à Paris et écrivait de laborieux articles pour le *Daily Express* de Dublin tout en préparant un essai sur Racine quand il rencontra W. B. Yeats. Ce dernier, qui devina son génie, comprit aussi que Synge ne parviendrait jamais à créer une œuvre vraiment personnelle à Paris et lui conseilla de retourner aux sources, c'est-à-dire à son terroir natal. Synge, se détachant de la civilisation surfaite, partit à la recherche des réalités fondamentales. Les habitants de l'île étaient toujours hantés par les « mouvements » millénaires de l'âme celte ; leur fréquentation remit Synge en contact avec les vérités et les passions éternelles. Le livre raconte cette prise de conscience et nous restitue l'essentiel des mœurs séculaires de l'Irlande à travers l'observation aiguë des gestes de la vie quotidienne et l'ensemble des contes, des légendes et des anecdotes du folklore. Cela seul, et la qualité de l'écriture, suffirait à conférer à cet ouvrage une importance exceptionnelle mais il a l'intérêt supplémentaire de nous faire assister à l'éclosion de l'un des plus grands génies dramatiques de notre temps, qui se découvre lui-même. – Trad. Rieder, 1921 ; Climats, 1990.

ÎLES DE LA FOLIE (Les) [*The Mad Islands*]. L'écrivain anglais Louis MacNeice (1907-1963) compose cette pièce pour la B.B.C. en 1961. Connu surtout comme poète – v. *Plante et Fantôme* (*) –, il écrit un certain nombre d'œuvres dramatiques : une adaptation de l'*Agamemnon* (*) d'Eschyle en 1936, un drame poétique très nettement influencé par les pièces d'Auden et Isherwood, *Hors du tableau* [*Out of the Picture*] en 1937, et de 1941 jusqu'à sa mort des pièces radiophoniques pour la B.B.C., dont la plupart paraissent en 1947 dans le recueil intitulé *La Tour noire* [*The Dark Tower*].

Les Îles de la Folie et *L'Administrateur* [*The Administrator*] écrites respectivement en 1961 et 1962 ont été publiées après sa mort, en 1965. La première pièce est tirée d'une légende celtique. C'est l'histoire d'une vendetta : le héros, Muldoon, a décidé de tuer l'assassin de son père, mais une suite d'incidents et de péripéties lui révèle que l'assassin n'est autre que son propre père, son « véritable » père. Les îles sont des propositions symboliques : île heureuse, île du progrès, île du rire. Les personnages sont des figures à demi allégoriques qui subissent des transformations constantes : la Reine du Crépuscule devient Reine du Matin, l'héroïne revient à la mer et se change en phoque. Ce monde fantastique n'est pas sans rappeler, par son utilisation des recettes de l'expressionnisme, les premiers essais de l'auteur dans *Hors du tableau. L'Administrateur* par contre se situe à Londres, à notre époque. C'est l'histoire d'un savant qui n'arrive pas à décider s'il doit accepter un poste dans l'administration ou continuer à faire œuvre créatrice dans son laboratoire. Ce dilemme occupe, dans un mouvement de va-et-vient, ses rêves et ceux de son épouse. Ces pièces sont celles d'un professionnel du théâtre : parfois brillantes, mais d'une technique et d'une pensée qui manquent d'audace. Elles évoquent l'humanisme mesuré, sage, mais par trop équilibré et insouciant des poèmes de l'auteur.

ÎLES D'OR (Les) [*Lis isclo d'or*]. Premier recueil de poésies lyriques en langue provençale de l'écrivain français Frédéric Mistral (1830-1914), publié en 1875 par Roumanille, à Avignon (*Frederi Mistral, Lis isclo d'or, Recuei de Pouesio diverso, em'uno Prefàci bioubrafico de l'Autour escricho pèr éumeme. Traduction française en regard. Avignon... 1876*). Le recueil contient : « Prefàci » (trente pages) ; I. « Li Cansoun » [Les Chansons, sept poèmes] ; II. « Pouèmo : Lou Tambour d'Arcolo » [Le Tambour d'Arcole] ; III. « Li Sirventés » [Les Sirventes] ; IV. « Li Pantai » [Les Rêves] ; V. « Li Plang » [Les Plaintes] ; VI. « Pouèmo ; La Fin d'óu Meissounié » [La Fin du moissonneur] ; VII. « Li Conte » [Les Contes] ; VIII. « Pouèmo ; La Princesso Clemenco » [La Princesse Clémence] ; IX. « Li Sounet » [Les Sonnets] ; X. « Li Cant nouviau » [Les Chants nuptiaux] ; XI. « Li Salut » [Les Saluts] ; XII. « Li Brinde » [Les Toasts] ; « Li Cantico » [Les Cantiques]. Une seconde édition parut chez Alphonse Lemerre en 1889 (Petite bibliothèque littéraire) ; elle est entièrement remaniée, après suppression de la Préface, des *Cantico* ainsi que de toutes les pièces de circonstance, et addition de plusieurs poèmes écrits avant et après 1875 (1848-1887), dont deux parmi les plus beaux, l'« Hymne à la race latine » et « Le Lion d'Arles » (soit soixante-douze au lieu des quatre-vingt-dix de l'édition originale). Cette gerbe très compacte, que Frédéric Mistral assembla comme il allait clore sa quarante-cinquième année (la Préface est datée du 26 juillet 1875), représentait à peu près toute sa production lyrique, c'est-à-dire les vers qu'il avait composés en dehors des longues épopées rustiques de *Mireille* (*) et de *Calendal* (*), sur lesquelles sa renommée s'était établie depuis quinze ans. Si l'on oppose poésie lyrique à poésie épique, tout en constatant la présence fréquente du premier de ces genres, sous forme d'intermèdes, dans les deux vastes récits légendaires, il faut accorder une importance égale aux *Îles d'or,* et pour le génie inventif, et pour la puissance musicale, qui en font l'un des plus grands livres de poésie du XIXe siècle français. Ici, en effet, à la faveur de la liberté des thèmes et de la variété des mesures, et en vertu d'une perspective plus prompte à concevoir par le lecteur, apparaît, peut-être plus clairement, l'étonnante virtuosité d'un grand poète qui fut d'abord le miraculeux rénovateur de sa langue natale. Toutefois, le lyrisme tient presque tout entier dans la richesse du verbe ; car, à de rares exceptions près, la poésie de Mistral est impersonnelle. L'émotion qu'elle provoque dérive plutôt du sujet – où l'auteur, il est vrai, se met tout entier – qu'elle n'est engendrée par le cœur même de celui-ci. En quoi Mistral se sépare tout à fait de ses contemporains, les derniers romantiques et les premiers symbolistes ; et l'on peut ajouter qu'il a tiré toute son inspiration de son propre fonds, en même temps que des traditions provençales. Le seul poète majeur de la civilisation méditerranéenne auquel on le puisse comparer dans *Les Îles d'or,* c'est l'Horace des *Odes* (*) et *Épodes* (*), – exactement comme *Mireille* et *Calendal* le plaçaient dans la lignée d'Homère et des Alexandrins.

Un ensemble d'une telle densité, d'une diversité si pleine de musique et de couleur, ne saurait être analysé en quelques lignes. Il sied, à tout le moins, de rappeler qu'il comprend « la Coupo », qui est devenue l'hymne national des Provençaux et dont voici la plus belle strophe : « Vuejo-nous la Pouësio / Pèr canta tout ço que viéu, / Car es elo l'ambrousio / Que tromudo l'ome en diéu » (« Verse-nous la Poésie pour chanter tout ce qui vit, car c'est elle l'ambroisie qui transforme l'homme en dieu »). Enfin, dans des genres très différents, des poèmes comme « Le Tambour d'Arcole », « La Comtesse » (personnification de la Provence), « Le Rocher de Sisyphe », « La Communion des saints », « La Mort de Lamartine », « La Fin du moissonneur » comptent parmi les chefs-d'œuvre qui honorent le génie de la France, au même titre que les plus grandes pages de Hugo, de Baudelaire ou de Verlaine.

ÎLES INVITÉES ET AUTRES POÈMES (Les) [*Las islas invitadas y otros poemas*]. Premier recueil du poète espagnol Manuel Altolaguirre (1905-1959), publié en 1926. L'inspiration de ce recueil s'est prolongée tout au long de la vie du poète, avec les *Nouveaux poèmes des îles invitées* [*Nuevos poemas de las islas invitadas*, 1936] et *Autres poèmes des îles invitées* [*Más poemas de las islas invitadas*, 1944]. Ce prolongement est celui de la jeunesse, car chez Altolaguirre, poésie et jeunesse sont inséparables. Il y a, bien sûr, entre ces archipels d'autres recueils, mais qui pour la plupart auraient pu faire partie de cette même collection : *Exemple* [*Ejemplo*, 1927], *Poésie* [*Poesía*, 1930-31], *Solitudes jointes* [*Soledades juntas*, 1931], *La Lente Liberté* [*La lenta libertad*, 1936] ; il y a aussi la guerre d'Espagne et la douzaine de poèmes, naturellement d'une autre allure, qui s'y réfèrent, réunis dans *Nuage temporel* [*Nube temporal*, 1939] ; il y a les *Nouveaux poèmes* [*Nuevos poemas*, 1946], *Fin d'un amour* [*Fin de un amor*, 1949] et les *Poèmes en Amérique* [*Poemas de America*, 1955], plus ceux que la mort empêcha à l'auteur de réunir en volume. Toujours est-il que l'aspect le plus personnel, le plus profond probablement aussi, de toute cette œuvre poétique, est celui qui a su garder cette fraîcheur et cette grâce juvéniles qui éclairent d'un charme si transparent les *Poèmes des îles invitées*. Ces poèmes, qui se situent au sein de la grande renaissance poétique qu'effectua la génération d'Altolaguirre, partagent la même spontanéité, la même simplicité tout en intégrant les recherches les plus modernes, notamment celles du surréalisme. Dans les poèmes, d'époques différentes, des *Îles invitées,* éclate toujours ce don du rythme naturel et ancestral, du sens vivant de la langue. Ce sont en général des vers courts, sans rimes ou rimés en assonances, parfois libres mais plus souvent rythmées à la façon traditionnelle espagnole, avec ces irrégularités mystérieusement musicales dont seule la poésie populaire possède le secret, et qu'une oreille savante ne peut jamais contrefaire. Poésie dans laquelle s'exprime surtout la pureté du regard, la joie d'une sensualité innocente, un appétit d'amour plein de santé et de sincérité, égoïste et touchant comme celui des adolescents ; mais poésie aussi qui sait trouver des accents plus graves pour dire, d'une voix toujours harmonieuse, la douleur et la mort : « Quel coup de heurtoir ce fut / sur l'ébène froid de la nuit ! / Les étoiles fragiles se décrochèrent. / Nous tous, les prisonniers, nous sentîmes / comment se décousait la serrure... » Ou encore : « Ma douleur était si haute / que la porte de la maison / dont je sortis en pleurant / m'arrivait à la ceinture... »

IL EST MINUIT, DOCTEUR SCHWEITZER. C'est la plus connue des pièces de théâtre du romancier français Gilbert Cesbron (1913-1979). Écrite en 1951, elle fut « créée » la même année à Strasbourg puis jouée à Paris, au Théâtre de l'Athénée-Louis Jouvet, et publiée en 1952. De longue date, Gilbert Cesbron était fasciné par la destinée d'Albert Schweitzer (1875-1965), cet éminent organiste, ce brillant universitaire qui, passé la quarantaine, avait tout abandonné pour entreprendre des études de médecine et fonder un hôpital en plein cœur de la brousse africaine. Cette forte personnalité incarnait à ses yeux les valeurs essentielles : sens de la solidarité poussé jusqu'à l'héroïsme, droiture et simplicité, et une grande amitié était née entre les deux hommes.

Curieusement, la pièce réunit autour de Schweitzer deux autres figures emblématiques de l'Afrique coloniale : Lyautey et le père de Foucauld ! Bien qu'en réalité ces trois passionnés de l'Afrique ne se soient jamais rencontrés, la confrontation de leur idéal ne manque pas de sel. D'autant que, pour camper ses personnages, l'écrivain a su mettre dans leur bouche des pastiches plus vrais que nature ! Au milieu de ces géants, les autres personnages ne paraissent pas écrasés pour autant : l'administrateur colonial Leblanc, qui donne la mesure de l'humain ; Marie, l'assistante de Schweitzer, qui n'a pas encore choisi sa destinée mais cherche désespérément à « réussir sa vie ».

Un nouveau protagoniste entre en scène, au point d'orgue de la pièce, et va en précipiter le dénouement : la guerre de 1914-1918 qui est l'antithèse absolue de tout ce que Schweitzer, Lyautey ou de Foucauld s'efforcent de bâtir, chacun à sa manière : Lyautey part au combat ; Charles de Foucauld, on le devine, sera assassiné, et Schweitzer, l'Alsacien, arrêté par les autorités coloniales françaises en tant que sujet allemand, doit abandonner ses malades. Une fois de plus, c'est le massacre des Innocents, l'apparent échec, en fait lourd de promesses, de la générosité. M. Ba.

IL EST UN PONT SUR LA DRINA [*Na Drini cuprija*]. Cette « chronique de Vichégrad » de l'écrivain serbe Ivo Andrić (1892-1975, prix Nobel 1961), fut écrite pendant l'occupation allemande de la Yougoslavie et publiée en même temps que ses deux autres romans, *La Chronique de Travnik* (*) et *La Demoiselle* (*) en 1945. Né à Travnik, Andrić fit ses études primaires à Vichégrad où sa mère, devenue veuve, s'était retirée chez ses parents. Située sur la Drina, torrent de montagne affluent de la Save, Vichégrad s'enorgueillit d'un pont magnifique construit au XVIe siècle ; sur la terrasse située en son milieu se déroulent les heures solennelles de la vie des habitants du gros bourg bosniaque. C'est la préhistoire et l'histoire de ce pont qu'Andrić retrace dans ce livre. S'appuyant sur des documents authentiques, sur une tradition orale encore vivante, qui lui servent en quelque sorte de catalyseurs, Andrić fait resurgir le passé tel qu'il fut vécu par les ancêtres dont il peint avec minutie les visages et les caractères. Du passé il restitue l'odeur, la saveur de l'air, le rythme particulier, la continuité que ne morcellent pas les événements. L'histoire pour lui n'est pas un écoulement, mais une présence recouverte par des strates toujours nouvelles.

La chronique commence avec le passage de la Drina sur un bac d'un petit garçon de Bosnie, arraché comme ses compagnons de voyage à sa famille et envoyé à Constantinople pour l'« impôt du sang ». Islamisé de force, l'enfant fait en Turquie une brillante carrière et accède au rang suprême. Devenu le grand vizir Mehmed-Pacha Sokolović, il ordonne la construction d'un pont sur cette rivière qui a vu son départ pour l'exil. Son homme de confiance, le sinistre Abidaga, impose aux habitants d'insupportables corvées et donne la mesure de sa cruauté en faisant empaler vif un saboteur. Mais ses exactions le font remplacer et au bout d'interminables années de travaux mystérieux, le pont auquel personne ne croyait s'ouvre à la circulation. Désormais, il est le centre de la vie de la petite ville : inondations, luttes entre les trois factions irréconciliables de la population, Turcs et islamisés, juifs et chrétiens, insurrections, épidémies, occupation de la Bosnie par les troupes austro-hongroises, construction du chemin de fer qui retire au pont une partie de sa valeur, guerre entre la Serbie et l'Autriche-Hongrie, au cours de laquelle le pont est bombardé. Entre ces grands événements collectifs s'insèrent les drames individuels, tantôt tragiques : suicide d'une jeune fille pour échapper à un mariage imposé, tantôt mélancoliques : histoire d'Ali-Hodja, Turc traditionaliste, déconcerté par les bouleversements de l'époque moderne, tantôt comiques et même burlesques.

Il est un pont sur la Drina abonde en évocations saisissantes, en portraits inoubliables ; une multitude de personnages, tous parfaitement différenciés, une foule de détails significatifs confèrent une vie étonnante à cette fresque des joies et des détresses quotidiennes, de la souffrance d'un peuple. — Trad. Plon, 1956.

IL ÉTAIT UNE FOIS... [*Žili-byli*]. Recueil de l'écrivain russe Victor Chklovski (1893-1984), publié en 1964. Il se compose des *Souvenirs d'enfance et de jeunesse* de l'auteur [*Detstvo, Junost'*], d'une longue étude sur Maïakovski parue pour la première fois en 1940, d'un roman publié à Berlin en 1923, *Zoo* (*), et de quelques essais récents intitulés « Rencontres » [Vstreči]. Dans la majeure partie de cet ouvrage, Chklovski se penche sur son passé, celui d'un écrivain important qui, pendant quelque temps, fut au centre de la vie intellectuelle de son pays. Avec le recul des années, son enfance, qu'il a passée dans un milieu modeste d'intellectuels pétersbourgeois, lui apparaît étriquée et bien terne ; sa seule ouverture sur le monde, il la doit alors à des écrivains occidentaux, Mark Twain, Knut Hamsun, Oscar Wilde, en même temps qu'aux grands classiques russes. À l'université de Pétersbourg, il est l'élève du professeur Baudouin de Courtenay, l'un des créateurs de la linguistique moderne et, vers la même époque, il se trouve intégré à un groupe de poètes futuristes. Ayant lui-même fondé en 1915 le cercle « Opoïaz », qui se consacre à l'étude du langage poétique et d'où sortira le mouvement formaliste, Chklovski a connu personnellement tous les représentants de cette époque de grande effervescence et de haute vitalité littéraire que furent les premières années de la Révolution. Avec son essai sur Maïakovski, écrit dans la langue rapide, nerveuse et imagée qui est celle de ce grand styliste, nous sommes au cœur même de cette époque si exaltante ; à côté de la belle figure de Maïakovski, l'auteur y a sculpté celles de tous les écrivains et artistes qui gravitaient alors dans son orbe. À ces portraits d'une grande variété de ton, Chklovski a adjoint, dans la dernière partie de l'ouvrage, ceux des cinéastes Eisenstein et Alexandre Dovjenko, des écrivains Babel et Tynianov, et d'autres amis de jeunesse.

IL EXISTE EN CE MONDE UN PAYS [*Hay un país en el mundo*]. Œuvre de l'écrivain dominicain Pedro Mir (né en 1913), publiée à Cuba en 1949. Ce long poème engagé, très populaire en Amérique latine, a été plusieurs fois réédité à Mexico (1955, 1960) et à Santo Domingo (1962, 1968, 1976). Le poète y dénonce en amoureux lucide de son île natale le mal dont elle souffre. La terre dominicaine est fertile et belle, mais elle n'est pas le bien des paysans qui la cultivent et qui, par ailleurs, acceptent avec une soumission trop grande leur condition de main-d'œuvre misérable. La richesse la mieux exploitée est celle des plantations de canne à sucre par une oligarchie et quelques trusts étrangers à qui tout et tous appartiennent. Pedro Mir, dont le père, ingénieur sucrier cubain, était venu en République dominicaine mettre en activité une raffinerie à San Pedro de Macorís, avait passé son enfance dans ce milieu rural et vécut en témoin cette dramatique situation sociale et économique. Devenu militant politique, il décrit avec beaucoup de vérité et une belle écriture lyrique non dépourvue d'un certain bucolisme ce pays « placé / sur la trajectoire solaire. / Originaire de la nuit. / Placé / dans un incroyable archipel / de sucre et d'alcool. / Naïvement / léger / comme une aile de chauve-souris / posée sur la brise. » — Trad. Couffon, *Poètes de la République dominicaine*, Amiot-Lenganey, 1992. C. C.

IL FAUT QU'UNE PORTE SOIT OUVERTE OU FERMÉE. Proverbe en un acte et en prose de l'écrivain français Alfred de Musset (1810-1857), publié en 1845 et représenté à la Comédie-Française en 1848. Cet acte n'est qu'une suite de vives répliques entre le comte et la marquise. Dès le début on devine qu'ils sont faits l'un pour l'autre. C'est le comte qui, le premier, moins habile, laisse échapper l'aveu de son amour. La marquise l'en plaisante et feint l'indifférence. Mais, jalouse, elle craint que le comte ne lui répète des phrases qu'il a, sans doute, cent fois prononcées. Le comte à son tour se montre jaloux de la marquise qui, lui a-t-on dit, serait sur le point d'accepter les propositions de mariage d'un certain Camus. Le comte a été souvent prêt à s'en aller, mais chaque fois il a laissé la porte ouverte ; or, comme le titre lui-même l'indique, il faut qu'une porte soit ouverte ou fermée. La glace est enfin rompue. Le comte et la marquise seront bientôt mari et femme. Le Musset mondain, sceptique, admirateur de Byron et enclin aux passions fatales, est bien loin. Il n'y a ici que le Musset qui a souffert et a appris qu'il ne faut pas trop demander à la vie. Cette comédie, par sa délicatesse, fait penser à Marivaux. Les deux personnages, en effet, se défient, s'alignent, se rapprochent comme dans *Le Jeu de l'amour et du hasard* (*) ; mais, par sa structure, c'est plutôt au *Legs* que ce proverbe fait penser ; cependant, le jeu est différent parce que nous sommes ici en présence d'un Marivaux désenchanté qui a fini par accepter l'humble réalité de chaque jour.

IL FAUT TUER MONSIEUR WATSON [*Killing Mister Watson*]. Roman de l'écrivain américain Peter Matthiessen (né en 1927), publié en 1990. Dans la Floride d'il y a un siècle, les Everglades constituaient une ultime « frontière », un refuge pour les pauvres Blancs, les descendants d'esclaves en fuite, les anciens déserteurs et les bandits de tout poil. Dans cette région des « Dix Mille Îles », infestée de moustiques, de serpents et d'alligators, arrive l'énigmatique E. J. Watson, qui domine aussitôt la modeste communauté de Chokoloskee. Alors que les autres habitants survivent à peine en défrichant les mangroves, en cultivant les tumulus de coquillages, en pêchant ou en chassant les aigrettes pour leurs plumes, M. Watson — comme on l'appelle bientôt — est un habile planteur de canne à sucre et un commerçant rusé. Il se fait construire la plus belle maison de la région, il marie sa fille à un notable de la ville voisine, il nourrit de vastes projets de développement pour les Dix Mille Îles. Mais la rumeur et les ragots le rattrapent : pourquoi un homme aussi brillant est-il venu s'établir dans cette région « oubliée de Dieu » ? Pourquoi est-il toujours armé ? Le bon père de famille, le gentleman du Sud ne serait-il pas en réalité un vulgaire assassin recherché pour meurtre dans plusieurs États ?

E. J. Watson a réellement existé et Peter Matthiessen cite de nombreux articles de presse qui évoquent cette figure légendaire de la Floride. Comme chez Faulkner, ce personnage central est évoqué par les récits des autres : membres de sa famille, voisins, domestiques, maîtresses, journaliers, shérif... Mais plus ces voix tentent de cerner la vérité d'E. J. Watson, plus celle-ci nous échappe, plus le personnage central qui, lui, ne parle jamais, devient énigmatique.

Comme toujours chez l'auteur du *Léopard des neiges* (*), les descriptions de la nature (ouragans, paysages, flore, faune) sont de pures merveilles. Mais ici, l'évocation de nombreux personnages à travers leurs seuls monologues est très réussie et d'une grande originalité. Signalons que ce roman est le premier volet d'un triptyque, la même histoire étant ensuite racontée par les descendants d'E. J. Watson, puis par Watson lui-même. — Trad. L'Olivier, 1992. B. M.

ILIADE [Ἰλιάς]. Épopée attribuée au poète grec Homère, composée au VIIIe siècle av. J.-C., comptant 15 537 vers (des hexamètres dactyliques) et divisée — probablement par les philologues de l'époque hellénistique — en vingt-quatre chants. Le sujet central de l'*Iliade* est un épisode de la guerre de Troie (ou Ilion) : la colère d'Achille.

Pâris, fils du roi de Troie Priam, a enlevé la belle Hélène, épouse de Ménélas, roi de Sparte et frère du roi de Mycènes Agamemnon. Sous le commandement de ce dernier, les Grecs (ou Achéens) organisent une expédition contre Troie pour venger cet affront. Le contenu du poème lui-même peut se résumer brièvement en ces termes : Chant I : « Colère d'Achille » et « Dessein de Zeus ». Les Achéens assiègent Troie depuis neuf ans. Agamemnon, leur chef, tient captive la fille d'un prêtre troyen d'Apollon, et le dieu pour se venger a envoyé la peste sur l'armée. Achille l'adjure de rendre la prisonnière. Agamemnon se fait longtemps prier puis y consent, mais à condition de prendre en dédommagement Briséis, propre captive d'Achille. Violente colère du héros qui se retire sous sa tente et invoque sa mère, la déesse Thétis. Celle-ci se retourne vers Zeus qui promet, pour venger Achille, de donner victoire aux Troyens. Chant II : « Songe » ou « Épreuve » et « Catalogue des vaisseaux ». Agamemnon, abusé par un songe trompeur, est persuadé de la victoire. Toutefois il met ses guerriers à l'épreuve et les exhorte à retourner dans leur foyer, puis il les range en ordre de bataille. Les Troyens en font autant. Minutieuse énumération des forces en présence et de leurs villes d'origine. Chant III : « Le Serment ». Des deux côtés, on s'engage solennellement à tenter de régler le sort de la guerre par un duel. Ménélas et Pâris en seront les protagonistes, tandis qu'Hélène l'Achéenne, objet initial de tout le différend, les observe du haut des remparts troyens. Pâris succomberait si Aphrodite ne l'arrachait à son adversaire et ne le transportait chez lui. Là, il s'endort entre les bras d'Hélène. Chant IV : Le traité est donc rompu. Agamemnon passe ses troupes en revue. La bataille s'engage. Chant V : La déesse Athéna descend sur les lieux du combat pour y favoriser l'Achéen Diomède. Après de périlleuses alternatives, ce guerrier triomphe non seulement des Troyens conduits par Hector, mais aussi du dieu Arès et d'Apollon lui-même. Chant VI : Provisoirement défait, Hector retourne dans les murs de Troie. Pathétique rencontre avec sa mère Hécube, adieux à sa femme Andromaque et à son fils Astyanax. Réconciliation avec Pâris. Chant VII : Les Troyens font un retour offensif. Duel sans résultat d'Ajax et d'Hector. Trêve pour inhumer les morts. Les Achéens creusent des retranchements sur les plages où leurs vaisseaux sont ancrés ; puis des banquets préparent à de nouveaux combats. Chant VIII : Défaite achéenne écourtée par la venue de la nuit. Chant IX : c'est un des chants les plus célèbres. Ulysse s'en va prier Achille de reprendre les armes. En vain. Chant X : Ulysse et Diomède opèrent un raid nocturne sur les lignes ennemies. Chant XI : Mêlée générale, mais de part et d'autre les hauts faits individuels se multiplient, en particulier ceux d'Agamemnon. Chant XII : « Combat pour la mer ». Les Troyens forcent la première ligne de retranchement achéenne. Chant XIII : « Combat pour les vaisseaux ». Malgré l'aide que Poséidon, dieu de la mer, apporte aux Achéens, les Troyens chargent sur la plage où sont alignés les vaisseaux. Chant XIV : « Zeus berné » ; le roi des dieux s'est endormi, et ils doivent se replier, emportant Hector blessé. Chant XV : Très vite, ils reviennent en force et donnent l'assaut parmi les navires achéens. Sévère défaite achéenne, mais prédiction de la chute de Troie. Chant XVI : « Patrocle ». Patrocle supplie son ami Achille de le laisser prendre sa place au combat. Il se couvre d'exploits, et rejette les assaillants jusque sous les murs de Troie. Hector, aidé d'Apollon, le tue. Prédiction de la mort d'Hector. Chant XVII : Conduit par Ménélas, les Achéens se replient à leur tour pour ramener au camp la dépouille de Patrocle. Chant XVIII : Achille se décide à venger son ami. Sur l'intervention de Thétis, c'est le dieu Héphaïstos qui forge lui-même son armure. Chant XIX : Achille se réconcilie avec Agamemnon et se prépare à combattre. Prédiction de sa mort. Chant XX : Il fait un carnage dans les rangs troyens, mais les dieux qui se sont mêlés à la bataille évitent qu'il ne se rencontre en combat singulier avec Énée ou Hector. Chant XXI : Défaits, les Troyens refluent vers Troie. Chant XXII : Achille poursuit Hector qu'Apollon a abandonné, autour des murailles de la ville ; il le tue avec l'aide d'Athéna. Chant XXIII : Funérailles de Patrocle et jeux funèbres en son honneur. Chant XXIV : Achille traîne le corps d'Hector autour du tombeau de Patrocle puis, sur l'injonction des dieux, le rend à Priam. Funérailles d'Hector.

Malgré son ampleur, l'architecture de l'*Iliade* est tout à la fois simple et solidement équilibrée ; Aristote déjà louait l'originalité de son plan : au lieu de traiter toute la guerre de Troie, Homère choisit un épisode bien précis, la colère d'Achille. Autour de cet épisode il ouvre constamment des perspectives sur l'ensemble de la guerre, et c'est ainsi que l'épopée de la colère devient aussi l'épopée de la geste troyenne. Le fil conducteur (les étapes de l'épisode de la colère) est souvent caché par des digressions, des descriptions d'objets, des batailles ou des scènes intimes ; mais il ne se rompt jamais : tout concourt au dénouement, à la manière de la tragédie. Et c'est peut-être aussi à cause de ce dépassement des limites où le genre épique était appelé à se cantonner que l'*Iliade* a été souvent placée plus haut que l'*Odyssée* (*). Ses personnages, comme des archétypes humains posés une fois pour toutes, n'ont cessé d'inspirer les créateurs, de l'Antiquité à nos jours. Base de l'éducation en Grèce puis à Rome, l'*Iliade* de l'« ancien » Homère rivalise avec l'*Énéide* (*) du « moderne » Virgile. Même au Moyen Âge, le souvenir de l'*Iliade* ne s'éclipse pas totalement : elle est lue surtout en résumé « ad usum Delphini ». Ainsi l'*Ilias latina.* En Orient, les érudits byzantins renouent en quelque sorte avec la philologie alexandrine, et lorsqu'à la Renaissance ils quittent l'empire finissant pour se réfugier en Occident, ils révèlent à celui-ci des manuscrits dont les éditions et les commentaires actuels sont encore redevables. Preuves tangibles de l'emprise persistante du poème homérique sur l'imagination de l'Occident moderne, les éditions, les traductions et les œuvres inspirées de ce texte fondateur n'ont cessé de se succéder depuis la Renaissance. On devine aisément les raisons de cette fortune sans pareille, quand, embrassant l'*Iliade* d'un seul regard, on voit s'y mêler les grands enjeux de l'existence et de la nature humaine avec une intensité et des effets de complémentarité saisissants : ainsi l'agressivité (colère d'Achille) dont les rebondissements apparemment inépuisables ne trouvent leur apaisement — et l'œuvre sa fin — que dans la pitié (Achille reconnaît à Priam le droit de reprendre possession du corps de son fils) ; ainsi également l'évidence du tragique qui entoure le destin des personnages, mais la non moins forte évidence d'un amour puissant de la vie qui se fait jour dans les conduites du héros homérique. F. T.-P.

★ Chez les Romains, l'*Iliade* eut une vogue qui ne fut pas inférieure à celle de l'*Odyssée* (*) et fut souvent traduite en latin. Les premières versions dont l'existence nous soit connue sont celles des deux poètes Cn. Matius, l'auteur de *Mimes* (*), et Ninnius Crassus ; elles datent du début du Iᵉʳ siècle av. J.-C. lorsque la technique de la versification en hexamètres commençait à abandonner la raideur d'Ennius. Accius Labeo, qui vécut dans la première moitié du Iᵉʳ siècle apr. J.-C., traduisit le poème mot à mot, en suivant l'ordre des mots plutôt que le sens. On a le témoignage du mépris qui accueillit cette tentative dans la première des *Satires* (*) de Perse. Si la traduction de Polybe, qui, en paraphrasant librement, traduisit Homère en latin et Virgile en grec, fut beaucoup mieux accueillie, on déplorait toujours de n'avoir point pour l'*Iliade* une traduction du même niveau que celle de l'*Odyssée* faite par Andronicus, et enseignée dans les écoles. C'est seulement dans la seconde moitié du Iᵉʳ siècle apr. J.-C. que l'école romaine eut enfin ce qu'elle attendait : l'*Iliade latine* [*Ilias latina*]. L'auteur de cette version, que certains ont attribuée à Silius Italicus, reste inconnu, et toutes les tentatives faites pour en découvrir l'identité sont restées vaines. En vérité, ce n'est pas un grand mal d'ignorer le nom de ce maître d'école qui ne s'embarrassa ni de problèmes de philologie ni de questions de style. Après 500 hexamètres environ, il fut à bout de souffle et s'empressa de terminer son œuvre, au détriment du contenu du poème. Il avait déjà résumé les cinq premiers livres, quand sa hâte d'en finir le porta à résumer les dix-neuf qui restaient dans un nombre de vers presque équivalent. Mais les qualités pédagogiques de l'*Ilias latina* la firent apprécier encore plus au Moyen Âge que sous l'Empire romain.

★ La Renaissance humaniste favorisa les premières grandes traductions des poèmes d'Homère. Au XVᵉ siècle, en Italie, les traductions partielles de l'*Iliade* furent nombreuses. Au XVIᵉ siècle, Andrea Divo de Capodistria traduisit le poème entier en latin et Cristobal de Mesa (1561-1633), en espagnol. Une traduction intégrale en italien fut donnée au siècle suivant par Anton Marie Salvini (1653-1729), et une traduction partielle par Scipion Maffei (1675-1755). En Angleterre, à l'époque de la Renaissance, George Chapman (1559-1634) traduisit l'*Iliade* en vers de quatorze syllabes, en gardant le plus possible la cadence de l'hexamètre grec. Sa traduction sombra dans l'oubli après la publication de celle de Pope, puis fut remise en honneur et compte parmi les chefs-d'œuvre de la littérature anglaise. La version d'Alexandre Pope (1688-1744), *Iliad,* publiée de 1715 à 1720, mettait tout son soin à effacer ou à anoblir les passages rustiques d'Homère, et en soulignait les aspects héroïques. Pour comprendre qu'elle ait pu placer Pope à la tête des littérateurs de son temps, il faut savoir qu'Homère était un maître atout dans la querelle des Anciens et des Modernes, qui de France avait gagné l'Europe entière. L'auteur de l'*Iliade* était considéré comme le type de la grandeur simple et sévère de l'époque primitive. En France,

Mme Dacier, qui le traduisit en prose, trouvait des parallèles entre Homère et *La Bible*, et proclamait sacré chacun de ses passages ; d'autres, au contraire, n'hésitaient pas à adapter Homère au goût de l'époque : Houdart de La Motte, en particulier. Pope, tout en se déclarant du parti de Mme Dacier, suivit le juste milieu. Au XVIIIe siècle apparurent simultanément en Allemagne études et versions des poèmes d'Homère ; parmi les traducteurs de l'*Iliade* en allemand, citons : Léopold Stolberg (1750-1814), Johann-Jacob Bodmer (1698-1783), Heinrich Voss (1751-1826) dont le texte fidèle et scolastique eut un grand succès. Parmi les nombreuses traductions faites en Europe, il faut citer celle de Leconte de Lisle (1818-1894), publiée en 1850, belle par la pureté élégante de son vers, mais qui, par sa froideur, tue quelque peu la vigueur épique de la poésie d'Homère. En Italie, après la libre version de Melchior Cesarotti (1730-1808), publiée en 1786, apparut celle de Vincenzo Monti (1754-1828), considérée comme la plus belle de toutes les traductions italiennes de la littérature antique. Le publiciste et poète américain William Cullen Bryant (1794-1878) publia, en 1870, la traduction intégrale de l'*Iliade*, suivie, en 1872, de celle de l'*Odyssée*. Mais elles n'atteignirent jamais, même aux États-Unis, la popularité de celles de Chapman ou de Pope, tout en demeurant les seules traductions intégrales des poèmes d'Homère publiées en Amérique jusqu'à ce jour. L'*Iliade* fut traduite en russe par Nicolaï Ivanovitch Gnéditch (1784-1833). Cette traduction, en hexamètres, donne une impression de grande puissance musicale. Toutefois, pour obtenir cet effet, Gnéditch a été obligé assez souvent d'avoir recours à des archaïsmes et à des mots composés, contraires au génie de la langue russe. — Parmi les traductions récentes en français, il faut citer celle de Paul Mazon, Les Belles Lettres, 1939 (souvent réimpr.) ; de Robert Flacelière, Gallimard, 1955, et de Frédéric Mugler, La Différence, 1989.

★ Le compositeur anglais sir Michael Tippett (né en 1905) a tiré de l'*Iliade* un opéra en trois actes, *Le Roi Priam* [*King Priam*], dont il a écrit lui-même le livret et qui a été créé à Coventry en 1962.

ILLUMINATIONS (Les). Recueil de poèmes en prose du poète français Arthur Rimbaud (1854-1891), publiés pour la première fois dans les numéros mai-juin 1886 de *La Vogue*, et en plaquette, la même année (notice de Paul Verlaine), sous le titre *Les Illuminations*, édition faite à l'insu de l'auteur qui se trouvait alors en Abyssinie. Cette première publication n'était pas entièrement conforme au manuscrit original : des omissions, erreurs typographiques et fautes de lecture, reprises par les éditions successives (en particulier celle de 1892, Vanier) en altéraient le sens. Contrairement à l'affirmation de Verlaine dans sa notice : « Le livre que nous offrons au public fut écrit de 1873 à 1875... » — et par conséquent postérieurement à *Une saison en enfer* (*) datée de 1873 —, une partie des *Illuminations* fut probablement composée en 1872 et dans les premiers mois de 1873. Toujours selon Verlaine, le titre serait de Rimbaud et viendrait du même mot anglais signifiant « gravures coloriées » (« painted plates »). Le manuscrit autographe, incomplet à l'origine, compte au total 44 « illuminations » ; le musicien Charles de Sivry, beau-frère de Verlaine, le conserva jusqu'en 1886, puis le confia à Louis le Cardonnel qui le fit remettre à Gustave Kahn, alors directeur de *La Vogue*. Très tôt, Rimbaud s'était essayé au poème en prose, incité, semble-t-il, par la lecture de Baudelaire. C'est vers le premier semestre de 1872 qu'il aurait composé la *Chasse spirituelle*, manuscrit que nous ne connaissons que par la seule mention qu'en fait Verlaine dans une lettre à Charles de Sivry, en août 1878, et qu'on a voulu confondre avec *Les Illuminations*.

Synthèse de l'œuvre rimbaldienne, *Les Illuminations* ont ouvert de nouveaux horizons à la littérature, paraissant même frayer et épuiser d'avance les voies qu'elles impliquent. La ferveur de ce poète de dix-huit ans ressemble à celle d'un chercheur d'or trouvant la « veine » qui le sacre et justifie son existence ; et ce qui frappe dans cette œuvre, tout à la gloire de l'adolescence, c'est sa fulgurance et son intensité. Les références à des faits personnels ne manquent pas dans *Les Illuminations* ; ils en constituent même la matière essentielle, intégrée aux émotions « vécues » de la lecture et de la fiction : relation en quelque sorte d'une poésie en acte où on retrouve les souvenirs d'enfance, les vicissitudes de sa vie parisienne — un an plus tôt à l'appel de Verlaine il arrivait dans la capitale, apportant *Le Bateau ivre* (*) —, ses départs, ses randonnées solitaires, ses aspirations et ses tourments antérieurs, son récent séjour en Angleterre en compagnie de Verlaine ; mais peu importe en fait, et il n'entrait sans doute pas dans le dessein du poète de se livrer à des confessions dans le style romantique, fût-ce en transposant symboliquement les lieux, les comparses et le héros ; il s'agit encore moins de théâtre. Rimbaud sait qu'il est poète (lettre à Izambard, mai 1871), par ce qu'il a reconnu d'abord de semblable ou d'inférieur à lui dans les poètes consacrés, et par la révélation qu'il a de la valeur et de l'essence même de la démarche poétique ; avec la ferveur des pionniers, il va s'efforcer d'atteindre l'ardeur qui l'habite, au lieu de se borner à n'en saisir que les reflets, s'efforcer de se découvrir et non de s'exploiter — v. *Lettre du voyant* (*). Que sont *Les Illuminations*, sinon des exercices intérieurs prolongeant les exercices d'après nature des *Poésies* (*). Un seul mouvement anime l'ensemble de ces poèmes : peintre de l'univers intérieur, Rimbaud va bouleverser la conception encore superficielle de l'introspection, tenter de se donner dans l'immédiat et la totalité une image du monde et de lui-même, trouver l'essentiel. De là une forme particulière de langage, dont les termes s'articulent sur la coloration affective dont ils sont chargés, sans perdre pour autant leur réalité propre, la qualité concrète qui a suscité cette coloration. Ainsi naissent et jaillissent ces rapprochements inusités (dont on fera un simple système formel) et ce rythme qui n'emprunte presque plus rien à la logique de la description réaliste. Car il ne s'agit pas de rendre « réelle » une vision, mais d'accéder à la « vision » de la réalité, d'explorer jusqu'au bout (il ira même jusqu'à user d'alcool et de haschich) les méandres de l'imaginaire, en dehors de l'espace et du temps familiers. Mû et pensé par ses sensations, ses émotions, ses images (« On me pense »), il entend les orchestrer tout en s'y livrant et prendre ainsi possession de lui-même. Poésie ascèse si l'on veut, pensée qui veut se faire à travers les données des sensations désorganisées pour les mieux saisir dans leur pureté originelle et leur vérité première, afin peut-être de retrouver et de prouver l'extase des fêtes de l'enfance contredites et déniées par le présent. Iconoclaste, rejetant ou refusant les symboles appris et l'imagerie sentimentale héritée, éventrant les idoles pour trouver son dieu, il refait ses propres symboles et sa propre mythologie, se dégageant peu à peu du pathos et des motifs sentimentaux de l'Occident avec des accents et des intuitions nietzschéennes : certains poèmes perdent le caractère visionnaire du recueil et prennent le tour « pensé », éthique, d'*Une saison en enfer*. *Les Illuminations* sont la révolte en acte, les délices du cri et les éblouissements : aphorismes cinglants, élans lyriques tronqués et ravalés, visions mystiques et prophétiques d'accent, golfes de tendresse soudain déployés sous le ravissement d'une aube d'enfance, plénitude et pureté anciennes qu'il ne peut désormais que cerner ou traverser, rages. Il serait vain de vouloir raconter ces poèmes (parmi les plus souvent cités : « Conte », « Parade », « Vies », « Matinée d'ivresse », « Barbare », « Démocratie », « Guerre », « Solde ») ou de les commenter pour eux-mêmes. Constatons qu'on y retrouve encore la conception du Poète inspiré, de l'Élu, du Héros vaticinant et irresponsable, l'élan vers une pureté idéale et sa contrepartie non moins idéale d'impureté ; mais chez Rimbaud la soif d'essentiel et de vérité, la vigilance envers soi-même, affirment et dénoncent à la fois les jeux les plus séduisants de l'imagination qui se consume dans la solitude de sa splendeur. Il semble amorcer ici une expérience sur la nature même de son inspiration, et de trop bien la connaître lui fera perdre bientôt le goût de la cultiver ; emporté dans ce mouvement, irréversible sans l'acceptation de compromissions, il ne fera que se déterrer lui-même et se mettre au jour, changeant d'esprit et amenuisant peu à peu jusqu'au silence sa nécessité d'écrire — v. *Une saison en enfer* (*). C'est de ce même silence que *Les Illuminations* et l'œuvre entière de Rimbaud, qui a bouleversé la poésie moderne, tirent un supplément de richesse, de résonance et de profondeur.

★ Le compositeur anglais Benjamin Britten (1913-1976) a mis en musique, en 1939, neuf poèmes de Rimbaud qui forment un cycle de mélodies pour soprano ou ténor et orchestre à cordes (op. 18).

★ Le compositeur français Emmanuel Bondeville (1898-1987) a écrit trois poèmes symphoniques d'après les mélodies de Rimbaud, *Le Bal des pendus* (1929), *Ophélie* (1931) et *Marine* (1933) dont le premier est l'une de ses œuvres fréquemment exécutées.

ILLUMINATIONS DE LA MECQUE [*Al-futūḥāt al-makkiyya*]. Œuvre maîtresse du philosophe mystique musulman d'expression arabe Muḥyī l-Dīn ibn ʿArabī (1165-1241). Ce texte, qui, selon son auteur, fut rédigé sous une « dictée divine », développe les grands thèmes de l'enseignement du « Sheikh suprême », à travers une écriture d'une complexité et d'une subtilité souvent énigmatiques, destinées au moins en partie à dissimuler les nombreux aspects hétérodoxes de sa pensée ; l'ouvrage, au reste, est conçu, comme c'est souvent le cas à l'époque, comme le support d'un enseignement oral dispensé par un maître dont les commentaires et les explications éclairent les passages obscurs. Employant aussi bien les ressources du mythe et de la vision initiatique que celle de la pensée discursive, Ibn ʿArabī y élabore un système fondé sur la doctrine de l'« unité de l'existence » : les phénomènes sont les manifestations des attributs divins, dont chacun représente une potentialité particulière de l'essence divine. À la fois un et multiple, Dieu se réalise lui-même à travers le cosmos, le plus haut degré de cette réalisation étant le « pôle » [Quṭb] mystique, l'« homme divin » qui constitue la cause finale de l'univers. La richesse et la profondeur du système d'Ibn ʿArabī ne cessent aujourd'hui encore d'attirer de nombreux esprits qui se réclament de son enseignement, aussi bien en Occident que dans le monde islamique. — Trad. (partielle) Sindbad, 1988.

J.-P. G.

ILLUMINÉS (Les). Œuvre de l'écrivain français Gérard de Nerval (1808-1855), publiée en 1852. Cette galerie de portraits d'« illuminés » est la réunion d'articles publiés, dans des revues, à des époques diverses. Ces excentriques notoires, fous, inspirés, pseudo-mystiques, « précurseurs du socialisme » (c'était le sous-titre que devait porter l'ouvrage), dont certains se rapprochent de Nerval, l'auteur ne les suit pas en aveugle et il se garde de perdre son ironie. Le premier de ces portraits fut publié en 1839 : c'est celui de

« Raoul Spifame, roi de Bicêtre », sosie d'Henri II, que sa folie conduisit jusqu'à s'identifier au souverain ; dans cet obscur personnage, Nerval trouve des états morbides qui seront siens : thème du double, du changement de personnalité, car Spifame se veut roi, il promulgue des ordonnances, dont Nerval assure qu'elles étaient très sages, ce qui lui fait voir en Spifame « un homme fou par un seul endroit du cerveau et fort sensé quant au reste de sa logique ». Puis c'est l'« Histoire de l'abbé de Bucquoy », personnage étrange, tumultueux, dont la vie courut du cloître au monde et du régiment à la Trappe. Séduit par la plus dure austérité, il fonde à Rouen une communauté qu'il appelle tout simplement : la Mort. Mais il ne tarde pas à rentrer chez les vivants, qui le mettent en prison pour ses excentricités. L'intrépide abbé s'évadera cependant. Les « Confidences de Nicolas », où Nerval s'attache à Restif de la Bretonne, sont une des parties les plus intéressantes du recueil. Restif lui semble d'ailleurs comme un frère aîné : avant lui, au milieu des forêts, il connut une enfance solitaire et les amours enfantines ; comme Nerval, il recherche dans la femme le type prédestiné, poursuivi par le souvenir de Jeannette Rousseau, comme le sera Nerval par celui d'Adrienne. Mais Restif intéresse Nerval autant comme témoin d'une époque que comme frère spirituel. Restif est, pour Nerval, un « précurseur du socialisme » : il consigne son rêve de supprimer le capital et la propriété, d'établir le communisme. Mais il ne suit point son auteur dans toutes ses fantaisies, repousse l'utopie du phalanstère ; on trouve aussi, dans cet article écrit en 1850, la condamnation de ces complaisances pour la folie, où « les anomalies hideuses de la décomposition et de la maladie sont cultivées avec l'amour et l'admiration » d'un naturaliste pour les variétés de la création. De « Cazotte », Nerval trace un portrait fait pour séduire. Il voit surtout en lui le vrai illuminé, le poète inspiré, pénétré tout entier par l'Orient. De Cazotte, Nerval garde le sentiment de la transmission et de la permanence des âmes des morts au milieu des vivants, et l'idéal d'une contemplation qui affranchirait radicalement des servitudes de la terre (Cazotte en effet fut martiniste). À propos de « Cagliostro » (article écrit en 1852), Nerval fait le portrait du mysticisme révolutionnaire, et en particulier de la franc-maçonnerie, que Nerval considère comme le résultat de tendances fort diverses : paganisme, gnostiques, néo-platoniciens, alchimistes de la Renaissance, confréries du travail et « compagnons » de l'Ancien Régime. « Quintus Aucler », apôtre du retour à l'antique, disciple de Julien l'Apostat, qui opposait la vie et la beauté païennes aux religions chrétiennes du désespoir, n'a pas toutes les sympathies de Nerval. La nostalgie de la vieille foi chrétienne se montre dans *Les Illuminés* et le regret que la Renaissance et la Révolution aient porté à cette foi des coups terribles : non que Nerval montre quelque espoir d'un retour victorieux du christianisme. Il n'y a ici qu'une affection triste, le souhait, simplement humain, de « s'attacher avec larmes et avec prières aux pieds sanglants de ce Christ détaché de l'arbre mystique, à la robe innocente de cette Vierge mère, expression suprême de l'alliance antique du ciel et de la terre, dernier baiser de l'esprit divin qui pleure et qui s'envole ».

ILLUSION COMIQUE (L'). Comédie en cinq actes et en vers de Pierre Corneille (1606-1684), auteur dramatique français, jouée pour la première fois à Paris, au théâtre du Marais, en 1636, et publiée en 1639. Corneille n'avait encore donné aucune de ses grandes tragédies ; dans *Médée* (*) seulement, il avait commencé à faire entendre des accents nouveaux, mais *Médée* n'était qu'une imitation d'Euripide et de Sénèque ; c'est comme poète comique qu'il s'était fait connaître avec *Mélite* (*), ainsi que notamment *La Galerie du palais* (*) et *La Place royale* (*). Aussitôt après *Médée,* il donne *L'Illusion comique,* qu'il définit lui-même dans sa dédicace comme un étrange monstre. L'expérience fut bien reçue du public qui fit un long succès à *L'Illusion comique.* Clindor, depuis des années, s'est enfui de la maison familiale, à cause de l'excessive sévérité de son père, Pridamant. Toutes ses recherches étant demeurées vaines, Pridamant s'adresse, en désespoir de cause, à un magicien, Alcandre. Celui-ci lui révèle que, après avoir tâté de plusieurs métiers, son fils est maintenant le second, grassement payé, d'un capitan fanfaron, Matamore. Il lui promet de le faire apparaître dans sa grotte, grâce à ses enchantements. Le vieillard, qui a suivi l'enchanteur, assiste alors à des scènes et des dialogues qui se déroulent fort loin du lieu où il se trouve. Le spectateur, lui-même, peut voir et entendre le rusé Clindor se rire des perpétuelles rodomontades du spadassin, son maître, et de sa ridicule passion pour Isabelle devenue amoureuse de Clindor. Menacé par le père d'Isabelle, Géronte, et berné par Clindor, le capitan finit par s'incliner devant son serviteur. L'intrigue se complique avec l'entrée en scène de Lyse, servante d'Isabelle, elle-même amoureuse de Clindor. S'en voyant dédaignée, elle médite de se venger. Mais Pridamant, malgré les propos rassurants d'Alcandre, est fort inquiet ; il voit son fils en danger et ne sait comment lui porter secours. Ainsi s'achève l'acte II. À l'acte III surgissent de nouvelles traverses : le père d'Isabelle a choisi un époux pour sa fille et ce n'est naturellement pas Clindor, mais Adraste. Celui-ci s'estime blessé par les insolences de Clindor et le provoque, tandis que Matamore s'enfuit. Clindor succombe. Les enchantements finis, les visions évanouies, Pridamant se lamente sur la mort de son fils ; mais pour le rassurer le magicien lui montre Clindor qui n'est pas mort, mais seulement en prison pour avoir tué Adraste. Aidé par Isabelle et Lyse qui, prise de remords, a séduit le geôlier, il parvient à s'évader.

À l'acte V, nous voyons Isabelle, Lyse et Clindor, vêtus en grands personnages. Clindor, qui s'apprête à consommer l'adultère avec la princesse Rosine, femme de son bienfaiteur, en est retenu par Isabelle à laquelle il rend son cœur volage. Résistant ensuite à la passionnée Rosine, il n'en est pas moins assassiné par les sbires du prince qui les faisait surveiller, et Isabelle, qui s'était précipitée, est entraînée auprès du prince, amoureux d'elle depuis longtemps. Désespoir de Pridamant sous l'œil ironique d'Alcandre, qui lui montre alors les mêmes personnages, bien vivants et en train de se partager de l'argent : devenus comédiens, Clindor et ses amis viennent d'interpréter le dernier acte d'une sanglante tragédie. Alcandre parvient, non sans mal, à convaincre Pridamant des vertus du théâtre et du bon choix de son fils.

Telle est cette « galanterie extravagante » dont la nouveauté a assuré une bonne part du succès : une pièce qui commence dans une atmosphère de mystère dans un cadre de pastorale (un magicien et sa grotte), se poursuit dans la comédie pure (un couple d'amoureux se moquant d'un fanfaron), débouche sur la tragi-comédie (trahison, duel, mort, prison, évasion), et finit en tragédie (assassinat du héros) tout en se prétendant comédie ; une pièce qui raconte une histoire à travers des fragments d'histoires, qui fait parler le plus le personnage qui agit le moins (Matamore), qui plonge le public dans l'illusion la plus complète afin de démonter le processus de l'illusion théâtrale, qui provoque le rire le plus franc avant de conduire le spectateur au bord de la terreur et de la pitié tragiques... Corneille en 1635-1636 se sentait donc déjà assez sûr de lui pour se laisser aller à un tel « caprice » qui déroule quatre années en deux heures, qui nous fait passer de la Touraine à Bordeaux, avant de nous conduire en Angleterre et à Paris, qui mélange les genres, qui accorde une attention différente aux personnages selon les actes, et qui surtout, loin de concentrer, fait éclater l'action entre trois niveaux différents qui s'emboîtent les uns dans les autres. Chef-d'œuvre du théâtre baroque, dit-on aujourd'hui. On peut le dire, en effet ; mais Corneille n'avait pas habitué son public à cette veine. La clé de l'originalité de *L'Illusion comique* est donc tout entière dans cette structure dite du « théâtre dans le théâtre » : contrastes et paradoxes se résolvent tous par le fait que *L'Illusion comique* est une œuvre dans laquelle une pièce (acte V) s'enchâsse dans une autre pièce (actes II, III, IV) qui s'enchâsse elle-même dans une première pièce (acte I et fin de l'acte V). De là, la variété des lieux dans un lieu unique, l'étalement du temps dans une durée très courte, la multiplicité des actions à l'intérieur de la même histoire. De là, cette pièce que son auteur présente comme le comble de l'originalité, alors qu'elle est, si l'on prend isolément situations, personnages et thèmes, l'une des moins originale de tout son théâtre. En somme, *L'Illusion comique* est la plus belle démonstration du brio de Corneille, et ce brio on le retrouve même dans les situations les moins originales de la pièce : qu'est-ce que Matamore, en effet, si ce n'est l'un des personnages les plus codés de toute l'histoire du théâtre, présent dans une bonne part des tragi-comédies de la même époque ? Or Corneille l'a traité avec une verve si étincelante qu'il a assuré une bonne part du succès de la pièce et qu'il a fait oublier tous les soldats fanfarons qui l'avaient précédé.

G. F.

ILLUSIONS [*Gedakht*]. Titre d'un recueil de nouvelles de l'écrivain russe d'expression yiddish Der Nister (1884-1950), publié en deux volumes à Berlin en 1922-23 et, dans une version réduite, à Kiev en 1929. Les contes, très influencés par les contes populaires et les contes hassidiques, se présentent souvent sous la forme de la quête du héros, la plupart du temps un ermite, vers un but symbolique qui devient de plus en plus abstrait. Der Nister pousse jusqu'à l'extrême l'imbrication des histoires les unes dans les autres, le brouillage entre le réel, le rêve, et l'imaginaire. Son style est à la fois naïf et archaïsant, musical et cristallin. Il s'inspire entre autres du modèle hébraïque du « mashal » (parabole surtout midrashique), qui débouche sur un « nimshal » (la morale de la fable). La structure ternaire, répétée à l'infini, contribue à une stylisation presque esthétisante de la forme du conte. Ceux-ci sont imprégnés d'un dualisme entre Dieu et Satan, et d'une fascination pour la démonologie qui rappelle les symbolistes russes. Les derniers contes, qui apparaissent dans la réédition de Kiev, et dans un volume intitulé *De mes possessions* [*Fun mayne giter*, 1928], traitent, sous couvert de l'allégorie, de la condition tragique de l'auteur symboliste face à la modernité, et à la période stalinienne en particulier. Le monde du merveilleux fait place à un fantastique cauchemardesque dominé par l'horreur, la folie, la multiplication des masses, et la quête désespérée d'un sens dans le monde moderne. – Trad. Julliard, 1992 ; Cerf, 1993.

De. Be.

ILLUSIONS PERDUES (Les). Titre général d'un des principaux romans de l'écrivain français Honoré de Balzac (1799-1850) appartenant aux « Scènes de la vie de province » – v. *La Comédie humaine* (*). Balzac y travailla longtemps, de 1835 à 1843. L'œuvre comprend trois récits qui se suivent ; *Deux poètes* (1837), *Un grand homme de province à Paris* (1839), *Ève et David* (1843). L'ensemble de l'œuvre est dédié à Victor Hugo, à qui Balzac déclare : « Je désire que votre nom victorieux aide à la victoire de cette œuvre que je vous dédie, et qui, selon certaines personnes, serait un acte de courage autant qu'une histoire pleine de vérité. » Un acte de courage, en effet : Balzac y faisait une satire sévère de la presse. L'action du premier récit se déroule à Angoulême sous la Restauration. David Séchard, fils de Nicolas, curieux type d'imprimeur, intelligent, analphabète et ivrogne, est un disciple de Diderot. Il a le génie et l'âme d'un savant. Il a pour ami un jeune homme lettré, fort beau et très entreprenant : Lucien Chardon. L'un et l'autre se consolent de leur misère en rêvant, chacun à sa manière, d'un brillant avenir. Le père de David laisse son imprimerie à son fils, mais dans des conditions financières si déplorables que le fils est acculé à la ruine. David affronte courageusement la situation presque désespérée où il se trouve ; il a dans la jeune femme qu'il vient d'épouser, Ève Chardon, la sœur de Lucien, un appui précieux, avisé et compréhensif. David Séchard recherche avec ardeur un nouveau procédé de fabrication du papier, procédé qui doit révolutionner l'industrie. Lucien, de son côté, rencontre une jeune femme de la noblesse, Anaïs de Bargeton, qui encourage ses talents de romancier et de poète. Elle lui ouvre son salon et, bientôt, s'éprend de lui. Cette passion grise le jeune ambitieux. Quelque temps après, Anaïs de Bargeton réussit à se libérer de la tutelle de son vieux mari et s'enfuit avec Lucien. Les voici tous deux à Paris, bien décidés à faire carrière et à jouer un rôle important dans la société.

Les premières expériences de Lucien dans la capitale servent de sujet à *Un grand homme de province à Paris*. Pendant que Mme de Bargeton, en s'initiant à la vie mondaine, se détache rapidement du jeune homme, celui-ci, sans ressources, vit d'abord des subsides que lui alloue son beau-père, David, et cherche, mais en vain, à faire éditer un de ses romans. L'austère et jeune philosophe, Daniel d'Arhez, l'encourage de ses conseils, et Lucien va fréquenter les purs et ardents doctrinaires libéraux qui forment cercle autour de ce jeune maître. Mais il se lasse bientôt de cette vie qui ne lui apporte pas les satisfactions matérielles dont il est avide. L'amitié d'Étienne Lousteau — v. *La Muse du département* (*) — l'introduit dans les milieux journalistiques, où ses brillantes qualités lui assurent enfin le succès. Lucien qui, entre-temps, a changé son nom contre celui, plus reluisant, de Lucien de Rubempré, aime Coralie, une charmante et jeune artiste qui lui rend son amour. Des gains faciles le poussent à mener une vie luxueuse sans se soucier de l'avenir. Puis le besoin d'argent et l'ambition l'amènent à abandonner la littérature pour la politique. De libéral qu'il était, il devient royaliste. Attaqué par ses anciens amis, mal soutenu par les nouveaux, il subit une suite de revers. Complètement ruiné, il reçoit un nouveau coup du sort : la mort de Coralie. Malade et découragé, il n'a plus qu'une ressource : retourner à Angoulême pour demander aide à son fidèle et dévoué beau-frère. Mais il y trouve David Séchard dans une situation désespérée.

C'est ici que commence le troisième récit : *Ève et David*. L'imprimeur est maintenant certain de la réussite de son invention ; mais ses concurrents, les deux frères Cointet, se sont acharnés à détourner, à leur profit, tous les travaux qu'il exécutait lui-même dans son imprimerie. Accablé de dettes, il est traîné en justice et arrêté à la suite d'une grave imprudence commise par Lucien. Celui-ci ne supporte plus cette dernière catastrophe et décide de se suicider. En allant se noyer, il fait la rencontre d'un singulier ecclésiastique, Carlos Herrera, qui se dit chanoine espagnol et chargé par son gouvernement d'une mission confidentielle en France. Cet étrange individu n'est autre qu'un forçat évadé du bagne, Vautrin. Il adopte Lucien et lui rend le goût de vivre, en lui promettant de le faire triompher de ce monde qui l'a ruiné et repoussé. En échange de ses conseils, d'ailleurs fort cyniques, et d'une certaine somme d'argent, il lui offre un pacte d'alliance ; mais il faut que Lucien lui promette une complète obéissance, qu'il ne soit plus qu'un instrument entre ses mains. Rubempré envoie immédiatement à son beau-frère la somme d'argent nécessaire pour se libérer, et regagne Paris en compagnie de son diabolique associé. David Séchard, pendant ce temps, a réussi à conclure un accord avec ses créanciers et avec les frères Cointet, qui vont exploiter sa fameuse invention. Le naïf savant est ainsi parvenu à acquérir une paisible aisance.

Ce roman est sans doute un des meilleurs que Balzac ait écrit. Un très grand nombre de personnages de *La Comédie humaine* s'y retrouvent et on voit se tisser entre eux de nouveaux liens. Balzac mène avec une maîtrise stupéfiante tout ce monde et dénoue les aventures multiples de chacun, sans perdre de vue la trame de son œuvre et l'intrigue principale ; il accumule, sans lasser le lecteur, les péripéties et les coups de théâtre. Malgré la longueur du roman (c'est un des plus volumineux de l'auteur), l'intérêt ne faiblit jamais, toujours soutenu par la variété des personnages et des situations, et par les touches d'un puissant réalisme, précis comme un document, qui contribue à lui donner l'aspect complexe et organique de la vie. L'œuvre est riche en maximes lapidaires, en brillants paradoxes, mais aussi en considérations profondes sur la société et ses dessous, qui sont du meilleur Balzac. Il sait être simple et émouvant quand il nous conte les amours de David et d'Ève, si paisibles malgré les difficultés qu'ils traversent et qu'ils partagent. Le personnage du vieux père, Nicolas Séchard, est une des créations les plus pittoresques et les plus vraies de son œuvre. Enfin, la peinture des déchéances successives de l'intelligent et séduisant Lucien de Rubempré, entraîné par sa faiblesse et sa vanité, est si réussie que cette figure vit d'une vie autonome, et que la fin du roman en annonce un autre, dans lequel nous retrouverons également l'inquiétante figure de Vautrin : *Splendeurs et misères des courtisanes* (*).

ILLUSTRE GAUDISSART (L'). Célèbre récit de l'écrivain français Honoré de Balzac (1799-1850), publié en 1833. Il est dominé par la figure de Félix Gaudissart, personnage type qui rassemble tous les défauts et toutes les qualités du commis voyageur. Encore jeune mais presque chauve, petit, grassouillet, vigoureux, le visage épanoui, Gaudissart se voit couramment appelé « l'illustre Gaudissart ». Jamais à court de bons mots et de facéties, serviable et des plus actifs, en outre plein d'optimisme, il a commencé par vendre des chapeaux. Mais son génie l'a poussé tantôt vers les « articles de Paris », tantôt vers les assurances et même vers le journalisme. Quelque temps après la révolution de 1830, il prépare une longue tournée en province. Il est chargé de recueillir des abonnements pour *Le Globe*, journal d'inspiration saint-simonienne, pour *Le Mouvement*, qui est républicain, et même pour le *Journal des enfants*. Nous le suivons ainsi dans la plupart de ses déplacements. Mais le récit devient surtout intéressant au cours de l'épisode qui se passe en Touraine. Arrivé dans ce pacifique et heureux pays de viticulteurs, rusés et méfiants, ennemis du progrès et toujours prêts à rire (le pays de Rabelais d'ailleurs), Gaudissart essuie son premier grand échec. Introduit auprès d'un notable, celui-ci lui joue une farce à sa façon : il le conduit chez un fou et le lui présente comme étant un personnage des plus influents. Le fou se comporte si bien que Gaudissart ne peut en aucun moment se méfier. Après une conversation stupéfiante, au cours de laquelle il met en œuvre toutes les ressources de son éloquence, Gaudissart s'en va sans avoir pu recueillir le moindre abonnement, mais avec la promesse de recevoir deux barriques de vin que le fou d'ailleurs ne possède pas. Lorsqu'il découvre la mystification, la colère de Gaudissart est terrible. Après un duel burlesque avec l'instigateur de la farce, il quitte ce pays où il n'a pu exercer sa « mission ». Les premières pages de cet ouvrage laissent percer des velléités moralisatrices, l'auteur fait les plus sombres prévisions sur le prochain triomphe de la démocratie, dont le commis voyageur serait une sorte de symbole. Mais bientôt il se laisse entraîner par son sujet. Il s'abandonne alors à la joie de nous tracer un portrait des plus minutieux et des plus colorés. Le contraste entre le progressiste Gaudissart et les sceptiques et traditionalistes Tourangeaux est plein de saveur. Le duel oratoire entre Margaritis, le fou, digne et grave mais nuageux dans ses discours, est vraiment du plus haut comique.

ILLUSTRE MAISON RAMIRES (L') [*A illustre casa de Ramires*]. Ce livre est peut-être le chef-d'œuvre de Eça de Queirós (1845-1900), l'un des plus grands romanciers portugais contemporains. José Maria de Eça de Queirós le publia en 1900, alors que sa renommée était déjà solidement établie. En effet, il avait déjà fait paraître d'autres romans admirables comme *La Relique* (*) et *Le Mandarin.* L'ouvrage est tout imprégné d'amour de la patrie, même dans les passages satiriques, parfois cinglants, qui alternent avec l'évocation puissante des temps héroïques et généreux du Portugal. Gonzalo Mendes Ramires est le dernier descendant d'une illustre maison. S'il sent rouler dans ses veines l'orgueil de ses ancêtres, il n'en a pas la trempe et passe sa vie à rédiger péniblement un récit historique. Il a entrepris d'écrire les nobles actions de ses aïeux. Il vit d'expédients : pour devenir député, il feindra par exemple d'ignorer la liaison de sa propre sœur avec le gouverneur de la région. Il l'attaque violemment dans les journaux de la province, mais accepte sa protection et en profite. Un jour pourtant, ayant été provoqué par un fanfaron et ne pouvant s'esquiver comme de coutume, il l'attaque, le met en fuite, retrouvant l'énergie qui était assoupie au fond de son âme. Cet acte de courage lui rend l'estime de ses compatriotes, heureux que l'héritier de l'ancienne maison Ramires les ait délivrés de la tyrannie de ce gredin. Réagissant contre sa paresse instinctive, il éprouve la nausée de sa vie de bavardages et d'égoïsme. Il la sent fausse, corrompue, faite entièrement des intrigues, des jalousies, des ambitions et des rivalités de son petit milieu paysan. Il est tout gonflé d'un glorieux passé, mais incapable d'en conserver intacts la dignité et l'honneur. Il s'éloigne, se rend aux colonies pour s'occuper d'exploitation agricole ; il se consacre à une vie utile qui le retrempe et lui redonne la pleine conscience de sa force. Eça de Queirós, dans ses œuvres précédentes, usait de son ironie pour railler hommes et coutumes qu'il paraissait avoir seulement à tâche de démolir ; dans ce livre, au contraire, nous sentons qu'il l'emploie comme un moyen de réforme et d'édification. L'art très délicat de Eça de Queirós ne fut jamais empreint d'un scepticisme absolu. Si cet art connaît la lente évolution que nous venons d'indiquer, ce fut sous la pression des événements : en effet, à cette époque (1890), l'Angleterre menaçait d'encourager et de favoriser les projets africains de l'explorateur Serpa Pinto. À la lumière de ces faits, le roman de Eça de Queirós apparaît dès lors comme une œuvre ayant pour but d'exalter les vertus et les qualités de la race, sans lesquelles l'empire portugais n'aurait jamais pu être édifié.

ILLUSTRE SERVANTE (L') [*La ilustre fregona*]. Une des *Nouvelles exemplaires* (*) de l'écrivain espagnol Miguel de Cervantès Saavédra (1547-1616). Deux jeunes gens, don Tomás de Avendaño et don Diego de Carriazo, se dirigeant vers Salamanque pour y poursuivre leurs études, s'arrêtent dans une auberge de Tolède. Dans cette auberge se trouve une mystérieuse et jolie servante, Costanza ; Avendaño dès le premier coup d'œil en tombe éperdument amoureux. Pour être plus près de sa bien-aimée, il se place comme valet à l'auberge et son ami Carriazo, pour ne pas le quitter, s'achète un âne et se fait vendeur d'eau. On découvre à la fin que la servante a une illustre origine et tout s'achève par un mariage comme il fallait s'y attendre. Cette histoire est identique à celle d'une autre « Nouvelle exemplaire » : *La Petite Gitane* (*), que l'on peut considérer comme une reprise de celle-ci dans un sens plus réaliste. D'autre part, la nouvelle a beaucoup de points communs avec une autre du même livre, intitulée *Rinconete et Cortadillo* (*) : en effet, dans cette dernière, Cervantès a également dépeint de nombreuses scènes de la vie des bas-quartiers. Une des scènes les plus savoureuses de *L'Illustre Servante* est celle où Carriazo perd son âne au jeu, quartier par quartier : il réussit à le récupérer en faisant valoir que la queue de la bête ne fait pas partie du dernier quartier. Il constitue ainsi un nouvel enjeu qui lui permettra de regagner le tout. – Trad. Au Pigeonnier, 1945.

★ L'auteur dramatique José de Cañizares (1676-1750) a tiré de cette nouvelle une comédie, *La Plus Illustre des servantes* [*La más ilustre fregona*].

ILLUSTRES FÉES (Les). Il s'agit d'un recueil de onze contes de fées en prose, d'une vingtaine de pages chacun : Blanche Belle, Le Roi magicien, Le Prince Roger, Fortunio, Le Prince Guerini, La Reine de l'île des fleurs, Le Favori des fées, Le Bien-Faisant, Quiribirini, La Princesse couronnée par les fées, La Supercherie malheureuse. Œuvre de maturité, ces contes furent publiés en 1698, au moment de la grande vogue des contes de fées, dont leur auteur, Marie Catherine le Jumel de Barneville, baronne d'Aulnoy (v. 1650-1705), avait été l'initiatrice, dès 1690. Présentées comme des « Contes galants » dédiés aux dames, ces histoires, loin d'avoir le ton licencieux des *Contes* (*) (1664-74) de La Fontaine, ne sont pas pour autant pédagogiques, au sens strict du terme : la moralité n'apparaît guère et tout au plus les vieux rois amoureux de jeunes princesses doivent-ils s'effacer devant leurs fils, tandis que les méchantes reines sont victimes de leur jalousie. De fait, les histoires ont moins pour objet de présenter sous forme parabolique l'analyse morale, voire religieuse, des principales situations sociales et familiales qui peuvent se présenter aux hommes, comme dans les *Contes* (*) de Perrault par exemple, que de mettre en scène, dans un contexte d'aventures romanesques à rebondissements extérieurs, quelques personnages princiers valant pour leur excellence, en tant que tels. Ainsi cette œuvre, moins célèbre que *Les Fées à la mode* du même auteur, offre-t-elle, dans un style élégant, une manière de société princière mondaine idéale, très proche de l'Italie, où la féerie, multifonctionnelle, vaut comme adjuvant du romanesque, créant, en amont de l'histoire, les conditions de la perfection des princes (le fils si parfait du roi magicien est peut-être le fruit des amours de la reine avec un Sylphe), assurant en aval le triomphe de la beauté et de la vérité, et ajoutant ou supprimant au fil des nécessités de l'action les accessoires de cette contemplation.

ILLUSTRES FOUS (Les). Comédie en cinq actes et en vers du poète et dramaturge français Charles Beys (1610-1659), publiée en 1653, version remaniée de sa tragi-comédie *L'Hôpital des fous* (1635). L'intrigue romanesque, inspirée de Lope de Vega, raconte les aventures croisées de dom Alfrede, à la recherche de sa maîtresse Luciane enlevée par des voleurs, et de dom Alfonte, frère de Luciane, amoureux de Julie, sœur de dom Alfrede : elle finit heureusement par le mariage des protagonistes. Mais la pièce est remarquable en ce qu'elle constitue la première théâtralisation de la folie. Les scènes où figurent les fous de l'asile de Valence ont leur propre autonomie : le concierge de l'hôpital y joue le rôle de metteur en scène, présentant au public des monomanes illustres : le musicien fou, le philosophe fou, le poète fou, le comédien fou, etc. Le procédé du théâtre dans le théâtre permet une distanciation satirique qui, avant Molière, ridiculise les pédants et tend aux spectateurs un miroir grossissant de leur propre réalité. A. Gé.

ILLUSTRES FRANÇAISES (Les). Roman de l'écrivain français Robert Challe (1659-1721), publié en 1713. Ce fut un des grands succès du XVIIIe siècle comme l'attestent une vingtaine d'éditions, des adaptations théâtrales, des traductions et les continuations qu'on tenta de lui donner. Il est construit sur le type des histoires encadrées : un groupe d'amis de la bourgeoisie et de la noblesse parisienne forme un cadre de devisants à la composition variée, qui écoute sept récits successifs, faits par quatre d'entre eux. Trois de ces narrateurs rapportent ainsi non seulement leurs propres aventures mais aussi celles d'un tiers ; pourtant ces récits, sauf dans un cas, sont tous à la première personne. Si l'on ajoute que les personnages cumulent souvent leur rôle de récitant et celui de protagoniste, qu'ils circulent à l'intérieur de plusieurs histoires, que ces histoires même interfèrent entre elles, on comprendra que ce roman retient l'attention du seul point de vue des structures narratives.

Les six premières histoires sont celles de couples : « Histoire de M. Des Ronais et de Mlle Dupuis », « Histoire de M. de Contamine et d'Angélique », « Histoire de M. de Terny et de Mlle Fenouil », « histoire de M. Des Prez et de Mlle de l'Épine », « Histoire de M. Des Frans et de Silvie ». La septième, « Histoire de M. Dupuis et de Mme de Londé », avant d'en venir à l'histoire de ces deux amants, fait le récit des débauches et des aventures amoureuses de Dupuis le libertin. Cette énumération et la variété des techniques utilisées ne sauraient cependant masquer une unité profonde que l'auteur indique dans sa préface, en parlant de « son roman et ses histoires ». La série des interférences entre les personnages d'une part, et entre les narrations d'autre part, a pour effet de placer l'intérêt romanesque dans la lecture elle-même. En confrontant les points de vue sur une même réalité diversement éclairée, en faisant que tel mystère se résout ailleurs, dans un autre récit convergent, le romancier confie au lecteur l'analyse critique de la subjectivité de tout récit. L'unité est également à trouver dans la problématique factuelle : les histoires sont d'abord celles des obstacles qui se dressent devant les amants désireux de s'unir par amour et celles des diverses solutions qu'ils mettent en œuvre pour les surmonter : l'attente avec ses risques (1re histoire) et ses miracles (2e histoire) ; le mariage secret et son issue ici toujours tragique (5e et 6e histoire) ; le mariage coup de force, évidemment exceptionnel (3e histoire) ; l'union libre aussi parfois (la veuve de la 7e histoire), tandis que se profilent à l'horizon du roman les solutions sages du mariage de raison. L'unité est encore idéologique, qui, suivant les indications du titre, se trouve dans la constitution d'un idéal féminin attachant, celui de jeunes femmes lucides, point bégueules mais réservées, aimantes, constantes et capables de soutenir jusqu'au bout leurs engagements. Un idéal d'autant plus convaincant que ces figures sont saisies dans le commerce ordinaire de la vie, selon les principes de l'histoire véritable, qui relève du naturel plutôt que du réalisme. Ce n'est pas un des moindres paradoxes que ce roman, anonyme, ait longtemps servi à nommer celui qui ne voulait être que « l'auteur des *Illustres Françaises* ». J. Po.

IL NE FAIT PAS ASSEZ NOIR. Écrits de l'écrivain français Joë Bousquet (1897-1950), publiés en 1932. L'œuvre de cet écrivain fut profondément marquée par sa vie totalement recluse à la suite d'une blessure de guerre qui le rendit infirme très jeune. Il semble qu'une tentation lui ait été épargnée, comme il le dit lui-même, celle de ménager à son œuvre une chance de plaire en induisant l'homme à s'y reconnaître. Il est difficile en effet d'y poursuivre ses propres amertumes et ses propres rêves, tellement l'expérience de Joë Bousquet a été autre et terrible. Sa pensée s'inscrit dans un domaine réservé qui rend ses dires non impénétrables, mais isolés et irrécusables. *Il ne fait pas assez noir* ne commence ni ne finit, ne possède ni intrigue ni histoire, si ce n'est celle d'un homme qui essaie, tout au long d'une volonté sans révolte, de mieux comprendre, de mieux éprouver, de poursuivre en dépit de tout sa valeur d'homme, sorte de délivrance spirituelle, ou peut-être tout simplement essaie-t-il de vivre et non de « se vivre », comme il le dira lui-même. Malgré cette recherche vers une manifestation justificatrice de sa vie, il y a dans tout le livre l'horreur désolée d'un cœur qui reste désert, étranger, et où il n'y a place autour de lui que pour le leurre. « Tapi dans un coin, tassé, les yeux ouverts, j'attends comme un pauvre, si faible que je sens le jour courir sur moi et que, la vie, je devine son corps, dans les efforts qu'elle fait pour me soutenir. » « Me souvenir de moi, c'est lever ma douleur comme un grand mort sans yeux dans les danses des hommes. » À travers ce monologue intérieur apparaît Didi, une femme aimée, presque une enfant, seule réalité semblant le lier à la vie : « Il faut que je la voie pour que toute ma vie se souvienne que je suis né. » Lorsqu'il parle d'elle, ses mots prennent alors une apparence plus concrète avec formes et couleurs. Mais lorsque ses pensées ne lui sont plus destinées, une certaine substance disparaît de ses phrases, les fait devenir transparentes, murmurées, réservées aux seuls mouvements de son âme. Mais il n'est pas du pouvoir de cette jeune femme de lui apporter le bonheur, elle ne réussit qu'à embellir sa tristesse. Sa présence ne reste qu'un court instant dans le livre ; elle disparaît aussi mystérieusement qu'elle était apparue, sans qu'aucun événement ne le fasse prévoir, et jusqu'à la fin elle demeure, apportant à l'écrivain ses visions et ses métamorphoses.

IL NE FAUT JURER DE RIEN. Proverbe en trois actes de l'écrivain français Alfred de Musset (1810-1857), publié en 1836 dans *La Revue des Deux mondes*, représenté à la Comédie-Française le 22 juin 1848. Valentin résiste obstinément à son oncle Van Buck, bourgeois fort riche et un peu ridicule qui lui propose de payer ses dettes s'il consent à se marier. Il lui a même trouvé une femme, la jeune et jolie Cécile de Mantes ; mais Valentin ne veut pas entendre parler de mariage, il ne croit pas à la vertu des femmes. Devant l'insistance de son oncle et à cause de ses propres besoins d'argent, il finit pourtant par s'engager à épouser Cécile s'il la trouve différente des autres femmes et capable de résister à un soupirant. Il veut la mettre à l'épreuve. Aussi l'oncle Van Buck se rend-il chez la baronne de Mantes pour l'informer que son neveu refuse de se marier. Pendant ce temps, simulant un accident de voiture, Valentin se fait porter au château de la baronne ; il se dit blessé et demande l'hospitalité. Dès sa première rencontre avec le jeune homme, Cécile est fort émue, Valentin persévère dans ses intentions, mais bientôt il se prend à son jeu ; le voilà séduit et il implore Cécile de lui accorder un rendez-vous. La jeune fille ne peut s'y rendre. Sur ces entrefaites, Van Buck, craignant que cette comédie ne tourne mal, prend le parti d'avouer à l'altière baronne le stratagème de son neveu. Par précaution, celle-ci fait enfermer sa fille, mais l'abbé familier de la maison, à qui elle la confie, laisse Cécile s'échapper pour rejoindre Valentin au second rendez-vous qu'il lui a donné. Sous les grands arbres du parc, Valentin cède au charme naïf de Cécile, et quand l'oncle Van Buck et la baronne, à la recherche de la jeune fille, retrouvent les deux jeunes gens, c'est pour entendre Valentin, aux genoux de Cécile, lui promettre de l'épouser. Les rôles secondaires de cette comédie : la mère aristocratique et évaporée, l'oncle bourgeois, niais et pittoresque, sont des créations pleines de fantaisie et d'esprit. Nous sommes dans la vie réelle, dans la société moderne, mais le caractère un peu fantasque des personnages contribue à donner à la pièce une atmosphère poétique. C'est un des « proverbes » les plus fins et les plus réussis de Musset ; il met en scène la vertu et la beauté ingénue qui triomphent du scepticisme à la mode.

IL N'Y A PAS DE PARADIS. Recueil de poèmes de l'écrivain français André Frénaud (1907-1993), publié en 1962. Venant après le recueil *Les Rois-Mages* (*), et celui des *Poèmes de dessous le plancher* (1949), ce livre groupe des poèmes écrits entre 1942 et 1960. Il semble que le dépouillement et la transparence ne soient possibles que par la présence de la grâce, « ce passage de la visitation » dont Frénaud tente inlassablement de faire bruire le battement d'ailes. Le titre même, *Il n'y a pas de paradis*, trahit une déception amère et une impérissable nostalgie. S'il n'y a pas de paradis, André Frénaud ne s'abandonne pas tout à fait à la fascination du néant. Dans le refus de ce qui, pour lui, n'est que mystification, il fonde la dignité de l'homme : « J'ai repoussé la maison des dieux : Je suis un homme digne de vivre. » Le même poème (« Tombeau de mon père 1939-52 », simple et noble stèle) voue cette étrange mystique à un Dieu sourd, aveugle, moins transcendant qu'immanent, et qui attend de l'homme son incessante naissance : « Mais Dieu n'est pas mort Il n'est pas c'est moi qui meurs / Il naît lui Il n'en finira jamais de naître / Je dois prendre part à son accomplissement. » Une des formes de cet accomplissement du Dieu inconnu et sans figure est pour le poète de retrouver le silence de l'Être ; alors se créera cet « échange infini » qui se produit dans la formation du poème. « Je ne peux entendre la musique de l'Être... / Son silence me sépare de ma vie. » Il faut au poète se débarrasser de l'obstacle qu'il oppose au surgissement de l'Être, se séparer de sa vie qui n'est qu'opacité (« Je suis : je forme une ombre à la lumière »), se vider de lui-même pour cet instant imperceptible du « passage de la visitation » ; expérience aveuglante où il trouve sa seule justification. Quant au poème, il est à la fois le lieu d'une défaite et d'une victoire. Après l'expérience spirituelle, il tente de reconquérir par le langage l'émotion qui s'enfuit. Il suffit parfois au poète de colorer de quelque nostalgique tendresse une musique réduite au pur chiffre d'une mélodie médiévale pour retrouver, fugitivement, le chant d'une poésie française traditionnelle, à la fois très ancienne et très familière. Dans les poèmes les plus récents, qui ont parfois l'aspect d'une concrétion pierreuse, le langage cristallisé en dits sibyllins, la syntaxe essentielle éclatée, râpeuse parfois, les inversions un peu étranges figent, comme un rugueux archaïsme, les vers d'une musicalité très nue.

IL N'Y A PAS D'EXIL. Recueil du poète français Jean Rousselot (né en 1913), publié en 1954. L'œuvre poétique de Jean Rousselot, extrêmement abondante, repose sur un humanisme fervent, qui s'exprime de façon privilégiée au sein de la communauté des hommes. D'où le titre du recueil : « Il n'y a pas d'exil », qui frappe comme une sentence. Rousselot croit à la communion des hommes : « Et j'ai senti que je germais dans ce silence / Qu'on attendait mon grain, que je n'étais pas seul / Puisque j'avais des mains pour prendre et pour donner. » Le symbole, presque religieux, de cette réunion, c'est le « pain » qu'on partage : « Pour les hommes, pas d'autre église que ce pain / Qu'on prend à bras-le-corps comme une fiancée. » Il est ainsi possible au poète, et plus simplement à l'homme, de « Nier, en existant, que le néant soit maître ». Il revient au poète d'être « ... cet homme / Dont la voix de sentence éclate les prisons ». La poésie de Rousselot est une poésie engagée, à hauteur d'homme, à la prosodie classique parfaitement rythmée.

J.-É. M.

IL PARLAIT AVEC LES MAMMIFÈRES, LES OISEAUX ET LES POISSONS [*Er redete mit dem Vieh, den Vögeln und den Fischen*]. Œuvre du naturaliste autrichien Konrad Lorenz (1903-1989), l'un des fondateurs de l'éthologie, prix Nobel 1973, publiée en 1949. Ce n'est pas un enchanteur qui dialogue ici avec les animaux : la baguette magique de Konrad Lorenz n'est constituée que de l'amour et de la patience avec lesquels il étudie leur comportement. Son livre découle directement de la vie animale qu'il observe.

C'est ainsi que l'on y découvre avec l'auteur que les renards sont moins rusés que les chiens, que les poissons ont une santé délicate et sont aussi passionnés en amour que dans les combats et que la tourterelle est plus féroce que le loup. Le lecteur entre au fil des pages dans le rapport de familiarité que le naturaliste entretient avec les bêtes en liberté qui vivent en sa compagnie. Il paraît ainsi moins étonnant que le savant soit l'objet des « avances » d'un choucas femelle ou que Martine, la petite oie, se soit convaincue qu'elle est sa fille adoptive – et on peut dire que le caractère poétique du livre provient du lien affectif qui unit Konrad Lorenz aux animaux qui l'entourent. Conformément aux prémisses qui veulent que, dans l'observation des animaux, il faut faire preuve de « l'amour qui, dans le comportement de l'homme et de l'animal, réussit à saisir et constater cette affinité originellement pressentie », le naturaliste observe les analogies et les différences entre comportement animal et comportement humain. Mettant en lumière les « inhibitions sociales » qui sont la sauvegarde des espèces animales dotées de dangereux moyens d'agression, il se demande si l'espèce humaine se protégera aussi efficacement. À travers les remarques de Konrad Lorenz, on voit se dessiner une nouvelle façon de poser les problèmes relatifs à la nature des instincts, au code du comportement et aux rites sociaux. – Trad. Flammarion, 1987.

IL PENSEROSO. Poème de l'écrivain anglais John Milton (1608-1674), écrit en 1631, dans le goût des exercices d'école et dont le titre est incorrect, le poète n'étant pas alors familiarisé avec l'italien ainsi qu'il le fut plus tard lorsqu'il écrivit, dans cette langue, des sonnets d'une facture impeccable. Dans ces vers qui font pendant à l'*Allegro* (*), Milton dit adieu aux vaines joies et invoque la divine mélancolie : poésie vespérale, au clair de lune, où l'on se complaît au chant du rossignol et à ces autres sons qu'aime à entendre le promeneur pensif : le souffle de la mer, les cloches du couvre-feu, le chant des grillons. Au sommet d'une tour solitaire, le penseur étudie la philosophie ou les tragiques anciens jusqu'au petit jour. Alors, le matin surgit, nuageux et venteux, lavé par les averses ; puis, à l'approche du soleil, le poète vagabonde dans une immense forêt de chênes ou de pins, ou bien s'endort près d'une cascade. Dès le réveil, il s'en va prier dans une église aux vitraux flamboyants, se recueille aux graves accords de l'orgue : et ce qu'il souhaite, c'est, quand il sera vieux, de trouver au sein de la nature une retraite paisible capable de lui inspirer des visions prophétiques. Que la mélancolie parvienne à le consoler, et il lui sera fidèle. *Il penseroso* est conçu avec autant de simplicité savante que l'*Allegro* et, dans ce diptyque, il n'y a pas de contradiction réelle. Milton, en effet, bien qu'il ait, sur des rythmes divers, chanté des états d'âme opposés, exalte toujours la contemplation parce qu'elle exclut le péché et permet seule de goûter les secrètes joies de la nature et de l'étude. Cette poésie eut une très grande influence sur les romantiques. – Trad. Aubier, 1937.

IL PLEUT, IL PLEUT, BERGÈRE. Chanson populaire française du XVIIIe siècle, écrite par Fabre d'Églantine (1750-1794), poète et conventionnel, mort sur l'échafaud. Se composant de six strophes, elle est tout à fait dans le goût du siècle qui la vit naître, imprégnée de la grâce mignarde des bergères du Trianon. Sans doute l'auteur ne prévoyait-il pas, en l'écrivant, l'orage autrement meurtrier que celui auquel il fait allusion dans ses vers : l'orage de la Révolution. Publiée dans *La Muse lyrique,* en 1782, sous le titre : « Retour des champs », elle devint vite populaire. Tout le monde connaît la gracieuse histoire de ce berger, surpris par l'orage ; il presse sa compagne de rentrer ses moutons et l'invite à chercher refuge dans sa chaumière. Il est fort heureux de saisir l'occasion, car elle lui permet de donner l'hospitalité à sa belle, de la présenter aux siens et de l'admirer à loisir. Et comme cette dernière fait un peu la rétive, il lui promet qu'il ira le lendemain demander sa main à son père.

IL S'EN EST ALLÉ PAR LES CHAMPS [*Hou halakh ba-sadot*]. Roman de l'écrivain israélien Moshé Shamir (né en 1921), publié en 1947. Ce premier roman de Shamir peut être considéré comme le prototype de la littérature de la guerre d'Indépendance et du Palmach. Ouri, le héros de cette œuvre réaliste, voire naturaliste, incarne parfaitement la jeunesse et l'idéal de toute une époque. Membre d'un kibboutz, animé par l'amour du pays et le sens du devoir allant jusqu'au sacrifice de sa vie, il est à l'opposé des personnages qui ont peuplé la littérature hébraïque du XIXe et du début du XXe siècle, éternels étudiants penchés sur les livres sacrés, déracinés, introvertis et solitaires, ballottés entre le monde traditionnel qu'ils ont quitté et le monde nouveau dans lequel ils sont incapables de s'intégrer. Ouri, attaché à la terre et proche de la nature, n'acquiert sa véritable identité qu'en faisant partie du groupe. Il assimile les valeurs individuelles, telles qu'amour et famille, aux valeurs collectives représentées par le travail et la lutte pour le pays. Le roman présente le héros au moment où il retourne au kibboutz après avoir suivi des études à l'école agricole. Il constate que sa famille se disloque : sa mère a un amant et son père a été mobilisé. Il tombe amoureux d'une jeune fille, nouvelle immigrante, rescapée du génocide, et donc issue d'un monde qu'il ne connaît pas. Lorsque le devoir national appelle Ouri, il la quitte et rejoint les rangs du Palmach.

L'adhésion du public aux valeurs dont

Moshé Shamir s'est fait le chantre a fait de *Il s'en est allé par les champs* un très vif succès populaire malgré ses faiblesses littéraires, et l'ouvrage fut porté à la scène et à l'écran. Il faut par ailleurs souligner, au plan linguistique, la tentative de faire s'exprimer les personnages dans une langue parlée. Ceci explique le décalage existant entre la partie narrative, d'un niveau de langue soutenu, et les dialogues. Néanmoins ceux-ci, bien qu'émaillés d'expressions argotiques, restent souvent artificiels.

L. P.

IL Y A QUELQUE CHOSE DE POURRI [*Mamma Marcia*]. Ouvrage posthume de l'écrivain italien Curzio Malaparte (pseud. de Kurt-Erich Suckert, 1898-1957), publié en 1959. Ces pages se présentent comme le dialogue de Malaparte avec sa mère mourante (« Une mère pourrie »). Elles reprennent le thème du pourrissement de l'Europe, pourrissement accentué par deux échardes intolérables : le marxisme et la pédérastie (« Lettre à la jeunesse d'Europe » et « Sexe et Liberté »). Ces textes polémiques sont comme la confession d'un soldat deux fois déçu (en 1918 et en 1945). Ce déluge verbal, agaçant et impressionnant à la fois, bute sans cesse sur une page inachevée, un chapitre « non revu et corrigé ». Nous retrouvons cependant ce qui fit la valeur de Malaparte, son style éblouissant, son mouvement, ses images. « ... Au réveil, dans mon lit, le matin, je ne me souvenais plus de rien, mais il me semble bien que la nuit, j'errais avec les morts, pâles larves nocturnes. [...] Assurément, c'était avec eux que j'errais et c'est d'eux que je dois tenir ces choses merveilleuses dont mes livres regorgent. Des choses que seuls les morts peuvent connaître. C'est d'eux aussi que je tiens cette particulière façon que j'ai de regarder un paysage, un arbre, une maison, une bête, une pierre. Ils m'ont certainement aidé à entendre certains langages de la nature, le langage de tout ce qui vit aussi bien des objets inanimés, la langue des pierres, des arbres, des roseaux, de l'eau : toutes ces choses dont l'expression est différente de la nature, plus poétique, plus pure et plus sereine aussi, plus harmonieuse. C'est eux qui m'ont appris à ne pas redouter des morts. Dire que dès l'enfance, j'en avais pourtant une si grande, une si étrange peur. » — Trad. Denoël, 1960.

IL Y AVAIT UNE FOIS... [*Yeki bud yeki nabud*]. Recueil de nouvelles de l'écrivain iranien de langue persane Mohammad 'Ali J̌amal-Zadé (né en 1895), publié en original à Berlin en 1921. La publication de ce recueil coïncide avec le moment où la prose persane, enrichie successivement depuis le milieu du XIXe siècle d'innovations, d'améliorations, soutenue par l'essort de la presse et l'activité de 'Ali Akbar Dehẖodā, fut en mesure de donner naissance à une œuvre sans précédent dans cette langue. Le succès que connut le présent recueil donna, dans les années qui suivirent, aux prosateurs iraniens un encouragement et une plus grande confiance en eux-mêmes. En tête de ce recueil Mohammad 'Ali J̌amal-Zadé imprima une préface, qui eut la portée d'un véritable manifeste littéraire. Considérant que la prose persane n'avait pas évolué depuis les grands classiques antérieurs au XVIe siècle, il conseillait aux écrivains de son pays de faire des emprunts aux littératures occidentales. Il allait même jusqu'à proposer l'emploi de la langue parlée, simple et directement compréhensible, et s'élevait contre le style ampoulé et la langue truffée d'arabismes. C'est maintenant, avec le recul nécessaire, qu'on peut mesurer à quel point les idées exposées dans cette préface trouvèrent un écho parmi les prosateurs de langue persane. Appliquant lui-même les réformes qu'il conseille dans la nouvelle intitulée « Oh ! qu'il est doux le persan » [Farsi šekar ast] l'auteur ridiculise ceux qui parlent le persan truffé d'arabismes, mais aussi les modernistes dont le persan envahi de mots occidentaux est aussi incompréhensible. L'intrigue de cette nouvelle, d'un humour débordant, est basée sur le contraste entre un shaïkh qui parle une langue pleine d'arabismes et un moderniste. À cause de ses jeux de mots, la nouvelle est pratiquement intraduisible. Dans « Ces messieurs de la politique » [Rejal-e siyasi], J̌amal-Zadé enquête sur les origines d'un homme politique que le hasard met au premier plan de l'actualité. Son entourage le croit « révolutionnaire ». Mal préparé à ses nouveaux devoirs, notre homme, cardeur de profession, en a bien saisi cependant le côté pratique. Lorsque les politiciens, désireux d'avoir son appui, lui envoient une première somme d'argent, il est ébloui et, ayant toute sa vie durant vu le clergé accepter des sommes en espèce, trouve cela normal. Le point culminant de la nouvelle se trouve peut-être à l'instant où un voisin lui explique : « Tu ne peux entrer dans la vie politique si tu es vénal [...] mais par la suite, c'est autre chose, tu pourras te le permettre. » Alors il apportera le sac d'argent, reçu en pot-de-vin, devant la foule qui le considère comme le porte-parole de ses revendications, et criera à son apprenti : « Rapporte ceci à son propriétaire et dis-lui bien que l'on ne fera pas taire un patriote par de tels procédés. » Une fois sa réputation d'honnête homme acquise, il touchera en cachette de bien plus grandes sommes et, oublieux des promesses faites à ceux qui l'avaient élu, il choisira une petite ville, loin de l'agitation, pour y mener la vie tranquille et égoïste de gouverneur provincial. Avec un grand naturel et beaucoup de vérité, l'auteur, dans ses nouvelles, ressuscite les mœurs séculaires de l'Iran. Les expressions savoureuses, le détail des légendes, contes et anecdotes sortent directement du plus authentique et abondant folklore iranien. Dans « L'Amitié de la tante ourse » [Dusti-ye haie-herse] ce sont les événements de la Première Guerre mondiale, au moment où ils atteignent la région de Kermanšah envahie par les troupes russes en lutte contre les armées turco-allemandes, qui servent de toile de fond. L'auteur stigmatise les méfaits des soldats russes-tsaristes. Lorsque le recueil imprimé arriva à Téhéran avec les extraits de la nouvelle « Telle betterave, telle casserole » [Bile dig bile čogondar], publiés dans un journal téhéranais, à la Grande Mosquée de la capitale, un mollah exigea la punition du journaliste. Les libres penseurs organisèrent une démonstration. Le recueil fit l'objet d'un autodafé organisé par le clergé. L'auteur hérétique fut anathémisé, son sang déclaré « licite » : celui qui le tuait, sans avoir à purger aucune peine dans ce monde, irait au Paradis. Ces événements servirent de prétexte à des discussions sur la liberté de la presse iranienne. Quelque dix-huit années plus tard, le recueil fut librement imprimé en Iran où il a eu depuis cinq éditions. « Telle betterave, telle casserole » est le récit d'un Européen sans grande culture qui passe un an et demi en Iran et y tient son journal. Il se veut naïf et peu perspicace, bien qu'il soit tout le contraire, et décrit ce qu'il voit, entre autres les trois classes dont se composait, jusqu'à la modernisation de l'Iran, la population : les paysans, les bourgeois-fonctionnaires et les ecclésiastiques musulmans. L'auteur du journal dit des paysans qu'ils « vivent dans un état d'égalité parfaite [...] De leur vivant, égaux en pauvreté, ils le seront encore devant la mort et rien ne distinguera leur tombeau : ni brique ni pierre... » ; les ecclésiastiques, « respectés et vénérés de tous, se coiffent, afin de ne pas passer inaperçus, d'une pièce d'étoffe ». Lorsque l'Européen en demandera la raison, on lui répondra : « Afin que l'air libre n'y pénètre pas. » Lorsqu'il voudra connaître leur vrai métier on lui répondra : « la corruption, les pots-de-vin » et il constatera qu'ils passent « leur temps à s'assouplir le pouce et l'index, les deux doigts grâce auxquels, sans doute, ils accomplissent leur travail ». Les fonctionnaires « doivent faire régner le silence et la paix. Étant donné que misère et révolte ont pour mobile l'argent... ils répandent à travers les provinces des envoyés spéciaux qui ont pour mission de rafler tout l'argent du pays afin de saper le mal à sa racine ». En 1954 Mohammad 'Ali Jamal-Zadé a ajouté à la cinquième édition du recueil une introduction dans laquelle il critique l'imitation inconsidérée des Occidentaux par les hommes de lettres iraniens. « Nous devons rester Persans, penser persan et écrire pour les Persans. » À travers son importante galerie de types, paysans et artisans, derviches et marchands, mollahs et militaires, politiciens et ministres, hommes et femmes de Perse, riches et pauvres, insolents et humbles, sains d'esprit ou fous, naïfs ou rusés, calculateurs ou rêveurs, avares et prodigues, simples silhouettes, croquées au passage avec humour, ou caractères plus fouillés, l'auteur cherche toujours à sonder la nature humaine. — Trad. partielle sous le titre *Choix de nouvelles*, Les Belles-Lettres, 1959.

IMAGE [*Imagen*]. Recueil poétique de l'écrivain espagnol Gerardo Diego (1896-1987), publié en 1922. *Image* frappe par son caractère kaléidoscopique : le lecteur y découvre une profusion de métaphores, qui dicte le titre de l'ensemble. Le poème « Geste », le plus important du recueil, semble livrer la clef de cette flore pittoresque. Comme pour marquer le sens de cette vaste fresque, le poète surgit au centre de ce monde d'images : « À la lumière pensive de mes mains je contemple tout / Sur vos déguisements ridés je ferai neiger mes vers / Je vais mesurant les milles avec mes rimes / Entre mes doigts se rit le monde transparent / Semant mes images vous me trouverez oublié parmi la neige. » *Image* reflète donc une création poétique centrée sur une contemplation de sensitif, qui explore l'univers suivant un rythme alternant entre les deux pôles complémentaires d'une conscience « ramassée » et d'une rêverie, où l'imagination reprend son rôle créateur. Il s'agit là de la démarche fondamentale de l'inspiration créationniste, qui parvient à concilier dans un mouvement naturel harmonieux (en germe dans ce recueil, plus mûr dans d'autres) la transparence et la netteté classique avec la profusion et la richesse des plongées au-delà des limites de la conscience.

Dans *Image* alternent avec les profils concrets les motifs proprement humains, le traitement restant dans l'ensemble identique. Les titres mêmes des poèmes donnent une idée de cette alternance clairement signifiée par le poète. Ainsi : « Lampe », « Balançoire », « Mouvement perpétuel », « Guitare », « Éventail », « Plateau », « Rose mystique », « Foi », « Angelus », « Homme », « Troupeau », « Madrigal », « Verbe cri ». Diego, fondateur avec Huidobro et Larrea de ce mouvement littéraire appelé créationnisme, qui se définissait comme une tendance constructive au sein de la révolution littéraire de l'ultraïsme, proche du surréalisme, donne avec *Image* un magnifique exemple de ses possibilités.

IMAGE ABANDONNÉE (L') [*The Discarded Image*]. Ouvrage critique de l'écrivain anglais Clive Staples Lewis (1898-1963), publié en 1963. L'auteur décida de publier cette série de conférences donnée à l'université d'Oxford afin de proposer une introduction, une sorte de « mot de passe » permettant d'appréhender « de l'intérieur » ce qu'il appelle « le modèle médiéval », c'est-à-dire la conception philosophique et religieuse du monde en vigueur à l'époque de Dante et Machiavel. Le critique prend plaisir à conduire le lecteur moderne à travers les monuments que sont *La Divine Comédie* (*) de Dante ou la *Somme théologique*

(*) de saint Thomas d'Aquin ; du centre de l'univers de Ptolémée, nous voyons le soleil et les autres étoiles, et considérons l'échelle des êtres qui va de Dieu à la plus humble de ses créatures. L'auteur s'intéresse moins au mouvement dramatique de la croyance médiévale (la conception de « ce mouvement de la créature rationnelle vers le créateur » de saint Thomas, ou « le Voyage vers l'amour » de Dante) qu'à la poésie de la croyance populaire. Il offre ainsi une excellente analyse des *longaevi,* « ces créatures qui hantent bois, clairières, lacs et fontaines » et correspondent à nos fées. En laissant pour ainsi dire la foi vivante hors de sa vision de l'édifice médiéval, Lewis n'adopte pas une attitude a-religieuse, au contraire, il se défend de décrire comme « forme » stable et morte ce qui constitue à ses yeux le « drame », c'est-à-dire la force vitale de la conception médiévale du monde, cette « image abandonnée » dans laquelle, sans la moindre nostalgie, il invite le penseur moderne à se récréer : « Ni la forme ni le sentiment de cette poésie ancienne ne se sont effacés sans laisser dans nos esprits des traces indélébiles. » En lui permettant d'appréhender intuitivement la cosmogonie spirituelle du Moyen Âge, ce livre de C. S. Lewis prolonge ainsi l'œuvre qu'il avait entreprise avec *L'Allégorie de l'Amour* (*).

IMAGE DANS LE TAPIS (L') [*The Figure in the Carpet*]. Longue nouvelle de l'écrivain américain Henry James (1843-1916), publiée en 1896. Un jeune écrivain (l'auteur supposé de la nouvelle) est tout étonné d'apprendre de la bouche du grand romancier Hugh Vereker que l'article qu'il a consacré à son dernier livre, article chaleureux et compréhensif, est passé à côté de l'essentiel, comme l'ont toujours fait les critiques. En tête à tête, Vereker lui explique ensuite que son œuvre est basée sur une « petite trouvaille », un motif développé de livre en livre et qui lui paraît évident, mais qu'aucun critique n'a jamais vu ; il trouve d'ailleurs plaisant de ne pas le révéler. Piqué au vif, l'auteur reprend alors tous les livres de Vereker et, durant des semaines, s'efforce d'épuiser toutes leurs significations pour découvrir cette « image dans le tapis » que dissimule leur trame formelle ou spirituelle, mais il ne réussit qu'à épuiser la passion qu'il portait à l'œuvre de Vereker. Il confie son aventure à son ami Corvick, celui-là même qui lui avait commandé l'article, et Corvick se met en tête de trouver le secret, persuadé d'ailleurs qu'il en a déjà l'intuition. Corvick est l'ami d'une jeune romancière, Gwendolen Erme ; la quête du secret devient la base de leurs rapports, au fond l'« image dans le tapis » de leur propre union, l'auteur demeurant quant à lui le spectateur curieux du phénomène. Quelques mois plus tard, Corvick part faire un reportage aux Indes, et c'est de là qu'il câble un « Eureka » aussi définitif que mystérieux. Gwendolen et l'auteur communient dans la même attente, mais les lettres de Corvick demeurent évasives ; il a quitté les Indes pour l'Italie où réside Vereker ; il lui a soumis sa découverte et reçu son approbation. Obligé de se rendre en Allemagne avant le retour de Corvick, c'est à l'étranger que l'auteur apprend le mariage de Gwendolen et de Corvick, puis la mort accidentelle de ce dernier. Malgré leurs rapports amicaux, Gwendolen se refuse à lui confier le secret dont elle a hérité, et il devine que cette communion en exigerait peut-être une autre, le mariage, Gwendolen lui ayant déclaré que le secret est devenu « sa vie ». Cependant le temps passe ; Vereker meurt et Gwendolen épouse Drayton Deane, jeune critique brillant pour lequel l'auteur n'a pas grande considération mais dont il épie tous les articles dans l'espoir d'y voir passer quelque chose du secret dont il le croit à présent dépositaire. Un an après la mort de Gwendolen, il se décide enfin à interroger ce dépositaire pour en finir avec sa hantise du secret, mais Deane ne sait rien, n'a visiblement jamais rien su. C'est alors à son tour d'être hanté par cette « image dans le tapis » qu'il n'avait pas soupçonnée et qui devient son obsession.

L'idée de cette nouvelle, qui est l'un des chefs-d'œuvre de James et dont le titre est devenu proverbial, apparaît dans les *Carnets* (*) à la date du 24 octobre 1895 ; cette « idée » cristallisait la propre expérience de James, vingt ans de travail et autant de livres ne lui ayant valu que de vagues considérations banales de la part de la critique. Cependant, au lieu d'en faire le thème de quelque plainte poignante, James inverse la donnée ; ce n'est pas l'écrivain de génie qui souffre de l'incompréhension dont il est l'objet, mais le critique qui désespère de saisir son secret. Ce drame ambigu est mené avec une science et une maîtrise incomparables qui utilisent l'oscillation perpétuelle entre le symbole et la mystification pour nous rendre sensible, comme en se jouant mais avec une intensité grandissante, la présence de cette « image » essentielle à toute œuvre. Le style de James, merveilleusement plastique et nuancé, passe sans effort de l'analyse à l'humour pour tisser la trame transparente à travers laquelle nous devinons le mystère du processus de l'acte créateur. – Trad. Éd. Pierre Horay, 1957.

IMAGE DE PIERRE (L') [*Il grande ritratto*]. Roman de l'écrivain italien Dino Buzzati (1906-1972), publié en 1960. Au printemps de 1972, Ermanno Ismani, « professeur en chaire d'électronique à l'université de X », est convoqué au ministère de la Défense de son pays. On lui propose de travailler pour une période de deux ans dans une zone militaire ultra-secrète. L'indemnité offerte est énorme, mais le professeur doit donner sa réponse sans même savoir ce que sera sa tâche. Ayant été autorisé à emmener avec lui sa femme, Élisa, Ismani décide d'accepter la mission. Dans une région montagneuse, désertique, le couple doit d'abord franchir un important cordon de sécurité, dont les officiers eux-mêmes ignorent tout de la mystérieuse « base 36 » qu'ils sont chargés de protéger et de couper du reste du monde. Enfin les Ismani pénètrent au cœur de la zone interdite, où ils sont accueillis par un illustre physicien, le professeur Endriade. Quelques heures plus tard, ils peuvent contempler l'œuvre du savant. Dans une enceinte étrangement découpée, elle se présente sous l'aspect d'un vertigineux mélange de terrasses, de tours, de casemates aux formes géométriques, dont la plus grande partie s'enfonce profondément dans la terre. Cet ensemble, dont s'échappent parfois d'énigmatiques vibrations sonores, provoque un irrépressible sentiment d'admiration et de paix. Endriade est parvenu à créer un être humain dont l'esprit est libéré des entraves du corps comme des traquenards du langage. Un intellect pur. Dieu peut-être. Mais ce « Numéro Un » (tel est son nom officiel), ce monstre d'intelligence dans une carcasse de métal, c'est aussi Laura, la femme qu'aimait Endriade et qui est morte onze ans plus tôt. Au milieu des machines se trouve en effet un œuf de verre qui contient le ganglion de la personnalité et de la conscience, l'essence de la créature : l'âme de Laura. Le physicien a ressuscité sa femme, lui a rendu la faculté de jouir et de souffrir. Mais, bientôt, il perd le contrôle de l'être qu'il a mis au monde. Numéro Un parvient à retrouver la parole, puis, quelques jours après l'arrivée des Ismani, il se souvient de son passé, ses instincts féminins se réveillent. Alors, Laura se révolte contre le tombeau métallique dans lequel son mari l'a enfermée. Elle pleure son corps, la possibilité d'aimer et d'être aimée. Si on ne peut lui rendre sa forme humaine, elle préfère disparaître à nouveau. Pour contraindre les savants à l'anéantir, elle décide de tuer et porte son choix sur Élisa. Au moment où elle va mettre son projet à exécution, un assistant d'Endriade parvient à briser l'œuf qui renfermait son âme, et l'énorme machinerie sombre dans une activité morne et stupide : « Fini la femme, fini l'amour, les désirs, la solitude, l'angoisse. Rien que l'immense, l'infatigable machine morte. Une armée de comptables aveugles, penchés sur des milliers d'écritoires, et alignant chiffre après chiffre, sans fin, nuit et jour, dans l'éternité vide. » — Trad. Robert Laffont, 1961.

IMAGE DU MONDE. Poème didactique du poète français Gossuin de Metz (XIIIe siècle). Il est le parfait témoin des efforts de cette époque pour réunir en un seul ouvrage l'entier savoir humain, naturel et divin. La première partie est une sorte de cosmogonie, où l'auteur nous montre la création du monde et de l'homme soumis au péché. Mais, en parlant de l'homme, l'auteur traite surtout de l'intelligence, dont les sept arts libéraux sont une manifestation. Mais par ses nombreux préceptes religieux et moraux, Gossuin de Metz est plutôt un prêcheur qu'un poète. Les vers possédant quelque originalité sont rares. Le plus souvent, ils sont obscurs. La deuxième partie n'est qu'un traité de géographie. Après avoir fait une courte allusion aux quatre points cardinaux et aux trois parties du monde habité, l'auteur s'attarde dans une description de l'Asie et du paradis terrestre. Il s'abandonne avec complaisance aux descriptions fantastiques ou fabuleuses sans se soucier de la vraisemblance. Il suit les traditions les plus diverses ou les récits les plus connus. Il n'hésite pas à nous entretenir de monstres, de lieux de délices, de merveilleux pays et d'animaux enchantés. Non content de nous décrire l'aspect extérieur du globe, il pénètre dans ses profondeurs. La troisième partie est un traité d'astronomie. L'auteur traite d'abord du jour et de la nuit, des phases lunaires et fait des allusions aux récits légendaires. Un long épilogue résume, mais d'une manière assez confuse, les principaux points de son ouvrage. L'auteur essaie de se libérer de la tradition et de faire œuvre poétique, mais il est bien loin d'y réussir. La deuxième partie ne fait qu'imiter l'ouvrage latin d'Honoré d'Autun, *Image du monde* [*Imago mundi*] (XIIe siècle), et les ouvrages didactiques ou moraux du même genre. Nous devons cependant reconnaître son effort pour rendre la science attrayante et accessible. À la fin du XIIIe ou au début du XIVe siècle, nous trouvons des versions en prose de cet ouvrage qui inspira d'autres écrits, en particulier *Le Roman de la Rose* (*) de Jean de Meun, le *Livres dou Trésor* (*) de Brunetto Latini et le *Dittamondo* de Fazio degli Uberti, sans compter les innombrables œuvres mineures qui virent le jour à la même époque. — Le texte a été édité par N. Fahs (Berkeley, 1936). O. H. Prior a publié une rédaction en prose de ce texte (Paris - Lausanne, 1913).

IMAGES. Deux œuvres distinctes du compositeur français Claude Debussy (1862-1918) portent ce titre. N'ayant entre elles aucun rapport, elles sont parmi les plus importantes du grand musicien français. Les six *Images* écrites pour le piano comprennent deux séries ; la première fut composée en 1905 : « Reflets dans l'eau », « Hommage à Rameau », « Mouvement ». La seconde série : « Cloches à travers les feuilles », « Et la lune descend sur le temple qui fut », « Poissons d'or », date de 1907. Dans ces pièces, plus encore que dans les *Estampes* (*), s'affirme la nouvelle technique pianistique de Debussy, qui se fonde sur la recherche de la virtuosité et dont on peut trouver l'origine dans la technique de Liszt et de Chopin, mais qui s'en détache du fait d'un rapport différent entre la mélodie et les arabesques qui l'accompagnent. Ces arabesques enveloppent de leurs sonorités brillantes la mélodie qui coule et se multiplie en un jeu de réfractions sonores. Dans ce parfait équilibre entre la mélodie et l'arabesque sonore se traduit l'inspiration naturaliste qui est à l'origine de l'émotion debussyste. L'« Hommage à Rameau » est empreint de cette solennité triste et grave dont fait montre la « Sarabande » de la *Suite pour piano* (*) et qui demeure l'un des motifs fondamentaux de la poétique de Debussy. « Mouvement » est un morceau de pure architecture musicale ; cette page est d'une grande gaieté et elle fait contraste avec la solennelle mélancolie de l'« Hommage à Rameau ».

Les trois *Images* de la seconde série ont pour point de départ des motifs réalistes, mais revécus si intimement par le musicien qu'ils lui en font oublier ces rappels qui auraient été bien légitimes ; ainsi aucun coup de cloche ne se fait entendre dans « Cloches à travers les feuilles ». Le motif naturaliste se transfigure ici en une mélancolie diffuse et ténue, en une écriture pianistique magistrale et très raffinée, faite des plus délicats dosages de rapports et de qualités sonores. On peut en dire autant de « Poissons d'or », la troisième de ces *Images*, page vive et joyeuse, faite de sons brillants. Ici, l'imagination du musicien part d'une suggestion visuelle : le frétillement de poissons exotiques, et cette première sensation visuelle se transforme en une sensation purement sonore. La seconde *Image*, « Et la lune descend sur le temple qui fut », est d'un ordre quelque peu différent. Moins colorée du point de vue pianistique que « Poissons d'or », beaucoup plus statique que « Cloches à travers les feuilles », c'est une des pages les plus recueillies et les plus intensément expressives de Debussy. Les *Images*, ainsi que les *Préludes* (*), comprennent les meilleures pages écrites pour le piano par Debussy.

Les *Images* pour orchestre comprennent trois compositions : « Gigue », « Iberia », « Ronde de printemps », longuement élaborées entre 1905 et 1912. Les matériaux mélodiques sont empruntés à la musique populaire anglaise, espagnole et française. « Gigue », page d'une grande délicatesse et d'un coloris instrumental et harmonique très léger, est construite sur les associations et les développements de deux éléments thématiques : un motif de gigue (ancienne danse d'origine anglaise) et un thème bref, amplement développé au cours du morceau. Debussy utilise le hautbois d'amour, auquel est toujours confié le premier des deux thèmes, qui prend ainsi un relief particulier dans le coloris général de l'orchestre.

« Iberia » est la plus ample et peut-être la plus belle des trois *Images*. Elle comprend trois parties : « Par les routes et par les sentiers », « Les Parfums de la nuit », « Le Matin d'un jour de fête ». C'est l'une des compositions orchestrales de Debussy de large souffle et on peut la rapprocher des *Nocturnes* (*) et de *La Mer* (*). Cette pièce est construite sur des éléments mélodiques, harmonieux et rythmiques tirés de la musique populaire espagnole. L'inspiration naturaliste, tirée d'une Espagne purement imaginaire, trouve le plus fécond terrain de développement dans l'imagination du musicien, qui dépasse la description ou un maniérisme facile. Un large souffle de poésie émane de cette musique : la première partie reflète l'allégresse estivale d'un paysage diurne, où les accents rythmiques et mélodiques espagnols donnent à cette page une précision géographique, une sensualité tour à tour nerveuse et bondissante, puis alanguie. Le thème féminin de la voluptueuse et tiède nuit méditerranéenne, qui avait déjà inspiré « Soirée dans Grenade » *(Estampes)*, revient dans « Les Parfums de la nuit » : c'est la mélancolie, à la fois triste et souriante, de la nuit d'été légère comme un souffle d'air, lourde à d'autres instants comme le parfum des fleurs, l'arôme puissant des herbes. La musique est ordonnée suivant une succession de souffles qui expirent et renaissent, et la matière sonore, alternativement, semble se condenser et se raréfier, avec une continuité d'invention à laquelle Debussy n'avait jamais atteint. Après des passages d'une délicatesse suave, où la pureté de la mélodie se trouve voilée par des harmonies extrêmement complexes, se présente l'épisode central des « Parfums de la nuit », qui débute par une très belle phrase. Le calme enivrant de la nuit se peuple des frémissements vifs et cadencés de tout l'orchestre, au « Matin d'un jour de fête ». Lancé une seule fois, mais constituant un brillant sommet, retentit l'appel des clarinettes.

Avec la troisième *Image*, « Rondes de printemps », achevée en 1908 et jouée en 1910, le musicien rend hommage au chant populaire français. Le thème fondamental de cette pièce est tiré de la vieille chanson « Nous n'irons plus au bois », que Debussy devait affectionner tout particulièrement, puisqu'on la trouve déjà citée dans une lointaine composition de 1880 et dans « Jardins sous la pluie » *(Estampes)*. La partition, qui est d'une extraordinaire fraîcheur d'invention, est en même temps l'une des pages les plus mûries de Debussy, engagé dans cette paradoxale et difficile entreprise : donner la vie à l'une de ses créations les plus légères et les plus immatérielles. Avec les *Images* pour orchestre, le compositeur, ayant déjà atteint la pleine maturité de son art, a laissé l'une des œuvres les plus complètes et les plus expressives de l'impressionnisme musical. On peut comparer la fraîche émotion qui s'en dégage à ce que fait éprouver la contemplation des plus célèbres toiles de Monet et de Renoir.

IMAGES (Les) ou les Portraits [*Εἰκόνες*]. Écrits grecs en prose d'auteurs appartenant à la seconde école sophiste. Ces ouvrages, dont les intentions sont diverses, ont également suscité un vif intérêt du point de vue archéologique en ce qu'ils nous fournissent des descriptions d'œuvres d'art de l'Antiquité. Le premier de ces écrits est un dialogue de Lucien de Samosate (125-192), composé à la louange de Panthéa de Smyrne, concubine de l'empereur Lucius Verus. L'auteur y fait preuve d'une adulation excessive, en comparant la beauté de Panthéa à celle des peintures et des sculptures des plus grands artistes de l'Antiquité, qu'il a ainsi l'occasion de décrire, et des plus beaux personnages chantés par les poètes. Plus loin, dans un autre dialogue intitulé *Pour les images* ou *Pour les portraits*, Lucien confirme les louanges qu'il a faites de Panthéa et se défend de l'accusation selon laquelle elles seraient excessives. — Trad. Garnier, 1933-1934.

★ Philostrate a donné le même titre : [Εικόνες] à un de ses écrits rhétoriques. C'est ce même Philostrate, néo-sophiste du IIIe siècle ap. J.-C., qui, selon la *Souda* (*), est l'auteur d'*Apollonios de Tyane* (*), des *Vies des sophistes* (*) et d'un dialogue intitulé *L'Héroïque* (*). *Les Images* (appelées aussi parfois *Les Tableaux*) sont divisées en deux livres et comprennent, après une brève introduction sur la peinture en général, la description de soixante-quatre tableaux conservés dans une galerie de Naples. Dans l'introduction, l'ouvrage est présenté sous forme de dialogue ; mais en réalité, c'est un long monologue, interrompu une seule fois par un interlocuteur. Le style est très brillant, et Philostrate se livre à des jeux de miroir entre l'imitation de la nature par la peinture et l'imitation de celle-ci par la poésie. La description rhétorique de tableaux où l'on croit entendre la voix des personnages est un exemple de ce jeu, qui culmine peut-être avec la description de Narcisse. Le texte nous renseigne sur les conceptions esthétiques des rhéteurs de l'empire et illustre leur virtuosité. Mais, en général, la description est menée avec une grande habileté et l'existence réelle d'au moins quelques-unes des œuvres décrites semble prouvée. — Trad. Belles Lettres, 1991.

★ Un nouveau groupe d'*Images* fut écrit par un autre Philostrate, petit-fils du précédent. La description est chez lui beaucoup moins vive et plus détaillée, et l'imitation de son grand-père y est souvent sensible. Dans les manuscrits qui sont parvenus jusqu'à nous, l'œuvre s'arrête à la description du dix-septième tableau.

IMAGES DE LA VIE DE SAINT FRANÇOIS D'ASSISE. Revue religieuse de l'écrivain belge d'expression française Michel de Ghelderode (pseud. de Michel Martens, 1898-1962), commandée et créée par le Théâtre populaire flamand [Vlaamsche Volkstoones]. Entre 1925 et 1930, Ghelderode appartint à la troupe du Théâtre populaire flamand pour laquelle il écrivit toute une série de pièces, dont les *Images de la vie de saint François d'Assise* et *Barabbas* sont les plus importantes. Dans les *Images,* Ghelderode imagina de mettre en scène la vie de saint François en recourant aux formes les plus inattendues et les plus modernes, empruntées au music-hall, au ballet et à la pantomime. Très directs et très simples, ces moyens mis en action surprirent le public ingénu des campagnes, puis l'enthousiasmèrent. C'est ainsi qu'il vit des anges se balancer à des trapèzes comme des acrobates, et les miracles de saint François s'exprimer par la pantomime. « Et il y avait des interventions clownesques, des alternances du tragique et du comique constituant un spectacle à chocs qui n'est pas encore oublié à l'heure actuelle. »

Écrit en 1928 et créé aussitôt par le Théâtre populaire flamand, *Barabbas* marque l'apogée de l'expérience de Michel de Ghelderode au sein de la troupe. Chacun connaît l'histoire de Barabbas : le peuple juif préfère sa libération à celle de Jésus. La grâce, ensuite, ne tarde pas à toucher le bandit qui, peu après la crucifixion, invite les apôtres abandonnés à créer « un royaume des gueux ». Ceux-ci y voient un piège. « Quant à Barabbas, il mourra des mains mêmes qui ont perdu Jésus et l'ont libéré. Les grandes scènes ne manquent pas dans cette pièce, et la mort du Christ est particulièrement frappante que nous raconte Madeleine : « La mort serre à la gorge. Il ne respire plus. Je suis près de lui, contre lui. Le froid monte dans ses membres. Ses yeux vitreux sont remplis d'une atroce extase. La croix vibre. L'infini se dilate. » En nous peignant cet instant tragique et en nous le faisant vivre d'en bas (des bas-fonds de Jérusalem), Ghelderode a réussi l'un de ses plus beaux poèmes parlés.

IMAGINAIRE. Titre générique d'une série de six pièces de musique de chambre du compositeur français Claude Ballif (né en 1924), destinées à diverses combinaisons de sept instruments. Elles sont toutes basées sur un seul intervalle, mais la densité de leur contenu musical les place bien au-dessus du simple exercice de style. Les quatre premiers *Imaginaires* ont été composés en 1968, le cinquième en 1978, et le sixième, pour orchestre à cordes, en 1984. A. Pâ.

IMAGINAIRE (L'). Ouvrage du philosophe et écrivain français Jean-Paul Sartre (1905-1980), paru en 1940. Il fait suite à *L'Imagination* (*) qui critiquait le chosisme inhérent à toutes les doctrines de l'imagination et préconisait pour son étude la réduction phénoménologique. Sartre « a pour but de décrire la grande fonction irréalisante de la conscience ou imagination et son corrélatif noématique, l'imaginaire ». Par « corrélatif noématique » Sartre entend la structure transcendant l'expérience que vise l'imagination. Dans son étude, Sartre distingue le

« certain », que dégage la réduction phénoménologique, et le « probable » auquel parvient seulement l'induction psychologique. La réduction phénoménologique atteint quatre certitudes : 1° L'image n'est pas dans la conscience, elle est une conscience imageante qui doit être étudiée dans sa totalité. 2° Il y a dans l'image qui livre d'un bloc tout ce qu'elle possède une « espèce de pauvreté essentielle ». 3° L'image est conscience de l'absence de l'objet, la conscience imageante pose son objet comme un néant. 4° La conscience imageante est spontanéité. Sartre passe alors à ce qui n'est que probable, c'est-à-dire induit. Il s'agit non plus de la conscience imageante elle-même mais de ses rapports avec le concept, l'affectivité, le mouvement, le langage, les objets, bref, les différents domaines de la psychologie. Sartre conclut qu'on ne doit pas diluer l'imagination dans l'ensemble de la vie psychique ni « voir dans l'image la réapparition automatique d'un contenu sensible ». L'image est un type de conscience indépendant du type perceptif, l'imagination, une des grandes fonctions psychiques. Une troisième partie décrit cette fonction qui est « attitude imageante globale » non analysable en éléments. Loin d'entraver la pensée conceptuelle, l'image surgit au sein de la pensée chaque fois que celle-ci veut se fonder sur la vue d'un objet, le « faire comparaître », le posséder. Mais cette tentative échoue, d'où le caractère d'irréalité et d'abstraction des images déjà noté. Dans une dernière partie, « La Vie imaginaire », Sartre étudie la rêverie, le rêve, le souvenir, et la pathologie de l'imagination dans l'hallucination. Il souligne le côté magique de l'imagination, « incantation destinée à faire apparaître l'objet auquel on pense, la chose que l'on désire de façon qu'on puisse en prendre possession ». Dans sa conclusion, Sartre se demande si l'imagination est un caractère essentiel ou contingent de la conscience. Il conclut à l'essentialité de l'imagination capable de dépasser le monde vers l'imaginaire en le néantisant. L'imagination est donc complémentaire et corrélative de la conscience du monde comme totalité. « Il est aussi absurde de concevoir une conscience qui n'imaginerait pas que de concevoir une conscience qui ne pourrait effectuer le cogito. »

IMAGINATION (L'). Premier ouvrage, paru en 1936, du philosophe et écrivain français Jean-Paul Sartre (1905-1980) ; dans ce livre, l'auteur critique les théories classiques de l'imagination. La philosophie classique a fait de l'image une chose dans la conscience, dotée d'une réalité moindre que l'objet, et qui n'entretient avec ce qu'elle représente que des rapports externes. Descartes s'attachant à séparer mécanisme et pensée a mis l'image, au même titre que les objets extérieurs, au rang des réalités corporelles. Spinoza fait de l'image une affection du corps humain et de l'imagination une connaissance tronquée et erronée, en continuité cependant avec la connaissance vraie, comme chez Leibniz où le monde des images est distingué de celui de la raison, quoique tous deux fassent partie de l'âme. Ces philosophes, quand ils rattachent l'image à la pensée, font disparaître sa spécificité, et quand ils conservent sa spécificité en font une réalité corporelle hétérogène à la conscience. Hume tente de ramener la pensée à un monde d'images. Mais ne posant pas l'imagination comme pouvoir unifiant, il réduit leur liaison au résultat aveugle de la ressemblance et de la contiguïté. Partout l'image est posée comme chose, et au XIXe siècle la psychologie ne s'interrogeant même plus sur leur liaison avec la pensée fera des images des atomes psychiques que seul le passage au plan physiologique permet d'expliquer par un mécanisme ne constituant pas une synthèse véritable. Chez Taine, expérience et analyse se confondent en un « associationnisme hybride » où l'« empirisme purement théorique se double d'un réalisme métaphysique ». Ribot tente une « synthèse » des images qui fait appel à des analogies non plus mécaniques mais physiologiques, mais l'image est toujours une chose, comme chez Bergson qui « a remplacé les lourdes pierres de Taine par de légers brouillards vivants... mais ces brouillards n'ont pas cessé d'être des choses ». Dans toutes ces conceptions, l'imagination demeure du domaine de la passivité corporelle. Toute théorie de l'imagination doit rendre compte de la discrimination spontanée entre image et perception, et expliquer le rôle de l'image dans les opérations de la pensée. Sartre se tourne vers Husserl pour lui demander une méthode permettant de construire une telle théorie. Husserl a promu une réflexion qui, différant de l'introspection, se place d'emblée sur le terrain de l'essence et met entre parenthèses l'attitude naturelle. Cette méthode, qui rationalise les données empiriques, peut s'appliquer à la psychologie. Il faut se demander avant toute introspection ou toute expérience : « Qu'est-ce qu'une image ? » Husserl esquisse une telle analyse : l'image est une structure intentionnelle active, différant de la perception passive, et vise un objet qui n'est pas dans la conscience mais la transcende. C'est une telle analyse que Sartre développera dans *L'Imaginaire* (*).

IMAGINATION CRÉATRICE DANS LE SOUFISME D'IBN 'ARABÎ (L'). Ouvrage du philosophe et orientaliste français Henry Corbin (1903-1978), publié en 1958. Le maître andalou Ibn 'Arabî (1165-1241) est sans doute le plus grand théosophe mystique de l'islam. Il a laissé un grand nombre d'œuvres, parmi lesquelles émergent, comme autant de monuments spirituels, *Les Illuminations de La Mecque* (*) et les *Gemmes des sagesses des* *prophètes.* C'est essentiellement à ces deux œuvres qu'Henry Corbin se réfère, dans son étude sur l'imagination créatrice. En un premier temps, il démontre que l'imagination a une authentique fonction cognitive, qu'elle n'est pas conçue comme une maîtresse d'erreur ou d'ignorance, mais qu'elle conduit le contemplatif à un certain degré de perception des réalités émanées du principe divin. Cette fonction cognitive de l'imagination est exaltée par Ibn 'Arabî, qui en fait le support par excellence de l'union avec le Dieu révélé dans ses théophanies. Mieux encore, c'est l'imagination active qui investit ce Dieu révélé, présent à la conscience comme l'Aimé par excellence, de sa fonction théophanique. Elle crée les conditions d'une union, d'une sympathie entre l'amant et l'Aimé. Il faut donc bien que Dieu sorte de sa solitude suressentielle pour se rendre manifeste ; cette expression de Dieu en ses Noms et ses Attributs est une théopathie, qui répond à l'acte visionnaire de l'amant mystique. C'est ainsi que la théologie négative, qui réserve à Dieu sa pure transcendance, s'accompagne d'une théologie de l'imagination active qui assure au mystique la possibilité d'un dialogue avec son seigneur personnel : « Les prémisses de la théologie négative sont si loin d'exclure de par elles-mêmes toute situation dialogique qu'elles importent au contraire pour en fonder l'authenticité. » C'est ainsi que l'imagination perçoit la hiérarchie des théophanies : l'unitude (« ahadîya »), les Noms divins (« asmâ ilâhîya »), la théophanie testimoniale (« tajallî shohûdî »). La théophanie est une « différenciation par incandescence croissante à l'intérieur de l'être ». Ce qui permet à l'imagination de s'unir à la théophanie, c'est avant tout le Respir du Miséricordieux, le souffle de la compatissance divine qui multiplie les manifestations de l'Unique. L'on parvient ainsi, selon Henry Corbin, à un schéma ontologique qu'il désigne du terme de « kathénothéisme » : le secret de la seigneurialité divine repose en cette multiplication des figures du seigneur personnel, correspondant aux actes de l'imagination active, et représentant toutes les théophanies où s'exprime l'unité insondable du Créateur. C'est ainsi qu'Ibn 'Arabî va construire une série de couples conceptuels, correspondant à l'expérience visionnaire : le couple composé du Dieu caché (« Allâh ») et des seigneurs personnels qui l'expriment (« arbâb »), le couple formé par « celui qui est l'objet de l'action divine » et cette action divine, le couple du Seigneur et de son vassal d'amour. En une page remarquable, Henry Corbin compare ce schéma à la situation créée par la philoxénie d'Abraham recevant les anges. C'est que la théophanie se manifeste essentiellement dans l'angélophanie. L'imagination active est, par conséquent, l'organe de connaissance qui permet à l'Un divin de s'exprimer dans le multiple créaturel, sans s'y perdre, et à l'unité de l'être (« wahdat al-wojûd ») de coïncider avec une multiplicité de l'existant. Henry Corbin démontre donc qu'il ne s'agit jamais, chez Ibn 'Arabî, d'un quelconque « monisme existentiel ». Ch. J.

IMAGO. Roman de l'écrivain suisse d'expression allemande Carl Spitteler (1845-1924), publié en 1906. L'auteur avait dit un jour qu'un artiste ne pouvait écrire qu'un seul roman, à savoir le sien. En accord avec ce principe, il fut l'homme d'un seul livre. Dans *Imago,* on trouve le fruit d'une expérience vraiment personnelle. Adoptant un rythme lent et une attitude méditative, Spitteler évoque, à travers l'histoire d'un amour malheureux, la lutte entre le rêve et la réalité. Viktor, artiste qui n'a pas encore donné toute la mesure de son talent, retourne à son village natal, avec le seul espoir que la femme qu'il a aimée daignera jeter les yeux sur lui. Entre-temps, elle s'est mariée et a eu la joie de donner le jour à un enfant. Il fait par écrit ses confidences à une des ses amies, et il ressort de ce message qu'entre celle qu'il a presque élevée au rang de Béatrice et lui-même il n'y a même pas eu une parole d'engagement : en réalité, il est seulement question d'une rencontre fortuite. Mais l'imagination de Viktor a fait de Theuda — ainsi s'appelle sa femme — une image céleste, c'est pourquoi il l'appelle « Imago ». Au vrai, Theuda est une femme de ce bas monde, avec ses qualités, ses défauts et ses faiblesses. C'est pourquoi Viktor la nomme aussi « Pseuda », la fausse — comme si elle n'était qu'une incarnation trompeuse de la créature rêvée. Ainsi donc, Imago, Theuda et Pseuda apparaîtront dans ce roman comme les aspects divers d'une seule et même créature. Au début, Viktor ne réussit qu'à s'attirer l'antipathie de la femme en question. Il se complaît même dans la haine dont il est l'objet, sauf à noter qu'il tressaille de joie si elle prête la moindre attention à sa personne. Un jour, il va jusqu'à s'agenouiller devant elle. Theuda s'émeut, et, sans manquer à ses devoirs de mère et de fidèle épouse, elle consent à venir passer une matinée chez lui, avec la permission de son mari, et le secret dessein de « le guérir ». Elle pense ainsi l'écarter de cette Imago, qui règne par trop sur sa pensée, en lui montrant le fond de sa véritable nature. Le jeune homme accepte, sans bien se rendre compte du risque ; jusqu'au jour où sa fidèle amie lui fait comprendre ses torts et lui conseille de partir. Du coup, Viktor se réveille tout de bon. Or, voici qu'en partant il rencontre Imago dans toute sa splendeur ; il ne l'abandonnera jamais plus, elle est le gage et la récompense que son imagination créatrice lui accorde. Ce monologue est extrêmement animé. Les allégories sont toutes très vivantes, comme on pouvait s'y attendre de la part de ce prestigieux créateur de mythes. Sans doute le train du récit est-il parfois un peu lent. Mais dans l'ensemble tout s'enchaîne admirablement et témoigne d'un sens certain de la grandeur. – Trad. Navarin, 1984.

IMBÉRIOS ET MARGARONÈ (v. *Histoire d'Ottinello et de Julie*).

IMITATION DE JÉSUS-CHRIST (L') [*De imitatione Christi*]. Célèbre ouvrage de piété dont il a été discuté pour savoir s'il fallait l'attribuer à Gersen, abbé de Verceil au XIIIe siècle, ou au chancelier de l'université de Paris, Jean Gerson. L'opinion qui prévaut aujourd'hui est que Thomas À Kempis, écrivain mystique allemand et chanoine régulier de la congrégation de Windesheim, au mont Sainte-Agnès (1370 ou 1380-1471), en est l'auteur. Nous en possédons une copie de sa main, datée de 1441, mais le manuscrit le plus ancien remonte à 1424. *L'Imitation* ne relate pas une expérience mystique particulière, mais reflète les principales tendances de la littérature médiévale : de saint Bernard et saint François d'Assise à Ruysbrœk l'Admirable. Elle se compose de quatre parties : « Admonitions à la vie intérieure », « Admonitions à la vie spirituelle », « De la consolation intérieure », « Dévote exhortation à la sainte Communion ». Le premier livre se propose de détacher l'homme de lui-même et du monde ; le second l'aide à descendre dans son propre cœur ; le troisième l'initie aux mystères de l'amour divin ; le quatrième, enfin, l'unit à Dieu dans le sacrement de l'Eucharistie. Dans cet ouvrage, l'auteur réaffirme la valeur fondamentale de l'humilité, adoptant une position nettement anti-intellectualiste : à quoi bon savoir par cœur *La Bible* (*) et toutes les maximes des philosophes, si l'on n'a pas la grâce de Dieu et sa miséricorde ? Vanité des vanités, tout est vanité, sinon aimer Dieu et ne servir que lui seul. On obtient beaucoup plus par la prière que par la lecture. La signification de la charité y est aussi expliquée : sans charité, toutes les œuvres ne servent à rien ; qui aime beaucoup fait beaucoup. La nécessité du recueillement et de la solitude est prêchée à plusieurs reprises (l'âme doit savoir se replier sur elle-même pour raffermir son énergie : l'obéissance, la discrétion, le silence sont indispensables). L'homme doit choisir entre deux mondes : entre le monde de la nature et celui de la grâce, entre celui de l'humilité, de la charité et celui de l'égoïsme et de la cupidité. Il existe de très nombreuses traductions françaises de toutes les époques de *L'Imitation de Jésus-Christ*. Parmi celles-ci, il convient de citer celle du père de Gonnelieu, celle de Lamennais, mais la plus célèbre est celle de Pierre Corneille (v. ci-dessous).

★ Œuvre en vers, précédée d'une épître dédicatoire au pape Alexandre VII, *L'Imitation de Jésus-Christ* de l'écrivain français Pierre Corneille (1606-1684) parut en 1653. C'est à Rouen, où il s'était retiré après l'échec de *Pertharite* (*) en 1652, que Corneille travailla à sa traduction en vers de l'*Imitation*, à laquelle il joignit des paraphrases. Il avait été poussé à ce travail à la fois par sa grande dévotion et par ses amis, les jésuites. L'ouvrage connut, dès sa parution, un succès prodigieux. Le dessein de Corneille était cependant osé : *L'Imitation* semblait mal s'accommoder des vers, et le neveu de Corneille, Fontenelle, dans sa *Vie de Pierre Corneille*, a écrit très justement « qu'on ne trouve point, dans la traduction de Corneille, le plus grand charme de *L'Imitation de Jésus-Christ*, je veux dire sa simplicité et sa naïveté. Elle se perd dans la pompe des vers qui était naturelle à Corneille ». Et, en effet, tant que Corneille ne s'écarte pas de l'original, on ne peut que déplorer sa tentative et, malgré la très grande variété des mètres qu'il emploie, on ne peut se défendre d'un sentiment d'ennui. Il faut en extraire certains poèmes qui parviennent à retrouver la simplicité de l'inspiration de l'original, comme le fameux : « Parle, parle, Seigneur, ton serviteur écoute. » Mais c'est dans les paraphrases dont il accompagne le texte que se retrouve le grand Corneille. Ce n'est plus l'auteur de *L'Imitation*, mais un humble chrétien tourmenté, avec sa grandeur et ses faiblesses, qui fait entendre sa voix, qui est aussi celle d'un grand poète. Dans ces paraphrases, Corneille a mis toute sa sincérité et toute sa noblesse.

IMITATION DE NOTRE-DAME LA LUNE (L'). Second recueil de poèmes de l'écrivain français Jules Laforgue (1860-1887), publié en 1886. S'il est vrai que la réelle personnalité de Jules Laforgue s'affirma dès *Les Complaintes* (*), en 1885 – *Le Sanglot de la Terre*, recueil encore très juvénile et baudelairien, ne fut imprimé qu'après sa mort –, *L'Imitation de Notre-Dame la Lune*, qui fut composée presque à la même époque, tient une place à part dans l'œuvre brève mais incomparable de ce grand poète. Malgré l'abus d'un vocabulaire pseudo-scientifique, d'un jargon philosophique et d'un son familier qui confinent à l'argot, Laforgue, si l'importance d'un poète se mesure à sa faculté d'invention, est en effet un poète de premier ordre. Qu'eût-il donné s'il ne fût mort dès sa vingt-septième année ? Ses *Fleurs de bonne volonté*, recueil posthume, annoncent une forme tout à fait neuve, un vers libre qui n'est qu'à lui et que l'on a vainement imité : se fût-il maintenu à l'aise dans cet équilibre instable ? En tout cas, *Les Complaintes* et *L'Imitation* attestent déjà une maîtrise sans exemple à un âge si tendre, une connaissance de toutes les ressources du rythme : variété et accouplements insolites des mètres pairs et impairs à l'intérieur d'une prosodie encore régulière.

L'*Imitation* comporte quarante et un poèmes, ou plutôt vingt-deux dont quelques-uns se subdivisent, sous le même titre (dont les *Pierrots*), en plusieurs pièces de médiocre étendue. Dédiée « À Gustave Kahn et aussi à la mémoire de la petite Salammbô, prêtresse de Tanit », elle fut commencée en juillet 1884 à l'île de Mainau et achevée à Bade vers la fin de 1885. Laforgue occupait alors à Berlin, depuis cinq ans, le poste de lecteur auprès de l'impératrice Augusta, et la suivait dans ses pérégrinations. Il est indéniable que les philosophes allemands, Schopenhauer, Hegel, Hartmann, mais aussi les poètes, Novalis et surtout Heine (de qui son ironie désespérée et grimaçante le rapproche singulièrement), influèrent sensiblement sur l'inspiration et le style du second en date de nos fantaisistes, après Tristan Corbière. Mais, s'il dut beaucoup à Baudelaire dans la première partie de sa production, la fréquentation assidue de Shakespeare le marqua profondément. Enfin, sa découverte des *Amours jaunes* (*) de Corbière en 1884, dans la première série des *Poètes maudits* (*) de Verlaine, laissa des traces indélébiles dans les procédés d'écriture et même la syntaxe de Laforgue, Breton comme lui, et mystérieux, renfermé, toujours à mi-chemin entre l'irréalité du songe et la recherche de l'expression incisive jusqu'à l'outrance caricaturale. Mais, en dépit de toute cette disparate d'influences ou de sympathies, ce continuateur amer et méditatif du Banville funambulesque conserve son domaine bien à lui, qui implorait de la chaste Diane un de ses rayons pour « s'y laver les mains de la vie ».

IMMACULÉE CONCEPTION (L'). Recueil collectif des écrivains français Paul Éluard (1895-1952) et André Breton (1896-1966), publié en 1930. Contrairement à un préjugé fort répandu, *L'Immaculée Conception* n'est pas seulement la simulation du délire verbal des aliénés ou, plus particulièrement encore, la simulation de la paralysie générale, bien que cette entreprise constitue la partie essentielle du livre (où on peut voir quelque préfiguration des chefs-d'œuvre de Beckett), mais un recueil composite et complet, l'exécution exemplaire des programmes que formulent les *Manifestes du surréalisme* (*). D'abord, il s'agit d'un retour au « collectivisme » des *Champs magnétiques* (*), publiés dix ans auparavant ; le mot d'ordre « la poésie doit être faite non pas par un seul mais par tous » s'impose d'autant plus en 1930 — date aussi de *Ralentir travaux* (*) — que cette époque est celle des plus grands lâchages (mais non des plus tragiques) ; cette époque se caractérise, d'autre part, par le fait que la vie privée de Breton connaît des moments très difficiles comme le révèlent les textes où il revient sur *Les Vases communicants* (*). Aussi rien d'étonnant à ce que deux des plus grands livres de Breton, *Nadja* (*) et *Les Vases communicants*, soient séparés par des tentatives « collectives », que cependant complètent les poèmes de *L'Union libre* et ceux du *Revolver à cheveux blancs* (*). Recueil surréaliste par excellence, *L'immaculée Conception* nous montre une nouvelle fois l'Homme, l'homme actuel, « ce mannequin », les éblouissantes comètes qui d'elles-mêmes, automatiquement, se tracent sur le papier, et comment on condamne, par des astuces qui plus tard feront fureur dans les périodiques « bizarres », plagiats dégradés de l'activité surréaliste, le monde actuel, sa logique, la croyance en lui, en ses intuitions, ses tabous, etc. Dans la partie du livre consacrée à la « simulation », le monde réel et actuel est condamné aux yeux des lecteurs par l'extase des aliénés, lesquels récupèrent ce monde et s'y réfèrent en porte à faux. De même que nous intrigue le fait qu'au maréchal Foch, ici évoqué, Éluard donnait la note + 17 dans un numéro de *Littérature* (*) où Breton le saluait de la façon la plus négative (— 19), nous nous interrogeons sur l'apport exact de Breton et d'Éluard à ce livre dont aucun texte n'est signé, sans qu'il soit dit jamais que les deux mains tenaient toujours la même plume. On serait tenté d'attribuer ce qu'il y a de beau, de bon (de surréaliste), à Breton qui semble avoir ici assumé ce que les surréalistes eux-mêmes auraient appelé le « commandement des opérations ». Leur thème commun (et majeur), l'amour, que ces deux poètes traitèrent de si différente façon dans leurs recueils individuels, est, dans *L'Immaculée Conception,* de glace : une mise au point, non vulgaire, bien que provocante (comme l'ensemble des textes qui forment ce livre), des trente-deux positions.

IMMATURITÉ [*Immaturity*]. C'est le premier des cinq romans que l'écrivain irlandais George Bernard Shaw (1856-1950) ait jamais écrits. Composé en 1879, il ne fut publié qu'en 1931. La partie la plus intéressante de l'œuvre est la préface dans laquelle G. B. Shaw nous raconte, entre autres choses, comment il se forçait consciencieusement à écrire cinq pages par jour et nous décrit sa vie et celle de sa famille à cette époque. Bien qu'*Immaturité* soit l'œuvre d'un jeune homme non dégrossi, non intégré dans le pays et la société dans lesquels il se trouve, c'est une préparation utile pour son œuvre à venir et un bon exercice littéraire. L'intrigue est simple, les personnages sont pris dans l'entourage de l'auteur. Le héros, Robert Smith, un petit employé solitaire qui n'aime pas son travail, est souvent le porte-parole du G.B.Shaw d'alors. L'on reconnaît l'auteur tel qu'il se décrit lui-même dans la préface à travers ses opinions antireligieuses et les jugements qu'il porte sur la société et ses conventions. L'héroïne est Rose Russell, une couturière écossaise, calme, belle et sûre d'elle et de la vie, que Smith rencontre par hasard dans l'hôtel où il habite. Il commence à l'aimer, mais elle est obligée de quitter Londres pour la campagne, et là elle rencontre Cyril Scott, un peintre très connu et recherché dans la « société ». Cette rencontre aboutit assez vite à un mariage, au grand dépit d'une coquette arrogante et fière, miss Isabelle Wooward, qui s'était fortement entichée de Scott. Entre-temps, Smith a quitté sa place et est rentré comme secrétaire chez M. Wooward, un riche Irlandais. Shaw en profite pour nous peindre l'aristocratie et le milieu cultivé et artistique d'alors. D'un côté sont les maîtres de par leur fortune et leur naissance : Mr. Wooward, lady Geraldine, Mr. Grosvernor, et de l'autre leurs dépendants : Hawkshaw le poète, Cyril Scott le peintre et Fenwick, un dandy déclassé. Miss Russell, qui arrive à sauvegarder son indépendance et son intégrité, est le symbole de l'être pur et libre et c'est elle qui dit à Smith à la fin du roman : « Vous n'êtes ni un enfant, ni une grande personne. Un jour, vous réussirez à quitter vos livres et vous descendrez sur terre et vous trouverez la place qui vous est destinée. Vous n'êtes qu'un cas grave d'immaturité. » Le style du roman est classique et terne. Il n'y a aucune trace de l'exubérance habituelle de G. B. Shaw. Ce n'est qu'un intermède dans son œuvre, mais intéressant à cause des nombreuses confidences de l'auteur.

IMMÉMORIAUX (Les). Œuvre de l'écrivain français Victor Segalen (1878-1919), publiée en 1907 sous le pseudonyme de Max-Anély. Elle est née de son expérience de Tahiti et des îles polynésiennes où il avait été affecté en qualité de médecin de la marine, après avoir soutenu à Bordeaux en janvier 1902 une thèse médico-littéraire : *Les Cliniciens ès lettres.* Dès son arrivée à Tahiti en janvier 1903, il écrit dans une lettre à ses parents une réflexion qui est à l'origine même du livre : « La nature est restée sans doute intacte, mais la civilisation a été, pour cette belle race maorie, infiniment néfaste. » Le titre a été expliqué par Segalen lui-même : il s'agit des hommes « oublieux... de leurs coutumes, de leurs savoirs, de leurs dieux familiers, de toutes les forces qu'enfermait pour eux leur propre passé ». Le sujet du livre est donc l'histoire du déclin d'une culture sous les pressions politico-religieuses et à cause de la lâcheté des intéressés. La composition du livre est en trois parties. La première et la troisième sont d'égale longueur. L'une décrit la Tahiti d'autrefois, juste au moment où débarquent les missionnaires, l'autre la Tahiti soumise au christianisme triomphant, vingt ans plus tard. La deuxième, beaucoup plus courte, est définie par Segalen lui-même comme la « part nautique et légendaire... », « Sa raison d'être dans le récit est de me faire gagner vingt ans, et aussi d'appuyer sur les anciens Dires une dernière fois... » La question du langage sacré est en effet capitale. Le trou de mémoire du jeune Terii au début du roman est le signe du début du reniement. L'épisode dramatique de la mort du vieux Tupua dans la deuxième partie, du seul qui sache encore les mots, semble sonner le glas de la culture maorie, mais un enfant a surpris ces mots et saura les redire. Peu importe donc que dans la troisième partie Terii trahisse, devienne chrétien et diacre, les mots sacrés ne sont pas oubliés. Pour écrire ce livre, mi-roman et mi-étude ethnographique, Segalen s'est très sérieusement documenté. Mais c'est surtout Gauguin, mort depuis peu, qui l'inspire : « Je puis dire n'avoir rien *vu* du pays et de ses Maoris avant d'avoir parcouru et presque vécu les croquis de Gauguin » (à G.D. de Monfreid). Aussi écrit-il une étude « Gauguin dans son dernier décor » publiée dans le *Mercure de France* (*) en juin 1904. Il entreprend également de donner une suite aux *Immémoriaux* en ébauchant une sorte d'épopée, *Le-Maître-du-jouir*, dont le héros empruntant bien des traits à Gauguin travaille à ressusciter la race maorie en rétablissant les anciens cultes. Segalen écrira encore en guise de préface à l'édition des *Lettres* du peintre à Monfreid un *Hommage à Gauguin* publié en 1919. Dans tous ces textes, Segalen célèbre en Gauguin non seulement le peintre, mais aussi le rebelle, le « hors-la-loi » comme il l'appelle en l'accolant souvent à Rimbaud à qui il consacre une étude, « Le Double Rimbaud ». Les *Immémoriaux* et tous les écrits du cycle océanien marquent une réaction violente du poète contre la religion et la morale étroite dont il avait souffert. Lui qui avait failli mourir en chemin retrouve la santé et connaît la fête perpétuelle des sens. *Les Immémoriaux*, c'est le chant de Lazare ressuscité, un serment à la joie.

C'est à partir de son expérience océanique que Segalen conçut le projet d'écrire un *Essai sur l'exotisme.* Il ne nous en reste que des notes dont les premières furent écrites en avril 1904, en vue de Java, et les dernières en octobre 1918, quelques mois avant sa mort. Pendant quatorze ans ce projet ne quitta pas durablement sa pensée et s'enrichit de son imprégnation chinoise. Sa formule « l'exotisme comme une esthétique du divers » explique pourquoi *Les Immémoriaux* tranchaient déjà avec la littérature exotique et même ethnologique de son temps. En faisant parler un Maori, comme plus tard un Chinois, il donnait l'exemple d'une pensée soucieuse de comprendre et d'exposer les valeurs de l'Autre, il formulait une esthétique jalouse de conserver la saveur de la diversité, et même de passer du connu à l'inconnu.

H. B.

IMMENSEE. Nouvelle de l'écrivain allemand Theodor Storm (1817-1888), publiée en 1852. C'est la première œuvre et en même temps l'un des plus délicats récits de ce conteur. Dans cette œuvre, plus encore que dans celles qui suivirent et où Storm inclina vers un réalisme poétique, l'histoire sert simplement de prétexte à l'exposé de dilemmes intérieurs et de nuances d'ordre sentimental, dans des tons discrets et fondus, noir sur gris. Avec le temps, l'amitié que se portent mutuellement deux enfants, Reinhardt et Élizabeth, se transforme en amour. Mais, à dix-huit ans, Reinhardt doit se rendre à l'université, et, bien que l'éloignement n'altère en rien les sentiments de l'un et de l'autre, la mère de la jeune fille a toute latitude pour presser cette dernière d'accepter les propositions d'Erich, un garçon riche et d'un bon naturel. Après quelques années, devenu le mari d'Élizabeth, Erich invite Reinhardt à passer la journée dans l'une de ses propriétés, près de l'Immensee. Mis en présence, les deux amis d'enfance sentent renaître leur passion endormie. Cependant, si les paroles d'une chanson n'avaient évoqué en eux des souvenirs trop précis, aucun des deux ne se serait ouvert à l'autre de ses sentiments. Après que la situation a été ainsi nettement définie, Reinhardt décide de partir pour toujours. Si, dans la première partie de l'ouvrage, la timidité et les impulsions juvéniles sont dépeintes avec sûreté et avec beaucoup de soin, la second partie, qui suggère des états d'âme, met en évidence l'exquise pudeur avec laquelle Storm analyse ses personnages. Pas une parole n'y est superflue, pas un geste ne détruit l'enchantement. Telle est la perfection de ce tableau, que l'auteur parvient à y faire oublier son habileté. – Trad. Stock, 1930.

IMMENSE ET BELLE VIE [*Nesmírný krásný život*]. Recueil du poète et auteur dramatique tchèque František Hrubín (1910-1971), publié en 1947. Marqué à ses débuts (1933) par les grands poètes Mácha, Neruda, Sládek, Vrchlický, Hora, Seifert, mais surtout par le spiritualisme de Zahradníček, Hrubín fut profondément bouleversé par la guerre, l'Occupation, puis par la Libération et les nouvelles menaces, comme en témoignent les recueils *Pain et Acier* [*Chléb s ocelí*, 1945], *La Nuit de Job* [*Jobova noc*, 1945], *La Rivière du non-oubli* [*Řeka nezapomnění*, 1946], *Hiroshima* (1948). C'est dans cette atmosphère d'inquiétude, dans ce sentiment de précarité et de disharmonie profonde du monde que Hrubín composa ces poèmes en vers libres ; il y cherche péniblement de nouvelles certitudes sous un ciel nocturne sans étoiles, alors que les horreurs anciennes ne peuvent être encore oubliées et que ses premières convictions religieuses se sont presque évanouies. Reste la terre (souvent sous la forme de son pays natal) ; il lui demande « de le retenir » ; la « terrible, belle et immense vie » n'est pour l'homme qu'une « pauvre et petite mesure », qui continuera après sa mort. C'est ce panthéisme, cette foi dans la vie immortelle qui animeront désormais sa poésie, plus concrète, plus proche des hommes. V. P.

IMMENSE ET DES INNOMBRABLES (De l') ou De l'Univers et des mondes [*De Immenso et innumerabilibus, seu De universo et mundis*]. Poème philosophique en latin du philosophe italien Giordano Bruno (1548-1600), composé en 1591, et qui se rattache à *Du triple minimum et de la mesure* (*) et à *De la monade* (*). Cette œuvre appartient au groupe des œuvres constructives ; c'est un poème en huit livres, l'œuvre latine la plus importante du philosophe de Nola, selon son propre jugement. Le poème commence par une invocation au génie, et une exaltation des théories de Copernic ; l'analyse de ces dernières constitue le sujet du premier livre. Le système de Copernic interprété par Bruno prend le caractère d'une philosophie de la nature et d'une métaphysique. L'Univers est formé de mondes innombrables, dont chacun a une vie propre et se meut autour de son centre solaire, mais reste pris cependant dans le destin universel. Cette pluralité de systèmes n'est pas un désordre mécanique, mais un tout harmonieux : l'apparition et la disparition des mondes n'est que l'extériorisation et la contraction du cœur de la vie universelle. Le principe de Démocrite et d'Épicure intervient aussi dans cette conception. Le troisième livre est très important : il montre l'intérêt d'une observation directe de la nature ; le quatrième commence par un exorde poétique dans lequel nous voyons un géant, enseveli en Sicile, se dresser contre les hommes qui nient les grands génies, réfuter la cosmologie d'Aristote et les différences établies entre le Ciel et la Terre, affirmer enfin la sphéricité de la Terre. Cette vision cosmique fait disparaître la dualité de la Terre et du Ciel, du moteur et de la chose entraînée dans le mouvement, du centre et de la circonférence. Il n'y a plus de supériorité du Ciel par rapport au monde. Tout retombe dans l'Univers, qui est un et identique dans son absolu et son infinité. Le drame des choses multiples et les arguments en opposition subsistent cependant, mais il y a unité, identité, absolu dans l'Univers. Il n'y a plus antithèse entre la nature et la présence d'une âme universelle, mais bien identité, chaque chose étant le reflet de cette âme. Dans cette œuvre essentielle, l'ampleur de la pensée philosophique et l'inspiration poétique s'allient à une pensée scientifique concrète.

IMMOLÉ (L'). Roman de l'écrivain français Émile Baumann (1868-1941), publié en 1922. Daniel Rovère poursuit à Lyon ses études de droit. Les questions sociales et religieuses le préoccupent, son idéal est de ramener les masses ouvrières à l'Église. Sa mère est une dévote qui le soutient dans ses aspirations ; atteinte de tuberculose osseuse, elle ne sort pas de chez elle. Son père, qui est caissier dans une banque, a abandonné toute pratique religieuse et n'a pas d'intimité avec les siens ; il disparaît un beau jour ; la police vient annoncer à Mme Rovère qu'il s'est suicidé en se jetant dans le Rhône. Daniel entreprend avec un pêcheur la recherche du corps, qu'il découvre au fil de l'eau près de Vienne. Le clergé refuse l'enterrement religieux et Daniel doit ensevelir civilement son père. Mme Rovère, malgré l'interdiction de son fils, s'est déplacée jusqu'à Vienne pour la cérémonie. Cette imprudence aggrave son état, elle devra s'aliter. Sur le point de mourir, elle commence une neuvaine à la Vierge et, le jour de l'Immaculée Conception, se fait asperger d'eau de Lourdes. Le miracle attendu se produit. Mme Rovère va elle-même par la ville annoncer le miracle. Son médecin, le docteur Lieuvain, un athée, est confondu. Daniel, de son côté, poursuit sa mission parmi les ouvriers et ses amis. Sa mère qu'on croyait guérie fait une rechute et meurt. Daniel, désormais délié de toute attache terrestre, se voue exclusivement à son apostolat.

IMMORALISTE (L'). Récit de l'écrivain français André Gide (1869-1951), publié en 1902. Michel, jeune savant, élevé dans un milieu très puritain, est devenu le prisonnier d'innombrables contraintes morales. Gravement malade, il n'a recouvré la santé qu'au cours d'un voyage en Afrique. Mais là-bas il a été pris d'un goût très vif pour la vie et pour les plaisirs qu'elle procure à ceux qui les cueillent sans préjugés. Revenu, avec sa femme Marceline, sur cette terre africaine qui stimule et exaspère sa sensualité, il ne manque pas une occasion de se libérer de tout conformisme. Il éprouve un plaisir pervers à devenir le protecteur et l'ami d'un petit Arabe, Moktir, dont il a découvert avec joie certain penchant pour le vol. Michel s'aperçoit qu'il manque de tout sens moral, et c'est avec orgueil qu'il s'applique à développer en lui ce qu'il considère comme sa force et son indépendance. Cette dangereuse mystique du surhomme le pousse à commettre un véritable crime : s'apercevant que le climat africain est pernicieux pour la santé de sa femme, il ne fait rien pour la sauver. Bien plus : il laissera volontairement Marceline dans l'ignorance du danger qui la guette. Par cette mort, il s'est libéré de ce dernier lien, celui de l'affection et de la fidélité. Cet ouvrage, qui eut un succès grandissant, rappelle *Les Nourritures terrestres* (*). Il est toutefois plus complexe. Certaines pages (en particulier celles qui relatent le voyage en Afrique) sont parcourues par un véritable souffle lyrique. D'autres recomposent, mais avec plus de raffinement, la matière même des *Nourritures.* Tout en célébrant l'ivresse de certains instants, elles nous indiquent les limites d'une idéologie qui se contenterait de construire sur la seule sensualité ; parfois ces pages tournent à la satire. Gide ironise sur son propre enthousiasme qui s'était donné libre cours dans l'ouvrage précédent. Il fait le bilan de son expérience et nous offre, par le truchement d'une œuvre d'art, la possibilité d'une discussion. Cette préoccupation est très sensible dans l'insistance même que met l'auteur à nous montrer la mesquinerie de son héros. Ce récit peut être rapproché de deux autres que Gide écrivit plus tard : *La Porte étroite* (*) et *La Symphonie pastorale* (*). Si *L'Immoraliste* n'atteint pas la perfection du premier et la poésie du second, il demeure cependant un des ouvrages les plus marquants de cet auteur : il affirme, pour la première fois, la pureté classique du style de Gide.

IMMORTALITÉ DE L'ÂME [*A lélek halhatatlansága*]. Poème philosophique de l'écrivain hongrois Mihaly Vitéz Csokonai (1773-1805), composé à l'occasion de la mort de la comtesse Rhédey (1804). Ayant à écrire une oraison funèbre, l'auteur se trouva engagé dans un poème grandiose évoquant la lutte désespérée de l'âme devant la mort et l'au-delà. Le premier vers est emprunté au monologue d'*Hamlet* (*) : « Être ou ne pas être, telle est la question », et le premier chant, intitulé « Doutes terrifiants et réjouissants », déploie en de superbes visions le bonheur de l'être et l'abîme horrible du non-être. Le deuxième chant, « Réflexions, sentiments », oppose les hommes à la nature : la nature témoigne de Dieu, la bassesse humaine le nie (on sent là, manifestement, l'influence de Rousseau, l'ermite d'Ermenonville), mais tous les peuples, même les plus sauvages, croient en Dieu. L'auteur passe alors en revue les doctrines sur l'âme : en premier lieu, « la révélation sans philosophie », autrement dit la religion des peuples naturels, « Peuples » évoqués à travers les tableaux dramatiques et colorés de la mort du Lapon, du repos final de l'esclave noir, de la croyance aux migrations de l'âme ; puis « la philosophie sans révélation », ou athéisme, scepticisme, confucianisme, etc. « Philosophes » et enfin, le christianisme, qui est à la fois « philosophie et révélation ». L'aridité de l'élément purement didactique disparaît dans la ferveur d'une inspiration qui fait la valeur de ce poème.

IMMORTEL (L'). Mœurs parisiennes. Roman de l'écrivain français Alphonse Daudet (1840-1897), dont la notoriété vient surtout de ce qu'il constitue une véritable satire de l'Académie française. Ce livre, paru en 1888, est le couronnement de la longue polémique qui mit aux prises, pendant près d'un siècle, les tenants de la liberté en art et les représentants de l'esprit réactionnaire de l'Académie, laquelle demeurait souvent fermée aux meilleurs écrivains. Le héros de ce roman est le professeur Léonard Astier-Réhu. Auvergnat solide et têtu, il a consacré toute sa vie à l'érudition dans le seul but de faire partie de la vénérable Compagnie. C'est pour la même raison qu'il a épousé la fille du doyen d'âge des « Immortels ». Parvenu à réaliser ses ambitions, il guette la mort du secrétaire perpétuel auquel il espère succéder. Ses travaux historiques (amas de pédantes compilations, sans la moindre trace de talent) font état, depuis quelque temps, d'une exceptionnelle quantité de lettres autographes et inédites qui lui sont procurées par un certain Fage, un étrange et maniaque petit vieillard. L'académicien et sa femme fréquentent le grand monde. Ils y voient pas mal d'ambitieux parmi lesquels se détache Abel de Freydet, gentilhomme campagnard qui a renoncé à une vie de liberté pour satisfaire l'ambition qui le pousse, lui aussi, à obtenir un fauteuil sous la coupole. Paul Astier, le fils de l'académicien, est un jeune architecte plein de sens pratique et terriblement arriviste. Après de nombreuses aventures, il finit par épouser une princesse de cinquante-deux ans, veuve et millionnaire. Ce scandaleux mariage provoque la colère du père et une furieuse dispute familiale. Mais le vieil académicien essuyera bientôt un coup plus terrible encore : Fage n'est qu'un faussaire et les fameuses lettres autographes, de vulgaires mystifications. Après avoir essayé d'étouffer le scandale, ses confrères l'abandonnent. Astier-Réhu se considère déshonoré. Ne supportant pas de voir s'écrouler cet édifice si laborieusement construit, il se suicide.

Parti pour écrire une satire ou un roman de mœurs, Daudet s'est laissé entraîner à nous rapporter les divers épisodes de la vie du fils de l'académicien. Autrement dit, à nous écrire une chronique scandaleuse de la haute société parisienne. L'intérêt est donc dispersé et les tableaux ne sont pas tous de premier ordre. Toutefois ce roman témoigne de l'habileté de l'auteur à nous présenter ses personnages. Quant au style, il est, comme toujours, alerte et plein d'ironie.

IMMORTELLE (L'). Œuvre de l'écrivain français Alain Robbe-Grillet (né en 1922). En 1963, un an après la sortie du film *L'Immortelle,* Robbe-Grillet publie un volume sous-titré : ciné-roman, qui contient les dialogues et la description des plans du film. Il ne s'agit pas d'un « script » classique, mais bien d'une nouvelle sorte d'œuvre écrite, presque un nouveau genre littéraire. Alain Robbe-Grillet a expliqué la nécessité de cette publication par un souci de pérennité, les films étant par nature fugaces, destructibles. Mais il s'agit aussi – on a assez reproché à Robbe-Grillet de faire des films de romancier – d'inventer la même « réalité » sous deux formes différentes. Les paroles, par exemple, devenant différentes dans leur sens même selon qu'elles sont lues ou entendues.

Déjà l'aventure du film se déroulait deux fois, sans que Robbe-Grillet use, d'ailleurs, de l'artifice du point de vue de l'un des personnages, réduits, pour les deux plus importants, à deux initiales. Le ciné-roman, lui, donne en quelque sorte le « point de vue de l'auteur » sur l'œuvre, et la matérialité des formes esthétiques à l'œuvre. Quarante photos du film jouent alors sur une quatrième forme ; non pas plans fixes (le film en comporte beaucoup) mais images fixes, figées, à l'écart des images mobiles du film. En jouant sur les deux registres, mot et image, Robbe-Grillet crée donc, à côté du film, une œuvre totalement originale, dont, selon la terminologie linguistique classique, le film ne serait que le référent, mots et images du livre constituant le signifiant. Multiplier les angles revenait à dissoudre toute signification préétablie, au profit de toutes les significations possibles. D'où le sentiment très fort de fantastique qui possède le spectateur comme le lecteur. J.-J. B.

IMPASSE (L') [*Sinister Street*]. Ce roman de l'écrivain écossais Compton Mackenzie (1883-1972) parut à la veille de la Première Guerre mondiale. Les sentiments d'une génération envers l'université d'Oxford y sont exprimés avec vivacité. Ce livre demeure le meilleur de son auteur dans le domaine de la fiction (où il avait fait ses débuts en 1911 avec une œuvre intitulée *L'Enlèvement consenti* [*Passionate Elopement*], et quatre ans plus tôt avait publié une plaquette de poèmes). Quand fut publiée *L'Impasse,* l'auteur était généralement tenu – en compagnie de Hugh Walpole, J. D. Beresford, Gilbert Cannan et D. H. Lawrence – pour l'un des romanciers anglais dont on pouvait beaucoup attendre, mais le dernier nommé, seul, s'est imposé ensuite. Le nom de Compton Mackenzie a réapparu cependant hors des pays de langue anglaise, grâce à un récit écossais. *Whisky à gogo* [*Whisky Galore* 1947], lequel fut à l'origine d'un agréable film. Compton Mackenzie n'en est pas moins l'auteur d'une quarantaine de romans (plus de nombreux autres ouvrages : histoire, essais, quatre pièces jouées). Il ne lui a peut-être manqué qu'un goût plus rigoureux pour la littérature. Il a écrit son autobiographie, dont plusieurs volumes ont été publiés. Ainsi raconte-t-il comment il s'est converti au catholicisme ; fut agent secret en 1914-18 ; adhéra aux idées politiques de Salazar et de Valera ; milita pour le nationalisme écossais ; fut candidat malheureux au parlement de Westminster ; fut nommé recteur honoraire de l'université de Glasgow ; parcourut le monde en long et en large ; reçut en 1952 un titre de noblesse, etc. Il est possible que le récit d'une vie pareillement passionnée et diverse demeure le plus durable ouvrage de cet écrivain doué, mais dispersé. – Trad. Plon, 1963.

IMPERMANENCE (De l') [*Mujô to iû koto*]. Recueil d'essais critiques de l'écrivain japonais Kobayashi Hideo (1902-1983), publié en 1946 et réunissant les textes que l'auteur avait publiés dans la revue littéraire *Bungakukai* en 1942-43, en pleine guerre mondiale. On y trouve des considérations sur différents classiques japonais, tous d'une période bien déterminée : du XIIe au XVe siècle. *L'Impermanence,* que l'auteur a adopté comme titre d'un des essais et ensuite comme titre général du recueil, est un terme fréquemment employé au

Japon pour désigner le concept sous-jacent dans l'art et la littérature de cette époque, où guerres civiles, famines, épidémies, incendies et tremblements de terre ravageaient tout le pays. « L'impermanence de ce monde », expression d'origine bouddhique qui invitait jadis les fidèles à affermir leur croyance dans l'au-delà, en était venue à traduire une réalité plus immédiate, dans un contexte où les hommes finissaient par ne plus croire en rien. Quelques rares hommes de lettres, de théâtre et d'art, célèbres ou inconnus, ont créé cependant des chefs-d'œuvre frémissants de beauté, auxquels un fond de pessimisme apportait une coloration déterminante. Poussé à ce degré, le pessimisme n'a plus rien à voir avec les lieux communs habituels, saugrenus et mesquins, et devient la manifestation de ce qu'il y a de plus vrai et de plus fort dans la vie humaine. À travers la négation totale des banalités, c'est-à-dire en partant de la sensation de l'impermanence bien comprise, on peut arriver paradoxalement, par un miracle qui ne se produit qu'avec des œuvres parfaites, à perpétuer le beau, fruit de l'éphémère, de la tristesse, de la solitude morale la plus absolue. Cela relève d'une noblesse intellectuelle qui va de pair avec la contemplation profonde de la réalité. C'est évidemment dans ce sens, exclusivement esthétique, que Kobayashi a employé le mot « impermanence ». Pourtant, en parlant des œuvres du passé, il parlait surtout de lui-même.

L'auteur, qui avait été dans sa jeunesse un grand « dévoreur » de livres, entre autres de la littérature française moderne — Rimbaud, Alain et Valéry —, n'a jamais accepté de parler des médiocres. Avec une sensibilité toujours à l'affût des émotions fortes et des problèmes nouveaux, il a débuté dans la carrière littéraire en parlant uniquement du frémissement de sa propre intuition en face de telle ou telle œuvre de la littérature contemporaine. Cela lui valut un succès foudroyant en tant que critique littéraire dans les années 1930. Ce n'est pas par hasard qu'il s'était mis à parler subitement du passé. C'est la guerre et la domination du militarisme qui l'y avaient décidé : il n'était pas de ceux qui voulaient défendre la liberté en criant sur les toits, mais il le faisait sereinement en parlant de ce que lui inspiraient les valeurs de toujours. En traitant de l'impermanence dans cette période troublée, il manifestait, avec une ironie voilée, le profond mépris qu'il avait pour son temps. L'essai sur le « shôgun » poète Minamoto no Sanetomo (1192-1219) est un bel exemple de ce que l'on peut exprimer dans l'absolu en suivant fidèlement les leçons d'un chef-d'œuvre. L'auteur nous apprend aussi, à travers ses impressions sur une pièce du nô, *Tôma,* comment une manifestation futile et éphémère par définition, telle que l'art théâtral, arrive à se perpétuer grâce à une interprétation divinement parfaite, comme celle de l'acteur Umewaka Manzaburô (1868-1946).

IMPORTANCE D'ÊTRE CONSTANT (De l') [*The Importance of Being Earnest*]. Comédie en trois actes de l'écrivain irlandais Oscar Wilde (1854-1900), représentée à Londres en 1895 ; elle valut à l'auteur une place de premier plan dans l'histoire du théâtre humoristique anglais (aux côtés de Congreve et de Sheridan). C'est la seule comédie qui ait pleinement satisfait Wilde. Elle fut accueillie avec une approbation sans réserves ; les critiques furent unanimes à déclarer que jamais encore l'Angleterre n'avait autant ri. Le titre est fondé sur un jeu de mots intraduisible (« earnest ») [sérieux] et « Ernest » [Ernest] se prononçant en anglais de la même manière). Ernest est en effet le nom que John Worthing est obligé de prendre pour gagner l'amour de Gwendolen Fairfax. D'autre part, son ami Algernon Moncrieff, amoureux de Cécile Cardew, la charmante pupille de John, se fait passer pour un frère débauché que John a inventé au cours de ses imbroglios amoureux, mais qui n'existe pas. Lorsque John est obligé de déclarer qu'il n'a jamais eu de frère et qu'il ne peut plus feindre de s'appeler Ernest, les choses semblent se précipiter pour les deux amis ; mais, à la suite du tour imprévu que prennent les événements, on découvre qu'Algernon et John sont en réalité frères et que le vrai nom de baptême de John est bien Ernest. La comédie se termine sur l'étonnement des deux hommes qui s'aperçoivent qu'ils n'ont point dit la vérité, alors que c'était l'unique fois dans leur vie qu'ils croyaient faire un aveu sincère ; elle prend fin sur une note joyeuse, le triple mariage d'Algernon et de Cécile, de Gwendolen et de John, de miss Prism (la gouvernante de Cécile) et du révérend Chasuble. Ce n'est pas tant l'intrigue que l'humour intraduisible du dialogue et le jeu des mots et des actions qui font le charme de cette comédie. Wilde s'y montre non seulement libre de toute préoccupation en ce qui concerne son public, mais débarrassé des préciosités « décadentes » que l'on trouve parfois dans ses œuvres de jeunesse. Une gaieté claire, spontanée, jaillit des situations qui se suivent, rapides et changeantes. C'est le dernier chapitre heureux de la vie de Wilde, un jeu au cours duquel son esprit s'épanouit dans un feu d'artifice de gaieté, de malice, d'humour lucide, à la veille de la catastrophe qui déjà le guette dans l'ombre... — Trad. *De l'importance du sérieux* (Stock, tome II du *Théâtre* de Wilde, 1911) sous le titre *Il importe d'être aimé*, Actes Sud-Papiers, 1985.

IMPOSSIBLE (L') de Bataille. Œuvre de l'écrivain français Georges Bataille (1897-1962), parue d'abord en 1947 sous le titre *Haine de la poésie,* puis rééditée en 1962 sous ce nouveau titre, qui est le mot clé de Bataille. « Il me semblait qu'à la poésie véritable accédait seule la haine. La poésie n'avait de sens puissant que dans la violence de la révolte.

Mais la poésie n'atteint cette violence qu'évoquant l'impossible » (préface de 1962). L'ouvrage se compose de trois textes : « Histoire de rats » (paru aussi à part, avec trois eaux-fortes de Giacometti, en 1947), « Dianus », « L'Orestie » (paru d'abord en plaquette en 1945) — seule différence, à part quelques légères variantes, entre les deux éditions : « L'Orestie » figurait en tête dans la première. Dans « Histoire de rats » (sous-titre « Journal de Dianus »), le récit, composé de deux carnets, est discontinu, fragmentaire, lié seulement aux moments essentiels d'une expérience mettant en jeu l'érotisme et la mort, oscillant perpétuellement de l'un à l'autre pour qu'ils s'avivent mutuellement et vous précipitent vers cet abîme où l'être chute suffoqué, exaspéré, ravi. Ces fragments sont à la fois médités et agis : on les dirait, non pas écrits, mais « haletés » au plus vif de l'expérience. Créant une durée qui les excède, ils ont l'avantage, sur un récit continu, de se dépasser en elle au lieu de la contenir. Le thème de ces fragments, l'amour du narrateur pour B., est basé sur l'idée que : « La mort et le désir ont seuls la force qui oppresse, qui coupe la respiration. L'outrance du désir et de la mort permet seule d'atteindre la vérité. » Cette vérité — dont ces pages disent le chemin, mais qu'elles ne disent pas, car elle est justement l'indicible, l'impossible —, cette vérité se profile au sommet d'une étreinte délirant de son manque, ou de son inépuisable, au sommet d'une angoisse jaillie des corps en même temps que la honte poignante de leur obscénité ou leur sueur d'agonie ; délire et honte toujours recommencés, toujours poussés à bout : « Nudité d'E., nudité de B., me délivrerez-vous de l'angoisse ? Non... donnez-moi de l'angoisse encore. » Le deuxième texte, « Dianus » (sous-titre : « Notes tirées des carnets de Monsignor Alpha ») explore les mêmes extrêmes. Il faut en retenir ces notes, qui en indiquent le mécanisme : « Ce degré d'amitié haineuse, où l'accord naît de la certitude d'être condamnable. » Et : « L'obscénité n'est elle-même qu'une forme de douleur, mais si légèrement liée au rejaillissement que, de toutes les douleurs, elle est la plus riche, la plus folle, la plus digne d'envie. » Comme dans *L'Abbé C.* (*), *Le Bleu du ciel* (*) ou *Madame Edwarda* (*), le ressort de ces textes et de l'expérience dont ils nous livrent les jalons, c'est la « transgression » — v. *L'Érotisme* (*) —, transgression qui pousse l'être jusque dans « l'haleine de la mort » grâce à la violation systématique de la morale admise, grâce à la contestation désespérée du Bien, garde-fou des sociétés moins soucieuses de « savoir » que de préservation. La dernière partie, « L'Orestie », est une suite de brefs poèmes accompagnés de réflexions sur la poésie qui en éclairent le sens et la technique : « L'éclat de la poésie se révèle hors des beaux moments qu'elle atteint : comparée à son échec, la poésie rampe. » Ou encore : « La poésie qui ne s'élève pas au non-sens de la poésie n'est que le vide de la poésie, que la belle poésie. »

IMPOSSIBLE (L'). Almanach serbe [*Nemoguce*]. Almanach surréaliste publié en mai 1930 à Belgrade ; c'est la plus importante manifestation du surréalisme serbe. L'éditorial souligne la nécessité de renoncer aux limites psychologiques du moi pour ne tenir compte que de l'unanimité spirituelle commune aux treize signataires : A. Vučo, O. Davičo, M. Dedinac, M. Dimitrijević, V. Zivadinović-Bor, Zivanović-Noe, D. Jovanović, D. Kostić, D. Matić, B. Milovanović, K. Popović, M. Ristić. « Nous manifestons la collectivité de nos volontés, sans peur, sans restriction orgueilleuse et sans la considérer comme un sacrifice. » Le surréalisme serbe, qui fut l'un des plus remarquables mouvements de l'entre-deux-guerres, se développa sous un régime de terreur policière contre lequel il affirma avec un grand courage la valeur de la révolte, de la liberté. « C'est la nécessité qui publie cette revue », déclaraient les Treize, soulignant par là leur volonté de faire une œuvre qui les dépasse individuellement. Dans leur désir de « changer » le monde, ils sont d'ailleurs prêts à entretenir la subversion fût-ce contre eux-mêmes. « Nous ne serons ni écrivains ni peintres [...] Nous sommes peut-être les seuls à lutter pour tout ce que les intellectuels dans leur bassesse appellent l'inaccessible [...] Nous acceptons cette orgueilleuse et humble immodestie, qui est celle de reconnaître la figure tragique et lumineuse de l'esprit parmi nous. » La lutte les intéresse davantage que le succès, et si leur publication collective s'intitule *L'Impossible*, c'est pour signifier combien les mots retiennent mal l'esprit, combien le dire coïncide peu avec l'acte. Un texte de Matić et Ristić, « Soit dit en passant » [Uzgred budi rečeno], fait une brève histoire des publications ayant précédé *L'Impossible* et indique la position des surréalistes serbes par rapport aux surréalistes français, dont ils se réclament. Il ne s'agit de poursuivre ni la poésie ni la sagesse, mais de briser avec le dualisme, de triompher des antinomies. Sous le titre : « La Mâchoire de la dialectique » [Čeljust Dijalektike] est entreprise une enquête qui met en question la vie, la liberté, l'amour, le rêve, la famille, et proclame la nécessité de s'évader de ces points d'appui pour être fluide et mobile comme le vent. Une large place est faite à l'humour, qui s'exprime notamment par des proverbes comme : « S'il n'y avait pas de vent, les toiles d'araignée cacheraient le ciel. » Tous les textes réunis dans les cent trente-six pages de *L'Impossible* ont conservé un grand intérêt, car on y trouve ce qu'il y avait de plus profond et de plus fort dans la Yougoslavie des années 30, mais il faut au moins citer : « Psychanalyse de la volonté » [Psihoanalisa volje], de Zivadinovič-Bor, « Éloge de la médiocrité » [Pohvala osrednjosti], de K. Popović et le grand poème de Matić, « La Pêche trouble en eau claire » [Mutan lov u bistroj vodi], dont une partie fut traduite dans le numéro 6 du *Surréalisme au service de la révolution* (*). Il faut également mentionner la présence dans *L'Impossible* (dont le titre figurait d'ailleurs aussi en français sur la couverture) de textes en français de Aragon, Breton, Char, Éluard, Péret et Thirion.

IMPOSSIBLE D'ÊTRE LE GARDIEN D'UNE FEMME [*No puede ser el guardar una mujer*]. Comédie en trois actes et en vers de l'écrivain espagnol Agustín Moreto y Cabaña (1618-1669), publiée en 1654. Une belle jeune fille de Madrid, Ana Pacheco, est un véritable puits de science. Elle a choisi, parmi ses différents prétendants, son cousin don Pedro Pacheco, mais elle hésite à lui accorder sa main parce qu'elle trouve que ce dernier semble avoir peu de confiance en la liberté spirituelle de la femme. L'honneur et le déshonneur ne dépendent, d'après lui, que de la qualité de la surveillance que les pères, frères et maris exercent sur la femme. Au cours d'une soirée littéraire dans la maison d'Ana, elle lance une sorte de défi à don Pedro et choisit pour défenseur le brillant don Felix de Toledo. Ce dernier, avec l'aide de son domestique Tarugo (ébauche de Figaro), réussit à se mettre en relation avec la sœur de don Pedro, Inès, et à l'épouser presque sous les yeux du gardien vaniteux qui, ayant reconnu sa propre erreur, peut enfin devenir le mari de sa belle et sage cousine. Cette comédie, tirée de *La Plus Grande des impossibilités* [*El mayor imposible*] de Lope de Vega, est composée et mise en vers avec une grande élégance. Le personnage de Tarugo est un de ces types qui aujourd'hui encore peuvent à eux seuls supporter toute une œuvre ; tous les autres sont pleins de grâce, d'élégance et d'optimisme. La comédie de Moreto a été adaptée en anglais par le poète Crown sous le titre de *Sir Courtly, or It cannot be ;* l'écrivain allemand Schröder [*Unmögliche Sache*] et le Français Dumaniant [*La Guerre ouverte*] en firent d'autres imitations.

IMPOSSIBLE RETOUR (L') [*Point of No Return*]. Roman de l'écrivain américain John Phillips Marquand (1893-1960), publié en 1949. Ce roman a pour thème l'ambition d'un banquier qui attend impatiemment un avancement pour lequel il a mis tout en œuvre. Charles Grey, en attendant la nouvelle de sa nomination à un poste plus élevé, rend visite à sa ville natale, Clyde, dans le Maine, qui est la réplique criante de vérité de la ville de Newburyport, Massachusetts, dont l'auteur est originaire. L'argent est le protagoniste principal de ce drame psychologique. Charles et sa femme Nancy vivent convenablement dans leur résidence de Sycamore Park, mais leurs enfants pourront-ils fréquenter le collège d'Exeter ? Le héros a soudain peur, au seuil de la quarantaine, où « son retour devient impossible », de se trouver démuni. Alors qu'il n'aimait guère la discipline, la discrétion, la politesse de rigueur à la banque, il s'aperçoit que celles-ci sont devenues sa seconde nature, et il s'en trouve rassuré. De même le paternalisme de son directeur devient un véritable lien lorsque Charles accepte le poste de vice-président auquel il a tant aspiré, mais dont il sait qu'il signifie à jamais la perte de sa liberté. Cette histoire est donc celle d'une soumission, presque d'une démission, racontée avec beaucoup d'art. Les thèmes secondaires s'équilibrent dans un effet de contrepoint : vie de famille et travail de bureau s'opposent et se complètent mutuellement, éclairant la double personnalité du héros. La description de la vie calme de la communauté de Clyde durant les années 30 accentue la brutalité et le manque de sécurité de la vie new-yorkaise : à mesure que l'histoire du projet de recherche sociologique sur Clyde, projet dirigé par une équipe de chercheurs de Yale, nous est contée, Marquand analyse et révèle certains des secrets et des mystères humains que le sociologue Warner ne pouvait expliquer. En un sens l'auteur conçoit le roman comme une clé pour la connaissance d'un milieu social. Il appartient à la tradition de Willa Cather ou Ellen Glasgow, celle des « conservateurs de l'héritage du passé ». — Ce roman, l'un des meilleurs de Marquand, fut adapté à la scène par Paul Osborn, en 1951, et sa version théâtrale obtint un vif succès.

IMPOSTURE (L'). Roman de l'écrivain français Georges Bernanos (1888-1948), publié en 1927. L'imposture est celle de l'abbé Cénabre, prêtre érudit, chanoine respecté, auteur discuté mais admiré, qui, ayant perdu la foi, n'en continue pas moins à rester fidèle à toutes les habitudes de son ministère. Aux origines de ce désastre spirituel, il y a l'orgueil : l'abbé Cénabre ignore les tentations mineures, celle de la chair par exemple. C'est une nature forte qui, dans la perte de la foi, retrouve cette étrange liberté du mal qui le laisse indépendant de Dieu, sans se laisser aller pour autant aux désordres des prêtres indignes. A-t-il jamais eu la foi d'ailleurs ? Aussi loin qu'il remonte dans ses souvenirs, il reconnaît en lui une tragique rétractation, une peur horrible en face de la Croix. Aussi, parce qu'il a soustrait à Dieu l'essentiel, le secret de lui-même, il a pu toujours se donner le luxe de confessions sincères, précises, d'un accomplissement rigoureux de ses devoirs, d'une vie morale austère, pointilleuse jusque dans le respect de la prière solitaire : à son directeur, il ne taisait qu'une chose, qui était le nœud de son âme : son refus. Spécialiste des problèmes mystiques, auteur d'une « Vie de Tauler » et d'un livre réputé sur les « Mystiques florentins », l'abbé Cénabre est un amateur d'âmes. Il aurait voulu, échappant à l'amour, connaître pourtant de l'extérieur, par le seul instrument de la psychologie moderne, le secret des âmes. Il est anxieux de ce mystère auquel il ne veut point participer, mais qu'il souhaiterait éclaircir par l'analyse : la sainteté. Mais, en face d'elle, le psychologue subtil avait dû reconnaître que l'essentiel lui échappait encore. Bernanos nous montre son héros allant jusqu'au bout de sa passion désespérée : un soir, près de la Seine, l'abbé Cénabre rencontre un vagabond qui lui demande l'aumône. Le prêtre le force à faire une interminable promenade avec lui : pour le réconforter ? Non pas ; pour essayer, avec une violence croissante, dans une scène d'un malaise invincible, de faire parler cette âme, au moins celle-là, puisque celle des saints n'a pas voulu répondre au savant, de lui faire livrer cette part unique qui n'est découverte qu'au regard de Dieu.

Affamé du secret des cœurs, l'abbé Cénabre veut protéger le sien, ne point trahir sa liberté de possédé, n'être qu'à lui. Une fois pourtant il s'est trahi, au cours de cette nuit douloureuse qui ouvre le livre et au cours de laquelle, pour la première fois, il a osé se dire : « Je ne crois plus. » Alors il n'avait pas encore la paix de la possession : elle ne s'empara de lui qu'au matin. Dans la crise qui précéda, l'abbé Cénabre appela, pour lui dire sa peine, un des confrères, l'abbé Chevance. En face du prêtre imposteur, Georges Bernanos a ainsi dressé une figure de saint Vincent de Paul. L'abbé Chevance, curé de village, s'était vu éloigné de son diocèse : n'avait-il pas eu l'audace d'imposer les mains à une pauvre démente et celle-ci n'avait-elle pas eu le mauvais goût de guérir sur le coup ? L'affaire avait fait du bruit : on fit reproche à l'abbé Chevance de n'avoir point songé au scandale et on l'envoya à Paris pour faire oublier son imprudence.

À l'appel de Cénabre, bien qu'il soit deux heures du matin, l'abbé Chevance accourt : habitué à être traité de haut, il craint d'avoir commis une nouvelle imprudence, se confond en excuses avant même que Cénabre lui ait rien dit, effaré de se trouver tout à coup en face du célèbre auteur de la « Vie de Tauler » et des « Mystiques florentins ». Bernanos a alors opposé d'une manière magistrale la misère humaine, naturelle, de l'abbé Chevance à la soudaine force surnaturelle qui le prend lorsque Cénabre fait son aveu, et lorsqu'il n'affronte plus Cénabre, mais Satan en Cénabre. Le destin surnaturel de l'abbé Chevance est désormais lié au drame de l'abbé Cénabre. Celui-ci pouvait croire qu'il avait enfin gagné la paix, par le silence de Dieu en lui. Mais, dans son imposture si parfaite, une brèche demeure : l'aveu qui a été fait à Chevance, et par quoi Cénabre, même s'il la refuse, reste lié à la communion des saints. Son âme, qu'il gardait jalousement de tous et de Dieu même, ne lui appartient plus, elle est assumée, supportée par l'abbé Chevance... À la fin du livre, ce dernier meurt, dans un hôtel sordide, solitaire, dépourvu de la présence à ses côtés du prêtre et de l'Église – comme s'il était exclu par l'exclusion de l'abbé Cénabre ; et pourtant l'âme de l'abbé Cénabre continuera d'être assiégée par la prière de l'Église : l'abbé Chevance mourant en confie le souci à sa fille spirituelle, Chantal...

Le roman ne s'achève point, et c'est dans *La Joie* (*), qui fait suite à *L'Imposture,* que Bernanos lui a donné sa conclusion. D'ailleurs, est-ce un roman ? L'action est à peu près nulle. Il s'agit plutôt d'une investigation de l'âme de l'abbé Cénabre, et c'est pourquoi le style de Bernanos s'arrête aux moindres détails, s'harmonise en mille nuances – qui rendent la lecture parfois difficile – avec les plis les plus cachés de l'âme du prêtre imposteur. *L'Imposture* est le deuxième roman de Bernanos : il y a affirmé son génie dans deux inoubliables figures de prêtres, bien qu'on ait pu lui reprocher de pousser la peinture de ses personnages jusqu'à un absolu assez peu vraisemblable, tendance qui s'accentuera encore dans *La Joie.* Mais plus nombreux sont ceux qui ne surent pas résister à la puissance d'envoûtement d'un livre où la présence du surnaturel, pour être peu habituelle et commune, prend pour le lecteur comme une évidente réalité.

IMPRESARIO (L') [*L'impresario in angustie*]. Opéra-comique en un acte du compositeur italien Domenico Cimarosa (1749-1801), sur un livret de C.M. Diodati. Il précède de peu son chef-d'œuvre *Le Mariage secret* (*) et fut représenté au Teatro Nuovo de Naples, en 1786. Il fut repris au Teatro Valle de Rome, le 31 juillet 1787, après révision du livret. L'*Impresario* n'est pas une des meilleures œuvres du musicien ; elle révèle une certaine hâte dans l'invention, riche mais facile, de thèmes qui ne sont pas tous originaux, mais un humour très fin imprègne chaque scène. L'allègre vivacité des rythmes, la grâce de certaines mélodies et la maîtrise de quelques morceaux d'ensemble à effet annoncent déjà l'éclosion du prochain chef-d'œuvre. Ce petit opéra-comique est une satire des mœurs du théâtre au XVIIIe siècle. Il n'y a pas de véritable intrigue, mais différentes petites scènes qui tournent à la caricature et sont d'un comique très savoureux. Cet esprit de satire est le même qui anime le *Théâtre à la mode* de B. Marcello.

L'œuvre débute par une petite ouverture très brillante, avec les appoggiatures typiques des violons. Le premier quatuor « Ve' che matta maledetta ») est très vif ; l'air de Doralba qui vient ensuite est doucement plaintif (« Pietade chi non sente ») : il se termine par un élégant finale à 3/8, en forme de scherzo. L'air de Gelindo (« Finché sarai costante ») est une sorte de rondo au rythme insouciant. Le larghetto « Rendo grazie al mio destono », dans le duo de Fiordispina et de don Perizonio, est d'une saveur digne de Mozart. Par contre, l'air de Crisobolo « Vado in giro nei palchetti » offre très peu d'intérêt au point de vue musical. Le duo entre Gianleo et Doralba présente plus de variété dans les thèmes et harmonisations ; il est d'une solennité comique ; la gracieuse sortie de Merlina « Il meglio mio carattere » est d'une élaboration orchestrale plus soignée. L'œuvre se termine par deux quintettes, l'un plus intéressant que l'autre. Le premier est riche de contrastes dynamiques et les paroles « e come un sasso immobile, ognuno resta qua » font penser au « Guardo don Bartolo, sembra una statua » du *Barbier de Séville* (*). Le finale comporte cinq parties et débute par « Non temete, non è niente » ; le rapport entre les voix et l'orchestre y est parfaitement étudié et digne de Mozart ; le fugato serré est d'un comique savoureux.

IMPRESARIO DE SMYRNE (L') [*L'impresario delle Smirne*]. Comédie de l'écrivain italien Carlo Goldoni (1707-1793), publiée en 1774. Le monde de l'opéra était bien connu de Goldoni, auteur de nombreux livrets, qui nous donne ici une plaisante satire des caprices et des rivalités des chanteurs en même temps qu'une réflexion toujours actuelle sur les conditions de production du théâtre lyrique. Le comte Lasca, ami des artistes lyriques, et l'agent dramatique Nibio ont été chargés par un négociant de Smyrne de recruter des chanteurs pour y monter un opéra. La pièce décrit les menées du castrat Carluccio et de trois chanteuses, la florentine Lucrezia, la bolonaise Annina et la vénitienne Tognina, pour se faire engager. Autour d'eux s'agite tout un monde de peintres, machinistes, figurants, souffleurs, ainsi que le ténor Pasqualino, ami de Tognina, le médiocre librettiste Maccario et le négociant turc Ali, qui baragouine un jargon levantin comme tant d'Orientaux à Venise. Les trois cantatrices tournent la tête d'Ali, qui se refuse par ailleurs à engager un castrat. Le comte Lasca réussit à mettre tout le monde d'accord. Rendez-vous est pris pour embarquer. Les chanteurs arrivent en tenue de voyage, avec pelisses, animaux et famille, mais le Turc a disparu en laissant une somme d'argent pour la troupe. Le comte Lasca propose de constituer avec cette somme une société chargée de monter un opéra où chacun sera rétribué au pourcentage. Mais cela suppose la fin des discordes : dans une société d'acteurs, tout le monde doit se mettre à l'ouvrage. Telle est la leçon de *L'Impresario de Smyrne* pour qui veut se lancer dans la production théâtrale, entreprise difficile (comme le rappelle le comte Lasca) et le plus souvent ruineuse. — Trad. Théâtre du Campagnol, 1983 (sous le titre *L'Opéra de Smyrne*) et Comédie-Française, 1985. J. Jo.

IMPRESSIONS D'AFRIQUE. Œuvre de l'écrivain français Raymond Roussel (1877-1933), publiée en 1910. Les *Impressions d'Afrique* sont, sans doute, son livre le plus réussi et, en tout cas, celui où apparaît le mieux sa méthode si singulière qui lui donne une place à part dans le courant surréaliste. Roussel s'est expliqué lui-même, avec beaucoup de précision, sur le procédé qu'il emploie dans *Comment j'ai écrit certains de mes livres* (*) (1935) : il part de deux mots presque semblables, tels que « billard » et « pillard », dans le cas des *Impressions d'Afrique* ; il y ajoute deux phrases dans lesquelles les mots homonymes sont pris dans des acceptions tout à fait différentes, c'est ainsi que, pour les *Impressions d'Afrique,* les deux phrases clés sont : « Les lettres (signes typographiques) du blanc (cube de craie) sur les bandes (bordures) du vieux billard et les lettres (missives) du blanc (homme blanc) sur les bandes (hordes guerrières) du vieux pillard. » Le problème qu'il se propose, c'est de construire un livre entre ces deux phrases, c'est-à-dire pouvant commencer par la première et finir par la seconde. Le conte est écrit en développant les deux phrases, par le même procédé, en une suite d'associations de mots pris chacun dans un sens différent de celui sous lequel il se présentait tout d'abord. Roussel ajoute : « Ce procédé est parent de la rime. Dans les deux cas, il y a création imprévue due à des combinaisons phoniques. C'est essentiellement un procédé poétique. Encore faut-il savoir l'employer. » Les *Impressions d'Afrique,* de même que *Locus Solus* (*), se présentent donc comme un ouvrage de pure imagination (Roussel, qui a fait de nombreux voyages, reconnaît qu'il n'a jamais utilisé dans ses livres les impressions qu'il avait pu ressentir dans les pays qu'il avait traversés), déclenchée grâce à un certain nombre de recettes précises qui aboutissent à un automatisme réglé et en quelque sorte parfait de l'écriture. On conçoit alors que Roussel, qui resta toujours un indépendant, ait été adopté par les surréalistes qui pratiquaient l'écriture automatique. L'intrigue, soumise à de pareilles exigences, a peu d'importance et il est difficile d'en rendre compte. Le prétexte à de tels jeux de l'esprit est le naufrage sur la côte d'Afrique d'une bande d'Européens, qui comprend un historien, une « vieille Livonienne », un jeune chanteur marseillais, Carmichaël, un entrepreneur de pyrotechnie, un architecte, un inventeur, une cantatrice et une imposante réunion de phénomènes de cirque. La petite troupe est capturée par les hommes de l'empereur noir, Talou VII. Roussel décrit méticuleusement les étranges fêtes qui se déroulent à la cour de l'empereur et les mille intrigues de palais auxquelles se trouvent mêlés les Blancs. Il peint, avec un souci d'exactitude poussé jusqu'à la manie, les mécanismes absurdes montés par l'inventeur et, avec un soin sadique, les difformités physiques des phénomènes du cirque. Il entend pousser jusqu'au bout l'exploitation de son procédé, n'admet aucun compromis, et c'est ce qui donne à ses livres une allure si déroutante.

Roussel publia, en 1932, les *Nouvelles Impressions d'Afrique*. Malgré son titre, ce livre n'a apparemment rien de commun avec le précédent. C'est un recueil de longs poèmes qui, eux, reposent sur des impressions réelles ; « Damiette. La maison où Saint Louis fut prisonnier », « Le Champ de bataille des Pyramides », « La colonne qui, léchée jusqu'à ce que la langue saigne, guérit de la jaunisse (Mosquée Abou'l-Ma'etèh. Environs de Damiette) », « Les Jardins de Rosette vus d'une dahabieh (Environs du Caire) ». Toutefois, ces impressions ne sont que le point de départ pour les étranges divagations de l'auteur, qui, au moyen de parenthèses prises les unes dans les autres et qu'il ne ferme qu'après avoir épuisé toutes les possibilités verbales, arrive à mettre dans un poème tout autre chose que ce qu'on y attendait, et semble avoir perdu de vue son point de départ quand il y revient brusquement. Ces quatre poèmes sont écrits en alexandrins. Le poème qui complète le recueil, « L'Âme de Victor Hugo », est en octosyllabes. Le poète s'explique dans une courte Préface : « Une nuit, je rêvai que je voyais Victor Hugo écrivant à sa table de travail, et voici ce que je lus en me penchant par-dessus son épaule. » Roussel écrivit cet étrange poème, où ne manquent ni une grandeur parodique, ni une ironie assez féroce, à l'âge de dix-sept ans.

IMPRESSIONS DE MUSIC-HALL. Ballet du compositeur français Gabriel Pierné (1863-1937) sur une chorégraphie de Nijinska, créé à l'Opéra de Paris le 7 avril 1927. Il s'agit tout autant d'impressions de cirque, où les clowns avaient la part la plus large dans ce spectacle qui surprit certains puristes mais finit par désarmer leur rigueur, tant la belle humeur de Gabriel Pierné sut emporter les résistances. La partition est, en effet, étincelante, qui accompagne et commente les entrées successives des artistes exécutant leurs numéros. Ce sont d'abord les « chorus girls », levant haut la jambe, et toutes bien en ligne devant la rampe ; l'« Excentric » leur succède, suivi de deux livreurs portant une grande boîte à chapeau. On en soulève le couvercle, et une danseuse en sort qui, tout aussitôt, mystifie le clown dans une variation burlesque et finit par lui décocher un coup de pied qui l'envoie rouler sur le plancher — coup de pied qui, bien entendu, prend la forme de la plus classique des arabesques. Viennent ensuite les « Espagnoles », trois danseuses : coups de talon et reins cambrés, sur une musique tout à fait « tras los montes ». Second tableau : dans le même décor, c'est maintenant une piste de cirque, et l'« Excentric » jouant de la trompette précède deux joueurs de trombone : numéro de clowns musicaux dans lequel Gabriel Pierné exécute les acrobaties les plus cocasses qu'un compositeur ait jamais réussies. Ce n'est point une parodie, c'est une transposition extrêmement originale et brillante des « impressions » recueillies au cirque. Elle s'amplifie, s'épanouit dans le finale, qui rassemble maintenant toute la troupe sur la piste. La batterie scande les variations de l'écuyère que poursuit l'« Excentric », lequel finit par être enfermé dans le carton à chapeau sur lequel sa partenaire grimpe et exécute, en guise de conclusion, quelques tours sur les pointes. Cette farce stylisée a été traitée par Gabriel Pierné avec une malice et un esprit exquis. Le succès a été des plus vifs et l'ouvrage est resté longtemps au répertoire de l'Opéra.

IMPRESSIONS DE THÉÂTRE. Suite de neuf volumes (1888-1898) contenant les articles de critique que l'écrivain français Jules Lemaitre (1853-1914) avait publiés dans divers journaux. Ce recueil est un véritable répertoire de la production dramatique française et étrangère au cours de la seconde moitié du XIXe siècle, un panorama de la vie théâtrale en France, l'écho des bruyants succès et des discussions passionnées sur le théâtre romantique, le théâtre réaliste et le « Théâtre libre ». Les pièces de Dumas, Sardou, Ibsen, Lavedan, Curel, Porto-Riche, Courteline, celles tirées des romans de Zola, de Dostoïevski et de tant d'autres, plus ou moins illustres, y sont examinées avec beaucoup d'esprit. Quelques articles, dans chaque volume, sont réservés aux vaudevilles, aux revues, aux bals et même à un cirque célèbre. Il faut mentionner également certains portraits d'artistes connus (« L'Adieu de Coquelin aîné »). L'auteur excelle dans l'art de dire des choses sérieuses sur un ton léger. Des remarques sur les méthodes d'enseignement, des observations morales, primesautières, spirituelles, ironiques, et même des vues sociales, agrémentent les comptes rendus des représentations destinées aux écoles, des célébrations officielles. L'« éreintement » est toujours élégant, les résumés clairs. La pureté de la langue, la parfaite information littéraire et l'élévation même de l'esprit de Jules Lemaitre confèrent à ces simples articles la dignité de véritables études littéraires.

IMPRESSIONS D'ITALIE. Suite symphonique du compositeur français Gustave Charpentier (1860-1956). Composée en 1890, elle fut écrite pendant le séjour que le musicien, frais émoulu du prix de Rome, faisait alors à la Villa Médicis et comporte cinq parties. Charpentier lui avait donné le sous-titre de *Symphonie sentimentale et pittoresque*, ce qui précise suffisamment les intentions de l'auteur. Il est relativement rare de voir réussir un « envoi de Rome ». La plupart du temps, ce genre de travail imposé aux lauréats revêt tous les caractères du pensum. Avec les *Impressions d'Italie*, on se trouve non seulement en présence d'un ouvrage qui a réussi au point d'en devenir véritablement populaire, mais aussi d'une partition, qui, loin d'avoir ce caractère de corvée académique et obligatoire, reste une des meilleures pages d'un musicien qui, il faut bien le dire, ne fut pas toujours aussi heureusement inspiré. La première partie, « Sérénade », est dédiée à Édouard Colonne. Elle évoque la douce atmosphère nocturne, les mélopées à la fois rudes et langoureuses des garçons qui, au sortir des « osteries », vont chanter sous la fenêtre des filles. Deux éléments se répondent, l'un évoquant le chant, l'autre la guitare. Le morceau est bâti sur deux motifs essentiels dont le premier, présenté d'abord longuement non accompagné, est emprunté librement à un thème de chanson populaire ; et le second, de caractère essentiellement lyrique et poétique, apparaît sur un rythme de danse populaire. La légende veut que Gustave Charpentier n'ait d'ailleurs nullement composé ce morceau sous le coup de l'inspiration du lieu, mais à Tourcoing lors d'un bref séjour qu'il y fit à l'époque. La seconde partie, « À la fontaine », est une sorte d'intermezzo assez court évoquant le lent défilé des filles qui s'en vont à la cascade, la cruche sur la tête, tandis que résonne au loin, dans la montagne, la joyeuse chanson des bergers. La troisième partie, « À mules », est un andantino qui utilise, en le transposant rythmiquement, un élément de la sérénade initiale. C'est le soir. Dans les sentiers qui descendent des Monts Sabins, des mules trottinent, faisant tinter leurs clochettes. Le violoncelle entonne avec force la chanson du « mulattiere », et les filles accroupies au fond des charrettes lui répondent doucement par la voix des flûtes. La quatrième partie, « Sur les cimes », est dédiée à Camille Saint-Saëns. Un midi ardemment ensoleillé sur les hauteurs du désert de Sorrente, au-dessus de la ville, des villages, des îles et de la mer. Dans cette évocation écrite sur des tenues du quatuor, un cor vient égrener la sonnerie d'une cloche lointaine. Les bois et les harpes amènent des gazouillis d'oiseaux. Aux altos et violoncelles chante l'âme du poète, ébloui et solitaire. De toutes parts monte la voix des cloches. Tout s'apaise peu à peu dans la lumière, en un decrescendo évocateur de l'immensité. La cinquième partie, « Napoli », dédiée à Charles Lamoureux, est une grande tarentelle peignant Naples, sa lumière, son mouvement, sa joie populaire. Des chants, des danses, des marches militaires passent en des motifs empruntés aux morceaux précédents. Le soir tombe sur un decrescendo ritenuto, et un éblouissant feu d'artifice vient mettre le point final à cette partition d'effet un peu facile sans doute, mais dont la réussite sonore fait oublier ce que l'on peut aujourd'hui lui trouver de conventionnel.

IMPRESSIONS ET PAYSAGES [*Impresiones y paisajes*]. Premier livre publié par le poète et dramaturge espagnol Federico García Lorca (1898-1936), à compte d'auteur, à Grenade, en avril 1918. Il s'agit de notes de voyages prises au cours de quatre excursions universitaires que Lorca, alors étudiant, fit à travers la Castille, le León et la Galice, avec un groupe de condisciples, sous la direction du professeur de littérature et d'art Martín Domínguez Berrueta, en 1916-1917. Ces pages juvéniles, auxquelles Lorca ajouta quelques jolies proses lyriques sur Grenade, présentent, avec des tableaux hauts en couleur, des observations originales sur l'art espagnol, la religion, la musique, le chant grégorien, ainsi que des variations sur deux thèmes qui animeront toute son œuvre postérieure : l'obsession de la mort et l'amour de la ville natale. La traduction française de Claude Couffon fut durant longtemps la seule à présenter le texte intégral de l'ouvrage. – Trad. Gallimard, 1958.

IMPROBABLE ET AUTRES ESSAIS (L'). Recueil d'essais du poète français Yves Bonnefoy (né en 1923). L'ouvrage, paru en 1980, est la version augmentée et corrigée de deux livres antérieurs : *L'Improbable* (1959), et *Un rêve fait à Mantoue* (1967). Ces essais de littérature et de réflexion sur l'art sont contemporains de la publication des trois premiers volumes de poésie d'Yves Bonnefoy, repris dans *Poèmes* (*). Ils poursuivent, sur le plan de la pensée théorique, une recherche analogue à celle où s'engage la poésie sur le plan de l'image. On trouvera souvent dans ces essais l'explicitation de tel titre de poème, ou de telle image insistante. Le lien de *L'Improbable* de 1959 avec la poésie est attesté par le fait que sa brève section conclusive, « Dévotion », invoquant des objets de personnel attachement, est celle même par laquelle s'achève le recueil *Hier régnant désert* (1959) inclus plus tard dans *Poèmes* (*).

Le titre de l'ouvrage s'éclaire par la page liminaire : « Je dédie ce livre à l'improbable, c'est-à-dire à ce qui est [...] À un grand réalisme, qui aggrave au lieu de résoudre, qui désigne l'obscur, qui tienne les clartés pour nuées toujours déchirables. Qui ait souci d'une haute et impraticable clarté. » Le réalisme, au sens philosophique du terme, s'affirme dès le premier essai, intitulé « Les Tombeaux de Ravenne ». Dans cette méditation sur la mort et sur les tombeaux, Yves Bonnefoy dénonce l'illusion idéaliste, qui cherche dans le concept un refuge rassurant. « Le concept cherche à fonder la vérité sans la mort. [...] La peur de la mort est le secret du concept. C'est lui ce premier voile des vieilles métaphysiques. Il s'agit d'être en regard de lui l'incroyant et l'athée. » Il ne faut pas se détourner du tombeau qui est une « liberté qui se lève ». La position qu'adopte Bonnefoy et dont il reprendra la formule dans l'épigraphe de *Douve*, dans *Poèmes* (*), rejoint paradoxalement celle qu'avait soutenue un passage célèbre de *La Phénoménologie de l'esprit* (*) de Hegel : « Voici la vie qui ne s'effraie pas de la mort [...] et qui se ressaisit dans la mort même. » La même conviction fondamentale s'affirmera dans l'essai consacré aux *Fleurs du mal* (*) : Baudelaire est grand parce qu'il a pris le risque de l'excès qui dépasse la rhétorique conceptuelle du discours habituel. Baudelaire a « choisi la mort », et par là il s'est approché de la « vérité de parole » et du « vrai discours ». Celui-ci prend pour théâtre non l'espace extérieur de l'histoire, comme ce fut le cas de Victor Hugo, mais le « corps humain ». Ainsi Baudelaire a-t-il « ranimé la grande idée sacrificielle inscrite dans la poésie ». Au geste de Baudelaire, Yves Bonnefoy oppose, en contre-épreuve, l'expérience de Valéry, qui va en sens inverse : « Valéry a méconnu le mystère de la substance [...] le seul acte possible pour Valéry est de se retirer de tout acte pour enrichir d'une part de l'intelligence divine notre condition limitée. [...] Il ne souffre pas assez du peu de réalité de son existence pour retourner contre elle, comme certains grands baroques, la machinerie de l'illusoire... »

« L'Acte et le lieu de la poésie », par quoi s'achève la première partie de *L'Improbable* (1980) expose la poétique d'Yves Bonnefoy. Cet essai récapitule et développe, dans un survol de la poésie française, les idées majeures des essais précédents. Reprenant, entre autres, la lecture de Baudelaire, il insiste sur la compassion que ce poète témoigne pour les êtres singuliers, dans « l'ici et le maintenant » de leur existence. La poésie doit œuvrer « sans les dieux », sans la garantie d'une transcendance, et sans chercher à dresser, contre la mort, la vaine muraille de la perfection formelle et des mots purifiés. « Le repos de la forme dans le poème n'est pas honnêtement acceptable. » Au milieu de la pire perte, « il faut réinventer un nouvel espoir ». En dehors de toute foi définie, Bonnefoy pose la question d'une guérison et d'un salut. Dans cette perspective, la poésie ne peut plus être prise pour une fin : elle est un moyen. C'est en parlant le langage d'une « théologie négative » qu'elle atteindra la « vérité de parole » et qu'elle désignera, de loin, un « vrai lieu ». Le « vrai lieu », c'est « le monde réaffirmé », la présence « ranimée » à partir même de l'« errance ». C'est aussi un « fragment de durée consumé par l'éternel ». En ceci, comme dans son désir de faire droit à la fois à l'obscurité et à la clarté, Bonnefoy veut que l'unité s'obtienne par la coïncidence des contraires. L'acte de la poésie est acte d'amour, sortie hors de soi, tandis que le lieu, infiniment proche ou infiniment éloigné, ne se laisse apercevoir qu'à partir d'un « seuil ». Dans le même volume, l'essai sur « La Poésie française et le principe d'identité » constitue un complément de cette réflexion : certains caractères fondamentaux de la langue française, comparée à l'anglaise, y sont pris en considération. Quels peuvent en être les usages poétiques ? Comment dire la présence ? Comment dire ce que l'apparition d'un être en un lieu de hasard comporte de réel et d'unique ? Bonnefoy consacre à la découverte d'une salamandre « un jour d'été dans une maison en ruine », et à la plus juste façon de la percevoir, des pages désormais célèbres. C'est l'occasion pour lui d'opposer une « mauvaise présence », et la possibilité d'un acte qui « rassemble », « dans une surabondance » où le spectateur est « pris et sauvé ». Ces pages doivent être rapprochées des poèmes « Salamandre », qui figurent dans le recueil *Douve*, inséré dans *Poèmes* (*).

La réflexion d'Yves Bonnefoy sur l'image concerne à la fois la littérature et la peinture. Une même conviction sur l'erreur et la vérité dans le rapport au réel anime les études ou les commentaires consacrés aux artistes. On trouve dans *L'Improbable* de longs chapitres ou de brèves notes sur les peintres : parmi les anciens, Piero della Francesca et les maîtres du quattrocento italien constituent un terme constant de référence ; parmi les modernes, l'attention de Bonnefoy se tourne vers des artistes dont les préoccupations ou les « rêves » sont proches des siens : Balthus, Raoul Ubac, Alberto Giacometti, Claude Garache, etc. L'importante étude sur Giacometti ne restera pas isolée : de nouveaux travaux sur le même artiste lui feront suite, pour aboutir à une monumentale monographie (1991). Mentionnée au passage dans *L'Improbable*, l'aventure de Rimbaud donnera lieu à un volume indépendant, *Arthur Rimbaud* (1961), et à d'autres essais. Les considérations sur « L'Architecture baroque et la pensée du destin » portent en germe celles qui, dans *Rome, 1630 ; l'horizon du premier baroque* (1970), s'organiseront autour de la figure du Bernin et du baldaquin de la basilique Saint-Pierre. Les études de littérature et d'art, pour la plupart postérieures à 1967, rassemblées dans *Le Nuage rouge* (*) (1977) évoquent d'autres artistes, mais on y voit se poursuivre, autour de Baudelaire et de Mallarmé en particulier, les interrogations inaugurées dans *L'Improbable*. On en trouvera la continuation dans *La Vérité de parole* (*).

J. S.

IMPROMPTU DE VERSAILLES (L').

Comédie en un acte et en prose du dramaturge français Molière (Jean-Baptiste Poquelin, 1622-1673), créée à Versailles le 14 octobre 1663. Écrite à la demande de Louis XIV qui souhaitait voir Molière répondre aux violentes attaques, littéraires puis personnelles, que lui avait valu le triomphe de *L'École des femmes* (*), cette pièce prolonge la première réplique que le comédien avait donnée à ses adversaires avec *La Critique de l'École des femmes* (*) (juin 1663). La comédie se présente sous la forme d'une ultime répétition d'un spectacle commandé par le roi, qui doit être joué devant lui dans le château de Versailles. On saisit d'emblée le subtil jeu de miroir sur lequel repose la pièce tout entière : écrit à la demande de Louis XIV et représenté devant lui, *L'Impromptu* prétend être la répétition d'une pièce commandée par Louis XIV et qui doit être représentée devant lui quelques minutes après. Louis XIV est donc virtuellement inclus dans la pièce selon un exceptionnel jeu de présence-absence. Et le jeu de miroir ne s'arrête pas là : grâce à l'utilisation de la structure dramatique dite du « théâtre dans le théâtre », Molière et ses compagnons commencent à se montrer tels qu'en eux-mêmes, comédiens préparant une pièce, mais, ce faisant, ils sont à la fois eux-mêmes et acteurs de leur propre rôle ; ainsi le public ne cesse-t-il de se demander, en regardant Molière, s'il voit Molière étant Molière ou Molière jouant Molière. Le jeu se complique en outre du fait que la pièce que les acteurs répètent à partir de la scène III est une récriture de *La Critique de l'École des femmes*, avec les mêmes types de personnages, les marquis ridicules, l'auteur jaloux et la précieuse prude d'une part, tous adversaires de Molière, et le chevalier défenseur de Molière d'autre part ; du fait aussi que Molière joue le rôle d'un marquis qui attaque Molière, avant de s'interrompre pour montrer au comédien qui joue le chevalier comment il faut développer les idées de Molière. Ce n'est qu'à la fin, au moment où la répétition est définitivement interrompue, que les comédiens, apparemment sans masque – mais on ne peut oublier que, demeurant personnages de comédie, les membres de la troupe sont toujours théâtralisés et que leur image demeure ambiguë dans la mesure où on ne sait plus où est le masque et où est le véritable visage –, discutent des attaques dont Molière est l'objet et de la conduite à tenir.

On ne saurait donc trop souligner le caractère exceptionnel de cette remarquable comédie, à la fois document sur les rapports de Molière avec sa troupe, apologie de l'art du comédien, et virtuose exhibition du théâtre sur le théâtre – qui fascinera nombre d'auteurs du XXe siècle, de Pirandello à Ionesco. En effet, Molière s'y met en scène non seulement comme chef de la troupe, convoquant sur le plateau les comédiens les uns à la suite des autres, se plaignant de leur lenteur, discutant avec ceux qui prétendent ne pas savoir leur texte, et leur imposant malgré tout de commencer à répéter, mais aussi comme auteur et directeur d'acteurs, puisqu'on le voit mettre en place une pièce, diriger et, dans certains cas, critiquer le jeu de ses comédiens. En outre, *L'Impromptu* se veut véritablement emblématique des qualités d'acteur de Molière, puisque, non content d'alterner entre son propre personnage et celui d'un marquis, il esquisse le rôle d'un chevalier-honnête homme, après avoir au début de la pièce parodié un poète (dans lequel on reconnaît Corneille) et successivement cinq acteurs de l'Hôtel de Bourgogne, dont une comédienne, montrant ainsi qu'il était fort capable de répondre au vœu qu'il fait exprimer par sa femme au début de la pièce : « Vous [auriez dû] faire une comédie où vous auriez joué tout seul. » G. F.

IMPROMPTUS de Chopin. Quatre pièces pour piano du compositeur polonais Frédéric Chopin (1810-1849), op. 29, op. 36, op. 51 et op. 66, composées entre 1838 et 1844, dont la dernière porte le titre de *Fantaisie-Impromptu*. Ce ne sont pas de véritables improvisations, car ils présentent, bien au contraire, les caractères d'œuvres longuement travaillées. On peut les définir plutôt comme « de rapides souvenirs d'un moment lyrique ». Le premier, op. 29, en la bémol, est constitué par une délicate arabesque mélodique, d'expression tendre et parfois un peu languissante, renfermant en son centre un vigoureux épisode en fa majeur, avec de belles sonorités et de nets contrastes rythmiques. De plus nombreux éléments composent l'op. 36 en fa dièse majeur : tout d'abord, une douce chanson en demi-teinte sur un mouvement berceur de l'accompagnement à deux voix ; puis une énergique page en ré majeur, aux sonorités resplendissantes et au rythme accidenté. Cet impromptu s'achève par le retour à la douceur de la chanson initiale, en fa majeur, sur un nouvel accompagnement en triolets ; et, enfin, un passage d'une aérienne légèreté mène à la conclusion, en des accords aux riches et belles harmonies. L'op. 51, en sol bémol majeur, se ressent légèrement de cette sorte d'inquiétude qui n'est pas rare dans les dernières compositions de Chopin, et semble porter une trace d'effort. Par contre, œuvre toute vibrante de feu et d'émotion juvéniles, telle nous apparaît la *Fantaisie-Impromptu* en ut dièse mineur. Celle-ci, éditée en 1855 par les soins de Fontana, reçut son titre de ce dernier. On ignore les raisons qui ont pu lui faire dénommer cette œuvre « Fantaisie ». D'une indication générale de mouvement et de caractère allegro agitato, se détachent d'autres indications plus précises et qui mettent en lumière l'idée que Chopin avait de cette œuvre : un presto d'une grande émotion encadre un moderato cantabile où s'exhale une mélodie des plus pures. Le presto qui reprend le premier thème n'empêchera point cette mélodie de chanter encore à travers une écriture très passionnée et l'on ne peut rester insensible à l'effet poétique de l'admirable finale.

IMPROMPTUS de Fauré. Six pièces pour piano du compositeur français Gabriel Fauré (1845-1924). Gabriel Fauré écrivit son premier *Impromptu* en 1881 ; le sixième devait voir le jour en 1913. Ces six pièces résument donc l'évolution de l'écriture harmonique et de la sensibilité du plus français peut-être de tous les musiciens. On y retrouve toujours cette grâce, ce charme qui atteignent à une grandeur, à une force d'une singulière beauté ; mais on peut aussi y observer un constant approfondissement de la pensée, un perpétuel souci de pousser plus avant des conquêtes harmoniques, dont Ravel et Debussy sauront largement bénéficier. L'art de Fauré est tout de nuances et d'élégance : modulations imprévues, imprécisions tonales, suite d'accords aux altérations surprenantes, longues phrases souples où les accents de la passion se mêlent à la sérénité paisible d'une âme latine. Le *Premier Impromptu*, en mi bémol, est une sorte de barcarolle au rythme rapide. Sur le doux balancement des accords de la basse court un chant nostalgique et nonchalant que semblent iriser les mille couleurs du crépuscule. Le *Deuxième Impromptu*, en fa mineur, est d'une structure voisine de celle du premier ; mais il obéit plutôt au mouvement d'une tarentelle interrompue par deux épisodes qui viennent greffer, sur ce rythme fortement marqué, une phrase amoureuse et langoureuse en majeur. Le *Troisième Impromptu*, en la bémol, date, comme le précédent, de 1883. Deux thèmes s'opposent, se confondent, dialoguent, tandis que la main gauche les enveloppe d'un nimbe vaporeux. Équilibre parfait de la forme : cet impromptu exprime une gaieté fraîche et sensible. Le *Quatrième Impromptu*, en ré bémol, fut composé en 1906, vingt-trois ans après le troisième. Fauré se tourne vers sa jeunesse ; avec un sourire plein de mélancolie, il retrouve cette allégresse insouciante d'autrefois. Seul l'intermède médian est empreint d'une tristesse contenue ; tout le reste n'est que poésie fraîche et joyeuse. Cette pièce, qui a l'allure d'une improvisation, n'en est pas moins bâtie sur un plan rigoureux et nourrie du plus logique contrepoint. Le *Cinquième Impromptu*, en fa dièse mineur, composé en 1909, surprend tout d'abord sous la plume de Fauré. Il est construit sur un rythme obsédant et suivant les règles de la gamme par tons entiers, que Debussy reprendra plus tard dans son *Étude pour les huit doigts.* Il en résulte une atmosphère d'hallucination, de souffrance absolument unique dans l'œuvre du compositeur. Le *Sixième Impromptu*, publié en 1913, n'est autre qu'une transcription pour piano de l'*Impromptu pour harpe*, édité en 1904. Il s'agit d'une partition destinée à faire briller la virtuosité du soliste ; mais Fauré était trop musicien pour oublier sa mission de poète et de philosophe.

IMPROMPTUS de Schubert. Huit pièces pour piano du compositeur autrichien Franz Schubert (1797-1828). Schubert, qui fut un des plus brillants improvisateurs de tous les temps, aimait particulièrement la forme de l'impromptu qui lui permettait de laisser libre cours à son imagination. Les huit *Impromptus* op. 90 et 142 (D 899 et 935) datent des deux dernières années du maître viennois ; il faut, disait-il, « transformer les touches en voix chantantes et fuir le maudit jeu à la mode, qui ne plaît ni à l'oreille ni à l'âme ». Tels sont les conseils qu'il a légués aux virtuoses qui souhaitent jouer ses *Impromptus,* comme il aurait lui-même voulu les entendre.

Opus 90 : 1° *Impromptu en ut mineur :* un thème fortement rythmé se métamorphose en une phrase mélodique soutenue, très expressive, qui ramène finalement, en ut majeur, l'idée initiale. — 2° *Impromptu en mi bémol :* l'un des plus célèbres de ce cahier. Il débute par une sorte d'improvisation de haute virtuosité qui s'efface devant une phrase au rythme martial, en si mineur. Reprise de la première idée, puis coda et réexposition du thème en si mineur, qui se transforme par une série de modulations habiles en mi bémol. — 3° *Impromptu en sol bémol majeur :* œuvre délicate, expressive, douce. Le chant plane sur un accompagnement ternaire qu'une phrase brutale vient passagèrement troubler. Mais le calme renaît et l'*Impromptu* s'achève dans une apothéose de sérénité. — 4° *Impromptu en la bémol :* cette partition, qui a la faveur des pianistes, débute par des traits rapides et mystérieux ; la phrase mélodique sourd à la basse, tandis que la main droite brode des arabesques, et reprend finalement ce thème dans un mouvement plus détendu qui introduit la seconde partie de l'ouvrage en ut dièse mineur. Ce finale n'est qu'un long crescendo passionné et lyrique ; il s'achève sur la réexposition du motif initial.

Opus 142 : 1° *Impromptu en fa mineur :* œuvre brillante et bien rythmée dont l'originalité n'est pas évidente, mais qui a l'avantage de résumer quelques-unes des formules de l'art romantique du piano. — 2° *Impromptu en la bémol majeur :* l'une des partitions les plus exquises de Schubert. Gracieuse et tendre, une mélodie simple et sereine se développe sur un rythme à trois temps. Après un trio en ré bémol plus saccadé et plus rapide, Schubert revient par une délicate modulation au thème principal, et l'*Impromptu* s'achève dans la douceur et la paix. — 3° *Impromptu en si bémol :* il s'agit exactement d'un thème suivi de cinq variations. Le thème de 16 mesures est exposé avec une simplicité expressive. La première variation reprend ce motif à peine transformé, sur un accompagnement syncopé. La deuxième variation développe le thème en l'enjolivant d'arabesques, de fioritures, qui font déjà penser à Chopin. La troisième variation introduit une atmosphère lyrique, presque dramatique, avec un rythme haletant marqué à la basse. La quatrième variation ne fait qu'amener la cinquième, faite de charme et de légèreté. Les traits rapides de la main droite s'arrêtent brutalement, et le thème réapparaît dans sa pureté primitive, comme un homme qui arrive au terme de sa vie sans que rien n'ait pu altérer la quiétude de son âme.

— 4° *Impromptu en fa mineur :* écrite sur un rythme de boléro, cette partition très brillante peut faire valoir les qualités techniques, la virtuosité et l'esprit d'un pianiste. Elle se termine par une coda très rapide.

IMPROPERI [*Improperia*]. Œuvres du compositeur italien Giovanni Pierluigi da Palestrina (1525 ?-1594) sur le texte latin des antiennes et des répons du Vendredi saint ; texte d'inspiration biblique, exprimant les reproches du Seigneur aux Juifs : « Ô mon peuple, que t'ai-je fait ? En quoi t'ai-je attristé ? » [Popule meus, quid feci tibi ? aut in quo contristavi te ?]. Composés pour la chapelle Julienne à Rome, ils y furent joués la première fois le Vendredi saint 1573 ; les *Improperi* sont conservés, ainsi qu'une partie des *Lamentations* (*), dans l'unique autographe qui nous soit resté de Palestrina, le fameux « manuscrit 59 » des archives du Latran. Il existe aussi une autre version de cette œuvre quelque peu différente et plus longue. Ces deux versions, demeurées inédites à la mort du compositeur, furent publiées plusieurs fois après sa mort ; la meilleure reproduction que nous en ayons est celle de l'édition complète des œuvres de Palestrina de Franz Xavier Haberl (vol. 31, Leipzig, 1892). Parmi les innombrables chefs-d'œuvre du compositeur, celui-ci occupe une place bien à part, étant donné son caractère. Dans cette œuvre en effet, au lieu de la complexité de l'écriture polyphonique propre à la musique sacrée du XVIe siècle, où les voix se croisent et se séparent en libres volutes, d'un mouvement différent et indépendant, nous trouvons une simple suite de quelques accords note contre note (presque tous « accords parfaits »), plusieurs fois répétés, avec une brève vocalise du ténor à la fin de chacune des petites strophes musicales qui composent l'œuvre. L'ensemble vocal se compose de deux chœurs à quatre voix qui alternent et ne s'unissent que par endroits. L'effet de la composition est en partie lié à l'office liturgique au cours duquel il est joué ; divers « hymnes » et « antiennes » utilisant le « plain-chant » — outre le « Crux Fidelis » de Palestrina, lui-même à quatre voix, et qui se trouve à la fin du manuscrit du Vatican — y étaient intercalés. Mais, mis à part ces accessoires et ornements rituels, la substance de l'œuvre réside naturellement dans la musique, dans ces accords nus et lapidaires d'où s'exhale une réelle impression de solennité prophétique, comme un profond reproche de Dieu à son peuple coupable ; style d'une remarquable pureté qui rappelle celui de certains chefs-d'œuvre de l'architecture grecque ou florentine.

IMPROVISATEUR (L') [*Improvisatoren*]. Le plus connu des cinq romans de l'écrivain danois Hans Christian Andersen (1805-1875), publié en 1835. Le personnage principal, Antonio, est un jeune garçon italien qui possède le don d'improviser des vers. À cause de ce talent, on s'occupe de lui, on le fait sortir de la misère où il vit et on lui fait faire des études. Devenu grand, il va d'aventure en aventure et connaît de nombreuses intrigues amoureuses et romanesques. *L'Improvisateur* est un récit à base autobiographique (le titre même provient du surnom que J. L. Helberg avait donné à Andersen), mais raconté comme une légende et enrichi par toutes sortes de traits imaginaires. C'est aussi un des livres qui témoignent le mieux de l'idée que les romantiques étrangers se faisaient de l'Italie qu'ils voyaient couverte de ruines, pleine de chants et de mascarades, avec le Vésuve, des brigands et des auberges où l'on buvait le fameux vin des châteaux de Rome. — Trad. Stock, 1930, rééd. 1947.

INASSOUVISSEMENT (L') [*Nienasycenie*]. Roman de l'écrivain polonais Stanisław Ignacy Witkiewicz (1885-1939), paru en 1930. L'action se déroule dans un pays prétendument irréel — décor presque identique à celui de *L'Adieu à l'automne* (*) —, vers 1990. L'Europe a connu des bouleversements révolutionnaires, la Russie a abandonné le communisme. Le héros, le jeune Genezyp Kapen, au contact d'artistes et d'érudits, fait son initiation intellectuelle et sentimentale. Il aborde la religion avec le prince Basile, la philosophie avec Benz, l'art avec le compositeur Tengier, la littérature avec Abnol, illustrant par là les écrits théoriques de Witkiewicz. Genezyp rencontre l'amour sous différentes formes : cynico-sensuel (la princesse), homosexuel (Tengier), masochiste (Persy), sentimental (Eliza). Appelé à l'armée, il fait l'expérience du combat et prend part à un coup d'État. La Pologne future, gouvernée d'une main de fer par le dictateur Kocmołuchowicz (qui rappelle un peu l'authentique maréchal Piłsudski), constitue un rempart anachronique qui protège l'Occident contre le péril jaune. Genezyp, incapable de supporter les tensions de ses expériences, dans sa folie tue Eliza et sombre dans une torpeur digne de la future société mécanisée, incapable qu'il est de satisfaire ses aspirations métaphysiques. L'armée chinoise, aux ordres du mage Murti Bing, a conquis la Russie et s'approche des frontières de la Pologne. De mystérieux camelots font leur apparition et distribuent des pilules d'origine orientale qui donnent à l'individu une sensation d'harmonie béate avec l'univers et le débarrassent de son angoisse métaphysique. Elles anéantissent, en outre, toute volonté de résistance. Les personnages du roman, héros fantomatiques, sombrent dans la psychose jusqu'à l'extinction de leur moi respectif. Au dernier moment, Kocmołuchowicz se rend, et les vainqueurs le décapitent pour individualisme excessif. Un ordre nouveau voit le jour. Le principal traducteur de Witkiewicz, Alain

Van Crugten, définit cette critique perspicace de la civilisation contemporaine — dont la suprême folie consiste à normaliser, à « bétailliser » — en ces termes : « Roman psychologique d'anticipation, pamphlet des plus échevelé, réceptacle de toutes les idées de Witkiewicz en matière de philosophie et de métaphysique, de politique et d'histoire ou d'esthétique, bilan de ses expériences personnelles, éruption de lave verbale dont on découvre peu à peu la parfaite cohérence et l'impétueuse beauté. » *L'Inassouvissement* est considéré comme son meilleur roman. — Trad. L'Âge d'Homme, 1970. L. Dy.

INCANDESCENCE [*Glöd*]. Recueil de poèmes de l'écrivain suédois Artur Lundkvist (1906-1991), publié en 1928. Lundkvist est un poète différent des autres poètes, mais c'est peut-être d'abord un homme différent des autres, un homme qui aime la vie sous toutes ses formes : « Il existe une joie sauvage de vivre. Il existe un enivrement qui est celui d'être. Pour mon désir immense, chaque jour est une maîtresse. » Aussi se scandalise-t-il de la manière dont vivent les hommes : « Le ciel est devenu si bas, la terre sombre, la vie rétrécie, les hommes courbés. » Se révoltant donc, il crée une poésie nouvelle. D'autres poètes se joignent à lui, qui vont écrire des œuvres supérieures à la sienne, cependant importante, toutes ayant en commun cette manière de religion où la vie elle-même devient un culte, et la joie de vivre une obligation un peu naïve. Lundkvist célébrera encore sa foi poétique dans *La Vie nue* [*Naket liv,* 1929], où se trouve le magnifique poème en prose intitulé « L'Escalier » [Trappan] qui dépeint magistralement, en quelques lignes, non seulement la vie bariolée d'un quelconque escalier de H.L.M., mais la vie tout court.

INCARNATION [*Menschwerdung*]. Œuvre en deux volumes du philosophe allemand Leopold Ziegler (1881-1958), publiée en 1948. Ces deux volumes contiennent une nouvelle interprétation du Pater Noster. Chaque chapitre porte le nom d'une demande de la prière primordiale de l'Église chrétienne, et l'analyse se fonde sur le texte grec original. Ziegler veut rendre à la prière sa grande force, et à l'homme la possibilité de concentrer toute sa puissance sur le secret éternel de son royaume intérieur. La prise de position pour ou contre la prière est liée au fait que l'homme, dans sa forme phénoménale actuelle, est capable ou non de durer. Ziegler juge heureux celui qui se sait en sûreté au sein de l'Église catholique. Il engage les autres à comprendre l'Évangile avant de rompre définitivement avec lui. Il combat surtout l'esprit de la Réforme qui, remontant au XVIe siècle, ne conçoit la réalisation de la mission chrétienne que par la lutte, et même par l'attaque, ayant pour effet de détruire brutalement toutes les traditions antérieures ou extérieures au christianisme, et renonçant a priori à tout essai d'examiner ces autres traditions en vue d'y retrouver des éléments communs. Ziegler ne prétend pas qu'il faille, pour mieux comprendre la révélation du Logos Christos, aller jusqu'à étudier Lao Tseu ou Bouddha, le maître Shankara ou Râmânuja. Mais il met les traditions orientales, hébraïque, hellénistique, iranienne au sein des manifestations de la Parole. L'esprit combatif des réformateurs a provoqué le déchirement intérieur de l'Église ; le corpus mysticum de l'Una Sancta menaçait de périr. L'auteur reproche à ceux qui s'appellent évangéliques d'appeler les adhérents de l'ancienne confession des « antéchrists ». La Réforme n'aurait pas vu l'origine du Hieros Logos, elle ne se serait jamais rendu compte qu'à une certaine époque primitive la parole évangélique circulait librement avant d'avoir été transcrite dans *La Bible,* et rendue immuable. Le Logos, selon saint Jean, il est vrai, est le début de tout ; il faut admettre que son incarnation dans le Christ n'est qu'une apparition éphémère du Logos éternel. La personnification et l'individualisation du Logos dans le Christ ne sont donc pas essentielles, car le Logos s'est révélé de tous temps dans les langues des différents peuples. Il est enraciné dans le symbole mythique des profondeurs de l'âme, et chacun peut l'appeler en se penchant sur soi-même. Toute forme de refoulement est vouée à l'échec : un Dieu renié resurgit en conséquence, que ce soit sous la forme de la bonté divine ou celle d'une grimace satanique. La civilisation des machines peut progresser ; elle peut même détruire la planète, mais l'essence de l'âme humaine s'éveillera et réapparaîtra au grand jour. Ziegler a traité la philosophie du présent à travers ses expériences personnelles dans *Ma voie vers le bas* [*Mein Weg hinab,* 1923]. Dans cet ouvrage apparaît aussi la métaphysique spéculative de Ziegler qui a subi l'influence de Boehme, de Baader et de Kierkegaard.

INCARNATIONS D'EDDIE TWYBORN (Les) [*The Twyborn Affair*]. Ce roman de l'écrivain australien Patrick White (1912-1990), publié en 1980, est le récit des aventures étranges et quelque peu mélodramatiques d'un Anglais bisexuel. Officier pendant la Première Guerre mondiale, il meurt dans un bombardement pendant la Seconde. Le jeu de mots du titre (« Twyborn » signifie deux fois né, et né double) annonce l'ambivalence du personnage et de ses aspirations. Homme puis femme, tel l'Orlando de Virginia Woolf, Eddie/Eadith Twyborn connaît une carrière variée. Il est maîtresse d'un roi grec exilé en France, puis ouvrier agricole [*jackaroo*] dans un élevage de moutons au centre de l'Australie, enfin, tenancière d'un bordel de luxe londonien.

Avec ses tendances au lesbianisme, sa mère Eadie est déjà l'ébauche de ce fils qui, après avoir échoué dans le monde excessivement masculin des éleveurs de l'*outback*, reparaît et renaît à Londres sous les traits de l'élégante lady Eadith Trist. Ce personnage protéiforme est attirant quoique pathétique, doté de la réalité grotesque d'une ombre plus grande que nature. Comme dans *Le Vivisecteur* (*), l'androgynie et les perversions servent à White de chemin d'approche pour atteindre le cœur de la condition humaine, dans ce qu'elle comporte de pathétique, de grandeur et surtout de comédie. Il avait déjà traité de l'homosexualité, surtout sur le mode léger de la farce. Ici l'écriture est plus appuyée, parfois grinçante, plus explicite aussi, et l'ambivalence sexuelle sert de métaphore à la condition humaine, avec ses espoirs, ses peurs, ses échecs, ses humiliations et sa rédemption possible.

White est un mystique qui a les pieds dans la fange ; il insiste sur la répulsion qu'inspire notre existence charnelle. La maison de passe de Beckwith Street a beau avoir été transformée par Eadith en un lieu de charme, élégance et beauté, elle n'en pue pas moins le cigare froid, le sperme et les déjections. Tandis qu'un parallèle avec la vie de couvent évoque des échos de l'univers de Sade, ce monde clos devient un lieu de fragmentation et de désespoir, dans lequel la perversité et le vice peuvent se révéler la propédeutique du rachat. Le chemin de la spiritualité passe donc à travers la boue.

Amour, tendresse et désir, peur de l'échec aussi sont explorés à la manière habituelle de White : pour lui, la raison est un radeau fragile que la conduite humaine fait chavirer ; l'amour, toujours inadéquat, est le prix de la réalité mais reste insaisissable ; la vérité est souvent « hideuse ». Centrée sur l'individu corrompu mais irremplaçable, cette peinture montre que White ne croit pas aux héros. Les cibles les plus évidentes de sa satire sont les Australiens à l'étranger et les prétentions de classe britanniques, mais aussi l'Australie même, bien que ses paysages, gorgés de beauté comme de métaphores sexuelles, suggèrent la transcendance. Aux incongruités flagrantes de la vie, White préfère répondre par le rire, dans ce chef-d'œuvre baroque, dont le héros/héroïne est un être inspiré par la spiritualité comme par la perversion. — Trad. Gallimard, 1983.

M. Fa.

INCAS (Les) ou la Destruction de l'empire du Pérou. Ouvrage de l'écrivain français Jean-François Marmontel (1723-1799), publié en 1777. Historien, conteur et dramaturge, Marmontel nous offre dans *Les Incas* un exemple de haute fantaisie. Cette histoire de la conquête du Pérou au XVIe siècle par Pizarre est écrite dans le style alerte d'un classique et l'esprit curieux d'un encyclopédiste. Si les intrigues qui se nouent, tout au long du récit, entre Espagnols et indigènes, glissent dans l'œuvre une note quelque peu romanesque, elles n'en détruisent pas pour autant l'aspect général qui est celui d'une épopée. Le livre débute par la fête du Soleil à Quito ; c'est un prétexte pour initier le lecteur aux us et coutumes des Incas, à leur organisation politique et sociale peu avant l'invasion espagnole. Deux capitales : Cusco et Quito, dont les rois respectifs Huascar et Ataliba sont frères par le sang. Chacun dans ses États fait respecter les antiques lois incas qui, quatre fois l'an, aux équinoxes et aux solstices, sont lues en public lors desdites fêtes. L'empire du Mexique est, en 1532, déjà détruit. Les Espagnols étendent leurs ravages vers le sud. Pizarre, Molina et Las Casas se rejoignent à Panama et y tiennent conseil. Pizarre met à la voile et débarque à Puéblo Quémado, où il fait un grand massacre d'indigènes. De la côte de Catamès, il passe à l'île del Gallo où la plupart de ses compagnons l'abandonnent. Il se retire alors dans l'île de la Gorgogne avant d'être rappelé à Panama. De là, il repart en Espagne pour faire appuyer son entreprise. Pendant le voyage de Pizarre, Alvarado, gouverneur de la province de Guatemala, forme le dessein de conquérir le Pérou. Une tentative de reconnaissance par mer échoue totalement, le vaisseau éclaireur faisant naufrage non loin du port de Tumbès. Cependant la guerre civile menace de s'allumer dans le royaume des Incas. Ataliba, pour engager son frère à le laisser en paix, emploie la médiation de Molina qui se rend à la cour de Cusco. Malgré ses efforts, la guerre éclate entre les deux frères. À la bataille de Tumibamba, l'armée de Quito est vaincue ; Ataliba est fait prisonnier ; son fils est tué dans la bataille de Iascahuana. Pizarre, à son arrivée à Séville, obtient le gouvernement des pays à conquérir et repart pour l'Amérique. Il retrouve Las Casas à Saint-Domingue, puis se rend par terre à Tumbès. Les batailles de l'Abancaï et de Tumbès, les revers successifs essuyés par les armées incas font se ranger progressivement les peuples du Midi sous la puissance espagnole. Alonzo, qui a l'entière confiance du roi Ataliba, propose à ce dernier une entrevue avec Pizarre aux fins de tenter une conciliation. L'entrevue a lieu ; mais le fanatique Valverde, trahissant l'hôte de Pizarre, se livre à un grand massacre d'Indiens. Il s'ensuit un conflit entre les chefs ; Ataliba est enfermé dans le palais de Cassamalca. La discorde divise les Espagnols entre eux ; Valverde tente de trahir Pizarre qui l'envoie en exil. Alonzo de Molina, seul intermédiaire entre les Incas et leurs occupants, meurt. Les deux rois Huascar et Ataliba sont, peu après, mystérieusement assassinés. Les Espagnols continuent de se déchirer entre eux. Pizarre se retire à Lima où il meurt de mort violente.

INCENDIAIRE (L') [*Žhář*]. Roman de l'écrivain tchèque Egon Hostovský (1908-1973), publié en 1935. Sonder les individus profondément inquiets ou les familles disloquées et s'intéresser aux débats moraux de l'humanité contemporaine sont les deux pôles principaux de l'œuvre d'Hostovský. Deux incendies successifs, fomentés par on ne sait qui, provoquent une psychose d'inquiétude et de terreur dans un bourg proche de la frontière nord-est de la Bohême. Un jeune étudiant, Kamil, fils d'un aubergiste, vit avec un singulier enthousiasme maladif cette ambiance, où il trouve une sorte d'évasion hors de l'atmosphère de sa famille désunie et de son désarroi aggravé par son amour pour un être cynique. Il rêve d'incendies criminels, et indique même la troisième maison qui doit brûler, et qui brûlera sans qu'il en soit responsable. Il en éprouve un choc suffisant pour renaître à l'espoir et à la confiance; transfiguré, il réussira à rétablir l'harmonie parmi les siens et décidera de reprendre le métier de son père. Raconté à la première personne par Kamil, ce roman est non seulement remarquable par l'acuité de l'introspection, mais aussi par l'art avec lequel nous est rendue sensible l'ambiance oppressante provoquée par les incendies, symboles de l'incendie universel menaçant.

INCENDIE (L'). Roman de l'écrivain algérien d'expression française Mohammed Dib (né en 1920), publié en 1954, peu avant le déclenchement de la guerre d'Algérie (1954-1962). Deuxième volet d'une trilogie « Algérie », dont le premier était *La Grande Maison* (1952). Jeune citadin pauvre, Omar passe ses vacances au village. Il y découvre l'exploitation coloniale des paysans et y assiste à leur lente mais progressive prise de conscience politique, laquelle débouche sur une grève, puis sur la répression et sur l'incendie criminel de leurs maisons. Cet incendie annonce, symboliquement, celui qui va bientôt embraser le pays, même si l'intrigue se passe à la veille de la guerre de 1939-45. Pourtant, si ce roman est marqué par l'idéologie progressiste de l'auteur, qui en a repris l'argument dans un reportage qu'il avait fait pour *Alger républicain,* quotidien communiste, il n'a rien du « réalisme socialiste » que certains ont voulu y trouver. Le militant communiste Hamid Saraj cherche à provoquer la prise de conscience des paysans en les écoutant parler dans leur langage, dont la progression est sans doute le thème majeur du roman. Or, transcrire dans un langage romanesque le parler et le raisonnement de ces paysans serait impossible dans une conception réaliste du roman. Dès lors, Dib opte pour une sorte d'irréalisme affiché, bien plus suggestif du réel que ne le serait la description réaliste, même si le roman peut aussi être lu comme un roman réaliste. Il l'a été en tout cas par les manuels scolaires algériens, qui lui donnent une place de choix tout en ignorant une de ses dimensions les plus poétiques : la description de l'éveil des sens du jeune Omar et de sa cousine Zhor, cependant que la mère de celle-ci tient tête, en se faisant rouer de coups, à son traître de mari. Ch. Bo.

INCENDIE (L') [*Požar*]. Récit de l'écrivain russe Valentin Raspoutine (né en 1937), publié en 1985. Thématiquement, *L'Incendie* fait suite à *L'Adieu à l'île* (*) : les entrepôts d'un lotissement construit pour reloger les habitants d'une île de l'Angara noyée par un barrage sont soudain la proie d'un incendie, probablement criminel. Des chapitres décrivant la lutte contre l'incendie (qui est aussi une occasion pour certains de piller des richesses insoupçonnées — sauf des autorités) alternent avec des chapitres dans lesquels « le juste » du village, Ivan Petrovitch, réfléchit aux causes du laisser-aller général qui a conduit à la catastrophe : le déracinement, un travail prédateur (l'abattage du bois) entièrement soumis aux impératifs du plan de production, la domination d'ouvriers saisonniers sans feu ni foi qui imposent les mœurs et les lois des pénitenciers, les ravages de l'alcool, comparables à ceux de la guerre... L'incendie met à nu les tares de la société et du système, et le caractère de chacun des habitants, mais révèle aussi le désarroi et le découragement d'Ivan Petrovitch lui-même qui était prêt à quitter le village après avoir vu une sorte d'utopie communautaire dans la cité où vit son fils technicien. Publié au tout début de la perestroïka (et honoré du prix d'État de littérature en 1987), ce récit allégorique et apocalyptique sonnait le tocsin devant la désagrégation morale et sociale du pays. Aussi est-ce ici le publiciste, plus que le peintre subtil des âmes et de la nature, qui s'exprime. À qui la faute ? Que faire ? La Russie n'a pas cessé de se poser ces questions. — Trad. Julliard, 1988.

M. N.

INCESSANTE ORIGINE (L'). Volume du poète italien Mario Luzi (né en 1914) regroupant trois recueils intégraux et successifs : *Du fond des campagnes* [*Dal fondo delle campagne,* 1965], *Dans le magma* [*Nel magma,* 1963, nouvelle édition complétée en 1966], *Sur d'invisibles fondements* [*Su fondamenti invisibili,* 1971]. *Du fond des campagnes,* où dans le titre même résonne l'écho du « De profondis », est un double adieu à la mère et à la campagne. Une section entière est consacrée à Marguerite : « Mort chrétienne » où s'abolit la frontière entre la vie et sa négation. Le rôle de la mère n'a pas changé, son action est aussi essentielle qu'avant sa disparition, car qui a appartenu à la vie dans la vie demeure. En revanche, l'adieu à une certaine campagne est définitif : Luzi prend acte des transformations radicales qui ont affecté l'Italie depuis le boom industriel de la fin des années 50, pourtant il se plonge une dernière fois dans ce paysage du cœur, dans ce moule de l'imaginaire que fut pour lui la région de Sienne. Or ce constat de radical changement ne suscite en lui ni regret ni nostalgie, il l'enregistre en scribe sans se laisser aller à l'élégie.

Dans le magma révèle une démarche poétique entièrement nouvelle. Désormais le sujet narrateur abandonne son rôle de conscience cosmique dominant et jugeant la scène du monde, il redevient personnage, comparse même, au milieu des autres acteurs. Il réintègre une parole modeste limitée par un corps propre et un corps social : il écoute les propos, imagine les pensées, subodore les comportements, épie sur les visages le reflet des choses dites et cachées, en même temps qu'il retrouve la localisation spatiale, car les scènes se jouent dans une voiture, un bureau, un café, un appartement, sur une terrasse, dans une rue. Le temps n'est plus celui des saisons, des lentes transformations séculaires, mais le rythme bref, saccadé, haletant de l'histoire, deux ans avant 1968. Si la mère de Luzi disparaît, les femmes occupent une place de choix car, portant en elles, plus que les hommes, le code de la nature et son espérance incoercible, elles sont capables de comprendre, mieux qu'eux, le processus dans lequel ils se trouvent eux-mêmes engagés. C'est le triomphe du « lei » (elle) qui s'affirmera davantage encore dans le recueil suivant.

En 1971, alors que l'Italie vient d'entrer dans l'ère de la violence, Luzi publie *Sur d'invisibles fondements.* Une fois encore la création est entièrement nouvelle : trois longs poèmes composés chacun de sept laisses aux typographies différentes en constituent l'essentiel. Autant *Dans le magma* affichait la simplicité d'un style conçu en vue de la communication directe, autant les nouveaux poèmes sont difficiles, fulgurants, fragmentaires. La langue en perpétuelle genèse d'elle-même se fait musicale et alterne les « andante », « vivace » et « pianissimo ». Luzi retrouve son lyrisme dans des voix divisées, multipliées, diffractées en échos répercutés. Cette recherche tâtonnante dans la nuit du sens poursuit une réalité cachée de libération qui parfois fulgure en éclairs mystiques dont le poète ne communique que les retombées : « Parfois on touche au point immobile et impensable / où rien n'est plus divisé de rien / ni la mort de la vie / ni l'innocence de la faute, / où même la douleur est joie plénière. » — Trad. Flammarion, 1985. P. R.

INCIDENCES. Sous ce titre, l'écrivain français André Gide (1869-1951) réunit, en 1924, un certain nombre d'études et d'articles jusqu'alors dispersés dans des revues *(Revue de Genève, N.R.F., Le Divan),* des fragments détachés de son *Journal* (*), une conférence sur Théophile Gautier, des réponses à des enquêtes, enfin des préfaces. C'est le Gide lecteur attentif et averti qu'on trouve ici, un Gide modeste et qui s'efface devant les œuvres et les hommes dont il parle. Si ses considérations politiques (« Réflexions sur l'Allemagne », « L'Avenir de l'Europe ») sont de peu de substance et ont vieilli, il n'en est pas de même avec le « Journal sans dates » et « La Marche turque » (carnet de route d'un voyage en Turquie), où Gide retrouve son extraordinaire talent d'évocation des paysages et de l'atmosphère des pays qu'il traverse, ainsi que le lyrisme des *Nourritures terrestres* (*), mais cette fois contenu. Dans les « Considérations sur la mythologie grecque » (1919), on trouve déjà l'ébauche du personnage de Thésée auquel Gide devait consacrer un livre en 1947 : *Thésée* (*). Les « Billets à Angèle » sont, sous la forme de courtes lettres, quelques notes sur la classicisme, Marcel Proust, *La Nouvelle Revue française,* Maurice Barrès, pour lequel d'ailleurs il n'est pas particulièrement tendre : « Le cerveau de Barrès me rappelle certaine machine à faire des chapeaux. » Les « Lettres ouvertes » sont adressées à Jacques Rivière, à propos de la parution de son livre *L'Allemand,* à Jean Cocteau sur *Le Coq et l'Arlequin,* à Francis Jammes afin de mettre publiquement au point la question du début de leurs relations avec Paul Claudel, à Paul Souday sur des questions de grammaire. C'est peut-être dans ses études et préfaces que Gide se révèle le mieux : préoccupé du véritable visage de celui dont il parle — que ce soit de Stendhal, à propos d'*Armance* (*) ; de Baudelaire, à propos des *Fleurs du mal* (*) ; de Pouchkine : *La Dame de pique* (*), de Théophile Gautier, de Proust ou de Valéry —, animé du désir de définir la personnalité de chacun et son apport à cet humanisme universel et de tous les temps dont Gide se fit, durant toute sa vie, le défenseur, soucieux enfin de l'exactitude dans l'expression et de la mesure dans le jugement. Considérées de ce point de vue, les *Incidences* sont indispensables pour comprendre l'attitude de Gide et sa place dans cet humanisme.

INCOHÉRENCE (L'). Recueil du poète français André du Bouchet (né en 1924), publié en 1979. Dans son ambiguïté voulue, le titre du livre rend compte de la diversité et du désordre apparent dans lequel se succèdent des textes pour la plupart repris de publications antérieures, dont certaines remontent à 1954, mais aussi d'un refus de la continuité face à l'incohérence fondamentale du monde. L'épigraphe placée en tête par l'auteur, en soulignant « ... l'incohérence des parties de l'eau », témoigne d'une vision du réel qui ne se satisfait pas des apparences. Le livre n'est pas paginé, comme s'il n'avait ni début ni fin et pouvait se lire à partir d'une page quelconque, « pêle-mêle » comme le précise une notation marginale. Il est cependant très construit, car à l'incohérence fondamentale qui est comme le péché originel du monde répond chez son auteur un ardent désir de cohérence. Soucieux d'effacer les limites entre les genres, comme il l'avait déjà montré dans *Qui n'est pas tourné vers nous* (*) (1972), André du Bouchet mêle des essais sur des peintres (Bram van Velde, Tal Coat, Hercules Segers), des notes inspirées par les événements de mai 68, des traductions de Pasternak, de Gérard Manley Hopkins et de Hölderlin, une conférence sur ce dernier et des textes plus spécialement poétiques. Les écrits « poétiques » encadrent systématiquement des notes sur les peintres, le milieu du livre étant réservé aux traductions, celles des différentes versions de « L'Unique » de Hölderlin se situant elles-mêmes de part et d'autre de la conférence prononcée en 1970 sur le poète allemand. Tous ces textes ont un point commun. André du Bouchet a toujours revendiqué la condition de sujet de sa propre parole et s'il parle d'un peintre ou traduit un poète, c'est sa voix qu'on entend. Ce qu'il a écrit dans « Sous les pavés, la plage » à propos d'inscriptions lues sur les murs de Paris en mai 1968, « Parole d'autrui qu'il (le poète) peut — un temps — faire sienne... », peut s'appliquer à ses traductions. Traduire, c'est à la fois partager et s'approprier cette parole d'autrui. Mais une parole n'est jamais définitive et, dans « Le Linteau en forme de joug » et « Hercules Segers », celle d'André du Bouchet, à travers le peintre Tal Coat et le graveur hollandais, se commente et se conteste elle-même dans les marges, offrant ainsi un texte sur deux colonnes, parfois trois, qui trahissent un désir anxieux de faire cohérer ce qui s'y refuse. Les trois textes consacrés à Hercules Segers sont particulièrement significatifs : André du Bouchet a considérablement remanié et complété par des notations marginales les deux premiers, qu'il avait d'abord publiés dans *L'Éphémère* (*) en 1967. Quant au troisième texte, plus récent, il montre le poète parcourant le pays où il vit une partie du temps et dont certains paysages lui rappellent ceux qu'a peints ou gravés Segers. Ainsi Hercules Segers, Tal Coat, Bram van Velde sont, non pas les prétextes, mais les médiateurs qui permettent à André du Bouchet de se rejoindre par la parole à travers leurs œuvres, comme les poètes qu'il traduit lui offrent une parole qu'il fait sienne. *L'Incohérence* donne donc une image assez représentative de l'œuvre d'André du Bouchet et de son unité dans la diversité. Cette image sera plus complète si l'on rapproche ce livre d'un recueil publié simultanément, *Laisses*, qui forme avec lui une sorte de diptyque dont l'un des volets met plutôt l'accent sur la discontinuité et dont le second semble relever d'une certaine continuité, tout en se faisant mutuellement écho à la fois par des fragments apparaissant comme des variantes et par l'insistance avec laquelle ils s'interrogent sur la parole poétique. Celle-ci prend son origine dans l'instant, « instant singulier dont la mémoire nous est presque aussitôt retirée, mais dont nous avons aussi le pressentiment qu'il peut ne pas être unique ». Les deux livres renvoient aussi au dehors, poussant la poésie à son extrême limite : « Poésie. Déjà, ce n'est plus d'elle qu'il s'agit. Sa force est dehors, dans la plénitude qui l'entame. » Parce que chacun de ses actes d'écriture se situe dans un instant soustrait au temps, André du Bouchet est peu conscient de la chronologie de son œuvre et se désintéresse du passé, ou plutôt le conjugue toujours au présent. Sa parole lui apparaît comme « décolorée par la rapidité avec laquelle elle s'éloigne de la circonstance qui lui avait conféré semblant de justification », pour acquérir une vigueur nouvelle, due à la « toute-puissance des mots décolorés ». Collection ou chaîne d'instants puisés dans le dehors et rompant le temps linéaire comme l'ordre discursif, telle apparaît l'œuvre d'André du Bouchet dans le « pêle-mêle » cohérent de *L'Incohérence*.

J. De.

INCONNU DU NORD EXPRESS (L') [*Strangers on a Train*]. Roman policier de l'écrivain américain Patricia Highsmith (née en 1921), paru en 1950. Guy Haines, jeune architecte de 29 ans, voudrait divorcer, quitter définitivement Miriam pour épouser Anne, mais Miriam ne semble pas pressée. Dans le train, il engage la conversation avec un inconnu : Bruno, oisif, 25 ans, très attaché à sa mère et détestant son père. Bruno lui expose sa théorie du crime parfait : « Supposez que chacun de nous tue pour le compte de l'autre ? Nous nous sommes rencontrés dans le train et personne ne sait que nous nous connaissons. Nous avons chacun un alibi parfait. » Guy le juge un peu fou et oublie cette rencontre, mais Bruno tue Miriam et harcèle Guy pour qu'il tue son père. Menacé de perdre ses clients et sa fiancée, Guy finit par suivre ses instructions. On trouve déjà dans ce premier roman l'atmosphère angoissante et malsaine qui fait le charme de l'œuvre de Patricia Highsmith. Bruno, névrosé qui ne prend pas conscience de son homosexualité latente, compose avec Guy, un homme apparemment équilibré et qui finit par côtoyer la folie, un des couples mémorables créés par la romancière. Le roman, adapté par Chandler (qui jugeait l'intrigue « assez idiote »), sera porté à l'écran par Hitchcock en 1951. — Trad. Calmann-Lévy, 1951.

D. B.d.M.

INCONNUE D'ARRAS (L'). Pièce en trois actes, publiée en 1936 par l'écrivain français Armand Salacrou (1899-1989). La pièce s'ouvre sur l'agonie d'un homme, Ulysse, qui vient de se suicider. Pourquoi ? C'est ce que trois actes vont apprendre au spectateur. Le mourant doit revoir sa vie entière, qui a pris son sens dans la perspective de la mort. Plus d'accidentel, plus de gratuit. Tout s'ordonne selon cette mort à venir, inéluctable. Et c'est Ulysse bébé, Ulysse garçonnet jouant aux boules de neige, Ulysse enfant enterrant sa petite chatte. Un paquet de personnages surgit, la vieille nourrice, le vieux père à l'accent marseillais, le proviseur du lycée, le jeune grand-père de vingt-huit ans, et les femmes : Madeleine échappée d'une maison close, l'inconnue, la douce Inconnue d'Arras, et Yvette qui tenta elle aussi de se tuer. Jamais le pittoresque, ou même la cocasserie des mots et des situations n'arrivent à faire oublier le drame poignant qui demeure toujours, et quel que soit le viatique qu'il emporte, la chute d'un homme dans l'inconnu. L'approche de la mort, même pour un incroyant, c'est toujours un peu celle de Dieu. Les pauvres petits gestes d'Ulysse, ses amours dérisoires et ses haines sordides en sont transfigurés. Certes, aucune foi positive en un au-delà lumineux ne se dégage de la pièce, mais comment expliquer autrement que par une mutation d'essence religieuse la valeur prise par telle petite parole qui vient tournoyer dans le grand tohu-bohu des souvenirs ? « Merci. » Et ce merci ultime vient après la dernière parole prononcée par Ulysse avec ses lèvres d'homme, et qui était un mot de haine et de séparation : « garce ». Avec *L'Inconnue d'Arras*, Salacrou atteignait, sinon le bout de la route, du moins une haute étape entrevue dès *Le Casseur d'assiettes* (*). C'est bien le même inspiré qui parle, et Lugné-Poe, le vieil ami, salua l'œuvre comme le « manifeste théâtral attendu ». Ce fut lui qui la monta, en novembre 1935. Une remarquable interprétation, dominée par Pierre Blanchar, évita un désastre à la générale. Mais la presse du lendemain distilla du vinaigre. Toutefois la pièce, avec des salles diverses, put tenir jusqu'à la centième.

INCONTRÔLABLE [*Bezotčetnoje*]. Livre de poèmes et de prose du poète russe Andreï Andreïevitch Voznessenski (né en 1933). Publié en 1983 à Paris, en traduction française – dans ce volume il est suivi de *O*. Le poème-titre donné en ouverture apparaît comme un véritable manifeste affirmant l'indépendance du poète à l'égard des pouvoirs.

Tout en conservant la même vivacité dans l'invention verbale et son humour corrosif, l'écriture poétique de Voznessenski prend ici une limpidité et une gravité nouvelles, qu'il évoque, dans « L'Étoile de Mikhaïlovskoïé », l'exil de Pouchkine (« Ce sont les puissants qui sont en disgrâce / lorsque s'en détourne le poète ») ; qu'il affirme « Elle existe l'intelligentsia russe » ; ou dénonce, dans « Le Chauffeur », la persistance, dans la nouvelle génération, du culte mortel de Staline.

« L'Écolier » transcrit avec ferveur la vénération du poète adolescent pour son idole, Pasternak. La « Nostalgie du présent » dit avec force le besoin d'authenticité. Ce volume contient aussi quelques poèmes miniatures que Voznessenski avait donnés au recueil collectif indépendant *Métropole* interdit à la parution en U.R.S.S., quatrains lourds de signification dans leur dense brièveté, tel « Essenine ».

Deux textes en prose occupent ici le plus grand nombre de pages. C'est *J'ai quatorze ans*, « prose en poésie », mémoires lyriques, regard émerveillé et étonnamment précis sur Boris Pasternak et son œuvre, qui est en même temps l'énonciation d'un credo poétique. Le rythme en est finement accordé au sujet (« Le champ sensuel du ruisseau, des saules argentés, les pensées de la forêt accordaient les instruments du poème »).

Tout autre est *O*, histoire fantastique d'un jeune trou noir épris du poète et qui entre par un vasistas dans sa maison de campagne. À sa suite vont s'engouffrer dans les récits des foules de mots en « O » de la langue russe, criblant les pages et y faisant surgir au gré de la mémoire George Moore, Picasso, Lioubimov et Vyssotski, Chostakovitch, Aragon, l'architecte Pavlov et des souvenirs d'enfance et de la maturité tendres ou terribles. – Trad. Gallimard, 1983. L. R.

INCONVÉNIENT D'ÊTRE NÉ (De l'). Essai de l'écrivain roumain de langue française Emil Michel Cioran (né en 1911), publié en 1973. Ce recueil d'aphorismes est certainement l'un des plus significatifs de l'art de Cioran, autant par la perfection de la forme que par le questionnement qu'il propose. Cioran s'est déjà essayé à la forme aphoristique dans des ouvrages précédents et plus particulièrement dans *Syllogismes de l'amertume* (1952) où il se mesure avec la tradition moraliste française et son cynisme souriant. Toutefois le mot d'esprit chez Cioran ne se réduit nullement à un simple plaisir de dilettante, il acquiert une véritable vocation métaphysique. Dès lors la gravité y côtoie la désinvolture, la maxime se transforme en boutade et le philosophe devant le vertige des questions insolubles se raccroche aux mots.

Une même obsession parcourt ce recueil : « Pourquoi quelque chose plutôt que rien ? » Cette question, Cioran la médite sans relâche : « Exister, écrit-il, est un état aussi peu concevable que son contraire, que dis-je ? Plus inconcevable encore. » Cet ouvrage pourrait se résumer en une plaisanterie : « Si on avait pu naître avant l'homme ! » significative d'une nostalgie du temps « d'avant le temps », espace de pure virtualité d'où nous exclut la catastrophe de la naissance. Ce n'est pas la mort qui est mise en cause, mais l'existence qui annule le possible, l'état où « vautré dans le virtuel, on jouissait de la plénitude nulle d'un moi antérieur au moi ». Le mal est en effet derrière nous et non devant puisque « nous avons perdu en naissant autant que nous perdons en mourant. Tout ».

La véritable tragédie humaine se joue dans l'impossibilité de remonter le temps, de réintégrer le néant d'avant la conscience, « d'avant le concept » convient-il de préciser. Dans cette perspective d'un néant fécond, toute détermination est réduction et l'existence est perte. L'accident qu'est la vie n'est qu'une inutile digression qui ramène à son point de départ, une conscience humaine oscillant entre deux irréalités : « l'apparence et le rien », l'horreur d'être et l'attachement à l'être, et lui inculque selon la formule de Valéry, « le sentiment d'être tout et l'évidence de n'être rien ».

Cioran qui appartient à cette famille d'esprits souffrant de la « lassitude d'être éveillé » n'aspire par conséquent qu'au salut « qui amoindrit le règne de la conscience » et cherche à « s'inventer une seconde naïveté ». Par bonheur l'humour le console de l'échec d'une si ambitieuse perspective : « Tout ce qui est engendre tôt ou tard le cauchemar, tâchons donc d'inventer quelque chose de mieux que l'être. » S. J.

INDE (L') [Ἰνδική]. Œuvre de l'historien grec Flavius Arrien, de Nicomédie (95 ?-180 ?), disciple d'Épictète et imitateur de Xénophon. Elle constitue un appendice aux *Expéditions d'Alexandre* – v. *Alexandre le Grand* (*) du même auteur – et elle comprend deux parties. Dans la première, qui répond le mieux au titre, l'auteur décrit l'Inde avec une certaine exactitude. Après une digression sur l'histoire et sur les mythes de l'Inde, il évoque – avec un certain amour du pittoresque – les coutumes, les habits et les armes des habitants, dont il énumère aussi les différentes castes. Cette première partie n'est pas originale, parce qu'Arrien n'a pas visité en personne le pays en question. Toutefois il utilise (avec esprit critique, et en suivant les méthodes qu'il avait précisées dans le premier chapitre des *Expéditions d'Alexandre*) les sources dont il dispose : Mégasthène, le voyageur grec qui avait donné de l'Inde des descriptions très précises ; Ératosthène, le fondateur de la géographie mathématique, et Néarque, général d'Alexandre. À ce dernier, Arrien a emprunté, pour l'inclure dans la seconde partie de *L'Inde,* le récit de son aventureuse exploration de l'océan Indien et du golfe Persique, du delta de l'Indus à celui du Tigre, en décrivant minutieusement, outre l'aspect de la côte, les péripéties du voyage, telles que la rencontre d'un banc de baleines, les luttes soutenues avec les habitants, les coutumes de ces derniers, les collisions entre les navires constituant sa flotte, etc. Dans cette partie, l'œuvre d'Arrien devient tout à fait semblable aux périples dont l'exemple le plus ancien et le plus important était l'*Odyssée* (*). Mais il ne s'agit pas d'une aride compilation géographique, puisque l'auteur intervient continuellement dans la narration en y insérant ses impressions et ses opinions. Sa période, brève et quelque peu monotone dans les parties scientifiques, devient plus riche et plus ample dans les parties narratives et descriptives. Arrien déclare n'avoir écrit cette œuvre qu'en guise d'exercice, avant de se mettre à son œuvre maîtresse (qui d'ailleurs ne nous est pas parvenue), l'*Histoire de la Bithynie.* – Trad. Les Belles Lettres, 1927 ; 1968.

INDES GALANTES (Les). Opéra-ballet en un prologue et quatre entrées du compositeur français Jean-Philippe Rameau (1683-1764), sur un livret de Fuzelier. Première représentation à Versailles le 22 août 1735. Divertissements pour les yeux, pour l'oreille et pour l'esprit, les opéras-ballets de Rameau animaient les grandes fêtes de Versailles. Une machinerie d'une incroyable complexité permettait des effets scéniques fulgurants : les chanteurs venaient le plus souvent d'Italie ; les décors se déployaient avec un faste extraordinaire. C'étaient des représentations à grand spectacle, des sortes de revues dont la règle du jeu consistait à faire toujours plus grand, toujours plus beau, toujours plus noble et toujours plus fantaisiste. *Les Indes galantes* illustrent d'une façon parfaite cette formule. Le Prologue nous apprend que la France, l'Italie, l'Espagne et la Pologne, trop occupées à faire la guerre, délaissent l'amour pour sacrifier à Bellone. Hébé, dans son palais de nuages, décide que les Amours émigreront vers des horizons plus paisibles. Première escale de l'Amour : la Turquie. Le Pacha Osman nourrit une tendre affection pour Émilie sa captive, enlevée par un barbaresque à l'affection de son fiancé Valère. Une tempête jette le vaisseau de Valère sur la côte et le jeune officier tombe, à son tour, en esclavage. Mais il retrouve Émilie ; et Osman, qui reconnaît en son prisonnier un de ses bienfaiteurs, bénit luimême l'union des deux chrétiens et leur offre une escadre en cadeau de noces. Deuxième escale : le Pérou. Don Carlos, officier espagnol, a fait la conquête de Phani, princesse inca. Huascar, le grand prêtre, veut interrompre cette idylle ; il provoque une brutale éruption volcanique. Heureusement, Carlos sauve Phani et Huascar périt sous les rochers enflammés. Troisième escale : la Perse. Après un doux quiproquo, Ali et Tacmas trouvent dans les jardins exotiques le bonheur qu'ils cherchaient en la personne de Zaïre et de Fatime. Les héros assistent à la fête des fleurs, dont chaque parfum est représenté par les séduisantes odalisques d'un Orient voluptueux. Quatrième escale : l'Amérique du Sud. Les sauvages guerriers commandés par Adario viennent faire leur soumission aux officiers espagnols et français. Deux de ceux-ci, Damon et don Alva, sont tombés amoureux de Zima, une noble sauvage. Mais cette dernière préfère finalement Adario, et les deux capitaines se consolent en regardant la fête que l'on donne en leur honneur. Cet argument se prêtait à des déploiements de couleurs bariolées. Rameau, tout en faisant des allusions discrètes à la couleur locale, n'oublie jamais qu'il est citoyen de Versailles où tout n'est qu'ordre et beauté, luxe, calme... et volupté aussi, mais avec une grande pudeur. Les airs qui accompagnent les ballets sont les plus réussis de l'ouvrage, notamment ceux de la fête des fleurs. Les récitatifs accompagnés par le continuo (clavecin et viole de gambe) sont parfois d'une grande monotonie. L'air d'Hébé dans le prologue, l'Hymne au soleil chanté par Huascar au second tableau, ont toutefois une envolée et un lyrisme extraordinaires. Il faut surtout admirer dans cette partition le progrès qu'elle marque sur l'écriture harmonique traditionnelle au XVIIIe siècle ; certains de ses accents, comme des suites de quintes, ont paru révolutionnaires en leur temps.

Pendant près de deux siècles, *Les Indes galantes* sombrèrent dans l'oubli. Paul Dukas les ressuscita en transcrivant pour piano le manuscrit de Rameau, qui ne contenait souvent que des esquisses laissant aux musiciens une large liberté d'improvisation. Henri Büsser en fit une orchestration pour la reprise de l'ouvrage à l'Opéra de Paris, le 20 juin 1952 ; il orchestra les récitatifs, augmenta les effectifs de l'orchestre prévu par Rameau. Les exécutions modernes donnent lieu à des reconstitutions d'après les manuscrits originaux. *Les Indes galantes* n'en demeurent pas moins surtout le prétexte d'une fête fastueuse, où la musique joue le rôle d'une musique de scène, musique de scène géniale qui, par certaines audaces harmoniques, ouvre la voie aux grands compositeurs lyriques du XIXe siècle.

INDIANA. Roman de l'écrivain français George Sand (Aurore Dupin, 1804-1876), publié en 1832. Cet ouvrage d'une débutante se ressent du romantisme de Chateaubriand et de l'individualisme de Rousseau. Blessée dans son orgueil et dans sa sensibilité de femme par un mariage mal assorti dont elle venait de se libérer, l'auteur donne dans *Indiana* sa première confession romancée. Dans le vieux château de Lagny vit le vieux colonel Delmare qui a épousé la jeune Indiana, originaire de l'île Bourbon (aujourd'hui la Réunion). Avec eux vit le baronnet anglais sir Ralph Brown, cousin d'Indiana en compagnie de laquelle il a passé toute son enfance. Sous des apparences froides, Ralph aime passionnément la jeune femme. Le hasard fait connaître aux Delmare un jeune freluquet, Raymon de Ramière, qui ne tarde pas à devenir l'amant d'Indiana. Des difficultés financières forcent le colonel à abandonner la France pour l'île Bourbon. Indiana va se réfugier auprès de son amant, lequel la repousse. Ralph la sauve du suicide. Elle consent enfin à suivre son mari et son cousin dans cette île lointaine où elle se consumera de nostalgie. Lorsqu'elle reçoit une lettre de son amant qui lui annonce qu'il vient de perdre sa mère et qu'il est accablé par cette mort, Indiana renaît à l'espoir. Elle quitte son mari et vient rejoindre Raymon qu'elle rencontre après de nombreuses péripéties. Raymon l'accueille froidement et lui annonce qu'il est marié. Désespérée, Indiana se laisse ramener par son cousin dans l'île Bourbon où son mari est mort pendant son absence, mais sans qu'il se soit aperçu de cette fugue. Tourmentée et déçue, elle pense trouver le repos dans la mort. Elle se précipite dans les remous tourbillonnants d'une chute d'eau. L'énigmatique Ralph la suit dans son tragique destin. Ce roman, qui déborde de passion, a tous les défauts d'un tempérament qui ne sait pas encore brider son imagination. Mais ces défauts eux-mêmes sont la marque d'un grand talent, et c'est pourquoi cet ouvrage demeure un des plus beaux de George Sand.

INDIA SONG. Texte, théâtre, film de l'écrivain français Marguerite Duras (née en 1914), publiés en 1973, écrits « en août 1972 sur la demande de Peter Hall, directeur du National Theater à Londres ». Le genre éclaté et singulier de l'œuvre révèle les lieux multiples que l'écriture explore, toujours en quête du sens des personnages. Ceux « évoqués dans cette histoire, précise Marguerite Duras, ont été délogés du livre intitulé *Le Vice-Consul* (*), et projetés dans de nouvelles régions narratives. Il n'est donc plus possible de les faire revenir au livre et de lire, avec *India Song*, une adaptation cinématographique ou théâtrale du *Vice-Consul* ». Ce qui était traqué à partir des noyaux imaginaires d'*Un barrage contre le Pacifique* (*) et *Le Ravissement de Lol V. Stein* est ici porté à son point d'orgue le plus subtil. Duras écrit sans aucun doute la même histoire, en la nourrissant de significations nouvelles, faisant de ses livres le lieu de tous les carrefours, un espace narratif de harcèlement qui n'a d'autre objet que de porter au jour le secret brûlant de ces noyaux. *India Song* reprend donc tous les éléments de l'action et des personnages du *Vice-Consul*, dont les constellations se retrouvent aussi dans *La Femme du Gange, Le Ravissement de Lol V. Stein*, faisant de cette œuvre-réceptacle la tête pilote de la galaxie India Song.

Cinq parties découpent le livre, le scandent plutôt, comme si l'incantation des voix ramenait l'écriture dans le champ du poétique, voire de la profération sacrée.

Les voix entrelacées du récit, « d'une douceur culminante, vont chanter la légende d'Anne-Marie Stretter ». Cette mélopée faite de « débris de mémoire », dans un ordre différent de celui du *Vice-Consul*, reprend l'histoire de l'héroïne tant de fois traversée par Marguerite Duras. Les lieux sont les mêmes : un des salons de l'ambassade de France à Calcutta, le parc, les tennis, les palaces, l'orée des misères. Les mêmes personnages : les familiers d'Anne-Marie Stretter, le vice-consul, l'homme vierge, la mendiante de Savannahket. Les voix parlent de cette histoire, de cet absolu de l'amour qui relia un temps, fulgurant, la femme de l'ambassadeur et le vice-consul. Les voix essaient d'arracher à la nuit, à l'enfouissement de la mémoire, cette « histoire d'amour immobilisée dans la culminance de la passion ».

Aux « amants du Gange » s'agrège l'histoire du monde dans une perspective de délabrement mondial, de fin de société que le film datera davantage encore, en 1937. Enfin les voix off du *Vice-Consul*, plutôt agressives, sortes de reflets du social hostile, sont ici remplacées par les voix off féminines qui racontent leur propre histoire sentimentale et apportent au récit une douceur élégiaque quasi racinienne.

Le film que Marguerite Duras tourna en 1974 est considéré comme un des sommets de son art cinématographique. L'intelligence et la sensualité de la caméra, son maniement fluide et fixe à la fois, l'incantation par la répétition des images, la coïncidence qu'elle établit entre l'image et le son, ces blancs et ces trous qu'elle parvient à filmer, servie par le jeu admirable des comédiens, Delphine Seyrig et Michaël Lonsdale, dont la retenue et la violence alternent miraculeusement, l'obsessionnelle litanie de la musique de Carlos d'Alessio, l'air d'*India Song* répété inlassablement comme un pur motif rhapsodique, ont été la surprise du festival de Cannes 1975, partagé entre la fascination et l'irritation.

India Song se présente comme une œuvre musicale dont les séquences révèlent l'art même de l'écrivain, fondé sur la récurrence d'une histoire sans cesse réinvestie, sur l'approfondissement d'une passion, sur le lyrisme de son chant, et sur une apparente fragilité, reflet même de cet impitoyable débusquement narratif qui érode et amplifie à la fois, pour mieux le ravir, le sens de ce qui obsède et néanmoins se dérobe. A. Vir.

INDICATEUR DES CHEMINS DE CŒUR. Recueil du poète français d'origine roumaine Tristan Tzara (1896-1963), publié en 1928. Peut-être parce qu'elle y chante surtout l'amour, la poésie commence à s'accepter dans ce livre comme forme rythmique et belle, alors que, dans les précédents recueils de Tzara, il y avait toujours quelque chose de grinçant, de cassé — ce goût de la dérision propre à Dada. Par contre, on trouve ici des images comme « au fond déjà neigeux de ta jeunesse », dont la facilité (dans un sens non péjoratif) témoigne de l'acceptation du débit naturel et spontané de la poésie. Tzara ira désormais dans ce sens avec son grand poème *L'Homme approximatif* (*) et surtout avec son œuvre d'après-guerre, plus engagée dans une quête humaniste. Ici, on s'abandonne volontiers au bonheur de vers qui semblent nommer pour la première fois les vertiges, les émois et les découvertes de l'amour, le monde qui paraît nouveau-né par la magie d'une rencontre : « Perdu dans la géographie d'un souvenir et d'une obscure rose / je rôde dans les rues étroites autour de toi / tandis que toi tu rôdes dans d'autres rues plus grandes / autour de quelque chose. » Il y a aussi les ombres et la douleur, mais le souffle du poète les pare d'une sorte de grandeur cosmique : « La terre à sa rupture déploie la pierre blanche et jeune / d'un sein solide de géante offert à la longueur du temps / et le vent se mord les lèvres de sa rage noire / et le vent nous crache à la figure / l'infatigable brutalité de tout cela. »

INDIEN (L') [*El indio*]. Récit de l'écrivain mexicain Gregorio López y Fuentes (1897-1966), publié en 1935 ; le plus soigné, le plus achevé des écrits de López y Fuentes relatifs à la révolution mexicaine. Un fil conducteur relie les différents chapitres, assez solide pour que l'impression de dispersion souvent si forte pour le lecteur de López y Fuentes soit ici reléguée à l'arrière-plan de ses préoccupations. Un jeune Indien est désigné comme guide auprès de trois Blancs arrivés au village sous le prétexte de chercher des plantes médicinales ; ils révèlent à leur guide qu'ils veulent de l'or et le torturent pour obtenir le secret de la cachette du village avant de le laisser pour mort. En représailles, les Indiens tuent l'un des Blancs. Les troupes gouvernementales, envoyées pour apaiser les troubles, sont menées par un chef intelligent, métis, qui n'applique aucune sanction rigoureuse contre les paysans. Dans la seconde partie, nous voyons le jeune Indien obligé par les sages à renoncer à sa fiancée car il est désormais un infirme ; elle épousera un de ses cousins. Une sombre fatalité se déchaîne alors sur le jeune couple, qui se termine par la mort du mari. Magie ? Destin ? Le mystère indien est là tout entier. La jeune femme et son fils mourront peu après, à la suite d'une épidémie de petite vérole, cependant que le nouveau gouvernement, celui de la Révolution, fait construire une route et une école non sans laisser libre cours aux abus malgré l'apparition d'un « leader » parmi les Indiens. Les différents épisodes du roman sont prétexte à une fine analyse du comportement des Blancs et des métis à l'égard des Indiens, comportement fait de mépris et de cruauté que la révolution ne parvient pas tout à fait à atténuer. La peinture de la réalité indienne confère toute sa valeur à l'œuvre de López y Fuentes. Les scènes de la vie quotidienne : pêche en rivière, danses rituelles des mariages, incantations des sorciers, sont éclairées par l'utilisation spontanée du vocabulaire indien, les allusions continuelles à tout l'arsenal semi-mythologique, semi-superstitieux de ce peuple. L'Indien apparaît ici comme une entité puissante, à la fois juge et victime du Blanc, dont le porte-parole est ce jeune infirme qui clôt le livre par ces réflexions pertinentes et désabusées : il sait que les haines raciales existent toujours et s'aiguisent chaque jour, et il sait aussi que le « leader » jouit d'une solide position en ville...

L'Indien n'a pas gagné, mais avec la Révolution il a droit à la parole.

INDIFFÉRENTS (Les) [*Gli indifferenti*]. Roman de l'écrivain italien Alberto Moravia (1907-1990), publié en 1929. Les héros du livre sont deux jeunes gens, Carla et Michel Ardengo. Orphelins de père, ils habitent avec leur mère une grande villa, dans un élégant faubourg de Rome. Le cercle de famille comprend un quatrième membre, l'amant de Mme Ardengo, Leo Merumeci, qui, depuis quinze ans, passe une partie de ses journées à la villa. La mère, Marie-Grâce, est totalement murée dans l'aveuglement de la sottise, de la vanité et d'un égoïsme déjà presque sénile. Jalouse, aigrie, elle est affolée par la crainte de perdre son amant, qu'elle fatigue de scènes hystériques. Cependant, Merumeci, quadragénaire cynique et jouisseur, se garde bien de rompre avec sa vieille maîtresse : il est son créancier, sait qu'elle ne possède que sa villa et compte s'emparer de celle-ci pour un prix dérisoire. Là ne se limite pas son ambition. Carla, la belle fille dont il a vu s'épanouir la féminité, suscite en lui une furieuse concupiscence et il ne désespère pas d'en faire un jour sa maîtresse. Par sa liaison scandaleusement affichée, Mme Ardengo écarte de Carla toute demande en mariage, mais celle-ci ne se révolte pas franchement contre son sort. L'atmosphère dans laquelle elle a grandi a détruit sa volonté et en a fait un être non pas insensible mais veule, impuissant, indifférent par accablement. Chez son frère, l'« indifférence » prend un tour plus tragique encore. Michel ne parvient ni à aimer, ni à haïr, ni à ressentir une réelle émotion pour quoi que ce soit. Sans cesse, il s'efforce de se « monter la tête » pour connaître un instant de passion, mais en vain. Toujours le sentiment de jouer un rôle pour lequel il n'est pas fait et de détonner le paralyse et le ramène à la solitude et à l'ennui. Le romancier nous présente ses héros à un moment de crise, la veille, le jour et le lendemain du vingt-quatrième anniversaire de Carla. C'est à ce moment qu'un sombre appétit de destruction, né avec les années, vient troubler l'indifférence de la jeune fille, qui se laisse séduire par l'idée que d'une faillite absolue pourrait naître une vie nouvelle. Les brutales propositions de Leo trouvent alors un terrain favorable et, fataliste, Carla cède à l'amant de sa mère. Marie-Grâce ne s'aperçoit de rien, mais sa vieille amie Lisa, qui a été elle aussi la maîtresse de Merumeci, s'empresse de révéler la chose à Michel. Le garçon, pour se prouver qu'il est capable d'agir, se rend chez Leo afin de venger son honneur. Mais il a tellement rêvé au déroulement de la scène qu'il a omis de charger son revolver et Merumeci parvient sans peine à le désarmer. Menacé de perdre la villa des Ardengo, le quadragénaire, brusquement, supplie Carla de lui accorder sa main. La jeune fille accepte, car c'est sa dernière chance de se marier ; mais, déjà, elle rêve au jeune amant avec lequel elle trompera Merumeci. Et si Michel se révolte contre cette union, c'est parce qu'il voit se réaliser la froide et ignoble rêverie durant laquelle il avait un jour envisagé de vendre sa sœur à Leo.

Avec ce premier roman, publié à vingt-deux ans, Moravia faisait une entrée remarquable dans les Lettres italiennes. *Les Indifférents* présentent une construction romanesque solide, au réalisme vigoureux et exigeant. Chaque moment de la crise que traversent les Ardengo est analysé avec minutie et chaque personnage, saisi et décrit dans ses réactions les plus intimes. Les traits sont répétés, renforcés, burinés, et l'énergie du peintre met magnifiquement en relief le dénuement de ses tristes modèles. Enfin tout le livre baigne dans une atmosphère de sensualité trouble et morbide qui lui donne une forte et souple unité. En dessinant des adultes égoïstes et corrupteurs, des jeunes gens impuissants et indifférents, c'est en fait à tout un aspect des mœurs romaines sous le régime mussolinien que le romancier s'attaquait. De là, avec sa valeur littéraire, le grand retentissement rencontré par l'ouvrage, comme les protestations hypocrites qu'il suscita dans certains milieux bien-pensants. – Trad. Flammarion, 1949.

INDUSTRIE (L'). Publication d'économie et de sociologie en quatre livraisons (publiées en 1816-1818), de Claude-Henri de Rouvroy, comte de Saint-Simon (1760-1825), avec la collaboration d'Augustin Thierry et d'Auguste Comte. Dans cet ouvrage apparaissent nettement les célèbres utopies de tendance socialiste que l'auteur avaient déjà exposées au cours d'écrits antérieurs et singulièrement dans son *Catéchisme des industriels* (*) ; le contenu du sous-titre est à cet égard significatif : *Discussions politiques, morales et philosophiques dans l'intérêt de tous les hommes qui s'adonnent aux travaux utiles et indépendants.* Selon une affirmation chère à l'auteur, après tant de luttes politiques, une seule vérité devrait être admise dorénavant, à savoir que le gouvernement et l'organisation de la société doivent dépendre des travailleurs et des producteurs. Si l'on admet que la société reçoit l'aide la plus conforme aux dispositions et aux possibilités de chacun de ses membres, il convient, donc, non pas de parler d'égalité politique (celle-ci est une absurdité, puisque les hommes de la Révolution, sauf certains extrémistes, se sont gardés de réclamer l'égalité économique), mais bien d'égalité industrielle. De la sorte, il est permis à chacun d'œuvrer utilement pour démontrer sa participation à l'organisation d'un système économique profitable à tous. Après avoir examiné les problèmes économiques proprement dits, Saint-Simon en arrive à considérer la vie politique de son temps. Étant donné que le but de l'industrie est le bien-être de la société, elle constitue effectivement la force principale de l'époque moderne. Mais il était inévitable que se fît jour au sein du monde des travailleurs cet esprit d'hostilité (déjà notable sous l'Ancien Régime), qui prélude à l'opposition entre les oppresseurs et les opprimés, les classes aisées et les classes pauvres et, d'une manière générale, entre les peuples et les gouvernants. Le commerce et l'industrie sont à considérer comme des activités possédant un rythme propre, soumis à des lois implacables qui peuvent être étudiées grâce à l'observation des phénomènes sociaux. Le fait qu'à la suite des conquêtes de l'époque moderne le travail organisé en vue de la production devienne également un moyen de domination constitue un état de choses contradictoire. A cet égard, le cas de la haute finance et de la banque est des plus significatifs. En effet, toutes deux, assez étrangères aux nécessités de la production fondée sur le travail, contrastent fortement avec les principes politiques de la Révolution sociale. De même que jadis les Francs opprimaient les Gaulois, puis les féodaux les serfs, de même aujourd'hui ce sont les banquiers qui ne travaillent pas et les ouvriers qui sont frustrés. Les termes de « travailleurs » et de « propriétaires » doivent être pris dans leur acception la plus large, la propriété pouvant être aussi bien industrielle ou financière que bancaire. Pourtant, il devient nécessaire d'améliorer les conditions de vie de ceux qui ne possèdent que leurs bras ; pour cela, il n'est pas nécessaire de recourir à l'abolition de la propriété privée comme le préconisent certains théoriciens, mais il importe de répondre aux besoins immédiats de la population ouvrière en lui fournissant du travail et une aide économique grâce à la mise en œuvre de grands travaux. Au cas où les grands propriétaires s'opposeraient aux prétentions des travailleurs, entièrement justifiées pour la plupart, ces derniers pourraient instaurer rapidement un nouvel ordre social. Toutes ces idées, exposées avec une grande rigueur, soulevèrent des préventions d'ordre moral et politique chez les capitalistes, qui avaient financé la publication du premier volume de *L'Industrie*. Aussi se déclarèrent-ils très éloignés du programme de Saint-Simon et affirmèrent-ils n'avoir contribué à la réalisation de cet ouvrage que dans un esprit d'aide bénévole à l'égard de l'historien.

INÉGALITÉ DES CHANCES (L'). La mobilité sociale dans les sociétés industrielles. Ouvrage du sociologue français Raymond Boudon (né en 1934), publié en 1973. Ce livre est paru dans le cadre d'une controverse sur les facteurs explicatifs des inégalités de réussite scolaire. Ces inégalités sont importantes parce qu'elles permettent de rendre compte pour une large part de la reproduction de la répartition des individus entre les emplois, c'est-à-dire du fait que les chances d'accéder à des emplois à fortes rémunérations financière et symbolique soient très fortement corrélées au milieu d'origine. Pour répondre aux ouvrages d'inspiration marxiste de Pierre Bourdieu et Jean-Claude Passeron — *Les Héritiers* (*), *La Reproduction* (1970) —, Raymond Boudon élabore un modèle explicatif de l'inégale réussite scolaire, fondé sur une hypothèse de rationalité économique des acteurs. Ainsi est-il en mesure de faire l'économie d'une explication par des phénomènes de domination, qui conduiraient les individus à adopter des comportements non conformes à leurs intérêts. Les individus opèrent leurs choix en matière d'éducation afin de maximiser les bénéfices qu'ils peuvent attendre de leurs investissements en temps et en argent. Tous ont une parfaite connaissance des avantages qu'ils peuvent attendre des diplômes. Mais ces avantages sont très inégaux : la démocratisation de l'accès à l'éducation provoque en effet une « inflation des diplômes », qui les dévalorise et oblige les diplômés à faire intervenir d'autres ressources pour en tirer profit sur le marché du travail. Or ces ressources complémentaires sont plus abondantes dans les classes supérieures que dans la classe ouvrière notamment. De plus, le coût de l'investissement nécessaire est lui aussi très inégal, les études exigeant des sacrifices d'autant plus importants que les ressources économiques de la famille sont peu élevées. On comprend aisément comment Raymond Boudon réussit à expliquer des choix très différents, et cependant tout à fait rationnels, à partir de ces hypothèses de départ. Il produit ainsi un modèle de simulation de comportements, et l'une des analyses les plus intéressantes de l'individualisme méthodologique. Si les théories de Boudon et Bourdieu sont inconciliables, il est cependant certain que les facteurs économiques et les facteurs culturels, dont ils ont respectivement montré l'intérêt, se combinent pour produire les inégalités face à l'éducation.

F. Ch.

INÈS DE CASTRO [*A Castro*]. Titre donné communément à la *Tragédia muy sentida e elegante de D. Inés de Castro* qu'écrivit le poète portugais António Ferreira (1528-1569). Elle fut publiée en 1587, encore qu'elle ait été rédigée aux environs de 1558 ; c'est la première tragédie portugaise et, dans son ensemble, un chef-d'œuvre : de toute évidence, elle représente une des rares œuvres dramatiques qui ait une valeur universelle, et par ailleurs, une des réalisations les plus remarquables de la Renaissance européenne. Composée de cinq actes, en vers libres de onze syllabes, son intensité dramatique est accrue par l'adjonction d'un chœur, comme dans la tragédie de *Sophonisbe* (*) de Trissin, dont elle s'inspire pour la forme. L'argument est tiré d'un épisode historique extrêmement connu, que la *Chronique de dom Pedro Ier* (*) rapporte en substance et que Garcia de Resende avait déjà illustré dans un court poème. La figure centrale de la tragédie est celle de l'infortunée Inès de Castro, qui fut aimée par le prince Pierre le Justicier et assassinée par le père de celui-ci, Alphonse de Portugal. Le premier acte présente un tableau de l'amour heureux et confiant : Inès se décharge du secret de cette trop grande félicité sur sa nourrice, sur le secrétaire du prince dom Pedro. Au second acte, les courtisans envieux persuadent le roi de faire mourir la belle Inès ; au troisième acte, la sentence fatale annoncée par un songe est communiquée à la jeune femme ; au quatrième acte, après qu'elle eut fait en vain appel à la clémence royale, Inès est exécutée, et le chœur donne aux spectateurs de macabres détails ; enfin au cinquième acte, la nouvelle de cette mort est apportée au prince dom Pedro, et le rideau tombe sur le désespoir de l'amant et sur ses menaces de vengeance. Ferreira réussit à donner une valeur intensément dramatique à un thème qui reflète bien le génie particulier du peuple portugais. Mais où Ferreira fait preuve de mérites remarquables, c'est lorsqu'il parvient à donner à l'amour un nouvel aspect tragique, les passions quelles qu'elles fussent devant céder le pas aux raisons d'État. De structure rigoureusement classique, *Inès de Castro* est enveloppée d'une émotion très intime et prenante. L'action progresse au sein d'un lyrisme qui rehausse le pathétique de l'action et qui lui donne un incomparable éclat. Seuls la dureté du vers et l'abus du langage familier ternissent quelque peu cette œuvre admirable. — Trad. Guérin, 1835.

★ Le premier écho littéraire de la légende d'Inès se trouve dans les *Stances pour la mort d'Inès de Castro* [*Trovas à morte de D. Inés de Castro*], composition du poète et historien portugais Garcia de Resende (1470-1536), compilateur du célèbre *Cancioneiro Geral* ou *de Resense* — v. *Cancioneiros* (*) — dont le poème en question, de deux cents octosyllabes environ (cf. 357-364) fait partie. La mort est racontée à la première personne par l'héroïne elle-même, ce qui la rend infiniment émouvante. Par déférence envers la dynastie, Garcia de Resende tente de trouver une excuse à Alphonse IV et rejette la faute sur les intrigues et les perfides suggestions des courtisans.

★ Dans le troisième chant des *Lusiades* (*), des stances célèbres furent dédiées à l'histoire d'Inès par Camoens (1525-1580), qui en développa le côté élégiaque.

★ La littérature espagnole tira également parti de la légende et produisit tout d'abord *Nise infortunée* [*Nise lastimosa*], tragédie rigoureusement classique, avec chœur, du dominicain Jerónimo Bermúdez (1530 ?-1589), publiée en 1577 à Madrid, sous le pseudonyme d'Antonio de Silva. C'est une libre traduction de l'*Inès* de Ferreira. Le thème est adapté et amplifié, dans une atmosphère imprégnée de douceur lyrique et de rigueur claustrale. Peu de scènes atteignent à une certaine grandeur dramatique. Seul le troisième acte est d'une bonne venue.

★ Ce même Bermúdez donna une suite à sa tragédie avec la *Nise couronnée* [*Nise laureada*], qui fut publiée à Madrid en 1577. Il s'agit de la macabre légende du couronnement d'Inès après sa mort. Cette pièce, à prétentions philosophiques, n'a qu'une très médiocre valeur dramatique et poétique.

★ Enfin l'écrivain espagnol Gabriel Lobo Lasso de la Vega publia deux « romances » dans la première partie de son *Romancero y tragedias* (Alcalá de Henares, 1587) ; Juan Súarez de Alarcón donna *La infanta coronada*, à Lisbonne en 1606 ; Mexia de la Cerda, écrivain portugais, écrivit une *Doña Inés de Castro* en 1612. Ce fut une comédie que l'écrivain espagnol Luis Vélez de Guevara composa sous le titre de *Régner après la mort* [*Reinar después de morir*], tandis que l'écrivain portugais Juan Matos Fragoso ajoutait à cette dernière œuvre une seconde partie, avec la comédie *Ver y creer*. Antoine Houdar de la Motte célébra lui aussi les malheurs d'Inès dans une tragédie néo-classique *Inés de Castro* (1723). Nombreuses sont les parodies : parmi les plus remarquables, il convient de citer la « saynète » *Inesilla la de Pinto*, de Ramón de la Cruz, et la « escena tragico-lírica » *Doña Inés de Castro* de Comella (Valence, 1815).

INÈS DE LAS SIERRAS. Conte de l'écrivain français Charles Nodier (1780-1844) publié en 1837. Accommodant à sa façon la légende de la *Nonne sanglante* incluse dans *Le Moine* (*) de Lewis, Nodier a construit ce conte, qui est à mettre au nombre de ses plus connus, bien qu'il satisfasse parfois incomplètement les amateurs de fantastique par le besoin d'explication excessif qui le caractérise et qui, d'un certain point de vue, l'anesthésie. Durant l'occupation de l'Espagne par les armées de Napoléon, trois officiers français doivent de la ville de Girone remonter à Barcelone. En cours de route, ils sont pris dans une tempête de neige et cherchent en vain un logement. Comme pour les envoyer au diable, un aubergiste leur dit d'aller au château de Ghismondo ; faute de mieux, ils s'y rendent, malgré les inquiétantes rumeurs qui courent sur ce domaine. C'est, en effet, un lieu hanté. Un certain Ghismondo, homme sans foi ni loi, s'y est retiré autrefois en compagnie de quelques autres bandits et de sa jeune femme, Inès de Las Sierras ; celle-ci, un jour de Noël, illuminée par Dieu, a essayé de les faire revenir à la religion. Mais Ghismondo l'a assassinée. Cependant, sous l'aspect d'une revenante, elle s'est montrée à nouveau devant eux et, pendant toute une année, elle a hanté leurs veilles. À la date anniversaire de son meurtre, elle est venue chanter et danser une ultime fois, puis, appliquant sa main brûlante sur le cœur des bandits, elle les a entraînés dans la mort.

Depuis, son apparition aurait lieu rituellement chaque nuit de Noël. Sans croire à cette histoire, les trois hommes pénètrent dans le château et s'apprêtent à y passer la nuit. Ils traversent une galerie de tableaux empoussiérés où ils remarquent le portrait d'Inès. Alors qu'ils boivent du vin et jouent les fortes têtes, Inès apparaît ; tout en assurant qu'elle est bien la fatale revenante, elle chante et danse merveilleusement sous leurs yeux, puis disparaît dans un couloir. Diverses explications sont improvisées par les trois officiers pour tenter d'éclaircir ce mystère, mais en vain. Le lendemain, ils quittent les lieux, sans être parvenus à trouver les raisons de l'énigme. Mais le conte se poursuit en une deuxième partie où le narrateur révèle cette fois, et avec un grand luxe de détails, les fondements réels de l'apparition. Nous sommes dès lors promenés dans le labyrinthe d'une intrigue compliquée à souhait dont l'intérêt reste incertain. Démonstratif à l'excès des divers degrés du crédible, modèle du fantastique expliqué, *Inès de Las Sierras* tend presque à l'exercice d'école ; Nodier s'y montre trop habile pour convaincre, et l'on regrette qu'il ait oublié à cette occasion le plus cher de ses propos : « La vérité est inutile. » J.-L. St.

INFANTICIDE (L') [*Die Kindermörderin. Ein Trauerspiel*]. Drame en six actes de l'écrivain allemand Heinrich Leopold Wagner (1747-1779), édité en 1776 sans nom d'auteur, représenté la même année à Presbourg et, dans sa deuxième version, en 1778 à Francfort-sur-le-Main. À l'insu de son mari, Mme Humbrecht se laisse inviter avec sa fille Evchen par un jeune officier noble, von Gröningseck. Ce dernier mène les deux femmes sans méfiance dans un bordel, donne un somnifère à la mère et séduit non sans quelque violence Evchen. Cependant le séducteur, ému par le désespoir de la jeune fille, promet de l'épouser dès sa nomination au grade de major. Le deuxième acte fait s'affronter Martin Humbrecht, boucher strasbourgeois bourru, violent et vertueux, et sa femme. À cette occasion un parent, le Magister, expose des idées révolutionnaires sur l'éducation des jeunes et sur la vie des prêtres. Le troisième acte, cinq mois plus tard, oppose Hasenpoth, l'officier noble, débauché et cynique qui a ourdi le plan de la séduction, à von Gröningseck désormais passionné et vertueux : il se rendra d'abord dans sa famille avant d'épouser Evchen. Un officier raconte une anecdote qui illustre l'importance du point d'honneur et de l'esprit de corps dans l'armée. Le quatrième acte montre Evchen qui dépérit sans pouvoir donner les raisons de sa mélancolie. Gröningseck, sur le départ, renouvelle ses serments. Au cinquième acte, Hasenpoth, soucieux de sauver l'« honneur » de son ami, envoie deux lettres signées von Gröningseck. L'une annonce à la jeune fille que son amant l'abandonne, l'autre révèle à Martin Humbrecht les circonstances de la séduction. Evchen s'enfuit et le scandale éclate car la police a retrouvé la blague à tabac dérobée à Mme Humbrecht dans le bordel. Au sixième acte, Evchen désespérée et, de plus, se sentant responsable de la mort de sa mère, qui n'a pas supporté le scandale, tue le fils qu'elle vient de mettre au monde. Humbrecht apparaît alors et lui pardonne; le Magister révèle les raisons du silence de von Gröningseck : il a été gravement malade pendant deux mois. Ce dernier se présente enfin : avec l'aide de Humbrecht il va tout mettre en œuvre pour tenter d'arracher Evchen à l'échafaud. La catastrophe due aux différences sociales, l'opposition entre la noblesse débauchée et la bourgeoisie vertueuse, ainsi que les intentions pédagogiques, sont caractéristiques de l'époque. Le conflit social latent est suggéré par Martin Humbrecht : ce bourgeois fier de sa condition, distant à l'égard de la noblesse, respecte les autorités, mais rosse un représentant de la police trop brutal. Ce personnage truculent, violent, grossier à l'occasion, mais aussi indépendant, actif et vertueux, présente bien des traits du « génie » idéal dont rêvaient les représentants du nouveau courant littéraire, le « Sturm und Drang », dont *L'Infanticide* illustre les nouvelles formes d'expression théâtrale : mélange des genres, refus des unités et de la bienséance, forme ouverte du dénouement. Ce qui fait son originalité c'est son extrême réalisme : réalisme dans la peinture de la société, réalisme des décors (un bordel, un intérieur bourgeois, un logis misérable) et des actions présentées sur la scène (un demi-viol, une scène de ménage, un meurtre), réalisme des personnages, des contemporains typés et représentatifs, mais surtout réalisme du langage d'où le dialecte n'est pas exclu. Pour pouvoir faire jouer sa pièce, Wagner dut la remanier, supprimer les scènes scabreuses, inventer un dénouement heureux et en souligner les intentions morales et pédagogiques. Un auteur de l'ex-R.D.A. a, en 1963, écrit une adaptation de la pièce en insistant naturellement sur ses aspects révolutionnaires. — Trad. dans *Les Œuvres libres*, recueil mensuel ne publiant que de l'inédit, janvier 1935.

J.-P. S.-Th.

INFANTILIA [*Barnabok*]. Roman de l'écrivain suédois Lars Gyllensten (né en 1921), publié en 1952. Dans son troisième livre, Lars Gyllensten poursuit l'objectif qu'il s'était fixé dès sa critique des *Mythes modernes* [*Moderna myter,* 1949] et qui caractérise l'ensemble de sa production : explorer différentes attitudes existentielles en se glissant dans la peau de personnages aux réactions représentatives de notre époque. Gyllensten dissèque ainsi au scalpel les mécanismes humains les plus significatifs de la société contemporaine. Il procède en quelque sorte à des expérimentations dans le laboratoire de ses pensées, afin de permettre aux individus de mieux s'orienter dans le dédale des idées et des situations. Puis il finit par rejeter — en toute connaissance de cause — les modèles de comportements qui n'ont à ses yeux qu'un intérêt purement passager et transitoire. Bien loin d'être une œuvre autobiographique, *Infantilia* dénonce un certain type d'individu puéril et sa perception du monde. Si la trame de l'histoire imaginée par Gyllensten est claire, le personnage principal s'avère plus difficile à comprendre. L'auteur décrit le dilemme d'un homme d'une trentaine d'années, apathique, indécis, tiraillé entre deux femmes. Désorienté, souffrant d'un angoissant sentiment de solitude, Karl-Axel vit dans un malaise perpétuel et éprouve un profond dégoût face à son incapacité d'aimer. Deux voies opposées s'ouvrent à lui pour sortir de cette impasse : se plier aux conventions et faire un mariage de raison avec Clem, ou s'abandonner à la passion auprès de Lucy. Karl-Axel est désespéré car sa tentative pour s'attacher Lucy a échoué. Il se tourne alors vers Clem et tente de vivre sans véritable amour ; mais la répugnance qu'elle lui inspire lui devient insupportable lorsqu'elle insiste pour avoir un enfant. Il la quitte, traverse une période de déchéance et échoue chez Lucy dont il exige un dévouement total. Dans un accès de jalousie, il finit par noyer le bébé de Lucy parce qu'il constitue une entrave à leur union. Gyllensten explique le comportement de son antihéros par le vide idéologique qu'il éprouve. Oscillant symboliquement entre son refus de s'engager et des exigences impossibles, il succombe à ses pulsions et devient un criminel. Privé de conviction profonde, l'être humain cesse de dominer son existence. L'habileté de Gyllensten est de manifester concrètement que notre image du monde dépend de la maîtrise du langage, en montrant que son personnage principal est victime de la pauvreté de ses outils de réflexion. Ainsi *Infantilia* se présente comme un long monologue intérieur au style haché et décousu, destiné à souligner le caractère naïf du narrateur. Par cette technique expressionniste, Lars Gyllensten nous conduit dans un labyrinthe inquiétant et nous convie à un voyage à la fois terrible et fascinant jusqu'aux tréfonds les plus obscurs de l'âme humaine dont il révèle la complexité avec un art saisissant et impitoyable. — Trad. Gallimard, 1969. M.-B. L.

INFERNO. Récit autobiographique de l'écrivain suédois August Strindberg (1849-1912), écrit en français et publié en 1897. Strindberg nous y décrit la terrible crise morale et spirituelle qu'il traversa au cours des années 1895-1897, au sortir de son second mariage. Son récit commence le jour où sa femme quitte Paris, où ils habitaient, et le laisse seul à ses recherches occultistes et chimiques. Strindberg prétendait démontrer, entre autres, que le soufre était un corps composé et espérait découvrir la méthode pour fabriquer de l'or. Il devient alors victime d'une véritable folie de la persécution : il se croit l'objet des complots de ses voisins et poursuivi par les attentats d'un ancien ami et rival, le Russe Popoffsky. D'autre part cependant des présages merveilleux l'encouragent et le guident. Les « puissances » finissent par le chasser de son hôtel. Il s'établit à la pension Orfila, mais y est encore en butte aux persécutions les plus mesquines. Enfin il est persuadé que, des chambres voisines, on essaie, avec des appareils électriques, de le tuer. Il change de nouveau de logement et s'installe près du Jardin des Plantes, mais ses mystérieux ennemis ont tôt fait de repérer son nouveau refuge. De nouveau obligé à fuir, il se rend à Dieppe où il ne reste que peu de temps, et repart enfin en Suède où il s'installe, à bout de forces, chez un ami médecin. Bientôt Strindberg soupçonne son ami d'être jaloux de ses succès scientifiques, les « puissances » reviennent à la charge et il s'en va de nouveau. Il se rend en Autriche, près de la famille de sa femme, qui a pris soin de sa petite fille. Dans les Alpes autrichiennes, il passe quelques jours heureux, et c'est avec une force nouvelle qu'il accueille les « puissances », qui viennent l'inquiéter à nouveau, et contre lesquelles il entre en lutte. Au cours de son séjour à Paris, le « hasard » lui avait mis entre les mains *Séraphita* (*) de Balzac, qui lui révéla Swedenborg. Chez sa belle-mère il trouve de nouveaux aliments à une conversion mystique, qui s'approche à un certain moment du catholicisme. Mais c'est surtout chez Swedenborg qu'il trouve du réconfort, et il reconnaît dans ses ouvrages la description exacte de ce qui lui est arrivé et l'explication de son drame. L'enfer est sur cette terre et l'homme n'en est délivré que par la douleur que lui infligent sa propre méchanceté et celle des autres. Nous voyons Strindberg s'acheminer vers une foi, une religion toute personnelle, austère et dure, mais qui est tout de même une délivrance. — Trad. in *Œuvre autobiographique,* t. II, Mercure de France, 1990.

INFINI, L'UNIVERS ET LES MONDES (L') [*De l'infinito universo et mondi*]. Œuvre didactique du philosophe italien Giordano Bruno (1548-1600), publiée en 1584 et appartenant au groupe des dialogues métaphysiques. Elle a de grandes affinités avec *Le Banquet des cendres* (*) et avec *Cause, principe et unité* (*), formant ainsi une trilogie des œuvres les plus importantes que l'auteur ait écrites en italien ; elle traite à peu près le même sujet que *De l'immense et des innombrables* (*). Elle est formée d'une lettre qui sert de Préface, de trois sonnets et de cinq dialogues. Dans la Préface, Bruno déclare qu'il va définir le domaine de la nature, s'engager dans le dédale des caractères intellectuels, partir à la recherche de la nourriture de l'âme, de la culture de l'esprit. L'intérêt de la philosophie se déplace de la religion à la science, d'Aristote à Copernic, et le renouvellement de la cosmologie ne doit pas être considéré comme une science particulière, mais comme une nouvelle philosophie : « La signification et la raison de toute chose étant connue, grâce à une recherche diligente, après avoir découvert les temples de la vérité », on parvient à l'intuition de l'unité de l'univers infini. Ce processus passe par trois étapes : dépassement de la métaphysique, intuition de la réalité naturelle unique et infinie, approfondissement de cette intuition au moyen de la science cosmologique. Bruno montre la signification de l'Univers infini, effet de la divine puissance qui, ayant la possibilité de produire non seulement ce monde, mais d'autres mondes infinis, n'a pas limité son œuvre à un seul monde fini, mais a produit une infinité de mondes particuliers, semblables à la terre, innombrables, constituant ainsi l'Univers infini dans un espace infini. Double infini par conséquent, de grandeur et de nombre : l'Univers infini et les mondes innombrables. Dominé par une force providentielle grâce à laquelle tout palpite, vit et dure dans sa perfection, avec sa multiplicité et ses oppositions, avec sa matière et sa forme, sa lumière et ses ombres, la providence et ses effets, l'Univers peut se résumer en trois points : loi, jugement, justice, c'est-à-dire nécessité intrinsèque de l'être, connaissance de l'être et enfin son estimation morale. Mais ce triple aspect converge vers l'unité de l'Être : Être suprême, Vérité suprême et souverain Bien. Et puisque tout concourt à une perfection efficiente, il faut estimer que tout est bon, partant du bien pour arriver au bien par le bien.

L'œuvre abonde en critiques piquantes à l'égard d'Aristote, dans la mesure où celui-ci s'élève contre ceux qui affirment que le monde est infini, qu'il y a un centre et une circonférence, et que la terre se trouve au centre ; l'auteur dénonce également l'attitude de ceux qui voient en Aristote un miracle de la nature, soit qu'ils ne l'aient pas compris, soit qu'ils aient l'esprit obscur. Dans l'exaltation de sa pensée, Bruno déclare que cette nouvelle philosophie éclaire les sens, satisfait l'esprit, élève l'intelligence et conduit l'homme à la véritable béatitude. – Trad. Berg International, 1987.

INFINI TURBULENT (L'). Essai du poète français d'origine belge Henri Michaux (1899-1984), publié en 1957. Cet ouvrage, le second que l'auteur consacre aux effets de la drogue – v. *Misérable miracle* (*) et *Connaissance par les gouffres* (*) –, est assorti de commentaires marginaux, explications d'explications, et de dessins. On pénètre tout de go dans l'univers violent de la mescaline. Michaux note que celle-ci exacerbe d'abord sa sensibilité. Puis elle force ses effets, et c'est un va-et-vient délirant dans un monde « envahi de superlatifs ». Excès qui le mènent à des considérations sur l'infini. Ainsi remarque-t-il à propos du *Rig Véda* (*) que son style serait fort influencé par une drogue parente de la mescaline qu'utilisaient les prêtres hindous. Sa lucidité n'empêche pas Michaux d'être l'objet de transes mystiques dont il parle avec un respect chez lui inhabituel : « Depuis toujours révolté par les portes interdites, et les "réservé aux initiés", là pourtant j'ai su de moi-même qu'il ne faut pas, et surtout pourquoi il ne faut pas, parler davantage. L'arme surhumaine aux multiples tranchants ne peut être livrée. » Puis le poète rapporte, tel un découpage de film, huit expériences mescaliniennes dont une des caractéristiques est précisément cette turbulence qui justifie le titre de ce livre. La drogue ingérée, il varie les conditions et le cadre dans lesquels elle se manifestera, modifiant par là même ses possibilités formelles ; il en use pareillement pour les doses et s'aperçoit que « l'attention et la décontraction » sont « plus importantes que les quantités absorbées ». Il a une expérience pleine de visions et de rafales, traversée de crises de soif. Michaux est incomparable, en ce sens que, ni sceptique ni mystique, il se borne à être ce que, avec ou sans son consentement, la drogue fait de lui au moment où elle agit sur lui, alternativement M. Homais et sainte Thérèse. Il revient sur la notion d'« apartés » déjà évoquée dans *Misérable miracle :* peut-être est-il dans la vie ordinaire un « homme d'apartés », la drogue ne faisant que renforcer sa différence. Mais, d'un coup, c'est la révélation : « L'incroyable, le désiré désespérément depuis l'enfance, l'exclu apparemment que je pensais que moi je ne verrais jamais, l'inouï, l'inaccessible, le trop beau, le sublime interdit à moi, est arrivé. J'AI VU LES MILLIERS DE DIEUX. » Pour un instant, il s'abandonne au lyrisme. Cependant, le double ricaneur qui ne dort guère en Michaux montre le bout de l'oreille : « Sans doute ma fièvre m'avait, sans que je le sache, disposé à ne pas regimber, à accepter l'illumination. » Lors de l'avant-dernière expérience, c'est l'affolement, puis tout devient subitement réalisable : « Patrie de la foi. Le danger de la mescaline est la foi, la foi insensée, immédiate, totale qu'elle donne... Qu'est-ce qui après l'expérience de la mescaline paraît plus naturel que la foi. La folie est un département de la foi. » Pour l'ultime ingestion, c'est la vie escamotée, « indescriptibles passages de riens ». Après ces tentatives, Michaux se livre à quelques réflexions sur les « domaines mescaliniens et voisins ». En ce qui concerne la mescaline, il remarque que « jamais on n'est plus sûr de la réalité que lorsqu'elle est illusion », la réalité s'insérant dans un contexte ambigu, tandis que l'illusion implique une adhésion entière. Le chanvre au contraire « ne renverse pas de façon spectaculaire et brutale comme la mescaline, il agit traîtreusement, selon son style propre qui a quelque chose de factice et de mystificateur ». L'auteur revient sur la notion du démoniaque : « La drogue, comme la folie, comme la contemplation mystique, est excellente pour faire surgir le démon. » Lequel démon témoigne de la dualité humaine. Michaux distingue en effet trois « moi », un « moi correct », un « moi pervers », et des moi en puissance qui sont des « moi éphémères ». Cette dualité étant la bête de l'ange et à la mesure de ce dernier, les saints qui en parlèrent savaient « de quoi il était question ». Le « hideux visage grimaçant » du démon, qui, jusqu'à son expérience de la drogue, lui était apparu grotesque et dérisoire, se révèle à Michaux comme la « vie faciale du phénomène qui ravage ». Il se réfère ensuite au L.S.D. 25 qui dissout les fonctions de la volonté et de l'attention, parallèlement à des visions « rapidissimes ». Toute drogue est enfin une vaste surprise. L'auteur insiste sur l'état de croyance dans lequel la mescaline jette le sujet, croyance qu'il est hors de question de dominer tant elle submerge. En guise de conclusion, des idées qui ressemblent à des questions, ainsi s'achève cet ouvrage dont la liberté, l'intelligence et l'acuité attentive sont les caractéristiques, outre qu'il est l'œuvre d'un poète.

INGÉNIEUR MENNI (L') [*Inženër Menni*]. « Roman fantastique » du philosophe russe Alexandre Bogdanov (pseud. de Malinovski, 1873-1928), publié en 1913. Le héros du « roman-utopie » *L'Étoile rouge* (*), révolutionnaire russe adopté par les Martiens déjà parvenus au communisme, raconte ici un épisode capital de l'évolution historique qui les y a menés. C'est l'histoire des travaux titanesques, étalés sur plusieurs dizaines d'années, qui ont permis, par le percement d'un vaste réseau de canaux, d'irriguer les terres désertiques couvrant la majeure partie de la surface de Mars, et d'assurer ainsi les ressources nécessaires à l'instauration du communisme. L'ingénieur de génie Menni, descendant d'une grande famille aristocratique, qui a conçu et dirigé ces travaux d'intérêt public, victime d'un complot du grand capital désireux de les détourner à son profit, est condamné et emprisonné pour avoir tué l'adjoint qui l'a trahi. Mais, quelques années plus tard, les comploteurs et leurs scandaleuses prévarications sont démasqués par le jeune ingénieur Netti, fils naturel de Menni élevé dans une famille de prolétaires, qui mobilise contre eux toute la classe ouvrière. Menni refuse par fierté la réhabilitation qui lui est proposée, mais, de sa prison, il reprend la direction des travaux avec l'aide de son fils qui essaie en vain de le convertir à l'idéologie prolétarienne. Ayant compris que son incapacité à l'admettre risquait de faire de lui un « vampire », un mort vivant capable seulement de freiner la marche en avant de l'humanité, il se suicide le jour même de sa libération.

Ce deuxième roman à thèse de Bogdanov ajoute au premier *L'Étoile rouge* (*) un volet « historique » sur la transition entre capitalisme et communisme, ainsi qu'une tentative de réponse matérialiste à l'angoisse métaphysique éveillée par l'idée de la mort – celle de l'individu, mais aussi celle du système solaire, qui remet en question le sens même de la vie collective de l'humanité. – Trad. L'Âge d'homme, Lausanne, 1985. M. A.

INGÉNU (L'). Conte satirique de l'écrivain français Voltaire (François-Marie Arouet, 1694-1778). L'ouvrage fut imprimé à Genève par les Cramer, sous le titre de *L'Ingénu* et portant comme mention de lieu Utrecht et non Genève ; les premiers exemplaires parvinrent à Paris au mois d'août 1767. Voltaire ne voulut pas convenir qu'il en était l'auteur, et, lorsqu'il autorisa un éditeur parisien à publier ce conte, celui-ci fut présenté comme une œuvre de Monsieur du Laurens, le fameux satiriste anticlérical, qui venait de publier, en 1764, *L'Évangile de la raison* et allait publier le *Compère Mathieu.* Du Laurens, d'ailleurs, ne risquait rien ; ses écrits étaient encore plus violents et il y avait longtemps qu'il avait quitté la France pour la Hollande. L'éditeur parisien Lacombe donna pour titre à l'œuvre : *Le Huron ou l'Ingénu*, titre sous lequel elle est également connue. L'histoire du Huron, qui se passe sous le règne de Louis XIV, est proposée aux lecteurs comme étant une « Histoire véritable tirée des manuscrits du père Quesnel » (le fameux théologien mort au début du siècle). Un jeune homme, qui a toujours vécu parmi les Hurons en Amérique, débarque en Basse-Bretagne où un prieur et sa sœur le reconnaissent pour leur neveu, Hercule de Kerkabon. Comme « il dit toujours naïvement ce qu'il pense et qu'il fait ce qu'il veut », en « bon sauvage » qu'il est, il est surnommé l'Ingénu. Se confiant à son intelligence naturelle que n'ont point corrompue les préjugés, il va connaître bien des mésaventures, au cours desquelles ses étonnements, apparemment naïfs, lui feront proférer une série de jugements pleins de sagacité. Converti par sa nouvelle famille, il est baptisé et s'éprend de sa marraine, Mlle de Saint-Yves qu'il ne peut épouser, la parenté spirituelle qui existe entre eux étant un obstacle selon les lois de l'Église. Après avoir vaillamment repoussé une attaque anglaise en Basse-Bretagne, il se rend à Versailles pour y trouver le prix de ses services et tâcher d'obtenir la main de sa fiancée. En chemin, il soupe avec des Huguenots, puis parvient à la Cour ; loin d'avoir satisfaction, il se voit éconduire et mettre à la Bastille pour avoir déplu à un commis. Il a pour compagnon de captivité un janséniste, qui fait son instruction et s'émerveille de sa perspicacité et de la justesse de son esprit : « Son entendement, n'ayant point été courbé par l'erreur, était demeuré dans toute sa rectitude. » Son bon sens parvient à modifier certaines des opinions du janséniste. Pendant ce temps, le prieur et sa sœur tentent en vain de le faire relâcher. Mlle de Saint-Yves, s'échappant du couvent où on l'avait fait enfermer, part pour Versailles et arrive à déjouer ses poursuivants. Elle obtient d'être reçue par un sous-ministre, Saint-Pouange, et sollicite l'élargissement de son amant. Elle résiste aux propositions déshonnêtes qui lui sont faites, puis finit par céder, un jésuite lui ayant fait entendre qu'elle doit délivrer l'Ingénu, même si son honneur en est le prix. Tandis que l'on fête la libération du Huron, Mlle de Saint-Yves tombe malade de douleur et de honte ; des médecins (tournés en ridicule par l'auteur) s'empressent à son chevet, et elle meurt. M. de Saint-Pouange, qui n'est pas foncièrement mauvais, éprouve des remords et fait accepter à Hercule de Kerkabon, instruit par l'expérience et devenu philosophe, une charge d'officier : « Le temps adoucit tout. »

Ce conte philosophique est écrit avec beaucoup d'esprit. Le problème traité est celui du bonheur social, entravé par les conventions et l'ingérence de la religion dans la vie intime des individus. L'amour est le ressort qui déclenche les événements, et les événements appellent les réflexions. Cette fiction, présentée sous la forme d'un court roman, permet à Voltaire de répandre certaines de ses idées philosophiques. Il critique les abus sociaux et s'en prend tour à tour aux jésuites, aux jansénistes, aux hauts fonctionnaires, aux médecins. Il défend la « simple nature », le « bon sauvage », contre les coutumes imposées par la civilisation et que ne ratifie pas la raison. La vérité que présentent ces lestes croquis demeure cependant toujours caricaturale. Le ton est gai, vif, mordant. *L'Ingénu* possède toutes les brillantes qualités qui firent le succès de Voltaire.

INGÉNU DE HARLEM (L') [*Simple Speaks His Mind*]. Recueil de chroniques dialoguées du poète noir américain Langston Hughes (1902-1967), publié en 1950. Elles avaient d'abord paru à partir de 1943 et sous la forme d'une rubrique hebdomadaire, dans le *Chicago Defender,* puis dans *New Republic* et *Phylon.* Il s'agit de conversations entre deux Noirs américains, l'auteur lui-même qui se donne le plus souvent le rôle du modérateur, de l'homme tranquille, et le personnage qu'il a créé, Jess Simple, un ouvrier venu à Harlem pour fuir le Sud raciste, beaucoup plus direct et brutal dans ses points de vue et attitudes. Les deux hommes se rencontrent le soir, et parfois tard le soir, dans un pub de Harlem, autour d'un ou plusieurs verres de bière, et ils bavardent de tous les sujets : aussi bien du racisme que de la vie privée de Simple, lequel est amoureux d'une certaine Joyce, avec qui il se mariera à la fin du recueil, après avoir enfin trouvé le moyen de divorcer de sa première femme. En fait, les relations de Simple et de Joyce, fille plus cultivée mais aussi plus bourgeoise que son futur mari, donnent au livre l'unité et la solidité d'un véritable roman. Mais là n'est pas l'essentiel. À travers cette série de chroniques, Hughes a voulu faire vivre sous nos yeux un Noir américain « moyen », typique en tout cas des Noirs du Nord, révéler son comportement et ses raisons, montrer ses réactions politiques et morales. Simple, qui s'exprime constamment dans ce dialecte qu'est l'anglais parlé de Harlem, quand il rencontre l'auteur, raconte sa vie, discute des événements et les juge, par exemple : la ségrégation dans l'armée, la bombe atomique, les anciens combattants, les émeutes à Harlem ; mais le problème de la ségrégation revient le plus souvent dans sa bouche, et par des voies parfois inattendues : comparaison entre les chiens et les humains ; réflexions sur la couleur habituelle des dessous féminins (que Simple voudrait couleur chocolat) ; pourquoi, si un Noir est ivre, prétend-on qu'il déshonore la race, et jamais si un Blanc est ivre ; les mariages mixtes ; etc. Parfois l'auteur s'efforce d'amener Simple à un point de vue plus universel, et chaque fois Simple anéantit ses considérations d'une remarque irréfutable, ou par l'humour. Même quand il évoque, çà et là, des souvenirs de son enfance dans le Sud, on le voit réagir assez vivement — ce qu'il explique incidemment par son « sang indien ». Mais il est plus caractéristique de l'entendre parler des émeutes de Chicago, en 1943, motivées par le comportement des policiers blancs (Simple remarque d'ailleurs que les policiers noirs sont encore pires parce qu'ils ne peuvent pas se permettre de taper sur un Blanc, et donc...). Simple y a pris part, il a brisé une vitrine à coup de briques, et il le raconte au moins deux fois à l'auteur qui lui prêche pourtant l'emploi de méthodes plus pacifiques. Et c'est le sujet d'un des chapitres les plus remarquables : « Des voies et des moyens » (chap. 33). « Je voulais la justice. — Qu'entendez-vous par justice ? — Vous savez ce que je veux dire, répliqua Simple : que les flics ne s'amusent plus à descendre un soldat noir. — Mais ce n'est pas une raison pour saccager les magasins. Ce n'est pas le moyen d'obtenir la justice. — C'est le moyen par lequel les Alliés l'ont obtenu : en saccageant l'Allemagne, en saccageant Hiroshima et tout ce qui était autour. Mais ces Blancs ont encore plus peur des Noirs aux U.S.A. qu'ils ne l'ont jamais eu d'Hitler. » Et quant à son propre rôle, Simple le commente ainsi : « Après, je me sentais mieux. » — Trad. Robert Laffont, 1967.

INGÉNUE LIBERTINE (L'). Roman de l'écrivain français Colette (1873-1954), publié en 1909. Le sujet de ce roman a été pris dans deux ouvrages de Willy et de Colette, intitulés *Minne* et *Les Égarements de Minne ;* mais, le roman ayant été remanié entièrement par Colette, il fut décidé d'un commun accord entre les deux auteurs qu'il serait signé « Colette Willy » (qui sera la signature de Colette jusqu'en 1913). Colette explique elle-même dans une observation liminaire de l'édition de *L'Ingénue libertine :* « ... qu'ayant assumé seule la responsabilité de cette publication, j'ai, par un élémentaire scrupule d'honnêteté littéraire, compris au nombre des "remaniements" la suppression de ce qui constituait la part de collaboration du précédent signataire ». Minne, après avoir poursuivi – et d'ailleurs sans grande conviction – son instruction dans un bon pensionnat, songe à la vie qui reste à découvrir. Tous ceux qui l'entourent et l'aiment (Maman, l'oncle Paul, Antoine) sont, certes, très bons, mais incapables de combler le vide qu'elle sent en elle. Au fait, que lui manque-t-il ? Elle ne le sait pas exactement. Elle rêve comme toutes les jeunes filles et il n'y a rien d'anormal à rêver lorsqu'on est jeune ; mais elle éprouve aussi par moments le besoin de quitter la maison tiède et calme et de trouver l'« aventure » que, secrètement, elle appelle au plus profond de son cœur. Mariée au fidèle Antoine, cette « espèce de frère », le mariage, autant que le mari, la déçoit. Elle est volée. Ce qu'on lui avait promis ne lui a pas été donné. Aussi va-t-elle chercher, sans y parvenir, l'homme – ami et amant tout à la fois – capable de lui montrer qu'il y a dans l'union de deux êtres toutes les joies délicieuses dont on lui a parlé. Après nombre d'aventures et d'échecs, et à l'occasion d'un voyage à Monte-Carlo avec Antoine, Minne, jusqu'ici « quêteuse d'impossible », goûtera dans les bras de son mari la joie, la vanité aussi, d'être enfin une femme comme les autres.

Tel est le sujet. Il est minuscule en apparence, et cependant il met en cause l'une des questions les plus importantes pour la femme : celle de son bonheur dans l'harmonie des sentiments et des sens. Colette, avec beaucoup de tact et de finesse, nous explique ici les tourments, les hésitations de la jeune fille qui veut être femme. L'être jeune, qui, jusque-là, était lié à sa mère, à sa famille, songe, non à se séparer d'elles, mais à se « distinguer » d'elles. Elle affirme ses idées, ses goûts, ses plaisirs. Elle entend trouver seule ses amis. La vie mystérieuse l'appelle. Elle se sent attirée vers elle, comme le phalène tourne autour de la lumière. C'est le moment où la fantaisie l'emporte sur le coutumier. Les romans, la poésie, l'éducation sociale traditionnelle, la religion promettent à la jeune fille – comme la mère de Minne l'avait dit au moment de mourir – une vie heureuse dans la paix physique et morale du mariage. L'être jeune et sain compte sur ce bonheur entier qu'on lui a promis. Elle sent bien du reste, plus qu'elle ne peut l'expliquer, qu'elle est faite pour ce bonheur et qu'elle ne doit pas en être frustrée ; aussi cherche-t-elle dans les expériences celle qui la délivrera du doute et lui donnera la joie d'être enfin femme et amoureuse.

INGÉNUE SAXANCOUR ou la Femme séparée. Roman publié sans nom d'auteur en 1788 (daté 1789) par l'écrivain français Restif de La Bretonne (1734-1806). « Ma fille aînée y fait son histoire, depuis son enfance jusqu'à son mariage, et sa séparation d'avec l'exécrable L'Échiné. » À ses malheurs s'amalgament ceux d'une dame Laruelle, dont Restif recueillait les confidences. L'enfance et l'adolescence d'Ingénue reflètent fidèlement, à ce qu'on en sait, celles de sa fille aînée Agnès, et permettent à Restif d'exposer ses griefs envers sa femme, et sa demi-sœur, ici nommée Mme Bitez. Malgré son père, elles poussent Ingénue à épouser « le fourbe, le brutal, le vil, le lâche Moresquin » (L'Échiné, dans *La Femme infidèle*), qui a su les abuser. Mauvais sujet au passé criminel, Moresquin se révèle coureur de dot, débauché, vicieux, non sans humour parfois. La pauvre Ingénue subit ses injures, ses coups, ses perversions sexuelles : « On trouvera dans cet ouvrage ce qu'on nomme dans le monde "des *horreurs*". » Comme souvent, Restif truffe son livre de hors-d'œuvre, pièces de théâtre, nouvelles... Mais, si on a souvent lié les noms de Sade et de Restif, *Ingénue Saxancour* est sans doute l'œuvre la plus sadienne de Restif, et d'autant plus forte qu'elle s'inscrit dans une misérable réalité quotidienne, aux antipodes de l'imaginaire du marquis. Surtout, c'est le premier livre, mis à part des mémoires d'avocats et des récits historiques, où soit dénoncée et précisément décrite la violence maritale. D. Ba.

INITIATION À LA VIE BIENHEUREUSE ou Doctrine de la religion [*Anweisung zum seligen Leben, oder auch die Religionslehre*]. Ouvrage du philosophe allemand Johann Gottlieb Fichte (1762-1814), publié à Berlin en 1806, dans lequel l'auteur expose sa théorie de la religion, laquelle n'est pas sans être en contradiction avec sa conception morale. La différence entre Fichte et Kant sur ce propos se trouve nettement soulignée ; alors que pour Kant la religion est le moyen de résoudre le dualisme nature-esprit qui constitue la base même de la morale, pour Fichte au contraire la religion introduit le dualisme entre Dieu et le monde, qu'il avait énergiquement combattu dans la morale. Mais Fichte n'avait pas d'autre parti à adopter pour conjurer en quelque sorte l'identification de la religion à la morale. En effet, antérieurement au présent ouvrage, pour avoir affirmé l'unité de Dieu et du monde, sacrifiant ainsi, en dépit de prestigieuses opérations dialectiques, la réalité de Dieu à celle du monde, Fichte s'était attiré l'accusation d'athéisme, s'embourbant dans la célèbre polémique, justement connue sous le nom d'« Atheismusstreit ». Donc, puisque religion et morale ne pouvaient avoir la même finalité, consistant dans l'actualisation de l'Absolu dans le monde, Fichte fut amené à trouver une voie de compromis entre l'immanentisme de son système et l'exigence du transcendant, caractéristique de l'acte religieux. Dans ce but, s'inspirant du christianisme, il introduisit la distinction entre Dieu et le Verbe, le second terme représentant la médiation entre Dieu et le monde. Conception pour le moins ambiguë, car si, après avoir repoussé comme dualiste la création du monde par Dieu, le monde est en revanche affirmé en tant que produit du Verbe, ce Verbe lui-même se trouve signifier à la fois l'extériorisation de Dieu et son intime identité avec Lui. Ainsi se trouve introduite au sein de la divinité une duplicité de termes, reliés par la loi dialectique, en ce sens qu'il reviendrait à un troisième terme, l'Amour, de consommer l'union définitive de Dieu et du Verbe. Comme on peut le voir, le dogme chrétien de l'unité et de la trinité de Dieu n'est en rien éclairé par cette interprétation dialectique, qui se révèle incapable d'expliquer le double rapport d'extériorité et d'intimité entre Dieu et le Verbe (le monde se trouvant inclus dans ce dernier). Fichte lui-même avoua la difficulté en se résignant en quelque sorte au dualisme. Il reconnaît en effet que le monisme rigoureux représente le point de vue idéal et divin, tandis que, du point de vue humain, il faudrait nécessairement poser deux Absolus : le « pour nous » et l'« en-soi », le Verbe et Dieu ; le Verbe représentant l'Absolu entendu formellement, accessible à notre réflexion, incapable de s'élever de l'Absolu formel à l'Absolu existentiel.

Ne pouvant surmonter ce dualisme sur le plan de l'intelligibilité, Fichte essaie de le faire au moyen de l'Amour, auquel il reconnaît la capacité de dépasser les limites de la raison. Ainsi se trouve admis l'échec de la « science », en confiant à un acte irréfléchi et irrationnel, tel que l'amour, la mission de s'approprier non seulement la forme de l'Absolu, mais Dieu en personne et de s'identifier à Lui. La possession de Dieu constitue justement un souverain bien et procure une joie qui n'a plus rien de commun avec le plaisir, autrement dit la « béatitude ». Sans faire de cet ouvrage un coup de théâtre qui viendrait nier les conclusions de la *Doctrine de la science* (*), il convient de souligner que Fichte manque ici à sa conception rigoureusement unitaire de l'Absolu, en posant la religion comme une forme de vie spirituelle en opposition avec la moralité. — Trad. Aubier, 1943.

INJUSTICE FAITE À TO EU (L') [*To Eu yuan – Dou E yuan*]. Tragédie en quatre actes de l'auteur dramatique chinois Kouan Han-ts'ing (vers 1210-vers1300), la plus célèbre et la plus belle qu'écrivit l'auteur, chef de l'école septentrionale chinoise. Une vieille femme, Ts'ai, a prêté de l'argent à un lettré, To Tien-tchang, et a accepté en échange, à titre de remboursement, la fille du lettré, Touan-yun, appelée aussi To Eu, qu'elle a donnée en mariage à son fils. Au bout de trois ans, To Eu reste veuve. Il se trouve qu'un médecin, Tch'ao Lou, a également emprunté de l'argent à la vieille femme. Ne pouvant le lui rendre, il songe à la faire mourir ; après l'avoir invitée à faire une promenade avec lui, il tente de l'étrangler. La malheureuse est sauvée par un jeune homme, Tchang Lou-eul, qui passait par là avec son propre père. Pour toute récompense, Tchang Lou-eul demande à la rescapée d'épouser son père et de lui accorder à lui-même la main de la jeune To Eu. La vieille femme consent, mais To Eu refuse de se marier une seconde fois. Alors Tchang Lou-eul se rend chez Tch'ao Lou, le médecin, et obtient de lui un poison capable de tuer Ts'ai ; il espère faire accuser To Eu du meurtre, et ainsi se venger d'elle. Mais un hasard malencontreux met le poison entre les mains du père de Tchang-Lou-eul qui meurt. To Eu est condamnée. Elle proteste de son innocence, mais, lorsque sa belle-mère est menacée d'être « mise à la question », elle accepte son sort. Au moment de son exécution, To Eu prédit qu'il sera donné un signe éclatant de son innocence : son sang ne se répandra pas sur la terre et, bien que ce soit l'été, il neigera ; enfin le pays connaîtra la sécheresse pendant trois ans. Toutes les prédictions se vérifient. C'est alors que revient le père de To Eu, qui était parti pour la capitale après le mariage de sa fille et qui, ayant réussi au concours, a été chargé d'un poste au contrôle judiciaire. L'âme de To Eu se présente à lui ; elle lui raconte les circonstances de la condamnation injuste et demande à être vengée. Le juge examine l'affaire, arrête Tchang Lou-eul et le médecin Tch'ao Lou, et les condamne comme l'y autorise la loi. L'œuvre, dans laquelle alternent les éléments tragiques et pathétiques rassemblés autour du personnage de To Eu, est l'une des plus émouvantes du théâtre chinois. Elle parvient à réaliser un équilibre singulier entre les deux thèmes fondamentaux ; celui de la fidélité de To Eu, thème poétique et d'une beauté tout intérieure, et celui de l'argent, thème dramatique à divers degrés et qui permet des effets spectaculaires. — Trad. Bazin, *Le Théâtre chinois, ou Choix de pièces de théâtre composées sous les empereurs mongols,* Paris, 1838 ; et trad. anglaise in Shih Chung-wen, *Injustice to Tou O, a Study and Translation,* Cambridge, 1972.

IN MEMORIAM. Poème du poète anglais Alfred Tennyson (1809-1892), publié en 1850, écrit en souvenir d'un ami intime du poète, Arthur H. Hallam, mort à vingt-deux ans en 1833. Commencé l'année de la mort d'Hallam, le poème qui comprend cent trente et un paragraphes ne fut publié que dix-sept ans après. C'est la longue plainte d'une âme plongée dans une immense douleur, brisée par un malheur irréparable. En prenant comme point de départ la mort de son ami, thème qui donne son unité à l'œuvre, le poète affronte dans ce monologue philosophique le problème de l'immortalité, considéré sous ses aspects spirituels les plus divers ; le doute, la peur, la confiance tour à tour envahissent son âme. La mort de son ami soulève chez Tennyson les problèmes fondamentaux de l'homme, le problème de la foi et celui de l'immortalité. Du fond de sa douleur, le poème remonte lentement vers une plus grande sérénité ; celle-ci provient du sentiment d'une survivance spirituelle, de la foi en Dieu et de la confiance envers les hommes. Son prologue et son épilogue, sa division arbitraire en trois parties – « Désespoir » [Despair], « Regret » [Regret], « Espérance » [Hope] – marquent les affinités du poème avec la poésie élégiaque anglaise de ce siècle mélancolique, qui va de 1733 à 1840. Tennyson a remanié le poème jusqu'en 1850 ; il y a introduit la partie proprement explicative et les passages « philosophiques ». En fait, c'est le noyau lyrique et élégiaque qui en est la partie la plus belle ; le tempérament poétique de Tennyson s'y révèle tout entier. Dès sa parution, et malgré une critique opposée, *In memoriam* fut très bien accueilli ; il marqua le début de cette admiration quasi fanatique dont les contemporains entouraient Tennyson pendant les quarante dernières années de sa vie. À la suite de la publication de cette œuvre, Tennyson fut élu, vers la fin de 1850, poète lauréat. La cadence employée dans ce poème (vers octosyllabique, rimes a-b-b-a) a pris le nom de « In Memoriam Stance ». – Trad. Aubier, 1937.

INNOCENCE CHRONIQUE (L') [*Den Kroniske Uskyld*]. Roman de l'écrivain danois Klaus Rifbjerg (né en 1931), publié en 1958. Écrit à la première personne, le roman raconte l'amitié, depuis l'âge de 12 ans jusqu'au baccalauréat dans les années 40 et 50, entre deux jeunes : Janus, le narrateur, et Tore. Plus qu'une amitié, il s'agit plutôt d'une fascination – amour inavoué – de Janus pour Tore qui, à ses yeux, représente tout ce qu'il n'est pas lui-même : beauté et intelligence naturelle. Ainsi s'est-il en quelque sorte proposé de protéger contre la laideur du monde ce dieu païen (Thor) qu'il surnomme l'Indien. Janus est partagé entre le rêve d'un monde idéalisé, où il veut se réaliser par personne interposée avec Tore, et la réalité d'un monde qu'il rejette et assimile à la laideur, à la saleté. Les événements qui composent leur vie sont assez simples mais dramatiques. Après l'enfance et la puberté arrive – enfin – la jeune fille, Helle. Avec Tore, elle forme le couple parfait que Janus se propose à son tour de protéger contre la laideur du monde, pour réaliser son rêve de l'amour. Ironiquement – ou logiquement – c'est lui, Janus, qui accomplit l'acte d'amour le premier, mais avec une jeune ouvrière, Ellen, qui n'a aucune importance pour lui. Sociologiquement, Helle et Tore sont comme destinés l'un à l'autre. Tous deux vivent seuls avec leur mère ; tous deux sont issus de milieux pouvant se lier. La mère de Tore est artiste peintre, celle de Helle appartient à la grande bourgeoisie fortunée. Conformément à la morale de l'époque, Helle résiste à toutes les atteintes de Tore à sa pudeur, mais, le jour où elle veut bien, Tore ne veut – ou ne peut – pas. Car aucun paradis n'est complet sans son serpent qui porte ici les traits et le nom de Mme Junkersen, la mère de Helle. Irritée par l'innocence de Tore, elle le séduit le jour même de la prononciation des fiançailles. Helle les surprend et se suicide. Janus, lui, a trop bu pour intervenir – la scène se passe lors d'une fête après le baccalauréat – alors qu'il aurait pu tout éviter en y emmenant Ellen, qu'il a continué de voir sans jamais la présenter ni à Tore ni à Helle. Encore une fois le rêve de l'idéal tue le réel. Car rarement Tore apparaît tel qu'il est à Janus et donc au lecteur : un jeune homme avec de tels problèmes qu'il va finir dans un asile. « L'innocence chronique » (le rêve de l'idéal) est une folie. Janus entame un long combat pour la réconciliation avec la laideur, avec le monde tel qu'il est et qu'il s'agit de ne pas idéaliser à son tour. – Trad. Stock, 1969. K. P.

INNOCENCE ET VÉRITÉ. Second tome des Mémoires intimes regroupés sous le titre « L'Éternité fragile » de l'écrivain français Marcel Schneider (né en 1913), paru en 1991. Écrivain du fantastique et du merveilleux, Marcel Schneider a expliqué dans ses essais précédents de quoi se nourrissaient ses fictions : tradition littéraire bien définie, éléments autobiographiques significatifs. Il adopte ce projet, mais en lui conférant plus d'ampleur, dans les quatre volumes de « L'Éternité fragile » ; il y condense à la fois ses souvenirs littéraires et mondains, ceux de sa vie privée, et des réflexions érudites sur la littérature et l'art (en particulier la musique). Il y mêle aussi des extraits de son Journal. *Innocence et Vérité* couvre les années 1940-1955. La défaite de 1940 laisse Marcel Schneider, alors âgé de vingt-sept ans, complètement désespéré, et ni l'amitié de Pierre Gaxotte ni celle de Georges Dumézil ne pourront le sortir de son état d'abattement. Ne se sentant aucunement capable d'un engagement militaire, bien que désapprouvant le gouvernement de Vichy, Marcel Schneider passe deux ans à Rouen comme professeur. Il trouve refuge dans les livres, et approfondit alors les thèmes qui seront essentiels dans ses œuvres futures : le fantastique, le rêve, le manichéisme... Comme il le rappelle : « Goethe, Novalis, Nerval, Nodier, pour moi, c'est la Loi et les prophètes... » Il est arrêté brièvement par la Gestapo, et cet épisode renforce le malaise de ces années vécues dans la « brume visqueuse de Rouen ». Esthète avant tout, Marcel Schneider est un esprit qui donne une précellence absolue aux « prestiges de la civilisation ». Quand il revient s'établir à Paris, et alors qu'il commence à publier des livres qui apparaissent à contre-courant de la mode de l'époque, il devient l'ami de grands artistes, ce qui nous vaut de précieux portraits de Cocteau ou de François Mauriac, entre autres. Il fréquente le salon de Marie-Laure de Noailles, à laquelle il rend un vibrant hommage. *Innocence et Vérité* est la confession lucide, toujours pudique, d'une jeunesse difficile, mais qui laisse vers la fin entrevoir une forme d'espoir, liée à la part cachée de l'être, ce que confirmeront les volumes suivants de ces Mémoires intimes. J.-É. M.

INNOCENT (L'). Premier roman de l'écrivain français Philippe Hériat (pseud. de Raymond Payelle, 1898-1971), publié en 1931 et récrit en 1954 pour une nouvelle édition, mais sans rien changer au déroulement de l'histoire ni au caractère des personnages. Ainsi qu'il s'y attacha dans la plupart de ses autres romans, Hériat dépeint ici avec acuité les mœurs et la psychologie d'une famille de la haute bourgeoisie. Les Saint-Donat-Verrier ont une fortune qui leur permet de vivre dans leur hôtel particulier de la rue de l'Université une existence abstraite, repliée sur les conflits familiaux. Le père, ambassadeur disgracié, reporte sur ses proches une autorité que la carrière a laissée sans emploi. La mère, geignarde et conformiste, n'est d'aucun appui pour ses enfants, Armelle et Blaise, la sœur de sept ans plus âgée que le garçon. Entre ces deux adolescents, une union étroite s'est forgée en réaction contre l'ennui familial, autant par affinités que par besoin de protection réciproque. Mais un jour, Armelle s'éprend d'un homme politique de tendance socialiste, donc inacceptable pour ses parents ; elle devient sa maîtresse et rompt brutalement avec son père, entraînant Blaise dans sa révolte. Pour ce garçon de dix-huit ans, sportif, tout occupé de ses muscles et de compétition, naïf sur les questions sexuelles et psychologiques, ce changement de vie est un bouleversement, mais l'influence d'Armelle sur ses décisions et ses pensées est indiscutable. S'il souffre de la liaison de sa sœur, il réussit à ne pas en approfondir les raisons. Il n'en est distrait que par l'affection intelligente, totalement dévouée, d'un ami, Victor. Mais Victor et la sagace nourrice Cornélie le maintiennent, par discrétion et tendresse, dans un état d'adolescence prolongée. Jusqu'au jour où Armelle part pour un long voyage autour du monde à la suite de son amant. Profitant de cette vacuité, Blaise se marie avec une fille mère, tendre victime, effacée et extasiée. Elle lui donne pendant deux années l'impression exaltante d'être devenu un homme, d'avoir échappé à l'influence de sa sœur. Le retour d'Armelle détruira ce fragile équilibre. Sa furie en apprenant le mariage de son frère accentue l'équivoque de leurs relations. Désorienté, Blaise se prend à détester sa trop innocente épouse. Il lui faudra une aventure de rencontre avec une femme vieillissante, auprès de laquelle il est impuissant, pour que la vérité lui soit jetée au visage : ses relations avec Armelle sont incestueuses. Un retour sur ses souvenirs d'enfance lui remet en mémoire une nuit de sa quatorzième année, au cours de laquelle son comportement avec sa sœur déclencha un attachement abusif. Dans son innocence, il avait oublié la scène, n'en avait conservé qu'une suggestion inconsciente. Mais ce souvenir, resté vivace pour Armelle, explique pourquoi elle a voulu détruire le bonheur de son frère avant de l'abandonner pour épouser enfin son amant.

INNOCENTS EN VOYAGE (Les) [*Innocents Abroad*]. Carnet de route de l'humoriste américain Mark Twain (1835-1910), publié en 1869. Dans ce récit, le troisième qu'il publia, l'auteur raconte la fameuse croisière qu'il effectua à bord du « Quaker City » en Terre sainte et en Italie, pendant l'année 1867, accompagné des « Innocents » qu'il avait pour mission de diriger. Twain, de par son intention systématique de tourner en ridicule tout ce qu'il voit, en arrive à des attaques souvent déplacées et d'une grossière interprétation des vieilles civilisations méditerranéennes. Certaines pages, inspirées par un impressionnisme qui devient superficiel, restent valables ; mais, le plus souvent, les remarques de l'écrivain américain semblent dépourvues de profondeur et d'originalité. En raison du style haché et capricieux, la description des musées, des villes et des ruines, qui aurait dû permettre à Twain de révéler son authentique talent de comique, est dépourvue de cette vigueur et de cette finesse de touche qui l'eussent rendue pittoresque. En ce qui concerne les arts, Mark Twain se contente de répéter les lieux communs en usage de son temps et principalement dans son pays. Seul le ton ambigu et mordant, qui va parfois jusqu'au burlesque, caractéristique de toute l'œuvre de l'écrivain, donne quelque prix à ce livre qui, en dépit des éreintements qu'il subit de la part de la *Saturday Review* et de *La Revue des Deux Mondes*, contribua largement au succès de l'auteur.

INNOMMABLE (L'). Ce roman de l'écrivain irlandais Samuel Beckett (1906-1989) a été écrit directement en français et publié en 1953. On a l'impression d'une insomnie, d'une éternelle insomnie. Des heures étales, qu'on n'entend même pas sonner, même pas ça, même pas tous les ans, juste un minuscule tintement de très très loin en très très loin, juste pour marquer le temps, est-ce donc tellement demander, être si gourmand, ce petit soulagement qui peut-être ne soulagerait pas ? Mais ce serait à double tranchant, tout est à double tranchant, une face dément l'autre, on a beau considérer, scruter avec une pointilleuse et maniaque attention de myope ou d'obsédé (bien qu'on doute à vrai dire qu'une irréprochable attention soit possible), n'est-ce pas trop demander, trop fatigant, au-delà des forces humaines, au-delà des forces de l'homme, qui sont inhumaines quand il s'agit de souffrir ? Et même en admettant, puisqu'il faut se contenter d'hypothèses, une tapisserie de Pénélope d'hypothèses, on aurait beau considérer tantôt la bonne face et tantôt la mauvaise, en postulant qu'on puisse se permettre de qualifier la première de bonne et la seconde de mauvaise, les considérer successivement, successivement et non simultanément, c'est là que le mal se niche ; au lieu de comparer, soupeser et peser avec l'objectivité placide, sûre de soi d'un pharmacien, on n'a la latitude que de se contredire... Des heures étales, et aussi implacablement étale l'obscurité, qu'on la voie noire ou qu'on la voie grise ou qu'on y croie discerner de vagues lumières, c'est tout un. La paix serait le silence, ne plus avoir à parler, à parler, parler intarissablement sans même sentir les mots couler de sa bouche, ne plus entendre cette voix, l'entendre sans même prêter l'oreille, sans même pouvoir inférer, de l'évidence de leur fonctionnement, que bouche et oreille il y a. Le silence, enfin éteinte la conscience, ce supplice à la chinoise, cette voix qui ne désempare ni ne désarme, bien qu'elle n'ait rien à dire, bien qu'elle ne sache rien. Maudite soit-elle, l'innommée. Maudite en deux cent cinquante pages tissées d'une seule toile, hachées au rythme d'une respiration brève, saccadée, haletante, deux cent cinquante pages qui retentissent comme un seul cri de révolte, le cri torturé et torturant de la plus intransigeante, la plus radicale des révoltes.

INQUIÉTUDE [*Niepokój*]. Recueil de poèmes de l'écrivain polonais Tadeusz Różewicz (né en 1921), publié en 1947. Écrits juste après la fin de la guerre, en 1945-1946, ces poèmes sont à compter parmi les plus expressifs de la crise de conscience qui s'empara de la génération des témoins de la guerre et de ceux qui y participèrent (Różewicz fut un résistant). « À cette époque, écrivit-il, deux hommes semblaient m'habiter. L'un nourrissait une profonde admiration et un grand respect pour les beaux-arts, la musique, la littérature, la poésie ; l'autre ne pouvait se défaire d'une méfiance totale envers l'art, tous les arts. Ma pratique poétique était le champ de bataille entre ces deux personnages. » La guerre avait remis brutalement en cause tous les principes de la culture européenne (« Lamentation », « Le Rescapé », « 1939 »), engendrant le scepticisme et le pessimisme ainsi que la négation des valeurs humanistes traditionnelles. Le déchirement dramatique entre le devoir de se souvenir et le désir de se libérer du cauchemar donna naissance à des poèmes d'une grande force : « À un mort », « Mouraient les vivants », « Étoile vivante ».

Abandonnant les règles de la prosodie, de la rime et même de la métaphore, employant un vocabulaire d'une grande simplicité, le poète chercha à reconstruire des principes moraux en raillant les gestes romantiques, pathétiques, en confirmant les valeurs les plus simples, essentielles. L'amour physique, le corps féminin, la tendresse sont les seules valeurs véritables (« Le Masque », « Le Blessé », « Amour »).

Ce recueil comme *Le Gant rouge* [*Czerwona rękawiczka*, 1948], l'un et l'autre amèrement accusateurs, attirèrent aussitôt l'attention des critiques par leur ton de dérision désespéré qui exprimait la réaction de toute une génération touchée par la guerre. Ils furent accueillis par le public comme l'une des expressions littéraires les plus remarquables de l'expérience de la guerre et du fascisme. — Trad. in *Anthologie personnelle*, Actes Sud, 1990. L. Dy.

INQUISITOIRE (L'). Roman de l'écrivain français d'origine suisse Robert Pinget (né en 1919), publié en 1962. Cet épais roman, qui reçut le prix des Critiques, en 1963, est souvent considéré, avec *Quelqu'un* (*), comme l'œuvre primordiale de son auteur. Si c'est là faire bonne mesure des nombreux titres parus depuis, ce jugement peut être expliqué. *L'Inquisitoire* se présente comme une interminable et minutieuse enquête, menée par on ne sait qui auprès d'un vieil employé de maison atteint de surdité, que l'on questionne sur ses patrons et sur sa vie. De l'investigation la plus policière à la logomachie la plus creuse, les modalités tonales de cet interrogatoire sans fin rendent malgré tout captivant ce document d'un accès pourtant difficile. On pense parfois au procès de Jeanne d'Arc, on pense aussi à Kafka, mais s'en tenir à ces rapprochements conduirait à refuser la singularité de cette œuvre qui tire sa force de sa gratuité d'intention. Robert Pinget, en postface au roman *Le Libera* (1968), explique ainsi la naissance du livre : « Lorsque j'ai décidé d'écrire *L'Inquisitoire,* je n'avais rien à dire, je ne ressentais qu'un besoin de m'exprimer très longuement. Je me suis mis au travail et j'ai écrit la phrase “Oui ou non répondez” qui s'adressait à moi seul et signifiait “Accouchez”. » Et l'auteur met au monde une monstrueuse question de cinq cents pages sans véritable objet. Mais ce qui se fait jour lentement, c'est l'inanité de cette question éclatée en mille interrogations précises, insistantes, lancinantes, et auxquelles le « suspect » répond parfois avec agacement ou ironie. Il lui arrive de se rebiffer (« Je ne suis pas un bottin »), de refuser de répondre ou de se lancer dans de longues digressions qui agacent l'inquisiteur. Et celui-ci, par son anonymat, son impersonnalité, semble avoir le beau rôle puisqu'il oblige l'autre à se dénuder en dévoilant les misères et les drames de son existence, à s'affaiblir par ses aveux, à s'anéantir sous la charge au point de lâcher prise à la fin. On peut alors se demander si Pinget ne considère pas le silence (le quant-à-soi) comme une force, une nécessité vitale. L'écriture devenant une libération de la parole, et la possibilité de revenir au silence — la confession une fois achevée, chaque lecteur est à même d'endosser alternativement les deux rôles assignés... Quant à la réussite structurelle de ce livre, elle tient à l'équilibre des masses, à l'alternance des passages purement descriptifs et des émotions à vif, des réponses circonstanciées et des répliques expéditives — le tout architecturé avec une extrême rigueur. Livre sur la mémoire, bien sûr, mais sur la mémoire agissante, découvrant au gré des impulsions (les questions rabâchées) sa propre réalité et son fonctionnement cahotique. Le piège supposé dans lequel on veut faire tomber le suspect ne mène pas forcément à un aveu précis : ce qui est en cause ici c'est la reconnaissance, comme extirpée, qu'une vie a été vécue, et qu'elle n'a pu l'être qu'au prix de l'enfouissement perpétuel des faits et gestes qui l'ont constituée. Et cet enfouissement a parfois un goût de culpabilité. Mémoire, conscience et inconscience mettent le lecteur à la question. F. B.

INSCRIPTION DE L'OUEST (L') [*Siming — Ximing*]. Essai du philosophe chinois Tchang Tsai (1020-1077), dont la pensée néo-confucéenne prend pour point de départ le *Yi-tsing* (*), et tente de concilier la morale confucianiste avec la cosmologie issue du taoïsme ; cette synthèse est résumée dans *L'Inscription de l'Ouest*. Ainsi, le principe immanent du « souffle » ou « énergie » [ts'i], indifférencié comme le « grand vide » [t'ai-siu] avant de se diversifier au moment de la création, coïncide avec l'omniprésence de la « nature innée » et bonne [sing], qui s'exprime par la vertu d'amour pour autrui [jen]. L'amour filial relève d'un « sing » cosmique ; aimer ses parents étant comparable à aimer le ciel et la terre. Cette synthèse trouvera son aboutissement avec la pensée de Tchou Si, le plus célèbre des philosophes néo-confucéens des Song (960-1279).

INSECTE (L'). Ouvrage de l'écrivain français Jules Michelet (1798-1874), publié en 1857. Il se divise en trois parties : d'abord une introduction où l'auteur répond aux « systèmes des philosophes, à la peur de l'enfant » ; puis s'ouvre la seconde partie, où l'auteur étudie la mission et les arts de l'insecte, tandis que, dans la troisième partie, il s'attache à décrire leurs sociétés, principalement celles des fourmis et des abeilles. Il conclut en demandant qu'on ait moins de mépris pour eux, qu'on respecte leur personne et leur vie. Michelet développe avec éloquence les mérites des insectes qui, disséqués, ouverts, soumis au microscope, restent encore pour l'homme une énigme ; tel ou tel organe semble bizarre, menaçant, parce que nos yeux trop faibles le voient trop confusément pour s'en expliquer la structure et l'utilité. Ce que l'on voit mal inquiète. D'ailleurs l'insecte est si petit qu'avec lui on n'est pas tenu d'être juste. C'est contre cet arrêt que Michelet fait appel. Voici ses arguments : la justice est universelle, la taille n'est rien ; si l'on pouvait supposer que le droit n'est pas le même pour tous et que la balance peut s'incliner, ce devrait être pour les petits. Il pense qu'il serait absurde de condamner des organes dont nous ne connaissons pas l'usage, que la plupart du temps ce sont des outils de professions spécialisées, les instruments de cent métiers. Car l'insecte lui semble l'industriel par excellence, l'ouvrier le plus actif. Il ajoute enfin qu'à en juger par les signes visibles, les œuvres et les résultats, c'est l'insecte entre tous les êtres qui aime le plus. L'amour lui donne des ailes, de merveilleuses couleurs et jusqu'à des flammes visibles. L'amour est pour lui la mort instantanée ou très prochaine, et il s'accompagne d'un sens étonnant de la maternité. Enfin, ce génie maternel va si loin que, dépassant, éclipsant les rares associations d'oiseaux et de quadrupèdes, il a fait créer à l'insecte des républiques et des cités. Ce n'est pas assez pour Michelet de nous avoir fait connaître l'insecte, ce « fils de la nuit » comme il l'appelle ; il nous révèle encore la loi de son existence : la métamorphose. L'étude est donc complète. L'auteur s'est familiarisé avec son sujet, si bien que, pour lui, l'insecte est comme doué d'un pouvoir de parole. Michelet a voulu faire en somme un plaidoyer ému en faveur des êtres de la création les plus dédaignés et les moindres par la taille ; aussi est-il bien entendu que *L'Insecte* n'a rien d'un ouvrage scientifique. Ce travail à moitié descriptif, à moitié intime et poétique, fait preuve d'une sensibilité toute personnelle où l'on peut dénoter parfois quelque sensiblerie. Pourtant, il faut y admirer non seulement la couleur et le mouvement du style, mais aussi ce que l'inspiration a de délicat et de généreux.

INSOUTENABLE LÉGÈRETÉ DE L'ÊTRE (L') [*Nesnesitelna lehkost byti*]. Cinquième roman de l'écrivain tchèque Milan Kundera (né en 1929). Achevé en France en 1982, publié pour la première fois à Paris en 1984, en traduction française, il semble naître d'une seule phrase du roman précédent, *Le Livre du rire et de l'oubli* (*) : «... de même qu'un extrême peut à tout moment se changer en son contraire, la légèreté portée à son maximum est devenue l'effroyable *pesanteur de la légèreté* et Tamina sait qu'elle ne pourra pas la supporter une seconde de plus. » (Cette phrase figure dans l'épisode de l'île aux enfants.) Tout au long de *L'Insoutenable*

Légèreté de l'être, l'énigmatique opposition de la légèreté et de la pesanteur ne cesse de se révéler : à quoi donner notre préférence ? Quel terme de cette opposition considérer comme valeur ? D'autres thèmes suivent : le thème de l'« incompatibilité du corps et de l'âme » – thème de Tereza, présent déjà dans *La Plaisanterie* (*) –, celui du « kitsch » (la sixième partie est un essai burlesque sur ce sujet), celui de la « trahison », celui de l'« idylle » (toute la septième partie est illuminée par la lumière mélancolique de l'idylle dont un chien est le roi), etc.

Avec *Le Livre du rire et de l'oubli*, Kundera a construit un roman sur la seule unité des quelques thèmes existentiels ; *L'Insoutenable Légèreté de l'être* est bâti sur une double unité : celle des thèmes, mais, en même temps, celle, toute « classique » de l'action et des personnages. Le roman met en scène quatre personnages principaux : Tomas, chirurgien, grand coureur de femmes, qui reçoit un jour chez lui un être fragile et touchant, Tereza ; à ce moment, « l'idée lui est venue qu'elle lui avait été envoyée dans une corbeille au fil de l'eau ». Cette métaphore va hanter désormais Tomas et transformer complètement sa vie (« On ne badine pas avec les métaphores. L'amour peut naître d'une seule métaphore ») : pour suivre Tereza, il abandonne sa carrière à l'étranger, retourne dans son pays occupé par les Russes, où il est proscrit, perd son métier et finit par se retirer dans une coopérative agricole. C'est là qu'il mourra un jour, avec Tereza, dans un accident. Il y a ensuite Sabina, « amie érotique » de Tomas, peintre qui tente d'échapper au kitsch omniprésent (kitsch d'abord communiste, puis planétaire) ; en quête de la légèreté, elle va de trahison en trahison : elle abandonne sa famille, sa patrie, son amant Franz, et à la fin, la terre même, puisqu'elle décide qu'elle fera disperser ses cendres dans l'air. Il y a encore Franz, amoureux de Sabina et de la « grande marche » de l'Histoire qui – comme le Jaromil de *La vie est ailleurs* (*) – est perpétuellement à la recherche (lyrique, tragi-comique) d'une « vraie vie ». Il y a enfin le cinquième personnage, un chien, héros de l'idylle finale ; atteint d'un cancer, il recevra la piqûre d'euthanasie des mains de Tomas. Comme dans *Le Livre du rire et de l'oubli*, le roman se déroule dans plusieurs pays à la fois – en Tchécoslovaquie, en France, en Suisse, en Hollande, en Amérique – et aussi au Cambodge, où les intellectuels occidentaux vont afficher leur kitsch protestataire et humanitaire devant les caméras. Vers la fin, l'auteur évoque l'image de Nietzsche qui, en 1889, déjà malade, embrasse dans une rue de Turin un cheval qu'on frappe ; il rapproche cette image de celle de Tereza, à la campagne, caressant son chien mortellement malade. « Je les vois tous deux côte à côte : ils s'écartent tous deux de la route où l'humanité, “maître et possesseur de la nature”, poursuit sa marche en avant. » S'écarter de la route frivole de l'Histoire devient pour Tereza, en quête du poids de l'amour, une irrésistible tentation. Car après les expériences historiques de notre siècle (et l'Histoire est dans ce roman terriblement présente), l'homme peut-il encore se croire maître de quoi que ce soit ? La planète ne s'avance-t-elle pas seule, sans maître, dans un vide indiciblement léger ? – Trad. Gallimard, 1984. L. Pr.

INSTANT (L') [*Øjeblikket*]. Recueil d'essais et de courts articles du philosophe danois Søren Aabye Kierkegaard (1813-1855), publiés en premier lieu dans dix fascicules de la revue *Le Moment*, fondée par l'auteur et entièrement rédigée de sa main lors d'une polémique qui le mit aux prises avec l'évêque Martensen. Les neuf premiers fascicules parurent en 1855, de mai à septembre ; le dernier, déjà composé et livré à l'imprimeur, ne put être publié par suite de la mort de Kierkegaard. Ces dix fascicules révèlent, au terme de sa vie, le point extrême où était parvenue sa pensée dans l'ordre théologique. Leur titre commun (*Le Moment* ou *L'Instant*) a le sens très profond déjà exprimé dans *Le Concept de l'angoisse* (*) et auquel les *Miettes philosophiques* (*) font aussi allusion. Le « moment » est fort complexe : d'une part, il se situe dans le temps, il est humain, il sépare le passé du futur, il ouvre l'histoire ; d'autre part, il représente cet espace dans le temps où quelque chose est fixé ; en ce sens, il est donc supérieur au temps car il représente une parcelle d'éternité. Ainsi, l'instant est le point de rencontre entre le temps et l'éternité, entre l'homme et Dieu. C'est pour cette raison que Kierkegaard a intitulé *Instant* cette suite d'études qui, en dernière analyse, concernent toujours les rapports ou plus exactement l'antagonisme existant, sur le plan religieux, entre l'humain et le divin. La pensée fondamentale de la philosophie de Kierkegaard (hétérogénéité absolue entre l'humain et le divin) est pleine d'une amertume profonde, surtout dans ces dernières pages où il se pose le problème de l'application pratique et tangible des préceptes de l'*Évangile*. Il convient de rappeler que l'auteur distinguait d'abord trois modes d'existence bien déterminés : la vie « esthétique » ou vie de pure jouissance ; la vie « éthique » placée sous le signe du devoir, faite de luttes et de victoires de la volonté humaine ; enfin la vie « religieuse » qui n'est que douleur puisque l'homme ne parvient pas à éprouver le divin et tend vers un Dieu qui demeure éternellement caché et lointain. Sa pensée ayant évolué, Kierkegaard a simplifié sa position : la vie éthique lui est apparue comme une simple section de la vie religieuse, une sorte de soif inassouvie ; étant donné l'impossibilité de mesurer l'humain au divin, la vie religieuse ne pouvait, à son sens, se manifester extérieurement, dans la vie vécue, dans les actions des hommes. C'était un sentiment purement intime et inexprimable. À présent, dans la phase ultime du développement de sa pensée, il voit qu'il est nécessaire pour la vie humaine de suivre les préceptes de l'*Évangile* et que le chrétien vive en chrétien. Il suffit d'une observation sommaire pour démontrer que la chrétienté – c'est-à-dire l'ensemble des hommes qui, des lèvres, confessent le Christ – est précisément l'ensemble de ceux qui sont le moins proches du christianisme. Qu'est-ce donc qui leur permet de se croire religieux et chrétiens, alors que le christianisme est complètement étranger à leur vie, alors qu'ils ne participent en rien au divin et ne se sentent même pas attirés vers ce Dieu lointain ? C'est un ensemble de cérémonies, de rites et de formules qui leur laisse croire (selon les apparences) qu'ils sont chrétiens sans vivre en chrétiens, et cet ensemble, c'est l'Église, la destructrice du véritable sens religieux. Naturellement, Kierkegaard songe ici à l'Église officielle de son pays (Église évangélique luthérienne) ; mais la portée de sa critique ne se limite pas à elle. *L'Instant* attaque de plein front les ministres du culte qui, au dire de l'auteur, ne sont que des fonctionnaires vivant à la charge du peuple en lui faisant croire qu'il est chrétien. Il en arrive même à les traiter de « cannibales », les accusant de détruire et de dévorer les âmes, sourds à l'appel du Christ : « Suivez-moi ! » La confirmation et le mariage sont à présent des comédies sacrilèges, puisqu'il leur manque une fervente adhésion morale ; et ceci, parce que l'Église n'est qu'un organe de l'État et que l'État s'appuie sur le nombre, sur la communauté, alors que la mission première du chrétien est de lutter, de protester et de s'isoler d'un monde qui incarne la négation du divin. Aussi l'État se défend-il contre le christianisme et, dans cette lutte, utilise le prêtre comme mercenaire. – Trad. L'Orante, 1982, t. 19 des Œuvres complètes.

INSTANT (L'). Textes « brefs » (selon son expression) de l'écrivain français Roger Munier (né en 1923), parus en 1973 et qui seront suivis au fil des années de plusieurs recueils similaires. Ces textes de quelques lignes, d'allure aphoristique, tiennent tout à la fois du poème et de la méditation spirituelle. L'économie des moyens mis en œuvre n'est pas effet de style mais tient à la nature de la recherche, à son engagement dans une quête dont le cheminement exige de la part du lecteur l'abandon de toute impatience à comprendre à partir de ce qu'il sait déjà. « Laisser venir, s'approcher Ce qui / vient. Ce qui sans fin vient et / s'approche, n'est que venue. » La première section intitulée *L'Insu* part d'un apparent constat : « Tout est donné, mais / à notre *insu*. » L'insu n'est pas ignorance muette mais « tacite entente » exigeant que nous nous défaisions de nos habitudes langagières qui, savantes ou sauvages, présupposent toutes que mots et choses coïncident (ontologiquement ou pragmatiquement) : « Dé-nommer les choses, / les rejoindre en deçà du nom. » Cet « en deçà » « Sans nom, comme on dit / sans-abri », n'a cependant rien d'inatteignable, il est là, à découvert, évident : « Ce n'est pas le distant, / l'ailleurs inapprochable, / le sans-accès, / mais le trop proche. » Cet excès de la proximité sur la simple présence est ce qui exige de la parole le sacrifice de sa puissance. Les mots disent trop, vont trop loin, portent au-delà et par là manquent « l'arbre là, sans plus ». « L'infime », le peu, le moindre requièrent de la parole qu'elle se dépouille jusqu'au mutisme de « l'instant / subit ». L'instant dit à la fois l'éphémère, le furtif de ce qui ne se donne que sous forme de « trace », de « blessure » (pour reprendre les termes de deux autres sections du livre), mais aussi ce qui insiste, resplendit : « Tout instant est d'absolu. / Chaque événement, prodige. L'infime, le plus infime / est l'éclatant. » Notre vision nous cache le visible, porte ombre à ce qui est là « sans plus », « Le nom blesse la chose », sans cesse nous déportons le réel hors de son lieu, le transposons, le réduisons à nos mesures. L'écriture de Roger Munier dans ces pages denses et étrangement légères – tendues sur ce dont elles sont la quête et allégées de tout recours extérieur (libres de tout genre) – parviennent à nous rendre sensible l'épaisseur physique du « il y a » lorsqu'il n'y a « rien d'autre que soi » : « Sans formes ou sans paroles / il n'y a rien – que SOI, / et l'arbre n'est pas : l'arbre » (*L'Ombre*, 1979). F. W.

INSTANT (Un) [*A Moment in Time*]. Roman de l'écrivain anglais Herbert Ernest Bates (1905-1974), publié en 1964. Cet écrivain prolifique, dont les premiers romans avaient pour thème la vie anglaise ou – comme *Bon vent vers la France* (*) – les réactions de l'individu et son adaptation à la guerre, mêle dans *Un instant* ses sujets favoris. Dans la campagne du sud de l'Angleterre, l'héroïne Élizabeth Cartwright étouffe à cause d'une existence monotone et sans idéal. La guerre éclate. L'installation d'un camp d'aviation va changer sa vie. Dépossédée de la maison familiale où l'on installe un mess d'officiers, la jeune fille gagne un fiancé, le jeune pilote Splodge. Mais l'évasion est impossible, son mari tué au combat, Élizabeth revient à la terre qu'elle aime et à son ami d'enfance, Tom. Ce fermier lui apporte la sécurité, mais l'emprisonne à jamais dans un « petit coin de terre ». Le symbolisme du roman est très évident : les cygnes qui tournent dans un cercle d'eau libre au milieu de l'étang gelé sont les personnages pris dans les limites de leur existence. Les moments privilégiés où l'on peut se dépasser ne durent pas. La fièvre et l'enthousiasme de la guerre passés, l'Angleterre pastorale et immuable a tôt fait d'ensevelir les conflits d'une adolescence. La technique linéaire et le style narratif un peu monotone donnent bien une impression d'atmosphère sans issue ; pourtant le roman manque d'envergure et sa fadeur ne lui permet pas de prétendre à l'équilibre de *Chère Vie* [*Dear Life,* 1950] ou de *La Fête de juillet* [*The Feast of July,* 1954]. Il semble qu'avec les années, l'art de Bates s'épuise dans les longs récits, alors que ses recueils de nouvelles constituent le meilleur de sa production, qu'il s'agisse de *Le Ciel jonquille* [*The Daffodil Sky,* 1955] ou *La Lune éveillée* [*The Sleepless Moon,* 1956]. – Trad. in *Six par quatre,* Gallimard, 1967.

INSTANTS [*Instantes*]. Cet ouvrage, publié en 1927, est l'un des meilleurs qu'ait écrits José María Salaverría (1873-1940), écrivain et érudit basque d'expression espagnole, esprit aigu et inquiet, le plus souvent ironique et toujours original. Ce qui le caractérise surtout, c'est sa rude sincérité d'expression, laquelle s'allie à un style à la fois robuste et châtié. Ce livre contient une foule de renseignements curieux sur les mœurs littéraires, politiques et sociales de l'Espagne et, en particulier, de Madrid, pendant la période qui précéda le soulèvement nationaliste de Franco. Ce sont de rapides essais d'inspirations diverses mais qui, bien que traitant des aspects mouvants de l'actualité, conservent une harmonieuse unité. C'est le plus souvent Madrid qui forme le cadre de ces *Instants* : « Élégie au parlement », « La Rue d'Alcalá », « L'Assaut de l'Académie », « Journaux de Madrid », « Cénacle littéraire », etc. L'« Élégie au parlement » est des plus ironiques : « Jadis temple des lois, autel des Pères de la patrie, refuge des libertés républicaines », aujourd'hui ce palais, fermé par Primo de Rivera, a pris l'aspect de ces monuments mémorables et historiques que les guides ont l'habitude de montrer aux touristes. Le chapitre dédié à la « Rue d'Alcalá », cette typique artère madrilène « dans laquelle se trouve résumée toute l'histoire réelle de l'Espagne qui vit dans la minute présente », est très suggestif. L'auteur ne peut s'empêcher de faire un amer commentaire sur ce spectacle unique en Europe : ces cercles luxueux dont les vastes fenêtres ouvrent sur la chaussée peuplée de riches oisifs qui s'ennuient à périr, tandis que partout ailleurs fleurit la pire mendicité. Dans les « Cénacles littéraires », l'auteur traite des « tertulias literarias », tradition encore très vivante en Espagne, la « Granja del Henar », le « Chat Noir », le « Pombo » où trônait et pontifiait Ramón Gómez de la Serna.

INSTINCT DU BONHEUR (L'). Roman de l'écrivain français André Maurois (pseud. d'Émile Herzog, 1885-1967), publié en 1934. Après *Bernard Quesnay* (*), *Climats* (*) et *Le Cercle de famille* (*), ce livre confirma le talent d'André Maurois romancier. Plusieurs personnages de ces précédents romans sont évoqués épisodiquement dans celui-ci, comme pour indiquer la continuité d'une œuvre basée sur les observations de sa vie personnelle. L'action est située dans un château de ce Périgord qu'André Maurois connaissait bien, et où il vivait souvent depuis son second mariage. Comme Bernard Quesnay, Gaston Romilly a rompu avec sa famille et le monde industriel de Pont-de-l'Eure, en Normandie. En 1909, il a connu une jeune fille à Paris, Valentine Gontran, créatrice d'une jeune maison de mode ; il l'a aimée et a eu d'elle une petite fille. Mais il a fallu la guerre pour qu'en 1915, rejetant le rigorisme familial, il se décide à l'épouser. Depuis, installé dans le Périgord, pays d'origine de sa femme, il réussit fort bien dans l'exploitation agricole. Au début de ce récit, leur fille Colette est âgée de dix-huit ans et, amoureuse d'un garçon du voisinage, André de Saviniac, souhaite l'épouser. Une infatigable marieuse, Mme de La Guichardie, oracle redouté de la province, est favorable à cette union. Mais ceci pose un cas de conscience pour Valentine et Gaston : que pensera l'austère société de la région en apprenant qu'ils ne se sont mariés que six ans après la naissance de leur fille ? Elle est née enfant naturelle et les prudes Saviniac peuvent renoncer, de ce fait, à donner leur consentement. Grâce à Mme de La Guichardie, affectueuse et obstinée, ce problème pourrait être arrangé, mais à ce moment Valentine apprend que Colette va hériter de la fortune de son père véritable, le riche Martin-Bussière. Valentine avait jusqu'alors gardé ce secret, même envers Gaston qui se croyait le père de l'enfant. Elle conte toute son histoire à Mme de La Guichardie. Encore une fois, la bonne dame se charge d'arranger la situation ; elle révèle son infortune à Gaston Romilly, mais, loin d'en faire un drame, celui-ci avoue qu'il a toujours été au courant. Si Colette n'est pas sa fille par le sang, elle l'est par les soins qu'il lui a donnés. De même, on apprend que Colette connaissait depuis l'enfance sa naissance illégitime, elle en a parlé à son fiancé qui n'y voit aucun mal. C'est que, pour ces êtres scrupuleux et secrets, seul l'aveu des vérités paraît un danger. Et, le silence entre eux étant respecté, ils pourront poursuivre une existence heureuse en apparence et préservée.

INSTITUT BENJAMENTA (L') [*Jacob von Gunten*]. Roman de l'écrivain suisse d'expression allemande Robert Walser (1878-1956), publié en 1909. Ce livre insaisissable ne se résume pas, car c'est sa tournure d'esprit, la transparence de sa langue, sa légèreté profonde qui lui sont essentielles et lui donnent une jeunesse sans âge que seuls possèdent les contes de Grimm. Walter Benjamin remarque justement que Walser « continue Grimm au double sens du mot, c'est-à-dire qu'il prend son conte où Grimm l'abandonne, pour voir en quelque sorte ce qui se passe après le mot fin ».

Le thème de *L'Institut Benjamenta* demeure fidèle à la tradition folklorique. Descendant d'une famille bourgeoise, Jacob quitte la maison paternelle et court le monde en quête d'une vérité obscure. Bientôt, une ville (Berlin) s'offre à lui, puis une maison apparemment accueillante, mais certainement dangereuse, puisqu'elle est celle de l'ogre, M. Benjamenta. Cependant, une fée veille sur Jacob, Lise Benjamenta. Walser décrit la vie quotidienne des personnages, le manque cruel d'argent, les rapports de Benjamenta avec son pensionnaire, de la fée avec son élève, puis soudain cesse d'entretenir le songe ; la fée meurt, Benjamenta disparaît, et avec lui l'Institut, ses personnages, et son élève devenant vagabond comme devant. Mais que représente cet Institut dont les professeurs n'apparaissent jamais, soit qu'ils dorment soit qu'ils oublient leur profession ? Jacob y apprend à éprouver et à supporter les pertes, et c'est selon lui une science, un exercice sans lesquels tout homme, si éminent soit-il, restera toujours un enfant. L'enseignement y comporte deux parties. L'une théorique, l'autre pratique. Apprendre par cœur apparaît comme l'une des tâches principales. L'un de ses principes : « Peu mais à fond. » Et Jacob commence à comprendre quel monde grandiose se cache derrière ces mots. Quant à la partie pratique, elle consiste en la continuelle répétition d'une sorte de danse ou de gymnastique : on s'exerce à saluer, à entrer dans une pièce, à regarder continuellement et pensivement le vide. Il est strictement interdit de nourrir des espérances. Et si les élèves semblent parfois gais ou insouciants, c'est par étroitesse d'esprit. Une chose est certaine : ils attendent. Les élèves sont ainsi contraints à une oisiveté étrange qui dure parfois la moitié de la journée ; Jacob et Schacht se tiennent souvent dans la même chambre, étendus côte à côte. Ils se racontent des histoires tirées de la vie, mais le plus souvent inventées et dont les faits sont sans fondement. Naissent alors des sons légers, des odeurs montant le long des murs. La chambre s'élargit ; des rues, des salles, des villes, des êtres apparaissent. Tout murmure. Tout pleure. Et, parce qu'il existe des moments de clarté dans une vie, Mlle Benjamenta prendra Jacob par la main ; tous deux se perdront sous les voûtes de la pauvreté, dans les couloirs de la privation, et elle lui dira : « Va, embrasse ce mur. C'est le mur du souci. » On pourrait, à l'exemple de Musil qui le découvrit dès 1914, rapprocher Walser de Kafka. Il y a en effet chez les deux auteurs le même sens de l'absurde, le même humour, quoique noir chez l'un et rose chez l'autre, la même écriture dépouillée à l'extrême et nombre de thèmes identiques. Toutefois, Walser résiste à la mélancolie morbide et déprimante qui est celle de Kafka. Au contraire, l'angoisse et la cruauté prennent l'accent de l'ironie et de l'humour. Et le style délibérément simple devient orné et d'un baroque presque surréaliste, comme s'efforçant de ne jamais séparer le réel de l'imaginaire. Walser Benjamin remarque encore : « Le style revêt toutes les formes, sauf celle, courante, qui s'occupe d'avoir un fond. » C'est que l'écrivain, voyant dans la littérature un jeu, s'est contenté d'écrire au jour le jour, selon l'inspiration du moment, comme le montrent par ailleurs sur le vif ses *Histoires* (*). — Trad. de Marthe Robert, Bernard Grasset, 1960.

INSTITUTES de Gaius [*Gaii institutiones*]. Œuvre juridique rédigée sous le règne de l'empereur romain Hadrien (117-138). C'est l'unique ouvrage de la période classique de la jurisprudence romaine qui nous soit parvenu presque en entier. Il a donc servi de base historique certaine aux études sur le droit romain le plus ancien, et c'est de là qu'il tire son importance qui est capitale. Le texte des *Institutes* du juriste latin Gaius a été découvert en 1816 par le savant historien allemand Niebuhr dans un palimpseste de la bibliothèque du chapitre de Vérone. D'autres découvertes, qui eurent lieu en 1927 et en 1935, ont permis de combler en partie les lacunes du premier manuscrit. Aujourd'hui, l'édition des *Institutes* la plus à jour est celle d'Hübler (Leipzig, 1935). L'exposé de Gaius comprend trois parties : la première est consacrée au droit des personnes (livre I), la seconde au droit des biens (livres II et III) et la troisième à la procédure (livre IV). L'auteur expose d'abord les divisions fondamentales du droit objectif (distinction entre « jus civile » et « jus gentium »), puis il annonce les trois parties citées ci-dessus, indique ensuite les sources positives du droit romain : lois (leges), plébiscites (plebiscita), senatus-consultes (senatus-consulta), décrets (constitutiones principum), édits des magistrats (edicta magistratum), jurisprudence (responsa prudentium). Il examine ensuite, dans le premier livre, les différentes situations juridiques des personnes ; il distingue les hommes libres des esclaves, les citoyens des étrangers, « sui juris » ou « alieni juris » ; il subdivise la catégorie des « sui juris » en individus à capacité d'action limitée ou non limitée (tutela et cura) ; en ce qui concerne la catégorie des « alieni juris », il expose des institutions purement romaines telles que la « potestas », la « manus » et le « mancipium ». La partie du droit des biens comprend tout le droit relatif au patrimoine. Gaius y distingue les « res corporales » des « res incorporales » ; ces dernières comprennent tous les droits autres que le droit de propriété (droits réels sur des choses qui se trouvent entre les mains d'autrui, droits de créance). Ainsi les deux livres des biens ont pu aisément embrasser toutes les parties du droit privé qui ne rentraient pas dans la catégorie du « jus quod ad personas » et du « jus quod ad actiones pertinet ». Cette partie du droit (« de rebus ») recueille de nombreuses institutions particulières au droit classique. Le quatrième et dernier livre contient la procédure romaine, sans omettre ses relations avec les « legis actiones » les plus anciennes. L'importance du quatrième livre de Gaius pour l'étude des bases du droit romain est évidente, étant donné les liens étroits entre le droit des biens et la procédure, qui sont encore renforcés par la logique et la rigidité du droit romain. La première partie du livre traite, après les classifications habituelles des actions (in rem, in personam, vindicationes, condictiones), les formes de la procédure ancienne des « legis actiones » (sacramento, per judicis postulationem, per condictionem, per manus injectionem, per pignoris captionem) et le système d'instruction classique. Gaius expose chaque système avec beaucoup de détails en énumérant toutes les formes de procédure et leur application. La seconde partie est particulièrement intéressante par les renseignements qu'elle nous fournit sur les tendances et sur la structure de la représentation dans le droit romain classique. La conclusion du traité énumère quelques moyens d'éviter les injustices qui pourraient dériver, dans des cas déterminés, de l'application rigide du « jus civile » : ce sont les « exceptiones », les « prescriptiones pro actore », les « interdicta ». L'œuvre de Gaius, pauvre en valeur doctrinale et spéculative, possède une grande valeur historique, car elle est la première à avoir fourni des documents authentiques à la critique moderne, et elle lui a permis de reconstruire le droit romain classique. – Trad. Les Belles Lettres, 1950.

INSTITUTION DE LA FEMME CHRÉTIENNE (L') [*De institutione fœminae christianae*]. Traité de pédagogie dédié à Catherine d'Aragon, femme d'Henri VIII d'Angleterre, par le philosophe humaniste espagnol d'expression latine Juan Luis Vives (1492-1540), précepteur de la princesse Marie (future Marie Tudor) et lecteur de la reine ; quelques années après, le divorce des deux époux royaux donnait un démenti aux théories de Vives qui, pour avoir pris le parti de la reine, perdit sa position à la cour et sa chaire à Oxford. Publié à Anvers (1523), le traité fut traduit en espagnol par Juan Justiniano (Valence, 1528), puis dans toutes les langues européennes. Avec Érasme, Vives est le partisan le plus convaincant et le plus convaincu de l'éducation des femmes. « C'est à cause du manque d'instruction – écrit-il – que généralement les femmes se complaisent dans le luxe et les frivolités ; elles sont arrogantes quand la fortune leur sourit et se laissent abattre sottement dans l'adversité et le malheur. » L'œuvre se divise en trois livres : le premier traite de l'éducation de la jeune fille et il est le plus important au point de vue pédagogique ; le second, des époux ; et le troisième, des veuves. Les idées de Vives, en ce qui concerne l'éducation de la jeune fille, sont imprégnées de l'esprit des doctrines catholiques, au point que Vives considère toute jeune fille comme une novice cloîtrée ; cependant, le contraste entre le réalisme du langage en matière sexuelle, dans un livre destiné à une jeune fille, et l'austère ascétisme mystique, par lequel il invite la femme à l'amour de Dieu en lui intimant le « momentaneum quod delectat, aeternum quod cruciat », est frappant. Il ne veut pas que, dès les premiers jeux, il y ait une vie commune entre garçons et filles, bien plus entre frères et sœurs ; de même il n'admet pas les danses, « horrible spectacle qui fait croire à une folie collective des danseuses » ; il est très exigeant dans le choix des amitiés, même entre jeunes filles. Il fait preuve de sens pratique en voulant qu'à la base de toute éducation se trouvent les soins du ménage. Pour développer ses facultés morales, la jeune fille doit de bonne heure apprendre le latin, instrument indispensable pour la culture, en ne séparant pas la grammaire des exercices pratiques. L'étude de l'histoire doit être limitée à l'Antiquité ; on doit laisser l'étude des sciences et des mathématiques aux hommes ; cependant il veut que les mères aient des notions suffisantes d'hygiène, de médecine domestique et d'alimentation rationnelle. La jeune fille doit être élevée et nourrie avec simplicité et austérité. Que l'on se garde de déformer sa beauté naturelle par des cosmétiques ; et que ce soit elle que son époux aime et non ses fards et ses vernis. Les deux autres livres, consacrés aux époux, sont eux aussi pleins d'observations et de conseils pratiques : ainsi le conseil qu'il donne aux mères de se retirer quelques minutes au cours de la journée loin des soucis des affaires domestiques, dans un coin à l'écart, pour faire un retour sur elles-mêmes, retrouver la maîtrise de soi et puiser de nouvelles forces au profond de leur être. Citons encore deux des nombreux ouvrages de Vives qui se rapprochent de celui-ci : *De l'éducation libérale des adolescents et des jeunes filles* (1545) et *Des devoirs d'un mari* (1529). Il est important de noter que cette œuvre annonce une méthode nettement psychologique qui sera celle de la pédagogie moderne. – Trad. Le Hèvre Lemale, 1891.

INSTITUTION DE LA RELIGION CHRESTIENNE [*Institutio christianae religionis*]. Œuvre fondamentale du protestantisme, écrite par le théologien français Jean Calvin (1509-1564). Calvin travailla toute sa vie à ce livre, dont le double texte, en français et en latin, est de lui. Il ne cessa de l'augmenter, de le refondre, sans se contenter d'ajouter de-ci de-là des compléments, soucieux de garder toujours l'équilibre de l'ouvrage. La première édition, en latin, est de 1536 à Bâle. À Strasbourg, en 1539, parut une seconde édition latine, déjà très augmentée. La première édition française date de 1541, à Strasbourg, bien qu'elle ne porte ni date ni lieu. Le texte latin fut encore révisé dans les éditions de 1543 et de 1550, le texte français dans les éditions de 1545 et de 1551. Le texte définitif est celui de l'édition latine de 1559, à Genève. Le texte de l'édition française de 1560, qui comprend de nombreuses additions authentiques, n'est pas tout entier de la main de l'auteur. (Édition critique dans le « Corpus Reformatorum » de Brunswick, vol. I-IV des œuvres de Calvin. Édition de J. D. Benoît, Vrin, 1957, 5 vol. ; édition J. Pannier, Les Belles Lettres, 1961, 4 vol.) L'*Institution* est précédée d'une lettre-préface à François Ier, datée de Bâle, le 1er août 1535, et qui est justement célèbre. Cette lettre précise la double intention de Calvin écrivant son *Institution* : il veut d'abord proclamer hautement la religion réformée, donner à la secte un corps de doctrines, une claire profession de foi, des règles disciplinaires. Mais il veut démontrer aussi que la Réforme est une affaire strictement religieuse, qu'elle ne menace point l'autorité royale. Calvin veut rassurer François Ier : il affirme que la soumission des réformés au pouvoir séculier ne saurait être ébranlée par rien, même par la persécution. Calvin est sans aucun doute sincère : s'il est peu disposé en faveur d'un roi catholique, il l'est moins encore en faveur de l'anarchie qu'il hait par-dessus tout. S'il y a, dans la lettre à François Ier, des plaisanteries de goût douteux sur le « ventre » du clergé catholique, nombreux et admirables y sont les morceaux d'éloquence ; ainsi lorsque Calvin montre les contradictions des Pères de l'Église qui plongent dans l'embarras les commentateurs catholiques ; ainsi lorsqu'il réclame la tolérance, non point en vertu du principe de liberté, mais du droit supérieur de la vérité : « C'est force et violence que cruelles sentences soient prononcées à l'encontre d'icelle [doctrine] devant qu'elle ait esté défendue. C'est fraude et trahison que sans cause elle est notée de sédition et maléfice. »

L'ouvrage lui-même a quatre grandes divisions : Dieu, créateur et souverain gouverneur du monde ; l'Homme, déchu par le péché, racheté par Jésus-Christ ; la Grâce, fruit de la Rédemption ; l'Église, et ses véritables caractères, la prédication et les sacrements. Ce plan rigoureux est une innovation en notre langue : l'*Institution* de Calvin est ainsi le premier ouvrage français à avoir été composé selon un ordre rationnel, suivi et proportionné. Dans le premier livre, Calvin va affirmer clairement la doctrine, commune à tout le protestantisme, de l'Écriture comme seule source de la foi. Pourtant, comme les docteurs médiévaux, Calvin admet une connaissance naturelle de Dieu comme possible en droit : l'ordre de la nature, nos faiblesses devraient nous rappeler Dieu sans cesse. En fait, cette connaissance naturelle est sujette à l'obscurcissement de nos passions, elle est passagère, toujours menacée, incapable de nous mener au salut. Une connaissance de Dieu, plus forte que celle que notre raison peut atteindre, est donc absolument nécessaire pour que l'homme soit sauvé : c'est la révélation, qui est la parole même de Dieu. Cette parole, consignée dans l'Écriture, est « absolument suffisante » pour nous faire connaître tout ce que nous avons à connaître de Dieu. Le magistère de l'Église est donc inutile : Calvin le rejette comme un témoignage simplement humain, et donc faillible. Cependant, pour que notre esprit adhère fermement aux vérités de l'Écriture, il lui faut une assistance supérieure : Calvin remplace ainsi le témoignage du magistère par l'assistance tout intérieure de l'Esprit saint éclairant nos âmes. Cette assistance est indispensable ; ainsi Calvin expose les preuves de la divinité de l'Écriture, mais il ajoute que toutes les preuves rationnelles ne sont rien sans la certitude intérieure de l'Esprit (I, 8). Une fois démontré que l'Écriture est la seule source de la foi, il faut se demander ce qu'elle enseigne de Dieu : elle oppose sans cesse le vrai Dieu au dieu des gentils ; elle défend de représenter Dieu, ce qui condamne les catholiques, qui, selon Calvin, ont autorisé le culte des images et sont ainsi retombés dans l'idolâtrie (I, 10-12). Le Dieu de l'Écriture est trinitaire, créateur, omniprovident, et Calvin réfute les épicuriens dont le Dieu ne se soucie pas du monde (I, 13-17). Enfin — Calvin reviendra plus longuement sur cette question à la fin du troisième livre —, l'Écriture (qu'il interprète au sens le plus littéral) montre que la volonté divine et la liberté humaine sont inconciliables (I, 18).

Au second livre de l'*Institution*, Calvin va développer les conséquences du péché originel et montrer, après Luther, que la concupiscence est invincible et que l'homme n'est capable d'aucun bien propre. Adam a péché, et tous les hommes, sa postérité, naissent ainsi enfants de la colère. La concupiscence vicieuse est le principe unique de leurs actes (II, 1). À cette concupiscence il n'est pas possible de résister : la liberté humaine est une chimère. Calvin distingue le libre et le volontaire. L'homme n'a pas la liberté, mais seulement la volonté. Le libre arbitre consiste à être exempt de coaction, non de nécessité. Calvin fonde cette doctrine sur les nombreux textes de l'Écriture, où il est dit que, sans Dieu, l'homme ne peut rien faire (II, 2). Cependant, Dieu n'a pas tout à fait abandonné l'homme au mal ; le Fils de Dieu, en effet, s'est incarné pour racheter les hommes. Le seul instrument du salut est donc la grâce, et la nature n'y concourt pas. Calvin expose les preuves de la médiation de Jésus-Christ entre Dieu et les hommes, montre que Jésus-Christ est vraiment Dieu et homme, une seule personne et deux natures. Puis il distingue les trois caractères fondamentaux du Christ : le prophète, le roi, le prêtre.

Le troisième livre est le plus important au point de vue de la théologie morale : Calvin y expose les thèmes, qui déjà appartenaient à Luther, de la justification par la seule foi sans les œuvres et de la prédestination absolue.

Pour participer à la grâce du Christ, qui peut seule nous sauver, il faut être uni au Christ comme ses membres. Cette union se fait par la foi et l'assurance intérieure de l'Esprit ; il y a comme un maître intérieur qui fait entrer en nos âmes la promesse du salut et sans qui cette promesse ne saurait nous toucher (III, 1). Qu'est-ce que la foi ? C'est une connaissance certaine de la bienveillance de Dieu pour nous, produite en nos âmes par le Saint-Esprit. Ainsi Dieu donne à ceux qu'il a prédestinés une certitude absolue, une foi inadmissible, qui les assure que ni la mort ni la vie ne les pourront séparer du Christ (III, 2). La pénitence est liée à la foi comme l'effet à la cause : Calvin la fait résider tout entière dans la crainte du jugement. La crainte est le motif déterminant : c'est elle qui provoque la mortification (III, 3). Cette doctrine, assure Calvin, est celle de l'Écriture ; et les catholiques la méconnaissent, qui font résider la pénitence dans la contrition, la confession et la satisfaction. Or, argumente Calvin, que fait la contrition ? Elle jette les hommes dans le désespoir : qui saura jamais s'il a les qualités nécessaires pour obtenir la rémission de ses péchés ? Quant à la confession, il la faut rejeter, car on ne trouve rien pour la fonder dans l'Écriture : ce n'est qu'une invention humaine pour tyranniser les fidèles. Enfin, faisant dépendre la rémission des péchés de la satisfaction, les catholiques sont encore dans l'erreur, parce qu'ils accordent ainsi aux actes humains la possibilité d'acquérir un mérite surnaturel. Pour Calvin en effet, comme pour Luther, la justification est tout extrinsèque, elle ne transforme point l'homme par le dedans, les actions restent en elles-mêmes mauvaises comme par le passé (III, 4). La condamnation de la satisfaction entraîne naturellement celle des indulgences et du purgatoire, qui sont les compléments de la satisfaction (III, 5). Après avoir ainsi dénié tout mérite aux œuvres, Calvin traite de la liberté chrétienne : d'abord elle nous affranchit du joug de la loi et des cérémonies ; non que les lois soient abolies, seulement, elles ne donnent plus la justification qui est l'œuvre de la foi. Le chrétien accomplit la loi, non pour obéir à la loi, mais pour faire la volonté de Dieu. Enfin, la liberté chrétienne donne la faculté d'user à son gré des choses, quelles qu'elles soient ; les choses en elles-mêmes ne sauraient être en effet ni bonnes ni mauvaises. Calvin assure que cette doctrine, loin d'entraîner à la débauche, ne fera que rassurer les âmes scrupuleuses. D'ailleurs, notre salut n'est point tributaire de nos actes, mais uniquement du souverain décret de Dieu : Dieu veut « absolument » des élus pour la vie éternelle, des damnés pour l'enfer. Ainsi, avant même qu'ils n'eussent fait ni bien ni mal, avait-Il aimé Jacob et haï Ésaü. La prédestination n'est donc point fondée sur la prescience de nos actes. Elle est absolument arbitraire.

Le quatrième et dernier livre traite de l'essence et de la discipline de l'Église. Tous les fidèles, unis par la foi à Jésus-Christ, forment l'Église, qui est la société des prédestinés, des saints. Dieu aurait pu sanctifier d'un coup ceux qu'il a prédestinés, il a préféré qu'ils fussent instruits par l'Église. C'est pourquoi il a institué des moyens extérieurs pour nous faire entrer et nous conserver dans la société de Jésus-Christ. Le double fondement de l'unité de l'Église est la prédication et la participation aux sacrements. Comme toute la foi chrétienne, la prédication de l'Église est uniquement fondée sur l'autorité de l'Écriture : on peut donc y enseigner des opinions opposées, pourvu qu'elles n'aillent point contre l'Écriture. L'Église est l'Église des saints comme des pécheurs, et Calvin condamne les sectes donatistes, cathares, anabaptistes, qui enseignaient que l'Église ne saurait contenir que des saints (IV, 1). Cependant, lorsqu'une société religieuse enseigne systématiquement des doctrines qui vont contre l'Écriture, si elle corrompt le culte établi par Jésus-Christ, on doit alors se séparer de cette société, si ancienne, si vénérable soit-elle. Calvin vise naturellement ici l'Église catholique. Dans cette Église, on ne saurait plus faire son salut, car tout y est si corrompu qu'on ne trouve plus le minimum de moyens extérieurs pour s'unir au Christ. Certes l'Église catholique a bien succédé aux apôtres ; mais elle a corrompu leur foi, bien que Dieu de tout temps ait conservé au sein de l'Église romaine des hommes purs qui ont gardé la vraie foi apostolique. L'Église catholique est donc déchue de son rôle (IV, 2). Quelle était l'organisation ecclésiastique dans les temps primitifs ? Les pasteurs et les diacres étaient choisis par le peuple et les ministres ; ce choix étant le signe de leur vocation, il faut donc qu'il continue d'en être ainsi. Calvin se déchaîne contre les corruptions « romaines » de la hiérarchie religieuse, il attaque vivement la primauté du pape (IV, 4-7).

L'*Institution* montre ensuite qu'il doit y avoir un ministère dans l'Église et que ce ministère a trois objets : la doctrine, la juridiction, le pouvoir de faire des lois. Le ministère ne saurait enseigner que ce qu'il y a dans l'Écriture, et les conciles n'ont donc aucune infaillibilité. Le ministère peut édicter des lois sur la police de l'Église, mais non sur le culte : les lois de l'Église catholique sur la confession et la liturgie ne sont qu'une odieuse tyrannie (IV, 10). Calvin attaque aussi les vœux monastiques et affirme que, pour maintenir son unité, l'Église ne peut disposer que des peines spirituelles (IV, 11-13). La doctrine calviniste des sacrements s'accorde avec la théorie de la justification extrinsèque : Calvin se préoccupe de trouver une doctrine moyenne entre Zwingle (qui affirme que les sacrements ne sont qu'un signe vide et inefficace) et catholiques et luthériens (les premiers tenant pour la transsubstantiation, les seconds pour l'impanation). Pour Calvin, le sacrement n'a point d'efficacité intrinsèque : le Christ n'est pas réellement présent dans l'eucharistie (contre les catholiques). Pourtant (contre Zwingle), nous le recevons vraiment en recevant les sacrements : nous le recevons par la foi, en ce sens qu'au moment où nous recevons les sacrements dans la foi Dieu exerce une action en notre âme. Les sacrements ne sont donc que les signes des promesses de Dieu. Calvin les réduit à deux : le baptême et la Cène. Ils n'ont d'ailleurs pas d'autre fonction que d'exciter la foi. Calvin les définit comme des « symboles extérieurs, par lesquels Dieu imprime en nos consciences les promesses de sa bienveillance envers nous pour soutenir notre foi ». Le baptême, signe de l'entrée dans l'Église, nous justifie d'une manière absolue : non seulement il efface le péché originel, mais il immunise contre les péchés à venir, qui seront effacés par le seul souvenir de notre baptême. Ainsi quiconque a été une fois justifié par le baptême ne perdra jamais la justice (IV, 14-16). Au sujet de la Cène, on vient de voir l'opposition entre Calvin et Zwingle, Luther et les catholiques : pas de présence réelle dans l'eucharistie, cependant action réelle de Jésus-Christ dans nos âmes par la foi. Pour Calvin, les catholiques, affirmant la présence réelle, ont fait de la Cène et de la messe un véritable sacrilège. Quant aux autres sacrements, bien qu'il reconnaisse qu'avant la Réforme ils étaient admis par toutes les Églises, Calvin n'y veut voir qu'institutions humaines. L'Écriture n'en dit mot, ce ne sont donc point des sacrements, puisque Dieu seul peut les instituer (IV, 20). Dans la dernière partie de l'*Institution*, Calvin reprend les thèmes de sa lettre-préface sur les rapports de l'État et des réformés : il montre que le christianisme n'est pas opposé au gouvernement politique, et que les chrétiens doivent soumission complète aux pouvoirs établis. Allant dans ce sens bien plus avant que les catholiques, qui ont toujours admis le pouvoir « indirect » du spirituel sur le temporel, Calvin écrit que les chrétiens doivent une « obéissance illimitée aux ordres des princes et des magistrats ».

Comme on le voit, une grande part des thèses de l'*Institution* est reprise de Luther et commune à tout le protestantisme : autorité de la seule Écriture, justification par la seule foi sans les œuvres, théorie de la prédestination, théorie de la concupiscence invincible. Mais Calvin se détache de Zwingle sur l'eucharistie, où il voit un sacrement véritable et non point seulement un signe vide ; de Luther sur l'eucharistie encore, mais dans un autre sens (Luther admettait que Jésus-Christ était vraiment avec le pain et le vin) ; sur la prédestination, que Calvin fait absolument arbitraire, alors que Luther conditionnait le décret divin par la prescience des actes humains ; sur le culte, dont Calvin rejette toutes les cérémonies comme des superstitions, alors que les luthériens conservaient les peintures d'église, les habits sacerdotaux, les hosties, une certaine forme de confession, les exorcismes, etc. Calvin se montre donc en général plus radical encore que Luther dans sa rupture avec l'Église catholique. Mais l'*Institution* n'est pas seulement un grand événement de l'histoire des religions, de la philosophie, de la politique. L'importance du livre est essentielle dans l'histoire de la langue française. Bossuet a dit de Calvin qu'il avait le style « triste » ; il n'a pas en effet l'art de l'ironie, bien qu'il essaie souvent d'en user contre ses adversaires, et l'injure le laisse également à court. Calvin est un écrivain froid ; il est véhément, mais sans s'emporter, éloquent, et souvent admirablement (ainsi lorsqu'il parle de la grandeur des livres saints), mais sans emphase. La raison n'est jamais chez lui menacée par l'enthousiasme : le vocabulaire, qui reste pour le lecteur d'aujourd'hui comme contemporain, le doit à sa simplicité ; Calvin ne cherche que la précision, il dédaigne la couleur et le pittoresque ostentatoires. Enfin, que le français ne se soit point constitué contre le latin, mais dans sa suite, Calvin le montre assez : sans rien sacrifier de la précision du latin, Calvin travaille à être accessible au grand public laïque. Mais Calvin ne s'abandonne jamais ; on ne rencontre pas chez lui la santé exubérante, la flamme de Luther. On a pu dire que le texte français de l'*Institution* de 1541 était un « événement littéraire de premier ordre » : l'« expression vigoureuse et éblouissante » de ce phénomène historique qu'on appelle la « clarté française ».

INSTITUTION IMAGINAIRE DE LA SOCIÉTÉ (L'). Ouvrage du philosophe français d'origine grecque Cornelius Castoriadis (né en 1922), publié en 1975. Il s'agit pour l'auteur de ne pas séparer philosophie et politique, critique de la représentation philosophique traditionnelle (« héritée ») et critique de la politique instituée. Il s'agit aussi de détruire l'illusion de la « théorie » entendue comme savoir rigoureux, système clos qui dit ce qu'il en est de l'histoire, de la société, de l'individu, et fonde ou détermine ce qui est à faire. La première partie du livre (d'abord publiée dans les n°s 36 à 40 de la revue *Socialisme ou Barbarie*) propose un bilan du marxisme et de l'œuvre de Marx, en droit et en fait non séparables. Marx commence par voir l'histoire comme création humaine, mais cette vision est tôt recouverte, vidée de sens, par l'élaboration d'une théorie totale, d'un système clos qui mettrait au jour les « lois » du développement historique, *Le Capital* (*) comme démonstration de l'effondrement du capitalisme à partir d'un déterminisme économique. Ces deux éléments de l'œuvre marxienne sont antinomiques ; s'il y a des lois de l'histoire, une succession déterminée des modes de production, donc des sociétés, l'activité humaine se réduit à peu de chose et la politique devient une simple technique. Marquée par le rationalisme scientiste de l'époque, tributaire de l'ontologie identitaire pour laquelle « être » signifie « être déterminé », l'œuvre de Marx reste prisonnière des racines profondes de l'univers capitaliste. Le projet politique de transformation radicale de la société ne peut donc être « fondé » en raison pas plus qu'il ne découle de prétendues lois. Il ne dépend que du « faire » humain, activité créatrice qui altère ce qui est et pose sans cesse de nouvelles significations. La deuxième partie du livre s'attache à élucider ce qui est au cœur de l'institution du monde social-historique. À l'origine, source de ce qui est, « l'imaginaire radical », social-historique et individuel (« L'imaginaire radical est comme social-historique et comme psyché/soma »). La société s'auto-institue, implicitement, dans la méconnaissance (société hétéronome) et — plus rarement — explicitement (société autonome). Dans l'histoire occidentale, depuis la démocratie athénienne, le mouvement d'auto-institution explicite marque profondément le temps de l'histoire. Le travail philosophique — mode particulier du « faire » humain — consiste à élucider ce qui, dans l'héritage philosophique gréco-occidental tantôt accompagne, le plus souvent recouvre le projet historique d'autonomie sociale et individuelle. L'institution globale du monde se fait toujours moyennant la logique ensembliste-identitaire (ou « ensidique », Castoriadis, 1985) mais elle excède cette dimension. Elle est création d'un « magma » de significations imaginaires sociales. L'ouvrage discute aussi les problèmes de la temporalité — du temps comme « altérité/altération » —, du mode d'être de l'inconscient, de la socialisation de la psyché, de la représentation... *L'Institution imaginaire de la société* ne peut donc être reçu comme une œuvre achevée, close ; elle annonce clairement un travail en cours.

P. M.

INSTITUTION ORATOIRE (L') [*Institutio oratoria*]. Traité de rhétorique en douze livres, écrit par le rhéteur latin Marcus Fabius Quintilien (35 ?-96 apr. J.-C.) entre les années 89 et 92 (ou entre 93 et 95) et publié en 93 ou 96. Le livre I est consacré à l'enseignement de la grammaire, prélude à celui de la rhétorique. Celle-ci est définie au livre II qui examine les devoirs du rhéteur (professeur d'art oratoire). Dans le livre III, Quintilien énumère les différents genres d'éloquence (démonstratif, délibératif, judiciaire). Dans les livres IV-VII, on étudie les diverses parties du discours : les deux types de preuves, les unes étrangères à l'art, les autres fournies par la rhétorique (les arguments) ; les émotions ; la disposition ; les trois sortes de questions (de fait, de définition, de qualification). Les livres VIII-IX traitent de l'élocution, c'est-à-dire des qualités du style, des tropes et des figures. Le livre X donne des conseils sur la manière dont l'orateur doit s'exercer, se préparer et acquérir la faculté d'improviser. Au livre XI est présentée l'idée essentielle de « convenance » ou adaptation du discours à l'auditoire et aux circonstances. Puis sont étudiées la mémoire, indispensable à l'orateur, et l'action, ou « prononciation » (voix, mimique, gestes : ce que l'orateur a en commun avec l'acteur de théâtre). Le livre XII étudie particulièrement les qualités naturelles, morales et culturelles de l'orateur, sa préparation philosophique, historique et juridique indispensable. Le livre X a toujours eu un grand succès, surtout en raison du passage où Quintilien indique quels sont les écrivains grecs et latins que l'orateur doit le mieux connaître. L'ouvrage est d'un bout à l'autre un véritable traité de pédagogie oratoire. Quintilien exige une bonne préparation culturelle ; il veut qu'avant de parvenir à l'école du rhéteur l'enfant ait une connaissance générale de toutes choses, pour devenir en tant qu'orateur un homme savant et éclairé. Les exigences plus culturelles qu'éthiques de l'auteur montrent en quelle estime il tenait cette philosophie systématique (platonicienne, aristotélicienne et stoïcienne) qui avait alors perfectionné la méthode pédagogique ; mais si, à l'origine de l'éloquence romaine, les enseignements philosophiques n'étaient pas encore parvenus à faire partie intégrante de la culture rhétorique (laquelle inclinait plutôt vers des exercices directs), Quintilien, tirant parti de l'expérience de Cicéron, loue les théories grecques sur l'éducation et sur les avantages que présente l'étude des arts libéraux. Bien que la règle : « L'orateur est un homme de bien, habile à s'exprimer » soit une ancienne maxime romaine dont s'inspire naturellement l'idéal de Quintilien, les deux termes « de bien » et « habile » ont cependant un sens différent de celui qu'ils avaient à l'époque de Caton. À propos du style, Quintilien a mis tout en œuvre pour ressusciter les fastes de l'éloquence cicéronienne. Mais cette tentative de restauration fut impuissante à conjurer le déclin de l'éloquence romaine. — Trad. Garnier, 1933 ; Les Belles Lettres, 7 vol., 1975 sq.

INSTITUTIONS de Boèce [*Institutiones*]. Œuvre en quatre parties, qui consacra le nom de « quadrivium » qui, pendant tout le Moyen Âge, désignera le groupe des quatre disciplines scientifiques consacrées à l'étude de la nature : arithmétique, géométrie, musique et astronomie. Le programme que l'écrivain latin Boèce (480 ?-524) s'était proposé comprenait non seulement la traduction en latin de tous les auteurs grecs qu'il avait à étudier, mais encore une interprétation de ces mêmes auteurs, dans un dessein philosophique : donner aux doctrines de son temps ces fondements aristotéliciens et platoniciens sans lesquels l'homme ne peut réellement parvenir à la sagesse. Dans la première partie, *De l'institution arithmétique*, Boèce affirme que tout ce qui existe dans la nature est formé de nombres qui se divisent, suivant la doctrine de Pythagore, en nombres pairs et en nombres impairs. La conclusion du traité est constituée par la théorie des proportions qui domine tous les autres arts du quadrivium, lesquels puisent dans l'arithmétique leurs règles théoriques. La théorie de la majeure et de la plus parfaite symphonie, qui prélude au traité suivant : *De l'institution musicale*, dérive directement des proportions.

Après la musique, on passe ensuite à *De l'institution de l'astronomie* dans laquelle Boèce propose une comparaison entre les cordes de la lyre et les sphères célestes qui, par leur mouvement, produisent une merveilleuse harmonie, aux intervalles rigoureusement établis : la Terre, supposée immobile au milieu de cette harmonie universelle de la création, gît comme plongée dans le silence. La quatrième et dernière discipline du quadrivium renferme *De l'institution de la géométrie ;* mais les deux ouvrages qui nous sont parvenus sous ce titre, attribués à Boèce, ne sont que des traductions d'Euclide et non pas de libres remaniements ou des traités originaux. L'ensemble des *Institutions* compose donc ce quadrivium où Boèce fait preuve d'une vive originalité en tant que penseur. Mais l'œuvre ne traitait qu'incomplètement des sept arts libéraux (quadrivium et trivium), et il se dégageait une impression de désordre de ce recueil arbitraire sur l'arithmétique, la musique, l'astronomie et la géométrie. La nécessité s'imposait d'une œuvre qui tînt lieu d'encyclopédie classique. C'est à Cassiodore que devait revenir le mérite de composer cette œuvre : *Les Institutions des lettres divines et humaines* (*) ; cette dernière œuvre devint immédiatement classique, à côté des *Institutions* de Boèce, et servit de manuel pendant tout le haut Moyen Âge.

INSTITUTIONS CÉNOBITIQUES [*De institutis coenobiorum et de octo principalium vitiorum remediis*]. Œuvre de morale ascétique en douze livres, écrite vers l'année 420 par l'écrivain latin Jean Cassien (360-env. 435), fondateur du fameux monastère Saint-Victor à Marseille. Les quatre premiers livres traitent des institutions et des mœurs des anachorètes de Palestine et d'Égypte, principaux centres du monachisme oriental. Les autres livres traitent des huit péchés capitaux des moines : la gourmandise, la luxure, l'avarice, la colère, la mélancolie, l'« acedia » (la passivité), la « cenodoxia » (forme particulière de la présomption) et enfin l'orgueil. Cassien montre, pour chacun de ces vices, quelles en sont les caractéristiques et quels en sont les remèdes. Cette œuvre de Cassien qui, de même que les *Conférences* (*) qui suivirent, eut un très grand retentissement sur les débuts du monachisme occidental fut écrite à la suite d'une expérience directe du cénobitisme oriental et à l'incitation de Castor, évêque de la Gaule narbonnaise. – Trad. Cerf, 1965.

INSTITUTIONS DES LETTRES DIVINES ET HUMAINES [*Institutiones divinarum et saecularium litterarum*]. C'est la plus grande des œuvres de l'historien et érudit latin Cassiodore (485 ?-580 ?), le célèbre collaborateur de Théodoric ; elle fut écrite entre 543 et 555, c'est-à-dire après qu'il se fut retiré de la vie publique dans un monastère qu'il avait fondé dans le Brutium. Divisées en deux livres, les *Institutions* tendent à fournir au clergé la culture religieuse et profane qui leur est nécessaire. Dans le livre Ier, qui comprend trente-trois chapitres, il traite de la culture religieuse. La lecture des livres saints ne suffit pas, mais elle doit être complétée par l'étude des œuvres latines ou des œuvres grecques traduites en latin, dont il donne une liste ; il faut connaître les écrits principaux sur la Trinité, les œuvres d'histoire universelle et d'histoire de l'Église, comme celles de Flavius Josèphe, Eusèbe, Rufin, l'*Histoire tripartite* à laquelle il a lui-même collaboré, les œuvres d'Orose, Jérôme, Marcellin et Prosper. Après quoi, Cassiodore passe en revue les écrivains de l'Église d'Occident, tels Ambroise, Cyprien, Hilaire, Jérôme et Augustin. Les religieux peuvent entreprendre avec sérieux et succès l'étude des textes sacrés, en prenant son œuvre pour guide, et en s'aidant des sciences profanes qui trouvent, elles aussi, leur origine dans *La Bible* (*) ; quant à ceux que leur nature n'incline pas vers ces recherches, il leur est loisible de se consacrer à l'agriculture et au jardinage, au sujet desquels certains écrivains comme Columelle, Æmilius Macer, ont donné les enseignements nécessaires. Le livre II des *Institutions* est beaucoup moins important que le premier. Il résume en sept chapitres toute l'étude des arts libéraux (grammaire, rhétorique, dialectique, arithmétique, géométrie, astronomie et musique). Dans ce sommaire, Cassiodore s'inspire des classiques et de certains auteurs chrétiens comme Augustin et Boèce. Composées lorsque Cassiodore s'était déjà retiré au couvent, les *Institutions* ont pour but de répandre et d'approfondir la culture des religieux, en plaçant au premier rang des occupations monastiques le travail intellectuel. Par les indications précises qu'elles fournissent sur le moyen de transcrire les textes sacrés, de fonder et de conserver dans chaque monastère une bibliothèque, les *Institutions* sont un témoignage de poids en même temps que le premier texte qui régla la vie intellectuelle des monastères, appelés à devenir l'unique centre culturel du Moyen Âge. Elles témoignent de la culture encyclopédique de leur auteur. Par là, elles sont le premier exemple de cette tradition d'étude patiente et laborieuse grâce à laquelle, dans les monastères du haut Moyen Âge, ont été sauvées et conservées à l'admiration de la postérité les œuvres des littératures anciennes.

INSTITUTIONS DIVINES [*De divinis institutionibus*]. Exposé doctrinal en sept livres et en même temps apologie de la religion chrétienne, de l'écrivain latin Lactance, né en 250 environ. Déjà, dans son livre *De l'ouvrage de Dieu* (*), il avait annoncé qu'il réfuterait systématiquement les erreurs répandues sur le compte de la religion chrétienne. Ici, il attaque à fond les conceptions polythéiste, populaire et philosophique, qui s'opposent au christianisme (Livres I-III) ; cette attaque est suivie d'une démonstration constructive qui établit que le christianisme est à la fois vraie religion et vraie science ; que lui seul peut enseigner la justice véritable et offrir à la divinité un culte valable (Livres IV-VI) ; qu'il conduit à cette « vita beata » que les philosophes ne peuvent rejoindre à travers toutes leurs spéculations, ignorants qu'ils sont de la valeur même de la vie ; c'est dans ce sens que témoignent les dernières paroles de l'apologie de Socrate : « S'il est meilleur de quitter la vie ou de continuer à vivre, les dieux immortels le savent, mais aucun homme, je pense. » Le chrétien, au contraire, sait que « le monde fut créé pour que nous puissions naître, et nous venons au monde pour y connaître celui qui l'a créé et qui nous a créés, Dieu ».

Cette critique du polythéisme et de la philosophie n'a rien d'original : Lactance prend résolument place parmi les adeptes d'Évhémère, qui vit dans les dieux du paganisme classique des hommes divinisés après leur mort, en raison des services qu'ils avaient rendus à l'humanité. En outre, il ne peut pas ne pas reconnaître les prodiges étonnants accomplis dans les sanctuaires païens, ainsi que la vérité de certains oracles rendus par les simulacres des dieux ou de leurs ministres, autant de faits qui ont servi à accréditer leur culte ; d'ailleurs il en cite un grand nombre (Livre II, chap. 7). Comment les expliquer ? S'inspirant de l'idée stoïcienne que la vertu, le bien, supposent nécessairement la tentation, la lutte, le mal, il en arrive à admettre la nécessité du principe du mal : bien plus, cette œuvre contient des passages d'un caractère nettement dualiste, d'inspiration manichéenne. Ainsi est établie l'origine diabolique des prodiges et des oracles des païens. Dans la partie constructive de son œuvre, il faut noter la place importante que Lactance assigne aux oracles apocryphes attribués au légendaire Hermès Trismégiste et aux livres sibyllins, à côté de celle qu'occupent les prophéties de l'« Ancien Testament » ; c'est parce qu'il imagine ingénument que le public païen auquel il s'adresse sera plus disposé à reconnaître la valeur de ces témoignages. Dans les Livres V et VI, il déduit la nature de la vraie justice à partir de la reconnaissance de l'égalité fondamentale de tous les hommes devant Dieu : c'est là une idée stoïcienne, et surtout chrétienne. Dans le Livre VII, « De la vie bienheureuse », il accumule les descriptions et les présages apocalyptiques et sibyllins, afin de faire un tableau de la fin de l'Empire romain et de la fin du monde, de la bataille finale et victorieuse du bien sur le mal, de l'établissement définitif du royaume de Dieu sur une terre transformée en un paradis de délices. Plus que d'un philosophe chrétien, cette œuvre est d'un rhéteur ; les *Institutions divines* ont valu à leur auteur le titre de « Cicéron chrétien », titre que lui conféra Pic de la Mirandole. – Trad. Cerf, 1973 sq.

INSTITUTIONS PYRRHONIENNES [Πυρρωνειων ὑποτυπώσεων]. Connu également sous le titre d'*Esquisses pyrrhoniennes,* ce précis de philosophie pyrrhonienne ou sceptique du médecin grec Sextus Empiricus (150 ?-210 ?) fut composé dans les dernières décennies du IIe siècle. Il nous offre un vaste répertoire de tous les arguments employés par les sceptiques contre leurs adversaires. Ces derniers posaient que l'intelligence humaine peut « saisir » le réel, et disposer d'un jugement propre à établir avec certitude des vérités absolues. Sextus soutient qu'il est impossible de contrôler la correspondance du connu et du réel ; de là découle une règle qui consiste à s'abstenir de tout jugement concernant la réalité, et à adopter une attitude d'indifférence au sujet de la valeur pratique des choses. Le premier livre contient un exposé général des différentes thèses sceptiques. Le principe du scepticisme est le suivant : « À toute raison s'oppose une raison de même valeur. » Le sceptique ne pose aucun « dogme », même quand il énonce des jugements sceptiques concernant des choses incertaines. Les « motifs » qui compromettent tout jugement sur le réel peuvent se réduire à trois : ceux qui sont relatifs au juge, ceux qui sont relatifs à ce qui est jugé, enfin, ceux qui sont relatifs aux deux autres. C'est dire que le jugement des hommes n'est pas infaillible : « Les animaux ont des sens aussi développés que ceux de l'homme et l'on doit leur accorder la même clairvoyance en ce qui touche le monde extérieur. » Ou encore : « Celui qui dit que l'on doit adopter le jugement de la majorité dit une chose puérile, car personne ne peut se renseigner sur l'opinion de tous les hommes. » Les sceptiques estiment que la diversité des institutions, des coutumes, des lois, des croyances fabuleuses est une source de contradictions qui commande de surseoir à tout jugement. C'est pourquoi les expressions dont usent les sceptiques : « C'est possible », « Je ne comprends pas », « Je réserve mon jugement », « On ne peut rien préciser », ne doivent pas être prises pour « vraies », mais employées seulement pour parler de choses qui échappent à notre contrôle. Dans le second livre, l'auteur combat la position des dogmatiques sur le plan de la logique et de la connaissance ; un criterium de vérité n'existe pas, le syllogisme aristotélicien lui-même n'a aucune valeur. Exemple : « Tout homme est un animal / Socrate est un homme / Donc Socrate est un animal. » La majeure : « Tout homme est un animal » suppose que l'on sait déjà que Socrate est un animal, puisqu'elle a été tirée d'une induction faite à partir d'une constatation : Socrate, Platon, Dion, etc. sont des animaux. L'induction est branlante : « En effet, si l'on examine quelques individus, l'induction n'est pas sûre, car peut-être a-t-on négligé un cas particulier qui va à l'encontre de l'ensemble ; et examiner tous les individus est tâche impossible, puisque leur nombre est indéterminable. »

Le troisième livre aborde la critique des arguments relatifs à l'existence de Dieu. On ne peut poser la question de l'existence de Dieu sans avoir au préalable établi nettement la définition de Dieu et de ses attributs essentiels. « Dieu pourvoit-il, oui ou non, aux choses du monde ? Pourvoit-il à toutes, ou seulement à quelques-unes ? S'il pourvoyait à toutes, il n'y aurait aucun mal dans le monde. Or le mal est partout. S'il pourvoit seulement à quelques-unes, ou il veut et peut pourvoir à toutes, ou il veut et ne peut pas ; ou il peut et ne veut pas ; ou il ne peut pas et ne veut pas... Donc ou il ne veut, ou il ne peut pas ; il est velléitaire ou impuissant ou les deux ensemble. » En ce qui concerne le principe de causalité, l'auteur fait une pénétrante analyse qui anticipe sur celle de Hume et l'englobe. Il montre que « le concept de causalité comme interprétation de la succession des phénomènes ne peut découler de l'expérience » ; mais que, d'autre part, il existe des arguments qui semblent prouver l'existence des causes ; la façon dont les choses nous paraissent liées par des rapports de connexion, liens qui sont réels ou irréels. Il fait une critique de base des principes matériels des choses (l'air, l'eau, le feu, la terre, les nombres et les atomes, etc.). Il nie ainsi l'existence des corps matériels — en démontrant l'inexistence des qualités géométriques et physiques des corps matériels. Partant de là, il affirme aussi l'inexistence de la réalité immatérielle. Sa critique sur l'existence du mouvement (celui-ci est conçu comme un transport d'objets, corps posés l'un en dehors de l'autre, dépendant ou non l'un de l'autre) a rencontré la pleine approbation des philosophes modernes. La dernière partie de l'ouvrage concerne la morale. Les sceptiques nient la notion du bien et du mal et toutes les autres, en raison du désaccord qui existe sur leur nature, soit chez les philosophes, soit dans la vie pratique. En raison aussi de la contradiction qu'on trouve dans la législation des divers peuples ; ici l'on interdit ce que l'on permet ailleurs, la religion elle-même souscrivant à ces décrets contradictoires. En voyant tant d'incertitudes dans les faits, le sceptique se garde d'affirmer quoi que ce soit tant dans le bien que dans le mal. Pur de toute opinion, il suit les règles de la vie, en s'efforçant de rester impassible devant les choses probables et de souffrir le moins possible devant les choses nécessaires. L'auteur achève son traité sur la question de savoir s'il y a une science de la vie et si cette dernière peut servir à qui croit la posséder. Il conclut qu'une telle science ne s'acquiert ni par l'étude, ni par l'éducation, ni par la nature. Autrement dit, elle est tout à fait illusoire et donc inutile.

Ce répertoire des arguments en usage parmi les sceptiques du IIe siècle, présenté à tort comme pyrrhonien, abonde en observations et en critiques souvent pénétrantes. Il dénonce en même temps l'antinomie entre la nature et la conception objective de la vérité. On sent pourtant qu'il manque à l'arrière-plan une étude profonde qui permette à l'auteur de dominer les positions de ses adversaires. Ses critiques sur le temps, l'espace, les nombres, etc. l'engagent lui-même toujours davantage dans le piège où il voudrait acculer ses adversaires. Il faut ajouter néanmoins que Sextus Empiricus, en éveillant le sens critique chez nombre de ses contemporains, se trouve avoir fait échec à tous les tenants du dogmatisme. Par là même son rôle est loin d'être négligeable dans l'histoire de la philosophie. — Trad. Londres, Aux dépens de la Compagnie, 1735 ; Aubier, 1948 ; et dans J.-P. Dumont, *Les Sceptiques grecs,* P.U.F., 1966.

INSTITUTIONS RÉPUBLICAINES. Sous ce titre, on groupe les fragments, retrouvés épars dans ses papiers, après son exécution le 9 Thermidor, de l'homme politique français Louis Antoine Léon Saint-Just (1767-1794). Ce sont des pensées et des réflexions le plus souvent sans ordre, dont quelques-unes seulement sont rédigées et développées ; les autres ne sont que des réflexions isolées ou des bribes de discours. D'importants fragments sont groupés sous le titre d'« Utopie », d'autres sont constitués par des notes abondantes sur les institutions. Saint-Just joue, à l'époque où il les écrit, un rôle politique considérable : il est député à la Convention où ses *Discours* (*) sont fort écoutés ; surtout, il est membre du Comité de salut public. Il lui faut des principes, des lignes de conduite, ce sont eux qu'il trace sur le papier au milieu de ses occupations. Saint-Just précise la place des institutions dans la société : « S'il y avait des mœurs, tout irait bien ; il faut des institutions pour les épurer. » « Il faut peu de lois, et de nombreuses institutions civiles. » « Plus il y a d'institutions, plus le peuple est libre. » C'est donc la première tâche que doit se proposer la République et, en l'espèce, la Convention, de donner au pays des institutions. Saint-Just examine ensuite le problème du gouvernement. Il doit être fort et vertueux : « Un gouvernement républicain a la vertu pour principe ; sinon la terreur. » La terreur apparaît donc comme une nécessité absolue : qui veut la fin, veut les moyens ; il faut empêcher les méchants de nuire, il faut contraindre le peuple à la « vertu ». Il est vrai qu'il ajoute plus loin : « L'exercice de la terreur a blasé le crime, comme les liqueurs fortes blasent le palais. » Les fragments qui suivent sont des espèces de maximes républicaines en même temps que des projets de lois et des décrets, qui rendent un son étrange, bien caractéristique de l'époque et de la personnalité de Saint-Just. Sur l'éducation, il a des idées qui ne sont pas sans rappeler à la fois Sparte et la *République* (*) de Platon : « Les enfants appartiennent à leur mère jusqu'à cinq ans si elle les a nourris et à la république ensuite, jusqu'à la mort. » « Les enfants vont vêtus de toile dans toutes les saisons. Ils couchent sur des nattes et dorment huit heures. Ils sont nourris en commun et ne vivent que de racines, de fruits, de légumes, de laitage, de pain et d'eau. » « L'éducation des enfants depuis dix ans jusqu'à seize ans est militaire et agricole. » Il est vrai que ce régime ne s'applique qu'aux garçons. « Depuis seize ans jusqu'à vingt et un, ils entrent dans les arts et choisissent une profession. De vingt et un à vingt-cinq ans, les citoyens (on est citoyen à vingt et un ans) non magistrats entreront dans la milice nationale. » Cette éducation est d'ailleurs sanctionnée par toutes sortes d'épreuves physiques et en particulier des épreuves d'endurance. Plus singulier encore le chapitre concernant les « affections » : « Tout homme âgé de vingt et un ans est tenu de déclarer dans le temple quels sont ses amis. Cette déclaration doit être renouvelée tous les ans. » « Si un homme quitte un ami, il est tenu d'en expliquer devant le peuple dans les temples les raisons. » Pas de mariage, l'union libre, qui ne doit être déclarée qu'en cas de grossesse. Suit une série de dispositions sur les fêtes : « Le peuple français reconnaît l'Être suprême et l'immortalité de l'âme. » Tous les cultes sont autorisés, à condition qu'ils ne se manifestent pas hors des temples. Il existe de plus un culte public, qui semble à peu près obligatoire, et dont Saint-Just organise minutieusement les cérémonies renouvelées de l'antique.

Cet exposé sec, rigoureux, haletant, fait souvent frémir. Saint-Just y apparaît comme un pur idéologue, presque un mystique, tout dévoué à la cause qu'il veut faire triompher à tout prix : « Le jour où je serai convaincu qu'il est impossible de donner au peuple français des mœurs douces, énergiques, sensibles et inexorables pour la tyrannie et l'injustice, je me poignarderai. » Les sentences se succèdent à un rythme fiévreux et passionné, avec un singulier mélange de sensiblerie et d'austère sévérité.

INSTITUTRICE (L') [*A tanítónö*]. Drame de l'écrivain hongrois Sandor Bródy (1863-1924), représenté à Budapest en 1908. Une jeune institutrice de la capitale est appelée à enseigner dans une école de village. Dans cette atmosphère accablante, elle reste fascinée par la ville. Les hommes la poursuivent de leurs désirs et les femmes de leur haine. Elle devient la cause involontaire de désordres et de complications ; finalement, ne supportant plus la lutte, elle abandonne le village. Dans son drame, Bródy accumule des types insupportables de paysans. Il y a dans chaque personnage quelque trait vraisemblable, mais l'auteur n'arrive pas à nous convaincre que tant de méchanceté puisse être réunie en un seul lieu. L'institutrice gagne toute notre sympathie par sa résistance courageuse face à une société provinciale dont l'auteur entendait mettre la malveillance en relief.

INSTRUCTION (De l') [*De disciplinis*]. Exposé des idées philosophiques, pédagogiques et didactiques du philosophe et pédagogue espagnol d'expression latine Juan Luis Vives (1492-1540), l'un des plus grands humanistes de la Renaissance, publié en 1531 à Bruges, et dédié à Jean III de Portugal. Il se présente en quelque sorte comme une « instauratio magna » de l'éducation divisée en trois œuvres liées l'une à l'autre : la première, *De la corruption des arts* [*De corruptis artibus*] en sept livres, dans laquelle l'auteur préconise des réformes portant sur la grammaire, la dialectique, la philosophie, la morale, le droit civil ; la deuxième, *De l'enseignement, ou de l'éducation chrétienne* [*De tradendis disciplinis, sive de doctrina christiana*], en cinq livres ; la troisième : *Des arts* [*De artibus*], en huit livres. Préparé à l'exposé des problèmes didactiques et pédagogiques, esprit indépendant, riche d'une très grande expérience, Vives bat en brèche tous les défauts et les préjugés habituels de l'enseignement, tels que la morgue scientifique, l'esprit utilitaire, l'absence de toute critique saine, le recours abusif à l'« ipse dixit » aristotélicien et surtout l'ignorance de la vraie méthode. Il reproche à la logique et à la métaphysique d'avoir provoqué une confusion entre elles ; à la morale d'être devenue trop esclave des maximes des livres et de négliger la voix de la conscience. L'idée fondamentale de Vives en tant que pédagogue, c'est que l'éducation représente une œuvre suprêmement désintéressée. Il veut surtout que ceux qui sont appelés à enseigner soient des éducateurs, c'est-à-dire des personnalités supérieures qui se seront préparées par un stage à leur tâche ardue. Avant de pouvoir mettre les pieds dans une école, l'enfant devrait être mis à l'épreuve pendant quelques mois : l'on pourrait ainsi se rendre compte de ses aptitudes et par là même le mettre sur la bonne voie. Mais s'il n'existe point d'institut qui réponde à ces idéaux éducatifs et moraux, mieux vaut recourir à un précepteur, car l'école publique fausse les esprits et corrompt les mœurs. L'enfant doit vite se rendre maître du latin, « mais tout d'abord qu'il connaisse parfaitement sa langue maternelle » et même son dialecte. Vives donne de nombreux conseils, soutenus par des observations originales et pénétrantes, au sujet des autres enseignements linguistiques, de l'histoire, de l'archéologie, de la géographie, etc. : c'est ainsi que, en ce qui concerne l'histoire, il veut « que l'on retienne les faits qui par leur exemple peuvent susciter l'imitation ou la haine » ; dans l'enseignement des sciences naturelles, il veut que la description d'une plante particulière, d'un animal, d'un minéral ne soit pas négligée ; que, dans l'exposé des événements historiques, on prenne soin des références régionales, géographiques, topographiques. Il attribue une importance spéciale aux exercices physiques, « à condition qu'ils soient accomplis en tant qu'exercices d'écoliers, et non de militaires », dans le but de développer la force et la santé. Après sa quinzième année, et jusqu'à vingt-cinq ans, l'élève suivra un cours de culture littéraire et scientifique supérieure. À l'école, tout doit être vie et mouvement, de manière à développer l'initiative de l'élève et à le rendre actif.

La troisième partie, qui traite surtout de logique et de métaphysique, est plus critique que dogmatique. Ce ne sont pas les catégories ontologiques et les questions dialectiques ardues qui intéressent l'auteur, mais « la formation et la vie des choses ». Tous les êtres vivants ont un cœur, et c'est là l'organe le plus important. « Nous ignorons l'essence de l'âme : nous savons cependant que c'est elle qui vivifie le corps ; qui est capable de connaître et d'aimer Dieu et de s'unir à lui dans une félicité éternelle. » Ce sentiment profond de la finalité sauve souvent Vives de l'agnosticisme et soutient sa métaphysique. Sa philosophie reflète intégralement l'attitude idéologique et l'inquiétude de la Renaissance : elle est, en somme, le correctif du formalisme scolastique plutôt qu'une conception originale. Son grand mérite est d'avoir cru à la possibilité d'un renouvellement de la pensée et de la vie, sans rompre avec la tradition gréco-chrétienne. En tant que pédagogue, Vives est le précurseur de Montaigne. Ses mérites ne furent pourtant reconnus que sur le tard.

INSTRUCTION DU CLERGÉ (De l') [*De clericorum institutione*]. Manuel du théologien latin d'origine germanique Raban Maur (780 env.-856), homme de haute culture qui reçut de ses contemporains le titre de « praeceptor Germaniae ». Ce petit ouvrage, rédigé en 819, comporte trois livres et traite de la façon « dont les clercs doivent se préparer eux-mêmes et préparer leurs subordonnés au service divin ». C'est un traité des études ecclésiastiques à l'usage des clercs allemands du IXe siècle, conforme au programme carolingien qui visait à ranimer l'intérêt du clergé pour les études et à obtenir ainsi un relèvement général de la culture. Faisant preuve d'un esprit plus pratique que pénétrant, Raban Maur, disciple d'Alcuin, réunit un ensemble de notions et de préceptes répondant pleinement au but envisagé : permettre au clergé de remplir ses fonctions liturgiques et sa mission d'éducateur religieux et moral du peuple. Le livre I traite de la hiérarchie ecclésiastique, des ornements sacerdotaux, des quatre « sacrements de l'Église » (baptême, confirmation, eucharistie, messe) ; le livre II, des heures canoniques, de la signification de la confession ou pénitence, des jeûnes, des fêtes religieuses, des leçons et du chant sacré, des dogmes fondamentaux de la foi catholique, en les distinguant des opinions particulières aux diverses hérésies. Le livre III, d'ordre plus général, renferme une courte introduction à l'étude des saintes Écritures ; analyse les « études et arts des gentils », autrement dit les sept arts libéraux : grammaire, rhétorique, dialectique (le Trivium), arithmétique, géométrie, musique et astronomie (le Quadrivium), démontrant leur nécessité et leur utilité dans la fonction ecclésiastique ; il donne enfin des préceptes d'éloquence religieuse. Comme pour la plupart de ses ouvrages, l'auteur puise, et souvent intégralement, chez les Pères latins, de Cyprien à Isidore de Séville, utilisant surtout *De la doctrine chrétienne* (*) de saint Augustin. Son mérite n'est nullement dans son originalité, mais dans sa méthode d'exposition, dans la répartition didactique des matières, et surtout dans le fait d'avoir introduit et accrédité les arts libéraux parmi les études du clergé, tout en montrant la nécessité de ne pas négliger la philosophie païenne, fût-ce en conservant une préférence traditionnelle pour Platon. Ce manuel, qui fit autorité au Moyen Âge, demeure pour nous un précieux témoignage sur le savoir, les études et la pensée du clergé allemand entre le IXe et le XIIIe siècle, c'est-à-dire à l'époque de la refonte générale des études ecclésiastiques.

INSTRUCTIONS AUX DOMESTIQUES [*Directions to Servants*]. Œuvre satirique de l'écrivain irlandais Jonathan Swift (1667-1745), publiée après la mort de l'auteur, en 1745. Swift comptait, semble-t-il, en faire un volume, mais ce « Traité du parfait domestique » demeura à l'état de fragment. Fidèle à son système d'ironie ab absurdo dont il fit un instrument dialectique, Swift se prévaut de prémisses paradoxales et en tire les conclusions le plus logiquement du monde. Les *Instructions* (qui comptent seize chapitres, les six derniers à l'état de notes et de simples indications) sont écrites dans le ton de tous les ouvrages similaires traitant des usages et des bonnes manières, conseils pratiques, etc., inefficaces en général et trop sérieusement convaincus de la bonne volonté du lecteur et de l'évidence souveraine des usages. Les raillant par antiphrase, adoptant l'optique et le ton du domestique d'expérience, Swift passe en revue les règles et instructions nécessaires aux gens de maison, du sommelier à la gouvernante, en passant par la cuisinière, la blanchisseuse, le groom, le cocher, etc., dévoilant du même coup l'hypocrisie inévitable des subordonnés, leur lâcheté et leurs travers, sans oublier la suffisance des maîtres qui les croient naturellement dévoués à leurs intérêts, et cette sorte de complicité qui s'établit entre deux castes complémentaires qui se méprisent et se supportent par nécessité, liées par leur mensonge et leurs compromissions : « Ne venez jamais que vous n'ayez été appelés trois ou quatre fois, car il n'y a que les chiens qui viennent au premier coup de sifflet. » « Je vous exhorte tous instamment à l'union et à la concorde ; mais ne vous méprenez pas sur ce que je dis : vous pouvez vous quereller entre vous tant que vous voudrez ; seulement ayez toujours présent à l'esprit que vous avez un ennemi commun, qui est votre maître ou maîtresse, et que vous avez une cause commune à défendre. » On retrouve là un sujet auquel Swift s'est attaqué toute sa vie : la duplicité des apparences sociales qui déforment ou dissimulent l'aspect véritable de la réalité, de la nature ; thème qu'il reprend plus particulièrement dans la brève et célèbre *Méditation sur un balai* – v. *Pamphlets et Satires* (*). Pour lui, cette duplicité qui pervertit et, proprement, déraisonne, découle en premier lieu de l'esprit de servilité, quelles qu'en soient les formes, toujours déterminé par de bas intérêts, des lâchetés et des compromissions. Il ne reconnaît que l'inégalité purement naturelle et rejette sans pitié tous les faux-semblants de supériorité, vessies gonflées d'orgueil qui se prennent pour des lanternes : à ce théâtre où les déguisements mènent l'action et où chaque nullité se fait passer pour un soleil, en prenant sa lumière ailleurs et en exploitant l'ingénuité, les penchants naturels, l'ignorance et les défauts entretenus du plus grand nombre, Swift préféra toujours la saine humilité et la spontanéité, même grossière, des classes populaires : à ses yeux, le peuple est « innocent » ; seuls sont impardonnables ceux qui ont eu les loisirs et les facultés de s'éclairer, ceux qui prétendent échapper à l'humaine condition et se décrètent « dieux » tout en ne se justifiant que par des simulacres ; et dans cette catégorie, il fait entrer, dans la mesure où ils se prostituent et singent les premiers, aussi bien les courtisans que les bouffons et les valets, les femmes, les charlatans de l'esprit et les prétentieux de la plume. Tout cela, certes, n'est pas indiqué dans les *Instructions*, mais sert en quelque sorte de support à cet humour caractéristique, qui sait à l'occasion se faire cinglant, féroce, et se contente ici d'un ton paterne, complice, se complaisant même au comique pour le comique et à la plaisanterie rabelaisienne : « Ne portez jamais de bas quand vous servez à table, dans l'intérêt de votre santé comme de celle des convives ; attendu que la plupart des dames aiment l'odeur des pieds des jeunes gens, et c'est un remède souverain contre les vapeurs. » Swift, qui pendant dix années occupa des fonctions de secrétaire auprès de sir Temple, qui mit sa plume au service des whigs et, en tant que doyen de Saint-Patrick, fut serviteur de Dieu, menant ainsi une vie de subalterne qu'il accepta comme un pis-aller sans cesser jamais de s'insurger, semble dans ces *Instructions aux domestiques* s'être raillé lui-même, ainsi que ce peuple irlandais auquel il s'identifia après l'échec, – peut-être par un trop grand souci d'intégrité, – de ses ambitions politiques. Cette petite œuvre trouve en quelque sorte son pendant pour le monde des maîtres avec le *Répertoire complet de noble et ingénieuse conversation* – v. *La Conversation polie* (*) –, reprenant ainsi, une fois de plus, l'argument de la relativité des valeurs contre les mondes enfermés dans la solitude de leur propre contemplation et de leur suffisance, caractéristique de ce grand pamphlétaire sans le vouloir, qui pensa son époque et la dénuda impitoyablement à travers le sentiment aigu de ses propres contradictions. – Trad. Club français du livre, 1948 ; Gallimard, 1965.

INSTRUCTIONS MILITAIRES de Frédéric II. Ce livre du roi de Prusse Frédéric II (1712-1786) représente, dans son œuvre volumineuse, l'une des parties les plus intéressantes. Composées de 1741 à 1785, dans le but d'étudier de nouveau les principes de la guerre et de les enseigner aux officiers de son armée, elles traitent de l'art de la guerre avec beaucoup de détails et d'exemples concrets. L'on trouvera aussi bien des chapitres sur les « vivandiers, la bière et l'eau-de-vie » que sur les « pensées et règles générales de la guerre ». Il est naturel que, dans un pays dont la jeune force ne tenait qu'aux succès militaires, l'attention du souverain se portât avant tout sur la conservation de l'armée. Aussi, nous dit-il, « il faut que la guerre nous soit une méditation et la paix un exercice », et encore : « Je ne parle que de ce qui est applicable aux Prussiens... J'espère que la lecture de cet ouvrage convaincra plus que tous mes discours et démontrera à mes généraux que la discipline de nos troupes est le fondement de la gloire et de la conservation de l'État. » En effet, les *Instructions militaires* ne consistent qu'en une description détaillée de tous les aspects de la guerre que la Prusse devait mener contre ses nombreux ennemis. Comme manuel militaire, elles ne sont donc valables que pour l'époque de leur rédaction. Elles constituent avant tout un document précieux sur l'évolution des idées de Frédéric II sur la guerre et l'armée et témoignent du perfectionnement de l'armée prussienne et de la progression de ses conquêtes. Les chapitres des *Instructions militaires* sont courts ; le style est, comme dans toutes les œuvres de Frédéric II, personnel, vif, précis et concret. Le roi attachait une grande importance à ces écrits, et ils furent gardés secrets jusqu'en 1760, date de la capture du général-major de Czettitz par les Autrichiens. Ce n'est qu'alors qu'ils furent publiés.

INSTRUCTIONS SUR LES ÉTATS D'ORAISON. Œuvre du prédicateur et écrivain français Jacques-Bénigne Bossuet (1627-1704), publiée en 1697. Poursuivant sa lutte contre le quiétisme (théorie qui visait à orienter la religion vers la simple contemplation), le célèbre évêque de Meaux était parvenu à faire signer par Fénelon et Mme Guyon (les principaux inspirateurs de ce mouvement) un formulaire qui tendait à remettre en valeur les pratiques de la piété et du culte. Par les *Instructions*, il donne aux fidèles diverses précisions relatives au dogme, afin de leur éviter toute incertitude et toute querelle tant en ce qui concerne la morale que l'interprétation des Écritures. Strictement orthodoxe, Bossuet combat, en fidèle soldat, pour l'unité de l'Église. Au-delà des tendances mystiques, dangereusement liées à une expérience personnelle — ses posthumes *Méditations sur l'Évangile* (*) indiquent amplement que dans son attitude de croyant et de directeur de conscience la passion n'est cependant pas absente —, il cherche à consolider les bases du catholicisme, telles qu'elles avaient été établies au concile de Trente : l'unité dans la masse des fidèles et les principes de l'interprétation de l'Écriture sainte réservés au magistère de l'Église, ainsi que la validité ferme et inébranlable de la foi traditionnelle. Fénelon qui venait d'être nommé archevêque de Cambrai, ayant eu connaissance du manuscrit de Bossuet, fit immédiatement imprimer son *Explication des maximes des saints* (*). Cette œuvre, qui répétait les principes quiétistes, devait s'opposer à celle de l'évêque de Meaux. La polémique reprit avec beaucoup de vigueur pour aboutir à la *Relation sur le quiétisme* (*) de Bossuet et à la condamnation de Fénelon par le Consistoire.

INSTRUMENTS HUMAINS (Les) [*Gli strumenti umani*]. Recueil de poèmes de l'écrivain italien Vittorio Sereni (1913-1983), publié en 1965. Troisième recueil d'un poète que la critique place de plus en plus souvent au même niveau que Montale, *Les Instruments humains* constituent un des livres majeurs de la poésie italienne contemporaine. Ce n'est qu'une dizaine d'années après sa parution qu'on réalisa l'importance de cette œuvre, d'abord occultée par le triomphe des néo-avant-gardes. S'éloignant définitivement de l'hermétisme florentin qu'il avait côtoyé dans ses premiers vers : *Frontière* [*Frontiera*, 1941], Sereni approfondit et dépasse l'amertume de l'échec et de l'exclusion vécus en Afrique du Nord lorsque, prisonnier des Américains de 1943 à 1945, il affronta la vacuité du désert : *Journal d'Algérie* [*Diario d'Algeria*, 1947]. Revenu à la vie civile, le poète lira toute son histoire personnelle, l'histoire collective de l'Italie d'après-guerre, et surtout le lien étroit de l'une à l'autre, à la lumière de cet exil forcé que fut la captivité. Le critique Pier Vincenzo Mengaldo (qui, avec Franco Fortini et Dante Isella, fit beaucoup pour que Sereni soit enfin reconnu comme un des grands poètes italiens du siècle) a placé ce recueil sous le double signe de l'itération et de la spécularité : angoissante répétition des faits d'une existence dans l'Italie en cours de standardisation, spécularité qui dans le recueil suivant *Étoile variable* [*Stella variabile*, 1981] deviendra épreuve métaphysique. L'opération linguistique de Sereni est singulière : il allonge le vers italien sans jamais s'enliser dans une « poétisation » de la prose. Cette nouveauté se trouve accentuée par un recours fréquent à la forme dialoguée : les poèmes quasiment narratifs de la section « Apparitions ou rencontres » sont un exemple important de cette tendance de la littérature italienne du XXe siècle à réconcilier prose et poésie, dans le sillage d'une relecture de T. S. Eliot et, plus lointainement, de Coleridge : y apparaissent, sous forme de rêves ou d'hallucinations, les figures des morts, des amis, les éléments d'une mémoire lourde encore des horreurs fascistes et nazies. Pris dans la mondanité milanaise d'une société en pleine évolution, le poète ne se départ jamais d'une élégance triste et lucide qui le retient d'adhérer à quelque idéologie que ce soit, tout en se laissant éprouver par le discours marxiste ambiant. Sa poésie pratique le double sens et le quiproquo conceptuel, et affirme, conformément au titre du recueil, l'instrumentalité du langage, conçue comme une éthique.

Transformer l'amertume en stoïcisme et la blessure en prudente mais attentive participation au cours de sa propre vie et de l'histoire est l'essentiel de la démarche de Sereni : dans sa relation à la femme (amour mêlé de haine, infranchissables distances) comme dans son rapport aux lieux (présence constante d'un réseau de toponymes ayant en lui-même valeur poétique), il joue du refus et de l'adhésion, du concept et de l'image, du dialogue et du chant, de la fragmentation et de l'unité. Lui, qu'on avait cru pur spectateur, s'impose dans ce recueil comme un témoin traversé par toutes les tensions de la conscience européenne dans les années 50-60. — Trad. Verdier, 1991.

B. Si.

INSURRECTION [*Insurrection*]. Roman de l'écrivain irlandais Liam O'Flaherty (1897-1984), publié en 1950. Ce récit évoque avec une force et une sobriété saisissantes la nuit de l'insurrection de Pâques 1916, à Dublin. Pour Liam O'Flaherty, l'art du romancier est vision directe et non expression d'une conception personnelle du monde ; il peint la violence, la révolte, l'amour, la peur, à l'état pur, et tels que les éprouvent des êtres simples conduits par le destin. Cette absence de recherche littéraire et un style volontairement dépouillé confèrent à ce livre et à l'aventure en apparence absurde de Barthy Madden, fortuitement mêlé à l'insurrection, une grande vérité, autant dans l'évocation que dans les caractères. — Trad. Calmann-Lévy, 1953.

INTELLIGENCE (De l'). Ouvrage philosophique de l'écrivain français Hippolyte Taine (1828-1893), publié en 1870. L'auteur expose sous une forme synthétique les principes qui ont guidé depuis sa jeunesse toute son activité critique. Il met de la sorte en lumière les véritables fondements d'une science naturaliste et y développe, en opposition avec le spiritualisme, une théorie, qu'il prétend scientifique, de l'intelligence, et qu'il appuie sur une importante documentation, tirée des mémoires des aliénistes français et des psychologues anglais contemporains. Selon le système de Taine, il convient de donner à la pensée deux assises fondamentales : l'intelligence et la volonté. Au moyen d'une argumentation aujourd'hui dépassée, l'explication déterministe des événements littéraires et historiques est posée comme une méthode scientifique. Elle fournit au chercheur, selon Taine, la certitude de saisir l'essentiel en lui permettant de négliger l'accessoire. Par cette attitude intellectuelle, Taine révèle les vices de sa méthode ; en sous-estimant délibérément la signification de certains événements et de certaines figures, et en tirant d'autres éléments qu'il estime fondamentaux de lois abstraites nécessairement incomplètes, il s'expose à ne pas discerner les véritables caractéristiques d'une époque ou d'un écrivain. Taine croit néanmoins possible de rapprocher l'histoire et la critique littéraire des sciences naturelles et de négliger, en conséquence — à l'exemple de ces dernières —, les individus pour se consacrer à l'étude des lois de l'espèce. C'est la logique qui domine le monde ; pour l'homme épris de vérité, le goût du détail importe peu ; qu'il s'agisse d'une individualité sympathique ou d'un poème, seule la méthode impersonnelle et objective doit guider la recherche. De la sorte, l'examen des faits et des lois qui les régissent ne peut être entrepris que par méthode expérimentale, car seules les mathématiques se meuvent dans une sphère particulière composée d'abstractions. Pour le philosophe comme pour l'historien, ainsi que pour le critique, l'exposé d'une tendance ou d'une doctrine poétique doit fournir une certitude et permettre d'apprécier la somme d'humanité qu'elles contiennent sous leurs diverses formes. Il convient de souligner que Taine, en dépit d'affirmations aussi absolues, fait leur part à des intuitions souvent profondes qu'il développe avec passion. Il ne manque pas de souligner la valeur de l'anecdote ou du « petit fait » vrai dans la recréation de la réalité à laquelle se sont livrés deux écrivains (Balzac et surtout Stendhal) qu'il admire. Aussi, bien que ce livre manque de rigueur du point de vue théorique, il n'en constitue pas moins un document précieux permettant d'étudier la doctrine d'un penseur qui joua un rôle immense dans la pensée et la littérature de son époque. Et bien que certaines parties du livre soient fort contestables, notamment ce qui concerne la nature des sensations et le rôle des images dans la vie mentale, un certain nombre de formules sont demeurées célèbres, par exemple : « La perception est une hallucination vraie. »

INTELLIGENCE DES FLEURS (L'). Ouvrage de l'écrivain belge d'expression française Maurice Maeterlinck (1862-1949). Ce titre est celui d'un essai d'une centaine de pages placé en tête d'un recueil qui en forme environ trois cents. Maeterlinck est un des rares écrivains, avec Buffon, Bernardin de Saint-Pierre, Michelet, qui aient enrichi notre littérature en traitant d'histoire naturelle. Dans *L'Intelligence des fleurs,* paru en 1907, il nous décrit en poète les mille procédés grâce auxquels les plantes assurent leur fécondation et la dispersion de leur semence, afin de racheter leur immobilité en lançant leur progéniture à la conquête de l'espace. Rien de plus stupéfiant que les mystères qu'il nous révèle. Nous y voyons la plupart de nos inventions : vis d'Archimède, ressort, parachute, planeur, etc., déjà réalisées et appliquées avec une ingéniosité et surtout une prévoyance inconcevables. L'auteur n'hésite pas à nous parler des fleurs comme d'êtres intelligents, cherchant à s'affranchir de l'infériorité à laquelle les condamne leur enracinement. Sans doute il y a dans la façon dont il s'exprime une part de fiction, fort utile d'ailleurs à l'effet poétique, et qui nous tient sous le charme. Toutefois, il apparaît à la fin de l'étude que l'intelligence des fleurs est bien selon lui une réalité, en ce sens que, peut-être, il n'y aurait pas d'êtres plus ou moins intelligents, mais une intelligence éparse qui pénétrerait diversement les organismes qu'elle rencontre. Tout cela nous introduit dans la partie philosophique, non seulement du premier essai, mais de l'ensemble du volume. Les titres de chapitre nous donnent une idée de la variété des questions qui y sont traitées : « Les Parfums », « La Mesure des heures », « L'Inquiétude de notre morale », « Éloge de la boxe », « À propos du roi Lear », « Les Dieux de la guerre », « Le Pardon des injures », « L'Accident », « Notre devoir social », « L'Immortalité ». Partout l'auteur trouve matière en même temps à réfléchir sur notre destinée, à se convaincre de l'infini de ce qui échappe à notre connaissance, et à nous enchanter par de simples considérations, pleines de délicatesse, sur le mystère ou la poésie des choses.

INTELLIGENCE DES SINGES SUPÉRIEURS (L') [*Intelligenzprüfungen an Menschenaffen*]. Ouvrage du psychologue américain d'origine allemande Wolfgang Köhler (1887-1967), publié en 1917. La première partie de l'ouvrage traite de l'intelligence chez les anthropoïdes. La seconde est un recueil d'observations sur le comportement des chimpanzés. Köhler pose deux questions : le singe peut-il agir de manière intelligente lorsque la situation l'exige ? Peut-on étudier des processus qui existent sous une forme primitive chez le singe et qui sont devenus trop automatiques chez l'homme ? Neuf animaux chimpanzés, mâles et femelles, vieux et jeunes, chacun avec sa personnalité, ont participé aux expériences dans le centre de Teneriffe (îles Canaries). Pour mettre en évidence des manifestations intelligentes chez l'animal, l'auteur utilise des conduites de détours. L'expérimentateur crée une situation où l'accès direct au but n'est pas disponible mais qui laisse ouverte une autre voie indirecte. L'animal voit l'ensemble de la situation et peut alors montrer s'il possède les facultés pour résoudre le problème par le moyen détourné qu'on lui offre. Par exemple, une banane est placée hors de la cage où se trouve le chimpanzé et hors d'atteinte de lui. Plusieurs bâtons sont à sa disposition, mais l'usage du bâton le plus long se révèle inefficace. La solution consiste à emboîter un bâton dans un autre afin de fabriquer une canne suffisamment longue pour attraper le fruit. Ces études rigoureuses et novatrices chez l'animal permettent de lui attribuer une intelligence, qualité que lui refusaient les empiristes associationnistes. – Trad. Félix Alcan, 1927.

A. St.

INTEMPÉRIES [*The Weather in the Streets*]. Roman publié en 1936 par l'écrivain anglais Rosamond Lehmann (1901-1990). Olivia occupe une chambre dans le petit appartement londonien de sa cousine Etty. Séparée à l'amiable d'un mari-enfant, elle vit plutôt mal, partageant son temps entre un minuscule job et les sorties avec les camarades peintres ou écrivains. Appelée à la campagne auprès de son père gravement malade, elle rencontre dans le train le frère d'une amie d'enfance, Rollo. Rollo est beau, doué des grâces de l'aristocratie. Olivia l'a peut-être toujours aimé ; lui, il la retrouve comme un désir qui ne ferait que de se réveiller. C'est à un amour certain qu'ils cèdent l'un et l'autre. Passion assez vite malheureuse pour Olivia : Rollo est marié. Le paysage à l'intérieur et le drame s'écoule avec la continuité lente et serrée d'un rideau de pluie. Pourtant, un soir, dans une petite auberge autrichienne, emporté par son amour, Rollo offre à Olivia de rester avec elle. Pourquoi n'a-t-elle pas le courage d'accepter ce parti désespéré ? C'est que Rollo, comme au début de leur liaison, rejette sur elle la décision. Sans doute, il a peur en même temps qu'il est tenté, et elle aussi. Le lendemain, Rollo annonce qu'il doit rentrer en Angleterre ; sa femme attend un enfant, mais il ne le dit pas. Peu après son départ, Olivia sait qu'elle aussi attend un enfant, mais elle ne dira rien. Ce n'est que bien plus tard qu'elle comprendra qui elle a aimé : un être léger et charmant qui a horreur du drame. La tempête est due à un dérèglement de l'atmosphère, le malheur, peut-être aussi. Cette résignation triste d'Olivia, son consentement impuissant d'amoureuse est une morale de femme. Mais c'est d'un livre merveilleusement féminin qu'il s'agit, auquel s'ajoute le parfum d'une époque : période intermédiaire, un monde nouveau n'est pas encore installé, une génération fait les frais de l'apprentissage. – Trad. Plon, 1936.

INTENTIONNALITÉ ET LES MONDES POSSIBLES (L'). Ouvrage du philosophe finlandais Jaakko Hintikka (né en 1929), publié en français en 1989. Composé d'un choix d'articles établi par N. Lavand, ce livre offre au lecteur français la possibilité de se familiariser avec les travaux réalisés par Hintikka dans un domaine généralement assez peu fréquenté, celui de la « logique des modalités ». Par rapport à la logique des fonctions de vérité, les modalités échappent aux règles qui permettent ordinairement d'établir la vérité ou la fausseté d'une proposition. Les difficultés d'interprétation rencontrées par les logiciens ont trouvé une solution dans le concept de « monde possible » dont David Lewis et Saul Kripke sont, avec Hintikka, les principaux représentants. L'idée de mondes possibles permet en effet d'articuler les modalités aux fonctions de vérité. On tiendra par exemple pour « possible » une proposition reconnue pour « vraie » dans au moins un monde possible, et pour « nécessaire » une proposition « vraie » dans tous les mondes possibles. Mais la position de Hintikka se singularise en cela que, contrairement à Lewis et à Kripke qui optent respectivement, l'un pour un « réalisme » et l'autre pour un « objectivisme », les modalités sont tenues pour des outils dont le statut est exclusivement linguistique. Hintikka aborde la question de l'« intentionnalité » et des « attitudes propositionnelles » sur cette base, c'est-à-dire à partir d'une sémantique des mondes possibles qui fait correspondre les attitudes propositionnelles à des propositions définies comme des « classes de mondes possibles ». Dans le présent recueil, composé de textes peu techniques essentiellement consacrés à la philosophie de la connaissance, l'essentiel de ses analyses consiste à examiner les conséquences de ses travaux plus spécifiquement logiques. – Trad. Presses universitaires de Lille, 1989.

J.-P. C.

INTENTIONS [*Intentions*]. Essais de l'écrivain irlandais Oscar Wilde (1854-1900), publiés à Londres en 1891. L'œuvre, que l'on peut considérer comme la confession esthétique de l'auteur, qui se range résolument parmi les défenseurs de l'art pur, comprend quatre articles : « La Décadence du mensonge », « Plume, crayon, poison », « La Critique et l'Art », « La Vérité des masques ». Devant le nombre infini des problèmes qui se présentent et que la morale et la religion ne résolvent pas, mais compliquent, l'esprit de l'homme ne peut trouver une évasion que dans la contemplation esthétique où toutes les luttes et les troubles qui bouleversent l'univers se résolvent en une unité harmonieuse. C'est seulement sur le plan de l'art que notre esprit atteint à la plus complète des synthèses et que, libéré des erreurs qui l'enchaînent, il saisit la réalité. L'erreur consiste à considérer l'art comme une imitation de la nature, alors que c'est la nature qui toujours, mais inutilement, tend à rejoindre l'art et à l'imiter, comme lorsque nous essayons de donner à nos actions la noblesse et la hauteur, même formelles, d'actions célébrées par les poètes. Mais nos expériences particulières ne cessent d'être en conflit avec les idéaux que nous nous sommes forgés de la vie et de l'univers dans le domaine de la contemplation esthétique. Tout ce qui tombe dans la mer, a dit Shakespeare, se transforme en pure perle : de même tout ce qui entre dans l'art se résout en une forme pure de beauté. C'est pourquoi, selon Wilde, la réalité physique n'a aucune valeur dans l'art – seuls, les faibles se laissent dominer par les choses –, car cette réalité est transformée par la vision intérieure de l'artiste. Un autre problème d'une importance capitale, traité dans « La Critique et l'Art », est celui de la position du critique devant l'œuvre d'art. Il se trouve dans la situation équivoque de celui qui non seulement subit, mais renouvelle l'œuvre : de là le danger de se substituer à l'artiste. D'autre part, la critique objective présente le risque de rendre stérile, par sa froide raison, l'œuvre d'art ; d'où la nécessité, pour le lecteur, de comprendre – même si c'est avec l'aide de quelqu'un qui a une expérience particulière – l'œuvre d'art, en y apportant une sensibilité spontanée.

Animé d'une jeunesse et d'une fraîcheur d'esprit nouvelles, ce livre ne prétend pas exposer une thèse, mais expliciter, en un raisonnement plein de brio et de profondeur, des conceptions qui étaient déjà entrées dans le patrimoine idéologique de la « fin du siècle ». L'auteur affronte résolument les contradictions sans nul souci de les fuir ; l'artiste ne doit pas rester prisonnier, même de son propre système de pensée ; et ce qui fait l'importance d'un essai, ce n'est pas sa vérité, mais la vigueur des sentiments ainsi que la chaleur des idées qui s'y expriment. Certes Wilde aime les paradoxes, il sait que celui-ci n'est bien souvent, sous une forme choquante, qu'une vérité retournée, mise à l'envers pourrait-on dire : « Un grand poète, un vrai grand poète, c'est la moins poétique des créatures, mais les poètes inférieurs sont absolument fascinants. Pires sont leurs rimes et plus ils paraissent, eux, pittoresques. Le seul fait d'avoir publié un livre de sonnets médiocres rend un homme absolument irrésistible. Il vit la poésie qu'il ne peut écrire. Les autres écrivent la poésie qu'ils n'osent réaliser. » Mais les paradoxes chez Wilde perdent, dans cette œuvre tout au moins, leur caractère artificiel pour devenir l'expression d'un état d'âme en parfaite harmonie avec la position esthétique de l'auteur. Dans l'essai « Plume, crayon, poison », Wilde trace le portrait d'un étrange esthète criminel du début du siècle, Thomas Griffiths Wainewright (1794-1847). L'œuvre occupe une place importante dans la littérature moderne. Son caractère n'est nullement polémique ; elle tend à l'exaltation de la beauté sous toutes ses formes, mais surtout de la poésie. – Trad. Stock, 1905 ; 1971.

INTENTIONS SUSPECTES [*Loitering with Intent*]. Roman de l'écrivain anglais, Muriel Spark (née en 1918), publié en 1981. C'est une subtile mise en abîme de la création romanesque. Elle s'ouvre et se clôt dans le cimetière où Fleur Talbot, écrivant son autobiographie, voit rétrospectivement se terminer une phase de sa vie : les dix mois de gestation de son premier roman, *Warrender Chase,* pendant lesquels elle fut secrétaire de sir Quentin. L'entreprise de ce dernier : faire écrire leur autobiographie à des gens tombés sous son influence, fournit l'intrigue et son suspense. La vie se met à caricaturer la fiction. Pendant que Fleur améliore les autobiographies en leur prêtant son art, son propre roman, dont le héros, Warrender Chase, est un « sado-puritain » entraînant toute une communauté spirituelle dans la folie et le suicide, est vampirisé par Quentin, qui s'en inspire pour exercer son propre sadisme. Un suicide a lieu. Comme plus tard les romans de Fleur, *Intentions suspectes* est « poétiquement construit » autour de cette paranoïa symbolique qu'est l'écriture romanesque à ses divers stades. Au début, Fleur et son « démon » intérieur vampirisent les êtres qu'elle rencontre, matière vivante dont elle crée ses personnages, tandis qu'inversement sa vie se vide de toute substance autre que les « secrets de son art ». On songe au « Portrait ovale » d'Edgar Poe. Fleur abandonne son amant, le mari de la stupide Dottie, lui aussi romancier mais sans talent. Au vol du mari, Dottie répond par le vol de *Warrender Chase,* à l'instigation de Quentin qui en fait avorter la publication. Fleur, au cours de l'enquête qu'elle entreprend pour sauver son œuvre, se sent devenir paranoïaque, à l'égal de Quentin et de ses victimes. Cependant l'artiste, tel Benvenuto Cellini dans son autobiographie (plusieurs fois citée) sort triomphant des complots et de la mort – évoquée par le cimetière : « Je poursuivais mon chemin dans la jubilation. » Publié, *Warrender Chase* est un triomphe. Le roman de Spark distingue quant à lui la fiction de la réalité et c'est la folie de Quentin que de vouloir les confondre. Par l'esthétique, la fiction épure et stylise le réel. Quelques traits superbes suffisent à créer le personnage d'Edwina, la mère de Quentin, mais l'autobiographie, soumise à la sanction du vrai et du faux, est un art bien plus difficile. Moralement enfin, la fiction a une valeur cathartique. La mainmise du romancier sur ses personnages et son intrigue sublime des pulsions paranoïaques et c'est la raison pour laquelle Fleur (alias Spark) écrira toujours plus ou moins le même livre. Mais elle ne pousse personne au suicide, il ne s'agit que de mots. L'orgueil du cardinal Newman qui dans son autobiographie — *Apologia Pro Vita Sua* (*) — s'égalait à son créateur (ne reconnaissant au monde que « moi-même et mon créateur ») est métaphorique et non réel, « paranoïa poétique », affirmant l'autonomie de l'imagination créatrice. — Trad. Fayard, 1983. T. V.

INTERDICTION (L'). Un épisode sous la Terreur. Récit de l'écrivain français Honoré de Balzac (1799-1850), publié en 1836. La marquise d'Espard apprend que son mari a l'intention de restituer une grande partie de sa fortune aux descendants de ceux qui furent injustement dépouillés par un de ses ancêtres. Craignant que cette décision ne l'oblige à renoncer à sa vie fastueuse, elle se sépare de son mari et cherche à le faire interdire comme ne jouissant pas de toutes ses facultés mentales. Le fameux arriviste Rastignac, qui ignore encore tout mais qui a l'intention de rompre avec sa vieille maîtresse, Mme de Nucingen, pour s'attacher à Mme d'Espard, réussit à convaincre son ami, le docteur Bianchon, de recommander cette affaire à un de ses oncles : le juge Jean-Jules Popinot. Cet homme au caractère fort, noble et qui ne manque pas d'expérience, est pris de soupçons ; aussi va-t-il mener personnellement une enquête, et c'est précisément en assistant à ses recherches et à ses conversations que nous parvenons à connaître les principaux personnages et les dessous de ce drame. Balzac, dans ce bref récit, déploie ce goût pour les intrigues judiciaires qui pourrait le faire tenir pour l'inventeur du roman policier. Mais ce jeu raffiné et tout intellectuel ne l'empêche pas de se livrer avec passion à des études de mœurs et de donner libre cours à son besoin de créer des personnages. Le brave Popinot, le noble marquis d'Espard, l'égoïste et perverse marquise, sont des caractères inoubliables, analysés avec une féroce précision et magistralement évoqués. Leurs rencontres donnent lieu à des scènes de haute comédie. Aussi ce bref récit est-il un des plus attachants qu'ait écrits l'auteur.

INTÉRÊTS D'AUTRUI QU'IL EST BON DE SERVIR (Les) [*Los intereses creados*]. Comédie « de marionnettes » en trois tableaux, de l'écrivain espagnol Jacinto Benavente (1866-1954, prix Nobel de littérature en 1922), représentée pour la première fois en 1907, publiée en 1908 à Madrid. L'intrigue fantaisiste se déroule dans une Italie conventionnelle, celle de la « commedia dell'arte », qui donne aux personnages de la pièce et leurs noms et leurs caractères. Léandre, un jeune aventurier trop riche de cœur pour l'être aussi d'argent, ne tarderait pas à renoncer à toute entreprise, s'il n'avait à côté de lui un ange gardien, sous les espèces d'un valet fripon mais clairvoyant, Crispin. Ce dernier fait passer son maître pour un riche seigneur soucieux de garder l'incognito et lui ouvre ainsi un large crédit chez les personnes de la ville qui les ont accueillis après une série de graves insuccès. Crispin est loin d'être un vulgaire trompeur. Il a simplement inventé certaine théorie qu'il nomme la théorie des « intérêts créés » : pour qu'une entreprise réussisse, en l'occurrence celle de son maître, il faut qu'elle soit liée à un grand nombre d'intérêts particuliers. C'est ainsi qu'en aidant des poètes faméliques, en s'apitoyant sur le sort de capitaines sans gloire, en promettant des récompenses à des intrigantes qui ont essuyé des revers de fortune, Crispin réussit à arranger le mariage de son maître avec la fille de l'homme le plus riche de la ville, Polichinelle, son ancien compagnon de galère. Léandre accepte d'abord la ruse de l'ingénieux valet. Mais, s'étant vraiment épris de sa future femme, il renonce à la gagner par un stratagème et veut en finir avec le chantage. Crispin, loin d'être désolé, s'en montre ravi : l'amour est aussi un intérêt, et le plus âpre des « intérêts créés ». L'intrigue est fort habilement conduite, et, si les personnages sont quelque peu conventionnels, l'auteur n'en triomphe pas moins grâce à l'intense couleur poétique dont son imagination les a parés. Crispin, héritier d'une antique tradition de valets de comédie, est une figure intéressante : personnage subtil, astucieux, habile à mettre en pratique, pour le service du maître qu'il s'est donné, une philosophie exempte de préjugés. — On pourra se reporter à la *Note sur le personnage de « Leandro » dans « Los intereses creados » de Jacinto Benavente* de G. Dufour in *Cahiers d'Études romanes* n° 8, 1985.

INTÉRIEUR. Pièce en un acte de l'écrivain belge d'expression française Maurice Maeterlinck (1862-1949), représentée en 1895. Sous la lampe, nous voyons, rassemblés dans leur maison, le père, ses deux fils, la mère tenant dans ses bras un enfant endormi. Devant cette pièce, où règne un bonheur tranquille et silencieux et que nous apercevons par ses trois fenêtres, se trouve un jardin. Dans le jardin, un vieillard et un étranger s'attardent ; ils n'osent pas apporter la triste nouvelle. Bientôt, à travers les paroles lentes et contenues des deux hommes, nous comprenons : un autre enfant, une fille, vient de se noyer. Un mur et trois fenêtres isolent encore ceux qui ignorent le malheur ; mais le vieillard entre, il parle, tandis qu'on apporte le cadavre. Ce drame en un acte est une des plus belles réussites de l'auteur, pure de toute ambition symbolique — celle-là même qu'on trouve dans

Les Aveugles (*) –, plus simple et plus efficace que *L'Intruse* (*) qu'elle ne peut manquer de rappeler. Cette chose si fragile qu'est notre bonheur s'exprime ici en quelques phrases sobres et graves : belle réussite, répétons-le, du théâtre symboliste.

Cette œuvre avait été publiée en 1894, dans le même volume que *Alladine et Palomides* et que *La Mort de Tintagiles* : « trois petits drames pour marionnettes ». Dans le dernier (mis en musique par Nougués et représenté en 1905), la Mort apparaît encore, mais cette fois sous les traits d'une vieille reine qui a fait périr tous ses descendants mâles et qui tue maintenant le dernier, son petit neveu Tintagiles, que sa sœur tente en vain de défendre. Une île perdue, un château, une tour : en bref, le monde de rêve cher à Maeterlinck. C'est dans un semblable décor que se déroule l'autre petit drame qui reprend en partie le thème de *Pelléas et Mélisande* (*). En voici le thème : Le vieil Ablamore aime Alladine, jeune fille étrangère ; mais celle-ci aime Palomides et est aimée de lui ; mais Palomides est fiancé à la fille d'Ablamore. Celle-ci comprend, renonce à Palomides et voudrait l'aider à fuir avec sa bien-aimée. Bien entendu, le vieillard se rend compte de sa disgrâce. Il en souffre et veut se venger des jeunes gens. Échappant de justesse à la noyade, ceux-ci seront repêchés, mais ils n'en mourront pas moins séparés, s'appelant tant qu'il leur restera un fil de voix. Ces deux derniers drames en cinq actes possèdent un certain charme poétique, assez léger : ce sont des contes de mort et d'amour à la fois naïfs et précieux – avec un rien de raideur. C'est la première inspiration de Maeterlinck, celle des *Serres chaudes* (*). Cette inspiration s'exprime toutefois plus complètement dans le théâtre symboliste de l'auteur et en particulier dans ces trois petits « drames pour marionnettes », qui sont les plus significatifs.

INTERMEZZO. Comédie en trois actes de l'écrivain français Jean Giraudoux (1882-1944), représentée à Paris, le 1er mars 1933. Un spectre hante une petite ville du Limousin. Un état de délire poétique s'est emparé de tous les habitants, mais l'institutrice, Isabelle, est la plus troublée de tous. Chaque soir, lorsque a sonné le clairon de la caserne, elle va près des roseaux retrouver son fantôme qui l'exhorte à venir avec lui chez les morts. Cette fréquentation de l'au-delà n'a pas été sans affecter le comportement quotidien de l'institutrice : elle a du tout au tout changé l'éducation de ses élèves, fait de la pédagogie dans les champs et remplace les leçons de morale par des hymnes à la beauté physique et végétale. C'en est au point que l'administration supérieure s'émeut : elle dépêche la raison raisonnante dans la petite ville, sous l'espèce d'un gros inspecteur d'académie, anticlérical comme il se doit, partisan convaincu du progrès, méprisant des esprits. Le maire lui avoue que la situation est grave : dans la ville, « tous les vœux s'exaucent... toutes les divagations se trouvent être justes ». L'ordre est renversé par les apparitions du spectre : les enfants battus par leurs parents quittent le domicile paternel ; les chiens maltraités mordent leurs bourreaux ; et même à la loterie, « le jeune champion a gagné la motocyclette, et non la supérieure des bonnes sœurs », comme il arrivait chaque année ! Il faut agir ! Il faut tuer le spectre ! L'inspecteur d'académie charge de l'exécution deux bourreaux en retraite, qui tirent sur le fantôme... lequel renaît aussitôt. Là où l'Inspecteur et la Raison viennent d'échouer, l'amour va réussir. Aidé du droguiste, le contrôleur des poids et mesures, amoureux d'Isabelle, désenchantera l'institutrice : il ramène la jeune fille sur terre, l'arrache à la poésie de l'au-delà, non par la raison et le manuel, mais en lui apprenant à tout aimer de la vie, et surtout ce qui est en elle de plus humble : les bruits, le vent, les odeurs de fleurs. Le spectre vaincu, délaissé par Isabelle, s'en va : « Le district est en ordre. L'argent y va de nouveau aux riches, le bonheur aux heureux, la femme au séducteur... Et fini l'intermède ! » On retrouve ainsi le thème familier de Giraudoux : l'acceptation de la vie, la grâce de l'accord avec les humains et la nature. Cette nature, il est vrai, Giraudoux la pare, surtout ici, du sentiment le plus exquis ; il nous la fait sentir dans le charme de l'alliance des mots et des idées, qui font d'*Intermezzo* un vrai divertissement, où l'on retrouve Giraudoux comme à l'état pur, donnant libre cours à ses fantaisies et à sa verve. Pour peindre le trouble des rêves dans l'âme d'une jeune provinciale, – car qu'est-ce que ce fantôme, sinon la projection passionnée de l'âme d'Isabelle ? – Giraudoux unit sans cesse l'ironie à la fantaisie. Si le personnage de l'Inspecteur est un peu conventionnel, son caractère comique apparaît lorsqu'on l'oppose à Isabelle. De ce divertissement se dégage une douce philosophie, résignée, mais nullement pessimiste.

INTERNATIONALE (L'). Célèbre chant révolutionnaire composé par le poète français Eugène Pottier (1816-1888) en juin 1871, c'est-à-dire quelques semaines après la défaite de la Commune de Paris, dont il fut un des membres actifs. Elle ne fut publiée qu'en 1887, dans le recueil des *Chants révolutionnaires* de l'auteur. En 1888, Pierre Degeyter (1848-1932), ayant lu ce recueil, choisit *L'Internationale* pour la mettre en musique. Degeyter, né à Gand de parents français, était tourneur sur bois ; dans ses moments de loisirs, il aimait à rimer et à composer des couplets qu'il chantait le dimanche dans les cabarets de Lille. Eugène Pottier, lui, également ouvrier du bois, écrivit sa première chanson : « Vive la liberté », lors de la révolution de 1830. Après le coup d'État du 2 décembre 1851, il continua, tout en travaillant, à composer des poèmes, dénonçant dans ses vers l'Empire et ses iniquités. En 1871, il participe à la Commune et s'occupe du IIe arrondissement de Paris dont il est élu maire. Ce fut après la Commune, lors de son exil en Amérique et après son retour en France (loi d'amnistie), qu'il composa ses plus beaux chants, tirant les leçons de l'histoire récente. À ce titre, *L'Internationale* témoigne de la maturité de l'auteur. La nouveauté d'une telle poésie, par rapport aux chansons socialistes qui fleurirent dans toute la première moitié du XIXe siècle, c'est que l'ouvrier n'y est plus considéré comme un pauvre ou un insurgé, émergeant à peine de la masse du peuple, mais bien comme un « prolétaire » organisant cette masse dont il devient l'élément dynamique : « Groupons-nous, dit-il à ses frères de misère et de luttes, et demain l'Internationale sera le genre humain. » *L'Internationale* fut exécutée pour la première fois à Lille, le 23 juillet 1888. En 1889, au premier Congrès de la IIe Internationale, elle fut diffusée par les délégués français comme l'hymne du prolétariat révolutionnaire.

INTERPRÉTATION DES RÊVES (L') [*Traumdeutung*]. Œuvre de l'écrivain et psychanalyste autrichien Sigmund Freud (1856-1939), publiée en 1900. On peut la tenir pour son ouvrage pionnier, de l'aveu de Freud : « Ce n'est qu'une seule fois au cours de l'existence que le sort vous offre une telle vision. » Cette « vision » du monde du rêve, qui inaugure le siècle – on sait que l'ouvrage, paru dans les derniers mois de 1899, fut antidaté par l'éditeur – n'en est certes pas la première exploration (c'est notamment un thème cher au romantisme), mais l'innovation de Freud consiste à aborder le rêve en le reliant à l'activité associative du rêveur : c'est à travers le rôle des associations oniriques révélé par l'exploration des névrosés qu'il s'avisa de leur importance propre, qu'il vérifia lors de son auto-analyse. Le rêve apparaît donc comme une production psychique dotée d'une signification propre, non seulement chez les névrosés, mais pour la « psychologie normale » – ce qui récuse à la fois la conception d'un rêve, simple désordre cérébral et celle du « songe » porteur d'un sens surnaturel. Le geste de Freud consiste à réintroduire la production onirique dans la psychologie. Le rêve devient par là même le prototype de l'activité psychique inconsciente et la « voie royale » d'interprétation de l'inconscient. C'est par le rêve que la psychanalyse se révèle comme « art de l'interprétation » [Deutungskunst]. Cet ouvrage de plus de six cents pages se présente symboliquement comme un voyage aux Enfers – qu'exprime son épigraphe, emprunté à la supplique de Junon dans l'*Énéide* (*) de Virgile, *Acheronta movebo*. Il s'agit bien d'émouvoir l'Achéron, à défaut de pouvoir « fléchir les dieux supérieurs » : la pénétration dans le labyrinthe du rêve suppose en effet un voyage métapsychologique. Mais cette « transgression » mythique ne peut se faire que par la voie positive d'une « science des rêves ». La structure de l'ouvrage – mis en chantier dès 1896 – répond à ce projet. Après un chapitre préliminaire destiné, par un « historique », à faire sentir, par un inventaire critique, la nécessité a contrario d'une exploration psychologique (chap. I), Freud présente – sur la base d'un exemple prototypique, le rêve de l'« injection faite à Irma » – la méthode proprement psychanalytique de décodage du rêve (chap. II). Cela permet de formuler la thèse fondamentale de l'herméneutique onirique : « Le rêve est la réalisation (déguisée) d'un désir (refoulé) » (chap. III). Mais précisément, si les mots de « réalisation » et de « désir » [Wunsch] permettent de s'orienter dans l'intelligibilité du rêve, les termes mis ici entre parenthèses suggèrent l'existence d'un « travail du rêve » qui est détaillé dans les trois chapitres suivants, qui forment le corps de l'ouvrage. Le déchiffrage du rêve suppose en effet la distinction entre le « contenu manifeste » du rêve (celui qui est perçu et communiqué par le rêveur) et son « contenu latent ». L'examen de la « déformation du rêve » [Traumenstellung] (chap. IV) permet de saisir comment s'opère ce travail à partir de la « censure » psychique. On voit ainsi comment, à partir d'un « matériel déterminé – les « restes diurnes », c'est-à-dire les pensées préconscientes de la veille –, se met en place un travail qui renvoie aux « éléments d'origine infantile » (chap. V). Cela donne lieu à une reconstitution de l'« élaboration du rêve » (chap. VI) : les mécanismes de « condensation » et de « déplacement », la prise en compte de la figurabilité, la référence symbolique constituent en quelque sorte la « logique » propre du rêve, qui permet d'en saisir l'analogie avec d'autres formations inconscientes, normales (lapsus, actes manqués) ou pathologiques (symptômes névrotiques). Cela permet enfin à Freud de présenter, dans un ultime chapitre de synthèse, une « psychologie des processus du rêve » (chap. VII) : on y saisit le sens de la « régression » dans l'expression du désir qui donne lieu à une réélaboration théorique – référence au « processus primaire » inconscient et au refoulement –, ce qui en fait le chapitre inaugural de la *Métapsychologie* (*).

À bien y regarder, Freud rompt par cet ouvrage avec la conception d'une essence du rêve dans laquelle serait contenu un secret (c'est là le contresens d'une « clé des songes » freudienne). Il recommande au contraire aux interprètes-analystes du rêve de ne pas « postuler de mystérieux inconscient » du rêve : il n'y a qu'un travail du rêve, à la fois complexe et immanent à la psyché. L'analogie avec le « rébus » permet de faire droit à cette exigence. Ce n'est pas un hasard si Freud n'a cessé de compléter sa théorie des rêves, d'une part dans les éditions suivantes de l'ouvrage, d'autre part dans des essais relatifs à l'utilisation des rêves dans le traitement analytique et à sa signification propre : l'introduction du narcissisme notamment requerra une relecture de la théorie du rêve centrée sur le gain narcissique qu'il représente pour le rêveur — v. *Métapsychologie.* Freud résume l'importance de la « théorie des rêves » [Traumlehre] en soulignant que c'est par elle que la psychanalyse a élevé ses prétentions d'un simple procédé thérapeutique à une véritable « psychologie des profondeurs » [Tiefenpsychologie]. — Trad. P.U.F., 1963. P.-L. A.

INTERPRÉTATION DU NOUVEAU TESTAMENT (L') [*Mythologie des neuen Testaments*]. Essai du théologien protestant allemand Rudolf Bultmann (1884-1976), publié en 1953. Dans le cadre de son programme de démythisation du Nouveau Testament — v. *Nouveau Testament et Mythologie* (*) —, Bultmann présente ici une description du développement du message néotestamentaire. Il renonce, a priori, à l'exigence non historique d'une unité intérieure des écritures du Nouveau Testament et suit plutôt la tradition fondée par Baur et Strauss qui voient dans le Nouveau Testament le produit d'une évolution. L'idée scientifique de Bultmann consiste en ce qu'il refuse de comprendre le Nouveau Testament comme le résultat d'une libre spéculation aussi bien que d'y voir une solution par la pensée objective des problèmes de Dieu, du monde et de l'homme. Les idées théologiques qui y sont contenues doivent plutôt être comprises et critiquées comme des explications en images ou en paroles, où se manifeste la compréhension de ceux qui croient en une relation entre Dieu, le Monde et l'Homme. L'élément primaire est la foi qui répond au message de l'amour de Dieu. Les idées théologiques restent, en tant qu'explication, conditionnées par la foi, toujours limitées à une certaine situation : elles sont, en conséquence, sujettes à la critique objective. Bultmann trouve la mesure d'une telle critique objective avant tout dans la théologie de Paul et de Jean. Il a exposé ses idées à ce sujet dans *L'Évangile de Jean* [*Das Evangelium des Johannes*, 1941]. Dans l'analyse de l'évolution de l'autocompréhension chrétienne, Bultmann distingue trois étapes. Tout d'abord le message de Jésus, qu'il intègre dans le judaïsme et non pas dans la théologie chrétienne. Cette dernière commence au moment où, dans la première communauté, la foi de Jésus se transforme en la foi en Jésus, ce qui constitue la deuxième étape, celle au cours de laquelle l'autocompréhension chrétienne s'est enrichie d'idées hellénistiques et gnostiques, qu'on trouve chez saint Paul et chez saint Jean. La troisième étape consiste dans la fixation du christianisme grâce à la hiérarchie ecclésiastique, aux sacrements, à la confession légale et à la morale bourgeoise. Cette fixation est, selon Bultmann, historiquement nécessaire mais elle est contraire à l'essence de la foi chrétienne. — Trad. Aubier, 1955.

INTERPRÈTE (L') [*Terjümân*]. Journal tatar criméen, publié à Bâqhtchesarây d'avril 1883 à février 1918 par l'idéologue du turquisme Ismâ'îl Gaspralï (1851-1914), puis sous la direction de ses enfants. La défaite de l'Empire ottoman dans la guerre russo-turque de 1877-1878 suscite chez les Turcs de l'Empire russe une prise de conscience nationale. Leur volonté de survie culturelle face à une Europe conquérante s'exprime dans le panturquisme, aspiration à l'unité de tous les peuples turcs sous la double bannière de la nation et de la religion islamique, dont un des idéologues est le Tatar criméen Ismâ'îl Gaspralï. Ce dernier, après des années de lutte pour offrir à ses soixante-dix millions de compatriotes de Russie une plate-forme, obtient en 1883 l'autorisation d'imprimer à Bâqhtchesarây le premier numéro de son journal *Terjümân/Perevodchik*, d'abord bilingue tatar et russe, puis rédigé uniquement en tatar à partir de 1905 (sous le titre unique de *Terjümân*). À l'origine bimensuel, le journal devient hebdomadaire en 1903, puis quotidien en 1912 — après avoir été jusqu'en 1905 le seul journal musulman turc de l'Empire russe. Ismâ'îl Gaspralï en garde la direction jusqu'à sa mort en septembre 1914. Son fondateur, auteur d'un essai sur l'*Intercompréhension entre la Russie et l'Orient* [publié en russe, en 1896, sous le titre *Russkovostochnoe soglashenie*], entend faire jouer au journal le rôle d'un intermédiaire privilégié entre l'Occident dominateur, représenté par la Russie, et les peuples orientaux. Gaspralï y prône la coopération avec l'Europe, et une forme de coexistence pacifique dont il attend les plus grands avantages pour l'Orient — ce qui l'oppose à un Jamâl al-Dîn al-Afghânî, mais le rapproche de l'autre grand théoricien du modernisme dans la communauté musulmane de l'Empire russe, le Boukhare Dânesh (1826-1897). La modernisation par la réforme scolaire et l'adoption des méthodes d'enseignement occidentales sont un des thèmes clés développés dans les pages de *L'Interprète*. Cette ouverture à la civilisation européenne devait toutefois être équilibrée par l'« unité de langue, de pensée et d'action » des peuples musulmans de l'empire. Rapidement le journal, dont il faut souligner la très haute tenue littéraire et scientifique, se répand hors des limites de l'empire, il est lu en Égypte, en Turquie, en Perse et même aux Indes — « partout où vivaient les Turcs » (von Mende). Cela était possible grâce au choix linguistique de Gaspralï qui, négligeant les différences dialectales entre les langues turques, avait forgé une « langue commune » établie sur la base d'un turc ottoman très simplifié, épuré des apports arabes et persans, et complété de formules empruntées au tatar de Crimée. Compréhensible de tous les intellectuels turcs, cette langue demeure cependant inaccessible à la masse des populations turcophones. Aussi dès 1905, lorsque le gouvernement de Saint-Pétersbourg permet la liberté de la presse, on assiste à la naissance d'une myriade de journaux rédigés dans les langues turques locales — dont s'accommode le pouvoir tsariste, hostile à toute manifestation d'unité parmi les peuples allogènes de l'empire. Gaspralï voit l'effondrement de son rêve : à la place de la langue panturque, qui demeura d'un usage très limité, des langues littéraires nationales plus proches des langues parlées font leur apparition. D'autre part la modération de *L'Interprète*, l'attachement à la monarchie russe qu'y exprimait Gaspralï parurent bien vite dépassés face aux orientations politiques plus radicales de l'intelligentsia turque de l'empire après 1905. L'influence de *L'Interprète* déclina peu à peu. L'échec final de Gaspralï n'enlève cependant rien à l'importance historique de son entreprise : son journal a en effet fortement contribué à l'expression d'un nationalisme turc latent ; il a permis aux Tatars de Russie de prendre la tête du mouvement moderniste en Islam, tout en éveillant la conscience nationale des Turcs orientaux, Kazakhs et Turkestanais.

S.A.D.

INTERPRÈTES (Les) [*The Interpreters*]. Roman de l'écrivain nigérian Wole Soyinka (né en 1934), publié en 1965. Ce livre kaléidoscopique s'organise autour de plusieurs personnages contemporains : un journaliste, un ingénieur, un haut fonctionnaire, un universitaire, un artiste et un avocat. Ces jeunes intellectuels africains se rencontrent, se séparent et, surtout, conversent sur leurs sorts, leurs amours et leurs avenirs. Mais aucune solution réelle ne sort de leurs confrontations et les dialogues sont, la plupart du temps, composés de nombreuses interrogations craintives assorties de timides assertions : « Et que retires-tu de tout cela ? — J'apprends à connaître cette nouvelle génération d'interprètes. » Le grand dilemme de ces privilégiés, revenus au pays après des études prestigieuses à l'étranger, est de découvrir que la société philistine dont ils sont issus est fort peu disposée à utiliser leurs compétences réelles. Ce refus les désespère mais aussi les dynamise car chacun, dans sa spécialité, cherche à organiser son existence avec le maximum d'intensité, puisque l'efficacité leur est interdite. Le livre devient ainsi une introspection existentielle au cours de laquelle chaque personnage essaie, en particulier, de faire coïncider sa vie publique et sa vie privée. Par exemple, Egbo, le brillant diplomate, est à la fois terrifié et séduit à l'idée d'avoir à reprendre la chefferie côtière dont il est l'héritier et vit ses incertitudes avec un enthousiasme poétique d'où se dégage peu à peu une réflexion politique. Désespérés mais lucides, ces jeunes gens fonctionnent de façon antinomique, voire plurielle, et se laissent guider par quelques fils d'Ariane : le passé les fascine mais ils refusent de vivre en fonction de son attrait paralysant (« Tous les choix que fait l'homme doivent venir de lui et non de ce que lui souffle le passé ») ; la sexualité les obsède mais ils la conçoivent avant tout comme un moyen de communion avec les forces cosmiques ; l'art, enfin, les hante mais ils lui demandent de les conduire vers des révélations d'ordre spirituel. Ouverts à tout ce qui peut les aider (et même les détruire), les « interprètes » partent en reconnaissance au cœur de leur neutralité égoïste pour y trouver le courage de la vérité, de l'authenticité et peut-être de l'efficacité : « Qui ose se croire à la hauteur ? » « On peut l'être. Il faut l'être [...] Ou, au moins, être totalement indépendant. » Le style très controversé de ce roman est le plus souvent condensé et tendu : glissant de métaphores en métaphores, Soyinka charge volontairement sa phrase, en opposant, par exemple, l'évocation des mystérieuses certitudes ancestrales aux descriptions ambiguës du savoir technique moderne. Le texte reste, la plupart du temps, à déchiffrer mais son obscurité voulue renforce le message dont il est porteur : pour Soyinka, c'est en défiant les limites du langage que l'écrivain parviendra peut-être à faire jaillir l'énergie qui se cache, pour le moment, au sein du monde anomique. — Trad. Présence africaine, 1979. D. Co.

IN TERRA PAX. Oratorio du compositeur suisse Frank Martin (1890-1974) pour cinq solistes (soprano, contralto, ténor, baryton et basse), double chœur et orchestre, écrit en 1944, à la demande de René Dosar, directeur de Radio-Genève, pour être diffusé immédiatement après l'annonce de la cessation des hostilités de la Seconde Guerre mondiale. Frank Martin envisagea donc une composition de caractère religieux, dans laquelle s'exprimeraient, dit le compositeur, les idées de guerre et de paix, et celles de souffrance et de joie qui leur sont attachées, mais aussi « l'état d'âme des peuples au moment de cette immense délivrance, cette sorte de délire momentané que la merveilleuse nouvelle devait provoquer ». L'œuvre est divisée en quatre parties et onze numéros, sur des textes tirés de l'Écriture sainte. Le premier volet, d'un caractère tragique et sombre, débute sur une sorte de long récitatif du baryton, aux inflexions curieusement debussystes, évoquant les cavaliers de l'apocalypse et l'annonce du jour de la colère. Suit une intervention des chœurs, alternés, sur le texte « Mon Dieu pourquoi m'as-tu abandonné ? » ; puis une séquence (n° 3) où la basse sur une sorte d'ostinato orchestral alterne avec les chœurs, le plus souvent à l'unisson, pour décrire la colère divine ; enfin le n° 4, conclusif, fait intervenir les solistes, à l'exception du baryton, et les chœurs en une pathétique imploration. La deuxième partie marque l'éveil de l'espérance et de la joie, et comprend trois séquences : un solo du ténor, sur une lourde scansion d'accords, suivi d'une prière chantée par le chœur, « Pitié Seigneur dans ta miséricorde » (n° 5) ; la sixième séquence, après un récitatif du baryton solo, développe un duo entre le ténor et le soprano annonçant la venue de la paix du Seigneur, avant un grandiose ensemble (n° 7) groupant ses deux chœurs et les cinq solistes dans un magnifique élan jubilatoire, d'une écriture contrapuntique puissante et animée. La troisième partie, plus contemplative et sereine, se réfère au texte des prophéties d'Isaïe et du Nouveau Testament. Elle fait intervenir la pensée et l'enseignement du Christ par le truchement d'un long épisode confié au contralto « Voici mon serviteur, mon élu, en qui mon âme prend plaisir » (n° 8). La séquence suivante, « Heureux les affligés car ils seront consolés », est confiée au ténor. Enfin les deux chœurs chantent en conclusion le Notre Père. La quatrième partie, après le solo du baryton, « Puis je vis un nouveau ciel et une terre nouvelle », et de la basse, « Voici le tabernacle de Dieu avec les hommes », conclut sur unc magnifique synthèse des différents éléments vocaux et orchestraux en un hymne de glorification et de louange du Seigneur. Par son plan simple, ses transitions habilement ménagées, sa progression aisément perceptible vers la magnification finale, par la clarté de son langage vocal, choral (aux nombreux unissons en forme de psalmodie ou de prière collective) et orchestral, cette œuvre atteint parfaitement son objet musical et philosophique. Par là même elle transcende son propos « occasionnel » comme le souhaitait le compositeur, pour exprimer l'éternelle aspiration, la foi en la paix dans le monde et en chacun de nous, l'espérance en un avenir incertain mais dont la possibilité doit toujours habiter notre esprit, même si nous ne pouvons croire en sa réalisation terrestre et matérielle.

INTERVENTIONS AUX CAUSERIES SUR L'ART ET LA LITTÉRATURE DE YEN-AN [*Tsai Yen-an wen-yi tsouo-t'an-houei chang de tsiang-houa – Zai Yan'an wenyi zuotanhui shang de jianghua*]. Discours prononcés par l'homme politique chinois Mao Tseu-tong (1893-1976) devant les écrivains et artistes chinois ralliés à la Révolution et dont l'assemblée se réunit du 3 au 23 mai 1942 à Yen-an, alors capitale des zones sous administration communiste. Mao Tseu-tong y définit les grandes lignes de l'« art de combat » et de la littérature militante qu'il souhaite voir entrer en lice. Cette littérature et cet art doivent s'adresser à un public nouveau, aux ouvriers, aux paysans, aux soldats et à leurs cadres. Écrivains et artistes doivent « servir les masses populaires » ; s'étant (ré-)éduqués auprès d'elles, ils contribueront ensuite à leur éducation. Ils doivent être animés par l'esprit de classe et par l'esprit de parti, étudier le marxisme-léninisme et se libérer de toute influence bourgeoise. Mao Tseu-tong critique au passage les tenants de « l'art au-dessus des classes », de l'art apolitique, « bourgeois », de l'art pour l'art. Il précise qu'il ne faut pas pour autant juger d'un point de vue nihiliste l'héritage culturel de la vieille Chine, ni ce qui vient de l'étranger ; puisque « Nous sommes des utilitaristes ! » (prolétariens), il suffit d'en assimiler avec esprit critique tout ce qui est utile et exemplaire. Mao Tseu-tong définit encore sa conception de la critique littéraire et artistique, étrangère au sectarisme mais inébranlable quant aux principes, répondant à deux ordres de critère, politique et artistique, dont le premier prend le pas sur le second. Sous le mot d'ordre de l'unité du contenu et de la forme, c'est-à-dire « d'un contenu politique révolutionnaire et d'une forme aussi parfaite que possible », on trouve résumé le modèle — figé dans toute sa vanité — de la plus grande partie de la littérature critique chinoise entre 1949 et la fin des années 70. Les *Interventions* ont par ailleurs largement alimenté les campagnes de persécution dirigées à intervalles plus ou moins rapprochés contre les artistes et les intellectuels chinois depuis la Révolution. – Trad. Éditions en langues étrangères, Pékin, 1962.

INTERVIEW AVEC LA MORT [*Interview mit dem Tode*]. Récits de l'écrivain allemand Hans Erich Nossack (1901-1977), publiés en 1948, et comprenant « Dorothée », « Cassandre », « Appassionata », « Interview avec la mort », « Les Contes de fées », « L'Ondin », « Le Devis », « Klonz », « L'Effondrement ». Dans cette œuvre, l'auteur ne tente pas uniquement de décrire l'effondrement apocalyptique de Hambourg à la suite du bombardement qui anéantit la ville, mais aussi de montrer que le monde est divisé en deux par un abîme invisible, connu de tous, mais pour la plupart infranchissable. L'homme n'a pas plus de passé, et s'il ose regarder en arrière il ne voit que du feu. Le danger est surtout présent. « Voilà pourquoi les réfugiés surveillaient anxieusement leur bonne tenue mutuelle. C'était d'ailleurs plutôt une cohabitation tout animale. » C'est en spectateur que le « survivant » a assisté à l'effondrement de la ville, et c'est par des constats successifs, marquant à la fois l'absurdité et le cauchemar de certaines situations, le fatalisme et le fantastique de certaines scènes, qu'il nous le restitue sèchement, mais parfois avec humour et grandeur. « Ce sont des mots terribles, je le sais, mais je me suis permis de dire tout, exactement comme c'est, ou plutôt de dire exactement ce que la détresse m'a fait monter aux lèvres. » La ville s'est écroulée comme une masse, « et le danger que je courais fut celui d'être anéanti par la conscience et la vision du sort commun ». Néanmoins, le narrateur décrit minutieusement la lande, les bruyères, les forêts situées à quelques kilomètres de Hambourg et où il est allé se réfugier afin qu'à partir de là on puisse peut-être un jour retrouver une voie vers le passé perdu. Les attaques se répètent, et l'homme se rend compte de son impuissance. Le signal de fin d'alerte retentit, et aussitôt l'agitation s'infiltre à travers les interstices de la peur. Personne ne savait que chacun « colportait l'instabilité comme une maladie, et tout ce qui en était touché perdait sa fermeté ». Les gens sont devenus étrangers à eux-mêmes, à tout ce qui va de soi. Lorsque le narrateur va dans son quartier totalement détruit, cherchant sa rue, il voit une femme en train de nettoyer les vitres d'une maison intacte et isolée au milieu du désert de ruines. Par les ouvertures des yeux, « l'infini qui était derrière l'homme se mêlait librement à l'infini qui était devant lui, sanctifiant son visage, grâce à cette brèche ouverte aux choses éternelles ». Dans un autre récit, « Dorothée », nous découvrons les thèmes chers à Nossack et qu'il développera dans son œuvre : ceux de la ressemblance, de la dissimulation, de la mystification, du frère cadet — v. *La Dérive* (*), *Le Frère cadet* (*), *Spirales* (*). Une femme, Dorothée, a rencontré lors d'une attaque aérienne un jeune étudiant. Elle est sur le point de le confondre avec le narrateur qui, au fil des dialogues, devient le frère aîné de l'inconnu. « Devenons-nous donc tous si semblables l'un à l'autre aux instants de grandes commotions ? Ou serait-ce qu'à ces instants certaines idées de nous-mêmes, franchissant les frontières abolies, s'en vont parcourir le monde à leur propre compte ? Un jour ou l'autre elles rencontrent alors l'idée issue de quelqu'un qui a subi la même commotion et elles connaissent en commun un sort qui pourrait être le nôtre. » Dans un style admirable, avec une rare maîtrise de l'image, nourrie d'expérience, Nossack nous donne par symboles successifs l'image de l'homme d'après-guerre, mais image peut-être éternelle, celle d'un être déchu, perdu, séparé, qui doit se convertir indéfiniment à l'humain pour retrouver et réhabiliter le monde. — Trad. Gallimard, 1950.

INTRIGUE ET AMOUR [*Kabale und Liebe*]. Tragédie en prose en cinq actes du poète et dramaturge allemand Johann Christoph Friedrich von Schiller (1759-1805), représentée en 1784. Cette « tragédie bourgeoise » — comme l'a définie le poète — fut écrite dans la maison des Volzogen à Bauerbach en 1783, mais elle ne fut publiée qu'en 1784 à Mannheim, sous le titre *Luise Millerin*. Le titre *Intrigue et Amour* est de Iffland. Elle termine la série des drames juvéniles : *Les Brigands* (*) et *La Conjuration de Fiesque à Gênes* (*) et elle appartient à la période inquiète et révolutionnaire du « Sturm und Drang ». Elle ne précède que de trois ans la publication de *Don Carlos* (*), le premier des drames classiques de Schiller. Gemmingen, en s'inspirant de *L'Entretien d'un père avec son fils* (*) de Diderot et d'*Emilia Galotti* (*) de Lessing, avait déjà écrit un drame bourgeois : *Le Père de famille allemand* [*Der deutsche Hausvater,* 1782] ; mais alors que Lessing avait porté l'action en Italie, Schiller choisit comme théâtre de sa tragédie l'Allemagne elle-même où un conflit de classe opposait la bourgeoisie à l'aristocratie. *Intrigue et Amour* est à la fois le drame d'un milieu et un cri de protestation ardente du poète, dont la nature se rebelle contre les impératifs et les restrictions à la liberté, qu'il a lui-même subis. L'accusation de Schiller est précise et actuelle, c'est la peinture exacte d'un état de choses qu'il a connu et dont il a souffert. L'amour qui unit la fille d'un humble musicien, Louise Miller, à Ferdinand, le fils du tout-puissant président Walter — amour que favorise la mère de Louise, une petite bourgeoise pleine d'admiration pour le monde des aristocrates et leur faste —, trouve un climat hostile. La différence trop grande de leurs milieux fait qu'il va se heurter, pour des raisons tout à fait opposées, à la rigidité des deux pères. Mais Ferdinand, le jeune aristocrate qui est à la limite de l'ancienne société et de la nouvelle, se montre dédaigneux de ces principes. Il est décidé à défendre son amour et son honneur, et à combattre le projet que nourrit son père de lui faire épouser la favorite du prince. Le président, ne pouvant faire céder son fils par la violence, va avoir recours à la tromperie. Wurm, le secrétaire du président, un flatteur qui a déjà fait jeter en prison le vieux Miller — figure dessinée de traits simples, fermes, et humainement vraie —, fait écrire à Louise un billet tendre au maréchal Kalm, caricature réussie du vieux courtisan, en l'assurant qu'en s'y prenant ainsi elle pourra obtenir la libération de son père. On fait en sorte que la lettre tombe entre les mains de Ferdinand, et la catastrophe est inévitable : il croit à l'infidélité de Louise et, convaincu de sa faute, il l'empoisonne et s'empoisonne avec elle. Toutefois, avant de mourir, il apprendra de l'enfant sacrifiée que seules la tromperie et de basses manœuvres ont pu les unir, dans la mort, sous une auréole de pureté et de mépris.

Intrigue et Amour est, sans aucun doute, le drame le plus simple parmi les trois pièces de Schiller influencées par le « Sturm und Drang ». Par sa puissance dramatique, son unité et sa rapidité d'action, elle émeut tout de suite, et continue d'émouvoir le public et les lecteurs. Elle ne manque pas de naïveté, et même la distribution de la lumière et de l'ombre dans les deux mondes opposés — l'un tout en lumière et l'autre tout en ombre — donne aujourd'hui l'impression d'être quelque peu conventionnelle. Mais il est à noter que la vie sociale allemande n'avait jamais été portée à la scène d'une manière aussi directe et les mots ont des accents de profonde vérité humaine. Dans l'histoire du théâtre moderne, et pas seulement dans le théâtre allemand. *Intrigue et Amour* est le premier drame dans lequel la représentation réaliste de la vie bourgeoise ait atteint véritablement l'universalité de la poésie. — Trad. Aubier-Montaigne, 1930.

★ Cette tragédie inspira au compositeur italien Giuseppe Verdi (1813-1901) un mélodrame dramatique en trois actes, *Luisa Miller*, sur un livret de Salvatore Cammarano (1801-1852), représenté à Naples le 8 décembre 1849. Ce drame débute par une symphonie développée sur un thème unique, que nous retrouverons à dessein dans l'œuvre pour souligner les projets malveillants de Wurm. Cette symphonie est une des meilleures de la première manière de Verdi. Parmi les quelques passages d'une conception originale, notons le commencement de la XIe scène du premier acte : une discussion animée entre le vieux prince ambitieux et tyrannique d'un côté, et de l'autre Rodolphe, Louise et le vieux Miller ; le « lamento » pathétique de Louise « À ton image créée », sur lequel Verdi bâtira un quatuor vocal — tentative hardie pour introduire dans l'opéra les formes pures de la polyphonie antique, qu'il avait toujours aimées. Signalons aussi le souci d'un récitatif mélodique vif, mais dégagé et limpide. On verra dans *Rigoletto* (*) et *La Traviata* (*) d'autres exemples où, sous l'apparence trompeuse d'une musique vive et frivole, se cache le plus grand désespoir. L'art de Verdi s'enrichira et s'anoblira sans cesse, du *Bal masqué* et de *La Force du destin* (*) jusqu'à la création shakespearienne de Iago qui n'est que malice et perfidie, insinuations féroces et fatuité. Le dernier acte de *Luisa Miller* brûle de l'habituelle passion dans laquelle Verdi résolvait les catastrophes de ses drames. Le duo de Louise et de son père, « Nous irons errants et pauvres », et l'air de Louise, « La tombe est un lit couvert de fleurs » sont d'une inspiration mélodique sans originalité, mais d'un succès certain. En conclusion, c'est une œuvre qui manque d'unité. Dans les moments d'effusion lyrique, on peut relever quelques accents passionnés, à côté d'un certain laisser-aller et de nombreuses longueurs. Mais c'est surtout dans les passages où le lyrisme est plus contenu, où le dialogue est sec et nerveux, qu'apparaît la qualité maîtresse de l'orchestration.

INTRODUCTION À JEAN SÉBASTIEN BACH (ESSAI D'ESTHÉTIQUE MUSICALE). Essai de l'esthéticien et critique français Boris de Schloezer (1881-1969), publié en 1947. L'œuvre de Bach, à peine connue de Mozart et de Beethoven, redécouverte par Mendelssohn, devint dans les années 30 un objet privilégié de la réflexion critique, à un moment où était mis en cause le matériau même de la musique, et son langage. Schœnberg créant le dodécaphonisme, inclut le thème B.A.C.H. dans les *Variations pour orchestre* (*) ; Stravinski de son côté fait de Bach l'un des pôles de son néo-classicisme, dans le *Concerto pour piano* de 1924 par exemple — v. *Concertos* (*). Modèle quasi achevé du système musical de l'Occident, Bach représente également la singularité d'une puissante inspiration créatrice au sein de ce système. Ces raisons expliquent l'idée d'un grand livre sur Bach qui naît en Boris de Schloezer, dans ses années de collaboration à la *Revue musicale* (1921-1938) ; et qui devait aboutir à cette *Introduction*, écrite pendant la Seconde Guerre mondiale. Car si elle s'éclaire de l'œuvre du compositeur allemand, la nécessité s'est imposée d'abord pour l'auteur d'établir une esthétique qui atteigne la « réalité musicale » — et définisse en ses dernières conséquences la nature de l'œuvre ; une « poétique musicale », pour reprendre le titre de Stravinski — et plus largement un des grands exemples modernes de cette discipline — la « poétique » (Boris de Schloezer fait référence plusieurs fois à Mallarmé, à Proust). L'ouvrage se divise en trois parties : — « L'Idée concrète » ; « La Forme » ; « Le Mythe » — correspondant aux trois pointes du triangle que forment le récepteur, la structure et le créateur de l'œuvre, selon une synthèse progressive qui culmine dans les notions de système organique, de langage immanent, de temporalité créatrice, et de « moi mythique ». Toute la première partie — « L'idée concrète : la compréhension de l'œuvre ; la connaissance de l'œuvre » — vise à séparer le fait musical du fait acoustique et de sa traduction psychologique. L'œuvre est un langage, mais un langage spécifique, en ce que le contenu y est identique à la forme, un langage immanent. Comprendre l'œuvre, c'est comprendre cette immanence de la signification, que Boris de Schloezer distingue du sens « rationnel » — lequel désigne des notions transcendantes au langage et du sens « psychologique », réponse directe à la stimulation sonore par un affect qui n'engage que le moi en quelque sorte mécanique, laissant inconnue la singularité de l'œuvre en elle-même ; c'est appréhender la série sonore — de la plus simple à la plus complexe — en sa véritable unité, constituant chaque élément comme partie d'un tout en formation qui lui donne son existence « musicale » ; sentiments, émotions, images, naissant de ce lien avec une totalité vivant en l'auditeur telle qu'elle est, dans une dialectique apparentée à la dialectique de l'amour. Le plaisir esthétique est dans la découverte de l'œuvre en elle-même, de son « ipséité ». L'œuvre apparaît alors comme la chose même, hors de toute transcendance (et Boris de Schloezer insiste sur son immanence, à la fois contre l'idéalisme, et contre le psychologisme). Mais la compréhension de l'œuvre musicale ne peut être décrite pleinement que par l'examen du langage formel où se joue la réalité de cette immanence. La deuxième partie – « La Forme » – examinera donc les trois « points de vue » sous lesquels se présente la réalité musicale : le « rythme », l'« harmonie », et la « mélodie ». On ne peut résumer le contenu très dense et technique de ces analyses, précédées de « prolégomènes » qui réaffirment avec une émouvante insistance la nature de « système organique » qui est celle de la structure musicale se construisant dans sa durée propre, allant vers une unité future dont le mode d'action sur la multiplicité sonore représente précisément ce qu'on appelle forme. Quelques formules majeures doivent cependant être rappelées, qui permettent au moins de ne pas retomber dans les illusions du langage critique que veut dissiper Boris de Schloezer, pour comprendre la parole immanente de l'œuvre. « Comment parviendrons-nous à dégager l'aspect rythmique d'un système de rapports sonores [...] ? En le considérant exclusivement en tant qu'il se fait. Je définirai donc le rythme musical ; la structure d'un système sonore organique conçu sous la catégorie du devenir. » De même l'harmonie, c'est-à-dire la musique envisagée du point de vue du matériau et de ses contraintes naturelles, est-elle « la structure d'un système organique sonore considéré dans son rapport avec le milieu où s'accomplit le système ». L'accord n'est qu'un élément second du système organique composé. Il a la même réalité essentielle, la durée structurante. Enfin l'aspect mélodique, dans les séries homophones (notes successives) ou hétérophones (accords successifs), reconduit à la pensée de l'unité. La mélodie n'existe pas en soi ; elle découle de la compréhension esthétique de la série – même dans le cas de la polyphonie réelle. La beauté d'une mélodie, c'est son « existence même », qui ne peut être prouvée, analysée, parce qu'elle n'advient que par l'acte de reconnaissance par quoi elle est perçue dans son unité, comme unité. Et le « thème » lui-même, sujet des « variations », n'est autre qu'un principe d'unité qui organise l'œuvre en son développement.

Est-ce par ironie que Boris de Schloezer intitule la troisième partie de son livre « Le Mythe » ? Traitant de l'expressivité de l'œuvre musicale et de son langage, il y développe la distinction entre sens psychologique, sens rationnel et ce qu'il nomme « sens spirituel » ; mais surtout il élabore une vision originale des rapports de l'œuvre, de son créateur et de son auditeur, à travers le chapitre final consacré au « moi mythique ». Ce « moi » est l'œuvre elle-même, en sa singularité, telle qu'elle s'est constituée en se cherchant dans l'inconnu, non des signes, mais de la forme même en son devenir. Chaque signe – serait-il initialement donné par le hasard, ou tributaire d'un matériau et d'un langage déjà constitués – appelle une intégration supérieure dans un autre étagement du système jusqu'à l'achèvement qui lui donnera son vrai sens. C'est au moment où elle se termine que l'œuvre apparaît, personne vivante, « idée concrète », inséparable de ce mouvement d'intégration qui va vers sa fin, et somme toute identique à lui. Quelle relation dès lors établir, en termes d'« expressivité », entre l'œuvre ainsi définie et son auteur ? Aucune qui ne soit liée à ce devenir-œuvre qu'est l'œuvre, et dès lors l'auteur lui aussi est le « moi mythique », qu'aucun processus historico-psychologique ne peut définir, puisqu'à la lettre il n'existe pas avant l'œuvre, qu'elle le crée. Mais ce moi dit « mythique » – et il faudrait ici se demander encore pourquoi Boris de Schloezer a choisi un tel mot, par quel désir de repousser une idée inférieure du moi « réel » – n'en est pas moins le plus proche des forces spirituelles de la vie. Car il fait de l'œuvre un objet d'amour. L'auditeur, quand il entre dans la compréhension de l'œuvre en sa réalité profonde, se fond réellement en elle ; oublie son propre moi « psychologique », entré dans le temps de l'œuvre en son déroulement, où surgissent et prennent sens les architectures, les couleurs, les émotions indicibles – c'est-à-dire inexprimables autrement – d'une présence absolue bien qu'immanente. Présence qui l'inclut, avant de le laisser, dans sa fin qui est accomplissement, sur la rive, mais autre, définitivement autre. Derrière l'abstraction des analyses de Boris de Schloezer – en sa position difficile de théoricien –, il faut reconnaître cette passion d'une vérité esthétique, cette vision intérieure qui se porte vers la signification de l'art comme vers un absolu. Sans doute le génie de Bach échappe-t-il à son langage. Mais il lui échappe par cette transcendance interne à laquelle, écoutant le motet *Jesu Meine Freude*, ou l'andante de la sonate en la mineur pour violon seul, dans la mesure toujours trop faible où nous comprenons, nous pouvons à notre tour donner le nom de « moi mythique » : l'œuvre comme une « personne », qui n'est personne, mais qui est l'impensable de la pure présence.

F. L.

INTRODUCTION À LA CONNAISSANCE DE L'ESPRIT HUMAIN suivie de **RÉFLEXIONS ET MAXIMES.** Œuvre du moraliste français Luc de Clapiers, marquis de Vauvenargues (1715-1747), publiée sans nom d'auteur en 1746. L'année d'après paraît, posthume, une seconde édition que l'auteur eut encore le temps de préparer peu avant sa mort, en s'appuyant sur les remarques critiques de Voltaire apportées au texte de 1746. Le titre complet recouvre en réalité l'*Introduction* et un certain nombre d'écrits fragmentaires, regroupés sous différents titres, plus précisément, pour l'édition de 1747 : *Fragments, Réflexions critiques sur quelques poètes, Réflexions et Maximes, Méditation sur la foi.* En dépit de son apparence de traité, l'*Introduction* manque d'unité et montre, surtout aux dernières pages, les signes manifestes de l'inachèvement. Qualitativement parlant, le petit volume publié en 1747 contient le meilleur de l'œuvre de Vauvenargues. On doit y ajouter d'autres textes de valeur et de signification inégales : entre autres, des *Caractères* inspirés de La Bruyère, un *Traité sur le libre arbitre*, œuvre de prime jeunesse où le moraliste se double d'un métaphysicien défendant l'idée de nécessité, quelques *Discours* par trop démarqués de l'éloquence du XVIIe siècle, et une correspondance qui renseigne sur les ambitions et les constants déboires de l'auteur. La plupart de ces écrits ont été réunis au XIXe siècle par D.L. Gilbert, dans une édition aujourd'hui fort contestée. Par ailleurs, la constitution d'une édition critique de Vauvenargues demeure une entreprise périlleuse.

L'œuvre du moraliste, interrompue par sa mort prématurée, trahit les tâtonnements de la jeunesse : la pensée n'évite pas toujours les inexactitudes et les contradictions ; quant au style, il souffre souvent de son inféodation aux auteurs du Grand Siècle. Il n'en demeure pas moins que Vauvenargues exploite des registres de pensée et d'expression dont la somme est d'une rare variété et d'une grande richesse.

Son livre tient d'abord du bréviaire. S'y réaffirme d'un bout à l'autre une sagesse universelle d'inspiration stoïcienne. Les impératifs de courage et de dureté envers soi-même, indispensables dans l'infortune, vont de concert avec l'exigence d'attention et de générosité vis-à-vis d'autrui. L'auteur développe, principalement dans ses *Caractères,* les règles d'une pratique diplomatique d'inspiration aristocratique, censée être celle de la « grande âme » : cette personnalité de génie se singularise par de fortes passions et est douée tant de qualités exceptionnelles que de connaissances quasi illimitées qui lui assurent un ascendant sur son entourage. Loin de poursuivre cyniquement son intérêt personnel, la grande âme révèle aux autres leurs propres virtualités et s'impose en médiatrice en cas de conflit.

L'œuvre se veut aussi, dans la tradition des moralistes, et en particulier dans celle de La Bruyère, un tableau des mœurs de l'époque. Vauvenargues prétend « écrire contre les mœurs », n'évitant pas en cela le travers moralisateur. Une peinture diversifiée ménage des vues sur l'armée, les jeunes gens, les grands et les hommes de lettres : elle conduit à la mise en accusation d'une époque se complaisant dans le badinage, le scepticisme et la culture excessive de l'esprit, au détriment de la nature, source de passions fortes et d'activité.

Vauvenargues réussit finalement à se hausser au niveau du débat littéraire et philosophique propre à l'époque des Lumières. Au fil de ses remarques sur Corneille, Racine et d'autres écrivains, il contribue à introduire le sentiment dans la critique littéraire. Cependant, l'intérêt majeur de son œuvre réside dans une polémique continuelle avec les moralistes classiques, laquelle conduit à une réhabilitation de la nature humaine conforme à l'esprit de la première moitié du XVIIIe siècle. Les intentions explicites de l'auteur se définissent sur l'arrière-plan de la pensée de Montaigne, de Pascal, de La Rochefoucauld et de La Bruyère, étiquetés parfois de « faux philosophes » ou même, çà et là, directement interpellés. Vauvenargues entend d'abord montrer que la vertu relève du possible. L'homme n'est plus le jouet des passions. Elles deviennent, au contraire, le moteur principal de la vie. Le moi reconquiert donc son autonomie. Les vertus ne sont plus nécessairement des vices déguisés, car, à côté d'un amour-propre pernicieux, se profile désormais un amour de soi bénéfique. En clair, Vauvenargues nie le naturalisme pessimiste de ses prédécesseurs. Toutefois, la nouvelle vertu que l'auteur dégage de cette polémique n'est pas définie de manière univoque. Tantôt il la conçoit comme bonté naturelle, tantôt, héritier de la morale aristocratique de La Rochefoucauld et lointain devancier de Nietzsche, il l'associe à l'affirmation de la force, point de vue qui s'accorde d'ailleurs avec l'idée de nécessité défendue dans le *Traité sur le libre arbitre.* Vauvenargues pressent plus ou moins la contradiction entre les deux perspectives, sans toutefois réussir à la résoudre. De la sorte, son œuvre témoigne incidemment des difficultés que devait rencontrer le naturalisme optimiste des Lumières. Parallèlement, Vauvenargues envisage la morale comme une question sociale et, à la manière de beaucoup de ses contemporains, définit la vertu par la primauté de l'intérêt général sur l'intérêt particulier.

Une seconde grande visée sous-tend son œuvre : grâce à une théorie cohérente de l'esprit humain, Vauvenargues veut concilier les points de vue philosophiques contradictoires, de même que les antinomies que certains penseurs croient découvrir en l'homme. Autrement dit, le scepticisme de Montaigne et de Pascal lui est insupportable. L'impossibilité qu'il y a à fournir une définition univoque de l'homme est abandonnée au profit d'une philosophie optimiste qui nous attribue une nature aux contours bien définis. Bref, en homme de son temps, Vauvenargues conteste les options essentielles de la tradition des moralistes du XVIe et du XVIIe siècle : la mise en question de l'autonomie du moi et le scepticisme quant à l'existence d'une nature humaine immuable. Cette entreprise de conversion se sert cependant des moyens d'expression mêmes de l'adversaire : maximes, réflexions et portraits. Vauvenargues fait alterner l'écriture concise et le discours de l'éloquence classique. La précision, la netteté et la justesse de l'expression font parfois place à des mouvements de lyrisme qui annoncent les romantiques. Complexe, hésitant entre des exigences contraires, le style de Vauvenargues est à l'image de sa pensée. Assumant à la fois les valeurs aristocratiques de sa caste et les exigences novatrices des Lumières, l'auteur apparaît bien comme une imparfaite mais importante figure de transition. D. A.

INTRODUCTION À LA LECTURE DE HEGEL. Ces leçons professées à l'École des hautes études de 1933 à 1939 par le philosophe français Alexandre Kojève (1902-1968), réunies et présentées par Raymond Queneau, ont été publiées en 1947. Les cours des années 1933-37 sont présentés de façon très abrégée (à l'exception de trois leçons de 1934-35 et de deux leçons de 1933-34 données intégralement en appendice). La plus grande partie de l'ouvrage est constituée par un résumé des six premiers chapitres de la *Phénoménologie de l'esprit* (*), qui ouvrit le cours de 1937-38 sur la religion, et par le texte intégral du cours de 1938-39 sur le savoir absolu. En guise de prologue, on a reproduit la traduction commentée du texte sur la maîtrise et la servitude. La nouveauté de l'interprétation de la *Phénoménologie de l'esprit* par Kojève est commandée par deux idées principales : le caractère fini de l'histoire et le dualisme ontologique. La première permet d'affirmer que l'achèvement de la réconciliation de l'universel et du particulier dans le monde réel rend possible la substitution du sage porteur du savoir absolu à la représentation de Dieu dans la religion. La seconde a pour résultat la définition de la dialectique comme « essayant de rendre compte du phénomène de la liberté, ou, ce qui est la même chose..., de l'action humaine consciente et volontaire ». C'est à travers le cours de l'histoire que le réel concret est révélé par le discours de l'homme. Selon Kojève, c'est une erreur dérivant d'une trop grande fidélité à l'ontologie traditionnelle qui a conduit Hegel à admettre une dialectique de la nature. Les germes de l'ontologie dualiste de l'avenir se trouvent déjà chez Kant. La négativité qui résulte de la présence de l'homme dans la nature s'exprime par une insatisfaction fondamentale qui ne pourra disparaître que lorsque l'homme sera reconnu par l'homme. Cette reconnaissance, qui est recherchée par le maître lorsqu'il acquiert son ascendant sur l'esclave au risque de sa vie, n'est pleinement réalisée que dans le « Pardon », c'est-à-dire dans la compréhension du maître de l'État universel et homogène (Napoléon) par le sage qui conçoit cette domination comme aboutissement de la totalité de l'histoire. C'est donc à la fois par la lutte à mort et par le travail que s'obtient à travers l'histoire la satisfaction qui la termine. Cette présence de la négativité dans le monde naturel peut alors constituer un tout et être l'objet d'un savoir absolu ou conceptuel. Mais avant d'être ainsi complètement conscient de soi, l'homme projette la totalité dont il est l'artisan dans l'au-delà. C'est la religion qui, tant que l'histoire n'est pas achevée, révèle à l'homme « l'aspect universel de son existence ». Dans la même période, la philosophie qui traite consciemment de l'homme ne peut le saisir que dans son opposition à la nature et à la société, dans sa particularité. « Tant que l'histoire continue, l'opposition des deux points de vue (philosophique et religieux ou théologique) est inévitable. C'est donc à propos de la religion que l'on peut considérer et appliquer le plus correctement la méthode de réduction de la superstructure à l'infrastructure. « La religion est un épiphénomène du travail humain. » Chaque religion reflète le monde dans lequel vivent les hommes qui la pratiquent. L'opposition disparaît lorsque la religion prend pour objet d'adoration un homme (christianisme) et lorsque l'État parfait se réalise dans un individu universellement reconnu. L'opposition de la religion et de la philosophie disparaît alors. Les deux sont dépassées et unies dans un savoir absolu qui est sagesse. Ce savoir pourrait être une illusion mégalomane, s'il était seulement la conviction d'un individu qui croit comprendre la totalité de l'histoire. Elle doit s'inscrire dans une logique, ou dans l'élément du concept. La vérité de ce concept ne se manifestera pas alors comme pleine satisfaction ou comme conscience de soi, mais comme circularité. La démonstration de l'autosuffisance du savoir s'établit par le fait de la nécessité avec laquelle s'enchaînent les déterminations pour revenir à leur point de départ. Pour comprendre pleinement comment la structure de la logique explique la totalité de l'histoire, on arrive à caractériser la philosophie de Hegel par son interprétation des rapports du concept et du temps. De ce point de vue Hegel est le seul des grands philosophes à avoir résolument identifié le concept au temps, à la différence de Parménide pour qui concept équivaut à éternité, de Platon, Aristote, et Kant qui tout en le disant éternel lui attribuent des rapports divers, positifs ou négatifs, au temps. L'identification du concept avec le temps a pour corollaire l'abolition totale du temps dans le concept. En d'autres termes, l'apparition de la vérité du savoir implique l'achèvement de l'histoire. Cet achèvement signifie d'autre part l'abandon de l'individualité libre du sage. En somme la dialectique, qui était fondée sur l'opposition de la liberté et de la nature, aboutit à l'abandon de cette distinction. C'est ce qui justifie l'insistance sur l'idée de la mort dans la philosophie. Elle se trouve non seulement au début de l'histoire dans la lutte entre les consciences, mais à son terme dans la Terreur révolutionnaire qui prélude à l'avènement de l'État universel. Elle est le sens même de l'homme, qui est « néantissement dans l'être », et son accomplissement dans l'histoire conçue est réalisé lorsque le sage trouve sa satisfaction et sa conscience de soi dans la compréhension du passé comme tel. Ce qu'il y a d'individuel et d'historique dans l'homme n'est préservé qu'à titre de souvenir. La trace de ce souvenir est conservée dans la *Phénoménologie de l'esprit.* « L'avènement de la science est... la preuve de la fin de l'homme, de l'histoire et du temps. » Le contenu du savoir est déposé dans un livre qu'on peut lire à partir de n'importe quel chapitre et qui ne peut être compris qu'en reprenant indéfiniment sa lecture. L'existence empirique du temps comme concept est un livre, et le lecteur de ce livre est un être naturel qui n'agit plus. « L'esprit est devenu ou achevé et parfait, c'est-à-dire mort. » Cette interprétation athée, finitiste et dualiste de la *Phénoménologie de l'esprit* s'appuie sur une synthèse hardie de l'inspiration heideggérienne et de l'inspiration marxiste ; elle a exercé une influence considérable sur la pensée française et européenne : Bataille, Merleau-Ponty, Éric Weil, Caillois.

INTRODUCTION À LA MÉTAPHYSIQUE de Bergson. Essai du philosophe français Henri Bergson (1859-1941), publié en 1903 dans la *Revue de métaphysique* et plus tard en volume. Bergson définit l'intuition comme une espèce de sympathie intellectuelle par laquelle il est possible de s'introduire à l'intérieur d'un objet, afin de coïncider avec ce qu'il a d'unique et donc d'inexprimable. Il expose comment seule l'intuition permet de réaliser une métaphysique parce qu'elle est seule capable de saisir l'absolu et la réalité en soi par-delà toute connaissance conceptuelle, donc simplement symbolique et relative. Objet uniquement préhensible par l'intuition est également la durée, notion indissoluble de la vie de la conscience dans laquelle se fondent le présent et le passé et dont le courant concret n'est traduisible par aucune image, ni perceptible par aucun concept, puisqu'image et concept ne peuvent que le suggérer. Cette critique de l'intellectualisme condamne aussi bien l'empirisme et le rationalisme que les théories psychologiques. L'intuition métaphysique ne consiste pas en un processus de généralisation de l'expérience, mais est bien une donnée immédiate de la réalité qui entraîne les conséquences suivantes : il s'agit d'une réalité extérieure que l'esprit acquiert immédiatement ; si les démarches naturelles de l'intelligence qui substituent le continu au discontinu, le statique au mouvant, sont nécessaires dans la vie pratique, la fixité des concepts ne permet pas de rétablir la réalité mouvante. Pour acquérir l'intuition, et par conséquent saisir l'absolu, il est indispensable d'inverser le sens de la pensée.

INTRODUCTION À LA MÉTAPHYSIQUE de Heidegger [*Einführung in die Metaphysik*]. Ce livre du philosophe allemand Martin Heidegger (1889-1976) contient le texte d'un cours donné entre mai et juillet 1935, et que l'auteur assure avoir publié en 1953 sans changements « quant au contenu ». C'est de tous ses ouvrages celui où la démarche philosophique et les résonances idéologiques se mêlent de la façon la plus inextricable et la plus énigmatique.

Son point de départ est la question même de la conférence de 1929 *Qu'est-ce que la métaphysique ?* [*Was ist Metaphysik ?*], ce bref essai dont a procédé l'existentialisme français depuis Sartre et *L'Être et le Néant* (*). Mais le chemin qui s'ouvre ici va s'orienter en sens inverse. « Pourquoi donc y a-t-il l'étant et non pas plutôt rien ? » L'accent en 1929 était mis sur le « rien » *(nichts),* cette trouée qu'introduit l'existence humaine et qui rend possible la question sur l'être, ce « manchon de néant », dira Sartre. Mais en 1934 Heidegger a été accusé de « nihilisme » par certains idéologues ultranazis, et les dernières pages du cours de 1935 y font écho : sa riposte, ce sera de montrer que seul l'oubli de l'être est nihiliste, et que la question sur l'être, allant « jusqu'à la limite du néant » et l'incluant dans son interrogation, est le véritable dépassement du nihilisme. La Postface *(Nachwort)* à *Qu'est-ce que la métaphysique ?,* en 1943, reprendra ce thème, et, en réponse à de nouvelles polémiques, elle le prolongera en dépassant la métaphysique elle-même : la métaphysique occidentale tout entière n'étant plus qu'un long acheminement vers le nihilisme. Des notes contemporaines, publiées après la guerre dans *Essais et Conférences* (*), assimileront à son tour celui-ci au déchaînement de la technique, tandis que la conférence sur « L'Essence de la technique », en tête du recueil, rassemblera ces perspectives.

Dans l'*Introduction* de 1935, l'interrogation sur le néant, avec son accent pathétiquement « sartrien », est donc à peu près éliminée, au profit d'une démarche qui veut effectuer le saut *(Sprung)* vers l'origine *(Ursprung).* Remonter à la question la plus originaire qui fonde toutes les autres, telle est la démarche philosophique par excellence, celle que les présocratiques ont proposée en nommant l'étant une φύσις : c'est-à-dire une croissance et un épanouissement, l'ouverture de l'être même « grâce auquel seulement l'étant devient observable ». Expérience première qui est à la fois poétique et pensante *(dichtend-denkend),* comme celle de Hölderlin. Pour la première fois d'ailleurs un texte de Heidegger s'achèvera ici par une citation hölderlinienne.

La suite des conférences est découpée en quatre parties inégales, dont la dernière, « La Limitation de l'être », occupe à elle seule la moitié du livre, commentant longuement Parménide, Héraclite et Sophocle. Mais un autre découpage l'articule secrètement, selon des temps forts où un accent idéologique bien déterminé revient tout à coup frapper tel ou tel moment du parcours philosophique. Ce qui peut apparaître au lecteur comme des parenthèses ou même des digressions à demi historiques ou sociologiques en constitue au contraire les notes tonales. Car dès le départ il nous est dit que la traduction latine de la φύσις grecque en « natura » est le premier pas d'une dégradation ou d'une chute *(Verfall)*, qui va se transmettre à travers le Moyen Âge chrétien et la philosophie moderne. Que cette transposition ait rendu possible la révolution galiléenne et cartésienne de la pensée occidentale, dont la phénoménologie de Husserl se voulait à la fois le prolongement et la reprise, souligne à cette date la ligne de rupture entre Heidegger et son maître, le retournement complet de sa nouvelle interrogation.

Ce thème du déclin *(Verfall)*, décadence ou chute, que Heidegger partage avec toute l'idéologie post-nietzschéenne, à ses niveaux les plus raffinés comme dans ses expressions démagogiques, scande le développement avec une régularité quasi périodique. Environ toutes les trente pages, la dénonciation du « Verfall » ouvre un appel à un « autre commencement », à un nouveau départ dans l'être. Rupture du départ qui est retour à l'origine même du langage dans la poésie originelle d'un peuple. Rupture et appel qui à d'autres moments se réfèrent à la « grande décision concernant l'Europe » chez le peuple du milieu, le peuple métaphysique qui est aussi le plus en danger : le peuple allemand, pris dans un étau entre Russie et Amérique au moment où toutes deux expriment la métaphysique de la frénésie technique.

Seuls ces temps forts permettent de comprendre comment la démarche de l'ontologie heideggérienne peut déboucher, dans les dernières pages, sur la phrase déconcertante qui évoque « la vérité interne et la grandeur » du mouvement national-socialiste, liées à « la rencontre entre la technique déterminée planétairement et l'homme moderne ». Ils permettent, par surcroît, d'entrevoir en quel sens Heidegger lui-même a pu clore les polémiques qu'avait suscitées dans l'Allemagne de 1953 la publication de ce texte « inchangé », en affirmant que le cours « supporte en son entier les phrases mentionnées ». Ici affleure une amertume, qui est en même temps provocation : à l'égard du nazisme sans doute, qui l'a vite déçu, après lui avoir paru un moment réaliser la grande décision, le départ vers le grand retour, et une sorte de parabole politique de l'acte par lequel la parole ré-tablit *(zurückstellt)* l'étant dans son être : fondant le déchaînement technique des temps modernes sur « l'acte de violence par lequel l'être est rassemblé dans sa totalité », c'est-à-dire sur la volonté de puissance ou, dans les termes d'Ernst Jünger qu'il reprendra ultérieurement, sur la volonté de mobilisation totale. Amertume et provocation, sans doute aussi à l'égard de l'humanisme démocratique et de sa « platitude », impardonnable pour avoir saisi avant lui la vraie portée du nazisme, comme nihilisme accompli.

Tout se passe comme si la dangereuse ambiguïté de l'œuvre, qui sollicite la pensée sur des plans différents et au moins en apparence incompatibles, devait trouver sa vérité dans les commentaires sur Hölderlin qui lui succèdent. Mais l'attention à l'égard de ce qui en constitue l'« impensé » ne dispense pas d'en suivre le parcours explicite, et en particulier, à travers les deux premières parties, les approches mesurées du mot « être ». – Trad. Gallimard, 1967.

INTRODUCTION À LA MÉTHODE DE LÉONARD DE VINCI. Composé en 1894 pour *La Nouvelle Revue*, à la demande de Mme Juliette Adam, cet essai fameux révéla le talent particulièrement subtil et exceptionnel de l'écrivain français Paul Valéry (1871-1945). L'auteur avait alors vingt-trois ans et – ainsi qu'il l'a expliqué dans sa longue « Note et Digression », composée en 1919 à l'occasion d'une réédition de son essai – il éprouvait un immense dépit à constater que le défaut évident de toute littérature était « de ne satisfaire jamais l'ensemble de l'esprit ». *Monsieur Teste* (*) n'était pas loin, qui allait consacrer la rupture du jeune écrivain avec la littérature, avant de s'enfoncer dans l'étude des mathématiques et de la physique. Cette insatisfaction fondamentale vis-à-vis de l'œuvre écrite poussait tout naturellement Valéry à ne mettre rien au-dessus de la « conscience ». Dans de semblables dispositions, en un tel moment, la personnalité de Léonard de Vinci ne pouvait que le séduire, l'inquiéter : en effet, « quoi de plus séduisant qu'un dieu qui repousse le mystère, qui ne fonde pas sa puissance sur le trouble de notre sens ; qui n'adresse pas ses prestiges au plus obscur, au plus tendre, au plus sinistre de nous-mêmes ; qui nous force de convenir et non de ployer ; et de qui le miracle est de s'éclaircir ; la profondeur, une perspective bien déduite ? » Esprit universel, doué d'une curiosité inlassable, Léonard offrait à Valéry cet étonnant spectacle d'un homme en qui le génie artistique et la rigueur scientifique non seulement coexistent, collaborent, mais se renforcent et s'harmonisent, pour tirer de leur intime mélange une connaissance agrandie et incomparable de l'univers. La rencontre d'un tel homme ne pouvait être pour le futur M. Teste que des plus excitantes. Déjà attiré par le difficile problème des rapports existant entre la technique et l'inspiration, Valéry, soucieux d'éclaircir le mystère de la création poétique, en était venu à penser, à l'instar de Mallarmé et d'Edgar Poe, qu'il existe une relation intime entre la poésie et la science. Or, dans le génie de Léonard, il découvre précisément l'exemple suprême de cette fusion de deux activités intellectuelles que l'on considère habituellement comme indépendantes, sinon incompatibles. Léonard de Vinci devint très vite dans son esprit un symbole : aussi convient-il de voir dans cet essai l'exposé des thèmes les plus familiers de Valéry, ceux qui forment la trame de toute son œuvre, en vers comme en prose. L'on y trouve notamment cette idée que l'homme de génie, durant certains états de clairvoyance absolue et universelle, est capable de discerner les relations cachées et nécessaires « entre des choses dont nous échappe la loi de continuité ». Dès lors, le passage à l'« acte créateur », ou à l'« invention » n'est plus que le fait d'accomplir un certain nombre d'actes soigneusement prémédités et déjà définis. De cette observation, Valéry déduit la nécessaire identité entre l'art et les sciences, idée qu'il développera plus tard dans *Eupalinos* (*). Notons, à l'instar de Valéry, que cette identité n'existe que dans une région spirituelle supérieure vers laquelle tendent sans cesse nos facultés, sans jamais pouvoir espérer l'atteindre autrement que par une sorte de miracle momentané. Et Valéry de préconiser la culture de cet intellect dont il s'est fait une idole, pour n'en avoir point trouvé d'autre : lieu de convergence des puissances passives et créatrices de l'être, à partir duquel « les entreprises de la connaissance et les opérations de l'art sont également possibles ; les échanges heureux entre l'analyse et les actes, singulièrement probables ».

L'essai contient, en outre, exposées avec toute la fougue d'un esprit jeune, des affirmations hardies, et souvent paradoxales, sur l'impossibilité pour l'artiste de rendre par les moyens de l'art la présence sensible du monde, sans que l'image où il prétend l'enfermer aussitôt ne se fane : le phénomène poétique serait donc à jamais incommunicable ? Pour l'auteur – et manifestement Valéry se plaît ici à provoquer l'indignation du lecteur –, l'œuvre d'art serait avant tout une « machine destinée à exciter et combiner les formations des esprits » auxquels elle s'adresse ; autrement dit, la création artistique serait un simple problème de rendement, nécessitant de recourir à une économie, savamment calculée, de moyens propres à obtenir l'effet désiré sur un public donné. On reconnaît là, mais sous une forme volontairement excessive, l'affirmation célèbre de l'auteur suivant laquelle « l'enthousiasme n'est pas un état d'âme d'écrivain ». Outre ces importants développements sur les ressorts du cerveau humain, l'*Introduction* abonde en observations et en hypothèses originales sur la nature profonde du génie de Léonard de Vinci, ainsi que sur la forme de son esprit et les modalités de son caractère (à cet égard, les réflexions contenues dans la « Note et Digression » de 1919 l'emportent sur celles que livrait l'essai de 1895). La qualité principale de l'œuvre tient dans la ferveur et la sincérité d'une pensée qui se veut passionnée, mais lucide, et qui n'ignore ni ses manques ni ses limites. On retiendra comme un des aspects les plus significatifs de cet esprit intrépide, et qui se voulut toujours en éveil, l'apostrophe toute cartésienne qu'il adresse à Pascal : « Homme entièrement insensible aux arts... qui pensait que la peinture est vanité, que la vraie éloquence se moque de l'éloquence ; qui nous embarque dans un pari où il engloutit toute finesse et toute géométrie et qui, ayant changé sa neuve lampe contre une vieille, se perd à coudre des papiers dans ses poches quand c'était l'heure de donner à la France la gloire du calcul de l'infini. » Valéry, tout comme Léonard de Vinci, nous a appris à ne point nous satisfaire de révélations, et l'on se souviendra que celui qui s'en prenait aux mânes de Pascal, en termes si violents, ne pouvait admettre qu'un abîme ouvert sous nos pieds ne nous fît point songer à un pont. Plus attiré par le mystère de l'acte créateur, qu'il brûle de dissiper, que par l'éclat de l'œuvre achevée, Valéry ressent intensément la tragédie de l'intelligence. Certes, il lui arrive de se livrer à de brillantes et superficielles variations sur ce thème ; mais le ton reste toujours pathétique et persuasif. Le style, admirable dans son classicisme, dépouillé de tout ornement inutile, donne à cet essai une grandeur et une force qui en font un des livres les plus remarquables de l'auteur et des plus apprécié.

INTRODUCTION À LA MUSIQUE [Εισαγωγή μουσική]. Alypius (IVe siècle ap. J.-C. ?), musicologue grec, composa ce traité contenant les quinze échelles de transposition de la musique grecque, avec la notation diatonique, chromatique et enharmonique. L'importance de ce traité n'a été découverte qu'au XVIIe siècle, lorsque van Meurs, Kircher et Meibom, à quelques années d'intervalle, imprimèrent l'œuvre et furent les premiers à se consacrer à l'étude de la notation grecque antique. Nous tenons d'Alypius toutes les notions concernant l'écriture musicale des Grecs : elle consistait en une indication au moyen de l'alphabet, dont chaque lettre correspondait à une note. La notation pour le chant était différente de celle pour les instruments ; mais les deux notations accompagnaient le texte poétique, elles y figuraient sous forme de lettres majuscules. Il est clair que de telles lettres ne pouvaient indiquer que la hauteur du son et non sa durée ; le texte poétique y suppléait : fondé sur le principe de la quantité, il déterminait la durée du son simple si la syllabe était brève, double si elle était longue. Ce n'est que pour les pauses que cet indice quantitatif ne pouvait avoir de valeur ; on avait alors recours à un nouveau signe : le lambda, qui valait une pause brève ou simple ; lorsque la pause devait être double ou triple ou quadruple, on apposait des accents particuliers au lambda qui en doublaient, triplaient ou quadruplaient la valeur. L'usage de cette notation resta en vigueur jusqu'au Xe siècle après J.-C. Le traité d'Alypius fut célèbre chez les Grecs et les Latins ; Cassiodore lui-même dans ses *Institutions des lettres divines et humaines* (*) le cite comme un texte fondamental.

INTRODUCTION À L'ANALYSE INFINITÉSIMALE [*Introductio in analysia* *infinitorum*]. Œuvre du mathématicien suisse Leonhard Euler (1707-1783), publiée en latin à Lausanne en 1748, et dans laquelle sont coordonnées et synthétisées toutes les propositions de cette branche des mathématiques qui est connue sous la dénomination d'analyse algébrique ou de propédeutique au calcul infinitésimal. L'auteur introduit une classification des fonctions fondées sur les opérations algébriques qui les définissent. Il s'occupe en particulier des développements en série, il reconnaît leur importance spécialement dans le cas de la convergence ; il traite ensuite de la fonction exponentielle et appelle du nom de logarithme la fonction inverse. Il introduit les formules qui devaient porter son nom, ainsi que les relations entre les fonctions exponentielles et les fonctions circulaires ; il s'occupe également de la théorie des équations. Tout ceci forme l'argument du premier livre. Le second livre est consacré à la géométrie. Euler donne la formule générale de la transformation des coordonnées. Il démontre que les lignes droites dans le plan se réfèrent à des équations linéaires, et il classe les courbes au moyen du degré de leur équation. Il pose en outre les bases de l'étude des courbes dans l'espace. — Trad. Barrois, 1796 ; Aclé, 1987-88.

INTRODUCTION À LA NOUVELLE ASTRONOMIE [*Astronomiae instauratae progymnasmata*]. Ouvrage de l'astronome danois Tycho Brahé (1546-1601) qui avec le *Second livre sur les récentes apparitions dans le monde céleste* [*De mundi aetheri recentioribus phaenomenis liber secundus*] et la *Mécanique de la nouvelle astronomie* [*Astronomiae instauratae mechanica*], constitue ses trois œuvres principales. Il y expose les résultats de ses observations, faites au célèbre observatoire d'Uraniborg (situé dans l'île de Hveen, dans le Sund), ses calculs et le système qui depuis porta son nom. Ce furent ses observations sur les nouvelles étoiles de 1572 et les comètes, apparues au cours de ses études, qui l'amenèrent à écrire un traité complet d'astronomie. Il devait comporter trois volumes préliminaires consacrés aux nouvelles étoiles, aux comètes de 1577 et à d'autres matières ; d'autres volumes, qui devaient contenir les théories du Soleil, de la Lune et des planètes, auraient suivi. Mais l'œuvre ne put être achevée. Le premier volume d'introduction, commencé en 1588 et publié pour la plus grande partie en 1592, fut complété seulement en 1602 par Kepler, après la mort de Tycho Brahé. La complexité des mouvements célestes, qui ne permettait pas à Tycho Brahé de traiter de manière satisfaisante des étoiles nouvelles, l'amena à étudier d'abord la position des étoiles fixes, les précessions et le mouvement annuel du Soleil. Le second volume [*De mundi aetheri*...] fut terminé le premier, et quelques exemplaires en furent adressés à ses amis et correspondants en 1588. Le troisième volume ne fut jamais écrit. Le livre *Astronomiae instauratae mechanica* (Wandbeck, 1598) contient une description détaillée des instruments conçus et construits par lui, ainsi qu'une courte autobiographie et une relation de ses principales découvertes. Tycho Brahé ne reconnaît pas le système de Copernic, soit par suite de certaines objections tirées de *La Bible,* soit parce que les arguments de Copernic étaient encore insuffisants. Dans l'hypothèse qu'il exposait et qui expliquait les phénomènes observés en laissant la Terre au centre du monde (comme dans le système de Ptolémée), le Soleil et la Lune tournent autour de la Terre, tandis que Mercure, Vénus, Mars, Jupiter et Saturne décrivent leur révolution autour du Soleil. Ce système conduit à peu près aux mêmes complications que celui de Ptolémée. Toutefois, par rapport à celui-ci, il constitue un progrès considérable, car il satisfait mieux à l'observation des phénomènes. Son retentissement aurait été plus grand s'il n'était venu après le système de Copernic, auquel il devait ses meilleurs éléments. Étant donné que l'immobilité de la Terre était pour Tycho Brahé un article de foi, son système était le seul admissible ; mais il n'était au fond que la combinaison de trois systèmes plus anciens : celui des Égyptiens, celui de Ptolémée, celui de Copernic enfin. Supérieur aux deux premiers, il n'avait pas la remarquable simplicité du dernier. Les objections les plus valables faites par Tycho Brahé à Copernic touchaient au manque de connaissances sur les vraies lois du mouvement, lesquelles furent découvertes par Kepler et Newton. Tycho Brahé fut le premier à introduire dans les calculs astronomiques l'effet de la réfraction due à l'atmosphère terrestre sur la position des astres, phénomène qui avait été soupçonné par les Anciens. Il discuta les théories en cours sur les comètes, que l'on considérait encore comme de simples météores. Il démontra, en s'appuyant sur de nombreuses affirmations, que ces corps célestes décrivent des mouvements réguliers ayant le Soleil pour centre. Il observa avec succès la nouvelle étoile de 1572 qui, après avoir changé de couleur et être passée du blanc au jaune rougeâtre, disparut au mois de mars 1574. Cette apparition fameuse lui donna l'occasion de rectifier la théorie de la précession des équinoxes, telle qu'elle avait été conçue par Ptolémée, et de réfuter Copernic sur les prétendus mouvements des étoiles fixes. Suivant ses observations qui s'étaient étendues sur une période de plus de vingt-cinq ans, Tycho Brahé disposa sur un globe céleste tous les astres connus de son temps. L'*Introduction,* outre ses observations sur le Soleil et la Lune, contient encore un catalogue de 777 étoiles. — Trad. Blanchard, 1980.

INTRODUCTION À LA PHILOSOPHIE [*Einführung in die Philosophie*]. Ouvrage du philosophe allemand Karl Jaspers (1883-1969), publié en 1950. Parce que la philosophie, contrairement à la science, n'est pas réservée aux seuls professionnels, tout homme peut prétendre à son maniement, la tâche qu'elle assume étant de définir la condition humaine. Un individu, quel qu'il soit, a donc le droit de philosopher sur son destin propre, sur son expérience personnelle. L'origine de la philosophie se trouverait dans le mélange d'étonnement et de doute provoqué par la conscience que chacun a d'être perdu au sein de la multiplicité. Le besoin se fait alors sentir de la philosophie, dont le caractère essentiel est de pouvoir communiquer avec autrui. Par ailleurs, elle favorise la reconnaissance de soi et du monde, la mise en œuvre de l'amour et la plénitude de la sérénité. Jaspers envisage l'idée de Dieu que l'homme s'est construite en se fondant sur la Bible, et sur la mythologie grecque. Le croyant a toujours été ouvert à la philosophie qui, s'il reste sec et pauvre, ne peut lui apprendre que ce qu'il sait déjà. Elle ne donne rien, elle ne peut qu'éveiller. L'homme atteint par moments l'absolu, par exemple dans l'amour ou dans le combat. Sénèque, Giordano Bruno et d'autres encore en sont des exemples qui nous donnent de véritables encouragements, tandis que les saints « ne résistent pas à un examen réaliste ». Cet absolu signifie participation à l'éternel, à l'être. Le centre de l'absolu se manifeste par l'opposition du bien et du mal, car c'est le choix du bien qui détermine l'absolu. Dans un chapitre sur l'homme, Jaspers essaie de définir ce qu'est l'homme. Il se distingue principalement de toutes les autres créatures vivantes par la liberté et la transcendance. Le problème qui se pose à ce propos est que l'Église condamne toute tentative d'entrer en rapport avec Dieu quand elle s'étaye sur des données philosophiques ; cela est dû au fait que les prêtres confondent l'obéissance à Dieu avec l'obéissance à des instances nées du monde, comme les Églises, les Livres sacrés ou les Lois. Or le monde s'interpose entre Dieu et l'existence ; la façon d'appartenir au monde peut s'exprimer par un mythe. Dans le mythe chrétien, le monde n'existe pas par lui-même, il n'est qu'une réalité passagère inhérente au cours d'un processus surnaturel. Ce qui est réel, c'est Dieu et l'existence. Celui qui ne croit pas en Dieu est abusé par des lumières qui correspondent à une recherche trop poussée des raisons objectives de la foi. Néanmoins la vraie loi ne peut être ni imposée ni détruite par une quelconque critique. On critique ceux qui ont perdu la foi sans se rendre compte qu'ils ne l'ont jamais eue. Un chapitre est consacré à l'histoire de l'humanité, à son importance pour l'homme actuel, à son sens et finalement à son dépassement qui doit aboutir à une entrée dans l'essence toute pure des choses. L'indépendance philosophique a toujours été le but des penseurs ; elle n'est toutefois devenue possible qu'à notre époque, car on peut œuvrer sans conditionnement. La dernière partie du livre nous mène à travers l'histoire de la philosophie et des problèmes qui ont toujours dominé les relations entre l'Église et la philosophie. Quelques indications concernant l'étude de la philosophie et une bibliographie des grands textes philosophiques terminent ce petit ouvrage au carrefour de la science, de la philosophie et de la foi. — Trad. Plon, 1951.

INTRODUCTION À LA PHILOSOPHIE MATHÉMATIQUE [*Introduction to Mathematical Philosophy*]. Œuvre du mathématicien et philosophe anglais Bertrand Russell (1872-1970, prix Nobel 1950). Dans ce petit ouvrage publié en 1919, l'auteur reprend sur le plan de la logique quelques-unes des questions traitées dans ses monumentaux *Principia mathematica,* publiés en trois volumes (1910-12), en collaboration avec Whitehead. Prenant la précaution de préciser qu'il ne s'agit point ici de philosophie, Russell ajoute que son livre « touche, cependant, un ensemble de connaissances, qui, aux yeux de ceux qui l'acceptent, semble ruiner une bonne partie de la philosophie classique et même des fragments de celle qui prévaut de nos jours ». Les mathématiques sont examinées en dehors de leur aspect concret ; ce que l'auteur analyse, c'est la forme des propositions mathématiques, leur sens logique, ce sont les notions fondamentales dont part le raisonnement mathématique et que celui-ci se dispense trop souvent de justifier, les concepts de nombre, d'ordre de classe, de série par exemple. Ainsi, c'est ce qui semble aller de soi qui est en question dans cet ouvrage. Si cet examen n'a point encore été sérieusement entrepris, la raison en est que les mathématiciens ne sont pas toujours des logiciens et que les logiciens sont rarement des mathématiciens. Or, selon Russell, logique et mathématiques tendent de plus en plus à se rapprocher. Ce rapprochement permet de se rendre compte que toutes les deux ne font qu'une : « La logique est la jeunesse des mathématiques et les mathématiques sont la virilité de la logique. » Et l'auteur conclut en soulignant l'utilité des recherches dont il donne ici une ébauche, sans dissimuler qu'une de leurs principales difficultés est l'inadéquation du langage à la logique. — Trad. Payot, 1952.

INTRODUCTION À LA PHYSIQUE THÉORIQUE [*Einführung in die theoretische Physik*]. Œuvre du physicien allemand Max Planck (1858-1947). Chacun des cinq volumes qui constituent l'*Introduction à la physique théorique* a été publié séparément (1927-1930), et chacun, loin de n'être qu'une introduction, est en soi un traité des questions les plus modernes des sciences considérées. Ces cinq ouvrages sont les suivants : I. — *Introduction à la mécanique générale* [*Einführung in die allgemeine Mechanik,* 1916] ; II. — *Introduction à la mécanique des corps déformables* [*Einfüh-*

rung in die Mechanik deformierbarer Körper, 1919] ; III. — *Introduction à la théorie de l'électricité et du magnétisme* [*Einführung in die Theorie der Elektrizität und des Magnetismus,* 1922] ; IV. — *Introduction à l'optique théorique* [*Einführung in die theoretische Optik,* 1927] ; V. — *Introduction à la théorie de la chaleur* [*Einführung in die Wärmelehre,* 1930]. Ils traitent de questions essentielles ; ainsi, le premier volume expose la mécanique d'un point matériel, puis d'un système de points matériels (statique et dynamique) ; le deuxième est essentiel pour la compréhension de tout ce qui concerne l'élasticité ; le troisième, après un énoncé des équations générales du champ électromagnétique, expose les états statiques et stationnaires et les processus quasi stationnaires en courants fermés et en courants ouverts, et les processus dynamiques des corps en repos et en mouvement. Les trois parties du quatrième concernent l'optique des corps isotropes homogènes, l'optique cristalline et enfin la dispersion des corps isotropes en rapport avec la mécanique quantique. Enfin le dernier volume traite, après la thermodynamique proprement dite et la théorie du rayonnement, de la théorie des quanta du point de vue statistique et de tout ce qui en découle pour la théorie de la chaleur.

INTRODUCTION À LA POÉTIQUE. Première leçon du cours de poétique professé par l'écrivain français Paul Valéry (1871-1945) au Collège de France, en 1937. L'auteur avertit tout d'abord qu'il prendra le mot « poésie » dans son sens étymologique : « poiein », faire. Lorsqu'on prétend définir la poétique, toute l'attention doit donc se reporter sur l'acte et non sur l'œuvre (dans ses rapports avec le public), considérer avec plus de complaisance « l'action qui fait que la chose faite ». C'est ce qui sépare radicalement la poétique de l'histoire littéraire : les conditions extérieures de la production littéraire, la vie des auteurs, l'ambiance ne nous apprennent rien d'essentiel sur la nature intime de l'acte créateur. Non que l'étude des rapports de l'œuvre avec le lecteur, de l'effet produit soit négligeable ; mais, dit Valéry, la rigueur exige de « séparer très soigneusement notre recherche de la génération d'une œuvre de notre étude de la production de sa valeur, c'est-à-dire des effets qu'elle peut engendrer ». Le regard que le consommateur porte sur une œuvre n'a rien de commun avec le regard que le producteur porte sur cette même œuvre : les deux relations œuvre-producteur et œuvre-consommateur sont irréductiblement séparées, et cette hétérogénéité provoque la surprise, toujours nécessaire à l'effet de l'ouvrage. Donc ne regardons point l'œuvre en consommateur ; ne la regardons pas non plus comme un objet. La définissant comme telle, nous la ferions entrer dans un ordre d'être tout à fait contraire à celui où s'exerce l'esprit producteur. Cette élimination progressive des fausses interprétations ramène au sens étymologique : la poésie, c'est l'acte. Là seulement pourra se découvrir l'œuvre propre de l'esprit : hors de l'acte, l'œuvre n'est qu'un objet, une fabrication inexplicable. Elle ne devient vivante que pour autant qu'on la réintègre en ses relations, celles de la fabrication même, liaison entre la voix présente et la voix qu'elle appelle. Aussi l'intelligence doit-elle renoncer à définir. L'acte de l'esprit exige une atmosphère d'indétermination, jamais il n'atteint ce qu'il veut atteindre. Pour arriver à l'œuvre, il lui faudra toujours se sacrifier, car l'œuvre est causée à la fois par un quelque chose qui est indéfinissable, un état d'âme, en quelque sorte ; et d'autre part, par une action volontaire, un choix des moyens techniques. Ces deux sources ne se rencontrent pas toujours, mais chez l'artiste véritable elles coïncident : l'acte, l'impulsion et les moyens de la réalisation sont donnés simultanément. Sans doute Valéry ne développe-t-il ici que des vérités premières ; mais il le fait avec une telle précision, une telle rigueur, mise au service du mystère, que celui-ci acquiert à nos yeux une dignité nouvelle.

INTRODUCTION À LA THÉOLOGIE [*Introductio ad theologiam*]. Sous ce titre erroné est connue la première partie de la *Théologie,* c'est-à-dire le principal ouvrage théologique du philosophe français Pierre Abélard (1079-1142), qui le composa postérieurement à sa condamnation par le concile de Soissons (1121). La *Théologie* devait comporter trois parties (*De fide, De sacramentis, De charitate*), qui correspondaient à la division tripartite traditionnelle de la théologie. Malheureusement, seule a été conservée la première partie qu'Amboise publia le premier en 1616, puis Victor Cousin dans les *Petri Abaelardi Opera hactenus inedita* (1849-1859). Cette prétendue *Introduction* comprend également trois livres : le premier traite brièvement de la foi, de la charité et des sacrements et spécialement de la foi en la sainte Trinité et l'unité divine. De la foi, de la charité et des sacrements dépend le salut pour lequel il importe avant tout que soient admises ces vérités concernant la nature divine. Dans le second livre sont développés les arguments relatifs au dogme de la Trinité, déjà signalés dans la première partie, et qui reprennent les thèses soutenues par les juifs et les gentils. Le troisième livre est consacré aux attributs généraux de Dieu, à savoir son unicité, sa bonté, sa toute-puissance, ainsi que son existence, toutes questions indépendantes du dogme chrétien de la Trinité proprement dit, mais qui doivent permettre d'en approfondir l'intelligence. Cette inversion des thèmes a été attribuée au fait qu'Abélard, soucieux de n'être qu'un théologien, s'est préoccupé avant tout de montrer comment Dieu peut être à la fois un et triple et d'appuyer, aussi bien que d'éclairer, cette conception sur les écrits païens autorisés.

Le désordre de l'exposition et les inégalités du style ont conduit la critique à douter que cet ouvrage constituât un cours de théologie : en effet, les morceaux visiblement composés par Abélard alternent avec des passages dont la matière a dû être tirée par un de ses élèves de conversations et de discussions par lui enregistrées. En tout cas, cette *Introduction* est le premier ouvrage de ce genre qui soit sorti de l'application de la méthode dialectique à la théologie, méthode qui donnera ses fruits avec les grands philosophes scolastiques du XIIIe siècle. Elle est empreinte de ce libre rationalisme qui fait de l'auteur le plus hardi de tous les philosophes scolastiques, encore qu'Abélard ne ressente pour l'Église qu'un respect tout extérieur.

INTRODUCTION À LA TRAGÉDIE GRECQUE [*Einleitung in die griechische Tragödie*]. Œuvre du philologue allemand Ulrich von Wilamowitz-Möllendorf (1848-1931), publiée en 1889, comme un second chapitre d'introduction à l'édition critique de l'*Héraklès* — v. *Hercule* (*) — d'Euripide, qui parut en 1889 et fut réédité en 1907. D'après Wilamowitz, il est nécessaire, avant de formuler un jugement d'ordre esthétique sur un peuple, sur une époque, sur un individu, de les situer parfaitement dans l'histoire. Et la clé d'une connaissance approfondie se trouve dans la philologie. Puis Wilamowitz fait brièvement le procès des interprétations modernes de Lessing, qui ont donné naissance à toute espèce de jugements fantaisistes sur la tragédie grecque. Remontant jusqu'à Aristote, il examine les origines de la comédie, la défaveur dont l'épopée ionienne fut l'objet dans la mère patrie, l'avènement d'une poésie lyrique s'inspirant de sujets héroïques, avec des points de départ tirés de l'histoire locale, et enfin le développement de la tragédie attique, heureux compromis dramatique entre les éléments ioniens (de style épique) et les éléments doriens (d'inspiration lyrique). La tragédie apparaît comme l'illustration d'un mythe, présenté dans un style solennel : elle devait être représentée par un chœur de profanes et par deux ou trois acteurs, comme un des rites de la cérémonie religieuse qui se déroulait dans le sanctuaire de Dionysos. La tragédie a des origines qui la différencient bien nettement de toute autre poésie dramatique. Le poète se doit de puiser dans un fonds commun de légendes où un peuple a condensé le meilleur de son histoire, en lui donnant une dimension nouvelle, fruit de son imagination. Entre le point de départ et la conclusion qui sont imposés, le poète est libre de créer à sa guise. L'idée de la fatalité et de la vengeance, les conventions qui exigent la présence de personnages bien définis, toujours les mêmes, qui appellent la catastrophe finale, et même la conception chère à Aristote d'une action qui inspire la terreur et la piété, sont des inventions bien postérieures, très éloignées de l'esprit de la tragédie attique. Celle-ci représente la plus haute expression de la poésie grecque, préparée par des siècles de civilisation raffinée et de sentiments religieux. Bien que les conclusions de Wilamowitz aient été modifiées ou infirmées depuis, l'ouvrage n'en reste pas moins l'un des meilleurs travaux de philologie, d'une importance fondamentale pour l'étude de la tragédie antique. L'intuition très vive dont témoigne ce livre lui donne une portée d'autant plus grande que Wilamowitz se défend de vouloir épuiser systématiquement son sujet et qu'il restreint ses prétentions avec une grande intelligence.

INTRODUCTION À L'ÉPISTÉMOLOGIE GÉNÉTIQUE. Livre publié en 1950 par le psychologue et épistémologue suisse Jean Piaget (1896-1980). Cet ouvrage, qui offre une présentation synthétique des travaux essentiels de Jean Piaget en épistémologie génétique, présente trois volets respectivement consacrés à la pensée logico-mathématique, à la pensée scientifique dans les sciences de la nature (physique et biologie) et aux sciences de l'homme. Bien que les recherches de Jean Piaget se soient poursuivies au-delà de cet ouvrage, on peut y voir une sorte de somme provisoire de l'entreprise au cours de laquelle Piaget et ses collaborateurs, pendant plus de trente ans, se sont efforcés d'étudier le développement de l'intelligence enfantine, dans la perspective d'une épistémologie scientifique fondée sur la psychologie. Comme le montre la lecture de l'ouvrage — et comme le révèlent de façon plus précise encore les *Études d'épistémologie génétique,* patiemment publiées à partir de 1957 —, la démarche adoptée consiste à étudier les stades de ce développement de manière à en saisir les propriétés de structure, sur la base des comportements et des opérations accomplis par l'enfant dès l'âge de la naissance. Une telle étude, menée à partir de méthodes qui ne peuvent être celles d'un strict béhaviorisme, permet de distinguer, avant l'apprentissage du langage proprement dit, une intelligence sensori-motrice, dans laquelle Piaget veut voir un prolongement des processus d'adaptation qui plongent leurs racines au cœur de la vie. Sur le plan proprement épistémologique, la mise au jour et l'étude des différents stades présentent ceci de particulier que l'on peut y discerner l'existence d'une ligne de développement dont les acquisitions progressives correspondent aux principales notions, ou aux catégories, qui sont à l'œuvre dans la pensée scientifique. Par exemple, pour les mathématiques, il est frappant de constater que les possibilités acquises par l'enfant au cours du développement de son intelligence, d'abord à un niveau sensori-moteur, puis au niveau d'opérations verbalisées, entrent en correspondance avec les propriétés des principales relations et lois de composition entrant dans la définition des structures mathématiques élémentaires. De là l'idée que la psychologie génétique est à même d'apporter un éclairage, sinon des solutions, aux problèmes que pose la pensée scientifique, dès lors qu'on se propose d'en saisir les fondements et la spécificité dans la diversité de ses composantes. Pour Piaget, par exemple, il est clair que les mathématiques et la physique procèdent toutes deux d'une pensée opératoire, liée aux actions du sujet sur l'objet, et qui voit génétiquement se différencier les propriétés rapportées aux objets de celles qui se rapportent aux actions du sujet comme tel. Une telle épistémologie entend ainsi résoudre ce qui oppose traditionnellement l'empirisme philosophique et le rationalisme innéiste ou transcendantal. Elle donne un sens fonctionnel à la notion d'une rationalité a priori, tout en s'ouvrant sur la possibilité d'une histoire de la science que les développements des théories, au XXe siècle, ont exigé de penser à nouveaux frais. L'idée d'une épistémologie scientifique, interprétée de la sorte, s'est parfois heurtée à l'hostilité, voire à l'incompréhension des philosophes. On a reproché à Piaget son psychologisme ; on lui a plus justement reproché de ne pas avoir suffisamment mesuré l'importance du langage dans le développement de l'intelligence — et par conséquent dans la constitution de l'objectivité scientifique. Mais la lecture de cette *Introduction à l'épistémologie génétique*, et à plus forte raison des ouvrages plus tardifs, montre à quel point Piaget n'a jamais entendu priver la science de la signification ou de la spécificité qui est la sienne. En outre, Piaget fait certainement partie des esprits qui n'ont jamais ignoré la part de la discussion — ainsi que celle des rectifications nécessaires — dans la recherche scientifique authentique. La meilleure preuve en est certainement dans la dimension interdisciplinaire et collective qu'il a su donner à ses travaux, en s'entourant de logiciens, de mathématiciens, de physiciens, voire de linguistes et de sociologues. Les *Études d'épistémologie génétique*, qui en sont l'émanation, constituent à ce titre une composante naturelle des livres qu'il a publiés sous son seul nom.

J.-P. C.

INTRODUCTION À L'ESSENCE DE LA MYTHOLOGIE [*Einführung in das Wesen der Mythologie*]. Œuvre du psychiatre, psychologue et psychanalyste suisse Carl Gustav Jung (1875-1961), publiée en 1941 en collaboration avec le mythologue hongrois d'expression allemande Charles Kerényi (1897-1973). Dans ce livre les deux auteurs, chacun au titre de sa discipline propre, apportent leurs contributions respectives à l'étude de deux figures récurrentes tant dans les mythes que dans l'ordinaire de la clinique contemporaine : celles de l'enfant divin et la jeune fille divine. Jung pour sa part y développe une approche phénoménologique de ces motifs qu'il analyse comme autant de manifestations typiques de l'activité structurelle et toujours innovatrice de l'inconscient collectif, d'où sous sa plume un texte étonnamment vivant qui traduit à la fois l'audacieuse originalité de sa pensée quant à l'inconscient et l'attention toute clinique qu'il apporte à son travail d'interprétation. — Trad. Payot, 1953.

C. G.

INTRODUCTION À L'ÉTUDE DE LA MÉCANIQUE ONDULATOIRE. Cet ouvrage du physicien français Louis de Broglie (1892-1987) est d'une grande importance scientifique et didactique. L'année précédant sa publication (1930), l'auteur avait reçu le prix Nobel. Dans ce livre, Louis de Broglie, trois ans à peine après la découverte de la diffraction des électrons par les cristaux, qui avait donné un solide appui expérimental à la mécanique ondulatoire, montre comment il est nécessaire, pour rendre compte de la réalité, d'associer l'aspect corpusculaire à l'aspect ondulatoire, aussi bien pour la matière que pour le rayonnement. Cependant, l'interprétation de la nouvelle mécanique restait encore difficile. De Broglie, dans cette introduction, réussit à exposer avec clarté, d'une part, les anciennes mécaniques (mécanique classique ou mécanique de Newton, mécanique relativiste d'Einstein) et, d'autre part, les équations de propagation de l'onde associée à un corpuscule. Il compare ensuite mécanique classique et mécanique ondulatoire. Il montre comment la nouvelle mécanique s'applique à la diffraction des électrons par les cristaux (phénomène découvert par Davisson et Germer en 1927 et étudié par G. P. Thomson), au « mouvement de la probabilité en présence de la nouvelle mécanique » ainsi qu'à la mécanique ondulatoire des corpuscules de lumière. Il expose la théorie d'Heisenberg et de Bohr sur l'onde considérée comme simple représentation symbolique de ce que nous savons sur le corpuscule. Après avoir étudié la mécanique des systèmes de corpuscules, il donne une interprétation de l'onde associée au mouvement d'un système et termine par une analyse des insuffisances de l'ancienne théorie des quanta. C'est un ouvrage qui garde aujourd'hui encore une très grande actualité et qui reste un modèle d'exposition.

INTRODUCTION À L'ÉTUDE DE LA MÉDECINE EXPÉRIMENTALE. Œuvre du célèbre savant et philosophe français Claude Bernard (1813-1878), publiée en 1865. Dans l'esprit de son auteur, elle devait servir de préambule à un vaste essai de synthèse qui, malheureusement, demeura inachevé : les *Principes de la médecine expérimentale* (les fragments de ce manuscrit ont été publiés en 1947). De soi, l'*Introduction* est un ouvrage décisif. Elle satisfait, en effet, l'exigence qu'ont les hommes de l'art depuis Hippocrate, à savoir : coordonner leurs doctrines, justifier leurs méthodes et dégager la vérité philosophique que comportent leurs découvertes. Au moment de sa parution, elle répondait exactement aux multiples questions d'une science médicale qui se cherchait depuis Corvisart et qui, engagée dans la lutte contre les systèmes dogmatiques, apprenait, après les précisions de l'observation clinique et anatomo-pathologique, les exigences des laboratoires de physiologie, de chimie médicale et d'histologie. Le premier microscope achromatique (1820) avait permis la découverte de la cellule ; la chimie accumulait les analyses de substances pharmaceutiques, décomposait les éléments des humeurs (urée, 1828) et cherchait leur synthèse ; le perfectionnement des moyens de l'investigation chimique imposait de plus en plus la traduction chiffrée des symptômes. La pratique médicale était chaque jour davantage contrainte à devenir une science plutôt qu'un art. Claude Bernard, pour qui la méthodologie fut une constante préoccupation, donna un statut cohérent à cette médecine, justifia ses velléités expérimentales et fixa ses frontières. Désormais, grâce à Claude Bernard, on pourra parler d'une médecine expérimentale. Toutefois, l'œuvre du grand physiologiste a une portée qui dépasse cette discipline. Les découvertes qu'elle contient sont valables dans tous les domaines de la recherche scientifique. La science expérimentale est encore aujourd'hui telle que Claude Bernard l'a définie. L'*Introduction* est une œuvre révolutionnaire dans le même sens que le *Discours de la méthode* (*), que le savant connaissait bien. L'affirmation de l'autorité de la raison et des faits, la substitution du critère scientifique à l'autorité personnelle sont des idées cartésiennes. Révolutionnaire, elle l'est en outre dans le sens dialectique. « Dans la science expérimentale, écrit Claude Bernard, les vérités n'étant pas relatives, la science ne peut avancer que par révolution et par absorption des vérités anciennes dans une forme scientifique nouvelle. » Et encore : « Chaque temps a sa somme d'erreurs et de vérités. » À la recherche de la vérité, l'esprit humain a passé par trois stades successifs : la théologie (le sentiment) la scolastique (la raison) et l'étude des phénomènes naturels. Cette loi (écho du positivisme de Comte) atteste la position matérialiste de l'homme de science : « Les vérités du monde extérieur se trouvent sous leur forme phénoménale dans la réalité objective. » Le sentiment engendre l'idée ; la raison déduit les conséquences de l'idée et la soumet à l'expérience ; l'expérience seule nous livre la vérité. C'est là le « trépied » de la méthode expérimentale. Comment définir la vérité ? Claude Bernard est essentiellement agnostique ; l'homme ne connaîtra jamais ni les causes premières, ni l'essence des choses. Sur le plan scientifique, il est matérialiste et rationaliste : « Nous ne pouvons connaître ni le commencement, ni la fin des choses, mais nous pouvons saisir le milieu, c'est-à-dire ce qui nous entoure immédiatement. » Ce milieu est en notre pouvoir, il est même tout notre pouvoir. Car la vérité n'est pas simple notion de la connaissance en soi, elle est une conquête. « Peu importe au savant d'avoir la vérité absolue » : connaître la nécessité de la succession des phénomènes est la seule vérité possible et cette vérité est une prise de pouvoir, une victoire qui permet « d'étendre de plus en plus notre puissance sur la nature ». On y accède par l'observation et l'expérience. L'analyse de ces dernières est une partie importante de l'*Introduction.* Quoique précise quant à l'ensemble de la méthode, elle souffre d'une terminologie statique qui s'adapte difficilement aux données mouvantes du problème. Après avoir critiqué les définitions proposées par ses prédécesseurs, Claude Bernard souligne le caractère passif de l'observation : simple constatation et notation des phénomènes ; l'expérience, elle, transforme et soumet le réel. Termes extérieurs du raisonnement expérimental, l'observation et l'expérience, à peine séparables, se succèdent, répondant à des phases différentes de la recherche expérimentale. On ne peut donc parler de médecine d'« observation » et de « sciences d'expérimentation » que sur le plan pratique et humain. « À l'aide des sciences expérimentales, l'homme devient un inventeur de phénomènes, véritable contremaître de la création. » Leur but est la même connaissance des lois phénoménales. Leur voie suit un parcours unique : le « processus scientifique ». Ce processus s'appuie sur une idée a priori, laquelle, née de l'observation, est une question posée au monde objectif, une hypothèse, une sorte d'anticipation qu'exige la structure même de l'esprit humain incapable de concevoir un fait sans cause. Sans ce déterminisme, l'homme ne pourrait aller du connu à l'inconnu et toute science serait impossible. L'idée accède ensuite à une phase supérieure (expérimentale), grâce au doute philosophique et à la liberté d'esprit qu'il conditionne. Nos vérités sont partielles et provisoires ; non seulement l'observation des faits peut être viciée par l'imperfection de nos moyens d'investigation, mais aussi notre raisonnement est incertain, vu « l'obscurité de son point de départ ». Ce doute s'oppose au scepticisme ; c'est un acte de foi, la recherche d'une adhérence totale à la réalité. L'idée expérimentale est enfin soumise au cours de l'expérience au critérium des faits et passe du plan subjectif au plan objectif. Ainsi, par un mouvement dialectique de l'observation, l'homme de science recule les limites de la condition humaine et marche ainsi « des vérités partielles à des vérités plus générales, mais sans jamais prétendre qu'il tient la vérité absolue ». Analysant les formes interrogatives (induction) et démonstratives (déduction) du raisonnement, Claude Bernard affirme leur interprétation et l'impossibilité pour toutes les sciences de se réclamer de l'une ou de l'autre. Nous sommes enfermés dans un cercle vicieux, ne pouvant rien apprendre qu'allant du connu à l'inconnu, et, n'ayant pas en naissant la science infuse, nous sommes condamnés à ne rien connaître. Seule l'expérience brise ce cercle et nous livre la nature et ses vérités. Conçue comme une action, cette dernière n'est vraiment féconde que dans la mesure où elle accepte une soumission consciente aux faits et au rapport rationnel des phénomènes et leurs causes. La vérité est donc bien plus une notion énergétique qu'une essence absolue : l'homme peut plus qu'il ne sait. Cependant l'hypothèse n'est pleinement établie qu'après la contre-épreuve. La complexité des phénomènes, surtout en biologie, refuse à la première expérience le préjugé admis en sa faveur. Les coïncidences constituent un des écueils les plus graves de la méthode expérimentale. La recherche expérimentale est des plus délicates quand il s'agit d'un fait médical dont le déterminisme implique de nombreux éléments. La nécessité de mesures précises et la traduction numérique des relations d'intensité des phénomènes vitaux sont les conditions primordiales d'une médecine expérimentale. L'ouvrage s'achève par une étude de toutes les difficultés qu'entraîne l'application de la méthode expérimentale. L'esprit de cette méthode demeure aujourd'hui plus vivant que jamais, vu que la médecine actuelle lui doit son essor. L'*Introduction* est au surplus une philosophie de la science qui, par l'exaltation du pouvoir de l'homme, l'intérêt qu'elle porte au destin humain et son souverain optimisme, demeure une des œuvres capitales de la seconde moitié du XIXe siècle.

INTRODUCTION À L'ÉTUDE DES RACES HUMAINES. Ouvrage de l'anthropologiste français Jean Quatrefages de Bréau (1810-1892), publié en 1887. Ce premier livre, illustré de nombreuses reproductions figurant des types humains, s'attachait principalement à l'étude des types fondamentaux des diverses races humaines (deux cent vingt-sept gravures, quatre planches, deux cartes in-8). Un deuxième volume, sorte de précis du premier, et comportant la même préface, fut publié en 1889. Voici ce que dit Quatrefages, au cours de sa préface : « J'ai été conduit à insister sur ce qui est relatif à l'existence de l'homme tertiaire, à l'histoire des races fossiles d'Afrique, d'Asie et d'Amérique ; au centre d'apparition de l'espèce humaine, et au centre de caractérisation de ses races fondamentales, au mode de peuplement du globe, et, en particulier, aux anciennes migrations qui se sont succédé en Europe depuis les temps tertiaires. » La mémoire des actuels préhistoriens continue de demeurer fidèle, le plus souvent, à Quatrefages. Pour lui, « L'espèce humaine n'a pu prendre naissance que sur un seul point du globe, et son aire d'apparition a été peut-être aussi peu étendue que le sont, de nos jours, les aires d'habitat des espèces simiennes les plus élevées. »

Tout ce que l'on sait en 1887 des hommes de Néanderthal, de Cro-Magnon, etc., de leurs industries, de leur caractère physique et intellectuel, Quatrefages l'examine on ne peut mieux. L'étude des populations actuelles et de leurs langues le conduit « à placer le berceau de l'espèce humaine en Asie, non loin du grand massif central de ce continent, dans le voisinage de la région où prennent naissance tous les principaux fleuves qui le sillonnent au nord, à l'est et au sud ». Les trois types physiques fondamentaux humains — le Blanc, le Jaune, le Noir — sont représentés autour de ce massif par des populations tantôt pures, tantôt métissées.

Au polygénisme qui croit à plusieurs espèces d'hommes, et qui prétend que la question d'origine n'existe pas (« Toutes les espèces humaines étant apparues avec leurs caractères propres, tels que nous les connaissons, la question de l'homme primitif ne se pose pas ») et que les migrations n'auraient été pour rien dans le peuplement du globe, Quatrefages oppose le monogénisme qui veut que tous les hommes appartiennent à une même espèce. « Les différences qui distinguent les groupes humains sont des caractères de race. Le globe s'est peuplé par voie de migration. Exposée à l'action de milieux nouveaux, l'espèce humaine ne pouvait que se modifier. Cela explique la formation d'un certain nombre de races. Toutes les populations humaines actuelles ont été plus ou moins modifiées, soit par des actions de milieu, soit par le croisement. Le type primitif de l'espèce est perdu... » Et, pour Quatrefages : « Ce sont les principes mêmes du darwinisme qui fournissent des armes pour combattre tout ce que ses partisans ont dit, relativement à la descendance simienne de l'homme. » Et de ranger Darwin parmi les polygénistes.

INTRODUCTION À L'ÉTUDE DES SCIENCES HUMAINES [*Einleitung in die Geisteswissenschaften*] avec le sous-titre : *Essai sur le fondement qu'on pourrait donner à l'étude de la société et de l'histoire.* Ouvrage du philosophe allemand Wilhelm Dilthey (1833-1911), publié en 1883, dans lequel se trouvent exposées les idées fondamentales de l'auteur. Dilthey se propose de considérer scientifiquement, dans son aspect concret, la réalité historique et sociale, et d'étudier dans leur ensemble les sciences dont elle est l'objet, autrement dit les « sciences de l'esprit », en leur donnant un fondement théorique. Contrairement à la sociologie de Comte, alors dominante, qui faisait dépendre la réalité spirituelle des sciences de la nature, Dilthey considère les sciences de l'esprit comme un ensemble en soi : tandis que les sciences de la nature s'adressent à une réalité qui nous est extérieure et dans laquelle nous nous efforçons de pénétrer, les sciences de l'esprit s'appuient sur l'expérience intérieure, c'est-à-dire sur ce qu'il peut y avoir de plus immédiat. Il s'agit donc de trouver une science base, propre à étayer l'ensemble des sciences de l'esprit. Pour Dilthey, cette science ne peut être la métaphysique, qui tient pour absolu et universel un moment particulier de l'expérience intérieure. À ne voir dans l'histoire que le développement d'essences métaphysiques – telles que la raison universelle ou l'esprit du monde –, on prétend exprimer par une formule la loi de l'histoire : en réalité, on ne la saisit pas dans toute sa complexité, et l'on ne fait que tomber dans une pure abstraction. Entendant étudier l'ensemble historico-social d'une façon essentiellement concrète, Dilthey relève que le premier élément constitutif de la société et de l'histoire est représenté par l'individu, considéré dans sa totalité en tant qu'« unité psycho-physique ». La science base sera donc celle dont cet individu est l'objet, c'est-à-dire la psychologie, entendue comme science descriptive. L'individu reflète en lui-même, résumée et condensée, la totalité de la vie de la société présente ; mais, étant donné que l'état actuel de la société n'est qu'un moment du développement historique infini, l'étude de l'individu devient, en dernière analyse, la synthèse de la réalité humaine tout entière. L'histoire universelle se révèle donc indispensable à la compréhension de l'individu. Or, la méthode historique préférée de Dilthey est celle de l'« intuition géniale », ou représentation artistique de l'histoire, le fait historique étant non seulement compris, mais aussi « revécu » par l'artiste. On sait du même coup la valeur et le sens attribué par ce philosophe à l'élément biographique. Dans la seconde partie de son livre, l'auteur s'attache à étudier systématiquement la prédominance et la décadence de la métaphysique en tant que fondement des sciences de l'esprit, démontrant en conclusion le caractère insoutenable des positions métaphysiques de la connaissance. L'importance de la position philosophique de Dilthey réside surtout dans le fait qu'il a ouvert de nouveaux horizons à l'étude des sciences de l'esprit, opposant au positivisme une conception des sciences historiques et sociales plus vivante et plus féconde. – Trad. P.U.F., 1942.

INTRODUCTION AU BOUDDHISME TIBÉTAIN. Essai du XIVe Dalaï Lama (né en 1935), paru en 1971. Alors que les livres des maîtres bouddhistes sont généralement des enseignements ou des commentaires de textes difficiles d'accès aux profanes, ce petit livre tranche par son caractère didactique. Destiné au lecteur occidental, l'ouvrage (d'une centaine de pages) est divisé en vingt chapitres organisés et presque schématiques. Le bouddhisme et le bouddha sont replacés dans l'histoire des religions ; de même que l'implantation du bouddhisme au Tibet, les principales écoles, les principaux concepts de la doctrine et les étapes de la méditation sont évoqués et expliqués en quelques mots. Ce recueil fut suivi de plusieurs autres, au fur et à mesure que la notoriété du Dalaï Lama gagna et s'amplifia en Occident. Les suivants sont plus développés et mettent l'accent sur des thèmes centraux du bouddhisme, comme la tolérance et la compassion. – Trad. Dervy, 1971.

J.-P. L.

INTRODUCTION AUX DEVOIRS DES CŒURS [*Al Hidaya'ila fara' id alqulub*]. Traité de théologie mystique de l'écrivain juif d'expression arabe Bahya ben Josef ben Paqūda (mort aux environs de 1080). Partant de la constatation que la piété de ses coreligionnaires est insuffisante parce qu'ils ne connaissent pas la signification profonde des rites qu'ils pratiquent, Bahya affirme que la communauté juive ne possède plus que la science – tout extérieure – des obligations matérielles. Ayant lui-même parcouru toutes les étapes qui conduisent aux cimes de la vie spirituelle, Bahya ben Paqūda décida d'« allumer un feu pour éclairer les hommes et leur montrer la voie sur laquelle s'engager ». Pour l'auteur, la *Torah* (*) comprend trois ordres distincts d'enseignements, suivant que ces derniers concernent l'esprit, le culte extérieur et, enfin, les données historiques des Saintes Écritures. Bahya passe ensuite à l'enseignement des méthodes actives de l'ascèse mystique, entretenant les disciples tour à tour de la pénitence, de l'examen de conscience, de la purification, de la concentration mentale, comme voies préparatoires à l'illumination, à la montée de l'âme vers Dieu, l'Unique. Au siècle suivant, en 1160, *L'Introduction aux devoirs des cœurs* fut publiée par le célèbre traducteur hispano-provençal Jehudā ibn Tibbon en hébreu, sous le titre : *Sefer Hóboth ha-Levavoth.* – Trad. Desclée de Brouwer, 1952.

INTRODUCTION GÉNÉRALE À L'ÉTUDE DES DOCTRINES HINDOUES. Premier ouvrage du philosophe orientaliste français René Guénon (1886-1951), publié en 1921. Il s'agit autant d'un ouvrage de combat que d'un ouvrage d'étude : René Guénon souhaitait promouvoir en Occident un mouvement de réouverture à la pensée de l'Orient. Il constate la divergence croissante entre Orient et Occident, et s'en afflige. Pour lui, l'Occident est « déspiritualisé », sa pseudo-civilisation est condamnée. Tôt ou tard, s'il veut survivre, l'Occident sera contraint de sortir de son splendide isolement, de repousser la fatuité qui l'incline à croire qu'il est la civilisation par excellence. La divergence est d'ailleurs unilatérale : depuis l'Antiquité c'est l'Occident, non l'Orient, qui a changé. La séparation entre les deux mondes ne fut d'ailleurs jamais absolue et l'auteur rappelle le caractère oriental de la philosophie de l'école d'Alexandrie, ainsi que l'apport de la philosophie arabe au monde culturel médiéval. René Guénon, qui ne pose point le problème de la valeur absolue, devant la vérité, de chaque civilisation, s'élève naturellement contre ce qu'il appelle le « préjugé classique », qui attribue aux Grecs et aux Romains l'origine de toute civilisation : il énumère les emprunts nombreux que firent les Grecs aux Orientaux. La seule originalité qu'il concède aux premiers réside dans l'exposition, la forme, non dans la matière, qui est tout orientale. Dans la deuxième partie de son livre, Guénon présente une introduction à toutes les pensées orientales ; il divise l'Orient en trois grandes régions géographiques et culturelles – l'Orient proche : monde musulman ; l'Orient moyen : Inde ; l'Extrême-Orient : Chine et Indochine. Le principe d'unité de la civilisation islamique se rapproche de celui de l'Occident : il est analogue à notre chrétienté. L'unité de la civilisation hindoue est au contraire entièrement fondée sur la reconnaissance d'une certaine tradition. Quant à l'unité de la civilisation chinoise, c'est d'abord une unité de race. La tradition, en Orient, est aussi bien orale qu'écrite et, à la différence de l'Occident moderne, elle se confond complètement avec la civilisation : dans l'Islam, tradition à la fois métaphysique et religieuse ; en Inde, tradition purement métaphysique ; en Chine, tradition métaphysique d'une part, et d'autre part tradition sociale, l'une bien séparée de l'autre. La troisième partie traite exclusivement des doctrines hindoues. Comme l'auteur vient de le montrer, ce qui est « hindou » est caractérisé par la participation à une tradition commune ; on ne saurait donc nommer « hindous » les mouvements séparés de cette tradition. Parler d'un « bouddhisme hindou », comme font nombre d'orientalistes, semble un non-sens à René Guénon. La tradition hindoue est avant tout immobile ; René Guénon s'élève contre les hindouistes qui distinguent trois périodes dans l'histoire de la civilisation de l'Inde : védisme, brahmanisme, hindouisme. En fait, la tradition hindoue n'a point cessé d'être fondée sur le Veda, et on ne peut donc considérer l'hindouisme comme une déviation de la pensée originelle. Le bouddhisme, qui n'est à proprement parler ni une religion ni une philosophie, est cependant, de toutes les doctrines orientales, la plus proche des modes de penser occidentaux. Parce que le bouddhisme leur est ainsi plus aisément abordable, les orientalistes de l'Occident, selon René Guénon, lui attribuent une importance exagérée. L'auteur étudie ensuite en détail et avec beaucoup de précision les différents caractères de l'hindouisme : institution des castes, le Nyâya, le Vaishêshika, le Yoga, le Mîmâmsâ, le Vedānta enfin, domaine de la métaphysique pure. Dans une dernière partie, la plus discutable assurément de l'ouvrage, sont passées en revue quelques interprétations occidentales de l'hindouisme : René Guénon se montre aussi sévère qu'incompréhensif à l'égard de la métaphysique allemande du XIXe siècle. Mais il a le grand mérite de dénoncer le théosophisme comme une caricature primaire de l'hindouisme. Cet ouvrage manque sans doute de sérénité. L'instinct polémique y prend souvent le dessus. Mais René Guénon a voulu écrire moins un livre d'érudition qu'une sorte d'appel angoissé à ses contemporains d'Occident, pour qu'ils perdent leur morgue et se rendent compte de ce qui leur manque, pour qu'ils le demandent à l'Orient.

INTROÏBO. Roman de l'écrivain français André Billy (1882-1971), paru en 1939. C'est à des études aiguës de psychologie religieuse que Billy s'est attaché dans ses meilleurs romans, dans *Bénoni* (1907) et dans *L'Approbaniste* (1937), où il évoquait l'éducation d'adolescents dans des collèges religieux, dans celui-ci enfin, où il pose le douloureux problème d'un prêtre exclu du sacerdoce, en dépit de la pureté de sa vie et de la sincérité ardente de sa vocation. Fils d'un boulanger de village, Firmin Sancerre a fait ses études chez les Frères, puis il est entré au séminaire où Mgr Duberville le prend bientôt sous sa protection. Mais cet évêque est un bien singulier personnage : ses manières de grand prélat dédaigneux des traditions, aussi bien que le ton étrangement laïque de ses sermons, lui ont valu dans son diocèse une assez fâcheuse réputation, et certains vont même jusqu'à prétendre que l'évêque est secrètement affilié à la franc-maçonnerie. Le scandale éclate lorsque des séminaristes appelés à recevoir les ordres refusent de se laisser ordonner par Mgr Duberville. Pour riposter à cette attaque, l'évêque demande alors à son protégé, Firmin Sancerre, de recevoir immédiatement les ordres majeurs. Effrayé, plein de trouble et d'hésitation, car il craint que Mgr Duberville soit prochainement déposé par le pape et que l'ordination soit par conséquent sans valeur, Sancerre finit cependant par accepter. Il célèbre sa première messe et prononce à son tour les phrases rituelles du début de l'office : « Introïbo ad altare Dei... Je monterai à l'autel du Seigneur » ; mais, aussitôt après le sacrifice, l'évêque demande au nouveau prêtre de l'entendre en confession et il lui avoue un péché si grave que Sancerre ne s'estime pas en droit de lui donner l'absolution. Peu de temps après, on apprendra que l'évêque, convoqué à Rome, vient d'être dépouillé de tous ses pouvoirs et que, fait plus grave encore, il avait été privé depuis plusieurs mois déjà du droit de conférer une ordination sacerdotale. L'ordination de l'abbé Sancerre n'est donc pas valable. Le malheureux, effondré, va mener désormais une vie lamentable, se sentant toujours prêtre devant Dieu, lié par son engagement, sans pouvoir jamais cependant être reconnu par l'Église.

INTROUVABLES (Les) [*Die Unauffindbaren*]. Roman de l'écrivain allemand Ernst Kreuder (1903-1972), publié en 1948. Il est fort difficile de résumer un tel livre, tant l'intrigue initiale disparaît sous le foisonnement des aventures particulières. Le personnage principal, un certain Gilbert Orlins, dirige consciencieusement une agence spécialisée dans la vente de terrains et de fonds. Il connaît par ailleurs un bonheur apparemment sans ombre près de sa femme, Cora, et de ses enfants. Or, un dimanche, Orlins disparaît. Une vie nouvelle commence pour lui sous la conduite d'un sage vieillard, Pat l'inventeur. Au cours d'épisodes qui se succèdent à la frontière du rêve et de la réalité comme les séquences d'un film, il rencontre les membres d'une société secrète, les introuvables, qui recréent leur propre univers en marge de l'agitation quotidienne et sont tenus pour des anarchistes par les représentants de l'ordre établi. Chaque nouveau personnage raconte l'événement essentiel de sa vie, Pat, Jessie, une jeune femme d'une grande beauté dont Orlins est épris, Jim, et beaucoup d'autres. La police poursuit à tout moment ces étranges créatures, ce ne sont que fuites précipitées en bateau, en camion ou en roulotte, jusqu'à la fête grandiose que donne dans une île mystérieuse le chef de l'organisation, et où les compagnons dressent en quelque sorte le bilan de leur action. La police peut bien une dernière fois envahir l'île et disperser les membres de la société, Gilbert Orlins a découvert le sens de son existence, il retourne près de sa femme accomplir sa véritable vocation avec une ardeur nouvelle. Le fil conducteur de ce roman semble pour Gilbert une chasse aux souvenirs que l'existence quotidienne avait effacés : l'exemple de son père, son premier amour, son émoi devant la nature, son inquiétude spirituelle. Un passage capital à cet égard semble bien être l'épisode où Gilbert, retiré dans un wagon abandonné près d'un fleuve, inscrit sur des feuillets les maîtres mots de son évolution intérieure. Si la vie emporte vers l'avenir et vers la mort comme un train lancé à toute allure, ce wagon symbolise le moment inespéré pendant lequel Gilbert pourra, comme il le souhaitait, se pencher à la portière et apercevoir enfin son passé. Le souvenir l'arrache à l'emprise du temps destructeur pour lui restituer l'immobilité nécessaire à la contemplation. La structure de ce roman paraît à cet égard révélatrice. Elle n'est pas caractérisée par un élément narratif et biographique, l'histoire d'un personnage dont chaque chapitre nous retracerait les péripéties. Orlins, par exemple, n'évolue pas de manière sensible : il se trouve placé dans des situations dont la signification symbolique lui échappe, et qui lui permettent de descendre toujours plus profondément en lui-même. Au développement linéaire succède un approfondissement vertical. C'est le mystère d'une existence qui va se dévoiler lentement et confusément aux yeux du lecteur. Ici, le souvenir ne se réduit pas à un simple rappel du passé ; il entoure la réalité d'une matière mystérieuse, il la transfigure et la recrée, si bien qu'il est souvent fort difficile de le distinguer nettement du rêve. Ce n'est certainement pas un hasard si la lecture de ce livre laisse une impression d'irréalité, d'étrangeté qui déconcerte ; les événements se succèdent sans liaison apparente, les personnages surgissent et disparaissent sans raison. Les introuvables eux-mêmes revendiquent le nom de « Wiederträumer ». En vivant leurs rêves en plein jour, ils dépassent les misérables apparences du monde matériel, leur regard discerne dans l'obscurité des images qu'ils ne se lassent pas de contempler, ils accomplissent un pèlerinage aux sources merveilleuses de toute joie. Le style, en accord avec le sujet, est fluide et transparent, comme habité par le mystère dont il propose au lecteur de tenter le dévoilement. — Trad. Plon, 1960.

INTRUS (L') [*Intruder in the Dust*]. Roman de l'écrivain américain William Faulkner (1897-1962), publié à New York le 27 septembre 1948. Il est des livres qui contiennent leur propre commentaire ; leur auteur, soit par une diminution relative du feu de la création, soit par volonté délibérée de « dire » et même de redire ce qu'implique la situation, disserte, en quelque sorte, sur leur sujet. C'est le cas de *L'Intrus*, le quatorzième roman de Faulkner, et surtout le premier à paraître après un silence de six ans, pendant lequel, on le sait — à la suite, dit-il, de Pearl Harbor —, l'auteur commençait à élaborer *Parabole* (*). On est donc tenté de voir dans *L'Intrus*, comme dans la dernière section du *Gambit du cavalier* (*) et aussi dans *Requiem pour une nonne* (*) une sorte d'excroissance du « magnum opus » en cours. *L'Intrus* se situe pour une large part dans le sillage de l'œuvre qui le précède, *Descends, Moïse* (*) : on se souvient notamment que Gavin Stevens apparaît dans le dernier chapitre du livre, que Lucas Beauchamp en est un des personnages principaux, et qu'enfin, les deux livres sont essentiellement consacrés aux relations interraciales dans le Sud. Cependant, *L'Intrus* paraît plus simple, beaucoup plus mince, plus didactique aussi que la grande œuvre précédente. On a donc l'impression d'une sorte de mise à jour (prophétique, si l'on pense aux événements des années 50-60) d'un argument qui obsédait Faulkner, et dont on trouve la désormais célèbre pointe au chapitre IX, dans la bouche de Gavin Stevens : « Je dis seulement ceci : l'injustice est la nôtre, celle du Sud. Nous devons l'expier et l'abolir nous-mêmes, seuls et sans aide ni même (non merci) conseils. Nous devons cela à Lucas [...] pour la simple, indubitable et pratique raison que son avenir en dépend : cette capacité à survivre, à absorber, à endurer, et, cependant, à rester ferme. » On reconnaît ici, dans la dernière phrase, le propos qu'allait tenir Faulkner à Stockholm.

Comme dans *Le Gambit* et aussi dans *Requiem,* Faulkner utilise dans *L'Intrus* la technique d'enquête policière qui lui est naturelle, puisque sa conception du temps et de la liberté lui fait presque toujours poser l'irrémédiable au seuil de ses œuvres. Ici, on nous dit dès le premier paragraphe que Lucas Beauchamp a tué un Blanc. Mais la proposition importante est moins l'irrémédiabilité du meurtre (on devine dès le chapitre III que Lucas n'en est même pas responsable) que celle de ses conséquences : l'horrible spectre du lynchage. En 1935, Faulkner avait refusé d'écrire un article sur ce sujet pour la simple raison qu'il n'avait jamais vu de lynchage. Dans *L'Intrus*, il construit les chapitres intérieurs (III à VIII) sur « l'attente augmentée » d'un lynchage qui n'aura pas lieu, puisque, dans le même temps (le meurtre a lieu un samedi de mai et la découverte de la vérité le lundi suivant), l'incroyable trio formé par le jeune Chick Mallison, son contemporain Aleck Sanders, un Noir, et la vieille invaincue miss Habersham entament, si l'on peut dire, la procédure nocturne et macabre qui permettra au shérif (dans les actes) et à Gavin (par le verbe) de découvrir le véritable meurtrier. L'Intrus, c'est Lucas Beauchamp, qui est admirablement typé dans les premier et dernier chapitres mais qui, au centre du livre, absent, puisqu'il est en prison, et devenu en quelque sorte abstrait, devient un symbole, un « avatar de Sambo », le Noir archétypal, moins un individu qu'une forme de conduite. L'ironie s'accroît de constater non seulement que c'est en se laissant accuser du meurtre d'un Blanc que cet arrogant descendant des Beauchamp (famille blanche) offre à la communauté l'occasion de le voir comme Noir (en quelque sorte, il devient publiquement Noir en tuant un Blanc), mais encore que, au cours de l'enquête, l'oncle et son neveu (qui l'appellent alors Edmonds), en raison même de leur souci profond du scandale qu'est l'inégalité raciale, le transforment peu à peu en un symbole où accrocher l'espoir d'une régénération du Sud. Car prouver son innocence, c'est évidemment confondre la foule blanche, la populace, « la face, l'expression », qui prend hideusement corps au chapitre IX, et qui, disparaissant faute de victime, laisse la ville vide, exsangue, aussi irréelle qu'en un cauchemar : Lucas disparu, il n'y a plus de Sud. En conséquence, le vieux Lucas Beauchamp a joué le rôle du Christ : pendant deux nuits tous les péchés du Sud ont été sur sa tête, et il a failli être crucifié (le mot figure deux fois dans le texte). En d'autres termes, le destin du Sud était suspendu à son sort. Mais Faulkner a délibérément voulu faire du jeune Charles Mallison (seize ans : c'est l'âge crucial pour Ike MacCaslin dans *Descends, Moïse*) le porte-parole de l'espoir. Pour lui, ces trois jours constituent une véritable initiation à la vie dans le Sud : le livre ne se termine pas par un enterrement, comme *Descends, Moïse.* Au chapitre I, dans un très beau passage, Faulkner le montre commettant à l'égard de Lucas la faute suprême, qui consiste à agir avec lui comme avec une abstraction collective inférieure, et non d'individu à individu : il offre de le payer pour le repas qui lui est offert après qu'il est tombé, en une sorte de baptême, dans l'eau glacée de l'hiver. Cette insulte conformiste à la fierté de l'individu Lucas, qui nie la possibilité de relations humaines entre Blancs et Noirs, prend bientôt pour Chick les proportions obsédantes d'un traumatisme moral, que seule l'aide folle mais courageuse et décisive qu'il apporte au Noir pendant sa première nuit de prison saura résoudre et laver à tout jamais : à la fin, Lucas lui dit « Tu seras le bienvenu, même sans attendre le gel ». C'est seulement à la suite de la page célèbre (chapitre IX) où son oncle épingle la conscience « homogène » et invaincue mais torturée du Sud (« Pour chaque garçon de quatorze ans dans le Sud, non pas une fois mais à volonté, il y a cet instant où il n'est pas encore deux heures de l'après-midi en juillet 1863 [...] — C'est la date de la chute de Vicksburg ») que Chick, au moment de la capture du meurtrier véritable, « digère » son expérience récente dans un monologue de deux pages (en italiques, au chapitre X). Chick reprend ainsi à son compte les conclusions de son oncle au chapitre précédent. En agissant pour sauver Lucas (il avait une raison privée de le faire), il a acquis le droit d'être considéré comme homme, et même — c'est ce que Faulkner nous donne à comprendre et que Lucas savait, qui n'avait rien dit à son oncle — comme l'homme nouveau du Sud. Faulkner ajoute une dimension ironique dans cette œuvre où le comique balance délibérément le sérieux pour composer l'optimisme, en montrant les parents de Chick soucieux seulement de le faire dormir et manger convenablement. L'échec est clairement imputé à la génération qui, comme le dit Faulkner du père, est « disjointe du temps, née trop tôt ou trop tard pour avoir seize ans et parcourir dix miles à cheval et de nuit pour sauver le cou insolent et arrogant d'un vieux nègre ».

L'Intrus est donc une œuvre plus complexe qu'elle n'en a l'air, puisqu'il faut suivre et combiner trois fils directeurs (Lucas Beauchamp, puis Gavin Stevens, puis Charles Mallison) pour en saisir la signification totale. Mais le message était si pressant et si cher à Faulkner qu'il n'a pas hésité à multiplier les passages où la situation diégétique est raisonnée comme à l'usage du lecteur par l'incurable bavard aux mains propres — mais absentes — qu'est Gavin Stevens. Ce serait une erreur de voir en lui l'auteur projeté sans distance dans son œuvre. Mais on sent le cœur et la foi de Faulkner dans le processus d'initiation qu'il fait subir à Chick. De même qu'il affirmera « la vie, c'est le mouvement », il prend, avec *L'Intrus*, courageusement parti pour un Sud qui change. Depuis *L'Invaincu* (*) et jusque dans *Les Larrons* (*), c'est dans les jeunes que Faulkner incarne son espoir. Nous sommes loin du suicide de Quentin dans *Le Bruit et la Fureur* (*), ou même de son angoisse dans *Absalon ! Absalon !* (*). Faulkner lui-même a changé. Comme le prouve *Parabole*, il n'a jamais cessé de chercher des solutions aux problèmes qu'il avait, vingt ans plus tôt, dans l'impasse d'un avenir bouché, montrés sans issue. – Trad. Gallimard, 1952. M. G.

INTRUSE (L'). Pièce en un acte de l'écrivain belge d'expression française Maurice Maeterlinck (1862-1949), publiée en 1890, représentée en 1891. L'Intruse n'est autre que la Mort, qui entre dans une maison, s'approche du lit de la femme malade, tandis que dans la pièce voisine nous voyons la famille, le mari, le beau-frère, les trois filles et le vieux père aveugle ; ils semblent essayer de chasser l'angoisse en prononçant quelques brèves et vagues paroles. Seul l'aveugle a senti que l'Intruse est dans la place, qu'elle s'y installe, qu'elle s'approche de la chambre close. Les autres n'entendent rien, ne voient rien, jusqu'au moment où la porte s'entrouvre pour livrer passage à une religieuse, laquelle annonce le trépas. C'est tout. Trop de signes — la lampe qui s'éteint, les cygnes épouvantés, le jardinier qui fauche l'herbe dans l'obscurité —, des signes qui sont des lieux communs de la littérature symboliste. Si la vision de l'aveugle apporte quelque suggestion poétique, ce drame n'atteint pas l'effet de simplicité d'un autre drame du même auteur qui lui est tout proche d'inspiration : *Intérieur* (*). Le symbole est plus visible aussi dans *Les Aveugles,* drame publié en 1890 en même temps que *L'Intruse.* Quant au décor des *Aveugles* (une antique forêt septentrionale, d'aspect éternel, sous un ciel profondément étoilé), il se prête mieux au message de Maeterlinck : douze aveugles, hommes et femmes, avancent à tâtons, exprimant leur angoisse croissante : le vieux prêtre qui leur sert de guide n'est plus avec eux ; sans doute a-t-il dû s'éloigner un peu pour s'assurer du chemin ? Hélas, ils s'aperçoivent bientôt qu'il était resté avec eux, mais qu'il est mort de vieillesse. Ils se trouvent donc sans défense, tandis que quelque grand danger approche. C'est l'humanité, privée de son seul guide, qui est la Foi. Lorsque sa signification devient évidente, le tableau perd toute sa force sombre par l'insistance monotone de recherches conventionnelles et trop abondantes.

INTUITION DE LA VIE (L'), quatre chapitres métaphysiques [*Lebensanschauung, vier metaphysische Kapitel*]. Ouvrage du sociologue allemand Georg Simmel (1858-1918), publié à Berlin en 1918, le plus représentatif, avec les *Problèmes fondamentaux de la philosophie*, de sa pensée. Il est en outre le plus profondément mûri, ayant été publié l'année même de la mort de l'auteur. Le thème central est celui de la « transcendance de la vie » ; la vie est toujours enserrée dans des limites qu'elle franchit sans cesse, donnant lieu à des créations qui échappent à son propre flux et, de ce fait, la transcendent ; ainsi en va-t-il de toutes les formes spirituelles (science, art, religion, loi morale, etc.), surgies du flux concret de la vie qui conditionne leur actualisation. Mais elles échappent ensuite à ce flux, acquièrent une complète autonomie idéale, et retournent enfin dans la vie en tant que conscience directrice. La vie est donc « plus vie » ou « plus que vie » : « plus vie », par sa capacité d'assimiler des contenus qui ne lui appartiennent pas en propre, du moins à l'origine : « plus que vie », parce que capable de se transcender elle-même. Une des limites rencontrées et surmontées par la vie est constituée par la mort : la mort est étroitement rattachée à l'individualité et même, métaphysiquement, s'identifie à elle : seul l'individu meurt, et il meurt dans la mesure où son individualité est forte et bien marquée. Mais les contenus typiques et universels qu'il a produits lui survivent, d'où il semble que doit survivre l'essentiel de l'individualité : un tel fait trouve son expression dans le mythe de l'immortalité de l'âme. L'individu ne doit pas être entendu comme sujet biologique car il constitue lui-même une forme d'auto-transcendance de la vie, un universel typique, c'est-à-dire concret : la loi morale n'est donc pas une norme qui le transcende, mais un élément constitutif de son être propre ; aussi, dire avec Simmel que la loi morale est individuelle ne signifie nullement qu'elle dépend de l'arbitraire des sujets empiriques, mais de l'essence même de la personnalité. Simmel surmonte ainsi l'opposition entre vitalisme et intellectualisme : s'il est vrai que les valeurs et la vérité dépendent et naissent de la vie, il n'en est pas moins vrai qu'elles se développent, selon leurs lois propres, sur un plan de complète autonomie, dont elles tirent des normes pour la vie elle-même.

INTUITIONS PRÉCHRÉTIENNES. Ce recueil, publié en 1951, dont le titre n'est pas de la philosophe française Simone Weil (1909-1943), regroupe des textes qu'elle remit au père Perrin avant de s'embarquer pour l'Amérique. Composées entre novembre 1941 et le 26 mai 1942, ces pages sont écrites en vue de réunions qui se tenaient dans la crypte du couvent des dominicains à Marseille. Elles sont importantes pour la pensée de S. Weil, car ce retour aux Grecs lui permet de déterminer un modèle et de reconnaître, à travers lui, la valeur d'une méthode rationnelle appliquée à des problèmes concrets. Par effet de retour, elle utilise ces modèles (moyenne proportionnelle, rapports incommensurables, égalité géométrique, unité des contraires) dans le domaine spirituel pour tenter de définir la relation de Dieu à l'homme, que ce soit dans l'image de la Trinité ou dans la figure du Christ. D'autre part, si l'on se souvient du contexte de l'époque et de l'emprise du marxisme sur les milieux fréquentés par S. Weil, la Grèce et, avec elle, la science grecque, représentent l'affirmation de l'individu et l'inscription de sa relation à l'organisation sociale et à l'univers. En reliant les Grecs au monde actuel par le fait qu'ils ont créé la science moderne, S. Weil trouve une raison de s'appuyer sur cet héritage et de considérer au plus près ses valeurs, notamment en ce qui concerne la nature et l'approche rationnelle de celle-ci. Face à ce « passé détruit » qu'elle mentionne dans *L'Enracinement* (*), le modèle grec apparaît grâce à une certaine idée de la science (qui s'oppose, par ses principes, à l'expérimentation scientifique réalisée dans une sorte de discontinu de la pensée et qu'illustre la théorie des « quanta ») comme l'équilibre et la condition nécessaire à la structure et à la vie d'un ensemble où l'homme, prenant conscience d'une longue mémoire, devient l'agent de sa relation même au monde et de son regard sur la matière.

A. De.

INUTILE BEAUTÉ (L'). Recueil de onze nouvelles de l'écrivain français Guy de Maupassant (1850-1893), publié en 1890. La première, qui a donné son titre à l'ouvrage, met en scène une femme bien malheureuse, la comtesse de Mascaret ; elle accuse en effet son mari d'avoir fait d'elle une « jument poulinière » en lui donnant une ribambelle d'enfants. Décidée à en finir, elle lui fait croire qu'un de ses rejetons est adultérin, tout en se refusant à dire lequel. Le comte, torturé par la jalousie, supplie sa femme de lui livrer le nom de son amant. Il apprend qu'il ne fut jamais trompé, le mensonge en question ayant été pour elle un moyen de l'éloigner de sa couche. M. de Mascaret s'avise enfin qu'une femme est un être ayant sa vie propre et digne d'embellir notre vie. — « Le Champ d'oliviers » : l'abbé de Villebois est curé d'un petit port provençal. Dans sa jeunesse, alors baron de Villebois, il vivait avec une actrice qu'il voulait épouser avant d'apprendre qu'elle le trompait et que l'enfant qu'elle attendait était de son rival. Du coup, il était entré dans les ordres à l'âge de trente-deux ans. Or, un soir de juillet, vient le trouver à sa cure un inconnu loqueteux qui prétend être son fils ; il lui raconte sa vie de dévoyé ; l'abbé, révolté par ses confidences, ordonne au jeune homme de se retirer. Celui-ci, ivre, brandit un couteau ; l'abbé fait culbuter une table pour se défendre ; la lampe se renverse. Ils demeurent tous deux dans le noir. Soudain le gong tinte, appelant la servante. Elle accourt et trouve l'ivrogne et l'abbé étendus, l'un cuvant son vin, l'autre la gorge tranchée. À personne ne vint l'idée que Villebois s'était peut-être donné la mort. — « Mouche » : cinq amis possèdent un bateau et coulent de douces heures sur la Seine. L'un d'eux amène un soir Mouche, sa maîtresse, qui devient celle des quatre autres. Elle est bientôt enceinte. Les pères sont radieux ; mais un accident les prive de l'enfant « collectif » ; ils se proposent de renouveler une si belle expérience. — « Le Noyé » : le matelot Patin, garçon brutal, épouse à Fécamp la fille du cabaretier Auban. Elle n'a pas de dot. Pendant dix ans, l'autre le lui reproche et la roue de coups. Une tempête, un beau jour, ramène sur la grève les débris de sa barque et les cadavres de ses matelots ; mais le corps du patron n'est pas retrouvé. Sa veuve, à quelque temps de là, achète un perroquet qui se met à l'injurier de la voix du défunt. Bouleversée, hors d'elle-même, elle tue l'oiseau, le noie et, devant la cage vide, demande à Dieu pardon de son crime. — « L'Épreuve » : commerçant retiré, Blondel vit paisiblement avec sa femme à Saint-Germain. Au cours d'une discussion, un soir, madame Blondel laisse entendre à son mari que la légèreté des femmes est plus répandue qu'il ne croit. L'autre aussitôt de se torturer l'esprit. Si sa femme l'a trompé autrefois, ce ne peut être qu'avec l'ami Tancret. Il va le trouver, le ramène chez lui pour surprendre sa femme. L'émotion de celle-ci, après tant d'années, en face de Tancret, en dit assez long pour que Blondel n'insiste davantage. — « Le Masque » est l'histoire d'un brillant danseur qui, lors d'un bal masqué à l'Élysée-Montmartre, s'écroule subitement. Un docteur appelé en hâte ôte le masque et trouve derrière une figure de vieillard. On transporte le malade chez lui, on interroge sa femme. Elle explique que son mari, qui ne peut se résoudre à vieillir, court tous les bals masqués du quartier depuis plus de quarante ans ; il a imaginé ce stratagème pour se donner encore l'illusion de la jeunesse. — Notons pour mémoire : « Un portrait » ; « L'Infirme » ; « Un cas de divorce ». « Qui sait » met en scène le narrateur qui, rentrant un soir chez lui, a cette vision hallucinante : tous ses meubles, sans le secours de personne, sortent de la villa, et s'enfuient par le jardin. La maison se trouve bientôt vide. Il porte plainte, sans résultat. Il retrouve plus tard ses meubles chez un antiquaire de Rouen. La police, alertée, ne trouve, elle, ni mobilier ni antiquaire. On apprend que les meubles ont réintégré mystérieusement la villa. Le malheureux visionnaire se fait de lui-même interner.

INVAINCU (L') [*Aparājita*]. Roman bengali de l'écrivain indien Bibhūti Bhūṣaṇ Banerji (1894-1950), publié en 1932. Ce roman de près de cinq cents pages dans l'original est la suite de *Pather Pāncālī* (*), récit, pour une grande part autobiographique, intitulé en français *La Complainte du sentier*. Le jeune héros Apu lutte pour survivre, d'abord à Bénarès, puis dans un village où il est recueilli avec sa mère par un parent éloigné dans l'espoir qu'il le remplacera comme prêtre. Mais Apu a d'autres ambitions : il veut poursuivre ses études et devenir écrivain. La chance lui fait épouser une très belle jeune femme qui meurt en lui donnant un fils. L'histoire d'Apu dans ce volume est celle du développement de sa sensibilité artistique à travers les épreuves et les difficultés de sa vie. Enfant pauvre d'un village du Bengale, Apu, grâce à ses lectures et à ses rencontres, s'ouvre au vaste monde. Après avoir confié son fils à des amies d'enfance, il part pour les îles du Pacifique en quête de nouvelles expériences et c'est alors son fils qui prend sa place sur les chemins de son village. Une conception cyclique du temps préside à la composition de ce gros roman qui fourmille de personnages dont la plupart figuraient déjà dans *La Complainte du sentier*. Le passé est sans cesse réactualisé par la mémoire affective qui donne à l'expérience humaine sa richesse individuelle. Malgré quelques longueurs, *L'Invaincu* est un grand livre de découverte de soi en harmonie avec l'univers. F. Bh.

INVAINCU (L') [*The Unvanquished*]. Roman de l'écrivain américain William Faulkner (1897-1962), publié à New York en février 1938. C'est une faute grave que d'avoir traduit ce titre par un singulier. Le colonel John Sartoris – v. *Sartoris* (*) – n'est pas, thématiquement, le héros du livre, et Bayard, son fils, n'est « invaincu » que tangentiellement. Les Invaincus, au contraire, sont d'abord les femmes (Mrs. Millard, Mrs. DuPre, Drusilla), mais aussi (et c'est ce qui empêche de traduire le titre par un féminin pluriel), le Sud, tout entier, de la « Reconstruction », c'est-à-dire de l'après-guerre de Sécession. D'ailleurs, la grammaire est formelle : *L'Invaincu* serait *The Unvanquished One*, comme *Le Cher Disparu* (*) d'Evelyn Waugh est *The Loved One*.

Ce livre est composé de six nouvelles précédemment publiées (dans l'ordre des chapitres, de septembre 1934 à avril 1935) et d'une septième partie, « Une odeur de verveine », qui y est publiée pour la première fois. Ce dernier chapitre, qui se passe douze ans après le sixième, ne saurait d'ailleurs se comprendre sans les précédents : c'est lui qui donne sa perspective au livre dont la structure, même si elle est un peu osseuse, et surtout la thématique, sont bien celles d'un roman. C'est, comme bien d'autres œuvres de Faulkner, un récit d'initiation. Les trois premiers chapitres sont traités sur le mode héroï-comique et pourtant, ils sont parfaitement justifiés tant du point de vue fonctionnel que du point de vue psychologique, puisque Bayard, le héros (le fils du vieux colonel et le futur grand-père du jeune Bayard de *Sartoris*), ainsi d'ailleurs que Ringo, son double Noir, ont douze, treize et quatorze ans, et ne voient la guerre (nous sommes, au début, en 1863, à la chute de Vicksburg) que dans le halo déformant de la légende, fondée d'ailleurs, pour beaucoup, sur les apparitions prestigieuses du cavalier empoussiéré qu'est son père. De même, les « actions » paramilitaires que mènent les deux gosses en compagnie de la grand-mère de Bayard, et qui consistent à récupérer sur les Yankees des régiments de mulets qu'un Snopes, fâcheux allié de la vieille Mrs. Millard, leur revend ensuite, appartiennent à la légende. Mais « Riposte en tierce », le chapitre suivant, au titre ironique, marque le tournant thématique et dramatique de l'œuvre. Les nuages s'amoncellent ; la guerre, mais aussi le jeu vont finir. À la suite d'une « opération » nouvelle, relativement moins risquée que les autres puisqu'elle est montée aux dépens d'un de ces pauvres Blancs chefs de bandes qui profitent cyniquement de la guerre et sont « l'autre ennemi » des loyaux Sudistes, Mrs. Millard est assassinée. Alors commence, avec le déroulement inéluctable de la vendetta selon le code séculaire des clans traditionnels, l'effet de l'exemple de Mrs. Millard sur le jeune Bayard. C'est lui qui, à quinze ans, après une poursuite épique de près de deux mois, règle son compte à Grumby, l'assassin, et dépose rituellement sa main coupée sur la tombe de sa grand-mère. « Vendée », le titre de ce chapitre, est manifestement emprunté à Balzac, que Faulkner admirait profondément. Mais c'est aussi Bayard qui, à vingt-quatre ans, saura échapper à la dialectique stérile de la vengeance dans laquelle voudraient le plonger ses appartenances, son milieu et la tradition sudiste. Dans « Une odeur de verveine », Faulkner montre bien comment, grâce à sa maturation psychologique et morale, Bayard peut refuser le meurtre du meurtrier de son père : il le laisse tirer deux coups de feu, puis, dans le silence de la communauté tout entière, s'éloigner pour ne plus jamais revenir. La phrase clé du livre est celle qu'il dit à sa grand-tante, Mrs. DuPre, qui a aussitôt pris la place de Mrs. Millard : « Il me faut vivre avec moi-même, comprenez-vous », et c'est le mérite de cette vieille « invaincue » de comprendre parfaitement alors que Drusilla, la jeune invaincue, refuse de l'admettre. Ainsi, *L'Invaincu* est une œuvre positive, l'histoire d'une victoire sur soi-même par le refus du recours au langage des armes, dont la guerre récente a suffisamment prouvé la vanité : « Les batailles ne se gagnent jamais », avait dit son père à Quentin Compson à la première page de son long monologue dans *Le Bruit et la Fureur* (*), neuf ans plus tôt, « [...] et la victoire n'est jamais que l'illusion des philosophes et des fous ». Il n'y a pour ainsi dire pas de sexualité dans *L'Invaincu* : l'ironie veut que ce soient les vieilles femmes de la communauté, formes vides de la tradition de l'honneur sudiste, qui contraignent le père de Bayard, veuf, à épouser Drusilla, sa propre nièce, sous prétexte qu'elle a combattu à ses côtés, donc, pensent-elles, sous sa tente. Drusilla est d'ailleurs une superbe apparition : sorte de lady Macbeth pour la bonne cause (sudiste), elle a renoncé à son sexe pour se battre à jamais contre les Yankees. Incapable d'accepter la « démission » de son cousin, comme Redmond, l'assassin de son oncle et mari, elle disparaît.

Ce livre, de lecture facile et passionnante, et flanquant *Sartoris*, est une porte d'entrée mineure, mais éminemment praticable, à l'œuvre tout entière. C'est aussi, et surtout, un roman d'initiation, où la clé de la maturité est dans la découverte que l'ennemi n'est pas à l'extérieur, mais à l'intérieur du Sud (c'est la figure prolifique et dangereuse d'Abraham Snopes, l'un des survivants qui demeurent à Jefferson), et de soi-même (faut-il encore honorer la tradition lorsque celle-ci n'est plus qu'une forme sans contenu ?) Œuvre secondaire, mais non négligeable, *L'Invaincu* est, avant tout, un parfait divertissement. — Trad. Gallimard, 1949.

M. Gr.

INVASION (L') d'Adamov. Pièce en quatre actes de l'écrivain français d'origine russe Arthur Adamov (1908-1970), représentée, sous la direction de Jean Vilar, au Studio des Champs-Élysées, le 14 novembre 1950 ; publiée en 1950 puis reprise dans *Théâtre I* (1953). La trame semble très simple. Pierre veut grouper en un ensemble cohérent les manuscrits laissés par son beau-frère mort ; malgré son labeur et son obstination, l'œuvre lui résiste ; il déchire tout et se tue. Mais le spectateur double parfois ce drame pour s'intéresser au sort d'Agnès, la femme de Pierre, enfermée dans la chambre encombrée de papiers, entre sa machine à écrire et sa belle-mère. Dans cette atmosphère étouffante s'engagent des dialogues étouffants eux aussi, des dialogues où « chacun entendra ce que dira l'autre, mais [où] l'autre ne dira pas ce qu'il aura à dire ». Agnès, qui dit toujours oui à sa belle-mère, se laisse docilement convaincre qu'elle n'est bonne à rien et renonce à travailler avec Pierre. Elle semble indifférente aux paroles de réconfort du Premier Venu qui s'est installé dans la chambre en l'absence de Pierre. Mais, quand ce dernier décide de se retirer dans un cabinet noir pour méditer, on n'est pas étonné de voir Agnès, à bout de forces, partir avec le Premier Venu. Le dernier acte montre la défaite de tous les personnages : d'Agnès, chassée par la mère, de Pierre, que son double échec conduit au suicide, de la mère enfin, qui reste seule. Tout comme dans la vie, rien n'est tout à fait clair dans le comportement des personnages, car on a l'habitude de taire l'essentiel. Ce que cette pièce met en relief avec une acuité saisissante, c'est surtout l'absence : l'absence aux autres et à soi-même. « La validité du langage est révoquée en doute, la liberté déniée, la vie intérieure ressentie comme une vaine illusion [...] Ce théâtre de la cruauté procède d'un symbolisme allégorique plus intellectuel qu'affectif, qui fait penser parfois à un certain Strindberg » (R. Abirached).

INVECTIVES. Recueil du poète français Paul Verlaine (1844-1896). Ce livre fut édité en 1896, l'année même de sa mort. Il débute par un prologue en vers, dans lequel Verlaine jette au monde un défi amer, en l'avertissant que, pour la première fois, il charge la poésie d'un rôle précis : assouvir sa rancune. Chaque poème est un acte d'exécution à l'égard de nombre de gens qu'il a connus. Dans le poème intitulé « Littérature », ce sont ces « Bons camarades de la presse / Comme aussi de la poésie / Fleurs de muflisme et de bassesse... » ; ces confrères qui sont des « mal frères » — ainsi les appelle-t-il — y sont bafoués sans rémission. Son amour pour sa ville de Metz fait naître en lui un poème violent contre « l'artisterie qui se moque de la patrie ». Viennent ensuite ses invectives lancées contre « Monsieur le docteur Grand M..., interne des hôpitaux », certains magistrats, évêques, éditeurs, mécènes, écrivains, tel Édouard Rod, qui avait commis la faute de traiter Verlaine « de bon écrivain, mais horrible vaurien », et qui fut de ce fait ainsi qualifié : « C'est un écrivain comme on l'est en Suisse / C'est un professeur ainsi qu'on est pion / Il est élégant, telle une saucisse / Il est obstiné, pareil à tel... scorpion. » La plupart des poèmes sont ainsi persifleurs et grossiers, mais avec un côté enfantin et naïf, les faisant alors ressembler à quelques ritournelles ou rondes d'enfants gavroches : par exemple celui destiné à Moréas : « On dit que je suis gaga / C'est Moréas qui m'envoi' çà / Doncques suis un gaga "n'hélas !" / C'est ce que m'envoi' Moréas. » Parfois, lorsque Verlaine reprend ses peines profondes, intérieures, propres à lui-même, lorsque ses vers abandonnent leur but critique et rejoignent une inspiration moins extérieure, alors on retrouve la poésie à l'état pur, celle entre toutes bouleversante de ses autres œuvres.

INVECTIVES CONTRE UN MÉDECIN [*Contra medicum quemdam invectivarum libri quattuor*]. Petit ouvrage polémique en prose latine du poète et humaniste italien François Pétrarque (1304-1374). Clément VI, résidant en Avignon, avait été atteint, vers l'automne 1351, d'une tumeur maligne qui lui fit enfler le visage. Au début de mars 1352, par l'intermédiaire d'un jeune homme que lui avait envoyé le pape, Pétrarque lui conseillait de se garder des médecins et lui rappelait l'épitaphe d'un empereur : « Turba medicorum perii » (« Je suis mort d'une foule de médecins »). Le pape lui ayant demandé de consigner le propos en question, le poète s'exécuta aussitôt (lettre datée du 13 mars) : « Je sais que ta couche est assiégée par les médecins. C'est bien là la première raison de mes craintes. En désaccord sur les soins à donner, et curieux de nouveautés, ils trafiquent de nos corps, et notre mort leur est une occasion d'expériences. » Cette lettre fut connue aussitôt et irrita fort les médecins. On en profita pour étaler au grand jour un passage d'une lettre du poète à l'abbé de Saint-Rémy, au sujet de la dignité du siège pontifical (Rome, et non Avignon). Puis un des médecins, dont le poète dit ailleurs qu'il était un « vieux brèche-dent, né dans les montagnes », publia une lettre adressée à Pétrarque. Elle ne nous est pas parvenue, mais il nous est possible d'en deviner le sens d'après la réponse du poète, qui n'est pas perdue, comme on l'affirme, mais qui n'est autre que le livre I des *Invectives*. Le médecin répliqua, mais sa lettre n'est pas parvenue à la postérité. Elle était divisée en plusieurs parties. Mielleuse composition oratoire, aux dires de Pétrarque. Il ne semble pas que le médecin ait répliqué une autre fois au poète, qui réagit par les trois derniers livres des *Invectives*.

La polémique se prolongea jusqu'après la mort de Clément VI (6 décembre 1352) et l'élection d'Innocent VI (Étienne Aubert, élu le 12 décembre), événements dont il est fait mention dans le dernier livre. À la demande d'un ami, Pétrarque lui envoya l'opuscule, déjà publié depuis longtemps, avec une lettre datée du 9 juin 1355. « Tu riras à chaque ligne, et tu te diras sans doute : mon ami possède une corde de plus à son arc : la médisance. C'est ainsi que font les petites vieilles sur les places, les avocats à la tribune et les entremetteurs dans les auberges. Songe pourtant que j'ai eu pour maître celui qui m'a insulté. »

La singularité de ce petit ouvrage de Pétrarque réside dans les moqueries vives et mordantes dont le poète couvre son adversaire et dans le déluge d'insolences – souvent vulgaires – dont il l'accable. En résumé, si l'on peut parler de substance dans ces pages extravagantes, Pétrarque adopte l'idée selon laquelle la médecine est un art mécanique, car il regarde le corps et non l'esprit ; il ne nie pas cependant son origine divine comme celle de tous les autres arts. Il ne nie pas non plus qu'il y ait de bons médecins. Il affirme qu'ils sont rares, en son temps. Enfin, il défend la poésie contre les attaques de son adversaire et déduit la noblesse de cet art du fait que les poètes sont rares et ne sont pas nécessaires ; il se défend en outre de l'accusation d'hermétisme.

INVENTION (De l') [*De inventione*]. Ouvrage de rhétorique en deux livres, composé, vers l'année 85, par l'écrivain latin Cicéron (106-43 av. J.-C.). Il y aborde la première des cinq parties dont se compose la rhétorique (invention, disposition, élocution, mémoire et prononciation), c'est-à-dire l'art de trouver et d'élaborer les arguments pouvant servir à la composition d'un discours. Œuvre de jeunesse, ce traité se ressent encore beaucoup des notes scolaires sur lesquelles il s'appuie, bien qu'une préface philosophique tente de masquer ce qu'il y a de sec dans cet écrit didactique, en introduisant des idées générales sur la moralité de l'orateur, sur la valeur de l'éloquence et sur le devoir que l'orateur a d'en user pour de bonnes fins. L'ouvrage, qui est resté inachevé, fut presque répudié par Cicéron par la suite, lorsque, écrivant *L'Orateur* (*) et *Brutus* (*), il affirma l'originalité de sa pensée sur la rhétorique. – Trad. Garnier, 1932.

INVENTION DE LA LIBERTÉ (L'). 1700-1789. Essai du critique et écrivain suisse Jean Starobinski (né en 1920), publié en 1964. « Rendons à ce siècle sa complexité, sa gravité, son goût des grands principes et de la table rase », écrit Starobinski dans cet ouvrage où les grandes régions culturelles de l'Europe sont présentes : la France, dont le mouvement des idées et des arts est central, l'Allemagne baroque, l'Italie, l'Angleterre et l'Espagne. L'ouvrage est une synthèse des connaissances et un ensemble d'aperçus précis et nuancés, abondamment documentés. Cinq chapitres proposent autant de parcours d'un musée du XVIIIe siècle : l'espace humain, le plaisir, l'inquiétude et la fête, l'imitation de la nature, nostalgies et utopies. Les esthétiques se déploient : baroque, rococo, néoclassicisme. Les thèmes philosophiques sont reconnus : le sentiment et la raison, la représentation et la connaissance, l'énergie et la nature. L'imaginaire est exploré : la mythologie, le masque et le spectacle, les ruines, les songes, les corps. Les espaces sont visités, du théâtre à l'église, du boudoir décoré de stucs et de miroirs aux façades ornées et aux parcs, des paysages pastoraux aux nuées striées d'éclairs. Chaque chapitre esquisse des évolutions et montre la pluralité des mouvements, qui ont leur ordre propre, leurs retours en arrière. Starobinski sait aussi faire voir les interactions et la courbe d'ensemble vers la chute : « de l'escarpolette à l'échafaud ». À l'esprit de système et à l'exhaustivité, l'auteur préfère une démarche interprétative souple et fragmentée, qui fait de tel objet plastique ou textuel un « emblème ». Son érudition est toujours au service de la recherche du sens : elle élit des objets privilégiés dont elle révèle les enjeux et les rapports significatifs. Une bibliothèque des frères Asam en Bavière, le *Gilles* de Watteau, le portrait de Franklin par James Wilson Peale, un plafond de Tiepolo, la *Tempête* de Joseph Vernet, le *Cauchemar* de Füssli, un plan de Ledoux, le drapé d'une robe, l'illumination d'une rue parisienne... : autant de représentations où l'analyse décèle la présence d'un imaginaire collectif. Il en va de même des grands thèmes culturels, le sublime, l'ornementation, le divertissement, la conscience du temps, la mode gothique ou le retour à l'antique. Ou encore des mouvements littéraires (libertinage romanesque, idylle, référence orientale, satire, roman noir...) : eux aussi sont lus comme des concaténations emblématiques qui donnent forme aux questions partagées par les hommes. Par cette manière de faire, qui multiplie les approches inductives et construit des réseaux symboliques, Starobinski pose les jalons d'une histoire de la culture qui serait, d'un même mouvement, histoire des formes, des idées et des sensibilités. Au-delà de l'admirable connaissance du XVIIIe siècle dont témoigne ce livre, sa grande leçon réside dans cette capacité d'apprendre à lire et à voir. C. Re.

INVENTION DE LA SOLITUDE (L') [*The Invention of Solitude*]. Récit de l'écrivain américain Paul Auster (né en 1947), publié en 1982. Servi par une écriture riche, attestant d'influences littéraires nombreuses et variées, *L'Invention de la solitude* est, de Paul Auster, le livre fondateur. En effet, Auster fait, dans la première partie (« Portrait d'un homme invisible »), une description impressionnante de son père. Or ce père, décrit ainsi : « [il] ne laissait pas de traces... il n'était pas là... absence d'épicentre... esprit inaccessible », meurt. L'auteur tente alors de cerner, en guise de travail de deuil, la personnalité de ce défunt fantomatique, au centre de laquelle siégeait une énigme longtemps cachée : l'assassinat du grand-père paternel par la grand-mère, en 1919... Ces données, assez simples finalement, vont toutefois devenir le point de départ de tout ce qu'Auster a écrit jusqu'à présent, et ce sous le signe d'une question fondamentale : le hasard. Car les interrogations sur ce père ressenti comme un « fantôme errant » mènent logiquement l'auteur à se questionner sur ce que peut être le fils d'un tel fantôme, à savoir lui-même, sur sa propre origine, sur l'accouplement procréateur du père et de la mère, « hasard de deux corps réunis ». Dans la seconde partie, « Le Livre de la mémoire », l'auteur met hasard et mémoire en rapport direct : si l'on conçoit la mémoire comme un « espace dans lequel un événement se produit pour la seconde fois », il peut être possible, par le biais de celle-ci, de s'inscrire tant soit peu contre le hasard. En effet, si cela se produit une deuxième fois, est-ce encore du hasard ? La mémoire, cette première alliée, se voit alors renforcée par l'héritage de l'autre grand-père, qui était doué pour les numéros de magie : la fabulation, la mystification. « Pendant quelques minutes, la relation de cause à effet est dénouée, les lois de la nature contredites. » Les lois de la nature, et par conséquent celles du hasard. La seconde partie opère cet escamotage : elle n'est plus rédigée à la première personne, mais à la troisième, par un certain A. D'où, dans la *Trilogie new-yorkaise* [*The New York Trilogy*], le personnage nommé « Paul Auster », qu'on attribuerait erronément à quelque complaisance narcissique ; en réalité, en se détachant de soi-même, on peut tenter de voir sa propre vie avec une certaine distance, afin d'y repérer, voire de tenter d'endiguer, l'action du hasard sur cette vie. Les livres de Paul Auster développent donc l'invention de *L'Invention* : ils sont une suite de tours de passe-passe racontant des histoires de hasard, qu'un narrateur aléatoire écrit dans des chambres de hasard, « récits d'autodécouverte » constituant un énorme « recyclage des vraies informations fausses et des faux détails vrais » (Marc Chénetier, postface à la *Trilogie*). Le narrateur de *Cité de verre* [*City of Glass*, 1985] (qui commence par un faux numéro de téléphone et une voix demandant « quelqu'un qu'il n'était pas ») campe le protagoniste principal : Quinn (qui est Quinn ? Eh bien Daniel Quinn, Daniel comme le fils de Paul Auster), qui écrit (comme Paul Auster sous un faux nom, mais Auster a-t-il toujours été le nom des Auster, famille juive exilée d'Europe centrale ?) des romans policiers signés William Wilson (dans la nouvelle éponyme de Poe, William Wilson désigne et cache en même temps ce qui est sans nom et son double), romans policiers dans lesquels le détective privé se nomme Max Work, Max comme Max Klein, le détective privé du roman policier de Paul... Benjamin. Quinn donc, ayant accepté de passer pour « Paul Auster », va travailler pour Peter Stillman, lequel se prend pour un autre (« Ce n'est pas mon véritable nom. Mon vrai nom c'est Peter Rabbit ») à cause de mauvais traitements infligés par son vilain papa, nommé Peter Stillman lui aussi. Le père, nous y revoilà, le père qu'il s'agit toujours de faire mourir et revivre. Le travail de *L'Invention de la solitude*, après le feu d'artifice de la *Trilogie*, se prolonge donc dans *Moon Palace* où, à partir de la situation austerienne de base, « une chambre nue et sordide [...] transformée en un lieu d'intériorité » (la solitude de l'invention), Auster se livre à une émouvante variation sur les données du livre fondateur : la recherche et la mort du père (ici le vieux Thomas Effing, qui s'appelle en réalité Julian Barber, il va sans dire), et l'action du hasard, mot dont douze occurrences émaillent le roman... Que le livre suivant se soit intitulé *La Musique du hasard* [*The Music of Chance*, 1990] n'étonnera donc personne. – Trad. Actes Sud, 1988 ; *Trilogie new-yorkaise*, Actes Sud, 1991 ; *La Musique du hasard*, Actes Sud, 1991. Ph. Mi.

INVENTION DÉMOCRATIQUE (L'). Ouvrage du philosophe français Claude Lefort (né en 1924), publié en 1981. Il se compose d'un ensemble de textes portant sur la démocratie et le totalitarisme, écrits entre 1956 (au lendemain de l'écrasement de l'insurrection de Budapest et de la révolte de Poznan en Pologne) et 1981. L'auteur explicite lui-même l'argument qui ordonne ces textes : « L'État totalitaire ne se laisse concevoir qu'en regard de la démocratie et sur le fond de ses ambiguïtés. Il en est la réfutation point par point, et pourtant il porte à leur actualité des représentations qu'elle contient virtuellement. La démocratie trouve en lui une puissance adverse, mais qu'elle porte aussi en elle-même. »

La réflexion de Lefort sur la démocratie moderne et son rapport aux totalitarismes est indissociable d'une redéfinition du politique qui ne se limite pas – comme le font la science ou la sociologie politique – à un « secteur particulier de la vie sociale », distinct par exemple des domaines économique, social, juridique, etc. Redonner son plein sens à la notion du politique signifie que l'on renoue avec la tradition de la philosophie politique et en particulier avec l'idée de « politeia » qu'avaient forgée les Grecs : ils entendaient par là non seulement un « régime » (une forme constitutionnelle) pris dans un sens restrictif mais aussi un style d'existence et un mode de vie. Comme l'écrit Lefort, la politique implique alors « la notion d'un principe ou d'un ensemble de principes générateurs des relations que les hommes entretiennent entre eux et avec le monde » : une forme de société.

C'est à partir de ces prémisses qu'il faut comprendre « l'invention » de la démocratie moderne comme constitution d'une nouvelle forme de société, d'une « mise en sens » et d'une « mise en scène » de l'espace social qu'on ne saurait en aucun cas réduire à la qualification de « démocratie bourgeoise ». La révolution démocratique ne prend sens que dans sa rupture avec le système monarchique de l'Ancien Régime où le pouvoir se trouvait en quelque sorte « incorporé » dans la personne du prince. Le corps de la société d'Ancien Régime s'identifiait au corps du prince (corps double, à la fois mortel et immortel, comme l'a montré Kantorowicz) qui lui fournissait son unité. La démocratie moderne opère alors une mutation à plusieurs niveaux : dissolution de la corporéité du social (dont l'un des signes est l'instauration du suffrage universel qui fait des individus des « unités comptables »), interdiction faite aux gouvernants de s'approprier ou de « s'incorporer » le pouvoir qui devient ainsi un « lieu vide » et infigurable. La société démocratique se déploie alors dans l'épreuve d'une « indétermination » radicale. Et parce que ses fondements ne cessent de se dérober, que la pleine légitimité n'y est jamais assurée, le totalitarisme peut être pensé comme une tentative pour mettre en place un dispositif qui effacerait tous les signes de cette angoissante indétermination. Depuis la démocratie et aussi contre elle, « se refait ainsi du corps » le fantasme du Peuple-Un et d'une « bonne » société délivrée de la division. M. R. d'A.

INVENTION DE MOREL (L') [*La invención de Morel*]. Roman de l'écrivain argentin Adolfo Bioy Casares (né en 1914), publié en 1940 et qui consacra son auteur comme l'un des maîtres argentins du genre fantastique. Rapidement traduit dans plusieurs langues, il suscita l'intérêt des écrivains européens et inspira Robbe-Grillet qui en tira *L'Année dernière à Marienbad*. L'invention mise au point par Morel est celle d'une machine complexe, capable de fixer pour l'éternité l'image d'un groupe d'amis réunis sur une île. Tandis que l'inventeur grâce à sa machine abolit le temps et reproduit de façon cyclique les faits et gestes exécutés par tous ses invités, un narrateur extérieur à ce monde, fugitif arrivé par hasard sur cette île étrange, livre peu à peu au lecteur la véritable signification de l'intrigue. À travers son récit de témoin voyeur, le lecteur découvre à son tour le sens de l'invention diabolique de Morel tandis que le malheureux témoin porte à l'énigmatique Faustine, l'une des femmes qu'il observe, un amour impossible. Il ne peut de fait communiquer avec elle, parce que tout simplement elle n'est, dans un espace temporel distinct du sien, qu'une simple projection d'image fabriquée par l'ingénieux Morel. Dislocation temporelle, précision du regard porté sur les êtres et les faits du menu quotidien, recours à une technique d'écriture précise et particulièrement dominée, telles sont les caractéristiques de ce livre, parfaitement représentatif de l'œuvre de Bioy Casares et dont Borges n'a pas hésité à qualifier la trame de « parfaite ». – Trad. Laffont, 1952 ; L.G.F., 1989. J.-C. V.

INVENTIONS de J. S. Bach. Pièces pour clavecin du compositeur allemand Johann Sebastian Bach (1685-1750). C'est à Cöthen et à Weimar, vers 1720, que Bach écrivit les quinze *Inventions* à deux voix et les quinze *Sinfonies*, c'est-à-dire les quinze *Inventions* à trois voix destinées à instruire ses jeunes élèves des secrets du contrepoint. Les tonalités de ces *Inventions* se succèdent dans l'ordre des notes de la gamme. Elles sont presque toutes composées suivant le même schéma : exposition du thème dans la tonalité principale, réexposition à la dominante, développement enrichi de modulations très simples, enfin nouvelle réexposition dans le ton indiqué à la clef. La première *Invention en ut majeur* est l'exemple type de ce procédé qui souffre quelques exceptions, comme dans l'*Invention en la majeur* qui ne réexpose pas le thème à la dominante. Seules les *Inventions en fa mineur* et *en sol mineur* sont édifiées sur les combinaisons de deux thèmes qui s'opposent rythmiquement. La plupart des thèmes se composent d'ailleurs de deux formules rythmiques, qui seront la source du développement ultérieur. Ainsi l'*Invention en ut majeur* présente-t-elle un thème formé de sept doubles croches et de quatre croches par mesure ; l'*Invention en ut mineur* expose un thème assez long, interrompu par une cellule rythmique d'un caractère complètement inattendu. Mais ces *Inventions* n'ont pas uniquement un but didactique ; elles le dépassent, car Bach sait tirer l'infiniment grand de l'infiniment petit. Chacune d'elles à un caractère, une atmosphère, un style qui lui sont propres. L'*Invention en sol majeur* est une gigue au rythme fortement marqué ; celles *en fa mineur* et *en sol mineur* sont de véritables lieder où passe un sentiment d'amour tendre et profond. Parfois, il s'abandonne aussi à une fantaisie primesautière, comme dans l'*Invention en fa majeur*, où l'accord parfait devient un joyeux carillon, et dans les *Inventions en si bémol* et *en mi majeur*, riches d'ornements extraordinairement variés. Les *Inventions* ne sont pas seulement un admirable travail théorique pour l'étude du clavecin, elles réunissent les plus belles trouvailles de l'art polyphonique et démontrent la variété des effets que l'on pouvait tirer de formules sèches et mathématiques, quand on avait du génie.

INVENTIONS de Jouve. Œuvre poétique de l'écrivain français Pierre-Jean Jouve (1887-1976), publiée en 1959. Depuis *Lyrique* (*) et *Mélodrame* (*), Jouve n'invente aucun thème, aucun symbole nouveau. Il « persévère », il accomplit l'œuvre dont il cherche de plus en plus à entrevoir la lumineuse apothéose. La condamnation du monde actuel, la mort aux multiples visages, symbolisée de multiples façons et tantôt victorieuse, tantôt vaincue, tantôt malédiction, tantôt salut, l'œuvre qui est aussi celle des autres poètes et des musiciens (Schönberg, Berg et aussi Mahler), tous ces thèmes sont matrices de signes qui, tels des notes de musique, se combinent, s'intervertissent, se signifient les uns les autres. Plus qu'une tonalité, Jouve a inventé une syntaxe qui inlassablement, comme s'il maniait un archet, nous mène du tout bas au tout haut, ce qu'il s'était proposé de faire plus de vingt ans auparavant dans la préface de *Sueur de sang* (*). La condamnation radicale du monde actuel (« Encombré par l'abomination du monde, je songe / Avec les yeux énormément ouverts. Quel mal / Est celui-ci. Quelle accélération de la misère / Dans quel effondrement sous l'esprit du métal ») rejoint le malaise éprouvé devant « ce hideux présent dévorant chairs et murs », devant « cette face humaine encastrée à la tôle », et Jouve crie : « Est-ce trop demander que le ciel tombe ? », comme il exprime avec une nouvelle vigueur ses deux fois (en Dieu et en la chair), bifidéité qui donne lieu à d'infinies variations à la faveur desquelles les autres thèmes naissent, se consument, se transforment : « Pourtant depuis longtemps je vis et m'écartèle / Entre deux formes engagées jusqu'au tombeau / Dans une lutte à mort aux beautés éternelles » ; et un peu plus loin dans une autre pièce nous lisons : « Un amour éternel dont le masque est camus / Lutte avec une mort à la face amoureuse / Dans une étreinte noire aux deux sexes charnus ». Vivant « dans le nu souvenir des plus grands bâtisseurs », le poète récrit les autres poètes, notamment Nerval dont il orchestre « Ma seule étoile est morte » à la manière de Berg, son musicien préféré, chantant Bach avec sa voix propre dans le *Concerto pour violon et orchestre à la mémoire d'un ange* (*) : « Cette fois tout a bien changé dans le palais que je n'ai plus / Que j'eus quand j'étais seigneur avec la vie antérieure », ce qui nous laisse entrevoir le secret de la création artistique : seul le créateur a la connaissance des œuvres (fort différente de la culture), à savoir la connaissance de leurs mobiles (pour Jouve il n'y en a qu'un, l'instinct de la mort) et de leur mouvement. Accomplissant l'Œuvre, Jouve se fait peintre, peintre d'église qui utilise largement l'or, peintre de l'école vénitienne : « Cheveux, poitrine et cuisse éclatant sur les bords / Ainsi la chair totale et fauve et désolée / Se dénudant d'un manteau d'acier noir : / Volutes ! monstres ! et dentelles ! », et paysagiste de montagne : « De terre musicienne et de verdure et d'or / De village pendu au balcon le plus rare / De prairies et de roc glaciaire entremêlés. » Préférant la « Théophanie » à l'épiphanie joycienne, et loin de vouloir créer de nouveaux mythes, il réunit dans son panthéon funèbre et vivant Isis et Virgile, tous ceux qui pratiquèrent la mort et l'enfer, notamment Dante et Eurydice (dont il tait les noms), et aussi la Lulu de Wedekind et Berg. C'est Isis dont il s'occupe le plus ; il la représente (à moins qu'il ne nomme Isis cette créature) sous les traits d'une vieille prostituée accroupie telle un sphynx sur l'homme, à qui elle redonne la vie, mais comme Éros participe de la mort, un Éros parousie de Dieu. Malgré toutes ses pratiques divines et diaboliques, le poète mourra et pourtant il persévère : « Il rêve aimer encore et reculer l'eau morte / Ou bien dresser la mort en contrepoint sonore / Sur un extrême quai... » Incompris par le monde (« gloire trop déniée », « Vous n'avez pas compris »), il aura montré la voie : « Nous avons tant lutté déprise l'énergie (pour le soi mais pour tout humain aventureux). »

INVENTIONS MUSICALES (Les). Sous ce titre, commun à de nombreuses compositions de tout genre, le compositeur français Clément Janequin (1485?-1558) publia, notamment entre 1544 et 1545, plusieurs œuvres polyphoniques sur des textes profanes, de caractère descriptif et pittoresque, qui obtinrent rapidement un large succès pour la pureté de leur goût artistique et l'habileté de leur écriture. L'originalité poétique consiste surtout dans l'expression de certains sentiments que les générations précédentes de musiciens n'avaient pas mis à l'honneur : la hardiesse virile, l'énergie combative, la victoire et la gloire, en un mot tout ce qui peut venir se greffer sur ces états d'âme — qu'on se rappelle, par analogie, le sentiment de l'excitation guerrière que Monteverdi se proposa d'introduire dans l'art du madrigal et qu'il réalisa dans *Le Combat de Tancrède et Clorinde* (*). Janequin pouvait mettre à profit aussi bien la poursuite de motifs, de rythmes, voire d'exclamations (qui s'étaient développées, depuis la « caccia » ou chasse italienne, du XIVe siècle, dans la polyphonie savante), que les techniques de syllabes, accords, cantilènes et contrepoint, répandues jusqu'à son époque dans le solennel motet et dans les chansons populaires d'Italie et de France. Il se servit, en effet, de toutes les expériences ; mais, ainsi qu'il convenait aux sujets qu'il avait choisis, il préféra une manière agile, désinvolte, quasi représentative et objective, dans laquelle l'emploi d'onomatopées rendait l'image plus évidente. Sur cette base, il composa, probablement vers 1520, cette *Bataille de Marignan* (*) à quatre voix qui suscita l'enthousiasme et dans laquelle on trouve non seulement une reproduction réaliste de roulements de tambour, marche militaire jouée par les fifres, appels de trompettes, commandements de chefs, grondements de canon, etc., autrement dit non seulement les ressources matérielles du musicien, mais aussi l'expression vivante de la sensibilité ; tout cela traduit, naturellement, selon la mentalité et l'esthétique du XVIe siècle.

Janequin lui-même remania *La Bataille de Marignan,* l'utilisant pour une messe à laquelle il donna le même titre ; il y entonne, par exemple, « Et ascendit » sur un motif de fanfare, et accommoda le reste de la même façon. À cette « Guerre », qui fut même instrumentée, firent suite des pièces analogues, telles que *Le Siège de Metz, La Bataille de Renty, La Prise de Boulogne, La Réduction de Boulogne*. Passant à un autre genre, Janequin prouva sa délicatesse de touche, sa veine humoristique, le brio de son imagination dans de petits tableaux charmants, tantôt d'une grande simplicité, tantôt colorés des plus récentes trouvailles chromatiques ; aussi se rappelle-t-on *Les Cris de Paris, Les Cris des oiseaux, Le Caquet des femmes, La Jalousie, La Chasse au cerf, Le Chant de l'alouette, Le Rossignol :* toutes compositions dont la conception s'accorde avec la tendance intellectuelle du goût français, tendance que ses imitateurs cultivèrent, et que l'on retrouve chez les clavecinistes.

INVESTIGATIONS SUR WITTGENSTEIN [*Investigating Wittgenstein*]. Étude du philosophe finlandais Jaakko Hintikka (né en 1929), réalisée en collaboration avec Merrill Hintikka, et publiée en 1986. Dans cet ouvrage, J. et M. Hintikka proposent une interprétation de la pensée de Wittgenstein fondée sur l'évolution de ses idées et la mobilisation d'un grand nombre de textes demeurés inédits. Les auteurs, qui se défendent de tout jugement normatif, présentent expressément leur travail comme une « enquête », persuadés que sur de nombreux points l'indifférence des commentateurs au contexte dans lequel Wittgenstein a élaboré ses idées en a compromis la compréhension. J. et M. Hintikka font notamment appel à un important dactylogramme inédit : le « Big Typescript », retrouvé par von Wright après la mort de Wittgenstein ; ils s'intéressent en particulier à la période de transition qui a marqué l'évolution de Wittgenstein à partir de 1929, en s'attachant à montrer que le seul changement qui permette de parler d'un « second Wittgenstein » repose sur une nouvelle manière de concevoir le langage. J. et M. Hintikka en étudient attentivement les sources en soulignant, à contre-courant de ce qu'ils considèrent comme une « idée reçue », l'importance cruciale que prennent les relations langage-monde dans cette évolution. Cela les conduit notamment à réévaluer les notions wittgensteiniennes de « grammaire » et de « jeu de langage » de manière originale et ouverte à la discussion. — Trad. Mardaga, 1991.

J.-P. C.

INVESTITURE DES DIEUX (L') [*Feng-chen yen-yi – Fengshen yanyi*]. Roman attribué traditionnellement à l'écrivain chinois Siu Tchong-lin (dates inconnues), et parfois au prêtre taoïste Lou Si-sing (1520-1601 ?). Composé de cent chapitres, il fut probablement rédigé entre 1567 et 1620. Le sujet en est emprunté à l'histoire traditionnelle, s'agissant de la victoire du roi Wou, fondateur de la dynastie des Tcho, sur celle des Chang, au XIe siècle avant notre ère. Mais, à l'intrigue politique et guerrière, le récit mêle la mythologie et le fantastique ; chacun des deux camps étant assisté par un clan de divinités, de sages et de magiciens. Le dernier empereur des Chang, injuste, cruel et dépravé, subit l'assaut des trois monstres envoyés par Nu-wa (divinité féminine et l'un des trois « augustes souverains » légendaires) qu'il avait offensée. Il tente vainement de soumettre le roi Wou de Tcho qui, après s'être révolté, s'allie plusieurs autres États. Sous le commandement de Tsiang Tse-ya, leurs armées finiront par assiéger la capitale des Chang, où Tcho-sin (le dernier empereur de la dynastie finissante) mourra dans les flammes. Prenant part aux combats, les représentants des panthéons taoïstes et bouddhistes et leurs disciples viennent en aide au roi Wou, tandis que le clan Tsie des démiurges « hétérodoxes » soutient le pouvoir corrompu des Chang. Le récit prend assez longuement la forme d'une succession de batailles, le plus souvent magiques, mais aussi verbales lorsque est discutée la justification de la rébellion. L'affrontement dynastique prend place dans un projet supérieur, puisqu'en accord avec l'« ordre du ciel » les seigneurs humains recevront un fief, cependant que les êtres surnaturels seront canonisés au dernier chapitre – d'où vient le titre du roman. Celui-ci semble être le fruit d'une riche tradition légendaire concernant l'avènement des Tcho, attestée dès les Han (206 av. J.-C. – 220 ap. J.-C.), et qui, sous les Yuan (1279-1368), prit la forme du récit *Le roi Wou soumet Tcho(-sin)* [*Wou-sang fa Tcho p'ing-houa*], l'une des sources probables de *L'Investiture des dieux.* Quant à la tournure fantastique donnée aux événements, on en trouve trace déjà dans les *Mémoires historiques* (*) de Se-ma Ts'ien, achevés en 92 avant J.-C. V. L.

INVITATION À L'ATELIER DE L'ÉCRIVAIN [*Ftese ne studjo*] suivi de **LE POIDS DE LA CROIX** [*Pesha e Krygit*]. Essais de l'écrivain albanais Ismaïl Kadaré (né en 1936). Dans cet ouvrage en partie double, Ismaïl Kadaré nous propose un singulier miroir pour une autobiographie qui n'en est pas vraiment une : une première partie, écrite sous la censure, et une seconde, quelques mois plus tard, libre. Une première partie, *L'Atelier de l'écrivain* (qui a paru en 1990 à Tirana), dans laquelle il nous invite un peu à découvrir ce qu'il appelle sa « cuisine », le fonctionnement de l'imagination créatrice du romancier : esquisses de récits, « romans à faire », souvenir nostalgique de Moscou, la grande ville où il fut étudiant, condamnation méprisante de la lâcheté de certains de ses confrères, fréquentation des intellectuels occidentaux avec qui il se fait plus huron que nature, jeu de cache-cache entre le tyran et l'écrivain.

Dans *Le Poids de la croix,* écrit depuis l'exil, il a voulu se délivrer de ses longues souffrances d'écrivain constamment surveillé et, en même temps, répondre à ceux qui voient en lui un apparatchik longtemps protégé par le régime, démontrant qu'il n'a jamais accepté les compromissions, décodant le sens à peine masqué de certains de ses romans parmi les plus importants – v. *La Niche de la honte* (*), *Le Palais des rêves* (*), *Le Grand Hiver* (*) – et apportant des précisions inédites sur le fonctionnement de la vie albanaise. Après *Printemps albanais*, dans lequel il exposait les raisons de son départ d'Albanie, Kadaré revient là sur la parabole (limpide) du masque déjà développée dans *Eschyle ou l'Éternel Perdant.* « Au diable les Grecs, et la Grèce avec eux ! » se dit le dramaturge que le jury vient de déclarer vaincu. « Patrie mesquine, patrie ingrate, à la mémoire courte ! Il a tout fait pour la rendre immortelle, mais elle est indigne de ses efforts. Il s'est employé à lui façonner un autre visage, naturellement plus noble que celui qui est le sien, et à le lui appliquer comme un masque de théâtre. Mais la Grèce a refusé ce nouveau visage. »

Étrange sentiment à lire ce dossier, entre histoire, politique et littérature, qui semble parfois un chapitre du *Palais des rêves.* Où tout est fait pour sécréter l'angoisse, la peur de tout, de ses rêves et de ses pensées, de ses amis et de ses collègues, de ses lectures et de ses écrits : « Le moindre paragraphe irréfléchi, la moindre phrase imprudente pouvait me coûter cher. » Un monde orwellien où l'on voit un peuple sous surveillance qui tremble en imaginant seulement que quelqu'un pourrait être au courant de ses pensées si profondément enfouies ; ou des rumeurs qu'il vaudrait mieux n'avoir jamais connues. Surtout quand elles concernent le dictateur, « à la fois le Staline et le Lénine de l'Albanie », tout autant que Zeus, et pour lequel le romancier éprouve visiblement, malgré tout, de la répulsion et une certaine fascination que contrebalance la haine qu'il voue à sa déesse malfaisante d'épouse. – Trad. Fayard, 1991. N. Z.

INVITATION À LA VALSE (L') [*Aufforderung zum Tanz, op. 65*]. Pièce pour piano du compositeur allemand Carl Maria von Weber (1786-1826), écrite en 1819. Bien qu'elle porte en sous-titre « Rondo brillant », elle n'est liée à aucune forme et se trouve même être la plus parfaite des œuvres libres pour piano de Weber. Elle se compose de trois parties : l'introduction, dans laquelle l'auteur veut représenter la scène de l'invitation du cavalier, du premier refus de la dame, de l'insistante prière de l'homme et, enfin, de l'acceptation joyeuse de la femme ; l'épisode central qui est la valse proprement dite ; puis la coda qui, en reprenant le thème de l'introduction, suggère la vision des couples au moment où, le bal terminé, ils se séparent avec regret. *L'Invitation à la valse*, que le fils de Weber a appelée un « petit Singspiel sans paroles », tire son origine thématique des matériaux que Weber avait rassemblés pour son opéra *Alcindor,* qui ne fut jamais achevé. La valse, romantique par sa fougue, sa fantaisie et sa couleur, révèle en outre une grande virtuosité, une liberté et une souplesse de rythme qui n'étaient jamais apparues dans l'antique « Allemande », régulière et mesurée ; elle diffère des valses de Schubert en ce qu'elle associe au motif de danse proprement dit un sujet dramatique. Les deux thèmes principaux se succèdent avec une légèreté et une vivacité extraordinaires, rappelant la Vienne joyeuse et tourbillonnante de fêtes du XIXe siècle et annonçant les grandes valses de Johann Strauss (1825-1899). La composition de Weber est connue principalement dans l'admirable transcription pour orchestre qu'en fit Hector Berlioz (1803-1869) qui a changé la tonalité de ré bémol en ré majeur. Felix Weingartner (1863-1942) a également fait une transcription pour orchestre de la célèbre page de Weber, mais elle n'a jamais atteint à la popularité de celle de Berlioz.

INVITATION CHEZ LES STIRL (L'). Roman de l'écrivain français Paul Gadenne (1907-1956), publié en 1955. Dernier écrit paru du vivant de l'auteur, *L'Invitation chez les Stirl* (prononcer « Steurl ») tient dans l'œuvre de Gadenne une place à part, tant par ses dimensions — entre le court roman et la longue nouvelle — que par son ton et sa construction proche d'un souci théâtral. Le peintre Olivier Lerins, qui sera aussi le narrateur, accepte une invitation déjà ancienne à venir passer quelque temps chez un couple d'amis au Pays basque. De ce séjour qui aurait dû être à la fois un temps de travail et l'occasion de renouer une amitié intellectuelle avec Mme Stirl, jeune femme alerte et encore très charmante dans le souvenir qu'en conserve Olivier, naîtra un obsédant huis clos entre trois personnages ; et l'impression de théâtralité sera renforcée par le décor hallucinant d'une villa si grande que ses habitants eux-mêmes prétendent ne pas en connaître toutes les pièces, certaines d'entre elles condamnées, car en mauvais état, ou encombrées de meubles, et par la présence lointaine et inaccessible d'une ville pourtant proche où Olivier, malgré ses insistances à vouloir y visiter un ami dans un sanatorium, ne pourra se rendre qu'à la fin du récit, quand tout sera fini. Prisonnier de cette villa et des stériles conversations qu'il a avec Ethel Stirl, qui ne sont en fait que des moments de lutte, de rapides affrontements dont il sort épuisé, en proie à l'égocentrisme et à une hostilité à fleur de peau de cette femme belle et exubérante, Olivier sent monter en lui une angoisse paralysante — attisée par ce qu'il croit être une tentative de meurtre contre sa personne — dont les signes se retrouvent dans un vocabulaire de la torpeur, de l'inertie et de la lourdeur, signes auxquels la nature elle-même n'échappe pas. L'énervement de cette vie recluse, seulement ponctuée par les accrochages avec la jeune femme et ses dérobades de langage, prend alors tout son sens étymologique, et seuls les incessants appels d'Ethel qui excitent ses chiens (« Douki ! Yedo ! ») strient le roman comme des éclairs qui sont autant de menaces — les deux bergers allemands jouant le rôle de redoutables gardiens. Il faudra la mort accidentelle (mais vécue elle-même comme un non-événement) d'Allan Stirl, mari aussi effacé que sa femme est bavarde, pour rompre ce lent étouffement et faire que le couvercle de la boîte ne se referme pas complètement sur ces trois fantômes à la recherche d'une conversation impossible où Olivier aura eu le sentiment « de jouer dans une pièce où il n'y aurait que des confidents ». L'invitation s'achève sur une libération, et une interrogation : Olivier sera pressé de quitter la villa, après que Mme Stirl aura été recueillie par une amie, cette dernière lui écrivant une curieuse lettre décousue et ambiguë, compte rendu de ses entretiens avec Mme Stirl, où, curieux renversement, l'on suggère à la fois la cruauté du peintre, sa rivalité avec le mari, sa volonté d'être l'amant de la jeune femme, et d'avoir voulu la tuer. Amer constat d'incommunicabilité, qui détruit pour jamais chez Olivier l'image qu'il s'était fait d'une femme attachante, et proche de la folie — et mise en abîme de la note qui ouvre ce très bon roman d'atmosphère, dans laquelle Gadenne dévoile son ambition de « composer un ouvrage où ce qui compte est ce qui n'est pas dit ».

V. W.

INVITÉE (L'). Roman publié en 1943 par l'écrivain français Simone de Beauvoir (1908-1986). Françoise, l'héroïne, a trente ans ; intellectuelle, écrivain, elle vit avec Pierre Labrousse, un jeune metteur en scène de théâtre. Jadis enseignante, elle a conservé des relations amicales avec l'une de ses anciennes élèves, Xavière. Celle-ci, de dix ans plus jeune, habite Rouen chez un oncle tuteur, et se refuse à cette vie étouffante. Passionnée, veule, elle voue à Françoise une amitié farouche et exclusive. Pierre, intéressé par cette enfant, propose de la faire venir à Paris et de l'aider à démarrer dans l'existence. Xavière vient donc s'installer avec le couple, autour duquel d'autres personnages gravitent : Élisabeth, la sœur de Pierre, dont les démêlés sentimentaux seront le contrepoint de ceux de Françoise ; Gerbert, un jeune comédien pour lequel Françoise ressent une tendresse à la fois maternelle et incestueuse. Rapidement, Xavière se bute et se ferme, jalouse à la fois de Françoise qu'elle découvre bien plus dépendante de Pierre qu'elle ne l'avait cru, et de Pierre qui, à son gré, ne lui prête pas assez d'attention. Cependant celui-ci, à demi flatté de cette admiration que lui porte la jeune fille, l'entoure de prévenances, essayant même de faire d'elle une comédienne. Sans se l'avouer, Françoise devient peu à peu jalouse de Xavière. Une maladie va d'ailleurs l'éloigner momentanément des deux autres ; seule sur son lit d'hôpital, Françoise, doublement jalouse de Xavière et de Pierre, scrute leurs visages et leurs propos à l'heure de la visite. Quand elle est guérie, la vie reprend pour le trio, apparemment égale et satisfaisante. Mais les tensions intérieures grandissent ; les jalousies mutuelles s'exaspèrent, d'autant plus déchirantes qu'elles sont plus imprécises, et s'exercent dans tous les sens. Un instant, Pierre et Françoise se retrouvent côte à côte lorsque Xavière se donne à Gerbert. Mais la jeune fille n'a agi que pour se tromper elle-même ; dégoûtée par son geste, elle est au bord du suicide. Mais nous sommes à l'été 1939 ; la guerre éclate et Pierre est mobilisé. Les deux femmes restent seules à Paris. Xavière découvre la tendresse que Françoise porte à Gerbert, qu'elle prend comme une nouvelle trahison.

À la suite d'une scène particulièrement violente qu'elle fait à Françoise, cette dernière, dans un sursaut, tue la jeune fille, trouvant encore la force de maquiller son crime en suicide.

En 1945, Simone de Beauvoir publie un second roman, *Le Sang des autres,* dont l'héroïne, Hélène, prenant la relève de Françoise et celle de l'auteur elle-même, assume le paradoxe d'une existence vécue par elle comme sa liberté et saisie comme objet par ceux qui l'approchent. Extérieurement, il s'agit d'un roman sur la Résistance, mais, tout comme *L'Invitée,* il vise à bien autre chose qu'à dresser un simple constat d'une société qui s'écroule et se reconstruit. Après *L'Invitée,* qui reprenait les techniques du roman américain et principalement celles de Hemingway, l'auteur ici s'est efforcée d'innover, en particulier avec ce long tunnel qui ouvre le récit.

En 1946, Simone de Beauvoir publie *Tous les hommes sont mortels.* Le thème dominant qui revient à travers tout le livre, c'est le conflit du point de vue de la mort (de l'absolu) avec celui de la vie, de l'individu, de la terre : l'opposition même de *Pyrrhus et Cinéas* (*). Dans *L'Invitée,* il arrive à Françoise, par fatigue ou par prudence, de renier le monde vivant et de glisser dans l'indifférence de la mort ; contre un présent inacceptable, Hélène, dans *Le Sang des autres,* essaie de prendre pour alibi l'infini de l'avenir ; cette fois encore, l'auteur confronte le relatif et l'absolu à travers l'Histoire. L'expérience malheureuse de Fosca couvre la fin du Moyen Âge et le début du XVIe siècle ; en contrepoint, il y a le drame de Régine qui voit avec épouvante sa vie se dégrader en comédie ; et aussi Armand qui affronte, sans être pétrifié, le regard de Fosca parce qu'il est engagé corps et âme dans son époque. Reprenant les conclusions de *Pyrrhus et Cinéas,* l'auteur souligne que la dimension des entreprises humaines n'est ni le fini ni l'infini, mais l'indéfini ; ce mot ne se laisse enfermer dans aucune limite fixe ; la meilleure façon de l'approcher, c'est de divaguer sur ses possibles variations. *Tous les hommes sont mortels*, c'est cette divagation organisée ; les thèmes n'y sont plus des thèses mais des départs d'incertains vagabondages.

ION [Ιων]. Tragédie du poète tragique grec Euripide (484-406 av. J.-C.). On ignore la date de la représentation, et les critiques ont proposé une foule d'hypothèses à ce sujet ; mais il est à peu près certain qu'il faut la placer dans les années 426-410. L'œuvre a pour sujet le destin d'Ion, ancêtre mythique des Ioniens, héros inventé de toutes pièces par des écrivains récents (VIIe siècle) qui déduisirent ce nom du nom du peuple dont il aurait été l'éponyme. Dans un mythe tel que celui-ci, aussi vague et peu populaire, Euripide eut, plus que de coutume, la liberté de modifier et d'ajouter des éléments qui répondaient à des exigences politiques — le patriotisme athénien — et artistiques. Ainsi d'Ion, fils de Xouthos, héros natif de l'Eubée, il fit un personnage purement athénien en lui donnant pour mère Créüse, fille du roi d'Athènes Érechthée, et pour père le dieu Apollon, reléguant Xouthos au rôle de père putatif. Que ces changements soient, comme certains le pensent, antérieurs même à Euripide, c'est là une hypothèse bien peu probable. Dans le prologue, Hermès, frère d'Apollon, expose les faits antérieurs. Créüse, violée par Apollon, a conçu un fils, puis, par crainte de sa famille, l'a exposé dans une corbeille, espérant que le dieu, son père, le sauverait. Hermès lui-même, sur l'ordre d'Apollon, a recueilli l'enfant et l'a conduit à Delphes où il est élevé par une prêtresse du dieu. Il grandit, est consacré à Apollon dont il devient le prêtre. Cependant, Créüse a été donnée en mariage à Xouthos, allié eubéen d'Athènes, mais cette union est demeurée stérile. Affligés de ne pas avoir d'enfant, ils se rendent maintenant au temple d'Apollon pour interroger et prier le dieu, et ils n'en partiront qu'après avoir reconnu comme leur enfant le jeune homme qui garde le temple. Celui-ci a pour tâche de balayer, chaque matin, de très bonne heure, les degrés du temple et de les asperger d'eau lustrale. Ce faisant il chante une monodie pleine de grâce et de sérénité. Pourtant, il éprouve une vague peine à l'idée de ne pas savoir qui sont ses parents, et il est heureux d'être consacré au service du dieu. Arrive à ce moment le chœur, composé des servantes de Créüse : les femmes se mettent à regarder et à admirer les offrandes faites au dieu. Créüse elle-même paraît. Dans un dialogue avec Ion, elle lui révèle sa peine de ne pas avoir d'enfant ; en apprenant que le jeune homme est sans mère, un mouvement de pitié et d'affection la porte vers lui. Elle lui révèle, en partie tout au moins, les raisons qui l'ont conduite à venir au sanctuaire. Une de ses amies, dit-elle, a eu un fils d'Apollon, l'a exposé dans une corbeille, et voudrait maintenant en connaître le destin. Mais voici Xouthos, qui est allé consulter un autre oracle. Ce dernier ne lui a confié qu'une seule chose mais qui l'a rempli de joie : il ne repartira pas de Delphes sans enfants. Cependant il veut une réponse plus précise et il entre dans le temple. Resté seul, Ion, d'un ton débonnaire et gracieux, fait quelque remontrance au dieu qui abandonne les enfants qu'il a eus des mortelles. Après un chant du chœur célébrant les joies d'une nombreuse progéniture, Xouthos sort du temple ; le dieu lui a répondu que la première personne qu'il rencontrerait en sortant de ce temple serait son fils. Il rencontre Ion, le prend entre ses bras et l'embrasse, l'appelant son fils. Tout d'abord, Ion s'indigne et le prend pour un fou. Puis, vaincu par l'autorité du dieu plus que par les arguments de Xouthos, qui ne l'émeuvent point, il se résigne à se considérer comme le fils du seigneur athénien. Mais lorsque ensuite Xouthos l'invite à quitter sa pauvre vie, et à partir pour Athènes où l'attend un destin royal, Ion, de nouveau assailli de doutes, regrette déjà la vie sereine qu'il devra abandonner, et demande qu'il lui soit accordé de ne pas la quitter. Xouthos finit par avoir raison de ses hésitations : il introduira prudemment son fils dans sa maison. Pour l'instant, il n'en dira rien à Créüse. Que le chœur se garde bien de révéler quoi que ce soit de ce qu'il a vu et entendu.

Ion et Xouthos s'éloignent ; ils se retrouveront à l'occasion d'une fête que le roi ordonne de préparer en signe de joie. Mais le chœur, que son amour pour Créüse rend très hostile, n'exécute pas cet ordre, et lorsqu'elle arrive, accompagnée d'un très vieil esclave de son père, le coryphée lui dévoile tout. Non seulement la malheureuse Créüse n'aura pas d'enfants, mais elle devra encore tolérer dans sa maison un bâtard de son mari. Le vieux serviteur l'excite à la vengeance, tandis que Créüse donne clairement la raison la plus profonde de sa douleur : le vrai coupable fut Apollon, qui lui donna un fils et l'abandonna. Une vengeance contre Apollon est impossible. Le vieillard lui conseille alors de tuer Ion. C'est Créüse qui en trouvera le moyen : elle possède dans une amulette une goutte de sang de la Gorgone et ce sang dispense la mort. Tandis qu'il prendra part au festin, le vieillard devra la verser dans le verre du jeune homme. Le chœur fait une prière pour la réussite de l'entreprise. La tragique intrigue ourdie par le destin est arrivée à son point culminant, puisque la mère est sur le point de tuer son propre fils. Mais le crime, grâce à un avertissement providentiel d'Apollon, ne s'accomplira pas. Un messager arrive et raconte comment le piège a été découvert. En l'absence de Xouthos, qui s'était éloigné pour accomplir le sacrifice propitiatoire, Ion avec une scrupuleuse diligence a préparé le banquet. Alors que la fête était à son comble, un vieillard a offert à boire à Ion, mais au moment où ce dernier portait la coupe à ses lèvres, une des personnes présentes a laissé s'échapper un mot de mauvais augure. Le pieux Ion a alors renversé son vin. Une colombe s'est précipitée pour le boire et, devant l'assistance horrifiée, est tombée morte à l'instant. Ion a fait arrêter le vieillard qui lui avait offert la coupe et l'a obligé à avouer. Maintenant, suivi des habitants de Delphes furieux, il cherche Créüse pour la mettre à mort. Le nœud formé par les caprices du destin ne s'est pas encore défait : maintenant, c'est le fils qui veut tuer sa mère. Créüse, folle de douleur et de terreur, s'agrippe à l'autel d'Apollon. Ion arrive et lui ordonne de quitter ce lieu de protection que lui offre le dieu. La prêtresse d'Apollon, la Pythie, qui fut la gardienne et l'éducatrice de Ion et qu'il considère comme sa mère, vient mettre fin à leur altercation et lui interdit de verser le sang d'une femme. Maintenant que, sur l'ordre du dieu, il doit partir pour Athènes, la Pythie est venu lui remettre ce que, toujours sur ordre du dieu, elle lui avait caché jusqu'à présent : la petite corbeille dans laquelle il fut trouvé enfant. Créüse qui, muette, attendait, jette un cri : elle a compris qu'Ion est son fils. Ion voudrait que son père participe aussi à son immense joie. Créüse se voit alors obligée de lui révéler que son père est non pas Xouthos, mais Apollon. Les doutes qu'éprouve Ion, en entendant le récit de sa mère, se trouvent finalement dissipés à l'apparition de la déesse Athéna : celle-ci révèle la volonté d'Apollon au sujet de son fils et de la femme qu'il aima. Le dieu qui avait formé le nœud du destin a su le défaire, en évitant, par son intervention manifeste, que la mère et le fils ne se haïssent. À présent le dieu veut que Ion considère Xouthos comme son père et qu'il hérite de lui le royaume d'Athènes. Il pourra se considérer comme athénien puisque sa mère est la fille d'Érechthée ; qu'il laisse à Xouthos l'illusion qu'il est son fils.

Parmi les tragédies d'Euripide — v. *Hélène* (*) et *Iphigénie en Tauride* (*) — fondées toutes sur un jeu du destin et qui se terminent par une reconnaissance, celle-ci est certainement la plus habilement construite. Le poète n'y affronte pas des problèmes moraux et psychologiques, et si, de ce fait, il n'atteint pas les cimes de son inspiration, il peut s'y abandonner par contre au jeu habile et léger de sa fantaisie. La reconnaissance n'est pas ici un accident, même décisif ; elle est le cœur même de la tragédie, qui y tend tout entière, que ce soit dans l'âme des personnages diversement anxieux ou prévoyants, que ce soit dans cette alternative de hauts ou de bas qui constitue l'action. En nous dépeignant Ion avec sa grâce intelligente, ses vertus discrètes et ses ruses innocentes, Euripide fait preuve d'une grande connaissance de la psychologie humaine et c'est sans aucun doute ce qui fait le prix de ce chef-d'œuvre. — Trad. Les Belles-Lettres, 1950 ; Gallimard, 1962.

★ Le drame d'Euripide a été directement imité par August Wilhelm von Schlegel (1767-1845), dans sa tragédie *Ion* [*Ione*], représentée à Weimar en 1802. Schlegel avait l'intention d'égaler l'*Iphigénie en Tauride* (*) de Goethe, mais il n'avait pas le souffle nécessaire pour y parvenir. Sa tragédie parut une bien pauvre chose lorsque Wieland, à l'instigation de la coterie dont la personnalité la plus représentative était Böttiger, mit en parallèle, à titre de comparaison, une traduction du *Ion* d'Euripide. Dans les *Annales*, Goethe décrivit le tumulte de la première représentation. Mais tout ceci faisait partie du programme romantique que Goethe lui-même avait accueilli avec bienveillance — v. *Athenaeum* (*).

★ Charles Wood (1866-1926) a composé une partition pour la tragédie d'Euripide créée à Cambridge en 1890.

ION de Platon [Ἰων]. Dialogue du philosophe grec Platon (428 ?-347 ? av. J.-C.), qui appartient au groupe des premiers dialogues, et dans lequel Platon développe la doctrine de son maître, en lui apportant toutefois de légères modifications, de manière qu'elle coïncide avec ses propres vues. Cette œuvre expose les idées de Platon sur la poésie. Pour Platon, la poésie ne peut se confondre avec la sagesse, dans la mesure où la poésie est quelque chose d'inconsistant et d'ailé ; de plus, le poète chante lorsqu'il est la proie de l'inspiration et perd tout contrôle de lui-même. En effet, le poète n'est, en quelque sorte, plus responsable de ce qu'il dit : les mots lui échappent, glissent comme pour une incantation, charment celui qui les écoute ; et tout comme le poète qui les met au jour, le récitant, le chanteur ne sont que des instruments dociles. Socrate interroge Ion, le plus célèbre diseur de poèmes, le meilleur interprète d'Homère. Pressé de questions par Socrate, Ion doit convenir qu'il n'entend rien à ce qu'il récite, et que le premier pêcheur venu en sait plus long que lui sur les poissons. Et cependant, Ion récite d'Homère les plus beaux vers qui aient jamais été composés. Ainsi donc, explique Socrate, si Ion se sent fortement ému et capable de communiquer son émotion, ce n'est point parce qu'il est un sage ni un savant, mais tout simplement parce que, interprète d'Homère, il est habité par l'inspiration du poète. D'ailleurs, Ion n'est sensible qu'au seul langage d'Homère, et n'entend rien aux autres poètes. Ion ne saurait expliquer un tel fait, mais il l'accepte tel qu'il est : à vrai dire, le titre d'homme divin que lui décerne Socrate lui fait grandement honneur. Ce dialogue assez bref, mais chargé de sens, est conduit avec l'admirable simplicité qui est le privilège de tous les dialogues de Platon. Il tire son importance non seulement du fait qu'il contient certaines thèses développées par Platon dans *La République* (*), mais aussi de ce qu'il renferme des digressions qui rapprochent l'œuvre des thèses modernes sur le caractère extralogique de l'art. — Trad. Les Belles Lettres, 1931 ; Gallimard, 1940 ; Garnier-Flammarion, 1989.

ION de Rebreanu. Roman de l'écrivain roumain Liviu Rebreanu (1885-1944), publié en 1920. Il comprend deux volumes : *L'Appel du sol* et *La Voix de l'amour*. L'action se déroule à Pripas, petit village de Transylvanie, en 1910 environ, c'est-à-dire au temps de l'Empire austro-hongrois, dont cette province roumaine faisait partie. Ion (Jean), c'est le paysan pauvre et travailleur dont le seul rêve est de posséder de la terre. Pour arriver à ses fins il tourne la tête à Anna, la fille unique d'un riche paysan. Ce dernier s'oppose à leur mariage et menace le prétendant. Ion ne désarme pas pour autant. Il rend la jeune fille enceinte. On marchande la paix, on célèbre les noces, et Ion devient propriétaire de vastes terres ; mais aussi l'époux brutal d'une femme qu'il n'aime point. C'est alors que la « voix de l'amour » ressuscite en lui avec une rare violence. Depuis longtemps, en effet, Ion est épris de Florica, humble fille qui a de la beauté et qui, peu après ses noces, s'est mariée à un riche garçon. Le conflit éclate ; la femme de Ion, abandonnée par son mari et rabrouée par son père, est acculée au désespoir ; elle mettra fin à ses jours. Son enfant meurt, lui aussi. Quant au beau-père, il réclamera la restitution de ses terres. Ion, surpris chez Florica, sera tué par le mari bafoué. Par ailleurs, ce roman nous introduit dans la maison de l'instituteur Herdéléa. On y respire une douce atmosphère familiale et nationale : l'instituteur, le curé du village et quelques autres sont, en effet, les porte-parole éclairés d'un peuple soumis à la loi étrangère. Près des paysans, mais rêvant toujours d'une libération nationale, ils défendent leur idéal. Tel est le véritable sujet du livre : la lutte acharnée de l'homme avec les forces élémentaires de la nature, tant extérieures qu'intérieures. Action puissante où se font jour ces deux mobiles éternellement humains : le désir de possession matérielle et l'amour. Sur ce fond tout à fait rustique, rien que la fatalité riche de tous les fruits de la mort. Le cadre est des plus restreints, mais il est étudié en profondeur. Tableaux de mœurs et personnages, tout révèle chez Rebreanu un subtil don psychologique, un sens original de la composition. Ici, la vision réaliste n'exclut pas les touches les plus délicates. Un optimisme se fait jour malgré tout, à travers le drame poignant qui pèse sur la vie du village. Comme le souligne le traducteur dans sa préface, *Ion* n'est pas seulement la peinture d'une passion meurtrière, il évoque aussi la « montée irrésistible d'une humanité meilleure ». — Trad. Plon, 1945.

IPHIGÉNIE. Le mythe d'Iphigénie, ignoré de l'*Iliade* (*) mais très connu des poètes du cycle grec, a souvent inspiré les tragiques anciens et modernes et donné matière à plus d'un chef-d'œuvre de la littérature universelle.

La première tragédie qui nous soit parvenue est *Iphigénie en Tauride* ['Ιφιγένεια ή έν Ταύροις] du poète tragique grec Euripide (484-406 av. J.-C.). On ignore la date de sa première représentation ; quelques critiques la fixent à l'an 414, d'autres à 411 ou 409. Les éléments de cette discussion chronologique proviennent de la grande analogie de ce drame avec celui d'*Hélène* (*) de 412 et de quelques points de rapprochement avec *Les Troyennes* (*) de 415 et avec *Électre* (*) de 413. Dans le prologue, l'héroïne, Iphigénie, raconte les faits antérieurs au drame : alors que la flotte grecque était retenue en Aulide, faute de vent favorable, Iphigénie a été appelée auprès de son père, Agamemnon, sous le prétexte qu'elle doit épouser Achille, mais en réalité pour être immolée à la déesse Artémis, qui exige ce tribut pour libérer la flotte. La jeune fille était déjà couchée sur l'autel quand, prise de pitié, la déesse l'a soustraite au coup fatal en lui substituant une biche et l'a transportée en Tauride (Crimée). Là, devenue prêtresse d'Artémis, Iphigénie préside aux rites cruels des sacrifices humains qu'ordonne le roi Thoas : tout Grec surpris sur cette terre doit être immolé à la déesse. Et maintenant, devant l'autel sanglant, Iphigénie raconte la nouvelle douleur qui l'accable. Elle a fait un songe : il lui a semblé que, tout en pleurs, elle touchait, de son couteau de sacrifice, la tête d'un jeune homme en qui elle croit reconnaître son frère Oreste, encore tout enfant lorsqu'elle fut séparée de lui. Interprétant mal ce songe prophétique, elle conclut à la mort de son frère. Voulant faire des libations à sa mémoire, elle s'éloigne pour se rendre au temple. Cependant Oreste apparaît, accompagné de Pylade. Sans cesse persécuté depuis le meurtre de sa mère par une horde d'Erinyes, il a reçu d'Apollon l'ordre de s'emparer de l'antique idole d'Artémis en Tauride et de la transporter dans l'Attique ; ce n'est qu'à cette condition qu'il pourra être libéré des Furies qui le tourmentent. Arrivé au seuil du temple et devant l'autel couvert de sang, il perd courage et veut s'enfuir ; mais Pylade le réconforte et tous deux s'éloignent. Est entré, en même temps qu'Iphigénie, le chœur composé d'esclaves grecques. Elles se lamentent ensemble sur les malheurs des Atrides auxquels s'ajoute, s'il faut en croire le songe, la mort d'Oreste. Iphigénie vient d'apprendre d'un berger que deux Grecs sont arrivés et que le roi Thoas s'en est emparé afin qu'ils soient immolés par elle. Le berger ne connaît que le nom de Pylade pour l'avoir entendu prononcer par l'autre étranger, et il a été témoin de l'affreux accès de folie dont ce dernier a été saisi, accès causé — sans que nul ne le sache — par les Erinyes qui le poursuivent. À ce récit, des sentiments divers envahissent l'âme d'Iphigénie : sentiment de vengeance contre les Grecs, qui lui fait désirer cruellement le sacrifice des deux jeunes gens, mais en même temps répugnance de plus en plus vive pour l'office de bourreau que le rite de Thoas lui impose. Mise en présence des deux jeunes gens, elle se sent saisie d'une pitié mystérieuse qui la pousse à leur demander qui sont leurs parents et s'ils ont une sœur. Le souvenir d'Oreste, qu'elle croit mort, guide son âme et lui interdit la cruauté. Oreste ne répond pas à ses questions et tait son nom ; il déclare seulement qu'ils sont tous deux d'Argos, mais nullement frères. Puis, tout en s'étonnant de l'anxiété avec laquelle elle s'informe de la Grèce, il répond à ses questions concernant Argos et la maison d'Agamemnon. Elle connaît maintenant toutes les terribles aventures de sa famille et se réjouit de savoir qu'Oreste est vivant, contrairement à son rêve. Béni soit le sort qui lui a envoyé ces deux étrangers, car elle se servira d'eux pour envoyer de ses nouvelles aux siens. Elle offre donc la vie sauve à Oreste s'il promet de porter une lettre d'elle à Argos. Oreste refuse pour lui-même : qu'elle sauve plutôt Pylade qui portera la missive. Iphigénie loue sa générosité et lui promet de lui rendre les honneurs funèbres à la place de sa sœur lointaine. Dès son départ, Pylade refuse de laisser Oreste se sacrifier. Mais celui-ci ne se laisse pas ébranler, démontrant combien la mort sera pour lui une délivrance. Pylade se résigne, tout en exhortant encore son compagnon à garder confiance en la promesse d'Apollon : car il doit être sauvé.

Iphigénie reparaît, son message rédigé. Afin que Pylade, en cas de naufrage, puisse en rapporter le contenu, elle le lit à haute voix. C'est par cet artifice simple et ingénieux, qui suscita l'admiration d'Aristote, que le poète amène la reconnaissance du frère et de la sœur. Ils s'embrassent en pleurant ; Oreste raconte sa douloureuse histoire, et Iphigénie ne pense plus qu'à le sauver. Elle le supplie de s'enfuir et de la laisser s'offrir elle-même en victime au tyran Thoas. Mais Oreste refuse : de quel prix lui serait la vie s'il ne pouvait emmener sa sœur et en même temps ravir, suivant l'ordre d'Apollon, la statue de la déesse ? Iphigénie propose un moyen audacieux et sûr de réussir dans ce double projet. Elle dira à Thoas que les deux étrangers, coupables de parricide, doivent être purifiés par la mer avant le sacrifice, et que l'idole de la déesse, souillée par leur contact, doit également passer par la purification. Ainsi tous fuiront sur le navire d'Oreste qui attend, déjà prêt à partir. (Le chœur, qui a promis à Iphigénie de ne pas la trahir, exprime sa nostalgie de la terre grecque que la jeune fille va revoir.) La ruse réussit à merveille ; Iphigénie sait si bien feindre la haine et l'horreur pour les étrangers que Thoas n'a pas le moindre soupçon, et, admirant la piété et la prudence de la prêtresse, lui donne une escorte pour conduire les deux prisonniers à la mer. Nul ne doit voir le rite s'accomplir, déclare Iphigénie ; pas même les soldats ! Peu après surgit un homme de l'escorte ; il raconte à Thoas la fuite d'Oreste accompagné d'Iphigénie et de la statue de la déesse. Après un certain temps, inquiets du sort d'Iphigénie qui s'était éloignée seule avec les deux étrangers, les serviteurs de Thoas, ayant enfreint les ordres, ont vu le groupe prêt à s'embarquer. Après une brève lutte, les Grecs ont pris le large. Contrariés par des vents défavorables, ils sont encore à la merci de la flotte royale. Thoas, furieux, vient d'ordonner la poursuite lorsque apparaît la déesse Athéna, qui lui commande de ne pas troubler la fuite des Grecs. C'est la volonté des dieux qu'Oreste aille avec Iphigénie fonder à Athènes un temple à la gloire d'Artémis (le temple d'Alaï à la frontière nord de l'Attique), où ils déposeront la statue de la déesse. Thoas doit envoyer en Grèce les femmes esclaves ; il obéit, et le chœur prononce des paroles propitiatoires à l'adresse du voyage libérateur d'Oreste. Cette tragédie qui, par son côté romanesque, s'apparente beaucoup à *Hélène* (*) ne laisse pas néanmoins d'être infiniment plus profonde. Même dans les parties romanesques, Euripide adopte un ton plus sévère – lequel convient à merveille au caractère d'Iphigénie. Cette figure de jeune fille qu'un mystérieux destin a condamnée à un office cruel et qui, tout en s'y étant endurcie, a gardé le désir de la nostalgie des affections les plus humaines, est, dans sa complexité, une des créations les plus caractéristiques du génie d'Euripide. – Trad. Les Belles Lettres, 1925 ; Garnier 1935 ; Gallimard 1962.

★ Euripide reprit d'ailleurs ce sujet dans une autre tragédie : *Iphigénie en Aulide* [Ι φιγένεια ἡ ἐν Αὐλίδι]. Ce fut sa dernière œuvre : laissée, croit-on, inachevée, elle fut terminée et représentée après sa mort. Il n'est pas certain que l'épilogue (les vers 1540 à 1629) soit d'Euripide. La tragédie met en scène le mythe du sacrifice d'Iphigénie. La flotte des Achéens est en Aulide devant Eubée, prête à partir pour Troie. Mais les vents s'opposent mystérieusement à la navigation. La cause en est dévoilée par le devin Calchas : la déesse Artémis exige, pour rendre la liberté aux navires, qu'auparavant lui soit sacrifiée la fille d'Agamemnon, Iphigénie. Alors que dans les tragédies antérieures, par exemple l'*Agamemnon* (*) d'Eschyle, il était simplement fait allusion à l'angoisse d'Agamemnon devant le sacrifice imposé, ici la tragédie s'ouvre sur les plaintes déchirantes du malheureux père. Ainsi que le roi le raconte lui-même à un vieil esclave, après avoir vainement tenté d'empêcher l'expédition, il a résolu de faire venir sa fille en compagnie de sa mère Clytemnestre, sous le prétexte de célébrer les noces de la jeune fille avec Achille. Mais, accablé de remords, il est revenu sur sa décision. Dans un autre message à Clytemnestre, il lui dévoile toute la vérité et l'adjure de ne pas venir. Le vieil esclave, chargé du message, doit se porter au devant du char de la reine et lui faire rebrousser chemin. Cette tentative n'aboutit pas. Ménélas en effet, qui tient avant tout à l'expédition contre Troie, a pu ravir son message au vieil esclave, et du coup reproche âprement à son frère sa trahison. Agamemnon s'obstine dans son refus ; Ménélas, déjà, en vient aux menaces (la discussion entre les deux frères, réaliste, cynique et sentencieuse, est tout à fait dans la manière d'Euripide), quand survient un messager annonçant que Clytemnestre avec Iphigénie et le petit Oreste viennent d'arriver dans le camp ; tout le peuple les a vus et est en liesse. L'angoisse renaît plus forte dans le cœur d'Agamemnon. Maintenant que toute l'armée a vu Iphigénie, que fera-t-il quand Calchas dévoilera l'ordre de la déesse et qu'Ulysse excitera le peuple contre lui ? Accablé d'angoisse, il se résigne à obéir à la déesse : cela, au moment où Ménélas, touché par sa douleur, l'exhorte à renvoyer la jeune fille et à renoncer à l'expédition.

Dans la peinture de ces mouvements de l'âme, l'intuition psychologique aiguë, froide et réaliste d'Euripide est particulièrement heureuse. Voici, joyeusement saluées par le chœur, Clytemnestre et Iphigénie. Clytemnestre songe au bonheur nuptial de sa fille ; Iphigénie n'ose parler de mariage, mais se montre très tendre avec son père. À chacune de ses paroles, Agamemnon sent son cœur se déchirer un peu plus. Il congédie sa fille et, s'engageant sur la voie du mensonge avec la résolution des faibles, il apaise l'inquiétude de Clytemnestre au sujet du futur époux de leur fille. Après que le chœur a chanté l'imminente guerre troyenne, sans faire allusion aux sentiments qui déterminent l'action, Achille apparaît sur le seuil de la tente d'Agamemnon, exigeant un prompt départ pour la guerre. Il se trouve alors en présence de Clytemnestre qui, tout heureuse, le salue comme son futur gendre, à sa grande stupéfaction. Mais le vieil esclave, auquel Agamemnon avait remis le message pour Clytemnestre, a surpris ce colloque. Il dévoile que le mariage est une supercherie pour attirer la jeune fille et la faire périr. Hors d'elle, Clytemnestre conjure Achille de l'aider à empêcher l'horrible méfait. Tout à la fois plein de commisération et offensé dans son honneur par l'abus que l'on a fait de son nom, Achille affirme qu'il défendra la jeune fille, même par la force, si Clytemnestre ne réussit pas à convaincre Agamemnon. Après une pause durant laquelle le récitant rappelle l'union glorieuse de Pélée et de Thétis, dont naquit Achille, pour faire contraste avec les noces de mort qui sont sur le point d'être célébrées, Clytemnestre a dévoilé à sa fille le triste sort qui l'attend. Toutes deux vont tenter de persuader Agamemnon : la mère avec des raisonnements et des menaces (dans le sacrifice d'Iphigénie, Euripide voit le principe de la haine de Clytemnestre pour Agamemnon), la fille avec l'expression naïve de son attachement à la vie, avec sa tendresse et ses pleurs. Mais, quoique déchiré jusqu'au fond de l'âme, Agamemnon résiste à leurs prières. Il ne peut, affirme-t-il, interrompre maintenant l'expédition destinée à confondre l'insolence des Troyens. S'il le tentait, il provoquerait une révolte sans parvenir à empêcher le sacrifice de sa fille. Iphigénie se lamente à la fois sur son destin et la faiblesse infinie des mortels. Les raisons invoquées par Agamemnon ne sont, hélas ! que trop vraies. Achille annonce que tout le camp, et ses propres Myrmidons eux-mêmes, excités par Ulysse, sont en effervescence, dans la crainte que le sacrifice libérateur ne s'accomplisse pas. Comme il a montré son opposition, peu s'en est fallu qu'il n'ait été lapidé. Quoi qu'il advienne, il se dit prêt à résister comme il l'a promis. Alors – et c'est le moment le plus célèbre, le plus discuté et le plus poétique du drame – Iphigénie, ayant écouté en silence les paroles d'Achille, comprend que son sacrifice est inéluctable. Elle se déclare prête à mourir. Ni les admonestations d'Achille ni les larmes de sa mère n'ébranlent sa résolution. Elle se prépare au sacrifice, consciente d'agir pour le bien de la Grèce, fière d'être la protectrice de sa cité.

Après un chant du chœur survient un messager (ceci est certainement un fragment ajouté) qui narre le prodige qui s'est accompli au moment de l'immolation. Alors que le coup fatal allait être porté à la victime, celle-ci a disparu et l'on a vu une biche à sa place. La déesse Artémis a voulu sauver l'héroïque jeune fille.

Euripide a réussi une description très vivante de l'ancien rite barbare du sacrifice humain offert en holocauste. Il envisage tout autrement que ses prédécesseurs la question de savoir comment la divinité pouvait désirer pareil sacrifice. Était-il possible de pénétrer le mystère de la volonté divine ? S'il n'exprime pas toute sa pensée, il apparaît pourtant nettement que, pour lui, seules de troubles superstitions au service d'égoïsmes brutaux ont pu rendre possibles ces rites sanglants. Mais, ayant accepté ce fait comme une conséquence naturelle de la perversité et de la misère humaines, il en a montré les réactions sur la sensibilité de ses personnages si vivants et attachants : Agamemnon, Ménélas, Achille, Clytemnestre, et surtout Iphigénie. En cette dernière, le thème, cher à Euripide, de l'héroïsme juvénile contrastant avec un monde de faiblesse et de vilenie est développé avec une poésie profonde. Avec sa dernière tragédie, Euripide a retrouvé dans toute sa pureté l'inspiration qui lui avait fait créer la figure d'Alceste. — Trad. Garnier, 1935 ; Gallimard, 1962 ; Les Belles Lettres, 1983 ; Minuit, 1990.

★ Le théâtre classique de la Renaissance française compte parmi ses thèmes de prédilection celui du sacrifice d'Iphigénie. Chronologiquement parlant, la première tragédie sur ce sujet est l'*Iphigénie en Aulide* de Jean Rotrou (1609-1650). Mais celle qui a le plus de valeur est l'*Iphigénie en Aulide,* en cinq actes, de l'auteur dramatique français Jean Racine (1639-1699). Représentée somptueusement à Versailles le 18 août 1674, puis à Paris, sur la scène de l'Hôtel de Bourgogne, en janvier 1675, elle remporta le plus vif succès. C'est plus spécialement de l'œuvre d'Euripide *Iphigénie en Aulide* que s'inspira alors Racine, revenant aux sujets grecs qu'il avait délaissés, depuis *Andromaque* (*), pour des tragédies romaines ou orientales ; *Britannicus* (*), *Bérénice* (*), *Bajazet* (*) et *Mithridate* (*). Le Clerc et Coras unirent leurs maigres talents pour tenter de concurrencer Racine. Mais leur pièce, jouée quatre ou cinq fois, en mai 1675, au théâtre de la rue Guénégaud, ne s'attira que brocards et dédains. En 1640, Rotrou avait déjà écrit une *Iphigénie,* à l'exemple de Sibilet dont l'œuvre date de 1549. Cependant Racine ne doit rien à l'un et à l'autre de ces deux écrivains. Par ailleurs, on sait qu'il prépara une *Iphigénie en Tauride,* dont il écrivit le premier acte en prose.

Le premier acte d'*Iphigénie* se passe à Aulis, dans le camp des Grecs, avant le lever de l'aurore. Agamemnon, qui s'était tout d'abord rendu aux volontés de Calchas le devin et s'apprêtait à immoler sa fille, est pris de remords. Il vient d'envoyer l'un de ses serviteurs dévoués, Arcas, afin d'arrêter sur le chemin Iphigénie et sa mère Clytemnestre, venues toutes deux d'Argos. Pour leur expliquer la nécessité de ce voyage, Agamemnon avait argué de l'impatience d'Achille, fiancé à Iphigénie, disant que ce dernier voulait qu'on célébrât les noces avant le départ de la flotte. Le roi prétexte maintenant qu'Achille, amoureux d'une captive, Ériphile, ne consent plus à un mariage aussi précipité. En butte aux reproches d'Ulysse, roi d'Ithaque, qui lui fait grief de son manque de piété et d'obéissance aux dieux et qui montre la plus grande hâte à faire voile en direction de Troie, le malheureux père défend cependant sa fille avec quelque fermeté, lorsqu'on lui annonce soudain l'arrivée d'Iphigénie et de Clytemnestre. À l'acte II, Ériphile, jeune captive qu'Achille a ramenée de son expédition contre Lesbos, découvre à sa suivante qu'elle aime le fiancé d'Iphigénie et qu'il n'y a rien qu'elle ne se sente capable de tenter pour empêcher l'union que l'on projette. Là-dessus paraît Iphigénie qui s'étonne de la froideur de son père et pose avec candeur des questions qui semblent sinistres. Trompées par le billet que leur envoya trop tard Agamemnon, Clytemnestre et sa fille éconduisent Achille sans que celui-ci puisse s'expliquer leur conduite. L'acte III débute par une scène brève entre Agamemnon et la reine, à qui ordre est donné de s'éloigner du camp avant la cérémonie nuptiale. Incapable de comprendre cette fantaisie du roi, Clytemnestre s'étonne. Mais Arcas, se refusant à être complice d'un pareil crime, révèle à tous l'effrayante vérité et le subterfuge d'Agamemnon pour tromper sa fille et éloigner Clytemnestre. Et c'est alors le magistral « Il l'attend à l'autel pour la sacrifier » qui tombe comme une saisissante prise de conscience de toute l'horreur de la pièce, et que suivent les cris : « Lui ! » — « Sa fille ! » — « Mon père » — « O ciel, quelle nouvelle ». Outré que l'on ait abusé de son nom pour faire tomber Iphigénie dans un piège, Achille assure à la mère éplorée : « Votre fille vivra, je puis vous le prédire. » Agamemnon, se voyant démasqué, plaide misérablement sa cause devant Iphigénie, qui lui adresse de tendres reproches, et devant Clytemnestre qui n'épargne pas les injures. Il décide de faire évader les deux femmes. Mais, jalouse, Ériphile ne veut point renoncer à la mort de sa rivale et va dénoncer les projets de fuite à Calchas. À l'acte V, Iphigénie, arrêtée alors qu'elle quittait Aulis, se résigne à la mort. Encore une fois Achille a pris des mesures pour la défendre de la cruauté de Calchas ; il la supplie de le suivre. Elle s'y refuse avec beaucoup de dignité. De son côté la reine fait montre d'une douleur presque extravagante, qui lui fait dire : « Oui, je la défendrai contre toute l'armée. » Iphigénie lui fait ses adieux, et s'éloigne pour satisfaire aux exigences des dieux. Après que la reine indignée a appris de la bouche de sa suivante qu'Ériphile a embrassé le parti du devin Calchas et dénoncé Iphigénie au moment de sa fuite, Arcas vient annoncer qu'Achille s'emploie de tout son pouvoir à retarder l'instant du sacrifice. Enfin le coup de théâtre attendu permet à l'œuvre de finir dans une apothéose ; Ériphile a été reconnue comme une autre Iphigénie, fruit d'un mariage clandestin entre Thésée et Hélène, de telle sorte que l'oracle qui désignait pour victime « une fille du sang d'Hélène » s'éclaircit désormais. Pressée de faire un choix, l'armée la désigne au coup fatal. Elle devance le sacrificateur et se tue elle-même, laissant à leur joie Iphigénie, Clytemnestre et Achille.

Retour au mythe, après quatre pièces historiques ? *Iphigénie* est en fait plus qu'un simple retour : elle représente l'irruption du sacré dans le cadre de la tragédie rationaliste française. Non que la dimension humaine soit absente : *Iphigénie* est toujours le lieu de l'affrontement des trois passions cardinales de la tragédie moderne, l'ambition (Agamemnon, Ulysse), la vengeance (Ériphile), l'amour (Iphigénie-Achille face à la passion jalouse d'Ériphile) ; tout possède une explication rationnelle, y compris le miracle final qui voit le sacrifice d'Ériphile en lieu et place d'Iphigénie. Mais en même temps tout se révèle conforme à l'avertissement des dieux, qui, à travers la liberté d'hommes victimes de la fatalité de leurs passions, avaient annoncé tout ce qui allait se passer. Depuis trois siècles, on regrette que Racine se soit laissé aller à une facilité dramatique en construisant le personnage d'Ériphile, jeune fille inconnue qui se révèle à la fin l'Iphigénie que la volonté divine appelait au sacrifice. Vulgaire quiproquo destiné à justifier un deus ex machina ? En fait, Ériphile constitue la clé de la pièce, et ce sur un double plan. D'une part, Ériphile et Iphigénie constituent le dédoublement d'un même personnage. De là un jeu subtil de distinctions et de ressemblances, dont on peut pousser l'analyse fort loin : elles sont liées parce qu'elles ne sont qu'une ; tout les sépare en apparence, tout les rapproche en vérité, comme l'indique clairement leur relation amoureuse respective avec Achille. Or, si elles s'opposent très exactement comme la nuit et le jour, c'est que, pour la pensée rationaliste française, Iphigénie ne peut être sacrifiée que si elle est coupable. Racine a bien tué Iphigénie à la fin de sa pièce ; mais il a tué la face nécessairement coupable d'Iphigénie. D'autre part, Ériphile permet de répondre à la traditionnelle question : « *Iphigénie,* tragédie grecque ? », en relevant qu'il s'agit d'abord d'une tragédie providentielle. Les dieux connaissent le destin des hommes, et Jupiter n'est pas muet : il suffirait de recoller les bribes de ce qu'il laisse entrevoir aux humains à propos de l'identité d'Ériphile. Achille accuse Agamemnon de lire de trop loin dans les secrets des dieux quand il dit qu'Ériphile est « une autre Hélène ». Et Clytemnestre ne rappelle-t-elle pas que Calchas, l'interprète des dieux, a dit « mille fois » qu'une fille était née autrefois d'une union clandestine entre Thésée et Hélène, et que cette « jeune princesse » était « cachée au reste de la Grèce » (IV, 4) ? Qui ne voit pas qu'Ériphile, dont le « silence même, accusant la noblesse, / Nous dit qu'elle nous cache une illustre princesse », est venue en Aulide « interroger Calchas » afin de « perdre un faux nom » pour « reprendre le sien » ? Dès lors, que voit-on dans *Iphigénie* ? Comme ailleurs chez Racine, on voit des hommes victimes de leurs illusions, mais cette fois la principale illusion est suscitée par le voile des différences qui masquent la ressemblance, et par le refus des hommes de « lire » la parole divine. De là naît le chaos — au dernier acte les hommes sont près de s'ensanglanter —, quand il suffirait de prêter une oreille attentive pour entendre clairement la voix des dieux qui ne cessent de parler.

★ L'écrivain espagnol José de Cañizares (1676-1750) avait commencé une médiocre imitation de la tragédie racinienne, *Le Sacrifice d'Iphigénie* [*El sacrificio de Ifigenia*], qui fut achevée par Candido Maria Trigueros. Bien qu'également très éloignée de l'original, l'*Iphigénie* de Ramòn de la Cruz (1731-1795) est plus connue.

★ Les vicissitudes d'Iphigénie en Tauride et l'accomplissement de son destin ont inspiré de nombreux dramaturges et poètes. Les premières tragédies sur ce thème apparurent en Italie. *Iphigénie en Tauride* [*Ifigenia in Tauride*], en cinq actes, de l'écrivain italien Pier Jacopo Martello (1665-1727), où l'auteur utilisa pour la première fois le vers auquel on a donné son nom, fut publiée à Rome en 1709. Le sujet est absolument celui d'Euripide, mais la simplicité de lignes de la tragédie grecque disparaît sous les fioritures de la nouvelle interprétation. À côté de quelques scènes bien conduites et de quelques situations heureuses, certains détails ne peuvent être tolérés que par un public accoutumé aux galanteries du théâtre français de l'époque et aux fadeurs sentimentales de l'Arcadie.

★ Hippolyte Pindemonte (1753-1828) écrivit une *Iphigénie en Tauride.* Publiée seulement en 1906, elle est considérée comme des plus médiocres.

★ En France, en 1757, Guimond de la Touche (1723-1760) publia une *Iphigénie en Tauride* qui fut, avec celles de Voltaire, une des tragédies les plus applaudies de son temps.

★ Un peu plus tard parut l'*Iphigénie en Tauride* [*Iphigenie auf Taurus*] de l'écrivain allemand Johann Wolfgang Goethe (1749-1832). Goethe, ayant terminé cette œuvre en prose, l'emporta dans son voyage en Italie (où il la transcrivit en vers), et en fit à Rome la lecture (1784) à ses amis, qui se déclarèrent déçus. Ils s'attendaient à un second *Goetz de Berlichingen* (*), c'est-à-dire à un drame plein de fougue et de violence. Or ils se virent transportés dans l'Hellade la plus classique.

Peut-on passer ainsi de Shakespeare à Sophocle ? Pareille fusion est-elle possible ? Question capitale pour le théâtre allemand, après que Lessing eut admiré l'un et l'autre et incité à une double imitation. Il y a cependant un abîme entre le théâtre élisabéthain et le théâtre grec. Les amis de Goethe, qui n'envisageaient qu'un aspect de la question, ne virent pas que Shakespeare et ses passions destructrices sont encore présents dans *Iphigénie* ; seulement (comme on dirait en termes freudiens) cet aspect-là est « refoulé » ; il constitue la partie souterraine de l'œuvre. Oreste qui côtoie la folie et y succombe sur la scène même, Thoas, roi des barbares, qui exige sa victime, Iphigénie sur le point de sacrifier son frère sont des êtres sauvagement instinctifs ; une violence extrême couve en eux, et ils connaissent une vie de terreur, de crimes et de grandeur. Le mystère de la Grèce n'est-il pas justement d'avoir connu les choses les plus terribles et les plus barbares, de les avoir transfigurées dans ses mythes et exprimées dans les tragédies de ses poètes ; puis d'avoir conduit l'être humain à travers un passage merveilleux pour lui faire découvrir ce surnaturel pleinement esthétique qu'est l'Olympe ? C'est là une ascension, dépassant les ténèbres du monde ; et les tragédies grecques sont un regard d'en haut, rétrospectif sur ce qui a été conquis et qui est désormais possédé avec certitude et pour toujours. Tout autre est la situation créée par Goethe : pour lui, la douceur olympienne ne s'atteint qu'à de rares instants, et avec beaucoup de peine. Et les forces humaines seules n'y suffisent pas, l'intervention d'une femme supérieure, d'une demi-déesse, est nécessaire. Voici le rôle d'Iphigénie : sauver les autres, être l'« âme salvatrice ». Tout en se trouvant elle-même dans un danger continuel, il lui faut par sa volonté intérieure recréer la Grèce désormais lointaine. « Chercher la Grèce avec son âme », telle est sa devise qui rappelle le geste tendre et suppliant de Mignon envers l'Italie. L'œuvre de Goethe n'est pas faite pour les pays de l'Olympe, mais pour le monde allemand qui, derrière le voile de ses brumes, a toujours aspiré à la Grèce comme à un monde de lumière. — Trad. Aubier, 1931.

★ Rappelons enfin l'*Iphigénie en Tauride* de Cesare della Valle ; celle de Gian Rinaldo Carli (1720-1795) et l'*Iphigénie en Tauride* de Jean Moréas (1856-1910), représentée en 1903 et publiée en 1904.

★L'histoire du mélodrame compte une longue série d'opéras sur le sujet d'*Iphigénie en Tauride*. Les principaux sont ceux de Desmarets et Campra (1660-1744), Paris 1704 ; de Domenico Scarlatti (1685-1757), représenté à la cour de la reine Marie Casimir de Pologne en 1713 ; de Giuseppe Orlandini (1688-1750), joué en Italie en 1719 ; de Niccolò Jommelli (1714-1774), Naples, 1751.

★ Le compositeur italien Tommaso Traetta (1727-1779) composa une *Iphigénie en Tauride* qui connut un grand succès ; l'œuvre, représentée à Vienne en 1763 sous la direction de l'auteur, est un des meilleurs exemples de cette réforme que Traetta rêvait d'introduire dans le domaine du théâtre lyrique : chœurs et ballets dans le goût français participent au drame en même temps que l'orchestre et le chant ; c'est par cette fusion des éléments typiques de l'opéra français et de l'opéra italien que Traetta entendait créer un nouveau genre d'opéra.

★ Le meilleur opéra composé sur ce sujet est l'*Iphigénie en Tauride,* en 4 actes, du compositeur allemand Christoph Willibald Gluck (1714-1787), sur le livret du poète français Guillard, représenté avec grand succès à Paris en 1779. On peut considérer cet opéra comme l'œuvre décisive de Gluck, le dernier mot de son aspiration à créer une tragédie lyrique parfaite en soi, sans compromis de style ou de forme. Il faut remarquer surtout que Gluck, qui avait de grandes affinités avec le monde classique, s'est instinctivement appliqué à employer, sous une forme moderne, des rythmes qu'il supposait être ceux qu'utilisaient les tragiques grecs ; par exemple, le chœur des prêtresses d'Artémis (au début de l'opéra) et la danse des Scythes où, pour la première fois peut-être, apparaît le désir d'en appeler au folklore (dans ces rythmes et chants de peuplades barbares dont fait mention plus d'un récit de voyageur). Toute l'œuvre est d'une rare qualité d'expression, notamment, au second acte, le chant d'Oreste s'abandonnant au sommeil (« Le calme revient en moi »), d'un ton presque désolé et qu'appuie une orchestration d'une couleur tragique ; l'air magnifique du roi : « Noirs pressentiments » et tout le rôle de Pylade, dans lequel la musique semble animée par le souffle d'une tendre amitié. Le caractère d'Iphigénie est dépeint avec une grande vérité dramatique, depuis son imploration à la déesse au premier acte (« Ô toi qui prolongeas mes jours... »), pleine d'un sentiment douloureux, et à travers chacun de ses airs, jusqu'à la reconnaissance d'Oreste. Mais cette œuvre, la plus réussie de Gluck quant à la construction et à l'application de ses principes esthétiques, n'est peut-être pas sa meilleure au point de vue de l'inspiration, car dans toute la partition règne une certaine froideur. Toutefois on ne peut nier son importance, car elle est conçue dans cette nouvelle forme qui, pour de multiples raisons, se substituera au théâtre lyrique italien désormais sans vitalité. La preuve en est que, durant ses cinquante premières années de vie, l'opéra connut au moins quatre cents représentations.

★ Deux ans après l'apparition de l'opéra de Gluck, en 1781, Niccolò Piccinni (1728-1800) donnait à la scène une *Iphigénie en Tauride* sur un livret de Dubreuil, composée dans l'intention d'appuyer sa lutte théorique contre la réforme de Gluck et pour rivaliser avec son *Iphigénie* ; mais le chef-d'œuvre précédent éclipsa cet opéra. Rappelons encore les *Iphigénie en Tauride* de Leonardo Vinci

(1690-1732), Venise, 1719 ; de Baldessare Galuppi (1706-1785), Saint-Pétersbourg, 1768 ; d'Angelo Tarchi (1760-1814), Venise, 1785 ; de Michele Carafa de Colobrano (1787-1872), Naples, 1817. On connaît aussi la scène dramatique pour solo, chœur et orchestre de Théodore Gouvy (1819-1898) et les musiques de scène pour la tragédie d'Euripide de Hugh Clarke (1839-1927) et de Charles Wood (1866-1926).

★ Innombrables ont été aussi les mélodrames sur *Iphigénie en Aulide*. De nombreux compositeurs ont mis en musique le livret d'Apostolo Zeno (1668-1750) : Antonio Caldara (1670-1736), Vienne, 1718 ; Nicola Porpora (1686-1768), représenté en 1742 env. ; Tommaso Traetta (1726-1779), Vienne, 1758 ; Niccolò Jommelli (1714-1774), Naples 1773 ; et d'autres. Parmi les mélodrames mis en musique sur des livrets divers, signalons particulièrement *Iphigénie en Aulide* de Domenico Scarlatti (1685-1757), représentée dans le théâtre privé de la reine Marie Casimir de Pologne en 1714 ; celle de Heinrich Graun (1703-1759), Berlin, 1749 ; et celle de Luigi Cherubini (1760-1842), Turin, 1788.

★ Avant l'opéra de Cherubini, précisément en 1774, avait été représenté à Paris, à l'Académie royale de musique, le plus important opéra sur ce sujet : *Iphigénie en Aulide* de Christoph Willibald Gluck (1714-1787), sur le livret de Le Blanc du Roullet, tiré de la tragédie de Racine. Avec *Orphée* (*), *Armide* (*) et *Iphigénie en Tauride,* cette œuvre est une des réalisations les plus typiques du credo esthétique de Gluck qui n'hésita pas à contrecarrer le goût du XVIIIe siècle pour l'opéra italien (désormais dégénéré et réduit à une formule vide, ayant pour seul but de mettre en valeur la virtuosité des chanteurs). Il affirmait au contraire la nécessité d'une union étroite entre contenu poétique et expression musicale et assignait à la musique la tâche de retrouver le « langage du cœur » et de « renforcer l'expression des sentiments et l'intérêt des situations ». *Iphigénie en Aulide* débute par une ouverture, si riche en thèmes qu'elle semble déjà annoncer le principe wagnérien du leitmotiv ; puis la scène s'ouvre sur l'invocation d'Agamemnon à Diane, qui est d'une liberté mélodique qu'on n'avait jamais rencontrée dans les œuvres précédentes. Cette prière au « brillant auteur de la lumière » est pleine de noblesse et d'accents pathétiques. Tout le personnage d'Agamemnon est traité avec une grande force tragique ; une des pages les plus belles, les plus représentatives du drame intime de ce malheureux roi est le monologue du deuxième où il crie son tourment de père et de souverain. La figure de Clytemnestre est, elle aussi, puissamment dramatique, tandis qu'Achille et Iphigénie sont traités avec plus de froideur. Fidèle à la tradition française, Gluck a introduit un ballet dans chaque acte, quoique cette forme musicale ne soit pas parfaitement adaptée à l'esprit de l'œuvre. Les danses, gavottes, menuets, chaconnes, tout en n'ayant pas le brillant et la grâce des ballets de Rameau, sont modulés avec élégance et habilement orchestrés. Le dernier acte, se terminant, suivant l'exigence de la mode, par une chaconne, présente une innovation : le prêtre Calchas vient interrompre la danse par un chant où il incite les héros grecs à la bataille et à la victoire.

★ La figure d'Iphigénie occupe une grande place dans l'iconographie des arts plastiques : elle apparaît dans les bas-reliefs classiques (les plus célèbres sont ceux du Vase Médicis à Florence, et ceux du Musée Chiaramonti à Rome) ; dans une fresque pompéienne et dans de nombreux tableaux d'époque plus récente : le *Sacrifice d'Iphigénie* de Tiepolo est parmi les plus célèbres.

IRĀMĀVATĀRAM [*La Descente de Rāma*]. Cette version du *Rāmāyaṇa* (*) que l'on doit au poète tamoul Kampar (XIIe siècle) est l'un des chefs-d'œuvre de la littérature tamoule. Plus personne après Kampar n'osera se risquer à écrire un autre *Rāmāyaṇa* tamoul. L'histoire de Rāma était déjà bien connue à l'époque du Caṅkam et on la retrouve ensuite chez les Āḻvārs. Kampar, tout en s'inspirant du *Rāmāyaṇa* sanskrit de Vālmiki, a fait une œuvre profondément originale en reprenant des éléments de la légende locale qui ne se trouvent pas chez Vālmiki et en introduisant habilement dans son œuvre les conventions littéraires tamoules. E. S.

IRIS DE SUSE (L'). Dernier roman de l'écrivain français Jean Giono (1895-1970), publié en 1970. L'écrivain y a repris quelques éléments de deux romans qu'il avait peu auparavant laissés inachevés, *Dragoon* et *Olympe*. L'action se déroule dans le Midi, en 1904-1905 ; elle est axée sur Tringlot, un voleur, pillard de maisons, complice d'assassins ; au début du récit, s'étant approprié le fruit des rapines de sa bande, il est poursuivi par ses complices au sortir de Toulon. Pour brouiller sa piste, il se joint aux bergers d'un grand troupeau en transhumance. Arrivé dans les hauteurs, il y rencontre des personnages extraordinaires : la petite baronne Jeanne de Quelte, veuve, fantasque, romantique, indépendante ; son cousin Casagrande, plus âgé, à moitié italien, naturaliste et philosophe mystérieux et subtil ; le beau forgeron Murataure, marié à une femme surnommée l'Absente : bien que n'étant ni sourde ni muette, elle ne parle jamais et ne semble rien entendre. Un amour tumultueux unit la baronne et Murataure : elle finit par se faire enlever par lui en auto, et, volontairement, ils manquent un virage et se précipitent dans le vide ; la voiture flambe, et il ne reste de la baronne qu'une toque ornée d'une plume de faisan, que Casagrande fait enterrer solennellement. Tringlot restitue à ses complices l'argent volé qu'il détenait, et qui ne peut plus lui servir à rien, car il ne se consacrera désormais qu'à aimer l'Absente et à la protéger contre la cupidité de sa famille ; cet amour ne pourra jamais être payé de retour.

Le roman, difficile, elliptique, étonne non seulement par son titre cryptique (l'iris de Suse est présenté comme un os, d'ailleurs fictif, dans la boîte crânienne d'un rat), mais parce que le protagoniste, un criminel, est rendu tranquillement sympathique au lecteur par une multitude de petits traits et par l'attention qu'il porte aux êtres, et surtout parce que, bien que l'unité du ton narratif y soit constamment sauvegardée, le récit oscille entre le roman d'aventures policières, l'opéra bouffe par son humour, et le roman métaphysique ou mystique par l'importance qui y est accordée au zéro (Giono a pensé à l'intituler *L'Invention du zéro*) aussi bien dans les spéculations retorses de Casagrande que dans l'être même de l'Absente ou dans l'amour de Tringlot pour elle. Le zéro est en un sens un absolu. Il est significatif que Giono ait clos son œuvre (car il se savait au bout du rouleau) en la consacrant en filigrane à cette notion d'absolu qui avait été si profondément au cœur de sa réflexion.

IROHA BUNKO [*Bibliothèque de l'Iroha*]. Œuvre de la littérature narrative populaire japonaise, restée incomplète en dépit de ses cinquante-deux volumes. Son véritable titre est : *Seishi Jitsuden Iroha Bunko* [*Histoire authentique et vraies biographies*, ou *Bibliothèque de l'Iroha*]. Elle est attribuée à Tamenaga Shunsui II (Somezaki Nobufusa, 1823-1886), mais, en réalité, les quatre premières parties furent écrites par Tamenaga Shunsui I (Echizen.ya Chôjirô, 1789-1842), maître du précédent, lequel n'est l'auteur que de la dernière partie. L'*Iroha Bunko* est un remaniement, pour une part fondé sur des éléments historiques, pour une grande part imaginaire, de la fameuse vengeance des Quarante-Sept Ronin — v. *Chûshingura* —, que rappelle dans le titre le terme « Iroha », nom de l'alphabet syllabique japonais, car celui-ci est précisément composé de quarante-sept signes. La trame, plutôt qu'une exposition ordonnée des faits, est une nouvelle élaboration des précédents récits touchant les personnages les plus connus et réputés de cette célèbre histoire. Les auteurs font ressortir le côté humain et sentimental des événements, surtout le dévouement des acteurs de ce monstrueux drame historique : tous sont des hommes tendus vers un but suprême où était engagé leur honneur : froidement conscients de leur destin de mort, on les voit s'adapter, pendant le temps nécessaire à la préparation de la vengeance de leur seigneur, aux métiers les plus divers et les plus humiliants. L'*Iroha Bunko* est une des versions littéraires les plus importantes de cet événement historique, et son apparition fut accueillie par un immense succès.

IRONIE DU SPORT (L'). Recueil de chroniques de l'écrivain français Antoine Blondin (1922-1991), publié en 1988. Blondin a écrit plusieurs milliers d'articles et de chroniques. Sa production la plus féconde concerne les manifestations sportives, qu'il a décrites, presque au jour le jour, pendant une trentaine d'années, pour le quotidien *L'Équipe*. Il a ainsi suivi vingt-sept Tours de France, sept jeux Olympiques, huit championnats d'Europe d'athlétisme et des centaines de compétitions internationales de toutes spécialités, avec une prédilection pour la bicyclette, la course à pied et le rugby. Ces chroniques sont étincelantes de compétence technique et de bonheur d'écriture. Antoine Blondin retrouve, pour parler des dieux du stade, le style homérique, avec la malice en plus.

Deux autres recueils : *Ma vie entre des lignes* (1977) et *Certificat d'études* (1982), ont également été publiés. Le premier réunit des articles sur des sujets très divers, souvent d'actualité, le second, différents essais sur la littérature. On y trouvera ainsi, commentés d'une plume fine et souvent acérée, Baudelaire et Cocteau, Homère et O'Henry, Dumas et Fitzgerald.

J. Be.

IRRÉSOLU (L'). Comédie en cinq actes en vers de l'écrivain français Jean-François Regnard (1655-1709), représentée en 1713. Elle fut inspirée à la fois par une comédie de Leroy, qui porte le même titre, et par *L'Inconstant* de Collin d'Harleville. L'intrigue est simple : Dorante est amoureux de deux sœurs et ne sait laquelle choisir. Par bonheur, un de ses amis se décide pour l'une d'entre elles, ce qui permettra au héros d'épouser la seconde. Dans cette pièce, comme dans *Le Distrait* (*), les événements ne sont jamais motivés par le caractère de Dorante (c'est par ses excentricités qu'il leur confère un coloris particulier). En outre, l'absence totale de conflit fait que cette pièce ne peut être considérée comme une vraie comédie de caractères. Ce n'est guère qu'une ébauche, qui parfois nous fait rire.

IRRESPONSABLES (Les) [*Die Schuldlosen*]. Roman de l'écrivain autrichien Hermann Broch (1886-1951), publié en 1950. Dans une postface intitulée « Genèse du livre », Broch a expliqué la composition « assez étrange » de cet ouvrage et ses intentions. Son éditeur ayant, pour en faire un volume, rassemblé cinq récits parus vingt ans auparavant dans divers périodiques, Broch, mécontent de leur insuffisance, décida, non de les récrire, mais de leur adjoindre six nouveaux récits destinés à créer une unité, et d'insérer l'ensemble dans un cadre lyrique.

Le livre s'ouvre sur une parabole, « La Parabole de la voix », et se répartit ensuite en trois parties — « Les Récits antérieurs », « Les Récits » et « Les Récits postérieurs »

— dont chacune est introduite par un « canto » : « Voix 1913 », « Voix 1923 » et « Voix 1933 ». La première et la troisième partie groupent chacune deux récits, la deuxième sept ; le récit numéro VI, intitulé « Légère déception », se trouve donc au centre du livre — et le livre, en effet, se développe symétriquement par rapport à lui. La signification de ce récit, d'apparence énigmatique, a été explicitée par Broch : « "Légère déception" est une tentative, il est vrai extrêmement insuffisante, pour donner forme à l'expérience du vide absolu. Ce fut le point d'origine, et je plaçai donc cette nouvelle au centre du livre, la vacuité, le temps vide pris pour centre d'un système d'événements. » À partir de là, peut-être est-il permis de voir dans la structure symétrique du livre la volonté de tracer ce cercle qui, riche à la fois de sa fin et de son commencement, exprime l'identité des contraires et se situe par là même hors de l'ordre temporel qu'il enferme.

Composition statique, ce roman n'offre évidemment pas de déroulement au sens traditionnel — pas d'intrigue —, aussi ne peut-on indiquer que quelques situations, étant bien précisé qu'un résumé trahit ce livre plus qu'aucun autre, mais le plus simple est sans doute de procéder par strates de temps. Décor : une petite ville de l'Allemagne préhitlérienne. Strate 1 : la baronne W. vit depuis trente ans en compagnie de Zerline, sa femme de chambre. Dans sa jeunesse, elle a eu une brève liaison (que lui a disputée Zerline) dont est née une fille, Hildegarde. Zerline entretient une haine tenace et sournoise à l'égard de la baronne ; au bout de tant d'années, une fois sa fortune assurée, elle l'empoisonne. Strate 2 : Hildegarde, vieille fille machiavélique et stérile, dispute à Mélitta, jeune blanchisseuse toute pureté et générosité, l'amour d'Andréas (souvent désigné par la lettre A.). A., qui dispose d'une fortune considérable, n'aime que le confort et la vie facile ; c'est un petit-bourgeois incapable d'assumer aucune responsabilité. Il ne choisit donc pas entre l'amour pervers de Hildegarde, auprès de qui il cherche le confort d'une protection maternelle, et l'amour pur de Mélitta, que Hildegarde finira par pousser au suicide. Responsable de cette mort sans en être coupable, A. se suicide à son tour mais par veulerie et non par remords. Strate 3 : le professeur Zacharias (souvent désigné par la lettre Z.), opprime les faibles et tremble devant les forts. Cet « irresponsable » adopte toutes les idéologies et participe à toutes les actions pourvu qu'elles soient triomphantes. Comme tous les petits-bourgeois qui, au gré des circonstances, peuvent devenir criminels pour les motifs les plus nobles, il prépare l'avènement du nazisme, dont, au nom de l'ordre, il acceptera toutes les cruautés.

Le roman comprend bien d'autres personnages et d'autres situations, mais c'est autour du rapport A.-Z. que s'édifie sa signification morale et métaphysique. A. et Z. sont les « irresponsables » : le premier, qui entraîne la mort de Mélitta par omission, en est le coupable innocent ; le second va pouvoir participer au massacre de milliers d'hommes tout en demeurant persuadé de son innocence — donc A = Z, et le coupable = l'innocent dans le monde vide de l'irresponsabilité. Quant à la portée générale de cette œuvre, infiniment riche et d'une rigueur incomparable dans sa complexité, Broch l'a précisée lui-même : « Le roman décrit des situations et des types allemands de la période préhitlérienne. Les personnages choisis pour les représenter sont dépourvus de convictions politiques... Aucun d'eux n'est directement "responsable" de la catastrophe hitlérienne... C'est malgré tout dans cet état d'âme et d'esprit — l'expérience l'a prouvé — que le nazisme a puisé sa vraie force. L'indifférence politique est en effet une indifférence éthique, et par là elle s'apparente étroitement à la perversion éthique. Bref, ceux qui ne sont pas responsables du point de vue politique se trouvent pour la plupart à un stade de culpabilité éthique assez avancé. Représenter cette situation et lui donner un fondement intérieur a été l'une des tâches de ce livre, ce qui a nécessité la méthode des plans multiples. Car ce manque de culpabilité atteint d'une part le domaine des représentations magiques et métaphysiques, et plonge d'autre part jusqu'aux instincts les plus obscurs. » — Trad. Gallimard, 1961.

IRYDION. Poème dramatique en prose de l'écrivain polonais Zygmunt Krasiński (1812-1859), publié sans nom d'auteur en 1836. Le poème se compose d'un prologue, de quatre actes et d'un épilogue. L'action se passe à la fois dans des temps très lointains, au IIIe siècle de l'ère chrétienne, au temps d'Héliogabale, et en plein XIXe siècle. Irydion, fils d'un marchand grec, a hérité de la haine farouche de son père contre Rome qui opprime tous les peuples de la terre. Après la mort de ses parents, il se rend à Rome avec sa sœur la belle Elsinoe ; il compte, pour réussir à atteindre son but, sur deux moyens : faire valoir les immenses richesses que lui a laissées son père, et provoquer une révolte contre l'empire en exploitant le mécontentement du peuple. Assisté et protégé par le vieux roi de Numidie Massinissa, qui était déjà l'ami de son père, il entre en relation avec les opprimés et fomente une rébellion. Mais le plan élaboré avec tant de patience et de volonté échoue ; car, avant que la révolte puisse éclater, le jeune empereur Héliogabale est détrôné par le parti des vieux Romains que dirige le législateur Ulpien. Les chrétiens eux-mêmes, se conformant à l'avertissement de l'évêque de Rome, refusent de participer à l'action. Elsinoe se tue. Irydion est perdu. Massinissa lui révèle alors sa propre nature : il n'est pas un vulgaire mortel, mais Satan lui-même, et il peut, en échange de son âme, accorder à Irydion un sommeil léthargique qui lui permettra de ressusciter après plusieurs siècles et de voir de ses propres yeux la ruine de Rome. Irydion passe ainsi seize siècles, endormi dans une caverne du mont Albain, et se réveille en plein XIXe siècle, au temps de Krasiński. Massinissa en personne l'accompagne pour aller voir les ruines de la Rome impériale, devenue une pauvre ville sans pouvoir, à demi dépeuplée, lugubre, gouvernée par les papes, c'est-à-dire par les successeurs de ces mêmes chrétiens que Rome avait férocement persécutés. Massinissa-Satan a tenu sa promesse, il réclame maintenant son gage ; selon leurs conventions, Irydion doit lui céder son âme. Mais la grâce divine intervient en faveur du Grec. Dieu lui accordera son salut parce qu'il a, dans sa vie, agi sous l'impulsion d'un grand amour, mais à une condition toutefois : il devra se soumettre à une nouvelle épreuve en Pologne, terre de douleur et d'expiation. On voit donc qu'*Irydion* fait partie du cycle de la poésie romantique et messianique de la Pologne. L'œuvre fait une large place à l'idéal patriotique et condamne le mal, mais sans désir de vengeance, avec la certitude que l'amour divin sert beaucoup plus que la haine, le sang et les conspirations à la rédemption des peuples opprimés.

ISABELLE. Récit de l'écrivain français André Gide (1869-1951), publié en 1912. Un jeune étudiant qui prépare une thèse sur Bossuet est amené par ses recherches au château de la Quartfourche, où se trouvent des documents précieux. Ses hôtes, l'érudit M. Floche et sa femme, ainsi que le vieux couple de Saint-Auréol, vivent depuis des années, retirés dans ce coin perdu, avec un petit garçon arriéré et infirme, le précepteur de l'enfant et quelques domestiques. Intrigué par ce groupe pittoresque et la mystérieuse solitude qui l'entoure, le romantique jeune homme parvient à apprendre l'existence de la fille du marquis de Saint-Auréol, mère du malheureux petit garçon : Isabelle, réputée pour sa beauté. Après l'assassinat de son fiancé, survenu bien des années auparavant dans le parc même du château, Isabelle s'était enfuie pour mener une vie d'aventures. Ces quelques dates, que son indiscrétion a pu recueillir, suffisent au jeune étudiant pour imaginer une figure des plus pathétique. Un soir, il réussit à entrevoir la jeune femme qui, en secret, est venue rendre visite à sa famille. Il en tombe amoureux, tente de lui parler, mais n'y parvient pas. Les circonstances de sa vie le mènent, par la suite, loin de ces lieux. Lorsque, bien plus tard, il retourne au château – abandonné depuis la mort des propriétaires et sur le point d'être vendu –, il fait la connaissance de la mystérieuse Isabelle et se rend compte qu'elle n'est, au fond, qu'une quelconque aventurière. Elle s'était toujours employée à extorquer de l'argent à ses parents et maintenant ne se prépare qu'à réaliser au plus vite les restes de l'héritage. Ce bref roman est écrit dans le style élégant particulier à Gide et fait montre d'une subtilité digne de l'auteur de *La Porte étroite* (*). On pourrait reprocher à cette œuvre un excès de désinvolture, trop de rapidité dans la conduite de l'action et une habileté un peu sèche qui rappelle curieusement l'aride perfection de certains récits de Mérimée.

ISABELLE ou le Pot de basilic [*Isabella, or the Pot of Basil*]. Ce poème du poète anglais John Keats (1795-1821) fut publié en 1820. Isabelle et Lorenzo sont épris l'un de l'autre. Mais les deux frères de la jeune fille ont décidé de la marier à quelque richissime seigneur. Aussi quand ils apprennent la passion d'Isabelle, ils décident tout de bon de supprimer Lorenzo. Après le meurtre, ils font croire à leur sœur que le jeune homme est parti pour l'étranger. La pauvre Isabelle se consume de douleur et continue à attendre le retour de son bien-aimé. Mais, une nuit, Lorenzo lui apparaît en songe ; il lui révèle sa fin tragique et la prie de se rendre dans la forêt pour aller pleurer sur sa tombe. Aidée de sa nourrice, Isabelle retrouve les restes de son malheureux amant ; elle détache la tête du cadavre, l'emporte chez elle et la cache dans un pot de basilic. Elle passe alors tout son temps près de la petite plante qu'elle arrose de ses larmes. Mais l'attitude d'Isabelle déconcerte bientôt les assassins. Se sachant découverts, ils s'enfuient en emportant le pot de basilic. Privée de son seul réconfort, Isabelle meurt de douleur. Délaissant ses sources mythologiques habituelles, Keats s'inspire dans ce poème d'une légende médiévale. Il tire son sujet d'une nouvelle de Boccace – v. *Décaméron* (*) (IV-5). Mais tout en suivant le plan de son modèle, il l'enrichit en mettant surtout l'accent sur la portée sentimentale de ce conte d'amour et en plongeant ses personnages dans une atmosphère romantique. Ce poème n'atteint pas toutefois la perfection classique des autres œuvres de Keats. Si la figure d'Isabelle témoigne d'une réelle puissance dramatique, l'auteur n'a pas été sans exagérer un peu trop complaisamment l'opposition des caractères. Malgré ces défauts, *Isabelle ou le Pot de basilic* est peut-être l'œuvre de Keats qui nous touche le plus par son accent pathétique. – Trad. Mercure de France, 1910 ; Aubier-Flammarion, 1968.

ISABELLE D'ÉGYPTE ou le Premier Amour de l'empereur Charles Quint [*Isabella von Aegypten oder Kaisers Karl der fünfte erste Liebe*]. Nouvelle de l'écrivain allemand Ludwig Achim von Arnim (1781-1831), publiée en 1819. Elle a pour sujet le premier amour qu'éprouva Charles Quint, alors grand-duc et encore adolescent, pour une femme étrange, Isabelle, princesse des romanichels, venue à la Cour avec une suite composée de personnages fantastiques à demi ensorcelés : Cornelius, mandragore que les sortilèges d'Isabelle ont changée en nain turbulent et belliqueux ; Bark, sa vieille nourrice, et Peau d'Ours. Isabelle, qui se considère elle-même comme de descendance royale, s'éprend de Charles Quint et décide d'avoir un fils de ce dernier afin de confirmer, en épousant ce monarque tout-puissant, la destinée que lui ont prédite les astres : ramener son peuple aux terres ancestrales des bords du Nil, et y fonder à nouveau un royaume. L'intervention d'un « Golem », sorte de poupée animée et sosie d'Isabelle, mettra leur amour en danger ; les amants parviendront néanmoins à conjurer embûches et mauvais sorts. À son avènement, le jeune monarque fait d'Isabelle son épouse morganatique, mais celle-ci, mère désormais, s'enfuit pour accomplir son destin, emportant au plus profond de son cœur, éternelle blessure, le souvenir de son premier et dernier amour. Dès son départ, les personnages de sa suite, changés en poussière, s'évanouissent comme en un rêve. Sortilèges et magie demeureront cependant le tourment éternel du monarque insatiable, qui ne trouvera de repos que dans la mort. L'esprit de la mandragore, rivé à lui, ne fera que le rendre avide de puissance et de pouvoir, tandis que l'idéal perdu de son premier amour le poussera vers des buts toujours plus lointains, à travers d'innombrables aventures sensuelles où ses désirs ne trouveront jamais d'apaisement. L'élément proprement historique s'affaiblit dans le merveilleux, sans que ce dernier parvienne d'ailleurs à élever le récit au-dessus du réel. Malgré des scènes pittoresques et une indéniable richesse d'invention, l'ensemble souffre d'un déséquilibre fréquent chez Arnim, trop souvent suspendu, ou hésitant entre la précision d'une érudition historique et la légèreté aérienne des contes de fées. — Trad. *Théophile Gautier fils,* réédit. Paris, 1933, et Aubier-Flammarion, 1977.

ISAGOGÉ [Εἰσαγωγή : *Introduction*]. Ouvrage de logique du philosophe grec néoplatonicien Porphyre de Tyr (233-301/5 ? ap. J.-C.). Conçue comme une Introduction aux *Catégories* d'Aristote, accueillie ensuite par le néoplatonisme, cette œuvre fut en même temps que celle d'Aristote traduite et commentée en latin par Boèce. Elle entra de la sorte en plein dans la tradition chrétienne médiévale, pour laquelle elle constitua jusqu'à la fin du XIIe siècle l'unique source de l'étude de la logique. Il y est traité des cinq concepts fondamentaux : genre, espèce, différence spécifique, propre, accidentel. Porphyre explique : « genre », par exemple animal ; « espèce », par exemple homme ; « différence », par exemple raisonnable ; « propre », par exemple rieur ; « accidentel », par exemple blanc, noir. Or « homme », étant une espèce, est attribut de Socrate et de Platon, qui n'en diffèrent pas par l'espèce, mais par le nombre ; « animal », étant genre, est attribut de l'homme, du cheval et du bœuf, qui diffèrent entre eux par l'espèce, etc. L'auteur traite au cours de cinq chapitres des concepts particuliers et de leurs rapports de ressemblance ou de différence. Du « genre », il donne cette définition : « l'attribut essentiel applicable à une pluralité de choses différant entre elles spécifiquement » ; de l'« espèce » : « l'attribut qui s'applique essentiellement à une pluralité de termes différant entre eux spécifiquement ». La « différence », c'est « ce par quoi les choses particulières diffèrent ». « Propre » est défini comme ce qui appartient à une espèce seulement, et à toute l'espèce, alors que l'« accidentel » est défini : « ce qui est présent ou absent sans que soit détruit le sujet ». Dans des chapitres séparés, l'auteur traite de « ce que les cinq vocables ont de commun ou de différent ». L'*Isagogé* de Porphyre, considéré durant le Moyen Âge comme une introduction indispensable à la compréhension des *Catégories*, et donc de la philosophie et de la théologie, et à la possession de la béatitude éternelle, doit surtout sa grande importance historique au fait d'avoir provoqué la très célèbre discussion relative à la valeur cognitive des « universaux », champ de bataille et de discorde au sein de la scolastique du IXe siècle jusqu'à la première moitié du XIIe. Ce fut Porphyre qui mit le feu aux poudres lorsqu'il déclara vouloir laisser sans solution ce problème, à savoir : si les genres et les espèces, attributs de nombreux individus, existent réellement ou bien s'ils n'ont une existence que dans l'esprit (« an in solis nudis intellectibus posita sint ») ; et dans le premier cas, s'ils sont des réalités corporelles ou incorporelles, séparées ou situées dans les réalités sensibles (« utrum separata, an in sensibus posita sint »). Pour exciter la curiosité, il ne pouvait faire pis qu'ajouter : « Il s'agit d'un problème très élevé » [Altissimum est hujus modi negotium], nécessitant une recherche spéciale et plus approfondie. Boèce lui-même apporta de l'eau au moulin, en reprenant les deux solutions qu'en avaient données Aristote et Platon. Le premier affirmait que les genres et les espèces « se trouvent dans les objets particuliers, mais sont pensés comme universels » : l'espèce n'est donc rien, sinon un concept recueilli par des individus différents en nombre, mais substantiellement semblables. Pour Platon, disait Boèce, les « universaux » sont au contraire des idées complètement séparées ; substances incorporelles distinctes des individus, occupant un troisième rang entre les substances abstraites, après les dieux et les anges. Le problème ainsi proposé par le commentateur de Porphyre, et porté à ses extrêmes limites, en arrivait à se rattacher à celui qu'avait déjà posé Platon dans le *Parménide* (*) et préparait le débat interminable qui devait mettre aux prises les réalistes, les nominalistes et les conceptualistes. — Trad. Vrin, 1946.

ISAÏE (Livre d'). Livre de l'« Ancien Testament » – v. *La Bible* (*) – attribué, comme l'indique le titre même, au prophète Isaïe, fils d'Amos (VIIIe-VIIe siècle avant J.-C.). Le nom Isaïe est une transcription de l'hébreu Yechayah qui signifie « Yahvé est délivrance ». Le livre embrasse soixante-six chapitres, et se rapporte principalement à la captivité de Babylone, au retour de l'exil et au Messie. Le premier chapitre est comme l'annonce du thème, ou mieux le résumé de toute l'œuvre. Le poète lance des invectives contre les désordres de Juda, et il censure âprement chez ses compatriotes l'ignorance et la négligence des choses du Seigneur, la morgue, l'égoïsme, l'insensibilité à l'égard des frères malheureux, la fraude, la sensualité et, particulièrement, l'inclination au culte idolâtrique. Souvent, il oppose aux Juifs, que Dieu repousse et oublie, les païens appelés à leur tour à la nouvelle foi. La prophétie se divise en deux parties : la première nous présente les menaces de Dieu et comprend deux sections, dont la première rapporte les prédictions d'Isaïe sur Juda, sur Jérusalem et sur l'Emmanuel (le Messie), les oracles contre les nations et, en dernier lieu, la prophétie relative à la consommation des choses. La seconde section de la première partie relate l'histoire d'Ézéchias libéré des Assyriens, guéri d'une maladie et réprimandé par le prophète. La seconde partie développe ce thème : la punition est sur le point de finir, l'iniquité est effacée, le salut est arrivé ; on a la certitude de la rédemption par l'exil et de la victoire du royaume théocratique : le serviteur de Yahvé, le Messie, sera la victime expiatoire et connaîtra les souffrances de la passion. C'est ici, surtout lorsqu'il prédit la vocation des Gentils et annonce le salut du nouvel Adam, qu'Isaïe atteint à des accents véritablement mystiques.

Orateur vigoureux et éloquent, le prophète sait trouver les comparaisons les plus audacieuses et donner aux figures les plus communes une élégance et une expression poétique admirables. Ses périodes sont toujours finies et comme polies, sans âpreté et d'un rythme aisé. Noblesse de la pensée et splendeur de la forme, telles sont les qualités maîtresses de son livre. Pour donner plus de force à ses idées et à ses sentiments, il recherche des assonances à effet : « Kebodo yegod yecod Kyqod » : « Et, sous sa magnificence, éclatera un embrasement, comme l'embrasement d'un feu » (X, 16). Son style n'est jamais prolixe ni monotone, même s'il advient que les discours s'enchaînent aux discours. Écrivain maître de sa matière, il respecte cette règle d'or : savoir se borner. S'adressant en un langage direct à ses auditeurs, il sait être incisif et sarcastique (par exemple, lorsqu'il parle des idoles) ; il sait, sous forme de courtes sentences, présenter l'image de ce qui est vain, dissipant en un éclair les plus fortes illusions du peuple. Il nous dépeint l'ère messianique en de gracieuses visions ; sous nos yeux défilent de calmes tableaux admirablement brossés ; l'atmosphère y est paisible et les couleurs douces, on y trouve des motifs idylliques d'une vive fraîcheur et des images de perpétuel printemps. Ainsi, dans le magnifique poème de la paix messianique, il écrit : « La justice sera la ceinture de ses reins, et la loyauté enserrera ses flancs. Alors le loup habitera avec l'agneau, et la panthère se couchera près du chevreau ; le veau et le lionceau brouteront côte à côte ; et un petit enfant les mènera », « La génisse et l'ourse seront amies : leurs petits gîteront ensemble. Le lion se nourrira de la paille comme le bœuf. Le nourrisson s'ébattra près du trou de la vipère et sur le repaire de l'aspic l'enfant sevré étendra la main » (XI, 7-8).

Le *Livre d'Isaïe* ne saurait être l'œuvre d'un seul ; les trois cents ans de références historiques mais aussi l'évolution du courant religieux et de la pensée philosophique, comme les différences de ton et de style, l'attestent. Le grand prophète eut des continuateurs qui constituèrent une véritable école isaïenne. Peuvent être effectivement rattachés à Isaïe, les chapitres I à XXXIX ; une deuxième partie du *Livre* (chap. XL-LV) – appelée « livre de la Consolation » ou « Le Second Isaïe » – fut par contre écrite par un disciple vers la fin de l'exil ; une dernière partie : la fin du *Livre* (LVI à LXVI) est l'œuvre d'un autre disciple qui écrivit entre 538 et 520.

D'une grande beauté littéraire et d'une grande profondeur religieuse, le *Livre d'Isaïe* est avec les *Psaumes* (*) le livre le plus fréquemment cité. Pascal voyait en lui le sommet de l'Ancien Testament. – Trad. œcuménique de *La Bible*, 1988.

ISIS. Cette tragédie en cinq actes et un prologue, poème de l'auteur dramatique français Philippe Quinault (1635-1688), musique de Jean-Baptiste Lully (1632-1687), a été représentée devant la cour de Louis XIV à Saint-Germain-en-Laye le 5 janvier 1677 ; dès le mois d'août, elle passait sur la scène de l'Opéra. Quinault, librettiste attitré de Lully, met en scène les amours de Jupiter et de la nymphe Io, celle qui fut transformée en génisse. Celle-ci se querelle avec Junon. Il n'y a pas d'autre péripétie, mais ce fut assez pour que Quinault en pâtit durement. Le personnage de Junon est antipathique. Or quelques courtisans firent courir le bruit que Quinault avait voulu peindre sous ses traits la favorite du moment, Mme de Montespan, qui fit aussitôt exiler le poète. Quelconque par son livret, l'ouvrage est remarquable par sa musique : on l'appelait l'« opéra des musiciens » pour souligner sa valeur. On fut frappé – on l'est encore – par l'importance des « symphonies », c'est-à-dire des passages uniquement confiés à l'orchestre sans intervention des voix. Lully y déploie toute la gamme de ses ressources. Il est délicat avec la « Plainte de Pan », qu'un esthéticien du temps, Lecerf de la Viéville, comparait au gémissement du vent dans une maison pendant l'hiver. Il est comique quand il dépeint les « Hyperboréens » grelottant sous la bise. Il est grandiose quand il suggère la « Forge des cyclopes » et les battements de leurs marteaux avec un orchestre, certes beaucoup moins puissant que celui de Wagner dans *Siegfried* (*), mais aussi évocateur, tant est vigoureux son rythme. *Isis* marque une importante étape dans l'évolution de Lully. *Athys,* qui avait précédé, poursuivait une fusion de la musique et de la poésie. *Isis* s'engage dans une autre voie. L'ouvrage signifie que le musicien entend désormais donner à l'orchestre plus d'ampleur sans étouffer le chant. Le problème de l'équilibre entre l'orchestre et le chant sera résolu avec *Bellérophon, Proserpine* et les opéras suivants.

ISIS. Roman de l'écrivain français Auguste de Villiers de L'Isle-Adam (1838-1889), publié en 1862. Nous sommes à la fin du XVIIIe siècle. Beau, riche, appartenant par son père à une noble famille hongroise et par sa mère à une tout aussi noble famille italienne, le jeune comte Wilhelm de Strally d'Anthas vient d'arriver à Florence. À une soirée, il rencontre les grands de cette ville et, en particulier, le vieux prince Forsiani, lequel se trouve à la veille de partir en mission à Naples. Le prince s'intéresse au jeune homme. Ils conviennent pour la nuit du lendemain d'un mystérieux rendez-vous. Se promenant dans les rues de la ville endormie, ils causent longuement d'une certaine marquise Fabriana et des exceptionnelles qualités qu'il faut posséder pour prétendre sans folie au bonheur de lui plaire. Décidément séduit par son compagnon, le prince l'emmène chez la belle. On parle à mots couverts de la possibilité de prendre Naples. Il fallait trouver quelqu'un à mettre sur ce trône à la place du Bourbon. S'il agrée à la marquise, Wilhelm pourrait être celui-là. Étrange femme que cette Fabriana. Enfant, elle avait manifesté pour l'étude d'étonnantes dispositions. La philosophie, les mathématiques, la médecine, l'alchimie, aucune science qui, pour elle, gardât de secret. Elle s'était également adonnée à l'escrime. La nuit, travestie en homme, elle allait soigner les pauvres en cachette. Mais à un être aussi accompli nul ne semblait digne d'amour. De plus, bien qu'elle jouât en politique un rôle occulte non négligeable, nulle activité ne l'intéressait vraiment. En compagnie de sa dévouée Xoryl, esclave grecque qui se fût, au besoin, fait tuer pour elle, elle errait comme un fantôme dans son palais plein de trappes et d'oubliettes, songeant au suicide, caressant d'une main lasse la riche reliure de savants volumes, attendant l'improbable arrivée de celui qui la sauverait de la solitude et du désespoir. Il était temps que Wilhelm parût. C'est avant tout par la magnificence raffinée du style et de l'atmosphère que fascine ce lent et singulier roman où les digressions, parfois rhétoriques, voisinent avec d'admirables descriptions. Si les personnages deviennent un peu abstraits à force d'insensibilité, d'orgueil et d'intelligence, les costumes, les architectures et les décors sont au contraire imaginés et peints avec un luxe de détails particulièrement propre à captiver.

ISIS ERRANTE. Recueil de l'écrivain anglais Kathleen Raine (née en 1908), publié en France en 1978 et qui regroupe des poèmes des recueils *Pierre et Fleur* [*Stone and Flower,* 1943] et *La Pythonisse* [*The Pythoness,* 1949]. On est un peu étonné de voir Kathleen Raine écrire, dans sa préface au *Royaume inconnu* — v. *Adieu, prairies heureuses* (*) — que, mise par Blake « sur la piste [d'une] réévaluation radicale des prémisses fondamentales de la civilisation occidentale moderne », sa « poésie peut-être pâtit de cette fascination ». Si l'on examine l'évolution du poète, il semble au contraire que sa plume s'est affinée, que son trait est devenu plus subtil et qu'elle n'a fait que s'améliorer avec l'âge. Le jeune poète d'*Isis errante* ne cesse de dire sa propre insuffisance, ses carences, ses aspirations insatisfaites : « Si seulement les livres pouvaient parler » ; « Allons-nous sombrer, sombrer ensemble dans l'abîme ? » ; « Ces nuages sans nom [...] sont le voile... » ; « Qu'il me soit donné d'[...] aimer l'essence » ; « J'ai trop entendu le silence,/ Trop longtemps écouté le mutisme du ciel » ; « Aucune terre n'est navigable, aucun oiseau visible » ; « Que j'apprenne, si je l'ose... », etc. Et quand ce jeune poète parvient à son meilleur (telle strophe d'« Azrael » ou le très beau « Feu d'hiver »), cette beauté reste formelle, coupée d'un essentiel encore à gagner... Quarante ans plus tard, les poèmes de *La Présence* montrent la distance parcourue. Le sens et la beauté (« Le sens et la promesse/D'un parfum ») sont un ; interchangeables, communicants, l'un signifie l'autre et réciproquement ; les contradictions sont dépassées : « Moi, vivante, comme le merle je fais entendre / Dans l'ignorance de ce qu'elle dit, la voix qui ne meurt pas. » La réconciliation a été atteinte. « Des fragments, des traces restent /... écritures / Déchiffrables encore .../ Les vivants innombrables, chacun un univers /.../ Je laisse ma trace, avec les leurs, dans l'intemporel. » — Trad. Granit, 1978.

Ph. Mi.

ISLAMEY. Fantaisie orientale pour piano du compositeur russe Mily Alexéevitch Balakirev (1837-1910), créée dans ce climat de réforme qu'apporta en Russie le « groupe des Cinq », dont Balakirev fut le membre le plus actif, et qui se proposait de se détacher des formes désormais coutumières de la musique occidentale pour leur substituer les éléments mélodiques, harmoniques et rythmiques, plus primitifs et spontanés, de la musique populaire et folklorique. Leur école s'inspira surtout des chants russes, mais puisa aussi au folklore espagnol, tchèque et oriental. Comparée à des compositions du même genre d'autres musiciens du « groupe » – comme, par exemple, *Dans les steppes de l'Asie centrale* (*) de Borodine, ou les danses persanes de la *Khovanchtchina* (*) de Moussorgski –, cette œuvre de Balakirev peut, à certains égards, apparaître comme inférieure quant à sa valeur artistique. Composée de deux séries de chants publiées entre 1857 et 1896, elle se développe en différents mouvements qui se succèdent sans interruption (Allegro agitato, Andantino espressivo, Allegro, Presto furioso), et elle est construite à peu près exclusivement (excepté le poétique Andantino) sur un thème unique d'intonation très orientale, exposé dès le début de la fantaisie et qui reparaît ensuite avec des modifications rythmiques et harmoniques. La couleur orientale est donnée précisément par la physionomie mélodique de ce thème, tandis que la prodigieuse technique du clavier se ressent nettement de l'influence de Liszt. C'est une pièce de très haute virtuosité et de grand effet ; elle est souvent exécutée en concert, bien qu'exigeant de la part de l'interprète de rares qualités de sonorité, de rythme et de technique.

ISLE JOYEUSE (L'). Pièce pour piano du compositeur français Claude Debussy (1862-1918), composée en 1904 et publiée avec un ouvrage qui reflète une inspiration semblable : *Masques*. Ces deux pièces sont d'une vaste dimension, assez exceptionnelle dans l'œuvre de Debussy. On peut penser que le musicien en jeta les premières esquisses sur le papier longtemps avant 1904, car les formules harmoniques et l'esprit qui s'y manifestent ne sont pas sans analogie avec les partitions qu'il écrivit, notamment, pour accompagner les vers de Verlaine. *Masques*, c'est la comédie italienne ; *L'Isle joyeuse*, c'est la comédie française avec ses jeux amoureux et frivoles du temps où les rois épousaient les bergères et où l'embarquement pour Cythère était le passe-temps quotidien et aristocratique d'une société hypersensible. *L'Isle joyeuse* pourrait servir d'illustration musicale aux méditations rêveuses qu'un Watteau matérialisa sur la toile ; partition brillante et colorée, elle utilise toutes les ressources du piano et invite le virtuose à modifier constamment sa sonorité. Une brève introduction de six mesures précède une sorte de divertissement qui se greffe sur un rythme de habanera tenu par la basse. Puis un mouvement chromatique amène l'idée centrale de l'ouvrage, une longue phrase voluptueuse, expressive, qui se développe langoureusement, aboutit à un finale follement brillant et s'achève par un rappel de la cadence initiale. Dans cette partition, le rôle de l'interprète est considérable ; Debussy ne lui propose pas ces accords troublants et chatoyants qu'il utilisera dans ses *Préludes* (*) ou ses *Images* (*). Tout est dans la sonorité du soliste, dans son intuition du style debussyste : alors *L'Isle joyeuse* devient un chef-d'œuvre de subtilité et de finesse.

ISMAEL. Roman historique de l'écrivain uruguayen Eduardo Acevedo Díaz (1851-1921), publié en 1888. Premier volume d'une trilogie, il raconte des événements de la guerre d'Indépendance de l'Uruguay (alors dénommé Banda Oriental), menée par le général gaucho José Artigas. Son protagoniste est un simple gaucho, Ismael Velarde, qui, alors que le pays est encore sous la domination espagnole, blesse le contremaître, son rival dans ses amours avec Felisa. Quand celle-ci meurt tragiquement, après une liaison avec le contremaître qui l'a séduite, Ismael rejoint les guérilleros de l'Indépendance et se distingue par ses exploits. Dans ce roman patriotique, où la mort cruelle et l'héroïsme s'accordent pour mener le jeu, la volonté didactique est toujours présente. On retrouve cette dernière dans les autres romans de la même série, *Nativa* (1890) et *Cri de gloire* [*Grito de gloria*, 1893], consacrés à l'histoire du soulèvement des Uruguayens contre les Brésiliens qui avaient occupé le pays en ces années, et dont le protagoniste est un jeune et courageux Montévidéen, Luis María Berón.

C. C.

ISOLINE. Conte de fées en trois actes et dix tableaux du compositeur français André Messager (1853-1929), sur un poème de Catulle Mendès (1841-1909). Première représentation au Théâtre de la Renaissance le 26 décembre 1888. Avec *Isoline*, André Messager écrivit sa première grande œuvre et connut son premier échec. Auparavant, il n'avait encore donné que deux opérettes : *La Fauvette du Temple* et *La Béarnaise*, qui connurent un triomphal succès sur les scènes des Boulevards. Le livret d'*Isoline* était peut-être trop subtil, trop finement ciselé par Catulle Mendès pour emporter l'adhésion du grand public. Le rideau se lève sur un rivage du Péloponnèse ; Éros prépare un voyage pour Cythère : il invite Daphnis et Chloé, la Belle Fille, la Pensionnaire ; Isoline enfin, qui chante son amour pour Isolin. Mais le premier acte révèle qu'à Cythère les amours sont parfois contrariées. La fée Titania s'oppose à la découverte par Isoline « du divin vertige » ; Oberon, heureusement, en bon génie, tentera de contrecarrer ses machiavéliques entreprises. Assauts et contre-attaques se succèdent autour des deux jeunes gens qui ne peuvent se rejoindre, jusqu'à ce que Titania fasse appel à la reine Amalasonthe et lui commande d'enlever Isoline de force. Mais Isolin déclare lui barrer la route et l'acte s'achève dans un murmure guerrier. Au deuxième acte, Titania convoque les fées, les plus belles de la Grèce, et les charge de séduire Isolin ; mais celui-ci reste insensible à leurs attraits. Alors la reine Amalasonthe lance ses troupes dans la bataille ; mais Isolin, glaive au poing, triomphe de tous les assauts, soutenu par les magiques artifices d'Oberon. Au troisième acte, Titania s'incline devant tant d'amour. Sa dernière ruse déjouée, il ne reste plus qu'à chanter un chœur nuptial auquel s'associent tous les pensionnaires de l'île enchantée.

La musique de Messager est faite de tendresse, de poésie, de langueur passionnée, de contrastes légers, de lumières claires et nuancées. Cette partition ne fut jamais reprise sur une scène parisienne après 1888. Elle fut donnée à Cannes en 1930, sous la direction de Reynaldo Hahn. C'est là un des innombrables chefs-d'œuvre du théâtre lyrique français injustement oubliés.

ISRAËL EN ÉGYPTE [*Israel in Egypten*]. Oratorio en deux parties pour solistes, chœur et orchestre du compositeur allemand Georg Friedrich Haendel (1685-1759), sur un texte tiré de *La Bible* (*) et narrant l'esclavage des Hébreux en Égypte puis leur délivrance grâce au miraculeux passage de la mer Rouge. Dans la première partie de l'oratorio, le texte biblique est très résumé ; dans la seconde partie, au contraire, on le retrouve entièrement repris (*Exode,* XV, 1-21). La musique fut composée en quinze jours, en 1738 ; la première exécution en fut donnée à Londres, l'année suivante. À l'origine, les deux parties de l'oratorio étaient précédées des lamentations du peuple d'Israël après la mort de Joseph. Elles furent ensuite publiées séparément. Ce qui explique pourquoi l'œuvre débute par un simple récitatif, sans prélude instrumental, chose inhabituelle dans les oratorios de Haendel. La principale édition moderne de *Israël* se trouve dans le XVIe vol. de l'*Opera omnia* de Haendel (Leipzig, 1863) que nous devons à Chrysander. Cette œuvre a donné lieu à nombreuses discussions, du fait de l'abondance des prétendus « plagiats » que l'on y relève. À part, en effet, deux passages empruntés à d'autres œuvres de Haendel lui-même, les autres sont des remaniements ou des reproductions de pages de Keril, de Stradella ou de compositeurs obscurs. Quelle que soit l'opinion qu'on se fasse de semblables « plagiats » — assez fréquents du reste chez Haendel —, la structure d'*Israël* dans son ensemble se ressent de la rapidité avec laquelle la partition fut composée. Mais l'œuvre est animée d'un souffle puissant de poésie biblique. En un certain sens, on peut dire que c'est le plus typique des oratorios de Haendel. Alors que le *Messie* (*) est une sorte d'évocation synthétique célébrant le mystère et la mort de Jésus, et que d'autres œuvres comme *Saül* (*) ou *Salomon* sont presque des drames sacrés, *Israël* est au contraire, dans ce que son inspiration offre de plus profond, une véritable épopée musicale, formée de fresques chorales qu'interrompent ici et là les interventions des solistes.

Le chœur occupe une place prépondérante ; il se voit confier la narration musicale, qui est à la fois représentation, tableau et commentaire. Les quelques récitatifs servent à compléter le récit, mais sont loin d'avoir une importance musicale essentielle, comme c'est le cas dans les oratorios de Bach — v. *Passion selon saint Jean, Passion selon saint Matthieu* ; ils sont assez insignifiants. Les airs, au contraire, complètent, souvent avec bonheur, les chœurs. En ce qui concerne le texte, la seconde partie est un commentaire lyrique de ce qui a déjà été dit dans la première. Par contre, il convient de faire une distinction plus poussée entre les parties où le talent du musicien se montre surtout attiré par les éléments descriptifs et décoratifs du texte, et celles dotées d'une inspiration qui parvient à donner de la profondeur aux passages descriptifs. Le chœur n° 6 de la première partie est un excellent exemple de style descriptif, où un commentaire orchestral minutieux dépeint les essaims de mouches et de moustiques qui dévastent la cour et le camp des pharaons. Quant au chœur des Ténèbres, qui ne vise à l'effet funèbre que dans de rares passages, il contient des harmonies splendides, et la forme très originale du récitatif choral est d'une rare puissance. D'autres passages, tels le premier chœur de la seconde partie et le chœur « Ô Seigneur ! » [O Herr !], également dans la seconde partie, présentent un caractère pompeux quelque peu conventionnel. En général, les interventions des solistes sont d'un très bel effet, mais ils deviennent parfois prolixes dans leur développement. Citons encore le chœur initial : « Et les enfants d'Israël criaient », ainsi que le quatrième et le dernier chœur de la première partie où dominent une atmosphère funèbre et une splendide polyphonie (le quatrième est une véritable fugue à quatre voix) ; dans la seconde partie : le largo « La Profondeur » dans le ton clair et doux de fa majeur ; puis le chœur du passage de la mer Rouge où le calme mouvement des flots est traduit dans un pur langage musical, enfin le grandiose chœur en mi mineur. Malgré certaines imperfections en de nombreux passages, Haendel a revécu et recréé le drame de l'Ancien Testament comme bien peu ont réussi à le faire.

ISRAËL POTTER. Roman de l'écrivain américain Herman Melville (1819-1891), publié en 1854, inspiré de l'autobiographie d'Israël Potter, héros inconnu de la bataille de Bunker Hill, qui erra en Europe avant de revenir au pays natal pour y être « promu à une profonde retraite sous la terre ». Ce récit irrévérencieux, dédié obséquieusement au mausolée de Bunker Hill en plein jubilé commémoratif, est une épitaphe à cet homme obscur qui fit l'Histoire. Israël Potter est né dans l'arrière-pays du Massachusetts. Il s'enfuit de chez lui lorsque son père l'empêche d'épouser la jeune fille qu'il aime. Devenu trappeur puis marin à bord d'un baleinier, il découvre à son retour que Jenny, entre-temps, s'est mariée. Les dérobades de la « promise » sont la rançon de la révolte contre l'autorité paternelle, préfigurant ainsi l'exil d'Israël Potter, nouveau Juif errant, condamné par la Révolution d'indépendance à errer dans le vaste champ de potier de l'Ancien Monde, loin de la Terre promise. C'est en effet parce qu'il combat à Bunker Hill et qu'il prend part au blocus de Boston qu'il est arraché aux travaux des champs. Fait prisonnier en mer par les Anglais, il est emmené à Spithead d'où il s'évade. Il est recueilli par un baron bienveillant, sir John Millet, qui lui procure du travail comme jardinier de la princesse Amélia. Il devient ensuite jardinier à Kew Gardens et, à cette occasion, rencontre le souverain George III en personne. Forcé de fuir, il est ensuite protégé par un sympathisant pro-américain qui le charge d'une mission confidentielle auprès de Benjamin Franklin à Paris. Cet esprit encyclopédique, symbole vivant de l'âge des Lumières, qui par son éclectisme et son pragmatisme incarne le génie de l'Amérique, est dépeint comme un père spirituel douteux. Il sermonne Israël sur la nécessité de l'épargne, lui recommande la lecture de son *Poor Richard's Almanac*, véritable bréviaire du mercantilisme, puis il met directement en pratique ses propres principes en conviant son hôte à un repas frugal. L'austérité ascétique qu'il prône dissimule une ladrerie caricaturale. Ce qui ressort de cette rencontre confidentielle avec l'un des Pères fondateurs de la Révolution américaine, c'est la duplicité foncière de ce puritain roué, calculateur à l'excès, prototype du « confidence man » — v. *Le Grand Escroc* (*) — dont le vrai visage est révélé indirectement par son agent secret John Paul Jones, une sorte d'apache tatoué, de flibustier barbare à la solde de la jeune nation. Dépêché en Angleterre auprès du baron Woodcock, Israël reste muré trois jours dans une chambre secrète, découvre que le baron qui avait promis de le délivrer est mort entre-temps, s'échappe paré des habits du défunt qu'il troque ensuite pour la défroque d'un épouvantail. Enrôlé de force dans la flotte anglaise, il passe, lors d'un abordage, sur le vaisseau du capitaine John Paul Jones, le « Ranger » ; puis, à bord du « Bon Homme Richard » (en hommage à Franklin), il livre une bataille sanglante au « Sérapis », qui dégénère en boucherie absurde. Le fond barbare de la civilisation des Lumières est mis à nu. Israël se retrouve fortuitement à bord d'un navire de guerre anglais alors qu'il fait route vers l'Amérique. À Falmouth, il aperçoit Ethan Allen, le héros de la guerre d'Indépendance, qui bien que captif n'en continue pas moins à défier ses adversaires. Mais ce Samson fanfaron, ancien étudiant de théologie, qui par ses rodomontades annonce un David Crockett, est un autre fils dévoyé des puritains. Enchaîné, il se livre à un numéro de cirque à la Barnum, comme si la conjuration contre les colons anglais relevait de l'illusionnisme. Israël Potter (le potier) errera quarante ans dans le désert anglais, travaillera treize ans dans une briqueterie, contribuant du fond de sa fosse à l'édification de la pyramide de l'Angleterre impériale. La captivité se poursuivra à Londres, nouvelle Égypte, où il croupira dans la misère. À l'âge de 80 ans, il retournera au pays natal avec son fils survivant, débarquera le 4 juillet 1826, en pleine fête du cinquantenaire de la Révolution. C'est à peine s'il reconnaîtra les vestiges de la ferme familiale sur un tertre labouré. Il mourra oublié, ayant légué une autobiographie qui à son tour sera effacée des mémoires. Ce récit picaresque, qui fait écho à l'eschatologie puritaine, exhibe l'envers du mythe de la Destinée manifeste et exhume, en marge du peuple élu, les Ismaël spoliés de l'héritage et voués à l'errance. – Trad. Gallimard, 1956 ; Aubier, 1991. M. I.

ISTANBUL AIMÉE [*Aziz Istanbul*]. Recueil posthume d'œuvres en vers et en prose du poète turc Yahya Kemal Beyatlï (1884-1958), publié par l'institut Yahya Kemal en 1964. Ses premières œuvres, Yahya Kemal les avait écrites sous l'influence de l'école du *Servet-i Fünun*. Mais il était revenu de Paris, en 1912, avec des vues radicalement changées. Dans ses articles, il s'était opposé à la tradition du *dîvân*, ravalée à une simple répétition d'un auteur à l'autre, en l'absence de toute expression d'individualité. De même, à ses yeux le *Servet-i fünun* ne faisait qu'imiter servilement les modèles occidentaux – et encore s'agissait-il d'œuvres appartenant au passé des littératures européennes. Yahya Kemal décide alors d'adapter à la Turquie les idéaux parnassiens de l'art pour l'art. Après avoir élaboré la théorie originale du « néohellénisme », selon lequel les canons de la beauté littéraire doivent être empruntés à l'Antiquité, principalement grecque, Yahya se désintéresse progressivement dans son écriture du passé des autres nations. L'histoire de l'Empire ottoman doit servir de source aux thèmes de la littérature contemporaine. Le credo kémalien est adapté à l'époque : les Turcs sortent du désastre de la Première Guerre mondiale, qui a sonné le glas de la grandeur ottomane. Les innombrables lecteurs de Yahya Kemal trouvent des éléments d'identification collective dans des poèmes tels que « Matin de fête dans la mosquée de Soliman » [Süleymaniye'de bayram sabahi], qui idéalisent le passé dans un pathos patriotique, et tentent de faire revivre les pages glorieuses de l'histoire des Turcs. Le cycle de poèmes consacré à Istanbul, et réuni dans le recueil posthume *Istanbul aimée*, contient les plus beaux vers jamais écrits sur l'ancienne capitale de l'Empire ottoman. Yahya Kemal y démontre sa parfaite maîtrise du *'arûz*, la contraignante métrique syllabique arabo-persane, sur lequel il fonde la grande richesse harmonique de son vers. La liberté du rythme doit cependant beaucoup aux innovations du *Servet-i fünun*, et sa langue pure, musicale, et dont la ligne mélodique épouse le contenu du poème, n'est pas sans évoquer les modèles français de Yahya Kemal.

S.A.D.

ISTAR. Variations symphoniques, op. 42, du compositeur français Vincent d'Indy (1851-1931), créées à Bruxelles en 1897. Istar, déesse de la Guerre et de l'Amour, est l'héroïne de l'épopée assyrienne *Descente d'Ishtar aux Enfers* (*) du sixième chant de laquelle est tiré le fragment placé en tête de la partition. Sorte de sœur d'Orphée, la déesse, pour libérer celui qu'elle aime, prisonnier des Enfers, ne pourra pénétrer dans le « séjour des Morts » qu'après s'être laissé enlever, à chacune des sept portes, tous ses joyaux et ses vêtements. De cette manière, Istar réussit à libérer le « fils de la vie, son jeune amant ». La musique est composée de variations au nombre de sept, comme les portes ; l'œuvre est construite à l'envers, partant du développement complexe de la première variation et se simplifiant au fil des pages pour parvenir à l'exposition du thème dans la conclusion qui suit la septième, en unisson de tout l'orchestre. Mais le « programme » ne commande pas seulement la structure générale de l'œuvre – il est à noter que d'autres exemples de « variations à programme » : *Le Don Quichotte* (*) de R. Strauss et les *Enigma variations* (*) d'Elgar, sont respectivement de 1887 et de 1899, mais il influe aussi sur la structure interne du sujet : thème principal, formulé intégralement par le rythme de 6/4 dans la tonalité finale de fa majeur, et exposé au début sous son revêtement harmonique, dans les premières et secondes variations ; thème de rappel, constitué par les trois premières notes du thème principal, que le cor expose à la première mesure ; et thème accessoire de la marche : trois éléments qui symbolisent visiblement Istar et sa légende (si, en effet, le thème principal voit sa libération mélodique s'effectuer par degrés, le thème de rappel, qui revient au début de chaque variation, comme la marche, qui réapparaît chaque fois à leur terme, sont identifiables au visage et au pas de plus en plus triomphants de la déesse). Ainsi est-il possible à l'auditeur de trouver de nombreux points d'appui susceptibles de l'aider à s'orienter.

ITALIEN (L') ou le Confessionnal des pénitents noirs [*The Italian, or The Confessional of the Black Penitents*]. Roman de l'écrivain anglais Ann Radcliffe (1764-1823), publié en 1797. Ann Radcliffe et M. G. « Monk » Lewis (1775-1818) partagent l'honneur d'avoir inventé le roman « noir » ou terrifiant (« Tale of terror »). Ce genre littéraire connut le plus grand succès. *L'Italien*, qui est une des meilleures œuvres de l'auteur, raconte l'histoire d'une jeune fille persécutée. Vincentio de Vivaldi s'éprend d'Ellena Rosalba ; la famille de la jeune fille s'oppose au mariage et se sert, pour contraindre la malheureuse à lui obéir, d'un louche individu : Schedoni. On ignore les origines de cet homme, mais on le suppose de grande naissance. Ayant perdu sa fortune, il s'est fait moine, mais il porte la marque de terribles passions. On le soupçonne d'une horrible faute. Ce type satanique aura beaucoup de succès à l'époque romantique. Byron, qui en a trouvé le modèle chez Ann Radcliffe, l'imitera — v. *Le Giaour* (*). Ellena a été enlevée par des sicaires et transportée dans un couvent ; l'abbesse la met dans l'alternative d'épouser l'homme que lui destine sa famille ou de se faire religieuse. Vivaldi vient au secours d'Ellena et c'est une fuite romantique à travers les Abruzzes ; au moment où les deux jeunes gens vont se marier, les sbires de l'Inquisition interviennent. Ellena est conduite dans une maison solitaire sur l'Adriatique pour être remise aux mains d'un misérable, Spalatro, et tuée par ordre de la marquise Vivaldi. Mais quand Schedoni s'apprête à la poignarder, il découvre qu'elle porte un médaillon qui prouve qu'elle est sa propre fille. Suivent d'autres épisodes invraisemblables et mélodramatiques, avec reconnaissances d'enfants, geôles de l'Inquisition, poignards empoisonnés, etc. Cependant tout se termine bien : Schedoni meurt et Ellena se marie avec Vincentio. Les descriptions des paysages italiens sont tirées des *Observations* de Mrs. Piozzi (*Observations et Réflexions faites au cours d'un voyage à travers la France, l'Italie et l'Allemagne*, 1789) et des *Nouvelles observations sur l'Italie et ses habitants* de P. J. Grosley, 1769. – Trad. Michel-Lévy, 1864 ; Laffont, 1984.

ITALIENNE À ALGER (L') [*L'Italiana in Algeri*]. Opéra en deux actes du compositeur italien Gioacchino Rossini (1792-1868), créé en 1813 au Théâtre San Benedetto de Venise. Le livret, d'Angelo Anneli – inspiré de la légende de la belle Rosellana, esclave favorite du sultan Soliman II –, avait déjà été mis en musique par Luigi Mosca (1775-1824) à la Scala de Milan en 1808. Sans prétention, quelque peu naïf, il ne manque pas d'entrain ni de sens comique. Au lieu du sultan, il s'agit ici d'un certain Mustapha, bey d'Alger, qui, las de sa propre femme Elvire, charge Ali, capitaine de corsaires, de lui trouver une autre femme, une Italienne. Au même moment, la tempête pousse sur la côte d'Alger un navire sur lequel se trouve une Italienne, Isabelle, qui, en compagnie de son chevalier servant, Thaddée, est à la recherche de son fiancé Lindor, enlevé par des corsaires. Le hasard veut que celui-ci soit, comme esclave, au service de Mustapha. Isabelle, conduite en présence du bey, feint d'encourager ses galanteries maladroites, tandis qu'elle se prépare à profiter de ses bonnes dispositions pour le mieux berner. Elle organise une cérémonie bouffonne au cours de laquelle elle nomme Mustapha son « Pappataci », titre, lui donne-t-elle à entendre, duquel on honore, en Italie, « ceux qui ne se dégoûtent jamais du beau sexe » et qui engage celui qui le détient à manger et boire joyeusement. Le brave homme, enthousiaste, se soumet docilement au rite qui lui est imposé et, assis devant une table richement pourvue, mange comme un ogre et boit abondamment. Pendant ce temps, Isabelle, Lindor et leurs compagnons s'échappent sur le bâtiment qui les ramènera dans leur pays. Mustapha enrage lorsqu'il s'aperçoit de la ruse ; mais peu après, résigné, il revient tendrement à son épouse, persuadé que les femmes italiennes, trop rusées et malignes, ne sont pas faites pour lui.

Cet opéra, écrit par Rossini en vingt-trois jours seulement, comme *Tancrède* (*) qui le précède de trois mois, se détache nettement du style de jeunesse des nombreux opéras bouffes qui vont de *La Cambiale di matrimonio* à *Il Signor Bruschino.* Si, dans *L'Italienne,* on retrouve quelques réminiscences de l'opéra-comique du XVIIIe siècle tant pour la forme que pour le style, des caractères purement rossiniens s'y font jour dans la vivacité rythmique et dynamique de la phrase musicale, l'élan joyeux qui la porte, la diversité des thèmes, la plénitude des ensembles et de l'orchestration. Les figures de Mustapha et d'Isabelle dominent l'ensemble, celui-là avec sa galanterie de bon vivant, celle-ci avec son astuce bien féminine. Le caractère de Thaddée a également suggéré à Rossini de savoureux motifs comiques. Il y a moins d'originalité dans le rôle de Lindor, qui tourne quelquefois au pathétique. Parmi les passages célèbres, il faut rappeler le finale du premier acte, dans lequel le contrepoint des parties produit des effets délicieux, et, au second acte, le fameux trio des « Pappataci », dont autrefois « tous les publics d'Europe raffolaient ».

ITINÉRAIRE DE L'ÂME À DIEU [*Itinerarium mentis in Deum*]. Traité latin du franciscain italien saint Bonaventure (Giovanni Fidanza, 1221 ou 22-1274) ; un des documents les plus remarquables du mysticisme médiéval. L'expérience de la vie et la méditation sur les devoirs du chrétien incitent l'auteur à montrer comment la doctrine la plus élevée n'a pas tant de valeur que l'humilité de cœur. Au lieu de se lancer dans d'inutiles diatribes qui enorgueillissent l'esprit humain, il convient de s'incliner devant la puissance du Créateur pour comprendre intimement les raisons de son œuvre. La fragilité et l'illusion qui se cachent dans les actions de l'homme et dans la prétendue « science » doivent être vaincues par la foi en Dieu. La créature ne peut s'arroger le droit d'user de son intelligence pour découvrir les mondes mystérieux tant que l'esprit ne s'est pas d'abord incliné, plein de dévotion, devant Celui qui connaît la raison de toutes choses. La doctrine est donc l'un des éléments de l'« itinéraire de l'âme à Dieu » ; mais l'humilité et la dévotion sont les principaux auxiliaires dont l'homme puisse se servir pour s'élever vers le Créateur et se montrer digne de sa miséricorde. La vraie sagesse, celle qui rapproche de Dieu et permet d'évaluer à sa juste valeur la création divine, est fondée sur le mépris de soi-même et des biens terrestres.

Dans l'itinéraire de l'âme à Dieu, la route à parcourir se divise en trois degrés ou étapes ; la pensée que toutes les choses sensibles sont une « trace de Dieu » ; la réflexion de l'âme sur elle-même en tant qu'« image de Dieu », et enfin l'abandon mystique à la suprême réalité, à la « ressemblance de Dieu ». La méthode qu'il est nécessaire de suivre pour la connaissance doit passer par ces mêmes étapes : selon les données de la philosophie aristotélicienne (l'abstraction de l'intellect) et la théorie augustinienne de l'illumination (par laquelle l'intellect reçoit de Dieu une lumière qui éclaire sa vision). Nous pouvons comprendre dignement Dieu, dans notre humilité, car Dieu vit en nous et dans notre esprit. De même que saint Anselme l'avait déjà proclamé par l'argument ontologique, saint Bonaventure et les franciscains affirment que l'idée de Dieu en nous est suffisante pour que nous soyons sûrs de l'existence d'une réalité suprême telle que la sienne. Se rattachant aux principes essentiels de l'ordre, saint Bonaventure affirme que la sagesse est un signe d'humilité, elle qui ne se glorifie pas de la vaine science apprise dans les écoles, mais qui s'incline devant la voix de Dieu. Et celle-ci est telle qu'elle se manifeste dans la nature, comme dans la douleur et la foi des humains. Saint Bonaventure cite un exemple fameux : s'adressant à la vieille femme qui est en train de balayer devant l'église, il affirme qu'elle est infiniment plus digne de la bonté de Dieu que lui-même, en dépit de son savoir, car elle est plus humble et plus soumise devant les mystères de la foi. Les plus puissantes aides pour l'itinéraire de l'esprit vers Dieu sont : l'humilité, l'amour du mystère de l'Incarnation, la dévotion à la Passion, à l'Eucharistie, au Sacré-Cœur de Jésus, à la Vierge, et le respect de l'Église. Pour le bon chrétien, le moyen d'ascension le plus sûr et le plus joyeux est toujours cet amour du prochain qui resplendit dans la vie et dans l'œuvre de saint François, le fondateur de l'ordre, qui trouva dans l'auteur du présent traité son disciple et son interprète le plus remarquable. — Trad. *Itinéraire de l'esprit vers Dieu,* Vrin, 1979.

ITINÉRAIRE DE PARIS A JÉRUSALEM. Œuvre de l'écrivain français François-

René de Chateaubriand (1768-1848), publiée en 1811. Ce sont des notes et des impressions de voyage que l'auteur a rassemblées pour être en mesure de donner un cadre vivant et exact aux *Martyrs* (*). Chateaubriand avait accumulé, avant son départ, un grand nombre de renseignements historiques et géographiques sur les pays qu'il allait visiter ; c'est donc en connaissance de cause qu'il entreprend ce périple qui dura de juillet 1806 à juin 1807. Partout l'écrivain va à la recherche du passé, il l'appelle et il l'évoque ; c'est ainsi que bien des descriptions sont ponctuées par des exclamations et alourdies par un étalage d'érudition. L'*Itinéraire* est divisé en sept parties : le « Voyage en Grèce », la meilleure du livre (I), « Voyage de l'archipel, de l'Anatolie et de Constantinople » (II), « Voyage de Rhodes, de Jaffa, de Bethléem et de la mer Morte » (III), « Voyage de Jérusalem » (IV et V), « Voyage d'Égypte » (VI), « Voyage de Tunis et retour en France » (VII). C'est en fait un pèlerinage aux ruines des civilisations disparues que Chateaubriand accomplit ; il entend remonter aux sources mêmes de la civilisation moderne ; aussi ses méditations sont-elles pleines d'admiration pour la grandeur passée, et de mélancolie face à l'état présent. Aux descriptions se joignent les réflexions morales, politiques, religieuses, l'évocation des souvenirs historiques sur les lieux mêmes où ils sont nés, et de poétiques rêveries. L'archéologie, l'histoire générale, celle des beaux-arts tiennent une place importante dans l'*Itinéraire ;* mais aussi, les aventures et les anecdotes dans lesquelles Chateaubriand se détend et fait preuve d'une bonne humeur, d'une bonhomie qu'on ne retrouvera plus que dans les *Mémoires d'outre-tombe* (*). Chateaubriand, qui pense avoir pénétré le secret du miracle antique, entend faire part de sa découverte. Il se préoccupe avant tout d'émouvoir et il y parvient. L'*Itinéraire* mit la Grèce et l'Orient à la mode, il servit de guide de voyages à de nombreux touristes ; il est à l'origine des voyages des grands écrivains : Lamartine, Flaubert, Nerval — v. *Voyage en Orient* (*). De plus, Chateaubriand avait attiré l'attention sur le problème grec, il avait décrit le pays « triste, mais paisible » : « Le silence de la servitude régnait sur les monuments détruits. » Lors de la réimpression de l'*Itinéraire,* en 1827, dans les *Œuvres complètes,* la situation grecque avait évolué du tout au tout : la Grèce s'était soulevée ; à Navarin, les flottes occidentales réunies avaient battu la flotte turque. Chateaubriand ne pouvait se désintéresser de ce pays où il avait ressenti de si douces émotions. Il défendit la cause de la Grèce à la Chambre des pairs et fit précéder la nouvelle édition de l'*Itinéraire* d'une « Note sur la Grèce », où il défend à la fois la nation grecque et le christianisme. Ajoutons que Chateaubriand était accompagné d'un domestique qui rédigea, lui aussi, son journal de route. Celui-ci a été publié en 1901 sous le titre de : *Itinéraire de Paris à Jérusalem, par Jullien, domestique de Chateaubriand.*

ITINÉRAIRE DE PASARGADES [*Itinerário de Pasargada*]. Autobiographie du poète brésilien Manuel Bandeira (1886-1968), publiée, en 1954, par le *Jornal das Letras*, à Rio de Janeiro. Le poète retrace, dans ce livre essentiel, d'une écriture savoureuse qui rappelle celle de Colette et du Fargue de *Sous la lampe* (*), les heures importantes de sa vie littéraire. Il naquit le 19 avril 1886 à Recife, où son père, ingénieur réputé, construisait une ligne de chemin de fer. Son enfance et son adolescence se passèrent à Petropolis, la ville aux hortensias bleus, à São Paulo, à Santos. Retour à Recife, à la recherche de son « temps perdu », en 1892. Puis, en 1904, à Itaipava, près de Petropolis, il fait l'apprentissage douloureux de la maladie, à une époque où les antibiotiques n'existaient pas encore. Il demeure un « homme allongé » dans des stations de montagne brésiliennes, et son esprit inoccupé le fait pénétrer en état de grâce poétique. En 1913, Manuel Bandeira poursuit sa cure d'altitude à Clavadel, à côté de Davos-Platz, en Suisse. Il y rencontre un poète hongrois, Charles Picker, ainsi qu'un jeune Français de dix-sept ans, « distingué, élancé, aux yeux bleus ». Celui-ci s'appelle Paul-Eugène Grindel, mais est plus connu dans la poésie française sous le nom de Paul Éluard. L'échange est fructueux entre cet être épris de poésie, venu d'une fabuleuse Amérique, et ce jeune citoyen de Saint-Denis, qui, à l'époque, collectionnait surtout les éditions rares. Mais voici la guerre, Manuel rejoint le Brésil. Il est guéri, ou du moins « stabilisé », et publie, en 1917 et en 1919, ses deux premiers recueils *La Cendre des heures* [*A cinza das Horas*] et *Carnaval*, encore influencés par le symbolisme ; puis, en 1924, *Le Rythme rompu* [*O Ritmo Dissoluto*] ; *Libertinage* (*), son œuvre la plus caractéristique, paraît en 1930. Et l'*Itinéraire* de Bandeira se poursuivra, toujours aimable, toujours courageux, toujours marqué dans son contrepoint par la présence réconfortante de la mort et, dans son aspect formel, par le sens musical et par l'impeccable syntaxe. Bandeira a ainsi publié onze recueils de poésie ; trois livres de chroniques ; un guide de la vieille cité de l'or, Ouro Preto ; d'innombrables anthologies, études, éditions critiques, traductions, jusqu'à des textes de romances ou de cantates — et ceci est bien dans la tradition brésilienne — pour Villa Lobos, Guarnieri, Jayme Ovalle, etc. Fraternel aux jeunes poètes, curieux de toute activité conformiste, Manuel Bandeira est, selon le mot de Mario de Andrade, « le saint Jean-Baptiste du modernisme au Brésil ».

IVANHOÉ. Ce roman de l'écrivain écossais Walter Scott (1771-1832), qui fut publié en 1819, est le premier des ouvrages de l'auteur dont le sujet soit purement anglais. Les sources historiques du roman sont peu solides. C'est ainsi que l'hostilité entre Saxons et Normands sous le règne de Richard Ier à laquelle il fait allusion n'est pas attestée par les documents de l'époque. Le siège de Torquilstone est emprunté au *Goetz de Berlichingen* (*) de Goethe. Wilfred d'Ivanhoé, fils du noble saxon Cédric, est épris de la pupille de son père, lady Rowena, qui descend du roi Alfred. Mais Cédric, qui est un ferme partisan du retour sur le trône d'Angleterre de la race saxonne, pense arriver à ses fins en donnant Rowena au Saxon de sang royal Athelstane. Fort irrité de l'amour des deux jeunes gens, il exile son fils. Ivanhoé part pour la croisade avec Richard Cœur de Lion, dont il gagne vite l'estime et l'affection. En l'absence de son frère Richard, le prince Jean cherche à s'emparer du trône. Cette intrigue n'est comme d'ordinaire, chez Scott, qu'un prétexte à de brillants épisodes. Remarquable est le grand tournoi d'Ashby-de-la-Zouche, où Ivanhoé suivi de Richard — lequel est revenu de la croisade en grand secret — écrase tous les chevaliers du prince Jean et, parmi eux, le farouche templier sir Briand de Bois-Guilbert et sir Reginald Front de Bœuf. Notons encore l'assaut du château de Torquilstone où Ivanhoé est blessé. Cédric, Rowena, Athelstane, le Juif Isaac de York et sa courageuse fille Rébecca sont emprisonnés par les nobles normands. Mais, après une bataille acharnée, le château est pris d'assaut par une bande de brigands et de Saxons commandés par le légendaire Robin Hood de Locksley et le roi Richard. Le château sera du reste incendié par la vieille Saxonne Ulrich, qui est la maîtresse de l'assassin de son père et qui s'est vengée en semant la discorde parmi les Normands. Les prisonniers sont délivrés, mais Bois-Guilbert, qui s'est épris de Rébecca, l'emmène avec lui à Templestowe. Comme la jeune fille repousse les avances du templier, ce dernier la fait accuser de sorcellerie. Par chance, elle sera alors délivrée par Ivanhoé, lequel affronte en duel Bois-Guilbert. Ivanhoé épouse lady Rowena. Faute de mieux, Rébecca quitte l'Angleterre avec son père. Parmi les personnages secondaires, signalons Robin Hood, frère Tuck le moine-soldat, le bouffon Wamba et le Juif Isaac, qui ressemble au Shylock de Shakespeare et dans lequel se combattent également la passion de l'argent et l'amour paternel.

Ce roman connut un immense succès en Europe. Avec *Quentin Durward* (*), il est à l'origine de la vogue du roman historique qui allie aux ressources de la plus vive imagination les résultats de l'érudition historique. Toutes les réserves, qu'on peut faire sur ce dernier point n'ont pas nui le moins du monde au succès de l'œuvre, tant la fraîcheur du style est partout manifeste. Ainsi qu'il le déclare dans la Dédicace de l'ouvrage, Walter Scott se proposait seulement de conserver la couleur historique de l'époque ; se bornant à ne rien introduire dans le roman qui pût s'opposer à la vraisemblance historique, il se réservait une certaine liberté dans le choix des détails. — Trad. Gründ, 1939.

★ Ce roman a inspiré de nombreux ouvrages musicaux : *Ivanhoé* de G. Pacini (1796-1867), *Rebecca* de Bartolomeo Pisani (1811-1893) sur un livret de F. M. Piave, et *Le Templier* de Otto Nicolai (1810-1849). Le roman a pu avoir quelque influence sur *Les Fiancés* (*) de Manzoni et même *Notre-Dame de Paris* (*) de Victor Hugo. Dans le domaine des arts plastiques, notons les lithographies de Francesco Hayez (1791-1882) et *L'Ermitage de Frère Tuck* de Féderico Moia (1802-1885).

IVAN IV. Opéra en quatre actes du compositeur français Georges Bizet (1838-1875), sur un livret de François Hippolyte Leroy et Henri Trianon. Première représentation au Théâtre de Bordeaux, le 31 octobre 1951. C'est en 1865 que Georges Bizet écrivit *Ivan IV*. Il venait d'obtenir un succès d'ailleurs limité avec *Les Pêcheurs de perles* (*). À sa mort, il ne laissera que huit ouvrages lyriques dont deux sont encore inédits ; mais il avait, croyait-on, brûlé un certain nombre de partitions, tels *La Guzla* et *Ivan IV*. La découverte tardive de ce second manuscrit permet d'espérer que le premier réapparaîtra à son tour. Dans *Ivan IV*, Bizet se révèle déjà en pleine possession de son génie, et pourtant, en 1865, il n'a encore écrit ni *L'Arlésienne* (*), ni *Djamileh*, ni surtout *Carmen* (*). La musique de Bizet accentue par la diversité de son style la profusion de thèmes dramatiques. L'influence de Gounod est évidente dans les deux premiers actes : un flot mélodique et coloré se charge peu à peu de tendresse. Au troisième acte, l'atmosphère change ; on pourrait penser que Moussorgski servit de modèle à Bizet si, en 1865, *Boris Godounov* (*) avait déjà fait son entrée à Paris. Dans le domaine orchestral, Bizet fait ici figure de précurseur. Il utilise tous les timbres, toutes les sonorités des instruments, dessine une mosaïque aux couleurs vigoureuses. On reconnaît au passage des fragments de *L'Arlésienne* et des *Jeux d'enfants*. Bizet avait laissé inachevée l'orchestration d'*Ivan IV*. Henri Büsser (1872-1973) termina l'ouvrage en s'inspirant des indications très précises laissées par le compositeur.

IVAN IVANOVITCH A-T-IL EXISTÉ ? [*Ivan Ivanoviç Varmigdi ?*]. Pièce de théâtre due au poète turc Nâzim Hikmet (1902-1963), éditée en turc en 1971, mais publiée en traduction française en 1955. Cette pièce en trois actes et neuf tableaux est une satire du culte de la personnalité et de la bureaucratie. Le héros de la pièce, Petrov, est un secrétaire du comité de parti local, mais, comme il le déclare lui-même, il pourrait aussi bien être président du comité exécutif, ou directeur d'une fabrique, ou chef d'atelier et même chef d'État. Petrov est un personnage simple, modeste, serviable et travailleur. Ivan Ivanovitch, qui est jaloux de lui parce qu'il voudrait courtiser la jeune fille dont Petrov est amoureux, décide de l'anéantir en tant que représentation sociale. Usant de flatteries systématiques et secondé par l'homme au chapeau de paille, qui représente le type de l'opportuniste par opposition à l'homme à la casquette, qui représente le peuple, Ivan Ivanovitch arrive à inculquer le culte de la personnalité à Petrov. Entouré dans son bureau par ses propres portraits et par des secrétaires et des serviteurs qui s'affairent, Petrov, sans se rendre compte de ce qui lui arrive et malgré les avertissements désespérés de l'homme à la casquette, ne pense plus qu'à l'importance de sa personne ; les agissements de son entourage ne se règlent que d'après ce qu'il en a décidé, et il perd contact avec le réel au point qu'il ne reconnaît même plus sa bien-aimée. Son assurance est une première fois ébranlée lorsqu'il se rend à la ville afin de répondre à une convocation officielle et que personne ne vient à sa rencontre ; la foule est là non pour lui mais pour recevoir une championne de natation. Dans le bureau de son chef, il est très étonné de se trouver devant un immense portrait qui ressemble exactement aux portraits dont s'orne son bureau ; et sa stupeur est grande au moment où il prend conscience que son chef lui ressemble comme un frère qui aurait les mêmes mimiques, les mêmes gestes et la même mentalité. Pendant qu'eux deux se singent dans une conversation bureaucratique complètement creuse, la tête de l'homme à la casquette apparaît à la porte et les somme de s'arrêter. C'est alors que Petrov comprend les machinations d'Ivan Ivanovitch, et qu'il rentre en courant chez lui pour le chasser. Mais personne ne sait qui est Ivan Ivanovitch ; personne ne se souvient plus de lui. Ivan Ivanovitch a-t-il existé ? Tous se le demandent. Petrov en désarroi pose la question à l'homme à la casquette qui, en réponse, commence à taper avec un bâton sur la tête d'Ivan Ivanovitch soudainement revenu. À chaque coup de bâton, c'est Petrov qui crie de douleur. Présentée comme une comédie burlesque, la critique des contradictions existant dans la société socialiste est exposée dans cette pièce avec humour. L'auteur se contente de caricaturer les personnages et ne s'attaque guère aux fondements de ce système social qu'il souhaite, bien au contraire, protéger contre « le serpent » qui voudrait le détruire. La pièce, basée sur un contraste entre les situations et les personnages, se prête à une mise en scène très vivante et elle a une grande force satirique. — Trad. in *Les Temps modernes,* n° 146, 1955.

IVANOV. Drame de l'écrivain russe Anton Pavlovitch Tchekhov (1860-1904), représenté pour la première fois à Moscou en 1887. C'est la première œuvre théâtrale de Tchekhov et elle se ressent du sombre pessimisme de cet écrivain d'ailleurs caractéristique pour son époque. Ivanov est le type de l'intellectuel russe neurasthénique, non point fou, mais atteint de ce déséquilibre que Tchekhov, médecin, a évoqué dans plusieurs autres récits : *La Chambre N° 6* (*) et *Le Moine noir* (*). Un amour-propre morbide, exaspéré par des échecs continuels, travaille Ivanov, qui se lamente sans trêve, en proie à des souffrances réelles ou imaginaires. La vie semble lui offrir des possibilités de salut ; pourtant, il s'enfonce toujours plus dans la vase. Époux heureux d'une jeune femme (qu'il a dû arracher à une famille de Juifs fanatiques religieux), il travaille pour se faire une existence digne et utile ; puis soudain se déprend de ce travail et admet, avec légèreté, qu'autour de lui tout tombe en ruine. Cependant, le passé continue à se teinter pour lui de couleurs d'autant plus brillantes qu'il se sent incapable de se ressaisir. C'est parce qu'il sait parler si bien de ses idéaux et de ses aspirations que la bonne et tendre Sacha, âme poétique et éprise d'idéal, tombe amoureuse de lui. Cet amour devrait lui infuser une force et une foi nouvelles, d'autant plus que, sa femme étant morte, il est entièrement libre de refaire son existence. Or il réagit d'une manière pathologique : ayant repoussé l'amour de la jeune fille, il met fin à ses jours au moment même où, revenant sur sa décision, il se sent prêt à partager le sentiment qu'il lui inspire. Ivanov est le type même du « naufragé de la vie » : personnage caractéristique de la fin du XIXe siècle et de la sensibilité propre aux intellectuels de ce temps-là. Le théâtre d'Ibsen en constitue le monument littéraire le plus représentatif. Cependant, le héros de Tchekhov est, de plus, un personnage typiquement russe, que l'on retrouve dans mainte œuvre, tant chez cet auteur que chez beaucoup d'autres. Tout en reflétant le côté morbide de son époque, *Ivanov* semble annoncer l'apparition des premiers héros de Gorki. — Trad. Gallimard, 1968 ; Actes Sud, 1989.

IVROGNE DANS LA BROUSSE (L') [*The Palm Wine Drinkard*]. Récit de l'écrivain nigérian Amos Tutuola (né en 1920), publié en 1952. *L'Ivrogne dans la brousse* se présente sous la forme d'un voyage initiatique dont le héros est un jeune indolent qui passe ses journées à boire du vin de palme. Lorsque l'homme qui lui fournit son breuvage favori meurt, l'ivrogne décide soudain d'aller le retrouver au pays des morts. Dès qu'il pénètre au cœur de la brousse, il doit, pour être autorisé à poursuivre sa route, satisfaire à de multiples épreuves qu'il surmonte avec beaucoup d'à-propos. Par exemple, lorsqu'on lui demande de s'emparer de la mort en son jardin, il réussit à l'attirer dans un filet ; lorsqu'il lui faut retrouver une jeune écervelée qui s'est enfuie avec un bel homme, il parvient non seulement à la rejoindre mais à l'épouser. Et lorsqu'il cherche à se débarrasser de l'enfant monstrueux qui est né du pouce de sa femme, il finit par le confier à Tambour, Chant et Danse, trois esprits qui l'entraînent au fond de la forêt en un véritable mouvement orphique. Mais les rencontres que fait l'ivrogne ne sont pas toutes aussi enchanteresses : de nombreux monstres gigantesques et inquiétants surgissent sur son chemin et Tutuola, jouant sans cesse sur la peur incommensurable de son héros (et de son lecteur), le sauve toujours à la dernière minute, et lui permet enfin de rentrer chez lui et d'y devenir « l'homme le plus important de sa ville ». En organisant son récit en une série d'épisodes apparemment autonomes qui s'ajoutent les uns aux autres, Tutuola reste fidèle à la tradition yoruba dont il est issu, et, tel un griot, dit et redit le commerce étrange que l'homme noir entretient avec les forces telluriques de son continent. Mais l'originalité du texte vient de ce que ce voyageur très traditionnel est aussi un homme moderne. Il sait compter (et surtout multiplier), voyager en aéroplane, assister à un procès, reconnaître un moineau et aussi, bien sûr, parler en anglais. Cet ivrogne qui s'empare sans complexes de la première personne pour se mettre au centre du récit, s'exprime en un idiome curieux qui révèle la double appartenance de l'auteur : respectueux des cadences incantatoires du yoruba, Tutuola procède par répétitions fort peu grammaticales mais, fasciné par la souplesse de l'anglais, il créé avec humour de nouveaux mots, ne serait-ce que le « drinkard » du titre. Les détracteurs de Tutuola n'ont vu là qu'incorrections et indigences alors que toutes ses trouvailles témoignent d'une aisance linguistique rare. Malgré l'excès de critiques et de louanges dont il a été l'objet, *L'Ivrogne dans la brousse* reste le livre-phare de la production africaine anglophone, celui qui a démontré, dès les années 50, que le passage de l'oral à l'écrit était non seulement possible mais fécond. – Trad. Gallimard, 1953.

D. Co.

J

J3 (Les) ou la Nouvelle École. Comédie en quatre actes du dramaturge français Roger-Ferdinand (1898-1967), représentée aux Bouffes-Parisiens le 30 septembre 1943. Tout le théâtre de Roger-Ferdinand relève d'une manière large, simple, humaine, touchante par son honnêteté littéraire et morale. Après *La Machine à souvenirs* (théâtre des Mathurins, 1924), qui attira l'attention de la critique, et *Irma* (théâtre de l'Atelier, 1926), *Un homme en or* (l'Œuvre, 1927) fut le premier grand succès, que confirma *La Foire aux sentiments* (L'Œuvre, 1928) ; étape décisive dans la carrière de l'écrivain, *Les J3* le conduisirent à la présidence de la Société des auteurs. La pièce met en scène des lycéens de 1943 – des J3. Une jeune femme, envoyée comme professeur de philosophie dans une classe de garçons soucieux moins de leurs études que de leur vie matérielle et détournés surtout de leurs devoirs par la passion du marché noir, entreprend de révéler ces jeunes gens à eux-mêmes. Son charme, sa grâce opèrent le miracle. Elle conquiert ses mauvais élèves, les transforme en garçons travailleurs et fait naître l'amour dans le cœur de cinq adolescents. Sous ce titre, bien fait alors pour plaire, Roger-Ferdinand a écrit une comédie alerte, spirituelle, divertissante, construite avec habileté.

J'ACCUSE. « L'acte le plus révolutionnaire du siècle », dira Jaurès. Le 13 janvier 1898, le journal radical *L'Aurore* publie, en première page, sous le titre « J'accuse », une lettre ouverte de l'écrivain français Émile Zola (1840-1902) au président de la République, Félix Faure. Grâce à une publicité bien orchestrée, trois cent mille exemplaires s'enlèvent en quelques heures. Rappelons brièvement les faits.

Le capitaine Dreyfus a été condamné par un premier Conseil de guerre pour espionnage avec l'Allemagne le 22 décembre 1894 – et la dégradation militaire a lieu dans la grande cour de l'École militaire le 5 janvier 1895. Le condamné ne cesse de proclamer son innocence. Un tout petit nombre de personnes, persuadées de cette innocence, mène une difficile et courageuse action : Bernard Lazare, Scheurer-Kestner, vice-président du Sénat, le commandant Picquart qui le premier s'est rendu compte que le véritable auteur du « bordereau » accompagnant l'envoi de documents confidentiels, à cause duquel Dreyfus a été condamné, est le commandant Estherazy, Zola qui, convaincu par les précédents, publie à partir du 25 novembre 1897 des articles dans *Le Figaro.* Estherazy passe en justice, mais il est triomphalement acquitté le 11 janvier 1898, Picquart est accusé de faux et condamné à soixante jours de forteresse. Zola décide d'agir, comprenant qu'il n'y avait rien à attendre des voies légales. Mettant tout son crédit d'écrivain au faîte de la gloire dans la balance, il s'adresse directement à l'opinion dans un article volontairement provoquant. Utilisant l'arme de la rhétorique, il prononce un réquisitoire passionné contre l'état-major dont il attaque nommément les membres, commettant délibérément le délit de diffamation. Son but : se faire inculper, pour que la lumière éclate dans le procès qui suivrait. Il gagne ou... presque. Il reçoit l'assignation le 20 janvier, y répond par un nouvel article adressé au ministre de la Guerre. La France se partage en deux. Zola perd amis (Daudet, Huysmans, Bourget, Céard, et tant d'autres) et lecteurs. Son procès en diffamation s'ouvre le 7 février devant les assises de la Seine. Il est condamné à une lourde amende de trois mille francs (maximum de la peine) et à un an d'emprisonnement. Après maintes péripéties, maintes attaques calomnieuses – Judet attaque même son père dans *Le Petit Journal* –, il passe à nouveau le 18 juillet devant la cour d'assises de Seine-et-Oise qui confirme la sentence. Afin que le jugement ne lui soit pas justifié et ne devienne pas exécutoire, il part précipitamment en Angleterre où il restera onze mois. Le 26 juillet, le Conseil de l'ordre de la Légion d'honneur le suspend de son titre d'officier. Mais son geste a frappé l'opinion, rendu espoir aux défenseurs de Dreyfus, poussé de nombreux « intellectuels » (le mot date de l'époque) encore hésitants à entrer dans la lutte contre l'antisémitisme, les atteintes à la liberté de penser et d'expression, à s'organiser dans la Ligue des droits de l'homme.

Zola meurt le 29 septembre 1902 avant d'avoir vu la réhabilitation de Dreyfus et sans avoir pu se faire rendre justice : la loi d'amnistie du 14 décembre 1900 met, en effet, scandaleusement un terme à l'Affaire, en visant pêle-mêle partisans et adversaires du capitaine. L'écrivain avait publié le 16 février 1901 les articles écrits avant, pendant et après son procès sous le célèbre titre *La Vérité en marche*. Rappelons pour terminer et pour donner une idée de la violence des réactions suscitées par l'Affaire qu'on a pu affirmer que la mort accidentelle par asphyxie de Zola avait été volontairement provoquée. Deux ouvriers, travaillant sur un toit voisin, aurait obturé le conduit de la cheminée de sa chambre. Ce qui n'a jamais été prouvé, mais est plausible.

C. Be.

JACK. Roman de l'écrivain français Alphonse Daudet (1840-1897), publié à Paris en 1876. C'est l'histoire d'un pauvre garçon, fils illégitime d'une demi-mondaine vaniteuse et faible de caractère. Le garçon, que sa mère avait pourvu par snobisme du prénom de Jack, n'est pas admis dans un collège distingué de jésuites. Il échoue dans une autre institution de renom, la « pension Moronval », dont les directeurs sont de vulgaires aventuriers, habiles à soutirer de l'argent à leurs pensionnaires. Dans cette ambiance, évoquée avec maîtrise et riche en figures caricaturales, Jack ne demeure pas longtemps : il prend la fuite. Entre-temps, sa mère est tombée amoureuse du professeur de littérature de ce gymnase, un poète médiocre, dénommé Dargenton. Elle part avec lui pour un pays lointain. Après bien des misères, Jack finit par les rejoindre. Bientôt détesté par le poète, il est contraint de travailler dans une fonderie. Dans ce milieu malsain et abrutissant, le garçon dont la santé est faible atteint l'âge viril ; il se met à boire et à mener une vie déréglée, puis devient chauffeur sur un navire, trois années durant. Après avoir miraculeusement échappé à un naufrage, il rentre au pays où vivent sa mère et son amant. Il est recueilli par la famille d'un médecin bon et charitable – qui le chérissait depuis son enfance. L'affection de la nièce du médecin, la jeune Cécile, rend à Jack sa confiance en l'avenir. Un jour, il apprend que la jeune fille est une enfant illégitime qui, en raison de son origine, a renoncé au mariage pour se confiner dans une vie sans joie. Quelques mois passent, et Jack, après un séjour chez sa mère, se rend à Paris en quête de travail : il veut sauver cette malheureuse femme qui sacrifie tout aux vanités de son existence mondaine. Hélas, sa mère, après avoir quitté quelque temps son rimailleur, est retournée auprès de lui pour participer à des entreprises littéraires vouées à l'échec. Jack, dont le mal s'aggrave chaque jour, doit entrer à l'hôpital. Cécile et son oncle adoucissent ses derniers moments : rongé par la phtisie, il est enfin délivré de ses maux.

Ce roman vaut surtout par le pittoresque de certains personnages – tel le poète prétentieux et sans talent – ou la description cruelle de certains milieux comme la « pension Moronval ». Par son côté sentimental et ses aspirations humanitaires, *Jack* s'apparente au *Petit Chose* (*). La manière dont le récit est conduit évoque celle de Charles Dickens. Ce roman a été adapté au théâtre : la pièce fut représentée le 11 novembre 1881 à l'Odéon.

JACK BARRON ET L'ÉTERNITÉ [*Bug Jack Barron*]. Roman de l'écrivain américain Norman Spinrad (né en 1940), publié en 1969. Il parut d'abord en 1967 dans la revue britannique de science-fiction *New Worlds* et suscita un scandale par ses audaces sexuelles inusitées dans le genre. Dans l'avenir proche, un animateur de télévision, Jack Barron, joue les redresseurs de torts. Son émission permet à ceux qui s'estiment victimes d'injustices de demander des explications aux « responsables ». Il n'hésite pas à malmener des personnalités importantes. En réalité, son émission est un spectacle, et il prend un minimum de risques. Jusqu'au jour où il tombe sur une affaire particulièrement louche. Il semble que des enfants vendus aient servi à des recherches sur l'immortalité organisées par Benedict Howards, vieillard à la puissance financière considérable. C'est un duel à mort entre le pouvoir des médias et celui de l'argent. Mais Barron, grisé par son rôle, manipulateur délibéré de son public, pris dans le tourbillon de ses passions et de ses craintes, tenté par Howards tel Faust par Méphisto, profitera de sa situation pour devenir lui-même immortel, comme par inadvertance, alors qu'il en sait le prix atroce. Au-delà de sa virtuosité et de ses audaces érotiques, ce roman, classique des années 60, anticipait avec tant de pertinence sur l'évolution de la télévision et de la corruption politique que cet avenir s'est comme insensiblement glissé dans notre présent. – Trad. Robert Laffont, 1971. G. K.

JACOB. Roman de l'écrivain norvégien Alexander Kielland (1849-1906), écrit à Copenhague en 1891, au cours d'un séjour de l'auteur dans la capitale danoise, et publié la même année. Jacob est un paysan astucieux et âpre au gain. Décidé à arriver, il installe un commerce dans son village natal et l'agrandit d'année en année. Peu à peu, il devient l'homme le plus riche et le plus puissant de la région, grâce à son sang-froid, à son énergie et surtout grâce à son manque de conscience et d'honnêteté. Au lieu de le repousser, la société l'accueille et l'honore. *Jacob* est un des épisodes de la bataille morale et sociale menée par Kielland, et l'histoire de l'élévation et des moyens employés par Jacob forme un véritable acte d'accusation. La description du milieu est remarquable. Jacob est l'homme content de lui-même et uniquement préoccupé des choses concrètes et matérielles de la vie, tandis que l'homme idéal est celui qui n'est jamais satisfait de ses propres actes, celui qui avance sur la route toujours nouvelle de l'expérience spirituelle.

JACOB COW LE PIRATE ou Si les mots sont des signes. Cet essai de l'écrivain français Jean Paulhan (1884-1968) a été publié en 1921. Il comprend deux parties : « Si les mots sont des signes, ou Cinq kilos de sucre pour rien » et « De la poursuite des images, ou le Tailleur chinois ». Il n'est pas possible de parler des mots, comme un peintre décrit le broyage des couleurs ; « ils se mêlent de si près à notre souci de les faire servir que l'on ne distingue jamais très bien où le souci commence et où finit le mot ». En fait, les mots, étant par nature signes de pensées, ne suffisent pas, mais la pensée que chacun découvre sous eux est leur seule raison d'être. Parfois, aussi, une idée est signe d'un mot et manière de la partager, « loin qu'un mot le soit de l'idée ». Après avoir pris l'exemple de cinq kilos de sucre donnés pour rien à tout lecteur de *L'Avenir*, Jean Paulhan reprend une anecdote de Mac Orlan : le Pirate fait ranger sur le pont tous ses prisonniers et, avant de les jeter à la mer, leur fait dire leur nom. Quand c'est au tour de Mac Orlan, celui-ci dit : Je m'appelle Cow. Alors, « tant est grande la terreur que ce nom inspire, Jacob Cow lui-même regagne en hâte son bateau corsaire, fait larguer les voiles et disparaît ». Et Jean Paulhan de conclure que nous en usons avec les mots comme si Jacob Cow à chaque fois devait s'enfuir.

JACOB JACOBSON [*Zheykob Zheykobson*]. Pièce en yiddish de l'écrivain américain d'origine polonaise Aaron Zeitlin (1898-1973), parue en 1931. Seul survivant d'une humanité qui, saisie de folie guerrière, vient de s'anéantir, Jacobson s'est réfugié au fond de l'océan, protégé par le Seigneur des Eaux. Un ange vient réquisitionner le dernier humain : on en a besoin pour recommencer l'histoire. Jacobson refuse, pressentant que l'offre ne peut venir de Dieu lui-même, qui saurait se passer de son concours. Pour lui forcer la main, l'ange ressuscite l'épouse adultère du héros, la frivole Lucy. Tentée par la perspective du Paradis, elle y entraîne Jacobson. Le serpent explique à Lucy, devenue une nouvelle Ève, que, Dieu ayant rejeté l'idée de refaire un monde, les anges se sont mis à leur compte, mais ne sauraient, eux, se passer du seul Adam. Celui-ci exige qu'on lui montre les futures générations du monde qu'il engendrerait. Les anges montent pour lui un théâtre guignol où l'on voit se répéter tous les crimes de l'histoire, de Caïn à Mussolini, sans oublier Jules César, Napoléon, etc. Jacobson, confirmé dans ses soupçons et considérant que l'Histoire ne vaut pas d'être refaite en l'absence de Dieu, se pend à l'Arbre de Vie. Dépités, les anges acceptent une idée du Serpent : il se chargera de recréer un homme à partir d'une côte de Lucy. Le nouvel Adam apparaît : robuste, sauvage, hurlant d'animalité. Dans son « jeu grotesque en quatre actes », Zeitlin dénonce les idéologies anthropocentristes et les bureaucraties qui tentent de faire oublier à l'homme son besoin absolu de spiritualité. I. N.

JACQUERIE (La), scènes féodales. Vaste composition dramatique de l'écrivain français Prosper Mérimée (1803-1870), publiée en 1828 anonymement sous le titre : *La Jacquerie, scènes féodales, par l'auteur du Théâtre de Clara Gazul*. Cette pièce évoque l'insurrection des paysans français contre la noblesse au XIVe siècle, pendant la captivité du roi Jean. Cette révolte doit son nom à Jacques Bonhomme, sobriquet dont les nobles affublaient le vilain. L'arrogance féodale est incarnée par le baron d'Apremont. Ses violences et sa cruauté poussent les paysans au désespoir, sous l'inspiration et la conduite d'un moine intrépide, frère Jean, et avec l'alliance des brigands, réfugiés en grande partie dans le maquis à cause des injustices des seigneurs. S'allient également aux paysans des aventuriers d'Angleterre, de Navarre et de Gascogne, attirés par l'espoir du butin. La lutte, après la chute du château d'Apremont, se poursuit d'abord à Beauvais, où les riches bourgeois tiennent pour les nobles, et les ouvriers pour les rebelles, puis dans les environs de Meaux. Malgré les succès, l'élan faiblit ; les nobles, vaincus, ont demandé une trêve, mais ils s'arment en trompant les insurgés et achètent le service des aventuriers anglais. La discorde naît dans le camp des paysans : ceux-ci finissent par se révolter contre frère Jean, prêts désormais à revenir à leur servage. L'ouvrage ne comporte pas de division en actes, mais seulement une suite de trente-six scènes et autant de tableaux ; le morcellement excessif empêche de ressentir une impression de force et d'unité. L'époque, la foule et ses misères sont évoquées avec beaucoup de relief ; il y manque malheureusement quelques figures de premier plan. Néanmoins, l'essai tenté ici par le jeune Mérimée est intéressant et, dans certains détails, remarquable.

JACQUES ou la Soumission. Pièce de l'écrivain français Eugène Ionesco (1912-1994), publiée en 1954, créée en 1955 au théâtre de la Huchette, dans une mise en scène de Robert Postec. Composée immédiatement après *La Cantatrice chauve* (*), *Jacques ou la Soumission* relève encore de la première veine de Ionesco, essentiellement parodique et « carnavalesque », fondée sur une spectaculaire économie de moyens. Deux familles dont, comme les Bobby Watson de *La Cantatrice chauve*, tous les membres portent respectivement le même nom : les « Jacques » et les « Robert ». Un décor glauque, du Zola « indéfini » : nous sommes dans une « comédie naturaliste ». Une intrigue très simple, linéaire jusqu'à son acmé, triomphe de l'amour, mais surtout de l'absurde. La pièce s'ouvre sur un refus, dont on ignore la teneur : Jacques se mure dans le silence, malgré les supplications de sa mère, de sa sœur, et le reniement du père (premier temps) ; le second temps est marqué par la concession de Jacques : « J'adore les pommes de terre au lard » ; c'est, Jacques n'en est pas dupe, le « signal convenu », qui provoque le pardon du père et l'entrée en scène de la première fiancée, Roberte. Alors, comme dans toute comédie digne de ce nom, il s'agit de marier le héros. Refus de Jacques : il veut une fiancée « à trois nez ». Qu'à cela ne tienne, ce sera Roberte II. Nouveau refus. Mais Roberte II, grâce à un bien étrange usage de la parole, saura séduire Jacques.

La pièce est, à sa manière, une dérision du théâtre, du moins, comme le dit Ionesco lui-même, c'est une « parodie ou caricature de théâtre de boulevard, un théâtre de boulevard se décomposant et devenant fou » (*Notes et Contre-notes*). La parodie porte d'abord sur les relations de famille et leurs conventions, à commencer par celle de l'identité et sa version sociale, le nom propre : les Jacques et les Robert n'ont d'autre singularité que leur position dans la famille ; la fiancée remplit la place laissée vacante. Pourquoi, cependant, Roberte II réussit-elle là où la première échoue ? C'est là que le langage s'emballe, jusqu'à échapper au contrôle du locuteur.

Pourtant, le début est déjà marqué par des perturbations linguistiques ; une grandiloquente tirade de drame bourgeois se voit grossièrement tournée en dérision : « Mais songe donc, mon fils, songe que je t'ai nourri au biberon... » La langue est, ici, à la fois plus lyrique et plus ludique que dans *La Cantatrice chauve* ou *La Leçon* (*), et cette alternance même donne à la pièce son rythme souple et félin. Plus lyrique, puisque Ionesco ne recule pas devant la tirade qui, vers la fin, se libère en images oniriques ; plus ludique aussi, par les jeux de mots, calembours, allitérations, qui se résolvent en un mot unique, absurde et tendre : « Pour y désigner les choses, un seul mot : chat [...], toi : chat, moi : chat... », comme si Jacques signait là sa capitulation bienheureuse, en un retour animal au temps d'avant le langage.

D'autres à la même époque, comme Michaux, comme Tardieu, iront peut-être plus loin dans l'expérimentation linguistique. Mais Ionesco choisit une autre famille, populaire et bon enfant : celle de Queneau. Sans doute s'en tient-il à la parodie, c'est-à-dire à une « pure » mise en perspective des codes, retournés comme des gants. C'est pourtant une façon d'inviter à un autre regard sur les choses, même si, dit-il modestement, « mes pièces ne prétendent pas sauver le monde ». A. Va.

JACQUES LE FATALISTE ET SON MAÎTRE. Roman de l'écrivain français Denis Diderot (1713-1784), dont une première version semble avoir existé dès 1771. Diffusé (avec des coupures) dans la *Correspondance* (*) de Grimm de 1778 à 1780, il ne fut publié qu'en 1796. *Jacques le Fataliste* est le récit le plus long et le plus complexe de Diderot. Par quelques parties de satire anticléricale, il se rapproche de *La Religieuse* (*), mais le ton est bien différent : Diderot songe moins à toucher les cœurs qu'à exciter l'esprit par la vivacité de ses jugements, le comique et parfois le burlesque des situations. Comme *Le Neveu de Rameau* (*), *Jacques le Fataliste* est un long dialogue, mais ce dialogue contient toutes sortes d'aventures, de récits, de digressions extrêmement variés. Il n'y a pas d'action suivie à proprement parler. Jacques et son maître, personnages errants, toujours prêts à raisonner de tout et à philosopher sur la vie de l'homme, nous sont présentés au début de leur voyage, mais nous ne savons ni d'où ils viennent, ni où ils vont, ni pourquoi ils se déplacent ; toujours est-il qu'ils ne semblent pas pressés, s'arrêtent volontiers en route, reviennent sur leurs pas, et tentent toutes les aventures qui se présentent à eux. L'auteur intervient souvent pour réfléchir sur ses personnages et sur leur conduite, pour nous faire part de ses hésitations sur ce qu'il leur fera dire ou faire. Mais, à côté de ces réflexions en marge, le dialogue se poursuit d'un bout à l'autre, interrompu sans cesse par des incidents, des rencontres, ou même des sautes d'humeur. Le personnage de Jacques, valet maître, qui a son franc-parler et n'hésite pas à reprendre et à gourmander celui qu'il sert, est très typique de cette fin de XVIIIe siècle et fait, à maintes reprises, penser au personnage de Figaro – v. *Le Barbier de Séville* (*) et *Le Mariage de Figaro* (*) –, dont il n'a pas cependant l'esprit d'intrigue. Jacques est un bon garçon, naïvement philosophe, mais ingénieux et qui sait toujours se tirer d'un mauvais pas. Pour distraire son maître, il a entrepris de lui raconter l'histoire de sa vie et de ses amours, mais son récit est sans cesse arrêté par les réflexions de son maître qui lui rappelle un autre épisode qu'il ne lui avait pas encore raconté, ou encore par ses propres digressions philosophiques.

Jacques a une opinion bien définie sur la vie humaine et sur les événements de ce monde ; il dit avoir déduit cette opinion des enseignements de son capitaine, au temps où il était soldat : tout ce qui arrive, prétend-il, est écrit dans le grand registre du destin et par le seul fait qu'une chose est advenue, c'est qu'il ne pouvait en être autrement. À la lumière de ce principe inébranlable, il juge tous les événements humains : il s'exhorte lui-même et il exhorte les autres à la résignation. C'est, présenté sous une forme élémentaire et terre à terre, la conception même de Diderot : la vie est un enchaînement de forces que l'homme n'a que l'illusion de commander. Jacques, d'ailleurs, est le premier à s'abandonner à de vaines récriminations, dont son maître lui fait aussitôt remarquer qu'elles sont directement en contradiction avec ses principes ; Jacques n'attend pas cette réprimande pour s'en repentir et se le reprocher, quitte à retomber peu après dans la même incohérence. Il se révèle ainsi comme un observateur impartial de ses propres tribulations comme de celles d'autrui et, par là même, s'entend fort bien avec son maître.

Dans la suite un peu chaotique des aventures de Jacques s'insèrent quantité d'autres récits : l'histoire des amours de Mme de La Pommeraye et du marquis des Arcis (racontée par une hôtesse bavarde et cordiale, dont le type sera repris par Victorien Sardou dans *Fernande*) ; la romanesque aventure d'un moine défroqué, devenu le secrétaire du marquis, et racontée par lui-même à nos deux héros (c'est le prétexte, pour Diderot, à une diatribe contre les couvents d'hommes, pendant de ses attaques contre les couvents de femmes de *La Religieuse*) ; la vie et les aventures de M. Desglands, rapportées tantôt par Jacques, tantôt par son maître, qui rassemblent, tous deux, leurs renseignements et leurs souvenirs. À un certain moment, Jacques, pris d'un violent mal de gorge, est incapable de parler, son maître en est fort ennuyé et Jacques plus encore que son maître. Mais ce dernier, faisant contre mauvaise fortune bon cœur, le distrait en lui racontant un de ses amours de jeunesse. Jacques, pour retrouver la montre qui avait été dérobée à son maître, se lance dans une aventure qui pourrait mal tourner : il est mis en prison, mais il réussit à se tirer de ce mauvais pas. Après bien des détours, nous voici à nouveau au chevet de Jacques chez Desglands. Là se terminent ses aventures, car Diderot, qui veut en finir avec son personnage, tout en prétendant posséder des mémoires d'ailleurs suspects, dont l'essentiel ne nous est même pas donné, met arbitrairement fin à son récit.

Ce roman, tout à fait original et étrange par sa présentation et son esprit, n'est pas sans rappeler bon nombre de romans du XVIIIe siècle : depuis *Le Diable boiteux* (*) de Lesage jusqu'au *Candide* (*) de Voltaire et à *Vie et opinions de Tristram Shandy* (*) de Sterne. Diderot reconnut lui-même que l'œuvre de Sterne fut sa source principale. La truculence de nombreuses scènes, la liberté du langage et la vivacité de la narration révèlent en outre l'influence de Rabelais, dont Diderot fut toujours un fervent admirateur. Et Jacques n'est pas sans ressembler, par certains traits, à Panurge. Il n'empêche que l'œuvre demeure une des plus originales de toute la littérature française, par ses apparents défauts mêmes — mais ils sont voulus, concertés –, par l'enchevêtrement de ses épisodes, la densité des sujets, la variété des digressions, qui en renouvellent, de page en page, l'intérêt. C'est certainement une des œuvres où se montre le plus ouvertement le tempérament vigoureux, paradoxal, généreux et souvent génial de Diderot.

JACQUES VINGTRAS. Roman social de l'écrivain français Jules Vallès (1832-1885), qui se compose de trois volumes : *L'Enfant* (1879), *Le Bachelier* (1881), *L'Insurgé* (1886). En tout, quelque douze cents pages. Cette trilogie relève du roman personnel. Vallès n'y conte, en effet, que des histoires qu'il a vécues. Toujours en proie, comme il fut, à la misère, il arrache des lambeaux de sa vie, les ajuste, les coud ensemble et s'en sert comme d'un étendard. Quelle que soit l'amère complaisance qu'il mette dans ce jeu, il n'en ressuscite pas moins son époque avec un accent qui perce le cœur. La trilogie de *Jacques Vingtras* fut écrite en haine de la société. Si Vallès attaque cette société c'est, avant tout, parce qu'elle laisse dans le dénuement ceux qui refusent d'être ses valets. Comment une telle société ne pousserait-elle pas l'homme au désespoir ? Chacun de ces trois volumes comporte une adresse significative. En effet, l'auteur dédie *L'Enfant* à tous ceux qui furent roués de coups par leurs parents ; *Le Bachelier,* à tous ceux qui crevèrent de faim pour s'être nourris de racines grecques et latines ; *L'Insurgé,* enfin, à tous ceux qui donnèrent leur sang pour la Commune de Paris. Voici la matière dont est fait *L'Enfant :* fils d'un professeur de collège et d'une paysanne bornée, Vingtras est, dès le bas âge, instruit à l'école du malheur. « Ma mère dit qu'il ne faut pas gâter les enfants et elle me fouette tous les matins ; quand elle n'a pas le temps le matin, c'est pour midi et rarement plus tard que quatre heures. » Son père, lui non plus, n'y va pas de main morte. Qu'attendre de tels parents du point de vue de l'éducation ? Autant dire rien. Sous prétexte de l'aguerrir, on s'ingénie à lui rendre la vie dure, on le crétinise à longueur de journée, on finit par lui reprocher le pain qu'il mange. Quoi qu'il fasse, le pauvre garçon ne parviendra jamais à gagner leur affection. C'est dans cette atmosphère viciée qu'il fera ses humanités. Bien qu'il soit assez doué, il les prend vite en aversion. Le latin lui paraît aussi barbare que le grec et « il l'avale comme de la boue ». Qu'il s'agisse de Thémistocle, de Scipion ou d'Amilcar, il se sent incapable de lui prêter sa voix pour haranguer des soldats qu'il n'a jamais vus. Aussi brûle-t-il du désir de déserter cette maison maudite. S'étant fait recaler au baccalauréat, il arrivera finalement à réaliser ses projets. Dans ce premier volume, Vallès fait un tableau de la vie de province qu'il nous est impossible d'oublier. Quoique, d'un bout à l'autre, il voie les choses en noir, il se garde bien de montrer un esprit trop systématique. Toutes les fois, en effet, que l'occasion s'en présente, il trouve à tempérer son récit par un brin d'humour et par des trouvailles d'une exquise délicatesse. On relève, entre autres, un trait de nature des plus saisissants : ce père dont il est le martyr, Vingtras n'hésite pas à le défendre quand il le voit insulté par un tiers, fût-ce le plus justement du monde. Il se bat en duel, un duel à l'épée — lequel ne tournera point à son avantage. Tandis qu'il perd son sang, il retourne au logis et passe la chose sous silence.

Voici maintenant *Le Bachelier :* Vingtras fait sa malle et part pour Paris afin d'y tenter la fortune. « Vingt-quatre sous, dix-sept ans, des épaules de lutteur, une voix de cuivre, des dents de chien, la peau olivâtre, les mains comme du citron et les cheveux comme du bitume. » Sans métier, sans argent, c'est dur. Quoi qu'il advienne, il a résolu d'être susceptible en matière d'honneur. Il entend, vaille que vaille, défendre ses intérêts. Il n'en aura pas moins les pires tribulations. Il tâte successivement du journalisme, du commerce et de la publicité, sans oublier la carrière de l'enseignement qu'il déteste plus que tout au monde. Il est pion dans divers pensionnats et, en fin de compte, échoue dans une crèche. Aucune de ces occupations ne lui donnera de quoi subsister. Ivre de rancœur et de honte, il s'élève contre ce genre d'éducation qui méconnaît les droits essentiels de l'enfance ; qui empêche un garçon de devenir un simple ouvrier pour en faire une bête à concours, un bachelier, un inutile que guette la misère la plus noire. L'atmosphère de Paris ajoute à sa détresse : l'insurrection de juin 1848, durement matée par Cavaignac, ne contient-elle pas en germe le coup d'État du 2 décembre qui amènera la restauration de l'Empire ? Vingtras exècre ce Napoléon III ; d'autant qu'il ne croit plus que le tyrannicide soit un remède efficace. Ce qu'il faudrait tuer, songe-t-il, c'est tout le mal engendré par la question sociale. Loin de faire secte à part, il se solidarise avec les miséreux, se sent mûr pour la rébellion, devient, en somme, un brûlot qui attend son heure. Quelle heure, au juste ? Il n'en sait rien. En attendant, il faudra vivre. Des années passent sans qu'il puisse améliorer sa condition. Sachant manier la plume, il retourne sur ses pas : le journalisme. Mais, à chaque porte, il se cassera le nez. Dans la presse politique, la hardiesse de ses idées lui suscite des difficultés. Comment ne se méfierait-on pas d'un homme qui attire la foudre partout où il met les pieds ? Son génie, en somme, ne peut que le desservir auprès des tiers. Vaille que vaille, il trouvera enfin à s'employer dans les bureaux de quelque mairie parisienne. Pour la première fois de sa vie, le malheureux pourra étourdir la grosse faim.

Le dernier volume, *L'Insurgé,* porte au comble les sentiments de Vingtras. On le conçoit si l'on songe que la matière dont il est fait n'est autre que la tragédie de la Commune de Paris. Vingtras devient, en effet, un des membres les plus influents du fameux pouvoir en question. Ici, l'auteur déploiera toute sa verve pour nous retracer l'histoire de la semaine effroyable : l'armée des Versaillais qui pénètre dans Paris, la guerre des barricades, les incendies et massacres d'otages. En fin de compte, Thiers est maître de la situation. Vingtras se croit perdu tout de bon : « Je m'imagine que nous n'avons plus que quelques heures devant nous pour embrasser ceux que nous aimons, bâcler notre testament si c'est la peine et nous préparer à faire bonne figure devant le peloton d'exécution. » Par chance, le pire n'est pas toujours certain. Vingtras pourra gagner le large. Regardant alors le ciel du côté de Paris, il est frappé par sa couleur : « On dirait une grande blouse inondée de sang. » C'est par cette métaphore que se termine *L'Insurgé.*

Comment faut-il juger cet ouvrage de Vallès ? Étant un homme de parti, l'auteur se soucie moins de penser juste que de frapper les esprits. Parlant le langage des carrefours, il use volontiers d'arguments mille fois ressassés. Trop souvent, il pousse la satire jusqu'à l'outrance. Il ne s'élève jamais au-dessus de ce sentiment de révolte qui le mène à s'inscrire en faux contre un monde qu'il considère avec raison comme inacceptable. Toutefois, sa colère est loin de l'égarer. Dans ses plus violents sarcasmes, il demeure toujours lucide. C'est ce déchirement intime qui, d'ailleurs, donne à son style tant d'animation. Bien que Vallès excelle dans l'observation des milieux, il est moins un observateur qu'un visionnaire. Pour s'en persuader, il suffit que l'on songe aux disparates de son style. Ayant le sens du raccourci, il abonde en traits de flamme et en portraits dont on se souvient. S'il faut conclure, nous dirons simplement ceci : tirer de l'autobiographie un personnage tel que Vingtras est un tour de force assez rare dans tout le roman français du XIXe siècle.

JACQUOU LE CROQUANT. Roman de l'écrivain français Eugène Le Roy (1836-1907), publié en 1899. Ce roman réaliste et rustique prétend peindre, à travers le héros principal, le travailleur Jacquou, qui est aussi le narrateur, toute une classe sociale, la paysannerie dans le bas Périgord au début du XIXe siècle. Le tableau est sombre, cruel, pessimiste, mais l'auteur est rempli de pitié pour les humbles, dont il exalte le travail et la colère qui les dresse contre les derniers seigneurs. L'histoire de Jacquou devient ainsi le symbole de toutes les souffrances paysannes.

Le héros appartient à une vieille lignée de serfs en rébellion contre les féodaux. Son esprit d'indépendance et de révolte est égal à celui de son grand-père, qui, à la tête d'une bande de « croquants », a détruit le château de Reignac ; à celui de son père, envoyé aux galères pour avoir assassiné d'un coup de fusil un des hommes de main du comte de Nansac. Jacquou a été marqué par la misère de l'inégalité : sa mère est morte de fatigue, lui-même a été enfermé dans les oubliettes du château de Nansac et sa fiancée, de désespoir, s'est suicidée en se jetant dans l'abîme du Gour. Toute l'existence du héros est dès lors dominée par le plus cruel instinct de vengeance : à la tête de paysans ulcérés par les exactions seigneuriales, et qu'il a réunis en bande, il s'empare une nuit du château, à la veille de la révolution de 1830, et dans l'incendie de la vieille demeure des seigneurs, Jacquou le Croquant éclate d'une joie nourrie de douleurs supportées depuis des siècles par les siens. Le style d'Eugène Le Roy s'accorde tout à fait à la personnalité du narrateur : c'est le style simple d'un paysan, plein de parfum périgourdin, nullement déclamatoire et heureusement dégagé des intraduisibles expressions du patois. Autour du héros principal, l'auteur a campé, avec un souci de détail, du réalisme et de la couleur, une galerie de personnages accessoires : La Ramée, l'ancien « grenadier de Poléon », qui a eu les orteils gelés en Russie pendant la retraite et qui garde ses oies en répétant inlassablement ce refrain désabusé. « Et dire qu'on a été à Austerlitz ! », l'avocat Vidal Fongrave, ami des pauvres gens qui plaide pour rien et aide même ses clients de ses propres deniers. On peut douter que les châtelains du XIXe siècle aient encore jeté leurs paysans dans des oubliettes ; pourtant, si la plupart des nobles du livre sont haïssables (ainsi le personnage de Nansac), Eugène Le Roy a su dessiner les aimables figures du chevalier Galibert et de sa sœur, une véritable sainte, du bon curé Bonal, proche du peuple, naturellement persécuté, conformément à l'imagerie progressiste du XIXe siècle dont Eugène Le Roy est fortement imprégné.

JADIS ET NAGUÈRE. Recueil du poète français Paul Verlaine (1844-1896), publié en 1884. Après l'expérience religieuse qui nous valut *Sagesse* (*), ce livre marque le retour à une inspiration plus variée, plus typiquement verlainienne. Le souci de la forme a cédé le pas, semble-t-il, à celui d'une vision poétique plus large. Sans doute la nostalgie des amours fantasques évoquées dans *Fêtes galantes* (*) se retrouve-t-elle ici ; mais elle se trouve accrue comme pour mieux traduire l'âme inquiète du poète. Si l'émotion se voile encore d'un sourire dans « Le Pitre », « Clown », « Pantoum négligé », « Dizain mil huit cent trente », elle s'abandonne à un lyrisme plus authentique dans « À Horatio », « Allégorie », « Paysage » : « Vers Saint-Denis c'est bête et sale la campagne... D'autres se relevaient comme on hisse un décor, / Et des obus tout neufs encastrés aux pilastres / Portaient écrit autour : Souvenir des désastres. » Le petit acte pastoral, « Les Uns et les Autres », composé probablement en 1870, met en scène des masques dans un parc à la Watteau ; après de nombreux remaniements, il a été inséré dans le recueil et joué en 1891. C'est dans *Jadis et Naguère* que parut pour la première fois l'*Art poétique,* l'un des témoignages les plus importants du mouvement symboliste : « ... Il faut aussi que tu n'ailles point / Choisir tes mots sans quelque méprise : / Rien de plus cher que la chanson grise / Où l'indécis au précis se joint. » Composé douze ans avant sa parution, il résume en quelques strophes tout l'effort de Verlaine pour libérer la poésie des prisons du rationalisme. Pour n'être pas le meilleur livre du poète, ce recueil ne nous offre pas moins l'image la plus complète du véritable Verlaine. Nombre des poèmes qui composent *Jadis et Naguère* sont dédiés à ses amis et à ses compagnons de lutte, de Villiers de L'Isle-Adam à Mallarmé.

J'AI ÉPOUSÉ UNE OMBRE [*I Married a Dead Woman*]. Roman policier de l'écrivain américain William Irish (1903-1968), publié en 1948. Hélène a 19 ans quand elle est abandonnée à New York par Steve, enceinte de huit mois, avec en poche cinq dollars et un billet aller pour San Francisco. Dans le train, elle rencontre Patricia et Hughes Hazzard qui se sont mariés en Europe. Patricia, enceinte de sept mois, doit être présentée pour la première fois à ses beaux-parents qui habitent Caufield et n'ont même pas vu de photo d'elle. Dans les toilettes, Patricia confie son alliance à Hélène ; le train déraille. Hughes et Patricia sont tués et Hélène se réveille à l'hôpital inscrite sous le nom de Patricia et ayant accouché prématurément d'un garçon. C'est pour lui qu'elle ne dira rien. Bill, le jeune frère d'Hughes, tombe amoureux d'elle, et, ayant deviné la vérité, il la protège quand elle fait des « gaffes ». Mais un jour, Hélène reçoit des lettres anonymes envoyées par Steve qui a retrouvé sa trace. Le lecteur va partager son angoisse jusqu'à la dernière page. *J'ai épousé une ombre* a été porté à l'écran par Robin Davis en 1983 avec Nathalie Baye dans le rôle principal. — Trad. Gallimard, 1949.

D. B.d.M.

JAILLISSEMENTS DE LUMIÈRE (Les) [*Lavâyeh*]. Œuvre du poète soufi persan Djâmi de Hérat (1414-1492). Traité de mystique composé en 1466, et peut-être dédié à Jahân-Châh Qarâ-qoyunlu, suzerain de l'émir de Hamadân. C'est un écrit en prose rimée, en alternance avec des quatrains.

Il ne s'agit ni d'un enseignement philosophique ni d'une analyse ontologique de l'être ;

Djâmi nous invite à nous insérer existentiellement dans sa vision du monde, qui est celle du grand maître arabo-andalou Ibn Arabi et de la confrérie Naqchbandie, à laquelle il appartient : la réalité des phénomènes est une donnée fondamentale de notre perception, et non une réalité en soi. Ils renvoient à une existence fondamentale unique et permanente.

Le message des *Lavâyeh* est la découverte du rapport que nous avons aux êtres et à l'Être, et notre insertion dans ce rapport. Le « pèlerin en quête » est lui-même Dieu aimant, et il est le miroir amoureux indispensable pour faire connaître l'être aimé de Dieu. Tout ce qu'il fait, c'est Dieu qui le fait en lui. Il faut se désintéresser du monde, si l'on entend par là non une indifférence de non-participation, mais une harmonie telle avec le monde que parler davantage serait un acte de violence, une indiscrétion coupable.

Dans ses derniers quatrains, Djâmi invite le « pèlerin » à trouver la quiétude et à abandonner les jugements moraux sur le bien et le mal. Il faut se mettre dans l'attitude de contemplation des soufis naqchbandis, fermer les yeux et se replier humblement dans sa bure. Alors, l'amour ineffable de Dieu déchirera l'enveloppe charnelle et fera du « pèlerin » un homme ressuscité, pour lequel le langage n'est d'aucun secours. – Trad. Les Deux Océans, 1982. M.-H. P.

J'AIME LES YEUX NOIRS [*Wo ai hei yen-tchou – Wo ai hei yanzhu*]. Nouvelle de l'écrivain chinois de Taiwan Ts'i Teng-cheng (Qi Dengsheng, né en 1939), écrite en 1967, qui fait partie du recueil *Impasse*. Le héros attend en vain sa femme à un rendez-vous et il est pris dans une inondation ; il sauve une jeune fille en la faisant grimper sur un toit et fait semblant de ne pas reconnaître sa femme qui, du haut d'un toit voisin, l'invective par jalousie et finit par être emportée par les eaux. Une catastrophe naturelle fait prendre conscience au personnage principal de tout ce que peuvent avoir d'illusoire l'amour, le devoir, la compassion, la dignité ; l'inspiration de cette œuvre semble parente de celle de *L'Étranger* (*) de Camus. Mais une sagesse sereine semble aussi se dégager, une fois les sentiments illusoires décapés. J. P.

JAIMINĪYA-BRĀHMAṆA. Traité de rituel attribué au sage indien Jaimini – lequel n'est pas forcément le même que celui ou ceux qui sont à la source des *Mīmāmsā-Sūtra* (*) – composé (oralement) entre 900 et 500 avant notre ère (?) en Inde du Nord. Aujourd'hui le texte n'est plus connu que dans une zone limitée de l'Inde du Sud (Kerala). Le *Jaiminīya-Brāhmaṇa* comporte trois parties ou livres [kāṇḍa] subdivisés en 1 192 sections [khaṇḍa], et il se rattache au *Sāma-Veda* (*), le veda des mélodies. Il s'intéresse donc aux aspects techniques des chants religieux, à leurs syllabes et aux vocalises auxquelles elles se prêtent lors des sacrifices suivants : l'« agnihotra » ou offrande quotidienne de lait au soleil ; l'« agniṣṭoma », sacrifice solennel de la liqueur sacrée du soma ; « gavāmayana », rite qui se prolonge un an durant ; le « dvādaśāha » ou rite des douze jours, etc.

L'œuvre se singularise par la masse des données folkloriques et narratives qui y sont contenues. Tout se passe comme si elles avaient été expurgées d'autres *Brāhmaṇa* (*) ; singulièrement de celui « des vingt-cinq chapitres » ou *Pañcaviṃśa-Brāhmaṇa* (appelé également *Tāṇḍya-mahā-Brāhmaṇa* et relevant aussi du *Sāma-Veda*), et avaient été rassemblées dans le *Jaiminīya-Brāhmaṇa.* Nombre d'entre ces récits sont riches d'enseignement pour l'ethnologue et l'historien des religions, ainsi ceux de la démone « Longue langue » ; du cocher et du feu sacrificiel qui s'éteint ; de Bhṛgu voyageant dans l'au-delà ; de la femme du Brahmane qui avait des poils sous la plante des pieds ; de Cyavana et son bain de jouvence, etc. Tout cela n'est pas sans parallèles dans la littérature bouddique – *Jātaka* (*), etc. C'est notamment les cas des récits qui mettent en scène des personnages dont la tête risque d'éclater parce qu'ils sont ou coupables ou battus dans un tournoi d'intelligence. Tout cela aussi est narré avec une violence et une paillardise peu habituelles dans la littérature indienne et dont on retrouve un écho dans le *Mahābhārata* (*). Le *Jaiminīya-Brāhmaṇa* est resté longtemps méconnu en raison sans doute d'une tradition manuscrite défectueuse et d'une langue ardue, parce que archaïque ou pseudo-archaïque. – Trad. allemande d'extraits par W. Caland, Wiesbaden, 1970 ; trad. anglaise d'extraits par W. D. O'Flaherty, Chicago, 1985 ; trad. anglaise du livre I par H. W. Bodewitz, Leyde, 1990. J.-M. V.

JAKOB LE MENTEUR [*Jakob der Lügner*]. Roman de l'écrivain allemand Jurek Becker (né en 1937), paru en 1969. L'histoire se déroule à l'intérieur du ghetto d'une ville polonaise occupée par les nazis. Le narrateur est un des survivants de cette communauté juive, qui a connu jadis le « héros », Jakob Heym. Arrêté un soir dans la rue parce qu'il a laissé passer l'heure du couvre-feu, celui-ci entend par hasard, au poste de garde où on l'a emmené pour vérifier son identité, un speaker annoncer à la radio une avancée des troupes soviétiques. On l'autorise à rentrer chez lui. Le lendemain, il confie la bonne nouvelle à ses proches, mais ne peut avouer où il l'a recueillie, sous peine de passer pour un espion, car on n'a jamais vu personne d'autre sortir libre du poste de garde. Jakob, pour authentifier ses dires, n'a d'autre solution que de prétendre posséder chez lui un récepteur de radio. Il n'ignore pas que la détention de cet objet, dans l'enceinte du ghetto, est un crime puni de mort. Mais, prisonnier de son mensonge, Jakob, dès lors, va devoir inventer, jour après jour, pour ses frères de misère des nouvelles rassurantes entendues sur son poste imaginaire, leur distillant ainsi l'espérance : « Ce n'était pas si méchant que cela. Les mots avaient franchi facilement ses lèvres. Cela valait la peine. L'espoir ne devait pas s'endormir, sinon ils n'y survivraient pas. » Mais deux partis divisent bientôt la communauté : les uns attendent fébrilement les dernières nouvelles, les autres craignent que la rumeur sur le poste de radio ne parvienne aux oreilles des Allemands et ne les incite à exercer des représailles ; les uns et les autres harcèlent Jakob. À bout de forces et de ressources, Jakob finit par avouer son mensonge à son vieil ami Kowalski. Dans les yeux de celui-ci passe le sourire de « quelqu'un qui voit l'envers des choses » : « Tu ne me crois pas ? demande Jakob. – Croire, ne pas croire, qu'est-ce que cela veut dire ? » Le lendemain, on retrouve Kowalski pendu à la croisée de sa fenêtre.

Jurek Becker donne à son histoire deux fins possibles. « Au fond, elle n'en a évidemment qu'une seule, celle vécue par Jakob et par nous tous, mais pour moi elle en a encore une autre... ; une fin pas précisément heureuse, un peu aux dépens de Jakob, mais incomparablement plus réussie que la véritable. »

Kowalski n'est pas mort. Jakob comprend qu'il lui devient impossible de continuer à assumer ses mensonges. Il lui faudrait se débarrasser de son poste de radio. Mais on ne se débarrasse pas de l'imaginaire. Il choisit de fuir (simplement pour sauver sa vie, parce qu'il a abandonné tout espoir de voir le ghetto libéré ? Ou encore dans l'intention de revenir après avoir recueilli des informations précises qu'il pourrait attribuer à son poste de radio ?) ; il est abattu par une sentinelle au moment où il franchit le rideau de barbelés. Et, « parce que l'arbitraire du narrateur n'a pas de limite », on peut aussi imaginer que, « par cette même nuit fraîche et étoilée », les Russes arrivent, délivrent le ghetto, que l'on retrouve le corps de Jakob : « Il faut qu'il soit devenu fou ! Il savait pourtant qu'ils allaient arriver ! »

Mais ce n'est pas ainsi, bien sûr, que les choses se sont passées. Il y a les contraintes de l'Histoire (aucun ghetto n'a jamais été libéré par l'armée Rouge). La fin « réelle » est beaucoup plus « terne, sans originalité ». Jakob est emmené avec tous ses compagnons vers un camp d'extermination. Au moment du départ, la petite Lina lui demande où ils vont : « Assez loin, je crois. – Aussi loin qu'en Amérique ? – Non. – Et qu'en Chine ? – Non plus. – Aussi loin qu'en Afrique ? Jakob sait par expérience qu'elle est capable de continuer ce jeu pendant des heures, c'est pourquoi il répond : "Oui, à peu près aussi loin qu'en Afrique." » Ultime mensonge ? Peut-être, mais en tout cas pas au sens de trahison. Toute la « leçon » de *Jakob le Menteur* tient dans le conte, raconté à Lina dans le train qui roule vers le camp de la mort, de la princesse qui guérit grâce à un morceau de coton gros comme un oreiller : « Elle a vraiment été guérie avec le coton ? – Pas tout à fait. Elle désirait un nuage. Mais elle pensait que les nuages étaient en coton et c'est uniquement pour cela qu'elle a été guérie... » Le narrateur, à cet instant, se penche à la lucarne du wagon, aperçoit un morceau de ciel avec quelques rares nuages et se voit « forcé d'admettre que la ressemblance est stupéfiante ».

Avec *Jakob le Menteur,* Jurek Becker a tenu l'impossible gageure de traiter avec humour la question de l'extermination des Juifs sous le IIIe Reich ; la narration au second degré, loin de banaliser le sujet, s'avère plus efficace que tous les discours pathétiques. Traduit en une douzaine de langues, adapté au cinéma, ce roman a justement fondé la renommée de son auteur. – Trad. Éditeurs français réunis, 1975. J.-J. P.

JALOUSIE (La). Roman de l'écrivain français Alain Robbe-Grillet (né en 1922), paru en 1957. C'est en quelque sorte l'œuvre emblématique du Nouveau Roman, et la critique, qui avait lu dans *L'Express* quelques-uns des textes théoriques que Robbe-Grillet avait publiés, y vit simplement un exercice de style désagréable. Il s'agit en fait de tout autre chose. D'une œuvre autobiographique, d'abord, puisque l'auteur y décrit la maison où lui-même vécut en Martinique et, sans doute, une aventure sentimentale où il jouait le rôle de Franck. Il y est longuement question d'une plantation de bananiers ; on sait que Robbe-Grillet, ingénieur-agronome, est spécialiste des maladies de cet arbre. Le contraire, donc, d'une littérature désincarnée, desséchée, mathématique.

Pourtant le roman déconcerte, par la minutie schizophrénique des descriptions de l'espace (les fenêtres, la terrasse, les quinconces de la plantation, la trace du mille-pattes écrasé sur la cloison), les reprises de chaque épisode, de chaque observation, le remplacement de toutes les notions temporelles par des notions spatiales, ou, mieux, le traitement des unes selon le mode des autres. On ne remarqua pas que, tout comme dans *Le Voyeur* (*), l'énigme, ici plus clairement, tourne autour d'un instant « volé », comme la lettre d'Edgar Poe : la nuit de Franck et de A.

Le livre donne lui-même sa clé : « Ces répétitions, ces infimes variantes, ces coupures, ces retours en arrière peuvent donner lieu à des modifications – bien qu'à peine sensibles – entraînant à la longue fort loin du point de départ. » Autre facteur d'étrangeté : comme Godard, Robbe-Grillet se soucie fort peu de la « vraisemblance » du montage, et atteint, du coup, une étonnante efficacité dans le suspense, l'agressivité d'un drame toujours repoussé dans les marges. J.-J. B.

JALOUSIE DU BARBOUILLÉ (La). Comédie en un acte et en prose du dramaturge français Molière (Jean-Baptiste Poquelin, 1622-1673). *La Jalousie du barbouillé*, comme *Le Médecin volant* (*), est un simple canevas construit comme une comédie italienne sur lequel chaque acteur improvise son rôle. Ce sont les deux seules farces des débuts de Molière qui soient parvenues jusqu'à nous ; des autres, nous n'avons que les titres : *Le Docteur amoureux, Les Trois Docteurs rivaux, Le Maître d'école, Gros René écolier, Gorgibus dans le sac, Le Fagoteux.* Ce sont ces farces qui formaient le fonds du répertoire de la troupe ambulante de comédiens avec laquelle Molière, pendant douze ans, parcourut la France. Il semble que *La Jalousie du barbouillé* ait été reprise par Molière lorsque sa troupe se fut installée à Paris, mais elle avait à cette époque changé de titre et s'appelait : *La Jalousie de Gros René*, du nom de l'acteur qui en était le principal interprète. *La Jalousie de Gros René* fut jouée à plusieurs reprises en 1660, 1662, 1663 et 1664. L'authenticité de *La Jalousie du barbouillé* a été mise en doute dès le XVIIIe siècle. En particulier, lorsqu'on établit l'édition des *Œuvres* de Molière en 1731, on décida de l'écarter, car on pensait alors que le style « était d'un grossier comédien de campagne et n'était digne ni de Molière ni du public » (Jean-Baptiste Rousseau). Cependant, en examinant de plus près cette farce, on y vit l'ébauche du IIIe acte de *George Dandin* (*), et on trouva à *La Jalousie du barbouillé* un puissant intérêt : elle faisait participer à la genèse du génie de Molière, d'abord imitateur des Italiens et improvisateur avant de devenir grand dramaturge. Le thème de cette farce provient vraisemblablement d'une comédie italienne, elle-même inspirée par un conte de Boccace (VIIe journée, nouvelle IV). Cette farce n'étant qu'un schéma, un répertoire de situations sur lequel brodaient les acteurs, le sujet en paraît logiquement assez simpliste (un jaloux condamne sa porte à sa femme trop volage ; celle-ci invente un stratagème pour faire sortir son mari et entrer elle-même dans la maison, en le laissant dehors), et l'on peut reconnaître le personnage traditionnel du docteur stupide, bavard, vaniteux, qui ne peut parler que dans un charabia pédant, personnage qui réapparaîtra dans tout le théâtre de Molière en s'affinant progressivement. Ici la grossièreté du ton, les jeux de mots douteux, les plaisanteries grivoises portent encore la marque des circonstances dans lesquelles étaient jouées ces farces.

JALOUSIE, LE PLUS GRAND DES MAUX (La) [*El mayor monstruo, los celos*]. Tragédie en trois actes du dramaturge espagnol Pedro Calderón de la Barca (1600-1681), publiée en 1635 et connue aussi sous les titres de *El Tetrarca de Jerusalén* et *El mayor monstruo del mundo.* Le sujet est tiré de la *Guerre des Juifs* (*) de Flavius-Josèphe. Un astrologue a prédit à Marjene, la femme d'Hérode, tétrarque de Jérusalem, qu'elle sera la victime du plus grand « monstre du monde » et que son mari sera « homicide envers ce qu'il aime le plus au monde ». L'instrument de ces événements sera un poignard que le tétrarque, sans beaucoup croire à la prédiction, jette dans la mer. Mais, en tombant, le poignard blesse miraculeusement un courtisan. Le tétrarque aime sa femme à la folie et voudrait conquérir pour elle le monde entier (« Tu diras que c'est de la folie, dit-il à un ami, mais l'amour, quand il n'est pas de la folie, n'est pas de l'amour »). Il confie donc à sa femme ce poignard qui, selon la prophétie, devrait être l'instrument de sa mort ; ainsi elle sera la maîtresse de sa propre vie. Comme Octave a vaincu Antoine, dont Hérode était l'allié, Hérode est contraint de se rendre au vainqueur ; mais que ne voit-il pas entre les mains d'Octave ? Un portrait de Marjene, que ce dernier croyait morte, et qui l'a séduit. Dans un accès de jalousie, le tétrarque essaie de tuer le vainqueur, mais il échoue dans sa tentative, et le voici conduit en prison avec son fidèle courtisan Philippe. Là, il attend la mort. Mais la pensée que l'aimée puisse appartenir à quelqu'un d'autre accable Hérode plus que le péril. « Il n'y a pas d'amant ou de mari qui ne préfère savoir sa femme morte qu'appartenant à un autre. » Il donne une lettre à Philippe, dans laquelle il ordonne qu'à la nouvelle de sa mort Marjene soit tuée. Philippe s'enfuit de la prison sans avoir l'intention d'exécuter un ordre aussi féroce. La lettre tombe par hasard entre les mains de Marjene, qui ne sait comment expliquer tant de cruauté. Octave, à son arrivée à Jérusalem, reconnaît en Marjene la femme au portrait et accueille d'une manière chevaleresque sa prière pour Hérode. Mais Marjene n'a sauvé Hérode que pour lui laisser accomplir sa vengeance : en effet ils vivront l'un près de l'autre, mais elle lui sera indifférente. Marjene s'enferme dans une triste solitude et, croyant toujours à la sinistre prophétie, fait chanter des chansons funèbres. Octave, qui, par suite d'un malentendu, croit que la vie de Marjene est menacée par le tétrarque, vient à son secours ; il est surpris par Hérode qui, dans un accès de jalousie, veut le tuer ; mais, dans l'obscurité, il frappe Marjene avec le poignard fatal qu'elle a laissé : elle n'a donc pas été tuée par lui, mais par la jalousie, « le plus grand monstre du monde ». Ce résumé ne tient pas compte des incidents dont s'agrémente l'action principale, action assez artificielle en soi, bien que la prophétie, qui commande toute la pièce, contribue à faire peser sur l'œuvre une atmosphère de fatalité convenant parfaitement à la personne du tétrarque, aveuglé par ses rêves de domination universelle et sa jalousie délirante – comme le sont toutes les passions démesurées, mais si humaines par ailleurs. Les expressions baroques, très audacieuses, ne sont pas toujours convaincantes, mais expriment souvent fort bien l'exaltation qui naît de certains sentiments.

★ Avant Calderón, le sujet avait déjà inspiré Alexandre Hardy (1572-1632), qui écrivit la tragédie en cinq actes *Mariamne*, représentée en 1600. Mariamne, la femme d'Hérode, hait le mari qu'elle a épousé par force, et qui l'opprime de sa jalousie et de sa défiance. Cypris, la mère d'Hérode, et Salomé, sa sœur, haïssent Mariamne pour l'influence qu'elle a sur l'âme d'Hérode, et cherchent à la perdre. Hérode, obligé de s'éloigner pour des affaires d'État, exile Mariamne dans son lointain château d'Alexandrie, la faisant garder par son favori, Sœme. À son retour, sa mère et sa sœur accusent la reine de l'avoir trompé avec le favori, et Mariamne, exaspérée par la jalousie outrageuse du mari qui lui rend la vie insupportable, dédaigne de se défendre. Hérode fait périr Sœme dans d'affreuses tortures et se laisse aussi arracher l'ordre de mort pour Mariamne. Cependant, quand on lui annonce la mort de Mariamne, la douleur le rend fou, et il se tue. C'est la tragédie de la haine et de la jalousie qui mènent à la destruction. Le théâtre tragique de l'époque avait une prédilection pour les artifices, mais cette fois-ci les situations sont justifiées et bien soutenues par le caractère d'Hérode. En effet, son amour pour sa femme et la jalousie maladive qui en est la conséquence forment un climat d'exaspération masculine qui s'achève, sans artifice aucun, par la folie et le suicide.

★ Tristan L'Hermite (1601-1655) s'inspira de la pièce de Hardy pour donner une *Mariamne* (*) qui est de loin supérieure à son modèle.

★ Il existe aussi un *Hérode et Mariamne* [*Herodes und Mariamne*], drame en cinq actes, du poète et dramaturge allemand Friedrich Hebbel (1813-1863), écrit en 1848, le premier de cette période viennoise au cours de laquelle le poète atteignit l'épanouissement de son développement artistique. L'auteur considérait cette pièce comme son chef-d'œuvre. Ainsi que dans *Judith* (*), dont ce drame se rapproche par sa force poétique, l'homme et la femme s'affrontent, et c'est l'élément féminin, plus noble, qui triomphe moralement. Mais la cause de ce conflit est la grande différence d'âge et les différentes conceptions de la vie qui en résultent : celle d'Hérode est décadente et vouée à la mort, avec sa morale de la force despotique ; celle de Mariamne est neuve, tournée vers le futur avec ses idéaux chrétiens de noblesse humaine. Hebbel avait appris à apprécier la sublimité de la femme et du mariage à travers son épouse Kristina Enghaus, première actrice qui représenta Mariamne sur la scène. Ici aussi, le sujet est emprunté à Flavius-Josèphe. Hérode, entouré d'ennemis, devient toujours plus défiant et cruel : la crainte, non justifiée, de la trahison le pousse à assassiner son cousin Aristobule, mais son ennemie la plus fière, Alexandra, le dénonce auprès de Marc Antoine, qui lui demande de se justifier. Seule sa femme, la belle Mariamne, lui est fidèle aveuglément ; mais il se méfie aussi d'elle et, dans la crainte qu'elle pourrait accorder sa main à un nouveau mari après sa mort, il la fait jurer qu'elle se tuera aussitôt. Mariamne refuse de jurer, car elle trouve qu'il en va de sa dignité et de la confiance qu'elle mérite. Hérode se présente chez Marc Antoine, qui lui réserve un bon accueil. Mais à peine est-il de retour chez lui que Marc Antoine le rappelle. Avant de partir, il laisse sa femme à la garde de son confident Sœme ; quand la nouvelle de la mort d'Hérode se répand dans Jérusalem, Sœme lui rappelle la promesse que n'avait pu lui arracher Hérode. Pour se venger, elle décide alors de donner une fête au cours de laquelle, à la stupéfaction de tous, elle se révèle sous un jour propre à justifier les soupçons d'Hérode. Mais voici Hérode : contrairement à ce que l'on avait annoncé, il est bien vivant ; aussitôt il fait condamner Mariamne à mort. Celle-ci ne se défend pas ; mais, avant de mourir, elle révèle au Romain Titus qu'elle avait fait d'elle-même à sa belle-sœur, Alexandra, le serment qu'Hérode lui avait demandé, à la condition toutefois qu'elle n'en révélerait le secret qu'après sa mort. Quand Hérode l'apprend, il s'accroche plus que jamais et avec désespoir à sa couronne : ne commence-t-il pas à craindre en effet l'apparition des Rois mages qui, guidés par l'étoile, se dirigent vers Bethléem pour saluer le roi « nouveau-né ». C'est alors qu'il ordonne le massacre des innocents, « mais Moïse est sauvé par le pharaon ». Une ère nouvelle commence. Le drame, écrit en pentapodes ïambiques, ne pouvait être, à cause de son sujet, un grand succès théâtral, mais il est riche de scènes puissantes par leur contenu et leur forme.

JALOUX D'ESTRÉMADURE (Le) [*El celoso estremeño*]. C'est une des *Nouvelles exemplaires* (*) de l'écrivain espagnol Miguel de Cervantès Saavédra (1547-1616). Un gentilhomme originaire d'Estrémadure, Felipe de Carrizales, part pour l'Amérique après une jeunesse passée dans la gêne. Il y amasse une immense fortune et rentre en Espagne lorsqu'il a presque soixante-dix ans. Après avoir longuement réfléchi sur l'emploi de son capital, il choisit le parti le plus mauvais : épouser une jeune fille très belle, Leonora. Il lui assure une riche dot et dépense de grandes sommes pour construire une maison inaccessible aux personnes de la gent masculine. L'action se passe à Séville. Le galant Loaysa, informé de la beauté de la prisonnière, en tombe amoureux et, voulant à tout prix atteindre son but, imagine une supercherie. Il échange ses vêtements contre ceux d'un mendiant, trompe le gardien et réussit enfin à s'installer dans la maison. Par son art de guitariste, il attire bientôt l'attention de Leonora en personne. Un somnifère administré au mari jaloux et la complicité de la duègne Marialonso permettent à Loaysa de passer une nuit entière avec Leonora, laquelle pourtant n'hésite pas à se défendre ferme contre son séducteur. Le lendemain matin, Carrizales trouve sa femme endormie dans les bras d'un inconnu. Le malheureux vieillard est pris d'un désespoir que les assurances de Leonora ne réussissent pas à dissiper. Après avoir pris des dispositions testamentaires qui démontrent une véritable grandeur d'âme, il trépasse. Leonora, au lieu d'épouser Loaysa, se repent du péché qu'elle a commis et s'enferme dans un couvent. La supercherie de Loaysa est narrée avec habileté et fait ressortir chez lui tant d'obstination qu'on pourrait la définir comme une sorte d'héroïsme dans le mal. Une figure vraiment grande dans cette nouvelle est celle du jaloux d'Estrémadure. Avec don Quichotte, avec Cañizares (protagoniste de l'intermède *Le Vieillard jaloux*) et avec le Licencié Vidriera (dans la nouvelle qui porte ce nom), Carrizales appartient au groupe des grands maniaques créés par le génie de Cervantès. Ce ne sont pas seulement des déséquilibrés, mais des êtres qui sont animés par ce que la poésie a d'éternel. – Trad. *Francis de Miomandre,* Jarach, 1949.

JAMBE SUR LA JAMBE (La) ou le Livre des propos tenus, la jambe sur la jambe, en ce qui concerne al-Fāryāq [*Kitāb al-sāq 'alā al-sāq fī-mā huwa al-Fāryāq*]. Ouvrage inclassable de l'écrivain arabe Aḥmad Fāris al-Shidyāq, dit al-Fāryāq (1804-1887), édité à Paris en 1855. Autobiographie romancée, roman picaresque, *Maqāmāt* (*), notes de voyage, dialogues tous azimuts, éloge de la femme, défense et illustration de la langue arabe, célébration de la digression et de la distraction, élégie de deuil, manifeste littéraire, pamphlet contre le clergé maronite, les pédants, les faux savants et les puritains, recueil d'anecdotes, d'histoires salaces, de discours, d'observations médicales, culinaires ou philosophiques, de généalogies, de légendes, de mœurs, de coutumes, de poèmes, de synonymes, d'homonymes, de termes rares, techniques, érotiques ou pornographiques : cette œuvre appartient à tous les genres et à aucun, car elle est située, comme son auteur, au confluent de bien des influences, au moment où se forge la Nahḍa, renaissance des lettres arabes. Elle représente la somme des pensées d'un érudit en exil, méditant sur sa vie, sa langue et son œuvre. Une irrépressible gaieté et un appétit gargantuesque de vie traversent les quatre livres composant cet ouvrage sulfureux, longtemps enfermé dans les enfers des bibliothèques, expurgé ou réimprimé clandestinement. Le fil conducteur est bien sûr Shidyāq lui-même, présenté dans ses diverses tribulations, prétextes à des digressions et des considérations nées de l'enchaînement du récit ou de la pensée. Cette logique discursive de la conversation ou du récit oral fournit même le titre de l'œuvre, attitude familière d'un conteur prenant ses aises et croisant les jambes. Du Mont-Liban au Caire, puis à Malte, en Grande-Bretagne et à Paris, Shidyāq n'en finit pas de soumettre les êtres et les choses à l'épreuve de vérité et à l'ironie lucide du doute : recherchant des modèles occidentaux aptes à régénérer l'Orient, il ne peut s'empêcher de les critiquer, en agnostique tenté de se réfugier dans son œuvre. En les mettant à l'écart, les critiques pudibonds ne se sont pas trompés : l'éclat de rire décapant de Shidyāq vaut bien une révolution. – Trad. partielle Phébus, 1991.

B. Mo.

JAMES BOND CONTRE DR NO [*Dr. No*]. Ce quatrième roman policier de l'écrivain anglais Ian Lancaster Fleming (1908-1964) – le premier qui fut porté à l'écran – est l'une des aventures de James Bond qui rendirent célèbre, à quarante-cinq ans, ce fils de parlementaire écossais « égaré » dans le journalisme. Correspondant du *Times* à Moscou, adjoint au directeur du centre de contre-espionnage de la marine britannique durant la guerre, l'auteur occupait depuis quinze ans le poste de directeur du *Sunday Times* quand il écrivit pour se distraire *Casino Royal* [*Casino Royale*]. Signé James Bond, ce récit d'espionnage créait un justicier de notre époque, Luger au poing et droit de tuer dans la poche – l'agent secret que l'auteur n'avait pas été. Grâce au poète William Plomer, le roman fut publié, mais n'obtint qu'un succès d'estime. Durant les congés qu'il prenait dans sa villa de la Jamaïque, l'auteur persévérant continua la série des aventures de 007 : dès 1959, les ventes étaient telles que Fleming pouvait abandonner le journalisme ; en 1964, il vendait la moitié de ses droits pour trois cent mille dollars ; aujourd'hui, avec treize romans et des dizaines de millions de lecteurs, Fleming a construit plus qu'une fortune : la figure d'un héros des temps modernes qui détrône Arsène Lupin, suscite des études savantes, des adversaires et des partisans acharnés (comme Kingsley Amis dans *Le Dossier James Bond* [*The James Bond's Dossier*]).

L'agent 007 étonne moins par sa distinction où se mêle la muflerie, son indifférence à la morale et sa fidélité à la Couronne, que par la manière dont il a continuellement l'air d'inventer sa vie. L'auteur semble faire l'inventaire de tous les éléments, de toutes les ficelles du roman policier et du récit d'espionnage sans jamais les utiliser vraiment. Dépassant les valeurs traditionnelles, Bond est un surhomme qui s'attaque, au-delà des conflits de puissance, aux machinations de la super-organisation du S.P.E.C.T.R.E. aux caractéristiques aussi diaboliques que grandioses : le trafiquant d'or international Goldfinger se dispose-t-il à détruire la réserve de métal précieux des

États-Unis en s'emparant de la banque de Fort-Knox ? Pour cette opération, dite « grand schelem », il dispose de laboratoires spéciaux, d'un gaz miracle et de pilotes-amazones. Bond opposera au rouquin velu et à son Coréen-au-chapeau-qui-décapite une Aston-Martin à gadgets, un émetteur-récepteur miniature et sa séduction. La belle Pussy Galore trahit son patron pour l'amour du représentant de l'ordre, et le loup-garou tombe en plein ciel d'un avion à réaction — *Goldfinger* (1963). Dans *Casino Royal,* c'est un banco de trente-deux millions qui entretient le suspense. Dans *Les Diamants sont éternels* [*Diamonds are forever*], Bond mérite son titre du « seul agent secret qui sache goûter les nourritures terrestres » ; raffiné, gourmet, snob, il anéantit une organisation mondiale de contrebande des diamants dans un tour du globe dont l'apothéose est une mémorable partie de roulette à Las Vegas. Dans *Bons Baisers de Russie* [*From Russia with Love*], l'un des plus « classiques » de la série, l'amour et la ruse tirent le redresseur de torts de bien des mauvais pas. Qu'il fasse sauter l'île mystérieuse et automatique du méchant magicien (*Dr. No*), que ses prouesses d'homme-grenouille permettent de déjouer la conspiration d'*Opération Tonnerre* [*Thunderbolt*], que l'amour se mêle à l'exotisme et à une chasse au trésor digne de Stevenson dans *Vivre et laisser mourir* [*Live and Let Die*], le héros incarne un défi lancé à la peur et à la faiblesse de l'homme contemporain. Certes, Bond est une machine de race, sans âme et sans scrupules, capable de plaisir mais non d'amour, mais son créateur s'est soucié de lui laisser unc mesure commune de faiblesse et d'humanité. Les derniers romans nous le montrent à demi terrassé. *On ne vit que deux fois* [*You only Live Twice*], au terme d'une randonnée dans le jardin de la Mort du docteur Blofeld, nous présente un héros amnésique livré aux soins de la douce Kissy. Le chevalier a terrassé les dragons, mais le philtre n'est point encore trouvé qui lui rendra la mémoire. Dans *L'Homme au pistolet d'or* [*The Man with the Golden Gun,* 1965], le contre-espion qui a subi un lavage de cerveau essaie de tuer son propre chef. Il semble que l'auteur ait atténué progressivement la violence, le sadisme, le nationalisme et le snobisme de ses premiers romans jusqu'à revenir à un récit d'aventures plus vraisemblable et plus terne. Ici, il ne s'agit plus de sauver la civilisation occidentale. Bond redevient un gentleman britannique lorsqu'il répugne à tuer, tandis qu'il est blessé, le traître de l'histoire. — James Bond a permis à maint spectateur ou lecteur de ses aventures de s'identifier à un surhomme idéal parce qu'il offrait assez de traits peu spectaculaires pour paraître vraisemblable, non dans ses attributs mécaniques, mais dans la psychologie de sa réussite. Il ne s'agit pas de transformer le héros de Fleming en descendant de l'aristocratie britannique ni en monsieur-tout-le-monde, mais de rire ou frémir à ses exploits en se souvenant qu'ils sont surtout une parodie. — Trad. Robert Laffont, 1986.

JANE EYRE. Ce roman de l'écrivain anglais Charlotte Brontë (1816-1855) fut publié en 1847 sous le pseudonyme de Currer Bell. Jane Eyre a perdu ses parents de très bonne heure ; après avoir passé son enfance dans le triste orphelinat de Lowood, elle entre comme gouvernante chez Mr. Rochester. Sa distinction la fait remarquer du maître de maison qui lui accorde son estime et sa confiance, et, peu après, s'éprend d'elle. Mais au moment où Jane va épouser Rochester, elle apprend que ce dernier est déjà marié, que sa femme est folle et qu'il la cache dans sa demeure. Rochester supplie alors Jane de fuir avec lui, mais l'horrible révélation a brisé la petite gouvernante. Désemparée, Jane prend toute seule la clef des champs. On la retrouve évanouie sur la lande ; le pasteur Rivers et ses deux sœurs la recueillent et la soignent. Jane est demandée en mariage par ce pasteur, lorsqu'un soir il lui semble entendre la voix de Rochester. Elle apprend qu'il a perdu la vue en tentant de sauver sa femme d'un incendie qu'elle-même avait allumé. Jane revient alors auprès de Rochester et consent à l'épouser. Ce premier roman de Charlotte Brontë fut publié en même temps qu'*Agnès Grey* de sa sœur Anne et que *Les Hauts de Hurle-Vent* (*) d'Emily. Son succès fut si grand que l'œuvre d'Emily, pourtant plus originale et plus puissante, passa presque inaperçue des contemporains. Cette popularité peut s'expliquer par le côté mélodramatique de l'œuvre et par la recherche, presque maladive, du sensationnel. Néanmoins, ce roman a de grandes qualités. Tous les personnages ont beaucoup de relief et l'analyse de la passion de Jane est en tout point remarquable. — Trad. Stock, 1947.

JAPON (Le). Essai d'interprétation [*Japan, an Attempt at Interpretation*]. Œuvre de l'écrivain anglais Lafcadio Hearn (1850-1904), composée en 1903 et publiée à New York en 1904. Ce livre peut être considéré comme le résultat définitif des études et observations entreprises par l'auteur durant son séjour de quatorze ans au Japon (il fut lecteur à l'université de Tokyo, de 1896 jusqu'à sa mort). Les aspects du problème japonais qui attirent principalement l'intérêt de Hearn sont la religion et l'organisation sociale ; il les étudie non seulement dans l'état où elles lui apparaissaient, mais encore, grâce à une documentation des plus abondantes, dans leur évolution historique. En dépit d'une fidélité aux sources, aussi louable que nécessaire, l'ouvrage, constitué par une série de conférences que l'auteur aurait dû prononcer à l'université de Cornell, aux États-Unis, conserve de bout en bout ce ton de la conversation dont l'auteur ne se départit jamais dans ses relations de voyage. Aujourd'hui encore, les chapitres consacrés aux problèmes de la famille et aux croyances en l'au-delà ne sont pas dénués d'intérêt, bien que dans son ensemble le livre doive être considéré comme dépassé. Si Logé, dans sa note d'introduction à la version française (1914), a pu rapprocher *Le Japon* de *La Cité antique* (*) de Fustel de Coulanges, il s'agit là d'une comparaison hasardeuse et fantaisiste, bien que Hearn, par son souci de confronter à diverses reprises les coutumes et les usages des Japonais avec ceux des Grecs et des Romains, se soit proposé le célèbre ouvrage français pour modèle. En fait, plutôt qu'une œuvre de recherche proprement scientifique, *Le Japon* est à considérer comme un livre de vulgarisation composé par un journaliste brillant. – Trad. Mercure de France, 1914.

JAPON INCONNU (Le) [*Glimpses of Unfamiliar Japan*]. Œuvre de l'écrivain anglais Lafcadio Hearn (1850-1904), publiée en 1894. Hearn, né de père anglais à Leucade, une des îles de l'archipel grec, venu en Angleterre en 1855 et en Amérique en 1869, s'établit définitivement au Japon en 1891 ; il s'y fit naturaliser, en prenant le nom de Yakuma Koizumo, et épousa une Japonaise. Pendant de longues années, il enseigna la littérature anglaise à Tokyo et c'est là qu'il mourut. L'œuvre citée est un recueil d'impressions sur la vie japonaise. Il faut noter surtout les pages d'un « Journal d'un professeur » [From the Diary of a Teacher], qui renferment d'intéressantes indications sur la mentalité des étudiants japonais et sur leur façon d'approcher la culture occidentale. Doté d'une certaine vivacité de style, Hearn ne parvient cependant pas toujours à élaborer assez ses impressions pour en faire une œuvre d'art et, quand il s'y efforce, les résultats ne sont pas toujours heureux. En tout cas, ce livre, qui a une grande valeur documentaire, est d'une lecture agréable. – Trad. Dujaric, 1904.

JARDIN-CENDRE [*Bašta-Pepeo*]. Roman de l'écrivain yougoslave d'expression serbo-croate Danilo Kiš (1935-1989), publié en 1965. *Jardin-cendre* est un roman où l'aventure qui y est racontée se situe aux confins de la métaphysique. Nous sommes assiégés à la fois de l'intérieur, car plus d'un écho résonne en notre être intimement historique, et de l'extérieur car l'auteur nous impose sa vision. Le résultat est que l'on ne peut rester insensible à cette sorte de récit qu'Andrea Sam présente comme autobiographique. Il retrace ces années troubles de l'enfance et de la prime adolescence où le monde se présente dans les limites d'une situation – ici et maintenant – avec une force et une énergie sensorielles et prégnantes mais sans lien avec quoi que ce soit d'autre que les acteurs proches et le décor tangible ; l'enfant le vit intensément dans sa chair et dans ses sens. Il ne perçoit l'état autoritaire, la guerre, que par des aspects fortuits qui peuvent faire souffrir, rire ou intriguer ; leurs manifestations ne sont jamais liées dans son esprit en gerbe incandescente. La faim, les départs inopinés, les séparations brèves ou définitives, les logis de fortune ne s'intègrent pas à une logique cruelle ; entre celle-ci et l'enfant s'interpose la douce protection des adultes. Lorsqu'il entreprend de creuser sa mémoire, Andrea Sam est poussé par une force intérieure qui l'oblige à rechercher son identité, à s'assurer de ses bases, à reconsidérer le tremplin radical avant de repartir ou de perdurer consciemment dans son être. C'est parce qu'il éprouve un vide, une insatisfaction, qu'Andrea s'interroge. L'interrogation va d'abord prendre le tour d'une affirmation, d'une sorte de remémoration de faits connus et reconnus. Le plateau ciselé, l'odeur de l'huile de foie de morue, la mère tendre et attentive, mutilatrice agréée, Anna, la sœur complice de l'éviction paternelle par le cercle familial, de son effacement des consciences, tout cela fait partie d'un décor et d'une situation assumés, muettement revendiqués. Ainsi Andrea suit un itinéraire autorisé, il n'enfreint aucune censure.

Andrea Sam est né quelques années avant la guerre dans une région aux frontières répondant à des exigences politiques indifférentes aux questions ethniques. De son père, Eduard, hongrois et juif, et de sa mère Maria, monténégrine, Andrea détient une double appartenance qui lui est révélée peu à peu, insidieusement, par les heurts et les conflits familiaux exacerbés par la guerre qu'il ignore. Les foules chrétiennes en colère rejettent l'intrus qu'est son père, le camp de la mort l'accueille et ne le lâchera plus. Dans l'ultime atrocité de la ségrégation criminelle, Sam, l'être solitaire et unique, doué d'une vie plus intense que quiconque, retrouvera ses racines en souffrant avec les siens. Cette rêverie autobiographique qui devait conduire Andrea à une meilleure connaissance de lui-même, à une sorte d'exorcisme de son déséquilibre affectif dû à la disparition prématurée du père, va devenir brusquement le roman du père, Eduard. Celui-ci va faire irruption et disloquer le trio constitué par la mère, la sœur et Andrea. La rêverie commémorative appuyée sur des faits précis, d'où le père semblait d'abord chassé, va se rouvrir sur un espace où le père va se développer.

Eduard Sam est un être fantasque, une sorte de despote flamboyant aux actions et réactions imprévisibles, un génie socialement médiocre dont l'esprit dépasse de beaucoup la position. Par une intuition d'une intensité fulgurante il prend conscience, lors de la troisième édition d'un Horaire des chemins de fer (dont il a la charge en tant qu'inspecteur desdits chemins de fer), que l'ouvrage est une abstraction monstrueusement anéantissante de la réalité du monde. Du coup il entreprend de redonner vie et corps à tous ces signes qui prétendent détenir la vérité. On le croit fou parce qu'il n'accepte pas. Et il devient effectivement fou ; folie qui s'achève par son sacrifice lucide à la survie de ceux qu'il aime. — Trad. Gallimard, 1971. L. K.

JARDIN D'À CÔTÉ (Le) [*El jardín de al lado*]. Roman de l'écrivain chilien José Donoso (né en 1924), publié en 1981. L'action se déroule en Espagne, à Sitges, où un écrivain chilien, Julio Mendez, est exilé avec sa femme, Gloria. Invités par un ami peintre qui doit s'absenter et leur offre son appartement de Madrid, tous deux vont s'y installer. Des fenêtres, le regard de l'écrivain plonge dans le jardin voisin, attenant à la résidence d'un grand d'Espagne, où évoluent des créatures de rêve, « pentagramme de lumière où les ombres des châtaigniers inscrivent des gammes complexes ». Julio joue les voyeurs : mais à sa vision du présent se mêlent des réminiscences de sa vie au Chili. Puis le jardin se vide, ses hôtes sont partis en vacances, il devient un désert « semblable à une page blanche », « espace neutre propice aux fantasmes », où l'auteur projette ses échecs — littéraire et conjugal. À la fin, retournement imprévu de la situation : c'est Gloria, l'épouse que l'on a vue sombrer dans la dépression en cours de récit, qui occupera désormais le devant de la scène. — Trad. Calmann-Lévy, 1983. C. Bon.

JARDIN D'ALLAH (Le) [*The Garden of Allah*]. Roman de l'écrivain anglais Robert Hichens (1864-1950), publié en 1904. Après avoir vécu longtemps avec son père, une jeune fille, Domini Rens, éprouve le besoin de rompre avec le monde pour tenter de se connaître elle-même. Elle part pour Biskra en compagnie de sa femme de chambre. Dans le train entre Alger et l'oasis, elle rencontre un homme étrange, qui l'intrigue beaucoup. Sa curiosité s'avivera encore, quand elle le verra éviter le curé du village. Par ailleurs, le mystérieux inconnu semble avoir une répulsion invincible pour tout ce qui touche à la religion. Il montre pour les femmes un mélange de sympathie et de répulsion. Enfin, il semble tout ignorer des usages du monde. Domini finit néanmoins par apprendre son nom : Boris Androvsky, et par entrer en relation avec lui. Ils se découvrent beaucoup d'aspirations communes, en particulier l'attirance du désert : ce « jardin d'Allah », où ils trouveront, croient-ils, quelque apaisement à leur inquiétude. Peu à peu, ils s'éprennent l'un de l'autre et se marient. Leur désir est de s'établir dans une oasis et d'y installer une plantation, Androvsky ayant déjà exploité des vignes en Algérie. Au cours d'un voyage à la recherche d'une oasis propice, ils gagnent un poste militaire français. Là, l'aumônier des troupes raconte incidemment à Domini qu'un moine d'une Trappe nord-africaine a disparu quelques mois auparavant, sans que personne sache ce qu'il est devenu. Et une scène étrange se passe lorsque l'aumônier aperçoit Androvsky. Enfin, celui-ci se décide à révéler la vérité à sa femme : c'est lui le moine en question. Profondément troublé par l'aventure d'un homme réfugié à la Trappe à la suite d'un chagrin d'amour, puis retourné au monde, il s'était rendu compte que, entré dans les ordres fort jeune, il ignorait tout de la vie. Il en avait conçu une sorte de ressentiment contre Dieu, qui l'avait en quelque sorte attiré dans un piège. Aussi avait-il décidé de quitter la Trappe pour savoir s'il ne s'était pas trompé sur lui-même. L'expérience poussée jusqu'au bout par son mariage, il était la proie d'une lutte atroce entre l'amour humain et son invincible amour pour Dieu contre lequel, malgré qu'il en ait, il ne pouvait lutter. C'est alors que Domini adopte la seule solution qui lui paraisse possible : elle ramène elle-même son époux à la Trappe, où il retrouvera la paix de l'âme. Quant à elle, elle élèvera l'enfant qu'elle a eu de lui dans le domaine d'un certain comte Antéoni, lequel a trouvé la paix dans le « jardin d'Allah » en devenant musulman.

JARDIN DE BÉRÉNICE (Le). Roman de l'écrivain français Maurice Barrès (1862-1923), publié en 1891, qui fait partie de la série romanesque ayant pour titre « Le Culte du Moi ». Après différentes tentatives décrites dans les œuvres précédentes de l'auteur — v. *Sous l'œil des Barbares* (*) et *Un homme libre* (*) —, le jeune Philippe comprend qu'il doit vivre en harmonie avec le monde. Le jeune homme raconte sous forme de confession quelques-unes de ses expériences, dans le but de fournir à autrui un véritable enseignement. Philippe organise une campagne électorale en Provence, pour « concilier les pratiques de la vie intérieure avec les nécessités de la vie active ». Ayant adhéré au programme nationaliste du général Boulanger (nous sommes en 1889), il se sent plein d'enthousiasme pour de grandioses idées dont l'avenir doit être illuminé ; c'est seulement dans leur réalisation qu'il voit la possibilité d'établir sa position spirituelle et de se consacrer à une vie fière et glorieuse. À Arles, il retrouve Bérénice, qu'il a autrefois connue à Paris alors qu'elle était danseuse : elle a partagé pendant deux ans la la vie de François de Transe, lequel a mystérieusement disparu, la laissant propriétaire d'une maison à Aigues-Mortes. C'est là que Philippe va lui rendre visite et, en la voyant dans ce paisible et agréable jardin, il lui semble découvrir pour la première fois les joies de la vie. De nouvelles émotions s'épanouissent en lui : il semble que la nature elle-même inspire au jeune homme une méditation pleine de douceur et de rêves. Il rentre à Paris pour continuer l'œuvre qui l'avait conduit en Provence, et reprend sa campagne électorale. Il avoue à son ami Simon son amour pour

Bérénice et son désir de découvrir la signification secrète de l'univers dans le calme d'un jardin et grâce au sourire d'une femme. Mais un sénateur antiboulangiste reconnaît, avant de mourir, Bérénice comme sa fille et lui laisse une grosse fortune : elle épouse alors un certain Charles Martin qui s'est posé en adversaire de Philippe durant les élections : peu importe maintenant à Philippe d'être élu. Le chagrin de perdre Bérénice, quand il avait entrevu que son bonheur se confondait avec la vie même de la jeune femme, se teinte de mélancolie, puis de cruel regret au moment où elle meurt. Philippe la sent alors revivre en lui, de telle façon que son souvenir illumine sa conscience et le pousse à fraterniser avec l'univers entier. Une nouvelle lumière faite d'humanité et de foi éclaire le jeune homme qui, après tant d'épreuves, ressent le besoin de défendre son idéal contre la vulgarité et les compromis. Après avoir souffert de l'oppression de son « moi » dans un monde confus, il avait cherché la libération dans une vie méditative et quasi monacale ; maintenant il comprend qu'il doit affronter l'existence avec toutes ses difficultés. C'est pourquoi il cherche, dans le travail et grâce à l'indépendance matérielle que procure l'argent, cette libre solitude qui permet une vision sereine du monde. Cette œuvre termine la trilogie de Barrès, « Le Culte du Moi ». Son importance réside surtout dans le fait qu'elle est un document représentatif d'une époque ; elle témoigne des angoisses et des aspirations de la génération âgée de vingt ans à l'époque de Sedan et de la chute du second Empire qui vécut dans le rêve de la revanche et de la reconstruction nationale.

JARDIN DE CYRUS (Le) [*The Garden of Cyrus*]. Œuvre de l'écrivain anglais sir Thomas Browne (1605-1682), publiée en 1658 dans le même volume que *Les Urnes funéraires* (*). C'est une dissertation sur la plantation en quinconce, disposition dans laquelle le nombre cinq finit par représenter une valeur mystique. Le sujet est seulement pour Browne un prétexte à montrer son savoir étendu, ses réflexions sur les mystères de l'univers. C'est surtout sa poésie, bien qu'il n'ait laissé qu'un très petit nombre de vers, qui porte témoignage sur la splendeur et l'originalité de son style. L'œuvre se subdivise en cinq chapitres auxquels le dernier, où s'exprime une profonde sagesse, sert de conclusion. Le premier n'est qu'un prélude fantaisiste. Les trois chapitres intermédiaires montrent Browne préoccupé de retrouver partout la disposition en quinconce : dans le ciel, la terre, l'esprit humain, les notes de musique, le nerf optique, les racines des arbres, les feuilles. L'énumération, agrémentée d'observations, et l'examen des arts et des sciences sont parfois longs, ils ne sont jamais fastidieux, car Browne sait relever d'humour ses considérations. C'est, en définitive, un livre de morale et en même temps une autobiographie intellectuelle écrite par un dilettante de grande classe qui sait s'amuser de tout et qui laisse, dans chaque phrase, sa marque personnelle.

JARDIN D'ÉDEN (Le) [*The Garden of Eden*]. Roman posthume de l'écrivain américain Ernest Hemingway (1899-1961), publié en 1986. Il s'agit d'un roman commencé en 1946 (date de son quatrième mariage), et sur lequel l'auteur travailla jusqu'à sa mort, c'est-à-dire pendant les quinze années où il écrivit successivement *Au-delà du fleuve et sous les arbres* (*) (1950), *Le Vieil Homme et la mer* (*) (1952), *Paris est une fête* (*) (posth. 1964), *Un été dangereux* (1960, 1985) et *Îles à la dérive* (*) (posth. 1970). Quelle qu'ait été la surprise éprouvée à voir exhumer, vingt-cinq ans après la mort de l'écrivain, sinon un roman de jeunesse (puisqu'il fut au contraire écrit pendant la maturité, voire le déclin), du moins un roman *sur* la jeunesse de l'écrivain, il faut reconnaître qu'on s'explique mal la déception de la critique américaine. À quoi s'attendait-on donc de la part d'un écrivain dont on savait l'inspiration ténue et, qui plus est, répétitive en dehors des expériences proposées par la vie ? C'est le cas ici, puisqu'il s'agit d'évoquer le paradis (de six mois) que dure un premier mariage qui rappelle fort les deux premiers mariages de Hemingway, avec Hadley Richardson en 1921, avec Pauline Pfeiffer en 1927. On assiste donc à un approfondissement systématique, une quête à rebours des premières années de la vie professionnelle et amoureuse. Mais la différence, comme le dirait Gérard Genette en parlant du désir sexuel dans la pastorale, c'est que le serpent s'est introduit dans la bergerie : traduisons, la perversion dans la sexualité. L'action se passe en France, dans le Midi (Le Grau-du-Roi, Hendaye, La Napoule), à Madrid, puis à nouveau à La Napoule pendant la présidence de Calvin Coolidge (1924-1928). David Bourne, jeune écrivain américain, vient d'épouser Catherine, qui est riche (ce qui l'émascule quelque peu) et qui, en outre, a tendance à se vouloir garçon et donc à se faire couper les cheveux comme tel — rappelons que Frederick ne supportait pas l'idée de voir Catherine couper ses cheveux longs dans *L'Adieu aux armes* (*). Jalouse du temps que David consacre à l'écriture, elle finit par donner libre cours à sa tendance perverse en invitant dans sa vie (et jusque dans le lit conjugal) une belle personne du nom de Marita, laquelle a bientôt des relations sexuelles avec l'époux et l'épouse... On est tenté de donner raison à Kenneth Lynn, qui pense que c'est en Catherine que Hemingway a investi « tout son capital d'imagination ». Ce serait même (peut-être) la raison pour laquelle ce roman était resté manuscrit. En tout cas, le miracle, c'est que le célèbre style fonctionne encore, en particulier les non moins célèbres dialogues. — Trad. Gallimard, 1989. M. Gr.

JARDIN D'ÉPICURE (Le). Œuvre de l'écrivain français Anatole France (François-Anatole Thibault, 1844-1924), publiée en 1894. Ce sont de courts essais, qui se réduisent parfois à des sentences et à des aphorismes : variations sur le thème de la vie et de la mort, sur la manière d'atteindre et de garder le bonheur, sur les diverses interprétations que l'on peut donner aux événements. Ces essais sont pour la plupart extraits des meilleurs articles qu'il avait écrits pour des journaux ou des revues. La philosophie d'Anatole France tient tout entière dans cette seule vérité : rien n'existe en soi. « L'ignorance est la condition nécessaire, je ne dis pas du bonheur, mais de l'existence même. Si nous savions tout, nous ne pourrions pas supporter la vie, une heure. Les sentiments qui nous la rendent douce, ou du moins tolérable, naissent d'un mensonge et se nourrissent d'illusions... » « Quand on dit que la vie est bonne et quand on dit qu'elle est mauvaise, on dit une chose qui n'a point de sens. Il faut dire qu'elle est bonne et mauvaise à la fois, car c'est par elle, et par elle seule, que nous avons l'idée du bon et du mauvais. La vérité est que la vie est délicieuse, horrible, charmante, affreuse, douce, amère et qu'elle est tout. » Il n'y a dans cet épicurisme de France ni métaphysique ni morale. Il ne connaît qu'une chose, c'est que les mœurs changent de siècle en siècle. La sagesse consiste à prendre la vie telle qu'elle est, à ne pas être dupe de théories inutiles. S'opposant au naturalisme de son époque, France ne croit pas à la science qui ne va jamais au-delà des phénomènes. Un œil aidé d'un microscope est toujours un œil humain, et l'instrument ne sert qu'à multiplier et compliquer les illusions : nous ne pouvons rien voir, sinon le reflet de notre âme. Cette philosophie ne porte pas Anatole France au pessimisme, parce qu'elle ne suppose pas une énigme dont la clé lui échapperait ; et il peut ainsi garder sa sérénité. D'autre part, il n'éprouve aucun scrupule à se contredire ; artiste plus que philosophe, il s'abandonne à son jeu en changeant à tout moment de point de vue, sans autre but que celui de multiplier autour de lui et pour ceux qui le lisent les belles images et les douces illusions.

JARDIN DE PURETÉ (Le) [*Rowdat al-Safa*]. Œuvre historique de l'historien persan Mirkhvând (1433-1498). C'est un précis d'histoire universelle en sept volumes, comprenant un appendice géographique qui, dans certaines éditions, forme un huitième volume. Le premier débute par le récit de la création du monde, puis, après une digression consacrée aux prophètes d'Israël, relate l'histoire persane jusqu'à la fin du règne des Sassanides. Le deuxième volume va de la naissance de Mahomet jusqu'à la mort d'Ali, le quatrième calife ; le troisième relate l'histoire des Imâms, des Omeyyades et des Abbassides. Le quatrième volume est consacré aux dynasties asiatiques secondaires, jusqu'à l'époque de Timour (Tamerlan) ; le cinquième à Genghis-Khân, ses fils et ses successeurs, tandis que le sixième est consacré à Timour et à ses collatéraux, jusqu'à la mort du sultan Abou-Saïd (1469). Le dernier volume relate le règne du sultan Abol-Ghazi Hosseïn Baïqara (1468-1505), contemporain de l'auteur. Cette vaste compilation, dont les très nombreuses sources consultées auraient pu rehausser l'intérêt, est malheureusement d'une valeur très inégale, en raison d'une trop grande place laissée à l'élément anecdotique et du manque presque complet de critique historique. En Orient, toutefois, cette œuvre fut fort prisée, surtout pour la partie qui traite des premières dynasties persanes, surgies après la disparition du califat de Baghdâd. Malgré ses défauts, l'ouvrage offre une certaine importance même pour les savants occidentaux, du moins tant que toutes les sources qui furent à la disposition de Mirkhvând n'auront pas été découvertes. On pense généralement que le dernier volume concernant Sultan Hosseïn et ses fils fut complété, jusqu'à l'année 1522-23, par son petit-fils, après la mort de l'auteur.

JARDIN DES FINZI-CONTINI (Le) [*Il giardino dei Finzi-Contini*]. Roman de l'écrivain italien Giorgio Bassani (né en 1916), publié en 1962. Drame intimiste dont le thème central est celui de l'exclusion progressive des membres de la communauté juive de Ferrare, ce roman obtint un immense succès lors de sa parution (il reçut en 1962 le prix Viareggio) et fut porté à l'écran par Vittorio De Sica (1971).

Comme tous les membres de sa communauté, le narrateur est contraint, en raison des lois raciales qui viennent d'être promulguées, d'abandonner peu à peu les cercles et autres lieux de rencontre à caractère culturel ou sportif. La famille Finzi-Contini, qui depuis toujours demeure à l'écart de la vie de la cité, possède une immense propriété au cœur de la ville. Alberto et Micòl Finzi-Contini invitent le narrateur et d'autres jeunes gens à venir s'entraîner sur leur terrain de tennis privé. Le narrateur est ainsi amené à s'introduire dans la famille Finzi-Contini, à lever le voile de mystère qui l'entoure. Le jeune homme s'éprend de Micòl, mais celle-ci lui fait très tôt comprendre qu'elle compte mettre un terme au sentiment d'affection amoureuse qui les lie ; afin d'en finir avec les marques d'effusion dont le narrateur se rend coupable, Micòl lui demande d'ailleurs d'espacer ses visites. Respectant scrupuleusement les directives de la jeune fille, mais cherchant toujours à garder un contact indirect avec elle, le jeune homme se lie d'amitié avec Giampiero Malnate, un ingénieur milanais, sympathisant communiste, qui est resté un hôte régulier des Finzi-Contini. Cette amitié, teintée de rivalité, prélude à la série des malheurs qui vont s'abattre sur les protagonistes : Alberto mourra de maladie, la famille Finzi-Contini sera décimée dans les camps de concentration, et Giampiero Malnate sera porté disparu en Russie.

Comme toujours dans l'œuvre de Bassani, les thèmes de l'isolement et de la nécessité de préserver le souvenir – notamment le souvenir de Micòl, qui, sans ce roman, se serait évanoui sans laisser de trace, emporté par l'histoire et par un destin qu'elle-même avait fini par accepter – prennent un relief particulier. L'œuvre est soutenue par une grande finesse d'analyse psychologique : la disparition graduelle de Micòl de l'univers amoureux du narrateur se mêle subtilement au pressentiment de sa fin prochaine.

En 1974, l'auteur reprit le roman ainsi que plusieurs autres – *Derrière la porte* [*Dietro la porta*], *L'Odeur du foin* [*L'odore del fieno*], *Les Lunettes d'or* [*Gli occhiali d'oro*] notamment – pour constituer un cycle intitulé *Le Roman de Ferrare* [*Il Romanzo di Ferrara*]. – Trad. Gallimard, 1964. A. S.

JARDIN DES RACINES GRECQUES (Le). Ouvrage d'enseignement du grammairien français Claude Lancelot (1616-1695) et d'Isaac Louis Le Maistre de Sacy (1613-1684), théologien français, publié pour la première fois en 1657. Une des principales préoccupations de Port-Royal – v. *Port-Royal* (*) de Sainte-Beuve –, outre la réforme des mœurs, fut l'éducation des enfants. Dès 1645, deux ans seulement après la mort de Saint-Cyran, furent fondées les « Petites Écoles », où professèrent un certain nombre de « solitaires », mais dont l'âme fut Claude Lancelot. Ces « Petites Écoles », qui durent être transférées aux Granges près de Port-Royal-des-Champs, furent enfin fermées sur ordre du roi en 1660 ; et c'est dans le préceptorat que les jansénistes purent seulement continuer à exercer leur influence dans le domaine pédagogique. De ce mouvement, qui eut son heure de célébrité et son importance, nous sont parvenus un certain nombre de manuels destinés à l'enseignement ; le plus connu d'entre eux est la *Grammaire générale et raisonnée* (*), dite *Grammaire de Port-Royal*, dont l'auteur était Lancelot ; mais d'autres ouvrages d'enseignement restèrent plus longtemps classiques : tel est *Le Jardin des racines grecques* qui fut en usage dans les collèges français jusqu'au milieu du XIXe siècle. Lancelot établit la liste des racines, et Le Maistre de Sacy les disposa dans des vers mnémotechniques. *Le Jardin* comprend deux cent seize décades, accompagnées chacune de notes renfermant les dérivés des racines étudiées et précisant les particularités qui se rattachent à chacune d'entre elles. L'œuvre est fort remarquable pour l'époque à la fois par l'érudition, par la clarté et la simplicité didactique qui s'y manifestent. Avec la *Nouvelle méthode pour apprendre la langue latine* (1664) et la *Nouvelle méthode pour apprendre la langue grecque* (1655), elle est un témoignage précieux sur les méthodes d'enseignement de Port-Royal qui étaient fort en avance sur leur temps.

JARDIN DES ROSES DE WORMS (Le) [*Der Rosengarten zu Worms*]. Poème épique autrichien connu aussi sous le titre : *Le Grand Jardin des roses* [*Der grosse Rosengarten*] pour le distinguer de *Laurin* ou *Petit Jardin des roses.* Composé entre 1285 et 1290 par un anonyme, il se rattache à la *Chanson des Nibelungen* (*). Krimhilde, fille du roi Gibich, possède à Worms une roseraie, gardée par douze guerriers, dont le Siegfried de Niederland qui ambitionne d'obtenir sa main. Fière de cette cohorte de héros, elle invite Dietrich de Berne à venir de la Marche orientale avec douze de ses guerriers capables de se mesurer aux siens. Pour compléter sa troupe, Dietrich fait appel au frère de Hildebrand, le moine Ilsan, qui vit cloîtré depuis vingt ans. Dietrich et ses chevaliers se rendent alors à Worms, où s'engage un furieux tournoi dont le moine Ilsan sort vainqueur, après avoir vaincu Volker von Alzey. Et il reçoit la récompense convenue : une couronne de roses et le baiser de Krimhilde. Entre-temps, le combat singulier entre Siegfried et Dietrich se termine par la victoire de ce dernier. Les douze chevaliers rhénans subissent ainsi une défaite totale. Mais le moine Ilsan n'entend pas se contenter d'un seul prix et veut gagner de haute lutte cinquante-deux couronnes de roses pour les cinquante-deux frères de son couvent. Rencontrant alors autant d'adversaires, il remporte à chaque fois la couronne de roses et le baiser, allant à blesser jusqu'au sang avec sa barbe les tendres lèvres de Krimhilde. Les chevaliers vainqueurs regagnent leur patrie, tandis que Gibich, le père de Krimhilde, doit se résigner à accepter sa propre terre en fief, des mains de Dietrich. Quant au moine Ilsan, il dépose une à une les épineuses couronnes de roses sur la tonsure de ses confrères, en leur imposant de faire pénitence pour racheter ses propres péchés. Comme les moines s'y refusent obstinément, il les attache les uns aux autres par la pointe de leur barbe, jusqu'à ce qu'ils consentent à lui obéir. Le poème nous fut transmis à travers différentes versions ayant de trois cent quatre-vingt-dix à six cents strophes. Le centre du récit est constitué par le combat singulier opposant les deux plus grands héros de l'épopée nationale, Dietrich et Siegfried.

JARDIN DES SUPPLICES (Le). Roman de l'écrivain français Octave Mirbeau (1848-1917), commencé en 1893 et publié chez Fasquelle en juin 1899. Le narrateur de ce roman sulfureux, un politicien raté, est envoyé en mission scientifique à Ceylan. Sur le bateau, il rencontre miss Clara, avatar de la Juliette du *Calvaire* et détraquée sexuelle en quête de sensations fortes, qui fuit les mœurs étriquées du vieux continent. Il tombe sous son charme et la suit en Chine. Là, elle l'entraîne dans les cercles successifs de sa folie sadique. Le point d'orgue du roman est la visite du jardin des supplices, un endroit cauchemardesque planté au cœur d'une nature luxuriante, où Clara vient expurger ses démons en regardant les tourmenteurs travailler leurs victimes avec les raffinements que commande leur rang social. Sa volupté s'exacerbe à la vue de la souffrance et de la mort. « Le meurtre et l'amour, écrivait Mirbeau en 1898, ce sont deux instincts pareils. »

Si dans *Le Jardin des supplices* Mirbeau transpose ses propres fantasmes érotiques et morbides, il s'appuie aussi sur une solide culture littéraire et artistique. Son imagination s'est nourrie des ouvrages de Sade, Barbey d'Aurevilly, Edgar Poe, ainsi que des toiles de Goya et de Rops, qui font la part belle au démon de la perversité.

Restent les dimensions politiques, philosophique et didactique. Alors que Dreyfus va être rejugé à Rennes dans un climat de guerre civile, qu'on garrotte en Espagne et qu'on fouette en Russie, Mirbeau invite ses lecteurs à dépasser le microcosme du jardin en dédiant son récit, plein de « pages de meurtre et de sang », « aux prêtres, aux soldats, aux juges, aux hommes qui éduquent, dirigent, gouvernent les hommes », bref, à tous ces pasteurs de peuple qui, partout, « s'acharnent à l'œuvre de mort » et qu'il dénonce au même moment dans ses articles de *L'Aurore* et dans *Les Mauvais Bergers,* sa première grande œuvre théâtrale. À ses yeux, le monde est un immense et « inexorable jardin des supplices » : « Partout du sang, et là où il y a plus de vie, partout d'horribles tourmenteurs qui fouillent les chairs, scient les os, vous retournent la peau avec des faces sinistres de joie [...] Les passions, les appétits, les intérêts, les haines, le mensonge ; et les lois, et les institutions sociales, et la justice, l'amour, la gloire, l'héroïsme, les religions en sont les fleurs monstrueuses et les hideux instruments de l'éternelle souffrance humaine. »

En 1902, le marchand de tableaux Ambroise Vollard publie une édition de luxe du *Jardin des supplices,* illustrée de vingt lithographies hors texte d'Auguste Rodin, qui a choisi de célébrer le corps de la femme. — Le roman sera adapté au cinéma en 1976 par Christian Gion, puis au théâtre, en 1985, par Nicolas Bataille.
J.-F. N.

JARDIN D'HYACINTHE (Le). Ce roman, publié en 1945 par l'écrivain français Henri Bosco (1888-1976), constitue avec *L'Âne Culotte* (*) (1937) et *Hyacinthe* (1940) une trilogie dont le personnage principal, Hyacinthe, se trouve éclairé de diverses façons. Alors que dans les deux volumes précédents apparaissait et disparaissait la figure de cette fille dont l'auteur a plutôt l'air d'évoquer « le double léger » que « le corps faible et l'âme raisonnable », dans ce dernier ouvrage il se propose de « raconter de bonne foi la jeunesse d'une fille de la campagne qui a peut-être traversé le paradis, sans le savoir ». Deux décors, la plaine et la montagne, les deux aspects symboliques de l'œuvre de Bosco. La plaine, c'est le mas du Liguzet où le maître, Méjan de Mégremut, vit seul avec Sidonie, une bonne mystique et visionnaire. La montagne, c'est le mas des Borisols, « un lieu où l'esprit souffle, un site orienté », suspendu à la vie d'une mince source. Une nuit de Noël, une mystérieuse enfant est abandonnée chez les Gnériton, des Borisols : « Vous l'appellerez Félicienne », une enfant inhabitée et amnésique, qui ne joue pas, qui ne parle pas. Les Guériton décident de la garder, mais le malheur s'abat sur le mas : le vieux tombe malade et meurt, la source s'épuise. L'enfant est confiée à M. Méjan ; la Guéritone va vivre chez sa sœur, les Borisols sont désertés. Au Liguzet se multiplient les signes : un âne au regard étrange qui marche sans ânier, un homme à barbe blanche qui apparaît et disparaît, un serpent aussi. L'enfant muette ne s'éveille qu'en ces instants privilégiés, et M. Méjan se résout à la confier de nouveau à la Guéritone. Mais Félicienne s'enfuit, revient au Liguzet où quelque chose semble l'attirer. Une fièvre mystérieuse s'abat sur M. Méjan ; dans son délire il rêve d'une histoire ancienne où nous reconnaissons M. Cyprien et Hyacinthe — v. *L'Âne Culotte*. Félicienne est bien Hyacinthe et le vieil homme à barbe blanche M. Cyprien, ainsi que nous l'apprennent les fragments d'un journal tenu par le magicien et qui relate un nouvel échec. M. Cyprien n'a pu recréer Fleuriade ; il n'a pu réussir à rendre une âme à Hyacinthe et a dû se résoudre à la restituer aux hommes. Trois ans passent. Félicienne, qui vit tantôt chez la Guéritone, tantôt chez M. Méjan, a grandi. Mais sa mémoire et son âme enfuies ne sont point revenues. Jusqu'au jour où l'éveilleur se présente sous les traits d'un jeune botaniste hébergé par M. Méjan : « Je suis Constantin Gloriot » — v. *L'Âne Culotte*. « Hyacinthe le regardait. Elle demeurait immobile. Mais la vie montait dans ses yeux, en troublant la paix des profondeurs. » Le lendemain, l'âne au regard plus qu'humain apporte un petit billet : « L'eau coule ce matin aux Borisols et un amandier a fleuri. » Le style souple et poétique de Bosco donne admirablement vie à ce monde frais et mystérieux.

JARDIN DU PRINTEMPS [*Baharistân*]. Recueil de nouvelles, de contes et de fables du poète persan Djâmi de Hérat de Saadi (1414-1492), composé à l'imitation du célèbre *Jardin des roses* (*) de Saadi. Il comporte huit livres comme son modèle : il rapporte des anecdotes de personnes pieuses (premier livre), de savants de l'Antiquité (deuxième livre), de souverains et de leur justice (troisième livre) ; le quatrième livre raconte des actions généreuses, le cinquième des histoires d'amour, le sixième des facéties ; le septième contient des biographies de poètes et des passages de leurs poèmes, des apologues dont les personnages sont des animaux. Ce petit ouvrage n'ajoute rien à la renommée de Djâmi. En dépit de la grâce légère de certains contes et malgré l'intérêt historique et littéraire de quelques-unes de ses parties (comme le chapitre sur les poètes), il reste dans l'ensemble inférieur au *Jardin des roses.* – Trad. Paris, 1925.

JARDINET (Le) de Walafrid Strabo [*Hortulus ou De cultura hortorum*]. Poème de quatre cent quatorze hexamètres du bénédictin allemand Walafrid Strabo (env. 808-849), dit Gaufroy le Louche. D'origine souabe sans doute, il vécut durant la renaissance carolingienne et fut élevé au couvent de Reichenau. Ce poème exalte avec amour l'humble jardin du monastère qui renaît après les gelées hivernales : délivré des orties, bêché, ratissé et fumé par l'auteur lui-même et offert aux rayons du soleil et à la pluie printanière. Walafrid le contemple en examinant minutieusement chacune de ces « petites choses », pour lui si grandes et dignes d'« immense honneur ». Ainsi sont décrites, avec la mention de leurs propriétés médicinales et de leurs usages, vingt-trois plantes ou fleurs : la sauge, l'armoise, la courge, le melon, l'absinthe, le fenouil, le glaïeul, le cerfeuil, le pavot, la menthe, le céleri, l'aigremoine, l'ambroisie et quelques autres encore. Ce poème a une conclusion chrétienne inattendue : comparant la rose au lis, le poète voit dans l'une le symbole du sang des martyrs, dans l'autre reconnaît la pureté de la foi. Suivent seize vers dédiés à Grimald, évêque de Saint-Gall et ancien maître de Walafrid. Cette composition, fort appréciée des humanistes, tout en révélant parfois l'artificielle érudition de l'école, est empreinte d'un sentiment vif et spontané de la nature, exprimé par une technique poétique peu commune, fruit de la lecture intelligente et assidue de Virgile et d'Ovide. – Trad. Paillard, 1925.

JARDINET SPIRITUEL (Le) [*Geistiges Blumengärtlein inniger Seelen*]. Recueil de poésies religieuses et de cantiques du mystique allemand Gerhard Tersteegen (1697-1769), paru en première édition en 1729 à Francfort et à Leipzig ; une seconde édition (revue et augmentée) apparut en 1768. Tersteegen fut initié, dès sa jeunesse, à l'exercice de la piété par W. Hoffman. Toute sa vie fut vouée à un commerce intérieur avec Dieu, à un humble apostolat dont le siège était la boutique de tisserand qu'il possédait dans la ville de Mühlheim et qu'il transforma bientôt en une sorte de petit couvent. Il porta ensuite son activité dans toute la région du Rhin, qu'il parcourut pendant des années comme un frère prêcheur. Nombre de chrétiens trouvèrent en lui un guide spirituel éclairé et plein de charité, qui ne connut jamais cette exaltation morbide à laquelle se complaisaient trop de directeurs de conscience de cette époque. Ce fut pour répondre aux besoins des pénitents, afin qu'ils pussent réveiller et raffermir leur vie intérieure, que Tersteegen écrivit, au gré des circonstances et de son inspiration, les poésies qui forment *Le Jardinet spirituel.* Ce sont de pieuses sentences, de brèves lueurs sur les vérités divines, des exhortations, qui constituent le viatique de chaque âme dans la vie contemplative. Mais on trouve surtout dans ce recueil des cantiques et des hymnes (cent onze), destinés à être chantés, ou quelquefois à être lus à haute voix, au cours des réunions où l'on priait et méditait en commun. Le ton en est empreint de naïveté, de simplicité, et reflète bien l'abandon de cette âme confiante. Alors que le protestantisme luthérien avait déjà sa poésie sacrée, il appartenait à Tersteegen d'être le chantre piétiste le plus émouvant et le plus mélodieux de la vie religieuse au sein de l'Église réformée allemande.

JARDINS (Les) ou l'Art d'embellir les paysages. Poème en quatre chants du poète français Jacques Delille (1738-1813), publié en 1782. L'auteur reconnaît à son ouvrage le « très grand inconvénient d'être un poème didactique ». Conçus en plein essor de la poésie descriptive, *Les Jardins* auraient dû, comme *Les Mois* (*) de Roucher, s'affranchir radicalement du joug des genres traditionnels. Excellent latiniste marqué au pli de l'école et qui avait acquis la célébrité par sa traduction des *Géorgiques* (*) de Virgile (1769), professeur au Collège de France et académicien, Delille n'osa pas franchir le pas. Il chante l'« art d'embellir les paysages », concession flagrante au genre didactique. Mais son didactisme est aimable, souriant et constamment débordé au profit d'une peinture sensible de la nature. C'est dans ce débordement que résident le charme et les mérites des *Jardins. Ut pictura poesis,* l'axiome fameux d'Horace, trouve là une application parfaite. « Un jardin à mes yeux est un vaste tableau, / Soyez peintre », lance d'entrée de jeu le « maître » à ses « élèves ». Un vers du deuxième chant résume le sens de l'entreprise : « Osez : Dieu fit le monde, et l'homme l'embellit. » Manière de renouveler, au déclin des Lumières, la dialectique du sauvage et du cultivé. La genèse du poème de Delille (1775-1782) coïncide avec une vogue des jardins dans les milieux aisés : Bel-Œil, Chanteloup, Montreuil, « Maupertuis, le Désert, Rincy, Limours, Auteuil », Navarre, et surtout Trianon offert par le roi à sa jeune épouse, autant de noms attendus du public. L'amalgame de la technique à la française et des styles anglais et anglo-chinois est de règle chez les horticulteurs. Le poète associe de même un didactisme « Louis XV » à un paysagisme « Louis XVI ». « Je ne décide point entre Kent et Le Nôtre. » Le plan reprend les divisions canoniques de l'enseignement de la peinture : « dessin », « coloris », « ordonnance », « expression », en les adaptant au sujet traité. Premier chant : choix du terrain et connaissance des principes généraux. Deuxième chant : plantation des arbres, création des perspectives et des ensembles. Troisième chant : apport des ornements décoratifs, gazons, fleurs, rochers, eaux, qui créent le relief. Quatrième chant : introduction des éléments qui donneront au paysage son animation définitive (les sentiers) et appel aux arts annexes (agriculture, architecture, ruines) pour distribuer les « scènes » et parfaire le tableau. Ainsi naît une poésie de plein air dont la magie grisante agit sur les sens. La nouveauté principale de l'art descriptif consiste en une sollicitation permanente de la sensibilité du promeneur, captée dans ses détours les plus secrets, avec une prédilection pour les effets négatifs, comme si le lyrisme de l'après-Lumières ne pouvait naître que de la dépossession. Les passages les plus réussis des *Jardins* (Versailles dépouillé de ses arbres, l'automne et sa mélancolie, le site de Vaucluse, l'évocation des ruines, les Bergers d'Arcadie), parce qu'ils chantent paradoxalement un monde déjà mort, contribuent à définir ce qu'on appellera, improprement peut-être, le préromantisme. Certains vers ont des accents déjà lamartiniens, ainsi à propos des couleurs automnales : « Hélas ! tout cet éclat marque leur décadence. [...] Mais ces ruines mêmes ont pour moi des attraits. [...] J'aime à mêler mon deuil au deuil de la nature. [...] Viens, je me livre à toi, tendre mélancolie. [...]. » L'œuvre connut, malgré chicanes et contestations, un durable succès : dernier joyau du mode gracieux, elle reste liée historiquement au sort brillant et menacé de l'Ancien Régime, ce paradis perdu pour l'imaginaire à venir. Delille devait publier en 1801, dans des circonstances bien différentes, une édition des *Jardins* augmentée de plus de mille vers, pour la plupart écrits en Angleterre. Dira-t-on : interpolation, cause de dissonance ? Il est permis de regretter cet attentat du poète envers lui-même. En pleine guerre franco-anglaise, les Français furent choqués de lire un poème « plus étranger que national » et reprochèrent à l'auteur son manque de patriotisme. Ces motifs ne nous atteignent plus, mais des raisons seulement esthétiques suffisent à justifier la préférence pour le texte original, homogène et plus authentique à bien des égards que la version augmentée. C'est à lui que Delille doit d'être appelé aujourd'hui encore le poète des *Jardins*. E. Gu.

JARDINS DE TOLÈDE (Les) [*Los cigarrales de Toledo*]. Œuvre de l'écrivain espagnol Tirso de Molina (frère Gabriel Téllez, 1583 ?-1648). La plus ancienne édition connue est celle de Barcelone (1631), qui reproduit une épreuve de Madrid datant « de six ans de là », c'est-à-dire de 1624. Comme, d'autre part, l'autorisation d'imprimer porte la date de 1621, c'est à cette époque qu'il faut faire remonter l'édition originale de l'œuvre. Tirso recueille ici des fables, des récits et des essais en prose, parmi lesquels sont intercalés des vers lyriques et trois comédies. Le titre vient du nom de ces habitations d'été de Tolède (les « cigarrales »), qui s'étendent sur la rive du Tage. Tirso imagine qu'un groupe d'amis s'y réunit et s'y distrait, par d'agréables conversations et toutes sortes de jeux d'esprit. Ces cigarrales devaient être au nombre de vingt ; mais les cinq premiers morceaux seulement furent publiés par l'auteur. Ces cinq cigarrales révèlent une expérience de la vie mondaine et galante. On y trouve trois comédies : *Le Timide à la cour* (*), la meilleure, *Comment doivent être les amis* [*Como han de ser los amigos*] et *Le Jaloux avisé* [*El celoso prudente*], qui fut imité plus tard par Calderón dans son drame *À outrage secret, vengeance secrète* (*). Chaque comédie est suivie d'un discours critique ; dans l'un d'eux, aux règles de l'unité dramatique, Tirso oppose la liberté de Lope de Vega, son maître. Parmi les récits, le meilleur est la nouvelle influencée par Boccace, qui s'intitule *Trois maris trompés* [*Los tres maridos burlados*] et dans laquelle trois dames racontent les tours pendables qu'elles ont joués à leurs maris. Vers, récits ou autres écrits méritent, par l'heureuse harmonie de leur ton lyrique ou descriptif et par la justesse des observations psychologiques, les éloges qu'en fit Lope de Vega ; encore que Tirso sacrifie à une préciosité qui a un accent très personnel. D'autre part, il faut faire une mention particulière de l'élégance naturelle des comédies.

Dans *Les Jardins de Tolède*, on trouvera aussi le recueil intitulé : *Divertir en enseignant* [*Deleitar aprovechando*], publié à Madrid en 1635. Celui-ci réunit des pièces disparates et utilise un cadre qui donne une unité fictive au sujet. Seulement, dans ce dernier, Tirso s'est proposé d'édifier tout en amusant ; et, au lieu d'amis à la recherche d'agréables divertissements, il met en scène trois familles qui se sont éloignées des festivités du carnaval ; elles se sont réunies dans des intentions pieuses pour se raconter des vies de saints (on ne peut qu'admirer celle du *Joueur de mandoline*, c'est-à-dire saint Pierre Armengol, où se mêlent histoire et légende), se réciter des vers sacrés et se donner en représentation trois « autos sacramentales » : *L'Apiculteur divin* [*El colmenero divino*], *Les Deux Frères semblables* [*Los hermanos parecidos*], *Je ne lui confie pas mon gain* [*No le arriendo la ganancia*].

JARDINS ET LES FLEUVES (Les). Roman de l'écrivain français Jacques Audiberti (1899-1965), publié en 1954. Comédien, Jean-Désiré Lazerm est hanté, ou plutôt poursuivi, comme s'il devait le réincarner d'une certaine façon, par le personnage de Molière. À l'exemple de son illustre modèle, il est très épris de sa fille qu'un hasard narquois a affublée du nom ostensiblement évocateur d'Armène Béchart. En revanche, il n'a pas la vitalité et la foi qui devaient, à en juger par le nombre et la qualité de ses œuvres, animer le grand dramaturge. Il traînasse beaucoup. Son existence, bien qu'elle ne soit pas particulièrement vide, donne l'impression de l'être. Il devient un metteur en scène assez coté, mais lentement, mollement, paresseusement, après avoir, pour ainsi dire, dérivé, par la force des choses et de quelques sursauts, vers une réussite qui ne sera jamais tout à fait éclatante. Faute d'aimer ses maîtresses successives, il ne se décide pas à se marier. L'ironie du destin, souvent un peu lourde, l'en punit. Il se marie, ou du moins se croit marié avec celle qu'il aime, mais, effrayé par l'inceste, il ne songe pas, jusqu'au jour où il la perd, à la prendre effectivement pour femme. Si les détails ne le sont pas, le bilan, en somme, est banal. La richesse du livre naît de la manière tendre, poétique, moqueuse, bavarde et subtile dont le portrait est tracé, et racontée l'histoire. Audiberti sait échapper aux conventions. Il a l'art de traiter sérieusement son sujet sans écrire une seule de ces pages disertes mais graves qu'un honnête et estimable romancier, convaincu qu'elles sont indispensables pour aller au fond des problèmes abordés, nous aurait assenées. Il s'exprime aussi intensément, mais en s'amusant et comme sans y toucher. Toute une vie se déroule devant nous, on en sent le poids, les brèves joies et les longues misères. Mais pas un instant on n'en est accablé : une douce fantaisie et une curieuse rosserie rose font voltiger ça, comme papillons au printemps.

JARDINS INTÉRIEURS (Les) [*Los jardines interiores*]. Livre de vers du poète mexicain Amado Nervo (1870-1919), publié en 1906. Dans une langue des plus fluides, le poète chante sa propre vie : on trouve ici le Mexicain sensuel jusqu'au délire, qu'apaise toutefois par moments quelque flamme de mysticisme. Comme les volumes postérieurs : *Sérénité* [*Serenidad*, 1914], *Élévation* [*Elevación*, 1916] et *Plénitude* [*Plenitud*, 1918], ces *Jardins intérieurs* offrent une preuve certaine des possibilités créatrices de Nervo, poète à la palette très riche et d'une extrême sensibilité. Ce n'est pas seulement l'amour qui donne le branle à son émotion ; son œil se montre attentif aux plus humbles choses : sensations fugitives, méditations sur le mystère de l'existence, introspections (d'où le titre du livre). Il y a même quelques passages pleins de verve, et c'est une des notes les plus suggestives du poète, parce qu'elles ne jurent pas avec le reste de son œuvre, mais se fondent dans une harmonie assez rare : « J'ai aimé, je fus aimé, le soleil a caressé ma figure. / Ô vie, tu ne me dois rien ! Vie, nous sommes en paix. » Le volume contient en outre l'hommage d'un républicain à un roi. En effet, l'auteur, se trouvant à Madrid pour les noces d'Alphonse XIII, adressa aux époux un Épithalame. Ainsi, après Rubén Darío, qui déjà y avait été triomphalement accueilli, un autre Américain s'imposait à l'attention et à l'admiration de la vieille Espagne.

JARDIN SUR L'ORONTE (Un). Roman de l'écrivain et homme politique français Maurice Barrès (1862-1923), publié en 1922. L'auteur nous dit avoir rencontré en juin 1914, dans une petite ville de Syrie, un jeune archéologue irlandais, et celui-ci lui a raconté une histoire d'amour du XIIIe siècle qu'il était en train de déchiffrer dans un vieux manuscrit arabe. Dans la ville de Qalaat-el-Abidin — « la forteresse des Adorateurs » — vivait un puissant émir au milieu d'une cour fastueuse. Ayant reçu de bonne grâce une ambassade des chrétiens de Tripoli qui désiraient établir avec lui des rapports de bon voisinage, il se prend de sympathie pour celui qui la conduit, un chevalier français de vingt-quatre ans, sire Guillaume, et lui fait admirer toutes les splendeurs de sa vie princière. Dans le jardin enchanteur que baignent les eaux de l'Oronte, le chevalier est séduit par le spectacle de tant de beauté et de luxe, et il est particulièrement charmé par la grâce d'une jeune Sarrasine qui, sur l'ordre de son Seigneur, lui fait entendre son chant dans le mystère de la nuit. La jeune femme, Oriante, avoue à Guillaume l'amour qu'elle éprouve pour lui et auquel personne ne pourrait résister. Mais la ville est soudainement assiégée par les troupes du prince chrétien d'Antioche, et Guillaume conseille une résistance acharnée dans la forteresse. Après la mort mystérieuse de l'émir — sans doute frappé par l'un des siens —, le Français est choisi comme chef de la ville et Oriante se révèle une amante tendre et passionnée. Lorsque la ville est sur le point de tomber aux mains des chrétiens, Guillaume tente de fuir avec sa maîtresse, mais celle-ci l'abandonne pour s'unir, plus tard, au prince d'Antioche auquel elle avait livré la ville, cédant à son goût de la richesse et du pouvoir. Guillaume, disparu un temps, revient dans la ville sans être reconnu et il est reçu à la Cour. Ayant appris la trahison de la Sarrasine, il offense le prince et les chrétiens, ses coreligionnaires ; il est alors mortellement blessé. Mais, à ses derniers instants, Oriante, éplorée, lui dit tout son amour : la passion a triomphé du goût des richesses et de la puissance, la passion qui contient en elle la joie et la douleur, la volupté et la mort. Ce récit limpide, au style simple et coloré, accentue chez l'auteur la tendance au pathétique et à la psychologie d'exception, en mettant en relief l'importance de la fatalité dans la vie humaine. Ce roman est considéré comme une des œuvres de Barrès les plus riches et les plus chargées de passion avec *Du sang, de la volupté et de la mort* (*).

JARRE (La) [*La giara*]. Pièce en un acte de l'écrivain italien Luigi Pirandello (1867-1936), tirée du récit portant le même titre – v. *Nouvelles pour une année* (*) – et représentée en 1917. Nous retrouvons ici un Pirandello joyeux et campagnard ; ses qualités y atteignent à une grâce parfaite et le mot d'esprit jaillit spontanément. Une jarre toute neuve appartenant à don Lolô Zirafa s'est soudainement brisée, à la grande stupéfaction du propriétaire qui, à tout hasard, a emmené avec lui à la campagne son avocat pour le consulter sur ce qu'il y a lieu de faire. Ils chargent alors Zi'Dima le bossu de la réparer. L'homme s'introduit dans la jarre pour la raccommoder ; mais il ne peut en ressortir à cause de sa bosse, le col du récipient étant trop étroit. Devant ce spectacle, don Lolô appelle une deuxième fois son avocat, d'autant plus que, pour en sortir, le bossu crie qu'il veut casser la jarre. S'il la casse, décrète le maître, il devra la payer. Alors le vieillard, ayant fait allumer sa pipe, s'allonge dans la jarre, bien décidé à gagner la partie. La vue d'une telle impudence fait entrer don Lolô en fureur, et il envoie la jarre se briser contre un arbre ; le bossu en sort indemne. Se déroulant dans une atmosphère bouffonne, cette charmante comédie ne soulève aucun problème. L'auteur lui-même se moque avec grâce et légèreté de ses personnages ; figés d'abord en une formule trop théâtrale, ils se libèrent bientôt en se livrant au divertissement de la danse : solution rarement adoptée par Pirandello, mais chère à une longue tradition à laquelle l'auteur a eu souvent recours. – Trad. Gallimard, la Pléiade, t. I, 1977.

★ De *La Jarre* de Pirandello, le musicien italien Alfredo Casella (1883-1947) a tiré une comédie chorégraphique en un acte, à laquelle il a conservé le même titre. Elle fut représentée à Paris en 1924, avec mise en scène de Giorgio de Chirico. C'est une des productions les plus savoureuses de cette tendance qui poussa, pendant un certain temps, la musique moderne sur la voie de ce que l'on a appelé le nationalisme musical, c'est-à-dire la recherche et l'utilisation du patrimoine populaire mélodique et rythmique. Et cela, non pas tant pour des motifs sentimentaux ou politiques (comme ce fut le cas au XIXe siècle), mais plutôt par une espèce de retour aux sources, par goût aussi de la simplicité. Parmi la foule d'artistes de tous les pays qui rivalisaient de talent dans le Paris de l'après-guerre, il n'existait pas de meilleure façon de se distinguer que celle de se rechercher soi-même dans l'expression musicale instinctive de son propre pays. Ainsi – curieux paradoxe – l'internationalisme parisien alimentait un art offrant des caractères nettement nationaux. Autour de l'étrange aventure de Zi'Dima, le ballet crée un climat d'exaltation orgiaque, avec les vociférations des paysans et des paysannes, les allées et venues des belles et vives jeunes filles, le ciel et le soleil de la Méditerranée, le parfum de la nuit sicilienne. La musique suit et commente l'action ; elle accompagne les principaux personnages avec des thèmes caractéristiques, elle décrit et souligne avec humour les gestes qui ont lieu sur la scène ; mais, en réalité, elle a grande envie d'être libre et saisit toutes les occasions de danses, de mouvements de foule qu'offre la comédie pour créer des épisodes dont chacun a une valeur en lui-même – ce qui permit plus tard à Casella d'en tirer pour le concert une belle « suite » pour orchestre. Tels sont le Prélude, la grande danse du « Chiovu » (danse silicienne à 6/8, analogue à la tarentelle), la chanson de la jeune fille enlevée par les pirates (un authentique chant sicilien, qu'une voix lointaine fait entendre dans la nuit, tandis que Zi'Dima, prisonnier dans la jarre, fume philosophiquement sa pipe, laissant échapper de grosses bouffées de fumée), enfin la grande Danse finale.

Ces tumultueuses danses collectives sont la grande réalisation de *La Jarre* : partant d'un thème avant tout humoristique de tarentelle, elles atteignent, grâce à la persistance implacable du rythme, à l'expression d'une ivresse dionysiaque, d'une bonne humeur pantagruélique et brutale, d'une santé physique débordante. Chez Casella, naturellement, ce débordement de rythme est relevé par les ressources combinées d'une harmonie, qui attaque délibérément les lois de l'euphonie, et d'une instrumentation magistrale. Celle-ci, en effet, réussit à faire oublier une indéniable dureté dans la sonorité et même à en tirer des effets très colorés. Nous sommes alors tout près de pouvoir saisir ce qui forme le secret de cette œuvre : un équilibre heureux entre la simplicité et le raffinement, entre la pérennité de la terre et le caractère éphémère de la mode.

JARRE PEUT-ELLE ÊTRE PLUS BELLE QUE L'EAU (La) ? Sous ce titre le poète français Paul Éluard (pseud. d'Eugène Grindel, 1895-1952) a réuni, en 1951, quatre recueils de poèmes qu'il avait précédemment publiés sous les titres de : *La Vie immédiate* (1932), *La Rose publique* (1934), *Les Yeux fertiles* (1936) et *Cours naturel* (1938). Quelques-uns des plus beaux poèmes de *Capitale de la douleur* (*) et de *L'Amour la poésie* (*) avaient été inspirés à Paul Éluard par son amour pour sa compagne, Gala. Dans *La Vie immédiate* le poète nous confesse, en des poèmes en prose, admirables de densité, la décrépitude de cet amour : « Au terme d'un long voyage peut-être n'irai-je plus vers cette porte que nous connaissions tous deux si bien, je n'entrerai peut-être plus dans cette chambre où le désespoir et le désir d'en finir avec le désespoir m'ont tant de fois attiré. » Les efforts pour sauver le bonheur ancien n'ont fait que précipiter sa perte : « Pour me trouver des raisons de vivre, j'ai tenté de détruire mes raisons de t'aimer. Pour me trouver des raisons de t'aimer, j'ai mal vécu. » Mais l'échec final d'une union ne supprime pas les pouvoirs magiques de l'amour et les femmes — « Une ou plusieurs / Le visage ganté de lierre / Tentantes comme du pain frais / Toutes les femmes qui m'émeuvent » — tiennent une grande place dans *La Vie immédiate.*

Entre *La Vie immédiate* et *La Rose publique* nous trouvons une « Critique de la poésie » qui annonce toute l'évolution ultérieure du poète : « C'est entendu je hais le règne des bourgeois / Le règne des flics et des prêtres / Mais je hais plus encore l'homme qui ne le hait pas / Comme moi / De toutes ses forces. / Je crache à la face de l'homme plus petit que nature / Qui à tous mes poèmes ne préfère pas cette Critique de la poésie. »

La Rose publique contient probablement les plus beaux poèmes surréalistes de Paul Éluard, poèmes dont la magnificence verbale et la souveraine liberté apparaissent dans des titres tels que : « Une personnalité toujours nouvelle, toujours différente, l'amour aux sexes confondus dans leur contradiction, surgit sans cesse de la perfection de mes désirs. Toute idée de possession lui est forcément étrangère. » L'inspiration d'Éluard s'est considérablement élargie et, si le désespoir est à nouveau présent dans son œuvre, du moins le poète n'est-il plus coupé des autres hommes et participe-t-il à une misère commune à tous. Aussi ces poèmes pleins de visions insolites, de cris de révolte et appelant cependant à une possible fraternité humaine évoquent assez bien cette « nuit de métamorphose » dont nous parle le poète : « avec des plaintes des grimaces / Et des rancunes à se pendre ».

Le recueil *Les Yeux fertiles* est dominé par une figure de femme, Nusch, à laquelle il est d'ailleurs dédié. Nusch, « pâle et lumineuse », participe à la vie de la nature, possède cette force vitale, ce pouvoir sur les êtres et les choses qu'Éluard salue toujours dans la femme : « Tu es l'eau détournée de ses abîmes / Tu es la terre qui prend racine / Et l'eau sur laquelle tout s'établit. » Ce nouvel amour précipite l'évolution du poète. Son œuvre se fait plus claire, simple et accessible à la compréhension immédiate que dans les recueils précédents. Le bonheur a chassé les ombres malfaisantes qui hantaient encore *La Rose publique* et la possibilité d'édifier un univers heureux, qui n'avait été jusqu'alors qu'entrevue, est maintenant affirmée : « Je travaille / Pour une nuit qui n'est pas la dernière / Mais sûrement la première sans terreur / Sans ignorance sans fatigue. » Dans « La tête contre les murs » Éluard juge le passé : « Ils n'étaient que quelques-uns / Sur toute la terre / Chacun se croyait seul / Ils chantaient, ils avaient raison de chanter / Mais ils chantaient comme on saccage / Comme on se tue » — et laisse pressentir qu'à la Révolte va succéder l'espoir en la Révolution.

Cours naturel prolonge, en l'élargissant et l'approfondissant, l'inspiration des *Yeux fertiles.* Éluard s'est complètement dégagé du désespoir, il se tourne vers l'avenir : « Le ciel s'élargira / Nous en avions assez / D'habiter dans les ruines du sommeil... La terre reprendra la forme de nos corps vivants. » Cet avenir, il faut qu'il offre aux hommes un bonheur neuf : « Nous aborderons tous une mémoire nouvelle / Nous parlerons ensemble un langage sensible. » Mais, dès maintenant, pour le poète, la solitude est brisée ; les hommes, les éléments fraternisent avec lui : « Et je ne suis pas seul / Mille images de moi multiplient ma lumière / Mille regards pareils égalisent la chair / C'est l'oiseau c'est l'enfant c'est le roc c'est la plaine / Qui se mêlent à nous. » La mission du poète consiste à « tout dire », à dénoncer la peine des hommes, l'injustice et la haine. Aussi quelques-uns des plus beaux poèmes de *Cours naturel* sont-ils des poèmes de circonstance directement inspirés par l'actualité. Le plus célèbre d'entre eux est sans nul doute « La Victoire de Guernica ». En 1937, au cours de la guerre d'Espagne, la ville de Guernica, qui symbolisait les libertés basques, avait été anéantie par l'aviation allemande au service des nationalistes. Le poème d'Éluard, en quelques vers sobres et dépouillés, évoque de façon hallucinante ce bombardement méthodique d'une population civile qui préfigurait les actes les plus odieux de la prochaine guerre mondiale.

JĀTAKA [*« Nativités » ou Histoire des naissances précédentes* (du Buddha)]. Texte bouddhique indien, du canon pâli, très important non seulement au point de vue religieux, mais également comme œuvre littéraire, riche d'éléments précieux pour l'histoire de la culture indienne et de la littérature comparée. Les contes que ce livre renferme sont aussi appelés *Histoires du Bodhisattva,* c'est-à-dire histoires de l'homme qui — après plusieurs vies passées dans le vaste cycle des existences — était destiné à en vivre une, durant laquelle il aurait obtenu la clairvoyance, en s'identifiant au Buddha, le fondateur du bouddhisme. Dans les nombreuses existences qu'il avait vécues auparavant, il avait dû revêtir des formes de vie les plus variées : animal, homme, dieu ; aussi, chacune de ces *Jātaka* est une histoire où, parmi les différents personnages, le Bodhisattva est toujours présent. Quelquefois, il est la figure principale du conte, parfois une figure de second plan, ou même un simple spectateur. Le texte, tel qu'il est arrivé jusqu'à nous, contient cinq cents *Jātaka* , parmi lesquels les plus anciens remontent au IIIe siècle av. J.-C.

et peut-être même plus avant. L'ampleur du recueil démontre l'importance attribuée à juste titre, par les moines bouddhistes, aux contes et légendes, en tant que matériel de propagande, et la grande facilité avec laquelle ce matériel littéraire très varié pouvait — avec quelques légères retouches — être employé dans un but d'éducation morale et religieuse. Les *Jātaka* ont une structure uniforme constante en quatre parties : fixation du moment à l'occasion duquel le Buddha a narré le *Jātaka* en question ; histoire du passé, c'est-à-dire la partie essentielle du *Jātaka ;* une ou plusieurs strophes qui concrétisent le point central de la situation présente [1] ou de l'histoire du passé [2] qu'il s'agit de mettre en valeur ; conclusion, par laquelle est obtenue l'identification des personnages de la situation présente [1] avec ceux de l'histoire du passé [2]. Dans les limites de ce cadre formel, nous trouvons une adaptation de nombreux morceaux littéraires de genre narratif (fables, contes, nouvelles, anecdotes, légendes, etc.), dont une grande partie n'est pas d'origine bouddhique. Il est très intéressant d'établir des comparaisons avec des œuvres fameuses de la littérature indienne, comme par exemple le *Pañcatantra* (*) et le *Hitopadeça* (*). Le recueil des *Jātaka* est, parmi tous les textes du canon pâli, celui qui a eu, et a encore aujourd'hui, la plus grande diffusion parmi les populations de religion bouddhique. Trad. en anglais par E. B. Cowell, assisté d'autres savants (Cambridge, 1895-1907) ; et en allemand par J. Dutoit (Leipzig, 1908-1921). — Trad. *Choix de Jātaka ,* Gallimard, 1958.

JAUNE, BLEU, BLANC. Recueil de proses de l'écrivain français Valery Larbaud (1881-1957), publié en 1928. Comme *Aux couleurs de Rome* (*), c'est un ensemble, en apparence disparate, d'essais, de notes de voyage, d'impressions rapides saisies dans tous les paysages du continent (Italie, Espagne, Portugal, Angleterre, Paris, Bourbonnais). Larbaud ne fait point un voyage d'études : il se laisse aller, réfléchit, compare, en bref trouve partout une humanité qui l'enchante. À Florence, il s'émerveille du langage toscan, qui sait se jouer, en maître désinvolte, de ses mots trop littéraires pour des régions à dialecte. À Recanati, il arrive avec l'impression fâcheuse que lui avait laissée naguère Leopardi : une Recanati de rêve ou de cauchemar, où le poète brisait ses ailes contre des barreaux, dans la vulgarité des habitants, « provinciaux rudes et généralement barbus ». Mais Recanati retrouvée, découverte sous sa voûte d'azur, prend un visage plus propice, et Larbaud avoue qu'elle « n'est pas tellement inhabitable ». Dans un autre voyage, avec un vieux carnet de 1912 retrouvé, il se plaît à reconstituer une journée passée jadis à Côme. À Orta, où la « grande ombre de Samuel Butler » ne cesse de l'accompagner, il connaît la lassitude de la vie nomade, et Scève l'avertit que c'est « un vain travail de voir divers pays ». Comment pourrait-il cependant ne pas se remettre en route ? Un court passage en Angleterre, dans le Warwickshire, au moulin abandonné d'Inigo Jones, où il écoute le « vrai cœur de l'Angleterre », et le voici dans une région nouvelle, encore inconnue : le Portugal et Lisbonne qui l'enchante avec ses palais, ses belles filles, ses chansons populaires. Il apprend la nouvelle langue, comme on succombe à une invincible et douce tentation, à une fantaisie de jeune homme : aventure véritable qui commence avec l'indifférence et l'intérêt croissant du roman étranger, acheté au hasard, et qu'on n'a de cesse, ensuite, d'avoir lu jusqu'au bout. Ici le souvenir complète l'observation : ce que le voyageur n'avait d'abord point remarqué, il le retrouve plus tard. Larbaud s'intéresse aussi à la nouvelle littérature : Unamuno, Juan Ramón Jiménez, Angel Ganivet ; il nous découvre un projet de roman qu'il fit là-bas : *Sa moitié d'orange.* Il revient à Paris, mais sans rien abandonner de son enrichissement européen : la capitale de son rêve serait augmentée des « dix autres grandes villes où nous avons cherché, comme ici, le bonheur, et l'amitié, et l'amour, et la solitude, et nous-mêmes... ». Parisien accompli, tel est bien Larbaud, « dont l'horizon s'étend bien au-delà de sa ville ; qui connaît le monde et sa diversité... ». Amoureux de sa ville, mais sans indulgence, il brosse férocement des esquisses de types parisiens. Le « petit-bourgeois à barbiche, à lorgnon et à ventre », vestige du premier « entre-deux-guerres » ; la jeune fille émancipée, « blonde et d'aspect fragile, mais capable de subir les plus rudes assauts avec un soupir... ». Où qu'il aille, Larbaud n'est nulle part un étranger voyageur, il ne recherche point l'exotisme. Ce mot paraîtrait dénué de signification à son égard. Ce qui étonne, c'est la souplesse de cet esprit, qui nous dit qu'il a lui aussi sa terre et ses morts, mais à travers tout le continent. « Touriste dans son propre pays », il sait s'unir avec toutes ces humanités différentes de la vieille Europe. Il le fait avec la virtuosité d'un esprit léger, immatériel, et pourtant extrêmement sensible, il se plaît à rassembler les couleurs les plus diverses.

JAUNE DE CHROME [*Crome Yellow*]. Premier roman de l'écrivain anglais Aldous Huxley (1894-1963). Lorsqu'il parut en 1921, l'après-guerre crut qu'elle avait trouvé son romancier au même titre que Morand ou Giraudoux. Par la fantaisie, la grâce et l'écriture, cette satire nuancée d'une Angleterre puritaine et esthète constitue un début remarquable. « Crome » est le nom de la maison de campagne du riche Henry Wimbush, et c'est là que le héros, un jeune et timide poète amoureux de la nièce du maître de maison, va séjourner comme invité. Dennis, tout en courtisant Anne, nous fait faire la connaissance de personnages fort originaux : Priscilla Wimbush s'adonne à l'occultisme, passe son temps à dresser les horoscopes des bridgeurs ou à parier aux courses. Son amie Jenny Mullion, vieille fille qui s'isole dans la tour d'ivoire de sa surdité, emplit de caricatures ses carnets intimes. Henry Wimbush est un esthète : il ne jure que par les primitifs italiens, rédige l'histoire de ses ancêtres et inflige à la compagnie la lecture de son manuscrit dont le ton romanesque rappelle un XVIIIe siècle désuet. Son ancien camarade de collège, Mr. Scogan, empêche Dennis de courtiser Anne en lui exposant ses principes rationalistes pour un gouvernement idéal. Anne est le seul personnage qui ait pour philosophie de « jouir des plaisirs de la vie et d'en fuir les souffrances ». Un esprit très mûr se cache derrière sa grâce enfantine, aussi préférera-t-elle le peintre Gombauld au jeune idéaliste qui lui parle de la vanité de l'existence. Dans cette galerie de types de conceptions de l'existence que traverse Dennis, Ivan et Mary représentent la liquidation des préjugés sexuels. Férue de psychanalyse, de cubisme et de contrôle des naissances, la jeune Mary n'en est pas moins une petite innocente refoulée. Ivan lui révèle l'amour physique et l'aide à se dégager de son éducation puritaine, mais ce sera pour la laisser en proie à une « détresse nouvelle et profonde » au lieu de lui apporter la paix qu'elle escomptait. À l'issue du grand bal donné au village, Dennis surprend Anne dans les bras de Gombauld. Tout à sa jalousie il court au sommet de la vieille tour pour se suicider. La rencontre opportune de Mary, qui le console en lui confiant son propre chagrin, le sauve. Il se contraint à quitter ses hôtes, regrettant en vain son départ quand Anne, déçue par le peintre, esquisse un mouvement pour revenir à lui. L'intrigue sentimentale n'est qu'un prétexte qui permet à Huxley de dresser une galerie de portraits modernes, de peindre un monde creux dans lequel les aspirations spontanées se font difficilement jour. La prose subtile des dialogues se double d'une ironie amusée dans la description : le vieux Scogan ressemble ainsi à « l'un de ces oiseaux-lézards de l'ère tertiaire » ; l'aristocrate Wimpole « au visage de chapeau melon » regrette que tous les villageois ne soient pas morts car il aurait eu le plaisir plus agréable de lire le récit de la fête ! Léger par élégance, mondain plus que désillusionné, l'auteur crée un monde encore charmant et riant, tandis que sa critique va bientôt se faire plus âpre dans *Marina di Vezza* (*). — Trad. Renaissance du Livre, 1928 ; 10-18, 1981.

J'AURAIS DÛ RESTER CHEZ NOUS [*I Should Have Stayed Home*]. Roman de l'écrivain américain Horace Mac Coy (1897-1955), publié en 1938. Dorothy, Mona, Ralph, trois parmi des centaines, trois piètres figurants de la grande kermesse d'Hollywood. La gloire, l'argent coulent à portée de la main, mais l'espoir ne paie pas. Pour avoir volé à la tire dans un grand magasin, Dorothy est condamnée à plusieurs années de prison ; Mona insulte le juge, mais cet éclat de révolte ne paie pas non plus, simplement il soulève la curiosité de la richissime Mme Smithers, qui invite Mona et Ralph à l'une de ses fameuses soirées où se presse le tout-Hollywood. Ralph est très beau ; Mme Smithers décide de se l'offrir. Se prostituer, Ralph y est tout prêt pourvu que le succès soit au bout, car il a une idée fixe : ne pas rentrer chez lui (sa ville de province) avant d'être devenu une vedette. Mais tous les moyens ne sont pas bons pour les êtres simples et naturels comme Ralph, il se trouve pris au piège, sans plus, se débat, se blesse, et, faute de savoir jouer la comédie qu'on exige de lui, il se retrouve bientôt à son point de départ, c'est-à-dire dans l'ombre anonyme de la misère. Dorothy s'est pendue dans sa cellule ; Mona épouse, sur petite annonce, un fermier des montagnes ; quant à Ralph, il déclare pour conclure : « J'aurais dû rester chez nous. » Moins sobrement réussi que *On achève bien les chevaux* (*), ce roman de Mac Coy a cependant un grand pouvoir dramatique, grâce au dynamisme du style, à l'exactitude des situations. Le tableau du sous-prolétariat fabriqué par la presse à sensation du cinéma et par la fascination d'Hollywood est une satire amère et saisissante. C'est encore une peinture de l'enfer que propose Mac Coy, celui d'une société uniquement préoccupée de jouir et de paraître, au mépris des valeurs dont elle se fait un abri, au mépris de l'homme. — Trad. Gallimard, 1948.

JAVANAIS (Les). Roman de l'écrivain français Jean Malaquais (né en 1908), publié en 1939. Une mine de plomb et d'argent relativement riche et d'exploitation facile est dirigée par un aventurier anglais, Theobald John K. Kerrigan, qui ignore tout des problèmes d'exploitation. Quoique fort délabré et d'âge vénérable, le puits, situé sur les bords mêmes de la Méditerranée, à quelques kilomètres au sud de Vaugelas, occupe deux cents ouvriers, tous des étrangers, plus cinq porions, un pointeau, un employé aux écritures. « Île de Java » est le nom donné au camp des mineurs et à leurs sinistres baraquements. C'est là que vivent les Javanais Elahaune ben Kalifa et Daoud Halima, et leurs amis : trois Polonais, les plus forts buveurs de Java, amis inséparables, musiciens et équilibristes, André Kurek, Stéphane Angi et Jean Paderewski, l'Arménien Kamo Alboudizian, l'ingénieur russe Vassili Pavlovitch Belsky, sa femme et sa fille Élisabeth, des Italiens, des Arabes, des Bulgares, des Grecs, Karl Müller l'Autrichien, Hans von Taupfen l'Allemand et Magnus-le-Docteur, le Juif ukrainien. Tout autour de la mine et de l'Île de Java, quelques cafés et restaurants : ultimes lieux de repos tenus par les commerçants les plus rusés — Mme Michel, Estève et ses « femmes », Simone et Miranda. Jean Malaquais situe, décrit, questionne chaque personnage, de telle sorte que le roman apparaît comme une immense ronde de destins, de vies s'entrecroisant. Les mineurs, tant dans le puits que dans les baraquements, souffrent ignoblement et cherchent à s'abrutir tantôt par les femmes, tantôt par le travail (ils font dix heures de mine). Chaque journée de travail est assez exténuante pour ne plus laisser place ni au dégoût ni au cafard.

Cependant, ces hommes venus d'ailleurs sont habités par la fièvre du changement et du voyage. C'est cette mystique, cette convoitise d'affamé que l'on lit dans leurs yeux et que Jean Malaquais veut rendre à travers une succession d'histoires. Lorsque la mine ferme ses portes, les ouvriers se voient obligés de quitter l'Île de Java, laissant derrière eux, « comme on laisse une ville, un monument qui demeure ». De nouveau, pour eux, le voyage commence. Ce roman, profondément humain, fraternel, devait recevoir l'année de sa publication le prix Renaudot.

J.B. Cette pièce, publiée en 1958, valut au poète américain Archibald MacLeish (1892-1982) son troisième prix Pulitzer. Fort différent par son sujet des pièces engagées que l'auteur, inspiré par ses conceptions radicales, composa durant la crise économique des années 30, ce drame ressemble cependant par sa forme à *Panique* [*Panic*, 1935], *La Chute d'une ville* [*The Fall of a City*, 1937] ou *Raid aérien* [*Air Raid*, 1938].

Il s'agit en effet d'une œuvre en vers. Les initiales qui composent le titre sont tirées du nom de Job. Le héros est cet homme d'une fidélité infaillible dont les épreuves emplissent tout un livre de *La Bible*. L'auteur transporte au XXe siècle cette vieille histoire biblique d'affirmation de la justice de Dieu et de la foi de l'homme au milieu des déchaînements injustifiés de l'adversité. La première scène se situe dans le décor réaliste d'un cirque ambulant : le garçon de piste Nickles et le vieil acteur Mr. Zeuss (dont les noms mêmes sont symboliques) s'amusent, à la suite d'une discussion, à revêtir des masques abandonnés à la fin d'un numéro. Le premier personnifie le refus satanique, le second la puissance divine. Cette pièce à l'intérieur de la pièce va engendrer la tragédie de Job. En effet, le dialogue entre l'esprit de l'affirmation et celui de la raillerie suscite son apparition : amené par la conversation, nous le voyons dans sa richesse et sa splendeur premières, entouré d'une nombreuse maisonnée. Bientôt les calamités s'abattent sur lui : mort violente de ses quatre enfants ; effondrement de son commerce prospère ; destruction de la cité dans la guerre atomique ; maladie qui s'ajoute à la dérision que provoque autour de lui son humiliation présente. Il cherche à comprendre cet absurde acharnement du destin. Un prêtre, un psychologue et un historien lui offrent tour à tour une explication aussi peu satisfaisante que la Voix du tourbillon, sorte d'émanation des forces panthéistes. Cependant Job se refuse à « maudire Dieu et mourir », comme son épouse l'y engage. Sa foi ne succombe pas à la tentation du désespoir et la fin du « miracle » célèbre son triomphe. Cette réelle réussite de la poésie dramatique moderne, mise en scène par Kazan dans un décor de cirque, obtint à Broadway un grand succès.

JEAN BAROIS. Roman de l'écrivain français Roger Martin du Gard (1881-1958), publié en 1913. Dans un projet de préface, Martin du Gard résume ainsi son livre : « L'auteur s'est efforcé de présenter, sous un jour impartial, la courbe psychologique d'une âme qui, façonnée par les croyances de son enfance, s'étant librement développée et dégagée de toute croyance, revient à la fin de sa vie aux espérances consolantes de sa jeunesse. » Jean Barois est né vers 1866 dans une famille bourgeoise où les femmes sont très pieuses. Il connaît ses premiers doutes vers la quinzième année, et ceux-ci ne cesseront de grandir malgré son attachement pour une jeune fille très croyante, Cécile. Jean vient à Paris pour y étudier la médecine. Un abbé lui propose un compromis qui lui permet d'accepter provisoirement les difficultés de la religion. Barois entreprend une agrégation de sciences naturelles. Puis il épouse Cécile, mais très vite le mariage lui pèse. Devenu professeur dans un établissement dirigé par des ecclésiastiques, il se trouve contraint à donner sa démission à la suite d'une leçon sur le transformisme. Sa femme ne voulant pas être l'épouse d'un apostat, ils se sépareront, Cécile conservant la garde de leur fille Marie. Barois fonde alors une revue de philosophie positive et de sociologie, *Le Semeur*. Il se recommande d'un grand aîné, Luce, qui avait autrefois entrepris des études de théologie et les avait abandonnées, faute de vocation. *Le Semeur* joue un grand rôle pendant l'affaire Dreyfus. En 1900, la revue s'est développée au point d'occuper tout un immeuble rue de l'Université. Barois prononce une conférence au Trocadéro sur l'« avenir de l'incroyance ». Toutefois, lorsqu'il est victime d'un accident, les premiers mots qui lui viennent sont ceux d'une prière. Il rédige alors un testament spirituel pour renier ce qu'il pourra dire plus tard quand l'âge et la maladie l'auront diminué. La maladie — des malaises cardiaques — vient assez vite. Parallèlement, il poursuit une politique éditoriale qui lui vaut des désabonnements. On lui reproche de faire passer la vérité avant l'efficacité. C'est le commencement de son désaccord avec les jeunes lecteurs du *Semeur*. Atteint de pleurésie, il éprouve l'angoisse de la mort. Les satisfactions de la raison ne lui suffisent plus. Il abandonne sa revue. Cependant il a revu sa fille, qui veut devenir religieuse. Fort séduit par elle, il accepte, à sa demande, de reprendre la vie commune avec Cécile. Le temps du travail est passé. Barois, malade, revient peu à peu à la foi de son enfance et agonise dans la peur, tandis que Luce meurt dans la sérénité. Cécile se sentira le droit de détruire le testament spirituel de son mari. Ce roman est presque entièrement écrit en scènes dialoguées. Cette forme, qui rappelle le découpage cinématographique, était tout à fait nouvelle à l'époque.

JEAN-CHRISTOPHE. Vaste roman cyclique de l'écrivain français Romain Rolland (1866-1944), publié de 1904 à 1912 en dix-sept fascicules dans les *Cahiers de la quinzaine* (*), où l'auteur avait déjà fait paraître, depuis 1898, plusieurs drames ainsi que son *Beethoven* et où il devait donner, pendant la parution des fascicules de *Jean-Christophe,* sa *Vie de Michel-Ange* (*). *Jean-Christophe* fut ensuite publié en dix volumes. La trame fondamentale du roman est faite de la vie de Jean-Christophe. Musicien, fils de musiciens, il naît dans une petite ville paisible de Rhénanie ; le monde merveilleux que l'enfant découvre peu à peu autour de lui, ses premières impressions confuses, les figures familières qui l'entourent, puis la révélation de la musique et de son pouvoir, son apprentissage musical jusqu'à son adolescence, ses premières amours et l'initiation graduelle à la douleur et à l'injustice, tout cela forme la matière des trois premiers livres : « L'Aube », « Le Matin », « L'Adolescence ». Dans le quatrième livre, « La Révolte », qui comprend trois parties : « Les Sables mouvants », « L'Enlisement », « La Délivrance », l'auteur s'insurge contre toutes les idoles consacrées par la tradition, en nous montrant la noblesse et le désintéressement absolu des aspirations de son héros. Mais Jean-Christophe s'étiole dans l'étroit milieu germanique où il est d'ailleurs incompris. Il aspire à une vie plus libre, à de plus vastes horizons. Il rêve de la France. Se trouvant un jour impliqué dans un bagarre entre paysans et soldats, il tue un officier. Il court chercher refuge à Paris. Ses années parisiennes sont l'objet des trois autres livres groupés sous le titre de « Jean-Christophe à Paris » ; ce sont : « La Foire sur la place », « Antoinette », « Dans la maison ». Nous assistons aux luttes très dures et aux découragements du héros, qui cherche à faire son chemin dans les milieux artistiques et intellectuels de la capitale. Il découvre un ami en la personne d'Olivier Jeannin ; sentant la parenté de leurs esprits et la communauté de leurs aspirations, les deux jeunes gens décident de vivre ensemble. Ils ne se quittent plus jusqu'au mariage d'Olivier. Cette union malheureuse, qui aboutit, quelques années plus tard, à la séparation des époux, fait l'objet du volume suivant : « Les Amies ». Mais ce dernier livre, ainsi que « Le Buisson ardent » et « La Nouvelle Journée », appartient déjà à la fin du cycle qui porte le titre général de « La Fin du voyage ». Olivier meurt au cours d'une émeute ; Jean-Christophe, qui, lui aussi, y a pris part, est contraint de gagner la Suisse où, fou de douleur et désespéré, il traverse une période de profond trouble intérieur. Une aventure équivoque, ses amours avec Anna Braun le conduisent au bord du suicide ; mais il réagit avec toute sa robuste santé morale et s'enfonce dans la solitude des âpres montagnes. C'est là qu'il retrouve enfin l'équilibre et l'inspiration qui l'avait fui si longtemps. Il a passé à travers le « buisson ardent » et il a entendu la voix de Dieu ; son âme finit par s'apaiser après tant d'orages. Finalement, la sublime amitié amoureuse qu'il éprouve pour une femme qu'il avait connue dans sa jeunesse, la découverte de l'harmonie et de la lumière méditerranéennes lui permettent de prodiguer l'amour à ceux qui l'entourent et de chanter un hosanna à la vie et à la mort. En terminant son œuvre, Romain Rolland, résolument pacifiste (il devait en donner la preuve pendant la guerre de 1914-1918), la dédie « Aux âmes libres — de toutes les nations — qui souffrent, qui luttent, et qui vaincront ». Dans la Préface du dernier volume, il déclare : « J'ai écrit la tragédie d'une génération qui va disparaître. Je n'ai rien cherché à dissimuler de ses vices et de ses vertus, de sa pesante tristesse, de son orgueil chaotique, de ses efforts héroïques et de ses accablements » ; et il ajoute : « Hommes d'aujourd'hui, jeunes hommes, foulez-nous aux pieds et allez de l'avant. Soyez plus grands et plus heureux que nous. »

Cette œuvre se présente donc comme un message d'une génération à la suivante, et Romain Rolland a voulu y mettre toute l'expérience de sa propre vie ; il a entendu donner une vision complète, à la fois critique et lyrique, du monde intellectuel français et européen, depuis la fin du XIXe siècle jusqu'aux premières années du XXe siècle, en passant en revue toutes les passions et toutes les idéologies qui ont animé cette époque et tous les événements qu'elles provoquèrent. De cet ambitieux propos découlent la complexité de l'œuvre, mais aussi sa confusion. Certaines parties ont singulièrement vieilli : le cinquième livre, par exemple, qui n'est qu'un exposé des polémiques du temps ; d'autres passages également, qui traitent de questions sociales, morales et même artistiques. Mais, en dépit de ces faiblesses évidentes, tout le cycle s'impose au lecteur par le souffle spirituel ardent qui le vivifie d'un bout à l'autre. On voit s'en détacher les thèmes les plus chers à l'auteur : son goût passionné de la sincérité la plus absolue, son mépris pour toutes les bassesses et toutes les hypocrisies, son exaltation héroïque vers l'action, enfin son culte pour la musique. Jean-Christophe est le symbole du génie qui lutte contre toutes les formes de la médiocrité humaine, qui crée et qui accepte, pour mener à bien son œuvre, toutes les souffrances et tous les renoncements, et qui passe à travers toutes les expériences de la douleur, de l'amour et de la joie, parce qu'elles constituent la vie elle-même et qu'avant tout il faut vivre. Le style, lâche et prolixe ici et là, est à d'autres endroits d'une vivacité, d'un éclat admirables ; nous trouvons alors de très belles pages tout animées d'un puissant souffle lyrique. *Jean-Christophe* fut beaucoup lu et connut un immense succès en France et peut-être davantage à l'étranger. Les idéologies généreuses, mais souvent nébuleuses à l'excès, de l'auteur, certaine grandiloquence du ton, mais surtout le fait qu'à ce premier roman cyclique en ont succédé bien d'autres et parmi eux d'authentiques chefs-d'œuvre, l'ont fait tomber dans une sorte de discrédit, sans doute provisoire.

JEAN DE LA LUNE. Pièce en trois actes de l'écrivain français Marcel Achard (pseud. de Marcel-Augustin Ferréol, 1899-1974), commandée par Louis Jouvet et représentée en 1929. Jef, appelé Jean de la Lune en raison de sa naïveté et de sa fantaisie lunaire, est tombé amoureux de Marceline, jeune femme inconstante et volage, aux amours passionnées et brèves. Il est présent lors de la scène que lui fait, avant de la quitter, son amant qui vient d'avoir les preuves qu'elle le trompait. Malgré cela, Jean de la Lune ne perd rien de son respect et de son amour pour Marceline, et lui offre de l'épouser. Cette confiance aveugle les sauvera lorsque, après cinq ans de mariage, Marceline lui apprend qu'elle a décidé de le quitter et qu'elle l'a, entre-temps, abondamment trompé, sans qu'il s'en soit aperçu. Au dernier moment, la perfide Marceline revient sur sa décision, émue, conquise par l'amour inébranlable que Jef a mis en elle. Auprès de Jean de la Lune, figure inoubliable d'amoureux touchant, Marcel Achard a créé un autre personnage pittoresque, Clotaire, dit Cloclo, le frère de Marceline et son confident, qui vit à ses dépens et couvre ses intrigues. Ce n'est pas seulement à l'extraordinaire trio Louis Jouvet-Valentine Tessier-Michel Simon que cette pièce doit sa popularité, mais aussi au charme, à la poésie des personnages et à la candeur des dialogues.

JEAN GABRIEL BORKMAN [*John Gabriel Borkman*]. Drame de l'écrivain norvégien Henrik Ibsen (1828-1906), publié en 1896. Jean Gabriel Borkman, directeur de banque, a voulu atteindre le pouvoir afin de donner aux hommes le bonheur. Hanté par son rêve d'extraire de la terre les fabuleuses richesses qu'elle recèle, il a dissipé sa fortune et celle des autres dans une affaire malheureuse qui l'a conduit en prison. Sa peine achevée, déjà vieux, il revient chez lui et s'enferme dans sa chambre comme un « loup galeux ». Il est convaincu que les mêmes hommes qu'il a trompés viendront un jour lui demander de réaliser ses anciens desseins. Dans la même maison couve sa rancune Gunhild, sa femme, qui dans l'échec de son mari ne voit que le déshonneur de la famille. Avec eux habite également la sœur de Gunhild, Ella, à laquelle Borkman a un jour renoncé, croyant ainsi pouvoir réaliser plus facilement son désir insensé de puissance. Les deux femmes reportent toute leur affection sur le fils de Borkman, Erhart : la mère parce qu'elle espère qu'il pourra un jour réhabiliter par son travail le nom de la famille, la tante parce qu'à travers le fils du seul homme qu'elle ait jamais aimé elle peut ainsi affirmer son instinct maternel. Mais Erhart n'a qu'une idée : échapper à cette atmosphère oppressante pour vivre librement avec la femme qu'il aime. Sa décision de partir les surprend tous comme un coup de tonnerre et réveille en eux les rêves impossibles et les sentiments aigres et stériles. Et c'est Ella, la femme sacrifiée, qui se lève en face de Borkman pour lui reprocher sa principale faute, qui n'est pas celle pour laquelle l'ont condamné les hommes, mais une autre, plus ancienne et pour laquelle il n'y a pas d'absolution, « celle qu'on commet en tuant chez un être la vie de l'amour ». Lui qui abandonna la femme qu'il aimait, pour des raisons d'intérêt, a tué en même temps que cette âme la sienne propre ; pour cette raison, il n'aura jamais ni puissance ni bonheur, et il n'entrera pas dans le pays de son rêve. Pour Borkman, ce n'est plus seulement une illusion qui se dissipe, mais toute une vie qui s'écroule. Il sort de son isolement. Mais il n'est plus soutenu par son ancienne énergie et l'air froid de la nuit le tue. Finalement les deux sœurs ennemies se tendent la main au-dessus de son corps. *Jean Gabriel Borkman,* un des drames les plus linéaires et les plus clairs d'Ibsen, est, après *Solness le constructeur* (*), la deuxième strophe du chant de vieillesse du poète. Si Solness, délivré de tout souci de conquête, s'affirmait dans la folle tentative d'une impossible renaissance, il n'y a chez Borkman qu'un sombre repliement sur soi-même, illuminé par la faible lueur de pitié qui lui fera prononcer, au seuil de la mort, l'ultime vœu : « Pax vobiscum. » — Trad. Perrin, 1897 ; Actes Sud, 1989.

JEAN-JACQUES. Essai de l'écrivain français Jean Guéhenno (1890-1978), publié d'abord en deux volumes (1948 et 1950), réédité en un volume en 1952 avec le sous-titre *Grandeur et misère d'un esprit.* C'est pendant les « tristes et faux loisirs que faisait aux écrivains la servitude » que Jean Guéhenno a eu l'idée de ce livre, qui ne correspond à aucun genre littéraire bien défini, mais pourrait s'intituler « lecture commentée des *Confessions* ». Nul hasard cependant dans le choix du livre, rien de plus motivé que la manière de lire : « L'une de mes ambitions, en entrant dans cette peut-être absurde entreprise, était de savoir enfin ce qu'est un homme. » Ce n'est pas un biographe ni un érudit, encore moins un critique qui se met à l'œuvre ; pendant des années, Guéhenno va chercher à découvrir ce que fut le vrai Jean-Jacques Rousseau, tel qu'il s'est dépeint et raconté lui-même avec une sincérité qu'on ne peut mettre en doute, mais qui n'implique nullement une véritable connaissance de soi ; et qui a été plus sincère et s'est plus mal connu que Rousseau ? Peut-on se connaître quand on est aussi torturé par la hantise du jugement des autres et qu'on se fabrique un personnage créé de toutes pièces pour leur échapper (et essayer de se trouver) ? « Dix années de travail à propos d'un seul homme, et rien que pour savoir ce que valut sa sincérité. » Ce n'est pas un juge qui parle, mais un homme qui interroge un autre homme ; avec sympathie, mais sans complaisance ; pas de procès ni d'apologie. Patiemment, page après page, Guéhenno arrache aux *Confessions* (*) de Jean-Jacques leur vérité ; pas question d'opérer par synthèse : sa mémoire est trop faible pour lui permettre d'embrasser d'un seul coup d'œil la vie entière de Rousseau ; plus modestement, il se borne à une lecture minutieuse des faits, dans l'ordre où ils se présentent. Et, peu à peu, Jean-Jacques se dégage de Rousseau ; il aura fallu quarante ans pour cela, quarante ans d'une vie où s'affrontent les grands élans de fierté et les tentations nées de la vanité, mais aussi du besoin ; un pauvre aventurier en somme que Jean-Jacques à ses débuts, réduit pour vivre à tous les expédients, plaire à Mme de Warrens, se convertir au catholicisme, montrer dans des villages une fontaine de Héron, se plier à toutes les servitudes sans en accepter aucune ; un seul moment heureux, le séjour aux Charmettes, où il vit en accord avec lui-même, libre et sans contrainte, partageant son temps entre l'étude, la vie champêtre, et une femme qu'il aime. Et c'est, un beau jour, la décision de renoncer à la vanité du monde, à l'âge de quarante ans, qu'il s'était fixé lui-même ; fini désormais les folles tentatives pour faire partie du monde des grands, fini surtout les grimaces complaisantes qui leur plaisent ; et ce n'est pas seulement la réaction dépitée d'un timide, mais l'acte de courage d'un homme qui a résolu de vivre comme il pense, et aussi d'écrire comme il pense. Après cette « réforme », il y aura bien des rechutes, entre autres le séjour à l'Ermitage, où Jean-Jacques tentera encore d'entrer dans le jeu de la société mondaine ou lettrée. Mais cela ne l'empêche pas d'écrire son œuvre ; il a beaucoup à dire, depuis cet après-midi d'octobre 1749 où la réponse à la question posée par l'académie de Dijon s'est imposée à son esprit comme une véritable révélation, à savoir que la pureté des mœurs ne va nullement de pair avec le rétablissement des sciences et des arts. Et ce n'était que sa première révolte contre le monde où il vivait... Mais la société prend sa revanche ; les ennemis étaient inévitables, mais l'imagination, la susceptibilité de Jean-Jacques les multiplient par mille ; comment raconter les dernières années, l'homme traqué, possédé par le délire de la persécution, la fuite d'auberge en auberge avec Thérèse Levasseur devant un ennemi imaginaire, avec dans cette déchéance une fierté de plus en plus farouche ? « Le vrai était que la société n'a pas de marge, qu'on ne saurait lui échapper, et il n'était devenu, à force de se battre contre elle, qu'un furieux ou un vieux fou que les enfants se montraient du doigt... » Si l'on est soi-même un lecteur fervent des *Confessions,* on ne peut que prendre plaisir à la lecture de ce livre, tant il est vrai qu'un plaisir redouble d'être partagé. Quand on referme le livre, on connaît peut-être mieux Jean-Jacques, on a redécouvert aussi l'un des visages de Jean Guéhenno, de l'homme qui refuse toute compromission avec l'ordre établi, et qui, comme son compagnon des années 40, ne recherche d'autre estime que la sienne propre.

JEAN-JACQUES ROUSSEAU. LA TRANSPARENCE ET L'OBSTACLE.

Essai du critique et écrivain suisse Jean Starobinski (né en 1920), publié en 1957, qui a renouvelé la lecture de Rousseau et constitue une œuvre-phare de la critique moderne. L'interprétation de Starobinski est guidée par une intuition centrale : il est impossible de séparer, chez Rousseau, la personne et les idées. L'œuvre de Rousseau se présente comme une pensée en construction et comme une aventure personnelle qui révèle à lui-même et aux autres un homme et son projet d'existence, dans un désir de transparence absolue. On voit Jean-Jacques adapter sa vie aux exigences de sa pensée théorique, depuis le refus de la gloire mondaine jusqu'à la pauvreté réclamée et à la persécution proclamée ; inversement, on le voit conformer son « système » philosophique à sa sensibilité. Jean-Jacques s'est voulu le témoin de l'« homme de la nature », de l'innocence perdue mais toujours disponible. Ainsi s'éclairent ses diverses faces : sentiment de soi porté au vif dans les *Confessions* (*), abandon à des univers imaginaires dans *La Nouvelle Héloïse* (*), projection dans l'histoire lointaine ou l'abstraction d'un désir de bonheur comme dans le *Discours sur l'inégalité* (*) et *Le Contrat social* (*). L'intuition qui guide Starobinski explique aussi son appréciation de l'usage de la psychanalyse en critique littéraire. Il refuse de comprendre les conduites aberrantes (l'exhibitionnisme ou le délire de persécution) comme des symptômes névrotiques dont l'explication serait à soi seule éclairante. Il s'agit bien plutôt de relier les attitudes psychiques et les conduites sociales à la manière dont la conscience de Jean-Jacques se rapporte aux finalités qu'elle poursuit. Ce rapport se construit dans l'œuvre, au moyen d'un langage devenu, pour la première fois dans la tradition européenne, le « lieu d'une expérience immédiate ». Polémiquant avec les philosophes, Rousseau fait apparaître les enjeux les plus fondamentaux des Lumières. Voulant « se réformer », il devient le premier solitaire sans spiritualité religieuse, et prend en charge un moment de l'histoire de la pensée par son geste même de refus. De l'intuition initiale dépend aussi un parti méthodologique qui touche au mode de lecture et au choix des textes. Starobinski accorde à tous les textes la même attention : grandes œuvres, ébauches, œuvres mineures, lettres. Tous sont porteurs de sens ; chacun peut être relié aux autres, tantôt par association autour d'un thème, tantôt par leur mise en rapport qui permet une intelligibilité plus complète. Et de même il passe librement de l'œuvre aux événements, éclairant l'une par les autres et vice versa, dans une démarche qui s'inspire de son objet sans chercher à le contraindre dans des formules préétablies. *La Transparence et l'Obstacle* a été republié en 1970, augmenté de sept essais sur Rousseau. C. Re.

JEAN LE BLEU. Œuvre de l'écrivain français Jean Giono (1895-1970), publiée en 1932. Jean le Bleu, c'est l'auteur enfant. Le livre, fait de souvenirs, est rafraîchissant et tendre. Une figure le domine, celle du père cordonnier. Le jeune garçon admire sa sagesse et son inlassable bonté. Grâce à lui, il semble que Giono soit de ces hommes qui ont eu une enfance heureuse. Ce privilège contribue sûrement à expliquer la bonne humeur, l'absence de mauvaise foi et de hargne qui rendent réconfortants tous ses romans, même quand ils sont tristes. Aucune dispute, aucune scène n'assombrit *Jean le Bleu*. La paix règne entre le père et la mère, entre les parents et l'enfant. Cela laisse l'auteur libre de parler du monde extérieur, des personnes qui l'ont impressionné, des expériences qui l'ont marqué et dont une ou deux sont dramatiques comme celle de « La Femme du boulanger ». Parmi ces personnes figurent entre autres les ouvrières qui travaillaient à l'atelier de repassage de sa mère : Antonine, Louisa Première et Louisa Seconde, dont il trace, en les montrant comme pouvait les voir le bambin qu'il était, de très remarquables portraits. Suit un chapitre sur les sœurs de l'école où il alla parce que son père, cordonnier, devait ménager sa clientèle de bien-pensants. Le logis des Giono donne sur une cour noire, il suffit de se poster à la fenêtre pour observer une Mexicaine mal aimée, un acrobate, une fillette chétive, silencieuse et, chaque samedi, des moutons destinés à l'abattoir. Un jour arrivent dans le quartier le violoniste Décidément et le flûtiste Madame-la-Reine. Ils n'enseignent pas leur technique au « petit Monsieur » ; mais qu'importe, en lui apprenant à écouter ils lui ouvrent le domaine de la musique. Plus tard apparaît l'exotique et séduisant Gonzalès, dont le mariage fait scandale. Enfin survient Franchesc Odripano, le vieil ascète qui raconte sur sa famille et son enfance de si séduisantes histoires. Entre-temps, le garçon grandit et se forme. Tombé malade, il va se remettre dans un village voisin où il garde des moutons en lisant Homère. À quatorze ans, il découvre « l'odeur des femmes » et les nuits sans sommeil. De retour chez lui, à Manosque, il trouve son père vieilli et malade. Un peu partout, il voit la mort frapper, souvent avec une imprévisible violence. Lorsqu'ils ne sont pas touchés, ceux qu'il a aimés dépérissent ou disparaissent. Antonine et les Louisa ont été remplacées. D'une des nouvelles, Marie-Jeanne, il ne dit rien, sinon qu'avec elle il découvre l'amour. Il découvre aussi l'amitié avec Louis David. À la même époque, il doit se mettre à travailler, comme employé de banque. Triste métier pour un poète. La guerre l'en délivre. Il y part le cœur léger, sans savoir encore ce que c'est. Louis David y mourra. Ce coup de gong clôt le livre. Livre merveilleux, mélancolique et discret, un des chefs-d'œuvre de Giono. Bien qu'il ne soit pas appelé « autobiographie », *Jean le Bleu* est assez largement autobiographique, mais il faut se garder d'y voir un document : les dates de certains épisodes sont largement transposées, et tels personnages essentiels — les deux musiciens, Odripano — sont fictifs, tout au moins à ce qu'en a dit Giono par la suite. Mais il fabulait si constamment qu'il a pu parfois mentir en prétendant que ces aspects de son livre n'étaient pas tirés du réel.

JEAN-LUC PERSÉCUTÉ. Roman de l'écrivain suisse d'expression française Charles-Ferdinand Ramuz (1878-1947). Ramuz a trente et un ans quand il publie ce roman (1909), dans lequel il atteint une forme de style et de pensée qui lui est vraiment personnelle. Un bûcheron rentre chez lui plus tôt qu'il ne devait. Christine, sa femme, n'est pas à la maison. Il l'attend un moment, puis part à sa recherche en suivant dans la neige la marque de ses sabots. C'est ainsi qu'il apprend son malheur. L'anecdote est simple. Christine avait rendez-vous avec un homme du village. Jean-Luc comprend ce qui est arrivé, et même il se souvient qu'avant de l'épouser sa femme lui avait avoué qu'elle aimait cet Augustin Crettaz. De lui, elle se plaignait en lui disant : « Toi, tu n'es pas comme les autres... » Jean-Luc alors fait son sac, prend l'enfant sur son bras, fait sortir les vaches et la chèvre qu'il pousse devant lui et quitte sa maison pour s'en retourner chez sa mère. Tout l'hiver, il y demeure. Christine est restée dans sa maison, elle travaille dur pour gagner sa vie. Quand parfois Jean-Luc la rencontre, elle rit et se moque de sa solitude. Un jour, le bûcheron est pris sous un arbre qu'il abattait. Ses camarades vont chercher du secours au village. Lorsque Christine apprend la nouvelle, elle monte vers le bois en courant, tout angoissée : « Qu'as-tu ? lui dit-elle. Qu'as-tu... ? » et bientôt, sentant le besoin qu'il a d'elle, il rentre chez lui. Mais l'été suivant, quand l'homme qu'elle aime revient, elle va avec lui, et se trouve enceinte. Jean-Luc alors prend son fils par la main et part, cette fois pour ne pas revenir. Puis il se met à boire et devient tout à fait étrange : il vend sa vache, brûle ses billets de banque. Il ne travaille plus, mais seulement se promène en tenant la main de son enfant. Un soir qu'il a bu, le petit se noie dans l'étang. En juin, il voit une femme et un petit garçon qui jouent sur une meule de foin dans un champ. C'est Christine. Il l'observe. Il est jaloux, car son enfant à lui, il ne l'a plus. Christine, en le voyant s'approcher, prend peur ; elle entre dans une grange pour l'éviter. Jean-Luc alors barricade la porte et met le feu au foin qu'on y abritait. Le roman s'achève sur la fuite éperdue de l'incendiaire que poursuivent tous les hommes du village, et qui trouve enfin sa mort en se jetant dans le torrent.

Cette histoire est écrite dans une langue remarquablement accordée au récit. Chaque phrase a sa résonance paysanne, et cet accent n'abaisse pas la dignité du témoignage. L'auteur s'efface. Il n'intervient ni pour juger ni pour décrire. Sa pudeur, cependant, laisse transparaître la tristesse où l'incline son héros : homme-enfant, dévoyé dans la vertu, dont l'amour ne s'exprime qu'en impuissante tendresse, en meurtre et en démence. Et ainsi il confesse le regret d'une vitale sensualité, même si le feu doit la punir.

JEAN MARHOUL, LE BOULANGER [*Pekař Jan Marhoul*]. Œuvre majeure de l'écrivain tchèque Vladislav Vančura (1891-1942), publiée en 1924. Elle se situe entre le roman social et l'évocation baroquisée de l'existence humaine, confrontée aux problèmes de l'absolu. Il s'agit de l'histoire d'un « simple d'esprit », conçue dans la tradition du roman russe et rappelant *L'Idiot* (*) de Dostoïevski. L'intrigue ne se déroule cependant pas dans le milieu des élites analysant leurs expériences psychiques, mais dans une petite ville au centre de la Bohême où le héros exerce le métier de boulanger, entouré de gens rudes. Il rencontre une compréhension obligeante auprès des pauvres, mais il est confronté avant tout à la rapacité insensible des personnes aisées qui le ruinent. Il vit avec sa femme Joséphine et son fils, il travaille assidûment avec ses ouvriers, mais sa naïveté et son optimisme généreux et irréfléchi lui font perdre sa maison et son métier. Il se laissait, en effet, rouler par des fripons auxquels il prêtait de l'argent sans être jamais remboursé, et il s'exprimait avec une sincérité désobligeante sur le compte de ses créanciers – qui n'avaient d'ailleurs pas l'intention de prolonger le délai assigné pour le règlement de ses dettes. Marhoul quitte la ville avec sa famille, et prend en location un vieux moulin délabré. En voulant le réparer, il se blesse grièvement et, malgré des efforts surhumains, il ne peut payer le bail. Le moulin est acheté par un riche paysan du voisinage, lequel y laisse travailler Marhoul dans des conditions misérables, mettant à côté de lui un contremaître meunier. Mais celui-ci meurt de tuberculose, assisté par Marhoul et sa famille ; et après son enterrement, le boulanger se révolte contre le propriétaire du moulin, en refusant de se faire exploiter davantage. Il en est chassé et il s'établit à nouveau en ville, prêt à travailler comme ouvrier chez son ancien concurrent. Il envoie même son fils au lycée, sans que celui-ci en profite réellement. En revanche, ce geste irrite ses ennemis. Prématurément vieilli, Marhoul tombe malade et meurt, dégradé et humilié. Le motif existentiel du « simple d'esprit » s'amalgame dans cette œuvre avec une image hallucinante de l'injustice sociale. À l'opposé de certains « simples d'esprit » de la littérature russe qui trouvent à la fin une récompense ou du moins un apaisement dans la résignation, le héros de Vančura est tracassé jusqu'à la fin de ses jours et ni lui ni sa famille ne trouvent une issue morale à leur situation opprimante. De ce point de vue, l'œuvre reste ouverte, en incitant le lecteur à une participation émotive à l'histoire. Le grand apport esthétique de cette œuvre consiste en un rajeunissement des procédés stylistiques. L'auteur utilise en effet des descriptions fort expressives, métaphoriques, en contaminant des valeurs spirituelles et des qualités perçues sensoriellement. Ainsi met-il devant les yeux du lecteur une interprétation inhabituelle des phénomènes les plus simples de la vie quotidienne. – Trad. Ombres, 1991.

H. Je.

JEAN-MARIE PLOJHAR [*Jan Maria Plojhar*]. Roman de Julius Zeyer (1841-1901), l'un des principaux représentants de la tendance cosmopolite dans la littérature tchèque de la seconde moitié du XIXe siècle. Zeyer est plus un poète qu'un narrateur. Son nom est toutefois resté attaché à ce roman qui est son chef-d'œuvre. Le livre est remarquable par son caractère en partie autobiographique. L'ouvrage fut partiellement composé durant un séjour à Rome, et publié en 1891. Jean-Marie Plojhar, le personnage principal du roman, est le descendant d'une riche famille. Il est rêveur, sensible, éprouve une étrange nostalgie pour les terres lointaines qui le pousse à devenir officier de marine. Au cours d'un voyage, il rencontre à Corfou une certaine Mme Dragopoulos dont il s'éprend ; elle l'entraîne dans une vie dissolue, l'abandonne ensuite pour un autre amant et le laisse déçu et lassé. Rentré dans son pays, à Prague, Plojhar se bat en duel avec un officier allemand qui l'a offensé dans ses sentiments patriotiques ; il est grièvement blessé. Convalescent, il renonce à la vie militaire et espère devenir poète, mais sans succès. Il tombe malade et se rend à Rome, où il fait la connaissance de la jeune comtesse Caterina Soranesi ; personnage au caractère énergique, à l'âme noble, elle est originaire d'Italie par son père et de Bohême par sa mère. L'amour naît peu à peu entre les deux jeunes gens ; Plojhar, malade, sait qu'il s'éteint lentement, et Caterina l'aime justement à cause de ce déclin ; elle repousse, par affection pour lui, l'amour de son cousin Luigi. Dans cette magnifique campagne romaine qui s'étend devant eux, Plojhar rencontre une fois encore Mme Dragopoulos qui lui témoigne son mépris et offense cruellement Caterina. Au fur et à mesure que le roman se déroule, l'analyse psychologique se fait de plus en plus pénétrante. La délicatesse des rapports qu'entretiennent les deux jeunes gens va toujours en s'affinant. Finalement, Caterina épouse Jean-Marie sur son lit de mort. La cérémonie est célébrée par don Clément, prêtre tolérant et archéologue érudit, qui est un ami du père de Caterina. Cette dernière s'empoisonne et les deux amoureux meurent ensemble. L'intrigue est évidemment romantique, mais les pages réalistes ne manquent pas. Plojhar aime profondément son pays, et il est aussi tourmenté des difficultés qui le troublent que de ses soucis personnels. Homme né pour la mort, il est aimé pour cela même. Il s'accepte lui-même tout naturellement, avec cette angoisse intérieure qui l'affine de plus en plus jusqu'à le transformer en ombre de lui-même.

JEANNE D'ARC. La vie merveilleuse de Jeanne d'Arc – qui est devenue en France comme un symbole de la patrie – a inspiré, outre de nombreux ouvrages historiques, toute une série d'œuvres d'art qui s'est continuée jusqu'à nos jours.

★ Un des premiers documents littéraires ayant reflété la légende de l'héroïne, légende qui s'est constituée dès avant sa mort, est *Le Dittié de Jeanne d'Arc* de Christine de Pisan (1363-1430). Le poème exalte le relèvement de la France, libérée finalement des discordes et de la guerre civile, et célèbre la vierge d'Orléans. « La Pucelle de Dieu ordonnée » est ici représentée non seulement comme la libératrice du territoire français, mais encore comme un symbole de cette féminité héroïque dont l'auteur a toujours célébré et défendu les vertus dans plusieurs de ses œuvres, à un moment où, par suite de la décadence de l'esprit chevaleresque, l'amour courtois était tourné en ridicule. En vers irréguliers et parfois prolixes, mais qui ne manquent pas de grâce et même de force virile, ce poème (le seul écrit du vivant de Jeanne d'Arc qui soit parvenu jusqu'à nous) trahit l'influence d'Eustache Deschamps et reste un exemple de la préciosité de cette époque de transition. Terminé le 31 juillet 1429, après le couronnement de Charles VII, il reflète dans ses soixante-sept strophes la situation particulière du moment ; le roi est maître désormais de Château-Thierry, aux portes de Paris, où il pourrait entrer sans rencontrer de résistance ; mais l'anxiété générale inspire à Christine de Pisan des prophéties qu'on ne peut comprendre qu'en tenant compte de la situation historique du moment. L'auteur exhorte Charles VII à rétablir la paix ; elle compare Jeanne d'Arc à d'autres femmes qui ont reçu de Dieu la mission de sauver leur peuple ; elle se réjouit, avec beaucoup d'ironie, de la défaite des Anglais ; elle décrit le couronnement du roi, exhorte Paris à se rendre. L'œuvre est datée et se termine par une allusion à l'âge avancé de son auteur. – Elle a été éditée récemment par A. J. Kennedy et K. Varty, Society for the Study of Mediaeval Languages and Literature, 1977.

★ Peu de temps après, on célébrait la Pucelle dans un *Mystère du siège d'Orléans.* Si ce titre, qui est celui que nous donne le seul manuscrit connu du texte, semble rattacher cette œuvre à la tradition du théâtre religieux du Moyen Âge, il ne faut pas pour autant se faire d'illusion sur la nature de ce drame français du XVe siècle. En réalité, l'élément surnaturel ne joue ici qu'un rôle épisodique ; le drame porte sur la scène un sujet éminemment laïque et guerrier, tiré d'un passé historique encore très récent : le siège d'Orléans par les Anglais en 1429 et la libération de la ville par Jeanne d'Arc. À partir de 1435, et pendant plusieurs années, on célébrera le 8 mai cette libération par une procession solennelle, accompagnée de représentations mimées des principaux moments du siège. On peut supposer que c'est cette coutume qui fut à l'origine de notre « mystère », à une date non précisée, mais que l'on peut situer à peu près vers le milieu du siècle. On ignore qui est l'auteur de cette œuvre ; l'hypothèse qui l'attribue à Milet, le poète de l'*Histoire de la destruction de Troie* – v. *Roman de Troie* (*) –, paraît assez peu fondée. La seule chose qu'on puisse avancer avec certitude, c'est que l'auteur fut en rapports étroits avec la ville d'Orléans ; en effet, comme on l'a déjà observé, le principal personnage de cette œuvre n'est pas la Pucelle – qui n'y est qu'un personnage parmi les autres, même s'il est le personnage principal – mais la ville elle-même. Bien que l'histoire d'Orléans y soit présentée très librement quant aux situations et aux discours, elle est, dans l'ensemble, fidèle aux faits historiques. C'est d'ailleurs là l'unique intérêt de ce drame, par ailleurs plat, terne et prolixe (il compte environ vingt mille vers). Ce drame a eu les honneurs d'une édition, due à F. Guessard et à E. de Certain (Paris, 1862).

★ On trouve des allusions à Jeanne d'Arc chez beaucoup de poètes français du XVe siècle, notamment dans les *Vigiles du roi Charles VII*

(1484) de Martial d'Auvergne et chez Martin Le Franc qui a exalté l'héroïne.

★ Dans l'*Henri VI* (*) de Shakespeare, la figure de Jeanne possède un fort relief, bien que vue sous un jour plutôt défavorable.

★ Le poème épique *La Pucelle ou la France délivrée* de l'écrivain français Jean Chapelain (1595-1674) a gardé une certaine célébrité non tant à cause de sa valeur que des commentaires ironiques qui en saluèrent la parution. Il fut publié en douze chants, à Paris, en 1656 ; douze autres chants furent publiés à Orléans en 1882. Avec beaucoup d'habileté, mais avec un manque presque total de sens poétique, l'auteur décrit la vie de Jeanne et son action en faveur de la patrie et de la chrétienté. Malheureusement, une précision formelle excessive et une dépendance trop exclusive des règles littéraires en vogue à l'époque ont étouffé la faible inspiration du poète qui aurait pu trouver dans un sujet aussi populaire en France une source de véritable poésie. Le sujet est connu : Jeanne est cette jeune fille qui prend les armes sur un ordre de la Vierge et qui, en luttant contre les Anglais et les Bourguignons, rend possible le couronnement du Dauphin à Reims. L'action se poursuit, d'une bataille à l'autre, jusqu'à ce qu'elle soit faite prisonnière, jugée comme sorcière par un tribunal ecclésiastique à la solde des Anglais et condamnée au bûcher. Les douze derniers chants, restés inédits pendant deux siècles, sont consacrés au procès de l'héroïne et à sa mort : son exceptionnelle figure est ainsi auréolée de la gloire due à une martyre de la patrie et de la foi. Ce faible et interminable poème, qui fut anxieusement attendu par la société des « précieuses », montre pleinement la pauvreté d'inspiration de Chapelain. L'auteur prétendait que c'était une marque de liberté spirituelle, par rapport aux règles poétiques d'Aristote et à la tradition espagnole et italienne, que d'avoir fait d'une héroïne la protagoniste d'une œuvre aussi complexe. On sait que Racine et Boileau tournèrent ouvertement en ridicule ce poème, bourré de symboles et d'artifices, qui a bien mérité sa réputation d'être le plus ennuyeux de son temps.

★ L'Espagne a vu paraître *La Pucelle d'Orléans* [*La Doncella de Orléans*] d'Antonio de Zamora (1660/64-1728), un des premiers drames écrits sur Jeanne d'Arc.

★ Le « siècle des Lumières » n'a pas épargné la figure de l'héroïne, et l'écrivain français Voltaire (François-Marie Arouet, 1694-1778) la couvrit de ses sarcasmes dans son poème héroïque en vers décasyllabes, *La Pucelle d'Orléans*. La première édition vit le jour en 1755, mais l'auteur la désavoua. Les suivantes eurent un sort identique, jusqu'à l'édition définitive de 1762, en vingt et un chants. C'est une parodie mouvementée des poèmes chevaleresques, inspirée de l'Arioste, que l'auteur cependant admirait beaucoup. Saint Denis est descendu des cieux pour chercher en France un « pucelage » dont les mérites puissent assurer l'heureux sort de la guerre mis en péril par la négligence du roi Charles qui ne s'intéresse qu'à sa favorite, Agnès Sorel. Le saint découvre Jeanne d'Arc sous les traits d'une rubiconde et grossière servante d'auberge, et il a fort à faire pour la protéger et sauvegarder sa pureté, souvent menacée. Jeanne a reçu en effet, après un examen méticuleux, un diplôme en règle de pucelle : si elle ne reste pas pure pendant un an, la France est perdue ; aussi résiste-t-elle victorieusement aux diverses tentations. Le démon hermaphrodite Conculix en fait l'objet de ses attentions et de ses désirs, mais elle préfère risquer la mort en refusant d'accéder à ses prières. Plus tard, un nouveau danger la menace : les assauts du franciscain (et magicien) Grisbourdon, qu'elle tue vaillamment. Jeanne se soustrait ensuite aux désirs d'un vulgaire muletier et échappe par miracle à l'assaut amoureux de Chandos, un brave guerrier anglais. Finalement, peu s'en faut qu'elle ne succombe aux tentations du diabolique baudet qui lui sert de coursier ; mais, lorsque l'année fatale prend fin, elle peut s'abandonner aux joies de l'amour entre les bras de Dunois, bâtard d'Orléans, preux chevalier de France. Aux aventures héroï-comiques de Jeanne, Voltaire en ajoute d'autres, aussi irrévérencieuses et libertines. Telle nous apparaît, par exemple, l'histoire d'Agnès Sorel, la maîtresse du roi Charles qui, se croyant trahie par le roi alors que celui-ci, plein d'ardeur belliqueuse, va avec Jeanne prendre le commandement des armées assiégées à Orléans, le suit, dérobe les armes de la Pucelle et, les ayant revêtues, a le malheur de tomber aux mains des Anglais. Conduite à la tente de Chandos, elle se voit obligée de se prêter à ses désirs fougueux : elle s'y résout en pleurant certes, mais non sans un certain plaisir. S'étant enfuie dans un couvent pour y trouver le repos et la paix, elle y trouve en réalité une nouvelle aventure. À l'aube, le couvent subit l'assaut d'un peloton de soudards anglais, qui gaiement obligent les sœurs à subir leurs désirs impies, jusqu'à l'arrivée de la vaillante et indomptable Pucelle qui fait un carnage des envahisseurs. Tout ceci pendant que le roi Charles, plus préoccupé de la perte de sa maîtresse que des aléas de la guerre, se ronge de tristesse et éprouve les pires tourments de la jalousie. D'autres aventures et épisodes complètent cette satire qui ne respecte rien ni personne, témoin la visite de ce moine benêt, Lourdis, au royaume de la Sottise, où se trouvent réunies toutes les bêtises humaines et que le poète décrit minutieusement et avec verve ; ainsi que le fameux épisode de la lutte céleste entre saint Denis, qui est pour les Français, et saint Georges, qui en tient pour les Anglais. Aucun scrupule d'ordre moral ne trouble l'inspiration allègre de Voltaire ; c'est cette désinvolture étincelante, jointe à la vivacité de la satire, qui fait de *La Pucelle* un chef-d'œuvre. Il laisse libre cours à son ironie dans ses incursions amusantes ou sarcastiques, voluptueuses ou licencieuses, et n'a de respect que pour les exigences de son art. L'influence de l'Arioste ne trouble pas l'originalité du poème voltairien qui, d'ailleurs, n'a développé que le côté comique et parodique du *Roland furieux* (*). *La Pucelle* a fait l'objet de jugements très divers : il faut noter le fait singulier que ceux qui se sont montrés les plus effarouchés par cette œuvre furent, à part quelques sévères moralistes, des hommes foncièrement licencieux, comme Casanova ; tandis que des hommes comme Goethe, Parini, Monti par exemple (qui l'a même traduite en italien) l'ont beaucoup admirée.

★ La Pucelle retrouva son caractère héroïque dans le poème de l'écrivain anglais Robert Southey (1774-1843) : *Jeanne d'Arc* [*Joan of Arc*], publié en 1795. L'auteur a voulu s'essayer dans le genre épique ; mais, voulant manifester en même temps sa sympathie envers la Révolution française, il ne réussit qu'à compromettre l'image de l'héroïne ; aucune inspiration mystique ne l'anime et elle est rabaissée à n'être qu'un modèle de vertus civiques.

★ Le dramaturge allemand Friedrich von Schiller (1759-1805) restitua la figure de la vierge guerrière au climat religieux qui est le sien, en transposant dans son drame les conflits moraux caractéristiques de son époque. *La Pucelle d'Orléans* [*Die Jungfrau von Orléans*], tragédie en un prologue et cinq actes, représentée pour la première fois à Leipzig le 11 septembre 1801, reçut de son auteur l'appellation de « romantique », pour mettre en relief tant l'atmosphère de miracle qui auréole la figure de l'héroïne que le caractère médiéval du sujet. Pourtant les romantiques ne reconnurent pas dans le personnage de Schiller la moindre affinité avec leurs conceptions poétiques et préfèrent lui opposer la Jeanne d'Arc de l'histoire. En réalité, le drame — qui plut à Goethe — est imprégné de l'idéalisme caractéristique de l'inspiration schillérienne et n'a rien de commun avec la poésie romantique de l'époque, sauf quelques rares affinités avec la *Geneviève* (*) de Tieck. Écrite immédiatement après *Marie Stuart* (*), la tragédie représente le conflit intérieur entre le mouvement instinctif de l'homme vers l'amour et sa sublimation dans le devoir volontairement accepté ; entre le désir des sens et l'exigence supérieure d'une mission divine. Du heurt de ces forces opposées jaillit le tragique de l'œuvre. L'héroïne ne commet pas en soi une faute — mais elle doit triompher d'elle-même pour rester fidèle à son idéal et retrouver, par l'expiation d'un moment de faiblesse, la force purificatrice qui la rendra digne d'accomplir sa mission. Pour arriver à ses fins, Schiller a traité très librement les données de la réalité historique, surtout dans l'acte final où le caractère de l'héroïne pouvait difficilement offrir des raisons valables pour justifier sa condamnation et son martyre. Jeanne est une petite bergère de Domrémy, douce, innocente, sensible. La solitude dans laquelle elle vit et sa propension au rêve l'amènent nécessairement à communiquer avec le monde surnaturel, et la Vierge confie à Jeanne la mission de sauver sa patrie de l'oppression anglaise et de libérer le roi : elle devra pour cela renoncer à tout amour humain et n'épargner aucun ennemi. « L'amour d'un homme ne doit pas toucher ton cœur avec les flammes pécheresses du plaisir terrestre. » « Avec ton épée tu devras tuer toute créature vivante que le dieu de la bataille enverra à ta rencontre. » Jeanne se croit assez forte pour fermer son cœur à tout attrait humain et rester fidèle à sa vocation divine. Après avoir refusé la main de Raymond et s'être éloignée avec regret de son village natal, elle met l'ennemi en déroute dans une première rencontre et se présente au roi. Charles est faible, incertain, fatigué de cette longue et malheureuse guerre ; il ne se complaît que dans les « courtoises cours d'amour », tout préoccupé qu'il est de sa douce passion pour la très belle Agnès Sorel. Frappé par la miraculeuse apparition de Jeanne, il a un sursaut d'énergie, décide d'attaquer l'ennemi, met la jeune fille à la tête de son armée. Revêtue de sa cuirasse et guidée par son invincible étendard, Jeanne passe, tel un ange exterminateur, à travers la bataille, surmontant tout obstacle, culbutant l'ennemi, délivrant Orléans. Aucune passion, aucune pitié n'émeut son âme : dans la fureur sauvage du combat, la douce voix de son cœur de femme se tait. Attiré par son irrésistible force intérieure, Philippe de Bourgogne qui, avec la propre mère du roi, la reine Isabeau, combat dans le camp ennemi, se réconcilie avec le roi et lui offre son aide. Fidèle à sa promesse, Jeanne repousse la main de ses prétendants, les deux valeureux capitaines Dunois et La Hire. En vain Montgomery implore pitié et demande qu'on lui laisse la vie ; même Talbot, colossale figure de condottiere anglais, tombe inexorablement sous l'épée de l'héroïne, qui ne tremble même pas devant l'infernal Cavalier Noir tentant de l'arrêter sur la route de la victoire. Mais voilà que s'approche Lionel, le plus noble des chevaliers anglais ; Jeanne l'abat, mais, lorsqu'elle doit lui asséner le coup de grâce, elle est frappée par l'expression de son visage, abaisse son arme et l'épargne. Dans son cœur est né l'amour pour cet ennemi de sa patrie, et elle succombe dans la lutte entre la passion humaine et les exigences de sa mission divine. À Reims, durant la fête du couronnement du roi, tout le monde l'admire et l'acclame, mais la Pucelle est oppressée par le poids de sa faute. Les forces surnaturelles l'abandonnent ; accusée par son père et chassée par tous comme sorcière malfaisante, elle tombe prisonnière au cours d'une bataille. Toutefois, quand le combat risque d'être perdu, Jeanne brise miraculeusement ses chaînes, accourt dans la mêlée et tombe héroïquement en sauvant son pays. Malgré l'ampleur du drame, Schiller a su dominer son sujet et le concentrer dans une série de tableaux liés par la présence d'un souffle dramatique constant qui donne son unité à toute la tragédie. De puissantes scènes de masse (la cour du roi et son couronnement) alternent avec de charmantes scènes idylliques (l'adieu au village natal, l'appel des voix célestes), et chacune trouve sa place dans une ligne architecturale harmonieuse et dans une robuste construction d'ensemble. L'héroïne diffère complètement des représentations de Shakespeare et de Voltaire. Réalité et miracle, vérité et foi se rencontrent et s'harmonisent ; en Jeanne, tout enveloppée d'une ombre de mystère et de foi, la grâce et la douceur féminine s'allient à une irrésistible force guerrière. Toutefois, entre l'image de cette Jeanne si sainte et celle que l'amour rend humaine, l'équilibre n'est pas toujours parfait. C'est là où le grand poète nous révèle les limites de son art : l'idéalisme enthousiaste et la pureté humaine auxquels il veut donner une vie en les incarnant dans son héroïne ne réussissent quelquefois qu'à cristalliser sa pensée dans des limites rigides, et l'œuvre, pourtant si ardente et si pathétique, ne convainc pas toujours.

★ L'essai *Jeanne d'Arc* [*Joan of Arc*] de l'écrivain anglais Thomas De Quincey (1785-1859), publié en 1847, s'efforce de répondre à l'image donnée par Michelet, et de restituer la démarche intérieure de l'héroïne visionnaire. Il trace un vaste panorama des batailles successives de son époque et des grandes scènes de son procès, alternant analyses précises et envolées lyriques. L'auteur y définit une conception philosophique de l'histoire qu'il place sous la protection de deux anges : celui de la recherche, qui examine les parchemins poussiéreux, et celui de la méditation, qui s'efforce de leur redonner vie. Le second en particulier semble à l'œuvre ici. — Trad. Champion, 1909. A. Br.

★ En 1819, Casimir Delavigne (1793-1843) écrivit deux poésies, *La Vie* et *La Mort de Jeanne d'Arc,* qui font partie du recueil des odes politiques *Les Messéniennes ;* exaltées par les contemporains qui considéraient Delavigne comme un des grands représentants du romantisme français, ces poésies ne rencontrent plus aujourd'hui la même faveur que jadis.

★ En 1825, Alexandre Soumet (1788-1845), qui fut un des fondateurs du premier Cénacle romantique, écrivit une *Jeanne d'Arc.* Cette œuvre, qui en 1846 fut suivie par un poème du même nom, veut affirmer la théorie du romantisme ; mais la froideur du style la rend de loin inférieure aux intentions de l'auteur.

★ Parmi les autres œuvres dramatiques, il faut signaler le drame en vers *Jeanne d'Arc* [*Juana de Arco*] écrit, en 1847, par l'écrivain espagnol Manuel Tamayo y Baus (1829-1898), et le drame *Jeanne d'Arc* de Joseph Fabre (1844-1916) qui écrivit sur la Pucelle cinq autres œuvres, surtout historiques, dans l'intention de réhabiliter et de glorifier l'héroïne ; les plus connues sont : *Jeanne d'Arc libératrice de la France* et *Jeanne d'Arc impératrice de la France.*

★ L'image de Jeanne devint rapidement, dans les œuvres de Charles Péguy (1873-1914), un symbole du mysticisme catholique, après avoir été l'incarnation fervente des idées socialistes de l'auteur, de cette mystique sociale dont il est parti. La *Jeanne d'Arc* de Péguy, drame en trois pièces, fut publiée en 1897 à la Librairie de la « Revue socialiste ». Cette édition, préparée par Péguy lui-même, est une curiosité bibliophilique : sept cent cinquante-deux pages grand format, non numérotées, des séries de pages blanches avant le texte comme entre les scènes, aucun nom d'auteur sur la couverture, mais à la page de titre « Marcel et Pierre Baudoin » et en fin de volume seulement « Pierre Baudouin », suivi des noms des typographes ayant travaillé à la composition (il y avait là de quoi déconcerter le lecteur non prévenu). Marcel Baudouin était un ami de Péguy, qui mourut en juillet 1896. On ignore encore quelle fut sa part exacte dans l'élaboration de la *Jeanne d'Arc,* mais Péguy signa quelque temps du pseudonyme de Pierre Baudoin et, en 1911, dédia à la mémoire de son ami le *Mystère de la charité de Jeanne d'Arc,* où il reprenait une partie de l'ancienne version. On sait aussi qu'en décembre 1895 Péguy, âgé de vingt-deux ans, prit un congé d'un an à l'École normale supérieure et, retiré chez sa mère à Orléans, travailla à sa *Jeanne d'Arc* tout en s'occupant activement d'un groupe socialiste. Le livre est dédié à tous ceux qui auront vécu « pour porter remède au mal universel » et, parmi eux, à ceux « qui auront connu le remède, c'est-à-dire à toutes celles et à tous ceux qui auront vécu leur vie humaine, à toutes celles et à tous ceux qui seront morts de leur mort humaine pour l'établissement de la République socialiste universelle ». Détaché à cette époque de son éducation chrétienne, Péguy mettait dans un socialisme fervent l'espoir du seul combat possible contre le mal, dont la présence dans le monde était pour lui un sujet de vives angoisses Et c'est cette angoisse, sinon cet espoir, qu'il mettra au cœur de sa Jeanne d'Arc.

Il a lu de près les documents historiques, et les trois pièces qui composent l'immense drame (*À Domrémy, Les Batailles, Rouen*) suivent pas à pas les épisodes authentiques, en empruntant souvent le texte même des paroles consignées par les greffiers des deux procès. Le dialogue, écrit dans une prose robuste, est coupé çà et là de monologues en vers, méditations, prières et cris anxieux de Jeanne. Ce sont de singuliers alexandrins, rimés, assonancés ou blancs, aux coupes volontairement rigides et malhabiles, où s'annonce de loin le mouvement litanique des *Tapisseries* (*) et d'*Ève* (*). Certains de ces courts poèmes sont admirables, tels les fameux adieux de Jeanne à la Meuse, que Péguy pourra reprendre quinze ans après dans ses « Morceaux choisis ». Dans cette œuvre juvénile et forcément inégale, les meilleures parties sont la première pièce tout entière, et, avec certains fragments du procès, les ultimes prières de l'héroïne. Péguy a rendu merveilleusement vivante la figure de Jeanne à Domrémy, dialoguant avec sa petite amie Hauviette, qui tient le langage de la confiance et de la simplicité enfantine, ou encore avec une nonne, Mme Gervaise, qui oppose à l'exaltation de Jeanne des conseils de pieuse prudence. Nous sommes là très loin du « drame historique », et Péguy semble entrer de plain-pied dans le mystère d'une vocation spirituelle. Sa Jeanne d'Arc socialiste, qui refuse d'accepter la victoire terrestre du mal, est déjà si bien placée dans une perspective chrétienne que, treize ans plus tard, Péguy pourra reprendre intégralement, dans son *Mystère de la charité de Jeanne d'Arc,* les paroles prêtées à la sainte. Il se bornera à y introduire de longs développements, comme s'il écrivait dans les blancs de l'édition première : on croirait qu'il n'a ménagé ces blancs que pour laisser disponible la place des approfondissements nécessaires dont il se savait encore incapable. Jeanne d'Arc à Domrémy est torturée à la pensée que la guerre ravage le monde, tandis qu'au-delà même de cette vie l'inégalité des destinées se poursuit entre les élus et les damnés. Elle s'offre donc à se battre pour que le mal soit chassé de la terre, et va même jusqu'à demander sa propre damnation, si Dieu veut accepter ce sacrifice en échange de la libération de tous les damnés. Mais, dans la suite de sa vie, elle fera l'amère expérience de la défaite : non tant de la défaite militaire et de la ruine de ses grands desseins que de la trahison des hommes et, plus profondément, de la victoire du mal en elle-même. Pour quitter la maison paternelle, elle a dû mentir aux siens. Cet unique mensonge corrompt désormais toutes choses, et c'est contre lui qu'elle se débattra encore aux dernières heures de sa vie, dans le cachot de Rouen. Il y a là un thème qui se retrouvera à travers l'œuvre entière de Péguy, et auquel viendra répondre plus tard la série des poèmes de l'Espérance. Quant à Jeanne d'Arc, Péguy n'a cessé d'y revenir : non seulement dans ses trois grands *Mystères,* mais encore dans l'un de ses premiers poèmes en vers réguliers, *Châteaux de Loire,* puis dans la *Tapisserie de sainte Geneviève et de Jeanne d'Arc* (*) (1912) et dans les strophes finales d'*Ève* (*) (1913). En prose, il faut lire surtout *Victor-Marie, comte Hugo* (*) (1910), *Un nouveau théologien* (1911) et *Note conjointe* (*) (1914, posthume).

★ Le moment capital de l'histoire que fut l'apparition de Jeanne d'Arc sur la scène politique et sociale de notre pays ne devait pas laisser indifférent le fougueux Léon Bloy (1846-1917), qui lui a consacré sous le titre de *Jeanne d'Arc et l'Allemagne* un étude curieuse et intéressante. Léon Bloy avait commencé quelque temps avant la guerre de 1914 une étude sur Jeanne d'Arc, dont le projet était ancien. Il comptait, sur cet exemple privilégié, faire une fois de plus la démonstration de sa vision de l'histoire – œuvre à la fois de la Providence et de la liberté des hommes tournée au mal. Le livre projeté devait ainsi faire suite à *L'Âme de Napoléon* (*) (1912) et reprendre les thèmes qui, apparus vingt-cinq ans plus tôt dans les ouvrages sur Christophe Colomb et sur Marie-Antoinette, avaient été élaborés sous divers prétextes dans *Le Désespéré* (*), *Le Fils de Louis XVI* (1900), *L'Épopée byzantine* (1906). La guerre survint. Bloy, qui l'avait annoncée bien des fois, et qui l'attendait avec une sorte d'impatience – car il souhaitait le déclenchement de l'Apocalypse et la fin de l'histoire terrestre –, en fut bouleversé plus que personne. La catastrophe ne le prenait pas au dépourvu comme tant de ses contemporains ; elle confirmait, au contraire, ses prophéties. Mais il n'en éprouva qu'une plus forte commotion. Ce qui longtemps n'avait été qu'images de sa vision prenait forme d'événements réels. L'ouvrage commencé en subit une profonde transformation. Laissant là toute information supplémentaire, il entremêla à son sujet historique des commentaires sur la guerre. Il se dégage pourtant de ces pages une interprétation de la mission de la Pucelle qui reste très originale. Certes, Bloy ne demeure pas insensible à la simplicité de Jeanne, dont la venue lui paraît être « le plus haut miracle depuis l'Incarnation ». Comme Péguy, il admire que tant de science et de compétence aient pu éclore soudain chez une fille très jeune et très ignorante. Il trouve par moments des accents de tendresse pour parler de ce mystère, et en particulier pour souligner les liens qui unissaient Jeanne au peuple de France, en dépit des notables qui se méfiaient d'elle. Mais la spiritualité de Bloy devait l'amener à placer l'histoire de la Pucelle dans une lumière très particulière. Il ne manque pas, en effet, de la rattacher à ses méditations habituelles sur la femme et à sa mystique de la fin des temps. Pour lui, l'histoire entière a toujours été parcourue par tout un jeu de préfigurations : chaque personnage important doit être compris d'une part selon son œuvre immédiatement visible, mais d'autre part selon ce qu'il annonce. Comme l'écriture possède un double sens, littéral et spirituel, de même l'histoire, qui est pour Bloy une seconde révélation « corroboratrice de la première », peut se lire tour à tour de deux manières, l'une et l'autre valables, à des plans différents. Ainsi Jeanne est-elle la libératrice de la France, nécessaire en un temps donné pour que s'accomplisse la destinée naturelle de son pays. Mais en même temps, par tout ce qui en elle appartient à la manifestation providentielle dans le cours des choses humaines, Jeanne fait fonction de signe. Bloy était persuadé qu'à la fin de l'histoire tout serait accompli par la femme (son meilleur roman, *La Femme pauvre* [*], aussi bien que ses écrits consacrés aux apparitions de La

Salette se fondent sur cette croyance) et il affirme que « Jeanne d'Arc est la préfiguration très sensible de cette lutte victorieuse des hommes et des démons ». Développant cette thèse, Bloy multiplie les rapprochements ; c'est ainsi que, de la mort sur le bûcher, il tire la certitude que Jeanne « était apparentée au feu, symbole visible et redoutable de l'amour ». Or, dans son œuvre, le feu représente à la fois l'embrasement de toute âme parvenue à la plus haute contemplation et l'incendie qui transfigurera le monde créé lorsque s'achèvera le cours des siècles. Cependant ces commentaires audacieux n'empêchent pas Bloy de voir Jeanne d'Arc dans son humble réalité de créature. La difficulté majeure de sa notion providentielle de l'histoire tenait à la contradiction qui existe entre le plan divin et la liberté laissée à l'homme. Jamais il n'a aussi clairement que dans sa *Jeanne d'Arc* pris conscience de cette difficulté et tenté de la résoudre, montrant que la sainte avait, comme toute créature, le pouvoir d'accomplir librement des actes « enveloppés dans la prescience éternelle ». On ne demandera pas à Bloy une histoire de la Pucelle. Mais on trouvera dans son livre une doctrine spirituelle élucidée dans un langage somptueux à propos d'un moment de l'histoire.

★ *La Vie de Jeanne d'Arc* d'Anatole France (François-Anatole Thibault, 1844-1924), publiée en 1908, est la seule œuvre historique de l'écrivain qui vaille la peine d'être signalée, tant pour la solidité de son érudition que pour l'idée centrale qui domine cette œuvre. En reprenant à un demi-siècle de distance la tentative d'un de ses maîtres spirituels, Renan — l'auteur de la fameuse *Vie de Jésus* (*) –, Anatole France eut l'intention de réduire le plus possible, sinon de supprimer totalement, la part du « surnaturel » dans la merveilleuse aventure de la Pucelle d'Orléans. Il s'attacha à expliquer point par point et ses entreprises et les transformations que la légende leur avait fait subir, en faisant appel à des éléments rigoureusement rationnels et prouvés par la documentation. Il mit au service de son entreprise une très large érudition, ainsi qu'une patiente et minutieuse reconstitution du moment politique, de l'ambiance sociale, de la mentalité des personnages étudiés et de leur époque. La narration occupe deux gros volumes de trente chapitres, parsemés de citations et de digressions, mais animés par des épisodes curieux et savoureux. Malgré l'importance de la partie documentaire, la merveilleuse maîtrise d'un narrateur talentueux rend la lecture de l'ensemble facile et même intéressante. Selon France, l'inspiration et les élans mystiques de Jeanne d'Arc furent habilement exploités par le roi et quelques officiers, pour ranimer le courage du peuple de France ; une grande partie des actions guerrières de la Pucelle lui aurait été suggérée par des hommes d'armes experts en l'art de la guerre et qui ne faisaient partie de sa suite que pour pouvoir diriger et influencer sa conduite. Il faut dire que cette audacieuse réduction à un commun dénominateur rationnel ne s'effectue pas sans forcer la difficulté, et l'on a pu observer qu'Anatole France tombe dans la même erreur que l'école historique de son temps, en faisant souvent dire aux documents plus qu'ils ne semblent contenir. Mais son travail, même s'il ne persuade pas absolument, reste dans l'ensemble remarquable. La figure de Jeanne, d'ailleurs, ne perd rien, ou très peu, de son halo héroïque. La délicate rigueur de l'exposé (surtout dans tout ce qui touche au procès et à la condamnation) lui confère même une note pathétique d'humanité dont Shaw s'est certainement souvenu dans son drame fameux.

★ *Sainte Jeanne* [*Saint Joan*], drame historique en six actes et un épilogue, de l'écrivain irlandais George Bernard Shaw (1856-1950), représenté pour la première fois à New York en 1923, trois ans après la canonisation de la sainte, et publié en 1924. L'héroïne réussit à vaincre les répugnances et la suspicion des capitaines français et se fait présenter à Charles, le Dauphin, ou plutôt le roi non encore couronné. Elle l'arrache à sa honteuse paresse et obtient la permission de mener l'armée française à la libération d'Orléans. Ensuite elle excite Dunois, le bâtard d'Orléans, à la bataille qui livrera la ville aux Français et marquera pour eux le commencement de l'insurrection. Les Anglais et le parti bourguignon voient en Jeanne un péril non seulement pour leur cause, mais aussi pour la puissance des grands seigneurs féodaux, puisque l'intrépide jeune fille ne semble pas vouloir reconnaître la nécessité d'une autorité intermédiaire entre le roi et le peuple. Déjà on parle de droits nationaux ; on veut que la France soit aux Français. De son côté, Cauchon, l'évêque de Beauvais, discerne chez Jeanne — qui refuse des intermédiaires entre elle et Dieu — l'hérésie. Il se forme ainsi une alliance entre les ennemis politiques de la Pucelle et ceux qui sont ses adversaires pour des motifs religieux. Dans la cathédrale de Reims, après le couronnement de Charles VII, Jeanne, qui fut l'artisan de cette consécration solennelle, ne considère pas son œuvre comme finie, et voudrait qu'on continuât vigoureusement la guerre ; mais ses paroles ne trouvent pas d'écho. Autour d'elle il n'y a qu'indifférence, lâcheté, ingratitude. Si elle tombait aux mains des ennemis, personne ne s'occuperait de la racheter : ni le roi, qui n'a plus d'argent, ni l'armée, qui a d'autres préoccupations, ni l'Église, qui l'accuse d'être présomptueuse et impie. Aussi, lorsque Jeanne tombe à Compiègne aux mains des Bourguignons, ceux-ci la vendent aux Anglais et, après plusieurs mois de prison, elle est déférée au tribunal de l'Inquisition. Le procès, auquel assistent des dignitaires britanniques, des laïques et des ecclésiastiques, fait apparaître le contraste entre la bonne foi des inquisiteurs, de Cauchon lui-même (dont Shaw tente ainsi la réhabilitation) et la volonté résolue des Anglais d'accomplir un assassinat politique sous le couvert de la défense de l'orthodoxie. L'accusée, simple, ignorante, mais animée par l'amour de la patrie, par une foi candide et par un bon sens inaltérable, répond finement, mais d'une manière qui lui est préjudiciable, aux inquisiteurs. Ceux-ci tentent de la sauver du feu en lui faisant signer un acte de rétractation. Jeanne signe, mais, quand elle apprend qu'elle sera condamnée à la prison à vie, elle déchire le document ; il ne lui est pas possible de renoncer à voir le ciel, les champs, les fleurs, à chevaucher avec ses soldats par monts et par vaux. On la conduit au bûcher. Ici le drame devrait finir, mais l'auteur a ajouté un épilogue fantastique. Nous sommes en 1456, vingt-cinq ans après la mort de Jeanne. Un nouveau procès a réhabilité sa mémoire, et elle apparaît en rêve au roi, accompagnée des ombres des principaux acteurs du drame ; un personnage de nos jours annonce la future canonisation de l'héroïne. Tous s'inclinent devant elle, mais, lorsqu'elle demande si elle doit ressusciter et revenir dans le monde, tous manifestent des signes de trouble et de consternation. Elle demeure seule : « Ô Dieu qui as créé cette belle terre, quand sera-t-elle prête à recevoir tes saints ? » Shaw, lui aussi, a voulu présenter l'héroïne comme un personnage ordinaire : non pas une inspirée ni une envoyée de Dieu, mais une jeune femme d'apparence commune, une paysanne, simple, saine, ignorante. Rien qu'en vertu d'un solide bon sens natif, elle voit les choses telles qu'elles sont et non comme veulent les voir les généraux, les chambellans et les prélats, tous obnubilés par des préjugés de tradition et de caste. L'atmosphère de miracle qui enveloppe la jeune fille ne provient pas d'une lumière d'en haut ni d'une imposture voulue : Jeanne est portée à concrétiser ses propres impulsions et à les regarder comme « des voix d'êtres mystérieux » qui la conseillent ; elle est la première à croire en ce prodige, sans être pour cela ni une hystérique ni une visionnaire. Chaque époque a ses supersitions, et la superstition scientifique n'est pas plus intelligente ni plus évoluée que la superstition religieuse. Dans sa fameuse préface, Shaw énumère toutes les croyances que la civilisation bourgeoise du siècle dernier et du nôtre a répandues comme des dogmes : l'homme du peuple d'aujourd'hui se sert du thermomètre avec la même mentalité magique que son confrère du Moyen Âge lorsque celui-ci avait recours à une relique. Cette conception est à la base de toute l'interprétation du personnage de Jeanne, dans laquelle Shaw voit avant tout une pure expression de cette vitalité primitive qui marche droit à son but, au-delà des compromissions nécessitées par les superstructures de notre société. En outre, Jeanne (et c'est là la nouveauté de l'interprétation) apparaît comme le précurseur des deux terribles hérésies qui, à la fin du Moyen Âge, vont détruire l'ordre catholique et impérial du monde : le protestantisme et le nationalisme. En revendiquant l'existence d'une mission que Dieu lui a directement confiée, elle est protestante ; en affirmant les droits à l'autonomie de son pays, elle est nationaliste et ennemie (sans le savoir) de l'idée d'un empire universel. Les autres personnages qui évoluent autour de Jeanne participent d'une conception analogue : tous sont de bonne foi, tous ont une raison d'agir comme ils le font, mais tous sont impliqués dans un tort commun. C'est pour illustrer cette thèse que Cauchon devient une noble et grandiose figure de prélat qui ne veut sauver que le prestige de l'Église et l'âme de la jeune fille ; tout en n'étant qu'un « visible and human puppet », un fantoche incarnant l'Église. Au fond de tout homme, il y a son innocence primitive, et tout autour les « revêtements de la civilisation » qui le rendent rigide et le limitent. Ne peut être un homme supérieur que celui qui réussit à libérer au maximum sa personnalité sous-jacente : l'homme inférieur est surtout un opprimé, une victime de la société. Ce n'est que lorsque l'humanité sera arrivée à cette liberté intérieure individuelle qu'elle sera digne d'accueillir ses saints. Œuvre d'un écrivain presque septuagénaire, *Sainte Jeanne* arrive souvent à concilier l'humour critique avec un sens de l'émotion quasi solennel, surtout dans la scène du procès, la plus forte de tout le drame. Mieux que dans d'autres œuvres de Shaw apparaît ici, en effet, le leitmotiv qui est présent dans presque toute sa production, mais qui n'a jamais trouvé son vrai développement : le sentiment de quelque chose de magiquement indéfinissable, qui plane tout au long de la misérable aventure humaine, et qui parfois l'illumine d'un éclair de volonté. C'est en somme cette force qui, après une longue accalmie, fera se lever le vent dès que Jeanne l'aura annoncé, et qui affirme le « prodige » dans l'exaltation même de la vie naturelle. — Trad. C. Levy, 1925.

★ *Jeanne relapse et sainte,* tel est le titre de l'essai, publié en 1934, où l'écrivain français Georges Bernanos (1888-1948), avec son sens de l'opposition tragique, s'attache à montrer la solitude de Jeanne en face des docteurs. Il est aujourd'hui difficile de se rendre compte de ce que représentait le tribunal qui jugea Jeanne, cette assemblée d'évêques, d'abbés, de théologiens, d'inquisiteurs. Jeanne n'a pas été jugée à la hâte : elle l'a été avec toute la solennité, toute la légalité possible, une légalité rehaussée et comme consacrée par le caractère religieux du tribunal et du procès. Une dizaine d'évêques et d'abbés, cinquante-trois docteurs, licenciés ou bacheliers, c'est-à-dire cette sage et redoutable université de Paris qui avait été pendant tout le Moyen Âge le centre doctrinal de la chrétienté, dont l'autorité spirituelle en imposait aux papes même et réglait les différends des souverains, c'est la plus illustre assemblée de l'Église qui jugeait Jeanne d'Arc.

La jeune fille est seule devant eux, et on la dirait seule devant l'Église entière. Le roi de France même n'ose intervenir pour elle, circonvenu par l'évêque de Reims, son confesseur, qui croit Jeanne illuminée et folle. Et pendant des jours et des jours, avec toutes les ressources de leur science théologique unique au monde, ces docteurs s'emploient à prouver à Jeanne qu'elle s'est trompée, qu'elle pèche par orgueil et présomption, qu'elle ne saurait être sainte dès lors qu'elle ne veut point écouter les conseils des meilleurs, des plus savants. Et Jeanne atteint le fond de sa solitude lorsque le tribunal lui adresse l'exhortation finale à la soumission, la supplie de se rendre à cette évidence invincible : qu'elle ne saurait être selon Dieu, étant contre les conseils de l'Église. Ce n'est pas une menace de procureur : cet appel des docteurs à la pauvre fille est vraiment comme l'appel de toute l'Église assemblée à l'un des siens qui, par obstination, est en risque de jeter son corps et son âme au feu éternel. Comment Jeanne, en l'écoutant, ne se seraitelle pas convaincue qu'elle était bien relapse ? La prière des docteurs lui ôte ses ultimes assurances ici-bas. Elle n'a plus rien et ne peut plus rien dire aux hommes : « Mais cette fois, où Dieu l'a mise, la pauvrette, nul ne viendra la reprendre : les paroles qu'elle vient d'écouter en silence, sa chère petite tête penchée vers la terre, humblement, l'ont retranchée de tout ce qui vit, de la Sainte Église universelle, de l'univers pardonné. » Les autres saints, si dur ait été leur martyre, souffraient dans la souffrance de l'Église, mystérieusement assemblée autour d'eux. Jeanne est seule, comme le Christ « abandonné par les siens »... Le martyre ne semble d'abord pas rompre le silence. Il semble que Jeanne soit relapse à jamais. Personne ne s'occupe de sa réhabilitation. Et, tout à coup, le procès de béatification est instruit : « Dieu sait venger ses saints... l'heure des saints vient toujours. » Dans Jeanne, Bernanos retrouve un des thèmes essentiels de son œuvre, cette brusque invasion du transcendant dans les assurances temporelles, ce soudain renversement de toutes les assurances, humiliation des grands, exaltation des petits. Avec Jeanne, l'Église prend son visage essentiel : il semblait que cette assemblée de théologie, d'inquisition, cette réunion des puissances de la science et des puissances de l'administration au tribunal de Rouen, représentait l'Église ; mais Dieu suscite Jeanne, qui « n'aura jamais assez de théologie pour devenir seulement un chanoine », mais qui montre que l'Église, qui est celle des chanoines, des théologiens et des administrateurs, est d'abord « l'Église des saints ».

★ Des nombreuses œuvres consacrées à Jeanne d'Arc, il en est une qui, peu connue – sinon méconnue –, mérite d'être signalée cependant : *Jeanne d'Arc* [*Joan of Arc*], due à l'humoriste américain Mark Twain (1835-1910), se présente comme un démenti aux accusations, provoquées par son *Yankee du Connecticut à la cour du Roi Arthur* (*) (1889), de ne respecter rien de ce qui était sacré pour les autres. « Ce sera un livre sérieux. Il me tient plus à cœur que tout ce que j'ai entrepris », disait-il en 1893 à Florence, où il avait commencé de l'écrire. Continué à Étretat, puis à Paris, et terminé en janvier 1895, il parut d'abord d'avril à décembre de cette même année dans le *Harper's Magazine,* sans nom d'auteur. L'anonymat contribuait à mettre à part des autres cette œuvre, d'un ton si exceptionnel, car c'est avec un respect confinant à l'adoration que cet iconoclaste se penche sur l'héroïne. Il admet les voix comme un fait dont il ne tente aucune explication, ni par la raison ni par la foi, et donne la parole à un contemporain de Jeanne, son compagnon de tous les instants. Le titre complet de cette biographie romancée est : *Souvenirs personnels sur Jeanne d'Arc, par le Sieur Louis de Conté (son page et secrétaire) traduit librement du vieux français en anglais moderne, d'après le manuscrit inédit des Archives nationales de France, par Kean François Alden ;* elle comporte trois parties « Domrémy », « À la Cour et dans les camps », et « Le Procès et la Mort », de beaucoup la meilleure. Dernière en date des grandes œuvres de Mark Twain, c'est celle qui lui a coûté le plus de travail (« douze ans de préparation » et la lecture, entre autres, de Michelet, Quicherat, Wallon, Ronald Gower, etc.), celle aussi qu'il estimait son œuvre maîtresse. Le public et la critique de son temps ne ratifièrent guère son jugement, et l'accueil fut assez froid ; il semble bien que ce soit là une injustice.

★ Si Schiller, dans sa *Pucelle d'Orléans,* avait mêlé Jeanne à une histoire de meurtre et d'amour, un autre écrivain allemand, Georg Kaiser (1878-1945), devait aller beaucoup plus loin dans l'invraisemblance avec son drame : *Gilles et Jeanne* [*Gilles und Jeanne*], publié en 1922. L'auteur imagine d'associer étroitement Jeanne d'Arc, la pure héroïne, avec Gilles de Rais, si décrié pour ses crimes affreux qu'il est devenu le modèle de Barbe-Bleue. Gilles de Rais aurait été un des plus fidèles compagnons de Jeanne. On nous le montre s'éprenant d'elle à la folie et, comme elle se refuse à lui, la livrant par vengeance à ses ennemis. Cette passion fait de Gilles un forcené ; il devient le jouet d'un alchimiste qui lui suggère une série de crimes. Il possède d'autres femmes et les tue, s'imaginant chaque fois qu'elles sont l'incarnation de Jeanne. Mais, à la fin, la pure image de celle-ci subjugue les démons qui sont en lui, il avoue ses fautes. La justice humaine le punit, mais l'Église l'absout et pardonne. En tout cela, un mélange assez simpliste et grossier de sadisme et de mysticité. Aucune vérité historique, aucune vraisemblance dans la psychologie. Le roi de France est présenté comme une ganache. Les gens de sa cour sont tous des pleutres. L'issue des batailles dépend de hasards parfaitement insignifiants, et les contemporains de Jeanne n'ont aucun scrupule à parler de l'Amérique qui ne sera découverte que cinquante ans plus tard.

★ L'oratorio dramatique de Paul Claudel (1868-1955), *Jeanne au bûcher*, écrit avec la collaboration du compositeur Arthur Honegger (1892-1955) pour la musique, a été publié en 1937 et représenté à Bâle en 1938, puis à Paris. Le texte de Claudel, qui veut être une évocation des « mystères » du Moyen Âge, nous présente Jeanne dans l'attente du supplice. Sur le bûcher, elle revit les épisodes les plus marquants de sa vie : l'enfance à Domrémy, la lutte avec les Anglais, l'entrée du roi à Reims, l'accusation de sorcellerie jetée contre elle, enfin sa condamnation. On pourrait considérer la musique d'Honegger dans cette œuvre comme une synthèse de ses expériences précédentes : dans sa variété, le style peut paraître singulièrement éclectique, mais le compositeur réussit à dominer cet éclectisme en lui imprimant une signification concrète, et en interprétant musicalement, avec la sensibilité la plus pure et l'intuition la plus sincère, les moments tour à tour mystiques et lyriques du texte claudélien.

★ Très nombreux sont les compositeurs que les vicissitudes de la sainte ont inspirés : entre autres, nous mentionnerons le mélodrame *Jungfrau von Orléans* de Reinhard Anselm Weber (1766-1821) ; la *Jeanne d'Arc à Orléans*, première œuvre du très fécond Rudolph Kreutzer (1766-1831), représentée avec succès à Paris en 1790 ; les ouvertures *Jungfrau von Orléans* de Karl Wagner (1772-1822) et de Johan Schulz (1773-1821) ; les opéras : *Jungfrau von Orleans* de Fr. Destouches (1772-1844) ; *Giovanna d'Arco* de Nicola Vaccai (1790-1848), Venise, 1827 ; celle de Giovanni Pacini (1796-1867), Milan, 1830 ; *Jeanne d'Arc* de Michael Balfe (1808-1870) ; le poème vocal : *Jeanne d'Arc au bûcher* de Franz Liszt (1811-1886) ; l'opéra *Giovanna d'Arco* de Gian Francesco Malipiero (1824-1877), Milan, 1841 ; les intermèdes et musiques chorales écrits pour le drame *Jeanne d'Arc* de Jules Barbier (1825-1901) par Charles Gounod (1818-1893), exécutés à Paris en 1873.

★ L'opéra le plus connu est la *Jeanne d'Arc* [*Giovanna d'Arco*] de Giuseppe Verdi (1813-1901), drame lyrique en trois actes et un prologue, livret de Témistocle Solera. Représenté à Milan en 1845, c'est le huitième opéra de Verdi venant après *Hernani* (*) et *Les Deux Foscari* (*) et avant *Alzire* et *Harold*. *Jeanne d'Arc* fut écrite en trois mois. Le livret de Solera s'inspire du poème de Schiller, mais le librettiste italien a introduit des événements que le poète allemand n'aurait jamais imaginés, que Voltaire eût souhaité imaginer et que l'histoire infirme. Pour Solera, Jeanne entretenait des relations coupables avec Charles VII ; son père, faible d'esprit, s'était engagé dans l'armée anglaise pour mieux dénoncer les sorcelleries de sa fille ; enfin Jeanne mourait non pas sur un bûcher, mais dans les bras de son royal amant, au milieu de l'armée française victorieuse et brandissant une forêt d'étendards. Ces modifications du texte favorisaient sans doute des développements lyriques plus tendres, plus chaleureux que ceux ménagés par les stricts faits historiques. La Cavatine que chante Jeanne, l'étonnement que montre le roi à son arrivée, l'Ouverture – chef-d'œuvre d'orchestration et d'effusion lyriques – demeurent les meilleurs passages de cette partition fort inégale par ailleurs. Le succès de *Jeanne d'Arc*, certain en Italie, fut très limité en France, où le rôle principal fut pourtant interprété en son temps par la célèbre cantatrice Patti. Verdi en reprit cependant l'Ouverture qui lui servit d'introduction à ses *Vêpres siciliennes* (*) spécialement écrites pour l'Opéra de Paris. Avec *Jeanne d'Arc*, comme avec *Rigoletto* (*), Verdi devait se heurter à la police autrichienne qui contrôlait l'Italie. Les hymnes à la patrie et à la liberté revenant fréquemment dans la bouche de Jeanne, les représentations données à Palerme en 1847 furent interdites. Il fallut changer le livret et adapter une nouvelle fable à la même musique. Ainsi Jeanne devint-elle une compagne de Sapho, et dans sa nouvelle présentation l'œuvre prit-elle le nom de *Orietta di Lesbo*.

★ Parmi les pages de musique plus récentes méritent d'être mentionnés : la scène lyrique *Jeanne d'Arc* de Georges Mathias (1826-1910) ; l'ouverture *Jungfrau von Orléans* de William Frans Thooft (1829-1900) ; le prélude symphonique du même titre d'Édouard de Hartog (1826-1909) ; les musiques de scène pour la tragédie de Schiller de Léopold Damrosch (1832-1885) et de Max Bruch (1838-1920) ; la symphonie *Jeanne d'Arc* d'Alfred Holmes (1837-1886) ; le poème symphonique du même nom de Mermet Pfeiffer (1845-1908) ; l'opéra *La Pucelle d'Orléans* de Piotr Ilitch Tchaïkovski (1840-1883), représenté à Saint-Pétersbourg en 1881 ; le chœur *Johanna von Orléans* de Heinrich Hofmann (1842-1902) ; la pantomime musicale *Jeanne d'Arc* de Charles Marie Widor (1844-1937), représentée à Paris en 1890 ; la scène lyrique du même nom d'Ernest Chausson (1855-1899) ; le poème pour soprano et orchestre de Ludwig Bonvin (1850-1939) ; le poème symphonique *Jeanne d'Arc op.* 19 de Moritz Moszkowsky (1845-1925) ; l'opéra *Jungfrau von Orléans* d'Emil Nikolaus von Reznicek (1861-1945), Prague, 1887 ; les intermèdes symphoniques de George Washington Pittrich (1870-1934) ; la cantate pour chœur de Marco Enrico Bossi (1861-1924) ; et l'oratorio de Paul Paray (1886-1979).

★ Nombreuses ont toujours été, surtout en France, les œuvres d'art qui représentent Jeanne d'Arc ; parmi les plus connues, citons les statues équestres de Dubois, devant la cathédrale de Reims, et de Frémiet, place des Pyramides à Paris. Parmi les peintures, notons : la série de fresques de Lenepveu au Panthéon, une toile de Delaroche, et la *Jeanne d'Arc assistant au sacre de Charles VII* d'Ingres.

Parmi les œuvres récentes, la plus connue est le tableau de Scherrer : *L'Entrée de Jeanne d'Arc à Orléans* (1887).

JEANNOT ET COLIN. C'est en pleine activité polémique, entre le *Traité sur la tolérance* et le *Dictionnaire philosophique* (*), et pour se distraire de ses autres travaux d'historien et de critique (*L'Histoire du Parlement de Paris* et le *Commentaire sur Corneille* sont de cette époque), que l'écrivain français Voltaire (François-Marie Arouet, 1694-1778) écrivit, à Ferney, ce petit conte allègre, charmant, qui fut publié en 1764. Parmi les contes de Voltaire, *Jeannot et Colin*, comme *L'Homme aux quarante écus* (*) (1768), se distingue par sa verve enjouée et par son ton plaisant et badin. Voltaire veut seulement ici être gai, et il n'a guère besoin de se forcer pour respecter la consigne qu'il s'est donnée : « Je me suis mis à être un peu gai, parce qu'on m'a dit que cela est bon pour la santé » (Lettre à l'abbé Trublet, 1761). L'intrigue est peu de chose : deux amis collégiens, Jeannot et Colin, étaient unis par les liens de l'amitié la plus tendre, mais la vie, c'est-à-dire les préjugés sociaux, les sépara. Le père de Jeannot fit fortune et « Jeannot monta en chaise, en tenant la main à Colin avec un sourire de protection assez noble. Colin sentit son néant et pleura. » L'écroulement subit de cette fortune trop rapidement acquise, la générosité du fidèle Colin, resté un modeste travailleur, réunissent à nouveau les deux amis. C'est donc une petite histoire morale, assez touchante dans sa simplicité, sans prétention et, somme toute, sans arrière-pensée, que nous propose Voltaire. Il sait allier ici la grâce exquise à la simplicité du ton et à la justesse émouvante du trait.

JEAN-QUI-RIT [*Hans im Glück*]. Conte des écrivains allemands, les frères Jacob (1785-1863) et Wilhelm (1786-1859) Grimm, dont le titre est devenu en Allemagne une expression proverbiale. À l'encontre de la plupart des contes de Grimm, ce récit ne recourt pas au merveilleux et ne comporte ni fées ni sorcières. Jean est un jeune paysan qui, au terme de sept années de bons services dans une ferme, se décide à regagner son village, reçoit de son maître un lingot d'or pour prix de ses peines. Soufflant et suant sous son précieux fardeau, il rencontre, chemin faisant, un passant monté sur une haridelle. « Heureux homme ! » s'écrie Jean. Et l'autre de répliquer aussitôt : « Faisons une affaire. Je te donne mon cheval contre ton or ! » Alors, de troc en troc, Jean cède sa monture pour une vache, sa vache pour un cochon, le cochon pour une oie, l'oie pour une meule de rémouleur, et lorsqu'en fin de compte il laisse tomber cette dernière au fond d'un puits, il reprend son chemin, le pied léger, le cœur content, et rentre chez lui, les mains vides, en s'écriant : « Nul n'est plus heureux que moi sous le soleil ! » Il est en effet plus heureux que la Perrette de La Fontaine – v. *Fables* (*) – qui, après avoir fait mentalement et à l'inverse tous les échanges nécessaires allant du pot au lait à la possession de la richesse et gambadant de joie à cette idée, laisse tomber son pot, brisant ainsi du même coup sa cruche et ses rêves. – Trad. sous le titre *Jean le Veinard*, in *Contes*, Gallimard, 1976, et sous le titre *Jean le Bienheureux*, Nord-Sud, 1986.

JEAN SANTEUIL. Roman de l'écrivain français Marcel Proust (1871-1922), publié seulement en 1952. Notons, pour éclairer l'histoire de ce livre, que, dès 1896, Marcel Proust, dans ses lettres à ses intimes, annonçait qu'il avait entrepris d'écrire un grand roman, « une œuvre de longue haleine », à laquelle il attachait beaucoup d'importance. Mais ce n'est qu'aux alentours de 1950 que Bernard de Fallois, qui préparait une thèse sur l'auteur de *À la recherche du temps perdu* (*), en dépouillant les monceaux de papiers, de notes, de brouillons divers laissés par Marcel Proust, en exhuma le manuscrit de *Jean Santeuil.* Ce roman de plus de mille pages n'est pas exactement, comme on l'a cru et dit longtemps, un « premier jet » de *À la recherche du temps perdu*, s'il est vrai qu'on y trouve déjà les thèmes essentiels de l'œuvre capitale de Proust. C'en est même, ainsi que le dit dans sa préface M. André Maurois, « un livre tout à fait distinct, non seulement parce qu'il est inachevé, mais parce que manquent encore le sujet clé du chef-d'œuvre (qui sera la métamorphose d'un enfant nerveux et faible en artiste), la continuité des personnages essentiels, la décision d'écrire le livre à la première personne, et le courage de plonger dans le sulfureux abîme de Sodome ».

Jean Santeuil débute par la rencontre que deux jeunes gens font d'un romancier connu qui, avant de mourir, leur laisse le manuscrit d'un roman qu'ils vont publier, et dont Jean Santeuil est le héros. Petit garçon trop sensible (très proche du petit Marcel de *Du côté de chez Swann*), Jean Santeuil s'éveille au monde de l'amour à travers la passion qu'il porte d'abord à sa mère, puis à une fillette, Marie Kossicheff (en qui l'on reconnaît déjà Gilberte Swann). Puis Jean Santeuil grandit, oublie Marie, s'attache passionnément à son professeur de philosophie, est introduit dans le monde par son camarade, Henri de Réveillon. Il participera au déchaînement d'opinion que suscite l'affaire Dreyfus ; mais ses amours continueront de l'occuper davantage. À la fin du livre, Jean Santeuil retrouvera le souci de ses parents, dont la vieillesse et la mort inspireront à Marcel Proust des pages émouvantes et profondes, où l'on voit déjà esquissées les grandes méditations du *Temps retrouvé* sur l'œuvre du Temps et la Mort. Cette analyse sommaire ne permet pas évidemment de distinguer toutes les ressemblances existant entre les deux romans, entre l'œuvre de jeunesse et le chef-d'œuvre de la maturité. Il faudrait évoquer le baiser refusé des premières pages, les amours enfantines, les similitudes un peu plus qu'ébauchées entre le monde des Réveillon et celui des Guermantes, certaine phrase de violon qui deviendra la célèbre « petite phrase de Vinteuil », l'entrée du thème de la relativité de l'amour et de la dégradation des sentiments, celui de la « correspondance » souvenir — sensation, etc. Il faudrait insister aussi sur l'importance que jouent déjà, dans la sensibilité de l'écrivain, l'obsession de la pureté et la conscience de son caractère inaccessible. Rappelons cette phrase d'une lettre à Robert de Montesquiou : « ... Et même dans mes désirs les plus charnels, j'aurais pu reconnaître comme premier moteur une idée, une idée à laquelle j'aurais sacrifié ma vie, et au point le plus central de laquelle était l'idée de perfection. » Et ces lignes ultérieures : « Peut-être est-ce le néant qui est le vrai, et tout notre rêve est-il inexistant [...] Alors nous périrons — mais nous avons pour otages ces captives divines qui suivront notre chance. Et la mort avec elle a quelque chose de moins amer, de moins inglorieux, peut-être de moins probable... » *Jean Santeuil*, première ébauche du « grand œuvre » de Marcel Proust, atteste déjà sa recherche permanente de l'essence des choses, et sa confiance dans la mission de l'artiste, chargé de l'exprimer et de la retenir.

JEAN SBOGAR. Roman de l'écrivain français Charles Nodier (1780-1844), publié sans nom d'auteur en 1818 (on l'attribua alors à Benjamin Constant ou à Mme de Staël) et réédité en 1820, sous signature cette fois. Le lieu de l'action se situe à Trieste ou Venise, deux villes que Nodier connaissait pour les avoir traversées en 1812 et 1813 lors du voyage qui le mena en Illyrie, où il vécut pendant une année. L'intrigue est contemporaine de cette période. L'héroïne, Antonia, est une jeune fille de complexion délicate et de tempérament passionné. Elle est la demi-sœur de Mme Alberti, qui la protège. Les deux femmes, héritières des richesses de leur père, vivent dans un ermitage près de Trieste, et Mme Alberti s'emploie à distraire la tristesse d'Antonia. En ces temps l'on parle beaucoup d'une bande de brigands justiciers, commandée par le mystérieux Jean Sbogar. Au cours de diverses promenades, les deux femmes font la rencontre d'un homme jeune que l'on devine être cet outlaw séduisant. Il devient vite évident qu'il est épris d'Antonia, mais il tient à la protéger plus qu'à s'attacher à elle de liens qu'il lui semble impossible de nouer. Nodier excelle à montrer ses apparitions furtives, sa présence secrète attachée aux pas d'Antonia. Cependant, alarmées par les exactions de Sbogar, les deux femmes décident d'aller habiter leur maison de Venise. Elles y apprennent bientôt qu'un jeune homme du nom de Lothario y défraie la chronique. Les plus flatteuses rumeurs courent sur son compte. Elles en viennent à le connaître, il les fréquente, et Antonia éprouve pour lui une passion qui porte une « empreinte de fatalité » et qu'il semble partager, quoique incompréhensiblement il se dérobe à cet amour. Un jour où l'on est amené à évoquer Sbogar, Lothario relate les temps de son enfance, étale sa haine de la société actuelle et rappelle l'heureuse époque qu'il passa, comme un âge d'or, au milieu de paysans du Monténégro, juste avant que leurs terres ne soient livrées à l'envahisseur. Après son départ, Antonia découvre ses tablettes qu'il a oubliées et où il a inscrit toute une suite de pensées anarchisantes. Bientôt Lothario écrit à Antonia que, pour des raisons secrètes, il doit s'empêcher de la revoir. Accompagnée de sa demi-sœur, Antonia s'en retourne à Trieste, mais leur barque est arraisonnée par des bandits. Antonia s'évanouit. Au réveil, elle comprend qu'elle a été transportée au château de Duino, repaire de Jean Sbogar, en nid d'aigle sur la mer. Lorsqu'on lui apprend la mort de Mme Alberti, elle perd la raison. Un jour, un homme masqué, qui n'est autre que Sbogar, vient s'entretenir avec elle, et leurs conversations vont se multiplier, sans que jamais Antonia, dont l'esprit est égaré, ne devine la véritable identité de son interlocuteur. Le château est envahi par les troupes françaises. Sbogar, encore masqué, tout en disant son amour à Antonia, doit prendre la fuite. Antonia, qui bientôt recouvre la raison, entre dans un cloître, mais on l'en fait sortir momentanément pour qu'elle identifie, parmi les prisonniers que l'on va exécuter, Sbogar lui-même. Arrivée devant celui-ci, dont la tête est nue, elle reconnaît Lothario, mais le brigand la détrompe : « Non, non, je suis Sbogar. » Foudroyée par cette nouvelle, Antonia meurt. Sbogar, ainsi confondu, marche sans remords vers le supplice. Cette œuvre, hyper-romantique, témoigne du frénétisme très en vogue alors. Nodier a campé des personnages excessifs, à l'image d'une époque troublée. Son hors-la-loi s'inspire du Charles Moor de Schiller et préfigure les héros vengeurs et asociaux dont regorgera bientôt notre littérature. Une poésie bien particulière, nourrie de couleur locale, tant dans les descriptions de paysages que dans les évocations de chants folkloriques, rend attrayante la lecture de ces pages, malgré leur caractère mélodramatique et les invraisemblances qu'elles comportent.

J.-L. St.

JE BÂTIS MA DEMEURE. Recueil de poèmes de l'écrivain français Edmond Jabès (1912-1991). Publié pour la première fois à Paris en 1959, préfacé par son ami Gabriel Bounoure, complété en 1975, ce premier livre rassemble la quasi-totalité des textes poétiques écrits par Jabès avant son exil forcé en France en 1957. Ce livre sera aussi l'un des derniers réédités de son vivant, augmenté de l'ensemble des textes poétiques écrits ultérieurement, et publié sous le titre *Le Seuil le Sable* (1990). La rédaction des écrits rassemblés sous le sous-titre commun « Poèmes » va de 1943 à 1957. Il s'agit de treize petits ensembles datés (dont certains avaient déjà fait l'objet de publication en plaquettes séparées) et édités selon un ordre qui ne respecte pas l'ordre chronologique. Max Jacob influença les premiers essais, et c'est à sa mémoire que sont dédiées les *Chansons pour le repas de l'ogre* (1943-1945, parues en 1947). Chansons de la douleur, du malheur (« Les cavaliers morts galopent toujours / dans mon sommeil et dans mes yeux »), elles évoquent la nostalgie de l'enfance, les jours de bonheur rêvés à jamais perdus ou interdits, et expriment, malgré la richesse toute charnelle des expressions, une méfiance à l'égard des facilités du lyrisme dont l'œuvre future ne se départira pas. Ce désenchantement ne va toutefois pas sans une certaine confiance — jamais désavouée — en la vie et en les émotions simples qu'elle peut nous réserver à condition que nous y prêtions notre attention active. « Je bâtis ma demeure / sur le réveil des cerises de fuseau / que les enfants cueillent » (*La Voix d'encre,* 1949). Une certaine approche réflexive de l'acte d'écrire vient doubler l'écriture elle-même. Les mots fuient, sont toujours prêts à nous trahir, sont les mauvais miroirs d'une réalité qu'ils sont seuls pourtant à pouvoir dévoiler. L'acte poétique renvoie celui qui en est l'auteur à une solitude ou un tourment qu'il est seul à connaître. « Je cherche, avec des mots, à saisir la poésie ; mais déjà, elle s'est réfugiée en eux. De la poursuivre là où elle est devenue ma voix, c'est moi seul, alors, que je tourmente » (*Les mots tracent,* 1943-1951). Les thèmes qui deviendront majeurs dans l'œuvre à venir, *Le Livre des questions* (*), sont déjà repérables dans ces premières approches : l'errance, l'impossibilité de tout ancrage en une terre autre que le frêle abri des mots, le désert comme non-lieu de la condition du Juif et de l'écrivain, la mémoire qui doit assumer, jusqu'à l'impossible origine, une histoire faite de larmes et de sang. « Je dois aux mots mon inquiétude. Je m'efforce de répondre à leurs questions qui sont mes brûlantes interrogations » (*L'Écorce du monde,* 1953-1954). Écrire n'aura jamais été pour Jabès que l'inquiétude de devoir répondre à une question, à la concevoir, à ne jamais la lâcher. L'espace du livre, où les voix se recueillent, a pour enjeu le dialogue qu'il permet. Demeure silencieuse, peuplée de mots inquiets, le livre se risque au partage. « Le lecteur seul est réel. »

F. W.

JE DEMANDE LA PAIX ET LA PAROLE [*Pido la paz y la palabra*]. Œuvre du poète espagnol Blas de Otero (1916-1979), publiée à Torrelavega (Santander) en 1955. L'une des plus significatives et populaires de la poésie intérieure de résistance et de combat sous la dictature franquiste. Avant de devenir le chef de file d'un mouvement poétique civique des décennies 1950-1970, le poète, éduqué dans la foi chrétienne, avait exprimé le « déracinement » [desarraigo] de l'homme dans le monde moderne. Dans *Ange férocement humain* [*Angel fieramente humano*, 1950], l'homme, opprimé, menacé, solitaire, s'avançait avec angoisse dans le vide et la nuit de sa vie, comme dans un vaste triangle ayant pour côtés Dieu, l'amour et la mort. Un Dieu restant sourd à tout appel : « En lutte, corps à corps, avec la mort, / au bord de l'abîme, à grands cris j'appelle / Dieu. Et le roulement de son silence / étouffe ma voix dans le vide inerte... / Ô Dieu. Je parle / seul. En griffant les ombres pour te voir. » Un Dieu qui finit par révolter l'homme qui l'a supplié ; ainsi, dans *Rappel de conscience* [*Redoble de conciencia*, 1951] : « Tu me fais mal, Seigneur. Ôte ta main / sur moi. Laisse-moi seul avec mon vide, / laisse-moi. Pour abîme, j'ai le mien : / il me suffit. Dieu, si tu es humain, / compatis enfin, ôte cette main : sur moi. Elle m'est inutile. Elle est / froid et peur. Si tu es Dieu, moi je suis / Moi. Et, en arrogance, je te vaincs. » Découvrant l'inutilité de sa foi solitaire, le poète entend partager l'existence des hommes (ceux d'Espagne, en particulier) et réclame « la paix et la parole », en quête d'une autre foi qui les sauvera tous. Dans une situation historique déterminée, en l'occurrence la dictature, la voix s'élève avec une volonté totale de sincérité : « Pas un mot / ne jaillira de mes lèvres / qui ne soit / vérité. » Avec aussi une résolution inébranlable : « Mes yeux parleraient même si mes lèvres / restaient sans voix. Je tomberais aveugle, / et ma main droite, elle, continuerait / à parler, à parler, à parler. » Dans ce recueil comme dans les suivants, interdits par la censure et publiés à Paris, *Parler clair* [*En castellano,* bilingue, 1959], *Au sujet de l'Espagne* [*Que trata de España*, 1964], les thèmes invoqués sont la paix, la dignité et les droits élémentaires de l'homme, le rejet de la violence, le désir effréné de vivre « dans un monde habitable pour tous », et notamment de transformer la réalité immédiate de l'Espagne, terre chérie et merveilleusement chantée, mais pays où les morts écrasent les vivants, où le passé asphyxie le présent, où la tradition mine le progrès, où l'homme, plus que partout ailleurs, est si souvent le jouet de l'intolérance et de l'absurdité. La langue concise et limpide, chargée d'images suggestives de ce poète sans concessions, a incité son grand aîné Dámaso Alonso à affirmer : « Je me limite à signaler la poésie de Blas de Otero comme l'un des plus clairs dépôts de matériaux pour une analyse de style. » — Trad. Maspero, 1963. C. C.

JEDERMANN. La légende de Jedermann est une des transpositions théâtrales les plus connues de la parabole évangélique (*Luc*, XVI, 19-33) du pauvre Lazare et du mauvais riche. Dans les pays latins, le thème respecte la lettre et l'esprit de sa source évangélique ; dans les pays nordiques, plus enclins aux interprétations allégoriques et morales, il devient une sorte de « moralité ».

★ On connaît en Italie le *Contraste du riche et du pauvre* [*Contrasto del ricco e del povero*], drame sacré d'un auteur anonyme de l'Ombrie (XIIIe siècle). Le pauvre se présente chez le riche, qui le repousse rudement et le frappe. Tandis qu'un ange recueille le « pauvre chassé », les démons, envoyés par Lucifer, entrent dans la maison du riche et l'entraînent en enfer où, en vain, il prie Abraham de lui envoyer Lazare pour lui rafraîchir la langue avec son « petit doigt humecté d'eau ». Sa composition scénique rudimentaire, la rudesse concrète de son langage prêtent à cette œuvre un réalisme plein de saveur.

★ La plus ancienne transposition nordique de la parabole est *Le Miroir de l'éternel salut d'Elckerlyc* [*Den Spyghel der Salicheyt van Elckerlyc*], drame édifiant du Flamand Pieter van Diest (1454-1507), composé en 1495. Jedermann (Elckerlyc) est le symbole de l'homme qui vit sans se préoccuper de Dieu ni du salut de son âme. La Mort l'appelle à faire un long voyage sans retour, durant lequel il devra rendre compte à Dieu de sa vie terrestre. L'unique concession qui lui soit faite est de se faire accompagner par quelqu'un. Elckerlyc s'adresse alors à Gheselscap (la Compagnie) et à « 't Goet » (les Biens), mais ils se récusent ; Deucht (la Vertu) ne peut même pas lui venir en aide, tant elle est affaiblie par la vie scandaleuse d'Elckerlyc. Elle lui conseille cependant de se rendre chez Kennisse (la Connaissance) qui l'envoie à son tour chez dame Biechte (la Confession), laquelle l'oblige à confesser ses fautes ; après cette confession, Deucht est guérie et Kennisse envoie Elckerlyc chez un prêtre pour recevoir les sacrements et l'extrême-onction. Ainsi Elckerlyc meurt environné de Deucht, Kennisse, Schoonheid (la Beauté), Cracht (la Force), Vroescap (la Sagesse) ; mais tous doivent l'abandonner à la fin, sauf Deucht, qui l'accompagnera quand l'ange viendra pour l'emporter vers la béatitude céleste. Le drame allégorique fut recomposé en latin par Christian Ischynius, et l'œuvre latine traduite à son tour en allemand et en hollandais : le sujet en a été puisé dans le drame bien connu *Barlaam et Josaphat* (*).

★ En Allemagne, outre la transposition d'Ischynius et une rédaction du texte flamand intitulée *Jedermann*, le thème de Jedermann a donné naissance au drame latin *Hecastus* de l'humaniste flamand Georgius Macropédius (env. 1475-1558), composé en 1539. Hecastus (= Chacun) est un jouisseur qui vit au jour le jour sans souci, sinon celui du plaisir fugitif. Mais, au second acte, un envoyé du Seigneur, Nomodidascalus (= Celui qui enseigne la Loi), lui remet un message en hébreu qui atterre Hecastus ; même son fils, le médecin, ne pourra l'aider en l'occurrence. Au troisième acte apparaît en effet la Mort, qui annonce à Hecastus qu'elle viendra le chercher dans une heure. Il commence à se lamenter et cherche un ami qui puisse l'accompagner dans ce voyage difficile ; mais parents et amis se récusent ; il n'a pas le courage d'interroger son « amie » ; la richesse ne lui sert à rien et il demeure seul. Mais au quatrième acte la Vertu lui apparaît, elle qu'il a oubliée depuis si longtemps, et après la Vertu voici la Foi. Au dernier acte, Hecastus va mourir ; ses fils se disputent son héritage, le diable veut déjà prendre possession de son âme, mais à l'ultime moment il se réconcilie pleinement avec la Vertu et la Foi, qui le défendent contre Satan, et il meurt sauvé. Un dialogue plein de dévotion entre le prêtre et les héritiers clôt le drame. Celui-ci, avec ses mille neuf cents vers, est beaucoup plus vaste qu'*Everyman* qui n'en compte que neuf cents. Il est intéressant de remarquer que Macropédius, qui était catholique, a subi l'influence de la Réforme.

★ *Everyman*, la plus célèbre des anciennes « moralités » anglaises, semble bien être une traduction en 921 vers du texte hollandais, rédigée par un auteur anonyme vers 1509-1519. La traduction accentue le caractère allégorique de la représentation. Nous voyons d'abord Dieu qui envoie la Mort pour rappeler Everyman à ses côtés. Celui-ci, angoissé, implore un délai, mais n'obtient que quelques heures pour rassembler les amis qui l'accompagneront dans ce voyage suprême. Everyman s'adresse, en vain, à Amitié, Parenté, Richesse ; toutes refusent de l'écouter et le renvoient avec de bonnes paroles ; c'est alors seulement qu'il pense à Bonnes-Actions, qu'il a si longtemps négligée et qui, à présent, gît au sol, enchaînée par ses péchés. Bonnes-Actions l'écoute, l'assiste, le recommande à sa sœur Connaissance, qui l'envoie à Confession. Everyman, ainsi purifié, arrive devant la tombe, prêt à se présenter devant Dieu ; Beauté, Force, Raison, Cinq-Sens l'abandonnent malgré leurs promesses de le suivre. Connaissance voudrait l'accompagner, mais ne le peut. Bonnes-Actions est la seule qui l'assiste, la seule qui lui soit utile. Grâce à ses intercessions, Everyman mourra purifié et pardonné. Parmi les nombreuses « moralités » de l'époque dans lesquelles se trouve toujours une note comique qui confine souvent à la vulgarité, *Everyman* se remarque par son profond sérieux moral et par sa construction sévère. La simplicité classique de sa forme lui permet d'être jouée encore et de passionner aujourd'hui.

★ C'est à ce même thème que peut se rapporter la « comédie » *Vie et mort de saint Lazare* [*Vida y muerte de San Lázaro*] de l'Espagnol Antonio Mira de Amescua (1574-

1644), publiée dans le recueil *Comedias escogidas de los mejores ingenios de España* (Madrid, 1623). Cette pièce mêle les éléments de l'« Ancien » et du « Nouveau Testament » ; l'action se situe à l'époque de David et oppose Nabal (le riche) à Lazare (le pauvre), tous deux amoureux de la sage Abigaïl. Le père d'Abigaïl donne celle-ci à Nabal qui, par sa richesse, humilie Lazare. Mais, quand vient la mort, Lazare trouve justice devant Dieu à cause de ses souffrances, tandis que Nabal, que ses richesses condamnent, est la proie du démon. L'œuvre finit par l'entrée de Lazare au ciel et de Nabal en enfer.

★ L'écrivain autrichien Hugo von Hofmannsthal (1874-1929) a repris ce thème dans un drame, *Jedermann*, publié en 1911, dont la première eut lieu à Berlin le 1er décembre de cette même année dans une mise en scène de Max Reinhardt. Reprenant la « moralité » du XIVe siècle, *Everyman,* s'inspirant également de certains passages de la « Comédie de la mort du riche nommé Hecastus » du maître chanteur Hans Sachs, Hofmannsthal souhaitait redonner vie à une forme théâtrale oubliée, celle du spectacle destiné « à une foule », à ce conte « qui appartient à toutes les époques et a une valeur universelle ». Considérant que l'homme de notre temps est, bien que d'une autre façon, aussi désemparé et plongé dans les ténèbres que le spectateur de la « danse macabre » du XIVe siècle, Hofmannsthal reprend certes la fable de celui que la Mort vient chercher au milieu du festin de la vie et qui demande un sursis dans l'espoir de trouver l'âme charitable qui voudra bien l'accompagner dans son dernier voyage ; il reprend également les personnages allégoriques du jeu médiéval – la Mort, la Foi, les Œuvres –, mais il modernise aussi le sens du mystère en introduisant un personnage que ne connaissait pas la moralité : Mammon, incarnation de l'argent, de ce moyen devenu fin en soi, le véritable démon de notre temps, « un démon masqué, plus fort que son maître et qui se révèle, en définitive, le maître de son maître ».

Joué pour la première fois au cirque Schumann de Berlin, *Jedermann* fut choisi par les créateurs du festival de Salzbourg, dont faisait partie Hofmannsthal, pour être joué à l'ouverture du Festival, le 22 août 1920, devant le parvis de la cathédrale. Devenu désormais une tradition symbolisant le festival lui-même, le spectacle fut repris chaque année depuis la création (à l'exception des années de guerre), par les acteurs les plus prestigieux. – Trad. Corrêa, 1932.

★ L'œuvre pour baryton et orchestre du compositeur suisse Frank Martin (1890-1974) date de 1943. Frank Martin entreprit de mettre en musique les six monologues extraits de *Jedermann* (*) d'Hugo von Hofmannsthal. Le texte de Hofmannsthal illustre le thème classique tiré de l'*Évangile* (*) de saint Luc pour en tirer une sorte de « moralité » ou « jeu de la mort de l'homme riche ». Le prologue décrit la colère du Seigneur, irrité des péchés des hommes. Il ordonne à la Mort de mener jusqu'à son tribunal Jedermann (Monsieur Tout-le-Monde), être uniquement préoccupé de ses richesses et des plaisirs. Le funèbre messager transmet cet ordre à Jedermann au cours d'un festin où celui-ci se divertit avec sa maîtresse et ses amis. Une dernière heure de sursis lui est laissée pour se préparer au long voyage. Ses compagnons le quittent. Il reste seul avec son épouvante. Il entend alors une faible voix : la figure de ses bonnes œuvres passées lui apparaît, tout affaiblie de l'indifférence que Jedermann lui a témoignée sa vie durant. Désespéré, Jedermann s'écrie : « Mon Dieu, que je voudrais être complètement anéanti ! » La foi paraît alors et l'incite à s'amender. D'abord craintif et n'osant croire à la clémence de Dieu, il s'ouvre enfin à la lumière divine. Converti, il échappera à la damnation. La foi et les bonnes œuvres le mènent vers la tombe où il attend la mort dans la sereine certitude de la miséricorde de Dieu. Frank Martin a choisi d'illustrer les deux phases de cette conversion : la terreur initiale, le regret et l'ultime désir des richesses terrestres, puis, après l'évocation de la mère de Jedermann, la naissance du remords, l'apparition de la foi d'abord incertaine, puis l'illumination finale, la certitude rédemptrice et l'apaisement. Les deux premiers versets : « Ne me reste-t-il aucune aide ? » [Ist alles zu End das Freudenmahl ?] et « Dieu, quelle terreur je ressens devant la mort » [Ach Gott, wie graust mir vor dem Tod], sont empreints d'une âpreté et d'une véhémence très marquées. Une orchestration pleine de rudesse et d'habiles ressources d'écriture, tel que l'ostinato rythmique qui jalonne le deuxième verset, soulignent de façon impressionnante la révolte orgueilleuse et le désespoir de Jedermann dont la partie mélodique exprime parfaitement les successifs états d'âme, faisant alterner des séquences d'une ampleur volontaire mêlées de violentes interjections à des inflexions plus nuancées chargées d'une tristesse et d'une anxiété profondes. Le troisième monologue, « Quelqu'un appelle, il m'a semblé »... « Fais que ce ne soit pas ma mère », apporte une douceur momentanée dans le mélisme vocal et le calme soutien des cordes. La quatrième strophe, « Que ne puis-je être anéanti », conduit de nouveau à une sombre et pathétique méditation, très sobre au demeurant, sur « Meurs, voilà ton jour ». Les cinquième et sixième parties traduisent la lente naissance de la foi en Jedermann, d'abord craintive, puis rayonnante. La mélodie s'y épanche avec une lumineuse tendresse, mise en valeur par un accompagnement d'où tout heurt a disparu et dont la suavité harmonique exprime magnifiquement l'épanouissement de la calme et sereine confiance du pécheur. Jedermann est l'une des partitions les plus réussies et les plus émouvantes de Frank Martin et peut être à bon droit placée au premier rang des grandes œuvres vocales contemporaines.

JE ET TU [*Ich und Du*]. Essai philosophique de l'écrivain israélien d'origine autrichienne Martin Buber (1878-1965), paru en 1923, à l'époque où Buber fut nommé à la chaire de science religieuse juive à Francfort-sur-le-Main. Il s'agit d'un essai sur la philosophie des rapports entre « je » et « tu », entre la personne et son entourage, philosophie qui affirme que la connaissance ontologique de l'être humain ne peut être recherchée ni en étudiant le pôle d'attraction « je », ni le pôle « tu » ; ce n'est que dans la relation « je-tu » que le philosophe peut découvrir les véritables caractéristiques de l'homme, en tant qu'animal social et en tant que « personne ». « L'individu, nous dit Buber, ne participe à aucune réalité et n'en conquiert aucune. Il se délimite par rapport à ce qui n'est pas lui. » Dans la troisième partie, Buber étudie la relation entre « je » et le « Tu éternel » : Dieu. « L'homme ne peut apprécier cette relation avec Dieu » qu'à condition de réaliser Dieu dans le monde, ou, du moins, de tenter cette réalisation « dans la mesure de ses forces et à la mesure de chaque jour ». Cette vérité essentielle de la conception hassidique du judaïsme est comparée par Buber à la conception bouddhique, qui en diffère sensiblement. Le royaume de Dieu « se cache au milieu de nous, dans l'intervalle même qui nous sépare les uns des autres », c'est la voie qui y mène qu'il s'agit de trouver. Les idées essentielles exposées dans *Je et Tu* furent développées par Buber dans deux autres écrits : *Dialogue* [*Zwiesprache*, 1932] et *La Question à l'Unique* [*Die Frage an den Einzelnen*, 1936]. Dans le premier, il affirme que notre substance spirituelle ne peut se manifester que hors de nous-mêmes, ce qui présuppose un interlocuteur. Dans le second, il s'oppose à Kierkegaard qui pensait que l'homme, en tant qu'individu isolé, n'a pas d'autre rapport essentiel que son rapport avec Dieu. Or, d'après la pensée hassidique, dont Buber est le représentant le plus autorisé, on n'arrive pas à Dieu en évitant le monde. – Trad. Aubier, 1981.

JE... ILS... Récit de l'écrivain français d'origine russe Arthur Adamov (1908-1970). Ce livre, paru en 1969, fait partie des écrits autobiographiques de l'auteur. Il reprend *L'Aveu* (texte écrit entre 1938 et 1943, publié en 1946, renié plus tard) auquel fait suite un recueil de courtes proses (*Ils*), récits mi-réels mi-fictifs, dépouillés à l'extrême et tournant sans fard autour des obsessions qui rongèrent leur auteur. Ce volume est inséparable de celui paru l'année précédente (1968), *L'Homme et l'Enfant,* lui-même composé de deux parties : un ensemble de *Souvenirs* (achevés en 1967) et un court *Journal* (qui va de décembre 1965 à août 1967).

Dans la Préface à la réédition de *L'Aveu,* son premier livre publié, l'auteur écrit : « J'ai longtemps considéré *L'Aveu* [...] comme un lieu secret de mon œuvre et, pourquoi ne pas le dire, un peu comme son water-closet. Je l'ai alors passé sous silence ou nié, renié. » La distance qu'il a prise à l'égard de ce texte provient avant tout de la volonté de se démarquer de toute tentative de se justifier à partir de principes « métaphysiques » au lieu d'exposer dans toute sa nudité la « vie vraie ». Trop de « rhétorique », de grandiloquence, une « manière timide et outrecuidante » de parler mal adaptée à une œuvre qui cherche à atteindre, à travers une minutieuse descente au fond des tourments intimes d'une personne, à une universalité « anti-individuelle ». Tâche démesurée et vouée à un certain échec que celle de vouloir, par-delà l'« horreur du temps présent », « remonter jusqu'aux sources sacrées par où l'origine des mots rejoint la divinité dans la nuit ». La conscience de cet échec est déjà inscrite au cœur même de l'entreprise : les remèdes espérés, les solutions attendues (le recours au sacré, à la poésie) ne seront pas à la mesure du mal qui déchire irrémédiablement le fait d'être. Et d'être séparé. « Ce qu'il y a ? Je sais d'abord qu'il y a moi. Mais qui est moi ? Mais qu'est-ce que moi ? Tout ce que je sais moi, c'est que je souffre. Et si je souffre c'est qu'à l'origine de moi-même il y a mutilation, séparation. » Plus qu'aliéné, l'homme est « altéré » (il connaît la soif, le désir, et est « lésé dans son intégrité, étranger à lui-même »), l'amour est alors pensé comme remède, façon de briser les limites intenables du moi, de faire fusionner intérieur et extérieur. Quête mystique qui ne prend réalité qu'à être dite dans les termes les plus précis, les analyses les plus rigoureuses, douloureuses. Le remède doit coûter autant que le mal qu'il est censé réparer, si bien que la recherche de la solution au lieu de nous délivrer des tourments endurés ne fait que renforcer le mal. Naît alors l'angoisse, le sentiment d'être pris à un piège dépourvu d'issue. L'auteur analyse souvent avec l'œil du clinicien tous les états de son âme. Il fait le compte précis de tous les rituels et superstitions dont il a besoin pour conjurer ses peurs, phobies, inhibitions, obsessions. « Quelle est cette peur qui hurle au fond de moi ? [...] Je sais seulement que l'homme en proie au vide de l'angoisse et l'homme envahi du plus trouble désir charnel vivent un tourment identique ; le même besoin d'humiliation les dévore. » Ce besoin d'être humilié apparaît à la fois comme cause de ce que l'auteur appelle sa « névrose » et aussi comme son illusoire rémission. En un geste que l'on pourrait retrouver chez certains gnostiques, l'auteur écrit : « Le seul moyen de se libérer du mal est de le transmuer en une valeur créatrice. » C'est la femme qui va jouer le rôle de libératrice et susciter de nouvelles possibilités. Rêvée sur son versant maternel comme havre de paix, promesse de bonheur, de réconciliation, elle est plus souvent évoquée comme puissance indifférente, anonyme, humiliante, avilissante. (L'obsession d'être foulé aux pieds par des prostituées revient comme une litanie dans les courts et violents récits qui composent la deuxième partie du livre.)

Ces textes d'une grande force, étranges, impudiques mais sans complaisance, sont à rapprocher de certaines pages d'Antonin Artaud ou surtout de Georges Bataille : même désir de tout dire, de ne pas laisser dormir les secrets, de transgresser les limites. Même besoin de pureté (voire de sainteté) sur fond d'abjection. Enfin, et cela est plus propre à Adamov, progressive acceptation de soi à défaut de pouvoir venir à bout des « discordances » qui rongent la chair, ruinent l'âme. (Je dois) « crier que le mal qui ronge le monde et s'agrandit sans cesse prend racine au lieu même — lieu du cœur de tout mal — où gît le cadavre géant des mythes des origines ».

F. W.

« **JE L'AI OSÉ...** » ou **Une nouvelle chanson d'Ulrich von Hutten** [*Ich hab's gewagt,* ou *Ain new Lied herr Vlrichs von Hutten*]. Chanson écrite en 1521 par l'humaniste allemand Ulrich von Hutten. Fils d'un chevalier franconien, il fut, à cause de sa santé délicate, destiné par ses parents à la carrière ecclésiastique, mais s'enfuit à l'âge de seize ans, avant d'avoir fait ses vœux, du couvent où il avait été placé. Il s'adonna aux études classiques et, dénué de moyens par suite du ressentiment de son père, mena une vie vagabonde comme beaucoup d'humanistes de l'époque. Ardent patriote et implacable ennemi de la papauté et du clergé, il embrassa avec enthousiasme la cause de Luther dont il ne vit que les débuts. Les deux hommes ne se rencontrèrent pas, mais échangèrent quelques lettres. Ils n'étaient cependant pas d'accord quant aux moyens d'action. Luther, opposé à l'emploi de la force, redoutait le fougueux chevalier qui appelait aux armes. La majeure partie de l'œuvre de Hutten est écrite en latin ; il participa entre autres aux fameuses *Lettres des hommes obscurs* (*). Ce n'est qu'à partir de 1520, trois ans avant la fin de sa brève existence, qu'il se mit à écrire en allemand. Il avait compris à ce moment que la réforme politique et sociale qu'il souhaitait ne pouvait être faite uniquement par ceux qui savaient le latin. Les pouvoirs religieux tâchaient à la contrecarrer, tandis que les humanistes n'étaient ni assez forts ni assez résolus pour la soutenir avec efficacité. Pour remporter le succès, il fallait le glaive des chevaliers et le prestige des villes ; les uns et les autres ne comprenaient pas le latin. Hutten en appelait à présent à la patrie, à la nation allemande, en sa propre langue, mais ces œuvres se ressentent de son habitude du latin. Cependant, il obtint que la littérature de l'époque devienne une littérature populaire et que celui qui avait quelque chose à dire au peuple écrivît en allemand. En 1520, il fit paraître un long poème « contre le pouvoir antichrétien du pape et du clergé antireligieux », et, en 1521, il exprima l'élan patriotique dans la forme d'une chanson populaire qui commençait par : « *Je l'ai osé...* », paroles dont il fit dès lors sa devise au lieu de la phrase latine : « Alea jacta est » dont il s'était servi jusque-là. « Je l'ai osé, dit-il, et je ne m'en repens pas. » S'il n'y gagne rien, on verra quand même sa fidélité au bien du pays. On a raison de le dire ennemi de la prêtraille. S'il avait tu la vérité, il aurait eu beaucoup de flatteurs ; maintenant qu'il l'a dite, il est pourchassé ; il ne demande pas grâce, car il n'est pas coupable. Il se console par la conscience de sa bonne intention et de son honneur intact. Mais que ses adversaires se disent bien que souvent une grande flamme a jailli d'une petite étincelle et que, peut-être, les circonstances lui donneront l'occasion de se venger. Un cœur plein de droiture ne se laisse pas humilier. Cette chanson eut un véritable succès de scandale. On connaît deux poésies qui lui firent réponse, et Hutten reçut une multitude de lettres de sympathie. Cependant les circonstances tournèrent contre lui ; il fut obligé de quitter l'Allemagne et vint à Bâle dans l'espoir d'y être accueilli par Érasme. Mais le prudent humaniste refusa de recevoir le fugitif. Hutten arriva mourant à Zurich, où Zwingli l'avait invité.

JE ME SOUVIENS. Ouvrage de l'écrivain français Georges Perec (1936-1982), publié en 1978. Un écrivain aussi rusé que Georges Perec savait, très tôt, que l'originalité littéraire la plus radicale pouvait emprunter les chemins de la plus grande banalité. Avec *Je me souviens* (sous-titré « Les Choses communes I »), Perec va très loin dans cette direction. Empruntant la formule à l'écrivain américain Joe Brainard, auteur de *I remember* (New York, 1975), il livre ici 480 textes très courts, numérotés, commençant tous par la formule qui titre le recueil : « Je me souviens... » « 233. Je me souviens de quelques footballeurs : Ben Barek, Marche et Jonquet et, plus tard, Just Fontaine. / 234. Je me souviens que, vers le milieu des années 50, le chic consista, pendant quelque temps, à porter en place de cravate des lacets d'une finesse parfois extrême. / 235. Je me souviens du saxophoniste Barney Willem. » Perec, qui rend à Brainard ce qui lui revient, se démarque explicitement de lui en affirmant ses propres intentions d'impersonnalité du souvenir. Le livre de Brainard était une autobiographie par accumulation de souvenirs intimes. Perec cherche des souvenirs qui seraient communs à ceux d'une génération, micro-événements situés, dit-il, entre 1946 et 1961, et dont le destin est, normalement, de tomber dans l'oubli. Il y a là une présence de « l'inessentiel [...] miraculeusement arraché à son insignifiance ». Or, Perec dont, le souci autobiographique est avéré, n'ignore pas que tous ses « Je me souviens » n'ont pas la même capacité de dégagement intime. Si le nº 1, « Je me souviens que Reda Caire est passé en attraction au cinéma de la porte de Saint-Cloud », répond bien à son programme, que dire du nº 2, déjà, « Je me souviens que mon oncle avait une 11 CV immatriculée 7070 RL2 », qui montre une autre nature ? Le bonheur de ce livre est dans l'oscillation entre l'autobiographie discrète et la part d'unanimisme que sous-tend la mémoire collective. En outre, Perec suscitait, par des pages blanches à la fin du livre, la participation du lecteur. Le succès fut inespéré. On vit bientôt déferler une vague d'appropriations de la méthode, avec tous les détournements imaginables, la tendance au souvenir personnel redevenant le plus souvent dominante. J. J.

JEMMY BUTTON. Roman en trois parties de l'écrivain chilien Benjamín Subercaseaux (1902-1973), publié en 1950. Dans la première partie : « Petits de l'homme » (« Cachorros del hombre »), les quatre principaux personnages, tous fuégiens : York Minster, Fuegia Basket, Boat Memory, Jemmy Button — noms extravagants fréquents chez les indigènes —, sont faits prisonniers par l'équipage du « Beagle » qui est sous les ordres du capitaine Fitzroy. La référence historique est exacte. Le « Beagle », en 1830 et 1832, avait effectué deux voyages entre la côte sud de la Terre de Feu et le cap Horn. Mais la suite du récit est entièrement imaginée par Subercaseaux. Les héros arrivent en Angleterre où les accueille le révérend Walthamstow, qui essaie de les adapter à la civilisation « supérieure » qu'ils ignorent. C'est le thème de la seconde partie : « La Route inexplorée » (« La ruta inexplorada »), mais comme les quatre personnages semblent ne pas se rendre compte des bienfaits que la civilisation peut leur apporter, ils sont ramenés à la Terre de Feu, où Richard Matthews, un missionnaire qui les accompagne, tente vainement de convertir leurs compatriotes. Dans la troisième partie : « Le Cap Horn ne se retourne pas » [El Cabo de Hornos no mira atrás], l'intrigue n'est plus qu'un prétexte qui permet à l'auteur d'exposer ses conceptions religieuses, historiques et raciales, en s'appuyant sur la comparaison de deux cultures, l'une archaïque et primitive, l'autre ancestrale et raffinée. Ce roman est attachant à bien des égards : récit vivement mené, dont l'intérêt se soutient sans faiblir ; évocation historique pittoresque — notamment la fête à Holdernesse House, manoir du marquis de London-Berry, ou la description minutieuse des mœurs des Fuégiens ; creuset d'idées aussi passionnantes que parfois discutables, il est remarquable aussi par l'habileté de son agencement : la première partie est rédigée à la troisième personne, alors que la deuxième et la troisième sont respectivement constituées par les journaux de bord du chirurgien du bateau et du pasteur Matthews, ce qui permet à l'auteur de subtiles analyses du cœur humain. *Jemmy Button,* œuvre forte et audacieuse, rappelle ainsi au lecteur l'essayiste brillant et le fin psychologue qu'est Benjamin Subercaseaux.

JE NE JOUE PLUS. Titre français d'un roman de l'écrivain croate Miroslav Krleža (1893-1981), publié dans ses œuvres complètes en 1938 sous le titre de *Aux confins de la raison* [*Na rubu pameti*]. Dès sa parution, l'ouvrage est accueilli par de vigoureux applaudissements mais aussi par des critiques sévères. Les polémiques qu'il suscite sont d'ordre littéraire et politique. D'une part, l'auteur va beaucoup plus loin qu'avant dans son entreprise de destruction du modèle réaliste. Il conserve encore une sorte de narration linéaire — un avocat tout à coup refuse de jouer le jeu de la société, et une série de malheurs et de châtiments l'enferment peu à peu dans la solitude et dans le désespoir — mais brisée ou entravée par des digressions lyriques ou politiques, des sortes d'essai, des méditations. Témoin le chapitre d'introduction à l'intrigue romanesque, qui n'est en fait qu'une étude exhaustive de la bêtise universelle, où l'auteur joue de tous les registres de la satire et du sarcasme, de l'humour et de l'ironie. Délibérément, les caractères restent flous, les scènes rapides, voire inachevées, le temps et l'espace sommairement indiqués : technique audacieuse qui choqua le goût des années 30, après le reflux de l'expressionnisme et de l'avant-gardisme. D'autre part, publiée à la grande époque des procès de Moscou et à l'apogée de l'hitlérisme par un marxiste-léniniste convaincu, cette œuvre fut ressentie par les idéologues et les dirigeants communistes comme un défi et une provocation : il ne leur plut pas d'y voir la liberté présentée comme inaliénable, et le totalitarisme comme le plus mortel des dangers menaçant l'existence de l'homme. — Trad. Éditions du Seuil, 1969. J. M.

JE-NE-SAIS-QUOI ET LE PRESQUE-RIEN (Le). Essai du philosophe français Vladimir Jankélévitch (1903-1985), publié en 1957 sous la forme d'un volume unique, puis en 1980 pour une édition définitive, considérablement augmentée et remaniée, en trois volumes : *La Manière et l'Occasion, La Méconnaissance, le malentendu, La Volonté de vouloir.* De toutes les œuvres philosophiques de Vladimir Jankélévitch, *Le Je-ne-sais-quoi et le Presque-rien* est sans doute la plus originale en même temps que la plus représentative de la pensée et du style de son auteur. L'originalité tient aux deux concepts thématisés ici : l'un et l'autre pouvaient certes s'honorer d'une existence ancienne (l'« allo ti » grec, le

« quelque chose d'autre » cher à Platon, ou le « quid » latin en sont autant de préfigurations) mais sporadique et essentiellement littéraire. Il revient à Jankélévitch d'avoir exploré, jusque dans ses implications les plus profondes, cet « Innommé innommable », et de lui avoir conféré une stature philosophique. Le moins systématique des philosophes français avait sans doute bien des raisons d'être séduit par un concept qui n'est qu'un vide conceptuel, voué à troubler toute tentative de système. Le fait est, pourtant, que cette analyse révèle peu à peu l'ampleur du champ où s'imposent la pensée et l'efficacité du subtil manque. Les questions de l'apparence et de l'essence, de l'instant, de la méconnaissance et du malentendu, de la volonté et de la liberté s'éclairent d'un jour singulier lorsqu'on y reconnaît moins la fonction d'une vertu ou d'un concept — le « je-ne-sais-quoi » —, que la puissance générale de l'infime. Car « la lueur timide et fugitive, l'instant éclair, le silence, les signes évasifs — c'est sous cette forme que choisissent de se faire connaître les choses les plus importantes de la vie ».

Le premier tome s'ouvre par une réflexion sur l'apparence ; le troisième s'achève sur le problème de la liberté et du vouloir : dans cette progression vers « les choses les plus importantes » éclatent le style et la méthode de Jankélévitch. Par courts chapitres, une pensée concentrique cerne son objet dont elle parvient toujours à montrer à la fois l'équivoque et la valeur morale : cette philosophie est aussi une sagesse ; et cette réflexion une pédagogie, ne négligeant aucune illustration, aucun détour — ni aucun retour — afin de s'assurer la plus grande clarté. Il faut ajouter que ce docte discours a aussi les allures permanentes d'une improvisation. C'est que, pour saisir l'insaisissable, il fallait sans doute cet art de l'instant et de l'occasion, venu tout droit des dialogues socratiques que Jankélévitch aime tant à citer.

C. D.

JE NE SUIS PAS CELLE QUE VOUS CROYEZ [*Né sam ot tiakh*]. Contes de l'écrivain bulgare Čudomir (pseud. de Dimităr Čorbadžijski, 1890-1967), publiés en 1935. Ce recueil est le premier d'une série consacrée aux mœurs des gens de « chez nous » : simples paysans, petits employés, maîtres d'école miséreux, ou vieux retraités. Pleins d'humour et d'insolite, les contes de Čudomir illustrent un aspect particulier de la vie bulgare entre les deux guerres. Ils nous présentent des personnages pittoresques : vieux farceurs impénitents ou jeunes veuves joyeuses, avec un humour qui jaillit spontanément à chaque ligne. Voici par exemple Néno, le garde forestier, qui comble de faveurs ceux qui lui « graissent la patte » et qui est inhumain avec les autres ; Milé Epitropov, le vieil archiviste, qui n'ose se rebeller qu'à la veille du jour où il doit prendre sa retraite, alors qu'il a toujours été jusque-là un employé modèle et obéissant. Quant à la dame qui déclare sans cesse : « Je ne suis pas celle que vous croyez ! », elle passe son temps à critiquer les autres, à les dénigrer, mais le personnage le plus sympathique est sans doute Sabi, le Menteur, toujours en train de préparer une facétie inédite à quelque fat du village. Avec Čudomir, le lecteur rit de ses propres travers, et ses contes, tout pétillants de vie, n'ont rien perdu de leur fraîcheur ni de leur mordant.

La série des contes gais de Čudomir se poursuit avec *Les Pays* [*Nachentzi,* 1936], qui nous font rire des malheurs d'une troupe de théâtre ambulante et de ceux de Stantcho, l'arracheur de dents, ou encore d'un végétarien convaincu qui en arrive à aller brouter dans les prés. Le troisième recueil, *À la minute* [*Alaminute,* 1938], s'amuse des progrès techniques où tout se fait « à la minute », telle jeune femme par exemple concevant et accouchant dans l'heure où elle est mariée. Par ailleurs reparaît le même petit peuple amusant et ridicule qui s'excite pour des querelles de clocher, ou transforme de graves problèmes en balourdises. Čudomir, qui a lui-même illustré ses livres d'excellentes caricatures, s'apparente à un autre écrivain bulgare précocement disparu, Aleko Konstantinov, créateur du célèbre *Baj Ganju* (*), le Tartarin de Tarascon bulgare, mais Čudomir a inventé des centaines de « Baj Ganju », qui reflètent les mille travers de la vie nationale, et nous en amusent avec un esprit, une invention toujours renouvelés.

JE NE SUIS PAS STILLER [*Stiller*]. Roman de l'écrivain suisse d'expression allemande Max Frisch (1911-1991), paru en 1954. Un homme du nom de White, prétendument de nationalité américaine, est arrêté à la frontière au moment où il pénètre en Suisse ; les autorités le soupçonnent de n'être autre que le sculpteur Anatol Ludwig Stiller, citoyen de Zurich, mystérieusement disparu depuis 6 ans 9 mois et 21 jours. Premiers mots du roman, l'exclamation « Je ne suis pas Stiller ! », qui ouvre le carnet que tient le héros-narrateur durant le temps de sa détention préventive, dit toute sa rébellion, son refus d'endosser l'identité qu'on prétend lui imposer. Celle-ci, néanmoins, prend des contours de plus en plus précis au fil des recherches et des confrontations (le récit oscillant alors entre la première et la troisième personne grammaticale) : Stiller, en vérité, a tout raté, autant sa vocation artistique que son mariage avec Julika dont il n'a jamais pu vaincre la réserve, sinon la froideur ; même son engagement politique, pendant la guerre d'Espagne, n'a été qu'un nouvel alibi, avant sa fuite vers l'Amérique, conclue par une tentative de suicide. Finalement, devant l'évidence et bien qu'il se sente devenu autre, le prétendu White se voit contraint d'assumer l'identité de ce Stiller qu'il a été effectivement. La deuxième partie du roman, en forme de postface, décrit, dans la perspective « objective » du procureur, le devenir de White-Stiller. La réconciliation avec soi-même, telle qu'il la vit, malgré toute la bonne volonté qu'il peut déployer, passe encore par la reconnaissance bienveillante de l'autre, c'est-à-dire pour lui Julika ; il reprend la vie commune avec elle, emménage dans une ferme vaudoise au bord du lac de Genève ; tout se répète, le malentendu aussi ; après la mort de Julika, ce sont là les derniers mots du roman : « Stiller demeura à Glion et vécut seul. » Se trouve vérifiée, ainsi, la maxime de Kierkegaard qui sert d'exergue au roman, selon laquelle « se choisir soi-même » implique l'« isolement absolu », dans la mesure « où ce choix exclut toute possibilité de devenir autre chose ». Dürrenmatt peut écrire à juste titre que l'originalité principale de ce roman tient moins à son sujet qu'à sa forme, plus exactement au fait qu'il prenne pour sujet la question même de sa forme : « Comment faire un roman de sa propre vie ? » *Je ne suis pas Stiller,* par cette morale-écriture, rejoint bien, comme on l'a dit, les grands modèles de Joyce et de Musil. — Trad. Gallimard, Grasset, 1991.

J.-J. P.

JENNY. Roman de l'écrivain norvégien Sigrid Undset (1882-1949), publié en 1911. Une jeune femme, Jenny Wingen, qui s'adonne à la peinture, s'est établie à Rome, avec plusieurs de ses compatriotes peintres et sculpteurs. Ici, elle peut enfin profiter de la liberté que concède la vie d'artiste, et d'ailleurs elle n'en abuse pas. Jenny a vingt-huit ans, et quand elle rencontre Helge Gram, son ardente sensualité, trop longtemps réfrénée, la pousse irrésistiblement vers le jeune étranger, sitôt que celui-ci lui manifeste son amour. Mais Gram, de nature sobre et réfléchie, se montre réservé dans ses déclarations, et ne peut répondre aux exigences d'un tempérament artiste comme celui de la jeune femme. Peu après, Jenny retourne dans son pays et fait la connaissance de Gert Gram, le père de Helge, qui est peintre amateur. Dès leur première rencontre, leurs deux caractères s'accordent à merveille, et bientôt ils entretiennent des relations intimes. Ils ont un enfant qui meurt quelques semaines après sa naissance. Pour la jeune femme l'expérience est atroce : la trahison qu'elle pense avoir commise vis-à-vis de son fiancé lui fait perdre toute foi et toute estime d'elle-même. La douleur qu'elle a éprouvée à la suite de la disparition de son enfant reste toujours aussi vive dans son cœur, même quand, de retour à Rome, elle reprend sa vie d'artiste. Après avoir vainement essayé de réagir, l'impression déprimante d'un désespoir latent et d'une déchéance morale irréparable devient trop aiguë en elle. Après une nuit de débauche passée en compagnie d'une bande d'amis indignes, et après s'être donnée à Helge Gram, arrivé à l'improviste, dans un moment d'extrême lassitude, Jenny se donne la mort. Après les premières œuvres de Undset, où l'on trouvait l'expression d'un pressant besoin de vivre, *Jenny,* inspirée par un séjour que fit la romancière en Italie, semble marquer le moment où la vitalité contenue se manifeste soudain avec violence. Ce débordement n'est pas sans soulever des problèmes et créer des conflits : la victoire des sens donne à la loi morale un sens plus angoissant et plus immédiat, l'impulsion primitive vers une joie rayonnante se voit transformée en réflexion. Ainsi Undset est amenée à considérer le problème social de l'émancipation de la femme, ici résolu négativement, mais qu'elle reprendra dans *Printemps* (*) pour arriver à la conclusion que la vraie liberté naît au cœur du devoir. — Trad. Stock, 1940.

JENNY GERHARDT [*Jennie Gerhardt*]. Roman de l'écrivain américain Theodore Dreiser (1871-1945), publié en 1911. Vers 1880, à Columbia, petite ville de l'Ohio, Jenny Gerhardt, l'aînée d'une famille nombreuse et misérable, fait la connaissance du sénateur Brander. Celui-ci, qui est un homme riche et important, est attiré par sa beauté et s'intéresse à elle paternellement ; il offre son aide à la famille de Jenny et finit par tomber amoureux de la jeune fille. Il la séduit, et se montre décidé à l'épouser lorsqu'il meurt subitement, laissant Jenny supporter les conséquences d'un instant d'abandon. Son père, un vieil Allemand puritain, la chasse de son foyer. Après la naissance de sa fille Vesta, Jenny entre au service d'une famille aristocratique de Cleveland. Elle rencontre dans cette ville Lester Kane, un homme de trente-six ans au tempérament audacieux et plein de vitalité qui possède une grosse fortune. Lester Kane pense trouver en Jenny la seule femme capable de satisfaire pleinement les exigences de sa nature. Après une courte résistance, celle-ci, que son caractère porte plus à la tendresse qu'à la lutte, succombe aux entreprises de Lester. Pendant plusieurs années, ils vivent parfaitement heureux dans leurs diverses résidences de Cleveland, de Chicago et de New York. Mais la famille de Lester, avertie de sa liaison, se met en devoir de les séparer. Elle utilise pour cela tous les moyens à sa disposition, depuis le chantage sentimental jusqu'aux pressions d'ordre financier. Lester, lassé et dégoûté, poussé d'ailleurs par Jenny qui ne veut pas qu'il se sacrifie par amour pour elle, finit par l'abandonner et épouse une amie d'enfance qui appartient à sa classe sociale. En fait, il n'a pas cessé d'aimer Jenny et c'est elle qu'il réclame au moment de mourir : elle accourt alors, fidèlement, mais en cachette comme toujours. Lester lui déclare : « Tu es l'unique femme que j'ai jamais aimée » ; sur ces paroles elle s'en retourne vers sa solitude. En effet, son père et sa mère sont morts, ses frères dispersés et la petite Vesta elle-même n'est plus. Elle devra affronter désormais une vie mélancolique consacrée uniquement au souvenir et à la fidélité envers le disparu. Dans ce roman de jeunesse, publié à une époque de puritanisme outrancier, Dreiser, qui est le principal représentant de l'école réaliste de Chicago, oppose à la conception d'un monde déchiré par le drame du bien et du mal la franchise un peu naïve de son réalisme. Par le choix très conscient de thèmes alors prohibés, tels que l'amour et la maternité hors mariage, il tente de présenter les problèmes vitaux les plus simples qu'on se refusait alors à voir. Toutefois, au-delà de l'intention polémique, se dresse la douce et vivante figure de Jenny en qui la faiblesse et la bonté révèlent « la créature que son hérédité a vouée à n'être que chair ». – Trad. Édit. du Siècle, 1933.

JENŮFA. Opéra en trois actes du compositeur tchèque Leoš Janáček (1854-1928), connu également sous le titre de *Jeji Pastorkyňa*, d'après un livret de Gabriella Preissová. Première représentation à Brno le 21 janvier 1904. Jenůfa est une pauvre fille qui, séduite par un mauvais garçon, risque de gâcher toute sa vie. Mais sur elle veille sa belle-mère Kostelnička, femme dure et orgueilleuse, véritable protagoniste du drame. Pour sauver Jenůfa, elle n'hésite pas à tuer, en le jetant dans le fleuve, l'enfant né d'un jour de folie. Tout le monde ignore le crime dont la femme s'est rendue coupable et Jenůfa accepte d'épouser Laca, qui l'aime depuis longtemps. Le cortège s'apprête à se rendre à l'église, lorsqu'un jeune berger, Jano, vient annoncer que l'on a retrouvé le cadavre d'un bébé sur le bord du fleuve. Jenůfa reconnaît son enfant et, folle de douleur, confesse sa faute. Alors Kostelnička s'avance et avoue le crime auquel l'ont poussée son orgueil et son amour-propre exaspérés. La figure de Kostelnička domine tout le drame par sa fierté inhumaine. Laca et Jenůfa se marient, unis à jamais par une tendresse que la douleur a purifiée. La musique de Janáček s'impose par la puissance dramatique et par la vérité psychologique avec lesquelles sont rendus les personnages et les situations. La tragédie se déroule dans une ambiance paysanne : au premier acte, le chant mélancolique des conscrits, auquel s'oppose le joyeux tic-tac du xylophone qui imite celui du moulin ; au troisième acte, la caricature de la fille du maire et le chant simple et naïf des jeunes filles timides entourant la mariée sont les éléments qui concourent à créer cette ambiance et à faire ressortir le caractère folklorique de la musique de Janáček (tendance que l'on rencontre également dans les œuvres de Smetana et de Dvořák). Mais les pages les plus belles se trouvent au premier acte : la prière de Jenůfa qui reflète l'angoisse que lui cause la perte de son enfant ; et au second : dans le long monologue au cours duquel Kostelnička décide de commettre son crime et où l'orchestre rend si intensément ses hésitations et sa terreur.

JEPHTÉ. L'immolation de la vierge Iphis par son père Jephté, en accomplissement du vœu fait au Seigneur avant la bataille – v. *Livre des Juges* (*) –, a inspiré plus d'une fois les poètes et les tragédiens.

★ La littérature hollandaise doit à Joost Van den Vondel (1587-1679) la tragédie *Jephté* [*Jeptha*], écrite en 1659. L'auteur puise sa documentation dans le récit biblique *Jephté ou le Vœu* [*Jephtis sive Votum*], drame en latin de l'humaniste écossais George Buchanan (1506-1582) et dans *Jephté et la tragédie de sa fille* d'Abraham Koning. Philopale, mère d'Iphis, attend avec impatience que sa fille revienne de la montagne, mais elle est troublée par le souvenir des larmes inexplicables qu'elle a vu verser à Jephté, deux mois auparavant, lorsque Iphis accourait joyeusement au-devant de lui pour fêter la victoire. Elle apprend que son mari désire qu'elle aille lui rendre visite au camp. Iphis arrive après le départ de sa mère ; elle connaît le destin qui l'attend et elle est prête à mourir : elle voudrait seulement pouvoir embrasser sa mère encore une fois, malgré l'interdiction paternelle. Survient Jephté qui, craignant l'indignation de sa femme, s'est caché non loin de la route pour la laisser passer. Jephté est profondément déchiré de devoir donner la mort à sa fille, mais il se sent lié par son vœu. Iphis le réconforte et l'exhorte à exécuter ce qu'il a promis. Le sacrifice accompli, Jephté est en proie à d'atroces remords et, sur les conseils du prêtre, il va consulter l'oracle : il veut savoir comment il pourra expier son crime. Le prêtre accueille ensuite la mère qui, dans la première impulsion de son désespoir, voudrait venger le meurtre de sa fille ; mais une douleur plus calme la fait s'écrouler devant l'urne contenant les cendres de son enfant. La tragédie suit le récit traditionnel avec la plus grande exactitude ; elle emprunte la structure des tragédies grecques, suivant l'art poétique d'Aristote que Vondel s'efforce de suivre au pied de la lettre. L'œuvre est écrite en vers de dix et onze syllabes, mètre que Ronsard, grand admirateur de la tragédie, jugea plus solennel que l'alexandrin. Les chœurs s'insèrent dans le drame comme de précieuses frises dans une architecture.

★ L'épisode biblique inspira une comédie religieuse à l'Espagnol Juan Bautista Diamante (1625-1687), intitulée *Tenir la parole donnée à Dieu ou la Fille de Jephté* [*Cumplir a Dios la palabra, o la hija de Jefte*], mais ce n'est pas une des meilleures de ce dramaturge peu original.

★ « La fille de Jephté » d'Alfred de Vigny est un morceau célèbre, l'un des plus beaux des *Poèmes antiques et modernes* (*).

★ L'histoire de l'antique *Livre des Juges* (*) a inspiré l'oratorio *Jephte* de Giacomo Carissimi (1605-1674), une des œuvres les plus complexes et les plus variées du grand maître de l'oratorio. Les deux principaux rôles sont ceux de Jephté, ténor, et de sa fille, soprano. Le récit fait appel à des voix de contralto, de soprano et de basse. Enfin le chœur intervient plusieurs fois, en formations différentes, ici pour décrire le tumulte des batailles et l'humiliation des vaincus, là pour faire écho à la joie de la fille de Jephté qui, avec ses compagnes, vient au-devant de son père vainqueur. Ce sont les caractéristiques de la première partie de l'oratorio, qui est la plus animée et où se manifestent les sentiments les plus divers. Puis, le père et la fille mis en présence l'un de l'autre, une nette transition s'opère dans le style de l'oratorio : l'abondance poétique des inventions chorales cède la place à une simple déclamation des solistes, délicatement sensible aux nuances les plus pathétiques du texte ; c'est la poésie même du langage humain, de la parole hachée par l'émotion, avec ses hauts et ses bas, ses changements de ton et de registre, ses accents directement inspirés par les mouvements de l'âme. L'alternance presque continuelle du « majeur » et du « mineur » prête au récitatif une sorte de pulsation harmonique, qui semble la palpitation même de la vie. Le chœur n'intervient plus que deux fois : à la fin du dialogue entre le père et la fille, et à la fin de l'œuvre, après la grande lamentation de la fille de Jephté errant à travers la montagne, suivie de ses compagnes, pleurant sur sa jeunesse perdue ; et après la simplicité si sobre et dépouillée de la longue déclamation en solo, l'effusion mélodique du chœur s'élargit puissamment comme pour amplifier la douleur individuelle et lui donner une résonance cosmique.

À l'origine, l'oratorio n'était pas du « théâtre », ni même un « spectacle », mais une sorte de récréation dévote donnée dans les chapelles ou les oratoires avec la participation active de toute l'assistance. C'est dire qu'on y retrouve les origines mythiques du théâtre : sous la forme du dithyrambe, un chœur de fidèles, tout acquis à l'illusion dramatique, intervient directement avec ses propres sentiments, dans l'expression du culte réservé au prêtre lui-même. La grandeur de Carissimi est d'avoir intuitivement saisi cette fonction originelle du chœur et de lui avoir imprimé, dans son œuvre, l'enthousiasme de l'improvisation dionysiaque.

★ Le même épisode biblique est à la source de l'œuvre musicale *Jephta,* le dernier oratorio que le compositeur allemand Georg Friedrich Haendel (1685-1759), déjà aveugle, put terminer en 1750. L'autographe porte quelques annotations expliquant les interruptions forcées du travail du compositeur, ses reprises et les compléments ajoutés par la suite. Le livret, en anglais, de Thomas Morell atténue en partie la véhémence biblique du récit. L'introduction d'un Ange annonciateur allège et poétise le drame. Haendel s'appropria quelques passages des messes composées durant la première partie du XVIIIe siècle par Habermann de Bohême. À part ces emprunts, toute la musique est au service du drame. L'orchestre évoque et décrit de vastes fresques, des tableaux de la nature, paysages, mouvements ou immobilité des foules, marches ou danses. Par ses rythmes précis et ses thèmes expressifs, l'orchestre se joint au chœur, évoquant guerriers et enfants, mimiques de l'allégresse ou de la douleur, scènes vivantes et populeuses, drapeaux, armes et atours... L'accent des récitatifs est toujours approprié à chaque personnage. Les airs atteignent à un haut degré d'effusion lyrique et dramatique. L'intérêt et le lyrisme croissent à mesure que l'action progresse vers son point culminant : l'épanchement de la douleur paternelle au moment où le peuple affirme que la promesse faite doit être tenue, et l'adieu à la vie que chante avec mélancolie la jeune fille avant de terminer par un acte solennel d'obéissance et de foi. Dans cette réalisation pleine d'une émotion délicate et d'une psychologie subtile, on croit sentir les premiers frémissements du romantisme qui, vers le milieu du XVIIIe siècle, avait déjà pénétré quelques formes de l'art musical.

★ Avant Haendel, Michel Pignollet de Monteclair (1666-1737) avait composé un opéra *Jephté,* représenté à Paris en 1732. Parmi les nombreux oratorios composés sur ce sujet, rappelons ceux de Maurice Greene (1695-1755), de Charles John Stanley (1713-1786), d'Anton Maria Sacchini (1730-1786), de Johann Simon Mayr (1763-1845), de Martin Reinthaler (1822-1896). Un drame musical, *Jephta,* dérivant de la tragédie de Vondel, a été composé en 1919 par le Hollandais Henri Zagwijn (1874-1954).

★ Sous le titre *La Fille de Jephté* [*Jephtas Gelübde*], Giacomo Meyerbeer (1791-1864) composa un opéra qui fut représenté à Munich en 1813 sans grand succès.

JEPPE DE BIERGET [*Jeppe paa Bjerget*]. Comédie écrite en 1722, et appartenant au premier groupe de quinze comédies de l'écrivain danois Ludvig Holberg (1684-1754). L'intrigue « n'a pas été élaborée par le cerveau de l'auteur » : il s'agit en réalité d'une vieille farce d'origine italienne, que l'on retrouve dans les légendes se rapportant au marquis de Grillo et que Shakespeare a reprise dans le prologue de *La Mégère apprivoisée* (*). La farce faite à Sancho Pança, à qui l'on fait croire qu'il est nommé seigneur d'une île, provient de la même origine – v. *Don Quichotte* (*). Il semble que Holberg ait eu connaissance de cette farce traditionnelle par l'histoire du jésuite allemand Bidermann, imprimée en 1640. Dans la version de Holberg, Jeppe est un paysan naïf et paresseux, que sa femme mène à coups de trique. Envoyé en ville pour acheter du sel, il s'endort, ivre, au bord de la route. Un sage baron le trouve, et a l'idée de faire de lui l'objet d'une farce amusante et instructive : il va le mettre à sa propre place et lui fera jouer le rôle de baron. Et Jeppe commet toutes sortes de folies. À peine s'est-il convaincu de son nouveau rang qu'il s'adonne à des excès dangereux et à la tyrannie. Quand le baron fait enfin reporter Jeppe, qui s'est de nouveau enivré et endormi, à la place où il l'avait découvert, celui-ci a toutes les peines du monde à se remettre dans ses vieux habits. Il croit avoir été un temps au paradis ; mais, ressuscité ensuite, il faut qu'il se résigne et, à grands coups de bâton, sa femme le fait redevenir le Jeppe qu'il était autrefois. Holberg en tire la morale : « Il n'est pas moins dangereux de couvrir la classe inférieure d'honneurs que de chasser celui qui est devenu grand par sa propre vertu. » Dans cette comédie, comme dans les autres, l'influence de Molière est évidente, ainsi que celle de la « commedia dell'arte » ou de Plaute, mais une vigueur barbare et nordique donne un relief plus âpre au comique de Holberg. Un style extraordinairement naturel, spontané et « parlé », lui conserve sa fraîcheur d'il y a deux cents ans. — Trad. *Œuvres choisies de Holberg*, La Renaissance du livre, 1932.

JÉRÉMIE [*Jeremy*]. Récit de l'écrivain anglais Hugh Seymour Walpole (1884-1941), publié en 1919. C'est l'un des premiers livres de l'auteur. Il relate l'histoire d'un enfant de huit ans, Jeremy Cole, dans une petite ville de la province anglaise, l'imaginaire Polchester. L'éveil de ses sentiments d'indépendance est étudié à travers divers épisodes : la maladie de sa mère, l'acquisition d'un chien, sa rencontre, dans une atmosphère mystérieuse, avec un mendiant, la lutte avec un de ses compagnons, une représentation donnée à l'occasion de Noël, une nouvelle gouvernante, une fugue à la foire, le dernier été avant le départ pour le collège. Ces sentiments ne proviennent pas tellement d'un changement des règles de conduite, que d'une attitude nouvelle de l'enfant vis-à-vis de sa famille, la conscience dangereuse de pouvoir faire désormais ce qui lui était autrefois refusé. Les différents personnages, de l'oncle Samuel Cole à la tante Amy, de ses deux petites sœurs à la nouvelle institutrice, sont décrits avec beaucoup de relief. Les paysages et la vie somnolente de la petite ville sont évoqués avec une grande maîtrise. Rien cependant n'égale la finesse de la psychologie enfantine, résultat évident d'une introspection attentive. — Trad. Le Seuil, 1948.

JÉRÉMIE (Livre de). Livre de l'Ancien Testament — v. *La Bible* (*) — attribué au prophète Jérémie (VIIe-VIe siècle av. J.-C.) dont le nom signifie « Yahvé l'a élevé ». Si Isaïe est le prophète dont le trait dominant est une forte volonté, Jérémie, par contre, est celui qui se fait violence et se soumet. Le nom de Jérémie, qui dérive d'un radical « être haut », ne correspond pas à sa façon d'agir, humble, modeste, tout à fait en rapport avec son époque : celle de la première chute de Jérusalem. Le livre contient des prophéties et des discours prononcés en l'espace de quarante ans, ainsi que des visions historiques d'ensemble, ayant pour but d'éclaircir ou de confirmer les prophéties ; il renferme également des données biographiques relatives au prophète. Le texte et la présentation diffèrent suivant que l'on se réfère au texte hébreu (suivi par la *Vulgate*) ou à la version des Septante. En général, le texte grec est plus concis que le texte hébreu, mais ce ne sont là que des divergences sans importance : le fond reste le même dans les deux textes. Il n'y a pas de lien chronologique dans l'assemblage des diverses prophéties ; celles-ci semblent avoir été réunies dans le but de mettre en relief l'idée fondamentale, le thème dominant, qui est celui d'une justice divine, dont Jérémie serait le héraut. En analysant le texte du livre, nous y trouvons, à des endroits différents, des passages identiques qui se répètent : brèves tirades intercalées comme explication dans le corps d'un poème ou d'une narration, sans aucun lien numérique ou de style avec le contexte lui-même. Nous y remarquons également (ce qui est aussi le cas dans d'autres écrits bibliques) que le narrateur passe constamment, dans son récit, de la première à la troisième personne. Cette dernière observation laisse supposer que le premier rédacteur du livre fut sans doute le compagnon de Jérémie : Baruch, auquel bon nombre de critiques attribuent une grande partie du texte écrit en prose —v. aussi *Baruch (Livre de)* (*).

Jérémie commence ses prophéties en racontant deux visions symboliques et effroyables à propos des maux qui menacent la Ville sainte. Il entend ensuite la voix du Seigneur qui l'assure de sa protection et lui donne du courage (chap. I). Yahvé se plaint à lui de l'extraordinaire ingratitude de son peuple (chap. II), et le prophète, avec des accents pathétiques, fait écho aux doléances de son Dieu (chap. III). Il est désolé, car Dieu a dit : « Parcourez les rues de Jérusalem [...] S'il s'y trouve un seul homme qui pratique la justice et s'attache à la vérité, Je pardonnerai à Jérusalem » (chap. V). « Délicate et attrayante fut autrefois Sion, ajoute du même ton vigoureux et suppliant le prophète, mais qui pourra maintenant la sauver de l'extrême ruine ? » Ces ardentes expressions de douleur font place, à la fin du chapitre IX, à des exhortations énergiques par lesquelles Jérémie essaie de persuader ses frères de renoncer à l'habitude de se vanter de leur science, plus apparente que réelle, et de placer leur confiance dans leur courage et leurs richesses ; il veut, au contraire, les amener à reconnaître dans tout événement la main toute-puissante de Dieu. Le chapitre X est une puissante attaque contre l'idolâtrie. Ensuite, abandonnant pour un bref instant ses funestes oracles,

Jérémie nous conte les persécutions que ses compatriotes lui font subir, et il termine par ces mots sublimes, en lesquels les exégètes chrétiens discernent une évocation du mystère de la Croix à venir : « J'étais comme un agneau familier qu'on mène à la boucherie, et j'ignorais les mauvais desseins qu'ils méditaient contre moi : détruisons l'arbre avec son fruit ! Retranchons-le de la terre des vivants. Et qu'on ne se souvienne plus de son nom !... » (chap. XI). Viennent ensuite des épisodes, des anecdotes historiques qui sont autant de symboles de la fin malheureuse qui menace Jérusalem. Après un dialogue mouvementé entre Dieu courroucé et le prophète qui implore pardon et pitié, celui-ci, abattu, se plaint de sa condition d'homme haï et recherché pour être mis à mort, calomnié comme ennemi dangereux de la nation, comme usurier et querelleur (chap. XV). Las d'annoncer toujours de nouveaux malheurs, Jérémie se met à contempler la vision de l'immense bienfait que le Seigneur concédera à Israël, quand il sauvera son peuple d'un esclavage encore plus dur que celui qu'il avait subi autrefois en Égypte. Suit la vision d'une autre libération, celle de la nouvelle Sion libérée de l'esclavage du péché ; et il chante un hymne dans lequel, avec chaleur et passion, il prédit la conversion des peuples, instruit par le Messie (chap. XVI). Le chapitre XXIII est consacré aux mauvais pasteurs et aux faux prophètes qu'il démasque et qu'il flétrit par des paroles violentes.

À partir du chapitre XXIV, on pourrait croire qu'une partie différente s'amorce dans le livre ; au jugement sévère, lancé contre le roi et les chefs de Juda, fait suite une condamnation non moins sévère prononcée contre les nations infidèles (chap. XXV) ; il n'y a, toutefois, pas de nette séparation, puisque après le chapitre XXVI le premier motif réapparaît encore jusqu'au chapitre XXIX. Dans les chapitres XXX-XXXIII, le prophète passe des menaces les plus horribles aux promesses les plus heureuses. Avec des accents farouches, Jérémie entonne un hymne prédisant le retour de ses frères désormais libres. Bien que la division d'Israël semble inguérissable, et l'aveuglement éternel, le Seigneur fera miséricorde : « Je ramènerai les captifs de Juda et les captifs d'Israël, et Je les rétablirai comme autrefois. Je les purifierai de toutes les iniquités qu'ils ont commises contre Moi. » Les chapitres XXXIV-XXXV sont consacrés aux prophéties concernant le sort du roi Sédécias. Au chapitre XLII, Jérémie s'oppose à ceux des Juifs qui veulent fuir en Égypte. Il termine son livre en annonçant dans les six chapitres suivants les châtiments prédits par le Seigneur contre les peuples étrangers ; il affirme toutefois avoir été appelé à exercer sa fonction de prophète également pour ces derniers. Dans le dernier chapitre (LII), il décrit brièvement ce qu'on trouve à la fin du IVe *Livre des Rois* (*), c'est-à-dire la fin de Jérusalem, l'exil des Hébreux et l'exaltation de Joachim, roi de Juda.

Saint Jérôme affirme que le style de Jérémie est presque rustique. Mais, si sa langue n'a pas la beauté et la majesté qui font la gloire de la langue d'Isaïe (par endroits son style semble, en effet, presque négligé), les passages dans lesquels il atteint presque au niveau des prophéties d'Isaïe ne manquent pas. Jérémie apparaît dans son livre comme un être profondément pieux, tout pénétré de sa faiblesse et de son impuissance. Mais, quand Dieu lui dit d'annoncer Sa volonté au peuple, tout à coup il se transforme : ni les menaces, ni les injures, ni les supplices ne le détournent de l'accomplissement de sa mission. Sa vie durant, il ne rencontra que des oppositions et des embûches ; après sa mort, sa popularité fut sans pareille ; son nom fut cher à tout son peuple. – Traduction œcuménique de *La Bible*, Éd. du Cerf, 1988.

JÉRÔME 60° LATITUDE NORD. Roman publié en 1827 par l'écrivain français Maurice Bedel (1883-1954). Jérôme est jeune, il écrit des comédies, a du succès. Sa pièce, *Littérature*, doit être montée en Norvège, il s'y rend. Sur le bateau apparaît Uni. Autour d'elle s'organisent aussitôt les « régions blanches de ses rêves d'enfant » et Jérôme en tombe éperdument amoureux. La Norvège est le pays merveilleux d'Uni, il l'adopte d'enthousiasme. Uni aime le sport et la vie qui est un sport. Uni est simple, Jérôme la trouve ingénue. Il n'ose se déclarer. Elle ne comprend rien à ses timidités, à ses allusions compliquées, et s'imagine qu'il doit avoir déjà une « fiancée ». Il finira par se déclarer, se fiancer, partir en voyage avec Uni, mais quand celle-ci vient tout naturellement le retrouver presque nue dans sa chambre, le rêve croule, Jérôme dégrisé regarde l'étrangère. Il la repousse. Le « pays des Solveig, des Olaf et des timbres-poste à cor de chasse » n'existe plus. De ce roman simple et spirituel se dégage un charme à la Giraudoux.

JÉRÔME PATUROT À LA RECHERCHE D'UNE POSITION SOCIALE. Roman satirique, publié en 1843, de l'écrivain français Louis Reybaud (1799-1879), publiciste et homme politique. Reybaud fut journaliste et publia un certain nombre d'ouvrages historiques et politiques, dont les *Études sur les réformateurs ou socialistes modernes*. Avec *Jérôme Paturot*, il crée un type original de jeune bourgeois, fils et petit-fils de bonnetiers, qui se croit bon à tout et veut essayer toutes les possibilités qui lui sont offertes de se faire une place dans le monde. Ses aventures, qui tournent toutes mal (il fera de la prison pour dettes), lui font parcourir les différents milieux de la société sous la monarchie de Juillet : il est tour à tour poète chevelu, saint-simonien, gérant d'une fictive société de bitume du

Maroc, feuilletoniste, publiciste à la solde du gouvernement. Ses avatars le conduisent à une tentative de suicide ; il s'en tire grâce à Malvina, une grisette avec qui il vit, et qui le pousse dans des voies aventureuses. Vaincu, il accepte la place que son oncle, le bonnetier, lui offre, depuis toujours, à la tête de son affaire. Il épouse celle qui fut sa compagne dans les jours de misère, il s'établit. Mais ses aventures n'en restent pas là : la rencontre d'un peintre entreprenant, qui le prend en charge, le pousse à tenter de nouveau sa chance dans la société ; il fait partie de la Garde nationale, dont il devient très vite commandant ; il commence alors sa carrière politique et devient député. Mais les folles dépenses qu'il fait pour sa campagne électorale, l'achat d'un château, la construction d'une maison style Moyen Âge, les sommes fabuleuses qu'il prête à une aventurière qui se fait passer pour une princesse russe le ruinent ; son affaire est en faillite et il retourne en prison pour dettes. Il arrivera cependant à se sortir de ces ennuis, et se retirera en province où il mènera une vie modeste mais paisible. Il reconnaît enfin qu'il s'est laissé jouer par de plus malins que lui : « Au milieu d'une société cuirassée, je marchais la poitrine nue ; j'obéissais au vice comme un fanfaron et sans avoir l'étoffe du vicieux : je tranchais du fripon et j'étais dupe. » Ballotté par les circonstances et surtout gouverné par son entourage, Jérôme Paturot est un faible et un naïf. Il représente, sous une forme très caricaturale, la petite bourgeoisie, saisie de vertige devant la puissance qu'elle vient d'acquérir avec la révolution de Juillet 1830 et exploitée par des parasites et des aventuriers. Mais ses aventures bouffonnes sont surtout, pour l'auteur, un prétexte pour nous faire parcourir à sa suite les milieux qu'il traverse et que Reybaud décrit avec une verve souvent étincelante, toujours satirique et volontiers sarcastique. L'auteur se moque des outrances des écrivains romantiques (la bataille d'Hernani est évoquée sur un mode burlesque), des femmes de lettres, des peintres ; il s'attaque à la stupidité bourgeoise, à la corruption administrative, aux combinaisons politiques, aux saint-simoniens, à la presse, aux médecins, etc. Reybaud a un merveilleux talent de conteur et, bien qu'il y ait des maladresses et surtout des longueurs dans son œuvre, elle reste d'une lecture fort attrayante.

En 1848, Reybaud, qui avait été député dès 1843, puis, après la révolution de 1848, représentant du peuple, publia une suite à son livre : *Jérôme Paturot à la recherche de la meilleure des républiques,* violente diatribe contre les institutions nouvelles. Cette œuvre contient bien encore des pages amusantes et qui portent ; mais Reybaud y abuse, plus encore que dans son premier livre, des charges caricaturales et des procédés systématiques.

JÉRUSALEM. Poème symbolique du poète et peintre anglais William Blake (1757-1827), commencé en 1804 et terminé en 1820. Ce livre fait partie des *Livres prophétiques* (*). « Les hommes ont oublié que toutes les divinités résident dans le cœur humain », telle est la donnée première de ce drame allégorique, qui consiste dans une accumulation d'épisodes se rapportant au conflit entre l'Évangile éternel et la Religion Naturelle, entre le Pardon et le Châtiment. Jérusalem, qui est « à la fois une ville et une femme », est le plus beau symbole des derniers livres mystiques de Blake : il provient directement de *La Bible* (*), source d'inspiration constante de Blake. Jérusalem est une « émanation d'Albion » ; elle représente l'ensemble des visions ; elle est la vision de la connaissance, la vision de l'idéal moral et, comme telle, elle représente la loi parfaite de la fraternité, l'« Évangile éternel ». La Raison est diamétralement opposée à la Vision, qui a pour agents le Spectre et la « Fausse Femme ». Le thème du Spectre est repris ensuite dans le symbole des Douze Fils d'Albion. La Religion Naturelle ou druidique sacrifie la liberté de l'Individu ; elle est dominée par une Providence qui est opposée au Seigneur Jésus, une Providence meurtrière, et par une Création qui ne se développe qu'en se nourrissant de Mort : car toute religion qui comporte châtiment et vengeance est une religion de l'Ennemi, du Vengeur, et son dieu est Satan, prince de ce monde. Ces préceptes sont contraires à l'« Évangile éternel ». Dans le poème se trouvent de nombreux passages qui se rapportent à la ruine de Jérusalem, c'est-à-dire à l'état de la vie mortelle qui n'est pas éclairée par des visions. C'est dans la femme que se résument les forces du mal. La femme a, en son pouvoir, nos facultés « végétatives », elle opprime la vie de l'homme grâce aux innombrables illusions des sens et aux erreurs qui en découlent. Le « monstrueux régiment des femmes » est l'obstacle le plus dangereux aux aspirations à la vision. Mais, en dehors de ces passages où la pensée de Blake apparaît d'une façon claire, tout le poème est une Apocalypse ésotérique gardée par sept sceaux, et où le symbolisme reste obscur et impénétrable. La *Jérusalem* de Blake doit une grande part de son importance aux prodigieux dessins qui accompagnent le texte.

JÉRUSALEM (I. En Dalécarlie. II. En Terre sainte) [*Jerusalem*]. Roman de l'écrivain suédois Selma Lagerlöf (1858-1940), publié en 1901-1902. La première partie (« En Dalécarlie ») nous conduit au cœur de la Suède, dans l'ambiance campagnarde où vit la vieille famille des Ingmarsson. Le chef de la famille, le « grand Ingmar », est mort ; il incombe à son fils, le « petit Ingmar », de continuer l'antique tradition familiale : se distinguer parmi les autres et vivre dans la crainte de Dieu. Mais la nouvelle génération est différente. Le sectarisme religieux a pénétré dans le pays ; des lettres et des gens, venus de l'Amérique et de la Terre sainte, ont troublé les idées de ces pieux chrétiens ; ils ne se contentent plus de la parole de Dieu telle qu'elle leur est prêchée par leur pasteur dans l'église de leur village, ils veulent vivre saintement comme vécut Jésus en Palestine. Et croyant qu'on ne peut mener cette vie dans leur propre pays, tous les Ingmarsson, à part le dernier rameau de la souche, en même temps que de nombreuses autres familles de la région, vendent leurs biens et, en une longue file de charrettes, quittent leur terre natale pour aller s'établir à Jérusalem. C'est là que nous les retrouvons dans la seconde partie du livre (« En Terre sainte »). Les Ingmarsson, avec les autres Suédois, obtiennent de faire partie de la colonie américaine et se mettent courageusement au travail. Mais ils sont perdus dans cette nouvelle atmosphère, pleine de rivalités de tout genre et de discordes provoquées par le sectarisme ; tandis que le climat, trop différent du leur, les obligeant à rester enfermés dans leurs maisons et inactifs, mine leur santé. Beaucoup meurent de fièvre et d'épuisement ; quelques-uns, découragés, retournent dans leur patrie. Seul un petit noyau reste en Terre sainte, luttant contre toutes les difficultés, concourant à perpétuer la communauté des élus, lesquels attendent la venue du Seigneur qui apparaîtra un jour, au lever du soleil, dans une gloire de lumière. – Trad. Stock, 1927 ; in *Œuvres*, I, 1976.

JÉRUSALEM CÉLESTE (La) [*De Jerusalem celesti*]. Poème descriptif de Giacomino de Vérone (seconde moitié du XIIIe siècle), de deux cent quatre-vingts vers, naïve peinture du paradis que l'on peut considérer comme faisant partie d'une œuvre unique consacrée à la description des deux royaumes d'outre-tombe révélés par le christianisme ; l'autre partie étant constituée par le poème *Babylone, cité infernale* (*). C'est un genre assez répandu au Moyen Âge, provenant directement de l'*Apocalypse* (*) de saint Jean, librement adaptée. Certains passages décrivant les joies et les splendeurs de la cité céleste sont probablement tirés, par contre, de la *Navigation de saint Brandan* (*) : le reste n'est que l'expression de la naïve, fraîche et étonnante sensualité avec laquelle les écrivains du Moyen Âge avaient l'habitude de dépeindre la récompense que Dieu offre aux âmes des justes. La grande cité est entourée d'une haute ceinture de remparts dont la porte est gardée par un chérubin ayant à la main une épée de feu. Elle est traversée par un fleuve aux eaux éclatantes de soleil, pleines de pierres précieuses, aux rivages ornés d'une admirable variété de fleurs parfumées et d'arbres miraculeux, portant feuilles et fruits d'or et d'argent ; toutes sortes d'oiseaux y chantent nuit et jour leur douce chanson. Celui qui boit de l'eau du fleuve n'aura plus jamais soif ; le vieillard qui touche une de ces pierres précieuses retrouve sa jeunesse. Dieu se tient sur son trône suprême, au milieu des cohortes des anges et des bienheureux rangés selon leur condition et leurs mérites ; auprès de Lui est la Vierge, entourée d'une double cour de gens d'Église et de chevaliers. C'est une accumulation de détails sur les enchantements de la vue et de l'ouïe. Dans ce domaine descriptif, la technique sommaire et inégale de Giacomino ne manque pas d'efficacité, alors qu'elle se révèle tout à fait insuffisante à rendre la substance plus proprement spirituelle de la joie céleste. Le poème est écrit en vénitien des XIIe et XIIIe siècles, c'est-à-dire une langue tenant à la fois du lombard et du vénitien.

JÉRUSALEM CONQUISE (La) [*La Gerusalemme conquistata*]. Poème épique en vingt-quatre chants de l'écrivain italien Torquato Tasso dit le Tasse (1544-1595), composé de 1587 à 1592 et publié en 1593. Le poète a été poussé à ce remaniement de *La Jérusalem délivrée* (*) par les critiques des censeurs et plus encore par ses propres scrupules religieux et littéraires. On sait, en effet, que le Tasse, après avoir écrit son grand poème, estima n'avoir pas réussi à donner à l'Italie le poème épique qu'il avait fait espérer dans les trois *Discours sur l'art poétique,* œuvre qu'il reprit sous le titre de *Discours sur le poème héroïque* (*). Le poète avait pour ambition de composer une épopée historique et religieuse, dont la sévérité aurait été tempérée par l'introduction de ces éléments romanesques qui avaient alors la faveur du public. La trame du poème est sensiblement identique à celle de *La Jérusalem délivrée,* mais le Tasse a donné plus d'importance à la conquête de Jérusalem qui, dans son premier ouvrage, pouvait paraître sacrifiée aux divers épisodes. Si, dans *La Jérusalem conquise,* le personnage d'Armide demeure inchangé dans sa séduction diabolique, en revanche le désespoir qu'elle manifestait au moment du départ de Renaud, les épisodes au cours desquels elle tentait de se venger, puis de se réconcilier avec son amant, ne figurent plus dans le poème. La nouvelle version relate comment les chevaliers libèrent Renaud, enchaînent la magicienne sur la montagne où se trouvait son palais et l'y abandonnent. Le poète a également supprimé l'épisode d'Herminie chez les pasteurs, qui convenait peu à la dignité de l'œuvre, et celui d'Olinde et Sophronie, qu'il jugeait trop érotique. Il a au contraire développé les descriptions qui ont trait à la guerre et aux lieux où elle se déroule, pour suivre l'histoire de plus près. Voulant rivaliser avec Homère et Virgile, il a imité leurs procédés : le personnage d'Argant est calqué sur celui d'Hector, et Soliman rappelle le Mesentius de Virgile ; le poème a le même nombre de chants que l'*Iliade* (*), c'est-à-dire vingt-quatre, et il rapporte dans la même tradition les circonstances d'une bataille navale. Le Tasse a surtout accentué le côté religieux de son poème. Il insiste sur les actes de piété et de dévotion des personnages, et introduit dans le texte des passages où se développe librement son inspiration religieuse ; ainsi le chant des chrétiens que l'on expulse de la Ville sainte reprend certains thèmes tirés des *Psaumes* (*). Le poème abonde en digressions généalogiques et historiques. Alors que, dans *La Jérusalem délivrée,* le poète se bornait à célébrer la maison d'Este dans la personne de son ancêtre Renaud, dans l'œuvre nouvelle, dédiée au cardinal Cinzio Aldobrandini, il glorifie presque toutes les familles régnantes et nobles de la Péninsule. Née du désir de réformer un poème dont le Tasse, précocement vieilli par le malheur, s'était désormais détaché, *La Jérusalem conquise* ne pouvait devenir une œuvre durable. Elle n'est dépourvue ni de poésie ni d'originalité et, par suite d'un malentendu, elle se trouve bien injustement négligée.

★ L'écrivain espagnol Lope de Vega (1562-1635) a écrit un poème en vingt chants et en octosyllabes : *La Jérusalem conquise* [*Jerusalén conquistada*], publié en 1609. L'auteur entend rivaliser avec le Tasse ; mais son lyrisme, avant tout réaliste, manque du souffle épique nécessaire à qui prétendait aborder une matière poétique que la satire de Cervantès contre les romans de chevalerie avait déjà épuisée. Suivant pas à pas le plan du poème italien, Lope de Vega se borne à substituer la croisade de Richard Cœur de Lion à celle de Godefroy de Bouillon et à concentrer l'intérêt du récit sur le personnage d'Alphonse VIII. Rennert y Castro a pu dire que, « si l'œuvre ressemble souvent à un livre de chevalerie, elle reste avant tout une chronique poétique des choses de l'Espagne ». Il convient, toutefois, de noter pour leur originalité les épisodes de la mort des jeunes Espagnoles Blanche et Sol au IIe chant, et l'idylle de Lucinde aux chants XVI et XVII.

JÉRUSALEM DÉLIVRÉE (La) [*La Gerusalemme liberata*]. Poème héroïque en vingt chants de l'écrivain italien Torquato Tasso, dit le Tasse (1544-1595). Après avoir trouvé tout jeune son sujet (la prise de Jérusalem au terme de la première croisade), le Tasse travaille à la composition surtout à partir de 1565, quand il entre au service des Este. Le poème achevé (1575), saisi de doutes, il renonce à l'idée d'une publication prochaine ; en 1581 les deux premières éditions du poème paraissent en dehors de lui.

Le Tasse, pour sa réflexion théorique, se place délibérément dans le cadre de la poétique d'Aristote. Dans ses *Discours sur l'art* — v. aussi *Discours sur le poème héroïque* (*) —, conçus en 1564, il prône l'unité d'action, compatible, selon lui, avec les agréments de la diversité ; il fait du plaisir du lecteur la fin de toute œuvre poétique et voit dans le respect du vraisemblable la condition essentielle pour atteindre ce résultat. Il entend donc que le poème épique se fonde sur l'histoire et que les prodiges du surnaturel, dans l'épopée moderne, procèdent nécessairement d'êtres — Dieu ou démons — auxquels croient les lecteurs. Le Tasse retient ainsi la notion de « merveilleux chrétien », non pas au nom de l'exaltation de la foi, mais à partir d'un calcul littéraire visant à concilier merveilleux et vraisemblable.

Dans le poème, en fait, les conceptions chrétiennes ont une fonction supplémentaire : servir de fondement et de justification au développement de l'action. C'est Dieu qui, au chant I, rend à la croisade l'élan perdu et, au chant XIII, introduit la phase menant à la victoire. En faisant de Godefroy de Bouillon, contrairement à l'histoire, le chef unique, élu de Dieu, le Tasse exalte le principe monarchique et confère une nette prééminence à son protagoniste. Guerrier pieux, capitaine hors pair, Godefroy s'emploie sans trêve à maintenir la cohésion de l'armée pour la mener à la victoire.

Après l'élection de Godefroy et la marche d'approche, l'armée chrétienne dresse son camp devant la ville sainte (III) ; dès lors, l'enfer tout entier se mobilise et cherche à jouer sur les faiblesses de certains croisés. La venue au camp d'Armide participe de cette stratégie. Par son art de la séduction, la magicienne païenne parvient à entraîner à sa suite bon nombre de chevaliers, qu'elle retiendra prisonniers dans son château enchanté. Le plus vaillant champion croisé, Renaud, quitte lui aussi le camp : insulté publiquement, il a tué son offenseur et refuse par orgueil de se soumettre au jugement de Godefroy. Au chant VI, Argant, impétueux guerrier païen, lance un défi que relève Tancrède. C'est un chevalier courtois et valeureux mais tourmenté par l'amour déraisonnable qu'il porte à l'amazone païenne Clorinde. Lui-même est aimé en secret d'Herminie, princesse d'Antioche vivant à Jérusalem. Devant les deux armées, les champions s'affrontent en un combat opiniâtre que la nuit interrompt. Herminie décide de rejoindre Tancrède, ne serait-ce que pour soigner ses blessures ; revêtue de l'armure de Clorinde, elle sort aisément de la ville ; mais, près du camp, des croisés reconnaissent l'armure qui luit sous la lune et chargent, menaçants. Herminie, effrayée, tourne bride et fuit éperdument. Tancrède, croyant Clorinde en danger, s'élance dans la nuit, s'égare, aboutit au château d'Armide où il sera capturé. Ensuite, l'adversaire ne désarme pas : arrive la nouvelle de l'anéantissement d'un contingent de renfort ; Argillan, poussé par le démon, soulève contre le capitaine une partie des troupes ; enfin Soliman, roi dépossédé de Nicée, qu'anime un âpre désir de vengeance, déclenche, sous un ciel nocturne traversé de sanglantes lueurs, une violente attaque contre le camp ; au matin seulement, les païens lâchent pied (IX-X). Fort de ce succès, Godefroy donne l'assaut à Jérusalem : les chrétiens prennent l'avantage, mais ne peuvent conclure avant la nuit (XI). Un peu plus tard, Clorinde et Argant décident d'une sortie pour incendier une tour de siège des croisés. L'objectif atteint, le sort veut que l'amazone, vêtue d'une armure noire anonyme, doive, pour rentrer dans la ville, gagner une porte éloignée et que Tancrède remarque cet ennemi, le poursuive et le rejoigne. Dans la nuit s'engage un combat furieux et sanglant, au terme duquel Clorinde succombe ; et Tancrède ne découvre son visage qu'en lui ôtant son casque, pour lui donner, sur sa demande, le baptême (XII). Au chant XIII, Ismen ensorcelle la forêt de Saron pour interdire aux chrétiens de se procurer le bois de leurs machines de siège. Sur ce survient la sécheresse et les croisés souffrent de la soif. Godefroy adresse une prière au Ciel. Dieu l'exauce et annonce un nouveau cours des choses favorable aux chrétiens, à condition que Renaud reprenne sa place au combat.

On apprend que ce dernier, capturé par Armide éprise de lui, vit dans les plaisirs de l'amour sur une des îles Fortunées ; s'insère alors l'ample épisode de la délivrance du héros nécessaire à la victoire (XIV-XVII). Dans ces chants, le Tasse, entraînant son lecteur loin de Jérusalem, exalte les Grandes Découvertes et évoque surtout les séductions fallacieuses du jardin d'Armide. Quand les deux chevaliers chargés de le délivrer parviennent jusqu'à lui, Renaud sort de sa torpeur et part ; ni les prières ni les malédictions d'Armide – désormais femme bafouée dans son amour et non plus puissante magicienne – ne le retiennent.

De retour, le héros triomphe des sortilèges de la forêt. Lors de l'assaut qui suit, Jérusalem est prise (XVIII). Sur ce, l'armée égyptienne de secours se présente ; Godefroy se porte à sa rencontre. À l'issue de la formidable bataille, les croisés, grâce à la conviction qui les anime et à la clairvoyance du capitaine, l'emportent sur l'immense armée ennemie. Dans ces chants, le Tasse s'intéresse également au sort singulier de ses grands héros. Argant, défendant jusqu'au bout Jérusalem, trouve la mort en se mesurant de nouveau à Tancrède. Le soir venu, Herminie découvre ce dernier, demeuré sans connaissance sur le lieu du combat, et lui prodigue ses soins. Soliman meurt dans la mêlée sous l'épée de Renaud. Celui-ci, la victoire assurée, rejoint Armide ; souhaitant que son esprit s'ouvre à la vraie foi, il offre d'être son chevalier servant : renonçant à son désir de vengeance, elle se rend à l'amour du héros.

Avec *La Jérusalem délivrée,* le Tasse offre un poème héroïque moderne et chrétien faisant sa place au romanesque. Toutefois, entre la construction d'ensemble fondée sur les vérités chrétiennes et les multiples évocations s'introduit une équivoque de fond, inscrite au départ dans le choix du sujet religieux pour des raisons d'efficacité littéraire. Les conceptions chrétiennes fondent certes l'action, mais ne semblent parfois alléguées que comme justifications de solutions narratives et surtout ne peuvent rendre compte de toutes les représentations et ambiguïtés qui se font jour dans le poème. De là procèdent certaines de ses faiblesses, mais surtout sa physionomie d'œuvre aux équilibres tendus, où la suggestion répond aux vérités dûment proposées et où, au milieu de la geste collective, aucun héros n'échappe à un destin de solitude inquiète. Dans le vaste remaniement de *La Jérusalem conquise* (*), publiée en 1593, l'auteur, visant plus de régularité et plus de majesté, fera disparaître pour l'essentiel les tensions et les contrastes qui habitent *La Jérusalem délivrée,* que, de ce fait, la postérité retiendra comme la grande œuvre du Tasse. A. Go.

★ Le mélodrame musical puisa largement au poème du Tasse, lui empruntant des personnages et certains épisodes (Armide, Tancrède, Godefroy, etc.) autour desquels il se développa librement. La première tentative musicale que l'on remarque est le fameux *Combat de Tancrède et de Clorinde* (*), mis en musique par Claudio Monteverdi. Parmi les nombreuses œuvres musicales parues sous le titre de *La Jérusalem délivrée*, développant plus ou moins librement la trame du poème du Tasse, rappelons celle de Carlo Pallavicino (1630-1688) qui obtint un vif succès quand elle fut représentée à Venise en 1688, et qui fut par la suite traduite en allemand et représentée sous le titre d'*Armide* (Hambourg, 1695) ; celle de Vincenzo Righini (1756-1812), représentée à Berlin en 1802, et celle de Louis Luc Loiseau de Persuis (1769-1819). En 1754, Francesco Geminiani (1687-1762) a fait représenter à Paris une action chorégraphique, *La Forêt enchantée*, dont l'argument est tiré de *La Jérusalem délivrée*.

JERY ET BAETELY [*Jery und Bätely*]. Opérette en un acte écrite par l'écrivain allemand Johann Wolfgang Goethe (1749-1832) au retour d'un voyage en Suisse effectué en compagnie du duc de Weimar vers la fin de 1771, publiée en 1780 avec un fragment de Faust. Kayser, puis Seckendorff s'essayèrent à la mettre en musique, mais la mise en scène se heurta à de grandes difficultés. Elle inspira encore le musicien Reichardt ; patiemment, Goethe remania alors le livret, persuadé que la collaboration entre poète et compositeur doit être parfaite. Aussi, en 1825, il consentit encore à remanier le finale, à la demande d'un autre musicien, Lecerf. L'action, simple et un peu naïve, comme il sied au caractère champêtre, se déroule en Suisse : Jery, plaisant garçon, est épris de Baetely, jeune fille au caractère indépendant, qui n'entend nullement se marier. De retour de la guerre, le soldat Thomas, ami de Jery, se fait fort de réussir par un habile stratagème à faire de lui un heureux époux. En effet, adoptant des attitudes de bravache, il offense à plusieurs reprises Baetely et son père. Indigné, Jery prend leur défense, au péril même de sa propre vie. Émue, reconnaissante, la jeune fille, par besoin de protection et finalement par amour, acceptera Jery comme époux. La scène la plus vivante est celle de la querelle entre les deux amis, qui dégénère en véritable rixe, au terme de laquelle Jery, malmené mais heureux d'avoir gagné le cœur de sa belle en recevant force horions, paie volontiers à Thomas le pari qu'il avait tenu. La couleur locale n'est qu'accessoire : Goethe écrivait d'ailleurs lui-même à Dalberg qu'il s'agissait d'« une opérette où les acteurs mettront des costumes suisses et parleront de fromage et de lait ». Des suggestives chansonnettes, « airs qui expriment l'émotion de l'acteur et où celui-ci pourra laisser parler son cœur », ainsi que la « musicalité du dialogue » sont les éléments que Goethe tient pour indispensables à la fusion du livret et de la musique et qui confèrent encore à cette œuvre son caractère particulier. — Trad. dans *Chefs-d'œuvre du théâtre allemand*, Ladvocat, 1822. ★ *Jery et Baetely. Le Chalet*, opéra-comique d'après l'œuvre de Goethe, livret de Scribe, musique d'Adolphe Adam (1803-1856).

JE SUIS DE MON TEMPS [*Kind dieser Zeit*]. Souvenirs, publiés en 1932, de l'écrivain allemand Klaus Mann (1906-1949), fils de Thomas Mann. Ce récit d'une enfance qui s'était ressentie de la Grande Guerre, de la révolution et de l'inflation, et coïncida avec le déclin matériel de la bourgeoisie à laquelle appartenait l'auteur, offre un réel intérêt du point de vue documentaire et psychologique. Ce qui le domine, c'est un profond désarroi. Après s'être demandé si lui et ses pairs ne seraient pas « des fils du tardif capitalisme, de derniers, de malingres rejetons d'une bourgeoisie surintellectualisée », Klaus Mann fait cette constatation amère : « Le sol que nos parents possédaient encore se déroba sous nos pieds. Ni intellectuellement, ni moralement, ni économiquement, nous n'avions plus rien sur quoi nous puissions compter. » Analysant « le mythe de son enfance », il se souvient d'avoir été horriblement isolé dans un univers dominé par les « barbares bonnes d'enfant », mais déjà se surprend, avec sa sœur Erika, en train d'exercer sur les autres son despotisme. Ses grandes aventures, ce sont la guerre — telle que la peut voir un enfant —, les méfaits, au foyer paternel, d'une domestique voleuse et débauchée, la triste expérience, enfin, de la maladie. Entré au gymnase au moment de la révolution, il entend « chanceler et craquer » le Reich allemand. « Du côté de la fantaisie, cependant, nous étions, écrit-il, doués au suprême degré. » Sa vocation théâtrale va se préciser, il écrit un pamphlet, des pièces, rêve de devenir célèbre. Significatif est le chapitre intitulé « Triomphe de la méchanceté » : « Tout enfant, observe-t-il, est un anarchiste et un ennemi de la société. » Bientôt ce sera l'apprentissage d'une « technique du vol » et les exploits — plus proches, il est vrai, de la farce que du crime — de « la bande du Parc du Duc ». Écolier, puis étudiant, Klaus Mann, entre-temps, compose des chansons pour les cabarets et subit l'influence du lyrisme de Stefan George. Écrivain, il souffrira beaucoup d'être « le fils d'un homme de lettres qui a la prétention d'exister par lui-même », mais n'en donne pas moins à son livre cette conclusion résignée : « Il serait vain de souhaiter d'être né dans un temps plus commode, ou d'avoir un sort personnel plus avantageux. » — Trad. Aubier, 1933.

JE SUIS UN CHAT [*Waga-hai wa neko de aru*]. Roman de l'écrivain japonais Sôseki Natsumé (1867-1916), publié en 1905-1906 dans la revue littéraire *Le Coucou* [*Hototogisu*]. Le récit n'est, pour l'auteur, qu'un prétexte à passer au crible de sa critique aiguë les injustices sociales de son temps et les surprises de la destinée. Or son porte-parole, en l'occurrence, est un chat. Ce chat, qui appartient à la famille d'un professeur d'école moyenne nommé Kusami, bavarde sur toutes sortes de sujets, mais surtout à propos d'événements qui concernent les Kusami et leur entourage : il y a, par exemple, les fiançailles de M. Kangetsu avec la jeune Kaneda, un vol, une invasion d'étudiants, la description d'un établissement de bains, et même... une histoire de chats. Tout cela compose une série de tableaux indépendants les uns des autres, mais dont l'ensemble est charmant. Le style a une grande fraîcheur ; le ton procède tantôt de l'humour, tantôt de la polémique, quand ce n'est pas des deux à la fois. *Je suis un chat*, lorsqu'il parut, fut une révélation. L'auteur, alors professeur de littérature anglaise à l'université de Tôkyô et l'un des maîtres du « haïku », devint tout à coup célèbre et commença une belle carrière de romancier. — Trad. Gallimard/Unesco, 1978.

JÉSUITE (Le). Mélodrame de l'auteur dramatique français Victor Ducange (1783-1833), écrit en 1830. Il retrace les forfaits de Judacin, « un homme tout noir de la tête aux pieds »... et qui appartient à « l'espèce malfaisante que l'on nomme Jésuites à robe courte ». Sous le couvert de ses fonctions de précepteur, Judacin, fourbe achevé, convoite un héritage, éloigne la jeune Dorothée dont la présence est pour lui un obstacle et persécute un bon jeune homme nommé Eugène. Au dénouement le misérable se voit démasqué, et c'est le triomphe du Code, « espoir de l'innocent et erreur du criminel ».

JÉSUS EN SON TEMPS. Ouvrage de l'écrivain français Daniel-Rops (1901-1965), publié en 1945. Le succès de cet ouvrage s'explique par l'extrême conscience et la rare habileté historique avec lesquelles il a été écrit. Toute l'apologétique de Daniel-Rops repose en effet sur les Écritures et sur les interprétations que l'on en peut donner. Les sources de l'histoire du Christ, ce sont les quatre évangiles, car « qui veut peindre le Christ doit vivre avec le Christ », puis le cadre géographique de la Palestine qui nous permet de suivre le Christ et de mieux l'approcher. Tentant de réduire par les confrontations des textes toutes les objections que l'on a pu faire sur la virginité de Marie, sur les « frères » du Christ et la date de naissance de celui-ci, l'auteur évoque, avec tact, l'obscure enfance et la jeunesse du Messie dans ce « canton de l'Empire romain », dans Israël humiliée. Puis après avoir retracé la vie publique du Christ, ses miracles et ses guérisons, les premières résistances à sa doctrine, l'auteur esquisse un portrait du Christ, l'humble, l'homme, déjà à lui seul d'une incontestable grandeur, son mystère de Dieu incarné, et sa complexe psychologie, puisque les deux natures, divine et humaine, s'affrontent et se complètent tout à la fois en lui.

Au moment où Jésus quitte la Galilée, pays riant et riche, pour l'âpre Judée, afin que « s'accomplissent les Écritures », le caractère de ses prophéties prend un ton plus précis et ses paroles se font plus dures. Il semble que le Dieu, alors, prenne le pas sur l'Homme à mesure que l'opposition des Juifs grandit et qu'apparaissent plus nettement dans la doctrine des contradictions entre le message du Christ et sa vie, entre le Dieu qui prévoit sa mort prochaine et l'homme qui l'accepte. Avant de narrer les derniers jours de la vie du Christ, sa passion, son procès, sa mort et sa résurrection, Daniel-Rops a pris soin de montrer que, malgré de nombreux liens entre l'Évangile et le judaïsme, on constate une totale opposition d'esprit entre les deux doctrines. À la fin de son ouvrage, l'auteur aborde le douloureux problème de la responsabilité du peuple juif dans la mort du Messie, et du crime de déicide qui lui a été jusqu'à nos jours imputé. En fait, Daniel-Rops, patiemment, détruit cette thèse. Jésus fut mis à mort par la classe dirigeante du peuple juif et non pas par tous les Juifs parmi lesquels bon nombre avaient suivi ses enseignements, et bon nombre également ignoraient l'existence même de ce Messie, et l'auteur de citer une phrase de Péguy : « Ce ne sont pas les juifs qui ont crucifié Jésus-Christ, mais nos péchés à tous ; et les Juifs, qui n'ont été que l'instrument, participent comme les autres à la fontaine du salut. » Enfin l'auteur termine son ouvrage sur l'épisode des disciples d'Emmaüs, symbole de la présence permanente du Christ, et il se prononce en annexe sur les deux grands problèmes controversés : celui du Saint Suaire, et celui de l'essénisme.

JÉSUS-LA-CAILLE. Publié en 1914, c'est le premier et le plus célèbre roman de l'écrivain français Francis Carco (1886-1958), situé dans le Montmartre 1900 qu'il a tant aimé. Jésus-la-Caille nous introduit dans le milieu des souteneurs, prostituées, invertis, qui gravite autour des bars et des hôtels, de Pigalle à la place Blanche. Bambou, l'ami de Jésus, vient d'être arrêté par la police, sur les indications du Corse, lequel, à son tour, est trahi par Pépé-la-Vache et incarcéré. Effondré dans sa solitude, la Caille cède aux avances de Fernande, l'amie du Corse, et, pour la première fois, connaît l'amour d'une femme. Amour bref d'ailleurs, car il ne peut oublier Bambou le prisonnier. De son côté, Fernande, lasse de son rôle protecteur, aspire à la sécurité d'un amour viril. Elle s'abandonne à Pépé-la-Vache, qui la désire depuis longtemps. La rupture consommée, la Caille vivra avec la Puce, jeune souteneur de dix-sept ans et frère de Bambou. Au dernier chapitre, le Corse sort de prison, assassine Pépé-la-Vache dans la chambre de Fernande et disparaît. Fernande se livre à la police et s'accuse elle-même du crime.

J'ÉTAIS JACK MORTIMER [*Ich war Jack Mortimer*]. Roman de l'écrivain autrichien Alexander Lernet-Holenia (1897-1976), publié en 1933. Écrivain de l'ancienne école autrichienne, c'est au théâtre que Lernet-Holenia connut ses premiers succès avec des pièces qui font de lui le successeur de Schnitzler et de Hofmannsthal. Venu ensuite au roman, il raconta des aventures amoureuses ou guerrières dans un style vif et habile. *J'étais Jack Mortimer* est le plus accompli de ses romans. Ferdinand Sponer, chauffeur de taxi à Vienne, trouve un mort dans sa voiture et, afin de n'être pas soupçonné du meurtre, joue pendant une nuit le rôle du mort, Jack Mortimer. Cette usurpation d'identité lui vaut évidemment force aventures, les unes galantes, les autres dramatiques, à travers lesquelles l'auteur fait un tableau extrêmement vivant d'une Autriche en pleine décadence. – Trad. Lebovici, 1988.

JE TE CONJURE [*Jeg besverger dig*]. Recueil de poèmes de l'écrivain norvégien Arnulf Øverland (1889-1968), publié en 1934. Ce recueil fait pendant à celui qui l'avait précédé, *Commandements* [*Hustavler*, 1929], mais en mettant l'accent davantage sur le scepticisme et le pessimisme. Alors que *Commandements* est surtout remarquable par la grâce musicale et la beauté des vers, en particulier dans le cycle « Un poème sur la mort » [Et dikt om doden], *Je te conjure* vibre d'accusations lancées contre Dieu, d'appels à la jeunesse et de déclarations solennelles, encore que déguisées en fine ironie, sur la vocation du poète. Toutefois, on y rencontre aussi des poèmes d'amour pleins d'érotisme et de nostalgie, dont le thème principal est le départ de la bien-aimée du poète.

JE T'ÉCRIS POUR TE DIRE [*Caro Michele*]. Roman de l'écrivain italien Natalia Ginzburg (1916-1991), publié en 1973. Ce roman semi-épistolaire est considéré par l'auteur elle-même comme un retour au roman, après une douzaine d'années d'expériences littéraires diverses : théâtre, essais, journalisme. Cet intervalle n'est pas indifférent : Natalia Ginzburg revient au roman après une interruption qui coïncide à peu près avec les années 60, la fin du « miracle économique italien », les moments troublés du « mai rampant » et de l'« automne chaud » en 1968-69, où toute une partie de la jeunesse, des étudiants, des Méridionaux venus travailler dans les usines du Nord, se sont pris à contester, violemment parfois, la « société de consommation » à laquelle ils n'ont pas accès ou dans laquelle ils ne trouvent pas leur place. Bref, ce retour au roman intervient au moment où l'on commence à percevoir la crise de la société italienne qui va devenir évidente et s'approfondir après le premier choc pétrolier, un an après la parution de *Je t'écris pour te dire*.

C'est ce climat de crise qu'on ressent dans ce roman ; au lieu de l'inspiration optimiste des *Mots de la tribu* (*), au lieu de l'image de la famille comme centre des rapports humains et de l'activité sociale, *Je t'écris pour te dire* donne le spectacle de couples qui se défont, de familles dont les contours s'estompent : amours et mariages brefs et ratés, enfants dispersés. Le seul rapport qui persiste entre les individus est celui du courrier. On retrouve ici le rôle du langage comme trame – mais, en l'occurrence, trame qui est une survivance – du tissu familial et social. Trame elle-même bien illusoire, car ce rapport établi par le langage n'est plus un lien entre les individus, tout au plus un appel au secours, chacun ne parlant guère que de soi.

Par un jour de neige, Adriana écrit à son fils Michel. À travers cette lettre puis à travers celles qui vont suivre, entre Adriana, Michel, sa sœur Angelica, son ami Osvaldo, Mara, une fille qui vient d'avoir un enfant qui pourrait bien être de Michel, on suit la débâcle des individus et des couples, celle de Michel surtout, figure emblématique de tout cet effondrement. Michel, qui a quitté l'Italie parce qu'il est soupçonné d'avoir des liens avec des milieux terroristes de gauche, s'est réfugié en Angleterre. Il y épouse Eileen, universitaire alcoolique, avec qui il a quatre jours de bonheur avant de la quitter pour se rendre en Belgique. C'est là qu'il meurt, assassiné par un fasciste au cours d'une manifestation.

Dans ce monde où Natalia Ginzburg ne voit que déstabilisation, les seules illusions de bonheur viennent, pour Adriana, de la fiction épistolaire d'une vie familiale et, chez elle comme chez Mara, de l'évocation nostalgique d'un passé conjugal et familial. « C'était ça le bonheur », dit Mara. – Trad. Flammarion, 1974.

P. L.

JEU DE LA FEUILLÉE (Le). Œuvre d'Adam de la Halle (appelé aussi « le Bossu »), poète et musicien picard, né à Arras et qui connut la célébrité aux environs de 1250. La pièce fut représentée en public en 1276 et prit le nom de *Jeu de la Feuillée* du fait qu'elle avait été montée à la foire d'Arras pour la fête nocturne du printemps. C'est là un ouvrage original et très caractéristique : l'auteur, selon les règles du « jeu », est lui-même le héros du spectacle et doit mettre en scène ses propres mésaventures. Mais, en amplifiant le schéma traditionnel auquel il ajoute des commentaires fantaisistes, Adam de la Halle en fait une composition plus vaste qui s'approche de ce que seront par la suite les « soties ». Le poète veut laisser sa chère ville d'Arras et sa femme pour se rendre à Paris et y terminer ses études interrompues. Ce thème avait déjà servi de prétexte aux couplets vivants et enjoués du *Congé*. On voit apparaître ensuite, sous un autre costume, le même Adam qui annonce son intention de se faire « clerc ». Ses amis et connaissances cherchent à l'en dissuader, lui rappellent qu'il devra abandonner sa femme. Mais il réplique que son mariage fut un marché de dupes, et que sa femme, qui lui avait paru si belle, est à l'heure qu'il est pesante et bouffie de graisse. De son côté, son père ne consent pas à lui donner de l'argent pour qu'il fasse des études, et se lamente parce qu'il se sent malade : un médecin de passage reconnaît que le vieillard souffre d'avarice chronique, et il en profite pour médire d'autres personnages de la ville également atteints du même mal. La scène s'anime à l'arrivée d'un moine quêteur qui porte les reliques de saint Achaire et fait l'apologie du saint ; surviennent ensuite un sot, une troupe de viveurs, un fou accompagné de son père. Les uns et les autres se livrent sans désemparer à une critique des mœurs de la ville. Enfin apparaissent les fées, reines de la fête du printemps, qui distribuent les dons et les mauvais sorts selon leur coutume. Toute la compagnie se retrouve à la taverne de Raoul le Waisdier, lieu de rendez-vous de maître Adam et de ses amis. Et comme l'aurore est proche, ils décident tous d'aller offrir un cierge à la Madone. Le spectacle est marqué par une grande liberté, et un vent de confusion souffle sur toute cette belle fantaisie. Mais l'œuvre reste admirable pour la vivacité de beaucoup de scènes et le brio du dialogue. – *Le Jeu de la Feuillée* a été récemment édité et traduit par J. Dufournet (Paris, Garnier-Flammarion, 1989).

JEU DE L'AMOUR ET DU HASARD (Le). Comédie en prose, en trois actes, de l'écrivain français Marivaux (1688-1763), représentée pour la première fois à Paris, en 1730, par les Comédiens italiens. Dorante et Silvia ont été fiancés par leurs pères. Redoutant de s'engager sans se connaître, ils ont la même idée sans s'en douter. Chacun se présentera à l'autre sous l'habit d'un serviteur. Ainsi Dorante et Arlequin échangent leur costume et leur rôle, tandis que Silvia et Lisette font de même. Les manières ridicules du faux maître déplaisent immédiatement à Silvia qui, en revanche, apprécie plus qu'elle ne le voudrait la belle mine et la délicatesse du prétendu serviteur. Dorante est conquis par la fausse soubrette dès le premier entretien. Son amour et sa noblesse naturelle l'obligent à révéler son identité à la fin de l'acte II, au soulagement joyeux de Silvia. Celle-ci pourtant décide de prolonger l'épreuve pour voir si le jeune homme saura franchir la barrière des conditions sociales et l'épouser sous son habit de soubrette. Cependant, Arlequin et Lisette sont mutuellement victimes de l'imbroglio, chacun d'eux se trouvant bien chanceux d'avoir séduit un supérieur. La déclaration d'amour se complique de la révélation indispensable de l'identité, plus épineuse. Marivaux excelle à composer ces duos amoureux parallèles dans deux registres différents. Au dénouement, la vérité de l'amour triomphe du préjugé social et des illusions créées par le déguisement sans que les conditions soient remises en cause. Marivaux allie parfaitement le comique à l'italienne des valets à l'émotion délicate des maîtres ; il exploite les ressources psychologiques du quiproquo et prolonge, dans une comédie dont le cadre est réaliste, la réflexion sociale abordée dans *L'Île des esclaves* (*).

C. B.

JEU DE LA PASSION D'OBERAMMERGAU (Le) [*Das Oberammergauer Passionspiel*]. Selon la tradition, la représentation périodique de la Passion à Oberammergau remonte à 1634 et serait due à l'accomplissement d'un vœu formulé à l'occasion d'une terrible épidémie de peste. C'est à partir de 1680 que fut adoptée la périodicité décennale des représentations et cette tradition dure encore. Le texte imprimé le plus ancien date de 1662 et se réfère à une version bien plus ancienne, remontant aux mystères du Moyen Âge. Mais le texte a subi depuis de nombreuses modifications : on a supprimé par exemple la scène du diable bondissant qui se démenait autour de Judas pendant la tentation de ce dernier et la troupe pittoresque de diablotins qui apparaissaient après l'accomplissement de la trahison, directement issus de l'imagination médiévale. La révision du texte eut surtout lieu dans les premières décades du XIXe siècle, elle fut l'œuvre du moine bénédictin Othmar Weiss (mort en 1843) et, par la suite, du célèbre « Geistlichen Rat » Daisenberg (1799-1883), qui fut pendant de nombreuses années curé du village, s'occupant personnellement de la mise en scène du drame et composant de nombreuses œuvres sacrées qui furent également représentées à Oberammergau. Jusqu'en 1830, le « jeu » était représenté dans le cimetière du village, à ciel ouvert, mais on dispose aujourd'hui d'un vaste théâtre en plein air, avec une scène dont le fond est constitué par le splendide panorama des monts de l'Ettal. Les acteurs sont pour la plupart des paysans ou des artisans (surtout potiers), et sont soigneusement entraînés à leurs rôles pendant les dix années s'écoulant entre chaque représentation. C'est un grand honneur de se voir attribuer un rôle et seuls les citoyens vertueux et sans tache peuvent y prétendre. En général, le maquillage est très réduit, mais les acteurs conservent dans la vie courante le déguisement sommaire exigé par leur rôle. Le drame comporte dix-huit actes et dure huit heures, avec un entracte au bout de quatre heures de spectacle. Avant le début du « Jeu », les acteurs prient sur la scène, derrière le rideau baissé. Un élément typique est celui des « Esprits protecteurs » [Schutzgeister], qui entrent en scène conduits par un coryphée et, comme dans le drame grec, n'ont aucune part à l'action, mais se rangent sur un côté de la scène et commentent les divers épisodes de l'action, qui sont préalablement exposés au public par une brève allocution du coryphée. Chaque acte est séparé par un, deux ou même trois tableaux animés, appelés « préfigurations », tirés de l'« Ancien Testament » et se rapportant exclusivement à la vie de Jésus. Tous les épisodes se réfèrent à la Passion de Jésus-Christ et sont représentés avec un réalisme poussé, allant jusqu'à figurer sur la scène la Crucifixion du Sauveur. On y voit tour à tour Jésus-Christ entrant à Jérusalem et les divers événements célébrés dans les rites de la Semaine sainte, la trahison de Judas, la Cène, Jésus devant Pilate, la Flagellation, la Crucifixion et enfin la Résurrection. Les acteurs les plus célèbres qui tinrent le rôle du Christ au siècle dernier furent Joseph Maier et Tobias Flunger.

JEU DE PATIENCE (Le). Roman publié en 1949 par l'écrivain français Louis Guilloux (1899-1980). En 1947, à l'occasion de la mort de Pablo, un réfugié espagnol ancien combattant de la République, et du jugement de Gautier, le traître, le narrateur fait le point sur son existence. Il vient d'atteindre la cinquantaine, l'âge de l'auteur, l'âge où l'on se dit : « Il me reste dix bonnes années à vivre. » Il a entrepris ce qu'il appelle une Chronique, ou quelquefois encore ses Mémoires : « Les Mémoires d'un responsable ». Dans cette vaste entreprise, il évoque, au hasard, les années passées, les êtres qu'il a connus, aimés, les humbles silhouettes entrevues. Et ces personnages qui se pressent en foule, nous les reconnaissons. Ce sont tous ceux qui hantèrent les romans de Louis Guilloux : il y a là le docteur Rébal, l'anarchiste qui, en 1912, soulevait les ouvriers lors des élections municipales, au temps de *La Maison du peuple* (*) ; il y a là Loïc Nédelec, le narrateur du *Pain des rêves* (*), sa mère Mado et sa cousine

Zabelle, toujours flanquée doublement du « pauvre Michel » et de Toussaint dit « le Moco » ; il y a là jusqu'à la silhouette de Cripure et de sa Maïa, le dérisoire héros du *Sang noir* (*). Sans parler de toute la galerie des comparses, ces silhouettes d'un instant qui vinrent se croiser dans l'œuvre de Guilloux, les traîne-savates de la « bande du soleil ». Tante Monne au destin exemplaire, Félix Marmignon, le peintre local. Beaucoup d'entre eux sont morts ou ont disparu à l'heure où le narrateur entreprend leur évocation. D'autres continuent à vivre. Tous, ils ont à affronter l'histoire, à confronter leur destinée individuelle à l'immense destin collectif. Deux guerres sont passées sur eux, des heures troubles au cours desquelles il a fallu souvent choisir. Il ne suffit pas de mener paisiblement une existence, il faut quelquefois l'adapter aux circonstances, choisir un visage ou un masque. Ce sont sur ces choix que portent les réflexions de l'auteur, ces engagements consentis ou non, volontaires ou involontaires. Et mesurant lui-même la faiblesse, le peu d'importance des motivations, c'est sur des questions que l'auteur termine son ouvrage. Aussi bien pourrait-on dire : « commence l'ouvrage ». Car le lecteur, parvenu au terme des huit cents pages que compte ce fort volume, a l'impression que tout ne fait que commencer. Ces intrigues multiples, ces actions entrecroisées, ces personnages perdus aussitôt qu'entrevus ne cessent de le hanter. C'est que Guilloux, issu du peuple, ne flatte ni ne méprise ce même peuple dont il parle, lui restituant la seule grandeur qu'on ne puisse lui arracher : celle de la vérité.

JEU DE ROBIN ET DE MARION (Le). Œuvre du trouvère Adam de la Halle, dit Adam le Bossu ou le Bossu d'Arras (XIIIe siècle). C'est la mise en scène d'une pastourelle agrémentée de chansons populaires de diverses régions du nord de la France, Artois, Picardie et Hainaut. Elle fut peut-être composée en Italie et jouée à Naples, où Adam le Bossu avait suivi en 1282 le comte d'Artois, parti au secours de Charles d'Anjou après les Vêpres siciliennes. C'est le plus ancien exemple connu d'opéra-comique ou de divertissement mêlé de comédie, de danses et de chant. Un chevalier rencontre dans la campagne en allant à la chasse une bergère : « au cors gent » ; il lui offre son amour : « Or dites, douce bergerete / Ameriés vous un chevalier ? » Mais Marion aime Robin « deseur tous les hommes du mont » et elle éconduit le séducteur, en se moquant de lui gentiment. Le chevalier n'insiste pas : « Puis qu'ensi est j'irai ma voie... » Lorsque Robin arrive, Marion lui raconte l'aventure. Ils déjeunent sur l'herbe, ils chantent, ils dansent ; puis Robin retourne au village chercher main-forte pour le cas où le chevalier reviendrait. Celui-ci revient, en effet, cherchant son faucon égaré ; et Marion est encore seule ; il réitère ses avances, Marion résiste : « Alés vous ent, laissiés m'ester / Car je n'ai a vous que parler. / Laissiés m'entendre a mes brebis. » Comme les bergers approchent, le chevalier s'éloigne, mais venge sa déconvenue en rouant de coups le pauvre Robin, sous prétexte qu'il a malmené le faucon. Et Marion : « Par Dieu, sire, vous avés tort / Qui ensi l'avés deschiré. » — Le chevalier : « Et comment a il atiré / Mon faucon ? Eswardès, bergiere. » Il enlève la belle sur son palefroi. Robin n'est pas un héros (« C'est un chevalier hors du sens / Si a une si grant espee ! ») ; il se cache avec les amis trop tard survenus : « Or eswardons leur destinee / Par amour, si nous embuissons / Tout troi derriere ces buissons. » Mais Marion n'a point besoin d'aide. — Le chevalier : « Qu'est ce ? Ne porrai je dont faire / Chose qui te viegne a talent ? » — Marion : « Sire, sachiés certainement / que nenil ; rien ne vous i vaut. » — Le chevalier : « Bergerete, et Dieu vous consaut ! / Certes, voirement sui je beste / Quant a ceste beste m'areste ! / A Dieu, Bergiere. » — Marion : « A Dieu, biaus sire. » Robin, dès qu'il retrouve sa Marion, oublie la triste aventure : « Marote, je sui de boin hait. / Et guaris, puis que je te voi. » Et les deux amants et leurs amis se livrent à une fête champêtre avec jeux rustiques, danses et chants ; et farandole finale.

C'est le sujet de toutes les « pastourelles » ; et les protagonistes en portent les noms traditionnels. Mais la représentation du paysage et des personnages est vivante et pleine de naturel. Les bergers et les paysans, vantards, ingénus et bruyants, avec leurs coutumes rustiques, leurs plaisanteries un peu grasses, leur langage fruste, sont dépeints sans outrance et sans idéalisation. Le chevalier est galant, mais avec détachement, désinvolte, mais sans cynisme, esquissé avec une plaisante légèreté de touche. Marion surtout est délicieuse, coquette et sage, moqueuse et tendre, « demisele » avec les bergers, bergère avec le chevalier, un peu un personnage de Marivaux avant la lettre. Si l'argument avait été souvent traité dans le genre poétique de la pastourelle, le mérite du trouvère d'Arras est de l'avoir porté sur la scène, en mêlant le dialogue en vers sans accompagnement musical aux chansons et aux danses. *Le Jeu de Robin et de Marion* est précédé d'une sorte de prologue, *Le Jeu du Pèlerin*, au cours duquel un pèlerin, revenant du royaume des Deux-Siciles, explique l'origine de la comédie et invite le public à bien l'accueillir. La musique reste extérieure à la pièce et n'est liée ni à l'action, ni aux caractères, ni aux sentiments. Il est à remarquer qu'elle est écrite partiellement à trois parties, suivant un contrepoint qui semble ignorer complètement les relations verticales. — *Le Jeu de Robin et de Marion* a été récemment édité et traduit par J. Dufournet (Paris, Garnier-Flammarion, 1989).

JEU DE SAINTE AGNÈS. Mystère provençal du XVe siècle. À Rome, à une époque mal déterminée, le fils du « praefectus urbis » s'éprend d'une jeune fille de treize ans, Agnès, et veut l'épouser. Mais elle décline l'offre avec insistance, disant qu'elle est liée à un autre époux qui l'aime. Désespéré, le jeune homme en tombe malade ; son père, connaissant la raison de ce mal et ayant appris qu'Agnès est chrétienne, cherche vainement à la faire céder. Il lui intime l'ordre de se faire vestale puisqu'elle veut rester vierge ; si elle refuse, il la fera enfermer dans un lupanar. Mais la jeune fille, confiante en la protection divine, ne manifeste aucune crainte. En effet, lorsqu'on la dépouille de tous ses vêtements, ses cheveux s'allongent tout à coup, lui servant en quelque sorte de manteau. Alors qu'on l'a jetée parmi les prostituées, un ange se tient auprès d'elle et aveugle de sa lumière tous ceux qui tentent de l'approcher. Aussi le mauvais lieu devient-il rapidement un centre de prières et de rédemption ; ceux qui y entrent en sortent purifiés. Le fils du préfet, qui s'y est rendu en compagnie de plusieurs amis, est étranglé par le démon au moment de mettre la main sur la jeune fille. Le préfet accourt et, devant le cadavre de son fils, accuse Agnès de sortilège ; si elle veut être sauvée, qu'elle fasse revivre le jeune homme. Agnès se met en prière et voici que le jeune homme ressuscite, tout acquis désormais à la foi chrétienne. Mais les prêtres païens soulèvent le peuple contre celle qu'ils appellent « sorcière » et le préfet l'abandonne aux mains de son vicaire Aspasius. Sur le bûcher, les flammes s'écartent du corps d'Agnès, tandis qu'elle loue et remercie Dieu. Aspasius, pour apaiser le tumulte de la foule ignorante et altérée de sang, fait égorger la victime. L'auteur du drame a suivi, dans ses lignes essentielles, le récit d'une *Vie* latine de sainte Agnès attribuée à saint Ambroise ; mais il l'a librement amplifié et a ajouté de nombreux intermèdes lyriques. L'effet scénique est ainsi obtenu ; malheureusement, l'œuvre est particulièrement faible du point de vue psychologique et le style est plutôt vulgaire. — A. Jeanroy a édité le *Jeu de sainte Agnès...* avec une transcription des mélodies par Th. Gérold (Paris, Champion, 1931).

JEU DE SAINT NICOLAS (Le) [*Li jus de saint Nicholai*]. Le miracle de l'infidèle volé et qui est converti par saint Nicolas a servi de sujet à de nombreux récits néo-latins. Il a été repris par le trouvère Jean Bodel d'Arras qui vécut dans la seconde moitié du XIIe siècle et au commencement du XIIIe. Cette œuvre a été publiée pour la première fois à Paris en 1834 par Monmerqué (30 exemplaires), puis en 1925 par Alfred Jeanroy. L'auteur ayant aussi composé un poème épique sur l'expédition de Charlemagne contre les Saxons (certains échos de la *Chanson de Roland* (*) y retentissent encore), nous ne devons pas nous étonner de lui voir situer les scènes du *Jeu* au temps des croisades. À l'issue d'un sanglant combat, un chrétien a été fait prisonnier par les Sarrasins, alors qu'il priait devant une statuette de saint Nicolas. Interrogé, il exalte la puissance de ce saint, capable de rendre la vue aux aveugles, de ressusciter les noyés, d'empêcher que l'on ne s'égare, que l'on ne soit volé, et qui vous fait rentrer en possession de ce que vous avez perdu. Afin de vérifier la véracité de ces assertions, le roi des musulmans fait placer la statuette sur son trésor personnel, après avoir ordonné que l'on enlève toutes les serrures et que l'on congédie les gardiens. Des voleurs mettent aussitôt à profit cette expérience et le pauvre chrétien paierait par d'horribles supplices l'imprudence du roi, si saint Nicolas, invoqué avec une foi ardente, n'apparaissait aux voleurs et ne les persuadait de rendre le trésor à son propriétaire. Les voleurs obéissent. Le roi retrouve le trésor à l'endroit même où il était autrefois. Il est même obligé de constater qu'il a doublé de volume. À la vue d'un tel prodige, il libère le prisonnier et se convertit avec toute sa cour. A. Henry a montré les qualités littéraires de ce *Jeu*. Assez statique et sans véritable vie, il mérite toutefois d'attirer l'attention des historiens du théâtre. Certaines scènes se déroulent sur un champ de bataille, d'autres dans une prison, quelques-unes dans une taverne où une foule de joueurs, de buveurs, de courriers, de bateleurs et de voleurs parle un langage des plus savoureux. Aussi *Le Jeu de saint Nicolas* peut-il être considéré comme un chaînon important du théâtre médiéval : celui de la transformation du drame purement religieux en drame profane. — A. Henry a mis en valeur les qualités exceptionnelles de ce *Jeu* dans une remarquable édition critique, accompagnée d'une traduction (3e éd. remaniée, Bruxelles, palais des Académies, 1981). H. Rey-Flaud l'a étudié dans *Pour une dramaturgie du Moyen Âge* (Paris, P.U.F., 1980).

JEU DES PERLES DE VERRE (Le) [*Das Glasperlenspiel*]. Roman en deux volumes, publié en 1942, de l'écrivain suisse d'origine allemande Hermann Hesse (1877-1962). Cette œuvre est assez énigmatique. Le titre fait allusion à un jeu purement intellectuel, déjà pressenti par Pythagore, les anciens Chinois, puis par les humanistes de la Renaissance et les philosophes romantiques. Tous ont rêvé, dit Hermann Hesse, « d'enfermer l'univers spirituel dans des cercles concentriques et d'unir la beauté vivante de l'art à la magie des formules des sciences exactes ». Le nom de ce jeu vient de ce que son inventeur, Bastien Perrot, théoricien musical, utilisait des perles de verre au lieu de signes graphiques. Mais depuis longtemps les perles ne jouent plus aucun rôle. En bref, les « joueurs » cherchent un langage secret, mais universel, qui exprimerait par une algèbre symbolique la quintessence des sciences et des arts, à la façon des rêves magiques de Novalis. Hesse imagine un petit État tout spirituel qu'il nomme Castalie (= pays de chasteté). Une élite de jeunes gens s'y adonne à la musique, à l'astronomie, aux mathématiques, renonce au mariage et à toute fonction rémunérée ; des étrangers peuvent y faire retraite et retourner ensuite dans le siècle. L'action se passe en 2200. Le héros, Joseph Knecht, porte aussi un nom symbolique (Knecht = serviteur), et son autobiographie fictive est celle que Hesse aurait souhaitée pour lui-même dans une existence antérieure. Knecht enseigne aux bénédictins le jeu des perles de verre, c'est-à-dire que l'ordre laïque qu'il représente doit établir des relations avec l'ordre religieux dirigé par le père Jacob, un historien. Par lui, Knecht comprend la valeur de la science historique. Il est choisi pour le poste important de « magister ludi », maître du jeu. Mais, à étudier l'histoire, il s'aperçoit que Castalie et le jeu des perles sont périssables, tant est grande l'opposition entre un monde extérieur mouvant et le monde parfait, mais figé, de Castalie. Il importe donc de mêler Castalie au monde. Knecht demande à être relevé de ses fonctions et à enseigner les enfants. Il devient précepteur du fils d'un ami, admirateur de Castalie. Tous deux s'installent dans un chalet de montagne. Le jeune homme célèbre par une danse le lever du soleil, puis plonge dans le lac en invitant Knecht à le suivre. Knecht plonge à son tour, mais, saisi par le froid, coule à pic et ne reparaît plus.

Ici s'arrête brusquement cette biographie fictive, dont Hesse prolonge la résonance en publiant, dans une dernière partie, les poèmes et carnets supposés de Knecht. Un de ces poèmes est essentiel pour la pensée de Hesse. Il s'intitule « Degrés » [Stufen], après s'être d'abord appelé « Transcendance ». L'homme ne doit s'attarder à aucune étape de la vie ; il sera toujours prêt à pénétrer dans un nouveau cercle comme dans le jeu des perles ; la mort même nous conduit peut-être vers un nouvel espace. Knecht dévoile qu'il a connu déjà trois vies antérieures (souhaitées par Hesse) : chez les païens, il était « faiseur de pluie » ; chez les premiers chrétiens, il était confesseur ; dans l'Inde, il fut voyant. Sa mort prélude à une incarnation nouvelle, car l'esprit ne connaît pas d'arrêt. Par là, Hesse donne un sens à la vie, et à l'humanité un idéal, la régénération constante. — Trad. Calmann-Lévy, 1956, nouv. éd. 1986.

JEU DES RÔLES (Le) [*Il giuoco delle parti*]. Comédie en trois actes de l'écrivain italien Luigi Pirandello (1867-1936), représentée en 1918. Dans cette comédie, Leone Gala, le type même du héros pirandellien, destructeur des conventions sociales, joue le principal rôle. En lui, la raison l'emporte sur le sentiment, l'amour et l'honneur : son visage porte le masque d'un froid rationalisme. Sa femme, Silia, le trompe avec Guido ; néanmoins, Leone n'intervient pas. Il les observe de haut avec une ironie pénétrante et philosophie : ce que Silia ne peut tolérer. Capricieuse et sensible, elle hait Leone et demande à Guido de le tuer. D'accord avec ce dernier, elle en arrive à obliger Leone à défier un marquis qui l'aurait offensée. Leone accepte, consent à ce que toutes les conditions du duel soient fixées, mais, au moment de se battre, il ne va pas au rendez-vous. À chacun sa tâche : c'est à l'amant de défendre son honneur, et, en effet, c'est l'amant qui mourra en combattant. *Le Jeu des rôles* est une farce habile où les personnages, enfermés par leur volonté même dans une fiction, deviennent des marionnettes, des êtres inconscients, agités, pitoyables, ridicules. Leurs révoltes orthodoxes et bourgeoises sont réglées par les lois d'un code. N'admettant qu'une vie morale limitée à un rapport de conventions (les « rôles »), les personnages de cette comédie jouent exactement le jeu qu'en principe ils ont condamné. Dans leur vie même ils souffrent, mais, de l'extérieur, ils semblent simplement ridicules. — Trad. Gallimard, la Pléiade, t. I, 1977.

JEU DU MONDE (Le). Essai du philosophe français d'origine grecque Kostas Axelos (né en 1924), publié en 1969. Second volet de la seconde de ses trois trilogies — « Le Déploiement du jeu » —, ce livre, tout à la fois encyclopédique et brisé, systématique et ouvert, est comme le centre géométrique de l'œuvre : point où tout se rassemble, se reprend et d'où tout va diverger, engendrant de nouveaux détours et parcours. Tant par sa structure que par son ambition, cet ouvrage correspond aux projets encyclopédiques de Hegel ou de Novalis, s'efforçant de conjoindre l'ouverture spéculative du questionnement à la clôture des parcours historiques. De la « préphilosophie » (avec Héraclite), à la « fin de la philosophie » (théoriquement pensée et pratiquement réalisée par Hegel et Marx) et jusqu'aux tentatives « métaphilosophiques » (celle de Heidegger, par exemple), la pensée (occidentale) aura eu affaire à trois grandes figures : la Nature, Dieu, l'Homme, délimitant à chaque fois un « horizon du monde » théoriquement pensable et pratiquement réalisable (cosmologiquement, théologiquement ou anthropologiquement), pour s'achever en une « ère planétaire » où règnent les mises au pas techno-scientifiques (manipulant, transformant, gérant, hors toute question de sens, nature, histoire et homme). C'est cette odyssée sans retour, cette errance planétaire avec toutes ses « figures triomphales » (les vérités laissées en chemin) que cette œuvre se propose de parcourir rétrospectivement (sans nostalgie), et de pousser à bout aussi afin de tenter d'anticiper les linéaments d'une « pensée future ». Délivrée des mirages d'une vérité à atteindre, ayant épuisé ses propres ressources, il reste à la pensée la tâche de dégager les voies encore inédites de nouvelles paroles à dire, de nouvelles – et très anciennes – questions à reprendre, de nouveaux modes d'agir à inventer. Si les « forces élémentaires » que sont travail et lutte, langage et pensée, amour et mort composent ces « grandes puissances » que sont mythes et religions, poésie et art, politique, philosophie et sciences, il reste à la pensée, par-delà la planification et planétarisation de l'ère techno-scientifique, à les relire à nouveaux frais afin de leur faire dire tous les possibles dont elles sont encore grosses. Tout est à réinventer et cependant le pathos de la nouveauté n'est pas ici de mise. Les fuites et fausses sorties prolifèrent, les voies de salut ne sont plus praticables sans illusion. Jouer sans illusion n'est cependant pas possible, même si la lucidité la plus décapante est requise par chaque avancée. Aucune des anciennes garanties ne peut aider la pensée qui doit se livrer seule à ses errances. « C'est sur le sans-fond du jeu que s'élèvent et s'effondrent le fondement et l'histoire du sens, les fondations et les histoires des significations. » Ce livre à l'écriture fragmentaire, enjouée et systématique, répond et correspond aux questions d'une époque qui vit l'épuisement de toutes les réponses. F. W.

JEU DU PAYS DE LA LUNE (Le) [*Talnaraŭi changnan*]. Dernier recueil du poète coréen Kim Suyŏng (1921-1968), publié en 1959, et qui est aussi son premier recueil non collectif. Poète moderniste, il y construit un univers poétique très original, largement consacré aux transformations que subit son pays, même si, à l'époque, la révolution industrielle est encore loin. Mais les bouleversements imposés par la guerre de Corée, la dictature de Yi Sŭngman et l'urbanisation accélérée modifient déjà la société coréenne longtemps confite dans le confucianisme féodal. Son style largement imprécateur casse les formes poétiques traditionnelles auxquelles Kim Suyŏng refuse d'asservir une poésie qui doit se faire « avec le corps ». Ce recueil traduit à merveille les problèmes intellectuels du temps, sans doute en raison de la multiplicité des moyens utilisés qui fait écho à la multiplicité des interrogations. Pa. Ma.

JEU DU PRINCE DES SOTS ET DE MÈRE SOTTE (Le). Ouvrage du poète, auteur dramatique et comédien français Pierre Gringore (1475-1538, env.), représenté à Paris le mardi gras de l'an 1512 et publié la même année (édition moderne dans le deuxième volume du *Recueil général des soties* d'Émile Picot, Paris, 1902-1912 ; édition de P. A. Jannini, Milan, 1957). C'est la plus connue des « soties », genre théâtral cultivé en France et principalement à Paris par les lettrés qui faisaient partie des corporations professionnelles telles que la « Basoche », composée de juristes parisiens, des sociétés d'amateurs de théâtre telles que « Les Enfants de Bontemps » de Genève, ou même par des troupes de comédiens de métier. Ces ouvrages mettent parfois en scène des personnages allégoriques mais, le plus souvent, des « sots » ou des « fols » ou encore des « badins », c'est-à-dire des fous, dans le sens de bouffons ou de paillasses, dont le costume traditionnel est caractérisé par un chapeau orné de trois oreilles d'âne. Le port d'un masque, qui représente un être simple et stupide, leur permet, au milieu de gambades, de plaisanteries et de musique, une grande liberté d'expression. Leur verve et leur esprit peuvent ainsi s'exercer aux dépens de l'actualité. Les *Soties* (*) pourraient donc être définies comme des « pasquinades » dramatiques, sans grande valeur littéraire, mais importantes par leurs tendances sociales et politiques. Les plus hardies ont été représentées sous Louis XII, qui non seulement se réjouissait de voir ainsi attaquer les abus et les expédients de l'État, mais qui se servait aussi du théâtre comme d'un moyen de propagande en faveur de sa politique personnelle. Notre *Jeu du prince des Sots* entre précisément dans le cadre de cette littérature de circonstance, inspirée par le gouvernement lui-même au moment de la lutte entre Louis XII et le pape Jules II, et destinée à ridiculiser auprès du peuple le pontife et le haut clergé. Gringore n'a pas hésité à porter sur les planches son propre roi et le cardinal Della Rovere, le premier sous les traits du prince des Sots, le second sous les traits de mère Sotte revêtue des attributs pontificaux. Cette dernière, entourée d'une cour de prélats (Sotte-Fiance et Sotte-Occasion), essaie d'amener les grands feudataires à trahir leur roi, mais leur loyalisme demeure inébranlable. Les deux partis en viennent alors aux mains, et la mère Sotte, dépouillée de ses habits, est enfin reconnue pour ce qu'elle est.

JEU DU SIÈCLE (Le) [*Man'en gannen no futtobôru*]. Roman de l'écrivain japonais Kenzaburô Oe (né en 1935), publié en 1967. Deux frères, Mitsu et Taka, regagnent leur village, dans l'île de Shikoku. Les y attend une situation politique et familiale particulièrement explosive, qui sera l'occasion d'une réflexion profonde sur l'histoire du Japon. Le titre original japonais qui peut être littéralement traduit par « la partie de football américain de la première année de Man'en [1860] », se réfère au parallélisme entre deux événements politiques séparés par un siècle ; en 1860 eut lieu une révolte paysanne d'une rare violence qui opposa les villageois aux autorités de la province ; 1960 est la date du traité américano-japonais qui suscita une profonde indignation en milieu intellectuel et étudiant, et de nombreuses manifestations. La partie de « football américain » est, par ailleurs, organisée par le propriétaire coréen d'un supermarché, qui manipule ainsi les villageois. Taka, le frère du narrateur, est le véritable protagoniste de ce roman symbolique : après un séjour aux États-Unis, où il a fait du théâtre et a eu une activité de militant politique, il retrouve dans son village des drames vieux d'un siècle. Taka est, inconsciemment, le double d'un ancêtre qui avait lui aussi émigré aux États-Unis et joué un rôle de meneur de révolte. Par ailleurs, Mitsu porte, au début du roman, une double culpabilité : son bébé est né avec une malformation congénitale qui empêchera son développement intellectuel, et son meilleur ami s'est suicidé. Cherchant, comme son frère, une impossible rédemption dans la révolution, il frôle constamment la folie sans y sombrer, contrairement à Taka. Plusieurs personnages hauts en couleur croisent leur chemin : la femme de Mitsu, alcoolique dépressive, un couple d'étudiants, la « femme la plus grosse du Japon », et un mystérieux ermite, messager des mystères de la forêt. Par sa richesse, sa complexité, sa structure et surtout son style admirable, *Le Jeu du siècle* peut être considéré comme le chef-d'œuvre de Kenzaburô Oe et probablement comme l'un des romans majeurs, sinon le plus grand, de l'après-guerre au Japon. Tour à tour onirique et naturaliste, l'auteur exploite, comme il le fera dans le reste de son œuvre, des éléments autobiographiques (la naissance de son fils Hikari, sa propre enfance dans le village d'Ose, son passé de militant) et historiques, pour constituer une œuvre que Henry Miller compara à celle de Dostoïevski.

Kenzaburô Oe devait réécrire à plusieurs reprises *Le Jeu du siècle,* sous des formes différentes, notamment dans *Le Jeu contemporain* [*Dôjidai gêmu,* 1979], nouvelle version moins romanesque, où le narrateur Tsuyumi s'adresse à sa sœur jumelle, qu'il aime d'un amour incestueux. Il est certain que l'écrivain avait trouvé là une inspiration fondamentale et même fondatrice de son imaginaire. — Trad. Gallimard, 1985. R. de C. et R. N.

JEU ET RÉALITÉ [*Playing and Reality*]. Essai du psychanalyste anglais Donald Woods Winnicott (1896-1971), publié en 1971. Il y a plus d'une façon de lire ce livre. On peut, naturellement, le lire comme un livre de psychanalyse, bien que Winnicott ait tendance à fabriquer des concepts avec des mots de tous les jours, et bien qu'il ne se soucie guère de pratiquer ses observations dans le champ de l'analyse, mais dans ses consultations de pédiatrie ou en observant directement un nouveau-né, ou sa mère, et de préférence les deux ensemble. Mais le lecteur ne peut s'y tromper, il s'agit bien de psychanalyse et de la plus originale et vive qui soit. Repartant d'un article de 1951 dans lequel il décrivait l'« objet transitionnel » — le nounours ou le bout de laine que l'enfant suçote et dont il ne peut se passer — , Winnicott met l'accent sur une aire transitionnelle, une aire de jeu et d'illusion, un espace intermédiaire entre le dehors et le dedans. La capacité de créer cet espace est à l'origine de l'expérience culturelle. Entre dedans et dehors, entre le monde intérieur et la mère réelle, entre jeu et réalité, la créativité de l'être humain fait là l'objet d'une description génétique, tandis qu'une théorie des lieux psychiques se met en place, et ce sont finalement nos perceptions du monde extérieur et de l'appareil psychique qui se voient renouvelées par ce livre.

Une autre façon de lire cet essai, plus déroutante pour le psychanalyste, consiste à prendre conscience de ce qui sépare Winnicott de Freud. Dans un petit texte bien connu intitulé : « Le Créateur littéraire et la fantaisie » (traduit dans le volume *L'Inquiétante Étrangeté et autres essais*), Freud dit que le jeu permet à l'enfant de réaliser ce que la réalité lui refuse : le jeu est la compensation d'une frustration. Pour le Winnicott de *Jeu et Réalité,* c'est exactement le contraire : le jeu est une façon d'être en contact avec la réalité. C'est au point que *Jeu et Réalité* introduit un nouveau modèle pour la psychanalyse, et que cette introduction peut être reconnue comme une intention implicite, et quelque peu insulaire, de l'auteur. La psychanalyse a affaire avec « deux personnes en train de jouer ensemble ». On retrouverait là assez aisément la filiation du psychanalyste hongrois Sàndor Ferenczi, qui longtemps fut un proche de Freud, et s'en sépara, notamment en tentant d'introduire une « réciprocité » de la pratique analytique entre l'analyste et son patient. Ici, l'analyste qui ne saurait pas jouer empêcherait l'analyse de fonctionner. La fonction de l'interprétation dans ce modèle est de soutenir l'expérience du jeu, de le faire rebondir, de donner à la « forme progressive » du « playing » son plein emploi, et non nécessairement d'augmenter la connaissance que le patient peut avoir de lui-même.

Paradoxalement, la psychanalyse comme jeu fut ressentie comme antifreudienne par tout un courant analytique, celui des disciples de Melanie Klein. Les kleiniens firent d'ailleurs de l'objet transitionnel une nouvelle version du fétiche, et ce leur fut une raison supplémentaire de critiquer, au cours d'affrontements dont on n'imagine guère la violence, l'apport de Winnicott. L'absence du père dans la théorisation winnicottienne, le fait que la mère n'y soit jamais une femme, et l'opposition de l'auteur à la théorie de la pulsion de mort seraient d'autres pistes à suivre pour qui voudrait approfondir la « séparation » Winnicott/Freud, et s'étonner du même coup de la faveur que Winnicott a rencontrée auprès des psychanalystes lacaniens comme auprès des freudiens les plus orthodoxes.

Une façon encore de lire *Jeu et Réalité* pourrait être de se laisser saisir par ce que le livre a d'essentiellement étrange. Il y a d'abord ce vocabulaire, si typiquement emprunté à la langue anglaise qu'il en devient intraduisible,

comme ce « self » qui est quasiment une pièce de la mentalité du parleur britannique, ou qu'on le traduit à contresens, comme c'est le cas de la fameuse « good enough mother » : entre le « self » anglais et le « self » figé par sa transcription en français, entre l'émouvante – et fausse – « mère suffisamment bonne », et cette mère à peine passable dont il a fallu se contenter, il y a véritablement un espace intermédiaire quelque peu instable : on croit toujours avoir compris, mais ce n'était encore une fois pas ça. Lire *Jeu et Réalité,* c'est alors un peu lire du Henry James. Et n'est-ce pas aussi commenter James que d'écrire, comme le fait Pontalis dans sa préface à Winnicott : « Un bout de ficelle, le rythme de sa propre respiration, un visage, un regard qui vous donne la certitude d'exister, une séance où l'on est seul avec quelqu'un : *peu de chose, moins que rien,* simplement ce qui m'arrive quand je puis l'accueillir. » Les frontières du terrain de jeu ou du langage – qui est le terrain du jeu analytique – sont telles : des signes faibles, qu'on ne relève que parce qu'ils bougent imperceptiblement mais, le temps qu'ils bougent, ils nous ont fait notre réalité. – Trad. Gallimard, 1975.
M. Gri.

JEUNE ANGLETERRE [*Coningsby or the New Generation*]. Roman de l'homme d'État et écrivain anglais Benjamin Disraeli (lord Beaconsfield, 1804-1881, publié en 1844. Comme les autres romans de Disraeli, cette œuvre est la vivante expression de ses théories politiques et sociales. C'est surtout après les mouvements de 1839 et l'accession au trône de la reine Victoria qu'il commença à faire connaître son programme de la « Jeune Angleterre ». Il souhaitait l'abandon de l'individualisme et la fusion des classes sociales dans l'intérêt supérieur du pays. Coningsby est orphelin, second fils de lord Monmouth ; son éducation a été confiée à Rigby, secrétaire peu scrupuleux du duc. À Eton, Coningsby a rencontré le jeune Oswald Milbank, fils d'un riche industriel qui lui a appris à mépriser la noblesse. Après une période d'hostilité ouverte, les deux jeunes gens se lient intimement ; bien plus, Coningsby s'éprend d'Édith, sœur d'Oswald. Mais le grand-père de Coningsby et l'industriel père d'Édith s'opposent férocement tous deux à un mariage. Le vieux Monmouth, qui entre-temps s'est remarié avec la très jeune et infidèle Lucretia, poussé par sa femme et par Rigby, déshérite Coningsby. Rigby révèle au duc l'infidélité de sa femme, aussi celui-ci la chasse-t-il, et à sa mort laisse-t-il son importante fortune personnelle à sa fille naturelle Flore Villebecque. Coningsby, obligé de travailler pour vivre, se dirige vers le droit et pose sa candidature au Parlement. Voyant que le jeune homme est capable de se suffire à lui-même, le père d'Édith change d'avis sur son compte et lui accorde enfin la main de sa fille. Pendant ce temps, Flore Villebecque meurt et lègue à Coningsby, qui a été élu député, tout l'héritage qui lui vient de Monmouth. Le livre présente cet heureux mélange qui est le propre des récits de Disraeli : on y trouve une sentimentalité d'un optimisme agréable et en même temps un réalisme précis, notamment lorsqu'il dépeint l'étroitesse d'esprit et l'orgueilleux aveuglement politique des vieilles classes dirigeantes. – Trad. Amyot, 1846.

JEUNE ANSSI (Le) [*Nuori Anssi*]. Poème épique de l'écrivain finlandais d'expression finnoise Veikko Antero Koskenniemi (1885-1962), publié en 1918. En 1905, les événements révolutionnaires de Russie avaient eu comme corollaire en Finlande « la grande grève ». Koskenniemi se trouvait alors du côté des grévistes. C'est plus tard que ses idées politiques se précisent : il s'éloigne du monde ouvrier, manifeste son hostilité à la Russie de Tolstoï et se rapproche des mouvements nationalistes. Ne retenir de Koskenniemi que cette dimension serait injuste ; cet engagement traverse néanmoins son itinéraire jusqu'à ses activités ouvertement prohitlériennes des années 1930 à 1944. C'est cette orientation qu'illustre *Le Jeune Anssi*, écrit dans une période particulièrement troublée. La Finlande est divisée en deux camps : les « rouges », ouvriers et métayers, et les « blancs », antibolcheviks et proallemands, qui vont s'affronter dans une guerre civile particulièrement meurtrière. *Le Jeune Anssi* est une œuvre militante : Koskenniemi y met en scène trois générations de paysans, symboles de la Finlande profonde, qui prennent les armes contre les rouges. La religion s'en mêle : on combat « contre le diable et les Russes ». Le jeune Anssi c'est l'avenir, l'enfant qui rêve de prendre les armes contre « la peste russe [qui] menace la terre de Finlande ». Le ton est véhément : on ne saurait dénier au *Jeune Anssi* le caractère épique des poèmes patriotiques de Runeberg, alors même qu'il s'éloigne pour l'occasion de l'idéal esthétisant des parnassiens cher à son auteur.
E. T.

JEUNE BELGIQUE (La). Revue littéraire belge, de langue française, fondée par Max Waller (1860-1889) en 1881. Elle fut l'organe d'un groupe de jeunes écrivains, désireux d'introduire dans leur pays les courants de l'esprit moderne, et devint ensuite le centre d'un vaste mouvement qui soutint les aspirations les plus pures de la littérature belge. Parmi ses initiateurs et ses collaborateurs assidus, il faut citer (outre Waller) : Hubert Krains, Edmond Picard, Camille Lemonnier, Georges Eekhoud, Eugène Demolder, Yvan Gilkin, Albert Giraud, etc. C'est *La Jeune Belgique* qui accueillit les premiers vers de Georges Rodenbach et d'Émile Verhaeren. En dépit de son titre, la revue n'eut pas de programme national. Ses adeptes étaient tous des tenants du cosmopolitisme littéraire de l'époque (Parnasse et symbolisme en poésie, réalisme et naturalisme en prose). Ils demeurèrent belges par une secrète tendance spirituelle plutôt que par attachement à une idée nationale. Loin de viser à une réelle autonomie spirituelle, cette revue continuait l'effort de « francisation », amorcé en Belgique après 1830, et auquel devait s'opposer, en 1890, une revue, de langue flamande, *Aujourd'hui et Demain* [*Van Nu en Straks*]. Cette dernière exprimait la même volonté de libération, réclamant un programme qui, pour être autochtone, n'en était que plus illusoire. En réalité, ce renouveau devait se produire en dehors des écoles et des théories, les véritables créateurs prenant conscience d'eux-mêmes dans le cadre de la vie nationale. Tel fut le cas de Verhaeren et Rodenbach, ou de Lemonnier et Demolder. Ces écrivains arrivèrent même à se créer une place dans la littérature française. Quelque limitée qu'elle fût à un rôle historique et polémique, la revue épuisa son programme avec un bonheur certain. Elle fit naître chez le public une immense curiosité pour la nouvelle littérature, introduisit la notion d'art et se fit l'initiatrice de cette révision des valeurs qui devait donner jour à toute la littérature belge contemporaine.

JEUNE FILLE VERTE (La). Roman de l'écrivain français Paul-Jean Toulet (1867-1920), publié en 1920. C'est plutôt, à vrai dire, une chronique de mœurs, aimable et pleine de fantaisie. Les personnages défilent et les intrigues se nouent entre eux au petit bonheur : seul le plaisir du conteur maintient l'unité du récit. Ribamourt est une petite ville de province, entre le Pays basque et le Béarn. Ses habitants s'ennuient, ils vivent au jour le jour. Vitalis Paschal, clerc de notaire, aime Basilida Beaudésyme, la femme de son patron ; Mlle de Lahourque, buraliste, aime secrètement le vieux Lubriquet-Pilou ; Sabine de Charite, la jeune fille verte, agace un peu tous les cœurs par ses grâces acides ; Jean de Cérizolles fait la cour à Mme Etchepalao ; Pétrarque Lescaa, juge de paix, Dessoucazeaux, le maire, le curé Cassoubieilh et nombre de gens sérieux se préoccupent surtout du futur héritage de l'Onagre, un multimillionnaire qui s'est aliéné la sympathie populaire par des opérations trop fructueuses sur les sources de la région. Toutes les passions finissent par graviter autour du testament ; une émeute éclate sous les fenêtres du notaire Beaudésyme qui en sait long sur les volontés dernières de l'Onagre. Mais cette émeute n'a que des suites de la plus haute fantaisie : sous l'effet du danger, les liens se resserrent entre les cœurs amoureux : Beaudésyme est « cocufié » ; Mme Etchepalao s'abandonne à son séducteur ; la jeune fille verte devient la proie d'une grande passion pour Vitalis. Cependant, les convoitises sont exacerbées par la lenteur du déclin de l'Onagre. Qui héritera de la fabuleuse fortune ? On complote dans l'ombre, on intrigue sordidement. Le R. P. Nicolle, qui se trouve être jésuite, manœuvre avec tant d'habileté le malade qu'il lui fait, in extremis, changer son testament ; pour agir, l'ecclésiastique a des raisons hautement morales. À la mort de l'Onagre, c'est le coup de théâtre : aucun des héritiers présomptifs n'est couché sur l'acte notarié, mais seulement la jeune fille verte et Vitalis, à la condition qu'ils se marient ; les œuvres charitables, comme il se doit, n'ont pas été oubliées par le défunt, non plus que la vieille buraliste qui, dotée, pourra convoler en justes noces. Le récit se termine par un hymne à Vénus, que Lubriquet-Pilou, fort aviné, déclame avec conviction. Ce petit livre, d'une grande préciosité de style, peut être considéré comme le type même du roman poétique.

JEUNE-FRANCE (Les). Sous cette appellation, que le sous-titre de *Romans goguenards* explicite encore davantage, l'écrivain français Théophile Gautier (1811-1872) lança en 1833 une série de récits caricaturaux où il met en lumière la bohème romantique (il était lui-même un des représentants les plus originaux de ce mouvement), en même temps qu'il se présente en défenseur des théories de l'« art pour l'art ». Son style est vif, léger et malicieux, et contraste par là avec le ton de ses autres œuvres. Une multitude de personnages font intrusion dans le récit et lui donnent une vie toute particulière ; dans l'histoire sont intercalées (selon une mode que les romantiques avaient développée) des dissertations spirituelles, des apostrophes ironiques au lecteur et de nombreuses maximes ou sentences. Au cours d'un de ces récits (« Celle-ci et Celle-là, ou la Jeune France passionnée »), l'auteur présente un jeune poète, Rodolphe, qui décide d'avoir une grande passion. Il fait la conquête, avec tout le cérémonial qui s'impose, d'une très belle personne qui se révèle comme une créature stupide. Après de vaines tentatives pour jeter une affabulation romanesque sur la plus banale des aventures, Rodolphe finit par préférer l'amour d'une jeune fille simple et pleine de cœur. Cette dernière n'est autre que la femme de chambre qui prenait soin de son petit appartement de célibataire. L'essentiel du récit tient dans la peinture amusante des efforts du jeune héros pour se persuader qu'il mène une vie fatale et maudite, à la manière de Byron ; ce n'est au fond qu'un brave garçon, d'un naturel sympathique, et qui n'est pas dépourvu d'esprit quand il ne prétend pas en avoir. Grâce à la diversité des personnages et des caractères, cette œuvre mineure, où Gautier apparaît comme un précurseur de Murger ou de Musset, reste un précieux témoignage sur les coutumes littéraires du temps.

JEUNE GARDE (La) [*Molodaja gvardija*]. Roman de l'écrivain russe Alexandre

Alexandrovitch Fadeev (1901-1956), paru en première édition en 1945 et, en édition définitive, en 1951. La « Jeune Garde » est une organisation clandestine formée par des jeunes gens et des jeunes filles russes lorsque les Allemands occupaient la petite ville minière de Krasnodon. Le roman retrace les péripéties de la lutte inégale, au cours de laquelle presque tous les conjurés finirent par tomber, victimes d'un traître, entre les mains de l'occupant. Les membres de la « Jeune Garde » pouvaient, pendant un certain temps encore, continuer la lutte ; ils s'ingéniaient à coller des affiches et à diffuser des tracts antiallemands, allant jusqu'à supprimer, à l'occasion, un collaborateur ou un ennemi. En fin de compte, ils furent, eux aussi, découverts l'un après l'autre, pris, soumis à d'effroyables tortures avant d'être tués. Le souffle patriotique qui anime les pages de ce livre fait que toutes ces victimes des Allemands et, en particulier, chacun des membres de la « Jeune Garde » sont présentés au lecteur comme autant de héros qui, malgré les plus horribles tortures, meurent sans trahir leurs camarades. Du point de vue de la véracité des personnages décrits et de leur comportement, les héros de l'autre grand roman de Fadeev, *La Défaite* (*), sont plus humains, plus réels. — Trad. Éditions en langues étrangères, Moscou, 1947.

JEUNE HOMME (Le) [*Der junge Mann*]. Roman de l'écrivain allemand Botho Strauss (né en 1944), paru en 1984. L'écrivain recueille ici les vestiges de la forme narrative dite du roman de formation. Il ne peut s'agir que de vestiges à partir du moment où le temps, comme l'expose l'introduction en guise d'avertissement poétique, n'est plus conçu comme devenir, mais comme hésitation : « C'est avec le temps que les gens parviennent encore le moins à s'arranger ; ils arrivent plus facilement à aménager l'espace [...] mais le temps reste un élément du débordement cosmique... » ; à partir du moment, également, où la vie individuelle n'est plus censée s'accomplir et s'achever dans la « sociabilité » : « Notre éducation nous apprend encore, unilatéralement, à privilégier la dimension sociale de l'homme ; mais il n'y a pas d'existence féconde, dans cette société, si l'on n'adopte, obstinément, d'autre pensée que sociale. » Autant dire, dans ces conditions, que la seule « formation » promise à l'individu va se confondre avec un processus aléatoire de « sédimentation de l'instant », où l'expérience de l'« épars » se substitue au confort de la progression linéaire. Le roman s'ouvre et se clôt sur l'histoire de Léon Pracht qui, à la manière du Wilhelm Meister des *Années d'apprentissage* (*) (la dernière partie du roman, intitulée « La Tour », reprend d'ailleurs l'imagerie goethéenne), se voue au théâtre contre la volonté de son père ; on le retrouve au dernier chapitre, quinze années plus tard, « bouté hors de ses rêves d'artiste », après qu'il a « repris pied dans le monde sans illusion du quotidien ». À l'intérieur de ce cadre, la narration passe par toute une série de fictions liées plus ou moins étroitement à la figure centrale : utopie, conte, allégorie, parodie, etc. Tous ces avatars fictionnels dessinent une sorte de « métamorphose ouverte ». Où qu'ils se logent, ils constituent autant de paraboles toujours sur le même thème de l'attente et de la désillusion, composant ainsi le mouvement de ce que Botho Strauss appelle « la pensée érotique », c'est-à-dire « une pensée qui n'a aucune certitude, qui ne peut se mettre en mouvement que dans une réaction d'attirance ou de répulsion vis-à-vis d'une personne, d'un thème, d'un objet ». Botho Strauss revendique ici la souveraineté narrative de l'ironie romantique : « Roman-Romantique-Réflexif », comme le dit l'introduction, qui voudrait « laisser des traces comme des pas dans la neige [...] remonter peut-être à ces événements feutrés et endormis qui doivent attendre longtemps que quelqu'un parvienne jusqu'à eux, pour les éveiller à la vie. Allégories. Récits d'initiation ». Botho Strauss souligne volontiers (complaisamment, pour certains) la référence au romantisme : « J'écris dans des traditions qui sont très allemandes. Le romantisme d'Achim von Arnim ou de Brentano, pour *Le Jeune Homme*, m'influence davantage que la littérature moderne internationale. » Ce qui correspond à une nostalgie de l'unité, de l'origine, sous l'exercice de la discontinuité de l'écriture et de la vie. — Trad. Gallimard, 1986. J.-J. P.

JEUNE HOMME DE SABLE (Le). Œuvre du romancier guinéen William Sassine (né en 1944), publiée en 1979. S'il fallait définir d'un mot William Sassine, on pourrait avancer qu'il est, avant tout, l'écrivain de la marginalité. La plupart des personnages qu'il met en scène dans ses romans appartiennent en effet au monde des exclus et des rebelles, et l'on peut, à juste titre, se demander dans quelle mesure ce statut ne reflète pas l'une des données autobiographiques de l'écrivain, que sa condition de métis a condamné, d'entrée, à une sorte de marginalité au sein de la société africaine.

Pour Oumarou, le héros du *Jeune Homme de sable*, publié en 1979, en revanche toutes les conditions semblent réunies pour favoriser l'intégration maximale du personnage au sein de la classe dirigeante. Il est en effet le fils unique du député Abdou, personnage de politicien habile et sans scrupules dont le pouvoir trouve son origine dans la servilité manifestée à l'égard du chef suprême, celui qu'on appelle le « Guide », et qui règne sans partage sur une « cité vaincue par le soleil » livrée à la misère et à la tyrannie. Mais le héros n'a cure de faire carrière aux côtés des puissants, et toute sa révolte d'adolescent généreux et idéaliste va s'exprimer dans une rébellion, au demeurant brouillonne, visant aussi bien le système que ceux de ses proches qui s'en réclament.

Le récit, dans lequel alternent fragments réalistes et séquences oniriques, nous introduit dans un univers étrange, souvent proche du cauchemar, tandis que la mystérieuse « voix » qui accompagne le héros tout au long de sa quête, jusqu'à son bannissement et à sa mort solitaire dans le désert, confère au *Jeune Homme de sable* la dimension d'un texte allégorique.

J. Che.

JEUNE HOMME DU DIMANCHE ET DES AUTRES JOURS (Le). Sous ce titre, l'écrivain français Jules Supervielle (1884-1960) réunit en 1955 les trois épisodes, parus d'abord séparément, d'un conte fantastique qui relate l'éducation sentimentale et artistique du jeune poète Apestègue. Amoureux d'Obligacion, une femme mariée qu'il ne peut voir que le dimanche, il se métamorphose en mouche, puis en chat, pour pouvoir vivre auprès d'elle. Lorsqu'elle perd son mari, n'osant lui demander sa main, il entre dans le corps même de sa bien-aimée, avant d'aller partager les pensées et les sentiments d'un de ses admirateurs, le nain Guttierez. Lorsque celui-ci, éconduit par Obligacion, tente de se suicider, l'âme d'Apestègue rejoint enfin son propre corps. Il finit par épouser Obligacion, mais il ne se réconciliera pleinement avec la vie qu'après une aventure avec une poétesse, qui lui inspire ses premiers poèmes authentiques.

Le thème de la métamorphose, qui occupe une place croissante dans la dernière production de Supervielle, prend ici une signification particulièrement riche et complexe. Psychologique d'abord : elle reflète l'instabilité d'un moi incertain de ses limites et de son identité, le dédoublement de l'acte et de la conscience, le divorce de l'âme et du corps, qui s'exprime tantôt avec humour par un constant décalage (« j'avais beau être une mouche, mes soucis d'homme ne m'avaient pas quitté et il m'arrivait encore de m'inquiéter de *mes* examens ») tantôt sur le mode tragique (« voilà donc l'orphelin de moi-même que j'avais laissé à l'abandon »). La métamorphose revêt alors une portée métaphysique : faisant vaciller les frontières entre les individus et les espèces, entre la vie et la mort, elle s'apparente à la « métempsycose ». Mais son fondement reste principalement poétique : « En me métamorphosant, je n'ai fait que mon devoir de poète. » Supervielle oppose cependant à une évasion pure et simple dans l'irréel la nécessaire confrontation avec la réalité : « Le monde réel est le correctif indispensable du monde de l'imagination. » La poésie, loin de le fuir, transforme le réel de l'intérieur ; c'est bien ce que cherche à faire ce récit, qui oscille constamment entre un réalisme aimable et un fantastique inquiétant, pour atteindre ce que Supervielle appelait la « vraisemblance métaphysique ».

M.C.

JEUNE HOMME EN COLÈRE [*Look Back in Anger*]. Pièce de l'écrivain anglais John Osborne (né en 1929), créée au Royal Court Theatre de Londres, le 8 mai 1956, dans une mise en scène de Tony Richardson, publiée à Londres en 1957. *Look Back in Anger* inaugure la révolution des « Jeunes gens en colère » [Angry young Men] dans le théâtre anglais d'après-guerre jusque-là dominé par des comédies de salon conventionnelles ou un certain moralisme social (Somerset Maugham, John Galsworthy). Dans quelle mesure ce coup de colère — et de quelle colère s'agit-il ? — ouvre-t-il l'ère d'un « New Drama » ?

L'ancrage est réaliste : dans un petit appartement des Midlands vivent trois jeunes gens, Jimmy Porter, sa femme Alison, son ami Cliff. Trois actes, dont le découpage temporel n'est pas sans ironie (III, 1 : « Plusieurs mois plus tard » ; III, 2 : « Quelques minutes plus tard »), inscrivent délibérément l'action dans un quotidien dramatisé. Mais la pièce est avant tout l'illustration d'une donnée psychologique : la colère de Jimmy Porter. Dimanche : les cloches sonnent, Jimmy et Cliff lisent les journaux, Alison fait du repassage. Cette belle quiétude britannique n'est qu'un court trompe-l'œil. Très vite, Jimmy entre en colère, comme en religion, verbalement et physiquement : contre les dimanches, le thé, le repassage. L'atmosphère, électrique dès le départ, est à l'évidence irrespirable. Elle est pourtant le lieu commun de ces trois personnages, liés par des sentiments dont l'ambivalence entretient constamment la menace d'un court-circuit. Une nouvelle expérience de « ménage à trois », avec Helena, se révélera intenable. Le bébé d'Alison n'est pas plus viable. Les tiers éliminés, Alison et Jimmy se retrouveront pourtant dans l'utopie enfantine d'un couple régénéré.

Jimmy Porter est le « mauvais garnement » typique de la mythologie des années 50. Rescapé des franges de la délinquance, il a enlevé Alison à ce confortable milieu de petits-bourgeois aisés qu'il abhorre. La relation nouée avec « ses » femmes, et même avec Cliff, est évidemment perverse. Mais la colère de Jimmy Porter, pourtant justifiée psychologiquement par une enfance douloureuse, ne suffit pas à expliquer la fascination qu'il a exercée sur toute une génération de jeunes auteurs dont il est devenu le porte-flambeau. Sa diatribe contre sa belle-mère, la « middle-aged mummy », est un morceau de bravoure. Et bien des passages résonnent comme une « confession d'un enfant du siècle » : « Il ne nous reste plus de bonnes causes, de causes courageuses. » Jimmy, dans sa haine de l'« establishment », est un être profondément nostalgique, comme son beau-père, ancien colonel de l'armée des Indes, à qui Alison le compare : « Aucun de vous ne peut regarder les choses en face. » C'est peut-être ce regard en arrière [Look Back] qui fait de Jimmy Porter l'attachant interprète de cette génération du « déclin général » d'après-guerre (Arnold Wesker).

De l'aveu même d'Osborne, *Look Back in Anger* s'en tient, formellement, à un réalisme assez conventionnel. La sombre féerie baroque d'*Un bon patriote* [*A Patriot for me*] est encore loin. La colère est en somme la version psychologique d'un besoin de rupture et d'innovation qui, s'il n'a pas encore trouvé son langage dramatique propre, a suscité immédiatement la reconnaissance de sa génération. — Trad. Gallimard, 1962. A. Va.

JEUNE HOMME SAUVÉ (Le) [*Der gerettete Jüngling*]. Poème très connu, publié à titre posthume, du philosophe et écrivain allemand Johann Gottfried Herder (1744-1803) ; par son incontestable valeur lyrique, il dément l'opinion de ceux qui dénient à ce grand animateur des lettres allemandes une force créatrice qui lui soit propre. Le sujet est une de ces antiques légendes chrétiennes que Herder ressuscita avec plus ou moins de bonheur. En quatre vers, la première strophe donne la morale de la narration : trouver une belle âme est un gain, la conserver un gain plus beau encore, mais il est surtout grand et difficile de la sauver après l'avoir perdue. D'après la légende, saint Jean l'Évangéliste observa un jour, parmi ses convertis, un garçon dont les yeux exprimaient l'âme riche et ardente ; en partant, il le recommanda, devant la communauté, à la garde de l'évêque. Celui-ci, constatant chez son disciple les bons résultats de l'éducation donnée, lui laissa peu à peu sa liberté ; mais de cette liberté le jeune chrétien devint victime, descendant graduellement la pente du vice, jusqu'à devenir le chef d'une bande de brigands. Cette décadence morale est représentée en quelques traités brefs, d'une sobre efficacité. Quand, de retour dans la région, Jean apprend les faits, il se rend dans la forêt, se fait capturer par les brigands et conduire devant leur chef. Puis il s'agenouille aux pieds de celui dont, dit-il alors, il avait promis l'âme à Dieu et pour qui il est prêt à mourir, mais qu'il n'abandonnera plus jusqu'à la mort. Le jeune homme, ému et touché par cette foi, se convertit de nouveau et revient à saint Jean, qui déverse les trésors de son âme dans ce cœur regagné « par la confiance, la fermeté, l'amour et la vérité ». La forme métrique s'adapte au récit et à l'action en une savante alternance de strophes et de vers libres.

JEUNE HOMME SEUL (Un). Roman de l'écrivain français Roger Vailland (1907-1965), publié en 1951. Recalé au concours de Polytechnique, Michel Favart a longtemps exercé la profession de géomètre. Puis, au lendemain de la guerre de 1914, il était devenu ingénieur-conseil. Il occupe avec sa famille une « maison particulière », mais sa femme, très ennemie de toute prodigalité, a jugé inutile l'installation d'une salle de bains. Elle n'a pas non plus cédé aux supplications de son fils Eugène-Marie qui, hiver comme été, se rend au lycée à bicyclette et eût voulu, exposé qu'il est aux rigueurs du froid, qu'on remplaçât ses gants en laine par une de ces paires de gants en cuir doublés de fourrure que portent les ouvriers de la ville. Bien qu'il ait atteint l'âge de 16 ans, il faut l'occasion exceptionnelle du mariage de son oncle pour qu'il puisse troquer ses culottes courtes contre un pantalon. Du reste, ce jour-là est pour lui un jour important. Plus que jamais, il se sent séparé du monde par la faute de ses parents, prisonnier du cadre étriqué où ils le tiennent. Il envisage de fuir et, finalement, n'ose pas. Ce n'est que beaucoup plus tard, une fois sorti de Centrale, qu'il met son rêve d'indépendance à exécution. Renonçant à la « bonne situation » auquel son diplôme lui donne droit, il s'établit artisan-imprimeur. Il végète ainsi dix ans, déçu parce que les ouvriers qu'il espérait apprivoiser ne l'ont pas adopté comme un des leurs. Il va même jusqu'à demander la main d'une putain. Elle refuse en riant. Peu à peu son entreprise périclite. Il se fait une raison, entre en tant qu'ingénieur à la S. N.C.F., épouse une jeune fille qu'il connaissait depuis longtemps, recueille sa mère chez lui. Vient la guerre. S'organise la Résistance. Sa femme et celui qui pourrait être son meilleur ami y prennent une part active, mais, n'ayant pas suffisamment confiance en lui, le laissent sur la touche. Muré dans sa mélancolie, il passe parfois des semaines entières à boire. Mais des circonstances imprévisibles le poussent soudain à agir. Il aide quelqu'un à se tirer des griffes de la Gestapo. Jeté dans une forteresse, il a enfin la joie d'y trouver des hommes qui le traitent en camarade. Ce livre est écrit dans un style vif et concret qui emporte le lecteur.

JEUNE HOMME VERT (Le). Œuvre de l'écrivain français Michel Déon (né en 1919), publiée en 1975. D'une écriture « classique » et d'une structure à la mécanique parfaitement « rodée », ce roman du passage de la jeunesse à l'âge adulte commence au lendemain de la guerre de 1914, dans un entre-deux-guerres confortablement vécu chez de riches hobereaux normands. Le titre et sans doute aussi la facture de cet ouvrage qui se lit un peu comme un feuilleton furent inspirés par le roman de Paul-Jean Toulet : *La Jeune Fille verte* (*), que Déon apprécia beaucoup. En août 1919, le bel Antoine du Courseau, propriétaire terrien amoureux des belles voitures à qui rien ne manque, friand de belles Antillaises dont il dispose comme autant d'objets de plaisir, adopte avec sa femme le petit Jean, enfant dont on ignore l'origine. Le petit garçon fut trouvé dans un panier par le couple de jardiniers de la propriété, au seuil de leur pavillon. Il vivra avec le couple Courseau et apprendra la vie dans leur cocon doré. Nous assistons alors à l'éducation érotique du jeune garçon innocent, avec sa demi-sœur Antoinette d'abord, puis à travers une suite d'aventures amoureuses enchevêtrées, compliquées par les liens de parenté entre les protagonistes. Les voyages forment la jeunesse et notre héros, doté d'un appétit de vie quasi stendhalien, découvre l'Europe : Londres, Milan, Florence, Rome, où il discerne un à un les paradoxes de la vie humaine. Ces aventures, émaillées de rencontres surprenantes, comme celle d'un curé pilleur de troncs, sont traversées par la quête d'identité de Jean Arnaud, et le secret de sa naissance nous sera révélé à la fin du roman. La guerre, avec son cortège de violences, concourra à bousculer toutes les illusions du jeune homme, trahi par son meilleur ami et par la femme qu'il aime. Sans doute la fin des illusions est-elle l'amorce de la maturité. N. Ro.

JEUNE MÉDARD (Le) [*Der junge Medardus*]. Drame historique de l'écrivain autrichien Arthur Schnitzler (1862-1931), représenté au Burgtheater de Vienne en 1910. Le drame se déroule à Vienne en 1803, au cours de la prise de la ville par Napoléon. L'étudiant Médard, fils d'un libraire viennois, veut combattre contre l'envahisseur ; il affirme même vouloir tuer le tyran ; il finit tout simplement par tuer une femme par jalousie. Une mort héroïque rachètera tous ses échecs : face à l'officier d'ordonnance de Napoléon, il proclame avec hauteur son intention de libérer sa patrie de l'usurpateur, il refuse la mesure de grâce qu'on lui accorde et meurt fusillé. L'action centrale, dont le point de départ est un fait historique, se complique, car l'auteur y mêle les vicissitudes du duc de Valois, émigré français établi à Vienne et prétendant au trône de France. Le duc a deux enfants : François, qui devrait lui succéder mais qui, devenu l'amant de la sœur de Médard, se suicide avec elle en se jetant dans le Danube, et la jeune et très belle Hélène de Valois. Cette dernière, ambitieuse et fière, après la mort de son frère, aspire à devenir la mère des futurs rois de France : voluptueuse et sensuelle, elle torture Médard ; tantôt elle s'offre à lui, tantôt elle le repousse, l'incitant alors à tuer Bonaparte. Au premier plan se trouve en scène – presque comme une réminiscence du chœur antique – la population de Vienne, partagée entre la haine et l'admiration pour l'envahisseur, entre des velléités d'héroïsme et de liberté, et le désir de vivre en paix. Tout ceci accompagne en sourdine le drame lui-même qui, dans la rédaction originale, durait sept heures et comportait dix-huit changements de décors et soixante-dix-neuf personnages, mais qui, à part l'habileté avec laquelle étaient amenés les coups de théâtre successifs, ne contenait aucune des qualités poétiques qu'on trouve dans les autres œuvres de Schnitzler.

JEUNE PARQUE (La). C'est par cet éclatant poème que l'écrivain français Paul Valéry (1871-1945) rompit, en 1917, le silence dans lequel il s'était enfermé depuis la publication de *Monsieur Teste* (*). Les circonstances qui amenèrent le poète à rentrer dans le jeu de la vie littéraire méritent d'être rappelées, car elles aident à comprendre l'état d'esprit dans lequel ce poème fut écrit. Sollicité par André Gide, Pierre Louÿs et Jacques Rivière, ses amis, de réunir et de publier en un volume les poèmes épars qu'il avait jadis fait paraître dans les revues de sa jeunesse, Valéry se mit à les revoir, apportant ici et là des corrections. La pratique aidant, Valéry s'exerça à écrire un court poème dont naquit *La Jeune Parque*. La dédicace, à André Gide, n'offre à cet égard aucune ambiguïté : « Depuis des années, j'avais laissé l'art des vers ; essayant de m'y astreindre encore, j'ai fait cet exercice que je te dédie. » Sitôt publié, le poème fut accueilli comme l'un des plus beaux de notre langue : les six cents exemplaires de la première édition furent rapidement vendus ; et quatre ans plus tard, la revue *La Connaissance* ayant organisé un référendum pour désigner le plus grand poète vivant, Paul Valéry recueillit la majorité des suffrages. Une querelle s'ouvrit, qui allait se prolonger longtemps, celle de la « poésie pure ». Depuis, les commentaires au poème se sont multipliés, et parmi eux l'on notera comme l'un des plus intéressants celui d'Alain. Certes, l'obscurité de maint passage demeure, et l'on ne retiendra ici, de l'œuvre, que la ligne de faîte, la signification d'ensemble. Les intentions de l'auteur, souvent réaffirmées – v. *Variété V* (*) –, ne sauraient être perdues de vue : « Lorsque j'ai voulu me remettre à la poésie, j'ai voulu faire œuvre de volonté... combiner dans une œuvre, tout d'abord les idées que je m'étais faites sur l'être vivant et le fonctionnement même de son être en tant qu'il pense et qu'il sent ; ensuite..., ne pas verser dans l'abstraction, mais au contraire incarner dans une langue aussi imagée que possible, et aussi musicale que possible, le personnage fictif que je créais. » Le personnage, ici mis en scène, est une mortelle, jeune femme qui s'interroge et se sait vivante, objet de désirs et de convoitise, corps sinueux au bord de l'ombre, fait de semence, de lait et de sang. Dans la nuit qui l'enveloppe – rêve ou veille ? – elle s'interroge au souvenir du viol qu'elle vient de vivre... ou de rêver peut-être. Mais le sujet concret ne tarde pas à s'effacer, et les interrogations premières en soulèvent d'autres : le sensible fait place à l'abstrait, un drame nouveau s'élabore aux profondeurs d'une chair qui s'émeut et se souvient. Et ce drame est celui de la conscience aux prises avec elle-même. Vue sous cet aspect,

La Jeune Parque n'est plus que « la peinture d'une suite de substitutions psychologiques et, en somme, le changement d'une conscience pendant la durée d'une nuit ». Aussi l'art de l'auteur fut-il d'assurer ces délicates et insaisissables « transitions » dont est faite la vie mentale. Après les surprises et les interrogations, voici les certitudes passagères nées de l'ivresse d'être lucide : « Salut ! Divinités par la rose et le sel / Et les premiers jouets de la jeune lumière. » Mais tout comme le reflet suppose le miroir qui l'a créé, voici la nuit et son empire, les profondeurs ténébreuses du corps, les abîmes du sommeil devant lesquels il faut abdiquer : « Je me remets entière au bonheur de descendre, / Ouverte aux noirs témoins, les bras suppliciés, / Entre des mots sans fin, sans moi, balbutiés. » Le cycle est accompli : de ce jeu inexorable de la pensée se créant et se détruisant elle-même, que reste-t-il ? Sans doute un goût de cendre dans la bouche ; mais l'aurore est là, et, tout comme dans cet autre poème de la conscience qu'est *Le Cimetière marin* (*), puisqu'il faut « tenter de vivre » c'est sur une invocation au soleil, à l'azur, à la mer que s'achève *La Jeune Parque*.

La Jeune Parque occupe dans l'œuvre de Valéry une place exceptionnelle. Sans doute le poème souffre-t-il d'avoir été conçu plus comme un travail que comme une œuvre ; et si l'on eût aimé que certaines obscurités aient tenu moins à des recherches de construction ou de technique, on regrette que la pensée ait parfois du mal à se cristalliser en purs joyaux. Il demeure, cependant, que ce poème nous plonge dans cet univers lyrique incomparable qu'est la vie de l'intelligence, et l'on doit à Valéry de nous avoir ouvert les portes d'un tel domaine.

JEUNES (Les) [*Young People*]. Roman de l'écrivain anglais William Cooper (né en 1910), publié en 1958. L'auteur y décrit un groupe de jeunes gens de milieu modeste, ouvrier ou petit-bourgeois, qui étudient dans une petite université de province. Ils savent qu'ils ont un brillant avenir devant eux et sont prêts à partir à la conquête du monde. L'un d'eux, Swan, est écrivain, et c'est lui qui représente dans le livre l'attitude de Cooper : il faut s'efforcer de comprendre avant de juger, nous dit-il, et sa description est en conséquence pleine de sympathie, d'affection et d'une pointe d'ironie. Le récit s'organise bientôt autour de la carrière de l'un des jeunes gens, le romantique Leonard Harris. L'auteur révèle délicatement la véritable nature du romantisme du jeune homme — c'est une sorte de mensonge pathologique et d'évasion. La présence de Harris, qui se ment à lui-même et ment par là aux autres, amène désordre et malheurs dans la vie du groupe. Cependant, dit Swan, « si l'on pèse le pour et le contre, il faut envisager ce que votre vie aurait été sans sa présence » ; le sens général du roman est d'ailleurs dans une acceptation de la vie telle qu'elle se présente, c'est-à-dire goûtée dans sa multiplicité et son caractère imprévisible. Le livre abonde en situations critiques ou amusantes ; il reflète aussi une certaine innocence proprement anglaise faite de modération et de bon sens. Cette caractéristique très britannique n'est pas le propre de William Cooper, bien qu'on la retrouve dans *Scènes de la vie provinciale*, mais constitue une tendance marquante du roman anglais contemporain.

JEUNES FILLES (Les). Somme romanesque de l'écrivain français Henry de Montherlant (1896-1972), comprenant quatre volumes : *Les Jeunes Filles* (1936), *Pitié pour les femmes* (1936), *Le Démon du bien* (1937), *Les Lépreuses* (1939). Le héros principal est Pierre Costals, en qui certains ont voulu reconnaître les traits de Montherlant lui-même, quoique celui-ci se soit suffisamment expliqué sur cette question, notamment dans la *Note* précédant *Le Démon du bien* (entretien entre M. Jean Fayard, de *Candide*, et l'auteur) : « D'une façon générale, le public prête aux romanciers les idées que ceux-ci prêtent à leurs personnages. » Primitivement, l'auteur avait choisi le nom de Pierre Costa, mais, un certain monsieur répondant au même nom en prit ombrage, estimant qu'une confusion pouvait être créée. Quoique aucune équivoque ne fût possible, Henry de Montherlant tint à changer l'état civil du héros des *Jeunes Filles*. Pierre Costals est un écrivain ayant à peine dépassé la trentaine, mais dont la renommée se trouve déjà bien établie. En dehors d'une absolue passion pour son travail de créateur, il répartit son temps libre entre l'amour de son fils Brunet, issu d'une union passagère, et l'accomplissement systématique de ses fantaisies sentimentales. Très éclectique dans ce domaine, il se laisse pousser par le vent de son humeur, sa soif de jouissance n'ayant d'égal que son désir d'indépendance absolue. Il réussit d'ailleurs assez bien à concilier les deux, à les orchestrer, en virtuose spirituel et fin qui se garde bien de se laisser prendre au piège du cœur. Cependant, la gloire littéraire lui vaut l'admiration, parfois exaltée, voire trouble, des « jeunes filles ». Il use enfin autant d'énergie à conquérir qu'à se défendre, avec le constant souci de rester humain, de faire le « bien » tout en incarnant le mal, ce qui le plonge à plusieurs reprises dans des situations délicates et périlleuses... et douloureuses pour ses partenaires. Ainsi voit-on tour à tour se débattre sous nos yeux Andrée Hacquebaut, jeune provinciale du Loiret, qui passe d'une amitié intellectuelle à un amour désespéré, angoissant, puis Thérèse Pantevin, jeune fille laide, aux débordements mystico-hystériques, puis enfin Solange Dandillot, l'héroïne principale, celle qui incarne réellement « la jeune fille ». Dans le premier volume, Henry de

Montherlant, en guise d'avertissement, nous présente le caractère de Costals comme celui d'un « libertin » ou d'un « mauvais sujet » : « Il a donc fallu lui donner des particularités qui fussent convenables à ce caractère. S'il est sûr que l'auteur a mis de soi dans ce personnage, il reste qu'il y a en celui-ci nombre de traits... qui ne sauraient être imputés à la personne du romancier. » La lettre, en tant que genre, est assez fréquemment utilisée par l'auteur : « lettres de Thérèse Pantevin », qui débutent toujours par N. S. J. C., et où elle étale complaisamment son amour hystérique et navrant pour son « bien-aimé » Costals, et « lettres d'Andrée Hacquebaut ». Celle-ci est incontestablement l'héroïne du premier tome. Se croyant autorisée, après quatre ans d'amitié intellectuelle, à aimer l'écrivain, elle se heurte à la froide lucidité de celui-ci. Leurs rapports deviennent compliqués par le fait que Costals, par charité, ne se décide pas à écarter brutalement la jeune femme, pour qui il a d'ailleurs une certaine estime. De son côté, celle-ci reste persuadée qu'il est amoureux d'elle, mais qu'il s'en cache par timidité. Cette situation débordera d'ailleurs largement le cadre du premier tome pour s'étendre tout au long de l'œuvre, mais on assistera, de lettre en lettre, de rencontre en rencontre, au lent naufrage de ce cœur inemployé. Quant à Thérèse Pantevin, elle ne rencontrera jamais Costals. Le volume se termine sur sa première crise d'hystérie caractérisée, et son personnage s'effacera presque entièrement dans les trois autres. Au cours d'une visite de réforme, Pierre Costals aperçoit une charmante jeune fille qui conduit un aveugle : Solange Dandillot. Le hasard la remettant une deuxième fois en sa présence, il décide de la conquérir, et il y parvient aisément, à sa grande surprise. La réalité, c'est que Solange est tombée immédiatement amoureuse de l'écrivain. Leurs premières rencontres sont marquées par le charme qui les unit peu à peu. Dans *Pitié pour les femmes,* le héros se laisse gagner par cet amour étrange, mais peu profond, qu'il porte à Solange. Celle-ci, ayant décidé de l'épouser, l'introduit auprès de sa famille. Mme Dandillot est une bourgeoise de la pire espèce, du moins de celle que Costals aime le moins, celle qui sait si bien vous faire enfourcher l'« Hypogriphe » (l'écrivain a donné ce nom au mariage). M. Dandillot, ancien sportif et adepte de la « vie naturelle », se meurt peu à peu. Sa philosophie désabusée lui vaut la relative sympathie de celui qu'il considère comme son futur gendre. Le héros des *Jeunes Filles* se sent progressivement engagé dans la voie d'un mariage inéluctable. Il s'en alarme d'autant plus qu'il se sent intérieurement divisé. Il sait qu'un tel acte sonnerait la mort de son œuvre, la mort de son indépendance aussi. Il rompt, file à Toulouse, et apprend la mort de M. Dandillot. Dans *Le Démon du bien,* Costals revient à Solange. Celle-ci, tenace, met tout en œuvre pour s'attacher celui qu'elle aime. Pierre Costals se laisse émouvoir un temps, tiraillé entre une vision lucide de la situation et la tentation de faire « le bien » en épousant. Ils effectuent un séjour en Italie que Solange espère décisif, mais qui, au contraire, l'éloigne de Costals. Dans *Les Lépreuses,* nous touchons au dénouement. Après un dernier retour, l'écrivain n'épousera pas. Il mettra peu à peu de la distance entre eux, tout d'abord en effectuant un séjour en Afrique du Nord, où il retrouve Rhadidja, très jeune Marocaine dont il a fait sa maîtresse. Il découvre que celle-ci est atteinte de la lèpre. Après l'avoir recommandée à un médecin, il la quitte, et part chasser dans l'Atlas. Bientôt une tache apparaît sur son propre poignet : il se croit atteint par la terrible maladie, et, en fonction de cette idée, tente d'organiser un emploi du temps pour les quelques années qu'il croit lui rester à vivre. Finalement, il consulte plusieurs éminents spécialistes de Paris. Verdict : pas de lèpre. Pendant toute cette période, Costals est passé par des instants contradictoires : tantôt enthousiaste, tantôt déprimé. C'est à un moment de doute qu'il a fait appel à Solange et qu'il lui a demandé si elle se sentait en mesure d'épouser un lépreux. Sur sa réponse affirmative, il a décidé paradoxalement de ne plus la revoir. Rendu à la vie et à l'espérance par le verdict médical, il se laisse aller à répondre (il ne l'a pas fait depuis plusieurs mois) à une lettre d'Andrée Hacquebaut, à qui il propose une rencontre à Paris. Un malentendu les fait se manquer. L'écrivain, cette fois, rejette impitoyablement cette femme qui l'aime : « Costals n'a plus reçu signe de vie de Mlle Hacquebaut. Tout est bien qui finit bien. » De son côté, Solange se marie. Au bout de quelques mois, elle propose à Costals de devenir sa maîtresse. Celui-ci refuse sèchement par lettre : « Costals n'a plus reçu signe de vie de Mme Pégorier. Tout est bien qui finit bien. » En appendice, Henry de Montherlant donne, sous forme de notes attribuées à Pierre Costals, l'essentiel de ce qui, à son sens, caractérise les femmes : infériorité morale, infériorité physiologique, besoin de protection, ce qui déchaîne chez l'homme « le démon du bien », irréalisme, dolorisme, vouloir-plaire, grégarisme, sentimentalisme, et conclut : « Si une civilisation où la femme ne régnera plus n'est qu'un répit dans la furonculose de notre planète, il est malgré tout honorable d'avoir été de ceux qui l'ont appelée. » Traduit en plusieurs langues, cette série romanesque est l'œuvre la plus populaire d'Henry de Montherlant. L'homme et la femme y sont décrits impitoyablement, dans les détours de leur vie affective, l'auteur mettant leur cœur à nu.

JEUNE SIBÉRIENNE (La). Récit de l'écrivain français Xavier de Maistre (1763-1852), composé en Russie et publié en 1825. Il retrace l'aventureux voyage d'une jeune fille qui de Sibérie s'en fut à Saint-Pétersbourg pour demander la grâce de son père. L'auteur déclare qu'il a voulu suivre l'histoire au pied de la lettre, en se gardant d'y ajouter le moindre épisode romanesque, pour mettre mieux en lumière un amour filial dans toute la pureté du sacrifice et couronné par la mort. Prascovia Lopulof, fille d'un exilé politique, de famille noble et originaire de l'Ukraine, veut obtenir la révision du procès qui a brisé la brillante carrière de son père. Ayant obtenu un passeport, elle affronte avec courage les dangers et les incommodités de toute espèce, et arrive enfin à Saint-Pétersbourg. Après de multiples requêtes, elle est reçue par l'impératrice, puis par l'empereur : elle défend sa cause avec tant de passion et de noblesse qu'elle obtient la grâce de son père et de deux autres exilés. Mais Prascovia ne retournera plus dans son village, car elle a fait vœu de se consacrer à Dieu. Elle apporte à sa nouvelle tâche toute la ferveur de son âme, se consumant peu à peu, rongée par la tuberculose, en vraie victime de l'amour et du devoir. Ce récit porte la marque des nouvelles influences romantiques, ce qui accentue le caractère délicat et profondément pathétique de l'héroïne. Les pages consacrées au séjour à Saint-Pétersbourg sont alertes, précises et pleines d'intérêt. On y trouve un tableau de la société russe de ce temps-là.

JEUNESSE [*Youth ; a Narrative, and Other Stories*]. Ce sont trois récits autobiographiques de l'écrivain anglais Joseph Conrad (1857-1924), publiés en 1902 et consacrés à des souvenirs de jeunesse. Le premier des contes est de beaucoup le plus important ; c'est la relation d'un voyage fait par l'auteur en 1883, à bord d'un trois-mâts qui dut ensuite être abandonné. Le narrateur est Marlow (Conrad lui-même) qui, avec un groupe d'amis, évoque la grande aventure de sa jeunesse. À vingt ans, lieutenant en second, il part sur un vieux rafiot pour transporter une charge de charbon à Bangkok. Sur les côtes anglaises survient la première tempête : le navire, endommagé, fait eau de toutes parts, sur le pont tout est balayé. Il est remis en état à Falmouth et l'équipage refuse de continuer son service ; à peine ont-ils quitté le port qu'ils doivent rentrer. Enfin, ils prennent de nouveau la mer. Après quelques semaines de navigation, le charbon prend feu de lui-même dans la cale et, en explosant, fait sauter le pont. Ils demandent du secours à un bateau à vapeur qui se dirige vers Singapour et qui les remorque. Une nuit, le feu se déclare. Tout ce qui peut être sauvé est embarqué sur des chaloupes. Il y a dans ce récit un sens émerveillé de l'aventure qui, au lieu de se manifester comme dans les autres œuvres de Conrad par l'inquiétude et l'effroi, se transforme, ici, en une joie orgiaque goûtée en pleine jeunesse, à laquelle se mêle, cependant, l'angoisse des vastes espaces, dont la mer est le grandiose symbole. — Trad. Gallimard, 1948.

JEUNESSE [*Jugend*]. Tragédie de l'écrivain allemand Max Halbe (1865-1944), représentée et publiée pour la première fois à Berlin en 1893. C'est une des œuvres dramatiques les plus représentatives du naturalisme allemand et elle fit aussitôt la célébrité de l'auteur dont elle était la première pièce. Annette (Annchen), fille naturelle de la sœur du curé de campagne Hoppe, est élevée par son oncle à la mort de sa mère, en compagnie de son frère Amand, garçon débile et arriéré. Le fanatique aumônier Grégoire de Schigorski, qui habite la même maison, veut amener Annette à prendre le voile pour expier les péchés de sa mère. Ce projet de son confesseur trouble profondément l'adolescente. Arrive certain jour un cousin d'Annette, Jean, jeune étudiant plein d'ardeur et d'insouciance, et les deux adolescents sont irrésistiblement poussés l'un vers l'autre. Une nuit, Annette s'abandonnera sans réserve à son cousin. Le lendemain matin, ils se sentent comme étrangers à l'acte commis. Jean aime bien sa cousine, mais n'a nullement l'intention de s'enterrer dans ce village comme elle le voudrait ; d'autre part, il est comme subjugué par la violence d'Annette. Leur rendez-vous nocturne a été découvert par Amand, qui hait Jean avec la passion absurde des idiots. Il va rapporter la chose à l'aumônier, qui en informe à son tour l'oncle d'Annette, usant d'un langage quasi extravagant d'indignation et de mépris. Le vieux curé fait appeler les jeunes gens qui avouent, stupéfaits. Mais il ne fera que des reproches pleins de douceur et de compréhension, exigeant cependant que Jean quitte le village : il pourra revenir plus tard, lorsqu'il sera devenu homme. Jean et Annette, demeurés seuls, se font leurs adieux. C'est alors qu'Annette voit par la fenêtre l'idiot Amand visant Jean avec son fusil. Effrayée, elle s'élance sur Jean pour le protéger, tandis que claque le coup de feu : elle tombe, mortellement blessée. Son oncle arrive juste à temps pour recueillir son dernier soupir et lui donner l'absolution.

JEUNESSE D'ANDRÉ GIDE (La). Essai du médecin et écrivain français Jean Delay (1907-1987), en deux volumes : *André Gide avant André Walter (1869-1890)*, paru en 1956, et *D'André Walter à André Gide (1880-1895)*, paru en 1957. Jean Delay y tente une « psychobiographie » de Gide, c'est-à-dire une « mise en parallèle des événements de son histoire avec l'évolution de sa psychologie et la genèse de ses créations ». Partant du principe que l'œuvre de Gide est essentiellement autobiographique — et pas seulement le *Journal* (*), ou *Et Nunc manet in Te*, mais également les romans et les « traités », *Philoctète* (*) ou *La Porte étroite* (*) —, dépouillant quantité de correspondances et de papiers intimes inédits, Jean Delay recherche donc l'explication d'une œuvre. Il pratique ce que Sainte-Beuve appelait « l'histoire naturelle des esprits », posant les trois célèbres questions : quelle était l'attitude de l'écrivain à l'égard des femmes, de l'argent et de Dieu ? « Il est rare, écrit Delay, que le génie naisse par génération spontanée. En d'autres termes, il a une histoire » ; et Gide « sent qu'entre les misères nerveuses de ses années de croissance et les exigences de sa vocation il y a un lien mystérieux ». Sans se limiter aux cadres stricts de la psychanalyse, mais en s'en servant au même titre que des catégories les plus diverses de la psychologie générale, Delay veut, en interprétant tous les textes du jeune écrivain, retracer l'histoire de son esprit et de sa vocation.

Les deux mots clés de cette enquête sont « idiosyncrasie », que Gide affectionnait, et « bovarysme », mot par lequel Jules de Gaultier désignait une propension à voir la réalité et soi-même autres qu'ils ne sont. L'enfance de Gide, il le reconnaît dans *Si le grain ne meurt* (*), est tout entière placée sous le signe de l'affabulation, du refuge dans une névrose dont la simulation de crises nerveuses était le signe, et de la hantise de ressembler à tout le monde ; on connaît la scène où, brusquement, il se met à hurler : « Je ne suis pas comme les autres » ; pour préserver ce sentiment de sa différence, il fut capable de bien des choses. Cette haine qu'il éprouva longtemps pour les familles venait, pour Gide, de la certitude d'avoir été pour ainsi dire déformé dès l'enfance par la tyrannie austère d'une mère moralisante et volontaire. Delay a raison de dénier toute importance à ce que Gide appelait, sous l'influence des théories barrésiennes, son déracinement lorsqu'il prétextait que par la famille de son père il appartenait au Midi, et par celle de sa mère à la Normandie. Mais il est certain que la mort prématurée de son père, homme doux et libéral, livra l'enfant aux principes étroits d'une mère qui devait le gouverner jusqu'à l'âge de vingt-quatre ans. Protestante rigide, économe jusqu'à la parcimonie, mais imbue du rang que, selon elle, devait tenir son fils, elle « avait sur toutes choses de bons sentiments et de bonnes habitudes » ; elle était surtout inaccessible à toute forme de discussion, parce que, peut-être, timide et peu sûre d'elle-même en son for intérieur, sa rigidité apparente n'en était que plus systématique : « Elle avait, écrit Gide, une façon de m'aimer qui m'eût fait la haïr et me mettait les nerfs à vif. » Si toute la vie et l'œuvre de Gide, en cela inséparables, ne furent qu'une longue tentative de libération et de construction de soi, c'est à cette mère envahissante qu'il convient d'en imputer surtout la responsabilité. L'attitude de l'enfant envers elle était d'ailleurs ambivalente, son homosexualité comme l'importance qu'il attacha au personnage d'Œdipe, qui pour lui représentait l'« Homme », le montrent.

Delay analyse tous les signes de cette aliénation enfantine, l'angoisse, les crises nerveuses, le goût du mensonge et les rites conjuratoires dont Gide fait état dans *Si le grain ne meurt* : « Le mystérieux pressentiment d'une différence fut ressenti à l'origine par l'enfant comme un incommensurable danger, comme une infériorité menaçante au seuil des luttes pour la vie. » Ce réflexe de retrait, qui marqua la carrière politique et littéraire de Gide, comme cette volonté systématique d'oser, même contre soi (« Malheur à celui par qui le scandale arrive, mais il faut que le scandale arrive »), ont leur source dans les terreurs et l'orgueil de l'enfant.

Après des études troublées, des rencontres importantes comme celle de Pierre Louÿs, dont l'amoralisme et la santé profonde devaient amener Gide à réfléchir, les années de formation de l'écrivain commencent, très tôt, avec les *Cahiers d'André Walter* (*) : Gide y déverse, sous une forme lyrique immédiate, tous ses problèmes, son amour pour sa cousine Madeleine Rondeaux, sa terreur du monde, ainsi que sa fascination. Le mariage de Gide, d'abord réprouvé par sa mère, qui fit tout pour le retarder, ne fera qu'aggraver les difficultés. Gide s'en est expliqué dans *Et Nunc manet in Te*, mais il est évident que Madeleine, qu'il appelle Emmanuèle, c'est-à-dire « venue de Dieu », devint pour Gide le double de sa mère ; c'est d'ailleurs sa mère qui finalement favorisa cette union, après avoir compris que son fils s'engageait sur la voie, pour elle dangereuse, de la libération de soi et de la conquête du monde : « C'est qu'alors, explique J. Delay, sentant la partie presque perdue, elle vit en Madeleine le havre dans la tempête, le seul être qui lui parût susceptible de ramener André dans les voies du "salut". » Les *Cahiers* parurent en 1891, sans nom d'auteur, avec une préface de Pierre Louÿs. Faiblesse de la volonté et subtilité de l'introspection, analyse pénétrante du mysticisme moraliste et du puritanisme, rien ne manquait à André Walter pour être le double parfait d'André Gide. Comme le dit Delay, « l'auteur de *André Walter* était un romantique, pas encore un romancier ».

Le second tome de l'ouvrage de Delay mène Gide des œuvres symbolistes à la constitution de Ménalque, le « nouvel être », c'est-à-dire d'un personnage qui se croit enfin assez fort pour s'affronter au monde et à la vie. *Les Nourritures terrestres* (*) sont, pour Delay, la preuve que Gide a réussi, enfin, à se libérer des entraves de son enfance. On peut cependant se demander si Ménalque, par son outrance schématique, n'est pas davantage un symbole qu'un nouvel avatar de Gide. Même si on pense, comme Delay, que l'artiste est plutôt Pygmalion que Narcisse, qu'il se construit soi-même au fur et à mesure qu'il dépeint ses doubles, on peut douter de la légitimité d'une vision qui ramène à l'autobiographie des œuvres aussi diverses que les

Cahiers d'André Walter, Philoctète et *Les Nourritures* ; on peut douter également de l'importance fondamentale de « l'histoire naturelle de l'esprit » dans l'explication d'une œuvre, qui est à elle-même sa propre justification. Mais si l'on admet cette double postulation, Delay a raison d'écrire : « Le nerveux faible apporte en naissant la peur et la haine de la réalité, à laquelle il ne peut s'adapter, et l'amour de la réalité exprimée, c'est-à-dire représentée, conjurée, annulée, anéantie, morte, et, à la limite, par lui immortalisée. » Il demeure en tout cas que, tant par le sérieux de l'information que par la rigueur des développements, cette œuvre de Jean Delay figure parmi les ouvrages fondamentaux de la critique contemporaine.

JEUNESSE DE THÉOPHILE (La). « Histoire ironique et mystique » publiée en 1921 par l'écrivain français Marcel Jouhandeau (1888-1979). *La Jeunesse de Théophile,* c'est la jeunesse de l'auteur à Guéret — v. *Chaminadour* (*) —, ses premiers émois, sa folie de Dieu, ses extases. L'ouvrage se divise en trois parties, chacune étant centrée sur un personnage, fascination de l'heure : « Tante Ursule ou l'Âge des idoles », « Jeanne ou l'Âge de raison », « Madame Alban ou l'Âge de la perfection ». *La Jeunesse de Théophile* nous apprend que l'auteur fut un premier communiant ébloui pour toujours par l'or des chasubles, des chapes, de l'ostensoir. Toutes les maisons du village se nichaient comme autant d'absidioles au sein d'une cathédrale énorme dont l'église était le tabernacle. Rien n'échappait au sacré. Au-dessus du lit, le crucifix jugeait les actes et jusqu'aux pensées de l'enfant. Sortait-il dans la rue : il « croyait entendre l'Éternel appeler chacun par son nom, et chacun répondait : présent ! ». Puisque tout était patent au regard de Dieu, l'indiscrétion était impossible. Il fallait tout dire. Chaminadour est une cité mystique qu'éclairent en ses derniers retraits les lumières du Jugement dernier. Jouhandeau est un obsédé de Dieu. Enfant, il a connu ce contact intime, ce feu au cœur, ces larmes de joie dont on s'ébahit quand on en trouve l'aveu cousu au pourpoint de Pascal. Sans cette expérience, on peut écrire de savants traités sur Dieu, aura-t-on l'âme religieuse ? On crut autour de lui, lui-même pensa qu'il était appelé au sacerdoce. « Théophile éprouvait confusément qu'il n'y avait rien — en dehors de lui — de plus grand que les prêtres. » En dehors de lui ? Ne nous choquons pas encore : un enfant qui porte un tel secret croit volontiers qu'à lui seul Dieu a ainsi parlé. Que se passa-t-il ? Il déçut tout le monde. Il prétendait, nous le verrons bientôt dans ses œuvres ultérieures, monter plus haut encore. Des amitiés mystiques, celle de Jeanne, surtout celle de Mme Alban (une Mme Guyon plus trouble et plus folle que l'inspiratrice de Fénelon), exaltèrent son ambition d'une vie passée en tête-à-tête avec Dieu, tout le reste rejeté comme indigne. Mais, réelle ou seulement rêvée, la vocation a imprimé sa marque indélébile sur les goûts, l'imagination, les exigences spirituelles de Jouhandeau. Jehan Rictus ne lui découvrait-il pas une ressemblance avec Lamennais ?

JEUNESSE INSURGÉE (La) [*Zbojnícka mladosť*]. Première partie de la trilogie romanesque de l'écrivain slovaque L'udo Ondrejov (pseud. de L'udovit Mistrík, 1901-1962), publiée en 1936 et comprenant par ailleurs : *Jerguš Lapin* (1939) et *Tes étoiles sont sur terre* [*Na zemi sú tvoje hviezdy*, 1948]. L'auteur appartient (comme M. Figuli) à l'importante tendance des lettres slovaques d'entre les deux guerres qui, sous l'influence surtout française, élabora une philosophie de la vie paysanne et de la nature. Ondrejov étudie d'abord un village de la belle et montagneuse Slovaquie centrale, et il décrit avec beaucoup de pénétration psychologique les jeux et les aventures de jeunesse de son héros Jerguš Lapin. Devenu grand, Jerguš s'oppose à l'injustice (c'est encore l'époque de la domination hongroise sur la Slovaquie jusqu'en 1918), déserte, se cache dans les montagnes et n'hésite pas à intervenir pour défendre les siens. Plus tard, il devient agriculteur, et la dernière partie de la trilogie le montre dans les rangs des combattants de l'Insurrection nationale slovaque (1944), à laquelle d'ailleurs l'auteur lui-même participe. Les qualités du roman sont évidentes : la langue est drue, populaire, la description de la nature poétique, et l'esprit des paysans ainsi que celui de la révolte du héros remarquablement rendus.

JEU SECOND [*Joc secund*]. Recueil du poète roumain Ion Barbu (pseud. de Dan Barbilian, 1895-1961), publié en 1930. Une partie de l'œuvre poétique de jeunesse de Ion Barbu, éparpillée dans différentes revues, ainsi que son poème « En ramassant des escargots » [După melci, 1921] ont été réédités avec certains poèmes du *Jeu second*, dans le volume posthume *Longue-Vue* [*Ochean*, 1964], titre que l'auteur lui-même avait eu l'intention de donner à son recueil de 1930. Enfin, dans une nouvelle édition du *Jeu second* (1966), sont reproduits les mêmes poèmes de jeunesse, ainsi que trois autres plus récents, dont un inédit.

Savant mathématicien, en même temps que poète le plus significatif de ces trente dernières années en Roumanie, Ion Barbu, qui exerce une grande influence sur la jeune poésie, a su fondre parfaitement dans sa personnalité ces deux univers à première vue si disparates : mathématiques et poésie. Son œuvre poétique, y compris celle de sa jeunesse qu'il avait en partie reniée, est plus ou moins hermétique. Pour s'évader du monde quotidien, le poète-mathématicien projette sa parole sur des schémas savamment construits. Son idéal d'une euphonie parfaite est lié à son effort pour transmettre l'idée poétique. À ce sujet, Ion Barbu considère son poème « Uvenderode », qui fait partie du cycle homonyme, comme celui qui représente le sommet de son œuvre écrite « sous l'obsession d'une clarté irrationnelle » : à l'unité spirituelle s'ajoute une unité phonétique faite de sonorités, le tout suggérant un univers translucide et géométrique, puis une évasion du rêve à la fois pur et sensuel. Certains mots, vidés de leur substance courante, remontent vers leur sens étymologique ; d'autres, empruntés aux sciences, créent un nouveau langage poétique ; d'autres enfin, puisés en revanche à la source populaire, restituent l'image d'un folklore personnel où l'on peut déchiffrer secrets et mystères fondamentaux. Ainsi, dans son cycle balkanique « Isarlîk », le personnage des anecdotes populaires, Nastratin, devient, à travers une vocation d'ascète, un héros tragique.

Cependant, le lyrisme absolu de Ion Barbu se passe d'ordinaire d'objet, afin de supprimer tout pittoresque et toute rhétorique. C'est pourquoi sa poésie devient un « jeu second » tel que le pratiquèrent Mallarmé ou Valéry. Le poème en deux strophes « Jeu second », qui donne son titre au recueil, peut être considéré comme la règle d'or de son art poétique. Le critique George Călinescu, dans son *Histoire de la littérature roumaine*, a essayé de donner, à l'aide de l'agencement des images, la clé de ce poème : « La poésie ("la profondeur de cette calme cime") est une issue ("soustraite") au contingent ("de l'heure") dans le gratuit ("sauvé azur"), jeu second, comme l'image du troupeau reflétée dans l'eau. C'est un nadir latent, un miroitement du zénith dans l'eau, une sublimation de l'existence par rétorsion. » Autrement dit, l'acte poétique est une délectation intellectuelle, détachée de la réalité immédiate. Cependant, il fait naître chez le poète l'angoisse de ne pouvoir jamais exprimer la complexité des phénomènes naturels. C'est pourquoi, dans un autre poème « Timbre » [Timbru], toujours aussi bref, Ion Barbu range le vers parmi les instruments mineurs : « Une flûte au chemin, la cornemuse au champ / Font sonner doux, plus fort, la douleur divisée, / Mais, la pierre en priant, la glaise dépouillée, / Et l'onde fiancée alors diront – comment ? » La seconde strophe indique justement le vaste contenu que devrait avoir la poésie pour embrasser la plénitude de l'acte créateur : « Il y faudrait un chant encor plus ample tel / Le bruissement soyeux des mers avec leur sel, / Ou l'hymne du jardin des anges, quand se lève / Du flanc de l'homme le corps pétri de fumée d'Ève. » Enfin, l'idéal poétique de contenir le Tout dans le Verbe est manifeste même dans un des poèmes de jeunesse de Ion Barbu, « Panthéisme » [Panteism], où par ailleurs le trop-plein des passions est exprimé en images suggérant la force capable de réaliser son aspiration : « ... Et partout, dans les corps, dans les rocs chauds – orgie / De rythmes vifs, de lave et de bruit sans limite, / Faisant trembler l'échine en silex ou granit, / Immense, se tordra la Vitale Hystérie. »

JEUX. Ballet du compositeur français Claude Debussy (1862-1918). Après avoir porté à la scène, en en confiant l'interprétation plastique à Nijinski, le *Prélude à l'après-midi d'un faune* (*) – ce qui donna lieu à des polémiques assez vives, cette interprétation apparaissant comme un non-sens –, Serge de Diaghilev voulut offrir à Claude Debussy une sorte de revanche, et lui proposa un argument de ballet dû à Nijinski et intitulé *Jeux :* « Dans un parc, au crépuscule, une balle de tennis s'est égarée ; un jeune homme, puis deux jeunes filles s'empressent à la rechercher. La lumière artificielle des grands lampadaires électriques qui répandent autour d'eux une lueur fantastique leur donne l'idée de jeux enfantins : on se cherche, on se perd, on se poursuit, on se querelle, on se boude sans raison ; la nuit est tiède, le ciel baigné de douces clartés : on s'embrasse. Mais le charme est rompu : une balle de tennis vient d'être jetée par on ne sait quelle main malicieuse. Surpris et effrayés, le jeune homme et les deux jeunes filles disparaissent dans les profondeurs du parc nocturne. » Le ballet devait être une « apologie plastique de l'homme de 1913 ». Debussy accepta et se mit à l'œuvre, non sans peine, comme en témoigne sa lettre à Jacques Durant du 12 septembre 1912, où il déclare que « la fin de *Jeux* est assez difficile à réussir, car la musique doit faire "*accepter*" une situation risquée » ! La première représentation eut lieu au Théâtre des Champs-Élysées le 15 mai 1913, peu après la centième de *Pelléas et Mélisande* (*) à l'Opéra-Comique. La partition est remarquable ; Debussy avait réussi à donner une véritable transposition musicale du thème sportif qui lui était proposé au moins par la première partie de l'argument : les brusques changements de rythme, les rebondissements de la ligne mélodique, la souplesse de l'écriture donnaient bien l'image du tennis, mais surtout, le conduisant à un maniement très neuf du matériau sonore qui, comme l'a écrit Jean Barraqué, annonçait Webern. Pourtant le public fut plus attentif à la chorégraphie de Nijinski, au décor et aux costumes de Léon Bakst, qu'à la musique de Debussy. Celui-ci ne se montra guère satisfait : « Le génie pervers de Nijinski, écrivait-il à Robert Godet, s'est ingénié à de spéciales mathématiques : cet homme additionne les triples croches avec ses pieds, fait la preuve avec ses bras ; puis, subitement frappé d'hémiplégie, il regarde passer la musique d'un œil mauvais [...] C'est vilain. » Mais comme le remarque Léon Vallas en citant cette lettre, « le musicien savait bien aussi que, se renouvelant sans cesse, il trompait l'attente de la pluralité des amateurs pour qui il se devait de rester le maître de *Pelléas* ».

L'année suivante, aux Concerts Colonne, la partition de *Jeux* fut accueillie par autant de sifflets que de bravos. Le ballet figura au programme des Ballets suédois le 23 octobre 1920 avec une chorégraphie de Jean Borlin et fut repris à l'Opéra-Comique le 16 avril 1948 avec une chorégraphie nouvelle de Jean-Jacques Etchevery. L'argument lui-même était modifié : un quatuor de jeunes gens était substitué au soliste imaginé par Nijinski.

JEUX AFRICAINS [*Afrikanische Spiele*]. Roman de l'écrivain allemand Ernst Jünger (né en 1895), publié en 1936. Lorsque l'imaginaire seul s'offre comme réel, lorsque les choses quotidiennes sont un rêve, c'est que le moment est venu pour l'homme de fuir et d'aller à la découverte de l'inconnu diversement appelé forêt vierge, Éden perdu, région des grands marécages, de la maladie du sommeil, de l'anthropophagie. Herbert Berger décide de fuir classe et famille. Las de l'ennui et de la monotonie de l'existence, il part à l'aventure, afin d'atteindre le seuil d'une terre promise. Les livres qu'il a eus entre les mains lui représentaient l'Afrique comme une terre sauvage, où il pourrait développer sans contrainte sa nature : il forme alors, pour réaliser son rêve, le projet d'entrer à la Légion étrangère, qui exerce sur lui l'attrait du défendu et de l'inconnu. Envoyé à Marseille avec une bande d'individus aux manières grossières, il demeure enthousiaste et ne s'embarrasse pas des conseils du médecin militaire, qui semble l'avoir pris sous sa protection, vu l'inexpérience de son âge. Sur la terrasse du fort Saint-Jean, où il est monté pour échapper à la présence des hommes et aux avertissements continuels des choses, le spectacle de la mer l'éblouit et l'emplit d'une vague mélancolie. Puis ce sont les corvées, l'entraînement, les marches épuisantes, les crises d'ennui. À Sidi Bel Abbès, où il parvient après quelques incidents qui sont autant de déceptions, Berger prépare avec un camarade son évasion de la Légion, dont les règles lui sont un joug, aussi lourd que les lois de la société. L'entreprise échoue. « Je pressentis à cette occasion pour la première fois l'existence de l'un des grands ordres secrets dont les ramifications s'étendent fort loin, et que par la suite je devais rencontrer bien des fois encore sous le déguisement militaire, politique et artistique. Le monde est différent de l'idée que nous nous en faisons, et réparti plus simplement. Nombreux sont ceux qui, au fil des jours, s'étonnent des effets sans en voir la cause, et cependant cette science est aujourd'hui aussi importante que jamais. En ce qui me concerne, l'accès aux mystères m'échappait totalement ; je n'en éprouvais pas non plus le besoin, et si grand que soit le plaisir que je prends à causer, entre hommes, de ce monde où les talents abondent, il n'en a pas moins suffi chaque fois de sa présence invisible pour me troubler et m'ôter la pleine liberté du langage. » Notre héros trouve une lettre de chez lui, qui lui offre de rentrer en Allemagne. Le retour marque la fin d'un monde : le temps de l'enfance est passé. Ce roman autobiographique (Jünger s'engagea réellement dans la Légion en 1913) fut d'abord conçu comme l'illustration des sentiments qui poussent la jeunesse à s'échapper d'un siècle trop vieux. Mais, son point de vue ayant changé, la protestation du romantique contre le bourgeois s'est transformée en un livre didactique où l'homme d'expérience signale les dangers de l'illusion. – Trad. d'Henri Thomas, Gallimard, 1944.

JEUX D'EAU. Pièce pour piano du compositeur français Maurice Ravel (1875-1937). Écrite en 1901, elle marque la pleine affirmation de la personnalité de l'auteur et, en particulier, de son style pianistique. En 1895, il avait composé une œuvre pour deux pianos intitulée *Suites auriculaires,* qui ne fut publiée qu'en 1975, mais d'où est tirée la *Habanera* qui fait partie de la *Rapsodie espagnole* (*), page d'une maturité déjà entièrement acquise. Entre 1895 et 1901, Ravel, par contre, écrivit et publia le *Menuet antique* et la *Pavane pour une infante défunte* (*), l'un et l'autre pour piano, ouvrages de valeur limitée et d'où ne ressortent que faiblement les caractères de la personnalité du compositeur. Peu de temps après, dans *Jeux d'eau,* non seulement se manifeste toute la richesse imaginative des meilleures trouvailles de Ravel, mais cette œuvre anticipe même, au point de vue de l'écriture pour piano, sur certaines attitudes qui, un peu plus tard, en 1904, seront prises par Debussy – v. *Estampes* (*) ; cette anticipation a un grand intérêt en ce sens qu'elle prouverait l'influence qu'auraient exercée l'un sur l'autre Ravel et Debussy, à des périodes diverses. Dans *Jeux d'eau,* précisément, on peut retrouver certains traits du style debussyste, auquel le jeune Ravel fit quelques emprunts et contre lequel il réagit par la suite.

Jeux d'eau veut suggérer, imiter la nature : ce sont les aspects innombrables et changeants d'une fontaine dans un parc, les jeux de lumières, de couleurs, de sons. Ravel dispose sa page avec une visible préoccupation d'ordre formel ; c'est en cela que consiste sa réaction initiale contre l'impressionnisme debussyste. Dans les lignes générales du morceau, on aperçoit le bi-thématisme du premier mouvement de sonate, la dialectique classique entre deux éléments mélodiques s'opposant avec leurs caractères différents. Dans les moindres dessins, on reconnaît ensuite un goût très marqué pour une extrême préciosité d'écriture, un soin diligent à rechercher la beauté du détail sonore conçu pour ainsi dire dans l'abstrait – position contrastant avec cette liberté spontanée d'invention, cette sorte d'irrationalité caractéristiques de l'art de Debussy. Au moment où il s'attarde dans des raffinements de sonorité, Ravel redécouvre la valeur plastique des accords ; il abandonne les évanescentes dissonances debussystes et se tourne vers la dissonance dure refermée en elle-même, qui a une fonction statique et s'immobilise dans la précision d'une image. Ainsi est ouverte la voie qui conduira à ces accords figés dans leurs irrémédiables dissonances et à l'émancipation de la mélodie comme expression linéaire vivant par elle-même qui constituent le point d'arrivée de l'art de Ravel.

JEUX DE MAINS [*Juegos de manos*]. Roman de l'écrivain espagnol Juan Goytisolo (né en 1931), publié en 1954. L'une des œuvres les plus significatives du courant littéraire connu sous le nom de réalisme critique et dénonçant le mal d'une certaine jeunesse sous la dictature franquiste des années 50. Le cadre est ici une grande ville espagnole, et les protagonistes des fils de famille qui étudient sans goût à l'université car ils s'avouent incapables de prolonger dans l'avenir une société faussement moralisatrice et de faire leur le mensonge des traditions familiales. Páez, Mendoza, Cortézar refusent de devenir de bons bourgeois membres du club local (le Casino), et Ana ou Gloria, leurs compagnes, d'être les fidèles organisatrices de réunions paroissiales et de kermesses de bienfaisance. Impuissants à réagir, tous s'égarent dans un « labyrinthe » qu'ils ont construit : le sommeil, la paresse, l'alcool. L'animateur du clan, c'est Uribe, dit Tanger, histrion équivoque, assez lâche au fond, mais dont la personnalité et l'imagination éblouissante fascinent ses compagnons. Tanger est un de ces « êtres venus au monde à seule fin d'y briller. Comme les papillons et les centaures... ». Il excelle à créer une atmosphère trouble et s'est spécialisé dans la préparation des « soirées de lèpre », nuits d'orgie de ces adolescents en rupture de famille. Bientôt, pourtant, ses trouvailles de marchand d'illusions ne suffisent plus à alimenter tant de désœuvrement. Arrivés au terme de l'adolescence, les protagonistes de *Jeux de mains* cherchent à découvrir l'acte irrévocable qui révélera et affirmera l'adulte qu'ils portent en eux. Ana, la seule du clan à avoir des convictions solidement établies, en fournit l'idée : il faut tuer Guarner, une vieille canaille politicienne, et donner ainsi au crime une allure de symbole. Mais qui le tuera ? Une machination montée par Páez et Tanger fait tomber malignement le sort sur celui qu'on soupçonne d'être le plus lâche, David, par ailleurs amoureux de Gloria et soucieux de la séduire. Introduit auprès de Guarner, David s'affole, recule et n'est plus entre les mains du député qu'un pauvre pantin disloqué. Incapable d'assumer l'assassinat qu'il s'est engagé à commettre et le ridiculisant, il devient la victime désignée de la bande. Il faut tuer David. Ce que fait Agustín Mendoza qui, une fois son acte accompli, se laisse arrêter sans résistance par les policiers. Perdus dans la foule, les survivants de l'aventure assistent à l'agonie de leur révolte. Ils comprennent alors que, « même lorsqu'ils se prenaient le plus au sérieux, ils ne cessaient jamais de jouer à des jeux de vilains ». « C'est comme si, en tuant David, nous nous étions tués nous-mêmes, et comme si, en reniant Agustín, nous avions renié notre vie », conclut Raúl Rivera. La vraie révolte reste à faire. – Trad. Gallimard, 1956.

C. C.

JEUX D'ENFANTS. Suite de douze pièces pour piano à quatre mains op. 22 du compositeur français Georges Bizet (1838-1875) sur des sujets enfantins, composées en 1871. Bizet a orchestré cinq d'entre elles qui ont été créées à Paris en 1873 sous le titre *Petite suite d'orchestre* avant de prendre le même nom que la suite originale. Le matériau de l'une des pièces, « Trompette et Tambour », provient de l'opéra inachevé *Ivan IV* (*).

A. Pâ.

JEUX ET LES HOMMES (Les). Essai de l'écrivain français Roger Caillois (1913-1978). Sous-traité *Le Masque et le Vertige*, il connaîtra sa première édition en 1958 et servira de fil conducteur au volume de l'Encyclopédie de la Pléiade consacré aux Jeux et Sports, en 1967 – volume réalisé sous la direction de R. Caillois et en partie rédigé par lui. « Tout jeu est système de règles. Celles-ci définissent ce qui est ou ce qui n'est pas "de jeu", c'est-à-dire le permis et le défendu. » Le jeu a donc trait, à l'instar de la religion, aux forces élémentaires qui relient les hommes au monde, aux dieux et entre eux. Le phénomène du jeu est multiple, et c'est à travers une recherche qui se veut exhaustive et classificatoire que l'auteur des *Cases d'un échiquier* aborde les jeux. Le mot jeu désigne en effet tout à la fois une activité spécifique aux hommes, « la totalité des figures, des symboles ou des instruments nécessaires à cette activité », le style ou la manière de celui qui se livre à cette pratique ; il renvoie en outre à des notions contradictoires, la chance, le hasard, le risque, mais aussi la stratégie, la rigueur, la maîtrise des aléas ; enfin, le jeu « évoque une idée de latitude, de facilité de mouvement, une liberté utile ». Partant de cette richesse sémantique du terme, l'auteur va s'appliquer à faire une typologie des jeux en relation avec les « dispositions psychologiques » qu'ils impliquent. Ce qu'il reprochera à Huizinga dont le célèbre ouvrage *Homo ludens* (*) (1938) marquera toutes les études sur le jeu, c'est de ne pas avoir tenu compte de la diversité des aptitudes et fonctions impliquées par le phénomène du jeu. Discutant sa thèse, il aboutit à l'énumération de six caractères formels propres aux phénomènes ludiques : le jeu est une activité libre, séparée, incertaine, improductive, réglée et fictive. Parmi les jeux vont être distinguées quatre classes désignées par les catégories : *Agôn, Alea, Mimicry* et *Ilinx* (compétition, hasard, simulacre et vertige). Ces quatre classes sont elle-mêmes soumises à une double polarité qui se réfère à deux manières de jouer : *paidia* et *ludus* (« improvisation libre et épanouissement insouciant » et « effort, adresse, patience, ingéniosité »). Muni de ces principes de classification, l'auteur va dresser un tableau systématique embrassant la quasi-totalité des jeux. Après cet effort taxinomique, le sociologue va se livrer à des analyses cherchant à établir les liens des jeux et des sociétés. Les jeux ont fondamentalement une « vocation sociale », et nombre de phénomènes sociaux peuvent être interprétés « à partir des jeux ». Ainsi, par exemple, en va-t-il de la superstition ou de la divination (façons de conjurer le sort en faisant crédit aux lois cachées de l'*Alea*). Toutes les institutions sociales impliquent règles, limites à ne pas transgresser, et produisent les marges qui leur permettent de se transformer. En cela elles sont proches du jeu. Le jeu, dans sa gratuité apparente, pourrait bien être le cœur « masqué et vertigineux » de toute culture. F. W.

JEUX RUSTIQUES ET DIVINS (Les). Recueil de poèmes de l'écrivain français Henri de Régnier (1864-1936), publié en 1897. L'auteur, dont l'œuvre est abondante, revient ici aux formes traditionnelles, poussé par l'exigence d'une parfaite pureté de style. Touché par le symbolisme, mais plus encore par l'esthétique parnassienne, Henri de Régnier évoque les mythes classiques, un peu à la manière d'un Heredia auquel il a dédié son *Aréthuse*. Ses touches légères ne sont pas toujours sans quelque artifice et quelque préciosité. Les parties qui ont pour titre « Les Roseaux de la flûte » et « La Corbeille des heures » essaient de transposer musicalement une certaine imprécision qui rappelle l'art du XVIIIe siècle. Il est également très XVIIIe siècle quand il chante les nymphes et les satyres : descriptions du parc de Versailles dans *La Cité des eaux* (*). Le poète s'abandonne à son inspiration dans des poèmes d'une rare légèreté, dans des tableaux, dans des confessions à peine murmurées. Ce recueil a quelque chose de délicat et de fuyant : « Le Faune au miroir » « Heure d'automne ». En général, le ton rappelle plus Samain que Verlaine. Henri de Régnier recherche des images à la fois limpides et resplendissantes (dans « L'Obole », où le vivant s'adresse à l'ombre). Les « Inscriptions pour les treize portes de la ville » constituent une sorte de poème assez ambitieux, où sont évoquées les mœurs des prêtresses, des guerriers, des bergers, des astrologues, des marchands, des actrices, des courtisanes, des voyageurs, des mendiants. Ce recueil est une leçon d'harmonie, et c'est en ce sens que nous pouvons dire que son succès était justifié.

JEUX SONT FAITS (Les). Scénario de l'écrivain et philosophe français Jean-Paul Sartre (1905-1980), publié en 1947. À partir de ce scénario, Jean Delannoy réalisa un film interprété par Micheline Presle, Marcel Pagliero, Charles Dullin, Marguerite Moreno. Le texte de Sartre est découpé en scènes définies chacune par le lieu de l'action, en vue du tournage du film. Dans un pays imaginaire, où règne la dictature, Ève, la femme d'André Charlier, qui dirige la milice du Régent, est empoisonnée par son mari, amoureux de sa jeune sœur Lucette. De son côté, Pierre Dumaine, un militant ouvrier, est tué par un mouchard à la veille d'une insurrection dont il devait prendre la tête. Morts, ils circulent, invisibles parmi les vivants. Ils se retrouvent dans une impasse avec d'autres morts, invisibles des vivants comme eux, et pouvant, comme eux, se voir entre morts. Là, une vieille employée leur fait signer un registre où sont inscrites la date et les circonstances de leur mort, puis ils errent parmi les vivants, parlent avec d'autres morts, s'arrêtent dans un dancing, où ils envient deux jeunes danseurs qui semblent très amoureux. Pierre danse avec Ève, et ils découvrent qu'ils étaient faits l'un pour l'autre, mais qu'il est trop tard pour s'aimer. Cependant l'employée qui leur a fait signer le registre leur donne une dernière chance : vingt-quatre heures de vie commune où ils devront parvenir à oublier totalement leur vie passée pour ne plus penser qu'à s'aimer. S'ils n'y parviennent pas, si quelque chose les sépare encore, ils reprendront leur place parmi les morts. Pierre et Ève reviennent donc à la vie, au moment même où ils allaient mourir. Ils se rencontrent, essaient de s'aimer, de tout oublier l'un pour l'autre, mais Pierre accepte difficilement qu'Ève soit une bourgeoise, la femme du chef de la police, et il n'arrive pas à oublier ses camarades, dont il sait qu'ils vont se faire massacrer dans leur tentative d'insurrection, la police ayant découvert leur plan. Ève de son côté veut empêcher sa sœur Lucette d'aimer en son mari l'homme qui a tenté de l'empoisonner. Le délai de vingt-quatre heures expire alors que Pierre, parmi ses camarades, tente d'empêcher l'échec de l'insurrection, et qu'Ève essaie de persuader sa sœur de l'ignominie d'André. Ils ont échoué dans leur entreprise, « les jeux sont faits, on ne reprend pas son coup », ils n'ont pu supprimer leur passé qui les a ressaisis tout entiers. Ils redeviennent des morts et se séparent, peu à peu gagnés par l'indifférence.

JE VIVRAI L'AMOUR DES AUTRES. Roman de l'écrivain français Jean Cayrol (né en 1911), publié en 1947 (prix Renaudot). C'est le roman d'un lendemain de guerre. Non qu'il y soit jamais question des problèmes politiques ou militaires relatifs à l'époque, bien au contraire. Le héros a beau, comme son auteur, avoir été déporté, jamais il n'évoque directement la vie des camps. « Pour les détails voir les livres qui ont paru sur les déportations ; ce sera beaucoup mieux expliqué, avec plus de détails... les détails, je ne m'en souviens pas. » Toute l'attention est ici concentrée sur un homme : narrateur et personnage confondus dans la première partie (« On vous parle ») ; ce dernier, devenu Armand dans la seconde (« Les Premiers Jours »). L'enjeu profond du livre réside sans doute dans cette séparation, dans l'accession d'un être à l'autonomie d'un nom et, en un mot, à la vie. Ainsi le traumatisme de la guerre et de la déportation est-il d'abord celui de l'inexistence.

Rien n'a lieu, en effet, pour cette figure de « paumé » errant dans une ville sans nom : ni l'amour, ni l'amitié, ni l'action. Tout se dérobe en une fuite obsédante qui le porte un jour aux rives du suicide. « Tout est ainsi devant Armand, inutilisable, inquiétant, un peu gâté. » Les lieux mêmes, abords de gare, cafés louches, chambre de passage, refusent avec obstination l'intimité qu'on n'y cherche même plus. La grande, la seule question devient celle du plus mince plaisir, un plaisir de dérision et de dissipation : la cigarette. Autour d'elle tourne ce « sans domicile fixe », comme autour d'un foyer inatteignable : « Ce qui me manquait, c'étaient les cigarettes. Ce que j'ai pu suivre de types pour avoir le mégot, le rarissime mégot. »

La seconde partie se refuse presque autant à l'« événementiel » : ce monologue n'est que la suite des réactions sur une conscience sans attache, provoquées par la contingence quotidienne ; en quoi il approche de la technique du nouveau roman. Ici, toutefois, les choses ont encore un sens émotionnel, ou « psychologique ». Ainsi de ces pages que Cayrol consacre à la carcasse du poulet : « On est toujours surpris par l'architecture de l'intérieur comme une église abandonnée aux araignées où le cœur est suspendu dans le vide, tel un ex-voto... » C'est que désormais l'emprise sur le monde est devenue moins fugace, moins irréelle : c'est par la nourriture, dirait-on, qu'Armand découvre sa vie. Le foyer, cette fois-ci, existe, sous la forme — certes dérisoire — d'une arrière-boutique qui fait office de cantine. Là se noue la curieuse aventure de la rencontre avec l'histoire amoureuse d'Albert et de Lucette. Par effraction, mais aussi par assimilation, Armand y entre : « Il se sent de plus en plus nécessaire dans l'histoire de Lucette et d'Albert ; lui seul peut la continuer... » Ce qu'il fait d'ailleurs, au point de partir lui-même, aux dernières lignes du roman, avec la fille.

Cette reconquête de l'existence et de l'amour correspond aussi à l'invention du roman : ne faut-il pas attendre les ultimes pages du livre pour voir la pérégrination informe d'Armand prendre figure — certes, là encore minimale — d'événement ? Désormais le héros diaphane et fuyant des premières pages, dont toute l'ambition était de « rester obscur dans la lumière », peut s'écrier : « Je l'ai, ma vie, je la garde ! »

C. D.

JE VOUS ÉCRIS. Recueil publié en 1960 par l'écrivain français Marcel Arland (1899-1986). Romancier, conteur et nouvelliste, critique d'art et de littérature, Marcel Arland a consacré également une partie de son œuvre à ce qu'il appelle les « Essais intimes ». Le volume publié en 1960 groupe plusieurs lettres mi-fictives, mi-réelles. La première s'adresse « à un enfant, sur quelques refrains » ; ces refrains, ce sont « j'aime » et « je voudrais être mort ». La seconde « À Marcel Jouhandeau, sur la grâce d'écrire » : « Parfois, en écrivant, je ne puis douter que l'homme et l'écrivain ne se rejoignent en moi, ou plutôt que l'écrivain ne soit le prolongement de l'homme ». Puis, c'est « À Madame de Sévigné, sur le printemps d'Amboise », « Sur trois églises romanes » ; « À Jean Grosjean, sur les raisons de vivre » ; « Il suffit de montrer la chose vivante pour que tout soit dit et béni ». Les suivantes sont « À Dominique Aury, sur le soleil et les ombres des Alpilles », « À Alexei Remizov, sur les contes » ; « À. J., sur le bout du monde ». Puis « À Jean Paulhan, sur un personnage » ; ce personnage, c'est le Gilbert de *L'Ordre* (*) et des *Carnets de Gilbert* (1932), ce héros invivable ; mais Gilbert n'existe plus : « Adieu, laissons les morts. Je suis vivant et j'ai beaucoup à vivre. » Aujourd'hui, seuls comptent les inconnus de nos rencontres quotidiennes, et l'auteur regroupe dans sa lettre quelques réflexions qu'il intitule non plus « Carnets de Gilbert », mais « Carnets d'un personnage ». Dernière lettre : « Au Vent d'est, sur les Îles », réflexion sur soi-même, lucide, inquiète et pourtant sereine, nous y retrouvons en filigrane toute la tendresse de Marcel Arland, « poreux, accessible, livré à tout et par toute chose atteint, comme si une main inconnue frappait à sa guise » en lui.

À ces écrits intimes, nous pouvons adjoindre le roman *Terre natale* (1938), où Marcel Arland ressuscite le cadre de son enfance : la maison basse avec la cuisine sombre où le soleil ne filtre qu'en oblique entre deux pots d'hortensias, la grange et la vache blonde et familière, le foin odorant dans le grenier craquant. Avec ces pages douces-amères, c'est une émouvante chronique que tisse l'auteur.

J'EXIGE TOUT [*Alt kraever jeg*]. Recueil de poèmes de l'écrivain danois Paul La Cour (1902-1956), publié en 1938. Dans ce recueil d'une lucidité remarquable, Paul La Cour dit adieu à sa jeunesse et à sa poésie, qui jusqu'alors avait surtout chanté la beauté sous toutes ses formes. La pièce maîtresse du recueil est le poème « 1914 », où l'auteur compare les réactions qu'éveille la Première Guerre mondiale chez un père et chez son fils. Pour le fils, la guerre a son attrait : l'héroïsme et la gloire n'étant pas de vains mots ; pour le père, qui a vécu la guerre, il sait que celle-ci a abîmé l'existence de toute une génération. Mais, si sa génération a été marquée par la guerre, la suivante ne le fut-elle pas davantage encore ? Paul La Cour a honte de son sort facile, qui lui a permis de passer à côté de la grande catastrophe, et tout son recueil est imprégné de cette « culpabilité ». Dix ans après cet important recueil, Paul La Cour devait publier *Fragments d'un journal* [*Fragmenter af en dagbog*], volume de réflexions sur l'art poétique, qui est devenu pour de nombreux jeunes poètes danois une seconde bible. Cet art poétique a justement fait comparer Paul La Cour à Nietzsche.

JIM LA CHANCE [*Lucky Jim*]. Roman de l'écrivain anglais Kingsley Amis (né en 1922), publié en 1954. L'intrigue a pour cadre une université de province proche de Londres, dont le département d'Histoire vient de recruter le jeune Jim Dixon comme assistant. Les vingt-cinq chapitres du roman, qui couvrent les quatre ou cinq dernières semaines de sa première année d'enseignement, décrivent ses efforts héroï-comiques pour faire face, et sa fuite finale vers un salut qu'il doit à la chance mais aussi à sa personnalité. Ils sont jalonnés par les malencontreuses et désopilantes bévues qui compliquent les tentatives faites par le « héros » pour assurer son avenir matériel. Jim indispose d'abord le professeur Welch, qui détient la clé de sa situation (il encourage un de ses étudiants à critiquer l'ouvrage rédigé par un disciple de Welch). Lors de sa première rencontre avec les membres du département, il accumule les impairs les plus ubuesques ; il projette une pierre dans la rotule d'un de ses collègues et aggrave son cas en prenant le large sans s'excuser. Il s'est aussi débrouillé pour subtiliser la chaise d'un autre enseignant au moment où celui-ci allait s'asseoir. Jim, lorsque nous le rencontrons, est sous la coupe de sa collègue Margaret Peele. Celle-ci, abandonnée par un ami, Catchpole (qu'elle dit avoir été son amant), a vainement tenté de se suicider. Jim se sent pris au piège car Margaret entend le séduire contre son gré. Welch organise des soirées musicales, que Jim abomine mais auxquelles il ne peut se soustraire. Il y rencontre Bertrand, fils de son « patron », et l'amie de celui-ci, Christine Callaghan, dont l'oncle richissime, Gore-Urquhart, semble disposé à faire de Bertrand son secrétaire. Jim et Bertrand se détestent instantanément ; leur haine empire quand Jim a le coup de foudre pour Christine qui, de son côté, tombe amoureuse de lui. Pourtant ni l'un ni l'autre ne se résout à rompre avec son partenaire, Jim parce que Margaret s'évertue à lui donner mauvaise conscience, Christine par un sentiment de responsabilité mal placé vis-à-vis de Bertrand. Le dénouement intervient lors d'une conférence donnée par Jim sur le sujet favori de Welch : la « Joyeuse Angleterre » du Moyen Âge. Jim accumule les gaffes, s'enivre, fait scandale au point d'être renvoyé de l'université. Gore-Urquhart l'engage alors comme secrétaire, Christine se libère en découvrant que Bertrand la trompe avec la femme d'un autre universitaire. Jim comprend simultanément que le suicide de Margaret était un simulacre destiné à la mettre en valeur et rejoint Christine. Tout est bien qui finit bien. *Jim la Chance* appartient à la lignée classique des comédies universitaires dont *Le Déclin et la Chute* (*) d'Evelyn Waugh constitue l'exemple le plus achevé, et que les romans de David Lodge prolongent aujourd'hui. Amis, en héritier du positivisme, oppose dans une comédie picaresque désopilante la condition tragique de l'individu à la condition sociale qui, elle, n'est pas déterminée. Il ridiculise les maniérismes avec un sens percutant de la formule, fait fond sur l'humour et l'ironie (le deus ex machina du dénouement) pour dédramatiser la situation de personnages libres de modifier leur statut social. Taxé d'être un « Jeune homme en colère », Amis ne cessa de répéter que Jim « ne voulait pas changer le système [...] ne voulait surtout pas détruire le système ». Il fit aussi remarquer que la présentation technique du roman attestait moins une rébellion qu'une réaction par le retour qu'elle prônait à une littérature raisonnable et accessible à tous. Quoi qu'il en soit, *Jim la Chance* vaut aujourd'hui par une richesse comique inépuisable qui en fait un des romans les plus délectables de notre époque. – Trad. Plon, 1956. A. Bl.

JINNÔ SHÔTÔKI [*Histoire de la succession légitime des monarques divins*]. Ouvrage historique en six volumes de l'écrivain japonais Minamoto ou Kitabatake Chikafusa (1293-1354), dont on admet qu'il a été écrit à l'automne de 1339 au château d'Oda. Il est dédié à l'empereur Go Murakami (1339-1368) ; le plus ancien exemplaire existant aujourd'hui est celui qui porte la date de 1343. L'auteur a voulu, dans cette œuvre très importante, mettre clairement en évidence la légalité de l'empereur régnant, comme souverain unique et absolu. Aussi le texte décrit-il la continuité de l'empire, depuis l'Antiquité jusqu'à la dynastie de Go Murakami qui régnait alors. Le *Jinnô Shôtôki* revêt une importance particulière par la position qu'il soutient contre les idées qui avaient pénétré au Japon et qui tendaient à miner l'esprit de fidélité du peuple envers la maison impériale. En effet, à ce moment, la grande diffusion des principes bouddhistes poussait les esprits au pessimisme par l'assertion que ce monde n'est qu'un stade de peine et de misère qu'il faut absolument éviter de vivre. Chikafusa prit violemment à partie, dans son livre, cette idéologie d'origine sino-indienne, de même qu'il combattit le principe de Confucius selon lequel le droit de souveraineté a comme condition l'habileté. Selon la tradition shintoïste, il élimina de son texte toute mythologie d'origine étrangère, en lui substituant celle de pure origine japonaise ; il lutta pour l'abolition du favoritisme dans l'administration et pour l'assainissement moral des services publics. Cette œuvre influença grandement, par son attitude patriotique, l'idéologie et l'histoire de la société japonaise, et elle reste le plus célèbre et original des « zasshi » ou mélanges historiques.

JĪVĀNANDANA [*Le Bonheur de l'âme*]. Drame allégorique indien en sept actes, composé par Ānandarāyamakhin vers 1700. Il appartient au cycle des drames allégoriques de l'Inde, dont l'exemple le plus fameux est le *Prabodhacandrodaya* (*). Mais, dans le *Jīvānandana,* une place importante est accordée à la partie doctrinale, laquelle, dans ce drame — fait non seulement rare, mais unique —, est consacrée à la médecine. L'âme individuelle, incarnée, est représentée comme un roi qui, dans sa demeure (à savoir le corps humain), est assailli par l'armée des maladies. Mais le roi, après quelques hésitations, accepte le combat et réussit, avec ses troupes (les remèdes), à vaincre l'ennemi. L'idée dominante du *Jīvānandana* est que la vie humaine implique deux sortes de devoirs : terrestres et supraterrestres. Pour pouvoir s'en acquitter il faut avant tout que l'organisme reste sain. Ce n'est que dans de telles conditions que l'homme pourra tendre à la réalisation des trois buts de l'existence : le mérite moral et religieux (« dharma »), la plénitude et la connaissance (« artha »), la jouissance des sens et l'amour sexuel (« kāma ») et obtenir, au terme de la vie, le quatrième but qui est la libération de l'âme du cycle des existences (« mokṣa »). Dans une admirable synthèse, le *Jīvānandana* réunit le spirituel et l'éternel à tout ce qui relève de la matière. Il représente la vie humaine comme un passage que l'homme peut faciliter et prolonger, en le rendant surtout exempt des maladies qui engourdissent à la fois le corps et l'âme. Il considère la vie elle-même — bien que chargée de devoirs actuels et immédiats — comme une phase temporaire, mais génératrice de destinées pour les existences ultérieures. Particulièrement significatives sont les quelques strophes qui résument — comme la poésie hindoue sait le faire — les plus importantes des conceptions exposées. La strophe qui ouvre le drame dit : « La nature humaine, obtenue par les êtres corporels, est comme déterminée par le fruit des mérites inhérents aux vies précédentes ; et celui qui l'a obtenue, que peut-il obtenir de meilleur que les trois buts de l'existence ? Mais, pour arriver à ceux-ci, la cause efficiente serait, en premier lieu, un corps exempt de maladies ; que, pour cela, le dieu Śiva vous concède la santé désirée. » Une autre strophe proclame le lien inséparable qui unit l'âme à la matière dans l'organisme : « L'intérêt que l'homme porte à son corps est loin d'être inutile : sans la solidité inhérente à sa constitution, comment pourrait-on obtenir le bien-être spirituel ? Et, sans ce dernier, comment la foi en Śiva pourrait-elle être solide ? » Une troisième s'inspire d'un sage et profitable arrangement des finalités terrestres et supraterrestres : « Sans négliger la science éternelle, n'oublie pas que l'intelligence pratique a, elle aussi, sa valeur ; ce n'est qu'en agissant ainsi que le bonheur terrestre et le salut pourront entrer en ta possession. » Riche de délicate poésie et — dans quelques scènes — de verve allant jusqu'au ton satirique et au burlesque, tandis que, dans d'autres, le dialogue dramatique touche à plusieurs reprises aux questions philosophiques et religieuses, le *Jīvānandana,* dans son ensemble, exalte la noblesse de l'art médical : rappelons que cet art, en Inde, ne constitue pas un but en soi-même, mais s'élève à de plus hautes finalités, qui vont au-delà de l'habituelle tâche immédiate et s'encadrent dans l'ensemble des conceptions et des croyances sur la nature des vivants et sur leur invisible destin après la mort.

JOB (Livre de). Récit anonyme composé vers 450 av. J.-C. et considéré comme un chef-d'œuvre de la littérature sacrée. Les éditions chrétiennes de *La Bible* (*) le placent en tête du recueil des « livres poétiques et sapientiaux », parmi lesquels le range aussi la *Septante* (entre *Le Cantique des cantiques* [*] et *La Sagesse*). *La Bible* hébraïque le classe avec les autres livres, qu'elle retient dans cette catégorie, parmi « les Écrits », distincts de « La Loi » et des « Prophètes ». Le *Livre de Job* raconte la mise à l'épreuve par Dieu d'un personnage juste, d'abord comblé par la vie. Il comporte un prologue narratif en prose, indispensable à la compréhension du poème proprement dit ; celui-ci consiste en un certain nombre de dialogues et de monologues, dans lesquels Job joue un rôle de premier plan ; il se termine par un épilogue également en prose de style narratif, qui donne à l'histoire de ce juste une conclusion heureuse. « Il y avait dans le pays d'Ouç un homme qui s'appelait Job. Et cet homme était intègre et droit ; il craignait Dieu et se détournait du mal » (I, 1). Le Très-Haut l'avait fait possesseur d'immenses richesses et père d'une nombreuse progéniture, et il jouissait d'une santé florissante et des plus grands honneurs. C'était donc l'homme le plus heureux de la terre, et il servait le Seigneur dans la joie et la sérénité. L'adversaire du genre humain, qui s'était montré sous la forme d'un serpent dans le jardin d'Éden, jaloux de Job, voulut le discréditer devant le Très-Haut ; aussi, lorsque l'Éternel demanda à Satan s'il avait vu Job, son serviteur fidèle, Satan répondit qu'il l'avait vu et avait constaté qu'il observait fort scrupuleusement les préceptes de l'Éternel ; mais le faisait-il par amour de Dieu, ou bien plutôt par intérêt, à cause des bienfaits que Dieu avait fait pleuvoir sur lui ? « Étends ta main, touche à tout ce qui lui appartient, et je suis sûr qu'il te maudit en face » (I, 11). Dieu décide, alors, de tenter Job et, à partir de ce moment, les malheurs se déversent sans interruption sur sa tête : ses fils meurent, ses richesses disparaissent, chaque nouveau jour apporte de nouveaux malheurs, tant et si bien que Job finit par s'exclamer, en se prosternant devant la volonté divine : « Je suis sorti nu du sein de ma mère, et nu je retournerai dans le sein de la terre. L'Éternel a donné, et l'Éternel a ôté ; que le nom de l'Éternel soit béni ! » (I, 21). L'Adversaire, ne se considérant pas encore vaincu, propose à Dieu de tenter une autre épreuve : si la pauvreté ne suffit pas, il faut y ajouter le tourment de la chair. Aussi, avec la permission de Dieu, voilà que Job est frappé d'une maladie qui fait de son corps une plaie béante ; il devient un objet de dégoût même pour sa femme, qui l'incite stupidement à maudire le Seigneur pour être délivré par la mort. Mais l'homme de Dieu resta ferme et « ne pécha point par ses lèvres » (II, 10). Quatre amis de Job viennent alors à son chevet et le veillent pendant sept jours et sept nuits sans lui adresser la parole, jusqu'à ce que le pauvre malade, torturé de douleur, ne retienne plus ses gémissements. Trois de ses amis entreprennent de lui prouver que la cause de ses tourments doit être recherchée dans ses péchés. Ces discours réitérés augmentant son amertume, Job riposte avec véhémence ; mais le voici qui tombe épuisé, en proie à la douleur la plus profonde, sans en comprendre la raison. Il ne maudit pas Dieu certes, mais en a peur, le considérant comme un être inexorable. Ses amis continuent à l'attaquer, et lui à se défendre : nouvelle suite d'invectives, mais toujours le même impénétrable mystère. C'est alors que le quatrième interlocuteur, appelé Élihu, plus humain que les autres et qui avait gardé le silence jusqu'alors, propose cette explication : Dieu met les hommes à l'épreuve au moyen des douleurs et des peines ; il ne faut donc point s'insurger contre ces maux providentiels, comme le fait Job — même s'il est innocent ; il faut, au contraire, supplier Dieu, reconnaître Sa puissance, Sa miséricorde, Sa justice, et confesser notre ignorance. Mais voici que Dieu, tant de fois invoqué et pris à témoin, intervient pour résoudre le débat et donner à chacun ce qui lui revient. Il se manifeste dans toute Sa puissance, maître suprême de la création : qu'il s'agisse du firmament infini, des astres ou de la fleur minuscule humide de rosée, tout obéit à Son signe ; de l'insecte le plus imperceptible jusqu'au terrible Léviathan, il n'y a aucun être vivant qui puisse s'opposer à Sa volonté ! L'homme n'est vraiment rien par rapport à lui : comment peut-il oser demander au Très-Haut raison de ses actions ? L'Éternel reproche aux amis de Job leur façon de Le juger et laisse entendre qu'Il considère Job comme innocent. Ce dernier, à son tour, a compris quelle fut sa présomption et, en conséquence, se soumet totalement à la volonté de Dieu. La solution du problème apparaît alors comme particulièrement sublime et claire. Dieu ne commet aucune injustice en affligeant les hommes, car Il sait qu'en agissant ainsi Il permet à l'homme juste d'atteindre à une plus grande perfection. L'épreuve étant terminée, Job recouvre la santé ; toutes ses richesses, et même davantage, lui sont rendues ; et, avec la prospérité, voici revenue la joie de se sentir aimé par ses anciens amis.

La langue du *Libre de Job* est l'hébreu le plus limpide, le plus précis, le plus classique que l'on puisse trouver dans la littérature de l'Ancien Testament. « Dans *Job,* nous possédons un des chefs-d'œuvre de la poésie hébraïque, le suprême élan poétique d'un peuple », dit Reuss. La puissance du discours est telle qu'elle domine jusqu'à la structure même du langage. Les idées philosophiques les plus profondes, les déductions logiques les plus rigoureuses perdent ici toute aridité, pour former un ensemble de la plus haute poésie. Le thème des objurgations des trois amis reste toujours le même, mais un souffle poétique le soutient, en lui permettant de se développer dans un « crescendo », jusqu'à la manifestation sublime et inattendue de l'Éternel, dont les paroles dépassent toutes les autres par la magnificence du style, la richesse de la métaphore et de la couleur. Le livre sacré entend apporter à l'humanité souffrante une explication du mystère de la douleur. « Ainsi que beaucoup d'autres peuples, Israël se représente encore la survie des morts comme une existence larvaire, sans valeur et sans joie, où se perd tout rapport avec Dieu : le lieu sépulcral où végètent ces ombres est le shéol, sous la terre. Les justes attendent donc de Dieu le bonheur dès cette vie. Au scandale du mal, plusieurs réponses sont proposées, en particulier celle d'Élihu sur la valeur de l'épreuve. Mais aucune ne suffit. Le *Livre de Job* s'avère en définitive une méditation sur l'obscurité de la foi au Dieu personnel, sur ce qui subsiste d'agnosticisme dans la foi nue ; il appelle aussi la révélation de ce que saint Jean appellera la “vie éternelle”, une qualité et une intensité de vie qui, éprouvée dès ce monde, échappe à la mort même » (Philippe Sellier). — Trad. œcuménique de *La Bible,* 1988.

★ La traduction espagnole du *Livre de Job* [*El libro de Job*], composée par le moine de León (1527-1591), est célèbre à juste titre. Il s'agit d'une traduction littérale du texte hébraïque accompagnée, pour chaque chapitre, par un commentaire ascétique, s'appuyant sur les autres livres de *La Bible* (*), sur l'*Évangile* (*) selon saint Matthieu, les *Épîtres* (*) de saint

Paul, et enrichi de citations des autres auteurs profanes, classiques ou contemporains de l'auteur. Chaque chapitre commenté se termine par une paraphrase en tercet. L'œuvre, restée inachevée, a été terminée par le moine Diego Tadeo González (1732-1794), du même ordre de Saint-Augustin, bon imitateur de frère Luis. Elle fut imprimée à Madrid en 1779.

★ Parmi les œuvres picturales s'inspirant de ce thème, il faut noter les fresques du Campo Santo de Pise, dont seulement deux panneaux ont été conservés ; les *Job* de Rubens, de Rembrandt et de Fra Bartolomeo et, enfin, les dessins que William Blake fit vers 1825 pour illustrer le *Livre de Job.*

JOCASTE. Récit de l'écrivain français Anatole France (François-Anatole Thibault, 1844-1924), publié en 1879, conjointement au *Chat maigre.* Dans cette histoire, qui ne le cède en rien, quant au style, à ses œuvres de plus d'envergure, l'auteur nous propose avec humour le canevas d'un petit roman noir : René Longuemare est un jeune chirurgien qui se prétend désabusé ; mais il aime Mlle Fellaire de Sisac. Il est timide, elle aussi ; ils se séparent faute d'aveux. Hélène est mariée par son père à un riche Anglais, Martin Haviland. Maniaque et désœuvré, Haviland passe le plus clair de son temps à rechercher un certain Samuel Ewart, descendant du caissier de la banque Haviland, au temps de la Révolution, lequel caissier, guillotiné en 1794, avait sauvé avant de mourir les intérêts de ses patrons. Mais Samuel est introuvable. Groult, le fidèle domestique de Haviland, s'ingénie patiemment à empoisonner son maître ; il force la dose de belladone dans ses potions. Hélène s'en aperçoit à temps et, malgré son peu d'attachement à son époux, congédie le domestique. Or René Longuemare revient de ses voyages. Mme Haviland, aussitôt reprise par ses anciennes amours, empoisonne définitivement son mari. Groult, qui connaissait la manie de son maître, imagine de se faire passer pour Samuel Ewart, afin de bénéficier du testament. Il se met en rapport avec un agent véreux en possession de l'acte de décès dudit Samuel ; l'autre ne veut pas céder le document ; Groult lui plante un couteau dans le cœur. La justice condamnera le meurtrier à être décapité. Mais Hélène est bourrelée de remords. Elle apprend par hasard que Jocaste, épouse de Laïus, roi de Thèbes, s'est autrefois pendue de désespoir. Elle se pend dans un établissement de bains. Longuemare tente d'oublier son malheur dans le travail. Il retrouve Fellaire de Sisac complètement ruiné et tous deux attendent des jours meilleurs... ou la grande délivrance. On retient de cette fantaisie certains aphorismes à l'emporte-pièce, tel : « La vertu est un produit comme le phosphore et le vitriol », qui paraphrase Taine.

JOCELYN. Poème de l'écrivain français Alphonse de Lamartine (1790-1869), publié en 1836. C'est, après *Graziella* (*), l'œuvre de Lamartine qui a eu le plus de lecteurs. « Ce n'est point un poème, c'est un épisode » de l'épopée de l'âme conçue en 1821, ébauchée ensuite en *Visions*, abandonnée sous cette forme en 1830. Dès 1831, le poète entreprenait un « poemetto » librement inspiré des amours de l'abbé Dumont, qui se transformerait en un « fragment d'épopée intime », à nouveau rattaché au grand dessein ; *La Chute d'un ange* (*) sera un autre « épisode ».

Neuf mille vers en neuf « Époques », mais la vraie structure forme un triptyque : deux grands volets encadrent un panneau central (Ve Époque) où l'on voit Jocelyn ordonné prêtre dans une prison de Grenoble pendant la Terreur. Les quatre premières Époques racontent la jeunesse du héros, sa vie au séminaire, la rencontre de Laurence dans la montagne où ils ont fui les révolutionnaires. Les Époques VI-IX décrivent le long renoncement du prêtre, devenu curé de Valneige, l'acceptation religieuse de son état. L'ensemble est présenté comme le « journal » de Jocelyn, « trouvé » par le poète, qui reprend la parole dans l'Épilogue : séparés sur cette terre, les deux amants sont réunis à jamais dans le Ciel.

Si on lit *Jocelyn* comme un roman, on s'égaiera des maladresses du romancier : ainsi, le séminariste peut vivre de longs mois seul avec une jeune fille en la prenant pour un garçon. Invraisemblable et désinvolte, le roman est aussi pleurnichard : le héros fond en larmes dix-huit fois. Cette lecture ironique, qui fut celle de Musset (« Il y a certainement du génie, beaucoup de talent et de la facilité ») et de Vigny (« Un océan d'eau bénite »), est pourtant un contresens. En dépit de ses faiblesses, l'œuvre reste un document irremplaçable et un grand poème.

Un document sur les convictions d'un Lamartine qui a prêté les siennes à Jocelyn. Ce « curé de village » nie tranquillement les miracles et professe que « l'esprit de l'Évangile / Est un baume enfermé dans un vase d'argile », autrement dit dans les dogmes de l'Église, qui ne tardera guère à mettre à l'Index le poème (22 septembre 1836). Un document encore pour l'histoire littéraire : elle reconnaît en *Jocelyn* une réussite de la poésie intime et familière dont avait rêvé Sainte-Beuve, un relais sur la route de l'épopée humanitaire.

Mais l'« épisode » est avant tout une symphonie où s'allient les thèmes majeurs et les diverses manières du poète. L'architecture générale révèle un sens : le poème de l'amour humain devient, après l'ordination, poème de la résignation et de l'amour divin. Si le héros a beaucoup pleuré, « cette âme si tendre » n'est pas une « faible nature » : l'Épilogue montre en lui un combattant « mâle », « adorant de Dieu le sévère dessein ».

Sous la division en « époques », on observe une distribution subtile des genres et des tons. Au récit sont mêlés des dialogues, des tableaux de nature (« Les Laboureurs ») ou d'intérieur, des paraboles (« La Caravane humaine »). Du « roman » se détachent des morceaux qui sont autant de « méditations » ou d'« harmonies », voire de pièces politiques. Souvent alors le poète abandonne les alexandrins à rimes plates pour des combinaisons de vers différents : il ménage ainsi des aérations dans la masse un peu compacte du « journal ».

Lamartine ne se contente pas de reprendre ses thèmes favoris : il les renouvelle. À la nature complice du « Lac » répond la nature insensible de la grotte des Aigles qui, elle, ne « garde » rien ; tout ce passage de la IXe Époque préfigure « Tristesse d'Olympio » qu'on oppose trop souvent au seul « Lac ». *Jocelyn* rappelle aussi Senancour ou annonce le « spleen » baudelairien quand le héros « sent l'ennui de vivre entrer par chaque pore ».

Lamartine se défendait d'avoir écrit un « plaidoyer contre le célibat des prêtres », non sans souligner que ce ne serait « pas même une hérésie ». Plus profondément, il devait choisir de s'identifier à un prêtre : ne vivait-il pas l'interdiction du bonheur amoureux ? Surtout, pour lui comme pour Hugo, le poète exerce un sacerdoce. Avec *Jocelyn* il offrait une « traduction du monde en langage sacré » (H. Guillemin).

Jules Renard doutait qu'il y eût vingt « vers parfaits » chez Lamartine. Il y en a bien davantage dans *Jocelyn*, mais — malgré Voltaire — la poésie n'est pas faite que de « beaux détails » : c'est aussi un flux « simple, immense, paisiblement irrésistible » (Sainte-Beuve). Jocelyn est « immense » et on ne lui résiste guère. Gaucheries et mièvreries en diminuent à peine la puissance : « Rien n'est si doux que ce qui est fort. » M.-F. G.

JOCONDE ET SI-YA-U (La) [*Jokond ile Si-Ya-U*]. Ce poème, de quelque six cent soixante-quatorze vers libres, a été composé par le poète turc Nâzim Hikmet (1902-1963) durant les années 1928-29, à la prison de Hopa (Anatolie) et à Istanbul, où il fut publié en 1929. Il représente la tentative du poète de donner une structure dramatique à ses vers, à partir d'un sujet allégorique traité à la façon d'un scénario où le fantastique est au service de la réalité sociale. L'auteur, dans les années d'après la Révolution d'octobre, avait travaillé à Moscou avec les groupes qui cherchaient à promouvoir un théâtre total d'inspiration futuriste et mobilisaient pour cela toutes les possibilités techniques à la disposition des animateurs de théâtre et de cinéma. Nâzim Hikmet, transposant ces procédés théâtraux, a construit son poème sur plusieurs plans, mêlant la parodie au drame, la caricature à la fresque historique. Pour suivre son amoureux, la Joconde quitte Paris sur un avion piloté par l'auteur ; après avoir traversé continents et océans, elle se laisse tomber sur un navire, et c'est un marin anglais qui la protège jusqu'au port de Shanghai, où elle débarquera. Mais elle y arrive trop tard, son bien-aimé, Si Ya-U, est exécuté sous ses yeux par un bourreau de Tchang Kaï-chek. C'est alors que la Joconde se lance dans la lutte révolutionnaire, arpentant la Chine d'un bout à l'autre pour se battre contre l'impérialisme. La Joconde est arrêtée puis condamnée à mort ; menottes aux poings, elle sera menée sur le lieu d'exécution et brûlée à la flamme d'un briquet par un peloton de Sénégalais ; la mort lui fera retrouver son sourire. Tout au long du poème, la Joconde est tantôt une femme en chair et en os, et tantôt devient une peinture. Les faits sont relatés dans les blocs-notes de la Joconde et de l'auteur qui se succèdent, entrecoupés par les interventions de la radio parisienne ou par des morceaux de liaison. Tantôt monologue, tantôt dialogue, tantôt descriptif, le poème change souvent de ton, conservant un rythme endiablé et une drôlerie poétique et populaire d'une grande originalité. Sans doute est-ce une œuvre de jeunesse, mais une des plus captivantes de Nâzim Hikmet par son écriture et la liberté de sa construction.

JOËL (Livre de). Livre de l'Ancien Testament — v. *La Bible* (*) —, attribué au prophète Joël (IVe siècle av. J.-C. ?), écrit en langue hébraïque. Il comprend trois chapitres et se divise en deux sections. Dans la première section, prenant pour point de départ l'invasion des sauterelles — dont certains Pères ont donné une interprétation exclusivement allégorique, et d'autres une interprétation allégorique et réaliste —, le prophète décrit le mépris de Dieu à l'égard de Son peuple et l'invite à la pénitence. Dans la seconde, il annonce et promet les biens messianiques futurs : l'esprit de l'Éternel qui se répandra sur toute chair et le Jugement dernier. La Vallée de Josaphat, où Dieu jugera les peuples, n'est pas nommée ailleurs dans *La Bible*. C'est une vallée symbolique dont le nom se traduit par « Yahvé juge ». Le style classique du livre de Joël permet de supposer que le poète vécut à l'âge d'or de la littérature hébraïque ou peu après. Presque chacun de ses versets révèle un maître dans l'art de s'exprimer. Sa langue est pure, sa phrase est robuste et reflète le caractère énergique et viril de l'écrivain : l'éloquence brillante et l'élévation de la pensée règnent dans toute l'œuvre. Isaïe, quand il écrivit son livre, l'eut continuellement sous les yeux. Amos aussi a plusieurs points communs avec Joël, mais ni l'un ni l'autre ne purent l'égaler. Sa description de l'invasion des sauterelles est un des plus beaux tableaux de la littérature universelle. Il faut également mentionner la fin du livre, où l'amour que porte le prophète à sa patrie trouve des accents enflammés et pathétiques pour nous dépeindre le passage de Sion de la désolation à la prospérité : le lait coulera des collines, tous les torrents de Juda seront pleins d'eau limpide, et du Grand

Temple jaillira une source qui irriguera la vallée. – Traduction œcuménique de *La Bible*, 1988.

JOHANNES KRANTZ. Recueil de nouvelles de l'écrivain autrichien Franz Nabl (1883-1974), publié en 1948. Nabl, un des grands poètes épiques de l'Autriche, donna avec le roman *Ödhof* (1911) un reflet poétique et humainement bouleversant de l'Autriche avant la Première Guerre mondiale, la première grande œuvre de sa maturité artistique. L'action se déroulait dans un univers exclusivement masculin. C'est au contraire les actes des femmes qui sont illustrés dans les deux romans suivants : *La Tombe du vivant* [*Das Grab des Lebendigen*, 1917] et *Les Femmes d'Ortlieb* [*Die Ortliebschen Frauen*, 1936], où est décrite l'histoire d'une famille de petits fonctionnaires tyrannisée par la fille aînée, et qui trouve une fin tragique par suite des influences démoniaques qui se dégagent de celle-ci et de sa mère. Dans une brillante nouvelle, « La Trouvaille » [Der Fund, 1937], Nabl avait évoqué la décadence morale de l'après-guerre. Mais l'art du nouvelliste trouve son sommet dans les nouvelles recueillies sous le titre *Johannes Krantz*, qui expriment la vie intérieure de l'auteur et sa vision du monde. Ces nouvelles avaient déjà été publiées dans deux recueils précédents, *Le Météore* [*Das Meteor*, 1932] et *Nouvelles pour enfants* [*Kindernovelle*, 1936]. Le volume commence par l'histoire de l'amour déçu d'un poète solitaire pour une jeune astronome à qui il envoie ses œuvres. « Nouvelle pour enfants » raconte l'histoire d'un amour tendre qui germe entre deux très jeunes gens et qui est brutalement détruit par l'intervention d'une femme mûre ; « La Marche vers les ténèbres » [Der Griff ins Dunkel], confession d'un homme qui croit avoir tué trois hommes par la force occulte de ses désirs, et « Le Faux Train » [Der verkehrte Zug] ont un ton presque surréaliste ; l'histoire d'enfance intitulée « Mon oncle Barnabas » [Mein Onkel Barnabas] rappelle le style de Stifter ; dans « Pèlerinage en Steiermark » [Steirische Lebenswanderung], le sujet n'est pas seulement la vie du poète, mais son amour pour sa patrie.

JOHANNIDE ou De la guerre libyque [*Johannis seu de bellis Libycis*]. Poème épique latin en huit livres, œuvre de Corippus (Flavius Cresconius), écrivain latin du VIe siècle, originaire d'une petite ville des environs de Carthage. Le sujet est historique ; l'auteur y raconte la guerre victorieuse que les Byzantins, conduits par Jean, d'où le titre de l'ouvrage, menèrent contre les Maures, tribu de l'Afrique du Nord qui avait déjà attaqué les Vandales, puis s'était retournée contre les Byzantins lorsque ces derniers devinrent les maîtres de l'Afrique septentrionale sous Justinien, à partir de 533. La guerre se déroula de 546 à 548. Le poème de Corippus, qui dénote chez l'auteur une connaissance sérieuse des événements, fut publié entre 549 et 550 ; il ne comporte pas la narration complète de la guerre et se termine avec la défaite des Maures aux Champs catoniques. Les faits antérieurs sont portés à la connaissance du lecteur par le récit qu'en donne, aux livres III et IV, le tribun Liberatus Cecilis. L'ouvrage est précédé d'une préface comprenant vingt distiques, adressée aux principaux citoyens de Carthage ; c'est l'auteur lui-même qui leur en fit lecture, peu de temps après le déroulement des événements narrés. L'intérêt de l'œuvre est plus historique, géographique et archéologique qu'artistique, car Corippus raconte avec fidélité et exactitude les événements et nous fournit des renseignements précieux quant à la position géographique, les origines et l'histoire des populations berbères.

JOHN BULL EN AMÉRIQUE ou le Nouveau Münchhausen [*John Bull in America ; or the New Münchhausen*]. Œuvre satirique de l'écrivain américain James Kirke Paulding (1778-1860), publiée en 1824. Sous le couvert du récit des aventures survenues à un Londonien aux États-Unis, l'auteur ridiculise les erreurs causées par des préjugés et des incompréhensions qu'avaient coutume de commettre les voyageurs et les journalistes anglais lorsqu'ils parlaient de l'Amérique. Ce livre peut être considéré comme le couronnement de toute une série d'œuvres polémiques dirigées contre les Anglais. Dès 1812, soit douze ans auparavant, Paulding inaugurait cette série avec sa *Divertissante histoire de John Bull et de son frère Jonathan* [*The Diverting History of John Bull and his Brother Jonathan*], dans laquelle il caricaturait la politique menée par l'Angleterre à l'égard des États-Unis. Cette œuvre fut suivie de l'*Histoire de l'oncle Sam et de ses fils* [*History of Uncle Sam and his Boys*], puis de *États-Unis et Angleterre* [*The United States and England*], pamphlet composé en réponse à la critique publiée par la revue londonienne *Quarterly Review* contre les *Lettres d'Inchiquin* [*Inchiquin Letters*] de Charles Ingersoll. En 1822 enfin, l'auteur avait publié ses *Croquis de la Vieille Angleterre par un originaire de la Nouvelle* [*A Sketch of Old England by a New England Man*], dans lesquels étaient examinées les différences sociales, politiques et religieuses des deux pays, sous la forme d'un voyage effectué en Angleterre par un Américain dont les aventures donnaient lieu à une description humoristique.

JOIE (La). Œuvre de l'écrivain français Georges Bernanos (1888-1948), écrite à Clermont-de-l'Oise et publiée en 1929. Ce troisième roman de Bernanos est la suite de *L'Imposture* (*). Dans cette œuvre, l'auteur nous avait montré l'abbé Cénabre, prêtre érudit, curieux des choses surnaturelles, mais incapable d'amour et qui, bien qu'ayant perdu la foi, continuait à exercer ponctuellement les services de son ministère. Telle était l'imposture, dont personne ne se rendait compte sauf un pauvre prêtre, l'abbé Chevance, auquel l'abbé Cénabre s'était laissé aller, une nuit, à confier son trouble intérieur. Dès lors, l'abbé Chevance était comptable devant Dieu de l'âme de Cénabre. Sur son lit de mort, alors qu'il paraissait étrangement privé de toute consolation surnaturelle, sa pénitente, Chantal, jeune fille d'excellente famille, lui avait dit : « Je vous donne ma joie... » Ainsi prend-elle à son tour l'âme de l'abbé Cénabre en compte devant Dieu. Chevance mort, c'est par Chantal que Dieu va continuer d'assiéger l'âme de l'imposteur, et finalement, par le sacrifice suprême de la jeune fille, en aura raison.

Chantal est la fille de l'académicien Aynard de Clergerie, châtelain de province, grand bourgeois catholique et libéral, pharisien peureux et ignoble, qui vit avec sa fille au milieu d'une galerie de gens médiocres : sa mère, vieille dame frappée de folie, qui se croit toujours la maîtresse de maison ; M. de La Pérouse, psychiatre maniaque ; une servante qui se moque de ses maîtres ; Fiodor, un réfugié russe, aristocrate éthéromane. Dans cette trop lourde atmosphère, Chantal seule apporte un peu de paix et de joie : rien ne décèle son état d'âme exceptionnel. Bernanos a voulu peindre ici une sainteté dans le siècle et Chantal rappelle souvent la petite sœur Thérèse ; de son directeur, l'abbé Chevance, elle avait reçu le conseil de ne jamais s'émouvoir, de s'ouvrir simplement à toutes choses, et surtout les plus petites. La spiritualité dont elle vit, c'est celle de l'abandon à la divine Providence, préconisée par le Père de Caussade : « Faire parfaitement les choses faciles. » Dans la paix, l'imposteur, l'abbé Cénabre, l'est aussi ; mais c'est la paix, tout autre, de celui qui ne demande rien, n'aime rien, n'espère rien ; la paix tragique du possédé que Bernanos décrira encore dans *Monsieur Ouine* (*). Il est dans la paix, parce que Dieu ne lui manque plus depuis qu'il a perdu la foi. Dans cette citadelle de silence qu'est devenue son âme, une brèche pourtant a été faite, par Cénabre lui-même, et qu'il ne dépend plus de lui de fermer : c'est la confession de son drame, livrée à l'abbé Chevance. Ainsi, malgré sa négation, Cénabre reste-t-il dans la communion de l'Église. Le souci spirituel de Chevance à son égard s'est transmis à Chantal, bien que celle-ci ignore encore sa mission. Un soir, pourtant, elle commencera à la deviner. La jeune fille depuis longtemps était en proie à des extases qu'elle prenait pour des crises nerveuses. Il lui est alors montré ce que Dieu attend d'elle : ayant donné sa joie, il lui faudra, en échange, embrasser le désespoir. Dans une vision affreuse, Chantal voit Judas sur le gibet et elle s'avance vers lui ; mais, à mesure qu'elle approche, Judas s'estompe ; le gibet demeure, sur lequel, tout à coup, se dresse l'abbé Cénabre. Celui-ci, au cours d'un entretien, découvre avec stupeur l'état de grâce exceptionnel de Chantal. Il comprend que cette sainteté lui est envoyée, que la communion des saints continue à l'assiéger et que Chantal a remplacé Chevance. Mais, pour que Cénabre soit sauvé, il faudra que Chantal fasse le sacrifice total : elle sera assassinée par Fiodor, le chauffeur. Sur son corps, l'abbé Cénabre commence à réciter le « Pater noster ». « Et il tomba la face en avant... »

On a reproché à Bernanos d'avoir donné par trop libre cours à sa prédilection pour les âmes exceptionnelles. Mais le meurtre de Chantal n'est pas un épisode romanesque, un coup de théâtre à effet. Cénabre a péché, il se damne par excès d'orgueil. Et seul l'excès contraire, d'abnégation, d'abandon, de souffrance et d'humiliation de Chantal peut le racheter. Le thème essentiel du livre est, on le voit, ce dogme fondamental du christianisme que sont la communion des saints et la réversibilité des mérites.

JOIE DANS LE CIEL. Roman de l'écrivain suisse d'expression française Charles-Ferdinand Ramuz (1878-1947), publié en 1925. Dans ce récit qui a le caractère d'une vision, l'auteur imagine la « résurrection de la chair » dans un village des Alpes : il la dépeint en petits tableaux de la plus grande diversité, qui rappellent, par la simple fraîcheur de leurs images et leur fidélité au réel, l'art des primitifs flamands. Chacun des habitants du pays ressuscite, et ses doléances se transforment en un chant de joie, parce que c'est maintenant la paix, l'allégresse, l'amour, et qu'il n'y a plus ni passé ni avenir, mais une grande immobilité dans le temps. Cette félicité sans contraste menace d'être détruite par sa propre uniformité. Mais, au cours d'un bref intermède, une chevrette égarée dans une crevasse obscure amène Bonvin le chasseur à s'aventurer jusqu'au fond d'une gorge où il découvre les damnés. Le ciel s'obscurcit, la montagne s'embrase jusqu'à devenir transparente comme du verre en fusion et laisse voir aux bienheureux le terrifiant spectacle de la punition éternelle. Bien que les suppliciés tendent avidement les bras vers le lieu du bonheur, ils sont repoussés par la force même de leurs passions. Les deux mondes ne se peuvent confondre. Seule la conscience de la douleur donne un sens à la joie.

JOIE DE CHANTER DU BONHOMME BIEDERMEIER (La) [*Biedermeiers Liederlust*]. Recueil de poèmes caricaturaux de l'écrivain allemand Ludwig Eichrodt (1827-1892), réunis pour la première fois sous ce titre en 1870, mais déjà célèbres depuis leur parution isolée, entre 1850 et 1857, dans les « Fliegende Blätter ». Cette charge s'inspire, sans jamais le nommer, d'un personnage réel, Samuel Friedrich Sauter (1766-1846), vieil instituteur qui, au cours de son humble existence passée successivement à Fleihingen et à Zalsenhausen dans le pays de Bade, avait composé des poèmes naïfs et simples, d'un tour populaire, dont un, « Le Cri de la caille » [Wachtelschlag], fut mis en musique par Beethoven et par Schubert. Un an avant sa mort, en 1845, ses poèmes furent réimprimés en un volume. Mais les temps étaient changés et Eichrodt trouva que les vers du bon Sauter étaient la plus parfaite expression du « bourgeois philistin », bonhomme, honnête, amant de l'ordre et respectueux des autorités, « citoyen idéal des suaves royaumes de la Sainte-Alliance ». Aussi, s'assurant la collaboration d'un de ses amis, médecin et poète, Adolf Kussmaul (1822-1902), s'amusa-t-il à remanier ces poèmes, supprimant, ajoutant, retouchant et inventant ici tour à tour, de façon à obtenir un effet humoristique ; et parfois cet effet ne fut obtenu qu'en réimprimant purement et simplement un des poèmes de Sauter. Ils obtinrent bientôt un tel succès en Allemagne que le nom de « Biedermeier », donné par les deux amis à l'auteur présumé, fut adopté pour désigner, du moins du point de vue de la culture, l'ensemble de la période historique qui va du congrès de Vienne à la Révolution de 1848. En effet, sous l'action conjuguée de l'oppression politique et de la dépression économique, la bourgeoisie se replia sur elle-même et, se contentant de peu, se ferma à tout ce qui impliquait l'effort et le risque, cherchant surtout à préserver sa petite paix intérieure et une aveugle tranquillité d'esprit. Ainsi se fit jour, en particulier dans certaines formes d'art appliqué comme le mobilier, la mode, l'artisanat, un style particulier où prédominaient les proportions modestes, les formes simples, les teintes légères et fraîches, cherchant surtout à concilier l'agréable, l'utile et l'économique, et il en alla de même en poésie, en musique et dans les arts plastiques.

JOIE DES PAUVRES (La) [*Simhat enayim*]. Recueil du poète israélien d'origine polonaise Nathan Altermann (1910-1970), publié en 1941. Influencé par les symbolistes français lors de ses années d'études à l'université de Nancy, Altermann a apporté des formes et une inspiration nouvelles dans la poésie hébraïque. Le recours à l'allégorie apparaît chez lui comme une transposition lyrique des événements contemporains qui l'ont très fortement marqué. Il affectionne tout particulièrement une forme apparentée à la ballade, qui donne à ses compositions la fraîcheur de la poésie populaire. *La Joie des pauvres* est une sorte de long monologue du héros, qui, étant mort, parle par l'entremise de la « femme de sa jeunesse » alors qu'il vagabonde dans la « cité secrète », aux confins de la vie et de la mort. Le symbolisme hermétique de *La Joie des pauvres,* qui découle d'une conception ascétique de la joie (les pauvres qui ne sont aliénés par aucune possession ne peuvent avoir que des joies purifiées, libérées de toute contingence »), débouche sur une transfiguration du peuple juif tout entier : dégagée des attaches temporelles, la nation juive est liée à Dieu par un amour dépouillé dont cette « joie des pauvres » est le reflet. Ainsi, par le biais d'une épopée individuelle et intérieure, Altermann atteint les dimensions d'un destin collectif, qu'il envisage avec angoisse. Le premier des sept livres de ce recueil est un chant d'amour dédié à la « femme de la jeunesse » ; le second offre le caractère d'une méditation tragique sur le sort de la bien-aimée souffrante : « Belle est ma fille hérissée de couteaux / semblable au chandelier dans l'éclat nu de ses branches », et l'on rencontre de livre en livre les thèmes majeurs de la mort des amants, de la peur et de l'oubli, de la vengeance et de la fidélité ; enfin, le recueil s'achève sur l'annonce d'une rédemption de la patrie juive. *La Joie des pauvres* est donc essentiellement un chant d'amour et de fidélité qui résonne de l'écho des persécutions des années 40.

JOIE DE VIVRE (La). Douzième volume (publié en 1884) de la série des *Rougon-Macquart* (*) du romancier français Émile Zola (1840-1902). Pauline Quenu, orpheline de dix ans, est recueillie par des cousins, les Chanteau. Ils habitent un port désolé de la côte normande, périodiquement ravagé par de terribles tempêtes, que le romancier nomme par dérision Bonneville. Pauline est une riche héritière. Par bonté et parce qu'elle a besoin de se sentir aimée, elle se laisse peu à peu dépouiller de sa fortune et par les pauvres du village, qui la volent, et surtout par les Chanteau : Mme Chanteau, qui avait rêvé pour elle puis pour son fils Lazare un bel avenir, et qui n'a eu que déceptions, puise dans les fonds qui lui ont été confiés. Pauline est aussi dépouillée de son cœur : elle aime son cousin Lazare. Ils doivent se marier. Mais le jeune homme tombe amoureux de Louise, la fille d'un ami de la famille qui possède une certaine fortune. Poussé par sa mère, il l'épouse. Personne n'est reconnaissant à Pauline de ses sacrifices continuels, bien au contraire ! Mme Chanteau se met à la haïr au point d'avoir peur, pendant son agonie, d'être empoisonnée par elle. Le mariage de Lazare est un échec comme sa vie : il se lance dans diverses études et entreprises qu'il abandonne vite après avoir dépensé des sommes importantes, qu'elle lui donne jusqu'à être presque ruinée. Louise met au monde dans la souffrance un fils à demi mort : c'est elle qui le ranime, elle l'élèvera. Aux méchancetés ou à l'égoïsme, à ses échecs répétés, elle oppose, en effet, une grande vaillance et reste confiante en la vie, qu'elle accepte telle qu'elle est.

La Joie de vivre est le roman des ratages et de la douleur, de l'angoisse de l'homme devant sa condition de mortel, devant la terrible constatation de l'émiettement continuel de toutes choses. Il a été écrit pendant la crise que Zola a traversée après les morts de Flaubert et de sa mère, il est nourri de ses obsessions les plus tenaces. C'est une œuvre d'une exceptionnelle humanité, sincère et lucide, qui, se déroulant comme en marge des *Rougon-Macquart,* pose les questions fondamentales auxquelles est confronté tout homme.

C. Be.

JOLIE FILLE DE PERTH (La) [*The Fair Maid of Perth, or The Valentine's Day*]. Ce roman de l'écrivain écossais Walter Scott (1771-1832), publié en 1828, fait partie de la deuxième série des *Chroniques de la Canongate* (*). La scène se passe à Perth à la fin du XIVe siècle, à l'époque même où le duc de Rothsay, fils de Robert III d'Écosse, fut exécuté par les hommes du régent, le duc d'Albany. Ce duc de Rothsay veut enlever Catherine, la fille d'un honnête bourgeois, Simon Glover. Mais l'armurier Henry Smith s'oppose à ce coup de main et, dans la mêlée, tranche la main de sir John Ramorny, un des partisans du duc. Ce Ramorny veut se venger, mais ses plans échouent. Croyant alors que son seigneur l'a trahi, il lui tend un guet-apens dans la tour de Falkland et le tue. Entre-temps, le jeune et fougueux Conachar, chef d'un certain clan, s'est épris de Catherine et a conçu pour Henry Smith une haine farouche. Les deux hommes ont l'occasion de se mesurer au cours d'un tournoi. Ce tournoi qui finit mal est le moment le plus pathétique du roman. Sous des dehors pleins de bravoure, Conachar cache un cœur de lâche. Il s'enfuit à l'approche d'Henry et finit par se tuer de dégoût. (L'étude de ce cœur de lâche est nouvelle dans l'œuvre de Scott.) Henry jure alors d'abandonner l'épée et Catherine accepte de l'épouser. Inspiré en partie des *Fiancés* (*) de Manzoni, ce roman est une des œuvres les plus achevées de Walter Scott. — Trad. Nathan, 1947.

★ Ce roman a inspiré plus d'un musicien, et notamment Georges Bizet (1838-1875) : *La Jolie Fille de Perth*, qui fut représentée à Paris en 1867. Cet opéra est de loin inférieur aux autres œuvres du grand musicien : *Carmen* (*) et *Les Pêcheurs de perles* (*).

JONAS. Recueil posthume de poèmes de l'écrivain français Jean-Paul de Dadelsen (1913-1957), publié en 1962. De son vivant, Dadelsen n'avait publié que quelques poèmes dans des revues. Pourtant il avait commencé d'écrire très jeune, mais, avant toute chose, il avait voulu « vivre », non pas pour emmagasiner ce qu'on appelle de l'expérience, mais pour le plaisir même de dépenser ses forces. Sa vie aventureuse l'empêchait de construire l'œuvre puissante qu'il portait en lui. Après la guerre, qu'il avait faite en 40 dans les chars, et plus tard dans les F.F.L. où il fut aspirant parachutiste, cet agrégé d'allemand devint journaliste et voyagea beaucoup. Toutefois il semble avoir eu brusquement le pressentiment du sort qui l'attendait. Vers 1954, il se mit à l'œuvre. Tous ses grands poèmes datent des dernières années. En 1956, il fut appelé à l'un des postes directoriaux de l'Institut national de presse de Zurich, et c'est alors qu'il ressentit les premiers symptômes du mal qui allait l'emporter : un cancer au cerveau. Sa mère était morte du même mal peu d'années plus tôt. Une suite de poèmes de *Jonas* est consacrée au souvenir de cette mère et aux femmes de la plaine d'Alsace. Pour Dadelsen, la mère et le pays natal sont étroitement liés, et personne n'a mieux parlé de sa mère et de sa province que ce poète vagabond. Une autre suite de poèmes est consacrée aux amis disparus pendant la guerre. L'*Invocation liminaire* commence ainsi : « Ils ont habité avec nous dans la gueule de la baleine... » Cette baleine est ici la guerre, mais le symbole est beaucoup plus général : Dadelsen pensait à ce monde plein de bruit, de fureur et de confusion dans lequel nous sommes condamnés à vivre. Il s'agit d'une poésie religieuse. Denis de Rougemont a salué « Bach en automne » comme le seul poème luthérien qui existe en français. Il a parlé aussi de « maîtrise poétique », d'un « ton nouveau dans les lettres françaises, ample, émouvant et pacifiant, compréhensif de tout l'humain du haut en bas ».

JONAS (Livre de). Livre prophétique et historique de l'Ancien Testament — v. *La Bible* (*) —, qui relate les aventures de ce singulier prophète qui vécut au temps de Jéroboam II, roi d'Israël (env. 760 av. J.-C.). Le *Livre des Rois* (*) mentionne seulement de Jonas la prédication qu'il fit au roi d'Israël du succès de ses expéditions militaires et de l'agrandissement de ses États (*Rois* IV : XIV, 25). Le livre, composé seulement de quatre chapitres très courts, parle de la vocation du prophète, de sa fuite et de son châtiment, décrit sa prédication à Ninive et fait état des reproches qu'il reçut de la part du Seigneur. Jonas n'est pas un prophète docile et fidèle à la volonté de Celui qui lui assigne sa haute mission. En effet, il refuse d'aller à Ninive y prêcher la pénitence, parce qu'il craint que la ville coupable et ennemie n'échappe ainsi à la punition qui l'attend. Se rebellant contre l'ordre de Yahvé, Jonas monte sur un navire en partance pour l'Espagne. Mais l'équipage a tôt fait de s'apercevoir que la tempête qui les menace n'a pas d'autre cause que la présence de Jonas sur le bateau, aussi jettent-ils le prophète à la mer. Là, il vivra pendant trois jours et trois nuits, dans le ventre d'un grand poisson jusqu'à ce que celui-ci le rejette sur le rivage. C'est une aventure qui, quelle qu'en soit l'interprétation qu'on veuille bien lui donner, eut une singulière fortune littéraire.

Jonas se décide enfin à obéir. Il va à Ninive, parle, et la population de la ville, que le prophète hébreu déteste, se convertit ; même les nobles et le roi font pénitence. À ce spectacle d'universelle et profonde expiation, Dieu pardonne aux Ninivites. Malgré le succès de la conversion, Jonas n'arrive pas à comprendre le pardon de Yahvé. Le IVe et dernier chapitre nous présente justement le prophète mécontent ; Dieu lui reproche son esprit sectaire et l'aidera à comprendre combien il fut injuste, en faisant pousser à la porte de sa cabane, perdue dans le désert, un arbre dont le feuillage l'abritera des rayons du soleil ; mais, le jour suivant, une chenille s'attaque à l'arbuste et le détruit ; le prophète, suffoqué par la chaleur, se lamente et appelle la mort. C'est alors qu'une voix venant du ciel lui dit : « Fais-tu bien de t'irriter à cause de cette plante ? [...] Tu as pitié de cette plante qui ne t'a coûté aucune peine, et que tu n'as pas fait croître, qui est née en une nuit et qui a péri en une nuit. Et Moi, n'aurais-je pas pitié de Ninive, la grande ville, dans laquelle se trouvent plus de cent vingt mille hommes qui ne savent pas distinguer leur droite de leur gauche ? » Le livre s'arrête là brusquement. Mais l'absence de conclusion et le silence significatif du prophète, après la puissante argumentation dont il vient d'être question, indiquent qu'il s'est soumis ensuite aux volontés impénétrables de Dieu. Le *Livre de Jonas* est écrit en un style harmonieux ; l'abondance de termes araméens et la présence de certains tours font penser qu'il aurait été composé par un rédacteur inspiré qui se serait servi de documents antérieurs à l'an 600 av. J.-C. Le *Livre de Jonas*, proche du conte, a pour visée de proposer une parabole d'une grande profondeur religieuse où Dieu veut la sainteté, le bonheur de tous les hommes. Dans un verset de saint Matthieu, Jésus compare sa résurrection à la prodigieuse libération de Jonas après un séjour de trois jours dans le ventre de la baleine ; ce symbole en a été perpétué dans l'art chrétien primitif. — Trad. œcuménique de *La Bible*, 1988.

★ À ce récit biblique a été emprunté l'oratorio *Jonas* du compositeur italien Giacomo Carissimi (1605-1674). En grande partie, le texte répète littéralement les versets latins de la *Vulgate*. L'« historien » chante les parties narratives : ce n'est pas toujours la même voix ; tantôt il s'agit d'un soprano, tantôt d'un ténor, tantôt encore d'une basse, et même d'un chœur à trois voix : dans la rigoureuse uniformité du style de l'oratorio, l'alternance des voix est, parmi les rares effets qu'on peut obtenir, l'un des plus efficaces. La partie de Jonas est confiée à un ténor ; au début de l'oratorio, Dieu emprunte une voix de basse pour parler à son prophète ; les autres dialogues sont chantés par un chœur, formé de rameurs et de navigateurs. Une ample évocation chorale de la tempête constitue l'un des deux morceaux les plus forts de l'œuvre. Conformément aux usages de l'oratorio, la polyphonie est presque entièrement absente. Dans l'alternance d'un Allegro sostenuto et d'un Allegro agitato, le morceau trouve une structure architecturale solide et arrive à son maximum d'intensité par un très habile mouvement rythmique, qui fait alterner les deux chœurs en un crescendo d'une prodigieuse justesse d'accent. La musique se fond avec les paroles ; mieux encore : si grande est l'exactitude de la diction musicale qu'il semble que ces paroles soient dites dans la seule et unique forme sonore possible.

JONGLEUR DE NOTRE-DAME (Le) ou le Tombeur de Notre-Dame. Récit anonyme français du XIIe-XIIIe siècle dont le réalisme ingénu contraste avec le réalisme propre aux fabliaux — v. *Fabliaux* (*). Un pauvre jongleur dépourvu de toute instruction devient l'hôte du monastère de Clairvaux. Son ignorance ne lui permet pas de prendre part aux prières et aux offices, mais dans sa simplicité le jongleur pense à vénérer la Vierge à sa manière. Quand les moines se réunissent pour l'office, il exécute en secret ses exercices de baladin devant la statue de la Vierge. Les moines qui le surprennent au milieu de ses étranges dévotions crient au sacrilège. Mais le pauvre jongleur, épuisé par ses efforts, rend l'âme, et la Vierge elle-même descend du ciel avec des anges pour porter au paradis son naïf adorateur. *Le Jongleur de Notre-Dame* apporte une note délicate et dévote dans la littérature du temps, et garde encore tout son pouvoir d'émotion. Anatole France s'est inspiré de ce récit pour l'un de ses contes, intitulé également *Le Jongleur de Notre-Dame*. Et c'est du texte d'Anatole France que Maurice Léna a tiré le livret de l'opéra de Massenet.

★ Miracle en 3 actes, livret de Maurice Léna, musique de Jules Massenet (1842-1912). *Le Jongleur de Notre-Dame* fut créé au théâtre de Monte-Carlo, le 18 février 1902, et repris à l'Opéra-Comique, le 10 mai 1904. Nombre de musicologues ont vu là le chef-d'œuvre de Massenet ; et en vérité, si la partition n'offre point de ces passages si brillants que l'on trouve dans *Manon* (*) et dans *Werther* (*), elle est, d'un bout à l'autre, délicate et charmante, et d'une unité de style remarquable. Sur une place publique, devant l'abbaye, le jongleur Jean essaie d'intéresser les passants à ses tours. Les gens ne lui adressent que brocards. Ses chants n'ont pas plus de succès, qu'ils célèbrent Roland ou Charlemagne. Il entonne l'alléluia du vin et, cette fois, c'est un sermon du prieur qu'il récolte : Jean fait l'aveu de sa misère ; le prieur le décide à entrer au monastère, la faim n'étant pas étrangère à cette conversion. Au deuxième acte, le jongleur Jean a pris le froc. Autour de lui, les moines travaillent, et prient. Lui ne sait aucun métier ; il est incapable d'offrir à Dieu, à la Vierge et aux saints du paradis quelque témoignage de sa foi. Il finit par se décider à donner devant l'image de Notre-Dame une représentation complète de ses tours, de ses chants de guerre et d'amour. Les moines, accourus à l'improviste, l'observent : les uns, les plus nombreux, s'indignent ; d'autres, avec le prieur, comprennent la pureté naïve de cet hommage imprévu. Bien vite, d'ailleurs, un miracle se produit : le visage de la Vierge de pierre s'illumine d'une clarté surnaturelle, et les saints accueillent parmi eux le jongleur qui expire doucement aux pieds de Notre-Dame, reine des cieux.

Il n'y a aucun rôle féminin dans cet ouvrage qui fait exception dans l'œuvre de Massenet. On a d'ailleurs dit que le musicien s'était laissé convaincre par cette particularité : on l'avait tant de fois accusé de n'être qu'un charmeur, incapable d'exprimer autre chose que les banales effusions de l'amour charnel ! À la vérité, Massenet ne change point de manière dans *Le Jongleur,* et ne cherche pas la profondeur : il y montre un art consommé et une adresse étonnante ; mais il ne recherche nulle part l'effet, et tout semble naturellement venu sous sa plume, qu'il s'agisse des chants religieux, des scènes pittoresques sur la place ou dans le cloître, ou encore du finale, et de la « Légende de la Sauge » — qui est la plus jolie page de cette partition.

JONNY MÈNE LA DANSE [*Jonny spielt auf*]. Opéra en onze tableaux du compositeur autrichien Ernst Krenek (1900-1991), sur son propre livret, créé à l'Opéra de Leipzig en 1927. L'argument, qui traite des amours entre Noirs et Blancs, a été à l'origine du scandale qui entoura sa création. C'est l'un des premiers exemples majeurs d'intégration du jazz dans une écriture moderne. Il a été traduit en une vingtaine de langues. A. Pâ.

JONQUE DE PORCELAINE (La). Roman exotique et maritime de l'écrivain français Joseph Delteil (1894-1978), publié en 1927. Ce livre poétique et loufoque repose sur l'intrigue la plus invraisemblable, qui peut se lire comme une parodie des grands récits d'aventures maritimes comme *L'Île au trésor* (*). Le 15 mai 1442, le capitaine Paul Jors et son équipage quittent Dieppe à bord de la « Sainte-Estelle », et font route vers « l'Inde des épices et la Chine des substances ». En mer, ils repêchent une bouteille contenant le message d'une dame en détresse, Lâ, séquestrée sur la « Jonque de Porcelaine » par son maître Bou-Lei-San. Jors rejoint le bateau chinois et conquiert Lâ, mais finalement le mandarin se venge en causant le naufrage de la jonque. Delteil a créé cette intrigue de toutes pièces, en imaginant une Chine falsifiée par des rêves de contrebande. Il aborde ce thème dans un style où l'art du faux sublime trouve une expression jubilatoire, à travers des images aussi sophistiquées que suggestives : « Leur amour, sur ce lit noir à broderies de corbeaux, dans cette cabine de porcelaine blanche, empruntait aux circonstances une fraîcheur de lis, un goût de pêche, et une saveur de mort. » Cet exotisme de pacotille, que l'auteur manipule à la façon d'un hochet d'images, en donnant libre cours à sa fantaisie, retrouve une saveur subtile, caractéristique de l'imaginaire oriental, privilégiant la surcharge picturale, les couleurs vives et les parfums provocants. L'artifice devient alors source d'émerveillement et de poésie, lorsque l'écriture distille avec un tel raffinement son mélange de sensualité et de délire visuel. O. H.

JOOSEPPI DE RYYSYRANTA [*Ryysyrannan Jooseppi*]. Roman de l'écrivain finlandais de langue finnoise Ilmari Kianto (1874-1970), publié en 1924. Kianto s'est intéressé tout particulièrement à la vie des pauvres fermiers. C'est eux qu'il a dépeints avec humour dans *Le Trait rouge* (*) et *Jooseppi de Ryysyranta,* des classiques de la littérature finlandaise. Jooseppi vit avec sa femme et son troupeau d'enfants dans le plus extrême dénuement, mais il ne semble pas en souffrir. Content de lui, il attire l'attention par son dos bossu, son visage expressif, sa langue bien pendue. Curieux de tout, ayant sa philosophie, il se moque des « messieurs » qu'il déteste, « bien qu'il se conduise pour le mieux avec eux ». C'est l'hiver, il neige sans fin. Il n'y a plus de pain dans la huche, Jooseppi part au village chercher un bon de farine. Là, un camarade lui conseille de monter une brûlerie clandestine d'eau-de-vie dans les bois. Jooseppi se met bientôt à la besogne. Mais le commissaire, ayant eu vent d'un commerce illicite à Ryysyranta, se rend chez Jooseppi, qui l'accueille sans aucune gêne, l'invite à passer la nuit dans l'étuve, où les deux hommes bavardent et s'enivrent en glorifiant l'alcool. Bien que Jooseppi continue sa besogne, la misère n'en est pas moins grande à Ryysyranta, mais il s'en soucie peu. Il va aux réunions du village, s'émeut au son des cloches, et pourtant se demande à quoi sert l'Église. Il ne déteste pas les pasteurs, mais il les considère comme des bourgeois, qui se régalent de crêpes sans penser aux pauvres gens. Il n'aime pas davantage les communistes, car il est et veut rester un homme libre. Les dénonciations se faisant plus nombreuses et précises, Jooseppi est arrêté pour son commerce illicite. Par pitié pour sa nombreuse famille, on le gracie. Mais ensuite, il n'est plus le même et, après la grande disette, il devient mélancolique et taciturne. Un jour, alors qu'il écorce un bouleau pour faire de la farine, l'arbre s'abat sur lui et le tue. Jooseppi n'est comparable à aucun de ses frères de misère, ni au Juha de Sillanpää ni même à Topi du *Trait rouge :* il a une vie plus intense, une intelligence plus vive, une liberté de jugement et une indépendance qui sont comme le reflet des idées avancées de l'auteur. Kianto a dépeint ce « noble en haillons » de Finlande avec humour, un grand art réaliste et une connaissance profonde de ces pauvres gens qui, après avoir végété si longtemps dans les solitudes du Nord, commencent à sortir de leur torpeur.

JORDAAN (Le) [*De Jordaan*]. Ce roman de l'écrivain hollandais Israël Querido (1872-1932) se compose en réalité d'un cycle de quatre volumes dont deux : *De Jordaan* et *Van Nes tot Zeedijk*, parurent respectivement en 1912 et 1915, et deux autres au lendemain de la guerre : *Manus Peet* en 1922 et *Mooie Karel* en 1925. La coupure entre le monde d'avant-guerre et celui de l'après-guerre est nettement marquée dans cette œuvre cyclique, dont les deux premiers volumes relèvent encore de l'idéologie propre au socialisme de la IIe Internationale, tandis que les deux autres témoignent d'un certain pessimisme propre à ceux qui sont revenus de bien des illusions. Ce livre, qui appartient à l'école naturaliste, a pour véritable cadre le quartier populaire amstellodamois du Jordaan, avec sa population grouillante, aux mœurs grossières et triviales. C'est une épopée à la gloire de la misère du prolétariat et des déclassés : ratés, souteneurs, prostituées. Le style en est dru et souvent argotique, avec de visibles complaisances pour le style baroque. L'ensemble de cet ouvrage se veut, en effet, comme la traduction lyrique du sentiment populaire propre à ce quartier déshérité de la capitale hollandaise, aussi tous ses héros n'entrent-ils en scène que pour figurer un de ses aspects particuliers. Il y a là la prostituée Corrie Scheendert, follement éprise du Beau Charles (Mooie Karel), et le « philosophe » Manus Peet, attaché au personnel d'un lupanar de bas étage. Autour d'eux évoluent bien d'autres types plus ou moins pittoresques ou sordides, parmi lesquels Frans Leerlap, Stijn et Neel Burk. Tous, autant qu'ils sont, vivent intensément et sont la proie des pires contradictions. Un démon intérieur les pousse souvent dans la direction du mal, mais leur déchéance n'est que la conséquence fatale de l'indigne condition de leur vie de parias de la société capitaliste. L'ambition de Querido, en écrivant *Le Jordaan*, n'a pas été de créer des idées et des symboles, mais bien d'aborder les profondeurs de l'être humain, ces profondeurs d'où naissent spontanément les idées et les symboles. Si le premier volume de ce cycle connut le plus vif succès – il a été souvent réédité –, les autres volumes, au contraire, ne connurent plus qu'un succès d'estime. – Trad. Rieder (Coll. Les Prosateurs étrangers contemporains, 1932).

JOSEPH. L'histoire de Joseph narrée dans la *Genèse* (*) est l'un des épisodes les plus populaires de *La Bible* (*) à cause de son caractère à la fois merveilleux, pathétique et moral ; et depuis le Moyen Âge elle a été un sujet d'inspiration pour les poètes, les peintres et les musiciens.

★ L'une de ces œuvres les plus anciennes et les plus caractéristiques est le *Poème de Yuçuf* ou *Joseph,* œuvre d'un Maure aragonais du XIIIe ou XIVe siècle, écrite sur le mètre de la « cuaderna via » (quatrains composés de vers de quatorze pieds rimant tous ensemble). Ce remarquable texte appartient à la littérature dite « aljamiada », c'est-à-dire écrite dans la langue espagnole plus ou moins pure des Arabes d'Espagne qui, pour la transcrire, se servaient d'habitude des caractères arabes. L'auteur conte la légende bien connue de Joseph non pas suivant la version des Écritures, mais d'après cette chronique du XIIe chapitre du *Coran* (*) que l'on retrouve dans les deux poèmes persans *Yousouf et Zuleikha* (*) de Firdousi et de Djâmi. Durant une partie de chasse, Joseph a été jeté dans un puits par ses frères ; ceux-ci accusent un loup de l'avoir mangé. Jacob, ne les croyant pas, fait venir le loup, qui se disculpe. Un marchand, de passage en ces lieux, retire Joseph du puits et l'achète comme esclave, pour vingt deniers, à ses propres frères. Joseph est emmené en Égypte : lors du voyage, la caravane passe non loin de la tombe de sa mère ; Joseph descend aussitôt de chameau pour prier. Un nègre, furieux, le frappe ; mais le Seigneur déchaîne une terrible tempête qui ne s'apaisera que lorsque le nègre aura confessé sa faute. Cela impressionne le marchand qui, à son arrivée en Égypte, cède Joseph au pharaon sans accepter plus de vingt deniers ; avant de se séparer de Joseph, il le prie d'intercéder auprès du Seigneur pour que sa femme le rende père, grâce qui lui est accordée. La femme du pharaon, Zalija, s'éprend de l'esclave, et pour tenter le chaste juif elle lui fait contempler des images et des spectacles lascifs. Joseph veut se dérober, mais Zalija le retient par ses vêtements et, devant ses gens accourus, déclare qu'il a voulu la violenter. Les femmes du palais accusent la reine ; celle-ci les invite alors à un repas où elle fait apparaître Joseph dont la beauté les subjugue toutes. Joseph est jeté en prison. À partir de ce moment, la légende islamique suit exactement celle qui est rapportée dans l'« Ancien Testament ». Dans sa prison, Joseph interprète les songes du pharaon ; il devient son ministre. La famine régnant, les frères de Joseph viennent acheter du grain en Égypte ; Joseph les reconnaît et leur ordonne de lui amener le plus jeune d'entre eux, Benjamin, qu'il accuse d'avoir volé l'objet servant à mesurer le grain. Les frères s'indignent et Joseph leur révèle son identité, puis les condamne, en tant que traîtres, à avoir la main coupée. Mais, lorsqu'ils s'humilient, il leur pardonne et les accueille à la Cour avec son vieux père Jacob. Le poème s'arrête là.

★ En Espagne, on connaît, sur ce sujet, la comédie *Josef Salvador de Egipto y triumfos de la inocencia,* de Juan de la Joz y Mota (1622-1714).

★ Rappelons le drame *Joseph vendu par ses*

frères [*Jozep in Dothan,* 1640] du dramaturge hollandais Joost Van den Vondel (1587-1679), première partie d'une trilogie qui eut beaucoup de succès.

★ L'histoire de Joseph est le sujet du drame sacré de Pietro Métastase (Pietro Trapassi, 1698-1782) : *Joseph reconnu* [*Giusseppe riconosciuto*], représenté à Vienne en 1733 dans la chapelle de la Cour, mis en musique par Giusseppe Porsile.

★ L'opéra biblique en trois actes, *Joseph en Égypte*, du compositeur français Étienne-Nicolas Méhul (1763-1817), sur un livret d'Alexandre Duval (1767-1842), fut exécuté pour la première fois à Paris en 1807. La scène se déroule à Memphis durant les années de famine, alors que, suivant le récit biblique (*Genèse,* 41), Joseph, devenu gouverneur d'Égypte par la volonté du pharaon, a sauvé le pays de la famine en faisant accumuler à temps de larges provisions de grain. Il jouit donc — sous le nom de Cléophas — d'un grand prestige aux yeux du peuple, mais il regrette amèrement sa terre natale de Chanaan, son vieux père Jacob, et même ses frères qui le maltraitèrent et le vendirent. Il voudrait les appeler tous auprès de lui, sachant que la famine règne sur leurs terres. Mais voici que, pour cette raison même, ceux-ci arrivent spontanément à la Cour et, ne soupçonnant pas qui est Joseph, lui demandent asile. Joseph les accueille, les reconnaît, mais garde son incognito. Il frissonne en revoyant Siméon qui, de tous, fut le plus cruel envers lui (trait qui n'apparaît pas dans *La Bible*), mais il se domine ; d'ailleurs, Siméon lui-même est déchiré de remords, et ses frères ont peine à calmer son désespoir. Au second acte, Benjamin, le plus jeune des fils de Jacob, confie à Joseph (qu'il ne reconnaît pas) qu'après la mort présumée de son frère c'est lui qui a pris la place privilégiée dans le cœur de leur père. Joseph s'émeut et demande à voir Jacob qui, à cet instant même, réveillé par des appels de trompe, sort de sa tente et prie le Seigneur pour le bonheur de ses fils. On annonce à Cléophas — Joseph — que le peuple veut le voir monter sur le char des triomphes pour l'acclamer ; il y consent, mais à condition que Jacob et Benjamin participent à cet honneur. Enthousiasme général devant cette magnanimité. La scène au troisième acte représente l'intérieur du palais de Joseph où Jacob et ses fils (sauf Siméon) assistent à des chants et des danses en l'honneur du dieu d'Israël. Siméon survient et révèle à son père que Joseph n'est pas mort, mais que lui-même l'a vendu comme esclave. Jacob en fureur le maudit ainsi que ses frères. Joseph implore pour eux le pardon paternel, puis finalement il se fait reconnaître. Le pardon est accordé au milieu de l'émotion générale. La musique de *Joseph en Égypte* (celui des quarante opéras de Méhul qui connut le plus de succès) est d'un style noble et solennel, mais qui n'atteint pas à une puissance et à une profondeur dignes de l'origine biblique du sujet. L'œuvre possède une remarquable richesse d'harmonie et de contrepoint ; elle contient des pages d'une inspiration très pure, mêlées à beaucoup d'autres plates et conventionnelles. Les parties orchestrales ont un rôle considérable, comme l'ouverture, très ample, et l'introduction du second acte, avec son caractère de marche funèbre. Parmi les chœurs, rappelons celui du premier acte où les frères cherchent à calmer Siméon ; le finale du même acte ; le chœur du second acte « Dieu d'Israël ». Les airs, comme celui de Joseph au premier acte et celui de Benjamin au second, sont plus faibles ; et en général, après le début du second acte, l'inspiration semble faiblir.

★ Parmi les autres œuvres musicales, notons la pantomime : *Légende de Joseph* [*Josephs-legende,* op. 63] du musicien allemand Richard Strauss (1864-1949), représentée à Paris en 1914.

★ Plus près de nous, l'épisode biblique a inspiré la célèbre tétralogie romanesque : *Joseph et ses frères* [*Joseph und seine Brüder*] de Thomas Mann (1875-1955), le plus éminent représentant, en littérature, de l'opposition allemande au IIIe Reich. Elle comprend : *Les Histoires de Jacob* [*Geschichten Jakobs,* 1933], *Le Jeune Joseph* [*Der junge Joseph,* 1934], *Joseph en Égypte* [*Joseph in Ägypten,* 1936], *Joseph le Nourricier* [*Joseph der Ernährer,* 1943]. Thomas Mann a repris le sujet sans rien changer à la tradition, exploitant même celle-ci sous tous ses aspects. Il ne s'appuie pas seulement sur *La Bible* et ses commentaires, mais va rechercher des documents aux sources historiques, surtout religieuses et mythiques, dans la culture égyptienne, babylonienne, assyrienne, dans les anecdotes concernant les tribus nomades sémites, jusque dans la version mahométane de l'histoire de Joseph et dans la tradition, toute mêlée de merveilleux, que les pasteurs se transmettent dans leurs récits au cours des nuits champêtres. C'est par un de ces colloques que débute précisément le premier roman, colloque au bord d'un puits situé sur la colline d'Hébron, auprès de l'arbre « des enseignements », entre Jacob et son fils de prédilection, Joseph, le beau jeune homme, premier-né de Rachel et élu du Seigneur. De la préoccupation paternelle, clairvoyante et anxieuse, pour le prodigieux adolescent, de ses leçons, des multiples aventures qui, sans ordre chronologique, forment l'argument des *Histoires de Jacob,* émerge, majestueuse et vénérable, la figure du vieillard dans ses rapports avec ses fils et Joseph en particulier. Deux passions dominent sa longue vie : Adonaï (le Seigneur) et Rachel. Des luttes qu'il a soutenues pour son Dieu et qui l'ont soumis à d'incessantes et douloureuses épreuves, il est sorti un jour boiteux, mais assuré de la protection du Seigneur. Pour obtenir Rachel, il a servi sept ans le père idolâtre de celle-ci, Laban, ce « diable », cet « excrément de la terre », qui l'a indignement trompé en substituant Lia à sa sœur Rachel dans l'obscurité de la première nuit nuptiale. Personnages et événements bibliques forment la trame du récit, depuis la grande fraude de la bénédiction paternelle, extorquée par le jeune Jacob à son frère aîné Ésaü, sur le conseil de sa mère Rébecca, jusqu'aux vicissitudes conjugales de Jacob avec les filles de Laban et leurs servantes Silpa et Bilha qui lui donnent une nombreuse postérité ; depuis l'épisode de Dina, fille unique de Jacob et de Lia, que ses frères Simon et Lévi séparent, sous un faux prétexte religieux, de son prétendant, le fils du gouverneur de Sichem, et qui est enlevée au milieu du féroce massacre qui ensanglante la ville, jusqu'à la fuite de Jacob et des siens vers Hébron, fuite durant laquelle la délicate Rachel qui, neuf ans auparavant, a péniblement donné le jour à Joseph, meurt en mettant au monde son dernier-né, Benoni-Benjamin.

Dans le second livre, *Le Jeune Joseph,* on voit se développer la haine des frères pour le préféré de leur père ; on voit grandir cette haine jusqu'à la sauvage agression à la suite de laquelle Joseph est jeté au fonds d'une citerne, puis finalement vendu aux Ismaélites. Le héros est représenté avec toutes ses humaines faiblesses : sa vanité de jeune homme, encouragée par l'indulgence de son père à son égard ; les songes audacieux, où il se voit l'objet de la prédilection céleste, le rendent orgueilleux, vantard, et le poussent à dénoncer ses frères. Pas une faute de ceux-ci qu'il ne rapporte à son père, pas une marque de sa prédestination dont il ne se vante en leur présence. Si bien que chacun des frères, se voyant menacé dans ses droits et soupçonnant Joseph d'en être le bénéficiaire unique, se décide à un exil volontaire. Le père leur envoie Joseph, recommandant à ce dernier une attitude modeste ; mais, malgré le conseil paternel, Joseph s'enveloppe du voile nuptial chatoyant et brodé de Rachel, chose précieuse entre toutes pour Jacob, mais qu'il a secrètement donné à son fils préféré. La haine des frères s'en trouve accrue et leur désir de vengeance affermi. L'analyse psychologique des réactions intimes de chacun d'eux en face du fait accompli est extrêmement fouillée ; chaque caractère se dévoile dans les plus petits détails.

Le troisième livre, *Joseph en Égypte,* raconte le séjour du héros dans la maison de Putiphar, officier de la cour du pharaon, auquel les Ismaélites l'ont vendu. Guidé par l'intendant, qui a de la sympathie pour lui, Joseph, sous le nom d'Osarsif, devient un véritable Égyptien (au point qu'aucun des siens ne le reconnaîtra plus tard), et ses qualités lui gagnent la faveur de Putiphar, qui le nomme successeur du vieil intendant. Mais la femme de Putiphar, Mutemenet, s'éprend follement de lui, et le développement, dans toutes ses phases, de cet amour non partagé constitue l'action principale de ce vaste roman. C'est une sorte de morceau de bravoure médico-psychologique où est étudiée la passion morbide de cette femme, grande dame tout d'abord, épouse exemplaire, fervente et vertueuse servante de la divinité, au-dessus de toute critique et de toute calomnie, et peu à peu consumée et déchirée par un désir irrésistible qui la dégrade jusqu'aux débordements les plus humiliants et les plus révoltants de la passion. La première année, elle lutte contre elle-même, mais ensuite elle laisse deviner à Joseph l'amour qu'elle lui porte ; finalement, la troisième année, elle s'offre à lui sans pudeur, ne se cachant même pas de son entourage et devenant la risée de la Cour. Enfin, rendue folle par le refus de Joseph, elle l'accuse faussement auprès de son époux. Le sage Putiphar, qui a tout compris, rend une sentence assez douce, qui sauve Joseph de la peine de mort et l'envoie en captivité dans un lieu d'expiation, une forteresse dans une île.

C'est là que nous le retrouvons dans le quatrième livre : *Joseph le Nourricier,* employé comme écrivain au service personnel des prisonniers de haut rang. Il acquiert rapidement une grande réputation pour son habileté à interpréter les songes. Lorsque le pharaon a la célèbre vision des sept vaches grasses et des sept vaches maigres, Joseph est appelé à la Cour pour en donner l'interprétation. Le reste du récit suit de près celui qui est rapporté dans les Écritures. L'intérêt du roman se porte sur la description des divers membres de la famille royale, sur le mariage de Joseph avec la jeune vierge, fille du grand-prêtre d'Amon, mariage qui donne lieu à une dissertation sur la civilisation égyptienne ; puis c'est la naissance des fils, Manassé et Éphraïm ; c'est enfin la relation du système administratif introduit par Joseph durant les années de disette, où, comme un ministre du ravitaillement, il résout habilement les problèmes économiques en vendant à un prix élevé, aux peuples étrangers, le grain qu'il a fait amasser. Mais il n'oublie ni son passé ni sa souche. Le livre nous ramène en effet à Hébron où nous assistons à la vieillesse de Jacob, à sa tendresse inquiète pour Benjamin, désormais père de famille, à l'élection probable du pensif, mélancolique et sensuel Juda comme successeur de son père, au gracieux stratagème de Thamar, objet de l'amour sénile de Jacob, belle-fille puis épouse de Juda et ancêtre de David. Suit le voyage, en Égypte, des frères, à l'exception toutefois de Benjamin ; puis c'est l'accueil de Joseph qu'ils ne reconnaissent pas, mais qui n'a jamais douté de les revoir et qui les renvoie pour qu'ils ramènent Benjamin ; la rencontre avec son père dans la vallée de Ghosen, la scène de la reconnaissance, et la réception de Manassé et d'Éphraïm dans le royaume des douze tribus.

Le but de cette œuvre imposante, fruit de la maturité artistique de Thomas Mann, est de rapprocher de l'agitation du monde moderne l'histoire et la calme image des antiques patriarches en les présentant dans leur humanité toujours pleine de vie. Les bons, dans cette histoire, ne sont pas toujours innocents des fautes des méchants, et ceux-ci sont moins diaboliques que nous n'avons appris à les connaître, de même que les événements, relativement aux coutumes de l'époque, sont moins barbares qu'on ne les juge habituellement. L'écrivain allemand vise en outre à remettre en lumière la grandeur de la mission et la sublime prédestination des pasteurs d'Israël et du peuple éternellement méconnu d'Adonaï. Le style de la narration est toujours noble, souvent lourd ; il met parfois à dure épreuve la patience du lecteur. – Trad. Gallimard, 1935-1944.

JOSEPH. Ce récit du philosophe français Brice Parain (1897-1971), publié en 1964, étudie la crise traversée par un couple, « la plus grosse bourrasque de leur campagne », écrit l'auteur. Comme souvent, le prétexte en est très mince. Dans le hall d'un grand hôtel, Joseph remarque une femme qui, elle, ne le remarque pas. Il l'a désirée, il lui en a voulu d'être désirable, il lui en a voulu de l'ignorer, sa chère tranquillité a été dérangée. Malgré sa jeunesse, ce Joseph est un père tranquille, un homme prudent et patient qu'effraie l'impétuosité de la vie, un Ulysse imperméable à toute ambition sinon celle, peut-être, de ne pas souffrir. Rentré chez lui, il relate l'incident à sa femme. Elle en rit. Il se fâche brusquement et, sans un mot, s'en va. Restée seule avec leur fille qui la tient prisonnière dans leur petit appartement, sa femme Nora se met à ressasser une impression de frustration. C'est une Norvégienne, elle est venue à Paris pour faire de la peinture, puis elle y a renoncé et a choisi, plutôt, de se marier. Le hasard lui a attribué Joseph. Plus primitive, plus véhémente, elle se sent un peu à l'étroit, elle ne sais pas à quoi dépenser son énergie, son mari lui semble trop secret, trop retiré, trop éteint, elle pense qu'il n'a pas vraiment besoin d'elle. Elle reprend les exercices de français que son arrivée avait interrompus, joue avec sa fille, prépare le dîner, range ses armoires, mais, à mesure que le temps passe, la fureur monte en elle. Lui se promène, regarde des boutiques, s'assoit au bord de la Seine. Cela lui permet de retrouver le détachement qui lui est nécessaire, dont il a besoin comme d'autres ont besoin d'air. Quand il revient, il est onze heures du soir. Nora lui saute au cou. Le bouscule. Une nouvelle scène est déclenchée. Cependant, peut-être parce que Joseph a de l'humilité, ils ne se laissent pas emporter par l'orage, ils résistent à la dynamique des mots et des impulsions, ils se retiennent. Une trêve est signée. Écrit d'une seule coulée, dans un style simple, familier, ce livre est en réalité une méditation. Aucun lyrisme, ce serait jeter de la poudre aux yeux. Une attention qui ne cille jamais. Brice Parain cherche à comprendre, il s'y emploie avec honnêteté, avec une obstination et une rigueur placides. L'essentiel, pour lui comme pour ses héros, est de ne pas tricher.

JOSUÉ (Livre de). C'est le sixième livre de l'Ancien Testament – v. *La Bible* (*) –, qui continue le récit du *Pentateuque* (*). Josué, fils de Noun, de la tribu d'Éphraïm, occupait une position assez élevée au service de Moïse. Son nom est une transcription de l'hébreu Yehochoua ou Yéchoua, devenu Iésous, d'où « Jésus » dans les textes grecs. Il avait déjà été mis à la tête des troupes lors des malheurs consécutifs à l'exode d'Égypte. Il avait mis en fuite les Amalécites (*Exode*, XVII-8) et accompagné Moïse sur le mont Sinaï (*Exode*, XXIV-3), sans pourtant jouir lui-même de la révélation divine. Il fut le défenseur de l'autorité de Moïse (*Nombres* XI, 27). Avec Caleb, il se distingua lors de l'exploration de la Terre promise, par sa fidélité à Dieu et à la vérité (*Nombres*, XIV, 6 et suiv.). Ses dons d'homme énergique et juste lui valurent le privilège d'entrer avec Caleb, seuls parmi tous les Israélites âgés de plus de vingt ans, au pays de Canaan. Il était donc parfaitement préparé à la mission que Dieu voulait lui confier : poursuivre l'œuvre de Moïse. Il devait conquérir la contrée de Canaan par les armes et en faire le partage entre les douze tribus d'Israël, de telle manière que toute envie et toute dispute disparaissent à jamais du peuple élu (*Josué*, I, 8). Il accomplit cette double tâche brillamment, avec courage et sagesse, et c'est la relation de ces faits qui forme le fond du *Livre de Josué*. La conquête de Canaan fut favorisée par des circonstances qui mirent en relief la protection constante exercée par Yahvé sur son peuple : démembrement de ce pays en plusieurs petits États constamment en guerre, et la non-intervention des trois grandes nations voisines, égyptienne, hittite et assyro-babylonienne, probablement engagées à cette époque dans des luttes intestines. Josué passa miraculeusement le Jourdain et commença ainsi à pénétrer, tantôt pacifiquement, tantôt à main armée, en Cisjordanie. Jéricho, cité défendue par de hautes et solides murailles, est la première à tomber, manifestement grâce à l'aide miraculeuse de Yahvé. La voie étant libre, c'est une ville située plus à l'Ouest, Al, qui est alors occupée. La pénétration vers le Sud va commencer. Près de Gabaôn (l'actuelle El-Gib), la coalition des rois de Jérusalem, d'Hébron, de Jarmuth, de Lakis et d'Églon, veut lui interdire le passage, mais est vaincue par Josué. À l'occasion de cette rapide et complète victoire, le récit biblique nous met en présence du miracle de l'arrêt du soleil au commandement du vainqueur, miracle rendu nécessaire pour prolonger la bataille. Des catholiques interprètent cet acte du thaumaturge comme une hyperbole, suggérant que l'Écriture veut faire entendre que le soleil ne se coucha pas avant l'anéantissement de l'armée amorrhéenne. Toutefois, un chercheur israélite, Vélikovsky, dans un livre publié à Paris en 1951 : *Mondes en collision*, propose une explication toute différente de ce phénomène, dont il admet la possibilité, en se fondant sur les données astronomiques chinoises et mayas. La conquête du pays de Canaan devint définitive après la victoire de Josué sur les rois alliés près du lac Mérom. Le sage Josué, pour assurer l'occupation du pays conquis, récompenser chaque tribu et la rendre responsable de la défense de sa part du territoire conquis, donna à chacune des douze tribus une partie de la terre canaanéenne. Il y avait treize tribus, mais comme la tribu de Lévi devait rester sans territoire propre, la répartition se fit entre les douze autres. Ce partage de la Terre sainte a toujours eu une grande importance aux yeux des Israélites ; cette importance passa peu à peu du domaine pratique à la mystique juive et, comme en témoigne le chapitre VII de l'*Apocalypse* (*), survécut à la destruction de Jérusalem et à la perte de la nationalité juive.

Le *Livre de Josué*, bien qu'il continue l'histoire de la révélation depuis Moïse jusqu'aux années qui suivirent immédiatement la mort de Josué, constitue un écrit complet et indépendant. Le but du narrateur est de démontrer comment, de toutes les promesses divines énumérées au début du livre, aucune ne resta sans accomplissement. Aussi choisit-il les événements les plus aptes à mettre en relief l'action providentielle et miraculeuse de Dieu en faveur de son peuple. Le style, en même temps que quelques particularités linguistiques, le distingue des cinq livres de Moïse ; il ne se trouva d'ailleurs jamais uni au *Pentateuque*. Les exégètes pensent que seule une toute petite partie avait été écrite par Josué lui-même. Ils supposent que le reste de l'œuvre a été écrit dans les premières années du règne de David (1012-972 av. J.-C.), parce qu'on y présente des événements arrivés après la mort de Josué. Le livre est divisé en deux parties, conformément à la double mission de ce grand conquérant. Son autorité est attestée par les citations de saint Paul (*Héb.* XI, 30-31), de saint Jacques (II, 25), de saint Étienne (*Actes*, VII, 45), par le consentement unanime de l'ancienne synagogue et de l'Église. — Traduction œcuménique de *La Bible*, 1988.

★ Georg Friedrich Haendel (1685-1759) composa, en 1746, un oratorio intitulé *Josué*.

JOUES EN FEU (Les). L'écrivain français Raymond Radiguet (1903-1923) publia sous ce titre une première édition de ses poèmes en 1921. Bernard Grasset réédita l'ouvrage, en 1925, en l'augmentant de quelques inédits. Ces poèmes furent composés entre quatorze et dix-huit ans ; Radiguet les définissait lui-même comme « l'expression naturelle d'un mélange de pudeur et de cachotterie propre à l'âge auquel ils ont été écrits ». Une extrême dureté — cristalline — alterne avec une extrême sensibilité, la forme est près de naître tout comme à quinze ans le corps et l'esprit sont près de prendre forme. Les mots brillent comme de l'argent neuf, le souci littéraire n'est pas encore né. Radiguet peut donc nous convaincre qu'il invente, tant il est « naturel ».

JOUET ENRAGÉ (Le) [*El juguete rabioso*]. Roman de l'écrivain argentin Roberto Arlt (1900-1942), publié en 1926. Le charme de ce premier livre est qu'il préfigure les deux chefs-d'œuvre : *Les Sept Fous* (*) (1929) et *Les Lance-Flammes* (+) (1931). Les « fous » ne sont encore ici que des enfants ou des adolescents qui font leur apprentissage. Comme les « grands » qu'ils deviendront, ils fondent une société secrète, le club des Chevaliers de Minuit, où ils échafaudent des plans secrets pour voler et tuer conformément aux procédés scientifiques les plus modernes. Ils affabulent, cherchent le merveilleux dans le monstrueux, et entendent « réveiller les hommes pour montrer quelle allégresse grandit nos âmes quand nous brisons la loi et entrons en souriant dans le péché ». Ce qui entraîne Enrique, juvénile faussaire, derrière les barreaux d'une prison, et pousse Silvio Astier, qui rêve, avant Erdosaín, de grandes inventions, à jouer avec la délation. C. C.

JOUEUR (Le) [*Igrok*]. Roman de l'écrivain russe Fedor Mikhaïlovitch Dostoïevski (1821-1881), publié en 1866. L'auteur a voulu décrire une amère expérience personnelle, vécue lors d'un séjour à l'étranger ; expérience née de la passion du jeu qui l'amena à s'endetter et à retourner en Russie totalement ruiné. Le héros du roman, Alexeï Ivanovitch, raconte sa propre histoire. Précepteur chez un général qui, lorsqu'il se rend à l'étranger, habite la ville imaginaire de Roulettenbourg, Alexeï Ivanovitch tombe éperdument amoureux de sa belle-sœur, Pauline, qui le traite avec une capricieuse cruauté. Un jour, ayant besoin d'argent, Pauline lui donne sept cents florins et l'envoie jouer pour elle à la roulette. La fortune sourit tout d'abord à Alexeï Ivanovitch mais, voulant forcer sa chance, il persiste : il ne tarde pas à tout perdre, sa raison vacille et il tombe dans une sorte de délire. Autour du général rôdent deux aventuriers : un homme, Dégrieux, et une femme, Blanche, qui ont su le duper. Patiemment, ils attendent, comme des bêtes à l'affût, l'héritage que le général doit recevoir d'une vieille tante malade. Mais voici que cette tante arrive à l'improviste : elle vient pour retrouver l'atmosphère exaltante du jeu, qu'elle goûte, elle aussi, jusqu'au fanatisme ; en peu de jours elle perd presque toute sa fortune. Les deux aventuriers abandonnent alors le général à son destin. L'histoire n'est pas finie et va se compliquer. Alexeï Ivanovitch retourne à la table de jeu et gagne cette fois une grosse somme ; mais tant par la faute de Pauline, dont la fierté l'exaspère, que par celle de Blanche, qui ne ménage aucun artifice pour le déposséder de son gain, il se ruine de nouveau et finit par devenir un joueur professionnel. En vain quelque comparse, l'Anglais Astley, tentera-t-il de le sauver, en lui offrant les fonds nécessaires pour retourner dans sa patrie : le malheureux est désormais incapable de résister à la fascination du jeu. Les différents types de joueurs et l'atmosphère d'une salle de jeu sont décrits dans ce roman avec une exactitude hallucinante. Mais l'auteur ne s'en tient pas là : pénétrant profondément dans l'esprit de ses protagonistes, il les saisit sur le vif au moment de leur plus grande tension. Singulièrement vivant est le portrait de la vieille « Babouchka », la tante autoritaire et despotique, mais qui se voit, sur le déclin de sa vie, entraînée par une passion qui ne pardonne pas : celle du jeu. – Trad. Gallimard, 1928. ★ De ce roman de Dostoïevski, Serge Prokofiev (1891-1953) a tiré un opéra sous le même titre, composé en 1916, complètement remanié en 1926.

JOUEUR (Le) [*Il giocatore*]. Une des seize comédies nouvelles que le dramaturge italien Carlo Goldoni (1707-1793) fit représenter en 1750. L'auteur s'amuse à reprendre ici les caractères qui lui sont chers : Florindo, que possède le démon du jeu, est victime d'un fripon nommé Lelio. Il se ruine ainsi de fond en comble, cesse tout commerce avec sa fiancée Rosaura ainsi qu'avec ses amis. C'est alors qu'intervient Pantalon, lequel oblige Lelio à rendre le bien mal acquis. Par surcroît, il empêche Florindo d'épouser Gandolfa, une vieille femme frivole et vicieuse. Nous retrouvons ici les thèmes favoris de Goldoni ; mais en voulant fouiller à l'excès le caractère du héros, il s'aventure dans le domaine de la pathologie et, par là même, perd quelque peu cette liberté qui fait merveille dans ses meilleures comédies.

JOUEUR (Le). Comédie en cinq actes en vers de l'écrivain français Jean-François Regnard (1655-1709), représentée à Paris en 1696. Parfaite comédie de caractères et, à cet égard, la plus importante que Regnard nous ait laissée. Pour le jeu, Valère délaisse Angélique qu'il aime. Cette dernière commence d'en avoir assez et voudrait rompre avec lui toute relation. Toutefois, après une perte considérable, Valère se propose de changer d'existence. Il obtient le pardon de son père Géronte et se réconcilie avec Angélique. Mais quelque marquis le provoque en duel, et ses créanciers le relancent. Pour se libérer, il engage chez une usurière un portrait orné de diamants dont Angélique lui a fait don. Dès qu'il a reçu l'argent, Valère ne peut résister à sa passion ; il joue encore, il perd ; bref, il retombe dans ses habitudes, ce qui le conduit rapidement à la misère. Angélique vient à savoir que son portrait a été mis en gage et, résolue dès lors à ne plus pardonner, elle épouse Dorante, l'oncle de Valère. Cette comédie mérite une mention spéciale dans le théâtre de Regnard, car ce dernier, joueur lui-même, a donné à son personnage un caractère de vérité exceptionnel. Bien que le héros, en effet, nous fasse voir tous les dehors que doit comporter son rôle, il n'en devient pas moins le symbole d'une certaine humanité incapable d'assurer son salut. Valère est un homme ordinaire en lequel s'est incrusté un vice – et la peinture de ce vice est vraiment d'une exactitude extraordinaire. Contre toute attente et en dépit d'une intrigue assez faible, Regnard est parvenu à marquer la vie et les actions de ce joueur impénitent du sceau de la fatalité. Quant aux personnages épisodiques, ils sont peints avec une légèreté et une gaieté de bon aloi, qu'il s'agisse d'Hector le valet, du marquis « sauteur » ou de la marchande à la toilette, Mme La Ressource, dont le nom à lui seul est tout un programme.

JOUEUR DE CITHARE (Le) [*Krezs'či*]. Recueil de poèmes de l'écrivain oudmourte Kouzebaï Gerd (1898-1941), publié en 1922. Le premier recueil de Gerd contient déjà les traits essentiels de son œuvre poétique : on y trouve des poèmes écrits avant et après la révolution d'Octobre. Gerd voit en effet dans le pouvoir soviétique le seul espoir d'émancipation pour son peuple, jusque-là corseté. Les évolutions politiques traversent la poésie de Gerd et en conditionnent la tonalité. Gerd manie toutes les formes et tous les rythmes. Sa poésie est proche de la chanson : certains de ses poèmes sont devenus des chants populaires (« Un soleil d'or se lève », 1917). Le début du *Joueur de cithare* est triste : le peuple souffre, la nature est à l'unisson, et « Keremet » (1916), le bosquet sacré des anciens Oudmourtes, est délaissé. Il dénonce la guerre et le carnage. Le barde joueur de cithare vient éveiller le peuple.

Mais ce recueil contient aussi des poèmes consacrés au monde industriel : « La Fumée bleue » (1920) et « L'Usine », description imagée et mythique de la vie à l'usine d'Iževsk. Gerd passe ici de la joie initiale de l'espoir à l'acte de produire, rendu de manière particulièrement suggestive. *Le Joueur de cithare*, avec « Keremet » et « L'Usine » en particulier, dit aussi le regret du temps passé et la dévalorisation qu'engendre le monde industriel. Car Gerd est conscient du caractère complexe de ce processus et parvient poétiquement à le faire sentir. Il le paiera de sa vie. E. T.

JOUEUR DE VIELLE (Le) [*Der Schwanendreher*]. Concerto pour alto et petit orchestre du compositeur allemand Paul Hindemith (1895-1963). Ce concerto, composé sur de vieilles mélodies populaires, fut écrit par

Hindemith à sa propre intention. En effet, à sa qualité de compositeur, Hindemith joint celle d'un talentueux spécialiste de plusieurs instruments : violon, piano, saxophone, clarinette et surtout alto, dont il était considéré à cette époque comme l'un des plus remarquables techniciens. Il donna d'ailleurs lui-même comme soliste la première audition de son œuvre avec le Concertgebouw d'Amsterdam dirigé par William Mengelberg.

L'auteur explique ainsi l'esprit et la forme de son œuvre : « Un ménestrel retrouvant ses joyeux compagnons leur fait entendre des airs qu'il a ramenés des pays lointains, tantôt sérieux, tantôt légers, et termine par une danse. En vrai musicien ambulant, il en développe et embellit les mélodies, préludant et improvisant à sa fantaisie et selon ses moyens. » Le concerto comprend trois mouvements : le premier est construit sur la chanson populaire « Entre la montagne et la vallée profonde » [Zwischen Berg und tiefen Tal], exposée aux cors, et précédée d'un court solo d'alto auquel est confié un motif original, énergique, au rythme tour à tour binaire et ternaire, dont l'alternance et la combinaison avec la mélodie principale fournissent l'essentiel du libre développement de cette première partie. Le deuxième mouvement s'ouvre sur une sorte d'improvisation du soliste uniquement soutenu par la harpe, suivie de l'intervention des vents qui chantent une mélodie du XVIe siècle « Et maintenant verdis, petit tilleul, verdis » [Nun laube, Lindlein, laube]. Suit au basson solo la mélodie « Le coucou est perché sur la barrière » [Der Gutzgauch auf dem Zaune sass] qui conduit à un épisode « scherzando » de style fugué. La première mélodie est alors réexposée par les cuivres et s'imbrique aux motifs de l'improvisation initiale du soliste. Le troisième mouvement est bâti sur la mélodie « N'es-tu pas le joueur de vielle ? » [Seid ihr nicht der Schwanendreher ?], qui donne son nom au concerto et dont le thème donne lieu à quatre variations d'un caractère virtuose, avant la coda finale reprenant le motif initial du concerto. Par sa fraîcheur d'inspiration, sa fantaisie, étayée, comme toujours chez Hindemith, par une science contrapuntique remarquable quoique habilement estompée ici, ses ressources instrumentales, ce concerto illustre bien la nouvelle orientation du style d'Hindemith à cette époque, évoluant vers une conception esthétique moins abstraite, plus humaine que dans nombre de ses œuvres antérieures. Intrinsèquement, il représente un apport très intéressant au répertoire concertant de l'alto. L'œuvre instrumentale d'Hindemith abonde d'ailleurs en concertos pour divers instruments : il faut citer entre autres les quatre *Concertos pour orchestre de chambre* de l'op. 36 (pour piano et douze instruments, pour violoncelle et dix instruments, pour violon et pour alto à nouveau) caractérisés par leur structure généralement polyphonique, accentuée par l'agencement orchestral réduit, confiant à chacun des instruments de l'orchestre un rôle contrapuntique important, structure qui n'exclut nullement cependant les appels à l'art mélodique et lyrique le plus pur (par exemple dans le Nocturne du concerto de violon), de même que certaines références au style rythmique et orchestral d'un Stravinski (concerto pour piano ; concerto pour violon). À ce même style de concerto « da camera » se rattachent les *Concertos pour viole d'amour et pour orgue* (op. 46 nos 1 et 2), puis viennent entre autres en 1930 (op. 48) un second *Concerto pour alto et orchestre de chambre,* le *Concerto pour violon et orchestre* (1939) à la particulière richesse mélodique, le *Concerto pour violoncelle* (1940), le *Concerto pour clarinette en la* de 1947. Outre la richesse contrapuntique et mélodique de ces diverses compositions, et leur beauté lyrique souvent remarquable, il est intéressant de noter à quel point le compositeur chez Hindemith (comme chez Bach par exemple) en réfère toujours au praticien, à l'instrumentiste polyvalent qui le double : nombre de ces concertos (pour alto, pour viole d'amour en particulier) ont été écrits pour l'« usage personnel » du musicien. Nombre d'autres sont composés pour des instruments dont jouait également l'auteur. Cette alliance assez rare de nos jours du créateur et de l'interprète n'est pas un des aspects les moins originaux de cette partie importante de l'œuvre d'Hindemith.

JOUEURS D'ÉCHECS (Les) [*Shatranj ke khilārī*]. Nouvelle de l'écrivain indien Premchand (1880-1936), qui appartient au grand recueil de ses nouvelles en onze volumes, *Mānsarovar.* Dans cette nouvelle, qui décrit la noblesse de Lucknow perdue dans la débauche et dans l'oisiveté, Premchand jette un regard d'une cruelle lucidité sur les raisons qui ont mené cette aristocratie à capituler devant les Anglais. Nationaliste convaincu, il fustige amèrement ceux qui s'évadent des réalités de la politique, oublient le vrai prix de la vie et délaissent les enjeux vitaux de leur pays pour s'oublier dans les jeux et les plaisirs. Mīrza et Mīr préfèrent de beaucoup les armées d'ivoire et d'ébène du jeu d'échecs à l'armée impériale qui a besoin de leurs bras afin de repousser l'assaut des Anglais. Pour avoir refusé de voir la réalité et s'être réfugiés dans un rêve par un effort d'abstraction presque « yogique », ils quittent la scène dans un geste d'une absurdité terrible : leur mort est inutile, qui laisse là les pièces renversées sur l'échiquier de l'histoire. Le cinéaste indien Satyajit Ray a tourné un film inspiré de cette nouvelle, en 1977. – Trad. in *Littératures de l'Inde,* Sud, 1987. F. Bo.

JOUR (Le) [*Il giorno*]. Poème en quatre parties du poète italien Giuseppe Parini (1729-1799), « Le Matin » [Mattino] parut en 1763, « Midi » [Mezzogiorno] en 1765 ; « Le Soir » [La sera] et « La Nuit » [Notte] ne furent jamais achevés et ne furent imprimés qu'après la mort de l'auteur (1801). Le poète décrit la vie frivole, oisive et corrompue de la noblesse de son temps ; il feint, ironiquement, de l'exalter comme un chef-d'œuvre d'héroïsme. Le personnage central est un jeune seigneur qui, au cours de sa vie agitée mais inutile, fait aller de concert son caprice, ses plaisirs et les lois rigoureuses de la bienséance aristocratique, ainsi que sa dévotion à la mode toujours changeante. Nécessité, devoir et vertu ne sont pour lui que des mots. Lorsque l'action commence, le soleil est déjà haut sur l'horizon. Le jeune seigneur, qui a passé sa soirée au concert ou au jeu, ne s'est endormi qu'au chant du coq ; il ne saurait donc s'éveiller au soleil levant, comme le simple mortel qui doit gagner sa vie et procurer leur plaisir aux demi-dieux terrestres que sont les nobles. De grands soucis attendent notre héros. Il méprise les arts, les sciences, la gloire des armes ; mais il dépensera sans compter ses forces, pour avoir dans le monde la tenue qui convient à sa position. Il mettra de la grâce jusque dans ses gestes les plus simples, en bâillant, en se frottant les yeux. Notre jeune seigneur choisira-t-il le café ou le chocolat ? Après être venu à bout de ce choix difficile, il reçoit dans sa chambre son maître à chanter, son maître à danser, ses professeurs de musique et de français. Il s'informe des derniers exploits des chanteurs, des danseurs et des courtisans, et reçoit d'eux la profonde culture qui provoquera l'admiration du vulgaire. Cependant ses valets habillent notre nouvel Achille. Mais il est temps pour lui de penser à sa dame, à qui le lient les pactes sacrés du nouveau code chevaleresque. Il enverra un serviteur pour s'informer si elle a bien dormi ; et cependant que les hommes des champs peinent sur leur charrue, notre héros demande à l'art du coiffeur d'ajouter encore à son charme. Lavé, pommadé, poudré, il se livre aux mains habiles de l'artiste et trompe son ennui en lisant d'un œil distrait les écrivains à la mode : Voltaire, Ninon de Lenclos ou La Fontaine. Il pourra aussi recevoir le colporteur ou le miniaturiste. Sa toilette finie, les poches pleines de mille objets indispensables aux dames et à leurs chevaliers servants, il se rendra en voiture chez sa bien-aimée, sans s'inquiéter si sa voiture renverse quelque vulgaire piéton trop lent à se garer. En attendant son chevalier, la dame fait la coquette. Lorsque notre héros pénètre dans le salon, tout le monde lui cède le pas, jusqu'au mari légitime qui se tient à l'écart, montre une benoîte confiance, car cette heureuse époque ignore la jalousie. À table, on gaspille le patrimoine des aïeux : le héros est entouré des types les plus pittoresques (le mangeur formidable, le végétarien par amour des bêtes). On parle avec désinvolture de commerce, d'art, d'industrie et de sciences ; on exalte le génie de la France et on dénigre l'Italie ; on applaudit aux idées nouvelles, mais on repousse l'égalité sociale. Après le café, on s'isole en doux tête-à-tête et on joue au trictrac. Le soir tombe : voici l'heure de la promenade. Mais le jeune homme n'a pas terminé sa journée : il lui reste à cueillir de nouveaux lauriers au théâtre et dans la société. Une réception permet au poète de camper de nouveaux types : l'amateur de café, le joueur de cor, le constructeur de carrosses, l'amateur de jeux et de chevaux, le spécialiste des noces et des enterrements. On prépare les lumières, les tables et les cartes, et l'on se met à goûter, avec le jeu, l'activité la plus intense de ces héros que « le vulgaire adore ».

L'œuvre appartient au genre néo-classique en vogue à l'époque et n'est pas sans rappeler parfois les *Satires* (*) de Perse ou de Juvénal, ou *Le Lutrin* (*) de Boileau. Cependant elle est originale. Parini fait une cruelle satire de toute la haute société du XVIIIe siècle, dont il éclaire d'une lumière crue et impitoyable le faste tout extérieur et la profonde misère intérieure. La satire jaillit d'un triple contraste : le ton épique du poème, relevé par des parenthèses mythologiques, met grotesquement en relief l'existence frivole du héros ; le rappel constant de la rudesse et de la santé morale des aïeux écrase sous le ridicule une postérité, sans doute plus raffinée, mais paresseuse et pleine de vices ; enfin, la représentation émue du petit peuple, l'évocation de sa dure fatigue condamnent ouvertement une classe corrompue et parasite qui méprise ceux qui la font vivre. Le ton du poème est très nuancé ; généralement ironique, il passe du rire léger à l'indignation magnanime. Sans doute la longueur des descriptions peut finir par lasser le lecteur ; mais la société, que veut dépeindre le poète, est admirablement représentée dans son cadre : un salon du XVIIIe siècle, et nous procure un sentiment comparable à celui que nous éprouvons à la vue d'un tableau de Guardi ou de Longhi, accentué encore par cette force morale si rare dans les arts du XVIIIe siècle. — Trad. Aubier, 1931.

JOUR CÈDE (Le). Recueil de poésies du poète finlandais d'expression suédoise Bo Carpelan (né en 1926), publié en 1983. Si l'œuvre de Bo Carpelan embrasse la plupart des genres littéraires, il considère pourtant la poésie comme sa véritable expression. Après un début dans le sillon du modernisme finlandais, Carpelan travaille constamment son langage poétique dans le sens d'une plus grande simplicité. La réduction linguistique tend vers une concentration du langage poétique dont l'expression acquiert un aspect métaphorique débouchant sur l'universel. « Ce que je cherche est une poésie empreinte de réalité et éloquente par sa limpidité », déclare l'auteur. « Je crois en une poésie concrète, non symbolique qui, pour le lecteur, devient un symbole multiforme. » *Le jour cède* marque en même temps la maîtrise de ce dépouillement et l'introduction de l'exubérance, du burlesque, joignant ainsi la déraison visionnaire mais réaliste que Bo Carpelan a découverte chez Max Jacob à l'angoisse et à l'inquiétude existentielles qui l'ont toujours marqué. Entre ces deux pôles oscillera l'œuvre de Carpelan. La parfaite maîtrise de ses instruments poétiques lui permet ici de se pencher au plus profond de l'abîme de la souffrance, de la solitude, de la mort, thèmes aussi personnels à l'auteur qu'éternels. L'empathie et la chaleur humaine qui imprègnent son œuvre la mettent à l'abri d'un intellectualisme stérile. Défenseur compatissant du faible et de l'exclu, Carpelan voit cependant dans la poésie l'expression d'une sagesse qui transcende et dépasse dogmes et idéologies, une attitude qui lui a valu, surtout au cours des années 60, des critiques acerbes de la part de collègues politiquement engagés, polémique qui a cependant permis à l'auteur d'affirmer ses convictions et d'aboutir à l'ascèse linguistique qui le caractérise. — Trad. Arfuyen, 1989. K. D.

JOUR DE LA CHOUETTE (Le) [*Il giorno della civetta*]. Roman de l'écrivain italien Leonardo Sciascia (1921-1989), paru en 1961. Le livre s'ouvre sur un meurtre commis sur la place publique d'une bourgade de Sicile. Le capitaine des carabiniers, Bellodi, mène l'enquête. Deux autres meurtres suivent. Un témoin est supprimé ainsi qu'un indicateur. L'officier des carabiniers interroge, exploite les renseignements et les rapports de ses subordonnés. Les criminels sont arrêtés et dûment questionnés. Mais Bellodi ne parvient pas à les faire traduire en justice, des témoins au-delà de tout soupçon les ayant innocentés.

Le genre policier sert à décrire la mafia dans son fonctionnement interne, dans ses relations avec la société où elle opère, ainsi qu'avec l'État. Un des buts du livre, écrit à une époque où il ne manquait pas de bons esprits pour nier jusqu'à son existence, est bien de communiquer à un large public (on approcherait d'un tirage d'un million d'exemplaires) une information précise, historiquement et sociologiquement fondée, sur ce type de criminalité. Sciascia disait (1965) qu'il avait cherché à comprendre comment un individu peut être mafieux (ce qui implique la mise en évidence de responsabilités au niveau de la société sicilienne et de l'État italien).

Le fait que Bellodi soit un homme de l'Italie du Nord (il vient de Parme), contrairement au stéréotype du policier italien méridional, contribue à rendre tout à fait naturelle cette double enquête policière et socio-historique. Le texte n'est jamais didactique. Le rendu des mentalités et des comportements criminels ou policiers est étonnant de vérité. *Le Jour de la chouette* constitue un tableau inégalé de la mafia telle qu'elle était dans les années 50 : fondamentalement rurale, non encore engagée dans les grandes spéculations foncières urbaines et dans le trafic de la drogue. Reste que la première victime est un (petit) entrepreneur de travaux publics qui refuse d'être protégé par l'organisation criminelle ; que la fonction des banques est bien marquée, tout comme les rapports avec le monde politique romain.

Le Jour de la chouette, œuvre littéraire, révèle dans sa structure un volontarisme accentué. Par rapport à la forme codifiée du policier classique, il comporte toute une série de différences significatives aussi bien d'un point de vue polémique que documentaire ; et ce non sans humour. Le récit à l'anglaise serait ridicule et idéologiquement inopérant par rapport à un contexte sicilien. La « detective story » est une forme que Sciascia subvertit et qui lui sert pour écrire en ré-écrivant, en même temps que pour dénoncer. Cela est manifeste dès ce premier roman policier. — Trad. Flammarion, 1962. C. A.

JOUR DE L'ASSASSINAT DU LEADER (Le) [*Yawm qutila l-za'īm*]. Roman de l'écrivain égyptien Najīb Maḥfūẓ (né en 1911), édité en 1985. Récit à trois voix, cette œuvre présente un moment crucial de la vie d'un vieil homme, Muḥtashimī Zāyid, de 'Alwān, son petit-fils, et de Randa, la fiancée de ce dernier. L'idéalisme de Muḥtashimī n'a pas résisté aux épreuves du temps : autrefois rationaliste et agnostique, il a retrouvé la foi tolérante de son enfance, semblable peut-être à Maḥfūẓ. Il reste impuissant face au drame de sa famille : longtemps fiancés, 'Alwān et Randa ne peuvent se marier, du fait des restrictions imposées par la crise économique. La jeune fille se résout à épouser Anwar, son chef de service, dont elle se sépare rapidement. Courtisé par la sœur d'Anwar, 'Alwān tue accidentellement ce dernier, le jour même de l'assassinat du président Sadate en 1981. Au-delà de l'événement politique et du fait divers, Maḥfūẓ insiste sur la tragédie sociale de la jeunesse égyptienne, déçue par la révolution socialiste panarabe de Nasser ou l'opportunisme affairiste de Sadate. Le seul héritage des utopies d'autrefois est la misère : à l'ancienne convivialité a succédé un grégarisme accablant dans un univers étriqué, envahi par la médiocrité omniprésente des médias. L'amertume du vieillard n'est tempérée que par l'espérance, mais son constat reste impitoyable : pour toute une génération de travailleurs désespérés et d'immigrés en puissance, le sous-développement scelle la mort de l'avenir. — Trad. Sindbad, 1989. B. Mo.

JOUR DE PAIX [*Friedenstag*]. Un des derniers opéras du compositeur allemand Richard Strauss (1864-1949). Strauss voulait écrire un opéra sur la paix et désirait que l'action s'en déroulât à l'époque des traités de Westphalie, en 1648. Le titre de l'œuvre devait d'ailleurs être à l'origine *24 octobre 1648*. Commencée en 1935, l'œuvre fut achevée en

1938 et créée la même année, au cours du festival d'été de Munich, sous la direction de Clemens Krauss.

Jour de paix se présente en un grand acte unique. L'action se déroule à la fin de la guerre de Trente Ans dans la citadelle d'une ville assiégée par les luthériens. Les soldats harassés et les paysans affamés déplorent cette guerre interminable, eux qui n'ont pas connu la paix depuis de longues années. Le commandant de la place n'ignore pas que les munitions vont bientôt manquer. Malgré cette situation désespérée, il est néanmoins fermement décidé à remplir sa mission en résistant jusqu'à la limite de ses forces. Rien ne peut ébranler sa fermeté : ni un émissaire italien qui vient chanter l'amour de la vie, de son beau pays et de la paix ; ni les soldats qui lui disent leur lassitude ; ni les paysans qui crient leur misère ; ni même Maria, sa femme, qui, pleine de pitié humaine, le supplie de tendre la main à un ennemi qu'il ne hait point. Le commandant s'entête et se contente d'exhorter ses troupes et son peuple au courage, à la patience, à la foi dans la victoire finale, tandis qu'au cours d'un grand duel — qui forme le centre dramatique de l'œuvre — il confie à sa femme, et malgré les supplications de celle-ci, sa décision prochaine de faire sauter la ville. Soudain, à l'aube, éclatent trois coups de canon. Croyant à une attaque par surprise, les soldats prennent vivement leurs dispositions de combat. Mais aucune troupe ne se présente. Au loin, une grande rumeur monte avec la lumière du soleil levant. Dans les villages avoisinants, toutes les cloches se sont mises à sonner. C'est alors qu'apparaît le chef ennemi, qui vient lui-même offrir la paix aux assiégés. Le commandant hésite, croit à un piège, puis, après un dramatique combat intérieur, finit par accepter. On réunit les drapeaux et les armées, et l'on s'assemble pour glorifier la paix dans un lumineux chœur final. Le rôle de la femme du commandant est très amplement développé ; c'est elle qui, avec son humanité, constitue le centre psychologique de l'ouvrage. C'est en raison même de l'importance de ce rôle, de sa grandeur simple et directe, ainsi que de l'éclat de l'hymne final à la paix, que l'on a pu dire que Strauss avait écrit là son *Fidelio*.

JOUR DES CENDRES [*Día de ceniza*]. Œuvre de l'écrivain vénézuélien Salvador Garmendia (né en 1928), publiée en 1963. On retrouve dans ce roman, comme dans presque toutes les fictions de cet auteur, la volonté presque obsessionnelle d'exprimer l'aliénation que provoquent chez l'homme moderne les complexités de la vie urbaine. La ville c'est ici Caracas, à l'époque du Carnaval. Cette fête devrait emplir la capitale vénézuélienne de gaieté, d'exubérance et d'insouciance. Elle la plonge en fait dans un rituel sordide, en même temps qu'elle accroît dans la périphérie l'angoissante impression d'abandon. Où qu'ils aillent et surtout au bar « Le Caraïbe », leur point de ralliement, des personnages ternes et désabusés sont les antihéros de cette farce triste qu'est désormais leur vie dans un Caracas tentaculaire, chaque jour bouleversé par le délire. Parmi eux, Miguel Antunez, un avocat à la situation économique chancelante, dont les frustrations de poète et les avatars conjugaux et extraconjugaux font le plus éloquent des naufragés. En 1955, dans *Maisons mortes* (*), Miguel Otero Silva avait présenté la mutation, au début du siècle, d'un Venezuela rural moribond en un pays nouveau se livrant corps et âme à une richesse fraîchement découverte : le pétrole. Qu'est devenue la société née de ce bouleversement prometteur ? Salvador Garmendia répond à la question à travers les pages cruellement lucides de son roman. — Trad. Éditions caribéennes, 1988.

C. C.

JOUR D'ÉTÉ À LA MONTAGNE. Triptyque symphonique op. 61 du compositeur français Vincent d'Indy (1851-1931) composé en 1905 et créé aux concerts Colonne le 18 février 1906. Cette œuvre a été souvent comparée à la *Symphonie pastorale* — v. *Symphonies* (*) de Beethoven —, non seulement parce qu'elle traduit elle aussi l'amour de la nature, si vif chez son auteur, mais aussi parce qu'on y trouve les mêmes éléments descriptifs : chant d'oiseaux, danses paysannes, orage, chant d'actions de grâces. Mais la nature inspiratrice de Vincent d'Indy, c'est, ici comme dans la *Symphonie cévenole* — v. *Symphonies* (*) de V. d'Indy —, son pays du Vivarais, et la musique en est tout imprégnée. L'œuvre a été inspirée par trois poèmes en prose de Roger de Pampelonne, *Les Heures de la Montagne* : *Aurore, Jour* et *Soir*, qui donnent leurs titres aux trois parties de la symphonie. Mais la musique dit bien plus de choses que le poème inspirateur : tenues des cordes pour peindre l'immobilité de la nuit, puis le basson et la clarinette font entendre le cri de la chouette. Le mouvement s'organise, un thème se précise, passe du quatuor aux vents, puis éclate triomphalement aux trompettes. Ce premier mouvement module du ton d'ut mineur dans celui de si majeur. Le second mouvement : « Jour », débute par une longue rêverie, devant l'immense paysage de montagne des Faugs : puis voici, au loin, montant vers le château, des chansons paysannes, des rythmes de bourrées. C'est la fête du 15 août, et l'on danse au village. Un orage a grondé, puis s'est éloigné, et la rêverie reprend. « Soir » est le rondeau final de la symphonie ; le musicien a quitté la terrasse plantée de pins où il rêvait ; il s'est dirigé vers l'église et l'on entend — c'est le second thème de cet Allegro — une antienne des vêpres de la fête de l'Assomption. Il alterne avec le rappel des motifs du premier mouvement ; l'oiseau nocturne a repris son vol dans le crépuscule ; de longues tenues de quatuor, en sourdine, préparent le retour du silence et de la nuit. Conclusion sereine, exprimée par le quatuor divisé, et qui, à l'inverse du premier mouvement, évolue de la tonalité de si majeur à celle d'ut mineur.

Ce poème symphonique fut accueilli avec succès par le public ; les critiques se divisèrent à son sujet. Certains reprochèrent à d'Indy « la sécheresse » d'une composition si claire et si nette que l'émotion en semblait absente. En général, on loua cependant la qualité de l'ouvrage, la richesse de l'instrumentation autant que la sincérité des thèmes exprimant l'amour de la nature.

JOUR D'OCTOBRE (Un) [*En dag i oktober*]. Roman de l'écrivain norvégien Sigurd Hoel (1890-1960), publié en 1931. L'auteur y décrit l'existence, durant vingt-quatre heures, des différents couples habitant un immeuble d'Oslo. Pas un seul de ces couples n'est heureux. L'amour de l'épouse semble incompatible avec le travail et les occupations de l'époux. Celle qui vient de se suicider n'était peut-être pas plus malheureuse que celles qui continuent de vivre aux côtés d'un mari égoïste. Cette satire du mariage est cruelle, mais il y a une part d'observation juste dans le tableau pessimiste que dresse le romancier. — Trad. Rieder, 1938.

JOUR ET LA NUIT (Le). Recueil de pensées dû au peintre français Georges Braque (1882-1963), publié en 1952. En 1947, le peintre publie sous le titre de *Cahier de Georges Braque* un recueil tiré en lithographie à huit cent quarante-cinq exemplaires comprenant un certain nombre de pensées, maximes ou aphorismes illustrés par l'auteur. En 1949, une édition reproduit en format réduit cette plaquette originale. En 1952 enfin, Braque réunit à ces textes datés 1917-47 quelques nouvelles formules couvrant la période écoulée depuis la publication du *Cahier*. Cette fois, l'œuvre ne s'accompagne plus de dessins originaux mais se contente de reproduire les maximes, dédiant au « lecteur ces amers d'une route déjà longue », sous le titre *Le Jour et la Nuit*. Publiées dans un apparent désordre, celui de la chronologie en fait, puisque ces maximes furent notées au jour le jour de 1917 à 1952, elles peuvent cependant se regrouper ; ce que l'auteur a tenté de faire en une table analytique. C'est ainsi qu'il distingue d'abord une « table des thèmes simples » où il réunit tout ce qui a trait à l'amour, la culture, l'émotion, l'erreur, l'espoir, le fatal, le passé, la liberté, etc. Puis une « table des contraires » où nous trouvons « L'Art contre la science », « L'Artiste contre l'homme », « Les Créateurs et les Suiveurs », « L'Espoir contre l'idéal », « Le Profil contre la silhouette », « La Volonté contre la constance », etc. Enfin, une « table des incipit » où nous trouvons quelques-unes des plus belles pensées du peintre qui retracent les chemins royaux de la sagesse et de la grandeur de Braque : « Contentons-nous de faire réfléchir, n'essayons pas de convaincre » ; « La marche à l'étoile : ceux qui sont devant portent la houlette, ceux qui marchent derrière ont un fouet. Sur le côté, les horribles serre-file » ; « La vérité se protège elle-même : les antagonismes croisent autour d'elle avec symétrie sans l'atteindre » ; et enfin « On ne peut pas toujours avoir son chapeau à la main, c'est pourquoi on a inventé le portemanteau. Moi j'ai trouvé la peinture pour suspendre à un clou mes idées : cela permet d'en changer ».

JOURNAL de Bashkirtseff. Le *Journal* de la femme de lettres et peintre russe Marie Bashkirtseff (Marija Baškirceva, 1860-1884) est composé de pages autobiographiques publiées en français en 1885, et intégrées dans les « Cahiers inédits » parus en 1925. Écrit depuis 1873 jusqu'à la fin de sa vie (les dernières pages sont du 20 octobre, onze jours avant sa mort), ce *Journal* est un document original sur la vie de cette jeune fille russe, amie des écrivains et des artistes, admirée pour son talent de peintre, son esprit vif et brillant, destinée à traverser d'une façon fugitive, au cours de sa brève existence, cette vie artistique particulièrement intense de la fin du XIXe siècle. Dans les premières pages, on surprend l'extraordinaire vie intérieure de cette enfant de treize ans qui, déjà mûre, aborde avec une simplicité pensive les problèmes les plus graves. Mais bientôt le tableau s'enrichit : ce sont de rapides notations sur l'existence d'une jeune fille riche, libre, dans des villes cosmopolites comme Bade, Nice, Rome, Naples, Florence, Paris ; ce sont des indications sur ses lectures et sur ses études, en particulier celle de la peinture qui prend de plus en plus d'importance à ses yeux jusqu'à devenir inquiétude, puis angoisse artistique. Le *Journal* nous montre les figures de ses contemporains (Gambetta, Zola, les Goncourt, Sully Prudhomme, Maupassant, avec qui elle échangea une correspondance ; le peintre Bastien-Lepage, auquel elle fut liée par une tendre amitié) ; ce sont des instantanés de la vie mondaine, la promenade dans un « panier » tout blanc, tiré par un poulain blanc qu'elle conduit elle-même en robe blanche ; le carnaval romain de 1877, le séjour à Naples où la jeune fille attire l'attention de Victor-Emmanuel II, sa brève passion pour un noble Florentin, le comte de Larderel ; et puis les courses, les théâtres, les « parties de campagne », le « skating ». Pourtant, sous ce voile brillant de mondanité, apparaissent encore les confessions, les ambitions idéales, les rêves avides ; et une personnalité complexe et ardente se dessine, animée d'une audace inquiète et fébrile. Toujours insatisfaite, Marie connaît la vanité de son existence mondaine, elle désire ardemment éprouver un grand amour dans lequel elle s'anéantirait ; elle aspire à la gloire que seul l'art peut donner. Malade, elle ne voudrait rien perdre des « trente-six mille belles choses » que la vie peut donner. Parce qu'elle n'a pas trouvé sa raison de vivre parmi tant d'expériences, elle sent qu'elle n'aura pas le temps de mûrir une patiente recherche. Personnage très « fin de siècle », adolescente qui a assimilé tous les éléments d'une riche culture qu'un scepticisme inquiet réduit à un jeu élégant, insatisfaite, pleine de contradictions, Marie Bashkirtseff confie à son *Journal* une expérience vécue et rendue avec une grande fraîcheur d'âme. À une intelligence très lucide et exercée, elle joint un fond d'ingénuité qui fait que, pour elle, tout est sujet d'étonnement.

JOURNAL de Cavour. Journal de l'économiste et homme d'État italien Camillo Benzo, comte de Cavour (1810-1861), écrit en français et publié en partie, à titre posthume, par Domenico Berti, en 1888, comme en fait foi le document autographe conservé dans les archives de Sàntena. Cette œuvre est importante pour comprendre la formation politique et morale de Cavour. Elle fut commencée en 1833 à Genève et continuée, avec des interruptions, jusqu'en 1838 ; d'autres pages écrites pendant les années 1842-1843, et intitulées par Berti « Notes autobiographiques », peuvent être considérées comme une sorte de suite au *Journal* lui-même. Quelques autres parties du *Journal* sont restées incluses dans un autre manuscrit ; elles se rapportent à la période 1835-1837. Depuis la monarchie de Juillet, le futur homme d'État a la conviction que, dans l'Europe de son temps, il faut un retournement qui tienne compte des aspirations des peuples et vise à sauvegarder les droits de la culture et du bien-être social. Ainsi, tandis que se consolidaient les trônes ébranlés par les révolutions, Cavour croyait dans le progrès social. Les allusions aux amitiés et relations intellectuelles qu'entretenait l'auteur avec les esprits les plus éclairés de l'époque sont dignes d'être retenues, qu'il s'agisse de Sismondi ou de gens de Paris. Au cours de ces pages, Cavour développe avec beaucoup de fermeté la conception que le bonheur des individus et des nations réside seulement dans la liberté. Il montre avec un soin particulier comment il se prépare à aborder un certain nombre de problèmes : questions politiques relatives aux pouvoirs législatif et exécutif, au caractère constitutionnel des monarchies modernes, au contrôle de l'opinion publique. Ce *Journal,* intéressant document sur le monde contemporain, nous montre l'Europe hardiment jugée par un Piémontais à l'esprit libre. On sent l'opposition entre la monarchie sarde et les aspirations de l'Europe nouvelle. Peu à peu, le Piémont apparaît à Cavour comme un élément permettant de passer à une politique plus vaste. Devant une Europe inquiète, il met au point un monde futur, conçu par un homme d'État partisan de l'Unité. Le *Journal* de Cavour fournit par ailleurs d'amples développements sur ses lectures, sa famille, ses séjours à l'étranger, autant de points de repère qui permettent de suivre chronologiquement l'évolution de la pensée de l'auteur.

JOURNAL de Claudel. Le *Journal* de l'écrivain français Paul Claudel (1868-1955) a été publié en deux tomes par Fr. Varillon et J. Petit, dans la bibliothèque de la Pléiade (1968-1969). Claudel, à l'instigation d'un directeur de conscience, avait tenu de 1896 à 1899, lors de son premier séjour en Chine, sous forme cursive, souvent elliptique, un agenda où il consignait pêle-mêle détails quotidiens, lectures, travaux en cours et, dans un langage de confession, manquements aux devoirs religieux et moraux. Entre 1900 et août 1904, temps d'un séjour en France puis de la liaison avec « Ysé » à Fou-tcheou, il interrompt, et pour cause, cet exercice spirituel. Il le reprend dès sa solitude retrouvée en septembre 1904 et lui restera fidèle jusqu'au dimanche précédant sa mort.

Au début, il s'agit avant tout d'un « cahier de citations », en particulier des *Moralia* (*) de saint Grégoire. Ensuite le contenu se diversifie et répond à la définition que Claudel un jour en donnera : « Un chaos, ou, si vous préférez, un fourre-tout ». Ce qui fait sa singularité, parmi tant de journaux intimes de grands écrivains, c'est l'absence totale de la recherche d'un autre lecteur que soi. Seul peut-être le *Journal* (*) de Stendhal, où de même abondent les initiales à la place des noms, les allusions et raccourcis, peut rivaliser avec celui-ci ; mais il est loin d'atteindre la même bigarrure. Un demi-siècle de chronique personnelle, familiale et sociale, politique (à la fois française et internationale), religieuse, artistique, littéraire : voilà ce qu'offrent ces quelque deux mille pages écrites à peu près au jour le jour. La révélation des multiples personnages confondus sous le nom de Paul Claudel constitue l'un des intérêts majeurs de cet amas d'écriture. À titre d'exemple, qui sait lire entre les lignes, décrypter les initiales et rapprocher des fragments dispersés trouvera dans le *Journal* des clartés sur la saga du *Partage* — v. *Partage de midi* (*) — et ses nombreuses péripéties. Second exemple et non des moindres : qui souhaite connaître la vérité sur l'autre drame, celui de Camille, et sur les relations entre le frère et la sœur la trouvera ici, grâce aux repères, si furtifs et allusifs soient-ils, de loin en loin disposés.

Comme déjà dans les agendas de Chine, la part faite à la religion, à ses préceptes, est grande. Il faut lire les examens de conscience suivis des résolutions prises au moment d'aborder une nouvelle mission, mais en prenant garde de ne pas confondre ces exercices avec les raffinements de l'introspection chers à

Gide, violemment rejetés par Claudel. Comme pour mieux se préserver de ces plongées intimes, il préfère noter tout ce qui affecte dans le courant des jours son être physique : variations dans sa « numération globulaire » à l'époque d'une grave maladie (1936-1938), progrès de sa surdité, retours d'insomnies, enlaidissement de l'âge. Ce même soin s'applique aux questions qui l'ont toujours préoccupé, mais davantage sur le tard : comptes d'auteur, versements d'impôts, « tantièmes » de Gnome-et-Rhône. Son regard se pose, là encore avec une franche naïveté, sur la nature la plus proche, celle de son domaine de Brangues, enregistrant avec ponctualité l'éclosion des premières primevères, du premier coucou, les naissances d'animaux à la ferme.

À l'opposé de ces minuties, et quelquefois sur la même feuille, surgissent les vues les plus vastes sur la situation et l'avenir de l'Europe et du monde. Prises à part, certaines déconcerteront ; mises ensemble, elles révèlent une vision cosmique aussi présente chez le diplomate que chez le poète : pour un peu, il encouragerait Hitler ou les bolcheviks lorsqu'ils semblent apporter la promesse d'une Europe restaurée dans son unité, ce qui ne l'empêche pas d'exécrer leurs forfaits contre Dieu et les hommes. On trouvera aussi, exécutés à main levée, les portraits de quelques contemporains célèbres qu'il a rencontrés : chefs de guerre, hommes politiques, écrivains, la plupart joyeusement malmenés, surtout s'ils sont académiciens. Une place particulière est faite à ses trois grands amis, fortement admirés mais à l'occasion jugés : Ph. Berthelot, Em. Francqui, le P. Robert. N'oublions pas enfin les femmes dont la compagnie lui est aussi indispensable qu'insupportable : on remarquera comme à chaque étape de sa carrière se trouvent liés un ou plusieurs visages féminins : Rosalie Vetch en Chine, Ève Francis et la Duse en Italie, Audrey Parr au Brésil, Agnes Meyer aux États-Unis, la comtesse Lippens en Belgique, la princesse Bibesco, Marie Romain-Rolland, Françoise de Marcilly à Paris.

De nombreux lecteurs seront attirés par tout ce qui peut ouvrir un jour sur la genèse de l'œuvre. Un foisonnant trésor les attend où se distinguent au moins quatre parts : une multitude d'ébauches, de croquis de « choses vues » qui deviendront tableaux dans les ouvrages achevés : des départs de phrases, des amorces de thèmes qui se retrouveront dans les drames – en particulier, entre 1919 et 1921, des bribes en vue du *Soulier de satin* (*) ; une mine inépuisable de réflexions d'ordre esthétique touchant à la poésie comme à la prose, à l'art dramatique, à la musique, à la diction ; enfin les sautes d'humeur visant les écrivains de l'âge classique ou des suivants et, pour couronner le tout, ses emportements contre la critique des autres, surtout lorsqu'ils n'ont pas su reconnaître son génie ni mesurer l'empan, comme il est dit justement dans le *Journal,* « de son immense phénomène ». G. A.

JOURNAL de Dangeau. Œuvre de Philippe de Courcillon, marquis de Dangeau (1638-1720), dont le titre exact est : *Mémoires du marquis de Dangeau ou Journal de la cour de Louis XIV.* Des extraits du *Journal* furent publiés en 1720, grâce à Voltaire, qui s'en était servi pour son livre sur *Le Siècle de Louis XIV* (*), puis par Mme de Genis en 1817, mais ce n'est qu'en 1854 que parut la première édition complète. Dangeau, arrière-petit-fils de Duplessis Mornay, converti de bonne heure au catholicisme, fit une brillante carrière militaire, puis, à partir de 1665, il vécut à la Cour, attaché au service du roi. Fort apprécié de Louis XIV et des deux reines, Anne d'Autriche et Marie-Thérèse, Dangeau fut le confident de leurs vies privées et occupa à la Cour, jusqu'à la fin de sa vie, une place qui le tint au courant de toutes les intrigues. Dans son *Journal*, il enregistre, au jour le jour, avec une précision chronologique absolue, tous les événements grands et petits. Il ne s'intéresse que de très loin aux affaires militaires et aux affaires politiques ; en revanche, tout ce qui concerne la vie du roi, le cérémonial de cour, la famille royale, les Grands, est rapporté par lui avec une grande objectivité et sans commentaires. En fait, Versailles est, pour lui, le centre du monde et Louis XIV un dieu ; il entre ainsi dans le jeu même du Roi-Soleil, en rapportant tout à sa personne et à sa gloire. Cette attitude, et surtout le fait que le *Journal* n'est qu'un exposé très sec, en forme d'annales et même souvent d'aide-mémoire, en rend la lecture d'autant plus fastidieuse que l'œuvre n'a aucun mérite littéraire. Il n'en reste pas moins que le *Journal* de Dangeau est un document unique et d'une admirable exactitude. C'est le *Journal*, dont, vers 1730, il eut une copie manuscrite entre les mains, qui donna à Saint-Simon l'idée d'écrire ses *Mémoires* (*). Mais l'attitude des deux hommes est fort différente. Dangeau fait de Louis XIV un demi-dieu : pour Saint-Simon, ce n'est qu'un homme, et il n'hésite pas à souligner ses faiblesses. Saint-Simon, qui trouvait le *Journal* « d'une fadeur à faire vomir », ne fit qu'en reprendre la substance en y ajoutant une multitude de notes sur les personnages qui y étaient évoqués, en écrivant les scènes qui n'y étaient qu'indiquées, en y mêlant ses souvenirs personnels, ses jugements et ses appréciations, enfin, mais surtout, en y mettant l'animation et l'élan de son génie propre.

JOURNAL de Delacroix. Recueil de notes et de pensées (publié à Paris entre 1893 et 1895) que l'illustre peintre français commença en 1822 et que la mort interrompit. Il éclaire l'évolution artistique d'Eugène Delacroix (1798-1863) et les divers aspects de sa vie presque entièrement consacrée à la peinture. C'est autour d'elle que gravite la quasi-totalité de ce *Journal* si riche en réflexions sur la poésie, la musique, la conversation, les voyages, en jugements sur les grands peintres du passé et sur ses propres œuvres, sur le public, sur la critique, sur la peinture de ses amis ou de ses rivaux, enfin, en pénétrants aperçus sur la technique picturale. Dans l'ensemble, ce *Journal* est un des plus intéressants qui aient été écrits. S'il est le témoignage d'une intelligence singulièrement élevée, ouverte et cultivée, il ne nous apprend que peu de choses sur la vie privée du peintre et sur la société au milieu de laquelle il vécut. Les carnets de voyage en Belgique et au Maroc ont un tour plus directement personnel. Ils débordent d'une admiration sans bornes pour Rubens et nous font connaître certaines scènes pittoresques qui inspireront plus tard un grand nombre des œuvres de Delacroix. Il y explique abondamment ses préférences artistiques. Son art est dominé par deux conceptions : refus du réalisme et exaltation de la couleur comme moyen d'expression. Les œuvres d'art ne peuvent être jugées d'après la ressemblance, critère tout à fait superficiel; puisque les authentiques chefs-d'œuvre ne sont que le reflet de l'imagination de l'artiste. Grâce à l'imagination, l'artiste voit dans les choses ce que les autres n'y voient pas. Il peut ainsi communiquer, au moyen de la peinture (sœur de la musique), des émotions qui ont leur place « au-dessus de la pensée », que la parole est impuissante à exprimer et qui ne peuvent s'intégrer dans aucun dogmatisme. Delacroix « compose » sa toile d'une manière tout à fait nouvelle. Indépendamment du sujet, elle doit être, avant tout, composition du mouvement des masses chromatiques et tonales. Tout ce qui est accessoire doit être sacrifié au bénéfice de l'ensemble.

C'est de son propre goût que dépendent ses jugements sur les œuvres du passé : dans sa maturité, il préfère Titien et Véronèse à Michel-Ange et à Raphaël qu'il admirait tant dans sa jeunesse. Il reconnaît la grandeur de l'art classique ancien, mais il abhorre le néoclassicisme. Il ne se lasse pas des peintres hollandais et flamands du XVIIe siècle et spécialement de Rubens, l'« Homère de la peinture », dont il analyse finement le coloris. Les jugements qu'il porte sur ses contemporains sont plus incertains. Ils demeurent imprégnés de préjugés académiques, les mêmes peut-être qui le poussaient à « fignoler » un peu trop, ce qui l'empêchait parfois de réaliser son propre idéal : celui d'une peinture entièrement libre et tumultueuse. Cette volonté de grandeur, emphatique et littéraire, qui lui fait choisir des « sujets » nobles, tirés de la poésie et de l'histoire, lui fait reprocher à Courbet la vulgarité de ses sujets. Non seulement sa peinture, saluée comme l'incarnation même de l'esprit romantique, est tout à l'opposé du goût formel de son grand rival Ingres, mais ses idées mêmes éclairent certains aspects fondamentaux de cette esthétique. Bien que leur valeur soit uniquement celle d'une « poétique » individuelle, elles ouvrent la voie à la critique de Baudelaire — v. *Curiosités esthétiques* (*) et *Art romantique* (*) —, qui les développera sur un plan théorique plus élevé. Elles serviront de point de départ à un chef-d'œuvre de critique de l'art romantique : *Les Maîtres d'autrefois* (*) d'Eugène Fromentin. Delacroix développera également ses vues sur l'art et ses jugements esthétiques dans ses *Lettres* (*), qui sont le complément indispensable de son *Journal.*

JOURNAL de Du Bos. De son vivant, le critique français Charles Du Bos (1882-1939) avait tiré, de son *Journal* des années 1908 à 1928, des extraits qui furent publiés. Mais ce n'étaient que de minces fragments : le *Journal* que Du Bos a tenu régulièrement pendant trente ans, et dont il écrivait ou dictait presque tous les jours plusieurs pages, occuperait plusieurs gros volumes. De cette masse, Mme Juliette Charles Du Bos a tiré la matière d'un premier volume, publié en 1946 ; puis d'autres volumes ont vu le jour, au fur et à mesure du déchiffrement et de la mise au point du texte. Tel quel, ce *Journal* nous fait pénétrer dans la pensée d'un des esprits les plus aigus de notre temps, dans sa vie tout entière consacrée à sa tâche de critique. Du Bos y accumule les plans de travail, les projets de livres et d'articles, les conseils qu'il se donne à lui-même, et surtout des résumés de ses conversations avec ses amis, parmi lesquels Bergson, Gide, Valéry, pour ne citer que les plus célèbres. Son *Journal* est, pour lui, le recueil de ses travaux préparatoires ; on y voit s'amorcer le raisonnement, les travaux d'approche qui aboutiront à une de ses *Approximations* (*) ; c'est aussi l'occasion d'une perpétuelle remise au point de ses pensées et de ses jugements, et un examen de conscience d'une grande perspicacité. On demeure stupéfait par une connaissance aussi exacte, aussi complète et aussi profonde des lettres françaises et étrangères (en particulier de la littérature anglaise), par l'étendue de son champ d'investigation et la variété de ses points de vue. Du Bos a tout lu, et sur tous les livres, sur toutes les pensées, il a des vues originales, laborieuses, complexes. Il excelle à découvrir des nuances imperceptibles pour tout autre, des parentés subtiles des esprits entre eux. Tout ce qu'il publie a été pensé et repensé, il en a longtemps balancé les termes dans sa tête ; sans cesse, il ajoute une nuance, il corrige d'une manière infinitésimale son opinion sur un auteur, ne voulant rien avancer qu'il n'ait longtemps mûri et encore avec toutes sortes de précautions. Si Du Bos ne fut pas un créateur — il était sans doute trop minutieux, il avait trop peu de confiance en lui pour se le permettre —, on se rend compte par le *Journal* de quelle utilité furent son amitié et ses conseils pour les grands créateurs du début du siècle. Le *Journal* comporte un côté pénible et émouvant à la fois, qui nous donne la contrepartie de cette existence de pur esprit : c'est sa difficulté à vivre, les inquiétudes que lui inspirent sa santé et surtout les embarras d'argent. Ayant choisi de travailler librement à ce qu'il aimait, Du Bos fut toute sa vie dans des difficultés dont il ne se tirait qu'en acceptant toujours plus de travail et Mme Juliette Charles Du Bos n'a pas tort de parler, dans sa préface au *Journal 1921-1923,* de « l'héroïsme de cet écrivain qui, bien que malade et passionnément désireux d'assurer la vie des siens, n'a pourtant jamais fait la moindre concession à son éditeur ni au public ; qui a été aussi peu que possible un homme de lettres au sens où on l'entend aujourd'hui, et qui a vraiment gagné son public, tête par tête, comme il aimait à le dire ».

JOURNAL d'Emerson [*Journal*]. Il a fallu le travail des biographes et des critiques pour que le journal de l'écrivain américain Ralph Waldo Emerson (1803-1882), publié pour la première fois en 1909-14, soit enfin reconnu comme un monument littéraire. La nouvelle édition de William Gilman (1960-82) offre enfin un texte authentique, abondamment annoté, indiquant les reprises, corrections et repentirs qui permettent de suivre l'évolution d'une pensée constamment ductile et réceptive. L'homme qui apparaît à la lumière de cette lecture n'est plus le maître à penser ou l'orateur, le façonneur de maximes et d'épigrammes, le pourvoyeur de certitudes, mais le témoin de son temps, l'expérimentateur, et l'écrivain. Le journal nous livre « l'histoire naturelle » – pour reprendre un terme très émersonien – d'un esprit en constante gestation, qui intègre à sa vision aussi bien les drames de son existence – comme la mort de sa première femme en 1831, ou celle de son fils en 1842 – que les événements politiques ou économiques – récession de 1837, annexion du Texas et guerre avec le Mexique (1845-48), compromis de 1850 entre le Nord et le Sud, guerre de Sécession, etc. Il faut ajouter à cela les innombrables notes de lecture, qui traduisent la même capacité d'absorption. L'intérêt du journal est en somme de montrer « in vitro » le métabolisme qui nourrit une œuvre faite de métamorphoses successives. On constate en le lisant que les inlassables affirmations des essais sont souvent des réponses aux doutes, aux angoisses, aux interrogations incessantes du jeune pasteur, du transcendantaliste, du philosophe, de l'Américain surtout, que l'évolution de la nation inquiète ou consterne. C'est donc un peu comme si une surface trop lisse révélait des craquelures ou des profondeurs insoupçonnées – ou encore, pour changer de métaphore, comme si le monologue trahissait tout à coup une structure dialogique. L'orateur devient ainsi, comme l'a écrit Stephen Whicher, un poète et un dramaturge dont les tropes et les personnages seraient des idées, et dont le génie ne serait pas tant créateur de pensées achevées que révélateur d'une pensée en flux continuel. – Trad. partielle sous le titre : *Autobiographie d'après son journal intime*, Colin, 1914-18.

Y. C.

JOURNAL de Faraday [*Faraday's Diary*]. Journal, en sept volumes, du physicien anglais Michael Faraday (1791-1867), publié sur l'initiative de la « Royal Institution » par les soins de son secrétaire Thomas Martin, aux éditions Bell and Sons, de Londres (1932-36). Ainsi qu'il est indiqué dans l'ouvrage, c'est au laboratoire de la « Royal Institution » que, de 1820 à 1862, travailla Faraday. Dans le premier volume, qui va de septembre 1820 à juin 1832, il est question de la liquéfaction des gaz, de l'isolement du benzène et des premières expériences sur l'induction électromagnétique. Dans le second (août 1832-février 1835) sont relatées les expériences relatives à l'identité de la nature des différentes espèces d'électricité (la démonstration complète en avait été faite par Volta, mais Faraday ne connaissait pas bien ce physicien et s'opposait à la théorie du contact). On y trouve aussi les lois de l'électrolyse, les déterminations des équivalents électrochimiques et différentes expériences chimiques. Dans le troisième volume (mai 1836-novembre 1839), on trouvera l'étude des décharges dans les gaz raréfiés, les mesures des constantes diélectriques et autres expériences qui, suivant l'auteur, devaient démontrer la théorie chimique de la pile et détruire la théorie de Volta. Dans le quatrième volume (novembre 1839-juin 1847) se trouvent les expériences sur les piles, sur les courants induits et les courants voltaïques, sur la polarisation rotative magnétique et sur le diamagnétisme. Dans le cinquième (septembre 1847-octobre 1851) sont relatées ses expériences sur le magnétisme de l'oxygène, sur le bismuth ; ses recherches, qui d'ailleurs n'aboutirent pas, sur les relations entre la gravitation, l'électricité et le magnétisme. Y figure également un modèle rudimentaire de dynamo à courant alternatif. Le sixième (novembre 1851-novembre 1855) contient les expériences relatives aux spectres magnétiques des gaz. Dans le dernier volume (novembre 1855-mars 1862) sont relatées les expériences sur les couleurs obtenues avec une pellicule d'or, ou, comme dit Faraday, sur les relations expérimentales de l'or avec la lumière, expériences restées sans résultat, mais qui avaient pour but de mettre en évidence l'éventuelle valeur finie de la rapidité d'une impulsion électromagnétique et, à partir de là, de déterminer certaines relations entre la chaleur, l'électricité et la gravité. La dernière expérience, dont l'issue fut négative par suite de l'imperfection du spectroscope employé, se rapporte à ce qu'on appelle aujourd'hui l'« effet Zeeman ».

JOURNAL d'Anne Frank [*Het Achterhuis*]. Témoignage, sous forme de réflexions au jour le jour, de la réclusion volontaire, pendant l'occupation nazie, à laquelle s'astreignit en vain, pour échapper à la Gestapo, la jeune Allemande d'origine israélite Anne Frank (1929-1945), ainsi que ses parents et une famille amie, dans le pavillon d'arrière-cour d'un immeuble d'Amsterdam où la famille avait émigré dès 1933. Dans ce *Journal*, daté du 14 juin 1942 au 1er août 1944 et retrouvé après la guerre, une fillette de treize ans, précoce, espiègle, sensible — et les yeux bien ouverts sur le comportement des « grandes personnes » — analyse avec une lucidité exceptionnelle sa solitude, ses angoisses, ses tragiques pressentiments et l'alternance, en elle, d'une gaieté juvénile et du désespoir, avec la préoccupation constante de « chercher sa vérité ». En ces lettres adressées à une amie imaginaire du nom de « Kitty », Anne constate bien vite que « les gens cachés font des expériences bizarres », dénombre les croissantes épreuves d'une claustration forcée où règne la peur, puis, le 9 juin 1944 (neuf mois avant de mourir au camp de Bergen-Belsen), pousse ce cri de joie : « Le débarquement se porte comme un charme », et cet autre (21 juillet) : « Il y a de plus en plus de raisons d'espérer, ça va. Oui, vraiment, ça va très bien. » Grâce à son sens aigu de l'observation, elle exprime les contrastes d'une âme « pour ainsi dire divisée en deux ». « À l'intérieur de moi, écrit-elle dans sa dernière lettre à Kitty, Anne la Pure m'indique le chemin ; extérieurement, je ne suis rien d'autre qu'une biquette détachée de sa corde, folle et pétulante. » La fraîcheur d'âme et une grande maturité d'esprit donnent beaucoup de relief à ses confidences les plus humbles. On la suit au jour le jour, incapable d'hypocrisie, dans ses malentendus — que centuple une cohabitation inhumaine — avec les siens (et en particulier avec sa mère), ou avec les huit autres personnes entassées dans l'abri. Nous la voyons, coquette, demander à sa sœur Margot si elle la trouve laide, et ravie que lui soient reconnus « un air amusant et des yeux charmants ». Anne a noté enfin les fluctuations d'une amourette avec son voisin le jeune Peter. Et de constater, clairvoyante : « C'est moi qui l'ai conquis, et non vice versa. » Le *Journal* a été adapté à la scène par Frances Goodrich et Albert Hackett. — Trad. Gallimard, 1983 ; Calmann-Lévy, 1989.

JOURNAL de Gide. Publiée en un seul volume en 1939, cette œuvre contient le « journal intime » de l'écrivain français André Gide (1869-1951), dont les premiers cahiers remontent à 1889. Le premier groupe de ces confessions ne présente pas un intérêt particulier, car une bonne partie de leur contenu se retrouve dans *Les Cahiers d'André Walter* (*). Après octobre 1894, nous trouvons une lacune de sept années environ, due surtout au désir de l'écrivain d'accorder une place moins importante à l'étude égoïste de son « moi » : Gide veut alors « se perdre de vue ». Les notes reprennent en janvier 1902 et deviennent de plus en plus concises avec les années. Pendant la période où sa production littéraire a été très intense, l'auteur fait passer tant de lui-même dans chacun de ses livres que l'intérêt de ses notes en est quelque peu amoindri. On n'y trouve plus la trace de cette intention délibérée de creuser en lui-même, à perte de vue, de sombres labyrinthes, créant des perspectives ambiguës. La confession intime se transforme en un recueil de maximes et de réflexions morales ; le style se dépouille : c'est celui de Gide moraliste. Tantôt il considère, avec une clairvoyance méprisante, la vie de tant de gens que leur cécité naturelle prive de toute vision profonde (cette très belle pensée sur ceux qui naissent, vivent et meurent « par imitation ») ; tantôt il note rapidement le caractère de certaines œuvres ou de certains écrivains, avec une fermeté de style qui touche à la perfection. Cette remarque sur Bourget, par exemple, est caractéristique : « Cet art utilitaire n'a qu'un temps ; et, dès qu'il cesse d'être utile, n'éveille plus d'autre intérêt qu'une curiosité historique. Même l'aspect "sérieux" de son œuvre prête à sourire, et cette absence d'ironie envers soi-même invitera bien vite, invite déjà, l'ironie du lecteur. Rien de caduc autant que les œuvres sérieuses. Ni Molière, ni Cervantès, ni Pascal même ne sont sérieux ; ils sont graves. » Jusque dans les passages les plus intimes, Gide conserve toujours cette clairvoyance absolue ; il cherche à établir un bilan complet, à exprimer des jugements qui peuvent se condenser en épigrammes : ce n'est point l'orgueil qui le pousse dans cette voie de la sincérité totale, mais — ainsi qu'il l'a maintes fois répété — sa « probité d'esprit ».

Deux parties du *Journal* prirent une importance particulière auprès du public et furent publiées séparément : *Numquid et tu ?* et *Pages de Journal.* Le premier volume, connu aussi sous le nom de *Cahier vert,* écrit en 1916-1917, prit le titre définitif de *Numquid et tu ?* (qui sont les paroles de l'*Évangile* selon saint Jean, VII, 52) lorsqu'il fut imprimé en 1926 par Du Bos ; il témoigne d'une crise spirituelle qui conduisit son auteur au bord du catholicisme. Il contient des paroles d'amour, des mots d'angoisse, des élans mystiques vers le Christ, des adhésions impétueuses venues du fond de son esprit : elles témoignent d'une totale humilité. Toutefois la mentalité du protestant ne disparaît jamais ; chez Gide, on la retrouve toujours dans cette application instinctive à distinguer l'enseignement de l'Évangile de la doctrine de l'Église, distinction dont les éléments peuvent être recueillis, naturellement, dans les textes de saint Paul. En dépit de sa sincérité, cette expérience de Gide ne représente qu'un épisode de sa vie intime ; c'est néanmoins l'un des événements les plus importants peut-être de l'histoire d'une âme inquiète et aventureuse. Les *Pages de Journal,* publiées en 1934, eurent un succès d'un tout autre genre, presque de scandale. Dans ces pages, l'écrivain proclamait, avec un ton de sincérité dont il était impossible de douter, son adhésion à la doctrine communiste et à son application en U.R.S.S. Dans ses déclarations il y avait une part absolument personnelle, un désir de complet renoncement à l'égoïsme, et un souffle d'émotion sincère en face des misères de ce monde. Quant à la confiance inconditionnée qu'il accordait à un système politique et à un ordre bien établi, il fut facile, pour beaucoup de lecteurs, de voir que cette « conversion » ne devait point durer et que l'enthousiasme alors débordant de Gide n'était qu'un des nombreux épisodes d'un esprit inquiet, trop avide de réalité et de bonheur pour se résigner à placer son idéal en dehors de l'immédiat, mais aussi trop enclin à la critique pour accepter un ordre quelconque. Et en effet, dans un ouvrage qu'il publia peu après (1936), *Retour de l'U.R.S.S.* (*), Gide fait le récit de son voyage en Russie et nous livre les réflexions que lui a inspirées cette expérience directe : sa liberté d'esprit reparaît aussitôt. Il se rétracte avec une ferme précision — et avec cette parfaite désinvolture de l'homme qui s'est toujours reconnu le droit de se contredire. Aussi le *Retour,* bien qu'il ne fasse point partie du *Journal,* doit être rattaché aux œuvres les plus strictement autobiographiques dont la fin dernière est la confession. Sur ce même rayon, il faudrait encore ranger l'œuvre capitale de Gide *Si le grain ne meurt* (*) et d'autres œuvres moins importantes (*Feuilles de route,* etc.), dont la plus caractéristique est sans doute le *Journal des Faux-Monnayeurs* (*), réflexions critiques d'un romancier sur sa propre création.

Le *Journal 1939-1942 et 1942-1949* ajoute assez peu à l'œuvre entière. André Gide y complète sa figure en face de la postérité. On notera d'abord le souci de montrer sa sérénité en face des événements de la guerre. Il veut sauvegarder sa liberté de jugement, ne point céder aux propagandes. Quelques notes d'angoisse, pendant la « drôle de guerre » et la débâcle, surtout pour Cuverville. Mais Gide affecte de se préoccuper de la guerre beaucoup moins que de Racine et de La Fontaine. L'invasion allemande de 1940 et l'armistice ne le troublent guère plus : il perfectionne son allemand et relit Goethe. Ses admirateurs ont trouvé à cette indifférence beaucoup de grandeur, mais de nombreux lecteurs furent scandalisés par ce dédain des peines de la cité. Entre les options politiques, Gide balance en ces années difficiles, louant tantôt le maréchal Pétain, tantôt Winston Churchill, tantôt le général de Gaulle. En face des Allemands, il ne peut se départir de son habitude de « reconnaître les qualités et vertus de l'ennemi ». La force allemande ne laisse pas de l'émouvoir. Mais il va plus loin : dans l'aventure prométhéenne du nazisme et du communisme, il croit voir la libération définitive de l'« ère mythologique », l'annonce que l'homme va enfin se suffire à lui-même. Rebelle à l'esprit de propagande, il tient aussi à se montrer jusqu'au bout fidèle à son non-conformisme moral ; ainsi écrit-il qu'il considère *Corydon* (*) comme celui de ses livres qui est « de plus grand service pour le progrès de l'humanité ». Ainsi effleure-t-il un certain exhibitionnisme lorsqu'il évoque complaisamment « deux nuits de plaisir » passées avec un jeune Tunisien et couvre d'injures le fils de ses hôtes qui s'était montré rétif à ses avances. L'approche de la mort ne l'assagit point et il trouve une certaine satisfaction à rester l'enfant terrible. Mais le *Journal* de ces années n'est pas fait tout de sérénité goethéenne et de réflexions morales : Gide y joue aussi à l'homme de la rue. Il note, par exemple avec la précision d'une cuisinière, le prix de la douzaine d'œufs à Tunis en 1943. Plus importants pour la connaissance de Gide intime sont les feuillets d'abord isolés du journal, où Gide traite de son mariage, « cette partie suprême de sa vie », et qui ont été publiés après sa mort sous le titre *Et nunc manet in te* (Ides et Calendes, 1951). Gide y montre une sorte de pudeur exceptionnelle qui lui fit n'entourer sa femme que d'un amour platonique, qu'il jugeait le plus digne d'elle : « Je m'étonne aujourd'hui de cette aberration qui m'amenait à croire que plus mon amour était éthéré et plus il était digne d'elle, gardant cette naïveté de ne me demander jamais si la contenterait un amour tout désincarné... » C'est là un des mille aspects de la « disponibilité » gidienne. En effet, si Gide paraît bien incapable de quelque chose, c'est essentiellement de tout amour. Il témoigne, certes, à sa compagne toutes les délicatesses, mais il veut pour elle le bonheur qu'il a fixé, il ne sait point se rapprocher d'un être, l'aimer pour ce qu'il est. Si les fidèles de Gide ont accepté même les parts les moins sympathiques du dernier *Journal,* bien des pages ont contribué à raffermir l'hostilité de beaucoup.

JOURNAL de Goethe [*Tagebücher*]. Commencé le 15 juin 1775 par un quatrain en l'honneur du vin et des femmes, le *Journal* de l'écrivain allemand Johann Wolfgang Goethe (1749-1832) s'achève le 16 mars 1832, six jours avant sa mort. Il comporte seize volumes, dont trois d'index, dans la grande édition de Weimar (1887-1919). La plus longue interruption est celle de 1783 à 1785. Pendant les vingt premières années, les notes sont plutôt sommaires, interrompues çà et là par quelque méditation, un éclair de pensée ou un flux d'images poétiques des plus fugaces. Seules sont abondantes et détaillées les notes de son voyage en Italie de 1786-1787, qui seraient à compléter avec les *Fragments d'un journal de voyage en 1788-1789*, ainsi que celles sur son voyage en Suisse de 1797 — v. *Lettres de*

Suisse (*) et *Voyage en Italie* (*). À partir de 1798, et de plus en plus avec le temps, le *Journal* acquiert son caractère définitif : il ne s'agit nullement d'effusions sentimentales, de confidences d'une âme à elle-même, mais d'un compte rendu objectif de travaux, de visites, de choses vues ou pensées au cours de la journée. Et ces notes sont systématiques, régulières, ponctuelles : le 16 mars 1832, le grand vieillard, désormais sur le point de mourir, après avoir dicté à son fidèle John : « Toute la journée au lit, car je ne me sens pas bien », faisait ajouter d'avance, à l'en-tête du jour suivant : « Samedi. » Ce journal est indépendant des fluctuations d'états d'âme, il a le caractère méthodique d'un « bilan commercial » ; c'est le « maître livre des affaires de la vie » : précis, minutieux, exact. C'est pourquoi Goethe y tenait beaucoup, au point de conseiller à son entourage et d'exiger de ses dépendants qu'ils en fissent de même : ce n'est qu'ainsi, disait-il, par ces quotidiens comptes rendus faits par écrit, que l'homme s'habitue à se regarder en face, apprend à « faire un trésor » de tout ce qu'il a vu, pensé ou réalisé, et à le « muer en force capable de le rendre chaque jour meilleur ». Il concevait la vie comme un accroissement et un développement continus ; condamnant non seulement tout ce qui pouvait y faire obstacle, mais aussi tout ce qui n'y apportait directement ni élan ni stimulant, il pensait que la vie a trop de prix pour l'homme pour que celui-ci puisse se permettre de disperser et gaspiller ses propres forces. L'élévation de la pensée, l'ampleur de l'expérience et une profonde connaissance de la nature humaine le gardaient du danger de vouloir imposer son cours à une vie libre et imprévisible ; nul mieux que lui ne connaissait l'infinité des voies secrètes par où une âme s'enrichit ; mais il considérait comme le premier devoir de l'homme « de gouverner sa propre vie », de manière à en tirer motif pour une incessante éducation et formation de soi-même. Par son laconisme, par la sécheresse des exposés, le *Journal* est précisément l'expression, et en même temps l'instrument, d'une telle vie, consciente et créatrice. Ce sont là comme des assurances, avant qu'un accord ne s'éteigne ; des documents, afin que le passé ne se dissipe à jamais sans laisser de traces. C'est l'homme faisant l'« inventaire » de sa propre existence.

On comprend dès lors comment les nouvelles les plus disparates ont pu être jetées par Goethe dans son *Journal*, sans discrimination, alignées les unes après les autres, sans autre ordonnance que celle de la succession des heures au cours d'une journée : à telle enseigne qu'à la date du 2 octobre 1808 sa rencontre avec Napoléon n'est indiquée que par les mots : « Au lever. Puis chez l'Empereur » ; ou encore, à la date du 19 octobre 1806, son mariage avec Christiane n'y figure qu'avec un seul mot : « Trauung » (Mariage) ; et ces deux événements, notés « en passant », au milieu d'une foule de détails étrangers, n'ont pas plus d'importance que s'il s'agissait de la millième visite du bon Riemer ou de la centième invitation à déjeuner d'Eckermann. Dans l'esprit du *Journal*, tout cela est logique et cohérent : son but est d'offrir, à travers les faits, un « sommaire de ce qui a eu lieu », et non d'en retracer l'historique et d'en tirer des perspectives. La vie n'est pas exclusivement composée de « grands événements » et le *Journal* l'enregistre telle qu'elle est. Toutefois, on ne peut s'empêcher, par endroits, de demeurer interdit, comme dans la page relative à la mort de Christiane : « 6 juin 1816. Bien dormi, et je me sens beaucoup mieux. Fin prochaine de ma femme. Dernière et terrible lutte de son organisme. Elle s'est éteinte vers midi. Vide et silence de mort en moi et autour de moi. Arrivée et entrée solennelle de la princesse Ida et du prince Bernhardt. Le conseiller Meyer. Riemer. Le soir, brillante illumination de la ville. À minuit, ma femme est transportée dans la chambre mortuaire. Je suis resté toute la journée au lit. » Certes, entre le « sommeil » du début et cet ultime « resté au lit » de Goethe malade, tout le passage, avec son caractère synthétique, n'est pas dénué d'une brutale vigueur évocatrice, de même que la vision de cette « maison de la Mort » au milieu de la ville en fête, illuminée ; mais les sentiments du lecteur sont quelque peu choqués par ces « fêtes de la vie » mêlées avec tant d'impassibilité aux « mystères de la mort ».

C'est dans cette inaltérable objectivité que se reflète vraiment l'esprit de Goethe, pour qui le sentiment de la vie universelle, infinie et éternelle, était si immanent et prédominant que, par rapport à lui, même le plus grand événement historique, la plus profonde émotion personnelle ne devenaient rien de plus qu'une « chose contingente », s'insérant au milieu de toutes celles qui composent la réalité. Dans l'étude de la nature, Goethe avait appris à reconnaître que toute chose, même la plus humble, a son importance dans l'économie générale de la vie, car elle a une « fonction propre », « sa place » ; et de même pour l'homme, sur tous les plans de son existence, cela lui apparaissait comme la plus haute valeur : « Accomplir une mission appropriée à ses forces, être à sa place. » En ce cas seulement, vivre signifie pour l'homme être en harmonie avec le monde et avec soi-même ; alors la vie conserve toute sa spontanéité, bien mieux, conserve ce qui fut la « qualité goethéenne par excellence » : le naturel. En fait, il n'y eut peut-être jamais un esprit capable d'échapper à toute surexcitation, de se garder de l'exaltation et de la démesure, comme celui de Goethe. C'est pourquoi sa poésie est en mesure d'assumer les tonalités les plus diverses, sans qu'un accent y semble forcé ou, fût-ce même légèrement, artificiel. En toute occasion, les choses parlent leur propre langage, celui de leur nature. Outre la masse des expériences qui s'y accumulent de jour en jour – si nombreuses que dans les Index les références à des noms de villes ou de personnes occupent plus de mille pages ; outre les innombrables traces que les poèmes y ont laissées, le *Journal* est particulièrement précieux, du fait surtout qu'il plonge celui qui l'étudie au centre de cet univers intérieur où les racines de la vie et de l'œuvre goethéennes non seulement se nouent, mais visiblement se confondent et s'unifient.

JOURNAL de Gombrowicz [*Dziennik*]. Œuvre de l'écrivain polonais Witold Gombrowicz (1904-1969), publiée en feuilleton par la revue polonaise *Kultura* (Paris, 1953-56), puis en volume à partir de 1957. Tout journal est en quelque sorte un document sur son époque. À travers les réflexions de son auteur, on devine les tourments, les inquiétudes, les aspirations de ses contemporains. Le *Journal* de Gombrowicz est un document paradoxal, en ce sens que son auteur se penche surtout sur lui-même et s'isole arbitrairement, mais révèle, malgré lui et malgré ses intentions, les grands problèmes de notre temps. Dans son *Journal,* comme dans toutes ses œuvres, Gombrowicz part à la recherche de la vérité. S'il expose ici ses pensées intimes, s'il dévoile ses sentiments secrets, s'il désire être totalement sincère, c'est pour mieux circonscrire (tel en tout cas semble être son but) cette vérité. Mais avec Gombrowicz rien n'est simple. Comme chacun de nous, il se pose des questions : « Mais qui suis-je au fond ? Je suis tantôt ceci et tantôt cela... » ; comme chacun de nous, il est en quête d'un point d'appui, d'une valeur suprême (c'est là que se reflètent les nostalgies de notre temps) ; comme d'autres hommes, il se révolte contre l'absurde, les conventions omniprésentes, les hypocrisies tenaces ; mais en même temps il s'observe dans son nouveau rôle d'exhibitionniste, d'accusateur public, de juge impitoyable. Il vérifie ses opinions et son sens artistique, contrôle ses réactions. Sa confession devient une confrontation avec le monde. Est-elle donc sincère ? N'est-ce pas plutôt un jeu habile et suprêmement attirant, une provocation tendant uniquement à engendrer certaines réactions ? Non, car une fois encore cela serait trop simple : cette confession est sincère tout en n'étant pas sincère, elle est un jeu tout en n'étant pas un jeu. Gombrowicz a trop de talent pour enfermer son œuvre dans un schéma quelconque. Toutefois, il examine aussi nombre de grands problèmes de notre époque. Il analyse le communisme et les arts, s'en prend à la poésie et à la peinture, attaque les « grands » de la littérature polonaise comme Żeromski ou Wyspiański, parle de l'existentialisme, de la religion, et il a des mots superbes comme : « Dieu est devenu un pistolet avec lequel nous essayons d'abattre le marxisme. » Il lui suffit de quelques phrases pour dégager l'essentiel des œuvres de Kafka, de Proust, de Camus ou de Simone Weil. Mais son esprit pénétrant, son talent qui hait la banalité, son intransigeance et sa cruauté qui n'épargnent ni lui-même ni les autres, son sens critique, ses dons d'observateur et de philosophe ne constituent pas toute la valeur de ce *Journal.* Nous la trouverons surtout là où Gombrowicz, le vrai, le passionné, défend le droit d'être soi-même. Là où il dit : « Il nous faut élaborer un style de vie individuel et si puissant qu'il réussisse à résister à toute pression. » Là où il défend ses propres particularités et les particularités de tous les gens, où il veut garder intactes ses réactions, être différent des autres et avoir le droit de l'être. Il désire que le monde soit riche dans sa diversité et qu'il s'enrichisse non seulement de l'individualité de Gombrowicz, mais aussi de toutes les autres. En ce sens, ce *Journal* est plus qu'une confession d'un grand écrivain, il est un appel. – Trad. Julliard, 1964.

JOURNAL des Goncourt. Œuvre des écrivains français Edmond (1822-1896) et Jules (1830-1870) de Goncourt. Œuvre d'abord commune des deux écrivains qui vivaient en étroite symbiose, le *Journal* fut commencé en 1851 ; Jules tint la plume jusqu'à sa mort en 1870, puis Edmond poursuivit seul la tâche. Initialement, l'œuvre n'était pas destinée à la publication ; Edmond décida de faire paraître une version partielle de son vivant (1887-1896), pour souligner le rôle d'initiateur qu'il avait joué avec son frère dans les domaines littéraire et artistique. La première édition complète fut publiée de 1956 à 1958.

Le *Journal* nous présente une suite d'instantanés, de notes prises sur le vif ; c'est un vrai travail de journalistes dotés d'un sens aigu de l'observation. Les Goncourt amassèrent ainsi ces nombreux documents sur la vie réelle, chers aux écrivains naturalistes, pour préparer leurs futurs romans. Tout un monde disparu revit nous nos yeux ; le Paris du Siège et de la Commune nous éloigne un moment de la vie culturelle, du salon de la princesse Mathilde, des « dîners Magny », qui réunissaient Gavarny, Sainte-Beuve, Flaubert, Gautier, Renan, Taine. Les portraits sont nombreux, sans indulgence ; les Goncourt se soucient d'abord de vérité ; ils n'hésitent ni devant la médisance ni devant les indiscrétions ou les révélations sur la vie sexuelle des écrivains.

Jules et Edmond, plus longuement, se sont peints dans ces pages ; ils y apparaissent souvent amers, déçus par leurs échecs littéraires, obsédés par leurs problèmes de santé. Dégoûtés par les bassesses de leur époque, écœurés par leurs contemporains qu'ils accusent de vénalité, ils se réfugient dans leurs préjugés aristocratiques et proclament leur goût des causes perdues.

D'abord conçu comme une esquisse, un travail préliminaire, un long exercice d'écriture, le *Journal* peut être considéré comme l'œuvre majeure des Goncourt ; leur amour du mot, leur souci du condensé, leur sens de la discontinuité y trouvent leur plein épanouissement. P.-J. D.

JOURNAL de Green. Le *Journal* de l'écrivain américain d'expression française Julien Green (né en 1900) est un des plus étendus de l'histoire littéraire : entrepris de façon régulière dès 1919, il couvre plus de soixante ans de la vie de l'auteur. Paru en volumes séparés à partir de 1938, sur le conseil de l'éditeur Bernard Grasset, il fut l'objet, au moment de sa publication, de nombreuses coupures de la part de l'écrivain. Le *Journal* imprimé ne représente donc qu'une partie fort modeste du *Journal* manuscrit, la version intégrale ne devant paraître qu'à titre posthume. Les raisons qui ont poussé l'auteur à de telles omissions sont fort complexes, trop complexes pour ne pas révéler le sens que Julien Green a voulu donner à cette entreprise. Une première censure, la moins significative, a été faite à l'égard des personnes vivantes dont le nom figurait dans le *Journal*, censure dictée par la prudence ou la simple discrétion. Maintes allusions à la politique internationale – surtout dans les premiers cahiers – jugées trop hâtives ou inopportunes ont également été ôtées. Mais dans ce dernier cas, elles n'ont pas manqué de réapparaître, à l'occasion d'éditions ultérieures, au moment où elles pouvaient valoir à juste titre comme témoignage historique, non comme prétendue prise de position face à une actualité changeante. Notons que, avec les années, Julien Green acceptera avec moins de réticence le rôle de « spectateur engagé » de son époque, mais sa position reste, toutefois, celle d'un apolitique : étranger aux grandes idéologies de ce siècle, le regard qu'il pose sur les péripéties de l'histoire est celui, plus distant, du spirituel qui allie à l'inquiétude des désastres les ressources stoïques du recueillement, de la joie et de l'acceptation. Les omissions les plus importantes du *Journal* portent, non sans paradoxe, sur les extrêmes de l'expérience personnelle de l'auteur : la sexualité et la religion. Cette fois, il semble que seul le souci de traduire l'essentiel de cette expérience ait guidé Julien Green. Plutôt que de livrer sans discernement les détails de sa vie intime, il a préféré n'en exprimer que la part de tourments liée à ce qu'il appelle volontiers le mystère de la sexualité. Quelques notations, fort brèves souvent, reviennent, ici et là, avec une régularité insistante pour dire « la révolte de l'âme face à l'assujettissement aux sens ». Réservé sur ce sujet qui touche aux racines de sa personnalité, Julien Green ne l'est pas moins sur les questions religieuses. Là encore, on ne trouvera dans le *Journal* que de concises indications concernant les étapes d'un parcours spirituel dont on sait, cependant, qu'il fut mouvementé, l'auteur s'étant éloigné de l'Église catholique pendant plus de dix ans avant de se reconvertir à l'âge de trente-neuf ans. Julien Green estime que l'expérience de la foi – mais aussi celle de la sexualité ? – passe le langage humain et que les mots ne peuvent guère que la suggérer. Aussi le sentiment religieux s'exprime-t-il dans le *Journal*, comme dans les romans de Julien Green, par une attitude mystique, rebelle aux certitudes de la théologie, attentive surtout à la diversité des aspects du monde visible qui annoncent les régions – proches et lointaines – de l'invisible : un regard, une parole échangée ou entendue au hasard, l'écho d'une musique ou la profondeur du silence, les événements les plus banals trouveront toujours une signification sous l'œil de l'écrivain. Au long de ses milliers de pages, le *Journal* gardera la simple trace de ces instants d'éternité, fixés au moyen de quelques phrases. Cette esthétique du secret portant surtout sur la sexualité et la religion fait la particularité du *Journal* de Julien Green et dans cette oscillation entre les deux thèmes se dessine le propos de l'auteur : loin d'entreprendre une confession, il s'en est tenu à la tâche de repérer, dans la profusion de l'expérience de la vie, la courbe imprévisible d'un itinéraire spirituel qui, entre les exigences de la sensualité et les appels de l'âme, cherche la voie de la réconciliation. Julien Green semble attendre de ces notations, accumulées au fil des années, qu'elles lui fournissent en fin de compte quelques lumières sur lui-même et sur sa destinée, tout en reconnaissant les limites humaines d'un tel projet et les illusions inévitables de la connaissance de soi. Ce faisant, ce *Journal* nous rappelle que la sincérité littéraire consiste moins à tout dire qu'à dire l'essentiel, que, par conséquent, il n'est pas d'écriture du moi qui ne suppose une invention du moi, c'est-à-dire un idéal de l'existence qui intervienne d'emblée dans son évocation. Sans doute peut-on regretter de ne pas trouver dans ce *Journal* ce ton sans apprêt, ce style plus libre qui font généralement le charme des écrits rédigés en marge d'une œuvre ; de toute évidence, Julien Green se surveille jusque dans ses moindres notations. Mais on ne pourrait lui reprocher d'avoir été fidèle à soi et à l'esprit de toute son œuvre en voulant offrir à ses lecteurs le meilleur de lui-même. P. De.

JOURNAL de Hebbel [*Tagebücher*]. Ce *Journal* fut publié pour la première fois en 1885-1887 par Félix Bamberger, ami de l'écrivain allemand Friedrich Hebbel (1813-1863), qui s'arrogea le droit de modifier le texte et d'y apporter des coupures arbitraires et inadmissibles. Richard Marie Werner en donna une édition critique en 1903. Le *Journal* embrasse une période de vingt-six années, de 1835, lorsque le poète quitta son village natal, à 1862, quelques mois seulement avant sa mort. Dans l'ensemble, il offre non seulement un tableau attachant et plein d'intérêt de la vie intime du poète, de ses luttes et ses aspirations, mais aussi de la vie littéraire à son époque. La profonde humanité de l'auteur se manifeste dans ces notations qu'il écrivit pour lui-même, sans se soucier d'une future publication. Hebbel avait coutume de relire au bout de quelque temps ce qu'il avait écrit, tout en l'annotant, de telle sorte que nous pouvons aujourd'hui suivre l'évolution de sa pensée sur un certain sujet d'année en année. Il s'agit là de notes en vue de travaux ultérieurs, projets de drames, relevés de lectures ou de journaux et, surtout, d'aphorismes et de pensées sur tous les arguments, empreints d'une réelle profondeur et d'une vive originalité, qui nous font presque mieux connaître Hebbel que le reste de son œuvre. Ce n'est jamais le journal aride d'un chroniqueur : pendant des mois, Hebbel n'y portait rien, se réservant d'y fixer ce qui avait pour lui une signification intérieure : souvenir d'un état d'âme particulier ou vision intense, pensée dominante ou aventure caractéristique, si bien que ce *Journal* reflète effectivement les moments les plus saillants et les plus significatifs de son existence spirituelle.

JOURNAL d'Héroard. Œuvre de Jean Héroard (1551-1628), premier médecin de Louis XIII. Il a été tenu quotidiennement de la naissance du roi, 27 septembre 1601, jusqu'au 28 janvier 1628, date de la dernière mention autographe de l'auteur qui décède le 11 février 1628 à l'âge de soixante-dix-sept ans. Le manuscrit, conservé à la Bibliothèque nationale, comprend six volumes in-folio, soit un total de onze mille cinquante-quatre pages. Ce document, construit sur le schéma structurel du livre de raison qui est le journal domestique ou de famille très répandu au XVIIe siècle, qui n'est pas écrit pour être publié, appartient à la catégorie de ce que l'on appelle maintenant l'écriture privée. Le *Journal* de Jean Héroard, de caractère professionnel, est un journal d'hygiène et de santé. Il est établi sur une base chronométrique fondée sur l'utilisation d'une montre consultée au rythme de l'heure, de la demi-heure, du quart d'heure. L'auteur, de la première page à la dernière, a noté chaque jour ses observations. Celles-ci portent sur le rythme de vie : éveil, sommeil, lever, coucher ; sur les fonctions du corps : pouls, température, urines, déjections ; sur la composition des repas : de 1605 à 1622, dates de la meilleure tenue du *Journal,* sont consignés dans le détail seize mille dîners (déjeuners) et soupers (dîners) ; sur la santé : affections bénignes et maladies graves (1616-1627). En raison de tout cela, le *Journal* d'Héroard est un texte de pratique médicale unique en son genre, un instrument de précision qui offre à l'historien une banque de données sans équivalent. Cette information professionnelle, rigoureuse, sèche, répétitive, est à la longue rebutante. Mais à côté de celle-ci il y en a une autre, vivante, anecdotique, fascinante : c'est celle qui concerne Louis XIII enfant qu'Héroard découvre avec émerveillement. Il se fait de manière unique le chroniqueur : de son tempérament, où domine la colère ; de ses attitudes, de ses jeux, de ses rapports avec son entourage : le roi, la reine, la gouvernante, les domestiques, les soldats, les gens du peuple ; de ses aptitudes scolaires ; de ses dons de musicien, de dessinateur, etc. Exceptionnel observateur de la vie dans l'instant où elle se déroule, Héroard a été aussi un conservateur. Il a conservé le langage de l'enfant tel quel, en le transcrivant dans les sons entendus, dans la forme phonétique reproduite. Il fournit ainsi au linguiste un corpus unique du langage parlé. Il a conservé, à l'intérieur de son registre, les feuillets sur lesquels l'enfant crayonnait, écrivait et surtout dessinait. Grâce à eux, on peut regarder en direct les dessins de Louis XIII enfant. Le *Journal* de Jean Héroard, qui se situe au premier rang des documents de l'écriture privée de l'époque moderne, est une source de premier ordre et inédite pour plusieurs domaines de la recherche : histoire de la sensibilité et des mentalités, médecine, pédiatrie, linguistique, éducation. Il a fait l'objet de deux éditions. La première qui date du XIXe siècle est un recueil d'extraits : *Journal de l'enfance et la jeunesse de Louis XIII* (1601-1628), par E. Soulié et E. de Barthélemy (1868), la deuxième, intégrale : *Journal de Jean Héroard,* sous la direction de Madeleine Foisil, préface de Pierre Chaunu, Paris, 1989.

M. Fo.

JOURNAL de Juliet. Publié entre 1978 et 1982 en trois volumes (1957-1964, 1965-1968, 1968-1981), le journal de Charles Juliet retrace une accession à l'intégrité et à la plénitude de la connaissance de soi. Découragement, épuisement, acharnement jalonnent cette quête confrontée parfois à l'inutilité, parfois à l'impérieuse nécessité d'être menée à son terme. Arrivé à ce point de non-retour, Juliet recherche d'abord dans l'ascétisme un besoin de s'affirmer dans les exigences nouvelles issues de l'écriture. Pour celui qui a fréquenté longtemps les mystiques, le renoncement à toute forme de réalisation sociale et la réclusion apparaissent logiquement comme des moyens déployés en faveur de l'auto-élucidation. L'espionnage de soi au quotidien favorise ainsi le détachement indispensable à l'autonomie de l'écrivain, y compris pour se protéger des influences trop prégnantes. D'où le thème omniprésent du désert, lié à cette introspection, au minimum vital de singularité revendiqué par la voix la plus anonyme, la plus neutre. Froidement et lucidement, la pensée décline avec une patience maniaque la nullité de l'existence, et rend vaine toute velléité d'évasion ; dépouillée du moindre oripeau, libérée de la confusion et du malentendu habituels, elle constitue un « tourment de chaque instant, un acide qui vous ronge, vous détériore, vous conduit à l'échec, vous emplit de dégoût et de tristesse ». « Écrire, nous précise Juliet, c'est soutenir le face-à-face avec l'insoutenable, s'acharner sa vie durant à creuser un seul et même petit dérisoire sillon. » Notre volonté d'arrachement ne se concrétisera qu'à cette seule condition, sans laquelle il faudrait se décider enfin à transiger.

Le troisième volume du journal offre une orientation assez différente dans une période où se fait sentir le « ferme besoin de consentir, d'adhérer ». Il relate principalement les rencontres qui ont marqué ces années d'« intime exultation ». Recevoir la confession d'une inconnue, déceler la blessure qui meurtrit un être en perdition, autant de moyens que s'accorde l'écrivain pour se réconcilier avec lui-même et avec ses semblables, pour souffrir un peu moins. Au fur et à mesure de cette investigation, Juliet s'aperçoit qu'écrire prend un nouveau sens, lorsqu'on s'attache à refaire le chemin vers l'autre, vers l'humanité authentique. Le journal ne s'adresse pas simplement à cette famille d'esprits particuliers qui portent la lutte à son plus haut degré, mais à tous les oubliés d'eux-mêmes qui n'ont pas eu la chance de parvenir à la lumière. Ainsi les inoubliables « aphorismes » de Bram Van Velde transcrits dans le journal prennent une signification exemplaire : « Celui qui cherche la vie doit livrer un combat terrible contre ce système qui tue la vie. » Charles Juliet nous invite à côtoyer des individus rares, qui ont éprouvé « une telle faim de silence » devant l'abrutissement et l'ignominie, car il faut bien pardonner aux hommes d'exister. O. H.

JOURNAL de Jünger. Le journal de l'écrivain allemand Ernst Jünger (né en 1895) comprend trois parties : *Jardins et Routes* [*Gärten und Strassen,* avril 1939-juillet 1940] ; *Rayonnements* [*Strahlungen,* février 1941-avril 1945] composé de : *Premier journal de Paris* [*Das erste Pariser Tagebuch*], *Notes caucasiennes* [*Kaukasische Aufzeichnungen*], *Second journal de Paris* [*Das zweite Pariser Tagebuch*], *Pages de Kirchhorst* [*Kirchhorster Blätter*], et *Cabane dans le vignoble. Années d'occupation* [*Die Hütte im Weinberg. Jahre der Okkupation,* avril 1945-décembre 1948]. En écrivant ces confidences, il semble que Jünger ait poursuivi quatre buts : analyser sa situation de membre d'une armée d'occupation, inventorier les trésors de la culture occidentale, préparer l'instauration d'un ordre nouveau et essayer de percer à jour les arcanes de la vie. Pour une période ultérieure (1965-1980), il a publié son journal sous le titre *Soixante-dix s'efface* (*).

Jardins et Routes (avril 1939-juillet 1940) : le 25 avril 1939, Jünger reçoit par le courrier son fascicule militaire. Le 26 avril, un ordre de mobilisation le convoque pour le 30, à Celle. Dès lors, dormant, mangeant, causant ou lisant, le capitaine Jünger traverse l'Allemagne en direction de l'Ouest, puis la France, où il vivra « chez l'occupant ». L'exaltation du jeune Jünger durant la Première Guerre mondiale, telle qu'elle nous apparaît dans *Orages d'acier* (*), fait place ici au scepticisme. La guerre, cette fois, c'est l'anecdote, le fait divers, et Jünger accorde la première place à ses rêves, ses lectures, ses soirées, ses excursions, ses multiples observations, comme le passage d'une colonne de plus de dix mille prisonniers, image de la détresse humaine rendue mécanique par la catastrophe. Il mesure combien cette guerre est pour lui différente de la précédente. Le mystère est peut-être que ces changements répondent aux propres transformations de l'homme. « Les choses sont attirées et élues par notre être : le monde est ce que nous sommes. Chacun de nous est donc capable de le transformer : c'est l'immense pouvoir qui est accordé à l'homme. » L'individu porte les siècles devant ses yeux comme des filtres qui s'interposent entre lui et les choses auxquelles ils communiquent leur couleur. À la vue des morts de Montmirail, Ernst Jünger a le sentiment que ces filtres manquent, c'est-à-dire que l'image est sortie du cadre de l'histoire. « Je vis ici l'absolu, la structure essentielle, et je sentis la présence de puissances dont nous ne connaissons plus depuis longtemps que les noms abstraits : elles ne sont pas éternelles, mais leur règne durera aussi longtemps que le temps. » Par ailleurs, et comme en marge de ces visions de mort, Jünger parle d'une plante ou d'un insecte, et ces observations, en apparence paradoxales au voisinage du danger, le rassurent au contraire : « À notre époque, il faut jouir d'un calme de salamandre, si l'on veut parvenir à ses fins. En fait, il s'agit d'entamer ainsi les choses plus finement qu'avec les mots. »

La seconde partie du journal, *Rayonnements* (février 1941-avril 1945), est précédée d'une intéressante introduction où Jünger explique le choix de son titre. Il voulut rassembler en un foyer, qui est lui-même, les rayons que projetaient les événements, les hommes et les choses, donner à chacun sa place et « la lumière qui correspond à son rang ». Il ne faut donc pas chercher ici le laisser-aller caractéristique d'un journal intime ; il n'y a rien qui ne soit élaboré, « décanté » pour employer le terme même de Jünger, qui ne porte la trace de son essentielle préoccupation : la recherche d'un style, d'un nouveau réalisme transcendant qui permette de découvrir l'invisible sous le visible. Le lecteur qui chercherait un témoignage objectif sur des années décisives pour l'Europe serait donc déçu. Certes, Jünger parle de nihilisme, montre la barbarie, parle de la résistance à Hitler, mais l'intérêt de son œuvre n'est pas là. Il se trouve surtout dans tout ce qu'elle révèle — volontairement ou non — sur la personnalité de son auteur, et dans ce domaine elle est d'une prodigieuse richesse : préoccupations stylistiques envahissantes, retour au christianisme, ou tout au moins à *La Bible,* révélations sur ses lectures, sur son goût pour les plantes, les animaux (insectes et serpents surtout), ses rêves. Jünger veut être un observateur scientifique, qui considère les horreurs dont on lui parle « avec le regard d'un médecin examinant une blessure », car « elles sont le symptôme du monstrueux foyer d'infection qu'il s'agit de guérir et dont je crois qu'on peut le guérir ». C'est une attitude qui peut se concevoir et se justifier, mais le lecteur est souvent tenté d'y sentir une sorte de hauteur qui lui laisse une désagréable impression. « Je ne dois pas oublier, dit-il, que je suis entouré de malheureux. » N'est-ce pas sous-entendre qu'il l'oubliait assez facilement ? Par ailleurs, Jünger note en marge ses rencontres et ses entretiens dans les salons de ce Paris où il était en « occupation », mais brièvement, simple aide-mémoire, où l'on récolte de loin en loin une anecdote plus frappante sur Céline, Cocteau, Picasso. Le ton des *Notes caucasiennes* est tout différent, parce qu'il ne s'agit plus des rues et des cimetières parisiens, mais de la boue et des charniers des pentes du Caucase, au moment du grand tournant de Stalingrad.

Cabane dans le vignoble. Années d'occupation (avril 1945-décembre 1948). La cabane dont il s'agit est la maison de Jünger à Kirchhorst, près de Hanovre, et l'écrivain y reprend son journal à la date même qui marquait la fin de l'œuvre précédente : le 11 avril 1945, jour avec lequel commence l'occupation — mais de l'Allemagne, cette fois, avec l'arrivée des premières colonnes de tanks américains. Frappé par le parallélisme entre le déplacement des forces américaines victorieuses et l'entrée de l'armée allemande à Soissons en 1940, Jünger ressent alors « l'irruption d'une écrasante supériorité » et il éprouve l'amertume de la défaite. Les scènes prises sur le vif durant les années d'occupation qui vont suivre suscitent naturellement l'intérêt, mais ce qui retient surtout l'attention c'est la somme de réflexions, de jugements, de méditations que livre l'auteur sur les sujets les plus divers : l'importance du laboureur dans la vie des peuples, l'errance de milliers, de millions de réfugiés, la technique scientifique utilisée dans les camps de concentration, ces « royaumes de Caïn », les livres consolateurs, « navires légers et sûrs pour des courses à travers l'espace et le temps, et au-delà d'eux », ses travaux d'écrivain, ses relations amicales avec des Français, hommes de lettres, artistes, les théories de Clausewitz, les capitulations sans condition, Pétain et l'armistice, la famille des Stülpnagel, Goebbels et les personnages de *Sur les falaises de marbre* (*), Hitler et son action magique sur les masses, l'histoire et la politique, etc. Un trait sympathique se retrouve tout au long de ce journal : l'amour de Jünger pour la nature. La matière du livre est donc d'une diversité extrême, et elle est présentée dans un désordre qui est l'un de ses charmes. Pensées, voyages, occupations, entretiens avec le « Bruder Physikus » et avec son cadet Friedrich Georg, visites, tout s'entremêle ici comme dans la vie même. — Trad. *Jardins et Routes,* Plon, 1942 ; *Journal I* (1941-43) et *Journal II* (1943-45), Julliard, 1951 et 1953 ; *Journal de guerre et d'occupation,* avec de larges extraits de *Cabane dans le vignoble,* Julliard, 1965 ; *Journaux de guerre,* Julliard, 1990.

JOURNAL de Kafka. Ce journal, Franz Kafka, écrivain tchèque d'expression allemande (1883-1924), commença à le tenir dès 1910 : il a alors 27 ans et le rédigea jusqu'à sa mort, mais de façon très irrégulière, laissant passer des mois entre deux annotations. Le *Journal* publié une première fois en 1931, puis dans une édition plus complète en 1951, est dominé par quelques idées obsédantes : la peur de la maladie, de la solitude, le désir et la crainte du mariage, la haine inconsciente contre ses parents. Kafka est atteint par la tuberculose. Il considère sa maladie comme d'origine psychique ; elle est aussi pour lui un prétexte pour échapper au mariage. Il redoute d'avoir des enfants tuberculeux, mais se sent incapable de supporter seul la vie, tout en sachant qu'il lui serait impossible de vivre avec quelqu'un. Il se lie avec Mlle F. B. qui à deux reprises, en cinq ans, le met en demeure de se décider définitivement. En avril 1914, il se fiance avec elle, mais dès juillet rompt les fiançailles : c'est le moment où il écrit *Le Procès* (*) et *La Colonie pénitentiaire* (*). En 1915, il renoue avec F. B. et obtient un prix de littérature, le prix Fontane. En 1916, la tuberculose pulmonaire est manifeste : il rompt à nouveau ses fiançailles et s'installe à Prague où il fait de l'horticulture ; puis il passe de sanatorium en sanatorium. En 1923, il rencontre aux bains de mer Dora Dymant, avec qui il se fixe à Berlin. Le mal fait des progrès foudroyants : il meurt au sanatorium de Kierling, près de Vienne, le 3 juin 1924. Le *Journal* donne le reflet psychologique de ces événements. Aussi loin que remontent ses souvenirs, il constate qu'il a toujours été soucieux d'une seule chose : l'affirmation de son existence spirituelle ; tout le reste lui est indifférent. « Tout ce qui ne se rapporte pas à la littérature, je le hais ; les conversations m'ennuient, les visites m'ennuient à mort : elles privent tout ce à quoi je pense de son importance, de son sérieux, de sa vérité. » Une autre obsession est celle de la communauté israélite et du salut qu'il faut trouver au sein de l'idée juive.

Le *Journal* n'est pas seulement celui d'un malade qui désire une guérison ; c'est celui de l'attente du royaume messianique et d'un paradis terrestre : « Nous avons été chassés du Paradis, mais le Paradis n'a pas été détruit pour cela. Cette expulsion est une chance en quelque sorte, car si nous n'en avions pas été chassés, il aurait dû être détruit. » En bref, le *Journal* révèle un triple conflit : la maladie contre la soif de santé ; la vie de célibataire contre les désirs de mariage ; le conflit avec la communauté juive et le père qui la représente. Kafka éprouve un besoin impérieux de trouver Dieu en dehors de la communauté religieuse d'où Dieu semble s'être retiré. Le *Journal* est complété par l'« Esquisse d'une autobiographie », des considérations sur le péché et des méditations centrées sur les mêmes idées obsessionnelles que le *Journal.* — Trad. Grasset, 1945.

JOURNAL de Klee. Publié en 1957 par son fils Felix Klee, ce journal que le peintre allemand Paul Klee (1879-1940) commença à rédiger dès sa vingtième année se compose de quatre parties. La première moitié du journal (1880-1900) comprend des souvenirs d'enfance : premières sensations visuelles, petits incidents, émotions érotiques, brèves passions pour des fillettes. Puis des excursions — le goût du paysage —, des velléités poétiques et littéraires. Fils d'un professeur de musique, Klee, formé très tôt à l'exécution musicale, au violon en particulier, restera toute sa vie un musicien consommé. La seconde moitié relate de façon très détaillée les deux années de séjour d'études de Klee à Munich où il travaille d'abord à l'école d'art de Knirr, puis à l'atelier de Stuck. Malgré ses études de peinture, fort malaisées en raison des idées artistiques de ses maîtres et de son propre tempérament, il reste encore hésitant, quant à ses moyens d'expression, entre la musique, la poésie lyrique et les arts plastiques. Il se débat entre sa curiosité érotique, son besoin de sonder le « mystère sexuel », et un amour idéal que lui inspire une jeune pianiste, Lily Stumpf, fille d'un médecin munichois, passion qui se traduit par l'ébauche d'un singulier poème : *Eveline.* La seconde partie du journal (1901 à 1902) est tout entière consacrée à un voyage d'études en Italie, entrepris avec Hermann Haller, le sculpteur, son camarade d'enfance, qui débute par un séjour à Rome en octobre 1901 et se termine par un autre à Florence en avril et mai 1902. Ce sera pour Klee, homme du Nord, l'occasion d'une refonte de soi au contact des réalités italiennes et des séductions méditerranéennes, avec autant d'adhésion que de refus. La troisième partie, la plus longue de ce journal, s'étend depuis le retour d'Italie à Berne (mai 1902) jusqu'à l'incorporation de Klee comme réserviste dans le « Landsturm » en 1916 à Landshut (Bavière). Klee épouse à Berne Lily Stumpf, puis s'installe à Munich. En 1910-11 a lieu sa première exposition d'ensemble en Suisse (Berne, Zurich, Wintherthur, Bâle). Il entre ensuite en contact avec le groupe de Kandinsky et de Franz Marc, le « Blaue Reiter » [cavalier bleu]. Les carnets de cette période, qui aboutit à la guerre, reflètent avant tout la longue lutte qu'il lui fallut soutenir avec les marchands de tableaux et les critiques pour imposer sa vision à un public encore tout entier dévoué à l'impressionnisme. En 1911 et 1914, Klee sort peu à peu de son isolement et s'attache un public encore restreint d'amateurs attentifs aux recherches et aux techniques nouvelles. La troisième partie des journaux est la seule qui renseigne sur la période préludant à l'épanouissement de la maturité, au lendemain de la guerre de 14-18. En effet, la quatrième partie du journal, qui s'arrête brusquement en novembre 1918, n'est consacrée qu'à des impressions de guerre. — Trad. Grasset, 1959.

JOURNAL de Lenéru. Commencé en 1893, le *Journal* de Marie Lenéru (1875-1918), écrivain français, fait suite à un Journal d'enfance révélant déjà une âme exceptionnellement lucide. Il fut publié en 1922. Sourde et presque aveugle, Marie Lenéru, de sa dix-huitième année à sa mort, a consigné dans ses cahiers les réflexions d'un esprit cultivé et hautain, rebelle au désespoir : « Il n'y a qu'un fléau : le découragement. Je ne pense pas seulement à la désespérance qui embrasse toute une vie, mais à ces lassitudes de tous les jours, qui s'étendent à une période, à une heure. » De plain-pied avec les grands penseurs, elle lit Montaigne, Pascal, La Rochefoucauld, Vauvenargues et Nietzsche, avec ce jugement, aiguisé par la souffrance, qui scrute en profondeur ou relève, au hasard d'une lecture, la furtive étincelle du génie. Sa propre pensée, Marie Lenéru la formule avec la concision et l'élégance de ses auteurs préférés, la marquant de son propre sceau qui est celui de l'ironie : « Je hais les gens dont on me dit qu'ils ne perdent pas une minute [...] Ah ! savoir ne rien faire... » De formation religieuse, Marie Lenéru a gardé longtemps la nostalgie d'une vie monacale. Sa propre solitude, elle l'a cultivée avec le bel orgueil des « inadaptés » : « Je suis poursuivie par cette idée de "perfectionner l'instant". » Avec les années, le *Journal* prend un certain ton de sécheresse qui confine à l'indifférence : « À force de les voir patauger dans l'à-peu-près, je me sens devenir inexorable, à la Saint-Just » ; « Ils parlent de droiture, de loyauté, et ils sont faux, faux sans le savoir peut-être, mais que m'importent les intentions ? Je ne pèse pas les mérites ; le pire c'est ce qu'on est, ce n'est pas ce qu'on veut. » Enfin, les jugements littéraires, trop nombreux, ralentissent la lecture. Mais le sens critique de l'auteur s'aiguise jusqu'à la dernière page. Le livre se termine, en 1918, par des considérations sur la guerre et sur les notions de courage et d'héroïsme.

JOURNAL de L'Estoile. Écrits de 1574 à 1610, les « Mémoires-journal » du chroniqueur français Pierre Taisan de L'Estoile (vers 1546-1611) n'ont été livrés au public que plusieurs années après sa mort. Mais de nombreuses éditions de cet ouvrage ont été faites depuis. Le *Journal* de L'Estoile est précédé d'une présentation dans laquelle l'auteur dénomme ses « registres » le « magasin de mes curiosités ». Mais où il se trompe peut-être, c'est lorsqu'il compare ces Mémoires avec les *Essais* (*) de Montaigne ; car, s'il s'y découvre « tout nu », c'est bien plutôt en chroniqueur méticuleux et tatillon des événements petits et grands de son époque qu'en moraliste qui analyse les humains et lui-même. Audiencier à la chancellerie, il était aux premières loges pour satisfaire une curiosité presque maniaque, inlassable et jamais assouvie. Les règnes d'Henri III et Henri IV paraissent, grâce à lui, n'avoir que peu de secrets pour nous. Nous lui devons à coup sûr la meilleure vue, la plus claire, la plus variée, la plus étendue, de cette partie de l'histoire. Son *Journal* est écrit non seulement par année ou par mois, mais presque jour par jour, de 1574 jusque peu avant sa mort. Son avidité de curieux domine toute son existence : sa vie conjugale, sa charge d'audiencier, ses ennuis, ses déboires. Sa charge vendue à grosse perte en 1601, il n'en continua pas moins sa « collection » d'intrigues, de faits notoires, de potins. Son désir, qui est un véritable besoin, est d'écrire son Journal et non l'Histoire : il ne s'expose pas au public, c'est pour lui qu'il poursuit ce travail, pour satisfaire une manie. Il relate ce qu'il voit, ce qu'il entend, comme il le ressent, et non pour en instruire les générations à venir. Il est probe, il est sincère, il ne camoufle pas, mais on a parfois l'impression qu'il observe une certaine règle de prudence, et cela, sans aucun doute, dans la crainte de s'éloigner de la vérité. Il entoure les événements les plus sérieux de descriptions extérieures et insignifiantes. Cependant ces très menus faits, qui peuvent paraître oiseux, contribuent à créer l'ambiance indispensable à une parfaite compréhension. Les grandes lignes comme les infimes réseaux, il nous les montre. Les personnages historiques comme d'autres de petite importance, il les nomme et les situe. De tous ces cadres qui l'entourent, la version historique se dégage plus nette : le décor supprimé, le sujet principal demeure avec son relief. Ces deux règnes se déroulent avec un si méthodique déploiement de détails que, si au début le lecteur trouve ces longueurs fastidieuses, il finit par s'y enfoncer au point de faire corps avec les gens et les mœurs. De plus, Pierre de L'Estoile était un collectionneur, c'est-à-dire qu'il amassait les pamphlets, les épigrammes, les satires, les discours, les lettres, les épitaphes, les gravures, tout ce qui touchait à la politique. Ne pouvant copier les tableaux, il en faisait des descriptions, aussi scrupuleuses que ses récits. L'Estoile penche-t-il vers un parti ? Il est neutre, tout lui est bon, tout l'intéresse. Il n'est pas « acteur » (comme Marguerite de Valois, Sully, d'Aubigné, d'autres), il est « spectateur », et cela nous rapproche encore de lui. Historien ? Non. Trop de pittoresque, trop de fantaisie, trop de remarques spontanées surgissent aux moments les plus pathétiques, et cela pour mieux les rehausser justement. L'Estoile est un narrateur à qui rien n'échappe.

JOURNAL de Mansfield [*Journal of Katherine Mansfield*]. Journal de l'écrivain néo-zélandais Katherine Mansfield (Kathleen Beauchamp, 1888-1923), publié pour la première fois en 1927 par son mari John Middleton Murry. Celui-ci rassembla, de façon un peu arbitraire, des matériaux choisis, et en 1954 publia une édition appelée définitive du *Journal.* Une édition complète du *Journal* est parue en 1973. Ce journal comprend la période qui va de 1914 à 1922 ; Katherine Mansfield avait détruit elle-même la partie du journal qui traitait des périodes précédentes. Loin d'être fait d'une narration continue, le journal est plutôt un recueil de notes, de brèves impressions, de pensées, de rêves, de jugements et de remarques que l'auteur développera plus tard dans ses nouvelles. Pour Katherine Mansfield, douée d'une sensibilité extrême, chaque fait et chaque scène de la vie quotidienne, si insignifiant soient-ils, acquièrent de l'importance. Nulle convention chez elle : partout elle note avec simplicité ce qu'elle éprouve, sans se préoccuper du lecteur. Déjà malade lors de la rédaction du *Journal*, elle donne libre cours à son angoisse devant cette mort qui l'empêchera d'achever son œuvre. Pendant ses dernières années, elle souffre atrocement : seule l'écriture peut l'apaiser. Son travail alors lui apparaît comme le but suprême de sa vie, et son seul bonheur ; comme un devoir moral et presque mystique. Il faut, avant d'écrire, se sentir pur, calme et bon ; il faut apprendre à oublier sa propre personnalité. Cependant, la fatigue et la nervosité s'emparent de l'auteur, et elle s'en plaint amèrement, se promettant d'être meilleure et plus forte. Souvent Mansfield rêve de sa patrie lointaine, la Nouvelle-Zélande, et l'évoque avec émotion.

En 1915, son frère cadet, Chummie, lui rend visite à Londres pendant quelques semaines, avant de partir pour le front où il trouvera la mort. Le coup est terrible pour elle. Ce qui la soutient dans la douleur est le désir d'évoquer à nouveau leur enfance commune, si chargée de souvenirs heureux. C'est de ces souvenirs dont seront saturés ses deux récits intitulés : *Sur la baie* [*At the Bay*] et *Prélude* [*Prelude*], ainsi que d'autres nouvelles de moindre importance ; Katherine Mansfield avait en outre l'intention de composer un roman sur le même sujet, mais elle n'arriva pas à réaliser son désir, et c'est seulement dans le *Journal* que nous pouvons en trouver les traces. C'est ainsi que le *Journal* de Katherine Mansfield est plus qu'un simple document sur sa vie ; c'est une véritable œuvre d'art, pleine de fraîcheur et d'originalité. — Trad. Stock, 1973 ; Gallimard, 1983.

JOURNAL de Martin du Gard. L'écrivain français Roger Martin du Gard (1881-1958), le romancier des *Thibault* (*), prix Nobel de littérature en 1937, a tenu son *Journal* de 1919, lors de son retour du front, à 1949, à la mort de sa femme. Mais il avait conservé, outre son *Journal de guerre,* de nombreuses correspondances intimes (notamment avec ses parents, son frère, sa femme, sa fille, ses amis de jeunesse parmi lesquels Gustave Valmont, Marcel de Coppet, Pierre Margaritis, le dédicataire des *Thibault*) et laissé quantité de notes datées dont il a lié le sort à celui de son *Journal,* si bien qu'il a été possible de publier en 1992 un premier volume réunissant des textes autobiographiques de 1887 (il a six ans) à 1919 — de même que le tome III comportera un épilogue rassemblant lettres et notes de 1949 à 1958. De plus, le premier tome s'ouvre sur de précieux souvenirs d'enfance, où Martin du Gard, avec tendresse et émotion, évoque son initiation sexuelle dans ce qu'elle eut de troublant, sinon de traumatisant. Il en résulte un ensemble de très grand intérêt, tant pour la connaissance de l'écrivain, de ses goûts, de ses tendances, de son esthétique, que pour celle de son époque.

Très tôt s'était éveillée en lui la conscience du temps et de ses ravages, et c'est pour s'opposer à eux, pour faire pièce au néant, qu'il voulut écrire. En outre, il trouve dans la pratique journalière de l'écriture un moyen, comme il le fait dire à son dernier personnage, Bertrand de Maumort, « de s'assurer sur ses bases, de rester authentiquement celui qu'[il] est ». Au sortir de l'adolescence, marqué par le « bovarysme » de Jules de Gaultier, hanté par la crainte de manquer sa vie, comme l'héroïne de Flaubert, par illusion sur soi, il a pris l'habitude de s'examiner sans complaisance, en des pages dont la lucide pertinence ne le cède qu'à l'humour. Moins d'un an avant sa mort, il confiait à son ami Roger Froment : « Je vais laisser derrière moi une minutieuse analyse de moi-même, de mon évolution, des étapes de mon travail, de ma vie privée, de mes amitiés, des événements dont j'ai été le contemporain. »

On découvre dans ce *Journal* l'amateur d'êtres et d'âmes que fut Martin du Gard, chasseur passionné d'observations et de sensations : les croquis fourmillent ici, pittoresques, émouvants ou drôles, de personnalités aussi diverses que celles de Copeau, de Duhamel, de Gide, de Dabit, et aussi d'inconnus auxquels une plume alerte et sympathique confère le statut de personnages de roman. On suit également, au fil des pages, les étapes d'une formation exigeante de la personnalité : l'énergie que l'on s'est plu à souligner dans l'œuvre de Martin du Gard, la solidité rassurante qu'il paraît incarner sont des conquêtes difficiles : en permanence, Martin du Gard est en garde contre ses faiblesses. Son rationalisme prend corps peu à peu, entre les billevesées des snobismes, les pièges des mots d'ordre et les traquenards de la métaphysique. C'est pourquoi ce *Journal*, où s'affirme une individualité, ne ressemble à aucun autre, puisqu'il n'est pas miroir de Narcisse, mais creuset où lentement un scepticisme se mue en force. C'est, au total, une leçon de liberté que l'on tire de ces pages où Martin du Gard n'hésite jamais à se remettre en question, assumant ses contradictions, s'efforçant de les dépasser, refusant toute affiliation. De plus, complétant en cela *Jean Barois* (*), *Les Thibault* (*) et *Le Lieutenant-Colonel de Maumort* (*), ce *Journal* précise, nuance et justifie, au contact des faits contemporains, le pacifisme de Martin du Gard et son refus des nationalismes.

Un autre apport, tout aussi capital : non seulement le *Journal* retrace la genèse des œuvres publiées de l'auteur, mais il évoque les projets, les ébauches, les romans avortés au fil desquels on voit s'élaborer une esthétique qui ne doit rien à l'héritage de l'écriture réaliste et naturaliste. Dès ses premiers essais, en effet, Martin du Gard a dénoncé l'artifice du « narrateur omniscient », du « personnage », de la « description », de l'« analyse psychologique », précédant ainsi d'un demi-siècle l'« ère du soupçon ». La lecture de ce *Journal* doit donc inciter à une révision des jugements hâtifs que l'on a pu porter sur la manière de Martin du Gard, une manière probe, solide, efficace et, par-delà, c'est à une réflexion sur l'écriture de fiction (roman, théâtre, cinéma) que l'on se trouve entraîné. Ce *Journal,* contemporain de notre premier demi-siècle, est ainsi, pour l'histoire littéraire comme pour l'histoire des hommes, un document capital. Cl. Si.

JOURNAL de Mauriac. Le *Journal* de l'écrivain français François Mauriac (1885-1970) a été publié en plusieurs parties : *Journal I* en 1934, *Journal II* en 1937, *Journal III* en 1940, *Journal IV* en 1951. Dans ces ouvrages alternent le plus souvent des scènes de la vie intime, des rappels de l'enfance passée dans la région bordelaise (« Malagar », « Le Premier de l'An »), des réflexions personnelles sur la condition et les problèmes du chrétien dans le monde actuel (« Jour des Morts », « Premières communions », « La Littérature et le Péché », « Le Drame de Renan »), des jugements sur l'évolution de l'art, de la musique et de la poésie (« Matinée de poésie », « Mozart », « Le romancier peut se renouveler par le théâtre et le cinéma »), le rappel d'amitiés littéraires et leur retentissement sur le comportement éthique et esthétique de l'auteur (« Lettres à Francis Jammes », « Le Drame de Charles de Guérin »). *Journal III* se termine par le récit d'une visite à la ligne

Maginot, quelque temps avant que la France ne soit envahie. À partir de la Libération, l'académicien tend de plus en plus à tenir un journal politique, qui aboutira d'ailleurs au *Bloc-Notes* (*). Selon François Mauriac, « le journal le plus secret est une composition littéraire, un arrangement, un mensonge ». Il ne le considère donc pas comme une succession d'instants fixés au jour le jour, avec effusion lyrique, souci de réalisme ou effets d'instrospection, mais plutôt comme la cristallisation de moments de la vie de la pensée, succession de tableaux qu'aucun artifice ne lie les uns aux autres. Il actualise ainsi les expressions privilégiées de l'esprit et de l'âme. Dans ce genre intime, il laisse percer son art de romancier et de dramaturge : « S'il existe un seul homme qui tienne son journal pour son agrément particulier, et non pour le siècle futur... il lui reste quelqu'un à duper, et c'est lui-même. » Il n'en reste pas moins que ces quatre volumes, ajoutés à *Écrits intimes* (*), *Dieu et Mammon* (*) et *Le Bloc-Notes,* apportent de très précieux renseignements sur l'état de conscience de l'un des grands romanciers chrétiens de notre siècle.

JOURNAL de Michelet. Avant d'être rendu public, plus de quatre-vingts ans après la mort de l'historien français Jules Michelet (1798-1874), son *Journal* a connu une série de tribulations qui lui constituent toute une histoire. Par testament, Michelet léguait l'ensemble de ses papiers à sa femme, avec toute liberté d'en disposer ; Mme Michelet usa très largement de cette autorisation puisque les volumes qu'elle publia comme des inédits de son mari : *Ma jeunesse* (1884), *Notre France* (1886), *Mon journal* (1888), *Rome* (1891), *Sur les chemins de l'Europe* (1893), furent arbitrairement fabriqués par elle à l'aide de fragments puisés dans les innombrables feuillets laissés par Michelet. Non contente d'opérer ce « montage », Mme Michelet se permit de récrire et de compléter un grand nombre des fragments utilisés. À sa mort (1899), Mme Michelet légua les dossiers du *Journal* et les autres inédits à Gabriel Monod, qui ne se permit d'en publier que les passages susceptibles d'éclairer le vie de Michelet, son maître vénéré. Ces passages figurent dans son *Jules Michelet* (1905) et dans le recueil posthume de ses cours au Collège de France intitulé : *La Vie et la pensée de Jules Michelet* (1923). Gabriel Monod légua à son tour les papiers divers de Michelet à la Bibliothèque historique de la ville de Paris, cependant qu'il confiait à l'Institut tous les dossiers du *Journal ;* son testament précisait que ces dossiers devaient demeurer sous scellés jusqu'en 1950 et qu'ils ne seraient jamais publiés sans l'autorisation du secrétaire de l'Académie des sciences morales et politiques. En 1950, le baron Seillère, qui occupait cette charge, fit procéder à l'ouverture de ces dossiers et transmit ses pouvoirs, quant à la décision de leur publication, à une commission de l'Institut. Cette commission décida, en mai 1951, que la publication serait intégrale, et elle chargea M. Paul Viallaneix et M. Claude Digeon de la mise au point du texte : le premier pour les années 1828-60, le second pour les années 1860-74.

Paru en 1959 aux éditions Gallimard, en même temps que *Écrits de jeunesse* (*), le premier volume du *Journal* de Michelet couvre les années 1828 à 1848 ; outre ses notes, M. Paul Viallaneix l'a enrichi d'un grand nombre de documents inédits : correspondance, articles et notes de cours de Michelet. Comme le souligne l'éditeur dans sa préface : « Michelet n'éprouvait rien qu'il ne désirât aussitôt désigner, analyser, traduire en formules [...] Michelet vivait la plume à la main, écrivant comme il respirait, se parlant sans cesse à lui-même [...] Le *Journal* était son vrai confident, flattant son goût de la solitude, du recueillement et de l'examen de conscience, ménageant sa pudeur et sa timidité. Cet homme, qui écrivit si souvent pour les autres, tenait à écrire chaque jour pour lui-même. » Ce monologue ininterrompu de toute une vie est hâtivement écrit (Michelet ne songea jamais à le publier), mais cette hâte, ce style haletant aux phrases hachées, cassées, elliptiques, reflètent avec une vivacité saisissante tous les mouvements d'un esprit avide de connaître et de se connaître, impatient d'organiser sa pensée et ses émotions afin de les utiliser dans l'œuvre qu'il est en train d'édifier. Le *Journal* est ainsi, et avant tout, la « réserve » de Michelet, le répertoire où il pourra retrouver, notées sur le vif, ses réactions lors d'une lecture, d'une rencontre ou devant un paysage ; ce n'est pas une œuvre, c'est un chantier où s'accumulent les blocs de substance humaine ou poétique qui lui permettront, en les taillant aux dimensions de sa construction historique, d'y insérer l'expérience vivante. Pour les années 1828-48, années tumultueuses et fécondes au cours desquelles Michelet affirme son génie en produisant les premiers volumes de son *Histoire de France* (*) et de son *Histoire de la Révolution française* (*) et en attirant des foules à ses cours du Collège de France, le *Journal* est moins riche en notes de caractère intime (Michelet les a détruites) qu'en réflexions de toute sorte sur la vie, l'amour, l'histoire et surtout en notes de voyage. Pendant ces années, Michelet visita en effet la Provence, le Massif central, la Bretagne, la Normandie, l'Angleterre, la Belgique, la Hollande, l'Allemagne et l'Italie, et ses journaux de voyage sont particulièrement copieux et soignés car il les tenait pour alimenter directement ses scènes historiques. Au sortir de ce premier volume, tout en « instantanés » qui immobilisent le plus vif des intérêts quotidiens de Michelet, on emporte l'image d'un écrivain perpétuellement au travail, mais qui ne poursuit, à travers ce recours acharné à l'écriture, qu'une administration rigoureuse de soi-même afin d'être toujours au service de l'œuvre entreprise et, par-delà, de l'humanité à laquelle elle est entièrement destinée.

Paru en 1962, le deuxième volume du *Journal* couvre les années 1849-1860 ; Paul Viallaneix, dont les notes s'accompagnent pareillement de nombreux documents inédits, y a réuni, en appendice, les *Mémoires d'une jeune fille honnête*, ouvrage inachevé de Michelet, et les *Lettres d'amour* envoyées par Michelet à Athénaïs Mialaret, sa future femme (ils entrèrent en relation épistolaire en octobre 1847, se rencontrèrent en novembre 1848 et s'épousèrent le 12 mars 1849). L'importance de ce volume est considérable tant du point de vue de la connaissance de l'évolution de l'auteur que de celle de l'histoire des sentiments. Michelet amoureux réinvente en effet l'amour et, véritablement, se recrée à travers lui dans un élan de générosité qui illustre cette phrase écrite par lui à Athénaïs le 2 février 1849 : « L'amour, comme tous le connaissent, c'est une maladie, une crise ; l'amour, en moi, ce sera un mouvement, un progrès, un renouvellement, une fécondation de chaque heure. » Michelet tint parole et, s'il avait embrassé la religion de l'amour en romantique, il dépassa la passion romantique pour inventer ce qu'il appelle lui-même la « tendresse moderne » — tendresse faite de connaissance réciproque, de partage, de respect. Le deuxième volume du *Journal* nous fait suivre la construction quotidienne de cette « tendresse » avec une sincérité absolue, car Michelet ne destinait ces pages qu'à lui-même et à sa femme. Cette construction n'alla pas sans drames, la frigidité d'Athénaïs provoquant des périodes de déséquilibre chez Michelet, cependant que leur grande différence d'âge (un quart de siècle) teintait leurs rapports d'inceste ; mais Michelet sut trouver dans son amour, et dans la maturité de sa cinquantaine, la patience nécessaire pour vaincre les déceptions momentanées et y puiser au contraire une volonté de dépassement. En complément à cette fermeté dans l'amour, Athénaïs lui apporta un sens de la nature et une ouverture au monde qui furent à l'origine de ce sentiment de fraternité que Michelet traduisit dans ses œuvres d'éducation populaire et dans ses essais lyrico-scientifiques : *La Femme* (*), *La Mer* (*), *La Montagne* (*), *L'Oiseau* (*), *L'Insecte* (*). Ce renouvellement de l'inspiration de Michelet après 1850, cet inépuisable mouvement de générosité et de foi qui ne cessa de le porter vers les autres, on en possède aujourd'hui la clé grâce au *Journal* (les tomes III et IV ont été publiés en 1976) qui nous fait assister au perpétuel élargissement de l'amour vécu comme force créatrice — au *Journal* dans lequel Michelet s'efforce de créer « une langue nouvelle... celle de la tendresse moderne, qui, dans les choses du corps, sent et aime l'âme, ou plutôt ni l'âme ni le corps, mais partout l'esprit : la langue d'un Rabelais sérieux et aimant ».

JOURNAL de Pepys [*Diary*]. Ce célèbre journal, que tint l'écrivain anglais Samuel Pepys (1633-1703) de janvier 1660 à 1669, est écrit sous la forme d'une sténographie particulière où se mêlent les termes anglais, français, italiens, espagnols et latins. Resté ignoré dans une bibliothèque de Cambridge jusqu'en 1825, ce manuscrit fut découvert et déchiffré cette même année par John Smith et imprimé sous sa forme intégrale en 1893 seulement. Le genre du « Journal », qui dérive presque insensiblement des « Characters » en raison du besoin de décrire sous une forme satirique des types intéressants, avait déjà été cultivé en Angleterre par George Fox et Evelyn. Le *Journal* de Pepys présente un extraordinaire intérêt parce qu'il révèle, sous leurs aspects les plus ignorés, les événements politiques auxquels l'auteur prit une part souvent considérable. Fonctionnaire à l'Amirauté, il parvint par son intelligence et son énergie au grade de secrétaire de ce département. Il fut mis ainsi en contact avec les classes sociales les plus diverses, depuis les ministres jusqu'aux plus humbles marins. Curieux et observateur, il se plaît à recueillir aussi bien les commérages de la Cour que les querelles de ses voisins, dont il emplit son *Journal*. Il confie librement à ces pages les secrets que ses contemporains devaient ignorer, depuis les devoirs de sa tâche jusqu'à ses affaires les plus intimes. Le lecteur est informé à la fois du contenu de sa garde-robe ou de celle de ses parents, et des intrigues politiques tramées dans les coulisses ministérielles, ainsi que des scandales de la haute société. Cette œuvre constitue un tableau minutieux dont le degré de sincérité échappe peut-être à l'auteur ; il décrit avec une égale franchise ses infidélités conjugales, ses excès, ses « vœux » de tempérance et la coupe de ses vêtements. Il est peiné de la mort d'un parent, mais se réjouit à la pensée de l'héritage qui va lui revenir. Il sort d'une église pour entrer dans un mauvais lieu et, s'il se fait corrompre, il prévient « loyalement » son corrupteur qu'il ne reconnaîtra jamais avoir reçu de lui le moindre argent. Le *Journal* révèle un mélange complexe d'hypocrisie et de cynisme, de bigoterie et de foi, d'ingénuité et de rouerie, qui en fait l'un des documents humains les plus déconcertants qui aient été écrits et, en tout cas, l'un des plus typiquement anglais. — Trad. Mercure de France, 1985 (partielle) ; Robert Laffont, « Bouquins », 1994.

JOURNAL de Ramuz. En 1945 l'écrivain suisse d'expression française Charles-Ferdinand Ramuz (1878-1947) livrait au public le journal de sa vie, tel qu'il l'avait écrit de 1896 à 1918, puis de 1940 à 1942. Ainsi l'auteur n'a-t-il confié à ses lecteurs que sa jeunesse et la fin de sa carrière. Ces deux aspects de lui-même, il les compare, lorsqu'il a atteint la soixantaine, et les commente ainsi : « Ce que je sens, c'est que chaque jour je m'éloigne du saint pour me rapprocher du sage. Là, peut-être ai-je vieilli : le saint ne comprend que lui-même, le sage comprend tout. » L'aphorisme commande un retour en arrière à la recherche du saint, lorsqu'il venait d'arriver à Paris en 1896 et, se refermant sur lui-même, demeurait un jeune étudiant suisse très isolé, timide, marqué d'orgueilleuse inquiétude. Il vivait alors heureux, s'engageait dans l'effort avec une sévérité impitoyable, se refusait toute jouissance hormis celle de l'« égoïste austérité ». Mais, ainsi orientées, les exaltations épuisent vite : les maux de tête, un énervement total, un effarement de l'être entier le condamnant à de longues insomnies dont il se plaint. Seul, il ne parle jamais d'autrui, ni de l'œuvre d'autrui. C'est l'époque où il doit s'installer rue Froidevaux dans le XIVe : « Un quartier d'apaches. On s'y tue toutes les nuits. Je rentre chez moi en rasant les murs. » Et pourtant une sorte d'allégresse, enfin, surgit en lui, il écrit *Jean-Luc persécuté* (*), avec soin, avec amour, et il s'exalte : « Je ne vis qu'en autrui, je ne vis tout à fait qu'en autrui. Sa douleur devient ma douleur et sa joie est aussi ma joie » ; mais pourtant il demeure aussi solitaire qu'auparavant, et l'« autrui » dont il parle pourrait bien n'être que le personnage qu'il crée et sur lequel il se projette. Au printemps de l'année suivante enfin, la vie éclate en lui ; il célèbre sa quarantième année en se jetant dans la révolte, et c'est alors qu'il déclare : « Je prétends mériter mon nom en me défaisant des acquisitions de hasard que je dois à l'école, à mes études, à mon milieu, à mes parents. Je prétends redescendre au simple. Je pense à ce que je dois faire et que j'ai à me défaire. » Il réclame son droit à l'ingratitude, à la nécessaire ingratitude, et c'est alors qu'il disparaît, ou plutôt cesse de se livrer à ses lecteurs.

On le retrouve à soixante-deux ans. Il est un autre homme, ou du moins il veut l'être. Le voilà dans l'obligation de remonter le temps à contre-courant, de défaire plutôt que de faire, de reprendre toute son œuvre, de se confronter lui-même avec lui-même. Et, pour encourager cette renaissance, un petit-fils est né dans sa maison, ouverte ainsi à de nouvelles expériences de l'amour. Avec avidité, Ramuz l'observe et le chérit, avec une tendresse passionnée, inquiète, unique, où se retrouvent les hautaines exigences que l'auteur avait pour lui-même au début de ce *Journal*.

JOURNAL de Renard. Cet ouvrage, dont l'édition originale est due à François Bernouard (Paris, 1925), se compose de cinq volumes. Quand l'écrivain français Jules Renard (1864-1910) l'entreprit, il n'avait encore rien publié en dehors de quelques vers. Or, il le tint jusqu'à sa mort, soit pendant près d'un quart de siècle : de 1887 à 1910. On peut donc dire que le *Journal* contient en germe toutes les œuvres de l'écrivain. Par là même, il restera comme un document sur l'époque antérieure de la guerre de 1914-1918. Que trouve-t-on dans ce *Journal* ? D'abord, l'homme qui est comme le commun des martyrs, avec ce bonheur qu'il s'efforce d'atteindre, ces maladies qu'il rencontre et ces tracas que lui donne le pain quotidien. Ensuite, le garçon dénué de toute affection pour sa mère pour avoir souffert trop longtemps de son empire despotique. Après quoi, le citadin mêlé à la vie des journaux de Paris, des théâtres et autres lieux, et fort aise d'avoir des relations avec les gens les plus célèbres de son temps ; sans oublier le paysan de la Nièvre, qui deviendra un jour le maire d'un chef-lieu de canton et trouvera dans la vie rurale un dérivatif à tout le reste. Ces images diverses que Renard nous donne de lui-même se trouvent pourtant éclipsées par une autre : l'écrivain ou plutôt l'homme qui est en proie au démon du style. On sait du reste que, chez Renard, le besoin d'écrire prévalut toujours sur tous les autres besoins. Il n'imagine pas qu'on puisse faire autre chose que de la littérature. Pour lui, l'encrier fut toujours la source de toutes les délices. Il ne faut donc pas s'étonner si tout son *Journal* est farci d'aphorismes sur l'art d'écrire. Cet appétit de la perfection allait d'ailleurs stériliser son talent de la manière la plus fâcheuse. Quoi de plus terrible que cet aveu : « Mon style m'étrangle. » Faute de pouvoir le satisfaire, Renard se défiera de lui-même toujours davantage, pour tout réduire en fin de compte à la simple notation. Ayant, par chance, le coup d'œil sûr, il fait donc le croquis d'un grand nombre de figures. Il collectionne, par surcroît, tous les bons mots qu'il est à portée de recevoir. Quant à l'esprit, certes, il peut bien se passer d'en faire, vu qu'il en a, et du plus juste. Cette passion du style le rend, d'ailleurs, insensible aux autres manifestations de la pensée humaine : la philosophie autant que les beaux-arts. On pourrait croire qu'à tout le moins la peinture trouve grâce à ses yeux. Que l'on se détrompe. Devant Chardin : « Je prends les œufs pour des oignons. Rien de cela ne me passionne. » Vraiment, son incuriosité nous déconcerte. Elle ne désarmera jamais. Réduisant le monde extérieur aux seuls écrivains, il en fait ainsi le triage : ses égaux, ses maîtres et ses inférieurs. Il s'en est suivi plusieurs petits drames qui tiennent une place considérable dans son *Journal* : c'est Barrès qu'il ne peut se défendre d'admirer, tout en le détestant de la pire façon ; c'est Rostand dont il est des plus intimes et qu'il loue en grinçant des dents ; c'est Schwob qu'il porte aux nues et traîne ensuite dans la boue. Quand la jalousie de métier n'est pas en cause, son admiration est le plus souvent pure de toute réserve : Sarah Bernhardt,

Marthe Brandès, Lucien Guitry. Dans le domaine purement littéraire, chacune de ses amitiés comporte quelque chose de trouble, parce qu'elle est gâtée par l'envie. Qu'est donc l'envie chez Renard, sinon la peur de découvrir chez autrui un grain de ce génie dont il souffre tant de manquer ? « Je ne lis rien, avoue-t-il, de peur de trouver des choses bien. » Plus que personne, il a entretenu toute sa vie la peur d'être dupe, et ce sentiment a fini par lui dessécher le cœur. Il ose même étaler la sécheresse de son cœur. Témoin ce mot : « Il ne suffit pas d'écrire : il faut encore que les autres n'arrivent pas. » Ce défaut de charité ne se démentira qu'une fois : c'est quand son père se suicide pour avoir découvert qu'il n'est plus qu'un vieillard. Toutes les pages relatives à ce drame ont un accent des plus propre à rendre témoignage à son auteur. Tel est le *Journal* de Jules Renard.

Cette nourriture trop uniforme deviendrait vite fastidieuse si elle n'était assaisonnée du sel de la sincérité. Au rebours de tant d'écrivains qui voient dans le journal intime un moyen de se faire valoir, Jules Renard se donne toujours pour ce qu'il est. Homme véridique, il n'aime rien tant que la vérité. Son acceptation de lui-même a un naturel qui fait de lui un être unique. Sur tous les sujets, il donne à sa plume la plus entière liberté. Il s'en faut, certes, qu'il soit un grand esprit. Il observe de trop près les personnes et les choses et par là il manque d'ouverture. Mais, où qu'il aille, il est exempt d'affectation, d'hypocrisie et de préjugés. Un tel courage mérite pleinement notre estime. Qu'il nous amuse ou nous irrite, Jules Renard nous fait de sa personne un portrait inoubliable.

JOURNAL de Sanudo. Chronique dont l'historien italien Marin Sanudo (1466-1536) commença la rédaction en 1496 et qu'il poursuivit jusqu'à sa mort. Sanudo écrivit en outre des traités historiques se rapportant aux faits qui précèdent ceux racontés dans sa chronique et qui forment, à ce titre, une introduction utile à son *Journal.* C'est ainsi qu'il écrivit le *Résumé de l'histoire vénitienne de 746 à 1494,* les *Vies des doges,* les *Commentaires de la guerre de Ferrare* et l'*Expédition de Charles VIII en Italie :* l'auteur espérait arriver, avec cette dernière œuvre, à l'époque même par laquelle débute son *Journal.* C'est la plus longue chronique que l'on ait vue jusqu'à ce jour. L'exigence qu'a l'auteur de remonter jusqu'aux sources les plus lointaines atteint ici son paroxysme. Et c'est justement en raison de cette objectivité (de cet effort en vue de faire parler l'histoire sans l'aide de l'historien) que l'œuvre constitue un ensemble de documents originaux. Seule une recherche se basant sur des documents officiels pouvait donner naissance à un ouvrage à ce point pur de toute partialité. Le choix même des documents révèle un esprit perspicace, dirigé par un sens de la politique très sûr. Il est heureux, par ailleurs, que le chroniqueur ait été plus fort que l'historien et que nous possédions l'original de ce *Journal.* L'œuvre embrasse la période la plus glorieuse de l'histoire italienne vue de l'observatoire le plus important que l'Italie ait jamais eu. Cinquante-six gros livres constituent l'œuvre manuscrite qui vit le jour entre 1879 et 1903, corrigée par une commission de savants composée de Nicolo Barozzi, Guglielmo Berchet, Rinaldo Fulise et Federico Stefani.

JOURNAL de Séféris [*Mérés*]. Le journal du poète grec Georges Séféris (1900-1971) a été publié en plusieurs volumes à Athènes en 1972, 1973, 1975, 1977, 1986. Le journal d'un écrivain peut comporter, en proportion inégale, une présentation égotiste de son évolution personnelle, une relation de la vie littéraire et de l'histoire de son temps, et une analyse de son itinéraire de créateur. Rédigé sous des formes variées entre 1925 et 1971, le *Journal* de Séféris, s'il n'exclut pas les deux premiers aspects, accorde une place prééminente au troisième. Œuvre d'un créateur conscient de ses moyens et soucieux d'approcher au plus près de la genèse des œuvres, le *Journal* de Séféris est un aspect capital de sa création qu'il convient de relier à ses *Essais* (*) comme à sa poésie, avec lesquels il forme un triptyque organiquement cohérent.

Le titre grec donné par Séféris à son journal est *« Mérés », « Jours »*, référence voulue aux poèmes homonymes de Cavafis, mais avec une valeur de fragmentaire, d'instantané, de trace éphémère que le *Journal* préserve, dans un esprit proche du zen, comme de frêles pas sur la neige. « Songeant à mes *Jours,* je ne prétendrais certes pas que ces notes hâtives me représentent plus et mieux que le reste de mon œuvre. Car je n'ai pas cherché en les rédigeant à noter à toute force l'essentiel, mais bien plutôt l'immédiat, le spontané, bref, tout ce qui me tombait sous les yeux » (15 octobre 1967). Ce refus de prétendre à l'exhaustivité va de pair avec le caractère rétrospectif du tempo créateur de Séféris qui écrit moins comme il sent que comme il se souvient. Il peut donc écrire justement que son *Journal* est un « outil, non une œuvre », le réceptacle d'un matériau exploitable un jour ou l'autre.

Le mode de composition du *Journal* est original. Il convient de distinguer ici deux volets distincts. La partie 1925-1951 a été soigneusement préparée en vue de sa publication. Pour celle qui couvre les années 1951-1971, le poète n'a pu procéder à la mise en forme de ses carnets qui gardent donc un caractère « brut » et sont, comme tels, moins immédiatement accessibles que la partie antérieure. Pour cette période 1925-1951, Séféris a procédé en trois temps. Il a d'abord jeté sur des blocs des notes éphémérides sans apprêt. Puis, à des intervalles de temps parfois assez longs, il a rédigé ces notes sous forme littérairement satisfaisante, avant de réviser, en une phase ultime, cette version enfin digne selon lui de l'imprimatur. Son *Journal* est donc travaillé, mais il donne le sentiment d'un naturel maîtrisé.

Ce journal est celui d'un poète grec qui fut aussi un diplomate de métier, et non des moindres, proche en cela de Saint-John Perse. La création poétique, la Grèce, la vision politique du monde sont donc les constantes d'un itinéraire qui laisse peu ou pas de place à la vie privée proprement dite. Le *Journal* est une sorte d'anthologie faite par Séféris lui-même d'une vie dont la trajectoire apparaît avec la lisibilité d'une épure sous-tendue par la puissante vocation créatrice. C'est autour d'elle que s'organise toute la vie intérieure du poète. À son point de départ, entre 25 et 30 ans, Séféris cherche à fermer « le sous-sol » d'une sensibilité versant dans la sensiblerie. Il pourchasse le Narcisse qui est en lui, et y parvient, vers 1931-1932. « Je veux partir d'une sensibilité pesante pour accéder, par un dépouillement progressif, au dénuement du rocher. » Garde-fou de sa sensibilité, le *Journal* contribue alors à ce qu'il appelle sa « désentimentalisation ». Allant plus loin, après sa rencontre capitale avec l'œuvre de T. S. Eliot, il recherche ce que le poète anglais nomme l'« extinction de la personnalité » qu'il définit lui-même en ces termes : « On se figure le poète imbu de lui-même. C'est tout le contraire qui se passe : le poète doit renoncer à lui-même pour atteindre à l'acceptation profonde que seule permet la création authentique. »

De retour en Grèce après six ans passés en France, Séféris doit affronter ce qu'il nomme l'« épreuve inévitable », celle d'un Grec francisé et qui a peine à retrouver son identité, divisé entre deux cultures, traversant une « selva oscura » douloureuse que viendra dissiper la prise de « sa » Troie, avec « Légendaire » (1935), premier poème vraiment séférien.

Le *Journal* contient de nombreux poèmes différents de ceux du corpus officiel. Ce ne sont pas des « versions primitives » de poèmes plus élaborés, mais l'illustration d'un circuit créateur indépendant de celui de l'œuvre reconnue, et dont la caractéristique est la primauté de l'inspiration souvent « à chaud » par rapport à un événement, bien éloignée du recul distancié des poèmes « officiels ». Il va sans dire que certains de ces poèmes n'ont rien à envier aux autres pour leur qualité et que seul le souci d'unité de ton — si fort chez Séféris — l'a retenu de les adjoindre au corpus publié.

Plus libre que dans ses *Essais*, Séféris n'hésite pas dans son *Journal* à se faire pamphlétaire dans ses attaques contre la vie littéraire grecque, ce mélange de cuistrerie inculte et de suffisance arrogante dont il eut lui-même à souffrir de la part de l'« Atticobéotie », version grecque du Landernau littéraire français. Plus gravement, il notera l'isolement en Grèce du créateur véritable : « La création se déroule ici sur un lopin de terre fertile, encerclé par une steppe stérile et gelée. »

Sa vision de la Grèce se précise de façon dramatique dans l'immédiat avant-guerre. C'est l'heure pour lui de se tenir sur « le pont » de l'histoire de son pays. Au moment de Munich, il écrit un *Journal de bord*, recueil dont le *Journal* nous permet de suivre la genèse. Séféris se fait alors de la Grèce une idée manichéenne : à la Grèce helladique, avilie sous la dictature de Métaxas, s'oppose l'Hellénisme, ou Haute Grèce, vecteur toujours actif d'une certaine idée de l'homme : « Je crois à deux ou trois idées qui, aujourd'hui encore, font leur chemin après des milliers d'années, dans cette langue. C'est pour ces deux ou trois idées qui doivent vivre *ici* et ne le pourraient, telles que je les conçois, qu'ici que je supporte cette bassesse. » Bassesse d'une vie politique dégradée jusqu'à l'horreur d'une guerre civile atroce (1945-1949). Le *Journal* nous donne un tableau saisissant de cette période qui marque, en contraste absolu, l'accès de Séféris au stade ultime de son itinéraire créateur : la lumière, signe du pacte renoué avec la Grèce de Socrate. La genèse du poème « La Grive » (1947) est décrite dans le *Journal* correspondant, document rare sur l'acte créateur. Bouleversantes sont les pages de 1950 relatant le retour du poète à Skala, sa patrie d'Ionie, quittée à 14 ans, et qui n'est plus qu'un néant absolu, vestiges dévastés d'où les morts semblent implorer la catharsis d'une tragédie à jamais inachevée.

Les carnets de 1953-54-55 décrivent les trois voyages de Séféris à Chypre, une révélation dans sa vie personnelle et créatrice, une sorte de Skala retrouvée alors qu'il ne l'espérait plus. « Monde où le miracle est encore à l'œuvre », Chypre fait naître les admirables poèmes du *Journal de bord III* dont la compréhension est grandement facilitée par la lecture des carnets contemporains. Il n'est pas abusif de voir dans le *Journal* de Séféris un document spirituel tout autant que littéraire, doublé d'un témoignage exceptionnellement lucide sur la vie politique, sociale et culturelle de la Grèce contemporaine. Certains de ses passages sont d'une gravité dramatique, situant à nouveau la Grèce à son niveau le plus élevé, celui qu'avait toujours souhaité pour elle celui qui affirmait : « Pour moi, la Grèce signifie l'humanisme ; si elle disparaissait, l'homme disparaîtrait avec elle. » — Trad. *Pages de Journal, 1925-1971*, Mercure de France, 1988.

JOURNAL de Stendhal. C'est le document le plus précieux sur la personnalité singulière de l'écrivain français Stendhal (Henri Beyle, 1783-1842). À côté des œuvres autobiographiques qui, bien que publiées longtemps après la mort de l'auteur — *Vie de Henri Brulard* (*) en 1899, *Souvenirs d'égotisme*

(*) en 1892 –, étaient rédigées et composées pour être rendues publiques, le *Journal* a été écrit par Stendhal pour son propre et exclusif usage. Son goût du secret, sa hantise d'être découvert et de voir ses papiers fouillés par la police de Metternich ou la police pontificale l'ont amené à multiplier, dans ces pages, les parenthèses et les sous-entendus souvent difficilement compréhensibles, les passages dans lesquels il s'exprime dans une langue étrangère (l'anglais et l'italien, quand il écrit en France ; l'anglais seul, quand il écrit en Italie) ; enfin à ne citer les personnes que par leurs initiales, souvent déformées d'ailleurs, ou par les surnoms qu'il leur donne. On conçoit que la tâche des éditeurs n'a pu se faire en un jour : Casimir Stryenski et F. de Nion en publièrent des extraits en 1888 – ce choix, laissant d'ailleurs de côté les dernières années du *Journal,* s'arrêtait en 1814 ; puis Paul Arbelet publia à part le *Journal d'Italie* en 1911 ; enfin Henry Debray et Louis Royer entreprirent de donner la première édition complète en 1932 (une seconde édition, plus complète, vit le jour en 1935). Depuis, le texte du *Journal* a été établi et annoté par Vittorio Dell Litto au sein des deux volumes d'*Œuvres intimes* de Stendhal publiés dans la Bibliothèque de la Pléiade (1981-1982). Ces précautions employées par Stendhal ont pour résultat de lui donner toute liberté de dire tout ce qu'il pense aussi bien sur sa vie privée et ses sentiments intimes que sur les événements politiques. C'est donc dans cette œuvre que nous saisissons le mieux la véritable personnalité de Stendhal. De plus, il n'est pas arrêté par la nécessité de faire une œuvre d'art, il en résulte un désordre plus pittoresque que gênant. Le *Journal* commence par quelques notes sur la participation de Beyle à la campagne d'Italie ; les premières sont datées de Milan, le 20 germinal an IX, c'est-à-dire le 18 avril 1801 ; suit le récit de son séjour de deux ans en Italie où il s'éprend d'un véritable amour pour le pays ; puis il démissionne, revient en France, veut écrire des pièces de théâtre, conquérir la gloire littéraire. En 1806, il commence sa carrière administrative. Il est nommé adjoint provisoire aux commissaires des guerres. C'est alors qu'il passe plusieurs années en Allemagne. Le *Journal,* écrit dans un style cursif, suit tous ses déplacements. Puis il est nommé auditeur au Conseil d'État, et ce sont quelques années de vie brillante dont il consigne les étapes avec satisfaction dans son *Journal,* ce qui ne l'empêche pas d'aller toujours plus avant dans la connaissance de soi. Second voyage en Italie. Il accompagne Napoléon en Russie en 1812 ; on le trouve à Moscou, puis à la fin de 1812 en Allemagne où il assiste à la bataille de Bautzen (mai 1813), d'où il nous donne des notes fort originales « pendant qu'on se canonne ». La chute de l'Empereur met fin à sa carrière. Il gagne l'Italie en 1814 : c'est là qu'il écrit les dernières pages de son *Journal* proprement dit (1814-1818). Si Stendhal se détourne du *Journal,* c'est qu'après avoir publié l'*Histoire de la peinture en Italie* (*) (1817) il entend faire œuvre publique et qu'il commence déjà à penser à *De l'amour* (*). (Les notes prises ultérieurement ont été publiées dans le second volume d'*Œuvres intimes* – Pléiade, 1982 – sous le titre *Journal reconstitué.*) De sa vie d'homme de lettres, après son retour à Paris en 1821, il nous donnera le résumé dans ses *Souvenirs d'égotisme* ; enfin dans la *Vie de Henri Brulard,* il nous donnera une image quelque peu arrangée du jeune Henri Beyle. Ainsi, par ses trois volumes, il nous offre une sorte de panorama général de son existence ; mais nulle part il n'est plus proche de nous que dans le *Journal.*

Œuvre fragmentaire et qui n'a pas été réécrite, le *Journal* est un livre profondément émouvant. Ses différents cahiers contiennent l'histoire secrète de l'un des écrivains les plus sincères et les plus subtils et aussi les plus déconcertants de toute notre littérature. Rêves de théâtres, ambitions, projets grandioses et naïfs, amours, soucis divers, déceptions, espoirs ; tout Stendhal est là, volontaire et capricieux, rusé et naïf, attentif et perspicace ; son image, ses opinions, ses idées se reflètent dans ces pages avec un cynisme voulu, une clairvoyance et une sincérité qui le poussent à dire crûment certaines vérités, fussent-elles gênantes pour lui. Dans l'ensemble cependant, ces notes, dépouillées et incisives, sont toujours marquées par la vision harmonieuse que l'auteur avait de lui-même et des choses ; elles constituent le document le plus singulier que Stendhal nous ait laissé sur lui-même et sur son époque. La volupté qu'il trouvait à pénétrer jusqu'au tréfonds, dans le monde de ses sensations et de ses rêves, et surtout à comprendre, par-delà toute fiction, le drame de son temps fait du *Journal* une œuvre absolument unique en son genre.

JOURNAL de Thoreau [*Journal*]. « Magnum opus » de l'écrivain américain Henry David Thoreau (1817-1862), rédigé année après année, de 1837 à sa mort ; somme de deux millions de mots, qui occupe seize volumes des *Œuvres complètes.* Commencé dès son retour de Harvard, à l'incitation d'Emerson, le journal de Thoreau se compose de fragments de longueur très variable, sur des sujets également divers : notes prises lors de ses innombrables promenades à pied ou de ses voyages, sur la flore, la faune, les cycles naturels ; méditations souvent nées de ces observations ; professions de foi transcendantalistes ; réflexions sur l'équilibre écologique, et parfois tentatives de formalisation scientifique ; portraits d'amis, de voisins, ou réactions intimes aux conflits avec d'anciens amis, en particulier Emerson ; recension des états d'âme (ou de corps) de l'auteur, qui constituent une sorte de météorologie humorale, et qui offrent des indications précieuses à ses biographes. Le journal fut aussi, et surtout, le laboratoire d'un styliste rigoureux : il servit de base à toutes ses œuvres, au premier rang desquelles son chef-d'œuvre, *Walden* (*). C'est grâce au journal que la critique a pu reconstituer l'émergence de l'écrivain, frère et rival du « naturaliste ». Longtemps considéré comme un matériau brut, il a fait l'objet, récemment, d'études spécifiques. Plusieurs choix de textes ont été publiés. – Trad. partielle : *Un philosophe dans les bois – Pages du journal 1837-1861*, Denoël, 1986. Y. C.

JOURNAL de Welch [*The Denton Welch Journals*]. Ce recueil des réflexions quotidiennes de l'écrivain anglais Maurice Denton Welch (1915-1948), publié en 1952, est à l'origine de ses romans – *La Promenade interrompue* (*) – qui lui doivent beaucoup de leur plus intime substance. Denton Welch, tel son frère de souffrance le poète français Joé Bousquet, survécut douloureusement, pendant treize ans, à ce qu'il désigne par « l'obscène accident ». Étudiant à l'école des beaux-arts de Londres, il se rendait à bicyclette au presbytère de son oncle, dans le Surrey, lorsqu'une chute le rendit infirme pour toute sa vie. Mais telle était son énergie qu'après son accident il parvint de temps en temps à marcher seul, à monter à bicyclette, et même à conduire une voiture. Denton Welch, sans jamais s'apitoyer sur son sort et sachant qu'il « ne ferait plus jamais partie des bien portants », souhaita longtemps de mourir, mais la vie avait en lui des sursauts qu'il a fidèlement notés dans son *Journal* (« J'eus soudain envie de me balader et d'être gai comme avant la guerre, avant mon accident, j'eus envie de tout ce qui est jeune et insouciant »). De même que les romans, le *Journal* – dont la chronologie s'étend du vendredi 10 juillet 1942 au mardi 31 août 1948 – a pour qualité dominante une sincérité qui donne du prix aux moindres notations. Les petites choses, en effet, requièrent volontiers la minutie descriptive de cet écrivain qui était aussi un peintre. Ainsi nous entretient-il sans se lasser de sa table à damiers noirs et blancs, de l'architecture d'une église ou de cette maison de poupée que lui avait confiée une amie et qu'il passa des mois à restaurer. Ces petites choses, justement, Denton Welch sait les voir, qu'il s'agisse d'une chasse « aux papillons tachetés d'orange », d'une partie de campagne au bord de la rivière ou de ses stations chez l'antiquaire pour acheter « une petite tasse de Nankin un peu ébréchée, pour deux shillings ». Aussi pourra-t-il, en toute connaissance de cause, confier au *Journal* des réflexions telles que celle-ci : « Il est très juste que la plupart des gens ne sont pas sensibles aux choses : une mauvaise volonté générale les prive de leurs yeux. » Dans cette œuvre, cependant, si accueillante aux petits faits sans exclure, parfois, une certaine puérilité, un fait majeur domine : c'est la permanence d'un mal héroïquement supporté. Elle est enfin, et surtout, le journal d'un écrivain très intéressé par le mécanisme de la création littéraire, « de ce désir qui, chez l'artiste, existe toujours de mettre les pensées dans le moulin pour hacher la viande ». – Trad. Plon, 1956.

JOURNAL de V. Woolf [*The Diary of Virginia Woolf*]. Œuvre de l'écrivain anglais Virginia Woolf (1882-1941), publiée intégralement pour la première fois en 1977-78. « Un des grands journaux intimes de la littérature mondiale », déclare son neveu et biographe Quentin Bell. Les cahiers de Virginia Woolf sont l'œuvre d'une « personnalité bizarre », comme elle aimait à se qualifier, et pas seulement – ainsi que les extraits publiés par Leonard Woolf sous le titre de *Journal d'un écrivain* [*A Writer's Diary*, 1953] tendraient à le montrer – une collection d'anecdotes et de propos sur le métier de littérateur. Les journaux d'écrivain ont ceci de fâcheux qu'on y cherche avidement l'« auteur » qui a payé son écot à la Littérature universelle, et moins l'individu charnel – souvent peu sympathique – qui écrivit ces pages à l'heure du thé (ce qui était le cas de V. Woolf). De fait, les passages qui ont trait à l'écriture, qui prouvent combien la création et surtout l'attente des jugements critiques méritaient le nom d'« affres » chez Woolf, ne forment qu'une partie modeste du *Journal*, gigantesque excroissance – elle l'appelle plus poétiquement « ramification naturelle de ma personne » – d'un individu plongé dans le liquide doux amer de la vie : ses amis, omniprésents, son mariage avec Leonard, les ennuis domestiques, ses promenades dans le Sussex, la guerre, la maladie et la mort (celle des autres) en sont les thèmes principaux. Virginia écrivit son premier journal à l'âge de quinze ans, deux ans après la disparition de sa mère, mais celui-ci, comme les journaux qui suivirent sporadiquement jusqu'en 1915, était surtout prétexte à l'exercice de ses premières armes d'écrivain. Le *Journal* commence en 1915 mais, après six semaines de « rédaction consciencieuse », V. Woolf sombre dans la dépression ; elle ne reprendra la plume qu'en 1917, cinq ans après son mariage, et tiendra régulièrement son journal jusqu'à sa mort en 1941. Plus de vingt ans d'attention au monde, à l'écriture et aux autres, même si parfois l'ironie du « diariste » dénonce de temps à autre la vanité et l'ingratitude du registre quotidien : « Ah, les bonnes ! Ah, la critique littéraire ! Ah, le temps ! » La célébrité des membres de Bloomsbury et des artistes gravitant autour, tels que T. S. Eliot et E. M. Forster, aiguise et satisfait notre curiosité des mœurs et des figures littéraires de l'époque ; de même, le caractère tragique et mouvementé de la période sur fond de laquelle se déroulent les soirées à potins longuement décrites par l'auteur ajoute au « voyeurisme » de la lecture le sérieux du documentaire. On a beaucoup reproché à Virginia Woolf sa malveillance à l'égard de ses proches – ce qu'elle appelle ses « méchants coups de plume » –, son bavardage et quelques histoires un peu fantaisistes : « Nous nous moquâmes de beaucoup de nos contemporains. Mais comme toujours cela m'amusa. » Mais elle possède un génie de la raillerie, du trait qui fait mouche, emportant toujours le rire, même scandalisé, du lecteur. S'il y a sincérité, elle est dans l'humeur du moment où elle écrit, et Virginia ne craint pas la contradiction mais est toute prête à s'amender : qu'on songe aux sentiments complexes qu'elle nourrit à l'égard de Katherine Mansfield, accusée jalousement d'appartenir aux « bas-fonds » (comprenez le monde journalistique). Mais à la mort de celle-ci, l'aveu de son admiration – peut-être de l'amour ? – ainsi que le regret d'avoir perdu sa seule compagne en écriture donnent lieu aux paragraphes les plus émouvants du *Journal*. Dans ses petites notices nécrologiques, qui se multiplient dans les années 30 avec le décès prématuré de certains parents et amis, elle dresse le bilan nostalgique des heures d'amitié et de rupture avec le disparu, tout en conservant l'humour et la verve qui restent la principale caractéristique de ses écrits intimes – le ton élégiaque étant réservé au roman. Ne considérer que la Virginia Woolf boudeuse, migraineuse, grippeuse, capricieuse, envieuse, susceptible, snob et pour finir terrassée par la dépression, serait immanquablement réducteur et en aucun cas fidèle à l'impression qu'avait d'elle son entourage et dont rendent compte ses journaux : un être délicieux, animé par un formidable désir de vivre : « Mais toi, vie, vie ! Comme je languis de te serrer dans mes bras à t'écraser ! » Elle sait fixer la plénitude d'un instant, le cri d'un oiseau ou les soleils mouillés de Londres. Le bonheur se décline au fil des voyages en automobile sur le Continent, la Grèce où elle rêve parfois d'abandonner son travail d'écrivain, ses tête-à-tête avec Leonard, « centre inviolable de sa vie », les jeux de boules qui ponctuent ses derniers mois. Virginia s'interrogeait souvent sur les motifs qui la poussaient à tenir un journal. Écrire dans les cahiers c'est, au moyen d'une discipline rigoureuse, ordonner le fracas intérieur et dompter l'angoisse au quotidien. « Ce désir insatiable d'écrire quelque chose avant de mourir, ce sentiment dévorant de la brièveté, de la fébrilité de la vie » l'obligent à s'y cramponner « comme un homme le fait à son rocher » ; elle l'utilise à titre d'album consignant des notes de lecture – elle dévore les autobiographies –, rapportant des conversations devant servir plus tard à la confection de nouveaux livres, voire de ces mémoires qu'elle se promet d'écrire tout au long de sa vie. Et en dépit de certaines interrogations – dont la question traditionnelle : « Qui lira ce journal ? » –, c'est bien l'idée des mémoires qui guide le ton et le style des cahiers, interpellant sans cesse un lecteur dont l'existence future n'est pas mise en doute. Peut-on encore parler de journal intime ? « Comme cela m'intéresserait que ce journal puisse devenir un jour un vrai journal intime [...] Mais pour cela il faudrait que j'y parle de l'âme ; et n'en ai-je pas banni l'âme quand je l'ai commencé ? » Virginia Woolf se méfie de l'introspection, et ce défaut de complaisance envers soi-même est d'autant plus admirable qu'il dénote un défi lancé au vieux démon (« et quand je périrai, ce sera avec tous mes pavillons déployés »). Du coup, il faut l'avouer, le lecteur a parfois le sentiment de traquer l'âme d'un écrivain au moi paradoxalement si discret. Seules les dernières lignes du lundi 24 mars 1941 (comme les silences terrifiants dus à la maladie, qui ponctuent le *Journal*), écrites à la veille de se jeter dans la rivière Ouse, trahissent, dans l'expression heurtée et tranchante des notes, le désordre d'une âme à l'agonie. – Trad. intégrale Stock, 1981-1990. *Journal d'un écrivain*, Le Rocher, 1958 ; Bourgois, 1984. S. Rz.

JOURNAL 1901-1948. Journal intime et littéraire de l'homme de théâtre français Jacques Copeau (1879-1949), publié en 1991. Fils d'un fabricant de boucles et agrafes du faubourg Saint-Denis, employé de la galerie Georges-Petit et critique dramatique virulent de *La Grande Revue*, il fut l'un des fondateurs, avec Gide, Drouin, Schlumberger, Ruyters, Ghéon, de *La Nouvelle Revue française* (*) en 1908. Cinq années plus tard, en réaction contre le naturalisme d'André Antoine, les conventions de représentation et l'« industrialisation qui de jour en jour plus cyniquement dégrade notre scène », Jacques Copeau créa le théâtre du Vieux-Colombier : avec une exigence de « haute probité » que partageaient Louis Jouvet, Charles Dullin, Valentine Tessier, il rendit aux pièces classiques et donna à des œuvres nouvelles (comme *Le Paquebot Tenacity* (*) de Charles Vildrac, *Cromedeyre-le-Vieil* (*) de Jules Romains, *Saül* (*) d'André Gide) « lustre et grandeur ». Pendant la Grande Guerre, il dirigea le Garrick Theatre de New York où il joua le répertoire français, revint à Paris au terme de deux saisons et réouvrit le Vieux-Colombier en 1920. Dès l'année suivante et grâce à Suzanne Bing, il mit en pratique, dans son école, ses principes visant à « décabotiniser » le jeune comédien en formation et fondant l'art scénique sur de nouvelles valeurs, comme par exemple le jeu du masque. En 1924, Jacques Copeau quitta Paris pour la Bourgogne, où il prit la tête de la première troupe décentralisée, les « Copiaus » : les résultats obtenus lui donnèrent alors l'espoir et la conviction qu'il pourrait enfin réaliser, loin de la capitale et au contact d'un nouveau public « populaire », cette « rénovation dramatique », poursuivie depuis 1913. À la même époque, il renoua avec le catholicisme de son enfance, malgré la constante oscillation de son âme entre ascétisme et aventure, l'éternel déchirement de son corps entre pureté et débauche. En 1936, il devint l'un des metteurs en scène, avec Baty, Dullin et Jouvet, de la Comédie-Française, « monument de la vanité et du cabotinage », puis son administrateur de 1940 à 1941. Six années avant sa mort, il transposa en français moderne, mit en scène et joua *Le Miracle du pain doré* (anonyme du Moyen Âge) à l'occasion du cinquième centenaire des Hospices de Beaune.

Paradoxalement, les écrivains de sa génération avaient tenu cet esprit novateur et séducteur, tout entier attaché à révolutionner et apurer l'art dramatique, pour l'un de leurs futurs pairs en littérature. Pourtant, Jacques Copeau ne publia qu'une adaptation, certes remarquée, des *Frères Karamazov* (*) de Dostoïevski (1911), deux autres pièces qui n'eurent guère de retentissement, *La Maison natale* (1923), *Le Petit Pauvre* (1946), et quelques ouvrages regroupant ses critiques dramatiques, ses conférences ou ses souvenirs. « Je n'ai pas besoin de l'œuvre d'art – ou il me la faut très neuve, suggestive, parfaite », analysait-il très tôt, dès 1905. « La vie me suffit pour en jouir, pour la goûter en artiste. » Songeant cependant à composer un jour le « roman vrai » de sa vie à partir de notes quotidiennes, il commença de tenir son journal intime, « où je dirai tout ce que j'ai vu, tout ce que je pense et fais, où je jetterai tout pêle-mêle : récits, portraits, mémoires, chapitres de romans, scénarios, voyages, lectures, critiques, lettres, notes, etc. Ce sera toute mon œuvre écrite ». Roger Martin du Gard, à qui il lut certains passages, pressentait d'ailleurs, dès août 1919, que « jamais il n'écrira un roman ni un livre de réflexions. Mais ces cahiers-là renfermeront toute sa pensée, sans intermédiaire, et avec une vie prodigieuse... ».

Régulièrement rédigé depuis l'année de la disparition de son père (1901) jusqu'à l'année (1948) qui précéda sa propre mort, soit de 22 à 69 ans, ce *Journal* de Jacques Copeau – établi, présenté et annoté par Claude Sicard – recouvre toute une existence de travail forcené et de curiosités diverses, d'influence grandissante et d'échecs sévères, d'amour supérieur et de « liaisons équivoques ». Plutôt que son parcours dans le siècle, c'est d'abord la chronique, parfois allègre, souvent dramatique, de sa vie privée qui donne à ces pages un intense mouvement d'exaltation romanesque... De cette somme de « lucidité excessive » émergent cependant la très sage figure de sa femme Agnès, « la compagne et l'initiatrice » à laquelle il n'a jamais cessé de se référer malgré les crises, et la complexe personnalité d'André Gide, qu'il a rencontré en 1903 et qu'il s'est constamment employé à décrire et à analyser. On lit aussi ses amitiés et ses conflits avec Georges de Porto-Riche, Charles-Louis Philippe, Jacques Rivière, Charles Péguy, Henri Ghéon, Jean Schlumberger, Roger Martin du Gard, Gaston Gallimard, André Suarès, Paul Claudel, Louis Jouvet, Charles Dullin, ses rencontres avec d'autres « réformateurs » du théâtre contemporain comme Constantin Stanislavski, Harley Granville-Barker, Edward Gordon Craig, Adolphe Appia, les Pitoëff, ses liaisons mouvementées avec Anna Larsen, Léone Georges, Lucienne Bréval, Pauline Teillon-Dullin, Berthe Lemarié, Isadora Duncan, Suzanne Bing, Rita Lydig, Henriette Roggers et quelques autres, ses voyages qui sont autant de fugues sacrifiant à son ardente curiosité du monde.

Mais c'est avant tout la qualité d'écrivain de Jacques Copeau, la force d'une certaine mise en scène de son existence quotidienne, les « sincérités successives » enfin de cet « être sans repos et sans merci », « inconstant par profusion », « enivré par l'odeur de la vie », qui sont ici révélées, dans toute leur séduction et authenticité. André Gide notait d'ailleurs dans son propre *Journal* du 10 juillet 1905, au tout début de son affective et « salutaire » relation avec Jacques Copeau : « Tout, en lui, gagne à être connu, expliqué, fût-ce par lui-même. » C. Pa.

JOURNAL 1913-1934. Ce journal intime, que tint l'écrivain français Catherine Pozzi (1882-1934) de 1913 à sa mort, retrace l'itinéraire d'une jeune femme de la haute bourgeoisie, qui constate brutalement que sa vie adulte et sociale est une suite d'échecs inacceptables : en écrivant son journal, elle cherche, malgré la souffrance morale et la maladie qui l'emportera, à retrouver la jeune fille exigeante d'autrefois, à voir clair en elle, à reprendre enfin fermement les rênes de son existence à venir. Et d'abord, il s'agit, pendant la Première Guerre mondiale, de passer le baccalauréat, d'apprendre les mathématiques, d'étudier les sciences, l'histoire des religions, de se donner enfin un travail d'importance à accomplir – ce sera son traité philosophique, le *De libertate*. Et puis distinguer l'homme qui saura l'aimer mais aussi partager cette tension vers la compréhension de soi et du monde : après André Fernet, mort à la guerre en 1916, après Gaston Morin, professeur de droit à Montpellier où elle vit séparée de celui qui est encore son mari, l'auteur dramatique Édouard Bourdet, Catherine Pozzi rencontre en juin 1920 Paul Valéry : elle reconnaît en lui – comme lui en elle – son semblable, son double. Pendant huit années, leurs moments volés d'études, leur dialogue philosophique et intellectuel, leur amour inquiet sans cesse remis en cause vont donner à Catherine Pozzi le sentiment d'approcher cet « Absolu » rêvé de son adolescence. Mais les différends et les compromissions, l'impression aussi que ressent Catherine Pozzi d'être trahie intellectuellement et socialement par Paul Valéry lui-même, précipitent sa décision de rupture. Après janvier 1928, son existence solitaire ne sera plus qu'une lente chute vers la mort, six ans plus tard — chute ponctuée de sursauts douloureux et lucides.

Dans son *Journal* qui a dormi à la Bibliothèque nationale, de par sa volonté testamentaire, pendant trente années à partir de sa disparition en 1934, Catherine Pozzi affirme une autonomie d'action, de pensée, d'intérêt, grandissante au fil du temps et des événements. Mais cette œuvre est également le lieu d'un véritable projet littéraire : celui d'un vaste autoportrait sans concession de la difficulté d'être, d'aimer et de communiquer d'une femme, mêlé à l'analyse aiguë de la personnalité de Paul Valéry et à la description incisive des milieux qu'elle fréquente, des figures qu'elle rencontre. Si Catherine Pozzi est restée, à bien des égards, prisonnière des valeurs de la grande bourgeoisie où elle est née, elle a cependant possédé au plus haut point l'esprit d'introspection, le sens de sa valeur intellectuelle, l'intransigeance de sa morale, la maîtrise de son écriture, la folie de son orgueil revendiqué : autant de signes affirmés et distinctifs qui font de ce *Journal* non pas des mémoires mondains, non pas une œuvre autobiographique tournée vers un public déjà acquis, mais le témoignage violent et authentique d'une personnalité hypersensible qui, à l'instar de Marie Bashkirtseff ou Katherine Mansfield, sait ce que souffrir, dans son corps, son cœur, son esprit, son temps, veut dire : « Cela, c'est mon histoire, mon seul naufrage. » C. Pa.

JOURNAL À STELLA [*Journal to Stella*]. Recueil de lettres, publié de 1766 à 1768, de l'écrivain irlandais Jonathan Swift (1667-1745) ; ainsi intitulé par Thomas Sheridan dans son édition de 1784. Ni le titre ni l'emploi du nom de Stella, dont Swift se servit sans doute pour désigner Esther Johnson quelques années après la rédaction des lettres, ne sont dus à l'auteur. Ce fut un lointain parent de Swift, Deane Swift, dans les mains duquel étaient tombées quarante des soixante-cinq lettres, qui en les publiant, en 1768, remplaça les initiales M. D. et autres abréviations employées par Swift avec sa correspondante ou plus exactement avec ses correspondantes, par le nom de Stella. Les lettres, bien que destinées en premier lieu à Stella, sont adressées, pour des raisons de bienséance, à son amie, la jeune fille Rebecca Dingley (demeurée à Dublin) ; Swift se trouvait alors à Londres ; il s'occupait entre autres de la restitution de la dîme au clergé (impôt versé autrefois au pape et que la Couronne britannique s'attribua par la suite). En 1710, date à laquelle commence le *Journal*, Harley et St. John (Bolingbroke) étant parvenus au pouvoir, Swift vit ses efforts couronnés. Le *Journal*, qui donne un tableau du milieu littéraire et politique dans lequel évoluait l'écrivain, parle des démarches de Swift et de la vie londonienne. Swift écrivait ses lettres chaque soir à son retour chez lui, et les expédiait avec une grande régularité. Le British Museum ne conserve que les autographes de vingt-cinq lettres (XLI-LXV) ; en comparant ces autographes avec le texte des éditions, on constate que ceux qui les publièrent au cours du XVIIIe siècle y apportèrent de nombreuses altérations. Ainsi l'expression « little language » ou langage enfantin, que Swift emploie dans ces lettres, a été en grande partie remplacée par une autre : « étrange manie », qui étonne quelque peu le lecteur moderne, mais fournit un indice symptomatique quant au langage employé par Swift dans sa correspondance avec Stella. (Ainsi l'expression « deelest logues » pour « dearest rogues » [très chères gamines], adressée aux deux femmes ; « Ppt » pour « Poppet » [petite poupée] ou bien « Poor Pretty Thing » [pauvre petite chose] qui se rapportent à Stella.) Ce qui fait l'intérêt de ces lettres, c'est qu'elles constituent le véritable journal intime du très singulier auteur des *Voyages de Gulliver* (*) — Trad. Gallimard, 1939.

JOURNAL CLINIQUE. Ouvrage du psychanalyste hongrois Sàndor Ferenczi (1873-1933), écrit en allemand en 1932 et publié pour la première fois en 1985 à Paris, en traduction française (édition en allemand en 1988 par S. Fischer, sous le titre *Ohne Sympathie keine Heilung*). Il s'agit d'un ouvrage posthume, que Ferenczi ne destinait pas à la publication sous cette forme. Par petites notations quasi quotidiennes, l'auteur nous livre ses pensées sur la clinique, sur la pratique analytique, sur le psychanalyste, sur lui-même, et enfin sur son maître, ami et analyste : Freud. Parmi tous les sujets abordés (paranoïa, schizophrénie, homosexualité, complexe d'Œdipe, analyse didactique, problèmes de la fin d'analyse, masochisme, refoulement, identification, etc.) trois thèmes principaux émergent : un problème théorique : le trauma ; une expérience technique : l'analyse mutuelle ; une critique de Freud et de son dispositif. Les deux premiers thèmes sont abordés par l'auteur au fur et à mesure de l'évolution de ses analyses en cours durant l'année 1932, principalement celles de trois patientes américaines qui avaient subi des traumatismes graves dans leur enfance. Partant de cette base clinique, Ferenczi élabore une théorie du trauma : il en donne sa propre définition (il s'agit moins de l'acte traumatique lui-même que de sa dénégation par les personnes détenant l'autorité auprès de l'enfant, en premier lieu la mère), justifie l'importance qu'il accorde à la réalité du trauma (beaucoup plus fréquente, selon lui, que la théorie analytique classique ne l'admet), décrit ses mécanismes d'action, ses effets et son traitement.

La technique d'« analyse mutuelle » est

l'invention de la patiente désignée par le sigle R.N. Ferenczi a accepté de tenter l'expérience, malgré ses réticences. Elle devait permettre à l'analysant de déceler les points aveugles, les faiblesses et les émotions cachées de son analyste, pour que le patient puisse s'appuyer sur des repères solides, même là où l'analyste est incapable de les lui fournir. L'expérience a été abandonnée au bout de deux mois : insupportable pour l'analyste s'il doit la pratiquer avec plusieurs patients à la fois ; incompatible avec la discrétion envers les tiers ou le nécessaire respect de la sensibilité du patient, etc.

Enfin, Ferenczi, ancien analysant de Freud, dont l'analyse, au dire même de son analyste, a pris fin sans avoir été terminée, exprime toutes ses critiques (longtemps réprimées) à l'égard de son maître, de sa technique trop rigide et pédagogique, de son désintérêt pour l'aspect thérapeutique de l'analyse ; il tente également d'analyser leur longue relation. — Ce *Journal clinique* peut être considéré comme la somme des ultimes réflexions de Ferenczi. — Trad. Payot, 1985. J. Du.

JOURNAL D'ANAÏS NIN (Le) [*The Diary of Anaïs Nin*]. Journal intime de la romancière américaine Anaïs Nin (1903-1977), comprenant sept volumes publiés entre 1966 et 1978, auxquels s'ajoutent quatre volumes des années d'enfance et deux volumes de versions non expurgées des premiers journaux publiés entre 1978 et 1992. Dans un essai de 1968, *Le Roman de l'avenir* [*The Novel of the Future*], l'auteur analyse les origines de sa créativité et, en particulier, la genèse de son célèbre et volumineux *Journal.* Au point de départ de son désir d'écrire, il y a, dit-elle, un traumatisme : celui causé, lorsqu'elle avait neuf ans, par une paralysie des membres inférieurs que les médecins avaient, à tort, diagnostiquée comme irréversible. L'écriture fut donc d'abord perçue comme un refuge et une thérapeutique. Deux ans plus tard, et à la suite d'un second choc émotionnel (la séparation d'avec son père, le pianiste Joaquin Nin), l'auteur donna à son entreprise un tour plus « artistique » : il s'agissait moins alors de consigner des faits et des impressions dans un journal qui devait rester secret que de produire de belles lettres adressées au père dans le but de le « persuader de revenir ». Le *Journal* restera marqué jusqu'à la fin par cette ambivalence : introspection, analyse minutieuse des comportements, c'est aussi une formidable tentative de mise en forme du chaos quotidien soutenue par une recherche stylistique de qualité.

Cette focalisation sur un double regard intérieur et extérieur sera accentuée à partir du sixième volume (1966), dans lequel Anaïs Nin analyse sa décision de publier le *Journal* et donc de le soumettre au jugement de la critique tout en faisant le pari de rester fidèle à elle-même. De manière tout à fait caractéristique pour cette disciple de Jung, elle dit s'être résolue à la publication à la suite d'un rêve. Car, en effet, dans ce véritable laboratoire de l'inconscient, elle ne se contente pas de consigner, presque heure par heure, toutes ses expériences, mais elle dissèque également ses rêves et ses fantasmes. Influencée par le psychanalyste français René Allendy puis par le docteur Otto Rank avec qui elle travailla à New York de 1933 à 1934, elle vit rapidement dans ce travail l'occasion d'explorer les éléments les plus fugaces et les plus ténus qui tissent la toile d'une existence et, au bout du compte, lui confèrent son identité. Le texte ainsi produit est devenu une base de données quasi unique pour tous ceux qui cherchent à sonder l'âme humaine.

Outre les psychanalystes, le *Journal* intéresse également les historiens, car, par sa présentation chronologique, il représente un document sans pareil sur un demi-siècle de vie intellectuelle en France où Anaïs Nin fréquenta la plupart des grands écrivains, musiciens et peintres de son temps. Plusieurs volumes du *Journal* sont consacrés à une analyse détaillée de ses relations avec le romancier américain Henry Miller, qui joua un rôle important dans le développement de son talent d'écrivain et dans sa vie amoureuse. Parmi ses plus proches amis, sur lesquels le *Journal* offre une mine de renseignements, il faut citer, entre autres, Antonin Artaud, Lawrence Durrell et André Breton, Salvador Dalí, Chana Orloff. De plus, le *Journal* présente un panorama critique de tous les grands courants littéraires et artistiques de l'époque : cubisme, réalisme, surréalisme, op, pop, art minimal, etc.

Le *Journal* enfin est une quête esthétique : celle de l'artiste essayant de comprendre le processus créatif tel qu'il s'élabore dans son esprit. C'est aussi la recherche d'une femme qui, vivant son moi comme multiple et fragmenté, s'attache à élargir le champ de sa compréhension d'elle-même et, dans l'art, à réconcilier ses nombreuses facettes.

La publication du *Journal* valut à son auteur une renommée internationale. Mais l'abondance et l'originalité de cette production font parfois oublier qu'Anaïs Nin a aussi écrit de nombreux romans dont le matériau brut est souvent puisé dans la trame même du *Journal.* Dans ces ouvrages de fiction on retrouve la même exigence de vérité et le même désir de lui donner son expression artistique la plus juste. Pour saisir une humeur passagère, évoquer une sensation, Anaïs Nin a recours à des associations libres, des « rêveries ». Elle joue avec les allitérations. Elle invente de subtiles métaphores. Le résultat est un texte impressionniste, pointilliste, mais toujours vibrant d'une rare authenticité. — Trad. Stock (volume III, 1971 ; volume IV, 1972 ; volume V, 1974 ; volume VI, 1977 ; volumes I et II, 1979 ; volume VII, 1982). M.-C. P.-C.

JOURNAL DE BORD de Christophe Colomb [*Diario de viaje*]. Au moment de s'embarquer à Palos, le navigateur italien Christophe Colomb (1451-1506) avait pris la résolution d'« écrire avec grand zèle » tout ce qu'il ferait et verrait, notant « la nuit ce qui serait arrivé durant le jour, et le jour ce qui serait arrivé durant la nuit ». Cette promesse faite aux Rois Catholiques et à lui-même, il la tint scrupuleusement tout au long de ses quatre voyages d'exploration et de découverte (1492-1504) et n'interrompit ce travail que dans des occasions extraordinaires, lorsqu'il tombait malade ou quand il connut les rigueurs de l'ingratitude royale. Le texte intégral du *Journal* n'est pas parvenu jusqu'à nous ; ce qui s'explique, si on considère qu'il s'agissait d'un document dont la connaissance était réservée aux souverains de Castille et d'Aragon et aux membres de leurs Conseils suprêmes, qui devaient tenir secrets les indications et les renseignements concernant les routes maritimes et les ressources des terres nouvellement découvertes. Une copie du *Journal*, par bonheur, fut un certain temps en la possession du père Las Casas, qui résuma longuement la partie relative au premier voyage et en reproduisit textuellement les passages les plus importants. Quant aux parties du *Journal* qui se rapportent aux trois autres voyages, elles furent utilisées par Las Casas et par le fils de Colomb, don Fernando, dans leurs œuvres fondamentales ; *Histoire admirable des horribles insolences, cruautés et tyrannies exercées par les Espagnols ès-Indes occidentales* (*) et *Histoire de la vie de Christophe Colomb* (*). Le *Journal de bord* est non seulement un document historique d'une importance fondamentale, il a également un intérêt littéraire considérable, sinon par le style (Colomb connaissait mal l'espagnol ; il écrivait souvent de façon assez confuse et ignorait même la valeur exacte de beaucoup de mots), du moins par la vivacité et la spontanéité de l'expression, par la naïveté et la sincérité de la vision. Beaucoup de pages réussissent à nous communiquer l'émotion éprouvée par l'auteur et sont pénétrées d'une telle poésie qu'elles enchantaient Alexandre von Humboldt, cependant peu accessible à l'enthousiasme. — Trad. *Œuvres* de Christophe Colomb, présentées, traduites et annotées par Alexandre Cioranescu, Gallimard, 1961.

JOURNAL DE ČARNOJEVIĆ (Le) [*Dnevnik Čarnojevića*]. Journal-roman de l'écrivain serbe Miloš Crnjanski (1893-1977), publié en 1921 à Belgrade. La transparence des noms permet de penser qu'il s'agit d'une œuvre en grande partie autobiographique. Crnjanski semble y marcher à contre-courant, en dehors de son époque et de ses préoccupations. Le monde dans lequel il arrive à l'âge d'homme a soif de certitude et d'amnésie après le bain de sang et le chaos politique et territorial auxquels il a abouti. Crnjanski lui offre scepticisme et souvenir. Aux grandes options philosophiques, politiques et sociales propres à ramener ordre et sécurité dans une société désarticulée, il oppose une réflexion subtile sur l'homme et sa vie. En écho aux doctrines qui apaisent les foules par leur rigueur logique, il dresse le tableau horrible de la réalité. Intégrer la souffrance, la guerre, à un système, fût-il odieux, en faire l'analyse politico-sociale, c'est leur donner une cohérence qui conduit à leur justification ; Crnjanski s'y est toujours et constamment refusé, voulant voir l'homme universel, celui pour lequel on échafaude des doctrines dans la douleur de l'individu dont le corps meurtri et la conscience hébétée ne perçoivent pas la logique qui du chaos fera une construction ordonnée.

Crnjanski avait connu le cosmopolitisme joyeux des universités, des villes d'eaux, des bains de mer. L'envers du décor s'impose soudain à lui. Incorporé dans l'armée austro-hongroise, il est brutalement propulsé dans la guerre le 28 juin 1914. Il va dès lors vivre un drame proprement absurde dans la boue et dans le sang. Le récit de ce carnage, où la réalité, le rêve, le souvenir se mêlent, se déroule dans une nébuleuse lucidité. Chaque scène, chaque paysage est clair, mais, dénués de lien entre eux, ils apparaissent comme les éléments d'un cauchemar. Dans ce monde sans ancrage, un seul point fixe demeure : l'homme dans ce qu'il a de plus individuel, de plus unique. L'homme charnel, l'homme qui souffre. L'homme désormais sans idéal, éperdu de douleur.

Crnjanski va sortir de cet enfer complètement broyé moralement et physiquement. « J'avais perdu tout lien, tout sens des actes humains et des souvenirs. Tout se mêlait en moi. Qui sait ce qu'est la vie ? » C'est une indignation à peine décantée qu'il nous livre dans ce journal ; une indignation inarticulée où la condamnation est implicite. Cet impossible cauchemar prend forme à travers une langue très belle et très pure.

Au-delà de cette apparence glacée, il y a un message qui scandalisa. Sceptique, voire nihiliste, il rejette ce qu'il appelle le « yougoslavisme », il stigmatise ceux qui se réjouissent en dansant sur des monceaux de cadavres. Il affirme sa désaffection cynique pour les choses de la vie. Et il ose dire ce qu'il fait : il tue. Il dit aussi son dégoût de l'amour, son mépris de la chair. « Je n'ai plus envie ni qu'on m'embrasse ni qu'on me tende la main. C'est assez. Si c'est l'amour, j'ai assez aimé, je suis fatigué. »

Ce que l'on retint du témoignage de Crnjanski, si poignant qu'il fût, c'est qu'il ne prenait pas parti dans ce conflit dont il était une victime anonyme parmi des millions d'autres. Son récit en lignes brisées, où les bourreaux ne sont jamais dénoncés, conduit à travers un labyrinthe obscur où le passé, le présent, le rêve remettent en cause la vie et l'amour, et aboutissent à une négation désespérée et désespérante. En face d'un Krleža à la colère dynamique, dont l'indignation est la première pierre d'un nouveau monde et qui nomme les responsables, Crnjanski se présente, lui aussi, comme l'avocat des muets, emmurés depuis des siècles dans la servitude et l'ignorance, mais sans leur ouvrir d'issue. Au soulèvement révolutionnaire il oppose une poétique évasion romanesque qu'il offre en 1920 dans *Sumatra*. « Je crois qu'un siècle meilleur viendra, il vient toujours. »

Cette fuite, il va tenter de la poursuivre jusque vers 1928. Le lieu privilégié du bonheur onirique à l'abri de toute atteinte est situé dans un Orient mythique où tout est beau et luxuriant. C'est aussi le règne végétal et, semble-t-il, de la culture : « Ce soir je lis Tibulle. » « Je me réveille à l'aube et je lis Dante. » C'est en fait tout ce qui n'est pas présent, tout ce qui est hors de l'actualité : « Si je pouvais retourner là-bas où grondent les canons, passer à travers les lignes russes, partir quelque part, loin, en *Terre-Neuve*, là où la glace est verte, et l'eau bleue sous la neige pourpre. » — Trad. L'Âge d'Homme, 1977.

L. K.

JOURNAL DE LA GUERRE AU COCHON (Le) [*Diario de la guerra del cerdo*]. Roman de l'écrivain argentin Adolfo Bioy Casares (né en 1914), publié en 1969. Ce roman décrit le monde des hôtels meublés, logements populaires et bistrots de Palermo (quartier désormais typique de Buenos Aires), tandis que sévit une violence inexplicable à l'encontre des vieillards inoffensifs que la jeune génération tente d'exterminer. C'est ainsi qu'est menée la guerre aux « cochons », aux personnes âgées, à tout homme aux cheveux gris, que les jeunes traquent et assomment sans scrupule ni raison. Violence gratuite qu'a du mal à comprendre le personnage principal de cette histoire, Isidro Vidal, âgé de soixante ans, parce qu'il ne peut imaginer cette haine, et surtout parce qu'il est loin de se sentir un vieil homme. Protégé par son fils qui disparaît tragiquement, Vidal est cependant sauvé par son amour pour sa jeune voisine Nédila.

Réflexion sur la vieillesse, sur le temps et la mort, subtile allégorie d'un monde livré aux tensions sociales et enfermé dans un système de valeurs contraignant, le livre échappe cependant au tragique. Car l'essentiel reste l'humour délicat, une écriture parfaitement maîtrisée et la construction d'une intrigue finement menée, où le réel et le fantastique se superposent, tandis que domine l'affirmation de l'amour, comme possible solution à toute situation. — Trad. Robert Laffont, 1970 ; L.G.F., 1986.

J.-C. V.

JOURNAL DE L'ANALOGISTE (Le). Essai de l'écrivain belge d'expression française Suzanne Lilar (1901-1992), publié en 1954. En marge de son livre, l'auteur a inscrit le mot de Novalis qu'elle fait sien : « La poésie est le réel absolu. » Telle est la constatation à partir de laquelle Suzanne Lilar ordonne toute une série d'accidents, qui fixent dans le vertige de l'analogie la réalité et le rêve : la rencontre devant un chalet, en haute montagne, d'un chien saint-bernard qui semble plus que lui-même être « le » chien devant « la » maison, dans « la » montagne ; une avenue anversoise apparaissant la nuit comme le Grand Canal à Venise ; un ballon sur un étang dont on découvre qu'il est le ventre gonflé d'un chien noyé. Naissant avec le flux des correspondances, une question vient à l'esprit de l'analogiste : tous ces accidents sont-ils des signes transmettant un message ? Bien vite, l'auteur passe de l'accident à l'essence, de l'apparence à la vérité cachée, pour découvrir des lois, des rythmes, qui lient les uns aux autres les phénomènes les plus séparés. Ainsi, s'arrêtant devant une radiographie de l'Agneau mystique de Van Eyck, l'auteur remarque-t-il que les personnages des tableaux ont aussi leur spectre. La ténèbre s'organise. « Le monde retrouvé est au bout du monde perdu comme le réel est au bout de l'abstrait. » Mais retrouve-t-on jamais le monde ? Cependant une certitude se lève au bout de la quête : les ressemblances qui nous introduisent dans le labyrinthe des analogies nous aident à découvrir la vérité par la poésie. La dernière page, très suggestive et qui évoque la beauté des morts, permet à Suzanne Lilar de clore sur ces mots : « Le sourire de ces faces renversées ne révèle-t-il pas un savoir qui manquera toujours aux vivants ? »

JOURNAL DE L'ANNÉE DE LA PESTE [*A Journal of the Plague Year*]. Ouvrage de Daniel Defoe (1660-1731), paru à Londres en 1722, et « contenant des observations et des témoignages sur les événements les plus remarquables publics et privés qui eurent lieu à Londres durant la dernière grande épidémie de 1665 ; écrit par un citoyen qui vécut tout ce temps à Londres, souvenirs encore inédits ». Daniel Defoe, qui était doué d'un sens très aigu des affaires, choisissait toujours des sujets que l'actualité rendait particulièrement suggestifs. En 1721, la peste apparut en Europe faisant des ravages en Provence. Il y avait encore à Londres des survivants de la grande peste qui avait sévi plus d'un demi-siècle auparavant : la « peste de Londres », la peste de 1665. À ce moment-là, Defoe était un enfant de cinq ou six ans. Il écrivit à la première personne, faisant semblant, selon son habitude, de rédiger ses mémoires. Il s'appuya sur des témoignages oraux transmis par quelques vieillards, sur des documents d'archives, et surtout sur son prodigieux talent d'écrivain réaliste. En un temps où sévissaient la littérature galante et les fleurs de la rhétorique, son style plein et dru, son implacable objectivité, sa langue rude, son sérieux biblique eurent par contraste un immense succès. Le *Journal* est celui d'un bourrelier, qui fait une relation exacte et puissamment évocatrice du fléau qui s'est abattu sur la grande cité. Celui qui tient la plume est un nouveau Robinson que la peste isole chez lui. Le récit a un accent de vérité sobre, mais précis. Sa prétendue authenticité s'appuie sur les textes officiels, les dispositions législatives, les statistiques paroissiales. Le livre présenté aux lecteurs comme un témoignage véridique fut accepté comme tel. « Les contemporains de Defoe — note Dottin, son principal biographe — n'y virent qu'un vulgaire ouvrage d'actualité. » Si l'on excepte *Robinson Crusoé* (*), œuvre très célèbre, on constate que la résurrection des œuvres de Daniel Defoe est un fait récent, une conquête de la culture contemporaine. Ce livre est difficile à résumer en raison de son caractère singulier. En ce qui touche la description de la peste elle-même, on peut utilement confronter cet ouvrage avec *Les Fiancés* (*) de Manzoni. — Trad. Aubier, 1943.

JOURNAL DE LA NUIT DU SEIZIÈME JOUR DE LA LUNE [*Izayoi Nikki*]. Œuvre de la femme de lettres japonaise Abutsu-ni — (ni = religieuse bouddhiste) 1209-1283), fille de Taira no Norishige. Dans sa jeunesse, sous le nom de Uemon no suke ou de Shijô, elle avait servi à la Cour, puis elle avait épousé Fujiwara no Tameie (1198-1275), poète et homme d'État, veuf d'un premier mariage. De cette union naquirent plusieurs enfants, parmi lesquels Tamesuke et Tamemori. Après la mort de son mari, elle se rasa la tête et prit le nom religieux de Abutsu-ni, sous lequel seulement elle est connue dans la littérature. Or Tameie, en mourant, avait laissé à son fils Tamesuke une ferme dans la province de Harima ; mais Tameuji — un des fils de sa première femme — s'en empara illégalement, refusant de la restituer à son demi-frère Tamesuke. Alors Abutsu-ni, le seizième jour de la dixième lunaison (l'expression « izayoi » qui fait partie du titre signifie « la nuit du seizième jour ») de 1277, entreprit le voyage de Kyôto, la capitale, à Kamakura, pour défendre les intérêts de son fils devant les magistrats de la ville. L'*Izayoi Nikki* est le récit de ce déplacement ; l'auteur y parle de tout ce qu'elle vit et entendit, au cours du trajet, jusqu'à son arrivée à destination. Le procès fut gagné par elle en 1280 ; le journal parut peu après. Connu aussi sous le titre de *Voyage d'Abutsu-ni vers l'Est* [*Abutsu-ni Azuma-kudari*], il est écrit en un style simple et délicieux qui révèle chez son auteur une vive et fine sensibilité artistique. Bien qu'il appartienne à l'époque de Kamakura (1186-1332), il est encore un produit authentique, quoique tardif, de la belle littérature de l'époque Helan (794-1186). Abutsu-ni est très connue et appréciée aussi comme poétesse, et ses vers, dont le livre contient un grand nombre, furent insérés dans les recueils officiels tel le *Chokusen-shû*. À la fin du journal est une « naga-uta » (longue poésie, composée de vers de cinq et sept syllabes alternés, avec un vers final de sept syllabes) qui tire son importance du fait qu'elle fait prévoir la poésie ultérieure de l'époque des Tokugawa (1603-1868).

JOURNAL DE L'INSURRECTION DE VARSOVIE [*Pamiętnik z powstania Warszawskiego*]. Récit de l'écrivain polonais Miron Białoszewski (1922-1983), publié en 1970. Parmi tous les livres qui relatent les événements tragiques de l'insurrection des Varsoviens du 1er août au 9 octobre 1944, c'est assurément l'un des plus bouleversants. Białoszewski avait alors vingt-deux ans. À travers son histoire personnelle d'individu perdu dans la masse de la population civile, il raconte l'histoire des Varsoviens, l'histoire « d'une vie commune avec la mort toujours possible en toile de fond ». On y retrouve des évocations des pénibles moments passés dans des caves, des cachettes, les égouts ; de toutes les difficultés rencontrées pour assurer ses besoins élémentaires dans une atmosphère de danger et de peur permanente, Białoszewski quitte un quartier dangereux pour aller se mettre à l'abri dans un autre qui l'est moins, mais pour un court laps de temps. Cet espace qui se rétrécit est en même temps l'image de l'échec de l'insurrection et de la destruction progressive de la ville. Białoszewski retrace avec beaucoup de précision la topographie de ses pérégrinations et la chronologie des événements. Il est fasciné par les particularités des habitudes et des comportements de la population dans les quartiers qu'il traverse. Sa curiosité de témoin le fait observer l'évolution de ces formes sans cesse renouvelées de vie qui permettent aux Varsoviens de s'habituer à l'inhabituel, de se recréer une vie dans un univers chaotique et provisoire. On ne retrouve pas dans ce livre le pathos de la lutte désespérée contre l'occupant, ni la dramatisation du combat, mais un humour qui choqua plus d'un ancien combattant. Le ton de la narration est celui d'un récit oral, ce qui permet à l'auteur de rendre la confusion et l'agitation des moments qu'il décrit tant par le choix des mots que par la syntaxe. Le récit suit un cours sinueux, au gré des digressions, des ellipses, des rectifications et précisions diverses. Białoszewski a déclaré que le *Journal* était né du « bavardage » sur l'insurrection, qu'il considérait comme une expérience clé dans son parcours spirituel. Ce « bavardage » décida du style et de la composition de cette œuvre qui est l'une des plus importantes de l'auteur. L. Dy.

JOURNAL DE MON VOYAGE EN L'AN 1769 [*Journal meiner Reise im Jahre 1769*]. C'est le compte rendu du voyage que le philosophe et écrivain allemand Johann Gottfried Herder (1744-1803) effectua de Riga à Paris en 1769. Écrit à Nantes et à Paris dans la seconde moitié de la même année, ce *Journal* resta inachevé. Il ne fut publié qu'après la mort de l'auteur en 1846. Quittant Riga, où il a vécu quatre années et demie jusqu'à la lassitude et l'insatisfaction, Herder prend conscience d'un changement radical dans son existence ; il se sent alors amené à faire le point de son travail passé et des œuvres à venir. Ce *Journal* est donc moins la relation chronologique de circonstances extérieures qu'une suite de confessions, de professions de foi, d'observations philosophiques et de considérations anthropologiques, de remarques critiques et de notations folkloriques. Dans la spontanéité de son désordre, ce petit ouvrage révèle un véritable bouillonnement d'idées. Dans les premières pages, Herder renie les études abstraites de sa jeunesse, épuisantes pour l'esprit, qui ont fait de lui un « dictionnaire d'arts et de sciences », un « débarras rempli de cartons et de livres qui ne sont à leur place que dans un lieu d'étude ». Il désavoue désormais les méthodes et les critères suivis jusqu'ici, entend descendre des nuages de la superbe académique et littéraire, et reprendre contact avec la réalité. Plusieurs pages sont consacrées à ses idées sur l'éducation. Herder se propose de fonder en Livonie une école s'inspirant de ses propres idéaux religieux et pédagogiques. Il conçoit un programme didactique complet, répartissant l'enseignement en divers cycles où sont embrassées toutes les disciplines, de celle qu'il nomme « catéchisme de l'humanité » à l'histoire (entendue comme évolution culturelle progressive des peuples), du dessin aux notions techniques et esthétiques inhérentes aux arts et aux métiers, de la philosophie aux sciences, des mathématiques à la mythologie, de la langue maternelle aux langues étrangères, etc. Les limites et la fonction de la culture sont ainsi définies : « La culture consiste non seulement à édicter des règles, mais aussi à parfaire les mœurs. » La fin suprême de la culture est l'éducation de l'humanité. Herder rêve d'égaler les grands réformateurs : son apostolat s'exercera en Russie, de la Baltique à la mer Noire : d'un pays à demi barbare, il entend faire une nouvelle Grèce. Le voyage sera son noviciat : une ferveur encyclopédique anime ses intentions ; les ébauches des œuvres grandioses qu'il conçoit renferment en puissance ses futurs ouvrages linguistiques, historiques, philosophiques et théologiques. Le *Journal de mon voyage en l'an 1769* est d'un intérêt majeur quant à la connaissance de la personnalité de son auteur qui s'y trouve, en quelque sorte, préfigurée. — Trad. Aubier-Montaigne, 1992.

JOURNAL DE SANUKI TENJI [*Sanuki Tenji Nikki*]. C'est le journal qu'écrivit au XIIe siècle une dame de la cour impériale surnommée Sanuki Tenji (la dame d'honneur Sanuki). Il s'agirait selon les uns de Fujiwara no Kaneko (1050-1133) et, selon d'autres, de Fujiwara no Nagako, sœur de la précédente. Ce journal, qui commence avec la sixième lune de 1107, époque à laquelle l'empereur Horikawa (1087-1107) tomba malade, comprend le récit de sa mort et de l'avènement de son fils Toba (1108-1123), ainsi que la description des solennités du « daijôe », cérémonie shintoïste célébrée par les empereurs pour honorer leurs ancêtres. Le texte, qui nous est parvenu mutilé, semble-t-il, de sa partie initiale, présente en outre plusieurs lacunes et fut peut-être partiellement remanié dans la suite : aussi la lecture en est-elle difficile. Cette raison, jointe à la monotonie du récit, fit longtemps obstacle à sa vulgarisation. Mais, à y regarder de plus près, l'ouvrage ne manque pas de profondeur : il est même empreint d'une dignité austère que l'on chercherait en vain dans les œuvres du même genre plus connues. *Sanuki Tenji Nikki* est enfin un précieux document du point de vue psychologique et historique. On désigne aussi l'œuvre parfois, sous le titre *Sanuki no Suke no Nikki* ou encore *Journal de l'empereur Horikawa* [*Horikawa-In Nikki*] car le souverain en est la figure dominante.

JOURNAL DE SARASHINA [*Sarashina Nikki*]. Œuvre de la littérature japonaise ancienne, écrite par une fille de Sugawara no Takasue, nièce de l'auteur du *Journal d'une éphémère* (*) dont on connaît seulement la date de naissance (1009) et ce qu'elle dit d'elle-même dans son journal. Le *Sarashina Nikki* commence par une description du voyage qu'elle fit à l'âge de treize ans (1023), avec son père qui regagnait Kyôto, la capitale, après avoir gouverné la province de Kazusa. C'est ensuite le récit de tout ce qui advint à l'auteur pendant une période de trente-six ans qui prend fin à la mort de son mari, Tchibana no Toshimichi, survenue dans la dixième lune de 1058. Au gré de sa fantaisie, la mémorialiste accumule maintes observations, songes, présages, monologues intérieurs, ainsi que des réflexions sur la vie et sur la mort, des résumés de ses lectures, etc. Friande de littérature, enthousiasmée par le *Genji Monogatari* (*), elle décrit ses promenades, ses pèlerinages et mille autres choses grandes ou petites, qui sont pour nous d'un réel intérêt psychologique. Le *Sarashina Nikki* doit peut-être son nom à une localité de la province de Shinano dont le mari de la narratrice était gouverneur. Ce journal est moins apprécié pour la qualité de sa prose qu'en raison de nombreux poèmes dont beaucoup ont été reproduits dans les anthologies. — Trad. Publications orientalistes de France, 1978.

JOURNAL DES DÉBATS (Le). Journal politique français dont l'histoire est intimement liée à l'histoire du pays, de la Révolution au XXe siècle. À l'origine, le journal ne publiait que les comptes rendus des séances de la Constituante, d'où son titre de *Journal des débats et des décrets ;* cette première période dura de sa fondation, le 29 août 1789, au 30 floréal an V ; de l'an V à l'an VIII, il s'intitula : *Journal des débats et lois du corps législatif,* mais son but restait le même : informer le public des discussions parlementaires. À partir de l'an VIII, sous l'influence des frères Bertin, les nouveaux propriétaires du journal, le *Journal des débats et lois du pouvoir législatif et des actes du gouvernement* prit un ton nettement politique. Un « feuilleton » littéraire et théâtral lui servit de supplément et fut suivi par de nombreux lecteurs dans toute l'Europe. D'abord expression d'un conservatisme modéré, *Le Journal des débats* comptait parmi ses collaborateurs Royer-Collard, Chateaubriand et surtout Geoffroy, ancien rédacteur de l'*Année littéraire* et de divers autres journaux antirévolutionnaires ; puis expression du ralliement à Bonaparte, le Journal ne tarda pas à perdre son indépendance. Appelé pendant une courte période (1805) *Journal des débats,* il devint *Journal de l'Empire* (1805) et reçut du gouvernement un censeur, Fiévée ; mais en même temps il prit un caractère officieux, renonçant presque à la politique et devenant presque exclusivement littéraire. En 1811, Napoléon le confisqua et s'en déclara arbitrairement propriétaire. Devenu avec la première Restauration *Journal des débats politiques et littéraires,* il redevint, pendant les Cent-Jours, *Journal de l'Empire,* puis reprit son premier titre après Waterloo. Bertin, qui avait repris possession de son Journal lors de l'abdication de l'Empereur, s'était rallié en effet à Napoléon, puis de nouveau à Louis XVIII. C'est pendant cette période troublée, peu avant les Cent-Jours, qu'y fut publié le fameux article de Benjamin Constant contre la tyrannie napoléonienne. Sous l'influence de Chateaubriand, ce périodique connut, sous Louis XVIII, une période ultra-royaliste, mais il passa dans l'opposition, pendant le règne de Charles X. Il fut alors poursuivi par le gouvernement et finalement confisqué. Solidement attaché au parlementarisme ministériel de la monarchie de Juillet, il fut, lors de la révolution de Février 1848, le porte-parole des conservateurs modérés, sorte d'organe officieux du gouvernement ; c'est ainsi qu'il soutint la candidature du général Cavaignac. Sous le second Empire, il se trouva rangé à côté du *Temps* parmi les nouveaux journaux de libre discussion, mais fidèles au régime. Cette situation reconnue lui permit de lancer des attaques contre le gouvernement, tout en demeurant très modéré dans le ton, et de se faire l'expression de l'opposition légale. Après 1870, il se rallia à la République conservatrice et, sous les directions successives d'Édouard Bertin (mort en 1871), puis de Léon Say, il conserva une certaine importance dans la vie politique du pays. Le *Journal des débats politiques et littéraires* — il devait conserver ce titre de la Restauration à sa disparition — se survécut longtemps, gardant cette attitude modérée qui avait fait sa fortune. Il devait disparaître à la Libération. Il avait perdu de son importance historique par la force des choses, car il restait typiquement d'une autre époque dans ses méthodes de lutte parlementaire, et il n'était plus que le témoignage nostalgique d'un grand siècle de discussions et de conquêtes politiques.

JOURNAL DES FAUX-MONNAYEURS. Œuvre de l'écrivain français André Gide (1869-1951), publiée en 1926. Dans la dédicace, l'auteur révèle le dessein qu'il poursuivait : « J'offre ces cahiers d'exercices et d'études à mon ami Jacques de Lacretelle et à ceux que les questions de métier intéressent. » La suite est moins sévère. Gide, en atelier, la toile entreprise dans un coin — en l'occurence *Les Faux-Monnayeurs* (*) —, travaille ses couleurs, libère les personnages du tableau, s'en amuse, s'en inquiète, les retourne de tous côtés, en cherche le grain, le geste, le timbre uniques. Aussi peu romancier que possible, incapable de faire durer très longtemps le jeu qui consiste à se croire moins réel que ce qu'on crée et nous possède et dépossède tout à la fois, Gide s'emploie ici à parler de ses personnages comme s'il les connaissait, pour mieux les capter. Il les flatte en quelque sorte, les repose, les essaie, et se persuade qu'ils existent vraiment. Il s'efface, pour mieux les laisser respirer, dédaignant l'élan acquis. Il les réinvente, pour leur permettre d'agir hors de son champ mental, tâche de les comprendre, se fait le plus sympathique possible pour les délivrer de leur timidité, de leur discrétion. La psychologie est le moindre de ses soucis. Il tient plus à montrer qu'à démontrer. Moraliste inavoué, qui trouve toute morale ridicule, mais ne saurait y échapper, Gide est amoureux de ses personnages. Par suite, jaloux. En ce sens, on peut dire qu'il est trop intelligent pour eux, et qu'ils s'en ressentent. Il pense avec eux, en même temps. Leur liberté est la sienne. Les expressions : « Il faut », « Je dois », reviennent sans cesse sous sa plume. Pour mieux en déceler l'extrême secret, Gide se retire toute curiosité, se laisse aller au vagabondage. Il craint tant de ne pouvoir métamorphoser charnellement ses idées, dont il est le plus vivant témoignage, qu'il fait exprès de tromper, de trahir ses premiers projets, de dépister les contraintes ; de provoquer la révolte ou l'obéissance de ses créatures. Ce petit livre est une partie de cache-cache ou, mieux, de colin-maillard. C'est l'auteur qui ferme les yeux, pour laisser jouer ses personnages et surtout les oublier et se faire oublier. Oublier leur corps, leur visage, tout ce qui cache l'âme. Pour mieux les entendre. La tentative est intéressante parce que plus Gide se veut invisible ou aveugle, plus il est remarqué et remarquable. On croirait lire du La Bruyère : « Olivier tenait à grand souci de ne parler point de ce qu'il ne connaissait guère. » Et que penser de la dernière note du deuxième cahier : « Mais tout considéré, mieux vaut laisser le lecteur penser ce qu'il veut – fût-ce contre moi. » Le *Journal des Faux-Monnayeurs* est une expérience des plus intéressante pour déplacer les règles d'un jeu qui se périmait. Expérience vouée à l'échec, de par le génie même de Gide, qui reste le premier personnage de son œuvre. Cette impossibilité de prendre le recul nécessaire, sans le vouloir, fait son originalité. Et celle de ce petit traité.

JOURNAL DE TOSA [*Tosa Nikki*]. Œuvre du célèbre poète et écrivain japonais Ki no Tsurayuki (883-948), qui, en 930, avait été nommé gouverneur de Tosa, province de l'ancien Japon (aujourd'hui Kôchi), dans l'île de Shikoku. Six ans plus tard, il regagnait Kyôto, la capitale, et cet écrit est le récit de son voyage qui avait duré deux mois. Cette relation date-t-elle de son retour, ou Tsurayuki l'a-t-il rédigée plus tard, on ne sait ; mais c'est certainement une œuvre de sa vieillesse. *Tosa Nikki* n'inaugure pas un genre nouveau, car l'usage de tenir un journal existait déjà, mais on avait alors coutume de composer les ouvrages en chinois, et seules les dames écrivaient en japonais. Tsurayuki renia donc son sexe afin de pouvoir écrire dans la langue de sa patrie. « Les journaux, dit-il en effet, sont habituellement rédigés par les hommes, mais moi, femme, j'ai voulu en écrire un. » La valeur littéraire du *Tosa Nikki* consiste surtout dans son style sobre et limpide, et la note sensible n'en est pas absente ; ainsi, quand le poète pleure sa petite fille morte, qu'il a laissée à Tosa, ou quand il s'émeut devant un beau paysage. Ki no Tsurayuki, cependant, manque généralement de profondeur, et le même défaut se fait sentir dans ses poésies qui révèlent plus d'artifice que de transport lyrique. Son journal, néanmoins, offre un grand intérêt psychologique et documentaire. On y goûte aussi un discret humour spécifiquement nippon. – Trad. in *Mille ans de littérature japonaise*, La Différence, 1982.

JOURNAL DE VOYAGE D'UN PHILOSOPHE (Le) [*Das Reisetagebuch eines Philosophen*]. Œuvre de l'écrivain allemand Hermann Keyserling (1880-1946), publié à Munich en 1919. Dans cet ouvrage, qui n'est ni un livre de philosophie théorique ni un traité de pragmatisme, l'auteur procède à une sorte d'examen de conscience, passant en revue les différentes conquêtes de la pensée. Son livre est donc un inventaire, une synthèse, un jugement, où les problèmes philosophiques n'ont de valeur qu'en ce qu'ils peuvent donner matière à des expériences humaines. On est en droit de dire qu'avec lui le monde de la culture – non seulement allemand, mais aussi européen et même mondial – en est arrivé à faire son bilan. L'auteur fait la somme des énormes travaux qui l'ont précédé ; venant pour ainsi dire en dernier, il laisse la lie de l'histoire se déposer, pour en détacher ensuite la partie limpide et utile. On s'accorde à affirmer que ce *Journal de voyage* est non seulement son chef-d'œuvre, mais encore l'ouvrage d'où l'on peut, comme du sommet de sa pensée, contempler un paysage aussi vaste que le monde. Peu avant qu'éclate la guerre de 1914-1918, il retrouva en lui, comme tous les esprits méditatifs, la crise de l'époque qui précéda l'extraordinaire bouleversement. « Tout était mis en question », comme il le dit lui-même. Ainsi, il lui sembla que le chemin le plus court pour se retrouver soi-même fût le tour du monde. Il considère toutes les expériences de l'humanité, dans la pensée et dans la vie, à travers les diverses civilisations. Partant de l'Europe, il se dirige vers l'Orient, pour revenir enfin par l'Amérique, qui lui inspire déjà des pages définitives, accomplissant ainsi le voyage de l'humanité dans ses étapes évolutives. Ses jugements sont sensés et documentés : tous les problèmes spirituels, intellectuels et moraux de l'humanité, dans leurs aspects géographiques et nationaux, sont étudiés, remis en valeur, et il leur apporte des solutions. Ce livre rendit son auteur célèbre du jour au lendemain, et quiconque cite son nom ou désire connaître son œuvre doit toujours se reporter à ce livre unique que l'on pourrait comparer à certains comptes rendus d'anciens voyageurs guidés non seulement par une curiosité d'explorateur, mais aussi par un désir de connaissance. Son extraordinaire préparation culturelle lui a permis d'approcher les représentants des différentes cultures, de parler des « plus grands problèmes » en adoptant le point de vue de ses interlocuteurs, réunissant ainsi la clarification et la synthèse directe, et non livresque. Tagore a pu écrire de ce livre : « À travers le nuage de l'incompréhension qui règne entre l'Orient et l'Occident, ce *Journal de voyage* est apparu comme un rayon de soleil... puisque le plus haut degré mental que l'homme puisse atteindre est celui qui lui enseigne de trouver partout sa place. Nous autres, Indiens, nous avons accueilli le livre de Keyserling avec enthousiasme, comme un grand livre. » D'ailleurs, l'auteur termine son *Journal* en imaginant le sage de l'avenir : celui-là aura su concilier en lui la sagesse orientale avec la volonté propre aux civilisations occidentales. – Trad. Stock, 1929.

JOURNAL DE VOYAGE EN ITALIE PAR LA SUISSE ET L'ALLEMAGNE. Journal de l'écrivain français Michel de Montaigne (1533-1592), publié en 1774. Le 22 juin 1580, Montaigne quitte son château, où en neuf ans il a composé les deux premiers livres de ses *Essais* (*). Il fait d'abord une pointe jusqu'à Paris, puis commence ce voyage qu'il n'a entrepris que pour connaître les bains les plus renommés contre le mal de la pierre et pour voir de nouveaux pays et de nouveaux hommes. Il s'arrête à Plombières, où il fait une cure, puis, par Mulhouse, il parvient à Bâle d'où il repart pour Baden. En suivant le Rhin, il admire les chutes de Schaffhouse, s'arrête à Constance et remonte jusqu'à Augsbourg. Il dépasse Munich, franchit le Tyrol, par Bolzano et Trente (où il entend déjà parler italien), et arrive à Vérone le jour de la Toussaint. À Venise, il s'enquiert de tout et, spécialement, des courtisanes. Il visite ensuite Bologne, la Toscane, Florence. Par Sienne, Buonconvento, Viterbe, le voici à Rome, le 30 novembre. Il y demeure jusqu'au 19 avril 1581. Franchissant les Apennins, il visite Loreto, touche Ancône, Fano, oblique vers Urbino et, par Borgo San Sepolcro, parvient à Florence. Voici Pistole, Lucques et ses bains célèbres. Il y séjourne du 8 mai au 21 juin. Il visite alors les alentours et admire tout particulièrement Pise. Le 14 août, il s'en revient à Lucques. C'est dans cette ville qu'il apprend qu'il vient d'être élu maire de Bordeaux. Il revient alors à Rome, où il séjourne pendant les premiers quinze jours d'octobre. De là, il remonte à Sienne, Lucques, Sarzana, Plaisance, Pavie (il admire sa chartreuse) et ne fait qu'un bref séjour à Milan. Cette ville, la plus importante de l'Italie pour sa population, son activité et l'importance de ses affaires, lui rappelle Paris. Il se hâte alors vers Novare, Turin, Suse, puis Chambéry, Lyon, Limoges, Périgueux. Le dernier jour de novembre, il rentre chez lui. Ces notes sont destinées à ses amis. Les premières ont été dictées à un domestique, mais bientôt Montaigne les écrit lui-même et n'hésite pas à se servir quelquefois de l'italien : « Assaggiamo di parlare un poco questa altra lingua... » C'est un malade à la recherche des lieux qui peuvent le guérir et qui note avec précision les cures, leurs effets, les menus, les endroits les plus agréables. Les particularités des mœurs, des hommes, même les plus insignifiantes, l'intéressent. Sa sensibilité artistique ne fait de lui ni un esthète ni un romantique envoûté par les ruines ou la grandeur des paysages. Les recherches archéologiques ne l'intéressent que médiocrement. Rome ne l'attire que par son pittoresque, ses superstitions, le faste des cérémonies pontificales. L'homme ne l'attache que dans la mesure où lui-même découvre ce qu'il pense et ce qu'il croit. Plus français que jamais puisque loin de sa patrie, il se laisse insensiblement fasciner par cette terre. Mais c'est la Toscane avec sa nature charmante et heureuse qui l'enchante, avec ses paysans qui jouent du luth, ses bergères qui récitent des vers de l'Arioste, ses improvisateurs et ses comédiens. C'est, en un mot, l'Italie de la fin du XVIe siècle où s'épanouit un art de vivre très délicat. Le troisième livre des *Essais*, cette leçon de sagesse, se ressentira de ce sens harmonieux de la vie que l'auteur a trouvé en Italie.

JOURNAL DE VOYAGE. LETTRES À SON MARI. Œuvre de la romancière, journaliste et ethnologue française Alexandra David-Neel (1868-1969). Le tome I paraît en 1975 et le deuxième tome en 1976, sept ans après le décès de son auteur. À partir de 1904, l'écrivain prit l'habitude de raconter sa vie par lettres et commença une correspondance qui nous vaudra par la suite ce *Journal de voyage* jusqu'en 1941, année de la mort de son époux Philippe Neel resté en métropole. Philippe Neel, comme le dira Alexandra, est l'inspirateur de ce qui est au regard de beaucoup de lecteurs le meilleur de son œuvre. Ce journal n'était pas destiné à être publié ; c'est au seuil de sa vie qu'Alexandra accepta que ces pages soient éditées. Tout y est décrit consciencieusement avec ce sens du détail qui caractérisera l'auteur toute sa vie, des études qu'elle accomplit au couvent « Le Bois fleuri » où elle étudie « l'amour, le besoin devrais-je dire de la tenue en paroles et en gestes » aux plus fascinants de ses voyages sur le « toit du monde ». Elle mêle avec brio les commentaires sur les lieux qu'elle visite, les rencontres, les événements étonnants qu'elle observe et le milieu qu'elle a quitté : son mari, ses parents, ses relations, ses soucis financiers. Le *Journal* permet de suivre, ou donne l'impression d'entreprendre en compagnie de l'auteur, jour après jour, des voyages et des aventures dans des pays qui sont à cette époque pour la plupart inconnus. Plaisante à lire, Alexandra David-Neel sait faire preuve d'érudition lorsqu'elle aborde la religion et la philosophie.

F. H.

JOURNAL D'IZUMI SHIKIBU [*Izumi Shikibu Nikki*]. Œuvre de la littérature japonaise classique, dite aussi *Izumi Shikibu Monogatari* [*Histoire d'Izumi Shikibu*], écrite par la femme de lettres de ce nom. Invitée à la Cour par le grand ministre Fujiwara no Michinaga (966-1027), Izumi Shikibu devint dame d'honneur de l'impératrice Fujiwara Akiko (988-1074) et eut, durant cette période, des relations intimes avec le prince Tametaka, ce qui l'obligea au divorce. Tametaka mourut en 1002 et, peu après, Atsumichi, son frère cadet, mort à 26 ans en 1007, prit sa place dans le cœur de la dame, laquelle finit par épouser un certain Fujiwara no Yasumasa, avec lequel elle alla s'établir dans la province de Tango. Le journal, écrit à la troisième personne, est l'histoire de ses relations avec Atsumichi ; il commence à la quatrième lunaison de 1003 et se termine à la première lunaison de 1004. Femme à la fois sentimentale et sensuelle, incapable de réprimer les impulsions de son tempérament ardent, l'auteur révèle toute l'anxiété de son cœur touché par le souffle impétueux de la passion, et son œuvre est non seulement la confession loyale et courageuse d'une âme qui se met à nu devant son propre jugement, mais encore une magnifique vision d'amour. « La vie – dit Amy Lowell – fut impuissante à mûrir une personnalité si intense et ne parvint pas plus à la maîtriser. Izumi Shikibu n'éveille aucune idée de résignation. Elle vécut avec intensité et nous la voyons indomptée, comme un génie contraint à suivre ses instincts. » Le journal est écrit en pur japonais classique, dans un style extrêmement poétique et délicat, tout en phrases vagues, sans pronoms et seulement avec de rares points de repère grammaticaux, ce qui rend fort difficile la tâche du traducteur. Izumi Shikibu est, avec Murasaki no Shikibu, avec Sei Shônagon et d'autres dames de la Cour, un des écrivains les plus importants de l'époque. Chez elle, une vaste culture et une profonde connaissance des littératures chinoise, japonaise et bouddhiste s'accompagnent d'une authentique et très heureuse disposition pour les lettres. Ses poésies, dont un grand nombre se trouvent répandues dans son journal, sont parmi les plus belles de la littérature japonaise, et les sept volumes de vers qu'elle a laissés l'ont fait proclamer la plus grande poétesse de son pays. – Trad. Publications orientalistes de France, 1978.

JOURNAL D'UN ATTACHÉ D'AMBASSADE. Œuvre de l'écrivain français Paul Morand (1888-1976), publiée en 1947. Paul Morand a attendu trente ans pour livrer au public ce journal qu'il tint du 16 août 1916 au 31 juillet 1917. Jeune attaché d'ambassade, il venait d'être transféré de Londres au cabinet du ministre des Affaires étrangères. Nous voyons ici un Paris en guerre, où l'on dîne en ville, où l'on va au spectacle, où l'on fait des mots d'esprit. Morand était au centre de la vie mondaine ; ses amis s'appelaient Proust, Cocteau, Giraudoux, Léger, Misia Sert, Hélène Soutzo. Mais il était aussi au centre de la vie politique ; il voyait quotidiennement Briand, Philippe Berthelot, Ribot. « J'espère, dit Morand, qu'on voudra bien trouver quelque intérêt rétrospectif à cette extraordinaire année 1917 qui sera aussi importante que 1789 pour l'histoire de l'Europe. »

JOURNAL D'UN BOURGEOIS DE PARIS. Œuvre anonyme française, composée sous forme de chronique de 1405 à 1449, et publiée pour la première fois par La Barre, dans un volume de *Mémoires pour servir à l'histoire de France et de Bourgogne,* en 1729. Elle ne fut publiée à part qu'en 1836 et en 1860, puis réimprimée avec des notes et des références de manuscrits par Alexandre Tuetey, en 1881, et par André Maury en 1929. Cette œuvre fut autrefois attribuée à Jean Beaurigout, curé de Saint-Nicolas-des-Champs, puis à un certain Jean Chuffat, chanoine de Notre-Dame et recteur de l'Université. Dans l'incertitude, on pense cependant aujourd'hui à quelque « homme de science » (clerc) de l'Université, comme se déclare l'auteur luimême. C'est l'un des documents les plus intéressants qu'on puisse trouver pour comprendre l'état de la société française dans la première moitié du XVe siècle. On y voit la transformation de la monarchie, les abus de la noblesse, l'ascension de la bourgeoisie, le désaccord toujours plus grand qui s'établit entre les croyances et les mœurs, le luxe et les pratiques religieuses. Tout se transforme, depuis le costume jusqu'à la lecture des classiques, depuis la façon de rendre la justice jusqu'aux usages de la diplomatie et de la guerre. L'auteur, qui note, jour par jour, les événements auxquels il assiste ou dont il est informé, considère avec attention le rôle de la Bourgogne dans le jeu des forces en France. Il exprime sa stupeur en face de certains faits. Il nous parle ainsi du règne de Philippe de Valois, de la minorité de Charles V, des abus de la régence et de la misérable condition du peuple. Il nous parle des taxes, des incarcérations, des supplices et des pillages, des assassinats, des révoltes. Il évoque les bandes armées des Armagnacs, les processions, les prédicateurs populaires et les hérétiques. Il nous entretient de l'état de la peinture, des récoltes, voire des passages d'étrangers et des spectacles religieux. Tout prend vie dans l'éblouissant récit du chroniqueur, qui recueille comme des trésors tous les événements de son temps, dans l'attente de temps meilleurs. Document d'une richesse exceptionnelle, le *Journal,* commencé peu de temps après la mort de Louis d'Orléans et arrêté à la veille de la conquête de la Guyenne (laquelle mettra définitivement un terme à la guerre de Cent Ans), nous permet de comprendre la véritable transformation sociale de la France. Le récit, toujours vif, déconcerte parfois dans sa façon de passer d'une bataille sanglante à la relation d'un mariage ou d'une fête religieuse. Il révèle le caractère dramatique d'une conscience qui voit en tout un témoignage capable de fixer à jamais une vérité ineffaçable. Par sa vigueur descriptive, l'œuvre fait honneur à son siècle. Aussi les historiens y attachent-ils une grande importance, à commencer par Huizinga dans son livre sur *Le Déclin du Moyen Âge* (*). – La dernière édition est celle de C. Beaune (Paris, Le Livre de poche, 1989).

JOURNAL D'UN CARACTÈRE. Ouvrage publié en 1931 par l'écrivain et biologiste français Jean Rostand (1894-1977). Dans une note préliminaire, l'auteur se défend d'avoir fait œuvre autobiographique : « C'est par une fiction peut-être commode, mais où il ne voudrait pas qu'on se méprît, que l'auteur a présenté sous la forme d'un journal cette esquisse d'un caractère. » Un journal qui n'en offre guère la forme extérieure puisque nous n'y trouvons ni dates ni chronologie véritable ; là encore, l'auteur s'en excuse : « S'il a cru devoir donner aux éléments qui la composent un ordre évidemment contradictoire à la forme même du journal, c'est par un illogisme dont il s'excuse sur un souci de clarté. » Recueil de pensées, d'aphorismes donc, mais qui avant d'être réflexions sur le monde sont réflexions sur soi. L'auteur brosse à grands traits un portrait d'homme qui pourrait être le sien, qui l'est peut-être. Doute : « le moindre grain de certitude ferait bien mon affaire » ; ambition : « je suis de ceux qui renonceraient plus facilement aux jouissances de la vanité qu'ils ne s'arracheraient aux tourments de l'orgueil » ; humilité : « je me sens indigne de tout ce qui me semblerait digne de moi » ; tout s'y mêle. Cet homme partagé, clairvoyant, sait qu'il lui arrive d'être envieux, mais tire sa consolation de Pascal : « Combien de royaumes ignorent ce que tu envies. » Il sait aussi s'endurcir à l'opinion « sans trop mépriser les hommes ». Réflexions d'écrivain, soucieux de gloire, mais aussi réflexions d'homme sur son métier : « Ce que tu désespères d'exprimer, peut-être quelques-uns l'entendraient-ils entre tes lignes. » « Les grandes œuvres ne se font jamais exprès. » « Il s'agit d'être clair, non d'être compris. » Réflexions de moraliste aussi, sur la sincérité et le mensonge : « Le fond des âmes n'est pas plus vrai que leur surface. » « Plus nous sommes sincères devant nous-mêmes, plus nous sommes forcés de feindre devant les autres. » Sur la richesse et la pauvreté : « Rien n'attire la haine comme le bien mal fait. » Sur l'idéalisme : « On n'est logique avec ses idéaux que par une chance du cœur. » Sur la force et la faiblesse : « C'est par le meilleur de nous, et par le pire, que nous sommes vulnérables. » Sur la condition humaine enfin : « La nature serait-elle mille fois plus clémente, nous la maudirions encore ; et mille fois plus rigoureuse, nous trouverions encore moyen de nous en arranger. »

JOURNAL D'UN CHIEN [*Aus dem Tagebuch eines Hundes*]. Œuvre de l'écrivain allemand Oskar Panizza (1853-1921), publiée à Leipzig en 1892. La vie au ras du sol : c'est à quarante centimètres environ du plancher qu'Oskar Panizza nous fait entrevoir le monde dans son *Journal d'un chien.* Satire mordante et kafkaïenne, le *Journal* fait apparaître la réalité humaine à travers un dégoût digne de *La Métamorphose* (*) de Kafka. Ce chien fraîchement arrivé de la campagne qui, découvrant la ville avec son nouveau maître, décide de « tenir un registre du matériau humain » est curieusement proche d'un Panizza épluchant l'histoire vaticane pour mieux dénoncer l'hypocrisie catholique et religieuse, ou la dictature impériale dans ses *Parisiana.* Si l'allégorie est évidente, elle puise sa force dans ce mélange de monstrueux et de grotesque qui fait le style de Panizza. Les « hommes » y sont confondus, dans l'esprit canin du « narrateur », aux vêtements qu'ils portent : « Chez les uns, le corps se termine par deux tuyaux ou colonnes [...] Chez les autres, la partie inférieure du corps s'évase en forme de cloche, ce qui leur permet malgré tout d'avancer, un peu à la manière du hérisson. » Panizza excelle à organiser une vision exogène du quotidien, à rendre terrifiant l'habituel. La cruauté cependant ramène à la réalité, la pâtée du héros s'y mérite toujours à coups de pied. Et si le chien dissèque la mystérieuse société humaine, c'est pour finalement réaliser combien il est plus misérable. « Les hommes ne s'imaginent-ils pas que nous avons abandonné nos forêts pour rassembler leurs poules et apprendre d'eux le ne-pas-pisser-dans-la-maison ? »

Si le *Journal d'un chien* de Panizza passa inaperçu, du moins il ne fut pas interdit comme son chef-d'œuvre, *Le Concile d'amour* [*Das Liebeskonzil*]. Dans cette pièce publiée en 1894, Panizza fustige avec une violence sans précédent les fondements mêmes du christianisme, transformant l'histoire de la Sainte Trinité en un complot de famille inspiré de l'histoire des Borgia, et Dieu en meilleur collaborateur du Diable. Ce concile réunit pour une même grotesque condamnation de l'humanité un Christ débile, une Vierge perverse, un Dieu fatigué et sénile et un Diable qui inspire plus de sympathie que d'horreur. Le Malin y engendre, avec la sanglante Salomé, une femme qui portera la syphilis aux hommes livrés à la débauche, à commencer par le pape et la hiérarchie vaticane ! Panizza ne déploie son obsession de la déchéance (dans le *Concile* mais aussi dans beaucoup de ses essais « théologiques » anticléricaux) que pour mieux lever le voile sur les pouvoirs qui la provoquent. En l'occurrence, l'autoritaire et puritaine Allemagne de Guillaume II, qui lui rendra au centuple sa haine en interdisant son œuvre et en le mettant en prison pour un an. Reste que *Le Concile d'amour* est une pièce mordante, enlevée, où le cynisme et le grotesque rappellent le génie comique de la commedia dell'arte. — Trad. *Journal d'un chien,* L'Instant, 1988 ; *Le Concile d'amour,* J.-J. Pauvert aux P.U.G., 1983.

S. Ro.

JOURNAL D'UN CURÉ DE CAMPAGNE. Roman de l'écrivain français George Bernanos (1888-1948), publié en 1936. De toutes les œuvres de Bernanos, le *Journal* est la plus populaire et peut-être, par sa forme même, la plus immédiatement émouvante. La trame en est fort simple, on ne peut parler d'intrigue. Un jeune prêtre, nouvellement promu curé d'Ambricourt, déverse le trop-plein de son cœur dans son journal. Son amour des âmes et son zèle extraordinaire butant sans cesse contre l'indifférence et la vulgarité, il trouve un apaisement dans cette confession, entreprise d'abord avec quelque scrupule, puis devenue indispensable par la plus claire conscience qu'elle lui permet de prendre de lui-même. On voit défiler dans le *Journal,* au cours de la relation méticuleuse des événements et des pensées, des personnes qui sont les paroissiens du scripteur : le comte et la comtesse, châtelains d'Ambricourt, leur fille Chantal, sa gouvernante Mlle Louise, le curé de Torcy, le docteur Delbende, athée ; Louis Dupréty, ancien camarade de séminaire ; le doyen de Blangermont, Olivier de Tréville-Sommerange, la petite Séraphita Dumouchel, Sulpice Mitonnet et d'autres comparses. Mais ces figures, pas plus que celles de Dostoïevski dans *Les Frères Karamazov* (*), ne sont des personnages ni même des hommes ayant telle passion qui les emporte à vérifier l'exactitude d'une doctrine. Elles sont les supports de l'évocation centrale : celle de la situation d'une âme. Sans doute l'effet dramatique, le parti tiré de l'événement lui-même, y est également soutenu. Le point culminant de ce drame, vu de l'extérieur, est la conversation du prêtre et de la comtesse. Le curé se rend chez elle pour lui parler de Mlle Chantal. Celle-ci, dans un mouvement de révolte, s'est ouverte au curé de la haine qu'elle porte à sa mère et du dégoût que lui inspirent les amours de son père et de l'institutrice. Le curé va tenter une réconciliation entre la mère et la fille. Il découvre au cours de l'entretien les turpitudes cachées sous la fausse sérénité de la comtesse : elle se sait trompée par son mari, elle se venge de sa honte par la secrète joie de voir sa fille désillusionnée sur son père. La densité des paroles du prêtre à cet instant est troublante : « Nos fautes cachées empoisonnent l'air que d'autres respirent, et tel crime, dont un misérable portait le germe à son insu, n'aurait jamais mûri son fruit sans ce principe de corruption. » La comtesse se débat dans les rets de ce qu'elle dénonce comme un chantage, mais elle-même l'a amorcé en avouant au prêtre le seul amour qui l'a fait jusqu'alors se survivre : celui d'un enfant mort qu'elle dispute à Dieu dans son souvenir. Par les traits fulgurants d'un discours presque involontaire, le prêtre parviendra pourtant à briser l'orgueil de cette femme et à la faire se résigner à la volonté divine. La comtesse mourra dans la nuit même du combat qu'elle a soutenu.

La peur, qui est au centre de toute l'œuvre de Bernanos comme un ressort, plus clairement concrétisée dans des romans tels que *Sous le soleil de Satan* (*) et *Monsieur Ouine* (*), n'en compose pas moins, dans l'ambiance spirituelle du *Journal,* un accompagnement sourd au monologue. Sa maladie, que le curé d'Ambricourt traite avec désinvolture en ne se nourrissant plus que de pain et de vin et dont il mentionne constamment l'évolution aux pages du journal comme une feuille de température, n'est pas la moindre cause, dans l'ordre des faits, de cette tension progressive du récit jusqu'à la consultation du médecin de Lille : un cancer de l'estomac se révèle et ne laissera plus au jeune prêtre que deux jours de vie. Il meurt, hors de chez lui, recueilli par son ancien camarade de séminaire, un défroqué, duquel il recevra l'ultime bénédiction. Tout roman de Bernanos est un roman de l'agonie. L'auteur a prêté au curé de Torcy, le confident du curé d'Ambricourt, sa propre voix assurée qui répond, au long du *Journal,* aux doutes et aux faiblesses du jeune pasteur. Cette voix se fait vibrante dans l'évocation du scandale de la pauvreté. Comme chez Léon Bloy, la pauvreté est, plus que le dépouillement des biens matériels, une attitude fondamentale de la vie chrétienne et de la vie apostolique. Cette mystique de la pauvreté double, en quelque sorte, dans tout le roman, la mystique de la grâce de Dieu.

JOURNAL D'UN ÉCRIVAIN [*Dnevnik pisatelja*]. Publication mensuelle, entièrement rédigée par l'écrivain russe Fedor Mikhaïlovitch Dostoïevski (1821-1881), durant les années 1873-76 et 1881. Elle a donné naissance à un recueil d'articles consacrés aux problèmes du jour, y compris la situation politique internationale, notamment les événements du Proche-Orient et les luttes des partis en France sous la présidence de Mac-Mahon. Dostoïevski, qui s'intéresse particulièrement à la question slave, la prend comme point de départ de ses théories nationales, ethniques et religieuses. S'il affirme que « la Russie est supérieure à l'Europe » et que « la civilisation européenne doit passer sous l'hégémonie russe », il n'en est pas pour autant un « slavophile » dans le sens étroit et littéral du terme. En effet, c'est au nom de l'universalité du christianisme russe qu'il revendique pour son peuple le droit ou, plutôt, le privilège de servir un jour de guide à l'Europe, sinon au monde entier. D'autres questions retiennent également son attention. Il aborde, tour à tour, le problème de l'émancipation féminine, le problème juif et celui de la réforme judiciaire. C'est un partisan convaincu du mouvement « féministe » ; il lui arrive de redresser des erreurs judiciaires en faisant, pour son *Journal*, des comptes rendus des procès en cours. L'actualité politique et religieuse (notamment les tractations relatives au retour du comte de Chambord en France et au rétablissement de la monarchie, ainsi que les péripéties du « Kulturkampf », c'est-à-dire de la lutte engagée par Bismarck contre l'Église catholique en Allemagne) incite Dostoïevski à passer au crible les « valeurs » sociales et les idéaux de l'Occident. La sévérité, parfois excessive, dont il fait montre en soulignant les défauts et les faiblesses de la bourgeoisie française, ne manque pas de mordant ni d'une certaine amertume. À plusieurs reprises, Dostoïevski aborde et développe sa thèse, selon laquelle le tragique problème de la vie sociale et intellectuelle de la Russie résulte du gouffre d'incompréhension dont la société (y compris la soi-disant élite intellectuelle russe, l'« intelligenzia ») fait preuve à l'égard du peuple.

Le discours prononcé par Dostoïevski le 8 juin 1880, quelques mois avant sa mort, à l'occasion de l'inauguration du monument de Pouchkine à Moscou (discours qui figure à la fin du *Journal d'un écrivain*) est considéré, à juste titre, comme un chef-d'œuvre. L'esprit du plus grand poète russe semble irradier à travers le prisme spirituel – étrange, pathétique et fascinant – de son apologiste. L'on ne saurait résumer l'idée principale de ce discours remarquable, mieux que ne l'a fait Dostoïevski lui-même dans une « note explicative », parue dans le numéro unique de son *Journal* pour l'année 1880 (août), et dans laquelle il écrit : « ... Je tenais à signaler dans la personnalité de Pouchkine cette faculté extraordinaire, particulière à son génie d'artiste et que l'on ne retrouve chez aucun autre : la faculté d'universelle résonance et de réincarnation presque parfaite en le génie des autres nations. J'ai dit dans mon discours que l'Europe comptait les plus grands génies créateurs : Shakespeare, Cervantès, Schiller, mais que chez aucun de ceux-ci nous n'apercevons cette faculté. Nous ne la voyons que chez Pouchkine... Cette faculté, on le conçoit, je ne pouvais moins faire que de la noter dans ma caractéristique de Pouchkine, en tant que trait particulier de son génie, [...] mais je n'ai point dit cela en vue de rabaisser des génies européens tels que Skakespeare et Schiller ; seul un imbécile pourrait tirer de mes paroles une déduction aussi sotte [...] En soulignant l'aptitude géniale de Pouchkine à s'incarner dans l'esprit des nations étrangères, j'ai voulu seulement dire qu'il y avait là une grande indication qui revêt pour nous le sens d'une prophétie, car cette faculté est une faculté typiquement russe, nationale, et Pouchkine ne fait que la partager avec tout notre peuple... »

C'est dans le *Journal d'un écrivain* que parurent quelques nouvelles dues à la plume de Dostoïevski, telles que *Bobok* (*) et *La Douce* [*Krotkaja*]. La première de ces œuvres est un conte philosophique, sombre et empreint de désolation. Il s'agit d'un entretien entre les morts d'un cimetière, entretien dont les tons lugubres semblent présager certaines pages de Kafka. Quant à *La Douce*, parue en 1876, c'est un long monologue d'un homme devant le cadavre de sa jeune femme, qui vient de se suicider. L'homme cherche à se rendre compte de ce qui lui arrive ; c'est un des personnages les plus typiques de Dostoïevski, oscillant perpétuellement entre le bien et le mal. Ex-officier ayant refusé de se battre en duel pour un motif futile, et contraint de donner sa démission, le héros de la nouvelle reçoit peu après un petit héritage. Il ouvre, alors, une officine de prêts sur gages. Parmi ses clients, il voit souvent une pauvre orpheline de 16 ans ; il en tombe amoureux et l'épouse. La jeune fille, la « Krotkaja », c'est-à-dire la « douce », voudrait aimer son mari, mais elle le sent froid et distant. Quant à lui, il désire que sa femme puisse arriver à comprendre par elle-même le drame intime qui brisa sa carrière et gâcha sa vie. Mais, trop jeune et trop ingénue, elle se révolte contre l'apparente froideur de son mari, en qui elle ne voit qu'un usurier abject. Son exaspération arrivée à un point culminant, elle s'approche une nuit du lit de son mari, armée d'un revolver : elle le hait et veut le tuer. Lui sent et voit, mais feint de dormir. Pendant un court instant, il fixe la jeune femme pour lui faire comprendre qu'il ne craint pas la mort. Car, s'il n'a pas voulu se battre autrefois, ce ne fut pas par lâcheté... La « douce », ne pouvant plus supporter l'existence, se jette par la fenêtre. L'idée fondamentale du récit est exprimée dans les dernières lignes : « Fatalité. Ô nature ! L'homme est seul sur la terre, voilà le malheur ! » – Trad. Gallimard, 1934 ; Bibliothèque de la Pléiade, 1972.

JOURNAL D'UNE ÉPHÉMÈRE [*Kagerô Nikki*]. Œuvre de la littérature japonaise ancienne, écrite par une fille de Fujiwara no Motoyasu, dont le nom ne nous est pas parvenu. En 954, elle connut le futur ministre Fujiwara no Kaneie (929-999), avec lequel elle eut des relations intimes et entretint une longue correspondance poétique ; elle finit par l'épouser, après en avoir eu un fils, appelé Michitsuna. Son journal est une sorte d'autobiographie, limitée cependant à la période allant de 954 à 974, date où son fils eut vingt ans. Expliquant elle-même le titre étrange que porte le journal, elle écrit : « Quand je considère l'instabilité des choses, je me sens comme une éphémère suspendue entre l'être et le néant ; c'est pourquoi j'ai appelé ceci le *Journal d'une éphémère.* » Le *Kagerô Nikki,* comme le *Genji Monogatari* (*), le *Makura no Sôshi* (*) et d'autres, est le produit d'une époque particulière dans l'histoire de la littérature japonaise, ayant son point culminant lors de la période qui va de 990 à 1070 environ, où les femmes tenaient entre leurs mains le sort des lettres et où, grâce à elles, paraissaient des œuvres qui, selon le jugement concordant de tous les critiques étrangers et japonais, comptent parmi les plus grands chefs-d'œuvre de la littérature du pays. Divisé à l'origine en trois sections, ce *Journal* fut ensuite réparti en huit. Il contient aussi, comme toute la production en prose de ce temps, plusieurs poésies, et il représente un document précieux pour les coutumes, la vie, la mentalité de l'époque.

JOURNAL D'UNE FEMME DE CHAMBRE (Le). Le plus connu des romans de l'écrivain français Octave Mirbeau (1848-1917). Une domestique séduisante, Célestine, profite des rares moments de répit que lui laissent ses nouveaux maîtres, des petits-bourgeois normands, pour rédiger son journal et faire le point sur son existence de misère et d'humiliation. Occasion pour elle de décrire sans complaisance la condition domestique (qui concerne à cette époque près d'un million de personnes) et ses drames : déracinement, recrutement par des marchands de viande humaine, avilissement, perte d'identité.

Au-delà de sa valeur documentaire, *Le Journal* vaut par sa puissance démystificatrice et contemptrice. Célestine circule derrière les masques de respectabilité, investit les intimités, fouille dans le linge sale des familles, débusque l'hypocrisie et déshabille les puissants. Des coulisses, elle se livre à une vraie « folie d'outrages » et dresse quelques portraits au vitriol de maniaques, de crapules et de snobs. Par procuration, Mirbeau règle son compte à la bourgeoisie qui a érigé le darwinisme en loi sociale : « Chacun vit, s'engraisse, s'amuse de la misère d'un plus pauvre que soi. » Il laisse aussi transparaître ses haines esthétiques et littéraires contre les peintres préraphaélites et les écrivains mondains, qui, à l'instar de Burne-Jones et de Paul Bourget, œuvrent à l'envers de la vie.

Consubstantiel de l'affaire Dreyfus, *Le Journal* est encore un violent réquisitoire contre les débordements nationalistes et antisémites. Plus didactique que jamais, le romancier anarchiste y trace en négatif un projet de société où « les individus d'un temps prochain devront de connaître la douceur d'une existence moins tyrannisée, plus libre et plus respectueuse de leurs droits » (Romain Coolus).

Prépublié dans *L'Écho de Paris* et dans *La Revue blanche* (*), *Le Journal d'une femme de chambre* paraît en 1900 chez Fasquelle. De son vivant, Mirbeau en vendra 146 000 exemplaires : son plus gros succès de librairie. Au théâtre, le roman connaîtra deux adaptations majeures : en 1931 par Heuzé et de Lorde, et en 1981 par Jacques Destoop dans le cadre du Festival du Marais. Deux grands cinéastes contribueront encore à asseoir sa renommée : Jean Renoir, en 1946 (*The Diary of a Chambermaid*), et Luis Buñuel, assisté par Jean-Claude Carrière, en 1964, qui transposera l'action dans la France de 1928. J.-F. N.

JOURNAL D'UN HOMME DE QUARANTE ANS. Souvenirs de l'écrivain français Jean Guéhenno (1890-1978), publiés en 1934. Cette œuvre nous restitue l'enfance laborieuse de l'auteur, les humiliations subies et plus ou moins dominées, et reflète la volonté d'atteindre à ce spiritualisme laïque qui caractérisera l'homme mûr. Ce sont des joies et des désirs communs à un peuple entier, autant que ses chansons ou ses coutumes, que le *Journal* rapporte ici. Et c'est à ce moment-là de son existence que l'auteur introduit entre l'enfance riche et l'enfance pauvre la « lutte des classes » qu'on lui a depuis enseignée. Ainsi, tout ce que le fils du cordonnier et de la piqueuse aime, découvre, voit, devine, entre trois et dix ans, est indiqué avec justesse. Sur la campagne et sur la ville, sur ses parents, deux chapitres atteignent la perfection. Jean Guéhenno connaît les gens du peuple. Certaines scènes possèdent un réel pouvoir de saisissement, tel l'épisode où nous voyons sa mère, piqueuse, tomber malade au moment même où son père, cordonnier, doit prendre part à une grève. Il cache la chose à sa femme pour ne pas l'inquiéter, mais le jour arrive où le boulanger refuse le pain. Il faut avouer la vérité. Terrible scène. La femme s'arrache de son lit pour aller travailler à la fabrique ; quelques mètres plus loin, elle tombe, prise de faiblesse. Le père, la mort dans l'âme, se voit contraint, en dépit de son adhésion à la grève, d'aller demander du travail à la fabrique. Puis l'atavisme et le milieu, au contact de la vie, ont asservi l'adolescent à l'âpreté quotidienne de la misère. Trop sceptique pour trouver un refuge dans la résignation pieuse, comme sa mère, trop ironique pour croire, comme son père, à l'action des meneurs, il a pressenti dans sa solitude, puis choisi, le seul moyen d'évasion : s'enfermer dans les idées, devenir riche de la pensée des autres, capitaliser, socialement, ses rêves. Jean Guéhenno tait son entrée à l'École normale qui marque le passage d'un monde à un autre, les appuis ou les faveurs qui auraient pu contredire ses principes. Courte vue et faiblesse, lâcheté, générosité, égoïsme et sûreté de soi, enthousiasme et incertitudes, vanité, révolte jointe à une habitude séculaire de l'infériorité, une ingénue croyance en la justice des hommes, une foi touchante en la parole, une susceptibilité qui ne cache guère l'inclination à être toujours dupe, une sorte d'étourdissement grégaire, jusqu'à l'instant où le respect humain rappelle la dignité et l'indépendance, un ton brillant où l'excès conduit aux artifices : tel est l'homme entre deux et quarante ans que son *Journal* nous découvre. L'auteur s'examine et se dépeint lui-même avec franchise : il est un homme « sans mémoire, vivant vite, inquiet de demain ». Sans mémoire. C'est-à-dire réduit à la solitude qui l'écrase, à sa seule faiblesse, contraint à détramer et à retramer sans cesse sa vie. Sans mémoire, c'est-à-dire sans union avec rien, ni dans le temps ni dans l'espace. Qu'un homme, « ayant mal le sens de la durée », n'obéisse qu'à l'instinct, ne saisisse que l'instant, qu'il borne l'absolu à toute sensation, qu'arbitrairement il détache ce qu'il croit être ses souvenirs propres de la masse des souvenirs dont l'enveloppe l'existence, qu'il n'accepte de certitude que dans son corps et dans son intelligence, qu'il limite à son être la vertu d'unité et de continuité, en deçà de laquelle tout ce qui n'est pas lui, animalement, immédiatement lui, est néant ; telles apparaissent les attitudes de Jean Guéhenno. Le rationalisme, le sarcasme, le plaisir de se proclamer citoyen de la patrie humaine, la simplicité, l'éloquence, le mépris de ceux qui ne font pas profession de « penser » cernent une émotion, une authenticité qui donnent à certaines pages une vie intense.

Écrit en 1939, le *Journal d'une révolution* (1936-1938) est un témoignage courageux sur l'expérience du Front populaire, où la matière humaine abondait, mais où les idées et les hommes responsables étaient lamentablement à la traîne des événements.

Le *Journal des années noires* (1940-1944), écrit en 1946, oppose Jean Guéhenno à Daniel Halévy, avec qui il communiait en Michelet, et témoigne pour une espérance qui ne veut jamais être déçue, mais qui ne semble pas comprendre la noblesse d'espérances convergentes. Ce livre juxtapose un réalisme aigu appliqué à certaines choses, à une manière idéalisante appliquée à certaines autres. Les pages où Jean Guéhenno apporte son témoignage du temps de guerre représentent parfois une cruelle vivisection de lui-même et une déposition d'une hardiesse extrême. L'auteur ne peut se trouver d'excuse pour avoir pris sa part du massacre universel. Avoir été un « héros » lui apparaît comme la honte de sa vie, il va jusqu'à dire que, s'il a été un héros, ce fut, comme tous les autres, par lâcheté. « Quand je fus redevenu le maître de mes pensées, j'éprouvai que tout mon être, tout le meilleur de moi, se refusait à cette besogne qui m'était commandée. Je l'ai faite, cependant, faute de courage, parce que c'était le plus facile et le plus sûr. Une pensée plus nette, un cœur plus ferme auraient refusé de servir. C'était alors la mort certaine. Voilà bien ce que je ne voulais pas. J'ai suivi le troupeau. » Ce témoignage de combattant est un réquisitoire passionné.

Dans son essai, publié en 1964, *Ce que je crois,* Jean Guéhenno porte avec une totale sincérité des jugements, aussi bien sur ses semblables que sur lui-même. À la fois autobiographie et expression d'une foi profonde en la vérité, ce témoignage sincère est également un message riche de pensées philosophiques à l'échelle de l'homme. L'auteur s'adresse aux hommes qu'il aime et leur livre ses confidences, ses expériences, son sens profond de la fraternité.

JOURNAL D'UN INCONNU. Recueil d'essais publiés en 1952 par l'écrivain et poète français Jean Cocteau (1889-1963). C'est au problème de l'invisibilité et, plus généralement, à l'Invisible, que Cocteau a consacré cet ouvrage. Seul donc, l'auteur, avec son bagage de pionnier, va s'engager dans une nouvelle « zone » interdite par l'habitude et la limite de nos sens. La jeune science ouvre à l'esprit du poète des « espaces infinis », qui, loin de l'effrayer, le rassurent car le malaise de vivre sur terre y cesse enfin. Depuis longtemps, Cocteau a pressenti que le temps, les distances, le loin et le près, sont des inventions de l'homme, commodités au départ devenues par la suite tyrannies ou épouvantails. Le chapitre « Des distances », que Cocteau considère comme le pivot même de son livre, est le plus vertigineux, le plus neuf, le plus riche d'avenir. Certes, on en a déjà trouvé certains éléments dès le premier *Potomak* (*). Mais le discours sur l'Éternel Présent et la Simultanéité n'avait jamais jusqu'alors atteint cette rigueur. Le détail de cette recherche, menée avec une étonnante souplesse, est passionnant, convaincant, sans jamais appeler à son secours la référence pédante. Et l'optimisme foncier du poète s'y acharne à combattre le pessimisme qui nous accable à tort, puisque les données de notre désespoir sont fausses. « Même si la prison est à perpétuité, mieux vaut pour un prisonnier comprendre qu'il est en prison. Cela engendre l'espoir et cet espoir n'est autre que la foi. » Le *Journal d'un inconnu* attaque tous les conformismes de pensée et les fausses vérités établies à la manière de certains livres de combat, comme *Humain trop humain* (*), *Par-delà le bien et le mal* (*), où Nietzsche emploie la technique des moralistes français. Mais la nature apollinienne de Cocteau, son élégance et sa beauté ont évité à son ouvrage tout caractère agressif. Quelle agressivité ressentirait-il d'ailleurs dans le haut domaine où il veut nous entraîner ? L'essentiel n'est pas de combattre, mais de projeter la lumière sur ce qui importe. « Et ce qui importe ne peut être qu'inconnaissable, puisque sans aucune ressemblance avec quelque chose de déjà connu. » Le livre se termine par une étude de « l'amitié », reprise des thèmes développés dans *Opium* (*) et *La Difficulté d'être* (*). L'amitié est justement un sentiment méconnu, sinon méconnaissable. Jean Cocteau affirme qu'il s'y acharne, car « il préférerait être condamné pour une préférence de cœur que pour une doctrine de son esprit ». Notre monde empoisonné par le virus politique ne compte plus que des partisans ou des ennemis. Une fois encore, Cocteau est seul à défendre un territoire de l'âme menacé par les passions lourdes, ou, ce qui est pis, par l'indifférence. L'amitié réclame le désintéressement, un contrôle continu, la clairvoyance. C'est qu'elle n'est pas un instinct, comme l'amour aveugle, mais un art. Définir l'amitié, c'est encore définir la poésie. À ces trois textes importants, Cocteau a joint quelques petits essais : « De la naissance d'un poème » tente de saisir la genèse de « L'Ange Heurtebise » — v. *Opéra* (*) ; « D'un morceau de bravoure » raconte la querelle avec François Mauriac au sujet de *Bacchus* (*) ; « D'une justification de l'injustice » démêle les rapports du poète avec Maurice Sachs, André Gide et Claude Mauriac. Le *Journal d'un inconnu* s'achève par des notes sur *Œdipus Rex* et la description des mimes qui rehaussaient l'œuvre en 1952, ainsi que des notes sur le « Voyage en Grèce » (12-27 juin 1952).

JOURNAL D'UN INNOCENT. Récit de l'écrivain français Tony Duvert (né en 1945), paru en 1976. En se prévalant d'emblée, dès le titre, du *Journal du voleur* (*) de Genet, Tony Duvert a donné avec ce récit le livre le plus autobiographique, et l'un des plus audacieux, d'une œuvre peu encline aux confidences personnelles. L'unique fil conducteur ou toile de fond en est, dans une grande ville d'Afrique du Nord méticuleusement restituée, la quête sensuelle et inlassable d'un narrateur porté par sa passion pour les jeunes garçons. Dans une langue souvent très belle, d'une crudité délibérée dont on conçoit qu'elle ait pu, en son temps, effaroucher – mais dont l'auteur sait aussi à l'occasion, non sans rouerie, jouer –, ce faux journal se révèle assez vite être un vrai récit, où perce parfois un désespoir paradoxalement pudique et aux développements imprévus qui lestent l'ensemble d'une grande sincérité. Le regard ironique et lucide, presque sociologique, que le narrateur porte sur la faune enfantine, rejetons de bonne famille ou mendiants des rues dont il s'entoure, ne doit cependant pas faire entièrement illusion : le lecteur est plus d'une fois amené à soupçonner que la profusion des épisodes sexuels ne vise qu'à combler l'attente d'un lectorat supposé et que, faute pour l'auteur de parvenir à l'épuisement de soi, au mutisme d'une impossible complétude, son véritable souci demeure durablement ailleurs. G. O.

JOURNAL D'UN POÈTE. Titre donné aux notes de l'écrivain français Alfred de Vigny (1797-1863) par Louis Ratisbonne, son exécuteur testamentaire, qui le publia, incomplet, en 1867. (Par la suite, d'autres fragments furent ajoutés.) Ce sont des confessions, des réflexions critiques et littéraires, des projets de poèmes et des souvenirs divers. Vigny, malgré sa réserve habituelle, nous livre ici le plus intime de lui-même : ses souffrances, ses doutes, ses angoisses (sans apporter d'ailleurs de révélations quant à sa vie privée). Il s'explique lui-même et il commente son œuvre. Il expose, en particulier, comment il conçoit un livre : « Je ne fais pas un livre, il se fait. Il mûrit et croît dans ma tête comme un fruit. » On voit, dans ces pages, à combien d'œuvres il a travaillé sans les achever, combien sont restées à l'état de projet, combien enfin ont été détruites. Profondément sincère, et scrupuleux à l'extrême, ce dont il se préoccupe avant tout, c'est l'idée : « Le malheur des écrivains, déclare-t-il, c'est qu'ils s'embarrassent peu de dire le vrai, pourvu qu'ils disent... Il est temps de ne chercher les paroles que dans sa conscience. » On peut rapprocher le *Journal d'un poète* du *Zibaldone* (*) de Léopardi, en raison de l'affinité qui existe entre ces deux esprits. Tous deux, ils voient l'homme prisonnier en ce monde et ils ignorent la raison de sa condamnation et le destin qui fera suite à sa libération ; tous deux ils concilient une stoïque et très consciente résignation à un sentiment de profonde solidarité avec l'humanité, seule consolation de la vie humaine que la nature, dans son orgueilleuse beauté, entend méconnaître depuis toujours. Chez Vigny, cependant, on trouve une plus grande intransigeance encore et ce raidissement un peu forcé qui est le propre de l'aristocrate et du soldat. S'y ajoutent les amères déceptions qui l'amenèrent à écrire *Servitude et grandeur militaires* (*). C'est en 1832 que Vigny atteint le fond même de son pessimisme. Le *Journal* abonde alors en passages désespérés : la vie est une prison où « un geôlier adorable » nous punit « on ne sait de quoi » ; il y déclare « bon et salutaire » de n'avoir aucune espérance, car elle est « la plus grande de nos folies » ; enfin, il voudrait, pour le rendre moins misérable, « anéantir l'espérance dans le cœur de l'homme ». En 1834, il ajoute : « La terre est révoltée des injustices de la création » et « la vérité sur la vie, c'est le désespoir » ; Vigny cependant fut toujours sauvé, au moment de se perdre, par son sentiment religieux de l'honneur, qu'il appelle la « poésie du devoir ». S'il n'est jamais parvenu à l'idéal démocratique qui a guidé d'autres romantiques en leur donnant des raisons de vivre, il s'est guéri à la longue de son étroit légitimisme et de ses préjugés aristocratiques. Quant au grand drame de sa vie, qui demeurera toujours le malheur essentiel qu'implique pour tout poète l'obligation de vivre parmi les hommes – v. *Stello* (*) – il a pour contrepartie la joie qu'il tire de la poésie même, la passion de la pensée, voire les quelques encouragements qui ne manquent jamais à l'artiste le plus solitaire.

Ainsi, le *Journal d'un poète* est un complément indispensable à l'œuvre de Vigny. Outre qu'il nous la fait mieux connaître et mieux comprendre, en nous montrant par quels scrupules Vigny a sans cesse été retenu, il nous fait pénétrer dans l'âme même du plus secret et du plus sincère des grands poètes romantiques.

JOURNAL D'UN VOYAGE FAIT AUX INDES ORIENTALES, par une escadre de six vaisseaux commandés par M. Du Quesne, depuis le 24 février 1690 jusqu'au 20 août 1691, par ordre de la Compagnie des Indes orientales. Récit de voyage de l'écrivain français Robert Challe (1659-1721), publié en 1721. Embarqué sur l'un des vaisseaux, l'« Écueil », en qualité d'écrivain du Roi, Challe tient au jour le jour, et à chaud, la chronique des événements marquants et de la vie à bord : escale à Saint-Iago, mort du capitaine de l'« Écueil », escale à Moaly, combat, à Anjouan, contre un vaisseau anglais, le « Philip Harbert », qui préfère se brûler plutôt que de se rendre, capture d'une flûte hollandaise devant Ceylan, escale à Pondichéry, combat contre une escadre anglaise et hollandaise devant Madras, escales à Balassor, Négrades et, à nouveau, Pondichéry. Sur le chemin du retour, après une terrible tempête, l'« Écueil » arrive le premier à l'Ascension et à la Martinique.

La version imprimée, publiée après la mort de l'auteur, est la réécriture du journal qu'il a tenu ; viennent s'y insérer d'importants ajouts postérieurs : méditation sur la destinée, conférence sur l'immortalité de l'âme, conférences avec François Martin, directeur de la Compagnie des Indes, satire des jésuites. L'ouvrage devient ainsi, par-delà sa valeur de témoignage, un document précieux sur l'histoire des idées d'un homme d'action, « fort dégagé des préjugés vulgaires », selon les termes de la Préface. J. Po.

JOURNAL DU SÉDUCTEUR (Le) [*Forførerens Dagbog*]. Œuvre du philosophe danois Søren Aabye Kierkegaard (1813-1855), publiée en 1843. Ce *Journal* a été inspiré à l'auteur par l'amour qu'il portait à Regina Olsen ; il présente une ambiguïté fondamentale. En effet, l'auteur s'est proposé deux buts à la fois : d'une part, refléter l'attitude réelle qu'il observa vis-à-vis de Regina Olsen ; d'autre part, exprimer une certaine conception de l'amour et de la vie en général qu'il n'a jamais mise en pratique. Cette dualité de l'œuvre vient du caractère équivoque de l'attitude de Kierkegaard dans ses relations avec Regina. La jeune fille était incapable de vivre religieusement avec lui (telle fut la raison de la rupture de leurs fiançailles), mais Kierkegaard ne l'avoua jamais. Il préféra se donner l'air d'un « séducteur » ou d'un esthète, feignant d'éprouver la lassitude de l'homme qui a retiré d'une personne l'unique instant de beauté qu'il en pouvait espérer. L'esthétisme érotique du *Journal* manque de conviction, bien qu'il soit exposé avec un grand luxe d'images et de variations : il reste en réalité l'un des modes d'existence possibles envisagés par l'imagination de l'auteur. Nous trouvons confirmation de ce fait dans le caractère raffiné et parfois assez faible des expériences du séducteur : il se contente facilement d'un simple salut ou d'un simple regard. Un pareil esthétisme annonce déjà un esprit inquiet qui cherche à se dégager. De là résulte une tension qui imprègne tout le *Journal* et met constamment aux prises les éléments d'un conflit esthétique et religieux. Si l'on compare le *Journal* aux œuvres d'autres esthètes européens tels que Wilde, D'Annunzio et Barrès, on se rend compte qu'il est pur de ce sensualisme propre aux esthètes. Il représente donc la sublimation la plus parfaite de la conception esthétique de l'existence, non seulement avec ses jouissances, mais avec les subtiles et précieuses souffrances qui s'y joignent. C'est un document important de psychologie moderne qui montre jusqu'où l'homme a poussé les possibilités de goûter la joie et la douleur, avec l'inévitable prédominance de la douleur. Notons que cette prédominance de la douleur contient en elle comme la promesse de la victoire de la religion sur l'esthétisme. Tel est le sens véritable de l'œuvre, qui se dissocie de son caractère autobiographique. En effet, dans les rapports réels de Kierkegaard et de Regina Olsen, le souci de tout ramener à un point de vue esthétique ne fut pas une bizarrerie ou un caprice, mais un moyen de purifier leurs relations de toute mondanité. C'est dans ce sens que l'on peut considérer que l'ambiguïté dont nous avons parlé a été dominée : le *Journal* révèle son unité intime en prenant le caractère d'une œuvre d'ascèse. – Trad. Stock, 1929, rééd. 1962 ; Gallimard, 1965 ; L'Orante, 1970, dans les *Œuvres complètes*, t. 3.

JOURNAL DU VOLEUR (Le). Ouvrage de l'écrivain français Jean Genet (1910-1986), publié en 1949. Il ne s'agit pas d'un journal, au sens qu'on donne d'habitude à ce terme. Pas d'ordre chronologique, pas de dates, sinon imprécises. On va et vient dans le temps, du passé au présent, de ce présent à un autre passé. Amours et considérations mêlées. À l'époque où il traînait à Barcelone, dans le Barrio Chino, quartier des voleurs, des prostituées et des mendiants, l'auteur n'avait pas beaucoup plus de vingt ans. Il y fut, dit-il, « un pou, avec la conscience de l'être », et souffrant du froid, de la faim et de la saleté, il y apprit les « fastes de l'abjection ». Ici comme ailleurs, Genet semble ne jamais cesser de s'étonner de l'attirance que le mal exerce sur lui. Il s'en émerveille, et c'est cet émerveillement qu'il s'acharne à rendre, à faire éprouver au lecteur. Il a découvert que les mots aussi ont le pouvoir de fasciner et que leur charme s'accorde exactement avec celui d'une réalité transfigurée par l'imagination. En Espagne, il ne le savait pas encore. Il vivait suivant ses penchants, butant à chaque pas contre la laideur, la grossièreté et le ridicule, mais trouvant un âpre et orgueilleux bonheur à l'effort qu'il lui fallait fournir à chaque instant, non pas pour fermer les yeux, attitude commode et assez facile, mais pour les garder grands ouverts et se représenter comme beau ce qui l'est si peu. L'incident du tube de vaseline, que trouvent sur lui des policiers qui l'ont arrêté, est à cet égard très significatif. On remarquera que le vol tient relativement peu de place dans ce *Journal du voleur*. L'auteur emploie ce vocable dans un sens très large. À elle seule, cette activité ne suffirait pas à l'intéresser. Être voleur, pour lui, c'est aussi être pédéraste ou maquereau, se prostituer, vendre ses amis, se livrer à toutes sortes de trafics. En somme, c'est se mettre à part, rompre avec la société et avec sa morale. Plus la rupture est complète, plus Genet admire. Lui-même s'évertue à devenir mauvais et se félicite de ses progrès. Descendu à Gibraltar, il se désespère de ne pouvoir passer à Tanger, ville où il croyait que lui serait fournie l'occasion de s'adonner à l'espionnage, c'est-à-dire au « nec plus ultra » de la trahison. À Anvers, il est fier de dévaliser les clients qu'il racole. Il est même heureux de courir des risques pour quelqu'un qui ne le mérite pas. À la demande de son ami Stilitano, il accepte de passer une frontière avec un petit paquet contenant de l'opium. Il connaît bien ce Stilitano pour avoir vécu avec lui à Barcelone. Il sait qu'il a affaire à un salaud et un lâche, qu'il n'a rien, absolument rien à attendre de lui, sauf des rebuffades et un dédain parfois affectueux. Mais la couardise, l'égoïsme et l'insensibilité du beau manchot, loin de l'éloigner, sont à ses yeux des qualités irrésistibles. Plus tard il rêvera du sadisme élémentaire et brutal des S.S. C'est sans tricher et sans se permettre la moindre illusion que Genet écrit à la gloire du mal, c'est avec une espèce de pureté passionnée qu'il a voulu s'y consacrer. Lucidité et exigence, telles sont les vertus de ce livre à la fois déroutant et attachant. Elles s'accompagnent d'une grâce un peu maniérée mais éblouissante. La plume de Genet avoue le sordide et en même temps le nie parce que sa magnificence le rend magnifique.

JOURNAL DU VOYAGE DE SIAM FAIT EN 1685 ET 1686. Ouvrage de l'abbé de Choisy (1644-1724), écrivain français. En 1684, l'abbé de Choisy s'est converti et décide de faire partie de l'expédition que Louis XIV organise afin d'obtenir la conversion au catholicisme du roi de Siam. Il obtient la fonction de coadjuteur du chevalier de Chaumont, directeur officiel de la mission, menée en fait par un jésuite, le père Tachard. Choisy s'embarque à Brest, le 3 mars 1685, à bord de la frégate « L'Oiseau ». L'expédition sera reçue de façon somptueuse, et c'est au Siam que Choisy recevra les ordres mineurs, sera ordonné prêtre et dira sa première messe. Il rentrera en France quelques mois plus tard et publiera alors, en 1687, le récit très vivant de ce long voyage vers l'Orient. C. Dr.

JOURNAL DU VOYAGE DU CAVALIER BERNIN EN FRANCE. Cet ouvrage fut publié, d'après un manuscrit inédit, avec des notes de Louis Lalanne dans la *Gazette des Beaux-Arts*, 1877-1885, tomes 15-17, 19-32. Paul Fréart, seigneur de Chantelou (1609-1694), reçut de Louis XIV la charge de tenir compagnie à Bernin durant le séjour que ce dernier fit à Paris pour doter le Louvre d'aménagements et de décorations nouvelles (1665). Du séjour que fit à Paris le grand artiste italien, Chantelou, qui le rencontra à son arrivée à Juvisy le 2 juin et l'accompagna au moment de son départ de Villejuif le 20 octobre, après lui avoir consacré toutes ses journées, prit minutieusement note, en quelque sorte heure par heure. Ce sont ces notes que, quelques années plus tard, à la requête de son frère Jean Fréart, Chantelou réunit et classa afin d'en faire un Journal. Outre les plans à établir pour le Louvre et les conseils à donner pour d'autres constructions, Bernin avait à sculpter un buste du roi. Ce travail fut l'occasion de visites de nombreux amateurs d'art à l'atelier de l'artiste. La plupart des curieux appartenaient à la cour de Louis XIV. Bernin ne s'en tint pas moins à ses habitudes, menant une vie méthodique et retirée qu'il vouait au travail. Dans le courant des dialogues qu'il avait avec son chroniqueur, il formula des jugements fort pertinents sur l'art et sur les artistes, qu'ils appartinssent au passé ou à l'époque contemporaine (Michel-Ange, Raphaël, Titien, Véronèse, les Carrache, Poussin) ; considérations que Chantelou sut mettre intelligemment en valeur. Par ailleurs, on trouve des notes sur les relations de Bernin avec les hauts dignitaires de la Cour (Colbert, le roi lui-même), lesquels lui manifestèrent toujours une extrême considération, et avec les artistes français qui faisaient parfois montre de quelque hostilité. Il semble superflu de souligner l'importance de ce *Journal*, pour l'intérêt tout humain qu'il présente et pour les notations qui s'y trouvent rassemblées sur l'atmosphère de Paris au cours du Grand Siècle.

JOURNAL ÉCRIT LA NUIT [*Dziennik pisany nocą*]. Journal intellectuel de l'écrivain polonais Gustaw Herling-Grudziński (né en 1919), paraissant irrégulièrement dans *Kultura*, la revue de l'émigration polonaise, à partir de juin 1971, puis édité en recueils en 1973, 1980, 1984. Publié en Pologne hors censure, il entre en concurrence avec le *Journal* (*) de Gombrowicz.

Impressions de lectures, souvenirs, observations, rencontres, fragments de biographie, commentaires politiques et culturels (par exemple, le rôle de l'émigration dans la vie des sociétés, l'attitude des écrivains polonais dans leur pays et à l'étranger), critiques d'art constituent ce journal où se fait parfois jour la fiction. L'auteur et le narrateur ne sauraient être confondus. C'est que pour Herling il ne s'agit pas d'écrire un journal intime. Il juge lui-même dangereux de « faire des grimaces devant la glace d'un confessionnal égotiste public ». Son idéal est un journal dans lequel « l'Histoire, libérée de ses chaînes, passe tantôt plus vite, tantôt plus lentement, tantôt sur le devant de la scène, tantôt en retrait ». Il « s'y réduit lui-même presque à un regard qui, tel un faisceau lumineux, sort de l'œil. Et qui fait voir les choses », écrit Krzysztof Pomian dans la préface de la traduction française.

Très tôt convaincu que le destin de l'Europe centrale et orientale dépend presque exclusivement de changements devant survenir dans la Russie elle-même, Herling s'élève farouchement aussi bien contre l'hypocrisie de la gauche occidentale que contre la propagande, l'esclavage et le despotisme. Dans l'ensemble du *Journal* il dénonce toutes les formes de fois dans la Nécessité historique, devenue la justification intellectuelle de l'hégémonie soviétique après la Seconde Guerre mondiale.

La passion du moraliste s'exprime à travers des anecdotes qui sont autant de métaphores de situations, d'attitudes et de problèmes plus généraux. Cependant, le souci qu'a l'auteur de conserver à ses écrits leur caractère de journal permet au discours intellectuel de se transformer en véritable récit littéraire. – Trad. L'Arpenteur, 1989. L. Dy.

JOURNAL EN MIETTES. Journal de l'écrivain français Eugène Ionesco (1912-1994), publié en 1967 et 1968 pour le second volume, intitulé *Présent passé passé présent.* « Je suis la proie des mots. » Ce qui caractérise peut-être d'abord Ionesco, à la différence de Beckett ou même d'Adamov qui fit paraître son journal également en 1968, c'est le besoin toujours inassouvi de parler. Ionesco ne s'est jamais tu, n'écartant aucune forme de langage – même le dessin, pour lui, sera encore parasité par les mots (*Le Blanc et le Noir*) –, ce langage pour lequel il éprouve pourtant la plus haute suspicion. Alors, comment aborder son journal ? Témoignage sur la naissance d'une vocation, sur une œuvre ? Document d'époque ? Bavardage métaphysique ? Portrait d'un homme pris entre deux cultures ?

Comme son titre l'indique, ce journal est fait de bribes (I), d'un va-et-vient entre les époques (II) : ce n'est pas une œuvre écrite à proprement parler au fil des jours, selon une chronologie régulière et datée. Les « miettes », ce sont les restes d'une mémoire (« J'écris les Mémoires d'un homme qui a perdu la mémoire ») : « images d'enfance en mille morceaux », récits de rêves, opinions, textes au genre non identifié. Un propos discontinu, petits paragraphes séparés par des blancs, impressions au sens photographique et typographique (c'est l'usage presque pictural des majuscules ou des italiques)... Le deuxième tome présente la même variété, mais organisée en cinq sections ponctuées de contes « pour enfants de moins de trois ans » et articulées autour de deux dates, vers 1940 et 1967. La première est l'occasion pour Ionesco, alors professeur et contraint de demeurer en Roumanie, de faire le point sur la guerre, sa répugnance équivalente pour le nazisme (tous ses amis insidieusement métamorphosés en « rhinocéros ») et le stalinisme : « Je ne fais pas la guerre », reconnaît-il. L'année 1967 est celle du conflit israélo-arabe : occasion, cette fois, de fustiger le marxisme et la mauvaise foi des intellectuels de gauche, ces « petits-bourgeois révolutionnaires ».

Il existe une certaine tradition de l'autobiographie impressionniste : Vallès ou, proches de nous, Nathalie Sarraute, Charles Juliet. Mais l'originalité de Ionesco tient à la recherche d'une forme en accord avec une conscience toujours aux limites du rêve, du souvenir et de l'opinion. Alors, au-delà des aphorismes péremptoires, des prises de position parfois irritantes derrière l'alibi d'un individualisme irréductible, demeurent quelques images, quelques « impressions » encore : celle d'abord d'une enfance baignée de lumière, éclat de ces journées d'été de La Chapelle-Anthenaise, au contour net, dans l'euphorie des couleurs vives ; c'est cette illumination qu'il s'agit de retrouver – quête impossible : « L'art apporte une petite lueur grisâtre, un tout petit début d'illumination noyé dans le bavardage. » C'est pourquoi la vie est toujours assombrie par la nostalgie « sans nom » : celle de l'enfance, mais aussi, en 1940, celle de la France dont Ionesco est séparé comme d'une mère, qu'il ne retrouvera pourtant qu'en renonçant au père, qui se confond avec la Roumanie. C'est ainsi un paysage individuel que Ionesco esquisse dans son journal, à contre-courant de cette négation du « moi » qui selon lui domine le climat de ces années 67-68. Ionesco milite donc pour une réhabilitation du sujet, et ce projet ne s'accommode guère de théories. La vie de Ionesco est, au sens propre, dramatique : une pièce de théâtre dont il n'est pas satisfait (« On m'a très mal distribué »), mais dont il n'est pas pressé de livrer le dénouement. A. Va.

JOURNAL EN PUBLIC [*Diario in pubblico*]. C'est sous ce titre que l'écrivain italien Elio Vittorini (1908-1966) a réuni en 1957 une partie des articles et des études qu'il écrivit dès 1929 pour divers journaux et revues. Certains de ces textes sont suivis de commentaires par lesquels l'écrivain a éprouvé le besoin de revenir sur le thème traité. Le recueil comprend quatre parties : « La Raison littéraire » (1929-1936), « La Raison antifasciste » (1937-1945), « La Raison culturelle » (1945-1947) et « La Raison civile » (1948-1960), l'ensemble constituant une sorte d'autobiographie intellectuelle de l'auteur.

Dès 1929, Vittorini réagit énergiquement contre le climat que le fascisme fait peser sur les lettres italiennes. C'est ainsi qu'il condamne D'Annunzio pour affirmer l'importance de Svevo et s'ouvre résolument aux influences étrangères. Ses maîtres sont Defoe (qu'il voit « galopant à bride abattue sur l'horizon du roman moderne »), Stendhal et Proust. Un peu plus tard, il révèle à ses compatriotes Faulkner et Hemingway. Mais, inséparable du Vittorini homme de culture, il y a le Vittorini qui n'accepte pas les malheurs des hommes, la souffrance du « monde offensé ». C'est lui qui rédige des tracts pour la résistance ou des articles pour *L'Unità* clandestine. Après la Libération, les mêmes exigences amèneront Vittorini à quitter le parti communiste. Réfutant les thèses « jdanoviennes », il déclare : « Révolutionnaire est l'écrivain qui réussit à exprimer à travers son œuvre des exigences révolutionnaires, mais "différentes" de celles qu'exprime la politique ; exigences de l'homme qu'il est seul capable de découvrir dans l'homme, qu'il lui appartient à lui seul de déceler et que, précisément, lui, l'écrivain révolutionnaire, place "à côté" et "en plus" des exigences que pose la politique. » S'étant attaqué avec courage et clairvoyance à tous les problèmes que lui posaient son temps et son art, Vittorini offre avec son *Journal en public* un document de premier ordre sur trente ans de vie et de culture italiennes. — Trad. Gallimard, 1961, avec une préface de Maurice Nadeau.

JOURNAL ET LETTRES de Maurice de Guérin. À côté de quelques poèmes en prose et en particulier du *Centaure* (*), le *Journal* et les *Lettres* de l'écrivain français Maurice de Guérin (1810-1839) constituent un document fort précieux sur les courants spirituels de l'époque. Ces derniers écrits ont été rassemblés par un ami de l'auteur, Trébutien, et ajoutés d'abord aux œuvres poétiques pour former les *Reliquiae* (1861), intitulées ensuite *Journal, lettres et poèmes* (1865) — v. *Poèmes* (*). Dans le *Journal*, qui va de juillet 1832 à octobre 1835, on peut suivre l'évolution intérieure du jeune homme : à travers ses entretiens avec la nature, dans la maison paternelle du Cayla, et ses méditations sur l'existence ; celles-ci expriment avec ardeur, même à travers des lectures de penseurs ou des discussions avec des amis, la formation progressive de sa sensibilité d'artiste. Maurice de Guérin cherche à concilier les contrastes de la réalité : conserver toute la fraîcheur de l'adolescence et atteindre à une consciente maturité. Cette position morale fait naître des accents de persuasion, des désirs de paix, des mécontentements infinis et lassés. Son christianisme même, au contact de Lamennais, se perd dans une vision harmonieuse et simple de la nature : tout participe au mystère du monde, la joie comme la douleur, la certitude comme l'erreur. C'est dans le cœur de qui cherche à comprendre l'univers que peut briller la douceur d'une parole de poésie. Dans ce document essentiel sur sa formation, les lettres qui traitent de problèmes religieux et sociaux sont celles qui présentent le plus d'intérêt. Citons celle du 16 mai 1833, à un ami, à propos de Lamennais. On sent chez Guérin un admirateur plutôt qu'un juge ; il semble avoir subi le charme que la figure sévère de l'abbé breton exerçait sur ses jeunes disciples. Les lettres à sa sœur, Eugénie de Guérin, sont très belles ; Maurice de Guérin y exprime l'affection qui l'unit à sa sœur, il lui confie ses secrets espoirs d'écrivain, il lui parle de ses impressions sur Lamennais. Ces lettres, qui montrent les étapes de l'étonnante évolution d'un artiste pris peu à peu par tout le charme des choses, loin de toute rhétorique, sont mêlées de compositions poétiques : effusions d'un cœur tendre devant le spectacle qui s'offre chaque jour aux âmes pures.

JOURNAL ET MÉMOIRES du marquis d'Argenson. Nous n'aurons jamais la reproduction entière de l'ensemble des écrits de l'homme politique et écrivain français René Louis de Voyer de Paulmy, marquis d'Argenson (1694-1757), car les manuscrits conservés à la bibliothèque du Louvre brûlèrent en 1871 pendant la Commune. La meilleure des éditions est celle de Rathery : *Journal et mémoires du marquis d'Argenson,* publiés pour la « Société de l'Histoire de France » (Paris, Renouard, 1859-1867, 9 volumes). Un volume d'extraits du même Journal fut publié par Edme Champion (*Journal,* extraits, Paris, Colin, 1898). Les éditions dues au marquis René d'Argenson, arrière-petit-neveu de l'écrivain, la première en 1825 (*Mémoires du marquis d'Argenson,* Paris, Baudouin) contenant les *Considérations sur le gouvernement de la France* et les *Essais dans le goût de ceux de Montaigne* (appelés aussi *Loisirs d'un ministre d'État*), l'autre en 1857 (*Mémoires et journal inédit du marquis d'Argenson,* Paris, Jannet, 5 vol.), n'ont pas grande valeur. Sainte-Beuve, dans ses *Causeries du Lundi* (t. XII), a montré l'infidélité de ces éditions. C'est à Sainte-Beuve, qui avait consulté les manuscrits de la bibliothèque du Louvre, que nous devons le meilleur jugement sur d'Argenson et ses mémoires (*Causeries du Lundi,* t. XII et t. XIV). Le marquis d'Argenson, condisciple et ami de Voltaire, fut plus philosophe qu'homme d'État, bien que de 1744 à 1747 il fût ministre des Affaires étrangères, après avoir été en 1721 intendant du Hainaut et du Cambrésis et, en 1741, chancelier du duc d'Orléans. Sa carrière de ministre fut un échec. Penseur hardi, il ne sut, ni surtout ne put réaliser ses réformes. Les *Mémoires* sans doute contiennent moins d'idées neuves que le reste de ses écrits, notamment que ses *Pensées sur la réformation de l'État ;* car d'Argenson fut un des précurseurs du socialisme. Ces mémoires se contentent d'évoquer, d'une manière très objective, le scandale de la France au XVIIIe siècle : misère effroyable, incurie et prodigalité folle. C'est une chronique quotidienne de la vie française de 1697 à 1757 ; « Tout y est successif et selon l'instant même » (Sainte-Beuve) ; reportage impitoyable avec une pointe de malice : « De plus en plus, je composerai ces Mémoires-ci dans le goût du *Journal* (*) de L'Estoile, naïveté caustique, détails instructifs et anecdotes » (*Mémoires,* éd. Rathery, II, p. 178). Les fragments des *Mémoires du ministère,* d'un ton un peu moins familier et qui ne furent jamais achevés, se trouvent au tome IV de l'édition Rathery (p. 121 à 446). Ils commencent par une description intéressante du caractère du roi et des principaux personnages de la Cour et du gouvernement. Le reste des *Mémoires* fait revivre au hasard des circonstances toute la vie politique, littéraire, économique de la France de Louis XV ; les nouvelles militaires et diplomatiques, les intrigues de cour, la faveur de Mme de Pompadour, la détresse financière, les affaires judiciaires, les livres et les pièces de théâtre. Au long de ces pages, comme l'a remarqué Sainte-Beuve, le diagnostic de la maladie du XVIIIe siècle prononcé par le marquis d'Argenson, c'est le manque de cœur. « Le cœur est une faculté dont nous nous privons chaque jour faute d'exercice, au lieu que l'esprit s'anime chaque jour » ; « Si vous détruisez l'amour, *Éros,* le monde retombera dans le chaos. » C'est pourquoi il saura écrire à propos de la misère des campagnes, oubliée à Versailles, cette parole qui reste toujours vraie : « Il nous faut des âmes fermes et des cœurs tendres pour persévérer dans une pitié dont l'objet est absent. » Les *Mémoires* sont une mine précieuse pour quiconque s'intéresse à l'histoire des idées et des mœurs au XVIIIe siècle et aux origines de la Révolution.

JOURNAL FLORENTIN [*Das Florenzer Tagebuch*]. Journal intime que le poète allemand Rainer Maria Rilke (1875-1926) écrivit dans sa jeunesse. Commencé au printemps de 1898 à Florence, interrompu et repris à Viareggio, et enfin, après le retour en Allemagne, achevé à Zoppot, près de Dantzig, cet ouvrage fut rédigé à l'intention de Lou Andréas-Salomé, écrivain de langue allemande et d'origine russe, qui avait été, dans sa jeunesse, l'amie de Nietzsche. Rilke se proposait de faire un compte rendu de ses impressions et de ses réactions au contact de l'art italien. Il s'abstient des notations d'ordre personnel que l'on est accoutumé à trouver dans un journal ; à peine deux ou trois allusions aux personnes et aux lieux, et on ne peut y découvrir aucun indice de l'activité poétique de Rilke à cette époque. Les cahiers, reliés de peau blanche, aux armes de Florence, contiennent essentiellement, sous forme d'aphorismes, des pensées sur l'art, sur la mission de l'artiste, des jugements sur les œuvres et les artistes de la Renaissance italienne. Dans l'ensemble, cette œuvre se ressent de l'influence de Nietzsche que Rilke subissait probablement à travers les souvenirs de Lou Andréas-Salomé. Il est cependant possible d'y découvrir, sous des jugements prématurés, ce qui fera la véritable personnalité de Rilke : l'amour pour la femme, conçu comme un moyen de perfectionnement et d'élévation spirituelle, une haute conscience de la mission de l'artiste dans le monde. Si, dans le *Journal,* Rilke affirme que la solitude est le royaume de l'œuvre d'art, que l'artiste crée pour son propre plaisir, que l'art est le tremplin qui nous élève vers la perfection, il n'hésite cependant pas à se contredire en nous découvrant que quelque chose vibre en lui profondément, au-delà des pages écrites, des plans qu'il forme pour les œuvres futures, quelque chose qui le porte à la rencontre des hommes. La Renaissance italienne est considérée comme le merveilleux printemps de l'esprit humain, à qui ne fait suite aucun été : ses fleurs ne purent jamais se transformer en fruits. Dans son examen de la Renaissance, Rilke s'en tient au XVe siècle ; la mélancolie des créatures de Botticelli, celui qui, selon Rilke, représente le plus exactement cette période, est due à la connaissance qu'elles ont de leur destin.

Les pages les plus belles de ce *Journal* sont celles où Rilke tente, à travers l'architecture de Florence, d'approcher l'âme de la ville ; et, à côté de l'interprétation de quelques œuvres, on trouve d'admirables passages sur Viareggio. Encore que la portée de ce *Journal* ne soit pas très considérable, il n'en présente pas moins un intérêt certain pour la connaissance des débuts de Rilke. — Trad. Émile-Paul, frères, 1946 ; par Ph. Jaccottet dans *Journaux de jeunesse,* Le Seuil, 1989.

JOURNAL HISTORIQUE ET ANECDOTIQUE. C'est sous ce titre que fut publié, de 1847 à 1856, le volumineux journal de l'avocat français Edmond Barbier (1689-1771), également connu sous le titre de *Chronique de la Régence et du règne de Louis XV.* Barbier, qui appartenait à une famille de robe de la bonne bourgeoisie parisienne, fut pendant de nombreuses années avocat au parlement de Paris ; il fut en relation avec quelques-uns des personnages les plus importants de l'époque, en particulier le maréchal de Saxe, le président de Nicolaï et le comte d'Argenson. Comme un grand nombre de bourgeois de son temps qui, eux, n'ont pas encore trouvé d'éditeurs posthumes, il a tenu, au jour le jour, sa chronique ; cette chronique n'est d'ailleurs qu'une chronique de la Ville, et plus spécialement du Parlement. Barbier, farouche gallican et quelque peu frondeur, néglige la Cour et se montre fort irrespectueux pour les courtisans. Il tient ce *Journal* du jour où il est nommé avocat jusqu'à sa vieillesse, de 1718 à 1763. Barbier y recueille tous les ragots, toutes les anecdotes, sans grande discrimination d'ailleurs, et, de ce fait, il nous livre un état fort précieux et ingénu de l'opinion et de la vie françaises, mais surtout parisiennes, au XVIIIe siècle. Les premiers tomes du *Journal* qui concernent la Régence sont particulièrement intéressants. Par sa mentalité, par sa forme même, le *Journal* de Barbier se rattache à ce vaste courant de chroniques privées qui commence avec le *Journal d'un bourgeois de Paris* (*), à l'époque de la guerre de Cent Ans, et prend une grande extension avec le XVIIe siècle, courant issu de cette bourgeoisie déjà puissante qui allait, sous peu, accéder au pouvoir.

JOURNALIERS. Écrits intimes de l'écrivain français Marcel Jouhandeau (1888-1979), publiés entre 1961 et 1982 : I. *Journaliers* (1957-1959) ; II. *Les Instantanés de la mémoire* (1959) ; III. *Littérature confidentielle* (1959) ; IV. *Que tout n'est qu'allusion* (1960) ; V. *Le Bien du mal* (1960) ; VI. *Être inimitable* (1960) ; VII. *La Malmaison* (1961) ; VIII. *Que la vie est une fête* (1961) ; IX. *Que l'amour est un* (1961) ; X. *Le Gourdin d'Élise* (1962) ; XI. *La Vertu dépaysée* (1962) ; XII. *Nouveau Testament* (1963) ; XIII. *Magnificat* (1963) ; XIV. *La Possession* (1963) ; XV. *Confrontation avec la poussière* (1964) ; XVI. *Aux cent actes divers* (1964) ; XVII. *Gémonies* (1964) ; XVIII. *Paulo minus ab angelis* (1964-1965) ; XIX. *Un second soleil* (1965) ; XX. *Jeux de miroirs* (1965-1966) ; XXI. *Orfèvre et Sorcier* (1966-1967) ; XXII. *Parousie* (1967-1968) ; XXIII. *Souffrir et être méprisé* (1968-1969) ; XXIV. *Une gifle de bonheur* (1969-1970) ; XXV. *La Mort d'Élise* (1970-1971) ; XXVI. *Nunc dimittis* (1971-1972) ; XXVII. *Du singulier à l'éternel* (1972-1973) ; XXVIII. *Dans l'épouvante le sourire aux lèvres* (1973-1974). Ce dernier cycle de ses chroniques, Jouhandeau le commence à soixante-neuf ans, le vendredi saint de 1957. Au long de vingt-huit volumes publiés (jusqu'à Noël 1974), il dessine la courbe de son existence ordinaire par ces « instantanés de la mémoire » qui n'évitent pas toujours le bavardage oiseux mais dont le plus souvent le style transfigure la banalité. Aussi bien le lecteur est-il averti dès le seuil : « Si je me répète dans ces *Journaliers* il ne faudra pas m'en vouloir. Je ne me relis pas. On ne relit pas ses conversations. » Conversations donc, mais en même temps exercices de style où l'écrivain essaie sa virtuosité. La trame autobiographique apparaît plus ou moins nettement selon les années : Jouhandeau parle de son ménage, de la terrible Élise, de ses persécutions et de leurs chamailleries ; de leur filleule Céline et de ses frasques ; de ses lectures ou plutôt relectures (*La Bible,* Plutarque, Saint-Simon) (« Est-ce parce que la lecture me dérobe à moi-même ? Je ne lis plus »), de ses amis, morts ou vivants (Crevel, Leiris, Jünger), de ses multiples amours et de ses bêtes. Il voyage assez peu : à quelques reprises à Guéret-Chaminadour, ou pour quelque conférence en Allemagne (1959, 1967), en Italie (1966) ou en Amérique du Nord. Les événements extérieurs ne trouvent que peu d'échos dans cette chronique intime, sinon comme indices d'une dégradation des mœurs et des caractères (« J'ai l'impression de vivre parmi des esclaves. »)

Les faits les plus mémorables sont le déménagement de la porte Maillot à Rueil-Malmaison (1960) et la naissance de Marc, le fils de Céline (1962). Tandis que meurent autour de lui des amis proches ou lointains (Sacha Guitry, Gérard Philipe, Jean Amrouche, Roger Nimier, Jean Cocteau, Georges Braque, Jean Paulhan, Henry de Montherlant dont « la mort par effraction impose »), Jouhandeau revient à ses thèmes de prédilection, le bonheur de vivre et d'être soi-même et la louange qu'il en faut adresser à Dieu. Observateur inépuisable des autres et de lui-même (« Je suis à moi seul une société infinie, plus qu'une grande nation, une religion »), il crée une mythologie personnelle en revêtant les êtres qu'il rencontre d'un « caractère légendaire qui ne dément pas leur réalité, mais l'interprète et l'exalte ». Fidèle à ses maximes (« Je ne renoncerai au travail et à la bonne humeur que mort »), il ne cède que rarement à l'abattement du grand âge ; parce que « la vie est une fête » et qu'il s'en veut l'ordonnateur inimitable, Jouhandeau sera escorté jusqu'au bout d'amis et d'admirateurs. Moraliste en cela, il rapporte tout à Dieu (« Dieu, mon martyr et mon martyre »), à cet « ailleurs » qui est « le seul réel » et qui fonde secrètement l'inaliénable dignité des créatures. En 1967, le petit Marc abandonné est recueilli à la Malmaison ; Élise et Marcel l'adopteront légalement en 1970. Sa présence illumine et rajeunit, si c'était possible, le vieil écrivain, avide de ses mots d'enfant et du souci que cette tardive paternité lui confère ; après la mort d'Élise (1971), Marc devient le pôle ultime de son existence. Ph. Ba.

JOURNALIERS (Les). Journal intime et littéraire de l'écrivain français Isabelle Eberhardt (1877-1904), publié posthume en 1923. L'un des rares textes où Isabelle Eberhardt évoque les aspects de sa personnalité contradictoire, *Les Journaliers* constituent un saisissant autoportrait de l'auteur. L'on y découvre des notes sur ses incessants voyages, sur ses lectures passionnées de Baudelaire, Loti, ou encore les frères Goncourt, sur son désarroi devant le matérialisme de la vie européenne qu'elle cherche à fuir et dont la préoccupation est une véritable obsession. Isabelle y inscrit ses inquiétudes, ses exigences, sa préoccupation d'une constante perfection de soi-même. *Les Journaliers* permettent de suivre, de janvier 1900 à janvier 1903, le début de la longue errance de l'écrivain et la quête spirituelle qui la menèrent de Genève aux rives africaines de la Méditerranée pour aboutir enfin à la zaouïa saharienne de Kenadsa. Le manuscrit, probablement incomplet, ne fut retrouvé que neuf années après la mort de l'auteur. D'après son éditeur, René-Louis Doyon, homme de lettres familier de l'Algérie, il se composait d'un carnet de notes et de trois cahiers sauvés de l'inondation où périt Isabelle Eberhardt, en plein Sahara. C'est, affirme Doyon, la première de ses œuvres à n'avoir été ni remaniée ni édulcorée. Les ouvrages déjà parus (*Dans l'ombre chaude de l'islam, Notes de route*, 1906 et 1908) avaient été réunis et en partie réécrits par Victor Barrucand, journaliste à Alger et ami intime de l'auteur. Il prit la liberté de cosigner la première publication, ce qui, à l'époque, provoqua un scandale littéraire. Avec les nouvelles, roman, et notes de voyage republiés d'après les manuscrits originaux, *Les Journaliers* ont été réédités dans le premier volume des œuvres complètes d'Isabelle Eberhardt, *Écrits sur le sable* (1988). F. A. W.

JOURNAL INTIME de Constant. La destinée de cette œuvre de l'écrivain français d'origine suisse Benjamin Constant de Rebecque (1767-1830) fut aventureuse. Transcrits par un des neveux de l'écrivain, des fragments furent publiés en 1887 et réimprimés d'une manière très incomplète, avec des incorrections, en 1928. L'édition à l'heure actuelle la plus complète est celle de Alfred Roulin et Charles Roth (1952). Le *Journal* que nous possédons (en fait les *Journaux,* titre de l'édition de 1952, qui souligne que nous sommes en présence de trois journaux distincts) va de 1804 à 1816. Le texte a la particularité d'être écrit soit en code chiffré soit en caractère grecs : Constant usait de cette ruse pour que ses domestiques ne puissent lire ses pensées intimes. En 1804, lorsqu'il commence à jeter des notes sur ses cahiers, Constant est en Allemagne. Il y rencontre les grands hommes de l'époque. Goethe ne le séduit guère, mais l'étonne ; comme tous les Français d'alors, il ne comprend rien à son *Faust* (*). Il lit Herder, mort un an auparavant, à qui il devra l'idée d'une éducation progressive de l'humanité exposée dans son essai sur les religions. À Schlegel, qui fut comme Constant un familier de la cour dont s'entourait Mme de Staël, il reconnaît quelques idées originales, mais lui fait grief de sa ridicule tendresse pour le catholicisme et de la satisfaction qu'il a de lui-même. Son incompréhension de la nouvelle philosophie allemande – Kant excepté – est à peu près entière : dans le système de Schelling, il ne trouve qu'un néo-spinozisme, et l'homme qu'il rencontre à Wützbourg lui fait l'impression la plus détestable. Au point de vue des jugements littéraires de Constant – sauf pour ce qui regarde la littérature allemande –, le *Journal* ne présente guère de richesses. Les notes sur Eschyle, Euripide (qu'il aime peu) et les autres tragiques grecs sont sans originalité. Les Allemands attirent Constant plus que les Français. La France, à ses yeux, se réduit au faux classicisme, négatif et narquois, du XVIIIe siècle ; l'auteur est particulièrement sévère pour les écrivains de cette époque. L'intérêt du *Journal* est ailleurs : intérêt surtout d'ordre psychologique. C'est le vaste cœur de Benjamin Constant qui l'emplit tout entier, ce cœur indécis, débordant, aussi vite refroidi qu'enflammé, ce cœur qui fut son inséparable bourreau. La sensibilité, chez Constant, et nulle part elle ne se montre plus à vif que dans le *Journal,* n'est contenue et dirigée par aucun dogme, aucune morale. C'est la sensibilité d'un errant : « J'ai au fond du cœur une douleur amère de ma vie si mal arrangée. » Arranger sa vie, ce fut son souci le plus important, qui lui commanda d'innombrables résolutions excellentes que jamais il ne mena à leur terme. Certes, il manque de volonté (et le reconnaît), mais les circonstances aussi lui furent contraires : ainsi l'échec de son premier mariage avec une femme laide ; ainsi l'humeur de Mme de Staël qui, après la mort de son mari, refusa de régulariser sa liaison avec Constant, pour conserver un nom qu'elle avait rendu célèbre. Constant ne songe plus alors qu'à se libérer de son « éternel lien » ; mais, aussitôt éloigné de Coppet, il est pris de remords : Mme de Staël n'a qu'à lui faire le moindre signe, il rentre aussitôt dans ses fers. C'est là le vice de son âme, et il le savait parfaitement. Pour se construire et s'ordonner, sa nature trop riche ne connaissait pas l'art des sacrifices. Il tient à tout, voudrait tout garder à la fois, Charlotte (sa seconde femme) et Minette (Mme de Staël), sauver sa liberté et ménager son établissement, assurer sa solitude sans se priver d'appui et de conversation. Égoïste ? Il l'est sans doute : « Je ne cesse de songer à ma position. Je m'agite dans le tiraillement d'une misérable faiblesse de caractère. Jamais il n'y eut rien de plus ridicule que mon indécision : tantôt le mariage, tantôt la solitude, tantôt l'Allemagne, tantôt la France, hésitant sur tout parce qu'au fond je ne puis me passer de rien. » Mais ne fut-il pas aussi victime d'un sentiment plus noble ? Il s'attachait à certains êtres, à trop d'êtres à la fois, et semble n'avoir pu souffrir la pensée de faire du mal à aucun. Il est loin d'être un cynique ; ce serait plutôt un scrupuleux qui n'a point, pour apaiser son âme, le secours d'un directeur. Il aurait aimé se mêler aux affaires publiques ; elles ne lui attirèrent que de nouveaux scrupules et de nouveaux ennuis. Louis XVIII l'avait déçu ; c'était la contre-révolution. Il pensa sauver la liberté en se ralliant à son vieil ennemi, Napoléon, en une heure mal choisie, quelques mois avant Waterloo. On ne cessa jusqu'à sa mort de le lui reprocher. Mais surtout il ne voulait point s'éloigner de Mme Récamier, son dernier et plus triste amour, et crut lui plaire, plaisant à Napoléon. Le *Journal* s'achève sur cette dernière flamme, aussi romantique que ridicule, d'un cœur trop riche et mal réglé. À quarante-huit ans, pour conquérir l'insensible Juliette, Constant emploie des ruses de collégien : il s'en va, jure que tout est fini, et revient au premier signe. Enfin, faisant, tardivement, sous l'influence de Mme de Krudener, sa crise de mysticisme, il se met à prier avec Juliette, faute d'avoir été accueilli dans son alcôve.

En tout homme, « il y a une partie [...] qui agit et l'autre qui juge. Celle qui juge est indulgente pour celle qui agit ». Sincère, Benjamin Constant l'était sans aucun doute, mais à la manière de Jean-Jacques. À ses analyses intérieures et aiguës, il manque la lumière qu'aurait pu leur donner une vérité supérieure au moi.

JOURNAL INTIME de Dabit. Cette œuvre de l'écrivain français Eugène Dabit (1898-1936) n'a été publiée qu'après sa mort (en 1939). Ce Journal – le cas est assez rare dans la littérature contemporaine – n'est pas un exercice de style ni un portrait que l'auteur fait de lui-même à l'usage de la postérité. Voici quel en est le ton : « Quel témoin de ma vie, sinon ce carnet ? Oh, ce n'est pas de la littérature [...] Ici, c'est, autant que je le puis, mon cœur qui bat, mon sang qui coule. » Aussi bien pour lui-même que lorsqu'il décrit les hommes et les choses, Dabit ne cherche que la seule réalité. Et Marcel Arland a pu écrire que le *Journal* était l'« œuvre la plus importante, la plus complète et la plus durable de Dabit ». Le trait ressortant de cette figure est l'humilité. De tout ce qui, chez la plupart, nourrit habituellement l'orgueil, il s'étonne. Quelqu'un lui accorde-t-il l'amitié, il se sent l'objet d'une faveur imméritée ou du moins excessive, et c'est toujours pour lui un appel à se perfectionner : « Je décide d'offrir une gouache à Jean Guéhenno et à Martinet. J'imagine, au ton de leurs lettres, qu'ils deviendront quelque jour mes amis (lorsque j'en serai plus digne). » Humble, c'est d'abord les humbles qu'il recherche. Le *Journal* abonde en scènes populaires, croquées sur le vif, au hasard de ses promenades dans Paris, de ses voyages en Espagne. On éprouve sans cesse l'obsédante présence de la misère, qui empêche même l'auteur de participer entièrement à la joie d'un réveillon. À Paris, ses goûts le mènent vers le XIXe arrondissement, Saint-Ouen, le marché aux Puces, où il se mêle aux pauvres, « ces hommes qui portent sur les épaules le poids de l'été. Qui en sont à appeler un fleuve, à rêver d'arbres et de campagnes. Rêver, on ne le peut guère. Chacun a son travail, ses ennuis, poursuit quelque but ; quand ce n'est pas seulement celui de gagner son pain ». Tel est le style sans apprêt de ce *Journal*, œuvre assez sombre et pessimiste, désespérée parfois, où se montre cependant un grand amour de la vie dans ce qu'elle a de plus spontané et de naturel. Ce qu'il aime chez le peuple, c'est qu'il est réel. C'est là certes une allure que se plaisent souvent à se donner les littérateurs : mais chez Dabit, cette simplicité, cette rugosité alliées à une grande richesse sensible ne trompent pas. Dans ses voyages, ce sont les hommes seulement qu'il cherche et toutes choses comme « signes » des hommes. Au cours de ses visites émerveillées au Prado, il se soucie avant tout de rattacher l'œuvre de Vélasquez, du Greco, de Goya à la réalité humaine de l'Espagne : « Leur donner des attaches, découvrir les liens qui les unissent à ce pays, à son ciel, à ses coutumes, à son histoire. » Communiste, il a la foi : ce qu'il peut voir en Russie le déçoit un peu, mais il s'affirme plus violemment convaincu. Ce *Journal*, où de nombreuses pages vibrent d'amitié et d'amour, s'achève sur une immense tristesse qui succède tout à coup au récit enflammé et sensuel d'une aventure qu'il eut en Russie. Simplicité, humilité, émotion profondément humaine, volonté constante de perfectionnement intérieur, tels sont les caractères essentiels de cette œuvre attachante et sincère.

JOURNAL INTIME d'Eichendorff [*Tagebücher*]. Le *Journal intime* du poète et romancier allemand Josef von Eichendorff (1788-1857), publié en 1808, embrasse successivement trois périodes : 12 novembre 1800 - 3 avril 1808 ; 7 octobre 1809 - 24 juillet 1810 ; juin 1811 - avril 1812. Ce qui correspond, politiquement, à l'hégémonie napoléonienne (de la paix de Lunéville à la guerre de libération) et, littérairement, à l'époque du romantisme. Cependant, si le *Journal* nous renseigne quant à la formation d'un jeune poète, en des temps troublés, il met surtout en évidence la faible influence des bouleversements politiques sur les individus qui n'y sont pas directement impliqués. Non que le jeune poète soit insensible aux malheurs de sa patrie ; lorsque le moment sera venu, il s'engagera avec Körner dans le corps des « Volontaires » de Lützow ; mais la « vie » l'emporte tant qu'il ne prendra pas une part effective au combat. En attendant, l'étudiant « joue à l'étudiant ». Halle, Heidelberg, Berlin et Vienne seront pour lui autant d'étapes où il mènera la même vie : quelques études – pas trop, mais avec assez de sérieux –, beaucoup d'occupations mondaines, insouciance estudiantine, visites, jeux, « flirts » et surtout beaucoup de poésie. Quels changements néanmoins en l'espace de peu d'années, que les temps sont loin où la « Wissenchaftslehre » – v. *Doctrine de la science* (*) de Fichte et *Wilhelm Meister – v. Années d'apprentissage de Wilhelm Meister* (*) – passait pour être les « grands événements de l'époque moderne », à situer sur le même plan que la Révolution française. Une seule note sur Fichte ; Goethe lui-même « est devenu inaccessible et lointain » ; il n'est jamais nommé simplement, mais toujours « S. E. von Goethe » ou le « ministre von Goethe », même lorsqu'il assiste à une représentation de *Goetz de Berlichingen* (*) au théâtre de Lauchstädt. Car en fait, si le romantisme est plus florissant que jamais, il n'en a pas moins changé de ton. Ce n'est plus celui de l'*Athenaeum* (*) ou des *Hymnes à la nuit* (*) ; le puissant courant spéculatif des débuts s'est éteint. Schleiermacher n'est jamais mentionné, Schelling une fois seulement, et il faut l'occasion d'une promenade à travers bois pour que le nom de Novalis soit cité dans une conversation avec Loeben. Certes, le *Journal* accorde encore une place de premier plan à Friedrich Schlegel : il ne s'agit plus cependant du Schlegel génial et paresseux, fougueux et paradoxal, de l'âge d'or du romantisme, mais du « converti », l'ami d'Adam Müller et de Gentz, le « saint Jean » littéraire de la Restauration qui approche. Catholique et aristocrate, Eichendorff l'admire, fréquente sa maison, rapporte « ses propos intelligents » ; mais le jour légèrement caricatural sous lequel il le présente dénote un sentiment instinctif de réserve et de détachement. Josef von Eichendorff semble être perpétuellement dans l'état d'esprit d'un homme effectuant un voyage d'agrément : il peut bien lui arriver quelques avatars, comme il en adviendra un jour à l'un de ses héros — v. *Scènes de la vie d'un propre-à-rien* (*) —, peu importe ; son esprit demeure ouvert et attentif ; en tous lieux il se propose de découvrir les beautés du monde, et chaque fois son âme « cueille en toute chose l'écho de ses propres mélodies ». Pour l'histoire de la transition du premier romantisme — mystique et spéculatif — à ce nouveau romantisme, « fait de sentiment et de fantaisie », le *Journal intime* d'Eichendorff, riche, vivant et coloré, constitue un apport documentaire de premier ordre.

JOURNAL INTIME de Maine de Biran. C'est un document historique et un témoignage psychologique très important du philosophe français Marie François Pierre Gontier de Biran, dit Maine de Biran (1766-1824), publié partiellement en 1857 par Ernest Naville sous le titre *Maine de Biran, sa vie et ses pensées.* Après les quelques fragments de la première partie, de 1792 à 1795, et d'autres de 1815, que Pierre Tisserand et le chanoine Mayjonade firent connaître, le *Journal* fut publié dans son intégralité par A. de La Valette-Monbrun, en 1927. Les premiers fragments sont un précieux témoignage sur la formation philosophique de Maine de Biran ; en 1792, il discute sur l'existence de l'Être suprême et sur l'athéisme, cherchant à développer quelques-unes des bases de la doctrine de Robespierre, afin de constituer à partir de ces éléments un système cohérent de pensée. Peu après, le spiritualisme triomphe de ces premières affirmations, qui s'inspirent encore du scepticisme de Bayle ; trente ans plus tard, Maine de Biran se tournera vers le mysticisme religieux. Nous y trouvons, daté de 1793, un remarquable document sur sa formation morale : c'est la « Méditation sur la mort », écrite au chevet de sa sœur Victoire. Il y traite des problèmes qui le préoccupent à propos du mystère de l'immortalité de l'âme. Le philosophe n'a aucune certitude sur ce problème, et il demande avec angoisse l'aide de la religion et de la science afin d'avoir une foi certaine ou, au contraire, un athéisme total. D'autres notes de cette même année traitent du malheur de ne pouvoir connaître son « moi » intime, de la liberté, des passions et des rapports entre le physique et le moral. En 1794, nous trouvons d'autres remarques sur les événements révolutionnaires et sur la nécessité pour la nation de se retrouver elle-même. L'auteur y mêle diverses considérations sur le bonheur promis à l'homme dans l'avenir. Plus loin, on trouve des pensées sur la Terreur et sur Louis XVI ; l'exécration des hommes les plus fanatiques de la Révolution doit orienter les esprits vers cette sagesse que tous semblent avoir oubliée.

Dans l'œuvre définitive on passe à l'année 1811 où, sous la forme d'un véritable journal, l'auteur note ses impressions sur la société de son époque et sur l'état de crise qu'elle traverse sous le règne de Napoléon. De 1813 à 1816, ces notes prennent un grand développement ; elles rapportent les événements politiques de la nation sous la Restauration, les Cent-Jours, le retour de Louis XVIII et la lutte entre les libéraux et les ultras. En tant que traditionaliste, Biran déteste la violence révolutionnaire, mais il ne laisse pas de sentir la nécessité de faire des concessions à la liberté. Les esprits les plus éclairés discutent avec lui, afin de trouver le moyen de concilier le bonheur des citoyens avec la solidité d'un gouvernement légitime. Ce sont, en somme, les méditations d'un homme cultivé qui déteste Voltaire, mais qui subit l'influence de Rousseau. Maine de Biran y expose, avec une franchise totale, ses propres difficultés ; il se reproche son manque d'application au travail, son incapacité à mener à bout la tâche entreprise. Tiraillé entre son rôle politique (il fit partie de la Chambre des pairs sous la Restauration) et son désir d'études, il se reconnaît incapable d'abandonner l'un pour l'autre et le déplore. Le *Journal* se termine sur des pages émouvantes, témoignage de la conversion définitive du philosophe qui, réconcilié avec Dieu, voit venir sans inquiétude la mort comme la sublime délivrance de ses doutes et de ses hésitations. Les souvenirs de sa propre vie, et les réflexions souvent pathétiques qu'il est conduit à faire sur sa position d'homme isolé en face des problèmes de son époque, caractérisent cette œuvre au plus haut point et en font un document historique. On voit là un rare exemple de modération et d'indépendance morale. Sainte-Beuve souhaitait que ce *Journal* prenne place à côté des œuvres de Pascal et de Fénelon.

JOURNAL INTIME DE MURASAKI SHIKIBU [*Murasaki Shikibu Nikki*]. Œuvre qui appartient à la littérature japonaise classique. C'est le journal de l'auteur du célèbre *Dit du Genji* (*), limité cependant aux années 1007 à 1010. Dame d'honneur de Fujiwara Akiko, seconde épouse [chûgu] de l'empereur Ichijô (987-1011), l'écrivain fait un tableau de la vie de Cour de l'époque et décrit les événements dont s'entoura la naissance des deux futurs empereurs : Go Ichijô, né en 1008 et dont le règne s'étendit de 1017 à 1036, et Go Suzaku, né en 1009 et qui fut au pouvoir de 1037 à 1045. Bien qu'inférieur, par son style, au *Dit du Genji*, ce journal est considéré comme l'une des œuvres les meilleures qu'ait produites le classicisme japonais. — Trad. anglaise de Annie Shepley Omori et de Kôchi Dôi sous le titre :

Diaries of Court Ladies of Japan, Londres, 1936 ; Publications orientalistes de France, 1978.

JOURNAL INTIME de Tolstoï. C'est en mars 1847, à l'âge de dix-neuf ans, que l'écrivain russe Lev Nikolaïevitch Tolstoï (1828-1910) commença à tenir un journal intime. Les dernières lignes en furent écrites soixante-trois ans plus tard, à Astapovo, trois jours avant la mort de l'auteur de *La Guerre et la Paix* (*). Durant ces soixante-trois années, il n'y eut qu'une interruption importante dans la rédaction du *Journal,* entre l'automne 1865 et le printemps 1878 – cette période de treize ans correspond aux premières années du mariage de l'écrivain, époque qui vit naître *La Guerre et la Paix* et *Anna Karénine* (*). Le *Journal* nous rend donc compte de plus de cinquante années – avec plus ou moins de suite d'ailleurs, le *Journal* de l'année 1899, par exemple, ne s'étend que sur douze jours.

Le *Journal* des années de jeunesse de Tolstoï s'étend de 1847 à 1865. Nous y faisons d'abord connaissance d'un tout jeune homme qui mène une vie dissipée, mais s'efforce de dominer ses passions, et nous le terminons sur l'image d'un écrivain déjà célèbre, marié et « rangé ». Le grand intérêt de ce *Journal* est donc de nous montrer comment le petit jeune homme endetté et paresseux devint un grand romancier, le Tolstoï de la maturité. D'autre part, le début du *Journal* est écrit sans aucun apprêt et Tolstoï est alors à mille lieues de songer à un futur lecteur ; il n'utilise le journal intime que comme outil de perfectionnement moral. À cet égard, le *Journal* pourrait même donner une idée par trop sombre de la vie du jeune homme, car ce sont essentiellement les actes qu'il se reproche que note Tolstoï. Avec persévérance et lucidité, il s'analyse et, afin de ne pas se laisser emporter par les mauvais penchants qu'il s'est découverts, se fixe chaque jour un emploi du temps pour la journée du lendemain. Mais la passion du jeu, la paresse, la vanité et les appétits charnels viennent souvent bouleverser ces beaux projets. En ces années de jeunesse, sur lesquelles il devait porter plus tard un jugement d'une extrême sévérité, nous voyons pourtant apparaître en Tolstoï des sentiments, des idées, qui annoncent l'auteur de *Résurrection* (*) : « Je suis tourmenté du désir d'être utile à l'humanité, de mieux contribuer à son bonheur. Est-il possible que je meure désespéré, sans avoir réalisé ce désir ? » (29 mars 1852.) Et le 30 juin de la même année, il note : « La satisfaction de nos propres besoins ne constitue le bien que dans la mesure où elle peut contribuer au bien en faveur des autres. » Les appels de la religion ne lui sont pas étrangers, et il termine son *Journal* du 24 mars 1852 par la prière suivante : « Délivre-moi, Père, de la vanité, de la paresse, de la volupté, des maladies et de la crainte ; aide-moi, Père, à vivre sans péché et sans souffrance, et à mourir sans angoisse et sans désespoir, avec foi, espoir et amour. Je me livre à ta volonté. » Nous voyons aussi dans le *Journal* de ces années de formation la naissance du romancier, et comment la littérature prit une place de plus en plus grande dans la vie de Tolstoï.

Préoccupations morales, désir lancinant de se perfectionner, éclairs de foi religieuse, chutes dans la débauche et le jeu, remords et nouveaux serments de s'amender, tout cela alimente le grand débat intime du *Journal,* débat qui se poursuit tout au long de la vie militaire de Tolstoï, au cours des expéditions du Caucase ou au bruit du canon de Sébastopol. Avec le retour à la vie civile (1856) ce sont les questions pédagogiques et sociales qui vont passionner Tolstoï. Il ouvre une première école pour les enfants de ses paysans en 1857, s'informe des méthodes d'enseignement populaire au cours de son voyage à travers l'Europe de 1860. À son retour à Iasnaïa-Poliana, en 1861, il dépense une grande activité comme « arbitre de paix », prend la défense des paysans, ouvre de nouvelles écoles et commence à publier la revue pédagogique *Iasnaïa-Poliana.* Après le grand événement que fut son mariage (1862), Tolstoï bouda quelque peu son *Journal*, et il finit même par cesser complètement de le tenir (1865). Il ne devait le rouvrir que treize ans plus tard, au printemps de 1878.

Le *Journal* des années 1895-1899, dont la traduction française vit le jour en 1917, n'est pas toujours, au contraire de celui des années de formation, écrit pour le seul Tolstoï. L'écrivain a maintenant élaboré une morale, une philosophie ; il a des disciples et il sait que ses écrits intimes seront un jour lus et commentés. Aussi arrive-t-il à Tolstoï de considérer que le principal rôle du *Journal* doit être de compléter, d'expliquer, d'éclaircir certains points de sa doctrine. Mais le grand intérêt du *Journal* réside pour nous dans le récit de l'affrontement de l'idéal tolstoïen et de la vie, affrontement d'où naît telle modification ou tel affermissement de l'idéologie que le patriarche d'Iasnaïa-Poliana élaborait opiniâtrement.

Le *Journal* de Tolstoï pour l'année 1910 a été publié en traduction française en 1940 – ce volume comprend aussi la traduction du *Journal* de Sophie Andreïevna Tolstoï, épouse de l'écrivain, pour cette même année 1910. À côté de son « Grand Journal », Tolstoï commença à tenir, à partir du 29 juillet 1910, un « Journal pour moi seul », beaucoup plus intime et qu'il ne faisait lire à personne. Dans le premier, nous trouvons les réflexions et les pensées qui préoccupaient l'écrivain au cours des derniers mois de sa vie ; dans le second, la recension détaillée des événements qui devaient conduire Tolstoï à quitter pour toujours Iasnaïa-Poliana. Le « Journal pour moi seul » est donc une pièce essentielle pour qui veut comprendre le pénible conflit qui opposa, au seuil de la mort, le vieil homme et son épouse (l'un désirant que ses œuvres tombent dans le domaine public après sa disparition, l'autre voulant protéger la fortune de ses enfants). C'est à Astapovo, le 3 novembre 1910, trois jours avant de rendre l'âme, que Tolstoï écrivit les derniers mots de son *Journal* : « Et tout est pour le bien et des autres, et surtout, de moi. »

Le *Journal* de Tolstoï ne permet pas seulement de mieux comprendre l'évolution de l'écrivain et bien des aspects de son œuvre romanesque : il constitue l'un des livres les plus importants que la volonté de parvenir à la connaissance de soi ait pu inspirer à un homme. – Trad. *Journaux et Carnets,* 3 vol., Gallimard (Bibl. de la Pléiade), 1979-1985.

JOURNALISTES (Les) [*Die Journalisten*]. Comédie en quatre actes de l'écrivain allemand Gustav Freytag (1816-1895), représentée pour la première fois en 1854. On peut considérer cette pièce comme un des plus grands succès dramatiques du siècle dernier en Allemagne. Freytag avait étudié le problème théâtral, pratiquement et théoriquement, dans ses drames et ses comédies antérieures : il recherchait surtout un enchaînement plus rapide des scènes et réclamait, pour le théâtre de son pays, une collaboration plus étroite entre l'auteur, les acteurs et le public. Dans la présente comédie, il apportait en particulier une connaissance directe du milieu, due à ses années de vie politique et journalistique à Leipzig. L'action se situe dans une petite ville de province, à l'époque des élections. Un officier retraité se laisse entraîner par des politiciens intrigants et se présente comme candidat, devenant ainsi le principal adversaire du professeur Oldendorf, lequel est pratiquement déjà fiancé avec sa fille. Mais la lutte réelle n'est pas là : elle se déroule à vrai dire entre un groupe de journalistes de l'*Union*, dont Oldendorf est le leader, et ceux du *Coriolan*, représentés par l'officier. La pièce a naturellement une conclusion heureuse : grâce à l'intervention d'une riche héritière, tout se termine par une réconciliation générale, bien que le futur gendre ait triomphé de son beau-père. L'action, vivante et rondement menée, tient le spectateur en haleine par une bonne série d'artifices et de trouvailles. La peinture des caractères est heureuse, comme celle de Bolz, type du journaliste de l'époque : joyeux compère, plein d'esprit et de ressources, qui sait mener la lutte hardiment et astucieusement (il fait disparaître, à la barbe de ses adversaires, les bulletins de vote destinés à leur candidat et les fait donner au sien), mais ne manque jamais de reconnaître la valeur de ses rivaux et sait les épargner, jusque dans son triomphe. Le mariage de Bolz avec la riche héritière et celui d'Oldendorf avec la fille de l'officier sont un exemple de la théorie chère à Freytag, qui soutenait la nécessité des mariages entre classes différentes.

JOURNAL LITTÉRAIRE et JOURNAL PARTICULIER. L'écrivain français Paul Léautaud (1872-1956) rédigea son journal à partir de 1893, n'y versant d'abord que des souvenirs, des « notes sans lien entre elles, prises très probablement en vue d'un ouvrage auquel il a pensé toute sa vie » (Marie Dormoy). Dès dix-neuf ans, Léautaud vivait sous l'emprise de sa nostalgie ; et si, à partir de 1903, il se mit à raconter les événements de chaque jour, la hantise du passé ne détermine pas moins le fond de son existence. Il y a d'abord le souvenir de sa mère, qui l'abandonna trois jours après sa naissance et qu'il revit brièvement à Calais en 1901, tentant à cette occasion de la séduire ; puis celui de ses maîtresses, Jeanne Marié, Blanche, Georgette... Entré au *Mercure de France* en 1908 en qualité de secrétaire grâce à l'amitié de Remy de Gourmont et d'Alfred Vallette, il tiendra cet emploi pendant trente-trois ans, et en tirera une série de portraits impitoyables des personnalités littéraires qu'il côtoya mais dont il se tint volontairement à distance. Pressenti par Lucien Descaves pour le prix Goncourt lorsque sortirent *Le Petit Ami* (*) (1903) et *In memoriam* (1905), il montra peu d'empressement tout en se demandant s'il n'y aurait pas, là encore, matière à regrets... Ainsi se poursuit son existence d'observateur critique, hésitant à lui-même entrer dans le jeu de ses confrères, y renonçant au nom de sa tranquillité. Et surtout il se refuse à produire une œuvre construite, préférant jeter des souvenirs au courant de la plume dans des chroniques ou son journal. Celui-ci devient « par excellence le lieu de l'indécision, de la complaisance envers soi-même, du refus de faire un choix » (Édith Silve). À intervallles réguliers, donnant un rythme à ce refus, surviennent les décès d'écrivains illustres dont Léautaud se plaît à contempler la dépouille avec une curiosité presque physiologique : Marcel Schwob en 1905, « les yeux encore ouverts » et qu'« il n'y a pas eu moyen » de fermer ; François Coppée en 1908, dont il déplora de ne pouvoir contempler « de près » la « grimace », mais autour du domicile duquel il se prit à « flâner » ; Charles-Louis Philippe en 1909 qui, mort, conservait « un petit air résolu tout à fait curieux » que Léautaud scruta « très attentivement à plusieurs reprises, et de très près » ; Remy de Gourmont en 1915, « la bouche ouverte formant un tout petit rond vide et resserré », avec « assez l'aspect d'une vieille femme » dans l'amphithéâtre de l'hôpital Boucicaut. Cette fascination pour les particularités organiques se retrouve, à partir de 1914, dans la description de ses maîtresses et de ses relations sexuelles. Son journal se divise alors artificiellement entre un *Journal littéraire* (dix-neuf volumes publiés de 1954 à 1966), et le

Journal particulier (deux volumes, 1956 et 1986) encore partiellement inédit : la scandaleuse étrangeté de nos comportements génésiques fait ici pendant à la bizarrerie non moins honteuse de notre dernière « grimace ». On y découvre « le c... charnu et sensuel et remplissant la main » d'Anne Cayssac, dite « le Fléau » pour son comportement ravageur ; Mme Cayssac particulièrement déchaînée « le soir du jour de l'incinération » de son mari. On s'y étonne, avec Léautaud, du « quelque chose de rêche » que lui évoque sa première conjonction avec Marie Dormoy, celle qui « déch... comme un homme ». Marie Dormoy qui, « créature complètement démolie comme santé, surtout côté organes sexuels », contrainte à un traitement de la « matrice » à la suite de ses avortements successifs, incarnait l'ambiguïté morbide qui était celle de Léautaud devant l'existence ; Marie Dormoy dont il rêva de devenir le souteneur, le « petit ami », et pour laquelle il aurait fini par avouer de l'amour s'il eût mené à bien le *Petit ouvrage inachevé* (1964) qui doit être lu comme une conclusion au *Journal particulier*. Ainsi encadrée entre les deux pôles extrêmes de la chair et de sa dissolution, la vieillesse de Léautaud voit s'exaspérer son habitude du sarcasme, sa cruauté, autant que ses crises de nostalgie toujours plus douloureuses. Les nombreux chats, chiens et singes qu'il choie dans sa maison de Fontenay-aux-Roses occupent le plus clair de son attention et de sa tendresse ; ce sont ses « enfants ». Quant à son *Journal*, autant littéraire que particulier, dans lequel il ne cesse d'exhaler ses états d'âme qu'une dizaine de jours avant sa mort, en 1956, il représente peut-être, comme l'écrit Marie Dormoy, une somme de notes prises « en vue d'un ouvrage auquel il a pensé toute sa vie mais qu'il n'a jamais écrit » ; à moins qu'il ne constitue cet ouvrage, lequel aurait pour objet de dire jour après jour, brutal, malveillant mais parfois bouleversant, une difficulté à naître au monde, à se surplomber soi-même par la lucidité, et à écrire. C. Be.

JOURNAL LONDONIEN de Boswell [*Boswell's London Journal*]. C'est le Journal (1762-1763) que tint l'écrivain écossais James Boswell (1740-1795), l'auteur de la célèbre *Vie de Samuel Johnson* (*). La famille de l'auteur s'étant opposée à la publication des nombreux manuscrits que Boswell laissa à sa mort, en raison du caractère souvent scabreux des révélations qu'il y faisait sur lui-même, ces papiers, par suite des partages d'héritage, furent dispersés ou égarés, au point qu'on les crut à jamais détruits. Cependant, des lettres furent petit à petit retrouvées en France et en Écosse ; mais ce n'est qu'à la mort du dernier descendant en ligne directe de Boswell que l'interdit fut levé : l'université de Yale (États-Unis) put alors acquérir et réunir tous les papiers et en entreprendre la publication. Le *Journal londonien* parut en 1950. Fils de lord Auchinleck, avocat au barreau d'Édimbourg, Boswell partit pour Londres en 1762, pour tenter d'obtenir un brevet d'officier, que d'ailleurs il n'obtint pas. Son *Journal* est la relation minutieuse de son voyage, de son installation à Londres et de sa vie dans les milieux les plus élégants de la capitale, sans oublier ses amours (dont il parle d'ailleurs avec une franchise qui rappelle celle du *Journal* (*) de Pepys). Fort ambitieux, il fait sa cour au duc de Queensberry, assiste à l'ouverture du Parlement, écoute le discours du Trône, est reçu dans les maisons les plus aristocratiques. Esprit ouvert et curieux, il fréquente les milieux littéraires, en particulier ceux du théâtre et la boutique du libraire Davies où il rencontre Garrick, Sheridan ou Macpherson. Il rencontre surtout le docteur Johnson, naturaliste, écrivain et homme d'esprit, qui lui fait la plus vive impression. C'est le début d'une amitié devenue célèbre. Le jeune Boswell est admis dans l'intimité de Johnson : il l'accompagne dans ses promenades et, le soir, il note leurs conversations qui formeront l'ébauche de sa fameuse *Vie*. C'est Johnson qui le pousse à voyager en Europe pour parfaire sa connaissance des hommes et du monde. Ce premier volume s'achève la veille du départ de Boswell pour le continent, en août 1763.

Cet ouvrage est d'une lecture singulièrement attachante. Le style est plein de naturel, et la jeunesse de l'auteur se révèle à chaque instant par une naïve sincérité et la vanité désarmante, bien pardonnable d'ailleurs, d'un garçon des plus doués arrivant si jeune à se faire de si hautes relations. Il peint les hommes et les faits avec beaucoup de relief et parle fort bien de la vie londonienne au XVIIIe siècle. Ce *Journal* est encore un document humain du plus grand intérêt, car l'auteur s'y livre sans retenue, s'analysant avec beaucoup d'acuité et même de verdeur. À tout point de vue, il soutient la comparaison avec le *Journal* de Pepys et *Les Confessions* (*) de Jean-Jacques Rousseau. — Trad. *Journal d'un mélancolique* (anthologie), Hachette, 1986.

JOURNAL MÉTAPHYSIQUE. Ouvrage du philosophe français Gabriel Marcel (1889-1973), publié en 1927, et comprenant deux parties. La première peut être comprise comme une réfutation de la dialectique que le philosophe nous montre incapable de saisir la réalité vivante. Cependant il faut noter que cette réfutation est tellement marquée « au coin des doctrines qu'elle entend combattre » que Gabriel Marcel avoue, dans son introduction, être rétrospectivement intimidé (horrifié) par l'ascétisme logique dont il était animé. Dans la seconde partie, le ton change. Le philosophe s'installe d'emblée sur son terrain de prédilection, celui de l'existence et « l'existence ne peut être à proprement parler ni posée, ni conçue, ni même peut-être connue, mais seulement reconnue à la façon d'un terrain qu'on explore ». C'est le mystère de cette reconnaissance qui occupe le centre de ces pages qu'il est impossible ici de détailler tant elles sont riches et rayonnent, à partir de ce centre, à l'infini. Cependant, l'une des clés de la réflexion de l'écrivain est sans nul doute constituée par la distinction entre existence et objectivité, c'est-à-dire que tendre à exagérer l'intelligibilité de l'objet enténèbre son aspect existentiel. En d'autres termes, la distinction entre l'idée de l'existence et l'existence elle-même est une subtilité de la raison qui « transforme en affirmation d'objet ce qui est une connaissance immédiate et une participation ». L'existence donc ne devra jamais être traitée comme un demonstrandum car elle n'est ni réductible ni dérivée, mais est une donnée première. Que l'on fasse de l'existence un concept, remarque l'auteur, et nous serons incapables de rendre compte de « l'expérience humaine intégrale dans sa vie palpitante et tragique », c'est-à-dire incapables de saisir l'indissoluble unité de l'existence et de l'existant.

JOURNAL POLITIQUE NATIONAL. Journal fondé par l'abbé Sabatier de Castres, *et tiré des annales manuscrites de M. le comte de R*... – cet « R » étant l'écrivain français Rivarol (1753-1801). Le journal parut du 12 juillet 1789 jusqu'au 3 novembre 1790. Les « annales », qui en forment l'essentiel et qui furent également réunies en volume sous le titre de *Mémoires* (sans indication de tirage ni même de divisions d'articles ou encore d'épigraphes), relatent au jour le jour, en la commentant, l'histoire de la Révolution depuis l'ouverture des états généraux jusqu'aux journées d'octobre. Faisant fond sur soixante rois et mille ans de traditions, Rivarol s'érige en justificateur de la monarchie, créatrice à ses yeux du seul ordre susceptible de conforter un vaste territoire et d'y bâtir un pays prospère, puissant et glorieux. Il condamne la Révolution parce qu'elle est, comme l'utopie, une métaphysique sans attaches avec le vivant, une élucubration de rêveur – notamment de « philosophe » – qui, par mépris des contraintes de la « realpolitik », s'acharne à niveler une humanité hostile à toute forme d'égalitarisme. « Malheur à ceux qui remuent le fond des nations, écrit-il. [...] La populace est toujours et en tout pays la même ; toujours cannibale, toujours anthropophage. » Mais, apôtre de la monarchie absolue en France, Rivarol l'est aussi parce qu'elle s'est historiquement montrée apte à accroître progressivement le bien-être du peuple tandis qu'elle endiguait sa virtuelle sauvagerie. Il dénonce même l'absence de nombre de réformes qui, décrétées au moment propice, auraient prévenu l'échauffement des esprits. Aussi critique-t-il le gouvernement, qui ne fut qu'un « concert de bêtises » ; le haut clergé, dont « l'énorme fortune [...] était [...] un objet insupportable aux yeux du peuple » ; la noblesse, notamment celle de la Cour qui, arrogante et délestée de son capital moral, s'était encore rendue « odieuse [...] par l'agiotage de l'argent et le monopole de la faveur » ; les jansénistes et les protestants qui, insidieusement, répandaient un évangile ennemi de l'ordre et de la puissance établie ; enfin, les « capitalistes » qui, rompant par intérêt avec le principe d'une société divisée en ordres, firent échec au régime. Rivarol annonce le règne de l'argent et, le premier, avance, après avoir prévu la Terreur, que la Révolution fut à l'origine l'œuvre non du peuple, mais de la bourgeoisie.

H. M.

JOURNAL POUR ERMITES [*Zeitung für Einsiedler*]. Revue hebdomadaire allemande fondée par l'écrivain allemand Achim von Arnim (1781-1831) à Heidelberg en 1808, qui ne parut que pendant cinq mois et fut par la suite publiée en un volume, vers la fin de la même année, sous le titre : *Solitude consolatrice – Sorcelleries et prophéties anciennes et nouvelles, histoires et poésies*. D'une présentation typographique fort modeste, elle n'en eut pas moins, en dépit de sa brève durée, une très grande importance. Plus que toute autre, elle marque le mûrissement et l'épanouissement du romantisme, ou deuxième romantisme, entre les années 1804 et 1808, dans la florissante université de Heidelberg. Conçue dans le même esprit que *Le Cor enchanté de l'enfant* (*) et les *Livres populaires allemands* (*) de Görres, elle marque une période de régénération dans la vie politiquement tourmentée de l'Allemagne de l'époque, une prise de conscience nationale à travers l'art et la tradition germaniques. Tout le groupe des poètes lyriques souabes y collabora, y compris Uhland, Brentano, Görres et Grimm ; Arnim en fut surtout le directeur. Goethe, de son côté, loua l'initiative sans y prendre toutefois une part active ; alors que Jean-Paul en devint un des collaborateurs les plus assidus et que Hölderlin y fit sa première apparition parmi les grands poètes. Le ton est très différent de celui de l'*Athenaeum* (*) : il s'agissait surtout de présenter le nouvel univers poétique issu du romantisme. Ce ne fut que dans les derniers numéros qu'éclata une violente polémique avec Voss, exacerbant le conflit opposant d'une part classicisme et « courant des lumières », de l'autre romantisme et restauration. Goethe prit la défense des jeunes romantiques. Le *Journal pour ermites* définit de façon précise les idéaux politiques et religieux du nouveau siècle et donna une impulsion nouvelle aux sciences historiques et philologiques. C'est ainsi qu'il fut, pour les frères Grimm, un véritable point de départ.

JOURNAUX de Joë Bousquet. L'expérience du journal coïncide pour l'écrivain français Joë Bousquet (1897-1950) avec celle de l'immobilité absolue. Paralysé à la suite d'une grave blessure de guerre, il remplit des pages et des pages de ces cahiers qui viennent prendre la place de son corps inerte. Il s'agit donc d'une mosaïque de textes hétéroclites, rédigés quotidiennement dans l'obscurité d'une chambre intérieure. Plusieurs fragments de cette masse manuscrite furent publiés du vivant du poète : *Le Galant de neige* et *Le Livre heureux,* notamment, ont paru en revue en 1942. D'autres, non moins considérables, restèrent dans la fameuse « malle de Marseille », inédits jusqu'à la publication de l'*Œuvre romanesque complète,* à partir de 1979. Parmi les principaux cahiers, citons : le *Journal dirigé* (1939-1943), *La Marguerite de l'eau courante* (1941-1942), le *Journal littéraire* (1942-1944). La dynamique du journal, en tant qu'œuvre publiable, semble s'installer à partir de 1941, lorsque Paulhan édite *Traduit du silence* (*) (1935-1936), véritable « anthologie de la vie spirituelle », selon Bousquet lui-même, et qui s'apparente au recueil posthume intitulé *Mystique,* publié en 1973. On y découvre une recherche de l'accord parfait avec la mort, du silence entre les mots, où la part d'ombre du poète — sa « part maudite » — s'identifie à une souffrance irradiante, et à la beauté terrible du sacrifice existentiel.

Il s'agit moins en réalité de journaux intimes, au sens d'une confession personnelle, que d'un journal de la pensée, où les événements réels et imaginaires sécrètent une puissance de réflexion comparable à celle des philosophes — pensons ici au *Journal* (*) de Kierkegaard. À travers ses nombreux cahiers, Bousquet travaille sur la lucidité, tente de penser jusqu'au bout de la pensée, y compris dans ses pires moments d'égarement (usage régulier de l'opium, dérive sentimentale...). La part de mise en scène déjoue la tentation du journal intime, pour engager le récit sur le terrain de la fiction. D'où la trame presque romanesque du *Journal dirigé,* où l'on retrouve Bousquet conteur, qui peuple ses visions nocturnes de personnages merveilleux : Petite-Fumée, Œillet de mer, la Princesse Abricot, l'Hirondelle blanche, Secret... Le journal n'est pas simplement un atelier d'écriture. Bousquet manifeste à plusieurs reprises son intention d'en tirer une œuvre ; ayant pris l'habitude de tenir plusieurs cahiers en même temps, il lui arrive fréquemment de recopier certains passages d'un cahier à l'autre, comme pour composer un nouveau texte. Chaque cahier préserve néanmoins sa spécificité, Bousquet attribuant à chacun d'eux une couleur thématique : « Sur les cahiers bleus, vérités amoureuses. Sur les cahiers blancs, vérités mystiques. » « Le cahier saumon doit contenir mon point de vue littéraire. » *La Marguerite de l'eau courante,* dont le titre sonne comme celui d'un conte, contient en outre un programme de lecture où, au détour des affinités littéraires, se croisent Scève et Plotin, les Pères de l'Église, Shakespeare et Novalis, Kant, Hegel et, du côté des contemporains, Paulhan, Benda, Aragon, Éluard (« Mes livres sont devant l'œuvre d'Éluard comme une œuvre d'écoute »), Reverdy, Roussel.

Bousquet ne transforma pas son journal en autant d'œuvres possibles, bien qu'il y ait certainement puisé maints matériaux. L'« échec » du projet en dénonce pour ainsi dire la monstruosité, comme si l'écriture journalière finissait par dévorer sa propre forme ; à la fois proche et radicalement différente de l'écriture romanesque, elle en figure, de façon énigmatique, l'antichambre ou le caveau : « L'art d'écrire est le seul qui ait pour but la destruction totale de sa méthode. » Il faut dire aussi que dans les journaux domine une forte impression d'irréalité. Bousquet se cogne devant le monde comme à une vitrine d'images, en se voyant reclus dans sa propre apesanteur : « J'écris un livre de recherche intime. Un nouveau voyage autour de ma chambre. Mon but est clair : demander à mes sensations de me donner une idée du monde qui déborde le cadre de la vie rationnelle. Comme un homme enfermé dans une prison entend dans une coquille le bruit de la mer. » Le poète, pour Bousquet, doit alors se libérer de l'« illusion commune », pour accéder à la vraie lumière. Et l'ambiguïté de sa condition ne semble résolue qu'à la faveur de l'émotion poétique la plus pure et la plus rare : « Poète de la nuit et qui veut que la nuit dissipe l'apparence du jour. Créature décidée à restituer à la terre les vertus d'un firmament ! »

O. H.

JOURNAUX de Musil [*Tagebücher*]. Titre donné aux cahiers que l'écrivain autrichien Robert Musil (1880-1942) rédigea durant une grande partie de sa vie, en marge de son œuvre littéraire proprement dite. Initialement, ces cahiers étaient au nombre de quarante ; huit ont toutefois disparu à la mort de l'auteur. Dans l'édition qui en a été donnée par Adolf Frisé en Allemagne en 1976, les *Journaux* réunissent les notes de vingt-cinq cahiers sur les trente-deux qui ont été retrouvés. Trois d'entre eux ont été placés en appendice de l'édition allemande de *L'Homme sans qualités* : les cahiers 22, 16 et 36. Mais les cahiers 2, 18, 19 et 37 restent pour l'instant inédits. L'édition française, que l'on doit à Philippe Jaccottet, contient les vingt-cinq cahiers de l'édition allemande avec, en appendice, des textes d'origines diverses. Les premiers datent de 1899 ; les derniers s'étendent jusqu'à la mort de l'auteur.

À la différence de beaucoup d'autres, où les faits d'ordre strictement biographique occupent la première place, les *Journaux* de Musil se révèlent assez pauvres sur ce plan-là. On y trouve bien, par endroits, des notes strictement personnelles, mais ce que l'on y apprend paraît assez insignifiant en comparaison des abondantes notes liées aux projets littéraires de l'auteur, à ses lectures ou à ses pensées. En ce sens, comme on l'a justement remarqué, les *Journaux* offrent au lecteur un vaste aperçu des matériaux dont l'œuvre s'est nourrie. Au fil des années, et d'un cahier à l'autre, on peut ainsi suivre les phases de l'élaboration de *Törless*, des « Nouvelles » : *Noces, Tonka, la Portugaise*, ou du grand roman, *L'Homme sans qualités*, successivement projeté sous des titres divers : *Achille*, ou encore *L'Espion*. Comme l'a justement souligné Philippe Jaccottet dans la présentation de sa traduction française, les *Journaux* mobilisent « une masse véritablement encyclopédique d'informations » où tout semble fait pour « aboutir à une œuvre ».

Sous cet aspect, les cahiers de Musil ressemblent beaucoup à ceux de Valéry — v. *Cahiers* (*) de Valéry. L'auteur de *L'Homme sans qualités* y écrit, par exemple : « Je ne noterai qu'exceptionnellement des détails personnels. Auront ici leur place toutes réflexions tendant à une science de l'homme. » Sans doute ce programme paraît-il assez souvent s'infléchir. En dépit de l'impression que donne parfois l'ensemble, d'un ordre aléatoire et fragmentaire, l'idée d'un rapport privilégié et mystérieux avec l'œuvre s'impose à l'esprit du lecteur. Car la lecture des *Journaux* révèle l'ampleur d'une recherche qui traverse les champs les plus divers du savoir ; comme si le roman était lui-même destiné à s'élever au rang d'une connaissance dont le récit serait l'instrument d'exploration. Sous cette lumière, on comprend peut-être mieux le voisinage des observations d'ordre stylistique, des ébauches, des variantes et des remarques d'ordre théorique. Mais on comprend également mieux les sources probables de ce que Musil nommait son infécondité : « La science m'a donné l'habitude du travail régulier, écrivait-il, la création littéraire, celle d'attendre d'être inondé : voilà une des causes de mes difficultés. » Les fameuses difficultés de Musil ne sont sans doute que l'envers d'une recherche dont les *Journaux* montrent plus d'un aspect majeur, sans en dissimuler les exigences croissantes. Les derniers cahiers, il est vrai, voient aussi apparaître des remarques sombres, parfois désabusées, en une singulière conjonction des difficultés de vivre et d'écrire. — Trad. Le Seuil, 1981. J.-P. C.

JOURNAUX ET PAPIERS [*The Journals and Papers of Gerard Manley Hopkins*]. Cette irréprochable édition, due à Humphry House, des proses retrouvées du poète anglais Gerard Manley Hopkins (1844-1889) a refondu et complété en 1959 l'édition de 1937. Excluant les sermons, les écrits spirituels et la correspondance, qui font l'objet de publications séparées, elle comprend d'abord des journaux juvéniles (1862-1866), puis les essais d'étudiant que Hopkins écrivit pour ses professeurs d'Oxford (1864-1867) : « Les Signes de santé et de déclin dans les arts », « L'Origine de nos idées morales », « La Diction poétique », « L'Origine de la beauté : dialogue platonicien », « La Position de Platon par rapport au monde grec », « L'Avenir probable de la métaphysique », « La Possibilité de séparer l'éthique de la politique », « Tous les mots signifient soit des choses, soit des relations entre les choses » et « Parménide ». Ensuite vient le *Journal* proprement dit, dont la partie conservée (1866-1875) correspond à peu près aux années de formation religieuse. Il est suivi de notes sur les rythmes poétiques et la distinction du vers et de la poésie (1873-1874). Les essais reflètent naturellement les préoccupations des maîtres de Hopkins (notamment Walter Pater), mais il y fait pourtant œuvre personnelle : le « Dialogue platonicien », par exemple, s'appuie sur des observations de la nature qu'on retrouve dans ses calepins de notes, et l'on relève déjà dans « Parménide » le mot « inscape » (approximativement : schème intime, intrinsèque) par lequel il entend les traces spécifiques, perceptibles dans la nature, de l'énergie divine qui informe le monde. Cette ardente recherche des « inscapes », que devait justifier à ses yeux la théologie scotiste, constitue le plus clair du *Journal,* où le langage accomplit des prouesses pour sauver le butin du regard. Des croquis notant les lignes de force essentielles des jeux de la nature sont autant d'idéogrammes d'une grande beauté. Trente-trois dessins sont en outre reproduits, qui montrent un Hopkins préraphaélite trouvant peu à peu son idiome propre : le dernier, un sombre et puissant dessin de torrent, datant de quelques mois avant sa mort, consonne avec l'inspiration des derniers poèmes, dont il n'est pas indigne. — Trad. Un large choix du *Journal* figure dans *Carnets - journal - lettres,* 10/18, 1976. Un fragment est inclus dans *Poèmes accompagnés de proses et de dessins,* Le Seuil, 1980. Un autre fragment, ainsi que des écrits, a été publié dans *De l'origine de la beauté* suivi de *poèmes* et d'*écrits,* Comp'Act, 1989.

JOURNAUX INDIENS [*Indian Journals*]. Œuvre du poète américain Allen Ginsberg (né en 1926), publié en 1970. Entre mars 1962 et mai 1963, Allen Ginsberg séjourne aux Indes avec son ami Peter Orlovsky. Les voyages, non seulement à travers les États-Unis, mais aussi en Afrique du Nord ou en Europe, ont toujours occupé une grande place dans la vie et les textes de Ginsberg. Mais il s'agit ici d'un voyage exceptionnel, tant par sa durée que par sa signification. En effet, dès le début des années 50, Ginsberg s'intéresse aux religions orientales qui, selon lui, constituent un parfait antidote au matérialisme américain. Par ailleurs, l'hindouisme et le bouddhisme, loin d'être fossilisés en dogme, sont avant tout pour lui une expérience à vivre, une pratique quotidienne qu'il intègre tant dans son existence que dans son écriture. La poésie, dit-il, est un « antique yoga », et l'attention que ces disciplines orientales accordent au corps rejoint l'intérêt de Ginsberg pour la sexualité et les drogues en tant que moyens d'accéder à d'autres niveaux de conscience. Ce voyage en Orient entrepris par le poète au début des années 60 est donc avant tout une initiation, une plongée dans un univers et une culture radicalement différents du système de pensée occidental.

Les *Journaux indiens* regroupent les notes, dessins, photographies, poèmes, rêves et réflexions de Ginsberg pendant cette période. Si l'immersion dans le milieu indien est totale, Ginsberg en tire curieusement assez peu d'enseignements : toute communication paraît illusoire entre le poète juif américain et ces sâdhus étiques, couverts de cendres, qui à Bénarès méditent au bord du Gange... De ce point de vue, et comme si souvent, le voyage est décevant.

Par ailleurs, l'aspect hétéroclite de ces *Journaux* est parfois déroutant : ainsi, un bref essai sur la poésie précède une liste de lettres à écrire, laquelle est suivie des symptômes d'une maladie de l'auteur. Mais, dans les descriptions et les portraits, la seule présence de l'écriture de Ginsberg sauve ce journal de la banalité. L'auteur renonce à tout exotisme frelaté pour dire sans fard la distance infranchissable qui le sépare des Indiens, affirmer sa solitude, raconter avec simplicité une journée à Calcutta, les « tortures de l'introspection à travers l'Inde septentrionale » ou les visites qu'il rend à quelques rares saints. La drogue — opium, cannabis, mescaline ou morphine — occupe une large place dans ces *Journaux ;* Ginsberg décrit ses effets le plus objectivement possible et sans la moindre grandiloquence.

Ce livre témoigne certes d'une époque où l'Orient était à la mode, mais toutes ces notations ont la spontanéité d'une quête authentique poursuivie aux Indes par un grand poète américain. — Trad. Christian Bourgois, 1977. B. M.

JOURNÉE D'IVAN DENISSOVITCH (Une) [*Odin den'Ivana Denisoviča*]. Récit de l'écrivain russe Alexandre Soljenitsyne (né en 1918). Soljenitsyne est entré dans les lettres russes et dans la célébrité par la publication de cette œuvre, fin 1962, dans le numéro XI de la revue *Novy Mir* : c'est son récit le plus fameux, qui restera dans toutes les anthologies du XXe siècle. Lorsqu'il vint de Riazan, où il menait une obscure existence d'enseignant de mathématiques, sur le conseil de son ami et ancien compagnon de bagne, le germaniste Lev Kopelev, porter son récit à Tvardovski, le titre en était encore « CH-854, une journée d'un zek », « zek » étant le nom administratif du détenu soviétique. Soljenitsyne l'avait conçu pendant sa détention au camp spécial de travaux forcés d'Ekibastouz, au Kazakhstan, vers 1950, mais il l'écrivit rapidement en trois semaines seulement, en 1959, pendant le travail sur son roman *Le Premier Cercle* (*). Tvardovski fut enthousiasmé par ce récit qui levait d'un seul coup le voile et le tabou sur le monde concentrationnaire soviétique, mais la décision de publication fut prise au Comité central du parti, et sous la pression de Nikita Khrouchtchev, à qui Tvardovski avait fait une lecture privée du texte. Il s'agissait donc d'une mesure politique majeure, prise au plus haut niveau et qui relançait la campagne de déstalinisation, puisqu'il n'était question dans l'ouvrage que de l'époque stalinienne. Soljenitsyne reçut un énorme courrier à la suite de sa publication, et il a édité un choix de lettres des lecteurs d'*Une journée d'Ivan Denissovitch* qui est un document précieux en soi pour voir la naissance d'une opinion publique en U.R.S.S., lorsque l'étau totalitaire commençait à se desserrer. De très nombreux anciens zeks lui écrivirent, mais aussi des nouveaux, qui précisément lui reprochaient de ne pas évoquer les nouveaux camps. La revue *Novy Mir* proposa Soljenitsyne pour le prix Lénine de littérature, mais la manœuvre échoua, et bientôt commença une insidieuse campagne contre l'auteur de ce récit si sacrilège pour les tenants du régime.

Une journée d'Ivan Denissovitch est un chef-d'œuvre d'une structure très classique. Les trois unités du théâtre classique y sont respectées, bien que la scène ne soit pas un palais antique, mais un camp de travaux forcés en Asie centrale. Il s'agit d'une journée « heureuse » d'un petit détenu, Choukhov de son nom de famille, paysan du village de Temguéniovo, qui a courageusement fait la guerre, qui a été fait prisonnier par les Allemands, s'est évadé et, incarcéré par les siens, a été accusé d'espionnage selon la logique toute stalinienne qui voyait des espions dans tous les rescapés des camps allemands. C'est un homme d'une quarantaine d'années, prématurément vieilli, chauve, édenté. Il s'est fait à la vie des camps, c'est-à-dire qu'il s'est rapetissé, ralenti, réduit, mais dans le même temps il est resté essentiellement probe, presque candide. Il a résisté, n'est pas devenu un chacal, a gardé le vieux respect paysan pour la nourriture, se signe avant de prendre le brouet maigre de l'ordinaire ; il ne s'humilie pas devant les « puissants » du camp qui sont le brigadier ou les « riches », ceux qui reçoivent des colis. Il ne cherche des améliorations à son ordinaire que par de menus travaux pour le compte des autres. Il est un bon compagnon, il fait partie de la famille de la brigade. Le récit nous montre sa journée depuis le coup sur le rail suspendu dans la cour qui marque le lever, en passant par les longues procédures de comptage, la peur des fouilles, les rites et bousculades du réfectoire, les travaux de maçonnerie par un froid terrible dans l'hiver kazakhe, les menues chances et malchances de la journée, le court répit du soir, et le coucher : « Il s'endormait, Choukhov, satisfait pleinement. Cette journée lui avait apporté des tas de bonnes chances : on ne l'avait pas mis au cachot, leur brigade n'avait pas été envoyée dans la cité du socialisme ; à déjeuner il avait eu une kacha de rab, il avait maçonné à cœur joie ; on ne l'avait point surpris avec sa lame de scie pendant la fouille, il s'était fait du gain avec César, il s'était dégotté du bon tabac, et au lieu de tomber malade, il avait chassé le mal. Une journée de passée. Sans seulement un nuage. Presque de bonheur. Des journées comme ça il en avait dans sa peine trois mille six cent cinquante-trois. Les trois de rallonge, c'était la faute aux années bissextiles. »

Autour d'Ivan, nous faisons connaissance de ses compagnons : l'ancien capitaine de marine, encore orgueilleux, qui n'a pas appris à se courber, mais qui tombe de faiblesse ; le brigadier Tiourine, le « père » de la brigade, fils de koulak qui a été renvoyé de l'armée Rouge ; César, l'ancien acteur grec, qui reçoit beaucoup de paquets, s'est trouvé une planque et discute de l'art d'avant-garde ; Klevchine, un héros passé directement du camp de concentration allemand au camp soviétique ; deux Estoniens toujours un peu à part et toujours impeccables au travail ; et surtout le voisin de châlit de Choukhov, le baptiste Aliocha, qui lui dit le soir, avant le coucher : « La liberté, qu'est-ce qu'elle vous donnerait ? En liberté, les ronces achèveraient d'étouffer le peu de foi qui vous reste. Réjouissez-vous d'être en prison. Ici au moins vous avez le temps de penser à votre âme. »

La scène centrale du récit est sans doute celle de la construction du mur, dans le froid grandissant, lorsque toute la brigade attend Choukhov parce qu'il achève le mortier avec sa truelle chérie, qu'il planque ensuite dans le chantier. Scène extraordinaire d'humour, de poésie fringante : « Il est ainsi fait notre Choukhov, le bêta que huit années de camp n'ont pas réussi à lui désapprendre ce qu'il sait : chaque chose et chaque besogne, il les respecte, et n'aime pas qu'elles soient gâchées. » Entre deux parpaings qu'il pose à toute vitesse pour que le mortier ne gèle pas, il a un coup d'œil pour le soleil énorme qui se couche, et c'est comme si toute la création existait à nouveau pour lui...

Car la leçon de ce récit, c'est que cet homme humble et débrouillard, en qui le bien fait encore son œuvre, a su se libérer intérieurement et même vaincre le temps du bagne, la dépersonnalisation que ses maîtres auraient voulu lui imposer en lui donnant son matricule. Le travail et la bonté ont permis au petit maçon que l'histoire a envoyé en ce lieu de perdition de s'affirmer, et cet affermissement moral est le nerf du récit.

La langue de ce texte a déjà fait l'objet de longues analyses car il a fait entrer dans la langue russe tout un argot des camps qui cimente la narration rapide, syncopée, abrupte, charpentée par des dictons et dilatée par un lyrisme discret et fort. Le talent propre à Soljenitsyne, son don de vision interne des hommes apparaissent ici d'emblée dans une très grande réussite : Ivan Denissovitch, le petit zek opiniâtre qui a oublié de quelle main on se signe, mais qui obéit au bien sans le savoir, a fait entrer l'univers concentrationnaire soviétique dans ce qui restera de notre siècle quand il aura passé. – Trad. Fayard, 1982 ; Presses-Pocket, 1988. G. N.

JOURS ARDENTS [*Bright Day*]. Roman de l'écrivain anglais John Boynton Priestley (1894-1984), auteur de nombreux romans comparativement courts par contraste en tout cas avec les deux ouvrages épais et passionnés qui ont initialement fondé son succès : *Les Bons Compagnons* (*) et *Le Pavé de l'ange.* Entre ces romans courts, *Jours ardents,* publié en 1946, est l'un des meilleurs.

L'erreur de Priestley est une propension à la polygraphie. Quand il évoque ce qu'il a vu de ses yeux et éprouvé dans son cœur, il prend rang parmi les meilleurs. Comme il écrit trop, on oublie de tels mérites. Ces remarques généralisent ce qui peut être dit de *Jours ardents,* livre qui, sous le nom imaginaire de Bruddersford, évoque Bradford, la ville natale du romancier : les premiers chapitres de cette évocation sont splendides d'élan, de générosité, et ils sont sertis dans une prose pleine de finesse. Ce livre en grande partie autobiographique dit avec tendresse et truculence l'éveil à la vie dans une ville industrielle où le gueuleton occasionnel, les belles filles et la musique instrumentale compensent (du moins chez un être doué) les longues et mornes heures d'un travail quotidien accompli au service des bourgeois. – Trad. Éditions du Rocher, 1948.

JOURS D'ANTAN [*Temol Shilshom*]. Roman de l'écrivain israélien d'origine polonaise Shmuel Yoseph Agnon (1888-1970), publié en 1950. Cette œuvre, qui appartient à la période palestinienne de l'auteur, a justement pour cadre la Palestine de l'époque sioniste avec la jeune cité de Tel-Aviv, Jaffa et Jérusalem. Le héros, Yitzhak Kumer, personnage typiquement agnonien, est un émigré d'Europe orientale plutôt famélique qui parcourt le pays pour tenter de gagner sa vie. Déçu par le sionisme, il reproche au monde des pionniers de manquer de générosité et de grandeur. Ses épreuves vont alors le rapprocher de la tradition, à laquelle il était toujours resté étranger, juste au moment où elle n'est plus qu'une valeur crépusculaire ; son existence est une manière d'échec. Le chiffre de l'existence de Kumer, Agnon nous le livre, en un sens, à travers l'épisode de Balak, le chien sur les poils duquel Kumer trace un jour, sans comprendre son geste, les mots « chien fou », scellant ainsi absurdement une destinée. Car cette sentence immotivée met bientôt Balak au ban de la société : chassé de Méah-Shéarim, il devient ainsi l'image du persécuté, pourchassé, lapidé, rendu finalement furieux en dépit de sa bonté et de sa patience, de son souci de comprendre ; et lorsque, à force de réflexion, il prend conscience de l'origine de son malheur, il se révolte, s'identifie à l'étiquette qu'on lui a apposée à son insu : pris de rage en revoyant Yitzhak Kumer, il le mordra mortellement. Il y a un étrange parallèle entre ces deux destinées ; cet épisode est du reste l'un des plus beaux du livre ; dépassant le pittoresque d'une métaphore surréaliste, Agnon parvient à donner à l'aventure de Balak les dimensions d'un mythe de la persécution, mythe qui débouche plus largement sur l'expression poétique et allusive de la destinée du peuple juif alors que l'auteur la conçoit comme une destinée unique, absurdement placée comme une cible sur la trajectoire de la haine. – Trad. partielle dans *Le Chien Balak : hier et avant-hier*, Albin Michel, 1989.

JOURS DE LA COMMUNE DE PARIS (Les) [*Die Tage der Commune*]. Pièce de l'écrivain allemand Bertolt Brecht (1898-1956). Un profond soulèvement populaire, au lendemain d'une écrasante défaite militaire, voilà un sujet qui devait retenir Brecht, revenant en 1948 après quinze ans d'exil, dans sa patrie en ruines. *Les Jours de la Commune de Paris* furent achevés en 1950, mais l'auteur y travaillait depuis 1945. L'histoire de la Commune a, d'ailleurs, toujours été considérée par les marxistes allemands comme exemplaire, non seulement parce qu'elle marque la première tentative de révolution ouvrière des temps modernes, mais parce que, de son échec même, se dégage un enseignement politique fécond. Très exactement informé des données historiques, Brecht s'est surtout attaché à décrire la naissance et l'affirmation d'une conscience révolutionnaire chez les communards ; cette conscience ne cesse de se préciser jusqu'au succès et à l'euphorie qui suit l'établissement de la Commune (sixième tableau) au centre de la pièce, elle se poursuit encore à travers les découragements, les échecs et les massacres des journées de mai. La jeune institutrice Geneviève l'exprime dans un dialogue bref avec Jean Cabet, au milieu des combats désespérés des barricades : « – G. : En ce moment, Jean, nous apprenons. – J. : A quoi nous sert, toi et moi, de savoir, puisque nous allons mourir. – G. : Je ne te parle pas de toi et de moi. J'ai dit : nous. Nous, c'est beaucoup plus que toi et moi. » Au premier plan quelques figures de communards : les vieux ouvriers Papa et Coco, les frères Faure (l'un Versaillais et l'autre garde national), Jean Cabet l'extrémiste, Geneviève qui ne voulait pas « se salir les mains » (mais, comme le lui fait remarquer Langevin : « Dans ce combat, il n'y a plus que des mains souillées ou des mains coupées »)... Au fur et à mesure que se défait l'éphémère triomphe de la Commune, la lutte se durcit à l'intérieur entre idéalistes et partisans de la violence – la victoire des idéalistes entraînant l'échec de la révolution –, tandis que du côté Thiers la répression s'organise, grâce à la complicité de Bismarck, de la haute finance et des bourgeois partisans de l'ordre. Les personnages historiques sont ramenés à leurs véritables proportions : Favre et Thiers, en peignoir de bain, discutent des conditions de Bismarck et du destin de la France. Les petites gens qui siègent à l'hôtel de ville, ou bavardent dans un café de Montmartre, « font » l'histoire et la vivent. C'est comme par hasard que certains de leurs propos soudain prennent pour nous l'émouvante dimension de ce qui est devenu important. Pièce historique, *La Commune* contient peu de songs, aucun appel direct au public, aucune inscription précédant les scènes. Les distances historiques sont ici données au départ, il reste à en jouer, à dégager la brûlante réalité de cette lutte, à la faire vivre jour par jour à des hommes et à des femmes de chair et de sang. C'est ce à quoi Brecht, en évitant les mornes figurations et les mouvements de masse habituels au genre, parvient avec une admirable sûreté. Il fallait une maîtrise supérieure du métier du théâtre pour arriver à recréer sans désordre une image du désordre, à mettre en relief, par la seule force des caractères en présence, la leçon humaine et politique d'une révolution si lourde de sens. – Trad. L'Arche, 1956.

JOURS DE NOTRE VIE (Les) [*Dni našej žizni*]. Drame en quatre actes de l'écrivain russe Léonid Nikolaïevitch Andréev (1871-1919), écrit en 1908. De toutes les œuvres théâtrales d'Andréev, celle-ci fut accueillie avec le plus grand succès par la jeunesse de l'époque qui était en effet passionnée par les problèmes philosophiques et sociaux. Les personnages du drame sont des étudiants qui vivent leurs premières aventures. L'un d'eux, Nicolas Glouchovtchev, aime une jeune fille, Olga, que sa mère contraint à se prostituer, tant leur pauvreté à toutes deux est grande. L'étudiant ne s'aperçoit de rien, mais Olga en souffre et, ne pouvant plus supporter cette situation fausse, révèle au jeune homme la vérité. Pour la première fois, Nicolas comprend l'injustice du sort. Il ne peut empêcher Olga d'exercer ce métier infâme car il est aussi pauvre qu'elle. Il est donc obligé d'entendre, impuissant, les phrases vulgairement flatteuses que la mère de la malheureuse adresse à un « client » dans la chambre voisine. Au dernier acte du drame éclate une rixe entre l'étudiant et un officier qui est venu chez Olga pour passer la nuit avec elle. Un autre étudiant, doué de bons sentiments, ivre lui aussi, réussit à rétablir le calme entre les deux antagonistes, et tous ensemble boivent, pleurent et chantent : « Les jours de notre vie sont comme l'onde rapide ; chaque jour marque un pas de plus sur la voie du tombeau... » La fuite rapide des jours heureux, la monotone absurdité de la vie constituent les thèmes fondamentaux de cette œuvre désespérée où Andréev se révèle, une fois de plus, comme un observateur aigu et mélancolique de tout ce qu'il y a de négatif et de torturant dans l'existence humaine.

JOURS DE SOLITUDE. Recueil de pensées et de réflexions de l'écrivain belge Octave Pirmez (1832-1883), publié en 1862. Évoquant quelque trois années de voyage en Allemagne et en Italie, il nous révèle un esprit romantique et terriblement pessimiste. On y trouve, en effet, maintes réminiscences de Byron et de Rousseau, moins toutefois l'accent pathétique de l'un et l'acuité de l'autre. D'un bout à l'autre de l'ouvrage domine le style descriptif. Notre voyageur part en diligence de Vaucluse pour Marseille, puis longe le littoral méditerranéen et descend sur Naples. Il note au passage ce quc lui inspirent les contrées qu'il traverse. La campagne romaine le déçoit : « Bientôt, le jour éclaire le triste paysage du Latium. De Civita-Vecchia à Rome, c'est une succession de vallons bordés de romarins, de fourrés de myrtes et mouchetés de jonquilles et d'asphodèles. La route noirâtre serpente par des sites désolés. Aussi loin que la vue s'étend, elle ne découvre qu'abandon. » Des vues paradoxales et souvent inexactes sur l'esprit latin lui sont inspirées par les quelques indigènes qu'il rencontre ; un parti pris caractéristique, le ramenant sans cesse à son goût du rêve, lui fait exalter l'âme germanique au détriment de la méridionale. Rome lui est une occasion de se pencher sur l'histoire, entre deux promenades archéologiques. Naples l'émeut davantage, mais comme à regret. Emprisonné dans sa solitude, il ne trouve dans le spectacle vivant que l'occasion de retours mélancoliques sur lui-même. D'un groupe de marmots jouant bruyamment dans la rue, il tirera volontiers un tableau de la misère et du destin pitoyable de l'humanité. Remontant vers le Nord, il s'arrête à Florence. Les grands musées lui inspirent des propos sur l'art, qu'il notera au jour le jour (« Le Baptême du Christ, du Verrocchio, montre combien le Moyen Âge était inhabile à peindre la virilité. La délicatesse seule pouvait charmer l'artiste, tantôt celle de l'inexpérience, tantôt celle de la science du cœur, fruit de désillusions hâtives. L'enfant rêveur ne sort de l'innocence que pour choir dans les tourments d'une pensée trop ardente »). Et sans cesse revenant au sujet qui le hante (« Bien loin de l'Arno, sur les rives du Rhin, règne aussi le calme ; mais sous la douce gravité allemande s'agitent les imaginations les plus inquiètes et se consument les âmes les plus ardentes »), il se hâte vers l'Allemagne, après un souvenir ému à Jean-Jacques dans l'ermitage des Charmettes. Au bord du Rhin, il respire enfin « des bouffées de ce doux vent d'Allemagne, qui évoquent les tendres pensées ». Il pousse une pointe jusqu'à Hambourg, puis revient au bord du fleuve rêver à loisir. Un troisième printemps s'annonce, il retourne en sa maison où l'amertume de l'isolement se fait plus durement sentir : « À mesure que nous sentons se ralentir le sang en nos veines [...] nous désirons davantage vivre, jouir et souffrir dans les autres. »

JOURS EFFEUILLÉS. Poèmes, essais, souvenirs 1920-1965. Sous ce titre, Marcel Jean a réuni en 1966 l'ensemble des écrits du poète et sculpteur français d'expression allemande et française Jean Arp (1887-1966) : *Trois nouvelles exemplaires* (1931), *Des taches dans le vide* (1937), *Sciure de gamme* (1938), *L'Homme qui a perdu son squelette* (1939), *Poèmes sans prénoms* (1941), *Rire de coquille* (1944), *Le Blanc aux pieds de nègre* (1945), *Le Siège de l'air* (*), *On My Way* (1948), *Rêves et Projets* (1954), *Le Voilier dans la forêt* (1957), *Vers le blanc infini* (1960).

« ... Les clefs fardées ouvrent le ciel aux meubles en pèlerinage / points de craie / nombrils de neige... les utangs fument des oranges / gonfle orange endormie respectueuse et sourde / poème collage / le tout s'était envolé... les chèvres montaient sur des vagues d'enfants / les enfants ont des lèvres d'air / je monte sur une vague tondue / mes yeux ont des rides de fée / les clous dans chaque intervalle / j'enfonce des clous de lumière dans ma chair / pèle-moi une fée » (*Rire de coquille*). Un poème est un faisceau de formes vastes, primitives, partiellement rectilignes, modelant d'autres formes, d'autres lignes, des mouvements d'objets transparents, des idées se rapprochant de l'image humaine. Vertical, le poème est une colonne sans fin, une multitude de formes, telles que : « L'œuf / l'orbite planétaire / le cours des planètes / le bourgeon / la tête humaine / les seins / la coquille / les ondes / la cloche. » Le poème, tandis que ses deux extrémités s'écartent à l'infini, s'élève et tombe, chute à l'intérieur et, de négation en négation, se love sur lui-même, non sans laisser une merveilleuse impression de désarroi insensé. Dans ses premiers poèmes, Arp tente de créer la vie à l'état pur, de saisir le pur rayonnement de la réalité, un ordre essentiel, une harmonie. Le poète multiplie les textes automatiques d'une extraordinaire liberté, développe la technique des « papiers collés », travaille selon la loi du hasard — la loi qui contient toutes les autres — retrouvant ainsi la cause première qui fait jaillir toute vie et qui ne peut être éprouvée que par un total abandon à l'inconscient. « L'œuvre humaine me semblait moins encore qu'un décousu. Elle paraissait être un fragment isolé. » L'image la plus achevée est un paysage de cratère désolé. La lumière abolit les couleurs. « L'œuvre se désagrège, périt. La mort de l'image ne me mettait plus au désespoir. En créant l'image je tentais alors d'y incorporer sa disparition et sa mort, de composer avec elles. La mort se propageait et devenait l'image et la vie. Cette décomposition aurait dû suivre la négation de toute action. La forme devenait l'informe, le fini, l'infini, le particulier devenait le tout [...] Dans ce monde, le haut et le bas le clair et l'obscur, l'éternel et l'éphémère se tiennent dans un équilibre parfait. » « Un jour nous disparaissons avec un frôlement / comme des feuilles mortes / et nous nous transformons en poussière / et redevenons des étincelles des étoiles / et chantons et flottons / bienheureux dans des manteaux de feu... » (« Il chante il chante »). Jean Arp, sans doute le seul dadaïste à avoir gardé la même inspiration pendant près d'un demi-siècle, apparaît tout au long des six cent cinquante pages de *Jours effeuillés* comme le défenseur acharné de l'esprit dadaïste. « Je suis né dans la nature. Je suis né à Strasbourg, je suis né dans un nuage. je suis né dans une pompe. je suis né dans une robe. j'ai quatre natures. j'ai deux choses. j'ai cinq sens. sens et non-sens, nature est sans-sens. place à la nature. la nature est un aigle blanc, place dada à la nature dada... dada est pour la nature et la vie. dada est pour la nature et contre l'art. comme la nature dada veut donner à chaque chose sa place essentielle. » Dans les années 40, la manière de Jean Arp évolue quelque peu. Les poèmes qu'il écrit alors célèbrent son amour pour Sophie Taeuber, qui venait de disparaître et qu'il identifie toujours au ciel, aux étoiles, aux coquillages. « Tu peignais les coquilles / que tu ramassais au bord de la mer / et que tu disposais sur la table à dessin / autour d'une grande coquille / comme un troupeau autour de son berger. / Tu peignais une larme parmi la rosée, / une larme parmi des perles... / Tu dansais l'aurore qui déborde la terre. / Tu dansais le jardin frémissant à l'aube... / Tu dansais l'adieu. » Chez Arp, le calembour et le démembrement des êtres familiers (« un hibou chante si longtemps hi / qu'il ne lui reste plus qu'un tout petit bou / du hi »), l'ironie, le burlesque, l'absurde, le labyrinthe des images, l'humour, le non-sens logique (« l'éléphant est amoureux du millimètre ») râpent le langage obstiné du temps et l'épaisseur de toutes formes, pour recomposer un univers, où l'apparence est le signe extrême de l'homme qui descend et touche à l'intériorité. « Je dessine, écrit Arp dans "Le Langage intérieur", ce qui repose, vogue, monte, mûrit, tombe. Je modèle des fruits qui reposent, des nuages qui voguent et montent, des étoiles qui mûrissent et tombent, symboles de la transformation éternelle dans la paix infinie. Ce sont des souvenirs de formes végétatives, de couleurs qui s'éteignent, d'harmonies qui se perdent. La genèse, la naissance, l'éclosion se font souvent dans un état de rêve aux yeux ouverts et ce n'est que plus tard que le sens raisonnable de ces considérations se fait jour. » La poésie est ainsi une certaine vitesse de l'écriture qui s'invente, et par là « déjoue les mécanismes de fermeture que s'invente la pensée pour se cacher l'immensité du monde », au fur et à mesure que s'opère la fusion du sujet et de l'objet, c'est-à-dire que se manifeste le langage intérieur. « La plupart du temps, cependant, je crois descendre et descendre dans un parachute sans espoir d'atterrir [...] Cette descente me parlait de l'au-delà, de mon intérieur et résonnait dans le temps-espace qui est hermétiquement clos à la raison du jour [...] Nous ne pouvons nous entendre dans le langage intérieur qu'avec les hommes que nous rencontrons aux confins des choses. » Un retour à l'inspiration première marque les vingt dernières années : « Tu accueillais en souriant l'ombre comme la lumière. / Sans effroi tu saluais la vie démontée, furieuse. / Consternée devant ta sérénité / elle devenait un miroir sans défaut / qui reflétait docilement ta pure image. / Sans effroi tu saluais les heures usées, le masque d'os à la visière de neige, / les étoiles de plomb, / les étoiles de la mort » (*Vers le blanc infini*).

JOUR SE LÈVE (Le) [*Zazoriavané*]. Roman de l'écrivain bulgare Ludmil Stoyanov (1886-1973), publié en 1945. L'auteur y décrit la vie en Bulgarie durant la Seconde Guerre mondiale. Bochniakov, le vétérinaire d'un village pauvre, est congédié de son poste à cause de ses idées politiques. Dans le même village travaillent également l'instituteur Pantev, sa future femme Stefana, le secrétaire de mairie Lazare et quelques autres. La vie y est morne, sans intérêt, les distractions inexistantes. Les jeunes, donc, s'ennuient, ils sont pauvres, ils manquent de buts. Bochniakov, qui a l'habitude de se mouvoir dans les organisations de masse, essaie de mettre sur pied une coopérative dont la tâche serait de venir en aide aux paysans. Il y est aidé par quelques jeunes. Or, le pouvoir croit savoir que derrière cette tentative à l'apparence innocente se cache une activité politique (n'oublions pas que l'action se passe pendant la guerre et que les Allemands sont installés en maîtres dans le pays). Un peu avant, les communistes ont dû faire face au déroutant pacte Ribbentrop-Molotov, et ils sont contraints de collaborer avec la « peste brune », qu'ils dénonçaient hier, jusqu'au jour où, après la rupture entre Moscou et Berlin, ils seront pourchassés à leur tour par la « peste », et mettront sur pied la résistance contre l'occupant nazi. Sur un autre plan, nous assistons au mariage forcé de Pantev, l'instituteur anarchiste petit-bourgeois, avec sa collègue Stefana Chopova. Pantev est le prototype de l'homme qui ne pense qu'à soi, sa femme n'est qu'une femelle en quête de mâle. Le cadre général du roman est presque exclusivement le village montagneux de Lipen, isolé en quelque sorte du reste du pays. Tchona, la petite paysanne pauvre, qui a rêvé un instant d'épouser l'instituteur Pantev, incarne la candeur, la pureté. Avide de connaissance et de bonheur, Tchona épousera un garçon de son milieu, qui la rendra heureuse. Quant à Bochniakov, après un bref séjour dans le maquis, il ira rejoindre les rangs des agitateurs clandestins en attendant de reprendre la lutte armée. Écrit en 1940-44 et publié en 1945, ce livre, malgré ses incontestables qualités, fournit une image incomplète de la vie en Bulgarie à cette époque. Symboliste converti aux idées communistes, Ludmil Stoyanov a présenté les événements d'une manière partiale, mais peut-être devait-il en être ainsi dans une œuvre qui ne se voulait pas une chronique, mais un livre d'enseignement et de combat. De l'œuvre très abondante de Stoyanov : romans, drames, poèmes, il faut citer *L'Épée et la Parole* [*Metch i slovo,* 1915-16], recueil de chants patriotiques, où l'exaltation du courage guerrier le dispute au chauvinisme.

JOUVENCE [*After Many a Summer*]. Roman de l'écrivain anglais Aldous Huxley (1894-1963), publié en 1939. Ce dernier roman de la période philosophique dans laquelle Huxley était entré avec *Le Meilleur des mondes* (*) a recours à un fantastique moins permanent mais tout aussi impressionnant quand, à la fin du livre, le lecteur découvre le génial Cinquième Comte sous les traits d'un singe. L'auteur se livre, par l'intermédiaire du docteur Obispo, qui semble sorti tout droit d'un roman de Wells, à une étude sur les rapports entre la mort et l'immortalité, le bien et le mal. C'est un témoignage parmi d'autres de son intérêt pour tous les moyens qui permettent à l'homme de s'évader de sa condition temporelle et de sa matérialité. L'histoire extraordinaire de la quête de l'élixir de vie est une parabole. Dans un cadre contemporain, en partie britannique, en partie américain, la tentative d'un riche excentrique de parvenir à l'immortalité aboutit à un résultat grotesque : après deux cents ans d'existence il retourne à un stade pré-humain. L'histoire est racontée avec un brillant et un esprit remarquables et de nombreux motifs (tel le spectacle des singes au zoo, dont on s'écrie qu'ils sont « presque humains ») préparent le lecteur au fantastique. Mais le roman constitue surtout le point le plus aigu du dilemme de l'auteur, de ce conflit entre l'animalité et le spirituel, entre « l'ange et la bête », qui a marqué toute sa vie ce fils de savant doublé d'un puritain invétéré. En dernier ressort ce problème est la question ultime de toute philosophie : le rapport entre la liberté et l'esclavage, la réalité et l'illusion, la mortalité et l'éternité. – Trad. Plon, 1940.

JOYEUSE ANDALOUSE (La) [*La lozana andaluza*]. Œuvre de l'écrivain espagnol Francisco Delicado (XVIe siècle), imprimée à Venise sous le titre de : *Portrait de la belle Andalouse, en très claire langue espagnole, composé à Rome* [*Retrato de la locana andaluza en lengua española muy clarissima, compuesta en Roma*]. L'auteur, un Andalou, a longtemps vécu en Italie. Son œuvre, parfois obscène, fait partie de la littérature picaresque. Le livre est divisé en dialogues appelés par l'auteur « mamotretos » (« aide-mémoire »). Tout ce que l'Italie de la Renaissance pouvait offrir de plus corrompu y est dépeint avec les couleurs du réalisme le plus cru. Bien que l'auteur affirme que son œuvre « contient beaucoup plus de choses que *La Célestine* (*) », on ne peut dire qu'elle lui ressemble. Elle se rapproche beaucoup plus des *Ragionamenti* (*) de l'Arétin, publiés peu après, en 1534. C'est une suite de scènes, pleines de vivacité et de vigueur, retraçant le séjour à Rome de quelque femme de mauvaise vie. Une grande figuration l'entoure (cent vingt-cinq personnages) : courtisanes, juifs, valets de prélats ou de maisons patriciennes, marchands de toutes nationalités, gros bonnets de l'époque, trousseurs de cotillon et autres chenapans. « Dans ce paradis de putains qu'est la ville de Rome, dit l'auteur, les Espagnoles sont les meilleures et les mieux faites. » Cet ouvrage nous intéresse, en outre, par ses éléments historiques et folkloriques (sac de Rome, superstitions, recettes culinaires, etc.). La langue de l'auteur est truffée de mots andalous et d'italianismes. Il faut remarquer aussi que ce roman précède les romans picaresques, et – fait assez curieux – le personnage central en est une femme. C'est ici qu'apparaît pour la première fois le mot « lazarillo » qui, après la publication (1554) des fameuses *Aventures de Lazarille de Tormes* (*), fut désormais appliqué à ceux qui avaient pour mission de conduire des aveugles. Si, comme il semble, Delicado était vicaire de Cabezuela, il aurait pu s'entendre admirablement avec son illustre prédécesseur, l'archiprêtre de Hita ; celui-ci, non moins dépourvu de préjugés, n'est-il pas l'auteur du célèbre *Livre du bon amour* (*) écrit dans un style proche de celui de Boccace ? Comme son prédécesseur en effet, mais peut-être avec une plus riche expérience personnelle, Delicado est cynique avec impudence, et son œuvre a beaucoup de verve et d'éclat, sans parler d'un vocabulaire d'une richesse extraordinaire. – Trad. Bibliothèque des Curieux, 1912.

JOYEUSES COMMÈRES DE WINDSOR (Les) [*The Merry Wives of Windsor*]. Comédie en cinq actes en prose mêlée de vers du poète dramatique anglais William Shakespeare (1564-1616), probablement écrite vers 1598, et publiée en in-quarto en 1602, 1619 et 1630, et dans l'in-folio de 1623. Le texte de 1602 est incomplet. Une tradition veut qu'elle ait été écrite en une quinzaine de jours, à la demande de la reine Élisabeth qui voulait voir Falstaff amoureux sur scène. Néanmoins, il ne s'agirait pas d'une pure improvisation, car Shakespeare se serait servi d'une comédie existant déjà au répertoire de sa compagnie, *La Comédie du jaloux* [*The Jealous Comedy*], représentée en 1593 ; le sujet de cette dernière était tiré d'une nouvelle italienne, où le motif de l'amoureux caché dans un meuble – motif cher aux conteurs italiens – est transformé ici en celui de l'homme caché « sous une montagne de linge ». On a voulu voir dans les divers protagonistes de la pièce des caricatures de personnages du temps : ainsi le juge Shallow et son stupide neveu Abraham Slender seraient-ils destinés à personnifier sir Thomas Lucy de Charlecote près de Stratford, qui aurait persécuté Shakespeare pour avoir, durant sa jeunesse, braconné sur ses terres. Deux thèmes s'entrecroisent dans la comédie : celui de Falstaff, berné par deux riches bourgeoises de Windsor auxquelles il fait la cour, et celui d'Anne Page, que ses parents veulent marier. Falstaff, se trouvant à court d'argent, décide de faire la cour aux femmes de Ford et de Page, deux bourgeois de Windsor : car il est bien vrai que ce sont elles qui tiennent les cordons de la bourse de leurs maris. La vie conjugale de Mme Ford est troublée par la jalousie de son mari ; Mme Page n'est pas d'accord avec son époux quant au prétendant que devrait épouser sa fille. Falstaff ayant envoyé aux deux femmes des lettres galantes identiques, celles-ci décident secrètement de se venger. Par ailleurs, Nym et Pistol, compagnons de Falstaff, ne trouvent rien de mieux que d'avertir les maris. Si Page ne se laisse pas impressionner, Ford par contre est stupéfait d'apprendre que sa femme puisse le tromper. Falstaff reçoit d'abord la visite de Mme Quickly, servante du docteur Caius, chargée de servir d'entremetteuse auprès des deux femmes ; elle assure à Falstaff que les deux femmes ne demandent qu'à lui faire plaisir ; puis il reçoit la visite de Ford, qui se fait passer pour un nommé Brook et se déclare fou d'amour pour Mme Ford, promettant à Falstaff une forte récompense s'il l'aide à la conquérir ; Falstaff révèle alors qu'il a un rendez-vous avec Mme Ford et promet de céder le pas à Brook. Au rendez-vous, Ford étant survenu avec plusieurs amis pour constater l'adultère, Falstaff est à la hâte caché dans une corbeille de linge sale, que les domestiques iront jeter peu après dans les eaux sales de la Tamise. À un second rendez-vous, Falstaff, déguisé en vieille femme, est rossé par Ford. Enfin, un dernier rendez-vous est donné à Falstaff dans la forêt de Windsor, où il est assailli par de pseudo-fées et de pseudo-lutins, et enfin démasqué par Ford et Page. Parallèlement à cette intrigue s'en déroule une autre, de moindre importance : il s'agit de la cour assidue que mènent auprès d'Anne, la fille de Page, trois prétendants : le docteur Caius, médecin français, le niais Slender, cousin du juge Shallow, et Fenton, un jeune homme bizarre qu'aime Anne. Mme Quickly sert une fois de plus d'entremetteuse à tous les trois et les encourage tout autant les uns que les autres. Sir Hugh, curé gallois, s'interpose en faveur de Slender et se voit menacé par Caius, mais les hostilités se réduisent au mauvais traitement que le Gallois et le Français infligent à la langue anglaise. Au dernier rendez-vous donné à Falstaff dans la forêt, Page, qui favorise Slender, s'arrange pour que celui-ci enlève sa fille, qui sera vêtue de blanc, tandis que Mme Page, qui favorise le docteur, décide que sa fille sera vêtue de vert et enlevée par Caius. Mais, au moment critique, les deux prétendants se trouvent en face d'un jeune garçon travesti en fille, tandis que la véritable Anne s'est enfuie avec Fenton qu'elle épousera. Certains ont voulu voir dans cette comédie un excellent exemple de « fabliau » mis à la scène, avec toutes les caractéristiques de ce genre de récit : portraits réalistes, manières grossières, manque de respect pour le mariage, plaisir bourgeois de malmener un patricien coureur de jupons, etc. C'est sans doute à cause de ces éléments plus continentaux qu'anglais, et spécialement à cause du thème amoureux qui est le pivot de la comédie, que *Les Joyeuses Commères de Windsor* ne connurent pas la faveur des critiques anglais du XIXe siècle : sur d'autres scènes, cette comédie a été trouvée très divertissante. C'est une œuvre théâtrale habile, mais qui se ressent de la hâte avec laquelle elle a été composée. — Trad. d'Armand Robin sous le titre *Les Gaillardes Épouses de Windsor,* Formes et Reflets, 1954-1961.

★ Une des premières compositions musicales sur cet argument est *Falstaff,* opéra d'Antonio Salieri (1750-1825), représenté en 1798.

★ L'opéra-comique en trois actes : *Les Joyeuses Commères de Windsor* [*Die lustigen Weiber von Windsor*], du compositeur allemand Otto Nicolai (1810-1849), sur un livret de Salomon Hermann Mosenthal (1821-1877), a été créé à Berlin en 1849, deux mois après la mort de l'auteur. Le texte shakespearien a été quelque peu modifié ; l'intrigue a été simplifiée pour le drame musical. Les époux Ford sont devenus Fluth ; les personnages de Page et de sa fille Anne sont conservés ; des deux prétendants, dont l'un est le docteur Caius et l'autre Nigaudin (qui semble remplacer le Slender de l'original), Page préférerait le second qui est plus riche. L'ordre des scènes et, en général, la nature de la comédie sont loin de Shakespeare. L'opéra débute par la scène des commères lisant les lettres de Falstaff ; Fluth ne fait la connaissance de celui-ci qu'au second acte, après la scène de la corbeille qui est à la fin du premier acte (donc anticipée par rapport à Shakespeare) ; c'est Falstaff lui-même, auquel Fluth se présente sous un faux nom, qui lui révèle avoir été caché dans la corbeille à lessive de Mme Fluth pour échapper à la colère du mari jaloux. Naturellement, la méfiance de Fluth grandit ; il cherche à surprendre en flagrant délit sa femme, qui a donné un second rendez-vous à l'entreprenant chevalier ; mais, cette fois encore, elle se tire d'embarras en déguisant Falstaff en vieille servante. Finalement, au dernier acte, elle dévoile la farce à son mari, et ensemble ils préparent la grande farce finale du bois. Bien que Nicolai soit généralement considéré comme un compositeur de goût italianisant, son œuvre reflète en réalité les tendances du romantisme musical allemand sous tous ses aspects. C'est une des caractéristiques de nombreux compositeurs allemands, même mineurs, de cette époque que de savoir maintenir leur inspiration, quelle qu'en soit la nature, dans un cadre classique ; ainsi, dans l'opéra-comique de Nicolai, la forme classique s'adapte à un esprit comique très modeste, mais modéré et non sans grâce, dans le goût de l'opéra franco-allemand du début du XIXe siècle. Cette adaptation se remarque dès l'ouverture où un Andantino langoureux suit un Allegro vivace de forme tripartite, toujours de bonne facture, mais qui, dans le deuxième thème et surtout à la fin, glisse dans la banalité. Les scènes d'ensemble sont bien traitées, ainsi que les finales du premier et du second acte, aux rythmes lents soutenus par un riche commentaire orchestral. L'élément bouffon, concentré sur le personnage de Falstaff, est diffus ; la note sentimentale manque. C'est l'élément fantastique qui est le meilleur de l'œuvre, prédominant dans le troisième acte (la scène du parc de Windsor) ; ici s'aperçoivent plus clairement les rapports avec l'opéra romantique allemand, avec le style de Weber, de Mendelssohn et en partie de Schumann.

★ Mentionnons un opéra, *Falstaff* (1838), composé par William Balfe (1808-1870).

★ Le *Falstaff* de Giuseppe Verdi (1813-1901), représenté à la Scala de Milan en 1893, se rapproche davantage de l'esprit shakespearien. C'est la dernière œuvre théâtrale de Verdi et la seule qui ne soit pas composée de morceaux séparés. Le livret d'Arrigo Boito est tiré de la trilogie shakespearienne constituée par la première et la seconde partie d'*Henri IV* (*) et des *Joyeuses Commères de Windsor*. Les personnages sont plus ou moins synthétisés dans le livret ; leur langage est en partie conservé grâce à une fidèle traduction. Shallow et Slender disparaissent ; restent Caius, Nim et Page, le mari de Meg. En l'absence de Slender, la triple intrigue de Slender, Caius et Fenton (amoureux de Nannette) se réduit à peu de chose, puisque manquent également l'intérêt pour la famille Ford et les différentes combinaisons matrimoniales. La seconde partie du deuxième acte est celle où, en comparaison avec les *Joyeuses Commères,* on sent davantage l'intervention du librettiste dans les coupures faites à l'œuvre originale : les deux visites de Falstaff à Alice, se terminant l'une par l'épisode de la corbeille, l'autre par le déguisement féminin, se réduisent à une seule. Parmi les personnages, le plus synthétisé est Ford ; si beaucoup d'expressions shakespeariennes lui sont conservées, le développement psychologique du personnage tient tout entier dans le « monologue » du deuxième acte. De nombreuses phrases du protagoniste sont prises dans *Henri IV*. Dans l'abondante production de Verdi, cette œuvre est à considérer comme excellente pour l'éclat de sa brillante fantaisie, pour sa richesse musicale qui, partout répandue, rend précieux les épisodes les moins reliés à l'intrigue ; pour sa gaieté et son aristocratique élégance, son expression artistique spontanée, toujours incisive et précise, pour l'identification de la forme avec le sentiment, en vertu de laquelle les images verbales, la mélodie, l'harmonie et les gestes forment une unité absolue. C'est ainsi que le discours verbal, mélodie ou récitatif, vocal ou instrumental, se déploie avec désinvolture et légèreté aussi bien dans les sonorités que dans la durée des silences, autant dans le rythme que dans la force : les développements conventionnels de la forme, encore nombreux dans *Othello* (*), sont abolis et remplacés par une incessante variété d'inventions toujours nouvelles. L'orchestration est gracieuse, fine, presque aérienne, moyen d'expression soulignant admirablement le déroulement psychologique du drame. En voici un exemple :

Un autre aspect du caractère de Falstaff est mis en valeur par ce passage de l'acte II :

Personnage héroï-comique, faisant naître le drame de la comédie, Falstaff est une des meilleures créations de Verdi.

★ Citons encore deux compositions musicales ayant pris la comédie de Shakespeare pour thème : l'ouverture *Die lustigen Weiber von Windsor* d'Arthur Seymour Sullivan (1842-1900) et l'étude symphonique *Falstaff* op. 18 d'Edward Elgar (1857-1934).

JOYEUX LORD QUEX (Le) [*The Gay Lord Quex*]. Comédie en quatre actes de l'écrivain anglais Arthur Wing Pinero (1855-1934), écrite en 1899. Suivant l'habitude de Pinero, l'intrigue de cette comédie frôle le drame à l'avant-dernier acte pour se dénouer le plus heureusement du monde. Sophie, qui est manucure et rusée en diable, se trouve aux prises avec deux hommes qui prétendent à la main de sa sœur Muriel. Le premier est un jeune officier que Muriel croit aimer ; l'autre est lord Quex, un richissime et plaisant quinquagénaire que les ambitieux parents de la jeune fille brûlent du désir d'avoir pour gendre. Sophie adore sa sœur et aspire à la voir heureuse. Elle commence donc par aider le jeune officier et, disons mieux, par contrecarrer les projets de lord Quex. Seulement, elle s'aperçoit bientôt que le lord en question aime réellement Muriel, et que pour elle il a mis un terme à ses folles dispositions, tandis que l'autre prétendant semble fort peu digne d'estime. Aussi est-elle fort heureuse quand elle voit que Muriel se décide à épouser le quinquagénaire. La sûre technique de l'auteur (qui n'exclut pas le recours aux pires ficelles du théâtre), un certain humour mélodramatique et l'absence de tout pédantisme font de *Lord Quex* une des meilleures pièces de Pinero. Réaliste et mordante comédie de mœurs, la pièce est essentiellement anglaise tant par son esprit que par son atmosphère, par son dialogue que par ses caractères. Les personnages secondaires sont pris sur le vif ; la caricature se garde de tout excès et l'héroïne est un des portraits les plus savoureux qu'on ait fait de la « gamine » londonienne. Par son art tout à la fois réaliste et satirique, Pinero se classe parmi les meilleurs représentants du théâtre anglais à la fin du siècle dernier.

JOZEF MAK. Roman de l'écrivain slovaque Jozef Cíger Hronský (1896-1960), publié en 1933. Hronský fut le continuateur de la tradition réaliste de Kukúčin, qu'il élargit et approfondit par son intérêt pour les questions sociales. Il parla surtout des paysans slovaques, dont il sut peindre la modestie, voire l'humilité liée à une profonde conviction religieuse, l'indulgence et la sagesse terrienne, sans pour autant oublier leur côté passionné, également caractéristique du caractère slovaque. C'est ainsi qu'apparaissent Jozef Mak, bûcheron dans la montagneuse Slovaquie centrale, et ses compatriotes villageois, au moment de la crise économique des années 30. Hronský, qui est l'auteur de nombreux romans et nouvelles sur les mêmes thèmes, se signale, parmi les autres peintres de terroir slovaque, par la richesse de sa langue et de son style.

J. R. Roman de l'écrivain américain William Gaddis (né en 1922), publié en 1975. Presque exclusivement composé de dialogues sans que jamais l'auteur ne signale qui parle, dépourvu de la moindre division en chapitres, *J. R.* – plus de sept cents pages dans l'édition américaine – est une prouesse formelle évoquant un immense travelling de cinéma. Le premier mot du livre en signale d'emblée la tonalité : « L'Argent. » Car après *Les Reconnaissances* (*), son précédent roman consacré à l'art et à la métaphysique, Gaddis renonce à évoquer toute problématique philosophique européenne pour critiquer, avec férocité et humour, les valeurs américaines et l'idéologie de la libre entreprise.

J. R. est un jeune garçon de onze ans, délaissé par sa famille et cancre à l'école, qui un beau jour se rend à Wall Street avec sa classe pour visiter le temple mondial de la finance. Afin de donner aux enfants la sensation d'« investir dans l'Amérique », on leur permet d'acheter une action boursière. Plus malin que les autres, J. R. vole les actions de tous ses camarades et devient le plus jeune capitaliste des États-Unis. Il suit alors l'exemple de la rapacité environnante, imitant les adultes et tous leurs travers, obéissant à la lettre de la loi mais fuyant son esprit à chaque occasion. J. R. opère grâce à un réseau de cabines téléphoniques et de boîtes postales et il parvient à constituer un véritable empire financier, d'abord fondé sur des marchandises de récupération et des biens dévalués. Il commence pas racheter un surplus de fourchettes de pique-nique de la Navy, un lot d'obligations sous-cotées, et finit par s'emparer de forêts, de mines, de gisements de gaz naturel, d'une maison d'édition, d'une brasserie, d'un réseau de pompes funèbres, de cliniques, etc.

Dans son école de Long Island, J. R. est néanmoins confronté à un autre personnage central du roman, Edward Bast, un ancien compositeur de musique qui se fait licencier de son poste d'enseignant. J. R. l'engage alors en tant qu'agent d'affaires. Mais Bast choisira bientôt de se consacrer de nouveau à l'art, quitte à ne plus jouir de la moindre sécurité financière. Quant à J. R., il ne s'attachera pas son empire d'actions et d'obligations, bien décidé à chercher un sens plus authentique à son existence.

Au labyrinthe du monde de la finance répond celui des voix orchestrées par l'auteur : tout le monde parle, mais peu d'oreilles écoutent ; la communication est omniprésente, mais le sens se délaie dans la masse entropique et vertigineuse des messages, des informations et des mots. Véritable tour de force d'écriture, *J. R.* donne une image à la fois terrifiante et comique de notre univers. – Trad. Bourgois, 1993. B. M.

J.-S. BACH, le musicien poète. Essai de l'écrivain français d'expression allemande Albert Schweitzer (1875-1965), paru d'abord en français en 1905. Docteur en médecine et en philosophie, Albert Schweitzer a également étudié la théologie – il est l'auteur de l'étude magistrale intitulée *De Reimarus à Wrede* [*Von Reimarus zu Wrede,* 1906], parue en seconde édition sous le titre : *Histoire des études sur la vie de Jésus* [*Geschichte der Leben-Jesu-Forschung,* 1913]. Mais la musique a joué un rôle éminent dans sa vie. Organiste émérite – il fut l'élève d'Eugène Münch –, le Dr Schweitzer consacra des années d'étude aux œuvres de Bach ; il fut le premier à découvrir le symbolisme particulier à ce grand compositeur, ainsi que les raisons qui le poussaient à passer, dans la composition de certains chorals, « d'un ordre d'idées à l'autre, du chromatisme au diatonisme, du grave à l'aigu ». Ce sont des études de cette nature que comporte le *J.-S. Bach* d'Albert Schweitzer. Le livre débute par une étude très poussée de l'histoire de la musique sacrée en Allemagne avant Bach. La deuxième partie du livre retrace la vie et le caractère de Bach ; la troisième relate les différentes phases de l'activité créatrice du grand compositeur, tandis que la quatrième étudie son langage musical et son symbolisme, « qui est visuel, comme celui d'un peintre », nous dira Albert Schweitzer. Enfin, la cinquième et dernière partie donne des conseils éclairés sur la façon d'exécuter les œuvres de Bach. L'importance de ce livre apparaît pleinement dès que l'on consulte le répertoire des œuvres de Bach étudiées par Albert Schweitzer : elles sont au nombre de cent quatre-vingt-dix.

JUAN DE MAIRENA. Essai de l'écrivain espagnol Antonio Machado (1875-1939), publié en 1936. Dans une série d'articles de journaux, publiés à partir de 1934, Antonio Machado met au compte d'un double dit « apocryphe » de lui-même, le philosophe-poète Juan de Mairena, un ensemble de considérations, souvent exprimées à bâtons rompus, sur toutes sortes de sujets. La totalité de ces articles, repris en volume, fut publiée à Madrid en 1936, sous le titre de *Juan de Mairena. Sentences, esquisses, mots d'esprit, notes et souvenirs d'un professeur apocryphe* [*Juan de Mairena. Sentencias, apuntes, donaires, notas y recuerdos de un profesor apócrifo*]. L'auteur présentait ainsi son héros : « Juan de Mairena est un aimable philosophe, un peu poète, un peu sceptique, qui a pour toutes les faiblesses humaines un bienveillant sourire de compréhension et d'indulgence. Il aime combattre le côté *snob* des modes dans toutes les matières. Il regarde les choses avec son critère de libre-penseur, un peu influencé par son époque, la fin du siècle passé. » Plus que l'influence d'Azorín, de Pío Baroja ou d'Unamuno, ce livre s'inspire du magistère exercé alors par José Ortega y Gasset. À sa façon antidogmatique et pédagogique, sur un mode primesautier et ironique, Juan de Mairena ne se pose pas en maître à penser, mais en interlocuteur inlassable d'un interminable dialogue – avec ses élèves, avec ses lecteurs, avec lui-même – à la recherche de la vérité qu'il entreprend de débusquer sous les mensonges, les théories, les idéologies, les faux-fuyants, les compromis, les mille formes de la sottise ou de l'orgueil. « Une espèce de Socrate andalou et orgueilleusement provincial », ainsi a-t-on défini cet anti-Zarathoustra de Machado, grand lecteur de Nietzsche. Son propos majeur est d'apprendre à penser justement : « Pour bien dire, il convient de bien penser, et pour bien penser il convient de choisir des thèmes très essentiels, qui sachent par eux-mêmes capter notre attention, stimuler nos efforts, nous émouvoir, nous passionner et même nous surprendre. » Les thèmes auxquels s'applique le doute méthodique du « philosophe » sont multiples : la philosophie et la métaphysique (le vrai, le destin, le néant, la théorie de la connaissance) ; la communication entre les êtres et les consciences ; l'altérité ; la création littéraire et artistique, en y incluant le style et les modes d'expression ; la politique, « activité des plus importantes » ; la religion et le problème, laissé en suspens, de l'existence ou la non-existence de Dieu : « Un Dieu existant serait quelque chose de terrible. Que Dieu nous en délivre. » En définitive un humanisme radical, aussi généreux qu'utopique, caractérise l'inspiration de ce livre. Juan de Mairena prolonge sa carrière de philosophe aux quatre vents dans plusieurs des nombreux articles publiés par Machado pendant la guerre civile espagnole, de 1936 à 1939. Mais, devant l'imminence des événements, l'auteur et son porte-parole ont tendance à ne plus se distinguer. Le thème tragique de la guerre absorbe toute la thématique. Mairena a pris sans hésitation la cause du peuple, la défense de la République trahie et bafouée. La foi démocratique exalte son combat. Ainsi l'engagement donne à la voie de Juan de Mairena sa gravité et son efficacité. – Trad. Gallimard, 1955. B. Sé.

JUAN JOSÉ. Drame en quatre actes de l'écrivain espagnol Joaquín Dicenta (1863-1917), représenté en 1895. D'emblée, il connut un grand succès et il jouit encore de nos jours de la faveur du public espagnol. Juan José, un ouvrier, est l'amant de Rose, une belle fille assez coquette. Le patron de l'usine où il travaille, un certain Paco, tourne autour de Rose. Juan José, qui est seul au monde et aime passionnément Rose, est très jaloux. Une vieille femme, Isidora, vient souvent rendre visite à Rose et fait tout son possible pour la détacher de Juan José. Elle lui souffle que, si elle acceptait les propositions de Paco, elle connaîtrait le luxe au lieu de l'existence misérable qu'elle mène en ce moment. Un jour, grâce à ses malveillants artifices, la vieille réussit à obtenir de Rose qu'elle accepte de Paco un rendez-vous dans une auberge. Juan José les surprend et invective Paco. Des insultes, ils en viendraient aux mains si l'on n'arrivait à les séparer. Juan José se voit congédié, s'installe dans son logis. Pour que sa Rose ne manque de rien, il se fait voleur. Arrêté, il est conduit en prison. Là, il apprend que Rose est devenue la maîtresse de Paco. Il parvient à s'évader, se précipite chez Paco et le tue comme un chien. Dans ce drame réaliste, Juan José est considéré comme une des figures les plus nettes de ce romantisme socialiste si en honneur en Espagne. Au vrai, le sentimentalisme humanitaire de Dicenta relève beaucoup plus des problèmes de la justice collective que de ceux de la conscience individuelle. Œuvre très goûtée du public, en raison de l'émotion facile qu'elle fait jaillir des sources les plus profondes de la sensibilité, elle a été traduite dans presque toutes les langues européennes.

JUAN LORENZO. Drame en quatre actes et en vers de l'écrivain espagnol Antonio García Gutiérrez (1813-1884), représenté en 1865 et publié à Madrid en 1866 dans les *Obras escogidas* de l'auteur. L'action se passe à Valence, en 1519. Ce Juan Lorenzo est un tanneur qui soulève le peuple contre les grands, afin d'instaurer un mode de vie où le travail sera respecté. Ayant été séminariste dans sa jeunesse, il a appris à connaître la valeur de toute science. Il est soutenu par ses compagnons de travail et par le peuple tout entier. Mais, faute de donner dans la violence, il finit par être rejeté par ses partisans, lesquels l'accusent d'être d'accord avec les nobles. Au cours d'une intrigue assez embrouillée, l'auteur s'efforce de fixer le caractère profondément idéaliste de son héros. Juan Lorenzo aime la jeune fille Bernarda et la protège. Mais un certain comte, qui est le seigneur du village, estime qu'il est en droit d'enlever la jeune fille. Les Valenciens, parmi lesquels se trouve le tisserand Guillén Sorolla, épris lui aussi de Bernarda, s'apprêtent à faire prompte justice de l'outrage que le comte a fait subir à la jeune fille. L'orgueilleuse marquise de Biar, qui est la sœur du comte et qui n'entend pas que l'on porte atteinte aux prérogatives de la noblesse, leur tient tête. Juan Lorenzo avec ses camarades revendique les droits du peuple et fait entendre la voix de la justice (acte I). Le tribunal de Valence, qui doit rendre sa sentence à propos du rapt, se contente d'infliger au coupable une amende en argent, alors que ce délit eût été puni de mort s'il s'était agi d'un ravisseur plébéien : le peuple en fureur crie vengeance. Devant le déchaînement des passions, Juan Lorenzo, qui n'avait demandé que la justice, tente par ses paroles d'apaiser les uns et les autres. La marquise, si hautaine, se voit contrainte d'implorer l'aide de Bernarda, dont elle connaît l'âme pure et noble. Pendant ce temps, une véritable révolution éclate. Les insurgés acclament Juan Lorenzo et le prennent pour chef. Ce dernier propose alors au comte d'envoyer une ambassade à Barcelone, afin de soumettre le fait au roi Charles Ier (le futur empereur Charles Quint) (acte II). C'est ici qu'éclate la rivalité entre Juan Lorenzo, le mystique illuminé qui rêve d'une ère nouvelle où le peuple aurait la place qu'il mérite, et Guillén Sorolla : celui-ci vient d'apprendre que Bernarda ne l'aime pas et qu'elle va se marier prochainement avec Juan. Poussé par la jalousie, il met tout en œuvre pour discréditer son rival aux yeux du peuple et il insinue que son apparente modération dissimule un secret accord avec le comte : beaucoup d'insurgés se mettent à penser que le tisserand serait un meilleur chef que Juan ; c'est alors qu'arrive la réponse du roi, qui oppose la force de la loi aux revendications populaires. Les insurgés décident de réviser eux-mêmes le procès et de condamner le comte à mort. Bien que dominé par son orgueil, celui-ci cède à l'amour qu'il porte à la jeune fille ; il demande pardon à Bernarda et lui offre le mariage. Le tribunal populaire condamne le ravisseur au gibet. Bernarda, pour sauver le comte, déclare publiquement qu'elle avait consenti à être enlevée. Juan Lorenzo admire la générosité de la jeune fille, qui sacrifie ainsi son honneur (acte III). L'intrigue se dénouera de façon inattendue. Le comte, incognito, est venu chercher asile chez le tanneur ; alors que, sous un déguisement, il s'enfuit accompagné de son écuyer, il est victime de l'émeute qu'a soulevée Guillén Sorolla pour tuer Juan Lorenzo. Juan est accablé de douleur en voyant que c'est en vain qu'il a lutté pour sauvegarder les droits des humbles. Renonçant à toute joie terrestre, et fidèle à son grand amour pour Bernarda, il meurt dans un moment d'exaltation mystique. Ce drame, dont l'intrigue est touffue à l'excès et dont le style ne laisse pas d'être souvent obscur, n'en est pas moins un fort beau drame romantique.

JUBILÉ (Le) [*Der Jubelsenior*]. Roman de l'écrivain allemand Jean-Paul (Johann Paul Friedrich Richter, 1763-1825), publié en 1797. Cette œuvre appartient à la série des romans où Jean-Paul, dans sa veine la plus profonde, s'abandonne au plaisir de peindre des scènes de cette vie simple et rustique qu'il avait connue dans son enfance, de faire vivre des héros naïfs et purs que le monde a laissés indemnes. Celui du *Jubilé* est un pasteur de village, Schwers, qui vient de fêter parmi ses nombreux enfants et petits-enfants ses cinquante ans de vie ecclésiastique. Tous les traits de ce personnage révèlent une bonté un peu solennelle, un mélange de gravité et de tendresse. Le vieux pasteur Schwers est de la même race d'hommes que les pauvres maîtres d'école Marie Wuz — v. *Vie du joyeux maître d'école Maria Wuz à Auenthal* (*) — et Quintus Fixlein — v. *Vie de Quintus Fixlein* (*) — que l'avocat des pauvres *Siebenkäs* (*) : il a su trouver le bonheur dans les choses les plus humbles, il incarne la pauvreté contente d'elle-même pour avoir toujours dédaigné les grandeurs de ce monde. En contraste, Jean-Paul a dessiné la figure d'Amanda Gobertina de Sackenbach, demoiselle noble, jadis reçue à la Cour, mais pauvre elle aussi et qui, contrainte de végéter vieille fille dans son village, n'a cependant rien voulu abdiquer de sa fierté et des préjugés qui l'empêcheront toujours de trouver le vrai bonheur. — Trad. Stock, 1930 ; Gallimard, 1963.

JUDAS ISCARIOTE [*Juda Iskariot*]. Récit de l'écrivain russe Léonid Nikolaïevitch Andréev (1871-1919), publié en 1907. La conception tragique de la vie et du monde, propre à Andréev, a pu se donner libre cours dans ce récit. Judas est un étrange personnage dont l'âme est déchirée par un conflit sans issue : il désire passionnément être aimé et admiré. Il veut qu'on le tienne pour un homme supérieur aux autres, lui qui est laid, méchant, cupide et la perfidie en personne, plein de mépris et d'aversion pour autrui. Son besoin maladif de paraître ce qu'il n'est pas fausse toujours tout et crée un perpétuel malaise. Comme il aime Jésus de tout son cœur (mais Lui seul au monde), l'amour de Jésus pour les autres apôtres ne peut susciter en Judas qu'amertume et désespoir. Il s'était faufilé dans l'entourage du Seigneur et il a été choisi par Lui ; mais, dans de telles conditions, ce choix prend l'aspect d'une véritable gageure. Que peut Jésus pour lui ? C'est en pleine liberté que Judas doit trouver sa voie, en parvenant à se vaincre soi-même. Jusqu'à la chute irrémédiable, son destin reste en suspens, l'espoir devrait être permis. Mais Judas s'abandonne aux forces de la fatalité, emmuré dans son propre moi, livré à ses idées fixes : au vrai, un malade. Dès lors, son amour pour Jésus ne le régénère pas. Chaque parole que Jésus lui adresse soulève, en son âme, une tempête de sentiments contradictoires. D'autre part, chaque faiblesse des autres apôtres déchaîne en lui la colère et le mépris. La bienveillance lucide de Jésus envers lui l'exaspère. De plus, l'idée qu'il se fait du Messie, un Roi qui doit conquérir tous les peuples, lui rend incompréhensible l'inaction apparente de Jésus. En livrant son Maître, Judas va non seulement mettre fin à une tension plus qu'insupportable, mais encore précipiter les événements. Les disciples défendront Jésus, le peuple L'acclamera. Qu'importent les moyens ! L'amoralité de Judas est absolue. Or, les disciples se sont dispersés, le peuple ne s'est pas soulevé... Aussi, le premier sentiment de Judas n'est pas le repentir, mais la colère et l'indignation. Il retrouve les apôtres, il les accuse violemment de ne pas avoir défendu le Maître et de ne pas être morts avec Lui. Mais il n'y a pas que désespoir et indignation en Judas. Il y a aussi un triomphe monstrueux : lui, Judas, s'est avéré plus fort que le Maître ; lui, Judas, est le vrai vainqueur. De nouveau retentit à ses oreilles la question qui le tourmente, qui revient comme un refrain tout le long du récit : « Qui trompe le pauvre Judas ? Qui a raison ? » Il ne lui reste qu'un vide immense. Il ne lui reste plus qu'à mourir.

Ainsi, l'auteur essaie d'expliquer Judas en faisant appel uniquement à son orgueil frénétique (Satan n'est pas capable d'aimer) et à son ambition monstrueuse. L'auteur s'inspire, peut-être, de quelques Apocryphes. L'image de Judas est dessinée en traits saisissants, quoique forcés. Parfois, on a l'impression de voir non pas un homme réel, mais quelque obsession faite homme. L'image de Pierre est attachante. Celle de Jean, par contre, est d'une ridicule mièvrerie. Quant à Jésus, n'en parlons pas, il est des portraits irréalisables, quel que soit le talent de l'écrivain. Le récit est plein d'animation et de couleur ; mais on regrette parfois que l'auteur ait comme inventé à plaisir des détails épouvantables et inutiles. — Trad. in *Les Sept Pendus et autres récits*, Gallimard, 1970.

JUDE L'OBSCUR [*Jude the Obscure*]. Roman de l'écrivain anglais Thomas Hardy (1840-1928), publié dans le *Harper's Magazine* sous le titre *Cœurs insurgés* [*Hearts Insurgent*], puis en volume après révision en 1895. Jude Fawley, qui est pauvre, exerce son métier de maçon, afin de gagner sa vie et de satisfaire sa soif de culture ; dans l'espoir aussi de connaître un jour une vie meilleure. Mais son tempérament sensuel, sa pénurie d'argent et des circonstances contraires annihilent sa volonté. Il tombe amoureux d'Arabella Down, parvient à l'épouser, se voit bientôt abandonné par elle. Ayant surmonté ce premier drame de sa vie, Jude se plonge dans l'étude avec une passion accrue et nourrit de grands rêves d'avenir. Sa passion pour sa cousine, la vive et intelligente Sue Bridehead, l'écarte une fois encore de la voie qu'il s'est tracée. Sue épouse Phillotson, un vieux maître d'école, puis déserte le toit conjugal, pour se réfugier auprès de Jude, lequel s'était vainement efforcé de dominer sa passion. Ensemble, ils vivent heureux, et bientôt leur naît un fils, suivi de deux autres enfants. Mais l'opinion publique leur est hostile. Le couple ne tarde pas à sombrer dans la déchéance, leurs trois enfants meurent tragiquement, et Sue, bourrelée de remords, retourne auprès de son époux légitime. Jude s'adonne alors à la boisson, tendance contre laquelle il avait toujours dû lutter. Il renoue avec Arabella et meurt misérablement. La conception de la vie qui s'exprime dans ce roman dépasse le pessimisme, pour atteindre à une sorte de fatalisme sans issue. La destinée à laquelle sont soumis tous les hommes réside dans ces tendances profondes contre lesquelles l'individu doit lutter, mais qu'il ne peut vaincre. En conséquence, l'auteur concentre son intérêt non sur les problèmes de mœurs ou de civilisation, mais sur le principe vital qui régit sourdement les hommes. Ce principe vital, que nous appelons la nature lorsqu'il s'agit de l'univers, n'est autre chose, selon Hardy, que le simple instinct sexuel. À la différence d'un Meredith, Hardy adopte à l'égard de la femme un point de vue strictement masculin ; il la considère, en effet, comme un élément de trouble dans la vie de l'homme, comme le principal instrument de la fatalité à laquelle elle-même est totalement soumise dans son indifférence aux notions du bien et du mal. Avec *Jude l'Obscur,* son roman le plus dense et le plus riche de pensée, mais aussi le moins populaire, l'auteur a tenté d'étudier sans parti pris la complexité des rapports entre les sexes. Jude lutte vigoureusement contre les exigences de son tempérament, contre l'adversité, enfin contre l'influence des deux femmes qui sont entrées dans sa vie. Même l'amour de sa cousine, qui est une femme de valeur, se révélera fort désastreux pour lui. Toute la tragédie de son échec tient à son caractère de fatalité : qu'il le veuille ou non, Jude se trouve soumis à une force supérieure contre laquelle tout principe moral est à jamais impuissant. — Trad. Stock, 1931 ; Albin Michel, 1989.

JUDITH (Livre de). Livre tardivement admis par l'Église, du moins de manière officielle, au canon des livres bibliques, il est par conséquent dit « deutérocanonique » de l'Ancien Testament — v. *La Bible* (*) — probablement composé par un Hébreu de Palestine, au début de l'exil. Le texte primitif fut sans doute écrit en hébreu ou en araméen, puis traduit en grec. L'introduction au *Livre de Judith* pourrait s'accommoder d'un pastiche de l'annonce qui ouvre la « première journée » du *Soulier de satin* (*) de Paul Claudel. « La scène de ce drame est le monde, et plus spécialement la Palestine au début du VIe siècle av. J.-C., à moins que ce ne soit le milieu du IIe. L'auteur s'est permis de comprimer les pays et les époques, de même qu'à la distance voulue plusieurs lignes de montagnes séparées ne font qu'un seul horizon ! » Comme l'écrit André-Marie Gérard, « ce conte pittoresque [...] accumule comme à plaisir les anachronismes, les extravagances géographiques et autres invraisemblances ». Il conte l'histoire de la libération de la cité de Béthulie, grâce à Judith (nom qui signifie « la Judéenne » — ou son équivalent « la Juive »). Nabuchodonosor (roi de Babylone de 605 à 562, présenté ici comme le roi des Assyriens, peuple dont son père était en réalité le pire ennemi), enorgueilli par ses éclatantes victoires, envoie son général Holopherne mettre le siège devant Béthulie, ville fortifiée qui appartenait avant l'exil à la tribu de Manassé. À Béthulie vit une veuve très belle, riche mais pieuse. Après avoir reproché aux grands du peuple leur manque de foi, elle se revêt de ses plus beaux atours et se dispose à pénétrer dans le camp ennemi. Par sa beauté et ses flatteries, elle séduit les sentinelles et conquiert Holopherne lui-même. À la fin d'un repas où elle se trouve seule aux côtés du général en proie au sommeil de l'ivresse, elle lui tranche la tête qu'elle fait porter par une servante aux Béthuliens, puis elle regagne la cité. Une fois de plus, Dieu a défendu son peuple qui lui adresse des louanges de reconnaissance. L'histoire est contée en seize chapitres. Le verset 25 (chap. V) exprime clairement l'intention de l'ouvrage : « Si ce peuple n'offense pas son Dieu, nous ne pourrons lui résister, car ce Dieu le protégera. » — Traduction œcuménique de *La Bible,* 1988.

★ C'est du texte antique que semble s'inspirer directement le petit poème anglo-saxon intitulé *Judith,* écrit en vieil anglais et dont nous ne possédons plus que les trois cent cinquante vers de la fin, c'est-à-dire quatorze vers du IXe chant et les trois chants suivants. Ce poème nous a été transmis par le manuscrit qui comprend également *Beowulf* (*) et qui est conservé au British Museum. Ce fragment décrit les fêtes du camp des Assyriens et narre comment Judith peut arriver furtivement parmi les ennemis que l'orgie a plongés dans le sommeil ; arrivée devant Holopherne endormi, elle prie Dieu de lui prêter assistance. Puis elle saisit le barbare par les cheveux, et par deux fois, de son couteau, le frappe au cou jusqu'à ce que la tête roule par terre. L'héroïne revient à Béthulie, tandis que les Assyriens se réveillent et se lamentent en voyant leur chef mort. La bataille devient pour eux une terrible défaite, et Judith, triomphalement accueillie par les siens, reçoit en hommage l'armure précieuse d'Holopherne et remercie Dieu de l'avoir soutenue dans sa dure tâche. Il est difficile de préciser l'époque de la composition de ce poème. Certains l'attribuent à Caedmon, d'autres à Cynewulf ou à un auteur du VIIIe siècle ; d'autres encore, qui se fondent surtout sur la fréquence de la rime et sur les caractéristiques de la métrique, fixent la date de la composition du poème vers le Xe siècle plutôt qu'au VIIIe. On a voulu voir également dans ce poème une illustration de la lutte des Anglo-Saxons contre les Vikings, Judith représentant Ethelfied, fille du roi Alfred qui, vers 918, combattit contre les Danois, suivant le récit de la *Chronique anglo-saxonne* (*). L'antique chroniqueur Guillaume de Malmesbury la définit « pavor hostium, favor civium » ; en effet, l'esprit héroïque de Judith, spécialement dans l'épisode du meurtre d'Holopherne, est la représentation de l'état d'âme des fortes et fières femmes du peuple anglo-saxon, et le point de vue guerrier domine et élimine presque complètement le point de vue religieux.

★ En Allemagne, *L'Ancienne Judith* [*Die ditere Judith*], petit poème en douze strophes, en allemand médiéval (franco-rhénan), composé par un ménestrel au début du XIIe siècle, a une certaine notoriété. Après avoir représenté l'impiété d'Holopherne, le poème narre le siège de Béthulie et l'exploit de Judith. Le récit coïncide avec le texte biblique, sauf sur quelques points caractéristiques de la façon toute germanique dont le sujet est envisagé. En effet, le poète traite l'histoire de Judith à la manière épique, naïve et populaire d'une ballade (ce à quoi le thème se prêtait admirablement) ; d'ailleurs, la grande importance que garde ce poème dans la littérature allemande tient précisément à ce qu'il est l'un des plus anciens exemples de ballade populaire. La Judith biblique, instrument de la volonté de Dieu, y devient une héroïne patriotique de la lutte entre christianisme et paganisme. La *Nouvelle Judith* [*Die jüngere Judith*] est un court poème en allemand médiéval (autrichien), composé par un ecclésiastique vers l'an 1140. Le récit de l'héroïsme de Judith est précédé par une longue introduction qui est presque la partie la plus importante de l'ouvrage et dont le but est de faire ressortir comment Dieu protège ceux qui lui obéissent et qui observent ses commandements. Le poème a donc un objectif purement religieux, et l'histoire de Judith n'est là que pour servir d'exemple de piété récompensée. Une autre *Judith,* poème de deux mille huit cent quatorze vers composé en allemand médiéval, fut probablement écrit en 1304 par un Thuringien qui, dans son interprétation mystico-allégorique du récit biblique, fait de l'héroïne un symbole des luttes religieuses des chevaliers de l'ordre Teutonique.

★ *Judith* est aussi le titre d'un poème épique en six chants, en dodécasyllabes avec la rime au milieu du vers, du Croate Marko Marulič (1450-1524), composé en 1501 et publié à Venise en 1521. L'auteur, qui se propose un but à la fois religieux et patriotique, entend, à travers la vulgarisation de l'épisode biblique, encourager la lutte contre la domination turque ; le sujet est traité à la manière des poèmes classiques, mais ses accents n'arrivent pas à s'élever au-dessus du ton populaire et des écrits en prose des trouvères croates.

★ La littérature dramatique du XVIe siècle devait exploiter le sujet de Judith dans des « drames bibliques », comme on le voit dans les tragédies portant ce nom de Joachim Greff (1536), de Sixt Birk (1539), de Samuel Hebel (1566) et dans le drame sacré de Hans Sachs (1494-1576) intitulé : *Judith, tragédie du Jugement dernier* [*Judith, Tragedia des jüngsten Gerichtes*], représenté en 1551.

★ L'ouvrage le plus remarquable de l'époque est la *Judith,* tragédie de Federigo della Valle (1560 ?-1628 ?), publiée à Milan en 1627. Le sujet de la tragédie est en tous points conforme à la tradition biblique, mais il ne constitue pas pour le poète un simple prétexte littéraire : la sincérité de l'inspiration religieuse, évidente dans la rigueur morale de cette figure forte et aimable à la fois qu'est celle de l'héroïne, en est la preuve.

★ L'Allemand Martin Opitz (1597-1639) a tenté de faire revivre la figure de Judith dans un drame de forme classique, *Judith* (1635). Toujours au XVIIe siècle, l'Espagnol Felipe Gódinez (1518-1639) écrivit une comédie, *Judit y Olofernes.*

★ L'intérêt pour ce personnage biblique connut un renouveau au XIXe siècle où l'on trouve un drame de Heinrich Keller (1809) et la célèbre tragédie *Judith* du poète et dramaturge allemand Friedrich Hebbel (1813-1863). Ce drame, œuvre de jeunesse, en cinq actes et en prose, fut écrit en 1839. Le jeune poète semble s'y libérer de l'entrave de ses misères intérieures et extérieures. Sa première inspiration lui vint d'un tableau de la Pinacothèque de Munich, du peintre Jules Romain, représentant Judith ; puis les lignes écrites par Heinrich Heine dans son « Salon » au sujet du tableau de Judith par Horace Vernet lui suggérèrent de traiter ce thème. La trame est celle du récit biblique. Les scènes du peuple en proie au désespoir sont pleines de mouvement ; le monde biblique, si pénétré du sens du divin, est magistralement rendu. La figure de Judith est cependant tout à fait modifiée : par un mystère céleste, elle est demeurée vierge malgré son mariage et elle se sent prédestinée à l'accomplissement de quelque geste héroïque pour le bien de son peuple. La véritable tragédie commence au IVe acte quand la femme, dominée par l'idée de sauver son peuple, se trouve en face d'Holopherne qui, se considérant comme un demi-dieu, s'abandonne à ses impulsions de surhomme qui veut détruire le monde, « afin que quelque chose de meilleur en surgisse ». Dans un moment de faiblesse féminine, Judith cède au démon d'Holopherne qui profane sa virginité. Elle le tue alors, non plus par amour de son peuple et comme un instrument de Dieu, mais par vengeance pour l'outrage qu'elle a subi. Désespérée, acceptant toute la responsabilité de son crime, elle porte la tête d'Holopherne à Béthulie et implore le peuple exultant de joie de lui donner la mort si jamais ses entrailles se révélaient fécondes. « La roue du monde », le tragique qui est à la base de la vie, l'a vaincue. Contrairement au drame classique, celui-ci a toutes les caractéristiques du « Sturm und Drang », sans concession et sans détente. — Trad. Rivière, 1911.

★ Sous le titre *Emblèmes de l'amour* [*Emblems of Love*], le poète anglais Lascelles Abercrombie (1881-1938) traita le même sujet en 1912.

★ Il faut signaler la *Judith* du dramaturge français Henry Bernstein (1876-1953), pièce en trois actes et sept tableaux créée à Paris en 1922, pour laquelle Eugène Grassi composa une musique de scène. L'utilisation du récit biblique, auquel Bernstein prétend donner un contenu humain, fait ressortir la vulgarité foncière de son théâtre. Judith nous est présentée comme une belle fille assez frigide, intellectuelle en diable et obsédée par le désir d'immortaliser son nom. Par là même, elle est bien l'antipode d'Holopherne : un faiseur de conquêtes, cruel comme un jaguar, bien enfoncé dans la matière, et qui ne croit qu'à la luxure. Ces deux extrêmes ont pourtant un point commun : la subtilité de l'esprit. Sitôt en face de Judith, le fauve éprouve un sentiment nouveau : il brûle de se faire aimer d'elle. Rentrant ses griffes pour la première fois de sa vie, il s'efforce donc de l'émouvoir. En vain ! Elle reste de marbre. C'est assez pour qu'il devine le mobile de son entreprise : elle est venue pour le tuer, à seule fin d'être un jour la gloire de son pays. Mais, loin de punir Judith, il s'offre à lui donner cette gloire : que Judith l'égorge, il accepte, puisque sa flamme n'est pas payée de retour. Cette insolite proposition bouleverse tellement Judith qu'elle se livre toute à Holopherne. Le lendemain, s'étant ressaisie, elle le décapite. Mais bientôt son acte lui fait horreur et elle s'abîme dans le désespoir. Une rhétorique à méandres vivifie ce duel à mort : riche en métaphores, elle exalte l'âme d'Israël. Cette œuvre remarquable secoue puissamment les sens et l'esprit.

★ Le récit biblique devait inspirer une *Judith* à l'écrivain français Jean Giraudoux (1882-1944). Tragédie en trois actes, elle fut représentée pour la première fois, le 4 novembre 1931, au théâtre Pigalle. C'est Louis Jouvet qui en assura la mise en scène. Giraudoux tire un merveilleux parti du personnage de Judith. Il se plaît à corrompre les mobiles de son héroïne, à faire de son acte un paradoxe : en effet c'est par amour qu'elle va tuer Holopherne, et non pour remplir un devoir sacré envers Dieu et envers la patrie. De quelle dérision se chargera alors la reconnaissance qu'on lui voue ! Le Ier acte nous introduit dans une ville assiégée. Le famille y règne, mais aussi une fièvre de prophétie : c'est ainsi qu'on raconte qu'une vierge doit sauver les Juifs. Cette vierge, c'est Judith. Giraudoux en fait la fille d'un riche banquier, une manière d'idole publique, adulée par les hommes autant que par les femmes, capable d'exceller en toutes choses, de réussir dans tout ce qu'elle entreprend. Sa beauté seule en fait la plus belle femme d'Israël. Au moment où Joachim le grand prêtre vient solennellement la prier d'obéir à Dieu, de faire le sacrifice d'elle-même, Judith se scandalise de ce que les derniers soldats renoncent à combattre ; néanmoins elle accepte de sauver la ville. Elle manifeste une résolution froide, une sorte de rage à renoncer à l'intégrité d'un corps pour lequel tant d'hommes avaient éprouvé silencieusement du désir. Le IIe acte se passe dans le camp d'Holopherne, où une vieille entremetteuse, Sarah, et des soldats attendent Judith dont on a annoncé l'arrivée. Par moquerie, ils décident d'une mise en scène au cours de laquelle un aide de camp se fera passer pour Holopherne. Bernée, injuriée, Judith appelle Holopherne à son secours. Il paraît. À ses yeux, il prend toute l'envergure, tout le prestige de l'« homme » : ce n'est pas le monstre qu'on lui avait annoncé ! Le dépit, une sorte d'écœurement la saisissent en face de la réalité trop banale : elle était cependant bien décidée à sauver le peuple ! Ce n'est pas à Dieu qu'elle obéira ; elle se vengera de lui sur elle-même. C'est alors qu'Holopherne lui propose de retrouver une innocence perdue, une innocence d'avant le péché. Judith décide de s'abandonner, avec emportement. Suzanne paraît, comme le dernier rappel de la conscience. Mais il est trop tard, Judith ne veut plus se souvenir qu'elle a été envoyée par Dieu pour remplir une mission sacrée. Judith a enfin trouvé un adversaire digne d'elle. Au moment de se dévêtir, elle monologue en présence d'une suivante sourde et muette ; et c'est pour elle un symbole de l'attitude de Dieu, sourd et muet devant ce peuple qui va mourir de la main d'Holopherne, devant cette armée qui va se livrer au carnage, « devant cette fille qui se perd, devant ce roi qui attend l'orgie ». Au IIIe acte, les Juifs ont été instruits de la conduite de Judith, de sa trahison. Jean, un de ses prétendants qui s'est glissé à travers les lignes ennemies, vient l'avertir de la colère du peuple : on lui réserve le supplice des femmes adultères, puisqu'elle a trompé Dieu. « Lequel de nous deux a trompé l'autre, c'est encore à savoir », répond Judith, qui déclare appartenir à Holopherne jusqu'à la mort. Mais Jean, qui s'est précipité dans la tente pour tuer Holopherne, découvre que Judith l'a déjà tué. Il se méprend, la remercie. En fait, elle a tué son amant, parce qu'une fois franchis certains sommets, une fois aperçues certaines lueurs fulgurantes, il n'est plus possible de consentir à cette profanation que serait un retour à la réalité. Elle ne désire plus que rejoindre Holopherne dans la mort. De toutes ses forces, elle refuse d'être considérée par le peuple juif comme l'instrument du salut. Quelque temps, la procession des chanteurs et des chanteuses, des gens venus pour lui rendre grâces, défile devant elle et l'empêche de parler. Enfin, elle crie son amour pour Holopherne, dénonce le malentendu. Mais, soudain, un garde qui dormait, ivre mort, se transforme à ses yeux en messager étincelant. Seule à le voir dans sa métamorphose, elle l'écoute. Il lui découvre les voies de Dieu et lui montre comment elle n'a été, à son corps défendant, qu'un instrument entre Ses mains : « Dieu se réserve, à mille ans de distance, de projeter la sainteté sur le sacrilège et la pureté sur la luxure. C'est une question d'éclairage. » Judith se résigne. Elle vivra, comme une veuve, à la synagogue, jugera les filles perdues, jeûnera et portera le cilice. Et tandis que le garde, qui a repris sa forme première, parle en rêve de « Judith la putain », celle-ci annonce au pontife que « Judith, la sainte, est prête ».

Cette œuvre de Giraudoux est particulièrement bien venue et pleine d'une force qui semble inhabituelle à l'auteur. La langue est très ferme, hardie dans ses rapprochements imprévus. Car Giraudoux use des procédés qui lui sont chers et qui font naître à la fois l'humour et la vie de certains anachronismes savoureux. Encore que ce soit là une tragédie, on n'en a pas moins l'impression d'être malmené, moqué agréablement par l'auteur. La pièce, bien construite, est menée avec beaucoup d'intelligence, mais ne dépasse jamais les bornes de l'humain : elle n'approche pas du surnaturel, qui forme cependant le ressort dernier de l'action. Judith est un être de chair et de sang, mais aussi un bel esprit, une « raisonneuse » ; et sa personnalité donne le ton à toute l'œuvre.

★ Sur le sujet biblique de Judith et Holopherne, le compositeur italien Antonio Vivaldi (1678-1741) composa en 1716 un oratorio intitulé *Juditha Triumphans,* exhumé en 1927 par Alberto Gentili de la collection Mauro Foà de Turin, et exécuté en septembre 1941 à Sienne. Il se compose de deux parties pour soli, chœur et orchestre (les solistes sont les deux héros, une servante, un serviteur et le grand-prêtre) sur un texte latin de Giacomo Cassetti. Vivaldi y déploie une évidente originalité. Aucune trace de polyphonie dans les cinq chœurs : leur structure monodique et syllabique apparaît assez pauvre pour l'époque. Les airs (au nombre de vingt-cinq) sont en revanche intensément expressifs ; quelques-uns sont particulièrement dignes d'être remarqués, comme celui de Judith : « Dans un sommeil profond », suivi d'un récitatif dramatique. La variété des instruments destinés à soutenir le chant est remarquable ; elle révèle chez l'auteur une recherche de coloris que l'on ne retrouve pas dans les œuvres instrumentales d'alors.

★ Parmi les innombrables compositions musicales qui s'inspirèrent de la légende biblique, signalons les oratorios de Marco da Gagliano (1575-1642), Giovanni Domenico Freschi (1640-1690), Marc-Antoine Charpentier (1645/50 ?-1704), Alessandro Scarlatti (1660-1725), Benedetto Marcello (1686-1739), Giuseppe Maria Orlandini (1688-1750 ?), Francesco Antonio Uttini (1723-1795) et Konstanz Berneker (1844-1906). De nombreux opéras s'inspirent de Judith, ceux de Domenico Cimarosa (1749-1801), Rome, 1770 ; Giacomo Meyerbeer (1791-1864) ; Alexander Serov (1820-1871), Saint-Pétersbourg, 1863 ; George Chadwick (1854-1931), Worcester (États-Unis), 1900 ; Eugène Goossens (1893-1962), 1929 ; Arthur Honegger (1892-1955), sur un texte de René Morax, représenté en 1925. Rappelons enfin la cantate de Paul Hillemacher (1852-1933) et le ballet de William Schuman (1910-1992) créé à Louisville en 1950.

★ Le maître viennois Emil Nikolaus von Reznicek (1860-1945) tira du drame de Hebbel un opéra en deux actes : *Holofernes*, représenté en 1923. Réaliste, Reznicek fait preuve d'un style musical sensuel et dense qui, sous certains rapports, se rapproche de celui de Strauss.

JUGEMENT DE PÂRIS (Le). Cet ouvrage de D'Assoucy (1605-1677), écrivain et musicien français, publié en 1648 et accompagné de *Vers burlesques*, est composé de trois chants en octosyllabes. La transposition libre et amplifiée du récit des *Troyennes* (*) d'Euripide exploite l'anachronisme et le rabaissement grotesque. Les dieux de l'Olympe, tout occupés à se goinfrer, à se quereller et à se cocufier, ne savent pas très bien lire, et seul Phébus les tire d'embarras pour déchiffrer le message que la Discorde a inscrit sur la pomme. Minerve, Vénus et Junon vantent fort crûment leurs appas, jonglant avec les mots et les figures de rhétorique. Lorsqu'elles produisent « les pièces de leur procès », tout le cosmos est en émoi, le « Soleil grimpe sur la Lune ». Pâris élit Vénus, alléché par la promesse d'un jeune « tendron ». Offrant à Minerve et à Junon en guise de consolation deux pommes de sa « panetière », il déclenche leur fureur. D. Be.

JUGEMENT DE PÂRIS (Le) [*The Araygnement of Paris*]. Pastorale ou « masque » de l'écrivain anglais George Peele (1558?-1596), représentée devant la reine Élisabeth en 1584 et publiée sans nom d'auteur cette même année. C'est une pastorale inspirée de l'italien. Pâris comparaît devant Jupiter pour avoir donné la pomme à Vénus. Diane, à qui il appartient de prononcer le jugement final, apparaît tandis que Flore fleurit la nature à l'endroit où est annoncée sa venue. Diane n'attribue pas la pomme aux déesses qui la briguent, mais à la nymphe Élise qui représente bien entendu la reine ; celle-ci est saluée à la fin dans une solennelle apothéose. Une versification habile et variée ainsi que des chansons pleines de fraîcheur (par exemple : « Fair and fair, and twice so fair ») ont fait considérer cette pastorale comme le chef-d'œuvre de Peele. Elle a valu d'ailleurs à son auteur la dignité d'« University Wits » pour le progrès qu'il a fait accomplir à l'art dramatique anglais et la grâce accrue dont il a su revêtir le « vers blanc ». Peele est un authentique poète, non seulement en raison de son sentiment de la musique, mais encore par son sens profond de la nature, débarrassé de toute convention mythologique.

JUGEMENT DE PLUTON. Ouvrage de l'écrivain français Bernard Le Bovier de Fontenelle (1657-1757), publié en 1683, en appendice à ses fameux *Dialogues des morts* (*). Dans une lettre dédicatoire, l'auteur déclare que le succès de son livre, ainsi que les méchants propos tenus par certains critiques sur la manière dont il s'était inspiré de Lucien pour composer son récit satirique, le décident à écrire ce jugement imaginaire prononcé par Pluton, dieu de l'Averne. Selon un plan heureux dans lequel les morts sont confondus dans le vaste désordre du monde des ombres, on parle de choses qui intéressent beaucoup les vivants du temps de l'auteur. Ouvrage plein de vie, dans lequel on trouve une lettre supposée écrite par les vivants aux morts, une « Requête des morts désintéressés » adressée à Pluton lui-même, et enfin les sardoniques « Règlements de l'Enfer ». C'est un récit satirique aux mots d'esprit burlesques, portant sur des événements politiques et sociaux, parfois cachés sous le voile d'évocations historiques. Les morts sont finalement invités à ne plus venir déranger Pluton par leurs disputes, à moins qu'il ne passe par la tête de quelque vivant de vouloir « imiter l'imitateur », c'est-à-dire imiter Fontenelle, lui-même imitateur de la méthode narrative imaginée par Lucien dans ses *Dialogues des morts* (*).

JUGEMENT DE SALOMON (Le). Mélodrame du dramaturge français Louis Charles Caigniez (1762-1842), écrit en 1802, qui connut une très grande vogue à sa création à « L'Ambigu » (trois cents représentations). C'est l'histoire de Léïla, maîtresse d'Éliphal, un jeune frère de Salomon. Son amant l'abandonne, on lui vole l'enfant qu'elle a eu de lui, mais finalement elle retrouve son fils et épouse le prince. Dans *La Pie voleuse ou la Servante de Palaiseau* (1815), Caigniez fit verser des torrents de larmes au sujet d'Annette, la pauvre servante faussement accusée d'avoir vendu un couvert d'argent appartenant à sa patronne. On apprendra au dernier acte que le couvert a été dérobé par une pie. Trois écus trouvés dans le mouchoir d'Annette avaient suffi pour qu'on la soupçonnât. La servante avait bien vendu un couvert d'argent – son unique bien –, mais c'était pour venir en aide à son père, vieux soldat en fuite à la suite d'un acte d'indiscipline. Caigniez remporta également un vif succès avec *Ugolin, ou la Tour de la Faim* (1820), mimodrame en trois actes qui nous transporte à Pise où la mésintelligence vient d'éclater entre le comte Ugolin et le comte Roger qui se sont emparés du pouvoir. Roger, pour se débarrasser de son rival, l'enferme dans une tour dont il fait jeter les clefs dans l'Arno. Trois des fils d'Ugolin meurent de faim, puis éclate un violent orage, et des murs s'écroulent avec fracas. Ugolin, enfin libre, sort du cachot et prend la tête des révoltés, avec son dernier fils Anselmin.

JUGEMENT ÉQUITABLE DE CHARLES LE HARDY, DERNIER DUC DE BOURGOGNE (Le). Tragédie en cinq actes de l'écrivain français André Mareschal (? -1650 ?), représentée en 1643 et publiée en 1645. Cette remarquable tragédie historique, qui innove en choisissant son sujet dans l'histoire européenne récente, concentre en quelques heures un drame d'un pathétique extrêmement violent. Tandis que Charles assiège Liège, son favori, Rodolfe, gouverneur de la place de Maestricht, accuse Albert d'intelligence avec le roi de France Louis XI, afin d'obtenir les faveurs de sa femme, Matilde, dont il est amoureux. Celle-ci refuse l'odieux marchandage de Rodolfe, mais elle s'évanouit et Rodolfe est surpris par sa propre mère dans une position qui laisse croire qu'il a abusé d'elle. À l'arrivée de Charles le Hardy, les plaintes de Matilde et l'exécution prématurée d'Albert convainquent Rodolfe de forfaiture et Charles le contraint à épouser Matilde, au désespoir de celle-ci, pour racheter le déshonneur qu'il lui a infligé. Quelques heures après, à l'issue des noces, on découvre que la pièce de théâtre qui devait servir de clou aux festivités du mariage est une pièce à deux personnages : le bourreau et Rodolfe. Tel est le « jugement équitable » conçu par Charles, qui s'enfuit pour ne pas voir l'exécution de celui qu'il a toujours aimé comme un fils. Pour le sauver, sa mère révèle au duc la vérité : Rodolfe n'est pas son fils, mais celui que sa sœur, morte après avoir secrètement accouché, a eu de Charles lui-même. Tandis que, désespéré, il hésite à faire arrêter l'exécution (« Je refuse, Nature, un présent si funeste »), on apprend que Rodolfe a été décapité après avoir proclamé qu'il n'avait pas déshonoré Matilde. Charles, resté seul en scène, atterré par le caractère tout à la fois juste et inhumain de son jugement, appelle en vain la foudre sur sa tête.

G. F.

JUGES (Livre des). C'est le septième livre de l'Ancien Testament – v. *La Bible* (*) –, le second livre historique après le *Pentateuque* (*), dans lequel est relatée l'histoire de la période qui fait suite à celle de Josué. Avec la mort de Josué débute en Israël un régime nouveau, à la fois théocratique et démocratique, mais toujours fondé sur l'ancien régime patriarcal. Le mot hébreu, rendu par « juge », « Chofet » provient de « Chafat », qui signifie juger mais aussi régir, régner. Comme l'écrit André-Marie Gérard « ... le pouvoir juridictionnel n'est autre qu'un aspect de celui de chef, du roi, du souverain [...] Reconnus par un seul clan ou par beaucoup, par une seule tribu ou par plusieurs, tous (les juges) ont reçu pour mission brève ou longue de régir de quelque manière au nom de l'Éternel les intérêts spirituels et temporels de son peuple – si étroitement liés –, à une époque critique de son histoire : celle de l'implantation israélite au milieu des Cananéens en Terre promise après la mort de Josué, successeur de Moïse. » Les douze chefs charismatiques – ou Juges – suscités par Dieu pour remédier à l'anarchie des tribus sont présentés dans ce livre. Les plus célèbres sont Jephté, Samson, Gédéon et une femme Débora. L'action du récit s'étend à peu près de 1300 à 1030 av. J.-C. Nous ne possédons pour cette époque qu'un recueil d'épisodes qui semblent disparates et proviennent de différentes sources : l'on suppose que le rédacteur du livre a vécu à l'époque de Salomon (1000 av. J.-C.). Le but de l'auteur apparaît nettement : il veut démontrer que toutes les fois que la tribu (ou l'ensemble des tribus) n'est pas fidèle à l'alliance avec Yahvé, elle en est punie par une oppression étrangère. Le livre contient des épisodes portant sur l'activité des six Juges majeurs, auxquels devaient faire pendant les épisodes traitant des six Juges mineurs. Mais ces derniers ne sont que nommés, et nous ne connaissons rien de leur activité. (Le nombre douze correspond aux douze tribus d'Israël.) Les Juges, dont les exploits forment le sujet du livre sont : 1° Otniël, de la lignée de Cénez, qui refoula Chusan-Rasathaïm, roi de Mésopotamie, oppresseur d'Israël pendant huit années ; 2° Éhoud, fils de Guéra, de la tribu de Benjamin qui, par ruse, délivra son peuple de la tyrannie d'Églon, roi de Moab, laquelle durait depuis dix-huit ans ; 3° Chamgar, fils d'Anath, qui défit 600 Philistins avec un aiguillon à bœuf ; 4° Débora, une femme prophétesse qui vainquit avec l'aide de Baraq, de la tribu de Nephtali, l'armée commandée par Sisara, général de Jabin, roi de Canaan, qui régnait à Hatsor. Les subterfuges et les duperies qui sont relatés dans cette partie du livre, surtout à propos du meurtre de Sisara, tué traîtreusement par Jahel, ne sont pas approuvés par l'auteur, qui fait des événements une relation fidèle. De toute façon, ces intrigues étaient conformes à la morale de l'époque : « dent pour dent, œil pour œil » ou la vengeance en réponse à l'oppression ; 5° Gédéon, de la tribu de Manassé, élu par Yahvé pour délivrer les tribus centrales des incursions presque périodiques des Madianites. Gédéon, chef astucieux et intelligent, et d'une foi ardente, eut raison, avec trois cents hommes, de ses ennemis qui, pendant sept ans, avaient livré au pillage les régions les plus fertiles de la Palestine. Il eut comme successeur Abimélek, qui exerça sa domination sur Israël pendant trois ans, mais ne compta pas parmi les Juges. Passant rapidement sur le sixième Juge, Tola, et le septième, Yaïr, l'écrivain sacré s'étend davantage sur l'histoire du huitième : Jephté, de Galaad, fils d'une prostituée, déshérité et chassé du pays par ses demi-frères, et qui devint un aventurier vivant de rapines, avec une bande de gens sans aveu qu'il dirigeait. Sa réputation de vaillant guerrier le fit élire juge et capitaine par ses anciens concitoyens sans cesse attaqués par les Ammonites, maîtres d'une partie de la Transjordanie. Jephté les repoussa à l'est, et libéra tout le pays. Mais, imprudemment, il fit le vœu de sacrifier celui qui, le premier, viendrait à sa rencontre après la victoire. Ce fut sa fille – v. *Jephté* (*). L'interprétation symbolique, qui voit dans le sacrifice de la fille de Jephté comme un vœu de chasteté (la virginité étant honteuse pour les femmes en Israël), est très improbable ; quant aux gloses astucieuses de ceux qui veulent voir dans cet épisode un reflet du mythe de Dumuzi-Tammuz mourant et ressuscitant, elles ne méritent aucune considération. Le sacrifice fut certainement réel. Il y a d'ailleurs d'autres livres qui font allusion aux sacrifices humains. Les Canaanéens immolaient souvent des victimes humaines aux divinités, et les Hébreux les imitèrent quelquefois. Après une brève mention du neuvième Juge, Ibçân de Bethléem, du dixième, Élôn, de la tribu de Zabulon, et du onzième, Abdôn, la chronique passe au douzième et dernier des Juges, Samson, de la tribu de Dan. C'est le héros populaire, célèbre pour sa force extraordinaire et pour son courage invincible : dons surnaturels, qui auraient été concédés à Samson, non pas à titre personnel, mais dans l'intérêt de son peuple, opprimé depuis quarante ans par les Philistins. Le *Livre des juges* peut être divisé en trois parties : tout d'abord une introduction, qui expose la situation politique et religieuse des Hébreux à l'époque des Juges. Ensuite vient le corps du sujet, où le chroniqueur sacré relate les actes des six principaux Juges, qu'il accompagne de quelques brèves notices sur les Juges mineurs. La troisième partie comporte deux appendices, lesquels, chronologiquement, devraient être au commencement du livre. Dans ces appendices, l'auteur tend à établir, par deux exemples caractéristiques, que la religion et la moralité se sont considérablement affaiblies en Israël avant l'établissement de la royauté. Si l'on ne tient pas compte de ces appendices, le *Livre des juges* est homogène ; son unité ressort de l'idée qui se trouve exposée dans l'introduction et qui est illustrée dans le contexte : à savoir que Dieu « le Juste Juge » est à la fois Dieu de vérité, Dieu de justice et Dieu de miséricorde. Israël est heureux lorsqu'il reste fidèle à Yahvé ; il est plongé dans la douleur quand il s'écarte du droit chemin ; il est pardonné quand il se repent et se convertit. – Traduction œcuménique de *La Bible,* 1988.

JUGES (Les) [*Sędziouie*]. Drame en un acte de l'écrivain polonais Stanisław Wyspiański (1869-1907), publié à titre posthume en 1907, et représenté en français en 1921 au théâtre du Vieux-Colombier. Nous sommes dans l'hôtel borgne d'un juif galicien, Samuel, qui en est devenu propriétaire en ruinant le patron, un chrétien. Ce dernier, pris de désespoir, a essayé de le tuer, ce qui lui a valu d'être condamné à la prison. Jewdocha, la fille du prisonnier, est gardée comme servante dans cette famille juive ; elle devient la maîtresse de Nathan, le fils aîné de Samuel, qui la pousse à tuer l'enfant qui leur est né. Le drame commence à l'arrivée du frère de Jewdocha, qui revient pour se venger en dénonçant Nathan comme entremetteur. Il amène avec lui un vieux mendiant dans lequel Samuel reconnaît son ancien patron sorti de prison. Nathan et son père décident alors de supprimer Jewdocha, qui sait trop de choses. Ils ne peuvent cependant empêcher le vieillard de se faire reconnaître de sa fille qui lui révèle la misère de sa vie, où a brillé un instant une seule lumière, son amour pour le misérable Nathan. À la faveur d'une dispute, Nathan tue la jeune femme, tandis que Samuel accuse le frère de Jewdocha de ce crime. Mais Joas, le plus jeune fils de Samuel, âme douce et rêveuse, a assisté à l'affreuse scène. Avant de mourir, il accuse son père et son frère. Le drame se termine par une longue plainte, d'une puissance toute biblique, qui échappe à Samuel, frappé, par la mort de son fils, dans le seul sentiment honnête qu'il ait connu. Ses dernières paroles ne sont pas des invocations désespérées à Jéhovah, mais elles expriment encore une espérance tenace : « Tu me rendras, Seigneur, ce que tu m'as pris, puisqu'il est dit : Tu es Celui qui fut et qui sera. » *Les Juges* nous montrent mieux que toutes les autres œuvres de Wyspiański son extraordinaire sens du théâtre, son art de construire en quelques traits les personnages et l'habileté avec laquelle il conduit les dialogues. La conversation de Jewdocha et du mendiant, sa mort, l'invocation finale de Samuel sont d'une puissance toute classique. – Trad. Stock, 1925.

JUIF DE MALTE (Le) [*The Jew of Malta*]. Drame en vers blancs du dramaturge anglais Christopher Marlowe (1564-1593), composé vers 1589-1590 et imprimé en 1630. L'impératrice de Turquie exige le paiement du tribut habituel auquel est soumise l'île de Malte ; aussi le gouverneur décide-t-il que la charge en incombera aux Juifs fortunés. L'un de ceux-ci nommé Barabbas refuse, si bien que son patrimoine est saisi et sa maison transformée en couvent. Ainsi ruiné, le Juif prépare une terrible vengeance ; durant un banquet, il fait massacrer froidement la plupart des convives parmi lesquels se trouve l'amoureux de sa fille Abigaïl ; puis il empoisonne cette dernière. Pendant ce temps, les Turcs mettent le siège devant Malte. Les insulaires se défendent si héroïquement que les assaillants sont réduits à utiliser la ruse pour en venir à bout. Ils trouvent un traître en la personne de Barabbas, qui leur livre la forteresse de la cité et se voit récompensé par la charge de gouverneur. Mais le dessein du Juif est également de se venger des Turcs qui ont, au premier chef, provoqué sa ruine ; il organise à cet effet une étrange machination ; il réunira les chefs turcs à un grand banquet apprêté dans une salle munie d'un plancher amovible et, à son signal, tous ses hôtes seront engloutis dans l'abîme ouvert sous leurs pieds. Mais Barabbas est trahi à son tour et les Turcs prévenus le font précipiter dans la trappe agencée à leur intention. Le texte du prologue est récité par un personnage nommé Machiavel, selon l'interprétation élisabéthaine qui faisait de l'auteur du *Prince* (*) un technicien des machinations politiques. Comme *La Tragique Histoire du docteur Faust* – v. *Faust* (*) – et *Tamerlan le Grand* (*), cette pièce constitue l'exaltation de la volonté sans frein. La volupté de la puissance est décrite sous ses formes les plus extrêmes, qu'il s'agisse de la soif de l'or ou de la frénésie de la vengeance. L'œuvre est disparate ; les troisième et quatrième actes révèlent des retouches vraisemblablement apportées lors de révisions postérieures. *Le Juif de Malte* constitue la plus complète expression du « machiavélisme » tel qu'on l'entendait alors en Angleterre, c'est-à-dire comme la théorie du vice et de l'athéisme. Le grand succès qu'il remporta auprès du public élisabéthain est dû à des raisons politiques et sociales (Machiavel est une diabolique incarnation de la corruption italienne et catholique aux yeux des zélateurs de la Réforme, tandis que l'antisémitisme est provoqué par la prospérité commerciale des Juifs). L'intrigue n'a que des fondements historiques très approximatifs. En effet, Malte ne fut pas conquise par les Turcs, mais soutint un siège célèbre en 1565. En revanche, l'épisode des deux frères (acte IV, scènes 2 et 3), que l'on retrouve dans deux pièces de Thomas Heywood (1573 ?-1641), dérive du *Novellino* (1re nouvelle) de Masuccio. – Trad. Aubier-Montaigne, 1962.

JUIF ERRANT (Le). L'histoire du Juif condamné à errer sans jamais s'arrêter jusqu'à la fin des temps, pour avoir injurié Jésus sur la voie du Calvaire, est une des légendes les plus répandues au Moyen Âge, et qui a laissé des traces dans toutes les littératures européennes. Au XIVe siècle, Roger de Wendower et Mathieu Pâris en narrèrent l'histoire et rapportèrent une version arménienne de la légende. En Italie, Buoncompagno de Signa et Guido Bonatti lui donnèrent dans leurs *Historiae* le nom de Buttadeo. Cecco Angioleri se compara à lui dans ses *Rimes*, et le Siennois Sigismond Tizio et Antonio di Francesco di Andrea l'évoquèrent dans leurs *Chroniques.* Nous le retrouvons dans une complainte flamande sous le nom d'Isaac Lakedem ; les *Livres populaires allemands* lui donnent le nom d'Ahasvérus, et la légende espagnole celui de Juan de Espera en Dios.

★ La légende inspira plusieurs artistes à l'époque romantique, et l'œuvre la plus importante consacrée à ce sujet est le fragment poétique : *Le Juif errant* [*Der ewige Jude*] de l'écrivain allemand Wolfgang Goethe (1749-1832), publié à titre posthume en 1836, mais écrit probablement en 1774. La légende populaire du Juif errant avait déjà frappé l'imagination de Goethe pendant sa jeunesse – ainsi qu'il le raconte au XVe livre de *Poésie* *et Vérité* (*) –, lorsque, à la suite de sa dissidence avec la secte piétiste en 1770, à propos du péché originel, il se décida à se constituer un « christianisme bien à lui au moyen d'une étude approfondie de l'histoire et de tous ceux qui la voyaient à leur manière ». Il reprit alors l'antique légende du Juif errant et imagina un poème qui aurait représenté, par ses personnages et par ses allégories, les moments les plus saillants de l'histoire religieuse. Le fragment qui nous reste appelle par son ton satirique un rapprochement avec Hans Sachs ; mais Ahasvérus, le savetier juif de la légende, est absent de l'épisode qu'il nous conte. Le Christ revient sur terre et n'y retrouve aucune trace de son enseignement ni de la mentalité que les hommes avaient gardée après sa mort ; son nom est inscrit sur tous les étendards, son image est partout représentée, mais sa doctrine ne pénètre plus le cœur humain et moins encore le cœur de ceux qui se prétendent ses annonciateurs. L'argument fut plusieurs fois repris et modifié par Goethe ; en 1770, il l'avait tout d'abord conçu sous forme d'un poème épique centré sur le personnage d'Ahasvérus qui, malgré son amour pour le Christ, ne le comprend pas et se mêle à ses bourreaux en l'exhortant à donner un signe de sa puissance, jusqu'à ce que des lèvres douloureuses de Jésus s'échappent les paroles qui le condamnent à jamais. Goethe fait encore allusion à ce sujet dans son *Voyage en Italie* (*), où le personnage d'Ahasverus symbolise les erreurs que Goethe avait relevées dans la secte piétiste, en même temps que celles qu'il avait cru voir dans le monde du clergé romain. L'œuvre de Goethe resta à l'état d'ébauche et il n'en demeura qu'un fragment. Dans le ton réaliste et volontairement populaire des vers, on sent la parenté du style avec celui de certaines parties de *l'Urfaust* – v. *Faust* (*). – Trad. Hachette, 1881.

★ Après Goethe, le sujet fut repris par nombre de romantiques qui firent de ce personnage le symbole de l'humanité en proie à l'angoisse de la vie et au désir de la mort. Friedrich Schubert le chargea de son propre pessimisme ; Arnim, dans *Halle et Jérusalem* (*), l'enveloppa d'une lueur de rédemption, etc. Parmi les autres œuvres qui s'inspirent de la légende, rappelons *Le Chant pour le Juif errant* [*The Song for the Wandering Jew*] de William Wordsworth (1770-1850), publié en 1800 ; la chanson *Le Juif errant* de Béranger ; le poème *Ahasverus* d'Eduard von Schenk (1788-1841), demeuré fragmentaire.

★ L'épopée en prose dialoguée *Ahasvérus* de l'écrivain français Edgar Quinet (1803-1875), publiée en 1833, est une œuvre symbolique. C'est une sorte de « mystère » moderne qui s'inspire de la tentative de « reproduire quelques scènes de la tragédie universelle qui se joue entre Dieu, l'homme et le monde ». Quinet expose sa « représentation sacrée » en quatre journées, précédées d'un prologue, suivies d'un épilogue et séparées par trois intermèdes. Dans le prologue, qui se passe au ciel, Dieu annonce aux anges son désir de faire une terre meilleure ; en attendant, Gabriel et les autres archanges doivent recueillir les meilleurs témoignages de sincérité et de noblesse spirituelle que puisse donner la vie. La première journée va de la création du monde à la naissance de Jésus ; de nombreuses divinités se disputent la possession du monde, mais un à un – géants, titans et monstres – sont mis en déroute par une force puissante jusqu'à ce que Jérusalem, après l'éphémère triomphe des villes d'Orient, apporte au monde une lumière nouvelle. Pendant la seconde journée, nous assistons à la scène culminante du mystère : le Christ, durant sa passion, demande assistance à Ahasvérus, mais il est repoussé ; Ahasvérus reçoit son éternelle condamnation. L'épithète « Juif errant » apparaît sur sa maison, une obscure malédiction le persécute, et son tourment commence. Cette apocalyptique vision d'une terrible vengeance divine s'achève par l'invasion de l'Empire romain par les barbares. Pendant la troisième journée, Ahasvérus, errant de pays en pays, rencontre Mob (la Mort), qui, ne pouvant lui enlever la vie, tourne en dérision tous ses idéaux, se moque de sa noblesse de cœur, tandis que Rachel, un ange qui a pris la forme d'une femme pour apporter l'espérance aux hommes, le console et l'aime. Durant la quatrième journée a lieu le Jugement dernier de l'humanité : dans la vallée de Josaphat viennent aussi Ahasvérus et Rachel. Mais le Christ comprend le drame du malheureux et le bénit comme le pèlerin des mondes futurs et un second Adam. L'épilogue voit se décider de nouveau le salut du misérable qui représente l'humanité sur son chemin de douleur ; il est l'homme éternel qui combat sans désespérer, parce qu'au milieu de son tourment il connaît sa rédemption. Cette œuvre symbolique est mal composée et ampoulée, mais la satire et l'ironie qui s'exercent au détriment d'une société hypocrite et en faveur du progrès et de la liberté en font une œuvre digne d'intérêt. Quelques pages, « Les Tablettes du Juif errant », ajoutées et parues dans les réimpressions d'*Ahasvérus,* exposent l'expérience recueillie par le pèlerin maudit dans les diverses villes et nations du monde. Par la désillusion qu'elles expriment sur la civilisation, elles accentuent l'interprétation de Quinet par rapport à celles de Goethe et de Hamerling : une conception de l'humanité en proie à son calvaire jusqu'à la rédemption.

★ Le drame *Ahasverus* du Danois Hans Christian Andersen (1805-1875), représenté en 1847, mérite d'être rappelé. Notons, également au Danemark, le poème dramatique de Frederik Paludan-Müller (1809-1876) : *Ahasverus* (*), publié en 1853.

★ Le roman *Le Juif errant* de l'écrivain français Eugène Sue (1804-1857), publié dans *Le Constitutionnel,* puis en dix volumes, en 1844-45, a eu une grande importance. Le

13 février 1832, avant midi, doivent se réunir dans une maison de Paris tous les survivants de la famille Rennepont, afin de se partager l'héritage laissé par un huguenot jadis persécuté. Cet héritage s'élève à cent cinquante millions. Les descendants Rennepont appartiennent aux conditions sociales les plus diverses, du prince hindou Djalma et de l'industriel Hardy à l'ouvrier Jacques dit « Couche-tout-nu » le miséreux, de la belle et riche Adrienne de Cardoville aux deux orphelines, protégées du soldat Dagobert. Mais la Compagnie de Jésus parvient à empêcher les héritiers d'arriver à temps, de façon à ce que tout l'héritage revienne au seul Gabriel de Rennepont, angélique et ignorant missionnaire de la Compagnie à laquelle il a fait une donation anticipée de toute la succession. Toutefois un codicille, découvert au dernier moment, retarde la remise de la cassette contenant les précieuses valeurs gardées par le Juif Samuel. C'est alors qu'entre en scène le père Rodin qui, se servant des passions opportunément excitées, réussit à provoquer la mort de tous les Rennepont : Adrienne et Djalma, épris l'un de l'autre et poussés au suicide ; Jacques, tué par l'alcool ; Hardy, brûlé dans l'incendie de son usine ; tandis que les deux orphelines, que leur esprit de charité a attirées dans un hôpital de cholériques, tombent victimes du fléau. Mais Gabriel, ayant appris toutes ces perfidies, ordonne qu'à la date fatale la précieuse cassette soit brûlée, et le père Rodin lui-même meurt empoisonné par un complice, émissaire d'une plus puissante société secrète, celle des Étrangleurs indiens, chargés des assassinats. Le roman tout entier est dominé par deux personnages fantastiques qui aident mystérieusement les Rennepont : le Juif et la Juive errante, symboles de la classe ouvrière, condamnée à une éternelle fatigue, et de la femme opprimée dont les droits sont foulés aux pieds. Roman-feuilleton qui fait suite aux *Mystères de Paris* (*), *Le Juif errant* dut son succès à un mouvement d'opinion publique, l'anticléricalisme. Plus que *Les Mystères de Paris,* il accentue le thème socialiste des revendications ouvrières, qui sera plus aigu encore dans *Les Mystères du peuple* (*), après la révolution de 1848. Une invraisemblable psychologie, un étalage de pittoresque et de théâtral marquent une régression du réalisme par rapport aux *Mystères de Paris.* De ce roman, l'auteur a tiré un drame représenté avec un grand succès à l'Ambigu en 1849.

★ Un opéra intitulé *Le Juif errant* fut composé par Jacques Fromental Élie Halévy (1799-1862) ; il fut représenté à Paris en 1852.

★ C'est d'un symbolisme confus qu'est empreint le poème épique en six chants, en vers ïambiques, *Ahasvérus à Rome* [*Ahasverus in Rom*], du poète autrichien Robert Hamerling (1830-1889), publié en 1866.

JUIF POLONAIS (Le). Ce drame en trois actes et cinq tableaux d'Erckmann-Chatrian (les écrivains français Émile Erckmann, 1822-1899, et Alexandre Chatrian, 1826-1890) a été créé au théâtre Cluny en 1869 et est passé ensuite au répertoire de la Comédie-Française. Un conte lyrique, mis en musique par Camille Erlanger (1863-1919), en a été tiré et représenté à l'Opéra-Comique de Paris en 1900. L'ouvrage est moins poétique et sentimental que dramatique. L'aubergiste Mathis est le maire très considéré d'un petit village d'Alsace. En réalité, c'est un affreux gredin qui assassina, pour le voler, un malheureux Juif polonais. Afin de consolider encore sa réputation, il donne sa fille à Christian, brigadier de gendarmerie. Le contrat vient d'être signé et Mathis se retire dans sa chambre, satisfait de la tournure que prennent ses affaires. Mais il a un rêve effrayant. Il se voit appréhendé par la justice, incarcéré, interrogé, traîné aux assises et forcé par les juges de revêtir la houppelande misérable du Juif, sa victime. Il s'efforce de faire croire à son innocence ; mais un magnétiseur, convoqué par les juges, le met en état d'hypnose et l'oblige à confesser son assassinat. Comme il est de tempérament apoplectique, il ne peut survivre à ce choc, et quand Christian, au matin, pénètre dans sa chambre, il le trouve mort. Ainsi le crime est puni et les enfants, innocents du forfait de leur père, ignoreront toujours la vérité. La morale triomphe. Dramatiquement, l'ouvrage est bien construit et la matérialisation du rêve offre au metteur en scène des possibilités visuelles qui contribuèrent efficacement au succès populaire de ce mélodrame.

JUIVE (La). Opéra en cinq actes du compositeur français Jacques Fromental Halévy (1799-1862) sur un livret de Scribe (1791-1861), représenté pour la première fois à Paris le 23 février 1835. L'action se passe à Constance, en 1414, au moment du Concile. Une jeune Juive, Rachel, fille adoptive d'un riche joaillier, Éléazar, est aimée du prince Léopold qui, connu sous le nom de Samuel, passe pour être de la même religion qu'elle. Les deux Juifs scandalisent le peuple qui fête l'inauguration du Concile, en continuant à travailler ce jour-là et en faisant retentir leur maison de coups de marteau. Ils sont sauvés de la fureur de la foule d'abord par le cardinal Brogni, puis par Léopold lui-même, qui connaît bien Éléazar. Léopold accepte l'invitation de Rachel à venir célébrer la Pâque juive chez elle. Le même soir, la princesse Eudoxie se rend chez Éléazar pour lui acheter un bijou précieux qu'elle désire offrir à Léopold, son fiancé, le jour où il triomphera par les armes des hérétiques hussites. Mais Léopold, au cours d'un rendez-vous avec Rachel, lui révèle qu'il est chrétien et la persuade de s'enfuir avec lui. Les deux amants sont surpris par le père qui, furieux, jette sur eux l'anathème ; cependant, ému par les prières de sa fille, il consent à leur mariage. Soudain, Léopold, regrettant sa proposition, s'enfuit. Rachel médite sa vengeance : le jour de la fête donnée en l'honneur de Léopold, alors que son père s'apprête à remettre le bijou à Eudoxie, Rachel, ayant reconnu dans le prince son amant, arrache le bijou des mains de la princesse et accuse Léopold de parjure. Les deux Juifs sont condamnés à mort. Quant au prince, qui est innocent, il voit sa peine commuée en exil. Le père et la fille, refusant de renier leur foi, montent sur l'échafaud ; mais au moment où la sentence va être exécutée, Éléazar révèle, pour se venger, au cardinal Brogni que Rachel est sa fille, perdue pendant le sac de Rome.

Cet opéra est considéré comme le chef-d'œuvre du compositeur, qui fut l'élève de Cherubini, dont il s'inspira en imitant son style éclatant. La partition ferait penser dans certains passages à Gluck, mais elle répond surtout aux exigences de l'époque qui aimait les spectacles colorés et les effets faciles. Débutant par une ouverture touffue, le premier acte comporte de grands chœurs essentiellement décoratifs. Au deuxième acte, au milieu de pages médiocres, se détachent la prière d'Éléazar d'un caractère hiératique, la romance de Rachel, l'une des pages les plus inspirées du maître français, et enfin le long duo qui exprime les sentiments jusqu'alors confus des personnages. Au troisième acte, plus encore que les chœurs entremêlés de ballets dont l'opportunité est assez contestable, il faut remarquer le sextuor construit selon la technique théâtrale du « grand opéra » et qui présente des idées musicales nobles et expressives, gâtées parfois par une touche conventionnelle. Il entre plus de puissance dramatique et de couleur dans le quatrième acte : animation du duo entre Eudoxie et Rachel ; liberté de forme et parfaite adaptation scénique dans celui du cardinal et d'Éléazar. Le cinquième acte, après un chœur énergique, conduit rapidement à la catastrophe : une belle « marche funèbre » précède le finale, composé de récitatifs modulés avec une grande vérité expressive et commentés par des chœurs qui font un contraste d'un réel tragique.

JUIVE DE TOLÈDE (La) de Feuchtwanger [*Spanische Ballade*]. Roman de l'écrivain allemand Lion Feuchtwanger (1884-1958), publié en 1955. Ce roman est la transposition d'une aventure réelle survenue au XIIIe siècle en Espagne. À une époque où la plupart des souverains ont abandonné tout idéal chevaleresque pour la ruse, la prudence et l'attente, le roi de Castille, Alphonse VIII, incarne la chevalerie médiévale. Alphonse VIII découvre en Jehuda ben Esra l'homme capable de résoudre les problèmes politiques et économiques, mais celui-ci a une fille, Raquel, belle et intelligente, dont le roi s'éprend et avec qui il s'enferme, négligeant son royaume. Alors que Jehuda travaille ardemment à l'édification de la Castille, la reine décide de briser l'influence croissante de Raquel sur le roi et de compromettre sa rivale. Et elle profite de la colère de la foule contre les négligences du roi pour détourner habilement cette colère contre Jehuda et Raquel, qui sont massacrés. Les enseignements et l'exemple de Jehuda resteront cependant dans la mémoire du roi qui, gagné à la sagesse politique, devient un vrai souverain. Cette restitution colorée et chaude de l'atmosphère passionnée de l'Espagne, le style chatoyant, sa tension dramatique contribuent à faire de cette biographie romancée un modèle du genre. – Trad. Calmann-Lévy, 1957.

JUIVE DE TOLÈDE (La) de Grillparzer [*Die Jüdin von Toledo*]. Tragédie posthume, en cinq actes, de l'écrivain autrichien Franz Grillparzer (1791-1872). C'est l'œuvre préférée de l'auteur. Commencée en 1824, achevée en 1837, elle fut jouée en 1888. Le sujet, qui tient le milieu entre l'histoire et la légende, est tiré en partie de la chronique dramatique de Lope de Vega *Les Accords de paix entre les Rois et les Juifs de Tolède* [*Las paces de los Reyes y Judéos de Toledo*]. Lola Montes, amie de Louis Ier de Bavière, a servi en partie de modèle au personnage de l'héroïne dans la version définitive de la pièce. L'action débute dans les jardins royaux de Tolède, où le marchand juif Isaac, personnage comique magistralement campé dans la manière de Shylock – v. *Le Marchand de Venise* (*) – et la fille de sa première femme, Esther, s'efforcent de dissuader Rahel, née de ses secondes noces, de satisfaire à son caprice en allant voir le roi de près, alors qu'il est interdit aux Juifs de se montrer dans les jardins royaux en la présence des souverains. Rahel, enfant gâtée et créature bizarre, tout instinctive, s'obstine dans son projet ; et lorsque arrivent le roi Alphonse le Noble, la reine et les hauts dignitaires, tandis que les gardes pourchassent les Juifs, elle se jette en criant aux pieds des souverains et embrasse les genoux du roi. Celui-ci, plus touché par la grâce sensuelle de la jeune fille que par l'expression douloureuse qui rehausse sa beauté, la traite avec bienveillance et, malgré l'indignation de sa suite, donne l'ordre de la loger avec sa famille dans un pavillon du jardin, où il ira la retrouver bientôt sous le couvert d'un déguisement. Il se laisse ainsi gagner par les charmes de Rahel qui, à son tour, s'éprend du souverain. Pris au jeu de cette aventure amoureuse, le roi en arrive à oublier ses devoirs envers son épouse, « Anglaise sévère et froide », modèle ennuyeux de vertu, et envers son peuple qui se trouve à la veille d'une guerre contre les Maures. Des amis viennent conseiller la prudence et Esther apporte la nouvelle que les Grands tenant conseil avec la reine ont décrété la mort de Rahel. Alphonse, furieux, confie alors la jeune fille à un vassal et accourt pour rétablir son autorité. Au cours d'une scène dramatique avec la reine, qui le croit ensorcelé, il promet de reprendre sa place à condition qu'elle renonce à se venger de Rahel. Cependant la sentence des Grands n'a pas tardé à être connue de tous, et lorsque Alphonse retourne auprès de Rahel, il ne trouve devant lui qu'un cadavre. Mais seul le charme de Rahel nourrissait sa passion et, devant la dépouille au masque tragique et fermé, il comprend son erreur, renonce à toute vengeance et part en guerre contre les Maures. Ce drame, calqué sur les modèles espagnols, est riche en couleurs et la peinture des sentiments y est nuancée et habile.

JUIVES (Les). La dernière tragédie en cinq actes du poète français Robert Garnier (1545-1590), *Sédécie ou les Juifves*, parut en 1583. Elle est précédée d'une épître dédicatoire, adressée au duc de Joyeuse, beau-frère d'Henri III. Garnier s'y plaint – et c'est au roi qu'il s'adresse au travers de Joyeuse – de ce qu'on ne fait pas jouer ses pièces. Avec *Les Juives*, Garnier s'attaque à un sujet biblique. Il n'avait été précédé dans cette voie que par deux catholiques français : Chantelouve, auteur d'un très médiocre *Pharaon* (1576), et Adrien d'Amboise (vers 1560 ?-1616), qui avait publié, en 1580, un *Holoferne*. Mais les protestants avaient donné l'exemple et on manquait justement d'une contrepartie catholique qui fût un moyen de propagande de la Contre-Réforme. Garnier connaît fort bien *La Bible* (*), il sait retrouver l'inspiration des psaumes et des livres prophétiques dans ses chœurs et dans les discours du prophète, et toute la tragédie est parée d'une couleur hébraïque qu'on ne trouve, avec cette force, que dans *Les Tragiques* (*) de son contemporain, le protestant Agrippa d'Aubigné. Mais c'est un sujet de tragédie grecque qu'il choisit dans l'Ancien Testament et il ne quitte pas pour autant son modèle Sénèque, ni l'inspiration de ses précédentes tragédies ; en particulier, on trouve dans *Les Juives* des passages, des personnages même, qui ont leurs correspondants dans sa tragédie de 1578 : *La Troade*. Seulement, tout se passe ici sur le plan divin, et c'est la religion qui constitue l'unité du drame. L'œuvre met en scène les malheurs de Sédécie, roi de Juda, qui s'était révolté contre Nabuchodonosor. Au premier acte, un prophète vient rappeler qu'il a autrefois prédit les calamités qui s'abattent maintenant sur le peuple hébreu parce qu'il n'a pas écouté les avertissements de Dieu ; ces calamités sont le châtiment de son infidélité. Puis l'action se précipite : tandis que Nabuchodonosor se propose d'exercer une vengeance sans pitié contre les Juifs révoltés, Amital, mère de Sédécie, vient supplier la reine d'Assyrie, épouse de Nabuchodonosor, d'intervenir auprès de son mari. La reine, émue de compassion, promet son appui ; aussi, au troisième acte, Sédécie se rend et obtient d'avoir la vie sauve. Cependant ce pardon couvre une vengeance plus raffinée : Sédécie vivra, mais ses enfants seront égorgés en sa présence. Tandis que Sédécie et le grand prêtre, Sarrée, se préparent à mourir dans leur prison, Nabuchodonosor envoie chercher les fils du roi de Juda chez leur mère ; il assure qu'il ne les prend que pour servir d'otages. Mais Amital et sa belle-fille pressentent le massacre qui se prépare, c'est pourquoi la scène des adieux est si douloureuse. Cette douleur trouve un écho dans les lamentations du chœur. Le cinquième acte est entièrement rempli par le récit pathétique que fait le prophète : les enfants ont été égorgés, le grand prêtre décapité, Sédécie a eu les yeux crevés. Quand le malheureux paraît et crie sa douleur et son humiliation, le prophète, après lui avoir montré la main de Dieu dans ses terribles épreuves, annonce la ruine de Babylone, la reconstruction du Temple et la venue du Messie.

Aucune tragédie française du XVIe siècle n'eut autant de succès ni ne fut plus imitée que *Les Juives*, et ce, non seulement en France, mais aux Pays-Bas par Vondel, en Allemagne par Andreas Gryphius, etc. *Les Juives* seraient la grande tragédie biblique française, s'il n'y avait *Athalie* (*), et encore peut-on soutenir que, si *Athalie* est une plus grande tragédie, *Les Juives* sont une tragédie plus biblique. Dans l'œuvre de Garnier, elle marque un grand progrès sur *Porcie* (1568), sur *Hippolyte* (*), *La Troade* (1578) et *Antigone ou la Pitié* (*). Si l'action est lente et un peu insuffisante – c'est plutôt une série de situations dramatiques qu'un drame –, la puissance de certaines scènes : la discussion entre Sédécie et Nabuchodonosor par exemple, la beauté des chœurs, la noblesse du langage en font une des premières grandes tragédies françaises. Les personnages ne sont plus de simples récitants ; ils ont une personnalité bien définie et vraisemblable que reflètent leurs actions et leur langage. Sédécie a vraiment la grandeur héroïque d'un vaincu qui accepte le châtiment comme une expiation, mais ne s'humilie ni ne se révolte. Amital, en proie à sa douleur, a la grandeur épique d'une Hécube. Le personnage de la jeune reine d'Assyrie est la création la plus originale du théâtre tragique de la Renaissance française : c'est vraiment une femme de chair et de sang digne des héroïnes classiques. Il faut noter la rudesse impétueuse du prophète qui semble presque faire violence à la miséricorde divine. Enfin, les choristes emploient un langage conforme à leur situation. Les enjambements, encore nombreux, ne sont plus aussi systématiques que dans les précédentes tragédies de Garnier, et le style, ferme et vigoureux, coloré, verse moins souvent qu'auparavant dans l'emphase, la trivialité et l'horreur, qui gâtent souvent, à nos yeux, le théâtre de cet auteur. Aussi *Les Juives* demeurent une tragédie assez intéressante et assez vivante pour qu'on puisse encore aujourd'hui la représenter avec succès. Rappelons à ce sujet que la pièce a été donnée à diverses reprises, depuis 1922, sur les scènes françaises.

JULES CÉSAR. La figure du dictateur, dont la légende médiévale de Rome est tout emplie, et particulièrement l'épisode de sa mort ont donné lieu à une tradition dramatique dont s'est largement inspiré le théâtre de la Renaissance, tradition qui a trouvé son expression la plus parfaite dans le chef-d'œuvre de Shakespeare. Les premières tragédies sur ce sujet et portant ce titre ont paru en France. C'est un *Julius Caesar* de l'humaniste Marc-Antoine Muret (1526-1585), tragédie écrite en latin en 1550, qui ouvre la série. Après Muret, Jacques Grévin (1538-1570) fit représenter en 1558 une tragédie : *César;* on retrouve le même sujet dans *Cornélie* de Robert Garnier (1574) et dans le *Caesar Interfectus* (1582), en latin, de l'Anglais Richard Edes.

★ Parmi les œuvres les plus remarquables de cette époque, citons *Jules César ressuscité* [*Julius Caesar redivivus*], drame de Nikodemus Frischlin (1547-1590), le meilleur auteur dramatique allemand de son époque. Ce drame parut entre 1572 et 1584 ; l'intention de l'auteur est de mettre en relief le contraste entre le vieux monde et l'Allemagne moderne, entre celle-ci et les pays latins. César et Cicéron font un voyage d'outre-tombe en Allemagne et y admirent le spectacle de la puissance politique d'un nouvel empereur, l'élévation de la poésie néo-latine, le progrès culturel réalisé par l'invention des caractères mobiles, et le progrès scientifique représenté par l'invention de la poudre à canon. Ils constatent au contraire avec douleur l'état de leurs héritiers italiens, personnifiés par un colporteur savoyard et un ramoneur. La tendance nationaliste du drame saute aux yeux ; faible dans sa composition, il manque de vraisemblance et le dialogue en est fastidieux ; mais, en compensation, l'évocation des personnages est très vivante. Bismarck a raconté que la lecture du *César ressuscité,* qu'il fit dans sa jeunesse, aviva en lui l'amour de sa patrie.

★ *Jules César* [*Julius Caesar*], tragédie en cinq actes, en vers et prose du poète dramatique anglais William Shakespeare (1564-1616), écrite probablement en 1599, fut représentée la même année et publiée dans l'in-folio de 1623. Les sources où Shakespeare puisa sa documentation sont les « Vies » de Brutus, de César et d'Antoine dans la *Vie des hommes illustres* (*) de Plutarque, traduites en anglais par sir Thomas North (1579) ; mais Shakespeare s'est surtout servi de la traduction de Jacques Amyot qu'il suit parfois littéralement. On a cru retrouver dans certains passages de l'œuvre des références à *La Pharsale* (*) de Lucain, à la *Correspondance* (*) de Cicéron, à l'*Histoire naturelle* (*) de Pline l'Ancien, à l'*Histoire romaine* (*) de Dion Cassius, aux *Vies des douze Césars* (*) de Suétone et au *César* de Pescetti ; toutefois, il est impossible d'affirmer que Shakespeare a puisé directement à ces sources, car antérieurement ont existé d'autres drames anglais sur le même sujet. Les ambitions de César provoquent un complot parmi les défenseurs de la liberté romaine, Cassius et Casca en sont les chefs ; ils persuadent Brutus, qui est un adversaire des visées de César, mais non de César lui-même, d'y participer ; aussi n'accomplit-il qu'à regret les actes auxquels il ne peut se soustraire. Nous voyons Brutus se défendre contre l'insistance de sa femme Portia à vouloir partager son secret ; puis Calpurnia, l'épouse de César qui, avertie par un songe, cherche à détourner son époux de se rendre au Capitole pour les ides de mars. Mais l'un des conjurés, Decius, arrive à le convaincre que sa présence est nécessaire, et les efforts déployés par le sophiste Artemidore pour le mettre en garde demeurent vains. César est assassiné ; les cris de « Liberté ! Indépendance ! » éclatent dans la ville, suscités par les conjurés qui espèrent avoir le peuple pour eux. Mais Marc Antoine, par l'habile oraison funèbre qu'il prononce sur le corps de César, soulève la foule qui était restée froide devant le discours trop sec de Brutus. L'insurrection populaire contraint les conjurés à la fuite ; un gouvernement de triumvirs est formé avec Antoine, Octave et Lépide, qui marchent contre les troupes de Brutus et Cassius. À la veille de l'épreuve, ces deux amis ont une altercation, puis se réconcilient ; Brutus apprend alors à Cassius la nouvelle de la mort de Portia. Ce célèbre colloque (« half-sword parley ») fut une des scènes les plus admirées par les contemporains de tout le théâtre de Shakespeare. Le spectre de César apparaît à Brutus. Dans la plaine de Philippes, Brutus a l'avantage sur les forces d'Octave, tandis que Cassius est battu par Antoine. Croyant que Brutus a lui aussi été vaincu, Cassius se tue ; le fidèle Titinius suit son exemple. Dans la seconde bataille, Brutus à son tour, découragé par la mort de Cassius, connaît la défaite ; lui aussi se donne la mort. Le problème de l'interprétation de ce drame, qui ouvre la série des grandes tragédies shakespeariennes, est assez compliqué. La plupart des critiques, s'appuyant sur le fait que la mort de César a lieu à un stade prématuré de l'action, estiment que César n'est pas le protagoniste de la tragédie et soutiennent que ce rôle est dévolu à Brutus. En revanche, d'autres font valoir que l'esprit de César domine tout le drame, même après sa mort, et que son nom est sur les lèvres de Brutus et de Cassius quand ils se suicident. À première vue, Il peut sembler que le véritable protagoniste soit Brutus, d'autant qu'à la fin de la pièce celui-ci est évoqué par Antoine avec des paroles qui, par analogie, pouvaient s'appliquer à Shakespeare lui-même : « De tous les Romains, c'était le plus noble ; tous ces conspirateurs, excepté lui, firent ce qu'ils ont fait par jalousie du grand César ; il s'est associé à eux, lui seul, dans l'honnête pensée du bien public, du bonheur de tous. Sa vie fut noble, et ses qualités si bien mélangées que la Nature pouvait se dresser et dire à l'univers entier : "C'était un homme". » Mais Brutus au Ier acte est dans une position secondaire par rapport à Cassius ; dans le IIIe acte, sa personnalité est éclipsée par celle d'Antoine ; dramatiquement parlant, son rôle n'est de premier plan qu'aux IIIe et IVe actes. Pour résoudre le problème, certains ont pensé que le véritable protagoniste était l'idée que personnifiait César, c'est-à-dire l'idéal d'autorité absolue, auquel s'oppose l'idée républicaine, incarnée dans les défenseurs de la liberté de l'antique Rome. D'autres enfin ont trouvé ces recherches bien vaines, puisque les destins de César et de Brutus sont indissolublement liés, puisque enfin, lorsque le propre destin de Brutus, son démon, lui apparaît (acte IV, sc. 3), c'est avec le visage de César. La tragédie a un rythme haletant qu'on sent conduit par une Némésis sans pitié. Les passages principaux sont, dans la première partie, la mort de César ; dans la seconde, le suicide de ses agresseurs. Entre ces points culminants, il y a une pause : la réunion des triumvirs qui, à l'écart du tumulte tragique, le contemplent d'un regard froidement calculateur. L'élément comique est à peu près absent dans cet austère drame romain comme il l'est dans *Coriolan* (*) ; s'il y a rire, c'est un rire amer suscité par le sort du poète Cinna, que la foule massacre par erreur, et par la naïveté de cette même foule si facilement conquise par les impudents expédients oratoires du discours d'Antoine. Parmi les vers de cette tragédie, l'un d'eux est passé en proverbe, celui de la scène 2 de l'acte III, quand Antoine montre les déchirures faites par les poignards dans le manteau de César : « De tous ces coups, celui-là fut le plus cruel ; car, quand le noble César se voit frappé par lui, plus puissante que les armes des traîtres, l'ingratitude l'acheva » [This was the most unkindest cut of all...]. — Trad. Yves Bonnefoy, Formes et Reflets, 1954-1961.

★ En 1603 parut en Angleterre une tragédie *Jules César* de William Stirling (1567-1640).

★ Au XVIIIe siècle, le personnage suscita des accents dramatiques nouveaux, appuyés sur une meilleure connaissance de l'histoire. Rappelons à cet égard la tragédie *Jules César* [*Giulio Cesare*] de l'abbé Antonio Conti, de Padoue (1677-1749), écrite en vers, en cinq actes et un prologue, et publiée en 1726. L'œuvre s'opposait à la tradition du théâtre italien et introduisait dans la littérature dramatique le souci d'un plus grand respect des valeurs historiques. Quelques jeunes gens de l'aristocratie romaine, ayant Marcus Brutus et Cassius à leur tête, complotent d'assassiner César, par haine de la dictature et par amour des libertés républicaines. Le drame suit fidèlement le récit historique. Pour respecter l'unité de lieu, toutes les scènes du drame se déroulent devant l'entrée de la maison de César, près du temple de la Clémence : d'où quelques inconvénients techniques qui nuisent à la marche de l'action et qui, joints au manque de relief des figures de César et de Brutus, et aux trop longues tirades des divers personnages, figent cette solennelle tragédie dans une immobilité plus éloquente et suggestive que théâtralement vivante. Les figures féminines sont fort bien traitées. Pour répondre aux critiques sur l'inconsistance de son personnage de Brutus, Conti reprit plus tard le sujet dans son Marcus Brutus [*Marco Bruto*].

★ *La Mort de César,* tragédie de l'écrivain français Voltaire (François-Marie-Arouet, 1694-1778), écrite en 1735, ne fut jouée pour la première fois en France que le 29 août 1743. La figure du grand capitaine et du génial politique s'est toujours imposée même à ceux qui sont idéologiquement opposés au fondateur de l'empire. Mais rien de sa grandeur royale ne transparaît dans la tragédie de Voltaire, de même que rien n'évoque la puissance dramatique, le relief plastique, la profonde introspection du *Jules César* de Shakespeare, que l'auteur — qui l'avait traduit en vers français — avait pris pour modèle. Le héros de la tragédie voltairienne est un vulgaire ambitieux qui, en même temps qu'il rêve de l'empire, s'attendrit en pensant à Brutus, le fils qu'il a eu de Servilia, sœur de Caton, à la suite d'un mariage secret, et qui a été élevé par sa mère dans les principes républicains. César, qui aime son fils d'une affection cachée mais profonde et qui ressent toute la douceur de la paternité, tente d'émouvoir Brutus en lui dévoilant le secret de sa naissance et en lui adressant un pathétique appel ; mais son fils, caractère absolu et d'ailleurs superficiel, lui répond : « Fais-moi mourir sur l'heure, ou cesse de régner » (acte II). La tragédie s'achemine donc vers la catastrophe ; les conjurés, Brutus en tête, poignardent le dictateur pendant une séance du Sénat ; le peuple ne répond pas à leur appel, mais, excité par l'adroite éloquence d'Antoine, il se déchaîne contre les assassins de César. Les deux dernières scènes sont tirées intégralement de Shakespeare. Toutefois Voltaire reste loin derrière son génial modèle, et sa tragédie apparaît bien froide et ampoulée.

★ Dans la tragédie *Brutus second* (*) de Vittorio Alfieri, le personnage de César manque de relief poétique.

★ Un souffle de titan anime au contraire le dictateur dans le fragment dramatique *Cäsar* de l'écrivain allemand Wolfgang Goethe (1749-1832), qui appartient à la période du « Sturm und Drang ». César est la première de ces figures de génie qui surgissent dans l'œuvre de Goethe comme une protestation contre la société qui ne les comprend pas. Dans les quelques fragments qui nous sont restés se dessine en traits énergiques la figure du héros qui osa affirmer sa supériorité sur le vil troupeau dont il était environné : « Tant que je vivrai, que tremblent les indignes et qu'ils n'aient pas le cœur de se réjouir sur ma tombe ! » *César* est de la même essence poétique que *Prométhée* (*), *Gœtz de Berlichingen* (*) et *Faust* (*). L'œuvre fut conçue sans doute durant la période strasbourgeoise de la vie de Goethe et reprise en 1774. Vers 1808, il semble que le poète ait eu l'intention de terminer le drame commencé pendant sa jeunesse. Napoléon l'y encouragea, après une représentation de *La Mort de César* de Voltaire, afin qu'il traitât le même sujet « d'une façon plus digne et grandiose que le tragique français ». On a beaucoup discuté sur la raison qui empêcha Goethe de terminer cette œuvre. D'aucuns prétendent qu'il s'est arrêté devant le personnage de Brutus, qui lui parut soudain plus grand que César lui-même ; cependant certaines allusions à Brutus dans d'autres écrits de Goethe, où il est traité de criminel, ne permettent pas de retenir cette hypothèse.

★ En Espagne, la tragédie classico-romantique *Julio Cesar* de José María Díaz (env. 1800-1888) se ressent de l'influence d'Alfieri.

★ Dans la comédie *César et Cléopâtre* [*Caesar and Cleopatra*] de l'écrivain irlandais George Bernard Shaw (1856-1950), représentée en 1899 et publiée en 1900 dans *Trois pièces pour puritains* [*Three Plays for Puritans*], César apparaît en personnage de parodie. Le dictateur romain nous est présenté sous le masque grotesque d'un puritain anglo-saxon, et la femme la plus séduisante de l'Orient antique n'est plus qu'une petite momie embaumée. La reine de seize ans a entendu les propos les plus fabuleux concernant les Romains, elle se les figure comme des monstres et César comme un ogre. Craignant son arrivée, elle va se réfugier près du Sphinx où elle s'endort. Survient César qui, dans un monologue anxieux, voudrait arracher au Sphinx son secret. La jeune fille s'éveille et parle à cet « old gentleman » qui admire sa beauté, l'exhorte au courage, tout en gardant l'incognito, et l'escorte enfin jusqu'au palais royal. C'est en voyant les soldats romains saluer leur chef que Cléopâtre comprend qu'elle est en présence de César, et avec un soupir de soulagement elle se jette dans ses bras. Au second acte nous sommes à Alexandrie, dans le palais de Ptolémée, le souverain-enfant. César exprime son horreur pour le meurtre de Pompée et veut que Cléopâtre, qu'il a amenée avec lui, prenne place sur le trône aux côtés de son frère Ptolémée, conformément au testament de leur père. Mais les ministres du roi préfèrent la guerre. César occupe l'île de Pharos où (au troisième acte) il est rejoint par la belle Cléopâtre. Le chef romain court le danger d'être pris au piège, mais il se sauve à la nage. Au quatrième acte, Pothinus, précepteur de Ptolémée, tente de semer les soupçons et la discorde entre César et Cléopâtre ; celle-ci fait tuer Pothinus par sa nourrice qui, à son tour, est exterminée comme un serpent venimeux par un officier romain. Le dernier acte se déroule après les victoires de César et la mort de Ptolémée, noyé durant la bataille sur le Delta. César prend congé de Cléopâtre qu'il a faite reine unique et lui promet de lui envoyer de Rome, à sa place, Marc Antoine qu'elle a déjà vu et admiré en Égypte et dont elle a toujours gardé le souvenir. Dans la brillante Préface de l'ouvrage, l'auteur déclare : « Dans *César,* je me suis servi d'un autre personnage, dans lequel Shakespeare m'a devancé. Mais Shakespeare, qui connaissait si bien la force de la faiblesse humaine, n'a jamais connu la force humaine du type césarien. Son César est, de l'avis de tous, un échec [...] César n'était pas en Shakespeare, ni en l'époque, maintenant prête à disparaître, qu'il inaugurait [...] On dira que ces remarques ne s'expliquent que pour présenter au public mon *César* comme une amélioration de celui de Shakespeare. C'est bien en effet leur but précis. » Le dialogue fourmille de paradoxes et, comme dans toutes les autres œuvres historiques de Shaw, le jeu scénique est très vif et l'atmosphère historique est rendue d'une manière très pittoresque et fort libre. – Trad. Aubier, 1935.

★ Une des plus récentes œuvres théâtrales sur ce sujet est *Giulio Cesare,* drame en cinq actes d'Enrico Corradini (1865-1931), représenté sur la scène de l'antique théâtre romain d'Ostie en 1926. C'est surtout un grand apologue politique.

★ Le drame de Shakespeare a inspiré plusieurs musiciens dont le premier fut Francesco Cavalli (1602-1676), qui écrivit un opéra intitulé *La Prospérité malheureuse de Jules César, dictateur* [*La prosperità infelice di Giulio Cesare dittatore*], représenté en 1646. Le plus important de ces musiciens est Georg Friedrich Haendel (1685-1759) qui composa un opéra à l'italienne, en trois actes, *Jules César,* représenté à Londres en 1724, sur le livret en anglais de Nicolas Haym. Ce livret, calqué sur les plans mélodramatiques de Métastase, entremêle l'amour et la politique, la jalousie et l'héroïsme. L'action s'ouvre sur l'arrivée en Égypte de César, victorieux de Pompée, après la bataille de Pharsale. Des courtisans égyptiens ont traîtreusement assassiné son ennemi. Deux groupes de personnages et deux ordres de sentiments s'opposent. D'une part, César, Cornélia, veuve de Pompée, et son fils Sextus ; d'autre part, Ptolémée et son général Achillas qui, unis d'abord par le désir du pouvoir, puis épris tous deux de Cornélia, se combattent et s'éliminent. Cléopâtre, sœur de Ptolémée, devient reine d'Égypte grâce à l'appui de César, tandis que se répand la fausse nouvelle de la mort de l'empereur. La musique, composée suivant l'usage italien de récitatifs et d'airs, contient de fort belles pages. La plupart des récitatifs surpassent ceux des œuvres italiennes contemporaines par la vigueur de leur expression dramatique, la justesse d'accent de la déclamation et de l'accompagnement orchestral. Les airs, composés à la mode du temps, dépassent souvent le cadre des conventions formelles et du sentimentalisme douceâtre de l'époque par leur puissance, et ils confèrent à l'œuvre une unité scénique et artistique. La richesse de l'instrumentation, les nombreux changements de scènes, les morceaux d'orchestre ajoutent à l'intérêt de la partition et du spectacle.

★ Un autre opéra pareillement intitulé et sur le même sujet fut composé par David Perez (1711-1778), Lisbonne, 1762. Pour la tragédie de Shakespeare, Robert Schumann (1810-1865) écrivit en 1850 une ouverture et Gustave Doret (1866-1943) toute une musique de scène. Un opéra de Gian Francesco Malipiero (1882-1973), *Giulio Cesare,* fut représenté à Gênes en 1936.

★ L'iconographie relative à Jules César est extrêmement riche. Dans l'Antiquité, des statues et des bustes célébrèrent le conquérant durant sa vie et après sa mort. On tient pour authentiques, étant donné leur ressemblance, les deux statues du Louvre et du Musée du Capitole, ainsi que les bustes du Musée national de Naples, des Offices et du Louvre. Le Musée de Berlin possède aussi une belle statue et un étonnant buste en basalte. Parmi les œuvres plus récentes, rappelons la grande fresque de Mantegna à Mantoue, intitulée *Le Triomphe de Jules César* ; *César reçoit la tête de Pompée*, de Giorgione.

JULES DE TARENTE [*Julius von Tarent*]. Drame en cinq actes de l'écrivain allemand Johann Anton Leisewitz (1752-1806), représenté à Berlin pour la première fois en 1776. L'action se passe au XVe siècle : Jules et Guido, fils du prince de Tarente, sont épris l'un et l'autre de Blanche, que le prince, pour éviter tout sujet de discorde entre les deux frères, a fait entrer dans un couvent, Jules, l'aîné et l'héritier du trône, qui est d'un tempérament passionné, aime Blanche d'un amour sincère et se sent prêt à renoncer pour elle à ses droits, alors que Guido fait de cette conquête un point d'honneur ; le premier des deux frères est cultivé et de mœurs pacifiques, tandis que le second est fougueux, ambitieux, querelleur. Au moment où Jules se résout à fuir en compagnie de Blanche, qui l'aime également, les deux jeunes gens sont découverts par Guido qui assassine son frère. Blanche, devant le cadavre de son amant, devient folle. Si le père, dans une scène pathétique, pardonne à son fils, lequel manifeste un grand repentir, il n'en demeure pas moins que justice doit être faite : le prince de Tarente poignarde son fils et se retire dans un couvent de Chartreux. Ce drame mérite pleinement l'appréciation que porta Shröder sur le théâtre de Hambourg ; il jugeait que l'action en était dense, les dialogues habiles et l'ensemble mené avec beaucoup de vivacité et de chaleur ; il y voyait une connaissance indiscutable du cœur humain et des passions, et tous les signes qui font reconnaître chez l'auteur un poète de talent. De son côté, le public accueillit l'ouvrage avec un enthousiasme beaucoup plus grand qu'il ne l'avait fait pour *Les Jumeaux* (*) de Klinger, pièce qui avait été couronnée par un jury littéraire. *Jules de Tarente* se ressent de l'influence de Lessing plus que de celle de Shakespeare ; il appartient au « Sturm und Drang », encore que les exemples donnés par l'école de Göttingen aient plus influencé l'auteur. La critique fut, en un mot, favorable, bien que Haller fît remarquer l'anachronisme des caractères et que Wieland en soulignât l'excès de lyrisme. – Trad. dans *Nouveau théâtre allemand,* Paris, 1782.

JULES ET JIM. Roman publié en 1953 par l'écrivain français Henri-Pierre Roché (1879-1959). Correspondant du *Temps,* puis attaché au haut-commissariat français à Washington pendant la guerre de 1914-18, l'auteur a vécu de longues années en Angleterre, en Allemagne et en Orient. Il a eu de nombreuses amitiés parmi les musiciens, les écrivains et les grands peintres fauves ou cubistes. Auteur de diverses traductions, il a publié un *Don Juan* sous le pseudonyme de Jean Roc. À la fin de sa vie, Henri-Pierre Roché a écrit deux romans d'une étonnante jeunesse : *Jules et Jim* et *Deux Anglaises et le continent* (1956). *Jules et Jim* est, avant toute chose, le récit d'une amitié. Curieux de voir le bal des Quat-z'Arts, Jules, étranger à Paris, s'adresse à Jim pour qu'il l'y conduise. De cette soirée passée ensemble naît la profonde amitié qui prélude à cette histoire. Ils deviennent inséparables et l'on aurait rarement vu la haute silhouette de Jim le Français sans celle, petite et ronde, de Jules d'Europe centrale, dans les cafés littéraires et autres lieux fréquentés par les artistes et les écrivains. À Paris, Jules – poète comme Jim – se sent bien seul. Mais les amies que lui présente Jim ne l'attirent guère. Par contre, les belles élues par Jules plaisent beaucoup à Jim. Ainsi Gertrude, Magda ou Odile, et plus encore Lucie, que Jules voudrait bien épouser, mais qui se refuse à lui. Vient le jour où Kathe, au sourire de déesse primitive, entre dans la vie des deux amis, et surtout dans celle de Jules. D'un commun accord, Jim s'efface. Passe la guerre, qui sépare les deux amis. Vient la paix, qui les réunit. Jules n'est pas de ceux qui savent charmer à jamais les déesses capricieuses. Jim retrouve une Kathe incertaine, fugueuse, qui, si elle aime toujours ce cher Jules, ne se contente plus de lui. Des confidences réciproques la rapprochent de Jim. Désormais, Kathe ira, de Jules à Jim, chercher équilibre et bonheur à sa façon. Fugues, ruptures, reprises, Kathe ne sait plus lequel des deux amis elle aime ; à vrai dire, elle les aime tous les deux. Quelques années plus tard, après bien des péripéties, tous les trois semblent avoir réussi à trouver un équilibre, dans un grand appartement parisien. Mais rien ne saurait jamais être en équilibre avec Kathe la féminine. Et c'est avec l'entrain et la vivacité du premier soir, celui de leur rencontre, où, sur un coup de tête, elle se jetait tout habillée dans la Seine, qu'elle s'y précipitera à nouveau, au volant de sa petite voiture, entraînant Jim avec elle. Et c'est Jules resté seul qui tirera la morale douce-amère de ce conte, et des deux plongeons : « Le premier, pour m'avertir... et pour séduire Jim. Le second, pour nous punir, et pour tourner la page. » En 1960, le cinéaste François Truffaut réalisa une très belle adaptation cinématographique du roman.

JULIE ou la Nouvelle Héloïse. Roman épistolaire du philosophe et écrivain genevois d'expression française Jean-Jacques Rousseau (1712-1778), publié en 1761. La première édition parut sous le titre : *Lettres de deux amans habitans d'une petite ville au pied des Alpes — Recueillies et publiées par J.-J. Rousseau — À Amsterdam chez Marc Michel Rey.* Son succès fut immense, en particulier dans les milieux aristocratiques : selon l'auteur lui-même, il fallait toute la délicatesse et le tact qu'on ne peut acquérir que par l'éducation du grand monde pour saisir la finesse dont l'œuvre était imprégnée. *La Nouvelle Héloïse* entreprend l'exaltation de l'amour et de l'amitié, « idoles » chères au cœur de Rousseau, à travers deux personnages idéaux que l'auteur se complaît à parer des plus séduisantes images de la vertu : en fait, si l'inspiration du roman est éminemment subjective, les intentions de l'auteur sont manifestement morales. L'amour de Julie et de Saint-Preux, exacerbé par les obstacles qu'il rencontre, constitue en quelque sorte la sublimation de la passion de Jean-Jacques pour Mme d'Houdetot, brutalement rompue dans la réalité, mais délicieusement poursuivie et achevée dans le rêve fervent de son désir et la création littéraire. Rousseau avait plus de quarante ans lorsqu'il se prit pour Mme d'Houdetot d'une passion à la fois romanesque et sensuelle, exaltée par une aspiration sincère à la vertu : mais ni Rousseau ni son amie ne pouvaient trahir Saint-Lambert, irréprochable amant de Mme d'Houdetot. Pourtant, sans la faire céder, Rousseau l'avait conquise par l'élévation de ses sentiments. Pris au piège de sa propre vertu, il ne pouvait désormais que tenter de vivre une amitié fondée sur une commune tendresse, une amitié à trois, innocente certes, mais dont la réalisation s'avéra bientôt impossible. C'est alors qu'il conçut et écrivit son roman qui, loin de constituer le récit d'un échec, entend plutôt répéter l'expérience et la réussir pour en justifier du même coup les principes. Et ceci en dépit de l'ambiguïté apparente du dénouement ; car la réalisation et la permanence de ce « bonheur intime » ne sont interrompues que par un événement extérieur et fatal, encore tempéré par la valeur morale et l'efficacité de l'acte, qui détruit l'harmonie sans cependant la nier, ni lui ôter sa possibilité d'existence « naturelle » au cœur des personnages. Pour donner plus de consistance à son rêve, Rousseau y mettra les émotions de son enfance et la précision de ses souvenirs, s'attachant à évoquer des personnages bien circonscrits et situés dans ces paysages du lac de Genève qu'il connaissait et aimait tant : Julie d'Étanges et son précepteur, Saint-Preux, s'aiment l'un l'autre ; mais les conventions sociales séparent les deux jeunes gens ; Saint-Preux quitte la Suisse pour Paris, Julie se voit contrainte par ses parents d'épouser le vieux M. de Wolmar. Tout en remplissant ses devoirs d'épouse et de mère, Julie, impuissante à oublier Saint-Preux et n'obéissant qu'à sa loyauté, finit par avouer à son mari ce tendre sentiment. Entendant manifester à sa femme et à son ami l'estime qu'il éprouve à leur égard, M. de Wolmar n'hésite pas à rappeler Saint-Preux, qui a voyagé entre-temps en Europe et en Amérique, s'offrant à l'accueillir sous son propre toit. Après un hiver passé auprès des Wolmar, Saint-Preux les quitte, mais sera bientôt rappelé par une lettre de Claire, cousine de Julie : celle-ci a dû s'aliter après avoir sauvé un de ses enfants qui, tombé dans le lac, était sur le point de se noyer. Avant de mourir, elle suppliera Saint-Preux de ne pas quitter la maison et de se consacrer à l'éducation de ses enfants.

Le roman est constitué non seulement par les lettres des deux protagonistes, mais aussi par celles de Claire d'Orbe à Julie, de milord Édouard Bomston à Saint-Preux, et de M. de Wolmar. Dans ses pérégrinations en quête d'apaisement et d'oubli, Saint-Preux est souvent à même d'observer les mœurs et les lois des divers peuples, et de les comparer à celles de la France et en particulier du Paris de l'époque, ce qui permet ainsi à Rousseau d'exprimer ses propres idées à travers les lettres de son héros, d'exalter en toute occasion la vie champêtre et primitive, et de placer à côté de l'idéal de sagesse et de générosité du libéralisme anglais la simplicité de mœurs et la justice sociale de la Suisse. Car il s'agit aussi, et avant tout, d'un roman philosophique, et entre autres thèses morales et sociales posées et discutées dans les lettres particulières, un thème fondamental, favori de Jean-Jacques, se dégage de l'ensemble même du roman. Chacun de nous peut retrouver en lui-même et recréer dans sa vie l'homme naturel : telle est la leçon de *La Nouvelle Héloïse*. Rien de plus innocent dans cette perspective que les amours de Julie et de Saint-Preux ; mais ils oublient tous deux que la vie « selon la nature » est rendue impossible par les formes mêmes de la société car celle-ci ne reconnaît pas leur amour : en donnant Julie à un homme qu'elle n'aime pas, elle la met insensiblement sur la voie de l'adultère. Ainsi, le mensonge se révèle comme un produit social opposé à la franchise naturelle. Le sentiment religieux de Julie et sa droiture innée lui font exclure la possibilité d'une tromperie, que la société en revanche tolère avec indulgence. Manifestant une égale noblesse de sentiments, M. de Wolmar apporte son concours à Julie et tous deux font régner dans une heureuse liberté la vérité de la vertu. Par son respect du devoir et sans renier son premier amour, Julie restaure la pureté originelle de l'individu et rétablit l'harmonie de la famille, noyau social qui constitue la « plus ancienne des sociétés » et le « premier modèle des sociétés politiques » – v. le *Contrat social* (*). L'asservissement et le mensonge abolis, un tel milieu familial laissera s'épanouir les intelligences tout en conservant les cœurs purs. Ainsi Rousseau semble vouloir expliquer l'échec de sa passion envers Mme d'Houdetot par les défauts de la société de son temps ; carence des institutions qui le pousse, en se perpétuant, à un désespoir solitaire, vers le rêve, l'évasion et les constructions idéales, et, la simplicité naturelle difficilement retrouvée, réduisant celle-ci à de petits groupes choisis, de petits havres de bonheur, ne laissant aux élus que l'aspiration au divin, le culte fervent de la vie intérieure et de l'intimité. Là réside l'apparente contradiction de Rousseau prônant d'un côté la subordination volontaire à l'État et de l'autre s'enfermant dans l'exaltation de l'individu, élargissant à son insu le fossé qui sépare l'action commune du rêve et de l'action purement individuelle, contradiction que le romantisme poussera jusqu'à ses extrêmes conséquences à travers la déification du « Moi » et de la « Nation ». Toute cela est sensible dans la différence de ton entre *La Nouvelle Héloïse* et l'*Émile* (*) ou le *Contrat social :* ce n'est plus le ton volontaire et assuré du législateur, mais celui de l'effusion et de l'épanchement, prélude aux symphonies sentimentales des *Confessions* (*) et des *Rêveries du promeneur solitaire* (*). Ce roman, qui nous apparaît aujourd'hui d'une lenteur parfois exaspérante, n'en renferme pas moins des pages descriptives empreintes d'une remarquable fraîcheur et contenant déjà, outre une vision subjective du « paysage », tous les éléments qu'orchestreront plus tard les romantiques du monde entier, entres autres Chateaubriand et Lamartine, Mme de Staël et George Sand. On y retrouve certaines influences antérieures, de *La Princesse de Clèves* (*) à *Clarisse Harlowe* (*), en passant par la *Marianne* (*) de Marivaux et la *Manon Lescaut* (*) de l'abbé Prévost. Quant aux contemporains, ils goûtaient dans *La Nouvelle Héloïse* non seulement le récit d'un amour malheureux, mais les dissertations sur les sujets les plus variés, politiques, religieux, philanthropiques, pédagogiques, développées avec l'emphase sentimentale chère au goût de l'époque. Avec l'*Émile*, ce roman contribua à créer autour de Rousseau cette réputation de révolutionnaire, qui le fit expulser successivement de France et de Suisse, le contraignant à se réfugier en Angleterre, ce qui ne fut pas la moindre raison du grand et rapide succès dont bénéficia *La Nouvelle Héloïse*.

JULIEN ou la Vie d'un poète. Drame lyrique en quatre actes, livret et musique du compositeur français Gustave Charpentier (1860-1956), créé à l'Opéra-Comique le 4 juin 1913. Cet ouvrage est la suite de *Louise* (*). Dans le prologue, on voit Julien dans son atelier de la Villa Médicis, travaillant près de Louise endormie. Le premier acte s'intitule « Au pays du Rêve », et se divise en trois tableaux, « La Montagne sainte », « La Vallée maudite » et « Le Temple de la Beauté ». Dans le premier, les Filles du rêve accueillent Louise et Julien, et célèbrent la douceur d'aimer ; dans le second, les poètes déchus implorent vainement la Beauté. Julien est saisi d'horreur au moment où il les découvre au fond de l'abîme d'épouvante. Enfin, les nuées qui ont envahi la scène se dissipent et, au milieu des chants d'allégresse qui ouvrent le troisième tableau, les amants s'avancent. L'Hiérophante les accueille ; les Filles du rêve entraînent Louise devenue leur sœur, et l'Hiérophante révèle à Julien qu'il lui faudra payer d'amères souffrances la réalisation de son rêve. La Beauté lui apparaît ; il balbutie des mots d'extase. Elle réplique : « Être simple ; ne point s'armer de la raison contre l'amour. Aimer ! » Deuxième acte : « Doute ». Julien s'éveille au milieu des paysans, dans un village de Slovaquie. Les hommes sont accablés des efforts qu'exigent leurs travaux. Ils invitent le poète à demeurer parmi eux. Une jeune fille lui sourit ; accepter, ne serait-ce pas l'oubli, la vie facile ? Mais il se souvient de l'avertissement du Hiérophante, et il reprend sa route. Troisième acte : « Impuissance ». Julien s'est réfugié en Bretagne, parmi les siens. S'avançant sur la terrasse de la maison familiale, Julien confie à la nature son angoisse croissante. L'aïeule tente d'apaiser son tourment. Mais du fond de la vallée monte un chant de malédiction ; un cortège s'avance sur la route : ce sont les poètes déchus. Va-t-il les suivre, ou demeurer près de l'aïeule qui voudrait le retenir ? « Crains l'orgueil », lui dit-elle avant de mourir. Quatrième acte : « Ivresse ». Le dernier acte se divise en deux tableaux. Le rideau se lève d'abord sur une guinguette de Montmartre. Julien arrive, égaré, fuyant l'obsession des voix fatales. Une fille l'aborde, tente de le consoler ; Julien croit voir le fantôme de celle qu'il aima ; mais la fille s'enfuit. Resté seul, il sent grandir le désir de s'étourdir, et s'élance vers la fête. Deux hommes surviennent, le Sonneur du Temple et l'Acolyte, que l'on a vus au premier acte : le temple de la Beauté est maintenant une baraque foraine et les Filles du rêve en sont les figurantes. Elles arrivent pour la représentation, accoutrées d'oripeaux voyants. Le second tableau a pour décor la place Blanche, un soir de Carnaval : le Théâtre de l'Idéal s'y est en effet installé, et un écriteau indique aux passants que « la Splendeur du Vrai est visible ici pour deux sous ! ». Un mage fait la parade. Julien monte sur les planches et harangue à son tour la foule, boit à la mort de l'Idéal, et s'effondre aux pieds de la fille.

La partition traduit bien le réalisme et le rêve poétique dont l'œuvre est faite. Elle est construite sur une dizaine de thèmes principaux, dont quelques-uns subissent des transformations ; ainsi le thème de « la promesse de gloire », qui apparaît dans le temple de la Beauté, deviendra plus loin le thème de la « Malédiction ». Les pages superbes abondent – comme les « Voix de la Nuit », à la scène 3 du deuxième acte, et l'invocation qui les suit. Le quatrième acte est une étonnante réussite : les thèmes rencontrés au cours des tableaux précédents se trouvent ici réunis, amalgamés même, avec un art consommé. La musique exprime à merveille les sentiments contradictoires qui bouleversent l'âme de Julien, son amertume, ses regrets, son impuissance ; la bestialité de la foule, la bassesse de la fille, qui cependant conserve en son cœur un besoin inassouvi de tendresse ; l'humour et la pitié se mêlent dans ces deux scènes, et cependant tout reste clair, malgré la frénésie d'une musique qui entraîne l'auditeur et le laisse haletant.

JULIEN ET MADDALO : Une conversation [*Julian and Maddalo : a Conversation*]. Poème de l'écrivain anglais Percy Bysshe Shelley (1792-1822), publié en 1824 dans un recueil de poésies posthume. Le poème fut écrit en 1818, après un séjour à Venise, pendant lequel Shelley fut l'hôte de son ami lord Byron. Il fut inspiré par les conversations qui se déroulèrent entre les deux poètes. Comme l'auteur lui-même l'explique dans la préface, Julien (Shelley) est un Anglais de bonne famille, défenseur passionné de la perfectibilité humaine ; le comte Maddalo (Byron), un noble Vénitien, est au contraire dominé par le sentiment de la vanité des choses humaines. Aux paroles désabusées de Maddalo, Julien oppose sa foi dans les destinées de l'homme. À la fin de leur conversation, les deux amis vont visiter un asile d'aliénés, où l'un des malades, qui a perdu la raison à la suite d'un amour malheureux, raconte son histoire. Dans cette œuvre, Shelley exprime une fois de plus les principes fondamentaux de sa philosophie : foi illimitée dans la puissance des forces spirituelles ; perfectibilité de la nature humaine. Ce progrès est gêné, selon Shelley, par les préjugés et les superstitions dont l'humanité est encore l'esclave : en premier lieu, par la religion ; c'est pourquoi il faut combattre et supprimer ces obstacles. Cette idéologie anime la plus grande partie de l'œuvre de Shelley. Ici cependant, au lieu de porter ses idées au niveau d'un lyrisme intense, le poète semble rechercher la simplicité éloquente et persuasive d'une conversation familière. L'auteur fait preuve d'un grand talent dans la description des feux du couchant sur la lagune de Venise et s'y montre un admirable « paysagiste ». – Trad. Les Belles Lettres, 1931.

JULIEN L'APOSTAT. L'empereur philosophe, qui renia le christianisme et rêva de restaurer le monde doré du paganisme, a toujours exercé une grande fascination sur les poètes les plus divers. Une des meilleures œuvres inspirées par cette puissante figure du monde antique sur son déclin est le drame en deux parties et dix tableaux de l'écrivain norvégien Henrik Ibsen (1828-1906) : *César et le Galiléen* [*Kejser og Galiloeer*], représenté en 1873. Ibsen fait de Julien un rebelle qui, entre le christianisme et le paganisme, rêve d'instaurer le « troisième règne » annoncé par Maxime d'Éphèse. Mais cet empereur, qui se conduit en théoricien, n'est pas capable de travailler à l'avènement de l'ère nouvelle : en effet, au lieu d'agir, il jette « sur la vie le nœud coulant de ses abstractions ». En fin de compte, il est contraint de s'avouer vaincu, car le Galiléen a éveillé dans le vieil homme un homme nouveau, la foi ayant suscité en lui une vie nouvelle.

★ Le dramaturge italien Pietro Cossa (1830-1881) est l'auteur d'un drame en cinq actes en vers, *Julien l'Apostat,* représenté en 1876 et publié à Turin l'année suivante. Il ne s'attacha pas aux vicissitudes de l'homme et du guerrier, mais à la position du philosophe qui défend, du haut de son trône, les libertés qu'il chérit par-dessus tout.

★ C'est sous le même titre : *Julien l'Apostat* [*Julian Apostata*] que parut, en 1885, la tragédie en cinq actes du poète tchèque Jaroslav Vrchlicky (1853-1912). Conçue tout d'abord comme un poème philosophique, l'œuvre s'éloigne de l'exégèse traditionnelle et présente d'une façon assez singulière le motif de l'apostasie de Julien. Dans sa lutte, commencée à Constantinople contre le christianisme, l'empereur se heurte à l'hostilité de ses propres généraux et courtisans. Les chrétiens se réunissent dans les catacombes ; parmi eux se trouvent le commandant de la garde du corps de l'empereur, Marcus, et le secrétaire impérial, Procope. Marcus voudrait tuer l'Apostat, mais l'évêque Basile l'en empêche. Marcus tentera toutefois de libérer les chrétiens, lorsque l'empereur Julien sera engagé dans la guerre contre les Perses. Marcus ne parviendra qu'à blesser l'empereur, alors que lui-même mourra, lors d'un combat. L'empereur ne trouvera la mort que plus tard, lorsqu'il boira, au cours d'un festin, une coupe empoisonnée préparée par la sœur de Marcus. Même agonisant, Julien se refuse à admettre que le Galiléen a remporté la victoire. Cette tragédie ne manque pas d'originalité par sa conception, extrêmement romantique, du personnage de

Julien, mais un manque d'unité dramatique en compromet sérieusement la beauté et la force.

★ Un roman à thèse sur le même sujet, intitulé *Julien l'Apostat* [*Julian Otstupnik*], fut composé par l'écrivain russe Dmitri Sergueïevitch Mérejkovski (1865-1941), publié en 1895, comme première partie de la trilogie *Le Christ et l'Antéchrist* – v. *Le Roman de Léonard de Vinci* (*) et *Pierre et Alexis* (*). Étant donné la position théorique de l'auteur qui tenait la lutte entre les principes chrétiens et païens (entre l'esprit et le corps) pour le moteur principal de toute l'histoire de l'humanité, le choix qu'il fait de la personne de Julien pour dominer toute la première partie de sa trilogie est fort heureux. Cet empereur romain, épris du monde antique et convaincu que le christianisme représente l'abolition de toutes les valeurs, a eu des imitateurs jusqu'aux temps modernes, jusqu'à Nietzsche, l'auteur d'*Ecce Homo* (*). En écrivant sa trilogie, Mérejkovski avait sans doute présente à l'esprit l'opposition nietzschéenne de Dionysos et d'Apollon dans *L'Origine de la tragédie* (*). Mais, dans le roman de Mérejkovski, la transposition poétique de l'histoire a lieu sans trop d'altération, et Julien apparaît sous son vrai jour de restaurateur du paganisme. Mérejkovski tend à montrer que la beauté des siècles passés ne peut être ressuscitée telle quelle, et qu'il faudra trouver une synthèse propre à concilier le paganisme et le christianisme. Cette conciliation, que propose déjà *Julien l'Apostat,* tend à rendre nulle l'opposition existant entre le Bien et le Mal, l'humilité et l'orgueil, la bonté et la cruauté, la force et la beauté. C'est ce thème que l'auteur reprendra, pour le développer, dans la seconde partie de sa trilogie : *Le Roman de Léonard de Vinci* (*). – Trad. Gallimard, 1937.

JULIETTE ou la Clé des songes. Pièce en trois actes de l'écrivain français Georges Neveux (1900-1982), créée à Paris au Théâtre de l'Avenue en 1930. *Juliette,* où le monde des rêves est un monde sans mémoire, reflète l'expérience surréaliste de l'auteur. Dans ce pays sans mémoire, seuls l'enfant, l'artiste et les amants peuvent entrevoir la vérité et s'approcher du souvenir attendu. Chacun connaît l'argument poignant de cette mélancolique féerie portée à l'écran par Marcel Carné. Un jeune homme cherche une jeune fille, jadis entrevue dans les rues d'un village et dont tous les habitants ont perdu le souvenir. Seul le désir le guide dans le silencieux dédale, et par la force de son amour la jeune femme commence à se rappeler quelques événements du passé. Elle lui sourit. Cependant, à chacun de ses pas, il se heurte à des difficultés qu'il dénoue en abandonnant un de ses souvenirs les plus chers. Vient alors l'instant où, dépossédé lui-même de toute mémoire, il s'embarque sur un vaisseau qui appareille sans plus se souvenir de ce qu'il était venu chercher dans ce village ensommeillé où les échos eux-mêmes ne réveillent plus rien. Si *Juliette,* pour le héros de la pièce, est la femme qu'il a toujours cherchée, elle n'en est pas moins le symbole de l'idéal, de l'inconscient collectif du monde des rêves.

JULIETTE AU PAYS DES HOMMES. Roman de l'écrivain français Jean Giraudoux (1882-1944), publié en 1924. L'écrivain reprend ici son thème favori, celui de l'« évasion ». Dans cette œuvre, il ne fait que calquer le sujet de *Suzanne et le Pacifique* (*), mais en le dépouillant de toute aventure et en le réduisant pour ainsi dire à un simple schéma. On ne peut parler en effet d'intrigue : Juliette est une jeune fille de province, ignorante et intuitive, ingénue et intrépide (le type même de la femme chère au romancier), qui vient à Paris, « au pays des hommes », parce qu'elle désire connaître le monde et la vie. Elle approche certains hommes qui pourraient être d'éventuels maris, mais elle n'a que des déceptions. Elle fait la connaissance de l'auteur lui-même, qui lui lit sa « Prière sur la Tour Eiffel » ; après quoi, convaincue, Juliette retourne à sa province. La moralité de ce bref récit est la même que celle de *Suzanne* et de *Siegfried et le Limousin* (*) : il n'y a qu'une vérité, et elle consiste à reconnaître que la vie doit être reconstruite idéalement en nous-mêmes. Le centre du livre est dans la « Prière sur la Tour Eiffel », véritable morceau de bravoure, parfait exemple des dons les plus éclatants de cet écrivain au style incomparable et à l'imagination subtile.

JUMEAUX (Les) [*Zwillinge*]. Tragédie en cinq actes du poète allemand Friedrich Maximilian Klinger (1752-1831). Publiée en 1775, elle fut couronnée au concours ouvert par Schröder et préférée à *Jules de Tarente* (*) de Leisewitz. Le héros, Guelfo, violent et passionné, cadet de noble famille, est envahi par une jalousie irrépressible à l'égard de son frère jumeau, le « doux, sentimental et rusé » Ferdinand, auquel échoient honneurs, titres et patrimoine. Ne pouvant tolérer son état d'infériorité, il s'estime victime d'une injustice et, comme ni le médecin qui a été présent à leur naissance ni leur mère ne peuvent lui dire lequel des deux enfants est né le premier, il se convainc que seul l'arbitraire paternel a décidé de son sort. Sa haine pour son frère s'aiguise d'autant plus que tous deux aiment la même jeune fille, Camille, qu'épousera Ferdinand. Tels sont les antécédents que nous apprenons par un remarquable dialogue d'exposition, pendant lequel la figure de Guelfo, dans l'âme de qui de brefs élans d'émotion et de tendresse pour sa mère s'unissent à des instincts sataniques, prend tout son relief, notamment dans ses confidences à son cousin Grimaldi, dont le caractère est la parfaite antithèse du sien. Grimaldi a aimé

Juliette, la sœur des jumeaux et, inconsolable, pleure sa mort, sans éprouver de haine ni de rancœur envers Ferdinand, qui pourtant s'est jadis opposé à son mariage. Le jour des noces de Ferdinand et de Camille, Guelfo tue son frère ; son père, pour venger la mort de son premier fils et soustraire Guelfo au scandale, fait lui-même justice, en le poignardant. Ce drame – dont l'action, contenue en vingt-quatre heures, est serrée malgré quelques tirades emphatiques – compte parmi les premières tragédies allemandes de caractère et tend, à l'opposé du classicisme, à approfondir une crise intérieure ; il annonce par là, de loin, le théâtre allemand du XIXe siècle.

JUMENT VERTE (La). Roman de l'écrivain français Marcel Aymé (1902-1967), publié en 1933. Chronique du village de Claquebuc, depuis la fin du second Empire jusqu'à l'époque du boulangisme, le roman lui-même, qui est l'histoire de deux familles, est interrompu périodiquement par des chapitres de réflexions, intitulés « Les Propos de la jument ». Cette jument, d'un joli vert de jade, apporte un élément fantastique dans cette symphonie campagnarde, « écrite à gros traits, dit l'auteur ; aussi gros que j'ai pu, car il ne s'agissait pas d'une étude psycho-histiolo-hérédo-pathologique ». Il ne serait pourtant pas impossible d'y trouver tous les éléments pour une telle étude. La concupiscence charnelle joue un grand rôle ici, et c'est d'ailleurs à cause de sa réputation de livre licencieux que ce roman obtint un énorme succès de librairie. Mais ce succès aurait pu être dû à ces belles qualités de verve et de bonne humeur.

JUNGLE (La) [*The Jungle*]. Roman de l'écrivain américain Upton Sinclair (1878-1968), publié en 1906. Il ne s'agit pas tout à fait d'un roman, toutefois, mais plutôt d'un vaste reportage romancé sur les abattoirs et les trusts de la viande de Chicago. Envoyé par le rédacteur en chef du magazine *McClure's* pour enquêter sur les conditions de travail dans ces abattoirs, Sinclair s'y installa en octobre 1904 et, se faisant passer pour un ouvrier, accumula pendant sept semaines les données qui allaient lui permettre d'écrire cet ouvrage dont la parution eut d'abord lieu en feuilleton, du 25 février au 4 novembre 1905, dans l'hebdomadaire socialiste *The Appeal to Reason.* C'est l'histoire d'une famille d'immigrants lituaniens, et en particulier d'un certain Jurgis Rudkus. Au début, tout va bien : on trime aux abattoirs, dans la puanteur et l'exploitation éhontée ; on vit dans des taudis et dans une misère noire ; on gèle de froid, mais on travaille dur et honnêtement, et on épouse celle qu'on aime, et on a un enfant... Mais les histoires les moins belles finissent par se terminer plus mal encore et, à partir du chapitre douze, tout se dégrade. Jurgis se blesse, perd son travail aux abattoirs, n'en retrouve qu'à l'usine d'engrais (« À ceux qui sont tombés dans cette catégorie inférieure, il reste une ressource : l'usine d'engrais chimique ! »), et se met à boire. Enfin, découvrant que sa femme est contrainte par son patron de se donner à lui, il se jette sur celui-ci comme une bête sauvage (« Il [...] enfonça ses dents dans la joue de l'homme, et quand ils réussirent à lui arracher sa victime, il dégouttait de sang, et de petits lambeaux de peau pendaient à sa bouche... »). Il purge alors une peine de prison. À sa sortie, sa femme accouche d'un bébé mort-né et meurt. Après ce drame, son fils se noie accidentellement dans un caniveau, alors que d'autres enfants dans cette même misère sont dévorés par des rats... Jurgis battra la campagne, travaillera dans une ferme, reviendra à Chicago où il sera employé comme terrassier. Une nouvelle blessure lui interdira définitivement de retrouver un emploi. À l'occasion d'un second séjour en prison, Jurgis entre en contact avec la « haute pègre » de Chicago, et commence à opérer dans ce monde. Tout l'entraîne donc à devenir un gangster et peut-être prospère mais, entrant par une miraculeuse providence dans une réunion où il est électrisé par un orateur, notre homme se transfigure aux dernières pages du roman en un militant socialiste aussi dévoué que discipliné... Même si le livre de Sinclair a parfois des accents mélodramatiques, il possède une force d'évocation (la description de la vie dans les abattoirs est véritablement dantesque : « Tout sert dans le porc, excepté ses grognements »), une puissance de conviction, un souffle qui en font une œuvre maîtresse du naturalisme social et un sommet du roman à thèse. – Trad. Renaissance du livre, 1920 ; Rencontre, 1965 ; 10/18, 1975. Une première traduction, sous le titre *Les Empoisonneurs de Chicago*, avait paru chez Félix Juven, en 1905.

Ph. Mi.

JUNON ET LE PAON (*Juno and the Paycock*). Tragédie en trois actes, publiée en 1925 par l'écrivain et dramaturge irlandais Sean O'Casey (1884-1964). Cette pièce fut jouée pour la première fois à Dublin au Théâtre de l'Abbaye. Le succès fut immédiat. O'Casey avait eu la chance de pouvoir obtenir du grand Barry Fitzgerald, acteur comique étonnant et légendaire, qu'il interprétât le rôle de Jack Boyle. Si l'auteur qualifie sa pièce de tragédie, elle répond mieux, en effet, à notre définition de la comédie. Ce chef-d'œuvre que Yeats salua « comme un nouvel espoir et une vie nouvelle pour le théâtre » est resté à la base du répertoire de l'Abbaye. Il fut joué d'innombrables fois, aussi bien en Angleterre et aux États-Unis qu'en Irlande. La pièce heurta moins la sensibilité irlandaise que, un an plus tard, *La Charrue et les Étoiles* (*). À bien lire, elle est pourtant tout aussi virulente. Il faut donc penser qu'en 1925 la gloire naissante et le progressisme d'O'Casey n'inquiétaient pas encore outre mesure le Dublin bien pensant. *Junon et le Paon* était la troisième pièce de l'auteur que présentait l'Abbaye : après *L'Ombre d'un franc-tireur* (*) et *Message à Cathleen* [*Cathleen listens in*]. Alors que l'action de *L'Ombre d'un franc-tireur* se déroule en 1920, au plus fort de la guerre anglo-irlandaise, celle de *Junon et le Paon* se situe en 1922, après le traité anglo-irlandais et la création de l'État libre d'Irlande sous le statut de dominion, au moment où une lutte sanglante et confuse opposait les républicains extrémistes aux partisans de l'État libre, action qui reprend d'ailleurs celle du *Message à Cathleen*. Le spectateur assiste aux mésaventures de la famille Boyle : le père, Jack, ivrogne et paresseux ; le fils, Johnny, maladif et aigri ; la fille, Mary. L'espoir d'un héritage fera s'endetter toute la famille ; mais, au bout d'un mois, les créanciers surgissent et s'abattent sur elle. Mary, enceinte, est abandonnée par son fiancé ; Johnny meurt ; Jack poursuit ses escapades. Mais c'est surtout à l'inoubliable Junon que la pièce doit la permanence de son succès. Personnage qui, pour les lecteurs de l'autobiographie de Sean O'Casey, évoque irrésistiblement la mère de l'auteur, et aussi Mme Moore, cette voisine dont les fils tombaient l'un après l'autre sous les coups du contre-terrorisme, alors que continuait de danser, aux pieds de son saint Antoine, la petite flamme rouge d'un désespoir que ses litanies s'efforçaient de baptiser du nom d'Espérance. – Trad. L'Arche, 1959.

JURGEN. Roman de l'écrivain américain James Branch Cabell (1879-1958), publié en 1919. Interdit par la censure pour obscénité, cet ouvrage établit la réputation de son auteur. Considéré comme une épopée érotique et un défi aux tabous sexuels, il connut un vif succès auprès de la jeunesse de l'époque. Prêteur sur gages et quinquagénaire, Jurgen, s'étant fait l'avocat du diable auprès d'un moine, voit apparaître Satan qui, pour le remercier, le débarrasse d'une épouse trop bavarde, Dame Lisa. Le remords envoie bientôt Jurgen en quête de sa femme et de sa jeunesse perdue. Jouvenceau par un nouveau miracle, doté par le centaure Nessus d'une chemise magique et d'une ombre qui note ses gestes et paroles, il se lance dans une série d'aventures, principalement amoureuses, d'une joyeuse amoralité. Après avoir sauvé la reine Guenièvre d'un sommeil de belle au bois dormant, il la donne en fiancée au roi Arthur. Tour à tour duc, prince, empereur et pape, il se lasse des ébats de l'insatiable Anaïtis, épouse une hamadryade, s'éprend de la Belle Hélène – double fabuleux de Dorothy la Désirée, son amour d'enfance – et se retrouve en enfer dans les bras d'une vampiresse pleine d'humour. Au paradis, il enseigne les mathématiques et bavarde métaphysique avec le Dieu de Mère Grand. Koshchei, un nouveau Méphistophélès, lui accorde enfin de retrouver son ancienne identité, ses cinquante ans et son épouse.

Loin d'être une apologie de la licence, cette « comédie de justice » se termine en plaidoyer pour la monogamie. Jurgen découvre l'ennui de la volupté et nous persuade sans cesse que tout est vanité. Cabell invente sa propre mythologie pour représenter la foi chrétienne aux côtés des héros antiques et médiévaux, tandis que son thème est essentiellement faustien. Ce « Watteau des ironistes » donne au roman d'évasion une grandeur sophistiquée en l'érigeant en philosophie de l'existence. Sa préciosité éclate dans un langage archaïque s'inspirant de *La Bible* et du cycle arthurien de Malory, dans son amour de l'anagramme, du déguisement, dans l'exagération du romanesque qui fait éclater comme une bulle de savon ce monde parfait, chatoyant et fragile. Cette ironie à l'Anatole France, cette obscénité parée d'érudition représentent en somme la réaction d'un gentilhomme du Sud contre le mythe et la déification de la femme.

Cabell a regroupé ses romans, traitant des aventures de la descendance de dom Manuel dans l'univers imaginaire de Poictesme en un ambitieux ensemble de dix-huit volumes. Il faut signaler surtout *Statues de terre* [*Figures of Earth,* 1921], *Chevalerie* [*Chivalry,* 1909], *Le Rivet du cou de grand-père* [*The Rivet in Grandfather's Neck,* 1915], une histoire d'honneur conjugal et de fidélité posthume ; *L'Ombre de l'aigle* [*The Eagle's Shadow,* 1914], condamnation d'un siècle avide d'argent, et *La Meilleure Plaisanterie* [*The Cream of the Jest,* 1917]. Ce dernier roman éclaire et préfigure *Jurgen.* Félix Kennaston, romancier à succès, s'évade de l'ennui du XXe siècle en rêvant grâce à un disque magique découvert dans son jardin. Devenu Horvendile, il sauve d'un brigand la belle Ettare et la poursuit à travers l'histoire, du jour de la crucifixion à la Terreur de 1793. Chaque fois qu'il va l'atteindre, son rêve s'évanouit. Son voisin lui révèle que son talisman n'est qu'un débris d'un pot de crème de beauté et que son épouse Kathleen, qu'il délaisse, est la réincarnation d'Ettare, l'idéal féminin. L'amant et le mari seraient ainsi réconciliés dans le romancier quand sa femme meurt, et il doit faire face à sa propre vie.

JUSEP TORRES CAMPALANS. Œuvre de l'écrivain espagnol Max Aub (1903-1972), publiée en 1958. Il s'agit de la biographie d'un peintre catalan, ami de Picasso. Max Aub l'a connu au Mexique, oublié, menant une vie étrange parmi les Indiens, devenu l'ennemi de la civilisation. Le personnage l'a si hautement intéressé qu'à sa mort il a voulu l'éterniser dans un portrait pour la postérité qui a donné lieu au roman. C'est du moins ce que raconte l'écrivain espagnol dans sa préface en s'appuyant sur des photographies (Picasso et Torres Campalans par exemple), des reproductions, des témoignages et autres documents apparemment irréfutables. Pourtant il est fort probable que ce personnage fut créé de toutes pièces par Aub – qui n'a jamais rien voulu dire à ce sujet. Pour certains, Torres Campalans est une sorte de double de Picasso. Comme le dit Jean Cassou : « Nous admettons que Campalans est aussi possible que Picasso et Picasso aussi hypothétique que Campalans. » Pour d'autres, il s'agit d'une fiction totale. L'idée est presque plus séduisante et confère une valeur encore plus grande au livre, dont le personnage principal permet à l'auteur de brosser un extraordinaire tableau de l'évolution de la peinture, et des idées relatives à la peinture dans les années 30, à Paris. C'est à vrai dire une éblouissante anthologie où s'élabore le procès du réalisme et du naturalisme, tant sur le plan pictural que sur le plan littéraire. Aub réussit par ailleurs une magistrale création humaine. Torres Campalans, bohème anarchiste, atrabilaire, se dresse superbement au ponton de chaque chapitre. Les femmes qui l'entourent, les amis – pour la plupart des peintres connus – composent une étonnante fresque. La prose d'Aub n'a jamais été aussi sûre, précise, robuste, harmonieuse. C'est une très belle réussite. – Trad. Gallimard, 1961.

JUSQU'À NOS JOURS [*Ad Hena*]. Roman de l'écrivain israélien d'origine polonaise Shmuel Yoseph Agnon (1888-1970), publié en 1950. Il se déroule sur l'arrière-fond d'une Allemagne lancée dans la Première Guerre mondiale. La trame de ce roman tient en une courte phrase : le narrateur, immobilisé en Allemagne par la guerre, est à la recherche d'un havre qu'il ne parviendra pas à découvrir. On retrouve une fois de plus les thèmes, chers à Agnon, de l'errance, de la guerre, de l'homme ballotté entre les guerres, les révolutions, de l'harmonie rompue, du monde rassurant de la tradition désormais désuète. Par le truchement d'une aventure concrète, banale – la simple quête d'une chambre à louer –, Agnon atteint les proportions du mythe ; son invention poétique transfigure une modeste histoire individuelle en une aventure de la judaïcité moderne. Cette quête est en réalité l'image d'une recherche, qu'Agnon mène au plus profond de lui-même, d'un univers de l'enfance offrant trompeusement le visage de la sécurité et du refuge, monde de l'enfance qui se confond avec l'univers idyllique du monde de la tradition, désormais à la dérive. L'œuvre offre constamment deux niveaux de compréhension : celui de la signification immédiate et évidente et celui de l'interprétation symbolique, mais la sobriété des moyens littéraires d'Agnon n'est pas sans évoquer la dimension dépaysante de *L'Étranger* (*) ou du *Vieil Homme et la Mer* (*). Ainsi il arrive qu'une simple phrase exprime implicitement une foule de motivations et soit chargée d'une multiplicité de sens, comme par exemple lorsque le narrateur dit – et c'est la conclusion de l'œuvre : « Je n'avais pas trouvé à me loger à l'étranger ; il ne me restait plus qu'à rentrer en Palestine. » Au niveau symbolique, cette simple phrase contient de manière poignante toute la condition du Juif européen dans l'entre-deux-guerres ; une seule alternative était possible : l'assimilation et par conséquent le reniement de soi, ou le sionisme, c'est-à-dire la fidélité non pas à un passé, mais à soi-même. – Le choix des procédés stylistiques reflète dans *Jusqu'à nos jours* cette ambiguïté de la réalité : chez Agnon, les dialogues ne sont jamais réalistes, ils n'ont pas pour fonction de renseigner le lecteur sur les faits concrets, leur raison d'être est de jeter sur eux une lumière indirecte qui en dégage la portée profonde. Le haut niveau de l'art romanesque d'Agnon situe son œuvre à une place exceptionnelle dans la littérature hébraïque, et peut-être dans la littérature tout court.

JUSTE QUERELLE (Une) [*A Fair Quarrel*]. Représentée en 1616, l'année où mourut Shakespeare, la pièce de l'auteur dramatique anglais Thomas Middleton (1580-1627) offre des analogies avec *Hamlet* (*), qui fut joué pour la première fois en 1602. Les personnages ont moins de profondeur ; le tragique ne se soutient pas avec la même intensité. Les fils de la double intrigue s'entrecroisent adroitement. Le jeune capitaine Ager éprouve à l'égard de son colonel une vive admiration. Au cours d'une altercation, son officier supérieur l'injurie et, dans le langage qui lui est coutumier, l'appelle « fils de putain ». Le novice prend cette qualification au pied de la lettre. Un duel apparaît inévitable. Ne voulant se battre que pour une juste cause avec un homme regardé par lui comme chevaleresque, et auquel il demeure attaché, Ager décide d'interroger sa mère. Celle-ci, indignée de pareils soupçons, soufflette son fils. Le courroux maternel comble Ager de joie : il y voit la preuve d'une innocence dont il était près de douter. Lady Ager, moins naïve que le blanc-bec, veut connaître les dessous de cette scène étrange. Elle apprend que son fils va se battre, venger l'affront fait à son honneur. Au désespoir, voyant déjà perdu l'enfant qui lui est tout, elle se rétracte. Elle se reconnaît coupable, et il est vrai que le colonel n'a pas menti. La mort dans l'âme, Ager va s'excuser auprès de son adversaire et renonce au duel. N'étant jamais à court d'insultes, le colonel, cette fois, le traite de lâche et de capon. C'en est assez : injurié à son tour, Ager relève le défi. Il blesse l'impulsif colonel qui, pensant sa dernière heure venue, se confesse : il a parlé sous le coup de la colère, l'affront fait à lady Ager ne repose sur rien. La scène finale entre la mère et le fils est assez arbitraire ; mais l'auteur y fait preuve d'un sens dramatique très sûr. De plus, elle est d'une parfaite netteté d'expression qui la rend saisissante. On ne connaît pour ainsi dire rien de Middleton, qui excelle à faire vivre ses héros dans la violence naturelle à son époque. Il n'a pas créé de personnages qui demeurent des types, il les a trouvés autour de lui. La plupart de ses pièces ont été écrites en collaboration avec l'acteur Rowley (ainsi *Une juste querelle*). Il est donc malaisé de distinguer la part qui revient à Middleton, plus cultivé, meilleur poète que l'acteur, et ce dernier. Indifférent à la gloire, demeuré presque inconnu, Middleton écrivait avec quiconque lui prêtait une aide. Son nom cependant a toujours précédé celui de Rowley à qui, probablement, sont dus les effets de farce et les dialogues truculents qui abondent dans la partie comique des œuvres attribuées à ces deux plumes. Cette pièce, d'un naturel et d'une vivacité remarquables, est l'une des plus importantes de tout le théâtre élisabéthain.

JUSTES (Les). Pièce en cinq actes de l'écrivain français Albert Camus (1913-1960), créée en décembre 1949, publiée en 1950. S'inspirant de faits et de personnages authentiques, et remarquablement documentée, la pièce est centrée sur un attentat perpétré contre le grand-duc par des terroristes russes du parti socialiste révolutionnaire, en 1905, à Moscou. Elle pose le problème du terrorisme et de la légitimité du meurtre sur lequel *L'Homme révolté* (*), dont la rédaction est contemporaine, reviendra longuement. De structure très classique, cette pièce met en scène l'affrontement entre deux conceptions de la révolution et de l'acte terroriste. Stepan, qui place son idéal abstrait de justice absolue au-dessus de tout et de la vie même, pense qu'il n'y a pas de limites à l'action révolutionnaire ; Kaliayev, le poète, venu à la révolution par amour de la vie, de la beauté, du bonheur, refuse d'« ajouter à l'injustice vivante pour une justice morte ». Dans un premier temps, l'attentat n'a pas lieu : Kaliayev ne peut lancer la bombe contre la calèche du grand-duc, car celui-ci est accompagné d'enfants (acte II), mais il accomplit cet acte deux jours plus tard (acte III). Il est emprisonné et condamné à la pendaison ; le chef de la police, par politique, et la grande-duchesse, par esprit religieux, essaient de le convaincre de demander sa grâce. Mais Kaliayev pense que seule sa propre mort peut lui permettre de garder son innocence : « Si je ne mourais pas, c'est alors que je serais un meurtrier » (acte IV). Bien que le chef de la police ait fait en sorte que l'on croie à la trahison de Kaliayev, ses compagnons le savent fidèle ; sa mort, dont les circonstances précises sont rapportées, est sa justification. Dora, la femme qu'il aimait et dont il était aimé, l'a bien compris ; il n'est plus un meurtrier : « Il a suffi d'un bruit terrible, et le voilà retourné aux joies de l'enfance. » Dora, en accomplissant bientôt le même acte que lui, le rejoindra dans la mort (acte V). L'austérité du sujet et du langage, d'ailleurs tempérée par l'amour de Kaliayev et de Dora, par l'humanité de leurs personnages et la tension qui les anime, ne doit pas cacher l'importance et l'intérêt de la pièce. Ses héros, selon les termes de Camus dans le « prière d'insérer », « n'ont pas guéri de leur cœur » ; révoltés par le despotisme, ils font le sacrifice de leur bonheur et de leur vie, dans l'honneur et la douleur d'être des « justes ». J. L.-V.

JUSTICE [*Justice*]. Drame en trois actes de l'écrivain anglais John Galsworthy (1867-1933), représenté à Londres en 1910. Il souleva de vives discussions et des polémiques de presse à cause de sa thèse sociale, visant à l'abolition de la ségrégation en cellule dans les prisons d'État, aggravation de peine inutilement cruelle ; l'auteur demandait en outre de meilleures conditions pour les prisonniers libérés, qui retombent souvent dans le crime parce qu'ils sont repoussés par la société qui leur refuse tout travail. Falder, un jeune homme, petit employé d'une étude de notaire, falsifie la signature d'un chèque pour se procurer l'argent nécessaire à sauver Ruth, la femme qu'il aime, victime d'un mari indigne. Il est découvert et condamné à trois ans de prison. Falder est un pauvre être, et ses nerfs malades ne résistent pas au supplice de l'isolement. Après deux ans et demi de réclusion, il sort de prison diminué physiquement, mais encore confiant dans l'amour de Ruth qui l'attend. Pour elle, il se sent capable de refuser la chance que son ancien patron lui offre : il est prêt à lui redonner une situation dans ses bureaux, pourvu qu'il renonce à la femme qu'il aime. Dans le but de trouver un autre travail, Falder falsifie ses papiers d'identité et, sur le point d'être découvert, il se tue en se jetant du haut des escaliers. Ce qui l'a poussé à son geste de désespoir, c'est l'horreur de la prison, de la ségrégation, les souffrances endurées, la ruine morale de Ruth qu'il a involontairement provoquée ; car, pendant son emprisonnement, la jeune femme a été obligée de se livrer au plus avilissant des métiers pour vivre. Ruth aussi – comme Falder – est un être faible et simple. Pendant des années, ils ont vécu tous les deux dans le seul espoir de pouvoir un jour être unis. Mais l'engrenage terrible créé par la société, la loi, happe à nouveau Falder lorsqu'il croit pouvoir lui échapper, et broie à tout jamais son rêve d'amour. La thèse de Galsworthy, inspirée par un sens profond de la misère humaine, soutient que, quels que soient les torts de Falder, ils sont moins graves que les torts de la société envers l'homme. Le public, ainsi que le monde politique anglais et les milieux judiciaires, furent impressionnés par le thème que l'auteur avait hardiment porté à la scène sans la moindre concession ; et la campagne de presse qui s'ensuivit intéressa tout le pays à cet important problème.

JUSTIFICATION CONTRE L'ACCUSATION D'ATHÉISME [*Verantwortungsschriften gegen die Anklage des Atheismus*]. Ouvrage polémique du philosophe allemand Johann Gottlieb Fichte (1762-1814), publié en 1799. Il fait partie et constitue l'épilogue de la polémique qui s'ouvrit la même année autour de l'ouvrage *Critique de toute révélation* [*Versuch einer Kritik aller Offenbarung*, 1792] ; l'auteur devait s'attirer les rigueurs de la censure et fut contraint de donner sa démission de professeur à l'université d'Iéna. Pour Fichte, Dieu constitue l'ordre moral du monde, auquel la conscience accède par la notion du devoir. En s'efforçant de réaliser le devoir, le moi, à partir de ce monde qui est son œuvre, tend vers un autre monde, celui de l'ordre moral : « ordo ordinans non ordinatus ». La foi en cet ordre, voilà la religion. Certains crient à l'athéisme, car au Dieu des dogmatistes Fichte substitue la notion du divin. Mais en nous rapprochant de Dieu, en participant à la vie divine, nous n'avons plus besoin de concevoir un Dieu, substance indépendante de l'idée d'un ordre moral universel où le bien suprême se réalise dans la vérité et non dans le bonheur. Ceux qui ont la propension et le besoin d'imaginer Dieu, cause d'un tel ordre, comme une entité particulière ne se rendent pas compte qu'il est impossible d'attribuer à Dieu intelligence et personnalité sans en faire un esprit fini semblable au nôtre ; le concevoir comme une substance à part est une superstition en contradiction avec l'idée même de Dieu, car une substance signifie un être doué de sensibilité et, partant, localisé dans l'espace et dans le temps ; nous ne pouvons donc lui attribuer l'existence, qui ne peut convenir qu'à un être doué de sensibilité ; rien de raisonnable n'a encore été dit jusqu'à présent sur la façon dont on pourrait entendre que le monde a été créé par Dieu ; enfin, l'attente du bonheur est une chimère, que nul Dieu, mais seule une idole, peut nous dispenser. La moralité enlevée, il ne reste de nous que l'être sensible ne songeant qu'à jouir. Or, la matière est source de jouissance : aussi, le dogmatisme appelle l'hédonisme, qui se contente à son tour du matérialisme et aboutit, en fin de compte, à l'athéisme. Fichte rejetait ainsi l'accusation d'athéisme sur ses propres accusateurs. Dans la période suivante, il ne fera qu'accentuer l'indépendance et la suprématie de la sphère religieuse à l'égard de la sphère morale.

JUSTIFICATION DU BIEN (La) [*O pravdanie dobra : Nravstvennaja filosofija*]. Ouvrage philosophique du théologien russe Vladimir Soloviev (1853-1900), écrit entre 1894 et 1897, tome VII du recueil des *Œuvres*. Ce vaste traité de morale, un des derniers ouvrages de l'auteur, est une des parties les plus importantes de son œuvre. Le dessein de ce traité est clairement défini : « Mon but, dit Soloviev, est de montrer que le bien est la vérité ; que le bien est la voie de la vie, voie unique, voie juste et sûre, en tout, jusqu'au bout, et pour tous... » L'exigence du Bien absolu doit donc pouvoir s'accorder avec toutes les difficultés pratiques de la vie humaine : aucune action humaine ne pourra lui échapper. Il faut distinguer trois parties dans l'ouvrage : Soloviev étudie d'abord le bien dans la nature humaine. Les trois éléments de la moralité sont : la pudeur, par quoi s'exprime notre attitude en face de la nature matérielle ; la morale fondée sur la pudeur est une morale ascétique, mais l'ascète peut fort bien être orgueilleux ou égoïste, et il faut donc, pour trouver l'essence de la moralité, aller au-delà de la pudeur. Même imperfection, quoique moindre, dans la pitié qui, dans l'altruisme, exprime les rapports de l'homme avec les autres hommes. Mais l'amour d'autrui exige d'être éclairé et il n'atteint vraiment autrui dans sa dignité que s'il sait reconnaître en lui l'éternel et le divin. Aussi la pitié est-elle inséparable de la piété, qui seule peut permettre d'accéder à l'idée du Bien absolu, Être suprême, l'Homme-Dieu. La deuxième partie de l'ouvrage traite du Bien, en tant que venant de Dieu. C'est Dieu qui nous impose le devoir et nous ne tirons point son existence du sentiment religieux. Soloviev se sépare ainsi fortement de Kant qui l'avait influencé pendant sa jeunesse. Soloviev montre l'existence de Dieu comme un fait qui se place radicalement au-dessus de toute critique et de toute discussion philosophique. Mais il demeure par contre tout à fait possible de décrire notre situation par rapport à Dieu : en particulier la distance qui nous sépare de Lui, notre union de pensée avec Lui, notre volonté de nous identifier à Lui — divinisation de l'homme qui est, aux yeux de Soloviev, le bien suprême de la vie. Il faut noter cependant que cette divinisation de la créature ne s'accomplit que dans la mesure où elle tend à la divinisation de toute l'humanité.

Nous sommes ainsi introduits à la troisième partie, le Bien dans l'histoire de l'Humanité. Soloviev se montre ici rigoureusement optimiste, bien que ce ne soit pas à la façon des partisans de la religion laïque du progrès. Le progrès qui se fait réellement dans l'histoire, c'est, pour la nation, la fidélité au sens de la solidarité universelle des nations (on retrouve ainsi les thèses de Soloviev contre les nationalistes et sa théorie de la mission surnaturelle de chaque nation) ; c'est, pour l'humanité, l'organisation de la culture religieuse, qui ne tend à rien moins qu'établir le Royaume de Dieu sur la terre. Soloviev marque l'impossibilité d'une politique séparée de la morale et tend à établir, entre religion et politique, un rapport total. Il faut reconnaître ici certains risques de confusion, tendance théophanique commune non seulement à la plupart des ouvrages de Soloviev, mais à de nombreux penseurs russes (Dostoïevski par exemple, qui fut un moment le maître de Soloviev) ; cette tendance entraîne à oublier le caractère absolument transcendant, non historique, du royaume de Dieu. C'était à peu près le seul différend qui séparait encore Soloviev du catholicisme : pour l'auteur en effet, la fin de l'histoire approche, par l'instauration de l'Humanité-Dieu, les deux termes se pénétrant l'un l'autre. Répétition de l'Incarnation, mais le corps du Verbe est l'Humanité tout entière qui, divinisée, formera l'Église universelle.

Cet ouvrage eut un grand succès en Russie dès sa publication : la première édition fut épuisée en neuf mois. Il ne fut longtemps connu en France que par des fragments publiés en anthologies : on voit combien la pensée de Soloviev était en avance sur son époque, en particulier sur deux points : l'idée de l'unité de l'Humanité et de la solidarité universelle (qui est au fond de l'essor de la théologie moderne du corps mystique) et celle de la soumission radicale de la politique à la morale, qui sera développée en France, mais plus de vingt ans après la mort de Soloviev, par Jacques Maritain. – Trad. Aubier, 1939.

JUSTINE ou les Malheurs de la vertu. Roman de l'écrivain français Donatien Alphonse François, marquis de Sade (1740-1814). Il existe de *Justine* trois rédactions, à tel point différentes qu'on peut les considérer comme des œuvres distinctes. La première rédaction, de beaucoup la moins audacieuse et qui ne dépasse pas la dimension d'une nouvelle, ne fut publiée qu'en 1930, par les soins de Maurice Heine (Paris). Cette nouvelle, dont le titre est : *Les Infortunes de la vertu*, fut écrite en 1787 à la Bastille, où l'auteur avait été transféré en 1784 après avoir passé sept ans au donjon de Vincennes. La seconde rédaction, intitulée *Justine ou les Malheurs de la vertu* et publiée en 1791 (un an après la mise en liberté de l'auteur, à la suite du décret de l'Assemblée nationale sur les lettres de cachet), comprend deux volumes in-8° (Paris, Girouard). Le succès de ce roman d'aventures et de caractères, le premier en France où le « genre noir » s'affirma avec tant de force, est attesté par les quatre éditions qui le séparent de la publication du texte définitif : *La Nouvelle Justine ou les Malheurs de la vertu, suivie de l'Histoire de Juliette, sa sœur* (en Hollande, 1797, 4 et 6 vol., in-12). Il existe d'extraordinaires différences entre les éditions de 1791 et de 1797. Non seulement le texte de 1791 a plus que doublé d'importance ; non seulement il apparaît farci d'épisodes nouveaux, sans lien direct avec l'intrigue, mais le plan même du récit est bouleversé.

En 1791, écrit Maurice Heine, c'est l'héroïne elle-même, la pauvre et douce Justine, qui nous fait la confidence de ses malheurs. C'est une confession candide qui se déroule en litanies de tortures et d'horreurs : mais, dans les plus scabreux détails, Justine demeure l'incarnation de la vertu. C'est le charme douloureux et navrant de cette œuvre déchirante, qu'aucun supplice, aucune infamie n'abat la malheureuse qui jusqu'à sa mort, aussi tragique que sa vie, reste une martyre chrétienne. Dans la version de 1797, le récit devient objectif. La parole est retirée à Justine. Le vocabulaire le plus crûment obscène succède brutalement à ses modestes lamentations. En même temps, les aventures de l'héroïne prennent une tournure fabuleuse : l'invraisemblable s'y affirme à chaque instant, et le récit des aventures de Juliette, qui en constituent la suite, achève de donner à cette redoutable dizaine de volumes le caractère d'un roman-feuilleton génial, où les personnages seraient remplacés par des sexes en furie déchaînés sur tout un peuple de victimes. Voici le résumé de la rédaction définitive de 1797 : Justine et Juliette, filles d'un banquier élevées dans un couvent, se trouvent orphelines et dénuées de toute ressource vers leur seizième année. Juliette, vive, étourdie, cruelle, se réjouit de sa liberté. Justine, sa cadette, tendre et mélancolique, ne sait que s'affliger et veut demeurer vertueuse. Les deux sœurs se séparent. Dans son abandon, Justine s'adresse aux amis de ses parents, mais trouve partout porte close. Un curé cherche à la séduire, un marchand cruel et libidineux, Dubourg, veut la soumettre à ses désirs. Justine tombe entre les mains d'une tribade, Mme Demonse, qui la pousse à la prostitution. Accusée injustement d'avoir volé, elle finit en prison. Là, elle fait la connaissance de la Dubois, une femme sans scrupules et débauchée. Toutes deux sont condamnées à mort, mais elles s'enfuient en profitant de l'incendie de la prison provoqué par la Dubois. Elles rejoignent alors une bande de brigands de la pire espèce. Puis Justine fuit avec Saint-Florent, un marchand qu'elle a libéré et qui se fait passer pour son oncle. Celui-ci la viole et l'abandonne évanouie. Lorsqu'elle revient à elle, elle trouve devant elle un jeune homme, M. de Bressac, monstre de luxure, qui la conduit auprès de sa vertueuse femme. Celle-ci s'apitoie sur le sort de Justine et veut la sauver. Bressac, cependant, s'adonne à d'épouvantables orgies et demande à Justine de le seconder pour assassiner sa mère. Justine s'enfuit dans une petite ville où le chirurgien Rodin dirige un pensionnat pour jeunes gens et jeunes filles. Non seulement on y pratique la flagellation avec des verges trempées dans du vinaigre, mais Rodin y effectue des opérations chirurgicales délictueuses. Justine réussit de justesse à échapper à la vivisection. Elle aperçoit un homme au bord d'un étang qui essaie de noyer un enfant. Elle le sauve, mais l'homme, M. de Bandole, la surprend, rejette l'enfant à l'eau et entraîne Justine dans son château. Sa spécialité est de rendre les femmes enceintes et de tuer au bout de dix-huit mois les enfants qui naissent de ses liaisons. Bandole séquestre trente femmes. Il les accouche lui-même et pratique le plus souvent l'opération césarienne. Justine est délivrée par le bandit Cœur-de-Fer. Et la voici dans un couvent de bénédictins satanistes. Le prieur Séverin et ses novices organisent des orgies sanglantes pour lesquelles ils ont deux sérails. Après s'être échappée une fois de plus, Justine rencontre Dorothée d'Esterval, femme d'un aubergiste criminel et assassin. Bressac survient alors. C'est un parent d'Esterval, et tous se retrouvent chez le comte de Gernande qui fait partie de leur clique et martyrise sa belle épouse. Après d'autres horribles et monstrueuses aventures, Justine fait la rencontre du faussaire Roland et vient échouer dans la prison de Grenoble, d'où elle est sauvée par un avocat. À l'hôtel, elle retrouve la Dubois qui la conduit dans la maison de campagne de l'archevêque de Grenoble. Ce prélat a une salle où l'on guillotine. Dans un autre château, où le mauvais sort de Justine la conduit, vit un juge avec une bande de nègres anthropophages. Justine y est torturée, puis condamnée à être brûlée vive. Le gardien la laisse fuir. Vers le soir, elle rencontre une dame entourée de quatre gentilshommes : c'est sa sœur Juliette qui, au lieu de pratiquer la vertu, s'est abandonnée à toutes les horreurs possibles « et n'a trouvé sur son chemin que des roses ».

C'est maintenant l'histoire de *Juliette ou les Prospérités du vice ;* suite et contrepartie des aventures de Justine. Le récit est placé dans la propre bouche de l'héroïne. Elle récapitule d'abord ses années de couvent. Tandis que Justine a résisté sans cesse à la corruption, Juliette s'y est abandonnée avec complaisance sous la direction de l'abbesse elle-même. Après la banqueroute et la mort de ses parents, Juliette, en quittant le couvent, entre comme pensionnaire dans une maison de tolérance. C'est dans ce lupanar que Dorval, le plus grand voleur de Paris, fait dépouiller par les filles les riches étrangers. Notre héroïne quitte bientôt ces lieux et va habiter chez la Duvergier, qui tient une maison de rendez-vous pour femmes du monde. Plus loin, Juliette entre en relations avec le redoutable Saint-Fond, ministre d'État. Au moyen de lettres de cachet, il a fait emprisonner plus de vingt mille innocents. Il établit pour Juliette un sauf-conduit qui la mettra à l'abri de toutes les poursuites judiciaires, quelque méfait qu'elle puisse commettre. Elle devient l'intendante des orgies du ministre, qui lui offre le moyen de satisfaire ses besoins effrénés de luxe et la met à la tête de la « section des poisons ». Saint-Fond a besoin de deux cents victimes par an ; il les immole au cours de ses dîners libertins. Juliette est chargée de lui procurer ces victimes, dont l'âge doit varier entre neuf et seize ans. Une jeune Anglaise, Clairwill, introduit Juliette dans la « Société des amis du crime », Saint-Fond en fait partie. Chaque séance s'ouvre par un discours contre les bonnes mœurs et la religion. Dans les harems de cette société, la plus cruelle luxure se donne libre cours. Saint-Fond révèle à Juliette son projet de dévastation de la France. Il veut faire mourir de faim par l'accaparement les deux tiers du pays. Mais Juliette, malgré sa cruauté, ne supporte pas cette idée, et c'est ce qui la perd aux yeux de Saint-Fond. Pour fuir sa vengeance, elle se rend à Angers. Là, elle épouse M. de Losange et sa vie s'écoule monotone. Elle en a une fille, empoisonne son mari et s'enfuit en Italie, toujours dans la crainte d'être reprise par Saint-Fond. En Italie, « patrie des Néron et des Messaline », Juliette se prostitue aux puissants. Elle s'associe à un chevalier d'industrie, Sbrigani, et remplit de ses vols et de ses crimes les principales villes de la péninsule. Elle visite le château du Russe Minski, géant anthropophage, qui est l'inventeur d'une machine perfectionnée pouvant poignarder ou décapiter seize personnes à la fois. À Rome, elle est reçue par le pape Pie VII. Pour obtenir les faveurs de Juliette, le souverain pontife devra célébrer des messes noires en l'église de Saint-Pierre. À Naples, Juliette entre en relations avec le roi Ferdinand et sa femme Caroline, qui ont organisé un « Théâtre des cruautés ». Dans chaque loge se trouvent cinquante portraits de victimes, sept tableaux représentent divers modes d'exécution et des appareils érotiques. En tirant des cordons, on indique le genre d'exécution et la victime que l'on a choisie. Immédiatement, le désir de chaque spectateur est réalisé sur la scène. Au cours d'une promenade, Juliette et Clairwill précipitent dans le cratère du Vésuve la tribade incendiaire, Borthèse, qu'elles ont connue à Rome. Caroline de Naples veut quitter l'Italie avec Juliette, après avoir fait main basse sur le trésor royal. Mais Juliette dénonce sa complice et s'enfuit seule avec une fortune colossale. Le récit de Juliette se poursuit par des crimes de toutes sortes, qu'il serait trop long d'énumérer, et s'achève dans une horrible apothéose, par la mort de sa propre fille, jetée par elle dans le feu après d'indicibles tourments. Plus d'une fois Justine a sangloté à l'audition de cette longue histoire. Juliette décide avec ses quatre compagnons de punir ce modèle de vertu. Un orage se prépare. On emmène Justine dehors. Elle est sur-le-champ frappée par la foudre. Ainsi la nature s'est prononcée : le vice est l'unique félicité de l'homme.

C'est sous de multiples aspects qu'il convient d'envisager l'histoire de *Justine ou les Malheurs de la vertu* et son complément réciproque, *Juliette ou les Prospérités du vice.* La philosophie du marquis de Sade y est tout entière résumée dans la tirade finale où Juliette s'écrie d'une voix triomphante : « ... Je l'avoue, j'aime le crime avec fureur, lui seul irrite mes sens, et je professerai ses maximes jusqu'au dernier moment de ma vie. Exempte de toutes craintes religieuses, sachant me mettre au-dessus des lois par ma discrétion et par mes richesses, quelle puissance, divine ou humaine, pourrait donc contraindre mes désirs ? Le passé m'encourage, le présent m'électrise, je crains peu l'avenir [...]. La nature n'a créé les hommes que pour qu'ils s'amusent de tout sur la terre ; c'est la plus chère loi, ce sera toujours celle de mon cœur. Tant pis pour les victimes, il en faut ; tout se détruirait dans l'univers sans les lois profondes de l'équilibre ; ce n'est que par des forfaits que la nature se maintient et reconquiert les droits que lui enlève la vertu. Nous lui obéissons donc en nous livrant au mal ; notre résistance est le seul crime qu'elle ne doive jamais nous pardonner. Oh ! mes amis, convainquons-nous de ces principes ; dans leur exercice se trouvent toutes les sources du bonheur de l'homme. » Mais la terrifiante épopée du marquis de Sade perdrait une grande part de sa signification si l'on négligeait de la considérer sous le triple aspect de la psycho-pathologie descriptive, de l'humour noir et de la poésie. Si, comparativement aux *Cent Vingt Journées de Sodome* (*), une place plus importante est réservée dans *Justine* et *Juliette* à l'affabulation romanesque, la constance et l'unité du dessein scientifique de Sade ne s'y manifestent pas moins. L'auteur y reprend, en maints passages, des cas de perversion dont il a déjà rendu compte dans *Les Cent Vingt Journées de Sodome* (*). « En perdant le manuscrit de cet ouvrage (qui ne devait être retrouvé qu'au début du XXe siècle), Sade égare son chef-d'œuvre, et le sait », a pu écrire Maurice Heine : « Le reste de sa vie littéraire sera dominé par le souci de remédier aux conséquences de cet accident. » Les éléments d'humour noir et de poésie contenus dans *Justine* et *Juliette* ont été fort bien définis par André Breton : « Les excès de l'imagination à quoi l'entraîne son génie naturel et le disposent ses longues années de captivité, le parti pris follement orgueilleux qui le fait, dans le plaisir comme dans le crime, mettre à l'abri de la satiété ses héros, le souci qu'il montre de varier à l'infini, ne serait-ce qu'en les compliquant toujours davantage, les circonstances propices au maintien de leur égarement, ont toute chance de faire surgir de son récit quelque passage d'une outrance manifeste, qui détend le lecteur en lui donnant à penser que l'auteur n'est pas dupe [...]. C'est une des plus grandes vertus poétiques de cette œuvre que de situer la peinture des iniquités dans la lumière des fantasmagories et des terreurs de l'enfance. »

JUVENILIA. Roman de l'écrivain suédois Lars Gyllensten (né en 1921), publié en 1965. Poursuivant dans ce livre son catalogue d'attitudes face à la vie, entamé avec *Infantilia* (*) et développé dans *Senilia* (*), Lars Gyllensten espère se libérer du malaise qui l'oppresse. Après avoir prouvé l'échec de l'ingénuité puis de l'introspection, il tente d'autres expérimentations pour élargir le champ de son savoir. L'écriture, qui à ses yeux est manipulation des mots et des pensées, représente un des éléments essentiels du processus cognitif. Par le procédé du montage, il estime pouvoir accéder à une vérité plus profonde et insoupçonnée. Derrière une obscurité susceptible de prime abord de décourager le lecteur qui chercherait en vain à percer le message dans une action inexistante, l'ouvrage constitue un défi pour qui se laisse prendre au jeu de la composition. Lars Gyllensten s'attache en effet à briser la structure traditionnelle du roman et décompose l'ébauche initiale en fragments qu'il assemble ensuite en un tout apparemment décousu, pour en faire surgir un schéma différent d'où va, comme par magie, naître une nouvelle vérité. Le résultat est une œuvre complexe, morcelée, regroupant soixante-six textes de nature variée où Gyllensten fait alterner les passages poétiques avec les récits, les dialogues et les notes de travail. Ce sont les personnages et leur situation qui confèrent une unité au roman. Les protagonistes sont trois hommes d'âge mûr, solitaires, financièrement aisés : un médecin écrivain, Mannelin, un sculpteur, von Pierow, et un ingénieur, Vickler. Par leur métier, ils façonnent le réel dans divers domaines, le corps, l'esprit, l'art, la technique. Tous traversent une crise identique et se débattent pour échapper au désespoir dans le cadre, devenu presque fantastique sous la plume de Gyllensten, d'un quartier chic de Stockholm. Ils découvrent, sans pouvoir vaincre leur impuissance, qu'ils sont désarmés devant la douleur. Ni Mannelin, qui soigne un fils paralysé, ni von Pierow, ni Vickler, qui sont sollicités par une jeune handicapée mentale, ne peuvent alléger le supplice de ces enfants victimes de maux incurables. Gyllensten nous offre une vision pessimiste du monde où l'amour se révèle incapable d'apporter le réconfort. La compassion est un engagement non constructif dont il faut s'affranchir, et la course fébrile aux connaissances un leurre qui accroît encore davantage l'isolement de l'individu, piégé dans le dédale de ses idées. Pour sortir de cette impasse, il faut renoncer à la pitié, adopter une attitude iconoclaste et se forger d'autres images de soi-même et de l'existence. Pour Lars Gyllensten, cette volonté d'émancipation et de création caractérise le comportement juvénile. Le sous-titre du livre, *Incarnations et Exorcismes*, indique que ces trois personnages illustrent en définitive plusieurs aspects de la figure de l'auteur, tour à tour angoissé, obscène, mystérieux, et qui aime endosser des rôles sans en être prisonnier. Tous ensemble, ils incarnent des visages contradictoires et interchangeables que l'artifice du dialogue intérieur permet d'exorciser. — Trad. Gallimard, 1981. M.-B. L.

JUYUNGO, histoire d'un Nègre, d'une île et d'autres Nègres [*Juyungo*]. Roman du romancier et poète équatorien Adalberto Ortiz (né en 1914), prix National du Roman en 1942, publié en 1944 à Buenos Aires. Juyungo est l'un des noms du diable chez les Indiens et aussi le sobriquet qu'ils donnent aux Noirs. Juyungo, c'est ici le nègre Ascension Lastre qui vit, enfant, dans la forêt, au bord du fleuve, avec les siens, en se nourrissant d'iguanes, de rats et de crapauds. Quand, las des corrections paternelles et de la misère, il s'embarque avec Canchingre le contrebandier, les aventures commencent car Ascension plonge brutalement dans le monde environnant et découvre en pratiquant différents métiers les pirates pilleurs, les Indiens superstitieux, les moines et sorciers imposteurs, les commerçants escrocs, les tyranneaux locaux. Violent et généreux, révolté aussi par le mépris dans lequel on tient sa race, il participe à une révolte sanglante, affronte à la machette un rival blanc ; viril et enjôleur, il séduit aussi bien les femmes de couleur, comme Afrodita l'institutrice, que les Blanches comme María de Los Angeles. Avec celle-ci, enceinte, il se réfugie dans une île occupée par le vieux Noir Clemente Ayoví, qui cultive le tabac. Mais l'île est vendue et un jour la police, qui vient avec le nouveau propriétaire expulser les occupants, brûle la maison. Gumersindo, le fils de Lastre, périt carbonisé, et sa mère devient folle sous le choc. Fou de rage, Lastre tue le propriétaire. La vie picaresque de ce héros pathétique et drôle s'achève en 1941, lors d'une tentative d'invasion de l'Équateur par le Pérou. Lastre est tué par les soldats péruviens en essayant de leur dérober pour ses compagnons un cuissot de porc qu'ils sont en train de rôtir. Ils l'ont pris eux aussi pour le diable. Comme l'affirme justement le critique Benjamín Carrión, « en faisant agir le diable, le soleil, les animaux, les hommes et la mort, avec un tragique simple et, pourrait-on presque dire, placide », Adalberto Ortiz a créé avec *Juyungo* « ce que l'on a écrit de plus sérieux comme roman nègre dans la littérature sud-américaine ». — Trad. Gallimard, 1955.

C. C.

K

KABBALE (La) ou la Philosophie religieuse des Hébreux. Livre d'érudition du philosophe Adolphe Franck (1809-1893), publié en 1843 et réédité, avec des modifications importantes, en 1889 et 1892. Cet ouvrage – qui a le mérite d'être le premier essai d'une étude scientifique et systématique de la tradition hébraïque – se divise en trois parties d'inégale valeur. La première partie traite de l'antiquité de la *cabale,* des livres qui la composent et de leur authenticité ; la deuxième, de la doctrine même telle qu'elle se dégage des livres cabalistiques ; l'auteur y analyse le *Sepher Yetzirah* et le *Zohar* (*) ; dans la troisième, Franck essaie de dégager les rapports qui existeraient entre les enseignements des cabalistes d'une part et ceux de Platon, des néo-platoniciens et de Philon d'Alexandrie d'autre part. Il étudie ensuite les rapports qui existent entre la cabale et les religions des Chaldéens et des Perses d'une part, et la religion chrétienne d'autre part. Un appendice traite brièvement de deux sectes juives : les « Hassidim » (ou hommes de stricte observance) et les « Zoharites » (ou disciples de Sabbathaï Zévi). Dans cette troisième partie, nous voyons apparaître clairement la préoccupation majeure de l'auteur, qui est de montrer que les systèmes cabalistiques ont beaucoup d'analogies avec les théories platoniciennes. Les preuves avancées par Franck, et surtout l'accueil enthousiaste que son livre trouva auprès de ses collègues de l'Institut, contribuèrent à accréditer définitivement l'opinion selon laquelle la cabale serait un système philosophique panthéiste, ce qui est absolument contraire au génie même du judaïsme et à sa foi. De plus – qu'il s'agisse du rabbin, converti au christianisme, David Drach (1791-1865), du savant traducteur du *Zohar* de Pauly (1860-1904), ou du cabaliste moderne, Paul Vulliaud – tous ces spécialistes ont unanimement reproché à Franck d'avoir entrepris un travail aussi considérable avec des notions très imparfaites de la langue hébraïque. En effet, dans sa *Cabale des Hébreux vengée de la fausse imputation de panthéisme* (éditée, en 1864, en français, à Rome), Drach a montré que les connaissances de Franck en cabale n'étaient pas de première main et qu'il ne connaissait les traités cabalistiques dont il parle que par les traductions latines (plus ou moins valables) qu'en avaient fait certains hébraïsants de l'époque de la Renaissance, ainsi que par les travaux de Rittangelus, de Riccio, de Reuchlin et de Pic de La Mirandole. Ces critiques une fois rappelées, il est juste de ne pas oublier qu'il s'agit, avec ce livre, de la première étude moderne sur la cabale. De plus, Franck fut le premier à démontrer l'antiquité de la cabale et ceci, contre l'opinion de la plupart des rabbins de son temps.

KĀDAMBARĪ. Œuvre du poète indien Bāṇa (ou Bāṇabhaṭṭa 585-650) qui vécut à la cour de l'empereur Harṣa. Bāṇa n'ayant pu achever cette œuvre, celle-ci fut terminée par son fils, Bhūsanabhaṭṭa. Ce conte reprend un thème déjà utilisé dans le *Kathāsaritsāgara* (*) et dans la *Brihatkathamañjari* (*), de Kshemendra, thème emprunté probablement à l'œuvre de Gunādhya. Il s'agit d'une série de nouvelles ayant entre elles un lien commun. Autour du récit central – dont le sujet est l'amour qui s'allume au premier regard entre Candrāpīda et la belle Kādambarī – se greffent d'autres récits qui portent sur les désirs et les peines que suscite l'amour. Ces récits sont agrémentés de nombreuses descriptions, de comparaisons et de jeux de mots ; la narration est coupée par des dialogues, souvent très animés. Ce roman est important pour la connaissance de l'histoire de la culture indienne ; il nous renseigne sur la vie et les sentiments religieux des tenants du śivaïsme. Ainsi, l'on y trouve énumérés tous les rites que Vilāsavatī doit accomplir pour obtenir un fils ; ailleurs, le poète juge sévèrement la « satī », c'est-à-dire l'usage qui veut que l'on brûle la veuve sur le bûcher funéraire du mari. Ce roman eut une grande influence sur le roman jaïnique. — Il fut publié par P. Peterson dans les *Bombay Sanskrit Series* (1883) et traduit en partie par C. M. Ridding en anglais, Londres, 1896 ; Bombay, 1960 ; puis par R.-M. Kale, Delhi, 1968.

KADDISH [*Kaddish*]. Recueil de poèmes du poète américain Allen Ginsberg (né en 1926), publié en 1961. La mort de Naomi, mère d'Allen Ginsberg, en 1956, est à l'origine de ce « poème, récit, cantique, lamentation, litanie et fugue », ainsi que l'indique le sous-titre. Naomi Ginsberg, émigrée juive d'origine russe, était une ardente militante communiste, qui participait à tous les meetings ouvriers aux environs de Paterson (New Jersey), où elle habitait avec son mari, Louis, instituteur et poète. Elle fit plusieurs séjours en hôpital psychiatrique, où elle subit régulièrement des électrochocs, à la suite de crises de paranoïa aiguës où elle s'imaginait entourée de fascistes décidés à la tuer.

Dans la tradition juive, le *Kaddish* est une prière pour les morts. La prose poétique d'Allen Ginsberg est une remémoration bouleversée de l'existence de sa mère, à partir de son arrivée en Amérique et jusqu'à son décès. S'y mêlent les souvenirs d'enfance et d'adolescence du poète : bribes de dialogues, images marquantes, scènes terribles des crises de folie de Naomi, de ses délires, des infirmiers venant la chercher en pleine nuit devant son mari éploré et impuissant. Par la simplicité de son écriture, Ginsberg trace un portrait tendre et dépouillé de cette femme courageuse, idéaliste, musicienne, sans cesse confrontée à des problèmes financiers et sujette à des crises de folie de plus en plus graves.

Dans ce long poème, Ginsberg se livre aussi à une méditation sur la vieillesse et la mort, sur la perte de contact avec la réalité qui l'envoya, lui aussi, passer huit mois en hôpital psychiatrique. Le désespoir et l'horreur de la vie en Amérique imprègnent cette prière funèbre ; l'incompréhension et le désarroi, aussi, devant les cris terrifiés d'une mère. Ici, Allen Ginsberg réussit admirablement à mêler le plus intime — la folie de sa mère — et ce qu'il appellera plus tard la « chute de l'Amérique » : la décadence d'une nation livrée, elle aussi, à la paranoïa et dont la folie destructrice broie les individus.

Le même recueil contient trois poèmes intitulés « Gaz hilarant », « Mescaline » et « Acide lysergique » qui, un peu comme chez Henri Michaux, décrivent les effets de ces drogues sur la conscience. Ici, comme ailleurs dans l'œuvre de Ginsberg, la drogue est une clef permettant d'ouvrir les « portes de la perception », selon l'expression d'Aldous Huxley, ainsi que le moyen de briser des réflexes de pensée inculqués par les divers systèmes de contrôle de la société.

Le recueil se clôt sur un poème intitulé « Psaume magique », dont le seul titre indique bien l'intérêt de Ginsberg pour le pouvoir magique des mots et pour la religion considérée comme une expérience touchant à l'intimité de l'être, ce que d'autres ont appelé une mystique. — Trad. Christian Bourgois, 1976.

B. M.

KALĀVILĀSA [*Floraison des arts*]. Poème didascalique indien de Kṣemendra (XIe siècle), divisé en dix sections ; c'est une peinture des artifices [kalā] et des ruses employés par l'homme. Le marchand Hiranyagupta conduit son fils Candragupta auprès d'un célèbre maître ès coquineries, Mūladeva, et le prie de se charger de son instruction. Mūladeva consent, héberge le fils du marchand dans sa maison et l'instruit dans les ruses, fraudes et félonies de toutes sortes. Les doctrines de Mūladeva forment le sujet du poème. Au cœur de toutes ces malhonnêtetés réside l'hypocrisie. L'auteur décrit, avec une véracité particulière, les religieux hypocrites, et narre les circonstances qui auraient présidé à la création de Dambha (esprit de l'hypocrisie), lequel est représenté comme un grand ascète occupé à murmurer des prières en tenant dans sa main un chapelet. Il a si bien l'apparence d'un saint que les sept Rishi lui manifestent la plus profonde vénération, et Brahmā le Créateur lui-même le loue pour son extraordinaire ascèse ; mais Dambha prie Brahmā de parler doucement et lui demande de mettre la main devant sa bouche quand il parle : il ne tient pas à être souillé par son haleine impure. Dambha est descendu sur terre et s'y est répandu sous mille aspects. Il a établi pour toujours sa demeure dans la bouche et sur le visage des hauts fonctionnaires, mais il a pénétré aussi dans le cœur des ascètes, des astrologues, des médecins, des serviteurs, etc. Il a pénétré même chez les oiseaux (voyez le héron, qui habite au bord des fleuves et s'y tient comme un pénitent) ; il a pénétré aussi dans les arbres qui, revêtus de leur écorce, semblent être des ascètes. Dans la VIIe section, le poète attaque âprement la race vagabonde des chanteurs et des bardes, représentés comme des bohémiens errants qui enlèvent aux riches leur argent et ne possèdent jamais rien, parce que ce qu'ils gagnent le matin en chantant ils le perdent au jeu le soir. Les bijoutiers sont pris à partie dans la VIIIe section, et sont traités de voleurs de métaux et de trompeurs. La IXe section nous décrit quelques beaux modèles de friponnerie. On y trouve le médecin, qui tue des centaines d'hommes en employant toutes les herbes imaginables pour étaler sa vaine science. On y voit aussi l'astrologue, qui fait mine d'observer le cours des planètes et se livre à mille singeries pour entrer dans les bonnes grâces des gens riches, sans se douter que sa femme passe ses journées en compagnie de ses amants. On y parle enfin du fabricant d'élixirs, dont le crâne chauve brille comme une casserole de cuivre, ce qui ne l'empêche pas de prendre leur argent aux chauves, sous couvert de leur faire pousser les cheveux. Kṣemendra est un auteur plein de pédanterie, mais riche d'expérience, et observateur pénétrant des milieux et des coutumes. Cette œuvre, d'un grand intérêt, fut publiée dans la collection Kāvyamālā ; elle fut traduite en allemand par R. Schmidt, Eisleben et Vienne, 1914.

KALEVALA. Épopée en langue finnoise, considérée comme nationale, constituée par l'écrivain finlandais Elias Lönnrot (1802-1884) à partir de chants et poèmes populaires recueillis pour une grande part par lui-même. Une première version (35 chants) paraît en 1835, la version définitive (50 chants) en 1849. Le *Kalevala* constitue un jalon central dans l'histoire de la culture finlandaise et dans l'affirmation d'une identité finnoise. C'est en effet dans une Finlande dominée par une intelligentsia suédophone, intégrée dans l'empire des tsars, que Lönnrot assemble des matériaux populaires et donne à la Finlande une tradition et des racines. C'est ainsi que cette épopée ne cesse depuis cent cinquante ans d'influencer les œuvres les plus diverses.

En 50 chants, elle raconte pour l'essentiel l'affrontement entre les héros de Kalevala (pays de Kaleva) et la dame de Pohjola (pays du Nord), Louhi. Les Kalévaléens sont le vieux magicien Väinämöinen, fils de la vierge de l'air, le forgeron Ilmarinen, et le joyeux Lemminkäinen. Après une présentation de la cosmogonie des Finnois (l'univers provient des fragments d'un œuf d'aigle pondu sur le genou de la vierge de l'air), nous apprenons que Väinämöinen s'empare du feu et affronte victorieusement un jeune magicien lapon. Il va demander la main de la demoiselle de Pohjola, et Louhi lui impose de fabriquer le sampo, un objet magique dispensateur de tous biens. Il chargera Ilmarinen de le forger. À son tour, Lemminkäinen part conquérir la demoiselle de Pohjola, et est soumis à plusieurs épreuves, dont la dernière lui est fatale. Mais sa mère recueille les morceaux de son corps et lui rend la vie. C'est finalement Ilmarinen qui obtient la main de la demoiselle de Pohjola et la noce a lieu. Suit un épisode dont le lien avec l'ensemble est très lâche : Kullervo est vendu comme esclave à Ilmarinen. Maltraité par l'épouse de ce dernier, il la tue, puis rencontre par hasard sa sœur disparue et, ignorant son identité, la séduit. De désespoir, il se suicide. Après cet intermède, nous retrouvons Ilmarinen, Väinämöinen et Lemminkäinen qui veulent récupérer le sampo. Ils y parviennent mais dans les combats le sampo se brise. Louhi, pour se venger, cache le soleil et la lune ; mais le feu lui échappe ; avalé par un poisson, il fait bien des ravages avant d'être ramené à Kalevala. Louhi finit par remettre les astres en place. Enfin, en conclusion, un bel exemple de syncrétisme : fécondée par une airelle, Marjatta met au monde un enfant. Appelé à le baptiser, Väinämöinen décide de le mettre à mort car il n'a pas de père. Mais l'enfant se met à parler et accuse Väinämöinen, qui le baptise, le sacre roi de Carélie et s'en va pour toujours, léguant aux hommes ses chants et un instrument devenu instrument national, le kantele.

L'épopée contient bien sûr des épisodes relevant des mythes universels : descente aux enfers, inceste, épreuves imposées au héros, rôle de la musique, vengeances, sortilèges. En même temps, des passages rendent compte de manière fort réaliste des travaux des champs ou des rites nuptiaux.

Du point de vue formel, le *Kalevala* est écrit en octosyllabes trochaïques, dans un vers caractérisé par les allitérations et les répétitions, qui lui donnent une saveur de litanie.

Parmi les principales questions soulevées par le *Kalevala* : est-ce une épopée nationale, ou bien l'œuvre de Lönnrot ? Au XIXe siècle, les folklores étaient compris comme les restes frelatés d'une épopée originelle disparue qu'il fallait reconstruire avec des méthodes parallèles à celles des linguistes. C'est ce qu'entendait faire Lönnrot : il a cherché un ordre logique à des épisodes épars, écarté tout ce qui ne lui semblait pas relever de la couche la plus archaïque (notamment la plupart des traces de syncrétisme), homogénéisé la langue, voire conçu des vers de transition. Aux yeux de la critique moderne, le *Kalevala* apparaît donc comme une œuvre dont Lönnrot est responsable, à partir d'un matériau original qu'il a en grande partie respecté.

On discute encore de la manière d'interpréter les péripéties et les personnages kalévaléens : faut-il donner au *Kalevala* une interprétation historique (guerres réelles, héros historiques) ou mythique ? Tout le monde cependant s'accorde à considérer que, si les matériaux proviennent de Carélie et d'Ingrie, les thèmes kalévaléens ont été jadis connus même dans les régions occidentales du pays, et qu'il s'agit d'une tradition qui touche l'ensemble du monde finnique. — Trad. Les Heures claires, 1984 ; *Le Kalevala et les traditions orales*, C.N.R.S., 1987. E. T.

KALEVIPOEG [*Le Fils de Kalev*]. Au début de la seconde moitié du siècle dernier, l'Estonie eut, elle aussi, son poème national, le *Kalevipoeg*. Ce poème fut publié sous l'impulsion de la nation voisine, toute proche de race et de langue, la Finlande, qui, en 1835, avait émerveillé le monde avec le *Kalevala* (*). Par le titre même, l'œuvre estonienne révèle la parenté de certains éléments. C'est de la race de Kalev, géant mythique et héroïque, que dérivent plusieurs personnages du poème estonien : le fils (en estonien « poeg », en finnois « poika », à rapprocher de « poike » et de « boy » des langues nordiques et anglo-saxonnes) de Kalev et ses deux frères Alevide et Sulevide. Mais les différences entre les deux poèmes sont nombreuses et importantes : le premier est composé d'un certain nombre de chants et de ballades raccordées par Lönnrot ; le poème estonien, par contre, est une adaptation de contes en prose, transmis oralement, qui ont été réduits en vers traditionnels (communs aux deux peuples) – vers trochaïques de huit pieds avec allitération et parallélisme – par Friedrich Reinhold Kreutzwald (1803-1882) ; et tandis que le *Kalevala* présente une unité seulement poétique, le *Kalevipoeg* rassemble les événements qui se rapportent à un personnage principal, le fils de Kalev. Déjà Schüdlöffel en 1836 et Faehlmann jusqu'en 1850 avaient commencé à rassembler et à réunir les légendes estoniennes. C'était Kreutzwald qui devait mener à bonne fin l'entreprise, en 1857. Entre 1857 et 1862 parut la première édition en 20 chants et 19 047 vers, dont 7 600 environ sont la fidèle reproduction de chants populaires déjà existants, puis, en 1862, en Finlande, le poème fut tiré à mille exemplaires.

Les premiers chants racontent les origines du mariage de Kalev et de Linda, la fille de la jeune veuve de Lääne. Des fils de ce mariage, le plus jeune (Kalevi noorem poeg), né après la mort de son père, sera le héros national. La veuve a beaucoup de prétendants, mais elle les repousse tous dédaigneusement, jusqu'au jour où se présente le mage de Finlande, Tuuslar, l'enchanteur du vent. Irrité de son refus, il la ravit de force ; mais le dieu de la foudre, Uku, ému par les cris désespérés et le triste destin de la femme, la transforme en rocher. Le Kalevide se rend sur la tombe de son père, pour avoir des éclaircissements et des conseils ; mais celui-ci ne peut lui répondre que ces mots : « Je ne peux me lever, je ne peux reparaître ; des pierres et des fleurs me recouvrent... Le vent t'indiquera ta route, les zéphyrs te la diront, les étoiles t'éclaireront. » Le Kalevide se jette alors à la mer pour atteindre la Finlande à la nage et retrouver la trace du ravisseur de sa mère et le punir. Il aborde dans une petite île où il rencontre une jeune fille à laquelle il offre son amour ; mais quand il lui dit son nom, elle se précipite dans la mer, du haut d'un rocher, et se noie (épisode nettement imité du *Kalevala* ; il suffit de le rapprocher de la tragique aventure de Kullervo, séducteur involontaire de sa propre sœur). Après avoir tué le mage et avant de rentrer dans sa patrie, le Kalevide veut acheter la meilleure épée forgée par le plus fameux forgeron de Finlande ; chez lui, il trouvera l'épée qui lui est destinée, une épée qui ne se brise pas, mais se plie entre ses mains. Et lorsque après un banquet où la bière a coulé à flots et fait naître des disputes, le Kalevide raconte son aventure dans l'île et la fin de la jeune fille, le fils du forgeron (qui, selon une variante de la légende, serait le fiancé de cette jeune fille) lui fait de violents reproches et, emporté par la fureur, le traite de menteur et de lâche : alors le Kalevide, ayant tiré l'épée qu'il vient d'acquérir, se précipite sur lui et le tue. Le forgeron, horrifié, le maudit, et lui prédit qu'il périra par cette épée dont il vient de faire un usage infâme en tuant un innocent.

Sur le chemin du retour, le Kalevide entend, dans l'île où il avait commis son premier crime, la voix de sa mère changée en rocher ; elle l'avertit du tragique destin qui l'attend en expiation : « Prends garde à ton épée : le sang demande le sang en réparation. » Lorsqu'il arrive enfin dans la demeure paternelle, le Kalevide retrouve ses frères. Sorti vainqueur d'une compétition qui devait décider lequel des trois aurait l'héritage paternel et le trône d'Estonie, le Kalevide aura encore à se mesurer avec bien d'autres adversaires, car des rumeurs de guerre se font entendre, l'ennemi menace par le nord et le pays va être envahi. Le spectre de la faim et le spectre de la peste apparaissent aux frontières ; ici se place un long intermède d'aventures : par l'enchantement d'un méchant sorcier, le Kalevide tombe dans un profond sommeil de sept semaines, puis descend en enfer (Pôrgu), où il lutte avec le diable (Sarvik, le cornu). C'est dans ces chants que la superposition et le mélange des éléments chrétiens et étrangers sont les plus évidents ; c'est ainsi qu'au nom ancien de « Toonela » (en finnois « Tuonela ») se substitue celui de « Pôrgu », emprunté au lituanien « Pertunas », etc. Le retour dans le monde de la lumière a lieu sur un navire, tout en argent, construit par le Kalevide. Mais une nouvelle guerre vient troubler les fêtes du retour ; longues descriptions de batailles et de massacres, jusqu'à la catastrophe finale : vaincu dans une bataille malheureuse, Kalevipoeg cède la couronne à son frère Olav et se retire vers le fleuve Kääpa. Tandis qu'il franchit le fleuve, il a les jambes coupées par son épée : celle-ci, qui lui avait été volée, se trouvait au fond de la rivière. Désormais, prisonnier du diable, il est attaché à un rocher et ne sera libéré que pour retourner dans sa patrie, « apporter le bonheur à ses fils et créer une nouvelle Estonie », prophétie par laquelle se termine le poème.

Ceux qui voudront apprécier la beauté particulière du poème devront se reporter aux deux meilleures traductions : la traduction allemande de F. Löwe (1900) ou la traduction anglaise de Kirby (1895), ou encore à l'édition remaniée de J. Grosse (1875, en trochées non rimés) ; mais ils ne devront pas oublier que deux éléments essentiels de cette poésie nordique, aussi bien en finnois qu'en estonien, l'allitération et le parallélisme, ne peuvent être conservés complètement dans nos langues latines. En outre, une quantité d'expressions, de métaphores, de comparaisons paraissent trop étranges, peut-être même puériles ou absurdes, au lecteur qui, pour la première fois, se penche sur cette poésie du Nord. Tandis que nous dirions simplement : « Le héros tendit l'oreille au doux chant du coucou », l'estonien dit (IV, 180-185) : « Le hardi et héroïque Kalevide tendit l'oreille pour entendre si le coucou annonçait de l'or, s'il jetait par son bec de l'argent, si du cuivre ornait sa langue, si quelque petite pièce ne resplendissait pas dans son palais. » Et aucun poète occidental ne donnerait à sa bien-aimée les doux noms de petite poulette, petite cane, oie douce, etc., que le poète nordique lui décerne. L'œuvre que Kreutzwald avait entreprise était importante et les difficultés étaient nombreuses ; il ne lui fut pas toujours aisé de la mener à bien, et la matière à modeler se révéla moins maniable qu'elle ne l'avait été pour son génial prédécesseur finnois. Tous deux ont quelque ressemblance avec leurs héros : le Kalevide, après de tumultueuses et confuses aventures, resta la main prise dans la fente d'un rocher ; Väinämöinen, l'éternel chanteur, ayant abandonné sa douce harpe en souvenir des fils de Suomi, s'égare sur sa barque magique, en pleine mer, là où le ciel descend « pour rencontrer la terre ».

KALILA ET DIMNA (Livre de) [*Kitāb Kalīla wa-Dimna*]. Recueil de fables de l'écrivain persan Ibn al-Muqaffa' (vers 724-vers 759). L'ouvrage serait une traduction d'un texte persan lui-même traduction d'un texte indien attribué au sage Bidpaï. Il met en scène des animaux, et en particulier deux chacals, Kalila et Dimna, qui vont constituer les personnages charnières du livre. Le récit ne se présente pas comme un texte organisé linéairement, mais au contraire fait un usage systématique de la technique, chère aux récits orientaux, du développement en tiroir : un récit en appelle un autre, qui peut lui aussi en ouvrir un troisième, et ainsi de suite. Les récits sont clos dans l'ordre inverse de leur ouverture, le dernier ouvert est fermé le premier, puis on passe à l'avant-dernier, et ainsi de suite. L'ouvrage commence par une introduction présentant le propos du recueil de fables et l'histoire de l'origine de ce recueil puis des circonstances qui ont permis de le sortir de l'Inde et de le traduire en persan. On y trouve développés les thèmes de l'utilité de la connaissance, de la nécessité de faire usage de ce que l'on sait, des considérations sur le vrai savoir opposé aux connaissances livresques, pédantes et inutiles, des dangers de la passion et du désir. Vient ensuite le corps même de l'ouvrage, qui introduit aux fables. L'intrigue principale se déroule à la cour du lion, roi des animaux : l'arrivée d'un nouveau venu, le buffle, qui parvient à conquérir auprès du souverain la place enviée d'ami et de confident, provoque jalousies et complots. Dimna, dont l'ambition et le cynisme se révèlent peu à peu, est particulièrement attaché à provoquer la disgrâce et la perte du nouveau favori. Dans un premier temps il parviendra à ses fins, tant il est vrai que le pouvoir est soupçonneux et prompt à punir même les fautes imaginaires. Mais dans un deuxième temps (pour sauver la morale ?) l'imposture est démasquée et les méchants jugés et punis. Bien entendu, et grâce à l'imbrication complexe des fables et récits, le drame de premier plan ne se développe que progressivement, maintenant le lecteur en haleine tout en le divertissant par ce qui peut paraître comme autant de digressions, mais qui est en fait l'occasion de développer, de façon d'autant plus subtile et insistante qu'elle est indirecte, le faisceau des thèses de l'ouvrage. Ces thèses sont, a priori, fort variées : ce que le sage doit faire ou ne pas faire, les dangers du pouvoir, le fait que la valeur finit toujours par être reconnue, le caractère irremplaçable d'un ami sincère et dévoué, la supériorité de la ruse par rapport à la force, la nécessité de ne pas trop demander, l'importance pour les puissants de prendre l'avis des sages, etc. Mais l'ensemble dessine en fait une véritable philosophie politique et une certaine conception de l'ordre social. — Trad. Klincksieck, 1957.

D.-E. K.

★ L'écrivain et homme d'État persan Nasrollâh Monchi (XIIe siècle) a réécrit plus que traduit le livre de Abdollâh Ibn al-Muqaffa sous le titre *Kalilé et Demné* [*Kalilé va Demné*]. L'auteur achève son travail entre 1143 et 1145, et le dédie au prince ghaznévide Bahrâm-Châh, avant le sac de Ghazna en 1150. Cette œuvre a une histoire dans la littérature persane : le célèbre poète Roudaki l'a déjà mise en vers ; et il existe une autre traduction d'arabe en persan, contemporaine de celle de Nasrollâh Monchi, due à Mohammad al-Boukhari et dédiée à l'Atabeg de Mowsel, Abol-Mozaffar Zonghor.

La version de Nasrollâh Monchi, écrite dans une belle prose ornée, aura une influence considérable sur les lettrés persans de plusieurs générations : elle inspirera plus de quarante ouvrages, et servira de base à toute une série de traductions turques. Elle est évincée au XVIe siècle par *Les Lumières de Canope* (*) de Hossein Vâez Kachefi, lorsque la langue raffinée de Nasrollâh paraît trop vieillie. L'auteur reste fidèle au texte arabe, mais il réussit à y insérer les réflexions propres à la tradition littéraire persane. Son but est de faire comprendre au lecteur le sens contenu dans les contes, s'appliquant ainsi à réaliser le conseil qu'Ibn al-Muqaffa a donné dans son introduction.

Son œuvre est « une sorte d'encyclopédie animée, où se trouvent rassemblés de façon bien organisée les enseignements de la sagesse pratique » (C.H. de Fauchécour). C'est le sage qui répond aux questions du roi et l'instruit sur le comportement des gens de sa cour. Chaque conte commence par la demande du roi au brahmane de lui donner un exemple sur un sujet ; le brahmane répond par une sentence appropriée, qu'il illustre par un conte.

Les huit premiers contes du livre sont

centrés sur les notions d'amitié et d'inimitié : ces leçons sont destinées au prince, pour l'initier aux comportements essentiels de ses courtisans et, par là, aux comportements qu'il lui convient d'avoir avec eux. Le onzième conte enseigne aux gouvernants la vieille leçon persane, qu'il ne faut jamais laisser quelqu'un apprendre un métier qu'il n'a pas hérité de son père. Ensuite le brahmane répond au roi d'Inde que la meilleure vertu du prince est la longanimité, car elle profite à l'ensemble de ses sujets : ce thème est pour l'auteur l'occasion du plus long développement moral de tout son livre. Le treizième conte fait suite à un long exposé, dans lequel est dressé le portrait du serviteur bon et compétent, que le roi doit favoriser, en lui faisant gravir les degrés de la hiérarchie : l'auteur montre ainsi qu'un bienfait est toujours récompensé. Le dernier conte (le quatorzième) achève l'ensemble des leçons morales par une réflexion sur le destin qui domine la nature humaine.

Kalilé et Demné est un « Miroir des princes », car ses enseignements majeurs portent sur les relations morales et politiques que sont l'amitié et l'inimitié. L'auteur souligne l'obligation du prince de prendre conseil pour éviter la hâte dans les décisions, et de savoir reconnaître un bon conseiller. Le prince est également instruit sur les qualités du bon serviteur, dont il doit faire son auxiliaire ; mais, selon l'ancienne leçon d'Ardéchir, il faut laisser chacun de ses sujets au rang où l'a mis sa naissance. A la fin de l'ouvrage, ce sont les notions de raison, de bonheur et de destin qui sont confrontées : la raison veut que l'homme s'en remette au destin pour son bonheur.

Monchi a simplifié les récits de la version arabe et a développé, de façon bien construite, les aspects moraux des dialogues et des débats. Quand l'auteur rappelle que « la raison est supérieure au courage », il donne pour reçu de tous son ordre préférentiel des valeurs. Dans sa réécriture de *Kalilé et Demné*, il a su préserver la morale persane la plus traditionnelle, non marquée par le soufisme. M.-H. P.

KALLOCAÏNE (La) [*Kallocain*]. Roman de l'écrivain suédois Karin Boye (1900-1941), publié en 1940. Dernier roman et testament spirituel de Karin Boye avant son suicide, ce chef-d'œuvre est le reflet terrifiant d'une symbiose réussie de ses expériences personnelles et de ses angoisses. En effet, aux déceptions et aux difficultés relationnelles de sa vie privée s'ajoutent son intuition du péril communiste, retirée d'un voyage en U.R.S.S. en 1928, et le choc provoqué par la montée du nazisme, dont elle fut le témoin pendant son séjour à Berlin (1932-1933). La gravité de la situation politique lui inspire, sous couvert d'un roman de science-fiction unique en son genre en Suède, une critique radicale des régimes totalitaires dans la veine de Zamiatine ou de Huxley. L'action se situe en l'an 2000 dans la ville souterraine d'un État policier imaginaire. Surveillés sans cesse par des yeux électroniques et des micros, ces citadins sont privés de toute intimité et vivent dans la peur et la suspicion perpétuelle. Le héros, Leo Kall, un chimiste jusqu'alors loyal et soumis, va se laisser peu à peu gagner par le doute. Cette métamorphose s'avère lente et douloureuse. Fier d'avoir mis au point un sérum de vérité, la kallocaïne, il refuse dans un premier temps d'admettre qu'il risque ainsi de ravir aux hommes le dernier espace de liberté qui leur reste. Il est troublé par les expérimentations menées sur des cobayes humains et plus encore lorsqu'il voit la police s'emparer de sa découverte pour débusquer et punir les délits de pensée. Il est partagé entre la joie que lui procure son prestige croissant et une anxiété indéfinissable. Grâce aux aveux obtenus par la kallocaïne, il a découvert une résistance secrète basée sur la confiance mutuelle qui lie ses membres et l'existence d'un îlot rescapé de civilisation. Inconsciemment il éprouve du respect et de l'admiration pour leur foi inébranlable. La crainte de se trahir et d'être à son tour dénoncé l'entraîne dans l'abjection : il livre son chef aux autorités et soumet sa femme Linda à l'épreuve de la kallocaïne. Mais, à la suite de sa confession, la barrière de méfiance dressée entre eux tombe, et Leo Kall retrouve son amour pour sa femme. Désormais il obéit à sa voix intérieure qui lui commande d'aller rejoindre les combattants de la liberté. Or à l'extérieur de la ville la guerre fait rage. Leo Kall est fait prisonnier et choisit de livrer son invention à l'ennemi dans l'espoir paradoxal de participer « malgré tout à la création d'un monde nouveau » en révélant les nobles penchants de l'homme et en faisant éclater la force des idées. Dans cette œuvre d'une brûlante actualité, Karin Boye pousse au paroxysme le problème des rapports entre individu et société. L'auteur entend démontrer combien le pouvoir est destructeur et met à nu les mécanismes de dépersonnalisation. La dictature manipule psychologiquement les citoyens et fait régner une terreur castratrice. Karin Boye pousse également un cri d'alarme face au risque de voir le progrès scientifique dévoyé par des dirigeants criminels. Toutefois, malgré ces inquiétantes perspectives, Karin Boye conserve espoir en l'homme. La confiance, condition nécessaire à l'épanouissement, ne peut jamais être entièrement anéantie. Elle renaît toujours, éveillant un inextinguible désir de vérité. Le symbole de la kallocaïne révèle cependant l'ambiguïté d'une telle aspiration. Le traitement par cette drogue ressemble en effet étrangement à la cure psychanalytique, comme elle, il peut être synonyme de délivrance, mais aussi, utilisé à mauvais escient, receler des dangers pires que le mal. Ultime sursaut d'un écrivain désespéré qui refuse une dernière fois de céder au découragement, ce roman d'une particulière intensité et d'une profonde richesse témoigne d'un engagement moral et intellectuel poignant à l'une des époques les plus sombres de l'humanité. – Trad. Fortuny, 1947 ; Ombres, 1988. M.-B. L.

KĀMA-KALA. Essai de l'écrivain indien d'expression anglaise Mulk Raj Anand (né en 1905), publié en 1958. Hormis les spécialistes de l'art indien, personne ne se penche vraiment sur les sculptures érotiques des temples de Khajuraho, de Puri et de Konarak, contemporains de nos églises romanes. Le livre de Mulk Raj Anand nous révèle une sculpture d'une singulière beauté, particulièrement mise en valeur par des planches grand format. Dans son essai préliminaire, l'écrivain fait un historique philosophique du sensualisme indien qui se manifeste dès les origines culturelles aussi bien dans l'art de Mohenjo-Daro ou d'Harappa que dans les hymnes védiques. Le désir, Kāma, est le moteur de la création, l'attraction des deux principes mâle et femelle donne la joie sans limites de l'absorption en la divinité et permet le retour suprême en l'unité. C'est donc une « profonde expérience du mystère métaphysique » que permet l'acte sexuel, et les sculpteurs ou les peintres, en figurant des sujets érotiques, rendent gloire aux divinités qui ont incarné Brahmā le créateur. Le double principe indien de la vie, le sens charnel et le sens spirituel, s'exalte dans ces représentations plastiques de l'érotisme. L'élan des visages, les déplacements des bras et des jambes et l'ardeur des lèvres pressées l'une contre l'autre expriment à la fois toutes les nuances du désir et le contrôle mental, profondément religieux, pratiqué dans les rites du shivaïsme. Les sculpteurs indiens ont laissé du geste éternel de l'enlacement et de l'étreinte une forme dont la beauté est inégalable. Mulk Raj Anand présente avec clarté les mondes multiples indiens culturels et sociaux, historiques et religieux. Les photographies en couleurs ne procèdent pas par séquences, mais par détails. Le jaune, le rouge et le vert y dominent comme des leitmotive. – Trad. Nagel, 1958.

KĀMANDAKĪYA-NĪTISĀRA [*L'Essence de la politique de Kāmandaki*]. Texte indien de caractère doctrinal, concernant la science et la pratique du gouvernement et les devoirs du roi en temps de paix comme en temps de guerre. Écrit entièrement en vers, il est divisé en vingt chapitres, subdivisés à leur tour en paragraphes au nombre de trente-six. Nous ne savons rien de précis sur l'auteur : Kāmandaki (ou Kāmandaka) ; on est en droit de penser, si l'on s'appuie sur certaines citations contenues dans d'autres textes, que le *Kāmandakīya-Nītisāra* a été composé probablement vers 700 apr. J.-C. Kāmandaki fait, au début de cette œuvre, l'éloge du fameux Viṣṇugupta (alias Kauṭilya), qui détermina par son art politique le triomphe de Candragupta sur la dynastie des Nanda. L'examen du texte révèle qu'il prend ses sources dans le *Kauṭilīya-Artha-Śāstra* (*), mais il n'est pas exclu que Kāmandaki se soit servi aussi d'autres sources. En effet, certains arguments, amplement élaborés dans le *Kauṭilīya-Artha-Śāstra* (et nous pensons surtout à l'administration de l'État), ne se trouvent point dans le *Kāmandakīya-Nītisāra ;* d'autre part, ce dernier texte a un ton moralisateur qui est étranger au *Kauṭilīya-Artha-Śāstra* et se perd dans une poussière de détails théoriques sur le thème général de la politique étrangère. Ce texte, qui longtemps fut considéré comme la source la plus significative des doctrines politiques de l'Inde ancienne, a perdu beaucoup de sa valeur depuis la publication du *Kauṭilīya-Artha-Śāstra* (en 1909).

KĀMA-SŪTRA [*Aphorismes sur le plaisir*]. Titre d'un traité indien sur l'« art d'aimer », composé aux environs de l'an 500 après J.-C. On s'accorde pour penser que l'auteur de ce traité, Mallanāga Vātsyāyana, en rédigeant cette œuvre n'a fait que recueillir un enseignement doctrinal, d'origine notablement plus ancienne, ayant partie liée avec les deux autres branches du « trivarga » (les trois choses), c'est-à-dire la connaissance des trois activités fondamentales de la vie humaine. Cette doctrine, qui remonte probablement à la moitié du premier millénaire avant J.-C. et qui devint par la suite une des théories pan-indiennes intimement liées au développement culturel de ce pays, détermine les trois principaux buts de l'existence : le « dharma » (l'observance des devoirs religieux et moraux ou *Dharma-Sūtra* – v. *Sutra* (*) –, l'« artha » (l'activité dans le cadre de la vie pratique, comprenant la jouissance de l'argent et des richesses en général) et le « kāma » (ou satisfaction de l'amour physique). Tandis que la branche des connaissances reliées au « dharma » possède une abondante littérature juridique (« dharma-śāstra »), tandis que celles reliées à l'« artha » sont rassemblées dans le très important traité administratif et judiciaire ayant pour titre *Artha-śāstra* (*), le traité le plus ancien et le plus significatif de la branche du « kāma » (« kāma-śāstra ») est le *Kāma-Sūtra* de Vātsyāyana. Par sa division en chapitres traités selon un modèle immuable, par la forme de son exposé (en prose et en vers), ainsi que par l'analogie qu'il y a entre son introduction et sa conclusion, le *Kāma-Sūtra* rappelle de très près l'*Artha-śāstra.* Cette étroite parenté est visible surtout dans ce singulier machiavélisme qui, dans l'œuvre de Kauṭilya, s'emploie à réaliser la fortune du roi, et – dans le traité de Vātsyāyana – à triompher dans le domaine de l'amour. Cette œuvre, dont la substance est souvent licencieuse, se divise en sept parties, traitant de l'amour en tant qu'il est un des éléments du « trivarga » (introduction philosophique) : de l'union sexuelle ; de l'acquisition d'une épouse ; de l'épouse ; des épouses d'autrui ; des courtisanes ; des moyens de s'attacher les autres. Ce traité se signale, en outre, par les renseignements qu'il fournit sur les us et coutumes de la vie privée dans l'Inde ancienne. L'interprétation du *Kāma-Sūtra* nous est facilitée par un important commentaire du XIIIe siècle : la *Jayamangalā* [*Commentaire avec présages de victoire*] de Yaçodhara. — Trad. Solar, 1988 ; Zulma, 1991.

KAMMERMUSIK. Sous cette appellation générale se rangent les opus 24, 36 et 46 du compositeur allemand Paul Hindemith (1895-1963), groupant au total huit pièces ; six pour instruments solistes et formation de chambre, une pour petit orchestre, une pour cinq instruments (dite d'ailleurs *Kleine Kammermusik*, l'op. 24, no 2). La composition de ces ouvrages s'échelonne de 1921-22 à 1930. Ils sont importants pour la connaissance de Hindemith, car ils sont caractéristiques de son style néo-classique. Une nature exubérante, riche en idées, les traite selon la polyphonie la plus moderne, à qui, cependant, s'impose la forme assez stricte du « Konzert » ou concerto grosso à l'italienne ; le cadre en est, certes, un peu élargi ; toutefois, ce qui frappe le plus, c'est la suprématie des vents sur les cordes (ex. op. 24, no 2 : flûte, hautbois, clarinette, basson, cor ; la composition des ensembles d'accompagnement de l'op. 36, nos 1 et 2 : huit vents, quatre cordes ; sept vents, trois cordes). La première de ces *Kammermusik* est célèbre pour le « fox-trot 1921 » qui lui sert de finale et qui n'est pas, comme on l'a dit, une parodie mais le reflet de la mode du temps. Parmi les quatre numéros que comprend l'opus 36 (1924-27), le plus brillant est le troisième (1925), considéré comme l'une des meilleures compositions de l'auteur. C'est un concerto pour violon et vingt-quatre instruments sans violons — ce procédé de mise en relief de l'instrument soliste sera de nouveau adopté pour les concertos op. 36, no 4 et op. 46, no 1. Il comprend cinq mouvements, le premier, « Signal », est uniquement orchestral ; le soliste intervient dans les quatre suivants qui sont un allegro, un Nachtstück, un fugato et un finale rapide. L'opus 36 comporte également une *Kammermusik* pour alto et petit orchestre, particulièrement importante quand on sait que Hindemith était lui-même altiste. L'opus 46 se compose de deux ouvrages : l'un pour viole de gambe et orchestre de chambre, l'autre pour orgue et orchestre de chambre. Ce dernier concerto ne constitue probablement pas une complète réussite, toutefois le traitement curieux auquel est soumis l'instrument soliste, dont la personnalité se trouve complètement altérée, était une tentative originale.

KANGOUROU [*Kangaroo*]. Roman de l'écrivain anglais David Herbert Lawrence (1885-1930), écrit pendant un court séjour en Australie et publié en 1923. Comme *La Verge d'Aaron* (*) (1922), c'est une œuvre politico-philosophique à la trame romanesque un peu lâche et à la structure morcelée. Lawrence y exploite, tant au niveau de l'écriture que de la réflexion, les concepts d'ordre et de liberté. Après la guerre de 1914, le poète Richard Lovat Somers et sa femme Harriet quittent l'Europe pour un pays neuf, l'Australie. Le couple se lie d'amitié avec les Calcott. Jack Calcott essaie d'entraîner Somers dans un groupe de conspirateurs fascistes. L'idée d'une révolution menée par des hommes forts séduit Somers. Harriet, la voix d'un certain bon sens, ne croit pas en ces théories. Jack présente Somers au leader du mouvement : un avocat juif, Benjamin Cooley, surnommé « Kangourou ». Ce dernier se présente comme un chef bienveillant qui croit à une autorité de type paternaliste. Somers trouve son discours, son physique et ses manières assez répugnants. Il ne veut pas se sentir englué dans cette forme d'amour, porté dans la poche marsupiale de ce chef. De son côté, le beau-frère de Calcott, Jaz, le présente au chef du parti socialiste, William Struthers, dont les propos sur la fraternité universelle ne le convainquent pas plus. Somers se dit qu'il ne veut ni l'amour ni le pouvoir, mais qu'il désire être lui-même. Aux Juifs, il reproche d'avoir inventé une spiritualité toute mentale. Il y oppose « la magie du monde animal ». Il déteste autant la volonté d'aimer que la volonté de puissance qui lui semblent équivalentes. Dans un tourbillon de pensées, il revit la période de guerre de 1914-1918, l'humiliation des visites médicales militaires et des poursuites injustifiées pour espionnage dont il fut l'objet ; il songe de nouveau à l'incompétence du gouvernement anglais, à la bêtise des nationalistes, à tout ce qui lui a fait fuir l'Angleterre. Mais en Australie, il est aussi désemparé. Il se moque de sa propre tendance à ratiociner sur le salut du monde, tout en restant persuadé que seul l'individu peut sauver l'humanité. Il renvoie dos à dos la tyrannie du pouvoir ou de l'argent et la tyrannie des masses. Au cours d'un meeting, Willie Struthers fait un grand discours anticapitaliste. Une bagarre éclate entre les socialistes et les partisans de Kangourou. Celui-ci est blessé. Avant de mourir, Kangourou reproche à Somers de ne pas l'avoir suivi. Somers quitte l'Australie n'ayant de regret que pour la beauté naturelle du paysage australien.

Lawrence a su ressusciter cette nature primordiale et reconstituer avec une certaine fidélité l'atmosphère de la société australienne en s'appuyant sur sa propre expérience, des articles de journaux (dont il a inséré des fragments dans le texte) et des témoignages. C'est ce qu'il avait vu en Italie dans les années 1920-1922 qui lui a inspiré le thème de la lutte entre fascistes et communistes. Au cœur du texte, Lawrence affirme qu'un roman est une « aventure de la pensée », ce qui explique la nature surprenante de cette œuvre souvent plus proche de l'essai ou du journal personnel que de l'idée qu'on se fait du roman. — Trad. Gallimard, 1933. G. Roy.

KANTELETAR. Recueil de poèmes populaires lyriques d'expression finnoise rassemblés et mis en forme par l'écrivain finlandais Elias Lönnrot (1802-1884), publié en 1840. L'épopée nationale finnoise, le *Kalevala* (*), a son pendant lyrique : un recueil de poèmes mis en forme par le même Lönnrot et intitulé *Kanteletar*. *Kantele* est le nom de l'instrument national finnois, une sorte de cithare qui accompagne la poésie populaire, et *-tar* est un suffixe qui marque des entités féminines. Les femmes, presque complètement absentes du *Kalevala*, sont ici auteurs de bon nombre de poèmes. Lönnrot a noté l'essentiel des matériaux à l'occasion de ses voyages en Carélie, où il a eu pour informatrice Mateli Kuivalatar, célèbre poétesse populaire. Sans prétendre reconstituer un grand ensemble cohérent, Lönnrot se réserve cependant le droit de classer les poèmes, de choisir la « meilleure » version (elle doit être « authentique, belle, ancienne »), d'en modifier et d'en unifier la langue : sa démarche, marquée par le romantisme de Herder, reflète l'état de la science du XVIIIe siècle. La *Kanteletar* comporte 652 poèmes répartis en trois parties : chants généraux, chants particuliers, « virret ».

Le premier livre (236 poèmes) comporte des pièces classées par thèmes. Elles sont l'expression des sentiments du chanteur. Pour l'essentiel, ce sont des lamentations sur les malheurs de l'existence : le sentiment de solitude domine, l'individu est écrasé par le dénuement, l'hostilité des gens, le travail trop pénible. Souvent, on appelle la mort. Rares sont les poèmes qui évoquent des moments heureux ou sereins, sauf à revenir sur un passé idéalisé ou à évoquer fêtes et danses. Lönnrot y présente une mise en scène des rites de mariage (conseils au marié, lamentations de la mariée, consolations, éloges des mariés). Enfin, les bergers aussi pleurent sur leur sort et ne trouvent de consolation que dans la rencontre avec un ou une partenaire.

Le deuxième livre présente les pièces suivant l'identité du chanteur : une jeune fille (154), une femme (79), un jeune homme (34) ou un homme adulte (85). Les chiffres révèlent la place prise par les femmes dans la création populaire. Le contenu de leurs chants révèle pourtant leur triste sort. Si l'on trouve parfois une tonalité enjouée dans les chants des jeunes filles, le sort de la femme mariée est des plus sombres : même les berceuses ont un goût de mort et de silence. Les garçons sont nettement plus gais, alors que les hommes ont des chants pour toutes sortes de moments sociaux, de la consommation d'alcool à la guerre (« Seigneur protège-nous de la guerre... »), ou à la chasse.

Enfin, le dernier livre est consacré aux « virret », chants narratifs au nombre de 64. C'est ici que le travail de recomposition de Lönnrot est particulièrement patent. La thématique est mythologique, légendaire, ou historique. On y relève un étonnant syncrétisme entre la foi chrétienne, surtout orthodoxe, et les traditions des anciens Finnois. Des influences marginales des ballades scandinaves sont également à relever. — Trad. Harmattan, 1973 ; Gallimard, 1991. E. T.

KAPĀLKUṆḌALĀ. Roman bengali de l'écrivain indien Baṅkim Chandra Chatterji (1838-1894), publié en 1866. Le roman de conception occidentale s'est développé en bengali dans la seconde moitié du XIXe siècle. *Kapālkuṇḍalā* est l'œuvre d'un pionnier génial. Le roman est divisé en quatre grandes parties, comprenant chacune plusieurs chapitres. Chaque chapitre est précédé d'une citation, empruntée aux littératures sanskrite, bengali ou anglaise, qui donne le ton de ce qui va suivre selon la manière des romanciers britanniques de l'époque. Le roman noue une intrigue complexe autour de quatre personnages principaux : un renonçant qui pratique des rites tantriques nécessitant des sacrifices humains, une jeune fille, Kapālkuṇḍalā, qu'il a élevée depuis l'enfance pour en faire la partenaire de son ascèse, le jeune brâhmane Nabakumār que ses compagnons de voyage ont abandonné, et Luftunissā qui n'est autre que l'épouse de Nabakumār dont il a dû se séparer quand la conversion de son père à l'islam a fait d'elle une apostate. Bien que puisant une partie de son inspiration chez Shakespeare et les romantiques anglais, le romancier réussit à créer une atmosphère tout à fait originale. L'intrigue se passe pour une part au bord du golfe du Bengale dans un paysage de dunes, au milieu d'un entrelacs d'anses et de rivières côtières, dépourvu d'habitations humaines. Le pouvoir évocateur des descriptions exerce sur le lecteur un véritable enchantement. La langue est d'une grande beauté : riche et poétique dans les passages descriptifs et les portraits, elle est vivante et économe dans les dialogues. L'opposition entre la nature et la société, le rôle de la femme et la nature des liens du mariage sont des questions que le romancier soulève avec pertinence. L'œuvre est traduite dans les langues de l'Inde, en anglais et en allemand. F. Bh.

KAPO (Le) [*Kapo*]. Roman de l'écrivain yougoslave (Vojvodine) d'expression serbo-croate Aleksandar Tišma (né en 1924), publié en 1988. Vilko Lamian, connu sous le nom de Furfa lorsqu'il est kapo, était-il voué, dès l'origine, à la trahison ? L'enchaînement des faits, qui vont le transformer en exécutant de l'administration tortionnaire à laquelle il obéit sur sa vie et pour laquelle il trahit la masse des victimes dont il doit à terme partager le sort, dépendait-il seulement des circonstances ?

Vilko Lamian possédait-il une volonté de vivre plus forte que tout autre qui justifiait à ses yeux les entreprises les plus criminelles ?

Lamian a une conscience aux méandres tortueux qui sécrètent les fils d'une toile dont il sera la proie qu'il n'aura de cesse de dépecer. Habité toute sa vie par la crainte d'être découvert comme juif, alors que ses parents l'ont baptisé à l'église catholique, il sombrera dans la terreur et commettra toutes les vilenies pour échapper au supplice. Lamian est un Juif que l'affolement rend encore plus impitoyable vis-à-vis des Juifs qui pourraient innocemment proclamer son étoile.

Le narrateur n'est autre que Lamian lui-même. Exigeant, sévère, cynique mais aussi attentif à évoquer les circonstances atténuantes, ce juge est à la fois plus indulgent et plus terrible qu'un tribunal légal et objectif.

Le temps joue un rôle prépondérant, car il foisonne et ne s'éteint pas, engendrant au bout de quarante ans un monstrueux syndrome. Dans le camp il apparaît dans la précarité horrible, le sursis terrifiant, au bord de l'abîme que constitue chaque minute qui suit. Plus tard, la conscience du bourreau s'infligeant son propre châtiment, il n'aura plus de terme. Aussi, peu à peu va naître dans l'esprit de Lamian l'idée d'un recours, d'une instance disposant du droit de grâce. Pendant quarante ans, il va être travaillé et torturé par le sentiment atroce de ses fautes et la crainte qu'elles ne soient découvertes. Finalement cette instance sur laquelle il comptait va lui faire défaut. À sa place surgira ce qui est sans doute la mort. C'est-à-dire un élément d'un autre ordre qui met un point final à la vie de Lamian mais ne transforme pas son existence comme il l'escomptait.

Tišma ne verse pas dans l'exaltation mystique. Il n'y a eu ni sacrifice ni offrande – à quel dieu ? Quel être suprême a jamais exigé un tel tribut de vies ? Il y a eu crime, massacre, extermination, génocide. L'explication religieuse, loin d'embrasser, comme elle le prétend, l'ampleur du crime, l'absout en faisant croire que le fumet du bûcher infernal était désiré par une puissance tutélaire. Tišma, en s'en tenant à la réalité concrète, restitue sa dimension au forfait. Mais il y ajoute la culpabilité innocente et la turpitude absolvante qui plongent leurs racines au-delà de l'amnistie et la circonviennent en rejetant l'amnésie. S'il y a un pardon, il n'est pas collectif, il n'est pas angélique, il est dans la dissection de l'âme en proie aux souffrances du corps et de l'esprit et il révèle ainsi la matière composite de l'homme.

Tišma refuse la mystification qui rend acceptable ce qui ne l'est pas ; il refuse l'historicisation qui dévoie les faits en leur substituant après coup une convergence d'un autre ordre, une dimension impalpable qui annihile le drame concret ; il refuse la comptabilité minutieuse qui conduit à l'abstraction et rend le sang, la chair meurtrie, les os carbonisés parfaitement évanescents et passe sous silence le malheur métaphysique ; il refuse le monument sacramentel qui efface la douleur et la haine, et les mêle dans un même malheur ritualisé.

La démarche de Tišma se situe dans les limites du regard et de la conscience de l'homme, d'un homme. Sa méditation nuancée est fondée sur deux calvaires, celui pratiquement anonyme de la foule des suppliciés et celui de Vilko Lamian qui pourrait les nommer, qui dans l'obscurité de son être les nomme et les revoit sans cesse revivre leur supplice. Deux calvaires qui se succèdent, se séparent, s'épousent, se contredisent, s'écartèlent dans le même spasme qui les unit ; deux calvaires qui s'inscrivent l'un dans l'autre, celui de Lamian étant contenu dans la multitude et celui des Innombrables tenant tout entier dans le cœur de Lamian. À l'atrocité du destin propre, à la pratique non écrite du camp, s'ajoute la souffrance jumelle de la trahison active et criminelle.

Tišma ne nous fait la grâce d'aucun euphémisme ; il a l'exactitude terrible et irrévocable de la simplicité. Pour autant, il ne nous propose pas un monde manichéen et c'est pourquoi il peut débusquer, au sein même de l'humain, l'horreur la plus inhumaine. – Trad. L'Âge d'Homme, 1989. L. K.

KAPUTT. Récit de l'écrivain italien Curzio Malaparte (pseud. de Kurt-Erich Suckert, 1898-1957), publié en 1944 et inspiré par le spectacle de l'Europe au cours de la Seconde Guerre mondiale, alors que l'écrivain était correspondant de guerre sur le front ukrainien, en Pologne, en Finlande, puis réfugié à Stockholm, où il attendit la chute du régime fasciste. Pourquoi ce livre est-il intitulé *Kaputt* ? « Aucun mot mieux que cette dure et quasi mystérieuse expression allemande, qui signifie littéralement : brisé, fini, réduit en miettes, perdu, ne saurait, précise Malaparte, indiquer ce que nous sommes, ce qu'est l'Europe dorénavant : un amoncellement de débris. » Dans ce pathétique reportage, « horriblement cruel et gai » comme l'avait souhaité l'auteur, chaque page est dominée par la guerre et la mort. Une imagination puissante et débridée ajoute encore aux réalités les plus atroces sans que l'on discerne toujours où commence et où cesse le vraisemblable. Et il arrive que, le paradoxe, le goût d'étonner dépassant leur but, le pathétique dégénère en procédé. L'ouvrage, divisé en six parties, « Les Chevaux », « Les Rats », « Les Chiens », « Les Oiseaux », « Les Rennes », « Les Mouches », fourmille de morceaux inoubliables par l'observation, l'humour glacé, l'intensité dramatique et la poésie. Horreurs de la guerre ou croquis d'ambassades, pestilence d'une charogne ou portrait d'une altesse royale, ces récits reflètent tous une Europe à l'agonie. Le héros du livre est Kaputt, « monstre gai et cruel ».

Mais : « Qu'il soit bien entendu, confesse Malaparte, que je préfère cette Europe kaputt à l'Europe d'hier et à celle d'il y a vingt ans, trente ans. J'aime mieux que tout soit à refaire, que d'être obligé de tout accepter comme un héritage immuable. » *Kaputt* est sans nul doute l'un des témoignages les plus accablants sur la dernière guerre, avec son étalage d'horreurs et de cruauté froide, avec ses tableaux délirants de la démence humaine, ses portraits violents : le reporter visionnaire qu'est Malaparte nous donne une image vivante, romantique par la présentation, le style, le « montage » quasi cinématographique des différents tableaux, mais exacte d'une Europe en décomposition. Et le lecteur mesure une fois encore la profondeur de l'abîme que l'homme a côtoyé. — Trad. Denoël, 1947.

KARA MONOGATARI [*Contes chinois*]. Œuvre de la littérature japonaise, d'un auteur inconnu qui vivait, selon toute probabilité, vers le milieu de l'époque de Kamakura (1192-1333). C'est un recueil de vingt-sept récits, traduits plus ou moins librement d'œuvres de la littérature chinoise qui ont toutes été identifiées, à l'exception de deux seulement, le neuvième et le vingt-septième. Ils contiennent un enseignement moral et ont parfois une couleur religieuse bouddhiste. Un fait curieux est que, dans ces contes, les personnages chinois composent des poésies japonaises, introduites par l'auteur et non pas traduites de l'original ; elles figurent en grand nombre dans le texte.

KATHĀSARITSĀGARA [*Océan de la rivière des contes*]. Cet ouvrage est le plus fameux recueil de contes indiens que nous connaissions jusqu'à ce jour. Son auteur, Somadeva, l'a composé dans la deuxième moitié du XIe siècle après J.-C. ; l'auteur, pour une bonne partie de son texte, a puisé dans une œuvre beaucoup plus ancienne, mais malheureusement perdue, la *Bṛhat-Kathā* (*) de Gunādhya, qui vécut probablement au IIe ou au IIIe siècle apr. J.-C. Le conte qui sert de cadre au recueil narre les vicissitudes — chères à la poésie dramatique indienne — du roi Udayana, son mariage avec Vāsavadattā et Padmāvatī et les aventures de son fils Naravāhanadattā. Se succèdent et s'enchevêtrent, formant un ensemble d'une grande richesse de couleur, les contes qui alimentent cette narration, telles des rivières qui se jetteraient dans un océan. En effet, le recueil compte jusqu'à vingt-deux mille strophes : presque autant que le *Rāmāyana* (*). Il n'est donc pas aisé de fournir ici un sommaire du *Kathāsaritsāgara,* qui reste le plus imposant témoignage de cette puissance créatrice intarissable qui caractérise la mentalité indienne. Les matériaux assemblés dans le *Kathāsaritsāgara* sont des plus variés. On y trouve des narrations de tout genre : histoires fantastiques, les plus étranges que l'esprit humain puisse concevoir, peuplées de génies, de magiciens et de sorcières, et riches de sortilèges de toute sorte, légendes d'une magnificence inouïe qui se déroulent dans les abysses de la mer, immense domaine ; voyages sur la terre et dans les airs ; contes épiques, histoires de brigands, pathétiques histoires d'amour, etc. Des œuvres narratives fort anciennes sont passées en entier dans le *Kathāsaritsāgara,* où nous trouvons une référence au *Pañcatantra* (*) et une autre à la *Vetālapañcavimśatikā* (*). La langue et le style sont semblables à ceux inaugurés avec le *Rāmāyana.* Le *Kathāsaritsāgara,* avec son nombre extrêmement élevé de contes (plus de trois cent cinquante), offre un grand intérêt pour l'histoire de la littérature indienne : comme beaucoup de ces récits se retrouvent soit sous une forme à peu près identique, soit avec des variations considérables, dans d'autres œuvres littéraires, un examen comparatif peut faire ressortir la forme originale de chaque récit et les amplifications successives qu'il a connues. L'importance de cette œuvre dans l'histoire littéraire mondiale est considérable : qu'il suffise de penser que, conformément à ce qui est arrivé pour le *Pañcatantra,* pour la *Vetālapañcavimśatikā,* pour les *Jātaka* (*), beaucoup d'épisodes narratifs, d'histoires et de légendes qui y figurent sont très connus et se sont répandus dans la littérature européenne. — Trad. *La Cité d'or et autres contes,* Gallimard, 1979.

KĀTHA-UPANISHAD. C'est l'une des œuvres les plus importantes de la littérature philosophique indienne. Comme son nom l'indique, il s'agit d'une « Upanishad », ou doctrine ésotérique, de l'école de « Katha ». Elle appartient aux *Upanishad* (*) métriques et donc se situe entre les *Upanishad* anciennes, écrites en prose archaïque, et celles plus récentes, écrites également en prose, mais d'un caractère plus artificiel (époque 800-500 av. J.-C.). La *Kātha-Upanishad* débute par un conte : un jeune homme, Naciketas, voyant son père donner tous les biens qu'il possède en sacrifices, doute de la valeur de ce dernier. Ce contraste de caractères met en lumière deux courants de la pensée religieuse : d'une part celui qui relève de la tradition et pour lequel les œuvres sont la part essentielle de la religion ; d'autre part le courant de la philosophie nouvelle, qui s'appuie avant tout sur la connaissance intuitive. Le père, furieux de voir le mépris dans lequel son fils tient ses dons sacrificiels, maudit ce dernier et le voue au dieu de la mort. À la suite de la malédiction paternelle, Naciketas se rend chez le dieu en question ; mais, le dieu étant absent, Naciketas doit attendre trois jours, sans qu'il puisse recevoir les dons de l'hospitalité. Ne pas honorer un brahmane est une faute grave, même pour un dieu ; aussi la première chose que fera celui-ci, dès son retour, sera de s'excuser auprès de Naciketas et, en expiation de sa faute, il lui permettra de formuler trois vœux. Naciketas demande d'abord de pouvoir retourner auprès de son père afin de désarmer sa colère ; ensuite d'acquérir le moyen de rendre inépuisables les sacrifices et les bonnes œuvres ; enfin le moyen d'éviter la mort. Le dieu exauce son premier vœu ; touchant le second, il lui enseigne l'art de faire un feu spécial ; mais il cherche à dissuader Naciketas d'insister sur le dernier. Ce colloque entre le jeune homme et le dieu de la mort est dramatique. Le dieu lui offre tous les plaisirs de la vie : « Tous les désirs difficiles à atteindre dans le monde mortel, ces désirs, tant qu'ils sont, réclame-les à ton gré ! Ces femmes charmantes, avec carrosses et musiques, je te les donne, laisse-toi courtiser d'elles ! Ô Naciketas, n'interroge pas plus avant sur la mort ! » Et Naciketas de répondre : « Les lendemains chez l'homme, ô Mort, font vieillir l'acuité de tous ses sens. Une vie même entière, c'est bien court ; [garde] pour toi les voitures, pour toi danses et chants ! L'homme ne peut être rassasié par la richesse ; aurons-nous la richesse quand nous t'aurons vu ? [...] Ce sur quoi il est un doute, ô Mort, à savoir au sujet du grand voyage, dis-le nous ! La faveur qui pénètre ce mystère, c'est elle, nulle autre qu'elle, que choisit Naciketas. » Le dieu félicite alors Naciketas de ce penchant qui l'attire vers la science plutôt que vers les plaisirs, et lui enseigne la doctrine de l'immortalité de l'âme. Les indianistes considèrent que cette *Upanishad* est composée de deux parties, dont l'une, plus ancienne, comporte l'histoire de Naciketas, et l'autre, plus récente, la doctrine de l'immortalité de l'âme. – Trad. Maisonneuve, 1943.

KATRINA. Roman de l'écrivain finlandais d'expression suédoise Sally Salminen (1906-1976), publié en 1936. Une jeune Finlandaise de la province d'Österbotten vient d'accompagner son fiancé Johan, beau garçon bavard, marin et journalier, sur l'île d'Åaland, dans la Baltique. Elle se rend vite compte que la réalité ne correspond pas aux promesses qu'il lui avait faites, mais elle reste et, grâce à ses qualités, elle ne tarde pas à se faire respecter par les habitants du pays. Elle donne la vie à trois fils, qui deviennent tous marins comme leur père. Deux périront. Le troisième obtient un poste de commandant. Lui et l'enfant d'un des deux garçons décédés éclairent la fin de la vie de Katrina, après que Johan sera mort à son tour. Finalement, Katrina va mourir elle aussi, satisfaite de sa vie laborieuse et se réjouissant de retrouver enfin celui qui fut, malgré tous ses défauts, le prince charmant de sa vie. La critique a été très sévère pour ce roman, mais son succès international fut considérable. – Trad. Les Œuvres françaises, 1937.

KĀVYĀDARŚA [*Miroir de la poésie*]. Traité de poétique indienne, composé par Daṇḍin, l'auteur du *Daśakumāracarita* (*), vers la fin du VIIe siècle. Bien que les œuvres indiennes les plus anciennes concernant la rhétorique ou l'art poétique [alaṇikā-raśāstra] nous restent inconnues et que le *Kāvyādarśa* ne soit même pas la plus ancienne parmi celles qui nous sont parvenues, son importance est grande. Des plus précis en dépit de son vaste appareil critique, ce traité passe systématiquement en revue l'évolution de l'art poétique jusqu'à l'époque de Daṇḍin. Écrit en vers, ce traité contient de nombreux exemples propres à illustrer la pensée de l'auteur. La plupart de ces exemples sont des créations de l'auteur lui-même. Dans toute composition poétique. Daṇḍin distingue le corps et les ornements poétiques. Le corps est la partie substantielle, constituée par le canevas qui peut être soit soumis au mètre, soit libre de tout lien métrique, ou même présenter une combinaison des deux formes. Ce n'est pas le mètre qui détermine les caractères de la composition poétique, puisque toute diction élaborée, même celle qui est libre de tout lien métrique, suit en Inde les règles de l'art poétique. En effet, la forme métrique étant en liaison naturelle avec la mnémotechnie, il est commun d'avoir recours à cette forme d'expression, même dans le domaine des sciences : mathématiques, astronomie, médecine, etc. Un des genres poétiques les plus importants est le « mahākāvya », ou poème classique, pour lequel le *Kāvyādarśa* précise les sujets qui lui conviennent, les ornements poétiques qui s'y rapportent. La prose poétique et la forme mixte (prose poétique et vers) trouvent également leur place dans le traité théorique de Daṇḍin. Nous y apprenons que la valeur commune à toute composition poétique est constituée par les ornements [alaṃkāra] ; ceux-ci peuvent se rapporter au sens [arthalaṃkāra] ou à la parole, aux mots [śabdālaṃkāra]. Parmi les premiers, l'auteur mentionne la description, la comparaison et la métaphore ; viennent ensuite l'allusion indirecte, l'hyperbole, le double sens. Parmi les ornements relatifs à la structure de la phrase, Daṇḍin distingue les nombreuses formes de « Yamaka », ou paronomase, rendues possibles dans leur diversité par la structure et le graphisme du sanskrit. Dans les « śabdālaṃkāra », l'artifice formel du vers atteint à une perfection qu'aucune langue ne pourra jamais égaler. Exaltés par les théoriciens de l'art poétique, les « śabdālaṃkāra » font leur première apparition dans le *Rāmāyana* (*), s'accentuent dans les poèmes de Kālidāsa – par exemple le *Raghuvamśa* (*) – et finissent, aux époques suivantes, par obscurcir l'inspiration et la substance même de la veine poétique. – Trad. en allemand (avec le texte sanskrit) par O. Böhtlingk, Leipzig, 1890.

KEAN ou Désordre et génie. Drame en cinq actes de l'écrivain français Alexandre Dumas père (1802-1870), représenté en 1836. C'est une évocation de la vie du tragédien anglais Edmond Kean (1787-1833), qui fut célèbre pour ses interprétations de Shakespeare comme pour ses débauches et ses aventures. L'action débute au moment le plus heureux de la vie de Kean : trois femmes, l'humble Ketty, la richissime Anna Damby et la comtesse Kœfeld, épouse de l'ambassadeur de Danemark, souhaitent d'être aimées de lui ; Kean, quant à lui, aime ou croit aimer la comtesse. Il se trouve avoir pour rival le prince de Galles, son ami et son protecteur, ce qui lui fait peut-être confondre l'amour avec la vanité satisfaite. Il a donné rendez-vous à la comtesse dans un cabaret où il l'attend avant la représentation. À sa place arrive Anna, implorant l'aide de Kean pour repousser les assiduités de lord Mewill. Ce dernier refuse de se battre « avec un histrion ». L'insulte provoque un scandale monstre et une violente dispute entre les amis de Mewill et la foule accourue pour défendre Kean. Bouleversé, l'acteur arrive au théâtre et, trouvant dans sa loge le prince de Galles, se prend de bec avec lui : chacun fait prévaloir ses droits sur la comtesse. Là-dessus, Kean est appelé en scène. À peine a-t-il dit les premières tendres répliques de Roméo qu'il voit dans une même loge la comtesse et le prince. Sa colère alors éclate et, dans une tirade furibonde, il insulte le prince, l'univers et la vie entière ; puis il perd ses sens et s'écroule. Condamné à l'exil, il part pour l'Amérique avec Anna qu'il doit épouser. *Kean* est le drame le mieux réussi de Dumas père, en raison surtout de ses effets scéniques (rappelons tout particulièrement la grande scène de l'invective). — Jean-Paul Sartre est l'auteur d'une adaptation de *Kean* représentée en 1953.

KEBRA NAGAŠT [*Gloire des rois*]. C'est l'un des ouvrages littéraires les plus remarquables que nous ait donnés l'Éthiopie. Il fut vraisemblablement écrit d'abord en arabe, puis traduit en éthiopien. Il remonte probablement au commencement du règne du roi 'Amda Tsion (1314-1344) et son auteur, Isaac, a dû être à la tête du clergé d'Axum. Le dessein de l'ouvrage était de montrer la légitimité de la dynastie salomonienne et les prétentions des milieux ecclésiastiques qui avaient soutenu la nouvelle dynastie. Remontant jusqu'à Adam et Seth, qui auraient été les premiers rois des Salomoniens, cet ouvrage n'a pas de prétention strictement historique. Il foisonne en légendes et histoires provenant de différentes sources. Au cours du concile de Nicée, Grégoire le Thaumaturge (que les Éthiopiens confondent avec Grégoire l'Illuminateur) déclare avoir médité sur l'histoire de l'humanité, qu'il raconte en partant des origines, c'est-à-dire du roi Adam jusqu'au roi Sem, à qui Dieu avait donné l'arc-en-ciel et promis pour l'avenir l'Arche d'Alliance, appelée Sion. Les pères approuvent les paroles de Grégoire, notamment en ce qui concerne l'Arche, qui serait, tout comme la Vierge Marie, une image de la Jérusalem céleste. Vient ensuite l'histoire de l'« Ancien Testament » jusqu'au roi David, qui se termine par un passage sur la représentation terrestre de Sion. Le patriarche de Constantinople, Domitien, raconte alors qu'il a découvert un livre, où il serait dit que les rois de Rome et d'Éthiopie descendent de Sem et de Salomon : le monde entier appartiendrait ainsi à ces deux rois. Domitien évoque l'histoire des rois d'Éthiopie et affirme que la Reine du Midi dont parle *L'Évangile selon saint Matthieu* (*) est la reine d'Éthiopie. Cette reine s'était décidée à rendre visite au roi, à Jérusalem (à la suite du récit d'un commerçant éthiopien, Tamrin), où on l'accueillit avec honneur. Durant la nuit précédant son départ (on s'est étendu plus longuement sur ces incidents), Salomon fit un rêve où il vit un soleil qui brillait sur Israël, mais il fut offensé par les Juifs. C'est pourquoi le soleil s'est mis à briller sur l'Éthiopie et sur Rome. Enfin Mâkedâ partit après que le roi lui eut fait cadeau d'une bague pour la reconnaître. Pendant le voyage, elle mit au monde un garçon, à qui elle donna le nom de Baynalehkem ou Bin al-hakim, « fils du Sage », nom dont dériverait celui de Ménilek. Ayant atteint l'âge d'homme, le fils se rend à Jérusalem, emportant avec lui la bague ; là, on le sacre roi, sous le nom de David. Puis il part pour l'Éthiopie, accompagné des fils aînés des grands d'Israël dont descendent certaines familles éthiopiennes. Les fils des prêtres qui l'accompagnent volent l'Arche. Arrivés devant la mer Rouge, c'est grâce à elle qu'ils peuvent passer sans encombre ; Salomon essaiera en vain de les rejoindre. Puis c'est l'histoire des dernières années du règne de Salomon, où l'on donne la généalogie de Joseph et de Marie, et où il est démontré que tous les rois du monde sont sémites, puisque le monde appartiendrait aux descendants de Sem. Après le récit de l'élévation de Ménilek au trône d'Éthiopie, Domitien conclut sa déclaration en faisant allusion aux magnificences des rois d'Éthiopie et à l'œuvre du Christ.

Grégoire le Thaumaturge revient alors en scène et démontre que les prophéties messianiques se sont réalisées en la personne du Christ ; les Romains se détacheront de l'orthodoxie, mais les Éthiopiens lui resteront toujours fidèles. Quand le Christ reviendra sur la colline de Sion, on y retrouvera l'Arche, et Dieu châtiera Israël. Justin, roi de Rome, et Kâlêb, roi d'Éthiopie, marcheront ensemble contre Jérusalem, y rétabliront l'orthodoxie et tueront les Juifs. Le roi d'Éthiopie y laissera son fils Israël comme roi et, de retour dans sa patrie, donnera son trône à son second fils, Masqal. Dans la lutte qui s'engagera entre les deux frères pour annexer Sion, Israël choisira le

Char de Sion, tandis que Masqal préférera prendre Sion elle-même, et ainsi le roi d'Éthiopie sera le plus grand de tous les rois de la terre. Le *Kebra Nagašt* jouit d'une grande autorité en Abyssinie. Il a exercé une influence considérable sur la littérature postérieure. Le texte éthiopien a été publié par Bezold en 1905 dans les « Actes de l'Académie des sciences de Munich de Bavière », vol. XXIII. E. A. W. Budge en a donné une version anglaise dans *The Queen of Sheba* (Londres, 1922).

KEES DOORIK. Roman de l'écrivain belge d'expression française Georges Eekhoud (1854-1927), publié en 1883. Cette œuvre – qui marquait les débuts de l'auteur dans le genre romanesque – se situe dans la tradition de Charles de Coster. Animé d'un amour passionné pour le pays natal, Eekhoud peint moins des paysages que des tableaux de mœurs du polder. Il le fait avec un grand souci de vérité, usant des souvenirs d'un séjour dans la campagne anversoise. Sa dédicace à Camille Lemonnier montre quelle occasion inspira le livre : « En souvenir d'une soirée dans la Campine... ces pages où la fantaisie n'intervient que pour raccorder les réalités obsédantes. » L'histoire de Kees Doorik est contée en trois épisodes assez distincts. Kees Doorik est un jeune orphelin de la ville, malingre, mal nourri, que le riche propriétaire de la « Ferme blanche » a recueilli chez lui. Au bout de quelques mois, Kees Doorik a pris de belles couleurs et il est devenu un solide adolescent, travailleur excellent. La grande reconnaissance qu'il a pour son maître ne peut l'empêcher d'être ému par la troublante Annemie, la maîtresse de la « Ferme blanche ». Le second épisode nous jette dans l'atmosphère bruyante de la kermesse de Putte. Annemie y est conquise par un joyeux luron, assez grossier, Jurgen Faas. Pour faire place à Jurgen, elle chasse Kees Doorik et installe son nouveau protégé à la ferme comme intendant. Le troisième épisode, quelque temps après, se déroule pendant le concours des « Gansrijders ». Selon une vieille coutume cruelle, une oie vivante est pendue par les pattes à une corde tendue entre deux piquets, et les hommes du village, faisant assaut de force et d'adresse, essaient d'arracher le cou de la bête. Jurgen est vainqueur de ce grossier tournoi et, à la taverne, dans une beuverie digne des kermesses flamandes, on célèbre sa victoire. Jurgen, dont l'orgueil et le vin ont tourné la tête, provoque Kees Doorik, dont la jalousie était attisée depuis que, le maître de la « Ferme blanche » étant mort, il avait entendu les rumeurs d'un mariage prochain d'Annemie et de son intendant. Kees tue Jurgen Faas. Une dernière fois, il retourne à cette ferme où il avait retrouvé la santé et la force et connu, malgré sa déception, un peu de bonheur auprès d'Annemie. Les gendarmes viennent le chercher le lendemain, et Annemie demeure seule, accablée. L'intérêt de l'œuvre tient surtout à l'art avec lequel Georges Eekhoud sait évoquer l'atmosphère de la campagne du polder. L'auteur ne cherche point à sonder les âmes et les caractères : ceux-ci sont d'une extrême simplicité, seulement animés par des passions primitives et brutales que jamais la réflexion ne vient maîtriser. L'unique souci du romancier est d'embrasser, grâce à un style concis et rapide, la réalité tumultueuse, violente et colorée de la Campine.

KELEYDAR. Roman de l'écrivain iranien Mahmoud Dowlatabadi (né en 1940), publié à Téhéran en 1978-79. L'œuvre de Dowlatabadi peut se diviser en deux périodes. La première est marquée par une écriture réaliste qui est celle de ses nouvelles et de ses romans courts : *Couches désertiques* (1968), *L'Histoire de Bâbâ Sobhân* (1970), *Le Bouvier* (1971), *Le Voyage* (1972), *L'Émigration de Soliman*, *L'Homme* (1973), *Avec Shobiru* (1973), *'Aqil 'aqil* (1974), *L'Arc de cercle* (1977), *Joseph le jour et la nuit.* Dans cette première expérience, d'une très grande richesse d'observation sociale, Dowlatabadi fait montre d'une totale maturité de style : sa langue, héritière de ses prédécesseurs (Hedâyat et Tchoubak), s'enrichit d'un travail d'exploration des idiomes locaux. Il se révèle comme le peintre d'un Iran rural laissé pour compte de la société Pahlavi. Ce travail sur la forme romanesque, sur la langue du récit articulé sur la critique sociale progresse en maturité dans son premier long roman : *La Disparition de Soloutch* [*Jâye xâli-e Soloutch,* 1979]. Cependant, Dowlatabadi, très (trop) soucieux de vérité sociale et d'authenticité, n'évite pas toujours le piège de l'artificialité. Ses personnages manquent quelquefois d'autonomie et trouvent péniblement leur place dans l'économie du récit. À force de réalité, il en oublie le réalisme romanesque et semble parfois confondre vérité et vraisemblance. La deuxième manière est illustrée dans sa dernière œuvre, un très long roman : *Keleydar* (1978-79, dix tomes). Cette deuxième manière doit beaucoup au roman populaire de la tradition persane. Ici Dowlatabadi se montre « archaïsant ». C'est l'œuvre d'un grand souffle mais pas toujours constant. *Keleydar,* dans certains passages, est une encyclopédie sociale des coutumes tribales et rurales du Khorassan. L'utilisation abusive des dialectes rend difficile mais riche sa lecture. Les interventions fréquentes du narrateur dans le récit par des commentaires, des gloses et des déclamations lyriques donnent à ce roman un air étrange, une allure composite, le démarquant nettement de tous les courants littéraires persans modernes. Aussi n'est-il pas surprenant de constater que, tout en recevant un accueil populaire très chaleureux (il flatte le goût d'une littérature de cape et d'épée héritière à la fois des romans persans anciens et des romans français du XIXe), *Keleydar* a été plutôt boudé par la critique. La genèse de l'œuvre s'étend sur une vie. Dowlatabadi avoue y avoir songé depuis sa jeunesse. Sa rédaction s'étend sur une douzaine d'années. Il part de faits réels survenus dans une région du Khorassan : Pahndasht/Keleydar, au sein d'une série de familles (tribus et clans) unies et désunies par le sang, pendant les deux années 1946-48. La structure du roman, si complexe qu'il apparaisse, est relativement simple. Le drame est centré sur un personnage, Gol-Mohammad, autour duquel gravitent une myriade de personnages qui lui sont plus ou moins rattachés par les liens du sang, de l'amitié ou de la haine. À travers cette saga familiale, c'est tout un pan de la civilisation nomade de l'Iran que Dowlatabadi reconstruit pour la mémoire du peuple iranien, à l'aube des transformations techniques et politiques du pays. S'apparentant à la grande tradition romanesque persane classique, *Keleydar* est situé au carrefour de deux systèmes d'écriture narrative : celui du conteur traditionnel et celui du romancier européen de l'époque romantique. C'est à la fois sa richesse et sa limite au plan esthétique. C. Ba.

KENILWORTH. Roman de l'écrivain écossais Walter Scott (1771-1832), publié en 1821. À la demande de ses éditeurs, Scott s'est proposé d'évoquer le règne de la reine Élisabeth, de même que dans *Le Page de Marie Stuart* (*) il avait brossé un tableau du temps de Marie Stuart. Ici, l'auteur prend de grandes libertés avec la chronologie. L'action met l'accent sur la légende du tragique destin de la belle Amy Robsart, fille de sir Hugh Robsart du Devon. Le misérable Richard Varney a poussé la jeune fille à épouser le comte de Leicester ; ce dernier est le favori de la reine et il doit cacher son mariage pour ne pas tomber en disgrâce. Il relègue son épouse dans une villa des environs d'Oxford (Cumnor Place). Cependant, un gentilhomme de Cornouailles, de la suite du rival de Leicester, aime Amy qu'il a en vain demandée en mariage. Il croit que Varney en a fait sa maîtresse. Il la prie de retourner chez son père et finit par accuser Varney d'être un séducteur. Pour sauver son maître, Varney déclare qu'Amy est sa femme légitime. C'est alors qu'Élisabeth ordonne à Amy de se présenter à elle à Kenilworth, où elle vient rendre visite à Leicester ; mais Varney persuade ce dernier de persister dans son premier mensonge. Furieuse, la jeune femme se rend en secret à Kenilworth pour tâcher de se faire reconnaître comtesse de Leicester. Son mari se rend à ses raisons, et, devant tous, déclare qu'elle est sa femme ; il s'attire ainsi la colère de la reine. Mais Varney laisse entendre à Leicester que sa femme le trompe avec le gentilhomme de Cornouailles. Leicester ordonne de transporter la présumée coupable à Cumnor Place et de l'y tuer. La vérité est connue trop tard, et lorsque le gentilhomme de Cornouailles arrive à la villa, Amy a déjà été jetée dans une oubliette. Signalons, parmi les plus belles pages de ce roman, la description des fêtes données à Kenilworth. Le caractère de la reine Élisabeth est fort bien rendu (cf. la scène de l'audience au palais de Greenwich, où l'autoritaire souveraine obtient la soumission de Sussex et de Leicester). Le roman a fourni au compositeur italien Donizetti (1797-1848) le sujet de son opéra intitulé *Élisabeth au château de Kenilworth.* – Trad. Delagrave, 1932.

KEN TAMBUHAN [*Syair Ken Tambuhan*]. Poème malais anonyme, créé sans doute dans la seconde moitié du XVIIe siècle, dans la société de culture malaise fortement javanisée de Palembang (sud de Sumatra). Analogue en cela au genre de la « hikayat » – v. *Hang Tuah* (*) – le « syair » tire son nom d'un genre poétique arabe et a servi de moule à des œuvres épiques, didactiques et historiques, aussi bien que religieuses. Le genre fut probablement créé, vers 1600, par le grand poète malais Hamzah Fansuri, qui composa sous cette forme des poèmes mystiques très courts. Le *Syair Ken Tambuhan,* au contraire, compte quelque mille trois cents strophes : quatrains à rimes uniques et dont les vers sont de longueur variable (dix pieds environ). Le poème tire son titre du nom de l'héroïne, Ken Tambuhan, princesse du royaume de Daha, que tient captive le roi de Kuripan. Le fils de celui-ci, le prince Raden Inu Kertapati, s'éprend de la jeune fille, mais sa mère, craignant une mésalliance, fait tuer celle-ci. Le prince découvre le corps de son aimée et se tue. Interviennent les dieux, qui ressuscitent les deux amants ; Raden Inu devient roi de Kuripan et Daha. L'histoire fait partie du cycle de Panji, apparu à Java vers le début du XVe siècle et qui connut une très grande fortune à Java, Bali et Lombok, en Malaisie et jusqu'en Thaïlande. Ces contes merveilleux circulaient sous forme de manuscrits et étaient psalmodiés par des bardes professionnels ; ils servaient aussi d'arguments dans le théâtre d'ombres javanais et malais. H. Ch.-L.

KÉPI (Le). Recueil de quatre nouvelles de l'écrivain français Colette (1873-1954), publié en 1943. Selon son usage, la première nouvelle donne son titre à l'ensemble ainsi composé : « Le Képi », « Le Tendron », « La Cire verte », « Armande ». Selon une technique qu'elle utilise fréquemment, Colette se présente elle-même comme le narrateur de sa première nouvelle, « Le Képi », comme si elle ne faisait que ressusciter un pan de sa vie quotidienne, en l'occurrence ses premières années de jeune mariée, dans les dernières années du XIXe siècle : elle ne semble se pencher que sur sa propre vie, entourée, parmi d'autres présences connues suggérées, de Willy – le mari – et de Paul Masson, dit Lemice-Térieux : pseudonyme-calembour d'un homme qu'elle a déjà mis en scène dans *L'Entrave* (*) et dans *Mes apprentissages* (*) : « Je n'étais pas encore devenue insensible au mélange de cynisme affecté, de paradoxe littéraire, qui maintenait haut dans leur propre estime des hommes cultivés, amers et sans avenir. » Sur ce terrain préparé, l'héroïne peut entrer en scène : Marco, une femme plus âgée que Colette, abandonnée par son mari qui lui verse une pension de façon intermittente, vivant de l'écriture de romans-feuilletons pour les journaux. Cette esseulée, qui feint de ne plus rien attendre de la vie, entre dans le jeu pervers imaginé par Masson : répondre à la petite annonce d'un lieutenant à la recherche de l'âme sœur. Une passion naît, se développe et se termine le jour où, dans l'alcôve amoureuse, face au jeune homme interdit, Marco à demi nue coiffe le képi du lieutenant en entonnant une chanson militaire, révélant ainsi son âge et l'ivresse incongrue de cet amour tardif, avec sur elle, comme une aura dénonciatrice, « cette flamme avinée qui ne s'éteint pas assez vite sur des traits mûrs qu'elle consume ». L'intérêt de la technique utilisée par Colette, c'est de multiplier les points de vue sur un sujet unique, en les opposant : la femme jeune et non amoureuse ne réagit pas comme la femme éprise et âgée, et le cynisme de Masson et de Willy souligne de façon impertinente et désabusée les « phases » de l'aventure vécue par Marco : celle des « joies infernales », celle de l'« odalisque », celle de la « jument de brasseur », celle enfin du « curé » : « Quand une femme, jusque-là très féminine, commence à ressembler à un curé, c'est le signe qu'elle n'espère plus, de l'autre sexe, ni faveurs ni sévices. » La richesse de l'œuvre vient de ce triple point de vue — Colette, Marco, Masson et Willy — sur l'amour, de sa naissance au renoncement. Il serait vain de prétendre analyser toutes les nouvelles de Colette, genre dans lequel elle a excellé — d'autant plus vain que la frontière est souvent floue entre tel article de journal et une franche nouvelle : Colette a été une virtuose du texte court, difficilement définissable. Citons au moins les grands recueils de nouvelles reconnues comme telles : *La Femme cachée* (1924), *Bella-Vista* (1937), *Chambre d'hôtel* (1940), *Gigi* (*) (1944), *La Fleur de l'âge* (1949). M. Mer.

KERMESSE IRLANDAISE (La) [*At Swim-Two-Birds*]. Premier roman de l'écrivain irlandais Flann O'Brien (1911-1966), publié en 1939, la même année que *Finnegans Wake* (*), de James Joyce, dont l'influence sur l'écriture de O'Brien est, ici, évidente. C'est sans conteste l'œuvre la plus novatrice et la plus exubérante de Flann O'Brien. Accueilli avec enthousiasme par certains de ses contemporains (Joyce, Graham Greene, Dylan Thomas), l'ouvrage n'eut aucun succès auprès du public. Roman expérimental, anti-roman qui sonne le glas de l'auteur, de l'intrigue et des personnages, *La Kermesse irlandaise* devait par la suite susciter l'admiration des partisans du « nouveau roman ». Mais cette fresque satirique qui brocarde aussi bien les prétentions intellectuelles des littérateurs que l'engouement pour le passé celtique, fort répandu en Irlande à l'époque, est avant tout une fête du langage et de l'imagination en liberté. L'histoire se déploie sur plusieurs plans à la fois, en une polyphonie échevelée. Le narrateur, un jeune étudiant fainéant et porté sur la boisson, présente trois versions possibles d'un roman : il y a tout d'abord une chronique de sa vie d'étudiant pauvre à Dublin ; parallèlement s'élabore un roman dans le roman, écrit par un certain Dermot Trellis sur des personnages qui se vengent de leur auteur en rédigeant, pendant son sommeil, un roman dont il est l'un des personnages ; enfin le roman nous livre le récit parodique d'un héros légendaire irlandais, Finn Mac Cool. Au terme d'un enchevêtrement croissant, les trois intrigues se confondent pour parvenir à la conclusion. C'est l'illustration éclatante de la théorie de la création romanesque exposée par le narrateur, selon laquelle l'auteur, le lecteur et les personnages doivent, en bonne démocratie, jouir d'une totale liberté. Le roman moderne, affirme-t-il, devrait être un ouvrage de référence où les auteurs futurs puiseraient les éléments qui leur sont nécessaires. Ils n'en seraient plus réduits à créer de nouveaux personnages que faute d'avoir trouvé — selon les propres termes de Flann O'Brien — le « pantin adéquat » dans la panoplie romanesque existante ; ce qui éviterait, conclut le narrateur, de longues explications assommantes. Flann O'Brien donne ici libre cours à son imagination la plus débridée : le fantastique côtoie le trivial, la langue oscille entre le verbiage savant et le parler populaire de Dublin, que Flann O'Brien, tout comme James Joyce, connaissait à merveille. — Trad. Gallimard, 1964. E. G.

KHALIASTRA [*La Bande*]. Revue futuro-expressionniste yiddish (Varsovie 1922-Paris 1924), qui représente un des points culminants de la modernité et de l'avant-gardisme dans la littérature yiddish. Fondée par les poètes Peretz Markish (1895-1952), Uri-Zvi Grinberg (1894-1981), Melekh Ravitch (1893-1976) et les prosateurs Israël Singer (1893-1944) et Oser Warszawski (1898-1944), elle connut une existence éphémère. Mais son importance dépasse largement le nombre de ses livraisons. De même que l'avant-garde yiddish est la caisse de résonance de la modernité européenne, de même *Khaliastra* est le point de convergence de tous les courants modernistes du monde yiddishophone de l'époque. Elle rassemble des représentants de la modernité yiddish, prosateurs et poètes, de tous les foyers où celle-ci s'élabore : Pologne (Singer, Grinberg, Warszawski, Broderson, Stern, Flakser) ; Vienne (Melekh Ravitch) ; États-Unis (Opatoshu, Leivik, Leyelès) ; Union soviétique (Markish, Hofstein, Reznik, Kipnis, Khachtchevatzki), ainsi que des peintres, des sculpteurs et des graveurs (Brauner, Chagall, Tchaïkov, Weintraub).

Elle porte à son apogée plusieurs courants modernistes antérieurs, issus notamment de la revue *Ringen* (1921-1923) de Vaikhert et Katziznè à Varsovie et de *Yung Yiddish* à Lodz, dirigée par Broderson qui avait su s'entourer non seulement d'une pléiade d'auteurs d'avant-garde yiddish mais aussi d'auteurs de langue polonaise et surtout d'artistes comme Szwarc, Adler, Berlewi, Weintraub, Brauner, Barcinski, Matusowna, Braunerowna.

Khaliastra fut une pépinière de talents et suscita à son tour d'autres périodiques d'avant-garde, fondés par ses propres collaborateurs, comme *Vog* créé par Ravitch (Varsovie 1922), *Albatros* par Grinberg (publié à Varsovie en 1922, puis, après son interdiction par la censure polonaise, à Berlin en 1923).

Le groupe « Khaliastra », dans ses divers avatars, porta à son point d'incandescence la modernité yiddish, prônant un « art total », une esthétique de l'horreur et non de la beauté, sur le mode ténébreux du symbolisme russe, sur le mode expérimental de l'imagisme américain ou dans la rhétorique apocalyptique du futurisme et de l'expressionnisme. Le scandale provoqué par la poésie incantatoire et blasphématoire d'un Markish, d'un Grinberg, d'un Ravitch, avec sa violence métaphorique et ses inventions langagières, prosodiques, rythmiques et métriques, par la prose déchiquetée et ciselée d'un Israël Singer ou les plongées dans les zones troubles de la conscience d'un Warszawski transgressant les interdits moraux et sociaux dans ses nouvelles ou dans son roman *Contrebandiers* [*Shmuglares,* 1920], s'alliant aux recherches de « mobiles de mots » des auteurs américains et au système de subtiles « correspondances » des Russes, ouvrit une ère nouvelle dans la littérature yiddish qui eut des prolongements bien au-delà de la période des avant-gardes, dans une certaine mesure au-delà même du génocide. — Trad. *Khaliastra-La Bande,* Lachenal et Ritter, Paris, 1989. R. E.

KHOSROW ET CHIRÎN. Poème persan de Nizâmi (1141-1209), consacré aux amours du roi de Perse Chosroès II (Khosrow) et de la princesse arménienne Chirîn. S'étant épris l'un de l'autre sans se connaître (lui, fasciné par le renom de la jeune fille, et elle, par quelque effigie du souverain), ils chercheront à se rejoindre et, ce faisant, courront d'innombrables aventures. De ce fond très riche se détache l'épisode du tailleur de pierre, Farhâd, qui, profitant de la brouille de Chirîn avec Khosrow, tombe bel et bien amoureux d'elle. Mais cette idylle sera tragiquement interrompue par un faux message de Khosrow : ce qui entraîne le suicide de Farhâd. Après bien d'autres traverses, Khosrow et Chirîn finissent par célébrer leurs noces. Dans ce poème, que gouverne avant tout l'imagination fantastique, on peut discerner la relation de faits historiques, laquelle est devenue en fin de compte légende d'amour nationale. Elle s'est répandue partout où la culture persane a pu pénétrer : de la Turquie des Osmanlis jusqu'à l'Inde musulmane des Loughlouqs et des Moghols. Plus d'un artiste persan s'est inspiré de ce texte précieux et l'a orné d'admirables miniatures. — Trad. Maisonneuve-Larose, 1970.

KHOVANCHTCHINA (La). Drame musical populaire en cinq actes, du compositeur russe Modeste Petrovitch Moussorgski (1839-1881), composé entre 1873 et 1875, remanié, terminé et orchestré par Nicolas Rimski-Korsakov. La première exécution eut lieu à Saint-Pétersbourg en 1886. Le texte, suggéré par le poète Stasov, fut écrit par Moussorgski lui-même et s'inspire de la révolte des Strélitz, dirigée par les princes Ivan et André Khovanski, qui eut lieu en 1682, pendant la régence de la tsarine Sophie et alors que le tsar Pierre était encore enfant. Le mot « Khovanchtchina » signifie « affaire de Khovanski » et fut précisément prononcé, sur un ton péjoratif, par le jeune tsar Pierre quand il vint à apprendre la tentative des deux princes pour s'emparer du trône. L'action dramatique telle que l'a conçue Moussorgski est assez complexe : au lieu d'un seul héros de grande envergure, comme dans *Boris Godounov* (*), se détachent ici quatre figures principales : le prince Ivan Khovanski, représentant l'antique Russie sombre et fanatique ; il s'appuie sur la secte des « Vieux Croyants » (« Raskolniki »), congrégation religieuse se refusant à tenir compte des modifications apportées dans le rite orthodoxe ; le solennel Dosifei, chef de cette secte ; le prince Golitzine, partisan des réformes à l'européenne, qui s'oppose aux précédents ; et Marfa, étrange jeune fille tout ensemble dévouée à sa religion jusqu'au fanatisme, pécheresse et magicienne ; elle appartient à la secte des « Vieux Croyants ». Au début de l'action, le boyard Saklovity dicte à un écrivain public une lettre où il dénonce au tsar le complot des Khovanski. Apparaît ensuite le prince Ivan, acclamé par ses fidèles. Son fils André s'est épris d'une jeune Allemande et tente d'obtenir qu'elle le suive ; mais Marfa — jadis sa fiancée et qui l'aime toujours — et Dosifei excitent le peuple à combattre pour la vraie foi. Dans le tableau suivant, le prince Golitzine demande à Marfa de déchiffrer l'avenir ; mais, ses prédictions ayant été défavorables, il donne l'ordre de la noyer. Elle réapparaît cependant peu après, annonçant qu'elle a été sauvée par les

« Petrovzi » ou gardes du tsar Pierre ; la dénonciation de Saklovity a été affichée sur les murs de la ville et le tsar fait chercher les rebelles. Dans le quartier des « Vieux Croyants », Marfa pleure l'abondon d'André, tandis que le peuple, ayant appris par l'écrivain public l'arrivée des gardes impériaux, implore l'aide du prince Ivan. Il est en train de festoyer dans son palais, charmé par les danses de ballerines persanes, quand lui arrive l'ordre de se rendre chez la tsarine ; mais, sur le seuil, il est assassiné. Golitzine est envoyé en exil ; les « Vieux Croyants » préparent alors un bûcher sur lequel ils mourront tous, et Marfa entraîne André Khovanski lui-même dans les flammes.

Moussorgski a su donner à cet épisode d'histoire un caractère fortement dramatique et fondre parfaitement la musique avec le texte. Cette faculté, que possédait au plus haut point Moussorgski, de définir sur le plan musical ses créatures s'affirme ici dans le relief qui est donné non seulement aux personnages principaux, mais aussi aux figures secondaires, celle de l'écrivain public, par exemple, dont le comique s'apparente à celui des frères Varlaam et Missail dans *Boris Godounov*. Les moyens musicaux employés sont divers : tandis que Marfa et Dosifei, mystiques et exaltés, s'expriment en des phrases riches de mélodie, le compositeur emploie, pour le froid Golitzine et le fruste Ivan, un récitatif hautement expressif. On ne peut reconnaître qu'un seul motif proprement dit, dominant tout l'opéra : celui du vieux Khovanski. Certains morceaux détachés, aussi bien vocaux (« Chanson de Marfa ») qu'orchestraux (prélude du premier acte et « Danses persanes », la pièce la plus célèbre de l'œuvre), sont d'une grande puissance musicale. Comme *Boris Godounov, La Khovanchtchina* est un drame issu « du peuple » ; sur tout l'opéra pèse une atmosphère mystique, émanant de la foi exalté des « Vieux Croyants » (l'auteur s'est inspiré, dans ses chœurs d'une beauté profonde et suggestive, des antiques cantilènes du rite orthodoxe) et trouvant son point culminant dans la scène finale du bûcher.

KIM. Roman de l'écrivain anglais Rudyard Kipling (1865-1936), publié à Londres en 1901. Kimball O'Hara a perdu son père, sous-officier irlandais de l'armée des Indes, et sa mère, du choléra. Il est recueilli par une soi-disant tante avec laquelle vivait son père, à Lahore. Il connaît toute la ville, fait les courses de tous, des plus banales aux plus dangereuses : son surnom est « le petit ami du monde entier ». Un jour, devant le musée de Lahore, il rencontre un lama tibétain qui a quitté son paisible monastère des montagnes, pour visiter les quatre lieux saints bouddhistes et rechercher une source miraculeuse qui lave celui qui s'y plonge de tout péché, jaillie à l'endroit où est tombée la flèche de l'arc de Bouddha. Kim décide de le suivre en qualité de disciple et ils partent pour Bénarès, première étape du pèlerinage. Or Mahbub Ali, marchand de chevaux de Lahore, charge Kim de s'arrêter à Umballa, sur la route de Bénarès, pour y remettre, à un officier, un message au sujet d'un « cheval blanc ». Kim accepte. Il ne soupçonne nullement que Mahbub Ali est « C.25 » pour le Service secret britannique aux Indes, et que le message, d'un certain R.17, qu'il remettra à l'officier concerne cinq rois des Indes, une puissance étrangère, un banquier indien, des fabricants d'armes belges et un chef mahométan. Il se contente de joindre le minuscule bout de papier de soie à son acte de naissance et aux papiers de son père, suspendus autour de son cou, qui sont ses plus précieuses possessions. À Umbalia, Kim remet fidèlement son message à un inconnu qui n'est autre que le colonel Creighton qui décide du châtiment des rebelles d'après les renseignements reçus. Le lama et lui reprennent la grand-route de Bénarès, « l'échine même de l'Inde », « fleuve de vie mouvante » unique au monde. Kim et le lama s'y font une amie, une puissante vieille dame traînée dans un char à bœufs ; mais ils rencontrent surtout le régiment irlandais du père de Kim, dont les chapelains, ayant reconnu l'origine de Kim après l'avoir interrogé, décident de l'envoyer à l'école. Le lama continue seul sa route « avec aussi peu de bruit qu'une chauve-souris ». Au bout de quatre jours, Kim se sauve, avec la complicité de Mahbub Ali ; mais le colonel Creighton décide de l'envoyer continuer son éducation au collège Saint-Xavier de Lucknow. Il s'échappe de nouveau et reprend la route ; Mahbub Ali le retrouve et l'envoie, sur ordre du colonel, à Simla chez Lurgan, un soi-disant marchand qui fait l'éducation de son courage en le soumettant à diverses épreuves, y compris une tentative (vaine) d'hypnotisme. Kim voit défiler chez Lurgan les visiteurs les plus extraordinaires et apprend tout ce qui fera de lui un parfait agent secret. À Delhi, Kim sauve la vie d'E.23 et rejoint son lama qui, grâce aux mérites qu'il a acquis, trouve enfin sa rivière miraculeuse.

Kipling nous donne, dans ce roman, une peinture extraordinairement vivante de l'Inde vue par un jeune garçon aventureux qui court, ardemment, au-devant de toutes les expériences de la vie ; il nous donne également, en contraste saisissant avec la fraîche candeur de Kim, un aperçu des plus anciennes philosophies orientales ; on y voit comment un lama s'affranchit de tout désir, de tout lien terrestre, comment son amour du prochain s'allie à un sens très profond de la vie (son dialogue avec le cobra, « lié comme lui à la Roue des choses », est presque franciscain) ; c'est l'un des personnages les plus attachants que l'on puisse rencontrer dans ce roman. Le style de Kipling, riche, varié, pittoresque, d'un humour léger qui n'exclut pas l'émotion, est dans *Kim* d'une grande beauté. — Trad. Club des libraires de France, 1955 ; Robert Laffont, 1989.

KIM VÂN KIÊU. Roman en vers, écrit en langue nationale, du lettré vietnamien Nguyên Du (1766-1820), très tôt largement diffusé. La plus ancienne édition connue date de 1871. Il fut plusieurs fois transcrit et réédité. Adaptée d'un roman chinois, l'œuvre, composée probablement entre 1801 et 1809, porte aussi les titres *Cœur brisé, nouvelle version* [*Doan truong tân thanh*] ou *Histoire de Kiêu* [*Truyên Kiêu*]. C'est le récit de quinze ans de vie des deux sœurs Kiêu et Vân, et de Kim. Mais ce sont surtout les tribulations de Kiêu qui fournissent à l'auteur les occasions d'exposer ses idées non fatalistes sur le karma, sur la justice – celle des hommes, et celle, infuse, du non-cumul entre beauté, talent et bonheur – pour dire ses tourments. Il y brosse de magnifiques tableaux de paysages impressionnistes, reflets des sentiments, et des portraits psychologiques typiques, fins et stylisés. Il le fait dans un style impeccable, suggestif, où poésie, musique, rigueur se complètent. Kim et Kiêu font le serment d'unir leurs vies. Durant l'absence de Kim survient brutalement une accusation contre le père de Kiêu ; pour avoir le moyen de tout arranger, Kiêu fait un « mariage d'argent ». À partir de cette compromission, sa vie devient une suite de déchéances. Au terme de sa chute, qui est aussi le prix payé pour racheter son karma, Kim, marié à Vân selon le souhait de Kiêu, avant son départ la retrouve, l'absout de toute souillure. Leur union est scellée, accompagnée d'un vœu commun de chasteté. L'impact du roman se mesure aux débats qu'il suscite, dépassant le simple domaine littéraire. Les confucéens conservateurs, fidèles au postulat « les lettres véhiculent la voie », l'accusent de propager la débauche, les lettrés progressistes lui reprochent de pousser la jeunesse vers l'amour et la résignation, les marxistes de la détourner de la politique. Mais la beauté de ses vers accessible à tous, la langue mise en valeur par une rare habileté lui valent ce jugement de Pham Quynh en 1924 : « Tant que l'histoire de Kiêu subsistera, notre langue subsistera, tant que notre langue subsistera, notre pays subsistera. » – Trad. Langues orientales (I.N.A.L.C.O., 1884) ; Challamel, 1926 ; Bossard, 1926 ; à Hanoi, 1926, 1942, 1945, 1965 ; Gallimard, 1961 ; Diêu Phap (Sèvres), 1981. T.-T. L.

KINDERTOTENLIEDER. Composé entre 1900 en 1902, ce cycle de lieder est écrit sur des poèmes inspirés à Rückert par un deuil familial. Le compositeur autrichien Gustav Mahler (1860-1911) avait précédemment composé trois autres cycles : les *Chants de jeunesse* [*Lieder und Gesange,* appelés plus tard *Lieder der Jugendzeit,* 1882] ; les *Chants d'un compagnon errant* [*Lieder eines fahrenden Gesellen,* 1884], *Le Cor merveilleux de l'enfant* [*Das Knaben Wunderhorn,* 1888-89]. Ces lieder pour voix grave et orchestre ont un style symphonique essentiellement différent de celui des précédents recueils de l'auteur et ils marquent une étape dans l'évolution de cette forme musicale. C'est un nouvel aspect de Mahler qui se révèle là, c'est l'homme qui, abandonnant sa vision mythique du monde, est entièrement à la douleur et, par elle, redevient subjectif. (Il est à noter que Mahler ne perdit sa fille aînée qu'après avoir composé ces *Kindertotenlieder.*) L'orchestration dense, tantôt sourde, tantôt aiguë, rend, plus encore peut-être que la voix soliste, tout le désespoir contenu dans les poèmes, dont les titres sont : 1. « D'un jour nouveau l'aurore luit... » [Num will die Sonn' so hell aufgeh'n] ; 2. « Je sais pourquoi si tristement vos âmes... » [Num seh'ich wohl warum so dunkle Flammen] ; 3. « Quand la mère en deuil... » [Wenn dein Mutterlein] ; 4. « Je rêve qu'ensemble... » [Oft denk'ich, sie sind nur ausgegangen] ; 5. « Par cet orage... » [In diesem Wetter].

KIOUKHLIA [*Dekabrist Kjuhlja*]. Cette œuvre, publiée en 1925, la plus connue du romancier russe Iouri Tynianov (1894-1943), est la vie romancée d'un poète russe, le « décembriste » Küchelbecker (1797-1846), surnommé Kioukhlia. L'auteur y fait revivre l'atmosphère très particulière d'un internat pour jeunes nobles russes, créé dans le parc même de la résidence d'été de la famille impériale, et où font leurs études avec Kioukhlia de jeunes garçons dont les noms deviendront célèbres, tels Pouchkine et Delvig. Tynianov évoque ensuite l'amitié qui lia Kioukhlia à l'écrivain Griboédov et au poète Ryléev, lequel deviendra bientôt l'un des dirigeants de la conspiration dite des « décembristes », qui se proposait d'obtenir – par tous les moyens possibles – la libération des serfs et l'octroi d'une constitution. L'insurrection éclata le 14 décembre 1825 (d'où le surnom de « décembristes »), mais fut noyée dans le sang. Tynianov a su éviter de faire de la vie de Kioukhlia un pamphlet politique contre le régime inhumain du tristement célèbre général Araktchéev. Même les scènes les plus dramatiques sont traitées sobrement. Si certaines parties descriptives sont assez plates, par contre les scènes populaires, telle la journée de l'émeute du 14 décembre 1825, sont parfaitement réussies. On doit également à Tynianov une autre vie romancée : celle de Griboédov, livre qui parut en 1929 sous le titre : *La Mort de Vazir-Moukhtar* [*Smert' Vazira Muhtara*]. – Trad. sous le titre *Le Disgracié,* Gallimard, 1983.

KIPPS. Roman de l'écrivain anglais Herbert George Wells (1866-1946), publié en 1905. Le héros, Arthur Kipps, est un jeune commis de magasin qui aspire à mener la grande vie.

Il n'est cependant ni très intelligent ni vraiment capable de s'élever. La plus grande joie de sa monotone vie à Folkestone lui vient de leçons de dessin qu'il prend dans une école fréquentée par la petite bourgeoisie ; car il a la possibilité d'y admirer une charmante jeune fille qui, naturellement, n'honore pas d'un seul de ses regards le pauvre commis. Mais voici que, à la suite d'un gros héritage, Kipps devient le centre d'attraction des gens désœuvrés et avides du pays. Cependant ce changement radical est une source imprévue d'ennuis. Même le bonheur radieux des fiançailles avec la belle jeune fille est aussitôt assombri par les exigences de la fiancée qui prétend transformer à tout prix son compagnon en un « vrai gentleman ». Cette vie se révèle trop dure pour le pauvre Kipps, qui abandonne sa fiancée et court épouser son premier amour, une femme de chambre. Après le mariage, le poids de la richesse et les obligations sociales, que les concitoyens veulent imposer à Kipps en raison de cette fortune même, menacent de troubler à jamais son bonheur. Enfin, à la suite de détournements opérés par son homme de loi, il en arrive à perdre presque tout ce qu'il avait possédé. Il se remet alors au travail dans un petit magasin qui lui appartient ; il connaît ensuite le bonheur. C'est surtout à cause de ce livre que l'on a affirmé que Wells avait voulu se mettre à l'école de Dickens. Mais l'humour de Wells est plus caustique, sa critique de l'ordre social plus âpre et plus révolutionnaire ; son livre est plus celui d'un intellectuel que d'un artiste. Wells n'est pas un styliste, il ne recherche jamais l'effet artistique ; par contre, il tombe rarement dans le mélodrame et dans la rhétorique dont Dickens n'est pas toujours exempt. La description du milieu est singulièrement vigoureuse : c'est pourquoi les romans d'atmosphère, tels que *Kipps,* constituent la partie la plus durable de l'œuvre de Wells, d'une inspiration vaste et fort éclectique. – Trad. Payot, 1922.

KIRA GUEORGUIEVNA [*Kira Georgievna*]. Court roman (povest') de l'écrivain russe Victor Nekrassov (1911-1987), paru en 1961. À Moscou, en 1960, Kira Gueorguievna, sculpteur conformiste qui doit sa carrière au peintre officiel Nikolaï Ivanovitch, professeur aux beaux-arts, de vingt ans son aîné, qui l'a épousée au lendemain de la guerre, vient de prendre pour amant son jeune modèle Iourotchka. Elle voit un beau jour arriver dans son atelier son premier mari, le poète Vadim, arrêté en 1937 et libéré du goulag par la déstalinisation, avec lequel elle revit les temps lointains de leur jeunesse bohème et de leurs audaces créatrices. Après une tentative infructueuse de reprendre la vie commune, ils se séparent. Kira va se dévouer aux soins de son vieux mari frappé d'un infarctus, et renoncer à sa liaison avec Iourotchka.

Sans se départir du ton du narrateur discret et objectif, évitant toute condamnation explicite, Nekrassov illustre à travers le personnage central de ce court roman, paru en plein « dégel », la facilité avec laquelle l'« intelligentsia créatrice » qui s'est compromise avec le système stalinien et s'accommode fort bien des stéréotypes du « réalisme socialiste » — auquel elle doit son confort intellectuel et matériel — « digère » la crise de conscience passagère provoquée par la déstalinisation et le retour à la liberté des victimes du goulag. – Trad. Le Seuil, 1963. M. A.

KIRI-RA ! Recueil de poèmes de l'écrivain finlandais d'expression suédoise Gunnar Björling (1887-1960), publié en 1930. Gunnar Björling est le plus radical des modernistes de la poésie suédoise en Finlande. Il rompt carrément avec la langue traditionnelle. Son langage est celui de la phrase fragmentaire, de la pensée inachevée. Parfois même, il se livre à des exercices phonétiques apparemment absurdes, comme dans ce poème lettriste : « hara-kiri-ka ! ki, ka / hara-ra ! / harakiri-ki ! ki, ka, ki, ka ! / hararara-ra ! / harakiri-ha ! / ki-ka- / ki ! / ki-ri-ra !... », où il n'est d'ailleurs pas exclu que le *kiri-ra* lui soit venu du français « Qui rira ? ». Björling n'est pas seulement un musicien accompli, jouant magistralement sur les voyelles ; c'est aussi un excellent peintre de la nature, comme le prouve son recueil *Notre vie de chat des heures* [*Vdrl kattliv timmar,* 1949].

KITĀB (al-) (*Le Livre* ou *Le Livre de Sībawayhi*). Traité grammatical composé par le grammairien arabe d'origine persane Sībawayhi (vers 750-vers 795). Considéré par la tradition arabe classique comme le texte fondateur de sa discipline, le *Kitāb*, en dépit d'un appareillage théorique et conceptuel étonnamment archaïque et rudimentaire, constitue sans doute la description la plus riche et la plus précise qui ait été faite de la langue arabe. De ce point de vue, le *Kitāb* présente déjà un certain nombre de traits qui apparaîtront dans les grands traités postérieurs : ampleur du corpus, axé essentiellement sur les états anciens de la langue représentés par l'usage des Bédouins, souci de vérification empirique basée sur des protocoles d'argumentation minutieux et raffinés, importance attribuée à la syntaxe et notamment à la distribution des marques casuelles [iʿrāb], système « minimaliste » des parties du discours (réduites à trois, le nom, le verbe et la particule). Toutefois, Sībawayhi s'écarte implicitement de l'approche formaliste de ses successeurs par la part qu'il donne à l'activité propre du locuteur : l'énoncé est considéré chez lui comme le résultat d'une suite d'opérations tout à la fois formelles et sémantiques, effectuées par le locuteur en vue d'exprimer une intention spécifique. Document fondamental pour la description et l'histoire de la langue arabe, le *Kitāb* est aussi l'un des monuments de la pensée linguistique universelle. J.-P. G.

KITÈGE (v. *Légende de la cité invisible de Kitège et de la vierge Fevronia, La*).

KITTY FOYLE. Roman de l'écrivain américain Christopher Morley (1890-1957), publié en 1939. Nous sommes en 1939, Kitty [Katherine] Foyle a vingt-huit ans ; en un long monologue où se mêlent de nombreux retours en arrière, elle refait le chemin de sa vie. Dernière enfant des Foyle, qui ont déjà trois garçons, elle est née à Philadelphie, dans le quartier ouvrier de Frankfort. Son père est d'origine irlandaise, bon compagnon mais sujet à d'occasionnelles humeurs noires. Perclus de rhumatismes, qu'aggravent de solides libations, son seul plaisir, entraîner les équipes de cricket, lui est maintenant refusé. Les fils aînés ont déjà quitté la maison lorsque, à dix ans, la petite fille perd sa mère. Elle grandit entre son père et Mac, le dernier frère, de dix ans plus âgé qu'elle, ne connaissant d'autre influence féminine que celle de la femme de ménage noire, Myrtle. Malgré sa tendresse pour Kitty, « Pop » ne peut guère lui faire mener une vie normale. Aussi, à treize ans, quitte-t-elle Philadelphie pour Manitou, petite ville du Middle West, où l'oncle Elmer et la tante Hattie vont tenter de faire d'elle une petite-bourgeoise. Les solides amitiés qu'elle y noue, avec Molly, qui se destine à être décoratrice, et avec le brillant infirme Fédor, illuminent ses années d'études provinciales au terme desquelles elle se prépare à entrer à l'université ; mais Pop a une attaque et Kitty doit renoncer à une éducation supérieure pour rentrer à Philadelphie et prendre soin de lui. Et c'est alors la rencontre de Wyn – Wynneford Strafford VI –, rejeton d'une famille aristocratique, c'est l'amour partagé, la « joie absolue ». Mais comment faire comprendre à Wyn, qui veut l'épouser, qu'elle ne peut ni ne veut accéder à cette classe sociale des vieilles familles de Philadelphie, que ce monde opulent et sûr de soi lui fait horreur, qu'il devrait descendre jusqu'à elle et non l'élever jusqu'à lui ? Pop meurt et Kitty part pour New York où Delphine Detaille, une Française rencontrée par hasard, lui propose un poste dans son institut de beauté. Wyn vient souvent l'y rejoindre et Kitty attend un enfant de lui lorsqu'elle apprend ses fiançailles avec une jeune fille du même milieu que lui. Elle ne permettra pas à cet enfant de naître : elle a maintenant rejoint la cohorte de ces « femmes-au-col-blanc » qui, dans les années 30, découvrirent leur égalité économique avec les hommes et, partant, leur égalité psychologique et biologique. Elle vivra seule, entièrement responsable d'elle-même. Et peut-être Mark Eisen, le jeune docteur juif aussi engagé dans sa carrière que Kitty l'est dans la sienne, aussi avide qu'elle d'imprimer à la vie son propre mouvement, deviendra-t-il pour elle, plus tard, le compagnon des « Nouveaux Temps ». Fable et témoignage à la fois, ce roman est remarquable par la vivacité du style, le brillant des dialogues, et cette amertume légère qui accompagne la réflexion. – Trad. La Nouvelle Édition, 1948.

KNOCK ou le Triomphe de la médecine. Pièce en trois actes de l'écrivain français Jules Romains (Louis Farigoule, 1885-1972), représentée pour la première fois à Paris, à la comédie des Champs-Élysées, le 15 décembre 1923, sous la direction de Jacques Hébertot, dans une mise en scène et des décors de Louis Jouvet. Cette comédie dépasse la farce ; la charge est si noire et si virulente qu'elle débouche sur l'angoisse du monde moderne. Pourtant, au départ, rien que de très banal. Le docteur Parpalaid vend un fonds sans valeur, dans le bourg montagnard de Saint-Maurice, à Knock, un collègue qui vient d'obtenir son diplôme de médecine après avoir fait le commerce des cacahuètes. Knock, qui a acquis à prix fort une clientèle inexistante, ne manque pas de le faire remarquer au docteur Parpalaid, tout en montrant bien qu'il n'est pas affecté par la chose, car il compte appliquer dans ce bourg des méthodes personnelles dont il attend de gros gains. C'est à la démonstration de ses talents que nous sommes conviés. À l'aide d'une consultation gratuite, Knock commence à ferrer plusieurs clients aussitôt convaincus de leur maladie. De main de maître, Knock alite le bourg à peu près en entier, et sa renommée se répand à travers le pays. Quand le docteur Parpalaid se hasarde à faire une brève visite dans son ancien fief, il n'en croit pas ses yeux ni ses oreilles. Dans l'hôtel, toutes les chambres sont réservées aux patients qui viennent consulter Knock ; l'hôtelière comme le pharmacien se frottent les mains, les affaires prospèrent : mais dès que Parpalaid, alléché, songe à se réinstaller, l'hôtelière, perdant son sourire de commerçante, devient extrêmement hostile. Néanmoins, loin d'être inquiet, le docteur Knock a tôt fait de rendre son ancien confrère inoffensif en lui suggérant qu'il est, lui aussi, un malade. Les sourires et les rires du début de la pièce disparaissent rapidement, font place à une sorte de gêne au fur et à mesure qu'est démonté le mécanisme de la crédulité humaine et que s'étale l'exploitation qui en est faite par un habile charlatan. Cette mystification générale au nom de la science a de quoi effrayer, et la dictature implacable et cynique d'un seul homme qui, avec aisance, trouve des appuis, des alliés chez ceux qu'il enrichit porte en soi une menace toujours actuelle. Car aucun de ceux qui ont été dupés ne se permet le blâme ou la révolte ; c'est une domestication totale du plus naïf par le plus industrieux. Même le docteur Parpalaid, qu'on aurait pu prendre pour un brave homme uniquement adonné à la pêche, est, comme l'hôtelière et le pharmacien, prêt à souscrire aux méthodes de Knock, à les faire siennes. Le désir de s'enrichir à tout prix est ici dénoncé comme le plus monstrueux des rouages du monde, et la caricature est irrésistible.

KOBZAR'. Recueil des poésies complètes du poète ukrainien Taras Grigorévitch Chevtchenko (1814-1861), sorte d'évangile national du peuple ukrainien. La première édition, imprimée en 1840 à Saint-Pétersbourg, contient seulement huit poésies : trois poésies lyriques (« Oh mes pensées », « Perebondja » et « Sourcils noirs »), une ballade (« Le Peuplier »), un message (« À Osnovjànenko »), un poème à la fois réaliste et romantique (« Catherine »), et deux poèmes historiques (« Ivan Pidkova » et « La Nuit de Taras »). Le poème historique « Haïdamaks » (*), qui formait le centre des éditions successives de *Kobzar',* fut publié à part en 1842. Dans l'édition définitive de ce recueil figurent d'autres poèmes, tels que : « Caucase », « Hamalija », « Ivan Pidkova », « Maria », « Néophyte », « Prisonnier », « Songe », « Testament », « La Tombe creusée ». Cette édition complète fut publiée à Saint-Pétersbourg en 1860, après le retour d'exil du poète. Il faut aussi mentionner l'édition de Prague en 1876, en deux volumes : le premier avec les poésies autorisées en Russie, le second avec les poésies interdites. Les Ukrainiens de Russie durent attendre les événements de 1917 pour pouvoir lire le meilleur de leur poète dans une édition qui ne soit pas mutilée par la censure. D'après les recherches de l'Institut ukrainien de Varsovie, qui prépara l'édition complète, en seize volumes, de toutes les œuvres de Chevtchenko, le *Kobzar'* n'eut pas moins de cent trente-trois éditions avec un tirage d'environ deux millions d'exemplaires jusqu'en 1938, sans compter les petites éditions à l'usage de la jeunesse qui circulaient sous le nom de *Petit Kobzar'* et qui furent tirées à plusieurs centaines de milliers d'exemplaires.

KŒNIGSMARK. Roman de l'écrivain français Pierre Benoit (1886-1962), publié en 1918. Une nuit d'octobre 1914, sur le front, un jeune lieutenant français, Raoul Vignerte, raconte à son compagnon l'aventure dramatique qu'il vient de vivre dans un château d'Allemagne, à la cour du grand-duc de Lautenbourg-Detmold. Jeune agrégé d'histoire, il s'est vu proposer un poste de précepteur auprès de Joachim de Lautenbourg, fils du grand-duc. En dépit des mises en garde diffuses de son vieux maître, Monsieur Thierry, Vignerte a accepté la proposition. Il se rend donc à la Cour où règne l'atmosphère fastueuse et romantique des palais allemands de jadis : sorte de Versailles entouré d'épaisses forêts où l'on chasse le renard. Vignerte ne tarde pas à tomber amoureux de la grande-duchesse Aurore, princesse russe, femme d'une rare beauté, qui exerce une véritable fascination sur son entourage. Autour d'elle sourdent les passions et les intrigues. Qui est réellement la jeune Mélusine, sa ravissante confidente ? Qui est ce lieutenant de Hagen, tout dévoué à la grande-duchesse ? Quel terrible secret abritent ces murs ancestraux ? Aurore prend en affection le jeune intellectuel et le fait peu à peu entrer dans l'intimité de sa vie, lui contant le triste destin qui l'a menée à la cour de Lautenbourg. De son côté, Vignerte, en poursuivant des recherches à la bibliothèque du château sur l'histoire dramatique du comte Philippe de Kœnigsmark, assassiné en 1694 dans un château du Hanovre pour avoir aimé la duchesse Sophie-Dorothée, découvre un document, inséré dans un livre, prouvant que le grand-duc actuel, Frédéric-Auguste, a fait assassiner son frère, le grand-duc Rodolphe, premier mari d'Aurore. Après le crime, le cadavre a été dissimulé (comme deux siècles plus tôt le fut celui de Kœnigsmark) dans une salle du château, derrière une plaque de cheminée dont un code secret permet l'accès. Au terme d'une équipée nocturne, Vignerte découvre le cadavre. Le lendemain, il s'apprête à conduire Aurore sur le lieu du crime lorsqu'un mystérieux incendie ravage toute cette aile du palais. Nous sommes en août 1914 : la guerre vient d'éclater. Aurore reconduit elle-même Vignerte à la frontière. Ils ne se reverront plus. Quelques heures après avoir achevé le récit du drame à son compagnon, Vignerte est tué. Il n'aura pas eu le temps d'apprendre que la grande-duchesse Aurore a été à son tour assassinée par le redoutable Frédéric-Auguste. Ce premier roman de Pierre Benoit contient déjà les qualités qui feront la renommée de son auteur : le cadre pittoresque et romantique d'une cour d'Europe centrale et l'atmosphère de drame, greffée sur un fond historique réel. Le roman vous tient en haleine, tandis que le personnage central d'Aurore, princesse Tumène, reste d'un panache aujourd'hui encore fascinant. E. H.

KOGOSHÛI [*Recueil de vieilles histoires*]. Œuvre historique ancienne de la littérature japonaise, écrite en un volume par Imibe (ou Imube) no Hironari, probablement à la suite d'une ordonnance invitant les familles de la noblesse à présenter leur histoire généalogique. Les Imibe partageaient avec leurs rivaux Nakatomi le monopole des choses du culte, et l'objet de ce livre est de démontrer que les mérites et la noblesse de lignage divin de leur famille n'étaient pas inférieurs à ceux des Nakatomi, alors en grand crédit, et dont une branche, celle des Fujiwara, était déjà sur la voie qui devait la conduire au pouvoir suprême. Le *Kogoshûi* fut présenté, au mois de mars de l'an 807 ap. J.-C., à l'empereur Heijô (806-809), comme supplément au *Nihongi* (*). Le récit, sans aucune subdivision en chapitres, part de l'époque des dieux et narre les hauts faits méritoires de l'ancêtre de la famille, le dieu Ama-no-tomi-mikoto, compagnon et fidèle serviteur de Jinmu Tennô, descendant de la déesse du soleil et souche de la famille impériale ; puis il retrace l'histoire des Imibe sous les divers souverains mettant en lumière leurs entreprises et leurs états de service, et traite enfin de leur décadence à partir de l'empereur Temmu (673-686). Le *Kogoshûi* a une immense valeur pour l'étude de la religion, de l'histoire et de la civilisation du Japon ancien ; il apporte donc un complément précieux aux œuvres historiques officielles les plus reculées, telles que le *Kojiki* (*) et le *Nihongi* dont les auteurs eurent à leur disposition des matériaux différents des documents dont se servit Hironari, archives de famille des Imibe qui se transmettaient de génération en génération. Le manuscrit le plus ancien du *Kogoshûi* est celui qui se trouve en possession de la famille du vicomte Yoshida ; il remonte à la première année de l'ère Karoku (1225). Avec des caractères mobiles, il fut imprimé la première fois, semble-t-il, dans la neuvième année de l'ère Genroku (1696), et ensuite plusieurs fois. En 1924, Genchi Katô et Hoshino Hikoshirô en publièrent la première traduction anglaise (*The Kogoshûi, or Gleanings from Ancient Japanese Stories, Translated and Annotated,* Tôkyô, 1924).

KOJIKI [*Livre des choses anciennes*]. La première œuvre historique japonaise et en même temps le plus ancien monument littéraire japonais qui nous soit parvenu. Il fut écrit en trois volumes par l'Ason (titre et dignité de Cour) Futo no Yasumaro (Ô no Yasumaro) sur l'ordre de l'impératice Genmyô, à laquelle il fut présenté le 10e jour de la 3e lunaison de la 5e année de l'ère Wadô (712 apr. J.-C.). Dans la préface, Yasumaro lui-même explique les circonstances singulières qui amenèrent à sa rédaction : « L'empereur Temmu (673-686), déplorant que les documents historiques en possession des principales familles nobles continssent de nombreuses fautes, voulut adopter des mesures propres à sauver de l'oubli les traditions authentiques. Il fit donc examiner et confronter avec soin ces documents et les fit corriger de leurs erreurs. Dans sa famille se trouvait par hasard une personne (homme ou femme, on ne sait) d'une mémoire prodigieuse, portant le nom de Hieda no Are, et qui était en mesure de répéter sans se tromper le contenu de tous les documents qu'elle avait vus et de ne jamais oublier ce qu'elle avait entendu. L'empereur voulut que l'on instruisît cette personne des pures traditions et de la vieille langue des âges passés, les lui faisant répéter jusqu'à ce qu'elles les eût apprises par cœur. » Avant que le travail atteignît son terme (c'est-à-dire probablement avant que ces traditions pussent être mises par écrit), l'empereur mourut, et pendant vingt-cinq ans, la mémoire de Hieda no Are fut l'unique dépositaire de ce qui devait plus tard être le *Kojiki.* En 711, l'impératrice Genmyô (708-714) ordonna à Futo no Yasumaro de rédiger tout sur dictée de Are, ce qui explique comment l'ouvrage a été écrit en quatre mois et demi à peine (E. M. Satow, *Revival of Pure Shintô*).

Le *Kojiki* est une œuvre d'importance fondamentale pour l'étude de la civilisation et de la langue anciennes du Japon. Écrite en pur japonais, à l'aide de caractères chinois employés de manière tantôt phonétique, tantôt idéographique et, par suite, d'une lecture très difficile, elle contient les traditions et les légendes mythiques les plus reculées des habitants de l'archipel. En même temps, elle est la bible du shintoïsme, la religion nationale des Japonais. Le premier des trois volumes contient les mythes de l'époque des dieux, exactement comme dans les deux premiers volumes du *Nihongi* (*) ; mais les deux ouvrages présentent çà et là des lacunes et des variantes, et l'un complète l'autre. Le second volume retrace l'histoire du pays depuis Jinmu Tennô, le premier empereur du Japon, jusqu'à son 15e successeur, Ôjin, c'est-à-dire, selon la chronologie officielle, de 660 av. J.-C. à 310 apr. J.-C. Le troisième, enfin, va de l'impératrice Nintoku (313-399) à la mort de l'impératrice Suiko (593-628). Mais le dernier siècle et demi n'est représenté, dans le *Kojiki*, par rien d'autre qu'une énumération laconique de quelques noms, si bien qu'on peut dire que la narration n'arrive pas même à la fin du ve siècle. Le livre, écrit dans un style simple et dépouillé, typique du pays, contient aussi cent onze poésies qui représentent les productions les plus anciennes qui soient venues jusqu'à nous. Durant de longs siècles il resta dans l'ombre, négligé par les érudits japonais qui lui préférèrent le *Nihongi.* Mais, pendant l'époque des Tokugawa (1603-1868), le mouvement de réaction antichinoise, instauré dans les études par les « wagakusha » ou « yamatologues », fit renaître l'amour des recherches sur l'antique littérature nationale, et Motoori Norinaga (1730-1801), le plus grand de ces philologues, travailla trente-cinq ans sur le *Kojiki* dont il a laissé un commentaire monumental, le *Kojidi-den* [Commentaire au Kojiki, 1789-1822, quarante-quatre vol.], auquel son nom reste indissolublement attaché. Le *Kojiki* a été traduit pour la première fois en anglais par le célèbre B. H. Chamberlain (1850-1935) (*Kojiki or Records of Ancient Matters*, Tôkyô, 1882 ; deuxième éd. avec les notes de W. G. Aston, en 1932) qui, dans la préface, a tracé un tableau de la civilisation des anciens insulaires, tel qu'il est possible de le tirer d'une lecture attentive de l'œuvre. — Trad. Maisonneuve et Larose, 1969.

KOKIN-WAKA-SHÛ ou Kokin-shû [*Recueil de poésie ancienne et moderne*].

Anthologie poétique japonaise, rédigée par Ki no Tsurayuki (883-946), Ki no Timonori, Mibu no Tadamine (868-965) et Oshikôchi no Mitsune, par ordre de l'empereur Daigo (898-930). Le *Kokin-shû* est la première, chronologiquement, des vingt et une anthologies officielles ou *Choku-sen-shû*, c'est-à-dire compilées sur ordre impérial. Il contient mille cent dix poésies, réparties en vingt livres d'après leur sujet : Printemps (livres I et II), Été (III), Automne (IV et V), Hiver (VI), Félicitations (VII), Séparation (VIII), Voyages (IX), « Mono-no-na » (sorte d'acrostiches, X), Amour (XI-XV), Tristesse (XVI), Divers (XVII-XVIII), Poésies de rythmes variés (XIX), Poésies du Haut Secrétariat pour la poésie (XX). L'empereur Daigo avait ordonné de colliger les meilleures poésies, des contemporains comme des auteurs des époques passées, depuis le temps du *Manyôshû* (*), en y comprenant aussi des poésies qui n'avaient pu trouver place dans cette anthologie. Pour cette raison l'on avait d'abord donné au recueil le titre de *Shoku Manyôshû* [*Suite au Manyôshû*], qui fut plus tard changé pour le titre qu'il porte encore de *Kokin-waka-shû*, ou, ainsi que l'on dit communément en abrégeant, *Kokin-shû*. Quatre cent soixante-deux pièces sont d'auteurs anonymes, les autres de cent vingt-huit poètes en tout, parmi lesquels méritent d'être rappelés les fameux « Rokkasen » (les six génies poétiques, du IXe siècle), c'est-à-dire Ariwara Narihira (825-880), Ono no Komachi (834-900), Fumiya Yasuhide, l'archevêque Henjô, Otomo Kuronuschi et le bonze Kisen. Les compilateurs du recueil sont eux-mêmes bien représentés, avec un ensemble de deux cent quarante-cinq poèmes. Des vingt et une anthologies officielles existantes, le *Kokin-shû* est égalé, et peut-être même dépassé, par le *Shin-kokin-waka-shû*, mais toutes les autres lui sont inférieures.

Le *Kokin-shû* représente un siècle et demi de poésie et nous montre ainsi le chemin parcouru dans ce domaine au Japon. Dans les productions les plus anciennes est visible le style du *Manyôshû*, tout de vigueur, de fraîcheur et de spontanéité ; dans celles du IXe siècle, époque des « Rokkasen », apparaît déjà un certain maniérisme, mais encore équilibré par une émotion sincère. Avec l'époque des compilateurs, l'émotion cède le pas à la réflexion et à la virtuosité. Le culte de l'ornement verbal, l'artifice, le double sens s'imposent définitivement et resteront longtemps les canons de toute la production postérieure. Aussi la poésie devient-elle simple passe-temps et pur jeu intellectuel. Comme le *Manyôshû*, le *Kokin-shû* est un monument révélateur de la mentalité, du goût, des usages du temps. Il est remarquable, par exemple, que la poésie amoureuse soit représentée par 5 livres, contenant en tout 360 poèmes (c'est-à-dire près du tiers du recueil entier), ce qui donne une idée de la liberté qui régnait alors dans les relations entre les deux sexes. Et, tout comme dans le *Manyôshû*, les idées chinoises et bouddhistes sont fréquemment exprimées dans le *Kokin-shû*, mais de manière telle qu'on peut se rendre compte que ces éléments étaient désormais entrés assez profondément dans la conscience japonaise et fondus avec elle pour apparaître comme ses propres produits.

Non moins que le recueil, la préface, due à Ki no Tsurayuki, le principal des collaborateurs, a de l'importance, car c'est le premier essai de critique littéraire écrit dans la langue nationale, en un style limpide et élégant, resté un exemple typique et admirable du genre, et un modèle des travaux semblables qui vinrent ensuite. L'auteur y permet d'apprécier toute son érudition, toute son habileté de lettré et d'artiste au toucher délicat et sûr. C'est, en somme, une défense de la poésie nationale, jusqu'alors négligée pour les vers chinois. Tsurayuki remonte aux sources mêmes de la poésie et de la sensibilité poétique nationales, traçant leurs limites et mettant en évidence leur valeur, à la lumière d'exemples fournis par les auteurs, depuis les plus anciens jusqu'aux contemporains. Le jugement de M. Révon est particulièrement pénétrant et heureux : « Rien de plus délicieux que cette critique toute parfumée de poésie, que cette saine philosophie qui se cache sous les fleurs légères d'un style toujours discret. C'est une poésie en prose, où chaque jugement se fait image, où chaque mot suscite un monde de souvenirs et d'impressions. » La préface a été traduite à part et plusieurs fois. Les pièces du *Kokin-shû* furent traduites, elles aussi, à différentes reprises, mais seulement en partie, et elles trouvèrent place, le plus souvent, dans les œuvres européennes d'ensemble regardant la littérature japonaise. — Trad. Paul Geuthner, 1935.

KOKON CHOMON-JÛ [*Recueil de contes anciens et modernes*]. C'est une collection de nouvelles japonaises et chinoises due à la plume de Tachibana no Narisue, en vingt volumes, divisés en trente parties ; elle fut publiée en 1244. Elle est parmi les œuvres les plus importantes de la décadence littéraire qui suit la riche floraison de l'époque Heian (794-1186). Le *Kokon Chomon-jû* accueille des récits de toute époque, traitant les sujets les plus hétérogènes, depuis ceux de caractère religieux, shintoïste ou bouddhiste, jusqu'à ceux qui ont pour acteurs des animaux et des insectes ; pour chacun des récits est indiquée la source, chinoise ou japonaise, d'où il provient. Ils concernent, pour la majeure partie, l'époque où vécut l'auteur ; pour cette raison, les descriptions de jeux, de larcins, de luttes, d'épreuves de courage, d'apparitions d'esprits, et autres de même genre, ont une importance particulière pour l'étude des coutumes et des conceptions de vie d'alors, peu connues par ailleurs. Nombre des contes encore populaires au Japon sont très précisément de cette œuvre, qui est écrite en un style simple et vivant.

KOMACHI AU STUPA [*Sotoba Komachi*]. Drame classique japonais de Kan-Ami Kiyotsugu (1333-1384). C'est un des plus anciens « nô » que l'on connaisse. Il a pour héroïne un personnage historique, la fameuse poétesse Ono Komachi. Elle vivait au IXe siècle, à la cour de l'empereur Ninmyô (834-850) et fut une des plus belles femmes de son temps. Ses poésies, arrivées jusqu'à nous, vibrent d'une passion ardente. Elle fut aimée et elle aima, puis connut l'inconstance et l'abandon. Selon la tradition, Komachi, dans les dernières années de sa vie, aurait été réduite à mendier : c'est ainsi que la représente un opuscule populaire du XIe siècle, intitulé *Grandeur et décadence de Tamatsukuri Komachi* [*Tamatsukuri Komachi seigui-sho*] et dont l'auteur anonyme est certainement un religieux bouddhiste de haute culture. Cet ouvrage édifiant, dans lequel une vieille mendiante raconte ses splendeurs passées, a inspiré le drame de Kiyotsugu dont voici le sujet : un bonze du temple de Kôyasan, se rendant à Kyôto, rencontre dans les faubourgs de la capitale une vieille mendiante. Il l'interroge et, à son vif étonnement, la pauvresse développe devant lui les plus profonds concepts philosophiques. Le bonze lui demande qui elle est, et apprend ainsi qu'il se trouve devant la fameuse Komachi, surnommée naguère la plus belle femme de Kyôto. Elle lui raconte ses amours, son repentir et le vœu qu'elle a fait d'être une parfaite disciple de Bouddha. Ce drame très humain est imprégné d'un grand esprit religieux. — Trad. Maison franco-japonaise, Tôkyô, 1944.

KONRAD WALLENROD. Œuvre du poète polonais Adam Mickiewicz (1798-1855), écrite en 1827 à Moscou et publiée l'année suivante à Saint-Pétersbourg. Le sujet du poème, l'histoire de la vengeance d'un Lituanien contre l'Ordre teutonique détesté, éveilla, par ses analogies trop évidentes avec la situation de l'époque, les soupçons de la censure russe. L'auteur affirmait pourtant que son œuvre n'avait aucun caractère d'actualité. Il est clair cependant que, chez Walter Alf, l'ardent patriote qui, ne pouvant vaincre l'ennemi par la force, recourt à la ruse, on peut reconnaître l'image de la Pologne opprimée par la Russie. Walter Alf, élevé au sein de l'Ordre teutonique, garde en lui un vivace sentiment nationaliste, grâce aux chants du poète lituanien Halban. Pendant un combat chez les Lituaniens, il s'enfuit dans sa patrie et, ayant épousé la fille du prince Kiejstut, il enseigne à ses compatriotes l'art de la guerre appris chez ses ennemis. Mais une autre guerre dévaste la Lituanie, et Walter, désespéré, abandonne sa patrie pour suivre le comte Wallenrod en Terre sainte. Quand Wallenrod meurt, Walter prend son nom, et, après avoir combattu contre les Maures, il s'enrôle dans l'Ordre teutonique dont il devient le Grand Maître, toujours sous le nom du glorieux Konrad Wallenrod. Il peut ainsi accomplir sa vengeance en détruisant l'Ordre ; mais le voisinage de sa femme Aldona, enfermée dans un ermitage, suscite en lui le regret de ce qu'il a dû abandonner et le dégoût de sa vie de mensonge et de haine. Cependant, une fois encore, Halban l'incite par ses chants, et le Grand Maître, marchant contre les Lituaniens, mène les Chevaliers Teutoniques à une terrible défaite. Condamné à mort par les chevaliers, il s'empoisonne, se châtiant lui-même du crime qu'il a commis en tant que chrétien. La figure tragique de Konrad Wallenrod apparaît, avec toute la force de sa réalité humaine, dans ce fatal destin qui lui fait immoler à sa patrie non seulement sa vie terrestre, mais aussi son âme et sa vie éternelle. À côté de Konrad, Halban est le personnage le plus important ; il symbolise la poésie populaire qui garde, vivante, la conscience nationale de tout un peuple. Ainsi, à côté de la lutte sourde menée contre la trahison et contre le crime, la poésie représente la lumière de l'espérance, l'« arche d'alliance » entre les années glorieuses du passé et celles de l'avenir : tel est le sens symbolique de *Konrad Wallenrod.* Malgré certaines faiblesses dans la composition, le poème a une haute valeur artistique qui tient essentiellement à la séduisante noblesse du langage et à la forme admirable des vers.

KONZERTSTÜCK de Weber. Œuvre pour piano et orchestre du compositeur allemand Carl Maria von Weber (1786-1826), donnée en première audition à Dresde, le 25 juin 1821, parfois sous-titrée « Le Retour du croisé ». Weber incarne dans toute son ampleur le romantisme allemand où se mêlent toujours la tendresse, la violence et la magie. Les drames les plus profonds du cœur humain y sont des jouets entre les mains des puissances supérieures, représentées par le Destin, par ce Destin qui décide de la rédemption de *Faust* (*) ou de l'effondrement du Walhalla : car c'est toujours de l'amour que vient le salut des hommes. Weber venait d'achever *Le Freischütz* (*) quand il entreprit de composer son *Konzertstück* en 1821 sur des esquisses abandonnées en 1815. Il est dédié à la princesse Marie Auguste de Saxe. Il s'agit moins d'un concerto que d'un poème symphonique. Le piano est traité comme un instrument d'orchestre, même si Weber satisfait parfois l'appétit de virtuosité de ses interprètes. Mais il a laissé un canevas littéraire très précis de sa partition, il en suit note à note les épisodes, d'un romantisme parfois échevelé. « Une dame est assise devant la fenêtre d'une haute cour. Elle contemple tristement le paysage. Son chevalier est parti en Terre sainte depuis de longues années ; les batailles se sont succédé, mais elle est toujours sans nouvelles du bien-aimé. Toutes ses prières ont été vaines ; un mirage passe devant ses yeux : elle voit le chevalier sanglant abandonné sur le champ de bataille. Si elle pouvait être près de lui, et mourir à ses côtés ! Elle s'écroule évanouie. Mais soudain, que voit-on briller au soleil de la forêt ? Quelles sont ces ombres qui s'approchent ? Voilà des chevaliers, des écuyers marqués du signe de la croix, bannières au vent. Voilà que montent les acclamations du peuple. Il est là, c'est Lui, elle tombe dans ses bras éperdue d'amour. Les bois et les vagues chantent la gloire de l'amour ; mille voix proclament sa victoire. » Ce *Konzertstück* brille surtout par sa force expressive, sa couleur, son exaltation, sa fougue. C'est là une des plus belles pages de la musique romantique. On ne peut attacher le même crédit aux deux *Concertos* que Weber écrivit en 1810 et en 1812, bien que le second contienne des formules d'orchestration dont Schumann et même Wagner feront plus tard leur profit.

KORDIAN. Poème dramatique de l'écrivain polonais Juliusz Słowacki (1809-1849), publié à Paris en 1834. Kordian, un généreux patriote exalté, profondément affligé par les malheurs de son pays opprimé, a résolu de tuer le tsar, sinon responsable, du moins représentant de la tyrannie étrangère ; décidé à sacrifier sa vie, il est retenu, au dernier moment, par la perspective du crime. Il réussit à se glisser en cachette jusqu'au seuil de la chambre où dort le tsar. Il n'a plus qu'à ouvrir la porte et frapper sa victime. Mais au moment d'agir la force lui manque : il est assailli par des spectres, fruits de son imagination et de sa peur ; il hésite, est pris d'un étourdissement et tombe sans connaissance. Il est découvert, arrêté et, devenu fou, emmené à l'asile. Ce poème est né de l'antagonisme entre Słowacki et Mickiewicz. L'auteur éprouvait en effet une certaine jalousie pour la gloire du grand poète national et aussi de la rancune pour le portrait offensant que Mickiewicz avait tracé de lui dans *Les Aïeux* (*) sous les traits du second mari de sa mère. Cette hostilité contre Mickiewicz s'exprime tout particulièrement dans le prologue de *Kordian.* Mais le poème rentre dans le cadre des œuvres patriotiques de Słowacki et se rattache par son inspiration à *Lambro ou l'Émigré grec* (*) et à *Horsztynski ;* sous des formes différentes se manifestent les sentiments du poète envers sa patrie malheureuse. Cependant on y trouve certains traits personnels absents de ses autres œuvres : son sentiment de profond découragement, son pessimisme et son indécision en face de l'action qui ne lui permettent même pas de donner une forme bien nette à l'idéal patriotique qui est à la base même de cette action. Ce poème, bien qu'il soit presque un défi contre son rival Mickiewicz, est dans son essence construit sur le modèle des *Aïeux* (comparer notamment le monologue de Kordian sur la cime du Mont-Blanc avec le monologue de Conrad dans *Les Aïeux*). *Kordian* devait être le premier poème d'une trilogie qui n'a jamais été terminée. Au point de vue artistique, l'œuvre constitue un très beau témoignage des éminentes qualités dramatiques du poète, de la puissance de son style et de la beauté de sa langue.

KORDIAN ET LE PAYSAN [*Kordian i cham*]. Roman de l'écrivain polonais Léon Kruczkowski (1900-1962), publié en 1932 et adapté pour le théâtre en 1935. Un journal authentique, tenu par un instituteur rural, Kazimierz Deczyński, a servi de base à ce roman. Tout en gardant la trame et les idées principales de l'auteur du journal, Kruczkowski a donné à ce récit une structure et une forme littéraires. Il y a introduit aussi de nombreux personnages, dont certains historiques, comme par exemple Lelewel. Le livre raconte l'histoire d'un paysan, devenu plus tard instituteur, et qui, dans les années 1830, se voit persécuté et poursuivi par la haine de son seigneur. Une faute sans gravité de Deczyński incite ce seigneur à enrôler de force le coupable. Deczyński quittera ainsi la campagne, connaîtra différents milieux, mais sera malheureux. Lorsque à Varsovie un employé lui parle des devoirs envers la patrie, Deczyński s'étonne : « De quelle patrie voulez-vous parler ? De celle des seigneurs, opulente et heureuse, ou de celle des paysans, qui est synonyme de la famine, du froid, des maladies et d'un travail inhumain ? » Ce livre, profondément amer, serait plus convaincant si Kruczkowski, adepte ardent du marxisme, n'avait pas forcé les couleurs dans la description de la lutte entre pauvres et riches. Les hobereaux, leurs enfants et le clergé, ennemis invétérés du paysan, ne sont que de sinistres personnages, inconscients du malheur qu'ils provoquent, ou frivoles à l'extrême. En revanche, les paysans sont toujours nobles et honnêtes. D'autre part, ce roman insiste par trop sur la thèse qu'il veut soutenir : la lutte des classes aide l'individu à surmonter le patriotisme traditionnel. Mais le talent de Kruczkowski a donné à son sujet et à cette thèse une expression douloureuse et humaine.

KORNÉL ESTI [*Esti Kornél*]. Œuvre en prose de l'écrivain hongrois Dezsö Kosztolànyi (1885-1936), publiée en 1933. Avec ce livre, Kosztolànyi signe une création d'un genre original : les dix-huit chapitres qui la composent sont en réalité des nouvelles, reliées entre elles par le personnage principal, Kornél Esti. Le premier chapitre nous donne le « secret » du titre : deux amis (« mon souvenir ne remonte pas aussi loin que notre amitié ») décident, après une longue séparation, d'écrire ensemble une œuvre littéraire sur laquelle leurs deux noms figureront, l'un comme auteur, l'autre en guise de titre. Kornél Esti traverse toute l'œuvre de l'auteur, et figure dans bien des nouvelles, voire dans un poème. Ainsi ce personnage fictif est-il d'une importance centrale. Qui est donc Kornél Esti, sinon un alter ego de l'auteur, un double dont il a besoin, qui matérialise son ambivalence, un double qui vit en permanence avec lui, et qui d'ailleurs, comme il le dit d'emblée, « n'a de place nulle part »...

Leur rapport est tout d'abord ludique. À commencer par ces jeux d'enfants, dans lesquels Kornél Esti est une sorte de diablotin qui, dit Kosztolànyi, « osait dire ce que je pensais. J'avais peur de lui et il m'attirait ». Dès la deuxième nouvelle apparaît le fond de la dualité humaine — au cours d'une dispute Kosztolànyi dit : « Tu es fou ! » ; Esti rétorque : « Tu es lâche. » Folie et raison, conventionnel et original, jeu de mots et jeu de pensées : voilà l'espace dans lequel se meut Kornél Esti. La folie est omniprésente, directement ou sous forme de trouble du comportement. Dès le troisième chapitre, Esti découvre le baiser grâce à une adolescente handicapée mentale. Ailleurs, un journaliste perd la raison et finit par être hospitalisé. De la folie au rêve, du rêve à l'absurde : rêver un hôtel trop merveilleux pour être vrai ; absurde de la ville où l'on ne dit que la vérité, ou absurde de la cleptomanie du traducteur. Dans ce jeu, la parole est présente, ou trop sensiblement absente : la vérité, dans la « ville honnête », est une vérité proclamée ; c'est par les mots d'emprunt turcs ou hongrois qu'Esti fait la cour à une jeune fille turque ; la parole encore, dans son dialogue en bulgare, une langue qu'il ne connaît guère, avec un contrôleur qui ignore qu'il ne comprend rien. Paroles encore, celles de Dani Üregi, qui restera quatre heures pour dire une courte phrase. Comment entrer en rapport avec autrui, avec une veuve abonnée au malheur ou avec son sauveur devenu importun ? La solution, c'est peut-être le vieux président allemand qui l'a trouvée : chacune de ses présidences est en réalité faite d'un bienveillant sommeil qui accompagne les conférences et s'interrompt au bon moment. N'oublions pas que Kosztolànyi a été très influencé par la psychanalyse : ses préoccupations sur l'alter ego et sur la santé mentale en sont sans doute la conséquence. Quelle meilleure circonstance pour révéler les fragilités que le voyage : c'est en train qu'Esti reçoit son terrible baiser, qu'il séduit la jeune fille turque, qu'il écoute le contrôleur bulgare... — Trad. Corvina, 1967 ; Alinéa, 1985. E. T.

KOTIK LETAEV. Roman autobiographique d'Andreï Bely (pseud. de l'écrivain russe Boris Nikolaïevitch Bougaev, 1880 - 1934), publié à Moscou en 1914. Il constitue la troisième partie de la trilogie *Orient et Occident* — v. *La Colombe d'argent* (*) et *Pétersbourg* (*). Le héros, Kotik Letaev, fils d'un célèbre mathématicien, est un enfant précoce qui, depuis l'âge le plus tendre, est familiarisé avec les trésors de la culture ; mais un jour, poussé par une nostalgie toujours plus grande d'« horizons d'azur », il part vers l'inconnu. Bely a voulu évoquer la mentalité d'un enfant qui s'ouvre à la vie. Il néglige tout élément anecdotique, s'attachant à mettre à nu le mécanisme de l'intelligence qui s'éveille : le Moi placé au centre de la création, comme point de départ de la vie sensible. Le procédé de Bely présente ainsi quelques analogies avec ceux de Joyce et de Proust. — Trad. L'Âge d'Homme, 1973.

KOUAN HAN-TS'ING [*Guan Hanqing*]. Pièce du dramaturge chinois T'ien Han (1898-1968), écrite en 1958 en l'honneur du plus grand auteur de théâtre classique de la Chine : Kouan Han-ts'ing (1230 ?-1300 ?). L'auteur est l'un des créateurs du « théâtre parlé » [houa-tsiu], mais il utilise dans cette pièce de nombreuses techniques de l'opéra traditionnel. Il y évoque l'influence de l'artiste et de sa création, dans leur fonction sociale. Le parti pris politique de l'écrivain membre du parti communiste chinois est, comme il se doit, celui de la confiance dans le sens de l'Histoire, et de la défense du peuple victime d'injustices, lorsqu'il dresse le noir tableau d'une société non seulement féodale mais aussi colonisée par le pouvoir mongol des Yuan (1279-1368). Cette pièce cependant, en faisant référence à *L'Injustice faite à To Eu* (*), qui dénoncerait l'infamie des gouvernants du temps de Kouan Han-ts'ing, a pu être interprétée comme une critique déguisée du régime communiste, à l'instar de *La Démission de Hai Jouei* [*Hai Jouei pa-kouan*] composée par Wou Han (1909-1969) — pièce qui fut l'objet de controverses en 1965, et l'un des prétextes au déclenchement de la « révolution culturelle ». V. L.

KRAKATITE [*Krakatit*]. Roman de l'écrivain tchèque Karel Čapek (1890-1938), publié en 1924. Comme dans la plupart des œuvres de Čapek, et en particulier dans son drame célèbre *R.U.R.* (*), l'œuvre a pour point de départ une anticipation scientifique. Le titre vient d'un néologisme (tiré du nom du volcan Krakatoà) et désigne le plus puissant explosif qui ait jamais été inventé. L'inventeur est l'ingénieur chimiste Prokop, auquel un ami dérobe le secret de la fabrication, sans pourtant réussir à l'exploiter, parce qu'il est victime de sa première expérience. En même temps que la Krakatite a été trouvée par des inconnus une onde électrique qui, entre autres propriétés, possède celle de pouvoir faire exploser à 3 000 km de distance même un fragment de Krakatite non isolée. La découverte de la Krakatite a été connue en Allemagne, et des envoyés du gouvernement se rendent à Prague pour acheter le secret. L'ingénieur Prokop se refuse à le vendre, sachant que les Allemands s'en serviront pour exterminer leurs ennemis. Retenu prisonnier dans une petite ville allemande où il était venu rejoindre un ami, il réussit à s'évader avec l'aide de sa maîtresse, mais il est de nouveau arrêté et cette fois par un mystérieux étranger, Daimon, qui le conduit à une réunion d'anarchistes. Daimon possède le secret des ondes électriques et un peu de Krakatite. Une dispute avec ses compagnons l'oblige à s'enfuir ; il emmène avec lui Prokop et son amie et, au moyen des ondes, fait sauter la Krakatite et ses ex-compagnons. Dans le laboratoire d'où il émet les ondes électriques, il offre à Prokop de dominer le monde, mais Prokop refuse et s'enfuit. Le roman se termine par une rencontre entre Prokop et un vieillard vagabond, qui dit à Prokop ces simples mots : « Tu voulais faire de trop grandes choses, mais tu en feras de petites qui seront utiles aux hommes. » Il semble à Prokop que c'est Dieu lui-même qui a prononcé ces paroles ; elles contiennent toute la philosophie du roman. Le roman construit sur une donnée utopique, ce qui est caractéristique du talent de Čapek, nous montre aussi un autre côté de son art si riche : le réalisme. Ces deux aspects se fondent ; d'une part le réalisme rend vraisemblables les inventions les plus obscures de l'imagination, et d'autre part celle-ci révèle des aspects souvent négligés de la réalité. Parmi les romans modernes s'appuyant sur une utopie, ceux de Čapek occupent une place honorable à côté de ceux de Wells, à côté du *Meilleur des mondes* (*) de Huxley, de *Nous autres* (*) du Russe Zamiatine, des *Aventures extraordinaires de Julio Jurenito* (*) et du *Trust D.E.* de l'écrivain soviétique Ilya Ehrenbourg.

KRAMBAMBULI. Récit de la romancière autrichienne Marie von Ebner-Eschenbach (1830-1916), publié en 1883. Il est remarquable en dépit de sa brièveté. Voici sa donnée : un vagabond, ivrogne et miséreux, cède un jour son chien au garde-chasse Hopp, en échange d'une douzaine de bouteilles d'eau-de-vie de Dantzig, que l'on appelle « Krambambuli ». Le chien, rebaptisé de ce nom, après une période de nostalgie affreuse et de résistance féroce, s'attache à son nouveau maître et prouve toutes ses qualités d'animal de grande race, généreux et fidèle. Mais un jour, au fond des bois, Hopp se trouve en face du chef des braconniers qui n'est autre que l'ancien maître de Krambambuli. Le chien le reconnaît aussitôt ; et dans son honnête cœur de bête une tragédie déchirante se joue, tous ses mouvements révèlent sa terrible hésitation. À la fin, l'ancien amour prévaut et Krambambuli s'élance vers le braconnier ; mais son brusque élan décide de la mort de l'homme qui tombe sous la balle du fusil de Hopp. Krambambuli a conscience de sa trahison et n'ose plus revenir à la maison du garde-chasse ; désespéré, avili, il vagabonde pendant de longs jours ; à la fin, il mourra, épuisé de faim et de froid, sur le seuil de la porte qu'il n'a plus osé franchir. Sur le modèle de ce conte, l'auteur écrivit d'autres histoires d'animaux telles que « Louve » ou « Le Pinson » : Ebner-Eschenbach y révèle le meilleur de son talent. Ces écrits, parmi les premiers du genre au cours de la seconde moitié du XIXe siècle, ont été souvent imités : ils marquent les débuts de l'une des formes modernes de la nouvelle.

KREISLERIANA. Recueil d'écrits divers de l'écrivain allemand Ernst Theodor Amadeus Hoffmann (1776-1822). Ces digressions, fantaisies ou considérations dont le ton est surtout celui de la satire et le sujet toujours musical, parurent en 1814 en un volume, après avoir été partiellement publiées dans l'*Allgemeine musikalische Zeitung*. Johannes Kreisler était le pseudonyme sous lequel Hoffmann avait commencé à écrire dans ce journal ses articles sur la musique. Mais, peu à peu, l'imagination du « Kappellmeister » (maître de chapelle) Kreisler — étrange figure d'artiste asocial, à la tenue négligée, aux manières extravagantes, paraissant toujours absorbé par sa musique et cependant attentif aux mille voix de la nature — acquit une individualité de plus en plus marquée et s'enrichit de traits autobiographiques et, plus encore, idéaux. En effet, pour Hoffmann, qui le considère pourtant avec une pitié ironique et amusée, Johannes Kreisler représente le parfait musicien, ennemi de toute virtuosité inutile et de toute pédanterie académique. Ce bref volume contient douze articles, divisés en deux séries, plus un « hors-d'œuvre » (« Le Parfait Machiniste »), dont le sujet n'est pas strictement musical, mais traite, sur le mode ironique, des devoirs du metteur en scène et du scénographe. Le premier article, « Douleurs musicales du Kappellmeister Johannes Kreisler », dépeint d'une façon burlesque les souffrances d'un artiste obligé d'assister et de participer à un divertissement musical dans la haute société : c'est la position typiquement romantique de l'artiste qui montre sa nette hostilité à l'égard du bourgeois « philistin ». Dans les deux articles par lesquels débute la deuxième série, Hoffmann aura soin de préciser que la simplicité fruste de la musique populaire est bien autre chose que l'insupportable mauvais goût des classes plus élevées. Le deuxième écrit (« ombra adorata ») ainsi que le quatrième (« La Musique instrumentale de Beethoven ») de la première série, de même que le sixième de la seconde série (« À propos d'un jugement de Sacchini sur le soi-disant effet musical »), sont de véritables essais de critique musicale. Ce dernier contient de remarquables observations sur l'opéra italien, où — contrairement à l'opinion communément admise — l'auteur fait remarquer que la musique n'y a qu'un rôle secondaire ; subordonnée à la scène, elle demeure simple et élémentaire, pauvre en modulations harmoniques, afin de ne pas gêner la partie proprement scénique du spectacle. Prenant Mozart comme exemple, Hoffmann démontre qu'en réalité la doctrine musicale n'est jamais un embarras pour l'évidence scénique, le feu de l'imagination l'emporte sur la technique. Suivent des « Pensées éparses », dont l'une, particulièrement remarquable, expose une des idées chères aux romantiques : la fusion et la correspondance des sens et des arts, la « combinaison des couleurs, des sons et des parfums ». À l'exception d'une fantaisie sur le « Club musico-poétique de Kreisler » et d'une lettre d'adieu à un disciple imaginaire, les autres articles constituent une satire des mœurs musicales de l'époque ; sous le couvert de les approuver, l'auteur s'en prend aussi bien au bourgeois plein de bon sens qu'au professeur pédant. Cela nous vaut de lire quelques définitions passionnées de la conception romantique de la musique. Celle-ci fut pour les romantiques une sorte d'initiation permettant de comprendre la voix secrète de la nature et de s'avancer ensuite, au-delà des sens et de l'intelligence, vers l'infini et le divin. Cette conception sera illustrée par la musique de Schumann qui subit très nettement l'influence littéraire d'Hoffmann — v. *Scènes de la forêt* (*), *Kreisleriana* (*), *Davidsbündlertänze* (*). — Trad. Gallimard, 1949 ; et dans *Romantiques allemands,* t. 1, Gallimard, 1963.

KREISLERIANA. Cycle pour piano, op. 16, du compositeur allemand Robert Schumann (1810-1856), composé en 1836. Ce sont huit pièces pour piano, offrant entre elles une certaine parenté en raison de leurs affinités thématiques. Elles sont disposées dans un équilibre étudié de contrastes, des morceaux agités et impétueux alternant avec des morceaux plus calmes et sereins. Le point de départ, qui rappelle Hoffmann, dénote une ferveur romantique plus passionnée et plus tumultueuse que le tendre humour sentimental du *Carnaval* (*). Nous sommes ici, en effet, aux limites extrêmes d'une passion ardente et démesurée. Composée à l'époque où l'amour de Schumann pour Clara Wieck se heurtait à de rudes obstacles, *Kreisleriana* marque l'apogée du chant de leur amour qui épuise toute la gamme des états d'âme les plus changeants et les plus opposés, allant de l'extrême tumulte et de la passion à la poursuite ardente de l'impossible, à l'aspiration vers l'infini, à la recherche de valeurs religieuses et éternelles dans les sentiments amoureux pourtant éphémères. Une invention spécifiquement musicale se trouve toujours à la base de chacune de ces pièces. La spontanéité des sentiments risque de mettre en péril l'architecture de l'œuvre. La seconde pièce, augmentée de deux intermèdes, et la troisième ont cependant de plus grandes ambitions constructives que les brèves notations du *Carnaval* ou des *Davidsbündlertänze* (*). Il semble que les conflits de l'âme romantique se reflètent douloureusement sur la forme esthétique, l'empêchant d'atteindre à la perfection et lui conférant au contraire un charme émouvant de document, d'aventure intérieure intensément vécue. Dans ces luttes pour la conquête d'une liberté formelle qui ne soit pas, dans une notation sentimentale éphémère et immédiate, la négation de la forme, on assiste à la naissance de la musique moderne qui trouvera ses maîtres avec Wagner et Brahms. Mais là même où l'unité n'est pas complètement réalisée, comme dans la seconde pièce, on peut admirer l'effet produit par le thème initial dont la richesse harmonieuse et suggestive — comme l'écho de cloches familières — contient une mystérieuse force de pénétration qui parle intimement au cœur. Enfin, il suffit de rappeler la parfaite réussite de la dernière pièce où un rythme constant, symbolisant le charme légendaire d'une ballade romantique, suit d'admirables courbes mélodiques et exprime l'allégresse à l'état pur.

KRISTIN LAVRANSDATTER. Trilogie romanesque de la romancière norvégienne Sigrid Undset (1882-1949). Ce chef-d'œuvre, qui parut de 1920 à 1922, a été traduit dans presque toutes les langues. L'action se déroule au début du XIVe siècle, ce qui permet à l'auteur de faire entrer d'une façon simple et naturelle sa foi catholique dans son œuvre. Le premier volume, *La Couronne* [*Kransen*], nous raconte l'enfance et la jeunesse de Kristin Lavransdatter, la fille du bon et joyeux Lavrans et de la sévère Ragnhild, qui ont perdu tous leurs enfants avant Kristin et qui l'entourent donc de soins et d'amour. La sœur de Kristin, la petite Ulvhild, devient infirme par suite d'un accident. Lavrans arrange pour sa fille des fiançailles avec Simon Darre, le fils d'un homme considéré, mais lorsque Kristin est l'objet d'un scandale provoqué par le meurtre d'un homme qui s'était battu pour elle, Simon Darre conseille aux parents de Kristin de l'envoyer pour un an chez les bonnes sœurs à Nonneseter. Dans cette bourgade, Kristin fait la connaissance d'Erlend Nikulaussön et s'éprend de lui. Elle supplie Simon Darre de renoncer à elle, et celui-ci, voyant la passion avec laquelle Kristin se donne à Erlend, s'incline. Lavrans demande alors à Kristin de revenir à la maison ; mais lorsque Erlend lui demande la main de sa fille, il refuse, car Erlend a très mauvaise réputation depuis qu'il est devenu l'amant d'une femme mariée, qu'il a installée chez lui et dont il a deux enfants. Erlend veut alors enlever Kristin, qui est toute prête à le suivre, mais ils sont surpris par la maîtresse d'Erlend, qui, après une scène violente, se tue. Il ne peut être question d'enlèvement dans ces conditions ; mais une fois les esprits tranquillisés, Erlend renouvelle sa demande et le père de Kristin finit par céder. C'est plein d'appréhension qu'il organise le mariage et c'est plein de honte qu'il voit les regards enflammés que pose Kristin sur son époux. Pourtant, il ne sait pas que Kristin attend déjà un enfant d'Erlend. Seule sa mère Ragnhild l'a deviné ; c'est pourquoi Ragnhild choisit ce jour de fête et aussi de deuil pour apprendre à son mari la raison de son attitude sombre et ombrageuse depuis leur mariage : elle avait auparavant appartenu à un autre homme que Lavrans et elle n'a jamais osé demander à Dieu la guérison de son premier fils qui est mort.

Le deuxième volume, *La Femme* [*Husfrue*], nous montre Kristin maîtresse de maison à Husöby, où elle remet de l'ordre. Peu de mois après le mariage, Kristin a un fils, Naakkve. Lavrans, le père de Kristin, est profondément blessé d'avoir été trompé par sa fille et d'avoir organisé pour elle un mariage comme si elle eût été jeune fille. Cette douleur ne sera jamais effacée. La famille s'agrandit avec les années et c'est la naissance d'autres fils : Björgulf, Gaute, les jumeaux Ivar et Skule, Lavrans (né peu de temps avant la mort du père de Kristin) et enfin Munan. Kristin trouve un grand réconfort dans ses conversations avec le frère d'Erlend, Gunnulf le moine, et avec le prêtre Sira Eiliv. Son mari lui demeure toujours un peu étranger, elle ne comprend pas son humeur insouciante, sa légèreté, et comme elle a elle-même un caractère difficile et fier, les disputes sont fréquentes entre les deux époux. Elle a fait un pèlerinage au lendemain de la naissance de Naakkve pour obtenir le pardon de ses fautes, mais elle n'arrive jamais elle-même à les pardonner entièrement à son mari. Elle est d'ailleurs devenue de plus en plus la mère de ses enfants et la maîtresse de maison de Husöby, et de moins en moins la femme d'Erlend. Son père meurt et lui laisse en héritage la vieille maison familiale. Sa sœur cadette, Ramborg, a entre-temps épousé Simon Darre, veuf de sa première femme. Kristin est donc désormais la belle-sœur de l'homme qu'elle aurait dû épouser et qui n'a jamais cessé de l'aimer. Erlend Nikulaussön s'est laissé entraîné dans des intrigues politiques. Il est découvert et jeté en prison. Kristin se révèle alors soudain femme aimante et fidèle. Grâce à l'énergique intervention de Simon Darre, Erlend obtient son pardon, bien qu'il ait avec constance refusé de dire les noms de ses complices. Mais tous ses biens sont confisqués et ils doivent s'établir à la maison natale de Kristin, Jörundgaard.

Le troisième volume, *La Croix* [*Korset*], est l'histoire de la conversion de Kristin. Erlend reste toujours un étranger à Jörundgaard, mais semble s'incliner devant la fatalité. Erlend et Kristin sont en bons termes avec Simon Darre et la sœur de Kristin, Ramborg, ainsi que leurs enfants ; mais au cours d'une dispute entre les enfants, Simon Darre apprend que parmi les complices d'Erlend se trouvaient ses propres frères. La magnanimité d'Erlend lui devient insupportable et il lui dévoile qu'il n'a jamais cessé d'aimer Kristin et qu'il ne veut plus le voir. Les deux beaux-frères se quittent pour toujours. Kristin s'inquiète pour l'avenir de ses sept fils qui ne peuvent pas tous vivre de Jörundgaard — et elle se querelle à ce sujet avec Erlend, qui, furieux, quitte Jörundgaard, où il ne vit qu'aux dépens de sa femme, dit-il, et s'établit dans une petite ferme qui lui appartient, Haugen. Elle attend longtemps son retour. Simon meurt et, à la demande du mourant, Kristin se rend à Haugen pour essayer de faire revenir Erlend. Il l'accueille avec plaisir, mais se refuse à rentrer. De retour à Jörundgaard, Kristin attend toujours. Un enfant naît, qui meurt presque aussitôt. Lorsque Kristin mène son fils Munan à sa première communion, elle se voit accusée d'avoir eu ce fils avec le régisseur ; elle se défend mal, ses fils essaient d'intervenir et l'un d'eux cherche Erlend, qui revient pour se faire pardonner et pour mettre fin aux rumeurs. Leur entrevue se transforme, par la faute de Kristin, en querelle : Erlend veut quitter Jörundgaard mais, arrêté par les paysans, il en tue un et est lui-même blessé à mort. Après la mort d'Erlend, Björgulf, qui est devenu aveugle, entre en religion avec son frère aîné Naakkve, les deux jumeaux partent à l'aventure, Gaute prend la maison en charge et se marie, Lavrans et Munan meurent. Kristin reste seule et inutile à Jörundgaard. Elle se rend en pèlerinage à Rein, où elle entre au couvent. Sa conversion a lieu, mais, avant d'entrer dans les ordres, elle meurt de la peste.

Avec un naturel incomparable, un souffle épique rare, Sigrid Undset a su mener à bout cette longue histoire aux multiples intrigues. L'intérêt ne faiblit pas un seul instant. Au centre de cette grande fresque se trouve naturellement le personnage imposant, bien que pas toujours sympathique, de Kristin Lavransdatter, fière, orgueilleuse, mais capable d'un dévouement sans bornes, jeune fille têtue, épouse souvent difficile, mère admirable. La partie la moins convaincante est peut-être la conversion de Kristin, ou disons plutôt sa vocation religieuse. On a peine à croire au mysticisme chez une âme si fortement enracinée en ce monde et si volontaire. Avec un art consommé, Sigrid Undset a su replacer son récit dans une époque historique, sans le moindre pédantisme, mais avec une connaissance profonde des mœurs et des coutumes. — Trad. Stock, 1952, sous le titre *Christine Lavransdatter*.

KUKUNOR. Conte en vers du poète finlandais d'expression finnoise Lauri Viita (1916-1965), publié en 1949. C'est un « conte pour enfants ». Kukunor, c'est aussi le diminutif du prénom de la première fille de Viita et de la poétesse Aila Meriluoto. C'est la deuxième œuvre du poète, dont le premier recueil, *Le Moulineur de béton* [*Betonimyllarî*], publié en 1947, avait fait date. À sa parution, le livre a suscité une polémique, d'aucuns ayant voulu y voir une attaque contre certaines personnalités de la vie littéraire finlandaise.

Les personnages du conte sont deux « peikkos », des lutins de la tradition finnoise : une petite fille, naïve et sensible, Kukunor, et un petit garçon, Kalahari, ayant l'intelligence et la connaissance : ce sont ces dernières que Kukunor va chercher auprès de lui. Ensuite le conte se dédouble : Kukunor devient un lac en Asie, et Kalahari un désert en Afrique. Alors la petite peikko s'évapore en nuage, et rejoint Kalahari sous forme de gouttes de pluie. L'interprétation du conte peut être complexe mais on retrouve dans *Kukunor* plusieurs thèmes chers à Viita. *Le Moulineur de béton* le montrait déjà préoccupé par la découverte de la vérité et de la connaissance. Cette quête forme ici le noyau de la fable. Elle est mouvement : pour atteindre son but, Kukunor doit accomplir un voyage initiatique, et nous retrouvons le thème du vent, élément dynamique, qui transporte le nuage jusqu'en Afrique.

C'est par la force de la volonté et de la pensée que la petite peikko parviendra à son but : le rêve, thème récurrent chez Viita, en est le moyen. Kukunor vit dans les rêves : concevoir et être ne font qu'un. Ainsi peut-elle, par une sorte de transsubstantiation onirique, s'identifier au lac et rejoindre Kalahari. Pour Viita, le rêve est toujours créatif : il permet à l'homme de sortir de soi, de s'arracher au quotidien, d'atteindre l'universel. Il est le propre des âmes sensibles, des enfants, des femmes – la mère du roman *Moraine* (*) –, des poètes, et il caractérise ici justement l'élément féminin.

Ode à la foi, *Kukunor* est pourtant avant tout un conte pour enfants. Viita adopte ici une forme plus libre, plus souple, que dans son premier recueil, mais toujours puissamment rythmée. Il joue de plus en plus avec le langage, intégrant des rythmes propres à la langue parlée, des assonances, voire des procédés incantatoires. Ainsi cette œuvre garde-t-elle, au terme de toute analyse, quelque chose de mystérieux alors que, par sa forme et sa langue, elle est familière et séduisante. C'est certainement la raison de sa popularité. E. T.

KULTURE EN ABRÉGÉ (La) [*Guide to Kulchur*]. Essai du poète américain Ezra Pound (1885-1972), publié en 1938 à Londres et à New York. Composé de cinquante-huit brefs chapitres, dont certains se réduisent à des citations ou traductions (« Il est difficile de s'arrêter de citer », avoue l'auteur), ce livre, qui ne paraît obéir à aucun plan décelable, rassemble pêle-mêle les idées ou, si l'on peut dire, les « dadas » du poète concernant la culture classique, le rôle de l'Église, la philosophie grecque, l'économie politique, l'État, le fascisme et le communisme. Il s'ouvre et se ferme avec l'éloge enthousiaste de maître Kong (c'est-à-dire Confucius) ; on sait du reste que la conversion au confucianisme et l'adhésion au fascisme vont de pair pour Ezra Pound : l'idéal d'ordre et d'équilibre moral et social de Confucius (tel du moins que le comprend Ezra Pound) aurait, selon lui, été réalisé, dans les conditions modernes, par Mussolini (et aussi par Hitler, dont le nom est cité avec éloge dans ce livre). Mais, derrière ces adhésions qui firent à juste titre scandale à l'époque, s'expriment ici ouvertement les rancœurs profondes du poète : contre le système d'enseignement et l'inculture des États-Unis, contre les universités, le manque d'esprit philosophique, la frivolité intellectuelle d'une Angleterre qui l'a déçu, contre la culture française qui, selon lui, n'est plus ce qu'elle était encore peu de temps auparavant, contre le règne de l'argent. Ici, comme dans les *Cantos* (*), dont l'essai semble souvent n'être qu'une traduction ou un résumé en prose, à cette inculture, à cette ignorance qui l'exaspèrent, Ezra Pound oppose l'étalage d'un savoir qui, pour être réel, s'affiche cependant avec une sorte de naïveté, la naïveté d'un parvenu de la culture. Bien souvent, il n'hésite pas à enfoncer des portes ouvertes, par exemple pour distinguer connaissance et compréhension. Ailleurs, il étale son propre racisme, dont il ne semble même pas conscient, affirmant que le communisme est « barbare et hébreu » (ou en fabriquant l'adverbe « semiticly » [sémitiquement]). Dans d'autres passages, il revient sur l'importance des poèmes géométriques, des troubadours, des philosophes grecs, d'Ovide, et aussi, ce qui est plus nouveau chez lui, sur la musique de Vivaldi et de Boccherini. Ce n'est certes pas un « guide » auquel on puisse se fier aveuglément, mais c'est un livre très révélateur de la culture déséquilibrée de Pound lui-même. – Trad. La Différence, 1992.

KUMĀRASAMBHAVA [*La Naissance de Kumāra*]. Poème épique indien de Kālidāsa (IVe-Ve siècle), dont le thème est puisé dans les *Purānas.* Kumāra est le nom du dieu de la guerre, Skanda, engendré par Śiva pour que les dieux aient un chef dans la lutte contre les démons. Le poème comporte dix-sept livres, dont seuls les huit premiers sont authentiques. Il y est relaté de quelle façon Umā, fille de l'Himālaya, communément appelée Pārvatī (la fille de la montagne), parvint à séduire Śiva, alors qu'il se consacrait à une ascèse des plus sévères, et à devenir son épouse. En effet, Kāma, dieu de l'amour, a décidé de porter le trouble dans l'ascèse de Śiva (IIIe livre). Tout d'abord, il doute du succès de sa tentative. Là-dessus, Umā se présente à Śiva : Kāma en profite aussitôt pour décocher sa flèche au dieu ; mais celui-ci dompte l'ardeur qui s'éveille en lui et, d'un regard terrible (de son « troisième œil »), il consume Kāma. Umā retourne chez elle, déçue, tandis que Rati, femme de Kāma, déplore la mort de son mari.

Cependant, Umā, en s'astreignant elle aussi à une ascèse des plus rigoureuses, conquiert le cœur de Śiva, et les noces finissent par avoir lieu : Śiva invite les sept Rishis ainsi qu'Arundhatī (le modèle de l'épouse fidèle) et charge Arundhatī de demander pour lui Umā en mariage. Dans les VIe et VIIe livres sont décrites les cérémonies du mariage ; dans le VIIIe, la jouissance qu'éprouvent les époux. La mariée résiste d'abord, par pudeur, mais se livre bientôt sans la moindre retenue. Comme Śiva lui décrit la beauté d'un coucher de soleil et l'arrivée de la nuit, il sombre avec Umā dans les délices de l'amour : cent cinquante saisons qui sont comme une seule nuit d'amour. Peut-être, dans un chant aujourd'hui perdu, Kālidāsa décrivait-il la naissance de Kumāra. Les chants IX à XVII n'appartiennent à Kālidāsa ni par le style ni par la langue, et n'ont pas une grande valeur ; ils narrent comment Agni s'approche de Śiva, d'abord sous la forme d'une colombe, puis en personne, pour implorer son aide. Du sperme de Śiva tombé dans le Gange, et partagé entre les six Krittika ou Pléiades, naît Kumāra : ses jeux d'enfant feront la joie de ses parents. Mais les dieux sont épouvantés, leur séjour est menacé par Tāraka. Indra ayant demandé du secours à Śiva, ce dernier répond de bonne grâce à sa prière et confie à Kumāra la tâche de combattre Tāraka. Le livre XIV décrit la grande armée de Tāraka, et le livre XV les prodiges qui devraient le détourner de la guerre. Aveuglé par l'orgueil, Tāraka invite Kumāra à retourner chez ses parents et à cesser de combattre ; sur le refus de Kumāra, il déchaîne contre lui son feu magique, mais il finit par tomber mort. Le poème offre donc beaucoup plus que ne promettait le titre. Sur plus d'un point, il s'inspire du *Rāmāyana* (*) : la description du printemps en contraste avec la douleur de Rāma ; la désolation de Rati, qui rappelle celle de Tāra ; Tāraka lui-même, dont les traits rappellent ceux de Rāvana (dans le *Rāmāyana*). En d'autres points, Kālidāsa s'est inspiré d'Aśvaghoṣa, l'auteur du *Buddhacarita* (*), par exemple dans la description des femmes lors de l'arrivée de Śiva et de Umā. On ne sait pourquoi Kālidāsa a interrompu son poème. Certains ont pensé à des scrupules religieux (cf. la description des amours divines) ; d'autres croient qu'il considérait la naissance merveilleuse du dieu comme un sujet impropre à la poésie. Les chants I à VII furent publiés et traduits en latin par A.F. Stenzler à Londres en 1838 et retraduits en anglais par R.T.H. Griffith à Londres (1879). Une bonne édition de tout le poème est celle de Bombay, 1906. – Trad. Durand, 1859 ; Gallimard, 1958 ; trad. anglaise *The Origin of the Young God,* 1985.

KURDES (Les). Œuvre maîtresse, publiée en 1956, du grand orientaliste russe Basile Nikitine (1885-1960). Né en Pologne tsariste, Nikitine séjourna en Perse de 1909 à 1919, puis quitta la Perse pour la France où il vécut jusqu'à sa mort. Tous ses loisirs furent dès lors consacrés à la mise en œuvre de la documentation recueillie dans ce pays et à la poursuite de ses recherches. Son livre est, comme le dit Louis Massignon dans sa préface, « le premier ouvrage d'ensemble consacré aux divers aspects du problème kurde ». Cela est d'autant plus remarquable qu'il existait déjà une très large bibliographie sur le sujet et celle du livre, qui ne comporte que les références les plus importantes, comprend plusieurs centaines de titres : l'accès à ces études est d'ailleurs très malaisé : de par la multiplicité des langues dans lesquelles elles sont écrites et du fait qu'elles ont souvent été publiées presque « confidentiellement » dans des éditions peu nombreuses ou dans des revues difficilement accessibles. Le Kurdistan ou pays des Kurdes, bien qu'il soit délimité de façon précise dans des frontières à l'intérieur desquelles vit une population sinon tout à fait homogène, du moins ayant en majorité la même origine ethnique, n'est pas un État indépendant. Grand comme la France, il a le régime de la Pologne d'avant la Première Guerre mondiale. Son territoire est divisé entre plusieurs États : la Turquie, l'Iran, l'Irak et la Syrie. Les gouvernements de ces États ont toujours pris les mesures les plus rigoureuses pour empêcher les Kurdes de s'unir : si bien que, dans une certaine mesure, chaque portion de territoire a une vie indépendante que retrace Basile Nikitine. Son ouvrage est un travail magistral de synthèse et un exposé systématique des diverses théories parues sur les aspects controversés de la question kurde : origine historique, originalité de la langue, survivances religieuses, etc. Il comprend aussi un apport considérable d'observations personnelles recueillies essentiellement dans la période qu'il passa dans la région kurde d'Ourmia, en Perse, comme consul de Russie, de mai 1915 à mai 1918, et durant laquelle il s'initia à la langue et aux problèmes kurdes.

KYRA KYRALINA. Roman de l'écrivain roumain Panaït Istrati (1884-1935). L'auteur venait de vivre des heures noires qui l'acculèrent au suicide. Il s'en tira de justesse : Romain Rolland, étant allé le voir à l'hôpital, fut vivement intéressé par ses dons de narrateur et le poussa à écrire. S'étant remis peu à peu, Istrati se mit à écrire son premier livre en langue française : *Kyra Kyralina*, qui parut en 1924 avec une Préface enthousiaste de Romain Rolland. Le nouveau romancier est présenté au public comme « un Gorki balkanique ». Effectivement, *Kyra Kyralina* révèle avant tout le peintre des misères humaines auquel s'ajoute le conteur oriental au talent prodigieux. Le cadre de son action dépasse les frontières du delta danubien – pays natal de l'auteur – pour aller, à travers la mer Noire, embrasser tout ce vaste Empire ottoman de la mi-siècle précédente. Le héros en est Dragomir, surnommé Stavro, enfant délicat qui s'attache passionnément à sa mère et à sa sœur, deux belles courtisanes qui mènent une vie d'enfer. Un premier conflit se dessine entre le père et le frère aîné, artisans honnêtes mais de mœurs dures, et d'autre part la mère et les deux enfants qui s'ingénient à mettre à profit les absences fréquentes des deux hommes. Aussi étrange que cela paraisse, la sympathie du lecteur va à ces personnages passionnés de luxe et d'oisiveté, qui risquent continuellement d'être surpris par l'arrivée du père. Ce dernier tombe, un jour, au milieu de la fête. La mère rouée de coups, les deux enfants sont battus jusqu'au sang, cependant que les invités, les « moussafires », sont cavalièrement jetés par la fenêtre. Un nouvel épisode commence. Les victimes réussissent à s'évader ; elles tentent de recommencer une nouvelle vie ailleurs. Kyra et Dragomir, séduits toujours par le mirage d'une vie luxueuse, se laissent emmener à Constantinople, où la jeune fille sera bientôt enfermée dans un harem, alors que son frère sera abandonné à la merci d'hommes riches et corrompus. Leur mère a déjà disparu, décidée à ne plus jamais montrer au monde son visage défiguré par les châtiments du père. Dragomir est maintenant un adolescent ; il a goûté à la débauche, il n'a plus qu'un seul rêve : retrouver sa mère ou sa sœur, et jouir de leur affection. Recherche inutile et lancinante à travers un monde où l'argent est roi. Errant, volé, trompé, Dragomir se laisse peu à peu envahir par le désespoir. Un vieillard – Barba Yami – le recueille et lui offre gîte et nourriture. Il lui apprend à gagner sa vie en vendant, comme lui, de la limonade, et il le réconcilie avec l'existence, avec le bonheur que chacun possède au fond de soi. Le roman se termine par une apologie de l'homme et d'une certaine sagesse éternelle.

Kyra Kyralina évoque avec beaucoup de fraîcheur un passé plein de poésie. L'image de la société roumaine du temps est évidemment romancée et en bonne partie faussée. Mais les personnages venus à travers les Balkans, tels ces contrebandiers ou marchands suspects, les riches, insouciants et voluptueux, les « effendi », comme les pauvres toujours brimés, sont peints avec beaucoup de vérité et de couleur. Dragomir est un cosmopolite romantique, mis au ban d'une société contre laquelle il lutte passivement, et non pas avec cette violence qui est le propre des héros de Gorki. Car, pour lui, à la différence des personnages du romancier russe, la justice est une affaire entre l'homme et sa conscience et non point une question sociale.

KYRIE. Poèmes de l'écrivain français Pierre-Jean Jouve (1887-1976), publiés en 1938. Suivant *Sueur de sang* (*), qu'avait prolongé *Matière céleste* (*), *Kyrie* marque pour Jouve un retour à une forme plus traditionnelle, au caractère incantatoire, et se présente d'abord comme un chant funèbre où la vocation mozartienne du poète s'impose au lecteur. La parole est devenue déclaration, sans que le texte perde ses vertus poétiques ; au contraire, les rythmes sont mieux dessinés qu'auparavant, les ruptures, les syncopes et allongements sont plus évidents. Mais les thèmes se révèlent vite ceux de *Sueur de sang*, et la « catastrophe », sur laquelle l'avant-propos de ce poème insistait, s'incarne dans le nazisme. Jouve découvre (à Salzbourg) le nazisme – sur lequel il parlera de façon plus explicite dans son journal poétique, *En miroir* (*) – et son climat de terreur : « Nos derniers cris nous les poussons dans la tragique / Épaisseur de l'ouate inhumaine / D'un homme stupéfié par ses matières / ... / Quand nous vivons tout plats sous les gouttes du sang / Quand la division est l'œil de la terre / Quand l'anté-Christ a casquette noire à visière. » Comme Georges Bataille (lui, athée) à la fin du *Bleu du ciel* (*), Jouve voit dans le nazisme l'érotisme imbécile, c'est-à-dire le mal le plus bas ; il ressent cela, comme Bataille, avec d'autant plus de perspicacité qu'il a vécu et expérimenté le mal à une certaine altitude, consciente (il en a rendu compte dans *Sueur de sang*). Désastre européen, cette irruption de la barbarie, qui certes le fascine, lui inspire « Les Quatre Cavaliers », deuxième morceau du poème (après « Kyrie »), qu'il structure suivant des motifs médiévaux, se faisant, de façon assez surprenante, descriptif dans l'allégorie. Le plus beau morceau est sans doute le dernier, « Nul n'en était témoin », un largo d'une pièce qui élimine les thèmes précédents et les abandonne, chantant nostalgiquement quelque chose comme le « Bon, il a tout fait bon » de Montaigne, pour retrouver à la fin Hélène, l'épouse de *Matière céleste* : « Les innombrables ombres d'Hélène voyagent / Sur ce pays poussées par le souffle de Dieu / Tout est profond tout est sans faute et cristallin / Tout est vert, bleu, tout est joyeux et azurin. »

L

LÀ-BAS. Roman de l'écrivain français Joris-Karl Huysmans (1841-1907), publié en 1891. Sans doute ne retrouve-t-on pas ici Des Esseintes dont *À rebours* (*) dépeignait les bizarres recherches spirituelles ; 921s, avec l'historien Durtal qui raconte son extravagante aventure intérieure, la parenté est visible. Ce nouveau roman est bien la suite logique du précédent et préface *En route* (*). Durtal, convaincu lui aussi que la matérialisation n'explique pas tout, voudrait démentir que le surnaturel existe, « qu'il soit chrétien ou non » ; mais c'est vers le surnaturel « à rebours », vers la démonologie qu'il s'oriente. Il y est progressivement amené par ses études sur le maréchal Gilles de Rais (le Barbe-Bleue de la légende), « qui fut au XVe siècle le plus artiste et le plus exquis, le plus cruel et le plus scélérat des hommes ». L'épouse d'un écrivain catholique réputé, Hyacinthe Chantelouve, chez qui le satanisme se mêle à l'hystérie, l'entraîne à une initiation plus directe. Elle le met en rapport avec un prêtre interdit et excommunié, le chanoine Docre, qui nourrit des souris blanches avec des hosties consacrées et s'est fait tracer sous la plante des pieds l'image de la Croix, afin de pouvoir la piétiner constamment. Les invocations diaboliques, les messes noires du chanoine de Satan, les turpitudes de la dame conduiraient probablement Durtal à quelque reniement de soi-même, s'il ne gardait contact avec un petit groupe d'intellectuels qui se réunit pour deviser tout en haut d'une des tours de Saint-Sulpice. Ce lieu particulièrement original est le domicile du sonneur de cloches Carhaix qui sait retenir ses hôtes par les talents culinaires de sa femme, et plus encore par le bon sens populaire, la vertu quasi franciscaine de son catholicisme. L'action de ce roman est particulièrement confuse. Les recherches savantes et les méditations de Durtal sur Gilles de Rais, les discussions philosophiques sur diverses formes du satanisme, sur la liturgie, la symbolique et l'art chrétien y alternent avec les scènes démoniaques. Les péripéties plus ou moins épicées de l'intrigue amoureuse de Durtal avec Hyacinthe Chantelouve ajoutent peu à l'intérêt du roman. Si les premières pages de *Là-bas* lancent une violente charge contre le naturalisme, Huysmans n'a pas résisté au credo littéraire de son époque ; à la façon de Zola, il veut donner au public une étude faite « d'après nature et d'après des documents authentiques », bien plus qu'un roman. Y est-il parvenu ? Il a prétendu que les scènes décrites par lui étaient « de bien fades dragées, de bien plates béatilles » à côté des faits véritables qu'il avait réunis ; on a cru aussi pouvoir mettre des noms réels sur le chanoine Docre, et sur Hyacinthe Chantelouve, « une femme moderne bien connue dans le milieu clérical » ; mais, avec le recul du temps, le satanisme ici mis en œuvre paraît factice et sent l'artifice littéraire ; les sources auxquelles se référa Huysmans tenaient peut-être plus à la mystification qu'à l'occultisme. L'opinion d'alors en jugea différemment ; on lui ouvrait un monde encore très ignoré. *Là-bas* parut en feuilleton dans *L'Écho de Paris*, et cette large audience lui fit un succès de scandale.

LABORATOIRE CENTRAL (Le). Recueil poétique de l'écrivain français Max Jacob (1876-1944), publié en 1921. Le volume est constitué de quatre parties ; la première permet au lecteur de se promener dans les différents genres littéraires, en passant de l'Espagne au Brésil, de joindre Quimper et Cancale ; la seconde, plus nettement composée de variations sur de grands thèmes, sur « La Guerre et la Paix », sur la « mort », introduit la troisième qui joue de la métamorphose ; la dernière est essentiellement religieuse. Le livre se déploie de l'évocation nostalgique (« J'ai retrouvé Quimper où sont nés mes quinze premiers ans ») à la méditation religieuse.

Max Jacob aime mêler les styles ; son vers chante comme celui d'Apollinaire (« Dis-moi quelle fut la chanson / Que chantaient les belles sirènes ») et se casse comme celui de Corbière. Il couvre toute la distance du bisyllabe au vers, rare, de quinze pieds.

Écrivant le 17 mai 1924 à Bernard Estras-Gosse, Max Jacob précise son intention de poète : « Une œuvre d'art est un ensemble en vue d'un effet, les artistes ne sont pas des pénitents qui étalent leurs péchés, ils sont des fabricants qui vont à un but. » Cette affirmation a certes pour objet de contribuer à minimiser aux yeux de son correspondant la part autobiographique des poèmes. Cependant, pour Max Jacob, le travail artistique n'exclut pas la confession ; il y contribue souvent. Dans ce volume, Max Jacob introduit son lecteur dans son laboratoire poétique, et trace de lui un portrait en pécheur et en repentant. Allusion possible au lieu où l'alchimiste construit son grand œuvre, le titre du volume évoque le fait qu'un laboratoire peut aussi être tenu pour un oratoire.

Le domaine profane (celui de l'exercice de style), et le monde sacré (où s'accomplit un travail spirituel) s'associent. Ils se mêlent dans une parole qui joue des mots (« viol, viole, violon, je suis l'ultra-violet »), de la rime (*cierge* et *cher jeu*), des subterfuges poétiques (la parodie, le dialogue avec Baudelaire, ou Schwob ; les ruptures de ton, de l'élégie à la chanson ; les mélanges du vocabulaire trivial et de la mythologie). Sous couvert de désinvolture est ainsi réduite la charge émotive de la confession : « Mon Dieu, vous m'avez fait une âme solitaire. » Ces improvisations joyeuses conduisent à la dernière partie du volume où se répète la hantise de Max Jacob d'être toujours « Le Pécheur et l'autre » (ou, à la fois, celui qui prie et celui qui pèche). Il a besoin de s'avouer tel qu'il se pense être, aspirant à la sainteté et succombant au désir, requis par la solitude et mondain. Il ne peut le faire qu'en se protégeant par l'humour, qu'en se cachant en même temps qu'il s'avoue.

L'esthétique de Max Jacob est absolument liée à sa conversion. Sa rencontre avec l'image du Christ a pris date dans la durée temporelle, elle a eu lieu le 22 septembre 1909 ; mais elle lui a révélé que le miracle de l'existence du Christ appartient à tous les temps, et à tous les lieux. De ce fait, il n'y a pas de séparation du sacré et du profane ; envisagé avec attention, et amour, tout élément du quotidien est indice spirituel. Le dernier poème du recueil est consacré à de nouvelles « Litanies de la Vierge » : « Mère du Verbe, force du génie, muse des arts. » Le travail sur le vers se trouve ainsi religieusement associé à la célébration du Verbe. La disparate du vocabulaire rassemble la diversité de notre aventure dans le monde en une généreuse célébration. J. Rou.

LABORINTUS II. Œuvre pour dix-sept instrumentistes, trois chanteuses, huit acteurs-mimes, récitant et bande magnétique du compositeur italien Luciano Berio (né en 1925), composée en 1965. Le texte, tiré pour l'essentiel de *Laborintus* de Sanguinetti, entremêlé de citations d'Ezra Pound et T. S. Eliot, est un hommage à Dante pour le septième centenaire de sa naissance. La partition est construite sur des séquences instrumentales et vocales (parole, chant ou rythmes purs) qui font l'objet d'une véritable synthèse grâce à un mixage très minutieux. Elle peut être représentée sur scène, comme un ballet chanté, ou exécutée en forme de concert avec projection de la partie mimée. La partie vocale a été conçue pour les Swingle Singers. C'est la première œuvre dans laquelle Berio commence à intégrer des modes d'expression incompatibles avec l'écriture sérielle, comme le jazz ou les mélodies populaires. Véritable « rappresentazione », elle mêle à la fois allégorie, histoire, danse et musique. A. Pâ.

LABYRINTHE (Le) ou le Jardin de sir Arthur. Ce roman publié en 1946 est le premier livre de l'écrivain français Nicole Vedrès (1911-1965). Le principal « personnage » (mais ce n'est pas un personnage) se nomme Caroline. Qui est-ce ? Une fille du cirque, plus tard recueillie par sir Arthur, un magnat (mais peut-on parler d'un magnat ?), et... Il est impossible de décrire. Le récit se profile entre les moments ressaisis, suggère des essences, fixe des humeurs. Toujours, comme chez Virginia Woolf, il demeure intangible et fugace. Des êtres sont nommés : Louis et Paul, lady Linda, Furstenberg, Letizia, Ester, Tonio Marchan. On rencontre, au début du livre, le Peintre et le Recteur, occupés à commémorer un aviateur disparu (le commémorer puisqu'on ne l'a pas retrouvé) et de l'évoquer (grâce à des bribes, des souvenirs de son enfance grappillés par un journaliste). Les temps se mêleront. Celui du cirque sera reconnu. Il y aura un suicide, il y aura un mort. À la fin, le labyrinthe prend feu. On ne peut pas épuiser les sens de ce livret écrit de la voix la plus intérieure. Mille possibles s'y fulgurent, qu'il n'y a jamais eu chez un Giraudoux. La géographie se volatilise dans ce récit, la terre elle-même y est labyrinthe, où un aviateur se perdit. En vérité, la critique est ici défiée par une musique de scène. De celle-ci, on peut dire qu'elle varie ses registres, gagne en ampleur, s'élève et se soutient comme une symphonie, où quelquefois nous sommes égarés peut-être ; mais comme, justement, dans un labyrinthe. Et pas un temps faible. Ce serait l'absence de temps morts que peut-être il faudrait regretter ; un éclairement.

Les récits très exceptionnels ne se récrivent pas. Dans les autres romans de Nicole Vedrès, on retrouvera des thèmes éclairés dès celui-ci : l'exilé ou l'intrus, le retour d'un être chargé de ses découvertes comme du souvenir des lieux originaires. La vérité de ces aventures imaginaires appelle encore l'exploration, car assurément elles méritaient mieux que d'être obligeamment accueillies à la queue leu leu des chroniques de littérature. Il s'agit de six ouvrages publiés par les éditions Gallimard : *Christophe ou le Choix des armes* (1953), *Les Cordes rouges* (1953), *L'Exécuteur* (1958), *La Bête lointaine* (1960), *La Fin de septembre* (1962), *L'Hôtel d'Albe* (1963).

LABYRINTHE D'AMOUR [*Irrgarten der Liebe*]. Recueil de poèmes de l'écrivain allemand Otto Julius Bierbaum (1865-1910), publié en 1901 et renfermant sa production poétique de 1885 à 1900. « N'est vraiment vivante que la poésie englobant toutes les formes de la vie quotidienne », telle est la poétique de Bierbaum, qui n'entend pas susciter l'admiration, mais faire aux hommes le don de soi ; l'essence du lyrisme est pour lui une « vertu donatrice ». Bien que, selon ses aspirations, ses poèmes soient un « don pour tous », Bierbaum n'est pas un poète populaire : la technique est habile, le rythme ample, la mélodie verbale bien sentie, la forme ciselée. Le présent volume renferme deux de ses premiers recueils de vers : *Poésies vécues* [*Erlebte Gedichte*, 1892] et, sous un titre qui rappelle le style des « Minnesänger », *Acceptez, ô Dames, cette couronne* [*Nehmt, Frauen, diesen Kranz*, 1894]. Ces derniers poèmes, d'une veine assez facile, sont consacrés au badinage gracieux. Cette prédilection pour la poésie galante ne manque pas cependant de laisser apparaître, dans d'autres poèmes, comme un rappel lointain de Liliencron et de Goethe ; on y trouve également une poésie dédiée à Nietzsche et à Dostoïevski, en qui Bierbaum reconnaît les plus grands poètes de son temps, bien qu'il ne comprenne « l'au-delà du bien et du mal » que dans le domaine des plaisirs faciles. Bierbaum a su trouver des formes quasi parfaites pour les thèmes légers ; son style atteint son expression la plus achevée dans les contes, l'allégorie, le tour de légende, où il se montre habile à restituer l'atmosphère transparente qui, selon lui, peut permettre de « tout montrer à travers un voile et d'atteindre à la sensualité sentimentale ». On arrive ainsi au caractère « crépusculaire » de la célèbre chanson « Souvent dans la nuit silencieuse » [Oft in der stillen Nacht] et du petit tableau « Chant du soir » [Abendlied].

LABYRINTHE DE LA FORTUNE (Le) [*El laberinto de Fortuna*]. Poème allégorique de l'Espagnol Juan de Mena (1411-1456), connu aussi sous le titre *Les Trois Cents* [*Las Trecientas*], lequel désigne le nombre de stances qui le composent. Bien qu'il vise à imiter *La Divine Comédie* (*), ce poème est entièrement écrit en alexandrins et en stances de huit vers ou huitains. Voici, en bref, l'argument : Transporté par Bellone au palais de la Fortune, le poète est secouru par la Providence. Celle-ci est venue à sa rencontre sous la forme d'une belle créature (qui rappelle Béatrice). Elle lui promet de lui servir de guide et de lui expliquer ces mystères de la vie qui troublent son esprit. Elle mène alors le poète à cette « grande maison », absolument merveilleuse, d'où il est possible de voir en même temps tous les pays de la terre. Le poète se trouve devant trois grandes roues, deux de ces roues sont arrêtées : elles représentent le Passé et l'Avenir ; quant à la troisième, elle est animée d'un mouvement continuel, car elle symbolise le Présent. Dans chaque roue se trouvent sept cercles, ceux-là même que Dante a représentés : le cercle de Diane est la demeure des gens chastes ; celui de Mercure enferme les méchants ; celui de Vénus, les libertins ; etc. Des récits héroïques ou légendaires viennent interrompre le déroulement de la fable. Parmi ces derniers, le récit de la mort héroïque du comte de Niebla pendant le siège de Gibraltar (1436) est resté célèbre. Ces épisodes vivifient heureusement toute la matière du poème. Il n'empêche que, dans l'ensemble, l'œuvre de Juan de Mena est un document philologique plutôt qu'un poème véritable.

LABYRINTHE DE LA SOLITUDE (Le) [*El laberinto de la soledad*]. Essai critique du poète mexicain Octavio Paz (né en 1914), publié en 1950. C'est à distance du Mexique, géographiquement et métaphoriquement, d'abord aux États-Unis, puis à Paris où il réside depuis 1946, que l'écrivain s'attache à cerner l'identité culturelle et la spécificité de son pays. Nullement préoccupé de définir une chimérique « essence » du Mexique, Paz définit son projet comme un « exercice de l'imagination critique : une vision mais aussi une révision du Mexique ». Le poète, ici, accompagne l'historien, ou plutôt cherche-t-il, à travers les aléas d'une histoire composite, à retrouver comme en filigrane quelques grandes images fondatrices, oblitérées par le temps ou l'indifférence collective, qui éclairent des conduites comme immuables, qui façonnent et déforment à la fois les actes du présent. Le livre, dans sa version développée de 1957, se répartit en huit chapitres. Chacun d'eux aborde le thème de la mexicanité par un biais différent, sociologique au départ, ethnographique ensuite, historique enfin, au sens moderne du terme, pour conclure sur une approche toute poétique de la solitude et de l'amour absent. Dès les premières pages, en guise d'ouverture, le thème dominant s'énonce : « Partout l'homme est seul. Mais la solitude du Mexicain, sous la grande nuit de pierre de l'Altiplane peuplée pourtant de dieux insatiables, est différente... » Certes, les strates du passé, les bouleversements successifs d'un destin peuvent rendre compte de ce « sentiment terrible de la vie », qui, selon Paz, habite l'être de chaque Mexicain, l'expliciter, sans doute, nullement le comprendre et encore moins le défaire de son malheur. Il y a, par instants, comme une tentation de fatalisme, même s'il ne s'y abandonne pas, chez celui qui n'hésite pas à écrire : « Nous sommes orphelins, nous avons l'obscure conscience d'avoir été arrachés au Tout, et notre quête est ardente : fuite et retour, tentative pour rétablir les liens qui nous unissaient à la création. » De cette déréliction première que Paz discerne dans la condition du Mexicain découlent des attitudes mentales, des conduites, des formes d'expression qui, sous le changement circonstanciel, perdurent jusqu'à ce jour. Le masque est l'une d'entre elles, la plus visible aussi bien dans l'homme de ce pays que dans la nature qui l'environne. Contre la menace toujours ressentie du dehors, rien d'autre qu'une pauvre cuirasse, l'hermétisme du regard, le stoïcisme de l'esprit, la résignation du cœur chez les plus faibles. « La dureté et l'hostilité du milieu nous forcent à nous fermer à l'extérieur, comme ces plantes des plateaux qui accumulent leur sève derrière une enveloppe épineuse. » Quel remède apporter à cette crispation douloureuse sur le dedans ? La fête, à laquelle Paz accorde des moments somptueux d'écriture, n'est au Mexique qu'une sorte d'échappatoire, quasiment un leurre moral, face au mur du silence et de l'éloignement quotidien. « La nuit de fête est aussi une nuit de deuil. » L'histoire du Mexique, elle aussi, est lourde de longues nuits de deuil, celle de Moctezuma abandonnant son peuple à l'Espagnol Cortés attendu comme un dieu, celle de la désagrégation de l'Empire colonial en une pluralité d'États sans consistance, celle de l'arasement positiviste du XIXe siècle, celle enfin d'une Révolution qui s'est muée en hégémonie du parti unique. Octavio Paz jette à bas nombre d'idées reçues, et particulièrement sur la société coloniale qui, à ses yeux, était parvenue à créer un « ordre ouvert », sur le catholicisme à travers lequel les Indiens, orphelins de leurs dieux, retrouvèrent une place dans le monde, sur les conquêtes illusoires de la politique radicale du siècle passé. « Après cent ans de luttes le peuple se retrouve plus seul que jamais, avec une vie religieuse appauvrie et une culture populaire humiliée. Nous avons perdu notre filiation historique. » C'est à renouer ces liens que l'essayiste, que le poète va dès lors s'appliquer. Dans une postface qu'il donnera à une nouvelle édition de son livre en 1970, sous le titre de « Critique de la pyramide », il tourne résolument les yeux vers le futur, songeant pour le Mexique, et de façon prémonitoire, à une « entrée dans la modernité » qui ne prenne pour modèle ni les « frigides paradis policiers de l'Est » ni davantage les « explosions de nausée et de haine qui interrompent le festin de l'Occident ». Contre le mauvais génie de la solitude, la reconnaissance de l'autre et des autres ; contre l'écrasement sous la pyramide fatidique, la passion d'« apprendre à être aériens ». Un constat de l'historien, une objurgation du poète. — Trad. Fayard, 1959 ; Gallimard, 1972. C. E.

LABYRINTHE DE SOI-MÊME (Le) [*El laberinto de sí mismo*]. Premier roman publié en 1933 d'une trilogie de l'écrivain cubain Enrique Labrador Ruiz (1902-1991) ; roman dit « gazéiforme » car « informe et doté de toute la séduction d'un songe vague », selon la définition de l'auteur. Il rompt avec le réalisme traditionnel, exige la participation du lecteur, annonçant le Cortázar de *Marelle* et le Lezama Lima de *Paradiso* (*). L'élément satirique n'en est pas absent. Ce roman condense de nouvelles techniques narratives, rompant avec le naturalisme qui régnait auparavant sur le roman latino-américain. L. H.

LABYRINTHE DU MONDE (Le). Trilogie autobiographique de l'écrivain française Marguerite Yourcenar (pseud. de Marguerite de Crayencour, 1903-1987). Les deux premiers tomes, *Souvenirs pieux* (1974) et *Archives du Nord* (1977), tentent de retrouver sa double origine, belge par sa mère, française par son père. Le dernier, *Quoi ? L'Éternité* (1988) s'attache à sa propre enfance et au dernier tiers de la vie de son père. Le premier volume a pour point de départ la naissance de l'auteur à Bruxelles et la mort de sa mère dix jours plus tard des suites de l'accouchement. Évoquant avec un rare bonheur des êtres qu'elle n'a pas connus, Marguerite Yourcenar fait revivre Fernande de Cartier de Marchienne, sa mère, jeune femme de la Belle Époque, à laquelle le mariage n'apporte peut-être pas le bonheur auquel elle pouvait prétendre. À partir de Fernande, l'auteur explore sa lignée maternelle, y mettant en lumière certaines figures, tel le grand-oncle, Octave Pirmez, écrivain mineur de la fin du XIXe siècle, dont l'homosexualité latente se mue en passion pour son frère Remo, jeune romantique qui se suicidera très tôt. Menant une recherche généalogique précise, étayée de documents d'archives, de lettres, de portraits et d'albums de photos, Marguerite Yourcenar accomplit le pèlerinage aux sources d'une famille de petits aristocrates de la région liégeoise, pour revenir à sa mère et à sa rencontre arrangée avec Michel, le père. Dans le second volume, la démarche s'inverse. L'auteur part de ses plus lointaines origines, géologiques, géographiques et humaines, de ses ancêtres paternels du Mont Noir, en Flandre française, pour parvenir jusqu'à son père, personnalité éminente et complexe, qui apparaît comme l'enfant d'une bourgeoisie étriquée, lourde cependant d'un héritage culturel raffiné. Michel le révolté n'est pas sans rappeler l'aventurier lettré qu'est l'Henri-Maximilien de *L'Œuvre au noir* (*). La progression qui lui donne naissance passe par un réseau compliqué qui se resserre sur les parents, Michel-Charles et surtout Noémi, l'affreuse châtelaine du Mont Noir, abhorrée de son fils et de sa petite-fille. Le troisième tome est resté inachevé, sans que cela nuise d'ailleurs à la lecture de la partie achevée. Marguerite Yourcenar, présente en filigrane dans les deux premiers volumes, aborde ici la partie la plus proprement autobiographique de sa trilogie, puisqu'elle y traite essentiellement de son enfance et de son adolescence. Le récit s'organise autour de trois personnages centraux qui accompagnèrent sa jeunesse : Michel de Crayencour, père attentif et anticonformiste, humaniste ouvert sur le monde ; Jeanne de Reval, l'une des femmes qu'il a le plus aimées, admirable figure, qui sut s'élever au-dessus du malheur et joua un rôle important dans la formation de l'auteur (sa présence apparaît comme celle d'une mère d'élection pour Marguerite Yourcenar, qui affirma n'avoir jamais éprouvé le sentiment d'être privée de mère) ; et Egon, le mari de Jeanne, musicien déchiré entre son goût pour les hommes et son amour pour sa femme. Ce dernier tome est sans doute celui où l'auteur donne le plus de fils conducteurs pouvant mener à son œuvre : Egon servit de modèle pour *Alexis ou le Traité du vain combat* (*) et Jeanne inspira sans doute *Le Coup de grâce* (*). C'est aussi le livre dans lequel Marguerite Yourcenar révèle, au détour des pages, certaines des idées directrices de sa vie. L'émotion est de sentir, derrière ceux dont il est question, les passions, les désirs, les souffrances d'un écrivain qui rend à chacun ce qu'il lui doit de conscience, de sensibilité ou d'éveil, à travers le labyrinthe inextricable d'une vie. L'ouvrage est exemplaire par l'originalité et la rigueur de cette démarche littéraire dans laquelle un auteur rassemble un « matériel d'humanité » qu'il est seul à pouvoir faire revivre, tout en maintenant cette distance par rapport à soi, cette hauteur de vue à laquelle s'est toujours tenue Marguerite Yourcenar. Livre exemplaire aussi par sa lucidité. Car il ne s'agit pas tant pour l'écrivain de se retrouver dans ses ancêtres que de chercher en eux ces fils qui conduiront, par les méandres du hasard (pourquoi le grand-père, Michel-Charles, fut-il le seul survivant de la catastrophe ferroviaire de Versailles ?) ou de la génétique, et ceux non moins étonnants des sceaux que certaines consciences impriment en certaines autres, souvent à leur insu, jusqu'à l'« être que j'appelle moi ». É. H.

LABYRINTHE DU MONDE ET PARADIS DU CŒUR [*Labyrint světa a ráj srdce*]. Œuvre allégorique, philosophique et satirique du grand humaniste tchèque Comenius (Jan Amos Komenský, 1592-1670). Publiée en 1631, elle est, d'après l'historien français Ernest Denis, celle qui dégage le mieux l'esprit tchèque, tel qu'il fut formé par son histoire, peuple déchiré entre l'Occident dont il tient sa civilisation, et l'Orient, auquel il appartient de par ses origines et les nécessités de son autonomie. Dans ce poème, l'auteur entreprend un voyage autour du monde, en compagnie de deux gaillards qu'il baptise « Je-sais-tout » et « Illusion ». Il est muni par surcroît de lunettes propres à travestir la vérité, à moins qu'on ne les mette de travers. Le monde n'est qu'une immense cité, traversée par six voies principales qui toutes convergent vers une place, au milieu de laquelle s'élève le château de la Sagesse. Dans la partie ouest de cette cité se trouve un autre château, où règne la Fortune, entourée de ses favoris. Le poète parcourt les rues, observe les habitants, dans leurs travaux et leurs vicissitudes, pénètre dans les deux châteaux en question. Ayant appris que toutes les formes de gouvernement dans le monde se fondent sur la bassesse, le mensonge et l'illusion, il envoie au diable ses lunettes, abandonne ses deux compagnons et va visiter les mourants : pour se retrouver devant la mort d'abord, et devant Dieu ensuite. Aveuglé par la lumière divine, il tombe à genoux ; mais le Christ le relève et le réconforte. Le poème se termine sur une prière, pleine d'inspiration : là, la satire fait place à un chant plein d'élévation et de mansuétude — lequel, d'ailleurs, s'était fait jour dès le début du poème, lorsque l'auteur avait été amené à décrire les misères humaines. La langue de Comenius, malgré les influences latines et allemandes, courantes à cette époque dans son pays, peut être considérée comme un modèle de la langue parlée tchèque au XVIIe siècle. — Trad. Desclée, 1991.

LABYRINTHES. Roman de l'écrivain français Louis-Paul Guigues (né en 1902), publié en 1947. Un dimanche de Pentecôte, le banquier Van Zeigen et son épouse accueillent des invités dans leur palais au milieu d'un parc. Parmi les convives se détache le narrateur : un peintre pour qui le château des Van Zeigen est ici-bas comme l'ombre portée de l'immense et labyrinthique palais du ciel. Dans un climat de troublante féerie qui ne cessera par la suite de nimber les épisodes du roman, le narrateur explore le palais à la faveur de la nuit. Il erre sans repères dans un dédale de corridors et de galeries, nouveau Thésée en quête du Minotaure. Le destin veut qu'il s'éprenne cette nuit-là d'une inconnue dont il découvre la chambre vide et les traces de son passage, mais dont il ignore le nom et le visage. De retour à Paris, le peintre reçoit quelques amis dans son atelier. *Labyrinthes* prend alors un ton plus méditatif, l'un des personnages se livrant à un sulfureux et fascinant discours sur la luxure. Cependant, le narrateur sent grandir en lui son amour pour l'inconnue, présence immatérielle, ange paré d'une grâce idéale. Cette inconnue n'est toutefois que l'une des images possibles du divin auquel le peintre aspire dans sa quête. Une autre allégorie de l'ordre du monde lui apparaît en la personne de Claudia, un modèle qui vient poser dans son atelier : avec son corps puissant de cariatide, Claudia est tout entière matérialité, animalité, « portant son manque de pensée comme une déesse porte un diadème ». Tandis que l'inconnue représente l'essor ascendant et vertigineux de l'esprit, Claudia, dans sa majestueuse pesanteur, incarne le « corps absolu ». Après sa mort soudaine, un festin funèbre est donné en son honneur. Sa dépouille entièrement nue trône à la table où ont pris place le peintre et deux de ses amis. Dans la salle éclairée par des flambeaux, l'étrange banquet se déroule avec une pompe et une gravité qui l'exhaussent au rang d'une véritable liturgie. Quelque temps plus tard, le narrateur rend visite à Philippe, un veuf qui habite dans un châlet solitaire au milieu des bois. Philippe semble vivre en compagnie d'une biche qui a les mêmes yeux que son épouse disparue. *Labyrinthes* procède ainsi de mystère en mystère, les personnages évoluant sur la scène d'un théâtre où se joue le spectacle le plus inattendu : une pantomime métaphysique. Des réflexions émaillent les tours et détours du récit. Par exemple : « Quand on dit que l'homme a la nostalgie du sein maternel, on oublie que l'homme a la nostalgie de l'Univers. Aussi, pour s'endormir, s'enroule-t-il comme les nébuleuses : le fœtus n'est que la forme visible d'un primordial mouvement spiral. » L'imagination romanesque de Louis-Paul Guigues n'a de cesse de faire rimer la terre et les cieux, l'homme et le dieu. Elle se nourrit d'arcanes autant qu'elle les sécrète. Lorsque le narrateur de *Labyrinthes* découvre que l'inconnue du château n'est autre qu'Elisabeth, une amie de longue date, son cœur est accablé d'une tristesse mortelle, car avec cette révélation s'évanouit la poignante beauté de l'énigme. Son amour est comme un poème dont le sens a été percé, et qui retombe dans la prose du monde. Mais le dernier mot n'est pas encore dit, car le roman qu'avait inauguré la nuit dans le riche palais des Van Zeigen s'achève par une nuit qui introduit sans doute à un plus vaste mystère, celui de la Charité, reine des vertus théologales. Un ami du peintre, André, s'unit physiquement à son épouse agonisante. Or, de même que dans une hémorragie fatale sa femme se vide de son sang, après ces dernières noces André se dépouille de tous ses biens pour les donner aux pauvres et partir en vagabond sur les routes du monde : « Plus je donne et plus j'ai le vertige de donner. Plus je me vide et plus la charité me remplit. » Dans *Labyrinthes* comme dans ses autres romans, Louis-Paul Guigues use d'une langue étincelante et précise pour inventer « un univers qui par sa splendeur, ses joyaux, ses énigmes, exprime un désir très authentique de merveille, de pureté » (Philippe Jaccottet). J.-B. P.

LAC DES CYGNES (Le). Ballet du compositeur russe Piotr Ilitch Tchaïkovski (1840-1893). Ce ballet lui avait été commandé par le Grand-Théâtre de Moscou et il fut composé pendant l'année 1876, en partie au cours du séjour de Tchaïkovski à Paris. L'argument est le suivant : le jeune prince Siegfried, sur le point de se fiancer, va tirer sur un troupeau de cygnes lorsque ceux-ci se métamorphosent en jeunes femmes. Leur jeune princesse, qu'une sorcière tient en son pouvoir, ne pourra revenir définitivement à son aspect humain que lorsqu'elle se mariera. Siegfried lui promet mariage et fidélité mais, oublieux, choisit une autre fiancée. Un cri d'oiseau, au moment des fiançailles, lui rappelle sa promesse. Il est trop tard ; en vain suppliera-t-il la princesse-cygne de lui pardonner sa faute. Désespéré, Siegfried lui arrachera sa couronne, qui seule la protège, et les flots du lac les engloutiront tous deux, cependant qu'au loin des cygnes blancs continueront de nager. Le ballet eut un sort malheureux à ses débuts. Une partie fut coupée, et la première représentation au Grand-Théâtre de Moscou, le 4 mars 1877, fut absolument navrante. La carrière de ce ballet constitue depuis une éclatante revanche. La musique de Tchaïkovski est inégale, mais certaines pages de la partition sont parmi les plus belles qu'ait écrites le compositeur. On n'oubliera pas les deux introductions du premier et du deuxième acte, d'une expression dramatique remarquable, la « czardas », pleine de caractère, et le Finale poétique et charmeur. Tchaïkovski, trop modeste, traitait son ballet de « fumisterie ». C'était méconnaître les qualités de cette partition et son importance dans l'histoire de la danse. En un temps où le ballet devenait couramment une sorte de pastiche de mauvais ton, Tchaïkovski a eu le mérite de lui redonner un éclat exceptionnel.

LACHÈS ou Sur le courage [*Λάχης, ἢ περὶ ἀνδρείας*]. Dialogue du philosophe grec Platon (428 ?-347 ? av. J.-C.). En voici le thème : Lisimaque et Mélésias, comptant donner une éducation parfaite à leurs enfants, vont demander conseil à Nicias et Lachès, illustres généraux athéniens, auxquels vient se joindre Socrate, que Lachès tient en haute estime pour avoir mesuré sa bravoure à la guerre. Ce dialogue a lieu sans doute dans un gymnase : la discipline en cause n'étant ici que celle des armes. Pour Nicias, le maniement des armes compte beaucoup dans l'éducation parce qu'il contribue à tremper les âmes ; mais tel n'est pas l'avis de Lachès qui proteste. Lisimaque s'adresse alors à Socrate qui, fidèle à son habitude, demande que soit d'abord bien précisé le sujet de la discussion. Le but de la discipline envisagée est l'éducation : or Socrate avoue ignorer cet art, mais Nicias et Lachès, qui ont dit résolument leur avis, doivent en savoir bien plus long que lui. Nicias et Lachès accueillent très volontiers la proposition de Socrate, persuadés de mener à bien ce facile débat. Le but de l'éducation est la vertu, qu'il convient d'abord de définir, pour rechercher ensuite les moyens les plus appropriés de l'atteindre. Mais le domaine de la vertu est beaucoup trop vaste : bornons-nous, observe Socrate, à définir le courage, que le maniement des armes semble devoir intéresser plus directement. Lachès le définit ainsi : ne pas abandonner son poste au combat. Mais il est des cas, lui objecte Socrate, où on lutte en fuyant et où se décide ainsi le sort de la victoire. En outre, cette définition n'est pas complète et ne se réfère qu'au courage militaire. Lachès essaie alors d'identifier le courage à la force d'âme. Mais si sa première définition était trop étroite, celle-ci est beaucoup trop vaste : la valeur est indubitablement quelque chose de beau, déclare Socrate, mais il existe certains exemples de fermeté qui sont loin d'être beaux. Pour circonscrire le problème, il propose alors de retenir que la fermeté, pour être appelée valeur, doit être associée à la sagesse. Mais cela amène à regarder l'homme qui, en « sage calculateur », résiste, car il sait que d'autres viendront le secourir et qu'il dispose de certains avantages décisifs, comme plus valeureux que le combattant disposé à résister jusqu'au bout, bien que ne comptant sur rien. Lachès admet ne pouvoir s'exprimer plus clairement et cède la parole à Nicias ; celui-ci, après avoir rappelé que Socrate a l'habitude de ramener la vertu à la connaissance, définit le courage comme étant la science des choses redoutables. Mais Socrate démontre que cette définition trop vague, tout en n'étant pas dénuée d'un certain fond de vérité, ferait du courage la science du bien et du mal, à cette enseigne qu'au lieu de définir le courage on en arrive à une définition de la vertu en général, laquelle résulte précisément de la connaissance et du partage du bien et du mal. La discussion s'achève ainsi sur la défaite de Nicias. Ce dialogue, datant probablement de la jeunesse de l'auteur, est remarquable à plus d'un titre : il se présente avant tout comme une vivante peinture de caractères ; et de plus, il s'intègre parfaitement dans le cadre d'une série de brefs dialogues visant à démontrer l'impossibilité d'un partage de la vertu. — Trad. Les Belles Lettres, 1921 ; Gallimard, 1940.

LÂCHES (Les) [*Zbabělci*]. Roman de l'écrivain tchèque Josef Škvorecký (né en 1924), publié en 1958. Suivie d'un scandale retentissant, la parution des *Lâches* fit date dans l'histoire de la littérature tchèque d'après-guerre : bravant les tabous de l'époque aussi bien sur le plan idéologique que linguistique, ce premier roman de l'auteur anticipa en effet sur le dégel culturel des années 60. Écrit une dizaine d'années auparavant, l'ouvrage est d'ailleurs retiré de la vente dès sa publication et ne sera réédité qu'en 1964. L'action se déroule aux derniers jours de la Seconde Guerre mondiale, à Kostelec, petite ville sans histoires près de la frontière. Le jeune héros, Danny Smiřický (l'alter ego de l'écrivain, qui réapparaîtra par la suite à maintes reprises dans son œuvre), rejeton de la bourgeoisie locale, saxophoniste amateur et coureur de filles, s'efforce de chasser l'ennui qui imprègne la petite ville, ne se souciant que du jazz, sa passion, de ses croisades amoureuses — et vaines — et rêvant à la capitale, où il devrait entrer à l'université d'ici peu. Pourtant, Danny sait être mélancolique : la conscience du temps qui passe et de la fin imminente de toute une époque — celle de l'âge tendre et de la jeunesse dorée — donne au personnage, formé sur le modèle des héros de la génération perdue américaine, une dimension plus contemporaine, quasi existentialiste.

Nous sommes en mai 1945. Avec sarcasme, Danny commente l'« insurrection » soigneusement organisée par les notables, plus proches de l'occupant en retraite que des quelques vrais résistants locaux, qui à leurs yeux ne représentent guère qu'une menace latente pour l'ordre établi. Gêné, puis franchement écœuré par leur patriotisme superficiel et boursouflé, Danny reste toutefois incapable de s'attaquer à cet univers lâche et hypocrite. S'il admet volontiers que le monde pourrait un jour devenir meilleur, il n'est pas prêt, tout à ses rêveries égoïstes, d'y œuvrer lui-même. Ses entreprises amoureuses, avortées, sont le reflet de son impuissance au niveau social. Finalement, à mesure que les événements s'aggravent, Danny arrive à sortir de sa torpeur : avec un ancien camarade de classe, il détruit un char ennemi. Mais cette victoire devient vite ambivalente ; Danny est aussitôt dégoûté à l'idée que son exploit lui vaudra inévitablement d'être promu héros de la résistance par les notables hypocrites. Ainsi, incapable de vivre le moment présent, il le classe immédiatement au chapitre des souvenirs, qui seuls, embellis et romancés, peuvent fournir matière à ses rêves. *Les Lâches* décrivent donc, avec ironie et brio, la petitesse d'esprit des bonnes gens d'une ville de province et l'atmosphère étouffante que subit le héros adolescent, aux prises avec son milieu familial et son entourage. Loyal, malgré ses incertitudes et ses contradictions, à son propre code éthique, Danny Smiřický poursuivra dorénavant son chemin d'individualiste sous le régime communiste qui, par essence, lui sera tout à fait étranger et inacceptable. — Trad. Gallimard 1978. O. S.

LACHRIMAE, ou Sept larmes figurées par sept pavanes passionnées, avec plusieurs autres pavanes, gaillardes et allemandes [*Lachrimae or seven teares figures in seaven passionate pavens whith divers other pavans, galiards, and almands*]. Recueil de vingt et une pièces pour cinq violes et luth, du compositeur anglais John Dowland (1563-1626), publié à Londres en 1604. Cette œuvre est la seule que Dowland ait consacrée à un ensemble instrumental. Dédiée à la princesse Anne, femme de Jacques Ier et sœur du roi du Danemark (à la cour duquel le célèbre luthiste s'était réfugié de 1598 à 1606), elle paraît une année après la mort de la reine Élisabeth. Les sept *Lachrimae* (antiquae, antiquae novae, gementes, tristes, coactae, amantis, verae) commencent toutes par le même thème, repris successivement par chacune des cinq violes. Celui-ci est formé de quatre notes descendantes (la-sol-fa-mi) qui correspondent, dans la théorie de la Grèce antique, au tétracorde, et symbolisent la fragilité de la condition humaine. Ce thème, suprêmement mélancolique, déjà utilisé par Dowland – « Flow my tears », paru dans le premier livre d'*Airs* [*Ayres*] –, signe en quelque sorte son œuvre. Bien que la polyphonie soit sans cesse changeante, l'œuvre dans son ensemble frappe par la pureté et l'extrême raffinement de la ligne mélodique et par la grande sobriété de l'ornementation (dévolue presque exclusivement au luth). Trait qui la distingue de ses modèles français et italiens. Les gaillardes comportent elles aussi des versions instrumentales d'airs du premier livre, ou reprennent des mélodies populaires célèbres, chères aux virginalistes. D. Ja.

LAC ONTARIO (Le) ou le Guide [*The Pathfinder*]. Roman de l'écrivain américain James Fenimore Cooper (1789-1851), publié en 1840. Il s'agit de l'un des cinq romans constituant la série des « Contes de Bas-de-Cuir » [Leatherstocking Tales], qui a pour sujet les aventures et les luttes des pionniers aux prises avec les Indiens dans la Prairie et la forêt américaine vers le milieu du XVIIIe siècle. Les Grands Lacs forment le cadre sauvage de ce récit. Le Guide est un homme mûr, à l'âme loyale et fidèle, qui a passé la majeure partie de sa vie en chasses et en explorations dans la forêt. Son ami, le sergent Dunham, sert dans un fort des confins, situé sur les rives du lac Ontario. Mabel Dunham, une belle jeune fille de vingt ans, est venue rejoindre son père qui désire qu'elle épouse le Guide. Un autre ami de ce dernier, jeune homme d'une vingtaine d'années, nommé Jasper Western, se trouve également dans le fort : très habile navigateur, Western se joint à la petite troupe formée du sergent, du Guide et de la jeune fille qu'accompagnent quelques hommes et dont la mission consiste à relever une autre troupe qui tient garnison dans le fort des « Thousand Islands ». Leur pirogue, après avoir manqué d'être capturée par les Français, se trouve prise dans une terrible tempête ; mais, grâce aux savantes manœuvres de Jasper, les neuf voyageurs parviennent sains et saufs au terme de leur voyage. Le lendemain de leur arrivée, le sergent et ses compagnons partent en expédition. Mabel reste seule dans l'île, avec une autre femme et une poignée de soldats. Une Indienne, du nom de June, conseille à Mabel de ne pas s'écarter du fort. En effet, peu après, celui-ci est attaqué par une bande de Peaux-Rouges. Les trois femmes et les soldats doivent alors se barricader : tout serait perdu, si le Guide qui est parvenu à les rejoindre ne leur annonçait l'arrivée du sergent avec sa troupe. Mais celui-ci tombe, à proximité du fort, dans une embuscade tendue par les Indiens. Par bonheur, Jasper apparaît le lendemain sur sa pirogue, et les Indiens, pris entre deux feux, sont contraints de se rendre. Le Guide demande alors à Mabel de devenir sa femme, mais, lorsqu'il découvre que celle-ci aime Jasper, il s'en retourne vers la solitude. Cooper considérait ce livre comme son meilleur roman. Sans doute ses lecteurs ne sont-ils pas tous de son avis, mais il faut admettre que *Le Guide* résume toutes les qualités et tous les défauts que présente l'œuvre de Cooper. La fuite dans la forêt, la tempête sur le lac Ontario, l'assaut du fort témoignent d'un art plein de sensibilité. Mais le caractère conventionnel des personnages n'est pas sans gêner le lecteur le moins averti. – Trad. Gosselin, 1840 ; Presses de la Cité, 1989.

LADY BE GOOD. Comédie musicale du compositeur américain George Gershwin (1898-1937). Après le triomphe de *Rhapsody in blue* (*) en 1924, Gershwin reçut la commande de comédies musicales qui se succédèrent en Amérique d'année en année sur un rythme rapide : en 1924, *Lady be good ;* en 1925, *Tell me more, Tiptoes, Song of the Flame* ; en 1926, *Oh Kay :* en 1927, *Funny Face, Strike up the band, Rosalie ;* en 1928, *Treasure Girl* ; en 1929, *Show Girl ;* en 1930, *Girl Crazy ;* en 1931, *Of thee I sing ;* en 1932, *Pardon my English ;* en 1933, *Let'em eat Cake.* Les meilleures sont *Lady be good* et *Funny Face.* L'histoire n'a aucune importance. Il s'agit toujours de la rencontre d'un boy et d'une girl, des traverses qui les séparent et de l'heureux dénouement. Mais Gershwin donne à ses comédies musicales une ossature depuis l'ouverture jusqu'au finale. Il multiplie soli et chœurs, duos, trios, quatuors et ballets. Surtout il a le sens de la mélodie populaire. En 1923, l'air aujourd'hui célèbre de « The man I love » s'imposa à sa pensée sans texte, ni interprète, ni débouché. Au cours d'une traversée, il rencontra Otto Kahn, le banquier mécène et mélomane ; celui-ci goûta tellement la mélodie qu'il s'engagea à subventionner la comédie musicale dans laquelle elle serait intercalée. Ce fut *Lady be good.* Quant à la mélodie de « The man I love », elle connut un succès triomphal hors de son contexte d'origine. Malgré un échec à Philadelphie, elle reçut un accueil foudroyant à Londres, puis à Paris, et cette consécration européenne l'imposa finalement aux États-Unis.

LADY ISABEL [*East Lynne*]. Roman de l'écrivain anglais Ellen Wood, dite Mrs. Henry Wood (1814-1887). C'est un des récits les plus populaires de l'époque victorienne. Il fut publié à Londres en 1867. Il fut même adapté au théâtre. East Lynne est la demeure du jeune avocat Carlyle et de sa femme lady Isabel. Le couple y vit heureux avec ses trois enfants. À quelque distance habite Barbara Hare, une amie d'enfance de Carlyle, qui est secrètement amoureuse de lui, alors que le jeune homme n'a jamais éprouvé pour elle qu'une sincère et fraternelle amitié. Isabel apprend un jour que son mari rencontre clandestinement Barbara et elle en conçoit une vive jalousie. En fait, ces rendez-vous ont pour cause une tragique histoire : le frère de Barbara, Richard, est recherché par la police ; on l'accuse d'avoir tué un certain Hallijohn, dont il courtisait la fille. Un soir, sous un déguisement, Richard est venu voir sa sœur et lui a demandé d'aller trouver Carlyle, afin qu'il l'aide à prouver son innocence ; il sait que l'assassin est un mystérieux individu du nom de Thorn. La jalousie d'Isabel est attisée par les propos d'un homme assez louche, Levison, qui lui fait la cour ; dans un moment de folie, il la pousse à s'enfuir avec lui en France. Mais bientôt Levison se fatigue de sa conquête et il l'abandonne. Isabel est alors victime d'un accident de chemin de fer et son visage est si atrocement mutilé qu'elle devient méconnaissable. La nouvelle de sa mort parvient jusqu'en Angleterre, et Carlyle se remarie avec Barbara Hare. Mais Isabel, qui vit désormais sous un nom d'emprunt, dévorée de remords ne peut plus résister au désir de revoir son mari et ses enfants. Elle retourne à Londres et se fait engager comme gouvernante chez les Carlyle. Ainsi la pauvre femme revient à East Lynne. Commence pour elle un atroce calvaire qu'elle supporte avec résignation, consciente de sa propre faute. Isabel s'aperçoit qu'elle n'a jamais autant aimé son mari, amour sans espoir désormais : elle a trop présumé de ses forces ; c'en est trop pour elle que d'assister muette et impuissante aux preuves de tendresse que Carlyle prodigue à sa deuxième femme. Ce supplice, qui s'ajoute au chagrin de voir mourir lentement de phtisie l'un de ses fils, a bientôt raison de sa santé. Elle apprend au même moment que Levison a été identifié au mystérieux Thorn, l'assassin de Hallijohn, et a été exécuté ; mais c'est pour elle une bien faible consolation. Isabel s'éteint lentement ; reconnue sur son lit de mort par son mari, elle obtiendra son pardon.

Ce roman se propose de démontrer la force de la loi morale, à laquelle personne ne peut se soustraire : chacun doit fatalement expier ses propres fautes, même celles qui sont imputables à un moment de faiblesse. L'auteur montre, tout au long de l'œuvre, sa sympathie et sa pitié pour Isabel ; néanmoins, elle lui fera poursuivre son destin avec une inéluctable fermeté. C'est par le contraste entre la thèse défendue et les raisons psychologiques qui ont fait agir l'héroïne que le roman acquiert toute sa valeur et son originalité. — Trad. Hetzel, 1862.

LADY MACBETH AU VILLAGE [*Ledi Makbet Mcenskogo nezda*]. Nouvelle de l'écrivain russe Nikolaï Semenovitch Leskov (1831-1895), publiée en 1865. Katerina L'vovna, femme d'un riche marchand de province, est une sorte de « Lady Macbeth » qui commet une série de crimes, pour se rapprocher de son amant, et finit par se suicider. Avec l'aide d'un jeune paysan dont elle s'est éprise, Katerina étrangle son mari et cache son corps dans la cave. Après quoi elle empoisonne son beau-père, lequel a surpris son secret ; enfin, elle étrangle un enfant afin de rester l'unique héritière du patrimoine. Traînée devant les tribunaux avec son amant, elle est condamnée aux travaux forcés. Pendant le voyage de déportation vers la Sibérie, ce dernier la trahit avec une autre déportée ; l'héroïne se jette alors dans le fleuve, en y entraînant sa rivale. Ce conte est écrit avec beaucoup de réalisme et une grande connaissance des conditions de vie des déportés. L'auteur nous éclaire sur la morale de cette histoire : une sinistre fin attend tout être que gouverne un excessif appétit de bonheur. Mais la morale en question n'est que suggérée : elle ne diminue en rien la singulière puissance du récit. — Trad. Gallimard, 1939.

★ Le compositeur russe Dimitri Chostakovitch (1906-1975) a tiré de ce conte un opéra qui fut représenté à Leningrad en 1934.

LADY ROXANE ou l'Heureuse Catin [*Lady Roxana or the Fortunate Mistress*]. Ce roman de forme autobiographique paru en 1724 est le dernier de l'écrivain anglais Daniel Defoe (1660-1731). En le publiant, l'auteur entendait exploiter le succès commercial de *Moll Flanders* (*). Le roman dépeint la vie d'une aventurière de grand style. La grandiose impudeur du principal personnage explique l'éclipse momentanée que connut l'œuvre durant l'époque victorienne. On préférait alors les personnages émouvants de Dickens à ceux, plus violents et brutaux, de Defoe. Née à Poitiers, de parents protestants, Roxane est venue en Angleterre en 1683 avec ses parents qui fuyaient devant la persécution. Très belle, elle épouse à quinze ans un riche brasseur. Après huit ans d'une vie assez brillante, son mari prend la fuite pour éviter la faillite. La jeune femme est réduite à la misère. Elle confie ses enfants à ses beaux-parents et devient la maîtresse de son propriétaire. Defoe a apporté un soin tout particulier à rendre vraisemblable cette première chute, où la servante Amy joue le rôle décisif de l'entremetteuse. Le couple est parfaitement assorti et va s'établir à Paris, où Roxane devient rapidement célèbre pour sa beauté. Son amant est assassiné et elle tombe dans les bras d'un prince de sang avec qui elle voyage en Italie. Pris de scrupules religieux, le prince abandonne Roxane, qui gagne alors la Hollande où elle séduit un brave marchand ; celui-ci l'épouserait volontiers, si elle ne préférait couronner sa carrière en devenant la favorite du roi d'Angleterre (Charles II). Pour éviter les ennuis politiques, Defoe ne parle de cette intrigue que sur un ton mystérieux, mais pourtant transparent. Après bien d'autres aventures, Roxane, qui a maintenant passé la cinquantaine, rêve d'un repos mérité. Pour se donner un air respectable, elle vit en compagnie d'une vieille fille. Elle retrouve son marchand hollandais et l'épouse. Mais le scandale manque d'éclater, lorsque survient sa fille qui menace de révéler le passé agité de sa mère. La fidèle servante de Roxane pousse le zèle jusqu'à vouloir assassiner l'intruse. Les dernières lignes du roman sont obscures et bâclées, et l'histoire demeure inachevée. L'édition de 1743 contient une conclusion apocryphe. À diverses reprises, d'autres dénouements ont été proposés, mais la critique ne les a pas retenus. On peut donc considérer *Lady Roxane* comme une œuvre à coup sûr géniale, mais incomplète. On y trouve d'énormes erreurs historiques : Charles II, par exemple, qui mourut en 1685, pouvait difficilement être l'amant de Roxane. Cependant l'intrigue rebondit constamment et le roman a de la vie, de la puissance et offre un réel intérêt dramatique. Par son immoralité foncière, par son énergie indomptable, Roxane est une créature d'une extraordinaire vitalité. — Trad. Robert Laffont, 1949 ; Gallimard, 1970.

LA GALIGO. Œuvre anonyme en langue bugis (Indonésie). Les Bugis (pron. bouguis) habitent la péninsule sud-ouest de l'île de Célèbes. Ils possèdent une importante littérature, écrite dans un syllabaire d'origine sud-indienne, qui est l'une des plus importantes d'Indonésie et dont l'œuvre maîtresse est le cycle épico-mythique de *La Galigo,* véritable livre sacré dont on psalmodie encore aujourd'hui des fragments au cours de cérémonies villageoises. Ce texte, rédigé selon une métrique simple (vers de quatre ou cinq syllabes accentuées, mais sans rimes), a été conservé sous forme de manuscrits écrits sur des « olles » (feuilles travaillées d'un palmier Borassus), dont chacun ne contient que quelques épisodes. L'œuvre demeure inédite et personne n'en a même jamais vu la totalité (qui compterait plus de six mille pages) ; beaucoup de lettrés et de gens du peuple en connaissent cependant la teneur. L'œuvre s'ouvre sur un mythe des origines, relatant comment les divinités des mondes supérieur et inférieur s'unirent pour organiser la vie terrestre et fonder la première dynastie humaine. De cette union naquirent Sawerigading et sa sœur jumelle, We Tenriabeng. La partie épique raconte les aventures de Sawerigading, y compris son voyage au Pays des Morts, puis celles de son fils, La Galigo, le héros éponyme, prototype du prince bugis batailleur et charmeur. Le récit se termine enfin avec un retour au mythe : Sawerigading règne sur le monde inférieur, sa sœur sur le monde supérieur et les relations entre la terre et les mondes surnaturels sont rompues. H. Ch.-L.

LAI DE COURTOIS (Le). Jeu dramatique du trouvère Courtois d'Arras (premier quart du XIIIe siècle). Il reprend en substance la parabole de l'enfant prodigue. Courtois, ne pouvant supporter plus longtemps les pénibles travaux de la ferme paternelle, décide de quitter le toit familial. Mais, dévalisé au cours d'une halte dans une taverne, il est obligé de se faire gardien de cochons, jusqu'au jour où, épuisé et déçu, il reprend le chemin de la maison paternelle. L'action est presque entièrement développée sous forme de dialogues : on hésite encore toutefois sur le point de savoir s'il s'agissait d'un drame destiné à être joué par plusieurs acteurs ou d'une sorte de monologue dit par un récitant. Les jongleurs utilisaient parfois ce procédé, tenant à eux seuls les rôles de divers personnages. Le rythme de l'action est rapide, coupé de quelques brefs passages narratifs. L'œuvre présente certaines analogies avec *Le Jeu de saint Nicolas* (*) de Bodel, lui aussi d'Arras. — *Courtois d'Arras* a été édité par E. Faral (Paris, Champion, 1911) et par G. Macri (Lecce, Adriatica Editrice Salentina, 1977).

LAI DE L'OMBRE (Le). Court poème de Jehan Renart, poète français du XIIIe siècle. Vraisemblablement écrit vers 1202, il semble être l'une des premières œuvres de Jehan Renart, auteur du « roman courtois » *L'Escoufle,* de « tensons » *(De Renart et de Piaudoué ; De plait Renart de Dammartin contre Vairon son roncin)* du *Roman de Guillaume de Dole. Le Lai de l'ombre* fut publié pour la première fois en 1836 dans les *Lais inédits du XIIe et XIIIe siècle* et, en édition critique, par Joseph Bédier (1890 : 2e édit. 1913). Un chevalier, accompli comme Gauvain, habile aux jeux comme Tristan, est venu au château de la dame qu'il aime sans la connaître, sinon par le renom de sa beauté. Accueilli courtoisement, il emploie toutes les manœuvres de la stratégie amoureuse pour conquérir la dame : mais elle est vertueuse et se défend comme toutes les femmes de tous les temps. Coquette, moqueuse et incrédule d'abord, puis sérieuse, puis enjouée encore, « un petit en fesant ris... », puis fâchée. Le chevalier doit en prendre son parti. Il a glissé sa bague au doigt de la dame. Elle l'oblige à la reprendre, bien qu'au fond elle soit troublée. Et c'est la scène finale, exquise, pour laquelle tout le poème de quelque mille vers a été fait. Le chevalier reprend l'anneau. Mais il ne l'emportera pas ; il le donnera, dit-il, à « ma douce amie », celle « que j'aime plus après vous. / Dieu ! fet ele. Ci n'a que nous / ou l'avez vous si tost trovee ? » « Ou est ? En nom Dieu, veez le la / vostre bel ombre qui l'atent... » Et il jette l'anneau vers l'image de sa dame reflétée dans l'eau. « L'aigue s'est un petit troublee / au cheoir que li aniaus fist / et quant l'ombre se desfit : / Veez, fet il, dame, or l'a pris... » La dame est vaincue. Elle s'étonne en elle-même de ce qui lui arrive, avec un peu de mélancolie : naguère si froide et maintenant si attendrie ! « Orainz est de m'amor si loing / cis hoin et or en est si près ! » Elle s'analyse : cela est arrivé « quant por amor a mon ombre a / geté son anel enz el puis. / Or je ne li doi je ne ne puis / plus veer [interdire] le don de m'amor. / Ne sai por qoi je li demor ». Et lucide, les yeux ouverts, elle dépose les armes. Le dialogue a une remarquable fraîcheur. Les portraits sont campés sobrement, efficacement, par larges touches. Le poème est vivant, adroit, bien mené. Toute la stratégie d'amour se développe, avec ses ruses, ses défenses, son jeu courtois, son escrime élégante, un peu précieuse. Mais, surtout, l'étude psychologique nous charme, précise, nuancée, habile, émouvante, de la dame dont nous aimerions connaître le « douz nom », mais que l'auteur matois nous a caché, peut-être pour nous souligner que sa dame, c'est la Femme. — L'édition la plus récente est celle de Félix Lecoy (Champion, Paris, 1979).

LAIS. Avec cette forme à la fois poétique et musicale, Guillaume de Machaut (1300 env.-1377), poète et compositeur français, donne toute la mesure de ses talents, et souvent de son génie. Le genre, hérité des troubadours, comportait quelques caractéristiques très précises : il devait être narratif, composé en douze strophes, toutes différentes de mètres, de rimes et de mélodie, si ce n'est que la douzième reproduit la première, avec un autre texte, et souvent à la quinte supérieure. Le lai était considéré comme l'une des formes les plus difficiles de la poésie et de la musique. En principe, il est traité en monodie, et Machaut ne l'élabore qu'exceptionnellement en polyphonie. C'est toutefois le cas du lai 16 (« Lai de la fontaine ») faisant alterner six monodies et six canons circulaires à trois voix en style hoquet d'une rare beauté et d'une extraordinaire hardiesse technique, et du lai 17 (« Lai de confort »), composé de douze canons circulaires à trois parties. Certains lais, peut-être incomplets, ne comportent pas les douze strophes traditionnelles. — L'on peut lire les œuvres lyriques de Machaut dans l'édition d'E. Hoepffner (3 vol., Société des anciens textes français, 1908-1921).

LAIS de Marie de France. Recueil de la poétesse Marie de France, qui vécut dans la seconde moitié du XIIe siècle. « Lai » dérive d'un mot irlandais qui signifie chanson. Les douze lais, que l'auteur elle-même recueillit entre 1160 et 1170, sont des petites compositions qu'elle appelle « bretonnes ». Elle a rassemblé et transcrit en vers dans une langue souple et fine quelques-unes des plus belles légendes bretonnes, dont elle fit la découverte durant son séjour à la cour du roi Henri II d'Angleterre. Le recueil est d'ailleurs dédié à ce dernier. Il est certain que les bardes et les conteurs bretons durent répandre en France et en Angleterre les légendes que Marie mit en vers. Le premier lai, « Laüstic », est l'histoire d'une dame qui écoute chaque nuit le chant du rossignol, tout en parlant d'amour avec son bien-aimé. Le mari, jaloux, tue l'oiseau et le lance à la tête de sa femme. Celle-ci, n'osant plus sortir, envoie le corps de l'oiseau à son amant, et ce dernier l'enferme dans un coffret tout en or. « Chevrefoil » (que les Anglais, mentionne Marie, nomment Gotelef) est un épisode de l'histoire de Tristan et Yseult. Tristan, banni de la cour du roi Marc, vit caché dans la forêt. Sachant un jour qu'Yseult doit faire quelque promenade, il jette sur son passage un rameau de noyer sur lequel il a gravé son nom. La reine découvre le message, trouve un prétexte pour éloigner sa suite et va rejoindre son ami dans le bois. Dans « Lanval », le troisième lai, on trouve la tendre et belle histoire d'un chevalier et d'une jeune fille. Dans « Les Deus Amanz », un jeune homme, qui possède un filtre magique propre à lui donner de la force, préfère se fier à son énergie pour porter dans ses bras la jeune fille qu'il aime au sommet d'une montagne. Arrivé là, il s'écroule, victime de sa témérité et la jeune fille, alors, expire à ses côtés. « Yonec » est l'histoire d'un mystérieux chevalier, symbole de l'immortel amour. « Éliduc » nous montre une dame qui prend le voile pour laisser son époux à la jeune fille dont il est follement épris. Le septième lai, « Chaitivel », nous parle d'une damoiselle qui, par sa coquetterie, fait languir quatre prétendants : trois d'entre eux meurent dans un tournoi et le quatrième se déclare le plus malheureux de tous. Dans « Équitan », deux amants, un prince et la femme de son sénéchal, meurent tragiquement, victimes de leur amour coupable. « Fresne » est le héros d'une histoire romanesque : une enfant trouvée qui devient l'amante d'un seigneur. Après de nombreuses mésaventures, ce dernier finit par l'épouser ; car on découvre qu'elle est de sang noble et sœur de la damoiselle qui était promise audit seigneur. « Milun » est l'histoire bien connue d'un père et d'un fils qui se dressent l'un contre l'autre, dans l'ignorance où ils sont de leur parenté, mais qui finissent par se retrouver. « Bisclavret », le onzième lai, est l'un des nombreux contes du loup-garou. Dans « Guigemar », un chevalier blessé, qu'on abandonna dans une barque, est soigné et guéri dans un étrange château par une femme qu'il épousera après de merveilleuses aventures. Ces brefs poèmes sont de véritables chefs-d'œuvre de poésie et de passion romanesque, tout animés d'un puissant amour de la vie. Les *Lais* de Marie de France passionnèrent le public européen. Ils furent traduits en scandinave sous le titre de *Strengleiker*, puis en norvégien, au XIIIe siècle, à la demande du roi Haakon. Au XIVe siècle, « Fresne » fut traduit en anglais et « Lanval », au XVe siècle, par Thomas Chestre. – Les *Lais* ont été édités par J. Rychner (Champion, Paris, 1965) et traduits par P. Jonin (Champion, Paris, 1978) et L. Harf-Lancner (Le Livre de poche, Paris, 1990).

LAISSER COURIR [*Letting Go*]. Roman de l'écrivain américain Philip Roth (né en 1933), publié en 1961. C'est une œuvre de facture classique, où l'influence de Fitzgerald est aisément perceptible, et qui aborde avec sérieux des sujets qui seront repris avec brio, et sur le mode parodique, dans les romans ultérieurs de l'auteur.

Gabe Wallach, jeune étudiant juif, fils d'un riche dentiste, va, après la mort de sa mère, poursuivre ses études à l'université de l'Iowa pour échapper à l'amour possessif d'un père solitaire. C'est là qu'il fait la connaissance de Paul Herz, étudiant juif comme lui, marié à une catholique, Libby. Malgré sa conversion, celle-ci, rejetée par sa propre famille, n'est pas acceptée par les parents de Paul, et les Herz ont des difficultés financières. De plus, à la suite d'un avortement, Libby est incapable d'avoir un enfant. Gabe ne peut résister au plaisir de leur venir en aide. Il leur prête une voiture, intervient auprès des parents de Paul, et lui trouve un emploi à l'université de Chicago. Peu à peu, Gabe s'immisce et s'installe dans la vie du couple. Paul et Libby semblent apprécier cette intrusion dans leur vie privée, chacun y trouvant un profit réel ou fantasmatique. Libby, frustrée par le manque de passion de son mari, est prête à considérer Gabe comme un remplaçant potentiel. Paul, par son comportement, semble même souhaiter des rapports plus intimes entre sa femme et son ami. Gabe, tenté par le charme de Libby qui s'offre à lui, l'embrasse, mais est incapable de s'engager. Il est également incapable de lâcher prise. Son ingérence conduit le couple à deux doigts du divorce. Désireux de se racheter, Gabe offre ses bons offices pour rendre possible l'adoption d'un enfant.

Dans ce roman, très jamesien par la finesse de ses analyses psychologiques, et placé explicitement sous le signe du *Portrait de femme* (*), les personnages sont manipulés ou déterminés par un destin qui leur échappe. Paul, qui veut être écrivain, est pris au piège d'un mariage désastreux, et reste avec Libby plus par devoir que par amour. Gabe, lui, prisonnier du souvenir d'une mère castratrice, ne peut établir de liens durables et authentiques avec les femmes qu'il rencontre. Mais, par crainte de la solitude, il s'accroche à ses amis jusqu'au pourrissement de la situation, jusqu'à la rupture inéluctable. Malgré ses dénégations, il jouit du pouvoir qu'il exerce sur ceux qu'il attire à lui : il séduit une jeune étudiante qu'il abandonne quelques semaines plus tard ; il a une liaison avec une jeune divorcée, mère de deux enfants, Martha Reganhart, mais il ne se décide pas à l'épouser et se trouve indirectement responsable de la mort de son fils à elle, Frank.

Le roman s'achève sur une lettre à Libby où Gabe confesse son égoïsme, admettant que l'intérêt qu'il prenait aux affaires des autres lui permettait de ne pas s'interroger sur lui-même. Il reconnaît aussi l'ambiguïté de son attitude : sa bonté n'était qu'un moyen d'exercer son pouvoir sur les autres, de les maintenir sous son emprise. – Trad. Gallimard, 1966. C. L.

LAKMÉ. Opéra-comique en trois actes du compositeur français Léo Delibes (1836-1891), d'après un livret d'Edmond Gondinet et Philippe Gille. Première représentation : Opéra-Comique de Paris, 14 avril 1883. C'est l'unique œuvre lyrique de ce compositeur qui soit restée au répertoire. La scène se passe aux Indes, où Gérald, jeune officier anglais, doit épouser miss Ellen. Mais le hasard veut que, un jour, il fasse la rencontre de la fascinante Lakmé et qu'il s'en éprenne. Le père de cette dernière, Nilakantha, est un prêtre fanatique ; à peine a-t-il appris que Gérald a osé profaner le jardin où se trouvait sa fille qu'il jure de se venger. Dans ce but, il oblige Lakmé à le suivre à travers la ville : vêtu en moine mendiant, il contraint la jeune fille à chanter, de façon à attirer l'attention de Gérald ; ce qui permettra au brahmane de le découvrir au milieu de la foule et de mettre à exécution son projet de vengeance. En effet, s'étant trahi, le jeune officier sera grièvement blessé d'un coup de poignard. Mais Lakmé le soigne en secret et réussit à le guérir. Les deux jeunes gens décident alors de s'unir pour toujours et de s'enfuir. L'Indienne prépare le mariage selon le rite brahmanique, lorsqu'on entend au loin une marche militaire : c'est le régiment de Gérald qui passe et va réprimer une révolte. Le sens du devoir l'emporte sur l'amour : il abandonnera Lakmé pour se rendre là où l'honneur l'appelle. Mais la belle Indienne ne peut résister à ce nouveau coup : elle s'empoisonne avec le suc d'une plante vénéneuse et expire dans les bras de son bien-aimé. La fraîcheur des thèmes et la facilité de l'écriture musicale contribuèrent à l'immense succès que recueillit cette œuvre dans toute l'Europe. Elle appartient à ce mouvement final du romantisme français qui trouve son expression la plus heureuse chez Massenet. Delibes est un musicien raffiné et son inspiration mélodique se traduit par une délicate poésie de ton et de couleur. Il représente, pendant la dernière moitié du XIXe siècle, le goût français pour ce genre de théâtre lyrique qui tend à la formule opéra. Certains airs sont très célèbres, comme l'air des « Clochettes » et celui « Pourquoi dans le grand bois », à la facture brillante et agréable. La tessiture très élevée du rôle de Lakmé en rend les interprètes assez rares et donne au rôle ce caractère de grande virtuosité vocale, très sensible dans l'air des « Clochettes ».

LALITA-VISTARA [*Récit détaillé des jeux (du Buddha)*]. Œuvre indienne d'inspiration bouddhique, rédigée en sanskrit, moitié en prose, moitié en vers. Traitant de la vie du Buddha, elle la considère comme le « jeu » [lalita] d'un être surnaturel. Pareille vue, toutefois, ne doit pas abuser le lecteur occidental, car en soi ce « jeu » est des plus sérieux. Dès le premier chapitre, le Buddha est considéré comme un être d'essence divine : en effet, c'est un être supérieur qu'entourent dix mille moines et trente mille « bodhisattva » (futur Buddha), lesquels doivent renaître à la vie au moins une fois encore. Tandis que le Buddha médite, un rayon de lumière jaillit de sa tête, illumine le ciel tout entier et jette la perturbation dans le monde des dieux. Ceux-ci, se prosternant, chantent alors ses louanges et le supplient de sauver le monde, en lui révélant le merveilleux récit de sa vie ou le *Lalita-Vistara*. Le Buddha y consent. Au IIe chapitre commence la narration de la vie terrestre du Buddha. Il décide de naître dans le sein de la reine Māyā ; suit une évocation de la reine et de ses vertus. La conception a lieu avec l'aide des dieux, puisque le Buddha veut pénétrer dans la matrice déjà sous la forme d'un enfant viable. Les dieux créent donc pour Māyā une demeure céleste, où elle pourra enfanter, et construisent dans son utérus un palais en pierres précieuses, afin que le Buddha ne soit point pollué durant les dix mois de la gestation. Le Buddha va d'ailleurs faire, du sein même de sa mère, un sermon que les dieux écouteront avec la plus grande dévotion ; il n'est pas jusqu'à dieu suprême, Brahmā, qui n'obéisse à tous ses préceptes. Enfin, la naissance a lieu, accompagnée de miracles. Cet aspect fantastique de la légende suscita une vive opposition de la part d'un bon nombre de bouddhistes ; c'est pourquoi la suite du récit comporte une défense du merveilleux et une exaltation de la foi en Buddha, le tout composé sous la forme d'un dialogue entre le Buddha et son disciple Ānanda : la conclusion de ce dialogue est que, pour être sauvé, il faut d'abord croire en Buddha. Dans les chapitres suivants, la vie du Buddha est évoquée d'une façon plus réaliste ce qui, d'ailleurs, répond mieux à la tradition.

Le *Lalita-Vistara* offre des détails inédits par rapport à la tradition, comme l'entrée du Buddha dans le temple (les statues des dieux quittent alors leurs socles pour l'adorer) ; inédite aussi la scène qui se déroule à l'école au cours de laquelle le Buddha stupéfie son maître en lui récitant les soixante-quatre alphabets, alors que ce dernier voulait tout simplement lui en enseigner un seul. Le récit se poursuit par la narration des quatre rencontres (avec le vieillard, le malade, le mort et l'ascète), puis le Buddha s'enfuit du palais royal et rencontre, chemin faisant, le roi Bimbisāra. Après d'inutiles ascèses, le Maître entre en lutte avec le démon Māra ; c'est alors qu'il connaît enfin son illumination. Le dernier chapitre est une exaltation de l'œuvre elle-même et des fruits qu'elle apporte au lecteur. Le *Lalita-Vistara* est une compilation anonyme de biographies plus anciennes. On y trouve des vestiges de poèmes antiques se référant à l'histoire du Buddha, tels l'épisode du vieux Asita et l'histoire du roi Bimbisāra, qui remontent au Ier siècle après la mort du Buddha (IVe siècle avant J.-C.). – Cette œuvre, qui compte beaucoup dans l'histoire de la formation de la légende du Buddha, fut traduite en chinois au IIIe siècle de notre ère. Le texte sanskrit fut publié par S. Lefmann (Halle, 1902-1908) ; la traduction française, due à Ph.-Ed. Foucaux, parut dans les *Annales du musée Guimet* (Paris, 1884-1892).

LALLA ROOKH. Recueil de nouvelles orientales en vers reliées par un conte en prose que l'écrivain irlandais Thomas Moore (1779-1852) publia en 1817. La fille de l'empereur Aurengzeb, Lalla Rookh, se rend de Delhi au Cachemire pour célébrer ses noces avec le fils du roi de Boukhara. Afin de la distraire durant le voyage, un poète du nom de Feramorz lui narre quatre nouvelles en vers : « Le Prophète voilé du Khorassan » [The Veiled Prophet of Khorassan] en distiques héroïques (« heroic couplets »), « Le Paradis et la Péri » [Paradise and the Peri], « Les Adorateurs du feu » [The Fire Worshippers] et « La Lumière du harem » [The Light of the Haram] ; toutes trois écrites selon une métrique variée, mais dont la majeure partie est faite de vers octosyllabiques. Fadladeen, le cérémonieux chambellan, à l'humeur sans cesse morose, commente les contes du jeune poète d'une manière acerbe (où il est aisé de voir une allusion aux critiques de l'*Edinburgh Review*) et éprouve une désagréable surprise, lorsqu'il s'avère que Feramorz, dont la princesse était tombée entre-temps amoureuse, n'est autre que le roi de Boukhara lui-même. – « Le Prophète voilé de Khorassan » est l'histoire de la belle Zelica qui, sur la foi de la mort de son bien-aimé Azin, et trompée par de fallacieuses promesses, épouse Mokanna, un imposteur qui se fait passer pour un prophète. Mais Azin, revenu de la guerre, découvre Zelica dans le harem de Mokanna et s'enrôle dans l'armée du calife qui se prépare à combattre le faux prophète. Vaincu, celui-ci se suicide. Zelica pense trouver la mort en s'enveloppant dans le voile du prophète ; Azin la prenant pour ce dernier la frappe de son épée et elle expire dans ses bras. – Dans « Le Paradis et la Péri » (qui fut plus tard mis en musique par Schumann), la Péri part à la recherche du cadeau qui paraîtra le plus agréable à Dieu afin d'être admise au Paradis. Mais ni la goutte de sang répandue par un jeune homme mort pour la libération de l'Inde, ni le dernier souffle d'une jeune Égyptienne morte de chagrin à la suite du trépas de son bien-aimé, ne possèdent le pouvoir magique de faire parvenir la Péri à la béatitude. Enfin, elle apporte une larme qu'a versée un criminel, en écoutant la prière de son enfant ; ce cadeau lui permet alors de pénétrer au Paradis. – Dans « Les Adorateurs du feu », l'émir Al Hassan doit quitter l'Arabie afin d'écraser la résistance des Guèbres, secte persane qui professe une ancienne religion opposée à l'Islam. Hafed, le jeune chef des Guèbres, tombe amoureux de Hinda, la fille de Al Hassan, qui le paye de retour et découvre à la suite de sa capture par les partisans de son bien-aimé la véritable identité de celui-ci. Grâce à une trahison, Al Hassan soumet ses adversaires. Hafed se suicide, en se précipitant sur un bûcher enflammé, tandis que Hinda se jette du navire qui la ramenait vers son père et se noie. – Dans « La Lumière du harem », Nourmahal est brouillée avec son époux Sélim, le fils du grand Akbar ; mais l'enchanteresse Namouna lui enseigne un chant magique au moyen duquel elle retrouve l'amour de son époux.

La sympathie que Moore s'était acquise auprès de ses contemporains, grâce à la publication de ses *Mélodies irlandaises* (*), se transforma, lorsque parut *Lalla Rookh,* en une popularité qu'égala seulement celle de Scott ou de Byron. L'atmosphère dans laquelle se meuvent les personnages a pourtant quelque chose d'artificiel et la composition des contes est souvent mise en péril par l'abus des enjolivements. L'argument est généralement assez mince, mais le sentimentalisme exagéré et le caractère composite de l'œuvre poétique de Moore sont ici compensés par la vigueur de la narration, la fraîcheur des scènes et la vivacité des couleurs. L'œuvre constitue en tout cas une des plus notables compositions qu'aient données les romantiques de second plan. – Trad. Leroux, 1887.

★ Ce recueil fit une carrière brillante dans le théâtre lyrique. La dernière nouvelle a inspiré la *Lalla Rookh* de Gaspare Spontini (1774-1851), représentée tout d'abord à Berlin en 1822 sous le titre *Nurmahl oder das Rosenfest von Kashmir.* Un autre ouvrage portant le même titre fut composé en 1861 par Félicien David (1810-1876) ; enfin il faut citer le *Féramors* [*Lalla Rookh*] d'Anton Rubinstein (1829-1894).

LAMBA. Poème de l'écrivain malgache Jacques Rabemananjara (né en 1913), publié en 1956 par les éditions Présence africaine. Comme *Antsa* (*), c'est un poème né de l'épreuve de la prison. Il est daté de la « Maison de force de Nosy Lava, le 12 septembre 1950 ». Jacques Rabemananjara y purge alors la condamnation aux travaux forcés qui l'a frappé à la fin du scandaleux procès intenté aux parlementaires malgaches, tenus pour responsables de l'insurrection de 1947. *Lamba* (le mot désigne en malgache la sorte de toge qui forme le vêtement traditionnel dans la Grande Île) est un long poème d'amour, un « Cantique des Cantiques », selon la formule d'Aimé Césaire dans la préface de la première édition. Plus exactement, c'est une « évocation » (en donnant au mot toute sa force de procédure magique) de l'île-femme que le poète prisonnier fait apparaître dans le cercle de sa cellule. Le poème montre donc l'île dans la précision de ses paysages, par la puissance évocatoire des noms propres. L'exaspération érotique de l'enfermement fait découvrir que la carte de l'île dessine la forme heureuse d'un sexe féminin (« Vulve, Ô vulve de mon île ourlée de porcelaine »). Or ces fougueuses étreintes cosmiques font naître d'étranges rêveries sur les cosmogonies insulaires et le surgissement de quelque fabuleuse Lémurie (« La Lémurie où gît tout l'os de notre énigme »). Curieuse rencontre (sans doute sans contact direct) du poète malgache avec les mythologies littéraires développées à Maurice par Robert-Edward Hart ou Malcolm de Chazal. J.-L. J.

LAMBRO. Poème en deux chants de l'écrivain polonais Juliusz Słowacki (1809-1849), publié vers 1833. Bien que son thème soit inspiré de la rébellion des Grecs contre la Turquie, il évoque, au vrai, celle dont la Pologne fut le théâtre en 1830-1831. Or donc, Lambro est un héros de l'insurrection grecque. Dégoûté du monde, il voudrait se sacrifier à sa patrie. Il échoue, hélas, dans son entreprise. Comme *Kordian* (*), il ne lui reste qu'à reconnaître l'impuissance de ses efforts. Un grand souffle de pessimisme désole ce poème. Słowacki, en effet, n'y chante pas autre chose que la ruine de ses espérances. Il reproche à ses compatriotes d'être cause de l'échec de l'insurrection : quand la déchéance morale s'allie à l'incapacité, il faut toujours s'attendre au pire. *Lambro* est le dernier des poèmes « byroniens » de Słowacki.

LAMENTABATUR JACOB. Motet à cinq voix du compositeur espagnol Cristobal de Moralès (vers 1500-1553), publié pour la première fois à Milan en 1543. Le texte est une lamentation de Jacob, sur la perte de deux de ses fils, Joseph et Benjamin, que souligne une musique particulièrement expressive qui reste l'un des modèles de la polyphonie espagnole. A. Pâ.

LAMENTATIONS [*'Ehah, Qinoth*]. Livre de l'Ancien Testament – v. *La Bible* (*) – attribué au prophète Jérémie (VIe siècle avant Jésus-Christ) d'après les indications fournies par la version des *Septante* et la *Vulgate.* Il comprend cinq poèmes élégiaques d'un lyrisme que l'on rencontre rarement chez les auteurs hébreux classiques. Les quatre premiers sont disposés en acrostiches ; dans la troisième élégie pourtant, la lettre alphabétique initiale est répétée trois fois, de sorte que le chapitre III contient soixante-six versets au lieu de vingt-deux comme le premier, le second et le quatrième. Le cinquième poème compte aussi vingt-deux versets, mais il n'est pas acrostiche. Ils expriment la douleur du prophète à la vue de la ville sainte détruite, et de son peuple dispersé et réduit en esclavage. Ce sont des chants d'une inspiration sublime qui figurent encore de nos jours dans la liturgie de la Semaine sainte. Les *Lamentations* sont les plus anciennes élégies que l'on connaisse. Le premier poème décrit la chute de Jérusalem (586) et nous montre cette ville abandonnée. Le prophète pleure sur sa solitude et invoque l'aide de Dieu. Le second poème enseigne que Dieu est l'auteur de ces malheurs et exhorte à garder confiance en Lui. Dans le troisième, le poète accuse le peuple et les grands d'avoir causé la ruine de la cité par leurs péchés. Le cinquième et dernier poème n'est qu'une émouvante prière, implorant du Seigneur le salut de Juda. les *Lamentations* ont été rangées par les juifs parmi les Livres prophétiques ; aujourd'hui, elles ont leur place parmi les Livres historiques où elles viennent alors après *Ruth* (*). Suivant la tradition, on les attribue en général à Jérémie, bien que cette attribution semble à beaucoup indûment établie et sujette à caution. – Traduction œcuménique de *La Bible,* 1988.

★ À partir de certains passages du texte latin de la *Vulgate,* le compositeur italien Giovanni Luigi da Palestrina (1525 ?–1594) composa, entre 1574 et 1588, les *Lamentations* [*Lamentationes*] pour des ensembles variant de quatre à huit voix. Seule une série de *Lamentations* à quatre voix fut publiée du vivant du compositeur (Rome, 1588) ; le reste de l'œuvre resta longtemps inédit ; une partie, pour trois à huit voix, forme avec les *Improperi* (*) le contenu du précieux manuscrit 59 de la bibliothèque du Latran, l'unique autographe de Palestrina qui nous soit parvenu. Les *Lamentations,* publiées entièrement grâce aux soins de F. X. Haberl, dans la grande édition de Leipzig, forment en tout quatre recueils distincts (plus quelques fragments isolés), tous pareillement destinés à prendre place dans la liturgie. Chaque recueil est en effet destiné à un office de l'après-midi des trois jours de la Semaine sainte, et, à cet effet, est subdivisé en trois groupes de trois « leçons » chacun. Le texte biblique, où le prophète pleure la ruine de Jérusalem et du Temple, est constitué de nombreux versets indiqués chacun par une lettre de l'alphabet hébraïque (Aleth, Beth, Ghimel, Daleth, He, Van, etc.). Palestrina n'en a choisi que quelques-uns pour les mettre en musique, et sauf de très légères variantes, reprend la même mélodie à chaque cycle. Il a mis en musique également les lettres hébraïques ; c'est même précisément dans les passages musicaux qui y correspondent que le compositeur a concentré la plus grande intensité d'expression douloureuse ; c'est alors que le contrepoint offre le plus de richesse et de densité tandis que les passages composés sur le texte même des versets sont souvent d'une composition assez simple, les voix étant à l'unisson, presque à la manière d'un récitatif, et leur ton, quoique d'une grande beauté dramatique, est généralement plus serein, plus naturel. Ce contraste est visible surtout dans la première série, à quatre voix, une des plus fameuses pour sa puissance tragique. Ailleurs, au contraire, comme dans l'oraison finale du second cycle, l'ensemble polyphonique offre une richesse de coloris et une puissance de sonorité qui, dans certains passages, s'atténue par la réduction du nombre des voix, ce qui donne de très beaux effets de clair-obscur. Le final à huit voix (sur les paroles « Jérusalem, convertis-toi au Seigneur ton Dieu », dont Palestrina a fait une sorte de refrain, à la fin de chaque Lectio) est d'une beauté comparable à celle de l'Amen qui termine le Credo de la *Messe du pape Marcel* – v. *Messes* (*). Les recueils témoignent donc d'une grande richesse d'inspiration. Composés à différentes époques, ils présentent entre eux des différences remarquables, dans les caractères expressifs et dans les aspects mélodiques et harmoniques, mais conservent toujours un ton de sévérité religieuse et de solennelle méditation humaine et prophétique.

LAMENTATIONS DE JÉRÉMIE LE PROPHÈTE (Les) [*Lamentationes Jeremiae Prophetae*]. Deux motets à cinq voix, du compositeur anglais Thomas Tallis (vers 1505-1585), composés à la fin des années 1560. Ils ont été établis sur les cinq premières strophes du premier livre des *Lamentations,* dans leur version latine. On s'accorde à penser qu'ils n'étaient pas destinés à l'office des Ténèbres proprement dit, mais que le choix des textes avait un but métaphorique, faisant allusion au saccage des grands édifices monastiques, dévastés et pillés dès 1534, et à la suppression du catholicisme romain, devenue définitive sous le règne d'Élisabeth Ire. Ces deux premières leçons des Ténèbres sont traitées selon la nouvelle éthique du style musical anglican, qui attache la plus haute importance à la déclamation et à l'intelligibilité du texte. Écrites dans deux modes différents (la première partant du mi mineur phrygien pour aboutir en si bémol, la seconde demeurant en sol mineur), très sobres quant à l'ornementation, on y décèle la survivance d'une pensée contrapuntique non harmonique. L'horizontalité des cinq voix et leur superposition occasionnent des dissonances qui soulignent la douleur exprimée par ces complaintes funèbres. Les *Cantiones sacrae*, publiées conjointement par Tallis et son disciple Byrd, comprennent cinquante-quatre hymnes et motets pour cinq à huit voix. Dix-sept sont de Tallis, dix-sept de Byrd. Ils sont composés sur des textes latins et poursuivent la grande tradition sacrée des polyphonies vocales basées sur le « cantus firmus ». D. Ja.

LAMENTATIONS DE LA NATURE [*De planctu naturae*]. Ouvrage moralisateur du théologien français Alain de Lille (1120-1202 env.), mélange de prose et de vers. L'auteur imagine que la Nature lui apparaît en rêve et se lamente sur la corruption des hommes, leurs vices, et surtout la luxure. Tout en dormant, il l'interroge sur l'amour, sur l'intempérance et sur d'autres sujets. Tandis qu'elle lui répond, survient Hyménée (le Mariage), accompagné de Chasteté et de Tempérance, qui déplorent que les hommes aient oublié leur existence. Cet ouvrage se termine par un solennel anathème contre les luxurieux, les ivrognes, les avares, les orgueilleux, etc. Il apparaît tout de suite comme une imitation de la *Consolation de la Philosophie* (*) de Boèce. Même s'il demeure inférieur à son modèle, ici comme dans ses autres œuvres, Alain révèle son esprit spéculatif qui sait fondre des éléments divers. La représentation de la Nature, véritable et seule organisatrice de l'univers, passa ensuite dans le *Roman de la Rose* (*), aspect typique de la littérature allégorique et moralisante de cette époque. — Ce texte a été édité par T. Wright dans *Satirical Poets of the XIIth Century*, t. II (Londres, 1872).

LAMENTATIONS D'UN PAUVRE PETIT ENFANT (Les) [*A szegény kisfiù panaszai*]. Recueil de poèmes de l'écrivain hongrois Dezsö Kosztolànyi (1885-1936), publié en 1910. C'est par ce deuxième recueil que Kosztolànyi devient véritablement un poète reconnu. La première originalité de ces poèmes tient à la distance qu'ils marquent par rapport à l'esprit qui, en 1910, dominait la poésie hongroise ; c'est en effet Endre Ady, avec sa poésie symbolique et philosophique, qui sert de référence. Kosztolànyi parle un tout autre langage. Certes, il n'est pas encore tout à fait affranchi d'une sensibilité fin de siècle qui a certaines affinités avec des thèmes décadents. Dans ce recueil, qui marque peut-être son passage de l'adolescence à l'âge adulte, il évoque l'enfant qu'il a été, ses préoccupations, son quotidien, ses peurs, ses joies aussi. « Comme celui qui est tombé entre les rails », il se cherche, et cherche à saisir, alors qu'il « sent le temps gronder sur lui, ce qui est éternel ». Il invoque la figure du petit enfant : « Le prêtre, le vrai, le saint. » C'est également par une apostrophe à l'enfant que se termine le recueil : « Va, petit enfant. C'est fini. Ton chemin te mène à l'infini, alors que devant moi il n'y a que le néant. » Cette désespérance traverse, lancinante, les plus célèbres poèmes de cette veine ; ainsi par l'évocation d'une ronde enfantine passe-t-il imperceptiblement du jeu à l'angoisse : « Moi aussi j'aime danser / mais c'est là une danse infernale / je veux courir, croire aux fées, doucement siroter / dans une belle tasse blanche / un lait tout blanc et tout frais » [« Lànc, lànc, eszterlànc »]. Une même désespérance s'exprime aussi dans la terreur de la nuit : « Je pleure, je pleure toujours rien que tout seul, et nul jamais ne m'a compris. Inconnu est ce monde immense, si horrible la chambre obscure » (« J'ai peur »). En fait, la mort fait très vite son apparition : « compagne de jeu, qui plaisante avec nous » ; morts réelles, celle du bébé, du grand-père, du crapaud qu'on assassine, de la fleur qui se fane ; envies de meurtre (« Je tuerai le monde entier... »), et envie de mourir (« une tombe fleurie m'accueillera »). Car le suicide, moyen de se faire aimer, attire le jeune poète. Tout comme le soir, le soir réconfortant (« j'aime tellement le soir ») ; le héros favori de Kosztolànyi, qui donne le titre à l'une de ses œuvres – *Kornél Esti* (*) –, ne s'appelle-t-il pas Esti, en hongrois « vespéral » ? Le soir ouvre sur le rêve, et le jeune Kosztolànyi rêve en couleurs, rêve de la fillette qu'il aimerait, rêve devant la mappemonde, et se demande à quoi rêve un chien toujours triste...

À côté de ces états d'âme pourtant, une poésie plus vigoureuse, plus concrète, de narration ou de description, consacrée à des moments, à des personnages (le médecin), des objets, des moments familiers, la pharmacie du père, ses parents. Partout, Kosztolànyi est d'une sincérité touchante de simplicité, la théâtralité de l'adolescent elle-même sonne juste et annonce par là la maturité de l'auteur. E. T.

LAMIA. Poème de l'écrivain anglais John Keats (1795-1821), publié en 1820. Lamia est une magicienne au corps de serpent et à la tête de femme. Pour la récompenser d'un service qu'elle lui a rendu, Mercure la transforme en une belle jeune fille et la mène dans un bois des environs de Corinthe, où passe le jeune Grec Lycius, dont Lamia est passionnément éprise ; Lycius s'éprend à son tour de la jeune femme et la conduit à Corinthe, où les deux amants s'installent dans le merveilleux palais qu'a créé l'art magique de Lamia. Ils vivent heureux jusqu'au jour où Lycius veut montrer à chacun sa maîtresse et organise à cette occasion un grand banquet. Apollonius, le précepteur du jeune homme, découvre le pouvoir magique de l'enchanteresse. Mais, à peine découvert, ce pouvoir s'évanouit, Lamia disparaît et Lycius meurt de douleur. Ce poème qui, avec *Endymion* (*) et *Hypérion* (*), est une des œuvres de longue haleine de l'auteur, marque une période de transition dans l'art de Keats. La plupart des maladresses et des hésitations que l'on pouvait relever encore, quelques mois plus tôt, dans *Endymion* par exemple, sont ici totalement absentes. Dans cette œuvre si riche en images et en couleurs, le poète tend à un équilibre et à une sobriété que l'on chercherait en vain dans ses poèmes antérieurs. Sa langue, elle aussi, est moins redondante qu'à l'ordinaire. Toutefois Keats n'atteint pas encore la perfection de ses chefs-d'œuvre classiques et notamment de ses *Odes* (*). Dans la composition et le style, on décèle l'influence des *Fables anciennes et modernes* (*) de Dryden. Lamia personnifie la beauté et Lycius le sentiment. À eux s'oppose Apollonius, symbole de la raison qui examine et dissèque toute chose, détruisant ainsi la magie dont la beauté aime à s'entourer et que seul le sentiment sait comprendre. Une fois encore, Keats révèle son aspiration à une beauté qui tirerait essentiellement sa force de la vie intime de l'esprit et deviendrait en quelque sorte la raison même de l'existence. – Trad. Mercure de France, 1910 ; Aubier-Flammarion, 1968.

LAMIEL. C'est le dernier roman, resté inachevé, de l'écrivain français Stendhal (Henri Beyle, 1783-1842), publié posthume en 1889. Depuis longtemps il avait eu l'idée de peindre un personnage qui serait le pendant féminin de Julien Sorel – v. *Le Rouge et le Noir* (*) ; il le concevait comme une jeune fille instable, dévorée d'ambition et affamée de plaisirs, mais, en même temps, comme un esprit libre et élevé sachant passer outre la vulgarité et la sottise de son temps et convaincu de la nécessité de l'hypocrisie sociale. Il voulait également donner un tableau de la société française au commencement de la Monarchie de Juillet et par là compléter *Lucien Leuwen* (*). Stendhal se mit au travail, en août 1839, à son retour à Civita-Vecchia, après le long séjour de trois ans à Paris au cours duquel il avait publié les *Mémoires d'un touriste* (*), *L'Abbesse de Castro* (*) et *La Chartreuse de Parme* (*). Dès le début, il se donna certaines directives, voulant en particulier échapper aux reproches qu'on lui avait faits au sujet de *La Chartreuse,* en donnant dans son nouveau roman le pas à l'action, en faisant avant tout le récit d'une action. Peu à peu, au cours de son travail, il développa considérablement la partie politique et sociale de son livre qu'il appelait alors *Amiel,* puis *L'Amiel,* avant d'adopter le titre définitif. Au début de 1840, il en dicta une part importante, puis s'interrompit. Il tenta de reprendre son manuscrit en 1841 et 1842. Quoi qu'il en soit, nous n'avons avec ce qui nous est parvenu qu'un projet de roman dont le début est rédigé, mais dont la plus grande partie est demeurée sous forme de passages qui ne s'enchaînent pas, ou même de notes ; aussi les éditions de *Lamiel* supposent-elles une véritable collaboration entre l'éditeur et l'auteur. La meilleure version est celle qui a été établie par Henri Martineau. L'action de *Lamiel* se passe en Normandie. Le récit est fait à la première personne, il est censé avoir pour auteur le descendant des notaires de la famille de Miossens ; ce personnage disparaît d'ailleurs dès le second chapitre. L'héroïne, dont le roman porte le nom, n'apparaît qu'après que Stendhal nous a tracé un magnifique portrait de la duchesse de Miossens ou plutôt de la Duchesse par excellence. Puis vient la magistrale et malicieuse description d'une mission, où les effets du prédicateur sur la damnation sont appuyés par un ingénieux système de pétarades et de feux de Bengale destiné à évoquer l'enfer. Lamiel est une enfant trouvée dont les parents, mi-bourgeois mi-paysans, habitent le village de Carville, au pied du château des Miossens. Dès son plus jeune âge, Lamiel découvre que ses parents sont « bêtes », et que la vertu n'est le plus souvent qu'une hypocrisie qui cache la méchanceté et la haine ; aussi, elle se rebelle contre les coutumes désuètes d'un monde provincial alors dominé par la réaction catholique et royaliste. Âme énergique, et fanatique de la sincérité, Lamiel, comme tous les héros de Stendhal, ne tardera pas à se lancer dans l'action et luttera de toutes ses forces pour conquérir le monde. À l'âge de quinze ans, elle réussit à quitter son entourage qui lui pèse. En effet, la duchesse de Miossens l'engage comme demoiselle de compagnie et lui enseigne les usages de la bonne société. Lamiel serait cependant sur le point de périr d'ennui dans ce milieu austère et guindé si le docteur Sansfin, un bossu, n'entreprenait de la pervertir en lui exposant ses cyniques théories. Lamiel accueille avec ironie ses avances, car elle est bien décidée à ne jamais céder à des manœuvres de séduction, mais les leçons du docteur se gravent dans son esprit. Elle trouble profondément un jeune prêtre, pâle, timide et charmant, qui est le nouveau curé de Carville. En proie à une passion qu'il réprouve, le jeune prêtre est bientôt au désespoir et doit s'éloigner. Mais Lamiel entend s'initier aux choses de l'amour, sans se laisser brûler à ses flammes. Elle ne se soucie ni d'aimer ni encore moins d'être aimée ; elle veut savoir ce que cachent ces mots. Elle confie cet apprentissage à un jeune paysan robuste et stupide, en lui donnant une gratification de quinze francs. Cette scène singulière est une des plus audacieuses et des plus cyniques que Stendhal ait écrites. L'ennui cesse avec l'arrivée au château du fils de la duchesse, Fédor de Miossens, jeune homme séduisant mais quelque peu dégénéré et aboulique. Lamiel, qui ne l'aime pas, a vite fait de le faire tomber dans ses filets, et réussit à se faire enlever par lui. Arrivée à Paris, son but, elle l'abandonne et se lance dans la société parisienne. Elle y rencontre le comte de Nerwinde, qui l'introduit dans les milieux élégants et corrompus où sa vivacité et son intelligence ont vite fait de la rendre célèbre. Ici s'arrête le roman. D'après le plan de la partie suivante dont on a conservé l'ébauche, Lamiel devait, à la suite de nombreuses aventures, s'éprendre sincèrement cette fois d'un être d'exception, Valbayre, qui, lui aussi, a déclaré la « guerre à la société ». Elle se fait complice d'un crime avant de retrouver le docteur Sansfin, effrayé et enchanté des progrès de son élève qui l'a dépassé. Plus tard Lamiel retrouve le jeune duc de Miossens, renoue avec lui et réussit à se faire épouser, mais, incapable de renoncer à sa vraie passion, elle s'enfuit avec Valbayre avant d'être arrêtée et condamnée à mort pour assassinat ; elle réussit à mettre le feu au tribunal et meurt dans les flammes.

Il n'est pas prouvé que Stendhal se serait arrêté, s'il avait poursuivi son roman, à des événements aussi romanesques ; car il sait à merveille, dans les premières péripéties déjà surprenantes, garder la tête froide et un très grand souci de la vraisemblance. Il n'en reste pas moins que *Lamiel* est une créature d'exception, plus encore que Julien Sorel, car c'est une femme, et il y a en elle quelque chose de forcené et, en même temps, de glacé qui effraie. Cependant, Lamiel est telle que l'a faite la société niaise et hypocrite de son temps, et ce roman est un véritable réquisitoire. Ce qui n'empêche pas Stendhal de peindre cette société avec beaucoup de vérité et de nous en donner une image pleine de vie. Il est certain que *Lamiel,* bien qu'il ne nous soit parvenu que sous la forme de fragments, reste un témoignage très étonnant des extraordinaires dons de romancier de Stendhal.

LAMPE D'ALADIN (La) [*Lampa Aladyna*]. Comédie en trois actes de l'écrivain polonais Wacław Grubiński (1883-1973), créée à Varsovie en 1923. Les pièces de Grubiński, et celle-ci en particulier, sont gaies, spirituelles, pleines d'entrain. Les dialogues y sont légers, pétillants, car Grubiński s'amuse et veut amuser en dénigrant les vérités facilement acquises et les traditions établies. C'est en lui-même que le héros de la comédie porte la « lampe magique d'Aladin » : la joie de vivre. Ce héros est jeune, beau et en plus il a du génie. Il a fait une découverte qui permet de changer le fer en verre, et qui doit lui apporter la fortune. Puisqu'il n'a jamais travaillé ni étudié, mais qu'il sera, grâce à sa découverte, riche et célèbre, il peut chanter un hymne à la gloire de la paresse et traiter tous les gens de haut. Le favori des dieux réussit partout sauf dans un domaine : mêlé à un conflit social, il essaye de le résoudre, mais essuie un échec. Mais à bas les grincheux et vogue la galère. Il épousera une jeune fille et sera, du moins il le semble, heureux. On a dit que Grubiński était amoral. On a prétendu qu'adroit et éblouissant dans le maniement du feu d'artifice de ses paradoxes il ne savait que glisser sur la surface des choses. Et pourtant, dans cette pièce apparemment insouciante et légère, il y a un thème sérieux. C'est celui du problème social devant lequel pirouettes et jeux d'esprit restent impuissants. « Le monde de Grubiński, écrit le célèbre critique théâtral polonais Boy-Żsleński, est tout à fait différent du monde ordinaire ; il est réel, car ses personnages ont une existence physique ; il est fantastique, car les fils qui mettent en mouvement ces personnages ne sont que caprice, paradoxe, idées abstraites. L'action s'y déroule comme elle veut, et l'auteur, un miroir déformant à la main, la guette pour étirer de façon grotesque, en long et en large, la face de la logique et de la psychologie. »

LAMPE D'ARGILE (La). Recueil du poète français Frédéric Plessis (1851-1942), publié en 1886. D'inspiration archaïque, ces poèmes se rattachent par leur forme à l'école parnassienne. Divisés en douze petits livres dont cinq (« Prélude », « La Couronne d'Aganippide », « Le Jardin d'amour » « Retour vers l'antique », « Poèmes romains ») sont exclusivement à la manière de Leconte de Lisle et d'Heredia, mais plus familière, des évocations de l'atmosphère antique, ils rappellent souvent, par leur brièveté et leur élégance, les épigrammes grecques (« À Lysidice », « Porphyris à Bacchos », « À Melissa », etc.) et les chants d'amour de la basse époque romaine (« Rome », « Septimia », « Allia Galla », etc.). L'inspiration virgilienne (« Bucoliques ») y est également présente : « Applique à tes roseaux dorés / Ô Pan ! Tes lèvres arrondies / Et par d'agrestes mélodies / Charme les troupeaux dans les prés. » Les autres livres, qu'ils évoquent la Bretagne, l'Auvergne, les Indes même, ou simplement (« Au fil des jours », « Scabieuses », « Muse nouvelle ») les regrets et les amours de l'auteur, n'en conservent pas moins toutes les images mythologiques et nobles : « C'est moi seul qui plus tard, aveugle ! ai préféré / À la stable vertu la volupté fragile / Et le lit de Cassandre à la lance d'Achille. » C'est le défaut de cette partie de l'ouvrage, où le lyrisme s'habille d'oripeaux de théâtre. La grande érudition de l'auteur, traducteur des Grecs et des Romains, nuit à l'accent direct ou passionné que l'on trouve chez les romantiques.

LAMPE ET LE VOILE (La) [*The Lamp and the Veil*]. Recueil de poèmes publié en 1945 par l'écrivain gallois Vernon Watkins (1906-1967). Banquier de profession, Watkins attendit longtemps avant de publier ses premières œuvres, et son volume initial, *La Ballade de la Mari Lwyd* [*The Ballad of the Mari Lwyd*, 1941] surprit par sa maturité et sa perfection formelle. *La Lampe et le Voile* se compose de trois longs poèmes en plusieurs chants dont « La Mer brisée » [The Broken Sea] est le plus représentatif d'un talent qui se rattache à une grande tradition, celle de Wordsworth (dont Watkins parle avec émotion dans son recueil *Poèmes*, en 1962), et de poètes victoriens comme Browning et Arnold : « Je regrette le passé brisé, sa prompte et pointilleuse sollicitude / Toute la vilenie de la ville visitée par le feu et le soufre / Le peintre des limbes me manque au sommet de l'escalier odorant / Le héros extravagant de la nuit, la grimace iconoclaste... » Le mouvement de ces longs poèmes souffre parfois d'une faiblesse de structure. La langue musicale triomphe dans les poèmes courts qui constituent par exemple *La Dame à la licorne* [*The Lady with the Unicorn*], composée depuis 1941 et publiée en 1948. Tout autant que l'écriture de Dylan Thomas, le style de Watkins évoque celui de Yeats, car il excelle à mêler des mots durs et polis dans un rythme heurté et vaste à la fois : « Vagues, encapuchonnées en fureur, grondant, cachant un remords contagieux / Lançant en haut des schistes les galets durs et rayés / La complainte d'une ancre ensevelie sous l'édredon des ondes / D'éblouissants rayons ont caché l'hameçon et les os couverts de coquillages. » Dans *Poèmes choisis* [*Selected Poems*], il insiste constamment sur l'austère discipline nécessaire à la poésie. « Récompense de la fontaine » [Rewards of the Fountain] développe ainsi le thème que l'artiste n'a rien à attendre du monde et trouve sa récompense dans la perfection de son œuvre. Son évocation de Keats sur son lit de mort est significative. L'inspiration ne suffit pas. Si le poète est le véhicule de la Muse, encore faut-il qu'il donne une voix aux sentiments humains, et cette expression ne peut jaillir spontanément. Aussi Watkins rend-il hommage aux poètes qui, comme Charles Williams, Dylan Thomas ou T. S. Eliot, ont insisté comme lui sur l'effort ascétique vers la perfection de la forme, vers « l'intensité de la fusion poétique ». En effet, dit-il dans « Exigences de la Muse » [Demands of the Muse] : « Où l'art n'est pas, est le désert. » Traducteur de Hölderlin et de Heine, nourri des poètes romantiques anglais, l'auteur introduit dans la poésie anglaise contemporaine une note de paix, de simplicité recueillie qui contraste avec la fièvre du monde moderne dont il affirme vouloir se garder dans « Invocation à Artémis » [Words to Artémis].

LANCELOT. Au Moyen Âge, diverses œuvres de la littérature de chevalerie portent ce titre. La plus importante est *Lancelot ou le Chevalier à la charrette* (vers 1170), poème français de Chrétien de Troyes (mort en 1195), composé d'environ sept mille vers octosyllabes en rimes plates. Nous savons que c'est sa protectrice Marie de France, femme de Henri Ier, comte de Champagne, fille de Louis VII et d'Éléonore d'Aquitaine, qui fournit au poète ce sujet. Elle le tenait probablement elle-même de la tradition des lais et des romans gallois ou anglo-normands antérieurs à l'œuvre de Chrétien et dont il s'est beaucoup inspiré. La psychologie des personnages de *Lancelot* et la beauté de la langue en font une œuvre très attachante ; toutefois, l'histoire est ici touffue, et elle est loin d'avoir la rigueur du chef-d'œuvre de Chrétien de Troyes : *Yvain ou le Chevalier au lion* (*). Pendant les fêtes de l'Ascension se présente à la cour du roi Arthur un chevalier étranger, Méléagant, fils de Bademagu, « roi du pays d'où l'on ne revient pas », et qui vient lancer un étrange défi : un duel qui aura pour enjeu, de sa part un grand nombre de chevaliers et de dames d'honneur du roi Arthur que Méléagant garde prisonniers, de la part de l'adversaire la reine Genièvre, femme d'Arthur. Malheureusement Keu, le sénéchal, qui a engagé le duel, est vaincu, et la reine est emprisonnée. Gauvain, neveu d'Arthur, et d'autres chevaliers entreprennent de la délivrer ; parmi eux se trouve un inconnu qui, s'il mène l'entreprise à bonne fin, s'expose au ridicule de monter sur une charrette (la charrette servait alors de pilori pour les malfaiteurs). Après de nombreuses et merveilleuses aventures au cours desquelles il donne des preuves de sa valeur, de sa soumission et de sa loyauté, l'inconnu, dont l'identité n'est dévoilée que fort tard dans le poème (il s'agit de Lancelot), parvient à libérer Genièvre de la prison où la tient Méléagant. Mais, parce qu'il a hésité un instant à monter sur la charrette, la reine le dédaigne maintenant et ne veut plus le voir : l'amour d'un chevalier pour sa dame doit être dévotion complète, soumission absolue. Lancelot, désolé, tente de se suicider, mais Genièvre, qui en souffre à mourir, ne lui cache plus son amour. Pour arriver jusqu'à la chambre de la reine, Lancelot se blesse en brisant les barreaux de la fenêtre et il laisse des traces de sang dans le lit royal. Dans la même pièce, Keu gît couvert de plaies ensanglantées, d'où il s'ensuit que Méléagant l'accusera d'adultère avec la reine ; il doit alors répondre au défi de Lancelot qui est accouru pour défendre l'honneur de Genièvre, celle-ci étant repartie à la cour de son époux. Lancelot prend part ensuite, pour obéir à la volonté de sa dame, à un grand tournoi dont il sort vainqueur, puis revient, comme il l'a promis, se constituer prisonnier entre les mains de Méléagant qui le garde en captivité. Ici s'interrompt l'œuvre de Chrétien de Troyes qui fut terminée par Godefroy de Lagny : Lancelot sera libéré, il reviendra à la Cour et tuera Méléagant en duel. Les amours de Lancelot et de Genièvre imitent les amours de *Tristan et Yseult* (*), notamment en certains épisodes. Tout le roman est pénétré de la doctrine de l'amour courtois : en rendant le chevalier capable des actions les plus glorieuses, il en fait un héros, un vassal de sa dame ; certes cet amour lui impose tous les devoirs, mais lui permet, s'il sait s'en rendre digne, tous les espoirs. — Ce roman a été édité par M. Roques, Paris, 1958, et traduit par J. Frappier, Paris, 1967.

★ *Lanzelet,* poème épique en moyen haut allemand d'Ulrich von Zatzikhofen, composé vers l'an 1200 ; c'est la première version de cette légende en Allemagne. Les sources semblent en avoir été, pour une partie, le poème de Chrétien de Troyes, pour l'autre un volume en langue française, aujourd'hui perdu, ayant appartenu à un otage de Richard Cœur de Lion venu en Allemagne, Huc de Morville. C'est ce qui explique que l'on retrouve dans les deux parties de l'œuvre, de façon parfaitement distincte et séparée, les thèmes irlandais de la légende et, parallèlement, le thème, breton, du roi Arthur. La première partie raconte en effet la jeunesse de Lancelot, fils du roi Pant et de la reine Clarine, qui, après la mort de ses parents, est élevé par une fée des eaux (d'où son surnom : Lancelot du lac), sans qu'il sache rien de sa propre famille. La fée lui promet de lui révéler le nom de ses parents lorsqu'il aura tué son plus cruel ennemi, « Iveret de la belle forêt ». Devenu homme, Lancelot reprend sa place dans le monde et court toute une série d'aventures. En duel, il tue le héros Galagandreiz dont il épouse la fille. Il continue son voyage seul, met à mort une quantité de preux chevaliers dont les femmes et les sœurs s'éprennent toujours de lui ; enfin le voici à la cour du roi Arthur et là il tue Iveret, l'ennemi de la fée. Iblis, la fille d'Iveret, l'aime et l'épouse après que Lancelot eut appris son véritable nom. On arrive ainsi à la seconde partie de l'œuvre qui, elle, nous transporte en plein cycle arthurien. Le roi Walwein veut enlever la femme d'Arthur, Ginover (Genièvre). Lancelot libère la reine, mais s'en éprend à son tour et devient son amant. Autour de l'intrigue amoureuse de Lancelot et Genièvre s'entremêlent de nombreuses autres aventures du chevalier « béni parmi les femmes » [wipselige]. Lancelot délivre une vierge saisie par un dragon ; il inspire à la reine de Pluris, qui voudrait le retenir, un amour passionné, mais il fuit ses étreintes. Iblis, sa femme, la fidèle Iblis, revêt un manteau qui est la marque de sa vertu, car seule peut l'endosser la femme demeurée fidèle à son époux. La valeur littéraire du poème est médiocre, surtout comparée à celle du poème de Chrétien de Troyes : l'auteur, un ecclésiastique de la Thurgovie, ne fait que raconter ce qu'il a trouvé dans les documents où il a puisé. Mais, au point de vue de l'histoire de la poésie chevaleresque en Allemagne, l'œuvre présente un très grand intérêt.

★ Au XIIIe siècle, on trouve une vaste compilation en prose française, *Lancelot,* faussement attribuée pendant longtemps à l'écrivain anglo-latin Gualtier Map, mort vers 1210. Cette compilation narre tout au long l'histoire de Lancelot en la reliant à une autre grande œuvre *La Queste dou Saint Graal* – v. *Histoire du Graal* (*). Lancelot est élevé par une fée, la Dame du Lac, qui en a fait un parfait chevalier ; il s'éprend plus tard de la reine Genièvre qui lui rend son amour, mais il ne pourra l'approcher qu'avec l'aide de son fidèle ami Galehaut ; à travers toutes ses épreuves, il lui restera fidèle. Ce n'est que par suite d'un enchantement qu'il donne à une fille de roi un fils, Galaad, qui sera le futur conquérant du Graal. Les deux amants finiront leur vie sous l'habit religieux : la reine en effet se retire dans un couvent après la mort d'Arthur dans une bataille ; quant à Lancelot, après avoir vengé cette mort et perdu sa femme et ses compagnons, il se fera ermite. Ce roman devint aux XIIIe et XIVe siècles la lecture favorite des chevaliers, sans doute attirés par le contraste entre la chevalerie mondaine, courtoise et raffinée, et la conduite austère et mystique des chevaliers du Graal. Lancelot est évoqué également dans le gracieux récit : *La Dame du Lac* (XVe siècle) qui conte l'histoire de Merlin et de Viviane. Mais les amours de Lancelot et de Genièvre furent bientôt cités comme un exemple d'amours coupables : Francesca de Rimini dans *La Divine Comédie* (*) attribue sa faute à la lecture de *Lancelot du Lac* (Enfer, ch. V) et, dans le Paradis, Dante évoque de nouveau un épisode de la rencontre entre Lancelot et Genièvre (ch. XVI). D'Annunzio, dans sa *Francesca de Rimini* (*), reprit ce trait du Dante, et c'est ainsi que Paolo et Francesca se dévoilent leur amour à travers les paroles de Lancelot et de Genièvre qu'ils lisent à haute voix (acte III, scène V). – Le *Lancelot* en prose a été édité par A. Micha, Genève, 1978-1983, 9 vol., et partiellement traduit par le même auteur, Paris, 1984.

★ Il existe une œuvre musicale portant le nom de *Lancelot,* de Félix Victorin Foncières (1839-1903), représentée à Paris en 1900.

LANCELOT DE DANEMARK [*Lanseloet van Denemarken*]. Des quatre « jeux » poétiques néerlandais qui ont survécu au Moyen Âge, c'est le seul (il est daté approximativement de 1400-1410) qui fut réédité plusieurs fois depuis le XIXe siècle. Lancelot, prince de Danemark, est amoureux de la belle Sandrine, fille d'honneur de la reine. Sandrine, dont le père est un simple écuyer, sait que Lancelot ne peut l'épouser et elle lui résiste. Lancelot ne veut pas renoncer à elle ; il est déchiré entre son honneur et son amour. La reine, sa mère, croit le délivrer de son obsession en tendant un piège à la jeune fille afin qu'elle lui cède. Elle fait croire à Sandrine que Lancelot, mortellement malade, la réclame et elle l'envoie dans la chambre où il repose. Le projet de la reine réussit et Sandrine, éperdue, s'enfuit dans une sombre forêt où elle rencontre un chasseur, preux chevalier, qui s'éprend d'elle à son tour et l'épouse. Lancelot, tourmenté par la tendresse et par les remords, envoie son fidèle serviteur, Renaud, à la recherche de Sandrine afin de lui proposer de réparer ses torts. Mais Sandrine dit à Renaud qu'elle n'aime que son mari et ne veut plus songer à Lancelot. Renaud, craignant, à juste titre, que son maître ne mette tout en œuvre pour reconquérir Sandrine, annonce à Lancelot qu'il l'a trouvée mourante. À cette nouvelle, Lancelot meurt de désespoir. – Trad. Éditions des Artistes, sous le titre : *La Belle Histoire de Lancelot de Danemark et de la belle Sandrine*, Bruxelles, 1948.

LANCES ROUGES (Les) [*Las lanzas coloradas*]. Roman de l'écrivain vénézuélien Arturo Uslar Pietri (né en 1906), publié en 1931. Obéissant aux lois du roman historique, Arturo Uslar Pietri pénètre dans un univers de grande envergure. Il dépasse la mesure du « fait réel », et forge autour de lui un monde dynamique, épique, nouveau. *Les Lances rouges* pourraient se définir comme le roman de la libération vénézuélienne. Les ombres légendaires de Miranda et de Bolivar président au mouvement des personnages, à une intense activité d'ordre psychique, se superposent au dessin de figures telles que Presentación Campos, Inès, David, Fernando... Les « llaneros » de Boves s'exaltent jusqu'à la destruction et au meurtre, mais restent toujours nobles. Avec ces lances sanglantes qui poussent dans la plaine, ils veulent la liberté d'un peuple, et construisent un pays en détruisant ses hommes. Ni l'amour ni la vengeance ne s'accomplissent jamais à fond ; la guerre est un foyer volcanique en éruption, un éclatement tumultueux qui gêne perpétuellement les menées des personnages. Toute la violence qui traverse ces pages est tenue en respect par un style impressionniste, métaphorique, rigoureux. Arturo Uslar Pietri a une vision historique objective et un talent créateur fécond. – Trad. Gallimard, 1933.

LANGAGE DES OISEAUX (Le) [*Mantiq-al-Tayr*]. Œuvre du poète mystique persan Farîd al-Dîn Attâr (1142 ?-1220 ?). Attâr décrit de façon imagée les différentes étapes que doit parcourir l'âme dans la voie qui mène à Dieu. Celui-ci est symbolisé par le Simorgh, oiseau fabuleux. Le but du pèlerinage est de le trouver. Attâr explique que la vérité se trouve dans le for intérieur de l'homme et c'est là, et nulle part ailleurs, qu'il convient de la chercher. Afin de parvenir à cette connaissance suprême, le pèlerin [sâlik], doit parcourir un chemin très difficile et plein de dangers. Il doit traverser les « sept villes de l'amour », qui représentent les « maqâmât », les étapes mystiques. Ce n'est qu'après les avoir franchies que le soufi peu atteindre le « fanâ », l'annihilation de l'être dans l'Être.

Pour Attâr, l'amour humain et personnel n'est qu'un aspect de la quête pour l'origine. Le premier pas de cet itinéraire consistera à orienter cet amour dans sa véritable direction, de lui donner sa dimension divine. La raison discursive n'est qu'une cause d'égarement. Le point culminant de l'histoire, qui lui confère une originalité particulière, se situe au terme du voyage et utilise un jeu de mots. Après avoir traversé tant d'épreuves, il ne reste plus que trente oiseaux (« si-morgh », en persan). Ils aperçoivent alors, en regardant dans le miroir, qu'ils ne sont autres que le reflet du Simorgh, symbole de la divinité. Car c'est en nous-mêmes, et nulle part ailleurs, que réside le Bien-Aimé divin. Il n'est pas nécessaire d'aller le chercher au loin : « L'ombre se perdit alors dans le soleil et voilà tout. »

Alors, pourquoi ce pénible pèlerinage ? C'est qu'il faut polir le miroir du cœur pour que puisse s'y refléter le visage du Bien-Aimé, et découvrir en nous-mêmes l'unité ultime de tout ce qui existe. – Trad. par Garcin de Tassy, Paris, 1857 ; réédition, Sindbad, Paris, 1982.

E. de V.-M.

LANGAGE EN RELATION AVEC UNE THÉORIE UNIFIÉE DE LA STRUCTURE DU COMPORTEMENT HUMAIN (Le) [*Language in relation to a unified theory of the structure of human behavior*]. Ouvrage du linguiste américain Kenneth Pike (né en 1912), publié en trois volumes de 1954 à 1960 (édition revue et augmentée en un volume, 1967). Cet ouvrage est le premier à intégrer l'étude du langage dans une théorie unifiée de la structure du comportement humain, une intégration rendue nécessaire, selon l'auteur, par le fait qu'un événement peut comporter aussi bien des unités verbales que des unités non verbales et que, de plus, les unes peuvent être substituées aux autres dans la même fonction (par exemple, le salut). Pike montre que tous les événements de comportement humain présentent le même type de structure hiérarchique et s'analysent, à différents niveaux, en unités caractérisées par une position, une fonction et une classe d'éléments susceptibles de remplir celles-ci ; pour chaque unité sont analysés son mode de caractérisation, qui définit ses traits pertinents, son mode de distribution, qui définit ses mouvements, et son mode de manifestation, qui définit ses variantes. L'observateur définit lui-même le ou les niveaux d'analyse qui l'intéressent dans la structure hiérarchique d'un événement, mais il doit distinguer dans sa démarche deux étapes : une étape préliminaire, dite « étique » (du suffixe de phonétique), où il tente de saisir en ordre dispersé à partir de son expérience antérieure les faits qui lui paraissent pertinents, et une étape dite « émique » (du suffixe de phonémique, synonyme de phonologique), où il s'efforce de mettre ces faits en relation pour saisir le système de l'intérieur ; cette distinction est souvent reprise aujourd'hui en sciences humaines. Pour montrer l'intérêt de sa théorie unifiée de la structure du comportement humain, Pike décrit les structures de divers événements : un service religieux, un match de football américain et un petit déjeuner familial. Mais il s'intéresse surtout aux différents niveaux de structure linguistique, dont il propose une analyse très fouillée, de la phrase au phonème, en passant par la proposition, le syntagme, le mot et le morphème. Il développe ainsi une nouvelle approche des faits grammaticaux qui combine une grammaire des formes et une grammaire des fonctions. Pike appelle « tagmème » l'unité linguistique définie par la corrélation d'une position, d'une fonction et d'une classe d'éléments, d'où le nom de « grammaire tagmémique » donné à cette approche. Outre son originalité théorique, qui lui permet d'intégrer dès les années 60 le nouveau domaine du discours, la grammaire tagmémique est sans doute le modèle d'analyse linguistique qui a été appliqué au plus grand nombre de langues de toutes les régions du monde. E. Ro.

LANGAGE ET LA PENSÉE (Le) [*Language and Mind*]. Essai du linguiste américain Noam Chomsky (né en 1928), publié en 1968. Les trois chapitres de cet ouvrage sont des versions remaniées de trois conférences faites par l'auteur à l'université de Californie, à Berkeley, en décembre 1967, où il tente de répondre à la question : Quelle peut être la contribution de l'étude du langage à notre compréhension de la nature humaine ? Dans le premier chapitre, intitulé « Le Passé », Chomsky critique sévèrement le cadre behaviouriste qui domine dans les années 50 et 60 les sciences humaines aux États-Unis et montre l'utilité de reprendre l'examen des problèmes de la connaissance et du langage dans le cadre où ils ont été posés au XVIIe siècle, en particulier par Descartes et par la *Grammaire de Port-Royal* (*) — voir aussi à ce propos, de Chomsky, *La Linguistique cartésienne* [*Cartesian Linguistics*, 1965]. Il en retient principalement la nécessité de prendre en compte la dimension créative du langage et de dépasser la simple description pour proposer une explication des faits linguistiques qui permette du même coup de mieux saisir la nature de la pensée. Dans le deuxième chapitre, intitulé « Le Présent », Chomsky montre, à partir de ses recherches sur l'anglais, que le linguiste est obligé, pour rendre compte de la compétence linguistique des sujets parlants, c'est-à-dire de leur capacité de construire une infinité de phrases grammaticales dans une langue particulière, de poser des structures sous-jacentes et des règles souvent très abstraites, ainsi que des principes généraux relevant sans doute d'une grammaire universelle. Dans le dernier chapitre, intitulé « Le Futur », Chomsky développe l'hypothèse selon laquelle l'étude détaillée des structures linguistiques constitue une voie privilégiée pour explorer les propriétés essentielles et caractéristiques de l'intelligence humaine, ce qui l'amène à considérer la linguistique comme une partie de la psychologie humaine. Abordant, à propos de l'acquisition du langage, un problème classique de la psychologie, celui de rendre compte de la connaissance humaine, il met en évidence l'énorme disparité entre connaissance et expérience — entre la grammaire générative qui exprime la compétence du locuteur dans une langue particulière et les données maigres et dégénérées que l'enfant a pu entendre autour de lui et à partir desquelles il s'est construit cette compétence ; il en conclut qu'il faut attribuer à l'esprit, comme propriété innée, les principes qui constituent la grammaire universelle. Chomsky prend ainsi nettement position, à partir du résultat de ses recherches linguistiques, dans le grand débat entre rationalistes et empiristes. — Trad. Payot, 1970.

E. Ro.

LANGAGE ET LA PENSÉE CHEZ L'ENFANT (Le). Premier ouvrage d'une importante série intitulée *Études sur la logique de l'enfant,* publié en 1923 par le psychologue suisse Jean Piaget (1896-1980). Ce premier volume fut suivi par *Le Jugement et le raisonnement chez l'enfant* (1925), puis par une série d'ouvrages reprenant le problème de la logique de l'enfant à propos du nombre : *La Genèse du nombre chez l'enfant* (1940), *Le Développement des quantités* (1941), *Le Développement de la notion du temps* (1946), *Les Notions de mouvement et de vitesse* (1946). L'importance de *Le Langage et la pensée chez l'enfant* vaut d'être soulignée par sa double nouveauté, et dans les résultats auxquels il aboutit et dans la méthode qui a permis de les acquérir. Les recherches poursuivies jusqu'alors sur l'intelligence et le langage de l'enfant ont pour trait général et commun d'être essentiellement analytiques : on décrit les formes particulières de l'enfant, on relève minutieusement tous les faux pas, toutes les confusions de cette pensée, toutes les déformations du langage qui l'expriment. Mais ce travail ne répondait en rien aux questions que se posait le psychologue. Les recherches de Piaget offrent, de l'esprit de l'enfant, une vision toute nouvelle. Il montre que cet esprit se tisse à la fois sur deux métiers différents. Le travail opéré dans le plan inférieur est, dans les premières années, de beaucoup le plus important. Il est l'œuvre de l'enfant lui-même qui attire à lui, pêle-mêle, et cristallise autour de ses besoins tout ce qui est capable de les satisfaire. C'est le plan de la subjectivité, du désir, du jeu. Le plan supérieur est au contraire édifié peu à peu par le milieu social dont la pression s'impose de plus en plus à l'enfant. C'est le plan de l'objectivité, du langage, des concepts logiques, en un mot : de la réalité. Chacun de ces plans a sa logique propre. Et Piaget, en suggérant, avec preuves à l'appui, que la pensée de l'enfant est intermédiaire entre la pensée artistique et la pensée logique de l'adulte, nous donne une perspective générale de la mentalité enfantine qui va simplifier l'interprétation de son allure. La méthode qui a conduit l'auteur à des résultats si féconds est, elle aussi, fort originale. Son auteur la baptise « méthode clinique ». C'est en somme la méthode d'observation qui consiste à laisser parler l'enfant, et à noter la façon dont se déroule sa pensée. Cette méthode, qui est aussi un art d'interroger, ne se borne pas à des constatations superficielles ; elle vise à noter ce qui se cache derrière les premières apparences. Mais, pour donner ses fruits, il fallait que cette méthode fût complétée par une judicieuse élaboration des documents recueillis.

LANGAGES DE L'ART [*Languages of Art*]. Ouvrage du philosophe et logicien américain Nelson Goodman (né en 1906), publié en 1968. Depuis sa parution, l'ouvrage de Goodman est au centre des débats en esthétique et en philosophie de l'art dans les pays anglo-saxons. Le livre propose en effet une façon tout à fait originale de penser l'œuvre d'art en échappant aux questions traditionnelles de la création artistique, du jugement de goût, de l'historicité de l'art ou de son origine. L'œuvre d'art, pour Goodman, est un symbole, dans un sens très élargi du terme. Un symbole peut référer de multiples façons, et ce sont ces façons multiples de référer que Goodman décrit précisément et rigoureusement, autant que le permet la logique des relations. Une œuvre d'art peut dénoter ou exemplifier. À partir de ces deux relations, Goodman montre comment une œuvre d'art symbolise et il résout un certain nombre de problèmes classiques. Il propose ainsi une réfutation du naturalisme, c'est-à-dire de la thèse selon laquelle une œuvre d'art doit imiter la réalité. On pourrait penser qu'une telle réfutation n'était plus à faire ; mais Goodman n'explique pas qu'une œuvre mimétique est sans valeur, il démontre qu'une œuvre ne peut pas être mimétique, à moins que l'on spécifie les critères de ce que l'on tiendra comme une ressemblance acceptable. La notion d'exemplification apparaît centrale : x exemplifie y si et seulement si 1°) x réfère à y, et 2°) x est un cas (une instance) de y. Par exemple, un tableau pourra exemplifier littéralement le prédicat « être gris » et métaphoriquement le prédicat « être triste ». La notion de métaphore est alors définie comme un mode de référence particulier dans lequel un terme est transféré d'un domaine d'application à un autre afin de réorganiser le domaine d'accueil. L'expression est définie comme une forme de l'exemplification métaphorique particulière. Elle est un des symptômes du fonctionnement esthétique d'un symbole. Dans deux chapitres assez techniques, Goodman analyse ce qu'est une notation. Il explique quelles sont les exigences syntaxiques et sémantiques que doit remplir un système symbolique pour être une notation. Ce qui permet ensuite de montrer les spécificités des systèmes symboliques musicaux, picturaux, littéraires, architecturaux, etc. Dans un dernier chapitre, Goodman insiste sur le caractère sommaire de la distinction courante entre art et connaissance. Certes, l'art est émotionnel, mais toute émotion esthétique suppose des capacités cognitives permettant de faire fonctionner symboliquement un objet. L'expérience esthétique ne peut être vierge de toute connaissance et de toute capacité intellectuelle. Elle est, bien au contraire, une forme de la connaissance. Comprendre une œuvre, c'est saisir comment elle analyse, classe et organise un monde. C'est donc aussi accéder par elle à ce monde et rendre possibles des comparaisons, des distinctions, des interrogations. *Langages de l'art* est un des livres importants de la philosophie contemporaine parce qu'il rompt radicalement, dans le domaine de l'esthétique où cela n'avait pas encore été fait, avec le subjectivisme kantien et avec la métaphysique hégélienne de l'art. Il fournit les éléments nécessaires à l'élaboration d'une véritable philosophie analytique de l'art. Enfin, l'ouvrage est écrit avec un réel talent littéraire et un sens de l'humour très particulier à Goodman. – Trad. Jacqueline Chambon, 1990. R.P.

LANGUE. Poème de l'écrivain français Pierre-Jean Jouve (1887-1976), publié en 1952. Cette fois *l'ode* est simplement et plus généralement *langue* (mais aussi langue charnue, corporelle, et langue de feu ou de terre) et « dédiée à l'esprit d'Alban Berg », le Berg du *Concerto pour violon et orchestre à la mémoire d'un ange* (*) plus que du *Kammerkonzert*, et les lignes poétiques, non plus les déversements d'*Ode* (*), mais départs euphoriques (« Désir et rut ! présence et feu ! première glose ! »), exclamations glorieuses (nombreux sont les points d'exclamation), déferlements brisés (« et qu'une fois après un bel été, Clic !, le secret s'ouvre comme un voleur »). L'euphorie est élévation dans la profondeur, accession ; la gloire, or et feu de la chapelle et apocalyptiques. Le monde minéral d'*Ode* demeure (encore des « sables », comme encore le « lit de fer », croix horizontale), mais complété et rehaussé, dans l'orchestration, de végétal, de météorologique, d'océanographique et marin, de technologique. La femme d'*Ode* est une vieille adultère, une prostituée morte, une voleuse qui passe par hasard, et aussi une « isolée » (d'où les allusions à Ariane et l'île, racinienne), est « enivrée de solitude aqueuse / Fourmillement de lianes et d'insectes sous le plus grand toucher solaire... » ; son sexe est amande, prise et refuge charnu comme la langue, anneau d'alliance avec l'Être. Le monde moderne réapparaît, mais comme un promontoire vers le ciel, la science se réfléchissant en elle-même (mais l'art, la poésie différemment) et les techniques jettent leurs feux, furieux : « Et qu'il écoute humblement, le merveilleux ingénieur qui s'est débarrassé de Dieu / Car il n'y a même plus d'hommes : seulement parcelles et lueurs et microcosmes brûlants à l'usage de Dieu Seigneur. » Et Jouve est proche du seul poète auquel on puisse ici

Rimbaud : « Les grands migrateurs en triangle passent sur les eaux drapées de cent mille tons d'indigo / Ou sur les ruelles de corne et sur les tapis à Venise. » Dans ce journal sans événements, mais de l'advenu et du devenir, Jouve mêle les nombreux registres du vécu dont l'épaisseur est matière et image. Mais l'ultime nécessité du poème demeure le sujet d'angoisse primordial ; le poète demande au Seigneur « Donne au poétique et au vague accès dans la parole vraie », et suggère : « La parole de vie ne se lit qu'en absurde ou à l'intérieur de l'absurde absolu et comme éclat d'amour aux formes infinies. »

LANGUE LATINE (De la) [*De lingua latina*]. Traité de linguistique de l'écrivain et homme politique latin Varron (116-27 av. J.-C.) en vingt-cinq livres comprenant une introduction (I), un traité sur l'étymologie (II-VII), un sur la morphologie (VIII-XIII) et un sur la syntaxe (XIV-XXV). Seuls les livres V à X nous sont parvenus. Les trois premiers traitent de l'étymologie, que l'on peut étudier de quatre points de vue différents. La première méthode qui peut être employée repose essentiellement sur l'intuition, au moyen de laquelle il est possible de reconnaître, d'après leur composition, l'origine des mots. La deuxième se réfère aux anciennes formes grammaticales et permet de distinguer les mots inventés de toute pièce, les mots composés et les mots simplement déclinés. La troisième et, selon Varron, la plus importante de ces méthodes est l'interprétation philosophique : certains noms, certaines expressions qui évoquent des concepts juridiques, religieux, politiques, ont besoin d'un éclaircissement qui ne peut être fourni par le grammairien. Seule la philosophie peut expliquer certaines questions qui, sans elle, resteraient sans réponse, et elle est le fondement de la véritable science de la linguistique, apparemment impénétrable, mais dont il faut, pourtant, essayer de percer le mystère. Le linguiste s'en approche, autant qu'il le peut, s'il sait unir à la technique des grammairiens de l'école d'Alexandrie l'expérience philosophique puisée aux sources de l'esprit stoïcien. Dans les trois autres livres qui nous restent, Varron, après discussion des thèses en présence, propose une solution qui n'écarte pas absolument le principe d'anomalie, mais penche cependant nettement en faveur du principe d'analogie. Varron admet sans discussion que le langage est arbitraire. Celui qui, le premier, a inventé les différents mots n'a fait que créer une convention. Mais le langage devient naturel par le fait même que tel mot est employé par tous pour désigner la même chose. La théorie du langage, la seule de toutes les nombreuses œuvres philologiques de Varron qui nous soit parvenue, est intéressante pour nous, non seulement parce qu'elle nous fait connaître une de ses œuvres célèbres, mais aussi parce qu'elle nous permet de reconstruire, dans ses grandes lignes, la linguistique des anciens Romains, qui trouva en lui son véritable organisateur. — Trad. t. V, Les Belles Lettres, 1954 ; t. VI, Les Belles Lettres, 1985.

LANGUE SECRÈTE DES DOGONS DE SANGA (La). Essai de l'écrivain et ethnographe français Michel Leiris (1901-1990), publié en 1948. Cet ouvrage étudie du point de vue philologique le groupe d'institutions dont la thèse de Marcel Griaule sur les *Masques Dogons*, soutenue en 1938, représente l'étude sociologique. Les matériaux utilisés sont essentiellement une série de textes rassemblés chez les Dogons de Sanga (Soudan, ancienne circonscription de Bandiagara) par l'auteur lui-même lors de la mission Dakar-Djibouti en 1931-33 dont il nous livre le journal dans *Afrique fantôme* (*). Ces textes sont composés dans un langage propre à la société des hommes, organisation qui joue un rôle de premier plan tant dans la vie profane que dans la vie religieuse des Dogons. Le travail de Michel Leiris débute par une étude de la nature et de la fonction du langage secret ; suivent un essai de grammaire « sigui », un vocabulaire « sigui-français » et enfin les textes eux-mêmes classés selon les circonstances de leur emploi. Parmi les travaux ethnographiques de Michel Leiris, il faut encore mentionner *La Possession et ses aspects théâtraux chez les Éthiopiens de Gondar* (1958), qui apporte une contribution intéressante à l'étude des sources du théâtre : magie, religion, danses rituelles, extase et transe.

LANGUE VERTE (La). Recueil de poèmes de l'écrivain belge d'expression française Géo Norge (pseud. de Georges Mogin), publié en 1954. Lyrique ou truculent, ironique ou fervent, élégiaque ou joyeux, précieux ou sec, Norge garda dans tous ses registres un ton personnel d'âpreté incisive et de tonique virilité. Sa cruauté même est empreinte d'une sorte de noblesse, et parfois se colore d'une tendresse sans défaillance, fiévreuse d'être retenue : visage du poète comme si l'insuffisance à bout de ressources criait famine, cruauté nécessaire au poème sans en être cependant l'accent absolu, et que l'écrivain utilise comme levier pour extraire le bien du mal, le oui du non, le beau du laid.

Bien avant d'écrire, Norge collectionna. En effet, collectionneur (ou esthète à rebours), il a dû l'être toute sa vie, semble-t-il, afin d'accumuler la saveur qui allait imprégner son œuvre. Parallèlement, il a animé avec Tania Balachova et Raymond Rouleau le théâtre du Groupe Libre (1922-25), fondé *Le Journal des poètes*, créé le Grenier poétique devenu célèbre, vendu du drap belge et hollandais jusqu'au jour où il écrivit pour le seul plaisir d'écrire des choses insolentes, cocasses, absurdes. Ainsi naquirent ses recueils les plus connus : *Râpes*

(1949), *Famines* (1950), *Les Oignons* (1953), *Le Gros Gibier* (1953), *Les Quatre Vérités* (1962). Quant aux premiers recueils, retenons : *Vingt-Sept Poèmes incertains* (1923), *Plusieurs malentendus* (1926), *Avenue du ciel* et *Souvenir de l'enchanté* (1929), *Calendrier* (1932), *La Belle Endormie* (1935) et *Joie aux âmes* (1941), qui représente l'œuvre la plus accomplie de la première manière, celle qui participe de l'attention extrême portée aux mots. La formule poétique de la répétition est celle que le poète a le plus volontiers cultivée, la portant à un point de perfection où elle cesse d'être balbutiement, obsession, pour devenir une forme d'expression presque musicale *(Famines, Les Oignons, Le Gros Gibier...)*. Par contre (et c'est l'exception qui confirme la règle), dans *La Langue verte*, elle est le motif même du poème pour devenir des « Charabias », des « Verdures », des « Radotages » ou « l'argot du songe ». Somme toute, le poète est fidèle à une nécessité humaine : celle de parler à l'homme en lui faisant entendre son propre langage. Norge a tiré ses poèmes de son expérience des rapports de la poésie avec les réalités de ce monde. Expérience indissociable de celle du poète qui permet de « décrire un chien sans marcher à quatre pattes ». Dans la glose qui ouvre *La Langue verte*, les affinités qu'il professe sont propres à évoquer une forme poétique longtemps délaissée, celle de Tabarin, de Bruscambille. L'auteur entend ressusciter le « galimatias » sans toutefois vouloir le réduire à ses seules ressources originelles ; il le veut conçu comme un genre où parviendraient à s'exprimer le burlesque, la parodie, le phébus, l'argot, « l'enfançon », la contrepèterie, la préciosité, l'amphigouri, en un mot, toutes les formes d'éclatement du langage et de son élément majeur : le mot. Malgré cette recherche, l'œuvre n'en perd pas pour autant son caractère classique (l'auteur ne cache pas le goût qu'il prend à la lecture de Boileau). Ainsi, en recourant aux comptines, aux rondes, aux fables – type du poème visant à se suffire (« Le Soufflant et le Raciné ») –, aux contre-fables du recueil *Les Oignons*, Norge donne-t-il à son œuvre une singulière variété.

LANTERNE (La). Sous ce titre furent publiés, à partir de la Révolution, un grand nombre de journaux dont la *Lanterne magique nationale,* pamphlet réactionnaire du vicomte de Mirabeau (1790) et, à l'époque de la Révolution de 1848, la *Lanterne magique républicaine ;* mais c'est Henri de Rochefort-Luçay (1830-1913) qui devait illustrer ce titre avec ses pamphlets hebdomadaires contre le gouvernement napoléonien, qu'il publia lui-même lorsque *Le Figaro,* sous la pression du gouvernement, ne voulut plus de lui comme collaborateur. C'est le 1er juin 1868 que parut le premier numéro de ce pamphlet politique et satirique (publié par la suite en volume, en 1886) que Rochefort dut bientôt faire paraître en Belgique. Au total, du 1er juin 1868 à novembre 1869, il compta soixante-quatorze numéros. Le contenu de la revue correspond bien à l'ambiguïté volontaire du titre qu'accompagnait une vignette représentant une lanterne et, à côté, une corde. L'auteur utilise tous les petits événements de la chronique au jour le jour pour souligner avec l'ironie mordante de ses allusions les fautes grandes et petites du gouvernement et de la famille impériale. Protestant contre la distinction arbitraire et trop commode entre vie publique et vie privée, il rapporte tout : le passé de la reine Hortense et l'hypocrisie corrompue de la Cour, la politique belliqueuse de l'Empire et ses responsabilités dans l'entreprise du Mexique, l'incohérence de Napoléon III et la plate soumission de la Chambre, le désordre financier et les charges fiscales, la corruption des magistrats et les interventions arbitraires de la police, les craintes ridicules de la censure, l'abus des décorations et des titres nobiliaires, le manque d'esprit avec lequel « les grands hommes » s'exposaient aux plaisanteries de l'opposition.

Ce journal s'exprime en des formes variées : on passe de l'entrefilet polémique à la petite anecdote, de la raillerie dissimulée entre les lignes comiques de quelque annonce publicitaire à la remarque la plus sérieuse, de la parodie littéraire à la citation de passages tirés des écrits mêmes de Napoléon III ou de ses partisans et qui révèlent des incohérences et des contradictions. À Bruxelles, Rochefort reprit la publication de sa revue avec une violence accrue, sous un format réduit ; il parvint à la faire pénétrer en France grâce aux expédients que trouvait toujours son inépuisable imagination. Le changement de la situation politique arrêta la publication de *La Lanterne* qui devait toutefois reparaître plus tard, lorsque Rochefort, déporté en Nouvelle-Calédonie (1873), eut réussi à s'évader : en Angleterre d'abord, puis ensuite, de façon plus régulière, à Genève où elle parut à partir de 1877, sous la forme d'un journal quotidien, dirigé contre la politique des modérés. En 1880, Rochefort put rentrer en France à la faveur de l'amnistie ; il y fonda *L'Intransigeant,* journal destiné à soutenir les revendications radicales et socialistes. *La Lanterne* connut une nouvelle époque de célébrité, quand Rochefort y eut fait une campagne en faveur du général Boulanger (1888). Après quoi, le journal périclita. En 1897, la direction en fut reprise par Aristide Briand et *La Lanterne* devint l'organe d'expression des radicaux-socialistes.

LANTERNE DE DIOGÈNE (La) [*La lanterna di Diogene*]. Ce livre est peut-être le chef-d'œuvre de l'écrivain italien Alfredo Panzini (1863-1939). Publié en 1907, mais composé quelques années auparavant, c'est, à première vue, la chronique ou l'histoire, racontée par lui-même, des vacances d'été du « professeur » Panzini. Par un brûlant après-midi de juillet, il quitte Milan à bicyclette, le cœur gai et léger, pour se rendre à un village de l'Adriatique dans la petite maison en location où sa famille l'attend. Là, il passera son temps de la façon la plus simple. Au commencement de l'automne, après une vie active de plein air, il doit se décider à reprendre la vie étouffante de la ville et de l'école. Son voyage coïncide avec un vagabondage spirituel à travers le monde ancien et moderne, qui lui révèle tout ce qui sépare la littérature de la réalité, la vie domestique et patriarcale de la vie mondaine et citadine. Cet état d'inquiétude est le caractère principal de Panzini. Aussi cette chronique n'est-elle pas un ensemble de croquis, mais tient plutôt du « voyage sentimental », du cahier poétique composé par un esprit qui se cherche et qui se confesse. Tous les spectacles : la mer, le ciel, les sources, les forêts, les animaux, les arcs, les colonnes, les palais chargés de gloire et de souvenirs, les églises et les cimetières ont pour l'auteur leur signification propre. Nombreux sont les petites gens qu'il rencontre : le charretier qui aide le cycliste Panzini à se baigner dans la source, la vieille femme qui sagement bavarde avec son petit cochon, le joueur d'orgue de Barbarie qui se repose avec béatitude à l'ombre d'un pont, la sensuelle actrice au passage de laquelle frémissent les peupliers de l'allée, l'archiprêtre vigneron, la superbe virago Imperia, les craintives et insouciantes jeunes filles au bord de la mer. On rencontre aussi, au hasard du récit, des dieux, des héros, des mythes, des événements anciens qui font malicieusement pendant à tout ce petit monde bien vivant. Le principal, le seul et véritable protagoniste reste Panzini lui-même, qui adoucit, avec un ton tantôt ironique, tantôt ému, le réalisme de ses personnages. La « lanterne de Diogène » se change dans ses mains en une « lanterne magique », à l'ombre et à la lumière de laquelle sa prose prend des reflets lyriques. Par la fraîcheur de l'inspiration, les qualités d'un style narratif à la fois classique et vétuste, l'écrivain atteint parfois à la musique ou à la poésie pures.

LANTERNE SOURDE (La). Recueil d'essais ou reportages publié en 1953 par l'écrivain français Pierre Mac Orlan (1882-1970). Il comporte trois parties : « Aux lumières de Paris » (1923-34) ; « Images de la Tamise » (1925) ; « Romantisme de la fin d'un monde » (1931-39). La première annonce les très beaux écrits du *Mémorial du petit jour* (*) et de *La Petite Cloche de Sorbonne* (1959). Pourtant les textes les plus délectables sont peut-être les plus anciens, ceux dans lesquels, au voisinage de Blaise Cendrars, surgissent, vives et telles quelles, les années dites folles d'après 1918. Les « Images sur la Tamise » sont originellement le produit d'un reportage écrit pour *Le Journal.* Ces images ont le mérite de témoigner de la sympathie pour l'Angleterre d'un écrivain français considérable. Néanmoins, on ne retrouvera rien, dans ces impressions d'un touriste professionnel, qui rappelle les pages imprégnées de misère et obsédées d'anciennes brumes qu'on peut lire sur les quartiers des docks de Londres dans *Sous la lumière froide* (1961), ou même dans *Filles et ports d'Europe* (*). « Romantisme de la fin du monde » est composé de textes où Pierre Mac Orlan évoque avec autorité les jours, les faux jours et les contre-jour des pays et des saisons. La rose des vents conduit l'auteur au « romantisme social 1938 », dernier chapitre d'un livre où les meilleures pages ne sont pas datées.

LAOCOON [*Laokoon*]. Traité esthétique de l'écrivain allemand Gotthold Ephraïm Lessing (1729-1781), paru en 1766 sous une forme inachevée. L'allure de l'ouvrage est plutôt celle de l'essai que d'une élaboration doctrinale, mais l'intention est précise : délimiter le champ de représentation des arts figuratifs en définissant leurs caractéristiques et leurs moyens propres ; affirmer, par rapport à ceux-ci, la spécificité de l'expression littéraire. Le propos de Lessing est d'abolir l'identité proclamée par *L'Art poétique* (*) d'Horace entre la « peinture » et la « poésie ». Il donne ainsi une impulsion théorique décisive à l'émancipation des diverses formes de l'art et de la littérature, qui cessent d'être soumises aux contraintes d'une esthétique unitaire. Du coup, l'esthétique devient une approche de la singularité de l'objet ; mais uniquement dans le domaine de la « poésie », car elle demeure normative en ce qui concerne la « peinture ». Le titre de l'ouvrage fait apparaître que Lessing part de l'analyse par Winckelmann dans ses *Réflexions sur l'imitation des artistes grecs en peinture et en sculpture* (*) de la statue d'Agésandre montrant Laocoon et ses deux fils attaqués par deux énormes serpents. Winckelmann soutient que si Laocoon et ses enfants sont représentés en train de gémir, et non de crier, c'est en raison du principe même de l'art grec, la norme de la « grandeur sereine », qui proscrit l'expression réaliste de la souffrance ; car la mission de l'art selon Winckelmann est de magnifier le sublime. Lessing objecte que Winckelmann s'est trompé en posant ainsi le problème. En effet, Homère, les tragiques grecs et Virgile, qui a traité également l'épisode de Laocoon dans *L'Énéide* (*), nous attestent l'expression d'une douleur non contenue. Comment s'explique cette différence de traitement ? Pure question de facture, répond Lessing, qui s'éclaire lorsque l'on prend conscience que l'art figuratif et la « poésie » ont chacun leur domaine propre et leurs moyens spécifiques. Les productions des arts figuratifs sont figées dans l'instant. Toute laideur doit donc en être proscrite : car la laideur, fixée par une représentation plastique, suscite le dégoût. La loi de la « peinture » est donc le beau idéal. En revanche, la « poésie », qui n'agit pas directement sur les sens puisque les « signes » qu'elle emploie s'inscrivent dans une succession temporelle, doit ses effets esthétiques les plus profonds à l'intégration de la laideur : comme elle échappe aux contraintes de la représentation statique, l'intensité expressive et le réalisme lui sont permis, et même recommandés. *Laocoon* présente un double intérêt. Premièrement, il introduit en Allemagne la démarche scientifique dans l'étude des arts. Malgré l'apparence parfois décousue des développements, la méthode employée est rigoureusement inductive, partant de faits d'observation et non d'une philosophie préconçue. En second lieu, Lessing, tout en restant fidèle à un strict classicisme dans la conception qu'il se fait des limites qu'il convient d'assigner à la « peinture », ouvre à la « poésie » (c'est-à-dire à la littérature allemande) des voies nouvelles, en la libérant précisément de l'obligation de se conformer aux règles du beau idéal dans lequel il confine l'art figuratif. La littérature, énonce Lessing, doit même éviter, sous peine de « froideur », d'imiter les procédés de la représentation picturale. Les considérations littéraires de Lessing sont néanmoins tributaires des limites de l'époque et de sa propre vision, qui ignore le roman et le lyrisme subjectiviste. On ne trouve pas non plus dans *Laocoon* de mise en perspective historique des problèmes abordés. – Trad. Hermann, 1990 (réimpression de la trad. de Courtin, 1866). P. V.

LARA. Poème en distiques héroïques de l'écrivain anglais George Gordon (lord) Byron (1788-1824), publié en 1814. Sous le pseudonyme de Lara, le chef pirate Conrad – v. *Le Corsaire* (*) –, dont le présent poème est une suite, a regagné son domaine en compagnie de son page Kaled, qui n'est autre que Gulnare. Il y mène une vie solitaire et mystérieuse. Mais, bientôt découvert, il doit se battre à nouveau. Blessé mortellement, il expire dans les bras de Kaled. Le portrait du héros occupe trois stances fameuses du premier chant du poème (I, 17-19). Il faut y voir un sombre portrait de Byron par lui-même. La mort de Lara a inspiré à Delacroix (1798-1863) un tableau célèbre. – Trad. Imp. Erlobig, 1840 ; Des Autres, 1977.

LARGE RECUEIL DE L'ÈRE T'AI-P'ING [*T'ai-p'ing kouang tsi – Taiping guang ji*]. Compilation du lettré chinois Li Fang (925-996) contenant surtout des récits écrits en chinois classique depuis les Six Dynasties jusqu'au début de la dynastie Song, publiée en 977. Ce genre de nouvelles connut un grand épanouissement sous les T'ang, notamment parce qu'elles étaient souvent écrites par des lettrés qui essayaient d'attirer l'attention avant de se présenter aux examens, puisqu'à l'époque les copies n'étaient pas anonymes. Une partie importante de ces récits sont des histoires de fantômes, de démons, d'animaux comme les renardes qui prennent forme humaine pour voler l'énergie vitale de lettrés esseulés. Les plus attachants sont des histoires d'amour ; les plus célèbres sont *La Biographie de Li Wa* (*), *La Biographie de Houo Siao-yu* [*Houo Siao-yu tchouan*] où le personnage principal est chaque fois une courtisane au grand cœur, *La Biographie de Ying-ying* (*), qui inspirera la pièce *Le Pavillon de l'aile ouest* (*) ; *La Biographie du chevalier à la barbe frisée* [*Ts'io jan K'e tchouan*], sur fond historique, qui présente le personnage d'un aventurier haut en couleur. J. P.

LARGO de Haendel. Adaptation instrumentale de l'air « Ombra mai-fu », tiré de l'opéra *Xerxès* (*) que le compositeur allemand Georg Friedrich Haendel (1685-1759) composa en 1737-38. La forme originale conserve une pureté de ligne et une intensité d'expression lyrique souvent sacrifiées et faussées dans un grand nombre de transcriptions qui, par la suite, ont contribué à faire du *Largo* une des pièces instrumentales les plus célèbres et les plus jouées de Haendel.

LARGO de Veracini. Ce morceau très connu du violoniste et compositeur florentin Francesco Maria Veracini (1690-1768), publié comme pièce séparée dans l'édition de Mario Corti, fait en réalité partie de la quatrième des *XII Sonates académiques* (op. 2) conservées à la bibliothèque du Conservatoire de Florence. Le souffle qui l'anime et la chaleur de sentiment ne s'opposent nullement au caractère classique (et même, dans l'intention de l'auteur, « académique ») de la composition. La ligne mélodique se déroule d'un bout à l'autre d'un seul trait. L'intonation est donnée par l'harmonie dominante de mode mineur, à la fois méditatif et passionné, avec de sobres modulations qui l'éclairent çà et là. La forme, simple, n'est pas soumise à des divisions schématiques ; la ligne mélodique même détermine ici la valeur à la fois formelle et expressive de la composition. Ce *Largo* est une belle et typique manifestation de la floraison de la musique pour violon, en Italie, à cette époque. Certes, il y demeure encore beaucoup de formalisme scolastique, et de telles effusions lyriques (mis à part l'œuvre d'un Corelli ou d'un Vivaldi) ne sont pas très fréquentes alors. Aussi, en attendant d'avoir une connaissance plus complète de cette floraison musicale dans son ensemble, est-ce grâce à quelques exemples de ce genre, déjà publiés, qu'on peut le mieux l'apprécier.

LARMES DE SAINT PIERRE (Les) [*Le lacrime di san Pietro*]. Poème de l'écrivain italien Luigi Tansillo (1510-1568), publié en 1585 après la mort de l'auteur. Le poème a pour sujet le repentir de l'apôtre après son reniement. Un vallon retiré, le jardin des Oliviers, puis le lieu où se tint la Cène sont les premiers témoins des larmes de saint Pierre. Dans le temple de Salomon, le saint admire les bas-reliefs représentant des scènes de *La Bible* (*) qui préfigurent le triomphe de l'Église ; mais, s'étant installé dans une grotte, il est bientôt assailli par d'effroyables visions. Guidé par un chien, il se rend auprès du cadavre de Judas ; il succombe ensuite à un profond sommeil, au sortir duquel Isaïe lui montre l'armée des futurs martyrs. L'aube de la Résurrection paraît enfin, et Jean fait à l'apôtre brisé de remords le récit des dernières heures de leur divin maître. Le poème se termine sur l'apparition d'une femme d'une grande beauté, dont l'auteur se promet de chanter plus tard les louanges. Dans cette œuvre, qui compte 1 277 strophes divisées en quinze chants, l'action est presque inexistante : dans l'esprit de Tansillo, en effet, *Les Larmes de saint Pierre* sont essentiellement une longue « complainte ». Bien que la composition des premiers chants remonte à 1539, le poème est resté inachevé. Revu et remanié par Mgr Cantalupo et Attendolo, il n'a été publié sous sa forme originale qu'à partir de 1606. Tansillo en avait entrepris la rédaction afin de racheter certains poèmes de jeunesse, mis à l'index en 1559. L'œuvre, froide et d'une composition maladroite, a connu en son temps un certain succès, et a été traduite en espagnol et en français.

LARMES DU CHRIST SUR JÉRUSALEM (Les) [*Christes Teares over Jerusalem*]. Publiées en 1593, ces lamentations de l'écrivain anglais Thomas Nashe ou Nash (1567-1601?), lui furent inspirées par la peste de Londres de 1592. Elles doivent à ce fléau leur ton apocalyptique. Nashe commence par une paraphrase effrayante de la prophétie du Christ annonçant la destruction de Jérusalem, en punition des péchés d'Israël. Son récit cache visiblement une profonde inquiétude nationale. Les signes avant-coureurs de la destruction de la ville sainte n'étaient-ils pas les mêmes que ceux qui menaçaient alors l'Angleterre ? La destruction de Jérusalem devrait donc être un avertissement pour Londres, dont Nashe décrit la corruption. L'auteur dénonce vigoureusement les fautes qu'engendre l'Orgueil (Ambition, Avarice, Athéisme, Révolte, etc.) et, dans un style oratoire, il prie le ciel de renoncer à sa vengeance. Nashe conduit son analyse des vices de la société de son temps avec une vigueur qui n'est pas sans révéler une vocation de réformateur. Ses reproches aux joueurs professionnels, aux pédants futiles, ses apostrophes contre les maisons de rendez-vous, contre les flâneurs et contre les prédicateurs ineptes mettent parfaitement en lumière les conditions morales de la Londres élisabéthaine.

LARRONS (Les) [*The Reivers*]. Roman de l'écrivain américain William Faulkner (1897-1962), publié à New York le 4 juin 1962. Il y a une histoire des dédicaces de Faulkner, qui ne saurait qu'être esquissée ici. *Le Faune de marbre* (*), son premier livre publié, était pertinemment dédié à sa mère, Mrs. Maud Butler Falkner, qui mourut en 1960. Son père dut être une figure pâle, surtout en regard du prestigieux arrière-grand-père, le colonel William Cuthbert Falkner, prototype du « vieux » colonel Sartoris. Avec sa mère, ses deux grands-mères et sa grand-tante, « Aunt Bama », la cadette du Colonel par sa seconde femme, Faulkner « disposait », si l'on peut dire, de femmes remarquables, qui n'ont pas manqué de former sa vision des « invaincues ». Le choix de la mère, et non du père patronyme, pour la dédicace de son premier livre est de toute façon révélateur.

Monnaie de singe (*) n'a pas de dédicace, et *Moustiques* (*) est dédié à une Hélène qui eut un corps. Puis c'est *Sartoris* (*), et dans la dédicace à Sherwood Anderson, où l'on ne peut s'empêcher de lire le reflet d'un malentendu récent — v. *Proses, Poésie et Essais critiques de jeunesse* (*) : « À Sherwood Anderson, à l'amabilité de qui je dois d'avoir d'abord été publié, dans le ferme espoir que ce livre ne lui donnera pas raison de le regretter. » Pour la suite, le fait remarquable est qu'aucun des grands romans des années 30 ne comporte de dédicace. Seul *Tandis que j'agonise* (*) est dédié à « Hal (Harrison) Smith », de la firme Cape et Smith qui avait publié *Le Bruit et la Fureur* (*) après que Harcourt et Brace, qui avait publié *Sartoris* dans une version amputée d'un bon quart, l'eut rejeté. Sans doute faut-il voir dans cette dédicace un geste de reconnaissance et d'amitié à l'adresse de Smith, qui publiera encore *Sanctuaire* (*), *Treize histoires* (*) (dédié à « Estelle et Alabama », la femme du romancier et sa première fille, perdue en bas âge et baptisée, on l'aura remarqué, en l'honneur de la grand-tante), puis, avec un nouvel associé (Robert Haas), *Lumière d'août* (*), *Le Rameau vert* (*), *Le Docteur Martino* (*) et *Pylône* (*), tous sans dédicace. Avec *Absalon ! Absalon !* (*), après le petit *Idylle au désert* (*), c'est Random House qui prend la relève, que Faulkner ne quittera plus. Or, entre 1931 — *Treize histoires* — et 1939 — *Les Palmiers sauvages* (*) —, aucun ouvrage de Faulkner n'est dédicacé, et la meilleure explication paraît être celle que donne J. B. Meriwether, lorsqu'il appelle le Faulkner de cette époque « un technicien fier et suprêmement sûr de lui ». *Le Hameau* (*) puis *La Ville* (*) et *Le Domaine* (*), qui constituent la trilogie des Snopes, sont tous trois dédiés : « A Phil Stone, qui partagea trente ans de rire. » C'est un bel et important hommage à celui qui fut une figure marquante dans l'histoire de la formation de Faulkner. La dédicace de *Descends, Moïse* (*) est célèbre à juste titre, et si souvent citée qu'il est inutile de la répéter : elle s'adresse à « Mammy Caroline Barr », la gouvernante noire de la famille Falkner, que Faulkner a éternisée dans la Dilsey de *Le Bruit et la Fureur,* et qu'on retrouve dans *Les Larrons* sous son vrai surnom : « Callie » (ainsi d'ailleurs que « Ned »). On se reportera aussi au très beau texte sur le « Mississippi » dans *Essais, Discours et Lettres ouvertes* (*) pour le récit par Faulkner lui-même de la mort de sa gouvernante en 1940, à l'âge de cent ans. La quatrième dédicace importante (après *Sartoris, Descends, Moïse* et la trilogie) est celle de *Parabole* (*) : « À ma fille, Jill ». *Les Larrons,* enfin, est dédié : « À Victoria, Mark, Paul, William et Burks », qui sont respectivement les deux enfants de la femme de Faulkner, Estelle Oldham, par son premier mariage, et les trois fils de Jill, la fille unique de l'écrivain et d'Estelle Oldham. Cette association est un beau geste, d'autant plus significatif que le roman commence par ces mots, qui le placent tout entier entre les guillemets d'une « affectueuse réminiscence », comme est sous-titré le livre de John Faulkner, *Mon frère Bill* : « Grand-Père dit : ».

Les Larrons, qui parut exactement un mois et deux jours avant la mort de l'écrivain, est donc, à plus d'un titre, l'adieu de Faulkner au roman : il a voulu en faire ce qui, pour tant d'autres, est resté un rêve, un Paradis et un Temps tout à la fois retrouvés — le Paradis retrouvé parce que le temps romanesque a pu l'être. C'est l'âge d'or, en effet, que nous livrent *Les Larrons* dans leur bonhomie madrée, dans leur sagesse qui est, comme le corrigerait Frost, une sagacité ; dans leur tendresse aussi. Et peu importe au lecteur non averti que cet âge se situe quatre ans avant « L'Ours » de *Descends, Moïse* et huit ans avant *Sanctuaire* : 1905, c'est aussi notre « belle époque ». Peu lui importe, car le récit, d'abord enchevêtré, acquiert bien vite un entrain étourdissant (« La vie, c'est le mouvement », répétait l'auteur) qui culmine dans les quelques dizaines de pages savoureuses où est contée la folle course de chevaux, et qui rappellent le brio des romans picaresques et, plus précisément, *Les Aventures d'Huckleberry Finn* (*) de Mark Twain. Le picaro, ici, est une trinité : Boon Hogganbeck, l'enfantin géant de « L'Ours » ; « Ned Willam McCaslin Jefferson Missippi) », le meilleur et le plus rusé des larrons issu d'un aristocrate blanc et d'une Noire ; et Lucius Priest, onze ans, héritier du clan McCaslin-Edmonds-Priest. Tous trois, profitant de l'absence du « Patron » qui est aussi la figure archétypale du père, si importante dans l'œuvre de Faulkner, lui dérobent son automobile (en 1905 !) pour une virée à Memphis, où Ned la troquera contre un étalon rétif que seule l'odeur d'une sardine convaincra de courir... Autant dire que Faulkner a choisi de nous quitter dans un sourire qui prend parfois les proportions d'un rire franc : le passage, dans la « maison » de Mr. Binford, de miss Reba et de leurs pensionnaires donne lieu à des scènes riches d'un comique tempéré d'aïeul, conteur bienveillant. Le ton est délibérément mineur : le conflit du bien et du mal est humoristiquement traité comme un match entre la vertu et la non-vertu. Malgré un fourmillement de rencontres parfois grinçantes avec des personnages revenus de presque tous les romans antérieurs (Otis, pré- ou post-figurant Popeye, le voyeur impuissant, est une véritable récréation dans le goût à la fois gothique et policier de *Sanctuaire*), tout se passe ici comme si Faulkner désamorçait ses armes les plus violentes et les plus choquantes. Une phrase suffit à donner à la fois le ton et le sujet du livre : « Les deux chevaux, comme rivés l'un à l'autre, s'élançaient dans la seconde ligne droite du premier tour, nos positions relatives, en rapport avec notre progression, changeant, se transformant dans une atmosphère d'indolence qui tenait presque du rêve » — et non plus du cauchemar. Certes, plus rien ici n'est maudit ni crucifié. La fugue initiatique de Lucius Priest tourne bien, et son nom sert à sacrer « du clan » l'enfant né des amours du simple géant au tir légendairement imprécis (jusqu'alors !) et de la prostituée « en mal de chasteté ». Mais fallait-il exiger que Faulkner maintînt trente ans sa grande tonalité majeure, celle qu'il trouve magistralement dans *Le Bruit et la Fureur* et qu'il orchestre mieux encore, comme un orgue, dans *Descends, Moïse !* Faulkner ne nous paraît pas moindre en achevant son œuvre capitale dans un éclat de rire, dont on pourra même penser qu'à certains égards il marque un regain par rapport aux derniers volumes de la trilogie. Car ce qui frappe, enchante et enlève l'adhésion dans *Les Larrons*, c'est cette extraordinaire fidélité d'un auteur à lui-même, « à ses gens », à son œuvre ; cette cohésion organique ; cette étonnante obstination, qui ne va certes pas sans entêtement ni sans tics, mais qui force finalement l'admiration et engage à une fidélité comparable seulement à celle des balzaciens.

La vraie dimension des *Larrons* est dans une sorte de plaisir intérieur ou plaisir d'auteur auquel nous convie Faulkner. C'est un livre tout entier de connivence. C'est une œuvre bénigne, qui s'achève par une bénédiction : mais rien n'interdit d'y voir avant tout l'acte ultime d'un théâtre d'auteur (quel comédien que Faulkner à l'université !) : c'est à son propre univers que Faulkner-Prospero dit adieu. Avant d'être un Faulkner pour faulknériens, comme on l'a suggéré, *Les Larrons* ont été un Faulkner pour Faulkner. — Trad. Gallimard, 1964. M. Gr.

LARS HÅRD [*Lars Hård*]. Trilogie autobiographique de l'écrivain suédois Jan Fridegård (1897-1968), dont les différents volets *Moi, Lars Hård* [*Jag Lars Hård,* 1935], *Merci pour l'échelle qui mène au paradis* [*Tack för himlastegen,* 1936], et *Charité* [*Barmhärtighet,* 1936] furent d'abord publiés séparément, puis regroupés en un seul volume sous le titre *Lars Hård,* en 1942.

C'est un livre très dur qui fit scandale à l'époque. Il raconte la vie d'un garçon en marge de la société (dont le nom de famille signifie d'ailleurs « dur »). Fils d'un journalier, il ne pense qu'à séduire les jolies filles qui passent leurs vacances au château où travaille son père. Une femme de mauvaise vie qui attend un enfant en profite pour le faire passer pour le père. Il nie mais doit payer quand même. Comme il n'a pas de travail, il est placé dans une maison de correction. Un gardien sadique l'exaspère, et il finit par l'assommer. La deuxième partie contient une description détaillée de la vie dans les prisons suédoises. Mais ce séjour en prison fera quand même de Lars Hård un autre homme. Le premier atout de Fridegård est son style qui possède une souplesse étonnante. Il a de plus un humour noir, une façon de se moquer de lui-même qui anime singulièrement sa sombre histoire.

LASSO TOURNE AUTOUR DE DAME LUNA [*Lasso rundt fru Luna*]. Roman de l'écrivain norvégien Agnar Mykle (né en 1915), publié en 1954. Premier des deux romans d'apprentissage consacrés à Ask Burlefot, qui devient le compositeur Ask Burle, le livre (qui s'ouvre sur l'exécution de sa première œuvre) s'attache d'abord à retracer l'itinéraire d'un artiste. À l'âge de vingt et un ans, frais émoulu de son lycée commercial, Ask Burlefot est nommé directeur d'une petite école privée du nord de la Norvège. C'est là qu'il vit ses premières expériences amoureuses, d'abord avec une femme aussi généreuse de ses charmes que rétive aux illusions d'une vie qui l'a endurcie, puis avec une seconde, sensiblement plus âgée qui, elle, l'accompagnera dans les nuées de l'exaltation amoureuse. Tiraillé entre une exigeante sexualité et le rêve d'un amour idéal, il engrossera puis finira par quitter l'une et l'autre. Refusant de s'imputer la responsabilité de ce double échec, le héros incriminera le monde qui l'entoure, ce « rideau de fer d'interdits et de tabous qui empêchent les hommes de mener une vie riche », et tout spécialement le milieu d'où il est issu, cette famille de petits-bourgeois puritains où la tendresse et la compréhension n'avaient pas leur place. Excellent à décrire la lutte que mène le héros pour se libérer de ce carcan, sa solitude, son besoin de tendresse, sa quête de repères spirituels et politiques, l'auteur révèle aussi toutes les ressources d'un style brillamment caustique pour décrire un milieu où l'on reconnaît le Trondheim des années 30.

É. E.

LAST EXIT TO BROOKLYN [*Last Exit to Brooklyn*]. Roman de l'écrivain américain Hubert Selby Jr. (né en 1928), publié en 1964. « L'essentiel de ma démarche, dit Selby, consiste à vouloir faire vivre au lecteur une expérience susceptible de l'émouvoir. Mon but n'est pas simplement de lui raconter une histoire, je veux qu'il vive ce qui arrive aux personnages du livre. » C'est sans doute cette qualité cathartique d'expérience à partager qui fait la force âpre des romans de Selby, et surtout de *Last Exit to Brooklyn.*

La jungle urbaine de la banlieue new-yorkaise constitue le décor du livre : un bistrot louche, « Chez le Grec », des appartements plus ou moins sordides où se retrouvent petits malfrats drogués à la marijuana, à la morphine et à la benzédrine avec leurs amies, les trottoirs nocturnes où l'on dévalise les passants attardés, où l'on se bagarre avec les soldats de la base militaire toute proche, et où les filles se prostituent. La violence et la cruauté règnent partout : non seulement le sang coule dès les premières pages du livre, mais les personnages s'entredéchirent pour le seul plaisir de s'humilier : ainsi Georgette, le travesti aux touchantes aspirations culturelles, est ridiculisée par Vinnie, le voyou dont elle est amoureuse et qui la repousse avec mépris. Tralala, quant à elle, dévalise des hommes d'affaires après les avoir séduits, puis, avec sa bande, commet plusieurs vols avec effraction. Elle rejette alors le seul amour qui lui est offert, se livre à une prostitution de plus en plus maladive et finit violée dans un terrain vague par une bande de types soûls. Autre personnage tragique, Harry Black (littéralement : Harry Noir) supporte mal les demandes sexuelles de sa femme, et chaque nuit il est en proie à des cauchemars atroces. À l'usine où il travaille, il a déclenché une grève en tant que dirigeant syndical. Parmi les piquets de grève, dans les affrontements avec le patronat et la police, puis dans un bar spécialisé, il découvre son homosexualité. Harry tombe amoureux d'un travesti, Regina, qui ne s'intéresse qu'à son argent. Harry finira dans le même terrain vague que Tralala, après s'être fait battre comme plâtre par ses anciens amis de « Chez le Grec ».

La cruauté inouïe de certaines scènes de ce roman se retrouve dans les autres livres de Selby, ainsi dans *Retour à Brooklyn* [*Requiem for a Dream,* 1979], où les personnages sont de jeunes drogués, et surtout dans *La Geôle* [*The Room,* 1971], qui décrit les fantasmes sadiques d'un prisonnier dans sa cellule. Mais ici, la violence omniprésente qui domine cette jungle urbaine est transcendée par deux éléments : d'abord une compassion extraordinaire pour des personnages désespérés et misérables. Selby se définit lui-même comme fondamentalement puritain ; le caractère volontairement obscène des passages sexuels ou des scènes de violence n'est là que pour éveiller la compassion, au sens fort de ce terme. Et l'on ne s'étonnera pas de trouver des citations de *La Bible,* soit en exergue des romans de Selby, soit intégrés au corps même du texte.

Par ailleurs, l'écriture de Selby, sèche et crue comme un constat ou un rapport d'autopsie, accorde aux faits une dimension qui excède leur simple portée sociale : c'est bien de tragédie qu'il s'agit, et la force de Selby consiste à évoquer cette tragédie de l'intérieur, un peu comme Faulkner dans *Sanctuaire* (*) ou *Le Bruit et la Fureur* (*). Selby maîtrise parfaitement l'art du dialogue et celui du monologue intérieur, ne nous épargnant aucune perversion, notant sans fausse pudeur les aberrations et autres déviances des milieux marginaux qu'il décrit. Il n'y a guère que dans *Le Démon* [*The Demon,* 1973], qu'il nous présente un héros parfaitement intégré, en apparence, à la bourgeoisie américaine : Harry White (Harry Blanc) a une femme ravissante, il occupe une haute fonction dans la finance, mais le « démon » de la sexualité s'empare un jour de lui, dérègle sa vie et finit par le pousser au crime. Ainsi, par sa description pessimiste et très célinienne de la société américaine, Selby adopte des accents prophétiques pour nous dire que l'apocalypse a déjà eu lieu. – Trad. Albin Michel, 1970. B. M.

LATERNA MAGICA. Autobiographie du réalisateur suédois Ingmar Bergman (né en 1918), publiée en 1987. Ingmar Bergman a entrepris la rédaction de son autobiographie après avoir fait publiquement, avec *Fanny et Alexandre* (1982), ses adieux à la réalisation cinématographique. Du cinéaste qu'il a cessé d'être, le Bergman écrivain a gardé toutes les exigences de précision, de lucidité, de tenue stylistique. *Laterna magica* est une œuvre à part entière, construite en étoile à partir du noyau central de l'enfance, à l'écriture tendue et nerveuse digne des meilleurs écrivains de l'introspection. Le théâtre y occupe une place de choix : Bergman a été d'abord et avant tout un homme de théâtre – à la fois directeur et metteur en scène – pour qui le cinéma a longtemps constitué une heureuse ligne de fuite, le plus souvent estivale et amoureuse, même si c'est de ce versant-là de sa vie professionnelle que lui est venue en 1956, avec *Sourires d'une nuit d'été*, la reconnaissance internationale.

Homme de théâtre, il revient sans cesse sur l'omniprésence obsédante du maître des maîtres, Strindberg, et de son œuvre majeure, *Le Songe* (*), qui l'ont hanté tout au long de sa vie et de sa carrière, jusque dans ses rêves, ainsi que sur la fascination et la répulsion mêlées qu'ont exercées sur lui, depuis toujours, les acteurs, leur mélange de génie et de névrose, de générosité et de misère. Homme de cinéma, il s'attache surtout à décrire les moments extrêmes : les moments de détresse personnelle, lors de certains tournages, ou même son corps se rebiffe devant la fatigue et les difficultés cumulées ; mais aussi les moments « miraculeux » où s'inscrit sur la pellicule un de ces instants de grâce, inespérés et irrépétables, qui constituent pour lui la plus essentielle et la plus intime des raisons de faire du cinéma.

Avec ce premier livre à part entière – il avait auparavant publié certains de ses scénarios – le fils de pasteur a conscience d'écrire aussi ses « Confessions ». Il y auto-analyse sans la moindre complaisance l'homme privé qu'il a été, avec ses joies et ses désastres, ses grandeurs et ses misères. Il y décrit avec une lucidité implacable son obsession de la trahison, le divorce radical entre ses impulsions et ses sentiments, sa façon d'alimenter sans cesse et sans hésitation, à l'appel du désir, sa mauvaise conscience et sa culpabilité « héréditaires », ses démêlés permanents avec la vie de couple et comment il lui a fallu plus de quarante ans pour sortir, avec *Fanny et Alexandre,* de cette « névrose qui a si efficacement et avec tant de dérision donné l'image d'une normalité illusoire ». Bergman, sans le moindre souci de protéger les mystères de sa création, désigne fréquemment au cours de cette confession les scènes très précises de sa vie privée qu'il a très crûment retranscrites dans ses films, de façon à peine transposée.

La construction de ce livre en allers-retours entre l'enfance et l'âge adulte est telle que ce travail d'écriture sur soi-même a dû fonctionner pour Bergman à la façon d'une auto-analyse : entre le premier et le dernier chapitre, quelque chose de son roman familial a évolué, quelque chose de fondamental pour la connaissance de soi : le rapport au père, ce pasteur sévère qu'il décrit au début du livre comme la source haïe de toutes ses névroses, et dont il finit par comprendre, en bout de course, que lui, le fils artiste, n'a fait que reprendre à son compte, au théâtre comme au cinéma, la règle première : « Quoi qu'il advienne, toujours tu célèbreras ton culte. » – Trad. Gallimard, 1987. A. Ber.

LATIN MYSTIQUE (Le). Œuvre de l'écrivain français Remy de Gourmont (1858-1915), publiée en 1892. Ce livre, qui reçut une préface incisive de Huysmans, se présentait à la fois comme une œuvre d'érudition et comme une œuvre de combat. L'auteur, en effet, n'a pas voulu seulement tirer de l'oubli, traduire et présenter au public les vieux hymnes chrétiens de l'antiphonaire, il a voulu instaurer le procès des latinistes classiques, montrer que le latin des vieux moines poètes des XIe et XIIe siècles vaut bien celui de Virgile et de Cicéron, et que ce qu'on appelle le « latin de la décadence » témoignait d'une renaissance, exprimait une gamme de valeurs, de sentiments et d'impressions autrement riche que celle dont usèrent les classiques. Dans cette thèse, les soucis d'actualité sont assez évidents : plaidant pour les chrétiens dits, en tant que poètes, décadents, Gourmont plaidait pour les symbolistes, chargés de la même opprobre, et il poursuivait la lutte romantique contre l'idée de « perfection classique » en allant chercher dans les vieux livres de prière les sources d'un renouvellement de la veine lyrique contemporaine. « Cette langue (latine médiévale) est au latin classique ce que Notre-Dame est au Parthénon, ce qu'un poème de prières et de larmes est à une Ode de Pindare, ce que le Calvaire est aux Jeux pythiques, ce que Marie est à Diane. » Les poètes chrétiens du Moyen Âge ont non seulement reçu une inspiration supérieure à celle des poètes latins classiques, mais ils ont créé une langue poétique toute nouvelle ; leurs images, leurs rythmes propres nous touchent plus que la rigueur romaine. Et Gourmont, par un véritable travail de bénédictin, restitue la plupart des textes ignorés de la vieille liturgie catholique ; il les traduit, non en théologien mais en poète, les interprétant moins avec la raison qu'avec un ardent sentiment de l'âme attendrie par le mystère. Le livre eut un grand succès dans les milieux lettrés. La thèse, le souci de la démontrer, lui nuisent cependant. Il n'est pas sûr que la littérature latine classique corresponde vraiment à l'image majestueuse, mais austère et un peu figée, qu'en donnent les manuels. Il n'est pas sûr qu'on trouve plus de sensibilité naturelle chez les obscurs poètes médiévaux que chez Virgile, et la symbolique par trop compliquée du *Livre des gemmes* de Marbode, qui put plaire à Huysmans, laisse le cœur assez indifférent. Et si, comme le dit justement Gourmont, le latin d'église « parvient à forcer le tréfonds des âmes, à rendre les sentiments que fit éclore la venue du Christ : les adorations et les puretés, les contritions et les transes », c'est moins peut-être à cause de ses qualités littéraires proprement dites que parce qu'il porte historiquement une sensibilité catholique qui reste celle de l'Occident, et plus proche de nous que la sensibilité purement latine.

LATRÉAUMONT. Roman de l'écrivain français Eugène Sue (1804-1857), publié en 1837. S'appuyant sur un authentique épisode du Grand Siècle, l'œuvre propose la reconstitution d'une conspiration montée contre Louis XIV par quelques hauts dignitaires soutenus par l'étranger. L'âme du complot est ici Jules Duhamel de Latréaumont, colonel aussi cynique qu'ambitieux, qui se fait fort de soulever la Normandie autour d'une figure héroïque capable de cristalliser la révolte. Ayant porté son choix sur M. de Rohan, grand veneur de France en disgrâce auprès de Sa Majesté, il lui apparaît sous les traits du légendaire Veneur Noir et, jouant de son pouvoir de fascination, convainc le grand seigneur de servir ses desseins. Cinq ans plus tard, la conspiration n'a guère avancé, en dépit du soutien de la Hollande ralliée au projet de Latréaumont : ce dernier se plaît à mener une vie de plaisirs auprès du duc de Rohan dont il est désormais le « mauvais génie ». De combinaisons en hésitations, de duels en délations, le complot sera finalement déjoué et les coupables châtiés. Ce roman historique à la composition éclatée (l'intrigue des plus minces se ramène à une galerie de tableaux d'époque) reçut à sa parution un accueil plutôt froid. La raison en est la volonté affichée par Sue d'« humaniser » le Roi-Soleil : derrière le portrait caricatural d'un Louis XIV, jaloux et mesquin, se profile une démythification en règle du Grand Siècle et, par-delà, du système monarchique. À cet égard, le livre marque une étape importante dans la conversion de Sue aux idées humanitaires ; en témoigne la figure du philosophe hollandais Van den Enden (le maître de Spinoza), philosophe illuminé qui met le savoir absolu au service de la démocratie et parle longuement en faveur de l'« émancipation du peuple ». Mais le personnage le plus marquant reste sans conteste Latréaumont, héritier des héros maléfiques de *Atar-Gull* ou de *La Salamandre* (*). Ce « spadassin railleur, sorte de bouffon cruel, monstruosité morale et physique », qui tient de Macbeth et de Falstaff, éclabousse le récit de ses apparitions sarcastiques, incarnant aussi bien la fascination romantique pour le démoniaque qu'un scepticisme désabusé et vaguement méprisant. Comme le souligne Sue dans sa Préface : « Il n'existe dans ce monde rien d'absolu, rien de fixe, en mal ou en bien. » Ce satanisme relativiste fait de Latréaumont un étonnant porte-parole de la cruauté ; Isidore Ducasse s'en souviendra lorsqu'il empruntera son nom de plume au géant ricanant. L. Ba.

LAUDES de Jacopone da Todi [*Laudi*]. De l'édition florentine de 1490 qui comprend une centaine de laudes environ, quatre-vingt-treize sont considérées comme authentiques. Il semble difficile d'en ajouter beaucoup d'autres, non incluses dans cette édition, bien qu'on en ait attribué un grand nombre au bienheureux poète italien Jacopone da Todi (1230/36-1306 ?). L'esprit qui l'anime est fort différent de celui qui se manifeste dans les recueils de « Laudes » de cette époque, lesquels ne font que canaliser un sentiment religieux collectif sous une forme et avec un contenu d'inspiration populaire très caractéristique. Jacopone est loin d'être (comme on le croyait autrefois) le « jongleur de Dieu », le docile interprète des foules ; c'est au contraire un poète doué d'une véritable culture littéraire et, surtout, un homme exceptionnel, ayant vécu une expérience religieuse qu'il explicita dans ses œuvres. À l'instar des nombreux et humbles compositeurs de « Laudes », Jacopone avait d'autres visées que celles dont sont coutumiers les poètes. Selon les affirmations de l'éditeur du XVe siècle, « il composait ses poèmes pour aider et réconforter ceux qui désiraient suivre Dieu sur le chemin de la Croix et à travers la pratique des vertus ». Tantôt, il lançait des avertissements et des reproches à ses semblables, tantôt il essayait d'exprimer dans ses vers sa propre expérience mystique. C'est pourquoi ses *Laudes* ont parfois un but nettement didactique. La haine et l'amour, la haine de soi-même et l'amour de Dieu, voilà les pôles opposés entre lesquels oscille ce moine fougueux, et qui lui tiennent lieu d'expérience et de « philosophie » personnelles. Jacopone était un fidèle disciple de saint François d'Assise et prenait une part active à la vie de son ordre, acceptant comme sienne cette volonté de souffrance dans laquelle l'âme peut trouver « la parfaite allégresse ». La haine de lui-même l'amène à un désir de purification tel qu'il demande à Dieu de lui envoyer toutes sortes de maux. Aussi, lorsque son ennemi, le pape Boniface VIII, l'a jeté dans un cachot, lance-t-il un cri de triomphe et de défi à ses propres douleurs et à son humiliation. Cette haine, bien entendu, ne s'arrête pas à sa propre personne, mais s'adresse à la nature humaine tout entière, nature infirme, pécheresse, dont les *Laudes* ne se lassent jamais de mettre en lumière les laideurs physiques et morales, avec une réelle finesse psychologique et une ironie âpre volontairement grossière. Jacopone semble presque obsédé par le mal qu'il décèle en lui-même et chez les autres : il est donc impossible à une âme ainsi faite d'avoir de la modération envers ses adversaires, les franciscains relâchés, les prêtres mondains et politiciens, et notamment envers Boniface VIII, ce pontife qu'il n'a pas voulu reconnaître comme tel et qui l'a excommunié. L'invective lancée par Jacopone est terrible. Mais, au milieu de tant d'acharnement contre lui-même, ses ennemis et le monde, Jacopone est parfois saisi d'une angoisse profonde. Alors l'ironie et le sarcasme se transforment en pleurs sur l'Église persécutée et déshéritée. À ces moments-là surgit dans le cœur de Jacopone l'image du Jugement dernier, de ce moment où l'âme apporte au corps la terrible nouvelle : « Ô mon corps putréfié, je suis ton âme dolente. / Lève-toi, incontinent, car es avec moi damné ! » Puis survient le désarroi du ressuscité en face de la Divinité qui le juge. Pourtant, Jacopone est capable d'être aussi le poète de l'amour, de l'amour de Dieu, au sein duquel la personne humaine trouve son exaltation en même temps que son anéantissement. Cet amour remplit alternativement son âme d'ivresse et d'angoisse. Dans aucun poème on ne trouve une expression aussi sensible et aussi puissante de la rencontre de l'homme avec Dieu que dans sa louange : « De l'Immaculée Conception » (« Ô Marie, comment faisais / Lorsque tu le contemplais ? / Et comme ne te mourais / Du feu d'amour embrasée ? / Comment ne te consumais / Lorsque tu regardais, / Que Dieu tu contemplais / Dans ta chair enveloppé ? »). Même les sujets les plus abstraits prennent spontanément, dans l'esprit de Jacopone, une forme dramatique. Il n'est donc pas étonnant de trouver parmi tant de dialogues un véritable drame, la « Louange de la Dame du Paradis », connue aussi sous le titre : « Les Plaintes de la Madone », chef-d'œuvre de Jacopone. Dans le drame de la Passion en effet, que le poète a peint avec des raccourcis très audacieux et une admirable vigueur, il retrouve tous les thèmes de sa méditation et de son art : l'angoisse devant les maux de l'univers et la volonté exaspérée de souffrir que suscitent en lui le spectacle de l'avilissement du peuple, la description lente et cruelle de la crucifixion, l'amour infini de Marie puisant dans sa douleur même une ardeur nouvelle ; enfin la grandeur incommensurable du Christ, planant au-dessus des tumultes humains et de la douleur de sa propre mère. — Trad. Desclée de Brouwer, 1935.

LAURE PERSÉCUTÉE. Tragi-comédie en cinq actes, écrite en 1637 par l'auteur dramatique français Jean Rotrou (1609-1650) et publiée en 1639. Orantée, le fils du roi de Hongrie, aime Laure ; mais celle-ci lui est inférieure par la naissance. Le roi, qui attend l'arrivée de la princesse de Pologne pour la marier à son fils et qui a été convaincu par ses conseillers que Laure est une « femme vitieuse », met Orantée aux arrêts et donne l'ordre d'emprisonner la jeune fille. Elle y échappe en se travestissant en page d'Orantée, et celui-ci peut imaginer avec elle un jeu de rôle qui, espère-t-il, convaincra le roi de l'intelligence et de la beauté irrésistibles de Laure. De fait, elle s'introduit auprès du roi comme une orpheline de très haut rang venue réclamer la protection royale : le roi est subjugué au point de la « prier d'amour », mais le confident qu'elle lui envoie ensuite pour le conduire chez elle n'est autre qu'Orantée qui confond ainsi son père. Celui-ci, furieux, veut se venger des deux amants. Pour les séparer, on usera d'un subterfuge qui rappelle un épisode de l'Arioste : Lydie, la suivante de Laure qui ressemble fort à sa maîtresse, prendra les vêtements de cette dernière et feindra d'agréer les hommages du jeune Octave. Orantée n'ose en croire ses yeux et souffre d'une profonde jalousie qui ne fera que s'accroître. Il n'en sera par la suite que plus heureux. En effet, le roi de Pologne meurt et l'on découvre que son héritière n'est autre que Laure. Le mariage aura donc lieu, pour la plus grande joie de tous, y compris le père d'Orantée, conquis par le charme de la princesse, qu'il destinait à son fils. Rotrou a pris dans cet ouvrage le tour de Lope de Vega, en y ajoutant de vivantes scènes d'amour et de jalousie, dont la grâce aisée et la fantaisie font songer au Shakespeare des comédies.

LAURIER D'ARLES (Le) [*Lou lausié d'Arle*]. Premier recueil de poèmes en langue d'oc de l'écrivain provençal Joseph d'Arbaud (1874-1950), publié en 1913. Selon l'usage du félibrige, la traduction française est imprimée en regard du texte original. Avec *Les Îles d'or* (*) de Frédéric Mistral, ce livre est sans conteste le sommet de la poésie lyrique moderne de langue d'oc. Garant des vieilles traditions de la Camargue, éleveur de taureaux de combat, cavalier indéracinable, d'Arbaud sut être en même temps un artiste du verbe incomparable. Chez lui, la fougue s'allie à la sagesse pour évoquer un paysage qui demeure toujours le même au sein de sa diversité. « Arbre, toi qui de l'aube as bu l'eau en pleurs / Pour qu'un jour je te voie ombrager mon visage / Sur ma patrie heureuse élargis tes branches / Laurier d'Arles ! Laurier de ma jeunesse en fleur ! » Au rebours de son maître Mistral, il élude toujours l'anecdote, pour puiser de nouvelles forces dans son propre fonds, afin de le transmuer en matière poétique. Au reste, et sans qu'il soit question de porter atteinte à Mistral, ni de restreindre ce que lui doivent tous les poètes provençaux, Mistral est loin d'avoir été le seul maître de Joseph d'Arbaud. En effet, alors que l'auteur de *Mireille* (*) surgit au milieu du silence général, celui du *Laurier d'Arles* commença de chanter en plein climat symboliste et au contact d'autres poètes (Louis Le Cardonnel, Joachim Gasquet, Emmanuel Signoret, Charles Maurras, Fernand Mazade), lesquels restaient en liaison avec les milieux de Paris, tout bouillonnants d'idées et de formes nouvelles. Il s'ensuit que, toute provençale qu'elle demeure, la production de d'Arbaud à cette époque ne fut pas sans subir le prestige d'une musique septentrionale, à commencer par celle de Baudelaire. Il suffit, pour s'en convaincre, de considérer la strophe suivante : « Un port plein de chansons, de lueurs, d'éclats, / Dans la nuit ténébreuse ou les reflets de l'aube, / Et le vent agile en caressant ta robe, / De la mer frémissante apportait la senteur. » Toutefois, si l'extrême délicatesse qui enveloppe l'expression du sentiment amoureux, dans le décor des saisons successives, apparente d'Arbaud à quelques purs poètes de son temps (Henri de Régnier et surtout Charles Guérin), le chant énergique de la « race » ne perdra jamais ses droits : c'est ainsi que *Le Laurier d'Arles* s'achève sur un magnifique appel à l'énergie : cette « Flourido » [Floraison], ode à structure malherbienne, est un hymne de victoire du poète sur soi-même et, en même temps, un chant triomphal en l'honneur de sa terre : « Que de fois penché sur ma selle, / Jeune homme perdu le long de la mer, / J'ai écouté sous les étoiles, / Le battement de mon cœur amer ; / Que de fois, la hampe haute, / J'ai poursuivi par les plaines désertes / La belle face qui riait / Dans le frisson des basses eaux : / Et je songeais à toi, ma Race, / Et je songeais à mon Laurier. » Ces vers-là, qui sont d'un très grand poète, faisaient pressentir le récit en prose de *La Bête du Vaccarès* (*), mais surtout ils sont le chaînon qui relie le premier chef-d'œuvre de l'auteur à son second et dernier recueil lyrique, *Les Chants palustres* (*), qui ne virent d'ailleurs le jour qu'après la mort de l'auteur, en 1951.

LAURIER OLYMPIQUE (Le) [*Laur olympijski*]. Recueil du poète polonais Kazimierz Wierzyński (1894-1969), publié en 1927. Considéré comme l'un des plus remarquables poètes du groupe « Skamander », auteur de nombreux recueils (depuis la Première Guerre mondiale, il en avait publié neuf) et d'une biographie romancée de Chopin, Wierzyński a débuté par des poèmes où il chantait l'insouciance, la joie et l'amour de la vie. *Le Laurier olympique* est consacré aux exploits sportifs. Dans le premier poème « Le Défilé des athlètes », Wierzyński évoque les anciennes traditions grecques et dit que les athlètes sont la gloire qui couronne « l'inspiration, les muscles, l'espace ». « Le Match de football » se transforme dans la vision poétique en un puissant envoi du ballon qui vole des Pyrénées à l'Atlantique et fait pousser au public dans le stade un grand cri d'admiration. Ce cri est l'aspiration même « à la gloire du vainqueur ». Dans le plus beau de ces poèmes, « Le Discobole », Wierzyński parle de l'effort puissant et gracieux de l'athlète, de sa force qui est à la mesure de la grandeur des étoiles. Suivent ensuite des vers consacrés au célèbre coureur Nurmi, au saut à la perche, aux courses et autres concours. Ce recueil n'est pas seulement un hommage à l'esprit de compétition sportive, à la beauté de l'effort, à l'héroïsme de la lutte, il est aussi, par son sens du rythme et de l'image, une œuvre marquante de la poésie polonaise. — Trad. Gebethner et Wolff, 1930.

LAURIERS SONT COUPÉS (Les). Récit de l'écrivain français Édouard Dujardin (1861-1949), publié à Paris en 1887 ; l'édition définitive, qui accuse des remaniements, est préfacée par Valery Larbaud et date de 1924. On sait que l'auteur fut une des plus vivantes figures de l'époque symboliste. Disciple et ami de Mallarmé, dramaturge, musicographe et historien des religions, il nous a laissé une œuvre assez riche en tentatives de toutes sortes. La plus hardie de ces tentatives est justement celle qui devait aboutir au présent ouvrage. Dans *Les lauriers sont coupés*, Dujardin use, en effet, d'un procédé d'expression tout à fait nouveau : forme qui deviendra un des instruments de la littérature psychologique, sous le nom de « monologue intérieur ». Bien que Dujardin en attribue la conception à Théodor de Wyzewa (1863-1917), il n'en est pas moins l'inventeur pour la raison qu'en matière d'art le mérite est dans l'exécution. Dans *Les Lauriers*, il consacre pleinement la mise en œuvre du procédé en question. Au vrai, quel était le problème ? Écrire un roman dont la trame serait faite en entier de la méditation d'un seul personnage ; qu'il s'agisse de la recherche de l'absolu, d'une femme ou d'un trousseau de clefs. Ce personnage n'est donc qu'un héros passif, un simple miroir du monde extérieur. Faisant ainsi table rase des règles établies, Dujardin remplace toute la texture du récit par le simple fil des idées de son héros : un tel discours devant suffire, selon lui, pour renseigner le lecteur sur l'état civil de ce dernier, son tempérament, ses relations, et l'entreprise dans laquelle il vient de s'engager. D'emblée, le lecteur se voit donc mis à la remorque du héros et, par là même, contraint de le suivre par tous les méandres de ce labyrinthe qu'est sa rumination mentale. Attendu que l'auteur n'admet d'autre réalité que celle de son protagoniste (le monde extérieur étant tenu pour inconnaissable), il ramène tout par conséquent aux états successifs du personnage en question. Ce subjectivisme, Dujardin le pousse à l'extrême. Voici comment : la pensée du héros doit être saisie à sa source, dans sa fraîcheur originelle et en deçà de toute parole. Cette pensée à l'état sauvage, il veut la capter à mesure qu'elle sourd du subconscient : avec ses ruptures, ses éclairs, ses lacunes, ses contradictions et ses coq-à-l'âne — bref dans tout son automatisme. Tel est bien là le fin mot du « monologue intérieur » : la nature semble en quelque sorte prise sur le fait. N'est-ce pas l'antipode du discours cohérent ? Par son objet même, on le voit, le monologue en question se différencie autant du journal intime à la Stendhal que de la confession à la Fromentin ou à la Benjamin Constant.

Quelle est l'intrigue des *Lauriers ?* Si peu que rien. C'est le récit de certaine journée qu'un jeune homme consacre à l'évocation de la femme dont il est épris, amour plus violent que l'amour ordinaire, puisque c'est un amour platonique. Faute de pouvoir lui parler avant la brune, il se console en faisant les projets les plus chimériques. Quand l'heure est enfin venue de se déclarer, il se voit éconduit par la belle sans autre forme de procès. Telle est l'intrigue ; il apparaît de suite que le songe ici accapare tout. Il reste à savoir si l'auteur a vraiment atteint son but : ce n'est pas sûr. Attentif à recueillir l'image la plus fugitive, Dujardin, de crainte de la perdre, se montre exact jusqu'au scrupule et, par là même, se voit conduit à juxtaposer à la diable les objets les plus disparates. Pour cet effet, il sacrifie sans remords certaines parties du discours (la suppression systématique des conjonctions est des plus significative). Cette fragmentation, ou plutôt ce « pointillisme », fait que le récit tout entier vit d'une vie artificielle. Qu'importe au fond ? Bien qu'il soit assez médiocre, l'ouvrage ne laisse pas d'avoir mérité de la France : vu qu'il inaugure dans nos lettres un genre d'écrire qui allait vraiment faire fortune à l'étranger grâce à l'écrivain de génie que fut James Joyce. Sur ce point d'histoire littéraire, Valery Larbaud est catégorique : devançant d'un quart de siècle *Ulysse* (*) de Joyce, le récit de Dujardin doit être considéré comme une des sources formelles de ce dernier. Par certains côtés, ce récit préfigure aussi quelques aspects du « nouveau roman » des années 1950. Il est plaisant de signaler que ce roman passa inaperçu lors de sa publication.

LAUS VENERIS. Poème de l'écrivain anglais Algernon Charles Swinburne (1837-1909), écrit entre 1860 et 1862 et publié en 1866 dans les *Poésies et Ballades* (*), puis sous forme de plaquette séparée. C'est un long monologue mis dans la bouche de Tannhäuser. Le chevalier, esclave de Vénus dans sa montagne enchantée, décrit son état et passe en revue les aventures de sa vie. De nombreux passages de ce poème, comme ceux d'autres poésies de Swinburne, sont pleins de réminiscences bibliques ; quant au style, il a subi l'influence de la version anglaise des *Rubâ'iyyât* (*) d'Omar Khayyam traduits par Edward Fitzgerald (1809-1883). *Laus Veneris* est une œuvre très personnelle, produit d'une sensibilité particulière et originale. C'est l'image de cette idole belle et cruelle : Vénus, qui fut autrefois le « délice du monde », et qui a été ravalée au rang d'un sinistre vampire au cours de l'ère chrétienne. Ayant perdu tout espoir de salut, Tannhäuser revient de la cour du pape au palais enchanté de Vénus sur le mont Horsel. Maintenant il est étendu auprès de sa déesse : certes, elle a cruellement mis à mort tous ses autres amants, et si elle l'a épargné, c'est pour qu'il connaisse cet amour amer qu'elle lui porte, jusqu'à la fin des jours, jusqu'à ce que les sources de la mer soient ébranlées. Il sait quel supplice l'attend : une seconde mort dans l'enfer, où il sera à jamais enveloppé de flammes ; mais cette vie n'est-elle point déjà de feu ? Vie pleine d'amertume, mais belle cependant, sans cesse partagée entre un profond regret d'amour et un désir intense de mort. Le chevalier s'est soumis à son destin, mais une ivresse de perdition l'a complètement envahi : vivre en brûlant et avoir conscience de pécher, aucune vie n'est meilleure que celle-ci. Ce poème célèbre connut de nombreuses imitations. Edward Burne-Jones a peint un tableau intitulé *Laus Veneris* mais, l'atmosphère préraphaélite mise à part, il présente peu d'affinités avec le poème de Swinburne. — Trad. par Viélé-Griffin, 1933 ; Fata Morgana, 1981 ; *Poèmes choisis,* José Corti, 1990.

LAUTRÉAMONT ET SADE. Essai de l'écrivain français Maurice Blanchot (né en 1907), publié en 1949. Ce qui, selon Blanchot, unit ces deux auteurs, c'est l'excès de la négation : Lautréamont tentera d'annuler *Les Chants de Maldoror* (*) dans les *Poésies*, Sade comprendra que le moteur de l'histoire humaine est la négation, et écrira de ce fait l'une des œuvres les plus révolutionnaires qui soient. Blanchot s'interroge d'abord sur la position du critique face à de telles œuvres ; position paradoxale de qui s'interpose entre le lecteur et l'œuvre ; le commentaire est tout à fait conscient de ne pouvoir rien expliquer, et pourtant se préoccupe de rendre compte de tout. L'analyse des *Chants de Maldoror* aboutit à un faisceau de contradictions, et doit, pour être utile, dépasser la surface du texte, pour chercher ce qui est dit par « le choix des images, l'amoncellement privilégié des mots, la complicité de certains thèmes », en évitant cependant de tomber dans le dogmatisme. Si « *Maldoror*, plus admiré que commenté, saisi mais non expliqué, a tenu tête à la surprise », c'est que, dans chacune de ses parties, il est plein de sens, mais d'un sens que le lecteur est sans cesse amené à oublier, et que le sens total annule les sens partiels découverts à la lecture. Ce sens total sera lui-même annulé par les *Poésies*. Une œuvre comme celle de Lautréamont rend donc manifeste le paradoxe de la critique et même de la lecture.

Après une étude des sources très précise (en particulier l'*Apocalypse*, Byron et Baudelaire), Blanchot considère les modalités de la négation qui pousse Lautréamont, d'une part à dépasser les limites de la personnalité humaine, d'autre part à choisir la plus grande banalité, où « l'acceptation de la limite va être l'illimité, où le moment représentant le point extrême de la raison, de la conscience et de la souveraineté coïncidera avec l'abandon de toute souveraineté et de toute conscience personnelle » ; l'œuvre débouche alors sur l'union avec le jour, comme celle de Hölderlin.

L'œuvre de Sade est moins triomphante. Blanchot, après avoir insisté sur le scandale nécessaire au déploiement de la grandeur de Sade, étudie les étapes du mouvement dialectique que parcourt le héros sadien : niant Dieu, puis se faisant son égal, enfin s'en débarrassant au nom de la Nature, et parce qu'il ne peut supporter d'accepter un égal, il finit par nier la Nature elle-même, qui le priverait de toute liberté s'il admettait son déterminisme ; revendiquant pour lui-même le mouvement infini de la négation, il devient l'« Unique », et accède à ce stade suprême de l'« apathie » où il domine le monde créé ; il est alors le réservoir de l'« énergie », dont l'accumulation et la dépense totale l'élèvent au-dessus de la création. Le mouvement est en somme semblable à celui de la négation hégélienne, mais, au lieu de déboucher sur l'Histoire et l'État, il ne parvient qu'à la constitution monstrueuse du libertin, dont Juliette demeure le parfait modèle. Exigence absolue de subversion et de liberté, l'œuvre de Sade ne peut, par son ressassement éternel et sa volonté de tout transgresser, que paraître monstrueuse à ses lecteurs. Pourtant elle seule, par le dialogue qu'elle instaure entre raisonnement et déraison, fournit à son époque les fondements d'une éthique de la liberté.

LAVENGRO [*Lavengro, the Scholar, the Gypsy and the Priest*]. Ce roman de l'écrivain anglais George Borrow (1803-1881), qui s'inspire du style picaresque, comporte deux parties : la première fut publiée en 1851 et la seconde en 1857, sous le titre *Le Bohémien gentilhomme* [*The Romany Rye*]. « Lavengro » serait le nom donné à Borrow par son ami, le roi des bohémiens Ambroise Smith (Jasper Petulengro dans le roman), et voudrait dire « maître de langage », tandis que « romany » est mis pour « bohémien » et « rye » pour « gentilhomme : non bohémien ». Ce roman autobiographique est dépourvu d'intrigue : ce qui donne, ici, de l'unité à tant d'éléments disparates, c'est le génie de l'auteur, son style négligé mais des plus alertes, son art de soutenir l'intérêt par des saillies imprévues et des coups de théâtre. Les aventures extraordinaires de Lavengro ont toutes pour cadre Londres et la campagne environnante et, pour héros, ces vagabonds qui les peuplaient avant le règne du chemin de fer : monde interlope et pittoresque à souhait. Dans les premières pages, Borrow décrit sa famille et ses continuels voyages à travers les îles Britanniques (son père étant officier) ; puis ses études toutes orientées, dès le premier éveil de son intelligence, en vue de la possession du plus grand nombre de langues et de dialectes possibles (Borrow avait la réputation d'entendre couramment trente-cinq langues et dialectes) ; enfin son arrivée à Londres pour chercher à se faire un nom dans le monde des lettres, et sa fuite de la grande ville pour se retremper dans la libre vie des vagabonds. À la fin du second volume, il annonce son intention d'aller aux Indes, pour y étudier les lois de la sémantique. (En fait, il n'y alla jamais.) Une étrange foule bariolée circule dans ces pages ; il parle de tout avec bonhomie et un certain détachement un peu moqueur, qui traduit moins la sécheresse du cœur qu'un souci purement artistique. L'auteur nous présente, entre autres personnages, Belle Berners, jolie mercière ambulante, dix-huit ans environ, solide et blonde comme la compagne d'un Viking. Ayant fini par faire vie commune avec elle, mais en camarade, Lavengro lui enseigne l'arménien « pour empêcher qu'il ne nous arrive de temps à autre d'être mal à l'aise de n'avoir rien à dire ». La jeune femme, quelque peu amoureuse de lui, accepte pour lui faire plaisir ; mais elle est humiliée et souffre tellement de sa froideur que lorsque Lavengro, finalement ému, lui propose d'être sa femme, elle refuse et part pour l'Amérique. Lavengro se console en faisant de la philosophie. Copiée d'après nature ou non (on a beaucoup discuté sur ce point), la figure d'Isopel, si simple, droite et fière, occupe désormais une place parmi les portraits féminins de la littérature anglaise. Parmi les autres personnages auxquels Borrow a consacré beaucoup de soin, il y a le bohémien Jasper Petulengro, son ami, ainsi qu'un invraisemblable prêtre catholique dans la description duquel, comme de toute autre chose appartenant à l'Église de Rome, Borrow perd ce sens de la mesure qui est sa principale qualité de narrateur. L'œuvre de ce singulier écrivain ne peut se classer dans aucune école littéraire, on peut tout au plus rapprocher l'homme du type, relativement fréquent chez les Anglais, de ce voyageur toujours en quête d'aventures.

LAVEUSE DE SOIE (La) [*Houan cha tsi — Huan sha ji*]. Opéra du dramaturge chinois Liang Tch'en-yu (Liang Chenyu) (1521 ?-1594 ?) écrit au XVIe siècle pour la musique nouvelle créée par Wei Liang-fou. L'histoire est reprise d'un événement de l'Antiquité qui avait déjà été précédemment adapté pour la scène. Le ministre Fan Li rencontre une laveuse de soie, la belle Si-che ; mais, son royaume étant vaincu par celui de Wou, il sacrifie son amour à son pays et envoie sa maîtresse pervertir le roi ennemi ; puis, celui-ci ayant été défait, il part se retirer au loin avec Si-che. J. P.

LAZARE. Œuvre de l'écrivain français André Malraux (1901-1976), publiée en 1974, devenue en 1976 la sixième partie de *La Corde et les Souris* (*). Hospitalisé en 1972 à la Salpêtrière, Malraux, cette fois encore, va échapper à la mort. Nouveau Lazare, il décrit et les approches du trépas et son retour à la vie. Aux expériences du malade — cette nuit en particulier où, pendant ving-cinq minutes, il a « perdu la terre » —, aux conversations avec infirmières et médecins se mêlent des réminiscences de son œuvre et de son existence. Il récrit l'histoire de l'attaque aux gaz sur la Vistule contée dans *Les Noyers de l'Altenburg* (*), revit des scènes, ridicules ou tragiques, des combats d'Espagne et de France. Tout cela coupé de retours de fièvre, au fil de douze jours où il attend le « verdict » : y a-t-il ou non « menace de paralysie » ?

Comme l'auteur, le livre a la fièvre et frôle le délire. On peut n'y voir qu'un défilé d'images, même si les idées ne sont pas absentes du dialogue avec « le professeur ». Mais le défilé a un sens : il s'agit presque toujours d'« images de fraternité », de cette fraternité qui « accompagne fidèlement la mort ». « Peu avant de perdre conscience [...] j'ai senti la mort s'éloigner ; pénétré, envahi, possédé [...] par une "ironie" inexplicablement réconciliée, qui fixait au passage la face usée de la mort. »

Derniers mots d'un livre étrange et admirable où s'exprime avec force l'espérance d'un Lazare sans Christ. « Dieu est amour » : ces mots, l'agnostique les admire, mais la foi lui est refusée. La fraternité du moins l'assiste jusqu'au dernier moment. Ce n'est pas par hasard que Malraux a voulu que *Le Miroir des limbes* s'achevât sur *Lazare*. M.-F. G.

LAZARE. Pièce en deux actes de l'écrivain français André Obey (1892-1975). Cet ouvrage, créé en 1951 par la compagnie Renaud-Barrault, fut publié en 1952. Jésus vient de ressusciter Lazare. Mais au lieu du Lazare vivant et décidé à se réadapter qu'attendent ses proches, Marthe, Marie et Matthieu, que trouvent-ils ? Un Lazare mal remis de sa mort. Il a goûté à la mort, à la vérité de la mort, à une espèce de fusion avec la terre et l'eau. Il a pénétré le secret de la grande vie universelle. Il s'est, quatre jours durant, fondu dans une absence épaisse. Et il reste à présent comme engourdi, englué dans ce repos sans frontières. Ceux qui entourent Lazare considèrent avec stupeur et malaise cet être remonté du néant. Et commence une ample confrontation. Lazare va, peu à peu, découvrir à Jésus le mystère de la mort, lui révéler le sens d'une randonnée qui l'épouvantait. Il éclaire progressivement tous les moments du redoutable passage, et il est amené à dévoiler à Jésus la signification de son destin. Dès lors, le Galiléen, bouleversé par cette préfiguration de sa propre fin, comprend qu'il est « fait pour être mort » et il accepte son sort douloureux, se chargeant de cette mort, la mort de Lazare, qui devient la mort prochaine de Jésus. Il s'apprête donc à marcher vers la croix, ne demandant à Lazare que de se tourner vers la vie, d'être, à sa place, la résurrection et la vie. Conscient de la tâche effrayante qui l'attend, Jésus s'éloigne sur le chemin de Jérusalem. Dans toute la première partie, Obey réussit à toucher le spectateur par son pathétique familier, en nous montrant le retour du ressuscité au milieu des siens. Mais la seconde partie, tout entière occupée par le long dialogue entre Lazare et Jésus, est empreinte d'un verbalisme qui n'est pas toujours très convaincant.

LAZARE [*Lazzaro*]. Pièce en trois actes de l'écrivain italien Luigi Pirandello (1867-1936), représentée en 1928. Devant la mort, Pirandello éprouve en général un effroi paralysant. Pour le vaincre dans son propre esprit ainsi que dans celui de ses créatures qui, livrées à elles-mêmes, vont à la dérive, et pour faire entendre une parole de foi, il crut devoir achever ses drames par des mythes. Le désir de donner, coûte que coûte, une signification universelle, d'imposer une thèse, l'entraîna dans des domaines fort éloignés de ses préoccupations. *Lazare* est le fruit d'un tel désir. Pour Diego Spina, homme essentiellement religieux, seule compte la vie éternelle : il a destiné son fils à la carrière ecclésiastique et supporte la trahison et l'abandon de sa femme. En apprenant que son fils, renonçant à l'habit monacal, s'est réfugié chez sa mère, il court, désespéré, à sa recherche et meurt dans un accident de voiture. Mais un médecin essaie sur lui une nouvelle piqûre et Diego, revenant à la vie, se présente à sa famille frappée de stupeur. Il décharge son fusil sur l'amant de sa femme et par cet acte subit une transformation instantanée. Désormais, il n'a plus besoin de pardon, puisque ayant été dans l'autre monde, il n'y a rien trouvé. Mais son fils Lucio se charge de l'apaiser : son âme, après la mort, est retournée dans le sein de Dieu et Dieu ne fait connaître que ce qu'il veut. C'est un miracle et il faut l'accepter sans chercher à le comprendre. La présence de Dieu provoque un autre miracle : la petite Lia, paralytique, se lève et commence à marcher comme si elle avait été appelée par une voix surnaturelle. L'effort dialectique pour soutenir le mythe est considérable, mais aboutit à des conclusions conventionnelles : devant cette foi prétendue, nous regrettons la pudeur de *À la sortie* (*), où se révélait le véritable mythe de l'au-delà. Ici, au contraire, il ne semble pas que la préoccupation profonde de l'écrivain soit sa condition et ses problèmes personnels, mais le déguisement d'un fait gratuit sous des symboles vides de sens. La conclusion de Pirandello sur l'au-delà nous laisse peu satisfaits, car elle manque d'arguments valables. La mort s'impose comme une douleur inévitable, déchirante, irrationnelle : c'est un spasme des sens. Après la désillusion du revenant ne subsistent que superstition, aveuglement, fanatisme, ignorance. La pièce garde cependant une certaine popularité à cause de sa simplicité, de ses faciles explications et de la présence d'une foi très élémentaire. – Trad. Gallimard, 1953.

LÉA. Drame en un acte de l'écrivain finnois Alexis Kivi (1834-1872), représenté en 1869 et inspiré de l'*Évangile.* Léa, fille du publicain Zachée et disciple ardente de Jésus, aime le jeune sadducéen Aram mais consent, pour obéir à son père, à donner sa main au pharisien Joas, avide des richesses de Zachée. Bientôt le père subit l'influence irrésistible du Christ et décide de réparer les injustices qu'il a dû commettre pour amasser sa fortune. Dès lors, Joas déçu ne veut plus épouser Léa, qui s'empresse de se marier avec Aram. Cet épisode biblique est imprégné d'une limpide poésie, où le lyrisme l'emporte sur le drame, poésie assez forte cependant pour donner vie à ce petit chef-d'œuvre. La première représentation de *Léa* marque une date dans l'histoire du théâtre finnois : c'est la première fois que la langue nationale se fait entendre sur une grande scène.

LEAR [*Lear*]. Pièce de l'écrivain anglais Edward Bond (né en 1934), créée au Royal Court Theatre de Londres le 29 septembre 1971, dans une mise en scène de William Gaskill, publiée à Londres en 1972. Bien que fort éloigné du naturalisme engagé de *Sauvés* (*), *Lear* reçut le même accueil controversé. La pièce peut pourtant être considérée comme un des sommets de l'œuvre de Bond : elle en synthétise tous les aspects.

Avec *Lear,* inspiré de la pièce de Shakespeare, Bond opère une sorte de retour aux sources, même s'il s'agit de se démarquer sans ambiguïté de la tragédie du *Roi Lear* (*) : Lear est bien le roi d'un État, ici indéterminé dans l'espace et le temps, mais c'est de sa « conversion » en homme qu'il s'agit. L'Acte I, écrit Bond dans sa Préface, « représente un monde dominé par le mythe ». Lear vient inspecter le mur dont il a ordonné l'édification pour, dit-il, barrer la route à ses ennemis, les ducs de Cornwall et de North. Malgré les protestations de ses filles Bodice et Fontanelle, il exige l'exécution d'un travailleur qui aurait causé la mort d'un de ses compagnons. Bodice et Fontanelle en profitent pour annoncer leur intention d'épouser Cornwall et North, et de détruire le mur. Une guerre civile sans merci éclate. Lear, contraint de fuir, est recueilli par le fils d'un fossoyeur, malgré les réticences de sa jeune femme enceinte, dont le nom est alors révélé : c'est Cordélia. Lear est finalement arrêté. L'Acte II, qui « représente le conflit entre mythe et réalité », s'ouvre sur le procès de Lear. Il est condamné à mort. Mais sa conscience s'éveille progressivement. Cependant, Cordélia organise la révolution qui renverse le régime des sœurs. Celles-ci sont sommairement exécutées ; les yeux de Lear sont arrachés. Cordélia ordonne la reprise de la construction du mur. « L'Acte III montre la résolution de ce conflit. » Lear, enfin lucide, prêche la bonne parole pacifiste, au grand dam de Cordélia. Seul mais résolu, il sera abattu au pied du mur dont il a entrepris de ses propres mains la destruction.

C'est la violence de la pièce, plus proche sans doute de *Titus Andronicus* (*) que du *Roi Lear,* qui a pu ranimer la bataille de *Sauvés.* Bond y voit pourtant une exigence de moralité en adéquation avec la réalité contemporaine. Mais *Lear,* loin du naturalisme des premières pièces, relève à l'évidence d'un projet esthétique et philosophique plus ample : c'est le théâtre « épique et rationnel » ; la représentation du réel prend une valeur symbolique qui doit inciter le spectateur à l'action. Le mur, qui ouvre et ferme la pièce, est le symbole d'une oppression qui a force de loi et se perpétue sous le masque du bien collectif ; la cécité physique de Lear marque la fin de son aveuglement moral : *Lear,* c'est l'assomption d'un individu qui agit désormais en son nom et selon une morale humaine. Le héros de Bond n'abdique jamais. La pièce est ainsi le lieu d'une vaste réflexion sur le pouvoir et sa légitimité : si la révolution fomentée par Cordélia, qui n'a chez Bond aucun lien de parenté avec le roi, a au départ les apparences d'une juste rébellion, la loi qu'elle impose finalement n'est qu'une nouvelle « folie ». Aujourd'hui, la pièce nous semble hantée par des interrogations – la fossilisation toujours menaçante d'une révolution, la difficulté de l'émergence du sujet dans le social – d'une lucidité prémonitoire. – Trad. Bourgois, 1981.

A. Va.

LEÇON (La). Pièce de l'écrivain français Eugène Ionesco (1912-1994), créée le 17 février 1951 au Théâtre de Poche, dans une mise en scène de Marcel Cuvelier, et publiée en 1954. *La Leçon* est volontiers associée, par sa fortune et par sa facture, à *La Cantatrice chauve* (*) : elle relève comme celle-ci de la première manière de Ionesco, provocatrice et expérimentale ; même circularité de structure – pas de « dénouement », la fin nous renvoie au début –, même exhibition du langage dans ses évidences sclérosées.

La surprise, pourtant, ne vient pas de la duperie apparente sur laquelle joue *La Cantatrice chauve*, qui berne à dessein le spectateur dans son attente du sens. Si Ionesco qualifie, avec un malin plaisir, *La Cantatrice chauve* de « pièce didactique », *La Leçon*, cette fois, nous invite bel et bien à une leçon : un professeur d'allure très classique, une élève docile et naïve, une bonne à la fois morale et satanique. Il s'agit de préparer « mademoiselle » au « doctorat total », et la progression est méthodique : géographie, arithmétique, linguistique et philologie. Les codes sociaux sont au départ rigoureusement respectés, malgré la timidité déconcertante du professeur et les interventions intempestives de la bonne. La langue est d'une simplicité déroutante – mais le dialogue se perturbe vite : « L'hiver, c'est une des quatre saisons. Les trois autres sont... euh... le prin... » Le professeur s'empare peu à peu de la parole, la leçon prend un tour magistral et sadique, son objet se fait de plus en plus improbable – même si, après tout, le spectateur avait été prévenu : « Si vous aviez eu deux nez, et je vous en aurais arraché un... combien vous en resterait-il maintenant ? » Les mots, alors, s'animent en séries obsédantes, se répètent en « ressemblances identiques » jusqu'au mot de la fin, symbole très clair d'un viol, instrument d'un crime imaginaire mais perpétré en scène : « Dites : couteau... cou... teau... »

Sans doute *La Leçon* ne nous enseigne rien. Elle exhibe, de façon à la fois burlesque et tragique – c'est un « drame comique » – la nature énergétique d'une relation : le langage est un terrain miné sous ses apparences de convention ou d'échange ; il est le lieu d'une prise de pouvoir, l'arme abstraite mais trop réelle d'un asservissement. Cette vérité, assénée en dehors de toute justification de vraisemblance (« Et c'est la quarantième fois, aujourd'hui ! [...] Et tous les jours, c'est la même chose ! ») doit se faire jour à travers une « répétition » : les trois coups, on le comprend à la fin, sont aussi les clous martelés sur le cercueil de la dernière victime.

« Il faut aussi soustraire », disait le professeur dans son cours d'arithmétique. C'est que *La Leçon*, plus encore que *La Cantatrice chauve*, porte en germe l'évolution ultérieure de Ionesco, les indices d'une dramaturgie du vide. *Les Chaises* (*), par leur travail sur l'invisible, marqueront un premier tournant.

A. Va.

LEÇON D'ALLEMAND (La) [*Die Deutschstunde*]. Roman de l'écrivain allemand Siegfried Lenz (né en 1926), paru en 1968. Le livre se construit selon une structure enchâssée dont l'histoire-cadre se situe en 1954. Le narrateur, Siggi Jepsen, pensionnaire d'une maison de redressement pour adolescents, a remis une copie blanche à son professeur d'allemand, lequel avait imposé à sa classe une rédaction sur « les joies du devoir accompli ». Le directeur de l'établissement, qui interprète cette dérobade comme un acte de rébellion, ordonne que Siggi soit enfermé dans une cellule isolée jusqu'à ce qu'il se soit acquitté de sa tâche. En guise de rédaction, celui-ci entreprend alors de raconter ses propres souvenirs, depuis 1943. La notion de devoir est pour lui indissolublement liée à l'image de son père, gendarme dans un petit village perdu du Schleswig, du nom (imaginaire) de Rugbüll. L'histoire commence le jour où l'enfant accompagne son père en bicyclette à travers la campagne lorsque celui-ci va signifier au peintre Max Ludwig Nansen (derrière lequel se profile la figure d'Emil Nolde, 1867-1956) l'interdiction de peindre décrétée à son encontre par les autorités de Berlin. Bien que les deux hommes soient amis d'enfance, le vieux Jepsen ne veut désormais écouter, face à Nansen, que ce qu'il appelle obstinément son devoir. Peu à peu, à l'insu de son père, Siggi va devenir le confident du peintre et rassembler, pour les mettre en sécurité, toutes les toiles clandestines de celui-ci. La fin de la guerre ne modifiera pas longtemps la situation : après avoir été un moment relevé de ses fonctions, le gendarme zélé reprend bien vite l'uniforme et continue à harceler l'artiste, irrévocablement suspect à ses yeux. Siggi, lui non plus, ne peut d'ailleurs sortir de son rôle : il continue, pour protéger l'œuvre qu'il croit encore menacée, à collectionner tous les tableaux du peintre et en arrive ainsi à piller une galerie, ce qui lui vaut d'être arrêté. Le dernier chapitre nous ramène dans le temps de l'histoire-cadre ; Siggi Jepsen apprend de la bouche du directeur du pénitencier sa prochaine libération. Ni l'incarcération ni l'écriture ne semblent cependant avoir eu de vertu cathartique : « Tu es content ? – De quoi ? – De partir d'ici, de recommencer une nouvelle vie. – Une nouvelle vie, vraiment ? » La génération de Siggi Jepsen ne peut oublier qu'elle a été châtiée à la place du père. Il s'est évidemment trouvé de doctes critiques pour relever le risque idéologique couru par le roman – la « provincialisation » du phénomène nazi – et ses faiblesses formelles – en particulier le caractère schématique et manichéen de la psychologie prêtée aux différents protagonistes. Il reste que *La Leçon d'allemand* constitue bien un livre-événement : le succès considérable qu'il a recueilli est l'indice que Siegfried Lenz, à travers cette fable, est parvenu à articuler quelque chose de la conscience collective allemande de l'après-guerre. — Trad. Robert Laffont, 1971.

J.-J. P.

LEÇON D'AMOUR DANS UN PARC (La). Roman de l'écrivain français René Boylesve (pseud. de René Tardiveau, 1867-1926), publié en 1902. Nous sommes au XVIIIe siècle : Ninon, femme d'un marquis, vit dans un château de la Loire, entourée de jeunes nobles et de dames qui ne pensent qu'à donner libre cours à leurs passions. Ninon déborde de vie et aime s'abandonner à la fantaisie, mais Ninon reste pure. Pour symboliser sa passion cachée, elle fait élever, non loin des bassins du parc, une statue de l'Amour. Un jour qu'elle se baigne dans un des bassins, une idée fantasque la pousse à embrasser la statue ; splendidement nue, elle est surprise par le jardinier, le sombre Cornebille, qui est aussitôt chassé. Deux pages se disputent également l'amour de la belle Ninon ; Châteaubedeau qui, après avoir été enfermé en cellule pour s'être caché dans la chambre de la marquise, finit par devenir l'amant de Ninon, et Dieutegard qui, ayant perdu toute espérance, quitte le château. Un jour pourtant, tandis que Ninon chasse en compagnie de son amant et vise un daim qui se trouve près de la statue de l'Amour, Dieutegard, fou de passion, se précipite du haut de la statue et tombe frappé à mort. L'obsédante figure du jardinier amoureux, horrible monstre, apparaît alors rôdant dans le parc. Après cette leçon d'amour, la fille de la marquise, la belle Jacqueline, âgée de quinze ans, se mariera et, à son tour, mènera une vie semblable à celle de Ninon. Un mélange de scènes dramatiques et de scènes comiques, une certaine ironie, en un mot, l'atmosphère dans laquelle se déroule ce récit font tout le charme du livre. Souvent Boylesve fait penser à Anatole France. Il en a le ton souriant et moqueur, mais il s'attarde, parfois avec une certaine complaisance, sur les différents aspects d'une société « dans laquelle la licence des choses romanesques était sans limites ».

LEÇON DE CHOSES. Roman de l'écrivain français Claude Simon (né en 1913), publié en 1975. C'est, avec *Les Corps conducteurs* (1971) et *Triptyque* (1973), le plus « scripturaliste » des romans de Claude Simon. Les quelques « histoires » dont est tissé le texte n'offrent guère d'intérêt romanesque en elles-mêmes : des maçons au travail, un épisode de la débâcle de mai 1940, la promenade d'une famille en vacances au bord de la mer, une jeune mère qui s'abandonne à son amant. Seul compte ici le travail de l'écriture qui produit ce tissu complexe comme une série d'expansions à partir de générateurs qui sont des mots, des citations (tirées d'un manuel) ou des images (un paysage peint, une boîte de cigares). Claude Simon dit s'être aperçu après coup qu'il avait développé tous les sens propres et métaphoriques du mot chute, tels qu'ils figurent dans le *Dictionnaire de la langue française* (*) de Littré. Un bon emblème du livre (les textes scripturalistes proposent fréquemment une réflexion sur l'écriture, sous la forme de mises en abyme) serait le titre d'article dont les pliures du journal ne laissent voir que quelques mots tronqués. Ces mêmes syllabes apparaissent à trois reprises dans le texte qui propose à chaque fois une autre lecture hypothétique. Or chacune de ces versions pourrait appartenir à l'une des séquences que le texte entrelace : accident de travail pour les maçons, chute d'une falaise pour les vacanciers, combat meurtrier pour les soldats de mai 1940.

J.-L. S.

LEÇON DE LANGUE MORTE (La) [*Lekcja martwego języka*]. Roman de l'écrivain polonais Andrzej Kuśniewicz (1904-1993), publié en 1977. La fin de la Première Guerre mondiale est proche. Dans une petite ville des Carpates où il séjourne pour soigner ses poumons rongés par la tuberculose, le lieutenant autrichien Alfred Kiekeritz sait que sa mort est inéluctable. Dans un magnifique paysage de montagne, la vie offre toutes ses splendeurs à sa sensibilité exacerbée par la maladie. Le héros, à la fois détaché et fasciné, guette les manifestations de plus en plus précises de cette mort absurde, « secrètement complice de tant de beauté ». Sous les yeux du lecteur, les promenades solitaires et les insomnies du héros tissent un écheveau serré de correspondances, de présages, de signes annonciateurs, étrange jeu de cache-cache avec la mort, qui « accumule les brouillons, brouille les pistes, dérobe son visage derrière celui de la déesse Diane ou de la tsigane qui s'exhibe au cirque Columbus, pour surgir enfin sous les traits d'une très pure jeune fille ». Cette méditation peu banale sur l'art et sur le temps est assortie de très belles descriptions de la nature. L'écriture, novatrice, contribue largement à en assurer la beauté. — Trad. Albin Michel, 1981.

L. Dy.

LEÇONS D'ANATOMIE COMPARÉE. Ouvrage du naturaliste français Georges Cuvier (1769-1832), publié entre 1800 et 1805, en collaboration avec Duméril. Le but de ce vaste ouvrage est d'illustrer les variations des organes, des systèmes et des appareils, ainsi que celles de leurs fonctions, chez les Vertébrés et les Invertébrés : il comprend quarante leçons, correspondant chacune à l'étude d'un organe, d'un système ou d'une fonction. Ainsi, à une leçon préliminaire « sur l'économie animale » succède une deuxième : « Des organes du mouvement en général », tandis que la troisième traite des os, des muscles du tronc, etc. Dans l'ensemble, cet ouvrage offre le caractère d'une description morphologique des organes (macroscopie) et de leur signification fonctionnelle. L'auteur part de la définition d'un organe, de sa distinction en trois parties fondamentales, pour passer ensuite en revue ses variations dans les différentes classes animales. Après avoir distingué dans les organes du mouvement une partie active (les muscles), une partie passive (os et parties dures) et une partie auxiliaire (ligaments, etc.), il est procédé à une étude particulière de chacun des os et des muscles, dans les formes principales de la classification. Celle-ci, en accord avec les vues de l'auteur, comprend deux groupes fondamentaux : les Vertébrés et les Invertébrés. Cuvier ne manque pas de relever que les organes des diverses classes des Vertébrés sont comparables entre eux, tandis que ceux des différents types d'Invertébrés ne le sont pas. En fonction des connaissances de son époque, il consacre une plus large place aux premiers qu'aux seconds, à telle enseigne que le présent traité s'impose surtout en ce qui concerne l'anatomie comparée des Vertébrés ; parmi les Invertébrés, Cuvier étudie plus spécialement les Articulés (Insectes, etc.), les Mollusques et les Zoophytes (Échinodermes). En dépit de ses nombreuses lacunes et de ses inexactitudes, déjà relevées par les contemporains, l'ouvrage a exercé une très grande influence, et il convient de reconnaître que, de nos jours encore, l'enseignement de l'anatomie comparée n'est pas sans avoir conservé quelques-unes de ses lignes générales. Le caractère le plus marquant de l'ouvrage — trait commun aux autres œuvres de Cuvier — est constitué par une conception essentiellement statique du monde animal, sans aucun élément d'ordre évolutionniste.

LEÇONS D'ESTHÉTIQUE de Schleiermacher [*Vorlesungen über Aesthetik*]. Sous ce titre sont réunis les cours professés par le théologien et philosophe allemand Friedrich Schleiermacher (1768-1834) à l'université de Berlin, en 1819, en 1822 et en 1832. Recueillis par ses élèves, ils ont été publiés par Lammatsch en 1843. Suivant la tradition des anciens, l'auteur partage la philosophie en trois sections : la Dialectique, l'Éthique et la Physique (il subordonne l'Esthétique à l'Éthique, car il considère cette dernière comme l'étude de l'ensemble des libres activités humaines). Après avoir considéré l'évolution de l'esthétique philosophique depuis Kant, il soutient que l'art est une activité individuelle et immanente ; individuelle, car elle apparaît de façon différente et originale, spontanée, chez chacun ; immanente, car elle se réalise essentiellement à l'intérieur de l'esprit. En effet, l'art véritable c'est l'image intérieure ; la réalisation extérieure, communément qualifiée d'œuvre d'art, est en quelque sorte surajoutée et constitue, par rapport au domaine intérieur, ce que la communication de la pensée au moyen de la parole ou de l'écriture est à la pensée elle-même. Par cette intériorité, l'art exprime l'immédiate conscience de soi dans sa variété et sa complexité. Il faut cependant se garder de le confondre avec le plaisir sensible ou le sentiment religieux, déterminés tous deux par une entité extérieure, tandis que l'art est une création libre qui suit le libre développement de l'autoconscience. De même, l'art est séparé de toute préoccupation d'ordre moral : le critère d'appréciation de l'art réside en lui-même, dans sa perfection intérieure. L'art est une libre productivité, semblable au rêve, mais il se distingue de ce dernier par un principe intérieur d'harmonie. Il se développe en effet à travers deux moments essentiels : celui de l'inspiration [Begeisterung] et celui de la réflexion [Besonnenheit], le premier étant créatif, l'autre constitutif. Ces *Leçons* ne font qu'aborder le problème de l'art entendu comme reproduction d'un type idéal ; selon Schleiermacher, l'artiste obéit à une double tendance : il vise d'un côté à représenter le type, de l'autre la réalité naturelle, évitant de tomber dans les deux excès possibles, autrement dit dans la reproduction du type abstrait ou dans la représentation d'une réalité empirique insignifiante.

LEÇONS SUR LA PHILOSOPHIE CHIMIQUE. Ces trente leçons, données par le chimiste français Jean-Baptiste André Dumas (1800-1884) au Collège de France en 1836, furent recueillies et publiées l'année suivante par Armand Bineau (1812-1861). Dumas indique dès le début le sens qu'il entend donner à ce cours : « La philosophie chimique (à peine si j'ose la définir) a pour objet de remonter aux principes généraux de la science, de montrer non seulement en quoi ils consistent aujourd'hui, mais encore quelles sont les diverses phases par lesquelles ils ont passé, de donner l'explication la plus générale des phénomènes chimiques, d'établir la liaison qui existe entre les faits observés et la cause même de ces faits. » Après avoir développé dans les quatre premières leçons une passionnante histoire de la chimie, des origines jusqu'à Lavoisier, Dumas expose avec un pénétrant esprit critique les théories contemporaines. Puis, ayant traité dans la cinquième leçon les lois des proportions définies et multiples, et introduit la notion d'équivalent chimique, l'auteur consacre les deux leçons suivantes à l'hypothèse atomique. On sent ici combien l'esprit scientifique était mûr pour effectuer un pas décisif vers l'atomisme : Dumas prévoit qu'on aura un jour la possibilité d'isoler les petits systèmes dont les corps sont constitués, de connaître les mouvements et par conséquent de prévoir les réactions. En ce qui concerne la justification théorique de la loi des volumes de Gay-Lussac, il admet que des volumes égaux de gaz contiennent un nombre égal d'atomes (c'est-à-dire des particules indivisibles par des forces physiques), dont la scission peut être cependant obtenue par des forces chimiques ; il considère donc tour à tour les atomes par rapport aux forces physiques et par rapport aux forces chimiques. Ignorant la théorie d'Avogadro, publiée vingt-cinq ans auparavant, Dumas admet une explication assez simpliste, mais en substance équivalente. La leçon VIII traite du polymorphisme et de l'isométrie ; on relève ici une étude intéressante sur les poids atomiques de divers éléments regardés comme les multiples d'autres éléments ; Dumas admet ainsi la possibilité de transmutation des éléments par polymérisation ; c'est là une théorie anticipant sur l'atomisme moderne, du fait qu'elle admet une structure unitaire dans la matière. Dans sa nomenclature exposée par la IXe leçon, Dumas s'en tient encore à la théorie dualiste de Berzelius, tout en appréciant l'intérêt des conceptions de Davy. Les deux dernières leçons sont consacrées au problème de l'affinité ainsi qu'aux expériences et théories, alors récentes, sur l'électrolyse. On comprend que la clarté et la forme vivante de ce cours, l'élégance de l'exposition et la pureté de la langue aient attiré autour de Dumas des élèves venus de tous les pays, et que celui-ci ait été considéré comme le modèle des professeurs de sciences expérimentales.

LEÇONS SUR LA PHILOSOPHIE DE LA RELIGION [*Vorlesungen über die Philosophie der Religion. Nebst einer Schrift über die Beweise vom Dasein Gottes*]. Ouvrage du philosophe allemand Georg Wilhelm Friedrich Hegel (1770-1831), publié en 1832 et, avec de nouvelles additions, en 1840. C'est une œuvre posthume, compilée par Marheineke, sur les leçons professées par Hegel entre 1821 et 1831. Il faut examiner la notion de religion, d'abord telle qu'elle est en soi universellement ; ensuite dans la mesure où l'on peut déterminer, en elle-même, sa propre limite et sa différenciation ; enfin en tant que notion qui réalise entièrement sa propre forme, en abolissant opposition et différence. Cette division qu'il nous faut considérer au sein même de la notion de religion est le rythme propre de l'esprit et nous devons suivre ce rythme afin d'expliquer et de démontrer cette notion dans son développement intrinsèque, dans les différents moments de son histoire. En tant qu'élévation vers la vérité, la religion est une sphère dans laquelle l'esprit se libère des objets sensibles et finis. L'universel devient objet de la pensée mais il n'est pas encore objet et pensée développés et déterminés. Le premier moment de la notion de religion est donc l'universel pur, la pensée dans son universalité de forme. Le processus a lieu en tant que l'universel se détermine par soi-même et cette auto-détermination constitue le développement de l'idée de Dieu. Le moment de la particularité, implicite dans l'universel, est à considérer comme l'opposé de l'universel : c'est la conscience dans son individualité, le sujet en tant qu'immédiat. Ainsi ressort l'opposition entre la conscience du Moi pensant, universel, actif, qui s'élève au-dessus du moi individuel, et le Moi sujet immédiat. Le Moi, conscience infinie et absolue, et en même temps nature empirique, est le rapport entre les deux extrêmes ; l'unification peut être réalisée à travers une lutte intérieure continuelle. Ce conflit n'est pas l'indifférence des deux moments l'un par rapport à l'autre, mais leur connexion. Le Moi n'est pas seulement conscience infinie en lutte avec la nature finie, pas plus que celle-ci n'est simplement opposition à celle-là : le Moi est également les deux opposés en lutte entre eux, la lutte elle-même et la conciliation continue et progressive. Le rapport des deux termes, tour à tour scindés et opposés ou bien revenus à l'unité, se manifeste à travers trois formes : le sentiment, l'intuition, la représentation. Ces formes de la conscience religieuse, par lesquelles la concience finie s'élève jusqu'à l'Absolu, naissent de la nécessité du rapport, qui constitue la notion même de religion. Le mouvement par lequel le rapport se pose et se résout est celui qui fait que la notion de Dieu devient objet de soi-même. Dans le premier moment, la conscience subjective trouve encore devant elle l'objet absolu comme son opposé et le rapport avec cet objet n'est pas encore conscience de soi. Par conséquent, la crainte de l'Absolu surgit ; et devant elle, l'individu ne voit en soi-même qu'un être fini et accidentel. Mais l'opposition est ensuite vaincue, car l'individu acquiert le sentiment de sa participation à l'Absolu ; dans le sentiment de Dieu il y a un élément substantiel, existant à côté des éléments accidentels qui dérivent des tendances individualistes. Si le sujet ne dépouille pas sa nature purement individuelle et ne s'élève pas à la nature objective, substantielle et absolue, il ne pourra pas acquérir la conscience de soi-même, ni tirer des éléments accidentels l'élément substantiel qui est au fond de sa nature. L'unification et la réconciliation des éléments contraires est une activité intérieure du sujet et constitue la sphère du culte. Lorsque la religion est réellement rapport et suppression de la scission, le culte est réellement constitué, c'est un processus vivant. Mais le culte lui-même se détermine à travers trois moments : celui de l'unité présupposée, celui de la scission et enfin celui de l'unité qui se rétablit dans la scission. Le culte est donc le même éternel processus dans lequel l'individu s'identifie avec sa propre essence.

Après avoir considéré la religion dans son essence, il nous faut déterminer son contenu.

La religion en effet est entièrement et universellement dans son concept, mais pour arriver à l'existence elle doit être conscience de ce qu'est ce concept ; elle doit se développer dans le temps, historiquement. La religion déterminée, en tant qu'elle n'a pas parcouru le cycle de ses déterminations, est la religion finie, historique, existant sous une forme particulière ; la série de ces formes particulières constitue l'histoire de la religion. Les moments essentiels de la religion (sentiment, intuition, représentation, culte) apparaissent à tous les échelons du développement. La différence se trouve dans le rapport entre chaque échelon et le concept de sa totalité. Aux échelons inférieurs les moments du concept de religion apparaissent seulement comme des pressentiments, comme des produits accidentels de la nature, car l'esprit ne peut pas posséder une vérité sans en avoir une entière conscience. L'effort de l'esprit pour amener à l'unité, dans l'intériorité de la conscience, le principe des religions antérieures et en développer l'essence, donne lieu à la succession des religions déterminées : les religions hébraïque, grecque, romaine, chrétienne. Le Dieu des Hébreux est l'« unicité », qui est unité abstraite, non encore posée comme esprit. En Grèce, la religion de la beauté nous présente un ensemble d'individualités divines libres, mais qui subissent elles-mêmes la nécessité ; car il leur manque l'unité intérieure, absolue. Le Dieu des Romains existe comme finalité universelle, mais celle-ci n'a pas pour objet la vérité universelle, mais l'empire universel sur le monde ; elle est donc finalité politique, extérieure et non spirituelle. La vérité de la notion de religion se révèle dans sa plénitude avec le christianisme. Ici, le concept est objet à soi-même et dans cette connaissance l'esprit est « pour soi » ce qu'il est « en soi » ; le christianisme est la religion parfaite et absolue, la conscience de ce qu'est l'esprit, Dieu. Les formes déterminées et différenciées de religion (ses moments finis) donnent à l'esprit le moyen d'acquérir la notion complète de soi, de connaître ce que lui-même est en soi. La religion révélée, le christianisme, est la religion évidente dans sa pureté universelle, car Dieu s'y manifeste complètement. Tout est ici adéquat à la notion en tant qu'il y a la conscience de l'esprit et de la réconciliation ; non pas réconciliation dans la beauté, dans la joie, mais dans l'esprit. Ce développement est la véritable Théodicée. Il démontre la nécessité de tous les produits de l'esprit, car l'esprit est vivant, actif ; et sa vie et son activité consistent à se donner à soi-même, à travers sa manifestation, la conscience de soi comme le principe de toute la vérité.

L'ouvrage, dont les éléments avaient été élaborés déjà dans les écrits de jeunesse de Hegel, est en nette opposition, soit avec le théisme abstrait de l'illuminisme, soit avec le sentimentalisme religieux de Jacobi ou de Schleiermacher. Mais le caractère théorétique marquant la détermination hégélienne de la nature de la religion parut, aux adeptes de Schelling et particulièrement à Kierkegaard, inapte à définir l'essence principale de la religiosité. Par ailleurs, la considération du développement de la religion au point de vue de l'histoire et de la culture eut une grande influence aussi bien sur l'orientation historique et critique de l'école théologique de Tübingen que sur l'orientation anthropologique de la tendance hégélienne représentée particulièrement par Strauss et par Feuerbach. – Trad. Baillière, 1876 ; Vrin, 1959.

LEÇONS SUR LA PHILOSOPHIE DE L'HISTOIRE [*Vorlesungen über die Philosophie der Geschichte*]. Ouvrage du philosophe allemand Georg Wilhelm Friedrich Hegel (1770-1831), publié en 1837 et augmenté par Karl Hegel en 1840. La philosophie de l'histoire se rattache à la philosophie du droit. La véritable idée d'État ne se trouve pas réalisée dans un État particulier, sinon comme moment et détermination de la raison universelle ; la ligne de développement de l'esprit objectif doit être recherchée dans l'évolution historique de l'humanité, dans l'histoire du monde. La liberté constitue la substance de l'esprit. Le processus historique a donc pour fin la liberté du sujet, en tant que ce dernier tend vers des fins universelles et acquiert la conscience de cette valeur suprême. Les totalités représentées par les États ne sont que des réalités individuelles par rapport à l'esprit universel, qui se développe au cours d'un processus historique et se réalise progressivement dans les diverses formes propres à l'esprit de chaque peuple, lesquelles constituent les moments particuliers de l'accession de l'esprit à la libre conscience de soi. Chaque période historique est caractérisée par le fait qu'un peuple particulier y réalise en soi, de façon accomplie, le degré de développement atteint par l'esprit universel ; ce peuple, dans ses institutions civiles, ses mœurs, son art et sa pensée, représente le contenu réalisé par l'esprit universel à un moment donné de son devenir. Lorsqu'un peuple a rempli sa mission, il entre en décadence et cède la suprématie à un autre peuple, qui représentera à son tour une nouvelle étape du processus historique, un dépassement de l'époque précédente. La philosophie de l'histoire est donc « considération pensante de la raison qui gouverne le monde », réalisant son contenu infini comme essentialité et vérité. Aussi, dans la philosophie de l'histoire, les faits historiques n'apparaissent-ils pas extérieurement juxtaposés mais sont reconnus comme formes nécessaires du développement universel.

L'histoire du monde comprend quatre grandes périodes : orientale, grecque, romaine, allemande. Le monde oriental constitue l'enfance de l'histoire ; son fondement est la conscience immédiate, la substantialité ; les déterminations éthiques y sont exprimées en tant que lois. Dans les royaumes orientaux, la stabilité et la durée, lesquelles étant statiques ne sont pas en elles-mêmes des formes historiques, sont rompues par des conflits extérieurs et non par une contradiction interne ; la dernière phase de la civilisation asiatique, représentée par l'Égypte des pharaons, succède à la rupture de la substantialité immédiate et inconsciente : l'individualité, qui disparaissait d'abord devant elle, commence à s'affirmer comme son contraire. La deuxième période commence avec l'apparition de la civilisation grecque. C'est la pleine affirmation de l'individualité, source des mœurs, des institutions civiles, de la culture. Le droit consacre la volonté subjective, mais n'est pas encore moralité ; il faudra que soit posée historiquement la contradiction pour qu'en surmontant cette dernière la liberté subjective s'élève à la liberté absolue. Le troisième moment du développement de l'histoire du monde sera donc celui de l'universalité abstraite, c'est la période romaine. L'État s'élève au-dessus des individus, se fixant un but à l'atteinte duquel les individus eux-mêmes concourent sans cependant s'identifier à lui. Les individus libres sont sacrifiés à la sévérité du but et le culte qu'ils rendent à l'État est celui d'une abstraite universalité. Mais, tandis que l'État soumet les individus, il leur confère sa propre universalité formelle ; ils deviennent ainsi personnes juridiques. Mais de l'universalité abstraite surgit une contradiction entre le but de l'État et celui des personnes abstraites. Dans le cours de l'Histoire, le deuxième terme, la personnalité, devient prépondérant, à telle enseigne que, pour préserver l'unité de l'État, on établira la prédominance d'un seigneur, le pouvoir arbitraire d'une individualité particulière. Le despotisme engendre alors la douleur ; sous son effet, l'esprit humain se replie sur lui-même, cherchant à opérer une réconciliation intime par la contemplation intérieure ; la personnalité individuelle se transfigure en universalité, en une subjectivité en soi et pour soi universelle, en personnalité divine. Au royaume de la terre est opposé le royaume de la raison qui se connaît, dans son essence même, comme le règne de l'esprit réel. C'est là la quatrième période de l'histoire, celle du monde germanique. Il commence par la réconciliation avec le christianisme, qui toutefois n'est encore réalisée qu'« en soi », en tant que conscience du monde intérieur : d'où la contradiction entre le principe spirituel et la réalité barbare. Le principe temporel s'oppose d'abord au principe spirituel ; puis celui-ci, au contact du premier, se corrompt : l'Église devient temporelle et renie la religiosité chrétienne. La réforme luthérienne marque alors le début du développement de la plus haute forme de pensée rationnelle ; l'esprit, retourné à lui-même, réalise sa rationalité dans le monde. La contradiction entre l'Église et l'État disparaît ; l'esprit se retrouvant dans le monde entreprend de le construire en tant qu'Être déterminé, organique en soi. La liberté réalise pleinement sa notion et sa vérité ; et c'est là le but vers lequel tend l'histoire universelle. — Trad. Vrin, 1946.

LEÇONS SUR LA POLITIQUE [*Die Politik*]. Traité de théorie politique en cinq livres de l'historien allemand Heinrich von Treitschke (1834-1896), qui fut publié à titre posthume en 1897. Dans l'introduction, l'auteur s'insurge avec énergie contre l'idée de faire de la politique une science exacte, comparable aux sciences naturelles : la politique est un art, dans ce sens qu'elle manie quelque chose de vivant et de continuellement changeant : l'individualité et la liberté humaine. Cependant, sur le plan des sciences historiques et morales, il est permis de formuler et de fixer quelques vérités d'ordre général que détermine le développement de la civilisation, et de parvenir à quelques généralisations scientifiques à partir de la vie et de l'histoire des États. Dans le premier livre, qui traite de « L'Essence de l'État », l'auteur définit l'État comme l'assemblée des individus liés par une loi commune pour former une puissance indépendante. L'État n'est donc pas un mal nécessaire et une manière de contrat destiné à écarter de plus grands maux, mais un moyen de perfectionnement humain indispensable et le produit des vertus morales d'un peuple. C'est une personne juridique, en tant qu'il possède une volonté réelle ; c'est une personne morale et historique, en tant qu'il possède des caractéristiques particulières, qui font de lui un être responsable ; enfin c'est une puissance, et, en tant que tel, il doit tenir tête aux autres puissances : c'est cette rivalité des puissances qui constitue l'histoire. La puissance d'un État ne dépend pas essentiellement de sa culture, mais de son « caractère ». Son attribut principal est la souveraineté, ce qui implique deux fonctions essentielles : la possibilité pour l'État de déterminer lui-même quelle doit être l'extension de son propre droit souverain, et le droit de recourir aux armes. L'État peut limiter, au moyen de traités, sa propre souveraineté, mais ne jamais s'engager sans conditions, parce qu'en déclarant la guerre — ce qui est strictement son droit — il annule tous les traités. Un autre élément essentiel de la constitution d'un État est l'« autarcie », c'est-à-dire la capacité de se suffire à soi-même. En ce qui concerne la société civile, l'auteur juge nécessaire qu'il y ait des riches et des pauvres, des intellectuels et des ouvriers, car chacun remplit une fonction utile. Mais il appartient à l'État seul de discipliner ou de coordonner les passions sociales, en s'en tenant à une impartialité complète. L'État étant considéré comme une personne, il s'ensuit qu'il a avec les particuliers des relations où il entre tout à la fois des droits et des obligations : l'État n'est pas la fin de l'individu, ni l'individu la fin de l'État. D'autre part, l'État moderne se doit de veiller à l'élévation spirituelle et économique du peuple ; par sa nature même, il ne peut passer outre les lois morales : les conflits entre la politique et la morale sont, dans la majeure partie des cas, des conflits entre la politique et le droit positif. La loi morale que l'État doit observer est celle du christianisme, qui assure la sauvegarde de la personnalité. Appliqué à l'État, ce principe devient celui-ci : « Le suprême devoir moral de l'État est celui d'être fort. » La révolution, en soi, est toujours illégitime. Cependant, lorsque les institutions d'un État ne répondent plus aux nécessités sociales, la révolution se présente comme une « infraction nécessaire au droit ».

Le deuxième livre traite des bases sociales de l'État : le pays et ses habitants, la famille, la race, la nation, la caste, la classe, la religion, l'éducation populaire et l'économie publique. Le troisième livre est consacré à la Constitution de l'État. Ici, l'auteur propose d'abord quelques considérations générales, suivies d'un ample exposé sur un point particulier : la division des pouvoirs, laquelle est une mesure absurde, car ce qui caractérise l'État c'est son unité. La seule distinction possible ne se peut établir qu'entre la Constitution et l'administration. Quant aux formes de l'État, la distinction d'Aristote est purement extrinsèque, toute forme de l'État n'étant qu'une pensée politique mise en application ; s'aidant de ce critère, l'auteur fait une distinction entre la monarchie, la république et la théocratie. Quelle qu'elle puisse être, une forme de gouvernement est excellente lorsqu'elle correspond au caractère d'un peuple. Le quatrième livre s'attache à l'administration de l'État, et traite de l'armée, de la justice, des finances, etc. Le cinquième aborde un sujet crucial : « L'État dans ses rapports avec les nations. » La solution qu'offre l'auteur aux problèmes envisagés est implacablement réaliste : certes le droit international existe, mais c'est un droit imparfait, ne disposant pas de moyens de contrainte. L'existence du droit international est conditionnée, de fait, par l'existence d'une pluralité d'États dont aucun n'est assez puissant pour tout se permettre. Lorsqu'il n'est plus possible de faire des accommodements, un État peut toujours recourir à ce droit suprême : faire la guerre. Cette œuvre pleine de feu et de conviction contribuera à l'extension du « Kulturkampf », ce vaste mouvement qui devait être à l'origine de la conscience impérialiste, pangermaniste et raciste du peuple allemand.

LEÇONS SUR LES MALADIES DU SYSTÈME NERVEUX faites à la Salpêtrière. Ouvrage de Jean Martin Charcot (1825-1893), où se manifeste peut-être le mieux l'esprit pénétrant du génial neurologue. Ces leçons furent publiées en trois volumes, avec figures, à Paris de 1873 à 1884. Les grands syndromes cliniques et les observations pathologiques qui s'y rapportent, exposés clairement et de magistrale façon, ne peuvent que se graver dans l'esprit du lecteur. Après diverses considérations d'ordre général, l'auteur, dans un exposé à la fois brillant et original, décrit les principaux syndromes neurologiques, en essayant d'établir des altérations anatomopathologiques dont ils sont la conséquence, et trace leur tableau clinique. Les troubles trophiques consécutifs à des lésions des nerfs, de la moelle épinière, de l'encéphale, la paralysie agitante, la phénoménologie hystérique, y sont admirablement retracés. De même, les altérations des diabétiques, les compressions lentes de la moelle épinière, les myopathies, la sclérose latérale amyotrophique, l'hémichorée posthémiplégique, l'aphasie bénéficient dans ces trois volumes d'une description qui, aujourd'hui encore, en dépit des années, n'a rien perdu de sa vigueur et de sa fraîcheur, même si le grand tableau de la phénoménologie hystérique, tel que Charcot l'a tracé, est désormais ramené à des proportions plus modestes, l'auteur ayant manifestement surestimé les phénomènes observés. En revanche, on admirera les magistrales descriptions de la sclérose latérale amyotrophique et des autres syndromes neurologiques. Les leçons du dernier volume ont été recueillies par les élèves de Charcot : Babinski, Bernard, Féré, Guinon, Marie et Gilles de la Tourette, une partie en somme de cette cohorte de fervents disciples qui contribuèrent pour une si grande part à la création de la neurologie française moderne, dont Charcot peut être considéré à juste titre comme le fondateur.

LEÇONS SUR L'HISTOIRE DE LA PHILOSOPHIE [*Vorlesungen über die Geschichte der Philosophie*]. Ouvrage du philosophe allemand Georg Wilhelm Friedrich Hegel (1770-1831), réunissant les leçons professées à Heidelberg et à Berlin, publié d'après les manuscrits de ses auditeurs par Michelet, dans les volumes XIII-XV des *Œuvres* de Hegel (Berlin, 1832), réédité dans la *Jubiläumausgabe* de 1927-29 et destiné, après révision et confrontation avec d'autres manuscrits par Hoffmeister, à constituer les volumes XV-XVIII de l'édition critique de Leipzig. Ces *Leçons*, telles que les publia Michelet, remontent à un manuscrit hégélien de 1805, modifié et revu à plusieurs reprises par l'auteur : aussi renferment-elles des contradictions et des répétitions ; on relève en outre une disproportion marquée entre la première partie et les suivantes. En dépit de ces évidents défauts de structure, elles constituent une œuvre fondamentale de l'historiographie philosophique. Dans une importante « introduction », Hegel expose le concept d'histoire de la philosophie, qu'il considère comme l'histoire de la rationalité du réel, ou, d'un point de vue métaphysique, comme l'autoconscience de la raison absolue, entendue comme principe éternel et autonome du réel. En tant que telle, cette autoconscience est spirituellement en acte, elle est elle-même processus, développement, historicité. L'idée de philosophie a sa réalité concrète dans l'histoire de la philosophie. Celle-ci trouve à son tour dans la première son critère de continuité organique. De là, la conviction que les divers systèmes philosophiques ne constituent nullement des intuitions discontinues et arbitraires de la réalité déterminées par le sujet pensant. En chacun d'eux vit et agit, positivement ou négativement, la pensée contenue dans ceux qui les ont précédés. Ainsi chaque penseur en particulier n'est que le truchement d'une pensée universelle, d'une autoconscience rationnelle procédant par degrés, chacun de ces degrés niant les précédents dans leur finitude pour les confirmer, en les dépassant dans une synthèse plus large. L'histoire de la philosophie doit tenir compte de trois moments essentiels : le premier tient dans le fait que la philosophie, dans ses deux formes concrètes, est toujours l'expression d'un aspect de l'idéalisation du réel, de la spiritualité de la vie d'un peuple, laquelle, après avoir été tragiquement expérimentée, atteint à la conscience de soi, de son sens universel, et assume la forme de la pensée. Le deuxième moment consiste en ce que chaque forme de la philosophie, du fait même qu'elle s'élève sur le plan de l'esprit objectif, au-dessus des événements historiques, exprime, selon une direction qui lui est propre, la pure exigence théorétique. Ainsi, tout en suivant l'histoire de la culture, l'histoire de la philosophie possède sa propre continuité idéale : celle de son actualisation à travers une dialectique complexe qui parcourt les diverses catégories du système rationnel. « Le développement des systèmes philosophiques dans l'Histoire – écrit Hegel – est identique au développement, dans le domaine logique, des déterminations conceptuelles de l'idée. » Le troisième moment réside enfin dans le fait que le domaine spéculatif se trouve avec le domaine esthétique et en particulier avec le religieux, dans un rapport dialectique tendant à se résoudre par la transposition du contenu des deux derniers sous la forme théorétique du concept où elle trouve sa pleine vérité.

L'histoire de la philosophie est donc conçue par Hegel de telle sorte que chaque système est considéré à la fois dans son effective détermination historique et comme un moment de l'actualisation dans le savoir concret de l'idée même de savoir absolu. L'histoire des systèmes n'est en rien l'histoire d'erreurs caduques, et encore moins celle de vérités partielles et accidentelles : c'est l'histoire du devenir concret de la vérité, selon les moments universels, à travers l'expérience spirituelle de l'humanité. Aussi la philosophie ne peut-elle avoir conscience de soi, de sa nature et de ses principes, que dans la mesure où elle reconnaît sa propre historicité. Dans cette reconnaissance réside la suprême garantie de pureté et d'universalité de son propre critère théorique. Hegel, après avoir déclaré que l'Orient ne possédait pas en propre une véritable philosophie, du fait même qu'il ignorait la liberté de l'esprit, s'est efforcé, dans une exposition consacrée à la philosophie orientale – qui constitue en quelque sorte un appendice à l'introduction –, de montrer comment celle-ci n'est qu'un pressentiment de la véritable démarche philosophique, laquelle se développe selon trois moments correspondant à trois périodes historiques. La raison s'affirme d'abord dans sa liberté et son autonomie : c'est la période de la philosophie grecque qui, des Ioniens à Aristote, fonde l'autonomie et la méthode de la raison, pour déchoir ensuite dans l'antithèse du stoïcisme et de l'épicurisme, et dans leur négation dialectique par le scepticisme, qui ouvre la voie à l'expérience religieuse, dans la forme de laquelle s'affaiblit et se voile l'autonomie de la raison. Le christianisme est la reconnaissance d'un dualisme radical entre foi et raison, entre suprasensible et sensible, entre intelligible et réel, que la philosophie médiévale développe et tend à résoudre. Avec la philosophie moderne, la raison réaffirme ses droits, non plus en tant que règne transcendant la réalité, mais comme principe et vie de la réalité elle-même, qui se reconnaît comme actualité de l'idéal, comme esprit vacant dans la conscience de sa liberté. – Trad. Vrin.

LEÇONS SUR L'HISTOIRE DES MATHÉMATIQUES [*Vorlesungen über die Geschichte der Mathematik*]. Ouvrage de l'Allemand Moritz Cantor (1829-1920), comprenant quatre volumes ; le premier, publié en 1880, traite de l'histoire des mathématiques pures, des temps les plus reculés jusqu'à 1200 ap. J.-C. ; le deuxième, publié en 1892, va de 1200 à 1668 ; le troisième, de 1668 à 1758. Un quatrième volume (1908), écrit en collaboration avec d'autres scientifiques, opère une mise à jour des questions qui revêtirent une importance particulière de 1758 jusqu'à la fin du XVIIIe siècle. Si cet ouvrage est supérieur à l'*Histoire des mathématiques* (*) de Montucla, du fait de son exposé plus savant et plus analytique, bénéficiant en outre des recherches les plus récentes sur des documents jusque-là inédits ou peu connus, il n'en est pas de même en ce qui concerne le style, beaucoup plus aride. De plus, tout en demeurant une source précieuse par la richesse de sa documentation, il n'est pas exempt de certaines défectuosités dans l'ordonnance des matières. Une longue série de corrections, devenues nécessaires, ont été publiées par G. Eneström et d'autres auteurs dans la *Bibliotheca mathematica*. Le premier volume s'ouvre sur une introduction consacrée à l'origine des systèmes de numération. Viennent ensuite : I. Arithmétique et géométrie égyptienne ; II. Les Babyloniens ;

III. Les Grecs, comprenant : Calcul numérique digital et des tablettes ; Thalès ; arithmétique et géométrie de l'école pythagoricienne ; autres mathématiciens non pythagoriciens, Hippocrate de Chio, Platon, l'Académie et Aristote, l'école alexandrine, Euclide, Archimède, Ératosthène, Apollonius de Perga ; les Épigones des grands mathématiciens, Héron l'Ancien, la géométrie et la trigonométrie jusqu'à Ptolémée, les néo-pythagoriciens, Nicomaque, Théon, et la décadence des mathématiques grecques ; IV. Les Romains ; V. Les Hindous ; VI. Les Chinois ; VII. Les Arabes ; VIII. La science monastique médiévale. C'est là le volume le plus intéressant (notamment pour tout ce qui se rapporte à la naissance et au développement des mathématiques classiques grecques) et peut-être aussi le plus érudit et le mieux conçu.

Le deuxième volume comprend les parties suivantes : IX. De 1200 à 1300, renaissance des sciences mathématiques avec Leonardo de Pise, Giordano Nemorarius, Sacrobosco, Giovanni Campano ; X. De 1300 à 1400, consacrée aux mathématiciens anglais, français, allemands, italiens ; XI. De 1400 à 1450, Puerbach, Nicolas de Cuse et les Italiens ; XII. De 1450 à 1500, Regiomontano, Alberti, Léonard de Vinci, Luca Pacioli et autres Italiens et Français ; XIII. De 1500 à 1550, les mathématiciens français, espagnols, portugais, allemands, anglais, italiens, et la solution des équations cubiques avec Ferrari, Tartaglia, Cardan, etc. ; XIV. De 1550 à 1600, Viète et l'algèbre ; XV. De 1600 à 1668, sur les développements de la trigonométrie et de la cyclométrie, de la mécanique théorique et pratique, la découverte des logarithmes, la technique des nombres, la géométrie analytique, Kepler, Cavalieri, Descartes, Fermat, Roberval, Torricelli, Grégoire de St. Vincent, Wallis, Pascal, etc.

Le troisième volume, de 1668 à 1758, embrasse, des chapitres XVI à XVIII, le développement du calcul infinitésimal, et entre autres noms marquants, ceux de Gregory, Newton, Leibniz, Bernouilli, Maclaurin, Cramer, etc.

Le quatrième volume, consacré à la période 1759-1799, comprend : XIX. écrit par S. Günther, avec un chapitre historique ; XX. par S. Cajuri, sur l'arithmétique, l'algèbre et la théorie des nombres ; XXI. par E. Netto, sur le calcul des variations, les séries, les imaginaires ; XXII. par V. Bobynin, sur la géométrie élémentaire ; XXIII. par A. von Braünmuhl, sur la trigonométrie et la polygonométrie : XXIV, par V. Kommerle, sur la géométrie analytique du plan et de l'espace ; XXV. par G. Loria, avec la perspective et la géométrie descriptive ; XXVI. par G. Vivanti, sur le calcul infinitésimal ; XXVII. par C. R. Wulner, sur les équations différentielles totales et partielles, avec le calcul des différences et des sommes ; XXVIII. par M. Cantor, passant en revue les Temps modernes de 1758 à 1799. Chaque volume est accompagné d'un index alphabétique des noms et des matières principales.

LEÇONS SUR L'HISTOIRE ET LA THÉORIE DES BEAUX-ARTS [*Vorlesungen über schöne Literatur und Kunst*]. Cette série de leçons données à Berlin en 1801-1804 par l'écrivain allemand August Wilhelm von Schlegel (1767-1845) fut publiée en 1883 par J. Minor. C'est donc un cours et ce cours a le mérite d'avoir imposé en Allemagne le respect du romantisme à tous ceux qui lui étaient hostiles. De là, son importance dans la littérature allemande. La première leçon sur la *Théorie de l'art* s'attache à examiner les possibilités qu'il y a de faire une véritable Histoire de l'art, et conclut par l'affirmative : en effet, après avoir analysé *La Critique du jugement* (*) de Kant, l'auteur entend démontrer que la critique d'art doit être fondée sur l'idéalisme transcendantal. Cette introduction s'achève par l'étude des rapports entre Art et Nature et par une définition du Style. Vient ensuite l'étude des différents arts par ordre ascendant : de la plastique, qui s'exprime au moyen des corps, à la poésie qui se manifeste au moyen des pensées. De cette longue analyse, l'auteur déduit plusieurs chapitres intéressants qui traitent de la langue, de la prosodie et des genres littéraires. Partant d'intuitions qui, avant lui (de Kant à Goethe, de Herder à Schiller et à Schelling), avaient été évoquées, mais de manière diffuse, il les réunit dans un seul système : en les renouvelant dans l'esprit du romantisme, il peut ainsi constituer un véritable corps de doctrine esthétique. La deuxième leçon est consacrée à l'*Histoire de la littérature classique :* elle traite d'abord de façon générale de la langue grecque, de la poésie homérique, d'Hésiode, des grands tragiques, de la comédie attique ancienne et moderne, du mime, des idylles et des satires. D'autres chapitres sont consacrés à l'*Énéide* (*), à la poésie lyrique, de Pindare à Horace, etc. L'auteur aborde également la question des imitateurs ; les auteurs du XIVe siècle et les humanistes italiens, français (de Malherbe à Voltaire), allemands (Klopstock, etc.). La troisième leçon, la plus importante (*Histoire de la littérature romantique*), constitue le premier essai sur le romantisme composé de façon systématique. Dès la deuxième leçon, Schlegel avait donné une vue cavalière des conditions présentes de la littérature allemande. Loin de se montrer indulgent pour ses compatriotes, il avait critiqué la Réforme autant que les « Lumières » et désigné Goethe (incompris encore par trop d'Allemands) à l'admiration de la postérité. Dans cette troisième leçon, Schlegel s'attache à définir les critères des « langues romanes » et de ce genre littéraire essentiel, dit précisément « roman ». Après avoir exalté la splendeur des pays latins (Italie, Espagne), il traite de l'ancienne littérature française chevaleresque et héroïque. Enfin, il aborde l'étude de Shakespeare. Tout cela constitue l'aube de la poésie romantique, que Schlegel définit comme « la poésie des grandes nations de l'Europe moderne ». En arrivant à l'Allemagne, il remonte à ce moment romantique que fut sa poésie médiévale, aux poètes courtois et populaires, à la *Chanson des Nibelungen* (*) qu'il revalorise très justement ; viennent ensuite Hans Sachs, les maîtres chanteurs et les mystiques. Dans les derniers chapitres, l'auteur revient à ceux qu'il considère comme les préromantiques étrangers, s'attardant à Dante et à Calderón, le premier « presque un prophète biblique, tandis que le second fait penser à saint Jean l'Évangéliste ». La leçon s'achève par une étude sur Pétrarque et Boccace. – Trad. Pichon et Didier, 1830.

LECTOR IN FABULA. Essai critique du sémiologue et romancier italien Umberto Eco (né en 1932), publié en 1979. « Le texte n'est pas un objet brut mais s'insère nécessairement dans un contexte. » Cette remarque, qui constitue le point de départ de l'ouvrage, s'appuie sur des exemples très parlants : le lion, dit Eco, peut être associé à plusieurs contextes, la jungle, symbole de liberté et de férocité, le cirque, qui évoque le dressage, et le zoo qui rappelle la captivité. Cela signifie que le texte ne peut se suffire à lui-même mais qu'il a besoin, pour être compris, d'une instance interprétative adéquate, à même de saisir spontanément le contexte. Ainsi, poursuit-il, dans le cas des deux phrases : « il faudra ramener Pierre au zoo » et « il faudra ramener le lion au zoo », aucun dictionnaire ne permet d'établir une différence entre les deux expressions : pour Pierre c'est un plaisir, pour le lion c'est la captivité, mais seul le contexte peut permettre au destinataire de choisir son interprétation.

Si le code du message est variable, le problème est alors d'éviter les possibilités de lecture aberrantes. Voilà pourquoi l'interprétation elle-même doit faire partie du mécanisme génératif d'un texte. C'est ce qu'Eco appelle la « collaboration interprétative », qui implique que l'auteur, lorsqu'il élabore son texte, doit se référer à une série de « compétences » du lecteur. De ce point de vue, la thèse peut sembler contradictoire avec celle avancée dans *L'Œuvre ouverte* (*) où Eco démontrait que l'œuvre se propose a priori comme un objet ouvert à une infinité d'interprétations. Or, si l'auteur anticipe sur cette interprétation du destinataire, il y a nécessairement restriction du champ de liberté concédé au lecteur. Eco en est conscient : reprenant à son compte la phrase de Valéry, « il n'y a pas de vrai sens d'un texte », il souligne pourtant qu'on ne peut confondre libre usage d'un texte et interprétation ouverte. Et de citer *Le Procès* (*) de Kafka qui, s'il est lu comme une banale histoire policière, n'a plus aucun intérêt. C'est pourquoi prétendre qu'une œuvre d'art est ouverte ne signifie pas qu'on peut tout tirer d'un texte en suivant sa propre subjectivité mais qu'il y a ouverture dans la mesure où tout n'est pas dit.

Le texte est donc fait de sous-entendus et d'espaces blancs à remplir. Voilà pourquoi Eco parle du texte comme d'une « mécanique paresseuse », qui vit sur la « plus-value de sens qu'y introduit le destinataire ». L'auteur doit alors prévoir son lecteur, sa culture et son système de références, de façon à stimuler cette interdépendance et ce rôle dynamique du texte. C'est ce qui amène Eco à développer l'idée d'un « lecteur modèle » que l'auteur, par des choix de langage et de références, définit et finalement construit de toutes pièces. – Trad. Grasset, 1985.

B. L.

LECTURES [*Books in General*]. Recueil d'essais critiques de l'écrivain anglais Victor Sawdon Pritchett (né en 1900), publié en 1953. Les textes rassemblés là avaient paru dans le *New Statesman :* le titre de l'ouvrage étant celui de la rubrique même où ils parurent d'abord. Pritchett a plusieurs fois réuni en volume des écrits apparemment nés des circonstances du journalisme et de l'édition. Antérieurement à ce livre-ci, il avait publié déjà : en 1942, *In my Good Books* (la traduction la plus approchée du titre serait, un peu niaisement « Dans mes petits papiers ») ; et en 1947 *Le Roman vivant* [*The Living Novel*]. Il faut souhaiter la traduction française d'un choix de ces comptes rendus d'explorateur sans carte professionnelle. Dès l'abord, la position de Pritchett, jamais bien circonscrite, apparaît à la fois comme traditionnelle et originale. L'auteur est au fait des élaborations contemporaines (du « Qu'est-ce que la littérature » de Sartre aux ouvrages de Samuel Beckett) ; mais son approche particulière ne lui permet pas de s'y attarder ; au fait des nouvelles rhétoriques qui sans doute se déroulent à ses yeux dans une sorte de magnificence uniforme et nulle (les manifestes du nouveau roman ou de l'allittérature doivent le divertir) ; et il connaît pareillement les méthodes de l'érudition universitaire perfectionnée aux U.S.A. Les modes de l'époque ne l'ont donc pas contaminé. C'est en ce sens que l'entreprise peut être considérée comme ayant une sorte d'objectivité classique, qui serait plutôt négative si, dans ses promenades en liberté, cet amateur n'éclairait rien ; or, c'est une vertu éclairante qui le distingue. Ce qu'il maintient, c'est tout simplement un principe d'individualité en littérature. Il laisse les livres venir à lui, lui-même réceptif à presque tout ce qu'il y a. Nul préjugé ; jamais un a priori. Et les auteurs les plus différents sont mieux vus : comme si nous-mêmes, les ayant mal lus, ne les avions guère compris encore. La composition de ces textes apparaît bien quelque peu désordonnée (comme assez souvent chez les exégètes anglais), mais on se demande quel autre critique se serait avisé des ruses de l'innocence chez John Cowper Powys ; on aurait tout ensemble lu, compris et mis en cause l'entreprise de Samuel Beckett (les tentatives audacieuses de notre temps ne rencontrent en général que l'incompréhension, l'adhésion ou l'ébahissement : autrement dit, trois différents modes de capitulation). Ce n'est pas dire que Pritchett n'ait pas ses préférences. Ses propres romans montrent qu'il s'intéresse surtout à la littérature de la vie qui passe et qu'il reste dans la tradition de Dickens ; on y décèle également que les structures le retiennent peu. L'intéressant est qu'il n'en soit pas limité. Ses lectures sont stimulantes pour des amateurs moins doués que lui, et ajoutent au déchiffrement littéraire des étonnements justes. La naissance de ses idées est surprenante comme un bon spectacle : le spectacle d'une intelligence en vie. Pritchett n'a peut-être pas d'analogue. – Trad. partielle dans *Pourquoi j'écris,* par Elisabeth Bowen, Graham Greene et Victor Pritchett, Le Seuil, 1950.

LECTURES EN AMÉRIQUE [*Lectures in America*]. Œuvre de l'écrivain américain Gertrude Stein (1874-1946). Il s'agit d'une série de conférences que Stein a prononcées aux États-Unis lors d'un voyage. Elles furent rassemblées en un volume et publiées en 1935. C'est à la suite de la publication de *L'Autobiographie d'Alice B. Toklas* (*) en 1933 que Stein connut un extraordinaire succès et fut invitée à parler dans différentes universités. Dans ces six conférences, Stein présente ses conceptions littéraires : « Qu'est-ce que la littérature anglaise ? », « Pièces », « Poésie et Grammaire », etc., et explique ses œuvres. Le recueil débute par une réflexion sur l'insularité du roman anglais et se termine sur un exposé portant sur la grammaire de la phrase (c'est là qu'on trouve les célèbres, drôles et pertinentes remarques sur la virgule, l'adjectif, etc.). Stein tente d'expliquer tout ce qu'elle a écrit avant *L'Autobiographie,* comme par exemple *Tendres boutons* (*), et qu'elle se défend contre les attaques d'une critique qui la trouvait illisible, cubiste, hermétique. Elle utilise l'humour – de son travail, elle dit qu'il est « clair comme de la boue, car la boue se dépose et ensuite de clairs ruisselets coulent » – et mêle une argumentation convaincue en faveur du nouveau en art à une rhétorique têtue assez proche du style de ses écrits non « théoriques ». Le livre est à la fois une autojustification et la formulation d'idées littéraires qui ont été très fécondes pour plusieurs générations d'écrivains. – Trad. Bourgois, 1978. C. Gr.

LECTURES POUR UNE OMBRE. Œuvre de l'écrivain français Jean Giraudoux (1882-1944), publiée en 1917. Quand il écrivit ce livre de guerre, Giraudoux était déjà connu par ses *Provinciales* (*) et son *École des indifférents* (*). *Lectures pour une ombre* occupe une place à part dans la littérature suscitée par la guerre de 1914. On n'y trouve pas l'horreur de Barbusse, ni la grandiloquence patriotique. Tout simplement, Giraudoux, dans la guerre, reste seulement Giraudoux : ici, même ironie, même souci du détail, même attention appliquée pour toutes choses que dans le reste de l'œuvre. Il semble que l'auteur, pourtant combattant valeureux, reste tout à fait imperméable à l'événement, soucieux pardessus tout de ce que la guerre ne vienne point troubler son for intérieur. Il lui faut garder sa liberté d'indifférence : la guerre n'est qu'un incident dans le déroulement de son « moi ». Qu'elle ne nous dépossède point de nous-mêmes ! La délicatesse, l'indifférence aristocratique, le stoïcisme de bon ton du récit de Giraudoux expriment une fervente passion égotiste. Aussi, tous les faits extérieurs, si dramatiques soient-ils, étant relégués dans l'ordre de l'accessoire, sont racontés par Giraudoux d'une manière très ordinaire – sans que pourtant cette attitude soit érigée en procédé. Qu'on n'élève donc point de grands mots, qu'on regarde les combattants comme ils sont, non des demi-dieux, mais des êtres un peu plus désordonnés et bizarres que les autres hommes ! La guerre, pour Giraudoux, reste une promenade riche de surprises, de découvertes, occasion de réminiscences de lectures ou de voyage. En tout cas, *Lectures pour une ombre* est un livre caractéristique de la littérature qui naîtra au lendemain de l'armistice : il annonce la célèbre « démobilisation de l'intelligence ».

LÉDA [*Leda*]. Pièce de théâtre de l'écrivain croate Miroslav Krleža (1893-1981), mise en scène pour la première fois au Théâtre national croate [Hrvatsko narodno kazaliste] en 1930 à Zagreb. *Léda* est le dernier des trois drames du cycle des *Glembay* (*), les deux premiers étant *Messieurs les Glembay* (*) et *À l'agonie* [*U agoniji*]. Sous-titrée « comédie d'une nuit de carnaval », *Léda* parachève l'échec total de la famille patricienne des Glembay, quelque part entre les deux guerres. Contrairement aux premier et second drames de ce cycle, dans *Léda* les derniers survivants de cette famille n'ont plus la force « ni de tuer les autres ni de se suicider ». La désintégration de l'Autriche-Hongrie sera le dernier coup porté à cette famille qui verra ainsi la suppression de ses privilèges et son anéantissement complet. Il est significatif de voir Miroslav Krleža mettre dans *Léda,* côte à côte, le dernier des Glembay et un nouveau riche, un certain Klanfar. La disparition des dernières épaves de l'ancienne famille aristocratique coïncide avec l'ascension des Klanfar qui, à la faveur des événements, sont appelés à tenir les rôles qu'avaient joués les Glembay sous la bannière autrichienne. L'action de *Léda* se déroule plus ou moins autour des alcôves de cette « haute société ». En fait de symbole, dans la dernière scène, une balayeuse, toute voûtée, fatiguée, noiraude, fera disparaître les oranges pourries, les papiers déchirés, les vieux journaux, derniers vestiges pitoyables des hautes destinées qu'eurent autrefois les Glembay.

LÉGATAIRE UNIVERSEL (Le). Comédie en cinq actes et en vers de l'écrivain français Jean-François Regnard (1655-1709). C'est la meilleure et la dernière de ses pièces, si on excepte celle qu'il écrivit pour la défendre, *La Critique du « Légataire »* (*). Représentée en 1708, elle appartient au groupe de comédies que Regnard écrivit pour le Théâtre-Français, groupe qui comprend ses meilleurs ouvrages, dont *Le Joueur* (*). Ce grand voyageur – v. *Voyages* (*) de Regnard –, cet épicurien aimable, cet esprit plein de vivacité, après s'être essayé dans tous les genres, donne là son chef-d'œuvre. Sans doute, on n'a pas manqué de souligner ce qu'il avait emprunté à la « commedia dell'arte » et au Molière des *Fourberies de Scapin* (*) ; toutefois l'œuvre est fort originale, car elle marque un renouvellement complet de la farce devenue tradition du théâtre français. Éraste, neveu du cacochyme Géronte, aime Isabelle. Madame Argante, mère de la jeune fille, consentirait à ce mariage à condition qu'Éraste soit désigné comme héritier de tous les biens de son oncle. Malheureusement, ce dernier, malgré son âge, s'érige en prétendant d'Isabelle. Pressé de faire son testament, Géronte consent à faire d'Éraste son légataire universel, mais il réserve une forte somme à deux de ses parents qu'il ne connaît pas. Pour assurer à son maître la totalité de l'héritage, Crispin, valet d'Éraste, se fait passer successivement pour ces parents inconnus. C'est ainsi que Géronte reçoit la visite d'un jeune homme suffisant et vulgaire, puis d'une veuve querelleuse et rapace. Impressionné par ces visites, Géronte projette de tout laisser à Éraste ; mais il est si affecté par ses découvertes qu'à peine a-t-il pris cette décision qu'il a une syncope. On le croit mort. Une fois de plus, l'artificieux Crispin vient au secours de son maître. Il n'en est pas à une métamorphose près ; cette fois, c'est en Géronte qu'il se transforme. Il fait appeler un notaire, dicte un testament en faveur d'Éraste, sans négliger quelques donations pour lui-même et pour son amie, Lisette, servante chez Géronte. Mais l'oncle revient à lui et il est fort surpris de voir le notaire lui rapporter copie d'un testament qu'il ne se souvient pas avoir fait. À chaque nouvel étonnement, les complices lui répondent : « C'est votre léthargie. » Finalement, on arrive à convaincre le vieillard que c'est bien lui qui a fait ce testament, mais que sa syncope lui a fait perdre la mémoire. Géronte confirmera le testament, qu'il avait d'ailleurs eu l'intention de faire, et Éraste épousera Isabelle.

Le Légataire universel n'est rien de plus qu'une farce et la plus gaie de Regnard, dont Boileau aurait dit qu'il n'était pas « médiocrement plaisant ». En fait, c'est déjà, par l'aspect caricatural des situations et des caractères, presque un vaudeville, et on peut dire que, si la comédie se ressent de l'influence de Molière, elle n'est pas sans annoncer Labiche. Regnard, moins ici que dans *Le Joueur* (*), ne se soucie ni de peindre fortement des caractères ni de faire une satire des mœurs. Il a observé leur relâchement à la fin du règne de Louis XIV, mais il ne le censure pas. Il n'a voulu que faire rire et il y réussit admirablement : ses railleries portent à tout coup, et il sait entraîner le spectateur par la vivacité de ses inventions dramatiques qui se succèdent sans interruption sur la scène. C'est pourquoi Regnard est un des grands artisans de cette renaissance de la comédie en France au début du XVIIIe siècle. Il est servi par un style hardi, pittoresque, emporté, plein de trouvailles et de traits, mais qui frise de temps à autre l'incorrection. Par contre, sa versification, généralement supérieure à celle de Molière, est parfois pleine de naturel, mais le plus souvent très et même trop soignée. Si le public accueillit avec enthousiasme *Le Légataire,* dont le parfait cynisme s'accordait bien avec l'état d'esprit contemporain, il n'en alla pas de même avec la critique. Celle-ci bouda son plaisir et chercha querelle à Regnard sur ce qu'il n'avait pas observé : les règles classiques ; sa comédie en effet manquait d'unité. Regnard répondit brillamment à ces polémiques dans *La Critique du « Légataire »* (*).

LÉGENDE D'ADAM ET ÈVE [*Leggenda d'Adamo ed Eva*]. Connue également sous le titre de *Légende de l'arbre de la Croix* [*Leggenda dell'albero della Croce*], elle fut publiée par Alessandro d'Ancône, à Bologne en 1870. C'est la rédaction en langue italienne, faite au XVe siècle par un compilateur anonyme, d'un récit dérivé de l'Évangile apocryphe de Nicodème et que l'on retrouve dans maints ouvrages latins et romans du Moyen Âge. La légende raconte qu'Adam, après neuf cent trente années d'exil, épuisé de fatigue et de douleur, envoie son bon fils Seth à l'ange qui garde le Paradis terrestre, afin d'avoir une certitude au sujet de cette « huile de miséricorde » que Dieu lui avait promise alors qu'il quittait l'Éden, tout en larmes et plein de repentir. Suit la description traditionnelle du Paradis terrestre. L'ange montre à Seth, sous la forme d'un adolescent en robe immaculée, debout sur l'arbre même qui fut à l'origine du péché, le Fils de Dieu dont la naissance sera pour tous les hommes l'accomplissement de la miséricordieuse promesse. Revenu sur terre, Seth assistera à la mort de son père ; mais, avant de l'enterrer près du Mont Thabor, il déposera sous sa langue les trois petites graines que l'ange lui avait remises. Trois rameaux sortiront de ces graines, rameaux d'olivier, de cèdre et de cyprès, symboles des trois personnes de la Trinité. Moïse les coupera, sur l'ordre de Dieu, pour en faire les instruments de tous ses miracles. David les portera à Jérusalem où ils continueront à manifester leurs vertus surnaturelles jusqu'à ce qu'au temps de Salomon, après des aventures diverses et au grand scandale de la reine de Saba, ils servent de passerelle au-dessus du Siloé. La foule, excitée et furieuse, s'en emparera pour en construire la Croix sur laquelle le Christ mourra pour le salut de l'humanité. Ce pieux récit, destiné à l'édification religieuse du peuple, a le mérite de la simplicité et de la candeur, et trouve des accents émouvants dans la description réaliste et naïve de la douleur d'Adam.

LÉGENDE D'ADAPA (La). Mythe mésopotamien. Nous en avons, sur trois tablettes qui se complètent, le texte presque entier, assez court, en akkadien. On y raconte comment Adapa, le premier des sept grands héros civilisateurs envoyés aux hommes pour leur enseigner la culture, avait été « créé » par Éa, qui lui avait « accordé la sagesse, mais refusé l'immortalité » — car ce n'était qu'un homme. Renversé avec sa barque par le Vent du Sud, il lui avait brisé les ailes. Le dieu An l'avait alors convoqué pour le morigéner ou le châtier. Et Éa lui avait donné des conseils pour se concilier les dieux qui devaient l'escorter jusque devant An ; et il l'avait averti de refuser nourriture et boisson qu'on lui offrirait, l'affaire apaisée, selon les lois de l'hospitalité : ces vivres ne lui assurant qu'une vie mortelle, son refus obligerait ses hôtes à lui présenter la nourriture et la boisson (réservées aux dieux) porteuses de la vie immortelle. Il avait obéi à Éa ; mais An, prévoyant sa réaction, lui avait fait offrir immédiatement la nourriture et la boisson d'immortalité, si bien qu'il n'avait pu obtenir la vie sans fin — ce que du reste voulait Éa d'emblée. En montrant les dieux plus rusés les uns que les autres, la légende ne manque pas d'humour. On a voulu, à tort, y voir non une simple légende, mais un mythe pour rendre raison de la mortalité des hommes — quelque chose, pensait-on, non moins à tort, d'analogue au récit du péché originel dans notre *Genèse* (*) biblique : en fait, il n'est question que du destin personnel d'Adapa. — Trad. in R. Labat, *Les Religions du Proche-Orient asiatique,* Fayard-Denoël, 1970. J. B.

LÉGENDE DE KÉRET, roi des Sidoniens. Cette légende nous est parvenue en un dialecte sémitique proche du phénicien antique, parlé au deuxième millénaire av. J.-C. en Syrie septentrionale et surtout dans la ville d'Ugarit ; de cette légende nous ne possédons jusqu'à présent qu'une seule tablette, d'ailleurs incomplète. Le personnage central est Kéret, roi de Sidon et fils du dieu El. Selon la légende en question, ce roi serait venu du pays de Chanaan en Phénicie, pour s'établir dans la ville de Sidon. Sur l'ordre de El, Kéret doit soutenir un combat ; mais il perd courage, jusqu'au moment où le dieu lui révèle l'avenir : Kéret offrira d'abord un sacrifice puis, une fois retourné dans sa ville, offrira un banquet aux notables. Enfin la bataille s'engagera dans le Negeb, c'est-à-dire dans la partie méridionale de la Palestine, mais le résultat sera désastreux pour les troupes de Sidon. Pendant six jours Kéret devra marcher en direction du sud et atteindra enfin le pays d'Edom. Le dieu fait une description détaillée du fils qu'aura Kéret avec une certaine Meshethery. À son réveil, obéissant aux ordres de son père reçus en songe, Kéret entreprend de les mettre à exécution. La légende devait se poursuivre sur les tablettes manquantes. — Trad. *Textes ougaritiques,* Le Cerf, 1974.

LÉGENDE DE KLINGSOHR (La) [*Klingsohrs Märchen*]. Conte romantique et symbolique par lequel se termine la première partie d'*Henri d'Ofterdingen* (*), roman de l'écrivain allemand Novalis (1772-1801). Ce n'est qu'à travers ce conte allégorique que nous pouvons pleinement comprendre la conception que Novalis se faisait de la poésie. *Henri d'Ofterdingen* constituait, dans son esprit, la contrepartie de *Wilhelm Meister* de Goethe — v. *Les Années d'apprentissage* (*) et *Les Années de voyage de Wilhelm Meister.* En effet, dans *Wilhelm Meister,* la poésie doit à la fin faire place à la réalité ; au contraire, pour Novalis, c'est la réalité qui doit céder le pas à la poésie et qui est envahie et absorbée par elle. La légende qui nous occupe ici est racontée par le sage poète Klingsohr, le père de la fiancée d'Henri d'Ofterdingen. Le vieux roi Arctur, symbole de la nature, vit prisonnier d'un enchantement, dans un palais glacé, avec sa fille Freya la liberté. Il devra être délivré, et ses sauveurs seront Éros et Fable (Fabel). Éros et Fable sont enfants du même père, le Sens (der Sinn), mais non de la même mère. Éros est né d'une mère douce et passionnée, le Cœur (Herz), tandis que Fable est fille de Ginnistan, laquelle nourrit les deux enfants (Ginnistan, splendide et exubérante, symbolise l'Imagination). Dans leur maison, il y a encore deux autres créatures surhumaines, l'une bienfaisante et infiniment bonne, Sophie, la sagesse ; l'autre, le Scribe (der Schreiber), ennuyeux et pédant, symbole du rationalisme. Le Scribe passe ses journées à écrire sur d'innombrables feuilles de papier qui, à peine couvertes de mots, sont plongées par Sophie dans une eau miraculeuse d'où elles sortent presque toujours parfaitement blanches. Les gouttes d'eau qui tombent des feuilles se transforment en chiffres, aussitôt recueillis par le Scribe qui, après les avoir enfilés à une corde, en fait un collier dont il se pare. Éros, devenu grand et beau pour avoir bu l'eau miraculeuse de Sophie, part avec Ginnistan à la recherche de sa fiancée encore inconnue, Freya, fille d'Arctur. Ginnistan, bien qu'elle soit la nourrice d'Éros, s'en éprend et se donne à lui, dans un instant où Éros, l'esprit enténébré, croit étreindre la fiancée qui lui est destinée, la liberté. Pendant ce temps, à la maison, le Scribe a fomenté une révolte parmi les domestiques. Le Sens et le Cœur ont été emprisonnés ; seules la petite Fable et Sophie ont pu se sauver. Fable, sur ces entrefaites, arrive dans le royaume des Parques : celles-ci voudraient la tuer, mais elle leur donne des tarentules (les passions) et les Parques, ayant subi leur piqûre, meurent. Fable, ayant ainsi anéanti l'espace et le temps, a du même coup éliminé le mal. Il n'y a plus qu'à allumer un immense feu, qui enveloppera l'univers entier ; Herz, la mère, meurt dans les flammes, le Scribe est gravement blessé, la glace fond autour du palais d'Arctur. Tout ce qui existait a perdu l'âme pour toujours ; désormais la vie seule régnera. Fable rencontre de nouveau Éros qui, pendant ces événements, s'est éloigné de Ginnistan, et le conduit près de Freya. Leur union est bénie par Sophie, tout maléfice est rompu : à l'avenir, une harmonie éternelle régnera sur la terre. Tout le destin du cosmos est symbolisé par cette étrange et obscure légende qui renferme la conception que le jeune poète visionnaire se faisait du monde : Novalis voyait en effet l'harmonie dans la domination absolue. Elle est un résumé de la philosophie romantique de l'imagination ; les mêmes pensées seront plus tard développées par nombre d'autres poètes, certes de manière moins fantaisiste, mais aussi moins envoûtante. — Trad. *Henri d'Ofterdingen,* Aubier, 1942 ; Gallimard, 1975.

LÉGENDE DE LA CITÉ INVISIBLE DE KITÈGE ET DE LA VIERGE FEVRONIA (La) [*Skazanie o njevidimom gradje Kiteze i djevje Fevronij*]. Opéra en quatre actes et six tableaux du compositeur russe Nikolas Rimski-Korsakov (1844-1908), sur un livret de Brillski, créé à Saint-Pétersbourg en 1907. L'intrigue tire son origine des deux légendes populaires russes que le titre de l'œuvre désigne distinctement. La grande Kitège, aux palais de marbre, aux coupoles étincelantes, est assiégée par les Tartares, qui en ont déjà occupé le faubourg (la petite Kitège). Mais à l'élan des féroces Mongols s'oppose, victorieux, le pouvoir magique de la vierge Fevronia, une très belle jeune fille que sa pureté rapproche de Dieu et de la nature. Par des prières ferventes, elle obtient ce miracle : la ville est rendue invisible et il ne subsiste plus qu'un terrain sauvage. Au loin, dans la profondeur des eaux transparentes du lac, on aperçoit, renversée, la cité devenue éternelle ; c'est là que Fevronia s'unit, en noces mystiques, au prince de Kitège. Au premier acte, le prince vient lui apporter la promesse de son amour ; la musique résonne d'harmonies sylvestres, de chants idylliques, de fanfares de chasse. Le second acte est riche de couleur locale et de contrastes : dans la petite Kitège, au milieu de la foule, Fevronia s'apprête à se rendre au palais royal où elle est attendue pour les noces. Adroit et varié, le commentaire orchestral adhère au jeu de scène ; mais voici que se fait entendre, sur un mode menaçant, un motif qui annonce l'approche des Tartares, lesquels font irruption, avides de butin et de carnage. Un certain Griscka, à qui l'on réserve la mort s'il ne se soumet, accepte de guider les envahisseurs vers la grande Kitège. Au premier tableau du troisième acte, le prince se dispose à livrer bataille à ses ennemis ; mais le chant de guerre fait place à une prière qu'entonne le peuple, tandis que peu à peu la ville, enveloppée d'un nuage d'or, s'engouffre dans l'abîme. Au second tableau, Fevronia et Griscka, prisonniers des Tartares, réussissent à s'échapper durant la nuit. À l'aube, un carillon céleste réveille les ennemis qui, saisis de terreur devant le mirage de la ville engloutie, fuient en désordre. Le dernier acte est empreint d'une suavité paradisiaque qui pénètre les mélodies, les harmonies et les timbres de l'orchestre. Tel est l'épilogue du drame : la rédemption de la douleur terrestre dans la béatitude de l'éternité. Tous ceux qui se sont immolés pour la patrie y vivent en une sainte allégresse, autour de Fevronia et de son époux, unis par le lien d'un immortel amour. Des personnages se détachant sur le fond vif et coloré du chœur, une figure revêt un relief particulier, celle de Griscka, le buveur, dit « Kutiermà » (confusion) : en proie à un démon intérieur, frénétique, railleur, il trahit ses frères, semble se repentir, puis, devenu fou, s'enfuit et se perd dans le néant. La musique est construite sur des thèmes puisés dans le folklore russe et la liturgie orthodoxe, éléments que la fastueuse imagination de Rimski-Korsakov développe et enrichit pour créer une atmosphère suggestive, où le ton légendaire et mystique de l'intrigue trouve son exaltation.

LÉGENDE DE LA JEUNE POLOGNE (La) [*Legenda Młodej Polski*]. Œuvre de l'écrivain polonais Stanisław Brzozowski (1878-1911), publiée en 1910. Écrit à partir de 1907, ce recueil d'essais de six cents pages, à la construction claire, connut plusieurs versions. Il synthétise la pensée de l'auteur qui fut d'abord le défenseur du mouvement littéraire la Jeune Pologne, puis son détracteur. Il en critiqua le néo-romantisme, pour ne retenir que les vertus de la praxis. En effet, si le romantisme de la Grande Émigration (conséquence de l'insurrection de 1830-31), par des efforts héroïques, avait recréé la réalité perdue, la Jeune Pologne, elle, s'était métamorphosée en mascarade ; du Golgotha, elle avait fait un spectacle. Toutefois, l'auteur s'en prit aussi violemment à l'opposition conservatrice à l'égard du modernisme. Ses idées n'empêchèrent pas Brzozowski d'apprécier certains grands écrivains de son époque, comme Żeromski, Kasprowicz, Przybyszewski, Staff ou

Wyspiański, dont il reconnaissait les efforts pour échapper aux limites imposées par le courant littéraire auquel ils appartenaient.

La Légende contient une phénoménologie originale et brillante de toutes les formes de la conscience « non historique » et de leur sublimation littéraire. Aux yeux de l'auteur, le rôle de la littérature est d'inciter les lecteurs à agir pour transformer la société. Cette œuvre au parfum de scandale fit à l'époque l'effet d'une bombe. L. Dy.

LÉGENDE DE LA PRINCESSE LIBERTINE (La) [*Legenda za razbloudnata tsarkinya*]. Poème du poète bulgare Dimtcho Débélyanov (1887-1916), publié en 1914 et considéré comme une des œuvres symbolistes les plus achevées de la poésie bulgare. D'un contenu psychologique et moral très riche, et par ses thèmes fondamentaux de la chute et du repentir, le poème tend à expliquer et à justifier le péché. Le poète essaie de se libérer de l'idée d'éternelle culpabilité mais devient victime de la connaissance de « soi », en restant persuadé de l'illusion de l'élan et de l'espoir et de l'inaccessibilité de l'équilibre et de la consolation pour l'homme moderne. Le conflit spirituel que tend à résoudre ce poème confère un caractère dramatique à l'expression poétique. É. F.

LÉGENDE DE MONTROSE (Une) [*A Legend of Montrose*]. Roman de l'écrivain écossais Walter Scott (1771-1832), édité en 1819 : c'est le dernier des *Contes de mon hôte* (*). L'histoire se passe lors de la campagne de 1644, au cours de laquelle le comte de Montrose, à la tête des clans écossais insurgés en faveur de Charles Ier, infligea une série de défaites aux adversaires du roi, les gens du Covenant. Aux faits historiques plus ou moins arrangés, Scott mêle le récit (en partie fondé sur les faits) d'un crime barbare commis par un petit clan de bandits des Highlands, les « Fils du Brouillard » (« The Children of the Mist »), et les événements tragiques qui s'ensuivent. Le neveu de l'homme assassiné, Allan M. Aulay, et le jeune comte de Menteith sont tous deux épris de Annot Lyle ; le premier tue son rival afin d'empêcher ses noces avec Annot, puis il disparaît. Cette sombre histoire trouve son contraste comique dans la figure du capitaine mercenaire des Écossais, Dugald Dalgetty, pédant, bavard, rigide sur le point d'honneur et sur la tactique militaire, le type même du soldat de fortune. Le roman est un mélange d'histoire et d'imagination, où intervient tour à tour la note sinistre, sentimentale ou lyrique. — Trad. Mame et fils (1895) sous le titre : *L'Officier de fortune*.

LÉGENDE DE NEIGE [*Snölegend*]. Recueil poétique de l'écrivain suédois Werner Aspenström (né en 1918), publié en 1949. Tournant décisif dans son œuvre, car il consacre la découverte du modernisme par Werner Aspenström et fut vécu comme une véritable libération, ce troisième opuscule de poèmes lui ouvrit les portes du succès. Il constitue d'ailleurs l'amorce d'une trilogie qui comprend également *Litanie* [*Litania,* 1952] et *Les Chiens* [*Hundarna,* 1954]. Marqué par un pessimisme profond, qui semble inhérent à sa personnalité, Werner Aspenström y développe une poésie soigneusement retenue où se révèle une soif de l'expérimentation. Il associe son goût pour les jeux de mots surréalistes avec un penchant pour la contemplation de la nature. La magie des formules incantatoires confère une tonalité originale supplémentaire. Les thèmes et les symboles contenus dans cette trilogie présentent une incontestable unité. Insensiblement refaçonnés, ils attestent toutefois d'une évolution dans le sens d'un désarroi croissant que l'auteur s'emploie à combattre par un retour bienfaisant aux sources (*Les Chiens*). Werner Aspenström aborde des questions fondamentales comme le destin, toujours placé sous le signe de l'éphémère, l'amour, lui aussi fugitif, ou l'harmonie cachée qui transcende les éléments les plus divers du monde. L'art à la fois intuitif et raisonné d'Aspenström a pour finalité de faire progresser notre connaissance de l'intangible. Son souci aigu de vérité et d'objectivité l'entraîne à refuser les simplifications : il donne la parole aux voix les plus contradictoires qu'il perçoit au fond de lui-même. Ce procédé représente l'essence et la dynamique de sa poésie et lui permet d'élaborer un tableau précis et élevé de la Création. À l'écoute de l'univers, Aspenström est déchiré entre son attrait pour le mysticisme, les phénomènes occultes, les contes populaires et sa volonté d'une prise de conscience rationnelle (« Sur les visages endormis » [Det finns i de sovandes ansikten], *Légende de neige*). La symbolique de la neige illustre ces ambiguïtés car elle évoque d'une part la pureté, la féerie, et d'autre part le danger, l'engourdissement et la mort dont l'ombre rôde parmi les vers de Werner Aspenström. Celui-ci manie avec adresse les changements incessants de perspective entre universel et particulier. Après avoir, dans *Légende de neige,* souligné, par le choix de ses images, la dimension cosmique et recherché l'abstraction, il pleure, dans *Litanie,* l'intimité perdue, revendique un enracinement dans le réel, et choisit de donner vie aux créatures les plus insignifiantes. Ainsi le célèbre poème « À la mesure d'une larve » [Mätarlarven] montre cet animal renoncer à l'exploration d'un monde sans limites pour se satisfaire des dimensions de sa modeste feuille de cerisier. Pourtant ce retour au concret teinté d'angoisse l'inquiète. Dans *Les Chiens,* le poète craint de voir ses mots se pétrifier (« La Plainte du mort » [Död mans klagan]) et va se ressourcer, avec une certaine nostalgie, dans sa Dalécarlie natale où il espère retrouver la spontanéité et la sensibilité de l'enfance. Ces poèmes manifestent une écriture plus sobre, aux métaphores prosaïques, et Aspenström affirme ses talents d'interprète incomparable de la nature en composant des hymnes à l'émouvante simplicité et d'une lumineuse beauté (« Bergslag ») mais assombris sans cesse par un sentiment tenace de détresse (« Prophétie sur la destruction de Venise » [Profetia om staden Venedigs undergång]). Ainsi cette trilogie recèle-t-elle déjà les principaux leitmotive d'une œuvre grâce à laquelle Werner Aspenström nous élève au sublime en usant d'associations jamais gratuites et dont la légèreté et l'élégance de façade sont l'expression d'une pudeur d'écorché.

M.-B. L.

LÉGENDE DE SAINT CHRISTOPHE (La). Drame sacré en trois actes du compositeur français Vincent d'Indy (1851-1931), créé à Paris en 1920. C'est la dernière œuvre théâtrale du compositeur. Le sujet a été tiré par Vincent d'Indy lui-même de *La Légende dorée* (*) de Jacques de Voragine, avec quelques modifications visant non seulement à dramatiser le récit, mais à lui conférer une sorte d'unité compacte au moyen du retour, à la fin, de personnages du début. Semblable à un triptyque à compartiments subdivisés, chaque acte est constitué, à son tour, de trois épisodes reliés par le récitant comme dans l'ancien théâtre religieux. Le géant, dans le désir de servir la plus grande puissance existante, passe de la cour de la Reine de la volupté à celle du Roi de l'or, quand celui-ci assujettit la première avec tout son peuple, puis se soumet à Satan qu'il croit être le plus fort. Mais, tandis que le Démon lui montre son empire terrestre, la vision d'une cathédrale, où se fait entendre une voix juvénile entonnant un salut solennel (« O crux ave »), le contraint à confesser le Roi suprême et Christophe d'entreprendre cette quête qui le mènera aux pieds du Pape (début du second acte ; intermède symphonique de « La Recherche de Dieu »). Un ermite conseille au géant de se faire passeur au dangereux gué d'un fleuve, pour mériter la bienveillance du Roi et obtenir qu'il se montre, ce qui arrive en effet pendant une nuit de tempête. Christophe, appelé à l'aide par une voix d'enfant, porte le petit passager d'une rive à l'autre malgré les éléments déchaînés et le poids extraordinaire qu'il sent sur les épaules. Ce n'est que plus tard qu'il saura qu'en cet enfant se cache le souverain tant attendu. Christophe devient alors son héraut (troisième acte). Le voici jeté en prison : le juge, qui n'est autre que le Roi de l'or, pour seconder les prétentions de Satan sur l'âme de son ex-sujet, introduit dans la geôle la Reine de la volupté. Mais, au lieu de se perdre en cédant à l'amour de la tentatrice, Christophe réussit à la convertir et, quand il sera supplicié, c'est elle qui héritera de sa mission. Selon Lalo, il y a une alliance voulue entre le sujet choisi et la foi mystique que d'Indy professait à l'égard de son art, une sorte de parallélisme de plans. Il est certain que s'y réalisent, tout en conservant l'ancien critère démonstratif du « genre », toutes les caractéristiques constructives du musicien : le motif conducteur qui détermine la trame continue et rigoureusement organisée, ou la variété « logique » du chant, depuis le récitatif quasi parlé (que l'on rencontre dès la première illustration par le récitant) jusqu'au lyrisme de la scène de la prison, qui est parmi les meilleures pages de l'opéra. Et la vocalise où s'exprime, en des termes qui rappellent saint Augustin, le dernier hymne de Christophe à Dieu – ce chant qui, coupé par la hache, passe sur les lèvres de la Reine – semblerait un trait d'inspiration, s'il ne représentait le point culminant de cette musique « à thèse » que fut le plus souvent le théâtre de Vincent d'Indy.

LÉGENDE DE SAINTE SOPHIE (La) [*Léguénda na Svéta Sofia*]. Roman de l'écrivain bulgare Stoyan Zagortchinov (1889-1969), publié en 1926. Ce roman lance l'idée que la capitale bulgare tirerait son nom de celui d'une princesse grecque, fille de l'empereur Justin II (il existe effectivement une Sophie de cette époque, mais c'est la femme de Justin II et non pas sa fille. Quant à la capitale, Sofia, elle doit son nom à une église construite au IVe siècle et complètement détruite au cours des invasions barbares de la même époque). Zagortchinov, dans ce roman, raconte l'histoire de l'amour malheureux de Sophie, fille de Justin II, et du slave Khilyoud, chef d'une tribu guerrière. Tour à tour chrétien et païen, Khilyoud verra mourir sa bien-aimée, sans pouvoir la secourir. Ce livre, d'une haute tenue littéraire, est écrit dans une langue riche et colorée, dense et agréable à lire. Il s'appuie sur certains faits historiques tout en laissant une grande part à l'imagination, et c'est avec *Le dernier jour est celui de Dieu* (*) l'œuvre maîtresse de Zagortchinov.

LÉGENDE DE SAINT FRANÇOIS D'ASSISE PRÊCHANT AUX OISEAUX. Œuvre pour piano (1863) du compositeur hongrois Franz Liszt (1811-1886). Comme pour la *Légende de saint François de Paule marchant sur les flots* (*), Liszt fait précéder le morceau d'une note dans laquelle il explique le « motif spirituel » de sa composition. Il déclare, en donnant une traduction du passage des *Fioretti* (*) dans lequel cet épisode de la vie du saint est rapporté, qu'il ne se sent pas en mesure de rendre dans toute son ampleur la « merveilleuse surabondance » du texte et implore du saint son « pardon pour l'avoir appauvri ». En opposition avec le caractère et la structure de l'autre *Légende*, celle-ci est une page pianistique de tendance impressionniste. L'évocation du chant et du battement d'ailes des oiseaux est réalisée au moyen d'un pétillement de sonorités (dessins rapides de trilles, fragments de gammes et d'arpèges), tandis que l'alternance de ces dessins avec de brèves phrases mélodiques en guise de récital entend donner un équivalent musical du discours que prononça le saint. À la première partie du morceau, plus proprement descriptive et colorée, succède un long épisode cantabile, qui se termine par un puissant crescendo : la conclusion est amenée par le retour à l'atmosphère initiale.

LÉGENDE DE SAINT FRANÇOIS DE PAULE MARCHANT SUR LES FLOTS. Œuvre pour piano du compositeur hongrois Franz Liszt (1811-1886). Bien qu'elle s'inspire d'un sujet religieux, cette *Légende* — comme la *Légende de saint François d'Assise prêchant aux oiseaux* (*), écrite la même année (1863) — n'a pas vraiment un caractère religieux. Par son atmosphère et son écriture pianistique, elle serait plutôt à rattacher aux *Études transcendantes* — v. *Études pour piano* (*) et aux *Années de pèlerinage* (*). Elle est précédée d'un avertissement qui précise le motif dont elle s'est inspirée : le miracle opéré par saint François de Paule, que des bateliers avaient refusé d'accueillir sur leur embarcation, et qui traversa le détroit de Messine en marchant sur les flots d'un pas tranquille. Un dessin, où le peintre Steinle représente le saint dominant ainsi les éléments, dessin donné à Liszt par la princesse Wittgenstein, lui suggéra l'idée d'une traduction musicale de cet épisode. Le thème principal, exposé au début, se développe amplement, pour arriver ensuite à un Allegro maestoso e animato, où sa reprise résonne triomphalement ; après un passage lent de caractère expressif, le morceau se conclut par un crescendo rapide, et une nouvelle explosion de sonorités.

LÉGENDE DE SAINT PROCOPE (La) [*Legenda o svatém Prokopu*]. Poème de l'écrivain tchèque Jaroslav Vrchlický (1853-1912). Publié pour la première fois en 1880 dans un cycle de poèmes intitulé *Mythes*, il fut réédité en 1884, ayant subi de nombreux remaniements. Après avoir mis en fuite les démons qui l'occupaient, Procope s'est installé dans quelque grotte située dans les bois de la Sazava. S'il s'est ainsi coupé du monde, c'est afin de se mortifier et faire son salut, par la prière et le travail. Mais la nature environnante l'attaque bientôt sous l'aspect d'un gigantesque vieillard menaçant. L'ermite a tôt fait de comprendre qu'on ne peut s'entendre avec la nature que par le biais de la bonté. Dans son esprit, peu à peu, naît alors la conviction qu'il faut lutter contre le paganisme. Une nuit, certaines idoles païennes l'environnent au fond de sa grotte ; Radhost, le dieu du printemps ; Rujevit, celui de l'été ; Porevit, celui de l'automne, et enfin Perun, celui du tonnerre. Invoquant son Dieu, l'ermite, la croix haute, se jette dans les flammes dont s'environne Perun ; ce dernier alors s'éclipse à tout jamais. Des années passent, toutes consacrées à la prière, jusqu'au jour où il rencontre une poignée de moines qui sont venus de la Bohême pour diffuser le christianisme dans la région. Procope comprend alors que la méditation solitaire est loin d'embrasser tout le domaine de la foi. Il pousse le prince Oldřich à construire un monastère, au sein duquel les moines pourront cultiver le sol et enseigner le peuple. Après maints événements, qui montrent combien forte est sur les moines l'attraction du monde extérieur, Procope réunit ces derniers : tout en leur expliquant que seule la foi est omnipotente, il prédit la venue de temps durs et difficiles dans la lutte contre les moines étrangers, et leur ordonne, au nom de la religion et de la patrie, de résister à toute attaque venant du dehors. S'étant de nouveau retiré dans sa grotte, il meurt, après avoir eu, pour la dernière fois, la vision du vieillard qui personnifie la nature. Ce poème, dédié à saint Procope, défenseur de la patrie tchèque et de la religion, occupe une place importante dans la littérature de ce pays, tant par sa valeur artistique que pour des raisons d'ordre religieux : ce saint est, en effet, considéré comme le principal défenseur de la liturgie slavone, introduite dans le pays par saint Cyrille et saint Méthode. On admire surtout la simplicité du style poétique, puisé aux sources des légendes populaires. Cette simplicité, jointe à certains détails ingénus dont s'enrichit la narration et au profond mysticisme qui pénètre tout le poème, en font, à n'en pas douter, le chef-d'œuvre de Vrchlický.

LÉGENDE DES FEMMES EXEMPLAIRES (La) [*The Legende of Good Women*]. Poème inachevé de l'écrivain anglais Geoffrey Chaucer (1340/45-1400), composé vers 1386. Dans les deux versions qu'il a données du Prologue, l'auteur déclare imiter les poètes français, et de fait une importante partie de l'œuvre n'est qu'un pastiche de morceaux de Jean Froissart (1337-1414 ?), de Guillaume de Machaut (1282/90-1377) et d'Eustache Deschamps (1346-vers 1407), écrits en l'honneur de la marguerite, symbole d'une dame. Nous sommes en mai, le poète a passé sa journée à admirer sa fleur préférée, la marguerite. Il rêve qu'il rencontre l'Amour dans un pré, dans l'agréable compagnie d'une reine dont la couronne rappelle la corolle de la marguerite. Dix-neuf femmes, fidèles en amour, leur font cortège et, en une longue procession, d'autres femmes les suivent. L'Amour reproche au poète d'avoir traduit *Le Roman de la rose* (*) et d'avoir chanté l'infidèle Cressida — v. *Troïlus et Cressida* (*). La reine, qui n'est autre qu'Alceste, intercède en faveur du poète et le condamne à écrire les louanges des dames fidèles en amour. Le poète emprunte ensuite à diverses sources les neuf légendes de Cléopâtre, Thisbé, Didon, Médée, Lucrèce, Ariane, Philomèle, Phyllis et Hypermestre. Sans doute doit-il l'idée de ces légendes aux *Dames de renom* (*) et aux *Mésaventures des nobles dames et gentilshommes illustres* (*) de Boccace et peut-être aux *Héroïdes* (*) d'Ovide. La meilleure partie du poème est incontestablement le Prologue, dans lequel le poète surpasse en fraîcheur et en spontanéité ses modèles français. Notons enfin que le poème est un document d'importance capitale parce qu'il contient la liste des œuvres de Chaucer.

LÉGENDE DES SIÈCLES (La). C'est le dixième et le plus vaste de tous les recueils de poèmes de l'écrivain français Victor Hugo (1802-1885). L'édition originale de la « Première série » parut en 1859 avec le sous-titre : « Histoire – Les Petites Épopées », chez Hetzel, en deux volumes. Les deux tomes de la « Nouvelle série » furent édités en 1877. Le tome cinquième et dernier vit le jour en 1883 (ces trois volumes chez Calmann-Lévy). Enfin, en 1883 parut, également chez Hetzel, l'édition dite définitive (d'après les manuscrits originaux), où l'ensemble de cette œuvre composite et monumentale était refondu et augmenté (4 volumes). La première série comprend 15 chapitres, dont plusieurs formés d'un seul poème ; la nouvelle série, 28 ; la dernière 23, plus *Le Retour de l'empereur*, qui avait été imprimé en plaquette dès 1840.

Il y avait longtemps que Hugo caressait le projet de réaliser cette « grande épopée mystérieuse », ce « poème de l'homme » : ce monde qui est « entre l'Éden et les ténèbres ». Il en parle déjà éloquemment dans la préface des *Rayons et des Ombres* (*). Certaines des pièces de *La Légende des siècles* sont datées de 1840 ; on peut donc dire que l'élaboration de cet immense poème dura près de quarante ans. La réalisation elle-même prit à Hugo plus de vingt ans. Il l'entreprit d'abord dans l'exil, à Guernesey, puis à Paris, au milieu de la gloire et de la vénération qui entourèrent ses dernières années. Il veut y mettre toute son expérience de l'homme, une vision complète de son histoire, envisagée du point de vue de la conquête progressive de la liberté, de l'« épanouissement du genre humain de siècle en siècle ». Il veut y montrer « l'homme montant des ténèbres à l'idéal, la transfiguration paradisiaque de l'enfer terrestre, l'éclosion lente et suprême de la liberté, droit pour cette vie, responsabilité pour l'autre ». Dans sa préface à la « Première série » (cette préface est de 1857 et non, comme l'affirme l'édition définitive, de 1859), il expose en ces termes comment il réalisera ce grandiose monument à l'Homme : « Exprimer l'humanité dans une espèce d'œuvre cyclique, la peindre successivement et simultanément sous tous ses aspects, histoire, fable, philosophie, religion, science, lesquels se résument en un seul et immense mouvement vers la lumière [...] Ces poèmes se passent l'un à l'autre le flambeau de la tradition humaine, "quasi cursores". » De même que *Les Misérables* (*) racontaient la montée et la rédemption d'un homme, Jean Valjean, qui sortait de l'abîme pour s'élever jusqu'à la sainteté, *La Légende des siècles* racontera l'ascension de l'humanité. Mais cet immense poème épique, composé de petites épopées, se rattache beaucoup plus étroitement encore, et de l'aveu même de Hugo, à d'autres parties de son œuvre : « On apercevra le lien qui, dans la conception de l'auteur, rattache *La Légende des siècles* à deux autres poèmes, presque terminés à cette heure, et qui en sont, l'un le dénouement, l'autre le commencement : *La Fin de Satan* (*) et *Dieu* (*) ». L'auteur avoue qu'« il a esquissé dans la solitude une sorte de poème d'une certaine étendue où se réverbère le problème unique, l'Être, sous sa triple face : l'humanité, le mal, l'infini ; le progressif, le relatif, l'absolu ; en ce qu'on pourrait appeler trois chants, *La Légende des siècles, La Fin de Satan, Dieu* ».

Ainsi qu'on peut en juger, les « petites épopées » qui composent *La Légende* sont liées entre elles et soutenues par une idéologie dont le moins qu'on puisse dire est qu'elle est ambitieuse et quelque peu sommaire. Mais, comme souvent dans les œuvres de Hugo, ce sont ces thèses, ces idées à quoi il tenait le plus qui nous semblent maintenant singulièrement naïves et désuètes ; c'est ce qu'il croyait éternel qui nous semble avoir péri. Il n'en reste pas moins que *La Légende* est son chef-d'œuvre poétique ; c'est aussi le plus puissant, le plus riche des livres de poésie française du XIXe siècle avec *Les Fleurs du mal* (*). Si elle n'est pas cette épopée que Hugo ambitionnait d'écrire et qu'il croyait avoir réalisée, elle est une suite – somme toute incohérente, malgré les intentions souvent affirmées de l'auteur dans le corps même de son œuvre –, une suite donc de poèmes, la plupart du temps épiques, mais aussi parfois purement lyriques, quand ils n'ont pas un caractère social, politique, voire pamphlétaire. Pour être juste, il convient d'ajouter que Victor Hugo ne s'était jamais proposé de composer un ouvrage vraiment synthétique et unifié, mais seulement de donner les éléments de cette synthèse sous la forme de nombreux et très divers tableaux illustrant les époques et les événements, les hommes et les idées les plus divers de l'histoire et de la légende de l'humanité. Il prend du reste, avec l'une comme avec l'autre, les plus grandes libertés, sa documentation étant avant tout celle d'un poète et non d'un érudit. De là, d'ailleurs, la puissance, le charme, le pittoresque de ce prodigieux « magasin d'images », tantôt naïvement, tantôt grossièrement tracées, tour à tour orageuses et profondes, baroques et humoristiques. Jamais la virtuosité, la souplesse, l'audace d'expression, l'invention, la syntaxe et la science prosodique n'avaient encore éclaté avec autant de violence et d'abondance. Il fallut les loisirs forcés de l'exil de Jersey et de Guernesey, mais aussi la vision des bouleversements politiques et sociaux, que Victor Hugo se sent dominer de son observatoire, et le spectacle quotidien de la mer, pour que cet univers monstrueux pût éclore d'un cerveau plus porté à la vision ésotérique (Hugo s'adonnait au spiritisme depuis six ou sept ans) qu'à la pensée philosophique.

Il est manifeste que les deux tomes primitifs de 1859 contiennent des merveilles, que les séries suivantes ne dépasseront point et n'égaleront que rarement. Dans une grandiloquente introduction en vers, « La vision d'où est sorti ce livre », le poète croit voir s'entrouvrir devant lui le « mur des siècles » : « C'est l'épopée humaine, âpre, immense, écroulée ». Puis l'ouvrage débute sur un hymne, « La Terre », qui est une espèce de genèse. Vient ensuite, sous le titre général d'« Ève à Jésus », une série de huit poèmes destinés à illustrer les temps primitifs. On y trouve de grandioses évocations ; la plus célèbre d'entre elles est « La Conscience », dont quelques vers sont parmi les plus connus de toute l'œuvre de Hugo ; mais le chef-d'œuvre incontesté de ce groupe est le solennel tableau de « Booz endormi ». Puis, c'est une vision de la Grèce mythique, qui se concentre autour de la lutte entre les Titans et les Dieux. La Grèce historique est rapidement évoquée par quelques souvenirs glorieux de la guerre contre la tyrannie : « Les Trois Cents », « Le Détroit d'Euripe », « La Chanson de Sophocle à Salamine ». Quant à Rome, Hugo évoque seulement sa décadence par une atroce image : « Au lion d'Androclès ». Il se réserve pour plus tard (« Les Sept Merveilles du monde », dans la XIIe partie) un retour brillant vers le monde antique et passe immédiatement à la période trouble des invasions barbares (« Attila »). C'est là un Moyen Âge typiquement romantique, aux mœurs violentes ; une effrayante série de crimes et d'atrocités se trouve ici éclairée par les figures des héros de la chevalerie, champions du bien contre l'injustice. Cette période qui embrasse plus de mille ans prend la moitié de *La Légende des siècles.* Les images du monde occidental alternent avec celles de l'Islam ; naturellement l'Espagne arabo-chrétienne y tient une place importante. La longue suite d'horreurs, qui résume, selon Hugo, tous les aspects de la vie sociale de l'époque, lui suggère des tableaux impressionnants et suggestifs : « Les Deux Mendiants » (terrible allusion satirique à l'Église et à l'Empire), « Les Reîtres » (pittoresque chanson de mercenaires) et surtout « Le Jour des Rois ». Il va sans dire que l'insistance du poète sur certains thèmes est d'une fastidieuse monotonie. Toutefois, la légende d'« Éviradnus » et les aventures du « Petit roi de Galice », où l'on retrouve le célèbre personnage de Roland (XVe partie : « Les Chevaliers errants »), contiennent des passages très puissants. Sans nul doute Hugo s'est-il inspiré de *La Chanson de Roland* (*), de divers poèmes carolingiens et du *Romancero* (*) ; mais il retrouve, dans cette partie, toutes les qualités qui font de lui un maître de la technique dans ses œuvres lyriques et ses petits poèmes. Citons encore : « Le Romancero du Cid », « Bivar », « Aymerillot ». En dépit de ces héros, le Moyen Âge garde définitivement son caractère d'oppression répugnante, où ceux qui chérissent la liberté font figure de dangereux rebelles (« Welf, Castellan d'Osbor »). Cette conception simpliste trouve son expression la plus parfaite dans un pléthorique poème de mille vers : « Les Quatre Jours d'Elciis ».

Peu de poèmes sont dédiés à la Renaissance ; un seul est célèbre : « Le Satyre », sorte de chant cosmogonique, évidemment influencé par l'églogue de Virgile, « Silenus » ; c'est un des sommets de l'œuvre, le poème le plus complet, le plus solide et le plus varié que Hugo ait créé ; son importance n'a cessé de se révéler et d'influencer toute la poésie de la fin du XIXe siècle. Le poète déverse des flots d'éloquence contre l'époque de l'Inquisition. Plus loin, le « Groupe des idylles », qui date presque tout entier de 1876-1877 (XXXVIe partie), marque un moment de répit, empreint de grâce et de sérénité : trente-deux pièces lyriques où l'on retrouve les souvenirs et le style des poètes anciens : Orphée, Théocrite, Virgile, Dante, Pétrarque, Ronsard, André Chénier. La dernière grande partie de l'œuvre (XLIXe) évoque l'histoire récente ; elle s'intitule « Les Temps présents » et va de la Révolution au second Empire. Dans les douze dernières parties, le poète semble vouloir concrétiser sa vision dans des poèmes qui se rattachent à la manière et à l'inspiration des grandes pièces lyriques de la seconde partie des *Contemplations* (*). Citons parmi ces poèmes : « La Vision de Dante », grandiloquente diatribe contre le pape Pie IX, qui favorisait alors Napoléon III.

Par cette variété de tons et en dépit des rappels obstinés à l'unité de conception, *La Légende des siècles* offre l'aspect d'une suite de morceaux détachés, dont l'hétérogénéité est encore accentuée par le fait que Hugo ajouta plus tard à l'ébauche de l'ensemble que constituait en soi la « Première série », un certain nombre de poèmes anciens ou nouvellement composés en vue de combler, dans la mesure du possible, les lacunes de la chronologie et d'accorder plus d'ampleur à des périodes de l'histoire qu'il estimait encore insuffisamment représentées. Malgré ces incohérences, *La Légende des siècles* contient des éclats de génie poétique indéniables. L'œuvre demeure l'un des monuments les plus remarquables de la littérature du XIXe siècle.

LÉGENDE DORÉE (La) [*Legenda sanctorum*]. Célèbre recueil de vies de saints, composé par l'écrivain religieux italien d'expression latine Jacques de Voragine (Jacopo da Varazze, 1228/29-1298) au milieu du XIIIe siècle ou, au plus tard, aux environs de 1266. Dans les éditions primitives, le titre était : *Vies* ou *Légendes des saints,* ou encore *Histoire lombarde* [*Lombardica Historia*]. Les manuscrits, les éditions, les traductions en toutes les langues européennes en sont innombrables. La meilleure édition critique latine est celle de Graesse (1846) ; elle servit de base à Arrigo Levasti pour la publication d'une version en toscan du XIVe siècle, éditée en trois volumes en 1924. Après un prologue sur la division de l'année en quatre parties, symboliquement interprétée, viennent cent soixante-dix-sept chapitres consacrés chacun à la vie d'un saint ou à une fête de l'Église, en suivant l'ordre du calendrier. Les « Vies » sont plutôt des recueils d'anecdotes sur les vertus, les miracles, le martyre du saint (des apôtres à saint François, saint Dominique, saint Bonaventure), empruntées à la littérature chrétienne et à ce courant de légendes qui circula aux XIe et XIIe siècles, et dont les prédicateurs tiraient les « exemples » pour leurs sermons. La foi des martyrs apprivoise les bêtes féroces, écarte les flammes, brise les roues, guérit les membres mutilés, met en fuite le démon, représenté sous les formes les plus imprévues — une belle jeune fille ou un dragon — ou bien l'enchaîne à son dépit et le livre à la risée de tous ; c'est la foi également qui suggère à la vierge la plus naïve des réponses qui lui font tenir tête aux puissants, en les confondant dans leurs discussions et en niant leur autorité. Les chapitres relatifs aux fêtes ecclésiastiques groupent toutes les légendes se rapportant aux signes surnaturels qui accompagnent les faits commémorés, selon des classifications souvent subtiles. L'auteur cite ses sources : outre les Écritures, Eusèbe, Cassiodore, saint Jérôme, Augustin, Bède le Vénérable, saint Bernard, et parfois il les compare. Les thèmes critiques ne manquent pas non plus : on se demande si trois soleils seulement, au lieu d'un, apparurent la nuit de Noël ou à la mort de César ; il n'est pas certain que les Sept Dormants d'Éphèse, qui avaient fui la persécution de Décius, se soient réveillés dans leur caverne trois cent soixante-douze ans plus tard, car, en confrontant les dates, on ne trouve que cent quatre-vingt-six ans. De la trame de ce récit se détachent de solennelles déclarations. Témoin celle-ci : « Moi qui suis le froment de Jésus-Christ, dit saint Ignace, je serai moulu par les dents des bêtes, afin de devenir un pain pur et blanc » ; ou les enseignements de la sagesse contemplative : « Celui qui reste seul en sa cellule, dit saint Antoine, il se repose et il est exempt de trois ennemis : l'ouïe, le parler et la vue. Il combat seulement avec son cœur. » Peuplée de créatures vivant dans la familiarité de Dieu, dont elles tirent une force surnaturelle, *La Légende dorée* rend sensible l'idéal évangélique, reflète une aspiration vaste et collective, se nourrit de la foi naïve de siècles et, dans la fraîche limpidité de l'expression, donne un aliment de poésie aux esprits les plus incultes. Tout l'art des XIIIe et XIVe siècles en a tiré en abondance des thèmes et des sujets d'inspiration. — L'édition la plus pratique de *La Légende dorée* est celle de J. B. Roze, Garnier-Flammarion, 1967.

LÉGENDE DU MÉANDRE EN COLLIER (La) [*Hānsulī bānker upakathā*]. Roman bengali de l'écrivain indien Tārā Śaṅkar Banerji (1898-1971), publié en 1951. Cet ouvrage de la maturité de l'auteur est considéré par beaucoup comme son chef-d'œuvre. Il met en scène un groupe de tribaux à demi hindouisés qui vivent au Bengale occidental au bord de la rivière Kopāi. Dirigés par leur chef Banoārī, tenant de la tradition, les Kāhārs sont écartelés entre l'attachement à leur mode de vie et à leurs croyances anciennes, et le désir de profiter des possibilités nouvelles que leur offrent le début de l'industrialisation et la construction de voies ferrées. Karālī, un jeune Kāhār, représentant des générations montantes, rejette le système féodal qui retient son peuple sur des terres qu'il ne possède pas. Le combat entre Banoārī, le chef traditionnel, et Karālī se termine par la défaite et la mort du premier. Mais est-ce une victoire pour la jeunesse tribale ? Les Kāhārs vont à présent se fondre dans la masse indifférenciée des ouvriers de l'industrie nouvelle. À la fin, l'auteur choisit de ramener son héros au village qu'il a contribué à détruire et le fait rêver de lui redonner vie. La caractérisation des personnages est étonnante de relief et de vérité : Banoārī, Karālī et la vieille prêtresse tribale Sucānd sont des créations puissantes. La langue que parlent les Kāhārs est authentique. Sans esprit partisan et sans militantisme, le romancier a su donner une expression artistique au dénuement matériel de ces pauvres parmi les pauvres, non sans faire ressortir la richesse de leur culture traditionnelle. F. Bh.

LÉGENDE D'UN PEUPLE (La). Recueil de poésies de l'écrivain canadien d'expression française Louis Fréchette (1839-1908). Il fut d'abord édité à Paris en 1887, puis à Québec en 1890 (cette dernière édition, revue, corrigée et augmentée d'une seconde poésie en l'honneur de Papineau). L'admiration de l'auteur pour Victor Hugo est, plus que jamais, présente dans cette œuvre, directement inspirée de *La Légende des siècles* (*). *La Légende d'un peuple* est une véritable épopée. Après un prologue, beau poème en l'honneur de l'Amérique — « creuset où du saint avenir, s'élabore l'âpre genèse » —, l'œuvre se divise en trois époques : la conquête française, la conquête anglaise, les temps modernes. Les vers de la première partie évoquent au lecteur français des pages de son histoire souvent ignorées. Une suite de poèmes, « Saint-Malo », « Saint-Laurent », « Première moisson », « Premières saisons », « Le Pionnier », retrace les luttes et les joies des Français défrichant les terres vierges du Canada. Plusieurs pièces sont écrites en l'honneur de ces hardis explorateurs, Cavelier de la Salle notamment. La deuxième période retrace les principaux épisodes de la guerre franco-anglaise, la bataille de Fort-Carillon (1758), la défaite de Montcalm dans les plaines d'Abraham (1759) ; la troisième partie, plus éloquente que poétique, évoque les épisodes de la résistance temporaire (« Jean Saurial », « Les Excommuniés », « Le Drapeau fantôme »), de la révolte de 1837 (« Saint-Denis », « Chénier »), des vexations des Anglais contre les Canadiens-Français (« L'Échafaud », « Le Gibet de Riel »), du vain espoir du retour des Français (« Spes ultima »), de la cohabitation avec les Anglais dans la fidélité au souvenir de la France : « Le Drapeau anglais », « Nos trois couleurs ». Un hymne à la France termine le volume. Cet ouvrage retrace, en un saisissant raccourci, l'histoire du Canada français. Toute épopée en vers est un tour de force dans notre monde moderne. Une émotion et une inspiration proche du romantisme français donnent à l'œuvre de Louis Fréchette un véritable souffle épique. Le vers se hausse au ton de Victor Hugo, tout en faisant penser à Péguy lorsqu'il chante la virginité de la terre canadienne : « Toute l'immensité semblait garder encore / La majesté des premiers jours... / On sentait palpiter les solitudes mornes / Comme au jour où vibra, dans l'espace sans bornes / L'hymne du monde nouveau-né. » Rayonne, dans l'ensemble de l'œuvre, l'émouvante fidélité d'un enfant pour une mère, la France, dont il se croit oublié : « Mère, je ne suis pas de ceux qui ont eu le bonheur d'être bercé sur tes genoux. »

LÉGENDE DU PARNASSE CONTEMPORAIN (La). Conférences littéraires de l'écrivain français Catulle Mendès (1841-1909), publiées à Bruxelles en 1884. L'auteur prend un ton aimablement confidentiel pour donner une vision d'ensemble du mouvement parnassien. Selon lui, l'idée de « mouvement » est une légende, car il n'y eut jamais l'intention de faire école : ses fidèles sont des artistes simples et sincères qui, de leur mieux, tentent de réaliser leur rêve. Ils joignent à la pureté des classiques une conception formelle, immuable, de l'art. Tout en exprimant son admiration, dans le style délicat qui lui est propre, Mendès attire l'attention sur son action personnelle, tant pour avoir rassemblé, de 1866 à 1876, les trois anthologies du *Parnasse contemporain* (*) que pour avoir toujours soutenu, avec un éclectisme habile, les artistes de sa génération. Sur les éléments du nouvel ordre littéraire, il se montre assez peu précis : il mentionne seulement le déclin de l'admiration qu'inspirait la poésie de Victor Hugo – qui embrasse toutes les manifestations d'art du siècle – et l'enthousiasme soulevé par Wagner. Il s'étend plutôt sur tel ou tel poète, dont il présente les œuvres, les plus importantes comme celles qui sont oubliées. Dans cette incursion rétrospective, la partie la plus intéressante est constituée par les souvenirs personnels, depuis l'évocation d'Albert de Glatigny ou du jeune Coppée jusqu'à la condamnation qu'il encourut lui-même pour l'excessive liberté de certains de ses vers. Mendès apparaît comme le panégyriste convaincu d'une tendance artistique qui voulait la beauté de la forme, aux dépens de l'intensité des sentiments et de la hardiesse des idées. Il est aisément compréhensible que l'esprit du Parnasse fut hostile aux symbolistes qui voulaient apporter dans l'art un frisson nouveau.

LÉGENDE DU RHIN (Une) [*A Legend of the Rhine).* Récit héroï-comique de l'écrivain anglais William Makepeace Thackeray (1811-1863), publié dans la revue *Table-Book* de Cruikshank en 1845 sous le pseudonyme de Theresa Mac Wirther, et en un volume, en 1856, avec *Rebecca et Rowena* (*). C'est une histoire de chevaliers et de dames, d'amours, de batailles, de vertus récompensées, tirée du roman d'Alexandre Dumas père : *Othon l'Archer* (1840). C'est un pseudo-roman historique qui se passe dans un Moyen Âge de haute fantaisie, et est agrémenté des aventures les plus invraisemblables et les plus pittoresques. Thackeray s'y moque de la mode des romans noirs et de la vague du gothique romanesque et romantique. Cependant, par l'introduction malicieuse d'anachronismes frappants, Thackeray crée une forme d'humour qui devait connaître un vif succès. C'est ainsi que, dans *Une légende du Rhin*, les femme se retirent de table avant les chevaliers, afin d'aller boire leur café au salon ; les officiers achètent et vendent leurs grades (l'auteur mentionne à ce sujet certains magasins de vêtements de confection), etc. L'auteur s'est plu à décrire les traits et coutumes qui appartenaient à la société qu'il avait sous les yeux, faisant de cette fresque moyenâgeuse une satire contemporaine. C'est à cette forme très particulière d'humour, que l'on trouve ici pour la première fois, que Thackeray devait revenir avec *Rebecca et Rowena*, récit héroï-comique qui est le meilleur du genre.

LÉGENDE DU SAINT BUVEUR (La) [*Die Legende vom heiligen Trinker*]. Nouvelle de l'écrivain autrichien Joseph Roth (1894-1939), publiée en 1939. Dernière œuvre de l'auteur, ce récit d'une trentaine de pages fut écrit à une époque où Roth, en exil à Paris depuis 1933, devenu lui-même un « buveur » incurable, vivait les derniers mois de son lent suicide par l'alcool. La nouvelle se déroule à

Paris en 1934. Le héros en est un clochard nommé Andreas, buveur invétéré mais « homme d'honneur », qui rencontre un jour sous un pont de la Seine où il loge un homme « fort bien mis et d'âge mûr » qui lui propose deux cents francs, lui demandant simplement de les rendre, dès que possible, à la petite sainte Thérèse de l'église Ste-Marie-des-Batignolles. Tel est le premier miracle survenant dans la vie d'Andreas et auquel succéderont, les jours suivants, d'autres miracles du même ordre : Andreas dépense (et boit) l'argent, mais retrouve mille francs, les perd, dépense (et boit) à nouveau, rencontre, par une série de hasards, divers personnages qui tous ont été liés à son passé, retrouve ainsi des phases de son existence antérieure, fait quelques faux pas, mais toujours tout s'arrange, se dénoue miraculeusement.

Écrite sur un ton de légende d'où toute causalité peut être absente, la nouvelle de Roth est pleine d'une ironie chaleureuse envers ce marginal qui fut même meurtrier par amour pour une femme et connaît là une sorte de grâce surnaturelle que certains, dit l'auteur, appellent seulement hasard. La grâce d'Andreas n'est pas, à première vue du moins, de nature métaphysique. Elle est plutôt une forme de réconciliation, de confiance et d'harmonie soudain trouvées avec la réalité. Si le clochard Andreas mérite aux yeux de l'auteur le nom de « saint », c'est qu'il est une âme simple qui n'exige rien, reçoit mais donne aussi, et est toujours animé de l'intention d'acquitter sa dette, même si les occasions de boire la lui font régulièrement oublier. Un jour où il attend une fois de plus la fin de la messe dans le café d'en face l'église pour aller remettre à sainte Thérèse les deux cents francs promis, il s'effondre, est transporté dans l'église et meurt sous le regard d'une jeune fille surgie là par hasard, appelée Thérèse, et qu'Andreas, le bienheureux, prend pour « sa » sainte. Testament de Roth, cette *Légende* est une projection onirique et ironique d'un espoir : celui d'une innocence ultime, d'une béatitude accordée à celui qui (symbole de l'existence humaine) ne perd jamais de vue la mission qui lui est fixée, en dépit de ses oublis, de ses faiblesses et d'une déchéance qui n'est que celle de l'apparence. La nouvelle s'achève sur cette phrase en forme de prière, par laquelle Roth appelle une mort douce sur ceux qui furent comme son héros : « Dieu nous accorde à nous tous, les buveurs, une mort aussi légère, aussi belle. » *La Légende du saint buveur* a été portée à l'écran en 1988 par le metteur en scène Olmi. – Trad. Le Seuil, 1986. G. Ra.

LÉGENDE PHÉNICIENNE DE DANEL. Cette curieuse légende nous est parvenue en langue ougaritique (parlée dans l'ancienne ville d'Ugarit, sur la côte de la Syrie septentrionale, langue très proche du phénicien et dont l'alphabet est composé de caractères cunéiformes). Il y est question d'un ancien roi appelé Danel, ce qui a conduit les savants à lui donner le titre de *Légende de Danel.* Écrit probablement en vers, dans un style assez dramatique, ce récit évoque les divers rites agraires pratiqués dans l'ancienne Phénicie. Danel aurait été le fils du dieu El et aurait eu un fils nommé Aqhat, ainsi qu'une fille, Pagat. Les tablettes d'Ugarit (près de Râs-Shamra) ne nous ont guère conservé qu'un tiers de la légende. Danel se plaignant de ne pas avoir de descendants, le dieu El l'exauce en lui donnant Aqhat, destiné à devenir l'administrateur des biens de son père et des temples des dieux Baal et El. Il est également fait mention d'un grand sacrifice offert aux déesses Kosharot et des mets préparés pour les différentes divinités. La fille du roi de Tyr consulte les oracles qui se révèlent peu favorables. Il semble qu'il pleuvra pendant l'été ; mais Danel essaie, en réchauffant les nuages, de retenir la pluie en s'emparant de Baal, si bien que pendant sept ans il ne pleut plus à la saison chaude. Aqhat et Pagat se mettent à récolter ; mais il apparaît que le premier aurait ainsi commis une faute grave, car il est tué par El sur ordre de Ytpan. Après le rite funèbre en l'honneur de son fils, Danel demande à Anat de le venger. Pagat tient à venger la mort de son frère, mais elle accepte enfin de boire une coupe de vin avec le meurtrier d'Aqhat, et la paix règne de nouveau. Ce mythe est d'un caractère essentiellement rustique. – Trad. *Textes ougaritiques,* Le Cerf, 1974.

LÉGENDES [*Saga*]. Quatre pièces pour orchestre du compositeur finlandais Jean Sibelius (1865-1957) sur des épisodes de la vie de Lemminkäinen, héros légendaire finlandais, chanté dans le *Kalevala* (*). Cette suite, écrite de 1893 à 1895, a été créée en 1896 ; après différentes révisions, l'auteur a définitivement fixé comme suit l'ordre des morceaux : « Lemminkäinen et les jeunes filles » (chants XI et XXIX du *Kalevala*), « Lemminkäinen à Tuonela » (chants XIV et XV), « Le Cygne de Tuonela » (chant XVI), « Le Retour de Lemminkäinen » (chant XXX). De ces quatre poèmes d'inspiration folklorique, le troisième a connu une vaste diffusion ; *Le Cygne de Tuonela* au chant impressionnant – confié au cor anglais –, voguant sur le fleuve de la mort dans une atmosphère désolée, n'a jamais laissé aucun public indifférent. Les *Légendes,* prises dans leur ensemble, ont été remaniées plusieurs fois par Sibelius ; néanmoins, ces retouches n'ont pas altéré leur architecture primitive, bâtie à partir de courts fragments peu à peu agglomérés les uns aux autres, système typique de la première manière symphonique du compositeur.

LÉGENDES DE LA MORT EN BASSE-BRETAGNE (Les). Œuvre de

l'écrivain français Anatole Le Braz (1859-1926), publiée en 1893. Désireux de fixer les croyances de la vieille Bretagne, encore si vivaces au début de ce siècle, l'auteur nous entraîne à travers le Goëlo, le Quimpérois et surtout le Trégor, en particulier dans les communes de Begard, de Penvénan et du Port-Blanc. « La Bretagne, dit-il, est pleine d'âmes errantes qui pleurent et gémissent. » Les morts n'y sont point les habitants d'un autre monde : ils continuent leur route sans issue parmi les vivants, comme s'ils ne pouvaient se détacher de la terre. Aussi les personnages qu'Anatole Le Braz évoque ici sont-ils familiers : les morts conservent les mêmes passions que les vivants : on dit par exemple que, la veille de la Toussaint, ils vont coucher dans la maison où ils habitaient autrefois. Certains reviennent chez eux pour labourer leur terre, d'autres pour réclamer leur dû à quelque mauvais payeur, quelques-uns tout simplement pour fumer leur pipe ! Toutefois, si l'ancienne Bretagne a le sentiment d'une continuelle présence des morts parmi les vivants, elle ne parle jamais d'eux sans une expression de terreur. Les faits de la maladie, de la mort ne sont point rattachés à des causes naturelles et physiques, mais à l'action personnelle de l'« ouvrier de la mort », l'« Ankou », qui frappe sans pitié avec sa faux et emporte ses victimes sur sa charrette. Il arrive qu'on le rencontre à la tombée du soir. Parfois c'est un homme décharné, très grand, et dont la figure est cachée par un feutre. Parfois c'est un squelette drapé dans un linceul : il n'a pas de nez et ses yeux sont comme des chandelles. La mort a ses auxiliaires : ce sont, en particulier, les « groat'ch », vieilles qui guettent, aux carrefours, le passant attardé. On redoute la mort, on redoute aussi l'âme en peine, l'« anaon », qui déambule dans les lieux où elle vécut et où elle est morte. À la Noël, à la Toussaint, mainte légende assure que le cortège des morts s'ébranle en silence par la campagne. Sur mer, par les nuits de tempête, les noyés s'appellent entre eux et plus d'un s'attache à la coque des navires. Dans l'âme bretonne qui songe aux morts, la tendresse se mêle cependant à l'effroi et les vivants ont pour les défunts mille gentillesses : comme celle qui consiste, à la Saint-Jean, à allumer des feux pour que les morts puissent venir s'y réchauffer. Une telle familiarité avec la mort entraîne naturellement une croyance aux sorts, aux malédictions, à la magie noire. Ainsi la légende bretonne fait-elle peu de cas de ce qui est proprement féerique. Elle est au contraire dominée par le souci de fixer l'homme à sa terre, à son village, aux siens. Toujours la légende des morts se déroule dans un cadre familier, celui du village ou de la maison. Et les acteurs sont ceux que tout le monde connaît, les proches parents et les amis du défunt. Sans doute aujourd'hui ces superstitions sont-elles en voie de disparaître. La poésie des légendes n'en demeure pas moins et, grâce à cet ouvrage, le lecteur moderne peut, en particulier dans les « Cloarec », poèmes pleins de pittoresque et de violence, retrouver cette angoisse de la mort que la Bretagne connaît depuis plus d'un millénaire.

LÉGENDES DE STARA PLANINA (Les) [*Staroplaninski léguéndi*]. Recueil de récits de l'écrivain bulgare Yordan Yovkov (1880-1937), publié en 1927. À partir des légendes et des motifs folkloriques nationaux, l'écrivain se tourne vers le passé (de la fin du XVIIIe siècle au début du XXe siècle) afin de l'opposer au présent et par là lui conférer un sens nouveau. Passions fatales, sentiments ardents, actes héroïques caractérisent les personnages qui finalement périssent pour avoir voulu se réaliser pleinement. Yovkov interprète leurs actions dans l'esprit de l'individualisme romantique. Le mythe historique sert de fondement d'un drame psychologique moderne qui cherche à résoudre les éternels problèmes de la condition humaine dans les oppositions vie/mort, péché/rédemption, devoir moral/responsabilité civique. L'auteur crée une mythologie individuelle en rendant absolues des valeurs esthétiques et éthiques souvent à l'opposé du sens et de l'esprit des légendes. Les personnages, libérés des normes patriarcales traditionnelles, requièrent une autonomie dont la caractéristique psychologique minutieuse traduit aussi bien la spécificité nationale, dans le domaine de la sensibilité, qu'une attitude conforme aux normes universelles. Dans un monde exclusivement anthropocentrique, par le culte de la beauté, de l'élan de l'esprit et de la conscience morale, Yovkov exprime et revendique la libération de l'homme des contraintes du déterminisme social de la vie matérielle. — Trad. Éditions en langues étrangères, 1963. É. F.

LÉGENDES DU CHRIST [*Kristuslegender*]. Œuvre de l'écrivain suédois Selma Lagerlöf (1858-1940), publiée en 1904 : c'est un recueil de récits se rapportant à la vie du Christ. Le plus copieux de ces récits : *L'Enfant de Bethléem*, évoque le massacre des Innocents et la fuite miraculeuse de l'enfant Jésus, avec l'aide des abeilles, des lis et d'un soldat romain auquel il avait donné à boire pendant qu'il était de garde sous un soleil de plomb. *Dans le temple* nous montre l'Enfant Jésus qui passe entre les deux colonnes noires d'Abraham, à travers ce qu'on appelle la porte de la justice : ces colonnes sont si étroitement juxtaposées qu'on ne pourrait y faire passer même un brin de paille. En traversant ainsi le pont du Paradis et en sonnant le cor de Moïse (qui était demeuré muet depuis que Moïse avait rappelé les enfants d'Israël dispersés dans le désert), Jésus attire l'attention des prêtres, qui s'intéressent à lui et lui posent une foule de questions. Dans *Notre Seigneur et saint Pierre* au contraire, on voit comment la dureté de cœur entraîne sa propre punition, tandis que *Souvenir de Noël,* où les chiens ne mordent plus, les moutons ne s'effraient plus et le feu ne brûle plus, est une vision idyllique de la paix, ainsi que *La Fuite en Égypte*, qui montre quelque dattier se penchant vers Jésus pour lui offrir ses fruits, lorsque celui-ci le caresse de ses petites mains. — Trad. Perrin, 1938.

LÉGENDES DU GUATEMALA [*Leyendas de Guatemala*]. Œuvre de l'écrivain guatémaltèque Miguel Angel Asturias (1899-1974), publiée en 1930. Ce recueil comporte un préambule composé de deux contes où la légende et l'histoire se confondent pour évoquer tour à tour le passé colonial de la capitale du Guatemala (« Guatemala ») et les premiers temps du peuple maya quiché : « Maintenant je me souviens » [Ahora que me acuerdo], selon le procédé alors cher à Asturias, qui consiste à remonter la chronologie au lieu de la descendre. Il faut souligner que, dans ce préambule, Asturias se sert de l'histoire en la débarrassant du poids mort de l'érudition et en ne l'utilisant que sous l'angle de ses possibilités dans le domaine de l'art.

À ces deux contes font suite les légendes proprement dites. Là, l'invention d'Asturias joue avec les mythes et les traditions en respectant leur inspiration populaire, sans renier toutefois le modernisme dont il subit encore l'influence, cependant que grandit en lui celle du surréalisme. C'est ainsi que son goût marqué pour l'exotisme, les matières précieuses, l'esthétisme pur cède peu à peu le pas dans certaines de ces légendes à l'automatisme presque incontrôlé. Dans celle du « Volcan » [Volcán], Asturias conte au lecteur le premier peuplement, en partie mythique, du Guatemala. Puis c'est la légende du Cadejo « qui enlève les filles aux longues tresses et fait des nœuds aux crinières des chevaux » ; de la Tatuana, qui se rend invisible quand elle est en danger grâce au tatouage du Maître-Amandier ; du Sombrerón, chapeau du diable, dernière métamorphose d'une balle en caoutchouc venue tenter un prêtre dans son couvent ; du « Trésor du pays fleuri » [Tesoro del lugar florido], que protège le volcan dressé contre les hommes du conquérant Pedro de Alvarado. La seconde partie du volume est consacrée à un récit intitulé « Les Sorciers de l'orage du printemps » [Los Brujos de la Tormenta Primaveral], très fortement inspiré du *Popol Vuh* (*), bible du peuple maya quiché dont Asturias avait traduit l'adaptation française faite par Georges Raynaud, et où il puise d'ailleurs de nombreux éléments de son ouvrage tout entier. Il est très difficile de comprendre « Les Sorciers de l'orage du printemps » sans avoir recours au *Popol Vuh*, malgré les nombreuses notes explicatives d'Asturias. Il n'est pas inutile non plus de connaître ses autres sources : *Les Annales des Xahiles* et le *Chilam Balam* (*). En effet, la plupart des personnages, directement ou allusivement, les événements, faits, épisodes, les thèmes (rôle du Nahual ou double qui accompagne chaque homme, rôle de la magie) sont directement empruntés à ces divers monuments du passé littéraire de tradition orale maya quiché. Par ailleurs, l'influence du surréalisme est nettement plus présente ici que dans les autres chapitres, en particulier dans les images, extrêmement abondantes, qui visent souvent à l'expressivité ou bien qui se substituent à l'idée, devenant de véritables symboles, ou bien encore, et le plus fréquemment, sont gratuites, arbitraires et recréent la réalité ou plutôt en créent une nouvelle, surprenante, choquante, dépaysante si possible.

L'ouvrage se termine par une pièce de théâtre, dont les éléments sont tirés en partie de l'une des rares évocations scéniques conservées des Mayas : le *Rabinal-Achi.* Parmi les personnages, Kukulkan, incarnation maya de Quetzalcoatl, dieu du soleil aztèque, aujourd'hui oublié ; Guacamayo, personnification du faux dieu, et presque de l'anti-dieu, rival de Quetzalcoatl, parfaitement ridicule et tourné en dérision tout au long des différentes scènes.

La technique d'Asturias dans cet ouvrage soigneusement travaillé — il a été composé en quatre ans — est éblouissante. Outre l'habile maniement de la chronologie et le rôle important de l'image, auxquels on a fait allusion, Asturias joue avec les sons à l'état pur, par l'allitération, l'onomatopée, l'allongement des syllabes, invente des mots, en décomposant des mots composés, en accouplant des mots isolés, en créant des néologismes, etc. Les *Légendes* plongent le lecteur dans un monde ensorcelant où, comme le dit Paul Valéry, « le volcan, les moines, l'homme-pavot, le marchand de bijoux sans prix, les "bandes d'ivrognesses dominicales", les "maîtres-mages qui vont dans les villes enseigner la fabrication des tissus et la valeur du zéro", composent les plus délirants des songes ». Délire apparent, comme on l'a vu, et en fait soigneusement conçu, organisé et étayé. — Trad. Les Cahiers du Sud, Marseille, 1932, puis Gallimard, coll. « La Croix du Sud », 1953.

LÉGENDES ÉPIQUES (Les). Recherches sur la formation des chansons de geste. Cours professé de 1904 à 1911 par le médiéviste français Joseph Bédier (1864-1938), au Collège de France où il avait succédé à son maître Gaston Paris, et publié en quatre volumes de 1908 à 1915. Cet ouvrage, un des plus remarquables de la philologie moderne, démontre la nécessité d'une révision et d'une réorganisation complète des idées qui avaient alors cours sur la formation de l'épopée française. Ces idées étaient jusqu'alors dominées par une théorie née au début du XIXe siècle et dont les frères Grimm en Allemagne et

Fauriel en France avaient été les promoteurs. C'est Gaston Paris qui en avait donné la forme définitive dans sa *Littérature française au Moyen Âge*. Cette théorie affirmait que les chansons de geste étaient nées spontanément, l'épopée étant la forme poétique et merveilleuse que les peuples jeunes donnent instinctivement de l'histoire. À l'appui de cette théorie, les savants apportaient de nombreuses preuves tirées de l'histoire littéraire de la Grèce archaïque et de l'Inde. La forme première des chansons de geste aurait été ces cantilènes épiques en latin populaire qui remontent aux premiers Mérovingiens, et même au baptême de Clovis (496). Ce sont ces épopées qui auraient transmis aux jongleurs des XIe et XIIe siècles la matière historique de leurs chansons. Joseph Bédier établit tout d'abord qu'on n'a aucune raison valable de croire à l'existence de ces cantilènes, dont il ne nous est resté aucun texte authentique, et que l'existence de cette épopée spontanée n'est qu'une hypothèse arbitraire, inventée pour les besoins de la cause. De toute manière, il y a solution de continuité entre ces cantilènes et les chansons de geste ; en effet, les éléments historiques qu'on trouve dans ces dernières témoignent d'une profonde ignorance des événements et des personnages réels. Il est frappant par contre de remarquer que chaque épopée est en rapport très étroit avec des légendes locales et, en particulier, avec celles qui circulaient autour des abbayes, des églises, des sépultures de saints personnages et notamment autour des lieux de pèlerinage. C'est ainsi que la *Geste de Guillaume* — v. *Cycle carolingien* (*) — tourne autour de l'abbaye de Saint-Guilhem-le-Désert, qu'il aurait fondée ; les principaux épisodes de la chanson sont en relation directe avec les étapes de la via Tolosona, qui conduisait les pèlerins de Paris à Saint-Jacques-de-Compostelle. La *Chanson de Roland* (*) particulièrement est en rapport avec les étapes des routes qui venaient à Pampelune par Roncevaux. La légende de *Raoul de Cambrai* (*) s'est formée autour de saint Géri de Cambrai et de quelques abbayes du nord de la France ; celle de *Girart de Roussillon* (*), en Bourgogne autour de Vézelay et de Pothières ; la légende d'*Ogier le Danois* (*) est née d'un tombeau de l'abbaye de Saint-Faron à Meaux ; le *Pèlerinage de Charlemagne à Jérusalem* (*) tire sa raison d'être de l'abbaye de Saint-Denis. De plus, en face du peuple ignorant de son passé, seuls les clercs pouvaient fournir aux jongleurs quelques renseignements historiques ; par exemple, Bédier démontre que le seul personnage historique de la *Geste de Guillaume* est Guillaume, comte de Toulouse, qui fonda le monastère de Gellone, qui prit plus tard son nom : Saint-Guilhem-le-Désert, monastère où il se retira en 810 et mourut en odeur de sainteté en 812. Seuls les moines de cette abbaye « ont pu apprendre les quelques faits historiques qu'ils rapportent à Guillaume et qui forment le seul support historique de leurs fictions innombrables ». La *Chanson de Guillaume* est donc née de la rencontre de trois éléments : les moines relativement cultivés et qui veulent attirer et retenir les pèlerins, les jongleurs, enfin la foule avide de distractions et qui demande de beaux récits sur les grands personnages du passé. Les chansons de geste remontent au plus tôt au XIe siècle et connaissent leur apogée aux XIIe et XIIIe siècles.

Les recherches de Joseph Bédier ont surtout porté sur le *Cycle de Guillaume d'Orange* (tome Ier), la chanson de *Girart de Roussillon* (*), celle de *Raoul de Cambrai* (*), *Amis et Amile* (*), la chanson d'*Ogier le Danois* (*) et la vie de saint Faron d'Helgaire, évêque de Meaux au IXe siècle (tome II) ; dans le troisième volume, il étudie les chansons qui composent la *Geste de Charlemagne* — v. *Cycle carolingien* (*) —, en particulier *Mainet* (diminutif de Magne : Charlemagne), chanson de l'enfance de l'Empereur ; l'histoire de Charles Martel, le *Pèlerinage de Charlemagne*, enfin la *Chanson de Roland* (*) ; dans le quatrième volume, Bédier traite des Gestes de *Richard de Normandie* et de *Renaud de Montauban*, et de quelques autres légendes ; enfin, il tire les conclusions de cette étude très attentive et quelque peu exhaustive, et ses conclusions sont celles des médiévistes actuels.

LÉGENDES ESPAGNOLES [*Leyendas*]. Récits fantastiques de l'écrivain espagnol Gustavo Adolfo Bécquer (1836-1870), publiés dans ses *Œuvres* [*Obras*] en 1871. Les *Légendes* forment le noyau de ces deux volumes que les amis de Bécquer firent éditer par souscription au lendemain de sa mort. Ce furent elles qui attirèrent d'abord l'attention de la critique et assurèrent le succès de la publication avant que les poèmes des *Rimas* (*) ne s'imposent.

Quatre de ces légendes, les plus soignées peut-être, avaient vu le jour dans la revue *La América* en 1863, signées par l'auteur : *Le Gnome,* [*El gnomo*], *La Promesse* [*La promesa*], *La Biche blanche* [*La corza blanca*] et *Le Baiser* [*El beso*]. Douze autres avaient été publiés anonymement dans la rubrique « Variétés » du quotidien *El Contemporáneo* entre 1861 et 1864 : les plus somptueuses et les plus émouvantes de cette série sont sans doute *Le Bracelet d'or* [*La ajorca de oro*], *Le Mont des âmes* [*El monte de las ánimas*], *Les Yeux verts* [*Los ojos verdes*], *Maître Pérez l'organiste* [*Maese Pérez el organista*], *Le Rayon de lune* [*El rayo de luna*], *el Miserere* et *Trois dates* [*Tres fechas*]. En marge de cette production dont l'ambiance est typiquement espagnole, prennent place les créations indianistes de Bécquer, tout à fait novatrices : *Le Prince aux mains rouges* [*El caudillo de las manos rojas*], *La Création* et *Apologue*. Récit passionnel d'un puissant effet tragique, le *Caudillo* est déjà une œuvre moderniste par la splendeur du cadre, la richesse métaphorique et la musicalité de la langue.

Les amis de Bécquer ont regroupé sous le titre « Légendes » toutes les narrations fondées sur la surnature ou le rêve. Ces œuvres courtes prolongent en Espagne le courant romantique illustré par Hoffmann, Nodier, Aloysius Bertrand. Les atmosphères dominantes sont celles d'un imprécis Moyen Âge avec quelques errances dans un présent assez vague lui aussi. Le cadre est le plus souvent fourni par les lieux pittoresques dans lesquels a vécu l'auteur : Séville, Tolède, Soria, le massif du Moncayo et ses abords (Haut Aragon).

Les *Légendes* sont riches d'éléments mythiques et de symboles dont ceux tirés du système des quatre éléments. Le mythe proprement becquérien est celui de l'artiste, poète ou musicien en quête d'idéal se heurtant tragiquement au mur des signes, menacé par l'épuisement, la tentation du suicide ou la folie devant l'impossibilité d'exprimer ce qu'il ressent ou devine. Manrique *(Le Rayon de lune),* Fernando *(Les Yeux verts),* le musicien allemand du *Miserere* sont les héros typiques de ce drame. La femme incarne aussi bien la vie tyrannique, brutale, que la beauté à laquelle l'artiste aspire, d'où les aspects contradictoires du monde féminin dans ces récits.

La délicate poésie de Bécquer — qu'expriment parfois d'authentiques poèmes en prose — atténue l'impression d'obsession de la mort et de cruauté universelle que laissent les *Légendes* considérées dans leur ensemble. — Trad. Firmin-Didot, 1885 ; Ressouvenances, 1985 ; José Corti, 1989. R. P.

LÉGENDES ET CHANSONS [*Legender och visor*]. Poèmes de l'écrivain suédois Oscar Levertin (1862-1906), publiés en 1891. L'auteur, qui dans sa prose a connu surtout l'influence de Jacobsen, a subi en poésie celles de Swinburne et de Heidenstam. « C'est Heidenstam qui m'a convaincu que j'étais un romantique et non un réaliste. » Ces poèmes ont un contenu clairement autobiographique, ils sont le « livre de mon cœur », disait Levertin lui-même. Les sujets principaux en sont l'amour, la nostalgie, la mort, les sentiments qui naquirent en lui pendant les courtes années heureuses de son mariage, et la menace que faisait peser sur lui la maladie. Matérialiste, il reste profondément étranger à toute religion. Poète détaché de la vie, il sera alors l'« écrivain qui enterre sur le gris parchemin la flamme désespérée de son rêve d'adolescent ».

LÉGION [*Légjon*]. Drame en douze tableaux de l'écrivain polonais Stanisław Wyspiański (1869-1907), publié en 1900, à Cracovie. Néo-romantique, Wyspiański peut être considéré comme l'inspirateur de cette pléiade de poètes groupés sous le nom de la Jeune Pologne, et qui se recommandaient de la notion d'art pur. Ce groupe s'est défini en opposition aux romantiques et particulièrement contre Adam Mickiewicz, le promoteur de leur première école. *Légion* illustre bien la polémique en question : Wyspiański condamne en effet le rôle messianique que son adversaire fait jouer à la Pologne (on sait que Mickiewicz avait coutume d'appeler son pays le « Christ des nations »). Le Mickiewicz que l'auteur fait parler et agir dans les scènes de *Légion* n'est plus le barde serein de la poésie nationale, tel qu'il apparaît dans *Messire Thaddée* (*), grandi jusqu'à la démesure et doué d'une force indomptable, mais c'est le Conrad des *Aïeux* (*), c'est le messianiste, le partisan du mystique Towiański. Il voudrait mener son peuple vers la résurrection, mais ne réussit en réalité qu'à faire naufrage et à compromettre l'équipage qui lui a fait confiance. Les douze tableaux que comporte ce drame se déroulent entre 1845 et 1848, dans la Rome où Mickiewicz avait rassemblé cette légion de volontaires polonais qui devait combattre pour l'indépendance italienne et délivrer ensuite sa patrie opprimée. Dans une scène nocturne, à laquelle le Colisée sert de cadre, Mickiewicz s'entretient avec un autre grand poète polonais exilé à Rome, Zygmunt Krasiński, des destinées de la Pologne. Un autre tableau nous montre Mickiewicz pliant son orgueil de chef spirituel et national devant le prêtre Jelowicki, son confesseur. Dans le dernier tableau, de ton fortement apocalyptique, on voit Mickiewicz au gouvernail d'une barque, allant sur une mer déchaînée vers un naufrage certain, et criant à ceux qui disparaissent dans les flots : « Renaissez, jeunesse ! » Ce drame est pure fantasmagorie, tant dans sa forme que dans sa conception. Assez obscur et confus, il abonde toutefois en traits de lyrisme et en observations profondes ; un sens aigu de la satire s'y fait jour.

LÉGISLATION PRIMITIVE CONSIDÉRÉE DANS LES DERNIERS TEMPS PAR LES SEULES LUMIÈRES DE LA RAISON (La). Œuvre du philosophe français Louis Gabriel Ambroise de Bonald (1754-1840), publiée en 1802. Elle est faite d'une série de pensées et d'axiomes, tous inspirés rigoureusement par le catholicisme en matière de religion et le légitimisme en politique. Bien que rentrant dans cette importante restauration des valeurs de la famille et de la société, dont Napoléon cherchait depuis le Consulat à s'inspirer pour sa politique intérieure, elle ne fut connue que dans des milieux religieux et nobles assez fermés. Ses convictions tranchantes autant que singulières de réactionnaire le portèrent à lutter avec fermeté contre les nouvelles idées libérales, qu'il tenait pour nuisibles à l'État ainsi qu'à la société. La création de l'homme à l'image et à la ressemblance de Dieu conduit fatalement à penser que la société se trouve essentiellement fondée sur des principes qui ne sont pas simplement naturels, mais inspirés par la Providence elle-même. Ainsi, au moyen de la parole (expression naturelle de la pensée pour pénétrer dans la conscience), l'homme a reçu la vérité et, par ce moyen, il la communique. Ennemi de la théorie cartésienne des « idées innées », adversaire également du sensualisme empirique, Bonald affirme que la connaissance des vérités morales est innée, non pas dans l'individu, mais bien dans la société. Il ne peut pas y avoir de société sans vérité morale : en chaque homme, il y a la connaissance de Dieu plus ou moins profonde. C'est pour ces raisons que la Révélation elle-même, en ce qu'elle a de miraculeux, doit être considérée comme une loi générale de l'esprit humain. Aussi ce que l'on a coutume d'appeler la religion naturelle est, elle aussi, révélée ; quant à celle qui est révélée, elle est également naturelle. Il s'ensuit que toute contradiction entre la société et la foi disparaît. La parole reconnaît dans les lois divines les fondements de l'humanité elle-même ; celle-ci est régie par des principes qui ont leur base dans la famille et qui trouvent dans le trône et l'autel leur plus intense vie spirituelle. L'homme peut retourner à la pureté primitive émanée de Dieu, grâce au retour du Christ sur la terre à jamais rachetée. Les fondements de la société sont minés, dit l'auteur, par les nouvelles institutions, lesquelles ne correspondent pas aux lois de la nature inspirées par Dieu : divorce, presbytérianisme, démocratie. Par le caractère polémique, intransigeant, systématique, de son action autant que par ses principes, Bonald se place aux côtés de Joseph de Maistre, de Ballanche, de Chateaubriand, et même du Lamennais de la première manière, dans le combat qu'il soutient pour la défense de la foi.

LEGS DE 30 000 DOLLARS (Le) [*The $ 30 000 Bequest*]. Récit du romancier américain Mark Twain (1835-1910), publié à New York en 1906 avec d'autres contes. On pourrait considérer ce récit comme le pendant de l'œuvre intitulée *Un pari de milliardaires* (*), puisque, au contraire de cette œuvre célèbre, l'auteur, ainsi que dans *L'Homme qui corrompit Hadleyburgh* (*), s'est fixé pour mission d'illustrer les effets dangereux que produit sur le caractère une richesse imaginaire. À Lakeside, dans le Far West, vit le comptable Saladin Foster, qui porte le sobriquet féminin de Sally, avec sa femme Electra, affublée pour sa part du surnom masculin d'Aleck. Entouré de ses deux filles, Clytemnestra et Gwendolen, le couple connaît une existence paisible, privée d'ambitions et vide d'événements, jusqu'au jour où ils reçoivent d'un parent de Sally, Tilbury Foster, une lettre par laquelle ce dernier leur lègue sur son lit de mort trente mille dollars, à condition qu'ils ne cherchent pas à s'intéresser à lui ni à assister à son enterrement. La perspective de cette fortune bouleverse les époux, qui contractent immédiatement un abonnement au journal de la ville où habitait leur parent. Sur-le-champ, ils se mettent à bâtir des châteaux en Espagne ; Sally étudie les moyens de dépenser les dollars, tandis qu'Aleck, sa femme, songe à les multiplier, au point de devenir en peu de temps si experte en spéculations que, dans l'esprit du couple, la somme encore attendue doit doubler, tripler, voire décupler. Fous de joie et persuadés que leurs espérances vont bientôt se réaliser, ils décident de fêter l'événement sans toutefois le divulguer. Faute d'anniversaire, ils choisissent pour cela la célébration du jour de la découverte de l'Amérique. Cependant leur capital continue à croître dans leur imagination, et chaque soir, au retour de leur travail, dans un magasin de la ville, ils vivent une autre existence agrémentée par leurs immenses richesses. Ils fondent des œuvres et des universités, construisent des églises et des hôpitaux, et leur humble maison transformée en palais se déplace d'une ville à l'autre au gré de leur fantaisie. Les années s'écoulent, jusqu'à ce que le propriétaire du journal, dont ils ont oublié de renouveler l'abonnement, vienne les voir lors d'un passage à Lakeside. Quand il leur apprend que leur parent est mort depuis plusieurs années dans une misère si profonde qu'il ne laissait pas même de quoi assumer les frais de son enterrement, cette brutale nouvelle accable Sally et Aleck qui meurent de désespoir. Avec un art consommé, l'auteur décrit la vie imaginaire de ses personnages et fait participer le lecteur à leur anxieuse surveillance des fluctuations de titres qu'ils ne possèdent pas, à la joie qu'ils éprouvent en apprenant qu'ils ont remporté une supposée victoire ou accru leur irréelle fortune. Seulement, de loin en loin, Twain ne manque pas de rappeler au lecteur que toute cette richesse n'était qu'un rêve. – Trad. Mercure de France, 1910.

LEIBNIZ ET SPINOZA. Essai du sociologue français Georges Friedmann (1902-1977), publié en 1946. Dans son introduction, l'auteur nous précise l'objet de son étude : « Quelle a été, quelles ont été les réactions authentiques de Leibniz à l'égard de Spinoza et du spinozisme ? Par quoi ces réactions et les attitudes qui en ont été inséparables ont-elles été commandées ? Comment les expliquer ? Quels sont en définitive les liens entre les deux systèmes ? » Pour répondre à la première de ces questions, Friedmann trace d'abord un portrait du jeune Leibniz – de sa personnalité et de sa pensée extraordinairement précoce – afin de nous faire mieux connaître l'homme qui, en novembre 1676, franchit le seuil de la demeure du sage hollandais. La lecture de l'*Éthique* (*), commente l'auteur en s'appuyant sur les lettres et remarques laissées par Leibniz, suscita chez le penseur allemand une sorte d'admiration mêlée d'horreur. Admiration pour la pénétration de sa visée spinoziste. Horreur devant les conséquences auxquelles menait cette visée et qui faisait de Spinoza le plus considérable obstacle, la « tête de turc » du système nouveau qu'il voulait accréditer et répandre parce qu'il y voyait s'accorder la raison et la foi, la science et la religion, le salut spirituel et le bien temporel. Deux hommes : un génie brillant, polyvalent, universel : une sorte d'ermite, de rêveur ascétique, de moraliste. Deux systèmes : l'un, tout entier construit autour de l'homme et pour lui. L'autre, « le plus puissant effort jamais tenté pour décentrer la réflexion philosophique par rapport à l'homme et penser celui-ci à partir du Tout infini dont il fait partie ». En un sens il n'y a pas de contraste plus violent. En un sens seulement car toute la perspicacité de Friedmann va consister à nous montrer que si Leibniz s'est montré si agressif à l'égard de Spinoza, c'est non seulement parce qu'il était différent de lui, mais aussi parce qu'il s'est voulu différent de lui. Si l'on interroge en effet la terminologie brillante (et rassurante) de Leibniz, on s'aperçoit que sa philosophie morale est a priori aussi strictement déterministe que celle de Spinoza. L'homme de Leibniz n'échappe pas plus à la fatalité de sa notion, de son essence que l'homme de Spinoza. Aussi, conclut Friedmann, « au regard de ses ambitions de préserver la liberté, la responsabilité, et de fonder une philosophie de l'effort humain, Leibniz a échoué ».

LEÏLA. Dernier roman de l'écrivain italien Antonio Fogazzaro (1842-1911), paru en 1910. C'est, peut-on dire, le testament spirituel de l'auteur. Un homme a perdu la foi par la suite des combats qu'il eut à soutenir tout au long de sa vie. Cette foi, il la retrouve un jour dans les bras de Leïla, une héritière au tempérament assez rude et qui, tout en l'aimant, ne lui résiste pas moins avec opiniâtreté, car elle s'obstine à voir en lui un simple coureur de dot. Ce drame est compliqué par les intrigues du père de Leïla et d'un de ses conseillers, qui ont tout intérêt à empêcher le mariage. Du point de vue des idées, ce livre est discutable. Du point de vue de l'intrigue amoureuse, c'est un admirable roman. La tendance à la polémique transforme souvent en satire et en sarcasme l'habituelle subtilité de Fogazzaro. Le paysage y joue un rôle prépondérant, et l'atmosphère musicale autour de laquelle se cristallise plus ou moins toute la production de Fogazzaro est rendue ici plus sensible que dans ses autres œuvres. — Trad. Hachette, 1911.

LEÏLI ET MAJNOUN [*Leïli va Majnun*]. Titre de deux romans en vers persans racontant l'amour du poète arabe quasi mythique Qaïs al-Amiri (mort, semble-t-il, en 689) pour Leïli. Les poèmes de Majnoun, le « fou d'amour », et sa passion pour Leïla (appelée Leïli en persan) font, depuis toujours, partie de la tradition littéraire persane. Qaïs al-Amiri est considéré comme l'un des plus grands poètes de l'amour, et il est célèbre pour ses « ghazals ». Il est cité par de nombreux poètes, avant même que Nizâmi ne compose son poème. Au début, le thème du roman n'est pas spécifiquement mystique : le poète religieux Nasir-é Khosrow (XIe siècle) estime même que le sujet est répréhensible, parce qu'il symbolise l'amour mortel et la poésie frivole. Néanmoins les soufis, dès le XIe siècle, l'emploient à titre d'« exemplum ». L'importance croissante de la poésie des « ghazals » et de la « théorie de l'amour » parmi les mystiques favorisa certainement ce processus. D'après Jalal al-Dîn Roumi, Majnoun appartient à l'archétype des « amoureux qui sont allés se réfugier dans les montagnes et le désert à cause de leur amour ».

★ Le « masnavi » *Leïli et Majnoun* du poète persan Nizâmi de Ganjé (1141-1209) est le troisième roman en vers de son Quintette [*Khamsé*]. Le roi de Chirvân, Abol-Mozaffar Akhsatân, avait demandé à ce grand poète de composer ce roman et de le lui dédier. Dans son introduction, Nizâmi dit avoir accepté après quelques hésitations : il doutait que cette histoire de folie et d'errance à travers le désert du poète arabe quasi mythique Qaïs al-Amiri pût convenir à la cour d'un roi.

Nizâmi a adapté cette histoire d'amour aux exigences d'un roman persan, en décrivant l'évolution d'un amour passionné, depuis la première scène de rencontre des amants jusqu'à la mort de Majnoun sur la tombe de Leïli. Le cadre bédouin a été modifié sous l'influence des conditions de la vie urbaine familière au poète et à son public : les jeunes amants font connaissance à l'école ; Leïli est mariée, pour des raisons d'intérêt, à un homme qu'elle n'aime pas ; Majnoun, au comble du désespoir, perd la raison et va vivre dans la nature au milieu des animaux sauvages, auxquels il récite ses poèmes d'amour. Leïli entend dire que Majnoun est mort ; elle en tombe malade et meurt. Majnoun vient mourir sur sa tombe. Nizâmi ajoute à son poème un second couple d'amants, Zeïn et Zeïnab, qui reflète l'amour des personnages principaux : c'est Zeïn qui voit en rêve Majnoun et Leïli au paradis à la fin du roman.

Pour mettre en évidence les points importants du déroulement de l'action, le poète emploie des spécimens de poésie de la nature : il décrit un groupe de palmiers au printemps où se tient Leïli dans la fleur de sa jeunesse ; il fait nuit au moment du désespoir le plus profond de Majnoun ; c'est l'automne lorsque Leïli meurt. Il insiste aussi beaucoup sur le rôle de poète de Majnoun, en insérant dans le texte des « ghazals », dont le mètre et la rime sont adaptés aux caractéristiques prosodiques du « masnavi ».

Ce poème est une œuvre didactique autant que narrative : il contient des réflexions sur l'ascétisme, la vanité de ce monde, la mort et, bien sûr, l'amour sous ses différents aspects, sans oublier l'amour mystique. Le didactisme est aussi le principal élément de l'introduction et de l'épilogue.

★ Le *Leïli et Majnoun* de Nizâmi est le point de départ de nombreuses imitations en persan et en turc, c'est-à-dire dans les régions où l'influence culturelle de la littérature persane se fait sentir. Les poètes qui ont essayé d'imiter Nizâmi lui ont emprunté la majeure partie du contenu et le mètre, mais aussi des éléments de sa composition : par exemple l'avis donné au fils du poète et les paroles adressées à l'échanson, qui figurent dans l'introduction. Pourtant, chaque poète s'est efforcé de produire une œuvre originale, en modifiant des épisodes, en ajoutant de nouvelles histoires, ou en faisant passer l'accent d'un motif à un autre. Parmi les imitations considérées comme des œuvres littéraires, on peut citer le *Majnoun et Leïli* [*Leili et Majnoun*] d'Amir Khosrow Dehlavi, écrit en 1299, celui du poète turc Mehmed Fuzuli (1480/90-1556), et celui de Djâmi.

★ Le roman en vers *Leïli et Majnoun* du poète soufi persan Djâmi de Hérat (1414-1492) a été achevé en 1484. Comme ses prédécesseurs, il s'inspire de la légendaire histoire d'amour du poète arabe Qaïs al-Amiri pour Leïli. Le poème comporte trois mille huit cent soixante vers [beïts] et est assez proche de la tradition arabe. Le début de l'histoire est situé au campement du clan de Leïli, et non à l'école. Le sens mystique de l'œuvre ne saurait échapper, bien que le récit reçoive son plein développement. Dans son introduction, dans le chant adressé à l'échanson, Djâmi rappelle les cheikhs de la Naqchbandiyya et les Timourides du passé.

Si Djâmi n'est pas le premier à traiter ce sujet, il sait néanmoins le rénover par un style nouveau, gracieux, souple et très distingué. Outre la manifestation des plus nobles qualités morales, on trouve dans son poème des accents mystiques panthéistes, comparables à ceux des plus grands poètes du soufisme. – Trad. Paris, 1805. M.-H. P.

LÉLIA. Roman de l'écrivain français George Sand (Aurore Dupin, 1804-1876), publié en 1833 et complètement remanié en 1839. Lélia d'Almovar est une âme inquiète qui souffre d'un double mal : l'inaction contraire à sa nature, et l'analyse psychologique qui énerve son esprit. Elle est aimée du jeune poète Stenio, et répond à ses sentiments ; mais ayant beaucoup souffert dans sa prime jeunesse à cause d'un amour malheureux, elle refuse de lui céder. Entre Lélia et Stenio s'engage une sourde lutte, encore compliquée par la jalousie du poète pour un mystérieux personnage, Trenmor. Ce dernier est un homme au passé fort aventureux, qui a réussi à trouver dans l'expiation de ses fautes la sérénité de l'âme. Il est l'ami et le confident de Lélia, qui en a fait son directeur spirituel. De ténébreuses amours se nouent autour de l'héroïne. Un charme profond émane de Lélia ; l'ermite Magnus lui-même n'y est pas insensible, tout en la considérant comme une démoniaque tentatrice. Pour trouver la paix, Lélia se retire dans un couvent, dont elle devient rapidement l'abbesse ; elle parvient à inculquer à son monastère un esprit vraiment chrétien. Stenio, qui n'a pas cessé de l'aimer et de la rechercher, la retrouve, réussit à avoir avec elle une conversation. Comprenant seulement alors la véritable nature des sentiments que lui portait Lélia, et la voyant perdue pour lui, Stenio se tue. Magnus, ayant retrouvé le corps de Stenio, est de plus en plus obsédé par l'idée que Lélia est une créature démoniaque. Il suscite contre elle la haine et l'anathème du monde laïque. Lélia est condamnée à être enfermée dans une chartreuse où elle passera la fin de ses jours. Quand elle meurt, son vieil ami Trenmor l'ensevelit sur la rive du lac, face à la tombe de Stenio. Ce roman, qui appartient à la première période romantique de l'activité littéraire de George Sand et dans lequel, selon son propre aveu, elle a fait passer un peu de son âme, consacra sa réputation d'écrivain, en dépit des très violentes critiques auxquelles il donna prise. Dans la première version, Lélia meurt tuée par Magnus, sans avoir réussi à trouver un équilibre ; dans la seconde, au contraire, on perçoit l'influence pacificatrice de quelques amis de l'écrivain. *Lélia* eut une grande répercussion sur les esprits, tant en France que dans l'Europe tout entière. Avec cette œuvre en effet, le « roman gothique » trouvait sa nouvelle expression dans l'analyse psychologique.

LÉLIA ou la Vie de George Sand. Essai biographique de l'écrivain français André Maurois (pseud. d'Émile Herzog, 1885-1967), publié en 1952. « Pourquoi George Sand ? Les amitiés d'esprit se font par chaînes et rencontres comme les amitiés de cœur », a écrit André Maurois en note liminaire. Après les romantiques anglais, Lyautey, Tourgueniev, Voltaire et, en dernier lieu, Marcel Proust, André Maurois poursuivait avec cette biographie de George Sand une série de grandes études sur les écrivains français du XIXe siècle, abordée avec *René ou la Vie de Chateaubriand* (1938).

« Cette grande femme », disait Alain de George Sand. On aurait pu croire que l'auteur de *Lélia* (*), roman dans lequel une femme traitait pour la première fois des problèmes sexuels, de *Consuelo* (*) et de tant d'autres livres réputés aujourd'hui illisibles, peut-être à tort, on aurait pu croire que cet auteur était très éloigné, par l'esprit, d'un styliste aussi clair, précis et dénué de confusion romantique que l'est André Maurois. Il n'en est rien, et cette biographie rend évident que le biographe est passé de l'admiration à une tendre compréhension de son personnage. La vie privée d'Aurore Dupin, baronne Dudevant, dont les liaisons successives avec des hommes aussi en vue que Jules Sandeau, Musset, Chopin, Michel de Bourges, des femmes comme Marie Dorval et Marie d'Agoult, pour n'en citer que certaines, peut donner matière à de longs commentaires. Mais André Maurois s'est surtout attaché à montrer la femme libre de préjugés qui consacra son existence au travail plus qu'aux aventures et dont la passion principale fut un amour généreux, inquiet et souvent aveugle pour ses enfants, Solange et Maurice, lesquels l'en récompensèrent mal. Cette femme, l'une des plus originales figures de son siècle, qui souleva des scandales et termina sa vie comme la plus respectable des grand-mères, qui fut aimée ou détestée par tout ce qui compta en son siècle, de Delacroix à Flaubert, cette femme qui écrivit des œuvres aussi admirables et différentes que *Lélia* et *Indiana* (*), ou *La Mare au diable* (*) et *François le Champi* (*), ce personnage plus grand que nature renaît, vivant, naturel et abordable dans sa vie quotidienne, grâce au talent d'André Maurois.

LELIUS ou De l'amitié [*Laelius, de amicitia*]. Dialogue composé par l'écrivain latin Cicéron (106-43 av. J.-C.) en 44. Il met en scène trois interlocuteurs : Lelius, Fannius et Scevola l'Augure ; ce dernier, un vieillard, aurait rapporté à Cicéron, jeune homme, la manière dont s'était déroulé le colloque. Scipion Émilien était mort depuis peu de temps, et Lelius, encore brisé par la perte de cet inoubliable ami, commence son discours par quelques vues sur l'immortalité de l'âme, sur le peu de prix de la mort et sur la valeur de l'amitié, laquelle, plus que toutes autres choses humaines, est le privilège des justes. Il n'est pas vrai qu'elle naisse de l'intérêt et qu'elle y tende : elle a au contraire son fondement dans la nature même ; plus la vertu rayonne chez quelqu'un, plus l'on est enclin envers lui à des sentiments d'amitié. Il existe des amitiés sages et savantes, et des amitiés communes et superficielles ; il n'y a pas lieu de dire que les premières sont préférables aux autres, parce qu'elles se fondent vraiment sur la vertu et tendent au bien commun des amis. La difficulté qui résulte de quelque différence d'âge ou des conditions sociales est assez facile à vaincre pour peu qu'on montre du bon sens. Du point de vue philosophique, ce petit traité marque une prise de position contre l'épicurisme, qui estimait que l'amitié ne repose que sur l'intérêt. Les théories professées ici s'inspirent de celles d'Aristote et de Théophraste, revues à la lumière du stoïcisme, en ce qu'elles admettent une conception éthique de la vie plus rigide, fondée sur les devoirs impératifs de l'homme moral. Ce traité n'a point, certes, une grande profondeur scientifique, mais il nous montre l'aptitude qu'avait l'auteur à transformer les questions qu'on agitait dans les écoles de l'Hellade en problèmes qui étaient à l'ordre du jour dans la société romaine. — Trad. Les Belles Lettres, 1942.

LENA. Comédie en cinq actes et en vers de l'écrivain italien Ludovico Ariosto, dit l'Arioste (1474-1533), représentée en 1529 ; la meilleure, sans doute, que cet auteur ait écrite. S'inspirant, en effet, du théâtre classique, elle nous présente par surcroît la peinture du monde citadin où vivait le poète. Son thème est fort simple : Flavius, amoureux de la jeune Licinia, persuade certaine couturière du nom de Lena de l'introduire dans sa maison, afin de lui permettre de rencontrer Licinia. Or, voilà qu'il arrive du monde : Flavius est contraint de se cacher dans un fût de vin. Bartolo et Julien se querellent au sujet de ce fût ; le père de Licinia survient, qui décide de faire transporter chez lui l'objet du litige. Flavius, qui n'a pu s'enfuir, se trouve ainsi en présence de sa bien-aimée, laquelle, du reste, lui cède sans difficulté. On découvre alors l'intrigue, et les parents des amoureux ne peuvent qu'accepter le fait accompli. Tous les personnages sont étudiés avec une minutie jusqu'alors inconnue dans le théâtre italien : Lena est une créature aussi avide que corrompue ; Pacifico, son mari, un homme résigné à son sort, mais gardant malgré tout un brin d'honnêteté ; Fazio, le père de Licinia, un homme avare et amoureux : il annonce déjà le type du vieillard dont le théâtre italien fera si grand usage par la suite. L'œuvre doit surtout sa vivacité à la peinture d'une corruption toute privée, peinture de milieu dont le XVIe siècle fut toujours friand. Ces personnages sont ceux d'un monde que l'Arétin fera tout puissant et damné. En tant qu'auteur comique, s'efforçant de saisir la réalité quotidienne, l'Arioste ne pouvait pas ne pas y atteindre.

LÉNORE [*Lenore*]. Ballade de l'écrivain allemand Gottfried August Bürger (1747-1794), publiée en 1770. Le thème de cette ballade figurait déjà dans le folklore suédois et danois, mais aussi et surtout dans une ballade anglaise publiée par Percy (1765) dans ses *Reliques de l'ancienne poésie anglaise* (*). Tandis que défile l'armée, retour de la guerre, Lénore cherche en vain son fiancé parmi les chevaliers : désespérée, niant la miséricorde divine, elle appelle la mort. La nuit venue, quelqu'un frappe à sa porte : c'est son fiancé qui l'invite à la suivre et la prend en croupe sur son noir palefroi. Alors, en pleine nuit, à la lueur de la lune, commence une chevauchée fantastique : escortés par des fantômes, les deux amants arrivent dans un cimetière et tandis que l'armure du chevalier tombe en lambeaux, Lénore, saisie d'horreur, se trouve face à face avec la Mort qui l'emporte. Cette ballade, exemple type de poésie romantique, est aussi une des formes les plus caractéristiques du « Sturm und Drang ». Traduite et imitée partout, elle fit le tour de l'Europe, connaissant un succès qui atteignit son apogée en plein romantisme. Elle séduisit surtout par son rythme exaltant, fébrile, scandé par le refrain : « Hourra ! les morts vont vite ! / Ma mie, as-tu peur des morts ? / Ah, laisse en paix les morts ! » Certes, il y a dans la succession rapide des images et des cadences quelque chose de précieux, mais c'est là un artifice qui fait corps avec le poème et dont ce dernier s'alimente, un moyen qui cherche moins à exprimer l'image qu'à la suggérer et fut, chez les romantiques, une façon de sincérité. On peut dire qu'avec *Lénore* et *Le Féroce Chasseur* (*), Bürger donna le modèle même de la ballade. — Trad. *Lénore et autres ballades,* Guéraud, 1849.

★ Le poème symphonique *Lénore* — seul ouvrage de ce genre qu'ait composé le Français Henri Duparc (1848-1933) — lui fut inspiré en 1875 par la célèbre ballade de Bürger. La musique en suit le texte de très près et le commente avec une rare puissance expressive. L'influence de Wagner y est manifeste — ce qui est fort naturel à cette époque. Les plaintes de Lénore sont exprimées par un motif chromatique qui monte deux fois, par tierces, et s'oppose à une réplique lente des bois ; un più animato fantastique peint la course nocturne du fantôme emportant la jeune fille ; un staccato, un court thème haletant, passe à travers toutes les parties de l'orchestre. Enfin, après un dernier choc, et plus brutal, le thème initial de la plainte reparaît. C'est ensuite le retour de tous les thèmes mélodiques déjà employés, mais qui prennent un caractère nouveau, plus âpre, plus dépouillé. Ils sont développés avec une grande variété d'accent et de couleur, et aboutissent à un adagio exprimant une détresse infinie. Duparc a su traduire admirablement le romantisme de la ballade allemande. Il a mis dans son poème symphonique ce qui fait la très haute valeur de ses mélodies, une sincérité extrême. On songe en écoutant *Lénore* à ce qu'il écrivait à son ami Paul Lacombe : « J'aime la musique où il y a des idées qui émeuvent l'âme. Celle qui est toute d'impression, de décor et s'adresse surtout aux nerfs me touche assez peu. » *Lénore* est dédiée à César Franck, qui en fit une transcription pour piano à quatre mains. Saint-Saëns en fit un autre arrangement pour deux pianos.

LENZ. Nouvelle inachevée de l'écrivain allemand Georg Büchner (1813-1837), qui s'assura, en dépit d'une œuvre réduite mais grâce à la réalité quasi visionnaire de ses personnages, grâce à la vigueur de ses compositions, une place de premier plan parmi les écrivains du XIXe siècle. Dans cette nouvelle, la seule que nous ayons de lui, Büchner se proposait de retracer la fin tragique de l'ami de jeunesse de Goethe, le grand poète du « Sturm und Drang », Reinhold Lenz (1751-1792), mort fou. Dans un style à la fois précis et obsédant, Büchner décrit le lent engloutissement du poète dans un abîme d'irréalité, de tourments, de douleur, tandis qu'il essayait désespérément de s'accrocher aux derniers restes de raison et de lutter contre une inexorable désagrégation de son esprit. Les soins paternels du pasteur Oberlin sont impuissants devant le déchaînement des forces naturelles, et Lenz finira par succomber. Büchner utilisa surtout les notes prises par le pasteur Oberlin pendant le séjour que Lenz fit chez ce dernier. Il avait écrit cette nouvelle pour la publier dans la revue que projetait Karl Gutzkow, la *Deutsche Revue*, organe de la « Jeune Allemagne » ; mais la revue fut interdite et Büchner négligea de donner la dernière main à son travail qui demeura inachevé. (Elle fut publiée par Gutzkow cependant, en 1839, dans le *Telegraph.*) — Trad. Fontaine, 1947 ; Bourgois, 1985 ; Seuil, 1988.

LÉONARDA. Drame en quatre actes de l'écrivain norvégien Bjørnstjerne Bjørnson (1832-1910), publié en 1879. Dans une petite ville de Norvège, une femme divorcée, Léonarda Falk, vit avec sa nièce Agat. Sans jamais fréquenter l'église, elle reçoit pas mal de gens, à commencer par le général Rosen, un vétéran de la guerre de Sécession, fort enclin à la boisson. Voilà certes plus qu'il n'en faut pour lui valoir la médisance de la bourgeoisie rigoriste. Ce n'est pas tout : le neveu de l'évêque, le jeune théologien Hagbart Tallhaug, lui donne le coup de grâce en la faisant passer publiquement pour une femme de moralité douteuse. Mais à cet excès de rigueur succède un repentir sincère : pendant un séjour dans une station balnéaire, il s'éprend d'Agat, laquelle le paie de retour. En réalité, c'est Léonarda qu'il aime à travers Agat. Cette dernière s'en aperçoit vite et saisit le prétexte de certaines conditions posées par l'évêque pour rompre avec Hagbart au cours d'une scène violente. Après le départ d'Agat, Hagbart avoue son amour à Léonarda, qui en est à la fois grisée et atterrée. Agat revient sur ces entrefaites et lui déclare qu'elle a renoncé à Hagbart. Toutefois Léonarda, amoureuse mais généreuse, se refuse à bâtir son bonheur sur le malheur d'Agat. Elle abandonnera la Norvège avec le général Rosen, et laissera à Agat tous ses biens. « Le temps des grands sentiments est revenu », commente l'aïeule au tomber du rideau. Bjørnson ne peut s'empêcher de trahir son tempérament de polémiste en s'attaquant ici à l'hypocrisie bourgeoise. Toutefois, cette polémique, pour évidente qu'elle soit, n'en reste pas moins secondaire. *Léonarda* est en effet le drame de la générosité : générosité de Hagbart dans son repentir, d'Agat dans son renoncement, mais surtout de Léonarda. L'épilogue déplut au public. En faisant se marier Léonarda et Hagbart, il aurait certes donné satisfaction à nombre de spectateurs et de lecteurs, mais aussi diminué la portée de son drame qui tient avant tout dans l'exaltation d'un sentiment noble et dans son triomphe, non seulement sur un puritanisme exempt de charité, mais encore sur les passions, même légitimes, et sur le bonheur personnel fondé sur le malheur d'autrui. Car le douloureux sacrifice de Léonarda est le prix nécessaire de sa magnanimité. – Trad. Grasilier, 1894.

LÉONARD ET GERTRUDE [*Lienhard und Gertrud*]. Roman de l'écrivain suisse d'expression allemande Heinrich Pestalozzi (1746-1827), publié en 1781 sans nom d'auteur et sur les instances de Lavater. Pestalozzi sortait à peine de l'échec non seulement économique, mais aussi moral, qui avait marqué sa deuxième tentative pédagogique visant à fonder une école dispensant méthodiquement aux enfants un enseignement courant et des cours de filature et de tissage, véritable embryon d'école professionnelle. Ce fait lui inspira le sujet d'une nouvelle qu'il transforma par la suite en roman. Le succès qu'obtint dès sa parution la première partie de *Léonard et Gertrude* encouragea l'auteur à poursuivre son œuvre : la deuxième, la troisième et la quatrième parties parurent ainsi respectivement en 1783, 1785 et 1787. Les deux premières parties, destinées « au peuple », se distinguent nettement des deux autres, écrites à l'intention de classes sociales plus cultivées. L'auteur lui-même, dans une lettre à son ami Battier, servant d'introduction à la quatrième partie, définit le but de son œuvre : peindre la vie d'un village telle qu'elle est, puis montrer pourquoi les choses vont de la sorte et enfin comment il serait possible d'y remédier. L'ouvrier maçon Léonard et sa femme Gertrude sont les héros de la première partie, qui a pour cadre le village de Bonnal, régi par un système quasi féodal : le bailli, Hummel, y exerce l'administration et la justice ; il est placé sous l'autorité du baron Arner, dont le petit État dépend d'un duc, image d'un des nombreux princes souverains allemands de l'époque. Hummel, qui est également propriétaire d'une auberge, exploite, en les poussant à la boisson, les ouvriers et les paysans de la localité, acculant leurs familles à la misère. La brave Gertrude, indignée, parvient à exposer au baron Arner la triste situation de sa famille et celle du village tout entier. Secondé par le curé, le baron rétablit la justice et contraint Hummel à rendre l'argent indûment acquis. Jusque-là, Pestalozzi adopte un optimisme à la Rousseau, confiant dans la bonté naturelle des hommes. Mais dans la deuxième partie, l'auteur tempère son optimisme et constate qu'en l'absence d'une éducation méthodique l'homme retombe toujours dans la faute. Les principaux protagonistes sont désormais l'instituteur Glüphi, qui s'efforce de former la nouvelle génération, en appliquant une méthode pédagogique qui n'est autre que celle de l'auteur – v. *Comment Gertrude instruit ses enfants* (*) –, et Mareile qui dirige avec son frère le travail des filandières. En dépit des obstacles, le baron parvient finalement à intéresser le duc à l'action menée dans le village et le persuade d'appliquer un plan de réformes à l'ensemble de son État. Ce duc est le portrait d'un personnage historique, le grand-duc de Toscane Léopold, que connut Pestalozzi et qui fut, semble-t-il, touché par ce roman au point d'adhérer aux idées de l'auteur. Mais le passage de la Toscane à l'empire mit fin à tous les projets.

Léonard et Gertrude contribua grandement à répandre, dans le domaine social, cet « esprit des Lumières » et ce courant de réformes qui caractérisèrent la fin du XVIIIe siècle. Exaltant l'idéal d'une religion chrétienne universelle et au-dessus de toute confession, cette œuvre tendait à promouvoir un état d'esprit fait de vertu bourgeoise et de bon sens pratique, toutes qualités que les romantiques allaient combattre avec acharnement lorsqu'elles eurent dégénéré au point d'être le signe de ralliement des « philistins ». Il reste que l'influence de ce roman dans le domaine de la pédagogie fut essentielle. – Trad. Baconnière, 1947-1948 (2 vol.).

LÉONCE ET LÉNA [*Leonce und Lena*]. Comédie de l'écrivain allemand Georg Büchner (1813-1837), que le jeune et génial auteur écrivit en 1836, pour participer à un concours ouvert par l'éditeur Cotta. Mais le manuscrit, reçu après les délais fixés, fut refusé, et la pièce demeura inédite jusqu'à la mort du poète. Elle fit l'objet d'une publication fragmentaire en 1839, dans le *Telegraph* de Karl Gutzkow, où parut également sa nouvelle inachevée, *Lenz* (*), et fut enfin publiée intégralement en 1850, dans ses Œuvres complètes. On y décèle les influences du théâtre romantique, du *Ponce de Léon* (*) de Brentano, du *Prince Zerbino* (*) de Tieck, et surtout de Shakespeare. L'intrigue est simple : c'est l'histoire d'une nature nonchalante, indifférente, qui retrouve le sens de sa mission grâce à l'intrusion dans sa vie de la passion amoureuse et d'une mentalité absolument opposée à la sienne. Tout n'est qu'ennui pour le prince Léonce, tout est source d'insatisfaction ; aussi cherche-t-il dans la fantaisie un refuge aux vulgarités quotidiennes. Léonce doit épouser la princesse Léna, qu'il n'a jamais vue de sa vie, et dont on donne l'arrivée pour imminente. Ne pouvant supporter l'idée même de ce mariage imposé, il s'enfuit en compagnie de Valerio, jeune philosophe vagabond qu'il a tiré du ruisseau. Léna, de son côté, ne se réjouit nullement de prendre pour époux un homme qu'elle n'aime pas ; aussi sa gouvernante, à qui elle confie ses inquiétudes, décide-t-elle de trouver remède à la situation. Léonce et Valerio, Léna et sa gouvernante, se rencontrent par hasard dans le jardin d'une auberge, sans se connaître. Les deux jeunes gens s'éprennent aussitôt l'un de l'autre : leur amour est fomenté par la gouvernante et Valerio, qui connaissent la vérité. Grâce au subterfuge ainsi inventé par les deux comparses, les jeunes gens se trouveront mariés sans connaître leur véritable identité. La situation se dénouera donc à la satisfaction générale. Les personnages sont assez bien campés, en particulier le prince oisif, désabusé, mais intelligent, et le sage et picaresque Valerio. Néanmoins, l'influence des modèles ayant inspiré l'auteur demeure trop apparente, et il faut convenir que *Léonce et Léna* n'est pas une des œuvres les plus personnelles de Büchner. — Trad. L'Arche, 1955 ; Seuil, 1988.

LÉONE. Poème publié en 1945 par le poète français Jean Cocteau (1889-1963). Il s'agit sans doute là d'un des plus beaux poèmes de l'auteur, où les « morceaux de chance » sont admirablement compensés par le soin qu'il apporte à les égaler dans la rigueur de l'homme qui écrit éveillé. Au reste, le thème de ce long poème invite à chevaucher cette corde raide du sommeil et de la veille : Léone est une sorte d'ange femelle, que le poète tantôt suit, tantôt précède, tantôt côtoie aux rivages intérieurs qu'il étale, décrivant le voyage en compagnie de l'être monstrueux, sous nos yeux éblouis par une lumière au-delà de la lumière, une lumière noire. Sœur de la mort d'Orphée en gants noirs qu'elle préfigure, Léone passe sans difficulté d'un monde à l'autre, perçant le mystère, visitant les personnages du Paris et des drames de Cocteau, elle-même personnage de son drame le plus intime. Léone se développe comme un film intérieur qui ne se raconte pas, comme *Le Sang d'un poète* qu'elle rappelle encore. Aux dernières strophes, Léone révèle son identité : « Léone était la muse ou la muse Léone », identité sans preuve, comme toute identité poétique. En 1945, le poète venait de faire représenter *Renaud et Armide* (*) à la Comédie-Française, et subissait l'obsession du silence sur Paris occupé. Son malaise a pris la forme de la créature surnaturelle Léone, qui l'oblige à la suivre dans sa marche somnambulique, non seulement à travers un Paris endormi, mais aussi dans l'espace insituable où les héros des grandes légendes se consument d'amour pour l'éternité. L'égalité du souffle, le constant bonheur des images et des rimes, la noblesse spectrale de cette nuit de Walpurgis d'esprit goethéen placent *Léone* au premier rang des créations de son auteur.

LÉONE ET LES SIENS. Roman de l'écrivain français Claude Roy (né en 1915), publié en 1963. Léone est une drôle de femme, silencieuse et calme, une Française qui vit à New York dans un quartier miteux. Elle subsiste en fabriquant des bijoux baroques. Dans son grand appartement sont venues peu à peu échouer des épaves du monde occidental : Johanna, ancienne chanteuse allemande d'avant Hitler ; Aimé, vieux beau au cœur sensible ; Luis, qui fut un révolutionnaire sud-américain ; Stuart et Nancy, les plus jeunes, qui ne pensent qu'à s'aimer ; Hugo, peintre génial qui sombre dans l'alcool et la drogue... Pour eux, Léone, c'est le vers de Baudelaire : « Je suis l'Ange Gardien, la Muse et la Madone. » Léone la silencieuse aime et souffre pourtant. Les siens feront de leur mieux pour l'aider. Le bonheur final de la jeune femme disperse le groupe. Mais, comme eux, nous ne pourrons pas oublier Léone. Pour qu'un roman touche au cœur celui qui le lit, il ne suffit pas de bien construire et bien écrire une histoire. Le roman a besoin d'une lumière intérieure, d'une musique secrète, qui lui donnent son âme. Claude Roy les a trouvées, et elles font rayonner *Léone et les siens.* Ce livre, son cinquième roman, marque un tournant. Dans *La nuit est le manteau des pauvres* (1948), *Le Soleil sur la terre* (1956), *Le Malheur d'aimer* (1958), on trouvait à la fois l'amour pour une femme et la tendresse pour les hommes et les femmes que broie l'Histoire. L'auteur s'attachait à des épaves qui ne peuvent plus servir à personne, sinon au romancier. Maria, l'amnésique de *La nuit est le manteau des pauvres,* résume, dans tous ses passés possibles, l'infinité de malheurs qui a pu accabler les innocents, à travers les révolutions et les guerres de notre siècle. Les deux jeunes hommes de *À tort ou à raison* (1955), confrontés à la guerre, ratent leur vie chacun à sa manière. *Le Soleil sur la terre* est un roman symphonique qui s'adresse à tous nos dissemblables semblables, à travers leur commun dénominateur qui est la souffrance et la révolte devant l'injustice, la misère et la mort. *Le Malheur d'aimer*, qui annonce d'entrée : « L'amour est une invention de la mort », refuse d'être l'histoire d'un amour fou. Alain et Anna essaient de vivre sagement quelques jours de bonheur, parce qu'ils savent que, la condition humaine étant ce qu'elle est, il n'est pas possible d'en demander plus. La vie, ou plutôt la mort, leur donneront raison. Peu à peu, d'un roman à l'autre, à la passion sèche et brûlante de Stendhal, qui était celle de ses premiers livres, a succédé chez Claude Roy un peu de la tendresse désabusée de Tchekhov, du désenchantement de Scott Fitzgerald, du sentiment d'exclusion de Pavese. C'est sans doute le fruit de l'expérience, celle d'une génération qui a connu Hitler et Staline, celle d'un temps où ceux qui n'ont pas perdu la vie ont perdu la foi en ce qui était leur raison de vivre. Ainsi, par une sorte de miracle, traverser ces années de fer et de feu n'a laissé ni désespoir ni amertume, seulement le don de poser un regard plus tendre sur les gens et les choses. R. Gr.

LÉON MORIN, PRÊTRE. Roman de l'écrivain français Béatrice Beck (née en 1914), prix Goncourt 1952. C'est dans un décor d'occupation allemande que Béatrice Beck plonge son héroïne Barny ; arrière-fond empreint de vision comique et d'humour noir. Dans une petite ville de province, où Barny a trouvé un travail de bureau, l'arrivée des Italiens fait penser à celle de troubadours en goguette : « Ils étaient vêtus d'amples capes romantiques [...] et avaient l'air de dire : Lancez-nous des cacahouètes. » Bref moment d'humour aussitôt dissipé par l'atmosphère de délation et d'indifférence qui règne chez les habitants du village. Ainsi, à propos des Juifs ; « Qu'on leur prenne ce qu'ils ont et qu'on les mette dans des camps, disaient mes collègues. Mais qu'on ne les tue pas. » Barny est une jeune femme qui a perdu son mari à la guerre et qui, dans cette atmosphère lugubre, vit une passion troublante pour sa jeune collègue de bureau, Sabine Lévy : « À vingt-cinq ans elle vivait une passion de collège, à la fois païenne et quasi mystique. » Cette passion homosexuelle, secrète et tourmentée, plonge Barny dans des rêveries à l'érotisme contenu : « Elle (Sabine) était grande ; quand elle venait se pencher sur mon travail, je me sentais à l'ombre d'un palmier. » Un jour, par défi, Barny décide d'aller se confesser. Cette provocation « païenne » est d'abord un jeu : une manière d'affronter un adversaire. Lors de la première « confession », elle lance au prêtre Léon Morin : « La religion, c'est l'opium du peuple. — Pas exactement, répondit Morin du ton le plus naturel [...] Ce sont les bourgeois qui ont fait de la religion l'opium du peuple. » Le terme clef de leur relation est prononcé. C'est en effet grâce à ce « ton naturel » que Léon Morin fera vaciller l'athéisme de provocation de Barny. Béatrice Beck décrit merveilleusement la lente remise en question de Barny, ses doutes, ses effrois, ses craintes. Barny l'iconoclaste dont les premières prières ressemblaient à des vociférations de poissarde. Agenouillée sur la dalle froide de l'église, c'est une « muse populacière » qui prend à parti Dieu : « La Barny [...] elle se fait une de ces biles pour le fric... » Attirée par Léon Morin, éprouvant pour lui une autre passion, c'est seulement grâce à la générosité du prêtre, à son naturel désarmant, que Barny décidera de vivre « pure » : « Je m'engagerai [...] à recevoir l'eucharistie tous les jours... » L'héroïne Barny fait partie d'un cycle de romans autobiographiques. Béatrice Beck a construit un double littéraire dans ce personnage que le lecteur connaît depuis le roman éponyme *Barny* (1948). Cycle autobiographique qui continue avec *Des accommodements avec le ciel* (1954), dans lequel Barny, comme l'indique le titre de l'ouvrage, prend quelque liberté avec sa promesse d'être « pure ». Barny ira ensuite en Angleterre retrouver le cousin Warren (*Le Muet*, 1963), puis se fixera en Bretagne où elle reprendra le nom de son mari, Vim Aronovitch (*Cou coupé court toujours*, 1967). La secrète passion homosexuelle qu'éprouvait Barny pour sa collègue Sabine Lévy éclatera au grand jour dans *Noli* (1978). P. Bl.

LÉONORA ou les Dangers de la vertu. Comédie dramatique en trois actes publiée en 1955 par l'écrivain français Marcel Jouhandeau (1888-1979). C'est d'une nouvelle publiée en 1951 que, sur la demande de Marcel Herrand, Jouhandeau tira cette œuvre dramatique. La mort prématurée du metteur en scène empêcha la réalisation de ce projet, et la pièce ne fut créée qu'en 1963. Elle nous conte les infortunes de Léonora Lanugénère, romanesque et de vertu irréprochable, qui lit avec passion Lamartine, et sème autour d'elle, par sa vertu même, le malheur. Si elle fait de Séraphini son gendre, presque son fils, c'est pour se préserver de toute faute avec lui. Mais sa fille se détache d'un mari qui lui a été imposé par la domination maternelle. Et bientôt, le foyer ravagé, Léonora reste seule : « Au fond de l'abjection, je ne suis sensible qu'à ma gloire, incomparablement supérieure à celle où autrefois vous m'aviez contemplée. »

LEONORE I, II, III. Ouvertures en ut majeur, op. 138 et op. 72, du compositeur allemand Ludwig van Beethoven (1770-1827), écrites comme introductions — toutes remplacées ensuite, en 1814, par l'ouverture définitive de *Fidelio* (*) — à l'unique opéra de Beethoven. Il est difficile d'en établir la chronologie ; selon une opinion communément répandue, *Leonore* I (publiée en édition posthume par l'éditeur Haslinger sous le titre d'« Ouverture caractéristique » et le numéro arbitraire d'op. 138), composée en 1805, n'a jamais été exécutée et a tout de suite été remplacée par *Leonore* II, op. 72, si totalement différente que *Leonore* III — en substance une variante du n° 2 — a été jouée à la reprise de l'opéra en mars 1806 ; enfin l'ouverture de *Fidelio* a été exécutée comme introduction à l'opéra remanié, en 1815. Mais, s'appuyant sur les affirmations dignes de créance de Nottebohm, nombreux sont ceux qui considèrent que *Leonore* I a été exécutée lors des représentations de 1805 et *Leonore* II lors du remaniement de 1806 ; *Leonore* III, d'autre part, aurait été composée en 1807 et n'aurait jamais été jouée comme introduction de l'opéra (aujourd'hui c'est elle que l'on fait entendre ordinairement dans les concerts, et l'on a coutume dans les représentations de l'intercaler entre le Ier et le IIe acte). Le trois rédactions de *Leonore* témoignent d'un véritable changement dans la conception beethovénienne du rôle tenu par l'ouverture dans un opéra. *Leonore* I utilise largement les thèmes de l'opéra : anxiété douloureuse de Léonore à la recherche de son mari prisonnier, joie de le revoir enfin libre. La première situation, triste et angoissée, constitue le prélude de l'ouverture, un Andante con moto, de forme volontairement incertaine et comme inquiet, dans ses incessants changements de tons. L'Allegro, au contraire, est construit sur un thème principal, extrêmement vigoureux dans son expression d'allégresse ; un peu avant la fin s'y trouve placé un remarquable crescendo, d'un effet certain, rossinien avant la lettre. Le thème secondaire de l'Allegro est, en soi, un peu terne ; mais son rythme syncopé subsistera dans le thème principal de la nouvelle version. L'Allegro de *Leonore* I est interrompu par un Adagio ma non troppo dans lequel s'élève le chant de Florestan en prison. C'est l'effet le plus poétique de l'ouverture.

Dans la seconde *Leonore*, les intentions de Beethoven sont radicalement différentes. Ce n'est plus une introduction au drame, subordonnée et liée à la représentation, mais un raccourci symphonique du drame lui-même et de sa signification morale ; c'est pourquoi elle situe en son centre le point culminant de l'intrigue : la scène mouvementée de la prison, quand Florestan et Léonore sont sauvés de la colère de leur persécuteur par l'arrivée inopinée du gouverneur. La sonnerie de trompette qui le signale, au moment central de l'ouverture, là même où l'on entendait d'abord le chant douloureux de Florestan, communique une profonde émotion. Ce chant de Florestan, transféré dans le long Adagio initial, résonne de nouveau, mais seulement pendant cinq mesures, après l'appel de la trompette. Ensuite, entre deux sonneries, apparaît, mais affaibli et modifié, le nouveau thème fondamental de l'Allegro, qui, avec son formidable crescendo et la progression rectiligne de ses modulations, produit cette tension héroïque de caractère typiquement beethovénien et fort éloigné de celui, conventionnel à maints égards, de la première ouverture.

La troisième *Leonore* représente encore un pas vers une autonomie symphonique ; en outre, la forme a été encore concentrée et habilement assouplie, si bien que le dessein de l'auteur paraît avoir été celui de conserver l'intensité dramatique et héroïque de *Leonore* II tout en la dotant d'une forme claire et symétrique comme l'était celle de *Leonore* I. Le long Adagio initial est très réduit ; et le chant de Florestan y a une prédominance absolue. L'exposition de l'Allegro est moins longue et, bien qu'elle conserve le même matériel thématique, elle est écrite avec un plus grand souci de la clarté instrumentale, au détriment peut-être de l'atmosphère poétique. Avec les sonneries de trompette ont disparu les évocations du premier thème et le chant de Florestan. Alors se répand, comme dans la scène de la prison, le chant de grâce : « Ah, du bist gerettet » d'une si grande intensité mélodique. Après quoi l'on a la grande surprise de cette troisième version : toutes les économies de temps que Beethoven, élaguant çà et là, avait réussi à tirer de l'Adagio et de la première partie de l'Allegro vont maintenant être dissipées dans une grandiose reprise de l'Allegro. Cette reprise, qui comporte une strette vertigineuse, est devenue le cheval de bataille des chefs d'orchestre les plus célèbres. Peut-être cette amplification est-elle superflue au point de vue dramatique, et la version délaissée de *Leonore* II est-elle, de toutes, celle qui serre de plus près l'idéal poétique du drame ; mais, grâce précisément à cette insurrection du tempérament symphonique de Beethoven, *Leonore* III acquiert le caractère complet et l'autonomie musicale qui lui ont assuré la plus heureuse fortune dans le domaine du concert. Beethoven restera fidèle à cette conception dans ses grandes ouvertures ultérieures, celles de *Coriolan* (*) et d'*Egmont* (*).

LÉOPARD DES NEIGES (Le) [*The Snow Leopard*]. Récit de l'écrivain américain Peter Matthiessen (né en 1927), publié en 1978. De tous les récits de voyage de Peter Matthiessen, *Le Léopard des neiges* est le plus beau, le plus émouvant. Sans doute à cause du contexte personnel dans lequel Matthiessen décida d'entreprendre cette expédition. En effet, quelques mois plus tôt, il perd sa deuxième femme, l'écrivain Deborah Love, qui comme lui pratiquait le bouddhisme zen depuis peu. Ce deuil en même temps que cette « renaissance de l'âme » qu'est le zen donnent leur coloration propre à ce journal de route. À l'automne 1973, il part donc à pied du nord du Népal vers la région mal connue du Dolpo, aux confins tibétains, avec son ami George Schaller, le zoologiste célèbre pour son étude du lion dans la plaine africaine du Serengeti. Ils veulent étudier les mœurs du bharal, le « mouton bleu de l'Himalaya », afin de décider s'il appartient à l'espèce des chèvres ou des moutons. Mais ils désirent surtout voir le fameux léopard des neiges, un félin très rarement observé par les naturalistes. Pour le narrateur, il s'agit aussi d'un pèlerinage à l'ancien sanctuaire bouddhiste de Shey, le monastère de Cristal, près de la montagne du même nom. Et puis la lente ascension des pentes et des cols se double d'un voyage temporel : les deux explorateurs et leurs sherpas quittent le XXe siècle pour découvrir des modes de vie qu'on dirait éternels, frustes mais témoignant d'autres valeurs, surtout religieuses. Le narrateur en profite pour donner de brefs exposés sur le bouddhisme et tracer des parallèles très éclairants entre ce « mode d'être », la physique contemporaine et certains poètes. L'ascète tibétain Milarepa, dont nous conservons un témoignage biographique, lui est particulièrement cher. Matthiessen ne verra jamais le légendaire léopard des neiges, pas plus qu'il ne rencontrera le maître qu'il cherchait parmi les montagnes. De retour dans les basses vallées, il comprendra même que ce maître était sans doute un modeste sherpa, dont il n'a pas su apprécier à leur juste valeur les qualités d'« éveillé »... — Trad. Gallimard, 1983. B. M.

LE PLUS MALIN S'Y LAISSE PRENDRE [*Na vs'jakogo mudreca dovol'no prostoty*]. Comédie en cinq actes du dramaturge russe Alexandre Nikolaïevitch Ostrovski (1823-1886), publiée en 1868 et représentée la même année à Saint-Pétersbourg. C'est un tableau de mœurs dont Moscou forme le cadre : le beau monde y côtoie de près les gens du commun avec un humour des plus savoureux. Voici quel en est le thème : Gloumov, le héros de la pièce, est un jeune homme pauvre, de belle mine, mais sans scrupules et passablement ambitieux. Il se donne pour « intelligent, méchant et envieux ». Il intrigue afin d'épouser une riche héritière, la nièce d'une vieille bigote, Mme Taroussina. En discréditant son rival, il parvient à faire connaissance des amis de cette dernière, lesquels sont fort influents : son oncle Mamaev, un fat qui fatigue tout le monde de ses sages conseils ; Kroutitski, un vieillard rétrograde imbu des préjugés de sa caste ; Gorodouline, un haut magistrat qui se targue d'un libéralisme aussi banal que ridicule. Gloumov fait d'abord la conquête de son oncle en lui faisant croire qu'il est fort heureux des conseils que celui-ci veut bien lui donner. Il s'impose ensuite au vieux Kroutitski par toutes sortes de flatteries. Il tourne enfin à son gré Gorodouline par son langage désinvolte et par le soin qu'il met à composer ses discours. Par ailleurs, il se laisse séduire par la femme de son oncle, personne influente, belle encore et agréable. Quelque place lucrative lui est enfin promise. Ayant pris ses précautions, il suborne certaine devineresse, qui est en grande faveur auprès de Mme Taroussina. Il obtient ainsi la main de la riche héritière. Malheureusement, l'affaire se gâte, car... le plus malin s'y laisse prendre. Sa maîtresse étant parvenue à subtiliser son journal intime, elle en lit quelques passages en présence de tout le monde. Du coup, le voile se déchire ; on découvre toute la machination. Néanmoins, Gloumov se défend avec courage. Bien mieux : passant lui-même à l'attaque, il fait en sorte que chacun puisse se voir à sa juste mesure. Il s'éloignera cependant, sans insister davantage ; chose étrange : en dépit de tout, on traite avec indulgence le coupable. Tout bien pesé, ce n'est pas un méchant diable. Comment pourrait-on s'en passer ? On décide donc de le revoir plus tard. Cette comédie, pleine d'humour et riche en traits de nature, demeure une des pièces favorites du public russe. — Trad. L'Arche, 1966.

LÉPREUSE (La). Drame lyrique du compositeur français Sylvio Lazzari (1858-1944) sur un livret d'Henri Bataille, qui fut représenté pour la première fois le 7 février 1912, à l'Opéra-Comique. L'ouvrage n'est pas resté à l'affiche, malgré d'indéniables qualités. C'est une tragédie d'amour et de douleur, où l'amour s'élève au-dessus de la fatalité qu'il ne peut vaincre, mais qu'il domine cependant. Ce drame déchirant est d'une réelle grandeur, et la musique de Lazzari, dans les scènes épisodiques du premier acte, est toute parfumée des senteurs de la lande bretonne. Dès que le drame s'engage, c'est l'âme même de ce pays qu'elle exprime, c'est la rude franchise et l'âpre poésie d'une race forte, attachée à ses coutumes comme à son sol granitique et à ses landes. Homme de métier, rompu aux subtilités de la technique, Lazzari a su rester simple en usant de toutes les ressources d'une polyphonie savante. Des pages comme l'entrée d'Ervoanik, puis celle d'Aliette, leur départ pour le Pardon, au premier acte, les airs de Tilli, puis d'Aliette au deuxième, les adieux d'Ervoanik et le finale de la cérémonie religieuse au troisième, sont parmi les plus belles qu'ait produites le drame lyrique du début du XXe siècle.

LÉPREUX DE LA CITÉ D'AOSTE (Le). Récit de l'écrivain français Xavier de Maistre (1763-1852), publié à Saint-Pétersbourg en 1811. L'auteur y raconte ses entretiens avec un lépreux (Pier Bernardo Guasco, qui a réellement existé), lequel se trouvait relégué près d'Aoste, dans la tour de la Frayeur, ainsi nommée parce qu'on la prétendait hantée. Le malade s'y était installé. Cette vie pénible et recluse inspirait à l'infortuné plus d'une pensée angoissante quant au sens de l'existence. De Maistre, lui, se représente sous les traits d'un militaire qui passe par hasard près de la tour et vient à y pénétrer. Il découvre ainsi, dans le jardin, un homme pauvrement vêtu, adossé à un arbre, dans une attitude de profonde méditation. Cet homme informe l'arrivant du mal dont il est atteint. Généreusement, le militaire demande à s'approcher de lui. En voyant l'aspect de son visage et de ses membres rongés, il se sent étreint d'une émotion religieuse. Un pathétique dialogue s'engage alors entre les deux hommes. Le malade parle de sa vie, de ses méditations et de ses soliloques sur l'univers et sur la civilisation. Ses sentiments sont simples et profonde sa prière. D'ailleurs, le Créateur lui envoie un réconfort : cruels délires, souffrances et maux de toutes sortes peuvent toujours trouver un remède dans la contemplation de la réalité. Une fois vaincue l'envie devant le bonheur des autres, le lépreux vient à songer à l'éternité : voilà son dernier refuge. Bouleversé par une telle sagesse, le militaire prend congé du lépreux. Ce dernier lui exprime alors sa certitude de le revoir un jour dans un monde supérieur, celui de la justice divine. Après quoi, il se retire dans sa tour obscure. Ce récit est célèbre par son sujet comme par l'atmosphère romantique qui s'en dégage. Par la netteté de l'expression et des sentiments qui l'animent, cette œuvre est typiquement une création du XVIIIe siècle finissant.

LESBIA BRANDON. Randolph Hughes a publié sous ce titre, en 1952, un roman inédit et inachevé du poète anglais Algernon Charles Swinburne (1837-1909). Swinburne semblait définitivement établi dans sa réputation de poète respectable et un peu conformiste quand la publication de ce livre fragmentaire mais aussi inquiétant que *Les Hauts de Hurlevent* (*) d'Émily Brontë vint soudain bouleverser toutes les appréciations qu'on avait pu porter sur lui. L'intrigue importe peu, chaque personnage en émerge comme le reflet d'une hantise souterraine qui, conjuguée avec les hantises de tous les autres, nous livre une image fascinante des tourments qui minent secrètement les êtres. Touchée par l'amour de Bertie (Herbert Seyton), Lesbia Brandon essaie d'en devenir amoureuse mais n'est vraiment émue que par Margaret, sœur aînée de Bertie. Tour à tour noire ou blanche, comme peuvent l'être certaines déesses, Margaret est partout au centre de la trame, son charme mystérieux ne cesse de susciter des passions normales et anormales et fait paraître trouble même l'amour qu'elle porte à ses enfants. Bertie lui témoigne une fougue franchement incestueuse qu'elle s'amuse d'ailleurs à attiser. Parce qu'il la croit inaccessible, Denham, précepteur de Bertie, inflige à son élève des punitions cruelles qui le vengent de ses penchants « coupables » dans la mesure où Bertie ressemble étrangement à sa sœur. Mais ne devrait-il pas s'avouer qu'il aime les deux ? Il finira par devenir l'amant de Margaret tandis que le mal trouve encore à s'incarner en la personne de Mr. Linley, meneur de jeu de la souffrance du monde par haine des autres et de soi-même, dont les révélations précipitent le drame. Lesbia meurt ou se laisse mourir ; Denham se tue pendant que Margaret, qui pressent sa mort ou la désire, chante pour ses enfants d'étranges ballades où l'amour est en proie à la mort. Beaucoup de chapitres manquent et le livre, jamais mis au point, abonde en erreurs quant aux dates, aux événements et aux personnages. Il semble pourtant que l'achèvement et la perfection n'eussent pas apporté grand-chose à ce chef-d'œuvre que ses pouvoirs d'envoûtement obligent à ranger parmi les plus grands et les plus typiques de la littérature anglaise. — Trad. Gallimard, 1956.

LETELLIER. Comédie inachevée, en prose, de l'écrivain français Stendhal (Henri Beyle, 1783-1842), œuvre qui passionna le plus l'auteur entre 1804 et 1830. D'abord intitulée *Le Bon Parti, quelle horreur !,* elle eut successivement plusieurs autres titres. Ce qui en est demeuré d'organique (les quatre premières scènes de l'acte I) a été publié en 1931, par les soins de Henri Martineau. Comme l'auteur l'affirme lui-même dans une première ébauche du journal intime, cette œuvre avait pour but de faire la satire des alliés du despotisme, des gens sans idéaux et en particulier de la presse corrompue. Il entendait en somme écrire une comédie alerte, mais vraie : l'effet scénique devait naître de l'enchaînement du récit plutôt que de l'importance des affirmations polémiques. Ce qui nous reste de cette œuvre est trop réduit pour permettre de porter sur elle un jugement littéraire : il est cependant symptomatique que plusieurs années durant l'auteur ait imaginé son personnage comme un être en rébellion contre le conformisme de la bonne société de son époque. Letellier, jeune journaliste, sortant d'une représentation de la *Zaïre* (*) de Voltaire, qu'il abhorre, refuse de régler au cocher qui est venu l'attendre à la sortie du théâtre le juste prix de sa course. Il engage alors avec lui une discussion au cours de laquelle il manifeste tout son mépris pour l'orgueil d'un peuple ruiné par les principes de la Révolution et les encyclopédistes qui ont répandu des théories dangereuses pour l'humanité. Rentré chez lui, il se dispute avec sa femme qui lui conseille de vivre simplement et paisiblement. Ces discussions domestiques n'empêchent pas Letellier d'être un publiciste en renom, qui se bat pour une sorte de restauration idéale des valeurs. Ses articles, que les lecteurs s'arrachent, doivent en effet détruire l'effet de la propagande de tant de philosophes délétères comme Voltaire, Rousseau et Helvétius. Sur ces entrefaites entre en scène un certain Fougeard, sorte d'enrichi et de parvenu, mécène à ses heures, qui protège Letellier, mais entend néanmoins tirer de l'opération quelque bénéfice. Et le fragment s'achève sur le conflit opposant ces deux personnages.

LETTRE (La) [*Pismo*]. Livre du poète et éditeur russe Iliazd (1894-1975) et du peintre Pablo Picasso (1881-1973). Publiée par Iliazd en 1948, à cinquante exemplaires, *La Lettre* est placée dans une enveloppe rigide, ou plutôt dans une carapace : une peau de buffle pliée. C'est sans doute un fait unique dans l'histoire de l'édition : il faut être deux pour ouvrir le livre — une personne seule ne peut pas, en même temps, écarter la peau de buffle et extraire le texte sans courir le risque de le déchirer.

La Lettre est le troisième livre de poèmes publié par Iliazd (après *Afat,* soixante-seize sonnets, en 1940, déjà illustré par Picasso, et *Rahel,* deux sonnets, 1941, illustré par Survage). Si le mètre reste le même, le pentamètre iambique (qui correspond à notre décasyllabe), le long poème qui le forme est le seul de toute l'œuvre d'Iliazd à ne pas être écrit en sonnets, mais en quatrains à rimes croisées dont la répétition, qu'on pourrait croire infinie, et cette espèce de haute monotonie qui en découle, créent toute la signification. Il s'agit bien de tresser, de mettre ensemble, de faire, selon l'idée constante de l'auteur, un mouvement ininterrompu qui soit, en lui-même, sa propre justification, sa propre terre. C'est pour Iliazd le seul moyen de survivre à l'exil, en s'enfonçant dans sa parole.

L'image de l'enterré vivant qui parle traversait le poème sur lequel Iliazd avait travaillé pendant les quatre années précédentes sans parvenir à l'achever, *Un de la brigade* [*Brigadny*] – consacré à la guerre et au triomphe du fascisme, aussi bien en Europe occidentale qu'en U.R.S.S. Avec *La Lettre,* cet enterré vivant – allongé dans le buffle (le livre est imprimé tout en longueur, à six quatrains par page) et attendant une mort qui doit venir à l'aube – parvient à se creuser une tombe concrètement aérienne. « Si peu à prendre à peine une minute / où s'assombrissent les derniers quatrains / ils sont cristallisés dans ma dispute / de moi ne reste qu'un accent d'airain. » A. M.

LETTRE À CHRISTINE DE LORRAINE de Galilée. Cette lettre, écrite en 1615 par le savant italien Galileo Galilée (1564-1642), fut publiée en Allemagne en 1636, par Mathias Bernegger. Galilée reprend ici les arguments en faveur du système de Copernic qu'il avait déjà exposés dans sa *Lettre à don Benedetto Castelli* (1613) et ses deux *Lettres à monseigneur Piero Dini* (1615). Cette lettre constitue une vibrante affirmation de l'indépendance nécessaire qui doit être reconnue à toute recherche scientifique fondée sur les sens et le raisonnement, à l'encontre de toute autorité théologique ou civile et de toute révélation religieuse. De mauvais savants, ignorants et ineptes, aveuglément rivés au système de Ptolémée (géocentrique) et incapables de se défendre avec des raisons scientifiques face à l'évidence du système de Copernic (héliocentrique), prouvée par de continuelles observations astronomiques et par des calculs mathématiques, tentent de se prévaloir contre lui du prétendu témoignage apporté par certains passages des Écritures, et en particulier celui concernant Josué, où il est dit que Dieu aurait arrêté la marche du Soleil afin de prolonger le jour de quelques heures. Après avoir souligné qu'à sa parution le livre de Copernic, dédié à un pape (Paul III), avait été approuvé par les théologiens catholiques, et ne commençait à susciter des oppositions théologiques qu'au moment même où le progrès de la science astronomique venait le confirmer, Galilée se livre à une remarque fondamentale, des plus importantes au point de vue philosophique : à savoir qu'il est des arguments « dépassant tout humain discours », autrement dit, qui transcendent notre possibilité de connaissance empirique et rationnelle. Pour de tels arguments, la révélation et l'autorisation divines sont nécessaires. Mais il est inadmissible qu'en des matières se rapportant uniquement à la nature physique des choses, donc accessibles à nos sens et à notre raison, Dieu nous fournisse directement des connaissances auxquelles nous pouvons accéder de nous-mêmes, au moyen de « conclusions naturelles ». Galilée en arrive ainsi à démontrer, en citant les Pères et surtout saint Augustin, que ces derniers estimaient qu'on ne pouvait interpréter faussement les Écritures pour réfuter des doctrines scientifiques ayant été prouvées. Du reste, les Pères donnaient déjà de l'épisode de Josué diverses interprétations ; d'où il apparaît que même en prenant le passage à la lettre, celui-ci serait inconciliable avec le système de Ptolémée, selon lequel, en arrêtant la marche du Soleil, la durée du jour se trouverait raccourcie au lieu d'être allongée, tandis qu'avec une légère interprétation, il pourrait s'accorder avec le système de Copernic. Cette lettre, qui valut à son auteur sa première condamnation théologique (émise par le Saint-Office en février 1616), constitue une des premières batailles importantes livrées (au nom de la connaissance scientifique et philosophique) à la dogmatique, à la théologie et à l'autorité ecclésiastique.

LETTRE À D'ALEMBERT SUR LES SPECTACLES. Ouvrage de polémique du philosophe et écrivain genevois d'expression française Jean-Jacques Rousseau (1712-1778), publié en 1758. Son titre exact est le suivant : *J.-J. Rousseau à M. d'Alembert sur son article « Genève » dans le VIIe volume de l'Encyclopédie, et particulièrement sur le projet d'établir un théâtre de comédie en cette ville.* Cette lettre est très importante, car elle précise quelques points de l'attitude morale et politique du philosophe genevois. D'Alembert, dans l'article cité plus haut (1757), avait fait l'éloge des pasteurs protestants, en signalant leur respect pour toutes les opinions et en montrant l'identité presque complète de leurs points de vue et de ceux du déisme philosophique de l'époque. En conséquence, il y exprimait le souhait qu'on établît dans la ville un théâtre qui aurait permis une plus large connaissance du monde et aurait du même coup fait échec à la polémique étroite menée par les théologiens contre la comédie, depuis le Moyen Âge jusqu'à Bossuet. Rousseau examine dans sa *Lettre* si une telle proposition est utile ou condamnable par rapport aux mœurs. Appréciant les spectacles selon leur portée morale, il s'efforce de déterminer s'il se trouve quelque comédie capable d'influencer en bien l'esprit des hommes. Il croit qu'il est très dangereux pour la collectivité de se regarder vivre inutilement dans des œuvres et des comédies sans portée et que cela ne peut avoir qu'une mauvaise influence. Puisque le théâtre est le miroir d'une société, disons d'une civilisation, il faut reconnaître qu'au mépris de toute raison, le public se laisse guider d'ordinaire par une curiosité malsaine, par un simple désir de divertissement et par le goût du bavardage :

cet état de choses, encore qu'il soit inconscient, est imputable à la société et non à la nature même de l'homme. En conséquence, l'homme qui entend lutter contre les sophismes du progrès et de la société se doit de bannir toutes les illusions dangereuses, au nombre desquelles se trouve le théâtre. Il faut noter qu'en dépit des travaux d'approche faits par d'Alembert du côté des pasteurs de Genève et de ses visites à Voltaire (ce dernier l'invitant aussitôt à représenter ses propres œuvres), la *Lettre* de Rousseau réveillait au plus profond des âmes le rigoureux calvinisme dont Genève fut toujours le fief. Pour répondre à ces objections, d'Alembert fit remarquer que son adversaire avait interprété son dire dans un sens beaucoup trop étroit ; aussi se reconnaissait-il le droit de discuter la question comme il l'entendait, tant pour recueillir les opinions des pasteurs les plus éclairés que pour donner le branle à quelque réforme des mœurs genevoises. Il est curieux de noter que les exemples choisis par Rousseau dans sa *Lettre*, pour appuyer sa thèse, sont : de Voltaire, le *Mahomet* (*), et de Crébillon, l'*Atrée* et *Catilina*, autrement dit le triomphe des criminels : *Phèdre* (*) de Racine et *Médée* (*) de Corneille, exemples de passion et de folie. Les œuvres de Molière elles-mêmes ne trouvent point grâce à ses yeux : ne nous invitent-elles pas à rire de la vertu, le *Misanthrope* (*), par exemple ? *Bérénice* (*) de Racine, et *Zaïre* (*) de Voltaire ne sont pas moins dangereuses, car elles portent l'âme à la faiblesse. La corruption qui naît de tant d'exemples divers est si subtile que Rousseau adresse un sévère discours à la jeunesse genevoise, pour l'exhorter à s'opposer de toutes ses forces à l'installation d'un théâtre. Qu'elle n'accepte pas de céder les biens qu'elle possède contre la vaine espérance d'un lendemain meilleur. Cette dernière partie, fort intéressante, reste comme un document original à verser au dossier de cette longue controverse sur le théâtre qui se poursuivait depuis Bossuet. Elle éclaire bien la position spirituelle de l'auteur en même temps que les limites de son rigorisme en matière de morale.

LETTRE À DÉMÉTRIADE [*Epistula ad Demetriadem*]. Lettre écrite en Afrique, en 412, par le moine et écrivain latin Pélage, à l'occasion de l'entrée dans les ordres de Démétriade, fille de Juliana, qui appartenait à une illustre « gens » romaine. Dans cette lettre, qui est peut-être un des textes les plus importants du schisme de Pélage, celui-ci montre à Démétriade la bonté essentielle de la nature humaine, capable, par elle-même, de pratiquer le bien, même en dehors de la révélation chrétienne (comme le prouve de façon éclatante la vie de tant de philosophes païens) par la simple force de son libre arbitre, grâce auquel elle choisit volontairement le bien et le mal. Reproduisant parfois à la lettre le traité de Plutarque *Sur l'éducation*, Pélage exhorte Démétriade à la pratique quotidienne de la vertu.

LETTRE À DÉMÉTRIEN [*Ad Demetrianum*]. Traité de saint Cyprien, évêque de Carthage (210 ?-258), composé en 252. C'est une réfutation des calomnies lancées à l'occasion d'une épidémie de peste contre le christianisme par Démétrien, probablement un magistrat, peu connu de nous. L'accusation principale portée contre les chrétiens est qu'ils offensent les dieux en leur refusant le culte traditionnel, provoquant ainsi les diverses calamités qui affligent le monde. Lancer une telle accusation est aussi grave qu'accuser le christianisme de causer la vieillesse et la décadence physique chez les hommes ou dans la nature : si le monde est vieux, décadent, près de sa fin, la faute en incombe aux païens, incrédules et idôlatres, hommes corrompus et méchants ; nous en trouvons la preuve dans Carthage, où l'animalité et le vice se donnent libre cours et qui est frappée par la peste : Dieu punit les païens et les afflige, comme le maître punit un esclave rebelle. La tendance païenne à voir dans le christianisme un facteur de désagrégation et de décadence a déjà été combattue par Tertullien, surtout dans son *Apologétique* (*). Cyprien est le premier qui ait traité systématiquement la question et qui l'ait réfutée analytiquement : ce sujet, repris par Lactance dans les *Institutions divines* (*) et dans *La Mort des persécuteurs*, sera fondamental dans *La Cité de Dieu* (*) de saint Augustin, chef-d'œuvre de la littérature apologétique chrétienne. Vaines et impuissantes sont les divinités, vains et impuissants les païens dans leur rageuse persécution et les tortures raffinées qu'ils imposent aux chrétiens : la persécution illégale, où les chrétiens sont déclarés hors la loi et où l'on adopte une procédure tout arbitraire, est l'expression réelle de l'impuissance des païens et de leur incapacité à combattre le Verbe chrétien dans le domaine spirituel. Ce jugement a déjà été amorcé vigoureusement dans l'*Apologétique* de Tertullien. Ces deux motifs essentiels sont encadrés par une invective très violente contre Démétrien, calomniateur du christianisme, et par une exhortation finale adressée aux païens : cette exhortation les incite à abandonner les ténèbres de l'idolâtrie pour la splendide lumière de l'authentique religion. Apologie chrétienne, écrite à la fin de l'an 251 et au début de 252, cette *Lettre* contient des invectives d'une violence inaccoutumée chez un écrivain habituellement calme et modéré. Ordonnateur de la discipline ecclésiastique, saint Cyprien fut un des Pères de l'Église dont l'autorité fut grande pendant tout le Moyen Âge jusqu'à saint Augustin. – Trad. dans *Huit traités*, Gorce, 1958.

LETTRE À DONAT [*Ad Donatum*]. Opuscule de saint Cyprien, évêque de Carthage, né vers 210, martyrisé en 258. Composée en 249, à peine trois ans après sa conversion au christianisme, c'est l'une de ses œuvres les plus anciennes. Lors d'une profonde crise de pessimisme et de découragement, Cyprien, poussé par une soif de clarté et par le dégoût du monde, se tourne vers la foi nouvelle et lui demande de donner désormais une signification et un but à sa vie. Cyprien narre sa propre conversion à un de ses amis, le rhéteur Donat, néophyte lui aussi, qui n'avait pas encore réussi à se détacher complètement du monde et qui avait été impressionné par le changement radical de Cyprien. C'est une confession sincère, dans laquelle est vigoureusement évoquée la vanité de sa vie profane et de son amour pour les choses de ce monde. Dans les premiers temps de sa conversion, Cyprien craignait de ne pouvoir changer et rénover sa propre mentalité ; mais son âme païenne fut touchée par la grâce et il devint miraculeusement un homme nouveau. La grâce divine est infinie et elle est accordée à quiconque cherche sincèrement la vérité (cette doctrine restera essentielle et immuable chez Cyprien) ; elle donne à l'homme la paix et la félicité, en l'isolant d'un monde perdu de corruption et de crimes, de ce monde dont Donat doit définitivement se détacher pour se consacrer à la prière et à la lecture des Livres saints.

Ad Donatum est une œuvre étrange et nouvelle, qui a la saveur fraîche et vive de la conversion récente : on y sent un certain décalage entre la sincérité vigoureuse et puissante de la pensée et la forme recherchée, verbeuse et artificielle. Trop nombreuses sont les antithèses, les métaphores, ainsi que les descriptions vives et brillantes du monde païen, telle la célèbre page sur les gladiateurs ou celle sur la misère des riches et des grands. On sent, ici et là, l'influence de Sénèque et de Virgile, auteurs estimés de Cyprien ; plus tard, dégagé de l'influence de ces modèles, Cyprien abandonnera toute ambition littéraire, pour ne songer qu'à un but pratique : l'édification des fidèles et l'intérêt de l'Église ; les bases de son œuvre seront alors *La Bible* (*) et Tertullien, l'unique auteur chez lequel il puisera, sans toutefois jamais le nommer. Le récit de la conversion de Cyprien est la première et timide apparition d'un nouveau genre littéraire qui atteindra sa plus haute expression dans *Les Confessions* (*) de saint Augustin. La vie profane, l'impossibilité de croire à la nouvelle vie promise par le baptême, la grâce imprévue, le remerciement à Dieu, constituent les traits communs aux deux écrits. La *Lettre à Donat* fut très répandue et très lue au Moyen Âge, comme le prouvent ses nombreux manuscrits ; elle eut aussi une influence considérable dans le monde oriental. — Trad. Cerf, 1982.

LETTRE À GOGOL (La) [*Pis'mo k Gogolju*]. Lettre ouverte du critique russe Vissarion Grigoriévitch Belinski (1811-1848), écrite en juillet 1847 à Salzbrunn (Prusse), publiée à Londres, dans *L'Étoile polaire* [*Poljarnaja Zvezda*], revue de Herzen, en 1855. Le texte intégral n'en fut connu qu'en 1905. Cette lettre du célèbre critique fit sensation et fut répandue sous le manteau à des milliers d'exemplaires par toute la Russie. (Le jeune Dostoïevski fut même inculpé pour l'avoir lue de vive voix à ses amis.) C'est une diatribe contre les *Passages choisis de ma correspondance avec mes amis* (*) de Gogol. Belinski, l'un des chefs des « Occidentalistes », nature entière et passionnée, se dresse ici tout à la fois contre la justice corrompue, le servage et la censure, bref, contre tous les maux dont souffrait la Russie avant les grandes réformes d'Alexandre II. Or, Gogol, dans ses « Lettres », éludait ces problèmes angoissants. Bien mieux, quelques mots malheureux pouvaient faire croire que Gogol se donnait pour un champion de l'ancien régime. Belinski exprime son indignation avec une violence inouïe. Il rappelle à Gogol ce que représente l'écrivain pour la société russe. Sous un régime d'oppression, c'est dans la littérature qu'on retrouve encore la vie, le sens du progrès. Voilà pourquoi le nom d'écrivain est tellement honoré en Russie. Mais c'est un honneur qui oblige terriblement, et il y a des choses difficilement pardonnables, surtout à l'illustre auteur du *Revizor* (*) et des *Âmes mortes* (*). Si Gogol a eu le malheur de renier avec une humilité orgueilleuse ses grandes œuvres, qu'il renie maintenant avec une humilité sincère ses « Lettres », et qu'il les expie par de nouvelles œuvres, rappelant les anciennes. Dans cette œuvre partisane mais sincère, Belinski se révèle tout entier, intelligence exceptionnelle ne connaissant que les élans généreux et purs de sa conscience. — Trad. in Wanda Bannour, *Les Nihilistes russes*, Aubier-Montaigne, 1974.

LETTRE À JACQUES MARITAIN. Lettre de l'écrivain français Jean Cocteau (1889-1963). Datée de Villefranche, octobre 1925, publiée en 1926, cette lettre suscita la vive *Réponse à Jean Cocteau,* que Jacques Maritain signa en janvier 1926. Cette lettre du poète « ferme une bouche qui commence avec "Le Coq et l'Arlequin" » — v. *Poésie critique* (*) — au dire de l'auteur, mais elle résume surtout l'état d'esprit du poète après une crise qui devait commencer à la mort de Radiguet, se poursuivre par ce qu'à tort on appela une « conversion », et trouver son aspect le plus tragique dans l'opium — v. *Opium* (*). Tous ces faits sont évoqués dans la *Lettre,* mais Cocteau y développe surtout la théorie, suspecte à Maritain, de l'art, de la poésie d'origine divine, similaire de la grâce et de la contemplation mystique : « L'art pour Dieu. » À quoi Maritain répondra que c'est « un joli monstre offert par les poètes au Dieu de saint Thomas ». Jean Cocteau s'est expliqué depuis lors. Il a dit que, vaincu par la trop grande solitude inhérente à son œuvre, il avait voulu se trouver une famille, un séjour spirituel. L'Église catholique les lui apportait. La *Lettre* était d'une grande audace en ce sens. Elle tentait de passer au compte de Dieu les audaces que l'on a l'habitude de verser à celui du diable. Elle voulait d'une pureté rituelle faire une pureté visible et spontanée. Mais l'Église veille. La bombe de Jean Cocteau fut promenée dans de l'ouate de main en main pour l'empêcher d'éclater. C'est pourquoi ce serait une erreur de ne voir dans la *Lettre à Jacques Maritain* qu'un faux pas et une manœuvre. Lorsque Cocteau affirme « Dieu, ordre du mystère », il saisit en plein cœur l'essence d'un surnaturel, auquel moins que tout autre il n'eût voulu rester étranger. Seulement, s'il se pourvoit en cassation devant Dieu, il sent bien qu'il résisterait mal à n'être dans l'intervalle qu'un justiciable. C'est là que se lézarde la prison de la Grâce. Et dès qu'il fait mine d'y entrer, on devine que le poète ne se refusera pas à la tentation de fuir. Jacques Maritain, de son côté, fidèle à son admirable expérience de l'irréductibilité par quoi se défendent contre la grâce même les âmes pures, mit en œuvre toutes les ressources de sa dialectique de l'amour : « Comme le saint achève en soi l'œuvre de la passion, le poète, lui, achève l'œuvre de la création, collabore à des équilibres divins, déplace du mystère ; il est conaturalisé aux puissances secrètes qui se jouent dans l'univers. » Jean Cocteau ne devait, en cela, jamais le démentir.

LETTRE À MARTÍN ROMAÑA ET AUTRES NOUVELLES (Une) [*Magdalena peruana y otros cuentos*]. Recueil de nouvelles de l'écrivain péruvien Alfredo Bryce Echenique (né en 1939), publié en 1986. « La vie n'est pas belle, mais elle est originale », cette phrase d'Italo Svevo, reprise par l'auteur dans sa Préface, peut servir de définition aux douze nouvelles rassemblées dans ce recueil. On y retrouve les « situations exagérées » de Martín Romaña — v. *La Vie exagérée de Martín Romaña* (*). Si l'absurde est roi dans « Le Pape Guido sans numéro » ou « Le Gros le plus insupportable du monde », on découvre ailleurs la peinture émouvante du monde de l'enfance et de la jalousie d'un petit garçon dans « Désordre dans la petite maison », ou celle de la nostalgie des retrouvailles entre deux anciens amoureux dans « Le Bref Retour de Florence, cet automne ». — Trad. Climats, 1988. C. Bou.

LETTRE À MON JUGE. Roman de l'écrivain belge d'expression française Georges Simenon (1903-1989), écrit en décembre 1946 à Bradenton Beach (Floride) et publié en 1947. Considéré par beaucoup comme un des chefs-d'œuvre de Simenon, cet ouvrage met en scène la destinée d'un médecin de campagne, Charles Alavoine, confrère de *Bergelon* (1941) et de *Malempin* (1940), qui échappe au vide d'une existence routinière, faite de soumission aux directives maternelles et sociales, grâce à une passion amoureuse fatale, puisque, après une belle journée d'intimité, il étranglera sa maîtresse, hanté par ses fantômes et torturé par une jalousie rétrospective tenace. Au terme de son procès, qui n'a jamais rendu compte de la grandeur de son amour, Alavoine écrit une longue confession au juge Coméliau qui a instruit son affaire dans le but de s'expliquer une fois pour toutes.

Comme dans *Le Passage de la ligne* (1958) ou *En cas de malheur* (1956), on assiste à une minutieuse exploration de la destinée d'un homme, tiraillé ici entre l'image d'un père alcoolique en proie aux démons de l'infini et une mère possessive, soumise aux codes sociaux et qui n'aura de cesse de contrôler son existence. Cet environnement féminin oppressant, que l'on retrouve dans l'œuvre entière, notamment *Les Demoiselles de Concarneau* (1936) et *Le Coup-de-Vague* (1939), se verra renforcé par l'attitude dominatrice de la seconde épouse d'Alavoine, Armande, une bourgeoise distinguée et avide de domination avec laquelle il n'est accordé ni socialement ni sexuellement. Ce thème du couple mal assorti se retrouve dans *La Vérité sur Bébé Donge* (1942) ou dans *Le Chat* (1967). Ces aliénations familiales, accentuées par la pression sociale typique des milieux provinciaux, engendre une exacerbation du sentiment de contrainte, combattu par des aventures sexuelles, motif omniprésent dans *Les Complices* (1956) ou *Le Riche Homme* (1970), puis par un amour fou, quand, par un soir de pluie, le narrateur rencontre sur un quai de gare, à Nantes, Martine Englebert, une jeune Liégeoise en rupture de ban. Après avoir tenté de maintenir en place l'équilibre familial et professionnel en prenant sa maîtresse à son service sous son propre toit, Alavoine quitte les siens et va exercer la médecine dans un quartier populaire de Paris. Mais l'intensité de cette passion irrésistible, ponctuée depuis le début par des scènes de violence dues à sa jalousie morbide et à son impuissance à s'approprier totalement celle qu'il aime, le conduira au meurtre, lequel s'inscrit dans la grande tradition des passions fatales. L'on ajoutera aussitôt que les tourments suscités par cette passion destructrice mettent en évidence des rapports de forces impitoyables entre les personnages comme dans *Pedigree* (*) (1948) : rejeté par le groupe représenté surtout par un entourage familial incapable de respecter son désir d'une vie pleine et libératrice, Alavoine, par transfert, détruit de la même manière sa maîtresse en aliénant son altérité profonde, cette « autre Martine » qui lui échappera toujours. Dans le même temps, elle lui permet d'exister car, en jouant au père confesseur avec Martine, Alavoine a conquis le regard qui lui permet d'exister. Cette manière de séduire pour acquérir quelque consistance et échapper au vide, apparaît non seulement dans le récit qu'Alavoine déroule, mais aussi à travers la tragédie qu'il déploie à l'égard de son lecteur privilégié : le juge Coméliau. Cependant, la révélation d'un univers qu'il n'avait jamais soupçonné grâce à sa double expérience adultère et criminelle, et le renouvellement du regard qu'elle suggère ont propulsé le narrateur aux frontières de l'indicible, à l'abri des poncifs véhiculés par la presse, la justice et l'opinion publique, violemment remis en cause dans leur aptitude à déceler la vérité. Dès lors contrarié par une incapacité viscérale de transmettre sa vérité profonde, incapable, en somme, d'être un « homme parlant aux poissons », Alavoine, malgré sa bonne volonté, ne parviendra jamais à partager son expérience et donc à échapper à sa solitude. Au point que l'on peut parler là de véritable tragédie de la communication mise en scène par Simenon.

Plus longuement, ce roman comme bien d'autres chez l'auteur, décrit l'impossibilité qu'il y a pour un individu de transmettre une vérité singulière de manière satisfaisante tout en sauvegardant son identité face à la pression sociale, incarnée tout au long du procès par les journalistes, les hommes de loi et l'épouse, qui soutiennent une sorte d'union sacrée basée, comme dans *L'Étranger* (*) de Camus, sur le déploiement de codes empoussiérés par l'usage et par les stéréotypes sociaux. On ne s'étonnera pas, en conséquence, que *Lettre à mon juge*, au même titre que *Les Volets verts* (1950) ou *Le Temps d'Anaïs* (*) (1951), résonne par moments comme un véritable psychodrame durant lequel la déréliction existentielle du héros ne cesse de s'approfondir à l'examen de sa propre destinée, laquelle débouchera sur son suicide, seule manière de rejoindre son amour. Ce roman a été adapté au cinéma en 1953 par Henri Verneuil, sous le titre *Le Fruit défendu*, avec Fernandel et Françoise Arnoul dans les rôles principaux. Al. B.

LETTRE À SCAPULA [*Ad Scapulam*]. Bref ouvrage de l'apologiste et théologien latin Tertullien (vers 150-après 220), le premier grand écrivain de l'Afrique chrétienne. Cette œuvre, en cinq chapitres, est adressée au proconsul romain d'Afrique, Tertullus Scapula, qui persécutait les chrétiens. Elle remonte avec certitude à 212-213. Les motifs invoqués ont déjà été presque tous longuement développés dans la plus importante des œuvres de Tertullien : l'*Apologétique* (*). Il conteste les accusations portées contre les chrétiens (sacrilège, hostilité à l'intérêt public, lèse-majesté) ; il affirme solennellement la liberté de chacun, par droit naturel, de suivre la religion à laquelle il croit ; il défend le parfait loyalisme du chrétien envers l'empereur, « qu'il sait placé par Dieu pour être aimé, respecté, honoré, et qu'il désire voir protégé ainsi que tout l'empire romain, autant qu'il durera ». Puis, utilisant brièvement un argument, qui sera largement développé dans le *De mortibus persecutorum* de Lactance, il menace de la colère divine les impies qui persécutent les chrétiens et qui, déjà en cette vie, sont ou seront frappés pour ce crime par les rigueurs de la Providence. Scapula lui-même est tourmenté par le mal, depuis qu'il a été un chrétien d'Adrumète en pâture aux bêtes. Scapula ne doit donc pas « combattre Dieu » ; il est en son pouvoir d'épargner les chrétiens qui nient les crimes dont on les accuse injustement. Du reste, les chrétiens n'ont pas peur : « Votre cruauté — dit-il — est notre gloire. » Les chrétiens sont légion : si Scapula veut s'en débarrasser, il devra décimer toute la ville de Carthage. Qu'il pense donc aux intérêts de la province qui lui a été confiée. Les chrétiens se fient au seul avocat qu'ils ont, Dieu, en face duquel les maîtres de Scapula eux-mêmes, qui sont des hommes et qui devront mourir, ne peuvent rien et ne pourront jamais rien. — Trad. Panthéon littéraire, 1860.

LETTRE AU GRECO [*Ἀναφορὰ στὸν Γκρέκο*]. Récit de l'écrivain grec Nikos Kazantzakis (1883-1957), composé en 1955-56. La mort empêcha l'auteur de remanier ce texte ainsi qu'il l'eût souhaité. La *Lettre au Greco* n'est pas à proprement parler une autobiographie. L'auteur le précise lui-même dans son introduction et ajoute : « ... la seule valeur que je reconnaisse à ma vie est... sa lutte pour monter de degré en degré et parvenir... au sommet que j'ai de moi-même nommé le Regard crétois. » Il s'agit plutôt de la relation d'un itinéraire spirituel, décrit étape par étape et dont l'auteur rend compte au Greco, cet autre Crétois dont il fait son ancêtre et père spirituel. Le titre grec signifie d'ailleurs : « Rapport au Greco », au sens militaire du terme. Ce livre couvre la période qui va de l'enfance de l'écrivain à la rencontre avec Alexis Zorba (en réalité Georges Zorba) en 1917 — v. *Alexis Zorba* (*). L'enfance et l'adolescence furent pour l'auteur une période de prise de conscience de ses racines profondes, de son Moi et de sa race. Être crétois, c'est avant tout revendiquer, au prix de sa propre vie si besoin est, les valeurs qui font tout le prix de l'existence : la liberté, l'honneur, la dignité. Par la suite, à mesure qu'il poursuivra ses études et qu'il parcourra l'Europe et se familiarisera avec les hommes, vivants ou morts qui marqueront sa pensée et sa vie (Bergson, Nietzsche, saint François d'Assise, Bouddha, Sikélianos, Lénine, Schweitzer, Zorba), Kazantzakis ne perdra jamais la conscience de son sang crétois, de ses ancêtres corsaires, de leur penchant invétéré pour la lutte. Cette énergie ancestrale, il la mettra au service d'un combat spirituel qu'il poursuivra toute sa vie et dont les étapes seront marquées par ses séjours à Paris, Berlin, Moscou. Partout où le feu couve, partout où une flamme et une idée surgissent, Kazantzakis est présent. Son inlassable curiosité, son amour de la vie et de la nature, confronté à chaque instant à son besoin d'ascèse et de lutte, font de la *Lettre au Greco* un véritable testament spirituel. Kazantzakis y porte sur toute chose ce « regard crétois », sans illusion ni espoir, ce regard qui sait fixer la mort en face. « Mon âme tout entière est un cri et mon œuvre tout entière est l'interprétation de ce cri », affirme l'auteur dans l'exergue de sa *Lettre au Greco.* — Trad. Plon, 1960.

LETTRE À UN OTAGE. Ouvrage en prose de l'écrivain français Antoine de Saint-Exupéry (1900-1944), écrit aux États-Unis en 1942 et publié en France en 1943. Nous sommes en 1940. De Lisbonne où il va s'embarquer, Saint-Exupéry lance un dernier regard sur l'Europe obscurcie, livrée aux bombes et à la barbarie. De Lisbonne où ce qui reste de bonheur s'est rassemblé. Seul pays épargné ou faisant mine de l'être, le Portugal paraît cependant plus triste que les lieux menacés ou ruinés. On y fume de gros cigares, on y roule en Cadillac ; mais tout est fantomatique, sans raison, sans joie. « On jouait au bonheur à Lisbonne, afin que Dieu voulût bien y croire. » Saint-Exupéry s'embarque et retrouve la même sensation de désastre sur le bateau. Pourquoi vivons-nous ? Qu'est-ce que le bonheur ? Que la solitude ? Ces questions, habituels pièges à lieux communs, il va les déplier le plus respectueusement, amoureusement possible. Dans un style exempt de recherche, s'enchanter d'un sourire, du sourire de l'homme, du simple et réconfortant signe de complicité magique, discrète, qui suffit au bonheur ; s'émouvoir de la solitude féconde du désert, où tout est nommé dans le plus formidable silence. « Le Sahara est plus vivant qu'une capitale, et la ville la plus grouillante se vide, si les pôles essentiels de la vie sont désaimantés. » Hymne aux divinités, à l'invisible, à l'absence tremblante de ceux qu'on aime, ce petit livre sent bon. Sa morale, imperceptiblement lyrique, sauve l'homme, dit ce qui le justifie et lui rend grâce. Dans la détresse universelle, la voix de Saint-Exupéry rappelle les vérités les plus élémentaires, les plus dénuées d'ambition qui soient, sans jamais tomber dans la banalité. Tous ses mots battent. L'homme devient fréquentable, et sa main, réconciliatrice ; c'est à ceux qui sont restés dans la fournaise que Saint-Exupéry tend désespérément la sienne : « Il n'est pas de commune mesure entre le métier de soldat et le métier d'otage. Vous êtes les saints. »

LETTRE AUX ANGLAIS. Œuvre de l'écrivain français Georges Bernanos (1888-1948). Ces textes, sous forme de lettres adressées à tout un peuple, furent écrits en exil, en 1940 et 1941, et pour la première fois réunis en volume en 1946. Ils constituent un des livres politiques les plus importants de Bernanos. La colère qui les embrase, dirigée contre tous ceux qui acceptaient la capitulation, n'empêche point l'auteur de définir les termes d'une véritable mesure de la France : « Nous avons toujours haï les surhommes et le surhumain, nous avons toujours cru qu'entre le naturel et le surnaturel il n'y a pas de place pour le surhumain. » La France n'est pas prométhéenne ; elle n'est pas non plus « naturelle » au sens des réalistes. Sa destinée découvre à Bernanos une liaison unique entre les deux ordres de l'être, la grâce et la nature, la réalité matérielle et physique et la vocation surnaturelle. Ainsi prend son sens cette haute idée de l'honneur que Bernanos ne cesse d'élever contre les partisans de l'armistice. Cette idée exprime qu'une nation se définit d'abord par rapport à Dieu, à l'idée que Dieu a d'elle, à ce qu'Il attend d'elle. Cette dignité, fondée sur une relation avec l'Absolu, fait de chaque acte de la Patrie un « risque absolu ». Si Bernanos institue le procès de la bourgeoisie française entre les deux guerres, c'est pour son mépris du risque : elle a refusé, dit Bernanos, de courir après 1918 le risque du « désarmement général ». Elle voulut être « payée » par la paix. Ainsi, par un fâcheux et lâche réalisme, elle prépara la guerre : et, la guerre venue, elle ne voulut point courir le risque de la mener jusqu'au bout ; elle crut qu'on pouvait faire des pactes avec cet Hitler qu'elle avait contraint à naître. La défaite ne lui semble pas seulement le résultat d'un manque de préparation militaire, mais de la faillite morale des élites. La France doit renouer avec sa vieille et authentique vocation chrétienne, cette vocation demeurant pour Bernanos la seule espérance que l'on puisse opposer à l'imposture de la bourgeoisie de Vichy, qui ne pense qu'à introduire le fascisme, le « surhumain » en France, en exploitant les vieux sentiments chrétiens du peuple. Ce livre est le cri de tristesse du vieux poilu mécontent, à qui on a volé sa guerre et sa paix. Il est aussi, malgré tout, un acte de foi dans une restauration française, qui ne pourra être, dit Bernanos, qu'une restauration spirituelle et morale.

LETTRE DE DÉMISSION (La) [*Tyāgpatra*]. Roman de l'écrivain indien Jainendra Kumār (1905-1989), publié en 1937. Ce roman familial condamne la machine sociale d'une manière assez originale et fortement empreinte des valeurs de l'hindouisme. Le narrateur, parlant à la première personne, est un juge qui, à l'apogée de sa carrière, a donné brusquement sa démission. Le roman raconte la vie du narrateur à partir de son enfance, entrecoupée d'épisodes décrivant les infortunes de sa tante ; la tante, qui symbolise tout l'univers de l'affection maternelle, porteuse de valeurs bien différentes de celles du succès mondain. Tout au cours de sa vie, et tout au long de la déchéance de la tante, le juge s'approche des valeurs du renoncement au monde. Le brillant magistrat s'identifie par l'écriture à la femme déchue, l'adulte séparé de sa mère s'avance vers le lieu où l'abandon du monde, cette mort symbolique, lui permettra de récupérer ce bien suprême qu'est l'univers de valeurs de la tante. Par l'écriture encore, par sa lettre de démission, qu'il faut comprendre comme un acte de renoncement classique, le juge naît au monde du non-vouloir, de l'amour, de la charité et de la compassion. – Voir « La Lettre de démission ou la Lettre du renonçant », *Rencontres avec l'Inde,* n°s 3-4, 1988. F. Bo.

LETTRE DE LORD CHANDOS (La) et autres essais [*Brief des Lord Chandos*]. Les *Essais* de l'écrivain autrichien Hugo Von Hofmannsthal (1874-1929) accompagnent toute sa production littéraire, des premières aux dernières années, et se caractérisent par une diversité égale à celle de l'ensemble de son œuvre : essais critiques, récits de voyages, conférences, lettres et conversations fictives, articles, récits, la plupart de ces essais ne sont guère conformes au genre classique, mais tous apportent une contribution irremplaçable à la connaissance de la pensée de l'écrivain et de son évolution. Ceux qui prédominent en nombre sont les études critiques dans lesquelles Hofmannsthal livre ses impressions sur une œuvre, un écrivain, un artiste, généralement à l'occasion d'une lecture, d'un anniversaire. Hofmannsthal veut y faire partager par ses lecteurs son enthousiasme, mais ces essais sont souvent aussi le prétexte à un élargissement de la réflexion à une analyse d'un phénomène culturel, d'une tendance littéraire. Là encore, la diversité du champ montre l'universalité des intérêts de leur auteur : d'une « Philosophie du discours métaphorique » aux poèmes de Stefan George, des « Contes des Mille et Une Nuits » à Saint-John Perse, de Swinburne à Balzac, de Beethoven à D'Annunzio, ces essais sont les multiples approches de la culture européenne par un esprit ouvert à sa diversité. Les récits ou impressions de voyages, moins nombreux, ne s'arrêtent jamais à la simple description qui caractérise souvent ce genre. Hofmannsthal s'élève toujours à une vision supérieure, recherche le sens et l'unité derrière les visions fugitives. Le « Voyage au Maroc » est l'occasion d'une réflexion sur l'Orient, mais une digression y fait aussi surgir soudain un bref monologue sur la différence entre le génie des langues française et allemande. Un voyage en Grèce donne naissance aux « Heures grecques », trois essais dont le dernier (« Statues ») évoque un moment d'extase éprouvée par le voyageur à la vue de statues archaïques. Ces pages, déjà, sont moins celles de récits de voyages que celles d'une autre veine créatrice de l'essayiste Hofmannsthal, qui enrichit son œuvre de fiction de ces « morceaux en prose », où s'exprime une relation au monde chargée de subjectivité mais projetée ici dans un « personnage » (« Age of Innocence », « Les Chemins et les Rencontres »). C'est le cas en particulier de la « Lettre de lord Chandos » – *Une lettre* [*Ein Brief*, 1902] – devenue sans aucun doute le texte en prose le plus célèbre d'Hofmannsthal. Lettre fictive adressée par un jeune écrivain de vingt-six ans à Francis Bacon pour « s'excuser d'avoir renoncé à toute activité littéraire », *Une lettre* est le récit d'une mise en question des mots dans leur capacité à exprimer la réalité, celle des choses comme celle de l'esprit. Sous le masque de cette histoire distancée par le temps du récit et par le personnage historique, Hofmannsthal formule ici les doutes de l'époque moderne envers le langage. La réalité que les mots sont impuissants à dire est celle à laquelle accède lord Chandos dans les instants où son regard s'abîme dans la contemplation d'un objet, si banal fût-il, qui lui révèle l'unité globale du monde. Pénétré de cette intuition que « toute créature est la clé de l'autre », saisi d'une sorte d'« ivresse », lord Chandos voit se dissoudre la réalité où tout est relatif au sens propre du terme et comprend que le mot (le concept, dit Hofmannsthal) est incapable de « saisir » cette réalité mouvante. Expression d'une inadéquation éprouvée entre la vision de l'universalité et la validité du signe censé traduire le réel, *Une lettre* est un texte de fiction et un texte poétique souvent considéré comme la formulation la plus saisissante, à l'aube du XXe siècle, de la crise du langage. – Trad. Gallimard, 1980. G. Ra.

LETTRE DU NOUVEL AN [*New Year Letter*]. Recueil de poèmes publié en 1941 par l'écrivain anglais Wystan Hugh Auden (1907-1973). Après son émigration aux États-Unis en 1939, Auden continua à s'intéresser aux défauts de la société, mais pour les discuter d'un point de vue religieux qui contraste avec son engagement politique de la décennie précédente. *Lettre du Nouvel An* traite en octosyllabes de ce changement de perspective, de la nature de la création artistique et de ses rapports avec la vie, et d'une conception de l'existence comme recherche du salut. Le christianisme et la philosophie existentialiste et tourmentée de Kierkegaard remplacent les théories de la psychanalyse et du marxisme. « La Mer et le Miroir » est un commentaire de *La Tempête* (*) de Shakespeare fait par les principaux protagonistes de la pièce qui monologuent. Ils parlent tous en vers, sauf Caliban dont la prose est extrêmement raffinée. Ils soulèvent des problèmes religieux et métaphysiques que trop de symbolisme obscurcit parfois. Ce recueil est éclairé par deux ouvrages de la même époque. Dans « La Quête : suite de sonnets » (qui parut dans le même volume que *Lettre du Nouvel An*), Auden a recours à une satire légère pour dénoncer les dangers qui guettent le pèlerin moderne. « La Quête de K. » est un essai qui analyse diverses démarches semblables, depuis la conquête de la Toison d'or jusqu'aux errements du héros de Kafka. Ce thème de la quête, déjà traité quelques années auparavant dans le poème « L'Errant », se trouve alors au cœur de la pensée du poète. Il aboutit à l'affirmation d'une foi chrétienne influencée par Kierkegaard. « La Mer et le Miroir » fut inclus, en 1944, dans le volume intitulé *Pour l'instant : Oratorio de Noël* [*For the Time Being : A Christmas Oratorio*]. Sorte de miracle de la Nativité avec un récitant, des personnages allégoriques et un chœur, cet ouvrage célèbre la naissance du Christ en mettant en parallèle des événements contemporains. La réflexion métaphysique domine : ainsi, Simon médite sur l'Incarnation et découvre l'inexplicable « Je suis », devenant ainsi l'inexplicable création de Dieu. Par le christianisme, nous prenons conscience « de notre nécessité comme liberté d'être tentés, et de notre liberté comme nécessité d'avoir la foi ». Le ton didactique et les longs discours en prose contrastent avec le lyrisme délicat et léger de la poésie et des chœurs.

LETTRE DU VOYANT. Lettre célèbre du poète français Arthur Rimbaud (1854-1891), qu'il adressa le 15 mai 1871 à son ami Demeny, et dans laquelle il expose sa conception de la poésie et son intention de se faire « voyant » (d'où le titre donné par les commentateurs à cette lettre, publiée par Paterne Berrichon dans la *N.R.F.* en octobre 1912). On la considère à juste titre comme la plus importante des lettres de Rimbaud qui nous aient été conservées : elle dépasse en effet le cadre de l'œuvre rimbaldienne et marque une sorte de révolution dans le domaine de la poésie, le point de départ des aspirations poétiques modernes, une nouvelle conception de la création artistique. On peut penser aussi qu'elle marquait un aboutissement et résumait, de façon explicite, un long travail de libération et de lucidité, amorcé à la fin du XVIIIe siècle et poursuivi par les romantiques et les néo-romantiques. Plus particulièrement, elle annonce et éclaire *Le Bateau ivre* (*), composé en septembre 1871, avant le départ de Rimbaud pour Paris, *Les Illuminations* (*), *Une saison en enfer* (*) et nombre de ses poèmes – v. *Poésies* (*). De retour à Charleville après une troisième fugue, Rimbaud adressait le 13 mai 1871, à son ancien professeur Izambard, une lettre qui renfermait déjà les termes et les thèmes développés dans sa lettre du 15 à Demeny. Dans cette dernière, après avoir soumis à l'appréciation de son ami un de ses derniers poèmes, « Chant de guerre parisien », Rimbaud annonce : « Voici de la prose sur l'avenir de la poésie. » Toute poésie antique, dit-il, aboutit à la poésie grecque. De la Grèce au mouvement romantique, c'est le règne des lettrés et des versificateurs, « avachissements et gloire d'innombrables générations idiotes » ; et il condamne, hormis Racine, un jeu « qui a duré deux mille ans ». Quant aux romantiques, il souligne ce que leurs œuvres comportent d'involontaire et d'imparfait. Pour lui, « JE est un autre. Si le cuivre s'éveille clairon, il n'y a rien de sa faute. Cela m'est évident : j'assiste à l'éclosion de ma pensée : je la regarde, je l'écoute [...] La première étude de l'homme qui veut être poète est sa propre connaissance, entière ; il cherche son âme, il l'inspecte, la tente, l'apprend. Dès qu'il la sait, il doit la cultiver ! Cela semble simple... Mais il s'agit de se faire l'âme monstrueuse... Le poète se fait *voyant* par un long, immense et raisonné *dérèglement* de *tous les sens.* » Le poète atteint ainsi à l'*inconnu* et, s'il risque sa raison dans cette quête, il aura du moins ses visions : « Qu'il crève dans son bondissement [...] viendront d'autres horribles travailleurs ; ils commenceront par les horizons où l'autre s'est affaissé ! » En cet endroit, après avoir intercalé un autre poème, « Mes petites amoureuses », Rimbaud reprend sa conception prométhéenne du poète voleur de feu, résolu à rapporter de *là-bas* des inventions inouïes, avec ou sans formes. Il s'agit de trouver un langage, une sorte de langage universel dont il annonce l'avènement : « Cette langue sera de l'âme pour l'âme, résumant tout, parfums, sons, couleurs, de la pensée accrochant la pensée et tirant. » En fait, on décèle ici l'intention de Rimbaud de dépasser la contradiction idéalisme-réalité, pour atteindre à leur source commune et restituer la matérialité vivante, concilier les élans dionysiaques et la lucidité critique, retrouver la connaissance et la liberté naturelles, la source originelle de création. « Toujours pleins du *Nombre* et de l'*Harmonie*, ces poèmes seront faits pour rester [...] La poésie ne rythmera plus l'action ; elle *sera en avant.* » La poésie devient ainsi pensée en acte, volonté de connaissance, une conquête, avec tout ce que cela exige de luttes, de dangers, de courage, d'efforts de science et d'organisation : le poète, homme seul, se sacrifie à l'avenir de la connaissance. À l'instar du Christ, héros individuel, le poète rachète consciemment l'ignorance du monde de son temps, en acceptant sa vocation avec ce qu'elle implique d'extraordinaire, de « monstrueux », de rejet des lois communes. Cette attitude va tourmenter Rimbaud pendant encore quelques années. Après avoir examiné une idée qu'il reprendra dans *Une saison en enfer* sous d'autres formes : la liberté de la femme (« Quand elle vivra par elle et pour elle [...] elle sera poète aussi »), il revient au présent, définissant le but de la poésie contemporaine, quête de nouvelles idées et de nouvelles formes. Avec une étonnante perspicacité et une pénétrante intelligence critique, en quelques lignes, il classe les poètes de son temps, reconnaissant à Hugo une authenticité de visionnaire dans ses derniers poèmes, dénonçant impitoyablement Musset en qui il voit l'antithèse de la poésie de l'avenir ; mais c'est

Baudelaire qu'il sacre « voyant », roi des poètes, un « vrai Dieu », non sans quelques réserves sur les formes de son art (« Les inventions d'inconnu réclament des formes nouvelles »). Il énumère ensuite ironiquement une série de poètes parnassiens que l'avenir devait condamner effectivement à l'insignifiance ou à l'oubli : deux seuls voyants, pour lui, dans cette nouvelle école, Albert Mérat et Paul Verlaine, qu'il allait connaître quelques mois plus tard, à Paris. Ainsi, dit-il enfin à Demeny, je travaille à me rendre « voyant ». Et la lettre s'achève sur un dernier poème, « Accroupissements », raillant les faux penseurs. Avec cette lettre, qui révèle l'étonnante lucidité de ce poète de dix-sept ans, Rimbaud dépassait son époque, non seulement dans le domaine esthétique, mais dans celui de la pensée, en cherchant à redonner à la poésie son unité et sa réalité d'acte essentiel, de connaissance immédiate, à travers l'expérience des formes et des sensations. Au regard de ces quelques pages, lourdes de signification, les autres lettres de Rimbaud, adressées pour la plupart à sa famille, n'ont d'intérêt que biographique : le caractère marquant de cette abondante correspondance est, après 1875, une différence totale de ton, essentiellement neutre, et l'abandon de toute question d'intérêt littéraire ; elle ne peut cependant être dissociée de l'œuvre, brève mais fulgurante, du poète, dont elle constitue en quelque sorte l'envers et le contrepoint, dans la mesure où le comportement de l'homme se trouvait déjà impliqué dans celui de l'adolescent.

LETTRE ÉCARLATE (La) [*The Scarlet Letter*]. Roman de l'écrivain américain Nathaniel Hawthorne (1804-1864), publié en 1850. Le récit commence par l'évocation de l'épreuve imposée à Hester Prynne, convaincue d'adultère, et sommée par les dignitaires de la colonie puritaine de livrer le nom de son amant. Nous sommes en 1642, à Boston. Le mari de Hester, qu'elle croyait mort, revient après plusieurs années de captivité chez les Indiens, pour voir sa femme sur le pilori, une lettre A (pour Adultère) brodée sur la poitrine, un bébé dans les bras. Il décide de démasquer le coupable – que Hester a refusé de dénoncer. Lors d'une entrevue qui suit la scène du pilori, la jeune femme s'engage à garder le silence sur l'identité de celui qui se présente comme le docteur Chillingworth : double masque donc, et double complicité de Hester. Pearl, l'enfant, ne lui est pas retirée, même si elle doit batailler pour en conserver la garde : elles vivent pendant sept ans, à la limite de la colonie, dans une petite chaumière, entre mer et forêt ; sept années de solitude et de souffrances, pour celle qui doit porter la lettre ignominieuse, et subir insultes ou vexations. Cependant, le jeune pasteur Dimmesdale, le « saint visible » de Boston, a accepté, pour soigner le mal mystérieux qui le ronge, de vivre aux côtés du docteur Chillingworth ; lequel lui impose un interrogatoire incessant, fouaillant sa conscience et le poussant à bout. Par une nuit sans lune de mai, il n'y tient plus, se rend sur le pilori, et s'y livre à un simulacre de confession publique. C'est là qu'il est surpris par Hester et Pearl. La jeune femme, frappée par la détérioration physique et morale du pasteur, se résout bientôt à l'éclairer sur l'identité réelle de Chillingworth ; mais la rencontre des deux amants dans la forêt les amène en fait à prendre une décision imprévue : celle de s'embarquer pour l'Europe. En fait, les choses tourneront tout autrement : quelques jours plus tard, le jour de l'élection du nouveau gouverneur, Dimmesdale gravit les marches du pilori, confesse publiquement sa faute, et meurt dans les bras de Hester. La conclusion évoque les dernières années de Hester, qu'elle passe sur les lieux de sa faute, avant d'être enterrée aux côtés de Dimmesdale.

Voilà, brièvement résumée, « l'histoire » ; elle ne nous livre en fait presque rien d'une écriture dont la surface lisse est trompeuse, et dont l'apparente transparence masque des profondeurs troubles. Peu d'œuvres sont plus secrètes, plus insaisissables, et résistent davantage aux tentatives de simplification. Tout en fait dans *La Lettre écarlate* est à la fois paradoxal et subversif, à commencer par la manière dont Hawthorne y reprend nombre de codes pour les inverser à plaisir. Prenons les relations triangulaires entre les trois personnages principaux : étranges pour le moins, cette épouse qui dissimule à... son amant l'identité de... son mari, et cet époux qui choisit de vivre avec... son rival. Étranges également, cette succession de rituels manqués qui rythment le récit – et qui se déroulent tous sur le pilori –, depuis la mise en scène du troisième chapitre, où Dimmesdale est chargé par ses éminents confrères d'arracher à Hester le nom de son amant, jusqu'à la parodie de confession du douzième chapitre, et même à la confession publique du chapitre 23, dont il est aussitôt précisé qu'elle n'a pas été comprise, ni même entendue par ses auditeurs. Voilà une théocratie où une sorte de maléfice rend subversifs les outils chargés de maintenir l'ordre, où la vérité ne cesse de se transformer en mensonge (comme ces auto-accusations continuelles de Dimmesdale à ses ouailles, qui ont pour seul effet de les rassurer sur sa sainteté), et où les saints visibles chargés de la destinée publique sont soit pécheurs, soit aveugles. L'évolution de Hester est tout aussi peu conforme à la norme : le châtiment destiné à produire chez la pécheresse pénitence et contrition l'enferme au contraire dans une solitude propice aux remises en question – au point qu'elle rêve d'une société où la sujétion de la femme cesserait d'être cautionnée par la loi. Il est significatif que l'image du labyrinthe soit appliquée à ces dérives solitaires, après l'avoir été au drame secret de Dimmesdale : apparemment opposés par leurs statuts respectifs dans la société puritaine, Dimmesdale et Hester sont réunis par leur expérience intime. L'ironie la plus cruelle du livre est précisément qu'en échappant à l'ostracisme des premières années, en passant peu à peu du rôle de pécheresse à celui d'âme charitable, voire de sainte, Hester enfouit ses révoltes, comme Dimmesdale enfouit ses remords, et s'éloigne d'autant plus de la communauté qu'elle semble y retrouver sa place. L'univers de ce roman est celui d'une société marquée par le décalage entre l'aveuglante lumière du projecteur puritain, qui ne cesse de balayer tout lieu public (le livre commence par une « reconnaissance » – titre du chap. 3 –, et s'achève par une « révélation » – titre du chap. 23 –, toutes deux en plein midi) et l'opacité terrible des profondeurs intimes, qui transforment ces rituels publics en simulacres.

Écrit sous le signe du paradoxe et de la subversion, le livre ne se laisse pas réduire, comme l'ont cru nombre de critiques, à des schémas romantiques – ne serait-ce que par la manière dont non seulement Dimmesdale, mais également Hester intériorisent la censure puritaine. La pécheresse accepte d'expier, même si cette expiation se révèle un leurre, et devient aussi complice d'une répression dont elle est à la fois la victime et l'instrument. Contrairement aux héroïnes de James – à Daisy Miller, à Isabel Archer, à Milly Theale –, Hester n'est jamais innocente, puisqu'elle cautionne non seulement la faute de Dimmesdale, qu'elle ne dénonce pas, mais celle de Chillingworth, dont elle protège la présence clandestine, et bien entendu de la Loi puritaine dont elle devient l'icône. Tout aussi surprenant est le rôle quasi symétrique joué par Chillingworth et Pearl dans l'autoflagellation des deux amants : l'un et l'autre doués d'une inépuisable aptitude à meurtrir, ils sont tous deux des victimes de l'adultère se transformant en bourreaux, et profitent d'une intimité reconnue par la société pour fouailler la « conscience » des pécheurs, grâce à ce qui ressemble fort à un don de double vue. L'opposition suggérée plus haut entre l'éclatante lumière du lieu public et la terrible opacité de la retraite intime doit donc être corrigée. Hester et Dimmesdale, dans leur solitude même, sont placés sous le regard implacable de la Loi, mais d'une loi devenant soudain démoniaque, dès lors qu'elle s'applique dans un huis clos terrible, et débouchant sur une (double) relation sadomasochiste.

Le paradoxe de cette œuvre inclassable est qu'elle se situe à la fois en deçà et au-delà des codes réalistes dont se réclamaient les contemporains de Hawthorne : très proches par endroits du sermon et de l'allégorie puritains, elle est parfois prodigieusement moderne, par la lumière inquiétante qu'elle jette sur la faute et la perversité, et surtout par les multiples mises en abyme subversives qu'elle contient : songeons à la broderie qui permet à Hester d'enluminer la lettre infamante et de se transformer elle-même en tableau vivant (n'apparaît-elle pas, au chapitre 2, comme une réplique stupéfiante de la Vierge à l'enfant ?), à l'éloquence scandaleuse de Dimmesdale, prêtre corrompu doué d'une capacité unique à toucher les cœurs et les âmes, aux jeux de Pearl créant, comme une sorcière en herbe, de multiples personnages qu'elle détruit, à son parcours dans la forêt, au chapitre 19, qui débouche sur un conte de fées en miniature, au rôle de Chillingworth enfin, sinistre metteur en scène qui incarne dans l'œuvre même la puissance terrifiante de la manipulation romanesque. Le narrateur de *La Lettre écarlate* semble hésiter sans cesse entre une allégeance parfois pesante à un ordre moral et une écriture qui nie cet ordre, en recourant à toute une panoplie de codes empruntés aux arts plastiques, à l'homilétique, et surtout au théâtre. Rien n'est plus complexe dans *La Lettre écarlate* que sa théâtralité, puisqu'elle exprime à la fois la réaffirmation rituelle de l'ordre puritain, sa subversion par les interventions de la voix narrative, et la remise en cause des codes romanesques au moment même où ils sont mis en œuvre. – Trad. Flammarion, 1982. Y. C.

LETTRE MORTE. Pièce en deux actes de l'écrivain français d'origine suisse Robert Pinget (né en 1919), publiée en 1959. Parallèlement au monologue du *Fiston,* publié la même année, Pinget donne une version dialoguée de ce roman. Le personnage central de ces deux textes est M. Levert, un homme désarmé par le départ, inexplicable pour lui, de son fils. Si, dans la version pour ainsi dire « muette », le père tente de faire le point par écrit, de comprendre vaguement le pourquoi, mais surtout de résumer la situation en décortiquant le passé (récapituler est une occupation majeure de bien des personnages de Pinget), dans *Lettre morte* c'est un homme vaincu par l'abandon filial qui échange des propos désabusés avec un garçon de café fatigué par sa journée et agacé par le défaitisme de Levert. Entre maintes allusions au « fiston » et à la vente de la maison familiale, la conversation tourne autour d'une pièce donnée dans un théâtre voisin, « Le Fils prodigue ». Deux des comédiens, Fred et Lilli, font leur entrée dans le bar, et M. Levert assiste, aviné, à une parodie involontaire de son drame jouée par les deux cabots. Au second acte, le bar s'est transformé en bureau de poste. Le père vient chercher en vain une lettre qui serait, peut-être, une réponse à celle écrite tout au long du *Fiston.* L'employé (le garçon de café du Ier acte), absorbé par son travail, le rudoie et le moque. Passe un enterrement, que commentent les deux protagonistes – cérémonieusement d'abord puis de manière loufoque ; l'employé s'adoucit à l'évocation de ses souvenirs d'enfance, suscités cruellement par

M. Levert. La fin de l'acte montre intacte l'attente du père, et son désespoir. *Lettre morte* est toujours publiée avec *La Manivelle,* pièce radiophonique datée de 1960. C'est un dialogue, sur fond de bruits de voitures, entre deux vieillards qui, au hasard d'une rencontre près d'un carrefour, échangent de très anciens souvenirs. Toupin joue avec difficulté de l'orgue de Barbarie lorsque survient Pommard, un ami de jeunesse. Toupin, qui a la tête un peu faible, se lance dans une remémoration hasardeuse du passé, et Pommard, qui semble avoir gardé une excellente mémoire, reprend sans cesse Toupin ; celui-ci n'en a cure et continue d'égrener ses souvenirs imprécis. Comme pour *Lettre morte* et *Le Fiston* (et pour bon nombre de pièces de Pinget), le travail de la mémoire, la recherche obsessionnelle du détail, et l'incertitude quant à la précision sont les ressorts à partir desquels s'enchaînent ou s'emmêlent les éléments textuels. La forme dialoguée n'est pas conçue comme un affrontement ; elle est bien plutôt choisie pour montrer l'inutilité de l'échange, les personnages restant enfermés dans leurs drames. Le théâtre de Robert Pinget n'autorise pas d'autre mise en scène que celle de l'écriture même, c'est-à-dire la simple lecture, à voix haute, de ce qui est donné surtout à lire. On a rapproché parfois cette œuvre théâtrale de celle de Samuel Beckett – que l'on songe à *Fin de partie* (*) – qui traduisit *La Manivelle* sous le titre de *The Old Tune.* F. B.

LETTRE PERDUE (Une) [*O scrisoare pierdutâ*]. La comédie la plus fameuse de l'écrivain roumain Ion Luca Caragiale (1852-1912). Elle fut représentée pour la première fois en 1885. Madame Zoe, la femme de Zaccaria Trahanache, champion du parti gouvernemental, perd une lettre compromettante qui lui a été adressée par le préfet Tipătescu. La lettre tombe entre les mains d'un innocent et brave électeur auquel Caragiale a donné le nom de « Citoyen éméché ». Le chef de l'opposition, Catavencu, arrive à lui dérober cette lettre. Quel bel objet de chantage ! Il en use auprès du préfet, afin d'assurer son élection. Mais le préfet ne se laisse pas intimider. Il machine l'arrestation du chef de l'opposition et fait faire une perquisition chez lui. La lettre n'y est pas. Force est donc au préfet de soutenir la candidature de son ennemi. Entre-temps, le gouvernement expédie un télégramme qui impose un autre candidat. Catavencu, qui assiste à la réunion où il espérait entendre la proclamation de sa candidature, reçoit un coup inattendu à l'annonce de ce nouveau candidat, parfaitement inconnu des habitants du département. D'autre part, le préfet vient à son tour d'entrer en possession d'une pièce compromettante susceptible de nuire au leader de l'opposition. Catavencu doit se contenter d'assister à la manifestation publique organisée en l'honneur du candidat gouvernemental et présidée par le mari berné. Madame Zoe peut enfin rentrer en possession de sa lettre, que le « Citoyen éméché » a récupérée par miracle et qu'il rapporte honnêtement à son destinataire. Cette comédie est une satire des mœurs électorales. Elle peint surtout les travers de la petite bourgeoisie roumaine de la fin du XIXe siècle, cette bourgeoisie qui, en mal d'originalité, s'évertua à copier la civilisation occidentale. – Trad. Éditeurs français réunis, 1953.

LETTRE RECOMMANDÉE [*Stad i ljus*]. Roman de l'écrivain suédois Eyvind Johnson (1900-1976), publié en 1928 (la traduction française avait paru en 1927), et dont le titre original signifie « Ville dans la lumière ». Pendant son séjour à Paris, de 1925 à 1930, Eyvind Johnson écrivit quatre romans, dont celui-ci, qui est le premier. C'est l'histoire de l'existence misérable que mena l'auteur à Paris, toujours affamé, toujours attendant une lettre recommandée qui changerait sa vie, mais qui évidemment n'arrivera pas. Ce roman ressemble beaucoup au chef-d'œuvre de Hamsun *La Faim* (*). En 1927, Johnson publia *Ville dans les ténèbres* [*Stad i mörker*], où il décrit la ville de Boden, dans le grand Nord, en plein hiver. Il fait froid, il fait sombre ; la monotonie de la vie quotidienne n'est coupée que par quelques événements tragiques : mort d'une vieille fille, sombre fin d'un fils unique, etc. Ce roman représente les vrais débuts d'Eyvind Johnson, et ce fut après sa publication qu'il édita en suédois *Lettre recommandée* sous le titre de *Ville dans la lumière*. Ce livre est bien moins important, mais il est intéressant au point de vue de la technique du romancier, qui devait se rapprocher toujours davantage de ses modèles étrangers : Proust, Gide et Joyce, dans ses deux autres romans écrits à Paris : *Se souvenir* [*Minnas,* 1928] et *Commentaires sur la chute d'une étoile* [*Kommentar till ett stjärnfall,* 1929]. – Trad. de *Lettre recommandée,* Kra, 1927.

LETTRES d'Abélard et d'Héloïse [*Epistulae*]. Correspondance rédigée en latin que le théologien et philosophe scolastique Pierre Abélard (1079-1142) eut avec Héloïse (1101-1164). On connaît la belle histoire d'Héloïse et d'Abélard, dont les échos remplissent ces *Lettres :* comment de leurs amours naquit un fils, Astrolabe, qui mourut encore enfant ; et comment, subissant la vengeance du chanoine Fulbert, oncle de la jeune fille, Abélard fut cruellement mutilé et se retira par la suite dans un couvent, après avoir obtenu d'Héloïse qu'elle se retirât du monde en prenant le voile. Tels sont les faits douloureux, rapportés, ainsi que d'autres vicissitudes, dans une lettre qu'Abélard adressa à un de ses amis – v. *Historia calamitatum Abaelardi* (*). La lettre, portée fortuitement à la connaissance d'Héloïse, fut l'occasion d'une correspondance échangée entre les deux amants, désormais et pour toujours séparés. Les lettres d'Héloïse sont pleines de passion : tous les élans de son ancien amour reviennent sous sa plume ; elle n'hésite pas à se proclamer l'esclave d'Abélard et, avec une sincérité qui révèle l'intensité de sa passion, reconnaît avoir pris le voile plus par amour de l'homme que par amour de Dieu. Plus apaisées, bien que remplies de tendresse, les lettres d'Abélard s'efforcent de ramener dans l'âme de la jeune fille, encore troublée par trop d'angoisses terrestres, la paix du renoncement et du refuge en Dieu, le réconfort unique et suprême de la soumission religieuse. C'est encore par amour (cinquième lettre) qu'Héloïse sera prête à renoncer à ces plaintes que l'âme est, de soi, incapable d'étouffer. Après quoi, la correspondance ne portera plus que sur des questions de discipline religieuse, Abélard ayant envisagé d'appliquer aux religieuses du Paraclet la règle bénédictine, en atténuant les rigueurs de celle-ci de façon appropriée. Par leur spontanéité dans l'expression des sentiments, ces *Lettres* ont un caractère d'universalité qui leur a permis de défier le cours des siècles. En outre, elles doivent leur attrait à la beauté à la fois sévère et vivante du style, ce style médiéval qui mêle naturellement l'expression des sentiments les plus simples à tout un apparat de citations et de références tirées des Écritures, dans le climat d'une époque où les rapports de l'homme avec Dieu étaient ressentis si profondément dans la vie quotidienne qu'ils conféraient leur caractère sacré et l'ampleur de leur mystère aux moindres actes et aux moindres mots : à telle enseigne qu'on ne pouvait trouver à chaque affliction de plus haut refuge que celui de la religion. — Ces lettres ont été traduites par Paul Zumthor (Paris, 10/18, 1979 ; 2e éd. 1983).

LETTRES de Mlle Aïssé. Publiées en 1787. Aïssé (1693 ?-1733), jeune Circassienne, avait été achetée sur un marché d'esclaves à Constantinople par un diplomate qui l'emmena en France et lui fit donner la meilleure éducation. Dès qu'elle parut dans le monde parisien, elle exerça sur tous une intense séduction. Mais la jeune Aïssé, au milieu de la société la plus corrompue, apportait plus encore que de la vertu, une pureté, une délicatesse d'âme qui fait tout le charme de ses lettres. La grande passion de sa vie fut pour le chevalier d'Aydie, dont elle eut une petite fille, mais que, pour des raisons mystérieuses, elle se refusa toujours à épouser. Cette liaison n'est connue que par les confidences qu'en fait Aïssé dans les lettres qu'elle adressa de 1726 à 1733 à son amie genevoise, Mme Callandrini. Déjà gravement atteinte de phtisie, toujours passionnée mais prise de scrupules, Aïssé tient sa correspondante au courant des efforts qu'elle fait pour lutter contre son amour. Mais on trouve aussi dans ces lettres de plaisantes esquisses de la vie mondaine, des fragments de chronique galante, des petits potins de la cour, des théâtres, de la rue, contés par une plume toujours pleine d'aisance.

LETTRES d'Albuquerque [*Cartas*]. Recueil de lettres du navigateur portugais Afonso de Albuquerque, vice-roi des Indes orientales (1453-1515), contenu dans le premier des sept volumes qui renferment ses lettres et autres documents de l'époque, publiés de 1884 à 1935 par les soins de l'Académie des sciences de Lisbonne. Ce recueil compte cent onze lettres, lesquelles furent écrites entre 1507 et 1515, et sont adressées au roi de Portugal dom Manuel Ier. Ce sont des documents précieux sur la vie du grand organisateur de l'empire portugais en Orient, tout comme sur l'histoire coloniale de l'époque. Dès les premières lettres, rédigées avec une rude franchise, l'on saisit le caractère de l'épistolier. Évoquant le siège d'Ormuz, il dit comment il fut abandonné par certains capitaines rebelles et comment il réussit malgré tout à prendre la ville. Parlant de l'assaut de Calcutta, il raconte comment il sauva l'empire de l'Inde, miné par la faiblesse de son prédécesseur et par l'esprit trop chevaleresque du maréchal dom Fernando Coutinho. On décèle combien ingrate était la position d'Albuquerque ; il dépendait d'un roi trop enclin à écouter des conseillers envieux qui l'incitaient à refuser tout ce qu'il demandait, des conseillers qui, sans cesse, rabaissaient ses mérites, ses exploits, ses plans grandioses. Il trace, en effet, les bases de l'empire, révélant par là son génie complet : tout à la fois homme de guerre, organisateur et diplomate. Il expose ses idées sur l'utilisation des indigènes dans l'œuvre de construction de l'empire ; Albuquerque souhaite leur fusion avec les colons portugais dont il favorise les mariages avec les femmes blanches de l'endroit. Les lettres qui ont trait à l'affaire d'Aden ont un accent épique ; étonnante également est la lettre où il annonce au roi quels sont ses grandioses projets : dominer sans partage la mer Rouge et l'océan Indien, de façon à faire du Portugal le pays le plus riche du monde, en même temps que sera porté un coup mortel à l'empire ottoman. Le style de ces *Lettres* est clair, incisif, exempt de rhétorique. Tout ici traduit bien l'esprit d'un homme complexe, mais sincère, qui savait tout à la fois obéir et commander avec beaucoup de bravoure.

LETTRES d'Alciphron. Petits tableaux, sous forme de lettres, de la vie de l'Attique, observée dans des milieux divers. Elles sont dues à un historien grec, imitateur de Lucien, Alciphron, qui vécut probablement vers la fin du IIe ou le début du IIIe siècle. Il est parvenu jusqu'à nous cent dix-huit lettres, réparties en quatre livres, plus six fragments ; le premier livre comprend des lettres de pêcheurs ; le second, de paysans ; le troisième, de parasites ; le quatrième, de courtisanes. Ce sont de vives images de la vie grecque peintes avec beaucoup de brio et de réalisme : des personnages historiques sont présentés comme vivants, par exemple Hypéride dans la lettre de Bacchis, qui le remercie, au nom de toutes les hétaïres, pour sa défense de Phryné ; Épicure, objet d'une âpre satire parce que, très vieux maintenant, il continue à se comporter comme un jeune homme. Les lettres de Ménandre et de Glycère ont une vivacité particulière. La scène se passe toujours à Athènes ou dans les environs, avec de fréquentes descriptions de la société attique du IVe siècle av. J.-C., pour la connaissance de laquelle les *Lettres* d'Alciphron nous fournissent des éléments d'une certaine importance. L'imitation de la comédie nouvelle, surtout de Ménandre, et des dialogues de Lucien, y est évidente ; mais le récit est mené avec aisance et enjouement, encore que la présentation souffre d'une certaine monotonie. La langue, de forme attique, et le style, malgré quelques impuretés et même quelques latinismes, désormais inévitables à l'époque où écrit l'auteur, ont une certaine élégance et une grâce maniérée bien adaptée au sujet. – Trad. Rouquette, 1874.

LETTRES d'Ambroise. La correspondance de saint Ambroise (né entre 333 et 340, mort en 395), évêque de Milan, comprend quatre-vingt-onze lettres, qui ne sont pas toutes adressées à un destinataire défini ; car certaines sont des rapports, des mémoires, des pages de pure polémique. Comprises dans la correspondance elle-même, étant donné leur caractère tout personnel, elles présentent moins d'intérêt au point de vue littéraire qu'au point de vue historique, politique et autobiographique. Les affaires de l'Église et de l'État, au IVe siècle, y sont examinées en détail, de sorte que nous avons là une documentation des plus copieuses et des plus importantes. Différentes lettres montrent combien fut intransigeante la position de saint Ambroise, archevêque de Milan, que ce soit dans l'affaire de Simmaque, à propos du déplacement de la statue de la victoire qui se trouvait dans la Curie romaine (382) ; ou dans la mission diplomatique dont il fut chargé auprès de l'empereur Maxime, mission qui avait pour but de plaider la cause de Valentinien II (383) ; dans la lutte contre l'hérésie arienne, favorisée par l'impératrice Justine (386) ; ou enfin dans cet audacieux réquisitoire dirigé contre l'empereur Théodose, lequel dut se soumettre en définitive à l'énergique archevêque. Mieux encore que les œuvres exégétiques, dogmatiques, morales, ascétiques, oratoires, les *Lettres* permettent de reconstituer le véritable visage de cet homme pratique jusque dans l'administration des biens spirituels.

LETTRES de l'Arétin. Quelque trois mille lettres de l'écrivain italien l'Arétin (pseud. de Pietro Bacci 1492-1556) furent publiées en six volumes entre 1537 et 1557. Donnant une idée fort exacte de la personne de l'auteur, elles constituent un énorme fatras où il n'est pas toujours aisé de se reconnaître : lettres d'affaires et lettres de recommandation, lettres de menace et de réconciliation, requêtes de toutes sortes et mille autres billets. En bref, cette correspondance nous renseigne à fond sur le métier de l'Arétin, « secrétaire du monde » comme il aimait à se qualifier lui-même, ou encore « fléau des princes » comme l'appelait son ami Jean des Bandes Noires. C'est une chronique de la société, où le drame côtoie constamment la bouffonnerie. Parfois jaillit, de tout cela, un cri pathétique : la tendresse paternelle, l'amitié généreuse, et même une amère jalousie (quand son seul et tardif amour vient à lui manquer). On sent surtout l'admiration qu'éprouve l'Arétin pour tout ce qui est noble et généreux. Écrivant à François Ier pour le consoler de la défaite de Pavie, il trouve ces mots émouvants : « Toute victoire est la ruine de celui qui gagne et le salut de celui qui perd : car, aveuglé par l'insolence de son orgueil, le vainqueur oublie Dieu et ne se souvient que de lui-même, alors que le vaincu, tout acquis à l'humilité, s'oublie pour ne se souvenir que de Dieu. » Certaines lettres comme celles adressées au roi de France, à l'empereur, au pape Clément VII, ou encore celle où il parle de Jean de Médicis, créent autour de ce recueil un climat de gravité triste qui finit par dominer l'extravagance du reste. L'Arétin se sent l'âme d'un juge. Il déclarera, par exemple : « Moi, qui par la louange et par la flétrissure, ai décidé de la plupart des mérites et des démérites d'autrui. » Ailleurs : « Je déchire les noms des grands avec les crocs de la vérité. » Lorsqu'il parle de poésie et de peinture, il montre un sens critique assez rudimentaire. Ce qui, par contre, est remarquable chez lui, c'est combien son « credo » littéraire se confond avec sa morale. Il n'abomine rien tant que le faux. De même quand il considère les choses de l'art, l'Arétin se fait le contempteur résolu de tout esthétisme. « La poésie – dit-il – ne vaut que par son propre feu. » Il a la haine de ce qui est mesquin, emphatique ou superflu. Ce grand goût qu'il eut toujours pour le naturel, provoque chez lui le pessimisme quand il voit les troubles complications où se complaît le monde entier. Sa morale et sa poétique sont donc une seule et même chose, et cette unité même est le gage le plus certain de la sincérité de l'auteur. – Trad. présentée par Guillaume Apollinaire, Mercure de France, 1911 ; Actes Sud, 1985 ; Scala, 1988.

LETTRES de l'Arioste [*Lettere*]. Important document sur la vie du poète italien Ludovico Ariosto, dit l'Arioste (1474-1533), ces lettres ont été recueillies et classées pour la première fois en 1862 par Antonio Cappelli, qui dédia à Luigi Cibrario en 1866 une nouvelle édition revue et augmentée. Elles traitent d'affaires personnelles, de questions touchant le gouvernement ou la politique, et sont adressées à Hercule Ier, à Hippolyte d'Este, à Léon X, aux anciens de la république de Sienne, au cardinal Bembo, pour ne citer que les principales. D'autres sont écrites par l'auteur au nom du cardinal Hippolyte. Toutes ces lettres sont dominées par un sens pointilleux du devoir et montrent quel soin sévère l'Arioste apportait à remplir sa tâche. Ce sont pour la plupart des lettres de forme imparfaite, mais écrites sous le coup des événements avec une grande vivacité. Comme dans les *Satires* (*), nous y trouvons tout un monde pratique, où se mêlent problèmes politiques et questions d'intérêt, monde fort éloigné de l'univers poétique du *Roland furieux* (*). L'Arioste y apparaît partagé entre les nécessités familiales, les charges officielles et les contraintes de la vie sociale. Ce côté profondément humain donne leur signification aux débordements satiriques de l'auteur, mais il explique aussi les critiques politiques et morales contenues dans *Le Roland furieux* et en précise la portée. Les *Lettres* en effet font découvrir le bon fonctionnaire tout préoccupé de mettre un terme à l'activité de brigands, de faire une démarche politique, de couper court à une discussion qui se prolonge, ou encore de trancher une question de frontières. Beaucoup de critiques n'ont pas tenu compte de la valeur de cette expérience humaine et ont regardé ces *Lettres* pour négligeables.

LETTRES d'Athanase. Selon une coutume assez répandue dans l'épiscopat de son temps, le Père de l'Église grec saint Athanase (295-373), évêque d'Alexandrie, qui consacra toute sa vie à la lutte contre l'arianisme, eut recours à la forme épistolaire pour traiter différents problèmes de théologie et de religion, défendre ses propres actions en exposant leurs mobiles, accuser et confondre ses adversaires et leurs défenseurs. Cette correspondance, qui comprend de nombreuses lettres d'étendue et de contenu divers, fournit les indications les plus précieuses sur la vie particulièrement active et agitée de l'auteur, autant que sur les doctrines dont il fut l'inlassable défenseur. La lettre aux moines, qui contient l'histoire de l'arianisme de 335 à 357, est très importante au point de vue historique et artistique ; elle se rapproche, par son contenu, de l'*Apologie contre les ariens* – v. *Apologies* (*) – et, comme celle-ci, elle est illustrée de documents de première main. Mais plus encore que l'exactitude historique, on ne peut s'empêcher d'admirer l'enthousiasme de l'auteur dans sa lutte contre l'hérésie, ainsi que la vivacité qu'il apporte dans ses invectives à l'adresse de l'empereur Constance, protecteur des ariens. Bien que la langue et la syntaxe se ressentent de la période où l'auteur a vécu, la chaleur de l'éloquence déployée apparente cette œuvre à certains des meilleurs morceaux de l'art oratoire grec aux temps classiques. C'est encore à l'hérésie arienne que sont consacrées les épîtres aux évêques d'Égypte et de Libye (composées en 356-357, pendant la fuite d'Alexandrie), lesquelles reprennent les principales idées de saint Athanase, ainsi qu'une brève lettre à Sérapion sur la mort subite d'Arius, signe, selon l'auteur, de la déréliction divine. Sérapion, évêque de Tunis, bénéficia de quatre messages écrits dans le désert, entre 356 et 362, et dans lesquels le dogme de la divinité du Saint-Esprit est pour la première fois clairement formulé. Quelques points de la doctrine font également les frais de la lettre concernant la théologie de Denys d'Alexandrie, tandis que celle qui a trait aux conciles de Rimini et de Séleucie (359), illustrée de documents originaux et d'importants fragments d'œuvres ariennes, a par le fait même une grande importance historique. C'est aux dernières années de la vie d'Athanase qu'appartiennent la lettre à Épictète, évêque de Corinthe (370), sur la nature du Christ – le dogme de l'Incarnation y est fort clairement énoncé – et les deux lettres à Adelphe et Maxime, de contenu analogue.

La correspondance de saint Athanase, dans sa totalité, est dépourvue de toute allusion personnelle, que ce soit à la vie, à la famille ou aux amis de l'auteur. Il s'agit d'entretiens où il expose, sous des formes variées, mais toujours avec vigueur et clarté, ces concepts théologiques (principalement ceux de la Consubstantialité et de l'Incarnation) pour l'affirmation desquels il a lutté pendant toute sa vie. Un fragment de traduction de ces lettres en syriaque nous est parvenu ; la XXXIXe, de l'année 367 où l'auteur dresse la liste canonique des textes de l'« Ancien » et du « Nouveau Testament », est particulièrement importante ; toutes ont une certaine valeur historique pour la connaissance de la chronologie chrétienne aux temps primitifs. – Trad. Les *Lettres à Sérapion sur la divinité du Saint-Esprit,* Édit. du Cerf, 1947.

LETTRES d'Augustin [*Epistolae*]. De l'énorme correspondance de saint Augustin, théologien latin (354-430), évêque d'Hippone, il ne nous reste plus que deux cent trente lettres (adressées à plus de cinquante-trois correspondants), disposées comme suit dans l'édition bénédictine reproduite par Migne dans sa *Patrologie latine* (*) (le tome XXIII en entier) : trente lettres antérieures à son épiscopat (386-395) ; quatre-vingt-douze écrites au cours de la période allant de son épiscopat à la célèbre conférence avec les donatistes et à la lutte contre Pélage (396-410) ; cent sept lettres composées entre 411 et 430, date de sa mort ; enfin trente-huit lettres dont on ne peut fixer la date. Cette correspondance est du plus grand secours pour pénétrer dans les méandres de la vie et de l'esprit de cette haute personnalité ; en outre, elle confirme son influence et ses doctrines. La correspondance purement amicale n'y occupe que peu de place, mais toutes les lettres sont imprégnées de la même ardeur dans la recherche de la vérité et dans l'exhortation à la perfection ; d'autres sont de véritables petits traités. Dans la première série, Augustin traite de la question des rêves, dans une lettre à Nebride, et trouve naturel que « des entités qui se servent d'un corps aérien ou éthéré » aient des pouvoirs supérieurs ; dans une autre lettre (26), il exhorte chaudement un noble jeune homme, Licentius, autrefois son disciple, à abandonner les « mortelles voluptés qui mentent, meurent et tuent », et à consacrer à Dieu et à son Église ce noble esprit qu'il offre maintenant à la luxure et à Satan. Parmi les lettres appartenant à la seconde série, citons : celle où il exhorte Édoxe, abbé d'un monastère de l'île de Capraria, à employer la tranquillité dont y jouissent ses moines à des œuvres de piété et non à la paresse (48) ; ou encore ces deux lettres de vingt-sept chapitres où il traite des cérémonies de l'Église ; cette lettre où il dissuade Jérôme de la nouvelle traduction de l'original hébreu de l'« Ancien Testament », lui conseillant au contraire de revoir celle des « Septante » ; une lettre à Donat (100), proconsul d'Afrique : il l'exhorte à réprimer les donatistes, mais non à les tuer, car « ils doivent être corrigés et vaincus par le bien ». Dans la troisième série, la plus ample, dans laquelle abondent les lettres-traités (même de vingt-trois chapitres), il écrit au pape Innocent en priant Sa Sainteté de bien vouloir condamner les erreurs de Pélage ; à Boniface, insigne guerrier, qu'il rassure en affirmant que, parmi « ceux qui font la guerre, tous ne déplaisent pas à Dieu », « pourvu que la volonté veuille la paix, et que seule la nécessité impose la guerre » ; dans une autre lettre, il discute de l'origine de l'âme. « Nulle part ailleurs comme dans ces lettres, écrit Ebert, n'apparaît l'importance considérable dont jouissait Augustin auprès de ses contemporains. » Les évêques et les docteurs le consultent comme un oracle ; c'est à lui que recourt une jeune religieuse qui avait préparé une tunique pour son frère diacre, maintenant défunt, et elle le prie de la consoler en acceptant le vêtement ; une pieuse jeune fille fait appel à lui pour en recevoir les enseignements ; il dirige la résistance contre les donatistes et les pélagiens, et donne des conseils devant l'imminente invasion des Vandales : « Solicitudo omnium ecclesiarum », comme avait dit saint Paul (2e Corinthiens XI, 28). Les théologiens ont classé les lettres en : théologiques, polémiques, exégétiques, ecclésiastiques, morales, philosophiques, historiques et familières. Mais on peut dire que, dans chacune d'entre elles, Augustin réunit tous ces genres littéraires. Les *Lettres* ont donné lieu à des études particulières (par exemple, la correspondance entre Augustin et Jérôme), et leur bibliographie est abondante. — Trad. Lesort, 1858. Lettres 157, 190, 214-215, *Œuvres*, Bibliothèque augustienne, tomes 21, 22, 24.

LETTRES d'Avit. Le recueil de lettres de Sextus-Alcimius Ecdicius Avitus (saint Avit), écrivain latin de la deuxième moitié du Ve siècle (450-518 environ) et évêque de Vienne, comprend quatre-vingt-dix-huit lettres écrites entre 495 et 517. Elles sont importantes pour qui veut connaître l'histoire politique et ecclésiastique de la Gaule après les grandes invasions. Les premières, très longues, sont de véritables traités de théologie. S'ajoutant à certains fragments d'autres œuvres en prose, telles que les *Dialogues avec le roi Gondebaud contre les ariens*, elles justifient la renommée d'Avit comme défenseur du christianisme contre les hérésies. Parmi les huit lettres adressées à Gondebaud, roi des Burgondes, les plus importantes sont : la première, qui s'élève contre l'arianisme ; la deuxième et la troisième, écrites entre 512 et 513, contre les eutychiens, et surtout la quatrième, « De subitanea paenitentia », qui répond à certaines questions du roi. Dix lettres sont adressées à Sigismond, l'héritier de Gondebaud, après sa conversion au catholicisme. La lettre XXXIV aux sénateurs romains Faustus et Symmaque est également significative, car elle contient des arguments puissants en faveur de l'Église romaine et du pape. Au point de vue du style, la prose d'Avit est inférieure à sa poésie : on y sent plus fortement l'influence de la rhétorique qui fleurissait alors en Gaule, et l'abus des artifices n'est pas sans alourdir ses phrases. Une étude plus attentive permet d'y reconnaître l'influence de Sidoine Apollinaire, que l'auteur a pris pour modèle.

LETTRES de Guez de Balzac. Ces lettres constituent le document littéraire le plus significatif de l'écrivain français Jean Louis Guez de Balzac (1597-1654). Le premier recueil, édité en 1624, s'accrut par la suite (même après la mort de l'auteur) par la publication de ses lettres à Chapelain, à Richelieu et autres personnages de l'époque. Ayant commencé cette correspondance durant son séjour à Rome, Balzac y emploie les termes raffinés d'une conversation de société. Il exprime ses jugements sur les œuvres du temps, raconte sa vie, témoigne de l'intérêt à tout ce qui lui semble digne d'être vécu. Il réserve surtout ses épîtres élégantes à Chapelain, à Boisrobert, à Voiture et à Conrart. Dans une forme parfaite, mais aride, l'écrivain juge des choses de son époque et fait entendre sa voix de critique littéraire. Véritable oracle des « précieux » et de l'hôtel de Rambouillet, il cherche à imposer la loi en matière de style ; sa compétence fait de lui le réformateur de la prose française comme Malherbe avait été celui de la poésie. Il s'adresse, par exemple, au chancelier Séguier, pour lui dire sa gratitude et le louer de sa sagesse. Ou bien il remercie une dame pour quelque sachet de parfum ; ou un personnage, pour certaine recommandation ; ou encore des amis, pour quelque cadeau. Il lui arrive aussi de se défendre contre les critiques malveillants qui attaquent son style ou de proclamer que la vertu a plus de prix que la situation sociale. Il disserte sur la manière dont, à Rome, sont élus les papes, ainsi que sur les plaisirs de la ville ; il cherche à ramener un litige à des justes proportions, il discute de politique et montre sa déférence à l'égard des jésuites. Son argumentation raffinée, toujours sûre, est parfois présentée de manière pompeuse. Ses *Lettres* demeurent un document de premier ordre sur l'histoire de la langue. Sonore, claire et harmonieuse, la prose de Balzac est un modèle des lettres classiques.

LETTRES de Barbey d'Aurevilly. La correspondance de l'écrivain français Jules Barbey d'Aurevilly (1808-1889) est très abondante : cela tient à la fois à la fidélité passionnée que Barbey gardait à ses amis et au besoin constant, frénétique, d'écrire qui possédait le gentilhomme normand. Les *Lettres* complètent heureusement l'œuvre romanesque et critique : elles donnent de Barbey une image moins apprêtée, plus humaine, et montrent derrière l'homme public, le dandy fastueux ou le critique à partis pris, un homme de cœur, ami sincère et chaleureux, plein d'attentions pour les êtres auxquels il tient. La partie la plus fameuse de cette correspondance, les *Lettres à Trebutien,* qui s'échelonnent de 1832 à 1856 et qui furent publiées en 1899 et en 1908, confirme cependant le personnage que Barbey assuma dans le monde littéraire. En face de Trebutien, libraire normand que Barbey avait rencontré pendant qu'il faisait ses études de droit, l'écrivain veut être digne de sa légende. Son correspondant lui voue d'ailleurs une admiration infinie : il fait des éditions de ses livres des chefs-d'œuvre typographiques, copie ses manuscrits, recherche la documentation. Barbey a trouvé en lui un brave homme de province, plutôt timide, qu'il sait éblouir avec ses fantaisies parisiennes. Il fixe donc son attitude de Brummel, dans des phrases comme celle-ci : « Je vous écris debout, éperonné, prêt à monter à cheval... » Le ton des lettres est accordé à cette attitude : le style est recherché, avec des archaïsmes aristocratiques et des images flamboyantes ; lorsqu'il allait en Normandie, Barbey reprenait ses épîtres, où il voyait le « meilleur de son œuvre », disait-il, y ajoutait des notes, les polissait, comme pour préparer une publication future : « Ce sera la plus belle plume de mon aile, si je deviens un oiseau précieux. » Cependant, Barbey sait qu'il a en Trebutien un ami parfait. Il n'hésite donc pas à lui confier toutes ses pensées, les ennuis de son métier, ses difficultés d'argent, les rebuffades qu'il reçoit de la part des directeurs de journaux qui prisent peu sa violence, les besognes obscures (celle, par exemple, de chroniqueur de modes) qu'il est contraint de faire pour vivre... Les *Lettres à Léon Bloy,* qui leur sont postérieures (cette correspondance s'achève en 1878), sont des lettres d'ami, plutôt que de maître à disciple, en dépit de l'influence de Barbey sur Bloy. Elles furent publiées en 1903. On est frappé par la justesse du coup d'œil critique de Barbey, qui sut reconnaître la grandeur du talent de Bloy ; cependant, c'est l'homme, plus encore que l'écrivain, que Barbey aime chez Bloy : il le remercie avec une belle émotion, mais la confiance qu'il lui témoigne ne parvient pas à dissiper l'angoisse qu'il éprouve, au sujet des corrections d'imprimerie que Bloy apporte à ses articles. Un des attraits de la correspondance est, en effet, de montrer la belle conscience professionnelle que Barbey apportait à la rédaction de ses critiques. Cela apparaît dans le recueil de *Lettres intimes,* de 1844 à 1880, qui fut publié en 1921. Les correspondants de Barbey sont parfois des gens de lettres, dont certains portent de grands noms, comme Sainte-Beuve ou Paul Bourget, parfois des Normands de vieille souche, dont le traditionalisme plaisait à l'écrivain . Dans ce recueil, c'est surtout l'écrivain et le critique qui se révèlent : Barbey dit le soin qu'il met à lire les livres qu'on lui envoie, point par point, virgule par virgule. Il aime son métier littéraire, et cependant sa plume ne lui a procuré aucun luxe, aucune aisance, à peine ce qui est nécessaire pour vivre. Mais ce travailleur acharné, désabusé et un peu aigri, est avant tout un homme d'amitié, toujours anxieux d'éviter la moindre peine à ceux qu'il aime. Ce dernier aspect de sa personnalité est livré par les *Lettres à une amie,* Mlle Read, qui entoura de son dévouement les dernières années du gentilhomme écrivain. Ces lettres, qui vont de 1880 à 1887 et furent publiées en 1907, sont peu nombreuses : Barbey, qui voyait chaque jour à Paris Mlle Read, ne lui écrivait que pendant les vacances qu'il allait passer à Valognes. Barbey s'est ici complètement dépouillé de ses attitudes : c'est le Barbey bonhomme que connut François Coppée, glorieux, sans doute, mais seulement pour le monde, et qui n'use de son personnage que comme d'un masque qui humilie les médiocres. C'est ainsi qu'on peut dire en un mot l'intérêt de ces *Lettres* : comme dans son Journal, Barbey y ôte son masque, ou plutôt il nous montre les deux faces de son génie et, ouvrant son cœur, découvre cette passion de la beauté, de la grandeur, de l'amitié qui l'obligeait à ignorer son siècle, à préserver son âme des médiocres pour ne la livrer qu'à quelques amis privilégiés. — La *Correspondance générale* de Barbey d'Aurevilly fait l'objet d'une admirable édition en cours de publication par les soins du Centre Jacques-Petit de l'université de Besançon.

LETTRES de Basile le Grand. Les lettres du docteur de l'Église d'expression grecque saint Basile le Grand (330 ?-379), évêque, depuis 370, de Césarée en Cappadoce, sa ville natale, offrent un intéressant et complet témoignage sur la vie de l'auteur. Le recueil comporte trois cent soixante-six lettres dont toutes ne sont probablement pas authentiques : en effet, on considère généralement aujourd'hui comme étant apocryphes quelques-unes des lettres à Libanios et celles adressées à Apollinaire. Parmi les lettres authentiques, un certain nombre – comme celles adressées à Grégoire de Nysse, ou les trois épîtres à Amphilochios – sont consacrées aux problèmes de doctrine et, plus particulièrement, au problème de la Trinité. Dans les autres, dont l'importance historique est certaine, Basile intervient avec énergie dans les affaires ecclésiastiques (par exemple dans les élections des évêques), ou bien il préconise l'intervention des évêques d'Italie et de Gaule pour secourir l'Orient chrétien, miné par l'hérésie et réduit à la condition la plus misérable. D'autres lettres révèlent sa participation active à la vie quotidienne de son époque : tantôt il intervient en faveur d'une veuve, tantôt il se préoccupe de la discipline du clergé dans les campagnes, ou encore indique les règles de la vie monastique, à la diffusion de laquelle il a contribué avec passion. Le style est très châtié, comme c'est le cas, en général, pour les œuvres de saint Basile : la sincérité et la profondeur de ses sentiments lui permettent de s'affranchir de la rhétorique de son temps. Il ne renonce pourtant pas, dans le feu de son éloquence, aux images les plus vigoureuses. Comme toutes ses autres œuvres, les *Lettres* de Basile eurent une grande renommée, et furent très étudiées dans le haut Moyen Âge. – Trad. Périssé, 1847 ; Les Belles Lettres, 1957-1966 (3 vol.).

LETTRES de Bernard de Clairvaux. Les lettres de saint Bernard de Clairvaux (1090-1153), publiées par Mabillon, constituent une véritable mine de renseignements pour la connaissance de la personne et de l'œuvre de saint Bernard, pour l'histoire de la philosophie, de la théologie, des mœurs et de la politique au XIIe siècle. Traitent de théologie et de discipline ecclésiastique notamment les lettres adressées aux évêques et cardinaux de la curie romaine, ainsi que celles qu'il fit parvenir à la conférence des évêques réunis pour juger Abélard. C'est encore de théologie et de discipline ecclésiastique qu'il est question dans la lettre à l'archevêque de Mayence, où l'auteur s'insurge contre les persécutions que connaissent les Juifs : on doit les aider, pense-t-il, à se convertir par la prière et la persuasion. Aux souverains pontifes et spécialement à Eugène III, il donne des conseils et des avis pour gouverner. Il cherche à gagner la soumission des sujets et des fidèles au pape, comme dans la lettre aux nobles, aux notables et au peuple romain dans laquelle il leur déconseille en effet de reconstruire l'ancienne république romaine en marchant derrière Arnaud de Brescia et en se soustrayant ainsi au pouvoir du pape. S'il intervient souvent auprès du pape et auprès des princes en faveur des évêques, il lui arrive d'insister pour que les évêques indignes et immoraux ne soient pas reconnus et soient punis (l'archevêque d'York par exemple). Certaines de ces *Lettres* sont plus strictement des épîtres traitant de morale (sur les vertus et les vices, sur la véritable amitié, contre l'avarice, contre les duels, cette dernière adressée à Suger, abbé de Saint-Denis et lieutenant du roi). D'autres encore furent envoyées à des rois et à des princes, pour qu'ils ne s'opposent pas à la réunion des conciles, pour qu'ils s'abstiennent de faire la guerre, pour qu'ils cessent de persécuter les Églises, etc. La plupart des *Lettres* cependant ont un caractère vraiment ascétique : telles sont les lettres sur la vocation religieuse (la comparaison entre l'ordre cistercien et l'ordre, moins sévère, de Cluny est particulièrement instructive ; le neveu de saint Bernard avait opté pour l'ordre de Cluny, afin de mener une vie moins dure) ; il est alors question le plus souvent de la réforme des monastères, de l'amour de la solitude et du silence que doivent éprouver ceux qui se vouent à la vie recluse ou encore des devoirs qui leur incombent. Il existe une autre catégorie de lettres, d'un caractère plus personnel : lettres d'apologétique, rétractions pour avoir recommandé, de bonne foi, des personnes indignes ; lettres de remerciements (par exemple à la duchesse de Lorraine qui a offert un terrain pour la fondation d'un couvent ; il saisit d'ailleurs cette occasion pour la dissuader, ainsi que son mari, d'une injuste guerre) ; lettres d'un caractère familier adressées non seulement à des ecclésiastiques et à des gentilshommes, mais aussi à de nobles dames, en termes d'affectueuse amitié ; enfin les lettres écrites en faveur de son prochain sont particulièrement nombreuses : lettres de recommandation pour des pauvres et des malheureux, pour des amis, pour la défense des opprimés persécutés ; lettres enfin de consolation.

Le style de ces *Lettres,* comme celui de ses autres écrits, est toujours précis, sobre, sans fleurs, ni images. Satire, portrait humoristique, légère ironie reviennent souvent sous sa plume ; et non moins souvent les maximes et les proverbes. Le ton est en général oratoire, parfois emphatique, et n'échappe pas aux défauts du temps : jeux de mots, antithèses, parallélismes. – Trad. Guyot, 1838. Un choix de ces *Lettres* a été traduit par E. de Solms (Namur, Éd. du Soleil Levant, 1962).

LETTRES de Boniface [*Epistolae*]. Elles constituent l'œuvre fondamentale de saint Boniface (675 ?-754 env.), martyr d'origine anglo-saxonne qui évangélisa l'Allemagne. Elles nous sont parvenues sous la forme d'un recueil unique de cent cinquante lettres où, à côté des messages qui furent réellement composés par le docte évêque, s'en trouvent de nombreux autres qui lui furent envoyés de toutes les parties d'Europe. Ce recueil, probablement constitué à des époques successives, forme un document historique et psychologique d'une importance exceptionnelle, en ce qu'il éclaire la vie de toute une génération. Y paraissent les personnages les plus représentatifs de l'époque : papes et évêques, souverains et princes, abbés et abbesses surtout anglo-saxons, ainsi que de hauts dignitaires germains, francs et italiens, tous attirés et conquis par la puissance de sa parole, comme furent convertis et formés, au prix de son ultime sacrifice, ceux que lui-même appela « les très féroces peuples germaniques ». Tantôt saint Boniface informe officiellement le pape Zacharie de son ministère auprès des païens et il a la joie de lui annoncer la fondation du monastère de Fulda, futur centre de sainteté et de civilisation, où vivent des moines qui observent strictement l'abstinence et ne font usage d'aucun esclave. Tantôt il éprouve la nécessité et le besoin spirituel d'écrire une lettre à un inconnu, à une religieuse, à des abbesses, à ses chers Angles (amis d'autrefois qu'il a laissés, pour remplir sa mission auprès des barbares), afin seulement qu'ils se souviennent dans leurs prières de son indignité. C'est ainsi que Boniface se considère comme « le serviteur des serviteurs de Dieu ». Son zèle est infatigable et véhément, insensible à la puissance du mal, quelque aspect qu'il puisse revêtir. Il dévoile la luxure d'Ethelwald, roi de Mercie (lettre 73), comme il ose, toujours poussé par le sentiment du devoir, mais à son corps défendant, accuser de simonie le pape Zacharie. Son activité apostolique domine de beaucoup ses préoccupations littéraires, et s'il arrive que Boniface exhorte le jeune Nithard à « développer la grâce naturelle de son esprit », il s'empresse bien vite de prôner « l'étude des lettres sacrées », afin que le jeune homme puisse acquérir « cette divine sagesse, plus splendide que l'or, plus belle que l'argent, plus incandescente que le rubis, plus transparente que le cristal, plus précieuse que le topaze ». La dixième lettre du recueil est particulièrement intéressante : elle contient un commentaire de Winfrid (nom que Boniface avait reçu à sa naissance) adressé à l'abbesse Eadburga, à propos d'une vision qu'il eut sur le Jugement dernier. Il est facile de déceler dans l'œuvre de Boniface quelques réminiscences de l'*Énéide* (*) ; mais le ton s'élève parfois (dans la lutte des anges et des démons pour la possession d'une âme) jusqu'à faire pressentir certains épisodes de *La Divine Comédie* (*).

LETTRES de Broch [*Briefe*]. Le recueil des lettres de l'écrivain autrichien Hermann Broch (1886-1951), publié en 1957 en complément de ses *Œuvres complètes,* ne représente qu'une petite partie de sa correspondance, mais les 270 lettres qui le composent, et qui couvrent les années 1929 à 1951, sont d'une importance considérable tant pour la connaissance de la pensée et des conceptions esthétiques de Broch que pour la compréhension de l'évolution de l'idée même de « littérature » à notre époque. Généralement philosophique ou analytique, le ton de ces lettres révèle par ailleurs un sens aigu des rapports humains, Broch faisant preuve d'une grande attention à l'égard de ses correspondants, d'une sympathie et d'une amitié toujours en éveil même si elle n'est pas directement exprimée. Le principal destinataire des lettres recueillies est le Dr Brody, directeur du Rhein-Verlag et éditeur de Broch ; parmi ses autres correspondants, il faut citer Aldous Huxley, Waldo Frank, Karl Kerenyi, Elisabeth Langgässer, Werner Richter et Albert Einstein, grand admirateur de *La Mort de Virgile* (v. III add.).

Les *Lettres* de Broch développent trois séries de problèmes : technique et signification de son œuvre, philosophie de la littérature, philosophie de l'histoire. Broch, qui n'aborda la littérature que vers la quarantaine, était déjà armé d'une large expérience humaine et d'une formation philosophique et scientifique ; d'emblée, il se situa par rapport à Joyce dont l'*Ulysse* (*), par sa grandeur synthétique, à la fois l'effrayait (« il faudrait tuer cet homme pour continuer soi-même à écrire ») et l'obligeait à inventer une voie personnelle qui fût, sinon égale, du moins digne de sa référence. Dès 1930, Broch a conscience de cette voie : « ... ce que je m'efforce de réaliser... c'est... le roman gnoséologique au lieu du roman psychologique, c'est-à-dire le roman dans lequel on revient, derrière la motivation psychologique, aux attitudes fondamentales de la théorie de la connaissance et à la logique et à la plausibilité proprement dites des valeurs, exactement comme la philosophie a eu pour tâche de se libérer du psychologisme ». Tous les romans de Broch répondent, comme il le montre, à cette définition mais en l'enrichissant de structures de plus en plus complexes qui visent au fond à créer le roman absolu (v. notamment *Les Irresponsables,* III add.), forme statique contenant événements et causes, temps et espace au lieu d'en être dépendante. Bien qu'il remette perpétuellement en doute l'utilité de la littérature à une époque en proie aux bouleversements continus et à l'horreur, Broch ne cesse de lui assigner une tâche de plus en plus haute : celle d'affronter tout le champ éthico-religieux et politico-social afin de représenter « les processus mythiques intérieurs et extérieurs chez l'homme ». Broch revient souvent sur la nécessité pour la littérature de tendre au mythe, car c'est la seule façon pour elle de produire ce « poids de totalité » qui est son but et sa justification ; il démontre également la nécessité pour tout art de devenir abstrait (abstrait et non hermétique), car, la science se chargeant de représenter la vie avec exactitude, le domaine de l'art ne peut être désormais que dans la représentation des faits « en soi » et non dans le rendu de tel fait individuel ou particulier. Responsable vis-à-vis de son temps, l'écrivain ne saurait plus en effet se contenter d'en refléter les détails à la manière naturaliste : il lui faut en donner l'image synthétique, l'en soi mythique. Pour satisfaire à cette ambition, Broch disposait, comme le prouvent ses lettres, d'un esprit capable de manier aussi bien les sciences exactes et la logique que l'intuition poétique et mystique ; on le voit d'ailleurs, au cours des dix dernières années de sa vie, travailler avec acharnement à une *Psychologie des masses* [*Massenpsychologie,* inachevée, publ. posth. 1959] dans laquelle il se proposait de faire la somme de sa philosophie de la connaissance et de sa philosophie de l'histoire, avec l'espoir de produire peut-être un ouvrage aussi déterminant que ceux de Marx.

Il ne semble pas exagéré de voir dans cette confession intellectuelle, qui est en même temps une méditation rigoureuse sur l'art et son engagement dans l'histoire, l'un des ouvrages majeurs de notre époque — ouvrage aussi indispensable à l'écrivain soucieux de dépasser la simple « composition littéraire » qu'à l'homme désireux d'échapper à la perdition dans le quotidien pour accéder à une éthique de l'histoire (v. notamment lettre 133 à Friedrich Torberg, 10 avril 1943). — Trad. Gallimard, 1961.

LETTRES de Burckhardt [*Briefwechsel*]. Correspondance entre les écrivains allemands Carl Jacob Burckhardt (1891-1974) et Hugo von Hofmannsthal (1874-1929), publiée en 1956. L'amitié entre les deux écrivains commença en 1918 à Vienne. Elle trouva son expression dans *Souvenirs de Hofmannsthal et lettres du poète* [*Erinnerungen an Hofmannsthal und Briefe des Dichters*], publiés en 1943, et dans les lettres du présent volume. Cette correspondance de Hofmannsthal avec le jeune Burckhardt, arrivé à Vienne en qualité d'attaché de légation au cours du dernier été de la Première Guerre mondiale, commence en 1919 et s'achève à la mort du poète, en 1929. Les lettres de Hofmannsthal constituent un témoignage sur la dernière période de sa création poétique. Sa sagesse et sa patience s'expriment à travers cette sollicitude éducatrice à l'égard d'un homme qui est de beaucoup son cadet. De ces années 20, des événements nous séparent qui ont modifié le monde de façon plus sensible que des siècles d'évolution historique antérieure. Le bref laps de temps écoulé entre les deux grandes guerres appartient entièrement au passé. Hofmannsthal accueille les épanchements de Burckhardt, les encourage, de façon presque insensible mais incessante où s'exprime également son aspect le plus personnel, souvent voilé. De son côté, Burckhardt, avec toute la fougue de la jeunesse, mais aussi déjà la lucidité subtile qui fait pressentir le futur essayiste, répond par des lettres qui révèlent une prescience prophétique de l'avenir et annoncent le grand Européen qu'il va devenir. On lui doit une éblouissante galerie de portraits : il nous restitue avec un relief étonnant les figures de Valéry ou de Rilke, ainsi que les grandes ombres du passé, Talleyrand, Metternich et bien d'autres encore. Enfin ce livre nous fait entrer lentement dans cet étrange palais d'une richesse angoissante que fut l'Europe après la Première Guerre mondiale, alors que le XIXe siècle, avec trente ans de retard, n'en finissait pas d'agoniser. — Trad. Plon, 1960.

LETTRES de Catherine de Sienne [*Lettere*]. Au nombre de trois cent quatre-vingt-une, et imprimées pour la première fois à Bologne en 1492, ces lettres sont un véritable trésor de mysticisme chrétien. Par mysticisme, la religieuse italienne sainte Catherine de Sienne (Caterina Benincasa, 1347-1380) entend la connaissance de Dieu comme celle de l'homme, l'amour du Créateur et de toutes les créatures, la sagesse et la foi, la prière et l'action. Toutes inspirées par la même doctrine (cette charité qui jaillit du sang même du Christ), ces lettres mettent à nu l'âme ardente de Catherine. Nous apprenons que la sainte ne recherchait la solitude que lorsqu'elle lui était nécessaire pour communiquer avec Dieu et recevoir de lui enseignements, conseils et réconfort. Après quoi, elle retournait à une prière active et se plongeait dans le tumulte de la vie publique, toujours sereine au milieu des tempêtes et proclamant la vérité. De la sainte, ces *Lettres* reflètent la figure humble et pourtant volontaire, la doctrine solide et lumineuse, l'action intrépide et bienfaisante. Catherine sait parler à tous : aux papes et aux cardinaux, tout comme aux reines et aux rois, aux chefs d'armée, aux hommes d'État et aux marchands, sans oublier nobles et roturiers, moines, mères, épouses et enfants. Elle excelle à sonder le cœur de tout un chacun : « Moi, Catherine, servante et esclave des serviteurs de Jésus, je vous écris au nom du sang précieux de Notre Seigneur, dans le désir de vous voir noyé dans ce sang », tel est l'exorde dont elle use d'ordinaire pour forcer les âmes. Elle sait parler avec douceur, humilité, mansuétude aux cœurs les plus durs, tout en se montrant impitoyable pour le vice : là, elle met le doigt sur la plaie, formule tous ses reproches et demande réparation avec fermeté. S'adressant au roi de France, elle ne craint pas de lui dire : « Vous ferez la volonté du Christ et la mienne. » À la sensibilité féminine Catherine sait allier l'énergie virile. S'adressant au pape Grégoire XI, qu'elle sait faible de caractère, timoré, velléitaire, elle lui enjoindra d'agir vite, « virilement et en homme viril ». Viril est l'adjectif qui revient le plus souvent dans sa correspondance. La sainte met dans ses paroles tout le charme d'une épouse et toute la tendresse d'une mère, mais elle sait par ailleurs trouver l'accent résolu d'un chef et prononcer les condamnations les plus sévères avec la fermeté d'un juge. Elle signifie par exemple à Grégoire XI que son retour à Rome doit être un signe de paix, et non de guerre ; qu'il doit se garder de venir « avec force gens », mais plutôt « qu'il rentre dans la ville, la croix en main, comme un paisible agneau ». Au roi de France, Charles V, elle écrit tout simplement : « Vous devriez avoir honte, vous et les autres seigneurs de la chrétienté, de faire en sorte que le frère lutte contre son frère, et laisse en paix les ennemis. » Elle voit dans la reine Jeanne de Naples, qui soutenait l'antipape Clément VII, une « vile esclave du péché » et elle le lui dit sans détour. Quant aux trois cardinaux qui avaient déserté la cause du pape Urbain VI, ils se voient traités de « vils et misérables chevaliers », de gens « qui ont peur de leur ombre », par ailleurs « fourbes et menteurs, larrons et loups ». Cette sûreté, cette foi intrépide, ce goût pour la vérité et la justice, Catherine ne les doit pas seulement à la conscience de « malheureuse et misérable » pécheresse ; elle les doit surtout à la doctrine d'amour que révèle le sang de Jésus, de Jésus-Christ qui, pour notre salut, « s'est humilié et livré de lui-même à la mort ignominieuse sur la Croix, tout à l'ivresse de son amour pour nous ». Aussi, quand notre âme considère un tel amour, elle en arrive à se perdre elle-même. Ce qu'elle voit, ce qu'elle sent, elle le voit, elle le sent « en *son* Créateur ». L'homme n'est rien par lui-même, Dieu l'a créé par amour. Mais l'ombre de l'amour-propre et les désirs des sens voilent la vue de notre esprit et ne nous permettent pas de discerner la vérité. Il nous faut donc sacrifier cet amour-propre, tuer en nous ces désirs, accomplir la parole de Paul : « Se perdre soi-même en se dépouillant du vieil homme, pour devenir un homme nouveau. »

Consolatrice des affligés, conseillère des esprits et infirmière des malades les plus repoussants, Catherine de Sienne fit de soi une autorité morale qui laissa une marque ineffaçable sur l'époque où elle vécut. Son action fut un véritable apostolat, tout amour et tout sacrifice : ses *Lettres* en font foi. Plus que tout, ce sont les guerres qui la font souffrir, « ces guerres où le bien des pauvres est détruit par la soldatesque ». La seule guerre qu'elle excuse, c'est la croisade contre les infidèles pour la délivrance du Saint-Sépulcre. Sur ce sujet, elle écrit à tous les princes, et même à l'homme de guerre anglais Jean de l'Aiguille (« Jusqu'à présent, il a été à la solde du démon », qu'à cela ne tienne !). Elle veut le voir désormais « fils et chevalier du Christ ». Elle écrit à Grégoire XI, pour le décider à revenir à Rome, des lettres pleines d'anxiété. Peut-être doit-on à ces lettres, plus qu'à toute autre force humaine, la fin de la captivité pontificale en Avignon. La corruption de l'Église déchire le cœur de Catherine. Elle en souffre et s'en accuse, comme si ses propres péchés en étaient la cause. Mais, en même temps, elle découvre et dénonce la source de tous les maux de l'Église, dans les prêtres mauvais, « fleurs puantes qui jettent leur ignoble odeur à Dieu, aux anges et à la vue des hommes ». Ces prêtres « qui jouent avec le sang du Christ », qui dévorent le pain des pauvres, simoniaques et concussionnaires, « avides des honneurs, des délices et des biens de ce monde ». La parole de la sainte est un feu qui consume, mais qui purifie. Catherine livre une dramatique bataille pour défendre Urbain VI, Christ sur terre, renié par les parjures qui l'avaient élu au pontificat. Urbain guérira toutes les plaies de l'Église ; mais qu'il sache au moins allier la miséricorde à la justice, afin d'échapper aux ténèbres de la cruauté. À qui les lit d'un trait, les *Lettres* de Catherine de Sienne peuvent sembler monotones. C'est que chacune d'elles reflète toute la conception sociale, mystique et pratique de la sainte, où se fait jour la même et immuable charité. Du point de vue strictement littéraire, l'outrance de certaines expressions gêne parfois le lecteur. N'oublions pas que le but de Catherine n'était nullement littéraire, mais bien religieux. Pour conquérir les âmes, elle jugeait bon de foudroyer l'esprit autant que les sens. De cette violence émane une poésie particulière : celle qui vient d'un cœur épris de Dieu jusqu'à l'exhaustion. En vérité, un courant lyrique admirable parcourt ces *Lettres*, toutes pleines de lumière, de passion ; et, qu'on le veuille ou non, la sainte s'y dépeint tout entière, à la fois « heureuse et douloureuse », en vraie servante de Dieu. — Trad. Le Seuil, 1953.

LETTRES de Chapelain. Du poète et critique français Jean Chapelain (1595-1674), nous disposons de la correspondance des années 1632 à 1640 et 1659 à 1672. Ces deux périodes — malheureusement séparées par le long blanc des lettres perdues qui, à considérer les dates, n'auraient sans doute pas été anodines — reflètent deux époques sensiblement différentes de la vie de l'auteur : à l'homme soucieux de se faire reconnaître dans la société des beaux esprits du temps succède l'homme « arrivé », qui correspond avec des écrivains et des savants de l'Europe entière où son jugement est écouté. Il perd cet air d'intimité et de confidence qui est un des agréments de la première période pour arborer un tour plein d'autorité et de maîtrise qui nous rappelle le caractère public, quasi officiel, de cette correspondance.

Celle-ci se présente d'abord comme une source précieuse de renseignements sur les événements historiques et la vie intellectuelle de l'époque, souvenirs sur Malherbe ou François de Sales, nombreux détails sur l'hôtel de Rambouillet, l'Académie française, etc. Sainte-Beuve, qui s'est occupé de la conservation et de l'édition du manuscrit, s'en est abondamment servi dans son *Port-Royal* (*) et ses *Causeries du lundi* (*). On y trouve aussi des critiques savantes relatives à l'Antiquité classique, aux littératures française (de belles pages sur Malherbe et Ronsard) et étrangères (il déprécie les Espagnols mais admire les Italiens, poètes et théoriciens), aux travaux d'érudition écrits en latin par des Allemands ou des Hollandais (quelque quatre-vingts lettres adressées à Heinsius ont été publiées séparément) sans oublier les jugements sur la philosophie (on peut suivre à travers ces années son éloignement progressif du cartésianisme), les beaux-arts et les sciences. Ces éléments de la correspondance participent des réflexions que Chapelain dut mener lorsqu'il fut chargé par Louis XIV et par Colbert d'établir une liste des savants et gens de lettres français et étrangers dignes d'être encouragés par le trésor royal.

La lettre à Godeau du 30 novembre 1630 prend une importance toute particulière dans la mesure où elle expose, pourrait-on dire, l'argument d'une poétique théâtrale que Chapelain n'a jamais écrite. Elle contient la première formulation, en des termes aussi décisifs, de la théorie de la vraisemblance. Partant du postulat de la fonction du spectacle théâtral, la « catharsis », selon lequel la représentation doit purger le spectateur de ses « passions déréglées », Chapelain conclut qu'il faut plonger le spectateur dans une totale illusion et surtout ne jamais faire appel à sa réflexion. Il s'agit d'« obliger l'œil surpris à se tromper lui-même pour son profit ». C'est donc sur un raisonnement qu'il tente de fonder la règle des trois unités : pour accréditer la « vérité » de la représentation, il faut mesurer l'espace, le temps et l'action à la capacité de l'œil d'un observateur immobile pendant les quelque trois heures de spectacle. Si la thèse n'est pas inattaquable, elle est suffisamment forte pour avoir pesé lourd dans la balance des « réguliers ». L. D.

LETTRES de Charlotte-Élisabeth, princesse Palatine [*Die Briefe der Liselotte von der Pfalz, Herzogin von Orleans*]. De Charlotte-Élisabeth princesse Palatine (1652-1722), appelée plus brièvement « Liselotte », on a conservé quelque trois mille lettres écrites dans sa première jeunesse, en Allemagne, puis durant les cinquante et un ans de son séjour en France qui suivit son mariage avec Monsieur, Philippe Ier, duc d'Orléans, frère cadet de Louis XIV. Elles nous sont parvenues en de nombreux recueils qui se sont succédé depuis la fin du XVIIIe siècle jusqu'à nos jours. Le plus complet est celui de Jaeglé, en français [*Correspondance de Madame, duchesse d'Orléans*, 2e éd., 1890] ; en allemand ont été publiées les Lettres à sa famille (éd. W. Holland, 7 vol., 1867-82), à Leibniz (1884), à Sophie de Hanovre, à Mme von Harling (éd. E. Bodemann, 3 vol., 1891-1895), à E. Polier de Botten (1902) et à A. U. de Brunswick-Wolfenbüttel (éd. Helmolt, 1902) ; il existe aussi des éditions partielles, comme celle de Wille (1907) et celle, plus récente, d'Helmont et de Künzel [*Die Briefe der Liselotte*, 1930]. Avec une sincérité hardie, les lettres des personnes vivant dans l'entourage de Louis XIV passant presque toutes au cabinet noir, Madame décrit la situation à la cour de France de 1671 à 1722. Son style évoque avec bonheur la vie de cette cour, son cérémonial, son apparente sérénité, son hypocrisie et sa corruption dissimulée. Fille de Charles Louis, électeur palatin, élevée pendant quatre années, pour elle décisives, chez la duchesse Sophie de Hanovre, sa tante, elle épousa Monsieur peu après la mort de sa première femme, Henriette d'Angleterre — v. *Histoire d'Henriette d'Angleterre* (*) —, dans l'intention de concilier ainsi au Palatinat les bonnes grâces du grand roi : en réalité, elle vit la chute des espérances paternelles, car, durant longtemps, sa terre fut le théâtre de combats acharnés et de pillages de la part des troupes françaises. Dans une grande partie de ses lettres à sa tante, avec laquelle elle entretint toujours une affectueuse correspondance, nous sentons vivement l'écho de cette amère désillusion. Mais l'admiration de Liselotte pour Louis XIV, son ami et conseiller dans les premiers temps de son séjour en France, reste toujours la même, en dépit de l'inimitié que le roi éprouvera pour elle plus tard. Elle voit en Mme de Maintenon la cause de tous ses malheurs et lui impute bien d'autres responsabilités encore, et notamment celle de la misère et de l'état désastreux dans lequel se trouvait le pays : ce qui n'empêche pas son témoignage sur Mme de Maintenon d'être du plus haut intérêt. Les premières années du mariage dont naissent trois enfants sont heureuses pour Liselotte, mais bientôt elle se détache d'un mari dégénéré et corrompu. La Palatine raconte les événements au jour le jour, apportant ainsi sans cesse des documents sur la profonde décadence morale de la France à cette brillante époque. Incapable de dissimuler, redoutée pour sa rude franchise, elle finit par se trouver à la Cour dans une position extrêmement délicate. Mais son tact et son énergie lui viennent en aide : calomniée par les malveillants, elle sut cependant faire prévaloir sa saine et robuste attitude devant la vie. Les lettres sont écrites ou en français ou, dans leur majeure partie, en allemand. — Trad. Fasquelle, 1904 ; Mercure de France, 1985.

LETTRES de Cicéron [*Epistulae*]. La correspondance de l'écrivain latin Cicéron comprend 864 lettres, dont 90 environ sont dues à divers correspondants. Ces lettres illustrent la dernière période de la vie de Cicéron (106-43 av. J.-C.), depuis l'année 68 jusqu'à sa mort. Beaucoup de lettres ont été perdues ; tout ce qui reste est classé en quatre recueils : les « Lettres à T. Pomponius Atticus » [Epistulae ad Atticum] forment seize livres (de l'année 68 à l'année 44), ainsi que les « Épîtres aux familiers » [Epistulae ad familiares] (de 62 à 43) ; quant aux « Lettres à son frère Quintus » [Epistulae ad Quintum fratrem], elles forment trois livres (de 60 à 54). Enfin, les « Lettres à Brutus » [Epistulae ad Brutum] sont de l'année 43. Le premier recueil fut peut-être publié par Atticus lui-même, homme d'affaires, ami et éditeur de Cicéron. Il ne comporte aucune lettre d'Atticus lui-même, mais quelques-unes de Pompée et de César. Ami de tous, ne se prononçant ni pour l'un ni pour l'autre, il pratiquait, en politique, un abstentionnisme tout épicurien. Cicéron, dont la vie, pourtant, était à l'antipode de celle-là, lui communiquait ses secrets les plus intimes, ses incertitudes, ses déboires, et même ses angoisses. Les autres recueils furent publiés par l'affranchi Tiron, qui servait de secrétaire à l'orateur. Cicéron lui suggéra de grouper ses lettres suivant le nom de ses correspondants ; et de fait, elles sont réparties par correspondant selon un ordre en gros chronologique. Certains livres des « Épîtres aux familiers » présentent quelque unité. Le treizième, par exemple, groupe des billets de recommandation, ces petites obligations ennuyeuses auxquelles l'homme politique ne peut se soustraire ; le quatorzième livre réunit les lettres à Terentia, femme de Cicéron, brèves pour la plupart et écrites simplement, comme il convient à une conversation familiale ; le seizième livre rassemble les lettres adressées à Tiron, lequel était tout à la fois son secrétaire, son intendant et son bibliothécaire ; le septième, les lettres de Marcus Celius Rufus, jeune galant qui s'était laissé séduire par Clodia, la Lesbie de Catulle. D'autres livres recueillent, au contraire, des lettres adressées à divers correspondants : personnages politiques en charge ou en mission, parfois même en exil. Cicéron leur écrivait et recevait de leurs nouvelles : d'intérêt public ou privé, intimes et même scandaleuses.

Les lettres à son frère Quintus sont groupées en trois livres ; la première est d'un intérêt tout particulier et nous renseigne sur l'administration provinciale en Asie Mineure.

Le quatrième recueil comprend la correspondance avec Brutus qui, après avoir assassiné César, était devenu, aux yeux de Cicéron, le libérateur et le vengeur de la République. De même que César autrefois, Cicéron plaçait bien mal sa confiance, s'il attendait de grandes choses de ce jeune homme émacié, qui ne rêvait que de morale stoïcienne, mais ne savait pas allier au courage la ruse de l'homme politique et la sagacité du stratège.

Certaines *Lettres* de Cicéron servirent de gazette ; colportées de mains en mains, elles donnaient d'intéressantes nouvelles ; lues, commentées et recopiées, elles ont servi d'apologie à l'œuvre de l'homme politique, qui voulait créer à son entour une opinion favorable. Véritables « Livres blancs » à l'usage des partis politiques, certaines *Lettres* attiraient la bienveillance du lecteur, par un ton de franchise inhabituel à l'auteur, lorsqu'il parlait devant le peuple ou au Sénat.

Un tour libre et désinvolte, une culture qui ne s'étale pas mais que l'on sent toujours présente, ont créé des pages inoubliables, nées pendant une séance au Sénat, une promenade dans un jardin, un banquet, ou durant quelque voyage sur les interminables routes romaines. Au-dehors, les courriers attendent quelquefois impatiemment. Écrites ou dictées, ces *Lettres* ne sont même pas toujours relues ; souvent le destinataire a de la peine à les déchiffrer et à lire entre les lignes ce qui est dit ou caché. Mais elles révèlent tout leur auteur en cet éclair de spontanéité. Elles arrachent un cri à qui les reçoit : « Je t'ai vu tout entier dans ta lettre » ou « J'ai cru t'entendre parler » ou « Il m'a semblé être près de toi lorsque tu écrivais ». La correspondance de Cicéron est un document historique et social de tout premier ordre ; elle vient en tête de toute une littérature épistolaire, antique et moderne, écrite sans doute pour des amis, mais destinée au public. — Trad. *Correspondance* de Cicéron, Les Belles Lettres, 1950 et suivantes. Dans cette édition, les lettres sont classées chronologiquement. Ont paru t. I à V (jusqu'au 25-3-49), VII à IX (de mi-avril 46 au 4-8-44).

LETTRES de Conrart. Le premier secrétaire perpétuel de l'Académie française, Valentin Conrart (1603-1675), grammairien puriste, a exercé une action profonde sur le développement de la langue française dans le deuxième tiers du XVIIᵉ siècle. Ami des doctes Chapelain et Ménage, reçu dans les cercles mondains, il fut en relation épistolaire avec la plupart des lettrés de son temps. S'il n'a presque rien publié de son vivant, il tint copie des poèmes, lettres et documents variés dont il eut connaissance, et les consigna dans un *Recueil* manuscrit, conservé à la bibliothèque de l'Arsenal à Paris. Ses *Lettres familières à M. Félibien,* publiées par ce dernier en 1681, se rapportent au séjour du peintre à Rome (1647-1649). Kerviler et Barthélémy donnent dans leur *V. Conrart* (1881) de nombreuses lettres inédites à Rivet, Huygens, Huet, etc., tandis que les *Lettres à Lorenzo Magalotti* (1981) témoignent de ses relations avec les érudits italiens.

A. Gé.

LETTRES de Cyprien. C'est la partie la plus vivante de l'œuvre de saint Cyprien, évêque de Carthage, né vers 210, dont le martyre eut lieu en 258. Ces quatre-vingt-une lettres diffèrent tant par leur ampleur que par leur sujet ; elles furent composées durant la période, relativement brève, de son activité épiscopale (249-258). Parmi ces lettres, si importantes pour l'histoire religieuse de l'époque, il s'en trouve seize qui furent écrites par des correspondants de saint Cyprien, et six qui ne furent pas écrites par l'évêque en personne. Toutes ont comme sujet la vie et les luttes de l'Église : la persécution de Decius et Valérien, la question des apostats, le schisme de Felicissimus et de Novatien, la controverse avec Étienne, évêque de Rome, relative au second baptême des hérétiques, ainsi que d'autres questions de discipline ecclésiastique. Ces *Lettres* n'ont cependant pas un caractère objectif et impersonnel ; elles nous révèlent en Cyprien tour à tour l'évêque (dans les discussions doctrinales et dans ses instructions aux fidèles), le mystique enthousiaste (dans ses lettres aux martyrs et aux confesseurs), le polémiste dans sa lutte contre les schismatiques. Les idées fondamentales sont les mêmes que celles qui apparaissent dans les différents traités composés par l'auteur, mais elles sont exprimées dans une forme plus vivante et plus complète. Partisan d'une forte discipline ecclésiastique, fondée sur le respect de la tradition pour autant qu'elle soit confirmée par l'Écriture sainte, Cyprien résout la difficile question des apostats ; fidèle, dans sa conception de l'Église universelle, à l'esprit du christianisme primitif, il conçoit l'unité catholique comme une harmonie spirituelle d'Églises égales entre elles et indépendantes, l'évêque de Rome ne conservant qu'une prééminence honorifique. Il est possible que cette idée de saint Cyprien ait contribué à susciter en Occident l'idée des Églises nationales ; ceci explique pourquoi Cyprien fut apprécié de Luther et des anglicans, lesquels l'ont considéré comme un défenseur de l'autonomie de l'épiscopat. Il faisait grand cas de la discipline ecclésiastique, qu'il prôna toujours avec enthousiasme et qu'il respecta lui-même avec rigueur, pleinement conscient des devoirs incombant à un évêque. Il accorda enfin une grande importance à l'autorité du peuple, des fidèles, dans l'élection des prêtres, comme dans toutes les affaires importantes de l'administration de l'Église. Écrites dans un style quelquefois affecté (par l'abus des antithèses), mais toujours facile, fluide, limpide, d'une élégance naturelle et harmonieuse, même dans l'expression des idées les plus simples, les *Lettres* de saint Cyprien, qui furent très lues au Moyen Âge, formèrent la base de nombreuses collections canoniques ; elles exercèrent une large influence sur la formation de la discipline ecclésiastique médiévale. — Trad. Les Belles Lettres, 1925.

LETTRES de Cyrano de Bergerac. Publiées en 1654, les lettres de l'écrivain français Cyrano de Bergerac (1619-1655) ont été écrites à des périodes diverses entre 1639 (siège de Mouzon) et 1650 (sa rupture avec le poète D'Assoucy), on ne peut dater la rédaction de chacune d'entre elles. Cette œuvre de jeunesse, pour l'essentiel, s'inscrit dans la tradition littéraire de l'art épistolaire illustrée par Guez de Balzac et Voiture. Le contenu poétique reprend des thèmes et des images empruntés à Théophile de Viau ou à Tristan l'Hermite. Cyrano y ajoute une verve personnelle et un tour d'esprit qui contribueront au succès du recueil, malgré les réserves des doctes qui condamnent certaines facilités stylistiques (ou certaines audaces !) et les excès d'une fantaisie créatrice laissant libre cours à l'imagination. Les « Lettres diverses » peignent les variations des saisons en jouant sur les métamorphoses de la nature avec un baroquisme outré et multiplient les paradoxes. Les « Lettres satiriques » associent une dénonciation burlesque des vices à la mode (« Le Poltron », « Le Liseur de roman », « Le Pédant ») à des attaques personnelles d'une violence extrême (contre Scarron, D'Assoucy). Les « Lettres amoureuses » reprennent les métaphores de la poésie galante en les filant dans une recherche toute formelle de la pointe et de la surprise. Des « Mazarinades » agressives et la « Lettre contre les frondeurs », pamphlet prenant le contre-pied des invectives précédentes, font écho, de façon caricaturale, mais parfois férocement drôle, aux événements contemporains. Mais, pour le lecteur moderne, les lettres les plus intéressantes sont celles qui reflètent la pensée libertine de l'auteur et offrent un témoignage ironique et critique sur les mentalités de l'époque (« Lettre pour les sorciers » et « Lettre contre les sorciers », « Lettre contre le Caresme », « Lettre contre un prédicateur superstitieux »). Ces lettres nous livrent la manière de vivre, de penser et d'écrire de Cyrano, avec toute l'ingéniosité et toute la fécondité qui le caractérisent.

P. Ro.

LETTRES de Cyrille d'Alexandrie. La figure de saint Cyrille, évêque d'Alexandrie (370/6 ?-444), élevé au patriarcat en 412, domine le monde chrétien d'Orient du ve siècle. Grand adversaire de la théologie d'Antioche, représentée par Nestorius, Cyrille est la plus forte personnalité du concile d'Éphèse de 431, où il représentait le pontife romain. Certes, la théologie cyrillienne, l'union des deux natures dans le Christ, devait prêter le flanc aux équivoques et aux subtilités. On s'en rend fort bien compte lorsqu'on étudie cette longue suite de polémiques et de discordes engendrées par le courant monophysite. Cyrille essaya, toute sa vie et par tous les moyens, de les apaiser. Voilà pourquoi ses *Lettres* ont une valeur historique et théologique. Il y a en tout quatre-vingt-huit lettres contenues dans le volume LXXVII de la *Patrologie grecque* (*) de Migne, mais dans ce nombre sont comptées quelques lettres adressées à Cyrille lui-même. Trois lettres, la deuxième, la quatrième et la dix-septième, adressées à Nestorius, ont eu un tel retentissement qu'elles furent solennellement confirmées par le concile d'Éphèse et, de nouveau, par le concile de Chalcédoine, en 451, puis par celui de Constantinople, en 553. La trente-neuvième lettre adressée à Jean d'Antioche est connue sous le nom de « Symbole d'Éphèse ». Le concile de Chalcédoine en souligna l'importance.

LETTRES de Delacroix. Publiée d'abord sous ce titre par le critique d'art Philippe Burty (1830-1890), cette correspondance du peintre français Eugène Delacroix (1798-1863), fit l'objet d'une édition plus copieuse (en cinq volumes) établie par André Joubin (Paris, Librairie Plon, 1936-1938) sous le titre de *Correspondance générale de Delacroix (1804-1863).* Ce recueil est des plus précieux, car il complète heureusement le *Journal* (*). Son commentateur fait remarquer que ce dernier laisse, en effet, deux grosses lacunes dans la vie d'Eugène Delacroix : la période antérieure à l'année 1822, et celle qui se place entre 1825 et 1847. C'est dire que, sans la correspondance en question, tout ce qui concerne la maturité du grand peintre ainsi que son adolescence resterait lettre morte. Grâce au recueil de Joubin, l'on peut suivre sans interruption la vie de Delacroix depuis ses années de collège jusqu'à sa mort.

LETTRES de Mme du Deffand. C'est la seule œuvre, mais tout aussi importante sur le plan littéraire qu'historique, de la femme de lettres française Marie de Vichy-Chamron, marquise du Deffand (1696 ou 1697-1780). Il en subsiste des ensembles d'inégale importance qualitative et quantitative : correspondance avec sa famille, avec Montesquieu, Mme de Staal, le chevalier d'Aydie, Maupertuis, des étrangers (Selwyn, Craufurd, Scheffer...), mais surtout Hénault, Julie de Lespinasse, d'Alembert, Mme de Choiseul et l'abbé Barthélemy, Voltaire et enfin Walpole, ce dernier ensemble étant sans doute le plus intéressant par sa densité, son contenu, sa durée, sa place à la fin de la vie de la marquise (1765-1780) et son originalité (la disparition quasi totale des lettres de l'Anglais due à sa peur maladive du ridicule en fait une correspondance à une voix).

Ces lettres constituent un document d'histoire des mentalités : on peut voir, réfractées par une personnalité au comportement quasi pathologique, les tensions caractéristiques du siècle partagé entre l'héritage classique, le vif sentiment de la décadence universelle et l'obscure attente d'un avenir renouvelé par la sensibilité librement exprimée. Mme du Deffand habite l'intervalle. Entre les décevantes assurances de la raison et les incertitudes douces-amères de la sensibilité. Entre l'essence et l'existence. Entre la mondanité, expression raffinée d'un art de vivre, véritable drogue dont elle ne saurait se passer, et l'expérience douloureuse de la solitude, de la déréliction existentielle, le vertige du néant. Entre le parisianisme invétéré, la maîtrise souveraine (et redoutée), la tyrannie possessive d'une femme du monde et une fragilité d'enfant face à Mme de Choiseul et Walpole, ses cadets de trente-huit et vingt ans. Entre le goût de l'ordre et la fascination effarouchée pour l'originalité, voire l'excentricité tranquille dont les Anglais lui donnent le spectacle. Entre la timidité de celle qui cherche en Voltaire le mainteneur du goût classique, un directeur de conscience ou un maître de philosophie à la façon de Montaigne (elle veut ignorer Diderot, se gausse de Rousseau, est hostile aux encyclopédistes, symboles de la modernité assimilée au bel esprit) et la hardiesse de celle qui s'abandonne avec Walpole à la force du sentiment. Entre celle qui refuse d'être présentée comme romanesque et celle qui demande sans cesse à ses correspondants des expressions de la sensibilité.

Ainsi, malgré une forte conscience de son identité, elle découvre que celle-ci est une image tremblée qu'elle ne maîtrise pas car elle est bâtie sur l'équilibre précaire de contradictions surmontées que les autres lui révèlent : ce déchirement intérieur et la mélancolie chronique qui en découle sont sans doute le signe d'une crise des valeurs existentielles et esthétiques. La position de témoin de la marquise, son désengagement transforment sa présence légère à l'actualité en découverte des profondeurs de l'histoire.

Ces lettres sont tout autant un monument littéraire : face à Mme de Sévigné, modèle et rivale, admirée de Walpole pour son art de la narration, Mme du Deffand souligne son propre désintérêt, accentué par la cécité, pour ce qui ne la touche pas directement. Elle fait de ses lettres un perpétuel questionnement sur soi, un journal intime, mêlant analyse psychologique et interrogation sur le sens de la vie. Mais elle manifeste souvent aussi sa maîtrise dans l'art du trait et du portrait ou l'usage de l'esprit volontiers caustique. En fait, à travers le temps et la diversité de ses correspondants, la quête existentielle se mue en expérimentation d'esthétique littéraire induite par le besoin de communiquer et surtout de se dire. Pour sauvegarder les droits de la raison au sein même de l'expression de la sensibilité, elle essaie, successivement et simultanément, une esthétique de la légèreté et une esthétique de l'intensité. Légèreté : celle, traditionnelle, du badinage amoureux (avec Hénault) où s'exprime pourtant l'insatisfaction (voire la souffrance) devant le caractère superficiel de ce jeu mondain. Avec Voltaire, il s'agit d'une méditation sensible qui refuse l'abstraction pure suspectée de pédantisme ou systématiquement assimilée à la métaphysique et s'efforce de rattacher la pensée à l'expérience quotidienne au travers d'un jeu complice d'escarmouches, de provocations et de défenses. Mais la pente irrésistible vers l'épanchement se lit dans la correspondance avec Mme de Choiseul et l'abbé Barthélemy (surtout pendant l'exil à Chanteloup) : elle évoque une société idéale organisée autour de la duchesse, un Clarens tourangeau, propice à la transparence des consciences et à la communion des cœurs ; les protestations d'affection inlassablement sollicitées par la marquise et obligeamment fournies par les exilés semblent le triomphe de l'artifice et pourtant satisfont sa sensibilité — celle-ci paraît se nourrir des mots autant que de la réalité qu'ils veulent exprimer, ils deviennent le champ même d'une existence nouvelle entièrement créée par eux.

Esthétique de l'intensité : le jeu avec le correspondant subsiste sans doute encore mais il disparaît derrière la sincérité des accents. Exaspérée par les reproches, rebuffades et réserves de Walpole qui font de lui le tout autre, cette sensibilité en état de manque et en quête d'absolu adopte le langage de la mystique, provoque ouvertement à l'épanchement dont elle donne l'exemple mais associe l'acuité de l'analyse à l'expression forte du sentiment. Évitant le pathétique d'un expressionnisme trop facile, la rhétorique contient le cri et interdit la dislocation excessive du discours : celui-ci s'efforce d'analyser l'expérience douloureuse des contradictions du sentiment, les rapports de l'amour et de la connaissance, du rêve et de la réalité, le jeu des ressemblances et des différences. La rencontre avec Walpole est une rencontre de la marquise avec elle-même : elle approfondit sa connaissance de soi et du monde, cristallise dans cette aventure sentimentale les données flottantes de toute son existence car elle est devenue un « être de fuite ». L'écriture, comme exaspérée par l'échec apparent de sa fonction première de communication devant des correspondants qui se dérobent ou déçoivent, se replie sur elle-même, recherchant l'effet : le destinataire tend à devenir prétexte à écrire et à s'abandonner à la loi des mots. Étonnante entrée en littérature !

P. A.

LETTRES d'Épicure. Le philosophe grec Épicure (341-270/71 av. J.-C.) nous a laissé trois « lettres » (à Ménécée, à Hérodote et à Pythoclès) qui, mieux encore que ses *Doctrines et Maximes* (*), nous révèlent son austère personnalité. La « Lettre à Ménécée » se signale par sa haute valeur littéraire. La doctrine est toujours celle des *Maximes*, à savoir cet épicurisme qui tend à enseigner l'art de bien vivre et de bien mourir : « La mort n'est rien pour nous, car tout bien ou tout mal résident dans la sensation : or la mort est la privation complète de cette dernière [...] Il s'ensuit que nous apprécions mieux les joies que nous offre la vie éphémère. » Ou encore : « Celui qui proclame qu'il appartient au jeune homme de bien vivre et au vieillard de bien mourir est véritablement un sot [...], car l'application à bien vivre ne se distingue pas de celle à bien mourir. Plus sot est encore celui qui prétend que le mieux serait de ne pas naître. [...] S'il parle ainsi par conviction, pourquoi ne sort-il pas de la vie ? » Enfin ceci : « Quand nous disons que le plaisir est notre but ultime, nous n'entendons point par là les plaisirs des débauchés, ni ceux qui se rattachent à la jouissance matérielle, ainsi que le disent les gens qui ignorent notre doctrine ou qui sont en désaccord avec elle [...] Le plaisir que nous avons en vue se caractérise par l'absence de souffrances corporelles et de troubles de l'âme. » Quant à la « Lettre à Hérodote », elle est la source la plus précieuse que nous ayons pour la connaissance d'Épicure en ce qui touche la physique ; elle est en outre la plus ardue, de par son caractère même, car, s'adressant aux seuls initiés, elle use d'un langage technique assez obscur et parfois même négligé. En dix paragraphes, l'auteur y traite des principes fondamentaux de sa physique, de l'univers et des éléments dont il se compose. La théorie la plus importante pour nous est celle qui concerne la composition atomique des corps, avec la notion de « clinamen », ou « déviation spontanée » des atomes, qui leur permet de s'écarter de la ligne droite dans leur chute et de s'accrocher les uns aux autres pour former de nouveaux corps. De la théorie des « simulacres » (petites images) qui, en se détachant des corps, produisent la vue ; de l'ouïe et de l'odorat (produits par des particules solides émises par chaque objet), Épicure passe aux atomes et à leurs propriétés, leurs parties constitutives et leurs mouvements ; à l'âme et à sa nature. Composée d'atomes plus subtils, semblable à un fluide, l'âme est, pour Épicure, la principale cause de la sensation ; elle est loin d'être incorporelle, car en ce cas elle ne serait ni active ni passive. Analysant toutes choses dans leur existence propre, Épicure est le premier à introduire, en philosophie, la distinction entre les propriétés contingentes séparables du corps (par exemple, le mouvement et le repos) et celles qui en sont inséparables (son poids, sa forme, sa dimension). En partant de sa théorie des mondes, lesquels ont leur origine dans l'atome, en étudiant le développement de la civilisation et la formation du langage, ainsi que les phénomènes célestes (produits non point par des êtres supérieurs, mais « compris depuis le commencement dans l'origine du monde »), on peut conclure que toute sa doctrine de la nature tend à une seule chose : à la réalisation d'une vie sereine, « en éliminant tout motif de trouble et de crainte ». La troisième et dernière lettre, « à Pythoclès », traite de la météorologie, sur laquelle Épicure n'avait pas ces vues personnelles que seule donne l'expérience ; aussi se borne-t-il à mentionner les opinions les plus vraisemblables et à combattre tout dogmatisme. Ceux qui nient l'authenticité de cette lettre reconnaissent néanmoins qu'elle fut écrite dans l'esprit de son œuvre la plus importante : *De la nature* (*). Cette lettre parle de l'origine atomique du monde (ce monde qui est une « portion déterminée de l'univers et qui contient les astres, la terre et tous les phénomènes. S'étant détaché de l'infini, il se trouve limité par une surface... dont la dissolution amènera la ruine de tout ce qu'il contient ») ; il est encore traité dans cette lettre de l'origine des astres, de leur grandeur, de leurs mouvements et éclipses ; des nuages, de la pluie, du tonnerre et de la foudre ; des cyclones et des séismes, des vents, de la grêle et de la neige, de la rosée, de l'arc-en-ciel, du halo ; des comètes, des étoiles filantes et du mouvement des étoiles ; des moyens enfin dont on dispose pour prévoir le temps qu'il fera. Ce document est donc particulièrement intéressant en ce qu'il nous révèle la méthode ordinaire de son auteur : Épicure en effet invitait Pythoclès à déserter « la voie de la mythologie et à tenter de comprendre les choses qui sont de la même nature » ; en un mot, à procéder d'une manière scientifique en proclamant que l'intelligence humaine est parfaitement capable d'interpréter les mystères de la nature. – Trad. Dans le recueil *Doctrines et maximes d'Épicure*, Hermann, 1939 et dans *Lettres et Maximes*, P.U.F., 1987 ; et dans Jean Bollack, *La Lettre d'Épicure*, Minuit, 1971 ; *Épicure à Phytoclès*, P.U. de Lille, 1978.

LETTRES de Fénelon. On a conservé du prélat et écrivain français François de Salignac de La Mothe Fénelon (1651-1715) une très abondante correspondance, qui fut publiée en onze volumes par Gosselin de 1827 à 1829 et dont J. Orcibal a proposé une nouvelle édition (treize volumes parus entre 1972 et 1990). On en a publié d'importants fragments, également sous la Restauration, sous le titre de *Lettres spirituelles.* Ce sont les très nombreuses lettres de direction adressées par Fénelon à ses pénitents. Dès le début de sa carrière ecclésiastique, Fénelon connut un très grand succès comme directeur de conscience. Très prisé à la Cour, il y fut le confesseur attitré des plus grands personnages, depuis sa nomination comme précepteur du duc de Bourgogne jusqu'à sa retraite dans son archevêché de Cambrai, à la suite de la querelle du quiétisme – v. *Explication des maximes des saints* (*). Un certain nombre des lettres de ce recueil sont adressées à son ancien élève, le duc de Bourgogne : elles constituent une suite d'instructions au jeune prince sur la conduite que doit avoir un roi très chrétien. Ces *Lettres spirituelles* sont, dans l'ensemble, extrêmement précieuses pour la connaissance de la personnalité de Fénelon. Elles nous mettent en contact direct avec le prêtre. Si Fénelon y apparaît fort différent de son maître Bossuet – v. *Lettres de piété et de direction* (*) –, en ce qu'il s'efforce avant tout de rassurer, d'apaiser les scrupules : « Ne vous inquiétez point sur votre mal : vous êtes dans les mains de Dieu » ; « Les choses que vous vous reprochez ne sont rien... Dieu ne donne point de ces retours inquiets », ces lettres nous montrent que Fénelon ne fut pas cependant le prélat sentimental et moderniste dont le XVIIIe siècle voulut nous imposer l'image. Sa douceur envers les âmes de ses pénitents, son style, qui est celui de l'exhortation, de l'affectueux conseil et non du docteur de l'Église, ne l'empêchent pas de se montrer énergique et de ne point s'écarter de la vraie tradition chrétienne. Comme ces lettres n'étaient pas destinées à la publication, on n'y retrouve point cette préciosité souvent assez fade des œuvres publiées de son vivant ; son style ici est d'une noble simplicité, d'une exacte clarté, mais sans ces images et ces fleurs, sans ce parti pris d'atticisme un peu trop apparent qui font le charme, mais aussi la faiblesse, des œuvres écrites pour le public.

LETTRES de Fronton [*Epistulae*]. Une heureuse découverte de Angelo Mai nous a restitué la correspondance perdue du rhéteur grec Marcus Cornelius Fronton (110 ?-166 ?). Protégé par Antonin le Pieux, Fronton devint l'éducateur des deux fils adoptifs de ce dernier, les futurs empereurs Marc Aurèle et Lucius Verus. Sans échapper complètement à l'influence de leur maître, les jeunes gens s'adonneront, plutôt qu'à la rhétorique, l'un à l'étude du droit et l'autre à celle de la philosophie. La correspondance de Fronton forme la matière de divers recueils. Tel comprend cinq livres de lettres adressées à Marc Aurèle jeune homme ; tel autre, deux livres de lettres à Marc Aurèle empereur ; un troisième deux livres adressés à Lucius Verus ; le dernier, les lettres échangées avec Antonin le Pieux et quelques amis. Dans ses lettres comme dans ses discours, Fronton imite Cicéron, mais il n'ignore pas pour autant les poètes. Il pèse ses mots et considère leur origine. Il restaure le dictionnaire latin et le débarrasse des néologismes, en rendant aux mots leur force et leur valeur étymologique. Rhéteur africain, tout acquis à Rome et instruit à l'école des écrivains archaïsants, Fronton se flatte de redonner à la langue la pureté de ses origines. Mais il néglige totalement la langue parlée par le peuple, ce latin vulgaire, qui seul pouvait donner naissance à une nouvelle langue : le bas latin. – Trad. Levasseur, 1830.

LETTRES de Fulgence [*Epistulae*]. Les lettres du théologien latin saint Fulgence, évêque de Ruspe (468-533), doivent être considérées, à cause de leur ampleur, comme de véritables traités. Les principales sont : la « Lettre au diacre Pierre et à ceux qui furent appelés d'Orient à Rome pour la profession de foi concernant l'incarnation et la grâce de Notre-Seigneur Jésus-Christ » [Ad Petrum diaconum et alios qui ex Oriente in causa fidei

Romam missi sunt, de incarnatione et gratia domini nostri Iesu Christi epistula], écrite en 519 par Fulgence et par les évêques africains demeurant en Sardaigne, à eux qu'on appelait les moines scythes ; la « Lettre à Donat concernant la profession de foi » [Ad Donatum de fide epistula], et dirigée contre les hérétiques et ceux qui ne reconnaissent pas la Trinité ; la « Lettre sur le devoir conjugal et sur le vœu de continence fait par les époux » [De conjugali debito et voto continentiæ a conjugibus emisso epistula], adressée à un jeune veuf ; la « Lettre à la veuve Galla pour la consoler de la mort de son mari, contenant des propos sur l'état de veuve » [Ad Gallam viduam de consolatione super mortem mariti et de statu viduarum epistula] ; la « Lettre au sénateur Théodore (consul en 505) sur la conversion du monde » [Ad Theodorum senatorum de conversione a sæculo epistula], et la « Lettre à Vénétie sur la vraie pénitence et sur la récompense future » [Ad Venetiam de recta penitentia et futura retributione epistula]. Ce recueil de lettres présente un intérêt particulier, en tant qu'il donne un aperçu de la vie religieuse en Afrique au VIe siècle, l'époque où les polémiques au sujet des hérésies envahirent la cour du roi Trasamond qui était sous la coupe du clergé arien. De plus, c'est un document sur les vingt-cinq années de l'épiscopat de Fulgence, et l'ampleur des problèmes qu'il traite conduit à négliger son aspect primitif de correspondance, au bénéfice des exposés importants qu'il contient sur des points de doctrine.

LETTRES de Grégoire de Nazianze. Le recueil de saint Grégoire de Nazianze (330 ?-390 ?), écrivain sacré de langue grecque, comporte deux cent quarante-trois lettres choisies par l'auteur lui-même et publiées, avec celles de saint Basile, pour répondre à la prière d'un de ses neveux, Nicobule. Ciselées et polies selon les exigences de la rhétorique, elles témoignent de la culture et du talent de l'auteur : d'ailleurs, dans la cinquante et unième lettre, adressée à Nicobule, Grégoire indique justement les règles de l'art épistolaire, règles enseignées en grande partie dans les écoles de rhétorique de l'époque, mais rapportées ici avec une méthode et une mesure qui révèlent le bon goût de l'auteur. Ces épîtres, très variées quant à leur contenu, sont adressées à des personnalités diverses, en différentes occasions. Les lettres 101 et 102, adressées à Clédonios, en 382, traitent de la nature du Christ : dans ces écrits, qui sont considérés par certains comme des discours plutôt que comme des lettres, Grégoire défend les principes admis par le concile de Nicée contre les hérésies qui se répandaient alors en Orient. Ces lettres eurent une grande renommée et elles servirent de base aux décisions formulées dans les conciles d'Éphèse et de Chalcédoine. D'autres lettres sont des messages de présentation, de recommandation ou de consolation (par exemple la lettre 197 adressée à saint Grégoire de Nysse à l'occasion de la mort de sa sœur Théosébie). Présentent un intérêt tout particulier les épîtres adressées à des sophistes notoires de son époque, comme Thémistios (lettre 38), à qui Grégoire exprime toute son admiration, bien que, par ailleurs, il montre qu'il n'ignore rien des défauts de la sophistique. Le raffinement de la forme n'est pas, dans l'ensemble de ces lettres, considéré comme une fin en soi : les phrases, en général brèves et bien tournées, les fréquentes sentences que l'on y trouve et qui plus tard furent recueillies séparément, la fine ironie qui souvent caractérise le style, révèlent un homme honnête et sincère. La langue est très pure : le style, riche en images, abonde en phrases harmonieuses et bien venues. – Trad. Les Belles Lettres, 1965-1967.

LETTRES de Grégoire de Nysse. Recueil de vingt-neuf lettres de saint Grégoire de Nysse (335 ?-394 ?), moins volumineux et moins important que ceux de saint Grégoire de Nazianze et de saint Basile. Les sujets et la longueur des différentes épîtres sont très variés : celles qu'il adresse à son frère Pierre (XV, XXIX) ont un caractère nettement personnel ; elles nous fournissent des renseignements sur la composition du traité *Contre Eunome* (*) ; telles sont également celles qu'il adresse à sa sœur Macrine (XIX), et à Amphilochios d'Iconium (XXV) sur la construction d'une basilique, lettre qui donne des renseignements intéressants pour l'histoire de l'art. Par suite de l'importance que lui accordèrent les protestants, l'une de ces *Lettres* est aujourd'hui fort connue : celle dans laquelle, à propos d'une visite qu'il avait faite à Jérusalem, saint Grégoire décrit, avec minutie, certains pèlerinages auxquels il a assisté, mettant l'accent sur leurs dangers et leurs défauts. Très soignées, et composées selon les règles les plus raffinées de l'art épistolaire, sont les lettres à Libanios (XIII et XIV) et à Stagire (IX, X et XXVII). Dans l'ensemble, ces lettres n'ajoutent pas grand-chose à notre connaissance de la personnalité de saint Grégoire ; de même que dans ses autres œuvres, il s'y révèle comme un écrivain doué d'une vaste culture, connaisseur averti des doctrines rhétoriques de son époque, mais dépourvu de cette véritable originalité qui lui aurait permis de rénover les idées et les formes devenues désormais traditionnelles. - Trad. Éd. du Cerf, 1990.

LETTRES de Grégoire le Grand. Le recueil de lettres du pape saint Grégoire Ier, le Grand (vers 535-604), comprend environ huit cent cinquante lettres, classées par lui-même et réparties en quatorze livres. Elles reflètent une intéressante période de la vie de l'Église et constituent en même temps un important document sur les nombreuses et infatigables activités, dans les domaines les plus variés, de l'un des plus éminents pontifes de l'Église catholique. On a discuté sur l'ordre de ces lettres, dont quelques-unes ne sont pas authentiques ; certains critiques ne leur reconnaissent aucune valeur littéraire, affirmant qu'il s'agit là de documents officiels de la Chancellerie pontificale et non pas d'une œuvre personnelle du pontife. Les destinataires de ces lettres sont des plus divers : celles adressées aux hérétiques et aux schismatiques, aux manichéens de Sicile, aux donatistes d'Afrique, méritent une attention toute particulière, ainsi que celles concernant les Juifs, à qui Grégoire accorda la liberté de culte : il les traita d'ailleurs toujours avec bienveillance, car « c'est seulement par la mansuétude, par la bonté, par les admonestations sages et persuasives, que l'on peut obtenir l'unité de la foi ». – Trad. *Registre des lettres*, éd. du Cerf, 1991.

LETTRES de Grégoras. Important recueil de lettres de Nicéphore Grégoras (vers 1295-vers 1361), l'une des personnalités les plus représentatives de Byzance au XIVe siècle. Ses lettres furent publiées pour la première fois sous le titre de *Correspondance de Nicéphore Grégoras* par R. Guilland (Paris, 1927). Elles complètent remarquablement son *Histoire byzantine* (*), car elles nous donnent nombre de détails intéressants sur l'écrivain, sa vie et son temps. Certaines lettres nous documentent sur la formation spirituelle de l'auteur, sur son activité professorale, scientifique, politique et religieuse. D'autres nous fournissent des détails sur les relations cordiales qu'il entretenait avec d'éminents personnages de son temps : Théodore Métochite, l'homme le plus en vue de ce milieu littéraire, le maître de l'auteur ; l'empereur Andronic II, Démétrius Cydonias, etc. Enfin, cette correspondance fait entrevoir la renommée dont jouissait Grégoras près de ses contemporains et le rôle qu'il joua dans la lutte contre les hésychastes (ou quiétistes). Malheureusement, la plupart des lettres qui nous sont parvenues sont antérieures à 1345, or la période ultérieure est la plus intéressante de la vie de Grégoras : le moine calabrais Barlaam déclencha alors la lutte contre les hésychastes, lutte au cours de laquelle Grégoras fut « pars magna ». Toutefois, cette correspondance reste un document précieux sur cette époque tourmentée qui consommera la chute de l'Empire d'Orient entre les mains des Turcs. Certaines lettres signalent en effet les progrès de l'invasion mongole en direction de Byzance. Le style de ces lettres, tout comme l'*Histoire byzantine*, accuse les défauts de l'auteur. Selon l'usage de son époque férue de classicisme, Grégoras charge son texte de citations, métaphores et autres figures rhétoriques.

LETTRES de Guittone d'Arezzo [*Lettere*]. Les trente-neuf *Lettres* (dont quelques-unes en vers) de l'écrivain italien Guittone d'Arezzo (1230 ?-1294) relèvent de l'épistolographie didactique en langue vulgaire, dont le modèle rhétorique remonte aux *Artes dictaminis* latines de l'Italie médiévale. Adressées à d'authentiques destinataires, elles datent (à trois exceptions près) d'après 1265, année où l'auteur entra dans le tiers ordre des Chevaliers de Marie. Certaines naissent d'occasions ponctuelles (condoléances, félicitations, réponse à une demande de conseil d'ordre pratique ou spirituel), d'autres abordent des sujets plus généraux (lettre aux guelfes florentins exilés après la défaite de Montaperti), ou sont des écrits de propagande invitant des personnages de haut rang à rejoindre les rangs de l'Ordre, d'autres enfin sont des textes spirituels destinés à des frères de ce même ordre. Quel qu'en soit le prétexte, il s'agit de « sermons » plus ou moins longs dont la portée dépasse le destinataire et vise un public plus large — capable d'apprécier l'art oratoire et les enseignements de l'auteur, articulés sur des sentences empruntées aux moralistes de l'Antiquité et aux Pères de l'Église. L'art du prosateur se révèle dans la combinaison de ces références savantes et d'exemples concrets puisés dans le registre le plus quotidien (l'activité commerciale, par exemple). Les recherches métaphoriques frôlent parfois le baroquisme ; l'apostrophe vibrante, la multiplication des interrogations et des exclamations s'y déploient souvent au détriment de la logique : le discours procède avant tout par juxtapositions. Guittone n'en demeure pas moins l'un des « inventeurs » de la prose philosophique en langue italienne.

C. P.

LETTRES d'Ignace d'Antioche. Série de sept lettres rédigées en grec par saint Ignace (vers 35-107), évêque d'Antioche en Syrie, martyrisé à Rome sous le règne de Trajan, au commencement du IIe siècle. Ces lettres nous sont parvenues avec d'autres, apocryphes, et on a longtemps douté de leur authenticité, laquelle semble maintenant être prouvée par des arguments sérieux. Elles sont adressées respectivement aux communautés chrétiennes d'Éphèse, Magnésie, Tralle, Rome, Philadelphie et Smyrne, ainsi qu'à l'évêque saint Polycarpe. D'Orient, saint Ignace, prisonnier, est conduit à Rome où il subira le martyre ; il est escorté par dix soldats romains, qu'il qualifie à plusieurs reprises de « léopards » à cause de la cruauté dont ils firent preuve envers lui. Usant de la liberté relative accordée aux chrétiens en de telles occasions, saint Ignace écrit — avec une ardeur héroïque, un enthousiasme et une humilité qui émeuvent — aux différentes communautés (dont les envoyés lui présentaient, le long du parcours, les salutations et l'hommage de leur dévotion), pour les encourager à rester unies autour de leur évêque. C'est à ce dernier qu'elles doivent une obéissance et une soumission absolues.

Saint Ignace les incite à combattre les hérésies, à ne pas se laisser dominer par les erreurs et, en particulier, par celles des Docètes et des Judaïsants ; enfin il formule des enseignements et des conseils quant aux devoirs de l'évêque. Particulièrement belle et émouvante est la lettre qu'Ignace adresse aux Romains, dans la crainte que leurs interventions auprès de l'empereur puissent lui éviter le martyre. « Je sais, écrit-il, ce qui m'est préférable. C'est maintenant que je commence à être un vrai disciple [...] Que les plus cruels supplices du diable tombent sur moi, pourvu que je possède enfin Jésus-Christ ! Que me servirait la possession du monde entier ? [...] C'est à Dieu que je veux appartenir : ne me livrez pas au monde, ni aux séductions de la matière. Laissez-moi arriver à la pure lumière : c'est alors que je serai vraiment homme. Permettez-moi d'imiter la Passion de mon Dieu [...] Dans sa miséricorde, Dieu m'a fait la grâce de devenir quelqu'un si j'arrive à lui. » Inspiré par un sentiment sincère et profond, l'auteur nous émeut ; bien plus que par ses qualités littéraires, c'est par la grandeur d'âme dont elle témoigne que l'« Épître aux Romains » compte parmi l'une des plus belles pages de la littérature chrétienne. La langue et le style de saint Ignace ne témoignent pas d'une grande maîtrise scolastique, mais ils sont très personnels, riches et imagés. Les *Épîtres* de saint Ignace eurent une grande diffusion et sont arrivées jusqu'à nous, in extenso ou en extraits, dans des versions syriaques, arméniennes, coptes et latines. – Trad. Éd. du Cerf, 1945.

LETTRES d'Isidore de Péluse. Moine d'expression grecque, né à la fin du IVe siècle, saint Isidore fut, pendant quarante ans environ, abbé d'un monastère bâti près de Péluse au sommet d'une colline située à l'embouchure orientale du Nil. Du fond de cette retraite, Isidore, comme c'était l'usage dans les milieux ecclésiastiques de l'Orient chrétien, participait activement à la vie publique de son temps, entretenant une correspondance copieuse et variée, non seulement avec des moines et des religieuses, mais aussi avec des évêques et des patriarches, des ministres d'État et des empereurs. L'édition princeps de cette correspondance (1585) contenait mille deux cent treize épîtres, réparties en trois livres. L'édition parisienne de 1638 portait le nombre de ces lettres à deux mille douze. Le titre complet de l'œuvre est : *S. Isidori Pelus, de interpretatione divinae scripturae epistolarum libri, quorum tres priores e interpretatione Cl. V. ac. Billii Prunaei, quartus autem a Cunrado Rittershusio... et quintus ab Andrea Schotto..., nune primum in Gallia prodeunt.* Le contenu de ce recueil est des plus variés. De sa retraite monacale, Isidore suit le développement des polémiques théologiques et religieuses et se fait le défenseur des communautés ascétiques d'où devait naître le monachisme. Sur le terrain de l'orthodoxie, Isidore combat les hérésies en cours, s'en rapportant fidèlement à l'enseignement de saint Athanase. Nombre de ces épîtres sont consacrées à la pure et simple exégèse biblique. Son style est fort remarquable. À cette époque déjà, Photios voyait en saint Basile de Cappadoce, saint Grégoire de Nazianze et saint Isidore les trois maîtres du style épistolaire, mais il décernait la palme à saint Isidore, qu'il considérait comme le maître par excellence.

LETTRES de Jean Chrysostome. Recueil d'environ deux cent quarante lettres du Père de l'Église saint Jean Chrysostome (344 ou 347-407), un des plus illustres écrivains chrétiens de langue grecque, auteur entre autres choses des fameuses *Homélies* (*). Ces lettres appartiennent, pour la plupart, à la dernière période de l'activité de saint Jean Chrysostome qui, contraint de quitter Constantinople, maintint d'actives relations épistolaires avec les membres de son parti et, surtout, avec une veuve, Olympia, qui lui avait toujours été et qui lui resta fidèle. Les lettres ont été écrites en majeure partie en exil, d'abord de Cucuse, en Arménie, « le lieu le plus solitaire de la terre habitée », puis de Pityonte, localité située sur la côte orientale de la mer Noire. C'est là en effet que Jean avait été envoyé vers le milieu de 404, parce que, de Cucuse, ses contacts avec les fidèles de Constantinople étaient restés trop fréquents et faciles. La lettre la plus ancienne de toutes celles qui nous sont parvenues fut écrite en 404, peu avant son expulsion définitive de Constantinople. Elle est adressée au pape Innocent Ier pour l'informer des persécutions que Jean avait alors à connaître ; une deuxième lettre fut adressée à Innocent de Cucuse. Les autres épîtres, adressées à différentes personnes, contiennent des renseignements sur la vie de leur auteur et les péripéties de son voyage lorsqu'il fut conduit en exil, des observations sur les lieux parcourus et leurs habitants. Même en exil, Jean Chrysostome resta très actif et ses lettres abondent en enseignements et en conseils de toutes sortes pour la diffusion de la foi en Phénicie, en Cilicie et en Perse. Quelques-unes, parmi les plus longues, contiennent des exhortations et des encouragements à tous ceux qui lui restèrent fidèles ; dans d'autres, il paraît au contraire fatigué et démoralisé. Dans leur ensemble, les *Lettres* constituent une documentation complète sur les dernières péripéties de sa vie ; elles révèlent toute la noblesse de sa personnalité morale. L'affirmation qui revient si souvent dans sa prédication : « Le véritable, l'unique malheur, c'est le péché », se retrouve ici avec d'autant plus de force et de conviction qu'il la prononce au cours de si douloureuses expériences personnelles. – Trad. Vives, 1865 ; *Lettres d'exil,* Le Cerf, 1964 ; *Lettres à Olympia,* Le Cerf, 1968.

LETTRES de saint Jérôme [*Epistulae*]. Le recueil des lettres de saint Jérôme, théologien latin (environ 347-420), l'un des recueils les plus répandus dans l'Antiquité chrétienne ainsi qu'au cours du Moyen Âge et à la Renaissance, comprend cent cinquante-quatre lettres dont cent vingt-deux sont attribuées à saint Jérôme, alors que les autres émanent de ses correspondants. La plupart d'entre elles sont des compositions de caractère didactique ou des éloges funèbres, écrits avec une assez grande recherche. Si le recueil des lettres de saint Jérôme a une grande importance en tant que document sur une période d'environ cinquante ans d'histoire chrétienne (entre 370 et 420 environ), il n'offre pas un moindre intérêt sur le plan littéraire. En effet saint Jérôme, dont l'œuvre atteste une longue étude des classiques, parvient à acquérir un style très original, plein de vivacité et de subtilité, et il adapte avec bonheur la langue latine à l'expression d'idées, de faits, de sentiments nouveaux. Dans ce recueil, tous les aspects du tempérament de l'auteur apparaissent en pleine lumière : il s'y montre polémiste violent, exégète subtil, ardent directeur d'âmes. Mais c'est surtout son idéal d'ascétisme qui se manifeste et qui inspire et guide ses actions, dans une période dont l'importance est fondamentale pour l'histoire du christianisme. — Trad. Les Belles Lettres, 1949-1963, 8 vol.

LETTRES de Joyce [*Letters*, 1957, 1966, *Selected Letters*, 1975]. Les lettres de l'écrivain irlandais James Joyce (1882-1941) n'ont pas encore été rassemblées en une Correspondance générale, bien qu'au fil des années leur corpus ait grossi en qualité comme en quantité : le fonds déposé à Dublin reste une source possible d'inédits, tout comme diverses archives individuelles. Mais les trois volumes réunis à ce jour sont représentatifs de la production épistolaire de l'écrivain, dans sa diversité, qui épouse les phases de son existence et les liens particuliers qui l'unissaient à ses correspondants. Bien que nous n'ayons pas affaire à une grande correspondance littéraire, la majeure partie jette une lumière précieuse sur les arrière-plans de la création artistique. Signalons d'abord que, sans nous fournir les éléments d'une chronique littéraire, Joyce n'a pas été totalement étranger à certains au moins des grands écrivains de son temps : Ibsen, auquel il adressa dès sa vingtième année une lettre d'admiration émouvante, W.B. Yeats, qui l'aida à se faire connaître, Ezra Pound, qui se dépensa pour le faire éditer, Italo Svevo, T. S. Eliot, qui fut l'un des premiers à dire publiquement son admiration pour *Ulysse* (*), Valery Larbaud enfin, sans lequel Joyce n'aurait sans doute pas passé à Paris la seconde moitié de sa vie littéraire, et à qui nous devons, indirectement et un peu directement, la très belle traduction du roman. Mais ce sont des personnages moins illustres qui servirent de confidents : dans les premières années du séjour à Trieste (1905-1907) s'établit un dialogue entre James et son frère Stanislaus resté à Dublin. C'est à Stanislaus, qui le tient au courant de la vie dublinoise, que Joyce adresse ses demandes de livres et surtout ses impressions de lecture, ses jugements littéraires et philosophiques, et en plus d'une occasion des indications assez précises sur ses projets. Dès ces années, et plus tard, pendant les années de guerre, on le voit extrêmement soucieux de la publication de ses œuvres, à l'occasion des interminables débats qui l'opposèrent à ses éditeurs et à ses imprimeurs, son désir ne cédant jamais devant les pressions idéologiques et ne dédaignant pas le recours à de petites roueries. D'une autre manière, les lettres à Harriet Shaw Weaver apportent de riches informations sur l'élaboration d'*Ulysse* et de *Finnegans Wake* (*) ; Joyce avait en effet trouvé chez elle, dès 1914, un appui quasi inconditionnel, à la fois moral et matériel : par une pension, puis plusieurs donations, elle lui épargna tout souci matériel, lui permettant de se consacrer totalement à son œuvre. Il eut à cœur de la tenir au courant de l'évolution de son travail, de lui en préciser les implications, de lui en commenter certains aspects ou certaines pages, d'offrir la justification de ses choix, en particulier au moment où, après la publication des premiers fragments de « Work in Progress », titre provisoire de *Finnegans Wake*, certains s'inquiétaient pour son équilibre mental (les lettres de cette époque nous assurent que c'était bien à tort). Les intérêts affectifs de Joyce restèrent sa vie durant centrés sur sa proche famille, au point que ce sont les rares et brefs moments d'éloignement qui nous montrent pathétiquement l'intensité des sentiments qui l'unissaient à ses enfants Giorgio et Lucia, et surtout à sa femme Nora. S'agissant de cette dernière, deux séjours en Irlande servirent de révélateur. Celui de 1909 d'abord, au cours duquel il s'occupa de la publication de *Dublinois* (*) et du lancement de cinémas, fut l'occasion d'une crise de jalousie, elle-même typique des rapports, brûlants jusqu'à l'incandescence... et à l'indécence, qui le liaient dans l'intimité à la femme de sa vie. De même, une lettre de 1922 nous révèle à quel point un autre voyage en Irlande, de Nora cette fois, ébranla l'écrivain, déclenchant une véritable crise de désespoir. L'intensité pathétique de ces épisodes constitue un témoignage extrême, encore que significatif, de la sensibilité vraie de Joyce, que pourraient, à tort, faire oublier les nombreuses pages marquées du souci de l'œuvre, de sa publication et de sa promotion. On en trouvera d'autres preuves dans les lettres adressées à la tante Joséphine, et plus encore dans la correspondance avec le père, John Stanislaus, auquel l'unissaient complicité et tendresse. Ce bref survol serait incomplet sans l'évocation d'une excursion sentimentale, celle dont témoignent, en 1919, les lettres à Martha Fleischmann. L'épisode fut bref, et l'attachement à sens unique. Joyce y révèle à cette occasion comment la rencontre à Zurich d'une inconnue faisait écho à celle de la « fille-oiseau » qui joue un si grand rôle dans le *Portrait de l'artiste en jeune homme* (*), et annonce la rencontre, dans *Ulysse*, d'une Nausicaa : comme les lettres à Nora, encore que dans un autre registre, ces quelques pages établissent le lien récurrent, au cœur de sa psyché, entre l'image de la femme et la création. – Trad. Gallimard, 1961, 1973, 1981. J. Au.

LETTRES de Julien l'Apostat. Recueil de soixante-dix-huit lettres attribuées à cet empereur romain (331-363), pour la plupart authentiques. Cette correspondance offre une grande variété : elle s'adresse à des rhéteurs comme Libanios, Thémistios ou Jamblique, ainsi qu'à des hommes d'État ou d'Église. Elle fait ressortir ce caractère inégal, qui était le propre de l'empereur Julien, en raison du désaccord existant entre l'homme public et l'homme privé, source de bien des compromis. Le style est assez limpide, mais il se ressent de cette rhétorique dont avait été pénétrée toute sa première éducation. – Trad. Les Belles Lettres, 1960.

LETTRES de Junius [*Letters of Junius*]. Recueil de lettres anglaises, parues de janvier 1769 à la fin de 1771 dans le *Public Advertiser* et réunies en volume en 1772. Bien que l'on n'ait aucune preuve, il est généralement admis que derrière ce pseudonyme de Junius se dissimulait sir Philip Francis (1740-1818), qui fut membre du Parlement et adversaire acharné de Warren Hastings. Quel qu'en soit l'auteur, ces lettres le font apparaître comme un homme violemment opposé au gouvernement et qui ne manque ni d'arguments, ni d'habileté pour les mettre en valeur. Il commence par dénoncer à l'opinion publique les hommes les plus haut placés de l'administration, et attaque ensuite avec violence la vie privée et officielle du duc de Grafton qui était ministre. En juillet 1769, Junius appuie la campagne électorale de John Wilkes ; il s'en prend ensuite au duc de Bedford, qui est l'ami de Grafton, et lance même un appel au roi dans lequel il dénonce avec hauteur les actes publics de George III depuis son accession au trône. Dans ses dernières lettres, il se fait le champion du jeune parti radical qui se forme alors à Londres sous la direction de Wilkes. La haine qu'il éprouve pour le duc de Grafton lui fournit ses principaux arguments. Junius, dont Burke disait qu'il était « le grand sanglier de la forêt », est souvent aveuglé par la passion ; et de ce fait, ses lettres prennent parfois l'allure d'un réquisitoire personnel et manquent donc d'objectivité. Malgré ces défauts, Junius saisit admirablement les principes politiques de la doctrine « whig », dont il fait une analyse très claire. Ses lettres révèlent un ardent patriotisme et un véritable culte de la liberté. Le style, parsemé d'invectives, de menaces et de savoureux épigrammes, témoigne du solide bon sens politique de l'auteur, qui s'exprime en des périodes harmonieusement rythmées. Junius est certainement le plus brillant pamphlétaire de toute la littérature anglaise. – Trad. Lebovici, 1977.

LETTRES de Keats [*Letters*]. Correspondance du poète anglais John Keats (1795-1821). Édition de H. E. Rollins, Harvard, 1958 et sélection de R. Gittings, Londres, 1970. Si les lettres de Keats sont un pur chef-d'œuvre du genre épistolaire, ce n'est assurément pas que leur auteur les ait écrites dans ce dessein. Tout en elles témoigne d'une complète spontanéité : Keats écrit vite, sans pause ni pose, usant d'abréviations, malmenant l'orthographe, négligeant la ponctuation, parlant en toute liberté, au gré de ses humeurs et de ses pensées du moment, avec une énergie stupéfiante si l'on songe à la tuberculose qui le mine. De ces lettres, il ne conserve naturellement pas de copies. Mais leurs destinataires sont si frappés de leur qualité qu'eux-mêmes les recopient, les prêtent ou les citent. Ainsi nombre d'entre elles furent-elles largement connues et publiées avant qu'une édition suffisamment complète et fiable ait pu en être établie. De cette correspondance presque quotidienne qui s'étend sur un peu plus de quatre ans sans guère d'interruption, on peut dire d'abord qu'elle constitue un document sans égal sur la vie et l'œuvre indissociablement enchevêtrées d'un poète de première grandeur. Il nous est donné ainsi d'assister comme de l'intérieur au mystère du processus créateur et de la transmutation de l'expérience vécue en œuvre d'art. Mais en même temps s'y élaborent quelques-unes des réflexions les plus pénétrantes jamais écrites sur la poésie et la condition humaine en général. T. S. Eliot a ainsi pu écrire : « Il n'est guère de considérations de Keats sur la poésie qui, à un examen attentif, [...] ne se révélera vraie... »

La lecture des lettres fait apparaître quatre grandes périodes : 1) De l'automne 1817 au printemps 1818, l'amitié de Keats pour deux poètes mineurs, B. Bailey et J. H. Reynolds, l'amène à s'entretenir avec eux des principes de la composition poétique et de l'expérience esthétique. 2) L'excursion de l'été 1818 en Écosse lui inspire des lettres à ses amis et à ses frères où les descriptions de paysages et les notations de voyage s'associent à un très remarquable approfondissement de la connaissance de soi. 3) De l'automne 1818 à 1819, la mort de son frère Tom et l'éloignement en Amérique de son autre frère George le conduisent à adresser à ce dernier des lettres qui constituent en fait un véritable journal, où la relation des détails de la vie quotidienne se mêle à l'offrande d'un poème aussi bien qu'à des pensées sur l'art, la philosophie, la religion ou la politique. Nulle part ailleurs l'on a davantage l'illusion d'entendre le poète parler de vive voix. 4) Vient enfin, en 1819 et 1820, le groupe célèbre entre tous des lettres douloureuses à Fanny Brawne.

La correspondance de Keats est devenue, dans le monde anglo-saxon et au-delà, une référence pour ainsi dire obligée de la théorie poétique et de la réflexion esthétique. Loin de s'y réduire cependant ces lettres témoignent d'un amour de la vie sous toutes ses facettes, d'un humour aussi, que ni la constante lucidité ni l'extrême souffrance ne parviennent à tarir. – Trad. Belin, 1992. R. Da.

LETTRES de D. H. Lawrence. La correspondance de l'écrivain anglais David Herbert Lawrence (1885-1930) fut réunie en un volume et éditée pour la première fois en 1932 par Aldous Huxley. La dernière édition, celle de la Cambridge University Press, comporte huit gros volumes – témoins de l'intarissable activité épistolaire de Lawrence. Les principaux destinataires de cette correspondance furent David Garnett, John Middleton Murry, Aldous Huxley, K. Mansfield, lady Cynthia Asquith, lady Ottoline Morrell, Dorothy Brett, et Catherine Carswell. Outre leur intérêt littéraire, ces lettres constituent la meilleure biographie de l'écrivain, celle où il se révèle à nous directement avec son esprit caustique et son humour, ses haines et ses passions, ses contradictions et ses volte-face, sa joie de vivre et sa perpétuelle insatisfaction. On y trouve aussi les fragments les plus intéressants de ses théories sur l'écriture romanesque ou poétique et tout ce qui concerne son métier d'écrivain. Ces lettres servent enfin de journal de bord à ce voyageur infatigable toujours en quête d'une terre plus propice à la réalisation de ses idéaux de vie et de société, avec ce que cela implique de méditation politique et philosophique. L'exil, les difficultés matérielles, l'inquiétude causée par la maladie, une situation marginale poussèrent sans doute Lawrence à tisser ainsi des liens très forts avec ses amis et relations mais, plus que la recherche d'une quelconque sécurité, on sent chez lui un réel intérêt pour les gens à qui il s'adresse, une merveilleuse capacité d'adaptation à leur attente, une grande humanité. C'est dans ses innombrables lettres, même si elles ne sont pas toutes des chefs-d'œuvre, qu'il s'est donné par l'écriture le plus sincèrement et le plus généreusement. – Trad. *Lettres choisies*, Plon, 1934. G. Roy.

LETTRES de T. E. Lawrence [*Letters of T. E. Lawrence of Arabia*]. La correspondance de l'écrivain anglais Thomas Edward Lawrence (1888-1935), l'auteur des *Sept Piliers de la sagesse* (*), publiée en 1938, contient toutes les lettres qu'il écrivit, depuis l'époque où il étudiait l'archéologie à Oxford, jusqu'à sa mort. Ce recueil renferme, en outre, nombre de documents secrets et de rapports officiels que l'éditeur (le docteur Garnett) put consulter dans les archives du gouvernement britannique. Ces *Lettres* sont fort intéressantes, non seulement parce que Lawrence comptait de nombreux amis dans toutes les classes de la société, mais aussi parce qu'elles nous fournissent de nombreuses précisions sur la dernière partie de sa vie. Si l'on savait à quoi s'en tenir sur l'activité de Lawrence en Arabie durant la guerre de 1914-1918, et cela grâce à ses livres, on ignorait tout, en revanche, de ce qu'il fit par la suite. On savait seulement que, déçu de voir détruit son rêve d'un royaume panarabe par les marchandages politiques des hommes du traité de Versailles, Lawrence démissionna et, sous le nom de Shaw, s'engagea comme simple soldat dans la R.A.F. Reconnu, il dut quitter l'aviation et se fit admettre, toujours comme simple soldat, dans le « Royal Tank Corps », cantonné à Bovington Camp. Finalement, il put retourner à la R.A.F. et obtint, en 1927, le droit de garder définitivement le nom de Thomas Edward Shaw qui le mettait à l'abri de la publicité. Les difficultés que ce « diable d'homme » rencontra dans les rangs de l'armée anglaise s'expliquent lorsque l'on connaît certaines de ses lettres, où Lawrence parle de ces officiers anglais, dont la « suprématie est fondée sur l'ignorance et l'indifférence à l'égard de ce que pensent et sentent les simples soldats » (lettre du 5 mai 1928 à Bernard Shaw). Une autre lettre, adressée également à Bernard Shaw, le 19 juillet 1928, montre jusqu'à quel point le gouvernement anglais fut injuste envers lui et oublieux des services rendus : non seulement Lawrence n'a pas fait fortune, mais, dans ses périlleuses expéditions à travers l'Arabie : « Mon corps, dit-il, a été mis en pièces, à plusieurs reprises, et souvent surmené : je ne suis donc pas certain d'aller longtemps très bien. J'ai pensé à un emploi de gardien de nuit, dans une banque de la City ou dans un immeuble de bureaux ! » En 1935, Lawrence se retira définitivement dans sa villa de Clouds Hill, dans le Dorset. Garnett (et E. M. Forster qui prit plus tard sa suite) a divisé la correspondance de Lawrence en cinq parties, intitulées : « L'Archéologie », « La Guerre », « Combat singulier à Downing Street », « Le Jeu de cache-cache » et « Hydravions ». Les 583 lettres contenues dans le recueil sont adressées aux diverses personnalités anglaises de l'époque, dont lady Astor, Bernard Shaw, la femme de Thomas Hardy, et son futur biographe Liddell Hart. Certains passages, qui concernent des personnalités encore en vie, ont été supprimés de l'édition de 1938. Une phrase de Lawrence pourrait servir d'épigraphe à toute la correspondance : « Le temps n'améliore que les écrits sincères. » Ses lettres nous font assister à son évolution spirituelle et dévoilent le mystère de son existence extraordinaire. Elles montrent la grandeur d'un homme dont la vie fut toujours dominée par un idéal et qui savait néanmoins rester lucide envers lui-même. N'écrivait-il pas, le 16 avril 1928, à Bruce Rogers : « Nous sommes de tels mélanges, que rester bon tout le temps serait un miracle : ce serait s'abolir soi-même. » — Trad. Gallimard, 1948.

LETTRES de Ninon de Lenclos. On a prêté à Ninon de Lenclos (1616-1706), la célèbre courtisane du Grand Siècle, une très abondante correspondance. Mais les lettres à Villarceaux, Sévigné, etc., semblent bien être apocryphes. Très certaines, au contraire, sont celles que, pendant sa vieillesse, elle adressa à Saint-Évremond, un ancien ami, exilé volontaire en Hollande et en Angleterre où il menait, loin des intrigues, l'existence retirée d'un sage. Cette correspondance, assez irrégulière, donne à Ninon la joie d'évoquer les joyeuses années passées : elle le fait sur un ton souvent enjoué, mais qui ne parvient pas cependant à cacher l'immense tristesse de vieillir dont était accablée cette femme qui avait été l'une des plus aimées de son temps. Angoisse toute charnelle : devant la ruine d'un corps auquel elle s'était donnée tout entière, Ninon ne peut faire appel qu'à de maigres consolations. Elle a perdu les joies de l'amour, il lui reste pourtant celles de la gourmandise : « On tient à un vilain corps comme à un corps agréable. On aime à sentir l'aise et le repos. L'appétit est quelque chose dont je jouis encore. » Et son plus grand désir est de pouvoir un jour dîner avec son vieil ami. Dans ses dernières années, Ninon de Lenclos n'attend guère de joies pour l'au-delà, elle le remarque à propos de la mort d'une de ses amies et, avec une grande tristesse, elle se laisse aller à écrire : « Il n'y a plus de remède, et il n'y en a nul à ce qui arrive à nos pauvres corps. » La vue d'un jeune homme ne la touche plus : « J'ai tout oublié, hors mes amis » ; et c'est dans le seul souvenir des personnes aimées qu'elle trouve encore quelque force pour achever de vivre. Mélancolique, presque désespérée, cette correspondance a le grand mérite d'être d'une sincérité remarquable : la langue est simple, sans fards.

LETTRES de Léon le Grand [*Epistulae*] Du pape Léon le Grand (mort en 461), nous sont parvenues cent soixante-treize lettres qui furent toutes écrites pendant les années de son pontificat (440-461) et ont un caractère officiel ; il semble que cent quarante-trois seulement doivent être considérées comme écrites par saint Léon lui-même ; en tout cas, elles proviennent toutes de sa chancellerie. Elles ont une grande importance comme document historique et comme témoignage de l'activité non seulement pratique mais encore doctrinale de Léon le Grand. Par sa fameuse lettre (XXVIII, du 13 juin 449) à Flavien, évêque de Constantinople, il participa fortement à la lutte contre les disciples d'Eutychès ; il formula très brièvement la doctrine de l'Incarnation et, reprenant des idées de Tertullien, d'Ambroise et d'Augustin, il fournit au concile de Chalcédoine (451) les éléments qui lui permirent de proclamer le dogme sur les deux natures, humaine et divine, rassemblées dans l'unique personne du Christ. Ses lettres montrent, en outre, avec quelle énergie il combattit les derniers hérétiques d'Occident, manichéens et pélagiens, et répandit le sentiment de l'unité absolue de l'Église catholique. La langue est, comme dans les *Sermons*, remarquablement pure, le style sobre, sans la moindre surcharge et dénué de tout artifice.

LETTRES de Mlle de Lespinasse. Les lettres de Julie Jeanne Éléonore de Lespinasse (1732-1776) parurent, dès 1773, en diverses éditions représentant autant de recueils différents. C'est dans l'édition de 1809 que se trouve la correspondance adressée au comte Guibert, qui fut la seconde grande passion de sa vie : elle fut publiée par les soins de la femme de Guibert elle-même. Depuis (1876, 1887, 1897), d'autres recueils ont été édités, qui comprenaient, entre autres lettres, celles à d'Alembert, avec lequel elle était liée par une paisible amitié, à Condorcet (1887, 1990) et aux principaux représentants de l'*Encyclopédie* (*), hôtes habituels de son salon. Fille naturelle de la comtesse d'Albon, et peut-être du comte Gaspard de Vichy, Julie, restée orpheline, fut recueillie par des parents qui s'occupèrent d'elle jusqu'à l'âge de vingt ans, époque de sa rencontre avec Mme du Deffand, qui décida de son sort. Julie connut à Paris, au couvent des Filles de Saint-Joseph de la Providence, où Mme du Deffand, déjà vieille et presque aveugle, habitait, les plus hautes personnalités littéraires, artistiques et politiques de l'époque. Son esprit, son intelligence, son amitié avec d'Alembert éveillèrent la jalousie de Mme du Deffand : et, après dix années de vie commune, leurs rapports prirent fin d'une façon violente. Amie de Voltaire, Diderot, Grimm, Walpole, David Hume, Condorcet, Rousseau, elle était reçue dans tous les salons, et son jugement avait du poids dans les milieux littéraires. Ce fut dans le plein succès de sa fortune mondaine que Julie rencontra le marquis de Mora, fils de l'ambassadeur d'Espagne à Paris, le comte de Fuentes, pour qui elle éprouva un amour plein de gravité et de compassion : Mora, tuberculeux, savait qu'il était condamné ; il mourut en fait deux années après l'avoir rencontrée. Julie fit ensuite la connaissance du comte de Guibert, jeune homme de vingt-neuf ans, colonel dans l'armée du roi, audacieux, de belle prestance, considéré par Voltaire lui-même comme un homme intelligent. Ses lettres révèlent l'histoire intime de cet amour. Julie touchait à la quarantaine et n'avait au fond jamais aimé. Mora lui avait fait sentir la nature de la pitié qui était en elle, profonde et tendre comme l'amour. Mais son cœur et ses sens avaient toujours vécu sans trouble : son esprit seul avait pressenti l'amour. Quand elle se trouva devant ce sentiment, tout en elle s'effondra : l'ambition, l'intérêt, le culte de ses amis, le plaisir d'être une personnalité en vue, la passion pour les idées. Il n'y eut plus que l'amour et sous sa forme la plus exaspérée, car il la menait à la peur de la mort et au besoin d'éternité. C'est pour cela que ses *Lettres* constituent un des documents les plus vivants et les plus tumultueux sur l'amour féminin : elles rapportent, dans un style direct, ses terreurs, ses exaspérations et ses excès ; de la première à la dernière, toutes sont écrites sur un ton enflammé, absolument sincère, où il n'y a rien de voulu et d'apprêté. Guibert ne l'aimait pas, il était inconstant, frivole, dispersé ; elle vécut à côté de lui ce long conflit de la femme qui se perd, insatisfaite et insatiable au milieu des calculs et des concessions d'un grand amour. La mort seule fut victorieuse de ce tumulte : animée par sa passion et par le pressentiment de sa fin, elle écrivit alors ses pages les plus touchantes : « Adieu, mon ami. Si jamais je revenois à la vie, j'aimerois encore à l'employer à vous aimer, mais il n'y a plus de temps. »

LETTRES de Libanios. L'unc des œuvres les plus significatives du grand rhéteur grec Libanios (314-393), précepteur de l'empereur Julien l'Apostat. Son influence fut si importante dans les milieux cultivés de son temps qu'on la décèle jusque chez les deux plus éminents représentants du christianisme, Grégoire de Nazianze et Jean Chrysostome. Ce « corpus », qui contient mille six cent cinq lettres (le plus riche recueil de lettres qui nous soit parvenu), dépeint minutieusement la vie de cette époque et nous permet de pénétrer les rapports du grand maître avec les plus illustres personnages de l'empire et de Constantinople, par les postes qu'ils occupent, par leur culture, par leur activité scientifique. Les personnages auxquels Libanios écrit le plus fréquemment portent de grands noms : Aristénète, Maxime, Eusèbe, Modeste et Thémistios. Parmi les lettres les plus intéressantes, citons la XVIIIe à Anatole, pleine de sentences et de pensées à la manière de Sénèque ; la DLI^e également adressée à Anatole, dans laquelle est évoqué le déroulement d'un procès dont il demande à son ami d'assurer la défense. Elle témoigne d'un grand talent dans l'art d'écrire et d'argumenter. En général, l'élément personnel est mêlé à d'innombrables renseignements littéraires, historiques, juridiques et politiques ; l'unité du style et le savoir-faire de ce rhéteur habile et subtil ont su fondre si parfaitement ces divers éléments qu'il en est résulté un livre riche et magistral. Si, par rapport à Sénèque, il présente une sagesse moins profonde, il lui est peut-être supérieur par la verve et par la vie.

LETTRES de Loup de Ferrières. Sous ce titre, adopté dès le xe siècle, est parvenue jusqu'à nous une intéressante correspondance en latin du IXe siècle, constituée principalement, mais non exclusivement, par les *Lettres* de Loup ou Servat Loup, Franc de l'Ouest probablement d'origine germanique, moine puis abbé du monastère de Ferrières et savant célèbre en son temps (800 env.-862). Les autres lettres qui y sont jointes appartenaient toutes aux archives de ce monastère ; ce sont ou bien des réponses à Loup, ou bien des lettres de son prédécesseur, Odon de Ferrières et des moines du couvent. Loup, élève du fameux Raban Maur, abbé de Fulda, appartenait à la génération qui se forma dans les écoles nées du grand mouvement de la renaissance carolingienne ; il voyagea de couvent en couvent pour étudier sous les maîtres les plus célèbres du temps et se faire communiquer les précieux manuscrits de leurs bibliothèques. Il écrivit, à la demande du roi Charles le Chauve, un *Livre sur les trois questions* (le libre arbitre, la prédestination et le prix du sang du Christ), un traité de métrique : *Des variétés poétiques de Boèce,* et des vies de saints : *Vie de saint Wigbert, Vie de saint Maximim de Trèves.* Mais c'est grâce à sa correspondance que son nom a survécu. Loup échangea un grand nombre de lettres avec les savants érudits de l'époque, Éginhard, Raban Maur, des évêques et des abbés. Certaines de ses Lettres sont des demandes de manuscrit, d'autres traitent des questions de théologie, de grammaire et de métrique latines, disciplines qui constituaient le plus clair de la culture du IXe siècle ; d'autres encore sont des lettres d'ordre privé : échange de lettres entre Loup et Éginhard sur la mort de la femme de ce dernier, par exemple. Enfin, un dernier groupe de lettres, et ce n'est pas le moins intéressant, se rapporte à l'administration du couvent et aux rapports avec l'autorité royale ; par là, nous connaissons assez bien les devoirs administratifs de l'abbé d'une grande abbaye : recruter des troupes pour le roi et les lui amener, assister aux plaids royaux, aux synodes... et l'atmosphère politiquement très troublée de ce temps, qui vit l'effondrement lent mais dramatique de la puissance carolingienne. Mais c'est avant tout parce qu'elle est un reflet de la culture du IXe siècle, un témoignage sur les derniers éclats de la renaissance carolingienne, que cette correspondance est précieuse. Déjà, Loup déplore que personne ne s'intéresse plus aux études, que tous soient exclusivement préoccupés par les difficultés matérielles, les luttes politiques. Déjà, le règne de Charlemagne, si proche pourtant, apparaît comme un âge d'or et le redressement intellectuel et moral qu'il suscita, l'ordre de l'Empire lui-même paraissent avoir été bien précaires — v. *Histoire de France* (*) et *Histoire des fils de Louis le Pieux* (*) de Nithard. — L'œuvre de Loup de Ferrières a été éditée et traduite par L. Levillain (Classiques de l'Histoire de France, Paris, 1917-1935).

LETTRES de Mme de Maintenon. Célèbre correspondance de la femme de lettres française Françoise d'Aubigné (1635-1719), petite-fille du poète huguenot Théodore Agrippa d'Aubigné (1552-1630), qui épousa l'écrivain Paul Scarron (1610-1660) et devint ensuite marquise de Maintenon par la faveur de Louis XIV. Si les *Lettres* (*) de Mme de Sévigné jouissent à juste titre d'une plus grande renommée à cause de leur verve colorée, celles écrites par la fondatrice du collège de Saint-Cyr, et dont la publication n'eut lieu qu'en 1752, l'emportent sur les premières par la clarté et la rigueur du raisonnement. Une jeunesse malheureuse (Françoise d'Aubigné naquit dans la prison où son père était détenu), les luttes spirituelles endurées lors de sa conversion au catholicisme, son mariage avec Scarron, un éternel malade qui devait la laisser bientôt veuve, trempèrent le caractère de cette femme courageuse. Elle devait trouver sa véritable vocation dans les tâches d'éducation, auxquelles elle se voua passionnément ainsi qu'en témoigne son ouvrage intitulé *De l'esprit de l'institut des filles de Saint-Louis* (*). Avant son mariage secret avec Louis XIV, qui devait lui permettre de jouer un rôle important dans l'histoire de la monarchie, elle avait été chargée de l'éducation des enfants que le roi avait eus de la marquise de Montespan et avait pu ainsi mettre ses dons en pratique. Ses *Lettres* révèlent une perpétuelle aspiration au bien et une élévation spirituelle remarquable pour l'époque. Parmi les plus belles, on peut citer l'épître adressée à la fameuse courtisane Ninon de Lenclos (1616-1706), ainsi que celle concernant la Consolation divine, destinée au propre frère de la marquise. Non moins dignes d'admiration, la lettre à Mme de Maison-Fort, religieuse de Saint-Cyr, sur la vanité du monde et la confiance qu'il convient de mettre en la vertu, et surtout la lettre fameuse composée en 1700 à l'intention de la duchesse de Bourgogne lors de son mariage. Toute cette correspondance constitue un précieux document sur l'éducation des jeunes filles et un témoignage sincère relatif à la vie spirituelle de Mme de Maintenon dans l'ambiance pompeuse de la cour du Roi-Soleil.

LETTRES de Malherbe. La Correspondance du poète français François de Malherbe (vers 1555-1628) est du plus grand intérêt, car elle constitue une chronique de la vie de Paris et de la Cour pendant la fin du règne d'Henri IV et le début du règne de Louis XIII. Beaucoup de ces lettres cependant dépassent le genre des mémoires : Malherbe s'y révèle critique et moraliste. Moraliste classique, « honnête homme » qui ne croit point que lui soit dévolue la mission de corriger son prochain et de jouer le rôle d'un gardien farouche de la vertu, il se contente de ramener doucement ses amis, de les convaincre par des raisons (notamment en leur rappelant le règne universel de la mort) d'accepter les jeux du sort. « La vie des hommes, écrit-il, a sa lie, aussi bien que le vin. Le vivre et le vieillir sont choses si conjointes, que l'imagination même a de la peine à les séparer. En la terre, tout se change, tout s'altère, non d'année en année, de mois en mois, ni de semaine en semaine, mais de jour en jour, d'heure en heure, et de moment en moment. » Faut-il pour cela perdre cœur ? Pour garder ses amis de l'angoisse, Malherbe en appelle moins à l'espérance divine qu'aux joies que la nature, même dans nos deuils, continue de nous proposer. Cette confiance éminemment classique dans l'ordre du monde apparaît bien lorsque, par exemple, ce cœur volage que fut Malherbe évoque la solidité des affections enracinées dans la loi naturelle : « Les amitiés que les opinions nous impriment commencent légèrement et finissent de même ; un faible soupçon les ébranle, une petite offense les ruine ; celles qui ont leur naissance dans les sentiments de la nature s'attachent en nous avec des racines si profondes qu'il n'y a qu'une violence prodigieuse qui soit capable de les en arracher. » Le ton de ces *Lettres* est souvent lourd de pessimisme : « Quelque habit que l'on porte en ce monde, et par quelque chemin que l'on y marche, on arrive toujours au même lieu. Cette vie est une pure sottise. » Mais si Malherbe abhorre les hommes, il confesse crûment avoir trouvé « deux belles choses au monde, les femmes et les roses, et deux bons morceaux, les femmes et les melons ». Dieu, dit-il encore, s'est sans doute repenti d'avoir fait l'homme ; mais il ne s'est jamais repenti d'avoir fait la femme ! Le poète cependant n'est nullement romantique et si, à soixante-dix ans, il s'enflammait encore pour le beau sexe, il déclare qu'il ne peut consentir longtemps à aimer sans être payé de retour et supplie Racan, son jeune disciple et ami, de ne point se laisser berner par une belle insensible. Ce versificateur rigoureux et souvent sec était épris de la plus grande liberté, il aimait la diversité des opinions, dont il écrit à Guez de Balzac qu'elle est aussi naturelle que la différence des visages. Citoyen, il est bon patriote et bon royaliste. Sans cesse Malherbe donne à ses correspondants la vie du Louvre en exemple et montre dans la reine mère un modèle de stoïcisme, de courage et de résignation dans le malheur. Dans une belle lettre à M. de Mentin datée de 1626, on trouve un éloge enthousiaste de Richelieu qui a restauré la dignité et la puissance royale. Cette fidélité n'est d'ailleurs pas seulement habitude et respect de la tradition : l'œuvre de Richelieu en politique répond aux mêmes nécessités que l'œuvre de Malherbe en poésie. Cette restauration de l'ordre est un triomphe de la vie et c'est un homme bien vivant, pétulant, que Malherbe épistolier et dont l'image recouvre exactement celle qu'en a donnée Racan — v. *Mémoires sur la vie de Malherbe* (*).

LETTRES de Manuel II Paléologue. La correspondance de l'empereur byzantin Manuel II Paléologue (1350-1425) rassemble de nombreuses lettres envoyées à son frère, à des personnages politiques, à des hommes de lettres grecs et étrangers, et enfin à des évêques. Elle révèle une vaste culture, une intelligence tout acquise aux domaines les plus variés. Ces lettres nous apprennent beaucoup sur la vie de l'empereur, son caractère, ses goûts et ses sympathies littéraires. Il lui arrive souvent de déplorer le peu de temps que lui laisse sa vie agitée pour écrire ; il exprime une aimable urbanité, une familiarité qui admet la plaisanterie. Dans les situations critiques, l'empereur parvient toujours à divertir son correspondant. Le style est élégant et ne s'éloigne jamais d'un purisme qui ne tolère pas le moindre néologisme : les Turcs sont pour lui des Perses et leur sultan un satrape ; les Grecs sont les anciens Romains.

LETTRES de Marie de l'Incarnation. La première édition des *Lettres* fut l'œuvre du fils de Marie de l'Incarnation (1599-1672), dom Claude Martin (Paris, 1681). Il y a deux Marie de l'Incarnation au XVIIe siècle en France ; l'une est Mme Acarie, instauratrice du Carmel ; l'autre, l'auteur des *Lettres,* est Mme Marie Martin (née Guyart), née à Tours, épouse en 1617 de Claude Martin, maître ouvrier en soie, veuve en 1619 avec un enfant de six mois, le futur dom Claude Martin. En 1621, elle aide son beau-frère dans son entreprise de transports de marchandises à Tours. Mais, depuis l'enfance, elle pense à la vie religieuse. Aussi en 1631, elle prend la décision, d'autant plus dramatique qu'elle se sépare ainsi de Claude âgé de 12 ans, d'entrer aux Ursulines de Tours et prend le nom de Marie de l'Incarnation. Le 1er août 1639, elle débarque à Québec, pour y fonder une maison des Ursulines chargée de l'éducation des petites indigènes du Canada, alors colonie française naissante. Depuis 1634, la certitude de cette mission s'était imposée à elle. Les *Lettres* de Marie de l'Incarnation se rapportent toutes, soit à la préparation du départ au Canada, soit à la vie de la jeune communauté dans la Nouvelle France. Elles représentent un document unique par sa valeur historique et spirituelle. Sous la plume ferme et naïve de Marie de l'Incarnation s'esquisse, au jour le jour, un croquis aux couleurs vives et fraîches : Québec naissante, les « sauvages » Hurons et Iroquois, les postes militaires français, les costumes, le langage imagé des indigènes, les combats, les souffrances des prisonniers, tout revit dans ces pages pittoresques. Beaucoup de ces *Lettres* sont adressées à son fils devenu dom Claude Martin de la congrégation de Saint-Maur, et donc frère en religion de sa mère. Marie de l'Incarnation est une Française pleine d'humour et de vivacité d'esprit, d'une activité extraordinaire (l'éditeur pense qu'il faut supposer au moins douze mille lettres écrites de sa main, le soir, après la journée de travail). Âme authentiquement mystique, elle connut la mystérieuse expérience de l'unité avec Dieu : « Le tout se passe au plus intime de l'âme qui parfois est émue, comme quasi imperceptiblement et par cette Puissance même, à faire des élans d'amour si subtils qu'à peine les pourrait-on exprimer. » On a pu appeler Marie de l'Incarnation une seconde sainte Thérèse. Il y a en elle une synthèse très rare entre l'expérience des abîmes divins et la bonhomie et la douceur d'une bourgeoise française.

LETTRES de Mazzini [*Epistolario*]. La correspondance de l'homme politique et écrivain italien Giuseppe Mazzini (1805-1872) comprend des *Lettres intimes* et des *Lettres* adressées à des souverains ou à des hommes d'État.

De nombreux recueils des lettres intimes ont été publiés en 1887, 1895, 1909, 1915, etc., mais tous étaient incomplets. Ce n'est que bien plus tard qu'une édition complète en fut donnée par les Éditions nationales italiennes. Ces milliers de lettres constituent un document d'une importance exceptionnelle, soit pour comprendre la pensée politique de l'apôtre, soit pour saisir sa personnalité et connaître sa vie. Un certain nombre de lettres adressées à Judith Sidoli (1804-1871) ont été éditées séparément, car elles forment un ensemble indépendant. Judith Sidoli fut, durant toute sa vie, la femme la plus proche du cœur de Mazzini. Cette correspondance va de février 1834 à décembre 1835. Elle fut uniquement interrompue pour ne pas faire obstacle aux relations qu'entretenait Judith Sidoli, patriote exilée et persécutée, avec ses fils qui se trouvaient sous la garde d'un beau-père réactionnaire et plus ou moins pro-autrichien. On possède l'ultime lettre de Mazzini à Judith, lettre écrite quelques jours avant la mort de cette dernière, et qui confirme un amour qui dura toute une vie. Les lettres ardentes de 1834-1835 prouvent, une fois de plus, que rien de grand ne naît et ne s'accomplit sans la passion. Un grand nombre d'autres lettres intimes, non moins importantes, constituent un second groupe. Ces lettres sont adressées à la mère de Mazzini, Maria Drago (1747-1852). Ici Mazzini apparaît, soit comme un fils très affectueux qui se confie à une mère capable de compréhension, soit comme un conspirateur qui éclaire sa première éducatrice sur les mobiles de ses actions. Enfin, dans un certain nombre d'autres lettres, c'est l'homme qui, en donnant des nouvelles à une âme aimée, raconte sa vie d'une manière si vivante que ces pages constituent en elles-mêmes de petits chefs-d'œuvre.

Parmi les lettres les plus importantes qu'il échangea avec des souverains et des hommes d'État, on retiendra, par ordre chronologique : la *Lettre à Charles-Albert* [*Lettera a Carlo Alberto*], publiée à Marseille en 1831. Elle renferme un appel que Mazzini adressa au roi de Sardaigne Charles-Albert, pour l'inciter à prendre la tête d'une insurrection nationale et le placer devant ses responsabilités. Écrite sans illusion (elle demeura en effet sans réponse), elle entendait surtout démontrer aux émigrés politiques la vanité des espérances que bon nombre d'entre eux plaçaient encore dans une éventuelle initiative de la monarchie ; ce qui légitimait l'affirmation par Mazzini de son programme républicain. Cette lettre, signée « un Italien » et qui s'achevait par ces mots lapidaires « Sinon, non ! » eut un énorme retentissement ; — la *Lettre à Louis-Napoléon* [*Lettera a Luigi Napoleone*], écrite en décembre 1850. Elle faisait suite à une protestation élevée par le Comité national italien contre le message du président de la République française, en date du 12 novembre 1850. Mazzini commence par citer les paroles qui ont provoqué sa riposte : « Nos armes ont renversé à Rome cette démagogie turbulente qui, dans toute la péninsule italienne, avait compromis la cause de la vraie liberté, et nos braves soldats ont eu l'insigne honneur de remettre Pie IX sur le trône de saint Pierre. » Après avoir rappelé à Louis-Napoléon ses années d'exil, alors qu'avec son frère il se déclarait prêt à combattre comme volontaire pour la « cause sacrée » et adressait aux réfugiés polonais un message de fraternité, il lui reproche violemment d'avoir contribué à l'exil et au martyre de milliers de patriotes italiens salués comme libérateurs par leur propre peuple. Mazzini énumère ensuite les raisons qui poussèrent Bonaparte à entreprendre l'expédition de 1849 ; des raisons bassement politiques, en contradiction avec les principes républicains de la France. La lettre s'achève par des paroles prophétiques, Mazzini prédisant la mort en exil de Louis-Napoléon comme victime expiatoire ; — *Lettres slaves* [*Lettere slave*], quatre articles publiés sous ce titre en 1857, pour attirer l'attention sur les aspirations à la liberté des peuples slaves. Mazzini souligne l'importance des mouvements nationaux slaves dans la formation de l'Europe future, en leur assignant en particulier la mission de disloquer l'Empire autrichien, malgré le calme apparent qui régnait dans ces territoires après les troubles récents de 1847. Fondant ses affirmations sur le fait que ce dernier Empire a une structure illogique, Mazzini estime que le mouvement slave est inévitable : en effet, deux ou trois millions d'Allemands, dont les intérêts étaient liés à ceux de quelques familles toutes-puissantes, gouvernaient trente-quatre millions d'hommes de différentes nationalités. Selon Mazzini, il suffisait que l'Italie adoptât un programme bien défini, en prenant la tête des mouvements nationaux, pour déclencher immédiatement l'action des autres peuples inspirés par un semblable désir de liberté ; la *Lettre au comte de Cavour* [*Lettera al conte di Cavour*], écrite en juin 1858 et accusant Cavour de trahir la révolution de 1848 au profit de la monarchie, en recherchant l'alliance des despotes plutôt que celle des peuples libres. Cette lettre entendait répondre à une calomnie lancée par Cavour à l'adresse des disciples de Mazzini, les qualifiant en quelque sorte de « terroristes ». Elle constitue surtout une affirmation de foi et présente à ce titre un grand intérêt ; — la *Lettre à Victor-Emmanuel* [*Lettera a Vittorio Emanuele*], écrite le 20 septembre 1859, après la paix de Villafranca, pour exhorter le souverain à n'écouter que la voix du vrai peuple italien et à réaliser avec lui l'unité de l'Italie, en l'adjurant de ne pas se laisser manœuvrer et de reprendre le combat contre l'Autriche ; — la *Lettre à Francesco Crispi* [*Lettera a Francesco Crispi*], écrite en décembre 1864 et publiée dans le journal « Il Dovere » le 28 juillet 1865. Répondant à une déclaration de Crispi à la Chambre affirmant l'indissolubilité de l'unité italienne et de la monarchie, Mazzini se livre à une critique acerbe de la monarchie italienne et de son caractère politique essentiellement opportuniste. — Parmi les lettres de Mazzini ont été traduites : les *Lettres à Louis-Napoléon*, à Londres, chez Hélioake, sans date ; et les *Lettres intimes*, Perrin, 1895.

LETTRES de Méré. Les lettres de l'écrivain français Antoine Gombaud, chevalier de Méré (1607-1684), furent publiées en deux volumes, en 1682 et en 1689. Cet auteur se rattache au groupe des moralistes du Grand Siècle, et ses *Lettres* constituent la part la plus vivante de son œuvre. Considéré de son vivant comme l'un des arbitres du bon goût, de même que Voiture, Guez de Balzac et Cyrano de Bergerac, il faisait profession d'écrire, et sa manière est quelque peu influencée par ces derniers. À cet égard Sainte-Beuve fait la remarque suivante : « Il n'écrit point ses lettres comme il cause, et de plus, même quand il cause, il parle un peu comme un livre ; on voit d'ici le renchérissement. » L'auteur se soucie avant tout de donner des leçons de goût, de former ce type moral que le XVIIe siècle appelait l'« honnête homme », c'est-à-dire un gentilhomme civil, détaché des questions d'argent, soucieux de plaire, même à ses ennemis, en un mot une sorte d'idéal chrétien, pur de tout sentiment religieux, et se pliant aux convenances de la bonne société. Ses *Lettres* trahissent l'homme qui soigne beaucoup son style. Sans doute Méré correspond-il avec Mme de Maintenon, la duchesse de Lesdiguières et quelques autres beaux esprits ; une certaine lettre adressée à Pascal est fort connue (Leibniz d'ailleurs s'en est moqué) : bien que Méré fût très instruit, il ne sut jamais reconnaître le génie de Pascal, et aussi s'était-il mis en tête de le dissuader de l'étude des mathématiques. Il juge par exemple que les idées de Pascal sur la division à l'infini sont dénuées de bon sens : « Les longs raisonnements tirés de ligne en ligne vous empêchent d'entrer d'abord en des connaissances plus hautes qui ne trompent jamais. Je vous avertis, aussi, que vous perdez par là un grand avantage dans le monde. » Il est vrai qu'en littérature Méré se montre plus avisé. Bien qu'on trouve souvent sous sa plume des maximes de moraliste, Méré ne se borne point aux sujets sérieux : il lui arrive de parler de ses ennuis d'argent, de conter quelque fait divers ou de faire l'esquisse d'un roman. Plus d'une de ces épîtres se hasarde même à évoquer les parties galantes de ses amis. En général, Méré excelle à nuancer les états de sa pensée. Malheureusement, son style précieux lui porte préjudice.

LETTRES de Mérimée. On peut dire que la gloire de l'écrivain français Prosper Mérimée (1803-1870) date de la publication des *Lettres à une inconnue* (*), avec une préface de Taine (1873). Le mystère dont s'entourait la destinataire stimula les érudits, et les essais que l'on fit pour percer l'incognito de Jenny Dacquin apportèrent les premiers éléments à la connaissance de l'auteur. Deux ans plus tard, sous le titre de *Lettres à une autre inconnue*, Blaze de Bury présentait les lettres à la comtesse Lise Przezdziecka, série beaucoup moins importante à tous égards que la précédente. Quelques dossiers s'ouvrirent, ne livrant cependant leurs pièces qu'avec réserve ; c'est ainsi que parurent en 1874 des fragments de la correspondance avec Francisque Michel et avec Albert Stapfer et que des lettres de Mérimée furent publiées plus nombreuses dans les journaux et dans les revues. Prosper Mérimée est né en septembre 1803, huit mois avant que Bonaparte ne soit proclamé empereur ; lorsqu'il mourut en 1870, un tiers de la France était envahi par les armées allemandes : une existence humaine qui commence avant Iéna pour finir après Sedan et qui compte, depuis l'époque où Mérimée est au cœur des choses et des luttes de chaque jour, cinquante ans de la vie d'une société qui a connu trois rois, deux empereurs, deux républiques, cinquante ans aussi de la fortune et de la vie d'un écrivain de grand talent. Il était depuis longtemps célèbre : il a sa place aujourd'hui parmi les classiques ; mais l'homme restait presque inconnu et proposait à ses biographes une énigme dont il fallait trouver le mot. Mérimée a passé pendant longtemps pour ne pas mériter la sympathie et, la passion politique aidant, une légende s'est formée autour de cet homme qui fit souvent parade de ses faiblesses pour n'avoir point à rougir de ses vertus. Ceux qui, les premiers, ont essayé de raconter Mérimée et de le classer, de déterminer son apport dans le bilan du XIXe siècle, cherchant à réunir les premiers éléments de l'enquête, n'ont trouvé que peu de documents. Un petit nombre seulement d'amis et de contemporains lui survécurent, et lui-même prit soin de se tenir en dehors et au-dessus du monde des lettres ; rappelons en outre la destruction de tous ses papiers dans l'incendie du 23 mai 1871, au 52 de la rue de Lille qu'il avait occupé. C'est donc peu à peu qu'on découvrit Mérimée, les secrets de sa vie sentimentale, son activité de fonctionnaire et d'archéologue. Lorsque les « Lettres à M. Panizzi » parurent (février 1881), on dit qu'elles auraient pu avoir pour sous-titre : « Le second Empire raconté par Mérimée ». Dès lors, des publications partielles se succédèrent, les Lettres à Saulcy, au comte de Brémond d'Ars, à Stendhal, à la princesse Julie, à M. et Mme Lenormant, à Requien, à Jaubert de Passa, etc. En 1896, les lettres à la comtesse de la Rochejaquelin, parues sous le titre de *Correspondance inédite*, révèlent un Mérimée « décent, respectueux, parfois même mélancolique ». Ferdinand Brunetière soulignait l'importance littéraire de la correspondance de Mérimée et faisait remarquer que ces lettres sont de celles, assez rares, qui se peuvent lire pour elles-mêmes et pour elles seules, « pour le seul agrément du tour, pour l'envie de plaire qu'elles respirent, pour l'accès ou l'entrée qu'elles nous donnent dans une conversation spirituelle, élégante et polie ». Signalons les lettres aux Lagrené, à Gobineau, à Léonce de Lavergne, à Sutton Sharpe, à Viollet-le-Duc, à la comtesse de Boigne, à Edward Ellice, à Fanny Ladgen, à la duchesse de Castiglione-Colonna, à Sophie Duvaucel, à Mme de Beaulaincourt, etc. Nous ne mentionnerons ici que les dates de publication des plus connues : *Lettres à Charpentier* (lettres à l'éditeur, Paris, 1863) ; *à Panizzi* (Paris, 1881) ; *à Madame de la Rochejaquelin* (Paris, 1897) ; *à Requien* (Paris, 1898) ; *à Stendhal* (sept lettres, Rotterdam, 1898) ; *à E. B. Taylor* (Paris, 1899) ; *aux Lagrené* (Mâcon, 1904) ; *à Lebrun* (Paris, 1907) ; *à Estebanez Calderon* (Paris, 1911) ; *à Mr. et Mrs. Childe* (London, 1912) ; *à Stendhal* (deux lettres, Paris, 1927) ; *aux Grasset* (Paris, 1929) ; *à la comtesse de Montijo* (Paris, 1930) ; *à Achille Voguë, Émile Augier, Sainte-Beuve* (Paris, 1930) ; *aux Delessert* (Paris, 1931) ; et enfin la *Correspondance générale* de Mérimée (publiée par Maurice Parturier en dix-sept volumes, Paris, 1941-1964).

Tous ses biographes et commentateurs s'étant employés avant tout à détruire la fausse réputation de sécheresse et d'égoïsme de Mérimée, il nous paraît bon de nous pencher à notre tour plus longuement sur sa correspondance amoureuse et sur celle qui gravite autour de l'amitié. Les lettres de Mérimée à la comtesse de Montijo, où il note chaque semaine durant de longues années les joies, puis la déception relative à son amour pour Mme Delessert – une liaison qui dura vingt ans –, ont permis de découvrir ouvertement le « secret » de Mérimée. Le nom de Mme Delessert appartient à l'histoire littéraire : elle fut véritablement l'inspiratrice et a marqué puissamment la vie de l'auteur. Il a déclaré maintes fois n'avoir écrit que pour elle ; il la consultait et suivait ses conseils. Les lettres de Mérimée à la famille Delessert montrent le sens véritable de cet attachement d'un homme d'esprit pour une femme de goût. Un Mérimée inconnu s'y découvre, beaucoup plus émouvant que l'écrivain des lettres aux diverses inconnues, celui surtout des *Lettres à une autre inconnue* – v. *Lettres à une inconnue* (*) –, correspondance embarrassée, où tout l'esprit de Mérimée ne sauve pas une aventure assez sotte, grossie depuis à plaisir, et qui n'a pas peu contribué à dénaturer sa véritable figure. Une cruelle déception vint assombrir son bonheur : Mme Delessert l'oublia. Faut-il penser que Mérimée, ayant une fois perdu sa confiance dans le cœur féminin, ne croyait plus en son propre cœur ? Sans doute trouva-t-il la sagesse de tempérer son orgueil et d'enchaîner son amour. Sa culture, son ironie profondément classiques, furent sa sauvegarde ; indulgentes aux impulsions naturelles, elles le défendirent des écarts de la passion. Parce qu'il sait se régler, qu'il ne cesse de s'appartenir, courbé qu'il est sous l'empire de la raison, il paraît froid, insensible, dur même. Or voici ce qu'écrit à la comtesse de Montijo, après la trahison de Mme Delessert, le « froid et sceptique observateur de l'âme humaine » : « J'ai éprouvé dans ces derniers mois toutes les misères de cœur qu'il est donné à un être humain de souffrir. [...] Je voudrais surtout avoir deux heures de conversation avec vous, vous ouvrir mon cœur pour savoir ce qu'il y a dedans. [...] C'est en vérité ce que je ne sais guère et il me faudrait du calme et du sang-froid [...] pour voir clair dans ce triste abîme. » C'est des années 1848-1849 que date la rupture. L'activité littéraire de Mérimée s'en ressentit. Il abandonna dès lors la littérature d'imagination et se réfugia dans la critique et l'histoire, occupé surtout de la Commission des Monuments historiques. Sa fonction d'inspecteur général l'appelait dans toute la France ; sa correspondance y relative contient nombre de documents d'un grand intérêt (cf. les Lettres aux antiquaires de l'Ouest, Lettres à Lenormant, Rapports de Vitet et Mérimée).

Éminemment sociable, Mérimée eut beaucoup d'amis qu'il choisit, tant en France qu'à l'étranger, parmi les hommes les plus remarquables de son temps. Outre la cour impériale, il fréquentait, à Paris, le salon de Passy, qui était celui des Delessert et où se rencontrèrent tant d'hommes distingués : Thiers, Rémusat, Montalembert, Victor et Albert de Broglie, Monet, Berryer, Delacroix, Musset, d'Antas, Émile de Girardin, Stendhal. Ce dernier eut sur lui une influence considérable ; Mérimée lui voua une amitié franche et joyeuse telle qu'elle ressort des lettres que nous possédons encore. Dans les lettres qu'il adresse aux gens de son sexe, Mérimée se montre volontiers gaulois, fourmillant d'anecdotes un peu vertes, très « dix-huitième », à l'instar de Stendhal. Les hommes de son temps étaient romantiques. Dans leur vie et dans leurs ouvrages, persuadés que le génie consiste à sentir fortement, ils ont fait un large étalage de leur cœur. Mérimée à côté d'eux a passé pour n'en avoir point, parce qu'il n'a jamais parlé du sien. Il est un classique, non seulement la plume à la main, mais jusque dans sa conception de la vie et de son usage, qui n'engagent pas toujours le cœur où il n'a que faire ; il convient de le réserver pour un plus digne emploi, s'il s'en présente. Citons encore sa grande amitié pour Édouard Grasset, qui longtemps fut le compagnon de ses plaisirs, et pour Sutton Sharpe dont la mort l'affecta singulièrement. Rappelons en outre, pour rendre hommage aux sentiments d'humanité de Mérimée (auquel personne de ses amis ne s'est jamais adressé en vain), le fameux procès Libri, professeur au Collège de France et voleur de livres. On sait la conduite trop chevaleresque de Mérimée, qui défendit contre les experts et contre l'évidence « un ancien confrère, abandonné de tout le monde, parce qu'il s'est permis autrefois de mal parler de M. Arago, de l'École des chartes et des jésuites ». À la suite de l'article paru le 15 avril 1852 dans *La Revue des Deux Mondes*, il fut condamné le 26 mai à quinze jours de prison et à mille francs d'amende. Nous avons déjà signalé ses nombreuses tournées archéologiques en France ; rappelons que Mérimée, outre ses obligations professionnelles, avait le goût des voyages ; il visita l'Espagne, la Grèce, l'Angleterre, l'Autriche, la Bavière, la Corse, etc. Sa correspondance est pleine de relations de voyages colorées et vivantes ; il parlait d'ailleurs les langues de presque toute l'Europe (il fut le traducteur de Gogol, Pouchkine, Tourgueniev). L'existence de Mérimée fut bouleversée en 1853 par le mariage de l'Empereur avec mademoiselle de Montijo ; il plaça Mérimée dans une situation fort délicate – situation déjà bien compromise – vis-à-vis de la famille Delessert, dans laquelle on n'était pas précisément bonapartiste. Sa gêne ne fut pas feinte d'être nommé sénateur, mais il n'hésita pas cependant à se rallier. Ses dernières lettres sont empreintes de mélancolie et de résignation. Elles sont pourtant minime partie de cette énorme correspondance, dont le ton général est gouverné par la lutte autant que par l'amour de la vie. Prosper Mérimée passe à juste titre aujourd'hui pour l'un des plus grands épistoliers que la France compte au XIXe siècle.

LETTRES de Michel-Ange. Ces lettres du sculpteur et poète italien (Michelangelo Buonarroti 1475-1564), au nombre de 495, furent publiées pour la première fois à Florence en 1875, puis en 1910 (par Giovanni

Papini). Il convient d'y ajouter quelques lettres, à Vasari, découvertes en 1908 dans des archives privées de Florence. Certaines, et ce sont les plus nombreuses, sont adressées à des membres de sa famille : son père Ludovico (de 1497 à 1523), ses frères (de 1497 à 1527), Giovan Simone (de 1507 à 1546), Gismondo (de 1540 à 1542) et ce neveu Léonard qui lui causa tant de déplaisir et que pourtant il aima de tout son cœur (de 1540 à 1563). Parmi les autres, certaines sont adressées à Clément VII et à François Ier, à Lorenzo di Pier Francesco de Médicis, au duc Cosimo de Médicis (5 lettres), à Sébastiano del Piombo, à Giorgio Vasari, à Vittoria Colonna et enfin à ce modeste tailleur de pierre, Domenico, dit Topolino, auquel l'artiste s'adresse comme à un compagnon de travail. Du point de vue littéraire, ces lettres ne sont pas inférieures aux poésies de cet artiste dont le verbe accuse toujours un sens plastique singulièrement vigoureux. On peut même dire que ses lettres ont plus de force et plus de sincérité encore : elles montrent l'admirable simplicité de l'homme, et d'abord cet esprit de famille qui le porte à s'occuper de ses neveux, de l'achat de quelque maison et même du choix de telle épouse. Année par année, on pénètre ainsi dans la vie intime de l'artiste. L'équilibre de la raison était tel chez Michel-Ange que les soucis domestiques devenaient eux-mêmes des éléments dignes de s'insinuer dans le domaine des arts. Il n'écrit aux grands que pour leur parler de son métier et des questions désagréables que parfois ce métier comporte. Il s'adresse à eux avec franchise et sévérité et se montre toujours dévoué au culte de l'art et de la justice. Ces sujets sont traités à la hâte, avec une brièveté brutale et presque excessive. L'absence de compliments et de digressions, auxquels d'ailleurs sa nature n'était pas portée, peut sembler étrange : l'homme s'y révèle tout entier. Ce ton de sincérité apparaît en outre dans ses violentes attaques contre ses rivaux : un Raphaël ou un Bramante. Tout ce que cet artiste admirable écrit vient de l'âme, mais sans aucune effusion, ni morceaux de bravoure. C'est une prose énergique et où l'on sent parfois, sous le masque de la froideur, un homme terriblement austère et déchiré. — Trad. Échoppe, 1989.

LETTRES de Mozart. Trois mille lettres du compositeur autrichien Wolfgang Amadeus Mozart (1756-1791) ont été retrouvées à Vienne, à la fin du siècle dernier et publiées partiellement par Henri de Curzon. Elles sont pour la plupart adressées à son père ou à sa sœur. Elles ouvrent des aperçus intéressants sur la personnalité de l'auteur des *Noces de Figaro* (*), tour à tour profond, affectueux, primesautier, ardent, impressionnable, ironique. On y trouve également de très intéressantes critiques sur la musique qu'il entendit au cours de ses voyages ; et son style imagé, direct, sans apprêt, brosse un tableau extrêmement vivant de la société française, anglaise, viennoise et italienne à la fin du XVIIIe siècle. Les premières lettres datent de 1770. Mozart avait quatorze ans et effectuait une tournée de concerts en Italie. Dans ses lettres de 1773, il donne de précieuses indications sur l'un de ses premiers ouvrages, *La Finta Giardiniera.* Puis vient toute la série des lettres envoyées de Paris. Mozart dépeint la cour de Versailles, les réceptions données en son honneur dans les grandes demeures parisiennes, il juge sévèrement les musiciens de la Chapelle royale et garde toujours ce ton enjoué qui séduisit Mme de Pompadour. Les lettres de son second voyage en France n'ont plus cet accent de gaîté, car il vit dans l'indifférence générale. Il se plaint du peu d'intérêt que lui porte le baron Grimm, tout occupé de la querelle des piccinnistes et des gluckistes. C'est aussi la poignante lettre du 3 juillet 1778 adressée à l'abbé Bullinger, par laquelle Mozart annonce la mort de sa mère dans un misérable hôtel meublé. Après Paris, Mozart date ses lettres de Munich où il présente *Idoménée* (*), puis de Prague où il met au point *Les Noces de Figaro.* Beaucoup de lettres de cette époque ont été détruites par le père de Mozart, qui redoutait avant de mourir qu'elles ne tombent entre des mains malveillantes. Il existe encore une importante correspondance adressée par Mozart à sa femme Constance. Il s'y montre amoureux, désespéré de sa misère, mais toujours prompt à l'espérance. À travers cette correspondance, on peut suivre presque jour après jour la vie de Mozart. On y retrouve le même esprit, la même élégance, la même sensibilité que dans sa musique. Depuis 1986, la publication d'une traduction intégrale en langue française, d'après l'édition (1962-1975) de la Fondation internationale du Mozarteum de Salzbourg, a permis aux lecteurs non germanophones de découvrir un visage caché de Mozart que Henri de Curzon avait soigneusement dissimulé. Aux antipodes de la légende de l'enfant parfait, on découvre un langage assez vert, scatologique et provocateur, plus tard angoissé et réfléchi, qui montre que la vie de Mozart fut beaucoup plus complexe que ce que l'on avait voulu montrer. — Trad. Flammarion, 1986 sq.

LETTRES d'Ozanam. Ces *Lettres,* écrites de 1831 à la mort de l'auteur, sont un témoignage de la vie brève et intense de l'écrivain français Frédéric Ozanam (1813-1853) ; elles connurent plusieurs rééditions. Elles montrent avec une clarté suggestive la position spirituelle du chrétien sincère et de l'érudit, son amour pour la culture et pour la bonté évangélique, en même temps que son désir d'admirer dignement la beauté, signe de Dieu sur la terre. Les lettres adressées à ses familiers offrent une délicate image de la vie, et plus particulièrement celles envoyées à ses parents et à ses frères, Charles, le médecin, et Alphonse, le prêtre. Les lettres à sa fiancée parlent des cours de l'écrivain à la Sorbonne et des difficultés qu'il rencontre sur le chemin de la foi. Une grande partie du recueil est constituée par les lettres doctrinales et nettement apologétiques. Si quelques-unes de ses positions de catholique militant apparaissent isolées au milieu des courants moraux et politiques du siècle, Ozanam trouve pour évoquer la nécessité d'une œuvre missionnaire commune les accents d'une solennelle jubilation en Dieu ; et c'est de cette nécessité que naîtra, grâce à l'idéal d'une nouvelle jeunesse, la Société de Saint-Vincent-de-Paul. Il faut aimer les hommes et les unir par la charité : et dans ce but, il faut commencer à aller au devant des humbles en se rendant à domicile pour les soulager. Cette philanthropie inspirée par l'esprit évangélique rattache la pensée d'Ozanam à celle du père Lacordaire. L'ensemble des lettres comporte le journal de trois voyages dans la péninsule italienne : en 1841, dans la joie de son mariage et des rêves sereins devant la beauté de la nature et des monuments de Naples et de Pompéi, de la Sicile et de Rome ; puis en 1847, à Venise, Pise, San Gimignano, et finalement, en 1852-1853, à Pise et Florence. Une de ses dernières lettres est celle qu'il écrivit du village de Saint-Jacques, une semaine avant de mourir alors qu'il était sur le chemin du retour, à Marseille. Cette correspondance, riche de pensées et de méditations, souligne la complexité de la formation spirituelle d'Ozanam, et précise ses positions dans le domaine de la piété et de la fraternité évangélique.

LETTRES de Palmerston. Les lettres de l'homme d'État anglais lord Palmerston (1784-1865) ont été recueillies et publiées en français sous le titre : *Correspondance intime pour servir à l'histoire diplomatique de l'Europe de 1830 à 1865,* par Augustus Craven. Cet ensemble de lettres, d'autant plus sincères qu'aucune d'elles n'est officielle, traite de toutes les grandes affaires auxquelles a pris part un homme qui fut longtemps à la tête du pouvoir en Angleterre, et dont le rôle en Europe fut considérable. On se convaincra d'abord, par cette lecture, de l'importance qu'il attachait à l'alliance française et de sa conviction, mille fois exprimée, que cette alliance entre « les deux pays les plus libéraux, les plus industrieux, les plus producteurs et les plus riches de l'Europe » assurait la paix du monde ; il poursuivit avec ardeur cette politique ; sa lucidité pourtant laisse échapper de temps à autre des vivacités de langage contre certains hommes d'État français, surtout sous le règne de Louis-Philippe. Mais le problème français n'est qu'une partie, pour importante qu'elle soit, des préoccupations de l'épistolier ; on voit défiler, au cours des années, les jugements les plus pertinents sur toutes les questions abordées : Révolution belge, rôle de l'Angleterre dans les affaires de Portugal et d'Espagne, avènement de la reine Victoria, affaires d'Orient, quadruple Traité de 1840, mariages espagnols, défense nationale, question syrienne, mouvements en Italie, révolutions en France, occupation de Rome, guerre en Hongrie, politique russe, réformes pour la Turquie, querelle avec la Chine, guerre civile en Amérique, affaire du Danemark et du Schlesvig-Holstein, etc. Lord Palmerston accomplissait sa soixante-deuxième année lorsqu'en 1846 il reprit la direction des Affaires étrangères pour la troisième et dernière fois ; dès lors, sauf deux intervalles de courte durée, il fit continuellement partie du gouvernement. Les cinq années qu'il passa au Affaires étrangères furent, malgré la paix dont jouissait le pays, les plus agitées que jamais ministre ait eu à traverser ; à peine en eut-il repris les rênes que des événements alarmants éclatèrent sur divers points du continent ; malgré leur importance propre, ils n'étaient que les signes précurseurs de l'orage qui éclata sur l'Europe en 1848 ; selon Palmerston, les révolutions d'alors furent le fruit des erreurs commises par les souverains absolus. L'extrait suivant d'une dépêche circulaire envoyée aux représentants du gouvernement anglais en Italie, au mois de janvier 1848, contient un abrégé lucide des vues du ministre et des efforts qu'il fit pour prévenir les dangers redoutés : « La situation des souverains vis-à-vis de leurs sujets est telle que leurs ennemis, aux uns comme aux autres, en pourraient profiter s'ils le voulaient. Rien de plus facile que de faire accueillir par les souverains de faux bruits de soulèvements et de les disposer à croire à des complots révolutionnaires ; mais rien également de plus aisé que d'inspirer aux peuples la défiance envers leurs souverains, de leur rendre suspectes leurs promesses de réformes les plus formelles, et de provoquer ainsi des agitations et des soulèvements. Votre devoir sera de neutraliser autant qu'il est en notre pouvoir ces funestes efforts. » Ce fut dans ces dispositions d'esprit qu'il observa, sa vie durant, l'horizon politique.

LETTRES de Pascal. Lettres de Blaise Pascal (1623-1662), savant, penseur et écrivain français, qui furent publiées, excepté les lettres intimes, dans la grande édition de Bossut, en 1779. Elles complètent utilement la connaissance de Blaise Pascal et permettent de suivre pas à pas son évolution spirituelle. L'homme s'y révèle tout entier, frère affectueux, jeune savant emporté par une confiance absolue dans la raison qu'il jugera, plus tard, n'être que de l'orgueil, fils ému par la mort de son père mais qui sait déjà rechercher les seules consolations surnaturelles, enfin directeur de conscience ardent et rigide, comme le montre sa correspondance avec Mlle de Roannez. Les premières lettres de Pascal sont d'un mathématicien et d'un physicien : dans la lettre dédicatoire au chancelier Séguier, écrite à propos de la machine arithmétique – v. *Œuvres mathématiques et physiques* (*) –, le jeune homme étale sans réserve son enthousiasme pour une science qu'il n'envisage pas seulement théorique, mais aussi dirigée vers des applications pratiques et qui devra unir les « lumières de la géométrie, de la physique et de la mécanique ». Pascal est alors très préoccupé par les problèmes du vide, dont il traite dans ses lettres polémiques de 1647 avec le père Noël et, en cette même année, dans une lettre adressée à son beau-frère Périer, à qui il demande de répéter sur le Puy-de-Dôme les expériences de Torricelli. La correspondance permet aussi de suivre le chemin de Pascal vers la conversion : il n'est pas devenu chrétien et mystique d'un seul coup et, en 1652, la lettre à Christine de Suède pour annoncer l'envoi de la machine arithmétique est, autant que l'était celle au chancelier Séguier, animée par une passion scientifique toute profane. Toutefois, au moment où il va s'engager dans le « monde », Pascal rencontre le souci religieux : sa sœur Jacqueline va se faire religieuse et, avec elle, Blaise fréquente les messieurs de Port-Royal ; son impression est si vive qu'il la confie à son autre sœur, Gilberte Périer, dans des lettres de 1648 où déjà apparaissent certains grands thèmes de l'« Apologie », comme celui du primat absolu de la grâce dans l'œuvre du salut, et celui du symbolisme spirituel de toutes les créatures, qui est la pierre angulaire de sa future exégèse. En 1651, Pascal perd son père ; après l'événement, il envoie à Mme Périer une grande lettre-sermon qui prouve que ce « mondain » n'est pas dépourvu de soucis religieux : il développe ici la doctrine de l'omniprovidence divine, appelle sa sœur à vaincre sa douleur en mettant sa confiance dans les réalités de la grâce exclusivement, et en replaçant le fait de la mort dans ce plan divin où tout devient adorable. Pascal mène cependant une « vie mondaine » : il voyage et, en même temps qu'il achève le modèle définitif de sa machine arithmétique, il échange avec le savant Fermat des lettres sur la théorie des probabilités (1654). Parmi les lettres écrites après la « conversion », celles adressées à Mlle de Roannez, sœur d'un ami de Pascal, sont d'une grande valeur : elles montrent Pascal directeur de conscience, chasseur farouche de l'âme hésitante, enclin à la dureté et à la violence spirituelles, outrant parfois l'*Évangile* pour le faire plus vite accepter. Ainsi écrit-il pour confirmer la jeune fille dans sa vocation religieuse : « Il ne faut pas examiner si on a vocation pour sortir du monde, mais seulement si on a vocation pour y demeurer, comme on ne consulterait point si on est appelé à sortir d'une maison pestiférée ou embrasée. » Ces lettres, qui datent de 1656 et dont il ne reste que des fragments, sont empreintes d'un entier abandon à la Providence. Souvent on y rencontre des phrases de l'esprit et du style des *Pensées* (*) ; et, dans une belle page, Pascal proclame sa fidélité catholique au pape, car, dit-il, le corps n'est pas vivant sans le chef, et toutes les vertus, les austérités, le martyre même sont stériles hors de l'Église. Des dernières années de Pascal datent quelques lettres qui découvrent quel était alors son état d'esprit : Pascal se détache de plus en plus du monde et pousse la piété jusqu'au rigorisme, déconseillant le mariage souhaité pour sa nièce ; car, écrit-il à Mme Périer, « la condition d'un mariage avantageux est aussi souhaitable suivant le monde qu'elle est vile et préjudiciable selon Dieu ». Pareillement, dans une lettre à Fermat, Pascal piétine cette mathématique qu'il adorait dans ses premières épîtres, la déclarant un haut exercice de l'esprit, sans doute, mais tout à fait inutile... Peu auparavant cependant, il avait encore, en 1658, entretenu, sur les problèmes de la cycloïde, une correspondance publique avec des savants comme Huyghens, Carcavi, Sluse, le père Lalouère, etc. La correspondance de Pascal est donc aussi diverse que la personnalité de l'auteur : elle ne révèle point un Pascal ignoré ou caché, mais complète les grandes œuvres et fait ressortir la parfaite unité de l'homme avec celles-ci.

LETTRES de Patin. Après la mort du célèbre médecin français Guy Patin (1602-1672), on entreprit de rassembler la nombreuse correspondance qu'il avait échangée avec les médecins de son temps. C'est ainsi qu'en 1683 parut une première édition. En 1692 parurent les *Lettres choisies*, adressées pour la plupart à un médecin de Lyon, André Falconnet ; en 1695, un *Nouveau recueil de Lettres choisies,* c'était sa correspondance avec deux médecins de Troyes ; en 1718, de *Nouvelles lettres de Guy Patin* virent le jour. Enfin, un choix en fut édité en 1846, accompagné cette fois d'importants commentaires. Guy Patin avait entrepris de faire sa médecine contre la volonté expresse de sa famille, qui voulait faire de lui un ecclésiastique. Il franchit rapidement les degrés de la hiérarchie et devint, à partir de 1650, doyen de la faculté de Paris. Médecin médiocre, ennemi résolu des nouveautés, c'est surtout à son esprit, qu'il avait caustique et rude, qu'il dut sa réputation, et grâce à ses *Lettres* qu'il la maintint. Cette correspondance nombreuse et continue, qui couvre près de quarante ans, était adressée à des médecins de province. C'est pourquoi, dans chacune de ses lettres, Patin traite de questions de pratique médicale, mais surtout d'érudition scientifique ; il parle des derniers ouvrages parus, mais – et c'est là ce qui nous intéresse – il rapporte en quelques lignes les nouvelles qu'il a entendues, il donne son avis sur les événements, ce qui fait de sa correspondance une manière de gazette. C'est pour nous une mine de renseignements précieux sur les mœurs et l'état social de la fin du règne de Louis XIII, l'histoire de la Fronde et des premières années du règne de Louis XIV ; c'est aussi un baromètre de l'opinion publique. Patin est un bourgeois d'esprit fort libre ; ses railleries, ses mépris sont violents et, en cela, il représente bien le peuple de Paris de ce temps, frondeur, moqueur, méfiant mais sans grande méchanceté. Quant au style des *Lettres,* les nombreux archaïsmes, les raccourcis brutaux, et même les négligences, contribuent à lui donner un aspect fort savoureux.

LETTRES de Paulin de Nole. Cet ouvrage, dont l'auteur portait en latin les noms de Meropius Pontius Anicius Paulinus (354 ?-431), comprend cinquante et une lettres. Il est fort intéressant pour la connaissance de la personnalité de Paulin, si discutée de son temps. Ces lettres furent pour la plupart composées entre 394 et 413, c'est-à-dire qu'elles sont postérieures à la conversion de Paulin, et adressées le plus souvent à des personnes qui nourrissaient les mêmes sentiments. Tout imprégnées d'un esprit ascétique, elles montrent combien des personnes éloignées les unes des autres pouvaient être liées par une communauté de sentiments et d'idéaux. Parmi les plus intéressantes se trouvent les lettres adressées à Sulpice Sévère, ami de Paulin, qui le précéda dans la vie ascétique. Dix autres lettres, également intéressantes, sont adressées à un prêtre de Bordeaux, Amand, qui avait eu une large part dans la conversion de Paulin, ainsi que cinq autres à l'évêque de Bordeaux, et quatre à saint Augustin. Quelques-unes de ces lettres sont très copieuses, ce sont presque de petits traités : par exemple, la XIIe à Amand, relative à la grâce divine ; la XXXIe à Sulpice Sévère, sur la Révélation et l'Invention de la Croix ; la XVIe à Augustin sur la Résurrection. Presque toutes offrent de l'intérêt pour l'histoire du christianisme et pour la connaissance de la pensée et de la culture à l'époque de l'auteur. Les *Lettres* de Paulin sont d'une lecture un peu indigeste, car elles se caractérisent par de continuelles réminiscences bibliques et par des figures de rhétorique auxquelles l'auteur, élevé dans les écoles de la Gaule, ne renonça pas même après sa conversion. Ses contemporains l'avaient en grande estime, et certains, aussi illustres qu'Augustin et Jérôme, allaient même jusqu'à le comparer à Cicéron. — Trad. Blond, 1910.

LETTRES de Pétrarque [*Epistolae*]. Les *Lettres latines* du poète et humaniste italien François Pétrarque (1304-1374) constituent un document de première importance dans l'histoire de la culture européenne. Elles sont composées de plusieurs ensembles : *Lettres familières, Sans titres, Métriques, À la postérité, Lettres de la vieillesse* et enfin *Lettres diverses.* Le premier, les *Lettres familières* [*Rerum familiarum libri* ou, plus communément, *Familiares*], est de beaucoup le plus considérable. Conçues en 1349 sur le modèle des *Lettres* (*) de Cicéron, elles furent regroupées en vingt livres en 1359-1360. D'autres lettres vinrent s'y ajouter en 1363-1364, puis de nouveau en 1366, date de la version définitive comprenant vingt-quatre livres. L'écrivain, lorsqu'il les corrigea, retoucha ses lettres avec soin en vue d'en faire une véritable œuvre littéraire. C'est dire que la sincérité psychologique se voit continuellement subordonnée aux exigences du style et à l'économie du texte. Pétrarque se souvient des classiques. C'est pourquoi, dans cette œuvre éminemment littéraire, le document humain, remarquable en tant que trace de confession, est aussi quelque peu sujet à caution. Au vrai, le poète construit idéalement sa propre figure d'écrivain et par là même nous permet de mieux saisir ce qui, dans le *Canzoniere* (*) et d'autres œuvres, participe d'une même recherche de la beauté et de la dignité. Ces *Lettres familières,* témoignage de haute vie spirituelle, sont, à n'en pas douter, la fleur de la discipline classique : véritable confession littéraire qui est déjà dépassement de l'inquiétude intérieure et métamorphose de la matière inégale et variée offerte par l'expérience humaine. Ici, les passions et les affections se purifient, les querelles doctrinales et les heurts entre religion et philosophie se composent en une certitude qui participe déjà de la vérité. Les vingt lettres *Sans titres* [*Sine nomine*] sont remarquables du point de vue idéologique. Elles ne portent aucune mention du destinataire, en raison même de leur nature polémique. Elles furent écrites en 1342 et 1358. Ce n'est pas à mots couverts que Pétrarque s'insurgea contre l'ingérence du roi de France dans la politique d'Avignon et contre la corruption de la papauté et du haut clergé, comme le prouvent aussi les célèbres sonnets du *Canzoniere.* Il montre ainsi à quel point ses espoirs dans l'autorité impériale ont été déçus et meurtri son amour pour l'Italie, sa patrie. Sans vouloir trouver dans ces lettres l'annonce de nouveaux idéaux politiques, voire de la Réforme protestante, il convient d'y relever une nette aspiration à une nouvelle forme de spiritualité. Spiritualité qui fut celle des meilleurs auteurs du XIVe siècle, et qui s'inspire à la fois de l'idéal franciscain et de l'idéal humaniste. Il est significatif que le poète, tout en reconnaissant dans le souverain pontife l'autorité spirituelle supérieure, dénie à l'Église le droit d'exercer toute action politique et qu'il se pose ainsi en juge, et en prophète d'une société nouvelle. Les *Métriques* [*Epistolae metricae*] furent écrites en hexamètres, entre 1331 et 1361, et comprennent trois livres. Elles sont dédiées à son ami Barbate. Si certaines, telles les lettres adressées aux papes Benoît XII et Clément VI, traitent de la politique de l'époque, l'intérêt de la plupart de ces missives réside dans des allusions, aveux, méditations. Qu'il s'agisse de petits ou de grands événements de sa vie (un chien dont on lui fait cadeau, quelque violent orage, voire son amour pour Laure), tout s'enchaîne ici à merveille, avec une parfaite élégance qui ne va pas toujours sans froideur. Citons le salut à la terre natale du haut de mont Genèvre (œuvre lyrique que Carducci a transposée en une prose magnifique) et aussi les vers *« À soi-même »* [*Ad se ipsum*] qui ont pour thème son propre drame intérieur. Il faut encore mentionner à part les *Lettres de la vieillesse* [*Seniles*], regroupées en dix-sept livres, et dédiées à Francesco Nelli. Cet ensemble forme un tout cohérent dont le titre est significatif : Pétrarque fait retour sur lui-même sous le signe d'une sagesse enfin conquise pour toujours. Sa lettre à Boccace (où il évoque ses études littéraires) en est un exemple accompli. La lettre *À la postérité* [*Posteritati*] est un indice éloquent de cette image idéale sur laquelle Pétrarque modela toute sa vie. Elle évoque avec magnificence les événements d'une carrière exceptionnelle. Le poète y réunit tout ce qui est propre à intéresser les générations futures : depuis ses premières méditations jusqu'à son couronnement solennel au Capitole, étapes d'une existence entièrement consacrée à la recherche de la beauté et de la vérité. – Trad. *Lettres sans titres* (Librairie des Bibliophiles, 1885) ; *Lettres à Boccace* (id., 1891) ; *Lettres familières et secrètes* (Gauthier, 1892).

LETTRES de Photius. Recueil de trois cents lettres environ de Photius (810 ou 820-892 env.), patriarche de Constantinople. Cette correspondance remarquable et variée révèle, dans ses multiples nuances, le génie souple et multiple d'un des plus grands personnages de la civilisation byzantine. Sont réunies dans ce recueil des lettres de recommandation, des lettres de réconfort, mais également des lettres où sont exposés des préceptes moraux, des problèmes de doctrine ou encore des réflexions sur des problèmes ecclésiastiques et théologiques, à rapprocher des œuvres théologiques de l'auteur, surtout des trois cents questions de l'*Antilochia*. Ces lettres, plus encore que les œuvres théologiques, offrent un tableau vivant des polémiques qui troublèrent l'Église en ce temps-là. Photius se révèle être un homme de culture et de grand savoir, familier des pratiques et des usages du monde. Son génie s'accomplit particulièrement dans de petits billets, concis et justes, suscités par quelque circonstance imprévue, « vrais joyaux » d'argutie, d'intelligence et de goût raffiné. Malheureusement, malgré ces qualités, le style de cette correspondance s'embarrasse souvent de formes rhétoriques trop sophistiquées.

LETTRES de Pie II [*Epistole*]. Les *Lettres* de l'humaniste italien Aeneas Sylvius Piccolomini (pape Pie II, 1405-1464), que l'on peut lire dans les éditions complètes de son œuvre (Bâle, 1531 et 1571), furent recueillies par l'auteur lui-même : elles sont au nombre de quatre cent quatorze. Souvent remaniées, elles ont subi d'importantes coupures pour des raisons d'opportunité et de style ; le texte original s'en trouve donc profondément altéré ; ce texte est particulièrement intéressant au point de vue historique, surtout pour la période pendant laquelle l'auteur, attaché à la chancellerie de l'antipape Félix V, soutint avec force l'autorité du concile de Bâle qui avait déposé le pape légitime Eugène IV. Cependant, et fort heureusement, l'original des lettres a été conservé dans plusieurs volumes (cf. *Der Briefwechsel,* 1431-1454, chez R. Wolkau, Vienne, 1909-1918 – vol. 61-62-67-68 des *Fontes rerum Austriacarum*). Dans le recueil des épîtres établi par l'auteur sont joints, selon l'usage de l'époque humaniste, de véritables petits traités sous forme épistolaire (notamment la grande épître au sultan Mahomet II, afin qu'il se convertisse au catholicisme et devienne le soutien de l'Église).

La lettre *Sur les misères de la vie de cour* [*De curialium miseriis*] est fort intéressante ; elle développe un thème qui revient souvent, en particulier dans l'épître à Gaspard Schlick, chancelier impérial : *Sur les conditions incertaines des courtisans* [*De incerto curialium statu*]. Celui qui vit à la Cour est malheureux, jamais il n'y trouvera quelqu'un qui vaille la peine d'être estimé : « Les véritables richesses ne se trouvent pas auprès des rois et, si les richesses se rencontrent, il vaudrait mieux ne pas les avoir trouvées. » Pas plus que les richesses, on ne peut souhaiter les honneurs : « Il y a deux genres d'honneurs : l'honneur des meilleurs et l'honneur du nombre ; celui qui recherche le premier auprès d'un roi est stupide, car le véritable honneur ne peut se trouver là où la vertu est absente. Celui qui recherche le second est encore plus stupide, car il cherche une chose frelatée, instable et incertaine. » Mais le ton des *Lettres* s'élève lorsque l'auteur évoque les grands problèmes du temps. Devant le sultan victorieux qui a renversé à Constantinople le dernier vestige de l'Empire, il exhorte les grands à la croisade. À la sourde indifférence des princes chrétiens, aux luttes et aux jalousies il oppose un idéal plus humain et le rêve humaniste de la paix universelle, idéal qui est celui du catholicisme, dont il fait l'apologie dans son épître à Mahomet II.

À côté de ces grandes épîtres du pontife romain, on peut lire les lettres très vivantes que l'auteur a adressées à ses familiers et à ses amis. Elles sont toutes marquées par le style admirable de Piccolomini, qu'il écrive à un père pour le féliciter de la naissance de son fils, ou pour consoler un ami du départ de sa maîtresse ; qu'il conte l'inondation du Danube ou un orage de grêle avec des grêlons gros comme des œufs ; qu'il nous entretienne de Vegio ou de Bruni, ou encore disserte sur les grands thèmes humanistes de la fortune et de la renommée. Ces lettres trahissent un homme cultivé, spirituel, raffiné, qui recrée, avec vérité, les paysages de l'Europe, toute la vie du XVe siècle, depuis les grands événements que l'histoire a consignés jusqu'aux détails de la vie quotidienne, sans laquelle l'Histoire perdrait saveur et relief.

LETTRES de Platon. Un recueil de treize lettres est attribué au philosophe grec Platon (428 ?-347 ? av. J.-C.). La critique moderne en général ne considère comme authentiques que la septième et la huitième de ces lettres. Elles se réfèrent presque toutes à l'expérience de Platon à Syracuse et à ses rapports avec Denys le Tyran. La première, adressée à ce dernier, est certainement apocryphe. L'auteur fait allusion à la part prise par Denys dans le gouvernement de Syracuse ; il évoque l'éviction dont il fut victime et lui prédit une mort tragique. Cette lettre est une grossière contrefaçon, due probablement à un rhéteur, ainsi que le font penser les citations poétiques dont elles est farcie. Dans la deuxième lettre qui, elle aussi apocryphe, est adressée au successeur du tyran, Platon se défend d'avoir attaqué Denys : il invite son correspondant à adopter envers lui une conduite plus en accord avec la dignité de quiconque honore la philosophie. Ensuite, dans un style passablement énigmatique, il traite du premier d'entre tous les principes ; à la fin, il fait allusion au difficile problème de l'origine du mal. La troisième lettre, qui semble avoir été écrite après le troisième voyage de Platon à Syracuse, nous fournit certaines informations historiques particulièrement intéressantes. La quatrième est adressée à Dion, le successeur de Denys le Jeune, peu après son entrée à Syracuse. Platon lui exprime la satisfaction que lui donne son succès, mais il prévoit une lutte très dure et lui conseille de tempérer son ambition et de ménager les tiers. Il va de soi que l'auteur de cette lettre a eu l'intention de mettre en scène un Platon tout acquis au coup de force de Dion. La cinquième lettre, que quelques-uns s'obstinent à considérer comme authentique, ne l'est sans doute point. Elle est adressée à Perdiccas III, roi de Macédoine, frère et prédécesseur de Philippe. Elle lui recommande de prendre pour ministre Euphraios, un de ses jeunes disciples, apte à le conseiller le mieux du monde. Le but visé par l'auteur de cette lettre, composée à l'époque alexandrine, fut probablement de présenter Platon comme un homme ayant épousé la cause macédonienne. Nombreux sont les savants (Wilamowitz, Howald, Apelt) qui considèrent la sixième lettre comme authentique. Platon l'adresse à Hermias, le tyran vertueux d'Atarnée et d'Assos (Asie Mineure), pour lui recommander deux de ses disciples : Érastos et Coriscos. Platon avertit toutefois son correspondant que, si ces deux personnages possèdent la science des idées, ils ne laissent pas de manquer d'expérience politique : qu'Hermias les aide donc à l'acquérir. Platon souhaite que rien de fâcheux ne vienne troubler les rapports entre les trois amis ; qu'ils relisent souvent cette lettre et fassent sur elle un serment de fidélité.

La septième lettre est la plus importante de toutes. Platon l'adresse, après le meurtre de Dion de Syracuse, aux parents et aux amis de ce dernier, qui lui demandent des conseils pour réaliser leur projet de restauration, lequel fut également celui de Dion. Platon retrace l'histoire de sa vie morale et politique, et met en relief le fait que ses rapports avec les deux Denys et avec Dion eurent toujours la justice pour objectif. Aussi conseille-t-il aux partisans de Dion d'éviter la violence après la victoire, de s'entourer d'amis vertueux et d'entreprendre des réformes. Mais, avant tout, il insiste sur la nécessité d'une réforme individuelle et personnelle, en remettant en honneur ces valeurs morales que sont la sagesse, la tempérance et la justice. Dans une digression fameuse, l'auteur de la lettre rappelle les erreurs de Denys l'Ancien, son manque de foi et de moralité. Il insiste sur le fait que le texte que Denys avait rédigé en son nom, et qui portait sur les principes de la nature, n'avait pas une grande valeur et ne pouvait être tenu pour un résumé de la doctrine platonicienne. Ce n'est que « quand on a longtemps étudié ces problèmes, quand on a vécu avec eux, que la vérité peut jaillir dans l'âme ». La huitième lettre a aussi une grande importance ; elle est adressée aux parents et amis de Dion au moment où leurs adversaires, Denys II et surtout Callippe, le meurtrier de Dion, les menacent dans leur pouvoir. Platon se fait l'interprète de ce qu'aurait été la pensée de Dion, et déclare que, s'il vivait encore, il conseillerait de changer la tyrannie personnelle en « triarchie » ; que le fils de Dion et les fils de Denys l'Ancien (Hipparinos et Denys II) soient rois et que leur pouvoir soit modéré par des magistrats gardiens de la constitution, par le peuple et par le Sénat. La constitution que Platon propose se rapproche de celle qui est exposée dans les *Lois* (*). La neuvième lettre est adressée à Archytas de Tarente ; s'il fallait croire cette grossière falsification, Platon se serait efforcé de persuader Archytas de ne pas abandonner sa rude mission politique pour la philosophie. La dixième lettre est adressée à Aristodore, un ami de Dion. Platon le félicite de son penchant pour la philosophie et de sa fidélité à Dion. Dans la onzième lettre, qui est peut-être authentique, Platon, s'adressant à Laodamas, fondateur de certaine colonie dans la Thrace, s'excuse de ne pouvoir venir en personne l'aider de ses lumières. Il lui envoie néanmoins ce conseil : que sert d'établir une législation, aussi bonne soit-elle, s'il n'existe un gouvernement capable d'imposer une morale véritable aux gens libres et aux esclaves ? La douzième lettre est adressée à Archytas de Tarente pour le remercier de l'envoi qu'il lui a fait des écrits d'un certain Ocellos, écrivain pythagoricien, et pour annoncer l'envoi d'écrits importants qu'il prie de garder avec un soin extrême. La treizième lettre débute par une « preuve » [σύμβολον], qui doit permettre au destinataire, Denys II, de s'assurer de l'authenticité de la lettre ; cette preuve consiste dans la narration d'un épisode de leur vie commune à Syracuse. Puis Platon annonce l'envoi d'écrits pythagoriciens et l'arrivée d'un philosophe que le tyran et Archytas pourront mettre à contribution. – Trad. Les Belles Lettres, 1930 ; Gallimard, 1943 ; Garnier-Flammarion, 1987.

LETTRES de Pline [*Epistulae*]. Recueil de lettres rassemblées et publiées par l'écrivain latin Pline le Jeune (62-114 ?) : soit neuf livres auxquels s'en ajoute un dixième, lequel contient les lettres échangées entre Pline, gouverneur en Bithynie, et l'empereur Trajan. L'auteur publia d'abord ces lettres sans souci de l'ordre chronologique, mais l'intérêt grandissant du public le conduisit bientôt à recourir à ce mode de présentation. Éditeur de ses propres lettres, Pline écrit consciemment pour les lecteurs ; le fait que ses illustres amis, Tacite et Suétone, ou des personnalités politiques, comptent parmi ses correspondants, confèrent à ces lettres un intérêt supplémentaire. L'auteur surveille constamment son style : désinvolte dans les sujets de moindre importance, il ne manque pas de recourir au pathétique dans les grandes questions. Les potins de Cour, les bavardages de la ville, les intrigues et les scandales offrent une abondante matière à ceux qui, comme Pline, entendent en tirer d'utiles considérations d'ordre moral. Mais ici l'anecdote n'est jamais une fin en elle-même ; l'auteur répugne à conter : il se sent mal à l'aise dans les faits quotidiens, même lorsque ceux-ci sont d'une importance exceptionnelle. En revanche, dès qu'il peut se soustraire à l'événement, composer sa « page » de chic, dicter la « morale » philosophique apprise à l'école des stoïques, apprécier selon les canons rhétoriques le poète ou l'écrivain dont il traite, le fin lettré se révèle, truffant sa prose de vocables grecs. Les lettres de Pline, écrites sur le modèle des *Lettres* (*) de Cicéron, sont à ces dernières ce que l'éloquence du *Panégyrique de Trajan* (*) est aux *Discours* (*) du même auteur. La vérité n'est plus pour lui le véritable objectif, mais un moyen comme un autre de donner dans les morceaux de bravoure. – Trad. Les Belles Lettres, 1927, 4 vol.

LETTRES de Rachid al-Dîn [*Mukâtabât-é Rachidi*]. Correspondance de l'homme d'État et historien persan Rachid al-Dîn Fazlollâh (1247-1318), publiée après la mort de l'auteur par son secrétaire Mohammad Abarqouhi. Les manuscrits furent connus en Europe par l'orientaliste anglais E. G. Browne, au début du siècle. Ce recueil constitue un excellent supplément à l'histoire des Mongols ilkhanides d'Iran, telle que nous la rapporte l'auteur dans son *Recueil des chroniques* (*). Ces lettres, au nombre de cinquante-neuf, sont adressées à ses fils, gouverneurs de certaines provinces d'Iran, ainsi qu'à de hauts fonctionnaires. Dans les lettres officielles, Rachid al-Dîn exprime ses opinions sur des problèmes de théologie, de même qu'il donne des conseils à ses fils sur la meilleure manière d'administrer les provinces : comment collecter les impôts et comment gérer ses domaines privés à Mossoul, Basra et Kermân.

En consultant cette correspondance, l'on n'a aucun doute sur le rôle déterminant que joua Rachid al-Dîn lorsque Ghazân-Khân (1295-1304) entreprit ses réformes. D'autre part, l'historien exprime ses idées politiques : les Mongols doivent se rapprocher de la vieille noblesse iranienne, adopter leurs traditions politiques, ressusciter l'agriculture, minée par le système fiscal, réduire les impôts, protéger les paysans contre l'oppression des administrateurs. Par là, les lettres apportent un éclairage très précieux sur les problèmes socio-économiques de l'époque. M.-H. P.

LETTRES de Jean Racine. Ces lettres de l'auteur dramatique français Jean Racine (1639-1699) ont été publiées pour la première fois par son fils Louis en 1747 – v. *Mémoires* (*) de Louis Racine ; le texte de cette édition est incomplet. Luneau de Boisgermain reprit la même édition en 1768 ; puis Germain Garnier (1807), Geoffroy (1808), Aimé Martin (1844) tentèrent de rétablir le texte dans son intégralité ; mais il faut attendre l'édition de Paul Mesnard (1865-1873) pour l'avoir au complet. Dans cette correspondance assez peu abondante et d'un intérêt inégal, on pourrait distinguer trois séries de lettres assez importantes pour éclairer la figure du poète. La première, qui date du temps de ses premiers vers, est composée de vingt-quatre lettres datées d'Uzès et généralement désignées sous le titre de *Lettres d'Uzès*. La première lettre, adressée à La Fontaine, est datée du 11 novembre 1661 ; la dernière, adressée à Vitart, du 25 juillet 1662. Racine avait été appelé à Uzès par son oncle Sconin, vicaire général de l'évêché et prieur de la cathédrale, qui espérait le pourvoir d'un bénéfice ecclésiastique. La deuxième série serait celle des lettres adressées par Racine à son ami Boileau, dont nous n'avons malheureusement plus qu'une partie, à dater de 1687, soit dix ans après *Phèdre* (*) et la résolution de Racine d'abandonner le théâtre. La troisième série enfin, celle des lettres à son fils Jean-Baptiste : la première, du 24 septembre 1691, adressée à l'enfant qui n'avait pas encore treize ans. Il est d'ailleurs singulier qu'il ne nous soit parvenu qu'un si petit nombre de lettres du poète. De toute sa correspondance avec La Fontaine, il ne nous reste que trois pièces. De ses plus brillantes années, du temps de ses succès entre 1665 et

1675, pas une seule. Ce n'est qu'à partir de 1687 que la correspondance se fait un peu plus copieuse. Étant les seuls documents positifs qui demeurent, elles ont une importance réelle, trop souvent méconnue dans la mesure où Racine ne songeait pas à poser pour la postérité, et où ses *Lettres* sont révélatrices de son caractère et de ses ambitions. – 1) Racine a vingt ans au moment où s'ouvre cette correspondance, il vient de terminer ses études à Port-Royal et au collège d'Harcourt. Sitôt installé à Uzès, il poursuit avec l'abbé Le Vasseur ses entretiens de littérature et de poésie, lui envoyant ses vers, lui demandant conseil et recevant de charmantes lettres qui lui tenaient lieu « de livres et d'Académie » (« Après tout, si vous saviez la manière dont je les reçois vous verriez qu'elles ne sont pas profanées pour tomber entre mes mains... elles se communiquent à tout le monde et ne craignent point la médisance »). Sur son existence à Uzès, où il étudiait saint Thomas, Virgile, les poètes espagnols et italiens, notons aussi la petite lettre du 16 mai 1662 à son cousin Vitart : « Je me console avec mes livres. Comme on sait que je m'y plais, il y a bien des gens dans la ville qui m'en apportent tous les jours. » D'un amour-propre excessif, méfiant par instinct à l'égard de ceux qu'il ne connaît pas, mais naturellement disposé à l'amitié, d'une intelligence très ouverte, tel nous apparaît Racine dans sa correspondance de jeunesse. Si ces lettres n'annoncent pas le rival de Corneille, elles montrent un homme en quête d'une stratégie de carrière et elles font prévoir du moins celui des *Épigrammes* et des *Lettres à l'auteur des « Hérésies imaginaires »*. – 2) De sa correspondance avec Boileau, soit de l'époque où, historiographe du roi, Racine était devenu courtisan et suivait Louis XIV dans tous ses déplacements, ses campagnes en particulier (Alsace, Luxembourg, Pays-Bas), nous possédons des lettres qui viennent combler les lacunes du *Précis historique des campagnes de Louis XIV*, de la *Relation du siège de Namur* et des *Fragments historiques*, autant d'ouvrages entrepris qui furent détruits par l'incendie de la maison de Valincourt en 1726. Les railleries de ses anciens ennemis ne lui manquèrent point à cette occasion, de même qu'à Boileau, historiographe comme lui (on les surnommait « Messieurs du sublime »). Racine n'avait rien d'un guerrier et ne s'en cachait pas (lettre à Boileau du 3 avril 1691). Ces lettres sont, en général, très documentées et supposent un œil exercé, embrassant dans son observation l'ensemble de la bataille. Quant aux épîtres plus personnelles adressées à son ami, elles prouvent que cette amitié fut active, efficace, consistant à se faire un mutuel bien et à se dévouer l'un pour l'autre, même si, toujours réservés et se tenant comme à distance l'un de l'autre, ces grands amis s'appellent « Monsieur ». – 3) La question relative à la religion et au jansénisme de l'ancien élève de Port-Royal, revenu depuis longtemps à des habitudes de piété et de méditation, se trouvera naturellement résolue dans la dernière partie de cette correspondance, où le père s'attache à faire de son fils Jean-Baptiste un chrétien de cœur et d'action, et dévoile à nos regards curieux une âme religieuse jusqu'au scrupule.

LETTRES de Rienzo. Lecteur assidu des auteurs classiques, le tribun italien Cola di Rienzo (Niccolò di Lorenzo Gabrini, 1313-1354) était hanté par le souvenir de la grandeur de Rome. Dans ses lettres, en un style robuste et imagé, et sous une forme noble et grandiloquente, s'expriment les exigences et les pressentiments de cette époque qui annonce la Renaissance. Devenu « tribun auguste », il plaide le salut et la paix de toute l'Italie et annonce aux autres peuples le message de Rome, capitale du monde et siège de la foi chrétienne. Il revendique, pour le peuple romain et pour « l'Italie sacrée », le droit d'être représentés aux élections impériales et dans la juridiction de tout l'empire ; il interdit à tous les puissants l'entrée en Italie de leurs armées, sans l'accord du pape et du peuple romain. Cola di Rienzo exhorte tous les hommes à être de bonne foi et à rendre grâces à Dieu du bienfait « d'un État pacifique et juste ». Mais, ayant perdu la faveur de l'Église, il fut condamné comme hérétique, après un procès qui eut lieu à Prague. Pendant ses longues années de prison (1350-1353), ses lettres deviennent plus humaines. Il écrit au roi et à l'archevêque de Prague, à l'abbé de Sant' Angelo à Rome, au chancelier de Rome ; il encourage ses amis et ses partisans ; il tourne sa pensée vers sa femme et ses enfants ; et dictant ses dernières volontés, il condamnera son orgueil passé, tout en continuant de défendre son œuvre et de lancer des invectives contre l'Église.

LETTRES de Mme de Sévigné. Les *Lettres* de l'épistolière française Marie de Rabutin-Chantal marquise de Sévigné (1626-1696) ont été publiées après sa mort, par divers membres de sa famille (premier recueil en 1726). Elle-même n'avait entrepris aucun projet d'édition de sa correspondance. Il s'agit donc bien d'écrits privés qui sont devenus, après coup, une œuvre littéraire. Le premier à avoir fait d'elle un personnage public et littéraire est son cousin Bussy-Rabutin, écrivain et académicien, avec qui elle était très liée, qui la mentionne dans son *Histoire amoureuse des Gaules* (*), puis qui, publiant ses *Mémoires* (*) et sa propre correspondance, y inclut les lettres d'elle qu'il a reçues et dont il avait gardé des copies : cela en 1696, l'année où elle vient de mourir. C'était le signe que, de son vivant même, on avait apprécié son art épistolaire. Pour bien évaluer la signification d'une telle estime, il faut tenir compte du fait qu'au XVIIe siècle la pratique de la lettre fait partie du code des bons usages dans la société mondaine cultivée. Les manuels épistolaires fourmillent, qui donnent des conseils et des modèles du bien-écrire. Dans les salons, quand quelqu'un recevait une lettre qu'il jugeait intéressante, on la lisait en groupe, on la faisait circuler, parfois même on en prenait des copies. Il y avait là une forme minimale de diffusion publique, mais d'une publication restreinte, qui ne dépassait pas les cercles intimes de la sociabilité mondaine, sans rien de commun avec la diffusion imprimée. Ainsi, les lettres que Bussy-Rabutin publie marquent un passage : elles appartiennent encore au domaine de l'anecdotique, de la curiosité mondaine, elles n'instaurent pas pour leur auteur un statut d'écrivain, ou pour mieux dire d'« écrivaine » ; mais elles la font bien entrer dans l'espace public de la lecture.

La découverte de Mme de Sévigné écrivain se fit, à proprement parler, un peu plus tard, par les soins de ses descendants, qui avaient conservé la correspondance par elle adressée à sa fille Mme de Grignan, en Provence. L'histoire de cette première édition est compliquée, faite de projets, de manœuvres et de contretemps, l'une des héritières, promotrice de l'entreprise, ayant en cours de chemin changé d'avis. Voltaire, qui avait eu connaissance de copies de certaines lettres, essaya même un moment d'en lancer une édition pirate... Mais, sans entrer dans le détail, reste que parut en 1726 une première publication de cent trente-sept lettres de Mme de Sévigné à sa fille, bientôt augmentée de cinquante autres. L'héritière hésitante, cependant, avait fait recopier l'ensemble des originaux retrouvés à Grignan. Ceux-ci furent ensuite brûlés, par les soins d'un autre héritier. Il y avait, à ces tergiversations comme à cette suppression, la raison que les lettres mentionnent, et souvent de façon critique, nombre de personnes de la bonne société du temps, et cela risquait de blesser l'amour-propre de leurs familles. La copie primitive, elle-même, fut longtemps égarée, et on compléta l'édition première en utilisant des copies de copies, qui étaient lacunaires et fautives. On peut dire que ce n'est qu'au XXe siècle qu'on a enfin disposé d'un texte, sinon complet (toutes les lettres n'avaient pas été conservées), du moins correctement établi de cette correspondance... Sans entrer là non plus dans le détail, cet aperçu de l'histoire de son édition suffit à souligner le paradoxe : une œuvre qui n'était pas d'un écrivain, qui entra en littérature par raccroc et qui ne fut publiée que de façon partielle, tronquée, déformée devint pourtant très vite un immense succès, et de fait un classique. Dès le XVIIIe siècle, les premiers manuels pour l'enseignement de la littérature française lui font une place... La vogue du genre épistolaire continuait à cette époque-là et celle du roman par lettres atteignait son apogée, ce qui a certainement contribué au succès. Mais le retentissement de cette œuvre a dépassé cette conjoncture. La lettre que pratique Mme de Sévigné appartient au genre de la lettre privée, familière, sans jamais qu'elle ait donné des épîtres morales ou politiques, ni des « relations », ni moins encore dans la lettre polémique. C'est donc, en soi, d'un genre mineur au sein du domaine épistolaire qu'elle relève. Mais c'est aussi le genre de la spontanéité.

Les *Lettres* s'adressent à des amis (Ménage, par exemple, qui fut son précepteur), à des proches (Bussy-Rabutin, les Coulanges, c'est-à-dire sa famille, ou Arnauld de Pomponne, ami intime...) et surtout à sa fille : celle-ci avait épousé un gentilhomme qui fut nommé lieutenant général de Provence, et elle quitta Paris pour aller vivre là. Cette séparation fut très douloureuse pour sa mère, qui compensa la distance par une correspondance abondante : deux à trois fois par semaine, à partir de 1671, elle écrivit à sa fille, et souvent longuement. Ces lettres-là sont avant tout des lettres d'amour. Amour maternel, bien sûr, mais si exacerbé, si vif, si tendre qu'il en prend des tonalités passionnelles, et produit une forme obsessionnelle du discours : on est en présence d'une écriture de l'aveu et de l'épanchement. « Rien ne me donne de distraction ; je suis toujours avec vous ; je vois ce carrosse qui avance et qui n'approchera jamais de moi : je suis toujours dans les grands chemins ; il me semble même que j'ai quelquefois peur qu'il ne verse ; les pluies qu'il fait depuis trois jours me mettent au désespoir ; le Rhône me fait une peur étrange. J'ai une carte devant les yeux : vous êtes ce soir à Nevers, et vous serez dimanche à Lyon où vous recevrez ma lettre » (À Mme de Grignan, 9 février 1671). Cela est écrit au moment du départ de sa fille. Mais un mois plus tard : « Toute votre chambre me tue ; j'y ai fait mettre un paravent au milieu, pour rompre un peu la vue d'une fenêtre sur ce degré où je vous vis monter dans le carrosse [...] et par où je vous rappelai. Je me fais peur quand je pense combien alors j'étais capable de me jeter par la fenêtre » (3 mars 1671). La même passion, si elle se nuance dans le ton, se conserve aussi vive au fil du temps. De son côté, la fille prodigue aussi des marques de tendresse, alors qu'elle en donnait peu quand elles étaient ensemble. L'une comme l'autre eurent d'ailleurs conscience de ce paradoxe, et Mme de Sévigné proteste que ce n'était pas l'absence qui aiguisait l'affection, mais que celle-ci avait seulement mûri et s'était révélée entière : « Je vous prie, ma bonne, ne donnons point désormais à l'absence le mérite d'avoir remis entre nous une parfaite intelligence, et de mon côté la persuasion de votre tendresse pour moi : quand elle aurait part à cette dernière chose, puisqu'elle l'a établie pour jamais, regrettons un temps où je vous voyais tous les jours, vous, ma bonne, qui êtes le charme de ma vie et de mes yeux ; où je vous entendais, vous dont l'esprit touche mon goût plus que tout ce qui m'a jamais plu » (6 mai 1671).

Mais les lettres de Mme de Sévigné ne sont pas seulement consacrées à la plainte affective. Les tons et les sujets en sont divers, en fonction des destinataires, mais aussi en s'adressant à sa fille. Elle est capable de faire une série de lettres sérieuses donnant la chronique du procès de l'ex-surintendant Fouquet, tel qu'il pouvait être suivi par le public bien informé et favorable à l'accusé (nov.-déc. 1664, série de lettres à Arnauld de Pomponne, futur ministre des Affaires étrangères, qui avait été mêlé aux affaires de Fouquet). D'autres fois, elle plaisante, elle ironise, fait des joutes épistolaires avec son cousin Bussy-Rabutin, qui était réputé pour son esprit, et elle joue alors volontiers à mêler des vers à la prose de son courrier. Elle jongle avec les mots, pour une nouvelle qui défraye la chronique mondaine : « Je m'en vais vous mander la chose la plus étonnante, la plus surprenante, la plus merveilleuse, la plus miraculeuse, la plus triomphante, la plus étourdissante, la plus inouïe, la plus singulière, la plus extraordinaire, la plus incroyable, la plus imprévue, la plus grande, la plus petite, la plus rare, la plus commune, la plus secrète jusqu'aujourd'hui, la plus brillante, la plus digne d'envie [...] M. de Lauzun épouse dimanche au Louvre, devinez qui ? Je vous le donne en quatre, je vous le donne en dix, je vous le donne en cent [...] Il épouse, dimanche, au Louvre, avec la permission du roi, Mademoiselle, Mademoiselle de... Mademoiselle... Devinez le nom : il épouse Mademoiselle, ma foi, par ma foi ! ma foi jurée ! Mademoiselle, la Grande Mademoiselle » (la fille de Gaston d'Orléans, cousine de Louis XIV) (À Coulanges, 15 déc. 1670). Il y a bien du maniérisme là-dedans, la manière de la gazette du Tout-Paris élégant et de la Cour ; mais il y a du jeu. Cette gazette, elle la tient aussi pour Mme de Grignan, de façon que celle-ci, dans sa province, ne soit pas coupée de l'actualité parisienne, mais au contraire soit bien « à la page », ce qui était important pour faire bonne figure. Et pour les mêmes raisons, elle descend, d'autres fois, dans les détails des modes vestimentaire et capillaire, pour que sa fille puisse se mettre au goût du jour. Et il y a les anecdotes, les faits divers, les « nouvelles », les commérages (qu'elle dit détester pourtant), mais il y a aussi les confidences intimes, des considérations très pratiques sur la santé, sur l'éducation des enfants, le choix d'une nourrice, les proches, le temps qu'il fait, les songeries, la religion, les valets, ses finances, la maison... et des moments sans pruderie, quand elle parle des débauches de son fils et des « pannes » sexuelles qu'il en subit pour avoir fait trop de parties fines. Comme elle écrit souvent, c'est un journal intime complet qui se dessine ainsi.

Devant un tel ensemble de textes, plusieurs questions se posent : en particulier celle de la conscience du sujet qui écrit, celle de la représentativité de ces écrits (de leur signification), enfin celle de leur évaluation.

Il y a, on l'a vu, des moments de maniérisme avéré dans les *Lettres* de Mme de Sévigné. Était-elle engagée dans un projet littéraire délibéré ? Certains critiques ont soutenu cette thèse. Et il est vrai qu'on y lit par exemple : « Mon Dieu, ma bonne, que vos lettres sont aimables ! Il y a des endroits dignes de l'impression : un de ces jours vous trouverez qu'un de vos amis vous aura trahie » (c'est-à-dire : aura publié vos lettres) (À Mme de Grignan, 8 avril 1671). Cela se pratiquait. Et Voiture, dans les années 1630 et 1640, avait été connu et reconnu comme un écrivain admiré, alors qu'il refusait de rien publier, rien que par les copies qui couraient de ses lettres, puis par des éditions faites par ses descendants. Mme de Sévigné pouvait envisager cela, et c'est à peu près ce qui lui arriva ; elle pouvait donc s'appliquer à elle-même ce qu'elle écrivait là pour sa fille. Et elle aurait alors travaillé son style et ses sujets dans cette perspective... Mais d'autres critiques soutiennent la thèse inverse : Mme de Sévigné écrivait à titre privé, sans projet littéraire, c'est-à-dire de publication. En dernière analyse, cette thèse semble l'emporter. D'une part, Mme de Sévigné n'a jamais préparé aucune publication ; mais elle pouvait penser qu'on l'éditerait « malgré elle ». Or, d'autre part, ses lettres sont tissées de détails privés, ou de tant de plaisanteries, y compris féroces (qui gênèrent tant, justement, ses premiers éditeurs), sur des gens vivants qu'elles ne pouvaient en aucun cas être publiables sans créer une situation délicate, pour le moins. Enfin, les cris du cœur, les propos d'amour cent fois répétés, même avec lourdeur, cela n'aurait pas passé, surtout dans le milieu lettré et mondain qui était le sien. Lettres privées donc, qui sont devenues « œuvre littéraire » pour d'autres raisons...

Le milieu où elle vit, justement, éclaire la question de la valeur de son témoignage. On peut bien sûr lire sa correspondance comme une chronique de la mondanité parisienne et versaillesque du Grand Siècle. Elle en fournit la matière, elle est une excellente source d'information. Du moins pour ce qui concerne l'aristocratie et la très haute bourgeoisie ; le peuple, Mme de Sévigné l'ignore, comme elle ignore aussi la vraie politique : de la Cour, elle voit et sait surtout les distinctions et les dentelles. Rubrique nuptiale et nécrologique, promotions et disgrâces, affaires de cœur et de lit, voilà ce qu'elle appelle « savoir les nouvelles ». Si elle tient une telle chronique restreinte du beau monde, c'est que ses correspondants le souhaitaient, que cela se faisait ; c'est aussi qu'elle est snob. En cela, comme dans la précision des détails qui fourmillent, elle fait mieux que n'a fait Proust ensuite. Que le roi s'adresse à elle ou à son amie Mme de La Fayette, une conversation avec la reine, un signe de connivence que lui adresse la Grande Mademoiselle en la recevant

« dans sa ruelle », et c'est pour elle un événement. À la mort de Turenne, la famille de celui-ci l'invite à dîner et à la cérémonie des funérailles : elle est touchée de la marque de distinction en même temps que de tristesse (À Mme de Grignan, 28 et 30 août 1675), etc. Et quand son cousin Bussy-Rabutin dressait la généalogie de leur famille, elle lui écrivait : « Je vous prie cher cousin de m'envoyer les copies de tout ce que vous avez, et pour qu'elles soient plus authentiques, faites-les copier par devant l'intendant de votre province : ne manquez pas à cela, il y va de l'honneur de notre maison. On ne peut être plus vive sur cela que je ne le suis » (14 août 1668). Et : « J'ai reçu ce que vous m'avez envoyé touchant notre maison ; je suis entêtée de cette folie » (28 août 1668). Il est vrai que sa famille paternelle, les Rabutin-Chantal, et celle de son mari étaient de vieille aristocratie ; la famille maternelle, en revanche, les Coulanges, se composait de bourgeois enrichis dans la collecte des impôts : il y a chez elle du désir d'adhérer tout à fait au monde aristocratique.

Par ailleurs, il est nombre de faits qu'elle raconte sans en avoir été témoin oculaire : que ce soit la célèbre anecdote de la mort de Vatel (1671) ou la grande prise d'armes du jour de l'an 1689, elle relate, en récit mimétique, ce qu'elle n'a pas vu, qu'on lui a relaté... Son regard est donc doublement médiatisé : par celui de ses informateurs, et par le prisme de son aristocratisme snob. Lire ses *Lettres* comme un document historique donnant une vue correcte du pays produirait une image bien partielle et partiale du Grand Siècle.

Elles sont, en revanche, révélatrices de la situation où se trouva une petite fraction de la société d'alors, et une situation qui est, historiquement, exceptionnelle. Mme de Sévigné a fréquenté des écrivains de métier (Chapelain, Ménage, qui furent ses précepteurs, Segrais), des ministres (Fouquet, Pomponne), des altesses royales ; mais ses plus familiers, qui sont-ils ? Bussy-Rabutin, Mme de La Fayette, La Rochefoucauld... Des aristocrates très instruits et qui eux-mêmes écrivaient. Un peu moins proches, mais familiers tout de même : le cardinal de Retz, la Grande Mademoiselle, mêmes cas. C'est un microcosme qui joint les attributs de plusieurs catégories de la distinction : la haute naissance, l'art des écrivains, l'accès aux affaires des ministres... Cette conjonction exceptionnelle a, dans ce siècle, une lignée qui va du salon de l'Hôtel de Rambouillet, où Mme de Sévigné fut quelquefois, à un temps, celui de la Grande Mademoiselle, et enfin au petit cercle Sévigné-La Fayette-La Rochefoucauld. Cet alliage de la distinction sociale et de la distinction littéraire se répandra au siècle suivant, où il sera le lot que revendique tout salon : à son époque, il est encore rare. Ce que « représentent » les lettres de Mme de Sévigné, c'est ce regard très « distingué » sur toutes les choses de la vie.

Ce petit milieu est au carrefour de plusieurs courants esthétiques. Il y a de l'influence précieuse, dont la Grande Mademoiselle fut une figure de proue. Il y a de l'influence janséniste, via Pomponne et sa famille, les Arnauld. On y connaît Descartes, Mme de Grignan se réclame de sa philosophie. Mais on y apprécie aussi l'héroïsme baroque italien (Mme de Sévigné savait cette langue, et lisait le Tasse et l'Arioste) et français (elle est entichée de Corneille). Surtout, il y a l'influence de l'esthétique « galante », qui s'était d'abord développée dans l'entourage de Fouquet : elle apprécie Ménage, Scudéry, Pellisson, La Fontaine. Enfin, par la logique du milieu, elle n'ignore rien des grands prédicateurs du temps, Bourdaloue, Bossuet, et par la logique de sa microsociété, le pessimisme de La Rochefoucauld ne lui est pas inconnu. De tout cela l'influence galante domine ; et c'est d'abord celle d'un style. Mme de Sévigné insère volontiers des fragments versifiés dans sa prose : c'était l'indice formel le plus typique de ce qu'on nommait la lettre galante. Surtout, le style galant refusait les formes extrêmes et les différenciations radicales, préférant mêler les genres ou ménager entre eux des transitions insensibles ; ce qui est le propre de Mme de Sévigné. Elle s'avouait « tiède », en matière de religion, autant qu'elle était passionnée dans ses sentiments pour Mme de Grignan : n'inclinant pas au désespoir mystique, elle mêle souvent à ses plaintes des traits d'humour, et vice versa. C'est ce jeu des changements qui définit sa manière, par nuances. Pour l'esthétique galante, la référence était dans l'art de la conversation des salons : Mme de Sévigné écrit comme elle parlait. Chez elle le récit va vite, les phrases sont volontiers courtes, les portraits croqués en peu de traits. Elle affirme volontiers : « Le style des relations doit être court. » Elle se répète, souvent, parce qu'elle ne corrige pas ses lettres ; elle ne travaille pas son style comme le ferait un écrivain : elle l'emploie spontanément, tel qu'il est issu de l'imprégnation reçue dans son milieu, à ce carrefour du savoir et de la distinction. Et c'est cette spontanéité, y compris avec ses irrégularités, qui impose les critères de l'évaluation littéraire de cette correspondance.

On peut la lire, à bon droit, on l'a vu, comme on lirait des Mémoires, ceux d'une grande dame dans le Grand Siècle. Si l'Histoire n'y passe que par intermittence, on y voit, du moins, la chronique, et des « historiettes » qui valent celles de Tallemant, et l'image un peu compassée que l'école a tracée du siècle de Louis XIV s'en trouve bousculée et rajustée : ça vit, ça bouge, ça parle d'argent, ça s'angoisse sur le salut de l'âme, ça a des coups d'éclat et des mesquineries, des ridicules et des sensibilités... On peut aussi, à tout aussi bon droit, lire ces *Lettres* comme un journal intime. Là réside leur réalisme le plus parlant. Il y a la trame des jours, les affaires de santé, de repas, de petites rivalités mondaines, d'argent, d'enfants, et il y a aussi les confidences, pensées intimes, peurs, lectures, sensations de la nature et du temps : « Je me trouve dans un engagement qui m'embarrasse : je suis embarquée dans la vie sans mon consentement ; il faut que j'en sorte, cela m'assomme ; et comment en sortirai-je ? Par où ? Par quelle porte ? Quand sera-ce ? En quelle disposition ? Souffrirai-je mille et mille douleurs, qui me feront mourir désespérée ? Aurai-je un transport au cerveau ? Mourrai-je d'un accident ? Comment serai-je avec Dieu ? Qu'aurai-je à lui présenter ? La crainte, la nécessité feront-elles mon retour vers lui ? N'aurai-je aucun autre sentiment que celui de la peur ? Que puis-je espérer ? » (À Mme de Grignan, 16 mars 1672). Pour ce siècle réputé méfiant envers le « moi » et peu ouvert à la nature, le contraste qu'introduit le discours des *Lettres* est net... Même si, à chaque instant, l'humour resurgi reprend ses droits, dévie l'aveu, rend le rire ; il n'est pas si fréquent dans la veine du journal intime qu'il y ait beaucoup de place pour la gaieté : tantôt voulue et cherchée, en distraction, tantôt due aux usages, car il était de bon ton d'avoir de l'esprit, et souvent simplement spontanée : « ... des aventuriers, des épées, des chapeaux du bel air, des gens faits à peindre, une idée de guerre, de roman, d'embarquement, d'aventure, de chaînes, de fers, d'esclaves, de servitude, de captivité : moi qui aime les romans, tout cela me ravit et j'en suis transportée » (de Marseille, 25 janvier 1673).

On peut lire aussi, enfin, les *Lettres* comme un roman d'amour. Amour singulier que cet amour maternel qui s'exacerbe et déborde : il y a une densité psychologique, des fonds psychanalytiques, qui font signes et énigmes. Roman singulier, puisqu'il est entièrement vrai. Mais un roman parce qu'il s'y trace une histoire, une stratégie de la séduction, des phases nuancées du sentiment, des variations subtiles de la sensibilité.

Par sa nature même, parce qu'il est discours mais discours fragmenté et que la succession des fragments fait inéluctablement un récit, le genre épistolaire participe d'une poétique multiple. Dans les *Lettres* de Mme de Sévigné, les divers aspects concourent à l'affirmation complète d'un « je », d'un sujet écrivant : les trois modes de lecture qu'on vient d'évoquer convergent en ce sens. Et, surtout en un temps où les droits n'en étaient guère construits, il faut noter que ce sujet est un sujet féminin. Cette dimension importe, en effet, à l'expression de la sensibilité qui est le moteur de cette correspondance. Dire si cette sensibilité aurait pu ou non être aussi aiguë chez un homme serait tirer des plans sur les comètes. En revanche, il est certain qu'elle n'aurait pu, sous une signature masculine, s'épancher de la même façon : les mentalités du temps n'admettaient pas autant d'angoisses paternelles, a fortiori à l'égard d'une fille. Elles auraient jugé que la façon de jouer avec le langage, aussi, chez un aristocrate, un homme d'épée, fît par trop apprêté. Alors que Mme de Sévigné, parce qu'elle est femme, et femme libre – elle est veuve, riche, sans liaisons à cacher, et d'esprit libre grâce à l'éducation rare qu'elle eut –, peut laisser libre cours à sa plume comme à ses pensées. Les *Lettres* sont aussi conquête d'un espace de liberté par le sujet féminin.

Enfin, au-delà encore de ces dimensions poétique et sémantique, les *Lettres* se caractérisent par leur rhétorique (au sens le plus plein et non péjoratif du terme). En un siècle où, plus que jamais, la maîtrise de la rhétorique a été un enjeu littéraire en même temps que social, et un enjeu conscient, tout à fait délibéré, elles sont éminemment rhétoriques. Mme de Sévigné n'écrit jamais par pure convention ou par pure confidence : ses lettres ont toujours un but... et presque toujours, il est, parmi les objectifs rhétoriques possibles, le plus difficile, celui de séduire, mais de séduire sans tromper. À moins d'une possible mais éminemment contingente identification avec l'épistolière ou sa fille, ces *Lettres*, non destinées à la publication, peuvent mettre le lecteur en situation de « voyeur » ; toutefois si la lecture ne veut pas s'enfermer dans le « voyeurisme », elle requiert la complicité. Or « galant », « galer », cela signifie à l'origine : jouer. Ces « lettres galantes » sont un jeu de style, un exercice sérieux, mais un exercice d'esprit : on peut être ou non touché de leurs enjeux premiers, mais on peut aussi être curieux, simplement, de voir comment être spirituel est une façon de regarder les choses de sa vie. A. V.

LETTRES de Sidoine Apollinaire [*Epistolae*]. Nous possédons 147 lettres de Sidoine Apollinaire (431 ? - 487 ?), évêque de Clermont à partir de 470. Elles furent presque toutes écrites entre 470 et 480 et publiées en neuf livres par l'auteur lui-même. La majeure partie des lettres des premiers livres, adressées d'abord à quelque royal correspondant, furent plus tard revues et développées pour être publiées. Les lettres des derniers livres, en revanche, furent directement composées dans ce but ; il apparaît que l'auteur a voulu faire une œuvre littéraire. Ces lettres sont le plus souvent adressées à des amis de Sidoine (une l'est à sa femme), et elles traitent des sujets les plus variés. Certaines nous racontent des événements de la vie de l'auteur et nous fournissent des renseignements sur ses œuvres, celle par exemple qui relate sa visite à l'empereur Majorien ou cette autre qui décrit sa maison ; quelques lettres parlent de personnages ou d'événements de l'époque, par exemple celle qui contient l'éloge de Théodoric II ; citons encore la onzième du IVe livre et la seconde du Ve sur Mamert Claudien, ou la neuvième du Ier livre qui renferme un parallèle entre Avienus et Basile : ces dernières lettres traitent de sujets littéraires. Les lettres de Sidoine Apollinaire ont, aujourd'hui encore, une grande importance ; elles sont une source précieuse pour la connaissance de l'histoire, de la civilisation, de la culture à l'époque de l'auteur. Du point de vue littéraire, il prend pour modèles les écrivains classiques, particulièrement Pline ; comme lui, il divise son recueil de lettres en neuf livres. Bien que, parfois, il fasse preuve d'une certaine habileté dans la description des lieux et des caractères ou lorsqu'il rapporte des anecdotes, son style est le plus souvent pompeux. Les nouveaux mots et les constructions nouvelles, qui indiquent l'évolution désormais rapide de la langue latine, sont ici beaucoup plus fréquents que dans les *Poèmes* (*) du même auteur. — Trad. Didot, 1867 ; Les Belles Lettres, 1970.

LETTRES de Symmaque. Recueil de lettres de l'orateur et homme d'État latin Quintus Aurelius Symmaque (fin du IVe s.), préfet de Rome en 384, puis consul en 391. Elles furent publiées après la mort de l'auteur par son fils, Quintus Fabius Memmius Symmaque, probablement entre 403 et 408. Elles suivent la division de la correspondance de Pline en dix livres. Les neuf premiers livres rassemblent la correspondance privée de l'auteur, le dixième ses lettres officielles à l'empereur. Les lettres des sept premiers livres ont été recueillies avec un soin tout particulier et ont peut-être été publiées séparément. Les lettres de la correspondance privée sont brèves et guindées. Elles révèlent chez l'auteur une constante préoccupation de la forme, mais manquent totalement de pensée profonde et de sentiment. Elles décrivent les voyages et les maladies de l'auteur, nous entretiennent de ses parents ou de ses amis. Le plus souvent, ce sont de simples billets de recommandation, de souhaits ou de salutation, sans allusion à la vie et aux événements de l'époque, auxquels Symmaque pourtant participa très activement. La lettre qui décrit la famine de Rome est une exception. Les lettres du dixième livre, que Symmaque adresse à l'empereur Valentinien II (en 384 et 385), sont autrement importantes. Il faut noter surtout celle qu'il écrivit pour défendre le paganisme, lorsqu'en 384 les sénateurs tentèrent d'obtenir de l'empereur la révocation du décret de Gratien contre le culte païen. Saint Ambroise en personne intervint dans cette lutte ; et grâce à Symmaque, nous entendons, pour la dernière fois peut-être dans l'histoire de Rome, le regret de voir disparaître les institutions et traditions antiques, dont l'auteur fut le fervent défenseur. C'est la plus fameuse des lettres de Symmaque. Dans les autres, à l'absence totale de sentiment répond un langage coulé de tout point dans le moule classique. Il n'empêche que, dans l'ensemble, ses lettres préfigurent la décadence romaine.

LETTRES de Synésios. Recueil de cent cinquante-six lettres du philosophe grec néoplatonicien Synésios (370 ?-413), évêque de Cyrène (sa ville natale) à partir de 411. Ce recueil n'est pas seulement un important document littéraire, mais encore une source de premier ordre pour la connaissance de la personnalité attachante de son auteur. Le style des lettres est direct et familier : ainsi, dans la quatrième lettre, Synésios décrit à des amis, Pilémène, Nicandre, Olympe et quelques autres — qu'il veut tenir au courant de sa vie et de son activité — les péripéties d'un voyage à Alexandrie. Il leur recommande, par la même occasion, des parents ou des amis qui ont besoin d'aide. Il s'adresse également à Hypatie, dont les conseils l'ont aiguillé jadis vers l'étude de la philosophie, et avec laquelle il conserva des liens d'amitié durant toute sa vie. Ces lettres mettent en relief la personnalité de Synésios ; à travers elles, il nous apparaît comme auréolé d'une noblesse et d'une droiture morales vraiment dignes d'admiration, sans manquer pour cela ni d'énergie ni d'habileté dans l'exercice de son activité pastorale. L'enseignement doctrinal s'accompagne chez lui de preuves de vertus morales et d'une bonté d'âme exceptionnelle à une époque où la civilisation grecque, appauvrie par des luttes stériles, allait succomber sous la poussée des barbares. À l'époque byzantine, les *Lettres* de Synésios furent très admirées et considérées comme un modèle du style épistolaire : c'est ainsi que Suidas les cite dans sa *Souda* (*) avec une grande admiration. — Trad. Hachette, 1878.

LETTRES du Tasse. Ce recueil est composé d'environ mille sept cents lettres, que l'écrivain italien Torquato Tasso (le Tasse, 1544-1595) écrivit à des périodes différentes de sa vie. Elles sont importantes, non seulement comme documents biographiques, mais aussi parce qu'elles font partie intégrante de son œuvre et ont une réelle valeur littéraire. Deux recueils : *Lettres poétiques* [*Lettere poetiche,* 1587], adressées aux correcteurs de *La Jérusalem délivrée* (*), et *Lettres intimes* [*Lettere familiari,* 1588] furent publiés à son insu alors qu'il était encore vivant. Bien qu'il prétende les avoir écrites sans aucune recherche de style, il vante leur valeur littéraire et plusieurs fois prie ses correspondants de les garder. La fameuse lettre à Ercole de Contrari, dans laquelle on trouve une comparaison entre l'Italie et la France, les deux pays et leurs usages, témoigne de la vivacité et de la fraîcheur avec lesquelles ce poète rêveur et méditatif considère les choses. Par contre, les lettres que l'on a coutume de désigner sous le nom de *Dialogues* (*) lui permettent d'étaler son érudition et son habileté dialectique au point de rendre ennuyeuse cette correspondance et d'accroître la monotonie inévitable du sujet. Elles consistent surtout en des supplications pressantes pour obtenir la liberté, en d'humbles, trop humbles demandes de dons et d'aide, en une suite de plaintes : en fait, la plus grande partie de ces lettres a été écrite pendant les années de réclusion dans la prison de Sainte-Anne et de pénibles vagabondages. Ce thème morose est toujours traité dans un style très rigoureux. Plus l'esprit est déchiré et bouleversé, le ton de sa confession triste et âpre, et plus les lettres se font émouvantes. La dernière, adressée à Antonio Costantini, est particulièrement connue. Le Tasse sut parler de ses malheurs de façon persuasive ; pour écrire les hallucinations auxquelles il était parfois sujet, il trouve une simplicité convaincante : « Sachez que ces persécutions sont de deux natures : humaine et diabolique. Les persécutions humaines se manifestent par un grand tumulte de voix d'hommes, mais surtout de femmes et d'enfants, par des railleries, par des cris d'animaux que poussent des bouches humaines. Les persécutions diaboliques sont des enchantements et des ensorcellements... » (lettre du 18 octobre 1581 à Maurice Cattaneo). Par contraste avec ce que renferment les *Dialogues,* on a l'impression d'entrevoir le visage sombre de la folie, qui se manifeste bien plus par l'extravagance des sujets traités que par le ton lui-même. Pourtant, le Tasse a su éviter le naufrage mental grâce à l'image héroïque qu'il se fait de lui-même et de son malheur, image qui lui permet en quelque sorte de se hisser jusqu'au sublime : « Mon malheur gémit si fort que le son de sa voix emplit l'univers » (lettre à Scipione Gonzaga qui est une des plus importantes de la correspondance). Cette image n'est d'ailleurs pas autre chose qu'un besoin inné de grandeur. La longue suite de ses supplications n'amoindrit pas la haute opinion qu'il a de lui-même et de sa dignité de poète ; quelquefois cependant, il proteste avec une indignation furieuse contre la violence et les injustices, ce qui ne l'empêche pas de garder au fond de lui-même une mentalité de courtisan capable des plus indignes flatteries. Par contre, ce sens de l'humour et de la plaisanterie qui, avant que l'infortune ne le touchât, lui avait inspiré la brillante lettre du 16 janvier 1577 à l'Arioste, disparaît entièrement.

Il faut mettre à part les lettres écrites aux critiques et à son ami Luca Scalabrini, qui avait l'habitude de lui rapporter les jugements des hommes de lettres. Le poète lui-même avait désiré que son œuvre soit revue, afin d'être plus sûr de l'approbation des gens d'Église et des écrivains. Il s'était, pour cela, adressé à son ami Scipione Gonzaga qui travaillait avec Pier Angelo Barga, Sperone Speroni, Flaminio de Nobili et Silvio Antoniano. Mais le poète, dont l'âme vibrait encore de la musique de son chef-d'œuvre, et les critiques, qui pensaient plus aux exigences littéraires et religieuses qu'au poème en soi, devaient fatalement se quereller ; cette querelle fut d'autant plus grave que le Tasse n'était préparé ni intellectuellement ni moralement à combattre les critiques. De là, ce pénible travail auquel il s'astreignit pour tenter de concilier sa poésie, à laquelle il ne pouvait renoncer sans trahir le meilleur de lui-même, avec le point de vue des critiques qui lui reprochaient de traiter exagérément d'amour et de magie, et d'introduire des épisodes sans grand rapport avec l'action principale. Il fit des concessions, des promesses. Tout en se défendant avec les armes de l'érudition et de la dialectique, qu'il connaissait parfaitement, il eut recours à des subterfuges pour sauver coûte que coûte le poème ; par exemple, il se servit de l'allégorie qui montrait la valeur morale et religieuse du poème, bien qu'il affirmât ne pas croire aux allégories poétiques. « Je voudrais ne pas être soumis à cette critique romaine », dit-il dans une de ses lettres. Il n'est pas capable de se révolter ouvertement, aussi fait-il alterner les hommages et les moqueries. Avec son ami Scalabrini, il se moque de la pédanterie et de l'étroitesse d'esprit des critiques, surtout du sévère Antoniano et du prétentieux Speroni. Le Tasse n'est certainement pas un héros, mais c'est un poète extrêmement sensible, sans défense contre l'esprit de son époque qui était l'esprit de ses critiques. C'est pourquoi ses lettres, qui servent de complément au *Discours sur le poème héroïque* (*) et qui nous donnent une image fidèle de la conception esthétique du Tasse et de son temps, sont un document psychologique d'une valeur exceptionnelle pour la connaissance d'un homme et d'une société.

LETTRES de Voiture. L'écrivain français Vincent Voiture (1597-1648) fut le maître de l'élégance littéraire dans la société précieuse de son temps, et il est connu par ses vers galants et spirituels. Ses lettres furent rendues publiques en 1650 grâce à l'édition des *Œuvres de M. Voiture* (publiées par Martin de Pinchesne). Adressées, pour la plupart, à des personnes de haut rang, tels le Grand Condé, le cardinal La Valette, le comte d'Avaux, la marquise de Rambouillet, sa fille Julie et d'autres dames, elles forment un document de premier ordre sur la vie et l'esprit de l'époque. Les louanges dont il accable Richelieu à l'occasion de la reconquête de Corbie, témoignent d'un patriotisme éloquent et d'une réelle compréhension du personnage et de son œuvre. Fort éloquente aussi est la lettre écrite à Condé au lendemain de la victoire de Rocroy. Il faut retenir, en outre, ses impressions de Grenade et de Lisbonne, tout comme ses observations sur la décadence de l'Espagne. Ce qui, néanmoins, domine dans ces lettres, c'est le badinage élégant, le compliment courtois, les mots d'esprit renouvelés avec ingéniosité. Voiture demeure l'écrivain le plus représentatif d'une société passablement éblouie par sa fortune trop rapide. Pour peu qu'on étudie la préciosité dans son rapport avec les mœurs et la formation de la langue du Grand Siècle, on doit reconnaître que Voiture y a beaucoup contribué par ses *Lettres.* Il s'est fait l'initiateur de la galanterie et d'un nouvel art de vivre mondain, ouvrant la voie à l'esthétique du naturel de Mme de Sévigné et de La Fontaine.

LETTRES de Voltaire. Nous possédons plus de vingt mille lettres de l'écrivain français Voltaire (François-Marie Arouet, 1694-1778), écrites de l'enfance à 1778 ; elles représentent la plus volumineuse *Correspondance* qui ait jamais existé, adressée à toute l'Europe pendant plus de soixante-dix ans. Voltaire écrivit toujours beaucoup, mais il est des périodes de sa vie, à Ferney par exemple, où il écrivait ou dictait plus de vingt lettres par jour. Il écrivait à tout le monde, à ses protecteurs, à ses protégés, à ses amis, à ses confrères ; il écrivait pour solliciter, pour recommander, pour avoir des renseignements, pour présenter ses œuvres, pour donner de ses nouvelles et, plus généralement, pour le plaisir d'écrire. Aucune correspondance n'a plus d'intérêt pour connaître à la fois un homme et son époque. Les *Lettres* de Voltaire ont été publiées dans les éditions collectives de ses Œuvres, qui parurent aussitôt après sa mort et jusqu'à nos jours ; de l'édition de Kehl (entreprise par Beaumarchais, 1784 à 1790) à l'édition Beuchot (1828), de l'édition Moland (1880-1882) à l'édition de Théodore Besterman (Oxford, 1968-1977, reprise et revue par F. Deloffre dans la Bibliothèque de la Pléiade, 1977-1991), leur nombre n'a pas cessé d'augmenter : dans cette dernière édition, on en compte plus de vingt mille. On peut distinguer, dans cette masse immense, plusieurs divisions qui correspondent aux différentes étapes de la vie de l'auteur. Un premier groupe de lettres va des débuts du jeune Arouet à son exil en Angleterre. Après quelques lettres, sans grand intérêt, de cet enfant précoce, nous abordons avec les lettres écrites de Sully, où l'auteur jouissait d'un exil charmant, à la vie mondaine et brillante du jeune poète, hardi, déjà menacé des foudres du pouvoir. Voltaire écrit aux écrivains renommés du temps pour solliciter humblement leur approbation et leur appui ; il écrit aussi aux femmes à la mode qui s'intéressent à lui. Après un séjour à la Bastille, il envoie au Régent un billet, où il fait preuve d'une fière impertinence sous les dehors du respect (« Lettre au Régent », 1718). La grande préoccupation de Voltaire, c'est ensuite de recommander ses œuvres, de les présenter aux gens de goût et aux puissants. C'est ainsi que nous avons une série de lettres sur *La Henriade* (*) et sur *Œdipe* (*). Déjà, Voltaire entretient une correspondance suivie avec son ami de toujours, Thiériot, homme paresseux, ami du plaisir et parasite, à qui il voua une amitié affectueuse et libérale qui ne se démentit jamais. Mais les choses se gâtent, l'affaire du chevalier de Rohan le conduit en exil en Angleterre. Voltaire se débat, envoie des suppliques, des protestations indignées ; mais il doit se résigner, et les débuts de l'exil lui semblent bien durs (lettre du 12 « auguste » 1726, à Thiériot). Bientôt, il reprend le dessus, il décide de mettre à profit son séjour et l'accueil qu'on lui fait. C'est alors que naissent dans son esprit les *Lettres anglaises* — v. *Lettres philosophiques* (*). En parallèle à cette œuvre inspirée par la plus vive admiration pour le pays de la liberté, il convient de placer une lettre à M. de M..., qui est un véritable petit chef-d'œuvre et constitue le complément de son ouvrage. Voltaire y exprime son étonnement devant les mœurs des Anglais, son désarroi devant leur mentalité si singulière.

Enfin, le voilà de retour en France, à Cirey, près de la frontière lorraine. Les lettres de Cirey forment un second groupe dans la *Correspondance.* Ce séjour de quinze ans (1734-1749) auprès de Mme du Châtelet, coupé de nombreux voyages à Paris, est des plus profitables pour Voltaire : il travaille beaucoup, il s'amuse, il reçoit ses amis à qui il fait jouer ses tragédies. Le voilà célébré, fêté ; il rentre en faveur grâce aux d'Argenson et à Richelieu ; il est élu à l'Académie française, nommé historiographe du roi et gentilhomme ordinaire de la Chambre. Dans la *Correspondance*, ce sont tout d'abord les lettres où Voltaire quête, auprès des témoins encore vivants, des documents pour *Le Siècle de Louis XIV* (*), ce qui nous permet de nous rendre compte du sérieux avec lequel il entreprit sa grande œuvre ; dans une lettre à l'historien l'abbé Dubos (1738), il expose le plan de son ouvrage, la manière dont il a traité son sujet, les sources qu'il a consultées ; plus tard, il justifie les vues exposées par lui dans une lettre au marquis d'Argenson (1740) ; enfin, dans une lettre adressée à « Milord Hervey, garde des Sceaux d'Angleterre », il explique, à l'usage des étrangers, les raisons de la grandeur de Louis XIV et pourquoi il s'est permis d'appeler le XVIIe siècle le « Siècle de Louis XIV ». D'autres lettres nous font part de préoccupations bien différentes, de sa curiosité scientifique, de son avidité à savoir, de sa volonté d'être au courant de tout. Déjà nous faisons connaissance avec ses correspondants permanents, ses amis : le comte d'Argental, qui est chargé de ses rapports avec les Comédiens-Français et qui propose des corrections aux tragédies ; Voltaire l'appelle, lui et sa femme, « mes anges » ; l'abbé Moussinot, chanoine de Saint-Merry, qui lui sert de factotum et lui fait parvenir tout ce dont il a besoin ; Cideville, conseiller au parlement de Rouen, qui s'occupe de l'édition de ses livres ; ses amies : Mme de Graffigny, l'auteur des *Lettres péruviennes* (*), Mme du Deffand, Mlle de Lespinasse, la duchesse de Choiseul. Parmi ses innombrables correspondants extraordinaires, deux doivent avoir une place à part. L'un est de ces jeunes écrivains qui demandaient conseil à l'auteur célèbre et auxquels Voltaire répondait toujours avec une exquise courtoisie, c'est Vauvenargues. Cette amitié, qui dura quatre ans et ne se termina qu'avec la mort du jeune homme (1743-1747), est un des plus nobles épisodes de la vie de Voltaire. Immédiatement conquis par la finesse et la profondeur de l'écrivain, Voltaire non seulement le traite d'égal à égal, mais il sollicite ses avis et ses critiques ; il professe pour les ouvrages du jeune Vauvenargues une admiration enthousiaste et certainement sincère, il proclame l'*Introduction à la connaissance de l'esprit humain* (*) « un des meilleurs livres que nous ayons en notre langue ». Le second de ses correspondants exceptionnels est le prince royal de Prusse, qui fit à l'écrivain les plus flatteuses avances. À ces flatteries, Voltaire répond avec finesse, mais avec une déférence profonde. Devenu roi, Frédéric l'appelle auprès de lui avec insistance : il le veut pour son professeur de français, de poétique, de rhétorique, de philosophie. Frédéric nomme Voltaire un « divin poète » ; Voltaire lui rétorque, en le traitant de « Salomon du Nord ». Enfin, il se laisse persuader, il voit le rôle qu'il pourrait jouer auprès d'un monarque éclairé ; il sait qu'il ne reprendra pas sa place à la cour de France ; il n'est pas insensible aux honneurs et aux émoluements que lui promet le roi de Prusse. Il signe un traité en bonne et due forme et part pour Berlin.

Le séjour à la cour de Prusse nous vaut une série de lettres fort pittoresques. C'est d'abord l'enthousiasme, il ne tarit pas d'éloges dans ses lettres à d'Argental et à Mme Denis (sa nièce, qui commence à jouer un grand rôle dans sa vie) sur le roi philosophe, sur les « banquets de Platon ». Bientôt cette belle passion se transforme en mariage de raison. Voltaire est las du roi, on lui rapporte que Frédéric aurait dit : « J'aurai besoin de lui encore un an, tout au plus ; on presse l'orange et on en jette l'écorce » (1751). Le voilà éclairé, mais il ne peut partir ; il faudrait qu'il obtienne un congé qu'on ne lui accordera pas. Il ne sait où aller, il a deux éditions sur les bras, celle du *Siècle de Louis XIV* et celle de ses *Œuvres*. Sa querelle avec le président de l'Académie de Berlin, le mathématicien français Maupertuis, tourne mal. Le roi fait brûler le petit pamphlet que Voltaire a écrit à cette occasion : *La Diatribe du docteur Akakia*. En mars 1753, il prend prétexte d'aller aux eaux et quitte Berlin, regagnant à lentes étapes la frontière française. C'est ici que se place l'épisode burlesque de son arrestation à Francfort, ville d'Empire, de la fouille de ses bagages par un envoyé de Frédéric II, qui veut mettre la main sur « l'œuvre de poésie du roi son maître », aventure que Voltaire nous raconte dans ses *Lettres* avec une verve moqueuse, mais où percent la rancune et l'indignation. Dans une lettre à Mme Denis (Mayence, « 9 de juillet » 1753), il lui confie ses inquiétudes : en France, on le considère comme Prussien, il ne peut y vivre ; mais la leçon de Berlin a porté, il veut s'établir dans un pays libre, à l'abri de tout despotisme.

Avec l'année 1754 commence une nouvelle période de la vie de Voltaire et un nouveau groupe de ses *Lettres*, de loin le plus abondant. Voltaire s'installe en Suisse, à Lausanne d'abord et aux Délices, près de Genève ; en France enfin, mais à Ferney près de la frontière suisse. Il est riche, indépendant, sa renommée s'étend à toute l'Europe, il veut jouir d'une retraite studieuse mais animée, et il mène, dès 1755, la vie qu'il mènera jusqu'à sa mort. Si Voltaire fournit un immense travail, il n'en néglige pas pour autant sa correspondance qui demeure pour nous le témoignage le plus vivant, le plus spontané sur sa prodigieuse activité et sur l'ambiance si pittoresque de Ferney. De quoi entretient-il les destinataires de ses lettres ? De ses constructions, de ses soucis de gentilhomme campagnard et de grand seigneur, de ses tragédies, qu'il fait représenter sur le théâtre qu'il s'est édifié près de sa demeure et où il joue lui-même aux côtés de la grosse Mme Denis dont le talent lui tire des larmes, mais surtout des visistes qu'il reçoit. Le château est toujours rempli, Voltaire a en moyenne cinquante hôtes à demeure ; parmi eux, des princes régnants, les plus grands noms de France et d'Europe, et naturellement des poètes, des philosophes, des savants, des acteurs. Voltaire n'a plus besoin de protecteur : c'est lui maintenant qui protège les autres, il sollicite pour de jeunes écrivains, pour de jeunes savants, des places, des pensions dans tous les pays ; il recueille à son foyer la petite nièce de Corneille, et surtout il défend ceux qu'il considère comme les victimes du fanatisme religieux, ou de l'arbitraire de la justice : Calas, Sirven, Lally-Tollendal ; pour eux, il emploie son crédit, son talent, son temps, son argent, sans compter : rien ne le rebute et il arrive à des résultats étonnants. La *Correspondance* nous peint cette obstination généreuse, ce dévouement entier, qui est un des côtés les plus sympathiques et les plus indiscutables de son caractère. Dans le même temps, il répond aux lettres que lui adresse l'impératrice de Russie, Catherine II ; leurs relations furent beaucoup plus sereines que celles qu'il entretint avec Frédéric. C'est que, dès le début, Catherine II, que Voltaire appelle la « Sémiramis du Nord », les avait placées sur un tout autre plan. Beaucoup plus jeune que Voltaire, elle lui prodigue les louanges ; elle le félicite de gagner l'immortalité en se faisant le défenseur de l'opprimé, le libérateur spirituel du genre humain. Voltaire fait le « fou d'admiration », il lui décerne les éloges les plus outrés, il la prend pour le modèle du « despote éclairé », du « souverain philosophe ». En fait, c'est toujours Catherine II qui a la supériorité ; si elle se met dans la position du disciple en face du maître, et si son affection, son admiration sont sincères, elle se sert du vieux philosophe pour faire croire à l'Europe que l'autocrate de Russie est un souverain libéral. Elle amène Voltaire à souscrire au partage de la Pologne, aux massacres des Turcs, et Voltaire n'y voit que du feu.

Enfin, une part importante de la correspondance est consacrée aux activités philosophiques de Voltaire. C'est l'époque où celui-ci, qui n'a pas pour autant renoncé au théâtre ni à la poésie, écrit encore des ouvrages historiques (*Essai sur les mœurs et l'esprit des nations* (*), *Histoire de l'empire de Russie sous Pierre le Grand* (*), *Précis du siècle de Louis XV*, etc.), mais où sa principale activité, celle qui lui tient le plus à cœur, est la satire : *Candide* (*), *L'Ingénu* (*), *L'Homme aux quarante écus* (*), et surtout la polémique. Il lance une incroyable quantité de libelles, de brochures qui se répandent aussitôt dans toute l'Europe ; il collabore à l'*Encyclopédie* (*) et publie ses articles sous la forme du *Dictionnaire philosophique* (*). C'est le chef du parti des philosophes ; il défend les Encyclopédistes, tonne contre la tyrannie, mais son grand combat c'est la lutte contre « l'Infâme » (le fanatisme, l'intolérance, entendez l'Église catholique). Dans ses lettres à d'Alembert, à Diderot, à Damilaville, il condamne, en le traitant de « pauvre fou », celui qui a trahi le parti, Jean-Jacques Rousseau ; il recommande aux philosophes de cesser leurs querelles, de s'unir pour la lutte. Malgré son scepticisme sur le genre humain, il est fort optimiste sur l'issue du combat : « Le monde se déniaise furieusement. Une grande révolution dans les esprits s'annonce de tous côtés » (lettre à d'Alembert, 1765) ; mais le mot d'ordre qu'il écrit en abrégé, à la fin de ses *Lettres*, reste le même : « Écrasez l'Infâme. » Il ne faut pas croire que pour autant Voltaire ait perdu de sa verve primesautière, de sa gaieté et de sa malice ; il n'est, pour s'en convaincre, que de lire les deux lettres qu'il écrivit à Mme Necker, qui voulait faire faire sa statue : « M. Pigalle doit, dit-on, venir modeler mon visage, mais il faudrait que j'eusse un visage ; on en devinerait à peine la place. » Il s'y raille lui-même avec esprit : « Quand les gens de mon village ont vu M. Pigalle déployer quelques instruments de son art : Tiens, tiens, disaient-ils, on va le disséquer ; cela sera drôle » (lettres à Mme Necker du 21 mai et du 19 juin 1770). C'est qu'en effet Voltaire s'est vu depuis la quarantaine comme un moribond ; il est accablé de maux, il meurt de temps en temps mais il ressuscite, et son agonie, qui se prolongea quarante ans, ne prit fin que lorsqu'il eut dépassé quatre-vingt-quatre ans.

Les dernières lettres de Voltaire ne sont que de courts billets, datés de son dernier séjour à Paris qui vit son triomphe. Elles sont, sous une forme extrêmement brève, son véritable testament. Voltaire s'y juge : « J'ai fait un peu de bien, c'est mon meilleur ouvrage » ; il demande à Diderot de « porter des coups mortels au monstre dont je n'ai mordu que les oreilles » (c'est évidemment de l'Infâme qu'il s'agit). Peu avant de mourir, Voltaire apprend la cassation de l'arrêt du Parlement qui avait condamné Lally-Tollendal à mort et que ses incessantes interventions avaient enfin obtenue ; il écrit alors au fils de Lally : « Le mourant ressuscite en apprenant cette grande nouvelle [...] il voit que le roi est le défenseur de la justice ; il mourra content. » Enfin, dans son ultime billet à son médecin Tronchin, il « demande pardon de donner tant de peine pour un cadavre ». Et c'est sur cette phrase, pleine d'un humour assez lugubre, qu'il prend congé du monde, le 30 mai 1778.

L'intérêt historique de la *Correspondance* est immense, et il n'est pas exagéré de dire que, sans elle, l'histoire du XVIIIe siècle serait connue très incomplètement. Voltaire est au courant de tout, il parle de tous les événements ; il correspond avec plus de sept cents personnes : des rois (Frédéric II, Stanislas Leczinski), des impératrices (Catherine II), des ministres (les d'Argenson), des maréchaux (Richelieu), des grands seigneurs (les duchesses du Maine, de Choiseul, le prince de Beauvau), des magistrats (le président Hénault, le président de Brosses, Cideville), des poètes, des mathématiciens, des négociants, des libraires, des prêtres catholiques, des ministres protestants, des cardinaux (le cardinal de Bernis), des papes (Benoît XIV, à qui il dédie malicieusement sa tragédie de *Mahomet* — v. *Le Fanatisme* (*) — et qui l'accepte). Presque toutes les nations de l'Europe sont représentées : l'Angleterre, l'Espagne, la Suisse, l'Italie, la Prusse, l'Empire, la Russie. Plus encore qu'à l'histoire proprement dite, c'est à la connaissance de l'histoire des belles-lettres et des arts et surtout de l'histoire des idées que les *Lettres* sont indispensables. Toutes les questions graves ou frivoles auxquelles ce siècle si curieux, si impatient, s'est intéressé, nous les trouvons ici : depuis le système de Law jusqu'à l'inoculation de la variole, depuis la réforme des parlements jusqu'à la théorie de la génération spontanée de Needham, jusqu'aux nouvelles positions philosophiques, aux nouveautés littéraires, aux grandes affaires judiciaires. La *Correspondance* est également une partie, et non la moindre, de l'œuvre de critique de Voltaire et même de son œuvre de grammairien et de philologue. Mais ce qui nous intéresse au premier chef, c'est qu'elle nous donne l'image mouvante, variée, contradictoire de cette personnalité pleine de vie. Voltaire s'y montre sous tous les aspects auxquels il est également apte. S'il y paraît courtisan, ce n'est que de manière intermittente et sans que soit jamais exclue l'impertinence ; s'il y est un peu trop louangeur pour notre goût, ce n'est que par exquise politesse, par délicate urbanité. Toutes ses manières sont d'un séducteur ; il met en œuvre, spontanément, mille moyens subtils, il convainc, il charme. Rien cependant de plus naturel, de moins concerté que ses *Lettres* :

Voltaire y écrit presque toujours au courant de la plume. S'il apparaît parfois comme intéressé, calculateur, il s'y montre le plus souvent d'une générosité à toute épreuve ; peu d'hommes de son temps ont été plus serviables, plus respectueux des autres, plus vraiment humains. Et il n'y a pas seulement dans ses beaux élans beaucoup d'ostentation comme on a tendance à le croire. Si ses épanchements, si ses confessions demeurent superficiels, c'est que sa sensibilité est contenue et qu'il n'a rien d'un Rousseau, ni d'un romantique.

Beaucoup plus que les grâces de son esprit (Voltaire ne fait jamais de l'esprit de propos délibéré, mais comme par hasard), c'est sa supériorité intellectuelle qui apparaît partout. Il parle, il improvise sur tout, sans pédantisme, sans lourdeur ; sur chaque chose il a son mot à dire, mais cet homme, qui savait à peu près tout ce qu'on pouvait savoir de son temps, le dit dans les termes les plus simples, les plus mesurés, les plus justes. Sans doute n'évite-t-il pas toujours le reproche d'une trop grande légèreté, sans doute est-il parfois un peu trop rapide, un peu trop incisif, et même un peu brouillon ; mais il est plus souple que frivole, plus clair et même plus solide qu'on ne le pense. Surtout on ne trouve, dans ses *Lettres*, ni apprêt ni effort ; son style est agile, précis, aisé : il est pour sa pensée non un vêtement, mais une forme transparente dans laquelle elle se coule. Si les poèmes épiques, les tragédies ou même les œuvres philosophiques de Voltaire ont perdu pour nous beaucoup de leur intérêt, on ne peut en dire autant des *Lettres* qui demeurent, sans la moindre trace de vieillissement, comme son impérissable chef-d'œuvre.

LETTRES de Wagner. Ces lettres nous révèlent la personnalité intime du compositeur allemand Richard Wagner (1813-1883), dont elles commentent presque toute la vie. Sa correspondance avec sa femme Minna nous renseigne sur les années difficiles de 1840 à 1862, où Wagner courait après la fortune, péniblement suivi par Minna surtout préoccupée de sa santé et de l'existence quotidienne. Les lettres adressées à Mathilde Wesendonck, l'inspiratrice de *Tristan et Isolde* (*), sont datées de 1858 à 1871. De même que le journal qu'il écrivait pour la bien-aimée, elles contiennent les aspirations les plus sincères, les joies et les tourments les plus secrets de Wagner. Ce ne sont pas seulement des lettres amoureuses comme celles qu'il adressera plus tard à Mathilde Maier ; l'amour y palpite, mais ne restreint pas le cercle des pensées autour d'un thème unique. Mathilde Wesendonck apparaît comme la dépositaire des rêves de l'artiste. La correspondance avec Théodore Uhlig, Guillaume Fisher, Emmanuel Heckel — tous trois admirateurs fervents, et défenseurs acharnés des théories wagnériennes — est également intéressante pour les musicologues qui veulent suivre l'évolution de la mystique de Wagner. À cet égard, les lettres adressées à Liszt sont encore plus significatives. Wagner y demande des conseils, des encouragements et de l'argent ; il s'y révèle autoritaire, magnifiquement orgueilleux. Au roi de Bavière, il écrivait comme un souverain s'adresse à son cousin ; il traite Heine avec une familiarité affectueuse. C'est donc le portrait de Wagner, son être intime que nous livre cette correspondance, qui demeure par sa sincérité, son enthousiasme, la plus vivante des autobiographies. — Trad. *Lettres à Minna Wagner,* Gallimard, 1943 ; *Correspondance Wagner-Liszt,* 1943, *Lettres à Judith Gautier,* Gallimard, 1964.

LETTRES (Les) [*Nameha*]. Recueil de nouvelles, publié en 1951, de l'écrivain iranien de langues persane et allemande Bozorg Alavi (né en 1904), parues d'abord séparément entre 1945 et 1948 dans les revues *Sohan* et *Peyam-e Now.* La première nouvelle, qui a donné son nom au recueil, nous conte l'histoire de Sirine, la fille d'un juge sévère et injuste envers ses enfants. L'autorité paternelle lui fait fuir la demeure familiale et se joindre bientôt à un groupe de progressistes. Sirine ira même jusqu'à envoyer des lettres anonymes démasquant les plans de son père. La nouvelle « Gilemard » décrit la fin tragique d'un jeune provincial du Guilan emprisonné pour sa participation à un soulèvement contre les féodaux. Dans ce récit sont dessinées avec un grand sens dramatique les violences des gendarmes. « Location du logis » [Ejareye hane] est la description de la vie misérable des habitants des bidonvilles iraniens en difficulté avec leur « propriétaire ». « Le Scandale » [Rosvaï] montre le mensonge et la duperie régnant entre certains écrivains et politiciens. Les nouvelles intitulées « Dezasub », « Irenocka » et « Une femme heureuse » [Yek zan-e hosbaht] sont des histoires d'amour où s'affirme le talent de Bozorg Alavi pour l'analyse psychologique. La dernière nouvelle, « L'Eau » [Ab] est l'occasion pour l'auteur de dépeindre toutes les injustices, tous les crimes et les innombrables déboires que, dans un pays sec, cause aux paysans la répartition de l'eau.

Avant ce recueil, Bozorg Alavi avait publié, en 1935 et lorsqu'il faisait partie avec Sadeq Hedayat, Mojtaba Minovi et Mas'ud Farzad du célèbre « Groupe des Quatre », son premier recueil de nouvelles, *La Valise* [*Camedan*], mais ce n'est qu'en adoptant des thèmes typiquement iraniens dans *Les Lettres* qu'Alavi atteignit la pleine maturité de son talent. La même année, Bozorg Alavi publia un roman, *Ses yeux* (*), puis regagna l'ex-Berlin-Est où il enseigna la littérature et la langue persanes à l'université et où il publia divers ouvrages en allemand tels que *L'Iran combattant* [*Kämpfendes Iran,* 1955], *Le Pays des roses et des rossignols* [*Das Land der Rosen und Nachtigallen,* 1957], *Le Mur blanc* [*Die Weisse Mauer,*

1960] et en 1964 *Histoire et évolution de la littérature turque moderne* [*Geschichte und Entwicklung der modernen persischen Literatur*].

LETTRES À CHARLES QUINT SUR LA DÉCOUVERTE ET LA CONQUÊTE DU MEXIQUE de Cortés [*Cartas y Relaciónes*]. Les Relations sur la conquête du Mexique sont un recueil de trois lettres datées de 1519-1520 (publiées en 1522), dans lesquelles le fameux conquistador espagnol Hernán Cortés (1485-1547) expose à Charles Quint l'incroyable conquête du fabuleux empire pour le compte de l'Espagne. Cortés ayant reçu de Diego Velázquez, gouverneur de Cuba, le commandement d'une expédition chargée de coloniser les terres voisines du Yucatan, longe la côte du Mexique et, après quelques rencontres victorieuses avec les indigènes, pose les bases d'une ville : la future Veracruz. Ayant entendu parler d'un puissant empire au pouvoir du Mexicain Moctezuma, il ordonne de brûler les vaisseaux afin d'enlever à ses hommes toute idée de retour, laisse derrière lui une faible garnison, puis s'aventure, au mois d'août, à l'intérieur de terres totalement inconnues, avec quatre cents fantassins, quinze chevaux et sept canons. Moctezuma envoie alors à sa rencontre des émissaires chargés de cadeaux, mais qui l'adjurent de ne pas aller plus avant. Cortés passe outre et, après avoir franchi une chaîne de montagnes des plus difficiles d'accès, atteint la ville de Tlaxcala dont les habitants, après une résistance tenace, capitulent et font alliance avec lui. Cortés s'empare ensuite, pour éviter un guet-apens, de la ville sainte de Cholula et poursuit en direction d'une autre ville sainte : Temistan, l'actuelle Mexico. Moctezuma, faisant contre mauvaise fortune bon cœur, pardonne à Cortés et l'accueille en ami. Mais bientôt le conquistador, qui campe dans la ville avec tous ses soldats, arrête le souverain et l'oblige à faire acte d'allégeance à la couronne d'Espagne. Surviennent alors des hommes à la solde du gouverneur Velázquez, irrité par les initiatives de Cortés et jaloux de son extraordinaire fortune. Mais lui, avec quelques soldats, aura vite raison des arrivants : il s'empare de leur chef, les gagne à sa cause et rejoint sans délai Mexico, où une grave révolte vient d'éclater. Blessé, il est contraint de battre en retraite, se réfugie à Tlaxcala dont les habitants lui sont restés fidèles et, après un long siège, reprend de force Mexico, mettant le point final à sa campagne victorieuse. Dans ses lettres pleines de renseignements sur les coutumes du peuple vaincu, rédigées en un style concis et nerveux qui rappelle les *Commentaires* de César, la figure de l'audacieux aventurier apparaît dans tout l'éclat de sa puissante personnalité. — Trad. Hachette, 1896.

LETTRES À L'ABBÉ GALIANI. Recueil de lettres de la mémorialiste française Mme d'Épinay (Louise Tardieu des Clavelles, 1726-1783) à l'abbé Ferdinand Galiani (1728-1787). Cette correspondance est une source d'informations importante pour l'histoire des mœurs du XVIIIe siècle. On ne connut jusqu'en 1818 qu'un trop petit nombre de ces lettres, et encore étaient-elles gâtées par des falsifications ou des omissions ; elles furent publiées presque intégralement en 1929 et 1933, sous les titres : *Mme d'Épinay et l'abbé Galiani (Lettres de 1769 à 1772)* et *Les Dernières Années de Mme d'Épinay (Lettres de 1773 à 1782).* La longue amitié entre l'intelligent et spirituel auteur des *Dialogues sur le commerce des blés* (*) et la fameuse Parisienne avait été interrompue par le rappel de Galiani en Italie en 1769 ; elle se continua par cette brillante correspondance. Mme d'Épinay prend à tâche de tenir Galiani au courant de la vie de cette société parisienne qu'il aimait tant et qui l'avait révélé à lui-même. Les *Lettres* mêlent avec esprit les nouvelles politiques, intellectuelles, les renseignements sur les livres et les mondanités, les plaisanteries et les commérages ; elles révèlent chez Mme d'Épinay une certaine coquetterie de femme du monde et de lettrée affranchie de tous les préjugés ; aussi s'arroge-t-elle presque le droit de servir d'intermédiaire entre deux cultures et deux civilisations. Les plus intéressantes sont celles qui rapportent les potins parisiens sur l'éloignement de Galiani (26 juillet et 1er septembre 1769), celles relatives au succès des *Dialogues* de l'abbé (plusieurs lettres de 1769-70), celle sur Voltaire (29 septembre 1770), sur un article de Diderot au sujet de Galiani (20 janvier 1771). Elles ont également un intérêt du point de vue politique, car elles font état des bouleversements de la société française en face des revendications populaires (ce sont celles de 1774 à 1782).

LETTRES À L'AMAZONE. Œuvre de l'écrivain français Remy de Gourmont (1858-1915), publiée en 1914. L'« Amazone » a vraiment existé, et ces lettres adressées à miss Clifford Barney, qui fut le dernier amour platonique de Gourmont, nous font saisir l'écrivain dans la dernière crise de sa vie, alors qu'il est au sommet de sa célébrité, mais aussi au seuil de la vieillesse et de la mort. Le ton est ici tout différent de celui de ses autres livres : on trouvera dans ses lettres moins d'ironie, mais plus de chaleur vraie et triste que dans le reste de l'œuvre. Ce changement de ton est le signe, en effet, d'un changement du cœur : Gourmont est maintenant lassé. Il n'a jamais cru à l'intelligence et ne peut plus demander le divertissement à l'amour purement physique. Et surtout, comme ceux qui ont beaucoup donné à l'amour, il est serré par l'affreuse angoisse de vieillir. La rencontre d'une jeune femme lui apporte cette passion pure, toute de sentiment, dont il a besoin pour ne pas désespérer tout à fait : l'Amazone devient son égérie, elle sauve ses dernières années. Il se prend pour elle d'une affection brûlante et a, à son égard, des naïvetés d'adolescent. Lui qui avait exalté l'amour instinctif, l'« amour nu », s'élève maintenant à une conception de l'amour qui n'implique plus d'intimité physique et ne réclame rien d'autre que le droit de se donner tout entier à l'autre être : « Nous n'existons vraiment que dans les yeux qui nous aiment. » Sans doute, ce sentiment a tout l'air d'une résignation. Gourmont ne demande pas plus, parce qu'il sait qu'il n'obtiendra pas plus, et, si l'approche de la jeune femme lui rend des forces d'âme, elle lui fait aussi sentir plus douloureusement que le temps de l'amour est passé pour lui. Ces *Lettres* sont indispensables pour la connaissance complète de Remy de Gourmont : elles donnent de l'écrivain une image que le reste de son œuvre ne laissait guère deviner. Cependant, amoureux, Gourmont reste littérateur et l'on sent, parfois un peu trop, que, malgré la passion très sincère qui les anime, ces *Lettres* furent un peu écrites pour le public.

LETTRES À LA PRINCESSE ELIZABETH. Ce n'est pas à proprement parler une œuvre du philosophe et savant français René Descartes (1596-1650), mais un recueil posthume d'une partie de sa correspondance, celle qu'il échangea entre 1642 et 1650 avec une de ses admiratrices. La princesse Elizabeth était fille de Frédéric V, électeur palatin et roi (sans trône) de Bohême. Elle vivait en exil à La Haye, et Descartes, durant ces années-là, vivait lui-même en Hollande. Cultivée, formée aux mathématiques, elle lut les *Méditations métaphysiques* (*), et souhaita entrer plus dans le détail de la pensée de Descartes. Dès sa première lettre (mai 1643), elle soulève une question cruciale : celle des liens entre l'âme et le corps. Descartes avait défini l'une comme « substance pensante » et l'autre comme « substance étendue » ; l'âme était donc une substance « inétendue », et la question de la volonté se posait donc : comment l'âme peut-elle susciter des actions (qui relèvent de la « substance étendue ») puisqu'elle-même n'est pas de cette substance ? Descartes s'explique en marquant que si les substances sont distinctes, les deux sont unies et interférentes. Cet échange sur les enjeux de l'« inextension de l'âme » (comme l'écrit la princesse Elizabeth) occupe l'essentiel des lettres de 1643. Celles-ci forment donc une sorte de glose et d'exposé complémentaire des *Méditations.* Les lettres des années suivantes portent sur divers sujets, depuis des conseils de lecture que Descartes dispense jusqu'à des discussions sur des points de science, de métaphysique et de morale, ainsi que des informations sur la parution des œuvres de Descartes alors en cours, et sur leurs vies respectives. Elles constituent donc aussi un document sur la biographie du philosophe. L'échange se poursuivit jusqu'après le départ de Descartes pour la Suède, et il atteste des difficultés et déceptions rencontrées par celui-ci à la cour de la reine Christine, dont il attendait un mécénat fructueux.

Mais un autre apport de cette correspondance est de voir, à travers les propos d'une admiratrice dévouée et sincère, comment Descartes se situait dans la philosophie de son temps. Elle fait écho, en effet, à des critiques et objections anticartésiennes qui circulaient, pas toujours sous forme imprimée, dans la république européenne des lettres. On y constate que même des esprits novateurs, des philosophes de premier plan et qui se situaient à l'avant-garde de la réflexion et de la recherche scientifique marquaient des critiques, discussions ou réticences à l'égard du cartésianisme. Ainsi notamment Gassendi et Hobbes. Cela confirme que loin d'être une doctrine dominante, la philosophie cartésienne, aux débuts de sa diffusion, se trouva très minoritaire, mal reconnue, dérangeante, et ne se faisait reconnaître qu'avec difficulté. Le ton de Descartes envers son interlocutrice – à qui il dédia son *Traité des passions de l'âme* (*) –, souvent lourd dans la mondanité ampoulée et le révérencieux maniéré, montre aussi quel prix pouvait alors avoir pour des savants l'appui d'un personnage de rang royal.

A. V.

LETTRES À LOU. Recueil de lettres de l'écrivain français Guillaume Apollinaire (1880-1918) à Louise de Coligny-Châtillon, publié à titre posthume en 1969. Les poèmes qui y sont insérés furent publiés dès 1947, sous le titre *Ombre de mon amour,* remplacé ensuite par le titre *Poèmes à Lou.* Apollinaire s'éprit de Lou à Nice en septembre 1914 ; leur liaison se noua en décembre au moment où il s'engagea et fut incorporé dans un régiment d'artillerie à Nîmes ; la rupture fut imposée par Lou à la fin de mars et immédiatement suivie du départ volontaire d'Apollinaire pour le front ; leur correspondance se poursuivit, puis les lettres s'espacèrent jusqu'en janvier 1916 ; le poète se lassa alors d'écrire à celle qui ne répondait plus. La voix de Lou manque, bien qu'on l'entende parfois indirectement et que l'on devine combien l'épistolier s'adapte à la destinataire. Tout d'abord, le poète courtise Lou avec délicatesse ; l'intimité physique une fois établie, les lettres reflètent et entretiennent, pour remédier à la distance, une ardeur sensuelle des plus violentes, certainement alors partagée. La franchise du ton, la richesse du vocabulaire, tantôt cru, tantôt métaphorique, et le caractère sado-masochiste des pratiques évoquées rappellent qu'Apollinaire fut l'auteur des *Onze Mille Verges* (*). En fait, Lou lui échappe bientôt ; l'écriture remplit désormais une fonction de compensation. Après la fin de la liaison, un pacte de sincérité mutuelle a été conclu ; mais Lou ne tient guère parole, Apollinaire non plus.

On suit, au fil des lettres, la vie du soldat dans la caserne de Nîmes, puis les premières expériences de l'artilleur au front. Il y connaît d'abord l'existence « à l'échelon » dans une hutte en pleine forêt, avec l'émerveillement nocturne des feux d'artifice de la guerre ; puis un changement de secteur transfère le régiment dans une région plus aride, au milieu d'une mer de tranchées creusées dans la craie. Le poète, toujours exposé au danger, est fier de n'être « ni embusqué ni lâche » et se sent « l'âme des chevaliers d'autrefois » ; on entrevoit ses rapports avec ses camarades. Témoignage sur la guerre de 1914-18, d'un réel intérêt documentaire et psychologique.

Apollinaire eut très tôt l'intention de réunir en volume les meilleurs poèmes adressés à Lou ; il ne réalisa ce projet que très partiellement, dans *Calligrammes* (*). L'inspiration de ces poèmes est tour à tour et parfois simultanément sentimentale et intensément érotique ; c'est dans ce dernier registre que la réussite esthétique est la plus grande. L'artilleur pose l'équivalence de l'amour et de la guerre et, avec un extraordinaire foisonnement de comparaisons et de métaphores, met au service d'une écriture du désir les images de la vie militaire. Certains poèmes convoquent l'univers entier pour célébrer le corps féminin ; le temps et l'espace s'abolissent, le surgissement des souvenirs se superpose à la réalité de la guerre. Quelques calligrammes marient à la musique du langage celle des formes visuelles.

M. B.

LETTRES À LUCILIUS [*Ad Lucilium epistolarum moralium libri XX*]. Ouvrage de l'écrivain latin Sénèque (1 ? av. J.-C. - 65 ap. J.-C.). Au nombre de cent vingt-quatre, ces *Lettres* furent écrites de 62 à 65, et réparties en plusieurs livres, dont vingt nous sont parvenus. Les trois premiers livres forment un tout : le premier traite de la conduite de la vie ; le second, du bonheur et le troisième, des obstacles qui s'opposent à l'étude de la philosophie. Les autres livres sont indépendants les uns des autres. Ces *Lettres,* l'auteur les adresse à un de ses amis, le poète Lucilius le Jeune. Traitant de la morale pratique, elles sont le fruit d'une vaste et profonde expérience. Sénèque suit les préceptes de la doctrine stoïcienne et veut initier son jeune ami à la recherche du bonheur : seule la philosophie peut nous mener à un équilibre serein, parce qu'elle nous rend plus fort que nos désirs et nous conduit à la vertu, unique et suprême bien de l'homme. Mais la philosophie est à la fois contemplative et active : la contemplation nous permet de juger les choses en dehors de nous, dans leur vérité éternelle ; l'action, par contre, nous pousse à réaliser cette vérité, qui est l'harmonie et la fraternité de toutes les créatures, c'est la lutte contre le mal, essentiellement conçu comme douleur. Dans le stoïcisme de Sénèque s'introduisent donc, on le voit, des données platoniciennes et d'autres curieusement proches de ce christianisme qui commençait alors à se répandre à Rome. L'homme fort ne se laisse pas abattre par l'adversité ; il affronte la mort sans trembler, car il sait qu'elle est une loi nécessaire de la nature ainsi que le dernier remède à tous les maux. Le devoir du sage est de combattre le mal de toutes ses forces. Il doit donc s'intéresser à tous les problèmes de la vie et ne pas se retrancher derrière son égoïsme. Le sage ne prête pas plus attention aux applaudissements du vulgaire qu'à ses invectives, il supporte l'adversité avec résignation et ne trouve la paix que dans l'approbation de sa propre conscience. Il méprise les richesses terrestres et vit spirituellement nu, tout comme Dieu est nu.

Ces motifs ont fait naître la légende de la conversion de Sénèque au christianisme et de sa correspondance avec saint Paul. Sénèque entendait recueillir dans ses lettres sa philosophie, son expérience, sa sagesse et sa douleur. Il recherche la vérité chez tous les philosophes. S'opposant à la spéculation pure, il discute avec Socrate, doute avec Carnéade, se rassérène avec Épicure, triomphe de la nature humaine avec les stoïciens, la dépasse avec les cyniques, marche enfin vers une conception toute personnelle, qui pourrait être à l'origine stoïcienne, devenir épicurienne, et paraître même chrétienne. Puisque la mort représente la nécessité absolue, l'homme, conscient d'y être assujetti se surmonte soi-même et jouit de la parfaite indépendance que la nature a voulu lui assigner en le condamnant à mort. Frappé par le sort et par les hommes, il trouve un refuge inexpugnable dans la paix de son esprit, quand il parvient à l'éternité. Avec Sénèque, le paganisme théologique et quiétiste est dépassé. Nous sommes tout près du christianisme, de son essence positivement mystique et de l'heureuse formule évangélique qui allie la religiosité à l'humanité. Mais au rebours du christianisme, la doctrine de Sénèque ne s'adresse pas à la foule, mais à l'individu. Sénèque parle uniquement à l'homme qui éprouve le besoin de trouver en lui-même un point de jonction avec l'univers. — Trad. Les Belles Lettres (5 vol.), 1945-1964.

DANS LA MÊME COLLECTION

HISTOIRE ET ESSAIS

ANSERMET, Ernest
Les Fondements de la musique dans la conscience humaine et autres écrits *(1 volume)*

ANTHOLOGIE MONDIALE DE LA STRATÉGIE
Des origines au nucléaire, édition établie par Gérard Chaliand *(1 volume)*

BARK, Dennis L. — GRESS David R.
Histoire de l'Allemagne (depuis 1945) *(1 volume)*

BENNASSAR, Bartolomé
Histoire des Espagnols (VIe-XXe siècle) *(1 volume)*

BENOIST-MÉCHIN, Jacques
Soixante Jours qui ébranlèrent l'Occident (10 mai - 10 juillet 1940) *(1 volume)*
Histoire de l'armée allemande *(2 volumes)* : *Tome 1* : 1918-1937 — *Tome 2* : 1937-1939

BOORSTIN, Daniel
Les Découvreurs *(1 volume)*
Histoire des Américains *(1 volume)*

COURRIÈRE, Yves
La Guerre d'Algérie *(2 volumes sous coffret)* : *Tome 1* : (1954-1957) : Les Fils de la Toussaint — Le Temps des léopards — *Tome 2* : (1958-1962) : L'Heure des colonels — Les Feux du désespoir

ELLIOTT, John H.
Olivares (1587-1645) : L'Espagne de Philippe IV *(1 volume)*

FRAZER, James George
Le Rameau d'Or *(4 volumes)* : *Tome 1* : Le Roi magicien dans la société primitive — Tabou ou les périls de l'âme — *Tome 2* : Le Dieu qui meurt — Adonis — Atys et Osiris — *Tome 3* : Esprits des blés et des bois — Le Bouc émissaire — *Tome 4* : Balder le Magnifique — Bibliographie générale

GABORY, Émile
Les Guerres de Vendée : La Révolution et la Vendée — Napoléon et la Vendée — Les Bourbons et la Vendée — L'Angleterre et la Vendée *(1 volume)*

GIBBON, Edward
Histoire du déclin et de la chute de l'Empire romain *(2 volumes)* : *Tome 1* : Rome de 96 à 582 — *Tome 2* : Byzance de 455 à 1500

GUILLEMINAULT, Gilbert
Le Roman vrai de la IIIe et de la IVe République (1870-1958) *(2 volumes)* : *Tome 1* : 1870-1918 — *Tome 2* : 1919-1958

HÉRITAGE DE LA GRÈCE ET DE ROME (L')
Édition établie par M. I. Finley et Cyril Bailey *(1 volume)*

HISTOIRE AUGUSTE, édition bilingue latin-français établie par André Chastagnol
Les empereurs romains des IIe et IIIe siècles. *(1 volume à paraître)*

LAVISSE, Ernest
Louis XIV. Histoire d'un grand règne (1643-1715) *(1 volume)*

LEROY-BEAULIEU, Anatole
L'Empire des tsars et les Russes *(1 volume)*

MACAULAY, Thomas Babington
Histoire d'Angleterre. Depuis l'avènement de Jacques II (1685) jusqu'à la mort de Guillaume III (1702) *(2 volumes sous coffret)*

McPHERSON, James M.
La Guerre de Sécession (1861-1865) *(1 volume)*

MICHELET, Jules
Histoire de la Révolution française *(2 volumes sous coffret)* : *Tome 1* : Le Moyen Âge — *Tome 2* : Renaissance et Réforme : Histoire de France au XVIe siècle

MOMMSEN, Theodor
Histoire romaine *(2 volumes)* : *Tome 1* : Des commencements de Rome jusqu'aux guerres civiles — *Tome 2* : La Monarchie militaire — Les Provinces sous l'Empire

MONDE ET SON HISTOIRE (LE), édition dirigée par Maurice Meuleau *(4 volumes)*
Tome 1 : Le Monde antique et les débuts du Moyen Âge, par Maurice Meuleau et Luce Pietri — *Tome 2* : La Fin du Moyen Âge et les débuts du monde moderne, par Luce Pietri et Marc Venard — *Tome 3* : Les Révolutions européennes et le partage du monde, par Louis Bergeron ; Le Monde contemporain de 1914 à 1938, par Marcel Roncayolo — *Tome 4* : Le Monde contemporain de la Seconde Guerre mondiale à nos jours, par Marcel Roncayolo

MOUSNIER, Roland
L'Homme rouge ou la Vie du cardinal duc de Richelieu (1585-1642) *(1 volume)*

NAPOLÉON A SAINTE-HÉLÈNE
Par les « quatre Évangélistes » : Las Cases, Gourgaud, Montholon, Bertrand. Textes préfacés, choisis et commentés par Jean Tulard *(1 volume)*

RANKE, Leopold
Histoire de la papauté pendant les XVIe et XVIIe siècles *(1 volume)*

RÉAU, Louis
Histoire du vandalisme : les monuments détruits de l'art français *(1 volume à paraître)*

REVEL, Jean-François
Ni Marx ni Jésus — La tentation totalitaire — La grâce de l'État — Comment les démocraties finissent *(1 volume)*

RÉVOLUTION FRANÇAISE (LA) (1789-1799)
Histoire et dictionnaire par Jean Tulard, Jean-François Fayard, Alfred Fierro *(1 volume)*

RIASANOVSKY, Nicholas
Histoire de la Russie (des origines à 1992) *(1 volume)*

ROSTOVTSEFF, Michel
Histoire économique et sociale de l'Empire romain *(1 volume)*
Histoire économique et sociale du monde hellénistique *(1 volume)*

SAINTYVES, Pierre
Les Contes de Perrault et les récits parallèles — En marge de la *Légende dorée* — Les Reliques et les images légendaires *(1 volume)*

SHAW, Georges Bernard
Écrits sur la musique *(1 volume)*

TAINE, Hippolyte
Les Origines de la France contemporaine *(2 volumes)* : *Tome 1* : L'Ancien Régime — La Révolution — *Tome 2* : La Révolution — Le Régime moderne

THOMAS, Hugh
La Guerre d'Espagne (juillet 1936-mars 1939) *(1 volume)*

THUCYDIDE
Histoire de la guerre du Péloponnèse, *précédé de* En campagne avec Thucydide, par Albert Thibaudet — Dictionnaire de Thucydide, sous la direction de Jacqueline de Romilly, de l'Académie Française *(1 volume)*

TOCQUEVILLE, Alexis de
De la démocratie en Amérique — Souvenirs — L'Ancien Régime et la Révolution *(1 volume)*

TREVELYAN, George Macaulay
Six siècles d'histoire de Chaucer à la reine Victoria *(1 volume)*

VIANSSON-PONTÉ, Pierre
Histoire de la République gaullienne (mai 1958-avril 1969) *(1 volume)*

VIGUERIE, Jean de
Histoire et dictionnaire du temps des Lumières *(1 volume à paraître)*

WALLON, Henri
Histoire de l'esclavage dans l'Antiquité *(1 volume)*

WILSON, Arthur M.
Diderot — Sa vie et son œuvre *(1 volume)*

LITTÉRATURE

ALLAIS, Alphonse
Œuvres anthumes : A se tordre — Vive la vie ! — Pas de bile ! — Le Parapluie de l'escouade — Rose et Vert-pomme — Deux et deux font cinq — On n'est pas des bœufs — Le Bec en l'air — Amours, délices et orgues — Pour cause de fin de bail — Ne nous frappons pas —Le Captain Cap *(1 volume)*
Œuvres posthumes, 1877-1905 : Le Tintamarre — L'Hydropathe — Le Chat-Noir — Gil Blas — Le Journal *(1 volume)*

AVENTURES POUR TOUS LES TEMPS
Léon Cahun : La Bannière bleue — Edmond About : Le Roi des montagnes — Alfred Assolant : Aventures merveilleuses mais authentiques du capitaine Corcoran — Théophile Gautier : Le Capitaine Fracasse *(1 volume)*

BALZAC, Honoré de
Le Père Goriot — Les Illusions perdues — Splendeurs et misères des courtisanes *(1 volume)*
Lettres à Madame Hanska *(2 volumes sous coffret)* : *Tome 1* : 1832-1844 — *Tome 2* : 1844-1850

BARBEY D'AUREVILLY, Jules
Une vieille maîtresse — Un prêtre marié — L'Ensorcelée — Les Diaboliques — Une page d'histoire *(1 volume)*

BARRÈS, Maurice
Œuvres romanesques *(2 volumes sous coffret)* : *Tome 1* : Le Culte du moi — Du Sang, de la Volupté et de la Mort — Le Roman de l'énergie nationale — *Tome 2* : Amori et dolori sacrum — Les Amitiés françaises — Les Bastions de l'Est — La Colline inspirée — Le Voyage à Sparte — Greco ou le Secret de Tolède — Un jardin sur l'Oronte — Le Mystère en pleine lumière

BENOIT, Pierre
Romans : Kœnigsmark — L'Atlantide — Pour Don Carlos — Le Puits de Jacob — Le Roi Lépreux — Le Désert de Gobi *(1 volume)*

BIBLE (LA)

Édition établie par Philippe Sellier *(1 volume sous coffret)*

BIGGERS, Earl Derr

Charlie Chan : Le Perroquet chinois — Derrière le rideau — Le Chameau noir — Charlie Chan à la rescousse — Le Gardien des clefs — La Maison sans clef *(1 volume)*

BLONDIN, Antoine

L'Europe buissonnière — Les Enfants du bon Dieu — L'Humeur vagabonde — Un singe en hiver — Monsieur Jadis — Quat' saisons — Certificats d'études — Ma vie entre des lignes — L'Ironie du sport *(1 volume)*

BOILEAU-NARCEJAC

Quarante ans de suspense *(5 volumes)* : *Tome 1* : L'Ombre et la Proie — Celle qui n'était plus — Les Visages de l'ombre — L'Ange gardien — D'entre les morts — Les Louves — Le Dernier Mot — Le Mauvais Œil — Au bois dormant — Meurtre au ralenti — Les Magiciennes — L'ingénieur aimait trop les chiffres — Le Grand Secret — Le Retour — A cœur perdu — *Tome 2* : Sylvestre à qui je dois la vie — Maléfices — Maldonne — Les Victimes — 6 — 1 = 6 — Le Mystère de Sutton Place — ... Et mon tout est un homme — Le Train bleu s'arrête treize fois... —Les Apprenties détectives — La Mort a dit : peut-être — Télé-crime — La Bête noire — La Porte du large — La Clef — *Tome 3* : Delirium — L'Ile — Les Veufs — Récital pour une blonde —Sans Atout et le cheval fantôme — Sans Atout contre l'homme à la dague — Trois Indispensables Alibis —Manigances — La Vie en miettes — Trois Nouvelles pour *Le Journal du Dimanche* — Les Pistolets de Sans Atout — Opération Primevère — Nouvelles 1973-1974 — Frère Judas — *Tome 4* : L'Étrange Traversée — La Tenaille — Nouvelles 1975-1976 — La Lèpre — Nouvelles 1977 — Les Apprenties détectives — L'Âge bête — Impunité — Carte vermeil —Les Intouchables — Terminus — A une heure près — Box-office — Mamie — Un cas unique — Les Eaux dormantes — Dans la gueule du loup — *Tome 5* : L'Invisible Agresseur — Les Énigmes littéraires de Boileau-Narcejac — La Dernière Cascade — Le Soupçon — Schuss — Une étrange disparition — L'As de pique — Mr. Hyde — Le cadavre fait le mort — Champs clos — La Brebis galeuse — Nouvelles Pièces retrouvées — Tandem ou 35 ans de suspense

BRONTË, Anne, Charlotte, Emily et Patrick Branwell *(3 volumes)*

Tome 1 : E. Brontë : Wuthering Heights ; A. Brontë : Agnès Grey ; C. Brontë : Villette — *Tome 2* : C. Brontë : Jane Eyre ; A. Brontë : La Châtelaine de Wildfell Hall ; C. Brontë : Le Professeur — *Tome 3* : C. Brontë : Shirley — Caractères des hommes célèbres — Albion et Marina — Le Grand Monde à Verdopolis — Le Sortilège — Quatre Ans plus tôt ; P. B.Brontë : Branwell's Blackwood's Magazine — L'Histoire des jeunes hommes — Le Pirate — La Mort de Mary Percy — Et ceux qui sont las se reposent ; A., C. et E. Brontë : Choix de poèmes

CASANOVA

Histoire de ma vie, *suivi de* Textes inédits *(3 volumes sous coffret)*

CARROLL, Lewis *(2 volumes sous coffret)*

Tome 1 : Les Aventures d'Alice sous terre — Les Aventures d'Alice au pays des merveilles — De l'autre côté du miroir et ce qu'Alice y trouva — Le Frelon à perruque — Alice racontée aux petits enfants — Autour du pays des merveilles — Lettres à ses amies-enfants — Visite d'Isa à Oxford — Visite de Maggie à Oxford — Jeux, casse-tête, inventions — Nuages matinaux — La Guida di bragia — Fantasmagorie et poésies diverses — Journaux — *Tome 2* : La Chasse au Snark — Sylvie et Bruno — Tous les contes et nouvelles — Une histoire embrouillée — Le Magazine du presbytère — Le Parapluie du presbytère — Méli-Mélo — Logique sans peine — La Vie à Oxford — Essais et Opinions

CESBRON, Gilbert

Notre prison est un royaume — Les saints vont en enfer — Chiens perdus sans collier — Il est plus tard que tu ne penses *(1 volume)*

COLETTE

Romans, récits, souvenirs *(3 volumes sous coffret)* : *Tome 1* : (1900-1919), Claudine à l'école — Claudine à Paris — Claudine en ménage — Claudine s'en va — La Retraite sentimentale — Les Vrilles de la vigne — L'Ingénue libertine — La Vagabonde — L'Envers du music-hall —

L'Entrave — La Paix chez les bêtes — Les Heures longues — Dans la foule — Mitsou — *Tome 2* : (1920-1940) : Chéri — La Chambre éclairée — Le Voyage égoïste — La Maison de Claudine — Le Blé en herbe — La Femme cachée — Aventures quotidiennes — La Fin de Chéri — La Naissance du jour — La Seconde — Sido — Douze Dialogues de bêtes — Le Pur et l'Impur — Prisons et Paradis — La Chatte — Duo — Mes apprentissages — Bella-Vista — Le Toutounier — Chambre d'hôtel — *Tome 3* : (1941-1949), suivi de *Critique dramatique* (1934-1938) : Journal à rebours — Julie de Carneilhan — De ma fenêtre — Le Képi — Trois... Six... Neuf... — Gigi —Belles Saisons — L'Étoile Vesper — Pour un herbier — Le Fanal bleu — Autres bêtes — En pays connu — La Jumelle noire

COURTELINE, Georges
Théâtre, contes, romans, nouvelles, écrits divers et fragments retrouvés : Boubouroche — La Peur des coups — Un client sérieux — Hortense couche-toi ! — Monsieur Badin — Théodore cherche des allumettes — La Voiture versée — Les Boulingrin — Le gendarme est sans pitié — Le commissaire est bon enfant — L'Article 330 — Les Balances — La Paix chez soi — Mentons bleus — Le Miroir concave — Lieds de Montmartre — Dindes et grues — Les Miettes de la table — Scènes de la vie de bureau — Les Fourneaux — L'Ami des lois — Messieurs les ronds de cuir — Les Linottes — Le Train de 8 h 47 — Les Gaîtés de l'escadron — Philosophie — Pochades et chroniques — L'Affaire Champignon — Rimes — X..., roman impromptu *(1 volume)*

CURWOOD, James Oliver
Bêtes et gens du grand Nord : Kazan — Bari, chien-loup, fils de Kazan — Le Grizzly — Nomades du Nord — Rapide-éclair — Les Chasseurs de loups — Les Chasseurs d'or — L'Honneur des grandes neiges — Le Piège d'or — Le Fils des forêts *(1 volume)*

DAUDET, Léon
Souvenirs des milieux littéraires, politiques, artistiques et médicaux de 1880 à 1905 — Député de Paris (1919-1924) — Paris vécu — Le stupide XIXe siècle *(1 volume)*

DICKENS, Charles
Les Grandes Espérances — Le Mystère d'Edwin Drood — Récits pour Noël *(1 volume)*

DIDEROT, Denis
Philosophie : Pensées philosophiques — Addition aux pensées philosophiques — De la suffisance de la religion naturelle — La Promenade sceptique — Lettre sur les aveugles — Additions à la lettre sur les aveugles — Encyclopédie — Suite de l'apologie de M. l'abbé de Prades — Pensées sur l'interprétation de la nature — Le Rêve de D'Alembert — Principes philosophiques sur la matière et le mouvement — Observations sur Hemsterhuis — Réfutation d'Helvétius — Entretien d'un philosophe avec la Maréchale de *** — Sur les femmes — Essai sur les règnes de Claude et de Néron — Éléments de physiologie *(1 volume)*

DOYLE, Conan
Sherlock Holmes *(2 volumes)* : *Tome 1* : Une étude en rouge — Le Signe des quatre — Les Aventures de Sherlock Holmes — Les Mémoires de Sherlock Holmes — Le Retour de Sherlock Holmes — *Tome 2* : La Vallée de la peur — Le Chien des Baskerville — Les Archives de Sherlock Holmes — Son dernier coup d'archet — Les Exploits de Sherlock Holmes
Les Exploits du Pr Challenger et autres aventures étranges : Le Monde perdu — La Ceinture empoisonnée — La Machine à désintégrer — Quand la terre hurla — Au pays des brumes — Le Monde perdu sous la mer — Contes de terreur — Contes de crépuscule — Contes d'aventures — La Tragédie du « Korosko » — Contes de l'eau bleue — Contes de pirates *(1 volume)*
Le Brigadier Gérard : Les Exploits du brigadier Gérard — L'Oncle Bernac — Les Aventures du brigadier Gérard — La Grande Ombre — Contes du camp — Les Réfugiés — Contes d'autrefois — Contes du ring — Contes de médecins — Contes de mystère *(1 volume)*
Inédits et introuvables : Le Mystère de Cloomber — L'oncle Jérémie et les siens — Mystères et aventures — Autres mystères et aventures — Le parasite — Faffles Haw — Gidlestone et Cie — Idylle de banlieue — Les Lettres de Stark Munro — Un duo *(1 volume)*

DUMAS, Alexandre
Mes mémoires *(2 volumes)* : *Tome 1* : (1802-1830) — *Tome 2* :: (1830-1833) *suivi d'un* Quid d'Alexandre Dumas
Romans du XVIIIe siècle : Mémoires d'un médecin *(3 volumes) : Tome 1* : Joseph Balsamo, suivi

n Dictionnaire des personnages — *Tome 2* : (1830-1833) Le Collier de la reine, Ange Pitou — *ome 3* : La Comtesse de Charny — Le Chevalier de Maison-Rouge

omans du XVIIe siècle : Les Mousquetaires *(3 volumes)* : *Tome 1* : Les Trois Mousquetaires — Vingt ans après, suivi d'un Dictionnaire des personnages — *Tome 2* : Le Vicomte de Bragelonne — *Tome 3* : Le Vicomte de Bragelonne (*suite*)

Les Valois *(2 volumes) : Tome 1* : La Reine Margot — La Dame de Monsoreau, suivi d'un Dictionnaire des personnages — *Tome 2* : Les Quarante-cinq, *suivi des* Adaptations théâtrales.

Le Comte de Monte Cristo *(1 volume)*

ENFANTS SUR LES ROUTES (DES)

Hector Malot : Romains Kalbris ; Sans famille — G. Bruno : Le Tour de la France par deux enfants — Jules Verne : P'tit Bonhomme *(1 volume)*

ÉRASME, édition établie par Claude Blum.

Éloge de la folie — Adages — Colloques — Lettres, *précédé d'un* Dictionnaire d'Érasme

ÉVADÉS DES TÉNÈBRES (LES)

Ann Radcliffe : Les Mystères du château d'Udolphe ; Mary W. Shelley : Frankenstein ou le Prométhée moderne ; Joseph Sheridan Le Fanu : Carmilla ; Bram Stocker : Dracula ; Gustav Meyrink : Le Golem *(1 volume)*

FABRE, Jean-Henri

Souvenirs entomologiques : études sur l'instinct et les mœurs des insectes, suivis d'un Répertoire analytique *(2 volumes illustrés sous coffret)*

FÉVAL, Paul

Les Habits Noirs *(2 volumes)* : *Tome 1* : Les Habits Noirs — Cœur d'acier — La Rue de Jérusalem — L'Arme invisible — *Tome 2* : Maman Léo — L'Avaleur de sabres — Les Compagnons du trésor — La Bande Cadet

FLAUBERT, Gustave

Madame Bovary — L'Éducation sentimentale — Bouvard et Pécuchet, suivi du Dictionnaire des idées reçues — Trois Contes *(1 volume)*

FLEMING, Ian

James Bond 007 *(2 volumes)* : *Tome 1* : Casino Royal — Vivre et laisser mourir — Entourloupe dans l'azimut — Les diamants sont éternels — Les Contrebandiers du diamant — Bons Baisers de Russie — Docteur No — *Tome 2* : Goldfinger — Bons Baisers de Paris — Opération Tonnerre — Motel 007 ou l'Espion qui m'aimait — Au service secret de Sa Majesté — On ne vit que deux fois — L'Homme au pistolet d'or — Meilleurs Vœux de la Jamaïque

FONTANE, Theodor

Errements et Tourments — Jours disparus — Frau Jenny Treibel — Effi Briest *(1 volume)*

GALLO, Max

La Baie des anges — Le Palais des fêtes — La Promenade des Anglais *(1 volume)*

GALSWORTHY, John

L'Histoire des Forsyte *(2 volumes)* : *Tome 1* : La Saga des Forsyte : L'Homme de biens — L'Été de la Saint-Martin — Sous le joug — L'Éveil — A louer — A la bourse des Forsyte — Le Sauvetage d'un Forsyte — *Tome 2* : Comédie moderne : Le Singe blanc — Cour silencieuse — La Cuillère d'argent — Les Passants — Chant du cygne — Fin de chapitre : Demoiselle de compagnie — Fleur du désert — Au-delà du fleuve

GONCOURT, Edmond et Jules de

Journal. Mémoires de la vie littéraire, 1851-1896 *(3 volumes sous coffret)*

GREENE, Graham

La Puissance et la Gloire — Le Fond du problème — La Fin d'une liaison *(1 volume)*

Un Américain bien tranquille — Notre agent à La Havane — Le Facteur humain *(1 volume)*

HESSE, Hermann

Romans et nouvelles : Peter Camenzind — L'Ornière — Rosshalde — Knulp — Demian — Le Dernier Été de Klingsor — Le Loup des steppes — Une petite ville d'autrefois — Souvenir d'un Européen *(1 volume)*

HIGHSMITH, Patricia

L'Inconnu du Nord-Express — Monsieur Ripley (Plein Soleil) — Ripley et les ombres — Ripley s'amuse (L'Ami américain) — Sur les pas de Ripley *(1 volume)*

Eaux profondes — Les Deux Visages de janvier — Ceux qui prennent le large — L'Empreinte du faux — La Rançon du chien — Carol *(1 volume)*

Dernières nouvelles du crime : L'Amateur d'escargots — Le Rat de Venise — Toutes à tuer — L'Épouvantail — La Proie du chat — Le Jardin des disparus — Les Sirènes du golf — Catastrophes *(1 volume)*

HOUGRON, Jean

La Nuit indochinoise *(2 volumes)* : *Tome 1* : Tu récolteras la tempête — Soleil au ventre — Rage blanche — *Tome 2* : Mort en fraude — Les Portes de l'aventure — Les Asiates — La Terre du barbare

INDES FLORISSANTES (LES), édition établie par Guy Deleury

Anthologie des voyageurs français au XVIIIe siècles *(1 volume)*

ITALIES, édition établie par Yves Hersant

Anthologie des voyageurs français aux XVIIIe et XIXe siècle *(1 volume)*

JAMES, Henry

Daisy Miller — Les Ailes de la colombe — Les Ambassadeurs *(1 volume)*

KIERKEGAARD, Soren

Œuvres : Ou bien... Ou bien — La Reprise — Stades sur le chemin de la vie — La Maladie à la mort *(1 volume)*

KIPLING, Rudyard

Le Livre de la jungle — Le Second Livre de la jungle — La Première Apparition de Mowgli — Kim — Simples Contes des collines — Fantômes et Prodiges de l'Inde — Capitaines courageux *(1 volume)*

Au hasard de la vie — Histoires en noir et blanc — Trois Soldats — Le Naulahka — Sous les cèdres de l'Himalaya — Wee Willie Winkie — L'Administration Smith — Le Rickshaw fantôme et autres contes étranges — Monseigneur l'éléphant *(1 volume)*

Puck, lutin de la colline — Le Retour de Puck — La Lumière qui s'éteint — Histoires comme ça — Ce chien, ton serviteur — Stalky et Cie — L'Histoire des Gadsby — Les Yeux de l'Asie — Souvenirs — Un peu de moi-même — Histoire des mers violettes *(1 volume)*

KOESTLER, Arthur

Œuvres autobiographiques : La Corde raide — Hiéroglyphes — Dialogue avec la mort — La Lie de la terre — L'Étranger du square *(1 volume)*

LABICHE, Eugène

Théâtre *(2 volumes)* : *Tome 1 :* Rue de l'Homme-Armé n° 8 bis — Embrassons-nous, Folleville ! — Un garçon de chez Véry — La Fille bien gardée — Un chapeau de paille d'Italie — Un monsieur qui prend la mouche — Le Misanthrope et l'Auvergnat — Edgard et sa bonne — Le Chevalier des dames — Mon Isménie — Si jamais je te pince… ! — L'Affaire de la rue de Lourcine — L'Avocat d'un grec — Voyage autour de ma marmite — La Sensitive — Les Deux Timides — Le Voyage de M. Perrichon — Les Vivacités du capitaine Tic — Le Mystère de la rue Rousselet — La Poudre aux yeux — *Tome 2 :* La Station Champbaudet — Les 37 sous de M. Montaudoin — La Dame au petit chien — Permettez, madame !... — Célimare le bien-aimé — La Cagnotte — Moi — Premier Prix de piano — Un Pied dans le crime — La Grammaire — Les Chemins de fer — Le Papa du prix d'honneur — Le Dossier de Rosafol — Le plus heureux des trois — Doit-on le dire ? — 29 degrés à l'ombre — Garanti dix ans — Madame est trop belle — Les trente millions de Gladiator — Un mouton à l'entresol — Le Prix Martin — La Cigale chez les fourmis

LAWRENCE, T. E.

Tome 1 : Les Dépêches secrètes d'Arabie — Correspondance et autres textes — *Tome 2* : Les Sept Piliers de la sagesse

LEBLANC, Maurice

Arsène Lupin *(5 volumes)* : *Tome 1* : La Comtesse de Cagliostro — Arsène Lupin, gentleman cambrioleur — Les Confidences d'Arsène Lupin — Le Retour d'Arsène Lupin — Arsène

…n — Le Bouchon de cristal — Arsène Lupin contre Herlock Sholmès — L'Aiguille creuse — *…me 2* : La Demoiselle aux yeux verts — Les Huit Coups de l'horloge — « 813 » — L'Éclat …obus — Le Triangle d'or — L'Ile aux trente cercueils — *Tome 3* : Les Dents du tigre — L'Homme à la peau de bique — L'Agence Barnett et Cie — Le Cabochon d'émeraude — La Demeure mystérieuse — La Barre-y-va — La Femme aux deux sourires — Victor de la brigade mondaine — La Cagliostro se venge — *Tome 4* : Boileau-Narcejac : Le Secret d'Eunerville — La Poudrière — Le Second Visage d'Arsène Lupin — La Justice d'Arsène Lupin — Le Serment d'Arsène Lupin — L'Affaire Oliveira ; Maurice Leblanc : Dorothée danseuse de corde — Le Prince de Jéricho — Les Milliards d'Arsène Lupin ; Valère Catogan : Le Secret des rois de France — *Tome 5* : Les Rivaux d'Arsène Lupin : La dent d'Hercule Petitgris — De minuit à sept heures — La Vie extravagante de Balthazar — Le Chapelet rouge — Le Cercle rouge — La Frontière — La Forêt des aventures — Le Formidable Événement — Les Trois Yeux — Un gentleman

LE CARRÉ, John *(3 volumes)*

Tome 1 : L'Appel du mort — Chandelles noires — L'Espion qui venait du froid — Le Miroir aux espions — La Taupe — Comme un collégien — *Tome 2* : Les Gens de Smiley — Une petite ville en Allemagne — La Petite Fille au tambour —Le Bout du voyage — *Tome 3* : Un amant naïf et sentimental — Un pur espion — La Maison Russie

LÉGENDE ARTHURIENNE (LA)

Le Graal et la Table Ronde. Récits du XIIe au XVe siècle : Perceval le Gallois, par Chrétien de Troyes — Perlesvaus — Merlin et Arthur — Le Chevalier à l'épée — L'Âtre périlleux — Hunbaut — La Demoiselle à la mule — Le Livre de Caradoc — Gliglois — Méraugis de Portlesguez, par Raoul de Houdenc — Le Roman de Jaufré — Blandin de Cornouaille — Les Merveilles de Rigomer — Méliador, par Jean Froissart — Le Chevalier au Papegau *(1 volume)*

LE ROUGE, Gustave

Le Mystérieux Docteur Cornélius — Le Prisonnier de la planète Mars — La Guerre des vampires — L'Espionne du grand Lama — Cinq Nouvelles retrouvées — Les Poèmes du Docteur Cornélius *(1 volume)*

L'Amérique des dollars et du crime : La Conspiration des milliardaires — A coups de milliards — Le Régiment des hypnotiseurs — La Revanche du Vieux Monde — L'Héroïne du Colorado *(1 volume)*

LEROUX, Gaston

Le Fantôme de l'Opéra — La Reine du sabbat — Les Ténébreuses — La Mansarde en Or *(1 volume)*

Les Aventures extraordinaires de Rouletabille, reporter *(2 volumes)* : *Tome 1* : Le Mystère de la chambre jaune — Le Parfum de la dame en noir — Rouletabille chez le tsar — Le Château noir — Les Étranges Noces de Rouletabille — *Tome 2* : Rouletabille chez Krupp — Le Crime de Rouletabille — Rouletabille chez les bohémiens, *suivis de* : La Double Vie de Théophraste Longuet — Balaoo — Les Fils de Balaoo

Chéri-Bibi : Les Cages flottantes — Chéri-Bibi et Cécily — Palas et Chéri-Bibi — Fatalitas ! — Le Coup d'État de Chéri-Bibi — Les Mohicans de Babel *(1 volume)*

Aventures incroyables : Le Capitaine Hyx — La Bataille invisible — La Poupée sanglante — La Machine à assassiner — L'Homme qui a vu le diable — Le Cœur cambriolé — L'Homme qui revient de loin — Histoires épouvantables — Mister Flow *(1 volume)*

Les Assassins fantômes : Le Fauteuil hanté — La Colonne infernale — Tue-la-mort — Le Sept de trèfle *(1 volume)*

LONDON, Jack

Romans, récits et nouvelles du Grand Nord : L'Appel de la forêt — Le Fils du loup — Croc-Blanc — Construire un feu — Histoires du pays de l'or — Les Enfants du froid — La Fin de Morganson — Souvenirs et aventures du pays de l'or — Radieuse Aurore *(1 volume)*

Romans maritimes et exotiques : Le Loup des mers — Histoires des îles — L'Ile des lépreux — Jerry, chien des îles — Contes des mers du Sud — Fils du soleil — Histoires de la mer — Les Mutinés de l'Elseneur *(1 volume)*

Du possible à l'impossible : Michael, chien de cirque — Trois Cœurs — Le Vagabond des étoiles — Le Bureau des assassinats — Le Dieu tombé du ciel — Histoires des siècles futurs — Avant Adam *(1 volume)*

Romans et récits autobiographiques : Martin Eden — Les Pirates de San Francisco — La Croisière du Dazzler — Les Vagabonds du rail — Le Peuple de l'abîme — La Croisière du Snark — Le Mexique puni — Le Cabaret de la dernière chance *(1 volume)*

Aventures des neiges et d'ailleurs : Belliou la Fumée — L'Amour de la vie — En pays lointain — Fille des neiges — L'Aventureuse — Cherry ou les Yeux de l'Asie — La Petite Dame de la grande maison *(1 volume)*

Épisodes de la lutte quotidienne : Le Talon de fer — Les Temps maudits — Le Jeu du ring — La Brute des cavernes — La Vallée de la lune — Avec vous pour la révolution *(1 volume)*

LOTI, Pierre

Voyages (1872-1913) : L'Ile de Pâques — Une relâche de trois heures — Mahé des Indes — Obock (en passant) —Japoneries d'automne — Au Maroc — Le Désert — Constantinople en 1890 — Jérusalem — La Galilée — L'Inde (sans les Anglais) — Les Pagodes d'or — En passant à Mascate — Vers Ispahan — Les Derniers Jours de Pékin — Un pèlerin d'Angkor — La Mort de Philae —Suprêmes visions d'Orient *(1 volume)*

LOVECRAFT, Howard Phillips *(3 volumes)*

Tome 1 : Les Mythes de Cthulhu — Légendes et mythes de Cthulhu — Premiers contes — L'Art d'écrire selon Lovecraft — *Tome 2* : Contes et Nouvelles — L'Horreur dans le musée et autres révisions — Fungi de Yuggoth et autres poèmes fantastiques — Épouvante et surnaturel en littérature — Documents — *Tome 3* : Le Monde du rêve — Parodies et Pastiches — Les « collaborations » Lovecraft-Derleth — Rêve et Réalité — Documents

MALET, Léo *(5 volumes)*

Tome 1 : Les Enquêtes de Nestor Burma et les Nouveaux Mystères de Paris : 120, rue de la Gare — Nestor Burma contre C.Q.F.D. — Solution au cimetière — Le Cinquième Procédé — Faux-Frère — Pas de veine avec le pendu — Poste restante — Le soleil se lève derrière le Louvre — Des kilomètres de linceuls —Fièvre au Marais — La Nuit de Saint-Germain-des-Prés — Les Rats de Montsouris —M'as-tu vu en cadavre ? — *Tome 2* : Les Enquêtes de Nestor Burma et les Nouveaux Mystères de Paris : Corrida aux Champs Élysées — Pas de bavards à la Muette — Brouillard au pont de Tolbiac — Les Eaux troubles de Javel — Boulevard... ossements — Casse-pipe à la Nation — Micmac moche au Boul'Mich — Du rébecca rue des Rosiers — L'Envahissant Cadavre de la plaine Monceau — Trois Enquêtes inachevées de Nestor Burma — Cinq chansons — *Tome 3* : Dernières enquêtes de Nestor Burma — L'Homme au sang bleu — Nestor Burma et le monstre — Gros plan du macchabée — Hélène en danger — Les Paletots sans manches — Nestor Burma en direct — Nestor Burma revient au bercail — Drôle d'épreuve pour Nestor Burma — Un croque-mort nommé Nestor — Nestor Burma dans l'île — Nestor Burma court la poupée — *Tome 4* : Les Confrères de Nestor Burma : Johnny Metal — Aux mains des réducteurs de têtes — Miss Chandler est en danger — Le Dé de jade — Affaire double — Le Gang mystérieux — La Mort de Jim Licking — L'Ombre du grand mur — L'Enveloppe bleue — Erreur de destinataire —Derrière l'usine à gaz — L'Auberge de banlieue — Le Dernier Train d'Austerlitz — La Cinquième Empreinte — Recherché pour meurtre — Cité interdite — Mort au bowling — Énigme aux Folies-Bergère — Abattoir ensoleillé — *Tome 5* : Romans, nouvelles et poèmes, La vie est dégueulasse — Le soleil n'est pas pour nous — Sueur aux tripes — « Contes doux » — La Forêt aux pendus — La Louve du Bas-Graoul — Le Diamant du Huguenot — Un héros en guenilles —Le Capitaine Cœur-en-Berne — Gérard Vindex gentilhomme de fortune — La Sœur du flibustier — L'Évasion du Masque de Fer — Le Voilier tragique —Vengeance à Ciudad-Juarez — Vacances sous le pavillon noir — Contes et nouvelles divers — Poèmes — Pièces radiophoniques et téléfilm

MAUPASSANT, Guy de *(2 volumes sous coffret)*

Tome 1 : Quid de Guy de Maupassant — Contes divers (1875-1880) —La Maison Tellier — Contes divers (1881) — Mademoiselle Fifi — Contes divers (1882) —Contes de la Bécasse — Clair de lune — Contes divers (1883) — Une vie — Miss Harriet — Les Sœurs Rondoli — *Tome 2* : Yvette — Contes divers (1884) — Contes du jour et de la nuit — Bel-Ami — Contes divers (1885) — Toine — Monsieur Parent — La Petite Roque — Contes divers (1886) — Le Horla — Contes divers (1887) — Le Rosier de Mme Husson — La Main gauche — Contes divers (1889) — L'Inutile Beauté

MAUROIS, André

Prométhée ou la Vie de Balzac — Olympio ou la Vie de Victor Hugo — Les Trois Dumas *(1 volume)*

MILLE ET UNE NUITS (LES)

Dans la traduction du Dr J.-C. Mardrus *(2 volumes sous coffret)*

…QUIEU

…nsées — Le Spicilège *(1 volume)*

…ALISTES DU XVIIe SIÈCLE (LES), édition établie par J. Lafond *(1 volume)*

La Rochefoucauld : Maximes et réflexions diverses ; Mme de Sablé : Maximes ; Abbé d'Ailly : Pensées diverses ; Étienne de Vernage : Nouvelles Réflexions ; Pascal : Pensées ; Jean Domat : Pensées ; Discours sur les passions de l'amour ; La Bruyère : Les Caractères ; Dufresny : Amusements sérieux et comiques

NIETZSCHE, Friedrich

Œuvres *(2 volumes)* : *Tome 1* : La Naissance de la tragédie — Considérations inactuelles — Humain, trop humain — Aurore — *Tome 2* : Le Gai Savoir — Ainsi parlait Zarathoustra — Par delà le bien et le mal — La Généalogie de la morale — Le Cas Wagner — Le Crépuscule des idoles — L'Antéchrist — Ecce Homo — Nietzsche contre Wagner — Dithyrambes de Dionysos

POE, Edgar Allan

Contes, essais, poèmes *(1 volume)*

PONSON DU TERRAIL

Rocambole *(2 volumes sous coffret)* : *Tome 1* : Les Exploits de Rocambole — *Tome 2 :* La Résurrection de Rocambole

PROUST, Marcel

A la recherche du temps perdu *(3 volumes sous coffret)* : *Tome 1* : Quid de Marcel Proust — Du côté de chez Swann — A l'ombre des jeunes filles en fleurs — *Tome 2* : Le Côté de Guermantes — Sodome et Gomorrhe — *Tome 3* : La Prisonnière — La Fugitive — Le Temps retrouvé

RENAN, Ernest

Œuvres diverses. *Morceaux extraits* de : Correspondance — Lettres intimes — Cahiers de jeunesse — Fragments intimes — L'Avenir de la science — Essais de morale et de critique — Vie de Jésus — Les Apôtres — Saint Paul — L'Antéchrist — L'Église chrétienne — Marc-Aurèle — La Réforme intellectuelle et morale — Dialogues philosophiques — Drames philosophiques — Examen de conscience philosophique — Souvenirs d'enfance et de jeunesse — Feuilles détachées — Histoire du peuple d'Israël — Conférences d'Angleterre.

RENARD, Jules

Journal (1887-1910) *(1 volume)*

RENARD, Maurice

Romans et contes fantastiques : Fantômes et Fantoches — Le Docteur Lerne, sous-dieu — Le Péril bleu — Monsieur d'Outremort — Les Mains d'Orlac — L'Homme truqué — Un homme chez les microbes — Le Professeur Krantz — Le Maître de la lumière — Contes des « Mille et Un Matins » *(1 volume)*

RENDELL, Ruth

L'Été de Trapellune — Un enfant pour un autre — L'Homme à la tortue — La Maison des escaliers — La Gueule du loup *(1 volume)*

RESTIF DE LA BRETONNE et MERCIER, Sébastien

Paris le jour, Paris la nuit : Tableau de Paris — Les Nuits de Paris *(1 volume)*

RIDER HAGGARD, Henry

Elle-qui-doit-être-obéie : Elle ou la Source du feu — Le Retour d'Elle — La Fille de la sagesse — Les Mines du roi Salomon — Elle et Allan Quatermain *(1 volume)*

ROMAINS, Jules

Les Hommes de bonne volonté *(4 volumes sous coffret)* : *Tome 1*: Le 6 octobre — Crime de Quinette — Les Amours enfantines — Éros de Paris — Les Superbes — Les Humbles — Recherche d'une Église — *Tome 2* : Province — Montée des périls — Les Pouvoirs — Recours à l'abîme — Les Créateurs — Mission à Rome — Le Drapeau noir — *Tome 3*: Prélude à Verdun — Verdun — Vorge contre Quinette — La Douceur de la vie — Cette grande lueur à l'Est — Le monde est ton aventure — Journées dans la montagne — *Tome 4* : Les Travaux et les Joies — Naissance de la bande — Comparutions — Le Tapis magique — Françoise — Le 7 octobre

ROMANS LIBERTINS DU XVIIIe SIÈCLE (LES), édition établie par Raymond Trousson

Crébillon fils : Les Égarements du cœur et de l'esprit ; Charles Pinot Duclos : Les Confessions du comte de *** ; Godard d'Aucour : Thémidore ou Mon histoire et celle de ma maîtresse ; La Morlière : Angola, histoire indienne ; Voisenon : Le Sultan Misapouf - Histoire de la félicité ; Boyer d'Argens : Thérèse philosophe ou Mémoires pour servir à l'histoire du père Dirrag et de mademoiselle Éradice ; Fougeret de Monbron : Margot la ravaudeuse ; François-Antoine Chevrier : Le Colporteur ; Claude-Joseph Dorat : Les Malheurs de l'inconstance ; Andréa de Nerciat : Félici ou Mes fredaines ; Vivant Denon : Point de lendemain

ROMANS TERRIFIANTS

Horace Walpole : Le Château d'Otrante ; Ann Radcliffe : L'Italien ou le Confessionnal des pénitents noirs ; Matthew Gregory Lewis : Le Moine ; Ernst Theodor Amadeus Hoffmann : Les Élixirs du diable ; Charles Robert Maturin : Melmoth ou l'Homme errant *(1 volume)*

ROSNY aîné, J.-H.

Romans préhistoriques : Vamireh — Eyrimah — La Guerre du feu — Le Félin géant — Helgvor du fleuve Bleu — Elem d'Asie — Nomaï — Les Xipéhuz — La Grande Énigme — Les Hommes sangliers *(1 volume)*

SAGAN, Françoise

Bonjour tristesse — Un certain sourire — Dans un mois, dans un an — Château en Suède — Aimez-vous Brahms… — Les Merveilleux Nuages — La Chamade — Le Garde du cœur — Un peu de soleil dans l'eau froide — Des bleus à l'âme — Le Lit défait — Le Chien couchant — La Femme fardée — La Laisse — Les Faux-fuyants *(1 volume)*

SAINTE-BEUVE

Portraits littéraires *(1 volume)*

SCOTT, Walter

Waverley — Rob-Roy — La Fiancée de Lammermoor *(1 volume)*

SÉGUR, comtesse de *(3 volumes sous coffret)*

Tome 1 : Lettres à son éditeur — Nouveaux Contes de fées — Les Petites Filles modèles — Les Malheurs de Sophie — Les Vacances — Mémoires d'un âne — Pauvre Blaise, précédé d'un dictionnaire de la Comtesse de Ségur — *Tome 2* : La Sœur de Gribouille — Les Bons Enfants — Les Deux Nigauds — L'Auberge de l'Ange Gardien — François le Bossu — Le Général Dourakine — Comédies et Proverbes — Un bon petit diable — *Tome 3* : Jean qui grogne et Jean qui rit — La Fortune de Gaspard — Quel amour d'enfant ! — Le Mauvais Génie — Diloy le chemineau — Après la pluie le beau temps — La Santé des enfants

SOUVESTRE, Pierre et ALLAIN, Marcel

Fantômas *(3 volumes)* : *Tome 1* : Le Train perdu — Les Amours d'un prince — Le Bouquet tragique — Le Jockey masqué — *Tome 2* : Le Cercueil vide — Le Faiseur de reines — Le Cadavre géant — Le Voleur d'or — *Tome 3* : La Série rouge — L'Hôtel du crime — La Cravate de chanvre — La Fin de Fantômas — Dictionnaire des personnages de Fantômas

STENDHAL

Le Rouge et le Noir — La Chartreuse de Parme — Lamiel — Armance *(1 volume)*

STEVENSON, Robert Louis

L'Île au trésor — Le Maître de Ballantrae — Enlevé ! — Catriona — Veillées des îles — Un mort encombrant — L'Étrange Cas du Dr Jekyll et de Mr. Hyde *(1 volume)*

SUE, Eugène

Le Juif errant *(1 volume)*

Les Mystères de Paris *(1 volume)*

Romans de mort et d'aventures : Kernok le pirate — El Gitano — Atar-Gull — La Salamandre — La Vigie de Koat-Vën — Le Morne-au-diable *(1 volume)*

TWAIN, Mark

Les Aventures de Tom Sawyer — Les Aventures de Huckleberry Finn, l'ami de Tom Sawyer — Tom Sawyer à travers le monde — Tom Sawyer détective — Le Prince et le Pauvre — Un Yankee à la cour du roi Arthur — Wilson Tête-de-Mou — Les Jumeaux extraordinaires *(1 volume)*

VOYAGE EN ASIE CENTRALE ET AU TIBET (LE), édition établie par Michel Jan
Anthologie des voyageurs occidentaux, du Moyen Âge à la première moitié du XXe siècle *(1 volume)*

VOYAGE EN CHINE (LE), édition établie par Ninette Boothroyd et Muriel Détrie
Anthologie des voyageurs occidentaux, du Moyen Âge à la chute de l'Empire chinois *(1 volume)*

VOYAGE EN ORIENT (LE), édition établie par Jean-Claude Berchet
Anthologie des voyageurs français dans le Levant au XIXe siècles *(1 volume)*

VOYAGE EN POLYNÉSIE (LE), édition établie par Jean Scemla
Anthologie des voyageurs occidentaux *(1 volume)*

VOYAGE EN RUSSIE (LE), édition établie par Claude de Grève
Anthologie des voyageurs français en Russie au XVIIIe et au XIXe siècles *(1 volume)*

VOYAGES AUX PAYS DE NULLE PART
Lucien de Samosate : Histoire véritable d'un voyage à la Lune ; Benoît : Navigation de saint Brendan à la recherche du paradis ; H. de Saltray : Le Purgatoire de Saint-Patrick ; Anonyme : La Vision d'Albéric ; Thomas Morus : L'Utopie ; Tommaso Campanella : La Cité du Soleil ou Idée d'une république philosophique ; Savinien Cyrano de Bergerac : L'Autre Monde : les États et empires de la Lune et du Soleil ; John Bunyan : Voyage du pèlerin, de ce monde à celui qui doit venir ; Jonathan Swift : Voyages de Gulliver dans des contrées lointaines — Charles-François Tiphaigne de La Roche : Giphantie ; Anonyme : Le Passage du pôle arctique au pôle antarctique ; Restif de La Bretonne : La Découverte australe par un homme-volant ou le Dédale français *(1 volume)*

ZÉVACO, Michel *(3 volumes)*
Tome 1 : Les Pardaillan — L'Épopée d'amour — La Fausta — *Tome 2* : La Fausta (*suite*) — Fausta vaincue — Pardaillan et Fausta — Les Amours du Chico — *Tome 3* : Le Fils de Pardaillan — La Fin de Pardaillan — La Fin de Fausta

ZINOVIEV, Alexandre
Les Hauteurs béantes — L'Avenir radieux — Notes d'un veilleur de nuit *(1 volume)*

ZOLA, Émile
Les Rougon-Macquart *(5volumes)* : *Tome 1* : La Fortune des Rougon — La Curée — Le Ventre de Paris — La Conquête de Plassans — *Tome 2* : La Faute de l'abbé Mouret — Son Excellence Eugène Rougon — L'Assommoir — Une page d'amour — *Tome 3* : Nana — Pot-Bouille — Au Bonheur des dames — La Joie de vivre — *Tome 4* : Germinal — L'Œuvre — La Terre — Le Rêve — *Tome 5 :* La Bête Humaine — L'Argent — La Débâcle — le Docteur Pascal
Dictionnaire d'Émile Zola. *Voir* Ouvrages de références - Ouvrages pratiques

POÉSIE

ANTHOLOGIE DE LA POÉSIE FRANÇAISE (UNE), édition établie par Jean-François Revel *(1 volume)*

BAUDELAIRE, Charles
Œuvres complètes *(1 volume)*

MILLE ET CENT ANS DE POÉSIE FRANÇAISE
Anthologie établie par Bernard Delvaille *(1 volume)*

RIMBAUD, Arthur
Œuvres complètes et correspondance, *précédé d'un* Dictionnaire d'Arthur Rimbaud *(1 volume)*

RIMBAUD — CROS — CORBIÈRE — LAUTRÉAMONT
Œuvres poétiques complètes *(1 volume)*

TOULET, Paul-Jean

Œuvres complètes *(1 volume)*

VERLAINE, Paul

Œuvres poétiques complètes, *précédé d'un* Dictionnaire de Paul Verlaine *(1 volume)*

VICTOR HUGO : ŒUVRES COMPLÈTES

ROMAN I

Han d'Islande — Bug-Jargal — Le Dernier jour d'un condamné — Notre-Dame de Paris — Claude Gueux *(1volume)*

ROMAN II

Les Misérables *(1volume)*

ROMAN III

L'Archipel de la Manche — Les Travailleurs de la mer — L'Homme qui rit — Quatre-vingt-treize *(1volume)*

POÉSIE I

Premières Publications — Odes et Ballades — Les Orientales — Les Feuilles d'automne — Les Chants du crépuscule — Les Voix intérieures — Les Rayons et les Ombres *(1 volume)*

POÉSIE II

Châtiments — Les Contemplations — La Légende des siècles, première série — Les Chansons des rues et des bois — La Voix de Guernesey *(1 volume)*

POÉSIE III

L'Année terrible — La Légende des siècles, nouvelle série — La Légende des siècles, dernière série — L'Art d'être grand-père — Le Pape — La Pitié suprême — Religions et Religion — L'Âne — Les Quatre Vents de l'esprit *(1 volume)*

POÉSIE IV

La Fin de Satan — Dieu — Le Verso de la page — Toute la Lyre — Les Années funestes — Dernière Gerbe *(1 volume)*

THÉATRE I

Cromwell — Amy Robsart — Hernani — Marion de Lorme — Le roi s'amuse — Lucrèce Borgia — Marie Tudor — Angelo, tyran de Padoue — La Esmeralda *(1 volume)*

THÉATRE II

Ruy Blas — Les Burgraves — Torquemada — Théâtre en liberté — Les Jumeaux — Mille francs de récompense — L'Intervention *(1 volume)*

POLITIQUE

Paris — Mes fils — Actes et Paroles I — Actes et Paroles II — Actes et Paroles III — Actes et Paroles IV — Testament littéraire — Préface à l'édition *ne varietur (1 volume)*

CRITIQUE

La Préface de *Cromwell* — Littérature et philosophie mêlées — William Shakespeare — Proses philosophiques des années 60-66 *(1 volume)*

HISTOIRE

Napoléon-le-Petit — Histoire d'un crime — Choses vues *(1 volume)*

VOYAGES

Le Rhin — Fragment d'un voyage aux Alpes — France et Belgique — Alpes et Pyrénées — Voyages et Excursions — Carnets 1870-1871 — Annexes *(1 volume)*

CHANTIERS

Reliquat de *Notre-Dame de Paris* — Suite de *Châtiments* — La Fin de Satan (fragments) — Dieu (fragments) — Le Dossier des *Misérables* — Autour des *Chansons des rues et des bois* — Fragments critiques — Fragments dramatiques *(1 volume)*

OCÉAN

Océan prose — Philosophie prose — Faits et croyances — Moi, l'amour, la femme — Philosophie vers — Plans et projets *(1 volume)*

INDEX GÉNÉRAL *(à paraître)*

CORRESPONDANCE

Correspondance familiale et écrits intimes : *Tome 1* : 1802-1828 *(1 volume)*
Correspondance familiale et écrits intimes : *Tome 2* : 1828-1839 *(1 volume)*

OUVRAGES DE RÉFÉRENCE
OUVRAGES PRATIQUES

ATLAS HISTORIQUES, de Colin Mc Evedy *(4 volumes)*

Tome 1 : Histoire ancienne — *Tome 2* : Histoire du Moyen Âge — *Tome 3* : Histoire moderne — *Tome 4*: Histoire des XIXe et XXe siècles

CERVEAU, UN INCONNU (LE)

Dictionnaire encyclopédique, par l'université d'Oxford sous la direction de Richard L. Gregory *(1 volume)*

CUISINE SANS SOUCI, de Rose Montigny *(1 volume)*

DE LA TÊTE AUX PIEDS

Toute la chirurgie, rien que la vérité, par le pr. Herbert Lippert *(1 volume)*

DICTIONNAIRE D'ÉMILE ZOLA.

Sa vie, son œuvre, son époque. Suivi du Dictionnaire des « Rougon-Macquart » et des Catalogues des ventes après décès des biens de Zola, de Colette Becker, Gina Gourdin-Servenière, Véronique Lavielle *(1 volume)*

DICTIONNAIRE DE L'ALIMENTATION, de John Yudkin *(1 volume)*

DICTIONNAIRE DE L'ANTIQUITÉ

Mythologie — Littérature — Civilisation, par l'université d'Oxford sous la direction de M. C. Howatson *(1 volume)*

DICTIONNAIRE DE L'ARCHÉOLOGIE, de Guy Rachet *(1 volume)*

LE NOUVEAU DICTIONNAIRE DES AUTEURS

De tous les temps et de tous les pays *(3 volumes sous coffret)*

DICTIONNAIRE DE LA BÊTISE — LE LIVRE DES BIZARRES, de Guy Bechtel et Jean-Claude Carrière *(1 volume)*

DICTIONNAIRE DE LA BIBLE, de André-Marie Gerard *(1 volume)*

DICTIONNAIRE DE LA CIVILISATION INDIENNE, de Louis Frédéric *(1 volume)*

DICTIONNAIRE DE LA SAGESSE ORIENTALE

Bouddhisme, hindouisme, taoïsme, zen *(1 volume)*

DICTIONNAIRE DES DISQUES ET DES COMPACTS

Guide critique de la musique classique enregistrée, par l'équipe rédactionnelle et technique de la revue *Diapason (1 volume)*

DICTIONNAIRE DES FEMMES CÉLÈBRES, de Lucienne Mazenod et Ghislaine Schoeller *(1 volume)*

DICTIONNAIRE DES INTERPRÈTES
Et de l'interprétation musicale au XXe siècle, d'Alain Pâris *(1 volume)*

DICTIONNAIRE DES MÉDICAMENTS
Tout ce qu'il faut savoir sur les 4 300 médicaments français et leur bon usage, du Dr Jean Thuillier *(1 volume)*

LE NOUVEAU DICTIONNAIRE DES ŒUVRES
De tous les temps et de tous les pays *(6 volumes , + index sous coffret)*

DICTIONNAIRE DES PERSONNAGES
Littéraires et dramatiques de tous les temps et de tous les pays*(1 volume)*

DICTIONNAIRE DES SYMBOLES, de Jean Chevalier et Alain Gheerbrant *(1 volume)*

DICTIONNAIRE DU CINÉMA *(3volumes)*
Tome 1 : Les réalisateurs, de Jean Tulard — *Tome 2* : Les acteurs, de Jean Tulard — *Tome 3* : Les films, de Jacques Lourcelles

DICTIONNAIRE DU COMPORTEMENT ANIMAL, par l'université d'Oxford sous la direction de David McFarland *(1 volume)*

DICTIONNAIRE DU JAZZ, de Philippe Carles, André Clergeat et Jean-Louis Comolli *(1 volume)*

DICTIONNAIRE ENCYCLOPÉDIQUE DE LA MUSIQUE, par l'université d'Oxford sous la direction de Denis Arnold *(2 volumes sous coffret)*

ENCYCLOPÉDIE DES VINS ET DES ALCOOLS, d'Alexis Lichine *(1 volume)*

ÉSOTÉRISME (L'), de Pierre Riffard
Qu'est-ce que l'ésotérisme ? — Anthologie de l'ésotérisme occidental *(1 volume)*

GASTRONOMIE, par Catherine Descargues
Gastronomie des cardiaques, des diabétiques, des « hépatiques » et colopathes, de la femme enceinte et qui allaite, des enfants bien portants, des enfants malades, *suivi d'un* Lexique des plantes *(1 volume)*

GUIDE DE LA MUSIQUE ANCIENNE ET BAROQUE
Dictionnaire à l'usage des discophiles, sous la direction d'Ivan Alexandre *(1 volume)*

GUIDE DES ÉCHECS (LE),
Traité complet, de Nicolas Giffard et Alain Biénabe *(1 volume)*

GUIDE DES FILMS, de Jean Tulard *(2 volumes sous coffret)*

HISTOIRE DE LA MUSIQUE (UNE), de Lucien Rebatet *(1 volume)*

HISTOIRE UNIVERSELLE DES CHIFFRES
Lorsque les nombres racontent les hommes et l'intelligence, de Georges Ifrah *(1 volume)*

IMPRESSIONNISME ET SON ÉPOQUE (L')
Dictionnaire international, de Sophie Monneret *(2 volumes sous coffret)*

LANGAGES DE L'HUMANITÉ (LES), de Michel Malherbe *(1 volume à paraître)*

LIVRE DES SUPERSTITIONS (LE), de Éloise Mozzani *(1 volume à paraître)*

LIVRETS D'OPÉRA (LES), édition bilingue établie par Alain Pâris *(2 volumes sous coffret)*

MON BOUQUIN DE CUISINE, de Françoise Burgaud *(1 volume)*

MOZART
Sa vie musicale et son œuvre, de T. de Wyzewa et G. de Saint-Foix *(2 volumes)* : *Tome 1* : 1756-1777 : L'Enfant Prodige — Le Jeune Maître — *Tome 2* : 1777-1791 : Le Grand Voyage — L'Épanouissement — Les Dernières Années

SYMPTÔMES ET MALADIES

Encyclopédie médicale de la famille ; les règles d'or pour vivre plus longtemps et rester toute sa vie en bonne santé, de Sigmund S. Miller, assisté de vingt spécialistes *(1 volume)*

TOUT L'OPÉRA, de Gustave Kobbé *(1 volume)*

VOTRE ENFANT

Guide à l'usage des parents, par le Dr Lyonel Rossant avec la collaboration du Dr Jacqueline Rossant-Lumbroso *(1 volume)*

VOTRE SANTÉ

Encyclopédie médicale à l'usage de tous, par les Dr Lyonel Rossant et Jacqueline Rossant-Lumbroso *(1 volume)*

DÉPÔT LÉGAL : OCTOBRE 1994

N° D'ÉDITEUR : L 07711

ACHEVÉ D'IMPRIMER POUR
LES ÉDITIONS ROBERT LAFFONT
SUR BOOKOMATIC
MAURY EUROLIVRES S.A.
45300 MANCHECOURT

Imprimé en France